KB052935

意語)를 열기(列記)함으로써 쌍해 사전(雙解
실을 겸하게 하였다.

배우기 전에 이미 중학 과정에서 영어를 습득한
이므로, 대응하는 영어를 곁들여서 고급 사전으로
모를 갖추었다.

(譯語)는 평이한 현대어로써 시대 감각과 세련미를 아
러 지니도록 다듬었다.

중요한 어의(語義)는 고딕체로 표시하여 시각적으로 한눈
에 들어오게 하였다.

개정판을 꾸미면서, 구판에 부록(附錄)으로 실었었던 150면(面)의 「한독편(韓獨篇)」을 떼어 버리고, 따로 독립된 소사전으로서 「신한독 소사전」을 새로 내기로 하였다. 자매편인 이 두 소사전이 독일어의 습득과 실용에 좋은 반려(伴侶)가 되기를 간절히 기원한다.

우리는 새로운 면모를 갖추어 햇빛을 보게 된 이 개정 신판 소사전을 바탕으로 하여, 꾸준히 완벽한 사전으로 육성해 나가도록 다짐하는 바이다.

1982년 1월 일

민중 서림 편집국

MINJUNGS

DEUTSCH-KOREANISCHES KOREANISCH-DEUTSCHES WÖRTERBUCH

Beide Teile in einem Band

民衆

獨韓·韓獨辭典

民衆書林 編輯局 編

MINJUNGSEORIM

머

사전도 하나의 살아
역시 세월이 흘러 감
못한다고 하겠다. 더
動)하는 사회 정세 속에
언어(言語)의 형상을 지체없이
하는 것이 사전(辭典)의 바람직한
늦게나마 "신독한 소사전(新獨韓小辭典)
놓게 되니 스스로 다행하게 여기지 않을 수

개정 신판을 엮음에 있어서, 우리는 구판(舊版)
도록 살리면서, 「최소 한도의 스페이스에 최대 한도의
담는다는 소사전 시리즈의 모토를 충분히 살리기에 힘썼다.
판의 오류(誤謬)를 바로잡고, 부족한 어휘를 늘리며, 소홀히 넘
겼던 불통일(不統一)을 시정하는 과정을 거쳤음은 말할 나위도
없겠다.

단조롭고 번잡한 편집 업무를 마무리짓는 시점에서 새삼스럽
게 이 사전의 편찬 목표를 간추려 보면 다음과 같이 되겠다.

1. 지면(紙面)이 허용하는 한 한도껏 판면(版面)을 키움으로써, 한 면이 포용(包容)하는 활자의 양을 최대로 증가시켰다.
2. 표제어(標題語)를 늘리는 데에는 새 시대를 반영하는 새 말, 각 방면에 걸치는 현대 독일어를 중요시하였음은 물론, 구판에서 지면 제약으로 미처 수록하지 못했던 말들도 대담하게 다수 채록하였다.
3. 표제어의 배열에 있어서는 ABC 순에 지장이 없는 한 같은 어원(語源)에 속하는 단어들을 한데 묶어 중간 표제어(標題語)로 이어 짬으로써, 지면의 절약을 기하며 아
의 구성(構成)과 계통을 한눈에 알아볼 수 있게
4. 표제어마다 부호로써 악센트와 장음 표시를
어(單一語)에는 일일이 음표 문자(音標文字)
기하여 독일어를 처음 배우는 이의 사용
하였다.
5. 어학 사전(語學辭典)으로 불가결한
으로써 말의 기본적 이해를 돕게

차 례

일 러 두 기

A 표제어

(1) **자체**　모든 표제어는 라틴어 고딕체를 썼으며, 아직 충분히 독일어화하지 않은 외래어 및 기호·약어는 이탤릭 고딕체를 사용하였다.

보기 : **allgemein**; ***Alma mater***; ***UNESKO***

(2) **배열**　모든 표제어는 ABC 순으로 배열하고, 동일 어원에 속하는 것은 이 어순에 이탈하지 않는 범위내에서 행을 바꾸지 않고 잇따라 배열하였다. 단, 큰 번호를 내세워 안으로 넣은 말(E, 3 참조) 및 괄호로 싼 표제어는 반드시 그렇지 않다. 또, 전반부를 같이하는 복합어의 나열에서는 ～로 그 전반부를 대신하였다.

보기 : **Dedikatio̱n......dediziẹren...**

a̱n|stellen 《 I 》 *t*. ......《Ⅲ》 **a̱ngestellt** *p.a.* ...

Dịenst·lohn *m*. ......～**lokāl** *n*. ...～**mā̱dchen** *n*.

(3) **어깨 번호**　철자가 같으나 어원을 달리하는 표제어는 그 오른쪽 어깨에 아라비아 숫자로 번호를 붙여 구별하였다.

보기 : sein[1] *i*. (s.)　sein[2] *prn*.

(4) **중점**　뒤에 복합 어원을 보이는 표제어는 그 복합 어원에 상당하는 부위에 중점을 찍었다 (B, 2와 공용).

보기 : **al·bern** [„al-wahr"]

B 발　음

(1) **강음부·장음부**　단음절 낱말을 제외한 표제어에는 악센트가 있는 모음 밑에 강음부 ̱를, 또 장모음에는 다음에 연음(延音) h가 오는 경우 외에는 그 위에 장음부 ¯를 첨부하였다. 단, 악센트의 위치가 일정치 않거나, 같은 모음에 장단(長短) 두 경우가 있는 것에는 모두 강음부·장음부를 생략하였으며, 또 이탤릭 고딕체나 외국식 발음을 갖는 것에서도 이들을 생략하고 발음문자 난에서 이를 보여 주었다.

보기 : **Kommẹrzīenrāt** [kɔmɛ́rtsiənra:t]

unwiderstehlich [ʊ́nvi:dərʃte:lɪç, ʊnvi:dərʃté:lɪç]

Bonbon [bɔ̃bɔ̃́:]

(2) **분음부**　발음상 혼동하기 쉬운 곳에는 중점 ·을 넣어 발음의 구분을 보여 주었다(A, 4와 공용).

보기 : **Mịet·auto** [mí:t-auto]

단, **ie**의 분음은 **ĭe**로 표시하였다.　보기 : **Famịlĭe** [famí:lĭə]

(3) **음표문자**(권말 부록 발음표 참조)

a) 표출된 표제어에는 모두 만국 음표문자를 [ ]에 넣어 그 표제어 바로 뒤에 보였다. 단, 어원을 같이하여 안에 들어간 표제어나 복합어는 특별히 발음상 혼동하기 쉬운 것에만 이를 보였다.

b) 이탤릭체의 음표문자(*ə*, *r*, *t*)는 꺼지기 쉬운 소리를 보여 준 것이다.

보기 : **Scha̱ukel** [ʃáukəl]　**Gē̱ber** [gé:bər]

단, 프랑스계어의 약음 ́ə 말고는 고어·시어에 이탤릭체를 안 썼다.

보기 : **kụ̄ren** [ký:rən]

C 어 원

언어 성립의 이해를 돕기 위하여 필요한 표제어 바로 뒤에나, 음표 문자 뒤에 어원적인 해명을 [ ]에 넣어서 보였으며, 외래어인 경우에는 그 계통을 보여 그 낱말의 본질이나 유래를 보였다.

보기 : **Libelle** [lat. „kleine Waage"] **Lexikon** [gr. *léxis* „Wort"]

D 명 사

(1) **성·변화형** 명사에는 모두 성(남성 : *m.*, 여성 : *f.*, 중성 : *n.*), 단수 2격 및 복수 1격의 꼴을 들었다. 단, 여성명사는 단수에 있어서 변화하지 않으므로 복수 1격의 꼴만을 들었다. 복합명사는 성만을 표시하였으나 필요에 따라 복수꼴을 ( )에 넣어서 보인 것도 있다. 명사의 변화어미를 나타냄에 있어서 표제어 전부를 나타내는 생략 부호에는 -를, 그 일부를 나타내는 것에는 ..를 썼다.

보기 : **Schāl** *m.* -s, -e, **Schande** *f.* -n,
Scherflein *n.* -s, -, **Zepter** *n.* 〔*m.*〕 -s, -,
Būch *n.* -(e)s, ⸚er, **Direktor** *m.* -s, ..tōren,

2격 어미 (e)s의 (e)는 생략할 수 있음을 보이고, *n.* 〔*m.*〕, -e〔-s〕 따위의 〔 〕안은 사용이 드물거나 적정치 못함을 보인다.

(2) **형용사·분사에서 전성한 명사** 이런 명사에는 모두 약변화(정관사를 붙인 경우) 꼴을 들고 성을 표시한 다음, 《形容詞變化》라고 첨부하였다.

보기 : **Wilde** [víldə] *m.* u. *f.* 《形容詞變化》 야만인, 미개인.

E 동 사

(1) **강변화 및 불규칙 동사** 이에 해당되는 표제어는 모두 오른쪽 어깨에 *부호를 붙였으며, 강약 양용인 것에는 (*)부호를 붙여 부록의 강변화 및 불규칙 동사표를 참조토록 하였다.

(2) **분리선** 분리동사에는 모두 분리전철 또는 규정어와 기근동사 사이에 분리선 |을 삽입하였다.

보기 : **an|stellen**

(3) **과거〔현재〕분사** 형용사적인 과거〔현재〕분사는 어형 그대로 표제어로 내었으나, 특히 형용사화한 것은 그 곳에서 설명을 달고 그 밖의 것은 부정형의 항을 보이어 그 항에서 큰 번호(《Ⅱ》 혹은 《Ⅲ》 따위)를 붙여 안으로 넣어 설명하였다.

보기 : **verkrustet** *p. a.* 딱지가 앉은. **geronnen** *p. p.* ☞GERINNEN.

F 역해(譯解)

(1) **입체적인 주석** 필요에 따라 우리말 주석 앞에 독일어의 동의어나 반대어를 ( )안에 넣어 보였고, 또 이해를 돕기 위해 표제어에 상당하는 영어를 우리말 주석 다음에 이탤릭체로 ( ) 안에 넣어 보였다.

(2) **역어** 동의어나 유의어는 ,로 가르고, 그룹 별로는 ;로 구분했다.

(3) **용례** 용례는 ¶로 표시하였고, 용례가 둘 이상 나열될 때에는 /으로 각 용례를 구분지었다. 단, 용례로써 직접 주석을 대행할 경우에는 주석 구분의 ①② 번호나 품사 표시 뒤에 바로 넣었다.

(4) **et.와 sich** 숙어나 예문 중에서 대명사 et. (=etwas)나 sich에는 그것이 3격일 경우 3자를, 4격인 경우 4자를 그 오른쪽 위에 붙였다. 단, 전치사를 수반치 않고 4격으로 쓰인 것에는 이를 첨부치 않았다.

(5) **jm. et.** 주석 앞에 : jm. et. : 나 주석 다음에 (jm. et.) 따위가 있는

것은 모두 해당되는 동사가 jm. et. 에 걸림을 나타낸 것이다.

(6) -heit, -keit, -ung 따위로 끝나는 파생어의 뜻이 단순히 앞말의 명사화일 경우, 지면 관계상 "위의 일", "위임", "위를 하기" 등으로 줄였다.

G 기 호

(1) ₌ 표제어의 분철 및 복합용 연자(連字) 부호
보기 : **Si̱lben₌maß**...... **∼rätsel**(=Si̱lbenrätsel).

(2) - 표제어의 병렬에 쓰이는 연자 부호로 항상 붙여 쓰이는 것
보기 : **Si̱emens-Martin-Ofen**

(3) _ 악센트 부호(B, 1 참조)

(4) ¯ 장음 부호(B, 1 참조)

(5) | 분리선(E, 2 참조)

(6) · 어원과 일치하는 분철 표시 및 분음선(分音線)(A, 4 및 B, 2 참조)

(7) ∼ 반복 기호 : 표제어의 반복에 쓰이는데, 복합어를 잇따라 나열한 경우 표출된 낱말도 복합어이므로 그것에 붙인 연자 부호(₌) 앞의 성분을 나타낸다(G, 1 참조).

(8) ≀ 위와 같은 반복 기호이나 대문자와 소문자, 소문자와 대문자를 거꾸로 할 경우에 쓰인다. 보기 : **si̱nn₌betörend**... **≀bild**(=Si̱nnbild)

(9) *(*) 강변화 · 불규칙 동사의 부호(E, 1 참조)
보기 : **fli̱ehen*** **ei̱n|stechen**(*)

(10) [ ] 발음 표시(B, 3 참조)

(11) [ ] 어원 표시(C 참조)

(12) ( ) a. 한자 괄호 보기 : 회칙(回勅)
b. 생략이 가능함을 표시 보기 : **Entwick(e)lung** ; 이해(력)
c. 동의어 · 반대어를 묶음(F, 1 참조)
보기 : **Ga̱bel**...(Eß≀) 포크(*fork*).
Kogna̱t...(*ant.* Agnat) 어머니쪽 친척
d. 그 동사에 수반되는 목적어를 묶음(F, 5 참조)
보기 : **flattieren** *i.*(h.) 알랑거리다(jm.).

(13) 《 》 a. 약어 표시 보기 : S. M. 《略》=*S*eine *M*ajestät
b. 용법 표시 보기 : **e̱itel**...② 《詩》 공허한…
c. 부연 설명 보기 : **Cent**... 센트《화폐 단위》.

(14) 〔 〕 앞의 말과 대체할 수 있을 때
보기 : vor 〔nach〕 Christi Geburt 그리스도 기원 전〔후〕

(15) ☞ 참조 기호

(16) – a. 명조체의 일반 하이픈
b. 어원의 전래된 순서 보기 : [gr. –lat.]

(17) ♈ 같은 어원
보기 : a. **Schuld**... [♈sollen] b. **bringen**... (♈*bring*)

(18) † 고어 또는 고의(古義)

(19) < 파생어 부호 보기 : **Fe̱schak** [<fesch]

(20) ¶ 용례 표시(F, 3 참조)

(21) / 용례의 구분(F, 3 참조)

(22) 234 명사 및 대명사의 격표시
보기 : ich bin der Meinung², daß...

(23) ★ 문법 기타의 설명

(24) ( ) 문법상 구별 및 주석의 기능상 구분
보기 : **feind** *a.* (述語的으로만 쓰임) ; (그 過去)

略 語 表 I (로마자)

A:	*a.*	=Adjektiv, 形容詞
	acc.	=Akkusativ, 4格
	adv.	=Adverb, 副詞
	ägypt.	=ägyptisch, 이집트語
	ahd.	=althochdeutsch, 古高獨語
	alem.	=alemannisch, 알레만語
	am.	=amerikanisch, 아메리카語
	ant.	=Antonym, 反對語
	ar.	=arabisch, 아랍語
	art.	=Artikel, 冠詞
B:	bayr.	=bay(e)risch, 바이에른語
	berl.	=berlinisch, 베를린方言
	bras.	=brasil(ian)isch, 브라질語
C:	chin.	=chinesisch, 中國語
	cj.	=Konjunktion, 接續詞
	coll.	=Kollektiv, 集合名詞
	comp.	=Komparativ, 比較級
	conj.	=Konjunktiv, 接續法
D:	d.	=deutsch, 독일語
	dän.	=dänisch, 덴마크語
	dat.	=Dativ, 3格
	dim.	=Diminutiv, 縮小語
E:	e-e*	=eine, 不定冠詞女性 1·4格
	e-m*	=einem, 同上男·中性 3格
	e-n*	=einen, 同上男性 4格
	engl.	=englisch, 英語
	e-r*	=einer, 不定冠詞女性 2·3格
	e-s*	=eines, 同上男·中性 2格
	et.**	=etwas
F:	*f.*	=Femininum, 女性
	fr.	=französisch, 프랑스語
G:	*gen.*	=Genitiv, 2格
	germ.	=germanisch, 게르만語
	got.	=gotisch, 고트語
	gr.	=griechisch, 그리스語
H:	(h.)	=助動詞 haben을 취함
	hebr.	=hebräisch, 히브리語
	holl.	=holländisch, 네덜란드語
I:	*i.*	=Intransitiv, 自動詞
	imp.	=Impersonale, 非人稱動詞
	int.	=Interjektion, 感歎詞
	it.	=italienisch, 이탈리아語
J:	j.	=jemand
	jm.	=jemandem
	jn.	=jemanden
	js.	=jemandes
	jüd.	=jüdisch, 유태語
K:	klt.	=keltisch, 켈트語
	Kw.	=Kunstwort, 新造語
L:	lat.	=lateinisch, 라틴語
	Lw.	=Lehnwort, 借用語
M:	*m.*	=Maskulinum, 男性
	madj.	=madjarisch, 마자르語
	mal.	=malaiisch, 말레이語
	md.	=mitteldeutsch, 中部獨語
	m-e	=meine
	mhd.	=mittelhochdeutsch, 中高獨語
	m-m	=meinem
	m-n	=meinen
	m-r	=meiner
	m-s	=meines
N:	*n.*	=Neutrum, 中性
	ndd.	=niederdeutsch, 低獨語
	ndl.	=niederländisch, 네덜란드語
	nom.	=Nominativ, 1格
	nordd.	=norddeutsch, 北獨語
	num.	=Numerale, 數詞
O:	obd.	=oberdeutsch, 上部獨語
	obj.	=Objekt, 目的語
	od., *od.*	=oder
	öst.	=österreichisch, 오스트리아語
P:	*p. a.*	=participium adjectivum, 分詞的形容詞
	pass.	=Passiv, 受動
	pers.	=persisch, 페르시아語
	pl.	=Plural, 複數
	poln.	=polnisch, 폴란드語
	port.	=portugiesisch, 포르투갈語
	p.p.	=participium perfecti, 過去分詞
	pref.	=Präfix, 前綴
	prn.	=Pronomen, 代名詞
	prp.	=Präposition, 前置詞
R:	*refl.*	=Reflexiv, 再歸動詞
	rom.	=romanisch, 로만스語
	russ.	=russisch, 러시아語
S:	(s.)	=助動詞 sein을 취함
	schwed.	=schwedisch, 스웨덴語
	schw.	=schweizerisch, 스위스語
	s-e	=seine
	sg.	=Singular, 單數
	skand.	=skandinavisch, 스칸디나비아語
	skt.	=sanskritisch. 산스크리트, 梵語
	sl.	=slawisch, 슬라브語
	s-m	=seinem
	s-n	=seinen
	sp.	=spanisch, 스페인語
	s-r	=seiner
	s-s	=seines
	südd.	süddeutsch, 南獨語
	suf.	=Suffix, 後綴
	sup.	=Superlativ, 最上級
T:	*t.*	=Transitiv, 他動詞
	tschech.	=tschechisch, 체크語
	türk	=türkisch, 터키語
U:	u., *u.*	=und
	ung.	=ungarisch, 헝가리語
	usw.	=und so weiter
V:	v.	=von
	vgl., *vgl.*	=vergleiche! 參照하라
	voc.	=Vokativ, 呼格
Z:	z. B.	=zum Beispiel

【注】 *) 부정관사의 경우에만 쓰고, 수사·부정대명사인 경우에는 전서(全書)함.

**) 특정한 명사 대신에 두어 일반적인 용법을 나타낼 때에만 쓰고 그 밖의 경우에는 전서함.

略 語 表 Ⅱ (우리말)

(Ⅰ) 專門語 표시

〔가톨릭〕	가톨릭敎	〔心〕	心理
〔坑〕	鑛山	〔樂〕	音樂
〔競〕	競技	〔冶〕	冶金
〔空〕	空軍	〔藥〕	藥劑
〔軍〕	軍事	〔魚〕	魚類
〔工〕	工學	〔言〕	言語學
〔鑛〕	鑛物	〔獵〕	狩獵
〔光〕	光學	〔映〕	映畫
〔建〕	建築	〔料〕	料理
〔經〕	經濟	〔郵〕	郵便
〔劇〕	演劇	〔園〕	園藝
〔機〕	機械	〔醫〕	醫學
〔氣象〕	氣象	〔理〕	理學
〔羅神〕	로마神話	〔印〕	印刷
〔論〕	論理	〔林〕	林業
〔農〕	農業	〔電〕	電氣
〔動〕	動物	〔政〕	政治
〔文〕	文法	〔彫〕	彫刻
〔物〕	物理	〔鳥〕	鳥類
〔法〕	法律	〔宗〕	宗教
〔史〕	歷史	〔地〕	地理・地質
〔寫〕	寫眞	〔天〕	天文
〔社〕	社會學	〔鐵〕	鐵道
〔商〕	商業	〔哲〕	哲學
〔生〕	生理・生物	〔體〕	體育・體操
〔聖〕	聖書	〔蟲〕	昆蟲
〔數〕	數學	〔貝〕	貝類
〔修辭〕	修辭	〔解〕	解剖
〔植〕	植物	〔海〕	航海・造船
〔新約〕	新約	〔化〕	化學
〔神〕	神話	〔畫〕	繪畫
〔詩學〕	詩學	〔希神〕	그리스神話

(Ⅱ) 用法 표시

《古》	古語	《俗談》	俗談
《方》	方言	《詩》	詩語
《蔑》	蔑稱	《略》	略語
《比》	比喩	《隱語》	隱語
《卑》	卑語	《學》	學生語
《小兒》	小兒語	《稀》	稀語
《俗》	俗語	《戲》	戲語

DEUTSCH-KOREANISCHES WÖRTERBUCH

A

A [a:] *n.* –, –, ¶ das große A, 대문자 A/《俗談》wer A sagt, muß auch B sagen 벌린 춤이다《시작했으면 중단하지 말아야 한다》/von A bis Z 처음부터 끝까지, 철두철미.

A [a:] *n.* –, –, 〖樂〗가 음(音); (*A-dur*) 가 장조. ***a*** *n.* –, –, 〖樂〗(*a-moll*) 가 단조.

Aachen [á:xən] *n.* –s, 라인 지방의 도시명(*Aix-la-Chapelle*)

Aal [a:l] *m.* –(e)s, –e, 〖魚〗뱀장어(ⓥ *eel*). **aalen** *i.* (h.) 뱀장어를 잡다; *refl.* 《俗》게으름 피우다, 빈둥거리다.

aal=glatt *a.* 미끈미끈한, 붙잡을 데가 없는. **~reuse** *f.* 뱀장어 통발.

Aar [a:r] *m.* –(e)s, –e, 《詩》(Adler) 독수리.

Aas [a:s] [<essen] *n.* –es, [–zəs], –e [–zə] *u.* **Äser** [ɛ́:zər], ① 먹이; 미끼(*bait, lure*); 썩은 짐승의 시체(*carcass*); 썩은 고기(*carrion*). ② 개자식《매도하는 말》. **aasen** [á:zən]《Ⅰ》*i.* (h.) ① (짐승이) 썩은 고기를 먹다. ② mit et.³ ~ 무엇을 낭비하다.《Ⅱ》*t.* ① 미끼로 꾀다. ② Felle ~ 짐승 가죽의 살을 발라내다.

Aas=fliege *f.* 똥파리. **~geier** *m.* (썩은 고기를 먹는) 독수리 무리.

aasig [á:zɪç] *a.* 썩은 고기〔송장〕같은; 더러운; 야비한.《俗》터무니 없는, 엄청난.

Aas=kāfer *m.* 〖蟲〗송장벌레과의 곤충. **~tier** *n.* 썩은 고기를 먹는 짐승. **~=vōgel** *m.* 썩은 고기를 먹는 조류.

ab [ap]《Ⅰ》*adv.* ① 떨어져(ⓥ *off*); 떠나서(*away from*);〖劇〗(geht ab, gehen ab) 퇴장. ¶〖鐵〗ab Berlin 베를린발(發)/von hier ab 여기부터 / von nun ab 지금부터, 금후/Hut ~! 탈모. ② 아래로(*down*). ¶ den Berg ab 산을 내려가/Gewehr ab! 세워총/auf u. ab 위아래로, 여기저기로, 완전히/ab u. zu〔an〕여기저기로, 때때로.《Ⅱ》*prp.* (3·2格支配) ① =VON. ②〖商〗~ Fabrik 공장도(渡) (수취)/ab heute 금일 이후.

ab.. [áp–]《Ⅰ》《動詞의 分離前綴; 항상 악센트가 있음》"분리, 차단, 탈취; 아래로; 부정, 취소; 변화; 완성, 종료; 감소, 소멸; 손상, 피폐"의 뜻.《Ⅱ》《名詞의 前綴》"분리; 아래로; 모방, 허위"의 뜻.《Ⅲ》《形容詞의 前綴》"부정"의 뜻.

Abaka [abáka, –bá:–] [indones.] *m.* –s, –, 마닐라 삼.

ab·änderlich [áp-ɛndərlɪç] *a.* 변경할 수 있는. **ab|ändern** [áp-ɛndərn] *t.* ① 바꾸다, 변경하다《일부 또는 전부를》. ② 고치다, 개량〔개정·정정·수정〕하다. **Ab·änderung** [áp-ɛndərʊŋ] *f.* –en. 변경, 수정;〖文〗변화. **Ab·änderungs=antrāg** *m.* 〖議會〗수정 동의.

Abandon [abɑ̃dɔ̃:] [fr.] *m.* –s, –s [–dɔ̃:s], **Abandonnement** [abɑ̃dɔnəmɑ̃:] *n.* –s, –s [–mɑ̃:s], 방기, 유기;〖法〗위부(委付)《채권자에 대한 해산(海產)의》.

ab|ängst(ig)en [áp-ɛŋst(ɪg)ən]《Ⅰ》*t.* 갈취하다(jm. et.).《Ⅱ》*refl.* ① 불안에 떨다, 불안으로 괴로와하다. ②《俗》초조〔걱정〕하여 지치다.

ab|arbeiten [áp-arbaitən]《Ⅰ》*t.* ① (일을) 끝내다; (빚을) 일하여 갚다. ② (일하여) 닳게 하다; (일에) 지치게 하다.《Ⅱ》*refl.* 일하여 지치다.《Ⅲ》**abge=arbeitet** *p.a.* 일해서 지친, 과로한.

ab|ärgern [áp-ɛrgərn] *refl.* 안달하다, 짜증을 내다.

Ab·ārt [áp-a:rt] *f.* –en, ① 변종(變種)(*variety*). ② 변질〔퇴화〕한 종속(種屬). **ab|ārten** *i.* (s.) 변종하다(*vary*); 변질〔퇴화〕하다(*degenerate*). **Abārtung** *f.* –en, 변종(함); 변질〔퇴화〕함(한 것).

abas! [abá] [fr.] *int.* (nieder!) 타도하라; (weg!) 버려라.

Abasie [abazí:] [gr.] *f.* ..sien, 〖醫〗(Gehunfähigkeit) 실보증(失步症), 보행 불능증.

ab|ästen [áp-ɛstən] *t.* 큰 가지〔마른 가지〕를 쳐내다.

Abattement [abatəmɑ̃:] [fr.] *n.* –s, –s [–mɑ̃:s], 피로, 쇠약; 낙담, 의기 저상.

ab|ätzen [áp-ɛtsən] *t.* (부식제(腐蝕劑)로) 제거〔처리〕하다.

Abb.《略》=*Abb*ildung 삽화, 도해.

ab|backen⁽*⁾ [ápbakən] *t.* u. *i.* (h.) (빵을) 다 굽다, 충분히 굽다.

ab|balgen [ápbalgən] [<Balg]《Ⅰ》*t.* (짐승의) 가죽을 벗기다; (콩 따위의) 꼬투리를 까다.《Ⅱ》*refl.* 격투로 지치다.

ab|barbieren [ápbarbi:rən] *t.* 수염을 깎다.

Ab·bau [ápbau] *m.* –(e)s, ①〖坑〗채광(採鑛); 채광장. ② 무너뜨림, 철거, 해체(解體). ③ (Beamten~) 행정 정리, 인원 도태; 해직, 해고; (Preis~) 물가 인하. **ab|bauen** [ápbauən]《Ⅰ》*t.* ①〖坑〗채광하다; (광산을) 폐광하다. ② 헐다, 철거하다. ③ 해체〔분해〕하다. ④ (행정상) 정리하다, (인원을) 도태시키다, (물가·조세 따위를) 인하하다. ¶ er ist abgebaut worden 그는 해고되었다.《Ⅱ》*i.* (h.)〖軍〗몰래 철수하다;〖化〗(원자가를) 저감(低減)하다; 환원하다.

ab|befördern [ápbəfœrdərn] *t.* (대량의 화물을) 발송〔운송〕하다.

ab|behalten* [ápbəhaltən] *t.*: den Hut ~ 탈모하고 있다.

ab|beißen* [ápbaisən] *t.* 물어뜯다, 물어떼다.

ab|beizen [ápbaitsən] *t.* 〖醫·化〗① 부식시켜 제거하다. ② (가죽을) 무두질하다.

ab|bekommen* [ápbəkɔmən] *t.* ① 떼다, 떼어내다, 떼어〔벗겨〕놓다. ② (s–n

Teil〔et.〕) ~ (몫으로) 받다; 혼나다.
ab|berufen* [ápbəru:fən] *t.* (외교 사절 따위를) 소환하다.
ab|bestellen [ápbəʃtɛlən] *t.* 주문을 취소하다. ¶e–e Zeitung ~ 신문 구독을 취소하다.
ab|betteln [ápbɛtəln] *t.*: jm. et. ~ 아무에게 무엇을 구걸해 얻다.
Abbevillien [abəvɪliɛ̃] *n.* –(s), 〖考古〗 아브빌리앵기(期) 《구석기 시대 전기의 한 기, 이 시기의 악부(握斧) 등이 출토된 북서 프랑스의 지명 Abbeville에서》.
ab|bezahlen [ápbətsa:lən] *t.* (빚을) 죄다 갚다; 나누어 갚다. ¶ratenweise ~ 할부(割賦)로 나누어 갚다.
ab|biegen* [ápbi:gən] 《Ⅰ》 *t.* ① 휘다. ② 꺾어 가르다, 꺾어 떼내다. ③〖植〗 휘묻이하다. ④ (줄거리에서) 빗나가게 하다; 태도를 〔방법을〕 바꾸다. 《Ⅱ》 *i.*(s.) 꺾이어 갈리다, 분기하다, 빗나가다, 벗어나다.
Ab·bild [ápbɪlt] *n.* –(e)s, –er, 모사(模寫), 카피; 초상; 《比》 빼쏨. **ab|bilden** [ápbɪldən] *t.* 모사하다; (의) 초상을 그리다; 《比》 묘사〔표현〕하다. **Ab·bildung** [ápbɪldʊŋ] *f.* –en, ① 모사(模寫); 사생(화); 소묘(素描); 《比》 묘사, 표현. ② (略: Abb.) 삽화 (*illustration*).
ab|binden* [ápbɪndən] *t.* ① 풀어 놓다, 놓아주다. ② (사마귀 따위를) 묶어서 떼다; 〖醫〗 (팔 따위를) 동이다.
Ab·bitte [ápbɪtə] *f.* –n. 용서를 빎, 사죄(*apology*). ¶jm. ~ tun 〔leisten〕 아무에게 사죄하다. **ab|bitten*** *t.*: jm. et. ~ 아무에게 무엇의 용서를 빌다; 사죄하다. ¶öffentlich ~ 공개 사과하다.
ab|blasen* [ápbla:zən] 《Ⅰ》 *t.* ① 불어서 털다. ② (증기나 압착 공기를) 방출하다. 《Ⅱ》 *i.*(h.) (das Gefecht ~) 후퇴 나팔을 불다.
ab|blassen [ápblasən] 《Ⅰ》 *i.*(s.) (색이) 바래다; (안색이) 창백해지다. 《Ⅱ》 **abge=blaßt** *p.a.* 색이 바랜; 창백해진, 정채(精彩)가 없는.
ab|blättern [ápblɛtərn] 《Ⅰ》 *t.* (나무의) 잎을 따다, 지게 하다. 《Ⅱ》 *refl.* 잎이 지다; 벗어지다. 《Ⅲ》 *i.*(s.) 벗어지다; 탈피하다, 딱지가 떨어지다.
ab|blenden [ápblɛndən] 《Ⅰ》 *t.* (의 빛을) 어둡게 하다, 광도를 줄이다; (등불·창을)가리다. 《Ⅱ》 *i.*(h) u. *refl.* 헤드라이트를 끄다.
ab|blitzen [ápblɪtsən] *i.*(s.) ("섬광을 내며 사라지다"의 뜻:) 《俗》 mit et.³ ~ 목적한 바를 이루지 못하고 떠나다 / jn. ~ lassen 아무(의 요구)를 물리치다.
ab|blühen [ápbly:ən] *i.* (h. *u.* s.) 꽃철이 지나다, (꽃이) 시들다; 《比》 쇠퇴하다.
ab|borgen [ápbɔrgən] *t.* (jm. et., 아무로부터 무엇을) 빌다.
ab|brauchen [ápbrauxən] *t.* 써서 닳게 하다, 닳리다.
ab|brechen* [ápbrɛçən] 《Ⅰ》 *t.* ① 꺾다; 따내다. ¶ kurz ~ 뚝 꺾다. ② 헐다, 철거하다. ¶ein Lager ~ 진지를 철수하다 / alle Brücken hinter sich ~ 배수의 진을 치다. ③ 갑자기 중단하다. (돌연 또는 일시적으로) 중지하다《작업·담화·담판을》; 끊다, 단절하다《교제·관계를》. 《Ⅱ》 *i.*(s.) ① 꺾이다. ② 뚝 끊어지다. ¶von et.³ ~ 무엇을 갑자기 그만두다, 중단하다 / wir wollen davon ~ 그 이야기는 그만두자. 《Ⅲ》 **abge=brochen** *p.a.* 중단된; 동강이 난; 지리멸렬의.
ab|bremsen [ápbrɛmzən] *t.* 브레이크로 멈추다, (에) 브레이크를 걸다.
ab|brennen* [ápbrɛnən] 《Ⅰ》 *t.* ① 태워 없애다, 소각하다. ② 발포하다, (꽃불을) 올리다. 《Ⅱ》 *i.*(s.) ① 죄다 타버리다, 소실되다. ② (초따위가) 다타다. 《Ⅲ》 **abgebrannt** *p.a.* 전재산을 홀딱 태워버린; 《比》 빈털터리의.
ab|bringen* [ápbrɪŋən] *t.* ① 제거하다. 옮기다; 벗어나다, 떠나다. (점차) 폐지하다. ② 멀어지게 하다, 멀리하게 하다. ¶jn. von et.³ ~ 아무에게 무엇을 그만두게 하다 / jn. von s–r Meinung ~ 아무를 번의케 하다. ③ 팔아버리다.
ab|bröckeln [ápbrœkəln] 《Ⅰ》 *t.* 부수어내다, 꺼내다. 《Ⅱ》 *i.*(s.) u. *refl.* 부서(져 떨어)지다, 벗겨지다; 〖商〗 (시세가) 떨어지다.
Ab·bruch [ápbrʊx] [<abbrechen] *m.* –(e)s, brüche, ① 부숨, 헒, 철거. ¶ein Haus auf ~ verkaufen 집을 허는 값〔재목값〕으로 팔다. ② 단절; 중단. ¶ohne ~ 연달아 / ~ der Verhandlungen 교섭 중단. ③ 파편, 부스러기. ④ 훼손, 손해 (*damage, injury*). ¶ ~ leiden 손해를 입다, 훼손되다 / ~ tun 손해를 주다, 해치다. **ab·bruchreif** *a.* 허물 때가 된; 무른, 버슬버슬한. **Ab·bruch·unternehmer** *m.* 가옥 철거 청부인.
ab|brühen [ápbry:ən] 《Ⅰ》 *t.* (돼지·거위 따위를) 튀하여 털을 뽑다; (야채에) 뜨거운 물을 끼얹다; 데치다. 《Ⅱ》 **abge=brüht** *p.a.* 무감각해진 (*hard-boiled*), 뻔뻔스러운; (비난 따위에 대하여) 태연한.
ab|buchen [ápbu:xən] *t.* 〖商〗 상각하다, 상쇄하다. **Abbuchung** *f.* –en, 상각, 차감(差減).
ab|bürsten [ápbʏrstən] *t.* (먼지 따위를) 브러시로 털다; (옷·신발 따위를) 솔질하다; 《比》 호되게 꾸짖다.
ab|büßen [ápby:sən] *t.* 속죄하다, (빚을) 갚다. ¶e–e Strafe ~ 복역하다.
Abc [a:be:tsé:] *n.* –, –, 아베체 《자모 전체, '가나다'》; 《比》 초보, 입문. ¶ nach dem ~ 알파벳순(順)으로. **~=Bank** *f.* 국민학교의 최하급. **~buch** *n.* 입문서. **~ Schüler, ~Schütz(e)** *m.* 국민학교 1학년생; 초학자.
ABC-Staaten *pl.* 아베체 국가《남미의 Argentinien, Brasilien, Chile》.
Abdach [ápdax] *n.* –(e)s, ⸗er, 달개지붕, 차양. **ab|dachen** *t.* (지붕 모양으로) 비탈지게 하다. ¶sich ~ 경사지다. **Abdachung** *f.* –en, 완만한 경사, 물매 (*slope*); 〖軍〗 차폐(遮蔽).
ab|dämmen [ápdɛmən] *t.* (의 물을) 둑을 쌓아 막다.
Abdampf [ápdampf] *m.* –(e)s ⸗e, (배출되는) 폐기(廢氣). **ab|dampfen** 《Ⅰ》 *i.*(h. *u.* s.) 증발하다; (s.) 《俗》 발차〔출범〕하다; 떠나가다, 죽다. 《Ⅱ》 *t.* 증발시키다 **ab|dämpfen** *t.* ① 찌다. ②

(색체 따위를) 흐리게 하다, 부드럽게 하다; 진정하다; (감정 따위를) 억제하다.
Abdampfung *f.* –en, 증발.
ab|danken [ápdaŋkən] 《Ⅰ》 *t.* (entlassen) 해고하다, 면직시키다《관리를》. ¶ abgedankter Hauptmann 퇴역 육군 대위. 《Ⅱ》 *i.*(h.) 퇴직하다; 퇴위(退位)하다. **Abdankung** *f.* –en, 퇴직; 퇴위; 면직, 해고; 《方》 영결식; 조사(弔辭).
ab|darben [ápdarbən] *t.*: sich³ et. ~ 무엇을 절약하다, 아끼다.
ab|decken [ápdɛkən] *t.* ① (의) 뚜껑〔덮개〕를 벗기다; (지붕을) 벗기다; 식탁보를 벗기다《식후에》; (짐승의) 가죽을 벗기다. ② (verdecken) 덮다, 가리다.
Abdecker *m.* –s, –, 가죽 벗기는 사람.
Abdeckerei [–dɛkərái] *f.* –en, 박피업(剝皮業), 박피하는 곳.
ab|destillieren [ápdɛstɪli:rən] *t.* 분류(分溜)하다.
ab|dichten [ápdɪçtən] *t.* (구멍·틈새를) 막다, 패킹하다; 밀폐하다. ¶ et. gegen Gas ~ 가스가 새지 않도록 막다.
ab|dienen [ápdi:nən] *t.* ① 빚을 일하여 갚다. ② s–e Zeit ~ 근무 연한을 마치다.
ab|dingen(*) [ápdɪŋən] *t.* ① 값을 깎다. ② (jm. et., 아무로부터 무엇을) 값을 깎아 사다; 임차(賃借)하다.
Abdomen [apdó:mɛn] [lat.] *n.* –s, – *u.* ..mina, ① 복부. ② 절족 동물의 복부.
Abdominal=atmung *f.* 복식 호흡. **~=typhus** *m.* 장티프스.
ab|drängen [ápdrɛŋən] *t.* ① 밀어 제치다. ② (jm. et., 아무로부터 무엇을) 강탈하다.
ab|drehen [ápdre:ən] 《Ⅰ》 *t.* ① 비틀어 끊다; (수도·가스 꼭시를) 틀어 끄다〔잠그다〕; (전등의) 스위치를 틀어 끄다. ② 선반으로 깎다. 《Ⅱ》 *i.*(h.) 〖空·海〗 침로를 바꾸다.
ab|dreschen* [ápdrɛʃən] *t.* 《Ⅰ》 (곡물을) 충분히 도리깨질하다; 《俗》 때려 누이다. 《Ⅱ》 **abgedroschen** *p.a.* 진부한.
ab|dringen* [ápdrɪŋən] *t.* (jm. et., 아무에게서 무엇을) 강제로 빼앗다.
ab|drosseln [ápdrɔsəln] *t.* 막다, 방해〔저지·제한〕하다(♈ *throttle*).
Abdruck [ápdrʊk] *m.* –(e)s, 《Ⅰ》 (*pl.* –e) 인쇄(물); 복제(複製)(품); 판(版). 《Ⅱ》 (*pl.* ¨e) ① 각인(刻印), 압형(押型); 빼쏨; 모형(模型). ② (총의) 방아쇠. **ab|=drucken** *t.* 인쇄하다, 복제하다. ¶ wieder ~ 재판(再版)하다. **ab|drücken** 《Ⅰ》 *t.* ① (의) 압형(押型)을 뜨다; (in et.³, 무엇에) 타각(打刻)하다. ② 눌러서 떼다. ¶ jm. das Herz ~ 아무의 가슴을 미어지게 하다. ③ (총의 방아쇠를 당겨) 발사하다; (활을) 쏘다. ④ 포옹하다. 《Ⅱ》 *i.*(s.) u. *refl.* 몰래 가버리다, 달아나다. **Abdrucksrecht** *n.* 판권, 저작권.
ab|dunkeln [ápdʊŋkəln] 《Ⅰ》 *i.*(s. *u.* h.) 어두워지다. 《Ⅱ》 *t.* 어둡게 하다.
ab|dünsten [ápdʏnstən] *t.* 증발시키다; 증류(蒸溜)하다.
ab|duschen [ápdu:ʃən] *refl.* 관수욕을 하다, 샤워를 하다.
ab|ebben [áp-ɛbən] *i.*(h.) (조수가) 써다; 《比》 가라앉다, 수습되다《흥분·분쟁 따위가》.
Abend [á:bənt] *m.* –s, –e, ① 밤, 저녁, 초저녁, 해질 무렵(♈ *evening*, *night*). ¶ am ~ 저녁에/des ~s (언제나) 밤에/e–s ~s 어느날 밤에/heute ~ 오늘 밤/gestern ~ 간밤에/morgen ~ 내일 밤에/zu ~ essen 저녁밥을 먹다/《俗談》 man soll den Tag nicht vor dem ~ loben 밤이 되기 전에 하루의 재수를 논하지 말라. ② (축제일의) 전야(前夜). ¶ der Heilige ~ 크리스마스 이브. ③ 전날. ④ 서쪽. ⑤ 밤의 모임. ¶ Goethe-~ 괴테의 밤.

Abend=andacht *f.* 저녁 기도〔예배〕. **~anzug** *m.* 야회복(夜會服), 이브닝 드레스. **~blatt** *n.* 석간 (신문). **~=brot** *n.* 저녁밥. **~dämmerung** *f.* 해질 무렵, 황혼. **~essen** *n.* 저녁밥. **~gebet** *n.* 저녁 기도. **~gesellschaft** *f.* 야회, 밤의 모임. **~kasse** *f.* (극장의) 매표구. **~kleid** *n.* 야회복. **~=kühle** *f.* 저녁의 냉기. **~land** *n.* 서양(*Occident*). **~länder** *m.* 서양 사람. **~ländish** *a.* 서양의.
abendlich [á:bəntlɪç] *a.* ① 밤의; *adv.* 밤에; (all~)매일 밤. ② 서쪽의.
Abendmahl [á:bəntma:l] *n.* (교회의) 성찬식, (가톨릭의) 성찬 전례. **~s=gän=ger** *m.* 성찬을 받는 사람. **~s=kelch** *m.* 성찬의 잔. **~s=wein** *m.* 성찬용의 포도주.
Abend=mahlzeit *f.* 만찬. **~meldun=gen** *pl.* (라디오의) 저녁 뉴스. **~rot** *n.*, **~röte** *f.* 저녁놀, 낙조(落照).
abends [á:bənts] *adv.* 밤에, 밤마다. ¶ spät ~ 밤늦게/von früh bis ~ 이른 아침부터 밤 늦게까지.
Abend=schein, **~schimmer** *m.* = ~ROT. **~schule** *f.* 야간 학교; 야간 수업. **~segen** *m.* 저녁 기도. **~seite** *f.* 서쪽. **~sonne** *f.* 석양. **~ständ=chen** *n.* 소야곡, 세레나데. **~stern** *m.* 개밥바라기, 장경성. **~stille** *f.* 저녁의 고요. **~tau** *m.* 밤이슬. **~tisch** *m.* 만찬(의 식탁). **~toilette** [–toalɛtə] *f.* 야회복. **~trunk** *m.* 저녁반주. **~=unterhaltung** *f.* 밤의 단란. **~wärts** *adv.* 서쪽으로. **~wind** *m.* 저녁 바람. **~zeit** *f.* 저녁녘. **~zeitung** *f.* =~BLATT. **~zug** *m.* 밤열차, 야간 열차.
Abenteuer [á:bəntɔyər] [Lw. fr. "사건" <lat. *ad-venire* „an-kommen"] *n.* –s, –, ① 모험(♈ *adventure*); 투기(投機); ② 파란 만장한 사건. **abenteuerlich** *a.* 모험적인, 기괴한. **abenteuern** *i.* (h.) 모험하다. **Abenteurer** *m.* –s, –, **Aben=teu(r)erin** *f.* –nen, 모험가; 이상한 생활을 즐겨 하는 사람; 야바위꾼.
aber [á:bər] 《Ⅰ》 *adv.* 다시, 또다시 (*again*). ¶ tausend und ~ tausend 수천의, 수 없이 / ~ und ~mals 재삼 재사. 《Ⅱ》 *cj.* 《並列的 接續詞》 그런데, 그러나; 그렇지만, 하지만(*but*, *however*). ¶ ~ doch 그럼에도 불구하고/nun ~ 그렇지만/oder ~ 그렇지 않으면. 《Ⅲ》 **Aber** *n.* –s, –, („그러나"라는 뜻의) 제한, 의혹, 이의, 반대. ¶ er hat immer (ein Wenn und) ein ~ 그는 언제나 무슨 트집을 잡는다.

Āber·glaube(n) [á:bərglaubə, -bən] *m.* 미신(*superstition*). **~gläubig, ~·gläubisch** *a.* 미신적인.

ab|erkennen* [áp-ɛrkenən] *t.* (*ant.* zuerkennen): jm. et. ~ 아무의 무엇을 부인하다; 〖法〗 판결에 의하여 아무의 무엇을 박탈하다. **Aberkennung** *f.* 부인; 판결에 의한 박탈.

āber·mālig [á:bərma:liç] *a.* 재차(再次)의. **~māl(s)** *adv.* 재차, 또 다시, 거듭. **~nāme** *m.* 별명(別名).

ab|ernten [áp-ɛrntən] 《Ⅰ》 *t.* 수확하다; 곡식을 거둬 들이다. 《Ⅱ》 *i.*(h.) 수확을 마치다.

Aberration [abɛratsió:n] [lat.] *f.* -en, 일탈(逸脫); 〖光學〗 수차; 〖生〗 변태.

Āber·witz [á:bərvits] *m.* 광기(狂氣), 발광(상태). **~witzig** *a.* 미친 것 같은.

ab|essen* [áp-ɛsən] 《Ⅰ》 *t.* 먹어 치우다, 다 먹다. ¶den Teller ~ 접시의 음식을 싹 먹어치우다. 《Ⅱ》 *i.*(h.) 식사를 끝내다.

Abessinien [abɛsí:niən] *n.* 아비시니아《현재의 이디오피아 Äthiopien》. **abessinisch** *a.* 이디오피아의.

Abf. 〖略〗 =*Abf*ahrt 출발, 발차.

ab|fackeln [ápfakəln] *t.* 찌꺼기를 소각하다.

ab|fādeln [ápfɛ:dəln] *t.* (콩 깍지의) 심줄을 떼다.

ab|fahren* [ápfa:rən] 《Ⅰ》 *i.* (s.) ① 출발하다《차·기선이 또는 사람이 차·기선을 타고》; 발차[출항·출범]하다; 《俗》 급히 떠나다, 죽다. ② 《俗》 퇴짜맞다. ¶jn. ~ lassen 아무의 요구를 거절하다, 아무를 퇴짜 놓다 / mit jm. ~ 아무를 쌀쌀하게 대하다. ③ 미끄러져 내려가다《스키를 타고》. 《Ⅱ》 *t.* ① 운반해 가다《차편으로》. ② (차를) 훼손하다, (말을) 지치게 하다. **Abfahrt** [ápfa:rt] *f.* -en, ① 출발, 발차, 출범; 출발[발차·출항] 시간. ② 〖法〗 이주(移住). ③ (스키의) 활강(滑降). ④ 《俗》 사거(死去).

Abfahrt(s)·bahnsteig *m.*, **~halle** *f.* 발차 플랫폼. **~lauf** *m.* 활강. **~·signāl** *n.* 출발[발차·출범] 신호. **~·zeit** *f.* 출발 시간.

Abfall [ápfal] *m.* -(e)s, ⸚e, ① 낙하, 추락, 침강. ② 내리받이; 사면; 경사. ③ 배반, 이반(離叛). ¶~ vom Glauben 배교(背敎). ④ 쇠퇴, 저감. ⑤ (다른 것과 비교하여) 떨어짐, 못함; 차이, 대조. ⑥ (흔히 *pl.*) 폐물, 쓰레기.

Abfall·eimer [ápfalaimər] *m.* 쓰레기통. **~eisen** *n.* 쇠부스러기.

ab|fallen* [ápfalən] *i.*(s.) ① 낙하[강하]하다, 떨어져 나가다. ② 비탈지다, 침강하다. ¶~ des Gelände 경사지(傾斜地). ③ 감소하다; 여위다, 쇠하다. ④ (von, 에서) 떠나다, 배반하다. ⑤bei jm. ~ 아무에게 퇴짜맞다 / ~ lassen 퇴짜 놓다. ⑥ 평판이 나쁘다. ⑦ (gegen, 에 비하여) 떨어지다, 못하다. **abfällig** [ápfɛlıç] *a.* ① 떨어질 듯한; 경사져 있는. ② 배반 [배신]하는. ¶ ~ werden von 에 배반하다. ③ 부정적인, 모욕적인. ¶ ~ beurteilen 악평[혹평]하다.

ab|fangen* [ápfaŋən] *t.* ① 붙잡다; 가로채다. ② (경기에서) 뒤따라 붙다. ③ (상승 또는 급강하에서) 수평의 비행 자세로 고치다. ④ 지주(支柱)를 세우다《건물의 무게를 받치거나 갱내의 낙반을 막기 위하여》. ⑤ (사냥칼로) 찔러 죽이다.

ab|färben [ápfɛrbən] 《Ⅰ》 *i.* (h.) 색이 바래다, 퇴색하다; (auf et.) 무엇에 색이 옮아 묻다; 영향을 받다. 《Ⅱ》 *t.* 염색하다.

ab|fassen [ápfasən] *t.* ① (문서를) 작성하다, 기초하다. ② 붙잡다, 체포하다《현행범을》. **Abfasser** *m.* -s, -, 기초자(起草者). **Abfassung** *f.* -en, (문서의) 작성, 기초. 「지다, 썩다.」

ab|faulen [ápfaulən] *i.* (s.) 썩어 떨어

ab|fechten* [ápfɛçtən] *t.* 싸워서 빼앗다 (jm. et.); *refl.* 싸워서 지치다.

ab|fēdern [ápfe:dərn] 《Ⅰ》 *t.* (닭의) 털을 뽑다; (자동차 따위에) 스프링을 부착하다. 《Ⅱ》 *i.*(h.) 털갈이하다.

ab|fēgen [ápfe:gən] *t.* (먼지 따위를) 쓸어 내다; 쓸어서 깨끗이 하다.

ab|feilen [ápfailən] *t.* 줄로 깎아내다, 줄로 갈다.

ab|feilschen [ápfailʃən] *t.* 값을 깎다. ¶jm. et. ~ 아무로부터 무엇을 값을 깎아 사다.

ab|feimen [ápfaimən] 《Ⅰ》 *t.* (의) 거품을 제거하다. 《Ⅱ》 **abgefeimt** *p.a.* 노회(老獪)한, 교활한.

ab|fertigen [ápfɛrtıgən] *t.* ① („fertigmachen zum Abgehen":) (기차·기선 따위를) 보내다; (화물·우편물을) 발송하다; (사람을) 파견하다 (*dispatch*). ② (일·문제 따위를) 잘 처리하다. ③ (만족케 하여) 전송하다《손님을》. ④ 쫓아내다. ¶kurz ~ 퇴짜 놓다. **Abfertigung** [ápfɛrtıguŋ] *f.* -en, ① 보냄; 발송; 파견. ② (공중에 대한) 사무 취급, 서비스; 취급소. ③ 거절, 몰아 냄(*snub*).

ab|feuern [ápfɔyərn] 《Ⅰ》 *t.* 발사[발포]하다. 《Ⅱ》 (용광로의) 불을 끄다.

ab|filtrieren [ápfıltri:rən] *t.* 여과하다, 거르다.

ab|finden* [ápfındən] 《Ⅰ》 *t.* (아무의 요구를) 만족시키다; 배상하다, 완불하다; (와) 화의하다. ¶den Gläubiger ~ 채권자에게 지불하다; 채권자와 화의하다. 《Ⅱ》 *refl.* ① (mit jm., 아무와) 화해[타협]하다; (mit et.³, 무엇으로) 만족하다. ② (다른 사람에게) 배상하다. **Abfindung** *f.* -en, 만족시킴; 타협, 협정, 화의, 화해; 배상, 보상. **Abfin·dungs·summe** *f.* 배상[보상]금.

ab|fingern [ápfıŋərn] *t.* 손가락으로 세다[만지작거리다].

ab|fischen [ápfıʃən] *t.* (의) 고기를 다 잡아버리다; 《比》 이익을 좇다; 편취하다 (jm. et.). ¶e-n Teich ~ 연못의 고기를 (모두) 잡아버리다.

ab|flachen [ápflaxən] 《Ⅰ》 *t.* 평평하게 하다; 완만히 비탈지게 하다. 《Ⅱ》 *refl.* 평평해지다; 완만히 비탈지다.

ab|flattern [ápflatərn] *i.*(s.) 날개치며 날아가다.

ab|flauen [ápflauən] 《Ⅰ》 *t.* ① 〖冶〗 세광(洗鑛)하다. ② 헹구다. 《Ⅱ》 *i.*(h.) 잔잔해지다, 자다《바람이》; 〖經〗 침체하다, 활발하지 못하게 되다.

ab|fliegen* [ápflı:gən] *i.*(s.) 날아가버리

다; 〖空〗 이륙(離陸)하다.

ab|fließen* [ápfli:sən] *i.* (s.) 흘러 나가다; 흘러가 버리다; (시간이) 경과하다; 《比》 유쾌하다.

ab|flößen [ápflø:sən] *t.* 뗏목으로 엮어 흘려보내다.

Abflug [ápflu:k] [<abfliegen] *m.* -(e)s, ⸚e, 날아가 버림; 〖空〗 이륙(離陸).

Abfluß [ápflus] [<abfließen] *m.* ..flusses, ..flüsse, ① 유출; 〖商〗 해외 유출. ② 배출(排出), 방출; 배출구.

Abfluß≈graben [–gra:bən] *m.* 수채; 배수구, 하수구(下水溝). **∼hahn** *m.* 〖機〗 배수[배기]코크(*cock*). **∼loch** *n.* 하수[배수]공. **∼rohr** *n.*, **∼röhre** *f.* 배수관, 하수관.

Abfolge [ápfɔlgə] *f.* -n, ① 순번; 연속, 계승 (*succession, sequence*). ¶ in rascher ∼ 신속하게 잇달아서. ② 방송 프로그램.

ab|fordern [ápfɔrdərn] *t.* ① jm. et. ∼ 아무에게 무엇을 청구[요구]하다(*demand*). ② 소환하다. **Abforderung** *f.* -en, 요구, 청구.

ab|formen [ápfɔrmən] *t.* 틀에 맞추어 만들다, 본을 뜨다.

ab|forschen [ápforʃən] *t.* 물어 밝히다; 추궁하다 (jm. et.).

ab|forsten [ápfɔrstən] *t.* (산림을) 벌채하다, (숲을 쳐) 길을 내다.

ab|fragen [ápfra:gən] *t.* (jm. et., 아무에게서 무엇을) 알아 내다, (아무에게 무엇을) 따져묻다.

ab|fressen* [ápfrɛsən] *t.* 다 먹어 버리다, 먹어 치우다.

ab|frieren* [ápfri:rən] 《Ⅰ》 *i.* (s.) 얼어 떨어지다; 동상에 걸리다. 《Ⅱ》 *t.*: sich³ die Zehe ∼ 동상으로 발가락을 잃다.

ab|fühlen [ápfy:lən] *t.* 감지(感知)하다 (jm. et.).

Abfuhr [ápfu:r] *f.* -en, ① 싣고 감, 반출, 운반. ② 데리고 감; 결투에서 속행 불능의 상처를 입힘; 거절 (*rebuff*). ¶ jm. e-e ∼ erteilen 아무(의 요구)를 물리치다.

ab|führen [ápfy:rən] 《Ⅰ》 *t.* ① 데리고 가다; 연행하다. ¶ vom rechten Wege ∼ 그릇 인도하다/ins Gefängnis ∼ 투옥하다. ② 운반해 가다, 반출하다. ¶ Wasser ∼ 물을 빼다. ③ 돌려 주다, 상환하다(돈을). ④ (결투에서) 속행 못할 상처를 주다; 《比》 꼼짝 못하게 하다, 혼내주다. ⑤ (개를) 훈련시키다. 《Ⅱ》 *i.* (h.) 〖醫〗 설사시키다. **abführend** *p. a.* 설사시키는. **Abführung** [ápfy:ruŋ] *f.* -en, 운송, 반출; 연행, 구류; 상환; 배설; 통변(通便)을 시킴. **Abführ(ungs)≈mittel** *n.* 설사약, 하제(下劑) (*purgative*).

ab|füllen [ápfylən] *t.* (액체 따위를) 옮겨 붓다; 통을 비우다. ¶ in Flaschen ∼ 병에 채우다.

ab|füttern¹ [ápfytərn] *t.* (의복에) 안을 대다. **Abfütterung** *f.* -en, 안을 댐; (속에 댄) 안.

ab|füttern² *t.* (가축에게) 사료를 (충분히) 주다; 《俗》 향응을 베풀다. **Abfüt≈terung** *f.* 사료를 주기.

Abg. 《略》=*Abg*eordnete 국회 의원.

Abgabe [ápga:bə] [<abgeben] *f.* -n, ① 교부, 인도(*delivery*); 배달, 전달. ② 매도, 양도. ③ 관세, 조세; 공과(公課), 과료. ④ 〖商〗 환어음. **∼n≈frei** *a.* 면세(免稅)의, 무세(無稅)의. **∼n≈pflichtig** *a.* 납세 의무가 있는.

Abgang [ápgaŋ] [<abgeh(e)n] *m.* -(e)s, ⸚e, ① 퇴거, 출발; 〖劇〗 퇴장; 퇴직, 사임; 졸업; 사멸; 단절; 유출(혈액 따위의); 결핍, 결손, 부족; 감손, 감소. ② (*pl.*) 폐물, 허섭스레기, 찌꺼기; 똥오줌. **abgängig** [ápgɛŋıç] *a.* 잘 팔리는; 결핍된, 부족한. **Abgängsel** [ápgɛŋzəl] *n.* -s, -, 쓰레기, 폐물.

Abgangs≈prüfung [ápgaŋspry:fuŋ] *f.* 졸업 시험. **∼zeugnis** *n.* 졸업 증서.

ab|gären* [ápgɛ:rən] *i.* (h.) 충분히 발효하다; 발효를 마치다.

Abgas [ápga:s] *n.* -es, -e, 폐기(廢棄) 가스, 폐기(廢氣).

ab|gaukeln [ápgaukəln], **ab|gaunern** [ápgaunərn] *t.*: jm. et. ∼ 아무에게서 무엇을 사취하다.

abgearbeitet [ápgəarbaitət] *p. a.* ☞ ABARBEITEN.

ab|geben* [ápge:bən] 《Ⅰ》 *t.* ① 교부하다, 넘겨주다. ¶ e-n Brief auf der ∼ 편지를 투함하다/s-e Karte bei jm. ∼ 아무에게 명함을 주다. ② 매도하다; 양도하다; 납부하다. ③ 내놓다; 주다. ¶ Wärme ∼ 열(熱)을 내다/ e-e Meinung ∼ 의견을 발표하다. ④ 어떤 구실을 하다. ¶ er wird e-n Gelehrten ∼ 그는 학자가 되겠지. ⑤ 그만두다. ¶ ein Amt ∼ 사직하다. 《Ⅱ》 *i.* (h.) (von, 의 일부를) 나누어 주다, 나누다. 《Ⅲ》 *refl.* (mit et.³, 무엇에) 걸려 들다, 가담하다; (mit jm., 아무와) 관계를 맺다, 교섭을 가지다.

abgebrannt [ápgəbrant] 《Ⅰ》 *p. a.* ☞ ABBRENNEN. 《Ⅱ》 **Abgebrannte** *m.* u. *f.* 《形容詞變化》 재산을 몽땅 태운 사람, 이재민.

abgebrochen [ápgəbrɔxən] *p. a.* ☞ ABBRECHEN. **Abgebrochenheit** *f.* 지리멸렬.

abgebrüht [ápgəbry:t] *p. a.* ☞ ABBRÜHEN.

abgedroschen [ápgədrɔʃən] *p. a.* ☞ ABDRESCHEN. **Abgedroschenheit** *f.* 지엽적임; 무의미.

abgefeimt [ápgəfaimt] *p. a.* 교활한, 노회(老獪)한.

abgehärmt [ápgəhɛrmt] *p. a.* ☞ ABHÄRMEN.

abgehärtet [ápgəhɛrtət] *p. a.* ☞ ABHÄRTEN.

ab|geh(e)n* [ápge:(ə)n] 《Ⅰ》 *i.* (s.) ① 떠나가다, 떨어져 가다, 물러가다; 〖劇〗 퇴장하다; 출발[발차·출범] 하다. ¶ mit dem Tode ∼ 죽다. ② (길이) 갈리다. ¶ vom (rechten) Wege ∼ 빗나가다, 원줄기에서 벗어나다/ von e-m Entschluß ∼ 변심하다/davon kann ich nicht ∼ 그것은 아무래도 양보할 수 없다. ③ 떨어지다, 벗어나다, 벗겨지다. ¶ Geschütze ∼ lassen 대포를 발사하다. ④ 유출하다; 배설되다; 유산[낙태]되다. ⑤ 물러서다, 사임하다. ¶ von der Schule ∼ 퇴교하다, 졸업하다. ⑥ (잘) 팔리다. ¶ reißend ∼ 날개가 돋친 듯이 팔리다. ⑦ (값이) 깎이다, 할인되다. ¶ es geht nichts vom Preise ab 한 푼도 깎을 수 없다. ⑧ 모자라다, 부족되다, 옹색하다.

¶er läßt sich nichts ～ 그는 아무 부족함이 없이 지내고 있다. ⑨ 경과하다, 끝나다; 되어 가다. ¶gut ～ 잘 되어 가다. 《Ⅱ》 *t.* (어떤 장소를) 골고루 돌아 다니다.

abgekämpft [ápgəkɛmpft] *p. a.* 《比》 싸워서 지친.

abgekartet [ápgəkartət] *p. a.* ＝ABKARTEN.

abgeklappert [ápgəklapərt] *p. a.* ☞ ABKLAPPERN.

abgeklärt [ápgəklɛ:rt] *p. a.* ☞ ABKLÄREN. **Abgeklärtheit** *f.* 청징(淸澄), 명철.

abgekürzt [ápgəkʏrtst] *p. a.* ☞ ABKÜRZEN.

abgelagert [ápgəla:gərt] *p. a.* ☞ ABLAGERN.

abgelebt [ápgəle:pt] *p. a.* ☞ ABLEBEN.

Abgelebtheit *f.* 노쇠, 노망.

abgelegen [ápgəle:gən] *p. a.* ☞ ABLIEGEN. **Abgelegenheit** *f.* 멀리 떨어짐, 두메.

abgeleitet [ápgəlaitət] *p. a.* ☞ ABLEITEN.

ab|gelten* [ápgɛltən] *t.* (요구에) 응하다; 변상하다, 보상하다. **Abgeltung** *f.* –en, 변제; 상각(償却).

abgemacht [ápgəmaxt] *p. a.* ☞ ABMACHEN.

abgemessen [ápgəmɛsən] *p. a.* ☞ ABMESSEN.

Abgemessenheit *f.* 적확, 정밀, 차근차근함, 딱딱하고 거북스러움.

abgeneigt [ápgənaikt] *p. a.* ☞ ABNEIGEN.

abgenutzt [ápgənutst] *p. a.* ☞ ABNUTZEN.

Abgeordnete [ápgəɔrdnətə 또는 –tn–] *m.* u. *f.* 《形容詞變化》 대리인, 위원; 국회 의원. **Abgeordneten·haus** *n.* 국회, 하원.

ab|gerben [ápgɛrbən] *t.* (가죽을) 충분히 무두질하다; 《俗》 세게 때리다.

abgerieben [ápgəri:bən] *p. a.* ☞ ABREIBEN.

abgerissen [ápgərɪsən] *p. a.* ☞ ABREIßEN.

Abgerissenheit *f.* (옷가지가) 입어서 낡음; 지리 멸렬, (문장·말 따위의) 단속(斷續).

abgerundet [ápgərundət] *p. a.* ☞ ABRUNDEN.

abgesägt [ápgəza:kt] *p. a.* ☞ ABSAGEN.

Abgesandte [ápgəzantə] *m.* u. *f.* 《形容詞變化》 ① 사자(使者), 사절. ② 공사, (전권) 대사 (*ambassador*). ¶geheimer ～r 밀사.

abgeschabt [ápgəʃa:pt] *p. a.* ☞ ABSCHABEN.

abgeschieden [ápgəʃi:dən] [<abscheiden] *p. a.* ☞ ABSCHEIDEN. **Abgeschiedenheit** *f.* 은퇴; 은거.

abgeschliffen [ápgəʃlɪfən] *p. a.* ☞ ABSCHLEIFEN. **Abgeschliffenheit** *f.* (인품이) 원만함, 온화함, 고상함.

abgeschlossen [ápgəʃlɔsən] *p. a.* ☞ ABSCHLIEẞEN.

abgeschmackt [ápgəʃmakt] *a.* 무미한, 몰취미의; 어리석은, 하찮은. **Abgeschmacktheit** *f.* –en, 무(취)미, 몰취미; 하찮음.

abgesehen [ápgəze:ən] *p. a.* ☞ ABSEHEN.

abgespannt [ápgəʃpant] *p. a.* ☞ ABSPANNEN. **Abgespanntheit** *f.* 권태, 피로, 의기 소침; 〖醫〗 이완(弛緩), 쇠약.

abgestanden [ápgəʃtandən] *p. a.* ☞ ABSTEHEN.

abgestorben [ápgəʃtɔrbən] *p. a.* ☞ ABSTERBEN.

abgestumpft [ápgəʃtumpft] *p. a.* ☞ ABSTUMPFEN. **Abgestumpftheit** *f.* (칼 따위가) 무딤; 무감각; 둔감.

ab|gewinnen* [ápgəvɪnən] *t.* 쟁취하다; 획득하다. ¶(es) jm. ～ 아무에 이기다/ jm. et. ～ 아무에게서 무엇을 (내기에 이겨) 빼앗다 〔획득하다〕/ e-m Dinge Geschmack ～ 무엇에 취미를 느끼게 되다.

ab|gewöhnen [ápgəvø:nən] *t.*: jm. et. ～ 아무의 무엇〔습관〕을 버리게 하다/ sich³ das Rauchen ～ 흡연의 습관을 버리다.

abgezehrt [ápgətse:rt] *p. a.* ☞ ABZEHREN.

ab|gießen* [ápgi:sən] *t.* 부어 옮기다; 주형(鑄型)에 뜨다, 주조하다.

Abglanz [ápglants] *m.* –es, 반사, 반조(反照), 반영. ¶schwacher ～ 《比》 엷은 반조〔여운〕.

ab|gleichen⁽*⁾ [ápglaiçən] *t.* ① 고르게 하다; 평균하다, 균등하게 하다. ② 〖經〗 청산하다.

ab|gleiten⁽*⁾ [ápglaitən] *i.* (s.) 미끄러져 내리다, (자동차 따위가) 옆으로 미끄러지다. ¶Vorwürfe gleiten von ihm ab 그는 비난에 귀를 기우리지 않는다.

ab|glimmen⁽*⁾ [ápglɪmən] *i.* (s.) (불·빛 따위가) 꺼지다.

ab|glitschen [ápglɪtʃən] *i.* (s.) 미끄러져 내리다.

ab|glühen [ápgly:ən] *t.* 달구다.

Abgott [ápgɔt] *m.* –(e)s, ⸗er, 우상; 숭배의 대상. **Abgötterei** [apgœtərái] *f.* –en, 우상 숭배. ¶ ～ mit jm. treiben 아무를 우상같이 여기다. **Abgöttin** *f.* –nen, (여신의) 우상(*idol*), 숭배〔애모〕하는 여성. **abgöttisch** 《Ⅰ》 *a.* 우상 숭배의. 《Ⅱ》 *adv.*: ～ lieben 열렬히 사랑하다.

ab|graben* [ápgra:bən] *t.* 파내리다, 파 없애다〔옮기다〕. ¶Wasser ～ 물을 (끌어) 빼다/ 《比》 jm. das Wasser ～ 아무를 궁지에 빠뜨리다/ e-n Teich ～ 도랑을 파서 물을 끌어 못의 물을 말리다.

ab|grämen [ápgrɛ:mən] *refl.* 근심으로 수척해지다.

ab|gräsen [ápgra:zən] *t.* (의) 풀을 모조리 먹어버리다 《짐승이》; (의) 풀을 다 베어버리다 《사람이》; 《比》 써 없애다; 다 잡아버리다 《고기를》.

ab|greifen* [ápgraifən] *t.* 써서 망그러뜨리다, 닳게 하다. **abgegriffen** *p. a.* 닳아빠진.

ab|grenzen [ápgrɛntsən] *t.* (의) 경계〔한계〕를 정하다; 구분〔구획〕하다. **Abgrenzung** *f.* –en, 경계〔한계〕를 정함, 구획함; 구획, 경계.

Abgrund [ápgrunt] *m.* –(e)s, ⸗e, ① 심연(深淵) (*abyss*); 단애(斷崖), 절벽 (*precipice*). ② 지옥. **abgründig** *a.* 심연〔절벽〕을 이루는; 《比》 심원한. **abgrundtief** *a.* 헤아릴 수 없이 깊은.

ab|gucken [ápgukən] *t.*: jm. et. ～ 아무의 무엇을 엿보다.

ab|gürten [ápgʏrtən] *t.* 허리띠를 풀다, (검 따위를) 검대에서 풀다; (말의) 안장

을 벗기다.
Abguß [ápgus] [<abgießen] *m.* ..gusses, ..güsse, 주조(鑄造); 주형(鑄型); 주조물.
Abh. 《略》=*Abh*andlung 논문.
ab|haaren [ápha:rən] *t.* (의) 털을 뽑다; *i.*(h.) 털이 빠지다.
ab|haben* [ápha:bən] *t.* ① (von, 의) 몫을 차지하다. ② 벗고 있다《모자 따위를》.
ab|hacken [áphakən] *t.* (도끼로) 잘라내다.
ab|hagern [ápha:gərn] *i.*(s.) 수척해지다.
ab|haken [ápha:kən] *t.* ① 고리에서 벗기다. ② (리스트 따위에) 갈고리표를 하다.
ab|halten* [áphaltən] 《Ⅰ》 *t.* ① 곁에 못오게 하다; 막다; (vom, 을) 못하게 하다, 방해하다. ¶von der Arbeit ~ 일〔공부〕의 방해를 하다. ② 거행〔개최〕하다. ¶e-e Sitzung ~ 회의를 열다. 《Ⅱ》 *i.*(h.) : 〖海〗 von Lande ~ 해안에서 떨어져 난바다 위를 항행하다. **Abhaltung** *f.* -en, 저지(阻止), 방해, 고장; 거행, 개최.
ab|handeln [áphandəln] *t.* ① (jm. et., 아무에게서 무엇을) 사들이다; 값을 깎다. ② 논술하다. ③ 담합(談合)〔상의(商議)〕하다, 협정하다.
abhanden [aphándən] *adv.*: ~ kommen 잃어버리다, 분실하다/~ sein 지니지 않다, 가지지 않다.
Abhandlung [áphandluŋ, -tl-] *f.* -en, ① 논술; 논문, 논설(*treatise, dissertation*). ② 상의(商議)(*discourse*).
Abhang [áphaŋ] *m.* -(e)s, ⸚e, 비탈, 물매, 언덕. **ab|hangen***† *i.*(h.) ① 드리워지다. ② 비탈지다, 하향(下向)하다.
ab|hängen(*) 《Ⅰ》 *t.* 〖弱變化〗 ① (걸려 있는 것을) 벗기다; (매단 것을) 풀어놓다. ② 떼어 놓다, 뽑다. 《Ⅱ》 〖强變化〗 *i.*(h.): von jm. [et.³] ~ 아무〔무엇〕에 달려 있다 〔의존하다·좌우되다〕(*depend on*). **abhängig** [áphɛŋıç] *a.* ① (von, 에) 의존하는, 의지하는(*dependent on*); …에 좌우되는, 종속된 (*contingent on*). ② 드리워진, 경사진. **Abhängigkeit** *f.* ① 의존; 종속. ② 경사.
ab|härmen [áphɛrmən] 《Ⅰ》 *refl.* 괴로움으로 수척해지다. 《Ⅱ》 **abgehärmt** *p.a.* 괴로와 수척해진.
ab|härten [áphɛrtən] 《Ⅰ》 *t.* 단련하다, 단단하게 하다. 《Ⅱ》 **abgehärtet** *p.a.* 단련된, 무감각하게 된.
ab|haspeln [áphaspəln] *t.* 자아내다《실을》; 《比》 재게 입을 놀리다〔읽다·외다〕.
ab|hauen* [áphauən] 《Ⅰ》 *t.* 베어 떨어뜨리다; 잘라 떼다. 《Ⅱ》 *i.*(s.) 《俗》 (남모르게 재빨리) 떠나다; (비행기가) 이륙하다.
ab|häuten [áphɔytən] 《Ⅰ》 *t.* (의) 가죽을 벗기다. 《Ⅱ》 *i.*(h.) 가죽이 벗겨지다, 탈피(脫皮)하다.
ab|heben* [áphe:bən] 《Ⅰ》 *t.* 제거하다, 떼어내다; (돈을) 찾아 내다《예금에서》. ¶die Karten ~ (카드의) 패를 떼다. 《Ⅱ》 *refl.* 두드러져 보이다, (에 대해서) 뚜렷해 보이다, (와) 대조를 이루다.
ab|heilen [áphailən] *i.*(h. *u.* s.) 완쾌하다.
ab|helfen* [áphɛlfən] *i.*(h.): e-m Dinge ~ 무엇을 제거하다, 구제하다 /e-r Krankheit ~ 병을 고치다/e-m Mangel ~ 부족을 보충하다.
ab|hetzen [áphɛtsən] *t.* 마구 몰아 지치게 하다; 《比》 혹사하다; *refl.* 분망하여 지치다, 과로하다.
Abhilfe [áphılfə] [<abhelfen] *f.* -n, 구제 수단, 타개책; 제거《폐해 따위의》.
Abhitze [áphıtsə] *f.* 여열(餘熱).
ab|hobeln [ápho:bəln] *t.* (에) 대패질하다.
abhold [áphɔlt] *a.*: jm. 〔e-m Dinge〕 ~ sein 아무를〔무엇을〕 싫어하다.
ab|holen [ápho:lən] *t.* ① 가지러 가다; (우편 집배원이 우편물을) 모으다 ② 데리러 가다, 마중가다. ¶jm. von der Bahn ~ 정거장에 아무를 마중가다/jn. ~ lassen 아무를 부르러〔마중〕 보내다.
Abholz [áphɔlts] *n.* -es, 지저깨비. **ab|holzen** [áphɔltsən] *t.* 수목을 벌채하다, 나뭇가지를 치다.
abhorchen [áphɔrçən] *t.* (jm. et., 아무의 무엇을) 엿듣다; 〖醫〗 청진하다.
ab|hören [áphø:rən] *t.* ① (라디오를) 청취하다; 들어 알다; (전화를) 곁에서 듣다; 〖醫〗 청진하다. ② jm. et. ~ 아무로부터 무엇을 엿듣다; 전화를 도청하다.
Abhub [áphu:p] [<abheben] *m.* -(e)s, 먹다 남은 찌끼; 〖冶〗 광재(鑛滓); 쓰레기 같은 인물.
ab|hülsen [áphʏlzən] *t.* (콩 따위의) 꼬투리를 벗기다.
ab|irren [áp-ırən] *i.*(s.) 길을 잃다, 바른 길에서 벗어나다. **Ab·irrung** *f.* -en, 헷갈림, 착오, 착란; 〖光〗 수차(收差).
Abitur [abitú:r] [lat.] *n.* -s, -e, (독일의) 고등 학교 졸업 시험. **Abiturient** [abituriɛ́nt] *m.* -en, -en, 고등 학교 졸업 시험의 수험생.
ab|jagen [ápja:gən] 《Ⅰ》 *t.* ① jm. et. ~ 아무를 뒤쫓아서 무엇을 빼앗다. ② (말을) 몰아대어 지치게 하다. 《Ⅱ》 *i.*(h.) 사냥을 마치다. 《Ⅲ》 *refl.* 《比》 분망하여 지치다.
Abk. 《略》=*Abk*ürzung 단축, 생략; 약어.
ab|kante(l)n [ápkantə(l)n] *t.* (의) 모를 없애다; 둥글게 하다.
ab|kanzeln [ápkantsəln] *t.* 단상에서 설교하다; 질책하다.
ab|karten [ápkartən] 《Ⅰ》 *t.* 몰래 짜다, 공모하다. 《Ⅱ》 **abgekartet** *p.a.* 공모한, 서로 짠. ¶e-e ~e Sache 음모.
ab|kauen [ápkauən] *t.* 물어 떼다〔뜯다〕.
ab|kaufen [ápkaufən] *t.* (jm. et., 아무에게서 무엇을) 사들이다, 매입하다.
Abkehr [ápke:r] *f.* (von et., 무엇에서의) 전향(轉向), 배리(背離); 혐오; 포기. **ab|kehren**[1] [ápke:rən] 《Ⅰ》 *t.* 전향하다; 외면하다. 《Ⅱ》 *refl.* (von, 에) 등지다, (을) 멀리하다, 싫어하다, 기피하다.
ab|kehren[2] *t.* 쓸어내다, 청소하다; 〖軍〗 소탕하다.
ab|klappern [ápklapərn] 《Ⅰ》 *t.* (어떤 장소를) 배회하다. 《Ⅱ》 **abgeklappert** *p.a.* 지칠대로 지친; 《比》 진부한.
ab|klären [ápklɛ:rən] 《Ⅰ》 *t.* 정(淨)하게 하다; 거르다, 여과하다. 《Ⅱ》 *refl.* 맑아지다. 《Ⅲ》 **abgeklärt** *p.a.* 청명

한; 맑은, 명석한; (여론 따위에) 초연한. **Abklatsch** [ápklatʃ] *m.* -es, -e, 〖印〗교정쇄, 스테레오판(版); 《比》 (서툰) 모방. **ab|klatschen** [ápklatʃən] *t.* (솔로 두드려) 인쇄하다, 스테레오판으로 하다.

A

ab|klauben [ápklaubən] *t.* 쥐어뜯다; (뼈다귀를) 뜯어먹다.

ab|klemmen [ápklɛmən] *t.* 집어 내다.

ab|klingeln [ápklɪŋəln] *t.* (구식 전화에서, 벨을 울려서) 전화를 끊다.

ab|klingen* [ápklɪŋən] *i.*(s.) (소리가) 점차 사라지다, (색이) 엷어지다, (기분이) 식어 가다, (자극이) 감퇴하다.

ab|klopfen [ápklɔpfən] 《I》 *t.* ① 두드려 털어내다《먼지를》. ② 두루 찾아다니다. ③ 〖醫〗 타진(打診)하다. 《II》 *i.*(h.) 〖樂〗 (지휘자가) 중지 신호를 하다.

ab|knabbern [ápknabərn] *t.* 물어 끊다; 뜯어먹다《뼈다귀를》.

ab|knallen [ápknalən] 《I》 *t.* (탕하고) 쏘다《총을》. 《II》 *i.*(s.) 폭발하다.

ab|knappen [ápknapən], **ab|knapsen** [-knapsən] *t.* 주는 것을 아까와 하다. ¶ sich³ et. ～ 무엇을 절약하다.

ab|kneifen* [ápknaifən] *t.* 오리다; 집어내다.

ab|knicken [ápknɪkən] 《I》 *t.* 뚝 꺾다, 뚝 자르다. 《II》 *i.*(s.) 뚝 꺾이다.

ab|knöpfen [ápknœpfən] *t.* ① (의) 단추를 끄르다. ② 《俗》 jm. et. ～ 아무에게서 무엇을 사취하다.

ab|knüpfen [ápknʏpfən] *t.* (의 매듭을) 풀다; 풀어 헤치다.

ab|kochen [ápkɔxən] 《I》 *t.* 삶아 내다, 끓여 내다; 푹 삶다. 《II》 *i.*(h.) 취사(炊事)를 마치다; 야외에서 취사하다.

ab|kommandieren [ápkɔmandi:rən] *t.* ① (명하여) 파견하다. ¶ abkommandiert zu.... …근무의 명을 받은.

Abkomme [ápkɔmə] *m.* -n, -n, 혈통을 이은 사람, 후예 (*descendant*). **ab|kommen*** 《I》*i.*(s.) ① 떠나가다. ② 출발하다. ¶ 〖競〗 gut ～ 스타트를 잘하다. ③ 없어지다. ¶ er kann nicht ～ 그가 없어서는 곤란하다. ④ 면하다, 벗어나다. ¶ vom Wage ～ 길을 잃다. ⑤ 시대에 뒤지다, 낡아지다. ⑥ † 계통을 잇다, 유래하다. 《II》 **Abkommen** *n.* -s, -, ① 혈통, 출생. ② 협정, 합의 (*agreement, convention*). ¶ mit jm. über et. ein ～ treffen 아무와 어떤 일에 관하여 협정하다. ③ (유행 따위의) 쇠퇴. **Abkommenschaft** *f.* 자손, 후예. **abkömmlich** [ápkœmlɪç] *a.* ① 없어도 무방한, 있으나마나한. ② 유래〔파생〕하는. **Abkömmling** *m.* -s, -e, 후예, 자손 (*descendant*); 〖化〗 유도체.

ab|konterfeien [ápkɔntərfaiən] *t.* 《俗》 (의) 초상화를 그리다.

ab|kratzen [ápkratsən] 《I》 *t.* 긁어 내다; 깎아 내다; 소파(搔爬)하다. 《II》 *i.*(s.) 《俗》 도망치다; 뒈지다.

ab|kriegen [ápkri:gən] *t.* 몫으로 얻다. ¶ 《俗》 et. ～ 혼나다《문책·벌·날씨 따위로》.

ab|krümeln [ápkry:məln] *t.* 분쇄하다; *i.*(s.) 산산이 부숴지다.

ab|kühlen [ápky:lən] 《I》 *t.* 식히다; 시원하게 하다; 냉각시키다. 《II》 *refl.* 식다, 냉각하다; 시원해지다. **Abkühlung** *f.* -en, 냉각; 냉동; 〖醫〗 청량법.

Abkunft [ápkunft] [<abkommen] *f.* 출생, 혈통. ¶ von guter ～ 명문 출신의.

ab|kürzen [ápkʏrtsən] *t.* 줄이다; 단축〔생략〕하다 (*abridge, abbreviate*); 〖數〗 약분(約分)하다. ¶ den Weg ～ 지름길로 가다; 《II》 **abgekürzt** *p.a.* 단축〔생략〕된; 약식의. **Abkürzung** [-tsuŋ] *f.* -en, 단축, 생략, 간략; 〖數〗 약분; 약어(略語). ¶ ～ des Weges 지름길. **Abkürzungszeichen** *n.* 생략 부호.

ab|laden* [ápla:dən] 《I》 *t.* (실은 짐을) 부리다, (차·배 따위로부터) 짐을 풀어 내리다. ¶ den Wagen ～ 차에 실은 짐을 부리다. 《II》 *i.*(h.) 《俗》 bei jm. ～ 아무에게 마음속을 토로하다. **Abladeplatz** *m.* ① 하역장(荷役場), 짐 부리는 곳. ② 쓰레기 버리는 곳. **Ablader** [ápla:dər] *m.* -s, -, 하역 인부.

Ablage [ápla:gə] [<ablegen] *f.* -n, 저장소, 창고; (Holz～) 저목장(貯木場); (Kleider～) 의복 맡기는 곳《극장 따위의》.

ab|lagern [ápla:gərn] 《I》 *t.* 퇴적시키다; 침전시키다. 《II》 *i.*(s.) (저장하여) 품질이 좋아지다, 익다, 잘 마르다. ¶ ～ lassen 잘 말리다. 《III》 **abgelagert** *p.a.* 익은, 향기가 높은. **Ablagerung** *f.* -en, ① 퇴적(물), 침전(물); 〖地〗 층(層); 〖醫〗 결석(結石); ② (포도주 따위의) 저장.

ablandig [áplandɪç] *a.* 〖海〗 (*ant.* auflandig) 뭍에서 부는.

Ablaß [áplas] *m.* ..lasses, ..lässe, ① 유출, 방출, 방수로(放水路); 수문; 배기구(排氣口); (통의) 주둥이. ② 중지, 중단. ¶ ohne ～ 끊임없이. ③ 〖宗〗 사죄, 속죄(*indulgence*). **Ablaßbrief** *m.* 속죄부, 사죄장(赦罪狀). **ab|lassen*** [áplasən] 《I》 *t.* ① 버려 두다; 발차〔진수(進水)〕시키다; 스타트시키다. ② 방출〔유출〕시키다. ¶ das Faß ～ 통의 주둥이를 열다/den Teich ～ 연못의 물을 말리다. ③ 주다, 건네다; 팔다. ④ et. (vom Preise) ～ 값을 깎다. 《II》 *i.*(h.) (von, 을) 떠나다, (에서) 손을 떼다, 그만두다. **Ablaßkrämer** *m.* 속죄부 상인《성직자를 욕하여 하는 말》.

Ablativ [ábIati:f, áp-; ablatí:f, ap-] *m.* -s, -e, 탈격(奪格)《라틴 문법의 제 6 격》.

ab|lauern [áplauərn] *t.* 잠복〔매복〕하다; 탐지하다. ¶ jm. et. ～ 아무의 무엇을 탐지하다.

Ablauf [áplauf] *m.* -(e)s, ⸗e, ① 달려감, 흘러감, 떠나감. ② 출발; 출항; 진수(進水); 〖競〗 스타트. ③ 유출구(流出口); 수문. ④ 경과; 만료(滿了); 만기; (일의) 결말. ¶ nach ～ von (의) 만료 후에. **ab|laufen*** [áplaufən] 《I》 *i.*(s.) ① 달려〔흘러〕가다; 달려〔흘러〕 내려가다; 출발〔출항·진수(進水)〕하다; 〖競〗 스타트하다. ¶ jn. ～ lassen 《比》 아무의 요구를 거절하다. ② 달리기를 끝내다; (시계가) 서다; (기한이) 만료되다, (기간이) 경과하다; (…한 결과로) 끝나다. ¶ unsere Zeit ist abgelaufen 우리들의 전성기는 지났다/gut abgelaufen sein (일이) 잘 되었다. 《II》 *t.* ① (구두를) 달려서 닳게 하다, 달려서 지치게 하다. ¶

sich³ die Beine nach et. ~ 무엇을 구하려고 동분서주하다/sich³ die Hörner ~ 모가 없다; 경험을 쌓아 분별이 생기다. ② 달려가서 얻다. ¶jm. den Rang ~ 아무를 앞지르다. ③ die Straßen ~ 거리를 뛰어다니다.

ab|lauschen [áplauʃən] *t.*: jm. et. ~ 아무의 무엇을 엿듣다.

Ablaut [áplaut] *m.* -(e)s, -e, 〖文〗모음교체《간모음의 법칙적 변화, 특히 동사의 강변화; 보기: singen—sang—gesungen》. **ab|lauten** [áplautən] *i.*(h.) 간모음을 변화하다.

ab|läuten [áplɔytən] *i.*(h.) (발차·종료·중지 따위를) 벨이나 종을 울려 알리다.

ab|läutern *t.* 순화〔정제〕하다; 〖冶〗세광(洗鑛)하다.

ab|lēben [áple:bən] 《Ⅰ》 *i.*(s.) 생활력을 잃다; 죽다. 《Ⅱ》 **Ablēben** *n.* -s, 죽음, 사거(死去). 《Ⅲ》 **abgelēbt** *p.a.* 노쇠한, 정력이 소모한; 죽은; 진부한.

ab|lecken [áplɛkən] *t.* 핥아 내다; 깨끗이 핥다.

ab|lēgen [áple:gən] 《Ⅰ》 *t.* ① (*ant.* anlegen) 벗다, 제거하다; 내려놓다《짐 따위를》. ② 이탈하다, 버리다《습관을》. ③ 챙기다, 정돈〔분류〕하다. ④ 끄집어 내리다; 〖印〗해판하다. ⑤〖農〗접붙이다, 휘묻이〔꺾꽂이〕하다. ⑥ 행하다, 다하다, 수행하다. ¶e-n Eid ~ 선서하다 / Prüfung ~ 시험을 치르다〔에 통과하다〕/ Rechenschaft ~ 변명〔설명〕하다 / Zeugnis ~ 증명하다. 《Ⅱ》 *i.*(h.) ①벗다. ¶bitte, legen Sie ab! 벗으십시오《모자·외투 따위를》. ② 쇠하다《기억·시력 따위가》. **Ablēger** *m.* -s, -, ① 휘묻이, 꺾꽂이; (휘묻이하기 위한) 어린 가지. ② 짐승의 새끼. ③ 지점(支店). **Ablēgung** *f.* -en, ① 제거함. ② 휘묻이. ③ 행함, 수행; 〖印〗해판.

ab|lehnen [áple:nən] *t.* ① 거절〔거부〕하다(*refuse*); 부결하다(*reject*); (호의를) 사절하다(*decline*). ② 찬성하지 않다(*disapprove*). **ablehnend** *p.a.* 거절하는, 거부적인. **Ablehnung** [áple:nuŋ] *f.* -en, 거부; 사절; 기피.

ab|leiben [áplaibən] *i.*(s.) 죽다.

ab|leihen [áplaiən] *t.*: jm. et. ~ 아무에게서 무엇을 빌다.

ab|leisten [áplaistən] *t.* 다하다, 행하다; 〖軍〗(복무를) 마치다.

ableitbār [áplaitba:r] *a.* (von, 에서) 연역되는, (에) 소급할 수 있는. **ab|leiten** 《Ⅰ》 *t.* ① 딴 데로 이끌다, 유도(誘導)하다; 〖電〗(에) 분로(分路)를 만들다. ¶e-n Fluß ~ 강물을 딴 곳으로 끌다. ② von et.³ ~ 무엇에서 유래하다, 무엇에서 파생하다. ③ 연역〔추론(推論)〕하다. 《Ⅱ》 **abgeleitet** *p.a.* 파생〔전화(轉化)·유래〕한. **Ableiter** *m.* -s, -, 도체(導體), 도선, 도관(導管); (Blitz~) 피뢰침. **Ableitung** [áplaituŋ] *f.* -en, 유도; 유치(誘致); 물을 끎, 소수(疏水); 〖電〗분로(分路). ② 소원(遡源); 연역; 파생(어).

ab|lenken [áplɛŋkən] 《Ⅰ》 *t.* ① 딴 쪽으로 돌리다, 빗나가게 하다. ② 편향(偏向)시키다; (전파 등을) 굴절시키다. 《Ⅱ》 *i.*(h.) 딴 쪽으로 돌다; 빗나가다. **Ablenkung** *f.* -en, ① 딴 쪽으로 돌리기, 전향, 편향(偏向). ② 기분 전환. **Ablenkungs·angriff** *m.* 〖軍〗유치〔견제〕공격. **~manöver** *m.* 견제 작전.

ab|lernen [áplernən] *t.*: jm. et. ~ 아무의 무엇을 습득하다, 보고 익히다.

ab|lēsen* [áple:zən] *t.* ① (과실을) 따다. ② 잡아 없애다, 구제하다《벌레 따위를》. ③ (각본·명부 따위를) 읽다; 낭독 연설하다; (안색 따위로) 알아채다.

ab|leugnen [áplɔygnən, -lɔyk-] *t.* 부인〔부정〕하다, 딱 잡아떼다; 거부하다.

ab|liefern [ápli:fərn] *t.* 인도(引渡)하다, 교부하다. **Ablieferung** *f.* -en, 인도(引渡), 교부, 배달.

ab|liegen* [ápli:gən] 《Ⅰ》 *i.* (s. *u.* h.) ① 떨어져 있다, 멀리에 있다. ② 오래 묵혀 익다; 《Ⅱ》 **abgelēgen** *p.a.* ① 멀리 떨어진, 벽지의. ② 잘 익은《포도주 따위》.

ab|listen [áplɪstən] *t.*: jm. et. ~ 책략을 써서 아무로부터 무엇을 편취하다.

ab|locken [áplɔkən] *t.* 꾀어 내다. ¶jm. et. ~ 아무를 꾀어 무엇을 후려내다.

ab|lohnen [áplo:nən], **ab|löhnen** [áplø:nən] *t.* 급료를 전부 지급하다, 급료를 주고 해고하다.

ab|löschen⁽*⁾ [áplœʃən] *t.* ① 지우다; 닦아내다; (석회(石灰)를) 소화(消和)시키다(*slake*); 불리다, 담금질하다(*temper*).

ab|lōsen [áplø:zən] 《Ⅰ》 *t.* ① 풀어 놓다, 벗기다; 떼놓다; 절단하다. ② 상환(償還)하다; † (저당 잡힌 물건을) 찾아내다. ③ jn. ~ 아무와 교대하다, (을) 대신하다. 《Ⅱ》 *refl.* ① 풀어져 떨어지다, 느슨해지다. ② (mit, 와) 교대하다. **ablōslich** *a.* 뗄〔벗길·풀〕수 있는. **Ablōsung** *f.* -en, ① 분해, 분리; 박리(剝離), 절단. ② 상환, 상각(償却). ③ 교대(병(兵)).

ab|luchsen [áplʊksən] *t.*: jm. et. ~ 아무의 무엇을 편취하다; 몰래 모방하다.

ab|machen [ápmaxən] 《Ⅰ》 *t.* ① 제거하다, 떼다; (의 가죽을) 벗기다. ② 끝내다, 정돈하다; 결정하다, 협정〔약정〕하다. ¶gütlich ~ 화해하다. 《Ⅱ》 **abgemacht** *p.a.* 끝낸, 타협이 된. **Abmachung** *f.* -en, 결정, 낙착; 협정, 약정.

ab|māgern [ápma:gərn] *i.* (s.) 여위다. **Abmägerungs·kūr** *f.* 탈지 요법(脫脂療法).

abmāhen [ápmɛ:ən] *t.* 베다《풀을》. ¶e-e Wiese ~ (목장의 풀을) 베다.

ab|mahnen [ápma:nən] *t.* 무엇을 못하게 말리다, 간(諫)하여 그만두게 하다.

ab|mālen [ápma:lən] *t.* 그리다, 베끼다, 《比》묘사〔서술〕하다.

ab|marken [ápmarkən] *t.* (에) 기호를 붙이다; (의) 경계를 정하다.

Abmarsch [ápmarʃ] *m.* -es, ⸚e, 행진; 출발; 퇴각; 철영(撤營). **ab|marschieren** *i.*(s.) 행진하다; 진발(進發)하다; 철영하다.

ab|martern [ápmartərn] *t.* 괴롭히다, 고문하다; *refl.* 괴로와하고 번뇌하다.

ab|matten [ápmatən] *t.* 지치게 하다, 혹사하다.

ab|melden [ápmɛldən] 《Ⅰ》 *t.* ① 취소하다《방문 따위를》. ② jn. ~ 아무의 퇴거

〔퇴교·출발 따위〕를 신고하다. 《Ⅱ》 *refl.* 퇴거를 신고하다. **Abmeldung** *f.* -en, 취소; 퇴거〔출발〕의 신고.

ab|merken [ápmɛrkən] *t.*: jm. et. ~ 아무의 무엇을 보아 깨닫다.

ab|messen* [ápmɛsən] 《Ⅰ》 *t.* ① 치수를 재어 마르다《옷감 따위를》. ② 측정〔측량·계량〕하다. ③ nach et.[3] ~ (무엇에 의하여) 판단하다, (무엇에 따라) 조종하다, (무엇에) 적응시키다. ④ 짐작하다; 신중히 하다. ¶s-e Worte ~ 말을 삼가다. 《Ⅱ》 **abgemessen** *p.a.* 적절한; 정확한; 규칙적인; 신중한; 거북스러운. **Abmessung** *f.* -en, ① 측정, 측량, 계량. ② 크기, 용적(容積). ③ 조절, 적응.

ab|mieten [ápmi:tən] *t.*: jm. et. ~ 아무의 무엇을 임차(賃借)하다. **Abmieter** *m.* -s, -, 임차인(賃借人); 세든 사람 (*tenant*).

ab|montieren [ápmɔnti:rən] *t.* (기계를) 분해하다, 해체하다.

ab|mühen [ápmy:ən] *refl.* 고생하다.

ab|müßigen [ápmy:sɪgən] 《Ⅰ》 *t.*: sich[3] Zeit ~ 잠시 틈을 내다. 《Ⅱ》 *refl.* 면하다, 벗어나다 (von et.)

ab|mustern [ápmustərn] *t.* (선원을 급료를 주어) 해고하다.

ab|nägen [ápna:gən] *t.* 물어 뜯다. ¶ e-n Knochen ~ 뼈(의 살)를 뜯어 먹다.

Abnahme [ápna:mə] [<abnehmen] *f.* -n, ① 떼어냄, 제거; 〖醫〗 절단(*amputation*). ② 인수, 수령, 수취(受取); 감사(監査), 검사. ¶ ~ e-r Parade 열병(閱兵)/ ~ e-r Rechnung 회계 감사. ③ 판매, 판로(販路) (*sale*). ¶~ finden 잘 팔리다. ④ (*ant.* Zunahme) 감소, 쇠퇴 (*diminution, decline*); 썰물. ¶ ~ des Mondes 달의 이지러짐/ ~ der Tage 날이 짧아짐.

Abnegation [apnegatsió:n] [lat.] *f.* -en, 부인, 부정; 거부, 거절.

ab|nehmen* [ápne:mən] 《Ⅰ》 *t.* ① 떼어내다, 제거하다; 따내다; 벗다, (카드놀이의 패를) 떼다; 〖醫〗 절단하다. ② jm. et. ~ 아무에게서 무엇을 빼앗다/ jm. zuviel ~ 아무에게 비싼 값을 부르다 / jm. ~ 아무에게서 사들이다/ Maschen ~ (뜨개감의) 코를 줄이다. ③ jn. 〔js. Bild〕 ~ 아무의 초상을 그리다, 사진으로 찍다. ④ 받아들이다; 검사하다《인수할 때》. ¶e-e Rechnung ~ 회계 검사를 실시하다/jm. e-n Eid 〔ein Versprechen〕 ~ 아무에게 선서〔약속〕시키다. 《Ⅱ》 *i.* (h.) (*ant.* Zunehmen) 감소〔축소〕하다; 여위다; (달이) 이지러지다; (조수가) 써다; (건강이) 쇠퇴하다; 날〔낮〕이 짧아지다. **Abnehmer** *m.* -s, -, 채취자; 사는 사람; 구독자(購讀者); 장물아비.

ab|neigen [ápnaigən] 《Ⅰ》 *t.* 기울이다. 《Ⅱ》 **abgeneigt** *p.a.*: jm. 〔et.[3]〕 ~ 아무를〔무엇을〕 싫어하는. **Abneigung** *f.* -en, ① 경사. ② 혐오, 꺼림 (*aversion, dislike*) ¶natürliche ~ 까닭없는 혐오, 반감(*antipathy*).

abnorm [apnɔ́rm, ab-] [lat. „ungewöhnlich"] *a.* 이상한; 변태의(♈*abnormal*).

Abnormität *f.* -en, 이상함; 변태적임; 병적임; 기형(畸形).

ab|nötigen [ápnø:tɪgən] *t.*: jm. et. ~ 아무에게서 무엇을 강제로 빼앗다; (고백 따위를) 강요하다.

ab|nutzen [ápnutsən], **ab|nützen** [-nʏtsən] 《Ⅰ》 *t.* 써서 줄게〔낡게〕하다. 《Ⅱ》 *refl.* 망가지다, 상하다. 《Ⅲ》 **abgenutzt** *p.a.* 망가진, 상한; 진부한. **Abnutzung** *f.* -en, (써서) 망가짐, 손모.

Abolition [abolitsió:n] [lat.] *f.* -en, 폐지; 노예 폐지 《미국의》; 폐창(廢娼); 〖法〗 면소(免訴), 특사.

Abonnement [abɔnəmã:] [fr.] *n.* -s, -s, 예약 신청; (*subscription*); 좌석 예약; 정기권(定期券). **Abonnent** [abɔnɛ́nt] *m.* -en, -en, 예약한 사람, 선금 신청자; 정기권 소지자. **abonnieren** *t.u.i.* (h.): (auf) et. ~ 무엇을 예약하다 /auf e-e Zeitung abonniert sein 신문을 구독하고 있다.

ab|ordnen [áp-ɔrdnən, -ɔrt-] *t.* 전권을 주어〔대리로서〕 파견하다. ¶der Abgeordnete 국회 의원. **Abordnung** *f.* -en, 전권을 주어〔대리로서〕 파견함; 파견원 《일행》, 대표자, 대표단.

Ab·ort[1] [áp-ɔrt] [„abgelegener Ort"] *m.* -(e)s, -e, 화장실, 변소.

Abort[2] [abɔ́rt] *m.* -s, -e, **Abortus** *m.* -, -, 〖醫〗 유산, 낙태(♈*abortion*).

ab|pachten [áppaxtən] *t.*: jm. et. ~ 아무에게서 무엇을 빌다, 아무의 전답을 소작하다.

ab|packen [áppakən] *t.* (의) 짐을 부리다.

ab|passen [áppasən] *t.* ① 치수를 맞춰 마르다. ② 엿보며 기다리다. ¶die Gelegenheit ~ 기회를 엿보다/ et. gut 〔schlecht〕 ~ 무슨 기회를 잡다〔놓치다〕.

ab|pflücken [áppflʏkən] *t.* 따내다 《과실·잎 따위를》; 뽑다《털 따위를》.

ab|placken [áppLakən], **ab|plägen** [-pla:gən] 《Ⅰ》 *t.* 고생시키다. 《Ⅱ》 *refl.* 고생하다. 《Ⅲ》 **abgeplagt** *p.a.* 곤란을 겪은.

ab|platten [ápplatən] *t.* 편편하게 하다, 반반하게 하다; *refl.* 편편해지다. **Abplattung** *f.* -en. 편편함. 〖天〗 편평율(偏平率).

ab|platzen [ápplatsən] *i.* (s.) 튀다, 작렬(炸裂)하다.

ab|prägen [ápprɛ:gən] 《Ⅰ》 *t.* 새기다, 각인(刻印)하다; 주조하다. 《Ⅱ》 *refl.* 새겨지다; 뚜렷이 인상을 남기다.

Abprall [áppral] *m.* -(e)s, -e, 되튐, 반도(反跳); 반사, 반향(反響). **ab|prallen** *i.* (s.) 되튀다, 반도(反跳)하다; 반사하다; 반향하다.

ab|pressen [ápprɛsən] *t.* 눌러서 떼내다; 억지로 빼앗다. ¶jm. et. ~ 아무에게서 무엇을 강탈하다.

ab|protzen [áppɾɔtsən] *t.* ① 〖軍〗 대포를 견인차(牽引車)에서 떼다《발포하기 위하여》. ② 《俗》 똥누다.

Abputz [áppuʦ] *m.* -es, 회 (바르기), 페인트. **ab|putzen** *t.* ① 문질러 내다, 소제하다. ② (벽 따위에) 회를 바르다.

ab|quälen [ápkvɛ:lən] *t.* 괴롭히다; *refl.* 고생하다.

ab|quetschen [ápkvɛtʃən] *t.* 뭉개다, 으

깨어 떼어 내다. ¶jm. et. ~ 아무로부터 무엇을 착취하다.

ab|rackern [áprakərn] *refl.* 《俗》 고생하며 열심히 일하다; 일하여 지치다; 《方》 절약하다.

Ābra·ham [á:braham] *m.* -s, 〖聖〗 아브라함《이스라엘 민족의 조상》.

ab|rahmen [áprа:mən] [<Rahm] *t.* (우유의) 크림을 걸러내다.

ab|rasieren [áprazi:rən] *t.* (수염을) 깎다.

ab|raspeln [áprаspəln] *t.* 줄로 깎아내다, 반드럽게 하다.

ab|rāten* [áprа:tən] *t.*: jm. et. ~ 아무에게 무엇을 못하도록 충고하다(*dissuade from, advise against*), 간하여 막다.

ab|raufen [ápraufən] 《Ⅰ》 *t.* 쥐어뜯다. 《Ⅱ》 *refl.* 《俗》 드잡이[격투]하다.

Abraum [ápraum] *m.* -(e)s, 허섭스레기, 폐물(*rabbish*). **ab|räumen** [áprɔymən] *t.* 치우다, 제거하다; 소제하다. ¶den Tisch ~ 식탁을 치우다《식사를 끝내고》.

ab|raupen [ápraupən] *t.* (의) 모충(毛蟲)을 구제하다.

ab|rechnen [áprɛçnən] 《Ⅰ》 *t.* ① 공제하다, 제하다; 줄이다. ¶et. abgerechnet (*p. a.*) 무엇은 제하고[별도로 하고]. ② 셈하다. 《Ⅱ》 *i.*(h.): mit jm. ~ 아무와의 대차(貸借)를 청산하다, 《比》 아무와 결말을 짓다. **Abrechnung** [áprɛçnuŋ] *f.* -en, ① 공제. ¶in ~ bringen 할인하다. ② 청산, 결산. ¶auf ~ 일부 지불로 /mit jm. ~ halten =ABRECHNEN Ⅱ.

Abrechnungs·stelle *f.* 어음 교환소. **~·tāg** *m.* 결산일(決算日). **~verkehr** *m.* 어음 교환; 청산 거래.

Abrēde [ápre:də] *f.* -n, ① 담합; 협정 (*agreement*). ¶mit jm. ~ treffen 아무와 협정하다/wider die ~ 협정을 어기고. ② 부인, 부정(*denial*). ¶in ~ stellen 부인[부정]하다. **ab|rēden** *t.* ① 협정하다, 사전 협의하다《보통 verabreden 을 씀》. ② jn. von et.[3] ~ 아무에게 무엇을 못하도록 충고하다.

ab|reiben* [ápraibən] 《Ⅰ》 *t.* ① 문지르다, 비벼 떼 내다; 닦아서 윤을 내다. ② 잘 문지르다; (몸을) 마찰하다. 《Ⅱ》 *refl.* 닳아서 해지다; 마사지하다. 《Ⅲ》 **abgerieben** *p. a.* 닳아 해진; 교활한. **Abreibung** *f.* -en, ① 마찰, 문지름. ¶nasse ~ 냉수 마찰. ② 《俗》 때리기, 매질.

Abreise [ápraizə] *f.* -n, 출발, 여행을 떠남. **ab|reisen** *i.*(s.) (nach, 으로 향하여) 출발하다, 여행 떠나다.

ab|reißen* [ápraisən] 《Ⅰ》 *t.* ① 잡아떼다, 뽑아내다; 부수다. ② 입어서 해어 뜨리다. ③ 도면을 [지도를] 그리다. 《Ⅱ》 *i.*(s.) 찢어지다, 잘라지다; (급히) 중단되다. ¶es reißt nicht ab 끝이 없다, 한량이 없다. 《Ⅲ》 *refl.* 떠나다; 애쓰다. 《Ⅳ》 **abgerissen** *p. a.* 낡아 해진; 조각조각의; 연관성이 없는.

Abreiß·kalender *m.* 일력(日曆), 날마다 한 장씩 떼는 달력. **~zettel** *m.* 한 장씩 뜯어 쓰는 수첩, 메모.

ab|reiten* [ápraitən] *t.* 말을 타고 떠나다; 말을 타고 두루 돌아다니다; 말을 타고 순시[검열]하다; (말을) 마구 몰아 지치게 하다.

ab|rennen* [áprɛnən] 《Ⅰ》 *i.*(s.) 달려 가버리다. 《Ⅱ》 *t.* 뛰면서 쏘아 떨어뜨리다. 《Ⅲ》 *refl.* 달려서 지치다.

ab|richten [áprɪçtən] *t.* ① 길들이다, (개·말 따위를) 훈련시키다 (*train, break in*). ② 조정하다. **Abrichter** *m.* -s, -, 조교사(調教師), 훈련시키는 사람. **Abrichtung** *f.* -en, 조정; 조교(調教), 훈련.

ab|riegeln [ápri:gəln] *t.* (문을) 빗장으로[자물쇠로] 잠그다; (길을) 차단하다; 폐쇄하다.

ab|rinden [áprɪndən] *t.* (빵·나무의) 껍질을 벗기다.

ab|ringen* [áprɪŋən] *t.* (jm. et., 아무에게서 무엇을) 강제로 빼앗다.

ab|rinnen* [áprɪnən] *i.* (s.) 졸졸 흐르다, 뚝뚝 듣다, 방울져 떨어지다.

Abriß [áprɪs] *m.* -es, -e, 겨냥도, 약도; 윤곽; (kurzer ~) 개요(概要); 요약, 다이제스트.

abrogieren [aprogí:rən, ab-] [lat.] *t.* 〖法〗 (법률을) 폐지하다; 〖商〗 (주문을) 취소하다.

ab|rollen [áprɔlən] 《Ⅰ》 *i.*(s. *u.* h.) ① 굴러 떨어지다; 굴러 가버리다, 멀리 뛰어가다; (수레가) 굴러 가다; 《比》 (시간이) 경과하다. ② (감긴 것이) 펼쳐지다. 《Ⅱ》 *t.* ① 굴러 떨어뜨리다; 굴러가게 하다; (차로) 나르다, 운송하다; 발송하다. ② 벌리다, (두루마리 따위를) 펼치다.

ab|rücken [áprʏkən] 《Ⅰ》 *t.* 밀치다, 밀어 놓다. 《Ⅱ》 *i.*(s.) 물러나다; 〖軍〗 출발하다. ¶von jm. ~ 아무와 절교하다, 등지다.

Abrūf [ápru:f] *m.* ① (사절의) 소환. ② 〖商〗 auf ~ 요구[청구]에 따라. **ab|rūfen*** *t.* ① 불러 내다; (불러서) 권유하다. ② 불러서 돌아오게 하다; (사절을) 소환하다. ③ (돈·상품 따위를) 회수하다. ¶Geld ~ 예금을 찾다. ④ 큰 소리로 알리다. ¶die Stunden ~ 시각을 알리다 /den Zug ~ 기차의 발차를 알리다.

ab|rüffeln [áprʏfəln] *t.* 《俗》 호통치다.

Abrūfs·kauf [ápru:fskauf] *m.* 상품을 몇 번에 걸쳐 가져 오게 하는 약정(約定)의 매매.

Abrūfung [ápru:fuŋ] *f.* -en, 소환; 선언, 성명. **Abrūfungs·schreiben** *n.* 소환장.

ab|runden [áprundən] 《Ⅰ》 *t.* ① 둥글게 하다. ② 《比》 온전하게 하다, 완성하다. 《Ⅱ》 **abgerundet** *p. a.* 온전한, 완성된. **Abrundung** *f.* -en, 마무름, 완성.

ab|rupfen [áprupfən] *t.* 쥐어뜯다, 뜯어내다; 《比》 약탈하다.

ab|rüsten [áprʏstən] 《Ⅰ》 *t.* ein Gerüst ~ 발판을 없애버리다. 《Ⅱ》 *i.*(h.) 무장을 해제하다, 군비를 철폐[축소]하다 (*disarm*). **Abrüstung** *f.* -en, 무장 해제, 군비 축소. **Abrüstungskonferenz** *f.* 군축 회의.

ab|rutschen [áprutʃən] *i.* (s.) 미끄러져 떨어지다; 슬금슬금 사라지다; 《俗》 죽다.

Abs. 《略》 ① =*Absatz*. ② =*Absender*.

ab|sacken [ápzakən] [<sacken, „sinken"] *i.*(s.) (배가) 가라앉다; 조류[수류]에 떠내려가다.

Absāge [ápza:gə] *f.* -n, 취소; 사절; 결렬〔절교〕의 선언. **ab|sāgen** 《Ⅰ》 *i.*(h.) ① jm. ～ 아무에게 결렬을 선언하다; 아무와 절교하다. ② e-m Dinge ～ 무엇을 단념하다, 무엇을 버리다(*renounce*). ③ 약속을 취소하다. 《Ⅱ》 *t.* 취소하다(*cancel, recall*); 사절〔거절〕하다(*refuse, decline*). ¶jm. die Freundschaft ～ 아무에게 절교를 통고하다/e-e Einladung ～ a) (이편의) 초대를 취소하다; b) (저편의) 초대를 거절하다. 《Ⅲ》 **abgesāgt** *p.a.* ein ～er Feind 불구 대천의 원수.

ab|sägen [ápzɛ:gən] *t.* 톱으로 썰다; 《俗》 해고하다.

ab|satteln [ápzatəln] 《Ⅰ》 *t.* 안장을 벗기다. 《Ⅱ》 *i.*(h.) 말에서 내리다.

Absatz [ápzats] [<absetzen] *m.* -es, ⁼e, ① 판매(*sale, market*). ¶guten ～ finden 판매 경기가 좋다. ② 중단(*stop, pause*). ¶ in Absätzen 띄엄띄엄, 사이를 두고. ③ 단절된〔뚜렷이 구획된〕 부분; (Treppen∼) 층계참(層階站); (Schuh∼) (구두의) 뒤꿈치; (Druck∼) 〖印〗 단락(段落), 절(節).

absatz⸗fähig *a.* 잘 팔리는. **∼for⸗schung** *f.* 시장 조사. **∼gebiet** *n.* 판로. **∼stockung** *f.* 불경기.

ab|schāben [ápʃa:bən] 《Ⅰ》 *t.* ① 긁어〔문질러〕 떼어내다. ② 닳아 해지게 하다. ¶sich ～ 닳아 해지다. 《Ⅱ》 **abge⸗schābt** *p.a.* 헐어빠진, 해진 《옷 따위》.

ab|schachern [ápʃaxərn] *t.* (jm. et., 아무로부터 무엇을) (교역에 의하여) 사들이다.

ab|schaffen [ápʃafən] 《弱變化》 *t.* (폐단을) 제거하다; 폐지하다. ¶s-e Bedienten ～ 고용인을 해고하다/sein Pferd ～ 말 기르기를 그만두다. **Abschaf⸗fung** *f.* -en, 폐지, 폐기; 해고, 파면.

ab|schālen [ápʃɛ:lən] *t.* 깍지를〔껍질을〕 벗기다, 까다.

ab|schalten [ápʃaltən] *t.* 〖電〗 스위치를 끄다. **Abschalter** *m.* -s, -, 차단기; 〖電〗 스위치. **Abschaltung** *f.* -en, 차단.

ab|schatten [ápʃatən] *t.* ① 윤곽을〔약도를〕 그리다. ② (**ab|schattieren**) 음영(陰影)을〔농담·뉘앙스를〕 내다.

ab|schätzen [ápʃɛtsən] *t.* 어림잡다, 평가〔사정·판단〕하다. **Abschätzung** *f.* -en, 사정, 견적, 평가.

Abschaum [ápʃaum] *m.* -(e)s, 떠 있는 찌끼; 쇠똥. **ab|schäumen** [-ʃɔymən] *t.* (의) 찌끼를〔거품을〕 떠내다.

ab|scheiden* [ápʃaidən] 《Ⅰ》 *i.*(s.) 떠나가다, 헤어지다; (von der Welt ～) 죽다. 《Ⅱ》 *t.* 분리〔분해〕하다; 〖坑〗 정련(精鍊)하다; 〖生理〗 분비하다. ¶sich ～ 분리하다, 침적하다. 《Ⅲ》 **abgeschieden** *p.a.* 고독한, 은퇴한; 죽은. ¶der [die] ∼e 고인.

ab|schēren(*) [ápʃe:rən] *t.* (수염을) 면도질하다; (머리를) 깎다.

Abscheu [ápʃɔy] *m.* -(e)s. u. *f.* (vor, 에 대한) 혐오, 공포. ¶ ～ haben 싫어하다, 무서워하다.

ab|scheuern [ápʃɔyərn] *t.* 문질러 떼다, 씻어내다; 닳아 떨어지게 하다.

abscheulich [apʃɔ́ylɪç] *a.* 아주 싫은 (*abominable, detestable*), 추악한, 흉측한, 엄청난. *adv.* 엄청나게. **Abscheu⸗lichkeit** *f.* -en, 흉측함, 아주 싫음; 추행, 잔인, 비도(非道)(*atrocity*).

ab|schichten [ápʃɪçtən] *t.* ① 층으로〔열로〕 나누다, 간을 막다. ② 〖法〗 (에게) 상속분을 나누어 주다.

ab|schicken [ápʃɪkən] *t.* 발송하다; 파견하다.

ab|schieben* [ápʃi:bən] 《Ⅰ》 *t.* 밀어 제치다; 강제 퇴거〔추방 또는 송환〕시키다. 《Ⅱ》 *i.*(s.) 《俗》 물러가다. ¶schieb ab! 썩 물러가.

Abschied [ápʃi:t] [<abscheiden] *m.* -(e)s, -e, ① 출발, 퇴거(*departure*). ② 고별, 하직(*leave-taking, farewell*); 작별. ¶～ von jm. nehmen 아무에게 작별을 고하다. ③ 해고, 면직(*dismissal*), 퇴직; 〖軍〗 퇴역(*discharge*). ¶jm. den ～ geben 아무를 해고하다 / um s-n ～ einkommen 사표를 제출하다 / s-n ～ nehmen 퇴역하다/s-n ～ erhalten 해고〔파면〕당하다.

Abschieds⸗besūch *m.* 고별(의 방문). **∼brief** *m.* 작별 인사장. **∼feier** *f.* 송별회. **∼gesūch** *n.* 사직원, 퇴직원. **∼kuß** *m.* 이별의 키스. **∼rēde** *f.* 고별사. **∼schmaus** *m.* 송별연. **∼zeug⸗nis** *n.* 출발 증명〔허가〕서.

ab|schießen* [ápʃi:sən] *t.* ① (총을) 발사하다; (활을) 쏘다. ② 쏘아 떨어뜨리다; 격추하다. ¶den Vogel ～ 새를 〔새 모양의 표적을〕 쏘아 떨어뜨리다; 《比》 우승하다. ③ 〖獵〗 ein Feld ～ 어느 사냥 구역의 짐승을 모조리 쏘아버리다.

ab|schiffen [ápʃifən] ① *t.* (상품 등을) 배로 운반하다. ② *i.*(s.) 출범하다.

ab|schinden* [ápʃɪndən] 《Ⅰ》 *t.* 껍질을 벗기다. 《Ⅱ》 *refl.* 억척스레 일하다.

ab|schirmen [ápʃɪrmən] *t.* (전파·자기 따위의 작용을) 차폐(遮蔽)하다(*screen*).

ab|schirren [ápʃɪrən] *t.* : ein Tier ～ 마구(馬具)를 벗기다.

ab|schlachten [ápʃlaxtən] *t.* (대량으로) 도살하다, 학살하다.

Abschlāg [ápʃla:k] *m.* -(e)s, ⁼e, 〖商〗 할인; 하락(下落); 할부불(割賦拂). ¶auf ～ 일·월·연부로. **abschlāgen*** [ápʃla:-gən] 《Ⅰ》 *t.* ① 쳐서 쓰러뜨리다; 벌채하다. ② 파괴하다, 헐다, 철거하다. ③ (연못의) 물을 빼다, 방수하다. ¶sein Wasser ～ 방뇨(放尿)하다. ④ 물리치다; (공격을) 격퇴하다 (*repel*). ⑤ 거절〔사절〕하다 (*refuse*). ⑥ 값을 깎다(*abate, diminish*). 《Ⅱ》 *i.*(s.): mit s-r Ware ～ 상품의 값을 깎다. **abschlägig** [-ʃlɛ:-gɪç] *a.* 거절하는, 사절하는. **abschläg⸗lich** [-ʃlɛ:klɪç] *a.* 분할불의.

Abschlāg(s)⸗anleihe *f.* 할부 공채. **∼⸗zahlung** *f.* 분할불, 할부불.

ab|schleifen* [ápʃlaifən] 《Ⅰ》 *t.* 닦아내다; 닦다, 갈다. 《Ⅱ》 *refl.* 《比》 미끈해지다, 세련되다. 《Ⅲ》 **abgeschliffen** *p.a.* 잘 닦인, 원활한; 마멸된.

Abschleppdienst [ápʃlɛpdi:nst] *m.* 견인〔구호〕 작업.

ab|schleppen [ápʃlɛpən] *t.* 끌고 가버리다; (고장난 차·배를) 끌고 가다; *refl.* 무거운 짐을 운반하여 지치다.

Abschleppwāgen [ápʃlɛpva:gən] *m.* 견인차.

ab|schließen* [ápʃli:sən] 《Ⅰ》 *t.* ① 폐쇄하다, 가두(어 넣)다(*lock up*). ② 종결〔완료〕하다; 체결〔계약〕하다. ¶e-n Handel ~ 거래를 끝내다 / e-e Rechnung ~ 결산하다/e-n Vertrag ~ 계약을 맺다. 《Ⅱ》 *refl.* 들어박히다; 끝내다, 완결하다. 《Ⅲ》 *i.*(h.) 종결되다, 끝나다; (의) 결말을 짓다, 교섭을 끝내다. ¶mit jm. ~ 아무와 결말을 짓다, 거래를 끝내다 / mit der Welt ~ 세상을 버리다. 《Ⅳ》 **abschließend** *p. a.* 종국적인. 《Ⅴ》 **abgeschlossen** *p. a.* 격리된, 고립한, 완성된, 완전한; 정리된. **Abschluß** *m.* ..lusses, ..lüsse, ① 폐쇄; 폐색, 차단. ② 체결, (거래의) 성립; 거래 계약; 종결, 종료; 결착; 결과. ③ 결산, 청산.

Abschluß≈bilanz *f.* 대차 대조표. ~≈**prüfung** *f.* 졸업 시험. ~**rechnung** *f.* 결산.

ab|schmecken [ápʃmɛkən] *t.* 시식〔시음〕하다, 맛을 보다.

ab|schmeicheln [ápʃmaiçəln] *t.*: jm. et. ~ 아무에게 아첨하여 무엇을 얻다.

ab|schmelzen(*) [ápʃmɛltsən] 《Ⅰ》 《弱變化》 *t.* 〖冶〗 용해시켜 분리하다, 용해하여 붙리다. 《Ⅱ》 《强變化》 *i.*(s.) 녹아 버리다, 녹아 없어지다.

ab|schmieren [ápʃmi:rən] *t.* (책 따위를) 서투르게 베끼다, 표절하다; (자동차 따위에) 기름을 치다(*lubricate*).

ab|schminken [ápʃmɪŋkən] *t.* (얼굴의 분·연지 따위를) 지우다;(의) 가면을 벗다.

ab|schmutzen [ápʃmutsən] *i.* (h. *u.* s.) 때가 묻다, (딴 것에) 때를 묻히다.

Abschn. 《略》 =*Abschn*itt 장(章), 절(節).

ab|schnallen [ápʃnalən] *t.* 죔쇠를〔버클〕을〕 풀다.

ab|schnappen [ápʃnapən] 《Ⅰ》 *i.*(s.) (자물쇠 따위가) 찰칵하고 잠기다; (용수철이) 갑자기 늦춰지다; 《比》 갑자기 중지하다, 그만두다. ¶in der Rede ~ 갑자기 말을 중단하다. 《Ⅱ》 *t.* (자물쇠 따위를) 찰칵하고 잠그다.

ab|schneiden* [ápʃnaidən] 《Ⅰ》 *t.* ① 끊어〔잘라〕내다; 베다, 치다; 절단하다; 차단하다; 짧게 〔바싹〕 자르다. ¶ sich³ die Haare ~ lassen 이발하다/den Lebensfaden ~ 생명선을 끊다, 죽이다. ② 빼앗다; 갑자기 끊다, 중지하다. ¶ jm. die Gelegenheit ~ 아무의 기회를 빼앗다/jm. das Wort ~ 아무의 말을 가로막다. 《Ⅱ》 *i.*(h.) 《俗》 gut〔schlecht〕 ~ 성공〔실패〕하다《시험·경기에서》.

ab|schnellen [ápʃnɛlən] 《Ⅰ》 *t.* (퉁겨) 날리다. 《Ⅱ》 *i.*(s.) 튕겨 나가다.

Abschnitt [ápʃnɪt] [<abschneiden] *m.* -(e)s, -e, ① 절단(切斷); 단편(斷片), 조각; 〖數〗 활꼴. ② 〖經〗 어음, 이표(利票); (수표책의) 원부(原簿); 〖軍〗 참호. ③ (서적의) 장(章), 절(節) (*paragraph*); (역사의) 시대, 시기.

Abschnitt(s)≈linie *f.* 절단선. ~**weise** *adv.* 단편적으로.

ab|schnüren [ápʃny:rən] *t.* (의 끈을) 풀다; (사마귀 따위를) 졸라매어 떼내다; 꼭 매다, 감다.

ab|schöpfen [ápʃœfən] *t.* (거품·찌끼 따위를) 건져내다; (우유를) 탈지(脫脂)하다. ¶das Fett ~ 《比》 등쳐 먹다, 단물을 빨아 먹다.

ab|schrägen [ápʃrɛ:gən] *t.* 비스듬히 자르다, 경사지게 하다.

ab|schrauben(*) [ápʃraubən] *t.* 나사를 풀어서 빼다, (의) 나사를 뽑다.

ab|schrecken [ápʃrɛkən] 《弱變化》 《Ⅰ》 *t.* ① 겁나게 하다, 위협하다; 위협하여 못하게 하다 (jn. von et.). ¶sich nicht ~ lassen 태연자약하다, 꿈쩍도 않다. ② 위협하여 빼앗다(jm. et.). ③ 갑자기 냉각하다. ¶mit kaltem Wasser ~ 냉수로 식히다. 《Ⅱ》 **abschreckend** *p.a.* 위협적인; 경고적인; 《俗》 무서운, 지독한. ¶ ~es Beispiel 본보기, 경고/~ (*adv.*) häßlich 지독하게 흉한.

Abschreckungs≈mittel *n.* 위협 수단, 본보기. ~**streitkraft** *f.* 억지전력(抑止戰力).

ab|schreiben* [ápʃraibən] 《Ⅰ》 *t.* ① 베끼다; (법률 서류를) 정식으로 작성하다(*engross*); 고쳐 쓰다; 표절하다; (학생이) 커닝하다. ② 〖商〗 공제하다, 상쇄하다. 《Ⅱ》 *i.*(h.) (문서로) 취소〔사절〕하다. **Abschreiber** *m.* -s, -, 필생(筆生); 표절하는 사람. **Abschreibung** *f.* -en, 필사, 등사; 표절; 〖商〗 감가 상각.

ab|schreiten* [ápʃraitən] *t.* 보측(步測)하다; 〖軍〗 도보로 검열하다.

Abschrift [ápʃrɪft] [<abschreiben] *f.* -en, 사본, 복사, 등본. **abschriftlich** *a.* 베낀, 등본의; *adv.* 사본으로.

ab|schuften [ápʃuftən] *refl.* 악착같이 일하다.

ab|schuppen [ápʃupən] 《Ⅰ》 *t.* (고기의) 비늘을 치다. 《Ⅱ》 *i.*(h.) u. *refl.* 비늘이 떨어지다, 벗겨지다.

ab|schürfen [ápʃʏrfən] *t.*: sich³ die Haut ~ 피부를 긁어 까지다.

Abschuß [ápʃus] [<abschießen] *m.* ..schusses, ..schüsse, 사출, 발사; 급경사; 〖空〗 급강하; 〖獵〗 (야수를 마구) 잡아 없앰. **abschüssig** [ápʃʏsɪç] *a.* 급경사의, 험준한. **Abschüssigkeit** *f.* 급경사, 험준함.

Abschußrampe [ápʃusrampə] *f.* (로케트의) 발사대.

ab|schütteln [ápʃʏtəln] *t.* 흔들어 떨어뜨리다, 떨쳐 버리다, 뿌리치다.

ab|schwächen [ápʃvɛçən] 《Ⅰ》 *t.* (기력 따위를) 점차로 약화시키다; (주장 따위를) 완화하다, 부드럽게 하다. 《Ⅱ》 *refl.* 약해지다, 부드러워지다. **Abschwächer** *m.* -s, -, 〖工〗 제동기, 브레이크. **Abschwächung** *f.* 쇠퇴, 감퇴, 완화.

ab|schwatzen [ápʃvatsən] *t.* (jm. et., 아무에게서 무엇을) 교묘한 말로 편취하다.

ab|schweifen [ápʃvaifən] *i.*(s.) 헤매어 떠나다; 《比》(이야기가) 주제에서 벗어나다. **Abschweifung** *f.* -en, 방황; (연설 등의) 탈선.

ab|schwellen* [ápʃvɛlən] *i.*(s.) 수축하다; 《比》 감퇴하다.

ab|schwenken [ápʃvɛŋkən] *i.*(s.) u. *refl.* 방향을 바꾸다; 〖軍〗 선회하다.

ab|schwindeln [ápʃvɪndəln] *t.* (jm. et., 아무에게서 무엇을) 편취하다.

ab|schwören* [ápʃvø:rən] *t.* 맹세코 부정하다; 맹세코 끊다; (서약을) 파기하다.

ab|sēgeln [ápze:gəln] *i.*(s.) 출항하다. **absehbār** *a.* [ápze:ba:r, apzé:–] 헤아려 볼 수 있는. ¶in ~er Zeit 가까운 장래에, 근간에. **ab|sēhen*** [ápze:ən] 《Ⅰ》 *t.* ① (jm. et., 아무의 무엇을) 알아〔눈치〕 채다, 보고 익히다; (an, 로) 깨닫다. ② (때·기회를) 살피다, 엿보다. ¶(sich³) die Gelegenheit ~ 기회를 엿보다. ③ 확인하다, 둘러 보다. ④ es auf jn. 〔et.⁴〕 ~ 아무를 〔무엇을〕 겨누다〔노리다〕 /das war auf mich abgesehen 그것은 나를 노린 것이었다. 《Ⅱ》 *i.*(h.) ① von jm. ~ 표절하다, 커닝하다. ② (von, 을)도외시하다. ¶davon abgesehen 그것은 별도로 하고. 《Ⅲ》 **Absēhen** *n.* -s, -, 간과함, 내다봄; 목적, 뜻; 노림, 겨눔; 조척(照尺), (총·측량기의) 가늠자. 《Ⅳ》 **abgesēhen** [ápgəze:ən] *p. a.*: ~ von et. 무엇을 제외하고, 무엇은 별도로 치고.

Abseide [ápzaidə] *f.* 풀솜.

ab|seifen [ápzaifən] *t.* 비누로 씻어내다〔깨끗이 하다〕.

ab|seihen [ápzaiən] *t.* 여과하다.

ab|seilen [ápzailən] *t.* 로프로 내리다; 〖登山〗 sich ~ 자일로 내려가다.

ab|sein* [ápzain] *i.*(s.) 떨어져〔헤어져〕 있다, (자리에)없다; 《俗》 지쳐 있다.

abseits [ápzaits] 《Ⅰ》 *adv.* 가〔곁·옆〕에, 떨어져; 〖蹴〗 오프사이드에. ¶~ vom Wege 길에서 벗어나서. 《Ⅱ》 *prp.* 《2格支配》 떨어져.

Absence [apsã́:s] [lat. –fr.] *f.* -n [..sən], 〖醫〗 방심(放心).

ab|senden⁽*⁾ [ápzɛndən] *t.* 발송하다; (jn., 아무를) 파견하다; 발신하다. ☞ ABGESANDTE. **Absender** *m.* -s, -, 발송인; 발신인. **Absendung** *f.* -en, 발송; 발신; 파견. 「*f.* 발송역.」 **Absendungs·ort** *m.* 발송지. **~station**

ab|sengen [ápzɛŋən] *t.* (표면 또는 끝을) 살짝 태우다; 그슬리다.

ab|senken [ápzɛŋkən] 《Ⅰ》 *t.* 침강시키다; 〖坑〗 파내리다; 〖植〗 휘묻이하다. 《Ⅱ》 *refl.* 침강하다; 비탈지다, 기울다. **Absenker** *m.* -s, -, 휘묻이에 쓰이는 어린 가지; 《俗》 자손.

absent [apzɛ́nt] [lat. „ab-wesend"] *a.* 결석한, 부재중인.

absetzbār [ápzɛtsba:r] *a.* 면직〔해임〕할 수 있는. **ab|setzen** [ápzɛtsən] 《Ⅰ》 *t.* ① 떼(놓)다, 내려 놓다, (딴 데로) 옮기다. ¶sich ~ 몸을 빼내다. ② 제거하다, 삭제하다; 지워버리다. ③ vom Wagen: 내리다, 하차시키다; (모자를)벗다; (말이 기수를) 뿌리쳐 떨어뜨리다. ④ (als Bodensatz absondern) 침전시키다. ¶sich ~ 침전하다. ⑤ 중지하다; 〖法〗 (고소를) 취하하다; 중단하다, 일단락 짓다. ¶die Zeile ~ 행(行)을 바꾸다. ⑥ (활자로) 짜다. ⑦ (entsetzen) 파면하다; 정직(停職)시키다; 폐하다, 퇴위시키다. ⑧ 팔다. 《Ⅱ》 *i.*(h.) 중절〔중지〕하다. ¶ohne abzusetzen 쉬지 않고, 죽, 단숨에. **Absetzung** [ápzɛtsuŋ] *f.* -en, 위를 하기; 파면, 정직.

Absicht [ápzıçt] [<absehen] *f.* -en, 의도, 의향, 계획, 목적. ¶in der ~ zu ... …할 의도로. **absichtlich** *a.* 고의적인; *adv.* 고의로. **absicht(s)·lōs** *a.* 고의가 아닌. **~satz** *m.* 〖文〗 목적문. **~voll** *a.* 고의의, 계획적인.

ab|singen* [ápzıŋən] *t.* 노래하다 《악보를 보고 즉석에서》.

Absinth [apzínt] [gr.] *m.* -(e)s, -e, 〖植〗 쑥; 압상주(酒).

ab|sitzen* [ápzıtsən] 《Ⅰ》 *i.*(s.) ① (von, 에서) 떨어져 앉아 있다. ② (vom Pferde ~) 말에서 내리다. 《Ⅱ》 *t.* ① 감옥에 들어가는 것으로 (부채를) 갚다. ② s-e Strafe ~ 형기(刑期)를 (교도소에서) 마치다.

absolūt [apzolú:t] [lat. „losgelöst", <absolvieren] *a.* 제약을 받지 않는, 전제적인; 무조건의, 절대적인(*ant.* relativ); 순수한, 온전한. ¶~er Alkohol 무수(無水) 알콜. **Absolutiōn** [apzolutsió:n] *f.* -en, 면죄, 사면, 사죄(赦罪). **Absolutismus** [-tísmus] *m.* -, 〖政·經〗 절대주의. **absolvieren** [-ví:-] [lat. „loslösen"] *t.* 해방〔방면〕하다; 끝내다, 종료〔완성〕하다. ¶s-e Studien ~ 학업을 끝내다/die Prüfung ~ 시험에 급제하다.

absonderlich [apzɔ́ndərlıç] 《Ⅰ》 *a.* 독특한; 특수한, 특이한, 기이한. 《Ⅱ》 *adv.* 특히; 기묘히. **Absonderlichkeit** *f.* -en, 진기, 비범, 독특(한 사물). **ab|sondern** [ápzondərn] 《Ⅰ》 *t.* 나누다, 분리하다 (*separate*), (환자를) 격리하다; 분비하다 (*secrete*); 〖軍〗 파견하다. 《Ⅱ》 *refl.* 격리〔탈퇴·인퇴〕하다; 분비되다.

Absonderungs·drūse *f.* 〖解〗 분비선(腺). **~stoff** *m.* 분비〔배설〕물.

absorbieren [apzɔrbí:rən] [lat. „weg schlürfen"] *t.* 흡수하다.

Absorptiōn [apzɔrptsió:n] [<absorbieren] *f.* -en, 흡수; 《比》 요구; 소모.

ab|spalten⁽*⁾ [ápʃpaltən] *t.* 쪼개다, 찢다, 빠개다.

ab|spannen [ápʃpanən] 《Ⅰ》 *t.* (팽팽한 것을) 늦추다; 풀어 놓다《마차에서 말을》. ¶das Gewehr ~ (총의) 공이치기를 내리다. 《Ⅱ》 **abgespannt** *p. a.* 느슨한; 피로〔의기 소침〕한. **Abspannung** *f.* -en, 이완(弛緩); 권태.

ab|spāren [ápʃpa:rən] *t.*: sich³ et. am Munde ~ 먹을 것을 안 먹고 절약하다.

ab|speisen [ápʃpaizən] 《Ⅰ》 *t.* (먹여·감언 이설로) 돌려 보내다. ¶mit leeren Worten ~ 감언 이설로 속여 따돌리다. 《Ⅱ》 *i.*(h.) 식사를 끝내다.

abspenstig [ápʃpɛnstıç] [<mhd. *spanen* „ziehen"] *a.*: jm. ~ werden (끌려서·유인되어) 아무에게서 떨어져 나가다, (를) 배반하다, 등지다/~ machen 등지게 하다.

ab|sperren [ápʃpɛrən] *t.* 차단〔폐쇄〕하다; 격리하다; (의) 통로를 막다; (마개를 막아) 멎게 하다. **Absperrhahn** *m.* 〖機〗 코크. **Absperrung** *f.* -en, 폐쇄, 격리. **Absperrungs·systēm** *n.* 〖法〗 독방제(獨房制); 〖商〗 매매 금지제.

ab|spiegeln [ápʃpi:gəln] *t.* 비추다, 반영〔반사〕하다; *refl.* 비치다; 반사하다; 자기 모습을 비추다.

ab|spielen [ápʃpi:lən] 《Ⅰ》 *t.* ① vom Blatt ~ 악보를 보고 (준비 없이) 연주

하다. ② 연주하여 상하게 하다《손가락·악기를》. 《Ⅱ》 *i.*(s.) 연주를 끝내다. 《Ⅲ》 *refl.* 연기[연주]되다, 행해지다, 일어나다(*take place*).

ab|splittern [ápʃplɪtərn] 《Ⅰ》 *t.* 가늘게 쪼개다, 찢다. 《Ⅱ》 *i.*(h.) u. *refl.* 가늘게 쪼개지다, 찢어지다.

ab|sprechen* [ápʃprɛçən] 《Ⅰ》 *t.* ① jm. et. ~ 아무의 무엇을 인정하지 않다, 부인하다(*deny*)/jm. jede Hoffnung ~ 아무에게서 모든 희망을 빼앗다. ② (충분히) 말하다; 상의하다, 상담(相談)하다. 《Ⅱ》 *i.*(h.) 혹평[비난]하다. 《Ⅲ》 **absprechend** *p.a.* 비난적인, 혹평하는.

ab|sprengen [ápʃprɛŋən] 《Ⅰ》 *t.* 터뜨리다; 폭파하다; 〖軍〗 격파하여 (주력 부대와) 떼어놓다; (꽃에) 물을 주다. 《Ⅱ》 *i.*(s.) 쏜살같이 달려가 버리다.

ab|springen* [ápʃprɪŋən] *i.*(s.) ① 뛰어내리다. ② 튀겨 떨어지다; 벗겨지다. ③ 되튀다. ④ 《比》 (von, 에서) 빗나가다, 탈퇴하다.

ab|sprossen [ápʃprɔsən] *i.*(s.) ☞ ABSTAMMEN. **Absprößling** *m.* -s, -e, 자손, 후예.

Absprung [ápʃprʊŋ] [<abspringen] *m.* -(e)s, ⸚e, 뛰어내리기; 되튐; 탈퇴.

ab|spūlen [ápʃpu:lən] *t.* 얼레에서 실을 풀다.

ab|spǖlen [ápʃpy:lən] *t.* 씻어 내다; 부시다, 헹구다. **Abspǖlwasser** *n.* 부시는 물, 구정물.

ab|stammen [ápʃtamən] *i.*(s.) (von, 의) 자손이다, 계통[혈통]을 잇다; (에) 유래하다,(에서) 파생하다《언어가》. **Abstammung** [ápʃtamʊŋ] *f.* -en, 계통, 유래, 기원. ¶deutscher ~² 독일계의. **Abstammungslehre** *f.* 진화론.

Abstand [ápʃtant] [<absteh(e)n] *m.* -(e)s, ⸚e, ① 거리, 간격(*distance, interval*); 《比》 차이, 상위(相違)(*difference*). ② 포기, 단념; 양여. ¶von et. ~ nehmen 무엇을 단념하다. ③ 해약금(解約金). ¶ ~ zahlen 변상금[해약금]을 지불하다. **Abstands·geld** *n.* 배상금, 해약금; 위약금. **~summe** *f.* 해약금(액).

ab|statten [ápʃtatən] *t.* 행하다, 하다, 수행하다. ¶jm. e-n Besuch ~ 아무를 방문하다/jm. s-n Dank ~ 아무에게 감사드리다.

ab|stäuben [ápʃtɔybən], **ab|stauben** [-ʃtau-] *t.* (의) 먼지를 털다[닦다].

ab|stechen* [ápʃtɛçən] 《Ⅰ》 *t.* (버터·뗏장 따위를) 도려[떠]내다; 찔러 죽이다, 도살하다《동물을》; 구멍을 뚫어 흐르게 하다; (통의) 마개를 뽑다. 《Ⅱ》 *i.* ① (h.) (도려낸 듯이) 두드러지다, (von, 과의) 상위[대조]가 뚜렷하다. ② (s.): vom Schiffe ~ 배에서 보트로 떨어져 가다《노를 저어》. **Abstecher** *m.* -s, -, (예정 밖의 곳을) 가는 길에 들름.

ab|stecken [ápʃtɛkən] *t.* ①(의) 핀을 빼다. ② 말뚝을 박아 제한하다; 말뚝으로 표시하다《경계 따위를》.

Absteck·leine *f.* 측량할 때 쓰이는 줄. **~pfahl** *m.* 푯말.

ab|stēh(e)n* [ápʃte:(ə)n] 《Ⅰ》 *i.*(s.) ① (von, 에서) 떨어져 (서) 있다. ② (h.) von et.³ ~ 무엇을 단념하다(*desist from*); (오래 묵혀 두어) 품질이 상하다, (맥주 따위가) 김이 빠지다. 《Ⅱ》 **abgestanden** *p.a.* 김빠진, 변질한. 《Ⅲ》 **abstēhend** *p.a.* (거리상) 떨어진; (가지가) 벋은, (귀가) 툭 튀어 나온.

ab|stehlen* [ápʃte:lən] *t.* (jm. et., 아무에게서 무엇을) 훔치다.

ab|steifen [ápʃtaifən] *t.* 견고하게 하다, (벽 따위에) 버팀목을 받치다.

ab|steigen* [ápʃtaigən] *i.*(s.) ① (말·마차 따위에서) 내리다, 하차하다. ② 묵다. ¶im Gasthaus ~ 숙박하다, 머물다. **Absteigequartier** *n.* 숙박소, 숙소; 청루(青樓).

ab|stellen [ápʃtɛlən] *t.* (기계의) 운전을 멈추다; (가스·라디오 따위의) 스위치를 끄다; (특정한 장소에) 잠시 주차시키다; 《比》 (행해지고 있는 것을) 중지하다; 제거하다, 교정(矯正)하다, 시정하다《폐해를》.

Abstell·gleis *n.* 〖鐵〗 대피선, 측선(側線). **~hēbel** *m.* (타이프라이터의) 행간 레버. **~raum** *m.* 창고, 벽장.

ab|stempeln [ápʃtɛmpəln] *t.* (에) 스탬프를 찍다.

ab|steppen [ápʃtɛpən] *t.* (mit Steppnaht nähen) 꿰매 맞추다.

ab|sterben* [ápʃtɛrbən] *i.*(s.) (차차) 사멸하다, 생기를 잃다; (초목이) 조락(凋落)하다; (팔다리가) 감각을 잃다, 마비되다.

Abstieg [ápʃti:k] [<absteigen] *m.* -(e)s, -e, 하강(下降)(*descent*).

ab|stimmen [ápʃtɪmən] 《Ⅰ》 *t.* 악기의 음조(音調)를 맞추다; (라디오의) 파장(波長)을 맞추다, 동조(同調)하다; 〖商〗 장부를 맞추다. 《Ⅱ》 *i.*(h.) 투표[표결]하다. ¶über et. ~ lassen 무엇을 표결에 부치다.

Abstimm·knopf *m.* 조정(調整) 단추. **~skāla** *f.* 조정판(板), 다이얼.

Abstimmung [ápʃtɪmʊŋ] *f.* -en, ① 조정; 〖電〗 파장을 맞추기, 정조(整調); 〖商〗 장부를 맞추기. ② 투표, 표결.

Abstimmungs·gebiete *pl.* 민중 투표구역. **~leiter** *m.* 선거 위원장. **~vōrrichtung** *f.* 〖電〗 동조기(同調器), 합조기(合調器). **~zettel** *m.* 투표 용지.

ab·stinent [apstinɛ́nt] [lat „enthaltsam"] 《Ⅰ》 *a.* 삼가는, 절제하는; (특히) 금주하는. 《Ⅱ》 **Abstinent** *m.* -en, -en, =ABSTINENZLER. **Abstinenz** [apstinɛ́nts] *f.* 절제, 금욕(禁慾); 금주. **Abstinenzler** *m.* -s, -, 금욕자; 금주자.

ab|stōßen* [ápʃto:sən] 《Ⅰ》 *t.* ① 밀쳐 떼다, 밀쳐내다; (*ant.* anziehen) 반발하다; 《比》 받아 들이지 않다. ② 지불하다, (빚을)갚다; 처분하다, 투매하다. ③ 닳려 해뜨리다. ¶sich ~ 해지다. 《Ⅱ》 *i.* (h. *u.* s.)(배가) 육지를 떠나다. 《Ⅲ》 **abstōßend** *p.a.* 반발적인; 《比》 근접시키지 않는, 반감을 일으키는, 싫은. **Abstōßung** *f.* -en, 밀쳐버림, 반발.

abstra·hieren [apstrahí:rən] [lat. „abziehen"] *t.* 추상(抽象)하다, 개념화하다.

abstrakt [apstrákt] [„ab-gezogen"] *a.* 추상적인, 개념적인. **Abstraktiōn** [apstraktsǐó:n] *f.* -en, 추상(화). **Abstraktum** *n.* -s, ..ta, 추상적인 것, 추상물(物); 〖文〗 추상 명사.

ab|strapazieren [ápʃtrapatsi:rən] *t.* 몹

시 지치게 하다; *refl.* 기진맥진하다, 녹초가 되다.

ab|streichen* [ápʃtraiçən] *t.* 문질러〔긁어〕 떨구다; (가죽에다) 갈다; 《比》 삭제〔말살〕하다.

A

ab|streifen [ápʃtraifən] *t.* 벗겨내다; (의복 등을) 벗다; (구두의) 흙을 닦아 내다.

ab|streiten* [ápʃtraitən] *t.* ① 쟁취하다, 승소(勝訴)하여 얻다 (jm. et.). ② 부인하다.

Abstrich [ápʃtrɪç] [<abstreichen] *m.* -(e)s, -e, 아래로 그은 굵직한 자획; (피·고름을) 닦아 냄; 《比》 삭감; 할인, 공제. ¶ ~ machen (피·고름 따위를) 닦아내다.

abstrūs [apstrú:s] [lat.] *a.* 착잡한; 난해한; 심원한.

ab|stūfen [ápʃtu:fən] *t.* (에) 층을 내다; 여러 층으로 나누다(*graduate*); (색채에) 차이를〔음영(陰影)·농담을〕나타내다, 바림하다 (*shade off*). **Abstūfung** *f.* -en, 단계(를 이룸), 등급(이 있음); 명암〔농담〕의 차이, 색조, 뉘앙스.

ab|stumpfen [ápʃtumpfən] 《I》 *t.* 무디게 하다; 《比》 둔하게 하다. 《II》 *i.*(s.) 둔해지다, 무감각해지다; (gegen, 에 대해) 둔감해지다.

Absturz [ápʃturts] *m.* -es, ⸚e, (급)강하(降下); 〖空〗 추락(*crash*); 깎아지름; 낭떠러지, 절벽(*precipice*). ¶ zum ~ bringen 추락〔격추〕시키다. **ab|stürzen** [ápʃtʏrtsən] *i.*(s.) 급강하하다; 〖空〗 추락하다; 깎아지르다, 절벽을 이루다.

ab|stützen [ápʃtʏtsən] *t.* 버팀목으로 받치다.

ab|sūchen [ápzu:xən] *t.* ① 찾아 잡아내다; (모충(毛蟲)을) 구제하다. ② (어떤 장소를) 샅샅이 수색하다.

Absūd [ápzu:t, apsú:t] [<sieden] *m.* -(e)s, -e, 달임, 조림(*decoction*); 달인 즙, 엑스(*extract*).

absurd [apzúrt] [lat.] *a.* 불합리한, 이치에 어긋난; 허무 맹랑한. **Absurdität** [apzurditɛ́:t] *f.* -en, 불합리, 배리.

Abszeß [aps-tsɛ́s] [lat.] *m.* ..sses, ..sse, 분리; 〖醫〗 농양(膿瘍).

Abt [apt] [aramäisch; gr. -lat.] *m.* -(e)s, ⸚e, 수도원장 (*abbot*).

Abt. 《略》 =*Ab*teilung 과(課), 부문.

ab|tākeln [ápta:kəln] *t.* (배의) 의장(艤裝)을 풀다, 돛대를 떼다.

ab|tasten [áptastən] *t.* 더듬다, (손으로 더듬어) 살피다; 〖TV〗 주사(走査)하다; 〖醫〗 촉진(觸診)하다. **Abtast·röhre** *f.* TV의 촬상관《오르티콘 따위》.

ab|tauen [áptauən] *i.*(s.) (눈이) 녹다; *t.* 녹이다.

Abtei [aptái] [<Abt] *f.* -en, (Abt 관하(管下)의) 대수도원(*abbey*).

Abteil [áptail, aptáil] *n.* 〔*m.*〕 -(e)s, -e, 〖鐵〗 간막이한 객석(*compartment*).

ab|teilen *t.* 구분하다; (벽 따위로) 구획하다. **Abteilung** [áp-] *f.* -en, ① 구분, 구획. ② 〔흔히: aptáiluŋ〕 구별된 것; 부(部) (*section*); (학교의) 반; (관공서 따위의) 국(局), 부, 과, 계(*department*); 〖軍〗 부대(*detchament*); 〖醫〗 분과, 병실(*ward*).

Abteilungs·leiter *m.* 반장; 과장, 부장. **~zeichen** *n.* 〖文〗 분리 기호; 연자 부호, 하이픈.

ab|telegraphieren [áptelegrafi:rən] *t.* 전보로 취소하다〔거절하다〕.

ab|teufen [áptɔyfən] [<Teufe „Tiefe"] *t.* 〖坑〗 (수갱(竪坑)을) 파내려 가다.

ab|tippen [áptɪpən] *t.* 《俗》 타이프라이터로 베끼다.

Äbtissin [ɛptísɪn] [<Abt] *f.* -nen, 수녀원장(*abbess*).

ab|tōnen [áptø:nən] *t.* (의) 색조(色調)를 바꾸다, (에) 명암〔음영·뉘앙스·농담〕을 나타내다. **Abtōnung** *f.* -en, =ABSTUFUNG.

ab|tōten [áptø:tən] *t.* (세균 따위를) 죽이다; 《比》 (욕욕·감정을) 억제하다〔죽이다〕. **Abtōtung** *f.* -en, 죽임; 금욕.

Abtrāg [áptra:k] *m.* -(e)s, ⸚e, ① 날라감; 〖土〗 개착. ② 분할불, 배상; 손실. ¶ jm. ~ tun 아무에게 손해를 입히다.

ab|trāgen* [áptra:gən] 《I》 *t.* ① 날라가다, 옮기다; (식탁 따위를) 치우다. ② (흙을 파내) 무너뜨리다, 고루다《언덕을》. ③ 허물다, 헐다《건물 따위를》. ④ (부채·이자 따위를) 치르다, 갚다. ⑤ (옷을) 입어 해뜨리다. 《II》 *refl.* 입어서 낡다.

abträglich [áptrɛ:klɪç] *a.* 유해한, 불리한.

Abtransport [áptransport] *m.* -e(s), -e, 수송; 철퇴, 소개(疏開).

ab|träufeln [áptrɔyfəln] *i.*(s.) 방울지다, 듣다.

ab|treiben* [áptraibən] 《I》 *t.* ① 쫓아내다, 몰아내다; 구제(驅除)하다; 낙태하다; 벌채하다; 정련하다. ② 목장의 풀을 다 먹게 하다. ③ (말 따위를) 몰아 지치게 하다. 《II》 *i.*(s.) 〖空·海〗 밀려 떠내려가다, 표류하다. **Abtreibung** *f.* -en, 몰아냄; 구충(驅蟲); 낙태(죄); 유목(遊牧); 〖海〗 표류.

ab|trennen [áptrɛnən] *t.* (기운 것을) 뜯다; 풀다; 분리시키다, 떼어 놓다. **Abtrennung** *f.* -en, 풀어 떼어 냄; 분리.

ab|trēten* [áptre:tən] 《I》 *i.*(s.) (von, 에서) 물러나다, 뜨다; 〖劇〗 퇴장하다; 은퇴하다. 《II》 *t.* ① 밟아〔굴러서〕 떼다〔제거하다〕. ¶ den Schmutz von den Füßen 〔die Füße〕 ~ 발의 먼지를 굴러 털다. ② (구두·문지방을) 밟아서 닳게 하다. ¶ sich ~ 밟혀 부서지다. ③ 양도하다; 양보하다. **Abtrēter** *m.* -s, -, (현관의) 매트, 신발 닦개. **Abtrētung** *f.* -en, 양보; 양도; 포기.

Abtrift [áptrɪft] [<abtreiben] *f.* -en, 〖海·空〗 편류(偏流).

Abtritt [áptrɪt] [<abtreten] *m.* -(e)s, -e, ① 물러감; 〖劇〗 퇴장; 은퇴. ② 변소(*lavatory*, *W. C.*).

ab|trocknen [áptrɔknən] 《I》 *t.* 말리다, 건조시키다; 닦다, 훔치다. 《II》 *i.* (s.) 마르다; 시들다.

ab|tröpfeln [áptrœpfəln], **ab|tropfen** [-trɔpfən] *i.*(s.) 방울(져 떨어)지다.

ab|trotzen [áptrɔtsən] *t.* (jm. et., 아무에게) 억지를 써서 얻다, 떼쓰다.

ab|trūdeln [áptru:dəln] *i.*(s.) 〖空〗 나선식 강하를 하다.

ab|trumpfen [áptrumpfən] *t.* 으뜸패로 이기다; 〖比〗 (jn., 에게) 쏘아 붙이다, 닦아세우다.

abtrünnig [áptrʏnɪç] [<abtrennen] *a.*

배반[이반]한. ¶der[die] ∼e 배반[배교]자/ (von) jm. ∼ werden 아무를 등지다/(von) s-m Glauben ∼ werden 신앙을 버리다. **Abtrünnigkeit** *f.* -en, 배반; 배교(背敎).

ab|tūn* [áptu:n] *t.* ① 떼내다; 없애다, 폐하다; 처리하다, 끝내다(*dispose of*). ② 처치하다, 죽이다(*dispatch*).

Abundanz [abundánts] [lat.] *f.* (Überfluß) 풍부, 윤택, 충만.

ab|urteilen [áp-urtailən] 《Ⅰ》 *t.* ① (에게) 최후의 판결을 내리다, 판결에 의하여 결정하다. ② ☞ABERKENNEN. 《Ⅱ》 *i.*(h.): über jn. [et.⁴] ∼ 신랄한 비평을 가하다.

ab|verdienen [ápferdi:nən] *t.* (jm. et., 아무에게 무엇에 대한) 보상을 하다《응분의 노동을 통하여》.

ab|verlangen [ápferlaŋən] *t.*: jm. et. ∼ 아무에게 무엇(의 제시)를 요구하다.

ab|vermieten [ápfermi:tən] *t.* 전대(轉貸)하다.

ab|visieren [ápvizi:rən] *t.* 관측[목측]하다.

ab|wāgen* [ápvε:gən] *t.* 신중히 고려하다[헤아리다].

ab|wälzen [ápvεltsən] *t.* 굴려 내리다[가져가다]; 《比》 (책임 등을) 전가하다.

abwandelbār [ápvandəlba:r] *a.* 〖文〗 변화시킬 수 있는. **ab|wandeln** *t.* 〖文〗 변화시키다(*conjugate*). **Abwand(e)lung** *f.* -en, 변화《명사의 격변화, 동사의 활용 변화》.

Abwand(e)rung [ápvand(ə)ruŋ] *f.* -en, 출발, 물러감; 유출(流出), 이주. ¶∼ des Kapitals 자본의 국외 도피.

ab|warten [ápvartən] *t.* u. *i.*(h.) ① (끝나기를·오기를·일어나기를) 기다리다. ¶das bleibt abzuwarten 그 결과는 아직 알 수 없다/∼! 자 기다려 보세. ② (알뜰하게) 돌봐주다.

abwärts [ápverts] 《Ⅰ》 *adv.* 아래쪽으로. ¶mit ihm geht es ∼ 그(의 건강·운명·나이)는 이제 내리막이다. 《Ⅱ》 *prp.* 《2格支配》: ∼ des Berges 산을 내려가, 기슭 쪽에.

Abwartung [ápvartuŋ] *f.* -en, 기다림; (알뜰한) 간호, 돌봐줌, 손질.

ab|waschen* [ápvaʃən] *t.* 씻어 가다[내다]; 씻어 깨끗이 하다; 《比》 설욕하다.

Abwaschmāgd [ápvaʃma:kt] *f.* 빨래[부엌일]하는 하녀. **Abwaschung** *f.* -en, 세탁, 세척. **Abwaschwasser** *n.* 구정물, 오수(汚水).

Abwasser [ápvasər] *n.* -s, ..wässer, 오수(汚水), (공장의) 폐수. **ab|wässern** *t.* 배수하다.

ab|wechseln [ápvεksəln] 《Ⅰ》 *i.*(h.) 교대하다(*alternate*). ¶mit jm. ∼ 아무와 교대하다. 《Ⅱ》 *t.* 교대시키다. 《Ⅲ》 **abwechselnd** *p.a.* 교대의, 교호(交互)적인; *adv.* 교대로, 교호적으로. **Abwechs(e)lung** [-vεks(ə)luŋ] *f.* -en, 교대; 변화(*variety*). ¶zur ∼ 기분 전환을 위하여.

Abwēg [ápve:k] *m.* -(e)s, -e, 옆길, 갈림길; 사도(邪道). ¶auf ∼e geraten 사도에 빠지다. **abwēgig** *a.* 잘못된; 사도에 빠진.

Abwehr [ápve:r] *f.* 방어(*defence*); 방지. **ab|wehren** *t.* 막다, 빗나가게 하다, 피하다(*ward off*). ¶e-r Gefahr ∼ 위험을 방지하다.

Abwehr≈ferment *n.* 〖醫〗 보호 산소. **∼geschütz** *n.* 〖軍〗 고사포. **∼mittel** *n.* 〖醫〗 예방약. **∼waffe** 방어 병기. **∼zōne** *f.* 〖軍〗 방어[저항] 지대.

ab|weichen* [ápvaiçən] *i.*(s.) (von, 에서) 빠져 나오다, 떨어져 나오다; (자침이) 편향하다. ¶von et. [jm.] ∼ 무엇과 상위(相違)하다 [아무와 의견을 달리하다]. **Abweichung** *f.* -en, 빗나감; 빠져 나감; 상위함; 편차; 변칙, 파격(破格); 이형(異型).

ab|weiden [ápvaidən] *t.* (목장의) 풀을 다 먹어 버리다《짐승이》.

ab|weisen* [ápvaizən] *t.* 배척하다(*reject*); 거절하다(*refuse*); 쫓아내다(*turn away*); 격퇴하다(*repel*); 〖法〗 기각하다(*nonsuit*). **Abweisung** *f.* -en, 거절; (어음의) 인수 거절, 부도(不渡); 기각.

ab|welken [ápvεlkən] *i.*(s.) 시들다, 쇄(衰)하다.

abwendbār [ápvεntba:r] *a.* 돌릴[피할·예방할] 수 있는. **ab|wenden**⁽*⁾ 《Ⅰ》 *t.* (다른 쪽으로) 돌리다, 빗나가게 하다; (재난을) 예방[방지]하다. 《Ⅱ》 *refl.* 몸을 (딴 쪽으로) 돌리다; (von jm., 아무를) 이반하다, 저버리다. **abwendig** *a.*: ∼ machen, (jm., 아무에게서) 멀리하다, 등지게 하다(*alienate, estrange*). **Abwendung** *f.* -en, 전향, 이반; 혐오; 예방, 회피.

ab|werfen* [ápvεrfən] *t.* ① 내동댕이치다, 버리다, 떨쳐버리다; 동댕이쳐 넘어뜨리다; 불어 날리다; 허물어뜨리다; 〖카드〗 (패를) 내던지다. ② 《比》 e-n Nutzen ∼ 이익을 가져오다.

ab|wērten [ápve:rtən] *t.* (의) 가치를 내리다; 〖經〗 평가 절하하다(*devaluate*). **Abwērtung** *f.* -en, 평가 절하.

abwēsend [ápve:zənt] [-wesend 는 ♈ Wesen] *a.* (*ant.* anwesend) 부재중의; 결석한; (geistes∼) 방심한. **Abwēsenheit** [ápve:zənhait] *f.* -en, 부재; 결석; 알리바이; (Geistes∼) 방심.

ab|wetten [ápvεtən] *t.*: jm. et. ∼ 내기에 이겨서 아무로부터 무엇을 얻다.

ab|wettern [ápvεtərn] *i.*(h.) u. *refl.* 폭풍이 자다.

ab|wetzen [ápvεtsən] *t.* ① (칼을) 갈아서 닳게 하다, (녹을) 갈아서 지우다; 무디게 하다. ② 갈다, 날카롭게 하다.

ab|wickeln [ápvıkəln] *t.* (감은 것을) 풀다; 《比》 (원활히, 또는 순차적으로) 처리하다, 결말내다《사무를》.

ab|wiegen* [ápvi:gən] *t.* (의 무게를) 달다.

ab|wimmeln [ápvıməln] *t.* 《俗》 (귀찮은 사람을) 멀리하다, 몰아내다.

ab|winden* [ápvındən] *t.* 되풀다, 풀다.

ab|winken [ápvıŋkən] *t.* 신호[눈짓·손짓]을 하여 제지[거절]하다[물리치다].

ab|wirt·schaften [ápvırt-ʃaftən] *i.*(h.) (경영이 잘 안돼 그르치다:) (사람이) 파산하다; (땅이) 피폐하다.

ab|wischen [ápvıʃən] 《Ⅰ》 *t.* 닦아 내다, 훔쳐 내다. 《Ⅱ》 *i.*(s.) 슬쩍 도망치다.

ab|wracken [ápvrakən] *t.* (폐선(廢船)을) 해체하다.

Abwurf [ápvurf] [<abwerfen] *m.*-(e)s, ⸚e, (폭탄·우편물 등의) 투하, 투하물. **~meldung** *f.* (비행기로부터) 투하된 메시지. **~sendung** *f.* (비행기로부터) 투하된 우편물.

ab|würgen [ápvʏrgən] *t.* (의) 숨이 지게 하다; 교살하다; (가솔린 발동기에서) 공기의 공급을 줄이다〔정지시키다〕《연소를 돕기 위해》. 「듬뿍 치다.」

ab|würzen [ápvʏrtsən] *t.* (에) 양념을

ab|zahlen [áptsa:lən] *t.* ① 지불하다. ② (auf Abschlag bezahlen) 조금씩 갚다, 분납하다. **ab|zählen** [-tsɛ:lən] *t.* 세어 나누다; 나누어 세다; (세어서) 가지다. **Abzahlung** *f.* -en, 지불; 분할불. ¶ auf ~ 할부(割賦)로.

Abzahlungs≈geschäft *n.* 할부 판매(점). **~kauf** *m.* 할부 구매. **~system** *n.* 할부 제도.

ab|zapfen [áptsapfən] *t.* ① den Wein aus dem Faß ~, *od.* das Faß ~ 통의 마개를 뽑아 술을 따르다. ② jm. Blut ~ 아무의 피를 뽑다 / im. Geld ~ 《俗》 아무로부터 돈을 우려내다.

ab|zäumen [áptsɔymən] *t.* (말의) 재갈을 벗기다.

ab|zäunen [áptsɔynən] *t.* 울타리로 둘러 막다〔구획하다〕.

ab|zehren [áptse:rən] 《Ⅰ》 *t.* 쇠약시키다. 《Ⅱ》 *i.*(s.) u. *refl.* 쇠약해지다. 《Ⅲ》 **abgezehrt** *p.a.* 쇠약한, 초췌한. **Abzehrung** *f.* -en, 쇠약, 소모, 초췌(*emaciation*); 결핵증(*consumption*).

Abzeichen [áptsaiçən] *n.* -s, -, 부호, 기호; 휘장(徽章); 〖動〗 얼룩 점. **ab|zeichnen** *t.* ① 표하여 구분하다, 구획하다. ¶ sich ~ 구획되다, (gegen, 에 대하여) 두드러지게 나타나다. ② 베끼다, 스케치하다. ③ 머릿글자로 서명하다. **Abzeichnung** *f.* -en, 모사, 사생, 스케치; 머릿글자로 하는 서명. 「畫).」

Abziehbild [áptsi:bɪlt] *n.* 전사화(轉寫

ab|ziehen* [áptsi:ən] 《Ⅰ》 *t.* ① 떼어 놓다; 잡아 빼다, 잡아 떼다; 벗기다; 벗다 《모자·의복 따위를》. ¶ e-m Tiere das Fell ~, *od.* ein Tier ~ 짐승의 가죽을 벗기다. ② 움츠리다. ¶ s-e Hand von jm. ~ 아무에게서 손을 빼다; 을 저버리다. ③ 다른 쪽으로 유도〔쏠리게〕하다, 전환시키다. ④ 〖印〗 시험 인쇄하다; (도안을) 전사하다; 〖寫〗 인화(印畫)하다; 배출하다; 배수〔배기(排氣)〕하다. ¶ das Faß ~, *od.* Wein aus dem Faß ~ 마개를 열고 (술을) 따르다. ⑤ 증류〔정류(精溜)〕하다. ⑥ (불필요한 것을) 제거하다; (널빤지에) 대패질하다; (칼을) 갈다. ⑦ 〖數〗 빼다, 공제하다. 《Ⅱ》 *i.*(s.) 물러서다, 떠나다; 도망하다; (증기·연기가) 배출되다. ¶ von der Wache ~ (보초가) 난번이 되다.

ab|zielen [áptsi:lən] *i.*(h.) (auf et., 무엇을) 겨누다, 노리다, 지향하다.

ab|zirkeln [áptsirkəln] *t.* ① 콤파스로 (정확하게) 재다; 《比》 꼼꼼하게 하다. ② s-e Worte ~ 신중하게〔딱딱하게〕 입을 열다〔말하다〕.

Abzūg [áptsu:k] [<abziehen] *m.* -(e)s, ⸚e, ① 빼어 냄, 공제(액); (저울질 할 때의) 용기(容器). ② 〖印〗 시쇄(試刷), 교정쇄; 〖寫〗 인화(印畫). ③ 퇴거; 〖軍〗 퇴각. ④ 유출, 배출; 하수(下水); 유출구; (Rauch~) 연통; 통풍실. ⑤ (총의) 방아쇠. **abzüglich** [áptsy:klɪç] *adv.* 《2格 支配》 (를) 제하고, 공제하고. ¶ ~ der Kosten 비용을 제하고.

Abzūgs≈bōgen *m.* 〖印〗 교정쇄(校正刷). **~grāben**, **~kanāl** *m.* 배수구, 도랑(*drain*). **~klappe** *f.* 방취판(防臭瓣), 트랩. **~rohr** *n.* 배수〔배기〕관.

ab|zupfen [áptsupfən] *t.* 집어 뜯다, 쥐어 뜯다.

ab|zwacken [áptsvakən] *t.* 집어 떼다. ¶ jm. et. ~ 인색하게 아무에게 줄 것을 《특히 급료 따위를》 삭감하다〔줄이다〕.

ab|zweigen [áptsvaigən] *t.* 분기(分岐)시키다; 별도로 하다, (따로) 제하여 놓다《돈을》; (나무의) 가지를 치다; *refl.* u. *i.*(h.) 분기(分岐)하다. **Abzweigung** *f.* -en, 분기(分岐); 분기선, 지선(支線), 지맥(支脈); 별도로 함, (따로) 제하여 놓음《돈을》.

ab|zwicken [áptsvɪkən] *t.* (의 끄트머리를) 집어 떼다〔따다〕.

ab|zwingen* [áptsvɪŋən] *t.* (jm. et., 아무에게서 무엇을) 강제로 빼앗다.

ach! [ax] *int.* 아아, 오오《놀람·기쁨·슬픔 따위를 나타내는 소리》.

Achāt [axá:t] [gr.] *m.* -(e)s, -e, 〖鑛〗 마노(瑪瑙)(*agate*).

Achel [áxəl] *f.* -n, 〖植〗 까끄라기.

a.Chr. (*n.*) 《略》 =*a*nte *Chr*istum (*n*atum) (서력) 기원전.

achromātisch [akromá:tɪʃ] [gr.] *a.* 무색의, 색수차(色收差)가 없는.

Achse [áksə] *f.* -n, ① 굴대, 차축(車軸) (*axle*). ¶ per ~ schicken 육송(陸送)하다. ② 〖數·物〗 축(軸)(*axis*); 〖工〗 축(軸)(*shaft*).

Achsel [áksəl] *f.* -n, 어깻죽지; 《Schulter의 俗語》 어깨(*shoulder*); 겨드랑이. ¶ mit den ~n zucken 어깨를 움츠리다《경멸·의혹·당혹·거부·유감 따위를 나타냄》 / auf die leichte ~ nehmen 가볍게 다루다, 대수롭지 않게 여기다 / jn. über die ~ ansehen 아무를 멸시하다.

Achsel≈band *n.* 견장(肩章). **~bein** *n.* 견갑골. **~drūse** *f.* 액와선(腋窩腺). **~≈geruch**, **~gestank** *m.* 암내; 곁땀내. **~höhle** *f.* 겨드랑이(*armpit*). **~klap≈pe** *f.* 〖軍〗 견장. **~ständig** *a.* 〖植〗 엽액(葉腋)의, 액생(腋生)의. **~trāger** *m.* 양다리 거는 사람, 기회주의자. **~zucken** *n.* 어깨를 움츠림; ☞ ACHSEL.

acht[1] [axt] 《Ⅰ》 《名詞的 用法으로는 흔히 achte》 *num.* 8(☆*eight*): halb ~ (여덟시로 향해 반 시간 지남:) 7시 반/~ Tage, 1주일간/heute über ~ Tage 내주의 오늘. 《Ⅱ》 **Acht**[1] *f.* -en, 8(의 수).

acht[2] (der, die, das ~e) [*eig.* acht-te] *num.* 《序數》 제 8의, 여덟 번째의. ¶ zum ~en 여덟 번째에.

Acht[2] [axt] 《Ⅰ》 *f.* 주의, 고려(*attention*, *heed*). 《Ⅱ》 **acht**[3] 《熟語에 있어서의 형태》 ① et. in ~ nehmen 무엇에 주의를 기울이다, 조심하다 / außer ~ lassen 주의하지 않다, 고려하지 않다/ sich in acht nehmen, a) (vor, 에 대하여) 조심〔경계〕하다, b) 몸조심하다, 섭

생(攝生)하다. ② 《分離前綴이 되어》 auf et. 〔jn.〕 achtgeben 무엇에〔아무에게〕 주의〔조심〕하다.
Acht³ *f.* (중세법의) 추방, 미체포의 죄인을 법률의 보호 밖에 둠 (*outlawry, ban*). ¶ jn. in die ～ erklären 아무를 추방하다; 《俗》 아무를 보이콧하다.
achtbār [áxtba:r] [<achten] *a.* 존경할 만한. **Achtbarkeit** *f.* 존경할 만함; 고귀함, 품위, 위엄. 「각형의.」
Acht·eck *n.* 8각(형). ～**eckig** *a.* 8
Achtel [áxtəl] [„der achte Teil"] *n.* -s, -, 8분의 1; 〖樂〗 8분 음표. **achtel** *a.* 8분의 1의.
Achtel·formāt *n.*, ～**größe** *f.* 8절판(책). ～**nōte** *f.* 〖樂〗 8분 음표. ～**pause** *f.* 〖樂〗 8분 쉼표. ～**takt** *m.* 〖樂〗 8분의 1 박자.
achten [áxtən] [<Acht²] 《I》 *t.* ① (…라고) 짐작하다, 여기다, 간주하다(*regard*); 생각하다, 평가하다(*esteem, value*). ¶ gering ～ 경시하다/ k-e Mühe ～ 고생을 개의하지 않다. ② (hoch ～) 존경하다; 존중하다. 《II》 *i.*(h.): auf et. ～ 무엇에 주의를 기울이다(*attend to*).
ächten [ɛ́çtən] [<Acht³] *t.* (중세법에서) 법률의 보호 밖에 두다, 추방하다.
achtens [áxtəns] *adv.* 여덟 번째에, 제 8에. 「한.」
achtenswērt [áxtənsve:rt] *a.* 존경할 만
achter [áxtər] *a.* 〖海〗 고물의(*aft*).
Achter [áxtər] *m.* -s, -, 8 (의 수); 8인승 보트.
Achterbahn [axtərba:n] [<Achter] *f.* 8자형 궤도(메리고라운드의 일종).
Achter·deck *n.* 후부 갑판. ～**gelēg** *n.* -s,: ins ～geleg kommen 꼴찌가 되다.
achterlei [áxtərlai] *a.* 여덟 가지의.
Achterrennen [áxtərrɛnən] *n.* 8인승 보트 레이스.
acht·fach [áxtfax], ～**fältig** [-fɛltıç] *a.* 여덟겹의, 8배의(*eightfold*). ～**flach** *n.* 8면체.
acht|gēben* [áxtge:bən], **acht|hāben*** [áxtha:bən] *i.*(h.) 주의하다 (auf jn. 〔et.〕).
achtlōs [áxtlɔ:s] [<Acht²] *a.* 부주의한 (*careless, negligent*). **Achtlōsigkeit** *f.* 부주의.
acht·sām [áxtza:m] [<achten] *a.* 주의 깊은, 조심성 있는(*attentive, careful*). **Acht·sāmkeit** *f.* 주의, 신중.
acht·spännig *a.* 8두(頭)의. ～**stundentāg** *m.* 1일 8시간 노동. ～**stündig** *a.* 8시간의 ～**tāgig** *a.* 1주간의.
Achtung [áxtuŋ] [<achten] *f.* -en, ① 주의 (*attention*). ¶ auf jn. 〔et.〕 ～ gehen 아무에게〔무엇에〕 주의〔유의〕하다/(gebt) ～! 주의하라; 〖軍〗 차려. ② 경의(를 표시함), 존경, 존중(*esteem, respect*). ¶ jm. ～ bezeigen 아무에게 경의를 표하다/(jm.) ～ einflößen (아무에게) 존경하는 마음을 불러 일으키다.
achtunggebietend [áxutŋgəbi:tənt] *a.* 위엄 있는.
Achtungs·erfolg *m.* 경의상의 성공, 관중이 대가에게 경의의 표시로 보내는 갈채. ～**lōs** *a.* 예의에 벗어난; 부주의한. ～**voll** *a.* 공경하는. ～**wērt** *a.* 존경할 만한.
acht·zehn [áx-tse:n] *num.* 18. ～**zehnt** *a.* (der, die, das ～zehnte) 제 18의.
achtzig [áx-tsıç] *num.* 80. **achtziger** *a.* 《不變化》 in den ～ Jahren, 80년대의. **Achtziger** *m.* -s, -, 80세의 사람; 팔순 노인. **achtzigjährig** *a.* 80세의. **achtzigst** *a.* (der, die, das ～e) 제 80의. **Achtzigstel** *n.* -s, -, 80분의 1.
Achylie [axylí:] [gr. *a-* „un-", *chylos* „Saft"] *f.* ..lien, 위액 결핍증.
ächzen [ɛ́çtsən] [<ach!] *i.*(h.) 신음하다 (*groan (heavily)*).
Acker [ákər] *m.* -s, ① (*pl.* ¨) 전답, 경작지(*field, soil*). ② (*pl.* -) 경작 면적의 옛 단위 (☞ MORGEN¹ ②).
Acker·bau [ákərbau] *m.* 경작, 농업 (*agriculture*). ～**bauer** *m.* 경작자, 농부. ～**bestellung** *f.* 경작. ～**bōden** *m.* 경작지. ～**gaul** *m.* 농마(農馬). ～**gerāt** *n.* (흔히 *pl.* ～geräte) 농구(農具). ～**gesetz** *n.* 농지법. ～**knecht** *m.* 머슴. ～**krūme** *f.* 경작지, 농토. ～**land** *n.* 경작 적지. ～(**s**)·**mann** *m.* 농부.
ackern [ákərn] *t.* u. *i.*(h.) 갈다, 쟁기질하다; 경작하다. 「퇴역한.」
a.D. 《略》 =*a*ußer *D*ienst(en) 파직의,
Ādalbert [á:dalbɛrt] [„der durch Adel Glänzende"] *m.* 남자 이름.
Ādam [á:dam] [hebr. „Erdgeborener"] *m.* 아담, 남자 이름; 〖聖〗 인류의 시조.
Ādams·apfel *m.* 〖解〗 결후(結喉), 후두 돌기(喉頭突起). ～**kostūm** *n.* im ～kostüm 나체로.
Addendum [adɛ́ndum] [lat.] *n.* -s, ..da, 추가, 부가물, 부록, 보유(補遺). **addieren** [adí:rən] *t.* 보태다 (♈*add*); 합계하다. **Addiermaschīne** *f.* 계산기.
Additiōn [aditsió:n] *f.* -en, 부가; 가산, 덧셈; 〖化〗 첨가, 가성(加成). 「히.」
adē! [adé:] [fr. *adieu*] *int.* †《詩》 안녕
Ādel [á:dəl] *m.* -s, ① 《總稱》 귀족, 귀족 계급. ② 고귀, 고상, 기품(*nobility*).
ādelig [á:dəlıç] *a.* 귀족(출신)의, 명문의; 《比》 (edel) 기품이 있는(*noble*). ¶ der 〔die〕 ～e. 귀족. **ādeln** *t.* 귀족의 일원으로 하다, (에게) 작위를 수여하다; 《比》 (의) 품위를 높이다.
Ādels·brief *m.* 서작서(叙爵書). ～**būch** *n.* 귀족 명감(名鑑). ～**diplōm** *n.* = ～BRIEF.
Ādel(s)·stand *m.* 귀족 계급. ～**stolz** *m.* 귀족(으로서)의 자랑.
adenoīd [adenoí:t] [gr. *aden* „Drüse"] *a.* 선상(腺狀)의, 아데노이드의. **Adenōm** [-nó:m] *n.* -(e)s, -e, **Adenōma** *n.* -s, -ta, [gr. *adem* „Drüse" u. *oma* „Geschwulst"] 선종(腺腫).
Ader [á:dər] *f.* -n, ① 혈관, 맥; (Blut～) 정맥(*vein*); (Schlag～) 동맥(*artery*). ¶ jm. zur ～ lassen 아무에게 방혈법(放血法)을 행하다. ② 《比》 혈통, 소질. ¶ dichterische ～ 시인이 될 소질. ③ 광맥(鑛脈); 목리(木理); (Blatt～) 엽맥(葉脈); (돌 특히 대리석의) 줄무늬. **Āderchen** [ɛ́:dərçən] *n.* -s, -, *dim.* v. Ader.
āderig, äderig *a.* 혈관이 있는; 줄무늬

A

가 있는. **Āderlaß** *m.* 방혈. **ādern** 《Ⅰ》*t.* (에) 줄무늬〔목리(木理)〕를 그리다. 《Ⅱ》**geādert** *p.a.* 줄무늬〔목리〕 있는.

adhärẹnt [athɛrɛ́nt] [lat. <adhärieren] *a.* 부착해 있는; 점착성의; (사람이) 고집(견지)하는. **Adhärẹnz** [–ts] *f.* –en, 부착, 점착; 고집, 견지.

adhäriẹren [athɛrí:rən] [lat.] *i.*(h.) 붙이다; 애착을 가지다; 집착하다; 찬성하다. **Adhäsiọn** [–zĭó:n] *f.* –en, 점착(력); 〖醫〗 유착; (분자간의) 인력; (조약에의) 가맹.

adhortatīv [athɔrtatí:f] [lat.] *a.* 경고하는; 최고(催告)의.

adieu! [adĭǿ:] [fr., *a Dieu* „dem Gott (empfohlen)!"] 《Ⅰ》 *int.* 안녕히 (*farewell!*). 《Ⅱ》 **Adieu** *n.* 작별 인사, 고별.

Adjektīv [atjɛktí:f, átjɛkti:f] [lat. „Beigefügtes"] *n.* –s, –e, 〖文〗 (Beiwort) 형용사. **adjektīvish** [–tí:vɪʃ] *a.* 형용사의; *adv.* 형용사적으로.

Ad·jụnkt [atjʊ́ŋkt] [lat. „Bei-gefügter"] *m.* –en, –en, 조역, 조수(*assistant*); 대리인(*deputy*).

ad·justiẹren [atjʊstí:rən] [lat. „zu-richten"] *t.* (계산 따위를·표준에) 맞추다; 조정하다(⚲ *adjust*).

Ad·jutạnt [atjutánt] [lat. „Bei-stehender"] *m.* –en, –en, 〖軍〗 부관.

Ādler [á:dlər, –tl–] [mhd. *adel-ar* „edler Aar"] *m.* –s, –, 수리(*eagle*).

Ādler·auge *n.*, **∼blick** *m.* 수리의 눈; 형안(炯眼). **∼farn** *m.* 〖植〗 고사리. **∼nāse** *f.* 매부리코.

ādlig [á:dlɪç] *a.* = ADELIG.

Administratiọn [atminɪstratsĭó:n] [lat.] *f.* –en 관리, 관할; 행정. **administratīv** [–tí:f] *a.* 행정〔관리〕의. **Administrātor** *m.* –s, ..tọren, 관리자. **administriẹren** *t.* 관리〔집행·처리〕하다.

Admirāl [atmirá:l] [ar.] *m.* –s, –e, 해군 대장, 제독; 〖蟲〗 나비의 일종. **Admiralitāt** [atmiralitɛ́:t] *f.* –en, 해군 본부. **Admirāls·schiff** *n.* 기함(旗艦). **Admirāl·stāb** *m.* 해군 사령부. 「름.

Ādolf [á:dɔlf] [„Edel-wolf"] *m.* 남자 이

adoptiẹren [adɔptí:rən] [lat.] *t.* 채용하다(⚲ *adopt*); 양자 삼다. **Adoptiọn** [–tsĭó:n] *f.* 양자 결연; 채용. **adoptīv** [–tí:f] *a.* 양자 결연의. **Adoptīv·eltern** *pl.* 양(養)부모. **Adoptīvkind** *n.* 양자.

Adoratiọn [adoratsĭó:n] [lat.] *f.* –en, 숭배, 경모; 예배.

Adrēma [adré:ma] *f.* –s, Adressiermachine의 상품명.

Adressạnt [adrɛsánt] [fr.] *m.* –en, –en, 발신인; (어음의) 발행인. **Adressāt** [adrɛsá:t] *m.* –en, –en, 수신인(⚲ *addressee*); 수취인.

Adrẹß·būch *n.* 주소록, 방명록. **∼būro** *n.* 등기소, 광고사, 소개소.

Adrẹsse [adrɛ́sə] *f.* –n, 보내는 곳, 수신처(⚲ *address, direction*). ¶ per 〔an die〕 ∼ des Herrn N., N씨 방(方)으로 / falsche ∼ 수신처가 잘못됨.

adressiẹren [adrɛsí:rən] *t.* 보내다, (에) 수신인의 주소 성명을 적다; 추천〔소개〕하다 (an jn.) **Adressiẹrmachīne** *m.* 수신자 주소 성명 인쇄기.

Adrẹßkalender [adrɛ́skalɛndər] *m.* = ADRESSBUCH.

adrẹtt [adrɛ́t] [fr.] *a.* 솜씨 있는; 교묘한; 빈틈 없는; 깨끗한(*smart*).

Ādria [á:dria] *f.*, das **Adriạtische Meer** 아드리아 해.

Ādrio [á:drio] [schwz.] *n.* –s, –s, 송아지 고기 소시지《프라이용》.

Advektiọn [atvɛktsĭó:n] [lat. *ad-vehō* „heran-bringen"] *f.* –en, (열의) 수평대류(對流), 이류(移流).

Advẹnt [atvɛ́nt] [lat. „An-kunft"] *m.* –(e)s, –e, 예수 강림; 대림절(待臨節).

Advẹrb [atvɛ́rp] [lat. „zum Verb"] *n.* –s, ..bĭen, (Umstandswort) 부사. **adverbiāl** [atvɛrbĭá:l] *a.* 부사의; *adv.* 부사적으로.

adversatīv [atvɛrzatí:f] [lat.] *a.* 상반하는; 대조(대립)적인.

Advokāt [atvoká:t] [lat. „Herbeigerufener"] *m.* –en, –en, 변호사, 법률 고문.

a·ero.. [á:ero– 또는 aero–] [gr.] 《合成用語》"하늘·공기"의 뜻. **Aerodynāmik** *f.* 기체 역학; 항공 역학. **Aerolịth** *m.* –(e)s, –e od. *m.* –en, –en, 운석. **Aeromobīl** *n.* –s, –e, 항공기. **Aeronaut** *m.* –en, –en, 비행사. **Aeroplān** *m.* –(e)s, –e, 비행기. **Aero·sōl** [aerozó:l] [lat. *aer* „Luft"] *n.* –s, –e, 에어로졸 《연무질(煙霧質)》.

af.. [lat.] = AD.. 《그 f 앞의 변음.》

afebrīl [afebrí:l] [lat., *a-* „un-", -frei"] *a.* 열이 없는, 무열의.

Affāre [afɛ́:rə] [fr. *af-faire*, „zu Tu-endes"] *f.* –n, 용건, 용무 (⚲ *affair, matter*); 사무(*business*), 분쟁, 사건.

Affe [áfə] *m.* –n, –n, ① 원숭이《꼬리가 없는: ⚲ *ape*, 흔히 꼬리 있는: *monkey*》. ② 《俗》 e–n ∼n haben 취해 있다, 명정하다.

Affẹkt [afɛ́kt] [lat. <affizieren] *m.* –(e)s, –e, 감격, 감동(*excitement*); 격정(*passion*).

Affektatiọn [afɛktatsĭó:n] [lat.] *f.* –en, 짐짓…체함; 겉보기. **affektiẹren** [–tí:–] [lat. „wonach trachten"] *t.* 꾸미다, 짐짓 …인 체하다, 가장하다. **affektiẹrt** *p.a.* 꾸민, 가장한 (⚲ *affected*).

äffen [ɛ́fən] [<Affe] *t.* ① 우롱〔조롱〕하다(*mock at*). ② 흉내내다.

Affen·ārt *f.* 원숭이류; 원숭이의 습성. **∼ārtig** *a.* 원숭이류의, 원숭이 같은. **∼kasten** *m.* 원숭이 우리. **∼liebe** *f.* 자식에 대한 끔찍한 사랑. **∼schande** *f.* 큰 수치, 대추문. **∼weibchen** *n.* 암원숭이. 「롱, 조롱.」

Äfferei [ɛfərái] *f.* –en, 흉내; 야유, 우

affig [áfɪç] *a.* 원숭이 같은; 우매한, 어리석은 (⚲ *apish*). **Äffin** [ɛ́fɪn] *f.* –nen, 암원숭이.

Affinitāt [afinitɛ́:t] [lat. „Angrenzang"] *f.* –en, 친연성(親緣性); 유동(類同); 친화성; 인척 관계; 〖化〗 친화력.

Affirmatiọn [afɪrmatsĭó:n] [lat.] *f.* –en, 시인, 긍정. **affirmatīv** [–tí:f] *a.* 긍정적인. **affirmiẹren** *t.* 긍정〔확인〕하다.

affizịeren [afitsí:rən] [lat. „zu-, antun"] *t.* (에) 작용하다, 느끼게 하다, 자극하다; 〖醫〗 병에 걸리게 하다(♈*affect*).
afrāsisch [afrá:ziʃ] *a.* 아프리카 아시아 (에 공통)의.
Āfrika [á:frika] *n.* 아프리카. **Afrikạnder** [afrikándər] *m.* -s, -, 남아프리카 태생의 백인. **Afrikāner** [afriká:nər] *m.* -s, -, 아프리카 사람. **afrikānisch** *a.* 아프리카(사람·토어)의.
Ạfter [áftər] [„der Hintere"] *m.* -s, -, 〖解〗 전부(臀部), 항문(*anus*).
ạfter.. [áftər-] 《合成用語》 "부정·사이비·불량·부(副)·후(後)" 따위의 뜻을 가지며 주로 명사와 결합함(♈*after*).
Ạfter-ārzt *m.* 돌파리 의사. **∼berēdsāmkeit** *f.* 입에 발린 능변(能辯), 피변. **∼gelehrsāmkeit** *f.* 사이비 학문. **∼glaube** *m.* 미신. **∼kritik** *f.* 얼치기 비평. **∼miete** *f.* 전차(轉借). **∼mieter** *m.* 전차인(轉借人). **∼pacht** *f.* 용익(用益) 전대차. **∼rēde** *f.* 험구, 비방. **∼rēden** *i.*(h.) 험담을 하다. **∼weisheit** *f.*, **∼witz** *m.* 얼치기 지혜.
AG, AG., A.G. [a:gé:] 《略》 =*A*ktien*g*esellschaft 주식 회사.
Ägạ̈is [ɛgɛ́:ɪs] *f.*, das **Ägạ̈ische Meer** 에게 해(海).
Agẹnde [agéndə] [lat., <agieren] *f.* -n, 〖가톨릭〗 성사 정식서(聖事定式書); 신교의 예배식서(*liturgy*).
Āgens [á:gɛns] [lat.] *f.* -, Agẹnzīen 원동력, 동인(動因). **Agẹnt** [lat. „Handelnder"] *m.* -en, -en, 중개〔대리〕업자; 대행자, 대리인, 대리점; 〖軍〗 특무 기관. **agentịeren** [-tí:-] *i.*(h.) [öst.] 대리점을 (경영)하다. **Agentūr** [agɛntú:r] *f.* -en, 대리; 대리점, 대리업, 중개업, 중개소(♈*agency*).
Agglūtinatiọ̄n [aglu:tinatsĭó:n] [lat.] *f.* -en, 교착, 응결, 유착; 〖化〗 응집 작용.
Aggregāt [agregá:t] [lat.] *n.* -(e)s, -e, 응집; 집합(체). **∼zūstand** *m.* 응집 상태《곧 고상·액상·기상》.
Aggressiọ̄n [agrɛsĭó:n] [lat.] *f.* -en, 침략, 공격. **aggressīv** [-sí:f] *a.* 공격〔침략〕적인. **Aggrẹssor** [-résɔr] *m.* -s, ..sọ̄ren, 공격〔침략〕자.
Ägīde [ɛgí:də] [gr.] *f.* 〖希神〗 Jupiter 및 Minerva 의 방패; 《比》 보호, 비호.
agịeren [agí:rən] [lat. „handeln"] *i.*(h.) u. *t.* 행하다, 행동하다; 〖劇〗 (어떤 역을) 맡아 하다.
Agio [á:ʒĭo, -dʒo] [fr. *aus* it.] *n.* -s, 〖經〗 액면 초과액, 프레미엄(♈*agio, premium*); 환금(換金) 차액. **Agiotage** [aʒĭotá:ʒə] *f.* -n, 증권업.
Agitatiọ̄n [agitatsĭó:n] [lat. „Aufregung"] *f.* -en, 격려, 권유; 사주, 선동. **Agitātor** *m.* -s, ..tọ̄ren, 선동자, 사주자. **agitatọ̄risch** *a.* 선동적인. **agitịeren** *t.* u. *i.*(h.) 선동하다, 부추기다.
Agnāt [agná:t] *m.* -en, -en, 부계(父系) 친족.
agnoszịeren [agnɔs-tsí:rən] [lat.] *t.* 승인〔인지〕하다.
Agonịe [agoní:] [gr. „Kampf"] *f.* ..nīen, (Todeskampf) 단말마, 〖醫〗 죽음의 고통.
Agrạffe [agráfə] [fr.] *f.* -n, 브로치, (옷깃·허리띠 등을 채우는) 죔쇠(*brooch*).
A·granulo·zytọ̄se [agranulotsytó:zə] [gr. *a-* „un-", lat. *granulum* „körnchen", gr. *kytos* „Zelle"] *f.* -n, 무과립(無顆粒) 세포증.
Agrārīer [agrá:rĭər] [lat., *ager*, „Acker"] *m.* -s, -, 지주(地主). **agrārisch** *a.* 농업〔농사〕의.
Agrār-kredit *m.* 농업 금융. **∼krīse** *f.* 농업 공황. **∼reform** *f.* 농지 개혁. **∼staat** *m.* 농업 국가.
Agrément [agremã́:] [fr.] *n.* -s, -s, 아그레망; 허락, 동의.
Agrikultūr [agrikultú:r] [lat.] *f.* 농업. **∼chemie** *f.* 농예 화학.
Agrotechnik [á:gr- *od.* -tέç-] [ostd.] *f.* 농업 기술.
Ägypten [ɛgýptən, ɛgíp-] *n.* -s, 이집트. **Ägypter** *m.* -s, -, **Ägyptin** *f.* -nen, 이집트 사람. **ägyptisch** *a.* 이집트 (사람·말)의. **Ägyptologịe** [-logí:] *f.* 이집트 (고고)학.
ah! [a:] *int.* 아아, (자연적인 탄식음) 허, 이런. ¶ ∼ so! 응 그래 /∼ was! 원, 체(그 까짓것). **a·hā!** [ahá:] *int.* 아하, 그렇군, 아니.
ahd. 《略》 =*alt*h*och*d*eutsch 고대 고지(高地) 독일어의.
Āhle [á:lə] *f.* -n, 돗바늘, 송곳《구두장이의》(♈*awl, pricker*).
Āhn [a:n] *m.* -(e)s *u.* -en, -en, 선조, 시조《특히 귀족의》(*ancestor*).
āhnden [á:ndən] *t.* 복수하다(*avenge*); 벌하다(*punish*). **Āhndung** *f.* -en, 〖法〗 징벌, 형벌; 비난; 복수.
ähneln [έ:nəln] [<„ähnlich"] *i.*(h.) 닮다(jm. 〔et.〕).
āhnen [á:nən] 《Ⅰ》 *t.* 예감하다(*have a presentiment of*). ¶nichts ∼d 아무것도 모르고, 아무런 생각 없이. 《Ⅱ》 *i.*(h.) *imp.*: es ahnt mir et. 나는 무엇을 예감한다.
Āhnen [á:nən] [*pl.* <Ahn] 조상《특히 귀족의》.
Āhnen-bild *n.* (미개인이 표현하는) 조상의 상(像). **∼galerie** *f.* 조상의 초상 따위를 진열한 방. **∼kult(us)** *m.* 조상 숭배. **∼nāchweis** *m.* 명문의 후예임을 나타내는 증거. **∼paß** *m.* 명문의 후예임을 증명하는 증명서. **∼stolz** *m.* 조상〔족보(族譜)〕 자랑. **∼tāfel** *f.* 족보.
Āhn-frau *f.* 여자 조상; 여자 조상의 망령. **∼herr** *m.* 조상.
āhnlich [έ:nlɪç] *a.* ① 같은, 닮은(*like, resembling*). ¶das sieht ihm ∼ 그것은 그 사람답다, 그 사람이 할직한 행위〔말〕이다. ② 〖數〗 상사(相似)의(*similar*). **Ähnlichkeit** *f.* 유사, 유동(類同), 상사; 근사점.
Āhnung [á:nʊŋ] [<ahnen] *f.* -en, 예감(*presentiment*); 불길한 예감, (어쩐지) 불안한 마음(*foreboding*). ¶k-e ∼ von et.[3] haben 무엇을 꿈에도 생각하지 못하다.
āhnungs-lōs *a.* 예감〔예지〕하지 않는, 아무것도 모르는; *adv.* 아무 생각 없이, 어쩐지. **∼voll** *a.* (불안한) 예감을 품고 있는, (어쩐지) 가슴이 두근거리는; 불길한.
Ā·horn [á:hɔrn] *m.* -(e)s, -e, 〖植〗 단풍나무(*maple*).

Ähre [ɛ́:rə] *f*. -n, 이삭(♈*ear*); 수상 화서(穗狀花序). ¶ ~n lesen 이삭을 줍다. **Ähren-lēse** *f*. 이삭 줍기. ~**lēser** *m*. 이삭 줍는 사람.
Ais [á:ɪs] *n*. -, -, 〖樂〗 올림 가음; 올림 가 단조.

A

ak.. [ak-] [lat.] =AD.. 《그 k 음(c, qu) 앞의 변음》.

Akademie [akademí:] [gr. *akademeia*; 영웅 Akademos 의 이름을 딴 아테네 근교의 유원지 및 체육장이며 Plato 가 강의하던 곳] *f*. ..mīen, ① 아카데미; 대학; 전문(미술·음악) 학교. ② 예술 협회; 학사원; 학회. **Akademiker** [akadé:mɪkər] *m*. -s, -, 대학 교수, 대학생; 대학 교육을 받은 사람; 학사원 회원; 구파(舊派)의 화가. **akademisch** *a*. ① 대학의. ¶ ~ (*adv.*) gebildet 대학 교육을 받은. ② 학사원의. ③ 〖畫〗 구파(舊派)의. **Akademist** *m*. -en, -en, =AKADEMIKER.

Akazie [aká:tsĭə] *f*. -n, 〖植〗 아카시아 (♈*acacia*).

Akelei [a:kəlái] [lat.] *f*. -en, 〖植〗 매발톱속(屬)(*columbine*).

Akklamation [àklamatsĭó:n] [lat.] *f*. -en, 갈채, 환호; 환호에 의한 표결. **akklamieren** *t*. (로 향하여) 갈채하다; 찬동하다.

Akklimatisation [aklimatizatsĭó:n] [lat.] *f*. 풍토 순화. **akklimatisieren** [„an ein (fremdes) Klima ge-wöhnen"] *t*. 기후〔풍토〕에 익숙케 하다, 순화(馴化)시키다; *refl*. 순화되다. **Akklimatisierung** *f*. =AKKLIMATISATION.

Akkom(m)odation [akomodatsĭó:n] [lat.] *f*. -en, 적합, 순응, 적응. **akkom(m)odieren** 《Ⅰ》 *t*. 적응〔순응〕시키다. 《Ⅱ》 *refl*. 적응〔순응〕하다.

Akkompagnement [akɔmpanjəmã́:] [fr.] *n*. -s, -s, 〖樂〗 반주. **akkompagnieren** [-njí:rən] *t*. u *i*.(h.) (의) 반주를 하다 (jn. od. jm.).

Akkord [akɔ́rt] [fr. <lat. *ac-*(*ad-*) „zu", *cordis* "Herz"] *m*. -(e)s, -e, ① (*ant*. Disonanz) 〖樂〗 화음, 협화음. ② 협정, 협조; 〖法〗 강제 화의; 〖商〗 청부, 도급. ¶ auf 〔im〕 ~ arbeiten 청부로 일하다. **Akkord·arbeit** *f*. 청부 공사 (*piecework, jobwork*). **Akkordarbeiter** *m*. 청부 공사를 맡아 하는 사람. **Akkordeon** [akɔ́rdeɔn] *n*. -s, -s, 〖樂〗 아코디언. **akkordieren** 《Ⅰ》 *t*. 동의시키다; 화해시키다(*arrange*). 《Ⅱ》 *i*.(h.) 일치하다, 합의를 보다(*agree*); 계약하다 (*compound*). **Akkordlohn** *m*. 능률급 임금.

akkouchieren [akuʃí:rən] [fr.] *t*. 분만시키다, 조산(助産)하다.

akkreditieren [akredití:rən] [fr. <Kredit] *t*. ① (beglaubigen, bevollmächtigen) 신임〔신용〕장을 수여하여 파견하다, 위임하다. ② 〖商〗 크레딧을 설정하다. **Akkreditiv** [-tí:f] *n*. -s, -e, 신임장; 〖商〗 신용장.

Akkumulator [akumulá:tɔr] [lat.] *m*. -s, ..toren, 축전지(蓄電池).

akkurat [akurá:t] [lat.] *a*. 꼼꼼한, 면밀한; 적확한, 엄밀한. **Akkuratesse** *f*. 정확(성), 면밀, 정밀.

Akkusativ [ákuzati:f, akuzatí:f] [lat.] *m*. -s, -e, 〖文〗 제 4 격, 대격.

Akme [akmé:] [gr.] *f*. 정상, 절정; 극치; 전성; 〖醫〗 (병의) 위기.

Ā-kohle [á:-ko:lə] *f*. =Aktiv*kohle*.

Akonto·zahlung [akɔ́nto-] *f*. 할부(割賦), 분할불.

Akrobat [akrobá:t] [gr.] *m*. -en, -en, 줄타기 광대, 솟대장이, 곡예사. **Akrobatik** *f*. 곡예, 줄타기. **akrobatisch** *a*. 곡예풍(風)의.

Akryl.. [akrý:l-] [<lat. *acer* „sharf"] 《合成用語》: ~**herz** *n*. 아크릴 수지. ~**säure** *f*. 아크릴산.

Akt [akt] [lat. „Handlung"] *m*. -(e)s, -e, 행위, 동작(♈*act*); 〖劇〗 막(幕); (동작의) 자태, 포즈; 모델(*model*); (특히) 나체(화)(*nude*). **Akte** [áktə] [lat. „Verhandeltes"] *f*. -n, 《보통 複數形, 單數에는 Aktenstück 를 代用》 기록, (공)문서, (일건) 서류; 소송 기록, 조서, 증서; 법령. ¶ zu den ~n legen 딴 서류와 함께 두다, 《比》 시비를 그만두다, 문제 삼지 않다, 포기하다.

Akten-deckel *m*. 서류철의 표지. ~**klammer** *f*. 클립, 서류 집게. ~**mappe** *f*. 서류 가방. ~**schrank** *m*. 서류장. ~**ständer** *m*. 서류 꽂이. ~**stück** *n*. (낱낱의) 문서. ~**tasche** *f*. =~MAPPE. ~**zeichen** *n*. 문서 색인.

Akteur [aktø̃:r] [fr.] *m*. -s, -e, 배우.

Aktie [áktsĭə] [ndl. „Aktion"] *f*. -n, 주(株), 주권, 주식(*share, stock*).

Aktien-bank *f*. 주식 은행. ~**gesellschaft** *f*. 주식 회사. ~**handel** *m*. 주식 매매. ~**händler** *m*. 증권회사. ~**inhaber** *m*. 주주(株主). ~**kapital** *n*. 주식 자본.

Aktiniden [aktiní:dən] *pl*. 악티니드 《Aktinium 이상 원자 번호 89-103 원소의 총칭》. **aktinisch** *a*. (방사선이) 화학 작용이 있는, (태양) 화학선의. ¶ ~e Strahlen 화학선.

Aktion [aktsĭó:n] [lat. „Tätigkeit"] *f*. -en, 행위, 행동(♈*action*); (결단적인) 행동, 공세(*drive*); 처지, 처리(*raide*); 전투.

Aktionär [aktsĭoné:r] [fr. <Aktie] *m*. -s, -e, 주주(株主).

Aktions·radius [aktsĭó:nsra:dĭus] *m*. 행동 반경.

aktiv [ákti:f, aktí:f] [lat. <Akt] 《Ⅰ》 *a*. 행동적인, 활발한, 적극적인(♈*active*); 〖商〗 유리한. ¶ ~es Heer 상비군(常備軍). 《Ⅱ》 **Aktiv** [ákti:f, aktí:f] *n*. -s, -e, 〖文〗 능동형. **Aktiva** [aktí:va] *pl*. 〖商〗 자산(資産)(*assets*).

aktivieren [aktiví:rən] [lat.] *t*. 실행하다, 일하게 하다, 활동시키다; 〖化〗 활성화하다. **Aktivismus** *m*. -, 〖文學〗 행동주의; 활동〔실행〕주의. **Aktivist** *m*. -en; -en, 활동〔실행〕주의자, 적극적인 실천주의자; (좌익) 활동자.

Aktivität [aktivité:t] *f*. 활동(력), 활기, 능동성; 현직, 〖軍〗 현역. **Aktivkohle** *f*. 활성탄. **Aktivum** *n*. -s, ..va, =AKTIV.

Aktrice [aktrí:sə] [fr.] *f*. -n, 여(배)우.

aktualisieren [aktualizí:rən] [lat. <aktuell] *t*. 현실화하다, (행동으로) 실현하다; 여실히 표사하다.

Aktualität[aktualité:t] [fr. <aktuell] *f.* -en, 현실(성).

Aktuar [aktuá:r] [lat. „wer Akten aufschreibt"] *m.* -s, -e, 법원 서기.

aktu·ell [aktuél] [fr. „wirklich"<Akt] *a.* 현실의(♈*actual*); 현하의(*current, timely*). ¶ ~e Paläontologie 화석 생물학.

Aktus [áktus] [lat.] *m.* -, -, 행사.

Akustik [akústık] [gr.] *f.* 음향학; 음향 효과(♈*acoustics*). **akustisch** *a.* 음향학의; 청감(聽感)에 있어서의; 음향 효과가 있는《방·극장 따위》.

akut [akú:t] [lat. „spitz"] *a.* 예리한, 뾰족한, 날카로운; 긴급한(*urgent*); 〖醫〗 급성의(♈*acute*).

Akzeleration [aktseleratsĭó:n] [lat.] *f.* -en, 〖物〗 가속도. **Akzelerator** *m.* -s, ..toren, (자동차 따위의) 가속 장치.

Akzent [aktsént] [lat.] *m.* -(e)s, -e, 악센트(♈ *accent*); 악센트 부호; 《比》 강조. **akzentuieren** *t.* 억양을 정확하게 발음하다; (에) 악센트 부호를 붙이다; 《比》 강조하다.

Akzept [aktsépt] [lat. „An-nahme"] *n.* -(e)s, -e, 인수(引受)(♈*acceptance*); 인수 어음(*draft*). **Akzeptant** *m.* -en, -en, (어음) 인수인. **akzeptieren** *t.* 승낙하다, 받아들이다(♈*accept*); 〖商〗 인수하다(*honour*).

Akzidens [áktsidɛns] [lat.] *n.* -, ..denzĭen, 우연(한 일); 〖樂〗 임시 기호; (*pl.*) 임시 수입. **akzidentiell** [-tsĭél] *a.* 우연한, 우발적인.

Akzidenzĭen[aktsidéntsĭən] [lat. „Zufälligkeiten"] *pl.* 임시 수입, (합법적인) 품삯.

Akzise [aktsí:zə] [lat.] *f.* -n, 물품세(*excise*). **Akzisebeamte** *m.* 《形容詞變化》 세무원, 세리(稅吏).

Alabaster [alabástər] [gr.] *m.* -s, 설화 석고(雪花石膏). **alabastern** *a.* 눈같이 흰.

Alarm [alárm] [fr., <it. *all'arme!* „zu den Waffen! 무기를 잡아라"] *m.* -(e)s, -e, ① 경보, 비상 경보; (Flieger~) 공습 경보. ¶ ~ blasen 〔schlagen〕 비상 나팔을 불다〔비상을 알리는 북을 치다〕/blinder ~ 헛 소동; 〖軍〗 허위 경보. ② 소동; 불안, 공포.

Alarm⸗apparat *m.* 경보 장치. **~be⸗reit** *a.* 경계중의. **~bereit·schaft** *f.* 경계 대기. ¶in ~bereitschaft sein 경계중이다. **~glocke** *f.* 경종, 비상벨.

alarmieren [alarmí:rən] [fr.] *t.* 경보하다. **Alarmsignāl** *n.* 경보. **Alarmvōr⸗richtung** *f.* 사이렌. **Alarmzūstand** *m.* 경계 (상태).

Alaun [aláun] [lat.] *m.* -s, -e, 〖化〗 명반(明礬)(♈*alum*). **alaun·ārtig** *a.* 명반의; 반토질(礬土質)의. **Alaun·ērde** *f.* 반토(礬土).

Alb [alp] [♈Alpe] *f.* -en, (Alm) 알프스 산 위의 목장, 고원(高原) 목장《지명으로도 되어 있음》.

Albānĭen [albá:nĭən] *n.* 알바니아. **Albāner** *m.* -s, -, **Albānerin** *f.* 알바니아 사람. **albānisch** *a.* 알바니아(사람)의.

Albatros [álbatrɔs] [ar. -sp.] *m.* -, -, *u.* -se, 〖鳥〗 신천옹(信天翁).

albern [álbərn] 《I》 [„all-wahr" "지나치게 사람이 좋은"의 뜻] *a.* 지각없는, 어리석은, 바보같은(*silly, foolish*). 《II》 *i.*(h.) 지각없이 행동하다. **Albernheit** *f.* -en, 어리석은 행동, 우둔한 일; 황당 무계.

Albert [álbert] [Adalbert 의 短縮形] *m.* 〔남자 이름.〕

Albrecht[álbrɛçt] [Adalbert의 省略形] *m.* 남자 이름.

Album [álbum] [lat. „das Weiße"] *n.* -s, ..ben *u.* -s, 앨범, 스크랩북, 방명록; 사진첩.

Älchen [ɛ́:lçən] [*dim.* v. Aal] *n.* -s, -, 새끼 뱀장어.

Alchimie [alçimí:] [ar. *al* „die" *u.* gr. Chemie] *f.* 연금술(鍊金術)(♈*alchemy*). **Alchimist** *m.* -en, -en, 연금술사(師).

Aldol [aldó:l] [Al*dehyd* u. *Alkoh*ol] *n.* -(e), -e, 〖化〗 알돌.

Alexander [alɛksándər] [gr.] *m.* -s, 남자 이름. **Alexandriner** *m.* -s, -. ① 알렉산드리아 시민〔학자〕. ② 〖詩學〗 알렉산드로스 구격(句格)《6각(脚) 단장격〔12음절〕의 시형》.

Alfanzerei [alfantsərái] *f.* -en, 익살(광대짓)((*tom*)*foolery*); 사기.

Alf·rēd [álfre:t] *m.* -s. [„v. Elfen beraten"] 남자 이름《영국계》. 〔*weed*).〕

Alge [álgə] [lat.] *f.* -en 〖植〗 해초(*sea-*

Algebra [álgebra] [ar.] *f.* 대수학. **al⸗gebrāisch** *a.* 대수학의.

Algērĭen [algé:rĭən] *n.* 알제리. **alge⸗rish** *a.* 알제리의. **Algier** [álʒi:r, -gi:r] *n.* -s, 알제리의 수도.

Ālibi [á:libi:] [lat. „anderswo"] *n.* -s, -s, 현장 부재 (증명), 알리바이.

Alienation [alĭenatsĭó:n] [lat.] *f.* -en, (Veräußerung) 양도, 매도; 소외, 소원; 〖醫〗 (Geistesabwesenheit) 방심 (상태). **alĭenieren** [-ní:rən], *t.* 양도〔매각〕하다; 소외시키다.

Aliment [alimént] [lat. *alere,* „nähren"] *n.* -(e)s, -e, 〖法〗 (흔히 *pl.*) 양육비, 부양료(♈alimony). **alimentieren** *t.* 부양〔양육〕하다.

Alinea [alí:nea] [lat.] *n.* -s, -s, 〖印〗 별행(別行), 신절(新節).

Alkali [alká:li, álkali] [ar.] *n.* -s, ..kālĭen. 〖化〗 알칼리. **Alkalimetrie** [-metrí:] *t.* 알칼리 정량〔적량(滴量)〕. **alkālisch** *a.* 알칼리성의.

Alko·hol [álkohɔl] [ar.] *m.* -s, -e, 〖化〗 주정(酒精), 알콜. **alko·holfrei** *a.* 알콜을 함유하지 않은. **Alko·holgehalt** *m.* 알콜 함량. **Alko·hōliker** [-hó:lıkər] *m.* -s, -, 알콜 중독자. **alko·hō⸗lisch** *a.* 알콜의, 알콜을 함유한. **Alko⸗holismus** *m.* -, 음주벽; 알콜 중독.

Alko·hol⸗schmuggel *m.* 주류 밀매〔밀수〕. **~verbōt** *n.* 주류 제조 판매 금지. **~vergiftung** *f.* 알콜 중독.

Alkoven [alkó:vən, álkovən] [ar.] *m.* -s, -, 알코브《침대 등을 놓는, 방의 움푹 들어간 곳》; 방에 부속된 창 없는 작은 침실.

all [al] 《I》 《形容詞 또는 不定數詞》 ① 모든, 일체의(♈*all*). ¶~e Tage 매일,

날마다/∼e drei Tage 사흘마다/auf ∼e Fälle 어떠한 경우에도/∼(es) mein Geld 내가 가지고 있는 모든 돈/∼es Gute 일체의 선한 사물. ② 《뜻을 強調하여》 in ∼er Eile 황급히, 다급하게. 《Ⅱ》 **alle** *adv.* 《俗》 다 된, 끝난, 쇠진한. ¶das Geld ist ∼ 돈이 떨어졌다, 무일푼이다/∼ werden 다 되다, 없어지다. 《Ⅲ》 《名詞的》 **alle** *pl.* ① 뭇 사람, 너나할 것 없이. ② Sie ∼ 그들 일동 /∼ beide 두 사람 다. ③ 《中性單數; 集合的 뜻을 지님》 alles 일체의 사물/∼s in ∼em 전체로 보아, 요컨대/vor ∼m 무엇보다 먼저. ④ alles 모든 사람, 모두.

All *n.* -s, 일체; 우주; 삼라 만상.

Allah [ála:] [ar.] *m.* -s, 알라, 회교의 유일신.

all·bekannt [álbəkant, -bəkánt] *p.a.* 저명한, 주지의. **∼būch** *n.* 국어 사전을 겸한 백과 사전 **∼dā** [-dá:] *adv.* † 그곳에.

Allee [alé:] [fr. „Gang"] *f.* ..lēen, 가로수 길(⚲*alley, avenue, walk*).

Allegorēse [alegoré:zə] [<Allegorie] *f.* -n, (종교 서적의) 우의적(寓意的) 해석.

Allegorie [alegorí:] [gr. *all-egoria* „Andersrede"] *f.* ..rīen, 비유, 우의(寓意), 알레고리. **allegōrisch** [alegó:rɪʃ] *a.* 비유적인, 우의적인.

allein [aláin] [mhd. *al-eine*, „ganz einsam"] 《Ⅰ》*a.* 홀로, 단독으로(⚲*alone*); 뿐, 만이. ¶mit jm. ∼ sein 아무와 마주 보고 있다/schon ∼ der Gedanke 단지 그것을 생각만 하여도. 《Ⅱ》 *adv.* 다만, 단지; …만. ¶nicht ∼(*cj.*), sondern (auch) …뿐만 아니라 …도 또한. 《Ⅲ》 *cj.* 《이 경우, 항상 문장 허두에 놓여 aber 보다 강한 뜻임》 그러나, 단.

Allein·berechtigung *f.* 독점권. **∼besitz** *m.* 전유(專有), 독점. **∼betrieb** *m.* 전매. **∼gespräch** *n.* 혼잣말, 독백(*soliloquy*). **∼handel** *m.* 전매(*monopoly*). ¶∼handel treiben 전매하다 (*monopolize*). **∼herrschaft** *f.* 독재권, 독재 정치. **∼herrscher** *m.* 전재 군주.

alleinig [aláinɪç] *a.* 유일한, 단독의, 독점적인, 독특한.

Allein·mädchen *n.* 하녀《모든 가사를 혼자 도맡는》. **∼sein** *n.* 고독; 독신. **∼verkauf** *m.* 전매(*monopoly*). **∼vertrēter** *m.* 독점 대리상〔인〕. **∼vertrieb** *m.* =∼VERKAUF.

allemāl [áləma:l] *adv.* 언제나; 언제든지 (*always, ever*). ¶ein für ∼ 이번만으로, 이것을 최후로, 단연코.

allenfalls [álənfals, alənfáls] *adv.* ① 부득이하면(*if need be*). ② 고작, 만일, 필경(*perhaps, possibly*).

allent·halben [alənthálbən, álənthalbən] *adv.* 곳곳에, 도처에(*everywhere*).

aller.. [alər-, álər-] 《合成用語》 원래는 all의 複數 2格, 주로 최상급의 형용사와 합하여 뜻을 강조함.

aller·ārt [álər-a:rt] *a.* 《不變化》 여러 가지의. **∼best** [alərbέst] *a.* 최선의, 최량의. ¶aufs ∼beste 가장 좋게. **∼dings** *adv.* 물론, 확실히(*indeed, to be sure*). **∼enden** [alərέndən] *adv.* 도처에. **∼ērst** [aləré:rst] *a.* 최초의. ¶zu ∼erst 무엇보다 먼저.

Allergie [alεrgí:] [gr. *allos* „anderes" *u.* Energie] *f.* ..gīen. 〖醫〗 알레르기《이상 민감〔반응〕》. **allergisch** [-gɪʃ] *a.* 알레르기(성)의; 과민한. 「없이 어진.」

allergnādigst [alərgné:dɪçst] *a.* 그지

allerhand [álərhant, -hánt] [„von allen Seiten"] *a.* 《不變化》 갖가지의(*of all kinds, diverse*). ¶ 《俗》 das ist (ja) ∼ 그건 너무하다, 너무 심하다.

Allerheiligen [alərháilɪgən] *n.* -, **∼fest** [-fεst] *n.* 〖가톨릭〗 모든 성인의 날 대축일《11월 1일》.

aller·heiligst [-háilɪçst] *a.* 지극히 거룩한《교황의 존칭》. **∼heiligste** *n.* 《形容詞變化》 〖가톨릭〗 성체(聖體). **∼hōchst** *a.* 최고의; 지존의 ¶aufs 〔auf das〕 ∼höchste 크게, 대단히.

allerlei [álərlai, alərlái] [„vieler Sorten"] 《Ⅰ》 *a.* 《不變化》 형형 색색의, 갖가지의, 잡다한(=allerhand). 《Ⅱ》 **Allerlei** *n.* -s, -s, 잡다한 것; 혼합물; 잡탕 (*medley, hodgepodge*); (literarisches ∼) 잡록(雜錄), 만필(漫筆).

aller·letzt [alərlέtst] *a.* 최후의. ¶zu ∼ (*adv.*) 최후에. **∼liebst** *a.* 정말 아름다운〔사랑스러운〕. ¶am ∼liebsten 즐겨, 기꺼이. **∼meist** *a.* 가장 많은, 대부분의. ¶am ∼meisten 대개, 거지반. **∼mindestens** *adv.* 적어도. **∼nächst** *a.* 가장 가까운. **∼neu(e)st** *a.* 최신의. **∼orten, ∼orts** *adv.* 곳곳에, 도처에.

Allerseelen [alərzé:lən] *n.* -, **∼fest** *n.*, **∼tāg** *m.* 〖가톨릭〗 위령(慰靈)의 날 《11월 2일》.

aller·seits [álər-, -záits] *adv.* 각 방면으로(부터); 어느분〔누구〕에게나. **∼wärts** [álərvεrts, -vέrts], **∼wēgs** [álərve:ks, -vé:ks] *adv.* 도처에, 항상. **∼wenigst** [alər-] *a.* 최소의.

Allerwelts·freund [-vέlts-] *m.* 팔방미인. **∼kerl** *m.* 《俗》 재주꾼. **∼wort** *n.* (*pl.* ..wörter) 통용어(通用語).

alle·samt [áləzamt, -zámt] *adv.* 통틀어서, 모조리, 함께. **∼zeit** [álətsait, -tsáit] *adv.* 언제나.

allg. 《略》 =*allgemein*.

All·gēgenwart [algé:gənvart] *f.* (신의) 편재(遍在). **∼gēgenwärtig** [algé:gənvεrtɪç, -vέrtɪç] *a.* 편재하는.

allgemein [algəmáin, álgəmain] *a.* ① 일반적〔보편적〕인 (*general, universal*). ¶∼es Wahlrecht 보통선거권/∼e Regel 통칙(通則)/∼e Versammlung 총회, 대회/im ∼en 일반적으로, 대개. ②공공의. ¶∼e Beste 공익(公益).

Allgemein·befinden *n.* 전신(全身)(의 건강) 상태. **∼begriff** *m.* 일반 개념. **∼behandlung** *f.* 〖醫〗 전신 요법. **∼bildung** *f.* 일반 교양. **∼gültig** *a.* 〖哲〗 보편 타당의.

Allgemeinheit [algəmáinhait] *f.* 일반〔공통〕(성); 보편(성); 공통, 공중, 국민.

Allgewalt [álgəvalt] *f.* (신의) 전능(*omnipotence*). **allgewaltig** *a.* 전능한.

all·gütig [algý:tɪç, ál-] *a.* 지극히 자비로우신. **∼heilmittel** *n.* 만병 통치약(藥).

Allianz [aliánts] [fr. <alliieren] *f.* -en, 동맹, 연합; 동맹국. ¶die Heilige ∼ 신성(神聖) 동맹.

Alligator [aligá:tɔr] [sp.] *m.* -s, -en [-gató:rən], 〖動〗(미국산) 악어.

alligieren [aligí:rən] [lat.] *t.* 혼합하다.

alli·ieren [alií:rən] [fr. „an-binden"] 《Ⅰ》 *t.* 결합하다(*ally*); *refl.* (mit, 와) 동맹〔연합〕하다. 《Ⅱ》 **Alli·ierte** *m.* u. *f.* 《形容詞變化》 동맹자, 동맹국. ¶∼ Truppen 연합군.

alljährlich [aljέ:rlıç] *a.* 해마다의; *adv.* 「매년.」

Allmacht [álmaxt] *f.* 전능(*omnipotence*). **allmächtig** [al-] *a.* 전능한(♀ *allmighty, omnipotent*).

allmählich [almέ:lıç] [„ganz gemach"] *a.* 점차적인(*gradual*); *adv.* 점차적으로, 차차(*gradually, by degrees*).

Allmeinde [almáində], **Allmende** *f.* -n, (Gemeindeland) 공용지(共用地)《시·읍·면의》.

Allmutter [álmυtər] *f.* 만물의 어머니, 「자연.」

Allod [aló:t] [ahd. -lat.] *n.* -(e)s, -e, (*ant.* Lehen) 완전 사유지, 자유 보유지, 세습령.

Allo·phon [alofó:n] [gr. *allos* „anders", phōnē „stimme"] *n.* -s, -e, 〖音聲〗 이음(異音)《동일 음소의》.

Allo·plastik [aloplástık] [gr. *allos* „anders"] *f.* -en, 이물적(異物的) 성형 수술《이물질로 조직을 대체하는 방법》.

Allotria [aló:tria] [gr.] *pl.* 행패, 악희(惡戲). ¶∼ treiben 행패를 부리다.

all·seitig [álzaitıç] *a.* 각 방면의, 전반적인. ¶∼ (*adv.*) betrachten 주도 면밀하게 고찰하다.

Allström·empfänger [álstro:mεmpfεŋər] *m.*, ∼**(empfangs)gerät** *n.* 교류·직류 양용 수신기.

All·tag [álta:k] *m.* -(e)s, -e, (일요일·명절 이외의) 평일, 일하는 날; 《比》 단조로움. ∼**täglich** *a.* 매일의, 일상의; 《比》 평범한. ∼**täglichkeit** *f.* -en, 평범, 일상사, 일상 다반사. ∼**tags** *adv.* 매일, 날마다.

Alluvium [alú:vĭυm] [lat.] *n.* -s, 〖地〗 충적세〔층〕.

Allvater [álfa:tər] *m.* 만물의 아버지, 「신.」

all·wissend [alvísənt, ál-] *a.* 전지(全知)의(*omniscient*). ∼**wissenheit** *f.* -en, (신의) 전지(全知)(*omniscience*).

all·zeit [áltsait] *adv.* 언제나. ∼**zu** [áltsu:] *adv.* 너무나(*too much*), 극도로. ¶∼zu groß 너무나 큰, 지나치게 큰. ∼**zubald** [altsubált] *adv.* 대단히 빨리. ∼**zumal** [áltsuma:l, altsumá:l] *adv.* 동시에, 함께.

allzu·sehr *adv.* 너무, 턱없이. ∼**viel** *adv.* 너무 많이, 과대하게.

Alm [alm] [♀*Alpe*] *f.* -en, (알프스 지방의) 고원 목장(*alp*).

Alma mater [álma má:tər] [lat., „nährende Mutter"] *f.* 대학(의 존칭), 모교.

Almanach [álmanax] [ar.] *m.* -s, -e, 달력, 연감(年鑑)(*almanac*).

Almosen [álmo:zən] [gr. „Mitleid"] *n.* -s, -, 자선, 보시(布施), 희사(喜捨)(♀ *alms, charity*).

Almosen·büchse *f.* 자선함. ∼**empfänger** *m.* 세궁민, 빈민(貧民)(*pauper*). ∼**pfleger** *m.* 구호물 취급자.

Alo·e [á:loe:] *f.* -n, 〖植〗 노회(蘆薈).

alogisch [aló:gıʃ] [gr.] *a.* 불합리한, 비논리적인.

Alp [alp] [„Elf"] *m.* -(e)s, -e, 요마(妖魔), 악령; (특히) (꿈 속의) 가위.

Alpdrücken [álpdrʏkən] *n.* (꿈 속의) 가위.

Alpe [álpə] [kelt. „Berg"] *f.* -n, ① 고원 목장. ② die ∼n (*pl.*) 알프스 산맥 / diesseits der ∼n (로마 쪽에서 보아) 알프스 이남의(*cisalpine*)/jenseits der ∼n 알프스 이북의(*transalpine*).

Alpen·garten *m.* 고산 식물원. ∼**glühen** *n.* 알프스의 저녁〔아침〕 놀. ∼**stock** *m.* 등산용 단장. ∼**veilchen** *n.* 〖植〗 시클라멘. ∼**wirt·schaft** *f.* 알프스 고원의 낙농업.

Alpha [álfa] [gr.] *n.* -(s), -s, 그리스말 자모의 첫째 자모(*A*, *α*). **Alphabet** [alfabé:t] [gr. Alpha *u.* Beta] *n.* -e(s), -e, 자모(字母), ABC, 가나다; 초보, 입문. **alphabetisch** *a.* 자모 순의, 가나다 순의.

alpin(isch) [alpí:n(ıʃ)] [lat. <Alpe] *a.* 알프스 산의; 고산 지대의. **Alpinist** *m.* -en, -en, 알피니스트, 알프스 전문가, 등산가.

Alraunwurzel [alráunvυrtsəl] *f.* 〖植〗 흰독말풀《인체 비슷한 그 뿌리는 연애·부(富)의 영약으로 믿었음》(*mandrake*).

als [als] [mhd. *alsô*, „ganz so"] *cj.* ① …으로서(♀*as*). ② 《過去에 있어서의 同時存在》 …했을 때에(*when*, ♀*as*). ¶∼ ich eintrat, las er 내가 들어갔을 때 그는 책을 읽고 있었다. ③ …과 같은, …처럼(♀*as, like, for*). ¶**so** schön ∼ ein Engel 천사같이 아름다운/**sowohl** die Reichen ∼ **auch** die Armen 부자나 가난한 자나 (다 같이)/∼ **wenn** 마치…(했을 때)와 같이/∼ **ob** 마치 …(인 것)같이 (♀*as if*). ④ 예컨대, 즉(♀*as, such as*). ⑤ 《比較級 다음에서》 보다도(*than*). ¶ er ist älter ∼ ich 그는 나보다도 나이가 많다. ⑥ 《否定의 다음에서》 …외에, 밖에(*but, except*). ¶es war kein anderer ∼ er 그 외의 다른 아무도 아니었다, 그 사람임에 틀림 없었다. ⑦ er ist **zu** jung, ∼**daß** er dies wissen sollte 그는 이것을 알기에는 너무 젊다.

als·bald [alsbált] *adv.* 즉시. ∼**dann** *adv.* 그리고 나서.

al secco [al zéko (it. séko)] [it.] : ∼ ∼ malen 벽화를 그리다《도배한 벽에》.

also [álzo:] [<all so, „ganz so"] 《Ⅰ》 *adv.* 이렇게, 이같이 (*thus, so*). ¶ ∼ sprach Zarathustra 차라투스트라는 이렇게 말했다. 《Ⅱ》 *cj.* ① 그러므로, 그러니(*therefore*); 그러면. ¶∼ auf Wiedersehen 그럼 안녕히. ② an ∼ 글쎄.

alt [alt] *a.* 《Ⅰ》 ① (나이가)…살인(♀*old*). ¶wie ∼ bist du? 네 나이가 몇 살이냐. ② (*ant.* jung) 늙은, 나이 먹은, 손위의 (♀*old*). ¶ein ∼er Mann 노인/ 《學》 ∼er Herr (학생 조합의) 선배. ③ (*ant* frisch) 낡은, 싱싱하지 않은 (*stale*). ¶ ∼es, das ∼e 고물(古物)/∼er Brot 묵은 빵. ④ (*ant.* modern) 고대의, 옛날

의(*ancient, antique*). ¶ die ~e Welt 고대 세계, (미국에 대한) 구세계《유럽, 아시아, 아프리카》. ⑤ 옛날부터의, 낡은. ⑥ 구태의연한, 진부한. ¶ wir bleiben die ~ 우리는 전과 다름없다. ⑦ 오래된(*secondhand*); 낡아빠진(*decayed*). 《Ⅱ》 **Alte** [áltə] ① *m.* u. *f.* 《形容詞變化》 노인, 연장자, 고참자; 어버이. ¶ unsere ~n 우리 조상. ② *n.* 《形容詞變化; *pl.* 없음》 낡은 사물. ¶ alles beim 〔im〕 ~n lassen 모두 원래대로 해 두다.

Alt [alt] [it. *alto, aus* lat. *altus* „hoch"] *m.* –(e)s, –e, 〖樂〗 알토, 중고음.

Altai [altá:i] [mongolisch, „Goldgebirge"] *m.* –(s), 알타이 산맥. **altaisch** *a.* 알타이 산맥의; 알타이어계의.

Altan [altá:n] [lat., –it] *m.* –s, –e, 발코니(*balcony*).

Altar [altá:r, álta:r] [lat.] *m.* –s, ¨–e, 〖宗〗 제단(祭壇). 「를 위한 재산.

Altenteil [ált∂ntail] *m.* u. *n.* 은퇴 후

Alter [ált∂r] [<alt] *n.* –s, –, ① 연령, 연배(*age*). ¶ von mittlerem ~ 중년의. ② (Greisen~) 노년(*old age*); 《集合名詞》 노인; 노후(老朽). ¶ hohes ~ 고령(高齡). ③ (Zeit~) 시대(*epoch*); 옛적; 《옛 2格이 副詞化하여 첫자를 小文字로 하는 것》. ¶ vor ~s 옛날/von ~s (her), seit ~s 옛부터, 고래로. ④ (Dienst~) 연공(年功), 근무 연한(*seniority*); (Amts~) 선임(先任), 고참순(古參順). ⑤ 오래됨, 묵은 햇수(*antiquity, oldness*).

älter [ɛ́lt∂r] (alt 의 比較級) *a.* 손위의; 보다 오래된(♈*elder, older*). ¶ der ~e Bruder 형/ein ~er Herr 중년 신사.

altern [ált∂rn] [<Alter] ① *i.*(h. *u.* s.) 늙다, 노쇠하다 ② *t.* 늙게 하다.

Alternative [altɛrnatí:və] [lat.] *f.* –n, (das Entweder-Oder) 양자 택일. ¶ k-e ~ haben 선택의 자유를 갖지 못하다.

alters [ált∂rs] ☞ ALTER ③.

Alters·aufbau *m.* 인구의 연령 구성. **~blödsinn** *m.* 〖醫〗 노년 정신병, 노년병; 노쇠. **~folge** *f.* 연령〔고참〕순(*seniority*). **~fürsorge** *f.* (사회 정책에서의) 노인 대책. **~genoß, ~genosse** *m.*, **~genossin** *f.* 동연배〔시대〕의 사람. **~grenze** *f.* 정년. **~heim** *n.* 양로원. **~hochdruck** *m.* 노인성 고혈압. **~rente** *f.* 양로 연금. **~schwach** *a.* 노쇠한. **~schwäche** *f.* 노쇠 **~sichtigkeit** *f.* 노안(老眼). **~stufe** *f.* 연령층(層). **~versicherung** *f.* 양로 보험. **~versorgung** *f.* 양로 제도〔수당〕.

Altertum [ált∂rtu:m] *n.* –(e)s, ¨–er, 고대《특히 그리스·로마》; *pl.* 고대 유물; 골동품. **altertümlich** [ált∂rty:mlıç] *a.* 고대의, 고풍의(*ancient, antique*).

Altertums·forscher *m.* 고고학자. **~händler** 골동품상. **~wissenschaft, ~kunde** *f.* 고고학.

ältest [ɛ́lt∂st] (alt 의 最上級) 《Ⅰ》 *a.* 가장 나이많은; 최고(最古)의(♈*eldest, oldest*). 《Ⅱ》 **Alteste** *m.* u. *f.* 《形容詞變化》 최연장자; 맏아들〔형〕 (*m.*); 맏딸, 맏누이(*f.*); 장로, 원로.

Alt·flicker *m.* 수선공 《특히 구두 수선공》. **~gefränkisch** *a.* 고풍인, 유행이 지난. **~gedient** *a.* 장기 근속의; 노련한.

Altigraph [altigrá:f] [lat. „Höhenschreiber"] *n.* –en, –en, (자동) 고도 표시기. 「진.

altklug [áltklu:k] *a.* 자깝스러운, 건방

ältlich [ɛ́ltlıç] *a.* 초로(初老)의, 좀 늙은(♈*elderly*); 예스러운(♈*oldish*).

Alt·material [áltmaterĭa:l] *n.* 폐물, 쓰레기. **~meister** *m.* (장인 조합의) 우두머리; (학계·예술계의) 원로(元老). **~modisch** *a.* 유행에 뒤진, 고풍의.

Altokumulus [altokú:mulus] [lat.] *m.* –, ..li, ..lusse, **Altostratus** [–strá:tus] *m.* –, ..ti, 고층운(高層雲).

Alt·silber [áltzılb∂r] *n.* 그을린 은(銀). **~stadt** *f.* 구(舊)시가. 「고음.

Altstimme [áltʃtımə] *f.* 〖樂〗 알토, 중

alt·väterlich *a.* 조상〔가장〕의; 존중해야 할. **~vordern** *pl.* 선조. **~waren** *pl.* 고물, 골동품.

Altweibersommer [altváib∂rzɔm∂r] *m.* 늦가을의 따뜻한 날씨; 가을철 고요한 공중에 떠 도는 거미줄.

Altwohnung [áltvo:nuŋ] *f.* 구식 주택, 전전(戰前)의 주택.

Alu [á:lu] 《略》 = *Alu*minium. 「미늄.

Aluminium [alumí:nĭum] *n.* –s, 알루

am [am] 《略》 = *a*n de*m*. ¶ ~ 1. Mai 5월 1일에/~ höchsten 가장 높은/~ schönsten 가장 아름다운〔아름답게〕.

AM [a:ɛ́m] 《略》 = *A*mplitude *M*odulation 진폭 변조.

a.M. 《略》 = *am M*ain 마인 강변의.

amalgamieren [amalgamí:rən] *t.* 〖化〗 수은과 화합하다, 아말감을 만들다; 《比》 합동〔병합〕하다.

Amateur [amatǿ:r] [fr.] *m.* –s, –e, 미술〔스포츠〕 애호가, 소인(素人), 풋나기, 아마추어. **~film** *m.* 아마추어 영화.

Amazone [amatsó:nə] [gr.] *f.* –n, 〖傳〗 소 아시아의 호전적인 여인족; 《比》 여걸, 여장부; 여기사(女騎士).

Amazonen·ameise *f.* 아마존 개미《홍개미의 일종, 딴 종류의 개미번데기를 앗아다 길러 사역시킴》. **~strom** *m.* 〖地〗 아마존강.

Ambition [ambitsĭó:n] [lat.] *f.* –en, 공명심, 야망. **ambitiös** [–tsĭǿ:s] *a.* 야망을 품은, 공명심있는.

ambivalent [ambivalɛ́nt] [lat. „doppelwertig"] *a.* 반대 감정이 양립하는. **Ambivalenz** [–ts] *f.* –en, 〖心〗 (동일 대상에 대한) 반대 감정의 병존(並存).

Amboß [ámbɔs] [mhd. *bôzen*, „schlagen"] *m.* ..sses, ..sse, 모루(*anvil*).

Ambrosia [ambró:zĭa] [gr. *ambrósios*, „unsterblich"] *f.* 〖希神〗 신들의 양식, 불로 불사의 약. **ambrosisch** *a.* 영묘한; 감미로운; 향기로운.

ambulant [ambulánt] [lat.] *a.* 이동〔편력〕하는; 〖醫〗외래(환자)의. **Ambulanz** *f.* –, 이동〔야전〕병원; 구급차.

Ameise [á:maizə] *f.* –n, 〖蟲〗 개미(♈*ant*); 《比》 근면한 사람.

Ameisen·bär *m.* 〖動〗 개미핥기. **~ei** *n.* 개미알. **~fresser** *m.* = ~BÄR. **~haufen** *m.* 개밋둑, 의탑(蟻塔). **~königin** *f.* 여왕 개미. **~laufen** *n.* 〖醫〗

의주감(蟻走感). **∼löwe** *m.* 〖蟲〗 개미귀신. **∼säure** *f.* 〖化〗 의산(蟻酸).

ạmen! [áːmɛn] [hebr. „wahrlich!, gewiß!"] 《Ⅰ》 *adv.* 아멘, 그와 같이 이루어지기를. ¶zu et.³ ja u. ∼ sagen 무엇을 승낙하다. 《Ⅱ》 **Ạmen** *n.* -s, -, 승낙, 시인; 결말.

Amẹrika [améːrika] *m.* 미국. **Amerikạner** *m.* -s, -, 미국 사람. **amerikạnisch** *a.* 미국(말·사람)의. **amerikanisịeren** *t.* 미국화하다. **Amerikanịsmus** *m.* -, ..men, 미국 기질〔정신〕; 미국풍; 미국식 영어; 기술품의 대량 생산. 「《方》 어머니.」

Ạmme [ámə] *f.* -n, 유모; 보모; 산파;

Ạmmer [ámər] *f.* -n; od. *m.* -s, -, 〖鳥〗 멧새류(*bunting*).

Ammoniak [amoníák, ámo-] [*aus* lat.] *n.* -s, 〖化〗 암모니아(♈*ammonia*).

Amnestịe [amnɛstíː] [gr.] *f.* ..stịen, 은사(恩赦), 대사(大赦). **amnestịeren** *t.* 대사〔은사〕를 베풀다.

Amọ̈be [amǿːbə] [gr. "die Veränderliche"] *f.* -n, 〖動〗 아메바.

Ạmor [áːmɔr] [lat. „Liebe"] *m.* -s, 〖羅神〗 사랑〔연애〕의 동신(童神)(= 〖希神〗 Eros).

Amortisatiọn [amɔrtizatsi̯óːn] [lat. *ad mortem* „zum Tode"] *f.* -en, (유가 증권의) 무효 선언; 〖商〗 상각(償却). **amortisatiọnsfonds** [-fɔ̃ː] *m.* 상각〔감채(減債)〕 기금. **amortisịeren** [amɔrtizíːrən] *t.* (의) 무효를 선언하다; 상각하다.

Ạmpel [ámpəl] [fr.] *f.* -n, 현등(懸燈) (*hanging lamp*); 매다는 화분(Blumen∼).

Ampere [ampέːr, ãpέːr] *n.* -(s), -, 〖電〗 전류의 실용 단위, 암페어. **∼mēter** *n.* 〔*m.*〕 전류계. **∼windung** *f.* 암페어 회수(回數). 「(*dock*).

Ạmpfer [ámpfər] *m.* -s, 〖植〗 수영

Amphịbie [amfíːbi̯ə] [gr. „beidlebig"] *f.* -n, 〖動〗 양서류(類)(♈*amphibium*); 〖軍〗 수륙 양용기〔차〕.

Amphịtheāter [amfíːteaːtər] [gr.] *n.* -s, -, (고대 로마의) 원형 또는 타원형의 대투기장; 반원형〔스타디움〕식 관람석.

Ampụlle [ampúlə] [lat.] *f.* -n, (고대 로마의) 기름 단지; 〖醫〗 (주사액의) 앰풀 (♈*ampoule*).

Ạmsel [ámzəl] *f.* -n, 〖鳥〗 지빠귀(♈ *ousel, blackbird*).

Amt [amt] *n.* -(e)s, ⸚er, ① 관직, 직(職)(*office, post, charge*). ¶in ∼ und Würden steh(e)n 관직에 있다/ein ∼ bekleiden 봉직〔재직〕하다/ein ∼ antreten 〔niederlegen〕 취임〔사임〕하다. ② 직무(*official duty*). ¶von ∼ wegen 직무상/s-s ∼es walten 직무를 수행하다. ③ 관공서, 관청; (Gerichts∼) 재판소; (Post∼) 우체국; 전화국. ¶Auswärtiges ∼ 외무부. ④ 사법 및 행정, 관할; 관할 구역. ⑤ 〖宗〗 (Hoch∼) 미사 성제(聖祭) (*Mass*). ¶Stilles ∼ 미사 송독.

Ạmt·haus *n.* 관청. **amtịeren** [amtíːrən] *i.*(h.) 재직〔근무〕하다. **ạmtlich** *a.* 관직의, 직무상의; *adv.* 관에서, 직무상. **ạmtlōs** *a.* ① 관직 없는. ② 사사로운, 사인(私人)의. **Ạmtmann** *m.* (*pl.* ..leute *od.* ..männer) (중세 말의) 주무관《영지의 재정·사법 관리자》; 장관; 법관.

Ạmts⸗alter *n.* 재직 연한, 연공(年功). **∼antritt** *m.* 취임. **∼arbeit** *f.* 직무. **∼ārzt** *m.* 위생관. **∼befūgnis** *f.* 직권. **∼bereich** *m.* 권한의 범위. **∼bericht** *m.* 공보(公報). **∼bescheid** *m.* 법령, 포고. **∼bewerber** *m.* 임관(任官) 지원자, 후보자. **∼bezirk** *m.* 관할 구역. **∼blatt** *n.* 관보(官報). **∼⸗brūder** *m.* 동료, 동직(同職)《성직자의》. **∼dauer** *f.* 재직 연한. **∼diener** *m.* (관청의) 사환(使喚). **∼eid** *m.* 복무 선서. **∼erschleichung** *f.* 부정 임관(不正任官). **∼führung** *f.* 직무 집행. **∼gebühr** *f.* (공무원의) 급료. **∼⸗gehilfe** *m.* 조역(助役); 사법관 시보. **∼genosse** *m.* 동료. **∼gericht** *n.* 간이 재판소. **∼geschäft** *n.* 직무, 공무. **∼gewalt** *f.* 직권. **∼hauptmann** *m.* (구(舊) 작센 왕국의) 지방 장관《군수에 상당함》. **∼inhāber** *m.* 직무 담당자. **∼kleid** *n.*, **∼kleidung** *f.* 관복(官服), 법의(法衣). **∼miene** *f.* (관리의) 거만한 얼굴 표정. **∼mūde** *a.* 직무에 지친. **∼niederlēgung** *f.* 퇴직. **∼⸗periōde** *f.* 직무 기간. **∼person** *f.* 직원. **∼richter** *m.* 간이 재판소 판사. **∼sache** *f.* 공무. **∼schimmel** *m.* 번문 욕례(繁文縟禮). **∼schreiber** *m.* (간이 재판소) 서기. **∼siegel** *n.* 관인(官印). **∼stūbe** *f.* 사무실. **∼stunden** *pl.* 집무 시간. **∼tracht** *f.* =∼KLEID. **∼ūberschreitung** *f.* 월권. **∼ver⸗richtung** *f.* 직무 집행. **∼vertrēter** *m.* 직무 대행자. **∼vōgt** *m.* 대관(代官), 군수; 집달리. **∼wohnung** *f.* 관사(官舍).

Amulẹtt [amulέt] [lat.] *n.* -(e)s, -e, 액막이, 부적(符籍).

amüsạnt [amyzánt] [fr.] *a.* 재미 있는, 즐거운 (♈ *amusing*). **amüsịeren** [amyzíːrən] *t.* 즐겁게 하다, (의 마음을) 위로하다(♈*amuse*); *refl.* 즐기다, 흥겨워하다.

an [an] [=engl. *on*] 《3格(位置를 나타낼 때) 또는 4格(運動의 方向을 나타낼 때) 支配 前置詞》 《Ⅰ》 *prp.* 《3格支配》 ① 《場所를 나타냄》 an der wand 벽 위에/am Wege 길가에서. ② 《때를 나타냄》 an e-m (schönen) Morgen 어느날 아침/es ist an der Zeit zu handeln 행동할 때이다. ③ 《付隨·携帶》 soviel an mir ist 내 힘이 미치는 한/es ist nicht an dem 그것은 사실과 다르다. ④ 《從事·在職》 Lehrer an dieser Schule 이 학교의 교사. ⑤ 《手段·실마리》 am stock gehen 지팡이를 짚고 걷다. ⑥ 《認識·判斷의 근거》 jn. an der stimme erkennen 아무를 그 목소리로 인지하다. ⑦ 《병 따위의 原因》 an der Brust leiden 폐를 앓다. ⑧ 《정신 활동의 動機·對象》 an et.³ zweifeln 무엇을 의심하다. ⑨ 《形容詞의 最上級과 함께 程度·方法을 나타냄》 am schönsten 가장 아름답게. ⑩ 《사물의 內容·關係》 an et. reich 〔arm〕 sein 무엇이 풍부〔빈약〕하다. 《Ⅱ》 *prp.* 《4格支配》. ① 《運動의 方向》 et. an die wand hängen 무엇을 벽에 걸다.

A

② 《精神活動의 方向》 an die Arbeit gehen일에 착수하다/an et. glauben 무엇(의 존재)를 믿다. ③ 《대략의 數》 an (die) hundert Menschen 약 100명. ④ 《흔히 bis를 수반하여 때를 나타냄》 bis an den Abend 저녁까지. 《Ⅲ》 *adv.*: von jetzt an 지금부터/von Jugend an 젊어서부터/bitte Licht an! 불을 켜다오.

an..[1] [án-] 《分離動詞의 前綴》 [=an *adv.*] (보기:) an|fangen, fing an, angefangen.

an..[2] [an-, án-] [gr. *an-* „un-"] =UN-, NICHT, OHNE.

an..[3] [an-, án-] [gr. *aná* „an"] =AN, HINAN, HINAUF.

an..[4] [an-] [lat.] ☞AD- (그 n 앞의 변음).

ana.. [ana-] [gr. *aná* „an"] ① =AN, HINAN, HINAUF. ② =WIEDER, ZURÜCK, UM. ③ =WIDER, GEGEN.

Anachronismus [anakronísmus] [gr.] *m.* –, ..men, 연대의 오기(誤記), 시대착오, 시대에 뒤짐.

anal [aná:l] [lat.] *a.* 〖醫〗항문(肛門)의.

Analekten [analéktən] [gr.] *pl.* 어록(語錄), 선집(選集), 시선(詩選).

Analeptikum [analéptikum] [gr. „wieder-herstellend"] *n.* –, ..ka, 강장제(强壯劑), 각성제.

analog [analó:k] [gr. „nach Verhältnis"] *a.* …에 상당하는, 유사한, 유동(類同)의(↑*analogous*). **Analogie** *f.* ..gi̇en, 유사; 〖論〗 유추(類推). ¶ nach ~ von …에 준하여.

Analphabet [àn-alfabé:t, anal–] [gr. *an-* „un-"] *m.* -en, -en, **~in** *f.* -nen, 문맹자, 무학자(*illiterate*).

Analyse [analý:zə] [gr. „Auf-lösung"] *f.* -n, 분해, 분석. **analysieren** [analyzí:rən] *t.* 분해〔분석〕하다. **Analytiker** *m.* -s, –, 〖物〗 분석가; 〖哲〗 분석론자; 〖數〗 해석학자(解析學者). **analytisch** *a.* 분석적인.

Ananas [á(:)nanas] [indian.] *f.* – *u.* -se, 〖植〗 아나나스(파인애플).

Ana·phylaxie [anafylaksí:] [gr. *aná* „zurück", *phylássein* „(be)wachen"] *f.* 과민성《단백질 주사후 등에 일어나는》.

Anarchie [anarçí:] [gr. „ohne Herrschaft"] *f.* ..chi̇en, 무정부, 무질서.

an|arten [ána:rtən] 《Ⅰ》 *t.* 동화시키다. 《Ⅱ》 *i.*(s.) u. *refl.* (sich) et.[3] ~ 무엇에 동화하다/jm. ~ 아무의 천성이 되다. 《Ⅲ》 **angeartet** *p.a.* 타고난, 천부의, 천성이 된.

Anästhesie [àn-estezí:, anɛ–] [gr.] *f.* 〖醫〗 지각 탈실(知覺脫失), 무감각증; 마취(법). **Anästhesist** [-zíst] *m.* -en, -en, 마취사.

Anatom [anató:m] [gr. „Aufschneider"] *m.* -en, -en, 해부학자. **Anatomie** *f.* ..mi̇en, ① 해부; (신체의) 구조. ② 해부학. ③ 해부(연구)실. ④《俗》 시체 전시실. **anatomisch** *a.* 해부의; 해부학의.

an|backen[(*)] [ánbakən] 《Ⅰ》 *t.* 살짝 굽다. 《Ⅱ》 *i.*(h.*u.*s.)눌어붙다; 점착하다.

an|bahnen [ánba:nən] *t.* (의) 길을 열다, 개시〔개척〕하다, 일으키다.

an|bandeln, an|bändeln [ánbɛndəln] *t.* u. *i.*(h.) (mit, 와) 관계를〔관련을〕 맺다; 《俗》 싸움을 시작하다.

Anbau [ánbau] *m.* -(e)s, -e, ① 증축; (*pl.* -ten) 증축된 건물; 곁채; 신시가(新市街). ② 개간(지); 경작(지). **an|bauen** 《Ⅰ》 *t.* ① 증축하다; (an et., 무엇에) 덧붙여 세우다; 설치〔고정〕시키다. ② 개간〔경작〕하다(*cultivate*). 《Ⅱ》 *refl.* 정주〔이주〕하다.

an|befehlen* [ánbəfe:lən] *t.* 명령하다.

Anbeginn [ánbəgın] *m.* -(e)s, 최초, 발단; (세계의) 개벽(開闢).

an|behalten* [ánbəhaltən] *t.* 몸에 걸치고 있다, 입은 채로 있다.

anbei [anbái] *adv.* 이와 함께, 덧붙여서, 동봉하여.

an|beißen* [ánbaisən] 《Ⅰ》 *t.* 물어 뜯다, 물다. 《Ⅱ》 *i.*(h.) (낚시를) 물다《물고기가》; 《比》 (유혹 따위에) 걸려 들다.

an|(be)langen [án(bə)laŋən] *t.* : was mich an(be)langt 나에게 관해서는, 나로서는; ☞ANLANGEN.

an|bellen [ánbɛlən] *t.* (에게) 짖으며 덤비다.

an|bequemen [ánbəkve:mən] *refl.* 순응〔적응〕하다(*adapt oneself to*).

an|beraumen [ánbəraumən] [<mhd. *ram* „Ziel"] *t.* (날짜·기한을) 정하다(*fix*). **Anberaumung** *f.* -en, 시일의 결정, 기한 설정.

an|beten [ánbe:tən] *t.* 숭배하다(*worship, adore*); (여자를) 열애〔연모〕하다. **Anbeter** *m.* -s, –, **Anbeterin** *f.* -nen, 숭배자; 열애하는 사람, 연모자.

Anbetracht [ánbətraxt] *m.* -(e)s, : in ~ e-s Dinges 무엇에 관하여.

an|betreffen* [ánbətrɛfən] *t.*: was mich 〔et.〕 anbetrifft 내게〔무엇에〕 관해서는.

an|betteln [ánbɛtəln] *t.* : jn. um et. ~ 아무에게 무엇을 구걸하다.

Anbetung [ánbe:tuŋ] *f.* -en, 숭배; 애모.

an|biedern [ánbi:dərn] *i.*(h.) u. *refl.* (mit 〔bei〕 jm., 아무에게) (성실을 가장하고) 빌붙다, 알랑거리다.

an|bieten* [ánbi:tən] 《Ⅰ》 *t.*: jm. et. ~ 아무에게 무엇을 주겠노라고 제의하다, 제공하다(*offer*). 《Ⅱ》 *refl.* (돕겠다고) 나서다; 일어나다, (기회 따위가) 생기다.

an|binden* [ánbındən] 《Ⅰ》 *t.* 묶다, 잡아 매다(*bind, tie up*); (an et.[4·3], 무엇에) 비끄러 매다(*tie to*). ¶ kurz angebunden sein, (mit jm. *od.* gegen jn. 아무에게) 퉁명스럽게 굴다, 쌀쌀하게 대하다(*be short, be curt*). 《Ⅱ》 *i.*(h.) : mit jm. ~ 아무에게 싸움을 걸다, 생트집을 잡다.

an|blasen* [ánbla:zən] *t.* ① (에)불어대다; 《學》호통치다; (불을) 불어 일으키다. ②(나팔 등을) 불기 시작하다.

Anblick [ánblık] *m.* -(e)s, -e, ① 바라봄, 주시(注視). ② 구경거리; 모습, 광경(*sight, view*).

an|blinze(l)n [ánblıntsə(l)n] *t.* 눈을 가늘게 뜨고〔깜박거리면서〕 보다.

an|bohren [ánbo:rən] *t.* (에) 구멍을 뚫다. ¶ ein Faß 〔den Wein〕 ~ 통의 마개를 뽑아 술을 따르다.

an|borgen [ánbɔrgən] *t.*: jn. (um Geld) ~ 아무에게 (돈을 빌려 달라고) 조르다.

Anbot [ánbo:t] *n.* -(e)s, -e, (경매에서) 첫값을 부르기; 그 값.

an|braten* [ánbra:tən] *t.* 살짝 굽다〔그을리다〕; *i.*(s.) 눌어붙다.

an|brechen* [ánbrɛçən] 《Ⅰ》*t.* 처음으로 손대다; (의) 걸봉을 뜯다, (에) 손대다; (술통 따위의) 마개를 뽑다; (에) 칼을 대다. 《Ⅱ》*i.*(s.) ① 나타나기 시작하다. ¶ die Nacht 〔der Tag〕 bricht an 날이 저물다〔새다〕. ② 썩기 시작하다.

an|brennen* [ánbrɛnən] 《Ⅰ》 *i.*(s.) 불타기 시작하다; 불이 붙다; (음식이) 눌어 붙다. 《Ⅱ》 *t.* (에) 점화하다, 불을 붙이다; 눋게 하다.

an|bringen* [ánbrɪŋən] *t.* ① 장치〔설치〕하다. ¶ am Hause ~ 집에 장치하다. ② (상품을) 팔다; (자금을) 투입하다; 취직〔출가〕시키다. ③ 계출하다, (딱한 사정을) 호소하다. ④ 끄집어 내다; 기회를 타서 말문을 열다. ¶ gut 〔schlecht〕 angebracht 기회를 잘탄〔잘 타지 못한〕.

Anbruch [ánbrux] [<anbrechen] *m.* -(e)s, ⸚e, ① 시작, 개시. ¶ bei ~ des Tages 날 샐 무렵에. ②〖坑〗 개착. ③ 부패. ④ 봉한 것을 뜯은 상품.

an|brüllen [ánbrʏlən] *t.* (에) 짖어대다.

an|brummen [ánbrumən] *t.* (에) 으르렁대며 덤비다; 달려들어 물다.

an|brüten [ánbry:tən] *t.* 부화하기 시작하다.

Andacht [ándaxt] [<andenken] *f.* -en, ① 깊이 생각함; 기념(祈念), 신심(*devotion*). ② (간단한) 예배, 기도(*prayers*). ¶ s-e ~ verrichten 기도드리다. **an⸗dächtig** *a.* 주의 깊은(*attentive*); 믿음이 깊은, 경건한(*devote, pious*).

Andacht(s)⸗būch *n.* 기도서(書). ~**voll** *a.* 독실한, 경건한.

an|dauern [ándauərn] *i.*(h.) 지속하다(*continue, last*). **andauernd** *p. a.* 지속〔영속〕적인.

Anden [ándən] *pl.* 안데스 산맥《남아메리카의》.

Andenken [ándɛŋkən] *n.* -s, 추억, 기념(*memory*); 기념품 (*remembrance, souvenir*). ¶ zum ~ an jn. 〔et.〕 아무〔무엇〕의 기념을 위해서.

ander [ándər] *a.* 《항상 付加語 꼴》 《Ⅰ》 ① 다른(♈*other*); 다른 쪽의(*another*). ¶ ein ~es Mal, ein ~mal 다른 때에 / einer **nach** dem ~(e)n 한 사람씩 차례 차례로 / ein Mal **über** das ~e, ein **um** das ~e Mal 몇 번이나, 재삼 / ich konnte nichts ~ès tun **als**... 나는 …할 수밖에 없었다 / die Tat verdient alles ~e als Lob 그 행위는 도저히 기릴 가치가 없다. ② 딴, 틀리는, 종류가 다른(*different*). ¶ das ~e Geschlecht 이성(異性) / ~er Meinung[2] sein 의견을 달리하다 / **mit** ~(e)n Worten 환언하면. ③ † 제 2 의(*second*); 다음의(*next*). ¶ **am** ~(e)n Tage 다음 날. 《Ⅱ》 《名詞的》 ① der ~e 〔ein ~er〕 다른 사람. ② 《머리 글자를 小文字로 쓰는 成句》 **unter** ~(e)m 무엇보다도/unter ~(e)n 누구보다도.

andermāl [ándərma:l] *adv.*: ein ~ 언제고 다른 때에.

ändern [ɛ́ndərn] [<ander] 《Ⅰ》 *t.* 바꾸다, 고치다(*alter, change*). ¶ ich kann es nicht ~ 어떻게 달리 할 도리가 없다. 《Ⅱ》 *i.*(h.) u. *refl.* 바뀌다, 고쳐지다.

and(e)rn⸗falls [ándərnfals] *adv.* 다른 경우에는, 그렇지 않으면. ~**teils** *adv.* =ANDERSEITS.

anders [ándərs] [ander 의 副詞的 2格] *adv.* ① 다른 방식으로, 달리, 판이하게. ¶ ~ werden 바뀌다, 고쳐지다 / sich ~ besinnen 생각을 고치다 / ich weiß es ~ 그렇지 않다, 나는 진상을 알고 있다 / ich kann nicht ~ als 〔nicht ~, ich muß〕 weinen 나는 울지 않을 수 없다/nicht ~ als... …와 다름없이, 꼭 …과 같이 / nichts 〔niemand〕 ~ als 다른 아무것〔누구〕도 아닌. ② 그 밖에(=sonst). ¶ jemand ~ 누군가 다른 사람 / wer ~ als er? 그 사람 아니고 다른 누구이겠나《그 사람임에 틀림없다》. ③ 《條件文에서》 wenn ~, wo(fern) ~ 만약 (정말로) …이라고 (가정)한다면 / wenn ~ nicht (적어도) …이 아니라고 한다면. ~⸗**denkend** *a.* 의견을 달리하는.

anderseits [ándərzaits] *adv.* 한편으로는, 다른 경우에.

anders⸗geartet *a.* 이종(異種)의; 《比》 =DUMM. ~**gerichtet** *a.* 방향을 달리하는. ~**gesinnt** *a.* 의견〔뜻〕을 달리하는. ~**gläubig** *a.* 신앙을 달리하는; 이단(異端)의. ~**wō** *adv.* 어딘가 다른 곳에서. ~**wohēr** *adv.* 어떤 다른 곳에서부터. ~**wohin** *adv.* 어딘지 다른 곳으로.

andert·halb [ándərthalp, andərthálp] [„das andere (=zweite) nur halb" "둘째가 반"] *num.* 《不變化》 한 개 반의, 1가 2분의 1의. ~**decker** *m.* (위가 크고 아래가 작은) 복엽(비행)기.

Änderung [ɛ́ndərʊŋ] *f.* -en, 변화, 변경; 개정, 수정.

Änderungs⸗antrāg *m.* 수정 제안, 개정안. ~**vorschlāg** *m.* 수정 동의.

ander⸗wärtig [ándərvɛrtɪç] *a.* 다른 곳의. ~**wärts** *adv.* 다른 곳에〔으로〕. ~**weitig** 《Ⅰ》 *a.* 다른 때〔장소·방법〕의; 그 밖의. 《Ⅱ》 *adv.* 다른 방법으로; 달리.

an|deuten [ándɔytən] *t.* ① 가리키다(*indicate*); 암시하다, 넌지시 알리다(*hint, intimate*). ② 예시(豫示)하다. **Andeu⸗tung** [ándɔytʊŋ] *f.* -en, 지시; 암시, 예시(豫示).

an|dichten [ándɪçtən] *t.*: jm. et. ~ 어떤 일을 꾸며 아무에게 덮어 씌우다.

an|donnern [ándɔnərn] 《Ⅰ》 *i.*(h.): an die Tür ~ 문을 쾅쾅 두드리다. 《Ⅱ》 *t.* 호통치다(jn.).

Andrang [ándraŋ] [<andringen] *m.* -(e)s, ⸚e, ① 쇄도, 들이닥침(*run, rush*); 〖商〗 대혼잡을 이룬 예금 인출. ¶ 〖醫〗 ~ des Blutes 충혈. **an|drängen** 《Ⅰ》 *t.* (an et., 무엇에) 밀어 붙이다. 《Ⅱ》 *i.*(h.) (an jn., 아무에게) 몰려 들다. 《Ⅲ》 *refl.*: sich an jn. ~ 아무에게 조르다.

an|drēhen [ándre:ən] *t.* ① 꼭지를 틀어서(가스를·수도물을) 나오게 하다; (전등을) 스위치를 틀어 켜다; (자동차를) 기동하다. ② 비틀어 붙이다. ¶ 《比》 jm. e-e Nase ~ 아무를 속이다〔바보 취급하다〕.

an|dringen* [ándrɪŋən] 《Ⅰ》 *i.*(s.) 몰려들다. 《Ⅱ》 *t.* =ANDRÄNGEN.

Andro·gamēt [androgamé:t] [gr., *andros* „Mann", *gamein* „heiraten"] *m.* -en, -en, 웅성 배종포(雄性胚種胞). **An⸗drogenēse** [-gené:zə] *f.* -n, 웅성 발생.

an|drohen [ándro:ən] *t.* 협박하다. ¶ jm. et. ~ 무엇을 가지고 아무를 위협하다. **Androhung** *f.* -en, 협박, 위협; 〖法〗 계고(戒告).

an|eifern [án-aifərn] *t.* 격려하다, 고무하다.

an|eignen [án-aignən, -kn-] *t.*: sich[3] et. ~ 무엇을 제 것으로 하다, 획득하다; 동화(同化)하다.

an·einander [an-ainándər] *adv.* 서로 접하여, 이웃하여, 함께. **~|fügen** *t.* 접합하다. **~|geraten*** *i.*(s.) 서로 맞붙어 싸우게〔드잡이하게〕 되다. **~|grenzen** *i.*(h.) 경계를 접하다, 인접하다. **~|stoßen*** *i.*(h.) 충돌하다.

An·ek·dote [anɛkdó:tə] [gr. „Un-ausgegebenes", Unveröffentliches] *f.* -n, 일화(逸話), 일사(逸事).

an|ekeln [án-e:kəln] *t.* (에게) 구역질 나게 하다(*disgust*). ¶ (非人稱) es ekelt mich 〔mir〕 davor an 나는 그것에 구역질이 난다, 지긋지긋하다.

Anemometer [anemomé:tər] *n.* 〔*m.*〕 풍력계.

an|empfehlen* [án-ɛmpfe:lən] *t.* 추천하다; 권하다. **An·empfehlung** *f.* -en, 권고, 추천.

An·erbe [án-ɛrbə] *m.* -n, -n, (농토의) 단독 상속인. **an|erben** *t.* 상속시키다; 유전하다.

An·erbieten [án-ɛrbì:tən] *n.* -s, -, **An·erbietung** *f.* -en, 제공, 제의 (*offer, proposal*).

Anergie [a-nergí:, an-ergí:] [gr. „Un-energie"] *f.* ..gien, 〖病理〗 아네르기.

an|erkennen* [án-ɛrkɛnən] *t.* 인정하다 (*recognize, acknowledge*); 승인〔시인〕하다; 〖競〗 (기록을) 공인하다; 〖商〗 (어음을) 인수하다. **an·erkannt** *p.a.* 승인된; 정평 있는, 주지의. **an·erkennens·wert** *a.* 승인해도 좋은; 칭찬할 만한.

An·erkennung *f.* -en, 인정함, 승인, 시인; (어음의) 인수.

an|erschaffen* [án-ɛrʃafən] 《 I 》 *t.* 창조하여 부여하다. 《 II 》 **an·erschaffen** *p.a.* 천부의.

an|erziehen* [án-ɛrtsi:ən] *t.* 가르치다.

an|fachen [ánfaxən] *t.* (불을) 피우다; 《比》 (정욕·분쟁 등을) 부추기다, 도발하다.

an|fahren* [ánfa:rən] 《 I 》 *i.* ① (s.) (배·차로) 도착하다(*drive up*); (배가) 닿다. ② (s.) (차가 돌 따위에) 충돌하다; (h.) (마부가) 충돌시키다. ③ (s.) 움직이기 시작하다《차 따위가》; 〖坑〗 갱내로 들어가다. 《 II 》 *t.* ① 날라 오다, 운반하다. ② (에) 도착하다. ③ (에) 충돌하다, 부딪치다. ④ 《比》 jn. ~ 아무에게 호통치다. **Anfahrt** *f.* -en, ① 도착 《배·차 따위의》. ② 〖坑〗 입갱(入坑). ③ 도착점; 주차장. ④ 〖海〗 부두.

Anfall [ánfal] *m.* -(e)s, ¨e, 습격(*attack, assault*); (병의) 발작(*attack, fit*).

an|fallen* *t.* 습격하다, 엄습하다《병·적·격정 따위가》 (*attack, assault*).

Anfang [ánfaŋ] *m.* -(e)s, ¨e, 처음, 시초, 발단; 초보, 기원 (*beginning, commencement*). ¶ ~ Oktober 시월 상순에/ von ~ an 처음부터. **an|fangen*** [ánfaŋən] 《 I 》 *t.* 시작하다, (에)착수하다(*begin, set about*); 《俗》 행하다, 하다(*do*). 《 II 》 *i.*(h.) 시작되다, 시작하다. ¶ es fängt an zu regnen 비가 오기 시작하다. **Anfänger** [ánfɛŋər] *m.* -s, -, 시작〔착수〕하는 사람; 발기〔창시〕인(*beginner*); 초보자, 신출내기(*novice*). **anfänglich** *a.* 최초의; 원래의; *adv.* = ANFANGS. **anfangs** [ánfaŋs] *adv.* 처음에, 원래.

Anfangs·buch·stabe *m.* 첫글자, 머릿글자(*initial* (*letter*)). **~gründe** *pl.* 초보(*rudiments*); 기초(*first principles*).

an|fassen [ánfasən] 《 I 》 *t.* 붙잡다, 쥐다(*take hold of, seize*); 만지다(*touch*). ¶ et. verkehrt ~ 일을 거꾸로 하다. 《 II 》 *i.*(h.): mit et.[3] ~ 무엇에 조력〔협력〕하다. 《 III 》 *refl.* …한 촉감이다(*feel*). ¶ sich weich ~ 촉감이 부드럽다.

an|fauchen [ánfauxən] *t.* (을) 향하여 으르렁대다《고양이 따위가》; 《比》 딱딱거리다.

an|faulen [ánfaulən] *i.*(s.) 썩기 시작하다.

anfechtbar [ánfɛçtba:r] *a.* 논란〔이의〕의 여지가 있는. **an|fechten*** [ánfɛçtən] *t.* ① 공격하다(*attack*); 논란〔반박〕하다 (*dispute, contest*); (에) 이의를 신립하다 (*challenge*); 〖宗〗 시험〔유혹〕하다(*tempt*). ② 불안하게 하다, 괴롭히다(*trouble*). **Anfechtung** *f.* -en, 공격, 논란; 반박; 이의; 〖法〗 취소(의 청구); 〖宗〗 유혹, 시련.

an|feilen [ánfailən] *t.* 줄로 쓸기 시작하다.

an|feinden [ánfaindən] *t.* (…에) 적의를 품다, 적대시〔비판〕하다. **Anfeindung** *f.* -en, 적대(시); 비판.

an|fertigen [ánfɛrtɪgən] *t.* 제작〔조제·작성〕하다(*make, manufacture*). **Anfertigung** *f.* -en, 제작, 작성, 조제.

an|feuchten [ánfɔyçtən] *t.* 조금 적시다, 축이다.

an|feuern [ánfɔyərn] *t.* (…에) 불붙이다; 《比》 자극〔고무·격려〕하다, 흥분시키다. **Anfeu(e)rung** *f.* -en, 점화(點火); 《比》고무, 격려.

Anfinanzierung [ánfinantsi:ruŋ] *f.* -en, 자금 (조달).

an|flachsen [ánflaksən] *t.* 《俗》 지분거리다.

an|flammen [ánflamən] *t.* (말뚝의 밑동을) 그스르다; 태우다; 점화하다; 《比》 고무〔격려〕하다.

an|flehen [ánfle:ən] *t.* (에게)(um, 을)간청〔탄원·애원〕하다(*implore*).

an|flicken [ánflɪkən] *t.* 덧대어 깁다(et. an et.[4]); 《比》 부가하다.

an|fliegen* [ánfli:gən] 《 I 》 *i.*(s.) ① ~, angeflogen kommen 날아오다 / an et.[4] ~ 날아서 무엇에 부딛다. ② 날아서 부착하다. ¶《比》 et. fliegt mir an 무엇이 갑자기 머리에 떠올랐다/wie angeflogen 갑자기 / das Fieber ist ihm angeflogen 그는 갑자기 열병에 걸렸다. 《 II 》 *t.* (로) 향해 날다.

Anflug [ánflu:k] *m.* -(e)s, ¨e, 날아옴; 날아온 것; 《比》 미미하게 존재하는 것; 엷은 색채. ¶ ~ von Röte 약간 얼굴을 붉힘 / ein ~ von Ironie 가벼운 빈정거림.

Anfluß [ánflus] [<anfließen] *m.* ..flusses, ..flüsse, ① 흘러 다가옴; 증수(增水); 만조. ② 충적(토).

an|fordern [ánfɔrdərn] *t.* 요구[청구]하다(*claim, demand*); 〖軍〗 징발하다. **Anford(e)rung** *f.* -en, 요구, 청구; 〖軍〗 징발. ¶hohe ~en an jn. stellen 아무에게 큰 요구를 하다.

Anfrāge [ánfra:gə] *f.* -n, 문의, 조회(照會); 신청; 〖議會〗 질의 연설. ¶auf ~ 신청하는 대로. **an|frāgen** *t.* u. *i.*(h.) 문의[조회·질의]하다. ¶jn. [bei jm.] ~ 아무에게 (nach, 을) 문의하다, 조회하다(*ask, inquire*); 〖議會〗 질의 연설하다.

an|freunden [ánfrɔyndən] *refl.* (mit, 와) 친해지다, 우정을 맺다.

an|frieren* [ánfri:rən] *i.*(s.): an et.[3·4] ~ 무엇(의 표면)에 얼어 붙다.

an|fūgen [ánfy:gən] *t.*: an et. ~ 무엇에 접합[첨가]하다.

an|fühlen [ánfy:lən] 《Ⅰ》 *t.* 만지다, 만져 보다. ¶jm. et. ~ 아무의 무엇을 알게 되다. 《Ⅱ》 *refl.* …한 감촉이다. ¶sich hart ~ 촉감이 딱딱하다.

Anfuhr [ánfu:r] [<anfahren] *f.* -en, 운송, 운반; 수송; 공급, 수송 화물; 비난, 질책. **an|führen** [ánfy:rən] *t.* ① 인솔하다, 지휘하다(*lead*). ② (이유·증거를) 들다(*allege*); (예를) 들다, 인용하다(*quote, cite*). ¶am angeführten Orte 상술한 곳에서, 위에 든 책에서. ③ 이끌다, 안내하다(*conduct*); 《比》 속이다, 우롱하다. **Anführer** *m.* -s, -, 인솔자, 지휘자; 〖競〗 주장, 괴수. **Anführung** [ánfy:ruŋ] *f.* -en, 통솔, 지휘; 인증(引證), 거증; 인용. **Anführ(ungs)zeichen** *pl.* 인용 부호(„…").

an|füllen [ánfylən] 《Ⅰ》 *t.* (bis an den Rand voll machen) 가득차게 하다, 채우다. 《Ⅱ》 *refl.* 가득차다, 충만하다. **Anfüllung** *f.* -en, 가득 채움, 충만.

Angābe [ánga:bə] [<angeben] *f.* -n, ① 언명(言明), 진술; 신고; 보고. ¶nähere ~n 상보(詳報), 명세서. ② 지시, 안(案). ③ 〖競〗 서브. ④ 《俗》 = PRAHLEREI.

an|gaffen [ángafən] *t.* 입을 벌리고 멍하니 바라보다.

an|gähnen [ángɛ:nən] *t.* 하품을 하면서 바라보다; 《比》 (로 향하여) 입을 벌리고 있다.

angängig [ángɛŋıç] [<angehen] *a.* 마땅한, 지장 없는; 가능한.

an|gēben* [ánge:bən] 《Ⅰ》 *t.* ① 들다, 진술하다(*give, state, declare*); (이름을) 말하다. ¶sich für et. ~ 무엇이라고 자칭[사칭]하다. ② 제시하다; (경찰에) 밀고하다. ③ 지시하다, 가리키다(*indicate*). ④ 지정하다(*assign*). ¶《比》 den Ton ~ 선창하다; 좌지우지하다. 《Ⅱ》 *i.*(h.) ① 〖카드〗 첫 패를 돌리다. ② 《俗》 허풍떨다, 뽐내다. **Angēber** *m.* -s, -, ① 창시자; 발기인. ② 밀고자, 고소인; 진술인. **Angēberei** *f.* -en, 밀고, 고자질; 허풍.

Angebētete [ángəbe:tətə] [<anbeten] *m.* u. *f.* 《形容詞變化》 애인, 연인《흔히 女性의 경우에 쓰임》.

Angebinde [ángəbındə] [<anbinden] *n.* -s, -, (생일 등의) 선물 《옛날에 어린애의 팔이나 목에 매어주었음》(*present*).

angēblich [ánge:plıç] *a.* 신고[진술·보고]에 의한; 이른바, 자칭하는. ¶er ist ~ (*adv.*) krank 그는 앓고 있다고 한다 / der ~e künstler 자칭 예술가.

angebōren [ángəbo:rən] *a.* 타고난, 천성[본유]의.

Angebōt [ángəbo:t] [<anbieten] *n.* -(e)s, -e, ① 신고, 신청, 제공(*offer, bid*); 〖競賣〗 최초의 호가. ② 〖商〗 공급(*supply*); 공급품. ¶ ~ u. Nachfrage 수요와 공급.

an|gedeihen [ángədaiən] *i.* (h.) 《보통 lassen을 수반하며 不定形의 꼴로》 jm. et. ~ lassen 아무에게 무엇을 주다.

angegondelt [ángəgɔndəlt] *p.a.* 《俗》 ~ kommem 어슬렁어슬렁 오다.

angegriffen [ángəgrıfən] *p.a.* ☞ ANGREIFEN.

angeheitert [ángəhaitərt] *p.a.* 얼근한.

an|gēh(e)n* [ánge:(ə)n] 《Ⅰ》 *i.*(s.) ① 시작되다(*begin*). ¶mit et.[3] ~ 무엇(의 조작)을 시작하다. ② 타기 시작하다, 불붙다. ③ 썩기 시작하다. ¶angegangen (*p.a.*) 썩기 시작한. ④ 《比》 그런대로 되어 가다, 가능하다, 지장이 없다. ¶es geht noch an 그 정도면 견딜 수 있다. ⑤ (gegen, 에) 대항하다, (을) 공격하다. 《Ⅱ》 *t.* ① (jn., 아무에게) 접근하다, 향하다. ¶jn. um et. 어무에게 무엇을 구걸하다. ② (에) 관계하다(*concern*). ¶es geht mich nichts an 그것은 나에게 아무런 관계가 없다 / was geht's dich an? 그것이 네게 무슨 상관이냐. 《Ⅲ》 **an=gēhend** *p.a.* 시작의; 초보[입문·신진]의; 초기의《병 따위》.

an|gehōren [ángəhø:rən] *i.*(h.) 《gehören이 所有關係를 위주로 함에 반하여 친밀한 所屬關係를 나타냄》 (jm., 아무에게) 속하다(*belong to*), (아무와) 친척 관계이다(*appertain*). ¶e-r Klasse[3] ~ 학급의 일원이다, 동급생이다. **angehōrig** *a.*: jm.: 속하는. ¶ein ~er e-s Staates 어떤 나라의 일원 / m-e ~en (*pl.*) 나의 가족[권속] / alles mir ~e 내 일체의 소유물.

angejahrt [ángəja:rt] *a.* 약간 늙은, 중늙은.

Angeklāgte [ángəkla:ktə] *m.* u. *f.* 「《形容詞變化》 피고.」

angeknackst [ángəknakst] *p.a.* 《俗》 금이 간. ¶sein gesundheitszustant ist seit dem Unfall ~ 그 사고 이후 그의 건강에 금이 갔다.

Angel [áŋəl] *f.* -n, ① (Tür~) 돌쩌귀; 사북(*hinge*). ¶zwischen Tür und ~ stecken, a) 서두르고 있다, b) 진퇴양난에 빠져 있다. ② 추축(樞軸); 《比》 요점. ¶(die Welt) aus den ~n heben (세상을) 근본적으로 고치다. ③ (~haken) 낚싯바늘(*fishing-hook*); 낚싯대.

an|gelangen [ángəlaŋən] *i.* (s.) 도달하다.

angelēgen [ángəle:gən] [<anliegen] *p.a.* 중요한, 소중한, 마음에 걸리는(*important, pressing*). ¶sich[3] et. ~ sein lassen 무엇에 관심을 가지다[마음쓰다]. **Angelegenheit** *f.* -en, 요건; 용무, 사무. ¶Minister der inneren ~en 내무부 장관. **angelēgentlich** *a.* 절실한; *adv.* 절실히, 간절히.

Angeler [áŋələr] *m.* -s, -, 낚시꾼.

Angel=gerät *n.* 낚시 도구. **~hāken** *m.* 낚싯바늘.

angeln [áŋəln] *t.* u. *i.* (h.): Fische 〔nach Fischen〕 ~ 낚시질하다.
an|gelōben [ángəlo:bən] *t.*: jm. et.: 서약〔선서〕하다(*vow*).
Angel·punkt *m.* 〖天〗 극(極); 〖機〗 축점(軸點); 《比》 요점. **~rūte** *f.* 낚싯대.
Angelsachse [áŋəlzaksə] *m.* -n, -n, **Angelsächsin** [-zɛksın] *f.* -nen, 앵글로색슨 사람《현재의 영국계 인종》. **angelsächsisch** [-zɛksıʃ] *a.* 앵글로색슨 사람의.
Angel·schnūr *f.* 낚싯줄. **~stern** *m.* 「북극성.」
angelweit [áŋəlvait] *adv.*: die Tür steht ~ offen 문이(돌쩌귀가 벌려질 수 있는 한도까지) 활짝 열려 있다.
angemessen [ángəmesən] *a.* 어울리는, 알맞은, 타당〔적당〕한 (*suitable, adequate*); *adv.* 적당하게, 걸맞게. **Angemessenheit** *f.* 상응, 적당, 타당.
angenehm [ángəne:m] *a.* (was man gern annimmt) 호감이 가는, 쾌적한, 훌륭한(*agreeable, pleasant*); 〖商〗 인기가 좋은, 수요가 많은《상품》.
angenommen [ángənɔmən] *p.a.* ☞ ANNEHMEN.
Anger [áŋər] *m.* -s, -, 목장, 초원 (*green*); (Dorf~) (마을 공유의) 목초지 (*common*).
angesēhen [ángəze:ən] *p.a.* ☞ ANSEHEN.
angesessen [ángəzɛsən] *p.a.* ☞ ANSITZEN.
Angesicht [ángəzıçt] [<ansehen] *n.* -(e)s, -e 〔-er〕, ① (바라)봄. ¶jn. von ~ kennen 아무와 안면이 있다. ② 얼굴, 용모(*face, countenance*). ¶von ~ zu ~ 얼굴을 맞대고. **angesichts** *adv.* u. *prp.* 《2格 支配》…의 면전에서, …에 대하여. ¶~ der Tatsache 사실에 직면하여.
angestammt [ángəʃtamt] *a.* 조상으로부터 전해 내려오는, 타고난(*heredetary*).
angestellt [ángəʃtelt] 《Ⅰ》 *p.a.* ☞ ANSTELLEN. 《Ⅱ》 **Angestellte** *m.* u. *f.* 《形容詞變化》 고용인, 종업원(*employee*).
an|gewöhnen [ángəvø:nən] *t.*: jm. et. ~ 아무에게 어떤 습관을 갖게 하다(*accustom*) / sich³ et. ~ 무엇에 익숙해지다. **Angewohnheit** *f.* -en, (새로 생긴) 습관, 버릇. **Angewöhnung** *f.* -en, 길듦; 습관.
an|gleichen[(*)] [ánglaiçən] *t.* 한결같게 하다, 균등하게 하다, 동화〔유화〕하다 (*assimilate*).
Angler [áŋlər] [<Angel] *m.* -s, -, 낚시꾼.
an|gliedern [ángli:dərn] *t.* 가입시키다 (*attach*); 합병〔병합〕하다(*annex*). ¶sich ~ 가입하다. **Angliederung** *f.* -en, 병합, 부가; 가입.
an|glimmen[(*)] [ánglımən] *i.* (s.) 타기 시작하다; 미광을 발하다; *t.* 점화하다.
anglisieren [aŋ(g)lizí:rən] [lat.] *t.* 영국풍으로 하다; 영어화하다. **Anglist** [aŋ(g)líst] *m.* -en, -en, 영어영문학자. **Anglistik** *f.* 영어영문학.
an|glotzen [ánglɔtsən] *t.* (깜짝 놀라) 응시하다, 주시하다.
an|greifen* [ángraifən] 《Ⅰ》 *t.* ① (꽉) 붙잡다; 쥐다(*handle, seize, hold of*). ② (에) 착수〔시작〕하다(*undertake*). ③ (원금·저축 따위에) 손대다(*encroach upon*). ④ 공격〔습격〕하다(*attack, insult*); 범하다, 해치다(*affect*); 약화시키다, 지치게 하다(*exhaust*). ⑤ 논박하다. 《Ⅱ》 *refl.* ① 분발〔노력〕하다. ② 촉감이 …하다. 《Ⅲ》 **angreifend** *p.a.* 공격적인, 공세의; 쇠약케 하는, 해로운. 《Ⅳ》 **angegriffen** *p.a.* 쇠약〔피로〕한. **Angreifer** *m.* -s, -, 공격자, 침해자. **angreiferisch** *a.* 공격적인, 호전적인.
an|grenzen [ángrɛntsən] *i.* (h.): an et.: 접경(接境)하다. **angrenzend** *p.a.* 인접한.
Angriff [ángrıf] [<angreifen] *m.* -(e)s, -e, ① 개시, 착수. ¶in ~ nehmen (에) 착수하다. ② 〖法〗 범하기, 침해; 공격(*attack*).
Angriffs·bündnis *n.* 공격 동맹. **~krieg** *m.* 공격전. **~lustig** *a.* 침략〔호전〕적인. **~weise** *adv.* 공격적으로.
an|grinsen [ángrınzən] *t.* 이를 드러내고 웃으며 바라보다, 조소하다.
Angst [aŋst] [↑eng] *f.* ¨e, 불안, 걱정, 근심, 고민(*anxiety, anguish*), 공포(*fear*). ¶~ haben 근심하다, 무서워하다 / jm. ~ machen 아무에게 공포감〔불안〕을 주다. **angst** *a.* 《述語로만 쓰임》 위의. ¶mir ist 〔wird〕 ~ 나는 무섭다 / ~ und bang(e) sein 걱정스러워〔무서워〕 죽겠다.
angst·beklommen [áŋst-] *a.* 걱정으로 침울한. **~erfüllt** *a.* 불안해 하는, 전전 긍긍한. **~geschrei** *n.* 공포의 외침, 비명.
ängst(ig)en [ɛ́ŋst(ıg)ən] *t.* 걱정시키다, 무서워하게 하다; *refl.* (vor et., 무엇을) 무서워하다; (um jn., 아무의 신변을) 근심하다.
ängstlich [ɛ́ŋstlıç] *a.* ① 무서워하는, 불안한, 근심스러운(*anxious, uneasy, timid*). ② 소심한(*scrupulous*); 안심 안되는. **Ängstlichkeit** *f.* 불안, 염려; 소심함, 꼼꼼함.
Angst·schweiß *m.* 식은 땀. **~voll** *a.* 몹시 불안한, 불안해 견딜 수 없는.
an|gucken [ángukən] *t.* 《俗》 주시하다, 엿보다.
an|hāben* [ánha:bən] *t.* ① 입고 있다, 신고 있다. ② 해를 가하다〔입히다〕. ¶man kann ihm nichts ~ 아무도 그에게 손댈 수 없다.
an|haften [ánhaftən] *i.* (h.) 부착되다, 들러붙다; 부속되다.
an|hāken [ánha:kən] *t.* ① 갈고리로 걸다. ② 갈고리로 표를 하다.
Anhalt [ánhalt] *m.* -(e)s, -e, ① 지점(支點), 발판, 실마리(*support*). ② 근거, 사실. ③ 정지, †정류장.
an|halten* [ánhaltən] 《Ⅰ》 *t.* ① 가까이 갖다 대다(↑*hold to*). ② 정지시키다, 멈추다(*stop*); 구류시키다; 놓지 않다(*pull up*). ③ jn. zur Arbeit ~ 아무를 격려하여 일을 시키다. 《Ⅱ》 *i.* (h.) ① 정지하다, 머무르다(↑*halt, stop*). ¶mitten in der Arbeit ~ 일을 중단하다. ② 계속하다, 지속하다(*continue, go on*). ¶mit 〔in〕 et. ~ 무엇을 계속하다. ③ 청하다, 간구하다. ¶um ein Mädchen ~ 한 처녀에게 구혼하다. 《Ⅲ》 *refl.*

자제하다; 의지하다. 《Ⅳ》 **anhaltend** *p.a.* 지속적인, 근기 있는, 완강한 **An=haltepunkt** *m.* 정거장, 정류장. **An=halte·stelle** *f.* 정거장.

Anhalts=ort *m.* 정거장. ~**punkt** *m.* 지점(支點); 《比》 근거, 요점.

Anhang [ánhaŋ] *m.* -(e)s, ⸚e, ① 부록, 추가; (편지의) 추신(追伸). ② 도당(徒黨), 한 패, 문중(門中), 부하(의 전체). **an|hangen*** [ánhaŋən] 《不定法에서는 때로 anhängen》 *i.*(h.) ① 걸리다(an et.³); 부착하다(et.³). ② 호의를 갖다; 편들다. ③ 전화를 끊다. **an|hän=gen** [ánhɛŋən] 《Ⅰ》 *t.* ① 걸다; 전화를 끊다. ② 부착시키다, 부가〔첨가〕하다. ③ (모욕 따위를) 가하다; (병을) 옮기다; (물건을) 속여 떠넘기다. 《Ⅱ》 *i.* (h.) = ANHANGEN. 《Ⅲ》 *refl.* 매달리다, 따라다니다, 붙어다니다. **Anhänger** *m.* -s, -, 자기 편, 신봉자, 제자; 트레일러. **Anhängewagen** *m.* 연결차(連結車), 트레일러. **anhängig** [ánhɛŋɪç] *a.* 〖法〗 계속(繫屬)중인. ¶e-n Prozeß ~ machen 소송을 제기하다. **anhänglich** *a.* (jm. 〔an jn.〕, 아무에게) 애착〔복종〕하고 있는. **Anhänglichkeit** *f.* 애착, 복종, 충성. **Anhängsel** [ánhɛŋzəl] *n.* -s, -, 첨가물; 부록; 추가; 《俗》 신부(新婦); 마누라; 자식. **anhang(s)weise** *adv.* 부수적으로, 부록으로서.

an|hauchen [ánhauxən] *t.* (에게) 입김을 불어대다; 《俗》 (에게) 호통 치다.

an|hauen* [ánhauən] *t.* 벌채하기 시작하다; 《俗》 (에게) 말을 걸다.

an|häufen [ánhɔyfən] *t.* 쌓아 올리다, 수북하게 하다; *refl.* 쌓이다. **Anhäu=fung** *f.* -en, 퇴적, 축적(물); 반복.

an|heben* [ánhe:bən] 《Ⅰ》 *t.* ① 조금 치켜 들다. ② 시작하다. 《Ⅱ》 *i.*(h.) (zu, 을) 시작하다. 《Ⅲ》 *refl.* 시작되다.

an|heften [ánhɛftən] *t.* 잡아 매다, 붙이다, 꿰매 붙이다, 붙박다; 철하다.

an|heilen [ánhailən] *i.*(s.) 아물다, 유착하다; *t.* 아물리다.

an|heimeln [ánhaiməln] *t.* (에게) 고향을 생각케 하다. **anheimelnd** *p.a.* (내집처럼) 안락한.

anheim=|fallen* *i.*(s.): jm. ~fallen 아무에게 귀속되다. ~**|geben***, ~**|=stellen** *t.*: jm. et.: 재량에 맡기다.

anheischig [ánhaiʃɪç] *a.* 《다음의 用法뿐임》 sich zu et. ~ machen 무엇의 의무를 지다, 책임을 맡다.

an|heizen [ánhaitsən] *t.* 가열되기 시작하다; (난로에) 불을 붙이다. 「(jn.).」

an|herrschen [ánhɛrʃən] *t.* 호통치다

Anhieb [ánhi:p] *m.* -(e)s, -e, 〖林〗 채벌 개시; 〖펜싱〗 제1격. ¶auf (den ersten) ~ 당장에, 즉석에서, 최초에.

Anhöhe [ánhø:ə] *f.* -n, 언덕, 구릉 (*rising ground, hill*).

an|holen [ánho:lən] *t.* 끌어당기다.

an|hören [ánhø:rən] 《Ⅰ》 *t.* (에) 귀를 기울이다, (아무의) 말을 듣다. 《Ⅱ》 *refl.* et. hört sich gut an (은) 듣기 좋다.

Anilin [anilí:n] [ar.] *n.* -s, 〖化〗 아닐린. 「물의; 육욕적인.」

animal(isch) [animá:l(ɪʃ)] [lat.] *a.* 동

animieren [animí:rən] [lat. *anima* „Seele"] *t.* 원기를 돋우다(♈*animate*); 고무하다(*encourage, urge on*).

Animo [á:nimo] [it. „Geist, Seele"] 《öst》 *n.* -s, 《俗》 (기업 등의) 활기, 열.

Anis [aní:s] [gr.] *m.* -es, -e, 〖植〗 아니스. 「다(gegen jn. 〔et.〕).」

an|kämpfen [ánkɛmpfən] *i.*(h.) 항쟁하

Ankauf [ánkauf] *m.* -(e)s, ⸚e, 구입(購入)《특히 부동산의》. **an|kaufen** 《Ⅰ》 *t.* 사들이다. 《Ⅱ》 *refl.* 땅을 구입하여 정주하다.

an|keilen [ánkailən] *t.* ① 쐐기를 지르다. ② 《俗》 jn. ~ 아무를 잡(고 이야기하)다.

Anker [áŋkər] *m.* -s, -, ① 닻(♈*anchor*). ¶die ~ lichten 닻을 올리다 / vor ~ geh(e)n 투묘(投錨)〔정박〕하다 / vor ~ liegen 정박하고 있다. ② 〖建〗 꺾쇠, 거멀장.

Anker=grund *m.* 투묘(投錨) 지점, 투묘 해저(海底). ~**los** *a.* 닻이 없는, 전기자(電機子)가 없는. ~**mast** *m.* (비행선의) 계류주(繫留柱).

ankern [áŋkərn] *i.*(h.) ①(배가) 닻을 내리다, 정박하다, (비행선이) 계박(繫泊)하다. ② 《比》 auf et.³ ~ 무엇에 희망을 걸다.

Anker=platz *m.* 정박소〔지〕. ~**tau** *n.* 닻줄. ~**winde** *f.* 닻을 감아 올리는 기구. 「슬로 매다.」

an|ketten [ánkɛtən] *t.* (개 따위를) 사

an|kirren [ánkɪrən] *t.* (짐승을) 미끼로 꾀다.

Anklage [ánkla:gə] *f.* -n, 문책, 탄핵(彈劾); 고발, 공소(公訴). **Anklage=bank** *f.* 피고석. **an|klagen** *t.* 문책〔탄핵〕하다(*impeach*); 고발하다(*accuse*). **Ankläger** *m.* -s, -, 원고(原告); (öffentlicher ~) 공소인, 검사.

Anklage=rede *f.* 논고(論告). ~**=schrift** *f.* 공소장.

an|klammern [ánklamərn] 《Ⅰ》 *t.* 꺾쇠〔경첩으〕로 죄다. 《Ⅱ》 *refl.* 매달리다, 달라붙다.

Anklang [ánklaŋ] [<anklingen] *m.* -(e)s, ⸚e, ① 공명(共鳴), 동감. ¶ ~ finden 공명〔찬동〕을 얻다; 《商》 잘 팔리다. ② (Klang, der sich an et. anlehnt) (에) 닮은 울림, 상기(케 하는 것), 여운, 추억(*reminiscence*).

an|kleben [ánkle:bən] 《Ⅰ》 (풀로) 붙이다. 《Ⅱ》 *i.*(h.) 점착〔부착〕하다.

an|kleiden [ánklaidən] *t.* 옷을 입히다 (*dress*); *refl.* 옷을 입다. 「이다.」

an|kleistern [ánklaistərn] *t.* 풀로 붙

an|klingeln [ánklɪŋəln] *t.* 불러 내다《전화로》. **an|klingen*** 《Ⅰ》 *i.*(h. *u.* s.) 울리기 시작하다; 화음을 내다; 상기시키다 (an et.⁴). 《Ⅱ》 *t.* 울리다. ¶die Gläser ~ 건배하다.

an|klopfen [ánklɔpfən] *i.*(h.): an die Tür ~ 문을 두드리다 / 《比》 bei jm. ~ 아무의 집을 방문하다.

an|knipsen [ánknɪpsən] *t.* 스위치를 넣어 켜다《전등을》.

an|knüpfen [ánknʏpfən] *t.* ① 잡아매다, 연결하다. ② 《또 *i.*(h.)》 (ein Gespräch) an et.⁴ ~ 무엇을 이야기의 실마리로 삼다, 무엇에 언급하다 / (e-e Verbindung) mit jm. ~ 아무와 인연〔연관〕을 맺다.

an|kommen* [ánkɔmən] 《Ⅰ》 *i.*(s.) ① 도착하다(*arrive*). ②다가오다(*approach*). ¶angefahren kommen 차를 몰고 오다. ③ 다다르다(*reach*); 지위에 오르다; 환영받다. ¶gut ~, a) 후대(厚待)받다, b) 성공하다 / 《反》 da bin ich schön angekommen (기대에 어긋나) 심한 대우를 받았다. 《Ⅱ》 *i.*(s.), *imp.* 엄습하다, 일어나다《욕망·병 따위가》. ¶es kommt mich schwer an 힘에 겹다, 못 견디겠다 / der Schlaf kam mir 〔mich〕 an 잠이 쏟아졌다 / es kommt auf et. an, a) 그것은 무엇에 달려 있다, b) 무엇이 긴요하다〔요점·문제이다〕 / es auf jn. ~ lassen 아무에게 일임하다 / es darauf ~ lassen 운을 하늘에 맡기다.

Ankömmling [ánkœmlɪŋ] *m.* –s, –e, 신참자; 신생아; 〖植〗 신래종(種).

an|kotzen [ánkɔtsən] *t.* 《俗》 jn. ~ 아무에게 가래를 내뱉다; 욕설을 퍼붓다. ¶das kotzt mich an 넌더리난다, 아주 불쾌하다.

an|kränkeln [ánkrɛŋkəln] *t.* (에) 병을 옮기다.

an|künd(ig)en [ánkʏnd(ɪg)ən] 《Ⅰ》 *t.* 통고하다, 알리다(*announce*); 공고〔발표〕하다(*publish*); 광고하다(*advertise*). 《Ⅱ》 *refl.* 나타나다, 자기가 …이라고 나서다. **Ankündigung** *f.* –en, 고지(告知); 공고, 발표; 광고.

Ankunft [ánkʊnft] [<ankommen] *f.* ¨e, 도착(*arrival*); 도착품.

an|kurbeln [ankʊrbəln] *t.* 크랭크를 돌려 스타트시키다, 발동시키다《모터를》; 《比》 생기를 불어넣다. ¶die Wirtschaft ~ 경제를 진흥시키다.

an|lächeln [ánlɛçəln] *t.* (에게) 웃음〔미소〕 짓다; 《比》 호의를 보이다, 유혹하다. **an|lachen** [ánlaçən] *t.* (에게) 미소짓다; 《比》호의를 보이다, 꾀다.

Anlage [ánla:gə] [<anlegen] *f.* –n, ① 기초(를 둠), 설치, 설계(*laying out, plan, arrangement*); 설비, 시설(*installation*); (Park~)정원, 가로수; 공원, 유원지. ② 투자(投資)(*investment*). ③ 소질, 천분(天分) (*predisposition*); 재능 (*ability, talent*). ④ 첨부〔동봉〕한 물건 (*enclosure*). ¶in der ~ 부수물로서. ⑤ 싹, 배(胚).

Anlände [ánlɛndə] *f.* –n, 상륙〔착륙〕지; 부두. **an|landen, an|länden** *i.*(s.) 상륙〔착륙〕하다.

an|langen [ánlaŋən] 《Ⅰ》 *i.*(s.) 도달하다. 《Ⅱ》 *t.* (에) 관계하다(*concern*). ¶was mich anlangt 나에게 관해서는, 나로서는.

Anlaß [ánlas] *m.* ..sses, ..lässe, (외적) 원인, 동기, 유인(誘因)(*occasion, cause*). ¶ohne allen ~ 아무런 이유 없이 / ~ nehmen 기회를 잡다〔이용하다〕.

an|lassen* [ánlasən] 《Ⅰ》 *t.* ① 입은 채로 있다(*keep on*); 입은 채로 있게 하다《사람을》. ② 흘러 들어가게 하다. ¶e-n Teich ~ 못에 물을 대다. ③ 시동(始動)시키다(*start, turn on*). ④ 〖冶〗 (금속을) 가열하여 무르게 하다, 쇠를 불렸다가 식히다(*temper*). ⑤ jn. hart 〔übel〕 ~ 아무에게 호통치다. 《Ⅱ》 *refl.* …인 것 같다, …처럼 보이다. ¶sich gut ~ 유망한 것 같다. **Anlasser** *m.* –s, –, 시동기(始動機). **anläßlich** [ánlɛslɪç] 《Ⅰ》 *adv.* 이따금, 때때로. 《Ⅱ》 *prp.* (2格支配) …할 때에, …의 기회에.

Anlauf [ánlauf] *m.* –(e)s, ¨e, ① 스타트, 달려 나가기(*start, run*); 시동(始動), 착수(*onset*). ② e-n ~ nehmen (도약 따위를 하기 위해) 도움닫기하다; 《比》 준비하다. ③ 뛰어 나감, 돌진; (적의) 내습(*attack*). ¶im ersten ~ 단숨에, 일거에. **an|laufen*** [ánlaufən] 《Ⅰ》 *i.*(s.) ① 뛰기 시작하다; 회전하기 시작하다. ¶~ lassen (말을) 뛰게 하다; (기계를) 시동(始動)시키다. ② 달려가 부딪치다; (gegen, 을 향해서) 돌진하다. ③ 불어나다, 늘다(*increase*); 부어 오르다(*swell*). ④ 흐려지다(*dull, tarnish*), 녹슬다(*get rusty, mouldy*). ¶ 《俗》 rot ~ 붉어지다. 《Ⅱ》 *t.* (을) 향하여 달려가다, 충돌하다. ¶e-n Hafen ~ (불시에) 기항(寄港)하다.

an|läuten [ánlɔytən] *t.* u. *i.*(h.) 전화의 벨을 울리다, 전화로 불러내다; 벨을 울려 안내를 청하다; 《比》 방문하다.

an|legen [ánle:gən] 《Ⅰ》 *t.* ① (에) 대다, 붙이다. ¶ein Gewehr auf jn. ~ 총을 어깨에 대고 아무를 겨냥하다 / Feuer ~ 불을 붙이다 / 《比》 Hande ~, (an et., 무엇에) 착수하다. ② 몸에 지니다; (옷을) 입다. ¶jm. Kleider ~ 아무에게 옷을 입히다. ③ Geld ~ 투자하다 (*invest*). ④ 기초를 놓다; 설계하다(*lay out*); 건설〔부설〕하다(*build, erect*); 구상〔기획〕하다(*aim, plan*). ¶ein Gemälde ~ 밑그림을 그리다 / es auf et. ~ 무엇을 목표하다, 노리다. 《Ⅱ》 *i.*(h.) ① 총을 겨누다(auf jn.). ② 젖주다. ③ 〖海〗 (배가) 기슭에 닿다. 《Ⅲ》 *refl.* (에) 의지하다, 헌신〔몰두〕하다.

an|lehnen [ánle:nən] 《Ⅰ》 *t.* (에) 기대다, 의탁하다. ¶die Tür ~ 문을 반쯤 열어두다. 《Ⅱ》 *refl.* 기대다; 《比》 의존〔의뢰〕하다.

Anleihe [ánlaiə] *f.* –n, 차입금, 차관 (*loan*); 사채(社債), 공채, 국채. ¶e-e ~ machen 돈을 꾸다, 공채를 모집하다.

an|leimen [ánlaimən] *t.* 교착(膠着)시키다; 《俗》 속이다.

an|leiten [ánlaitən] *t.* 지도〔안내〕하다, 이끌다. **Anleiter** *m.* –s, –, 지도자, 안내인, 안내서. **Anleitung** *f.* –en, 지도; 입문(서).

an|liegen* [ánli:gən] 《Ⅰ》 *i.*(h.) ① 인접하다, 경계를 접하다. ② (옷이) 몸에 꼭 맞다. ③ jm. ~ 아무에게 간청하다〔조르다〕. ④ (jm., 아무에게) 관심사〔중대사〕이다. 《Ⅱ》 **Anliegen** *n.* –s, –, 관심사; 갈망, 간청.

an|locken [ánlɔkən] *t.* 미끼로 꾀다; 유혹하다. **anlockend** *p.a.* 유혹적인.

an|lügen* [ánly:gən] *t.* (에게) 거짓말하다; 중상하다.

Anm. 《略》 = *An*merkung 주의, 주석〔註釋〕.

an|machen [ánmaxən] 《Ⅰ》 *t.* ① 결부시키다, (에) 매다〔잇다〕. ② 조리(調理)하다, 가미하다(*mix, dress*). ¶mit Wasser 〔Zucker〕 ~ 에 물〔설탕〕을 섞다. ③ Feuer ~ 불을 피우다/Licht ~

불을 켜다. 《Ⅱ》 *refl.* 귀찮게 따라다니다, 치근거리다.

an|mahnen [ánma:nən] *t.*: jn. an et.[4] ~ 무엇을 하도록 아무에게 권면하다; 충고하여 무엇을 하게 하다.

an|mālen [ánma:lən] *t.* (에) 도료〔안료〕를 칠하다. ¶die Lippen ~ 입술 연지를 바르다.

Anmarsch [ánmarʃ] *m.* -es, ⸗e, 진군, 행진(해서 접근함). ¶im ~ sein 행군중이다. **an|marschieren** *i.*(s.) 진군하다.

an|māßen [ánma:sən] 《Ⅰ》 *refl.*: sich[3] et. ~ 무엇을 제 것이라 잠칭하다, 제 것인 체하다(*pretend*); 횡령하다(*usurp*)/ sich[3(4)] ~, et. zu tun 무엇을 감히〔우쭐하여·주제 넘게〕 하다(*presume*). 《Ⅱ》 **anmāßend** *p.a.* 외람된, 불손한(*arrogant*). **Anmāßung** [ánma:sʊŋ] *f.* -en, 불손, 월권, 자만; 횡령, 찬탈.

an|melden [ánmɛldən] *t.* (방문·도착 등을) 알리다, 통고하다(*announce, notify*); *refl.* 도착을 신고〔계출〕하다(*report oneself*). **Anmeldung** *f.* -en, 고지, 통고; 계출.

an|merken [ánmɛrkən] *t.* 알아채다(*notice*); (의 소견을) 말하다; 기록하다(*remark, note*). **Anmerkung** [ánmɛrkʊŋ] *f.* -en, 관찰, 소견; 주해, 주석.

an|messen* [ánmɛsən] *t.* (의복 따위의) 치수를 재다; 적합하게 하다.

Anmūt [ánmu:t] *f.* 마음에 듦, 쾌적(快適) (*sweetness*); 애교(*charm*); 우아(優雅), 기품, 풍치(*grace*). **an|mūten** *t.*: es mutet mich (seltsam) an 그것은 나에게 기분 좋은 〔묘한〕 느낌을 자아내게 한다. **anmūtig** *a.* 쾌적한; 우아한; 애교 있는. 「*f.* 여자 이름.」

Anna [ána] [hebr. „Gnade, Anmut"]

an|nāgeln [ánna:gəln] *t.* 볼박아 놓다.

an|nāhen [ánnɛ:ən] *t.* 꿰매 붙이다.

an|nāhern [ánnɛ:ərn] 《Ⅰ》 *t.* 접근시키다. ¶sich ~ 접근하다. 《Ⅱ》 **annāhernd** *p.a.* 대략의; *adv.* 대략, 대체로. **An·nāherung** *f.* -en, 접근; 근접; 근사(近似); 《比》 친근, 화친.

An·nahme [ánna:mə] [<annehmen] *f.* -n, ① 수령, 인수(*acceptance*). ② 취급 창구; 채용, 고용. ③ 가정(*assumption*).

Annālen [aná:lən] [lat., *annus* „Jahr"] *pl.* 연감(年鑑), 연보; 연대기.

an·nehmbār [ánne:mba:r] *a.* 받아 들일 수 있는, 승낙〔승인〕할 수 있는; 가정할 수 있는. **an|nehmen*** [ánne:mən] 《Ⅰ》 *t.* ① (제출된 것·오는것을) 받(아 들이)다; 용인하다; 응낙〔승인〕하다; (의안을) 채택하다; 채용〔고용〕하다. ¶an Kindes Statt ~ 양자로 맞아 들이다. ② 취하다; (습관 따위를) 몸에 익히다(*contract*). ¶e-e Gestalt ~ 어떤 모습을 하다; …이 되다 / e-e Gewohnheit ~ 어떤 습관에 물들다. ③ (…이라고) 여기다, 간주하다, 인정〔가정〕하다(*assume, suppose*). 《Ⅱ》 *refl.*: sich js. ~ 아무를 맡다, …을 돌봐주다. 《Ⅲ》 **angenommen** *p.a.* 수납〔용인〕된; 가짜〔거짓〕의; 가정의. ¶ein ~es Kind 양자. **An·nehmlichkeit** *f.* -en, 쾌적(한 것), 마음 편함. ¶die ~en des Lebens 생활의 즐거움(*comforts*).

annektīeren [anɛktí:rən] [lat. „anknüpfen"] *t.* 병합하다(♀*annex*). **Annexiōn** [anɛksĭó:n] *f.* -en, (국가의) 병합. **Annexiōnismus** [-nís-] [lat.] *m.* -, (영토) 병합주의.

Annihilatiōn [anihilatsĭó:n] [lat.] *f.* -en, 절멸, 파기; 무효〔취소〕 선언. **annihilīeren** *t.* 위를 하다.

Annō [áno:] [lat.] *adv.* 해(年)에. ¶~ dazumal 당시, 옛날 / *Anno Domini* [-dó:mini:] 서력 …년에.

Annonce [anɔ̃:sə] [fr.] *f.* -n, 광고(신문·잡지의) (*advertisement*). **annoncieren** [anɔ̃sí:rən] *t.* 광고(를 게재)하다; 보도하다(*advertise*).

annullīeren [anʊlí:rən] [lat.] *t.* 파기〔취소〕하다, (의) 무효를 선언하다.

anomāl [anomá:l, á(:)noma:l] [gr.] 정상이 아닌, 예외의, 변칙〔변태〕의.

anonȳm [anoný:m] [gr. „nicht benannt"] *a.* 무명〔익명〕의. **Anonymitāt** [-nymitɛ́:t] *f.* 무명, 익명.

an|ordnen [án-ɔrdnən, -tnən] *t.* ① 정돈〔배열·안배〕하다, 지정〔지령〕하다. **An·ordnung** *f.* -en, ① 정돈; 콤포지션; 배치. ② 지정, 지령; 규정.

anorgānisch [an-ɔrgá:nɪʃ, anɔr-, án-] [gr. „un-organisch"] *a.* 무기(無機)의. ¶~e Chemie 무기 화학.

an|packen [ánpakən] *t.* 움켜 잡다; 《比》 (일에) 달려붙다, 몰두하다.

an|passen [ánpasən] 《Ⅰ》 *t.* 적합〔조화〕시키다(*adapt, fit, suit*). 《Ⅱ》 *i.*(h.) u. *refl.* 순응〔적응〕하다. **Anpassung** [ánpasʊŋ] *f.* -en, 적합, 순응; 〚生〛 적응. **anpassungsfāhig** *a.* 순응〔적응〕할 수 있는.

an|pfeifen* [ánpfaifən] *t.u.i.*(h.) (바람이) 쌩하고 울다; 호각을 불어 경기 개시를 신호하다.

an|pflanzen [ánpflantsən] *t.* (수목을) 심다; 경작하다; 재배하다. **Anpflanzung** *f.* -en, 식목; 재배, 경작; 경작〔개간〕지.

an|pochen [ánpɔxən] *i.*(h.): an die Tür ~ 문을 세게 두드리다 / bei jm. ~ 아무를 방문하다.

Anprall [ánpral] *m.* -(e)s, -e, 되튀어 오름, 충격; 충돌. **an|prallen** *i.*(s.) 부딪쳐 되튀다, 충돌하다.

an|prangern [ánpraŋərn] *t.* (죄인을) 조리돌리다; 탄핵하다(*pillory*).

an|preisen* [ánpraizən] *t.* 칭찬〔추천〕하다; (상품을) 과대 선전하다.

Anprōbe [ánpro:bə] *f.* -n, (가봉한 옷을) 입어 봄(*fitting-on*). **an|prōben, an|probieren** *t.*: jm.: 입혀 보다, (치수·모양 등을) 맞추다. 「나들이옷.」

Anputz [ánputs] *m.* -es, 미장, 화장,

an|rāten* [ánra:tən] 《Ⅰ》 *t.* 권하다(*recommend*). 《Ⅱ》 **Anrāten** *n.* -s, 권고, 추천. ¶auf sein ~ 그의 권고로.

an|rauchen [ánrauxən] *t.* ① (아무에게 담배) 연기를 내뿜다. ② (담배에) 불붙이다; 담배 피우기 시작하다.

an|rechnen [ánrɛçnən] *t.* ① jm. et. ~ 무엇을 아무의 계정에 넣다 / billig ~ 싼 값으로 하다 / jm. zuviel ~ 아무에게 에누리를 붙이다. ② (공죄 따위를)

A

탓으로 하다, 돌리다(jm. et.). ¶jm. s-e Verdienste hoch ~ 아무의 공적을 높이 평가하다.

Anrecht [ánrɛçt] *n.* -(e)s, -e, (auf et., 무엇에 대한) 요구〔청구〕권(*claim*); 선불(을 끝낸), 예약 신청(*subscription*).

A

Anrēde [ánre:də] *f.* -n, 호칭; 말을 걺; 연설(*address*). **an|rēden** *t.* 말을 걸다, 부르다; 식사(式辭)를 말하다.

an|rēgen [ánre:gən] 《Ⅰ》 *t.* ① 자극〔고무〕하다(*stimulate, incite, stir up*), 활기 띠게 하다; 흥분시키다(*excite*). ② (의) 관심을 〔흥미를〕 환기시키다; (문제를) 제기하다. 《Ⅱ》 **anrēgend** *p.a.* 자극적인, 흥분시키는; 흥미를 돋우는. 《Ⅲ》 **angerēgt** [ángəre:kt] *p.a.* 활발한, 흥분한; 상술(上述)한. **Anrēgung** [ánre:guŋ] *f.* -en, 자극, 고무; 흥분, 권고; 〖物〗 여기(勵起); 제기. ¶in ~ bringen 제기하다.

an|reißen* [ánraisən] *t.* 조금 찢다, 찢어 열다; (돈·저금에) 손을 대다; 선을 긋다; (손님을) 끌다.

Anreiz [ánraits] *m.* -es, -e, 자극, 충동; 선동, 도발. **an|reizen** *t.* 자극〔격려·도발〕하다; 꾀다.

an|rempeln [ánrɛmpəln] *t.* 《俗》 jn.: (에게) 부딪치다《싸움을 걸기 위해》, 모욕하다, 괴롭히다.

an|rennen* [ánrɛnən] 《Ⅰ》 *i.*(s.) 부딪치다, 충돌하다; 달려가다, 엄습하다; 《比》 (에게) 거스르다. 《Ⅱ》 *t.* (에게) 달려가 부딪치다; 부딪다(et. gegen et.).

Anrichte [ánrɪçtə] *f.* -n, 살강, 찬장(*sideboard*). **an|richten** *t.* ① 조정〔정비〕하다(*prepare, dress*); 밥상을 차리다(*serve up*). ¶es ist angerichtet 식사 준비가 되었읍니다. ② (나쁜 일을) 저지르다, 일으키다(*cause, do*).

an|riechen* [ánri:çən] *t.* ① (꽃 따위를) 냄새맡다. ② jm. et. ~ 아무의 무엇을 냄새맡다, 낌새채다.

anrüchig [ánrʏçɪç] [<Gerücht] *a.* 평이 나쁜, 추잡한(*disreputable*).

an|rücken [ánrʏkən] 《Ⅰ》 *t.* 밀어 붙이다, 가까이하다(an et.[4]). 《Ⅱ》 *i.*(s.) 진출〔접근〕하다.

Anrūf [ánru:f] *m.* -(e)s, -e, 부름, 말을 걺; 〖電話〗 호출(신호); 〖軍〗 수하(誰何). **an|rūfen*** *t.* (에게) 말을 걸다, (를) 부르다, (전화로) 불러 내다; 수하하다; (에) 호소하다; 〖法〗 항소하다. **Anrūfung** *f.* -en, 부름, 불러냄; 〖法〗 항소; 〖軍〗 수하.

an|rühren [ánry:rən] *t.* (에) 손을 대다, 움켜쥐다; 〖料〗 휘저어 섞다.

ans [ans] 《略》 =*an* das (*art.*). ¶sich ~ Werk machen 일에 착수하다. ★ sich an das Werk machen 그 일에 착수하다.

Ansāge [ánza:gə] *f.* -n, 진술; 고지, 통고; 어나운스. **an|sāgen** *t.* 알리다; 고지〔통지·통고〕하다 (*notify*); 어나운스하다(*announce*). **Ansāger** *m.* -s, -, 고지자; 어나운서.

an|sammeln [ánzaməln] *t.* 모으다, 축적하다. ¶sich ~ 모이다. **Ansammlung** *f.* -en, 수집, 집적, 축적; 집결; 응결; 군집.

ansässig [ánzɛsɪç] [<ansitzen] *a.* 정주한(*domiciled*).

Ansatz [ánzats] [<ansetzen] *m.* -es, ⸚e, ① 부가〔부착〕물; (관악기의) 입을 대는 주둥이; 〖工〗 소켓. ② 침전(물), 물때, 광상; 〖地〗 충적지. ③ 〖數〗 계산서; 계정; 평가, 사정; 항목; 조세. ¶jm. et. in ~ bringen 무엇을 아무의 계정에 넣다. ④ 시초, 발단; 발병. ⑤ 〖植〗 싹; 《比》 소질, 성향. ⑥ 〖樂〗 취주〔가창〕법.

an|schaffen [ánʃafən] *t.* 조달해 주다, 공급하다(*procure, provide*). ¶sich[3] et. ~ 무엇을 조달하다, 사들이다, 입수하다(*purchase, buy*). **Anschaffung** *f.* -en, 조달, 공급; 구입; 송금; (구입품의) 대금.

Anschaffungs-kosten *pl.* 매입〔구입〕비. **~preis** *m.* 구입 가격, 원가.

an|schalten [ánʃaltən] *t.* 스위치를 넣다. ¶Licht ~ 전기를 켜다.

an|schauen [ánʃauən] *t.* ① 보다, 바라보다(*look at, view*). ② 관조〔직관〕하다, 명상(冥想)하다(*contemplate*). **anschaulich** [ánʃaulɪç] *a.* 명백한; 구상적(具象的)인; 관조〔직관〕적인. **Anschauung** [ánʃauuŋ] *f.* -en, ① 바라봄, 관찰(*observation*). ② 관조, 직관(*intuition*). ③ (인생·세계)관(觀); 견해(*view*).

Anschein [ánʃain] *m.* -(e)s, -e, 외관, 외모, 풍채(*look, appearance*). ¶sich[3] den ~ geben, als ob... …처럼 보이게 하다 / allem ~ nach 보아하니, 아마도.

an|scheinen*《Ⅰ》 *t.* 비추다; † *i.*(h.) (…처럼) 보이다, 여겨지다. 《Ⅱ》 **anscheinend** *p.a.* 외관상의; *ad* 짐작컨대, 아마.

an|schellen [ánʃɛlən] *i.*(h.) 초인종을 누르다.

an|schicken [ánʃɪkən] *refl.* (zu, 의) 준비를 하다; (…을) 하려 하다.

Anschiebsel [ánʃi:psəl] *n.* -s, -, (Zusatz) 증보, 추가; 연장 부분.

an|schielen [ánʃi:lən] *t.* :jn.: 곁눈질로 보다; 훔쳐 보다.

an|schießen* [ánʃi:sən] 《Ⅰ》 *i.* ① (h.) 사격을 시작하다. ② (s.) (결정(結晶)이) 되다. ¶in 〔zu〕 Kristallen ~ 결정하다. 《Ⅱ》 *t.* ① (새 총을) 시사(試射)하다. ② 〖工〗 접합하다. ③ 〖獵〗 쏘아 상처를 입히다. 《Ⅲ》 **angeschossen** *p.a.* 총에 맞아 상처 입은. ¶(von Amor) ~ sein 홀딱 반해 있다 / ~ sein 몹시 취해 있다, 머리가 돌았다.

an|schirren [ánʃɪrən] *t.u.i.*(h.):(Pferde) ~ 말에 마구를 얹다.

Anschlāg [ánʃla:k] *m.* -(e)s, ⸚e, ① 치는 일; 두드리는 듯한 소리. ② (종·피아노 따위의) 터치; 탄주법. ③ 게시, 포스터(*placard, poster*). ④ 어림, 사정(査定)(*estimate*). ¶in ~ bringen 〔kommen〕 계산에 넣다; 고려하다. ⑤ 계획(*plan, design*); (heimlicher ~) 음모(*plot*). **Anschlāg(e)brett** *n.* 게시판.

an|schlāgen* [ánʃla:gən] 《Ⅰ》 *t.* ① (부싯돌을) 치다. ② (종·현(絃) 따위를) 울리다, (피아노를) 치다; (소리를) 내다; (시계가) 시간을 치다. ③ 박아 붙이다, 첩부하다; 갖다 대다; (총을) 겨누다. ④ 어림〔평가·사정〕하다(*rate, estimate*).《Ⅱ》 *i.* ① (h.) 치기 시작하다; (종·시계 따

위가) 울리다; 두드리는 듯한 소리를 내다; (개가) 짖다; (새가) 울다. ② (s.) 부딪다. ③ (h. *u.* s.) 효과가 있다, (약·충고 등이) 듣다, 효능이 있다(*take effect*).

Anschläg≈säule *f.* 광고탑. **∼stift** *m.* 〖機〗 완충기. **∼zettel** *m.* 벽보, 광고 삐라.

an|schließen* [ánʃli:sən] 《Ⅰ》 *t.* ① 사슬로 매다. ② 덧붙이다, 봉입(封入)하다. ③ 붙이다, 접속시키다, 연결하다(*annex, connect*). 《Ⅱ》 *refl.* 붙다, 연결되다, 접(속)하다, 계속되다; (jm., 아무와) 한 패가 되다, 편을 들다; (e-r Meinung, 어떤 의견에) 찬동하다. 《Ⅲ》 *i.* (h.) 알맞다, 꼭 들어맞다. **Anschluß** [ánʃlus] *m.* ..lusses, ..lüsse, ① 맴, 이음; 첨부; 동봉(서류). ② 적합, (의복 따위가) 몸에 꼭 맞음. ③ 가입, 가맹; 합병. ④ 관련. ¶im ∼ an et.[4] 에 관련하여. ⑤ 연결, 연락, 접속. ¶ ∼ haben (an, 에) 접속하다《기차가》/ den ∼ verpassen 연락을 놓치다. ⑥ 지기, 교제. ¶ ∼ suchen 교제를〔벗을〕 구하다.

Anschluß≈bahn *f.* 〖鐵〗 접속선, 지선(支線). **∼klemme** *f.* 〖電〗 단자(端子), 터미널. **∼rohr** *n.* (가스 따위의) 도입관. **∼schnūr** *f.* 〖電〗 접속용 코드. **∼stationn** *f.* 접속〔연락〕역. **∼stelle** *f.* (자동차 길에의) 접속 지점.

an|schmieden [ánʃmi:dən] *t.* 단접(鍛接)하다; 쇠사슬로 매다.

an|schmiegen [ánʃmi:gən] *refl.* 몸에 꼭 맞다; 밀착하다; 몸을 부벼 대다, 안기다, 매달리다; 《比》 뜻대로 따르다.

an|schmieren [ánʃmi:rən] *t.* 뒤바르다; (술에) 섞음질하다; 《俗》 속이다(*cheat*); (속여서) 팔아 넘기다.

an|schnallen [ánʃnalən] *t.* 죔쇠로 죄다.

an|schnauzen [ánʃnautsən] *t.* 호되게 꾸짖다, 호통치다. **Anschnauzer** *m.* -s, -, 《俗》 엄한 잔소리, 힐책.

an|schneiden* [ánʃnaidən] *t.* (에) 칼질하다, 베기 시작하다; 《比》 말머리를 꺼내다, 말을 시작하다.

Anschnitt [ánʃnɪt] *m.* -(e)s, -e, (빵 따위의) 조각, 부스러기; 껍질; 절단면.

an|schonen [ánʃo:nən] *t.* 〖林〗 (벌채한 지역에) 다시 식목하다.

an|schrauben(*) [ánʃraubən] *t.* 나사로 죄다.

Anschreibe·būch [ánʃraibəbu:x] *n.* 가계〔회계〕부; 비망장(備忘帳); 〖競〗 스코어북. **an|schreiben*** [ánʃraibən] *t.* 써 넣다. ¶jm. et. ∼ 아무의 외상을 장부에 치부하다 / ∼ lassen 외상으로 사다 / bei jm. gut angeschrieben (*p. a.*) sein 〔stehen〕 아무에게 잘 보이고 있다.

Anschreibe≈tāfel *f.* 비망록; 채점판. **∼tisch** *m.* 채점 책상.

Anschrift [ánʃrɪft] *f.* -en, 수신인의 주소 성명. **Anschriften·būch** *n.* 주소록, 인명부.

an|schuldigen [ánʃuldɪgən] *t.*: jm. et. ∼ 무엇을 아무의 죄로〔책임으로〕 돌리다(*charge* (*with*)) / jn. e-s Verbrechens ∼ 아무를 어떤 죄명으로 고발하다(*accuse* (*of*)).

an|schūren [ánʃy:rən] *t.* (불을) 쑤석거려 일으키다; 《比》 (욕정 따위를) 도발하다; 부추기다.

an|schwärmen [ánʃvermən] *t.* 흠모〔숭배〕하다(*adore*).

an|schwärzen [ánʃvɛrtsən] *t.* 검게(칠)하다; 《比》 비방하다(*slander*).

an|schwellen(*) [ánʃvelən] 《Ⅰ》 *i.* (s.) 《强變化》 부풀어 오르다, 붇다; 증수하다; 《比》 증대〔증가〕하다. 《Ⅱ》 *t.* 《弱變化》 부풀리다, 붇게 하다; 《比》 증대〔증가〕시키다.

an|schwemmen [ánʃvemən] *t.* 흘러가 모이게 하다. ¶Land ∼ 모래톱을〔충적지를〕 만들다. **Anschwemmung** *f.* -en, 흘러가 모임; 충적토(*alluvium*).

an|sēgeln [ánze:gəln] 《Ⅰ》 *i.* (s.) 범주(帆走)해 오다. 《Ⅱ》 *t.* ① (에) 충돌하다 《범선이》. ② e-n Hafen ∼ 입항하다.

an|sēhen* [ánze:ən] 《Ⅰ》 *t.* ① 보다, 응시〔주시〕하다(*look at*); 구경하다. ¶ mit (*adv.*) ∼ 방관하다. ② 생각하다, 간주하다, …으로 여기다(*regard, consider, take for*). ③ 검사하다, 음미하다(*examine*). ④ 깨닫다, 알아채다(*perceive*). 《Ⅱ》 **Ansēhen** *n.* -s, ① 봄, 주시. ¶von ∼ kennen 안면이 있다, 알고 있다. ② 광경; 외관, 모습(*appearance*). ¶allem ∼ nach 보건대, 아무리 봐도 / sich[3] ein ∼ geben 거드름 부리다, 점잔 빼다. ③ 존경, 명망; 세력, 위신(*esteem, respect, authority*). ¶in ∼ steh(e)n 신망이 있다. ④ 고려(*respect*). ¶ohne ∼ der Person 인품을 문제삼지 않고. 《Ⅲ》 **angesēhen** *p. a.* 저명한, 명망 있는, 유력한. **ansehnlich** [ánze:n-lıç] *a.* 이목을 끄는, 훌륭한; 상당한; 위신〔명망〕이 있는; 저명한; 존경할 만한.

an|seilen [ánzailən] *t.* 밧줄에 동이다.

an|setzen [ánzɛtsən] 《Ⅰ》 *t.* ① 가져다 대다, 붙이다; 매다, 궤매다; (잔 따위를) 입에 대다; (음식 등을) 불에 올려 놓다. ② (es) auf et. ∼ 무엇을 해보다, 시도하다(*try*). ③ (초·잉크 따위의 원료를) 배합하다. ④ 붙이다, 보태다, 생기게 하다. ¶Fleisch ∼ 살이 오르다 / Fett ∼ 기름기 지다, 살지다. ⑤ 값을 매기다(*fix*), 평가하다, 어림잡다(*estimate*). ⑥ (날짜·값을) 정하다(*appoint*). 《Ⅱ》 *i.* (h.) ① (zum Sprung, 도약하려고) 도움닫기하다(*take a run*). ② 해보다. ③ (봉오리·꽃·열매 따위가) 트다, 열리다(*set*); (짐승 따위가) 비곗살지다(*grow fat*).

Anseuchung [ánzɔyçuŋ] *f.* -en, 전염, 감염.

Ansicht [ánzıçt] [<ansehen] *f.* -en, ① 열람, 일별(一瞥)(*sight*); 검사(*inspection*). ¶zur ∼ schicken 견본으로 보내다. ② 조망, 광경, 경치(*view*). ¶vordere ∼ 전경(前景), 전면도. ③ 의견, 견해, 주장(*opinion*). ¶m-r ∼ nach 내 생각으로는.

ansichtig [ánzıçtıç] *a.*: et. ∼ werden 무엇이 시야에 들어오다, 알아보다.

Ansichts≈(post)karte *f.* 그림 엽서. **∼seite** *f.* 전면, 전경. **∼sendung** *f.* 견본 송부.

an|siedeln [ánzi:dəln] *t.* 이주시키다, 식민하다. ¶sich ∼ 이주〔식민〕하다. **Ansied(e)lung** *f.* -en, 이주; 이민; 식민지. **Ansiedler** *m.* -s, -, 이민, 식민.

an|sitzen* [ánzɪtsən] ① *i.*(s.) ~, angesessen (*p.a.*) sein 정주하여 있다. ② (옷 따위가 몸에) 꼭 맞다. ③ 〖獵〗 매복하여 기다리다.

an|spannen [ánʃpanən] *t.* ① (말을 수레에) 매다. ② (활시위·현 따위를) 팽팽히 죄다; (신경 따위를) 긴장시키다. ¶alle Kräfte ~ 전력을 다하다.

an|speien* [ánʃpaiən] *t.* (에) 침을 뱉다; 《比》 타기하다, 경멸하다.

an|spielen [ánʃpi:lən] *t.* u. *i.*(h.) ① 연주하기 시작하다; (놀이의) 선(先)이 되다. ② *i.*(h.): auf et. ~ 무엇을 암시하다, 변죽울리다(*allude to*). **Anspielung** *f.* –en, 변죽울림, 풍자, 암시(*allusion, hint*).

an|spinnen* [ánʃpɪnən] 《Ⅰ》 *t.* 짜기 시작하다; 얽어 짜다; (음모 따위를) 꾀하다(*plot*). 《Ⅱ》 *refl.* (부지중에·서서히) 일어나다[생기다](*spring up*).

an|spitzen [ánʃpɪtsən] *t.* 뾰족하게[날카롭게] 하다.

Ansporn [ánʃpɔrn] *m.* –(e)s, –e, 자극, 충동, 격려(*spur, stimulus*).

an|spornen [ánʃpɔrnən] *t.* (말에) 박차를 가하다; 《比》 자극[격려]하다(*incite*).

Ansprāche [ánʃpra:xə] *f.* –n, 인사말, 식사(式辭)(*address, speech*). **an|sprechen*** [ánʃprɛçən] 《Ⅰ》 *t.* ① (에게) 말을 걸다. ¶jn. um et. ~ 아무에게 무엇을 청하다. ② 요구하다(*claim*). ¶etwas spricht jn. an 무엇이 아무의 심금을 울리다, 의 마음을 끌다(*appeal to, please*). 《Ⅱ》 *i.*(h.) ① (악기가) 울리다. ② etwas spricht sehr an 무엇이 대단히 재미있다.

an|sprengen [ánʃprɛŋən] 《Ⅰ》 *t.* ① (물 따위를) 붓다. ② (에) 반점을 붙이다. 《Ⅱ》 *i.*(s.*u.* h.): (auf) jn. ~ 아무를 향해 말을 빨리 몰다.

an|springen* [ánʃprɪŋən] 《Ⅰ》 *i.* ① (s.) ~, angesprungen kommen 뛰어오다. ② (h.) (모터가) 돌기 시작하다. 《Ⅱ》 *t.*: jn ~ 아무에게 덤벼들다.

an|spritzen [ánʃprɪtsən] *t.* (물·흙 따위를) 뿌리다, 튀기다.

Anspruch [ánʃprux] [<ansprechen] *m.* –(e)s, ⸗e, 권리의 주장, 요구(*claim, pretention*); (정당한) 권리(*title*). ¶ auf et.⁴ ~ machen 무엇을 요구하다 / js. Zeit in ~ nehmen 아무의 시간을 빼앗다, 분주하게 하다.

anspruchs⸗lōs *a.* 요구하는 바가 없는, 겸허한; (옷이) 수수한. **~verjährung** *f.* 청구권의 시효. **~voll** *a.* 요구하는 바가 많은, 거만한; 성미가 까다로운.

an|sprūhen [ánʃpry:ən] 《Ⅰ》 *i.*(s.*u.*h.) 비산(飛散)하다, (불꽃 따위가) 튀다. 《Ⅱ》 *t.* 비말(飛沫)을 퍼붓다; (불꽃을) 튀기다.

Ansprung [ánʃprʊŋ] [<anspringen] *m.* –(e)s, ⸗e, (맹수가) 달려듦.

an|spucken [ánʃpʊkən] *t.* (에게) 침을 뱉다; 《比》 경멸하다.

an|spūlen [ánʃpy:lən] *t.* (물결이) 씻어 내리다, (흙·모래를) 밀어 붙이다, 충적(沖積)하다.

an|stacheln [ánʃtaxəln] *t.* 자침(刺針)으로 자극하여 (마소를) 몰다; 《比》 자극[격려]하다(*stimulate, incite*).

Anstalt [ánʃtalt] [<anstellen] *f.* –en, ① 준비, 채비; 배치(*arrangement, preparation*). ¶ ~(en) zu et. treffen 무엇의 준비[채비]를 하다. ② (사회 복지를 위한) 시설《학교·감화원 따위》(*institution, establishment*).

Anstalts⸗erziehung *f.* 시설 교육《고아원, 맹학교, 유치원 따위의》. **~leiter** *m.* 원장, 소장, 협회장. **~stūbe** *f.* 〖鑛〗 갱부의 직장 배치를 결정하는 방.

Anstand [ánʃtant] [<anstehen] *m.* –(e)s, ⸗e, ① 〖獵〗 매복 장소(*stand*); 목을 지키는 사냥. ② 유예, 지연(*delay*); 주저(*hesitation*). ¶mit et.³ ~ nehmen 무엇을 주저하다. ③ (도리에) 알맞음(*propriety*); 품위 있는 몸가짐, 단정한 태도, 예의 범절(*decorum, manners*).

anständig [ánʃtɛndɪç] *a.* 예절에 어울리는(*becoming*); 예의 바른, 단정한(*decorous, fair*); 상당한, 현저한(*decent, respectable*). ¶ ~ (*adv.*) gekleidet 단정하게 차려 입은. **Anständigkeit** *f.* 예절에 어울림; 예의 바름, 품위, 단정; 적당(함).

Anstands⸗besūch *m.* 예방. **~lōs** *a.* 주저하지 않는, 과단성 있는; 무례한.

an|starren [ánʃtarən] *t.* 응시하다, 노려보다.

anstatt [anʃtát, 때로 ánʃtat] [„an der Stelle"] *prp.* 《2格支配》 u. *conj.* 의 대신에.

an|staunen [ánʃtaunən] *t.* 놀라서[어이없이] 바라보다.

an|stechen* [ánʃtɛçən] 《Ⅰ》 *t.* ① 쿡 찌르다. ② (stechend anbrechen) 따다 《통·깡통 따위를》; (버터·치즈 따위를) 자르다.

an|stecken [ánʃtɛkən] 《Ⅰ》 *t.* ① 찌르다, (바늘로) 고정하다; 반지 끼다. ② 점화하다(*light*), 방화하다(*set fire to*). ③ 감염시키다(*infect*). 《Ⅱ》 *i.*(h.) u. *refl.* (mit, 에) 감염하다, 옮다. 《Ⅲ》 **ansteckend** *p.a.* 전염성의. **Ansteckung** *f.* –en, 전염, 감염.

an|stēh(e)n* [ánʃte:(ə)n] *i.*(h. *u.* s.) ① 어울리다, 적합하다, 알맞다(*fit, suit*). ② jm. ~ 아무의 마음에 들다(*please*). ③ (차례를) 기다리다, (nach et.³, 배급을 받거나 할 때) 줄을 서다(*queue up*). ④ 멈춰 서다; 지체하다; 머뭇거리다(*hesitate*). ¶et. ~ lassen 무엇을 연기하다, 지체시키다.

an|steifen [ánʃtaifən] *t.* (세탁물에) 풀을 먹이다. ¶sich ~ 발로 버티다, 《比》 저항하다.

an|steigen* [ánʃtaigən] *i.*(s.) ① 오르다. ② 가팔지다; 높아지다; (수량이) 붇다; 증대하다.

an|stellen [ánʃtɛlən] 《Ⅰ》 *t.* ① 놓다, 세우다; 임용하다; 고용하다(*appoint, employ*). ② (기계 따위를) 운전[활동]시키다(*start*). ③ 갖추다, 마련하다(*arrange*); (관찰·비교 등을) 시도하다, 하다, 행하다(*make, undertake*); (죄과·우행 등을) 저지르다(*cause*). 《Ⅱ》 *refl.* ① (…하게) 처신[행동]하다(*behave*). ② (…인) 체하다(*pretend*). ③ (배급소·매표구에서) 줄을 서다(*queue up*). **anstellig** *a.* 솜씨 있는, 민첩한, 재치 있는.

Anstellung [ánʃtɛluŋ] *f.* -en, 임용; 지위; 취직 자리.

an|stieren [ánʃti:rən] *t.* 응시하다, 노려 보다.

an|stiften [ánʃtɪftən] *t.* ① (나쁜 일 등을) 야기시키다, 꾀하다(*cause, plot*). ② 교사(선동)하다(*incite*). **Anstifter** *m.* -s, -, 주모자; 교사자. **Anstiftung** *f.* -en, 발기(發起), 책모(策謀); 교사.

an|stimmen [ánʃtɪmən] *t.* u. *i.*(h.) (악기를) 탄주하다; (노래를) 부르기 시작하다; 선창하다. ¶ein Klagelied ~ 푸념하다.

Anstōß [ánʃto:s] *m.* -es, ¨e, ① 맞부딪침, 충돌; 습격. ② 최초의 일격(걸어참); 〖蹴〗 킥오프. ③ 충격, 동인(動因). ¶e-n ~ zu et.[3] geben 무엇을 야기하다, 발기(제창)하다. ④ 장애, 방해; 정체(*stammering*). ¶ohne ~ 막힘 없이, 유창하게 / Stein des ~es 〖聖〗 거칠 것, 타락시키는 계기. ⑤ (was jm. moralisch anstößt) 불쾌, 분노(*scandal, offence*). ¶bei jm. ~ erregen (geben) 아무의 감정을 상하게 하다 / an et.[3] ~ nehmen 무엇에 감정을 상하다(분노하다). **an|stōßen*** [ánʃto:sən] 《Ⅰ》 *t.* ① 부딪게 하다, 찧다; 차다. ② (널 따위를) 접합하다; (자국이 드러나지 않도록) 꿰매 맞추다. 《Ⅱ》 *i.*(h.) ① 부딪다, 곱드러지다. ¶bei jm. ~ 아무의 감정을 상하게 하다(*offend*). ② 경계를 접하다. 《Ⅲ》 **anstōßend** *p.a.* 인접한. **an·stößig** [ánʃtø:sɪç] *a.* 감정을 상하게 하는, 불쾌한; 외설한.

an|strahlen [ánʃtra:lən] *t.* 비추다, (을 향하여) 빛나다; 《比》 (에게) 미소짓다.

an|strēben [ánʃtre:bən] *t.* 얻고자 힘쓰다, (에) 도달하려 애쓰다.

an|streichen* [ánʃtraiçən] *t.* ① 칠하다. ② (책의 어떤 곳에) 선을 긋다. ③ 문지르다. **Anstreicher** *m.* -s, -, 페인트(칠)장이(*house painter*).

an|strengen [ánʃtrɛŋən] 《Ⅰ》 ① *t.* 긴장시키다, 정신을 바싹 차리게 하다. ② e-n Prozeß gegen jn. ~ 아무를 상대로 고소하다. 《Ⅱ》 *refl.* 노력하다, 긴장하다(*exert oneself*); 활수하다. 《Ⅲ》 **anstrengend** *p.a.* (힘을) 혹사하는, 노력을 요하는. **Anstrengung** *f.* -en, 긴장, 노력; 노고; 힘드는 일.

Anstrich [ánʃtrɪç] [<anstreichen] *m.* -(e)s, -e, 칠함, 칠 상태; 칠한 면(面); 도료(塗料); 《比》 징후, 기미(*tinge*); 외관, 겉보기(*appearance*); 모양(*air*).

an|stricken [ánʃtrɪkən] *t.* 엮어서 잇다, 짜서 맞추다; (양말의) 바닥을 붙이다.

an|stücke(l)n [ánʃtʏkə(l)n] *t.* 헝겊을 대다, 잇대어 깁다.

an|stürmen [ánʃtʏrmən] *i.*(s.) 돌진(돌격)하다.

an|sūchen [ánzu:xən] 《Ⅰ》 *i.*(h.) (um et., 무엇을) 원하다, 청원하다. 《Ⅱ》 **An·sūchen** *n.* -s, -, 청원(*request*).

ant..[1] [ant-] "대(對)·반(反)·향(向)"의 뜻; 보기: Antonym, 반의어; Antwort, 대답. ☞ENT-.

ant..[2] [ant-] [gr. *anti* „gegen"] =ANTI-(그 母音 앞에서의 꼴).

Antagonist [antagoníst] *m.* -en, -en, 반대자, 적수.

Ant·arktis [ant-árktɪs] [gr.] *f.* 남극(지방). **ant·arktisch** *a.* 남극(지방)의.

an|tasten [ántastən] *t.* 만지다, 손대다; 《比》 침해(훼손)하다.

ante.. [ante-, ánte-] [lat.] =VOR-, VORHER-, VORAN-.

Anteil [ántail] *m.* -(e)s, -e, 몫, 배당(*share, portion*); 《比》 관여, 관심(*interest*); ¶an jm. (et.) ~ nehmen 아무에게(무엇에) 관심을 기울이다, 관여하다.

Antenne [anténə] [lat. „Segelstange"] *f.* -n, 안테나, 공중선; 촉각.

Antho·logie [antologí:] [gr. „Blütenlese"] *f.* ..gīen, 화집(花集), 화보(花譜); 《比》 사화집, 시가선.

Anthrax [ántraks] [gr. „Kohle"] *m.* -, 비탈저(脾脫疽); 옹(癰).

Anthropo.. [antropo-] [gr. *ánthrōpos* „Mensch"] 인간… **Anthropogenie** [-gení:] *f.* 인류 발생론. **Anthropoid** [-í:t] [„der Menschen-ähnliche"] *m.* -en, -en, 〖動〗 유인원. **Anthropologie** *f.* 인류학; 인성학; 〖生〗 진화론.

anti.. [anti-, ánti-] [gr. „gegen"] "반(反)·비(非)"의 뜻(母音 앞에서는 ant..).

Antibiotikum [antibió:tikum] [gr.-lat.] *n.* -s, ..ka, 〖生〗 항생물질.

Antichrist [antikríst, ántikrɪst] *m.* -(e)s, -e *od.* -en, -en, 적그리스도의; 악마.

anticipando =ANTIZIPANDO.

Anti·dōt [antidó:t] [gr. „Gegen-gift"] *n.* -(e)s, -e, 해독제.

Antigēn [antigé:n] [gr.] *n.* -s, -e, 〖醫〗 안티겐, 항원(抗原).

antīk [antí:k] [lat. *antiquus* „alt"] *a.* 고대의; (특히) 그리스 및 로마의(♈*antique*). **Antike** [antí:kə] *f.* ① 고대; 고대 문화(♈*antiquity*). ② (*pl.* -n) 고대 예술품, 골동품(♈*antique*). **Antīken·händler** *m.* 골동 상인.

Antilōpe [antiló:pə] [gr.] *f.* -n, 〖動〗 영양.

Antimilitarismus [-rís-] *m.* -, 반군(反軍)주의.

Antimōn [antimó:n] [ar. -lat.] *n.* -s, 〖比·鑛〗 안티몬.

Anti·neuralgikum [-nɔyrálgikum] [gr. *anti* „gegen" u. Neuralgie] *n.* -s, ..ka, (항(抗))신경통제.

Antinomie [antinomí:] [gr.] *f.* ..mīen, 〖哲〗 이율 배반, 모순, 자가당착.

Antipathie [antipatí:] [gr.] *f.* ..thīen (*ant.* Sympathie) 반감, 혐오.

Antipōde [antipó:də] [gr. „Gegen-füßler"] *m.* -n, -n, 대척자(對蹠者)《지구상의 정반대면에 사는》.

Antīqua [antí:kva] [lat. ☞ANTIK] *f.* 로마(라틴)자체(字體). **Antiquār** [antikvá:r] *m.* -s, -e, 고물(골동품) 상인; 고서 상인. **antiquārisch** *a.* 오래 된; 고물의, 고본(古本)의.

Antisemīt [antizemí:t] *m.* -en, -en, 반 유태주의자, 유태인 배척자. **anti·semītisch** *a.* 반 유태주의의.

anti·zipando [antitsipándo] [it. <lat. *anti-cipāre* „vorweg-nehmen"] *adv.* 사전에, 미리.

Antisepsis [antizépsɪs] [gr.] *f.* 〖醫〗 소독, 방부 처리.

Antithēse [antité:zə] [gr.] *f.* -n, 정반대; 〖修辭〗 대구(對句); 〖哲〗 반립(反立), 반대 명제.

Antizipation [antitsipatsió:n] [lat.] *f.* -en, 선취(先取), 예상; 〖樂〗 선취음; 〖商〗 선불.

Antlitz [ántlɪts] *n.* -es, -e, 《詩》 얼굴, 낯(*face, countenance*).

Anton [ánto:n, (고대인의 이름으로서는) antó:n] [lat. *Antonius*] *m.* 남자 이름.

Ant·onym [antoný:m] [gr. *anti* „gegen", *onyma* „Name"] *n.* -s, -e, (*ant.* synonym) 반의어.

Antrag [ántra:k] *m.* -(e)s, ⸚e [-trɛ:gə] ① 제의, 신청, 제공(*offer, proposition*); (Heirats∼) 청혼(*proposal*); 동의(*motion*). ¶e-n ∼ stellen 제의하다, 동의를 제출하다. ② 〖法〗 제소. **an|tragen*** [ántra:gən] 《Ⅰ》 *t.* 신청하다; 날라오다. 《Ⅱ》 *i.*(h.): auf et.⁴ ∼ 무엇을 동의로 제출하다, 무엇을 제의하다; 무엇을 제소하다. **Antrag·steller** *m.* 제안〔신청〕자; 고소인.

an|trauen [ántrauən] *t.* 결혼시키다.

an|treffen* [ántrɛfən] *t.*: jn. ∼ 아무와 (뜻밖에) 만나다.

an|treiben* [ántraibən] 《Ⅰ》 *t.* ① 몰다, 몰아대다; 《比》 격려하다; 꼬드기다; 추진하다; 움직이게 하다. ② (못 따위를) 두드려 박다; (테 따위를) 끼우다. 《Ⅱ》 *i.*(s.) 표류〔표착〕하다.

an|treten* [ántre:tən] 《Ⅰ》 *i.*(s.) ① 다가가다. ② 열에 끼어 들다. 《Ⅱ》 *t.* (에) 오르다, 들어서다(*enter upon*); (을) 시작하다. ¶e-n Weg ∼ 길을 떠나다 / e-e Reise ∼ 여로에 오르다 / e-e Stelle ∼ 취직하다, 지위에 오르다 / e-e Erbschaft ∼ 재산을 상속하다 / e-n Beweis ∼ 〖法〗 증거를 제시하다.

Antrieb [ántri:p] [<antreiben] *m.* -(e)s, -e, ① 몰아대는 것, 동인, 동기, 추진력(*impulse, motive*); 기동력(*drive*). ② 촉구, 자극; 충동(*stimulus*). ¶ aus freiem ∼ 자발적으로.

Antritt [ántrɪt] [<antreten] *m.* -(e)s, -e, ① 첫 발을 내디딤, 제일보. ② 열에 낌; (어떤 지위에) 오름; 여로(旅路)에 오름; 개시; 취임; 상속; (Regierungs∼) 즉위.

Antritts·besuch *m.* 취임 인사차 방문. **∼rede** *f.* 취임 연설.

an|tun* [ántu:n] *t.* ① (옷을) 입다; (에게) 옷을 입히다 (jn. mit et.). ② (경의 등을) 표하다; (폭력 등을) 가하다, 행사하다(*inflict, do*). ¶sich³ Zwang ∼ 자제하다 / sich³ ein Leid(s) ∼ 자살하다. ③ es jm. ∼ 아무를 호리다, 매혹하다.

Antwort [ántvɔrt] [*eig.* „Gegenrede"] *f.* -en, 답, 회답, 답변(*answer, reply*). **antworten** [ántvɔrtən] *t.* u. *i.*(h.) 대답하다, 답변하다(*answer*).

an|vertrauen [ánfɛrtrauən] *t.* ① 맡기다, 위탁하다(*entrust*). ② (비밀을) 터놓다(*confide*).

anverwandt [ánfɛrvant] *a.* 친척의; 인척간의(*related*).

an|wachsen* [ánvaksən] *i.*(s.) ① 뿌리박다. ② 증대〔증가·팽창〕하다(*increase*); (강물이) 붇다(*swell, rise*).

Anwalt [ánvalt] [*eig.* „der waltet, Gewalt hat"] *m.* -(e)s, -e *u.* ⸚e, ① (Rechts∼) 변호사, 법률 고문(*lawyer, councilor*). ② 대리인(*agent, attorney*).

an|wandeln [ánvandəln] *t.* (기분 따위가) 엄습하다. ¶mich 〔mir〕 wandelt Furcht an 나는 공포에 사로잡힌다. **Anwand(e)lung** *f.* -en, 발작(*attack*); 변덕.

Anwärter [ánvɛrtər] *m.* -s, -, 계승〔상속〕 기대자(*expectant*); (Militär∼) 후보생(*candidate*). **Anwart·schaft** [ánvart-ʃaft] *f.* -en, 기대, 가망; 요구권; 계승권; 후계자, 후보.

an|wehen [ánve:ən] *t.* (에) 불어 대다; (불을) 불어 일으키다; (바람이 눈을) 불어 모으다.

an|weisen* [ánvaizən] *t.* ① 지정〔지시〕하다(*direct, instruct*); 지도〔교도〕하다(*guide*); 명하다(*direct, order*). ② (…의 용도로) 돌리다, 할당하다(*point out*). ¶ jm. Geld ∼ 아무 앞으로 환(換)을 발행하다(*assign*) / auf et. **angewiesen** (*p.a.*) sein 무엇에 의지하고 있다. **Anweisung** [ánvaizʊŋ] *f.* -en, ① 지시, 명령. ② 지도, 교도, 안내; (Gebrauchs∼) 사용법. ③ 지정; 〖商〗 위탁〔지시〕 증권; 환어음, 은행 수표; (Post∼) 우편환.

anwendbar [ánvɛntba:r] *a.* 응용〔적용〕할 수 있는; 유용한. **an|wenden**⁽*⁾ [ánvɛndən] *t.* ① zu et.³: (으로) 돌리다, (에) 쓰다(*employ, use*). ② auf et.⁴: 적용〔응용〕하다(*apply*). ¶ die angewandte (*p.a.*) Chemie 응용 화학. **Anwendung** [ánvɛndʊŋ] *f.* -en, 사용; 적용, 응용.

an|werben* [ánvɛrbən] *t.* ① 모집〔징모〕하다(*levy*). ¶sich ∼ lassen 응모하다. ② jn. zur 〔für die〕 Reise ∼ 아무를 여행하자고 권유하다.

an|werfen* [ánvɛrfən] *t.* 내던지다; 〖工〗 기동(起動)하다(*start, crank*).

Anwesen [ánve:zən] [„Dasein"] *n.* -s, -, 토지, 부동산(*estate*). 《Ⅰ》 **anwesend** *p.a.* 그 자리에 있는, 참석한(*present*). 《Ⅱ》 **Anwesende** *m.* u. *f.* 《形容詞變化》 출석자, 참석한 사람. **Anwesenheit** *f.* 그 자리에 마침 있음, 참석, 열석.

an|widern [ánvi:dərn] *t.*: jn.: (에게) 혐오를 자아내게 하다, 구역질 나게 하다 (*disgust*).

Anwohner [ánvo:nər] *m.* -s, -, 이웃사람 (*neighbour*).

Anwurf [ánvʊrf] [<anwerfen] *m.* -(e)s, ⸚e, 시구(始球); 초구(初球); 애벌칠(*roughcast*); 비방(*aspersion*).

an|wurzeln [ánvʊrtsəln] *i.*(s.) u. *refl.* 뿌리를 내리다〔박다〕.

Anzahl [ántsa:l] [„an" gesetzte „Zahl"] *f.* 어떤 (부정의) 수(數)(*number, quantity*); 다수.

an|zahlen [ántsa:lən] *t.* 선금〔약조금〕으로서 지불하다. **Anzahlung** *f.* -en, 선금 지불; 약조금.

an|zapfen [ántsapfən] *t.* ① (술통의) 마개를 따다; (수액 채취를 위해) 나무껍질을 벗기다. ② 《比》 jn. ∼ 아무에게 돈을 조르다; 아무에게서 (비밀 따위를) 알아내다; 조롱하다.

Anzeichen [ántsaiçən] *n.* -s, -, 표; 기호; 표지; 표시; 징후; 전조.

Anzeige [ántsaigə] *f.* -n, 고시, 공고; 통지, 통보; 통고; (gerichtliche ∼) 계출, 고소; (신문의) 광고; 소개 비평.

an|zeigen [ántsaigən] 《Ⅰ》 *t.* ① 알리다, 통고〔보고·신고·계출〕하다; 공고〔공시〕하다(*announce*); 광고하다(*advertise*); 고소〔밀고〕하다(*denounce*). ② 지시〔예시〕하다(*indicate*). 《Ⅱ》 **anzeigend** *p. a.* 지시하는. ¶〖文〗 ～es Fürwort 지시 대명사. 《Ⅲ》 **angezeigt** *p. a.* 당연한, 적당한.

Anzeige(n)=blatt *n.* 광고면, 광고 신문. **～būrō** *n.* 광고 대리점. **～teil** *n.* 광고난.

Anzeiger [ántsaigər] *m.* -s, -, ① 통고자, 계출인; 고발〔밀고〕자; 광고자. ② 신문명(名). ③ 〖數〗 지수(指數).

an|zetteln [ántsɛtəln] *t.* 날실을 (베틀에) 걸다; 《比》 (나쁜 일을) 꾸미다(*plot, scheme*).

an|ziehen* [ántsi:ən] 《Ⅰ》 *t.* ① 끌어 움직이다, (말이 수레를) 끌다 (*draw, pull*). ② 끌어 당기다, 죄다; (밧줄·현 등을) 팽팽하게 하다; (나사를) 죄다; 죄어치다; 수렴하다. ③ 흡수〔흡입〕하다. ④ (ansich ziehen) 잡아 끌다, 끌어 들이다; (자철이 쇠를) 빨아 들이다; 《比》 (마음을) 끌다, 흥미를 자아내다(*attract, interest*). ⑤ (anführen) 인용하다. ⑥ 몸에 걸치다, 입다(*put on*); (장갑을) 끼다; (신을) 신다. ¶jn. ～ 아무에게 옷을 입히다 / sich ～ 옷을 입다. 《Ⅱ》 *i.* (h.) ① 〖將棊〗 선수를 두다. ② 죄이다; (회반죽이) 굳어지다; (아교·칠 따위가) 잘 붙다, (차가) 떫다. ③ (Feuchtigkeit ～) 습기를 빨아 들이다. ④ (물가가) 앙등하다. 《Ⅲ》 **anziehend** *p. a.* 끌어 당기는, 흥미를 자아내는, 매력 있는. **An=ziehung** [ántsi:ʊŋ] *f.* -en, 끌(어 당기)기; 〖物〗 인력; 《比》 매력.

Anzūg [ántsu:k] [<anziehen] *m.* -(e)s, ⸚e, ① 몸에 걸치는 물건, (한벌의) 옷, 복장; (한 벌의) 신사복. ② 접근, 다가옴. ¶im ～(e) sein 다가 오고 있다. **anzüglich** *a.* 비꼬는(*suggestive*); 빈정거리는, 인신 공격의(*personal*); 음란한, 외설한. **Anzüglichkeit** *f.* 위임; 위의 언행.

an|zünden [ántsʏndən] *t.* (에) 점화〔방화〕하다; 《比》 (감정을) 불태우게 하다; 감격케 하다.

a.O. 《略》 =*a*n (der) *O*der 오데르 강변의.

a.o. (**Prof.**) 《略》 =*a*ußer*o*rdentlich(-er *P*rofessor) (대학의) 원외(員外) 교수.

a.o.M. 《略》 =*a*ußer*o*rdentliches *M*itglied 정원외 멤버.

Aorta [aɔ́rta] [gr.] *f.* ..ten, 〖解〗 대동맥.

ap.. [lat.] an- (=ana)이 p음 앞에서 변한 꼴.

A·pārt·heid [apá:rthait] [südafrikan, <fr. *à part* „getrennt" *u.* ndl. *-heid* „heit"] *f.* (민족) 격리《남아의 인종 차별 정책》.

Apennin [apení:n] *m.* 이탈리아의 산맥 이름.

Apfel [ápfəl] *m.* -s, ⸚, 사과(♈*apple*).

Apfel=mūs *n.* 사과의 설탕조림 **～=schimmel** *m.* 회색 얼룩이 있는 백마.

Apfelsine [apfəlzí:nə] [ndl. „Apfel aus China"] *f.* -n, 〖植〗 오렌지의 일종.

Apfelwein [ápfəlvain] *m.* 사과주.

Aphasie [afazí:] [gr.] *f.* 〖醫〗 실어(失語)증.

Aphēl [afé:l] [gr. -lat.] *n.* -s, -e, 〖天〗 원일점(遠日點).

Aphorismus [aforísmus] [gr. „Abgrenzung"] *m.* -, ..men, 격언, 금언, 경구.

apo.. [apo-] [gr.] =AB-, NIEDER-.

Apo·chromāt [apokromá:t] [gr. *apo* „ab, weg" *u.* *chroma* „Farbe"] *m.* -s, -e, 아포크로마트《적·황·청의 3색에 대해 색수차(色收差)를 한 고급 렌즈》.

Apokalypse [apokalýpsə] [gr.] *f.* 〖聖〗 요한 묵시록.

Apoplexie [apoplɛksí:] [gr.] *f.* ..xien, 〖醫〗 졸중, 뇌일혈.

Apostel [apɔ́stəl] [gr. „Ab-gesandter", Sendbote] *m.* -s, -, (그리스도의) 사도(使徒)(♈*apostle*). **～geschichte** *f.* 사도 행전(使徒行傳).

a posteriori [a: pɔsterió:ri:] [lat.] 〖哲〗 (*ant. a priori*) 경험에 의해, 후천적으로.

Apostrōph [apɔstró:f] [gr. „Abwender"] *m.* -s, -e, 〖文〗 생략 부호(').

Apothēke [apoté:kə] [gr. „Niederlage", Warenlager] *f.* -n, 약방, 약국 (*chemist's shop*). **Apothēker** [apoté:kər] *m.* -s, -, 약제사; 약종상.

Apothēker=kunst *f.* 조제법. **～wāren** *pl.* 의료품.

Ap·parāt [apará:t] [lat. „Zu-rüstung"] *m.* -(e)s, -e, ① 장치, 설비, 기구; (photographischer ～) 사진기; (Fernsprech～) 전화기. ¶Bleiben Sie am ～ (전화에서) 끊지 말고 기다려 주세요. ② 준비; (복잡한) 기구(機構).

Appartement [apartəmã́:] [fr.] *n.* -s, -s, ① 방; 아파트. ② 변소.

Appell [apɛ́l] [fr. „Anruf"] *m.* -s, -e, 점호, 소집; 항소(抗訴). **appellieren** [apɛlí:rən] [lat. „anrufen", anreden] *i.* (h.) (an jn., 아무에게) 호소하다.

Appendix [apɛ́ndɪks] [lat.] *m.* -, ..dizes; *od.* -es, -e, ① (책의) 부록; 부속물. ② (또는 *f.* -e *u.* ..dizes) 〖解〗 충양돌기.

Appetit [apətí:t, ape-] [lat. „Verlangen"] *m.* -(e)s, -e, ① 식욕. ② 욕망, 기호. **appetitlich** *a.* 식욕을 돋구는, 먹음직한; 매혹적인; 사랑스러운.

applaudieren [aplaudí:rən] [lat.] *i.* (h.) u. *t.* (jm. *od.* jn., 에게) 박수 갈채하다. **Applaus** [apláus] *m.* -es, -e, 박수 갈채.

apportieren [apɔrtí:rən] [fr. *aus* lat. „herbeibringen"] *t.* 〖獵〗 (개가) 가져오다, 물고오다.

appretieren [apretí:rən] [fr. „zu-bereiten"] *t.* 마무르다; 광택을 내다《직물·구두에》.

Après-Ski [aprɛʃí:, (fr.) aprɛ:skí] [fr. après „nach" *u.* Ski] *n.* -, -s, 아프레시《스키의 뒤》의 느슨함; (=Après-Ski-Kleidung *f.*) 느슨한 옷.

Aprikōse [apriko:zə] [fr.] *f.* -n, 〖植〗 살구(♈*apricot*).

April [apríl] [lat.] *m.* -(s), -e, 4월. ¶jn. in den ～ schicken 아무를 속여 넘기다《만우절의 장난에서》.

a priori [a: prió:ri:] [lat.] 〖哲〗 (*ant. a posteriori*) 선천적으로.

Apside [apsí:də], **Apsis** [ápsɪs] [gr.

„Rundung"] *f.* ..si̱den, (성당의) 반원형 벽감(壁龕).

Aqua.. [akva–], **Aquä..** [akvɛ–] [lat. *aqua, aquae* „Wasser"] 물의.

Aquarẹll [akvarɛ́l] [it., <lat. *aqua* „Wasser"] *n.* –s, –e, 수채화

Aqua̱rium [akvá:rĭum] [lat.] *n.* –s, ..rĭen, (유리) 어항; 수조; 수족관.

Äqua̱tor [ɛkvá:tɔr] [lat. „Gleicher"] *m.* –s, 적도(赤道). 「사상의》(♈*era*).」

Ä̱ra [ɛ́:ra] [lat.] *f.* ..ren, 시대, 시기《역

A̱raber [á:rabər] *m.* –s, –, 아랍 사람; 아랍산(產) 말. **Arabẹske** [arabɛ́skə] [it.] *f.* –n, 아라베스크《당초무늬》(♈*arabesque*). **Ara̱bĭen** [ará:bĭən] [hebr. „Wüste"] *n.* 아랍. **ara̱bisch** *a.* 아랍(사람·말)의.

Aräome̱ter [arɛomé:tər] *n.* –s, –, 액체 비중계(比重計), 부칭(浮秤).

A̱rbeit [árbait] [*eig.* „Mühsal"] *f.* –en, ① 일; 작업, 노동, 노무, 근로(*work, labour, task*); 제작; 제작품, 작품; 학습, 공부; 연구; 저작. ② 과업, 과제(*exercise*). ③ 일자리, 취직자리, 직업(*job, employment*). ④ 노고, 수고, 애씀(*toil, pains*). ⑤ 일(한) 솜씨, 솜씨(*performance*). ⑥ (맥주 등의) 발효. **a̱rbeiten** [árbaitən] 《 I 》 *i.* (h.) ① 일하다, 노동하다(*work, labour*). ② 노력하다, 애쓰다(*toil*); 공부하다, 연구(에 종사)하다. ③ (기계·기관 따위가) 움직이다, 작용하다; (화산이) 활동하고 있다; (맥주 등이) 발효하고 있다; (목재가) 휘다; (돈이) 이식을 낳다. 《 II 》 *t.* 가공〔세공〕하다, 만들다(*make*); (논밭을) 갈다; (말을) 조교하다. **A̱rbeiter** [árbaitər] *m.* –s, –, 일〔연구〕하는 사람; (Fabrik∼, Hand∼, Lohn∼) 노동자, 노무자, 인부, 공원.

A̱rbeiter·ausschuß *m.* 노동 위원회. **∼bewe̱gung** *f.* 노동 운동. **∼fra̱ge** *f.* 노동 문제. **∼genossenschaft** *f.* 노동 조합.

A̱rbeiterin [árbaitərɪn] *f.* –nen, 여성 노동자, 여공; 〖蟲〗 일벌레《일벌, 일개미》.

A̱rbeit·ge̱ber *m.* 고용주(*employer*). **∼nehmer** *m.* 피고용인, 노동자(*employee*). 「근면한; 힘드는.」

a̱rbeit·sa̱m [árbaitza:m] *a.* 일 잘하는,

A̱rbeits·amt *n.* 직업 소개소; 노동 관서. **∼beutel** *m.* (뜨개것 따위를 넣는) 주머니. **∼dienst** *m.* 근로 봉사. **∼einstellung** *f.* 동맹 파업. **∼fähig** *a.* 노동 능력이 있는. **∼haus** *n.* ① 직업 보도소(*workhouse*). ② 강제 노동소(*penitentiary*). **∼kraft** *f.* 노동력. **∼lohn** *m.* 노임. **∼lo̱s** *a.* 실직한, 무직의. **∼lo̱senunterstützung** *f.* 실업 수당. **∼lo̱senversicherung** *f.* 실업 보험. **∼lo̱sigkeit** *f.* 실업. **∼nachweis** *m.* 직업 소개(소). **∼normgesetz** *n.* 근로 기준법. **∼ordnung** *f.* 취업 규칙. **∼recht** *n.* 노동법. **∼rock** *m.* 작업복. **∼scheu** *a.* 일하기 싫어하는, 나태한. **∼stätte** *f.* 공장, 직장. **∼teilung** *f.* 분업. **∼unfähig** *a.* 노동에 적합치 않은. **∼zeug** *n.* 도구, 공구(工具); 작업복. **∼zimmer** *n.* 작업실; 서재.

Arbitra̱ge [arbitrá:ʒə] [lat. –fr.] *f.* –n, 재정(裁定); 중재(재판); 〖商〗 재정 거래.

Archa̱ikum [arçá:ikum] [gr. *archaîos* „uranfänglich"] *n.* –s, 〖地〗 시생대(始生代). **Archäologi̱e** [àrçɛologí:] *f.* ..gi̱en, 고고학. **Archäozo̱ikum** [arçɛotsó:ikum] *n.* –s, 〖地〗 시생대.

A̱rche [árçə] [lat. „Kasten"] *f.* –n, 궤, 상자(♈*ark*); (노아의) 방주.

Archipe̱l [arçipé:l] [gr.] *m.* –s, –e, 군도(群島)(♈*archipelago*); 〖地〗 (특히 그리스의) 다도해.

Architẹkt [arçitɛ́kt] [gr. „Baumeister"] *m.* –en, –en, 건축 기사; (영화의) 장치 담당. **architekto̱nisch** *a.* 건축(학·술)의; 구성 양식상의; 건축가의. **Architektu̱r** *f.* –en, 건축술, 건축 양식; 구성 양식.

Archi̱v [arçí:f] [gr. –lat.] *n.* –s, –e, 기록집; 문서실; 문고; 문서과. **Archiva̱r** [arçɪvá:r] *m.* –s, –e, 문서〔기록〕원; 문서 과장; 기록 수집가.

Are̱na [aré:na] [lat.] *f.* ..nen, (모래를 깐) 투기장(鬪技場); (원형의) 경기장; 《比》 (정치적) 활동 무대.

arg [ark] [*eig.* „nichtswürdig"] 《 I 》 *a.* ① 나쁜, 불량한(*bad*). ¶im ∼en liegen 나쁜 상태에 있다. ② (도덕상으로 보아) 나쁜, 사악한(*bad, evil*). ¶von et.³ ∼es denken 무엇을 나쁘게 받아들이다; 곱새기다. ③ (übermäßig, stark) 지독한, 심한. ¶ ∼es Versehen 큰 과오. ④ (원래 "나쁜" 概念의 말에 付加될 때에는 다만 그 뜻을 强調함) ein ∼er Sünder 흉악범. 《 II 》 *adv.* 《俗》 (=sehr) 매우, 몹시(*awful, very*). ¶es ist ∼ kalt 날이 몹시 차다. 《 III 》 **Arg** *n.* –s, 악, 악의; 곱새김. ¶ohne ∼ 악의 없이, 타의 없이.

Argenti̱nĭen [argɛntí:nĭən] [lat. *argentum* „Silber"] *n.* 아르헨티나《'은의 나라'의 뜻》.

ärger [ɛ́rgər] ☞ ARG 《그 比較級》.

Ä̱rger [ɛ́rgər] [<(sich) ärgern] *m.* –s, 언잖음, 성냄, 골냄, 분노 (*anger, vexation*); 불쾌한 일, 번거로움(*annoyance*). **ärgerlich** *a.* ① 화를 잘 내는, 성난, 감정을 상한(*angry*). ¶auf jn. 〔über et.⁴〕 ∼ sein 아무에게〔무엇에〕 화를 내고 있다. ② 화나는, 거슬리는, 불쾌한, 분개할 만한(*annoying, vexatious*). **ä̱rgern** [„ärger machen"] 《 I 》 *t.* 성을 내게 하다, 감정을 멋들이다(*annoy, vex*). 《 II 》 *refl.* (über et.⁴, 에 대하여) 화를 내다. **Ä̱rgernis** *n.* –ses, –se, 성을 냄, 분노(*vexation, anger*); 성나게 함, 감정을 멋들임(*offence*); 추문(*scandal*).

A̱rg·list *f.* 간계(奸計), 간지(奸智); 〖法〗 악의. **∼listig** *a.* 간사한, 간악한. ¶∼e Täuschung 사기. **∼lo̱s** *a.* 악의 없는, 순진한; *adv.* 딴 생각 없이.

A̱rgon [árgɔn, argɔ́n] [gr.] *n.* –s, 〖化〗 아르곤《기체 원소의 하나》.

Argumẹnt [argumɛ́nt] [lat.] *n.* –(e)s, –e, 논거, 논증; 개요.

A̱rgwohn [árkvo:n] [<† Argwahn] *m.* –(e)s. 곱새김, 시의(猜疑). **argwöhnen** [árkvø:nən] *i.* (h.) u. *t.* 시의하다, 불신

하다. **argwöhnisch** [-vø:nɪʃ] *a.* 시의심 많은.
a.Rh. 《略》= *a*m *Rh*ein.
Arhythmie, Arrhythmie [arʏtmí:] [gr. *a-* „un-" *u.* Rhythmus] *f.* ..mi̱en, 부정(不整); 〖病理〗 부정맥(不整脈).
Ārie [á:ri̯ə] [it.] *f.* -n, 〖樂〗 가곡; (특히) 영창, 서정조(叙情調)(♈*aria*).
Ārier [á:ri̯ər] [skt. „Edler, Herr"] *m.* -s, -, 아리안 사람. **ārisch** *a.* 아리안 사람의.
Aristokrāt [arɪstokrá:t] [gr.] *m.* -en, -en, 귀족(주의자·정체론자). **Aristo⸗kratie** [-kratí:] [Herrschaft (*kratia*) der Besten (*áristos* „best")] *f.* ..ti̱en, 귀족 정치. **aristokrātisch** *a.* 귀족의; 귀족적인.
Arithmetik [arɪtmé:tɪk, -metí:k] [gr.] *f.* 산수. **arithmētisch** [arɪtmé:tɪʃ] *a.* 산수의.
Arkāde [arká:də] [lat.] *f.* -n, 아치, 홍예; *pl.* 아케이드.
Arktis [árktɪs] [gr. *árktos* „Bär(북극의 별자리 이름)"] *f.* 북극 지방. **ark⸗tisch** *a.* 북극의, 북극 지방의.
Arm [arm] *m.* -(e)s, -e, ① 팔; 팔굽치(♈*arm*). ② 팔 모양의 지형(地形); 지류(支流); (협)만. ③ 팔 모양의 것; 가로대, 자루, 손잡이, (바퀴의) 살. ④ 노동력, 권력.
arm [arm] [*eig.* „besitzlos"] *a.* ① 가난한(*poor*). ② 가련한; 불쌍한(*poor*). ¶ ein ~er Sünder 사형수. ③ 결핍된.
Armatūr [armatú:r] [lat. -it.] *f.* -en, ① 무장; (기계의) 포장, 비품(*fittings*). ② 〖物〗 발전자. **Armatūren⸗brett** *n.* (자동차의) 계기판(計器板).
Arm⸗band *n.* 팔찌; (팔뚝 시계의) 밴드. **~band·uhr** *f.* 팔뚝 시계. **~binde** *f.* 완장; 멜빵 붕대.
Armbrust [ármbrʊst] [*eig.* „Wurfmaschine", <lat. *arcus* „Bogen" *u.* gr. *bállein* „werfen"] *f.* -e *u.* ⸚e, 쇠뇌, 노(弩).
Armee [armé:] [fr. „bewaffnete (Macht)"] *f.* ..me̱en, 육군; 군대(♈*army*).
Ärmel [ɛ́rməl] [mhd. *ermel*, „Ärmlein"] *m.* -s, -, 소매(*sleeve*). ¶ et. aus dem ~ schütteln 《比》 즉석에서 (손 쉽게) 해내다.
Ärmel⸗kanāl *m.* 영불 해협. **~loch** *n.* 진동 둘레(달기).
Armen⸗anstalt *f.*, **~haus** *n.* 구빈원(救貧院); 양로원.
Armēnien [armé:ni̯ən] *n.* 아르메니아 《소 아시아에 있는 소비에트 공화국의 하나》.
Armen⸗kasse *f.* 빈민 구제 기금. **~⸗pflēge** *m.* 빈민 구제.
ärmer [ɛ́rmər] ☞ ARM 《그 比較級》.
armieren [armí:rən] [lat. „bewaffnen"] *t.* (에) 장비[설비]하다(♈*arm*); (자석에) 보자 철편(保磁鐵片)을 붙이다. ¶ armierter Beton 철근 콘크리트.
Arm⸗lehne *f.* (의자의) 팔걸이. **~⸗leuchter** *m.* 갈래진 촛대; (갈래진) 샹들리에.
ärmlich [ɛ́rmlɪç] [<arm] *a.* 가난한, 초라한(*poor, needy*); 비참한(*miserable*).
armsēlig [ármze:lɪç] [<mhd. *armsal* „Elend"] *a.* 가엾은, 비참한, 가련한 (*poor, miserable*); 시시한, 하찮은(*paltry*). **Armsēligkeit** *f.* -en, 위임; 하찮은 사물.
Arm⸗sessel, ~stuhl *m.* 팔걸이 의자.
ärmst [ɛrmst] ☞ ARM 《그 最上級》.
Armūt [ármu:t] [<arm; -ut 는 後綴] *f.* 가난, 빈곤; 결핍(*poverty*).
Arrangement [arɑ̃ʒəmɑ́:] [fr.] *n.* -s, -s, 배열, 정돈; 준비; 조정, 화해; 〖樂〗 편곡.
Arrest [arɛ́st] [lat. <arretieren] *m.* -es, -e, 압류; 〖軍〗 금고; 《學》 (벌로서) 방과후에 남기. **Arrestant** [arɛstánt] *m.* -en, -en, 수감자. **arretieren** [aretí:rən] [lat. -fr.] *t.* 체포[구금]하다; 압류하다; (거마 따위를) 멈추다, 저지하다.
Arsch [a:rʃ, arʃ] *m.* -es, ⸚e, 《卑》 궁둥이(♈*arse*).
Arsēn [arzé:n] [gr. „männlich, stark"] *n.* -s, 비소(砒素).
Arsenāl [arzená:l] [lat. -it.] *n.* -s, -e, 병기창.
Ārt [a:rt] *f.* -en, ① 종, 종류(*kind, sort*); 종족(*race*); 혈통(*breed*). ¶ aus der ~ schlagen 퇴화하다. ② 특질, 성향(*nature*). ③ 방법, 방식, 수법(*way, method*). ¶ auf diese [in dieser] ~ 이 방법으로. ④ 정식, 예절(*manners*). ¶ er [es] hat keine ~ 그는 예의를 모른다[그것은 되어 먹지 않았다].
ārten [á:rtən] *i.* (s.) 어떤 천성을 가지다[얻다]. ¶ nach jm. ~ 아무를 닮다.
Artērie [arté:ri̯ə] [gr.] *f.* -n, 동맥. **~n⸗verkalkung** *f.* 동맥 경화증.
Arthrītis [artrí:tɪs] [gr.] *f.* 〖醫〗 관절염.
artifiziell [artifitsi̯ɛ́l] [lat. -fr.] *a.* 인공[인위]적인.
ārtig [á:rtɪç] [<Art] *a.* (der guten Lebensart gemäß) ① 행실이 좋은, 얌전한 《특히 어린이가》 (*well-behaved*). ② 친절한; 붙임성 있는(*polite, courteous*). ③ 귀여운, 예쁜(*pretty, nice*). **..ārtig** *a.* 《合成用語》 "..성질의"의 뜻. 보기: eigen~ 특수한. **Ārtigkeit** *f.* -en, 행실이 방정함; 찬사, 아첨.
Artikel [artí:kəl, -tíkəl] [lat. *articulus* „kleines Gelenk, Gliedchen"] *m.* -s, -, ① 조항, 항목(♈*article*). ② 〖文〗 관사. ③ (Zeitungs~) 논설(♈*article, feature*); (Leit~) 사설(社說). ④ 품목, 상품.
Artillerie [artɪlərí:, ártɪləri:] [fr. "Geschütz"] *f.* ..ri̱en [-rí:ən], 대포; 포병(대). **Artillerist** *m.* -en, -en, 포병.
Artist [artíst] [fr. <lat. *ars* „Kunst"] *m.* -en, -en, 예능인; (특히 곡마단의) 곡예사. **artistisch** *a.* 예술적인; 기예(技藝)의.
Artur [ártʊr] [kelt. „großer Bär"] *m.* 남자 이름. **Artus** [ártʊs] *m.* 남자 이름; 〖傳說〗 켈트 족의 임금 이름《Arthur 왕》.
Arz(e)nei [a(:)rts(ə)nái] [<Arzt] *f.* -en, 약, 약제, 약품.
Arz(e)nei⸗būch *n.* 처방전. **~kunde, ~kunst** *f.* 약학. **~mittel** *n.* 의약, 약물. **~pflanze** *f.* 약용 식물. **~⸗trank** *m.* 물약. **~wissenschaft** *f.* 약학; 의학.
Ārzt [a:rtst] [gr.] *m.* -es, ⸚e, 의사(*doctor, physician*). **Ärztin** [ɛ́:rtstɪn] *f.* -nen, 여의사(*lady doctor*). **ärztlich** *a.* 의사의, 의술의, 의료상의(*medical*).

As [as] [fr.] *n.* Asses, Asse, (카드나 주사위 눈의) 일, 하나(♈*ace*).

as [as] *n.* -, -, 〖樂〗 내림가음; 내림가 단조(短調). *As n.* -, -, 내림가 장조(長調).

Asbest [asbέst] [gr. „unauslöschlich] *m.* -es, -e, 〖鑛〗 석면(石綿).

A

asch≈bleich *a.* 회백색의. **~blond** *a.* 희끗희끗한 금발의.

Asche [áʃə] *f.* -n, ① 재(♈*ash(es)*). ¶ in ~ verwandeln 태워 버리다. ② 유골. ¶Friede s-r ~! 그의 영혼이 편히 잠드시기를. ③ 먼지; 금전.

Aschen≈bahn *f.* 광재(鑛滓)의 가루를 깐 트랙〔활주로〕. **~becher** *m.* 재떨이. **~brödel** [áʃənbrø:dəl] *n.* -s, -, (Grimm 동화 속의) 신데렐라; 《比》 부엌데기. **~salz** † *n.* 〖化〗 조제(粗製) 탄산카리.

Aschermittwoch [aʃərmítvɔx] *m.* 〖가톨릭〗 재의 수요일《사순절의 첫 수요일; 이마에 재를 발라 참회함》.

asch≈farben, **~farbig**, **~grau** *a.* 잿빛의.

aschig [áʃiç] *a.* 재를 함유한; 재와 같은, 재투성이의.

Asiat [aziá:t] *m.* -en, -en, 아시아 사람. **asiatisch** *a.* 아시아의. **Asien** [á:ziən] *n.* 아시아 주.

Askaris [áskarıs] [gr.] *f.* ..riden, 회충.

Askese [askéːzə] [gr. „Übung"] *f.* 금욕, 고행, (종교적인) 수덕(修德) (♈*asceticism*). **asketisch** [askéːtıʃ] *a.* 고행의, 금욕적인.

Äsop [εzó:p] *m.* 이솝(B.C. 6세기, 그리스의 우화 작가).

Asphalt [asfált, ásfalt] [gr. „Erdpech"] *m.* -(e)s, -e, 아스팔트. **asphaltieren** *t.* (길에) 아스팔트를 깔다.

aß [a:s] ☞ ESSEN (그 過去).

äße [έ:sə] ☞ ESSEN (그 接續法過去).

Assekurant [asekuránt] [lat.] *m.* -en, -en, 보험업자. **Assekuranz** *f.* -en, 보험(회사). **Assekurat** *m.* -en, -en, 피보험자.

Assel [ásəl] *f.* -n, 〖動〗 지네; 쥐며느리 (*woodlouse*).

assentieren [asεntí:rən] [lat.] *i.* (h.) 찬성〔동의〕하다.

Assimilation [asimilatsió:n] *f.* -en, 동화, 동화 작용. **assimilieren** *t.* 동화하다.

Assistent [asıstέnt] [lat.] *m.* -en, -en, 조수, 보좌관.

Assoziation [asotsĭatsió:n] [lat.] *f.* -en, 연합; 조합, 결사, 회사.

Ast [ast] *m.* -es, ⸚e [έstə], ① (줄기에서 나온) 가지(*branch, bough*). ② 나무의 마디, 옹두리(*knot*); 《俗》 혹. ¶ sich[3] e-n ~ lachen 포복 절도하다.

Astatin [astatí:n] [gr.] *n.* -s, 〖化〗 아스타틴《방사성 원소》.

asten [ástən] 《Ⅰ》 *refl.* u. *i.* (h.) 가지가 나오다; 가지 모양으로 분기(分岐)하다; 《俗》 헐떡이다. 《Ⅱ》 *t.*: e-n Baum ~ 나무의 가지를 자르다.

Aster [ástər] [gr. „Stern"] *f.* -n, 〖植〗 (Sternblume)과꽃, 탱알.

Ästhetik [εsté:tık] [gr.] *f.* 미학. **ästhetisch** *a.* 미적인; 아치 있는; 미학상의.

Asthma [ástma] [gr. „schweres Atmen"] *n.* -s, 〖醫〗 천식(喘息). **asthmatisch** *a.* 천식(성)의.

ästimieren [εstimí:rən] [lat.] 평가〔존중〕하다.

Astloch [ástlɔx] *n.* (널빤지의) 옹이 구멍.

Astronom [astronó:m] *m.* -en, -en, [gr.] 천문학자. **Astronomie** [gr. „Stern-gesetz"] *f.* ..nomĭen, 천문학. **astronomisch** *a.* 천문학상의; 천문학적인; 별의, 천체의.

Asyl [azý:l] [gr.] *n.* -s, -e, ① 피난처. ② 수용소(♈*asylum*).

Asymmetrie [azymetrí:] [gr.] *f.* ..trĭen 불균형; 〖數〗 비대칭(非對稱).

A.T. 《略》= *A*ltes *T*estament 구약 성서.

Atavismus [atavísmus] [lat.] *m.* -, ..men, 〖生〗 격세 유전.

Atelier [atəlĭé:, ate-] [fr.] *n.* -s, -s, 아틀리에, 스튜디오(*studio*).

Atem [á:təm] *m.* -s, -, 호흡, 기식(氣息), 숨(*breath*). ¶außer ~ 헐레벌떡 / in ~ halten (숨 돌이킬 새 없이) 몰아대다 / in einem ~ 단숨에 / ~ holen 숨 쉬다, 호흡하다.

Atem≈beschwerde *f.* 호흡 곤란. **~≈holen** *n.* 호흡. **~los** *a.* 숨 가쁜, 숨찬; 숨 쉬지 않는; *adv.* 헐레벌떡. **~not** *f.* 호흡 곤란〔촉박〕. **~übungen** *pl.* 심호흡. **~zug** *m.* 호흡.

Athe·ismus [ateísmus] [gr.; *a-* „un-, -los", *theos* „Gott"] *m.* -, 무신론. **Atheist** *m.* -en, -en, 무신론자.

Athen [até:n] *n.* 아테네《그리스의 수도》.

Äther [έ:tər] [gr. *eig.* „Leuchte, Helle", Himmelsluft] *m.* -s, ① 천공(天空)에 떠도는 영기(靈氣), 에테르(♈*ether*). ② 천공(*sky*). **ätherisch** *a.* 천상의; 정기가 떠도는.

Äthiopien [εtĭó:pĭən] *n.* 이디오피아.

Athlet [atlé:t] [gr.] *m.* -en, -en, (고대 그리스의) 투기사(鬪技士); 운동 선수. **athletisch** *a.* 기골이 늠름한; 힘 드는.

Atlant [atlánt] [gr.] *m.* -en, -en, = ATLAS[2]: der ~ische Ozean 대서양.

Atlas[1] [átlas] *m.* -, 〖希神〗 하늘을 떠받치는 거인. **Atlas**[2] *m.* -ses, -se *u.* ..lanten, 지도책(♈*atlas*); (Bilder~) 도해서(圖解書).

Atlas[3] [átlas] [ar. „glattes Zeug"] *m.* -(ses), -se, 수자(繻子), 새틴, 공단(*satin*). **atlassen** [átlasən] *a.* 수자의, 공단의.

atmen [á:tmən] [<Atem] *i.* (h.) u. *t.* 숨쉬다, 호흡하다(*breath*).

Atmo·sphäre [atmɔsfé:rə] [gr. „Dunstkreis"] *f.* -n, 대기(大氣); 대기권; 기압; 《比》 분위기. **atmo·sphärisch** *a.* 대기의; 기압의.

Atmung [á:tmuŋ] *f.* -en, 호흡.

Atom [ató:m] [gr. *á-tomos* „unteilbar"] *n.* -s, -e, 원자.

Atom≈batterie *f.* 원자로. **~bau** *m.* 원자 구조. **~bombe** *f.* 원자 폭탄. **~brenner** *m.* =~BATTERIE. **~energie** *f.* 원자력. **~getrieben** *a.* 원자력에 의한, 원자력 추진의. **~gewicht** *n.* 원자량.

Atomismus [atomísmus] *m.* -, 원자론.

Atom≈kern *m.* 원자핵. **~kraftkontrolle** *f.* 원자력 관리. **~kraftwerk** *n.* 원자력 발전소. **~müll** *m.* 방사성

폐기물. **~nummer** *f.* 원자 번호. **~physik** *f.* 원자 물리학. **~rakēte** *f.* 핵탄두 로케트. **~säule** *f.* =~BATTERIE. **~sperrvertrāg** *m.* 핵확산 금지 조약. **~sprengkopf** *m.* 핵탄두. **~waffe** *f.* 원자 병기. **~zertrümmerung** *f.* 원자 파괴.

Attacke [atákə] [fr.] *f.* -n, 공격, 습격《특히 기병(騎兵)의》; 〖醫〗 발작.

Attentāt [atɛntá:t] [lat.] *n.* -(e)s, -e, 암살 계획(*attempted murder*). **Attentäter** [-tέ:-] *m.* -s, -, 자객, 암살자(*assailant, criminal*).

Attest [atέst] [lat.] *n.* -es, -e, **Attestāt** [atɛstá:t] *n.* -(e)s, -e, 증명〔감정〕서《특히 전문가의》. **attestieren** [„bezeugen"] *t.* 증명〔감정〕하다(♈*attest; certify*).

Attitüde [atitý:də] [fr.] *f.* -n, 자세, 태도.

Attizismus [atitsísmus] *m.* -, ..men, 아테네 (특유의) 말; 아테네식의 (간결 전아한) 표현; 아테네풍(의 문학 등).

Attrappe [atrápə] [fr.] *f.* -n, 올가미 (♈*trap*); 모조품(*dummy*).

Attribūt [atribú:t] [lat. „Zu-geteiltes", Beigelegtes] *n.* -(e)s, -e, ① 속성(屬性). ② 〖文〗 부가어. ③ 표적이 되는 부속물.

ätzen [έtsən] [„zu essen geben"] *t.* ① (에) 먹이를 주다, 먹이다(*feed*). ② 부식시키다 (*cauterize*); 부각(腐刻)하다 (♈*etch*).

Ätz·kunst *f.* 부각술(腐刻術), 에칭. **~mittel** *n.*, **~stoff** *m.* 부식제(腐蝕劑).

Ätzung *f.* -en, 부식, 부각(한 동판), 에칭.

au! [au] *int.*: au weh! 아야.

auch [aux] *cj.* (u. *adv.*) 도, 또한, 역시 (*also, too, even, likewise*). ¶sowohl ... als ~ …와 같이 …도, … 및 …도 / nicht bloß ... sondern ~ …뿐만 아니라 …도 / wenn ~ 비록 …일지라도 / 《뜻을 一般化하여》 wer er ~ sei 그가 누구이건.

Audienz [audiέnts] [lat. „Gehör"] *f.* -en, 접견(接見), 알현(謁見). ¶ ~ gewähren 접견하다. **Auditor** *m.* -s, ..ditōren, 배석 판사. **Auditōrium** [audító:rĭum] *n.* -s, ..rien, 강당; 청중.

Au(e) [áu(ə)] [=lat. *aqua* „Wasser"] *f.* -n, (강가) 초원(지)(*meadow, green*).

Auer·hahn [áuər-] *m.* 〖鳥〗 뇌조(雷鳥)의 일종《수컷》 (*capercailye*). **~ochs** *m.* 〖動〗 들소(*aurochs*).

auf [auf] [♈ oben, über, offen] 《Ⅰ》 *adv.* ① 위로, 위쪽으로(♈*up, upward*). ¶~ und ab, a) 위아래로 b) 이리저리로 / von klein ~ 어린 시절부터. ② (offen) 열려(*ant.* zu) (*open*). ¶die Tür ist ~ 문이 열려 있다. ③ 일어나. ¶ noch ~ 아직 자지 않고. 《Ⅱ》 *prp.* (어떤 장소 '에 있어서의' 停止 및 運動에서는 3格을, 어떤 장소 '에의 方向' 에는 4格). ① 위에, 위로(♈*upon, on*); …에; …으로. ¶~ dem 〔den〕 Hof 안마당에서〔으로〕 / ~ dem Lande leben 시골에서 살다 / ~ der Schule sein 학교에서 배우고 있다, 재학중이다. ② …의 도중에. ¶~ der Reise sein 여행중이다 / ~ die Reise geh(e)n 여행을 떠나다 / ~ frischer Tat 범행중에. ③ ~ jn. achten 아무에게 주의하다 / ~ Wiedersehen! (재회를 기약하면서:) 안녕히 / es geht ~ drei (3시를 향해서 간다:) 2시 지났다 / ~ ewig 영원히 / ~ et. folgen 무엇의 다음에 오다 / ~ einmal 단번에, 갑자기 / ~ s-n Befehl 그의 명령에 따라서 / ~ diese Weise 이러한 방법으로 / bis ~ den heutigen Tag 오늘날에 이르기까지 / alle bis ~ einen 한 사람을 제외하고 모두. 《Ⅲ》 *cj.*: ~ daß (= damit), …하기 위하여, …을 목적으로.

auf.. [áuf-] [=AUF, *adv.*] 《動詞의 分離前綴》 "위쪽 또는 사물의 윗면으로의 운동, 윗면에 있어서의 존재, 행위에의 자극·복구·종결·개시·개방·갱신 따위" 를 뜻함. 보기: auf|blicken, blickte auf, aufgeblickt.

auf|arbeiten [áuf-arbaitən] 《Ⅰ》 *t.* ① (저장품을) 제작에 다 써 버리다; 수리하다. ② (문을) 억지로 열다. 《Ⅱ》 *i.*(h.) 일을 끝내다. 《Ⅲ》 *refl.* 노력하여 입신양명하다.

auf|ātmen [áuf-a:tmən] *i.*(h.) 길게 숨을 쉬다; 한시름 놓다.

auf|bahren [-ba:rən] *t.* 관대(棺臺)에 얹다. **Aufbahrung** *f.* -en, 위를 하기; 영결식.

Aufbau [áufbau] *m.* -(e)s, -ten, 건축, 건설; (Wieder~) 재건; 조립, 구성; 진열; 〖建〗 건물 위에 덧세운 구조물. **auf|bauen** *t.* 건축하다, 짓다; (auf ein Haus 어떤 집 위에) 세우다〔짓다〕; 《比》 건설〔구성·조직〕하다.

auf|bäumen [áufbɔymən] *refl.* (말이) 뒷다리로 일어서다, 우뚝 서다; 《比》 반항〔거역〕하다.

auf|bauschen [áufbauʃən] 《Ⅰ》 *t.* 부풀게 하다; 《比》 과장하다. 《Ⅱ》 *i.*(s.) u. *refl.* 부풀다.

auf|behalten* [áufbəhaltən] *t.* ① (모자 따위를) 벗지 않고 있다. ② (눈을) 뜨고 있다.

auf|beißen* [áufbaisən] *t.* (호두 따위를) 깨물어 까다.

auf|bekommen* [áufbəkɔmən] *t.* ① 열게〔풀게〕 하다; (모자를) 쓰다. ② 다 먹어 치우다. ③ 《學》 (숙제 따위가) 부과되다. ¶Schläge ~ 매를 맞다.

auf|bessern [áufbɛsərn] *t.* 개선하다. ¶ein Gehalt ~ 증급(增給)하다.

auf|bewahren [áufbəva:rən] *t.* 보존〔보관·저장〕하다; 저축하다. **Aufbewahrung** *f.* -en, 보존, 보관, 저장.

auf|biegen* [áufbi:gən] *t.* 위로 굽히다; 굽혀서 열다〔펴다〕.

auf|bieten* [áufbi:tən] *t.* ① 명령하여 일으키다; 군사를 일으키다, 소집하다; (전력을) 다하다. ② Verlobte ~ 결혼을 공고하다《목사가 설교단에서》.

auf|binden* [áufbɪndən] 《Ⅰ》 *t.* ① (무엇의 위에) 매달다; 《比》 (의무로) 부과하다. ② 풀다《매듭을》. 《Ⅱ》 **aufgeblāsen** *p.a.* 거만한, 건방진(*arrogant*).

auf|blähen [áufblɛ:ən] 《Ⅰ》 *t.* 부풀리다; 팽창시키다《통화·가치를》. 《Ⅱ》 *refl.* 《比》 건방지게 굴다.

auf|blāsen* [áufbla:zən] *t.* 불어서 부풀리다《바람이 돛을》.

auf|blättern [áufblɛtərn] *t.* (책장을) 넘기다; (꽃봉오리를) 피게 하다.

auf|bleiben* [áufblaibən] *i.*(s.) ① 깨어 일어나 있다. ② (문이) 열려 있다.
auf|blicken [áufblıkən] *i.*(h.) (zu et.³, 무엇을) 우러러 보다.
auf|blitzen [áufblıtsən] *i.*(h. *u.* s.) 섬광을 발하다, 번쩍 빛나다.
auf|blühen [áufbly:ən] *i.*(s.) 꽃피다; 《比》 번영하다. 「시 굽다.」
auf|braten* [áufbra:tən] *t.* (고기를) 다
auf|brauchen [áufbrauxən] *t.* 다 써버리다, 소비하다.
auf|brausen [áufbrauzən] *i.*(h. *u.* s.) 끓어오르다, 발효하다, 거품일다; (바람이) 윙윙거리다, (갈채가) 일다; 《比》 격노하다. **aufbrausend** *p.a.* 끓어오르는, 성미 급한, 성 잘 내는.
auf|brechen* [áufbreçən] 《I》 *t.* (자물쇠·문 따위를) 억지로 열다; 파 일으키다《밭을》; (편지를) 뜯다. 《II》 *i.*(s.) ① 갈라지다, 터지다《종기 따위가》. ② 〔軍〕 철영(撤營)하다; (급히) 떠나다, 출발하다.
auf|breiten [áufbraitən] *t.* 넓히다, 늘리다.
auf|bringen* [áufbrıŋən] 《I》 *t.* 열다《문을》; 일으키다, 세우다; (용기를) 불러일으키다; 키우다; 진흥시키다《사업을》; 조달하다《돈을》(*raise*); (증거·증인 따위를) 내세우다; 들다《이유를》; (소문·말·유행 따위를) 퍼뜨리다, 끄집어 내다; 〔軍〕 징집〔소집〕하다; 〔海〕 나포하다; 분개〔격분〕하게 하다(*irritate*). 《II》 **auf·gebracht** *p.a.* 격분한.
Aufbruch [áufbrux] [<aufbrechen] *m.* -(e)s, ⸗e, ① 부수어 열기; 개간(開墾); 〔獵〕 (짐승의 내장의) 척출(剔出). ② 철영; 출발.
auf|brühen [áufbry:ən] *t.* 삶다.
auf|bürden [áufbʏrdən] *t.* 지우다; (무거운 짐·죄 따위를) 부과하다.
auf|bürsten [áufbʏrstən] *t.* (모자·머리카락에) 솔질하다; 솔질하여 광을 내다.
auf|dämmen [áufdɛmən] *t.* 둑을 쌓아 막다.
auf|decken [áufdɛkən] *t.* (의) 덮개를 벗기다; 《比》 적발하다《부정 따위를》; 폭로하다《비밀 따위를》.
auf|drängen [áufdrɛŋən] 《I》 *t.* (문 따위를) 밀어 붙이다; 강요하다. 《II》 *refl.* ① 추근추근하게 들러붙다(jm.). ② (의심·예감 등이) 일다, 닥치다.
auf|drehen [áufdre:ən] *t.* (의) 마개를 비틀어 열다; 비틀어 올리다; (시계·축음기의) 태엽을 감다; 나사로 죄다.
auf|dringen* [áufdrıŋən] *t.* 강제〔강요〕하다. **aufdringlich** *a.* 강제적인, 뻔뻔스러운, 추근추근한(*obtrusive*). **auf⸗dringlichkeit** *f.* -en, 뻔뻔스러움, 추근추근함.
Aufdruck [áufdruk] *m.* -(e)s, -e, (그림 엽서 따위의) 인쇄 본문(本文); 인쇄, 스탬프; 인쇄물. **auf|drucken** *t.* 인쇄하다; 날염(捺染)하다; (도장 따위를) 찍다. **auf|drücken** [-drʏkən] *t.* (문 따위를) 밀어 열다, 눌러 깨뜨리다〔으깨다〕; (도장 따위를) 누르다.
auf·einander [auf-ainándər] [=einer auf dem 〔auf den〕 andern] *adv.* 겹쳐져서, 연달아, 잇달아, 차례차례로.
Auf·einander⸗folge *f.* 계속, 연속. **~|folgen** *i.*(h. *u.* s.) 연속〔계속〕하다. **~platzen** *n.* (의견 등의) 충돌. **~|⸗stoßen*** *i.*(h.) 충돌하다. **~treiben** *n.* (선박의) 충돌.
Aufent·halt [áufənthalt, áufɛnt-] [<† aufenthalten „aufhalten"] *m.* -(e)s, -e, 체재(*stay, sojourn*); 체재지, 기류지.
Aufent·haltsort [-haltsɔrt] *m.* 체류지, 현주소.
auf|erbauen [áuf-erbauən] *t.* 건설하다; 《比》 계발〔교화〕하다. 「명하다.」
auf|erlegen [áuf-ɛrle:gən] *t.* 부과하다,
auf|erstēh(e)n* [áuf-ɛrʃtè:(ə)n] *i.*(s.) 소생하다, 부활하다(*rise from the dead*). **Auf·erstēhung** *f.* -en, 부활(*resurrection*). **Auf·erstēhungsfest** *n.* 부활제.
auf|erwecken [áuf-ɛrvɛkən] *t.* 각성시키다(*revive*); 소생시키다(*raise from the dead*). **Auferweckung** *f.* 소생(*resuscitation*). 「육〕하다.」
auf|erziehen* [áuf-ɛrtsí:ən] *t.* 육성〔양
auf|essen* [áuf-ɛsən] *t.* 다 먹어치우다.
auf|fahren* [áuffa:rən] 《I》 *i.*(s.) ① 오르다, 올라가다; 급히 일어서다; 뛰어오르다; (먼지 따위가) 일다; 격분하다 (*fly into a passion*). ② (창·문 따위가) 갑자기 열리다. ③ (s. *u.* h.) (배·차가) 얹히다, 충돌하다; 좌초하다. 《II》 *t.* 운반하여 나란히 놓다, 정렬시키다. ¶ e-e Batterie ~ 포진을 치다. 《III》 **auf⸗fahrend** *p.a.* 성급한, 화를 잘 내는.
Auffahrt *f.* -en, 상승, 날아 오름; 등반(登攀); (마)차를 탄 채 옴; 차대는 곳, 주차장; 현관 앞의 차도.
auf|fallen* [áuffalən] 《I》 ① *i.*(s.) (의) 위에 떨어지다. ② 《比》 jm. ~ 아무에게 이상한 느낌을 주다, (을) 놀라게 하다, (의) 주목을 끌다(*strike someone*). 《II》 *t.*: sich³ das Knie ~ 굴러〔떨어져서〕 무릎에 상처를 입다. 《III》 **auffal⸗lend** *p.a.*, **auffällig** [áuffɛlıç] *a.* 눈에 띄는(*conspicuous*); 이상한(*striking*).
auf|fangen* [áuffaŋən] *t.* (운동·진행 중인 것을) 붙잡다, 붙들다; (들이치는 것을) 받다; 도청하다; (편지 따위를) 가로채다; (빗물을) 받아 모으다; (뉴스를) 수집하다. 「다, 채색을 다시 하다.」
auf|färben [áuffɛrbən] *t.* 다시 물들이
auf|fassen [áuffasən] *t.* 집어 올리다; 받아 모으다; 파악〔이해〕하다(*catch, conceive*); 해석하다(*interpret*). **Auffas⸗sung** [áuffasuŋ] *f.* -en, 파악, 이해(*apprehension*); 해석(*interpretation*).
Auffassungs⸗gābe *f.*, **~vermögen** *n.* 이해〔파악〕력. 「발견하다.」
auf|finden* [áuffındən] *t.* 찾아 내다,
auf|fischen [áuffıʃən] *t.* 낚아 올리다; 《比》 (뉴스 등을) 탐색하다, 입수하다.
auf|flackern [áufflakərn] *i.*(s.) 확 타오르다. 「다; 폭발하다.」
auf|flammen [áufflamən] *i.*(s.) 타오르
auf|fliegen* [áuffli:gən] *i.*(s.) ① 날아오르다, 날다. ② 폭발하다; 해산하다; 실패하다. ¶ im Feuer ~ 소실(燒失)하다. ③ (문 따위가) 갑자기 〔확〕 열리다.
auf|fordern [áuffɔrdərn] *t.* (zu, 을 하도록) 권유하다; 청(구)하다; 재촉하다, 독촉하다; 도전하다. **Aufforderung** *f.*

-en, 요청, 권유, 유발; 청구; 〖法〗 최고(催告); (~ zum Kampf) 도전.

auf|forsten [áuffɔrstən] *t.* u. *i.*(h.) 조림(造林)하다.

auf|fressen* [áuffrɛsən] *t.* 다 먹어 치우다.

auf|frischen [áuffrɪʃən] *t.* (낡은 것을) 새롭게 하다; 수복(修復)하다; (추억 따위를) 되살리다.

aufführbār [áuffy:rba:r] *a.* 축조할 수 있는; 실행할 수 있는; 상연〔연주〕할 수 있는. **auf|führen** 《I》 *t.* ① 세우다, 쌓아 올리다, 짓다. ② 가지고 오다, 데리고 오다; 끄집어 내다; 배치하다《대포 따위를》; (위병의) 당직이 되게 하다; 인증(引證)하다, 증거를 들다. ¶ein Verzeichnis ~ 목록을 열거하다 / e-n Posten in der Rechnung ~ 어떤 숫자를 계산서에 기재하다. ③ 상연〔상영(上映)〕하다 (*perform, represent*). 《II》 *refl.* (…하게) 행동하다, 거동하다(*behave*). **Aufführung** [áuffy:rʊŋ] *f.* -en, 건축, 쌓음; 상연, 상영; 품행, 거동.

auf|füllen [áuffʏlən] *t.* 채우다, 충전(充塡)하다; 보충하다; 〖建〗 매립〔매축〕하다.

auf|füttern [áuffʏtərn] *t.* 사육하다; 인공 육아하다.

Aufgābe[áufga:bə] [<aufgeben] *f.* -n, (편지·전보 등의) 발송, 발신(*posting, delivery*); 출제; 과업; 임무, 사명; 주문; 과제(*proposition*); 문제(*problem*); 용무, 용건(*task*); 포기(*resignation, giving up*); 기권; 폐업.

auf|gābeln [áufga:bəln] *t.* 포크로 찍다; 《比》 찾아내다(et.); 우연히 만나다 (jn.).

Aufgaben·heft *n.* 연습장, 노트. **~·sammlung** *f.* 문제집.

Aufgang [áufgaŋ] [<aufgehen] *m.* -(e)s, ⸚e, 상승(上昇); (별의) 출현; 난간 달린 층계(*staircase*); 계단(*stairs*).

auf|gēben* [áufge:bən] *t.* 올려 놓다; 지우다, 부과하다; 출제하다(*set propose*); 주문하다(*order*); (편지 따위를) 발송〔투함〕하다; (수화물을) 탁송하다(*post, book, register*); 포기하다, 기권〔단념·중지〕하다(*give up, abandon*). ¶ein Amt ~ 사직하다(*resign*) / den Geist ~ 죽다.

aufgeblāsen [áufgəbla:zən] *p.a.* ☞ AUFBLASEN. **Aufgeblāsenheit** *f.* -en, 오만, 자기 도취.

Aufgebōt [áufgəbo:t] [<aufbieten] *n.* -(e)s, -e, ① 소집, 동원(*levy*); 공고; (Ehe~) 결혼 고시(告示). ② mit ~ aller Kräfte 전력을 다하여.

aufgebracht [áufgəbraxt] *p.a.* ☞ AUFBRINGEN.

aufgedonnert [áufgədɔnərt] [<sich donnern „sich wie e-e Donna 〔Dame〕 aufputzen"] *p.a.* 펑장하게 치장한.

aufgedunsen [áufgədunzən] *p.a.* 부은, 부풀어 오른; 《比》 오만한.

auf|gēh(e)n* [áufge:(ə)n] *i.*(s.) ① 오르다, 올라가다; (불이) 타오르다. ¶ in Rauch ~ 연기로 화(化)하다 / in Flammen ~ 불꽃으로 화하다, 타오르다. ② 싹트다; 피어 나다. ③ 열리다; 풀리다, 느슨해지다《매듭 따위가》; 녹다. ④ 소비되다. ¶in et.[3] ~, a) 무엇 속에 소비〔소멸〕되다, b) 무엇에 몰두〔전념〕하다. ⑤ 나누어지다.

aufgeklärt [áufgəklɛ:rt] *p.a.* ☞ AUFKLÄREN. **Aufgeklärt·heit** *f.* 개화(開化), 문명.

Aufgeld [áufgɛlt] *n.* -(e)s, -er, 〖商〗 환전 수수료(*agio*), 프리미엄; 예약금, 착수금.

auf|gelēgt [áufgəle:kt] *p.a.* ☞ AUFLEGEN.

aufgeräumt [áufgərɔymt] *p.a.* ☞ AUFRÄUMEN. **Aufgeräumt·heit** *f.* 기분이 썩 좋음, 쾌활.

aufgeweckt [áufgəvɛkt] *p.a.* ☞ AUFWECKEN.

auf|gießen* [áufgi:sən] *t.* 붓다, 따르다. ¶Tee ~ 차를 따르다〔달이다〕.

auf|grāben* [áufgra:bən] *t.* 파 헤치다; 일구다《보습·쟁기 따위로》; 발굴하다.

auf|greifen* [áufgraifən] *t.* 주워 올리다; 체포하다.

aufgrund (또는 **auf Grund**) [–grúnt] *prp.* 《2格支配》에 의(거)하여. ¶~ e-r Anzeige 광고에 의하여.

auf|grūnen [áufgry:nən] *i.*(s.) 싹트다, 움트다; 《比》 부활하다.

Aufguß [áufgʊs] [<aufgießen] *m.* ..gusses, ..güsse, 주입(注入); (차를) 따름; 주입물.

auf|hāben* [áufha:bən] *t.* (입·점포) 따위를) 벌리고 있다; (모자를) 쓰고 있다; (짐을) 지고 있다; (과제를) 받고 있다.

auf|hacken [áufhakən] *t.* 파 헤치다, 파 일구다《보습·쟁기 따위로》; 쪼개다《곡괭이 따위로》.

auf|hāken [áufha:kən] *t.* 호크를 벗기다; 고리에서 벗기다.

auf|halten* [áufhaltən] 《I》 *t.* ① 떠바치고 있다(*hold up*); (떨어지는 것을) 바치다; 삼가다, 억제하다(*hold back*); 저지〔방해〕하다(*stop*); 잡아 두다, 억류하다 (*delay, retard*). ② 열어두다(*keep open*). 《II》 *refl.* 머무르다(*stop, stay*); (über, 을) 비방하다(*find fault with*).

auf|hängen [áufhɛŋən] *t.* 걸다, 매달다.

auf|häufen [áufhɔyfən] *t.* 쌓아 올리다; 축적하다; *refl.* 쌓이다, 괴다.

auf|hēben* [áufhe:bən] 《I》 *t.* ① 위로 올리다; 주워〔집어〕 올리다; (옷을) 걷어 올리다, 치우다; 보관〔저장〕하다(*store away, keep*); (을) 보호하다. ¶gut **aufgehoben** (*p.a.*) sein 소중히 간직되어 있다. ② (느닷없이 습격하여) 묶다, 포로로 하다(*seize*). ③ die Tafel ~ 식사를 끝내다. ④ 폐지〔폐기·철회·파기·해소〕하다(*abolish, annul, dissolve, cancel*); 〖哲〗 지양(止揚)하다; (포위망을) 풀다 (*raise*); 〖數〗 약분하다. 《II》 *i.*(h.) 절교하다, 결말을 짓다. 《III》 **Aufhēben** *n.* -s, 야단 법석. ¶viel ~s machen (von, 을) 과장해서 말하다, (에) 대하여 법석을 떨다《viel 은 元來 2格을 支配하였음》. **Aufhēbung** *f.* -en, 위로 올리기; 포박; 〖軍〗 포획; (식사의) 종료; 해산; 폐지, 취소, 파손; 〖哲〗 지양(止揚); 〖法〗 기각(棄却).

auf|heitern [áufhaitərn] 《I》 *t.* 맑게 하다, 개게 하다. 《II》 *refl.* (날씨가) 개다, 맑아지다; (기분이) 가뜬해지다.

auf|helfen* [áufhɛlfən] *i.*(h.): jm. ~ 아무를 부축하여 일으키다 / sich[3] ~ 겨우 일어나다, 고난을 극복하다 / s-m Geschäfte ~ 장사를 번창하게 하다.

auf|hellen [áufhɛlən] 《 I 》 *t.* 밝게 하다; (액체를) 맑게 하다; 《比》 천명〔해명〕하다; (범행을) 규명하다. 《 II 》 *refl.* 밝아지다, 맑아지다, (날씨가) 개다.

auf|henken [áufhɛŋkən] *t.* 교살하다.

auf|hetzen [áufhɛtsən] *t.* (짐승을) 몰아대다; (개 따위를) 부추기다; 《比》 사주〔교사〕하다, 선동하다. **Aufhetzer** *m.* -s, -, 교사자, 선동자.

auf|hissen [áufhɪsən] *t.* 〖海〗 (돛을) 끌어 올리다; (기를) 게양하다.

auf|hocken [áufhɔkən] 《 I 》 *i.*(s.): jm. ∼ 아무에게 업히다/《方》 (schweiz) auf den Wagen ∼ 마차에 타다. 《 II 》 *t.* 등에 지다.

auf|hōlen [áufho:lən] *t.* ① 〖海〗 (기를) 게양하다; (닻을) 감아 올리다; (배를) 물가로 끌어가다. ② 《方》 (뒤진 것 따위를) 되찾다; 만회〔회복〕하다.

auf|horchen [áufhɔrçən] *i.*(h.) 귀를 기울이다, 경청하다.

auf|hōren [áufhø:rən] *i.*(h.) 그만두다, 끝내다, 중지하다(*stop, cease, leave off*). ¶mit et. ∼ 무엇을 그만두다 / da hört doch alles auf 그건 말이 안된다, 이제 그만 해라 / von et. ∼ 어떤 것에 관한 이야기를 중지하다.

auf|jāgen [áufja:gən] *t.* (짐승을) 몰아대다, 몰이하다; (새를) 날려 보내다.

auf|jammern [áufjamərn] *i.*(h.) 소리 높이 울며 슬퍼하다.

auf|jauchzen [áufjauxtsən] *i.*(h.) 환성을 올리다.

Aufkauf [áufkauf] *m.* -(e)s, ⸚e, 사모으기; 매점(買占). **auf|kaufen** *t.* 사모으다; 매점(買占)하다(*buy up*). **Aufkäufer** [-kɔyfər] *m.* -s, -, 대량 구입자《특히 가축 중매인》; 매점하는 사람.

auf|keimen [áufkaimən] *i.*(s.) 싹트다; 《比》 발생하다.

auf|klappen [áufklapən] 《 I 》 *t.* (모자 챙을) 위로 젖히다; (책상의) 뚜껑을 올리다〔열다〕.

auf|klāren [áufklɛ:rən] 《 I 》 *t.* (액체를) 맑게 하다; 분명히 하다(*clear* (*up*)); 천명하다(*elucidate, explain*); 〖軍〗 정찰하다(*reconnoitre*); 계발〔계몽〕하다(*enlighten, instruct*). 《 II 》 *refl.* (날씨가) 개다. 《 III 》 **aufgeklärt** *p.a.* 개화(開化)한; 성교육을 받은; 자유 사상의. **Aufklārung** *f.* -en, 분명하게 함; 해명, 천명; 정찰; 계몽, 교화, 계몽주의《18세기의》.

Aufklārungs≈abteilung *f.* 〖軍〗 수색대, 정찰대. **∼dienst** *m.* 〖軍〗 수색 근무. **∼film** *m.* 성교육 영화. **∼flūg** *m.* 정찰 비행. **∼fūgzeug** *n.* 〖空〗 정찰기. **∼zeit** (18세기의) 계몽 시대.

auf|klēben [áufkle:bən] 《 I 》 *t.* (발라) 붙이다. 《 II 》 *i.*(h.) 점착(粘着)하다.

auf|klinken [áufklɪŋkən] *t.* 손잡이를 돌려서 (문을) 열다.

auf|klopfen [áufklɔpfən] *t.* 두드려서 열다, 쪼개다.

auf|knacken [áufknakən] *t.* 깨물어 깨뜨리다.

auf|knöpfen [áufknœpfən] *t.* (의) 단추를 끄르다.

auf|knüpfen [áufknʏpfən] *t.* 매다; 교수형에 처하다; (매듭 따위를) 풀다.

auf|kochen [-kɔxən] 《 I 》 *i.*(s.) 끓어오르다. 《 II 》 *t.* 다시 끓이다; 바짝 끓이다.

auf|kommen* [áufkɔmən] *i.*(s.) 일어나다; 완쾌하다; 자라나다; 번영하다, 영달〔출세〕하다; 생겨나다; 《比》 발생하다, 유행하다; 세력을 얻다, 대두하다. ¶gegen jn. nicht ∼ können 아무에게 대항할 수 없다 / für et. ∼ 무엇을 보증하다〔책임지다〕.

auf|kratzen [áufkratsən] *t.* ① 긁어서 벌리다〔열다〕. ② 긁어서 적다, 새기다; 헤집다, 괴깔이 일어나게 하다.

auf|kreischen⁽*⁾ [áufkraiʃən] *i.*(h.) 소리〔고함〕치다.

auf|kriegen [áufkri:gən] *t.* 《俗》 ☞ AUFBEKOMMEN.

auf|kündigen [áufkʏndɪgən] *t.* (jm. et., 무엇의) 해약을 예고하다. ¶jm. die Freundschaft ∼ 절교를 통고하다.

Aufkunft [áufkʊnft] [<aufkommen] *f.* ① (*pl.* ..künfte) 수입, 소득. ② † 회복, 치유; 생장.

auf|küssen [áufkʏsən] *t.* 키스하여 눈뜨게 하다; (봉오리 따위를) 키스하여 열리게 하다.

Aufl. 《略》 =*Auf*lage (책의) 판(版).

auf|lachen [áuflaxən] *i.*(h.): (laut) ∼ 홍소(哄笑)〔폭소〕하다.

auf|lāden* [áufla:dən] *t.* ① 싣다, (짐을) 지우다. ¶den Wagen ∼ 마차에 짐을 싣다. ② 〖電〗 재충전(再充電)하다. **Auflāder** *m.* -s, -, 짐싣는 인부, 하역부.

Auflāge [áufla:gə] [<auflegen] *f.* -n, 〖印〗 쇄(刷), 판(版); (책·신문 따위의) 발행 부수; 부담금, 부과금.

auflandig [áuflandɪç] *a.* 〖海〗 (*ant.* ablandig) 뭍으로 부는 (바람).

auf|lassen* [áuflasən] 《 I 》 *t.* ① 〖空〗 상승시키다. ② 열어 두다. ③ 〖法〗 양도하다, 포기하다(*cede*). 《 II 》 *refl.* 《方》 뽐내다, 자만하다. **Auflassung** *f.* -en, 〖法〗 부동산의 양도, 명도; 〖軍〗 철퇴.

auf|lauern [áuflauərn] *i.*(h.): jm. ∼ 아무를 숨어 기다리다, 몰래 노리다.

Auflauf [áuflauf] *m.* -(e)s, ⸚e, 사람의 무리(*crowd*); 소요(*riot, uproar*); 〖料〗 구워서 부풀린 과자《푸딩·슈크림의 종류》(*soufflé*). **auf|laufen*** [áuflaufən] *i.*(s.) ① 부풀다; 늘다, 쌓이다, 증대하다. ② 〖海〗 좌초하다.

auf|lēben [áufle:bən] *i.*(s.) (wieder ∼) 부활하다.

auf|lecken [áuflɛkən] *t.* 남김 없이 핥다.

auf|lēgen [áufle:gən] 《 I 》 *t.* 위에 놓다, 얹다; 붙이다; 걸다; 칠하다; 진열하다, 펼치다, 늘어 놓다; (세금을) 부과하다; (침묵을) 명령하다; 인쇄하다. ★ AUFLAGE. 《 II 》 *refl.* 팔을 괴다; (말이) 재갈을 확 당기다; 반항하다. 《 III 》 **aufgelēgt** *p.a.*: zu et. ∼ sein 무엇을 할 기분이 되어 있다 / gut ∼ 기분이 좋은.

auf|lehnen [áufle:nən] 《 I 》 *t.* 기대게 하다. 《 II 》 *refl.* 기대다; 일어서다; (gegen, 에게) 반항하다(*rebel*). **Auflehnung** [áufle:nʊŋ] *f.* -en, 반항.

auf|lēsen [áufle:zən] *t.* 주워 올리다〔모으다〕.

auf|liegen* [áufli:gən] 《 I 》 *i.*(h.) 위에 있다, 얹혀 있다; 부과되어 있다; 진열되어 있다, 펼쳐져 있다. 《 II 》 *refl.* 욕창(褥瘡)이 생기다.

auf|locken [áuflɔkən] *t.* (머리를)지지다.

auf|lockern [áuflɔkərn] *t.* 느슨하게 하다, 늦추다.

auf|lodern [áuflo:dərn] *i.*(s.) 타오르다.

auflösbar [áufløːsba:r] *a.* 〖化〗 용해할 수 있는; 〖數〗 풀 수 있는. **auf|lösen** [áufløːzən] 《Ⅰ》 *t.* (엉킨 것을) 풀다, 해결하다; 녹이다, 용해하다; 〖數〗 (방정식을) 풀다; 〖樂〗 (불협화음에서 협화음으로) 이행(移行)시키다; 해산〔해소·해체〕시키다. 《Ⅱ》 *refl.* 녹다; 해산〔해소·해체〕되다. ¶sich in Tränen ～ 울음을 터뜨리다. **auflöslich** *a.* =AUFLÖSBAR. **Auflösung** [áufløːzʊŋ] *f.* -en, 풀기; 용해; 분석; 분해; 해체; 붕괴; 용액(溶液); 해결; 해산; 해소; 〖數〗 해식(解式).

auf|machen [áufmaxən] 《Ⅰ》 *t.* 열다; 나누다; (매듭·엉킨 것을) 풀다; 정돈하다; 설비〔준비〕하다(*make up*). 《Ⅱ》 *refl.* 떠나다, 출발하다. **Aufmachung** [-maxʊŋ] *f.* -en, 엶; 정돈, 설비, 장식, (상품의) 포장; 거래 개시; (배우의) 화장; 가짜.

Aufmarsch [áufmarʃ] *m.* -es, ⸗e, 〖軍〗분열 행진; 전개(展開). **auf|marschieren** *i.*(s.) 분열 행진하다; 전개하다.

auf|merken [áufmɛrkən] *i.*(h.) (auf⁴, 에) 주의하다. ¶jm. 〔auf jn.〕 ～ 아무의 말에 귀를 기울이다. **aufmerksam** [áufmɛrkza:m] *a.* 주의깊은, 세심한. **Aufmerksamkeit** *f.* -en, 주의; (세심한) 주의; 곰살궂음; 친절한 언행.

auf|montieren [áufmɔ̃ti:rən, -mɔn-] *t.* 장비하다; 조립하다.

auf|mucken [áufmʊkən] *i.*(h.) (gegen jn.) 항변하다, 반항하다; 《俗》 적대하여 상처를 입다.

auf|muntern [áufmʊntərn] *t.* 눈을 뜨게 하다; 기분을 전환시키다, 즐겁게 하다, 격려하다(*encourage*). **Aufmunterung** [-mʊntərʊŋ] *f.* -en, 위를 하기, 고무, 격려.

auf|mutzen [áufmʊtsən] *t.* 결점 따위(를) 적발하다, 비난하다 (jm. et.).

auf|nägeln [áufna:gəln] *t.* 붙박이다.

auf|nähen [áufnɛ:ən] *t.* 기워 붙이다.

Aufnahme [áufna:mə] [<aufnehmen] *f.* -n, ① 집어〔주워〕 올림; 영접. ② 입학〔입회·입대·입원〕 허가; 수용; 채용; 흡수. ③ 차입(借入), (공채의) 기채(起債). ④ 측량; (서류의) 작성; 기록; 촬영; 취입; 사진. ⑤ 번창, 융성. ¶in ～ kommen 유행〔번성〕하다.

Aufnahme⸗apparat *m.* 사진기; 녹음기. **～leiter** *m.* 촬영 감독. **～prüfung** *f.* 채용〔입학〕 시험. **～raum** *m.* 방송실; 녹음실.

auf|nehmen* [áufne:mən] *t.* ① (집어·주워) 올리다. ¶den Fehdehandschuh ～ 도전에 응하다 / es mit jm. ～ 아무와 겨루다, 에 비견(比肩)하다. ② 수용〔채용〕하다 (*admit*); 영접〔접대〕하다(*receive*). ③ (als et., 무엇으로) 간주하다, 해석하다(*consider, esteem*). ④ (돈을) 차입하다. ⑤ (어떤 지역을) 지도로 그리다, 측량하다(*survey*); 촬영하다; (레코드를) 녹음하다; (기록·표 따위를) 작성하다(*draw up*).

auf|notieren [áufnoti:rən] *t.* 기입하다, 써넣다.

auf|nötigen [áufnøːtigən] *t.* 강제하다, 강요하다.

auf|opfern [áufɔpfərn] *t.* 제물로〔희생으로〕 바치다. **Auf·opferung** *f.* -en, 헌신(적 행위); 희생.

auf|packen [áufpakən] *t.* 짐을 꾸려 싣다; 부담시키다.

auf|passen [áufpasən] 《Ⅰ》 *t.* (모자를) 써 보다. 《Ⅱ》 [*eig.* „durch et. gehend (fr. *passer*) Acht darauf haben“] *i.*(h.) (auf⁴, 에) 주의하다(*attend to*). ¶aufgepaßt! 조심하라 / jm. ～ 아무를 감시하다, 의 동정을 살피다. **Aufpasser** *m.* -s, -, 감시인; 탐정, 스파이.

auf|pflanzen [áufpflantsən] 《Ⅰ》 *t.* (곧추) 세우다; (기를) 게양하다; 착검(着劍)하다. 《Ⅱ》 *refl.* 맞서서 양보하지 않다.

auf|platzen [áufplatsən] *i.*(s.) 파열하다, 터지다.

auf|plüstern [áufplu:stərn] *t.* 깃(羽)을 곧추 세우다; 《比》 뽐내다.

auf|polieren [áufpoli:rən] *t.* 다시 닦다.

auf|polstern [áufpɔlstərn] *t.* (의자 따위의) 쿠션에 새로 속을 넣다.

auf|prägen [áufprɛ:gən] *t.* 각인(刻印)하다, (도장을) 찍다.

auf|prallen [áufpralən] *i.*(s.) 퉁겨 부딛치다; 〖空〗 충돌하다.

auf|protzen [áufprɔtsən] 《Ⅰ》 *t.* u. *i.*(h.): (ein Geschütz) ～ (출발하려고) 대포를 앞차에 연결하다. 《Ⅱ》 *i.*(s.) 《俗》 분격하다.

auf|pumpen [áufpʊmpən] *t.* 펌프로 끌어 올리다〔채우다〕; 《俗》(돈을) 사방에서 꾸어 모으다.

auf|putschen [-pʊtʃən] *t.* 《俗》 선동하다.

Aufputz [áufpʊts] *m.* -es, 치장; († *pl.* -e)(여자의) 장식품; 성장(盛裝). **auf|putzen** *t.* 치장하다, 손질하다.

auf|quellen⁽*⁾ [áufkvɛlən] 《Ⅰ》 (强變化) *i.*(s.) 솟아오르다〔나오다〕; 끓어오르다; 부풀어오르다. 《Ⅱ》 (弱變化) *t.* (콩 따위를) 물에 담가 불리다.

auf|raffen [áufrafən] 《Ⅰ》 *t.* 옷을 추켜〔걷어〕올리다. 《Ⅱ》 *refl.* (갑자기) 일어서다, 분기하다.

auf|ragen [aufra:gən] *i.*(h.) (hoch ～) 높이 솟아오르다.

auf|rappeln [áufrapəln] *refl.* 《俗》 분기하다; 회복하다; 결심하다.

auf|räumen [áufrɔymən] 《Ⅰ》 *t.* 치우다, 청소하다; 제거하다, 걷어치우다; 〖軍〗 소탕하다; 〖商〗 팔아 치우다. 《Ⅱ》 **aufgeräumt** *p.a.* 《比》 기분이 좋은 (*merry in high spirit*).

auf|rechnen [áufrɛçnən] 《Ⅰ》 *t.* 계산서에 적어 넣다, 기장하다. 《Ⅱ》 *t.* u. *i.*(h.): gegen et. ～ 무엇과 상쇄하다.

aufrecht [áufrɛçt] [*eig.* „aufgerichtet“] *a.* ① 곧추 선, 똑바른, 수직의(*upright, erect*). ② 솔직한. **aufrecht|(er)halten*** *t.* 똑바르게 유지하다; 《比》 보지〔견지〕하다(*maintain*). **Aufrecht(er)⸗haltung** *f.* -en, 똑바르게 유지함; 《比》 보지, 견지, 고집(*maintenance*).

auf|recken [áufrekən] *t.* 위로 펴다. ¶sich ～ 몸을 펴다 / die Ohren ～ 귀를 쫑긋 세우다〔기울이다〕.

auf|regen [áufre:gən] 《Ⅰ》 *t.* 격동시키다, 소란하게 하다, 혼란을 일으키다; (먼지 따위를) 일으키다; 《比》 도발〔자극〕하다. 《Ⅱ》 *refl.* 울컥하다, 《比》 흥분하다.

《Ⅲ》 **aufgerēgt** [-kt] *p.a.* 격한, 흥분한; 신경 과민의. **Aufrēgung** *f.* -en, 자극, 선동(*agitation*); 흥분(*excitement*).

auf|reiben* [áufraibən] 《Ⅰ》 *t.* 문질러 벗기다; 닳아 없애다; 《比》 지치게 하다; (군대를)소탕하다(*mop up*). 《Ⅱ》 *refl.* 지쳐 버리다. 《Ⅲ》 **aufreibend** *p.a.* 소모성의; 지치게 하는.

auf|reihen [áufraiən] *t.* 배열하다, 실에 꿰다(진주 따위를).

auf|reißen* [-raisən] 《Ⅰ》 *t.* 열어 젖히다, 찢다, 부수다, 쪼개다; (눈을) 크게 뜨다, 벌리다; 파헤치다; 약도를 그리다. 《Ⅱ》 *refl.* 책 열리다, 찢다; 벌떡 일어서다. 《Ⅲ》 *i.*(s.) 찢어지다, 부서지다, 쪼개지다, 풀리다.

auf|reizen [áufraitsən] *t.* 자극[선동·도발]하다.

auf|rennen* [áufrɛnən] 《Ⅰ》 *i.*(s.) ① 뛰어 올라가다. ② 〖海〗 좌초하다. 《Ⅱ》 *t.* (문 따위를) 뛰어가 부딛쳐 열다.

auf|richten [áufrɪçtən] 《Ⅰ》 *t.* 똑바로 세우다, 일으키다(*erect, set up*); 《比》 위로하다, 격려하다(*comfort*). 《Ⅱ》 *refl.* 기운을 되찾다; 일어서다. **aufrichtig** *a.* 정직한, 솔직한(*upright, straightforward*); 성실한(*sincere*). **Aufrichtigkeit** *f.* -en, 똑바름; 솔직; 성실.

auf|riegeln [áufri:gəln] *t.* (문을) 빗장을 빼서 열다.

Aufriß [áufrɪs] [<aufreißen] *m.* ..sses, ..sse, 겨냥도, 약도(*sketch, draft*); 입면도(立面圖), 투사도(投射圖)(*ant.* Grundriß)(*upright projection*).

auf|ritzen [áufrɪtsən] *t.* 찢어서 열다.

auf|rollen [áufrɔlən] 《Ⅰ》 *t.* (감은 것을) 풀다, 열다, 펼치다; (문제를) 제출하다; 말아 올리다; (적을) 석권(席卷)하다. 《Ⅱ》 *refl.* 감기다, 돌돌 말리다; 머리칼을 곱슬곱슬하게 하다.

auf|rücken [áufrʏkən] *i.*(s.) 승진[진급]하다; 〖軍〗 전진하다.

Aufrūf [áufru:f] *m.* -(e)s, -e, 소리 높이 외침; 불러냄, 호소; 호출, 소환; (은행 지폐의) 회수; 〖軍〗 호명 점호. **auf|rūfen*** *t.* 큰 소리로 부르다[말을 건네다]; (특히 교실에서) 지명하다; 점호하다; 불러 내다, 호출[소환]하다; (추억 등을) 상기시키다; (은행권을) 회수하다.

Aufruhr [áufru:r] *m.* -(e)s, -e, 격동, 소요(♀ *uproar*), 폭동, 내란(*mutiny, riot*). **auf|rühren** [áufry:rən] *t.* 휘젓다, 교반(攪拌)하다; 《比》 소란을 일으키다; 선동하다. **Auf|rührer** *m.* -s, -, 선동자; 폭도. **aufrührerisch** *a.* 선동적인; 반란을[소요를] 일으키는.

auf|rüsten [áufrʏstən] 《Ⅰ》 *i.*(h.) 군비를 확장하다(*ant.* abrüsten). 《Ⅱ》 *t.* (…의) 비계를 짜다; (집 따위를) 짓다; 설비[정비]하다. **Aufrüstung** [áufrʏstʊŋ] *f.* -en, 군비 확장.

auf|rütteln [áufrʏtəln] *t.* 흔들어 일으키다; 《比》 분기시키다.

aufs [aufs] 《略》 =*auf* das (das는 定冠詞).

auf|sacken [áufzakən] *t.* 어깨에 지다; 등에 지게 하다(jm. et.); 《方》 (병 따위를) 얻어걸리다.

auf|sāgen [áufza:gən] *t.* ① 암송하다, 읊다(*recite*). ② (의) 해약을 예고하다. ¶Freundschaft ~ 절교하다 / jm. (den Dienst) ~ a) 해고를 통지하다, b) 사임하겠다고 통고하다.

auf|sammeln [áufzaməln] *t.* ① 주워 모으다. ② 모으다.

aufsässig [áufzɛsɪç] [<aufsitzen] *a.*: jm. ~ sein 아무에게 a) 적의를 품다, b) 반항하다.

Aufsatz [áufzats] [<aufsetzen] *m.* -es, ⸚e, ① 위에 놓는 것(*top*); (가구의) 머리 장식, (Kopf∼) 머리 장식; (Tafel∼) 식탁 중앙의 장식물; 〖工〗 두피(頭被). ② (schriftlich Aufgesetztes) 작문, 문장, 논문(*composition, essay*).

auf|saugen[(*)] [áufzaugən] *t.* ① 빨아 올리다. ② 빨아들이다, 흡수하다.

auf|schärfen [áufʃɛrfən] *t.* ① 갈다; (톱 따위의) 날을 세우다. ② (짐승의) 가죽을 벗기다.

auf|schauen [áufʃauən] *i.*(h.) 쳐다보다; (책 따위에서) 눈을 들다.

auf|scheuchen [áufʃɔyçən] *t.* 〖獵〗 (을러서) 몰아대다.

auf|schichten [áufʃɪçtən] *t.* (층을 이루도록) 쌓아 올리다, 포개어 쌓다.

auf|schieben* [áufʃi:bən] *t.* (문 따위를 안에서) 밀어 열다; 연기[유예]하다 (*put off, delay, postpone, adjourn*).

auf|schießen* [áufʃi:sən] *i.*(s.) 분출하다; 날아 오르다; 갑자기 일어나다; 무럭무럭 자라다.

Aufschlāg [áufʃla:k] *m.* -(e)s, ⸚e, ① 쳐올림; 〖테니스〗 서브; 눈을 뜸; (책을) 폄; 가격 등귀(*rise*); 접은 옷깃; 깃 두르기; 소맷부리; (모자의) 차양; (직물의) 날실. ② (떨어져·튀어) 부딪침; (탄환의) 되튐, 탄착(彈着); 추가액; 부가세(付加稅).

auf|schlāgen* [áufʃla:gən] 《Ⅰ》 *t.* ① 쳐 올리다; 〖테니스〗 서브를 넣다; 걷어[접어]올리다; 젖히다; (위로) 올리다; 값을 올리다. ② ein Gelächter ~ 웃어대다; 쳐서 열다; (쳐서) 쪼개다; (통의) 마개를 뽑다; (종기를) 터뜨리다; 열다; (책을) 펴다. ③ 쳐서 박다, (쳐서) 세우다. ¶ein Zelt ~ 천막을 치다. 《Ⅱ》 *i.*(s.) ① 값이 오르다, 등귀하다. ② 떨어져(…의 위에) 부딪치다.

auf|schließen* [áufʃli:sən] 《Ⅰ》 *t.* 열다; (문의) 자물쇠를 열다. 《Ⅱ》 *i.*(h.): (die Glieder) ~ 집결하다. 《Ⅲ》 *refl.* 마음 속을 털어놓다. 《Ⅳ》 **aufgeschlossen** *p.a.* 마음을 터놓은.

auf|schlitzen [áufʃlɪtsən] *t.* (가로) 찢다, 베어 가르다.

auf|schluchzen [áufʃluxtsən] *i.*(h.) 마구 흐느껴 울다.

Aufschluß [áufʃlʊs] [<aufschließen] *m.* ..sses, ..schlüsse, (열쇠로) 엶; 《比》 개시(開示), 해명(*information*). **aufschlußreich** *a.* 계발적(啓發的)인.

auf|schmelzen* [áufʃmɛltsən] 《Ⅰ》 *t.* 녹여서 부착[접합]시키다; 녹이다; 녹여서 열다. 《Ⅱ》 (强變化뿐) *i.*(s.) 녹다; 녹아서 열리다.

auf|schmücken [áufʃmʏkən] *t.* 화려하게 꾸미다.

auf|schnallen [áufʃnalən] *t.* (의) 죔쇠를 풀다; 죔쇠로 죄다.

auf|schnappen [áufʃnapən] *t.* 덥석 물다; 《比》 우연히 듣다, 엿듣다.

auf|schneiden* [áufʃnaidən] 《Ⅰ》 *t.* ① 남김없이 베어 내다. ② 절개하다. ¶mit dem großen Messer ~ 허풍떨다. 《Ⅱ》 *i.*(h.) 허풍치다, 떠벌리다(*swagger, brag*). **Aufschneider** *m.* -s, -, 허풍선이. **Aufschneiderei** [auf-rái] *f.* -en, 과장, 허풍, 거짓말.

auf|schnellen [áufʃnɛlən] *i.*(s.) 뛰어〔튀어〕 오르다.

Aufschnitt [áufʃnɪt] [<aufschneiden] *m.* -(e)s, -e, 절개(切開); 째진 틈; 베어낸 조각. ¶kalter ~ 냉육(冷肉)《햄 따위의 얇은 조각》.

auf|schnüren [áufʃny:rən] *t.* (의) 끈을 풀다.

Aufschößling [áufʃœslɪŋ] *m.* -s, -e, 묘(苗), 애가지, 어린 가지; 풋나기, 젊은이; 벼락 부자〔출세한 사람〕.

auf|schrauben(*) [áufʃraubən] *t.* 나사로 죄다; (의) 나사못을 거꾸로 틀어 열다.

auf|schrecken(*) [áufʃrɛkən] 《Ⅰ》《强變化》 *i.*(s.) 깜짝 놀라 뛰어오르다. 《Ⅱ》《弱變化》 *t.* 깜짝 놀라게 하다, 놀라 일어서게 하다.

Aufschrei [áufʃrai] *m.* -(e)s, -e, 고함; 절규(絶叫).

auf|schreiben* [áufʃraibən] *t.* 적어 두다, 기입〔기록〕하다.

auf|schreien* [áufʃraiən] 《Ⅰ》 *i.*(h.) 고함치다; 절규하다. 《Ⅱ》 *t.* 고함쳐 일으키다.

Aufschrift [áufʃrɪft] [<aufschreiben] *f.* -en, 겉봉 쓰기, (편지 겉봉의) 주소 성명(*address*); 첨지(貼紙), 부찰(付札)(*label, ticket*); (책의) 표제(*inscription*).

Aufschub [áufʃu:p] [<aufschieben] *m.* -(e)s, ¨e, 연기, 유예(*postponement, delay, adjournment*).

auf|schultern [áufʃultərn] *t.* 어깨에 지다; 《比》 부담하다; 과(課)하다 (jm. et.).

auf|schürzen [áufʃʏrtsən] *t.* 소매를 걷어〔접어〕 올리다.

auf|schütten [áufʃʏtən] *t.* ① 쌓아 올리다, 퇴적하다; (흙을 쌓아 올려) 만들다《제방 따위를》. ② 뿌리다; 부어 넣다.

auf|schwatzen [áufʃvatsən] *t.* 지껄여 팔아 넘기다, (거짓말을) 곧이듣게 하다.

auf|schweben [áufʃve:bən] *i.*(s.) 떠오르다, 팔랑팔랑 날아 올라가다.

auf|schwellen(*) [áufʃvɛlən] 《Ⅰ》《强變化》 *i.*(s.) 부풀어오르다; 부풀다; 증대하다, 붇다. 《Ⅱ》《弱變化》 *t.* 위를 하게 하다.

auf|schwingen* [áufʃvɪŋən] *i.*(s.) u. *refl.* 가볍게 뛰어오르다; 《比》 비약하다; 분기하다. **Aufschwung** [áufʃvʊŋ] *m.* -(e)s, ¨e, 비상(飛翔), 비약; 《比》 약진, 발흥(勃興); 〔商〕 호황, 호경기. ¶e-n ~ zehmen 비약하다, 분기하다.

auf|sehen* [áufze:ən] 《Ⅰ》 *i.*(h.) 쳐다보다, 우러러보다; (에) 주의〔주목〕하다. 《Ⅱ》 **Aufsehen** *n.* -s, 남의 이목을 끎; 주의, 주목. ¶ ~ erregen 세인의 이목을 끌다, 센세이션을 일으키다. **Aufseher** [áufze:ər] *m.* -s, -, 감시인, 감독(*overseer, inspector*); 관리인(*keeper*).

auf|sein* [áufzain] *i.*(s.) 일어나〔자지 않고·깨어〕 있다; 열려 있다.

auf|setzen [áufzɛtsən] 《Ⅰ》 *t.* ① 일으키다, 세우다; 쌓아 올리다; 조립(組立)하다. ② (위에) 놓다, 얹다; 씌우다; (모자를) 쓰다; (돈을) 걸다, (안경을) 끼다; 설치하다; (축제일 따위를) 정하다; 기초(起草)〔작성〕하다《편지·문서 따위를》(*draw up*). 《Ⅱ》 *refl.* (말에) 오르다, 타다; 일어나다《잠자리에서》.

auf|seufzen [áufzɔʏftsən] *i.*(h.) (장)탄식하다.

Aufsicht [áufzɪçt] [<aufsehen] *f.* -en, 감시, 감독(*inspection, charge*).

Aufsichts=beamte [áufzɪçtsbə-amtə] *m.* 《形容詞變化》 감독관. ~**behörde** *f.* 감독 관청. ~**rat** *m.* 감독 위원회, 감사부(監事部); 〔商〕 감사(監事).

auf|sitzen* [áufzɪtsən] *i.*(h.) 똑바로 앉아 있다, 일어나 있다; 〔海〕 좌초해 있다; (s.) (말 또는 차를) 타다.

auf|spähen [áufʃpɛ:ən] *t.* 탐지하다.

auf|spalten(*) [-ʃpaltən] 《Ⅰ》 *t.* 쪼개다. 《Ⅱ》 *i.*(s.) 쪼개지다.

auf|spannen [-ʃpanən] *t.* 펴다, 펼치다.

auf|sparen [-ʃpa:rən] *t.* (나중을 위하여) 남겨 두다, 저축〔저장〕하다.

auf|speichern [-ʃpaiçərn] *t.* 창고에 쌓아 올리다, 저장〔저축〕하다.

auf|speisen [-ʃpaizən] *t.* 다 먹어 치우다.

auf|sperren [-ʃpɛrən] *t.* 활짝 열다.

auf|spielen [-ʃpi:lən] 《Ⅰ》 *t.* u. *i.*(h.) 연주하다. 《Ⅱ》 *refl.* 거드름 피우다, 뽐내다.

auf|spießen [-ʃpi:sən] *t.* 찌르다; 찔러서 꽂다.

auf|spreizen [áufʃpraitsən] 《Ⅰ》 *t.* 펼치다, 잡아당겨 펴다, 열어 젖뜨리다. 《Ⅱ》 *refl.* 손발을 펼치다; 《比》 어깨를 재다, 뻐기다.

auf|sprengen [-ʃprɛŋən] *t.* 부수어 열다; 폭파하다.

auf|sprießen* [áufʃpri:sən] *i.*(s.) 싹이 나다, 발생하다; 생육하기 시작하다.

auf|springen* [-ʃprɪŋən] *i.*(s.) ① 뛰어〔튀어〕오르다, 날아 오르다. ② 갑자기 열리다; 찢어〔쪼개〕지다, 금이 가다, (살이) 트다.

auf|spritzen [áufʃprɪtsən] 《Ⅰ》 *i.*(s.) 분출하다. 《Ⅱ》 *t.* 분출시키다.

auf|sprudeln [-ʃpru:dəln] *i.*(s.) 용솟음치다, 끓어오르다; 《比》 불끈하다, 화내다.

auf|spulen [áufʃpu:lən] *t.* 실패에 감다.

auf|spülen [áufʃpy:lən] *t.* 씻어 정하게 하다.

auf|spüren [-ʃpy:rən] *t.* 〔獵〕 냄새를 맡아내다; 《比》 찾아내다, 알아내다.

auf|stacheln [-ʃtaxəln] *t.* 자극〔선동〕하다.

auf|stampfen [-ʃtampfən] *i.*(h.) 발을 구르다, 짓밟다.

Aufstand [áufʃtant] [<aufsteh(e)n] *m.* -(e)s, ¨e, (군중의) 봉기, 반란, 폭동(*insurrection, revolt*). **aufständisch** [áufʃtɛndɪʃ] *a.* 반란〔폭동〕을 일으킨. ¶die ~en 폭도; 반도(叛徒).

auf|stapeln [-ʃta:pəln] *t.* 쌓아 올리다; 저장〔저축〕하다.

auf|starren [áufʃtarən] *i.*(h.) 위를 응시하다; 직립(直立)하다, 치솟다.

Aufstau [áufʃtau] *m.* -(e)s, -e, 퇴적물.

auf|stechen* [-ʃtɛçən] *t.* 찌르다; 찔러서 열다, 찔러 터뜨리다; 〔醫〕 절개하다.

auf|stecken [-ʃtɛkən] *t.* 위쪽에 꽂다; (옷을) 걷어 올려서 핀으로 꽂다; 꽂아 넣다; 꽂아 세우다. ¶ein Licht ~ 촛불을 세우다; 《比》 (jm., 아무에게) 진상(眞相)을 밝히다.

auf|stēh(e)n* [-ʃte:(ə)n] *i.* (s.) ① 일어서다, 일어나다(*stand up*); 기상하다; 반항하여 일어서다(gegen jn.) (*revolt*); 출현하다《별·예언자가》; 일어서다, 곧추서다. ② (h. *u.* s.) 똑바로 서 있다, 우뚝 솟아 있다. ③ (h. *u.* s.) 열려 있다(*stand open*).

auf|steigen* [-ʃtaigən] 《Ⅰ》 *i.* (s.) 오르다, 올라가다; (지면이) 가파르게 되다; (바람이) 일다; (어떤 생각이) 떠오르다, 싹트다. 《Ⅱ》 **aufsteigend** *p. a.* 상승하는; 물매진.

auf|stellen [áufʃtɛlən] 《Ⅰ》 *t.* 세우다, 두다; 건조하다; (덫을) 놓다; (기계를) 장치하다; 〖軍〗 (포진을) 펴다; (군대를) 배치하다; 제기〔제출〕하다. 《Ⅱ》 *refl.* 정렬하다, 열을 짓다. **Aufstellung** [-ʃtɛluŋ] *f.* -en, 세움, 놓음; 건설, 설치, 조립(組立), 진열; 〖軍〗 배치; 대형; 제출; 주장, 진술; 추거(推擧).

auf|stemmen [áufʃtɛmən] 《Ⅰ》 *t.* ① 기대게 하다, 받치다, 버티다. ② 쇠지레(Stemmeisen)로 열다. 《Ⅱ》 *refl.* 몸을 뻗쳐 일어서다.

Aufstieg [áufʃti:k] [<aufsteigen] *m.* -(e)s, -e, 상승.

auf|stempeln [-ʃtɛmpəln] *t.* 도장을〔스탬프를〕 찍다.

auf|stöbern [-ʃtø:bərn] *t.* 〖獵〗 몰아내다; 《比》 찾아내다.

auf|stören [-ʃtø:rən] *t.* 교란하다; 헤집다, (불 따위를) 부채질하다; 흥분시키다.

auf|stoßen* [-ʃto:sən] 《Ⅰ》 *t.* 밀어〔쳐서·차서〕 열다. 《Ⅱ》 *i.* ① (s.) 끓다, 발효하다. ② (s.) 트림하다, (먹은 것이) 넘어오다(*belch*). ③ (s.) 일어나다, 생기다; 만나다. ④ (s. *u.* h.) 충돌하다, 부딪다; 〖海〗 좌초하다. ¶ jm. ~ 아무에게 부딪치다, 일어나다. 《Ⅲ》 **Aufstoßen** *n.* -s, 밀어 엶〔올림〕; 〖醫〗 트림.

auf|strēben [-ʃtre:bən] *i.* (h.) 오르려고 노력하다; 향상하려고 애쓰다(*aspire*).

auf|streichen* [-ʃtraiçən] *t.* (위에) 칠하다.

auf|streifen [-ʃtraifən] *t.* (소매를) 걷어 올리다; 스쳐 벗기다.

auf|streuen [-ʃtrɔyən] *t.* (위에) 뿌리다.

Aufstrich [áufʃtrɪç] [<aufstreichen] *m.* -(e)s, -e, (글자의) 위쪽으로 그은 획; 겉에 바른 것《버터 따위》.

auf|stülpen [-ʃtʏlpən] *t.* ① 위로 (접어) 젖히다. ¶ e-e aufgestülpte Nase 들창코. ② (모자 따위를) 덮어씌우다.

auf|stürmen [-ʃtʏrmən] 《Ⅰ》 *i.* (s.) 냅다 뛰어올라가다. 《Ⅱ》 *t.* 흥분시키다, 선동하다; (문 따위를) 밀쳐 열다.

auf|stützen [-ʃtʏtsən] 《Ⅰ》 *t.* 받치다, 버티다. 《Ⅱ》 *refl.* 기대다 (auf et.[4]).

auf|sūchen [-zu:xən] *t.* 찾다, 수색하다; 방문하다(*call on*).

auf|tākeln [-ta:kəln] 《Ⅰ》 *t.* (배를) 의장(艤裝)하다; *refl.* 잔뜩 치장하다. 《Ⅱ》 **aufgetakelt** *p. a.* 《比》 잔뜩 치장한.

auf|tauchen [-tauxən] *i.* (s.) 떠오르다; 《比》 출현하다, (별안간) 나타나다.

auf|tauen [-tauən] 《Ⅰ》 *i.* (s.) (얼음 따위가) 녹다. 《Ⅱ》 *t.* 녹이다; 〖經〗 (동결을) 풀다.

auf|teilen [-tailən] *t.* 남김없이 나누다, 분배하다.

auf|tischen [-tɪʃən] *t.* 《俗》 식탁에 차려 놓다; 대접하다.

Auftrāg [áuftra:k] *m.* -(e)s, ⸚e, 위임(*commission*); 〖商〗 주문, 신청(*order*). ¶ jm. ~ von 의 위임에 의해 **auf|trāgen*** [áuftra:gən] *t.* ① 올려놓다; 위에 놓다; (음식을) 식탁에 나르다; (빛깔을) 칠하다; 착색하다. ¶ dick ~ 《比》 과장하다. ② 부과시키다, 위임〔의뢰〕하다(*charge*). ③ (의복을) 입어서 해뜨리다.

Auftrāg·gēber *m.* 위임자; 〖商〗 주문한 사람. **~nehmer** *m.* 수탁자(受託者); 〖商〗 지정 대리인.

auf|treiben* [áuftraibən] *t.* ① 위로 밀어 올리다; (먼지를) 일으키다. ② 몰아대다. ③ 촉성 재배하다. ④ 부풀리다. ⑤ 구하여 찾다; (자금을) 조달하다. ⑥ (문 따위를) 밀어 열다.

auf|trennen [-trɛnən] *t.* (솔기를) 뜯다, 풀다.

auf|trēten* [áuftre:tən] 《Ⅰ》 *i.* (s.) ① 걸어 나오다; 나타나다; 일어나다. ② (h.) (땅을) 밟다; (s.) 걸음을 옮기다. ③ 《比》 행동〔거동〕하다(*behave*). 《Ⅱ》 *t.* 발길로 차서 (문을) 열다. 《Ⅲ》 **Auftrēten** *n.* -s, 출현, 출장(出場), 등장(*appearance*); 행동, 태도(*behaviour*).

Auftrieb [áuftri:p] [<auftreiben] *m.* -(e)s, -e, 몰아 올림; (Almtrieb) (알프스 목장으로) 가축을 몰아댐; 자극, 격려; 〖空〗 양력(揚力)(*lift*); 부력(*buoyancy*).

Auftritt [áuftrɪt] [<auftreten] *m.* -(e)s, -e, 발판; (현관 따위의) 층층대; 출현; 〖劇〗 등장; 장(場)(*scene*).

auf|trocknen [-trɔknən] 《Ⅰ》 *i.* (s. *u.* h.) 바싹 마르다. 《Ⅱ》 *t.* 바싹 말리다; 닦아내다.

auf|trumpfen [áuftrʊmpfən] *i.* (h.) od. *t.* 〖카드〗 으뜸패를 내다; 뻐기다; 자랑하다(*swagger*).

auf|tūn* [áuftu:n] *t.* 열다, 벌리다; *refl.* 열리다.

auf|türmen [-tʏrmən] *t.* 쌓아 올리다, 중첩시키다; *refl.* 중첩〔누적〕되다.

auf|wachen [-vaxən] *i.* (s.) 눈뜨다, 깨어나다.

auf|wachsen* [-vaksən] *i.* (s.) 생장하다; (사람이) 어른이 되다.

auf|wallen [áufvalən] *i.* (s.) 끓어오르다; (파도가) 일다; (감정이) 격화하다. **Aufwallung** *f.* -en, 비등, 끓어오름; 《比》 격정, 흥분; 〖醫〗 항진(亢進).

auf|wälzen [-vɛltsən] *t.* 굴려 올리다〔신다〕; 《比》 짊어지우다; (책임 등을) 전가하다.

Aufwand [áufvant] [<aufwenden] *m.* -(e)s, 경비, 지출(*expense*); 낭비, 호사. ¶ großen 〔viel〕 ~ machen 〔treiben〕 사치하다.

auf|wärmen [áufvɛrmən] *t.* ① 다시 데우다; 다시 끓이다. ② 《比》 (묵은 이야기·옛일 따위를) 다시 꺼내다.

Aufwarte·frau *f.* = AUFWÄRTERIN; 날품팔이 여자, 파출부. **~geld** *n.*, **~lohn** *m.* 행하, 팁.

auf|warten [áufvartən] *i.* (h.): jm. ~ 아무의 명령을 기다리다, 아무를 시중들다(*wait upon, attend on*) / jm. mit et.[3] ~ 아무에게 무엇을 드리다〔바치다〕 / aufzuwarten! 예, 알겠읍니다; 예, 그렇습니다《대답으로서》. **Aufwärter** *m.* -s, -, 사환; 시종. **Aufwärterin** *f.* -nen, 여사환, 시녀; 스튜어디스.

aufwärts [áufvɛrts] *adv.* 위쪽으로(♈ *upward(s)*).

Aufwartung [áufvartʊŋ] *f.* -en, ① 시중, 서비스. ② † 의례적 방문. ¶ jm. s-e ~ machen 아무를 예방하다《경의를 표하기 위해》. ③ 가정부, 파출부.

Aufwasch [áufvaʃ] *m.* -(e)s, 설것이할 식기; 그것들을 씻기. **auf|waschen*** [-vaʃən] *t.* (특히 식기 등을) 씻어 깨끗이 하다.

auf|wecken [-vɛkən] 《Ⅰ》 *t.* 잠을 깨우다; 소생시키다; 《比》 격려하다. 《Ⅱ》 **aufgeweckt** *p. a.* 활발〔민속〕한, 영리한(*bright, lively*).

auf|weichen [-vaiçən] 《Ⅰ》 *t.* 부드럽게 하다; 적시다. 《Ⅱ》 *i.* (s.) 무르게 되다, 젖다, 축축해지다.

auf|weinen [-vainən] *i.* (h.) 울음을 터뜨리다.

auf|weisen* [-vaizən] *t.* 내보이다, 제시하다(*show, exhibit*).

auf|wenden(*) [-vɛndən] *t.* (돈·노력을) 들이다, 소비하다(*spend, bestow*). ¶ vergeblich ~ 낭비하다.

auf|werfen* [-vɛrfən] 《Ⅰ》 *t.* ① 위로 던지다; (먼지나 거품을) 일으키다; 위로 잦히다. ② 돌을 던져 열다, 떠받아서 열다《문 따위를》. ③ (무엇의) 위로 던지다; 제출하다《문제·의문을》. 《Ⅱ》 *refl.*: sich gegen jn. ~ 아무에 반항하다 / sich zum [als] Anführer ~ 지휘자를 참칭(僭稱)하다.

auf|wērten [áufve:rtən] *t.* u. *i.* (h.) (의) 가격을 〔가치를〕 인상하다《떨어진 공채 등의》; 재평가하다. **Aufwērtung** *f.* -en, 〖經〗 화폐가치 인상(*revaluation*).

auf|wickeln [-vɪkəln] *t.* ① 감아 올리다; (머리를) 말아서 땋다. ② (감은 것을) 풀다; (아이의) 기저귀를 풀다.

auf|wiegeln [-vi:gəln] [<bewegen „erregen"] *t.* 선동하다(*stir up*), 사주하다.

auf|wiegen* [áufvi:gən] *t.* ① (와) 같은 중량을〔가치를〕 갖다; (손실 등을) 메우다. ② et. mit et. ~ 무엇을 딴 것과 균형을 잡다(*counterbalance*), 보상하다(*compensate for*).

Aufwiegler [áufvi:glər, -vi:k-] *m.* -s, -, 선동자(*agitator*). **aufwieglerisch** *a.* 선동적인. **Aufwieg(e)lung** *f.* -en, 선동(*instigation*).

Aufwind [áufvɪnt] *m.* 〖空〗 상승 기류(上昇氣流).

auf|winden* [-vɪndən] 《Ⅰ》 *t.* ①휘감다. ② (닻 따위를) 감아 올리다. 《Ⅱ》 *refl.* 휘감아 올라가다《덩굴 따위가》.

auf|wirbeln [-vɪrbəln] *t.* (먼지 따위를) 회오리쳐 일어나게 하다. ¶ Staub ~ 《比》 소동을 일으키다.

auf|wischen [-vɪʃən] *t.* 깨끗이 훔치다.

auf|wühlen [-vy:lən] *t.* 파 뒤집다; 도려내다; 휘젓다; 선동하다(*agitate*).

Aufwuchs [áufvu:ks, áufvuks] [<aufwachsen] *m.* -es, ..wüchse, 어린 나무숲; 《比》 자녀, 자손. **~ziffer** *f.* (인구) 증가율.

auf|zählen [-tsɛ:lən] *t.* 세어 나가다, 열거하다; (맞돈을) 지불하다.

auf|zäumen [-tsɔymən] *t.* 고삐를 걸다. ¶ 《俗談》 das Pferd beim Schwanze ~ 전후를 그르치다; 본말을 전도(顚倒)하다.

auf|zehren [-tse:rən] 《Ⅰ》 *t.* 다 먹다; 소비하다(*use up*); 소모시키다(*consume*). 《Ⅱ》 *refl.* 소모하다.

auf|zeichnen [áuftsaiçnən] *t.* 기재〔기록〕하다; (의) 약도를 그리다. **Aufzeichnung** *f.* -en, 기재, 기록(*note, record*).

auf|zeigen [áuftsaigən] *t.* 내보이다, 제시하다.

auf|ziehen* [áuftsi:ən] 《Ⅰ》 *t.* ① 끌어올리다; 올리다; (시계의) 태엽을 감다. ② (어린 아이를) 교육하다(*bring up, rear*). ③ 우롱〔조롱〕하다. ④ 열다; (마개를) 뽑다; 개최하다, 실행하다《어떤 안(案)을》. ¶ groß ~ 야단스럽게 하다. ⑤ (돛·천막 따위를) 펴다, 치다. 《Ⅱ》 *i.* (s.) ① 대열을 지어 행진하다. ② 출현하다. ③ (폭풍이) 일어나다; (안개 따위가) 끼다; 〖軍〗 (위병이) 당직이 되다. **Aufzucht** [áuftsʊxt] *f.* 사육(飼育); 배양(培養). **Aufzūg** [áuftsu:k] *m.* -(e)s, ⸚e, ① 끌어올림; 〖劇〗 막(*act*); 날실(*warp*); 기중기(*crane*); 승강기(*lift, elevator*). ② 행진; 행렬(*procession*); (위병의) 든번; 복장, 옷차림(*attire*).

auf|zwängen [áuftsvɛŋən] *t.* (문·자물쇠 따위를) 억지로 열다.

Aug·apfel [áʊk-apfəl] *m.* 안구; 눈; 《比》 총아, 장중지옥.

Auge [áugə] *n.* -s, -n, ① 눈, 시력(♈ *eye*); 《比》 안목, 통찰, 주의. ¶ jn. nicht aus den ~n lassen 아무에게서 눈길을 떼지 않다 / große ~n machen 놀라서 눈을 크게 뜨다 / ganz [lauter] ~ sein 정신없이 바라보다, 뚫어지게 바라보다 / ein ~ **auf** et.[4] haben 무엇에 주목하고 있다 / **aus** den ~n verlieren 놓쳐 버리다 / **bei** et. ein ~ zudrücken 어떤 일을 관대히 봐주다 / ein ~ **für** et. haben 무엇을 볼 줄 알다, 안목을 가지고 있다 / jm. **ins** ~ fallen 아무의 눈에 뜨이다, 주의를 끌다 / der Gefahr ins ~ sehen 위험을 직시하다, 두려워하지 않다 / **mit** bloßem ~ 육안으로 / **unter** vier ~n 단 둘이서, 비밀리에 / **vor** js. ~n 아무의 안전에서. ② 〖植〗 싹, 봉오리, 눈; 구멍; 바늘귀; (끈 따위의) 고리, 매듭, 귀; (주사위 따위의) 점(點). **äugeln** [ɔ́ygəln] *i.* (h.) (mit, 을) 눈짓하다, (에) 추파를 던지다(*ogle*).

Augen⸗ārzt *m.* 안과 의사(*oculist*). **~⸗bank** *f.* 안구 은행.

Augenblick [áugənblɪk, 때로 augənblɪ́k] *m.* 깜빡임(*twinkling (of an eye)*); 순간(*moment*); 기회, 시기(*instant*). **augen⸗blicklich** [áugənblɪk-, 종종 augənblɪ́k-] 《Ⅰ》 *a.* 일순간의; 당장의; 지금의, 현재의; 일시적인. 《Ⅱ》 〔또는 **augenblicks**〕 *adv.* 순식간에; 즉각적으로, 곧; 현하, 당분간.

Augen⸗bōgen *m.* 〖解〗 홍채(虹彩). **~⸗braue** *f.* 눈썹. **~dienerei** *f.* 눈비음, 표리 부동한 근무 태도. **~entzün⸗dung** *f.* 안(구)염. **~fällig** *a.* 눈에 뜨이는; 현저한, 명백한. **~flimmern** *n.* 안화 섬발(眼火閃發), 광시증(光視症). **~glās** *n.* 접안(接眼) 렌즈; 안경(알). **~heilkunde** *f.* 안과학. **~höhle** *f.* 안와(眼窩). **~licht** *n.* 시력. **~lid** *n.* 눈꺼풀. **~māß** *n.* 목측(目測); 목측

능력. **∼merk** *n.* 목표. ¶sein ∼merk auf et.[4] richten 무엇에 주목하다, 목표 삼다. **∼nerv** *m.* 시신경. **∼salbe** *f.* 안연고(眼軟膏).

Augenschein [áugənʃain] *m.* 목격, 실지로 봄; 외관(*appearance, view*); 검증, 임검(*inspection*). ¶in ∼ nehmen 검증하다. **augenscheinlich** [áugənʃainlıç, 종종 augənʃáin–] *a.* 목격에 의한; 명백한(*apparent, evident*); *adv.* 목격한 바로는. **Augenscheinlichkeit** [áugənʃain–, 종종 augənʃáin–] *f.* 명백함, 자명한 이치. **Augenscheins·einnahme** *f.* 〖法〗현장 검증.

Augen=schirm *m.* (말의) 눈가리개. **∼schwäche** *f.* 약시(弱視). **∼spiegel** *m.* 검안경(*ophthalmoscope*). **∼stern** *m.* 동공(*pupil*). **∼täuschung** *f.* 환시(幻視). **∼triefen** *pl.* 진무른 눈. **∼trost** *m.* 눈요기; 〖植〗(현삼과의) 약용 좁쌀풀. **∼wasser** *n.* 세안약; 눈물. **∼weide** *f.* 눈요기; 눈의 모양. **∼wimper** *f.* 속눈썹. **∼zahn** *m.* 송곳니. **∼zeuge** *m.* 목격자, 실제 증인. **∼zeugnis** *n.* 실증; 목격.

Äuglein [ɔ́yglain, ɔ́yk–] *n.* -s, -, 작은 눈; 싹, 봉오리.

Augsburg [áuksburk] *n.* -s, 독일 바이에른 주의 도시 이름.

August 《I》[áugust] [lat. „der Erhabene"] 남자 이름. 《II》[augúst] ["황제 Augustus에게 바친 달"] *m.* -(e)s *u.* -, -e, 8월.

Auktion [auktsĭó:n] [lat. "Versteigerung"] *f.* -en, 경매. **Auktionator** [-tsĭoná:tɔr] *m.* -s, ..toren, (직업적) 경매인. **auktionieren** *t.* 경매에 부치다.

Aula [áula] [gr. „Vorhof"] *f.* ..len *u.* -s, (학교의) 대강당 ((*large*) *hall*).

Aureole [aureó:lə] [lat.] *f.* -n, (성상의) 후광(後光); 〖天〗햇무리, 달무리.

Aurikel [aurí:kəl] [lat. „Öhrchen"] *f.* -n, 〖植〗앵초속.

Aurora [auró:ra] [lat. „Morgenröte"] *f.* 〖羅神〗① 여명의 여신. ② 오로라, 서광, 극광. **aurorafarben** *a.* 오로라색의, 불그레한.

aus [aus] 《I》*adv.* ① (方向) 밖으로. ¶von hier ∼ 여기서부터 / von Haus ∼ 원래 / auf et.[4] ∼ sein 어떤 일을 꾀하다. ② (完了) es ist ∼ mit ihm 그는 볼장 다 봤다. 《II》*prp.* (3格支配) (의 안에서) 밖으로, 에서부터; …출신〔태생〕의; …가 원인으로; …로 된. ¶er ist ∼ der Schweiz 그는 스위스 태생이다 / ∼ dem Deutschen übersetzen 독일어에서 번역하다 / ∼ Holz 나무로 된, 나무의 / ∼ diesem Grund 이 이유에서 / ∼ Mangel an Geld 돈의 결핍에서 / ∼ Erfahrung 경험에서.

aus.. [áus–] [=aus, *adv.*] (分離動詞의 前綴; 항상 악센트가 있음) "밖으로"의 뜻을 나타내며, 전하여 "활동 또는 상태의 종료·완성·중지, 제외, 연장, 발현, 제시, 선택"의 뜻도 나타냄. 보기: aus|gehen, ging aus, ausgegangen.

aus|arbeiten [áus-arbaitən] 《I》*t.* 다 만들어 내다, 완성하다(*work out*); (퇴고(推敲)하여) 완성시키다(*compose*); 조탁(彫琢)하다(*elavorate*). 《II》*refl.* 신체를 단련하다(*take exercise*). **Ausarbeitung** *f.* -en, 끝마침, 완성; 퇴고(推敲); 문장; 조탁(彫琢).

aus|arten [áus-a:rtən] *i.*(s.) 변성(變性)〔퇴화·퇴폐〕하다(*degenerate*). **Aus·artung** *f.* -en, 변성, 퇴화, 퇴폐.

aus|atmen [áus-a:tmən] 《I》*t.* 내뿜다; (냄새를) 발산하다. ¶(比) den Geist ∼ 죽다. 《II》*i.*(h.) 죽다, 숨이 끊어지다. 《III》*refl.* 한숨 돌리다, 휴식하다.

aus|ätschen [-ɛ:tʃən] *t.* 조롱〔모욕〕하다.

aus|backen[(*)] [-bakən] 《I》*t.* 충분히 굽다, 다 굽다. 《II》*i.* ① (h.) 다 굽다. ② (s.) 충분히 구워지다.

aus|baden [áusba:dən] *t.* ① 씻다, 가시다, 헹구다. ② 갚다, 뒤치다꺼리 하다.

Ausbau [áusbau] *m.* -(e)s, -ten, 준공, 낙성; (比) 성취; 〖建〗돌출부, 증축; (比) 확장; 〖坑〗채광을 다함.

aus|bauchen [áusbauxən] *t.* 불룩하게 하다; *refl.* 불룩해지다.

aus|bauen [áusbauən] *t.* 돌출시켜 건축하다; (比) 확장하다(*extent*); (조립된 것을) 철거하다; 준공〔낙성〕하다; (比) 성취하다(*complete*); 〖坑〗채광을 다하다.

aus|bedingen[(*)] [áusbədıŋən] ① (durch e-e Bedingung ausmachen) 계약〔약정〕하다(*stipulate*). ② (계약에서) 제외하다, (조건으로서) 유보하다.

aus|beißen* [áusbaisən] *t.* ① 물어 뜯(어 내)다; (比) 물어 부러뜨리다; 배척하다, 배제하다.

aus|bessern [áusbɛsərn] *t.* 충분히 개선하다, 수리〔보수〕하다; (시문 따위를) 첨삭(添削)하다.

aus|betten [áusbɛtən] *t.* (손님을) 한데에 재우다, 쫓아내다.

Ausbeute [áusbɔytə] *f.* -n, 이득, 수익, 산출고(*gain, profit, yield*); 〖化〗수량(收量).

aus|beuteln [áusbɔytəln] *t.* ① (가루를) 체로 쳐내다. ② (돈을) 지갑에서 꺼내다; (의) 돈을 털어내다〔빼앗다〕.

aus|beuten [áusbɔytən] *t.* ① (땅에서) 수익을 얻다. ② (남의 약점을) 이용하다; 〖坑〗채굴하다(*exploit*); 최대한으로 이용하다(*make the most of*) ③ (比) 표절하다; 혹사〔착취〕하다(*sweat*). **Ausbeuter** *m.* -s, -, 이용〔혹사·착취〕자. **Ausbeutung** *f.* -en, 채굴; 경작; 지력을 다 이용함; 착취, 혹사.

aus|biegen* [áusbi:gən] 《I》*t.* 바깥 쪽으로 굽히다, 활 모양으로 휘게 하다. 《II》*i.*(s.) (vor jm., 아무를) 피하다(*evade*).

aus|bieten* [áusbi:tən] *t.* ① (상품 따위를) 팔려고 내놓다; (경매에서) 값을 많이 매겨 이기다(jn.).

aus|bilden [áusbıldən] 《I》*t.* ①형성하다, 만들어내다(*perfect, form*); 발달시키다(*develop*). ②양성〔육성·교육〕하다, 수양〔수업〕시키다(*cultivate*); 훈련하다(*train*). 《II》*refl.* 형성되다, 완성하다; (종기 따위가) 생기다. **Ausbildung** *f.* -en, 형성; 발달; 훈련, 교육, 양성; 수양, 수업; 완성.

aus|bitten* [áusbɪtən] *t.*: sich³ et. ~ 무엇을 요구하다《당연한 일로서》/ das bitte ich mir aus 그것을 꼭 부탁하네; 《反》 그것은 사양하겠다.

aus|blāsen* [áusbla:zən] *t.* ① 불어 제거하다. ② (등화 등을) 불어 끄다. ¶ 《比》 jm. das Lebenslicht ~ 아무를 죽이다. ③ 나팔을 불어 알리다. ④ (피리 따위를) 다 불다.

aus|bleiben* [áusblaibən] 《Ⅰ》 *i.*(s.) ① 밖에 머무르다, 돌아오지 않다; 지체하다; ② (있어야만 할 것이) 빠져 있다, 결석하다; (기대에 반하여) 일어나지 않다, 생기지 않다, 오지 않다. ¶die Enttäuschung wird nicht ~ 틀림없이 환멸일 것이다. 《Ⅱ》 **Ausbleiben** *n.* -s, 돌아오지 않음, 미착(未着); 부재; 〖法〗결석; 지체; 중단(中斷).

Ausblick [áusblɪk] *m.* -(e)s, -e, 조망(眺望)(*outlook*); (장래의) 가능성, 전망, 예상(*prospect*). **aus|blicken** *i.*(h.) 조망하다, 예상하다.

aus|blūten [áusblu:tən] 《Ⅰ》 *i.*(h.) 출혈이 그치다; 피를 모두 흘려 버리다. 《Ⅱ》 *t.*: sein Leben ~ 출혈하여 죽다.

aus|bohren [-bo:rən] *t.* 도려내다, (에) 구멍을 뚫다; 《比》(잔을) 단숨에 비우다.

aus|bomben [-bɔmbən] *t.* 폭격으로 태워 없애다.

aus|booten [-bo:tən] *t.* 작은 배로 (본선에서) 상륙시키다; 《戲》 퇴직〔파면〕시키다.

Aus|brāten* [-bra:tən] *t.* 충분히 굽다.

aus|brechen* [-brɛçən] 《Ⅰ》 *t.* ①부수어〔비틀어〕 떼다, 꺾어 떼다; (돌 따위를) 잘라 내다; (이빨을) 부러뜨리다. ②깍지를 벗기다《콩 따위의》. ③(먹은 것을) 토해 내다(*vomit*). 《Ⅱ》 *i.*(s.) ① 부서져 떨어지다. ② 부수고 나오다, 탈출〔탈옥〕하다; 갑자기 나타나다; 벗어나다; 범람하다. ③ 《比》 발발〔돌발〕하다. ¶in Tränen ~ 울음을 터뜨리다 / in ein lautes Lachen ~ 와락 웃음을 터뜨리다.

aus|breiten [áusbraitən] 《Ⅰ》 *t.* 펴다, 넓히다; 펼치다, 열다; 유포하다, 퍼뜨리다, 보급〔유행〕시키다. 《Ⅱ》 *refl.* 퍼지다, 번다, 처지다; 유포되다, 보급〔유행·만연〕되다. ¶sich über et.⁴ ~ 무엇에 관하여 장광설을 늘어놓다. **Ausbreitung** *f.* -en, 확장; 전파, 유포, 보급; 유행; 만연.

aus|brennen* [áusbrɛnən] 《Ⅰ》 *i.*(s.) (내부가) 다 타다; 불이 다 타다. ¶ ein ausgebrannter (*p. a.*) Vulkan 사화산(死火山). 《Ⅱ》 *t.* (껍데기는 남기고 속을) 태워 내다; (통 따위를) 유황으로 그을리다, 소독하다; (상처 따위를) 소작제(燒灼劑)로 지지다.

aus|bringen* [áusbrɪŋən] *t.* ① 밖으로 내다; (병아리를) 부화시키다; (아이를) 낳다. ② js. Gesundheit ~ 아무의 건강을 위해 축배를 들다 / e-n Trinkspruch ~ 축배의 인사를 하다, 건배하다.

Ausbruch [áusbrux] [<ausbrechen] *m.* -(e)s, ¨e, 돌출; 탈출; 파옥(破獄); 돌발; 발발; 폭발. ¶zum ~ kommen 돌발〔폭발〕하다.

aus|brūten [áusbry:tən] *t.* 부화(孵化)하다; 《比》 (나쁜 일 등을) 꾀하다(*plot*).

Ausbuchtung [áusbuxtuŋ] *f.* -en, 만곡; (해안의) 굴곡; 〖醫〗 팽출부(膨出部); 와(窩).

aus|būgeln [áusby:gəln] *t.* (옷을) 충분히 다리다.

Ausbund [áusbunt] *m.* -(e)s, ¨e, †(가게 앞에) 견본으로 쌓아 놓은 물건《칼·가위 따위》(*pattern*); 《比》 견본; 모범, 전형(典型)(*paragon, model*). ¶ein ~ von Schönheit 절세의 미인.

aus|bürgern [-bʏrgərn] *t.* (의) 시민권〔국적〕을 박탈하다.

aus|bürsten [-bʏrstən] *t.* 솔로 (먼지를) 털다; (의복을) 솔질하다.

aus|dampfen [-dampfən] 《Ⅰ》 *i.* 증발하다. 《Ⅱ》 *t.* 증발시키다; 《比》 한숨 쉬다.

Ausdauer [áusdauər] *f.* 지속(성), 내구(력), 끈기(*perseverance*); 인내, 끈기(*endurance*). **aus|dauern** *i.*(h.) 지속하다(*last*); 인내하다(*hold out, persevere*).

ausdehnbār [áusde:nba:r] *a.* 넓힐〔뻗칠·늘일〕 수 있는, 가전성(可展性)의.

Ausdehnbārkeit *f.* -en, 팽창성, 가전성. **aus|dehnen** [áusde:nən] 《Ⅰ》 *t.* 펴다, 넓히다, 늘이다. 《Ⅱ》 *refl.* 퍼지다, 넓어지다, 팽창하다, 늘어나다.

Ausdehnung *f.* -en, 확장, 신장, 팽창; 연장, 넓이, 범위; 〖數〗 차원(次元).

ausdenkbār [áusdɛŋkba:r] *a.* 생각〔안출〕할 수 있는. **aus|denken*** *t.* 고안〔안출〕하다; 충분히 생각하다, 숙고하다. ¶das läßt sich gar nicht ~ 그것은 어떻게 될지 예측할 수 없다.

aus|deuten [áusdɔytən] *t.* 해석〔설명〕하다, 해몽하다(*interpret, explain*).

Ausdeutung [-dɔytuŋ] *f.* -en, 해석, 설명(*interpretation, explanation*).

aus|dienen [áusdi:nən] 《Ⅰ》 *t.* u. *i.*(h.): (s-e Zeit) ~ (도제) 연한을 마치다; 써서 낡아지게 하다. 《Ⅱ》 **ausgedient** *p.a.* 퇴역의, 퇴직한; 노후한; (옷이) 입어서 낡은.

aus|dorren [áusdɔrən] 《Ⅰ》 *i.*(s.) 바싹 마르다, 건조하다. 《Ⅱ》 *t.* 〔**aus|dörren**〕 건조시키다, 말리다.

aus|drängen [-drɛŋən] *t.* 밀쳐내다.

aus|drēhen [áusdre:ən] *t.* (전등을) 스위치를 돌려 끄다, (수도 꼭지를) 잠그다.

aus|dreschen* [áusdrɛʃən] *t.* 타작하다; 《比》 호되게 매질하다; *i.*(h.) 타작을 끝내다.

Ausdruck [áusdruk] [<ausdrücken] *m.* -(e)s, ¨e, ① 표현, 표정, 표시(*expression*). ② 말, 어구(*term, phrase*). ¶ technischer ~ 술어(術語) / über allen ~ 필설로 못다할. **aus|drücken** [áusdrʏkən] *t.* ① 짜내다; 《比》 표현〔표출〕하다, 말로 나타내다(*express*). ¶sich ~ 사상〔감정〕을 표현하다 / sich gewählt ~ 점잖은 말씨를 쓰다. ② e-e Zigarette ~ 담뱃불을 눌러 끄다. **ausdrücklich** [ausdrʏ́klɪç, áusdrʏk-] 《Ⅰ》 *a.* 글로 나타낸, 명문화한, 명확한; 고의의. 《Ⅱ》 *adv.* 명문으로, 명확하게; 고의로.

Ausdrucks·art *f.* 표현법, 어법(語法). **~bewēgung** *f.* 〖心〗 표출 운동(表出運動), 표정적 몸짓. **~lōs** *a.* 표정이 없는. **~voll** *a.* 표정이 풍부한.

aus|dulden [áusduldən] *t.* 견디어내다; *i.*(h.) (고생 끝에) 죽다.

aus|dunsten [áusdʊnstən], **aus|dün·sten** [-dʏn-] 《Ⅰ》 *i.*(s.) 증발〔발산·발한(發汗)〕하다. 《Ⅱ》 *t.* 발산시키다. **Ausdünstung** *f.* -en, 증발, 발산; 발한(發汗); 발산물.

A

aus·einander [aus-ainándər] *adv.* (e–r aus dem andern) (서로) 갈라져, 떨어져; 따로따로.

aus·einander·|brechen* 《Ⅰ》 *t.* (둘로) 쪼개다, 찢다, 부수다. 《Ⅱ》 *i.*(s.) 조각조각 갈라지다, 쪼개어지다, 찢어지다. **~|bringen*** *t.* 분리시키다, 이간시키다. **~|fahren*** *i.*(s.) 떨어져 가다; 벗어나다, 흩어지다. **~|fallen*** *i.*(s.) 붕괴하다, 산산이 부서지다. **~|gēh(e)n*** *i.*(s.) 쪼개지다; 떨어져 가다, 헤어지다, 흩어지다, 해산〔해소〕하다. **~|halten*** *t.* 구별〔식별〕하다. **~|nehmen*** *t.* 떼다; (기계를) 분해하다.

aus·einander|setzen [-zɛtsən] 《Ⅰ》 *t.* 분석하다; 분할하다; 설명〔변명·논술〕하다(*set forth; explain*). 《Ⅱ》 *refl.* (아무와) 토론하다(*have an explanation with*); (어떤 문제와) 대결하다(*have it out with*); (채권자와) 타협하다(*come to terms*). **Aus·einandersetzung** *f.* -en, 논술, 토론, 논쟁, 설명(*explanation*); 대결(*conflict*); 협정, 화해(*arrangement, settlement*).

aus·einander·|spalten(*) *t.* 쪼개다, 찢다. **~|spreizen** *t.* (가랑이를) 벌리다. **~|strēben** *i.*(h.) 떨어지려고 하다. **~|treiben*** *t.* 쫓아 흩어 버리다. **~|tūn** *t.* 분해〔해체〕하다, 떼어놓다. **~|weichen*** *i.*(s.) (사람이) 서로 피하다. **~|wirren** *t.* (얽힌 것을) 풀다.

aus|eisen [-aizən] *t.* (의) 얼음을 제거하다; 얼음에서 꺼내다; (jn., 아무를) 곤경에서 구해내다.

aus·erkōren [áus-ɛrko:rən, 종종 aus-ɛrkó:rən] [<kiesen] *p.a.* 선택된, 선발된(*chosen, selected*).

aus|erlēsen* [áus-ɛrle:zən] 《Ⅰ》 *t.* 선출하다. 《Ⅱ》 **aus·erlēsen** *p.a.* 선출된, 선발된(*choice, exquisite*).

aus|ersēhen* [áus-ɛrze:ən] *t.* 선출하다(*choose*); 선정하다(*destine*). ¶jn. zum 〔als〕 Führer ~ 아무를 지도자로 뽑다.

aus|erwählen [áus-ɛrvɛ:lən] *t.* 선출하다(*choose, select*). ¶m–e Auserwählte 나의 애인〔약혼녀〕.

aus|essen* [áusɛsən] *t.* 다 먹어 버리다; (접시 따위를) 깨끗이 비우다. ¶《比》 was du dir eingebrockt hat, das mußt du auch ~ 제가 한 일의 뒤처리는 제가 하여야 한다.

aus|fādeln [áusfɛ:dəln] *t.* ① (…에서) 실을 뽑다. ② (천을) 풀다; *refl.* (천이) 풀리다.

aus|fahren* [áusfa:rən] 《Ⅰ》 *i.*(s.) 차를 타고 나가다, 드라이브하다; (차가) 출발하다; 〖海〗 출항하다; 〖坑〗 출갱(出坑)하다. 《Ⅱ》 *t.* 차를 태워서 보내다; (차를 마구 몰아) 상하게 하다《길을》. **ausge·fahren** *p.a.* 차로 상한. **Ausfahrt** *f.* -en, (차를) 타고 나들이하기, 드라이브; 발차; 〖海〗 출항; 〖坑〗 출갱; 문앞길, 마찻길.

Ausfall [áusfal] *m.* -(e)s, ⸗e, ① 밖으로 떨어짐; 탈락; (학교 따위의) 휴강, (강연 따위의) 중지; 〖商〗 손실, 결손(*deficit, loss*); (*pl.*) 〖軍〗 사상·탈주로 인한 손해. ② (요새에서의) 출격; 〖펜싱〗 찌르기; 《比》 공격, 비방(*attack*). ③ 결말, 결과(*issue, result*). **aus|fallen*** [-falən] 《Ⅰ》 *i.*(s.) ① (이·털 따위가) 빠지다; 행해지지 않다; (학교가) 휴강하다. ② (요새에서) 출격하다; 《比》 공격〔비방〕하다(gegen jn.); 〖펜싱〗 찌르다. ③ 어떤 결과로 끝나다(*turn out, prove*). ¶gut 〔schlecht〕 ~ 좋은〔나쁜〕 결과가 되다. 《Ⅱ》 *t.*: sich³ e–n Zahn ~ 넘어져 이가 부러지다. 《Ⅲ》 **ausfallend** *p.a.* 공격적인. ¶~ werden 비방하다, 인신공격하다. 《Ⅳ》 **ausgefallen** *p.a.* 이상〔진기〕한; 시대〔유행〕에 뒤진; 외진.

Ausfall·straße *f.* 시의 중심지에서 교외로 통하는 길, 간선 도로. **~winkel** *m.* 〖物〗 반사각.

aus|fāseln [áusfa:zəln] *t.* u. *refl.* = AUS-FÄDELN②.

aus|fechten* [áusfɛçtən] *t.* 싸워〔논쟁하여〕 결말짓다; 끝까지 싸우다; *i.*(h.) 싸움〔논쟁〕을 끝내다.

aus|fēgen [-fe:gən] *t.* u. *i.*(h.) 쓸어내다, 청소하다.

aus|feilen [-failən] *t.* (구멍 따위를) 줄로 마무르다; 《比》 손질하다, 조탁(彫琢)하다(*elaborate*). **ausgefeilt** *p.a.* 손질된, 조탁된.

aus|fenstern [áusfɛnstərn] *t.* 호통치다, 꾸짖다, 욕지거리하다.

aus|fertigen [áusfɛrtɪgən] *t.* (문서를) 작성하다; (작성하여) 발송하다《명령을》. **Ausfertigung** *f.* -en, ① 작성; 문서; 〖法〗 정본(正本). ¶in doppelter ~ 정부(正副) 2통으로(*in duplicate*). ② 발송.

aus|finden* [áusfɪndən] *t.* 찾아내다, 발견하다. **ausfindig** *a.*: ~ machen 발견하다.

aus|flaggen [áusflagən] 《Ⅰ》 *t.* (에) 기를 꽂다. ¶ein feld ~ 밭을 기로 표시하다. 《Ⅱ》 *i.*(h.) 〖海〗 마스트에 기를 올리다.

aus|flicken [áusflɪkən] *t.* 깁다, 보철(補綴)하다.

aus|fliegen* [-fli:gən] *i.*(s.) ① 밖으로 날아가다, 둥우리를 떠나다(*leave home*). ② 도망하다; 소풍가다(*make an excursion*); (실사회에) 나가다.

aus|fließen* [-fli:sən] *i.*(s.) (액체가) 넘쳐 흐르다; (그릇이) 새다.

Ausflucht [áusflʊxt] [<ausfliehen "도망하다"] *f.* ⸗e, (짐승의) 달아날 구멍; 《比》 핑계, 구실(*evasion, excuse*). ¶Ausflüchte machen 구실을 만들다.

Ausflūg [áusflu:k] [<ausfliegen] *m.* -(e)s, ⸗e, 소풍, 하이킹(*excursion*). ¶e–n kleinen ~ machen 짧은 시일의 여행을 하다. **Ausflügler** *m.* -s, -, 소풍가는 사람, 하이커. **Ausflūgswāgen** *m.* 유람〔관광〕 자동차(*char-à-banc*).

Ausfluß [áusflʊs] [<ausfließen] *m.* ..sses, ..flüsse, 유출; 〖醫〗 대하(帶下), 농즙(膿汁) (*discharge*); 배수구, 수문, 강어귀; 〖物〗 발산, 방사(*emanation*); 《比》 (감정의) 발로, 발현; (연구·탐구 따위의) 결과(*result*).

aus|folgen [áusfɔlgən] *t.* 넘겨주다, 인도하다(*deliver up, hand over*).

aus|fordern [-fɔrdərn] *t.* (에) 도전하다.

aus|fördern [-fœrdərn] *t.* (광석을) 채굴하다.

aus|forschen [áusfɔrʃən] *t.*: et.: 탐문하다; jn.: (에게서) 탐문하려 하다, 알아내려 하다.

aus|fragen [áusfra:gən] 《Ⅰ》 *i.*(h.) 심문〔질문〕을 끝내다. 《Ⅱ》 *t.*: et.: 캐어묻다, 질문을 퍼붓다; jn.: (에게서) 알아내려고 하다, (기자가) 인터뷰하다.

aus|fressen* [áusfrɛsən] 《Ⅰ》 *t.* ① 다 먹어 치우다; (접시 따위를) 깨끗이 비우다. ② 파먹다, 부식〔침식〕하다; 《俗》 못된〔바보 같은〕 짓을 하다. 《Ⅱ》 *i.*(h.) 다 먹다. 《Ⅲ》 *refl.* 포식하다.

Ausfuhr [áusfu:r] [<ausführen] *f.* -en, 수출(품)(*export*(*ation*)). ¶ Aus-und Einfuhr 수출입. ～**artikel** *m.* 수출품.

ausführbar [áusfy:rba:r] *a.* 수출할 수 있는; 실행할 수 있는. **aus|führen** *t.* (밖에) 데리고 나오다; 수출하다(*export*); 배출하다; 배설하다; 실행〔수행·성취〕하다(*carry out, execute, perform*); 이행하다(*implement*); 〖法〗 집행하다; 상론(詳論)하다(*explain*). **ausführlich** [ausfý:rlıç, áusfy:rlıç] *a.* 상세〔곡진(曲盡)〕한 (*detailed, full*); *adv.* 상세하게, 충분히(*in detail, fully*). **Ausführlichkeit** *f.* -en, 상세(함). **Ausführung** *f.* -en, 데리고 나감; 배출; 배설; 실행, 수행, 이행; 시행, 실시; 〖法〗 집행; (일의) 솜씨, 결과; 상론(詳論); 부연(敷衍).

aus|füllen [áusfʏlən] *t.* 가득 채우다, 충전하다; (용지에) 기입하다; (직책 따위를) 훌륭히 해내다. ¶ s-e Zeit gut ～ 시간을 선용(善用)하다.

aus|futtern [áusfutərn], **aus|füttern** [-fʏtərn] *t.* 《Ⅰ》 (가축에) 충분한 사료를 주다, 살찌우다. 《Ⅱ》 (의복의) 안을 대다; (가구 안에) 물건을 넣다.

Ausgabe [áusga:bə] [<ausgeben] *f.* -n, ① 교부, 배달(*delivery*); (주식·채권·지폐의) 발행 (*issue*). ② (Geld～) 지출, 비용(*expence, expenditure*). ¶ in ～ stellen 지출로서 기입하다. ③ 교부〔판매〕소; 판(版), 간(刊)(*edition*). **Ausgabe(n)buch** *n.* 지출부.

Ausgang [áusgaŋ] [<ausgeh(e)n] *m.* -(e)s, ¨e, ① 밖으로 나옴; 외출; 외출일, 외출허가; 출발. ② 수출, 수출세. ③ 출입구, 비상구(*way out, exit*), 문; 하구, 항구. ④ 결말, 최후, 결과, 종막, 대단원 (*end, result, issue*). ¶ im ～〔ausgangs〕 der Woche 주말에.

Ausgangs·punkt *m.* 출발점. ～**zettel** *m.* 수출 신고서. ～**zoll** *m.* 수출세.

aus|geben* [áusge:bən] 《Ⅰ》 *t.* ① (돈을) 내다, 주다; 베풀다. ② (편지를) 교부하다; 분배하다; 나누어 주다(*distribute, deal*); 배달하다(*deliver*); (명령을) 발하다(*issue*); (어음 따위를) 발행하다(*emit, issue*). ③ (서적을) 출판〔발행〕하다(*publish*). ④ (딸을) 여의다. ⑤ 수익을 올리다. 《Ⅱ》 *i.*(h.) (곡물 등이) 수익을 올리다. 《Ⅲ》 *refl.* (…라고) 자칭하다 (für jn.). **Ausgeber** *m.* -s, -, ① 교부〔지급〕자; 발행인. ② 가령(家令).

Ausgeburt [áusgəbu:rt] *f.* -en, 소산, 산물《특히 나쁜 뜻으로》(*product*); 〖醫〗 유산. ¶ ～ der Hölle 악마 / ～ e-s kranken Hirns 망상, 환상.

aus|gefallen [áusgəfalən] *p.a.* ☞ AUSFALLEN.

ausgeglichen [áusgəglıçən] *p.a.* ☞ AUSGLEICHEN.

aus|geh(e)n* [áusge:(ə)n] *i.*(s.) ① (밖으로) 나오다, 외출하다; 출발하다; 일어나다; 발생하다. ¶ frei ～ 용케 면하다 / leer ～ 빈손으로 돌아오다, 소득이 없다 / auf Abenteuer ～ 모험하러 가다 / darauf ～ zu ... …을 목표 삼다, 노리다. ② 벗겨지다, 없어지다, 끝장나다; (불이) 꺼지다; 시들다《식물이》. ③ 끝나다; 다하다. ¶ gut 〔schlecht〕 ～ 좋은〔나쁜〕 결과가 되다. ④ 《前置詞와 함께》 **auf** e-n Vokal ～ 모음으로 끝나다 / **über** jn. ～ 아무를 덮치다 / **von** et. ～ 무엇에서 발하다, 에 의거하고 있다.

ausgekocht [áusgəkɔxt] *p.a.* ☞ AUSKOCHEN.

ausgelassen [áusgəlasən] *p.a.* ☞ AUSLASSEN. **Ausgelassenheit** *f.* 방자, 자의(恣意).

ausgemacht [ausgəmaxt] *p.a.* ☞ AUSMACHEN.

ausgenommen [áusgənɔmən] *p.a.* u. *adv.* u. *cj.* ☞ AUSNEHMEN.

ausgerechnet [áusgərɛçnət] *p.a.* ☞ AUSRECHNEN.

ausgeschlossen [áusgəʃlɔsən] *p.a.* ☞ AUSSCHLIEßEN.

ausgeschnitten [áusgəʃnıtən] *p.a.* ☞ AUSSCHNEIDEN.

ausgesprochen [áusgəʃprɔxən] *p.a.* ☞ AUSSPRECHEN.

aus|gestalten [-gəʃtaltən] *t.* 형성하다; 장비하다; 발달시키다.

ausgesucht [áusgəzu:xt] *p.a.* ☞ AUSSUCHEN.

ausgezeichnet [áusgətsaiçnət] *p.a.* ☞ AUSZEICHNEN.

ausgiebig [áusgi:bıç] [<ausgeben] *a.* ☞ ERGIEBIG.

aus|gießen* [áusgi:sən] *t.* 쏟아 내다; (병·통 따위를) 쏟아 비우다; 《比》 (심중을) 토로하다; (분노를) 터뜨리다. **Ausgießung** *f.* -en, 쏟음. ¶ 〖宗〗 die ～ des Heiligen Geistes 성령의 강림.

Ausgleich [áusglaiç] *m.* -(e)s, -e, 평균, 조정, 화해; 보상; 〖競〗 핸디캡; 듀스.

aus|gleichen* [áusglaiçən] 《Ⅰ》 *t.* ① 같게 하다(*equalize*), 고르게 하다(*make even, level*); 균형잡다. ② 〖商〗 정산하다, 결산〔청산〕하다(*balance*). ③ 《比》 (쟁의를) 조정하다, 화해시키다(*make up*); (곤란을) 제거하다. ④ 보상〔배상〕하다 (*compensate*). 《Ⅱ》 *refl.* 일치〔화해·타협〕하다. 《Ⅲ》 **ausgeglichen** *p.a.* 고르게 된, 균형잡힌; 《比》 (인격 등이) 원만한.

Ausgleichs·getriebe *n.* 〖工〗 차동(差動) 기어. ～**verfahren** *n.* 〖法〗 지급(支給) 유예 절차; 화의 절차.

Ausgleichung [áusglaiçuŋ] *f.* -en, ① 동등〔평등〕화, 조정(調整); 평균, 균등. ② 조정(調停), 화해, 타협. ③ 〖商〗 정산, 결산, 청산. ④ 보상, 배상.

aus|gleiten* [áusglaitən], **aus|glitschen** [-glıtʃən] *i.*(s.) 미끄러지다, 발을 미끄러뜨리다.

aus|graben* [áusgra:bən] *t.* 파내다, 발굴하다; 《比》 부활시키다. **Ausgrabung** *f.* -en, 발굴(물); 굴착; 조각.

aus|greifen* [áusgraifən] *i.*(h.) 팔다리를 뻗다. ¶tüchtig ~ (말이) 성큼성큼 걷다 / weit ~de (*p.a.*) Politik 《比》 원대한 정책.

Ausguck [áusgʊk] *m.* -(e)s, -e, ①〖海〗 망을 봄; 조망. ¶~ halten 망을 보다. ② 망보는 사람. ③ (마스트의) 망대.

Ausguß [áusgʊs] [<ausgießen] *m.* ..gusses, ..güsse, (붓는) 아가리; 마시는 구멍(*spout*); (부엌의) 수채(*sink*); 하수구, 도랑(*gutter*); 《比》 (감정의) 발로.

aus|hacken [áushakən] *t.* (눈알 따위를) 후벼[에어]내다; (괭이로) 파내다; (고기를) 저미다《팔려고》.

aus|hāken [áusha:kən] *t.* 고리를 벗기다; 고리에서 벗기다.

aus|halten* [áushaltən] 《Ⅰ》 *t.* ① 지속[보지]하다(*hold out, bear, sustain*). ② 인내하다, 참다, 견디다(*support, endure*). 《Ⅱ》 *i.*(h.) 오래 가다(*last*); 참고 견디다(*endure*). ¶im Glauben ~ 신앙을 견지하다.

aus|händigen [áushɛndigən] *t.* 건네다, 넘겨주다.

Aushang [áushaŋ] *m.* -(e)s, ⸚e, 진열(품); 게시, 포스터, 플래카드. **Aus·hänge·bōgen** *m.* 〖印〗 견본쇄(刷). **aus|hangen***, **aus|hängen**^{1}* *i.*(h.) 밖에 내걸려 있다, 진열되어 있다. **aus|hängen**^{2} *t.* ① 밖에 내걸다, 게시하다; (상품을)진열하다. ② 고리에서 떼다, 벗겨 놓다. ¶e-e Tür ~ 문의 돌쩌귀를 떼다. **Aushänge·schild** *n.* 간판; 《比》 눈비움, 가면.

aus|harren [áusharən] *i.*(h.) 참고 견디다, 견디어 내다.

Aushau [áushau] *m.* -(e)s, -e, ①〖林〗 벌채, 산림 속의 빈터; 간벌(間伐)한 재목. ②〖坑〗=ABBAU.

aus|hauchen [áushauxən] *t.* (숨을) 내쉬다; (향기를) 발산하다. ¶die Seele [das Leben] ~ 숨이 끊어지다, 죽다.

aus|hauen* [áushauən] *t.* ① 베어[도려]내다, 파다; 조각하다. ②〖園藝〗 (가지를) 쳐내다; (나무를) 손질하다; 간벌(間伐)하다《산림을》. ③ jn.: (벌로서) 매질하다. ④ (고기를) 저미다《팔기 위해》.

aus|hēben* [áushe:bən] *t.* 끄집어내다, 벗기다; (문짝·창을) 경첩에서 떼어내다; (의 안에 있는 것)을 꺼내다; 《比》 선출하다(*pick out*); 〖軍〗 징모(徵募)하다(*levy*). **Aushēben** *n.*, **Aushēbung** *f.* -en, 끄집어냄, 벗김, 빼냄; 〖軍〗 징모, 모병.

aus|hecken [áushɛkən] *t.* 부화시키다; 《比》 (계획을) 세우다; (음모를) 꾸미다.

aus|heilen 《Ⅰ》 *t.* 전치[완쾌]시키다. 《Ⅱ》 *i.*(s.) u. *refl.* 다 낫다, 완치되다.

aus|helfen* [áushɛlfən] *i.*(h.): jm. (aus der Not) ~ 아무를 (곤경에서) 구출하다, 거들다, 조력하다 / jm. mit Geld ~ 아무에게 돈을 융통해 주다.

Aushilfe [áushɪlfə] [<aushelfen] *f.* -n, 조력, 구원; 임시 변통(*stopgap*); 조력자; 임시 고용인. ¶zur ~ 임시 변통으로 / ~ mit Geld 돈의 융통.

aus|höhlen [-hø:lən] *t.* (속을) 비우다, 후벼내다, 파내다; (에) 홈을 만들다.

aus|hōlen [áusho:lən] 《Ⅰ》 *t.*: jn. ~ 아무에게서 알아내다, 캐어내다(*pump*). 《Ⅱ》 *i.*(h.) (바깥쪽으로 펴는 뜻에서:) mit der Hand **zum** Schlage ~ 치려고 손을 쳐들다 / zum Sprunge ~ 뛸 자세를 취하다, 뛰려고 뒤로 물러서다 / weit ~ 《比》 (소급하여) 자세히 이야기하다.

aus|horchen [áushɔrçən] *t.*: jn. ~ 아무에게서 알아내다; 〖醫〗 청진하다.

aus|hören [áushø:rən] *t.* 끝까지 듣다.

aus|hülsen [áushʏlzən] *t.* (호두의) 껍질을 까다; (콩의) 꼬투리를 벗기다.

aus|hungern [-huŋərn] *t.* 굶주리게 하다; 〖軍〗 기아 전법(飢餓戰法)을 쓰다.

aus|hūsten [áushu:stən] 《Ⅰ》 *t.* 기침하여 (가래를) 내뱉다. 《Ⅱ》 *i.*(h.) u. *refl.* 기침을 그치다.

aus|ixen [áus-ɪksən] *t.* 《俗》 (타자 칠 때) X로 (글자를) 지우다.

aus|jäten [áusjɛ:tən] *t.* (잡초를) 뽑다; (밭을) 매다.

aus|kämmen [áuskɛmən] *t.* 빗어 (…을) 없애다, 빗어 깨끗이 하다. ¶ein Kind ~ 아이의 머리를 빗겨 주다.

aus|kämpfen [áuskɛmpfən] 《Ⅰ》 *i.*(h.) 싸움을 그치다; 죽다. 《Ⅱ》 (내용을 目的格으로 나타내어) *t.*: e-n Kampf ~ 최후까지 싸우다.

Auskauf [áuskauf] *m.* -(e)s, ⸚e, 매점(買占); 되사기. **aus|kaufen** *t.* (의 상품을) 매점하다.

aus|kehlen [áuske:lən] *t.* 〖建〗 (에) 홈을 파다.

aus|kehren [áuske:rən] *t.* (먼지를) 쓸어내다; (방을) 청소하다.

aus|keltern [áuskɛltərn] *t.*: den Most [die Trauben] ~ 포도를 짜다.

aus|kennen* [áuskɛnən] *refl.*: 《方》 sich in et^{3}. ~ 무엇에 정통해 있다, 어떤 일을 환히 알고 있다.

aus|kernen [áuskɛrnən] *t.* (의) 씨를 꺼내다; (의) 껍질을 [깍지를] 떼다.

aus|klāgen [-kla:gən] 《Ⅰ》 *t.* 소송하다. ¶e-e Schuld [e-n Wechsel] ~ 임금 청구[어음 지불 요구]의 소송을 제기하다. 《Ⅱ》 *i.*(h.) 불평[소송]을 그만두다. 《Ⅲ》 *refl.* 푸념하여 기분을 풀다.

aus|klamüsern [áusklamy:zərn] *t.* 《俗》 생각해 내다, 찾아내다.

Ausklang [áusklaŋ] [<ausklingen] *m.* -(e)s, ⸚e, 종음(終音); 《比》 종결, (행사의) 끝장, 종말.

aus|klauben [áusklaubən] *t.* 따내다, 집어 뽑다; 《比》 찾아[생각해]내다.

aus|klēben [-kle:bən] *t.* ① (의) 안을 바르다. ② (구멍 따위를) 칠하여 막다.

aus|kleiden [áusklaidən] 《Ⅰ》 *t.* ① (jn., 에게) 옷을 벗게 하다. ② (의) 안을 대다. 《Ⅱ》 *refl.* 옷을 벗다.

aus|klingen* [áusklɪŋən] *i.*(s. *u.* h.) 울리기를 그치다; 《比》 (축제·연설 따위가) 끝나다.

aus|klopfen [áusklɔpfən] *t.* (먼지 따위를) 떨(어 내)다; (옷·파이프 등을) 떨어 깨끗이 하다. ¶《比》 jm. den Rock ~ 아무를 후려갈기다. **Ausklopfer** *m.* -s, -, (양탄자의) 먼지떨이 (기구); 먼지 떠는 사람.

aus|klügeln [áuskly:gəln] *t.* 머리를 짜서 생각해 내다.

aus|kneifen* [áusknaifən] *i.*(s.) (뵈지 않게 몸을 굽히다·쭈그리다의 뜻:) 《俗》 몰래 달아나다.

aus|knipsen [áusknɪpsən] *t.* (전등을) 찰칵 끄다.

aus|knobeln [áuskno:bəln] *t.* 《俗》 주사위를 던져 결정하다; 《比》 머리를 짜 생각해 내다. 「웃시키다.
aus|knocken [áusnɔkən] *t.* 〖拳〗 녹아
aus|kochen [áuskɔxən] 《Ⅰ》 *i.*(h.) 다 끓다; 요리를 마치다; 푹 삶아지다. 《Ⅱ》 *t.* 삶아 내다; 충분히 삶다. 《Ⅲ》 **aus=gekocht** [-gəkɔxt] *p.a.* 《比》 교활한.
aus|kommen* [áuskɔmən] 《Ⅰ》 *i.*(s.) ① (밖으로) 나오다, 외출하다; (병아리가) 부화하다; 불이 나다, 타오르다. ② 알려지다, (비밀이) 누설되다; (소문이) 퍼지다. ③ 생계를 세우다, 삶을 영위하다. ¶mit et. ~ 무엇으로 족하다, 변통하다(*make do, manage*). ④ 사이좋게 지내다(*get on.*). ¶mit ihm ist nicht auszukommen, *od.* es ist kein Auskommen mit ihm 그와는 사이좋게 지낼 수 없다. ⑤ 다하다, 텅 비다; (얼룩·더럼이) 빠지다; (불이) 꺼지다. 《Ⅱ》 **Auskommen** *n.* -s, 생계, 살림살이(*livelihood, competency*). ¶sein ~ haben 살림을 해 나가다. **auskömmlich** [áuskœmlıç] *a.* 생계를 세울 수 있을 만큼 넉넉한, 충분한(*sufficient*).
aus|kosten [áuskɔstən] *t.* 충분히 맛보다, 맛볼 대로 맛보다.
aus|kramen [áuskra:mən] *t.* 비우다(그릇·방 따위를); (상품을) 진열하다; 《比》 (거짓말 따위를) 늘어놓다; (학식 따위를) 과시하다; (비밀을) 드러내다.
aus|kratzen [áuskratsən] 《Ⅰ》 *t.* ① 긁어 내다, 말소하다. ¶jm. die Augen ~ 아무의 눈을 할퀴다. ② (자궁을) 소파하다. 《Ⅱ》 *i.*(s.) 《俗》 급히 달아나다.
aus|kriechen* [áuskri:çən] *i.*(s.) 기어 나오다; *t.* 샅샅이 찾다.
Auskristallisation [auskrıstalliza-tsió:n] *f.* -en, (용액으로부터의) 결정.
aus|kristallisieren *i.*(s.) (용액으로부터) 결정하다.
auskultieren [auskultí:rən] [lat. „zuhören", *auris* „Ohr"] *i.*(h.) 〖法〗 방청하다; *t.* 〖醫〗 청진(聽診)하다.
aus|kund·schaften [áuskunt-ʃaftən] *t.* 답사하다; 탐색하(여 알아내)다(*explore*); 〖軍〗 정찰하다(*reconnoitre*).
Auskunft [áuskunft] [<auskommen] *f.* ⸚e, ① 빠져나갈 길, 타개책. ② (취할 방책의 뜻:) 사정을 알려줌, 알림, 안내(*information, intelligence*). ¶~ verlangen 조회(照會)하다. **Auskunftei** [-tái] *f.* -en, 안내소.
auskunfts=büro *n.* 안내소; 흥신소(興信所). **~mittel** *n.* 방안, 대책, 방책. **~stelle** *f.* =~BÜRO; 정보부.
aus|künsteln [áuskynstəln] *t.* 창안하다, 만들어 내다.
aus|kuppeln [áuskupəln] *t.* 〖工〗 차단하다, 기어를 풀다, 연결〔연동〕을 끊다.
aus|lachen [áuslaxən] 《Ⅰ》 *t.* 조소하다, 웃음거리로 삼다. 《Ⅱ》 *i.*(h.) 웃음을 그치다. 《Ⅲ》 *refl.* 마음껏 웃다.
aus|laden* [áusla:dən] 《Ⅰ》 *t.* ① (적재물을) 부리다, 양륙하다; 〖軍〗 상륙시키다. ② 《俗》 jn. ~ 아무에 대한 초대를 취소하다. 《Ⅱ》 *i.*(s.) 〖建〗 돌출하다. ¶《比》 weit ~de (*p.a.*) Gebärde 과장된 몸짓.
Auslage [áusla:gə] [<auslegen] *f.* -n, 진열, 전시(*show, display*); 진열장, 쇼윈도; 선대(先貸); (*pl.*) 선대금(*advances*); 비용(*expenses*).
Ausland [áuslant] *n.* -(e)s, 외국(*foreign country*). **Ausländer** [áuslɛndər] *m.* -s, -, **Ausländerin** *f.* -nen, 외국인(*foreigner, alien*). **ausländisch** *a.* 외국의(*foreign, alien*); 외국산의(*exotic*).
Auslands=anleihe *f.* 외채(外債). **~=gespräch** *n.* (전화의) 외국 통화. **~=paß** *m.* 해외 여행 여권.
aus|langen [áuslaŋən] *i.*(h.) ① (충분히 달하다:) 족하다; (mit, 으로) 이럭저럭 꾸려 나가다, 변통하다. ② 손을 뻗다.
aus|lassen* [áuslasən] 《Ⅰ》 *t.* ① 내보내다, 내놓다, 방출하다, 누출하다. ② 용해하다, (기름·버터 따위를) 녹이다. ③ (감정을 밖으로) 나타내다(*give vent to*); (징근 것을) 내리다; (시접을) 내다. ④ 빠뜨리다, 생략하다(*leave out, omit*). 《Ⅱ》 *refl.* 생각을 말하다, 의중을 털어놓다. 《Ⅲ》 **ausgelassen** [áusgəlasən] *p.a.* 방자한, 제멋대로 하는(*unruly*), 버릇없는(*wild, exuberant*); 명랑한(*in high spirits*). **Auslassung** [áuslasuŋ] *f.* -en, 위를 하기; (특히) 생략; (사고·감정의) 토로, 말. **Auslassungszeichen** *n.* 〖文〗 생략 부호(')(*apostrophe*); 〖印〗 탈자 기호(⋀).
Auslauf [áuslauf] *m.* -(e)s, ⸚e, ① 달려 나감; 유출, 누출(漏出); 유출구; 하구(河口); 출발; 〖海〗 출범; (닭의장 따위의) 뛰어다니는 장소. ¶freier ~ 자유롭게 운동할 수 있음. ② 〖競〗 결승점에 뛰어듦, 피니시. **aus|laufen*** [áuslaufən] 《Ⅰ》 *i.*(s.) ① 달려 나오다; 외출하다; 심부름 가다; 〖海〗 출범하다; 흘러나오다, (그릇이) 새다; 흐려지다, (색이) 바래다. ② in et.[4] ~ 무엇으로 끝나다 / 《比》 auf et.[4] ~ 어떤 결과가 되다, 결국 …이 되다. 《Ⅱ》 *refl.* 마음껏 달리다. **Aus=läufer** m. -s, -, 심부름꾼; (Berg~) 지맥(支脈)(*spur*); 〖植〗 (딸기 따위의) 덩굴(*runner*).
aus|laugen [áuslaugən] *t.* 잿물에 씻다; 〖化〗 (의) 알칼리분(分)을 빼다.
Auslaut [áuslaut] *m.* -(e)s, -e, 〖文〗 미음(尾音)《말 또는 음절의》. **aus|lau=ten** *i.*(h.) 어떤 음으로 끝나다. ¶„aus" lautet auf s aus, „aus"는 s 음으로 끝난다.
aus|läuten [áuslɔytən] 《Ⅰ》 *t.* 종소리로 알리다. 《Ⅱ》 *i.*(h.) ① 종소리가 그치다. ② (jm., 을 위해) 조종을 울리다.
aus|leben [áusle:bən] 《Ⅰ》 *t.* (어느 기간의) 생활을 끝내다. ¶s-e zeit ~ 천수를 다하다. 《Ⅱ》 *refl.* 생활력을 탕진하다; 삶을 충분히 누리다; 도락을 할 대로 다하다.
aus|lecken [áuslɛkən] 《Ⅰ》 *t.* 핥아내다; (접시 따위를) 핥아 비우다. 《Ⅱ》 *i.*(s.) (물이) 새다.
aus|leeren [áusle:rən] 《Ⅰ》 *t.* 비게 하다, 비우다; 《比》(심중을) 토로하다. 《Ⅱ》 *refl.* (s-n Magen) ~, *od.* sich ~ 텅 비다, 대변 보다. **Ausleerung** *f.* -en, 위를 하기; 〖醫〗 배설; 배설물(*evacuation*).

aus|lēgen [áusle:gən] 《Ⅰ》 *t.* ① 펴놓다, 늘어[벌여]놓다, 진열하다; (돈을) 입체하다(*advance*); (내포된 뜻을 결에 나타내다:) 해석하다(*explain, interpret*). ¶et. übel ~ 무엇을 오해[곡해]하다. ② (mit, 을) 박아 넣다, 상감(象嵌)하다, 펴다, 깔다(*inlay*). 《Ⅱ》 *refl.* 몸을 내밀다, 자세를 취하다. **Auslēger** *m.* -s, -, 해석자; (보트의 뱃전에 비죽 나온) 노받이; 크러치(가 있는 보트); (항외(港外)) 감시선. **Auslēgung** *f.* 해석, 주해; 폄; 진열; 상감, 박아 넣음.

aus|leiden* [áuslaidən] *t.u.i.*(h.) =AUSDULDEN.

aus|leihen* [áuslaiən] *t.* ① 대출하다; (돈을) 대부하다. ② sich³ et. ~ 무엇을 빌리다.

aus|lernen [áuslɛrnən] *t.* u. *i.*(h.) 학업을 마치다, 졸업하다; (도제가) 수업 기한을 마치다.

Auslēse [áusle:zə] *f.* -n, 선택, 선별; 선발한 것, 정수; (특히) 순량(醇良) 포도주; 사화선(詞華選). ¶〖生〗 natürliche ~ 자연 도태. **aus|lēsen*** [áusle:zən] *t.* ① 선택[선발]하다. ② (u. *i.*(h.)) 다 읽다.

aus|lichten *t.* [áuslɪçtən] 〖園藝〗 (우듬지를) 쳐내다; 〖林〗 간벌(間伐)하다.

aus|liefern [áusli:fərn] *t.* 넘겨 주다, 인도하다(*deliver, extradite*). **Auslieferung** *f.* -en, 넘겨 줌, 인도(引渡).

Auslieferungs≈begehren *n.* 인도(引渡) 청구. **~schein** *m.* 인도증. **~vertrāg** *m.* 범죄인 인도 조약, 포로 교환 협약.

aus|liegen* [áusli:gən] *i.*(s.) 내놓여 있다, 전시[진열]되어 있다.

aus|löffeln [-lœfəln] *t.* (국을) 숟가락으로 떠내다; (접시를) 숟가락으로 떠내어 비우다.

aus|logieren [áuslozi:rən] *t.* 퇴거시키다.

aus|lohnen [áuslo:nən] *t.* (에게) 임금을 지불하다; 임금을 주고 해고하다.

aus|löschen(*) [-lœʃən] 《Ⅰ》 *t.* 《弱變化》 (불·전등 따위를) 끄다; 지우다, 없애다. 《Ⅱ》 *i.*(s.) 《强變化》 꺼지다, 없어지다.

Auslösebereich [áuslø:zəbəraiç] *m.* 분리 계수(分離計數)의 가능한 범위.

aus|lōsen [-lo:zən] *t.* 제비로[추첨으로] 결정하다.

aus|lösen [áuslø:zən] *t.* ① 풀어 주다; 〖工〗 분해하다; 《比》 환기하다; 발생시키다(*arouse, cause*). ② (어음을) 현금을 지불하고 회수하다; (돈을 치르고) 도로 찾다(*redeem, ransom*). **Auslöser** *m.* -s, -, (사진기의) 릴리즈. **Auslösung** *f.* -en, 풀어 놓음; (긴장을) 풂; 되찾기 《돈을 치르고》; 회수.

Auslösezählrohr [áuslø:zətsɛ:lro:r] *n.* 분리 계수관.

aus|lüften [áuslʏftən] 《Ⅰ》 *t.* 환기[통풍]하다. 《Ⅱ》 *refl.* 신선한 공기를 쐬다, 산책하다.

Auslūg [áuslu:k] *m.* -(e)s, -e, 감시(소); 전망(대). **aus|lūgen** *i.*(h.) 감시하다; 전망하다.

aus|machen [-maxən] 《Ⅰ》 *t.* ① 꺼내다; 파내다; 제거하다; 뽑다; 끄다《불·등불을》. ② 결말짓다《다툼 따위를》, (을) 끝장내다(*settle, arrange*); 결정[약정]하다(*decide*); 협정[타협]하다(*agree upon*); (총계 …이) 되다, 이루다(*make, constitute*). ¶e-n Teil von et.³ ~ 무엇의 일부를 이루다 / wie viel macht das aus? 그것은 합계 얼마인가 / das macht nichts aus 그것은 대수롭지 않다. 《Ⅱ》 **ausgemacht** *p.a.* 결정[확정]된, 정평이 있는; 완전한. ¶ein ~er Narr 진짜 바보.

aus|mālen [áusma:lən] *t.* (그림을) 그려 내다; 페인트칠하다; 채색하다; 《比》 선명하게 그리다; 윤색하다. ¶sich³ et. ~ 무엇을 마음 속에 그리다, 상상하다.

Ausmarsch [áusmarʃ] *m.* -es, ⸚e, 출발; 출정(出征). **aus|marschieren** *i.*(s.) 출발하다, 출정하다.

Ausmāß [áusma:s] [<ausmessen] *n.* -es, -e, 연장(延長), 외연(外延), 넓이; 《比》 규모, 범위, 정도.

aus|mauern [-mauərn] *t.* (의) 안쪽을 벽으로 두르다; (구멍을) 돌[벽돌]로 막다.

aus|meißeln [-maisəln] *t.* 끌로 깎아 내다[파내다]; 조각하다; 《比》 조탁(彫琢)하다.

aus|mergeln [-mɛrgəln] *t.* 여위게 하다, 쇠약하게 만들다; 《比》 피폐하게 하다.

aus|merzen [-mɛrtsən] [<März; 3월 가축 검사에서 파생한 말] *t.* 가려내어 버리다(*reject*), 도태하다; 삭제하다, (명부 따위에서) 지워 버리다(*expurgate, eliminate*); (법률을) 폐지하다.

aus|messen* [-mɛsən] *t.* 재다, 달다; 측량하다.

aus|mieten [-mi:tən] *t.*: jn. ~ 아무를 내쫓고 그 집에 세들다《집세를 더 내고》/ e-n Dienstboten ~ (남의 집 고용인)을 부추겨 나가게 하다.

aus|misten [áusmɪstən] *t.* (마구간을) 청소하다.

aus|möblieren [áusmøbli:rən] *t.* (에) 가구를 비치하다.

aus|münden [-mʏndən] *i.*(h.): in die See ~ 바다로 흘러 들어가다《강물이》/ auf e-e Straße ~ 어떤 거리로 통하다.

aus|münzen [-mʏntsən] *t.* (금·은을) 화폐로 주조(鑄造)하다; 《比》 (zu, 에) 이용하다.

aus|mustern [-mustərn] *t.* (검사하여) 퇴짜놓다, 골라서 버리다, 폐기하다; 불합격으로 하다. ¶ausmusterte Waren 불량품.

aus|nähen [áusnɛ:ən] *t.* (에) 자수(刺繡)하다.

Ausnahme [áusna:mə] [<ausnehmen] *f.* -n, 제외; 예외(*exception*). ¶mit ~ von et. 무엇을 제외하고.

Ausnahme≈fall *m.* 예외의 경우, 특례. **~gesetz** *n.* 예외 법규. **~zūstand** *m.* 비상 사태.

ausnahms≈lōs *a.* 예외없는; *adv.* 예외없이. **~weise** *adv.* 예외로서.

aus|nehmen* [áusne:mən] 《Ⅰ》 *t.* ① 들어 내다, (의) 안에 있는 것을 꺼내다. ¶Geflügel ~ 새의 내장을 꺼내다. ② 제외하다, 예외로 하다(*except, exempt*). 《Ⅱ》 *refl.* 예외가 되다, 예외이다; 두드러지다, 눈에 띄게 되다, 현저하다; (…인 것같이) 보이다 (*look*). ¶sich gut [übel] ~ 좋게[나쁘게] 보이다. 《Ⅲ》 **ausnehmend** *p.a.* 비상한, 특별한; *adv.* 비

상하게, 특별히, 유난히. 《Ⅳ》 **ausge·nommen** [áusgənɔmən] ① *adv.* u. *prp.* (4·1 格支配) …를 제외하고. ¶alle, dich ~ 너 말고는 모두. ② *cj.*: an allen Tagen, ~ am Freitag 금요일 말고는 매일 / ~ daß 을 제외하고는.

aus|nippen [áusnipən] *t.* 홀짝홀짝 다 마셔 버리다.

Ausnüchterung [áusnʏçtəruŋ] *f.* -en, 《südd.》 = NÜCHTERN*werden, -machen.*

aus|nutzen [áusnutsən], **aus|nützen** [-nʏtsən] *t.* (충분히) 이용하다, 이용할 대로 다 이용하다.

aus|packen [áuspakən] *t.* 포장을〔꾸러미를〕 풀다, 포장을 풀고 끄집어 내다; (트렁크 따위를) 열다.

aus|peitschen [-paitʃən] *t.* 채찍질하다, 채찍질하여 벌주다.

aus|pfänden [-pfɛndən] *t.* 〖法〗 (의) 재산을 압류하다.

aus|pfeifen* [-pfaifən] *t.* (연극·배우 따위를) 휘파람을 불어대며 야유〔조소〕하다(*hiss*). 「옮겨 심다.」

aus|pflanzen [-pflantsən] *t.* 이식하다,

aus|pflastern [áuspflastərn] *t.* (에) 돌을 깔다. 「어뜯다.」

aus|pflücken [áuspflʏkən] *t.* 따다; 쥐

aus|pichen [-pɪçən] 《Ⅰ》 *t.* (통의) 안쪽에 역청(瀝靑)을 칠하다. 《Ⅱ》 **aus·gepicht** *p.a.* 《比》 튼튼한 (위 따위); 교활한 (사람).

Au·spizium [auspí:tsĭum] [lat. „Vogelschau", <*avis* „Vogel"] *n.* -s, ..zĭen, 새점; 전조; 길상(吉祥); 비호(¶*auspices*).

aus|plaudern [áusplaudərn] 《Ⅰ》 *t.* (비밀 따위를) 함부로 지껄이다. 《Ⅱ》 *refl.* 실컷 지껄이다.

aus|plündern [-plʏndərn] *t.* (가옥·도시를) 약탈하다; 남김없이 빼앗다《사람에게서》.

aus|pochen [-pɔxən] *t.* 두드려 내다; (덤불을 두드려) 몰아 내다 《짐승을》; (서투른 배우 등을) 발을 굴러서 퇴장시키다(*explode*). 「넣다.」

aus|polstern [-pɔlstərn] *t.* (에) 속을

aus|posaunen [-pozaunən] *t.* 나팔을 불어 알리다; 《比》 떠들썩하게 퍼뜨리다.

aus|prägen [-prɛ:gən] 《Ⅰ》 *t.* (금·은 따위를) 화폐로 주조하다; (화폐를) 주조하다; 뚜렷하게 각인(刻印)하다. 《Ⅱ》 *refl.* 뚜렷이 새겨지다; 《比》 명백하게 나타나다. 《Ⅲ》 **ausgeprägt** *p.a.* 뚜렷한, 특색이 있는, 눈에 띄는.

aus|pressen [-prɛsən] *t.* ① (즙 따위를) 짜내다; (과실 따위를) 짜다. ② 《比》 짜내다, 착취하다, 우려 내다. ¶jm. Tränen ~ 아무의 눈물을 짜내다.

aus|prōben [áuspro:bən], **ausprobie·ren** [-probi:rən], **aus|prüfen** [-pry:fən] *t.* 충분히 시험〔음미〕하다. 「리다.」

aus|prügeln [-pry:gəln] *t.* 호되게 때

Auspuff [áuspuf] *m.* -(e)s, -e *u.* ¨-e, (증기·가스의) 배출, 누출(*exhaust*); 배출구, 배기 장치. **aus|puffen** *t.* u. *i.*(s.) (증기 따위를) 배출하다.

Auspuff·gās *n.* 배기 가스, 폐기(廢氣). **~klappe** *f.* 배기판(瓣). **~rohr** *n.* 배기관(管). **~topf** *m.* (내연 기관 따위의) 소음기(器).

aus|pumpen [áuspumpən] *t.* 펌프로 퍼내다〔다 퍼내다〕; 《比》 지치게 하다.

aus|pūsten [-pu:stən] *t.* 《俗》 (등불 따위를) 불어 끄다.

Ausputz [áusputs] *m.* -es, -e, 장식(품), 몸치장, 장신구. **aus|putzen** *t.* (난로·총신(銃身) 따위의 내부를) 소제하다, 닦다; (방 따위를) 꾸미다; (나무를) 가지를 쳐서 손질하다. ¶ein Licht ~ 촛불의 심지를 잘라서 끄다 / sich ~ 옷치장〔단장〕하다. 「른 숙소로 옮기다.」

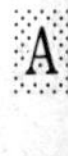

aus|quartieren [áuskvarti:rən] *t.* 다

aus|quetschen [áuskvɛtʃən] *t.* = AUSPRESSEN①; 《比》 질문 공세를 취하다(jn.).

aus|radieren [-radi:rən] *t.* (칼로) 깎아 내다, (지우개로) 지워 버리다.

aus|rangieren [-rãʒì:rən, -raŋʃì:rən] *t.* 골라서 가려내다, 폐기하다; 딴 선로에 옮기다《기차를》; 〖軍〗 제대시키다.

aus|rasten [áusrastən] *i.*(h.) 휴식〔휴양〕하다. 「탈하다.」

aus|rauben [-raubən] *t.* 남김없이 약

aus|räuchern [áusrɔyçərn] *t.* ① 연기를 피워 몰아 내다. ② (의 안을) 그을리다.

aus|raufen [-raufən] *t.* 쥐어뜯다. ¶ sich³ die Haare ~ (절망하여) 자기 머리를 쥐어뜯다.

aus|räumen [-rɔymən] *t.* (가구 따위를) 치우다, 들어 내다; 〖商〗 몽땅 팔아 치우다; 명도(明渡)하다.

aus|rechnen [áusrɛçnən] 《Ⅰ》 *t.* 산출(算出)〔계산〕하다; 집계하다. 《Ⅱ》 **aus·gerechnet** *adv.* 꼭 (*just, precisely*); 고르고 골라. **Ausrechnung** *f.* -en, 산출, 계산; 집계.

aus|recken [-rɛkən] 《Ⅰ》 *t.* (팔다리를) 뻗다, 펴다; 쳐서 늘이다《쇠 따위를》. 《Ⅱ》 *refl.* 늘려〔펴〕지다; 몸을 펴다.

Ausrēde [áusre:də] *f.* -n, 핑계, 구실, 변명(*excuse, evasion, pretense*). ¶e-e faule ~ 뻔한 거짓말. **aus|rēden** 《Ⅰ》 *i.*(h.) 말을 끝내다, 다 진술하다; 충분히 말하다. ¶jn. ~ lassen 아무에게 하고 싶은 말을 다 하게 하다. 《Ⅱ》 *t.* ① 말을 끝맺다; 충분히 말하다. ② jm. et.: 간지(諫止)하다, 말리다. 《Ⅲ》 *refl.* (über et., 무엇에 관하여) 마음껏 이야기하다; 변명하다, 발뺌하다(*find excuses*); 화제가 동나다.

aus|rēgnen [áusre:gnən, -kn-] *i.*(h.) 《非人稱》 비가 그치다.

aus|reiben* [-raibən] *t.* (더러운 것을) 문질러 떼다; (옷 따위를) 비벼서 깨끗이 하다.

aus|reichen [áusraiçən] *i.*(h.) 넉넉하다, 족하다(*suffice*). ¶mit et.³ ~ 무엇으로 충당하다, 변통하다. **ausreichend** *p.a.* 충분한, 넉넉한 (*sufficient*); *adv.* 충분하게.

aus|reifen [áusraifən] *t.* 성숙시키다; *i.*(s.*u.*h.) 성숙하다; 《比》 (때가) 무르익다.

Ausreise [áusraizə] *f.* -n, 여행을 떠나기, 출발; (국외로의) 여행. **aus|reisen** *i.*(s.) 여행을 떠나다; 출발하다; 해외로 여행하다.

aus|reißen* [áusraisən] 《Ⅰ》 *t.* 뽑아 내다; 쥐어 뜯어 내다. 《Ⅱ》 *i.*(s.) ① 타

지다《술기 따위가》, 터지다; (둑이) 무너지다, 붕괴하다. ¶《比》 m-e Gedult reißt aus 울화통이 터지다. ② 《俗》 도망〔도주〕하다 (*run away*); 탈주〔탈영〕하다(*desert*). **Ausreißer** *m.* -s, -, 도망자; 탈영병.

aus|reiten* [áusraitən] 《Ⅰ》 *i.*(s.) 말을 타고 외출하다; 멀리 타고 나가다. 《Ⅱ》 *t.* (말을) 야외로 타고 나가다.

aus|renken [áusrɛŋkən] *t.* 탈구(脫臼)시키다(*dislocate*). ¶sich³ den Hals ~ (잘 보려고) 목을 한껏 빼다.

aus|rennen* [áusrɛnən] 《Ⅰ》 *i.*(h.) 뛰기를 마치다. 《Ⅱ》 *t.* 부딪혀 꿰뚫다.

aus|richten [áusrıçtən] *t.* ① 똑바로 하다; 바로잡다, 정돈하다(*dress*); 정렬시키다(*align*). ② (모임 따위를) 베풀다, 거행하다(*give*). ③ (사명을) 다하다(*deliver*); 실행〔실시〕하다(*do, execute*). ④ 수행〔성취 · 달성〕하다(*perform, effect*). ¶damit ist nichts ausgerichtet 그것은 아무 쓸모 없다. **Ausrichtung** *f.* -en, 방향을 정함, 향함; 정돈, 정렬; 거행; 성취, 달성.

aus|ringen* [áusrıŋən] 《Ⅰ》 *t.* 짜다《물기 따위를》. 《Ⅱ》 *i.*(h.) 격투를 끝내다. ¶er hat ausgerungen 그는 죽었다.

aus|rinnen* [áusrinən] *i.*(s.) 새다; 《方》 수척해지다.

Ausritt [áusrıt] [<ausreiten] *m.* -(e)s, -e, (말을 타고 하는) 외출, 출발, 소풍.

aus|rōden [áusro:dən] *t.* 뿌리째 뽑다; 개간하다; (산림을) 벌채하여 개간하다; 《比》 근절시키다.

aus|rotten [-rɔtən] *t.* 뿌리째 뽑다; 《比》 근절〔섬멸〕하다 (*extirpate*). **Ausrottung** *f.* -en, 뿌리째 뽑음; 근절; 〖醫〗 적출.

aus|rücken [-rʏkən] 《Ⅰ》 *i.*(s.) 〖軍〗 출동하다; 《俗》 도망하다. 《Ⅱ》 *t.* 벗겨 내다; (기계의) 운전을 중지하다.

Ausrūf [áusru:f] *m.* -(e)s, -e, 외침; 부르는 소리; 〖文〗 감탄사; 널리 알림, 공고, 포고, 선언; 《方》 경매. **aus|rūfen*** 《Ⅰ》 *i.*(h.) 외치다, 소리치다. 《Ⅱ》 *t.* 소리치며 팔고 다니다; (보도를) 외치며 알리다. ¶die Stunde ~ (야경원이) 알리며 돌아다니다; 포고〔공고·선언〕하다(*proclaim, publish*). **Ausrūfer** *m.* -s, -, 알리며 돌아다니는 사람; 소리치며 파는 사람; 전령(傳令); 경매인. **Ausrūfung** [áusru:fuŋ] *f.* -en, =AUSRUF.

Ausrūfungs-wort *n.* 〖文〗 감탄사. **~zeichen** *n.* 감탄 부호(!).

aus|rūhen [áusru:ən] *i.*(h.) u. *refl.* 휴식〔휴양〕하다.

aus|rupfen [áusrupfən] *t.* (잡아) 뽑다, 쥐어뜯다.

aus|rüsten [áusrʏstən] *t.* (에) 장비하다(*equip, fit out*); (군대를) 무장시키다(*arm*); (배를) 의장(艤裝)하다(*rig out*); 《比》 (jn., 에게) (mit et.³, 무엇을) 갖추어 주다(*endow, furnish*). **Ausrüstung** *f.* -en, 장치, 장비; 무장; 의장(艤裝).

aus|rutschen [áusrutʃən] *i.*(s.) 미끄러지다, 헛디디다.

Aussaat [áusza:t] *f.* -en, 씨 뿌리기, 파종; 씨앗, 종자. **aus|sāen** [-zɛ:ən] *t.* (씨를) 뿌리다; 《比》 (씨 뿌리듯) 뿌리다, 전파하다.

Aussāge [áusza:gə] *f.* -n, 언명, 확언, 진술(*statement, assertion*); 〖法〗 공술(*deposition*), 증언(*evidence*); 〖文〗 술어(述語)(*predicate*). **aus|sāgen** *t.* ① 말을 끝내다〔다하다〕. ¶es ist nicht auszusagen 그것은 말로 다 표현할 수 없다. ② 말하다; 〖法〗 신립하다, 공술〔증언〕하다(*depose, give evidence*). ¶et. gegen jn. ~ 아무에게 불리한 일을 말하다.

aus|sägen [áuszɛ:gən] *t.* 톱으로 잘라내다.

Aussatz [áuszats] [<aussetzen] *m.* -es, 나병(癩病)(*leprosy*); 《比》 ~ der Menschheit 무뢰배, 건달패. **aussätzig** [-zɛtsıç] *a.* 나병의(*leprous*). ¶der 〔die〕 ~e 나병 환자(*leper*).

aus|saugen⁽*⁾ [áuszaugən] *t.* 빨아내다; 다 빨아 버리다; 《比》 착취하다, (의) 고혈을 짜내다, 피폐케 하다.

aus|schachten [-ʃaxtən] *t.* (흙을) 파내리다; 〖坑〗 파서 수갱(竪坑)을 만들다.

aus|schälen [-ʃɛ:lən] *t.* (의) 가죽을 벗기다, (의) 껍질을 제거하다.

aus|schalten [áusʃaltən] *t.* 제외〔배제〕하다; 폐(廢)하다; (전류를) 끊다, 차단하다; (전등을) 끄다; (전화를) 끊다. **Ausschalter** *m.* -s, -, 차단기, 스위치.

Ausschank [áusʃaŋk] [<ausschenken] *m.* -(e)s, ⸗e, 잔술 장사, 주류 소매(의 권리); 목로 술집, 선술집, 바.

aus|scharren [áusʃarən] *t.* 파내다, 헤집다.

Ausschau [áusʃau] *f.* 감시, 전망. ¶~ halten, (nach et.³, 무엇을) 감시하다; 《比》 대망(待望)하다. **aus|schauen** *i.*(h.) (nach, 을) 감시하다; 《比》 대망하다. ¶weit ~de Pläne 원대한 계획.

aus|schaufeln [áusʃaufəln] *t.* 삽으로 퍼내다.

aus|scheiden* [áusʃaidən] 《Ⅰ》 *t.* 분리〔제거〕하다(*separate*); 〖數〗 소거하다(*eliminate*); 〖競〗 선발하다《패자를 실격시켜》; 〖生〗 분비하다(*secrete*). 《Ⅱ》 *i.*(s.) 떨어져〔빠져〕 나가다, 물러서다(*withdraw, retire*). **Ausscheidung** *f.* -en, 분리; 소거(消去); 〖生〗 분비(물); (*elimination*).

Ausscheidungs-kampf *m.* 〖競〗 예선. **~orgān** *n.* 〖生〗 분비 기관. **~spiel** *n.* 〖競〗 예선 경기. **~stoff** *m.* 분비〔배설〕물.

aus|schelten* [-ʃɛltən] 《Ⅰ》 *t.* 몹시 꾸짖다, 욕설하다. 《Ⅱ》 *refl.* 속이 후련하도록 꾸짖다.

aus|schenken [-ʃɛŋkən] *t.* ① 쏟아 내다《술통에서》. ② (Wein) ~ 술을 소매하다.

aus|scheuern [-ʃɔyərn] 《Ⅰ》 *t.* (의 안쪽을) 문질러 닦다; (방 따위를) 훔치다. 《Ⅱ》 *refl.* 닳아 해지다.

aus|schicken [-ʃıkən] *t.* 심부름 보내다. ¶nach jm. ~ 부르러 보내다 / nach et.³ ~ 가지러 보내다.

aus|schieben* [áusʃi:bən] *t.* 밀어내다.

aus|schießen* [-ʃi:sən] *t.* ① (탄환을) 발사하다; (빛을) 발하다; 쏘아보다; (지맥을) 내뻗다《산맥이》. ② e-n Preis ~, a) 사격 경기에 상을 걸다, b) 사격 경기에

서 상을 타다. ③ (als Ausschuß beiseite tun) 골라 내다, 도태하다, 가려내어 버리다(*cast out, reject*). ④ 〖印〗정판(整版)하다《난(欄)을》(*impose*).

aus|schiffen [-ʃɪfən] 《Ⅰ》 *t.* (짐을) 양륙(揚陸)하다; (사람을) 상륙시키다. ¶sich ～ 상륙하다; 《比》 면직시키다. 《Ⅱ》 *i.* (s.) 출범〔출항〕하다. **Ausschiffung** *f.* 양륙(揚陸); 상륙.

aus|schimpfen [ausʃɪmpfən] *t.* 욕설을 퍼붓다. 몹시 꾸짖다.

aus|schinden* [áusʃindən] *t.* (의) 가죽을 벗기다; 《比》 (의) 고혈을 짜다.

aus|schirren [-ʃɪrən] *t.* 마구(馬具)를 벗기다; 〖工〗의 연동(聯動) 장치를 떼다.

aus|schlachten [-ʃlaxtən] *t.* (돼지·소의 고기를) 팔려고 잘게 자르다; 《比》 (땅을) 분양하다; 최대한으로 이용하다.

aus|schlāfen* [-ʃla:fən] 《Ⅰ》 *i.*(h.) *u. refl.* 푹 자다; 잠을 다 자다. 《Ⅱ》 *t.*: e-n Rausch ～ 잠자서 취기를 깨우다.

Ausschlāg [áusʃla:k] *m.* -(e)s, ⸚e, ① 제 1 격(擊); 〖撞球〗 초구(初球). ② 새싹; 어린 가지; 벽에 스며 나온 습기; 〖醫〗 발진(發疹)(*rash*). ③ (천칭의) 기울기(*turn*); 〖物〗 (자침의) 편차(*deflexion*). ④ 《比》 결정(*decision*), 결과(*result, issue*). ¶et.³ den ～ geben 무엇을 결정하다.

aus|schlāgen* [áusʃla:gən] 《Ⅰ》 *t.* ① 때려 쫓아내다; (금속을) 두드려 펴다; (철판에 구멍을) 뚫다. ② 덮다, 대다. ¶mit Brettern ～ 판자로 대다. ③ 받아들이지 않다, 퇴짜놓다, 거절하다(*refuse, decline*). ④ 나오게 하다; (불꽃을) 내다. ¶die Blätter ～ 잎을 내다. 《Ⅱ》 *i.* ① (h.) 서브하다《구기에서》. ② hinten ～ (말이) 차다. ③ (h.) 치기를 그치다; (시계가) 다 치다. ④ (천칭(天秤)·자침이 한 쪽으로) 기울어지다. ⑤ (s. *u.* h.) 일어나다(*break out*); 생기다, 싹트다(*sprout, bud*); (벽에) 습기가 스며 나오다, 추위로 벽에 성에가 끼다. ⑥ (s.) (어떤) 결과가 되다(*turn out*). ¶gut ～ 잘 되어 가다. **aus⸗schlāggēbend** *a.* 결정적인.

aus|schließen* [áusʃli:sən] 《Ⅰ》 *t.* 내쫓다; 못 들어오게 하다(*lock out*); 《比》 제외〔배척〕하다(*except, exclude*); 〖競〗 실격시키다(*disqualify*). 《Ⅱ》 *refl.* 탈퇴하다, (에) 관여 않다. 《Ⅲ》 **ausschlie⸗ßend** *p.a.* = AUSSCHLIEẞLICH. 《Ⅳ》 **aus⸗geschlossen** *p.a.* 제외된, 있을 수 없는.

ausschließlich [áusʃli:slɪç, 종종 aus-ʃlí:s-] *a.* 배타적인, 독점적인, 전유(專有)의(*exclusive*); *adv.* 오로지, 오직, 독점적으로. **Ausschließung** *f.* -en, = AUSSCHLUẞ.

aus|schlüpfen [áusʃlʏpfən] *i.*(s.) 미끄러져 나오다; 기어 나오다; 미끄러져 떨어지다.

Ausschluß [áusʃlus] [<ausschließen] *m.* ..sses, ..schlüsse, 제외, 제명; 〖法〗 제척(除斥); 〖競〗 실격시킴. ¶mit ～ von (을) 제외하고 / unter ～ der Öffentlichkeit 비공개〔방청 금지〕로.

aus|schmelzen[(*)] [-ʃmɛltsən] 《Ⅰ》《弱變化》 *t.* 녹여서 빼내다; 〖冶〗 용석(鎔析)하다. 《Ⅱ》 (보통 强變化) *i.*(s.) 녹아서 흘러나오다.

aus|schmieren [-ʃmi:rən] *t.* (사이를) 발라 메우다; (의) 안쪽을 칠하다; 《俗》 표절하다.

aus|schmücken [-ʃmʏkən] *t.* ① (의 내부를) 꾸며 붙이다. ② 장식하다; 《比》 수식하다, 윤색하다. **Ausschmückung** *f.* -en, 장식; 의상; 분식(扮飾), 윤색.

aus|schnauben[(*)] [-ʃnaubən] 《Ⅰ》 *i.*(h.) u. *refl.*: ～ 숨을 돌리다. 《Ⅱ》 *t.* u. *refl.* 코를 풀다.

aus|schneiden* [-ʃnaidən] *t.* ① 잘라내다, 베어 내다; 도리다; (나무의) 가지를 쳐내다; 〖醫〗 절제〔적출(摘出)〕하다. ② 가슴이 깊이 패게 재단하다. ¶ ein ausgeschnittenes (*p.a.*) kleid 가슴이 팬 옷.

aus|schneuzen [-ʃnɔytsən] *refl.* 코를 풀다.

Ausschnitt [áusʃnɪt] [<ausschneiden] *m.* -(e)s, -e, 끊음, 자름; 절단면; 벰; (여성복의) 팬 목〔가슴〕; 《比》 단면, 일면, 일단(一端) 《생활의》; 잘라낸 것, 오려 낸 것《신문 따위의》; 〖數〗 선형(扇形), 부채꼴(*sector*).

aus|schnitze(l)n [áusʃnitsə(l)n] *t.* 조각하다.

aus|schnūren [áusʃny:rən] *t.* 끈을 풀다.

aus|schöpfen [áusʃœpfən] *t.* 퍼내다; 다 퍼내다, 퍼내서 비우다《우물 따위를》. ¶alle Möglichkeiten ～ 온갖 수를 다 쓰다, 전력을 기울이다.

aus|schreiben* [áusʃraibən] 《Ⅰ》 *t.* ① 베끼다, 코피하다; 표절하다. ¶e-e Rechnung ～ 계산서를 작성하다. ② (문서로) 공고하다; (의회를) 소집하다. ¶e-e freie Stelle ～ 결원의 모집을 하다 / e-n Preis ～ 현상 광고를 하다. 《Ⅱ》 *i.*(h.) 쓰기를 끝내다, 다 쓰다. ¶(voll) ～ 생략하지 않고 쓰다. **Ausschreibung** *f.* -en, ① 복사; 표절. ② 공고; 모집; 징발; (의회 등의) 소집.

aus|schrei·en* [-ʃraiən] 《Ⅰ》 *t.* 외치다; 큰 소리로 알리다; 외치며 팔다; 퍼뜨리다. ¶jn. als 〔für〕 et. ～ 아무가 어떻다고 소문내다. 《Ⅱ》 *i.*(h.) 외치기를 그치다.

aus|schreiten* [-ʃraitən] 《Ⅰ》 *i.*(s.) 성큼성큼 걷다, 활보하다; 《比》 도를 넘다, 지나치다(*overstep*). 《Ⅱ》 *t.* 보측(步測)하다(*pace*). **Ausschreitung** *f.* -en, 방종, 도를 지나침, 불법 행위; 월권, 위반(*excess*).

aus|schūlen [áusʃu:lən] *t.*: e-e Gemeinde ～ 어떤 시의 학구(學區)를 바꾸다.

Ausschuß [áusʃus] [<ausschießen] *m.* ..sses, ..schüsse, ① 골라서 버리기; 찌꺼기, 파치(*refuse*). ② (선출된 사람:) 위원(회) (*committee, board*).

Ausschuß⸗mitglied *n.* 위원. **～sit⸗zung** *f.* 위원회(의 회의). **～wāre** *f.* 파치, 찌꺼기, 불량품.

aus|schütteln [áusʃʏtəln] *t.* (옷의 먼지를) 떨어 내다, 떨어서 깨끗하게 하다.

aus|schütten [-ʃʏtən] *t.* 《Ⅰ》 ① 흔들어 내다; 따라 내다, 따라서 버리다; 〖商〗 (이익을) 분배하다. ¶das Kind mit dem Bade ～ 교각 살우(矯角殺牛). ② (도랑을) 메우다. 《Ⅱ》 *refl.* ① 가슴 속을 털어놓다 ② sich vor Lachen ～ 포복 절도하다.

aus|schwärmen [-ʃvɛrmən] *i.*(s.) 떼를 지어 날아 나오다《꿀벌이 벌집에서》; 몰려 나오다《사람이》; 〖軍〗 산개(散開)하다 (*extend*).

aus|schwatzen [-ʃvatsən] *t.* u. *refl.* (비밀을) 지껄여 누설하다.

A

aus|schwēfeln [-ʃve:fəln] *t.* (의 내부를) 유황으로 그을리다《소독을 위해》.

aus|schweifen [áusʃvaifən] *i.*(s.*u.*h.) 빗나가다, 벗어나다(*digress*); 정도(正道)를 벗어나다, 방종〔방탕〕하다. **ausschweifend** *p.a.* 정도(正道)를 벗어난; 방종한(*dissolute, wanton*). **Ausschweifung** *f.* -en, 탈선, 과도(過度)(*excess*); 방종, 방탕(*debauch*(*ery*)).

aus|schwenken [áusʃvɛŋkən] *t.* 헹구어 씻다, 씻어 깨끗이 하다(*rinse*).

aus|schwitzen [-ʃvɪtsən] *t,* 땀을 내게 하다, (땀 처럼) 삼출(滲出)시키다(*exude*).

aus|sēgeln [-ze:gəln] *i.*(s.) 출범하다.

aus|sēgnen [áusze:gnən, -ze:k-] *t.* (죽은 사람을) 출관 직전에 축복하다.

aus|sēhen* [áusze:ən] 《Ⅰ》 *i.*(h.) ① zum Fenster ~ 창에서 바깥을 내다보다 / nach jm. 〔et.[3]〕 ~ 아무를〔무엇을〕 살피다, 망보다. ② …의 외관이다, …처럼 보이다. ¶gut 〔gesund〕 ~ 건강하게 보이다 / wie sein Vater ~ 아버지를 닮았다 / es sieht nach Regen aus 비가 올 것 같다. 《Ⅱ》 **Aussēhen** *n.* -s, 외관, 외모, 모습(*look, appearance, air*). ¶er hat ganz das ~ danach 그는 꼭 그런 모양을 하고 있다.

aus|seihen [áuszaiən] *t.* 걸러서 제거하다.

aus|sein* [áuszain] *i.*(s.) 끝나 있다; 나가 있다; 《比》 auf et. ~ 무엇을 추구〔탐색〕하다.

außen [áusən] [<aus] *adv.* (*ant.* innen) 밖에, 외부에; 외국에; 바깥쪽에; 표면에 (*out, without, outside, abroad*). ¶von ~ (her) 밖으로부터 / nach ~ (hin) 밖으로.

Außen=aufnahme *f.* 야외 촬영, 로케이션. **~bordmōtor** *m.* 선외(船外) 모터. **~bords** *adv.* 뱃전 밖으로.

aus|senden[(*)] [áuszɛndən] *t.* 내어보내다; 발송〔파견〕하다; (명령 따위를) 발하다, (빛을) 방사하다.

Außen=dienst *m.* 외근(外勤). **~ding** *n.* 외계의 사물. **~faktor** *m.* 외적 요인〔생활 조건〕. **~handel** *m.* 무역. **~linīe** *f.* 윤곽; 〖蹴〗 사이드 라인. **~minister** *m.* 외무부 장관. **~politik** *f.* 대외 정책, 외교. **~seite** *f.* 외면(外面), 표면, 외관. **~seiter** *m.* 국외자(局外者), 문외한; 〖競馬〗 승산이〔인기가〕 없는 말(*outsider*). **~stände** *pl.* 〖商〗 미회수금, 채권. **~wand** *f.* 외벽(外壁). **~welt** *f.* 외계. **~werk** *n.* 〖軍〗 외보(外堡). **~winkel** *m.* 〖數〗 외각(外角).

außer [áusər] [<aus] 《Ⅰ》 *prp.* ① 《3格支配》 밖에(서)(*out of, without*); 제외하고(*except*); 밖에, 이외에(*besides*). ¶sie ist darüber ~ sich 그 여자는 그것에 정신이 팔려 있다. ② 《4格支配》 ~ Kraft setzen 무효화〔취소〕하다 / ~ sich setzen 어리 둥절하게 하다; 분격시키다. ③ 《다음 숙어에서》 《2格支配》: ~ Landes geh(e)n 국외로 가다. 《Ⅱ》 *cj.*: ~ wenn …하는 것이 아니면, …의 경우를 제외하고(*unless*).

äußer [ɔ́ysər] [<außer] 《Ⅰ》 *a.* 《附加語的으로만 쓰임》 바깥의, 외부의, 바깥쪽의, 표면의, 외국의(*outer, outward, exterior*). 《Ⅱ》 das ∼e, ∼es, 외부, 외면; 외형; 외관, 외모; 외정(外政), 외사(外事), 외무. ¶der Minister des ∼en 외무부 장관.

außer=amtlich *a.* 공무 외의, 사사로운. **~dēm** [áusərde:m, ausərdé:m] *adv.* 그 밖에, 뿐만 아니라, 또한(*moreover, besides*). **~dienstlich** *a.* 직무 외의; 비번의. **~ēhelich** *a.* 정식 혼인에 의하지 않은. **~etatmäßig** [-eta:mɛ:sɪç] *a.* 예산외의. **~gewöhnlich** *a.* 비상한(*uncommon, extraordinary*).

außerhalb [áusərhalp] 《Ⅰ》 *adv.* 밖〔외부〕에서(*on the outside*); 시〔읍·동리〕 밖에서; 해외에서. 《Ⅱ》 *prp.* 《2格支配》 …의 밖〔외부〕에(*outside*). ¶~ des Berufs liegend 본업 이외의.

äußerlich [ɔ́ysərlɪç] 《Ⅰ》 *a.* 외부의, 외면의(*outward, external*); 《比》 외면적인, 피상적인, 중요하지 않은(*superficial*). ¶~ es Heilmittel 외용약. 《Ⅱ》 *adv.* 외부로, 외면에. ¶schor rein ~ betrachtet 겉으로만 보아도. **Äußerlichkeit** *f.* -en, 외부, 외면, 외형, 외관; 외적 사물(*external*); 피상(*superficiality*); 형식(*formality*).

außermittig *a.* ＝EXZENTRISCH.

äußern [ɔ́ysərn] [<äußer] 《Ⅰ》 *t.* 나타내다, 표명〔표시〕하다(*manifest, show*); 말하다, 진술하다(*express, utter*). 《Ⅱ》 *refl.* 나타나다; (über et., 무엇에 대한) 의견을 말하다.

außer·ordentlich [áusər-ɔrdɛntlɪç] *a.* 비상한, 특별〔이상〕한; 정원 외의(*extraordinary*). ¶ein ~er Professor 원외 교수, 조교수.

äußerst [ɔ́ysərst] [äußer 의 最上級] 《Ⅰ》 *a.* 가장 밖의(*outermost*); 《比》 극단의, 비상한(*ut*(*ter*)*most, extreme*). ¶im ~en falle 최악의 경우에, 가장 위급한 경우에. 《Ⅱ》 *adv.* 극단적으로, 비상하게, 매우(*extremely, exceedingly*). ¶~ glücklich 더없는 행복. 《Ⅲ》 《名詞化》 ① sein ∼es tun 전력을 다하다 / aufs ∼e gefaßt 최악의 경우를 각오하여. ② 《副詞句로 되어》 bis zum ~en, *od.* auf das ~e, *od.* aufs ~e 극단적으로, 매우, 심히.

außerstand [ausərʃtánt] *adv.*: jn. ~ setzen, et. zu tun 아무로 하여금 무엇을 할 수 없게 하다. **außerstande** [-ʃtándə] *adv.*: ~ sein, et. zu tun 무엇을 할 능력이 없다, 무엇을 할 수 없다.

Äußerung [ɔ́ysərʊŋ] *f.* (의견의) 표명; 표시; (감정의) 발로(發露)(*expression*); 발언, 말(*saying, utterance*).

aus|setzen [áuszɛtsən] 《Ⅰ》 *t.* ① 밖에 두다, (밖으로) 내다; (보트를) 배에서 내리다; (군대를) 상륙시키다. ¶auf e-r Insel ~ 어떤 섬에 내버리다《형벌로서》 / jn. 〔sich, et.〕 ~ 아무를〔자신을·무엇을〕 위험에 내맡기다. ② (골라 내다:) 정하다, 결정하다《기일 따위를》; (상금을)

걸다(*offer*); (어떤 금액을) 제공하다, 유증(遺贈)하다(*bequeath, settle*). ③ (밖으로 내다, 없애다:) 중지하다(*discontinue, stop*); 연기하다(*put off, delay*). ④ (배척하다:) 나무라다, 비난하다(*find fault with*). ¶was hast du daran auszusetzen? 네가 그것에 대해 비난할 게 뭐냐. 《Ⅱ》 *i.*(h.) 중단하다, 그치다; (엔진 따위가) 정지하다. ¶mit et.³ ~ 무엇을 중지[연기]하다 / ohne auszusetzen 끊임없이. **aussetzend** *p.a.* 중단하는.

Aussicht[áuszɪçt] [<aussehen] *f.* -en, 조망, 전망, 풍경, 경치(*outlook, view, prospect*); 《比》 가망.

aussichts≈lōs *a.* 가망 없는. **~punkt** *m.* 전망이 좋은 곳. **~reich** *a.* 유망한 **~turm** *m.* 망루(望樓). **~voll** *a.* = ~REICH. **~wāgen** *m.* 관광 자동차; 〖鐵〗 전망차.

aus|sieben [-zi:bən] *t.* 체질하여 가리다; 《比》 선별하다.

aus|singen* [áuszɪŋən] 《Ⅰ》 *i.*(h.) 노래를 그치다. 《Ⅱ》 *t.* 노래를 마치다. 《Ⅲ》 *refl.* 실컷 노래를 부르다.

aus|sinnen* [-zɪnən] *t.* 고안[안출]하다; (나쁜 일을) 꾸미다.

aus|söhnen[áuszø:nən] *t.* 화해[타협]시키다(*reconcile*); *refl.* (mit, 와) 화해하다. **Aussöhnung** *f.* -en, 화해, 조정.

aus|sondern[áuszɔndərn] *t.* 분리하다; 〖醫〗 분비하다; 〖化〗 석출(析出)하다; 선출하다; 골라 버리다; 도태하다.

aus|sortieren [-zɔrti:rən] *t.* 추리다; 골라 버리다.

aus|spähen [-ʃpɛ:ən] 《Ⅰ》 *t.* 탐지[정찰]하다. 《Ⅱ》 *i.*(h.) (nach, 을) 찾다, 망보다, 감시하다. **Ausspäher** *m.* -s, -, 감시인; 간첩; 스파이.

Ausspann [áusʃpan] *m.* -(e)s, -e (여인숙의) 마구간; 역참(驛站). **aus|spannen** 《Ⅰ》 *t.* ① 펴다, 팽팽하게 치다. ② (쳐 놓은 것을) 풀다, 벗기다; (말을) 마차에서 떼어 놓다; 긴장을 풀다; 휴식[휴양]시키다. 《Ⅱ》 *i.*(h.) u. *refl.* 휴식[휴양]하다. **Ausspannung** *f.* -en, 휴식, 휴양.

aus|spāren [áusʃpa:rən] *t.* (아껴서·쓰지 않고) 남겨 두다; 〖畫〗 공백을 남겨 두다; 〖軍〗 우회(迂回)하다.

aus|spei·en* [-ʃpaiən] 《Ⅰ》 *i.*(h.) 침을 뱉다. 《특히 경멸하여》 《Ⅱ》 *t.* 토해 내다. ¶Gift und Galle ~ 격노하다.

aus|spenden [áusʃpɛndən] *t.* 베풀다, 분배하다.

aus|sperren [-ʃpɛrən] *t.* ① 벌리다, (*space out*). ¶〖印〗 Zeilen ~ 행간을 떼다. ② 내쫓아 버리다(*lock out*). **Aussperrung** *f.* -en, 위를 하기; (특히) 공장 폐쇄.

aus|spielen [-ʃpi:lən] *t.* ① (카드의) 패를 내놓다. ¶einen gegen den anderen ~ 갑을 편들어 을을 헐뜯다, 갑과 을을 반목시켜 어부지리를 얻다 / et. gegen jn. ~ 아무를 무엇으로 골려 주다. ② (또 *i.*(h.)) 놀이[연기·연주]를 마치다. ¶e-e Rolle ~ 어떤 역(役)을 맡아 하다. **Ausspielung** *f.* -en, 내기; 복권.

aus|spinnen* [-ʃpɪnən] *t.* (실을) 자아내다; 《比》 (이야기를) 길게 늘어놓다; (음모를) 꾀하다.

aus|spionieren [-ʃpioni:rən] *t.* 몰래 알아 내다, 탐지하다.

aus|spotten [áusʃpɔtən] *t.* 놀리다, 조롱하다.

Ausspräche [áusʃpra:xə] *f.* -n, 발음(*pronunciation, accent*); 의견의 개진(開陳); 토의, 토론(*discussion*). **Ausspr\u0101chebezeichnung** *f.* 발음 기호.

aussprechbār *a.* 발음할 수 있는, 말할 수 있는. **aus|sprechen*** [áusʃprɛçən] 《Ⅰ》 *t.* 발음하다(*pronounce*); 발언하다, 말하다, 진술하다《의견 따위를》(*express, utter*); 《一般的》 나타내다; 〖法〗 선고하다. 《Ⅱ》 *i.*(h.) 말을 끝내다, 다 말하다. 《Ⅲ》 *refl.* 마음 속[사상·감정·의견]을 털어놓다. ¶sich deutlich ~ 명확히 말하다 / sich gegen [für] et. ~ 무엇에 반대[찬성] 의견을 진술하다. 《Ⅳ》 **ausgesprochen** *p.a.* 언명된; 명백한, 단호한, 결정적인.

aus|spreiten [áusʃpraitən], **aus|spreizen** [-ʃpraitsən] *t.* (팔다리·날개 따위를) 펼치다.

aus|sprengen [áusʃprɛŋən] *t.* 폭파하다; 물을 뿌리다; 《比》 퍼뜨리다, 유포하다《소문을》.

aus|springen* [-ʃprɪŋən] 《Ⅰ》 *i.*(s.) 뛰어 나오다, 달아나다; 떨어져 나가다; (닻이) 빠지다. 《Ⅱ》 *t.*: sich³ ein Glied ~ 뛰어서 손[발]을 삐다.

aus|spritzen[-ʃprɪtsən] *t.* 내뿜다; 물을 부어 끄다; 〖醫〗 세척하다.

aus|sprossen [ausʃprɔsən] *i.*(s.) 싹트다.

Ausspruch[áusʃprux] [<aussprechen] *m.* -(e)s, ⸚e, 발언, 진술, 언사(*utterance, remark*);격언, 잠언(箴言)(*maxim*); 〖法〗 선고, 판결, 판정(*sentence, verdict*).

aus|sprūdeln [áusʃpru:dəln] *t.* (물을) 뿜어내다; *i.*(s.) 솟아나오다.

aus|sprühen [áusʃpry:ən] *t.* (불꽃을); 흩날리게 하다, (화염을) 뿜다《화산이》.

aus|spucken [-ʃpukən] 《Ⅰ》 *t.* 침을 탁 내뱉다. 《Ⅱ》 *i.*(h.) 침을 뱉다.

aus|spūlen [-ʃpy:lən] *t.* 씻어 내리다, 말끔히 씻다. ¶sich³ den Mund ~ 양치질하다.

aus|spūren [-ʃpy:rən] *t.* 찾아내다.

aus|staffieren [-ʃtafi:rən] *t.* (에) 장비하다; 장식하다, 성장(盛裝)시키다.

Ausstand [áusʃtant] [<aussteh(e)n] *m.* -(e)s, ⸚e, ① 동맹 파업, 스트라이크(*strike*). ② (*pl.*) 〖商〗 미회수금, 대여금. **ausständig** *a.* 동맹 파업중인; 미회수의 (채권).

aus|stanzen [-ʃtantsən] *t.* 펀취(Stanze) 따위로 꿰뚫다.

aus|statten [áusʃtatən] *t.* ① ein Kind ~ 자식에게 자활의 자금을 주다; 《특히》 e-e Tochter ~ 딸에게 혼수를 장만해 주다. ② (서적을) 장정하다. ③ 부여하다(*endow, bestow upon*). **Ausstattung** *f.* -en, 살림 밑천을 줌; 혼수 준비; 장비, 채비; 장식, 장정; 〖劇〗 무대 장치, 의상 도구; 부여; 천부, 천품.

aus|stäuben [áusʃtɔybən] *t.* 먼지를 떨어 내다.

aus|stechen* [-ʃtɛçən] *t.* 찔러[파 도려] 내다; (잔디를) 떠내다; 파다; (에) 구멍을 뚫다; 새기다(*engrave*); (기사(騎士) 시합에서) 찔러서 말에서 떨어뜨리다; 《比》

밀쳐 내다(*cut out, supplant*); 패배시키다, 능가하다(*outshine*).

aus|stecken* [-ʃtɛkən] *t.* ① (기 따위를) 게양하다. ② 말뚝으로 구획하다.

aus|steh(e)n* [-ʃte:(ə)n] 《Ⅰ》 *i.*(h.) 나간 채로 있다, 아직 들어오지 않다; 빌려주고 있다, 회수 못하고 있다. 《Ⅱ》 *t.* 견디어 내다, 참다(*stand, endure, bear*). ¶ich kann ihn nicht ~ 그 사람은 참을 수 없이 싫다.

aus|steigen* [áusʃtaigən] *i.*(s.) ① 하차〔하선〕하다; 〖空〗 낙하산으로 탈출하다. ② (h.) 다 오르다.

aus|stellen [áusʃtɛlən] *t.* ① 밖에 두다; (보초 따위를) 세우다(*post*). ② 진열〔출품〕하다; 전람에 내다. ③ 교부〔발행〕하다(*issue, mark out*); (수표 따위를) 발행하다(*draw*). ④ (위험 따위에) 내어 맡기다. ⑤ et. an jn. ~ 아무의 무엇을 비난〔책망〕하다(*find fault with*). **Aussteller** *m.* -s, -, 출품〔진열〕자; 교부하는 사람; 어음 발행인. **Ausstellung** *f.* -en, ①진열, 전람, 출품; 전람회, 박람회. ② ③ (증서의) 교부; 발행《환·어음·수표 등의》. ③ (보초병의) 배치. ④ 비난. ¶ ~en machen 아무를 비난하다.

Ausstellungs=gebäude *n.* 박람〔전람〕회장. **~raum** *m.* 진열실. **~schutz** *m.* 전시품의 특허 보호.

Aussterbe·etat [áusʃtɛrbəeta:] *m.* 사멸의 상태. ¶auf den ~ setzen 자연 소멸하도록 내버려 두다; (관직 등이) 보충되지 않고 자연히 폐지되다. **aus|sterben*** *i.*(s.) (가계 등이) 사멸하다; 《比》 황폐하다. ¶die Stadt ist wie ausgestorben (*p.a.*) 거리는 죽은 듯 적막하다.

Aussteuer [áusʃtɔyər] *f.* -n, 채비; (특히) 출가 채비; 지참금; 혼수(*dowry*). **aus|steuern** *t.* (에게) 혼수를 마련해 주다; 지참금을 얻다.

aus|stopfen [áusʃtɔpfən] *t.* (의) 속을 채우다; (동물을) 박제하다.

Ausstōß [áusʃto:s] *m.* -es, ⸚e, 맥주통의 마개 뽑기. **aus|stōßen*** [áusʃto:sən] *t.* ① 밖으로 밀치다, 내지르다, 뚫고 나가다. ② 추방하다, 배척〔계명〕하다(*expel*). ¶aus der Kirche ~ 파문하다. ③ (갑자기) 내뱉다 (*utter*). ¶e-n Seufzer ~ 한숨짓다.

aus|strahlen [áusʃtra:lən] *t.* u. *i.*(s.) (열·빛을) 방사〔복사〕하다(*emit, radiate*). **Ausstrahlung** *f.* -en, 방사, 복사.

aus|strecken [áusʃtrɛkən] *t.* (손 따위를) 내밀다, 뻗다; 늘이다《금속 따위를》.

aus|streichen* [-ʃtraiçən] *t.* 줄을 그어 지워 버리다, 말살하다; (주름을) 펴다.

aus|streuen [áusʃtrɔyən] *t.* 살포하다; (씨를) 뿌리다.

aus|strōmen [-ʃtrø:mən] 《Ⅰ》 *i.*(s.) 흘러 나오다; (가스 따위가) 새어 나오다. 《Ⅱ》 *t.* 유출〔발산〕시키다. **Ausströmungsrohr** *n.* 〖工〗 송기관(送氣管).

aus|studieren [-ʃtudi:rən] 《Ⅰ》 *t.* 연구를 다하다, (의) 진수를 터득하다. ¶s-e Semester ~ 학업을 끝내다. 《Ⅱ》 *i.*(h.) 연구를 마치다; 대학을 졸업하다.

aus|sūchen [áuszu:xən] 《Ⅰ》 *t.* 찾아내다, 선발하다. 《Ⅱ》 **ausgesūcht** *p.a.* 엄선한, 공들인.

aus|tapezieren [-tapetsi:rən] *t.* 도배지를 바르다, 휘장을 두르다《방안에》.

aus|tarieren [áustari:rən] *t.* (öst) 포장무게를 제하고 달다.

Austausch [áus-tauʃ] *m.* -es, 교환, 교역(*exchange, barter*). **austauschbār** *a.* 교환〔교역〕할 수 있는. **aus|tauschen** *t.* 교환하다, 교역하다.

aus|teilen [áus-tailən] *t.* ① 분배하다, 나눠주다; (명령을) 발하다. ② das Abendmahl ~ 성찬례를 베풀다. **Austeilung** *f.* -en, 분배, 시여(施與).

Auster [áustər] [Lw. lat.] *f.* -n, 〖貝〗 굴(♀*oyster*).

Auster(n)=bank *f.* 굴 양식장(場). **~zucht** *f.* 굴 양식.

aus|tilgen [áus-tɪlgən] *t.* 지워 없애다; 말살하다; 근절〔섬멸〕시키다.

aus|tōben [-to:bən] 《Ⅰ》 *i.*(h.) u. *refl.* (폭풍이) 자다, 잠잠해지다; (열이) 내리다; 날뛰어 울분을 풀다, 방탕하다. 《Ⅱ》 *t.* 행패를 부려 화풀이하다 (an jm.).

Austrāg [áus-tra:k] [<austragen] *m.* -(e)s, ⸚e, 결정, 판결(*decision*); 해결(*issue*). **aus|trāgen*** [áus-tra:gən] *t.* ① 날라내다, 반출하다; 안고 나가다《아이를》; 배달하다《편지 따위를》. ② (태아를) 만삭까지 회태(懷胎)하다. ③ 참고 견디다, 참아내다. ④ 결정〔해결〕하다 (*decide, settle*). **Austräger** *m.* -s, -, 운반인, 배달인; 요설가; 비방자.

Austrālien [austrá:liən] [lat. <austral „südlich"] *n.* 오스트레일리아. **Austrālier** *m.* -s, -, 오스트레일리아 사람. **austrālisch** *a.* 오스트레일리아의.

aus|treiben* [áus-traibən] *t.* ① (가축을) 목장으로 내쫓다; 축출〔구축〕하다. ¶den Tefelu ~ 악마를 내쫓다 / 《比》 jm. den Hochmut ~ 아무의 콧대를 꺾다. ② Keime 〔Knospen〕 ~ 싹〔망울〕을 내다, 발아하다.

aus|trēten* [áus-tre:tən] 《Ⅰ》 *i.*(s.) ① 《사람이 主語》 걸어 나오다; (열에서) 벗어나다; 변소로 가다; 빗나가다; 일탈하다. ② 《물건이 主語》 넘쳐 흐르다, 범람하다(*overflow*). 《Ⅱ》 *t.* ① 짓밟아 짜내다. ② 밟아 부수다; 밟아서 움푹 패게 하다, 밟아서 닳게 하다; (양말 따위를) 신어서 넓히다.

aus|trinken [áus-trɪŋkən] *t.* 마셔 버리다; 마셔 비우다.

Austritt [áus-trɪt] [<austreten] *m.* -(e)s, -e, ① 걸어나가기; 탈퇴, 퇴직, 퇴사(退社); 범람; 출구. ② 〖建〗 계단의 꼭대기; 툇마루, 발코니, 변소.

aus|trocknen [áus-trɔknən] 《Ⅰ》 *t.* 말리다, 건조시키다, 습기를 닦아내다〔없애다〕. 《Ⅱ》 *i.*(s.) 마르다, (내·강물이) 말라 붙다.

aus|trommeln [áus-trɔməln] *t.* 북을 쳐서 알리다; 《比》 알리며 돌아다니다.

aus|trompēten [áus-trɔmpe:tən] *t.* ① 나팔을 불어 알리다. ② *i.*(h.) 나팔을 다 불다.

aus|tüfteln [-tʏftəln] *t.* 《俗》 머리를 짜서 생각해 내다, 소상하게 정하다.

aus|tūn* [áus-tu:n] 《Ⅰ》 *t.* ① (옷 따위를) 벗다. ② (등불을) 끄다; (부채를 기장에서) 지워 버리다, 말살하다. ③ (돈

따위를) 대출하다. 《Ⅱ》 *refl.* 옷을 벗다; 진력하다; 의견을 말하다.

aus|üben [áus-y:bən] 《Ⅰ》 *t.* ① 실행〔실시〕하다(*exercise*); (직무를) 집행하다(*execute*); (사업을) 경영하다(*practise*); ② (영향 따위를) 미치다(*exert*), (죄를) 범하다(*commit*). ¶Rache an jm. ~ 아무에게 복수하다. ③ (정신 따위를) 단련하다. 《Ⅱ》 **ausübend** *p.a.* 실무에 종사하는. ¶~er Arzt 개업의(醫) / die ~e Gewalt 집행권. **Ausübung** *f.* -en, 실행, 실시, 행사(*exercise*); 집행(*execution*); 경영(*practice*); 범행(*perpetration*).

Ausverkauf [áusfɛrkauf] *m.* -(e)s, ⸚e, 재고품 정리 판매, 떨이로 팔기(*clearance sale*). **aus|verkaufen** *t.* u. *i.*(h.) 다 팔아 치우다; 떨이로 팔다.

aus|wachsen* [áusvaksən] 《Ⅰ》 *i.*(s.) ① 발생〔발아(發芽)〕하다; 곱사등이가 되다. ② 성장하다, 증대하다(*grow up*). 《Ⅱ》 *t.*: ein Kleid ~ 성장하여 옷이 몸에 맞지 않게 되다(*outgrow*). 《Ⅲ》 *refl.* 성장〔증대〕하다; 발전하다(*develop*).

aus|wägen^(*) [áusvɛ:gən] *t.* 달아서 골라내다; 저울질하여 팔다; 《比》 평가하다.

Auswahl [áusva:l] *f.* -en, 선출, 선택(*choice, selection*); 선택한 것; 〖商〗 정선품; 정화(精華)(*assortment*). **aus|wählen** *t.* 선출〔선택〕하다(*choose, select*).

Auswahl⸗mannschaft *f.* 〖競〗 선발팀. **~sendung** *f.* 선택을 위한 상품 송부.

Auswand(e)rer [áusvand(ə)rər] *m.* -s, -, 이민(*emigrant*). **aus|wandern** *i.*(s.) (국외로) 이주하다(*emigrate*). **Auswand(e)rung** *f.* -en, 이주(*emigration*).

auswärtig [áusvɛrtɪç] *a.* 바깥의(♀*outward*); 외국의(*foreign*). ¶Ministerium der ~en Angelegenheiten 외무부. **auswärts** *adv.* 밖으로, 밖에; 딴 곳으로〔에〕; 외국으로〔에〕; 교외로〔에〕; 시골로〔에〕. ¶~ essen 외식하다.

aus|waschen* [áusvaʃən] 《Ⅰ》 *t.* 씻어내다; 씻어 깨끗이 하다. 《Ⅱ》 *refl.* 씻겨 내리다, 바래지다.

aus|wässern [áusvɛsərn] *t.* 물로 씻다; (염분을 빼기 위해) 물에 담그다.

auswechselbar [áusvɛksəlba:r] *a.* 교환할 수 있는, 서로 바꿀 수 있는. **aus|wechseln** [áusvɛksəln] *t.* (다른 것과) 바꾸다. ¶er ist wie ausgewechselt (*p.a.*) 아주 딴 사람이 됐다.

Ausweg [áusve:k] *m.* -(e)s, -e, 출구; 《比》 구조책, 구실, 핑계, 방편.

aus|weichen* [áusvaiçən] 《Ⅰ》 *i.*(s.) ① jm. 〔e-m Dinge〕 ~ 아무를〔무엇을〕 피하다; 《比》 회피하다. ② 〖鐵〗 전철(轉轍)하다, 대피하다. 《Ⅱ》 **ausweichend** *p.a.* 회피적인(*evasive*).

Ausweich⸗platz *m.*, **~stelle** *f.* 대피소; 〖鐵〗 전철점(轉轍點).

aus|weiden [áusvaidən] *t.* (물고기·짐승의) 내장을 빼내다.

aus|weinen [-vainən] 《Ⅰ》 *t.*: sich³ die Augen ~ 눈이 붓도록 울다. 《Ⅱ》 *i.*(h.) 울음을 그치다. 《Ⅲ》 *refl.* 실컷 울다, 속이 후련해질 때까지 울다.

Ausweis [áusvais] *m.* -es, -e, 보고, 기술(記述), 취지(*statement, purport*); 신분의 증명(*proof*). **aus|weisen*** 《Ⅰ》 *t.* 쫓아내다, 추방〔축출〕하다(*expel, banish*); 명시〔증명〕하다(*show, prove*). 《Ⅱ》 *refl.* 신분을 증명하다; 증명되다, 정해지다.

Ausweiskarte *f.*, **Ausweispapiere** *pl.* 신분 증명서(*identity card*); 여권(*passport*). **Ausweisung** [áusvaizuŋ] *f.* -en, 쫓아냄; 국외 추방.

aus|weiten [áusvaitən] *t.* 넓히다.

auswendig [áusvɛndɪç] [„nach außen gewendet"] 《Ⅰ》 *a.* 밖으로 향한; 외부의. 《Ⅱ》 *adv.* 밖으로; 밖에서; 암기〔암송〕하여. ¶~ lernen 암기하다, 외다.

aus|werfen* [áusvɛrfən] *t.* ① (밖으로) 던지다, 내던지다; (화산이 재 따위를) 분출하다, 뿜다; (가래·피를) 내뱉다(*eject*). ② ein Tier ~ 어떤 짐승의 내장을 끄집어 내다. ③ Erde ~ 땅을 파 올리다. ④(무용물을) 골라내어 버리다. ⑤ 〖商〗 (금액을) 기입하다; (계산서를) 작성하다. ⑥ (봉급을) 확정하다; (의) 급여를 약속하다.

aus|werten [áusve:rtən] *t.* (충분히) 이용하다(*make full use of*); 평가하다.

aus|wetzen [-vɛtsən] *t.* 갈아 없애다; 《比》 (을) 설욕하다; *i.*(s.) 도망치다.

aus|wickeln [áusvɪkəln] *t.* (감은 것을) 풀다; (포대기에서) 꺼내다; 《比》 (곤란을) 벗어나게 하다, 해결하다.

aus|wiegen* [áusvi:gən] *t.* 달다; 달아서 팔다.

aus|winden^(*) [áusvɪndən] *t.* 짜내다, 짜다; 자아틀로 올리다.

aus|wintern [-vɪntərn] *t.* 겨울의 찬 바람을 쐬게 하다; 추위에 드러내다; 월동하게 하다.

aus|wirken [áusvɪrkən] 《Ⅰ》 *t.* ① (진력하여) 얻게 하다(*manage, effect*). ¶sich³ et. ~ 무엇을 얻다, 어떤 목적을 달성하다. ② 마무르다; (천을) 다 짜내다; (가루를) 반죽해 내다. 《Ⅱ》 *refl.* 효과가 나타나다.

aus|wischen [áusvɪʃən] *t.* ① 닦아 내다; 깨끗이 훔치다. ¶sich³ die Augen ~ 눈물을 닦다. ② 《俗》 jm. eins〔eine〕 ~ 아무를 한대 갈기다〔따귀 때리다〕.

aus|wittern [áusvɪtərn] 《Ⅰ》 *i.*(s.) 풍화〔풍해(風解)〕하다(*decompose*); *i.*(h.) 폭풍우가 그치다. 《Ⅱ》 *t.* ① 풍화〔풍해〕시키다. ② 김새채다(*scent out, discover*).

Auswuchs [áusvu:ks, -vuks] [<auswachsen] *m.* -es, ⸚e, 생장, 발육; 융기, 혹(*excrescence*); 《比》 불구, 기형; 폐해; 무용지물.

Auswurf [áusvurf] [<auswerfen] *m.* -(e), s, ⸚e, ① 내던짐. ② (화산의) 분출, 폭발; 분출물, 용암. ③ 토사(吐瀉); 각혈, 객담(喀痰); 토사〔배설〕물. ④ 가려내어 버려진 것, 폐물, 찌끼. ¶《比》 ~ der Menschheit 인간 쓰레기.

aus|würfeln [áusvʏrfəln] *t.* (을) 걸고 주사위를 던지다.

aus|wurzeln [áusvurtsəln] *t.* (의) 뿌리를 뽑다; 근절시키다.

aus|wüten [áusvy:tən] *i.*(h.) u. *refl.* = AUSTOBEN.

aus|zacken [áustsakən] *t.* (에) 깔쭉깔쭉하게 새기다, 톱니 모양으로 하다.

aus|zahlen [áus-tsa:lən] *t.*: et.: 지불해 주다; (jn., 에게) 지불해 주다, (돈을 치르고) 해고하다; 《比》 (아무를) 혼내다.

aus|zählen [-tsɛ:lən] *t.* 세어내다, 세기를 끝내다. ¶e-n Boxer ~ (10까지 세어) 권투 선수에게 아웃을 선언하다.

Auszahlung [áustsa:lʊŋ] *f.* -en, 치름, 지불(해 줌).

aus|zanken [áustsaŋkən] *t.* 꾸짖다, 욕설을 퍼붓다; *i.*(h.) 꾸짖기를 그치다.

aus|zapfen [áustsapfən] *t.* 통의 마개를 뽑아 술을 따르다; 됫술로 팔다.

aus|zehren [áus-tse:rən] 《Ⅰ》 *t.* 남김없이 다 먹다; 소비하다(*consume*); 피폐하게 하다, (사람을) 쇠약하게 하다. 《Ⅱ》 *i.*(s.) u. *refl.* (점점) 쇠약해지다(*waste away*). **Auszehrung** *f.* -en, 쇠약; 〖醫〗 소모성 질환《폐결핵·척수로(脊髓癆) 따위》 (*consumption*).

aus|zeichnen [áus-tsaiçnən] 《Ⅰ》 *t.* 가려내어 표하다《벌채하려는 나무 따위에》; (상품에) 정찰을 붙이다; 특기하다, 눈에 띄게 하다, 특별 취급을 하다(*distinguish*); 표창하다(*reward*). ¶Mut zeichnet ihn aus 그의 용기는 출중하다. 《Ⅱ》 *refl.* 뛰어나다, 출중하다(*distinguish oneself*). 《Ⅲ》 **ausgezeichnet** [가끔: ausgətʒáiçnət] *p.a.* 출중〔우수〕한, 발군의. **Auszeichnung** *f.* -en, 탁월, 우수; 특기; 정찰, 레테르; 칭찬, 표창; 특대(特待); 영예; 훈장, 공로 기장.

aus|ziehen* [áus-tsi:ən] 《Ⅰ》 *t.* ① (옷을) 벗다. 벗기다. ¶jn. rein ~ 아무를 발가벗기다; 《比》 홀랑 털다. ② 잡아빼다, 빼내다; 정수를 추출(抽出)하다(*extract*); 발췌하다. ③ 뻗다, 펼치다, 끌어내다. 《Ⅱ》 *refl.* 옷을 벗다. 《Ⅲ》 *i.*(s.) ① 옮아가다, 이전하다(*remove*). ② 열을 지어 나가다, 출발하다(*march out*). ¶ zum Kampf ~ 출정(出征)하다. ③ 급히 떠나가다〔도망치다〕. **Auszieh·tisch** *m.* -(e)s, -e, 뚜껑을 빼었다 끼웠다 할 수 있는 책상(*telescope table*).

aus|zischen [áus-tsıʃən] *t.* (배우 따위를) 우우 소리 질러 퇴장시키다〔야유하다〕.

Auszug [áus-tsu:k] [<ausziehen] *m.* -(e)s, ¨e, ①꺼냄, 빼냄. ② 〖化〗 추출물, 엑스(트랙트); 달여낸 액체; (정선된) 우량품. ③ 발췌, 적요; 초본; 옮아감, 이전; 출발, 퇴거; 〖軍〗 행진, 출정.

aus|zupfen [áus-tsupfən] *t.* 뜯어 내다 《실·털·솜 따위를》; 풀다.

autark [autárk] [gr. „sich selbst genügend"] *a.* 자급 자족하는(♈*autarkic(al), self-sufficient*). **Autarkie** [autarkí:] *f.* ..kien, 자족; 자주 경제, 자급 자족.

Authentie [autɛntí:] [gr. <*autós* „selbst"] *f.* 권한, 권능, 권위. **authentisch** [autέntıʃ] [„selbstwirkend"] *a.* 신빙할 만한; 진정한, 확실한(*genuine*); 의거할 만한(♈*authentic*). **Authentizität** *f.* 진정, 확실, 신뢰할 수 있음, 출처가 바름.

auto.. [auto-, áuto-] [gr. „selbst"] 《合成用語》 "스스로"의 뜻. ★ 모음 앞에서는 aut...

Auto [áuto] *n.* -s, -s, 《俗》 자동차 (= Automobil). ¶~ fahren 드라이브하다.

Auto·anruf [áutoanru:f] *m.* 택시의 (전화) 호출.

Autobahn [áutoba:n] *f.* (Reichs~) 자동차 (전용) 도로.

Autobiographie [autobiografí:, 가끔 áuto-fi:] [gr, „Selbst-beschreibung"] *f.* ..phien, 자서전.

Autobus [áutobʊs] *m.* -ses, -se. 《俗》 버스.

Autodidakt [autodidákt] *m.* -en, -en, [gr. „Selbst-belehrter"] 독학자(獨學者). **Autodidaktentum** *n.* 독학.

Auto·droschke *f.* 택시(*taxicab*). ~**empfänger** *m.* 자동차의 라디오 수신기. ~**fahrer** *m.* (운전) 기사; 자가용 상용자(常用者). ~**falle** *f.* 속도 위반의 자동차를 단속하기 위하여 경찰관이 숨어 있는 곳. ~**friedhof** *m.* 폐차 해체소. ~**garage** [-gara:ʒə] *f.* 자동차 차고.

Autogiro [autoʒí:ro] [gr. -sp.] *n.* -s, -s, 〖空〗 오토자이로.

Autogramm [autográm] [gr.] *n.* -s, -e, 자필, 친필, (유명인의) 자서(自署).

Autograph [autográ:f] [gr.] ① *n.* -s, -(e)n, = AUTOGRAMM. ② *m.* -en, -en, 〖印〗 전사기; 원지 석판쇄. **Autographie** [-grafí:] *f.* ..phien, 전사법, 원색 석판술. **Autogravüre** [-gravý:rə] [gr. -fr.] *f.* -n, 〖印〗 오토그라뷔어《사진판 조각의 1종》.

Auto·heber *m.* 재크(*jack*). ~**hof** *m.* 주차장, 급유소; *f.* 자동차의 경적, 크락션.

Autokrat [autokrá:t] [gr. „Selbstherrscher"] *m.* -en, -en, 독재〔전제〕 군주, 독재자.

Autolenker [áutolɛŋkər] *m.* 운전 기사.

Autolyse [autolý:zə] [gr.] *f.* 〖生〗 자기 분해〔소화〕.

Automat [automá:t] [gr. „Selbst-beweger"] *m.* -en, -en, 자동 기계; 자동 판매기; 자동 판매식 식당; 자동 인형; 로보트.

Automaten·restaurant *n.* 자동 판매식 간이 식당. ~**stahl** *m.* 〖工〗 쾌삭강(快削鋼).

Automation [automatsı̆ó:n] *f.* 오토메이션. **automatisch** [automá:tıʃ] *a.* 자동적인; 《比》 기계적인; 무의식의. **automatisieren** *t.* 자동〔기계〕화하다.

Automobil [automobí:l] [gr. *autós* „selbst„ u. lat. *mōbilis* „beweglich"] *n.* -s, -e, 자동차. **Automobilist** *m.* -en, -en, 자동차 상용자〔운전사〕.

auto·nom [autonó:m] [gr. „selbst-gesetzlich"] *a.* 자율의; 자주적인, 자치적인. **Autonomie** [autonomí:] *f.*, ..mien 자율(自律); 자치(自治); 자주(自主); 자치제〔권〕.

Auto·omnibus [áuto-ɔmnibus] *m.* 버스.

Autopsie [autɔpsí:] [gr.] *f.* ..sien, 목격; 〖醫〗 검시(檢屍).

Autor [áutɔr] [lat. „Urheber"] *m.* -s, ..toren, 저(작)자(♈*author*); 문인(*writer*); 창시자. **autorisieren** *t.* (에게) 권능〔권한〕을 주다, 공인하다(♈*authorize*). **autoritär** *a.* 권능이〔권위가〕 있는; 《比》 권세를 휘두르는, 안하 무인의. **Autorität** [autoritέ:t] *f.* 권위(♈*authority*); 권위자, 대가; 증빙; 권력; 관헌, 당국.

Auto·schlosser *m.* 자동차 수리공. ~**schütter** *m.* 덤프 카.

Autostrāße [áutoʃtra:sə] *f.* 자동차 (전용) 도로.
Autosuggestiōn [–zugɛstĭo:n] [gr. + lat.] *f.* –en, 〖醫·心〗 자가 암시, 자기 최면.
Autotoxin [autotɔksí:n] *n.* –s, –e, 〖醫〗 자가 독소(自家毒素).
Autotypie [–typí:] [gr.] *f.* ..pien, 〖印〗 오토타이프《단색(망) 사진판쇄》. 「파.
auweh! [auvé:] *int.* 아 슬프다, 아이 아
Avancement [avãsəmã́] [lat. –fr.] *n.* –s, –s, 전진; 승진, 진급. **avancieren** [avãsí:rən] *i.*(s.) 전진하다; 승진하다; *t.* 전진시키다.
Avantage [avãtá:ʒə] [fr.] *f.* –n, 이득; 장점, 편리. **Avantageur** [–ʒø:r] *m.* –s, –e, 〖軍〗 사관 후보생. **Avantgarde** [avã́:gardə] *f.* –n, 〖軍〗 전위; 전위 예술.
avertieren [avɛrtí:rən] [fr.] *t.* (에게) 통지〔보고〕하다, 예고〔경고〕하다. **Avertissement** [–tɪsəmã́:] *n.* –s, –s, 고지, 통보; 예고, 경고.
Aviatik [avĭá:tɪk] [lat. <*avis* „Vogel"] *f.* 《稀》 항공〔비행〕술(♈*aviation*).
Avis [aví:(s)] [fr. „An-sicht, An-zeige"] *m.* od. *n.* –es, –e, 안내(장), 통지, 통고(♈*advice*). **avisieren** [–zí:rən] *t.* 통지〔보고〕하다(♈*advise*); 광고하다. **Aviso** [aví:zo] *m.* –s, –s, 공문서 송달선(送達船).
Avitaminōse [avitaminó:zə] [lat.] *f.* –n, 비타민 결핍증. 「터교의 경전.
Awesta [avɛ́sta] [pers.] *n.* –, 조로아스
Axiōm [aksió:m] [gr.] *n.* –s, –e, 공리(公理), 원리. 「*axe, hatchet*).
Axt [akst] *f.* ¨e, (자루가 긴) 도끼(♈
Azālie [atsá:lĭə] [gr. „die Dürre"] *f.* –n, 〖植〗 진달래(♈*azalea*). 「세톤.
Azetōn [atsetó:n] [lat.] *n.* –s, 〖化〗 아
Azetylēn [atsetylé:n] [lat. < *acētum* „Essig"] *n.* –s, 〖化〗 아세틸렌.
Azimūt [atsimú:t] [ar.] *m.* od. *n.* –(e)s, –e, 〖天〗 방위각.
Azūr [atsú:r] [pers. *lazur*] *m.* –s, 하늘색, (검)푸른 색. **azūrblau** *a.*, **azūrn** [atsú:rn] *a.* 청람색의, 하늘색의; 맑게 갠.

B

B [be:] *n.* –, –, 〖樂〗(*B-dur*) 내림 나 장조. ***b*** *n.* –, –, 〖樂〗 내림 나 음; (*b-moll*) 내림 나 단조.
Babbelei [babəlái] *f.* –en, 《俗》 서투른 말; 허튼 소리. **babbeln** [擬聲語] *i.*(h.) u. *t.* 《俗》 서투른 말로 지껄이다 (♈*babble; prattle*).
Bābel [bá:bəl] [hebr.] *n.* –s, =BABYLON; 《比》 풍속이 퇴폐한 땅. ¶der Turm zu ~ 바벨의 탑(塔). 「이.
Baby [bé:bi:] [engl.] *n.* –s, –s, 갓난 아
Baby=ausstattung *f.* 갓난 아이의 용품 한 벌(*layette*). **~sitter** [engl.] *m.* –s, –, 직업적으로 아이보는 사람.
Bacchanāl [baxaná:l] [gr. –lat.] *n.* –s, *pl.* –e[..lĭen], 〖希神〗 주신 바커스 축제; 《比》 주연. **bacchantisch** [baxán–], **bacchisch** [báxɪʃ] [gr. –lat.] *a.* 주신 바커스의; 만취한; 미친듯이 떠드는.
Bach [bax] *m.* –(e)s, ¨e, 시내, 실개천 (*brook, stream, rivulet*).
Bache [báxə] *f.* –n, 산돼지의 암컷.
Bächlein [bɛ́çlain] *n.* –s, –, 실개천.
Bach·stelze [báxʃtɛltsə] [<stelzen „auf Stelzen gehen"] 〖鳥〗 할미새(*wagtail*).
Back [bak] [ndd.] *f.* –en, 〖海〗 ① 이물쪽의 상갑판(上甲板). ② (선원용의) 움푹한 나무 식기.
back [bak] [nd. „zurück"] *adv.* 〖海〗 뒤쪽을 향하여(♈*back*, ♈*aback*). **Back=bord** *n.* 〖海〗 왼쪽 뱃전《옛 게르만의 배의 키는 오른쪽 뱃전에 있었음》(*port*).
Backe [bákə] *f.* –n, **Backen** [bákən] *m.* –s, –, ① 뺨《좌우의 귀까지의 빰을 말하며, 턱뼈도 포함함》(*cheek*). ② 〖工〗(기계의) 측부(側部), 측면, 측벽(*jaw*); (*pl.*) (바이스의) 턱.
backen[(*)] [bákən] 《Ⅰ》 *t.* ① 굽다(빵·과자를 *bake*, 벽돌을 *burn*); 프라이하다 (*fry*). ② 《過去는 반드시 弱變化》 (과실을) 말리다. 《Ⅱ》 *i.*(h.) 빵을〔과자를〕 굽다; (빵·과자 따위가) 구워지다. 《Ⅲ》 **ge=backen** *p.a.* 구워진, 구운.
Backen=bārt *m.* 구레나룻. **~kno=chen** *m.* 관골, 광대뼈. **~schlāg**, **~=streich** *m.* 뺨따귀를 침.
Back(en)zahn [bák(ən)tsa:n] *m.* 어금니.
Bäcker [bɛ́kər] [<backen] *m.* –s, –, 빵집, 빵제조업자, 빵굽는 사람(*baker*).
Bäckerei [bɛkərái] *f.* –en, 빵가게, 빵장사(*bakery*).
Bäcker=bursche, **~gesell(e)** *m.* 빵집 직공, 제빵 기술자. **~lāden** *m.* 빵집.
Back=feige [„gebackene Feige"] *f.* 《戲》 =BACKENSTREICH. **~fisch** *m.* 프라이한〔프라이할〕 물고기; 《戲》 계집아이, 말괄량이. **~haus** *n.* 빵 굽는 곳. **~=hendel** *n.* –s, –(n), **~huhn** *n.* 로스트치킨. **~ōbst** *n.* 말린〔말릴〕 과실. **~ōfen** *m.* 빵 굽는 가마. **~pfanne** *f.* 프라이팬. **~pfeife** *f.* =~FEIGE. **~pflaume** *f.* 말린 자두. **~pulver** *n.* 베이킹파우더. **~stein** *m.* 벽돌. **~=steinbau** *m.* (*pl.*–ten) 벽돌 건물. **~=trōg** *m.* (빵집의) 반죽통. **~wāre** *f.*, **~werk** *n.* 빵과자, 비스킷.
Bād [ba:t] *n.* –(e)s, ¨er, ① 목욕, 미역 (♈*bath*); 목욕물; 광천(鑛泉); 목욕탕, 욕실(浴室); 온천, 온천장. ¶ein ~ nehmen 목욕하다. ② 〖化·工〗 배드, 침액(浸液); 일광욕, 치료 광선욕.
Bāde=anstalt [bá:də-anʃtalt] *f.* 목욕탕. **~anzūg** *m.* 욕의(浴衣), 수영복. **~=ārzt** *m.* 욕탕 의사. **~gast** *m.* 목욕손님. **~hōse** *f.* 수영 팬츠. **~kappe** *f.* 수영 모자. **~karren** *m.* (해수욕장의) 탈의용 차. **~kūr** *f.* 온천 요법. ¶e-e ~kur gebrauchen 광천(鑛泉)을 복용하다. **~lāken** *n.* u. *m.* 목욕 수건. **~mantel** *m.* 수영복 위에 걸치는 망토. **~meister** *m.* 욕장 관리인; 수영 교사.
bāden [bá:dən] [<Bad] 《Ⅰ》 *t.* 목욕시키다(♈*bathe*). ¶ein Kind ~ 아기를 미역 감기다. 《Ⅱ》 *i.*(h.) u. *refl.* 목욕하다, 물을 덮어쓰다; 온천장에서 요양하다. ¶~ gehen 목욕하러 가다.
Bāde=ōfen [bá:də-o:fən] *m.* 목욕물 끓이

는 가마. ~**ort** *m.* (*pl.* -e) 온천장. ~**platz** *m.* 목욕장.

Bāder [bá:dər] *m.* -s, -, † 목욕탕 주인; (옛날의) 이발사 겸 외과 의사.

Bāde·reise *f.* 온천 여행, 온천장[해수욕장] 가기. ~**schwamm** *m.* 목욕용 해면. ~**seife** *f.* 목욕 비누. ~**strand** *m.* 해수욕장. ~**tūch** *n.* (*pl.* ⸚er) 목욕 수건. ~**wanne** *f.* 목욕통. ~**zeit** *f.* 목욕 시간. ~**zelle** *f.* (목욕탕의) 욕실; (해수욕장의) 탈의장. ~**zeug** *n.* 목욕용품. ~**zimmer** *n.* 욕실.

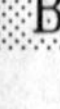

baff! [baf] [擬聲語] *int.* 쾅, 탕《총소리·폭음》; 멍멍《개 짖는 소리》. ¶~ sein 어리둥절해 있다.

Bagage [bagá:ʒə] [fr.] *f.* -n, 수화물; 〖軍〗 군용 행낭 (♈*baggage*; *luggage*); 《比》 천민, 부랑자(*rabble*).

Bagatẹlle [bagatɛ́lə] [fr. „kleine Bagage"] *f.* -n, 사소한 것[일].

Bāge [ba:gə] *f.* 《俗》 구타; 타격.

Bạgger [bágər] [ndl.] *m.* -s, -, **Bag·germaschine** *f.* 준설기(浚渫機)(*dredger*). **bạggern** [bágərn] *t.* u. *i.*(h.) 준설하다(*dredge*).

bāhen [bɛ́:ən] ["erwärmen"] *t.* ① 따뜻이 하여 부드럽게 하다; 촉성 재배하다. ② 〖醫〗 더운 찜질을 하다(*foment*).

Bahn [ba:n] [*eig.* „glänzend"] *f.* -en, ① (지장 없이 다닐 수 있는) 길, 통로(*road, pass*(*way*)). ¶(die) ~ brechen 길을 트다/sich³ ~ brechen 길을 트며 나아가다, 혈로를 뚫다. ② 차도; (Eis~) 스케이트장; (Schlitten~) 썰매길; (Renn~) 트랙, 경주로(*course, track*); 경마장; (Reit~) 마술 연습장; 시합장. ③ 《比》 (Lauf~, Lebens~) 행로, 경력, 생애(*course*). ④ (Eisen~) 철도(*railway, -road*); (Straßen~) 시가 궤도, 전기 철도, 전차. ¶mit der ~ fahren 기차로 가다. ⑤ 〖天〗 궤도(*orbit*); 〖軍〗 (Flug~) 탄도. ⑥ 〖工〗 활면(滑面), 사용면《기구나 모루 따위의》; (망치의) 못질하는 면. ⑦ (종이·천 따위의) 폭(*width*); (Zeug~) (직물의 단위로서) 일정한 폭《약 1 야드》.

Bạhn·arbeiter *m.* 보선공(工). ~**bau** *m.* (*pl.* -ten) 철도 [선로] 공사. ~**beamte** *m.* 《形容詞變化》 철도국 직원. ~**brechend** *a.* 《比》 새로운 면을 개척하는, 획기적인, 솔선적인. ~**brecher** *m.* 개척자, 창시자. ~**brücke** *f.* 철교. ~**damm** *m.* 철도 축제(築堤).

bạhnen [bá:nən] [<Bahn] *t.*: e-n Weg ~ 길을 내다[닦다]/sich³ e-n Weg durch das Gedränge ~ 군중을 헤치고 나아가다/《比》 sich³ den Weg ~ 출세하다, 진로를 개척하다.

bạhnfrei [bá:nfrai] *a.* 운임이 지불된.

Bạhn·geleise, ~**gleis** *n.* 철도 레일. ~**hōf** *m.* 정거장, 역. ~**hōfsdirector** *m.* 역장. ~**hōfsplatz** *m.* 역전 광장. ~**hōfsvōrstēher** *m.* 역장. ~**körper** *m.* 철도의 노반(路盤). ~**linie** *f.* 선로(線路). ~**netz** *n.* 철도망. ~**steig** *m.* 플랫폼. ~**steigkarte** *f.* (정거장의) 입장권. ~**steig·sperre** *f.* 개찰구. ~**strecke** *f.* 선로구(線路區). ~**ūbergang** *m.* (철도의) 건널목. ~**wärter** *m.* (Eisen~wärter) 건널목지기. ~**zeit** *f.* 철도 시간. ~**zūg** *m.* 열차.

Bạhre [bá:rə] [♈-bar] *f.* -n, 들것 모양의 운반대 (♈*barrow*); 들것(*stretcher*); (Toten~) 관대(棺臺) (♈*bier*); 관(棺).

Bạhrtūch *n.* (*pl.* ⸚er) 관포(棺布), 구의(柩衣).

Bai [bai] [fr.] *f.* -en, 만(灣), 후미《Bucht 보다 큰 것》(♈*bay*).

Baisse [bɛ́:sə] [fr. *aus* lat. *bassus* „niedrig"] *f.* -n, 〖商〗 시세의 하락, 슬럼프 (*ant.* Hausse).

Bajạzzo [bajátso] [it.] *m.* -s, -s, 어릿광대.

Bajonẹtt [bajonɛ́t] [fr., 프랑스의 도시 Bayonne에서] *n.* -(e)s, -e, 총검(銃劍) (♈*bayonet*).

Bāke [bá:kə] [nd.] *f.* -n, 항로 표지, 부이(♈*beacon, buoy*).

Bākel [bá:kəl] *m.* -s, -, 회초리《교사의》; 곤장.

Bakelịt(e) [bakelí:t(ə), -lít] *n.* ..t(e)s, ..te, 〖化〗 베이클라이트 《발명자 Baekeland 의 이름에서》.

Baktērie [bakté:rĭə] [gr. „Stäbchen"] *f.* -n, 박테리아, 세균. **baktērien·haltig** *a.* 보균의. **Baktērienkrig** *m.* 세균전. **Bakteriolōg** [-ló:k] *m.* -en, -en, 세균학자. **Bakteriologie** [-logí:] *f.* 세균학.

Balance [balã́:sə, -láŋsə] [fr. „Bilanz"] *f.* -n, 밸런스, 평균, 균형. **balancieren** [balãsí:rən] 《Ⅰ》 *t.* 균형을 잡다, (의) 밸런스를 잡다. 《Ⅱ》 *refl.* u. *i.*(h.) 균형이 잡히다. **Balancier·stange** [balãsí:r-, balãsĭé:-] *f.* 줄타는 이가 평형을 잡기 위해 쓰는 막대기, 평형봉.

bald [balt] [*eig.* „kühn"; =engl. *bold*] 《Ⅰ》 *adv.* ① ("용기·과단성 있는"의 뜻) 곧, 금방, 이내(*soon, shortly*). ② 거의, 대략(*almost, nearly*). 《Ⅱ》 *cj.* 《빠른 연속을 나타냄》 ~..., ~..., 혹은… 혹은…; 때로는… 때로는…(*sometimes ... sometimes; now ... now*).

Bạldachin [báldaxi:n] [*eig.* „Stoff aus Bagdad (mhd. *Baldac*)"] *m.* -s, -e, 〖建〗 단집(*canopy*).

Bālde [bɛ́ldə] *f.* 《詩》 in ~ (=bald) 곧, 이내.

bạldig [báldɪç] *a.* 《附加語로서만》 멀지 않은, 가까운(*early, speedy*). **bạldigst** *a.* u. *adv.* 될 수 있는 대로 빠른[빨리].

bạldmōglichst [báltmø:kliçst] *adv.* 되도록 빨리, 조속히. ★ möglichst bald 가 더 낳음.

Bạldriān [báldria:n] [lat. <*valere* „stark *od.* gesund sein"] *m.* -s, -e, 〖植〗 쥐오줌풀《약초》(♈*valerian*).

Baleāren [baleá:rən] *pl.* 〖地〗 발레아런 제도《지중해 중의 스페인령》.

Balg [balk] *m.* -(e)s, ⸚e, ① (짐승의) 가죽(*skin*); 박피(剝皮)(*cyst*); (뱀 따위의) 허물(*slough*). ② (Blase~) 풀무(♈*bellows*); 덮개, 자루, 케이스(*case*). ③ (사진기의) 주름 상자. ④ (*n.*; *pl.* ⸚en) 장난꾸러기, 선머슴(*brat, urchin*).

Bạlge [bálgə] *f.* -n, 통; 대야(*washtub*).

bạlgen [bálgən] [<ahd. *belgen* „zürnen"] 《Ⅰ》 *t.* 부풀리다; (의) 가죽을 벗기다. 《Ⅱ》 *refl.* (mit, 와) 드잡이하다, 격투하다 (*wrestle, fight*). **Balgerẹi** *f.* -en, 드잡이; 싸움.

Bạlgtrēter [bálktre:tər], **Bālgetrēter**

[bélgə-] *m.* 오르간의 바람통을 밟는 사람.
Balken [bálkən] *m.* -s, -, 각재(角材)(♈*balk*); 들보(*beam*); 서까래(*rafter*); 도리(*girder*); (쟁기의) 성에; (천칭의) 대.
Balkon [balkó:n, (fr.) -kɔ̃:] [fr. *aus* d. „Balken"] *m.* -s, -e *u.* -s, 툇마루, 노대, 발코니(♈*balcony*); 〖劇〗 2층 관람석; 《戲》 코.
Ball[1] [bal] *m.* -(e)s, ⸚e, 공, 볼(♈*ball*); 천구(天球)(*sphere*); (Erd~) 지구(*globe*). ¶~ spielen 공놀이를 하다.
Ball[2] [bal] [fr.] *m.* -(e)s, ⸚e, 무도회(♈*ball; dance*). ¶e-n ~ geben 무도회를 열다/auf den ~ gehen 무도회에 가다.
Ballade [balá:də] [„Tanzlied"] *f.* -n, 담시(譚詩), 사설시; 〖樂〗 발라드(♈*ballad*).
Ball·anzug [-antsu:k] *m.* (남자의) 무도복.
Ballast [bálast, 俗: balást] [nd. *bar-last* „bare (=bloße) Last"] *m.* -es, -e, 〖海〗 밸러스트, 바닥짐(♈*balast*),
ballen [bálən] [<Ball[1]] 《I》 *t.* 구형으로 하다, 둥글리다. 《II》 *i.*(h.) u. *refl.* 구형이〔둥근 덩이가〕 되다, 둥글게 되다.
Ballen [bálən] [♈Ball[1]: "공모양의 것"] *m*, -s, -, ① (Waren~) (둥글게 꾸린) 짐, 꾸러미(♈*bale*; *pack*). ② (Hand~, Fuß~)(손·발바닥의) 불룩한 부분(♈*ball*).
Ballett [balét] [it., ♈Ball[2]] *n.* -(e)s, -e, 발레, 발레곡(曲)(♈*ballet*); (~**korps** *n.*) 발레단. **Balletteuse** [balɛtø:zə] *f.* -n, 발레의 무용수.
ball⸗förmig [bálfœrmɪç] *a.* 구형의. ~⸗**haus** *n.* 무도장(舞蹈場). ~**hōf** *m.* 테니스장. ~**holz** *n.* (크리켓의) 배트.
Ballistik [balístɪk] [gr. <*bállein* „werfen"] *f.* 〖軍〗 탄도학(彈道學).
Ball⸗kleid *n.* 무도복. ~**kōnigin** *f.* 무도회의 여왕. ~**mutter** *f.* 무도회에서 상류 사회의 처녀를 돌보는 부인.
Ballon [baló:n, -lɔ̃:] [fr. 《-*on*은 擴大를 나타냄》, <d. Ball[1]] *m.* -s, -s, 속이 빈 공; (Luft~) 기구(氣球), 풍선(♈*balloon*); 〖化〗 (황산 따위를 담아 나르는) 큰 병《바구니에 넣음》(*carboy*).
Ballotage [balotá:ʒə] [fr., <d. Ball[1]] *f.* -n, (흑·백의) 공에 의한 투표. **ballotieren** [balotí:rən] *i.*(h.) u. *t.* 공으로 찬부의 투표를 하다.
Ball⸗saal *m.* 댄스홀. ~**schūhe** *pl.* 무도화(舞蹈靴).
Balsam [bálza:m, -zam] [hebr. -lat.] *m.* -s, -e, 발삼 수액(樹液)《향기가 있음》, 향유(香油), 향고(香膏); 〖醫〗 발삼《진통제》(♈*balm*, ♈*balsam*). **balsamieren** [balzamí:rən] *t.* (에) 발삼을 바르다, (에) 방향을 칠하다. **balsāmisch** [balzá:mɪʃ] *a.* 발삼성(性)의; 향기로운, 상쾌한; 진통성의.
Balte [báltə] *m.* -n, -n, 볼트 해 연안의 주민. **baltisch** *a.*: das ~e Meer 볼트 해(=Ostsee).
Balz [balts] *f.* -en, (새·고양이의) 교미; 교미기(期)(*pairing time*). **balzen** *i.*(h.) (새나 고양이가) 교미하다; 짝을 부르다(*call*). **Balzzeit** *f.* 교미기.
Bambus [bámbus] *m.* -, *u*, -ses, *u.* -se, ~**rohr** *n.* [mal.] 대, 대나무(♈*bamboo*).
Bammel [báməl] *m.* -s, 《俗》 공포, 불안(*funk*).
banāl [baná:l] [fr.] *a.* 평범한, 케케묵은, 진부한 (♈ *banal*; *commonplace*). **Banalität** [banalité:t] *f.* -en, 평범, 진부(한 말).
Banāne [baná:nə] [sp. *aus* afrikan.] *f.* -n, 〖植〗 바나나(의 열매·나무)(♈*banana*). ~**n⸗stecker** *m.* 〖電〗 콘택트 플러그.
Banause [banáuzə] [gr.„Handwerker"] *m.* -n, -n, 속물(俗物) (*low fellow, philistine*).
band [bant] ☞BINDEN(그 過去).
Band [bant] 《I》 *m.* -(e)s, ⸚e, 철(綴)하기, 제본, 장정(裝幀)(♈*binding*); 권(卷), 부(部), 책(*volume*). 《II》 *n.* -(e)s, ⸚er [béndər] ① 끈, 띠, 밴드(♈*band*); 리본(*ribbon*); (Ziel~) 테이프(*tape*); (Ordens~) 수(綬). ② 고리; 굴렁쇠, 테(*hoop*); 벨트(*belt*). ¶laufendes ~ 전송대(傳送帶)(*conveyor belt*)/《比》am laufenden ~ 끊임없이/aus Rand u. ~ 상규(常規)를 벗어난, 탈선한. ③ 〖解〗 인대(靭帶)(*ligament*). 《III》 *n.* -(e)s, -e, 《比》 인연, 질곡(*fetters*), 유대; 기반(羈絆), 굴레, 속박(*tie*, ♈*bond*).
Band·abstimmung [bánt-apʃtimuŋ] *f.* 주파대(帶)에 의한 동조《라디오의》.
Bandage [bandá:ʒə] [fr. *aus.* d. Band] *f.* -n, 〖醫〗 붕대, (펜싱 따위의) 보호대(帶)(♈*bandage*); 타이어. **bandagieren** [bandaʒí:rən] *t.* 〖醫〗 붕대를 감다.
Band·aufnahme [bánt-aufna:mə] *f.* 테이프 녹음.
Bande [bándə] [<binden] *f.* -n, ① (한 기치 아래 결합하는) 병사의 일대(一隊); 대(隊)(♈*band*), 단체; 악대, (배우의) 일단; 게릴라대; (나쁜 뜻으로) 도당, 갱(*gang*). ② (당구대의) 쿠션(*cushion*).
Band·eisen [bánt-aizən] *n.* 쇠테.
Bandelier [bandəlí:r, -lié:] [sp. -fr.] *n.* -s, -e, 〖軍〗 탄띠.
Bandenkrieg [bándənkri:k] *m.* 게릴라전(戰).
bände·reich [béndəraiç] [前半: *pl.* v. Band] *a.* 권수가 많은, 책이 많은.
Banderōle [bandəró:lə] [fr. „Band-rolle"] *f.* -n, (담배 따위의) 수입 인지(*revenue stamp*).
Bändertanz [-tants] *m.* 끈 댄스《여러 가닥의 끈을 드리운 장대를 둘러싸고 여럿이 춤을 추어, 손에 잡은 끈을 여러 가지로 교차시킴》.
Bändezahl [béndətsa:l] *f.* 권수(卷數), 책수.
bändigen [béndɪgən] [<bändig "묶인, 길들여진", <Band] *t.* 제어하다《사람을》(*master*); (동물을) 길들이다(*tame*); (감정 따위를) 억제하다(*subdue*).
Bandīt [bandí:t] [it. „Verbannter"] *m.* -en, -en, 산적, 비적(♈*bandit*); 상습범; 자객(刺客).
Bandmāß [bántma:s] *n.* 줄자.
Bandōneon [bandó:neɔn] *n.* -s, -s, 손풍금의 일종《발명자 Alfred Band의 이름에서》(*concertina*).
Bangalō [báŋgalo:] [indisch] *m.* -s, -s, 〖建〗 방갈로.
bang(e) [báŋ(ə)] *a.* [<mhd. *beangsten* „ängstigen"] *a.* 근심되는(*anxious*), 겁나는(*afraid*); 불안한(*uneasy*). ¶~e Ahnungen 불안한 예감 / (angst und) ~

machen 위협하다, 겁내게 하다, (에게) 근심시키다. **Bange** [báŋə] *f.* 걱정, 공포. **bangen** [báŋən] 《Ⅰ》 *imp.*: mir bangt vor et.³ 나는 무엇이 무섭다. 《Ⅱ》 *i.*(h.) u. *refl.* (um, 을) 근심하다; (nach, 을) 동경하다, 그리다, 사모하다.

Bangigkeit [báŋɪç-] *f.* -en, 근심, 공포; 불안. **bänglich** [bɛ́ŋlɪç] *a.* (좀) 걱정스러운, (약간) 불안한.

Banjo [bánjo, bándʒo] *n.* -s, -s. 밴조 《북미 흑인의 기타 비슷한 현악기》.

B

Bank[1] [baŋk] *f.* ⸗e, [bɛ́ŋkə], ① 발판; (Sitz~) 벤치, 걸상(♈*bench*); 《一般的》 좌석(*seat*). ¶durch die ~ (걸상을 통해서:) 예외없이 다 같이. ② (높은) 대(臺), 책상, 작업대. ¶auf die lange ~ schieben 미루다《급하지 않은 서류를 책상 저쪽으로 밀어 두는 일에서》.

Bank[2] [baŋk] [it., d. *aus* Bank¹] *f.* -en, (출납대의 뜻:) ① (Geld~) 은행(♈*bank*). ¶Geld auf der ~ (liegen) haben 은행에 예금해 두고 있다. ② 도박대〔장〕. ¶die ~ halten 도박의 물주를 하다.

Bank⸗abschluß [báŋkapʃlus] *m.* 은행의 결산. **~aktie** *f.*, **~anteil** *m.* 은행주. **~anweisung** *f.* 수표. **~beamte** *m.* 《形容詞變化》 은행원. **~direktor** *m.* 은행장. **~diskont(o)** *m.* 은행 할인〔이율〕.

Bänkel⸗kind *n.* =BANKERT. **~krämer** *m.* 소매 상인. **~sänger** *m.* 저속한 가수; 《比》 엉터리 시인.

bank(e)rott [baŋk(ə)rɔ́t] [it. *banca rotta* „bankbrüchig"] *a.* 파산한(♈*bankrupt*). ¶~ werden 파산〔파멸〕하다. **Bank(e)rott** *m.* -(e)s, -e, 파산(♈*bankruptcy*). ¶~ machen 파산하다. **Bank(e)rottierer** [-tíːrər] *m.* -s, -, 파산자.

Bankert [báŋkərt] [<Bank¹: "벤치 위에서 된 아이"] *m.* -s, -e, 사생아(*bastard*).

Bankett [baŋkɛ́t] [fr., <d. Bank¹] *n.* -(e)s, -e, (식사할 때에 쓰이는 긴 의자의 뜻:) 향연(♈*banquet*). **bankettieren** *i.*(h.) 연회를 베풀다.

Bank⸗geheimnis *a.* 은행이 고객과의 거래상의 비밀을 지켜야 할 의무. **~geld** *n.* 은행 통화. **~geschäft** *n.* 은행 거래; 은행(의 영업소). **~halter** *m.* 도박장 주인; (도박의) 물주. **~haus** *n.* 은행(의 건물). **~herr** *m.* 은행 소유주, 은행업자, 은행 경영자.

Bankier [baŋkiéː] [fr. <Bank²] *m.* -s, -s, 은행가(♈*banker*); 금융가, 재정가(*financier*); 환전상.

Bank⸗konto *n.* 은행 계정(計定). **~note** *f.*, **~schein** *m.* 은행권(券). **~wechsel** *m.* 은행 어음. **~wesen** *n.* 은행업.

Bann [ban] [*eig.* „Gesagtes"] *m.* -(e)s, -e, ① 명령; 금지령(위반의 벌); 전매권; 추방(♈*ban*); (Kirchen~) 파문(*excommunication*). ¶in den ~ tun 추방〔파문〕하다. ② 강제, 속박, 위압; 《比》 저항하기 어려운 힘, 마력, 매력, 매혹.

Bann⸗brief *m.*, **~bulle** *f.* 파문장. **~bruch** *m.* 금지령 위반.

bannen [bánən] *t.* ① 추방〔파문〕하다(♈*banisch, expel*). ② 주문을 외어 묶어두다; 호리다; 마법에 걸다. ③ 불제(祓除)하다(*exorcize*), (불안·공포 등을) 몰아내다.

Banner [bánər] [fr., <d. Band] *n.* -s, -, 군기, 정기(旌旗)(♈*banner*; *flag, standard*). **~träger** *m.* 기수.

Bann⸗fluch *m.* 저주, 파문. **~gut** *n.* =~WARE. **~herr** *m.* 재판〔독점경영〕권을 가진 영주. **~kreis** *m.* 재판 관할 구역, 세력 범위; 《比》 영향력. **~meile** *f.* 보호 지구《정치적 시위 행렬 금지 지역》. **~strahl** *m.* (교황의) 파문. **~ware** *f.* (전시의) 수출입 금제품.

Bantam⸗gewicht *n.* 〖拳〗 밴텀급 (선수). **~huhn** *n.* 〖鳥〗 당닭.

baptieren [baptíːrən] † [gr.] *t.* (에게) 세례를 베풀다. **Baptismus** *m.* -, 세례, 침례.

bar [baːr] *a.* ① 벌거벗은, 노출한(♈*bare*; *naked*). ② 《2格支配 또는 von과 함께》 (…이) 빠진, (…이) 없는(*destitute of, devoid of*). ③ 뚜렷한, 명백한, 순전한(*pure, mere*), 순수한(*unmixed*). ¶~er Unsinn 아주 투미한 짓. ④ 현금의(*in cash*); *adv.* 현금으로. ¶~(es) Geld 현금/~ bezahlen 현금으로 지불하다/《比》 für ~e Münze nehmen 곧이듣다.

Bar[1] [baːr] [engl. „Schranke, 난간으로 간막이를 한 안"] *f.* -s, 목로 술집, 바(♈*bar*).

Bar[2] [baːr] [gr.] *n.* -s, -s, 바르《압력·기압의 단위, 기호: b》.

Bär [bɛːr] *m.* -en, -en, ① 곰(♈*bear*). ② 〖工〗 망치, 메(*rammer*). ¶〖天〗 der Große 〔Kleine〕~ 큰곰〔작은곰〕자리.

Baracke [barákə] [sp., fr.] *f.* -n, 판자집, 바라크(♈*barrack*); 〖軍〗 막사. **~n⸗lager** *n.* 임시 막사로 된 숙영지.

Baratt [barát] [it.] *m.* -(e)s, **~handel** *m.* 물물 교환, 교역.

Barbar [barbáːr] [gr. „Nichtgrieche"] *m.* -en, -en, 야만인, 미개인(♈*barbarian*). **Barbarei** [barbarái] *f.* 야만(♈*barbarism*, ♈*barbarity*). **barbarisch** *a.* 야만적인(♈*barbarous*). **Barbarismus** *m.* -, ..men, 〖文〗 어법상의 명백한 오류, 파격.

Barbe [bárbə] [lat., <*barba* "Bart"] *f.* -n, 〖魚〗 돌잉어속(屬)(♈*barbel*).

barbeißig [bɛ́ːrbaisɪç] *a.* 《俗》 거친, 난폭한.

Barbier [barbíːr] [fr., *barbe* „Bart"] *m.* -s, -e, 이발사(♈*barber*). **Barbier⸗becken** *n.* 면도할 때 쓰는 대야. **barbieren** *t.* (의) 수염을 깎다(*shave*). ¶《比》 jn. über den Löffel ~ 아무를 속이다.

Barbier⸗messer *n.* 면도칼(*razor*). **~riemen** *m.* 혁지(革砥). **~stube** *f.* 이발소. **~zeug** *n.* 면도 용구.

Barchent [barçənt] [ar.] *m.* -(e)s, -e, 능직(綾織) 무명의 일종(*fustian*).

Bardame [báːrdaːmə] *f.* 바의 여급.

bardauz! [bardáuts] *int.* 쿵, 쾅.

Barde [bárdə] [kelt.] *m.* -n, -n, 고대 켈트족의 음창 시인(吟唱詩人)(♈*bard*).

Bären⸗fell *n.* 곰의 모피. **~führer** *m.* 곰을 부리는 사람; 《戱》 외국인 여행 안내인, 가이드.

bärenhaft [bɛ́ːrənhaft] *a.* 곰 같은.

Bären⸗haut *f.* 곰의 가죽. ¶《比》 auf

der ～haut liegen 빈둥거리며 지내다, 게으름피우다. **～häuter** *m.* -s, -, 게으름뱅이. **～hunger** *m.* 왕성한 식욕, 심한 굶주림. **～kälte** *f.* 혹한(酷寒). **～mütze** *f.* 곰가죽 모자. **～zwinger** *m.* 곰우리.

Barẹtt [barέt] [fr.] *n.* -(e)s, -e, 바렛《베레모 비슷한 챙 없는 납작한 모자》(♈ *barret*); 각모(角帽)《법관·성직자 등이 씀》(♈ *biretta*).

ba̱r·fuß *a.* 《흔히 述語的으로 쓰임》 맨발의; *adv.* 맨발로. **～füßig** *a.* 맨발의.

barg [bark] ☞BEGEN 《그 過去》.

Ba̱r·geld *n.* 현금. **～geldlōs** *a.* 현금에 의하지 않는, 어음·대체에 의한. **～·geschäft** *n.* 현금 거래. **～haupt, ～·häuptig** *a.* u. *adv.* 모자 안 쓴〔쓰고〕.

Ba̱rin [bέ:rɪn] [<Bär] *f.* -nen, 암곰.

Ba̱riton [bá:ritɔn] [it. „tief-tönend"] *m.* -s, -e, 〖樂〗 바리톤(♈ *baritone*).

Ba̱rium [bá:rĭum] [gr. „schwer"] *n.* -s, 〖化〗 바륨.

Barkạsse [barkásə] [sp.] *f.* -n, 란치 (*launch*).

Bạrke [bárkə] *f.* -n, (돛대 없는) 작은 어선(♈ *bark*, ♈ *barque*).

Ba̱rlauf [bá:r-lauf] *m.*, **～laufen** [mhd. *barre* „Stange"] *n.* (두패로 갈려서 하는 옛날의) 술래 잡기.

Ba̱rmaid [bá:rmait] [engl.] *f.* -en, 바의 여급.

Bạrme [bέrmə] *f.* 맥주의 효모(♈ *barm*, *yeast*), (맥주의) 거품.

barmen [bármən] *i.*(h.) 탄식하다, 슬퍼하다(*lament*, *complain*). **barmhẹrzig** [barmhέrtsɪç] [ahd. *arm-hërzi* „für Arme Herz habend"] *a.* 자비로운 (*merciful*, *charitable*). ¶Barmherzige Schwester 애덕회(愛德會) 수녀《가톨릭 수도회의 하나》. **Barmhẹrzigkeit** *f.* 자비, 연민(*mercy*, *charity*).

barọck [barɔ́k] [it.] 《Ⅰ》 *a.* 바로크식(式)의(♈ *baroque*); 기이한, 괴상한. 《Ⅱ》 **Barọck** *n.* od. *m.* -s, 〔**～stil** *m.*〕 바로크 양식.

Barogra̱ph [barográ:f] [gr.] *m.* -en, -en, 〖航〗 자기(自記) 기압계〔청우계〕. **Barome̱ter** [baromé:tər] [gr. „Schwere-messer"] *n.* 〔*m.*〕 기압계, 청우계, **Barome̱terstand** *m.* 기압계의 시도(示度).

Baro̱n [baró:n] [lat. <ahd. *baro* „streitbarer Mann"] *m.* -s, -e, 남작. **Baro·nẹsse** [baronέsə] *f.* -n, 남작 부인; 남작 딸. **Baronie̱** *f.* ..nien, 남작의 영지〔지위〕. **Baro̱nin** *f.* -nen, 남작 부인. **baronisie̱ren** *i.*(h.) 남작처럼 지내다; 《比》 빈둥거리다, 무위도식하다.

Bạrre [bárə] [lat.] *f.* -n, 가로대, 문빗장(♈ *bar*); (금속의) 막대기(*ingot*).

Bạrren [bárən] *m.* -s, -, 〖體〗 평행봉 (*parallel bars*).

Barrie̱re [barĭέ:rə] [fr. *aus* d. Barre] *f.* -n, (통행 금지의) 가로대(♈ *barrier*); 울짱, 장애물(*gate*). **Barrika̱de** [barika:də] [fr. *aus* d. Barre] *f.* -n, 바리케이드. **barrikadie̱ren** *t.* 바리케이드로 막다.

barsch [barʃ] *a.* 거친, 무뚝뚝한(*harsh*, *rough*, *rude*).

Ba̱rsch [ba:rʃ] *m.* -es, -e *u.* ⸚e, 〖魚〗 농어(*prech*).

Ba̱rschaft [bá:rʃaft] [<bar] *f.* -en, 현금, 소지금.

Barschheit [bárʃhait] *f.* -en, 거칠, 무뚝뚝함.

barst [barst] ☞BERSTEN《그 過去》.

Ba̱rt [ba:rt] *m.* -(e)s, ⸚e [bέ:rtə], ① 수염《아래턱, 코밑, 뺨의 수염의 총칭》 (*beard*). ¶jm. um den ～ geh(e)n 아무의 수염 먼지를 털다, 아무에게 아첨하다. ② (고양이의) 수염(*whiskers*); (수탉의) 볏(*wattle*); (물고기의) 촉수(*wattle*); (굴·조개의) 아가미; (Schlüssel～) 열쇠의 걸림쇠(*bit*).

Bạrte [bá:rtə, bár-] [<Bart] *f.* -n, 고래수염.

Ba̱rtender [bá:rtendər] [engl.] *m.* -s, -, 바텐더.

ba̱rtig [bέ:rtɪç] *a.* 수염 있는(♈ *bearded*).

ba̱rtlōs [bá:rtlos] *a.* 수염 없는.

Ba̱r·zahlung [bá:rtsa:lʊŋ] *f.* 현금불(現金拂).

Basạlt [bazált] *m.* -(e)s, -e, 〖鑛〗 현무암. **basạlten** [bazáltən], **basạltig**, **basạltisch** *a.* 현무암의, 현무암질의.

Basa̱r [bazá:r] [pers.] *m.* -s, -e, (중동 여러 나라의) 시장; 자선시(慈善市), 바자(♈ *bazaar*).

Ba̱se[1] [bá:zə] *f.* -n ① 종자매((*girl*) *cousin*). ② 고모; 친척 아주머니.

Ba̱se[2] [bá:zə] [gr.] *f.* -n, 〖化〗 염기, 알칼리(♈ *base*).

Baseball [bé:sbɔ:l] [engl.] *m.* -s, 야구.

Ba̱sel [bá:zəl] [gr. "Königsstadt"] *n.* 스위스의 도시 및 주 이름.

ba̱senhaft [bá:zənhaft] *a.* 수다스러운.

basie̱ren [bazí:rən] [<gr. Basis] 《Ⅰ》 *t.*(의) 기초를 두다(♈ *base*, *found* (*upon*)). 《Ⅱ》 *i.*(h.) (auf, 에) 기초를 두다.

Basilịsk [bazilísk] [gr. „kleiner König"] *m.* -en, -en, 〖神〗 바질리스크《사람을 노려봄으로써 죽인다는 전설의 뱀》; 〖動〗 바질리스크 도마뱀.

Ba̱sis [bá:zɪs] [gr.] *f.* ..sen, 바탕, 근본, 기저(♈ *base*); 기초, 토대(♈ *basis*, *foundation*); 기지, 근거지.

Bạske [báskə] [sp.] *m.* -n, -n, 바스크인(人). **～n·mütze** *f.* 바스크 모자《베레모와 비슷함》(*barret*).

baß [bas] [♈besser] *adv.* 《方》 보다 좋게, 보다 많이; 더욱; 오히려.

Baß [bas] [it. *basso* „tief"] *m.* ..sses, Bässe, 〖樂〗 저음, 바스(♈ *bass*). **Bas·sẹtt·horn** [basέt-] [前半: it.] *n.* 〖樂〗 바셋 호른《테너 클라리넷》. **Baßgeige** *f.* 저음 바이올린(kleine: 비올론 첼로; große: 콘트라 베이스).

Bassin [basɛ̃:] [fr. „Becken"] *n.* -s, -s, 수반(水盤), 대야(♈ *basin*); 큰 물통(*tank*); 저수지(*reservoir*); 도크(*dock*); 수영 풀.

Bassịst [basíst] [it. <Baß] *m.* -en, -en, 〖樂〗 저음 가수.

Bạst [bast] *m.* -es, -e, 〖植〗 속껍질, 인피(靭皮)(♈ *bast*).

bạsta! [básta] [it. „es ist genug"] *int.*: und damit ～! 그것으로 그만이다, 이젠 됐어.

Bạstard [bástart, bastárt] *m.* -(e)s, -e, (귀족의) 서자(♈ *bastard*); 〖動·植〗 잡종, 트기(*mongrel*). **bastardie̱ren** [bastardí:rən] *t.* (동·식물을) 교배하다.

Bastẹi [bastái], **Basti̱on** [-tĭó:n] [it.]

f. -en, 〖軍〗 능보(稜堡)《Bastei는 독일화한 꼴》(♈*bastion*).

basteln [bástəln] **bästeln** [béstəln] *t.* u. *i.*(h.) (전문외의) 잔일을 하다, 손질하다, 수선하다.

basten [bástən] *a.* 인피로 만든.

Bastler [bástlər] *m.* -s, -, 취미로 (라디오 따위) 기계(器械)를 조립하는 사람.

Bast=matte *f.* 인피로 만든 돗자리. **∼=seide** *f.* 누에실.

B **bāt** [ba:t] ☞ BITTEN 《그 過去》.

Bataillon [bataljó:n] [fr. < *battre*] *n.* -s, -e, 〖軍〗 보병 대대(♈*battalion*).

Bathy·graphie [batigrafí:] [gr. *bathýs* „tief", *gràphein* „schreiben"] *f.* 심해학(深海學), **Bathysphäre** [-sfé:rə] *f.* 심해권; (심해 조사용) 잠수구(球).

Batist [baíst] [fr.] *m.* -(e)s, -e, (얇은) 고급 삼베(♈*batiste, cambric*).

Batterie [batərí:] [fr. <*battre* „schlagen"] *f.* ..rīen, ① 〖軍〗 포대(砲臺), 포열(♈*battery*); 포병 중대. ② (elecktrische ∼) (한 쌍의) 전지(電池).

Batzen [bátsən] *m.* -s, -, 덩어리, 더미(*heap, lump*). **∼wāre** *f.* 값싼 물건.

Bau [bau] [<bauen] *m.* -(e)s, -e, u. -ten, ① 건축, 건설(*building, construction*), (*pl.* -ten) 건축물, 건물(*building, edifice*). ② 건축 양식; 구조, 구성(*structure*); (Körper∼) 체격. ③ 채광(*working*); 경작, 재배(*cultivation*). ④ (짐승의) 굴(*den, burrow*).

Bau=amt *n.* 토목〔건설〕 관청. **∼an=schlāg** *m.* 건축비의 견적. **∼ārt** *f.* 건축 양식; 구조, 구성.

Bauch [baux] *m.* -(e)s, ⸚e [bɔ́yçə], 배(*belly*); (∼höhle) 복강(腹腔); (복강 속의) 내장; 위(*stomach*); 〖海〗 배의 중간 허리; (바이올린 따위의) 몸통.

Bauch=ātmung *f.* 복식(腹式) 호흡. **∼=binde** *f.* 복대(腹帶); (책·담배 따위의) 대지(帶紙). **∼diener** *m.* 미식가, 대식가.

bauchen [báuxən] 《Ⅰ》 *t.* 부풀리다; 〖土〗 길의 중앙부를 높이하다. 《Ⅱ》 *i.*(h.) u. *refl.* 부풀다.

Bauch=fell *n.* 복막. **∼fell·entzün=dung** *f.* 복막염. **∼grimmen** *n.* 복통, 산통(疝痛); 창만(脹滿). **∼gurt** *m.* 뱃대끈. **∼höhle** *f.* 복강(腹腔).

bauchig [báuxıç], **bäuchig** [bɔ́y-] *a.* 배가 나온, 불룩한.

Bauchkneipen [báuxknaipən] *n.* 복통.

bäuchlings [bɔ́yçlıŋs] *adv.* 배를 깔고, 엎드려서.

Bauch=rēdekunst *f.* 복화술(腹話術). **∼rēden** *i*(h.) 복화를 하다. **∼rēdner** *m.* 복화자(腹話者). **∼schnitt** *m.* 개복술(開腹術). **∼schwangerschaft** *f.* 자궁외 임신. **∼speichel** *n.* 췌액(膵液). **∼weh** *n.* 복통. **∼wind** *m.* 방귀.

bauen [báuən] [*eig.* „wohnen, bewohnen"; ♈bin] 《Ⅰ》 *t.* ① 《方》 (에) 살다; ② (집을) 짓다, 건설〔건조〕하다, (기계를) 조립하다, (보금자리를) 만들다(*build, construct*), 세우다(*erect*). ③ (be∼) 갈다 《토지를》(*cultivate*); (an∼) 재배하다; 채집하다; 〖坑〗 채굴하다(*work*); 《俗》 행하다(*make*). 《Ⅱ》 *i.*(h.) ① 집을 짓다; 채굴하다. ② (auf jn.〔et.〕, 아무를〔무엇을〕) 의지하다(*rely on*).

Bauer[1] [báuər] [<bauen] *m.* -s, -, 경작(건조)자; 《合成用語》 보기: Schiff∼ 조선공(造船工)/Orgel∼ 오르간 제작자.

Bauer[2] [ahd. *gi-būro* „Mit-bewohner, Nachbar"] *m.* -s, *u.* -n, -n, ① 농민, 농부, 시골 사람(*peasant, farmer*); 《比》 시골뜨기, 야인(♈*boor*). ② 〖카드〗 잭(*knave*); (장기의) 졸(*pawn*).

Bauer[3] [ahd. *būr* „Wohnung, Kammer"] *m.* od. *n.* -s, -, (Vogel∼) 새장(*birdcage*). 「아내, 여자 농사꾼.

Bäu(e)rin [bɔ́y(ə)rın] *f.* -nen, 농부의

bäu(e)risch [-rıʃ], **bäuerlich** *a.* 농군 같은; 시골의; 촌스러운.

Bauern=aufstand *m.* 농민 봉기. **∼=befreiung** *f.* 농민 해방. **∼bursch(e)** *m.* 농가의 젊은이. **∼dirne** *f.* 시골 처녀. **∼fänger** *m.* (카드놀이 따위에서 어수룩한 사람을 속이는) 사기 도박사. **∼frau** *f.* 농부의 아내; 농부(農婦). **∼=gūt** *n.* 농장. **∼haus** *n.* 농가, 시골집. **∼hōf** *m.* 농가《부속 건물을 포함한》. **∼knecht** *m.* 머슴. **∼māgd** *f.* 농가의 하녀. **∼rēgel** *f.* 농민이 날씨나 수확을 예상하는 속담 양식의 규칙《관찰과 미신에 의함》.

Bauer(n)schaft [báuər(n)ʃaft] *f.* -en, 농민《전체》, 농민 계급; 촌민《전체》.

Bauern=schenke *f.* 시골 주막. **∼=stand** *m.* 농민 신분; 농민 계급.

Bauerntūm [báuərntu:m] *n.* -(e)s, 농군 기질. 「촌놈들.

Bauernvolk [bauərnfɔlk] *n.* 농민; 《比》

Bauers=frau *f.* 농부(農婦). **∼mann** *m.* (*pl.* ..leute) 농군.

Bau=fach *n.* 건축학, 건축업. **∼fällig** *a.* 넘어질 것 같은, 수리할 수 없는, 노후한. **∼führer** *m.* 토목〔건축〕 감독. **∼gelände** *n.* 건축 부지. **∼gerüst** *n.* 비계(발판). **∼gewerbe** *n.* 건축업. **∼herr** *m.* 건축(되는 가옥의 소유)주. **∼hōf** *m.* 건축 작업장. **∼holz** *n.* 건축 자재. **∼industrie** *f.* 건축(공)업. **∼kasten** *m.* 집짓기놀이용의 나무 상자. **∼kosten** *pl.* 건축비. **∼kunst** *f.* 건축술. 「수리가 잘 된.」

baulich [baulıç] *a.* ① 건축에 관한. ②

Baum [baum] *m.* -(e)s, ⸚e [bɔ́ymə], ① 나무, 수목, 교목(*tree*). ② 빗장, 가로대; 축(♈*beam*); (수레의) 채(*pole*); 〖海〗 (돛자락을 펴는) 활죽(♈*boom*).

Bau=materiāl [báu-materia:l] *n.* 건축 재료. **∼meister** *m.* 건축 업자〔청부인〕, 대목수.

baumeln [báuməln] *i.*(h.) 대롱거리다, 흔들흔들 드리우다(*dangle*).

bäumen [bɔ́ymən] 《Ⅰ》 *t.* (수레 위의 건초를) 막대로 눌러 죄다. 《Ⅱ》 *i.*(h.) u. *refl.* 뒷발로 서다, (말이) 펄쩍 뛰다.

Baum=gang *m.* 가로수길. **∼garten** *m.* 과수원; 묘포(苗圃). **∼hārz** *n.* 수지(樹脂). **∼kahn** *m.* 통나무 배. **∼=kūchen** *m.* 피라밋 모양의 케이크. **∼=lang** *a.* 밋밋한. **∼läufer** *m.* 〖鳥〗 나무발발이; 《俗》 딱다구리. **∼lōs** *a.* 수목이 없는. **∼ōl** *n.* 올리브유. **∼rinde** *f.* 나무 껍질. **∼säge** *f.* 전정(剪定) 톱.

~schēre *f.* 전정 가위. **~schlāg** *m.* 〖建〗 잎 장식. **~schūle** *f.* 묘포(苗圃); 묘상(苗床). **~stamm** *m.* 나무 줄기. **~stark** *a.* 매우 튼튼한. **~stock**, **~=stumpf** *m.* 나무의 그루터기. **~wachs** *n.* 접목(椄木)에 쓰이는 밀랍. **~wolle** *f.* 솜, 무명. **~wollen** *a.* 무명으로 만든. **~woll(en)wāren** *pl.* 면제품. **~=zeug** *n.* 면포(綿布). **~zucht** *f.* 수목 재배. **~züchter** *m.* 수목 재배자.

Bau=ordnung *f.* 건축 법규. **~platz** *m.* 건축 부지, 건축 작업장.

bäurisch [bɔ́yrɪʃ] [<Bauer] *a.* 시골 사람의(*rustic*); 시골뜨기 같은, 무뚝뚝한, 무식한(♈*boorish*).

Bausch [bauʃ] *m.* -es, -e *u.* ⸚e [bɔ́yʃə], ① 불룩한 것, 돌기; (불룩하게 잡은) 주름. ¶《比》 in ~ u. Bogen 일괄하여, 통틀어. ② 두루마리로 한 피륙〔종이〕; 묶음 뭉치; 쿠션(*pad, bolster*). **Bausche** *f.* -n, 〖醫〗 (지혈용) 압박대(*compress*). **bauschen** [báuʃən] *i.*(h.) u. *refl.* 불룩하여지다; *t.* 부풀게 하다. **bauschig** *a.* 불룩한; 불룩하게 한, 주름잡은.

Bau·schūle [báuʃu:lə] *f.* 건축 학교.

Bau=stein *m.* 건축용 석재. **~stelle** *f.* 건축 부지. **~stīl** *m.* 건축 양식. **~stoff** *m.* 건축 재료.

Bau=unternehmer *m.* 건축 업자. **~=werk** *n.* (상당히 큰) 건축물. **~wēsen** *n.* 건축, 토목.

Bauxit [bauksí:t, bauksít, bo–] [fr.] *m.* -(e)s, -e, 〖鑛〗 보크사이트.

Bau·zaun [báutsaun] *m.* 건축 공사장을 둘러싼 판장.

Bayer [báiər] *m.* -n, -n, **Bayerin** *f.* -nen, 바이에른 사람. **bay(e)risch** *a.* 바이에른(사람·말)의. **Bayern** [báiərn] 독일의 한 주.

Bazillenträger [batsílәntrɛ:gər] *m.* 보균자. **Bazillus** [batsílus] [lat. „Stäbchen"] *m.* -, ..zillen [-tsílən], 〖醫〗 간상균(桿狀菌), 바칠루스; 《一般的》 세균, 박테리아(♈*bacillus*).

Bd. 《略》=*Band* 권, 책. ¶1 Bd. 제 일권.

Bde. 《略》=*Bände* (*pl.*), 권, 책. ¶3 Bde. 세권.

be.. [bə–, 특히 강조시 be–] [♈bei] 《動詞의 非分離前綴, 항상 악센트가 없음》 (보기: bedenken, bedachte, bedacht) 《Ⅰ》《원래 "…을 돌아, …에 관하여, …에 대하여"(동작을 가하다)의 뜻》 bedenken (여러 방면으로) 숙고하다 / beweinen(=über *od.* um jn. weinen) 아무 때문에 울다/die Blumen begießen 꽃에 물을 주다(★ Wasser gießen 물을 붓다)/das Brot mit Butter bestreichen(=Butter auf das Brot streichen) 빵에 버터를 바르다. 《Ⅱ》《自動詞에 "고착, 지속"의 뜻을 부여함》 beruhen, bestehen. 《Ⅲ》 ① 《名詞에서 動詞를 만듦》 beleben 무엇에 생명·활기를 주다. ② 《形容詞·副詞에서 動詞를 만듦》 befreien 자유롭게 하다, 해방하다.

beabsichtigen [bə-ápzɪçtɪgən] *t.* 의도하다, 피하다.

beachten [bə-áxtən] *t.* 주의〔고려〕하다. ¶nicht ~ 무시하다, 등한히 하다. **be=achtenswērt**, **beachtlich** *a.* 주목할 만한. **Beachtung** *f.* -en, 주의, 고려.

Beam·antenne [bí:m-antɛnə] [engl.] *f.* 빔 안테나.

Beamte [bə-ámtə] [<Beamtete] *m.* 《形容詞變化》 공무원, 관리(*official, civil servant*).

Beamten=herrschaft *f.* 관료 정치. **~stand** *m.* 관리 계급〔단체〕.

Beamtentūm [bə-ámtəntu:m] *n.* -(e)s, 관리 계급, 관료주의.

beamtet [bə-ámtət] *a.* 공직에 있는. **Beamtin** *f.* -nen, 여성 공무원.

beängst(ig)en [bə-ɛ́ŋst(ɪg)ən] *t.* 불안하게 하다; 괴롭히다. **beängstigend** *p.a.* 불안〔걱정〕스러운. **Beängstigung** *f.* -en, 불안, 걱정; 공포.

beanlāgt [bə-anla:kt] *p.a.* 천분〔재능〕있는(*gifted*).

beanspruchen [bə-ánʃpruxən] *t.* ① 요구〔청구〕하다《당연한 권리로》(*demand, claim*); (시간을) 필요로 하다(*take up*); (주의를) 끌다(*engross*). ② 〖工〗 가동시키다; (브레이크를) 작용시키다.

beanstanden [də-ánʃtandən] *t.* (에) 이의(異議)를 말하다, 항의하다(*object to*).

beantrāgen [bə-ántra:gən] [<Antrag] *t.* 제의〔제안〕하다.

beantworten [bə-ántvɔrtən] *t.* (질문·편지 등에) 답하다; (문제를) 해결하다. **Beantwortung** *f.* -en, 회답; 해결.

bearbeiten [bə-árbaitən] *t.* ① 손쓰다; 형성〔가공〕하다; 수정〔완성〕하다; (땅을) 갈다; 논하다, (사전 따위를) 편집하다; (neu ~) 개정〔개작·번안〕하다. ② (에) 작용하다, 움직이게 하다(*work on, influence*). **Bearbeiter** *m.* -s, -, 가공인; 개작〔번안〕자, 편집〔편곡〕자. **Be=arbeitung** *f.* 가공, 편집, 편곡, 개정, 번안.

beargwohnen [bə-árkvo:nən], **bearg=wöhnen** [-vø:-] *t.* 의심하다, (에) 혐의를 두다.

beaufsichtigen [bə-aufzɪçtɪgən] [<Aufsicht] *t.* 감독〔감시〕하다. **Beaufsich=tigung** *f.* -en, 감독, 감시.

beaufträgen [bə-áuftra:gən] [<Auftrag] *t.* (에) 위임〔위탁〕하다. **Beauf=trägte** *m.* u. *f.* 《形容詞變化》 -n, -n, 수임자(受任者), 위원; 전권자; 대리인.

bebändert [bəbɛ́ndərt] [<Band] *p.a.* 끈으로〔리본·수(綬)로〕 장식된.

bebauen [bəbáuən] *t.* ① e-n Platz ~ 어떤 장소에 건축하다. ② (밭을) 갈다.

bēben [bé:bən] 《Ⅰ》 *i.*(h.) 떨다, 흔들리다, 전율하다(*tremble, shake*). ¶vor Angst ~ 걱정되어 떨다. 《Ⅱ》 **Bēben** *n.* -s, -, 진동, 전율; (Erd~) 지진.

bebildern [bəbíldərn] *t.* 그림으로 장식하다, (에) 삽화를 넣다.

bebrillt [bəbrílt] [<Brille] *a.* 안경을 쓴.

Becher [bɛ́çər] [Lw. lat.] *m.* -s, -, 잔, 술잔《대개 긴 굽이 달렸음》(*cup, goblet, mug*); 〖化〗 비커; 〖植〗 깍정이(*cup, calix*); (Würfel~)주사위 통((*dice-*)*box*).

bechern *i.*(h.) 《俗》 진탕 마시다.

Becken [bɛ́kən] [Lw. lat.] *n.* -s, -, ① 수반(水盤), 양푼, 대야(♈*basin*); (Wasch~)빨랫 대야; 양변기. ② 저수지, (운하의) 도크; 〖解〗 골반(*pelvis*); 〖地〗 분지; 〖樂〗 심벌(*cymbal*).

bedachen [bədaxən] [<Dach] *t.* (에) 지붕을 이다; 《比》 덮다. **bedacht** *p.a.* 지붕이 있는.

bedacht [bədáxt] [<bedenken] *p.a.*: **auf** et. ~ sein 무엇을 염두에 두다, (에) 마음을 쓰다/**mit** et.³ ~ 무엇을 증여받은. **Bedacht** *m.* -(e)s, 숙고; 신중. ¶mit ~ 숙고해서, 신중히/ohne ~ 경솔히, 부주의하게. **bedächtig** [bədέçtɪç] *a.* 사려 깊은, 분별이 있는, 신중한; 무게 있는, 의젓한. **Bedächtigkeit** *f.* 사려 깊음, 분별 있음, 신중함. **bedacht·sām** *a.* 사려 깊은, 용의 주도한; 생각에 잠긴.

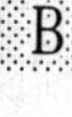

Bedachung [bədáxuŋ] *f.* -en, 지붕 이기; 지붕.

bedanken [badáŋkən] 《 I 》 *t.* (에) 감사하다. 《 II 》 *refl.* (bei jm., 아무에게) 사의를 표하다; 《反》 사절〔거절〕하다.

bedarf [bədárf] (ich ~, er ~) ☞ BEDÜRFEN(그 現在)

Bedarf [bədárf] *m.* -(e)s, 필요(*need*); 결핍, 부족(*want*); 〖商〗 수요(*demand*).

Bedarfs·artikel *m.* 필수품. **~fall** *m.*: im ~fall(e) 필요한 경우에는. **~zūg** *m.* 임시 열차.

bedauerlich [bədáuərlɪç] *a.* 유감스러운; 불쌍한, 동정할 만한. **bedauern** [bədáuərn] [♈teuer] 《 I 》 *t.*: et.: 애석해 하다, 유감으로 생각하다(*regret*); jn.: 불쌍히 여기다(*pity*). 《 II 》 **Bedauern** *n.* -s, 연민, 동정; 유감, 아쉬움.

bedauerns·wērt, **~würdig** *a.* 가련한, 불쌍한; 유감스러운.

bedecken [bədέkən] *t.* 덮다, 싸다(*cover*); 보호하다; 〖軍〗 엄호하다; *refl.* 모자를 쓰다; 덮이다. **Bedecker** *m.* -s, -, 씨말. **Bedeckung** *f.* -en, 덮기, 씌우기; 차폐; 엄폐; 보호; 호위(병); 덮개, 씌우개; (Kopf~) 모자.

bedenken* [bədέŋkən] 《 I 》 *t.* (잘) 생각하다; 고려하다; 마음에 두다. ¶jn. mit et.³ ~ 아무에게 무엇을 a) 얻게 하다, 주다, b) 유언서로써 증여하다, 유증하다. 《 II 》 *refl.* ① 깊이 생각하다, 숙고하다. ¶sich e-s andern ~ 고쳐 생각하다. ② 생각에 잠기다, 주저하다. 《 III 》 **Bedenken** *n.* -s, -, 숙고, 고려; 의심, 주저. ¶~ tragen 주저하다. **bedenklich** *a.* 주저〔의혹〕하는, 미심쩍어하는, 마음에 거리끼는, 꺼림한, 걱정되는; 중대한, 예사롭지 않은. **Bedenklichkeit** *f.* -en, ① 주저, 의혹, 꺼림함, 걱정스러움. ② 예사롭지 않음; 중대한 일, (병의) 중태. **Bedenkzeit** *f.* 숙고, 유예 (기간).

bedeuten [bədɔ́ytən] 《 I 》 *t.* ① 의미하다(*mean, signify*); (sein, heißen) …이다. ② 의의〔의미〕가 크다, 중요하다(*be of importance*). ¶das hat nichts zu ~ 그것은 대단한 일은 아니다. ③ 예시하다, 전조이다(*portent*). ④ 뜻을 나타내다(*imply*); (에) 알리다, 고하다, 가르치다, 타이르다(*inform, advise*); 지시〔명령〕하다(*direct*). 《 II 》 **bedeutend** *p.a.* 중요한, 현저한(*important*); 상당한(*considerable*). **bedeut·sām** *a.* 의의 있는, 의미 심장한(*significant*). **Bedeutung** [bədɔ́ytuŋ] *f.* -en, ① 의미, 뜻(*meaning, sense*); 중대〔중요〕함, 의의(*importance*). ② 전조(前兆).

bedeutungs·lōs *a.* 무의미한; 의의 없는. **~voll** *a.* 의미 심장한; 중요한.

bedienen [bədí:nən] 《 I 》 *t.* ① (에) 시중들다, (의) 심부름하다(*serve, wait upon*); (환자를) 돌보다, 간호하다; (손님에게) 서비스하다, 물건을 팔다. ② 조작하다《기계를》(*attend to, work*). ③ 〖카드〗 (Farbe) ~ 같은 종류의 패를 내다. 《 II 》 *refl.* (e-s Dinges, 무엇을) 사용하다; (식사 때) 자기 접시에 담다. ¶bitte, ~ Sie sich (selbst)! 자 마음껏 드십시오.

bediensten [bədí:nstən] 《 I 》 *t.* 《稀》 고용하다. 《 II 》 **bedienstet** *p.a.*: bei jm. ~ sein 아무의 밑에서 일하고〔고용되어〕 있다. 《 III 》 **Bedienstete** *m.* u. *f.* 《形容詞變化》 고용인(*employee*).

Bediente [bədí:ntə] *m.* 《形容詞變化》 고용인, 하인(*servant*).

Bedienung [bədí:nuŋ] *f.* -en, ① 섬김, 시중; 간호; 서비스; 손님 접대; (기계 등의) 조작. ② 급사, 사환.

bedingen⁽*⁾ [bədíŋən] 《 I 》 *t.* ① 《強變化》 제약(制約)하다; 약정하다(*stipulate*); ② 《弱變化》 제약하다, 조건을 붙이다, (의) 조건이 다(*condition*); 조건〔전제〕로 삼다(*imply*); 조건〔원인〕이 되다. 《 II 》 **bedingt** *p.a.* 제한된, 조건부의. **Bedingung** [bədíŋuŋ] *f.* -en, 제약, 조건(*condition*); 약정(*stipulation*); 조건 사항(*terms*).

bedingungs·lōs *a.* 무조건의; *adv.* 무조건으로. **~satz** *m.* 〖文〗 조건문. **~weise** *adv.* 조건부로.

bedrängen [bədrέŋən] *t.* 압박하다, 곤란하게 하다, 괴롭히다, 학대하다(*oppress, distress, afflict*); (에게) 강요하다, 조르다(*press hard*). **Bedrängnis** *f.* ..nisse, **Bedrängung** *f.* -en, 곤궁, 고뇌.

bedräuen [bədrɔ́yən], **bedrōhen** [-dro:-] *t.* 위협하다(*threaten, menace*). **bedrohlich** *a.* 협박〔위협〕적인; 절박한. **Bedrōhung** *f.* -en, 협박, 위협.

bedrucken [bədrúkən] *t.* (의 전면(全面)에) 인쇄하다.

bedrücken [bədrʏ́kən] *t.* 압제〔압박〕하다; 학대하다; 기를 꺾다. **Bedrücker** *m.* -s, -, 압제자, 압박자. **Bedrücktheit** *f.* 압제〔압박〕되어 있음; 기가 꺾임. **Bedrückung** *f.* -en, 압제, 강요; (마음의) 가책.

Beduine [beduí:nə] [ar. „Wüstendbewohner"] *m.* -n, -n, 베두인인《사막을 유랑하는 아라비아 사람》.

bedünken⁽*⁾ [bədʏ́ŋkən] 《 I 》 *imp.*: es ~t mich, daß.. 나에게는 …이라고 생각된다(*it seems to me that..*). 《 II 》 **Bedünken** *n.* -s, 의견, 견해(*opinion*).

bedürfen* [bədʏ́rfən] *i.*(h.): e-s Dinges ~ 무엇을 요하다, 필요로 하다(*want, need, require*). **Bedürfnis** [bədʏ́rfnɪs] *n.* -ses, -se, 필요(*need, necessity*); 결핍(*want*); 〖商〗 수요; (그만둘 수 없는) 요구, 욕구. **Bedürfnis·anstalt** *f.* 공중 변소, 공동 변소. **bedürfnislōs** *a.* 필요〔수요〕가 없는; 담박한, 욕심 없는. **Bedürfnislōsigkeit** *f.* 무욕, 담박.

bedürftig [bədýrftıç] *a.* ① 요(要)하는. ¶e-s Dinges ~ sein 무엇을 필요로 하다. ② 모자라는, 가난한. **Bedürftig=keit** *f.* 필요; 결핍; 궁핍, 곤궁; 빈곤.

bedūseln [bədú:zəln] *t.* 《俗》 취하게 하다; *refl.* 취하다. **bedūselt** [bədú:zəlt] *p.a.* 취한.

Beefsteak [bí:fste:k] [engl.] *n.* -s, -s, 「비프스테이크.」

beehren [bə-e:rən] 《I》 *t.* (에게) 영광을 주다(*honour*). 《II》 *refl.*: ich beehre mich (damit), Ihnen mitzuteilen 삼가 아뢰나이다.

beeid(ig)en [bə-áid(ıg)ən] *t.*: et. ~ 선서하다 /jn. ~ (에게) 선서시키다. **Beei=digung** *f.* -en, 선서.

beeifern [bə-áifərn] *refl.* 열심히 노력〔진력〕하다, 열중하다.

beeilen [bə-áilən] 《I》 *t.* 서둘게 하다. ¶s-e Schritte ~ 걸음을 빨리하다. 《II》 *refl.* (mit, 을) 서두르다.

beeindrucken [bə-áindrukən] *t.* (에게) 강한 인상〔감동〕을 주다.

beeinflussen [bə-áinflusən] *t.* (에게) 영향을〔감화를〕 주다; (에) 간섭하다.

beeinträchtigen [bə-áintrɛçtıgən] *t.* 해치다; 방해하다; (남의 권리·이익을) 침해하다. **Beeinträchtigung** *f.* -en, 방해; 침해.

beend(ig)en [bə-ɛnd(ıg)ən] *t.* 끝내다, 마치다; 다하다; (분쟁을) 조정하다. **Be=end(ig)ung** *f.* -en, 끝마침, 종결.

beengen [bə-ɛ́ŋən] *t.* 좁히다, 비좁게 하다, 갑갑하게 하다; 제한〔구속〕하다. ¶sich beengt fühlen 가슴이 답답하다.

beerben [bə-ɛ́rbən] *t.* (의) 유산을 상속하다; 《俗》 (의) 후계자가 되다.

beerdigen [bə-e:rdıgən] [<Erde] *t.* 매장하다(*bury*). **Beerdigung** *f.* -en, 매장, 장례식(*funeral*).

Beere [bé:rə] *f.* -n, 〖植〗 장과(漿果)《포도·딸기·귤 따위》(♀*berry*),

Beet [be:t] [Bett의 別形] *n.* -(e)s, -e, 묘상(苗床); 화단(♀*bed*), (Mist~) 온상.

Beete [bé:tə] [Lw. lat.] *f.* -n, 〖植〗 사탕무우. ¶rote ~ (샐러드용) 근대《사탕무우의 변종》.

Beethōven [bé:t(h)o:fən, -vən] [*eig.* „der vom Rüben-hofe, -garten"] *m.* (Ludwig von ~) 독일의 음악가 (1770–1827).

befähigen [bəfɛ́:ıgən] 《I》 *t.* (에게) 능력〔권능·자격〕을 주다. ¶sich ~ 자격을 얻다. 《II》 **befähigt** [-fɛ́:ıçt] *p.a.* (zu, 을 할) 능력〔자격〕이 있는; 쓸모 있는, 기량 있는. **Befähigung** *f.* -en, 능력〔자격〕의 부여; 능력, 자격, 기량.

befahl [bəfá:l], **befähle** [bəfɛ́:lə] ☞ BEFEHLEN《그 過去》.

befahrbār [bəfá:rba:r] *a.* 통행할 수 있는 (도로); 항행할 수 있는 (강·바다). **be=fahren*** *t.* 탈것으로 (길을) 가다; 항행하다《강·바다를》. ¶sehr ~er (*p.a.*) Weg 왕래가 잦은 길/e-n Fluß ~ 하천을 항행하다.

befallen* [bəfálən] *t.* (병·불행·공포 따위가) 엄습하다(♀*befall, attack*). ¶von e-r Krankheit ~ (*p.p.*) werden 병에 걸리다.

befangen* [bəfáŋən] 《I》 *t.* ①《稀》 둘러싸다, 가두다. ②《比》 (의) 자유를 빼앗다; (마음 따위를) 사로잡다. 《II》 **befangen** *p.a.* ① 사로잡힌, 편견을 품은, 편파적인(*prejudiced, biassed*). ② 당혹한; 수줍은(*embarrassed, shy*); 곤란한. **Befangenheit** *f.* ① 편집(偏執), 편파. ② 당황, 당혹; 수줍음, 소심.

befassen [bəfásən] 《I》 *t.* 파악〔이해〕하다. 《II》 *refl.* (mit, 와) 상대하다, 관계를 가지다(*occupy oneself with*); (mit et.[3], 무엇에) 손대다, 관계하다(*engage in*).

befehden [bəfé:dən] *t.* (와) 싸우다, (을) 적대하여 다투다.

Befehl [bəfé:l] [<befehlen] *m.* -(e)s, -e, 명령함, 명령(*command*); 지시(*order*). **befehlen*** [bəfé:lən] [–fehlen "맡기다"] 《I》 *t.* ① 맡기다(*commit, entrust*). ¶Gott befohlen! (신께 너의 영혼이 맡겨져 있기를:) 안녕(히). ② 명〔명령·지시〕하다(*command, order, direct*). 《II》 *i.*(h.) (über et., 무엇을) 지배〔통제〕하다. 《III》 **befehlend** *p.a.* (**befehle=risch** *a.*) 명령적인; 건방진. **befehligen** *t.* 지휘〔통솔〕하다, 명하다(*command, lead*).

Befehls=form *f.* 〖文〗 명령형. **~=hāber** *m.* -s, -, 사령관. **~hāberisch** *a.* 사령관의; 명령적인, 건방진. **~stelle** *f.* 사령부. **~weise** *adv.* 명령적으로.

befeinden [bəfáindən] *t.* (에게) 적의를 품다, 적대하다.

befestigen [bəféstıgən] *t.* ① 굳히다; (an et., 무엇에) 고정하다, 잡아〔졸라〕매다, 부착시키다. ② (도시·진지 따위를) 굳게 하다, (에) 보루를 설치하다; 성을 쌓다(*fortify*); 〖化〗 정착(定着)하다. ③《比》 (in et.[3], 무엇을) 굳게 하다; (평화 따위를) 확립하다. **Befestigungswerk** *n.* 보루, 요새.

befeuchten [bəfɔ́yçtən] *t.* 적시다, 축이다; 관개(灌漑)하다.

befeuern [bəfɔ́yərn] *t.* (해안 따위에) 표지등〔신호등〕을 설치하다; 《比》 고무〔격려〕하다.

Beffchen [béfçən] [nd., *aus* lat. *biffa* „Mantel"] *n.* -s, -, (보통 *pl.*) 목사의 가운의 가슴에 다는 두 줄의 흰 삼베.

befiedern [bəfí:dərn] 《I》 *t.* (화살에) 깃털을 달다. 《II》 **befiedert** *p.a.* 깃털이 난; 깃털이 있는.

befiehl! [bəfí:l], **befiehlst**, **befiehlt** ☞ BEFEHLEN《그 命令形 및 現在形》.

befiel [bəfí:l] ☞ BEFALLEN《그 過去》.

befinden* [bəfíndən] 《I》 *t.* (…임을) 알아내다, (…라고) 인정하다, 생각하다(*find, deem*). ¶(für) gut ~ 좋다고 인정하다. 《II》 *refl.* (어디에) 살다, 있다(*be*); (…한 상태) 이다(*be, feel*). ¶sich wohl ~ 건강하다/wie ~ Sie sich? 안녕하십니까. 《III》 **Befinden** *n.* -s, ① 어떤 장소에 삶〔있음〕; 상태; 건강 상태. ② 평가; 의견, 감정(鑑定). **befindlich** *a.* 《附加語的》 있는, 사는; 현존하는.

befingern [bəfíŋərn] *t.* 손가락을 대다; 《俗》(에) 착수하다, 해보다.

beflaggen [bəflágən] *t.* 기(旗)로 장식하다, (에) 기를 올리다.

beflecken [bəflékən] 《I》 *t.* (에) 얼룩지

B

게 하다, 더럽히다; 《比》 (명예를) 더럽히다; (이름을) 욕되게 하다. 《Ⅱ》 *refl.* ① 자기의 몸〔의복〕을 더럽히다. ② sich selbst ~ 수음하다. **Befleckung** *f.* -en, 더럽힘, 오욕(汚辱).

befleißen* [bəfláisən] 《Ⅰ》 *refl.* (e-s Dinges, 무엇에) 전념하다, 힘쓰다. 《Ⅱ》 **beflissen** *p.a.*: e-s Dinges ~ sein 무엇에 힘쓰다. **befleißigen**=BEFLEIßEN.

befliß [bəflís], **beflissen** [bəflísən] ☞ BEFLEIßEN 《그 過去 및 過去分詞》. **Beflissenheit** *f.* -en, 근면, 열심.

B

beflügeln [bəflý:gəln] *t.* ① (에) 날개를 붙이다. ② 《比》 재촉하다; 고무하다, 활기를 돋우다.

befohlen [bəfó:lən] ☞ BEFEHLEN 《그 過去分詞》.

befolgen [bəfɔ́lgən] *t.* (에) 따르다(♈*follow*); 복종〔준수〕하다 (*obey, observe*). **Befolgung** *f.* -en, 따름, 준수, 복종.

Beförd(e)rer [bəfœ́rd(ə)rər] *m.* -s, -, 운송인; 장려자; 후원자. **befördern** [bəfœ́rdərn] *t.* ① 나아가게 하다; 승진〔진급〕시키다(*promote*); 빨리 하다, 신속히 해치우다《사무 따위를》(*advance*); 촉진하다, 장려〔후원〕하다(*further*). ② 보내다, 운송〔송부〕하다(*forward, dispatch*). **Beförderung** *f.* -en, 촉진; 승진; 장려; 운송.

Beförderungs-kosten *pl.* 운송료, 운임. **~mittel** *n.* 운반 방법〔수단〕, 교통 기관; 〖物〗 매질(媒質).

befrachten [bəfráxtən] *t.* ① (배·차에) 짐을 싣다. ② ein Schiff ~ 용선(傭船)하다. **Befrachter** *m.* -s, -, 화주(貨主); 용선주(傭船主).

befrackt [bəfrákt] *p.a.* 예복〔연미복〕을 입은.

befragen(*) [bəfrá:gən] 《Ⅰ》 *t.*: jn. ~ (에게) 묻다, 물어보다; (et., 에 관하여) 문의하다, 조회하다. 《Ⅱ》 *refl.* 상담하다; 조회하다(*consult with*).

befreien [bəfráiən] 《Ⅰ》 *t.* (von, 에서) 자유롭게 하다, 해방하다; (을) 면제하다 (*exempt*); 《Ⅱ》 *refl.* 자유롭게 되다, 해방되다, 면하다. **Befreier** *m.* -s, -, 해방〔석방〕자; 구조자. **Befreiung** *f.* -en, 자유롭게 함, 해방; 방면; 구제; 면제. **Befreiungskrieg** *m.* 자유 전쟁 《독일에서는 나폴레옹 1세에 대항한 전쟁; 1814-15》.

befremden [bəfrémdən] 《Ⅰ》 *t.* (jn., 에게) 기이한 느낌을 주다, 의심나게〔놀라게〕 하다(*appear strange*); 불쾌한 인상을 주다(*impress unfavourably*). 《Ⅱ》 **befremdend** *p.a.*, **befremdlich** *a.* 의아한; 불쾌한. **Befremdung** *f.* -en, 놀람, 의아, 미심함.

befreunden [bəfrɔ́yndən] 《Ⅰ》 *t.* 아무와 친하게 하다(♈*befriend*). 《Ⅱ》 *refl.* (mit jm., 아무와) 친하게 되다; (mit et.³, 무엇을) 가까이 하다, 배워 익히다.

befrieden [bəfrí:dən] *t.* ① (에) 울타리를 치다. ② 평화롭게 하다; 편안하게 하다.

befriedigen [bəfrí:dɪgən] 《Ⅰ》 *t.* 평화롭게 하다; 편안하게 하다; 만족시키다(*satisfy, content*); (기갈을) 풀다(*appease*), (주림을) 채우다. 《Ⅱ》 **befriedigend** *p.a.* 만족스러운, 충분한. **Befriedigung** *f.* -en, 만족(시킴), 충족, (기갈을) 풀어줌; 지불.

befristen [bəfrístən] *t.* (아무에게) 기간을 주다; (무엇에) 기한을 붙이다. **befristet** *p.a.* 기한부의.

befruchten [bəfrúxtən] *t.* ① 열매맺게 하다, 수정(受精)〔수태〕시키다(♈*fructify*); (땅을) 기름지게 하다(*fertilize*). ② 《比》 생산적 활동을 촉진하다, 장려하다 (*stimulate*). **Befruchtung** *f.* -en, 결실, 수태, 수정.

Befugnis [bəfú:knɪs] *f.* -se, 권능, 자격(*right, powers, authority*); 권력. **befugt** *p.a.* 권능이 있는(*authorized, competent*).

befühlen [bəfý:lən] *t.* (을) 만져 보다.

Befund [bəfúnt] [<befinden] *m.* -(e)s, -e, ① (드러난) 상태, 현상, 실상(*state, position*). ¶nach ~ 사정에 따라. ② 판단, 감정, (의사의) 소견, 진단(*finding, diagnosis*).

befürchten [bəfýrçtən] *t.* 두려워하다, 염려하다(*fear, apprehend*). **Befürchtung** *f.* -en, 두려움, 염려.

befürworten [bəfý:rvɔrtən] *t.* (…를 위하여) 대변〔알선·변호〕하다 (*plead for*); 추천하다(*recommend*). **Befürworter** *m.* -s, -, 알선인; 추천인. **Befürwortung** *f.* -en, 알선, 변호; 추천.

begaben [bəgá:bən] 《Ⅰ》 *t.*: jn. mit et. ~ 아무에게 무엇을 주다(*endow with*). 《Ⅱ》 **begabt** *p.a.* (mit, 을) 받은(*gifted*); (zu, 의) 재능이 있는(*talented*). 《Ⅲ》 **Begabte** *m.* u. *f.* 《形容詞變化》 재능 있는 사람, 천재. **Begabung** *f.* -en, 부여; 천부, 천재.

Begabtenauslese [bəgá:ptənausle:zə] *f.* (진학·직업에서의) 수재 선발.

begaffen [bəgáfən] *t.* 입을 벌리고 바라보다; 놀라 쳐다보다.

begangen [bəgáŋən] *p.a.* ☞ BEGEHEN.

Begängnis [bəgɛ́ŋnɪs] *n.* -ses, -se, 의식; (Leichen~) 장례식(*funeral*).

begann [bəgán] ☞ BEGINNEN 《그 過去》.

begatten [bəgátən] [<Gatte] *refl.* 교합〔교미〕하다(*copulate*). **Begattung** *f.* -en, (사람의) 교합; (동물의) 교미.

begaunern [bəgáunərn] *t.* 사기하다, 속이다.

begeben* [bəgé:bən] 《Ⅰ》 *t.* (내) 주다; 〖商〗 팔다(*sell*); (어음 따위를) 양도하다 (*transfer*); 유통하다, 돈으로 바꾸다(*negotiate*). 《Ⅱ》 *refl.* ① (nach e-m Orte *od.* an e-n Ort, 어디로) (떠나) 가다(*go, set out for*). ② sich e-s Dinges ~ 무엇을 포기〔단념〕하다(*give up, resign*). ③ 《흔히 非人稱》 발생하다, 일어나다 (*happen, occur*). **Begebenheit** *f.* -en, **Begebnis** [bəgé:pnɪs] *n.* -ses, -se, 사건, 일어난 일. **Begebung** *f.* -en, 포기; 〖商〗 발행, 양도, 교부.

begegnen [bəgé:gnən, -gé:knən] [<gegen] *i.* ① (s.): jm. ~ 아무와 만나다, 해후하다(*meet with, encounter*). ② (s.) 《흔히 非人稱》 발생하다, 일어나다(*happen*). ③ (h.) (…한 태도로) 대하다(*meet, treat*). ¶jm. freundlich ~ 아무에게 친절히 대하다. ④ (h.) 대처하다(*take measures against, prevent*). ¶dem Übel ~ 폐해를 막다. **Begegnis** [bəgé:knɪs] *n.* -ses, -se, 사건, 일어난 일; 사

고. **Begegnung** [bəgé:gnuŋ, -gé:k-] *f.* -en, 조우, 해후, 회견; 대우; 회전(會戰); 〖競〗 대항.
begeh(e)n* [bəgé:(ə)n] 《Ⅰ》 *t.* ① 가다, (길을) 다니다(*walk over*). ② 거행하다《식을》(*celebrate*). ③ 행하다, 하다(*do*); (죄를) 범하다(*commit*). 《Ⅱ》 **begangen** *p. a.*: ein viel ~er Weg, a) 왕래가 빈번한 길, b) 《比》 상도(常道). **Begehung** *f.* -en, (축전·의식의) 거행; 축하; (과실·죄를) 범함, 저지름; 〖法〗 범행.
Begehr [bəgé:r] [<gierig] *m.* 〔*n.*〕 -s, 《稀》 -e, 욕구, 열망; 수요. **begehren** [bəgé:rən] 《Ⅰ》 *t.* (절실하게) 욕구하다, 바라다, 열망하다(*want, desire, covet*). ¶(sehr) begehert (*p.a.*) 〖商〗 수요가 많은. 《Ⅱ》 *i.*(h.) (nach, 을) 갈망〔열망〕하다. 《Ⅲ》 **Begehren** *n.* -s, 열망; 욕구; 요구; 수요. **begehrlich** *a.* 열망하는(*covetous*); 탐욕한. **Begehrlichkeit** *f.* -en, 정욕이 강함, 탐욕.
begeifern [bəgáifərn] *t.* 침으로 더럽히다; 《比》 비방〔중상〕하다.
begeistern [bəgáistərn] 《Ⅰ》 *t.* (에게) 영감을 주다, 감격시키다(*inspire*); 열광시키다(*fill with enthusiasm*). 《Ⅱ》 *refl.* (für, 에) 감격〔열광〕하다. 《Ⅲ》 **begei=stert** *p. a.* (von, 로부터) 영감을 받은, (에) 감격〔열광〕하는. **Begeist(e)rung** *f.* -en, 영감(*inspiration*); 감격, 열광, 황홀(*enthusiasm*).
Begier [bəgí:r] [<gierig] *f.* 열망, 욕구. **Begierde** [-də] *f.* -n, 열망, 욕망(*longing, desire*); (자연적) 욕구, 정욕(*appetite*). **begierig** *a.* 욕구하는(*desirous*); 열망하는(*eager, covetous*).
begießen* [bəgí:sən] *t.* (에) (mit, 을) 붓다, 끼얹다.
Beginn [bəgín] *m.* -(e)s, 처음, 시작, 발단(♈*beginning*). **beginnen*** [bəgínən] 《Ⅰ》 *i.*(h. *u.* s.) 시작하다, 시작되다(♈*begin, commence, start*). 《Ⅱ》 *t.* 착수하다, 하다, 행하다. 《Ⅲ》 **Beginnen** *n.* -s, 시작함; 소행; 착수; 기도(*undertaking, enterprise*).
beglaubigen [bəgláubɪgən] *t.* ① 확인하다; 증명〔인증〕하다(*attest*). ② (jn., 에게) 신임장을 주다(*accredit*). **Beglaubi=gung** *f.* -en, 확인, 증명, 인증; 신용장.
Beglaubigungs=brief *m.*, **~schrei=ben** *n.* 신임장.
begleichen* [bəgláiçən] *t.* 〖商〗 청산〔지불〕하다.
Begleit=adress *f.* 송장(送狀); 운송 허가증. **~brief** *m.* 첨부하는 편지.
begleiten [bəgláitən] 《Ⅰ》 *t.* (jn., 아무에게) 동반하다, (et., 무엇에) 따르다, 수반〔부수〕하다(*accompany*); 〖樂〗 반주하다; 호송〔호위〕하다(*escort*). ¶nach Hause ~ 집까지 바래다 주다(*see home*). 《Ⅱ》 **begleitend** *p.a.* 첨부된; 부수하는. **Begleiter** *m.* -s, -, 동반자; 안내자; 부수물; 반주자.
Begleit=erscheinung *f.* 수반〔부수〕 현상. **~mannschaft** *f.* 《總稱》 호송〔호위〕병. **~schein** *m.* 송장(送狀). **~=schiff** *n.* 호송선. **~schreiben** *n.* 첨장(添狀); 〖商〗 송장(送狀).
Begleitung [bəgláituŋ] *f.* -en, 동반, 수반; 반주; 동행; 호종(扈從); 향도, 호송; 동반자; 〖軍〗 호위병.
beglücken [bəglýkən] *t.* 행복하게 하다, 기쁘게 하다.
beglückwünschen [bəglýkvynʃən] *t.*: jn. ~ 아무를 축하하다, 에게 축사를 말하다(*congratulate*).
begnaden [bəgná:dən] *t.*: jn. mit. et. ~ 아무에게 무엇을〔은혜를〕 베풀다. **begnadigen** *t.* 허가하다, 특사(特赦)하다(*pardon*). **Begnadigung** *f.* -en, 사면, 특사, 은혜.
begnügen [bəgný:gən] [<genug] *refl.* (mit, 으로) 만족하다(*be satisfied with*).
begönne [bəgœ́nə], **begonnen** [bəgɔ́nən] ☞ BEGINNEN 《그 過去分詞》.
begönnern [bəgœ́nərn] *t.* 두둔하다; 아랫사람 취급을 하다.
begraben* [bəgrá:bən] *t.* 매장하다, 묻다(*bury*); 숨기다. **Begräbnis** [bəgrɛ́:pnɪs] *n.* -ses, -se, 매장, 장례식(*burial, funeral*); 묘, 무덤(tomb).
Begräbnis=feier *f.* 장의. **~platz** *m.*, **~stätte** *f.* 매장지, 묘지.
begrasen [bəgrá:zən] 《Ⅰ》 *t.* 풀로 덮다; (땅을) 목초지로 하다; 풀을 다 먹어 버리다; (가축을) 살지게 하다. 《Ⅱ》 *refl.* 목초로 덮이다; 목초를 먹고 살지다; 부(富)가 증대되다.
begreifen* [bəgráifən] 《Ⅰ》 *t.* ①† 잡다, 쥐다(*handle*); 만져보다(*touch*). ② in sich³ ~ 포함하다(*include, comprise*). ③ 파악〔이해·납득〕하다(*grasp, comprehend, understand*). 《Ⅱ》 *refl.* ① 침착하다, 자제하다. ② das begreift sich leicht 그것은 알기 쉽다. 《Ⅲ》 **begriffen** *p. a.* : in et.³ ~ sein 무엇에 종사하고 있다, 무엇이 진행중이다. **begreiflich** *a.* 파악〔이해〕할 수 있는; 명백한. **be=greiflicherweise** *adv.* 잘 알 수 있도록, 명백히; 물론.
begrenzen [bəgrɛ́ntsən] *t.* (에) 경계를 짓다(*bound*); 한정하다, 《比》 국한〔제한〕하다(*limit*); 정의(定義)를 내리다. **be=grenzt** *p. a.* 경계가 있는; 한정된; 협소한. **Begrenzt·heit** *f.* -en, 경계가 있음, 제한(*limitation*); 《比》 협소(*narrowness*). **Begrenzung** *f.* -en, 경계〔한계〕를 짓기; 국한; 제한.
Begriff [bəgríf] [<begreifen] *m.* -(e)s, -e, ① 파악, 이해(력), 관념, 〖哲〗 생각, 개념(*conception, idea, notion*). ¶leicht 〔schwer〕 von ~ sein 이해력이 좋다〔나쁘다〕. ② im ~(e) sein, et. zu tun 바야흐로 무엇을 하려 하고 있다.
Begriffs=bestimmung *f.* 개념 규정, 정의. **~stutzig** *a.* 이해가 더딘, 머리가 나쁜. **~wort** *n.* (*pl.* ... wörter) 추상 명사.
begründen [bəgrýndən] *t.* (의) 기초를 닦다, 창설하다(*found*); 기초〔근거〕를 두다(*confirm, give as reason for*). **Be=gründer** *m.* -s, -, 창립자, 설립자. **Begründung** *f.* -en, 창립, 설립; 기초; 증명, 논증.
begrüßen [bəgrý:sən] *t.*: jn.: (에게) 인사하다(♈*greet*); 경례하다(*salute*); 공손히 맞아들이다, 환영하다(*welcome*). **Be=grüßung** *f.* -en, 인사, 경례; 환영.
begucken [bəgúkən] *t.* 엿보다, 잘 보다.

begünstigen [bəgýnstɪgən] [<Gunst] *t.* (에게)은총을 베풀다, 총애하다; 비호하다. **Begünstigung** *f.* -en, 은총, 애고, 두둔; 〖法〗 범죄 비호.

begut·achten [bəgú:t-axtən] [<Gutachten] *t.* 감정(鑑定)하다. **Begut·achtung** *f.* -en, 감정((*expert*) *opinion*).

begütert [bəgý:tərt] [<Güter] *p.a.* (부동산을 받은:) 부동산을 소유한, 부유한.

begütigen [bəgý:tɪgən] *t.* 달래다(*soothe*); (분노 따위를) 가라앉히다 (*calm, appease*).

behaart [bəhá:rt] *p.a.* 털이 있는; 털이 많은.

behäbig [bəhɛ́:bɪç] *a.* 안락[쾌적]한(*comfortable*); 부유한; 풍채 좋은, 살찐(사람) (*portly, corpulent*).

behaften [bəháftən] 《I》 †*i.*(s.) 붙어 있다. 《II》 *t.* (무거운 짐 따위를) 지우다, (병 따위를) 옮기다. 《III》 **behaftet** *p.a.*: mit et.³ ~ sein 무엇이 붙어 있다, (병 따위에) 걸려 있다.

behagen [bəhá:gən] 《I》 *i.*(h.): et. behagt jm. 무엇이 아무의 기분에 맞다, 마음에 들다(*suit, please*). 《II》 **Behagen** *n.* -s, 쾌적, 유쾌. **behaglich** [bəhá:klɪç] *a.* 쾌적[유쾌]한, 아늑한 (*cosy, snug, comfortable*). **Behaglichkeit** *f.* -en, 쾌적, 안락, 안일; 아늑함.

behalten* [bəháltən] *t.* 소지[보유]하다 (*keep, retain*); 간직하고 있다. ¶et. bei [für] sich ~ 무엇을 간수하다. **Behälter** *m.* -s, -, 저장소; 용기; 탱크; 저수지; 양어지; (짐승의) 우리. **Behälterverkehr** *m.* 콘테이너 수송. **Behälterwagen** *m.* 콘테이너 차. **Behältnis** *n.* -ses, -se, (작은) 그릇, 저장기(器) (상자·바리·통); 양어통; 물통.

behandeln [bəhándəln] *t.* 취급하다, 다루다(♀*handle, treat, manage*); 〖化〗 처리하다; 〖工〗 가공하다; 〖冶〗 정련하다; 〖醫〗 치료하다(*attend*); (상처를) 보살피다 (*dress*). **Behandlung** *f.* -en, 취급; 〖醫〗 치료, 보살핌; 〖化〗 처리; 〖工〗 가공; 〖商〗 거래.

Behang [bəháŋ] *m.* -(e)s, ⸗e, 매달린 것, 현수물(懸垂物); 현수 장식물; (특히) 술; 커튼, 벽걸이. **behangen*** 《I》 *t.* =BEHÄNGEN(단: 不定法은 오로지 behängen). 《II》 *p.a.* 걸려[매달려]있는.

behängen⁽*⁾ *t.* (에) (mit, 을)걸다, 매달다, 드리우다; 술로 꾸미다.

beharren [bəhárən] 《I》 *i.*(h.) 움직이지[굽히지]않다, 지속하다(*remain firm, persevere, continue*). ¶auf et.³ ~, a) 무엇을 계속 주장하다(*insist on*), b) (*od.* bei et.³ ~) 무엇을 고집하다(*stick to*). 《II》 **Beharren** *n.* -s, 지속; 고집. **beharrlich** *a.* 참고 견디는, 끈기있는, 불굴의, 고집하는(*persevering, constant*). **Beharrlichkeit** *f.*, **Beharrung** *f.* -en, 굽히지 않음, 견인, 지속; 고집.

Beharrungs⸗müt *m.* 인내력. **~vermögen** *n.* 〖物〗 관성(*inertia*).

behauen* [bəháuən] *t.* (나무·돌 따위를) 자르다, 잘라 다듬다, 깎다.

behaupten [bəháuptən] [*eig.* „sich als Haupt erweisen"] 《I》 *t.* 견지하다(*maintain, uphold*); (…라고) 주장하다, 확언하다(*assert, affirm*). 《II》 *refl.* 자기의 지위를 유지하다; 권리를 주장하다; (…라고) 주장하다. 《III》 **behauptet** *p.a.* 견지[주장]된; 〖商〗 보합의. **Behauptung** *f.* -en, 고수, 주장(*maintenance, assertion*); 〖論〗 테제, 정립(*statement*).

behausen [bəháuzən] 《I》 *t.* 숙박시키다 (jn.); (어느곳에) 거처를 짓다. 《II》 *refl.* 정주하다. **Behausung** [bəháuzuŋ] *f.* -en, 주거(*lodging*); 주택(♀*house*).

beheben* [bəhé:bən] *t.* (결함 따위를) 제거하다(*remove*).

Behelf [bəhɛ́lf] *m.* -(e)s, -e, 미봉책, 임기 응변, 얼렁수, 편법(*expedient*); 핑계, 구실(*excuse*). **behelfen*** *refl.* (mit, 으로) 임시 변통하다, 꾸려나가다(*make shift with, manage*). ¶sich ohne et. ~ 무엇 없이 이럭저럭 지내다. **behelfsmäßig** *a.* 잠정적인, 응급의.

behelligen [bəhɛ́ligən] [<mhd. *hellic* „erschöpft"] *t.* 괴롭히다, 귀찮게 하다, 조르다(*bother, importune*).

behelmt [bəhɛ́lmt] *p.a.* 투구를 쓴; 〖植〗 투구 모양의.

be·hend(e) [bəhɛ́nt, -də] [*eig.* „bei (der) Hand"] *a.* 민첩한, 날쌘, 기민한 (*quick, agile, nimble*). **Be·hendigkeit** *f.* -en, 민첩, 기민, 교묘.

beherbergen [bəhɛ́rbɛrgən] *t.* 숙박시키다, 묵게 하다(*lodge, put up*); 〖軍〗 숙영(宿營)시키다. **Beherbergung** *f.* -en, 숙박, 묵음; 숙영.

beherrschen [bəhɛ́rʃən] 《I》 *t.* 지배하다(*have command of*); 통치하다(*rule over, govern*); 제어하다(*master, control*); (외국어 따위를) 구사하다(*master*). 《II》 *refl.* 자제[극기]하다; 평정을 유지하다. **Beherrscher** *m.* -s, -, 지배자, 통치자, 군주. **Beherrschung** *f.* -en, 지배, 통치; 제어; 억제; 자제.

beherzigen [bəhɛ́rtsɪgən] *t.* 마음에 간직하다, 명심하다, 유의하다. **Beherzigung** *f.* -en, 명심, 고려, 반성.

beherzt [<†*beherzen* „ein Herz machen"] *p.a.* 용기 있는, 과감한(*courageous, brave*). **Beherzt·heit** *f.* 용기, 용감, 과감(*courage, daring*).

behexen [bəhɛ́ksən] *t.* (에게) 마법을 걸다, 매혹하다, 호리다(*bewitch*).

behilflich [bəhílflɪç] [<behelfen] *a.* 유익한; 도움이 되는. ¶jm. zu et. ~ sein 아무를 도와 무엇을 얻게 하다.

behindern [bəhíndərn] *t.* 훼방[방해]하다; 〖蹴〗 태클하다. **Behind(e)rung** *f.* -en, 훼방, 방해(하기); 지장.

Behop [bí:hop] [amer.] *m.* -(s), -s, 비홉(1940년대의 재즈 음악의 일종).

behobeln [bəhó:bəln] *t.* 대패질하다; 《比》 (문장 따위를) 퇴고하다.

behorchen [bəhɔ́rçən] *t.* (의 말을) 엿듣다, 귀를 기울이다.

Behörde [bəhǿ:rdə] [mhd. *zuogehoerde* „wohin etwas gehört"] *f.* -n, (어떤 사항이 소속하는 곳:) 당국(*authority*); 관청, 관아(*governing body*). **behördlich** *a.* 당국의, 관청의; 관의, 공적인(*official*).

Behuf [bəhú:f] *m.* -(e)s, -e, 목적(♀*behalf*, ♀*behoof*). ¶zu diesem ~(e) 이

목적을 위하여. **behūfs** *prp.* 《2格支配》(을) 위하여, (…한) 목적으로.
behǖten [bəhýːtən] *t.* (vor et.³, 무엇에 대하여) 보호하다, (무엇을 못하게) 지키다, (무엇을) 금하다, 막다. ¶(Gott) behüte (=Gott behüte davor!) 당치 않다, 절대로 안돼. **behūt·sām** [bəhúːtzaːm] *a.* 주의깊은, 신중한(*careful, cautious*).
Behūt·sāmkeit *f.* 조심, 신중.
bei [bai] 《Ⅰ》 *prp.* 《3格支配》 ① 가까이에, 곁에(♈*by, near*), (아무)의 집에서, (어디)에(서) (*at*). ¶ die Schlacht ~ Leipzig 라이프치히(부근)의 전투/~ uns (zu Lande) 우리 나라에서는. ② 《携帶》 Geld ~ sich haben 돈을 지니고 있다. ③ 《狀態》 es bleibt beim alten 그것은 옛날 그대로다, 변함없다/~ weitem 훨씬, 단연. ④ 《從事》 er ist beim Essen 그는 식사중이다. ⑤ 《同時, 機會》 ~ s-r Ankunft 그의 도착시에/bei Tage 낮에. ⑥ …에도 불구하고. ¶~ all(e)dem 그럼에도 불구하고. ⑦ 《理由·原因·條件》 …이므로, 때문에, 이면. ¶~ diesem Stande der Dinge 이런 사정 때문에. ⑧ 《手段, 道具》 jn. ~ der Hand nehmen 아무의 손을 잡다/~ Gott schwören 하느님 앞에 맹세하다/es ist ~ Strafe verboten 범하는 자는 벌을 받는다. 《Ⅱ》 *adv.* 약. ¶~ drei Jahre 약 삼년간.
bei.. [bai-] 《分離動詞의 前綴로서 늘 악센트가 있음》 "근접《정지》, 접근《방향》"을 나타냄. 보기: bei|steh(e)n, stand bei, beigestanden.
beian [bai-án] *adv.* 옆에 곁에 가까이에.
bei|behalten* [báibəhaltən] *t.* 보유(保有)하다, 놓지 않다, 지속하다.
Beiblatt [báiblat] *n.* -(e)s, ⸚er, (신문의) 부록 (*supplement*).
Beiboot [báiboːt] *n.* 선재정(船載艇).
bei|bringen* [báibrɪŋən] *t.* ① 가져오다; (증거·이유를) 꺼내다, 제출하다. ② (나쁜 것을) 주다, 가(加)하다《남몰래》. ③ 가르치다, 알리다(*teach, impart*).
Beichte [báiçtə] *f.* -n, 고백, 참회(*confession*). ¶jm. die ~ abnehmen 아무의 고백을〔고해를〕 듣다. **beichten** *t.* u. *i.*(h.) 고백〔고해〕하다, 참회하다.
Beicht·kind [báiçtkɪnt] *n.* 고해자, 참회자. **~stuhl** *m.* 〖가톨릭〗 고해소. **~vāter** *m.* 고해 신부.
beide [báidə] *num.* 《形容詞的》 양쪽〔쌍방〕의; 《名詞的》 (그) 둘, 둘 (다), 양쪽, 양자(*the two,* ♈*both, either*). ¶wir ~ 우리 두 사람/《事物을 가리킬 때는 中性單數 ~s를 쓸 수 있음》 ~s ist richtig 둘 다 옳다. **beidemāl** *adv.* 두 번 다.
beiderlei [báidərlai] *a.* 《不變化》 두 가지 (종류)의.
beider·seitig [báidərzaitɪç] *a.* 양쪽의; 쌍방의. **~seits** *adv.* 양쪽〔쌍방〕에(서).
Beid·händer [báit-] *m.* -s, -, 양손잡이. **~lēbig** *a.* 〖動〗 수륙 양서(兩棲)의.
bei|drēhen [báidreːən] *i.*(h.) (역풍을 받도록 돛을 조정하거나 기관을 끄고) 배를 멈추다, 배의 속력을 늦추다; *t.*: ein Segel ~ 돛이 역풍을 받도록 하다.
bei·einander [bai-ainándər] *adv.* 나란히, 함께, 같이.
Beifahrer [báifaːrər] *m.* -s, -, (자동차·오토바이 따위의) 동승자, 동승한 운전 조수.
Beifall [báifal] *m.* -(e)s, 찬성, 갈채(*approbation, applause*). **bei|fallen*** *i.*(s.): jm. ~ 아무의 머리에 떠오르다, 생각나다. **beifällig** *a.* ① 찬성〔동의〕의. ② =ZUFÄLLIG.
Beifallklatschen [báifalklatʃən] *n.* 「박수 갈채.」
Beifalls·bezeigung *f.* 갈채; 찬성을 표시함. **~rūf** *m.* 갈채. **~sturm** *m.* 우뢰와 같은 박수 갈채.
Beifilm [báifɪlm] *m.* -s, -e, 〖映〗 곁들여 상영하는 영화.
beifolgend [báifɔlgənt] *p.a.* u. *adv.* 동봉한(*inclosed, herewith*); 동봉하여. ¶~ (*adv.*) erhalten Sie 동봉하여 보내니 받으십시오.
bei|fūgen [báifyːgən] *t.* 첨부〔부가〕하다.
Beigābe [báigaːbə] *f.* -n, 첨가물, 덤, 「부록.」
bei|gēben* [báigeːbən] 《Ⅰ》 *t.* 첨가하다, 덧붙이다(*add, join to*). 《Ⅱ》 *i.*(h.): klein ~ 낮은 패를 덧붙여 내다《카드에서》; 《比》 요구·주장 따위를 단념하다, 물러서다, 양보하다.
Beigeordnete [báigə-ɔrdnətə] *m.* u. *f.* 《形容詞變化》 부시장, 차석의 관리; 〖法〗 배석자, 배석 판사.
Beigeschmack [báigəʃmak] *m.* -(e)s, ⸚e, 뒷맛; (달갑지 않은) 기미, 경향.
bei|gesellen [báigəzɛlən] *t.* 한패〔한 동아리〕로 하다; *refl.* (jm., 아무와) 한패가 되다.
Beihilfe [báihɪlfə] *f.* -n, 보조, 원조; 보조금, 기부; 〖法〗 종범(從犯); 방조.
bei|kommen* [báikɔmən] ① *i.*(s.) (jm., 아무에게; e-m Dinge, 무엇에) 접근하다, 닥치다; 미치다, 필적하다; (을) 잡아 누르다. ¶ihm ist nicht beizukommen 그에게는 손을 댈 수가 없다. ② 머리에 떠오르다. ¶sich³ et. ~ lassen 무엇이 생각나다.
Beil [bail] *n.* -(e)s, -e, 손도끼, 자귀 「(♈*bill, hatchet*).」
Beilāge [báilaːgə] *f.* -n, 첨가물(*addition*); 봉입물(*enclosure*); (신문의) 부록(*supplement*); 유산.
Beilāger [báilaːgər] *n.* -s, -, (귀인의) 「혼례 (*nuptials*).」
beiläufig [báilɔyfɪç] 《Ⅰ》 *a.* 부(副)의, 부수적인, 곁들인(*incidental*). 《Ⅱ》 *adv.* 임시로, …하는 김에(*incidentally*). ¶~ gesagt 말이 난 김에 (곁들여) 말하면(*by the way*).
bei|lēgen [báileːgən] 《Ⅰ》 *t.* ① 덧붙이다; (편지에) 동봉하다. ② 붙여 주다《아무에게 계집을》; 주다, 속하게 하다, 돌리다《죄 따위를》; (이름을) 붙이다. ¶e-e beigelegte Eigenschaft 속성(屬性). ③ 제쳐 놓다, 치우다; (분쟁 따위를) 조정하다. 《Ⅱ》 *i.*(h.) (돛을 거두고) 정선(停船)하다. **Beilēgung** *f.* -e-n, 첨가; 봉입; 귀속시키기; 명명(命名); 조정. ¶gütliche ~ 화해.
beileibe [bailáibə] [„beim Leben"] *adv.*: ~ nicht 결코(…않다)(*on no account*).
Beileid [báilait] *n.* -(e)s, 애도, 조위(*condolence*). ¶~ bezeigen 조의를 표하다.
Beileids·besūch *m.* 조문(弔問). **~brief** *m.* 조문장(狀).

bei|liegen* [báili:gən] 《Ⅰ》 *i.*(h.) 덧붙여져 있다, 동봉되어 있다; 〖海〗 돛을 거두고 정선(停船)해 있다《폭풍이 불 때》. 《Ⅱ》 **beiliegend** *p.a.* 동봉한.
beim [baim] 《略》 =*bei* dem (*art.*).
bei|mengen [báimɛŋən] *t.* 혼합하다.
bei|messen* [báimɛsən] *t.* (따져서) 돌리다, (고려해서) 주다(*ascribe, impute*). ¶jm. Glauben ~ 아무를 신용하다.
bei|mischen [báimɪʃən] *t.* 혼합하다. **Beimischung** *f.* -en, 혼합; 혼합물.
B
Bein [bain] *n.* -(e)s, -e, ① †뼈(♈*bone*). ② (인체에서 가장 긴 뼈의 부분:) 다리, 정강이(*leg*). ¶jm. ~e machen 아무를 재촉하다/jm. ein ~ stellen 갑자기 발을 내밀어 아무를 넘어뜨리다/sich[3] kein ~ ausreißen 쓸데없는 노력을 하지 않다/**auf** die ~e bringen 일으켜 세우다, 부축하여 일으키다; (군사를) 일으키다, (무엇을) 활동케 하다; (내각 따위를) 조직하다/sich auf die ~e machen 떠나다.
bei·nāh(e) [bainá:(ə); báina:(ə)] *adv.* 거의, 대개 (*almost*); 하마터면(*nearly*).
Bei·nāme [báina:mə] *m.* -ns, -n, 본명에 덧붙인 이름(*surname*); 이명(異名), 별명(*nickname*).
Bein≈arbeiter *m.* 골각〔상아〕 세공인. **~bruch** *m.* 골절; 하지 골절(下肢骨折).
beinern [báinərn] *a.* 뼈의; 뼈〔상아〕로 만든.
Bein≈fäule *f.*, **~fraß** *m.* 골저(骨疽). **~haus** *n.* 납골당(納骨堂).
beinicht [báinɪçt] *a.* 뼈 같은, 골질의.
Beinkleider [-klaidər] *pl.* 바지. 「는.
beinlōs [báinlo:s] *a.* 뼈 없는; 다리 없
Bein≈schiene *f.* (갑옷의) 정강이받이; 〖醫〗 하지 부목(下肢副木). **~schwarz** *n.* 골탄(骨炭).
bei|ordnen [bái-ɔrdnən, -tn-] *t.* 덧붙이다, 부속시키다(*adjoin*); 병렬시키다(*coordinate*).
Beipfērd [báipfe:rt] *n.* -(e)s, -e, 부마(副馬), 갈아타는 말, 예비 말.
bei|pflichten [báipflɪçtən] *i.* (h.): jm. 〔e-r Meinung〕 ~ 아무〔어떤 의견〕에 찬성하다(*agree with, approve of*).
Beirāt [báira:t] *m.* -(e)s, ⸗e, 조언자, 고문(단)(*adviser*).
be·irren [bə-írən] *t.* 현혹시키다. ¶sich ~ lassen 현혹되다.
beisammen [baizámən] *adv.* 함께, 같은 곳에(*together*).
Beisatz [báizats] [<beisetzen] *m.* -es, ⸗e, 부가물; 혼합물; 《比》 기미(氣味).
Beischlāf [báiʃla:f] *m.* -(e)s, 동침(*cohabilitation*). **bei|schlāfen*** *i.*(h.) 동침하다. **Beischläferin** *f.* -nen, 동침자 《여자》; 첩(*concubine*).
bei|schließen* [báiʃli:sən] *t.* 동봉하다, 덧붙이다(*enclose*).
bei|schreiben* [báiʃraibən] *t.* 첨가해 쓰다, 난외에 쓰다; 〖商〗 기한 만료분을 기장하다. 「(*presence*).
Beisein [báizain] *n.* -s, 동석(同席)
beiseit(e) [baizáit(ə)] *adv.* 옆에, 곁에〔으로〕(*aside, apart*). ¶Scherz ~! 농담은 그만두게(*joking apart!*).
bei|setzen [báizɛtsən] *t.* 덧붙이다; (음식물·남비를) 불에 얹다; (시체를) 묻다; 〖海〗 돛을 올리다. **Beisetzung** *f.* -en, 매장.
bei|sitzen* [báizɪtsən] *i.*(h.) 동석하다; 〖法〗 (재판 따위에) 배석하다. **Beisitzer** *m.* -s, -, 〖法〗 배심원; 배석 판사.
Beispiel [báiʃpi:l] [後半은 engl. *gospel* (=*god-spell*) „Gottes Wort"의 後半에 對應, 잘못되어 Spiel에 관련시켜 해석됨] *n.* -(e)s, -e, 보기, 예(*example, instance*); 선례(*precedent*). ¶zum ~ 이를테면(*for example*)/abschreckendes ~ 경고의 본보기/ ~ geben 모범을 보이다. **beispielhaft** *a.* 예가 되는, 실례(實例)의. **beispiellōs** *a.* 예 없는; 유례없는; 미증유의. 「로서; 예를 들어.
beispiels≈halber, **~weise** *adv.* 예
bei|springen* [báiʃprɪŋən] *i.*(s.): jm. ~ 아무를 도우려고 달려가다, 아무의 위급함을 알고 뛰어가다.
beiβen* [báisən] 《Ⅰ》 *i.*(h.) (깨)물다; (벌레 따위가) 쏘다(♈*bite*); 따끔따끔하다(*prick, sting, burn*); 《比》 (풍자 따위가) 쏘다. ¶**an** die Angel ~ (물고기가) 낚시를 물다/**auf** 〔in〕 die Lippen ~ 입술을 깨물다, 참다/《比》 **in** e-n sauren Apfel ~ 마지못해 결심하다/ins Gras ~(=sterben) 죽다/**nach** jm. ~ 아무를 보고 이빨을 드러내다《개가 덤벼들 때의 자세》/**um** sich ~ 닥치는 대로 물어뜯다. 《Ⅱ》 *t.* 물다, 물어뜯다; 삼키다; (벌레 따위가) 쏘다; 《比》 찌르다, 자극하다, 괴롭히다. ¶die Augen ~ mich 눈이 따끔따끔하다. 《Ⅲ》 *refl.* sich[3,4] auf die Lippen ~ 입술을 깨물다/《比》 sich mit jm. um et. ~ 아무와 무슨 일로 서로 으르렁대다. 《Ⅳ》 **beiβend** *p.a.* 찌르는 듯한; 따끔따끔한; 신랄한.
Beiβ≈korb *m.* (마소의) 부리망. **~zange** *f.* 못뽑이; 집게, 핀세트.
Beistand [báiʃtant] *m.* -(e)s, ⸗e, 원조, 보좌(*assistance, aid*); 원조자, 보좌인(*assistant*).
bei|stēh(e)**n*** [báiʃte:ən] *i.*(h.) (jm., 아무에게) 조력하다, 편들다(♈*stand by, aid, help*).
Beisteuer [báiʃtɔyər] *f.* -n, 기부금(*contribution*); 보조금(*subsidy, subvention*). **bei|steuern** *t.* u. *i.*(h). (에) 기부하다; 기여하다 (zu et.).
bei|stimmen [báiʃtɪmən] *i.*(h.): jm. 〔der Meinung js.〕 ~ 아무에게〔아무의 설에〕 찬성〔동의〕하다(*agree with, assent to*). **Beistimmung** *f.* -en, 찬성, 동의.
Beistrich [báiʃtrɪç] *m.* -(e)s, -e, 〖文〗 코머(*comma*).
Beitrāg [báitra:k] *m.* -(e)s, ⸗e, (zu, 에의) 기여, 기부, 출자; 기고(寄稿). **bei|trāgen*** *t.* u. *i.*(h.) 기여〔공헌·이바지〕하다(*help*); 기부하다(*contribute*).
bei|treiben* [báitraibən] *t.* 거두다, 징수하다(*collect, exact*). **Beitreibung** *f.* -en, 거두기, 징수.
bei|trēten* [báitre:tən] *i.*(s.) 편들다, 찬성하다(*agree, assent*); 가입하다(*join*).
Beitritt *m.* -(e)s, -e, 찬성, 찬동; 가입.
Beiwāgen [báiva:gən] *m.* 사이드카.
Beiwerk [báivɛrk] *n.* -(e)s, -e, 부속 장식, 액세서리.

bei|wohnen [báivo:nən] *i.*(h.): e–m Vorgang ～ 어떤 사건의 현장에 있다, 입회하다, 참석하다(*be present at, attend*). ¶e–m Weibe ～ 어떤 여자와 동서하다(*cohabit with*).

Beiwort [báivɔrt] *n.* –(e)s, ⸚er, 〖文〗 형용사(*adjective*). **beiwörtlich** *a.* 형용사적인.

bei|zählen [báitsɛ:lən] *t.* 계산에 넣다, 「가산하다.」

Beize [báitsə] *f.* –n, ① 부식(腐蝕), 소작(燒灼)(*corrosion*); 부식제(*corrosive*). ② 매사냥. ③ 석재(石材)의 새긴 흔적. ④ 《俗》 목로 주점.

beizeiten [baitsáitən] *adv.* 시기를 놓치지 않고, 제때에(♀*betimes, in* (*good*) *time*); 일찍(*early*).

beizen [báitsən] [„beißen machen"] *t.* 《또 *obj.* 없이도》 ① (부식제로) 부식시키다(*corrode*); (소금물·산 따위에) 담그다; 착색(着色)하다(*stain*). ② 〖獵〗 미끼로 꾀다. ③ (매로 하여금 물고 오게 하다:) 매사냥하다.

bejahen [bəjá:ən] [<ja] *t.* 긍정하다(*answer in the affirmative*); 시인〔승낙〕하다(*assent to, accept*). **bejahend** *p.a.* 긍정적인.

bejahrt [bəjá:rt] *p.a.* 늙은, 고령의.

Bejahung [bəjá:uŋ] *f.* –en, 긍정, 승낙.

bejammern [bəjámərn] *t.* …때문에 슬퍼하다, 비탄하다. **～s⸗wert, ～s⸗würdig** *a.* 슬퍼할 만한, 비통한; 가련한.

bekämpfen [bəkɛ́mpfən] *t.* (와) 싸우다(*combat*); (에) 반대하다(*oppose*); (에) 이겨내려 하다, 누르다, 억제하다(*subdue*).

bekannt [bəkánt] [*p.p.* <bekennen] 《Ⅰ》 *p.a.* (jm., 아무에게)알려진(*known*); 세상에 알려진, 저명한, 유명한(*well known*); (mit, 을) 알고 있는, (와) 아는 사이인(*acquainted, familiar*). ¶mit jm. ～ werden 아무와 알게 되다. 《Ⅱ》 **Bekannte** *m.* u. *f.* 《形容詞變化》 아는 사람. **bekanntermaßen** *adv.* ＝BEKANNTLICH.

Bekannt⸗gabe *f.* 공고, 고시; 피로(披露). **～geben*** *t.* ＝BEKANNTMACHEN.

bekanntlich [bəkántlıç] *adv.* 주지하는 바와 같이; 아시다시피.

bekannt|machen [bəkántmaxən] *t.* 널리 알리다, 공표하다. ★ bekannt machen 사귀게 하다. **Bekanntmachung** *f.* –en, 공표, 공고, 광고.

Bekannt·schaft [bəkánt·ʃaft] *f.* –en, 서로 앎, 숙지(熟知)(*acquaintance*); 아는 사람(들).

bekehren [bəké:rən] *t.* 전향시키다, 개종〔개심〕시키다(*convert*). **Bekehrer** *m.* –s, –, 개종시키는〔교화하는〕 사람; 선교사, 전도사. **Bekehrte** *m.* u. *f.* 《形容詞變化》 개종〔개심〕자, 전향자. **Bekehrung** *f.* –en, 전향; 개심, 개종, 회심(回心)(*conversion*); 교화, 선교, 전도. **Bekehrungswut** *f.* 전향열, 개심열(*proselytism*).

bekennen* [bəkɛ́nən] 《Ⅰ》 *t.* u. *i.*(h.) ① 인지〔인정·고백〕하다(*confess, admit, acknowledge*); 고백하다 《신앙을》 (*profess*). ② 〖카드〗 Farbe ～ 같은 짝의 패를 내다; 《比》 기치를 선명히 하다, 본심을 말하다. 《Ⅱ》 *refl.* 고백하다, (zu, 을) (분명히) 받들다, (에) 편들다. ¶sich schuldig ～ 죄 있음을 승인〔자백〕하다. ☞BEKANNT. **Bekenner** *m.* –s, –, 고백자; 신앙 (고백)자, 신봉자. **Bekenntnis** [bəkɛ́ntnıs] *n.* –ses, –se, 고백; 승인(*confession, acknowledgement*); 신앙고백, 신조(信條)(*creed*). **Bekenntniskirche** *f.* 신조(信條) 교회《나치스의 국가 교회 정책에 대한 반대 운동》.

beklagen [bəklá:gən] 《Ⅰ》 *t.* (…때문에) 비탄하다(*lament, deplore, pity*); †〖法〗 고소하다. ¶der 〔die〕 Beklagte 피고(*defendant*). 《Ⅱ》 *refl.* 하소연하다, 불만〔불평〕을 말하다 (*complain of*).

beklagens⸗wert, ～würdig *a.* 한탄스러운; 불쌍한.

beklatschen [bəklátʃən] *t.* ① (에게) 박수 갈채하다(*applaud*). ② 비방〔중상〕하다.

bekleben [bəklé:bən] *t.* (에) (mit, 을) 「붙이다.」

beklecke(r)n [bəklɛ́kə(r)n], **beklecksen** [–sən] *t.* 더럽히다, (에) 얼룩지게 하다.

bekleiden [bəkláidən] *t.* ① jn.: (에게) 옷을 입히다(*dress, clothe*). ¶sich ～ 옷을 입다. ② (에) (mit, 을) 씌우다, 덮다, 싸다, (에) 치다(*cover*). ③ jn. mit e–m Amt ～ 아무를 어떤 관직에 취임시키다《관복을 입힌다는 뜻에서》/《目的格을 바꾸어》 ein Amt ～ 어떤 관직에 취임하다(*hold, fill*). **Bekleidung** *f.* –en, 위를 하기; 의복, 피복; 〖工〗 피복(被覆); 덮는 판자; 벽지; 〖醫〗 피막(被膜); 임명; 재임(在任); 관장(管掌).

beklemmen [bəklɛ́mən] *t.* (바짝) 죄다(*pinch, oppress*). **Beklemmung** *f.* –en, 죄기; 답답함, 불안.

beklommen [bəklɔ́mən] *p.a.* (가슴이) 답답한; 갑갑한 (공기); 《比》 불안한(*anxious, uneasy*).

beklopfen [bəklɔ́pfən] *t.* 두드려 음미하다; 〖醫〗 타진하다.

bekommen* [bəkɔ́mən] [＝engl. *become*] 《Ⅰ》 *t.* 얻다, 받다, 입수하다(*get, receive, catch*). ¶e–n Bart ～ 수염이 나다/geschenkt ～ 선사 받다/zu essen ～ 먹을 것을 얻다/du bekommst was! 때려 줄 테야. 《Ⅱ》 *i.*(s.) ("도달하다, 되어가다"의 뜻:) et. bekommt jm. gut 〔schlecht〕 무엇이 아무의 건강에 이롭다〔해롭다〕. **bekömmlich** [bəkœ́mlıç] *a.* 몸에 좋은, 건강에 이로운(*salubrious*).

beköstigen [bəkœ́stıgən] *t.* 급식하다, 먹이다(*board*); 〖軍〗 급양하다. **Beköstigung** *f.* –en, 급식; 급양; 음식물. ¶ohne ～ 식사 없이 / Wohnung u. ～ 식사를 제공하는 하숙.

bekräftigen [bəkrɛ́ftıgən] *t.* 유력하게 하다, 강화하다, 튼튼히 하다, (주장 등을) 뒷받침하다(*confirm, corroborate*). **Bekräftigung** *f.* –en, 확언, 보증.

bekränzen [bəkrɛ́ntsən] *t.* 화환으로 장식하다.

bekratzen [bəkrátsən] *t.* 긁다, 할퀴다.

bekreuzen [bəkrɔ́ytsən] *t.* (에) 십자표하다; 십자(성호)를 긋고 축복하다; 〖軍〗 십자 포화를 퍼붓다; *refl.* 십자를 긋다.

bekreuzigen [bəkrɔ́ytsıgən] *refl.* 십자를 긋다.

bekriechen* [bəkríːçən] *t.*: et. ~ 아무것의 위를 기어 다니다.
bekriegen [bəkríːgən] *t.* 치다, 공격하다(*make war upon*).
bekritteln [bəkrítəln] *t.* 흠〔트집〕잡다(*carp at*). ¶alles ~ 무엇에나 흠잡다.
bekritzeln [bəkrítsəln] *t.* (에) 서투른 글씨를 쓰다. 「의 것)을 씌우다.」
bekrönen [bəkrøːnən] *t.* (에) 관 (모양
bekümmern [bəkʏ́mərn] 《Ⅰ》 *t.* 슬프게 하다, 걱정시키다(*grieve, trouble*). ¶bekümmert (*p.a.*) sein 우려〔슬퍼〕하고 있다. 《Ⅱ》 *refl.* (über et.[4], 무엇을) 슬퍼하다, 우려하다; (um, 을) 걱정하다, (에) 관심을 두다, 애써서 돌보다(*care for*). **Bekümmernis** *f.* -se, 비애, 우려, 마음 아픔(*grief, affliction*).
bekunden [bəkúndən] *t.* 증언하다(*depose*); 나타내다, 표명하다(*show, manifest*).
Bel [bɛl] *n.* -s, -, 벨《전기 통신에서의 전력의 감쇠나 이득을 대수(對數)적으로 재는 단위, 기호: B》.
belächeln [bəlɛ́çəln] *t.* (에 대하여) 미소짓다. **belachen** [bəláxən] *t.* (를) (비)웃다.
beladen* [bəláːdən] *t.* (차에) 짐을 싣다; (아무에게) 짐을 지우다.
Belag [bəláːk] [<belegen] *m.* -(e)s, ¨e, 실은 것; (거울 뒷면의) 석박(錫箔)(*foil*); 〖醫〗 설태(舌苔)(*fur*); (샌드위치의) 속《고깃 조각》.
Belagerer [bəláːgərər] *m.* -s, -, 〖軍〗 포위군. **belagern** [bəláːgərn] *t.* (mit e-m Heerlager umgeben) 공위(攻圍)〔포위〕하다(*besiege*). **Belagerung** *f.* -en, 포위, 공위.
Belagerungs·gesetz *n.* 〖法〗 계엄령. **~zustand** *m.* 포위 상태, 계엄 상태.
Bel-Ami [bɛlamí] [fr.] *m.* -s, Beaux Amis [bozamí], 친구.
Belang [bəláŋ] *m.* -(e)s, -e, ① 중요, 중대(*importance*). ¶von ~ sein 중요하다. ② (흔히 *pl.*) 관계, 이해(*interest(s)*). **belangen** *t.* ("…에 손을 뻗치다"의 뜻:) ① 〖法〗 (에) 고소하다(*sue*). ② 《非人稱》 관련되다(*concern*). ¶was mich ~ 나에 관해서는, 나로서는. **belangung** *f.* -en, 〖法〗 소송.
belang·los *a.* 중요치 않은, 사소한. **~reich** *a.* 중요한.
belassen* [bəlásən] [=lassen] *t.* ① 《不定의 es와 더불어》 그만두다. ② et. ~ 무엇을 그대로 두다.
belasten [bəlástən] 《Ⅰ》 *t.* (에)(mit, 을) 싣다, 쌓다, 지우다; 《比》 무거운 짐을 지우다, 무겁게 누르다; 〖法〗 죄를 씌우다; 〖商〗 (아무의) 차변(借邊)에 기입하다. 《Ⅱ》 **belastet** *p.a.* (무거운 짐·부채 등을) 지워진; 저당 잡힌; 〖電〗 전기를 띤; 〖醫〗 유전 소인이 있는. ¶erblich belastet 유전적인 악질〔결함〕이 있는.
belästigen [bəlɛ́stɪgən] *t.* 괴롭히다, 성가시게 굴다. **Belästigung** *f.* -en, 성가심, 귀찮음.
Belastung [bəlástʊŋ] *f.* -en, 적재; 적하; 적재량; 〖工〗 부하(負荷), 하중(荷重); 〖電〗 장하(裝荷); 〖法〗 부담; 〖商〗 부채; 〖醫〗 erbliche ~ 유전적 질병 경향.
Belastungs·fähigkeit *f.* 〖工〗 적재력; 〖電〗 안전 전류《도체의》. **~kurve** *f.* 〖工〗 부하 곡선(負荷曲線). **~probe** *f.* 〖工·電〗 적재력〔부하〕 시험. **~zeuge** *m.* 〖法〗 유죄 사실 증인.
belaubt [bəláupt] *p.a.* 잎이 무성한, 족엽(簇葉)이 있는. **Belaubung** *f.* -en, 잎으로 덮기; 족엽. 「다; 엿보다.」
belauern [bəláuərn] *t.* 숨어서 기다리
belaufen* [bəláufən] 《Ⅰ》 *t.* 뛰어 돌다, 순회 답사하다; (암컷과) 교미하다. 《Ⅱ》 *refl.* (어떤 액수에) 달하다(*amount to*).
belauschen [bəláuʃən] *t.* 귀를 기울이고 엿듣다, 매복하다.
beleben [bəléːbən] 《Ⅰ》 *t.* (에) 생명을 주다, 활기띠게 하다 (*enliven, animate*); 되살리다(*revive*). 《Ⅱ》 **belebt** [bəléːpt] *p.a.* 생명이 있는, 활기 있는; (거리 따위) 번화한. **Belebt·heit** *f.* 활기; 번화, 은성(殷盛). **Belebung** *f.* -en, 활기를 줌, 고무; 소생.
belecken [bəlɛ́kən] *t.* 핥다. ¶von der kultur beleckt 문화 세례를 받다.
beledern [bəléːdərn] *t.* (…에) 가죽을 씌우다, 가죽으로 덮다.
Beleg [bəléːk] [<belegen] *m.* -(e)s, -e, 증거 (문서); 영수증; 예증, 전거(典據).
belegen [bəléːgən] 《Ⅰ》 *t.* ① (에) (mit, 을) 놓다, 깔다, 펴다, 덮다(*lay over, cover*). ¶mit Bomben ~ (어떤 곳을) 폭격하다 / e-n Platz ~, a) 어떤 장소에 물건을 놓다《그곳을 차지한다는 뜻을 나타내기 위함임》, b) 좌석을 예약하다 / ein Kolleg ~ 수업료를 내고 청강하다. ② (에) 배치하다《노무자를》. ③ (에게) 지우다, 부과하다. ④ 문서〔예증·전거〕에 의하여 증명하다(*prove, verify*). ⑤ (암컷과) 교미하다(*cover*). 《Ⅱ》 **belegt** [bəléːkt] *p.a.* 점유된, (좌석이) 예약된; (혀에) 설태(舌苔)가 낀; (소리가) 목쉰. ¶ein ~es Butterbrot 샌드위치. **Belegschaft** *f.* -en, (배치된) 노무자 (전원).
Beleg·schein *m.* 영수 증서. **~stelle** *f.* 전거, 인용문〔한 곳〕. **~stück** *n.* 보존용 교정쇄(校正刷); 저자〔기고자〕에게의 증정본.
belehnen [bəléːnən] *t.* 봉하다, (에게) 봉토를 주다(*enfeoff, invest*). **Belehnung** *f.* -en, 봉토 수여(의 의식).
belehren [bəléːrən] 《Ⅰ》 *t.* (에게) 가르치다(*instruct*). ¶sich ~ lassen 남의 말을 듣다 / jn. e-s Besseren ~ 아무를 깨우치다. 《Ⅱ》 **belehrend** *p.a.* 교훈적인, 유익한. **Belehrung** *f.* -en, 가르침, 교훈, 계몽.
beleibt [bəláipt] [<Leib] *p.a.* 비만한, 살찐(*corpulent*). **Beleibt·heit** *f.* 비만.
beleidigen [bəláidɪgən] [<Leid] 《Ⅰ》 *t.* (의) 감정을 해치다, 화나게 하다(*offend*); 모욕하다, (에게) 무례한 것을 하다(*insult*). 《Ⅱ》 **beleidigend** *p.a.* 모욕적인, 무례한(*offensive*). **Beleidiger** *m.* -s, -, 모욕을 주는 사람. **Beleidigung** *f.* -en, 모욕, 무례.
beleihen* [bəláiən] *t.*: Güter ~ 재산을 담보로 돈을 대부하다.
belemmern [bəlɛ́mərn] *t.* 《俗》 곤혹케 하다, 방해하다; 속이다. **belemmert**

p.a. 난처한; 나쁜, 불량〔비참〕한; 속은.
belesen* [bəlé:zən] *p.a.* 다독(多讀)한; 박식한(*well-read*). **Belesenheit** *f.* 다독; 박식.
Beletage [bɛ́l-eta:ʒə, bɛletá:ʒə] [fr.] *f.* 「2층.」
beleuchten [bəlɔ́yçtən] *t.* 조명하다, 비추다(*light up, illuminate*); 《比》 자세히 음미하다. **Beleuchtung** *f.* -en, 조명.
Beleuchtungs∙anlage *f.* 조명 설비. **∼körper** *m.* 조명체《전등 따위》. **∼stärke** *f.* 〖物〗 조도(照度).
beleum(un)det [bəlɔ́ym(ʊn)dət] *p.a.* …한 평판의. ¶gut 〔übel〕 ∼ 호평〔악평〕의.
belfern [bɛ́lfərn] [<bellen] *i.*(h.) 짖다《개가》(*yelp*); (사람이) 욕지거리하다(*nag at*).
Belgien [bɛ́lgiən] *n.* 벨기에. **Belgier** *m.* -s, -, 벨기에 사람. **belgisch** *a.* 벨기에의.
belichten [bəlíçtən] *t.* 볕에 쬐다; 〖寫〗 노출〔노광(露光)〕하다.
Belichtungs∙dauer *f.* 노출 시간. **∼messer** *m.* 노출계(計). **∼tabelle** *f.* (카메라의) 노출표. **∼zeit** *f.* 노출 시간.
belieben [bəlí:bən] 《Ⅰ》 *t.* 좋아하다, 좋다고 생각하다, 원하다(*like, be pleased*). ¶Sie ∼ zu scherzen 농담이시겠지요. 《Ⅱ》 *i.*(h.) 마음에 들다(*please*). ¶wie es Ihnen beliebt 좋도록 하십시오 / wie beliebt? 뭐라고 말씀하셨지오. 《Ⅲ》 **Belieben** *n.* -s, 기호(嗜好); 의향, 적의(適意), 생각. **beliebig** [bəlí:bıç] *a.* 임의의(*any* (*you like*)); *adv.* 임의로. **beliebt** [bəlí:pt] *p.a.* 사랑 받는, 인기 있는; 즐겨 쓰이는. ¶∼ sein, (bei, 에게) 사랑받다 / sich ∼ machen (bei, 의) 환심을 사려고 아첨하다. **Beliebt·heit** *f.* 위임; 호평, 인기.
beliefern [bəlí:fərn] *t.*: jn. mit et.[3] ∼ 아무에게 무엇을 공급〔인도〕하다 (*supply*). 「기만하다, 속이다.」
belisten [bəlístən] *t.* 계략으로 넘기다,
bellen [bɛ́lən] *i.*(h.) (개가) 짖다(♈*bell*(*ow*), *bark*); 아우성치다.
Belletrist [bɛ̀letríst] [fr. *belles-lettres*, „schöne Wissenschaften"] *m.* -en, -en, 문학가; 대중 작가, 통속 작가. **Belletristik** *f.* -en, 문예, (특히) 미문학(美文學), 통속〔오락〕 문학.
belob(ig)en [bəló:b(ıg)ən] *t.* 칭찬(하여 말)하다. **Belob(ig)ung** *f.* -en, 칭찬; 찬사.
belohnen [bəló:nən] *t.* (에) 보답하다, 보수를 주다. **Belohnung** *f.* -en, 보답; 보수. 「거짓말하다.」
belügen* [bəlý:gən] *t.*: jn. ∼ 아무에게
belustigen [bəlʊ́stıgən] [<Lust] *t.* 즐겁게 하다, 재미나게 하다(*amuse, entertain*). **Belustigung** *f.* -en, 위를 하기; 오락, 재미.
Belvedere [bɛ̀lvedé:rə, 또는 -re] [it., „Schauturm"] *n.* -(s), -s, 여관·궁전 따위의 이름.
bemächtigen [bəmɛ́çtıgən] *refl.* (e-s Dinges, 무엇을) 점령〔횡령〕하다, 제것으로 만들다(*seize, take possession of*).
bemäkeln [bəmɛ́:kəln] [<Makel] *t.* 트집잡다, 흠잡다.
bemalen [bəmá:lən] *t.* 색칠하다, 그림으로 장식하다; *refl.* 《戲》 화장하다.
bemängeln [bəmɛ́ŋəln] *t.* (의) 흠을 들추어 내다(*find fault with*).
bemannen [bəmánən] *t.* (배에) 승무원을 배치하다(♈*man*). **Bemannung** *f.* -en, 위를 하기; 승무원(*crew*).
bemänteln [bəmɛ́ntəln] *t.* (에게) 외투를 입히다; 《比》 꾸미다, 말을 꾸며대다.
bemasten [bəmástən] *t.* (배에) 돛대를 달다.
bemeistern [bəmáistərn] 《Ⅰ》 *t.* 지배하다, 극복하다, 제어하다(♈*master*). 《Ⅱ》 *refl.*: sich e-s Dinges ∼ 무엇을 제것으로 삼다, 점령하다, 마음대로 다루다.
bemengen [bəmɛ́ŋən] *refl.* 《稀》: sich mit et. ∼ 어떤 일에 관계하다.
bemerkbar [bəmɛ́rkba:r] *a.* 인식할 수 있는. ¶sich ∼ machen (유난히) 남의 주의를 끌다. **bemerken** [bəmɛ́rkən] *t.* 인지하다, 깨닫다(*perceive, observe*); (생각난 것을) 말하다(♈*remark*); 기입하다, 적어 두다(*note*). **bemerkenswert, bemerkenswürdig** *a.* 주목할 만한; 진술할 가치 있는; 현저한. **Bemerkung** *f.* -en, 인지함; 소견(을 말함), 말, 평; 메모, 기입.
bemessen* [bəmɛ́sən] *t.* 측량〔측정〕하다; (달아서) 할당하다. ¶reichlich bemessen (*p.p.*) (보수 따위가) 충분한.
bemitleiden [bəmítlaidən] *t.* 불쌍히 여기다, 동정하다(*pity, commiserate*). **bemitleidenswert** *a.* 동정할 만한.
bemittelt [bəmítəlt] *p.a.* 재력이 있는, 부유한(*well off, wealthy*).
Bemme [bɛ́mə] [sl.] *f.* -n, 《方》 버터 등을 바른 빵쪽.
bemogeln [bəmó:gəln] *t.* 《俗》 속이다, 기만하다(*cheat*).
bemoost [bəmó:st] *p.a.* 이끼 낀. ¶《學》 ein ∼er Herr 만년 학생, 노(老)학생.
bemühen [bəmý:ən] 《Ⅰ》 *t.* 수고〔폐〕를 끼치다(*trouble*). 《Ⅱ》 *refl.* 애쓰다, (um, 을 얻으려고) 노력〔진력〕하다. **Bemühung** *f.* -en, 수고, 노력, 진력.
bemüßigt [bəmý:sıçt] [<Muße] *p.a.*: sich ∼ fühlen (…할) 의무〔의리〕가 있다고 여기다(*feel bound or obliged to*).
bemustern [bəmʊ́stərn] *t.*: jn. ∼ 아무에게 견본을 보내다/et. ∼ 아무 것을 견본으로 보내다/〖商〗 Waren ∼ 상품의 견본으로 보내다〔만들다〕.
bemuttern [bəmʊ́tərn] *t.*: jn. ∼ 아무에 대하여 어머니 같은 배려를 하다, 어머니 대신 돌보다(♈*mother*).
benachbart [bənáxba:rt] *p.a.* 이웃의, 인접한(*neighbouring*).
benachrichtigen [bəná:xrıçtıgən] *t.* (에게) 보고〔통지〕하다(*inform, advise*). **Benachrichtigung** *f.* -en, 보고, 통지; 통지서.
benachteiligen [bəná:xtailıgən] *t.* (에게) 손해를 끼치다(*prejudice*).
benageln [bəná:gəln] *t.* (…에) 못을 박아 붙이다 (mit et.).
benagen [bəná:gən] *t.* 갉아 먹다, 쏠다.
benebeln [bəné:bəln] 《Ⅰ》 *t.* 안개로 싸다; 《比》 (머리를) 흐리멍덩하게 하다;

B

refl. 몹시 취하다. 《Ⅱ》 **benebelt** *p.a.* 안개에 싸인; 《俗》 술취한 (*tipsy*).

benedei·en [benedáiən] [Lw. lat. *benedicere* "gut reden(v. jm.)"] *t.* (segnen) 축복하다(*bless*). **Benedikt** [béːnedɪkt] [„der Gesegnete"] *m.* 남자 이름. **Benediktiner** [benedɪktíːnər] *m.* -s, -, 베네딕트회 수사. **Benediktung** *f.* -en, 축복(의 기도).

Benefiz [benefíːts] [lat. *beneficium* „Wohltat"] *n.* -es, -e, 자선; 봉토; 자선 흥행. **Benefiziant** *m.* -en, -en, 자선가; 자선 흥행의 수혜자인 배우. **Benefiziat** 《Ⅰ》 *m.* -en, -en, 공공의 원조를 받는 사람; (특히) 급비생. 《Ⅱ》 *n.* -(e)s, -e, 자선, 은고. **Benefizvorstellung** *f.* (순이익을 어떤 배우〔가수〕에게 주는) 자선 흥행.

benehmen* [bənéːmən] 《Ⅰ》 *t.* (jm. et., 아무로부터 무엇을) 탈취하다, 빼앗다 (*deprive of, take away*). 《Ⅱ》 *refl.* 행동〔거동·처신〕하다(*behave*). 《Ⅲ》 **Benehmen** *n.* -s, ① 거동, 태도, 행동거지 (*behaviour, conduct*). ② sich mit jm. ins ~ setzen 아무와 협조하다, 서로 양해하다. 《Ⅳ》 **benommen** *p.a.* (머리 따위가) 흐리멍텅한, 마비된, 혼미한.

beneiden [bənáidən] *t.* (jn. um et., 아무의 무엇을) 부러워하다(*envy*), 새암하다(*grudge*). **beneidenswert** *a.* 부러워할, 부러운.

benennen* [bənénən] *t.* 명명하다, 이름 짓다(♈*name*); 지명하다, 지정하다(*designate*). **Benennung** *f.* -en, 명명; 명칭.

benetzen [bənétsən] *t.* 적시다.

Bengale [bɛŋgáːlə] *m.* -n, -n, **Bengalin** *f.* -nen, 벵골 사람. **bengalisch** *a.* 벵골의. ¶ bengalisches Licht 벵골 꽃불《신호용》.

Bengel [bɛ́ŋəl] [♈engl. *bang*, „schlagen"] *m.* -s, -, 곤봉(*club*); (종의) 추 (*clapper*); 장난꾸러기 (*urchin*); 촌놈, 무뢰한(*rude fellow, hooligan*). **bengelhaft** *a.* 거친, 버릇없는.

benippen [bənípən] *t.* 핥듯이 마시다.

benommen [bənɔ́mən] [<benehmen] *p.a.* 혼미한, 멍청한.

benötigen [bənǿːtɪgən] 《Ⅰ》 *t.* (nötig haben) 필요로 하다. 《Ⅱ》 **benötigt** [-tɪçt] *p.a.* (e-s Dinges, 무엇을) 필요로 하는.

benummern [bənúmərn] *t.* (…에) 번호를 매기다.

benutzen [bənútsən] *t.* 활용〔사용·이용〕하다. **Bunutzung** *f.* -en, 사용, 이용.

Benzin [bɛntsíːn] [ar.] *n.* -s, -e, 벤진, 휘발유. **Benzin·uhr** *f.* 가솔린 계기. **Benzol** [-tsóːl] *n.* -s, -e, 벤촐, 벤젠.

beobachten [bə-óːbaxtən] [<Obacht] *t.* 관찰하다; 관측〔감시〕하다 (*observe, watch*); 준수하다(*keep, respect*). ¶ Stillschweigen ~ 침묵을 지키다. **Beobachter** *m.* -s, -, 관찰〔관측〕자; 감시인. **Beobachtung** [-baxtuŋ] *f.* -en, 관찰, 관측, 감시, 지킴, 준수.

Beobachtungs·ballon *m.* 〖空〗 관측기구. **~fehler** *m.* 〖物〗 관측 오차; 〖心〗 관찰 오차. **~flugzeug** *n.* 〖軍〗 정찰기, 탄착 관측 (비행)기. **~gabe** *f.* 관찰력. **~posten** *m.* 감시 초소. **~stand** *m.* 감시소; 관측소.

beordern [bə-ɔ́rdərn] *t.* 명령〔지령〕하다 (♈*order*); 〖商〗 주문하다.

bepacken [bəpákən] *t.* (에) 짐을 지우다, 짐을 싣다.

bepanzern [bəpántsərn] *t.* (에) 갑옷을 입히다; 〖海〗 장갑(裝甲)하다.

bepflanzen [bəpflántsən] *t.* (에) (mit, 을) 심다.

bepflastern [bəpflástərn] *t.* (상처에) 고약을 바르다; (도로를) 포장하다.

bepflügen [bəpflýːgən] *t.* 갈다, 경작하다.

bepicken [bəpíkən] *t.* 쪼다, 부리로 찍다.

bepinseln [bəpínzəln] *t.* (…에) 붓으로 칠하다.

beplanken [bəpláŋkən] *t.* 판자로 덮다, (…에) 판자를 치다.

bequem [bəkvéːm] [-quem: ♈kommen] *a.* ① 형편이 좋은, 쾌적한, 편리한, 편한(*convenient, comfortable*). ② 태평스러운, 게으른, 느슨한(*easy going, lazy, indolent*). **bequemen** *refl.* (e-m Dinge 〔nach et.[3]〕, 무엇에) 순응하다(*yield to*); (zu et.[3], 무엇을) (마지 못해) 하다, 승낙〔감수〕하다(*submit to, comply with*). **Bequemlichkeit** *f.* -en, 뜻에 맞음, 쾌적(*ease*); 편리, 안락(*comfort*); 편리한 것, 생활을 즐겁게 해주는 것(*comforts of life*); 태평함, 굼뜸, 태만(*indolence, laziness*).

berahmen [bəráːmən] *t.* (…에) 테를 두르다; 《比》 (예정일 따위를) 정하다.

beranken [bəráŋkən] *t.* 덩굴로 감다.

berappen [bərápən] [<Rappen] *t.* 《俗》 jn.: (에게) 돈을 지불하다.

beraten* [bəráːtən] 《Ⅰ》 *t.*: jn. ~ 아무에게 조언〔충고〕하다(*advise*). 《Ⅱ》 *refl.* (mit, 와) 협의〔상담〕하다(*deliberate*). **Berater** *m.* -s, -, 조언자, 고문.

berat·schlagen [bəráːt-ʃlaːgən] [<Ratschlag] *i.*(h.) u. *refl.* 협의〔상담〕하다 (*deliberate*). **Berat·schlagung** *f.* -en, 상담, 협의.

Beratung [bəráːtuŋ] *f.* -en, 상담, 협의; 상담소.

berauben [bəráubən] *t.*: jn. e-s Dinges ~ 아무로부터 무엇을 빼앗다, 약탈하다 (*rob, deprive (of)*). **Beraubung** *f.* -en, 빼앗음; 약탈, 강탈; 횡령.

beräuchern [bərɔ́yçərn] *t.* (연기로) 그을리다; (에) 향을 피우다.

berauschen [bəráuʃən] 《Ⅰ》 *t.* 취하게 하다; 《比》 감격시키다; *refl.* 취하다. 《Ⅱ》 **berauschend** *p.a.* ~e Getränke 주류(酒類).

Berberei [bɛrbərái] *f.* 바르바리 지방 《Marokko, Algerien, Tunis, Tripolis의 중세 시대의 호칭》.

berechenbar [bəréçənbaːr] *a.* 계산〔산정〕할 수 있는. **berechnen** [bəréçnən] 《Ⅰ》 *t.* ① 계산〔산출·산정〕하다 (*compute, calculate*); 평가〔어림〕하다(*estimate*); 《比》 타산하다. ¶alles auf et.[4] ~ 모두 무엇을 노리고 요량하다. ② 〖商〗 (jm., 아무의) 대변(貸邊)에 기입하다 (*charge*). 《Ⅱ》 *refl.* 〖商〗 (mit, 와) 대차를 청산하다, 정산하다. 《Ⅲ》 **berechnend** *p. a.* 타산적인. 《Ⅳ》 **berechnet** *p.a.* 계산된. ¶ein ~er Mann 타산적인 남자. **Berechnung** *f.* -en, 계산; 평가; 《比》 타산.

berechtigen [bəréçtɪgən] *t.*: jn. zu et.

～ 아무에게 무엇을 할 정당한 이유를〔권리·자격을〕 주다(*entitle, authorize*). **Berechtigung** *f.* -en, 위를 하기; 권리, 자격, 이유(*right, title*).

Berechtigungs≈schein *m.* 자격 증명서. **～wesen** *n.* (졸업생에게의) 자격 부여 제도.

bereden [bəré:dən] 《Ⅰ》 *t.* (에) 관하여 말하다(*talk over*). ¶jn. zu et. ～ 아무를 설득하여 무엇을 시키다(*persuade*). 《Ⅱ》 *refl.* (mit, 와) 협의〔협정〕하다(*confer with*). **Beredsamkeit** *f.* 능변, 웅변(*eloquence*); 웅변술(*rhetoric*).

beredt [baré:t] [*eig.* be-redet] *a.* 능변의, 웅변의(*eloquent*).

Bereich [bəráiç] *m.* u. *n.* -(e)s, -e, (닿는) 범위(*reach*); (대포의) 사정(*range*); (노력) 범위, 영역(*sphere, zone*).

bereichern [bəráiçərn] *t.* 풍족〔풍부〕하게 하다(♀*enrich*).

bereifen [bəráifən] [<Reifen] *t.* (에) 테를 메우다; 타이어를 끼우다. **bereift** [bəráift] [<Reif] *p.a.* 서리가 앉은; 〖植〗 백분(白粉)이 덮인.

bereinigen [bəráinɪgən] *t.* 깨끗이 하다; 《比》청산하다; 해결하다.

bereisen [bəráizən] *t.* (어떤 지방을) 여행〔편력〕하다.

bereit [bəráit] *a.* 마음의 준비가 된, 각오한, 기꺼이 하는; 준비가 된 (♀*ready, prepared*). ¶～ halten 준비하고 있다.

bereiten[1] [bəráitən] [<bereit] *t.* 챙기다; 준비〔설치〕하다(*make ready*); 조제〔마련〕하다(*prepare*). ¶ jm. e-e Freude ～ 아무를 즐겁게 하다.

bereiten*[2] [<reiten] *t.* (어떤 지방을) 말 타고 여행하다《특히 현지 시찰을 위해》; (말을) 조교하다.

Bereiter [bəráitər] *m.* -s, -, 《Ⅰ》 [<bereiten[1]] 조제자; 준비자; 개척자. 《Ⅱ》 [<bereiten[2]] 기마 순찰관; 조마사.

bereit≈|legen, ～|machen *t.* 준비하다.

bereits [bəráits] *adv.* 이미, 벌써(♀*already*).

Bereit·schaft [bəráit-ʃaft] *f.* 용의, 준비. **～s≈polizei** *f.* 대기 경찰《서독의, 정치적 위험에 대비한》.

bereit≈|steh(e)n* *i.*(h.) 준비해 있다. **～|stellen** *t.* 준비〔용의〕하다; 공급하다.

Bereitung [bəráitʊŋ] *f.* -en, 용의, 준비; 조제, 제조.

bereitwillig [bəráitvɪlɪç] *a.* 기꺼이 응낙하는, 마음이 내키는. **Bereitwillig≈keit** *f.* (기꺼이 할) 각오.

berennen* [bərénən] *t.* (도시·성채 따위를) (포위) 공격하다.

bereuen [bərɔ́yən] *t.* 후회하다, 뉘우치다.

Berg [bɛrk, 方: bɛrç] [=engl. *barrow* „Grabhügel"] *m.* -(e)s, -e, 산(山), 산악(*mountain, hill*). ¶～e (*pl.*) 많은 산, 연산(連山), 산맥 / goldene ～e versprechen 허황된 일을 약속하다 / mit et.[3] **hinterm** ～e halten 무엇을 숨기다 / wir sind noch nicht **über** den ～ 아직 고개를 넘지 않았다, 아직 난관이 있다 / die Haare standen mir **zu** ～e 나는 소름이 끼쳤다.

berg·ab [bɛrk-áp] *adv.* 산을 내려와서(*down hill*).

Berg≈ader *f.* 〖坑〗 광맥. **～akademie** *f.* 광산 대학. **～amt** *n.* 광산 감독국. **≁an** *adv.* 산 위로(*uphill*). **～arbeiter** *m.* 광산 노동자, 갱부. **≁auf** *adv.* = ≁AN. **～bahn** *f.* 등산 철도. **～bau** *m.* 채광(採鑛), 광(산)업. **～beamte** *m.* 《形容詞變化》 광산 감독국 직원. **～≈bewohner** *m.* 산골 사람. **～blau** *n.* 군청(群靑)《그림 물감》. **～braun** *n.* 엄버《광물성 황갈색 안료》(*umber*). **～ebe≈ne** *f.* 고원, 대지(臺地).

bergen* [bérgən] [=engl. *burry* „begraben"] *t.* ① 보호하다, 안전하게 하다(*secure*); 〖海〗 구조하다(*salvage*), 구하다(*save*). ② 숨기다, 간직하다(*conceal*); 포함하다(*contain*). ③ (돛을) 걷다(*take in*).

Berg≈erz [bérk-e:rts] 〖坑〗 조광(粗鑛). **～gegend** *f.* 산악 지대, 산골. **～geist** *m.* 산의 정령(精靈). **～gipfel** *m.* 산꼭대기. **～gut** *n.* 광물. **～halde** *f.* 산허리. **～hauptmann** *m.* 갱부 감독.

bergig [bérgɪç] *a.* 산이 많은.

Berg≈kamm *m.* (톱니꼴의) 산등성이. **～kessel** *m.* 분지. **～kette** *f.* 산맥. **～knappe** *m.* 갱부. **～kristall** *m.* 수정. **～kunde** *f.* 산악학(*orography*). **～leder** *n.* 갱부의 엉덩이에 대는 가죽. **～lehne** *f.* 가파르지 않은 산비탈. **～≈leute** *pl.*, **～mann** *m.* 갱부, 광부. **≁männisch** *a.* 갱부의; 광부 풍습의. **～meister** *m.* 광산 감독관. **～partie** *f.* 등산회. **～pech** *n.* 아스팔트. **～≈predigt** *f.* 산상 수훈《마태 5～7장》. **～≈rat** *m.* 광무 감독관《칭호》; 광산 감독국《관청》. **～recht** *n.* 광업법; 채굴권. **～rücken** *m.* 산등성이. **～rutsch** *m.* 산사태. **～schlucht** *f.* 산협, 협곡. **～schule** *f.* 광산 학교. **～spitze** *f.* 산봉우리. **～stadt** *f.* 산중 도시; 광산 도시. **～steiger** *m.* 등산자; 등산가. **～strom** *m.* 산골 시냇물, 계류. **～≈sturz** *m.* 산사태. **≁unter** *adv.* = ≁AB. **～wand** *f.* 험준한 산허리, 절벽. **～werk** *n.* 광산; 채광장. **～we≈sen** *n.* 광업(에 관한 일체의 사항). **～≈wissenschaft** *f.* 채광학.

Beriberi [bè:ribé:ri] [ind.] *f.* 〖醫〗 각기(脚氣).

Bericht [bəríçt] [*eig.* „Ordnung"] *m.* -(e)s, -e, (정례적인) 보고, 통신, 정보(*report, information, account*); 〖商〗 광고(*advice*). **berichten** *t.* u. *i.*(h.) 통지하다, 보고하다.

Bericht≈erstatter *m.* 보고자; (특히) (신문) 통신원. **～erstattung** *f.* 보고; 통신.

berichtigen [bəríçtɪgən] *t.* 고치다, 정정〔시정·보정·교정〕하다(*set right, correct*); 해결하다, 지불〔결제〕하다《셈·빚을》(*settle*). **Berichtigung** *f.* -en, 정정, 보정, 교정; 해결, 청산, 지불.

beriechen* [bərí:çən] *t.* (냄새를) 맡다; 이리저리 냄새 맡다.

berieseln [bərí:zəln] *t.* (에) 물을 붓다〔대다〕, 관개하다.

beringt [bərɪ́ŋt] *p. a.* 고리〔반지·팔찌〕를 낀.

beritten [bərɪ́tən] [<bereiten] *p.a.* 기마의. ¶sich ～ machen 말을 타다.

Berlin [bɛrlí:n] *n.* 베를린. **Berliner** 《Ⅰ》 *m.* -s, -, 베를린 사람. 《Ⅱ》 *a.* 베를린의. **Berlinhilfe** *f.* (서독 국민에 의한) 베를린 구원.

B

Bern [bɛrn] *n.* 스위스의 수도 및 주의 이름.

Bern·hard [bɛ́rnhart] [„der Bärenstarke"] *m.* ① 남자 이름. ② Sankt ~ 성 베른하르트 산(山).

Bernstein [bɛ́rnʃtain] [*eig.* „Brennstein] *m.* -(e)s, -e, 〖鑛〗 호박(*amber*). ¶ schwarzer ~ 흑옥(*jet*).

bersten* [bɛ́rstən] *i.*(s.) 파열하다, 쪼개지다(♈*burst*); 갈라지다, 금이 가다(*crack*). ¶ vor Lachen ~ (wollen) 포복절도하다.

B

berüchtigt [bərýçtıçt] [♈Gerücht] *p.a.* 악평이 자자한(*notorious*).

berücken [bərýkən] [„mit dem Netz über et. rücken"] 《Ⅰ》 *t.* (물고기·새를) 그물로 잡다; 《比》 기습하다, 속이다; 호리다(*fascinate, enchant*). 《Ⅱ》 **berückend** *p.a.* 매혹적인.

berücksichtigen [bərýkzıçtıgən] [< Rücksicht] *t.* 고려하다, 참작하다(*take into account, consider*). **Berücksichtigung** *f.* -en, 고려, 참작.

Beruf [bərú:f] *m.* -(e)s, -e, 불러들임, 소환; (innerer ~) (신의) 소명, 천직, 사명(*vocation*); 직업(*profession*); 직무(*occupation, business*). **berufen*** [bərú:fən] 《Ⅰ》 *t.* 불러들이다, 초치〔소환〕하다; (회의 따위를) 소집하다(*convoke*); 초빙하다, (zu, 의 직에) 임명하다(*appoint*). 《Ⅱ》 *refl.* (auf jn. 〔et.〕, 아무를〔무엇을〕) 끌어대다, 증거로 들다, 방패 삼다; 〖法〗 항소〔상고〕하다. 《Ⅲ》 **berufen** *p.a.* (zu, 이) 천직인, (에) 적임인, (의) 자격〔권능〕이 있는. ¶ sich zu et.³ ~ fühlen 무엇에 대한 천직을 자각하다. **beruflich** *a.* 직업상의; *adv.* 직업상으로.

Berufs⸗arbeit *f.* 업무. **~ausbildung** *f.* 직업 교육. **~beratung** *f.* 직업 상담〔보도〕. **~erziehung** *f.* 직업 교육. **~geheimnis** *n.* 직무상의 비밀. **~⸗krankheit** *f.* 직업병. **~mäßig** *a.* 직업상의; *adv.* 직업으로서. **~schule** *f.* 직업 학교. **~spieler** *m.* 직업 선수, 프로(페셔널). **~tätig** *a.* 직업〔직무〕에 종사하는. ¶ ~tätige Frauen 직업 여성. **~tätigkeit** *f.* 직무, 사무. **~wahl** *f.* 직업의 선택.

Berufung [bərú:fuŋ] *f.* -en, 소환, 초치, 소집; 증거〔증인으〕로서 끌어댐; 〖法〗 항소(抗訴), 상고.

Berufungs⸗gericht *n.* 고등 법원. **~⸗recht** *n.* 상소권; 임명권.

beruhen [bərú:ən] *i.*(h.) (auf, 에) 기인하다(*rest, be based (on)*). ¶ et. (auf sich³) ~ lassen 무엇을 그대로 내버려두다.

beruhigen [bərú:ıgən] 《Ⅰ》 *t.* 진정시키다, 달래다; 안심시키다; 위로하다. 《Ⅱ》 *refl.* 진정되다; 가라앉다, (마음이) 안정되다. **beruhigend** *p.a.* 진정〔위안이〕되는. **Beruhigung** *f.* -en, 진정, 안정, 침착; 안심; 위안. **Beruhigungs⸗mittel** *n.* 진정제(*sedative*).

berühmt [bərý:mt] *p.a.* 유명한(*famous, renowned*). **Berühmt·heit** *f.* 유명, 명성(*celebrity*); (*pl.* -en) 명사, 명문; 〖劇·映〗 인기 배우, 스타.

berühren [bərý:rən] *t.* (에) 대다(*touch*), 접촉하다; 언급하다, (덧붙여서) 말하다 (*touch on, mention, allude to*); (의) 마음을 움직이다, 감동시키다(*affect*). **Berührung** [bərý:ruŋ] *f.* -en, 닿음; 접촉.

Berührungs⸗linie *f.* 〖數〗 접선. **~⸗punkt** *m.* 〖數〗 접점(接點); 《比》 공통점《사상·감정의》.

berußen [bəru:sən] *t.* 그을음으로 더럽히다.

besäen [bəzέ:ən] *t.* ① (밭에) 씨를 뿌리다. ② 《比》 온통 덮다. ¶ mit Sternen besät 별이 총총한 《하늘》.

besagen [bəzá:gən] 《Ⅰ》 *t.* (라고) 기술되어〔씌어〕 있다, (의) 취지이다; 뜻하다(*purport*). 《Ⅱ》 **besagt** [-zá:kt] *p.a.* 상술(上述)한.

besaiten [bəzáitən] *t.* ① (바이올린에) 줄을 매다. ② 《比》 zart besaitet (*p. a.*) 민감한, 감각이 섬세한.

Besamung [bəzá:muŋ] *f.* -en, 〖植〗 씨앗의 자연 살포, 자연 결실.

Besan [bəzá:n] [ndl.] *m.* -s, -e, 〖海〗 고물의 세로돛(♈*mizzen*).

besänftigen [bəzέnftıgən] [<sanft] 《Ⅰ》 *t.* 누이다, (흥분·노여움 따위를) 진정시키다, 달래다, 위로하다(*soften, appease, soothe*). 《Ⅱ》 *refl.* 누그러지다, 진정되다. **Besänftigungsmittel** *n.* 〖醫〗 진정제; 완화제.

Besatz [bəzáts] [<besetzen] *m.* -es, ⸚e, (옷의) 가장자리 장식《레이스, 몰, 옷깃, 자락 따위》(*border, trimming*).

Besatzung [bəzátsuŋ] *f.* -en, 〖軍〗 (das Besetzen) 점거, 점령 부대; 수비병을 둠; 수비대(*garrison*); 〖海·空〗 승무원을 둠; 승무원(*crew*).

besaufen* [bəzáufən] 《Ⅰ》 *refl.* 《俗》 곤드레만드레 취하다. 《Ⅱ》 **besoffen** *p.a.* 곤드레만드레 취한.

beschädigen [bəʃέ:dıgən] [<Schaden] *t.* 상하게〔다치게〕하다, 상해를 입히다; 《比》 훼손하다. **Beschädigung** *f.* -en, 손상; 부상, 상해; 〖商〗 해손(海損).

beschaffen[1] [bəʃáfən] *t.* 얻게 하다, 공급하다(*procure, supply*). ¶ sich³ et. ~ 무엇을 조달〔입수〕하다. **beschaffen**[2] 《지금은 없어진 强變化動詞 beschaffen 의 過去分詞》 *p.a.* (…한) 성질〔상태〕의. ¶ so ist die Welt ~ 세상이란 그런 것이다. **Beschaffenheit** *f.* -en, 바탕, 성질(*quality*); 사정, 상태(*condition, constitution*).

beschäftigen [bəʃέftıgən] [<schaffen, Geschäft] 《Ⅰ》 *t.* 일을 시키다, 종사하게 하다(*occupy*); 몰두하게 하다, 바쁘게 하다(*engage*); 사용하다; 고용하고 있다(*employ*). 《Ⅱ》 *refl.* 종사〔몰두〕하다, 마음을 빼앗기다. 《Ⅲ》 **beschäftigt** [-tıçt] *p.a.* 종사〔몰두〕하는(*occupied*); 바쁜(*busy*). **Beschäftigung** *f.* -en, 종사; 일; 작업; 고용; 용무; 소일거리.

beschälen [bəʃέ:lən] *t.* (암말과) 교미하다. **Beschäler** *m.* -s, -, 씨말.

beschämen [bəʃέ:mən] *t.* 창피주다, 낯을 붉히게 하다; 《比》 무색하게 하다; 훨씬 능가하다. **beschämt** *p.a.* 창피당한, 얼굴을 붉힌. **Beschämung** *f.* -en, 창피줌; 수치, 무안.

beschatten [bəʃátən] *t.* (에) 그늘지우다, 그늘로 덮다; 《比》 감싸다, 보호하다; 물리치다, 능가하다(*overshadow*).

beschauen [bəʃáuən] *t.* ① 눈여겨 보다, 주시하다(*view, behold*). ② 정관〔명상〕하다(*contemplate*). ③검사하다 (*inspect*). **beschaulich** *a.* 정관적인, 명상적인. **Beschaulichkeit** *f.* -en, 정관, 명상.

Bescheid [bəʃáit] *m.* -(e)s, -e, ① 결정(*decision*); 확답; 〖法〗 판결, (조회에 대한) 확답(*answer*). ② (가부간의) 알림, 기별(*information*). ¶~ sagen 〔geben〕 (상세히) 알리다 / in et.[3] ~ wissen 무엇의 사정에 밝다, 정통하다 / jm. ~ tun 아무에게 응수하다, (특히) 답배(答盃)하다. **bescheiden*** [bəʃáidən] 《Ⅰ》 *t.* ① 몫으로 주다, (하늘이) 부여하다(*allot*). ② jn.: (에게) 회답을〔교시를〕 주다, 관결을 내리다; 가르치다, 알리다(*inform, instruct*). ¶wohin ~ 어디로 올〔갈〕것을 명하다 / zu jm. ~ 아무에게로 가라고 명하다. 《Ⅱ》 *refl.* 자기 분수를 알다, 분수에 만족하다(*resign oneself*); (mit, 로) 만족하다. 《Ⅲ》 [*eig.* bescheiden의 *p.p.*] *a.* 분별이 있는(*discrete*); 삼가는, 겸손한(*modest*); 알맞은, 눈에 띄지 않는, 수수한(*moderate*). **Bescheidenheit** *f.* -en, 겸소함; 겸허; 겸손.

bescheinen* [bəʃáinən] *t.* 비추다.

bescheinigen [bəʃáinɪgən] *t.* 증명하다(*certify, attest*); (의) 증(명)서를 쓰다(*receipt*). **Bescheinigung** *f.* -en, 증명; 증(명)서.

bescheißen* [bəʃáisən] 《Ⅰ》 *t.* 《卑》 똥오줌으로 더럽히다; 속이다. 《Ⅱ》 **beschissen** *p.a.* 나쁜; 더럽혀진; 속은.

beschenken [bəʃɛ́ŋkən] *t.*: jn. mit et.[3] ~ 아무에게 무엇을 선사하다.

bescheren [bəʃé:rən] [Ⴤengl. *share* „Anteil"] *t.* (몫으로) 주다; 선사하다(*present with*); (어떤 운명을) 부여하다, (신이) 주다(*give*). **Bescherung** *f.* -en, 수여, 증여, 부여; 몫, 선물. ¶《反》 e-e schöne ~! 고맙기도 하군《실은 지긋지긋하다》.

beschicken [bəʃíkən] *t.* ① (에) 보내다; (박람회에) 출품하다. ② 처리〔처치〕하다(*put in order*); (보기:) (밭을) 갈다; (가축을) 돌보다; (가사를) 정리하다《죽기 전에》; (용광로에) 광석을 재어 넣다; (가마에) 빵을 넣다. **Beschickung** *f.* 파견; 송부, 출품; 채비, 공급, 차림, 장전(裝塡); (용광로에 장전된) 광석.

beschichten [bəʃíçtən] *t.* (에) 덧칠을 하다.

beschieden [bəʃí:dən] [<bescheiden] *p.a.* 부여된, 주어진.

beschießen* [bəʃí:sən] *t.* (집중) 사격하다. **Beschießung** *f.* -en, (어떤 지점에의) 집중 사격, 포격.

beschiffen [bəʃífən] *t.* (강·바다를) 항행하다. **Beschiffung** *f.* -en, 항행.

beschimmeln [bəʃíməln] *i.*(s.) 곰팡나다.

beschimpfen [bəʃímpfən] *t.* 모욕하다; (의) 체면을 손상시키다; 비방(誹謗)하다. **Beschimpfung** *f.* -en, 모욕; 비방.

beschirmen [bəʃírmən] *t.* 덮다, 가리우다; 《比》 비호〔보호〕하다.

beschlafen* [bəʃlá:fən] *t.* (여자와) 동침하다; (무엇을) 생각하면서 자다, 밤새껏 생각하다, 《俗》 곰곰이 생각하다.

Beschlag [bəʃlá:k] *m.* -(e)s, ⸗e [-ʃlɛ́:gə], ① 쇠붙이; (쇠붙이로 된) 장식, 고리, 징, 테, 단추; (말의) 뱃대끈; 말편자. ② 〖法〗 압류(*seizure*); 〖海〗 출항금지(*embargo*). ¶et. mit ~ belegen, *od.* et. in ~ nehmen 무엇을 압류하다 / jn. in ~ nehmen 아무를 구류하다. ③ (물체의 표면에 서린) 습기, 흐림, 곰팡이, 녹; 풍화물. **beschlagen*** [bəʃlá:gən] 《Ⅰ》 *t.* (에) (mit, 을) 두들겨 박다; (말에) 편자를 박다; 〖海〗 돛을 감아 올리다. 《Ⅱ》 *i.*(s.) u. *refl.* 흐릿해지다, 녹슬다, 습기가 스며 나오다; 풍화하다; 곰팡나다. 《Ⅲ》 *p.a.*: in e-r Sache (gut) ~ sein 무엇에 정통〔숙달〕해 있다《말에 편자가 박혀 있듯이 지식이 갖추어졌다는 뜻에서》. **Beschlagnahme** *f.* 압류; 억류; 〖軍〗 징발. **beschlagnahmen** *t.* 압류하다.

beschleichen* [bəʃláiçən] *t.*: jn. ~ a) 아무에게 살그머니 다가가다, b) (어떤 감정이) 아무를 엄습하다.

beschleunigen [bəʃlɔ́ynɪgən] 《Ⅰ》 *t.* 빠르게 하다, 촉진하다(*hasten, expedite*); 가속하다(*accelerate*). 《Ⅱ》 **beschleunigend** *p.a.* 가속적인. 《Ⅲ》 **beschleunigt** [-nɪçt] *p.a.* 빠른, 신속한. **Beschleunigung** *f.* -en, 빠르게 함, 촉진(*haste*); 〖物〗 가속도(*acceleration*).

beschließen* [bəʃlí:sən] *t.* 종결하다, 끝내다(*conclude, finish*); 결정하다, 결의하다(*resolve (upon)*). ¶bei sich ~ 결심하다(*determine on*). **Beschluß** [bəʃlús] *m.* ..sses, ..schlüsse, 종결; 결정; 결의. ¶e-n ~ fassen 결의하다.

beschluß=fähig *a.* 의결 능력 있는, 정족수에 달한. ¶e-e ~fähig Anzahl 정족수. **⁓fassung**, **⁓nahme** *f.* 의결.

beschmieren [bəʃmí:rən] *t.* (에) (mit et., 무엇을) 바르다; 무엇을 더럽히다; 끼적거리다, 서투르게 쓰다〔그리다〕; 속이다.

beschmutzen [bəʃmútsən] *t.* 더럽히다; 모독하다.

beschnarchen [bəʃnárçən] *t.* 《俗》 킁킁 냄새맡다; (에) 투덜거리다; 곰곰 생각하다.

beschneiden* [bəʃnáidən] *t.* 베어내다, (군더더기를) 잘라 버리다; 《比》 깎다, 깎아 내다, (의) 일부를 빼앗다(*curtail, reduce*). **Beschneidung** *f.* -en, 베어냄, 절단; 〖宗〗 할례; 《比》 삭감.

beschneien [bəʃnáiən] 《Ⅰ》 ① *t.* 눈으로 뒤덮다. ② *i.*(*s.*) 눈으로 뒤덮이다. 《Ⅱ》 **beschneit** [bəʃnáit] *p.a.* 눈이 쌓인.

beschnüffeln [bəʃnýfəln], **beschnuppern** [-ʃnupərn] *t.* 킁킁거리며 냄새맡다; 《比》 참견하다; 음미하다.

beschönigen [bəʃǿ:nɪgən] *t.* 꾸며대다, 둘러대다, 변명하다. **Beschönigung** *f.* -en, 둘러댐; 변명(*palliative*).

beschottern [bəʃɔ́tərn] *t.*: Wege ~ 길에 자갈을 깔다.

beschränken [bəʃrɛ́ŋkən] [<Schranke] 《Ⅰ》 *t.* 울타리로 두르다, 한정하다, (에) 한계를 짓다(*limit, bound, confine*), 《比》 국한〔제한〕하다(*restrict*). **beschränkt** [bəʃrɛ́ŋkt] *p.a.* 제한〔국한〕된(*limited, confined*); (geistig ~) 편협한(*narrow-minded*); 〖商〗 유한한. **Beschränktheit** *f.* 한정됨; 협량, 고루.

Beschränkung *f.* -en, 국한, 제한, 구속.
beschreiben* [bəʃráibən] *t.* (에) 글을 쓰다; (에) 잔뜩 쓰다; (도형을) 그리다; 기술〔서술·묘사〕하다(*describe*). **Beschreibung** *f.* -en, (어떤 꼴을) 그림, 이룸; 묘사, 기술, 서술(*description*).
beschreiten* [bəʃráitən] *t.*: e-n Weg ~ 어떤 길을 걷다/《比》den Rechtsweg ~ 법에 호소하다.
beschriften [bəʃríftən] *t.* (에) 문자〔글·제명·명(銘)〕을 써 넣다.
beschuhen [bəʃú:ən] *t.* (에) 신을 신기다; (말뚝 따위의 끝에) 쇠붙이를 씌우다.
beschuld(ig)en [bəʃúld(ɪg)ən] *t.*: jn. e-r Tat² ~ 아무에게 어떤 죄를〔책임을〕지우다(*accuse of, charge with*). **Beschuldiger** *m.* -s, -. 비난자(*accuser*); 고소인(*plaintiff*). **Beschuldigte** [-dɪçtə] *m.* u. *f.* 《形容詞變化》 피의자, 형사 피고인. **Beschuldigung** *f.* -en, 비난; 귀죄(歸罪), 고소.
beschummeln [bəʃúməln] *t.* 사기(詐欺) 놓다, 속이다.
beschütten [bəʃýtən] *t.* (의) 위에(mit, 을) 쏟다, 뿌리다, 쌓다.
beschützen [bəʃýtsən] *t.* 보호〔비호〕하다(*protect*); 방어〔방위〕하다(*defend*). **Beschützer** *m.* -s, -, 보호자, 비호자. **Beschützung** *f.* -en, 보호, 비호, 방위(vor et.³ *od* gegen et.).
beschwatzen [bəʃvátsən] *t.* (에) 관해 지껄이다; (zu, 을 하도록) 감언 이설로 꾀다.
Beschwerde [bəʃvé:rdə] *f.* -n, 무거운 짐, 노고(*hardship, trouble*); 불쾌, 병고(*complaint*); 불만, 불평(*grievance*); 〖法〗 항고; (förmliche ~) 소원(訴願). ¶~ führen 불평하다, 불만을 호소하다.
beschweren [bəʃvé:rən] 《Ⅰ》 *t.* (에) (무거운 짐을) 얹다; 《比》 답답하게 하다; 귀찮게 굴다, 괴롭히다(*trouble*). 《Ⅱ》 *refl.* (über et., 무슨 일로) 불평하다, 불만을 호소하다(*complain of*). **beschwerlich** *a.* 성가신, 귀찮은, 어려운. ¶jm. ~ fallen 아무를 성가시게〔귀찮게〕하다 / ein ~er Weg 험난한 길.
Beschwerlichkeit *f.* -en, 귀찮은〔성가신〕일, 번거로움.
beschwicht(ig)en [bəʃvíçt(ɪg)ən] *t.* 누그러지게 하다, 가라앉히다, 달래다(*calm, appease*).
beschwindeln [bəʃvíndəln] *t.* 속이다. ¶jn. um et. ~ 아무에게서 무엇을 사취하다.
beschwingen [bəʃvíŋən] 《Ⅰ》 *t.* (에) 날개를 달다; 《比》 빠르게 하다. 《Ⅱ》 **beschwingt** [bəʃvíŋt] [<Schwinge] *p. a.* 날개 있는. ¶~en Fußes 발걸음도 가볍게, 총총걸음으로.
beschwipst [bəʃvípst] *p.a.* 《俗》 얼근히 취한(*tipsy*).
beschwören* [bəʃvǿ:rən] *t.* ① 맹세〔서약〕하다(*affirm on, oath*). ② (혼을) 주문〔마법〕으로 불러내다. ③(악마를) 내쫓다, 불제(祓除)하다(*conjure, exorcise*). ④ jn. ~ 아무에게 간원〔애걸〕하다(*implore*). **Beschwörer** *m.* -s, -, 무술자(巫術者), 마법사. **Beschwörung** *f.* -en, 서약, 선서; 악마를 불러내기〔쫓기〕, 무술; 주문; 간원, 애걸.
beseelen [bəzé:lən] 《Ⅰ》 *t.* (에) 혼〔생명〕을 불어넣다(*animate, inspire*); 고무하다. 《Ⅱ》 **beseelt** *p.a.* 혼〔생명〕이 있는; 활기띤; 감격에 찬. **Beseeltheit** *f.*, **Beseeltsein** *n.* 활기띰, 감격. **Beseelung** *f.* -en, 혼〔생명〕을 불어 넣기, 고무시킴; 〖哲〗 영활(靈活).
besehen* [bəzé:ən] *t.* 주시하다, 눈여겨 보다(*look at*); 검사하다(*inspect*). **besehenswert**, **besehenswürdig** *a.* 볼만한 가치가 있는.
beseitigen [bəzáitɪgən] *t.* 치우다, 제거하다(*put aside, remove*); 마치다, 폐(廢)하다, 살해하다(*do away with*). **Beseitigung** *f.* -en, 치움, 폐함.
beseligen [bəzé:lɪgən] *t.* (에게) 최상의 복을 가져다 주다, 매우 기쁘게 하다.
Besen [bé:zən, 方 bé:-] *m.* -s, -, (쓰는) 비(♀*besome, broom*).
Besenbinder *m.* 비 만드는 사람. **~rein** *a.* 깨끗이 쓸어 청소한. **~stiel** *m.* 빗자루.
besessen [bəzésən] [<besitzen] 《Ⅰ》 *p.a.*: (vom Teufel) ~ (악마에) 씌인(*possessed with*); 《比》(von, 에) 홀린, 혼을 빼앗긴. **Besessene** *m.* u. *f.* 《形容詞變化》 신들린 사람. **Besessenheit** *f.* -en, 신들린 상태, 귀신에 씌임.
besetzen [bəzétsən] 《Ⅰ》 *t.* ① (mit et., 무엇을) 두다, 놓다. ¶den Tisch mit Speisen ~식탁에 음식을 차려 놓다/mit Tressen ~ (에) 가선을 두르다 / e-e Stadt mit Soldaten ~ 어떤 도시에 수비병을 두다/ein Amt mit jm. ~ 어떤 관직에 아무를 앉히다. ② (좌석을) 차지하다; 점령하다. 《Ⅱ》 **besetzt** *p.a.* 점령된; 차지된《자리가》; 사용중인 《전화, 변소 등이》. ¶das Theater war gut ~ 극장은 대만원이었다. **Besetzung** *f.* -en, 가선두르기; 가장자리 장식; 점령; 수비; 임명, 배치; 〖劇〗 배역.
beseufzen [bəzɔ́yftsən] *t.* (을) 탄식하다.
besichtigen [bəzíçtɪgən] *t.* 관람〔시찰〕하다(*view, visit*); 검열〔검사〕하다(*inspect*). **Besichtigung** *f.* -en, 관람, 시찰; 검열, 검사; 검시(檢屍).
besiedeln [bəzí:dəln] *t.* (에) 식민하다(*settle, colonize*). **Besied(e)lung** *f.* -en, 식민; 식민지.
besiegbar [bəzí:kba:r] *a.* 정복〔극복〕할 수 있는.
besiegeln [bəzí:gəln] *t.* (에) 봉인(封印)하다; (증서 따위에) 날인하다; 《比》 확증〔확약·확정〕하다.
besiegen [bəzí:gən] *t.* (에) 이기다, 정복〔극복〕하다. **Besieger** *m.* -s, -, 승리자, 정복자. **Besiegte** [-ktə] *m.* u. *f.* 《形容詞變化》 패자(敗者). **Besiegung** *f.* -en, 정복, 극복.
besingen* [bəzíŋən] *t.*: (jn. 〔et.〕, 아무를〔무엇을〕) 시가(詩歌)로 찬미하다.
besinnen* [bəzínən] 《Ⅰ》 *refl.* (über et., 무엇을) 생각하다, 숙고하다(*consider, reflect*); (auf et., 무엇을) 생각해 내다, 기억하고 있다(*recollect, remember*). ¶sich e-s Besseren ~ 더 좋은 생각이 나다. 《Ⅱ》 **Besinnen** *n.* -s, 상기; 숙고. 《Ⅲ》 **besonnen** [bəzɔ́nən] *p.a.* 사

려깊은, 신중한, 분별있는. **besinnlich** *a.* 생각이 깊은; 명상적인. **Besinnung** [bəzínuŋ] *f.* -en, (자)의식, 제정신; 숙고. ¶die ~ verlieren 실신하다; 당황하다/(wieder) zu(r) ~ kommen 의식을 회복하다, 제정신이 돌아오다.

besinnungs·los *a.* 의식을 잃은, 기절한, 분별없는. **~losigkeit** *f.* 의식 불명, 실신 상태, 무분별.

Besitz [bəzíts] [<besitzen] *m.* -es, -e, ① 소유. ② 소유물, 재산(*possession, property*); (특히) 토지, 부동산. **besitz·anzeigend** *a.* 〖文〗 소유를 나타내는, 물주(物主)의. **besitzen*** [bəzítsən] *t.* 소유하다(*possess*), 점유하다; 점하다. ¶Kraft〔Verstand〕 ~ 힘〔분별〕이 있다 / die ~de (*p.a.*) Klasse, *od.* die ~den (*p.a.*) 유산〔지주〕 계급. **Besitzer** *m.* -s, -, 소유자, 지주.

Besitz·ergreifung *f.* 점취(占取); 〖法〗 점유 획득. **~los** *a.* 자산 없는. ¶die Besitzlosen (*pl.*) 무산 계급. **~nahme** *f.* =~ERGREIFUNG.

Besitztum [bəzíts-tu:m] *n.* -(e)s, ¨er, 소유물, 재산; (특히) 부동산.

besoffen [bəzɔ́fən] *p.a.* ☞BESAUFEN.

besohlen [bəzó:lən] *t.* (구두·양말에) 바닥을 대다.

besolden [bəzɔ́ldən] *t.* (에게) 봉급을 지불하다, 급료를 주어 고용하다(*pay, give a salary*). **Besoldung** *f.* -en, 위를 하기; 급료, 봉급.

besonder [bəzɔ́ndər] *a.* ① 떨어진(*separate*), 개별의; (*ant.* allgemein) 특별〔특수·독특〕한 (*particular, especial, peculiar, odd*). ② 비범한; 특이〔진귀〕한. ★付加語的으로만 쓰임. **Besonderheit** *f.* 특수성. **besonders** [bəzɔ́ndərs] 《Ⅰ》 *adv.* 따로따로, 단독으로(*separately*); 특히(*especially, particularly, peculiarly, chiefly*). 《Ⅱ》 *a.* 특별한. ¶er ist heute so ~ 그는 오늘 좀 이상하다. ★述語的으로만 쓰임.

besonnen [bəzɔ́nən] [<besinnen] *p.a.* 곰곰이 생각한; 사려 깊은(*discreet*); 신중한(*cautious*). **Besonnenheit** *f.* 사려 깊음, 냉정, 신중. 「바른.」

besonnt [bəzɔ́nt] [<Sonne] *p.a.* 양지

besorgen [bəzɔ́rgən] 《Ⅰ》 *t.* ① (불행 등을) 염려하다, 두려워하다(*fear, apprehend*). ②배려하다, 돌보다(*take care of*); 다하다(*manage, execute*). ③ (무엇을) 걱정〔주선〕해 주다(*provide, procure*). ④ (자기 것으로) 입수〔매입〕하다(*get, fetch*). 《Ⅱ》 *i.*(h.) 우려하다. 《Ⅲ》 **besorgt** [bəzɔ́rkt] *p.a.* 걱정〔염려〕하는, **besorglich** *a.* 걱정하는; 걱정〔근심〕스러운. **Besorgnis** *f.* -se, 염려, 근심(*apprehension, anxiety*); 걱정, 배려(*care*). **Besorgung** *f.* -en, 염려, 배려, 돌봄; (용건을) 완수함; 입수, 조달, 구입.

bespannen [bəʃpánən] *t.* (마차에) 말을 매다; (악기에) 현을 치다. ¶e-n Wagen mit Pferden ~ 수레에 말을 매다.

bespeien* [bəʃpáiən] *t.* (에) 침을 뱉다.

bespiegeln [bəʃpí:gəln] *refl.* 거울에 비추다; 재현〔묘사〕하다; 《比》 제멋에 겨워하다. 「게서) 탐색해내다.」

bespitzeln [bəʃpítsəln] *t.* (jn., 아무에

Bespo [béspo] 《略》 = *Be*rufs- und *Sp*ortkleidung 제복.

bespötteln [bəspœ́təln] *t.* (가볍게) 야유〔조롱〕하다. **bespotten** *t.* 야유하다.

besprechen* [bəʃpréçən] 《Ⅰ》 *t.* (에 관하여) 이야기하다, 말하다(*talk over, discuss*); 비평하다(*criticize, review*); (재앙을) 주문을 외어 물리치다(*conjure*). 《Ⅱ》 *refl.* (mit, 와) 담합〔협정〕하다(*confer with*). **Besprechung** *f.* -en, 담화; 상담, 협의; 협정; 비평《서평, 극평 따위》.

besprengen [bəʃpréŋən] *t.* (에) (mit, 을) 뿌리다, 흩다, 끼얹다(♈*besprinkle*).

bespritzen [bəʃprítsən] *t.* (에) (mit, 을) 튀기다, 뿌리다, 끼얹다.

bespülen [bəʃpý:lən] *t.* 헹구다; (강물이 강언덕을) 씻다; 〖醫〗 세척하다.

Bessemer·apparat [bésəmər-] *m.* 베세머(영국의 발명가, 1818–98) 장치. **~birne** *f.* 베세머식 전로(轉爐). **~prozeß** *m.* 베세머식 제강법. **~stahl** *m.* 베세머 강(鋼).

besser [bésər] (gut, wohl의 比較級) 《Ⅰ》 *a.* u. *adv.* 보다 좋은(♈*better*); 보다 좋게. ¶desto 〔um so〕 ~ 그만큼 더 좋은 / alles ~ wissen wollen 무엇이든지 다 아는 체하다 / e-s ~en belehren (을) 깨우치다 / sich e-s ~en besinnen 고쳐 생각하다. 《Ⅱ》 **Bessere** [bésərə] *n.* 《形容詞變化; 2格: ..r(e)n *od.* Beßren》 보다 좋은 것. **Besser·gestellte** *m.* u. *f.* 《形容詞變化》 살림살이가 넉넉한 사람. **bessern** [bésərn] 《Ⅰ》 *t.* 더 좋게 하다; 개선〔개량·수선·정정·수정·시정〕하다. 《Ⅱ》 *refl.* 개선〔개량〕되다. **Besserung** [bésəruŋ] *f.* -en, 개량, 개선; 시정; 수식; 교정(矯正), 감화; 개전(改悛); 회복. ¶gute ~! 회복을 빕니다.

Besserungs·anstalt *f.*, **~haus** *n.* 감화원. **~mittel** *n.* 교정법.

Besserwisser [bésərvɪsər] *m.* -s, -, 아는 체하는 사람.

best [best] (gut, wohl의 最上級) 《Ⅰ》 *a.* 가장 좋은, 최선의(♈*best*). ¶der 〔die, das〕 erste ~e 눈에 띄는〔닥치는〕 대로의, 가장 가까이 있는 / 《名詞化; 慣用句에서는 小文字로도 씀》 das gemeine ~e 공익(公益) / zu s-m ~en 그를 위하여, 그의 이익을 위하여 / zum ~en der Armen 빈민의 복지를 위하여 / et. **zum** ~en geben 무엇을 한턱 내다 / jn. zum ~en haben 아무를 놀리다, 조롱하다. 《Ⅱ》 *adv.* 가장 좋게〔잘〕. ¶**am** ~en 가장 잘 / **aufs** 〔auf das〕 ~e, *od.* zum ~en 매우 잘(=sehr gut).

bestallen [bəʃtálən] [♈bestellen] *t.* 임명하다(*appoint, invest*). **Bestallung** *f.* -en, 임명.

Bestand [bəʃtánt] [<besteh(e)n] *m.* -(e)s, ¨e, ① 존립, 존속, 영속, 내구(耐久), 불변(*continuance, duration*). ¶von ~ sein 영속하다, 변하지 않다. ② 잔고(*stock, remainder, rest*); (지참한) 현금; 〖商〗 재고품; 현금 재고. ¶der eiserne ~ 부동 자금, 〖軍〗 (비상용) 휴대 식량. **beständig** [bəʃténdɪç] *a.* 항구〔영속〕적인(*constant*); 불변의, 안정된 (*steady, settled*); 지속적인, 끊임없는

(*continual*). **Beständigkeit** *f.* 항상, 영속, (상주(常住)) 불변, 안정; 견인 불발, 끈기; 성실.

Bestand·konten *pl.* 〖商〗 재산 계정. **∼liste** *f.* 〖商〗 현품 목록, 재산 목록; 〖軍〗 현재원 명부.

Bestands·aufnahme *f.* 재고품 조사. **∼masse** *f.* 〖林〗 임목 총 재적(材積)수.

Bestandteil [bəʃtánttail] *m.* (불가분의) 구성 요소; 〖化〗 원소, 성분.

bestärken [bəʃtέrkən] *t.*: jn. in et.³ ∼ 아무의 무엇《의견·신념 따위》을 강하게 〔굳게〕하다.

bestätigen [bəʃtέ:tɪgən] [<stet, stetig] 《Ⅰ》 *t.* (의 진실임을) 확증하다(*confirm*); (의 유효함을) 확인하다(*endorse*); 비준하다(*ratify*); 〖商〗 (의 수령을) 확인〔확증〕하다(*acknowledge*). 《Ⅱ》 *refl.* 확인되다, 진실임이 판명되다. **Bestätigung** *f.* -en, 위를 하기.

Bestätigungs·recht *n.* 인가〔비준〕권. **∼vōrbehalt** *m.* 비준 보류.

bestatten [bəʃtátən] [*eig.* „an s-e Statt, Stätte bringen"] *t.* 매장하다 (*bury, inter*).

bestätten [bəʃtέtən] *t.* 배달〔운송〕하다. **Bestätter** *m.* -s, -, 운송업자. 「례식.」

Bestattung [bəʃtátuŋ] *f.* -en, 매장, 장

bestauben [bəʃtáubən] 《Ⅰ》 *i.*(s.) 먼지투성이가 되다. 《Ⅱ》 *t.* 먼지투성이가 되게 하다.

bestäuben [bəʃtɔ́ybən] *t.* 먼지투성이가 되게 하다; 〖植〗 정받이시키다, 인공 수정하다. ¶mit Mehl ∼ (에) 가루를 함빡 치다.

bestechen* [bəʃtέçən] *t.* ① 〖坑〗 시추(試錐)하다, 파며 찾다《천공기(穿孔機)로》. ② 《比》 달콤한 미끼로 유혹하다, 뇌물을 주다, 매수하다(*bribe, corrupt*); 농락〔유혹〕하다, 호리다(*dazzle*). **bestech·lich** *a.* 매수할 수 있는(*corruptible*). **Bestechlichkeit** *f.* 위임. **Beste·chung** *f.* -en, 증회(贈賄), 매수; (aktive ∼ung) 증회죄(贈賄罪); (passive ∼ung) 수회죄.

Besteck [bəʃtέk] *n.* -(e)s, -e, 물건을 꽂아 넣어두는 것; 도구〔기계〕 상자, 연장 그릇; 한벌의 도구; (Eß∼, Tisch∼) 한벌의 식사용 기구《나이프, 포크, 스푼》 등; (ärztlicher ∼) 한벌의 의료 기구; 〖海〗 선박의 해상 위치《해도(海圖)에 바늘을 꽂아 표시》. **bestecken*** *t.* (에) (mit, 을) 꽂다; (에) 심다.

besteh(e)n* [bəʃté:(ə)n] 《Ⅰ》 *i.*(h.) 성립〔존립·존재〕하다 (*be, exist*); 존속하다 (*continue, last*). ¶in e-r Prüfung ∼ 시험에 합격하다. ② (auf et.³⁽⁴⁾, 무엇을) 고집하다, 완강히 주장하다(*insist on*). ③ (aus, 로) 이루어지다(*consist of*). ④ in et.³ ∼ 무엇이 그 본질〔실체〕이다, 무엇에 있어서 존재〔성립〕하다. 《Ⅱ》 *t.* ① (에) 굽히지 않다, 견디다, (을) 극복하다, 합격하다(♈*stand, endure, undergo*). ② die Wiese ist mit den Bäumen bestanden 목장에 나무들이 자라나〔무성해〕 있다. 《Ⅲ》 **Bestehen** *n.* -s, 존립, 존속, 존재, 생존; 합격, 급제. 《Ⅳ》 **bestehend** *p.a.* 현존하는. ¶∼e Preise 시가, 시세.

bestehlen* [bəʃté:lən] *t.* (jn., 로부터) (um, 을) 훔치다.

besteigen* [bəʃtáigən] *t.* (에) 오르다, (배·차·말에) 타다. ¶den Thron ∼ 즉위하다. **Besteigung** *f.* 오르기, 타기; 즉위.

bestellen [bəʃtέlən] *t.* ① (에) 놓다(mit et.) ② 정돈〔정리〕하다(*put in order*); 돌보다, 손질하다; (밭을) 경작하다(*cultivate*). ③ 주문〔예약〕하다(*order*). ④ (위탁·사명을) 다하다(*do*); (우편물을) 송달〔배달〕하다(*deliver*); (안부를) 전하다(*send*). ⑤ (어디로 오〔가〕도록) 약속하다(*engage*); (zu e-m Amte, 어떤 관직에) 임명하다 (*appoint*). **Bestelliste** 《分綴: Bestell-liste》 *f.* 〖商〗 주문표〔장〕. **Bestellung** [bəʃtέluŋ] *f.* -en, 위탁, 주문; 주문품; (회견의) 약속, 설정; 전언(傳言); 배달; 경작; 임명. 「문〔임명〕장.」

Bestellungs·brief *m.*, **∼būch** *n.* 주

Bestell·zeit *f.* 경작기(期); 주문기(期); (우편의) 배달 시간. **∼zettel** *m.* 주문표, 주문 카드《특히 서적의》.

bestenfalls [béstən-] *adv.* 고작해야.

bestens [béstəns] *adv.* 되도록 좋게, 매우; 〖商〗 가장 유리하게.

besternt [bəʃtέrnt] *p.a.* (하늘에) 별들이 반짝이는; 훈장을 단; 〖印〗 별표(★)가 있는.

besteuern [bəʃtɔ́yərn] *t.* (에) 과세하다. **Besteu(e)rung** *f.* -en, 과세(課稅).

bestiālisch [bɛstiá:lɪʃ] *a.* 야수와 같은. **Bestialitāt** [bɛstialitέ:t] *f.* -en, 잔인(한 행위); 수간(獸姦).

besticken [bəʃtíkən] *t.* (에) 수놓다; 〖土〗 호안(護岸) 공사를 하다.

Bestīe [béstiə] [lat.] *f.* -n, 야수, 짐승 (♈*beast*).

bestimmbār [bəʃtímba:r] *a.* 결정〔규정·한정·정의·산정〕할 수 있는; 좌우할 수 있는. **bestimmen** [bəʃtímən] 《Ⅰ》 *t.* ① 정하다, 결정〔확정〕하다(*determine, fix, appoint*); 정의를 내리다(*define*); (운명으로서) 정하다(*destine*). ② (zu, 에게) 결심〔찬성〕시키다. ③ 명하다, 지정하다; 예정하다. 《Ⅱ》 *refl.* (zu 〔für〕 et., 무슨 일에) 결심하다, 을 고르다, 에 몸을 바치다. 《Ⅳ》 **bestimmt** [bəʃtímt] *p.a.* ① 정해진, 결정된, 일정한. ¶ nach Hamburg ∼ 함부르크행의. ② 일정한; 단호한; *adv.* 확실히(*certainly*); 단호히. ¶∼ ablehnen 단호히 거절하다. **Bestimmt·heit** *f.* -en, 확호함; 확고; 명확, 정확; 단호. **Bestimmung** *f.* -en, 결정, 단정; 〖物〗 측정; 정의(를 내림); 한정, 규정; 지정; 예정(의 목적·용도); 임명; 〖醫〗 진단; 〖化〗 정량(定量).

Bestimmungs·grund *m.* 동기. **∼·hāfen** *m.* 목적항(港). **∼ort** *m.* 목적지, 발송할 곳. **∼wort** *n.* 〖文〗 한정사(限定詞). 「을 아로새긴.」

bestirnt [bəʃtírnt] [<stern] *a.* 〖詩〗 별

Bestleistung [béstlaistuŋ] *f.* 최고 기록.

bestōßen* [bəʃtó:sən] *t.* (의) 가장자리를 깎다; 들이받아〔부딪쳐〕 상하게 하다.

bestrāfen [bəʃtrá:fən] *t.* 벌하다, 징계하다(*punish*). **Bestrāfung** *f.* -en, 처벌; 벌.

bestrahlen [bəʃtrá:lən] *t.* 비추다; (광

선을) 투사하다. **Bestrahlung** *f.* -en, 비춤; 〖醫〗 조사(照射); 〖物〗 방사선 조사.

bestrēben [bəʃtré:bən] *refl.* 《Ⅰ》 노력하다, 애쓰다(*endeavour*). 《Ⅱ》 **Bestrēben** *n.* -s, 노력; 뜻, 지향. **bestrēbsām** *a.* 노력적인, 열심인. **Bestrēbung** *f.* -en, (흔히 *pl.*) =BESTREBEN.

bestreichen* [bəʃtráiçən] *t.* (에) (mit, 을) 바르다; (을) 스치다; 〖軍〗 소사(掃射)하다(*sweep*).

bestreiten* [bəʃtráitən] *t.* ① (와) 싸우다; (에) 이론을 제기하다, 반박하다(*contest, dispute, deny*). ② 도맡다; (비용을) 지출하다(*defray*); (수요를) (도맡아) 공급하다(*supply*).

bestreuen [bəʃtrɔ́yən] *t.* (의 위에)(mit, 을) 끼얹다.

bestricken [bəʃtríkən] [<Strick] *t.* 끈으로 묶다; 《比》 농락[매혹]하다(*ensnare*).

bestücken [bəʃtýkən] *t.* (배에) 포를 장비하다. **Bestückung** *f.* -en, (배의) 무장, 장비; 진공관(眞空管) 장비.

bestürmen [bəʃtýrmən] *t.* 습격하다; 맹렬히 포위 공격하다; 쇄도하다. ¶《比》 jn. mit Fragen [Anliegen] ~ 아무에게 질문[탄원] 공세를 하다.

bestürzen [bəʃtýrtsən] 《Ⅰ》 *t.* 깜짝 놀라게 하다, 당혹[당황]케 하다(♈*startle, confound*). 《Ⅱ》 **bestürzt** *p.a.* 깜짝 놀란, 당혹[당황]한. **Bestürzung** *f.* -en, 당혹, 당황; 아연 실색, 경악.

Besuch [bəzú:x] *m.* -(e)s, -e, ① 방문(*visit*); 병 문안, (환자의) 심방; 〖醫〗 왕진. ② 방문객, 내객, 손님《單數·複數의 두가지 뜻》(*visitor(s)*). ¶auf [zu] ~ gehen 손님으로 가다, 방문하다. ③ 방문함(*attendance*); 출석, 임석, 참관, 참예, 구경. **besuchen** [bəzú:xən] *t.* ① 방문[심방]하다(*visit, call on*); 문안하러 가다; 〖醫〗 왕진하다. ② (에) 가다, 다니다, 들르다, 출석하다(*attend*); (시장 따위에) 다니다(*frequent*). **Besucher** *m.* -s, -, 방문객; 출석자; 유람객, 관람자; 고객.

besudeln [bəzú:dəln] *t.* 더럽히다; 《比》 모독하다.

betagt [bətá:kt] *a.* 나이 많은, 늙은; 〖商〗 (어음이) 만기인.

betakeln [bətá:kəln] *t.* 〖海〗 의장(艤裝)하다.

betasten [bətástən] *t.* 손으로 만지다; 〖醫〗 촉진(觸診)하다.

betätigen [bəté:tɪgən] [古形: *betedigen* „verhandeln", 이것을 tätig에 관련시킴] 《Ⅰ》 *t.* (행위로) 실증하다(*practise*); 활동[가동·입]시키다(*set in motion*). 《Ⅱ》 *refl.* (als et., 무엇의) 실상을 나타내다, (로서) 활동[일]하다; (an [bei] et.[3], 무엇에) 관여하다. **Betätigung** *f.* -en, 활동, 실행; 관여.

betäuben [bətɔ́ybən] [<taub] *t.* ① (의) 귀를 먹게 하다(♈*deafen*). ② (의) 지각을 마비시키다(*stupefy, doze*); 실신시키다(*stun*); 〖醫〗 마취시키다(*narcotize*). **Betäubung** *f.* -en, 귀먹게 하기; 무감각, 마비; 실신 **Betäubungsmittel** *n.* 마취제.

betauen [bətáuən] 《Ⅰ》 *t.* 이슬로 축이다. 《Ⅱ》 **betaut** *p.a.* 이슬에 젖은.

Bēta-umwandlung *f.*, **~zerfall** *m.* 〖物〗 베타 붕괴.

Bētbrüder [bé:tbru:dər] *m.* 신앙이 깊은 체하는 사람, 완고한 신자.

Bēte [bé:tə] *f.* -n, 〖植〗 사탕무우(*beetroot*).

beteiligen [bətáilɪgən] 《Ⅰ》 *t.* (an et.[3], 무엇의) 분배에 관여시키다. 《Ⅱ》 *refl.* 관여[참가]하다(*take part in, participate, be interested*). 《Ⅲ》 **Beteiligte** [-çtə] *m.* u. *f.* 《形容詞變化》 관계자, 협력[참가]자; 〖商〗 주주, 사원. **Beteiligung** *f.* -en, 관여, 참가(*participation*); 〖商〗 자본 참가; 공범; 참가자.

bēten [bé:tən] [♈bitten] 《Ⅰ》 *i.*(h.) 빌다, 기도하다. 《Ⅱ》 *t.* (기도문·경문을) 외다, 읽다. **Bēter** *m.* -s, -, 기도하는 사람.

beteuern [bətɔ́yərn] [*eig.* „zu teuer (=kostbar) finden"] *t.* 맹세[선서·확언·단언]하다(*assert, affirm*).

betiteln [bətí:təln, -tít-] *t.* (에) 명칭을[표제를] 붙이다(♈*entitle*); (를 …라고) 부르다(*call*).

Bētnuß [bé:tnus] *f.* (호두 모양의) 기도패《펼치면 성자상 등이 박여 있음》.

betölpeln [bətœ́lpəln] *t.* 속이다.

Beton [betɔ̃́:, -tó:n] [lat. -fr.] *m.* -s, -s [-tɔ̃́:s] *u.* -e [tó:nə], 콘크리트(*concrete*). **~bau** *m.* (*pl.* -ten) 콘크리트 건축(물).

betōnen [bətó:nən] *t.* 강조하다; (에) 악센트를 두다(*stress, accent*); 《比》 강조하다(*emphasize*).

betonieren [betoní:rən] *t.* (에) 콘크리트를 부어넣다.

Betōnung [bətó:nuŋ] *f.* -en ① 강조; 악센트, 양음, 센소리. ② 《比》 강조, 역설(力說), 중요시.

betōren [bətǿ:rən] [<Tor] *t.* 우롱하다; 속이다; 현혹시키다.

betr. 《略》 =*betreffend, betreffs.*

Betracht [bətráxt] *m.* -(e)s, 고찰, 고려(*consideration, regard*). ¶in ~ kommen 고려되다, 문제가 되다 / in ~ ziehen 고려하다. **betrachten** [bətráxtən] ["로 향하다"의 뜻] *t.* ① (에) 눈을 돌리다, 눈여겨 바라보다, 숙시(熟視)[관찰]하다(*look at, view*). ② 고찰하다(*consider, examine*), 명상하다, 심사 숙고하다. ③ (als, 로) 간주하다(*regard*). **Betrachter** *m.* -s, -, 관찰자, 구경꾼. **beträchtlich** [bətréçt-] *a.* 현저한, 중요한; 적지 않은(*considerable, substantial*). ¶um ein ~es 현저히, 매우. **Betrachtung** [bətráxtuŋ] *f.* -en. 눈여겨 봄, 관찰, 고찰; 심사 숙고, 명상.

Betrāg [bətrá:k] *m.* -(e)s, ⸚e, 액수, 금액(*amount*); 총액(*sum, total*). **betrāgen*** [-gən] 《Ⅰ》 *i.*(h.) (…의) 액수에 달하다(*amount to*). 《Ⅱ》 *refl.* (…하게) 행동하다(*behave oneself*). 《Ⅲ》 **Betrāgen** *n.* -s, 거동, 행실, 행동(*behaviour, conduct*).

betrauen [bətráuən] 《Ⅰ》 *t.* (에게)(mit, 을) 위탁하다; (관직에) 임명하다. 《Ⅱ》 **Betraute** *m.* u. *f.* 《形容詞變化》 친구; 〖商〗 대리인; 〖法〗 수탁자.

betrauern [bətráuərn] *t.* 슬퍼하다, (을) 애도하다.

Betreff [bətréf] *m.* -(e)s. 관계. ¶in ~ [~] e-r Person [Sache] 아무[무엇]에 관하여(*with regard to*). **betreffen*** [bətréfən] 《Ⅰ》 *t.* ① (불행·화가) 엄습

하다(*befall*); (현장을) 급습하다(*suprise at*). ② (에) 관계하다(*concern*). ¶was mich betrifft, so ... 나에 관하여는, 나로서는. 《Ⅱ》 **betreffend** *p. a.* 당해(當該)의, 관계하는. ¶et. ~ 무엇에 관해서는. 《Ⅲ》 **betroffen** [bətrɔ́fən] *p. a.* 경악한; 당혹〔당황〕한.

betreiben* [bətráibən] *t.* ① (차를) 몰다, 운전하다. ② 촉진〔재촉〕하다; 권하다(*push forward, urge on.*) ¶auf mein ~ (hin) 나의 권유에 따라서. ③ (어떤 목적을) 추구하다, (에) 종사하다(*carry on, exercise*). ¶Studien ~ 연구하다.

betreten* [bətré:tən] 《Ⅰ》 *t.* ① 밟다, 디디다; (길을) 가다. ② (어떤 장소에) 발을 들여놓다, 들어가다. ③ 현행범을 잡다. 《Ⅱ》 **betreten** *p. a.* ① ein ~er Weg 밟아 다져진, 왕래가 빈번한. ② 놀란, 당황한(*embarrassed*). **Betretungsfall** *m.* 〖法〗 im ~e 현행범의 경우에는.

betreuen [bətrɔ́yən] *t.* 보호하다, 돌보다.

Betrieb [bətrí:p] [<betreiben] *m.* -(e)s, -e, ① 경영, 영업(*management*), 작업, 운전(*working*); 작업장, 공장(*works, plant*). ¶in ~ sein (공장이) 작업 중이다, (기계가) 움직이고 있다, (선로가) 개통되어 있다 / in 〔außer〕 ~ setzen 운전〔작업〕을 개시하다〔중지하다〕. ② 권유, 사주. ③ 번화함, 총망(*activity, bustle*). ④ 방목, 목양. **betriebsam** *a.* 활동적인(*active*), 근면한, 부지런한(*industrious*).

betriebs=arzt *m.* 기업 (속에서 일하는) 의사. ~**führer** *m.* 영업 주임; 지배인. ~**kapital** *n.* 운영 자본. ~**klima** *n.* 경영체〔노사간〕의 분위기, 노동 조건. ~**kosten** *pl.* 경영비. ~**leiter** *m.* 지배인, 감독. ~**material** *n.*, ~**mittel** *n.* 영업〔작업〕 기구; 〖鐵〗 차량. ~**ordnung** *f.* 경영 규칙. ~**rat** *m.* 경영 협의회. ~**stoff** *m.* (자동차의) 연료. ~**störung** *f.* 영업〔운전〕 중지. ~**wirtschaft** *f.* 경영 경제, 작업〔생산〕 관리. ~**wissenschaft** *f.* 경영학. ~**zeit** *f.* 작업〔영업〕 시간. ~**zelle** *f.* 경영체(내의) 세포.

betrinken* [bətríŋkən] *refl.* 술에 취하다.

betroffen [bətrɔ́fən] *p. a.* ☞BETREFFEN.

betrüben [bətrý:bən] 《Ⅰ》 *t.* (의) 마음을 어둡게 하다, 슬프게 하다(*grieve, distress*). 《Ⅱ》 **betrübt** [-pt] *p. a.* 슬퍼하고 있는, 침울한; 슬퍼할. **Betrübnis** [bətrý:pnɪs] *f.* (稀: *n.* -ses) ① 비애, 우수(*grief, distress*). ② (*pl.* -se) 슬프게 하는 것.

Betrug [bətrú:k] *m.* -(e)s, ⸗, 속임, 사기, 기만(*deceit, fraud*). **betrügen*** [bətrý:gən] *t.* 속이다, 기만하다(*deceive, cheat*). ¶jn. um et. ~ 아무에게서 무엇을 사취하다. **Betrüger** *m.* -s, -, 기만자, 사기꾼. **Betrügerei** *f.* -en, 사기, 기만. **betrügerisch, betrüglich** *a.* 사기의; 믿을〔기대할〕 수 없는.

betrunken [bətrúŋkən] [<betrinken] *p. a.* 술취한. **Betrunkenheit** *f.* 명정(酩酊).

Bet=saal *m.* 예배당, 채플. ~**schwester** *f.* 완고한 여신도; 거짓 여신도. ~**stuhl** *m.* 기도대. ~**stunde** *f.* (흔히 *pl.*) 기도 시간; (공공의) 예배.

Bett [bɛt] *n.* -(e)s, -en, 잠자리, 침대 (♈*bed*); (*pl.*) 이부자리. ¶zu ~ gehen 취침하다.

Bet·tag [bé:tta:k] *m.* 기도일.

Bett=bezug *m.* =~ÜBERZUG. ~**decke** *f.* 침대 카버; 이불.

Bettel [bétəl] [<betteln] *m.* -s, ① 동냥, 걸식(*begging*). ② 쓸데없는 것, 허섭스레기(*trash*); 하찮은 일(*trifle*). ~**arm** *a.* 거지 같은, 찰가난의.

Bettel=brief *m.* 구걸 편지. ~**brot** *n.* (거지에게) 베푸는 빵. ~**bruder** *m.* 거지; =~MÖNCH.

Bettelei [bɛtəlái] *f.* -en, ① 걸식, 거지질; 졸라댐, 구걸, 애걸. ② 잡동사니.

Bettel=frau *f.* 여자 거지. ~**geld** *n.* 동냥 주는 돈.

bettelhaft [bétəlhaft] *a.* 거지 같은; 비참한.

Bettel=junge *m.* 거지 소년. ~**mann** *m.* (*pl.* ..leute) 거지. ~**mönch** *m.* 탁발 수도사.

betteln [bétəln] [♈bitten] *i.* (h.) u. *t.* 동냥〔걸식·구걸〕하다; (귀찮게) 조르다, 졸라대다(*beg*). ¶jn. um et. ~ 아무에게 무엇을 청하다.

Bettel=orden *m.* 탁발 수도회. ~**pack** *n.* =~VOLK. ~**sack** *m.* 동냥 자루. ~**staat** *m.* 값싼 나들이옷. ~**stab** *m.* 거지 지팡이. ¶an den ~stab kommen 영락하다. ~**stolz** *m.* (가난한 자의) 오기. ~**vogt** † *m.* 거지 단속하는 순경. ~**volk** *n.* 거지떼.

betten [bétən] [<Bett] 《Ⅰ》 *i.* (h.) 자리를 펴다. 《Ⅱ》 *t.* 자리에 들이다, 재우다; 묵게 하다, 숙박시키다.

Bett=flasche *f.* 탕파. ~**genoß** *m.* 동침자. ~**gestell** *n.* 침대. ~**himmel** *m.* 침대의 닫집. ~**lägerig** [<liegen] *a.* 몸져누워 있는, 와병 중인. ~**laken** *n.* 욧잇, 시트.

Bettler [bétlər] *m.* -s, -, 거지, 동냥아치(*beggar*); 가난뱅이.

Bett=pfosten *m.* 침대의 다리. ~**sack** *m.* 짚을 넣은 요. ~**schirm** *m.* 머리병풍. ~**stelle** *f.* 침대. ~**überzug** *m.* 침대보〔시트〕.

Bettuch [béttu:x] 《分綴: Bett-tuch》 *n.* 시트.

Bett=vorleger *m.* 침대 곁에 까는 깔개〔양탄자〕. ~**wäsche** *f.*, ~**zeug** *n.* 침대용 시트, 덮개, 침구.

betulich [bətú:lɪç] [<betun] *a.* 가능한; 부지런한; 상냥한, 친절한, 싹싹한(*busy, attentive*).

betüpfe(l)n [bətýpfə(l)n], **betupfen** [bətúpfən] *t.* (에) 가볍게 대다〔스치다〕, 가볍게 두드리다; (에) 반점을 붙이다; 《方》 속이다.

beugen [bɔ́ygən] [<biegen] 《Ⅰ》 *t.* 구부리다, 굽히다, 휘게 하다(♈*bow, bend*); 굴절시키다; 《比》 굴복시키다(*humble*); 〖文〗 변화시키다, 활용하다(*inflect*). 《Ⅱ》 *refl.* 구부리다, 굽다; 굴절하다; 《比》 굴복하다, 비하하다. **beugsam** [bɔ́yk-] *a.* =BIEGSAM. **Beugung** *f.* -en, 굴곡; 만곡; 굴절; 〖物〗 회절(回折); 〖文〗 변화, 활용.

Beule [bɔ́ylə] [♈biegen] *f.* -n, 부풀어 오름, 융기, 돌출(한 것)(*swelling, boss*); (곱사 따위의) 혹(*bump, lump*); 종기, 종양(*tumour*). **Beulenpest** *f.* 〖醫〗 선(腺)페스트.

beunruhigen [bə-únru:ɪgən] *t.* 불안하게 하다; 소란하게 하다; 〖軍〗 교란하다. **Beunruhigung** *f.* -en, 불안〔소란〕하게 함; 불안, 동요; 번민, 흥분(상태).

beurkunden [bə-ú:rkundən] *t.* 문서로 증명하다; 공증〔등기·등록〕하다. **Beurkundung** *f.* -en, (문서에 의한) 증명; 공증 (행위); 등기, 등록.

beurlauben [bə-u:rlaubən] [<Urlaub] 《Ⅰ》 *t.* (에게) 휴가를 주다; 말미를 주다; 〖軍〗 귀휴시키다; 해고〔해임〕하다. 《Ⅱ》 *refl.* (bei, 에게) 말미받다, 하직하다. **beurlaubt** *p.a.* 말미받은; 귀휴를 허락받은. **Beurlaubung** *f.* -en, 말미; 〖軍〗 귀휴 허가; 해고.

beurteilen [bə-úrtailən] *t.* (의 가치를) 판단〔판정〕하다(*judge*); 비판〔비평〕하다(*criticize*). **Beurteiler** *m.* -s, -, 비판자, 판단자; 비평가. **Beurteilung** *f.* -en, 판단, 판정; 비판; 비평, 평론.

Beute [bɔ́ytə] [*eig.* „Tausch, Verteilung, 몫"] *f.* -n, 포획물《전리·노획품, 사냥의 획득물, 도둑의 약탈물, 맹수의 먹이 따위》(♈*booty*); 《比》 (맹수의) 먹이, 희생(*prey*). 「드리는 방망이.」

Beutel[1] [bɔ́ytəl] *m.* -s, -, 끌; 삼을 두

Beutel[2] [bɔ́ytəl] *m.* -s, -, (작은) 주머니(*bag*); (Geld∼) 돈주머니, 지갑(*purse*); 〖動〗 (유대(有袋) 동물의) 육아낭(育兒囊)(*pouch*); 〖醫〗낭(囊)(*cyst, sac*); 체(*bolter*). **beuteln** [bɔ́ytəln] 《Ⅰ》 *t.* 흔들다; 체질하다; (노름에서) 돈을 우려내다. 《Ⅱ》 *refl.* 부풀다, 주름지다.

Beutel=schneider *m.* 소매치기(*pickpocket*). **∼tier** *pl.* 〖動〗 유대류(有袋類)(*marsupial*). 「드는 사람.」

Beutler [bɔ́ytlər] *m.* -s, -, 주머니 만

bevölkern [bəfœ́lkərn] 《Ⅰ》 *t.* (에) 거주시키다, 식민하다(*people, populate*); (에) 몰려들게 하다. 《Ⅱ》 *refl.* 사람이 살다, 인구가 붇다. 《Ⅲ》 **bevölkert** *p.a.* 사람이 사는, 인구가 많은. ¶stark 〔schwach〕 ∼ 인구가 조밀〔희박〕한. **Bevölkerung** [bəfœ́lkərʊŋ] *f.* -en, 식민; 인구(*population*); 주민(*inhabitants*).

Bevölkerungs=abnahme *f.* 인구 감소. **∼dichte** *f.* 인구 밀도. **∼politik** *f.* 인구 정책. **∼statistik** *f.* 인구 통계. **∼zählung** *f.* 인구〔국세〕 조사.

bevollmächtigen [bəfɔ́lmɛçtɪgən] 《Ⅰ》 *t.* (jn., 에게) (zu, 을 할) 직권을 부여하다(*empower, authorize*); 위임하다; (에게) 신임장을 주다. 《Ⅱ》 **bevollmächtigt** [-tɪçt] *p.a.* 전권을 위임받은. ¶der ∼e 전권 사절, 공사, 대사, 대표. **Bevollmächtiger** *m.* -s, -, 전권 위임자. **Bevollmächtigung** *f.* -en, 전권 위임, 수권(授權) (행위); 전권.

bevor [bəfó:r] 《Ⅰ》 *cj.* (무엇이 일어나기) 전에(♈*before*). 《Ⅱ》 *adv.* 앞에; 앞서.

bevormunden [bəfó:rmundən] [<Vormund] *t.* 뒤를 돌봐주다; 《比》 감독하다. **Bevormundung** *f.* -en, 후견(함); 감독.

bevorrecht(ig)en [bəfó:rrɛçt(ɪg)ən] [<Vorrecht] *t.* (에게) 특권을〔특혜를〕 부여하다, 특허하다(*privilege*).

bevor|steh(e)n* [bəfó:rʃte:(ə)n] *i.*(h.) (jm., 아무의) 앞에 서다; (시기가) 가깝다, 촉박하다. ¶∼de Woche 내주(來週).

bevorzugen [bəfó:rtsu:gən] [<Vorzug] *t.* 발탁(拔擢)하다; 특대〔우대〕하다, 편들다(*prefer, favour*).

bewachen [bəváxən] *t.* 파수〔감시〕하다(*watch*); 경호하다(*guard*); 간호하다.

bewachsen* [-váksən] *i.*(s.): mit et.[3] ∼ (*p.p.*) sein 무엇으로 덮여 있다.

Bewachung [bəváxʊŋ] *f.* -en, 망보기, 감시(대).

bewaffnen [bəváfnən] [<Waffe] *t.* (에게) 무기를 갖게 하다; 무장시키다(*arm*); *refl.* 무기를 휴대하다, 무장하다. **Bewaffnung** *f.* -en, 무장, 군비; 무기.

Bewahr·anstalt [bəvá:r-anʃtalt] *f.* 탁아소; 유치원.

bewahren [bəvá:rən] [<wahren] *t.* ① 저장〔보존·보관〕하다, 떼어 두다(*preserve*). ②보유〔유지〕하다(*keep*). ③(vor, 으로부터) 보호하다, (을) 막다(*protect, guard*). ¶ei bewahre! *od.* Gott bewahre! 하느님 맙소서《절대로 그렇지 않다, 그럴 수가 없다》.

bewähren [bəvɛ́:rən] [<wahr] 《Ⅰ》 *t.* …이 진실임을 증명하다, 실증하다(*confirm*). 《Ⅱ》 *refl.* 진실임이 증명〔실증〕되다(*prove true*); 주효하다(*prove salutary*). 《Ⅲ》 **bewährt** *p.a.* 실증된, 확실한, 정평 있는(*approved*).

bewahrheiten [bəvá:rhaitən][<Wahrheit] *t.* …이 참됨을 증명하다; *refl.* 참됨이 확증되다.

Bewährt·heit [bəvɛ́:rthait] *f.* 진정, 확실; 시험필(畢), 유효.

Bewahrung [bəvá:rʊŋ] *f.* -en, 수호, 방위; 유지, 보관.

Bewährung [bəvɛ́:rʊŋ] *f.* -en, 확증, 증명; 시험, 시련. **∼s=frist** *f.* 〖法〗 보호 관찰 기간.

bewalden [bəváldən] *t.* 숲으로 뒤덮다. **bewaldet** [bəváldət] *p.a.* 숲이 있는, 수목이 무성한.

bewältigen [bəvɛ́ltɪgən] [<walten, Gewalt] *t.* (힘으로) 압도〔극복〕하다; (어려운 일을) 해치우다; 마음대로 다루다(*master*).

bewandern [bəvándərn] 《Ⅰ》 *t.* (을) 여행〔편력〕하다. 《Ⅱ》**bewandert** [bəvándərt] *p.a.* 많은 여행을 한; 《比》 (in et.[3], 에) 정통한(*experienced, versed*).

bewandt [bəvánt] [<bewenden] *p.a.* (…한)사정〔사태·정세〕의(*circumstanced*). **Bewandtnis** *f.* ..nisse, 사정, 상황, 사태(*state, case, condition*). ¶damit hat es folgende ∼ 사정은 다음과 같다.

bewässern [bəvɛ́sərn] *t.* (에) 물을 대다, 관개하다. **Bewässerung** *f.* -en, 관수(灌水), 관개.

Bewässerungs=anlage *f.* 관개 설비. **∼graben, ∼kanal** *m.* 용수〔관개〕구(溝).

bewegbar [bəvé:kba:r] *a.* 움직일 수 있는. **bewegen**(*) [bəvé:gən] [♈wiegen] 《Ⅰ》 《弱變化》 *t.* ① 움직이다, 운동시

키다(*move*). ¶die bewegte (*p. a.*) See 놀치는 바다. ② 《比》 (의) 마음을 움직이다, 감동시키다. ¶mit bewegter Stimme (감동하여) 떨리는 소리로. 《II》 《弱變化》 *refl.* 움직이다, 운동하다. ¶Die Erde bewegt sich um die Sonne. 지구는 태양 주위를 돈다. 《III》 《强變化》 *t.*: jn. *zu* et.³ ~ 아무를 움직여 무엇을 하게 하다(*induce*); 아무에게 무엇을 권유하다. ¶sich bewogen finden, et. zu tun 무엇을 할 마음이 생기다. 《IV》 **bewegend** *p. a.* 움직이는; 감동적인. ¶~e Kraft (원)동력 / sich selbst ~ 자동적인. **Beweggrund** *m.* 동기, 동인(動因)(*motive*). **beweglich** *a.* ① 움직일 수 있는, 가동적인; 움직이기 쉬운. ② 잘 움직이는, 경쾌한; 재치 있는. ③ 변하기 쉬운. ¶~e Habe 동산. **Beweglichkeit** *f.* 가동성, 이동도(度); 경쾌; 변하기 쉬움. **Bewegung** [bəvé:guŋ] *f.* -en, ① 움직임, 운동, 이동(*movement*, (*com*)*motion*); (Leibes~) 운동(*exercise*). ② 격동; 불안, 동요(*stir*). ③ (innere ~) 감동, 흥분(*emotion*).

Bewegungs·achse *f.* 회전축(軸). **~energie** *f.* 운동 에너지. **~fähigkeit** *f.* 운동 능력, 가동성. **~freiheit** *f.* 활동의 자유. **~gesetz** *n.* 운동의 법칙. **~größe** *f.* 〖物〗 운동량. **~krieg** *m.* 기동전, 야전(野戰). **~lehre** *f.* 운동학, 기계학; 역학. **~los** *a.* 움직이지 않는, 부동의; 운동이 없는. **~störung** *f.* 〖醫〗 운동 장애. **~torpedo** *m.* 자동 수뢰. **~vermögen** *n.* 운동 능력.

Bewehren [bəvé:rən] *t.* 무장시키다, 방비하다. ¶bewehrter Beton 철근 콘크리트.

beweibt [bəváipt] *p. a.* 《戱》 아내가 있는, 기혼의.

beweihräuchern [bəváirɔyçərn] [<Weihrauch] *t.* 그을리다; (에게) 향을 피우다; 《比》 (에게) 빌붙다, 엉너리치다.

beweinen [bəváinən] *t.* (을) 슬퍼하여 〔애도하여〕 울다, (…때문에) 탄식하다.

Beweis [bəváis] *m.* -es, -e, 증명, 논증, 증거(*proof*, *evidence*). ¶e-n ~ führen 증명하다.

Beweis·antritt *m.* 〖法〗 증거 제시. **~aufnahme** *f.* 증거 조사.

beweisbar [bəváisba:r] *a.* 증명할 수 있는, 증거력이 있는.

beweisen* [bəváizən] *t.* ① 증명하다; 증거를 세우다(*prove*). ② 실증〔표시〕하다(*demonstrate*).

Beweis·führung *f.* 증명, 입증(立證), 논증. **~grund** *m.* 논거. **~kraft** *f.* 논증〔증거〕력. **~kräftig** *a.* 증거력〔논증력〕이 있는. **~stück** *n.* 증거 서류〔물건〕.

bewenden* [bəvéndən] 《I》 *i.*(s.): es bei 〔mit〕 et.³ ~ lassen 무엇으로 끝을 맺다〔끝내다, 만족하다〕; 무엇을 그대로 해 두다. 《II》 **Bewenden** *n.* -s,: es hat dabei sein ~ 그것으로 그만이다〔끝났다〕.

bewerben* [bəvérbən] *refl.* (um, 을 얻으려고) 애쓰다, 노력〔운동〕하다; 지원하다. ¶sich um ein Mädchen ~ 한 처녀에게 구혼하다 / gemeinschaftlich ~ 경쟁하다. **Bewerber** *m.* -s, -, 지원자; 구혼자; (Mitbewerber) 경쟁자. **Bewerbung** *f.* -en, 지원, 청원, 운동; 구혼; 경쟁.

Bewerbungs·formular *n.* 지원 서식. **~schreiben** *n.* 원서(*application*).

bewerfen* [bəvérfən] *t.* (에)(mit, 을) 집어 던지다, …위에 내던지다. ¶die Wand mit Mörtel ~ 벽에 모르타르를 바르다.

bewerkstelligen [bəvérkʃtɛlɪgən] *t.* 실행하다; 성취하다.

bewerten [bəvé:rtən] [<Wert] *t.* 평가하다(*value*); (의) 가격을 정하다(*rate*, *estimate*).

bewickeln [bəvíkəln] *t.* 감다, 휘감다, 싸다.

bewilligen [bəvílɪgən] *t.* 동의〔승낙〕하다(*agree to*); 승인하다(*grant*); 〖議會〗 가결하다(*vote*). **Bewilligung** *f.* -en, 동의; 승인. **Bewilligungsrecht** *n.* (의회의) 가결권.

bewillkomm(n)en [bəvílkɔm(n)ən] *t.* 환영하다(♈*welcome*).

bewirken [bəvírkən] *t.* (결과로서) 생기게 하다, 야기시키다(*effect*, *cause*). ¶~de Zeitwort 타동사.

bewirten [bəvírtən] *t.* (주인으로서 손님을) 접대하다(*entertain*). **Bewirtung** *f.* -en, 접대, 대우.

bewirt·schaften [bəvírt-ʃaftən] *t.* 경영하다(*manage*); 관리하다(농장을: *farm*; 외환 따위를: *control*). **Bewirt·schaftung** *f.* -en, 경영, 관리; 경작.

bewitzeln [bəvítsəln] *t.* 놀리다, 희롱하다.

bewohnbar [bəvó:nba:r] *a.* 거주할 수 있는; (집이) 살기 좋은. **bewohnen** [bəvó:nən] *t.* 거주하다, (집·도시에) 살다(*live in*, *inhabit*). **Bewohner** *m.* -s, -, 거주자, 주민.

bewölken [bəvœlkən] *t.* 구름으로 덮다, 흐리게 하다; *refl.* 구름으로 덮이다, 흐려지다. **bewölkt** *p. a.* 흐린.

bewuchern [bəvú:xərn] *t.* ① 고리(高利)를 취하다, 착취하다, ② (나무가) 우거지다.

Bewund(e)rer [bəvúnd(ə)rər] *m.* -s, -, 찬미자, 경모자, 숭배자. **bewundern** [bəvúndərn] *t.* 경탄〔탄미〕하다(*admire*); 감탄하다; 경복〔경모〕하다. **bewundernswert**, **bewundernswürdig** *a.* 경탄〔탄미〕할 만한, 훌륭한. **Bewunderung** *f.* -en, 경탄, 탄미(*admiration*); 경모, 감복, 감심.

Bewurf [bəvúrf] [<bewerfen] *m.* -(e)s, ⸚e, 모르타르, 회반죽.

bewußt [bəvúst] [<wissen] *a.* ① 알려진, 기지의(*known*). ¶die ~e Sache 예(例)의 것, 위에 말한 것. ② 의식적인, 알고 있는(*concious*). ¶ich bin mir k-r Schuld² ~ 나는 죄지은〔벌받을〕 일은 없다고 생각한다 / s-r selbst ~ 자의식〔자각〕이 있는, 제정신인. **bewußtlos** *a.* 무의식의; 실신한, 본능적인. **Bewußtlosigkeit** *f.* 무의식(상태). **Bewußtsein** *n.* -s, 의식(*consciousness*); 자의식, 자각.

bezahlen [bətsá:lən] *t.* 지불하다; (의 값을) 치르다(*pay*). ¶sich bezahlt machen 대가를 (지불)받다 / 《比》 jn. mit gleicher Münze ~ 아무에게 보복하다. **Bezahler** *m.* -s, -, 지불인. **Bezahlung** *f.* -en, 지불.

bezähmen [bətsɛ́:mən] [<zahm] *t.* 길들이다(♈*tame*); 《比》 제어하다(*subdue, restrain*); *refl.* 자제하다.

bezaubern [bətsáubərn] t. (에게) 마법을 걸다(*bewitch*); 호리다(*charm*); **bezaubernd** *p. a.*, 마력있는, 매혹적인.

bezechen [bətsɛ́çən] *refl.* 취하다.

bezeichnen [bətsáiçnən] 《Ⅰ》 *t.* ① (에) 기호를 붙이다; 표시하다(*mark*); (상품에) 레테르를 붙이다(*label*); (길에) 도표(道標)를 세우다. ② 표현하다, 부르다, 형용하다(*call, term*). ③ 암시하다(*connote*). ④ (의) 표(標)가 되다, 지시하다(*show, denote*). 《Ⅱ》 **bezeichnend** *p. a.* 특징을 나타내는(*characteristic*). ¶~ für jn. 과연 그다운. **Bezeichnung** *f.* -en, 기호를 붙임, 표시; 기호, 특징; 명칭; 표시법.

bezeigen [bətsáigən] 《Ⅰ》 *t.* (언행으로) 나타내다; 표명하다. 《Ⅱ》 *refl.* 행위로 나타내다, 행동하다. **Bezeigung** *f.* -en, 표시, 표명.

bezeugen [bətsɔ́ygən] [<Zeuge] *t.* ① et.: 증언하다; 맹세하다; (증인·증명서 따위로) 입증하다; 확인하다. ② jn.: 증인으로 세우다. **Bezeugung** *f.* -en, 증언; 증명; 증명서.

bezicht(ig)en [bətsíçt(ɪg)ən] *t.*: jn. e-s Verbrechens ~ 아무에게 죄를 씌우다, 아무를 문책하다.

beziehbar [bətsí:ba:r] *a.* 이주할 수 있는 (집); 입수할 수 있는 (것).

beziehen* [bətsí:ən] 《Ⅰ》 *t.* ① (에) (mit, 을) 펴다, 깔다, 대다. ② (로) 옮기다, 가다. ¶e-e Schule ~ 입학하다. ③ 받다, 가져오게 하다; 받아들이다; 손에 넣다, 얻다; 사다. ④ (auf et, 에) 관련시키다, 적용하다. 《Ⅱ》 *refl.*: sich ~ (하늘이) 흐리다 / sich auf et.⁴ ~ 무엇에 관련하다, 무엇을 암시하다, 풍자하다 / sich auf jn. ~ 아무(의 이름 따위)를 끌어대다. **Bezieher** *m.* -s, -, 어음 발행인; 예약자. **Beziehung** [bətsí:ʊŋ] *f.* -en, 관계(*relation, reference, respect*). ¶(gute) ~(en) 연고(緣故) / in dieser ~ 이 점에 있어서. **beziehungsweise** *adv.* 각각의 경우에 따라(*respectively*); (oder) 또는, 혹은; (und) 및, 내지. ¶der Vater ~ Vormund 아버지나 후견인이.

beziffern [bətsífərn] 《Ⅰ》 *t.* (에) 수자〔기호〕를 붙이다. 《Ⅱ》 *i.*(h) u. *refl.*: (sich) soundso hoch ~ 이러이러한 액수에 이르다(*amount to*).

Bezirk [bətsírk] [d. be-, lat. *circus* „Kreis"] *m.* -(e)s, -e, 구역, 지역(*district*); 지구(地區), 관구(*circuit*); (Wahl ~) 선거구(*borough*). **bezirken** [bətsírkən] *t.* 구획하다.

Bezirks-amt *n.* 지방 사무소; (베를린의) 구청. **~gericht** *n.* 지방 법원. **~sender** *m.* 지방 방송국. **~versammlung** *f.* 지방 의회.

Bezogene [bətsó:gənə] [<beziehen] *m.* u. *f.* 《形容詞變化》 〖商〗 (어음) 지불인.

Bezug [bətsú:k] [<beziehen] *m.* -(e)s, ⸚e, ① 잇, 커버, 시트; 펴는〔치는〕 것; 현(弦). ¶ein ~ Saiten (악기의) 한벌의 현. ② 취득, 구입, 주문, 조달(*supply*); (신문의) 구독(*subscription*); (*pl.*) 수입, 봉급(*income*). ③ 관련, 관계(*reference, relation*). ¶~ auf et.⁴ nehmen 무엇을 끌어대다, 고려하다 / in ~ auf et.⁴ 무엇에 관해서. **bezüglich** 《Ⅰ》 *a.* 관계되는. ¶auf et.⁴ 에 관계하는(*relative to*)/ 〖文〗 ~es Fürwort 관계 대명사. 《Ⅱ》 *prp.* 《2格支配》 …에 관하여(*respecting, referring to*). **Bezugnahme** *f.* 참조, 참고. ¶unter〔mit〕 ~ auf et.⁴ 무엇에 관련해서, 을 참고로 하여, 을 끌어대어.

Bezugs-bedingungen *pl.* 인수〔구입〕 조건. **~quelle** *f.* 구입〔주문〕한 곳. **~schein** *m.* 배급품의 구입권; (이자·배당의) 경개(更改) 증서.

bezwecken [bətsvɛ́kən] *t.* ① 목적으로 하다, 꾀하다. ② 달성하다. ¶nichts ~ 실패하다.

bezweifeln [bətsváifəln] *t.* 믿지않다, 의심하다.

bezwingen* [bətsvíŋən] *t.* 제압〔정복·극복〕하다, 억누르다, 제어하다; *refl.* 자제〔극기〕하다. **Bezwinger** *m.* -s, -, 정복자; 압제자, 전제 군주. **Bezwingung** *f.* -en, 제압, 극복; 자제.

Bf. 《略》 ① =*Brief* 편지; 유가 증권. ② =*Bahnhof* 역(驛).

bi.. [bi-, bí:-] [lat. *bi-* (원래 *dwi*) = *duo* „zwei"] 《合成用語》 (=zweifach, doppel) „둘, 양(兩), 쌍(雙), 복(複), 중(重)"의 뜻.

Bibel [bí:bəl] [gr. *ta biblia* „die Bücher"] *f.* -n, 성서, 성경(♈*Bible*).

Bibel-auslegung *f.* 성서 해석. **~fest** *a.* 성서에 정통한. **~gesellschaft** *f.* 성서 공회. **~kunde** *f.* 성서학. **~sprache** *f.* 성서의 용어〔어법〕. **~spruch** *m.* 성서의 문구〔격언〕. **~stelle** *f.* 성경 구절.

Biber [bí:bər] *m.* -s, -, 해리(海狸), 비버(♈*beaver*).

Biberette [bibərɛ́tə] *f.* -n, **~kanin** *n.* [<Biber] 비버를 모조하여 염색한 집토끼 가죽; 비버 모양의 직물.

Bibliographie [bi:bliografí:] [gr. „Bücher-beschreibung"] *f.* ..phien, 서지학(書誌學); 서적 해제(書籍解題); 관계 서지(誌). **Bibliothek** [-té:k] [„Buchniederlage"] *f.* -en, 문고, 도서관; 장서; 총서(*library*). **Bibliothekar** [-teká:r] *m.* -s, -e, 사서(司書); (Oberbibliothekar) 도서관장. **Bibliothekszeichen** *n.* 장서표.

biblisch [bí:blɪʃ] *a.* 성서의. ¶die ~e Geschichte 성서 이야기.

Bichromat [bikromá:t] [lat. -gr.] *n.* -(e), -e, 중크롬산염.

bieder [bí:dər] *a.* 정직한, 성실한(*honest, upright*); 우직(愚直)한. **Biederkeit** *f.* -en, 정직.

Biedermann [-man] *m.* 정직한 사람; 《反》 어리석은 인간, 속물(俗物).

Biedermeier [-maiər] 《Ⅰ》 *m.* -s, 우직한 사람, 고루한 사람. 《Ⅱ》 *n.* = ~STIL. **~stil** *m.* 비더마이어 양식《간소와 실용을 특색으로 한 1830년 경의 독일의 미술 양식》. **~zeit** *f.* 독일에 있어서 19세기 전반의 시대.

Biedersinn [bí:dərzɪn] *m.* 정직, 성실; 우직.

biegen* [bí:gən] 《Ⅰ》 *t.* ① 굽히다, 만곡시키다, 휘다(♈*bow, bend, curve*).

B

¶nach unten ~ 아래로 구부리다. ②〖文〗 활용하다, 변화시키다(*inflect*). 《Ⅱ》 *i.*(s.) 굽다, 휘다, 만곡하다; (모퉁이를) 돌다(*turn*). ¶das muß ~ oder brechen 이판 새판이다 / um die Ecke ~ 모퉁이를 돌다. **biegsām** [bí:kza:m] *a.* 구부리기〔휘기〕 쉬운, 나긋나긋한(*flexible, supple, pliant*); 《比》 유순한, 부리기 쉬운(*yielding*). **Biegung** [bí:guŋ] *f.* -en, 굴곡, 굴절; 만곡, 휨, 커브; 만곡부, 모퉁이; 〖文〗 변화, 활용.

Biene [bí:nə] *f.* -n, 〖蟲〗 꿀벌(♈*bee*); 《比》 근면가.

Bienen=bau *m.* 양봉(養蜂). **~fleiß** *m.* 근면, 정려(精勵). **~haus** *n.* 양봉장. **~königin** *f.* 여왕벌. **~korb** *m.* 봉방(蜂房), (짚으로 엮은) 벌통. **~schwarm** *m.* 벌떼. **~stand** *m.* 양봉장. **~stock** *m.* 꿀벌의 집〔통〕; 벌집 속의 꿀벌. **~väter** *m.* 양봉가. **~wachs** *m.* 밀랍(密蠟). **~zelle** *f.* (벌집의) 봉방. **~zucht** *f.* 양봉. **~züchter** *m.* 양봉가.

Bier [bi:r] *n.* -(e)s, -e, 맥주 (♈*beer*); (dunkles ~) 흑(黑)맥주(*stout, porter*).

Bier=baß *m.* 낮고 쉰 목소리. **~brauer** *m.* 맥주 양조자. **~brauerei** *f.* 맥주 양조장. **~eifer** *m.* 《俗》 대단한 근면. **~faß** *n.* 맥주통. **~garten** *m.* 맥주점의 정원; 정원이 있는 맥주점. **~glās** *n.* 맥주 컵. **~halle** *f.* 비어홀. **~haus** *n.* 맥주점. **~hēfe** *f.* 맥주 효모(酵母). **~kanne** *f.* 맥주 잔. **~krūg** *m.* 맥주 조끼. **~rūhe** *f.* 태연자약. **~schank** *m.* 맥주 소매권. **~schenke** *f.* 맥주점. **~schrōter** *m.* 맥주통 운반부. **~seidel** *n.* 맥주잔, 조끼. **~stūbe** *f.* 바; 맥주점. **~suppe** *f.* 맥주가 든 수프. **~wirt**, **~zapfer** *m.* 맥주점 주인. **~zwang** *m.* 맥주를 마셔야 할 의무《대학생의 연회 또는 요리점의 습관》.

Biese [bí:zə] *f.* -n, (군모 따위의) 장식 레이스(*piping*).

Biest [bi:st] [<Bestie] *n.* -es, -er, 《卑·方》 가축, (특히) 소; 짐승(♈*beast*).

bieten* [bí:tən] *t.* ① 나타내다. ¶e-e Blöße ~ 허를 보이다. ② 내어밀다, 제공하다(♈*bid, offer*). ¶jm. die Hand ~ 아무에게 손을 내밀다, 원조를 청하다. ③ feil ~ 팔려 내놓다 / auf et.^{4}~ 무엇에 값을 매기다. ④ (부당하게) 요구하다. ¶ich lasse mir nichts ~ 아무것도 용서하지 않겠다. ⑤ jm. die Stirn 〔die Spitze〕 ~ 아무에게 대항〔저항〕하다. **Bieter** *m.* -s, -, 값을 붙이는 사람, 경매자.

Bi·gamie [bigamí:] [lat. „Doppel-ehe"] *f.* ..mien, 중혼(♈*bigamy*).

bigott [bigɔ́t] [fr.; Gott와 관계 없음] *a.* 편협한 신념을 가진, 고집 불통의(♈*bigoted*). **Bigotterie** [-gɔtərí:] *f.* ..rien, 완고한 신앙, 거짓 믿음.

Bijou [biʒú:] [fr.] *m.* u. *n.* -s, -s, 보석.

Bikini [bikí:ni, (engl.) bɪkí:nɪ] *m.* -s, -s, 비키니 스타일의 수영복《마샬 군도의 환초(環礁) 이름에서》.

Bilanz [bilánts, 때로 bilã́:s] [fr. aus lat. *bi-lanx* „zwei-schalig"] *f.* -en, 균형, 평형(♈*balance*); 결산; 대차 대조표(*balance sheet*). **bilanzieren** [bilantsí:rən, 때로 -lãsí:-] *i.*(h.) 평균하다, 결산하다. **Bilanzprüfung** *f.* 회계 검사.

Bild [bɪlt] *n.* -(e)s, -er, ① 모습, 상(像), 모양, 형상(*image, figure*). ② 그림(*picture*); 초상; (Stand~) 입상, 조상(彫像); (Licht~) 사진; (카드의) 그림패, (화폐의) 화면(畫面). ③ (Eben~) 흡사한 모습. ④ 《比》 표현; 묘사; 표상; 상징, 비유(*metaphor*). ¶in ~ern sprechen 비유〔구체〕적인 예를 들어 말하다.

Bild=abtastung *f.* (TV의) 주사(走査). **~aufnahme** *f.* 사진 촬영. **~bericht** *m.* 사진 보도; 기록 영화. **~brief** *m.* 전송 사진.

bilden [bíldən] [<Bild; =engl. *build*] 《Ⅰ》 *t.* ① 모양짓다, 형성하다, 본뜨다, (어떤 모양을) 이루다(*form, shape, fashion*); 만들다; 조직하다(*constitute, compose*). ② (aus~) 양성〔도야·개발·육성·교육〕하다, (의) 문화를 발전시키다(*educate, cultivate*). 《Ⅱ》 *refl.* ① 형성되다, 이루어〔만들어〕지다; 조직되다. ② 교양을 갖추다; 수양〔숙달〕되다; 연마되다; 개명〔개화〕하다. 《Ⅲ》 **bildend** *p.a.* 형성적인, 조형적인; 교훈적인, 교화적인, 수양을 위한. ¶~e Künste 조형 미술. 《Ⅳ》 **gebildet** *p.a.* 형성된; (고등) 교육을 받은, 교양있는(*educated*); 개화한; 예절 있는(*well-bred*).

Bilder=anbētung *f.* 우상 숭배. **~bibel** *f.* 그림 성서. **~bōgen** *m.* 은화(隱畫)〔판화〕가 있는 종이. **~būch** *n.* 그림책. **~dienst** *m.* 우상 숭배. **~galerie** *f.* 화랑. **~händler** *m.* 그림 장수. **~lāden** *m.* 판화점(版畫店). **~rātsel** *n.* 그림 알아맞추기. **~reich** *a.* 삽화가 많은; 비유가 많은《시 따위》. **~schrift** *f.* 그림 문자. **~sprāche** *f.* 비유적인 묘사〔표현〕, 미사 여구. **~stürmer** *m.* 우상 파괴자(*iconoclast*).

Bild=fläche *f.* 화면(畫面); 시계(視界). ¶《比》 auf der ~ erscheinen 등장〔출현〕하다. **~frequenz** *f.* 〖사진·영화·TV〗 (일분간의) 영상 회수. **~funk** *m.* 텔레비전 방송. **~gießer** *m.* 주조가(鑄造家). **~gießerei** [bɪltgi:sərái] *f.* 주조술; 주조소.

Bildhauer [bɪ́lthauər] *m.* 조각가, 조소가(彫塑家). **Bildhauerei** *f.* 조각(술). **bildhaue(r)n** *t.* u. *i.*(h.) 조각하다.

bild=hübsch *a.* 그림처럼 아름다운. **~karte** *f.* 모형 지도.

bildlich [bɪ́ltlɪç] [<Bild] *a.* 구상적(具象的)인, 비유적인(*figurative, metaphorical*).

Bildner [bɪ́ldnər] [<bilden] *m.* -s, -, 형성자, 창조자; 조형 미술가; 조소〔조각〕가.

Bildnis [bɪ́ltnɪs] [<Bild] *n.* -ses, -se, 초상 《조상(彫像)·화상 따위》 (*portrait*); 흡사한 모습(*likeness*).

bild·sām [bɪ́ltza:m] [<bilden] *a.* 형성할 수 있는(*plastic*); 모양짓기 쉬운, 유연한(*pliant*); 도야〔교화〕할 수 있는(*cultivable*).

Bild=säule *f.* 입상, 조상. **~schirm** *m.* 영사막, 스크린. **~schnitzer** *m.*

조각가; 목조가(木彫家). **∼schȫn** *a.* 그림처럼 아름다운. **∼seite** *f.* (화폐의) 표면. **∼stock** *m.*, **∼stockel** *n.* 길가에 세워진 십자 고상(苦像). **∼streifen** *m.* 〖映〗 필름. **∼sūcher** *m.* 〖寫〗 파인더. **∼telegramm** *n.* 전송 사진. **∼telegraphie** *f.* 사진 전송술. **∼tōngerāt** *n.* 사운드〔녹음용〕 카메라. **∼übertrāgung** *f.* 사진 전송.

Bịldung [bíldʊŋ] *f.* -en, ① 형성, 조직; 형성물; 형태; 구조; 조직(된 것). ② (Aus∼) 육성, 교육, 교화, 도야; 교양(있음); 수양; 학식; 예절; 문화.

Bịldungs·anstalt *f.* 교육 시설; 학교. **∼grād** *m.* 교육〔교양〕 정도. **∼hunger** *m.* 지식욕. **∼lōs** *a.* 교양 없는, 무학의. **∼romān** *m.* 교양 소설. **∼trieb** *m.* 형성 충동, 창작 본능; 지식욕.

Bịld·werfer *m.* 영사기. **∼werk** *n.* 조형 미술품, 조각.

Billard [bíljart, (fr., öst.) bijá:r] [fr. <*bille* „Kugel, Ball"] *n.* -s, -e [-də] *u.* (öst.) -s [bijá:rs], 당구; 당구대.

Billard·kūgel *f.* 당구공. **∼spiel** *n.* 당구치기. **∼stock** *m.* 큐, 당구봉.

Billet(t) [bɪljέt] [fr.] *n.* -(e)s, -e, 쪽지, 편지(*note*); 표, 입장권(*ticket*).

Billiarde [bɪliárdə] [fr.] *f.* -n, 천조, 1천만억.

bịllig [bílɪç] [*eig.* „gemäß, geziemend"] *a.* ① 지당〔공정·공평〕한, 당연한(*just, fair, reasonable*). ② 공정한 값의, 싼(*moderate, cheap*). **bịlligen** [bílɪgən] *t.* 시인〔인가〕하다(*sanction*); 찬성〔칭찬〕하다(*approve*). **bịlligerweise** *adv.* 정당하게. **Bịlligkeit** *f.* 지당, 공정, 공평; 저렴, 염가. **Bịlligung** *f.* -en, 시인, 승인; 찬성, 상찬(賞讚).

Billiōn [bɪlió:n] [fr. „Million mal Million", <lat. *bis* „zweimal"] *f.* -en, 조(兆).

Bịlsenkraut [bílzənkraut] *n.* 〖植〗 사리풀《가지과의 독초》(*henbane*).

bịmmeln [bíməln] 《俗》 *i.*(h.) 찌르릉찌르릉 울리다(*tinkle*).

Bims [bɪms] [Lw. lat.] *m.* -es, -e, 〔흔히 **Bịms·stein** *m.*〕 경석(輕石), 속돌(*pumice stone*).

bin [bɪn] [ahd. *bim*; =engl. *am*] (ich ∼) ☞ SEIN.

Bịnde [bíndə] [<binden] *f.* -n, ① 끈, 띠(♈*band, fillet*); (Arm∼) 완장; (Stirn∼) 머리띠. ② 붕대(♈*bandage*); 안대; 어깨에 거는 붕대(*sling*); 장식띠, 두르는 장식(*sash*); (Hals∼) 넥타이. ¶ die ∼ fiel ihm von den Augen 그는 미몽(迷夢)에서 깨어났다.

Bịnde·gewēbe *n.* 〖解〗 결체(結締) 조직. **∼glied** *n.* 연쇄, 연환(連環). **∼haut** *f.* 결막(結膜). **∼haut·entzündung** *f.* 〖醫〗 결막염. **∼mittel** *n.* 접합제《시멘트 따위》; 응집소; 전색제(展色劑).

bịnden* [bíndən] 《Ⅰ》 *t.* ① 매다, 묶다, 동이다(♈*bind, tie, fasten*); (에) 테를 하다(*hoop*); 《比》 속박〔구속〕하다. ② (수프 따위를) 되직하게 하다(*thicken*); 〖樂〗 활주(滑奏)하다, 악보에 슬러를 넣다)(*slur*); 묶어 만들다. ¶ein Buch ∼ 제본하다. 《Ⅱ》 *refl.* 교착하다; 구속〔속박〕받다. ¶sich an et.^{4} ∼ 무엇을 자신의 의무로 하다. 《Ⅲ》 **bịndend** *p.a.* 강제적인, 의무를 지우는. 《Ⅳ》 **gebụnden** *p.a.* 묶인, 구속〔제한〕된; 철한, 제본된; 형식이 엄밀한, 정돈된; 연속한, 줄거리가 닿는. ¶∼e Rede 운문.

Bịnder [bíndər] *m.* -s, -, 매는〔묶는〕 사람, (Buch∼) 제본공; (Faß∼) 통장이.

Bịnde·strich *m.* 〖文〗 연자 부호, 하이픈(*hyphen*). **∼wort** *n.* (*pl.* ⸚er) 〖文〗 접속사(*conjunction*). **∼zeichen** *n.* 〖樂〗 타이, 슬러(*tie, slur*).

Bịndfāden [bíntfa:dən] *m.* 매는 실(끈).

Bịndung [bíndʊŋ] *f.* -en, ① 맴, 묶음; 매는〔죄는·묶는〕 법; 결부, 연결, 결합, 접합. ② 속박, 구속; 의리; 의무. ③ (스키의) 죄는 기구; 〖樂〗 활주(滑奏) (기호), 슬러.

bịnnen [bínən] [„bei innen"] *prp.* 《3, 2格支配》 (…시간) 안에, 이내에(*within*).

Bịnnen·fischerei *f.* 담수(淡水) 어업. **∼gewässer** *n.* 내륙의 수로. **∼hāfen** *m.* 내항(內港), 하천〔운하〕의 항구. **∼handel** *m.* 국내 상업. **∼land** *n.* (*pl.* ⸚er) 오지(奥地), 내륙. **∼markt** *m.* 국내 시장. **∼meer** *n.* 내해(內海). **∼schiffahrt** *f.* 내륙 수운, 하천〔운하〕의 항행. **∼see** *m.* 호수. **∼verkehr** *m.* 내륙 교통; 국내 거래.

Binōm [binó:m] [lat.; *bi* „zwei" *nōmen* „Name"] *n.* -s, -e, 〖數〗 2항식(二項式). **binōmisch** *a.* 2항(식)의.

Bịnse [bínzə] *f.* -n, 〖植〗 골풀, 등심초(*rush*). ¶ in die ∼n gehen 도망치다, 꺼지다.

Bịnsen·grās *n.* =BINSE. **∼matte** *f.* 돗자리. **∼wahrheit**, **∼weisheit** *f.* 평범한 진리; 자명한 이치.

Biochemịe [bioçemí:] [gr.] *f.* 생(물)화학. **biochēmisch** *a.* 생(물)화학의.

Biogrāph [biográ:f] [gr. „Lebensbeschreiber"] *m.* -en, -en, 전기(傳記) 작가. **Biographịe** *f.* ..phīen, 전기; 생애. **biogrāphisch** *a.* 전기의, 전기체의; 생애의.

Biolōg(e) [bioló:k, -ló:gə] [gr.] *m.* ..gen, ..gen, 생물학자. **Biologịe** *f.* 생물학. **biolōgisch** *a.* 생물학의, 생물학적인; 생물의, 생물적인.

Biophysịk [biofyzí:k] [gr.] *f.* 생(물) 물리학.

Biosphāre [biosfέ:rə] [gr.] *f.* 〖生〗 서식권.

Biotịn [biotí:n] [gr. + lat.] *n.* -s, 비오틴, 비타민 H.

birg! [bɪrk], **birgst** (du ∼), **birgt** (er ∼) ☞ BERGEN《그 命令 및 現在形》.

Bịrke [bírkə] *f.* -n, 〖植〗 자작나무; (Weiß∼) 흰 자작나무 (♈*birch(-tree)*). **bịrken** *a.* 자작나무로 만든.

Bịrken·holz *n.* (흰)자작나무의 목재. **∼reis** *n.* 자작나무의 가지.

Bịrk·huhn [bírkhu:n] *n.* 〖鳥〗 뇌조속(雷鳥屬)의 새《**∼hahn** *m.* 위의 수컷; **∼henne** *f.* 위의 암컷》.

Bịrnbaum [bírnbaum] *m.* 배나무.

Bịrne [bírnə] [Lw. lat.] *f.* -n, 배(나무)(♈*pear*); (배 모양의) 전구(電球)(*bulb*).

Bịrn·kraut *n.* 〖植〗 노루발풀. **∼most**, **∼wein** *m.* 배로 만든 술.

B

Birsch [bɪrʃ] *f.* -en, **Birsche** [bírʃə] *f.* -n, (사냥개를 데리고 하는) 사냥. **birschen** [bírʃən] *t.* u. *i.*(h.) 사냥개를 데리고 사냥하다.

birst [bɪrst] (du, er ~) ☞ BERSTEN「(그 現在).」

Birutsche [birú:tʃə] *f.* = BARUTSCHE.

bis [bɪs] 《I》 *prp.* 《4格支配》 까지. ¶ ~ jetzt 지금까지, 오늘날까지 / ~ dahin 거기까지 / ~ **an** den Kopf 머리까지 / alle ~ **auf** einen, a) 최후의 한 사람을 제외하고 모두, b) 최후의 한 사람까지 모두 / ~ **nach** Mond 달까지 / ~ **über** die Ohren verliebt 홀딱 반해서 / ~ **zum** Tode 죽을 때까지. 《II》 *cj.* 《格支配를 하지 않는 점이 前置詞와 다름》 ① 내지. ¶ fünf ~ acht Tage, 5일 내지 8일. ② ~ (daß), (als) ~ …까지/ich bleibe, ~ (daß) er kommt 나는 그가 올 때까지 여기 있겠다.

Bisam [bí:zam] [hebr.; ↑Balsam] *m.* -s, -e, 사향(麝香)(*musk*).

Bisam·katze *f.* 〖動〗 사향고양이. **~·ochs** *m.* 〖動〗 사향소. **~ratte** *f.* 〖動〗 아메리카 사향뒤쥐. **~spitzmaus** *f.* 사향쥐《피선(皮腺)의 분비액에 사향 비슷한 향기가 있음》. **~tier** *n.* 사향노루.

Bischof [bɪʃo:f, -ʃɔf] [gr. *epí-skopos* „Aufseher"] *m.* -s, ⸗e, [bíʃø:fə, -ʃœfə], 비숍, 주교(↑*bishop*); (신교의) 감독. **bischöflich** *a.* 주교〔감독〕의.

Bischofs·amt *n.* 주교의 직. **~mütze** *f.* 주교관(冠)(*mitre*). **~sitz** *m.* 주교좌(座); **~stab** *m.* 주교의 목장(牧杖).

bisher [bɪshé:r] *adv.* 지금까지, 종래. **bisherig** *a.* 지금까지의, 재래의.

Biskuit [bɪskví:t, -kvít -kwít] [fr. „zweimal Gebackenes"] *m.* u. *n.* -(e)s, -e, 비스킷(↑*biscuit*); 스펀지케이크(*sponge cake*).

bislang [bɪsláŋ] [„bis so lange"] *adv.* 「= BISHER.」

Bison [bí:zɔn] [d. Wisent의 外國語化] *m.* -s, -s, 〖動〗 (아메리카산의) 들소, 물소(↑*bison*).

biß [bɪs] ☞ BEIßEN《그 過去》.

Biß [bɪs] *m.* ..sses, ..sse, 묾(↑*bite*); 교상(咬傷); 찌름(*sing*); 자상(刺傷); 《比》 양심의 가책.

bißchen [bísçən] [*eig.* Bißchen (*dim.* v. Bissen)] 《I》 *a.* 소량의, 약간의. ¶ ein ~ 조금, 약간(*a little, a bit*) / ein ~ Brot 소량의 빵 / mit ein ~ Geduld 약간의 인내로. 《II》 *adv.*: ein (klein) ~ (아주) 조금.

Bissen [bísən] *m.* -s, -, 한입(의 양), 한술〔한모금〕(의 음식), 소량, 약간(↑*bit, morsel*). **bissenweise** *adv.* 한입씩, 조금씩.

bissig [bísɪç] [<beißen] *a.* (말이) 무는 버릇이 있는; 《比》 빈정거리는, 신랄한 (*sarcastic*). **Bissigkeit** *f.* -en, 물어뜯는 성질〔버릇〕; 매서움.

bist [bɪst] (du ~) ☞ SEIN《그 現在》.

Bistum [bístu:m] [<Bischof] *n.* -(e)s, ⸗er, 비숍의 직〔교구〕.

bisweilen [bɪsváilən] *adv.* 때때로, 때「로는.」

Bitte [bítə] [<bitten] *f.* -n, 청, 부탁, 바람, 청원(*request, entreaty, prayer*); 초대. **bitte!** *int.* ☞ BITTEN 《그 命令形 및 (ich) bitte의 感嘆詞化한 꼴》.

bitten* [bítən] *t.* ① jn.: (에게) 원하다, 바라다, 청하다(*beg, request*); (um et., 무엇을) 부탁하다(*ask*); 초대하다(*invite*). ¶ zu Gast ~ 손님으로 초대하다. ② 《ich bitte를 줄여 感嘆詞化한 것》 ich bitte Sie! 어머나, 어쩌면 그런 일이《놀람과 의아를 나타냄》/ bitte! 어서, 아무쪼록《기원》; 뭐라고 하셨죠《되물을 때》/ o bitte sehr! 천만의 말씀입니다.

Bitter *m.* -s, -, 청원인, 의뢰인; 초대자.

bitter [bítər] [<beißen] *a.* ① 찌르는 듯한, 혹독한(↑*bitter, sharp*); 쓴(↑*bitter*); ② 《比》 쓰라린, 괴로운.

bitter·böse *a.* 격분하고 있는; 지독한, 악의 있는, 흉악한. **~fäule** *f.* (과일이) 몹시 썩음. **~feind** *a.* 몹시 미워하는.

Bitterkeit [bítərkait] *f.* -en, 씀, 쓴맛; 괴로움; 《比》 통렬, 신랄(↑*bitterness*); 비꼼; 고언(苦言).

bitterlich [bítərlɪç] 《I》 *a.* 쓴맛이 있는, 씁쓰레한(↑*bitterish*). 《II》 *adv.* 몹시(↑*bitterly*). ¶ ~ weinen 하염없이 울다.

Bitternis [bítərnɪs] *f.* -se, = BITTER「KEIT.」

Bitter·salz *n.* 〖化〗 황산마그네슘. **~·säure** *f.* 피크린산. **~süß** *a.* 달콤씁쓰레한. ¶ er lächelte ~süß 그는 쓴웃음을 웃었다.

Bitt·gesuch *n.* 청원. **~schreiben** *n.*, **~schrift** *f.* 청원서. **~steller** *m.* 청원자. **~weise** *adv.* 청원하여.

Bitumen [bitú:mən, -mɛn] [lat.] *n.* -s, 〖鑛〗 역청.

Biwak [bí:vak] [fr. *aus* d. Beiwacht] *n.* -s, -e *u.* -s, 〖軍〗 야영(野營)(↑*bivouac*). **biwakieren** [bivakí:rən] *i.*(h.) 야영하다.

bizarr [bitsár] [bask. „bärtig"] *a.* 기이한, 기괴한(↑*bizarre, strange*).

blach [blax] *a.* 평평한, 평탄한(=flach). **Blachfeld** *n.* 평야, 평원.

Blaff [blaf] *m.* -(e)s, -e, 개 짖는 소리. **blaffen** [bláfən] *i.*(h.) 멍멍 짖다.

blähen [blɛ́:ən] [↑blasen; =engl. *blow*] 《I》 *t.* 부풀리다, 팽창시키다(*puff up, inflate, swell*). 《II》 *i.*(h.) 〖醫〗 고창을 일으키다. 《III》 부풀다; 《比》 뽐내다. **Blähung** *f.* -en, 〖醫〗 고창.

blaken [blá:kən] [↑engl. *black* „schwarz"] *i.*(h.) 그을음이 일다. **bla·k(e)rig, blakig** *a.* 그을은.

bläken [blɛ́:kən] *i.*(h.) 으르렁대다, 포「효하다.」

Blamage [blamá:ʒə] [fr.] *f.* -n, 치욕, 수치, 망신(*disgrace, shame*). **blamieren** [blamí:rən] *t.* 창피를 주다, 웃음거리로 만들다(*ridicule*); *refl.* 망신하다, 웃음거리가 되다.

blank [blaŋk] [=engl. *blank* „weiß"] *a.* ① 빛나는, 광택이 있는, 번쩍번쩍하는 (*shining, bright*); 잘 닦은(*polished*). ② 미끈미끈한, 번지르르한, 깨끗한(*clean*). ③ 적나나한, 노골적인, 발가벗은(*bare*). ¶ ~e Lüge 새빨간 거짓말 / ~ ziehen 칼을 뽑다.

Blankett [blaŋkét] [fr. *blanc* „weiß"] *n.* -(e)s, -e, 백지 서식 용지, 〖商〗 백지 어음; 백지 위임(장).

blanko [bláŋko] [it. *aus* d. blank] *adv.* 〖商〗 in ～ 백지로《기입하지 않고》.

Blanko⸗vollmacht *f.* 〖法〗 백지 위임(장). **～wechsel** *m.* 백지 어음.

Bläs·chen [blɛ́:sçən] [*dim.* v. Blase] *n.* -s, -, 작은 거품[기포](*bubble*); 〖醫〗 소수포(小水疱).

Blase [blá:zə] [＜blasen] *f.* -n, ① 거품(*bubble*); (Luft～) 기포(氣泡); (Haut～) 수포(水疱), 소농포(小膿疱)(*blister*). ② 주머니; (고기의) 부레; (Harn～) 방광(膀胱) (*bladder*); (Destillier～) 증류관(罐)(*still*).

Blase⸗balg *m.* 풀무; (풍금의) 송풍기. **～instrument** *n.* ＝BLASINSTRUMENT.

blasen* [blá:zən] *t.* u. *i.*(h.) 불다(♈ *blow*); 취주(吹奏)하다(*sound*).

Blasen⸗ausschlag *m.* 〖醫〗 수포진(水疱疹). **～entzündung** *f.* 방광염. **～⸗kupfer** *n.* 〖鑛〗 조동(粗銅). **～stein** *m.* 방광 결석(結石). **～ziehend** *a.* 〖醫〗 발포성(發疱性)의.

Bläser [blɛ́:zər] *m.* -s, -, 부는 사람; 취주자; 유리 부는 직공; 송풍기.

Blase·rohr [blá:zəro:r] *n.* 취통《화살을 쏘는》; 장난감 총; 취관(吹管); 배기관; 풀무의 바람 구멍.

blasiert [blazí:rt] [fr. „abgestumpft"] *p.a.* 둔감해진, 싫증이 난(*blasé*).

Blas⸗instrument *n.* 취주악기, 관악기. **～musik** *f.* 취주악.

Blasphemie [blasfemí:] [gr. „Beschimpfung"] *f.* ..mien 불경스러운 언사, 모독. **blasphemisch** *a.* 모독적인; 신을 모독하는.

Blasrohr [blá:s-] *n.* ① ＝BLASEROHR. ② (기관차의) 배기관.

blaß [blas] [*eig.* „weiß leuchtend"] *a.* ① 창백한, 핼쑥한(*pale*). ② 엷은 빛깔의, 담색의. ¶ k-e blasse Ahnung haben 전혀 모르다. **Blässe** [blɛ́sə] *f.* 창백, 담(청)색, 진한 회색(*paleness, pallor*).

blaß⸗gelb *a.* 담황색의; 크림색의. **～⸗grün** *a.* 담녹색의. **～rot** *a.* 담홍색의.

Blatt [blat] *n.* -(e)s, ⸚er, ① 잎(♈ *leaf*); (Blumen～) 꽃잎; (～ e-s Kelches) 꽃받침. ② (톱·노 따위의) 넓고 평평한 부분; (칼 따위의) 날(♈ *blade*); 얇은 조각, 박(箔), 판자. ③ (Papier～) (한 장의) 종이(*sheet*); 편지, (글씨를 쓴) 쪽지(*paper*); 신문; 〖樂〗 악보. ¶ vom ～e spielen 악보를 보고 바로 (준비 없이) 척척 연주하다.

blatten [blátən] *t.* (의) 잎을 따다.

Blatter [blátər] [♈Blase; ＝engl. *bladder*] *f.* -n, ① (Hitz～) 부스럼; 소농포(小膿疱)(*blister*). ② *pl.* 두창(痘瘡), 천연두(*smallpox*).

blätt(e)rig [blɛ́t(ə)rıç] [＜Blatt] *a.* 잎[꽃잎]이 있는.

Blätter⸗kuchen *m.* 파이과자. **～mägen** *m.* 중판위(重瓣胃). **～meldung** *f.* 신문 보도.

blättern [blɛ́tərn] [＜Blatt] 《Ⅰ》*i.*(h.): in e-m Buche ～ 책장을 넘기다. 《Ⅱ》 *refl.* 박락(剝落)하다, 비늘이 떨어지다.

Blatter⸗narbe *f.* 곰보, 얽은 자국(*pockmark*). **～narbig** *a.* 곰보의, 얼굴이 얽은.

Blattern⸗gift *n.* 두독(痘毒). **～impfung** *f.* 종두.

blätter⸗reich *a.* 잎이 많은. **～teig** *m.* 〖料〗 퍼프페이스트(*puff paste*).

Blatt⸗gewächs *n.* 관엽(觀葉) 식물. **～⸗gold** *n.* 금박. **～grün** *n.* 〖植〗 엽록소. **～laus** *f.* 진딧물. **～metall** *n.* 금속박(金屬箔). **～pflanze** *f.* 관엽(觀葉) 식물. **～salat** *m.* 〖植〗 상치. **～⸗seite** *f.* 페이지. **～silber** *n.* 은박. **～stiel** *m.* 〖植〗 엽병(葉柄). **～weise** *adv.* 한 장씩. **～winkel** *m.* 엽액(葉腋).

blau [blau] 《Ⅰ》 *a.* ① 푸른, 청색의(♈ *blue*); (himmel～) 하늘색의; (schwarz～) 검푸른; 《俗》취한. ¶ ～ sein 곤드레만드레되어 있다 / das ～e Auge, a) 푸른 눈, b) 눈가에 (매를 맞아) 멍이 든 눈 / mit e-m ～en Auge davonkommen 경미한 손해로 모면하다. 《Ⅱ》 **Blau** *n.* -s, 〔**Blaue** *n.* 《形容詞變化》〕 청색, 벽색(碧色). ¶ 《比》ins Blaue hinein reden 되는 대로 지껄이다 / Fahrt ins Blaue 정처없는 여행.

blau⸗äugig *a.* 벽안(碧眼)의. **～beere** *f.* 〖植〗 월귤나무의 일종(*bilberry*). **～⸗blind** *a.* 청색맹의. **～blütig** *a.* 고귀한, 명문의.

Bläue [blɔ́yə] *f.* 청색, 벽색(碧色); 《比》(취하여) 도연(陶然)함.

blauen [bláuən] *i.*(h.) u. *refl.* (하늘이) 푸르다; 푸르게 되다.

bläuen [blɔ́yən] *t.* 푸르게 하다, 푸르게 물들이다; 《比》 (멍이 들도록) 때리다.

Blau⸗fuchs *m.* 〖動〗 북극여우《겨울철에도 털이 희어지지 않는 여우》. **～jacke** *f.* 《俗》 선원, 수병.

bläulich [blɔ́ylıç], **blaulich** *a.* 푸른빛을 띤, 푸르스름한(♈ *bluish*).

Blaulicht [bláulıçt] *n.* 푸른 불꽃《가시광선의 단파 부문, 의료·신호용》.

blau|machen [-maxən] *i.*(h.) 《俗》 게으름 피우다, 일을 게을리하다. ★ blau machen 푸르게 물들이다.

Blau⸗meise *f.* 〖鳥〗 곤줄박이(*tomtit*). **～papier** 청색 카본지. **～säure** *f.* 〖化〗 청산, 시안산. **～schimmel** *m.* 흰 바탕에 검푸른 얼룩이 있는 말. **～⸗schwarz** *a.* 검푸른.

blau|sieden* [-zi:dən] *t.* 푸르게 끓이다《생선을 초로 끓이다》.

Blau⸗stift *m.* 청색 연필. **～strumpf** *m.* 청탑파(靑鞜派) (*bluestocking*); 규수작가, 여류 학자.

Blech [blɛç] [*eig.* „Glänzendes", ♈ bleich] *n.* -(e)s, -e, ① 얇은 금속판, 생철(*sheet metal*); (～ aus Zink) 아연판, 함석판; (Weiß～) 백철; (Eisen～) 철판. ② 생철 제품; 금관 악기. ③ 《俗》 하찮은 〔무의미한〕 일(*nonsense*).

Blech⸗arbeit *f.* 생철 세공. **～büchse** *f.* 양철통. **～dach** *n.* 양철 지붕.

blechen [blɛ́çən] *t.* u. *i.*(h.) 《俗》 (돈을) 지불하다.

bleche(r)n [blɛ́çə(r)n] *a.* 양철로 된.

Blech⸗befäß *n.* 양철 그릇. **～fabrik** *f.* 양철 공장. **～geschirr** *n.* 반합(飯盒), 양철 그릇. **～hammer** *m.*, **～⸗hütte** *f.* 양철 제조장. **～instrument** *n.* 금관(金管) 악기. **～musik** *f.* 금관 악기의 음악(대). **～schere** *f.* 양철 가위.

~schmied *m.* 양철공. **~wāren** *pl.* 양철 제품.

blecken [blɛ́kən] [*eig.* „blicken lassen"] *t.* (이를) 드러내다.

Blei¹ [blai] *m.* -(e)s, -e, 〖魚〗 잉어속의 일종(*bream*).

Blei² [blai] [*wohl eig.* „das Blaue"] *n.* -(e)s, -e, 납(*lead*); (Senk~) 측연(測鉛)(*plummet*); (~stift) 연필.

Blei⸗āder *f.* 연(鉛) 광맥. **~arbeit** *f.* 납세공.

bleiben* [bláibən] [mhd. *be-liben,* 後半: ♈engl. *leave* „bleiben machen"] 《I》 *i.*(s.) ① (어떤 장소에) 머무르다, 남다(*remain, stay*); 떠나지 않다; 체재하다. ② (어떤 상태·운동을) 계속하다, 그대로 하다(*continue*). ¶jm. fern ~ 아무에게 가지 않다, 아무를 멀리하다. ③ (tot ~) 생명을 잃다, 피살되다, 전사하다(*perish*). ④ (와야 할 때에) 오지 않다, 돌아오지 않다《돌아와야 할 때》; (übrig ~) 남다. ¶**bei** et.³ ~ 무엇을 지속〔고집〕하다 / es bleibt dabei! 그것으로 됐다, 그렇게 정해 두자 / **von** et.³ (fern) ~ 무엇을 멀리하다, 피하다 / steh(e)n ~, a) 선 채로 있다, b) 정지하다 / et. ~ lassen 무엇을 그만두다, 중지하다. 《II》 **bleibend** *p.a.* 남은, 머무르는; 지속적인; 상임의. ¶e-e ~e Stätte 정주지.

bleiben|lassen* [bláibənlasən] *t.* 중지하다, 그만 두다, 하지 않다.

bleich [blaiç] *a.* 창백한, 핼쑥한(*pale, wan*); 퇴색한(*faded, faint*).

Bleiche [bláiçə] *f.* -n, ① 창백, 혈색이 나쁨. ② 바램, 표백; 베 바래는 곳, 표백 공장. **bleichen**(*) [bláiçən] 《I》 *t.* 《弱變化》 창백하게 하다(*whiten*); 핏기를 잃게 하다; 표백하다, 바래다(*bleach*). 《II》 *i.*(s.) 《强 또는 弱變化: blich, geblichen》 창백해지다; 바래지다, 희어지다; 퇴색하다(*fade*). **Bleicher** *m.* -s, -, 표백공, 바래는 사람.

Bleich⸗gesicht *n.* 창백한 얼굴(의 사람); 백인. **~kalk** *m.* 표백분. **~mittel** *n.* 표백제. **~sucht** *f.* 〖醫〗 위황병(萎黃病). **~süchtig** *a.* 위황병에 걸린.

Bleidach [bláidax] *n.* 연판 지붕.

bleiern [bláiərn] [<Blei] *a.* 납의; 납으로 만든; 납빛의; 납 같은; 《比》 굼뜬, 둔한; 답답한.

Blei⸗ērz *n.* 연광(鉛鑛). **~gewicht** *n.* 낚싯봉《납으로 만든》. **~gießer** *m.* 연공(鉛工), 연주공(鉛鑄工). **~glās** *n.* (*pl.* ¨er) 납유리, 플린트 유리. **~grau** *a.* 은회색의.

bleihaft [bláihaft] *a.* 납을 함유하는.

Blei⸗hütte *f.* 정연장(精鉛場). **~kūgel** *f.* 연탄(鉛彈). **~lōt** *n.* 납과 주석의 합금; 측연(測鉛). **~oxȳd** *n.* 산화연(酸化鉛). **~platte** *f.* 연판(鉛板). **~recht** *a.* 수직의. **~rohr** *n.* 연관(鉛管). **~säure** *f.* 연산(鉛酸). **~schwēr** *a.* 납처럼 무거운. **~siegel** *n.* 납으로의 봉함《우편물 따위의》. **~soldāt** *m.* 납으로 만든 병정《장난감》. **~stift** *m.* 연필(*pencil*). **~stift·spitzer** *m.* 연필깎이. **~stift⸗zeichnung** *f.* 연필화. **~vergiftung** *f.* 연(중)독. **~waage** *f.* 수준기. **~weiß** *n.* 연백. **~zucker** *m.* 연당(鉛糖), 초산(醋酸)납.

Blende [blɛ́ndə] [<blenden] *f.* -n, ① 눈가리개(♈*blind*); 차폐물, 병풍, 간막이(*screen*); (모자의) 차양; 셔터, 조리개(*diaphragm, shutter*). ② 〖海〗 현창(舷窓) 뚜껑(*deadlight*); 〖鑛〗 (Zink~) 섬아연광(閃亞鉛鑛)(♈*blende*). **blenden** [<blind] 《I》 *t.* ① 눈멀게 하다, (의) 눈을 부시게 하다(♈*blind*). ② 눈을 가리다(*blindfold*); (빛을) 막다, 차폐하다(*screen*); 위장하다. ③ (의) 광택을 지우다, 흐리게 하다; 《比》 현혹하다(*dazzle, daze*). 《II》 **blendend** *p.a.* 눈부신; 눈이 멀 것 같은; 《俗》 대단한.

Blend⸗laterne *f.* 앞만을 비치게 된 초롱. **~lēder** *n.* (말의) 눈가리는 가죽.

Blendling [blɛ́ntlıŋ] [<ahd. *blantan* „mischen"] *m.* -s, -e, 〖動·植〗 잡종(*mongrel, bastard*); 혼혈〔사생〕아.

Blend⸗rahmen *m.* 창틀. **~stein** *m.* (벽 따위의) 미장 타일.

Blendung [blɛ́nduŋ] *f.* -en, 눈을 멀게 함; 눈부시게 함; 《比》 현혹, 기만; 셔터; 〖物〗 차광판(遮光板).

Blend⸗werk *n.* 환영, 환상; 기만, 사기; 요술; 신기루. **~ziegel** *m.* 〖建〗 미장 벽돌.

Blepharītis [blefarí:tis] [gr. blépharon „Augenlid"] *f.* 안검염(眼瞼炎), 다래끼.

Blesse [blɛ́sə] [<blaß] *f.* -n, (이마의) 흰 반점(♈*blaze*); 그런 마소.

blessieren [blɛsí:rən] [fr.] *t.* 상처를 입히다(*wound*). **Blessūr** [blɛsú:r] *f.* -en, 부상, 창상(創傷).

bleuen [blɔ́yən] *t.* 망치로 치다; 때리다, 매질하다(*beat*).

blich [blıç] ☞ BLEICHEN(그 過去).

Blick [blık] [♈Blitz] *m.* -(e)s, -e, ① 섬광(체). ② 안광(眼光); 눈씨, 눈매(*eye, look*); 바라봄; 별견(瞥見)(*glance*); 조망(眺望)(*view*). ¶ein flüchtiger ~ 흘끗 봄, 일별(*glimps*) / auf einen ~ 일견하여, 한눈에. **blicken** [blíkən] *i.*(h.) ① 흘끗 보이다, (햇빛이 구름 사이로) 새어 나오다; 보이다, 나타나 있다. ¶~ lassen 보이다, 나타내다 / sich ~ lassen 나타나다, 모습을 보이다. ② 보다, 흘끗 보다(*look*). ¶nach jm. ~ 아무에게 눈길을 돌리다 / Verachtung blickt aus s-m Auge 경멸의 빛이 그의 눈에 나타나 있다. ③ (…한) 안색을〔눈매를〕 하고 있다. ¶finster〔sanft〕 ~ 음흉한〔부드러운〕 눈매를 하고 있다.

Blick⸗fang *m.* (광고·진열창 따위에서) 주목을 끄는 것. **~feld** *n.* 시야. **~feuer** *n.* (등대의) 섬광 신호. **~punkt** *m.* 관점.

blieb [bli:p] ☞ BLEIBEN(그 過去).

blies [bli:s] ☞ BLASEN(그 過去).

blind [blınt] *a.* 《I》 ① 눈이 보이지 않는, 눈먼(♈*blind*). ¶auf einem Auge ~ 애꾸눈인. ② 맹목적인. ¶~er Glaube 맹신. ③ 흐린, 탁한(*dim, dull*). ④ 가리어 보이지 않는. ¶~e Klippe 암초 / ~er Passagier 무찰 승객, 밀항자. ⑤ 거짓의, 가짜의. ¶~er Lärm 허위 경보, 헛소동 / ~e Gasse 막다른 골목. 《II》 **Blinde** [blíndə] *m.* u. *f.* 《形容詞變化》 장님.

Blind⸗darm *m.* 〖解〗 맹장. **~darm⸗entzündung** *f.* 맹장염.

Blindekuh [blíndəku:] *f.* 술래잡기.

Blinden⸗anstalt *f.* 맹인 학교. **∼⸗druck** *m.*, **∼schrift** *f.* 점자 (인쇄물).

Blind⸗fliegen *n.*, **∼flug** *m.* 〖空〗 맹목〔계기〕 비행. **∼gänger** *m.* 〖軍〗 불발탄; 《比》 허사로 끝난 것.

Blindheit [blínthait] *f.* 눈이 멂, 실명 (♈*blindness*); 《比》 몽매(蒙昧), 문맹.

Blindleistung *f.* 〖電〗 무효 전력.

blindlings [blíntlıŋs] *adv.* 맹목적으로, 눈을 감고; 무턱대고(♈*blindly*).

Blind⸗rebe *f.* 포도의 휘묻이. **∼⸗schleiche** [*eig.* „blinder Schleicher"] *f.* 발없는 도마뱀; 《比》 음험한 사람.

blink [blıŋk] *a.*: ∼ u. blank 번쩍번쩍 빛나는. **blinken** [blíŋkən] [♈blank] *i.*(h.) ① 빛나다, 번쩍이다(*gleam*); (별이) 반짝이다(*twinkle*); 번쩍번쩍하게 하다. ② 〖海〗 회광 신호(回光信號)를 하다. ¶mit den Augen ∼ 눈을 깜박이다(*wink*).

Blink⸗feuer *n.* (등대의) 간헐광, 회광(回光). **∼gerät** *n.* 〖軍〗 회광(통신)기. **∼zeichen** *n.* 회광 부호.

blinzeln [blíntsəln] [♈blank] *i.*(h.) 깜박이다, 눈짓하다(♈*blink, wink*).

Blitz [blıts] [♈Blick, ♈blinken] *m.* -es, -e, ① 섬광, 번쩍임(*flash*). ② 번개, 전광(電光)(*lightening*). ③ ∼! 야, 망할 것, 제기랄, 아이고.

Blitz⸗ableiter *m.* 피뢰침. **∼blank** [blíts-bláŋk] *a.* 《俗》 번쩍번쩍하는. **∼⸗blau** *a.* 새파란.

blitzen [blítsən] *i.*(h.) ① 번쩍이다, 섬광을 내다(*flash, sparkle*). ② 《非人稱》 es blitz 번갯불이 번쩍이다(*lighten*); 《俗》 속옷 자락이 흘끗흘끗 보이다.

Blitzes⸗schnelle [blítsəsʃnɛlə] *f.* 전광석화와 같이 빠름.

Blitz⸗gespräch *n.* 특급 장거리 전화. **∼krieg** *m.* 전격전. **∼licht** *n.* (야간 촬영용) 마그네슘 섬광. **∼röhre** *f.* 전광관(電光管); 섬전암(閃電岩) 《뇌전으로 모래 속에 생긴 통 모양의 유리질》. **∼⸗sauber** *a.* 아주 깨끗한, 말쑥한. **∼⸗schlag** *m.* 번개; 벼락, 낙뢰. **∼⸗schnell** [blíts-ʃnél] *a.* 번개같이 빠른. **∼strahl** *m.* 번갯불, 섬전(閃電). **∼⸗telegramm** *n.* 특급 전보. **∼zug** *m.* 〖鐵〗 초특급.

Block [blɔk] *m.* -(e)s, ⸗e, ① 덩어리(♈*block*); (Holz∼) 통나무, 모탕(*log*); 족쇄. ② 한덩어리〔묶음·뭉치·벌〕로 된 것; (뜯어 쓰도록) 두껍게 철한 종이(*pad*). ③ 당파 연합, 블록.

Blockade [blɔká:də] [it. *aus* d. Block] *f.* -*n.* 봉쇄, 폐쇄. **∼brecher** *m.* 봉쇄 돌파선(船).

Block⸗bau *m.* (*pl.* -ten) 통나무 건축. **∼buch** *n.* 목판 인쇄본. **∼haus** *n.* 통나무집; 〖軍〗 방색(防塞). **∼holz** *n.* 통나무 목재.

blockieren [blɔkí:rən] [fr. <d. Block] *t.* 봉쇄〔폐색〕하다; 〖印〗 복자로 하다.

Blockierung *f.* -en, 봉쇄; 〖鐵〗 폐색.

Block⸗karren *m.* 재목차, 광차. **∼⸗schiff** *n.* 뗏목. **∼schrift** *f.* 획이 굵은 라틴체 활자. **∼signal** *n.* 폐색 신호기. **∼stelle** *f.* 폐색 신호소. **∼wagen** *m.* 무개 화차. **∼zucker** *m.* 포도당.

Blöd⸗auge *n.* 약시(弱視); 근시안자(近視眼者). **∼äugig** *a.* 약시〔근시〕의.

blöd(e) [blø:t, blǿ:də] [*eig.* „schwach, zart"] *a.* ① 약시〔근시〕의; 《比》 몽매한, 저능한(*stupid*). ② 마음이 약한, 수줍은, 부끄럽타는(*bashfull, shy*). ¶∼e Sache 어리석은〔재미 없는〕 일. **Blödigkeit** *f.* 약시, 근시; 겁이 많음, 수줍음, 부끄러움.

Blödsinn [blǿ:t-zin] *m.* 우둔; 백치; 어리석은 것. **blödsinnig** *a.* 우둔한; 어리석은.

blöken [blǿ:kən] [擬聲語] *i.*(h.) (양·염소가) 울다(*bleat*); (소가) 음매 울다(*low*).

blond [blɔnt] [fr.] *a.* 블론드의(♈*blonde, fair*); 금발의; 해사한《피부 또는 얼굴》; (맥주 따위가) 담황색의; 《比》 명랑한.

Blondine [blɔndí:nə] *f.* -n, 금발 여인.

Blond⸗kopf *m.* 금발의 소년〔소녀〕. **∼⸗lockig** *a.* 금발의.

bloß [blo:s] 《Ⅰ》 *a.* ① 발가벗은, 드러난(*bare, naked, open*). ② 장비 없는. ③ 없는, 가지지 않은《2格 또는 von 을 취함》. ④ 다만 …만의, …뿐인(*mere, pure*). 《Ⅱ》 *adv.* 오로지, 다만(*merly, only*). ¶nicht ∼ ..., sondern auch ··· 뿐만 아니라 또한. **Blöße** [blǿ:sə] *f.* -n, 발가숭이, 노출; 틈; 《比》 빈곤, 궁핍. ② 〖軍·펜싱〗 허점; 《比》 약점. ¶sich³ e-e ∼ geben 약점을 보이다.

bloß⸗|legen *t.* 드러내 놓다, 폭로하다. **∼|liegen*** *i.*(h.) 드러나 있다. **∼|stel⸗len** *t.* (위험에) 드러내다; (의) 가면을 벗기다. **∼stellung** *f.* 폭로, 적발.

blühen [blý:ən] [♈Blume, ♈Blüte; = engl. *blow*] *i.*(h.) ① 꽃이 피어 있다, 꽃이 한창이다(*bloom, blossom, flower*). ② 《比》 한창이다, 번성하다(*flourish*); (빛깔이) 생생하다.

Blume [blú:mə] [♈blühen, ♈Blüte; = engl. *bloom*] *f.* -n, ① 꽃, 화훼 (*flower, blossom*); 화초(*flower*). ② 《比》 (토끼의) 짧은 꼬리; (포도주의) 향기(*flavour*). ③ 〖修〗 말의 꾸밈, 문장의 수식. ¶durch die ∼ sagen 꾸며서〔완곡히〕 말하다.

blümen [blý:mən] *t.* 꽃 (모양)으로 꾸미다.

Blumen⸗beet *n.* 화단. **∼blatt** *n.* 꽃잎. **∼duft** *m.* 꽃 향기. **∼erde** *f.* (화단용의) 부식토(腐植土). **∼flor** *m.* 꽃의 경관(景觀), 만발한 꽃; 꽃철. **∼garten** *m.* 화원. **∼gehänge**, **∼gewinde** *n.* 화환, 꽃장식. **∼geschäft** *n.* 꽃장수. **∼haft** *a.* 꽃같은. **∼händler** *m.* 꽃장수. **∼kelch** *m.* 꽃받침. **∼kind** *n.* 히피(족). **∼kohl** *m.* 〖植〗 모란채. **∼⸗kranz** *m.* 화관. **∼laden** *m.* 꽃가게. **∼lese** *f.* 꽃채집; 《比》 사화집(詞華集), 시가선(詩歌選)(*anthology*). **∼mädchen** *n.* 꽃파는 소녀. **∼muster** *n.* 화초의 견본. **∼reich** *a.* 꽃이 많은; 《比》 화려한. **∼schau** *f.* 화초 전람회. **∼sprache** *f.* 꽃말. **∼staub** *m.* 화분(花粉). **∼⸗stengel**, **∼stiel** *m.* 꽃꼭지, 화경. **∼⸗stock** *m.* 화분에 심은 꽃; 분재(盆栽). **∼strauß** *m.* 꽃다발. **∼topf** *m.* 화분. **∼zucht** *f.* 화초 재배. **∼zwiebel** *f.* 화초의 인경(鱗莖).

blumicht [blú:miçt], **blumig** [blú:miç] *a.* 꽃이 만발한; 꽃으로 뒤덮인; 《比》 화려한 《문체》. 「걸옷, 작업복.」
Bluse [blú:zə] [fr.] *f.*, -n, 블라우스;
Blut [blu:t] *n.* -(e)s, ① 피, 혈액(♈*blood*). ¶das ~ stillen 피를 멈추게 하다 / ~ lassen 피를 뽑다 / jm. das ~ aussaugen 아무의 고혈을 짜다. ② 혈통, 혈연. ¶~ und Boden 피와 땅, 혈통과 토지, 민족과 조국 / das liegt im ~e 그것은 유전이다 / ein junges ~ 젊은이.

B

Blut·ader *f.* 〖解〗 정맥(*vein*). **~alkohol** *m.* 혈중 알콜량. **~andrang** *m.* 충혈(充血). **~apfelsine** *f.* 오렌지의 일종《즙이 붉음》. **≁arm** *a.* 《Ⅰ》 [blú:t-arm] 빈혈의. 《Ⅱ》 [blú:t-árm, blu:t-árm] 적빈(赤貧)의. **~armut** *f.* 빈혈. **~bad** *n.* 살육, 학살. **~bank** *f.* (*pl.* -en) 혈액 은행. **~behälter** *m.* 혈관. **~bild** *n.* 혈액상(像)(의 현미경에 의한 검사). ¶ein ~ machen 혈액상을 취하다. **~blase** *f.* 혈종(血腫). **~buche** *f.* 〖植〗 잎이 빨간 유럽 너도밤나무. **~druck** *m.* 혈압. **~durst** *m.* 피에 주림, 잔인성. **≁dürstig** *a.* 피에 주린; 잔인한.
Blüte [blý:tə] [<blühen] *f.* -n, ① 꽃 《결실 전의 형태로서의 개념을 나타냄》 (*blossom, bloom, flower*). ② 만개(기); 꽃철; 《比》 한창임, 전성, 번영, 전성기 (*prime*). ¶in voller ~ stehen 만발〔한창〕이다.
Blut·egel *m.* 〖動〗 거머리(*leech*). **~einspritzung** *f.* 혈액 주사, 수혈(법). **~empfänger** *m.* 수혈자(受血者).
bluten [blú:tən] [<Blut] *i.*(h.) ① 출혈하다(♈*bleed*). ② 《俗》 (금전상의) 심한 손해를 보다. ¶er soll mir dafür schon ~! 그놈에게 이 앙갚음을 하고야 말겠다.
Blüten·blatt *n.* 꽃잎. **~kelch** *m.* 꽃받침. **~knospe** *f.* 꽃봉오리. **~staub** *m.* 꽃가루. **~stengel** *m.* 꽃꼭지. **≁weiß** *a.* 꽃처럼 흰.
Bluter [blú:tər] *m.* -s, -, 출혈성 소질자, 혈우병자(血友病者).
Blut·erguß *m.* 출혈; 일혈(溢血), 혈액의 삼출. **~ersatz** *m.* 대용 혈액.
Blütezeit [blý:tətsait] *f.* 꽃철; 《比》 성시, 전성기.
Blut·farbe *f.* 핏빛, 진홍색. **~feind** *m.* 불구 대천의 원수. **~fink** *m.* 〖鳥〗 피리새. **~fluß** *m.* 출혈; 월경. **~gefäß** *n.* 혈관. **~gericht** *n.* 형사 재판. **~gerinnsel** *n.* 응혈(凝血). **~gerüst** *n.* 단두대. **~gier** *f.* =~DURST. **≁gierig** *a.* =≁DÜRSTIG. **~gruppe** *f.* 혈액형. **~hund** *m.* 후각이 예민한 영국종 사냥개; 《比》 잔학한 인간.
blutig [blú:tıç] *a.* ① 피 같은, 새빨간. ② 피투성이의(♈*bloody*). ③ 《比》 피비린내 나는, 피에 굶주린, 잔학한, 살벌한(*sanguinary*); 《俗》 굉장한, 참된. ¶~er Ernst 진지함, 진정.
Blut·igel *m.* =~EGEL. **≁jung** [blú:t-júŋ, blu:t-júŋ] *a.* 아주 젊은, 어리고 작은. **~körperchen** *n.* 혈구. **~kreislauf** *m.* 혈액 순환. **≁leer** *a.* 빈혈의. **≁los** *a.* 피가 없는; 빈혈의. **~probe** *f.* 혈액 검사. **~rache** *f.* 살인자에 대한 복수(*vendetta*). **~rausch** *m.* 살의, 살기. **≁reinigend** *a.* 정혈(淨血) 작용을 하는. **≁rot** *a.* 피처럼 붉은, 새빨간. **~rot** *n.* 〖生〗 혈색소, 헤모글로빈. **≁rünstig** [<rinnen] *a.* 피가 흐르는, 피투성이의, 피비린내 나는. **≁sauer** *a.* 몹시 쓰라린〔고된〕. **~sauger** *m.* 흡혈동물(*vampire*); 《比》 흡혈귀. **~schande** *f.* 근친 상간(*incest*). **~schänder** *m.* 근친 상간자. **~schlag** *m.* 졸중풍. **≁schlecht** [blú:t-ʃléçt] *a.* 극악한. **~schuld** *f.* 살인죄. **~see** *f.* 붉은 말로 붉게 물든 바다.
bluts·fremd *a.* 혈족이〔피가〕 다른. **≁freund** *m.* 근친, 혈족; 혈맹의 친우.
Blut·speien *n.* 객혈(喀血). **~spender** *m.* (수혈의) 급혈자. **~spucken** *n.* 객혈. **~spur** *f.* 혈흔(血痕). **~stätte** *f.* 살인의 장면. **≁stillend** *a.* 지혈 작용을 하는. 「방울.」
Bluts·tropfen [blú:ts-trɔpfən] *m.* 핏
Blut·stuhl *m.* 처형 의자; 〖醫〗 혈변; 혈성 설사. **~sturz** *m.* 대출혈, 대객혈.
blutsverwandt [-fɛrvant] *a.* 근친의. **Blutsverwandt·schaft** *f.* 혈연(관계).
Blut·tat *f.* 살인, 흉행. **~übertragung** *f.* 수혈. **~umlauf** *m.* 혈액 순환.
Blutung [blú:tuŋ] *f.* -en, 출혈, 유혈.
blutunterlaufen [-úntərlaufən] *a.* 피가 맺힌 (피부), 충혈된.
Blut·unterlaufung *f.* 〖醫〗 피하 일혈, (눈의) 충혈. **~urteil** *n.* 사형 선고. **~vergießen** *n.* 유혈; 살육. **~vergiftung** *f.* 패혈증(敗血症), 농독증(膿毒症). **~verlust** *m.* 실혈(失血), 출혈. **~wasser** *n.* 혈청, 혈장, 임파액. **≁wenig** [-vé:nıç] *a.* 극히 적은. **~wurst** *f.* 선지피를 넣은 순대. **~zeuge** *m.* 순교자(*martyr*).
Bö [bø:] [nd.] *f.* -en, 〖海〗 진풍(陣風) (*gust, squall*).
Bob [bɔp] [engl.] *m.* -s, -s, =BOBSLEIGH《그 축소형》. **Bob·bahn** *f.* 봅슬레이의 경주로. **Bobsleigh** [bɔ́psle:, bɔ́b-] [engl.] *m.* -s, -s, 봅슬레이.
Bock [bɔk] *m.* -(e)s, ⸚e, ① 뿔을 가진 네발짐승(소를 제외한 양·사슴 따위)의 수컷; 《특히》 수산양(♈*buck*). ¶der ~ stößt ihn 그는 고집이 세다. ② 치는 물건; (Ramm≁) 달구, 메. ③ (Purzel≁) 땅재주넘기; 《比》 실책(*blunder*). ¶e-n ~ schießen, a) 땅재주넘기하다, b) 실패하다. ④ 〖體〗 목마(*horse*); (Kutscher≁) 마부석(*box*); 대(臺), (다리 달린) 발판, 선반(*trestle, jag*).
bock·beinig *a.* 염소 다리의; 《比》 완고한(*stubborn*). **≁bier** *n.* 독한 독일 맥주. 「소(*kid*).」
Böckchen [bœkçən] *n.* -s, -, 작은 염
bocken [bɔ́kən] *i.*(h.) 염소처럼 뛰다; 《比》 억지〔고집〕 부리다; 반항하다.
Bock·fell [bɔ́kfɛl] *n.* 염소 가죽. **~huf** *m.* (말의) 염소 발굽. 「센(*obstinate*).」
bockig [bɔ́kıç] *a.* 염소 같은; 《比》 고집
Bock·leder *n.* (무두질한) 염소 가죽. **≁ledern** *a.* 염소 가죽으로 만든.

Bocks≈beutel *m.* 주머니 모양의 포도주병; 《比》 구식(인 것). **~horn** *n.* 염소뿔; 《比》 ins ~horn jagen 을러대어 위축시키다.

Bock(s)≈sprung [-ʃprʊŋ] *m.* (염소처럼 뛰는) 도약(跳躍)(*caper*). **~steif** *a.* 딱딱한; 고집센.

Boden [bó:dən] *m.* -s, - *u.* ¨, (바다·그릇의) 바닥(♈*bottom*); (Erd~) 땅, 대지, 지면(*ground*); 토반, 토양(*soil*); (Fuß~) 마룻바닥(*floor*); 《比》 지반, 근저; 입각지; (Haus~) 집의 마루; 다락방(*loft, garret*).

Boden≈abgang *m.* 곡창 손실《곡창에 곡물을 쌓았을 때의》. **~anzeiger** *m.* 토질 표시 식물《어떤 곳에 많이 남으로써 토질을 미루어 알 수 있는》. **~art** *f.* 지질, 토질. **~bearbeitung** *f.* 토지 가공, 개간, 경작, 정지(整地). **~≈erhebung** *f.* 고지, 토지의 융기. **~≈fenster** *n.* 천창(天窓), 지붕창. **~hei≈zung** *f.* (온실 재배의) 지면 온열 (장치); 지면 난방. **~kammer** *f.* 지붕밑방, 다락방. **~kredit** *m.* 토지 신용. **~los** *a.* 바닥 없는; 바닥을 알 수 없는 〔잴 수 없는〕. **~luke** *f.* =~FENSTER. **~organisation** *f.* 지상 정비《항공기 발착을 위한》. **~recht** *n.* 농지권. **~≈reform** *f.* 농지〔토지〕 개혁. **~rente** *f.* 지대(地代). **~satz** *m.* 침전물, 침적물. **~schätze** *pl.* 지하 자원, 광물(鑛物). **~schutz** *m.* 토지 보호《산림지에 하초(下草) 등을 심는 따위》.

Bodensee [bó:dənze:] [옛 지명 Bodoma에서] *m.* -s, 독일과 스위스의 경계에 있는 호수 이름.

Boden≈senkung *f.* 토지의 침하, 요지(凹地). **~ständig** *a.* 토착의, 본토박이의. **~treppe** *f.* 지붕밑으로 통하는 계단. **~tür** *f.* 다락방의 문.

Bodmerei [bo:dmərái] [ndd., *bodem* "Schiffsboden"] *f.* -en, 선박 저당 계약, 모험 대차(冒險貸借)(♈*bottomry*).

Bofist [bó:fɪst, bofíst] [urspr. *Fohenfist* „Fuchsfurz"] *m.* -es, -e, 〖植〗 말불버섯(*puffball*).

bog [bo:k] ☞BIEGEN(그 過去).

Bogen [bó:gən] [♈biegen] *m.* -s, - *u.* ¨, 활(♈*bow*); 활꼴, 만곡, 굴곡(*bend*); (Kreis~) (원의) 호, 호선, 곡선, 커브(*curve*); 〖建〗 (Spitz~) 홍예, 아치(*arch*); (Rund~) 둥근 천정(*vault*); (Papier~) 한 장의 전지(全紙)(*sheet*).

Bogen≈fenster *n.* 아치형의 창문, 퇴창, 벽 밖으로 내민 창. **~förmig** *a.* 아치형의, 활 모양의. **~führung** *f.* 〖樂〗 운궁법(運弓法). **~gang** *m.* 〖建〗 아케이드(*arcade*). **~größe** *f.* 〖印〗 전지형(全紙形). **~lampe** *f.* 아크등. **~≈licht** *n.* 호광(弧光); 아크등. **~lilie** *f.* (남아프리카산의) 활백합《아마릴리스속》. **~schießen** *n.* 궁술(弓術). **~schluß** *m.* 〖建〗 종석(宗石)(*keystone*). **~schuß** *m.* 활쏘기; 〖軍〗 곡사(曲射); 활의 사정. **~schütz(e)** *m.* 궁수(弓手); 궁술가. **~≈sehne** *f.* 활시위; 〖數〗 원호의 현. **~≈strich** *m.* 〖樂〗 =~FÜHRUNG. **~weise** *adv.* 〖印〗 전지 한 장씩. **~zahl** *f.* 〖印〗 전지 번호.

bogig [bó:gɪç] *a.* 활 모양의, 아치형의.

Bogner [bó:gnər] *m.* -s, -, ① 활 만드는 장인. ② 궁수(弓手), 사수. ③ 《方》 (schw.) 소상인.

Boheme, Bohème [bɔɛ́:m; d.: bohɛ́:mə, -hé:-] [fr.] *f.* 방랑 생활; 자유 방종한 문사 예술가들; 비〔반〕 시민적인 일.

Bohle [bó:lə] *f.* -n, 두꺼운 널빤지(*board, plank*). **bohlen** *t.* (에) 두꺼운 판자를 대다.

Böhme [bǿ:mə] *m.* -n, -n, **Böhmin** *f.* -nen, 보히미아 사람. **Böhmen** *n.* 보히미아. **Böhmerwald** *m.* 보히미아의 산맥 이름. **böhmisch** *a.* 보히미아의. ¶das ist ihm ein ~es Dorf 그것은 그에겐 도무지 이해 못할 일이다《보히미아의 마을 이름처럼》.

Böhnchen [bǿ:nçən] *n.* -s, -, 작은 콩.

Bohne [bó:nə] *f.* -n, 〖植〗 타원형의 콩《강남콩·잠두 따위》(♈*bean*). ¶gemeine ~n 강남콩 / dicke ~n 잠두, 누에콩 / grüne ~n 강남콩 / 《比》 nicht die ~ wert sein 아무런 가치도 없다 / blaue ~n essen 사살되다.

Bohnen≈kaffee *m.* (치커리를 섞지 않은) 순 코피. **~stange** *f.* 콩넝쿨에 대는 막대기; 《比》 키다리, 길쭉한 것.

bohnern [bó:nərn] [*eig.* „glatt machen", ♈Bahn] *t.* (마루 따위를) 백랍을 발라 닦다.

Bohn≈lappen *m.* 닦는 천. **~wachs** *m.* (마루) 닦는 백랍.

bohren [bó:rən] 《I》 *t.* (구멍을) 뚫다(♈*bore*); (송곳을 돌려) 구멍 내다(*drill*); 꿰뚫다, 찔러넣다(*pierce*). ¶ein Schiff in den Grund ~ 배를 격침시키다. 《II》 *i.*(h.): auf et.[4] 〔nach et.〕~ 무엇을 〔석탄 따위를〕 시굴(試掘)하다. **Bohrer** [bó:rər] *m.* -s, -, 천공기(♈*borer*); 나사 송곳(*gimlet*); 송곳(*drill*).

Bohr≈loch *n.* 송곳 구멍. **~maschine** *f.* 보르반(盤), 천공기; 착암기. **~turm** *m.* 천공탑; (유전 따위의) 시추탑. **~≈wurm** *m.* (목선에 구멍을 뚫는) 좀조개.

Boje [bó:jə] [lat.] *f.* -n, 부표(浮標), 부이(♈*buoy*).

Bolero [boléːro] [sp.] *m.* -s, -s, ① 볼레로《스페인의 민속 무용 및 그 곡》. ② 여성용 짧은 상의.

bölken [bœ́lkən] *i.*(h.) (소가) 울다; 《俗》 (어린이가) 큰 소리로 울어대다; (크게) 하품하다.

Bolle [bɔ́lə] [*eig.* „Geschwollenes"] *f.* -n, 구근(*bulb*); 양파(*onion*).

Böller [bœ́lər] [<mhd. *boln* „schleudern"] *m.* -s, -, (예포용의) 작은 구포(臼砲). **böllern** *i.*(h.) 작은 구포를 쏘다, 예포를 쏘다.

Bollwerk [bɔ́lvɛrk] [„Wurfmaschine" 《일종의 노포》] *n.* 〖軍〗 능보(稜堡), 요새(♈*bulwark, bastion*); 방파제.

Bolschewismus [bɔlʃevísmʊs] [russ., *bolsche* "mehr"] *m.* -, 볼셰비즘. **Bol≈schewist** [bɔlʃevíst] *m.* -en, -en, 볼셰비키.

Bolzen [bɔ́ltsən] *m.* -s, -, 쇠뇌의 화살(*arrow*); 볼트, 쇠마개, 조름못(♈*bolt*); 쐐기(*peg*).

Bombardement [bɔmbardəmɑ̃́:, bɔ̃-

bar-] *n.* -s, -s, 포격; 폭격; (입자(粒子)의) 충격. **bombardieren** *t.* 포격〔폭격〕하다; 충격하다.

Bombast [bɔmbást, bɔ́mbast] [engl.] *m.* -es, (문체의) 과장, 장담(♈*bombast*; *big talk*).

Bombe [bɔ́mbə] [fr.] *f.* -n, ① 폭탄(♈*bomb*; *shell*). ¶《比》 die ~ ist geplatzt 아닌게 아니라 사건이 터졌다. ② 〔工〕 (가스) 봄베.

Bomben·abwurf *m.* 폭탄 투하. **~angriff** *m.* 폭격. **~einschlag** *m.* 폭탄의 명중. **~erfolg** *m.* 《俗》 대성공. **~fest** *a.* ① 포탄〔포격〕에 견디는, 방탄의. ② [bɔ́mbənfést] 《比》 아주 견고〔안전·확실〕한. **~flugzeug** *n.* 폭격기. **~geschwader** *n.* 폭격기 편대. **~sicher** *a.* =~FEST.

Bomber [bɔ́mbər] *m.* -s, -, 〔空〕 폭격기; 《方》 과실.

Bon [bɔ̃:] [fr.] *m,* -s, -s, 어음, 증권; 환어음; 상품권.

Bonbon [bɔ̃bɔ́:] [fr. *bon* „gut"] *m.* u. *n.* -s, -s, 봉봉《사탕 과자의 이름》.

bongen [bɔŋən] [<Bon] *t.* 《俗》 (레지스터에서) 식권 따위를 내다.

Bonifikation [bonifikatsió:n] [lat.] *f.* -en, 배상, 보상.

Bonmot [bõmó:] [fr.] *n.* -s, -s, 경구; 기지; 명문구; 기지에 찬 아이디어.

Bonze [bɔ́ntsə] [japan.] *m.* -n, -n, 중; (정당의) 보스, 영수(領袖).

Boom [bu:m] *m.* -s, -s, 〔商〕 붐, 갑작 경기.

Boot [bo:t] [ndd.] *n.* -(e)s, -e, 보트(♈*boat*); 《戱》 큰 신발; (großes ~) 대형 보트, 란치(*launch*).

Boots·haken *m.* 보트 끌어당기는 갈고랑 삿대. **~haus** *n.* 보트 곳간. **~knecht** *m.* 사공; 선원. **~mann** *m.* (상선의) 갑판장, (군함의) 병조장, 수부장. **~tau** *n.* (보트의) 걸어매는 밧줄.

Bor [bo:r] [Borax의 短縮形] *n.* -s, 〔化〕 붕소(♈*boron*). **Borax** [bó:raks] [pers.] *m.* -(es), 〔化〕 붕사(硼砂).

Bord [bɔrt] [Brett의 別形] 《Ⅰ》 *n.* -(e)s, -e, 널빤지(♈*board*); 시렁, 선반, 서가(*shelf*). 《Ⅱ》 *m.* -(e)s, -e, ① 뱃전, 현(舷)(♈*board*). ¶an ~! 갑판으로! / **über** ~ werfen 배밖으로 던지다, 《比》 버리다《의도 따위를》 / **von** ~ geh(e)n 하선하다. ② 물가; 가장자리, 가, 변두리(*edge*, *border*, *rim*).

Bordbuch [bɔ́rtbu:x] *n.* 항해〔항공〕 일지.

Bordell [bɔrdɛ́l] [<Bord] *n.* -s, -e, 창가(娼家), 갈보집(♈*brothel*).

Bord·flugzeug *n.* 함재(비행)기. **~funker** *m.* 선박〔항공기〕의 무선 전신 기사. **~monteur** *m.* 항공〔선박〕 기계 기원(技員). **~schwelle** *f.*, **~stein** *m.* (보도의) 연석(緣石).

Bordüre [bɔrdý:rə] [fr. <d. Bord] *f.* -n, 가장자리(장식), 테; 가선〔테〕두르기 (*edging*, *border*).

Bordwand [bɔ́rtvant] *f.* 〔海〕 현측(舷側), 뱃전.

Borealzeit [boreá:ltsait] *f.* 〔地〕 북방 시대《빙하 시대 후의 제 1 온난기》.

Borg [bɔrk] *m.* -(e)s, 차용(借用)(♈*borrowing*). ¶auf ~ 외상으로(*on credit*).

borgen [bɔ́rgən] *t.* u. *i.*(h.): et. von jm.: 빌다, 외상으로 사다(♈*borrow*) / jm. et.: 빌려주다, 외상으로 팔다(*lend*).

Borke [bɔ́rkə] *f.* -n, 나무 껍질(♈*bark*).

Born [bɔrn] [Brunnen의 別形] *m.* -(e)s, -e, 《詩》 샘, 우물(*spring*, *well*).

borniert [bɔrní:rt] [fr. <*borne* „Grenzzeichen"] *p.a.* 편협한, 고루한(*narrow-minded*).

Bor·salbe *f.* 붕산 연고. **~säure** *f.* 붕산.

Börse [bǿ:rzə, bœ́rzə] [Lw. gr. -lat.] *f.* -n, 돈주머니, 지갑(*purse*); 거래소, 주식 시장(*exchange*).

Börsen·bericht *m.* 시세표, 시장(市場) 보고. **~fähig** *a.* 거래소 출입 자격이 있는. **~geschäfte** *pl.* 주식 거래(업). **~halle** *f.* 거래소(의 큰 홀). **~kurs** *m.* 거래소 시세. **~makler** *m.* 거래소 중매인. **~papiere** *pl.* 주권(株券). **~schwindler** *m.* 사기 거래자, 시세 조작자. **~spekulant** *m.* 투기꾼. **~spiel** *n.* 거래소 투기. **~spieler** *m.* (거래소) 투기꾼. **~zettel** *m.* 시세표.

borst [bɔrst] ☞ BERSTEN《그 過去》.

Borste [bɔ́rstə] *f.* -n, 강모(剛毛), 조모(粗毛)(♈*bristle*). **borsten** *refl.* 털을 곤두세우다.

Borsten·besen, **~wisch** *m.* 털비.

borstig [bɔ́rstɪç] *a.* 강모가 있는; 심술궂은; 성 잘 내는, 까다로운(*irritable*).

Borte [bɔ́rtə] [♈Bord] *f.* -n, 가장자리(♈*border*, *trimming*, *lace*). ¶goldene ~ 금모르.

Bortenmacher [bɔ́rtənmaxər] *m.* 레이스 직공.

bös [bø:s] *a.* =BÖSE. **~artig** *a.* 질이 나쁜, 악질의; 〔醫〕 악성의.

böschen [bœ́ʃən] *t.* 비탈〔경사〕지게 하다, 사면으로 하다(*slope*). **Böschung** *f.* -en, 경사, 슬로프.

böse [bǿ:zə] [*eig.* „gering, wertlos"] 《Ⅰ》 *a.* 나쁜, 불량한(*bad*, *evil*); 악의 있는, 사악한(*wicked*); 유해한, 해칠 마음이 있는(*malicious*); 화가 난, 성난(*cross*, *angry*). ¶~s Gewissen 양심의 가책 / ~ Zeiten 고난의 시대 / der ~ 악인, 악마 / das ~ 악, 해, 흉사, 화. 《Ⅱ》

Böse [=das Böse] *n.* 악. ¶jenseit von Gut und ~ 선악의 피안(彼岸).

Bösewicht [bǿ:zəvɪçt] *m.* -(e)s, -er *u.* -e, 악인, 악한(*scoundrel*).

bös·haft [bǿ:shaft] [<böse] *a.* 악의 있는, 심술궂은(*malicious*, *mischievous*).

Bös·heit [bǿ:shait] *f.* -en, 악, 사악(*malignity*, *naughtiness*).

böslich [bǿ:slɪç] *a.* 악의의, 음험한, 해칠 마음 있는.

Boß [bɔs] *m.* Bosses, Bosse, 지배인, 보스, 두목; 수령, 당수, 영수.

bosseln [bɔ́səln] [fr.], **bossieren** [bɔsí:rən] [it.] *t.* (밀랍·석고 따위로) 양각(陽刻) 세공을 하다(♈*emboss*); (돌 따위를) 잘라서 세공하다(*mould*).

bot [bo:t] ☞ BIETEN《그 過去》.

Botanik [botá:nɪk] [gr., *botánē* „Kraut"] *f.* -en, 식물학(♈*botany*).

Botaniker *m.* -s, -, 식물학자. **botanisch** *a.* 식물(학)의. **botanisieren** [botanizí:rən] *i.*(h.) 식물을 채집하다.

Botanisier·trommel *f.* 식물 채집함.

Bote [bó:tə] [*eig.* „(den Willen) Bietender, Verkündender", <bieten] *m.*

–n, –n, 사자(使者), 명령 전달자(*messenger*); 사환; 운반인; 배달부.
Bōte [bǿ:tə] ☞ BOOT《그 複數》.
Bōten⸗amt *n.* 심부름의 임무. **∼gang** *m.* 심부름 가기. **∼junge** *m.* 사동. **∼lohn** *m.* 심부름 삯. 「름하는 여자.」
Bōtin [bó:tɪn] [<Bote] *f.* –nen, 심부
bōtmāßig [bó:tmɛ:sɪç] [<Bote] *a.* 복종하는(*subject*); 지배〔명령〕권이 있는.
Bōtmāßigkeit *f.* –en, 주권, 지배, 통치.
Bōt·schaft [bó:t-ʃaft] [<Bote] *f.* –en, ① 심부름, 사환의 임무; 통지, 보고(*news, message*); 교서(敎書)《국가 원수가 의회에 보내는》. ② 전권 대사의 임무〔직·지위〕, 대사관(*embassy*). **Bōt·schafter** *m.* –s, –, 사절, 대사(*ambassador*).
Bọ̈ttcher [bœ́tçər] [<Bottich] *m.* –s, –, 통장이, (통의) 테장이(*cooper*). **Böttcher·arbeit** *f.* 통장이의 일. **Böttcherholz** *n.* 통널. **Bọttich** [bɔ́tɪç] [Lw. lat. <*buta* „Faß"] *m.* –(e)s, –e, (큰) 통, 함지(*vat, tub, barrel*).
Bouillon [buljɔ̃́:, bujɔ̃́:] [fr. *eig.* „Aufkochen"] *f.* –s, 고깃국, 수프(*clear soup*). **Bouillonwürfel** *m.* 주사위 모양의 고형 수프.
Boulevard [buləvá:r] [d. –fr.] *m.* –s, –s, 큰길, 넓은 가로; 환상(環狀) 도로《특히 파리의》.
Bourgeois [burʒoá] [d. –fr.] *m.* –, –, 시민; 유산 계급, 부르조아; 자본가. **Bourgeoisie** [burʒoazí:] *f.* ..sīen, 시민 계급; 유산자〔자본가〕 계급.
Bouteille [butέ:j, butέljə] [fr.] *f.* –n, 병(♈*bottle*).
Bōvist [bó:vɪst] *m.* –(e)s, –e, =BOFIST.
Bowle [bó:lə] [engl., ♈Ball] *f.* –n, 큰 잔, 주발(♈*bowl*); 볼주(酒).
bọxen [bɔ́ksən] [engl.] *i.*(h.) 권투하다(♈*box*). **Bọxer** [bɔ́ksər] *m.* –s, –, 권투 선수. **Bọxhand·schūhe** *pl.* 권투 글러브. 「*m.* 권투.」
Bọx⸗kampf *m.* 권투 (시합). **∼sport**
Boykott [bɔykɔ́t] [engl.] *m.* –(e)s, –e, 동맹 절교, 보이코트; 비매(非買) 동맹. **boykottieren** [bɔykɔtí:rən] *t.*: jn.: (에) 대해서 동맹 절교를 하다; 비매 동맹을 맺다.
BP 《略》 ① *B*ayern*p*artei 바이에른당. ② *B*undes*p*ost 독일 국영 우편. ③ *B*ritisch *P*etroleum 대영 석유.
brāch[1] [bra:x] ☞ BRECHEN《그 過去》.
brāch[2] [„umgebrochen", <brechen] *a.*: ∼ liegen 수확후 파서 뒤집어 놓은 채로 있다, 경작되지 않고 있다, 휴한지(休閑地)로 있다, 황무지로 있다(*lie fallow*). **Brāch·acker** *m.*, **Brāche** [brá:xə] *f.* –n, 휴경(지), 휴한(지). **brāchen** [–xən] *t.* ① 휴경하다. ② (휴한지를) 다시 갈다. ③ (의) 잡초를 뽑다.
Brāch⸗feld *n.*, **∼flūr** *f.* 휴경지, 휴한지. **∼mōnat** *m.* 6월.
brachte [bráxtə] ☞ BRINGEN《그 過去》.
Brāchzeit [brá:xtsait] *f.* 휴한〔휴경〕기.
Brack [brak] [♈Wrack] *n.* –(e)s, –, 폐물, 허섭스레기, 파치(*refuse, trash*).
Bracke [brákə] [<mhd. *braehen* „riechen"] 《Ⅰ》 *m.* –n, –n, 사냥개의 일종《포인터, 세터 따위》. 《Ⅱ》 *f.* –n, 위의 암컷.
Bracker [brákər] *m.* –s, –, 상품 검사원〔정선자〕. **Brackgūt** *n.* 불량품.
brackig [brákɪç] [♈engl. *brack* „Salzwasser"] *a.* 짠맛이 있는; 마시기에 적합치 않은(*brackish*); 열등한.
Brack⸗vieh *n.* 쓸모 없는〔제쳐 놓은〕 가축. **∼wasser** *n.* (하구 따위의) 강물과 섞인 바닷물, 반함수(半鹹水), 짠물.
Brahma [brá:ma, brá:ma:] [skt.] *m.* 브라마, 범천(梵天). **Brahmān(e)** [bra(h)-má:n(ə)] *m.* ..nen, ..nen, 바라문《인도의 최고 계급》. 「〖海〗 윗돛대(의 돛).」
Brām [bra:m] [ndl.] *f.* –en〔*m.* –s, –e〕,
Bramarbas [bramárbas] [sp.] *m.* –, –se, 허풍선이, 호언 장담하는 사람(*braggart*). **bramarbasieren** *i.*(h.) 호언 장담하다, 허풍떨다(*brag, swagger*).
Brām⸗sēgel *n.* 윗돛대의 돛. **∼stenge** *f.* 윗돛대.
Brand [brant] [<brennen] *m.* –(e)s, ⸚e, ① 연소(*burning*); 불, 화재(*fire, conflagration*). ¶in ∼ stecken〔setzen〕 불을 붙이다, 방화하다. ② 구워서 만듦《석회·벽돌·도기 따위를》; 한 가마에서 구운 것. ③ 소인(燒印)(을 찍기); 소인이 찍힌 상품. ④ 화상; 소작(燒灼); (Sonnen∼) 햇볕에 탐; 〖醫〗 회저(壞疽), 탈저(脫疽); 골저(骨疽). ¶heißer〔kalter〕 ∼ 열〔냉〕회저(*gangrene*); 〖植〗 동고병(胴枯病), 흑수병, 반점병(*blight, mildew*).
Brand⸗āder *f.* 〖解〗 대퇴 정맥; 〖農〗 불모 지맥〔개소〕. **∼blāse, ∼blatter** *f.* 화상성 수포(水疱), 덴 물집. **∼bock** *m.* 장작 쌓는 대(臺). **∼bombe** *f.* 소이탄. **∼brief** *m.* 구걸 편지; 독촉장; 방화 협박장.
brạnden [brándən] [♈brennen] *i.*(h.) 불길처럼 흔들리다; 부서지다《물결이 해안에 부딪쳐서》; 《比》 미친 듯이 날뛰다, 떠들썩하다.
Brạndenburg [brándənburk] *n.* –s, 독일의 주 및 도시 이름. **Brandenburger** *m.* –s, –, 《Ⅰ》 위의 사람. 《Ⅱ》 *a.* 브란덴부르크의. **brạndenburgisch** *a.* 브란덴부르크(풍)의.
Brạnder [brándər] [<Brand] *m.* –s, –, (적 함선을 불지르기 위한) 화선(火船).
Brạnd⸗fackel *f.* 관솔; 《比》 전화(戰火). **∼fest** *a.* 내화(耐火)성의. **∼fieber** *n.* 〖醫〗 패혈(敗血)성 열. **∼fleck(en)** *m.* 불탄 자리, 화상〔회저〕반(斑); 〖農〗 메마른 땅. **∼fuchs** *m.* 자류마(紫騮馬); 《學》 제 2 학기의 신입 대학생《제 1 학기생은 Fuchs》. **∼geschoß** *n.* 소이탄. **∼giebel** *m.* 인접한 집의 박공 지붕 사이에 있는 방화벽.
brạndicht [brándɪçt], **brạndig** [brándɪç] [<Brand] *a.* 탄내가 나는; 〖農〗 반점병〔흑수병〕에 걸린; 〖醫〗 회저성의.
Brạnd⸗kasse *f.* 화재 구제 적립금; 화재 보험 회사. **∼lēder** *n.* 구두의 안쪽 바닥창. **∼leiter** *f.* 비상 사다리; 소방용 사다리. **∼māl** *n.* 낙인(♈*brand*, 比: *stigma*). **∼marken** *t.* (에) 소인〔낙인〕을 찍다. **∼mauer** *f.* 방화벽. **∼munitiōn** *f.* 소이탄. **∼opfer** *n.* 번제(燔祭)《짐승을 제단 위에서 구워 신

께 바침》. ~**pflaster** *n.* 화상고약. ~**rot** *a.* 불처럼 붉은. ~**schade(n)** *m.* 화재로 인한 손해. ~**schatzen** *t.* 불질러 버린다고 위협하여 돈을 뜯다; 《比》(jn., 에게서) 약탈[주구(誅求)]하다. ~**schatzung** *f.* 면소금(免燒金) 징수; 《比》 약탈; 주구. ~**sohle** *f.* 구두의 안쪽 바닥창. ~**spritze** *f.* 소화 펌프. ~**stätte**, ~**stelle** *f.* 화재 현장; 숯가마. ~**stifter** *m.* 방화자. ~**stiftung** *f.* 방화(죄).

Brandung [brándʊŋ] *f.* -en, 부서지는 파도(*breakers, surf*); 거친 파도, 놀(*surge*).

Brand=**versicherung** *f.* 화재 보험. ~**wunde** *f.* 화상. ~**zeichen** *n.* 낙인; 불의 신호; 신호불.

brannte [brántə] ☞ BRENNEN《그 過去》.

Branntwein [brántvain] *m.* 브랜디, 화주, 소주(♈*brandy*).

Brasil [brazíːl] 《Ⅰ》 *m.* -s, -e *u.* -s, 브라질 담배; 브라질 코피. 《Ⅱ》 *f.* -, 브라질 여송연. **Brasilianer** [braziliáːnər] *m.* -s, -, =BRASILIER. **brasilianisch** *a.* =BRASILISCH. **Brasilien** [brazíːliən] *n.* 브라질. **Brasilier** *m.* -s, -, 브라질 사람. **brasilisch** *a.* 브라질의.

Brasse[1] [brásə] *m.* -n, -n; od. *f.* -n, 《魚》 잉어의 일종.

Brasse[2] [brásə] [Lw. fr. *bras* „Arm"] *f.* -n, 《海》 아딧줄(♈*brace*). **brassen** *t.* (활대를) 아딧줄로 돌리다.

brät [brɛːt] (er ~) ☞ BRATEN《그 現在》.

Brat·apfel [bráːtapfəl] *m.* 구운 사과.

braten* [bráːtən] 《Ⅰ》 *t.* (고기 따위를) 굽다, 그슬리다(*roast*); 프라이하다, 튀기다(*fry*). 《Ⅱ》 *i.*(h.) 구워지다, 타다; 프라이되다. **Braten** [bráːtən] *m.* -s, -, 구운고기, 불고기(*roast*); (닭 따위의) 통구이. ¶《比》 den ~ riechen 낌새채다, 알아채다.

Braten=**brühe** *f.* 불고기 국물《소스로 씀》(*gravy*). ~**fett** *n.* 불고기에서 생기는 기름. ~**rock** *m.* 《戲》 연미복. ~**wender** *m.* 고기 굽는 꼬챙이를 돌리는 요리사, 또 그것을 돌리는 기계.

Brat=**fisch** *m.* 생선 프라이. ~**hering** *m.* 훈제한 청어. ~**huhn** *n.* 구운 닭고기. ~**kartoffeln** *pl.* 기름에 튀긴 감자. ~**ofen** *m.* 고기 굽는 화덕. ~**pfanne** *f.* 프라이팬, 번철. ~**röhre** *f.* =~OFEN. ~**rost** *m.* 석쇠.

Bratsche [bráːtʃə] [it. *viola da braccio* „Armgeige"] *f.* -n, 《樂》 비올라(*viola*). **Bratschist** [braːtʃíst] *m.* -en, -en, 비올라 연주자.

Brat=**spieß** *m.* 고기 굽는 (쇠)꼬챙이; (쇠꼬챙이가 달린) 자동 회전 석쇠; 《俗》 단검(短劍). ~**spill** *n.* 《海》 자아틀, 윈치. ~**wurst** *f.* 순대구이, 소시지 프라이.

brätst [brɛːtst] (du ~) ☞ BRATEN《그 現在》.

Brau [brau], **Bräu** [brɔy] [<brauen] *n.* -(e)s, -e *u.* -s, 양조물(物); [~**haus** *n.*] 양조장; 비어홀, 목로 주점.

Braubottich *m.* 양조통.

Brauch [braux] [<brauchen] *m.* -(e)s, ⸗e [brɔ́yçə], 사용(*use*); 관용, 습관(*usage, custom*). **brauchbar** [-baːr] *a.* 쓸 수 있는, 쓸모 있는, 유용한; 적격의; 알맞은. **Brauchbarkeit** *f.* 유용(有用), 적격. **brauchen** [bráuxən] [*eig.* „essen, genießen"] *t.* 쓰다, 사용하다(*use, employ*); 요하다, 필요로 하다(*want, need, require*). ¶Sie ~ es nur zu sagen 그것은 말씀만 하시면 됩니다 / er braucht nicht (zu) tun 그는 할 필요가 없다, 안 해도 좋다. **Brauchtum** *n.* -s, ..tümer, 관습(의 전체); 일국의 풍습, 국풍. **Brauchwasser** *n.* 허드렛물《음료수에 대해》.

Braue [bráuə] *f.* -n, (Augen~) 눈썹((*eye*)*brow*).

brauen [bráuən] 《Ⅰ》 *i.*(h.) (파도가) 솟아오르다; (물이) 끓다. 《Ⅱ》 *t.* ① 솟아오르게 하다; (못된 짓 따위를) 꾀하다. ② (맥주 등을) 양조하다(♈*brew*). **Brauer** *m.* -s, -, (맥주) 양조자. **Brauerei** [brauərái] *f.* -en, (맥주) 양조법, 양조업, 양조장.

Brau=**gerechtigkeit** *f.* 양조권. ~**haus** *n.* 양조장. ~**kessel** *m.* 양조용 가마. ~**meister** *m.* 양조 기사장(長).

braun [braun] *a.* 갈색의, 고동색의 (♈*brown*); 암갈색의, 거무스름한《얼굴·머리털 따위》; 밤색 털의(*bay*).

braun=**äugig** *a.* 갈색 눈의. ~**bier** *n.* 갈색 맥주.

Bräune [brɔ́ynə] *f.* -n, 갈색; 갈색의 얼굴빛; 《醫》 (Hals~) 편도선염《그것이 적갈색인 데에 기인함》(*quinsy*); 《俗》 인후염, (가축의) 안기나. ¶häutige ~ 위막성(僞膜性) 후두염, 크루프(*croup*).

bräunen [brɔ́ynən] *t.* 갈색으로 (염색·칠)하다; 고동색으로 굽다[그슬리다].

Braunkohle [bráunkoːlə] *f.* 갈탄.

bräunlich [brɔ́ynlɪç] *a.* 갈색을 띤(♈*brownish*); 밤색 털의.

Bräunung [brɔ́ynʊŋ] *f.* -en, 갈색으로 하기.

Braus [braus] [<brausen] *m.* -es,: in Saus u. ~ leben 방종한 생활을 하다.

Brause [bráuzə] [<brausen] *f.* -n, ① 발효, 비등(*fermentation*). ¶in der ~ sein 발효(發酵)하고 있다. ② 조로의 주둥이(*rose*); 관수기(灌水器), 조로; 샤워(*douche, shower bath*).

Brause=**bad** *n.* 샤워. ~**kopf** *m.* 흥분하기 쉬운 사람, 성마른 사람. ~**limonade** *f.* 레모네이드.

brausen [bráuzən] *i.*(h.) ① (바람이나 물이) 쏴쏴[잘잘] 소리내다(*roar*); 붕붕[윙윙]거리다(*hum, buzz*). ② 비등[발효]하다, 거품이 일다(*ferment*); 《比》 미친 듯이 날뛰다, 법석이다(*storm, rage*). ③ 샤워를 하다(*douche*).

Brause=**pulver** *n.* 《醫》 비등산(沸騰散). ~**wind** *m.* 사나운 바람; 《比》 성마른 사람; 경박한 사람.

Braut [braut] [*eig.* „junge Frau"] *f.* ⸗e [brɔ́ytə], 약혼녀, 허혼한 처녀, 피앙세(*fiancée*); (결혼 당일의) 새색시, 신부(♈*bride*).

Braut=**abend** *m.* 혼례 전야. ~**ausstattung** *f.* 출가 준비. ~**bett** *n.* 신혼의 잠자리. ~**führer** *m.* 신부의 들러리. ~**geschenk** *n.* 혼수; 신부에게 보내는 선물.

Bräutigam [brɔ́ytɪgam] [„Mann der Braut"; 後半 -gam = lat. *homo*

„Mann"] *m.* -s, -e, 약혼자《남자》(*fiancé*); (결혼 당일의) 신랑(♈*bridegroom*).

Braut·jungfer *f.* 신부 들러리. **~kammer** *f.* 신방. **~kleid** *n.* 결혼 의상. **~kranz** *m.* 신부의 화관. **~leute** *pl.* 약혼한 남녀; (결혼 당일의) 신랑 신부. 「운; 결혼식의.」

bräutlich [brɔ́ytlɪç] *a.* 신부의; 신부다

Braut·nacht *f.* 첫날밤. **~paar** *n.* =~LEUTE. **~ring** *m.* 결혼 반지. **~schatz** *m.* 신부 지참금〔재산〕. **~schlei·er** *m.* 신부 베일, 면사포. **~schmuck, ~staat** *m.* 신부의 장식〔의상〕. **~werber** *m.* 중매인. **~werbung** *f.* 중매. 「관한 일).」

Brauwēsen [bráuve:zən] *n.* 양조업(에

brāv [bra:f] [it., fr.] 《Ⅰ》 *a.* 용기 있는, 씩씩한(♈*brave*); 장한, 기특한, 정직한(*honest, good*); 행실 좋은, 얌전한(*well-behaved*). ¶es ist ~ von Ihnen, daß Sie gekommen sind 잘 오셨읍니다. 《Ⅱ》 *adv.* 잘(*well*); 대단히, 충분히. **Brāvheit** *f.* -en, 정직; 장함, 기특함, 착함. **brāvō!** [brá:vo:] [it.] *int.* 잘한다, 훌륭하다(♈*bravo!, well-done!*). **Bravour** [bravú:r] [fr.] *f.* 호기, 용맹, 대담(♈*bravery*); 유능, 숙련.

BRD 《略》 =*B*undes*r*epublik *D*eutschland 독일 연방 공화국.

Brech·arz(e)nei [bréç-arts(ə)nai] *f.* 구토제. **~bohne** *f.* 강남콩. **~durchfall** *m.* 〖醫〗 토사 곽란, 유사 콜레라. **~eisen** *n.* 쇠지렛대(*crowbar*).

brechen* [bréçən] 《Ⅰ》 *t.* ① 깨다, 쪼개다, 부수다, 꺾다, 부러뜨리다(♈*break*); 삐다(*fracture*). ② (돌을) 떼내다(*quarry*); (밭의) 흙을 파 일으키다; (광석을) 채굴하다(*dig*); 꺾다, (열매 따위를) 따다(*bluck, pick*). ③ (종이를) 접다(*fold*); (광선을) 굴절시키다(*refract*). ④ (반항 따위를) 굴복시키다, (에) 이겨내다. ⑤ (서약 따위를) 어기다, (법률 따위를) 범하다. ⑥ (기록 따위를) 깨다, 능가하다. ⑦ 구토하다. 《Ⅱ》 *refl.* (파도가) 부서지다(♈*break*); (광선이) 굴절하다(*be refracted*); 게우다(*vomit*); (병이) 쇠하다; (날씨가) 바뀌다, 좋아지다. 《Ⅲ》 *i.*(s.) ① 부러지다, 깨지다, 부서지다, 찢어지다, 쪼개지다(♈*break*); (죽어가는 사람의 눈이) 흐려지다(*grow dim*). ② (달·해가) 나타나다, 새어나오다. ③ (h.) 게우다, 구토하다; (광석이) 노출하다. 《Ⅳ》 **gebrochen** *p.a.* 꺾인, 깨어진, 분할된; 낙담한, 쇠약한; 파산한. **Brecher** [bréçər] *m.* -s, -, 깨는〔부수는·쪼개는·찢는·꺾는〕 사람; 부서지는 파도, 격랑(激浪)(♈*breakers*); 파쇄기(破碎機).

Brech·kartoffeln *pl.* 으깬 감자. **~mittel** *n.* 구토제. **~reiz** *m.* 구토증. **~ruhr** *f.* 〖醫〗 =~DURCHFALL. **~stange** *f.* =~EISEN.

Brechung [bréçuŋ] *f.* -en, 깨기, 꺾기, 부수기; (광선의) 굴절.

Bredouille [bredúljə, brədú:j] [fr.] *f.* ① 카드놀이에서의 전패(全敗). ② 곤궁, 곤란, 궁경(*mess, pickle*). 「*brains*).

Brēgen [bré:gən] *m.* -s, -, 〖料〗 골(♈

Brei [brai] *m.* -(e)s, -e, 걸쭉한 것, 죽, 풀, 젤리(*pap, pulp, mush*). **breiārtig, breiig** *a.* 죽 같은, 걸쭉한.

breit [brait] *a.* (*ant.* lang) 폭이 넓은(♈*broad*); 의 폭이 있는, 폭이 …인; (*ant.* schmal) 넓은, 퍼진(*large, wide*); 평평한(*flat*). ¶e-n Fuß ~ 폭 1피트의 / ~ machen 넓히다, 펴다 / ~ treten (신을) 신어서 넓히다.

breit·beinig *a.* 보폭이 넓은; 가랑이를 벌린. **~blätt(e)rig** *a.* 활엽(闊葉)의.

Breite [bráitə] *f.* -n, 폭, 나비, 가로(♈*breadth, width*); 〖地〗 위도(*latitude*); 《比》 장황, (이야기의) 지루함(*verbosity, diffuseness*). **breiten** [bráitən] *t.* 넓히다(*spread out*); 넓게 하다, 평평하게 하다, 펴다(*widen*). 「위도권(圈).」

Breiten·grād *m.* 위도. **~kreis** *m.*

breit·|machen *refl.* 장소를 잡다〔막다〕. ★ breit machen 넓히다; (mit et., 무엇을) 과시하다, 뽐내다. **~nāsig** *a.* 납작코의. **~randig** *a.* 가장자리가 넓은; 챙이 넓은. **~schult(e)rig** *a.* 어깨가 벌어진. **~seite** *f.* 〖海〗 뱃전. **~spūrig** *a.* 〖鐵〗 광궤(廣軌)의; 《比》 거만한.

Bremse[1] [brémzə] [<brummen] *f.* -n, 등에, 쇠파리(*gadfly*).

Bremse[2] [<nd. *pramen* „drücken"] *f.* -n, 제동기, 브레이크(*brake*). **bremsen** *t.* u. *i.*(h.) (에) 브레이크를 걸다. **Bremser** *m.* -s, -, 〖鐵〗 제동수(制動手).

Brems·gitter *n.* 〖電〗 억제 격자. **~hēbel** *m.* 제동간(制動桿). **~klotz** *m.* 제동자(制動子). **~strahlung** *f.* 제동 방사(放射). **~vōrrichtung** *f.* 제동 장치. **~wēg** *m.* 제동 거리《브레이크를 걸고 나서 정거하기까지의 거리》.

brennbār [brénba:r] *a.* 타기 쉬운, 가연성의. **Brennbārkeit** *f.* -en, 가연성; (*pl.*) 가연물.

Brenn·eisen [brén-aizən] *n.* 낙인; 아이론, 〖醫〗 소작기(燒灼器).

brennen* [brénən] 《Ⅰ》 *i.*(h.) ① 타다, 연소하다(♈*burn*); 타고〔불붙고〕 있다(*be on fire*). ¶es brennt! 불이야. ②쑥쑥 쑤시다《아프거나 가려워서》(*smart, sting*). ¶vor Ungeduld ~ 안달하다, 안절부절 못하다 / auf et.[4] ~ 무엇을 열망하다, 그리워하다. 《Ⅱ》 *t.* ① 태우다, 불사르다, 때다, 피우다(♈*burn*). ② 굽다, (벽돌을) 구워 만들다(*bake*); (화주를) 증류하여 만들다(*distill*); (머리털을) 아이론으로 지지다(*curl, wave*); (코피를) 볶다(*roast*); (광석을) 배소(焙燒)하다(*calcine*); 〖醫〗 소작(燒灼)하다(*cauterize*); (에) 소인〔낙인〕을 찍다(*brand*). ③《比》 따갑게 하다, (쐐기풀이) 쏘다; (후추·겨자가 혀에) 얼얼하다(*sting*). 《Ⅱ》 **brennend** *p.a.* (불)타는; 《比》 타는 듯한, 열렬한. ¶e-e ~e Frage 다급한 문제. **Brenner** [brénər] *m.* -s, -, 방화범; 태우는〔굽는〕 사람; 화주 양조자; (가스등·난로의) 화구(火口)(♈*burner*). **Brenn·ērde** *f.* 토탄(土炭). **Brennerei** [brɛn-] *f.* -en, 화주 양조장; (벽돌 따위의) 굽는 가마, 공장.

Brennessel [brénɛsəl] 《分綴: Brenn-nessel》 *f.* -n, 〖植〗 쐐기풀(*stinging nettle*).

Brenn·glās *n.* 집광경(集光鏡), 집광 렌

즈. ~**holz** *n.* 땔나무, 장작. ~**material** *n.* 연료. ~**mittel** *n.* 〖醫〗 소작제(燒灼劑). ~**nessel** *f.* =BRENNESSEL. ~**ōfen** *m.* 배소로(焙燒爐); 가마《벽돌·도기 따위를 굽는》. ~**ōl** *n.* 등유. ~**punkt** *m.* 초점(*focus*); (석유의) 연소점; 《比》 사물의 초점, 중심. ~**schēre** *f.* (머리 지지는) 아이론. ~**spiegel** *m.* 점화경(點火鏡); 요면경(凹面鏡). ~**spiritus** *m.* 연료 알콜. ~**stahl** *m.* 삼탄강(滲炭鋼). ~**stoff** *m.* 가연물; 연료. ~**weite** *f.* 초점 거리.

B

brenzlich(t) [bréntslɪç(t)], **brenzlig** [<brennen] *a.* 눋은 내〔탄내·탄맛이〕 나는; 《比》 의아스러운, 수상한.

Bresche [bréʃə] [germ.-fr.; ♈brechen] *f.* -n, 갈라진 틈, 뚫어진 구멍, 〖軍〗 (성벽의) 깨어진 구멍, 돌파구(♈*breach*). ¶~ schlagen 돌파구를 만들다, 《比》 난국을 타개하다.

brest·haft † [brésthaft] [<bresten] *a.* 허약한, 병든, 불구의(*decrepit*).

Bretagne [bretánjə, brə-] *f.* 브르타뉴 《프랑스 서북부의 반도》 (♈*Brittany*). **Bretōne** [bretó:nə] *m.* -n, -n, 브르타뉴 사람.

Brett [brɛt] [♈Bord] *n.* -(e)s, -er, ① 널빤지, 마루널; 《比》 장벽(*plank, board*). ② 선반, 판자 시렁; (Bücher~) 서가(書架)(*shelf*); 현판(懸板). ¶das schwarze ~ 칠판, 게시판. ③ 책상; 대(臺), 작업대. ④ 쟁반; (서양 장기) 판. ¶bei jm. e-n Stein im ~ haben 아무에게 평판이 좋다, 잘 보이고 있다. ⑤ *pl.* 무대. ¶über die ~er geh(e)n 상연되다.

Bretter·būde *f.* 임시로 지은 오두막집. ~**bühne** *f.* 가설 무대. ~**haus** *n.*, ~**hütte** *f.* 판자집.

brettern [brétərn] *a.* 널빤지를 깐, 판자로 만든.

Bretter·verschlāg *m.*, ~**wand** *f.* 판자벽. ~**zaun** *m.* 널판장, 판자울.

Brett·mühle *f.* 제재소. ~**sāge** *f.* 제재톱. ~**sāger**, ~**schneider** *m.* 톱장이. ~**spiel** *n.* 판 위에서 하는 놀이《바둑·장기 따위》. ~**stein** *m.* 바둑알, 장기말.

Brevier [breví:r] [lat. „Kurzbuch"] *n.* -s, -e, ① 〖가톨릭〗 성무 일과(서). ② 발췌, 어록.

Brēzel [bré:tsəl] [*eig.* „Ärmchen", Lw. lat.] *f.* -n, 8자 꼴의 비스킷(*cracknel*).

brich! [brɪç], **brichst** (du ~), **bricht** (er ~) ☞ BRECHEN《그 命令形 및 現在形》.

Bricke [bríkə] *f.* -n, 〖魚〗 칠성장어(*lampery*).

Bridge [brɪdʒ] [engl.] *n.* -, 카드놀이의 일종.

Brief [bri:f] [Lw. lat. *brevis* „kurz", ♈engl. *brief* „kurz"] *m.* -e(s), -e, ① 편지, 서한(*letter, epistle*); 서류, 증서(*document*). ②〖商〗 어음, 증권(*paper*).

Brief·ablāge *f.* 서류철. ~**ādel** *m.* 세습이 아니고 수작서(授爵書)에 의한 귀족. ~**aufschrift** *f.* 우편물의 주소 성명. ~**beschwērer** *m.* 서진(書鎭). ~**bestellung** *f.* 우편물 배달. ~**beutel** *m.* 우편 행낭. ~**bōgen** *m.* 편지지. ~**bōte** *m.* =~TRÄGER. ~**einwurf** *m.* 우편물 투입구, 우체통. ~**fach** *n.* 우편 분류함. ~**form** *f.* 서간 형식〔문체〕. ~**geheimnis** *n.* 신서(信書)의 비밀. ~**halter** *m.* 편지철. ~**karte** *f.* 봉함 엽서. ~**kasten** *m.* 우체통; 우편함; (신문 잡지의) 독자난. ~**kuvert** *n.* 봉투.

brieflich [brí:flɪç] *a.* u. *adv.* 편지의〔로〕.

Brief·mappe *f.* 서류철; 손가방. ~**marke** *f.* 우표(*stamp*).

Briefmarken·sammler *m.* 우표 수집가. ~**sammlung** *f.* 우표 수집.

Brief·öffner *m.* 개봉 나이프. ~**ordner** *m.* 고비, 서류 끼우개. ~**papier** *n.* 편지지. ~**porto** *n.* 우편 요금. ~**post** *f.* 우편; 우송; (옛날의) 우편 마차. ~**prōbe** *f.* 편지에 동봉된 견본.

Briefschaft [brí:fʃaft] *f.* (흔히 *pl.* -en) (여러 가지) 문서, 서류.

Brief·steller *m.* 서한 문범(文範). ~**stil** *m.* 서한 문체. ~**tasche** *f.* (서류 넣는) 큰 지갑. ~**taube** *f.* 연락 비둘기. ~**telegramm** *n.* 간송(間送) 전보. ~**trāger** *m.* 우체부. ~**umschlāg** *m.* 봉투. ~**waage** *f.* 우편 저울. ~**wechsel** *m.* 서신 교환〔왕래〕(*correspondence*).

briet [bri:t] ☞ BRATEN《그 過去》.

Brigāde [brigá:də] [fr.] *f.* -n, 〖軍〗 여단. **Brigadier** [brigadié:, -dí:r] *m.* -s, -s [-dié:s] *u.* -e [-dí:rə], 여단장.

Brigant [brigánt] [it.] *m.* -en, -en, 도둑, 폭도, 비적(♈*brigand*). **Brigg** [brɪk] [it.] *f.* -s, 쌍돛대의 범선(♈*brig*).

Brikett [brikét] [Lw. fr. *brique* „Ziegelstein"] *n.* -e(s), -s *u.* -e, 연탄(♈*briquette*).

brillant [brɪljánt] [fr. „glänzend"] *a.* 빛나는, 찬란한; 훌륭한. **Brillant** 《Ⅰ》 *m.* -en, -en, 능추형(稜錐形)으로 간 보석《특히 다이아몬드》. 《Ⅱ》 *f.* 〖印〗 브릴랸트 활자《3½ 포인트 상당》.

Brillanz [brɪljánts] [fr. <brillant] *f.* 빛남, 광휘; 《比》 (예능의) 빛남, 광채.

Brille [brílə] [gr. <Beryll] *f.* -n, 안경(*glasses, spectacles*).

Brillen·futterāl *n.* 안경집. ~**gestell** *n.* 안경테. ~**glās** *n.* 안경알. ~**macher** *m.* 안경〔광학 기계〕 제작자. ~**schlange** *f.* 〖動〗 코브라.

Brimbōrium [brɪmbó:rīum] [fr.] *n.* -s, 하찮은 일, 헛소동(*fuss, to-do*).

bringen* [bríŋən] *t.* 가지고 가다〔오다〕(♈*bring; take*); 나르다(*carry, take*); 데려가다〔오다〕, 바래다 주다, 동반하다(*conduct, accompany*); (어떤 곳에서) 가져〔들고〕오다(*fetch*); 생기게 하다, 야기하다(*produce, cause*); 바치다; 공개하다, (기사를) 싣다. ¶fertig ~ 성취하다 / zustande ~ 성취하다 / es dahin ~, daß... …까지 성취하다/es weit ~ 숙달〔진보·성공〕하다, 입신 출세하다 / **an** sich ~ 제것으로 만들다 / jn. **auf** et. ~ 아무에게 무엇을 생각나게 하다, 무엇을 할 마음이 나게 하다 / **aus**(-)einander ~ 가르다, 떼어놓다 / Flecken aus dem Kleid ~ 옷의 얼룩을 빼다/ et. **hinter** sich[4] ~ 무엇을 성취하다, 무엇을 떼어 두다, 비축하다/**in** Erfahrung ~ 들어 알다, 확인하다 / es **mit** sich

~ 반드시 따르다, 필연적인 결과이다 / **nach** dem Hospital ~ 입원시키다 / Segen 〔Fluch〕 **über** jn. ~ 아무에게 축복을〔저주를〕 가져오게 하다 / jn. **um** et. ~ 아무에게서 무엇을 빼앗다, 잃게 하다 / et. **vor** sich ~, a) 무엇을 진척시키다, 성취하다, b) 재산을 모으다, c) 입신 출세하다 / et. **zu** Ende ~ 무엇을 완료하다 / wieder zu sich (selbst) ~ 제정신으로 돌아오게 하다 / es (**bis**) **zu** et.[3] ~ 무엇을 성취하다, 에 성공하다. **Bringer** [brɪ́ŋər] *m.* -s, -, 가져오는 사람; 지참자.

Brisanz≈geschoß [brizánts-] *n.* 폭렬탄(爆裂彈). **~granāte** [fr.] *f.* 폭렬 유탄(爆裂榴彈).

Brise [brí:zə] [engl.] *f.* -n, (범주(帆走)에 알맞은) 미풍(♈*breeze*); 순풍.

Britannien [britániən, brɪ-] [klt.] *n.* 브리튼, 영국. **britannisch** *a.* 브리튼의. **Brite** [brítə, brí:tə] *m.* -n, -n, **Britin** [-tɪn] *f.* -nen, 영국 사람. **britsich** *a.* 영국의.

bröck(e)lig [brœ́k(ə)lɪç] *a.* 부서지기 쉬운; 무른. **bröckeln** 《Ⅰ》 *t.* 파쇄〔분쇄〕하다(*crumble*). 《Ⅱ》 *i.*(s.) u. *refl.* 잘게 부서지다. **Brocken**[1] [brɔ́kən] *m.* -s, -, 파편, 부스러기(*fragment, crumb*); 찌끼, 폐물(*scrap*).

Brocken[2] [brɔ́kən] *m.* -s, 브로켄산《독일 Harz 산맥의 최고봉》.

brocken [brɔ́kən] [<brechen] *t.* 부수다; (빵을) 부숴 넣다《우유·수프 따위에》. **brockenweise** *adv.* 부수어서; 조금씩.

brodeln [bró:dəln] *i.*(h.) 부글부글 끓어오르다, 거품이 일다(*bubble*). **Brodem, Broden** [bró:dəm, -dən] *m.* -s, -, 피어오르는 연기〔안개〕; 증기(*vapour*); 김(*hot steam*).

Brokat [broká:t] [it. *broccato* „gestickt"] *m.* -(e)s, -e, 금란(金襴), 단자(緞子)(♈*brocate*).

Brom [bro:m] [<gr. *brômos* „Gestank"] *n.* -s, 〖化〗 브롬(♈*bromine*).

Brombeere [brɔ́mbe:rə] *f.* -n, 〖植〗 나무딸기(의 열매)(*blackberry*). **Brom≈beerstrauch** *m.* 나무딸기의 그루(*bramble*).

Brom≈kālium *n.* 〖化〗 브롬화 칼륨, 브롬화 포타슘. **~präparāt** *n.* 브롬 화합물 《진정·최면용》. **~säure** *f.* 브롬산(酸). **~silber** *n.* 브롬화은.

bronchial [brɔnçiá:l] [gr.] *a.* 〖醫〗 기관지의. **Bronchialkatarrh** *m.* 기관지 카타르.

Bronnen [brɔ́nən] [Brunnen 의 別形] *m.* -s, -, 《詩》 샘, 분천(噴泉).

Bronze [brɔ̃́:sə, brɔ̃́:zə] [fr., it.] *f.* 청동(靑銅); 적갈색; (*pl.* -n) 청동 제품.

Bronze≈druck *m.* (*pl.* -e) 〖印〗 청동색 인쇄. **~farben** *a.* 청동색의.

bronzen [brɔ̃́:sən] *a.* 청동제의. **Bron≈zezeit** *f.* 청동기 시대. **bronzieren** [brɔ̃sí:rən] *t.* (에) 청동 도금을 하다.

Brosām [bró:za:m] *m.* -(e)s, -e, **Brosāme** [bró:za:mə] *f.* -n, 쇄편(碎片)(*crumb*); 빵부스러기; 《比》 찌끼(*scrap*); 영세(零細), 소량(*bit*).

Brosche [brɔ́ʃə] [fr.] *f.* -n, 브로치, 장식핀(♈*brooch*).

Brös·chen [brǿ:sçən] *n.* -s, -, 송아지의 지라로 만든 요리(=Brieschen).

broschieren [brɔʃí:rən] 《Ⅰ》 *t.* (책을) 가제본하다(*stitch*). 《Ⅱ》 **broschiert** *p.a.* 가제본한. **Broschüre** [brɔʃý:rə] *f.* -n, 가제본한 책; 소책자, 팜플렛.

Brösel [brǿ:zəl] *m.* -s, -, 《詩》 =BROSAME. **bröseln** *t.* 《方》 부수다, 가루로 만들다(*crumble*).

Brot [bro:t] [♈brauen] *n.* -(e)s, -e, 빵(♈*bread*); 생계. ¶ein (Laib) ~ 한 덩어리〔가마솥〕의 빵(*loaf*) / sein ~ verdienen 생계를 이어 나가다.

Brot≈arbeit *f.* 생계를 위한 일. **~≈aufstrich** *m.* 빵에 칠하는 것《버터, 크림 따위》. **~bäcker** *m.* 빵집. **~baum** *m.* 〖植〗 빵나무. **~beutel** *m.* 빵 자루; 〖軍〗 식량 주머니.

Brötchen [brǿ:tçən] *n.* -s, -, 작은 빵, 롤빵(*roll*).

Brot≈dieb *m.* 밥벌레, 도식자(徒食者). **~erwerb** *m.* 생활비를 얻기, 밥벌이, 생업(*livelihood*). **~herr** *m.*, **~herr≈schaft** *f.* 고용주. **~korb** *m.* 빵 바구니. ¶《比》 jm. den ~korb höher hängen 아무에게 굶주림을 느끼게 하다, 아무를 혹사하다. **~krūme** *f.* 빵의 속《연한 부분》. **~kruste** *f.* 빵 껍질.

brotlōs [bró:tlo:s] *a.* 빵〔먹을 것〕이 없는; 생계의 길이 없는, 실직한; 벌이가〔돈이〕 안 되는.

Brot≈messer *n.* 빵 자르는 나이프. **~≈neid** *m.* 상업상의 질투. **~rinde** *f.* 빵 껍질. **~röster** *m.* 빵 굽는 기구, 로스터. **~scheibe** *f.* =~SCHNITTE. **~schneidemaschine** *f.* 빵 자르는 기계. **~schnitte** *f.* 얇은 빵 조각. **~schrank** *m.* (식료품) 찬장. **~stū≈dium** *n.* 생계를 위한 학문. **~wasser** *n.* 멀건 빵죽. **~zeit** *f.* 간식(間食). **~≈zucker** *m.* 막대 사탕.

brr! [br, br:] *int.* ① 체《혐오를 나타냄》. ② 워《말을 멈출 때의 말》. ③ 쾅《대포·천둥 등의 소리》. ④ 덜덜《떠는 소리》.

Brūch[1] [bru:x, 종종 brʊx] [=engl. *brook* „Bach"] *m.* -(e)s, ⸚e [brý:çə]; od. *n.* -(e)s, ⸚e(r) [brý:çə(r)], 소택지, 습지(*marsh, bog, fen*). ¶in die Brüche geh(e)n 《比》 없어지다.

Bruch[2] [brʊx] [<brechen] *m.* -e(s), ⸚e [brʏ́çə], ① 깨기, 꺾기, 부수기, 찢기, 쪼개기; 깨어〔꺾어·부서·찢어·쪼개어〕짐; 파괴(♈*break(ing)*, ♈*breach*). ② 〖醫〗 골절; 좌골(*fracture*); 헤르니아, 탈장(*rupture, hernia*). ③찢어〔갈라·쪼개어〕진 틈, 금, 균열(*crack, fissure*); 접은〔꺾은〕 자리, 주름(*fold*). ④ 부스러기, 파편; 깨어진〔무너진〕 것, 허섭스레기; 돌〔바위〕 부스러기; (Stein~) 채석장. ¶ ~ machen 〖空〗 추락하여 기체를 파손하다. ⑤ 〖數〗 분수(*fraction*); 《比》 (교제·관계)의 단절.

Bruch≈band *n.* 〖醫〗 탈장대(脫腸帶)(*truss*). **~būde** *f.* 쓰러져 가는 집. **~fest** *a.* 강인한, 잘 부러지지 않는.

brüchig [brʏ́çɪç] *a.* 부서지기 쉬운, 무른(*brittle, fragile*); 부서진, 파손된(♈*broken*).

Bruchkiste [brúxkɪstə] *f.* 《俗》 털터리 자동차.

Brūchland [brú:xlant] *n.* 소택 지방, 습지.

Bruch=landung *f.* 불시 착륙(기체의 파손이 따른). ~**rechnung** *f.* 〔數〕 분수 계산. ~**stein** *m.* 깨어져서 날이 선 돌, 막돌. ~**strich** *m.* 〔數〕 분수선(분모와 분자 사이의 횡선). ~**stück** *n.* 쇄편, 파편; 단편(斷片), 프래그먼트(*fragment*). ~**teil** *m.* 단편(斷片); 《俗》 적은 부분, 동강(*fraction*); 〔數〕 분수 부분, 끝수. ~**zahl** *f.* 〔數〕 분수.

Brücke [brʏ́kə] *f.* -n, 다리, 교량(♈ *bridge*); 〔鐵〕 육교, 고가교(高架橋)(*viaduct*); 가공 의치(架工義齒), 브리지(*dental arch*). ¶e-e ~ schlagen 다리를 놓다 / alle ~n hinter sich abbrechen 배수진을 치다.

Brücken=bau *m.* 교량 가설; 다리 구조. ~**bogen** *m.* 다리의 아치. ~**geländer** *n.* 다리의 난간. ~**kopf** *m.* 〔軍〕 교두보. ~**pfeiler** *m.* 다리 기둥. ~**waage** *f.* 다리 저울, 계량대(화차 따위를 다는). ~**zoll** *m.* 교량 통행세.

Bruder [brú:dər] *m.* -s, ¨, 형 (또는 아우), 형제(♈ *brother*); 동포; (älterer ~) 형; (jüngerer ~) 아우; 수도사, 수사(修士)(*friar*); 벗, 친구, 동무, 동료.

Brüdergemein(d)e [brý:dergəmain(d)ə] *f.* 〔宗〕 형제단, 동포 교회(기독교의 일파, Herrnhut파).

Bruder=herz *n.* 형제의 정. ~**krieg** *m.* 동포〔동족〕 간의 전쟁; 내란. ~**kuß** *m.* 형제의 키스; 화친의 키스.

brüderlich [brý:dərlıç] *a.* 형제의, 형제 같은(*brotherly*, *fraternal*). **Brüder=lichkeit** *f.* 형제다움, 친밀.

Bruder=liebe *f.* 형제애. ~**mord** *m.* 형제 살해. ~**mörder** *m.* 형제 살해(범).

Bruderschaft [brú:dərʃaft] *f.* -en, 조합, 협회; 〔宗〕 교단(敎團).

Brüderschaft [brý:dərʃaft] *f.* -en, 형제의 연분〔관계〕 (*brotherhood*); 우의(*fellowship*).

Bruder=sohn *m.* (남자) 조카. ~**tochter** *f.* (여자) 조카. ~**volk** *n.* 한겨레의 국민, 동포.

Brühe [brý:ə] *f.* -n, 곰국(♈ *broth*); (Fleisch~) 육즙(肉汁), 수프(*gravy*); 소스(*sauce*). **brühen** [brý:ən] *t.* 끓는 물을 붓다, 끓는 물에 담그다(*scald*). **brüh=heiß** *a.* 끓는 물처럼 뜨거운. **brüh=warm** *a.* 끓는 물처럼 뜨끈한; 《比》 갓 나온, 참신한(뉴스 따위).

brüllen [brʏ́lən] *i.*(h.) 으르렁거리다, 포효하다(*bellow*, *low*, *roar*).

Brumm=bär *m.* (으르렁거리는) 곰; 《比》 까다로운 사람, 불평가. ~**baß** *m.* 〔樂〕 베이스의 낮은 음; 콘트라베이스. ~**eisen** *n.* 구금(口琴)(입에 물고 손으로 타는)(*Jew's-harp*).

brummen [brúmən] 〔擬聲語〕 *i.*(h.) u. *t.* 윙윙〔붕붕·찡찡〕거리다(*hum*, *buzz*); 투덜투덜하다, 불평하다, 중얼거리다, 입속말하다(*growl*, *grumble*); 《俗》 감옥에 갇혀 있다. ¶mir brummt der Kopf 머리가 띵하다. **Brummer** *m.* -s, -, 투덜투덜하는 사람; 윙윙거리는 동물(금파리, 딱정벌레 따위); 종우(種牛); 윙윙거리는 것; 윙윙거리는 장난감. **brum=mig** *a.* 투덜거리는, 짜증내는; 불평을 말하는, 잔소리하는.

Brumm=kreisel *m.* 윙윙거리는 팽이. ~**schädel** *m.* 두통; 숙취.

brünett [brynɛ́t] [fr.] *a.* 갈색을 띤, 거무스름한(머리칼, 피부가)(♈ *brunette*).

Brunft [brunft] [<brummen] *f.* ¨e [brʏ́nftə], 〔獵〕 (사슴, 멧돼지 따위의) 발정, 교미욕(*rut*); 〔~**zeit** *f.*〕 교미기. **brunften** *i.*(h.) 발정하다, 암내내다.

Brünne [brʏ́nə] [klt.] *f.* -n, 《詩》 (중세의) 갑옷, 사슬갑옷.

Brunnen [brúnən] [*eig.* „Wellendes", <brennen] *m.* -s, -, 샘, (Spring~) 분천(噴泉) (*fountain*, *spring*); 《比》 원천; 우물(*well*); 광천(*mineral waters*).

Brunnen=arzt *m.* 온천장 의사. ~**bohrer** *m.* 우물 파는 사람〔기계〕. ~**kresse** *f.* 〔植〕 화란냉이. ~**kur** *f.* 광천(음용) 요법. ~**macher** *m.* 우물 파는 사람; 펌프 제조자. ~**quell** *m.*, ~**quelle** *f.* 원천, 수원; 《比》 근원. ~**röhre** *f.* 우물 파이프, 펌프의 관. ~**wasser** *n.* 우물〔샘〕의 물. ~**zeit** *f.* 탕치(湯治) 계절.

Brunst [brunst] [<brennen] *f.* ¨e [brʏ́nstə], 열정(*ardour*, *passion*); 정욕; 색정(*lust*); (동물의) 발정(*rut*); 발정기. **brünstig** [brʏ́nstıç] *a.* 열렬한; 발정한. **Brünstigkeit** *f.* 열(정).

brüsk [brysk] [fr.] *a.* 무뚝뚝한, 우악스러운(*curt*, *gruff*), 사정없는. **brüs=kieren** [bryskí:rən] *t.* 거칠게 다루다, 냉대하다.

Brüssel [brʏ́səl] [*eig.* Bruch-sal „Morast-saal"] *n.* 벨기에의 수도 이름.

Brust [brust] *f.* ¨e [brʏ́stə], ① 가슴, 흉곽, 흉부(♈ *breast*, *chest*, *bosom*). ¶sich in die ~ werfen 《比》 뽐내다. ② (Mutter~) 유방. ¶e-m Kind die ~ geben 아기에게 젖을 먹이다. ③ 심정, 마음속(=herz).

Brust=bein *n.* 흉골. ~**beschwerde** *f.* 가슴이 답답함, 흉곽 협착증. ~**bild** *n.* 반신상, 흉상(胸像). ~**drüse** *f.* 유선(乳腺).

brüsten [brʏ́stən] *refl.* 가슴을 내밀다, 「뽐내다.」

Brust=entzündung *f.* 〔醫〕 유방염(炎). ~**fell** *n.* 흉막, 늑막. ~**fell·entzündung** *f.* 늑막염. ~**harnisch** *m.* 〔軍〕 흉갑(胸甲). ~**kasten**, ~**korb** *m.* 흉곽. ~**krank** *a.* 흉부 질환의; 폐병의. ~**latz** *m.* 흉의(소매 없는 여성용 속옷); 조끼(남자의). ~**lehne**, ~**mauer** *f.* 흉벽(창문의); 난간. ~**schmerz** *m.* 흉통. ~**schwimmen** *n.* 평영(平泳). ~**stück** *n.* 흉부; 가슴살; =~BILD. ~**tee** *m.* 〔醫〕 화흉차(和胸茶). ~**ton** *m.* 〔樂〕 흉성(胸聲). ~**tuch** *n.* 흉의, 가슴받이, 숄.

Brüstung [brʏ́stuŋ] *f.* -en, 흉벽, 흉장; 창문턱; 난간(*parapet*).

Brust=warze *f.* 젖꼭지. ~**wehr** *f.*, ~**werk** *n.* 〔軍·建〕 흉벽, 흉장(胸墻).

Brut [bru:t] [♈brühen] *f.* -en, 부화, 부란(孵卵)(*hatch*); 한 배의 새끼(♈ *brood*); 《一般的》 족속; 패, 동아리(악당의), 도배, 떼, 불량배.

brutal [brutá:l] [lat. <brūtus „dumm"] *a.* 짐승 같은, 잔학한, 난폭한. **Bru=talität** *f.* -en, 잔인 잔학한 행위.

Brūt=apparāt *m.* 부란기(器); (조산아의) 보육기(保育器). **∼blatt** *n.* 완상용 난태류(蘭苔類)의 일종.

brūten [brý:tən] [<Brut] 《Ⅰ》 *i.*(h.) (새 따위가) 알을 품다(♈*brood; hatch*); 《比》 위에 덮쳐오다; (über et.³⁽⁴⁾, 무엇을) 심사 숙고하다. 《Ⅱ》 *t.* 부화하다, 까다; 《比》 꾀하다《나쁜 일을》.

Brūt(Brūt)·henne [brú:t(brý:t)hɛnə] *f.* 알을 품은 암탉.

Brūt·hitze [brú:t-hɪtsə] *f.* 부화열(孵化熱); 무더위.

brūtig [brý:tɪç] *a.* (새가) 알을 품으려는; 부화하려는; 《比》 무더운, 후텁지근한.

Brūt(Brūt)=kasten *m.* 부란 상자《누에 따위의》. **∼ōfen** *m.* 부란용 난로, 부란기. **∼stätte** *f.* 《比》 발생지, 중심지《전염병·소란·음모의》. **∼zeit** *f.* 부화기(期).

bruttō [brúto:] [it.] *adv.* 다 합쳐서, 총계해서((*in*) *gross*), 포장까지 포함하여.

Bruttō=gewicht *n.* (포장까지 합친) 총중량. **∼registertonne** *f.* 〖海〗 (배의) 총등록 톤수. **∼soziālprodukt** *n.* 국민 총생산.

brutzeln [brútsəln] *i.*(h.) 지글지글 끓어오르다(*sp(l)utter*).

bst! [bst, pst] *int.* 쉿《정숙 또는 주의하라는 소리》.

Būbe [bú:bə] *m.* –n, –n, 사내 아이, 소년(♈*boy*; *lad*); 악동, 개구장이; 악당, 파렴치한(*knave, rascal*); (카드의) 잭(*knave*).

Būben=kopf *m.* (여자의) 단발 머리. **∼streich** *m.*, **∼stück** *n.* 아이들의 장난.

Būberei [by:bərái] *f.* –en, 나쁜 짓, 비열한 행위.

Būbi [bú:bi] *m.* –s, –s, =BUBE《그 愛稱》. **Būbikopf** *m.* (여자의) 단발 머리.

būbisch *a.* 짓궂은; 간악한, 비열한.

Būch [bu:x] [*eig.* 글자를 새긴 "너도밤나무(Buche)의 판자"] *n.* –e(s), ⸚er [bý:çər], ① 서적, 책(♈*book*); (소설 따위의) 편(篇), 권; 〖商〗 장부. ¶das ∼ der Bücher 성서 / er redet wie ein ∼ 그는 청산 유수처럼 말한다. ② 첩(帖)《종이의 단위》(*quire*).

Būch=binder *m.* 제본사, 제본공. **∼binderei** *f.* 제본(업). **∼deckel** *m.* 책의 표지. **∼druck** *m.* 서적 인쇄. **∼drucker** *m.* 서적 인쇄자; 인쇄공. **∼druckerei** *f.* 인쇄업; 인쇄 공장. **∼druckerkunst** *f.* 인쇄술. **∼druckerpresse** *f.* 인쇄기. **∼druckerschwärze** *f.* 인쇄용 검은 잉크.

Būche [bú:xə] *f.* –n, 〖植〗 너도밤나무(♈*beech*). **Būch·ecker** *f.* –n, 너도밤나무 열매.

Büchel [bý:çəl] *n.* –s, –, 소책자(小冊子), 작은 책.

būchen¹ [bú:xən] *t.* 〖商〗 치부〔기장〕하다(♈*book*; *enter*).

būchen² *a.* 너도밤나무(제)의(♈*beechen*).

Bücher=abschluß *m.* 〖商〗 장부 결산. **∼bord**, **∼brett** *n.* 서가(書架), 책꽂이(*shelf*).

Bücherei [by:çərái] *f.* –en, 도서관, 문고, 장서, 총서(*library*).

Bücher=freund *m.* 장서가. **∼halle** *f.* 대중 도서관. **∼kunde** *f.* (*pl.* 없음) 서지학(書誌學). **∼mappe** *f.* 학생 가방. **∼mensch** *m.* 독서가. **∼narr** *m.* 장서광(狂). **∼revisor** *m.* 계리사; 장부〔회계〕 검사관. **∼sammlung** *f.* 서적〔진서(珍書)〕의 수집; 장서, 문고. **∼schau** *f.* 도서 전시; 서적 안내난《신문 따위의》. **∼schrank** *m.* 책꽂이, 책장. **∼sprāche** *f.* 문어(文語). **∼stūbe** *f.* 도서실; 서재. **∼stütze** *f.* 책꽂이; (*pl.*) 부크엔드. **∼verzeichnis** *n.* 도서 목록. **∼wurm** *m.* 〖蟲〗 책의 벌레《좀·게벌레 따위》; 《比》 독서광, 애서가; 《學》 책벌레. **∼wūt** *f.* 장서광. **∼zettel** *m.* 도서 주문 용지.

Būchfink(e) [bú:xfɪŋk(ə)] *m.* 〖鳥〗 되새의 일종(*chaffinch*).

Būch=forderung *f.* 〖商·法〗 원부(原簿) 등록 채권. **∼führer** *m.* 회계 계원, 계리사(*accountant*). **∼führung** *f.* 회계관의 직(*accountancy*). **∼gewerbe** *n.* 인쇄 제본업. **∼gewinn** *m.* 장부상의 이익. **∼halter** *m.* 부기 계원. **∼haltung** *f.* ① 부기(*bookkeeping*). ¶ einfache 〔doppelte〕 ∼haltung 단식〔복식〕 부기. ② 회계(*accountancy*). **∼haltungs·maschine** *f.* 금전 등록기. **∼handel** *m.* 서적 판매. **∼händler** *m.* 서적 상인; 출판업자. **∼handlung** *f.*, **∼lāden** *m.* (소매) 서점, 책방. **∼macher** *m.* 〖競馬〗 마권 영업자(*bookmaker*). **∼macherei** *f.* 제책〔출판〕업.

Buchs [bʊks] [Lw. gr. –lat.] *m.* –es, –e, **Buchsbaum** *m.* 〖植〗 회양목(♈*box* (*-tree*)).

Buchse [búksə] [Büchse와 同語] *f.* –n, 〖工〗 소켓, 관모(管帽), 윤통(輪筒)(♈*box, socket, collar*).

Büchse [býksə] [Lw. gr. –lat.] *f.* –n, ① 상자, 통, 합(盒), 갑(匣)(♈*box, case*) (Konserven∼) 관(罐), 깡통(*tin, can*). ¶in ∼n einmachen 통조림으로 하다. ② 라이플 총(*rifle, gun*).

Büchsen=fleisch *n.* 통조림 고기. **∼frucht** *f.* 통조림 과일. **∼knall** *m.* 총성(銃聲). **∼lauf** *m.* 총신(銃身). **∼macher** *m.* 총기 제조공. **∼milch** *f.* 깡통 우유. **∼öffner** *m.* 깡통따개. **∼schmied** *m.* 총 제조공. **∼schuß** *m.* 소총 사격. **∼schütze** *m.* 사수(射手). **∼spanner** *m.* 〖獵〗 주인의 총에 장탄해 주는 하인. **∼wāren** *pl.* 통조림류(類).

Būch·stābe [bú:xʃta:bə] [*eig.* „Buchenstab"] *m.* –n(s), –n, 문자(*letter*); 활자(*character, type*). ¶großer ∼ 대문자 / kleiner ∼ 소문자 / nach dem ∼n 글자대로, 자의(字義)에 따라 / auf den ∼n (genau) 아주 꼼꼼하게, 극히 면밀히. **Būch·stabei** *f.* 자모(字母), 알파벳. **Būch·stābelei** *f.* –en, 자구(字句)에 (너무) 구애됨, 깐질김.

Būch·stāben=glaube *m.* 교의(教義)의 자구(字句)만 좇는 편협한 신앙. **∼gleichung** *f.* 대수 방정식. **∼krāmer**, **∼mensch** *m.* 자구에 구애되는 사람. **∼rātsel** *n.* 글자 퀴즈. **∼rechnung** *f.* 〖數〗 대수(代數).

būch·stabieren [bu:xʃtabí:rən] 《Ⅰ》 *t.* 철자하다, 낱말을 자모로 분해하다, 자모를 맞춰 철을 만들다(*spell*). 《Ⅱ》 *i.*(h.)

한자 한자 읽다; 철자를 배우다. **Būchstabiertāfel** *f.* 문자어표《각 문자를 한 말로 대표케 한 것의 표, 전화의 보조 수단》. **būch·stāblich** [búːxʃtεːplıç] *a.* 글자대로의, 축어적(逐語的)인(*literal*); *adv.* 글자 그대로(*literally*). ¶~ übersetzen 직역하다 / ~ wahr 글자 그대로 (아주) 진실한.

Bucht [buxt] [<biegen; =engl. *bight*] *f.* -en, ① 만곡(彎曲), 굽은 것. ② 만, 후미, 협만(*bay, creek, inlet*). **buchtig** *a.* 들쭉날쭉한; 후미진.

Būchung [búːxuŋ] [<buchen¹] *f.* -en, 부기, 기장; 등록. **Būchungs·maschine** *f.* 기장기(記帳器).

Būchverleih [búːxfεrlai] *m.* 대본업(貸本業).

Būch=wald *m.* 너도밤나무의 숲. **~=weizen** *m.* 〖植〗 메밀.

Būch=wērt *m.* 대장(臺帳) 가격. **~=woche** *f.* 독서 주간. **~zeichen** *n.* 장서표(藏書票); 서표(書票). **~zwang** *m.* 기장 의무.

Buckel¹ [búkəl] [Lw. -lat.] *m.* -s, -(稀: *f.* -n), 돌기(부), 융기, 혹(*boss, umbo*).

Buckel² 《Ⅰ》 [<biegen] *m.* -s, -, 몸을 앞으로 굽힘; 절; 곱사등 (*hump(back)*); 등(*back*). **buck(e)licht, buck(e)lig** 《Ⅰ》 *a.* 등이 굽은, 곱사등의; 혹이 있는. 《Ⅱ》 **Buck(e)lige** *m.* u. *f.* 《形容詞變化》 곱사등이.

buckeln [búkəln] 《Ⅰ》 *i.*(h.) 등을 굽히다; 머리를 조아리다. 《Ⅱ》 *t.* (에) 양각(陽刻)하다; (무거운 짐을) 지다, 나르다.

bücken [býkən] [<biegen] 《Ⅰ》 (머리·등 따위를) 굽히다, 숙이다. ¶vom Alter gebückt 늙어서 허리가 굽은. 《Ⅱ》 *refl.* 몸을 구부리다(*stoop*); (vor jm., 아무에게) 절하다(*bow*).

Bück(l)ing¹ [býk(l)ıŋ] *m.* -s, -e, 허리를 굽힘, 절(*bow*).

Bückling² *m.* -s, -e, 청어 훈제(燻製).

Budapest [búːdapεst, budapέst; (ung.) búdɔpεʃt] *n.* -s, 부다페스트《헝가리의 수도》.

Buckskin [búkskin, bʌ́k-] [engl.] *m.* -s, -s, 녹비(鹿皮), 또 그와 비슷한 모직물.

Buddha [búda] [skt. „der Erwachte, Erleuchtete"] *m.* -s, 불타, 부처. **Buddhismus** [budísmus] *m.* -, 불교. **Buddhist** *m.* -en, -en, 불교 신자. **buddhistisch** *a.* 불교의, 불교 신자의.

Būde [búːdə] *f.* -n, ① 허술한 가게《시장의》, 노점, (장사꾼의) 목판(♈*booth, stall*). ② 《俗》 (학생의) 하숙(방)(*dig(ging)s*); 《蔑》 낡은 집.

Budget [bydʒéː, bʌ́dʒıt] *n.* -s, -s, 예산(안). **~ausschuß** *m.* 예산 위원회.

Bǖdner [býːdnər] *m.* -s, -, 오두막에 사는 사람, 빈농(*cottager*).

Büfett [byfét, -féː] [fr.] *n.* -(e)s, -e, ① 식기 선반; 조리대(臺) (*sideboard*). ② 술집의 스탠드(*side-table, bar*). ③ 바, 술집, 식당《역·극장 따위의》(*refreshment bar*); 자동 판매식 음식대.

Buff [buf] *m.* -s, -s, 갈보집.

Buffa [búfa] [it.] *f. pl.* -s, 익살, 희가극.

Büffel [býfəl] [Lw. gr. -lat.] *m.* -s, -, 〖動〗 물소; 미국산 들소(♈*buffalo*); 《比》 무작한 사람; 바보.

büffeln [býfəln] *i.*(h.) u. *t.* 억척같이 일〔공부〕하다; 벼락공부하다. **Büffler** *m.* -s, -, 억척같이 일하는 사람; 《學》 벼락공부하는 사람.

Būg [buːk] [<biegen] *m.* -e(s), ⸚e, ① 발의 관절《짐승의》; 견관절(肩關節)《양·말의》; 〖海〗 이물, 뱃머리(♈*bow*). ② 굴곡, 만곡, 만곡부(♈*bow; bend*).

Bǖgel [býːgəl] [<biegen] *m.* -s, -, 구부러진 것《나무 또는 금속 조각》(♈*bow*); 고리, 낚시(*hoop*); 옷걸이(*coat hanger*); (Steig~) 등자(鐙子)(*stirrup*); (바구니, 남비 따위의) 손잡이, 핸들(*handle*), (지갑·탁상 메모 따위의) 테(*frame*); 〖電〗 집전자(集電子).

Bǖgel=brett *n.* 인두판. **~eisen** *n.* 인두, 아이론. **~falte** *f.* 양복 바지의 주름(*crease*).

bǖgeln [býːgəln] *t.* (에) 다림질하다(*iron*).

būglahm [búːklaːm] *a.* 사람이 허리를 삔, (말이) 어깨뼈가 빠진.

Bugsier=boot [buksíːr-] *n.*, **~dampfer** *m.* 예인선(曳引船).

bugsieren [buksíːrən] [port.] *t.* 〖海〗 (배를) 끌다(*tow*); 《比》 끌어넣다《사람을》.

Bugsier=leine *f.* 예인선용 뱃줄. **~=lohn** *m.* 예인료. **~seil, ~tau** *n.* 끄는 줄.

Bǖhel [býːəl] *m.* -s, -, **Bühl** [byːl] *m.* -e(s), -e, 《方》 (얼마 높지 않은) 언덕, 고지(*hill, hillock*).

Buhle [búːlə] 《Ⅰ》 *m.* -n, -n, 《詩》 애인; 정부(情夫). 《Ⅱ》 *f.* -n, 애인; 정부(情婦), 첩(*paramour, mistress*). **buhlen** [búːlən] *i.*(h.) ① (mit jm., 아무와) 정교(情交)하다. ② 겨루다, 경쟁하다; 《詩》 (um et. *od.* nach et.³, 무엇을 얻으려고) 애쓰다. **Buhler** *m.* -s, -, ① 애인; 정부(情夫). ② 《比》 경쟁자. **Buhlerei** *f.* -en, ① 정사(情事), 정교(情交). ② 경쟁. **Buhlerin** *f.* -nen, 정부(情婦); 창녀. **buhlerisch** *a.* 호색의, 음란한; 요염한. **Buhlin** *f.* -nen, 연인, 정부(情婦). **Buhlschaft** *f.* -en, 정사, 색사, 통정.

Buhne [búːnə] *f.* -n, 방파제, 제방, 물둑(*groyne, dike*).

Bǖhne [býːnə] *f.* -n, ① 무대(*stage*), 극장. ¶auf die ~ bringen 상연하다 / zur ~ geh(e)n 배우가 되다. ② 발판(*scaffold*); 단(壇), 연단(*platform*); 다락방, 고미다락(*garret, attic*).

Bǖhnen=anweisung *f.* 무대 지정《각본 작가가 배우나 감독에게 하는 연기상의 주의》. **~ausstattung** *f.* 무대 장치. **~bild** *n.* 무대면, 무대 풍경. **~=dichter** *m.* 극작가. **~effekt** *m.* 무대 효과. **~einrichtung** *f.* 무대 장치. **~held** *m.*, **~heldin** *f.* 극(劇)의 주역. **~leiter, ~lenker** *m*, 무대 감독. **~mäßig** *a.* 연극조의; 무대 상연에 적합한. **~spiel** *n.* 연극. **~sprāche** *f.* 무대어《표준말》. **~stück** *n.* 희곡, 각본. **~tanz** *m.* 스테이지 댄스, 발레. **~veränderung** *f.* 무대면의 이동〔전환〕. **~wand** *f.* 무대 장치《배경 따위》. **~wirksām** *a.* 무대 효과가 있는.

būk [buːk] ☞ BACKEN(그 過去).

Bukett [bukét] [fr. „kleiner Busch"] *n.* -(e)s, -e, 꽃다발(♈*bouquet*).

Bulette [bulétə] [fr. „Kügelchen"] *f.* -n, (구운) 고기 완자, 미트볼(*meatball*).

Bulgāre [bulgá:rə] *m.* -n, -n, 불가리아 사람. **Bulgārien** [bulgá:riən] *n.* -s, 불가리아.

Bull·auge [búl-augə] *n.* 〖海〗 현창(舷窓) (♈*bull's-eye*; *porthole*).

Bulldogge [búldɔgə] *f.* -n, 불독.

Bulle[1] [búlə] *m.* -n, -n, 황소(♈*bull*).

Bulle[2] [lat. *bulla* „Wasserblase"] *f.* -n, 인장(印章), 봉인(*seal*); (봉인된) 문서(♈*bull*).

bullen [búlən] *i.*(h.) 오줌싸다.

bullern [búlərn] *i.*(h.) 떠들다; 끓다; 격앙(激昂)하다.

Bulletin [bʏlətɛ̃:] [lat. -fr.] *n.* -s, -s, 보고, 일보; 〖醫〗 병상 일지.

Būmerang [bú:məraŋ] [australisch] *m.* od. *n.* -s, -s *u.* -e, 부메랑; 《比》 자업 자득.

Bummel [búməl] *m.* -s, -, 이리저리 거닒, 산책(*stroll*). **Bummelei** [buməlái] *f.* -en, 느릿느릿함, 완만; 빈들거림, 흘게늦음, 태만; 소요. **bumm(e)lig** *a.* 느릿느릿한, 빈들거리는, 흘게늦은. **bummeln** [búməln] *i.*(h.) 이리저리 거닐다; 구물거리다; 《俗》 빈둥거리며 지내다. **Bummelzūg** *m.* 《俗》 완행 열차 《역마다 서는》. **Bummler** *m.* -s, -, 이리저리 거니는 사람; 빈둥거리는 사람.

bums! [bums] [擬聲語] *int.* 쿵, 쾅, 탁. **bumsen** [búmzən] *i.*(h.) 쿵하고 떨어지다, 탁하고 부딪다.

Bumslokāl [búmsloka:l] *n.* 《俗》 수상한 술집.

Bund [bunt] [<binden] 《Ⅰ》 *n.* -(e)s, -e, (das Gebundene) 다발, 단, 묶음(♈*bundle*; *bunch*). 《Ⅱ》 *m.* -(e)s, ⁼e, ① (das Bindende) 묶는〔매는〕것, 밴드, 띠, 허리띠(♈*band*; *tie*). ② 결합, 연맹, 동맹, 연방(*alliance, league, confederacy*); (하느님과 유태 민족간의) 계약(*covenant*).

Bund⸗bruch *m.*, **⁓brüchig** *a.* = BUNDESBRUCH, BUNDESBRÜCHIG.

Bündel [bʏ́ndəl] [*dim.* v. Bund] *n.* 〔*m.*〕 -s, -, 작은 다발〔단·묶음〕(♈*bundle*; *bunch*); 꾸러미; 짐, 소화물(*packet*, *parcel*); 〖物〗 (Licht⁓) 속선(束線); 광속(光束)(*pencil*). **Bündelei** *f.* -en, 음모; 비밀 결사. **bündeln** [bʏ́ndəln] 《Ⅰ》 *t.* 묶다, 다발짓다(*bundle* (*up*)). 《Ⅱ》 *i.*(h.) 결사를 만들다; 음모를 꾀하다.

Bündelpresse [bʏ́ndəlpresə] *f.* 다발지어 짓누르는 기계, 일괄 압축기.

Bundes⸗angelēgenheit *f.* 연방 사무. **⁓bahn** *f.* Deutsche ⁓bahn 국영 철도《서독의》. **⁓behörde** *f.* 연방 정부. **⁓bruch** *m.* 동맹 파기, 맹약 위반. **⁓brüchig** *a.* 동맹을 파기한; 부실〔배신〕한. **⁓brūder** *m.* 동맹〔연합〕국. **⁓feldherr** *m.* 연합군 사령관. **⁓freund**, **⁓genoß**, **⁓genosse** *m.* = ⁓BRUDER. **⁓haus** *n.* 연방 의사당《서독의》. **⁓heer** *n.* 연합군. **⁓kanzler** *m.* 연방 수상《서독·오스트리아 등의》. **⁓lāde** *f.* 〖宗〗 계약의 궤. **⁓präsident** *m.* 연방 대통령. **⁓rāt** *m.* 연방 의회《상원》. **⁓regierung** *f.* 연방 정부. **⁓staat** *m.* 동맹 국가, 연방. **⁓straße** *f.* (서독의) 국도. **⁓tāg** *m.* 연방 의회. **⁓treu** *a.* 동맹에 충실한. **⁓verfassung** *f.* 연방 헌법. **⁓verträg** *m.* 동맹 조약. **⁓verwandt** *a.* 동맹한.

bündig [bʏ́ndıç] *a.* 구속력〔강제력〕이 있는, 유효한(♈*binding*; *valid*); 설득력이 있는, 적절〔적확〕한(*convincing*); (문체가) 간결한(*concise*). ¶kurz u. ⁓ 간결하고 요령있는(*terse*). **Bündigkeit** *f.* 적절; 간결; 〖法〗 효력. **bündish** *a.* 동맹하고 있는. **Bündnis** [bʏ́ntnıs] *n.* -ses, -se, 동맹, 연합(*alliance*).

Bunker [búŋkər] [engl.] *m.* -s, -, 석탄 창고《기선·공장의》; 골프장의 벙커; 엄폐호(壕), 토치카.

bunt [bunt] *a.* 알록달록한(*spotted*); 바둑판 무늬의(*checkered*); 섞바뀐, 교호의; 색칠한, 색채가 있는《흑·백 이외의》(*coloured*); 잡색의(*motley*); 가지각색의, 다채로운(*variegated*); 뒤섞인; 즐거운(*gay*). ¶⁓es Glas 색유리(*stained glass*) / ⁓e Reihe 남녀가 번갈아 늘어섬 / er treibt es zu ⁓ 그는 하는 짓이 너무 심하다.

Bunt⸗druck *m.* (*pl.* -e) 색쇄(色刷), 채색 인쇄(물). **⁓farbig** *a.* 여러 가지 빛깔의. **⁓fleckig** *a.* 반점이 있는, 얼룩덜룩한. **⁓gefiedert** *a.* 얼룩덜룩한 깃이 있는. **⁓metall** *n.* 비(非)철 금속. **⁓papier** *n.* 색종이. **⁓scheckig** *a.* 반점이 있는, 잡색의. **⁓specht** *m.* 〖鳥〗 청딱다구리속. **⁓stift** *m.* 색연필. **⁓wēberei** *f.* 착색 직물.

Bürde [bʏ́rdə] [♈Bahre] *f.* -n, 무거운 짐, 《比》 부담(♈*burden*; *load*).

Bureau [byró:] [fr.] *n.* -s, -s, ☞ BÜRO 《그 옛 綴字》.

Burg [burk] [♈bergen; =engl. *borough*] *f.* -en, 성, 성곽(*castle, stronghold*); 《比》 피난처, 보호(물).

Bürge [bʏ́rgə] [<bergen, borgen] *m.* -n, -n, 보증인(*bail, surety, guarantor*). ¶e-n ⁓n stellen 보증인을 세우다.

bürgen *i.*(h.) (für, 의) 보증을 하다.

Bürger [bʏ́rgər] [<Brug] *m.* -s, -, 도시민(*townsman*); (국가의) 공민, 시민, 국민(*citizen*); 평민, 서민(*commoner*); 민간인.

Bürger⸗ādel *m.* 도시 귀족. **⁓brief** *m.* 시민증. **⁓eid** *m.* 시민 선서. **⁓garde** *f.* 시민군, 민병대. **⁓krieg** *m.* 내란(*civil war*). **⁓kunde** *f.* 공민학, 사회 과목.

bürgerlich [bʏ́rgərlıç] 《Ⅰ》 *a.* 시민의; 국민의; 인민의; 평민의; 〖法〗 민사의; 민간 상용의, 일용의; 평민적인, 서민적인; 간이한, 검소한. ¶ein ⁓es Schauspiel 시민극, 평민극 / das ⁓e Gesetzbuch 민법전. 《Ⅱ》 **Bürgerliche** *m.* u. *f.* 《形容詞變化》 평민, 서민, 인민.

Bürger⸗mädchen *n.* 평민의 딸. **⁓meister** [bʏ́rgərmaistər, bʏrgərmái-] *m.* 시장(*mayor, Lord Mayor*). **⁓pflicht** *f.* 시민〔공민〕의 의무. **⁓recht** *n.* 시민권, 공(민)권.

Bürgerschaft [bʏ́rgərʃaft] *f.* -en, 시민(總稱); 서민 계급; 시민권.

Bürgerschūle [bʏ́rgərʃu:lə] *f.* † 공민학교; 시립 학교.

Bürgersinn [-zın] *m.* 시민 정신; 공공심.

Bürgers⸗kind *n.* 평민의 자제. **⁓leute** *pl.*, **⁓mann** *m.* 시민, 평민.

Bürger·soldāt *m.* 민병. **~stand** *m.* 평민 계급; 서민. **~steig** *m.* 보도(步道)(*pavement*). **~stolz** *m.* 시민의 자랑〔긍지〕. **~tūgend** *f.* 공덕심.

Burg·flecken *m.* 자치 성읍(城邑)《Stadt와 Dorf의 중간》. **~friede(n)** *m.* 성내(城內)〔영내〕의 평화; 《比》〖議會〗 정쟁 중지. **~grāben** *m.* 성의 해자. **~grāf** *m.* (중세의) 성주, 태수. **~keller** *m.* 성 안의 지하 감옥(*dungeon*).

Bürgschaft [bʏ́rkʃaft] [<Bürge] *f.* -en, 보증(*surety, bail*); 담보, 저당(*guarantee*).

Burg·stall *m.* 성터. **~tōr** *n.* 성문.

Burgund [burgúnt] [fr. *Burgogne*] *n.* -s, 프랑스의 지방 이름《옛날에는 게르만 왕국의 이름》. **Burgunder** 《Ⅰ》 [-dər] *m.* -s, -, 부르군트 사람; 부르군트산 포도주. 《Ⅱ》 *a.* 위의.

Burg·verlies *n.* 성내의 지하 감옥. **~warte** *f.* 성의 망루(望樓).

burlesk [burlέsk] [it.] *a.* 익살스러운; 우스꽝스러운(♈*burlesque*).

Bürō [byró: 때로 bʏ́ro:] [fr.] *n.* -s, -s, 사무실, 관청, 사무소(♈*bureau; office*).

Bürō·angestellte *m.* u. *f.* 《形容詞變化》 사무원. **~arbeit** *f.* 사무. **~beamte** *m.* 《形容詞變化》 관리; 사무원. **~diener** *m.* 사환. **~fräulein** *n.* 여사무원. **~gehilfe** *m.* 업무 수습. **~gehilfin** *f.* (수습) 여사무원. **~hengst** *m.* 《俗》 비지니스맨.

Bürokrāt [byrokrá:t] [<Büro *u.* gr. -krat] *m.* -en, -en, 관료주의자《나쁜 뜻의》; 관료. **Bürokratie** [-kratí:] *f.* ..tien 관료 정치, 관료주의, 번문 욕례(繁文縟禮)(주의). **bürokrātisch** *a.* 관료주의의; 번문 욕례의.

Bürō·möbel *pl.* 사무실용 집기. **~schlāf** *m.* 되는대로의 근무 태도. **~vōrstēher** *m.* 사무장. **~zeit** *f.* 집무〔근무〕 시간.

Bursch(e) [burʃ, búrʃə] *m.* -(e)n, -(e)n, 젊은이, 소년, 아이(*youth, lad, boy*); 동아리, 동료(*fellow*); 사환, 보이; 〖軍〗 (장교) 당번병; 놈, 녀석(*fellow*). **burschenhaft** *a.* 젊은이다운; 대학생 같은.

burschikōs [burʃikó:s] *a.* 학생 같은; 《比》 쾌활한, 태평스러운, 버릇없는, 방종한, 분별없는.

Bürste [bʏ́rstə] [<Borste] *f.* -n, 솔, 귀얄, 브러시(*brush*); **bürsten** [bʏ́rstən] 《Ⅰ》 *t.* (에) 솔질하다(*brush*). 《Ⅱ》 *i.*(h.) ① 《戲》 술을 마시다. ② 스쳐 지나가다, 질주하다.

Bürsten·abzūg *m.* 교정쇄(校正刷). **~bād** *n.* 냉수 브러시 마사지. **~binder** *m.* 솔〔브러시〕 제조인. **~massage** *f.* 브러시(를 사용하는) 마사지.

Bürzel [bʏ́rtsəl] *m.* -s, -, (새·짐승의) 둔부(*rump, croup*); 〖獵〗 (사슴·토끼 따위의) 짧은 꼬리.

Bus [bus] *m.* Busses, Busse, 《略》 = autobus, 버스.

Busch [buʃ] [Lw. lat.] *m.* -es, ⸚e, ① (관목의) 수풀, 숲, 총림(♈*bush; thicket*); (열대의) 밀림. ② 다발, 술(*tuft*). **Büschel** [bʏ́ʃəl] *n.* 〔*m.*〕 -s, -, 작은 수풀; 다발, 술. **Buschholz** *n.* 수풀, 총림; 덤불. **bushig** *a.* 잡목이 우거진, 수풀이 무성한(♈*bushy*); 술〔다발〕 모양의(*tufty*); 털이 많은(*shaggy*).

Busch·klepper [Klepper = „Pferd, Reiter"] *m.* 노상 강도, 산적, 마적. **~werk** *n.* 수풀, 총림(*shrubbery*).

Busen [bú:zən] *m.* -s, -, 가슴《특히 여자의》, 품(♈*bosom; breast*); 《比》 가슴속, 심중(*heart*); (Meer~) 후미, 만(*bay, gulf*).

Būsen·freund *m.*, **~freundin** *f.* 친구. **~krause** *f.* 흉부의 주름 장식(*ruffle*). **~nādel** *f.* 가슴의 장식 핀, 브로치. **~streif(en)** *m.* 가슴의 주름 장식(*tucker*).

Bussard [búsart] [lat. -fr.] *m.* -(e)s, -e, 〖鳥〗 말똥가리속의 새(♈*buzzard*).

Būße [bú:sə] [♈besser] *f.* -n, ① 개전(改悛), 참회(*penitence, repentance*); 갚음, 뉘우침, 속죄(*atonement, compensation*); 처벌(*sanction*). ② 배상; 배상금, 벌금(*penalty, fine*). **būßen** [bý:sən] 《Ⅰ》 *i.*(h.) (죄를) 뉘우치다, 참회〔속죄〕하다(*expiate*). 《Ⅱ》 *t.* u. *i.*(h.) (손해를) 배상하다, 갚다(*make amends for, repair*); 벌받다, (때문에) 혼나다(*suffer for*). 《Ⅲ》 *t.* 《方》 수선하다; 《比》 (모자람을) 메우다; (정욕 따위를) 채우다.

Būßer *m.* -s, -, **Būßerin** *f.* -nen, 참회자, 속죄자.

būß·fertig *a.* 참회〔개전〕의 뜻이 있는; 회오(悔悟)의. **~fertigkeit** *f.* 참회, 회오.

Bussōle [busó:lə] [it. „Büchschen"] *f.* -n, 항해용 나침반(*compass*).

Būß·prēdigt *f.* 참회(일)의 설교. **~psalm** *m.* 〖聖〗 속죄 시편. **~tāg** *m.* 속죄일. **~ūbung** *f.* 참회의 고행.

Būßung [bý:suŋ] *f.* -en, 참회; 속죄, 배상.

Büste [bʏ́stə] [fr.] *f.* -n, ① 흉상(胸像), 반신상. ② (여자의) 흉부(♈*bust*). **~nhalter** *m.* (여자의) 브래지어.

Butt [but] *m.* -(e)s, -e, 〖魚〗 넙치속의 큰 고기(♈(*tur*)*bott*); 가자미속.

Bütte [bʏ́tə], **Butte** [bútə] [Lw. lat., ♈Bottich] *f.* -n, 통, 대야(*tub, vat*); 종이 거르는 통.

Büttel [bʏ́təl] [*eig.* „der (den Willen der Obrigkeit) Bietender, Verkündender", <bieten] *m.* -s, -, 정리(廷吏); 교도관, 형리(*jailer*).

Büttenpapier [bʏ́tənpapi:r] *n.* 손으로 뜬 종이.

Butter [bútər] *f.* 버터(♈*butter*).

Butter·blūme *f.* 《俗》 버터색의 꽃《특히 민들레, 미나리아재비》. **~brōt** *n.* 버터(바른) 빵. **~dōse** *f.* 버터 그릇. **~faß** *n.* (버터 제조용) 교반통. **~handlung** *f.* 버터 가게. **~kringel** *m.* 버터로 구운 8자형 비스킷. **~kühler** *m.* 버터 냉각기. **~milch** *f.* 탈지유(脫脂乳).

buttern [bútərn] 《Ⅰ》 *t.* 버터를 만들려고 휘젓다《유지(乳脂)를》(*churn*); (에) 버터를 바르다. 《Ⅱ》 *i.*(h.) 버터가 되다《유지가》. 《Ⅲ》 *a.* 버터로 만든.

Butter·schnitte *f.* = ~BROT. **~teig** *m.* 버터들이 반죽 가루. **~topf** *m.* 버터 단지. **~vōgel** *m.* 《方》 나비(♈*butterfly*).

Butz(en) [búts(ən)] *m.* ..tzen(s), ..tzen,

응괴(凝塊); 작은 돌기; 초의 심지가 타서 검게 된 부분; (사과나 배의) 과심(*core*).

Butzenscheibe [bútsənʃaibə] *f.* (가운데가 불룩한) 원반(圓盤) 유리.

Byzanz [bytsánts] *n.* -s, 〖史〗 비잔틴 《고대 그리스의 도시》; 중세의 동로마제국. 「각기; 또는, 및.」

bzw. 《略》 =*beziehungsweise,* 각각,

C

C [tse:] *n.* -, -, 〖樂〗 (*C-dur*) 다장조(長調). *c n.* -, -, 〖樂〗 다 음(音); (*c-moll*) 다단조(短調). 「략.」

ca. 《略》 =*circa,* (ungefähr) 약(約), 대

Café [kafé:] [fr.] *n.* -s, -s, (Kaffeehaus) 코피점(店).

Calcium [káltsium] *n.* -s, =KALZIUM.

Call-Girl [kɔ́:lgø:rl, -gə:l] [engl.] *n.* -s, -s, 콜걸《전화로 부르는 매춘부》.

Canaille [kanáljə, (fr.) kaná:j] [fr. „Hundepack"] *f.* -n, 악당《욕으로 하는 말》, 무뢰한(*brute*); 천민, 하층민(*rabble*).

Candela [kandé:la] [lat. „Wachslicht"] *f.* -, 〖物〗 칸델라《1948 년 국제 도량형 총회에서 정해진 광도(光度) 단위, 기호: cd.》.

Cäsar [tsɛ́:zar] [lat. *Caesar*] *m.* 케사르: 《I》 -s. 로마의 정치가(100-44 B. C.). 《II》 -en, -en [tsɛzá:rən] 로마 황제의 칭호; 《一般的》 황제. 「래.」

Cashgeschäft [kǽʃgəʃɛft] *n.* 현금 거

Cellist [tʃɛlíst] *m.* -en, -en, 첼로 연주자. **Cello** [tʃɛ́lo] [it.; <Violoncell] *n.* -s, -s *u.* ..lli, 〖樂〗 첼로. 「셀로판.」

Cellophan [tsɛlofá:n] [<Zelle] *n.* -s,

Cembalo [tʃɛ́mbalo] [it. <Clavicembalo] *n.* -s, -s, (Klavizimbel) 쳄발로 《피아노 모양의 악기》.

Cent [sɛnt, tsɛnt] [lat. *centum* „hundert"] *m.* -(s), -(s), 센트《화폐 단위》.

Cervelatwurst [tsɛrvelá:t-] [lat., *cervelle* „Gehirn"] *f.* 볼로냐소시지《원래는 돼지의 뇌수로 만듦》 (♈*saveloy*).

Ces [tsɛs] *n.* -, -, 〖樂〗 내림 다 음(音); (*ces-moll*) 내림 다단조(短調). *ces n.* -, -, 내림 다장조(*Ces-dur*).

***CGS*-System** [tse:ge:ɛ́s-] *n.* -s, 〖物〗 시지 에스 단위계.

Chagrin [ʃagrɛ̃́:] [fr.] *n.* -s, 〔∼**leder** *n.*〕 우툴두툴한 가죽; 상어 가죽(♈*shagreen*).

Chaise [ʃɛ́:zə] [fr. „Stuhl"] *f.* -n, 소형의 2륜 경마차(♈*chaise*). **Chaiselongue** [ʃɛzəlɔ̃́:g, 때로 ʃɛslɔ̃́:, -lɔ̃́ŋ] [„Langstuhl"] *f.* -n *u.* -s, (낮은) 긴의자.

Chaldäa [kaldɛ́:a] *n.* 갈데아. **Chaldäer** *m.* 갈데아 사람《셈족》.

Chamäleon [kamɛ́:leɔn] [gr. „Erdlöwe"] *n.* -s, -s, 〖動〗 카멜레온; 《比》 변덕장이, 변절자.

Champagne [ʃãpánjə, (fr.) ʃãpáɲ] *f.* (옛날의) 북 프랑스 동북부의 명칭. **Champagner** [ʃampánjər] *m.* -s, -, 샴페인《술》. **champagner(farben)** *a.* 샴페인 빛《담황색》의.

Cham·pignon [(fr.) ʃãpiɲɔ̃́, 보통 ʃámpɪnjɔŋ] [fr. „Acker-pilz"] *m.* -s, -s, 〖植〗 들버섯(*mushroom*).

Champion [tʃǽmpiən, ʃãpiɔ̃́:] [engl. *über* fr. *aus* mlat. *campio* „Kämpfer"] 투사; 선수, 챔피언.

Chaos [ká:ɔs] [gr. „gähnende Leere"] *n.* -, 혼돈; 무질서. **chaotisch** [kaó:tɪʃ] *a.* 혼돈한, 혼란한, 무질서한. 「샤포.」

Chapeau [ʃapó:] [fr.] *m.* -s, -s, 모자,

Chaperon [ʃapərɔ̃́:] [fr.] *m.* -s, -s, ① ♈(중세의 머리 뒤를 덮는) 두건. ② 소녀를 시중드는 나이든 부인.

Charakter [karáktər] [gr. „eingegrabenes Zeichen, Gepräge"] *m.* -s, ..tere ① 기호, 문자(*type, letter*). ② 특색, 특징, 성격(♈*character, disposition*); (다부진) 성격이 있음, 굳셈(*willpower*). ③ 자격, 지위(*title, dignity*). ④ 〖劇〗 역(役), 인물.

Charakter⸗athlet *m.* 《戲》 옹고집장이. ∼**bild** *n.* 초상화; 성격 묘사. ∼**fest** *a.* 절조가 있는; 지조가 굳은.

charakterisieren [karaktərizí:rən] *t.* ① 기호로 표시하다; (의) 특성을 나타내다, 성격을 묘사하다. ② (에게) 관명을 주다, 명예 진급시키다. **Charakteristik** *f.* -en, 특성 서술, 성격 묘사. 〖數〗 (로그의) 지표. **Charakteristikum** *n.* -s, ..ka, 특색, 특징. **charakteristisch** *a.* 특색이 있는, 특색을 이루는, 고유의.

Charakter⸗kopf *m.* 특징있는 얼굴〔사람〕. ∼**los** *a.* 주의〔절조〕가 없는. ∼**puppe** *f.* 사람과 흡사한 인형. ∼**stück** *n.* 성격극(性格劇). ∼**zug** *m.* 특징.

Charge [ʃárʒə] [fr. „Ladung (e-s Wagens)"] *f.* -n, ① 짐; 관직. ② 계급(*rank*). ③ 〖工〗 용광로에 광석을 채움, 또 그 광석; 〖軍〗 (총의) 장전, 습격; (연기의) 과장; 단역중의 성격역. **chargieren** [ʃarʒí:rən] 《I》(에게) 짐을 지우다; (에게) 맡기다. 《II》 **Chargierte** *m.* u. *f.* 《形容詞變化》 학생 조합의 임원.

Charisma [çárɪsma, ká-] [gr., „Gnadengabe"] *n.* -s, ..rismen *od.* ..rismata, 〖가톨릭〗 은사(恩賜); 〖社〗 카리스마《지배자의 초자연적 특성》.

Charmeur [ʃɑrmø:r] [fr.] *m.* -s, -s, *od.* -e, 매력 있는 사람, 말 잘하는 사람.

Charta [kárta] [gr. -lat] *f.* ..tae [-tɛ:] *od.* -s, 원전, 헌법. **Charte** [ʃártə] [fr.] *f.* -n, 헌장. **chartern** [tʃártərn, ʃár-] [engl.] *t.*: ein Schiff ∼ 선박을 세내다 《증서를 작성하여》. **Charterer** [tʃár-] [engl.] *m.* -s, -, (배·비행기를) 전세내는 사람.

Chassidim [xasidím] [hebr. „die Frommen"] *m. pl.* 하시즘교도. **Chassidäer** [-dɛ́:ər] *m.* -s, -, ∼, *pl.* =CHASSIDIM. **Chassidismus** [-dís-] *m.* -, 하시즘 《18세기 폴란드에 일어난 유다 신비교의 일파》.

chateau, château [ʃató:] [lat. -fr.] *n.* -s, -s, 성, 대저택; 별장.

Chauffeur [ʃɔfø:r] [fr. „Heizer"] *m.* -s, -e, 자동차 운전수. **chauffieren** [ʃɔfí:rən] *i.* (h.) 자동차를 운전하다.

Chaussee [ʃɔsé:] [fr.] *f.* ..seen, 포장도로; 공도(公道), 가도(*highroad*).

Chaussee=floh [ʃosé:-], ~**wanze** *f.* 《戱》 오토바이. ~**wärter** *m.* 도로 공사 인부.

Chauvin [ʃovɛ̃] *m.* -s, Cogniard 형제작(作)의 희극 중에 등장하는 편협·맹목적인 애국주의자의 이름. **Chauvinis=mus** [ʃovinísmus] *m.* -, 편협·극단적인 애국주의. **Chauvinist** [ʃoviníst] *m.* -en, -en, 맹목적 애국주의자. **chau=vinistisch** [ʃovinístɪʃ] *a.* 맹목적인 애국주의의.

Chef [ʃɛf] [fr., <lat. *caput* „Kopf"] *m.* -s, -s, 우두머리, 장(長)(♈*chief, head, principal*); 사장, 상점주; 지배인.

Chef=pilōt *m.* 〖空〗 비행장(長). ~**re=dakteur** [-tø:r] *m.* 주필, 편집장.

Chemi̱e [çemí:, (öst.) ke-] [gr.] *f.* 화학(♈*chemistry*). **Chemi̱efāser** *f.* 화학 섬유. **Chemikā̱lien** [-liən] *pl.* 화학 제품, 약품. **Chē̱miker** [çé:mɪkər, (öst.) ké:-] *m.* -s, -, 화학자. **chē̱=misch** [çé:mɪʃ, (öst.) ké:-] *a.* 화학의; 화학적인. ¶ ~es Element 화학 원소.

chemise [ʃəmí:z] [fr.] *f.* -n, 시미즈.

..**chen** [-çən] 축소 명사《모두 중성》를 만드는 후철.

Chia̱sma [çiásma] [gr.] *n.* -s, -s *od.* ..men 〖解〗 교차(交差) 《특히 시신경의》.

Chiffre [ʃífər] [fr. „Ziffer"] *f.* -n, 암호(♈*cipher*); 아라비아 수자.

Chiffre(n)=schlüssel [ʃífər(n)-] *m.* 암호를 푸는 열쇠. ~**schrift** *f.* 암호(법), 암호문. ~**telegramm** *n.* 암호 전보.

chiffri̱eren [ʃɪfrí:rən] *t. u. i.*(h.) 암호〔기호·부호〕로 쓰다.

Chile [tʃí:le:, 종종 çí:le:] *n.* 칠레《남아메리카의 공화국》.

Chilia̱smus [çiliásmus, ki-] *m.* -, 〖宗〗 천년 왕국설.

Chi̱na[1] [çí:na, (öst.) kí:-] *n.* 중국.

Chi̱na[2] [çí:na, (öst.) kí:-] [Inkasprache „Rinde"] *f.* -s, ~**rinde** *f.* 기나피(皮).

Chinē̱se [çiné:zə, (öst.) ki-] *m.* -n, -n, **Chinē̱sin** *f.* -nen, 중국 사람. **chinē̱=sisch** *a.* 중국의. ¶ die ~e Mauer 만리 장성/ ~e Tusche 먹.

Chini̱n [çiní:n, (öst.) ki-] *n.* -s, 〖藥〗 키니네《기나염》.

Chip [tʃip] [engl.] *m.* -s, -s, ① 끄트러기; (룰레트 따위의) 점수패. ② ~s, *pl.* 포테이토칩스《얇게 썬 감자 튀김》.

Chiro·manti̱e [çiromantí:] [gr. „Handwahrsagung"] *f.* ..ti̱en, 수상술(手相術).

Chiru̱rg [çirúrk, (öst.) ki-] [gr., *eig.* „mit der Hand Arbeitender"] *m.* -en, -en [-gən], *a.* 외과 의사. **Chirurgi̱e** [çirurgí:, (öst.) ki-] *f.* ..gi̱en, 외과 (의학), 외과 수술. **chiru̱rgisch** *a.* 외과의.

Chlōr [klo:r] [gr. „gelbgrün"] *n.* -s, 〖化〗 염소(塩素) (♈*chlorine*). **Chlori̱d** [klorí:t] *n.* -(e)s, -e, 염화물.

Chlō̱r=kā̱lium *n.* 〖化〗 염화 칼륨. ~**=kalk** *m.* 염화 석회, 표백분. ~**kalzi̱=um** *n.* 염화 칼슘. ~**nā̱trium** *n.* 식염.

Chlorofo̱rm [klorofɔ́rm] [Chlor *u.* -form] *n.* -s, 클로로포름《마취제》.

chloroformi̱eren *t.* 클로로포름으로 마취시키다. **Chloromyceti̱n** [kloromytsetí:n] [gr. +lat.] *n.* -s, 〖藥〗 클로로마이세틴《항생 물질 약》.

Chlō̱r=säure *f.* 〖化〗 염소산. ~**säure=salz** *n.* 염소산염.

Chō̱lera [kó:ləra, 때로 kólə-] [gr. „Gallensucht"] *f.* 〖醫〗 콜레라. **cholē̱=risch** [kolé:rɪʃ] *a.* 담즙질(膽汁質)의; 흥분하기 쉬운. **Cholesteri̱n** [çolɛstəríːn, ko-] [gr. +lat.] *n.* -s, 〖化〗 콜레스테린.

Chōr [ko:r] [gr. „Tanzplatz"] *m.* -(e)s, ⸚e, (희랍극(劇)의) 가무대(歌舞隊); 〖樂〗 합창단(♈*choir*); 합창, 합창곡(♈*chorus*); (성당의) 내전(內殿), 특별석, 성단(聖壇) (*choir, chancel*). **Chorā̱l** [korá:l] *m.* -s, ..räle, 성가; 〖가톨릭〗 그레고리안 성가. **Chō̱r·altār** *m.* 높은 제단, 본제단.

Chordā̱ten [kɔrdá:tən] [gr. <Chorda] *pl.* 척삭(脊索) 동물.

Chō̱r=gesang *m.* 합창(곡); 성가. ~**=hemd** *n.* (성직자·성가대원의) 흰 가운. ~**herr** *m.* 〖가톨릭〗 교구 평의원.

Chori̱st [koríst] *m.* -en, -en, **Chori̱st=in** *f.* -nen, 합창단원. **Chō̱rknābe** *m.* (교회의) 소년 합창단원.

Chō̱r=pult *n.* 독경(讀經) 책상. ~**rock** *m.* 〖가톨릭〗 제의 밑에 받쳐 입는 단백의(短白衣). ~**schranke** *f.* 성당 안 제대 앞의 난간. ~**stuhl** *m.* 제대 옆의 사제석(席).

Chō̱rus [kó:rus] [gr. -lat.] *m.* -, chō̱re, 합창(단). **chō̱rweise** *adv.* 합창으로, 일제히.

Chow-Chow [tʃáu-tʃáu] [engl. <chines.] *m.* -s, -s, 혀가 푸른 중국종의 스피츠 개.

Christ [krɪst] [=Christus] *m.* 《Ⅰ》-(e)s, (稀: Christus) 그리스도. 《Ⅱ》 -en, -en, 기독교도(♈*Christian*).

Chri̱st=ābend *m.* 크리스마스 이브. ~**=baum** *m.* 크리스마스 트리. ~**beschē̱=rung** *f.* 크리스마스 선물.

Chri̱stenheit [krístənhait] *f.* 전(全) 기독교도, 기독교계(*Christendom*). **Chri̱=stentūm** *n.* -(e)s, 기독교(*Christianity*).

Chri̱st=fest *n.* 크리스마스(*Christmas*). ~**geschenk** *n.* 크리스마스 선물.

Chri̱st=kind, ~**kindchen**, ~**kind=lein** *n.* 아기 예수; 크리스마스 선물. ~**=kō̱nigsfest** *n.* 〖가톨릭〗 그리스도왕 대축일.

chri̱stlich [krístlɪç] *a.* 기독교의; 기독교를 믿는.

Chri̱st=messe, ~**mette** *f.* 성탄 자정 미사. ~**mōnat**, ~**mōnd** *m.* 12월. ~**nacht** *f.* 성탄 전야 (미사).

Chri̱stus [krístus] [gr. „Gesalbter"] *m.* 그리스도. ¶ vor 〔nach〕 Christi Geburt 서력 기원 전〔후〕.

Chrōm [kro:m] [gr. „Farbe"] *n.* -s, 〖化〗 크롬(♈*chromium*). **chromā̱tisch** [kromá:tɪʃ] *a.* 빛깔의; 색이 있는.

chrō̱mgelb *a.* 크롬 황색《채료》의 (♈*chrome*). **Chromosō̱m** [kromozó:m] *n.* -s, -en, 〖生〗 염색체(染色體).

Chrō̱nik [kró:nɪk] [gr. *chronos* „Zeit"] *f.* -en, 연대기, 편년사(編年史)(♈*chron-*

icle). **chronisch** [kró:nɪʃ] *a.* (über längere Zeit hin) 만성적인. **Chronist** [kronɪ́st] *m.* -en, -en, 연대기 편찬자, 기록 작가. **Chronologie** [kronologí:] *f.* ..gien, 연대기(年代記), 연표(年表); 역법(曆法). **Chronometer** [„Zeitmesser"] *n.* 측시계(測時計), 크로노미터; 〖樂〗 박절기(拍節器).

Chrysantheme [kryzanté:mə, çry-] *f.* -n, **Chrysanthemum** [kryzántemum, çry-] *n.* -s, ..themen, 〖植〗 국화.

Chymosin [çymozí:n] [<Chymus] *n.* -s, 치모진《응유(凝乳) 효소》.

Cicerone [tʃitʃeró:ne, -nə] [it.] *m.* -(s), -s, od. -ni, (외국인) 안내자, 가이드.

Cider [tsí:dər] [fr.] *m.* -s, 사이다《사과술》.

circa [tsɪ́rka] [lat.] *adv.* 약. 대략《略: *ca.*》.

Cis [tsɪs] *n.* -, -, 〖樂〗 (*Cis-dur*) 올림 다음, 올림 다장조. *cis n.* -, -, 〖樂〗 올림 다 음; (*cis-moll*) 올림 다단조.

Clique [klɪ́kə] [fr.] *f.* -n, 동족(同族); 도당(徒黨), 파벌(↑*clique*); 패, 무리 (*coterie*).

Coca [kó:ka] *f.* -(s), =KOKA. **Coca-Cola** [-kó:la] *n.* -(s), u. *f.* 코카콜라《상품명》.

Cockpit [kɔ́kpɪt] [engl. „Hahnen(kampf)platz, 투계장"] *n.* -s, -s, (옛날 군함의) 아래 갑판 후부실; (우묵한 곳에 있는) (배·비행기의) 무개(無蓋) 조종석.

Cocktail [kɔ́kte:l, -teil] *m.* -s, -s, ① 칵테일《혼합 음료》. ② 잡종(경마)말.

Cocktail≈kleid *n.* 칵테일 드레스《사교복의 일종》. **~party** *f.* 칵테일 파티《정식 없는 연회, 칵테일을 마심》.

Code [ko:d, (fr.) kɔd] [fr.] *m.* -s, -s, ① 법전. ② 전신 약호, 암호(표).

Cœur [kø:r] [fr. „Herz"] *n.* -(s), -(s), 〖카드〗 하트. **Cœur-As** *n.* 하트의 일(一).

Coiffeur [koafǿ:r] [fr.] *m.* -s, -e, 이발사. **Coiffüre** [koafý:rə] *f.* -n, 머리 장식; 조발(調髮).

Cola [kó:la] [Westafrik.] *f.* ..len, 콜라나무.

Comeback [kambɛ́k] [engl. „Zurückkommen"] *n.* -(s), -(s), (사회적인) 캄백, 복귀.

Comics [kɔ́mɪks] *pl.*, =**Comic strips** [kɔ́mɪk strɪ́ps] *pl.* [engl. „drollige Streifen"] (신문, 잡지의) 연재 만화.

Compur [kɔmpú:r] [kw.] *m.* -s, -e, **~schluß** *m.* (카메라의) 홍채 조이개《여러 장의 얇은 판이 중심에서 별 모양으로 겹침》.

Computer [kɔmpjú:tər] [engl. „Rechner"] *m.* -s, -, 전자 계산기.

Conférencier [kɔ̃ferɑ̃sié:] [fr.] *m.* -s, -s, 토론〔강연〕자; (캬바레 등의) 아나운서, 사회자.

Conveyer [kɔnvé:ər] [engl.] *m.* -s, -, 콘베어, 운반기.

Copyright [kɔ́pirait] [engl.] *n.* -s, -s, 판권, 저작권.

Cottonstuhl [kɔ́tən-] *m.* 양말 제조기.

Coulomb [kulɔ̃́:] *n.* -s, -s, 〖電〗 쿨롱《전량 단위》.

Coup [ku:] [fr. „Schlag, Streich"] *m.* -s, -s, 타격; 불의의 습격〔감행〕; 묘계(妙計). **Coup d'etat** [ku:detá] *m.* -, -, -s - 쿠데타.

Coupé [kupé:] [fr.] *n.* -s, -s, ① 간막이한 차간(*compartment*). ② 2인승 상자 모양의 마차. ③ 쿠페형 자동차.

Coupon [kupɔ̃́:] [fr. „Abschnitt"] *m.* -s, -s, 회수권; 쿠퐁, 떼어 쓰는 표; (채권에 붙는) 이권(利券).

Cour [ku:r] [fr. „Hof"] *f.*: e-r Dame die ~ machen 〔schneiden〕 여자의 비위를 맞추다, 사랑을 구하다(↑*court*).

Courage [kurá:ʒə] [fr.] *f.* 용기, 담력. **couragiert** [kuraʒí:rt] *a.* 용기 있는, 대담한.

Cour≈macher, ~schneider *m.* 여자에게 구애하는 〔비위 맞추는〕 남자.

Courtage [kurtá:ʒə] [fr.] *f.* -n, 〖商〗 중개업〔료〕, 구전.

Cousin [kuzɛ̃́:] [fr. „Vetter"] *m.* -s, -s, 사촌 형제. **Cousine** [kuzí:nə] [„Base"] *f.* -n, 사촌 자매(姉妹).

Cowper [káupər] [engl.] *m.* -s, -s, (용광로의) 열풍 장치.

Crayon [krɛjɔ̃́:] [fr.] *m.* -s, -s, (색)연필, 크레용; 연필화.

Creme [krɛ:m, kre:m] [fr.] *f.* -s, 크림 (↑*cream*).

Croisé [kro·a·zé:] [fr. *croiser* „kreuzen"] *n.* -(s), -s, 능직(稜織); 바꾸어 밟음《무도의 보조》. **croisiert** [kroazí:rt] *p.a.* 능직의.

Crux [kruks] [lat.] *f.* 괴로움, 불쾌; 난문제.

C-**Schlüssel** [tsé:-ʃlʏsəl] *m.* 〖樂〗 다 음기호(音記號).

Curium [kú:rĭum] *n.* -s, 〖化〗 퀴륨《초우란 원소의 하나; 기호: *Cm.*》.

CVJM [tse:faujɔt-ɛ́m] =*C*hristicher *V*erein *J*unger *M*änner 기독교 청년회, YMCA.

D

D [de:] *n.* -, -, 〖樂〗 (*D-Dur*) 라장조. *d n.* -, -, 〖樂〗 라 음; (*d-moll*) 라단조.

da [da:, 弱 da] [↑指示語 der] 《Ⅰ》 *adv.* ① (*ant.* hier) 거기〔저기〕(에)(↑*there*). ¶~ und dort 여기저기에. ② 《이 경우에는 반드시 da:》 (=hier) ~ sein 그 자리에 있다〔와 있다〕. ③ 《一般化되어 關係代名詞 was, wer, der 따위와 함께》 적어도, 어쨌든. ¶wer ~ suchet, der findet 구하는 자는 얻을 것이오. ④ 《呼稱》 sieh ~! 보라. ⑤ (=dann, damals) 그때, 다시. ¶hier und ~ 가끔. ⑥ 《關係副詞》 ein Land, ~ ich niemand kenne 내가 아는 사람이 없는 나라 / jetzt, ~ wir wissen.., 우리가 …을 알고 있는 지금. 《Ⅱ》 *cj.* …이므로, …인 까닭에. ¶ ~ (nun) **aber**, 〔~ (nun) **doch**, 〔~ nun (einmal), ~ ja〕 실은 …이므로.

dabei [dabái, 指示的 뜻이 강할 때: dá:-bai] *adv.* ① 《空間的》 그 옆에, 그 근처에. ¶dicht ~ 바로 그 옆에. ② 《時間的》 그 때에, 그와 동시에. ¶ ich war gerade ~, abzugehen 나는 막 출발하려고 하고 있었다. ③ 《一般的關係》 es ist nichts ~ 그것은 대수로운 일이 아니다 / es bleibt ~! 그렇게 정하여 둔다, 그것으로 된다.

dabei|bleiben* [-blaibən] *i.*(s.) (그) 옆

에 있다, (곁을) 떠나지 않고 있다; (거기에) 참석하고 있다. ★ dābei bleiben 의견을 고집하다.

dabei|sein* [-zain] *i.*(s.) 한패에 들어 있다. ★ dābei sein 옆에 있다; 막 하려 하고 있다.

dabei|sitzen* [dabáizitsən] *i.*(h.) 그 곁에 (앉아) 있다, 마침 그 곳에 있다. ★dābei sitzen 그 동안 앉은 채로 있다.

dabei|stēh(e)n* [-ʃte:(ə)n] *i.*(h.) 그 옆에서 있다. ★ dābei stēh(e)n 그 동안 내내 서 있다.

dā|bleiben* [dá:blaibən] *i.*(s.) (거기에) 머무르다, 남아 있다. ¶~ (müssen) 학교에 남아 있게 되다《벌로》.

da capo [da ká:po] [it.] 《I》〖樂〗 처음부터 (반복하라). ¶~ ~ singen 되풀이하여 노래하다. 《II》 **Dacapo** *n.* -s, -s, 〖樂〗 반복, 앙코르.

Dach [dax] [♈decken; =engl. *thatch*] *n.* -(e)s, ⸗er [déçər], 지붕(*roof*); 비호(庇護). ¶ das ~ aufsetzen 지붕을 이다 / unter ~ u. Fach 옥내에, 비호되어, 완성되어.

Dach⸗antenne *f.* 옥상 안테나. **~balken** *m.* 용마루. **~bōden** *m.* 다락방, 다락(*loft*). **~decker** *m.* 지붕 이는 사람.

dachen [dáxən] *t.* ① (의) 지붕을 이다. (*roof*). ② (을) 물매지게 하다.

Dach⸗fahne *f.* 풍향기. **~fenster** *n.* 다락방의 창; 천창(天窓). **~first** *m.* od. *f.* 용마루. **~garten** *m.* 옥상 정원. **~gesellschaft** *f.* 지주 회사(持株會社). **~kammer** *f.* 다락방. **~lūke** *f.* 지붕창, 천창(天窓). **~pappe** *f.* 지붕을 이는 판지(板紙)《타르를 바른 두꺼운 종이》. **~reiter** *m.* 용마루의 소루(小樓), 망대(望臺). **~rinne** *f.* 홈통.

Dachs [daks] *m.* -es, -e, 〖動〗 오소리(*badger*). ⌈*n.* 손도끼.⌉

Dachs⸗bau *m.* 오소리의 구멍. **~beil**

Dach⸗schāden *m.* 지붕의 파손. ¶e-n kleinen ~schaden haben《俗》 머리가 좀 이상하다. **~schiefer** *m.* 지붕 이는 슬레이트.

Dachs⸗fell *n.* 오소리의 가죽. **~hund** *m.* 〖動〗 닥스훈트《오소리잡이에 쓰이는 테리어 종의 개》.

Dächsin [déksın] *f.* -nen, 〖動〗 오소리의 암컷. ⌈(*rafter*).⌉

Dach·sparren [dáxʃparən] *m.* 서까래

Dach⸗stroh *n.* 지붕을 이는 짚. **~stū⸗be** *f.* 다락방. **~stuhl** *m.* 지붕의 뼈대.

dachte [dáxtə] ☞DENKEN (그 過去).

Dachtel [dáxtəl] *f.* -n, 《俗》 따귀를 침.

dachteln *t.* (의) 따귀를 갈기다.

Dach·traufe [dáxtraufə] *f.* 처마; 홈통.

Dach⸗werk *n.* 지붕 (뼈대). **~ziegel** *m.* 기와. ⌈HUND.

Dackel [dákəl] *m.* -s, -, 《方》 =DACHS-

dādurch [dá:durç, 指示的 뜻이 弱할 때: dadúrç] *adv.* ① 거기를 지나서. ② 그것에 의하여; 그런 식으로 하여; 그 것 때문에.

dafūr [dafý:r, 指示的 뜻이 强할 때: dá:-fy:r] *adv.* ①《防禦》 그것에 대하여. ¶ ich kann nichts ~ 내게 그 책임은 없다. ② 그 때문에; 그것에 관하여. ¶~ mag er selbst sorgen 그것은 그 스스로 어떻게 하는 것이 좋다. ③《贊成》 sind Sie ~? 당신은 그것에 찬성입니까. ④《同一視》 jn. (et.) dāfür halten (ansehen) 아무를(무엇을) 그것으로 여기다.

dafūr|halten* [dafý:rhaltən] 《I》 *i.*(h.) …라고 생각하다. ★ dāfür halten. =DAFÜR ④. 《II》 **Dafūrhalten** *n.* -s, 의견, 생각. ¶nach m-m ~ 내 생각으로는.

dagēgen 《I》[dagé:gən, 指示的인 뜻이 强할 때: dá:ge:gən] *adv.* ① 그것에 반하여, 거슬러. ¶ich habe nichts (ich bin nicht) ~ 나는 그것에 반대하지 않는다. ② 그것과 비교하면, 그것에 비하여. ③ 그 대신에, 그것과 교환으로. 《II》[dagé:gən] *cj.* 이에 반하여, 그런데; 한편으로는, 그 대신에.

dahe̱im [daháim] 《I》 *adv.* 내 집에서, 고향에서(*at home*). ¶《比》 in e-r Wissenschaft ~ sein 어떤 학문에 정통하고 있다. 《II》 **Dahe̱im** *n.* 나의 집; 고향.

dahēr 《I》[dahé:r, 指示的인 뜻이 强할 때: dá:he:r] *adv.* 거기에서; 그 까닭으로, 그것이 원인이 되어. 《II》[dahé:r] *cj.* 그러므로. ⌈(*thereabouts*).⌉

dāherum [da:hεrúm] *adv.* 그 근처에

dahi̱n [dahín, 指示的 뜻이 强할 때: dá:hın] *adv.* ① 그 곳으로; 그것을 목표로. ¶bis ~ 그 때까지 / ~ [dá:-] arbeiten, daß... …을 목적으로 삼고 노력하다 / es ~ [dá:-] bringen, daß ... …을 성취하다, …에 성공하다 / ~ [dahín] streben 그것을 목적으로 삼고 노력하다. ② [dahín] 가 버려, 사라져; 없어져; 죽어. ¶mein Glück ist ~ 나의 행복은 사라져 버렸다.

dā·hinab *adv.* 거기를(저쪽에) 내려와; 《分離하여》 da den Berg hinab 그 산을 내려와. **~hinauf** *adv.* 거기를(저쪽에) 올라가; 《分離하여》 da die Treppe hinauf 그 계단을 올라가서.

dahi̱n⸗|bringen* *t.* 그곳으로 가져(운반하여)가다; 그곳으로 데리고 가다; 《比》 그리 하도록 설득(설복)하다. **~|⸗gēben*** *t.* 《比》 버리다, 희생시키다.

dā·hingēgen [da:hingé:gən] *adv.* 이에 반하여.

dahi̱n⸗|gēh(e)n* *i.*(s.) 지나가 버리다; 사라져 없어지다. **~|schwinden*** *i.*(s.) 차차 사라져 없어지다. **~|stellen** *t.*: ~gestellt (*p.p.*) sein lassen 그대로 두다, 결정하지 않고 두다. ⌈배후에.⌉

dahi̱nten † [dahíntən] *adv.* 그 뒤에,

dahi̱nter [dahíntər, 指示的인 뜻이 强할 때: dá:hıntər] *adv.* 그 뒤에; 배후에.

dahi̱nter⸗|knien *refl.* (에) 몰두하다. **~|kommen*** *i.*(s.) (을) 찾아내다, (의) 진상을 간파(看破)하다. **~|sein*** *i.*(s.) 배후에 있다. ¶es wird nichts ~sein 뒤에 아무 것도 없다, 그뿐이다. **~|⸗stecken**(*) *i.*(h.) 《俗》 배후에 숨다. ¶ da steckt et. dahinter! 뒤에 무언가가 반드시 있단 말이다 / da kann nur sie ~stecken 그녀가 흑막임에 틀림없어.

dahlen [dá:lən] *i.*(h.) 《俗》 실덕거리다; 시시한 이야기를 지껄이다.

Dāhlīe [dá:lĭə] *f.* -n, 〖植〗 달리아(♈*dahlia*).

Dakāpo [daká:po] [it. „von vorn"] *n.* -s, -s, 〖樂〗 반복. =DACAPO.
dā|liegen* [dá:li:gən] *i.*(h.) (일정한 장소에) 있다; 누워 있다.
Dalles [dáləs] [hebr.] *m.* -, 빈곤; 불행.
dalli! [dáli:] [poln.] *int.* 《俗》 빨리, 서둘러.
dāmālig [dá:ma:lıç, 强調될 때: dá:má:lıç] *a.* 당시의, 그 무렵의. **dāmāls** [dá:ma:ls, 强調될 때; dá:má:ls] *adv.* 당시, 그 무렵.
Damaskus [damáskus] *n.* -, 시리아의 수도 이름《사도 바울이 회심(回心)한 땅》. **Damast** [damást] *m.* -(e)s, -e, 문직(紋織), 왜증(倭繒) 《원래 다마스커스산》. **damasten** *a.* 문직의.
Damaszēner [damas-tsé:nər] 《Ⅰ》 *m.* -s, -, 다마스커스 사람. 《Ⅱ》 *a.* 다마스커스의. ¶~ Klinge 다마스커스 검(劍)《물결 또는 뭉게구름 무늬가 있는 언월도(偃月刀)》. **damaszieren** *t.* 물결 무늬를 넣다《칼날 따위에》.
Dāmchen [dɛ́:mçən] *n.* -s, -, [縮<Dame] ① 작은 (귀)부인. ② 매춘부.
Dāme [dá:mə] [fr. *aus* lat. *domina* „Herrin"] *f.* -n, ① (상류 또는 양가의) 부인(婦人), 귀부인, 숙녀(*lady*). ② 애인; 어떤 남자의 〔댄스의〕 상대자(*partner*); (카드의) 퀸(*queen*); (서양 장기의) 여왕; 서양 장기(*draughts*).
Dām(e)lack [dɛ́:m(ə)lak] *m.* -s, -e *u.* -s, 멍청이; 바보(*fathead*). **dām(e)lich** *a.* 투미한, 얼빠진(*stupid*); 《俗》 현기증이 나는(*giddy*).
Dāmen·abteil *n.* 〔*m.*〕 (열차의) 여성 전용실. **~bād** *n.* 여탕(女湯). **~binde** *f.* 월경대. **~brett** *n.* 서양 장기판. **~held** *m.* 난봉꾼. **~konfektiōn** *f.* 여성용 기성복. **~schneider** *m.* 여성복 재봉사. **~spiel** *n.* 서양 장기. **~wahl** *f.* 여성이 상대를 골라 댄스를 청함. **~welt** *f.* 여성계, 여성 사회. **~zimmer** *n.* 여성용 화장실.
damit 《Ⅰ》 [damít, 指示的 뜻이 强할 때: dá:mıt] *adv.* 그것과, 그것과 함께, 그것으로써; 그와 동시에. 《Ⅱ》 [damít] *cj.* …하기 위하여(*so that, in order that*); …의 목적으로. ¶ ~... nicht, …한 일이 없도록.
dāmlich [dɛ́:mlıç] *a.* 《俗》 눈이 어두워진, 어리석은, 희미한; 현기증이 나는, 의식이 없는.
Damm [dam] *m.* -e(s), ⸚e, ① 제방, 둑(♈*dam; dyke*); (Hafen~) 방파제, 부두; (Eisenbahn~) 철롯둑. ¶ 《比》 auf dem ~(e) sein 까딱없다, 경기가 좋다, 건강〔안전〕하다. ② (포장한) 차도(*roadway*). ③ 〖解〗 회음(會陰). **Damm·bruch** *m.* 제방 붕괴. **dämmen** [dɛ́mən] *t.* (에) 제방을 쌓다, 둑으로 막다; 《比》 저지〔제한〕하다; 억압〔진압〕하다.
Dämmer [dɛ́mər] *m.* -s, 미광(微光); 박명(薄明), 여명(*dusk, twilight*).
Damm·ērde [dám-e:rdə] *f.* 〖農〗 비토(肥土), 부식토.
dämmergrau [dɛ́mər-], **dämmer·haft, dämmerig** *a.* 어둑어둑한; 희미한; 《比》 막연한, 몽롱한. 「황혼; 미광.」
Dämmerlicht [dɛ́mərlıçt] *n.* 박명(薄明);
dämmern [dɛ́mərn] 《Ⅰ》 *i.*(h.) 차차 밝아〔어두워〕지다; 어스레하(게 되)다; 흐려지다《눈물로 눈이》. ¶es dämmert, a) 날이 샌다, 먼동이 튼다(*dawn*), b) 날이 저문다, 땅거미진다(*grow dusk*) / es dämmert (bei) mir 나는 그것을 어렴풋이 깨닫는다 / vor sich hin ~ 꿈인지 생시인지 분간을 못하고 있다, 멍해 있다. 《Ⅱ》 *refl.* 차차 사라져 가다.
Dämmer·schein *m.* =~LICHT. **~schlāf** *m.* 반수(半睡); 〖醫〗 (무통 분만의) 반마취 상태. **~stunde** *f.* 새벽녘, 황혼녘.
Dämmerung [dɛ́məruŋ] *f.* -en, 어스름, (Morgen~) 여명(*dawn*); (Abend~) 황혼, 땅거미(*twilight*).
Dämmerzūstand [dɛ́mərtsu:ʃtant] *m.* 의식이 멍한 상태; 〖醫〗 혼수 상태.
Damm·gēgend *f.* 〖解〗 회음부(會陰部). **~riß** *m.* 〖醫〗 회음 파열. **~schüttung** *f.* 둑.

Dāmokles·schwērt [dá:moklɛs-] [gr.] *n.* 환락 속에서도 항상 몸에 임박해 있는 위험.
Dāmon [dɛ́:mɔn] [gr.] *m.* -s, -en [dɛmó:nən], 귀신, 마(魔); (기독교에서는 Teufel) 악마. **dämōnisch** [dɛmó:nıʃ] *a.* 신들린; 악마와 같은; 초자연의 힘을 가진.
Dampf [dampf] *m.* -(e)s, ⸚e, ① 증기, 김(*vapour, steam*); 수증기; 아지랭이, 운기(雲氣), 안개, 연기(*smoke*). ② 〖醫〗 천식(喘息).
Dampf·bād *n.* 증기욕(浴), 한증(汗蒸). **~boot** *n.* 작은 증기선(船). **~dichte** *f.* 증기의 밀도〔비중〕. **~druck** *m.* 증기압〔장력〕. **~(druck)messer** *m.* 증기 압력계. **~dynāmo** *m.* 증기 직류 발전기.
dampfen [dámpfən] 《Ⅰ》 *i.*(s.) 증발하다, (김·연기로 되어) 떠오르다. 《Ⅱ》 *i.*(h.) 김을 내다, 증기를 발생하다; 연기를 내다; 냄새를 발하다; (말이) 땀에 흠뻑 젖다. 《Ⅲ》 *t.* 증기〔연기·냄새〕를 발산시키다. ¶e-e Pfeife ~ 담배를 피우다《파이프로》.
dämpfen [dɛ́mpfən] [<Dampf] *t.* ① (에) 증기를〔김을〕 통하게 하다(*steam*); 찌다(*stew*). ② (불·열을) 낮추다, (불을) 막아 끄다(♈*damp*); 《比》 억압〔진압〕하다(*suppress*); (빛깔을) 흐리게 하다(*tone down*); (음조(音調)를) 부드럽게 하다(*deaden; muffle*); (바이얼린에) 약음기(弱音器)를 끼우다 (*mute*). ¶mit gedämpfter Stimme 목소리를 낮추어서, 잠긴 음성으로. 「船).」
Dampfer [dámpfər] *m.* -s, -, 기선(汽
Dämpfer [dɛ́mpfər] *m.* -s, -, 소화자(消火者); 소화기; 〖樂〗 약음기(♈*damper, mute*). ¶《比》 jm. e-n ~ aufsetzen 아무의 콧대를 꺾다, 흥을 깨다.
Dampf·erzeugung *f.* 증기 발생. **~faß** *n.* (요리용) 찜통; 증기 발생기. **~hammer** *m.* 증기 해머. **~heizung** *f.* 증기 난방 (시설). 「광내 나는.」
dampfig [dámpfıç] *a.* 증기로 충만한; 곰
dämpfig [dɛ́mpfıç] *a.* 천식의, (말이) 숨찬. **Dämpfigkeit** *f.* 호흡 곤란; (말의) 호흡 촉박.

Dampf·kessel *m.* 보일러. ～**kraft** *f.* 증기력. ～**mashine** *f.* 증기 기관. ～**pumpe** *f.* 증기 펌프. ～**roß** *n.* 《戯》 증기 기관차. ～**shiff** *n.* 기선.

Dämpfung [dέmpfuŋ] *f.* –en, dämpfen 하기; 〖物〗 (진동의) 감쇠; 〖工·電〗 제동, 감폭; 〖醫〗 (타진할 때의) 탁음(濁音).

Dampf·ventil *n.* 증기 밸브. ～**wāgen** *m.* 증기 (자동)차; 증기 기관차. ～**walze** *f.* (도로 공사용의) 증기 롤러; 《比》 밀고 나아가는 위력.

danāch [daná:x, 指示的 뜻이 强할 때: dá:na:x] *adv.* ① 《時間的》 그 뒤에, 그 후. ② 《空間的》 그것을 좇아서, 그 쪽으로. ③ 《標準·相應》 그에 따라서. ④ 《關係副詞로서》 …에 응하여, 그에 따라서. ¶～ (=wie) es sich trifft 형편에 따라서.

Dandy [dǽndi, dέn–] [engl.] *m.* –s, –s, 멋장이.

Dāne [dέ:nə] *m.* –n, –n, 덴마크 사람.

danēben [danέ:bən, 때로 强하게: dá:ne:bən] *adv.* 그 옆에, 그것과 나란히; 그 밖에.

danēben|gehen* *i.*(s.) 표적을 벗어나다; 실패하다. ～|**hauen*** *i.*(h.) 잘못치다〔하다〕.

Dānemark [dέ:nəmark] *n.* 덴마크.

dang [daŋ] ☞DINGEN (그 過去).

daniēder [daní:dər] *adv.* 아래로, 아래에. ～|**liegen*** *i.*(h.) 가로놓여 〔누워〕 있다; 《比》 위축되어 있다, 부진하다.

Dānin [dέ:nɪn] *f.* –nen, 덴마크 여성.

dānisch [dέ:nɪʃ] *a.* 덴마크(사람·말)의.

Dank [daŋk] [♈denken] *m.* –(e)s, 감사(한 마음), 감은(感恩)(♈*thanks; gratitude*); 감사(의 말), 치사의 말, 보수(*reward, recompence*). ¶jn. zum ～ verpflichten 아무에게 친절을 다하다 / jm. für et. ～ wissen 아무에게 무엇의 은혜를 느끼고 있다 / jm. ～ sagen 아무에게 감사의 말을 하다 / besten 〔schön(st)en; vielen〕 ～! 매우 고맙네 / Gott[3] sei ～! 아이고 고마와라, 고맙기도 하지. **dank** *prp.* 《3格 때로 2格支配》 …의 덕분으로, 때문에(*thanks to*).

Dank·adresse *f.* 감사의 말〔결의〕. ～**altār** *m.* 감사 제물을 바치는 제단.

dankbār [dáŋkba:r] *a.* 감사하고 있는, 은의를 느끼고 있는(*thankful, grateful, obliged*); 보람이 있는, 이익이 있는 (*profitable*). **Dankbārkeit** *f.* –en, 감사(한 마음), 감은, 사은(*gratitude*).

dank·beflissen *a.* 감사의 뜻을 나타내려고 애쓰는. ～**brief** *m.* 감사장.

danken [dáŋkən] 《Ⅰ》 *i.*(h.) 감사하다, 사의를 표하다(♈*thank*); 답례하다(*return thanks*). ¶danke schön! 고맙소 / für et. ～, (=et. ～d ablehnen) 무엇을 사절〔사퇴〕하다. 《Ⅱ》 *t.* (의) 답례(答禮)를 하다, 보답하다. ¶jm. et. ～ 〔zu ～ haben〕 아무에게 무엇을 힘입다, 무엇에 관하여 아무의 은혜를 입다(*owe something to someone*). **dankenswērt** *a.* 감사할 만한; 공로가 있는.

dank·erfüllt [–ɛrfʏlt] *a.* 감사한 생각이 넘치는.

Dank·fest *n.* 감사절(節). ～**gebēt** *n.* 감사의 기도. ～**gefühl** *n.* 감사한 마음. ～**lōs** *a.* 망은의; 보람없는. ～**opfer** *n.* 감사의 제물.

Danksāgung [dáŋkza:guŋ] *f.* 치사의 말(을 하기), 사례의 말(을 하기).

Dank(sāgungs)schreiben [–ʃraibən] *n.* 감사장, 사례장.

dank·schuldig *a.* 감사해야 할, 은혜를 입은. ～**vergessen** *a.* 망은의.

dann [dan] [♈der, die, das; denn과 同語] *adv.* ① 그 경우에, 그 때에, 그런 때에는(♈*then*). ② 그 다음에; 게다가. ③ ～ u. wann 가끔, 종종, 왕왕, 여기저기에 / ～ u. ～ 이러이러한 때에, 어느 때. **dannen** [dánən] *adv.*: von～ gehen 떠나다.

dappeln [dápəln] *i.*(h.) 출랑출랑 움직이다〔달리다〕.

dar.. [dar–, dá:r–] [ahd. *dara* „dahin"] 《合成用語》 《Ⅰ》 《前置詞·副詞와 함께; 흔히 母音 앞에》 보기: daran, darin, darnach. 《Ⅱ》 《分離動詞의 前綴, 늘 악센트를 가짐》 "양도·제출"의 뜻: dar|bieten, dar|stellen.

darạn [darán, 指示的인 뜻이 강할 때: dá:ran] 〔《俗》 **dran**〕 *adv.* 그 표면에〔으로〕, 그 쪽에〔으로〕, 그것의 가까이에〔로〕; 그것을; 그것으로. ¶es liegt mir viel 〔nichts〕 ～ 그것은 나에게 중대한〔하찮은〕 일이다 / es liegt ～, daß ..., 그 이유는 …이다 / wer ist dran? 누구의 차례인가 / gut 〔schlecht〕 ～ sein 팔자가 좋다〔나쁘다〕.

Daran·gābe [darǻnga:bə] *f.* 착수금.

daran|gēben* *t.* 방기하다, 희생시키다; 고만두다, 단념하다.

daran·|gēh(e)n* *i.*(s.) (에) 착수하다; 먹기 시작하다. ～**geld** *n.* 착수금. ～|**halten*** *refl.* 무엇을 열심히 하다; 약속을 지키다. ～|**kommen*** *i.*(s.) 에 이르다; 차례가 되다. ～|**nehmen*** *t.* (에) 과제를 주다. ～|**setzen** *t.* (노름에 돈을) 걸다.

darauf [daráuf, 指示的인 뜻이 강할 때: dá:rauf] 〔《俗》 **drauf**〕 *adv.* 그 위에〔로〕; 그에 이어서, 그 후, 그리고 나서. ¶gleich ～ 그 직후에 / drauf und dran sein 바야흐로 …하려 하고 있다 / ～ hin, a) 〔또는 ～ los, zu〕 그 쪽으로, 그것을 목표로, b) 그것을 생각하여, 그것에 의거하여, c) 그 결과로서 / ～ [dá:rauf] geht er eben aus 그는 바로 그것을 노리고 있는 거다 / es kommt ～ an 그것이 중요한 점이다, 그것이 문제이다 / es ～ ankommen lassen 운을 하늘에 맡기다.

darauf·folgend *a.* 그 다음의, 그에 뒤따르는. ～**gābe** *f.* 착수〔계약〕금. ～**gēh(e)n*** *i.*(s.) 소비되다, 소모하다; 죽다. ～**hin** [daraufhín, dá:raufhɪn] *adv.* 그것에 이어서, 그것에 따라서, 그 결과로서.

daraus [daráus, 指示的인 뜻이 强할 때: dá:raus] 〔《俗》 **draus**〕 *adv.* 그리고 나서, 거기에 , 그 중에서. ¶～ folgt, daß... 그것에서 …이 결론지어진다 / ～ klug werden 그것을 알게 되다 / ich mache mir nichts ～ 나는 그것을 문제삼지 않는다 / es kann nichts ～ werden 그것은 아무 것도 되지 않는다.

darben [dárbən] [♈dürfen] *i.*(h.) 결핍으로 괴로와하다, 궁색하다, 굶주리다 (*suffer, want, starve*).

dār|bieten* [dá:rbi:tən] *t.* 내놓다, 제공하다, 신청하다, 바치다(*offer, present*); 상연〔연주·흥행〕하다(*perform*). **Dārbietung** *f.* -en, 제공된 것; 연예, 여흥.

dār|bringen* [dá:rbrıŋən] *t.* 바치다, 내놓다, 증정하다(*offer, present*). **Dārbringung** *f.* -en, 봉정(捧呈); 봉납(捧納); 봉납물, 예물.

darein [daráin, 指示的인 뜻이 강할 때: dá:rain] 〔《俗》 **drein**〕 *adv.* (그) 속으로. ¶oben ~ 그 밖에, 덧붙여, 뿐만 아니라 / sich ~ finden 그것을 참다〔감수하다〕.

darein=|gēben* *t.* 덤으로 붙이다, 보태주다. **~|rēden** *i.*(h.): jm. ~reden 아무의 말에 참견하다. **~|schauen** *i.*(h.) 들여다 보다, 지켜보다. **~|schlāgen*** *i.*(h.) 마구 치다. **~|willigen** *i.*(h.) 동의〔승낙〕하다.

darf [darf] ☞DÜRFEN 《그 現在》.

dār|gēben* [dá:rgɛ:bən] *t.* 건네다, 내밀다; 바치다.

darin [darín, 指示的인 뜻이 강할 때: dá:rın] 〔《俗》 **drin**〕 *adv.* 그〔이〕 속에, 그〔이〕 점에 있어서. **darinnen** 〔**drinnen**〕 *adv.* 그 안에, 내부에.

dār|lēgen [dá:rle:gən] *t.* 명시〔표명·개진(開陳)·진술〕하다(*explain, expound*). **Dārlēgung** [dá:rle:gʊŋ] *f.* -en, 명시, 표명, 개진, 진술.

Dārlēhen [dá:rle:ən] [<leihen] *n.* -s, -, 대부(금)(♈*loan*).

Dārlēh(e)ns=bank *f.* (*pl.* -en) 대부은행. **~gēber** *m.* 대주(貸主), 대변, **~kasse** *f.* 대부 금고. **~kassen=schein** *m.* 대부 금고 증권.

dār|leihen* [dá:rlaiən] *t.* 빌려주다, 대부하다(♈*lend*).

Darm [darm] [*eig.* „Durchgang"] *m.* -(e)s, ⸗e, 장(腸)(*gut, intestines*); (*pl.*) 내장.

Darm=blūtung *f.* 장출혈. **~bruch** *m.* 탈장, 헤르니아. **~entzündung** *f.* 장염, 장카타르. **~fell** *n.* 복막. **~=geschwür** *n.* 장궤양. **~gicht** *f.* 장폐쇄. **~grimmen** *n.* 복통. **~katarrh** *m.* 장카타르. **~riß** *m.* 장열개(腸裂開). **~ruhr** *f.* 적리(赤痢). **~saite** *f.* 〖樂〗 장현(腸絃). **~verfall** *m.* 직장 돌출. **~verschlingung** *f.* 장염전(腸捻轉).

Darmstadt [dármʃtat] *n.* -s, 독일 Hessen 주의 수도 이름.

dārnach [da:rná:x] † =DANACH.

dārnieder [da:rní:dər] † =DANIEDER.

darob [darɔ́p, 指示的인 뜻이 강할 때: dá:rɔp] 〔《俗》 **drob**〕 *adv.* † 그 위에; 그 때문에.

Darre [dárə] [<dürr, dörren] *f.* -n, 건조《질그릇 가마에서의》; 건조로(爐)(*kiln*).

dār|reichen [dá:rraiçən] *t.* 내놓다, 넘기다(*offer*); 바치다, 증정하다(*present*); 〖宗〗 (성찬(聖餐)을) 베풀다; 투약하다.

darren [dárən] *t.* 가마에서 건조하다.

Darr=malz *n.* 엿기름. **~ōfen** *m.* 건조로.

dārstellbār [dá:rʃtɛlba:r] *a.* 명시〔표현·묘사·서술〕할 수 있는; 상연할 수 있는.

dār|stellen [dá:rʃtɛlən] *t.* 제시〔표시〕하다(*display, exhibit*), 표현하다(*represent*); 묘사(描寫)하다; 서술하다(*describe*); 〖劇〗 상연하다(*perform*); (을) 이루다; …이다; 〖化〗 석출(析出)하다(*produce*); 조제(調製)하다(*prepare*). **Dārsteller** *m.* -s, -, 표시〔서술·표현〕자; 연기자; 배우. **Dārstellung** *f.* -en, 시현, 제시, 표시; 표현; 묘출, 서술; 〖法〗 진술, 구술; 〖劇〗 상연, 연기, 연출; 〖化〗 석출; 조제. 「명〕하다.

dār|tūn* [dá:rtu:n] *t.* 밝히다, 설명〔증

darüber [darý:bər, 指示的인 뜻이 강할 때: dá:ry:bər] 〔《俗》 **drüber**〕 *adv.* 그 위에〔로〕, 그것을 넘어서; 그 사이에, 그것이 한창인 때에; 그 때문에; 그것에 관하여. ¶ ~ (hinaus) 그 밖에 그뿐 아니라, 또한; =DARUNTER.

darum [darúm, 指示的인 뜻이 강할 때: dá:rum] 〔《俗》 **drum**〕 《Ⅰ》 *adv.* ① ~ (herum) 그 주위에, 그것을 돌아서. ② 그 때문에, 그것에 관하여. ¶~ handelt es sich eben 바로 그것이 문제이다 / es sei ~! 그것으로 좋다 / er weiß ~ 그는 그 사정을 알고 있다 / ~ eben〔eben ~〕 바로 그 까닭에 / ~ daß 〔~ weil〕 ..., …인 까닭에. 《Ⅱ》 **Darum** *n.* -s, 이유, 원인.

d(a)rum=|bringen* *t.*: jn. ~bringen 아무의 그것을 탈취하다. **~|kommen*** *i.*(s.) 그것을 잃다.

darunter [darúntər, 指示的인 뜻이 강할 때: dá:runtər] 〔《俗》 **drunter**〕 *adv.* ① 그 밑에서; 그 밑으로〔아래로〕. ¶ ~ u. drüber geh(e)n 뒤죽박죽이다, 혼잡하다. ② 보다 적게〔싸게〕, 그 이하로. ¶ich kann es nicht ~ verkaufen 〔machen〕 그 보다 싸게는 팔 수 없다. ③ 그 수(數) 중에, 그것에 섞이어.

Darwinismus [darvinismus] *m.* -, 다윈의 진화론.

das [指示語: dás, 冠詞: das] *prn.* ☞ der 《中性 單數 1·4格》; [dás] 이것, 그것. ¶ ich bin ~ (=dessen) müde 나는 그것이 싫어졌다《2格의 대신》/ ich bin ~ (=damit) zufrieden 나는 그것으로 만족이다《前置詞格의 대신》.

dā|sein* [dá:zain] 《Ⅰ》 *i.*(s.) (거기에) 있다, 출석하고 〔와〕 있다(*be present, be there*); 존재하다, 생존하다(*exist*). ¶ noch nicht dagewesen 미증유의, 유례(類例)가 없는. 《Ⅱ》 **Dāsein** *n.* -s, 현재, 현존(*presence*); 존재, 생존(*existence*); 생활(*life*). ¶der Kampf ums ~ 생존경쟁.

Dāseins=berechtigung *f.* 생존의 권리. **~kampf** *m.* 생존 경쟁.

da·selbst [dazélpst] *adv.* 거기에, 바로 그 곳에서. **dāsig** *a.* 그곳의.

das heißt (略: d. h.) 그것은 …을 말함이다, …이다, 즉.

das ist (略: d. i.) 그것은 …이다, 즉.

daß [das] 《das 와 同語, 예컨대 ich sehe, ~ er kommt 를 復元하면: ich sehe das: er kommt》 *cj.* 《從屬的》 …의 일(♈*that*). ¶(auf) ~ …하기 위하여 / außer ~ …의 밖에 / er fiel, ohne ~ ich es merkte 그가 쓰러진 것을 나는 알아차리지 못하였다.

Dāta [dá:ta], **Dāten** [dá:tən] *pl.* = DATUM. **datieren** [datí:rən] [lat., < Datum] *t.* 에 날짜를 쓰다(♈*date*). **Datierung** *f.* -en, 날짜.

Dātiv [dá:ti:f, da:tí:f] [*lat.* „Gebefall"] *m.* -s, -e, 〖文〗 여격, 제 3 격.

dato [dá:to:] [it. <Datum] *adv.* 〖商〗 오늘, 이날. ¶*a* ~ 오늘부터 (기산하여).

Datsche [dátʃə] [russ.] *f.* -n, (러시아식의) 별장, 여름집.

Dattel [dátəl] [Lw. gr. *dáktylos* „Finger"] *f.* -n, 〖植〗 대추야자의 열매(♈*date*). **~baum** *m.*, **~palme** *f.* 대추야자(의 나무).

Dātum [dá:tum] [lat. „gegeben"] *n.* -s, ..ten, ①날짜, 연월일(♈*date*). ¶welches ~ haben wir heute? 오늘은 며칠인가. ② *pl.* 사실, 상세(한 내용)(*particulars*); 〖數〗 기지수.

D

Dātum·anzeiger *m.* 날짜 표시기. **~·lōs** *a.* 날짜 기입이 없는; 무기한의.

Daube [dáubə] [Lw. gr. -lat.] *f.* -n, 통의 쪽널(*stave*).

Dauer [dáuər] [<dauern] *f.* 지속(*duration*); 영속(*continuance*); 때의 길이, 기간(*length*); 긴 시간, 장시간, 내구(耐久), 항상, 항구(恒久)(*permanence*). ¶auf die ~ 오래 계속되는 동안에(*in the long run*).

Dauer·apfel *m.* 저장 사과. **~aus·scheider** *m.* 지속 배균자(持續排菌者). **~betrieb** *m.* 연속 운전〔사용〕. **~·brand·öfen** *m.*, **~brenner** *m.* 연속 연소로. **~bruch** *m.* 지속(적으로 여러 가지 진동을 가하여 생기는 제작 재료의) 파괴. **~flūg** *m.* 내구(耐久)〔무착륙〕 비행. **~gewēbe** *n.* (식물체의) 항구 조직 《더 이상 분할할 수 없는 세포 조직》.

dauerhaft [dáuərhaft] *a.* 지속적인, 영속적인, 내구적인; 견고한. ¶ ~e Farbe 바래지 않는 색 / ein ~er Friede 영구 평화. **Dauerhaftigkeit** *f.* 지속, 영속, 불변; 내구, 여물.

Dauer·karte *f.* 정기권. **~lauf** *m.* 내구〔장거리〕 경주. **~marsch** *m.* 원거리 행진; 내구 행군.

dauern[1] [dáuərn] [♈teuer] *t.* 아깝게 〔가엾게〕 여기게 하다. ¶er dauert mich 나는 그를 가엾게 여긴다.

dauern[2] [dáuərn] [Lw. lat. *dūrāre*] 《I》 *i.*(h.) 계속 〔지속·존속·영속〕하다 (*last, continue*). ¶es dauerte lange, ehe 〔bis〕 Sie kamen 당신이 오기까지에는 오랜 시간이 걸렸읍니다 / es dauerte nicht lange, so 〔da〕.., 오래지 않아… 《II》 **dauernd** *p.a.* 지속하는, 영속적인(*continuous*); 불변의, 항구적인 (*constant*).

Dauer·pflanze *f.* 다년생 식물. **~·prōbe** *f.*, **~versūch** *m.* 내구(耐久) 시험. **~wellen** *pl.* 퍼머넨트 웨이브. **~wurst** *f.* 저장용(의 단단한) 소시지.

Daumen [dáumən] [„der starke Finger"] *m.* -s, -, 엄지손가락(♈*thumb*).

Daumen·abdruck *m.* 엄지손가락 지문, 무인(拇印). **~dick** *a.* 엄지손가락 크기의. **~drücker** *m.* 후원자(後援者). **~schraube** *f.* ① 나사로 엄지손가락을 죄면 옛날의 고문 용구. ② 〖工〗 손가락으로 돌릴 수 있게 된 나사못(*thumbscrew*).

Däum(er)ling [dɔ́ym(ər)lıŋ] *m.* -s, -e, ① 엄지손가락의 골무 (*thumbstall*). ② 난장이《동화에 나오는, 엄지손가락 만한》(*Tom Thumb*).

Daune [dáunə] *f.* -n, 솜털(♈*down*).

Daus [daus] [Lw. fr., <lat. *duos* „zwei"] *n.* -es, -e *u.* ¨er, (주사위의) 2 (♈*deuce*); (카드의) 제일 강한 패(*ace*).

Dāvid [dá:fıt, -fi:t, 稀 -v-] [hebr, „der Geliebte"] *m.* 〖聖〗 다윗.

davon [dafɔ́n, 指示的인 뜻이 강할 때: dá:fɔn] *adv.* 그것의, 그것에서, 그중의, 그것에 관하여〔의하여〕. ¶das kommt ~ 이것은 그것의 결과이다.

davon·|eilen *i.*(s.) 서둘러 떠나다. **~|·fahren*** *i.*(s.) 배〔차〕로 떠나다. **~|·fliegen*** *i.*(s.) 날아가다. **~|gēhen*** *i.*(s.) 떠나가다, 도망하다. **~|kommen*** *i.*(s.) 빠져나오다. **~|laufen*** *i.*(s.) 달아나다; 탈주하다. **~|machen** *refl.*: sich (auf und) ~machen 도망〔탈주〕하다. **~|trāgen*** *t.* 날라〔가져〕 가다; 획득하다. ¶den Sieg ~ tragen 승리를 얻다. **~|tūn*** *t.* 제거하다.

davōr [dafó:r, 指示的인 뜻이 강할 때: dá:fo:r] *adv.* 그 앞에, 그 앞에서, 그 앞으로; 그것에 대하여.

dawīder [daví:dər, 指示的인 뜻이 강한 때: dá:vi:dər] *adv.* 그것에 반대하여〔거슬러〕. **~|rēden** *i.*(h.) 그것에 반대하다, 항변하다.

dazū [datsú:, 指示的인 뜻이 강할 때: dá:tsu:] *adv.* 그것〔거기〕까지; 그와 동시에, 그 밖에, 그 위에; 그것에 관하여, 그것에 대하여; 그것을 목표로 삼아, 그것을 위하여.

dazū·|gehōren *i.*(h.) 그것에 속하다. 그 중의 하나 〔한 사람〕이다. **~gehōrig** *a.* 그것에 속하는; 그 일부를 이루는. **~|kommen*** *i.*(s.) 그 자리에 오다, 참가하다, 조우하다《어떤 사건에》. **~|·lēgen** *t.* 부가〔첨가〕하다.

dāzumāl [dá:tsuma:l] *adv.* 당시, 그 무렵.

dazū|tūn* [datsú:tu:n] *t.* 《I》 부가하다, 첨가하다. ★ was kann ich dazu tun? 그것에 대하여 나는 무엇을 할 수 있을까. 《II》 **Dazūtūn** *n.* 간섭, 개입.

dazwischen [datsvíʃən, 指示的인 뜻이 강할 때: dá:tsvıʃən] *adv.* 그 사이에〔로〕.

dazwischen·|fahren* *i.*(s.) (돌연) 안에 들다, 개입〔간섭〕하다. **~|kommen*** *i.*(s.) 사이에 끼어들다, 개입〔간섭〕하다. **~kunft** *f.* 개입, 간섭(*intervention*); 조정, 중재. **~liegend** *a.* 중간에 있는, 개재하는. **~|rēden** *i.*(h.): jm. ~reden 아무의 말을 가로채다. **~|schlāgen*** *refl.* 《比》 간섭〔조정〕하다. **~|trēten*** *i.*(s.) 사이에 끼어들다, 개입하다(*intervene*); 조정하다.

DB [de:bé:] 《略》 =① Deutsche *B*undesbahn 서독의 국유 철도. ② Deutsche Bundesbank 독일 연방 은행.

de.. [de-, de:-] [lat.] 《分離·反對(von, ab, aus)를 뜻하는 前綴》 =DIS-.

Debākel [debá:kəl] [lat. -fr.] *n.* -s, -, 와해, 붕괴; 패배.

Debatte [debátə] [fr. „Streit"] *f.* -n, 논쟁, 토의, 토론(♀*debate*). **Debat·tenschrift** *f.* 의회용 〔토의용〕 속기법. **debattieren** [debatí:rən] *i.*(h.) u. *t.* 토론〔토의〕하다(♀*debate*).

Debet [dé:bɛt] [lat. „er schuldet"] *n.* -s, -s, 부채, 채무, 〖簿記〗 차변(借邊). (♀*debit*). **Debit** [debí:t, debí:] [fr.] *m.* -(e)s, 판매, 매출, 소매(*sale*). **debi·tieren** *t.* ① 판매하다; 《比》 보급하다. ② (jn. mit et.³, ~ 무엇을 아무의) 차변에 기입하다.

Debüt [debý:] [fr. 목표로 향하여 쏘기; *but* „Ziel"] *n.* -s, -s, 데뷔, 첫무대(*first appearance, début*). **debütieren** *i.*(h.) 데뷔하다.

Dechant [dɛçánt] *m.* -en, -en, =DE·KAN.

dechiffrieren [deʃɪfrí:rən] [fr. „entziffern"] *t.* (암호문을) 해독(解讀)〔판독〕하다(♀*decipher*); (비밀·수수께끼를) 풀다.

Deck [dɛk] [<decken] *n.* -(e)s, -e *u.* -s, 〖海〗 갑판, 덱(♀*deck*).

Deck·adresse *f.* 가명의 수신인 주소 성명. **~bett** *n.* 이불. **~blatt** *n.* (여송연의) 겉에 말린 잎; (책의) 커버.

Decke [dɛ́kə] [<decken] *f.* -n, 덮개, 씌우개(*cover*); 뚜껑; (Bett~) 침대보; 이불; (Tisch~) 테이블보; (Fuß~) 융단, 양탄자, 깔개; 표피, 가죽; (마차의) 지붕; 포장; 〖建〗 천장(*ceiling*). ¶ (vor Freude) bis an die ~ sprigen (기쁜 나머지) 천장에까지 펄쩍 뛰다.

Deckel [dɛ́kəl] [<decken] *m.* -s, -, 뚜껑(*lid*); (Buch~) 표지, 커버(*cover*).

decken [dɛ́kən] [*eig.* „ein Dach herstellen"] 《Ⅰ》 *t.* ① (지붕을) 이다(*tile*); 덮다(*cover*). ¶ (den Tisch) ~ 식탁에 보를 깔다, 식기를 벌이다, 《比》 식사 준비를 하다. ② 《俗》 감추다, 숨기다; 비호〔보호·엄호〕하다(*protect*); 차폐하다; 〖商〗 (지출을) 지불하다; (수요에) 응하다; (결손을) 보전(補塡)하다; (부채)의 지불 능력을 가지다. 《Ⅱ》 *refl.* 차폐하다, 은폐하다; 몸을 막다《특히 펜싱에 있어서》; 〖商〗 보상〔지불·반제(返濟)·상환〕을 받다; 합치하다, 비등(比等)하다.

Decken·beleuchtung *f.* 천장(조명)등. **~gemälde**, **~stück** *n.* 천장화(畫).

Deck·farbe *f.* 〖畫〗 (딴 색을 덮는) 불투명한 안료(顔料). **~glās** *n.* (*pl.* ¨er) (현미경의) 복개 유리. **~hengst** [<decken] *m.* 씨말. **~knocken** *m.* 두개골. **~mantel** *m.* 《比》 구실, 핑계, 가면(*cloak*). **~nāme** *m.* 가명, 거짓 이름(*pseudonym*). **~offizier** *m.* 해군 상사, 갑판 사관. **~passagier** [-pasaʒi:r] *m.* 갑판 선객. **~stuhl** *m.* 〖海〗 갑판 의자, 접의자.

Deckung [dɛ́kuŋ] *f.* -en, ① 덮음, 덮개; 방어; 〖軍〗 엄호; 차폐. ② 〖商〗 보증; 담보; 자금 준비; 전보(塡補), 상환; (수요에 대한) 충족.

Deckungs·fonds [-fɔ̃:] *m.* 전보(塡補)〔상환〕 자금. **~gräben** *pl.* 〖軍〗 엄폐호. **~stock** *m.* 전보 자금《생명 보험의》.

decouragieren [dekuraʒí:rən] [fr.] *t.* 낙담시키다, (에게) 기력을 잃게 하다. **decouragiert** *p.a.* 낙담한.

Dedikation [dedikatsĭó:n] *f.* -en, 헌정(獻呈). **dedizieren** [deditsí:rən] [lat. „widmen"] *t.* 헌정(獻呈)하다(♀*dedicate*).

Deduktion [deduktsĭó:n] [lat. „Ableitung"] *f.* -en, 연역(법); 〖法〗 추정. **deduktiv** [-tí:f] *a.* 연역적인. **deduzieren** [dedutsí:rən] [lat. „ableiten"] *t.* 연역하다(♀*deduce*); 추정하다.

defekt [defɛ́kt] [lat. „gefehlt] *a.* 결여된, 결함 있는, 훼손된. **Defekt** *m.* -(e)s, -e, 결여; 결함; 훼손, 손상.

defensiv [defɛnzí:f] [lat. „abschlagend"] *a.* 방어의, 수세의. **Defensive** [-və] *f.* -n, 방어, 수세. **Defensor** *m.* -s, ..soren, 방어자, 변호인.

Defibrator [defibrá:tɔr] [<lat. fibra „Faser"] *m.* -s, ..toren, 목재(의 섬유를 짓찧는) 파쇄기.

defilieren [defilí:rən] [fr. *de file* „der Reihe nach"] *i.*(h. *u.* s.) 종렬(縱列)을 지어 행진하다.

definieren [definí:rən] [lat. „abgrenzen"] *t.* 한계를 짓다, 정의하다(♀*define*). **definitiv** [-f] *a.* 결정〔최후〕적인.

Defizit [dé:fitsɪt] [lat. „(es) macht (sich) weg", es fehlt] *n.* -s, -e, *u.* -s, 결손, 부족(액). **defizitär** [defitsitɛ́:r] [fr.] *a.* 결손을 내는, 적자가 되는.

Deflation [deflatsĭó:n] [lat. „Hinabblasen"] *f.* -en, 디플레이션, 통화 수축(收縮).

Defloration [defloratsĭó:n] [lat.] *f.* -en, 꽃을 꺾음; 처녀를 범함.

Defraudant [defraudánt] [lat.] *m.* -en, -en, 사기꾼; 탈세자; 밀수꾼. **Defrau·dation** *f.* -en, 사기; 탈세; 밀수. **de·fraudieren** [-dí:rən] *t.* u. *i.*(h.) 속이다; 탈세하다.

Degen [dé:gən] [Lw. mlat. *dagua* „Dolch"] *m.* -s, -, 검(*sword*).

Degeneration [degeneratsĭó:n] *f.* -en, 퇴화; 타락; 〖醫〗 변성. **degenerieren** [degenerí:rən] [lat. „entarten"] *i.*(s.) 퇴화〔변질〕하다(♀*degenerate*).

Degen·fisch *m.* 〖魚〗 갈치. **~gefäß** *n.* 칼자루. **~gehenk**, **~koppel** *n.* 검대(劍帶). **~knopf** *m.* 칼자루의 끝. **~scheide** *f.* 칼집. **~stich** *m.* 검으로 찌르기.

Degradation [degradatsĭó:n] *f.* -en, 강등, 좌천; 퇴화. **degradieren** [degradí:rən] [lat. <Grad] *t.* (의) 계급을 내리다, 강등하다.

dehnbār [dé:nba:r] *a.* 늘일〔펼·넓힐·불릴〕 수 있는; 팽창력〔탄력〕이 있는; 연기할 수 있는; 《比》 막연한, 불확실한.

dehnen [dé:nən] [♀dünn] *t.* (가로 또는 세로) 늘이다, 펴다, 넓히다(*extend, stretch, lengthen*); 팽창시키다(*expand*); 발음하다, 길게 뽑다(*drawl*). 「행실.

Dehors [deó:rs, dəɔ́:r] [fr.] *pl.* 외관;

Deich [daiç] *m.* -(e)s, -e, 제방, 둑(♀*dike, dam*). 「둑이 무너짐.

Deich·bau *m.* 둑을 쌓음. **~bruch** *m.*

deichen [dáiçən] *t.* u *i.*(h.) 둑을 쌓다〔개수하다〕. 「(*shaft, pole*).

Deichsel[1] [dáiksəl] *f.* -n, (수레의) 채

Deichsel[2] *f.* -n, 자귀. **deichseln** *t.* 자귀로 가지런히 자르다; 《俗》 해내다.

D

Deichselpferd [dáiksəlpfe:rt] *n.* 채에 메운 말.
dein [dain] *prn.* ① 《Ⅰ》《人稱代名詞: du의 2格》 너(의 일)(♀*thine*). 《Ⅱ》《所有代名詞》 ② 《附加語的》 그대의(♀*thy*); ③ 《述語的: 변화 없이 늘 dein》 그대의 것(♀*thine*).
deinerseits [dáinərzaits] *adv.* 그대 쪽에서, 네 편에서. **deinesgleichen** *prn.* 《不變化》 너와 같은 사람, 너의 동배.
deinet·halben [dáinət–], ～**wēgen**, um ～**willen** *adv.* 너를 위하여, 너 때문에.
deinige [dáinɪgə] (der, die, das ～) *prn.* 《所有》 =DER, DIE, DAS DEINE 너의 것.
Dējūrē-Anerkennung [de:jú:re:–] *f.* (국가의) 정식 승인.
Dekāde [deká:də] [gr. <*deka* „zehn"] *f.* -n, 10의 수 《10개, 10권, 10편, 10일, 10주, 10년 따위》.
dekadent [dekadɛ́nt] *a.* 퇴폐적인, 타락한. **Dekadenz** [dekadɛ́nts] [lat. „Abfall"] *f.* (Verfall) 퇴폐; 타락.
Dekādik [deká:dɪk] *f.* 〖數〗 십진법. **dekādisch** *a.* 10의, 10으로 이루어지는. **Dekālogus** [deká:logus] *m.* -, 〖聖〗 모세의 십계.
Dekān [deká:n] [lat. "10인의 장". < *decem* „zehn"] *m.* -s, -e, 〖宗〗 대교구 수석 사제; 단과 대학장, 대학 학부장(♀*dean*).
Dekartellisierung [dekartelizí:ruŋ] [<Kartell] *f.* -en, 카르텔 해체.
Deklamation [deklamatsĭó:n] *f.* -en, (표정적) 낭독, 낭송. **deklamieren** [lat. „laut reden"] *t.* 낭송(朗誦)하다.
Deklaration [deklaratsĭó:n] *f.* -en, 선언, 표명; 〖商〗 (세관 등에의) 신고; (가격·내용의) 표기. **deklarieren** [deklarí:rən] [lat. „erklären"] *t.* 선언〔표명·언명〕하다; 신고하다(♀*declare*).
Deklination [deklinatsĭó:n] *f.* -en, (자침의) 편각(偏角); 〖天〗 적위(赤緯); 〖文〗 (명사·형용사의) 변화. **deklinieren** *t.* 〖文〗 변화하다(♀*decline*).
De·kokt [dekɔ́kt] [lat. „Ab·kochung"] *n.* -(e)s, -e, 탕약(湯藥).
dekolletiert [dekɔlətí:rt, dekɔle–] [lat. „ohne Halskragen"] *p.a.* 깃이 없는《목·어깨·가슴을 노출시킨 여성복의》.
Dekorateur [dekoratǿ:r] [fr.] *m.* -s, -e, 실내 장식가(裝飾家). **Dekoration** [dekoratsĭó:n] *f.* -en, 장식; 〖劇〗 무대장치; 훈장. **Dekorationsmālerei** *f.* 장식화《벽화·천장화 따위》; 〖劇〗 무대 장치. **dekorieren** *t.* 장식하다; (에게) 훈장을 수여하다.
Dekouragement [dekuraʒmá:] *n.* -s, 무기력, 겁이 많음; 낙담. 「한, 노쇠한.
dekrepit [dekrepí:t] [lat. –fr.] *a.* 쇠약
Dekrēt [dekré:t] [lat.] *n.* -(e)s, -e, 훈령, 지령(♀*decree*). **dekretieren** [lat. „ent-scheiden"] *t.* u. *i.*(h.) 결정하다; 훈령〔지령〕하다(♀*decree, order*).
Delegāt [delegá:t] [lat.] *m.* -en, -en, 대표자, 위원. **Delegation** *f.* -en, 대표단; (의회의) 위원회. **delegieren** [delegí:rən] [lat. „abordnen"] *t.* 대표로서 파견하다, 전권(全權)을 위임(委任)하다(♀*delegate*).
delikāt [deliká:t] [fr.] *a.* 좋은, 맛이 좋은(♀*delicious*); 미묘한, 세련된, 섬세한, 민감한(♀*delicate*); 다루기 어려운, 어려운(*difficult*). **Delikatesse** [delikatɛ́sə] *f.* -n, 민감, 마음이 섬세함, 델리커시: 맛이 좋음; (*pl.*) 조제 식품.
Delikatessen·geschäft *n.* 식품업. ～**handlung** *f.* 식품점.
Delikt [delɪ́kt] [lat.] *n.* -(e)s, -e, 위반; 불법 행위; 범죄. **De·linquent** [delɪŋkvɛ́nt] [lat. „(von der Pflicht) Ab-lassender"] *m.* -en, -en, 위반〔범죄〕자; 피고(인).
delirieren [delirí:rən] [lat.] *i.*(h.) 미쳐 있다; 헛소리를 하다.
deliziōs [delitsĭǿ:s] [fr.] *a.* 즐거운, 훌륭한, 맛좋은.
Delle [dɛ́lə] [♀Tal] *f.* -n 작은 골짜기(♀*dell*); 움푹 팬 곳, 우묵한 곳(*dent*).
Delphīn [dɛlfí:n] *m.* -s, -e, 〖動〗 돌고래(♀*dolphin*).
Delta [dɛ́lta] [gr.] *n.* -(s), -s, 델타《그리스의 네째 자모 Δ, δ의 이름》; 〖地〗 삼각주. 「기; 조롱.
Delusion [deluzĭó:n] [lat] *f.* -en, 사
dem [de:m, dɛm, dəm] 《定冠詞·代名詞 der 및 das의 3格》: es ist an ～ 그것은 사실이다 / wie ～ auch sei 그것이 어떻든 / wenn ～ so ist 사정이 그렇다면.
Demagōg(e) [demagó:k, –gó:gə] [gr. „Volks-führer"] *m.* ..gen, ..gen, 민중 선동가; 선동 정치인. **Demagogie** *f.* ..gīen, 민중 선동; 선동 정치; 역선전, 데마. **demagōgisch** *a.* 민중 선동의; 선동적인. 「=DIAMANT.
Dēmant [dé:mant] *m.* -(e)s, -e, 《詩》
demaskieren [demaskí:rən] [fr. < Maske] *t.* 가면을 벗기다; 정체를 폭로하다.
Dementi [demɛ́nti:] *n.* -s, -s, 부인(*denial*). **dementieren** [demɛntí:rən] [fr. „ab-leugnen"] *t.* 부인〔취소〕하다(*deny*).
dēm·entsprechend [dé:m-ɛntʃprɛçənt, de:m-ɛntʃpréçənt] *adv.* 그에 따라서, 그러므로. **dēm·nach** [de:mná:x, dé:m-na:x] *adv.* 그에 따라서; *cj.* 그러므로.
dēmnächst [de:mnɛ́:çst] *adv.* 오래지 않아, 곧(*soon, shortly*).
demobilisieren [demobilizí:rən] [fr. <mobil] 《Ⅰ》 *t.* (의) 동원(動員)을 해제하다. 《Ⅱ》 *i.*(h.) 무장을 해제하다. **Demobilisierung** *f.* -en, 동원 해제; 무장 해제, 군비 철폐.
Demoiselle [dəmoazɛ́l] [fr.] *f.* -n, 미혼 여성, 소녀, 영양(=Fräulein).
Demokrāt [demokrá:t] *m.* -en, -en, 민주주의자; 민주당원. **Demo·kratie** [gr. „Volks-herrschaft"] *f.* ..tīen, 데모크라시, 민주주의, 민주 정체. **demokrātisch** *a.* 민주주의의; 민주적인.
demokratisieren *t.* 민주화하다.
demolieren [demolí:rən] [lat.] *t.* 부수다, 파괴하다(♀*demolish*).
Demonstrant [demɔnstránt] *m.* -en,

–en, 시위 (운동)자. **Demonstration** [-stratsĭó:n] *f.* –en ①증명, 실증. ② 시위, 데모. **demonstrieren** [demɔnstrí:rən] [lat. „hin-zeigen"] 《Ⅰ》 *t.* 증명〔표시〕하다. 《Ⅱ》 *i.*(h.) 데모하다, 시위 운동을 행하다(♈*demonstrate*).

Demontage [demɔ̃tá:ʒə, demɔn–] *f.* –n, 부수기, 파괴; 해체. **demontieren** [-tí:rən] *t.* 부수다, (조립된 물건을) 해체하다(*dismantle*).

Demoralisation [demoralizatsĭó:n] [fr.] *f.* –en, 풍기 문란; 〖軍〗 사기 저상(士氣沮喪). **demoralisieren** [demoralizí:rən] *t.* 풍기를 문란하게 하다; 〖軍〗 사기를 떨어뜨리다.

Demo·skopie [demoskopí:] [gr. *demos* „Volk" *u. skopein* „schauen"] *f.* ..pien, 여론 조사. **demoskōpisch** [-skó:–] *a.* 여론 조사의〔에 의한〕.

dēm·un·erachtet [dé:m-un-ɛraxtət, de:m-ún-ɛraxtət, de:m-un-ɛráxtət], **dēm·un·geachtet** *adv.* 그럼에도 불구하고.

Dēmūt [dé:mu:t] [*eig.* „Dienersmut"] *f.* 겸허, 비하(*humility*). **dēmūtig** [dé:my:tɪç] *a.* 자기를 낮추는, 겸허한(*humble, submissive*). ¶~ (*adv.*) bitten 탄원하다. **dēmūtigen** [dé:my:tɪgən] *t.* 굴복시키다, 멸시하다, 면목을 잃게 하다(*humble, humiliate*). **Dēmūtigung** *f.* –en, 모욕하기; 굴욕, 면목을 잃음; 겸양, 순종.

dēmzufolge [demtsufɔ́lgə, dé:mtsufɔlgə] *adv.* =DEMNACH.

den [指示語: dé:n; 關係代名詞: de:n; 定冠詞: den, dən] *prn.* 《Ⅰ》 (der의 單數 4格) 그것을, 그 사람을, 그 물건을. 《Ⅱ》 (der, die, das의 複數 3格) 그것들에, 그 사람들에게. 「둑떼의) 소굴.

Den [dɛn] [engl.] *n.* –, –s, 은신처, (도

denaturalisieren [denaturalizí:rən] *t.* (의) 국적을 박탈하다. **denaturieren** [denaturí:rən] [lat. „seiner Natur berauben"] *t.* 변성〔변질〕시키다, 식용으로 할 수 없게 하다.

dengeln [déŋəln] *t.* (낫 따위를) 망치로 두드려 날을 세우다. 「의, 신념; 기질.

Denk·ārt [déŋk-a:rt] *f.* 사고 방식; 주

denkbār [déŋkba:r] *a.* 생각할 수 있는, 상상할 수 있는, 가능한.

Denk·bild *n.* 기념물, 기념비; 표상, 상징. **~būch** *n.* 비망록.

denken* [déŋkən] 《Ⅰ》 *i.*(h.) u. *t.* 생각〔사고·사유·사색〕하다(♈*think*); 상기하다(*remember*); 뜻하다, 기도하다(*intend, purpose*); 상상하다(*imagine*). ¶an jn. 〔et.〕 ~ 아무에게 〔무엇에〕 생각이 미치다, 을 상기하다, 기억하고 있다 / auf et. ~ 무엇에 뜻을 두다, 기도〔연구·고안〕하다 / sich³ ~ 상상하다, 생각해 보다 / denk (dir) nur! 〔man denke sich!〕 생각을〔상상을〕 좀 해 보게. 《Ⅱ》 **Denken** *n.* –s, 사고, 사유; 사색; 생각; 사상. **Denker** *m.* –s, –, 사상가(♈*thinker*).

denk·fāhig *a.* 사고력이 있는, 이성적인. **~faul** *a.* 사고를 싫어하는; 지둔(遲鈍)한. **~form** *f.* 사유 형식. **~freiheit** *f.* 사상〔발표〕의 자유. **~kraft** *f.* 사고력, 지력(智力). **~lehre** *f.* 논리학.

denklich [déŋklɪç] *a.* 생각할 수 있는.

Denkmāl [déŋkma:l] *n.* –(e)s, –e, *u.* ⸚er, 기념물(기념비, 기념상(像) 따위).

Denk·münze *f.* 기념패, 메달. **~schrift** *f.* 추도문(*memorial*); 회상록(*memoir*); 각서, 메모(*memorandum*). **~spruch** *m.* 격언(格言). **~stein** *m.* (석조의) 기념비. **~ūbung** *f.* 사고력의 연습.

Denkungs·art, **~weise** *f.* =DENKART.

Denk·vermögen *n.* =~KRAFT. **~weise** *f.* =~ART. **~würdig** *a.* 기억〔기념〕할 만한. **~würdigkeit** *f.* –en, 기억〔기념〕할 만한 일〔사물〕; (*pl.*) 회상록. **~zeichen** *n.* 기념의 표지, 기념물. **~zettel** *m.* 메모; 《比》 엄격한 훈계. ¶jm. e-n ~zettel geben 아무를 질책〔훈계〕하다.

denn [dɛn] [dann과 同語] 《Ⅰ》 *cj.* ① 그 까닭은, 왜냐하면, 이니까(*for, because*). ② †보다도(♈*than*). ¶mehr ~ einmal 한 번만이 아니라. ③ 그렇다면(*then*). ¶ich glaube es nicht, es sei ~, daß er sich gründlich bessert 나는 그것을 믿지 않는다, (나로 하여금 그것을 믿게 하려면) 그는 근본적으로 자신을 고쳐야 한다, 그가 딴 사람처럼 선하게 되지 않는 한 나는 그것을 믿지 않는다. 《Ⅱ》 *cj.* u. *adv.* ① (dann의 意味가 약하게 된 경우) 그래서, 그러니까; (nämlich) 즉; 전술한 바에서 관명되듯이, 말할 나위도 없이; 사정이 여차하므로. ¶so ging er ~ hin 그래서 그는 갔다; (다음과 같은 경우에는 특히 세게 發音함) nun ~! 그러면 / (wohl) auf ~! 자 그러면. ② 필경, 실로, 참으로. ¶das mag ~ auch wahr sein 그것은 꼭 진실이겠지 / er ist ~ **doch** ein Narr 그는 확실히 바보이다. ③ (그러면) 대체. ¶was ~? 도대체 무슨 일인가.

dennoch [dénɔx] (分綴: den-noch) [*eig.* „dann noch"] *cj.* 그럼에도 불구하고, 그래도 또한(*nevertheless, yet*).

Densität [dɛnzitɛ́:t] [lat.] *f.* (Dichte) 농밀; 농도, 밀도. **Densitometer** [-tomé:tər] *n.* –s, –, (사진의) 농도계.

Dentist [dɛntíst] *m.* –en, –en, 치과의(대학 과정을 거치지 않은).

Denunziant [denʊntsĭánt] [lat.] *m.* –en, –en, 밀고자, 고발인. **Denunziation** [-tsĭó:n] *f.* –en, 밀고, 고발. **denunzieren** [-tsí:–] *t.* 밀고〔고발〕하다.

Dependance [depãdã́:s] [lat. –fr.] *f.* –n, **Dependenz** [depɛndɛ́nts] [lat.] *f.* –en, ① 부속물, 부속 건물. ② 의존, 종속.

Depersonalisation [depɛrzonalizatsĭó:n] [lat. <Person] *f.* –en, 비인격화; 〖醫·心〗 인격 상실.

Depesche [depɛ́ʃə] [fr. „Eilbotschaft"] *f.* –n, 급보(*despatch*); 전보(*telegram, wire*). **depeschieren** [depɛʃí:rən] *t.* u. *i.*(h.) 급보하다; 전보를 치다.

deponieren [deponí:rən] [lat. „ab-legen"] *t.* 기탁〔공탁〕하다, 맡기다(♈*deposit*); 보관〔저장〕하다; 〖法〗 증언하다.

D

Deportation [depɔrtatsǐó:n] [lat.] *f.* -en, 추방, 유형. **deportieren** [depɔrtí:rən] [lat. „weg-führen"] *t.* 추방하다.

Depositen=bank [depozí:tən-] [lat. < deponieren] *f.* (*pl.* -en) 예금 은행. **~gelder** *pl.* 〖法〗 공탁금; (은행의) 예금. **~kasse** *f.* (은행의) 예금; 예금 창구(窓口).

Depot [depó:] [fr. <deponieren] *n.* -s, -s, 임치물(任置物)(♈*deposit*); 임치 유가 증권; (Bank~) 예금; 보관소, 창고(♈*depot*).

Depression [deprεsǐó:n] *f.* -en, 강하, 침강; 〖天〗 저기압; 〖商〗 불황. **deprimieren** [deprimí:rən] [lat. „niederdrücken"] *t.* 내리누르다(♈*depress*); 《比》 (의) 기를 꺾다, 의기를 저상시키다.

deputieren [deputí:rən] [lat. „abschneiden"] 《Ⅰ》 *t.* (abordnen) 파견하다. 《Ⅱ》 **Deputierte** *m.* u. *f.* 《形容詞變化》 파견원, 대리인, 대표자(*deputy*).

D **der** [♈dar, da, dann] 《Ⅰ》 [de:r] 《指示語》 이, 그, 저; 이것, 그것, 저것(*that*). ¶~ und ~ 이러이러한 (것) (*such and such*). 《Ⅱ》 [de:r : 악센트가 없음] 《關係代名詞》 …하는 바의(*who, which*). 《Ⅲ》 [der, dər, deə: 악센트가 없음] 《定冠詞》 어떤, 그(♈*the*).

der·art [dé:r-a:rt] *adv.* 이와 같이; 이 만큼. **der·artig** *a.* 이러한 종류의, 그와 같은.

derb [dεrp] *a.* ① 실한, 단단한, 두꺼운, 무거운(*solid, compact*); 강건한(*strong*); 굳건한(*sturdy*). ¶~ (*adv.*) prügeln 호되게 때리다. ② 조야한, 투박한, 무엄한, 야비한(*rough, severe*). ③ 질박한. **Derbheit** *f.* -en, 조야(粗野), 야비, 무뚝뚝함; 또, 그런 행위.

der·einst [der-áinst] *adv.* 언젠가; 《未來》 장차 언젠가, 후일에(*in days to come*); 《過去》 일찌기, 예전에(*someday*).

deren [dé:rən] [<der] 《女性 및 複數의 2格》 《Ⅰ》 《指示代名詞》 ich habe ~ viele 나는 그것을 많이 가지고 있다. 《Ⅲ》 《關係代名詞 : 악센트 없음》 die Frau ~ Mann du kennst 그 남편을 자네가 알고 있는 부인.

dere(n)t=halben [dé:rə(n)t-], **~wegen** [-we:gən], um **~willen** [-vɪlən] *adv.* 그 여자를〔그들을〕 위하여, 그것〔그것들〕 때문에.

derer [dé:rər] 《指示代名詞: der, die, das 複數 2格, 關係代名詞의 先行詞로 쓰임》 groß war die Sorge ~, die dich liebten 너를 사랑하고 있던 사람들의 근심은 컸었다. 「이, 이만큼.」

dergestalt [dé:rgəʃtalt] *adv.* 이와 같

dergleichen 《不變化》 《Ⅰ》 [dé:r-] 《指示語》 그와 같은(것) (*the like, such*). 《Ⅱ》 [derglάiçən] 《關係代名詞》 …와 같은. 《Ⅲ》 [der-, dərglάiçən] *a.* 그와 같은, 마찬가지의. ¶~ (*adv.*) tun, als ob... 마치 …인 체하다.

Derivat [derivá:t] [lat.] *n.* -(e)s, -e, *u.* ..ta, 〖化〗 유도체; 〖文〗 파생어.

derjenige [dé:rje:nɪgə] *prn.* 《der의 부분은 指示代名詞 der의 변화, -jenige의 부분은 形容詞의 弱變化》 그 사람, 그것 (*he* (*who*), *she* (*who*), *that* (*which*)).

derlei [dé:rlai, derlái] *a.* 《不變化》 그러한(*of that kind*). 「언젠가.」

dermal·einst [derma:láinst] *a.* (장차)

dermaßen [dé:rma:sən] *adv.* (in solchem Maß) 이만큼.

Dermatologie [dεrmatologí:] [gr.] *f.* ..gien, 피부과학(皮膚科學). 「최신 유행.」

Dernier cri [dεrnjé: krí:] [fr.] *m.* -, -,

Derogation [derogatsǐó:n] [lat.] *f.* -en, 훼손(毁損), 손해; (법령 등의) 부분적 폐지.

Deroute [derú:tə, derút] *f.* -n, 붕괴, 혼란; 〖軍〗 궤멸, 패배; 〖商〗 폭락.

derselbe [de:rzélbə, der-, dər-, deə-] *prn.* 《der의 부분은 定冠詞처럼 변화하고, -selbe의 부분은 形容詞의 弱變化를 함》 ① 《指示代名詞》 같은, 동일한《사람, 물건》. ② 《-selbe의 의미가 약하게 된 것, 人稱代名詞 또는 다만 指示代名詞의 대용》 (=er, dieser).

Derwisch [dέrvɪʃ] [pers.] *m.* -es, -e, 이슬람교의 탁발 수도사(♈*dervish*).

derzeitig [dé:rtsaitɪç, dertsáitɪç] *a.* 현금(現今)의, 목하의.

des [dεs, dəs] 《定冠詞·代名詞 der 및 das의 2格, ☞der》 ~ Weibes 그 여자의 / er kam ~ Weges 그는 그 길로 왔다/ 《dessen의 古形》 ~ sind wir sicher 우리들은 그 일에는 확신이 있다.

Des [dεs] *n.* -, -, 〖樂〗 내림 라 음; (*Des-dur*) 내림 라장조. ***des*** *n.* -, -, 〖樂〗 (*des-moll*) 내림 라단조.

Deserteur [dezεrtǿ:r] *m.* -s, -e, 도망병, 탈영병. **desertieren** [-tí:rən] [fr. „ab-reihen", 열(列)에서 떠나다] *i.*(s.) 도망〔탈영〕하다(♈*desert*). **Desertion** [-tsǐó:n] *f.* -en, 도망, 탈영.

desgleichen [dεsglάiçən] 《不變化》 《Ⅰ》 《指示關係代名詞》 =DERGLEICHEN. 《Ⅱ》 《關係代名詞》 =DERGLEICHEN. 《Ⅲ》 *adv.* 마찬가지로. 《Ⅳ》 *cj.* …와 같이. ¶~ daß 마치 …와 같이.

deshalb [déshalp, dεshálp] *adv.* 그러므로, 그 때문에. ¶~ (doch) 그래도 역시, 그럼에도 불구하고.

designieren [dezɪgní:rən] [lat.] *t.* 지정하다; 잠정적으로 임명하다.

Desinfektion [dεs-ɪnfεktsǐó:n, dezɪn-] [lat.] *f.* -en, 소독; 살균. **Desinfektionsmittel** *n.* 살균제. **desinfizieren** *t.* 소독〔살균〕하다.

Desintegration [dεs-ɪntegratsǐó:n, dezin-] [fr. *des-* „von -weg, ent-" *u.* lat. Integration] *f.* -en, 해체, 분할; 〖物〗 붕괴.

despondieren [dεspɔndí:rən, de-] [lat.] *t.* 약혼시키다. **Desponsata** *f.* -e, 약혼자.

Despot [dεspó:t] [gr. „Gebieter, Herr"] *m.* -en, -en, 전제 군주, 압제자. **Despotie** [dεspotí:] *f.* ..tien, 전제 정치, 압제. **despotisch** *a.* 전제적〔압제적〕인.

dessen [dέsən] 《指示·關係代名詞 der, das의 2格》 그것의(*of which*); 그 사람의(*whose*).

dessent=halben [dέsənt-], **~wegen**, um **~willen** *adv.* 그 까닭〔때문〕에.

dessen·ungeachtet [dέsən-ungəaxtət, dεsən-ún-] *cj.* 그럼에도 불구하고.

Dessin [dɛsɛ̃:] [fr.] *n.* -s, -s, 소묘, 데생, 약도; 의장(意匠); 도안, 밑그림. **Dessinateur** [dɛsinatø:r] *m.* -s, -e, 의장〔도안〕가, (선(線))화가.

Destillat [dɛstılá:t] *n.* -(e)s, -e, 증류액. **destillateur** [dɛstılatø:r] *m.* -s, -e, 《俗》 선술집 주인. **Destille** *f.* -n, 《俗》 선술집. **Destillier·apparat** *m.* 증류기(器). **destillieren** [dɛstılí:rən] [lat. „herab-tröpfeln"] *t.* 증류하다; 화주(火酒)를 만들다. **Destillier·kolben** *m.* 증류기(의 두부(頭部)).

desto [désto, -to:] [ahd. *des diu*, 두 말이 모두 der의 계통] *adv.* 《比較級의 앞》 점점, 더욱(*the (more so)*). ¶~ besser 더욱더 좋다(*so much the better*)/ je mehr, ~ besser 많으면 많을수록 좋다. 「DESHALB.」

deswegen [désve:gən, dɛsvé:-] *adv.* =

detachieren [detaʃí:rən] *t.* 분리하다; (특수 임무에) 파견하다; 〖軍〗 분견(分遣)하다.

De·tail [detái, detá:j; 《稀》 -táil] [fr. „Ab-schnitt"] *n.* -s, -s, 세목(細目), 상세(♈*details*); 〖商〗 소매(*retail*). ¶im ~ verkaufen 소매하다.

Detail·bericht *m.* 상보(詳報). **~han·del** *m.* 소매업.

detaillieren [detají:rən] *i.*(h.) 세목(細目)에 걸치다; 소매하다. **Detaillierung** [-jí:ruŋ] *f.* -en, 상기(詳記); 명세. **De·taillist** [-jíst] *m.* -en, -en, 소매업자.

De·tektiv [detɛktí:f] [engl. „Ent-decker"] *m.* -s, -e, 탐정, 형사. **De·tektor** [detéktɔr] [lat. „Ent-decker"] *m.* -s, ..toren, 〖電〗 검파기.

deucht [dɔyçt] ☞DÜNKEN(=däucht).

Deut [dɔyt] [ndl.] *m.* -(e)s, -e, 옛 네덜란드 동전 이름(♈*oit*). ¶ 《比》 k-n ~ wert 동전 한푼의 값어치도 없는.

Deutelei [dɔytəlái] *f.* -en, 억지 해석, 곡해. **deuteln** [dɔ́ytəln] [<deuten] *t.* u. *i.*(h.) (an et.³, 무엇을) 억지 해석〔곡해〕하다(*subtilize*).

deuten [dɔ́ytən] [♈deutsch, *eig.* "volkstümlich machen, 알게 하다"] 《Ⅰ》 *i.*(h.) (auf jn., 아무를; nach, 을) 가리키다(*point*), 표시하다(*indicate*). 《Ⅱ》 *t.* 해석〔설명〕하다(*explain, interpret*). ¶ et. auf jn. 〔et.〕 ~ 무엇을 아무에게〔무엇에〕 관련시켜서 해석하다(*refer to*).

Deuter *m.* -s, -, 해석〔설명〕자; 둘째 손가락; 교편(敎鞭); 《俗》 신호, 암시.

deutlich [dɔ́ytlıç] [<deuten] *a.* 뚜렷한, 판연한(*distinct, clear*). **Deutlich·keit** *f.* -en, 분명, 명료, 관연.

deutsch [dɔytʃ] [*eig.* „volkstümlich"; ahd. *diot* „Volk"] 《Ⅰ》 *a.* 독일의, 독일 국민의, 독일어의(*German*); 독일식의, 독일적인. 《Ⅱ》 *adv.* 독일어로; 독일식으로, 독일적으로; 솔직이 (말하다). 《Ⅲ》《名詞化》 der 〔die〕 ~e 〔ein ~er〕 독일인 / das ~e 독일어《일반적 독일어를 가리킴》; 독일식, 독일 정신 / im ~en (=auf ~) 독일어로. **Deutsch** *n.* -(s), ① 독일어《주로 특수한 독일어를 가리킴》. ¶im heutigen ~ 현대의 독일어로 / er lernt 〔schreibt, spricht〕 ~ 그는 독일어를 배운다〔쓴다, 말한다〕. ② 《小文字》 auf ~ 독일어로 / 《比》 auf gut ~ 알기 쉽게. 「인 염오.」

Deutschenhaß [dɔ́ytʃənhas] *m.* 독일

Deutschland [dɔ́ytʃlant] *n.* 독일국. **~lied** *n.* 독일 국가(國歌).

Deutschtum [dɔ́ytʃ-tu:m] *n.* -e(s), 독일식, 독일 정신, 독일주의; (어떤 나라에 사는) 독일인《전체》.

Deutung [dɔ́ytuŋ] *f.* -en, 해석, 설명.

Devalvation [devalvatsĭó:n] [lat.] *f.* -en, 〖經〗 (화폐의) 평가 절하.

Devise [deví:zə] [fr. <dividieren] *f.* -n, ① 격언; 명(銘)(♈*device, motto*). ② (보통 *pl.*) 외국환(換)(*foreign bill*). **~n·handel** *m.* 외국환 업무.

devot [devó:t] [lat.] *a.* 몸을 바친; 신앙 깊은, 경건한; 겸양의, 비하한(*humble*).

Dezem [dé:tsɛm] [lat. *decem* „zehn"] *m.* -s, -s, (교회에의) 십일조; 기부; 조세. **Dezember** [detsémbər] *m.* -(s), -, 12월.

dezent [detsént] [lat.] *a.* 단정한, 예절 바른; 〖樂〗 가락을 낮춘.

Dezentralisation [de-tsɛntralizatsĭó:n] [lat.] *f.* -en, 분산(分散); 지방 분권.

Dezi·bel [detsibél] [lat. *decem* „zehn" u. Bel] *n.* -s, -, 데시벨《기호: db》.

dezimal [detsimá:l] [lat. <*decem* „zehn"] *a.* 10분의 1의; 10진(법)의.

Dezimal·bruch *m.* 〖數〗 소수. **~stel·le** *f.* 소수 (자리).

Dezimeter [detsimé:tər] *n.* -s, -s, 데시미터. **Dezimeterwelle** [-vɛlə] *f.* 데시미터파(波)《10 cm 와 1 m 사이의 파장을 가진 초단파》.

dezimieren [detsimí:rən] [lat. <*decem* „zehn"] *t.* 10명에 1명을 사형에 처하다; 《比》 (병력·인구에) 대손실을 주다(♈*decimate*); 10분의 1세를 징수하다.

Dezitonne [detsitɔ́nə] *f.* 데시톤《1/10 톤》.

dgl. 《略》 =*der*g*l*eichen, *des*g*l*eichen.

d. Gr. 《略》 =*d*er *Gr*oße 대제(大帝), 〔대왕.〕

d.h. 《略》 =*d*as *h*eißt 즉.

di..[1] [di-] [lat.] =DIS-[1] 《그것이 자음 b, d, l, n, r, s 의 앞에 있을 때의 꼴》; 보기: Dimission 면직; Distanz 거리.

di..[2] [di-, dí:-] [gr.] (=dis-[2]) =ZWEIMAL, DOPPELT (두 번, 이중, 중복); 보기: dimorph 동종 이형(二形)의.

d.i. 《略》 =*d*as *i*st, 즉(=d. h.).

dia.. [dia-] [gr. *diá*] =DURCH-, ZER-, ENT-, ÜBER- (관통, 분리, 분해, 분열); 보기: Diameter 직경.

Diabetes [diabé:tes] [gr.] *m.* -, 〖醫〗 당뇨병; (요술장이의) 2중 바닥의 잔.

diabolisch [diabó:lıʃ] [gr.] *a.* 악마의, 악마적인.

diachron(isch) [diakró:n(ıʃ)] [gr. *diá* „durch", *khrónos* „Zeit"] *a.* 통시적(通時的).

Diadem [diadé:m] [gr.] *n.* -s, -e, (왕위를 나타내는) 이마의 장식.

diadochenkämpfe [diadɔ́xənkɛmpfə] *pl.* 《比》 후계자 사이의 권력 투쟁.

Diagnose [diagnó:zə] *f.* -n, 〖醫〗 진단; 〖物〗 감식, 감별. **dia·gnostizieren** [-titsí:-] [gr. „hindurch-erkennen"] *t.* 진단〔감별(鑑別)〕하다.

D

diagonal [diagoná:l] [gr.] *a.* 어긋난, 비스듬한; 〖數〗 대각선의. **Diagonale** *f.* -n, 〖數〗 대각선.

Diagramm [diagrám] [gr.] *n.* -s, -e, 약도; 도표, 도식, 도해; 〖數〗 작도(作圖); 〖樂〗 총보(總譜).

Diakon [diakó:n] [gr.] *m.* -s, -e〔-en, -en〕, 집사, (가톨릭의) 부제(副祭), (신교의) 부목사(♈*deacon*). **Diakonissin** *f.* -nen, (신교의) 여집사. **Diakonus** [diá:konus] *m.* –, ..kōne(n) [-kó:nə(n)] =DIAKON.

Dialekt [dialékt] [gr. *eig.* „Gespräch", <Dialog] *m.* -(e)s, -e, 방언, 사투리. **Dialektik** *f.* 변론법, 토론술; 〖哲〗 변증법; 《俗》 궤변. **dialektisch** *a.* 방언의; 변론법의; 〖哲〗 변증법의.

Dialog [dialó:k] [gr. „Hin- und Her-(*diá*) reden", Unterredung] *m.* -(e)s, -e, 대화; 회화체(體)(♈*dialogue*).

D

Diamant [diamánt] [lat. *aus* gr. *a-damas* „Un-bezwinglicher"] *m.* -en, -en, 다이아몬드(♈*diamond*). **diamanten** *a.* 다이아몬드의, 다이아몬드 같은.

DIAMAT, **Diamat** [diamá:t] *m.* –, 《略·俗》 =*dia*lektischer *Mat*erialismus 변증법적 유물론.

Diapositiv [diapoziti:f] [gr.] *n.* -s, -e, 투명 양화(陽畫)《영화 필름 따위》.

Diarium [diá:rĭum] [lat. <*diēs* „Tag"] *n.* -s, ..rĭen, 일기(장)(♈*diary*), 비망록, 메모.

Diarrhöe [diarǿ:] [gr. „Durchfluß", *diar-*=dia-] *f.* -n [-rǿ:ən], (Durch-fall) 설사.

Diät [diέ:t] [gr. *díaita* „Leben"] 《Ⅰ》 *f.* -en, 섭생, 양생(養生), 음식 조섭; 위생적 음식물(♈*diet*). 《Ⅱ》 **diät** *a.*: ~leben 섭생을 지키다. **Diäten** [diέ:tən] [lat. *diēs* „Tag"] *pl.* 일급(日給), 일당(日當). **Diätetik** *f.* -en, 식이 요법.

Diatonik [diató:nık] *f.* 〖樂〗 온음계법.

dich [dıç] (du 의 4格) *prn.* 너를.

dicht [dıçt] 《Ⅰ》 *a.* 조밀한(♈*tight*); 긴밀한, 촘촘한(*compact*); 밀집한(*thick*); 농밀한(*dense*); 견고한(*solid*). 《Ⅱ》 *adv.* 밀접하여, 가까이에(*close*). ¶ ~ an〔bei〕 et.³ 무엇에 밀접하여 / ~ vor dem Tode s-s Vaters 그의 부친이 죽기 바로 전에.

Dichte [díçtə] *f.* 〖物〗 밀도, 비중, 농도; 인구 밀도.

dichten[1] [díçtən] *t.* 조밀〔긴밀〕하게 하다; 촘촘하게 하다, 압축하다, 농후하게 하다; (이음매를) 칠하여 메우다; 새지 않게 하다, 〖海〗 (배에) 뱃밥을 메우다.

dichten[2] [ahd. *diktōn* „schreiben, ersinnen", lat. *dictāre* „diktieren"과 섞임] *t.* u. *i.*(h.) 시(詩)를 짓다, 쓰다(*write poetry, compose*); 허구〔날조〕하다(*invent*). ¶ auf et. ~ 무엇에 전념하다.

Dichter *m.* -s, –, 시인, 작가(*poet*).

Dichter·ader 시인(으로서)의 천분〔소질〕. ~**freiheit** *f.* 시인〔시적〕 자유, 시인의 특권《취재·문법상의》.

Dichterin [díçtərın] *f.* -nen, 여류 시인(*poetess*), 규수 작가.

dichterisch [díçtərıʃ] *a.* 시인의, 시의; 시적인(*poetical*); 마음을 움직이는, 아름다운.

Dichterling [díçtərlıŋ] *m.* 《俗》 엉터리 시인(*poetaster*).

dicht|halten* [díçthaltən] *i.*(h.) 《俗》 (비밀을) 누설하지 않다. ★ dicht halten (물 따위를) 새지 않게 하다.

Dichtigkeit [díçtıç-] *f.* -en, 조밀함; 〖物〗 밀도, 농도. **Dichtigkeitsmesser** *m.* 〖物〗 비중계, 농도계.

Dichtkunst [díçtkunst] *f.* 시문, 문예(*poetry*).

Dichtung[1] [díçtuŋ] *f.* -en, 조밀하게 하기, 올이 배게 하기; 폐색 장치《누출을 막는》; 〖海〗 뱃밥 메우기. **Dichtungs·ring** *m.* 와셔(*washer*).

Dichtung[2] *f.* -en, 작시, 시문(詩文), 시(*poetry*); 창작(*invention*); 허구, 날조(*fiction*).

dick [dık] *a.* ①두꺼운, 굵은(♈*thick*). ②큰(*big*); 뚱뚱한, 굵은(*fat*); 부푼(*swollen*). ③ 튼튼한, 단단한, 억센(*stout*). ④ 농밀(濃密)한, 농후한(♈*thick*), 굳어 버린. ¶ ~e Milch (응고하여) 시어진 젖 / (sich) ~(e)(*adv.*) tun, (mit, 으로) 뻐기다, (을) 뽐내다.

dick·bäckig *a.* 빰이 투실투실한. ~**bändig** *a.* (책이) 두꺼운. ~**bäuchig** *a.* 배가 뚱뚱한. ~**darm** *m.* 〖解〗 대장(大腸).

Dicke[1] [díkə] *f.* 굵음, 두꺼움, 비만; 굵기, 두께, 농도. **Dicke**[2] *m.* u. *f.* 《形容詞變化》 살찐사람, 뚱보.

dick·fellig *a.* 피부가 두꺼운; 《比》 무신경한, 철면피한. ~**flüssig** *a.* 농후한, 진득진득한. ~**häuter** *m.* 〖動〗 후피류(厚皮類)《코끼리·하마 따위》; 냉혹〔무신경〕한 사람.

Dickicht [díkıçt] *n.* -(e)s, -e, 덤불, 숲(♈*thicket*).

Dick·kopf *m.* 장구머리(를 가진 사람); 《比》 완고한〔고집 센〕 사람; 멍텅구리. ~**köpfig** *a.* 《比》 완고한, 고집센. ~**leibig** *a.* 뚱뚱한; (책이) 두꺼운.

dicklich [díklıç] *a.* 좀 굵은, 두툼한(♈*thickish*); 《方》 완고한.

Dickschäder [díkʃɛ:dər] *m.* 《俗》 (~kopf) 고집장이.

Dick·tuer [díktu:ər] *m.* 젠체하는 사람. **dick·tun*** *i.*(h.) u. *refl.* 뻐기다, 허풍치다.

Dickwanst [díkvanst] *m.* 배불뚝이.

Didaktik [didáktık] [gr.] 교수법〔학〕. **didaktisch** *a.* 교수법(상)의; 교훈적인.

die [di:, di] *prn.* =DER 《定冠詞·指示代名詞·關係代名詞의 女性單數 1·4格 및 各性 複數 1·4 格》.

Dieb [di:p] *m.* -(e)s, -e, 도둑(♈*thief, burglar*); (Laden~) 들치기; (Taschen~) 소매치기. **Dieberei** [di:bərái] *f.* -en, 절도, 도둑 근성.

Dieb(e)s·bande *f.* 도둑떼. ~**glück** *n.* 부당한 행복. ~**gut** *n.* 장물. ~**herberge**, ~**höhle** *f.* 도둑의 소굴. ~**schlüssel** *m.* 맞쇠, 곁쇠. ~**sicher** *a.* 도난 방지의. ~**sprache** *f.* 도적의 암호〔은어〕.

diebisch [dí:bıʃ] 《Ⅰ》 *a.* 도둑 같은; 도둑 근성의(♈*thievish*); 《俗》 굉장한, 엄청난(*awful*). 《Ⅱ》 *adv.* 몹시(*awfully*). ¶ es ist ~ kalt 굉장히 춥다. **diebischerweise** *adv.* 도둑같이, 몰래.

Diebstahl [dí:pʃta:l] [後半: ♈stehlen]

m. 훔치기; 절도; 도난; 훔친 물건, 장물.

Diele [dí:lə] *f.* -n, 마루청(*board, plank*); 마루(*floor*); 마루방; (도회지에서는) 현관(*hall, vestibule*); (현관에서 통하는) 복도. **dielen** *t.* (에) 마루청을 깔다.

dienen [dí:nən] *i.*(h.) ① 받들다, 봉사하다(*serve*). ② (의) 밑에서 일하다, 고용살이하다(*attend*). ③ (jm., 아무에게) 유용하게 되다, 을 위해 진력하다(*be serviceable*). ④ 병역에 복무하다. ¶womit kann ich Ihnen ~? 무슨 용건으로 오셨읍니까 / damit kann ich Ihnen ~ 그것이라면 해 드리지요; 〖商〗 그 물건이라면 가지고 있읍니다 / zu et. 〔als et.〕 ~ 무엇에 쓸모가 있게 되다, 으로서 쓰이다. **Diener** [dí:nər] *m.* -s, -, ① 하인, 머슴, 종자(從者)(*servant*); 신하; 공복(公僕), 공무원; 점원(店員). ② Ihr (gehorsamer) ~! 예 알았읍니다. ③ 절(*bow*). ¶e-n ~ machen 절을 하다, 허리를 구부리다. **Dienerin** *f.* -nen, 하녀(*maid*). **dienern** *i.*(h.) 하인처럼 굴다, 비굴하다; 굽실거리다. **Dienerschaft** *f.* 《總稱》 노복; 신하. **dienlich** *a.* 유용한, 쓸모 있는(*serviceable, useful*). **Dienst** [di:nst] [<dienen] *m.* -(e)s, -e, ① 받들기, 봉사(*service*); 시중, 돌봄(*attendance*). ② 〖宗〗 봉사, 예배, 미사, 성제(聖祭). ③ 고용살이, 일(*employment, post*). ④ 직무, 근무(*duty*); 〖軍〗 복무, 당번. ¶~ leisten 근무하다; 진력하다/ außer ~ 면직의, 퇴직의; 비번의 / es steht Ihnen zu ~en 언제라도 분부에 따르겠읍니다, 마음대로 써 주십시오.

Dienstāg [dí:nsta:k] [ahd. *Ziestac* "군신(軍神) Ziu에게 바친 날"] *m.* -(e)s, -e, 화요일(*Tuesday*).

Dienst·alter *n.* 근무 연한, 고참순, 〖軍〗 만기. **~alters-Zulāge** *f.* 연공가봉(年功加俸). **~anweisung** *f.* 복무규정. **~anzūg** *m.* 근무복, 제복.

dienstbār [dí:nstba:r] *a.* 섬기고 있는, 예속하고 있는; 근무〔복무〕하고 있는; 《比》 쓸모가 있는, 유용한. **Dienstbār·keit** *f.* -en, 예속; 굴종; 〖法〗 역권(役權).

dienst·beflissen *a.* =~EIFRIG. **~bōte** *m.* 고용인, 하인. **~būch** *n.* 근무 수첩. **~eid** *m.* 복무 선서. **~eifer** *m.* 직무상의 열심, 정근(精勤). **~eifrig** *a.* 직무에 열심인, 정근의. **~enthē·bung** *f.* 정직(停職). **~entlassung** *f.* 면직, 해고. **~erfindung** *f.* 종업원이 이룬 발명. **~fāhig** *a.* 임용〔복무〕 자격이 있는; 위의 능력이 있는. **~fertig** *a.* 남의 일을 돌보기 좋아하는; 친절한. **~frei** *a.* 무직의; 근무가 없는, 비번의; 〖軍〗 병역에 관계가 없는. **~grād** *m.* 관등(官等), 위계(位階). **~hābend** *a.* 근무중의, 당직의, 당번의. **~hābende** *m.* 《形容詞變化》 당직, 당번. **~herr** *m.* 고용주; 주인; 봉건 군주, 영주. **~·jahre** *pl.* 복무〔근무〕 연한〔연수〕. **~·kleid** *n.* 근무복, 제복(制服). **~lei·stung** *f.* 근무, 직무 수행. **~leute** *pl.* 노비(奴婢).

dienstlich [dí:nstlıç] *a.* 직무〔복무·근무〕상의; 쓸모 있는, 편리한.

Dienst·lohn *m.* 급료, 임금. **~lokāl** *n.* 사무소, 관청. **~mādchen** *n.*, **~·māgd** *f.* 하녀(*maid-servant*). **~mann** *m.* †신하, 부하; 하인, 종; (거리의) 하물 운반인; 심부름꾼. **~pflicht** *f.* 복무, 의무. **~pflichtig** *a.* 복무 의무가 있는. ¶das ~pflichtige Alter 복무 의무를 지는 나이, 정년(丁年). **~reise** *f.* 공무 여행, 출장. **~rock** *m.* 제복, 근무복. **~sache** *f.* 근무 사항. **~·sprāche** *f.* 관청 용어. **~stelle** *f.* 직위; 지위; 관청, 사무소, 본부. **~stun·den** *pl.* 근무 시간. **~tauglich** *a.* = ~FÄHIG. **~treue** *f.* 정근(精勤). **~tū·end** *a.* 근무중의; 당번의, 당직의. **~·unfāhig, ~untauglich** *a.* 복무〔근무〕에 적합하지 않은; 〖軍〗 불합격의, 노폐(老廢)한. **~verhältnis** *n.* 고용 관계; 근무 상황. **~verträg** *m.* 고용 계약. **~wēg** *m.*: auf dem ~weg 직무상. **~willig** *a.* =~FERTIG. **~woh·nung** *f.* 관사, 사택. **~zeit** *f.* 연한(年限); 복무〔복역〕 기간. **~zūlāge** *f.* 가봉(加俸).

dies [di:s] *prn.* ☞ DIESES. **diesbe·zūglich** *a.* 이에 관한; *adv.* 이에 관하여.

diese [dí:zə] ☞ DIESER 《그 女性 및 複數 1·4格》

Diesellok [dí:zəllɔk] [=*Lok*omotive mit *Diesel*motor] *f.* -s, 디젤 기관차.

Dieselmōtor [dí:zəl-] *m.* 디젤 발동기.

dieser [dí:zər] [die-는 ♈der, da(r), -ser는 원래 指示를 나타내는 말] *prn.* 《指示代名詞》 (*ant.* jener) 이(것), 이것(♈*this*); 나중의 (것), 후자(*the latter*). ¶diese Nacht, a) 어젯밤《그 다음날 아침을 기준으로》, b) 오늘밤 / ~ Tage (*pl.* 의 2格), a) 근간, 며칠 후(에), b) 요즈음, 요사이 《注意: "…은 무엇이다"의 主語 …로서는 述語名詞의 性·數에 관계없이 中性 單數形 dieses, dies가 쓰임, 보기: dies ist mein Sohn, dies sind m-e Töchter》.

diesfalls [dí:sfals] *adv.* 이 경우에.

diesig [dí:zıç] [nd.] *a.* 〖海〗 냉습(冷濕)한; 안개가 있는(*hazy*); 부연, 몽롱한; 《比》 어리석은.

dies·jährig *a.* 금년의. **~māl** *adv.* 이번에. ¶(für) ~mal 이번에는. **~mā·lig** *a.* 이번의. **~seit** 《Ⅰ》 *prp.* 《2格支配》 이쪽에. 《Ⅱ》 *adv.* =~SEITS Ⅰ. **~seitig** *a.* 이 쪽의; 이승의, 현세의. **~seits** 《Ⅰ》 *adv.* 이 쪽에. 《Ⅱ》 *prp.* =~SEIT Ⅰ. **~seits** *n.* -, 이승, 현세.

Dietrich [dí:trıç] 《Ⅰ》 *m.* -s, [<Theode-rich „Volks-herrscher"] 남자 이름. 《Ⅱ》 *m.* -(e)s, -e, 자물쇠를 여는 갈고랑이《결쇠질에 쓰이는》(*picklock*).

dieweil [di:váil] 《Ⅰ》 *adv.* 그 사이, 그럭저럭하는 사이. 《Ⅱ》 *cj.* ① …때문에. ② …하는 동안에.

dif.. [dıf-] [lat.] =DIS[1] 《그 자음 f의 앞의 꼴》; 보기: different, 다른.

diffamieren [difamí:rən] [lat.] *t.* 비방하다; (의) 명예를 훼손하다.

different [dıfərέnt] [lat. <differieren] *a.* 다른, 같지 않은, 부동의. **Diffe·rentiālrechnung** *f.* 〖數〗 미분(학).

differenti·ieren [-tsií:rən] *t.* 차별〔구별〕하다; 〖數〗 미분하다. **Differenz** [dɪfərέnts] [lat. <differieren] *f.* -en, 차, 차이; 상이; 〖商〗 차액, 과부족; 《俗》 불화, 논쟁. **differenziert** *p. a.* (감각이) 섬세한(*refined*). **differieren** [dɪfəríːrən] [„auseinander(=nach verschiedenen Seiten) tragen“] *i.*(h.) (von, 과) 다르다, 차이가 있다(♈*differ*).

diffizil [dɪfɪtsíːl] [lat.] *a.* 곤란한, 다루기 어려운; 까다로운.

Diffusionspumpe [dɪfuzĭóːns-] *f.* (가스의) 확산 펌프.

Digestion [digɛstĭóːn] [lat.] *f.* -en, 소화(消化); 침지(沈漬).

Digression [digrɛsĭóːn] [lat.] *f.* -en, 주제에서 벗어나기, 옆길로 흐름.

Diktat [dɪktáːt] [lat. „Diktiertes“] *n.* -(e)s, -e, 구수(口授)(된 것); 받아쓰기(한 것)(♈*dictation*). **Diktator** *m.* -s, ..toren, (고대 로마의) 집정관; 《比》 독재자. **diktatorisch** *a.* 명령적인, 압제적인; 독재적인. **Diktatur** *f.* -en, (고대 로마의) 집정관의 직; 독재 (정치).

diktieren [dɪktíːrən] [lat. <*dīcere* „sagen“] *t.* 구수(口授)하다, 받아쓰게 하다(♈*dictate*). 「기, 테이프 레코더.」

Diktier=gerät, **~maschine** *f.* 녹음

Dilettant [dilɛtánt] [lat.] *m.* -en, -en, 딜레탕트, 예술·학술의 애호자, 아마추어. **dilettantisch** *a.* 아마추어적인, 어중간하게 아는, 천박한. **dilettieren** *i.*(h.) 도락으로 하다, 아마추어적으로 하다. 「양자초(♈*dill*).」

Dill [dɪl] *m.* -(e)s, -e, 〖植〗 이논드, 서

Diluvium [dilúːvĭum] [lat. „Zerwaschung“, Überschwemmung] *m.* -s, ..vien [-vĭən], 범람; 〖聖〗 (노아의) 대홍수; 〖地〗 홍적층; 〖考古〗 홍적세(世).

Dimension [dimɛnzĭóːn] [lat. „Auseinander-, Ab-messung“] *f.* -en, 연장(延長), 넓이; 〖數〗 차원.

dimer [diméːr] [gr. *di-* „zweifach“, *meros* „Teil“] *a.* 2부로 구성된.

DIN *f.* 《略》 = *D*eutsche *I*ndustrie-*N*orm(ung) 독일 공업(품 표준) 규격.

Ding [dɪŋ] [원래는 고대 게르만인의 인민 집회(=Thing), 일반화하여: 재판, 소송] *n.* -(e)s, -e[-er], (“사건”의 뜻:) 사물, 일, 물건(♈*thing*). ¶vor allen ~en 우선 첫째로, 그 중에도 특히 / guter ~e sein 기분이 좋다.

dingen(*) [díŋən] 《Ⅰ》 *i.*(h.) 흥정하다; (um, 의) 값을 깎다(*bargain*). 《Ⅱ》 *t.* 고용하다, 임차(賃借)하다(*hire*).

dingfest [díŋfɛst] *a.*: jn. ~ machen 아무를 포박(捕縛)하다.

dinglich [díŋlɪç] *a.* 〖法〗 물적인; 물권적인. ¶~es Recht 물권(物權), 물적 권리.

Dings(da) [díŋs(daː)] 《잘 모르거나 얼른 생각이 나지 않을 때에》 《俗》 《Ⅰ》 *m.* -, u. *f.*: Herr 〔Frau〕 ~ 아무개라고 하는 사람. 《Ⅱ》 *n.* -, 그 무엇이라고 하는 그것. 「명사(名詞).」

Dingwort [díŋwɔrt] *n.* (*pl.* ¨er) 〖文〗

dinieren [diníːrən] [fr.] *i.*(h.) 주찬(主餐)을 들다(♈*dine*); (흔히) 오찬을 들다.

Dinkel [díŋkəl] *m.* -s, -, 〖植〗 〔~weizen *m.*〕 독일밀(*spelt*).

Diözese [diøtséːzə] [gr.] *f.* -n, 주교〔감독〕의 관구(♈*diocese*).

Diphtherie [dɪftəríː, dɪftə-], **Diphtheritis** [gr., *eig* „Häutchen“] *f.* 〖醫〗 디프테리아.

Di·phthong [dɪftɔ́ŋ] [gr. „Doppel-laut“] *m.* -(e)s, -e, 〖文〗 복모음.

Diplom [diplóːm] [gr. „zweimal Gefaltetes“] *n.* -(e)s, -e, 졸업 증서; 면허장; 상장(賞狀). **Diplomat** [diplomáːt] *m.* -en, -en, 외교관. **Diplomatie** *f.* ..tien, 외교; 외교단. **diplomatisch** *a.* 외교의; 외교적 수완이 있는.

Diplom=ingenieur *m.* 공학사, 대학 출신의 기사. **~landwirt** *m.* 농학사, 대학 출신 농업가. **~prüfung** *f.* 학사 시험, 대학 졸업 시험.

Dipol [díːpɔl, diːpóːl] [gr.] *n.* -(e)s, -e, 〖物·化〗 이중극(二重極), 쌍극자.

dippeln [dípəln] *i.*(s.) 강종강종 뛰다; 떠돌아다니다.

Diptere [dɪptéːrə] [gr.] *m.* -n, -n, 〖蟲〗 쌍시류(雙翅類).

dir [diːr] *prn.* (du의 3格) 너에게.

direkt [dirέkt] [lat. „gerade gerichtet“ *p. p.* <dirigieren] 《Ⅰ》 *a.* 똑바른; 직접의. 《Ⅱ》 *adv.* 똑바로, 직접으로; 바로. ¶~er Wagen 직통차. **Direktion** [dirɛktsĭóːn] *f.* -en, 지도, 관리; 간부, 중역. **Direktor** *m.* -s, ..toren, 지배인, 관리자, 은행장; (무대) 감독, 장《교장, 기사장 따위》. **Direktorium** *n.* -s, ..rien [-rĭən], 관리국, 장관 사무실; 관리 위원, 간부, 지배인. **Direktrice** [-tríːsə] [fr.] *f.* -n, (여자) 감독, 지배인, 점주(店主).

Direkt=sendung, **~übertragung** *f.* (라디오·TV의) 직접 방송, 생방송.

Dirigent [-gέnt] *m.* -en, -en, 지배인; 감독; 〖樂〗 악장, 지휘자. **dirigieren** [-gíːrən] [lat. <*regere* „gerade richten“ (di-는 의미를 강조함)] *t.* 지도〔지배·관리·감독〕하다, (의) 주임이다(♈*direct*); 〖樂〗 지휘하다(*conduct*).

Dirnd(e)l [dírnd(ə)l] [*dim* v. Dirne] *n.* -s, -(n), 《方》 (obd.) = MÄDCHEN. **~kleid** *n.* 상부 바이에른 양식의 하복.

Dirne [dírnə] [♈dienen] *f.* -n, 하녀; (신분이 낮은) 계집 아이; (발랄과 건강의 느낌을 포함시켜서:) 소녀; 《현재에는》 (feile ~) 창녀(*prostitute*).

Dirt Track [dә́ːttræk] *n.* [amer. „Schmutz-bahn“] *n.* -s, -s, 진흙 또는 석탄재를 깐 트랙《오토바이 경주용》.

Dirt-Track-Rennen *n.* 진창길 경주.

Dis [dɪs] *n.* -, -, 〖樂〗 (*Dis-dur*) 올림 라 장조. ***dis*** *n.* -, -, 〖樂〗 올림 라 음; (*dis-moll*) 올림 라단조.

dis.. [dɪs] [lat.] = MISS-, UN- (불(不), 비(非), 무(無)); = VER-, ZER-, ENT-, AUSEINANDER- (분리, 분해, 분열, 부숨).

Disharmonie [dɪsharmoníː] *f.* ..nien, 〖樂〗 부조화음; 《比》 부조화, 불화, 불일치. **disharmonisch** *a.* 부조화음의; 《比》 불화의.

Diskant [dɪskánt] [lat. „Auseinandergesang“] *m.* -(e)s, -e, 〖樂〗 소프라노; 최고음부《특히 피아노의》.

Disk·jockey [dískdʒɔkɪ] [engl. *disk* „Platte"] *m.* -s, -s, 디스크자키.

Diskographie [dɪskografí:] [*Kw.*; engl. *disk* „Schallplatte" *u.* gr. *grāphein* „schreiben"] *f.* ..phīen, (수집가가 행하는) 레코드 기재법, 레코드 분류.

Dis·kont [dɪskɔ́nt] [it. „Ab-rechnung"] *m.* -(e)s, -e, 〖商〗 (어음) 할인(♈*discount*). **diskontieren** *t.* 할인하다; 할인하여 사다. **Diskontierer** *m.* -s, 할인하는 사람. **Diskonto** *m.* -s, -s, *u.* ..ti, =DISKONT.

Disko·thēk [dɪskoté:k] [*Kw.*; engl. *disk* „Schallplatte" *u.* (Biblio)thek] *f.* -en, 레코드 수집실.

diskreditieren [dɪskreditíːrən] [lat.] *t.*: jn.: (의) 신용을 떨어뜨리다, (의) 이름을 더럽히다.

dis·krēt [dɪskré:t] [lat. „ab-gesondert", bescheiden] *a.* 삼가는, 분별이 있는, 신중한(♈*discreet*). **Diskretion** [dɪskre-tsió:n] *f.* -en, 분별, 삼가기, 신중.

Diskrimination [dɪskriminatsió:n] [lat.] *f.* -en, 구별, 식별; 차별 대우, 배척. **diskriminieren** *t.* 구별하다; 헐뜯다, 배척하다(jn.).

Diskus [dískʊs] [gr.] *m.* -, ..ken *u.* -se, (투척용의) 원반. **~werfen** *n.* 원반 던지기.

Diskussion [dɪskʊsió:n] *f.* -en, 토론, 의론. **diskutābel** [dɪskutá:bəl] *a.* 논할 가치가 있는, 논쟁의 여지가 있는. **diskutieren** [-tíːrən] [lat. „auseinander-schütteln"] *t.* u. *i.*(h.) 토론〔토의〕하다.

Dispatcher [dɪspétʃər] [engl. „Ab-schicker, Erlediger, Ausführer"] *m.* -s, -, (대기업의) 실무 처리 담당.

Dispens [dɪspéns] *m.* -es, -e, 사면(赦免); 해방, 면제; 특별 허가; 사가(賜暇). **dispensieren** [lat. "austeilend-abwägen, 저울질하여 나누다"] *t.* ① (약을) 조제하여 주다. ② jn. von et.[3] ~ 아무를 무엇에서 해방하다, 아무에게 무슨 일에서의 말미를 주다.

dispergieren [dɪspɛrgíːrən] [lat.] *t.* 분산하다, 확산하다. **Dispersion** [dɪs-pɛrzió:n] *f.* -en, 〖光〗 분산, 확산(擴散).

Disponent [dɪsponént] [lat.] *m.* -en, -en, 관리인, 지배인. **disponībel** [dɪs-poníːbəl] *a.* 자유로이 처리〔사용〕할 수 있는. ¶disponible [-blə] Gelder 마음대로 처분할 수 있는 돈. **disponieren** [-níːrən] [lat. „auseinander-stellen"] 《Ⅰ》 *t.* 배치〔정리〕하다; 기초하다. 《Ⅱ》 *i.*(h.) (über et., 무엇을) 마음대로 처리〔처분〕하다, 자유로이 사용하다(♈*dispose* (*of*)). **Disposition** [-tsió:n] *f.* -en, 배열, 구분, 구획; (문장의) 기초(起草); 처리, 처분, 처치.

Dispūt [dɪspú:t] *m.* -(e)s, -e, 논쟁, 토론. **disputieren** [dɪsputíːrən] [lat. „auseinanderrechnen"] *i.*(h.) 논쟁〔토론〕하다(♈*dispute, argue*); 다투다, 싸우다.

disqualifizieren [-kvalifitsíːrən] *t.* (의) 자격을 빼앗다; 〖競〗 실격시키다.

Dissertation [dɪsɛrtatsió:n] [lat.] *f.* -en, (학술적) 논문; 학위 청구 논문.

Dissident [dɪsidént] [lat.] *m.* -en, -en, 타종자(他宗者), 비국교도, 무종교인 사람; (신앙상의) 자유 사상가.

dissolūt [dɪsolú:t] [lat.] *a.* 방종한. **Dissolution** [-tsió:n] *f.* -en, 분해, 용해, (회사·단체 등의) 해산; 방종.

Dissonanz [dɪsonánts] [lat.] *f.* -en, 〖樂〗 불협화음; 〖比〗 불일치; 괴리, 어긋남.

Distanz [dɪstánts] [lat. „Abstant"] *f.* -en 간격, 거리(♈*distance*).

Distel [dístəl, dí:s-] *f.* -n, 〖植〗 가시가 돋은 식물; (특히) 엉겅퀴(♈*thistle*). **~fink(e)** *m.* 〖鳥〗 되새속(屬) (*goldfinch*).

distinguiert [dɪstɪŋguí:rt] [lat.] *a.* 발군의, 현저한; 저명〔고귀〕한. **Distinktion** [dɪstɪŋktsió:n] *f.* -en, 구별, 차별, 고귀, 걸출.

Distrikt [dɪstríkt] [lat.] *m.* -(e)s, -e, 관구, 행정구《군, 도, 주 등》; 지방.

Disziplīn [dɪs-tsiplí:n] [lat. „Lehre, Schulung"] *f.* -en, 학과, 교과, 과정; 훈육, 훈련; 규율; 〖軍〗 군기. **disziplinārisch** *a.* 직무〔복무〕상의; 훈육〔규율·군기〕상의; 단속상의; 엄격한, 준엄한.

Disziplinār-verfahren *n.* 징계(懲戒) 절차. **~vergēhen** *n.* 복무 규율 위반죄.

Diva [dí:va] [it.] *f.* -s *od.* ..ven, (가극의) 프리마돈나; 스타.

divergent [divɛrgént] [lat.] *a.* 분출(分出)하는, 배치(背馳)하는, 다른; 〖數·物〗 (*ant.* konvergent) 발산하는, 산개하는.

divers [divérs] [lat.] *a.* 제각기(의 방향)의, 다른, 가지가지의(*sundry*).

Dividend [dividént] *m.* -en, -en, 〖數〗 피제수(被除數). **Dividende** [-də] *f.* -n, 〖商〗 배당금, 보너스; 분배물, 분배액. **dividieren** [dividíːrən] [lat. „zerteilen"] *t.* 가르다; 〖數〗 나누다, 나눗셈을 하다.

divisi [diví:zi] [it. *diviso* „geteilt"] *adv.* 〖樂〗 (악기를) 나누어, 따로따로의 악기로.

Division [divizió:n] *f.* -en, 분할, 구분; 〖數〗 나눗셈; 〖軍〗 사단.

Diwan [dí:va(:)n, divá:n] [pers.] *m.* -s, -e, (페르시아나 터키풍의) 안락 의자, 소파(♈*divan, sofa*); (동양의) 시집(詩集). ¶Westöstlicher ~ (괴테의) 서동시편(西東詩篇).

Dixieland [díksɪlænd] [amer.] 《Ⅰ》 *n.* 미국 남부 제주의 별칭. 《Ⅱ》 *m.* -, 재즈 음악의 한 형식.

Dōbel [dǿ:bəl] *m.* -s, -, 〖建〗 나무못(♈*dowel, peg, plug*).

doch [dɔx] [=engl. *though*] *adv.* u. *cj.* 《副詞的 接續詞》 ① [흔히 세게 발음함: dɔ́x] 그래도, 그러하지만, 그러나(*yet, however, but, nevertheless*) 《aber 보다는 약함》. ¶kennst du mich nicht? —~, ~! 자네는 나를 모르는가—웬걸요, 알고 있지요 / es wird wohl regnen, —Nicht ~, der Barometer ist gestiegen 아마 비가 올거예요—웬걸요, 청우계(晴雨計)는 올라 있는데요. ② [흔히 가볍게 발음함: dɔx] 어쨌든, 좌우간,

D

하여간; 글쎄; 그렇다 치더라도, 아무래도. ¶das ist ~ zu arg 아무리 무엇이라도 그것은 너무 심하다 / komm ~! 오라니까 / wenn 〔daß〕 er ~ käme! 그가 오면 좋을텐데.

Docht [dɔxt] [*eig.* „Schnur"] *m.* -(e)s, -e, (초·램프의) 심지(*wick*).

Dock [dɔk] [<ndl. *u.* engl.] *n.* -(e)s, -e *u.* -s, 〖海〗 도크, 선거(船渠); 내항(內港).

Docke [dɔ́kə] [mhd. *tocke* „Puppe"] *f.* -n, 인형; 짤막하고 굵직한 기둥; (난간의) 작은 기둥(*baluster*); (Garn~) 실의 다발, 타래(*skein*). **docken**[1] [dɔ́kən] *t.* (실을) 다발〔타래〕로 하다; *i.*(h.) 인형 놀이를 하다.

docken[2] [<Dock] *t.* (배를) 도크에 넣다.

Dodekadaktylum [do:deka-] *n.* -s, 〖解〗 십이지장. **Dodekadik** *n.* -s, 〖數〗 12진법. **dodekadisch** [do:deká:dɪʃ] [gr.] *a.* 열 둘로 이루어지는.

Dogge [dɔ́gə] [engl. *dog* „Hund"] *f.* -n, 불독; 맹견(猛犬).

Dogma [dɔ́gma] [gr. „Meinung"] *n.* -s, ..men, 〖宗〗 교의, 신조(信條); 〖哲〗 독단설. **Dogmatiker** *m.* -s, -, 교의학자; 〖哲〗 독단론자; 《比》 독단가. **dogmatisch** *a.* 교의의, 교조의; 독단(론)의; 독단적인.

Dohle [dó:lə] *f.* -n, 〖鳥〗 까마귀의 일종(*jackdaw*).

Dohne [dó:nə] [<dehnen „Gespanntes"] *f.* -n, 말총으로 된 새올가미.

doktern [dɔ́ktərn] [<Doktor] *i.*(h.) ① 《俗》 (의사인양) 치료하다. ¶an jm. (herum) ~ 아무에게 치료를 시도하다. ② 치료를 받다; 복약하다. **Doktor** [dɔ́ktɔr] [lat. „Lehrer"] *m.* -s, ..toren, ① (중세 대학의) 교사; (그 칭호:) 박사《현재의 독일엔 없음》. ② (대학 졸업자의 학위:) 독토르, 학사. ¶den ~ machen 독토르가 되다. ③ 《俗》 (의학 독토르의 뜻:) 의사. **Doktor·arbeit** *f.* 독토르 학위 논문. **Doktorat** *n.* -(e)s, -e, 독토르 학위.

Doktor·titel *m.* 독토르 칭호. **~würde** *f.* =DOKTORAT.

Dokument [dokumɛ́nt] [lat. „Beweis"] *n.* -(e)s, -e, 증거 (물건); 증서, 문서, 서류. **Dokumentalist** [-lɪ́st] *m.* -en, -en, 도큐멘털리스트. **Dokumentar·film** [-tá:r-] *m.* 기록 영화. **dokumentarisch** [dokumɛntá:rɪʃ] *a.* 증서에 의한, 문서의; 《比》 진짜의. **dokumentieren** *t.* 문서로써 증명하다.

Dolch [dɔlç] [sl.] *m.* -(e)s, -e, 단도, 단검, 비수(*dagger*).

Dolch·stich, **~stoß** *m.* 단도로 찌르기; 그 상처.

Dolde [dɔ́ldə] *f.* -n, 〖植〗 산형 화서(繖形花序)(*umbel*). **doldentragend** *a.* 산형 화서의.

Dolmetsch [dɔ́lmɛtʃ] *m.* -es, -e, **Dolmetscher** [türk. „Übersetzer"] *m.* -s, -, 통역(자). **dolmetschen** *t.* 통역하다(*interpret*).

dolos [doló:s] [lat.] *a.* 악의의; 고의의. **Dolus** [dó:lus] *m.* -, 〖法〗 악의, 범의; 사기.

Dom[1] [do:m] [lat. *domus* (*dei*) „Haus (Gottes)"] *m.* -(e)s, -e, 대성당.

Dom[2] [do:m] [gr. -lat. *doma* „Kuppel"] *m.* -(e)s, -e, 돔, 둥근 지붕, 원개(圓蓋)(*vault*).

Domäne [domɛ́:nə] [fr. <lat. *dominus* „Herr"] *f.* -n, 군주의 소유지; 국유지; (학문상의) 전문 영역〔분야〕(♈*domain*).

Domestik [domɛstí:k] [fr.] *m.* -en, -en, (흔히 *pl.*) 사환, 하녀.

Domherr [dó:mhɛr] *m.* 〖가톨릭〗 대성당의 참사 회원.

Dominante [dominántə] *f.* -n, 우성(優性); 〖樂〗 음계의 제 5 음. **dominieren** [dominí:rən] [lat., *dominus* „Herr"] *i.*(h.) u. *t.* (über et., 무엇을) 지배하다(♈*domineer*); 〖軍〗 감제(瞰制)하다.

Dominikaner [dominiká:nər] *m.* -s, -, 〖宗〗 도미니코 수도회의 수도사.

Dominium [domí:nĭum] [lat.] *n.* -s, -s *od.* ..nĭen, 소유〔영유〕권; 영지(領地); 《方》 기사령.

Domino [dó:mino] [it. „Herr, Geistlicher"] 《Ⅰ》 *m.* -s, -s, ① 성직자용의 두건(頭巾)이 달린 겨울 승복. ② 가장 무도회의 가면복; 그것을 입은 사람(♈*domino*). 《Ⅱ》 *n.* -s, -(s), 〔~spiel *n.*〕 도미노 《28 개의 석판(石板)으로 하는, 수 맞추기 놀이》(♈*dominoes*).

Domizil [domitsí:l] [lat., <*domus* „Haus"] *n.* -s, -e, 주거(住居); 〖商〗 (어음의) 지급지.

Dom·kirche *f.* 대성당. **~pfaff**(e) *m.* 〖鳥〗 피리새.

Dompteur [dɔmptǿ:r, dɔ̃tǿ:r] [fr., <lat. *domāre* „zähmen"] *m.* -s, -e, 맹수 부리는 사람(*trainer, tamer*).

Dom·schule *f.* 대성당의 부속 학교. **~stift** *n.* 대성당 참사회.

Donau [dó:nau] *f.*: die ~ 도나우 강.

Donner [dɔ́nər] [lat. *tonāre* „tönen", ♈gr. *tónos* „Ton"] 《Ⅰ》 *m.* -s, (=Donar) 게르만 신화의 뇌신(雷神). 《Ⅱ》 *m.* -s, -, 천둥, 뇌명(雷鳴)(♈*thunder*). ¶(wie) vom ~ gerührt 벼락맞은 (것처럼).

Donner·getös(e) *n.* 뇌명. **~keil** *m.* 뇌전(雷箭)《뇌신의》; 번개; 〖地〗 전석(箭石)《오징어 비슷한 고생물의 화석》.

donnern [dɔ́nərn] *i.*(h.) 천둥치다(♈*thunder*); 천둥같이 울리다, 우르릉거리다(*roar*); 《比》 고함지르다, 욕설하다.

Donner·schlag *m.* 천둥, 벽력(霹靂). **~s·tag** [dɔ́nərsta:k] [雷神 Donner 의 날] *m.* 목요일(♈*Thursday*). **~stimme** *f.* 천둥 같은 음성, 큰 음성. **~wetter** *n.* 뇌우(雷雨); 《俗》 (zum) ~wetter! 제기랄, 빌어먹을; 원, 저런《욕설, 놀람》. **~wolke** *f.* 뇌운(雷雲), 소나기구름.

Don Quichotte [dɔ̃ kiʃɔ́t] [sp. -fr.] *m.* 돈 키호테《스페인의 Cervantes 작 소설의 주인공》. **Donquichotterie** [dɔ̃kiʃɔtərí:] *f.* ..rien, 돈 키호테식의 모험, 과대 망상.

doof [do:f] *a.* 《俗》 바보같은, 병신같은; 지루한.

doppel [dɔ́pəl] [lat. *du-plex* „zweifach"] *a.* ☞DOPPELT (거의 合成語에만 쓰이고 그 외는 doppelt 를 씀).

Doppel·adler *m.* 쌍두의 독수리《제정 러시아 및 오스트리아의 문장(紋章)》. **~bereifung** *f.* 이중 타이어. **~decker**

m. 복엽(複葉) 비행기. **~deutig** *a.* 두 뜻의; 애매한. **~ehe** *f.* 중혼(重婚) (죄) (*bigamy*). **~flinte** *f.* 쌍신(雙身) 총《라이플이 아닌》. **~gänger** *m.* 두 개의 형체를 가진 또는 동시에 두 장소에 나타나는〔나타난다고 믿어지는〕 사람, 생령(生靈)(*double*). **~gesellschaft** *f.* 2중 (기업의) 회사. **~gleisig** *a.* 〖鐵〗 복선의. **~griff** *m.* 〖樂〗 중주법(重奏法). **~herzig** *a.* 《比》 표리가 있는, 성실하지 않은. **~kinn** *n.* 이중턱. **~kohlensauer** *a.* 〖化〗 중탄산의. **~kreuz** *n.* 〖樂〗 겹올림표. **~läufig** *a.* 쌍신의. **~laut** *m.* 〖文〗 복모음《au, ei 따위》 (*diphthong*).

doppeln [dɔ́pəln] *t.* 두 배〔이중으〕로 하다《흔히 ver~》 (♈*double*); (에) 안을 붙이다(*line*); 뒤를 대다(*sheathe*).

Doppel·punkt *m.* 〖文〗 콜론(:)(*colon*). **~reihig** *a.* 두 줄의. **~sinn** *m.* 두 가지 뜻; 애매. **~sinnig** *a.* 두 가지 뜻이 있는; 애매한. **~stockbühne** *f.* 2중 무대. **~spiel** *n.* 〖樂〗 2중창〔주〕; 〖劇〗 1인 2역; 더블 게임. **~stekker** *m.* 복(複)소케트. **~steuerung** *f.* 〖空〗 복조타(複操舵). **~stück** *n.* = DUPLIKAT.

doppelt [dɔ́pəlt] [=doppel, t는 gedoppelt와의 착합(錯合)에 의함] a. 두 배의, 이중의, 복(複)의, 둘의, 쌍의(♈*double, twofold*); *adv.* 이중으로 (하여), 두 배로 (하여)(*twice*). ¶ ~e Buchführung 복식 부기.

Doppel·tür *f.* 이중문; 쌍바라지. **~verdienst** *m.* 이중 소득. **~währung** *f.* 금은 복본위(제). **~zunge** *f.* (취주악에서) 이중 혀《빠른 패시지 음을 번갈아 계속해 발하는 기교》. **~züngig** *a.* 《比》 거짓말을 하는, 표리가 있는.

Doppik [dɔ́pɪk] *f.* 복식 부기.

Dorf [dɔrf] [대응하는 engl. *-thorp*는 지명에 남음] *n.* -(e)s, ⸚er, 마을, 촌, 촌락(*village, hamlet*). **Dorfbewohner** *m.* 촌민, 마을 사람.

Dorf·geistliche [dɔ́rfgaistlɪçə] *m.* u. *f.* 《形容詞變化》 마을의 목사. **~junker** *m.* (조롱하여) 시골 귀족〔신사〕. **~kirche** *f.* 마을의 교회당. **~krug** *m.* 마을의 선술집.

Dörfler [dœ́rflər] *m.* -s, -, 마을 사람, 시골뜨기(*villager*). **dörflich** [dœ́rflɪç] *a.* 마을의; 시골풍의; 시골티가 나는(*rustic*).

Dorf·pfarrer *m.* 마을의 목사. **~richter** *m.* 마을의 재판관《예전에는 촌장을 겸함》, 촌장. 「락; 촌민《전체》.

Dorfschaft [dɔ́rfʃaft] *f.* -en, 마을, 부

Dorf·schenke *f.* 마을의 선술집. **~schule** *f.* 마을의 (국민)학교. **~schulmeister** *m.* 마을의 교원; 시골 선비. **~schulze** *m.* 촌장.

Dorn [dɔrn] *m.* -(e)s, -e(n) (稀: ⸚er), ① 가시; 가시나무(♈*thorn*). ¶ 《比》 jm. ein ~ im Auge sein 아무에게 눈엣가시다. ② 가시 모양의 것; (자물쇠·경첩 따위의) 축; 천공기(穿孔器), 끌; (버클의) 혀; (날붙이의) 슴베; 운동화 따위의 스파이크. ③ 괴로움의 근원. 「불.

Dornbusch [dɔ́rnbuʃ] *m.* 가시나무 덤

dornen [dɔ́rnən] 《I》 *t.* (에) 가시를 달다. 《II》 *a.* 가시의, 가시가 있는.

Dornen·hecke *f.* 가시나무의 산울타리. **~kranz** *m.*, **~krone** *f.* 가시 면류관《그리스도의 고난의 상징》. **~pfad** *m.* 가시밭길; 다난한 생애. **~voll** *a.* 가시〔가시나무〕가 많은, 고난에 찬.

Dorngebüsch *n.* = DORNBUSCH.

dornig [dɔ́rnɪç] *a.* 가시의; 가시가 있는 (♈*thorny*); 《比》 가시 같은; 고통스러운, 곤란한.

Dornrös·chen [dɔ́rnrø:sçən] *n.* (백년간 잠을 잔) 장미 공주《동화의》. **~rose** *f.* 들장미의 일종. **~strauch** *m.* = ~BUSCH.

Dorothea [doroté:a] [gr. „Geschenk Gottes"] *f.* 여자 이름.

dörren [dœ́rən] [<dürr] *t.* 말리다, 건조시키다, 시들게 하다(*dry, parch*).

Dörr·obst *n.* 말린 과실《저장용》. **~ofen** *m.* 건조로(爐).

Dorsch [dɔrʃ] *m.* -es, -e, 〖魚〗 대구(♈*torsk, codling*).

dort [dɔrt] [dar의 擴張語] *adv.* 거기에 (♈*there*), 저기에(*yonder*) (*ant.* hier). ¶ da 〔hier〕 und ~ 여기저기에. **dorten** [dɔ́rtən] *adv.* 《詩》 = DORT.

dort·her *adv.*: (*von*) ~ 거기에서. **~hin** *adv.* 거기로, 그리.

dortig [dɔ́rtɪç] *a.* 거기의, 거기에 있는; 거기에서 온. 「고장에서.

dortzulande [dɔ́rt-tsulandə] *adv.* 그

Dose [dó:zə] *f.* -n, (뚜껑 달린) 둥근 상자〔함·깡통〕, 통(*box, can, tin*).

dösen [dǿ:zən] [♈Dusel] *i.*(h.) 졸다(♈*doze*); 멍하니 지내다.

Dosen·barometer *n.* 〔*m.*〕 아네로이드 청우(기압)계. **~öffner** *m.* 깡통따개.

dosieren [dozí:rən] *t.* 처방〔조제〕하다 《약을》. 「청한; 우둔한.

dösig [dǿ:zɪç] *a.* 졸리는 듯한; 멍한; 멍

Dosis [dó:zɪs] [gr. „Gabe"] *f.* ..sen, 약의 1회 복용량(♈*doze*), 소량.

dotieren [dotí:rən] [lat. *dos* „Mitgift"] *t.* (여자에게) 혼수를 장만해 주다; 재산을 주다. ¶ reich dotiert 재원이 풍부한.

Dotter [dɔ́tər] [= engl. *dot* „Punkt"] *m.* 〔*n.*〕 -s, -, (달걀) 노른자위, 난황(卵黃)(*yolk*). **~blume** *f.* 난황색 꽃이 피는 여러 가지 식물(보기: 미나리아재비, 눈동이나물). 「관.

Douane [duá:nə] [fr.] *f.* -n, 관세; 세

Doyen [doajɛ̃:] [fr.] *m.* -s, -s, 최고참자; 외교단 수석.

Dozent [dotsɛ́nt] [lat.] *m.* -en, -en, 대학 교원; (특히) 대학 강사(講師).

dozieren [-tsí:-] *t.* u. *i.*(h.) 교수〔강의〕하다.

Drache [dráxə] [gr. „Schlange"] *m.* -n, -n, (공상의 괴사(怪蛇):)용, 비사(飛蛇)(♈*dragon*); 〖動〗(fliegender ~) 날도마뱀속《동인도산》(*flying lizard*); 《比》 (Haus~) 한부(悍婦)(*termagant*); 〔흔히 **~n** *m.* -s, -〕 연(*kite*). ¶ e-n ~ steigen lassen 연을 날리다.

Drachen·fliege *f.* 잠자리. **~flugzeug** *n.* 글라이더. **~schwanz** *m.* 연꼬리.

Drachme [dráxmə] [gr. „das Gefaßte, 한 줌"] *f.* -n, 고대 및 지금의 그리스 은화; 드라크마《예전 독일의 약량(藥量) 단위》(=1/8 Unze); 소량.

D

Dragōner [dragó:nər] [fr., *dragon* „Drache"] *m.* -s, -, 용기병(龍騎兵)《군기에 용문(龍紋)을 그렸음》(♈*dragoon*); 《比》여장부(女丈夫).

Draht [dra:t] [<drehen] *m.* -(e)s, ⸚e, 끈 실, 실(♈*thread*); 철사, 도선(導線), 전선(*wire, cable*); 전신, 전보. ¶et. per ~ bestellen 무엇을 전보[전화]로 주문하다.

Draht⸗anschrift *f.* 전보의 수신인 주소 성명. **~antwort** *f.* 답전(答電). **~⸗bericht** *m.* 전보.

drahten [drá:tən] *i.*(h.) u, *t.* 전보치다(*wire, telegraph*); 철사로 철(綴)하다.

Draht⸗fenster *n.* 철망 창(窓). **~funk** *m.* 유선식 라디오. **~gaze** [-ga:zə] *f.* 사(紗)(같이 얇은) 철망. **~geflecht** *n.* 철망. **~gitter** *n.* 철망 울타리; 철사 격자. **~haarig** *a.* 털이 뻣뻣한. **~hin⸗dernis** *n.* 철조망.

drahtig [drá:tıç] *a.* =DRALL.

drahtlōs [drá:tlo:s] *a.* 무선의. ¶~e Telegraphie 무선 전신, 라디오.

Draht⸗mühle *f.* 철사 제조기[소]. **~⸗netz** *n.* 철망. **~puppe** *f.* 꼭둑각시. **~rolle** *f.* 감은 철사. **~schēre** *f.* 철사(를 끊는) 가위. **~seil** *n.* 철조(鐵條), 철삭(索), 강삭(鋼索). **~seilbahn** *f.* 케이블 카, 공중 삭도. **~seilbrücke** *f.* 케이블, 적교(吊橋). **~stift** *m.* 철사못. **~verhau** *m.* 〖軍〗 철조망. **~⸗zange** *f.* 철사 집게, 뻰찌. **~zieher** *m.* 꼭둑각시를 놀리는 사람; 《比》(정치적) 배후 조정자, 흑막.

Drainage [drɛná:ʒə], **drainieren** = DRÄNAGE, DRÄNIEREN.

Draisīne [draizí:nə, 흔히 잘못으로 drɛz-] *f.* -n, (Karl v. Drais (†1851)가 발명한) 구식 자전거; 〖鐵〗 궤도 자동(운반)차, 손수레(*trolly*).

Drākon [drá:kɔn] *m.* 아테네의 입법자 《기원 전 620년경의》. **drakōnisch** *a.* Drakon 같은; 《比》가혹한; 준엄한.

drall [dral] [<drillen] *a.* (실이) 꼬인, 켕긴(*tight*); 억센, 튼튼한(*firm, sturdy*); 투실투실한(*strapping, buxom*). **Drall** *m.* -(e)s, -e, (실의) 꼬임; 선전(旋轉); 〖軍〗(총의) 강선(腔綫)(*rifling*).

Drāma [drá:ma] [gr. „Handlung"] *n.* -s, ..men, 연극; 희곡. **Dramātiker** *m.* -s, -, 극작가, 극시인. **dramā⸗tisch** *a.* 희곡의; 《比》극적인. **drama⸗tisieren** *t.* 희곡화하다. **Dramaturg** [-k] *m.* -en, -en, 극에 정통한 사람, 극평가; 프로듀서. **Dramaturgie** [-turgí:] *f.* ..gīen, 연극술; 희곡론, 극평.

dran [dran] *adv.* 《俗》 =DARAN.

Dränage [drɛná:ʒə] [fr. <dränieren] *f.* -n, 배수(排水); 〖醫〗 배농(排膿).

drang [draŋ] ☞ DRINGEN 《그 過去》.

Drang [draŋ] [<dringen] *m.* -(e)s, ① 밀치락달치락하기, 잡답(雜沓)(♈*throng; crowd*). ② 압박(*pressure*); 궁박, 곤궁(*distress*); 절박(切迫)(*hurry*); 촉구(促求), 충동(*impulse*). ¶Sturm und ~ 질풍 노도(怒濤) 시대《독일 문학의 한 시기》/ im ~e der Geschäfte 일에 쫓기어.

drängeln [dréŋəln] [<drängen] *i.*(h.) u. *t.* (자꾸) 밀다, 밀치다; 죄어치다. **drän⸗gen** [dréŋən] [„dringen machen"] 《Ⅰ》 *t.* ① 누르다, 압박하다(*press*); 밀다, 밀치다(*push*); 군집하다(♈*throng*). ¶jn. an die Wand ~ 아무를 벽에 밀어붙이다 / jn. auf die Seite ~ 아무를 밀어젖히다. ② 죄어치다, 촉구하다(*urge*). ③ 《非人稱》 충동을 일으키게 하다. ¶es drängt mich zu..., …않고는 못견디겠다. 《Ⅱ》 *refl.* 육박하다, 밀려들다, 돌진하다; (=einander ~) 밀치락달치락하다. ¶sich **durch** die Menge ~ 군중을 헤집고 나가다. 《Ⅲ》 *i.*(h.) 밀고 나가다; 죄어치다(*press, urge*). ¶**auf** Zahlung ~ 지불을 재촉하다 / **in** jn. ~아무에게 조르다 / die gespannte Lage drängt **zur** Entscheidung 급박한 사태는 시급한 결단을 요구한다. 《Ⅳ》 **drängend** *p.a.* 절박한, 긴급한. 《Ⅴ》 **gedrängt** *p.a.* 들이채워진, 빽빽한, 밀집한; 압축된; 간결한(*concise*). **Drangsāl** [dráŋza:l] [<dringen] *f.* -e (稀: *n.* -(e)s, -e), 압박, 궁박, 고난(*oppression, hardship*). **drangsālen** [dráŋza:lən], **drangsa⸗lieren** [draŋzalí:rən] *t.* 《俗》 압박[압제]하다, 괴롭히다(*harras, vex*).

dränieren [drɛni:rən] [fr.] *t.* 배수(排水)하다(♈*drain*). **Dränierung** *f.* -en, 배수.

drapieren [drapí:rən] [fr. <*drap* „Tuch"] *t.* 횃대보로[포장으로] 덮다, 장식하다(♈*drape*).

Drastikum [drástikum] [lat. <gr. dras-tisch] *n.* -s, ..ka, 급하제(急下劑).

drastisch [drástıʃ] [gr. <*dran* „handeln, wirken"] *a.* 격렬한(♈*drastic*); 대담한, 노골적인《묘사 따위가》.

dräuen [drɔ́yən] *i.*(h.) 《詩》 =DROHEN.

drauf [drauf] *adv.* 《俗》 =DARAUF.

Drauf⸗gābe *f.* 착수금. **~gänger** *m.* 앞뒤를 헤아리지 않고 덤비는 사람, 무모한 자. **~|lēgen** *t.* 추가하다, 추가로 지불하다.

draus [draus] *adv.* 《俗》 =DARAUS.

draußen [dráusən] [=dar außen] *adv.* (*ant.* drinnen) 밖에서, 외부에서(*outside, without*); 문 밖에서; 시외[교외·야외]에서; 노천에서; 타향[외국·해외]에서 (*abroad*).

drechseln [dréksəln] [♈lat. *torquere* „drehen"] 《Ⅰ》 *t.* ① 선반으로 깎다, 녹로(轆轤)로 세공하다(*turn*). ② 조탁(彫琢)하다, (글귀 따위를) 기교를 다하여 만들다. 《Ⅱ》 *i.*(h.): in Holz ~ 재목에 녹로 세공을 가하다. **Drechsler** *m.* -s, -, 선반공, 녹로공(*turner*). **Drechsler⸗arbeit** *f.* 선반[녹로] 세공.

Dreck [drɛk] [=engl. *dregs* „Satz, Hefe"] *m.* -(e)s, ① 똥, 배설물《이 뜻으로는 흔히 Kot가 쓰임》; 오물(*dirt, filth, muck*); 진창(*mud*). ② 하찮은 것; 전혀 없음. ¶das geht dich e-n ~ an 그것은 너에게 아무런 관계도 없다. **Dreck⸗fink(e)** *m.* 도로 청소부; 더러운 놈.

dreckig *a.* 불결한, 진흙투성이의 (*dirty, muddy*).

Dreh⸗achse [dré:-] *f.* 회전축(回轉軸). **~bank** *f.* ⸚e 선반.

drehbār [dré:ba:r] *a.* 회전하는, 회전할 수 있는.

Dreh⸗baum *m.* 회전문; 회전간(桿).

~bleistift *m.* 샤프펜슬. **~bolzen** *m.* 선회 지축(支軸). **~brücke** *f.* 회전〔선회〕교(橋); 〖鐵〗 전차대(轉車臺). **~buch** *n.* 영화 각본, 시나리오. **~bühne** *f.* 〖劇〗 회전 무대.

drehen [dré:ən] [=engl. *throw*] 《Ⅰ》 *t.* ① 돌리다, 회전하다, 방향을 돌리다, 향하게 하다(*turn*); 비틀다, 감다, 꼬다(*twist*); 뒤틀다(*wrest, distort*). ¶e-n Film ~ 촬영하다 / jm. et. aus der Hand ~ 아무의 손에서 무엇을 비틀어 빼앗다. ② 돌려〔감아·비틀어〕 만들다. ¶Seile ~ 새끼 꼬다. 《Ⅱ》 *refl.* ① 돌다, 회전하다, 선회하다. ¶es dreht sich darum, daß.., …이 문제다. ② 향하다, 방향이 바뀌다 《Ⅲ》 *i.*(h.) ① an e-m Gesetze ~ 법률을 곡해하다. ② 풍향이 바뀌다. 《Ⅳ》 **drehend** *p.a.* 회전하는; 현기증이 나는. **Dreher** [dré:ər] *m.* -s, -, ① 돌리는 사람; 녹로 직공, 선반공; ② (돌리는·도는 기구의) 굽은 자루, 핸들; 동륜(動輪) ③ 느린 템포의 왈츠《시골춤》.

Dreh·feld *n.* 〖電〗 회전 자계(磁界). **~gestell** *n.* 보기 차대(車臺). **~kopf** *m.* (선반의) 터릿. **~kran** *m.* 회전 기중기. **~krankheit** *f.* 〖獸〗 훈도병(暈倒病) 《특히 양의》. **~kreuz** *n.* 회전문. **~leier** *f.* (비올라형(型)의 옛) 현악기. **~orgel** *f.* 핸들을 돌려 연주하는 휴대용 (상자형) 풍금. **~punkt** *m.* 선회 지축(*pivot*). **~rolle** *f.* 압착 롤러 《세탁물의 주름을 펴는》(*mangle*). **~scheibe** *f.* (도기 제작용의) 녹로(轆轤); 〖鐵〗 전차대(轉車臺). **~schlüssel** *m.* 〖工〗 스패너(*spanner*). **~stift** *m.* 〖工〗 굴대, 축(*arbor*). **~strom** *m.* 〖電〗 삼상 교류(三相交流). **~stuhl** *m.* 회전 의자. **~tisch** *m.* 회전 테이블. **~tür**(e) *f.* 회전문. **~turm** *m.* 〖海〗 선회탑.

Drehung [dré:uŋ] *f.* -en, 회전, 선회; 방향 전환, 전향, 역전; 비틀기, 꼬기; 염전(捻轉).

Drehzahl [dré:tsa:l] *f.* (바퀴 따위의) 회전수.

drei [drai] 《Ⅰ》 *num.* 셋, 세 개(*three*). ¶gegen ~ 세 시경. 《Ⅱ》 **Drei** *f.* -en, 3의 수; (카드·주사위의) 3끗.

Drei·achteltakt [drai-áxtəl-] *m.* 〖樂〗 8분의 3박자.

Drei·akter 〖劇〗 3막짜리. **~angel** *m.* 3각형. **~beinig** *a.* 3각(脚)의. **~blatt** *n.* 3엽 식물; 클로버. **~blätt(e)rig** *a.* 3엽(葉)의; 3화판(花瓣)의. **~bund** *m.* 3국 동맹《보기: 독일·오스트리아·이탈리아의, 1882~1915》. **~decker** *m.* 삼층 갑판의 배〔군함〕; 3엽 비행기. **~eck** *n.* 〖數〗 3각(형). **~eckig** *a.* 삼각의; 삼각형의. **~einig** [drai-áiniç] *a.* 〖宗〗 3위 일체의(*triune*). **~einigkeit** *f.* 〖宗〗 삼위 일체(*Trinity*).

Dreier [dráiər] *m.* -s, -, 수자의 3; (옛) 3페니히 동전; 금전; 《比》 근소. ¶er hat keinen ~ 그는 피전 한닢 없다.

dreierlei [dráiərlai] *a.* 《不變化》 3종류의, 세가지의.

drei·fach *a.* 3배〔3중〕의. **~fältig** *a.* =~FACH. **~faltigkeit** [draifáltıç-, dráifaltıç-] *f.* =DREIEINIGKEIT. **~farbendruck** [draifárbən-] *m.* 〖印〗 3색판. **~farbig** *a.* 3색의. **~fuß** *m.* 3각대(臺)(*tripod*). **~gesang** *m.* 〖樂〗 3부 합창.

Dreiheit [dráihait] *f.* ① 셋이 한벌이 되는 것. ② 〖宗〗 =DREIEINIGKEIT.

Drei·herrschaft *f.* 3두 정치. **~hundert** *num.* 300(의). **~jährig** *a.* 세 살의; 3년 간의. **~käsehoch** [draiké:zəho:x] *m.* 《俗》 난장이, 꼬마. **~klang** *m.* 〖樂〗 3화음. **~königsabend** [draikø:nıçs-] *m.* 〖宗〗 주의 공현 대축일 전야제. **~königsfest** *n.* 〖宗〗 주의 공현 대축일. **~mal** *adv.* 세차례〔3회·3배〕로. **~malig** *a.* 세 번의, 3회의. **~master** *m.* 〖海〗 3장선(檣船); 3각 모자. **~monatig** *a.* 3개월(간)의. **~monatlich** *a.* 3개월의; *adv.* 3개월마다.

drein [drain] *adv.* 《俗》 =DAREIN.

Drei·paß *m.* 〖建〗 드라이파스, 3엽형 《고딕식 건축 장식의》. **~phasenstrom** [draifá:zən-] *m.* 3상 교류. **~pfündig** *a.* 3파운드 (무게)의. **~rad** *n.* 3륜(자전)차. **~schlag** *m.* 〖樂〗 3박자; (승마에서) 완보(緩步). **~seitig** *a.* 3면의, 세 변(邊)의. **~silbig** *a.* 〖文〗 3음절의. **~sitzig** *a.* 좌석이 셋 있는. **~sprung** *m.* 〖競〗 삼단 넓이뛰기.

dreißig [dráisıç] *num.* 30(의)(♀*thirty*).

Dreißiger *m.* -s, -, **Dreißigerin** *f.* -nen, 30세〔30대〕의 사람.

dreißigjährig [dráisıçjɛ:rıç] *a.* 30세의; 30년간의. ¶der ~e Krieg 30년 전쟁(1618–48).

dreißigst [dráisıçst] (der, die, das ~e) *a.* 제30의(♀*thirtieth*). **Dreißigstel** *n.* -s, -, 30분의 1.

dreist [draist] *a.* 과감한, 담대한(*bold, confident*); 뻔뻔스러운, 유들유들한(*pert*).

Dreistigkeit *f.* -en, 위임; 위의 언행.

drei·stimmig *a.* 〖樂〗 3성부(聲部)의. **~stöckig** *a.* 4층의《한국식으로》. **~stündig** *a.* 세 시간의. **~tägig** *a.* 생후 3일의; 3일간의. **~tausend** *num.* 3천(의). **~teilig** *a.* 3부분으로 성립되는. **~vierteltakt** *m.* 〖樂〗 4분의 3박자. **~zack** *m.* (해신(海神) Neptun의) 끝이 셋으로 갈라진 창〔작살〕. **~zehn** *num.* 13(의)(♀*thirteen*).

Drell [drɛl] *m.* -(e)s, -e, =DRILCH.

Dresch·boden [drɛ́ʃ-] *m.* **~diele** *f.* =~TENNE.

Dresche [drɛ́ʃə] *f.* -n, 타작; 탈곡 기계; 타작된 곡물; 《俗》 구타. **dreschen*** [drɛ́ʃən] *t.* 타작〔탈곡〕하다(♀*thrash*); 《俗》 때리다, 두들기다. **Drescher** *m.* -s, -, 타작하는 사람.

Dresch·flegel *m.* 도리깨. **~maschine** *f.* 탈곡기. **~tenne** *f.* 타작 마당.

Dresden [dré:sdən] *n.* 드레스덴 《독일 Sachsen 주의 수도》.

Dreß [drɛs] [engl.] *m.* -, -, 의복; (특히) 운동복; 제복, 사교복.

dressieren [drɛsí:rən] [fr.] *t.* (짐승을) 훈련하다(*train*); 길들이다(*break in*); (음식을) 차리다. **Dressur** [drɛsú:r] *f.* -en, 훈련, 코치; 조교(調教), 길들임.

dribbeln [dríbəln] [eng.] *i.*(h.) 〖蹴〗 드리블하다.

dribbelfreudig [dríbəl–] *a.* 〖蹴〗 드리블 잘 하는.

Drilch [drılç] *m.* –(e)s, –e, 세 겹실로 짠 마포(麻布)(*ticking*).

Drill [drıl] [<drillen] *m.* –(e)s, –e, 〖軍〗 교련(♀*drill*), (엄한) 훈련; 혹사.

Drill≈bogen *m.* 도래 송곳의 돌림대. **∼bohrer** *m.* 도래 송곳, 나사 송곳.

drillen [drílən] [drehen 의 擴張形] *t.* ① 빙빙 돌리다(♀*drill*, ♀*thrill*); 송곳으로 뚫다《구멍을》; (실을) 꼬다. ② 〖農〗 (에) (씨를) 조파(條播)하다 ③ 〖軍〗 교련하다; 《比》 단련하다, 괴롭히다.

Drillich [drílıç] *m.* –(e)s, –e, =DRILCH.

Drilling[1] [drílıŋ] [<drei] *m.* –s, –e, 세 쌍동이(의 하나); *pl.* 세 쌍동이(*triplet*); 3 연(連) 엽총.

Drilling[2] [<Drill] *m.* –s, –e, (연마기의) 동륜(動輪); 선반 바이트; 크랭크.

Drillings≈(dampf)maschine *f.* 삼단식(기통) 기관. **∼nerv** *m.* 삼차(三叉) 신경.

drin [drın] *adv.* 《俗》 =DARIN.

dringen* [dríŋən] 《Ⅰ》 *i.* ① (s.) 밀치고〔뚫고〕 나가다(*penetrate, get in, enter*); 돌입하다; 빠져 나가다, 도달하다; 뿜어나오다. ¶der Feind dringt in die Stadt. 적이 마을로 돌입하다. ② (h.): **auf** et.[4] ∼ 무엇을 끝까지 주장하다〔하라고 강요하다〕(*insist on*) / **in** jn. ∼ 아무에게 죄어치다〔조르다〕(*urge*). 《Ⅱ》 *t.* u. *refl.* 죄어치다, 재촉하다. 《Ⅲ》 **dringend** *p.a.* 절실〔절박〕한, 긴급한(*urgent*); *adv.* 절실하게, 급히, 몹시. 《Ⅳ》 **gedrungen** *p.a.* ① ich fühle mich ∼, zu..., 나는 …하지 않고는 못배기겠다. ② 긴밀한; 땅딸막한(*thickset*); 옹골진; 간결(簡潔)한 (*concise*). **dring(ent)lich** *a.* =DRINGEND.

Dringlichkeit *f.* 절박, 긴급(*urgency*).

drinnen [drínən] *adv.* =DARINNEN.

drisch! [drıʃ], **drisch(e)st** (du ∼), **drischt** (er ∼) =DRESCHEN 《그 命令形 및 現在形》.

dritt [drıt] [drei 의 서수(序數) 어간] *a.* (der, die, das ∼e) 제 3 의(♀*third*). ¶wir waren zu ∼ 〔《俗》 =zu dreien〕 우리는 (모두) 세 사람이었다. **Drittel** [drítəl] [=der dritte Teil] *n.* –s, –, 3 분의 1 (*third* (*part*)). **drittel** *a.* 3 분의 1 의. **dritteln** *t.* 3 분하다.

drittens *adv.* 세 번째로(♀*thirdly*).

dritt≈letzt *a.* 끝에서 세 번째의. **∼≈schuldner** *m.* 〖法〗 제 3 채무자.

droben [dró:bən] [<dar oben] *adv.* (저) 위쪽에, 머리 위에; 위층에; 천상에, 천국에.

Droge [dró:gə] [ar. „Trockenes"] *f.* –n, 약종(藥種), 약제; 염료(♀*drug*).

Drogen≈geschäft *n.* 약종업. **∼händ≈ler** *m.* 약종상인. **∼handlung** 약종상. **∼kunde** *f.* 약학.

Drogerie [drogərí:] *f.* ..rien, =DROGENHANDLUNG. **Drogist** *m.* –en, –en, =DROGENHÄNDLER.

Drohbrief [dró:bri:f] *m.* 협박장.

drohen [dró:ən] *i.*(h.) u. *t.* ① jm. ∼ 아무를 위협〔협박〕하다(♀*threat(en)*). ② (바람직하지 못한 일이) …할 것같다, …할 염려가 있다. ¶ihm droht Gefahr 그의 신상에 위험이 닥쳐왔다.

Drohne [dró:nə] *f.* –n, 〖蟲〗 수펄《꿀벌의》 (♀*drone*); 《比》 게으름뱅이, 식객.

dröhnen [drø:nən] *i.*(h.) 명동(鳴動)하다, 울려 퍼지다(*roar, boom*); 진동하다.

Droh≈rede *f.*, **∼wort** *n.* 위협의 말.

Drohung [dró:uŋ] *f.* –en, 협박, 위협.

drollig [drɔ́lıç] *a.* 우스꽝스러운, 익살스러운, 진묘한(♀*droll, funny, comical*).

Dromedar [dromedá:r] [gr. „Lauftier"] *n.* –s, –e, ① 〖動〗 단봉(單峰)낙타(♀*dromedary*). ② 《比》 바보, 얼간이.

Drommete [drɔmé:tə] *f.* –n, =TROMPETE.

drosch [drɔʃ] ☞ DRESCHEN 《그 過去》.

Droschke [drɔ́ʃkə] [russ.] *f.* –n, (승용) 마차(*cab*); 택시.

Droschken≈auto *n.* 택시. **∼kut≈scher** *m.* 마차의 마부; 택시 운전수.

Drossel[1] [drɔ́səl] *f.* –n, 〖鳥〗 (Sing∼) 지빠귀(♀*throstle*).

Drossel[2] *f.* –n, 기관(氣管), 후두(♀*throat*). **∼ader** *f.* 〖解〗 경(頸)정맥.

Drossel≈bein *n.* 〖解〗 쇄골(鎖骨) **∼≈klappe** *f.* 〖工〗 절기판(節汽瓣). **∼≈maschine** *f.* 〖工〗 방적기.

drosseln [drɔ́səln] *t.* (er∼) 교살(絞殺)하다(*strangle*); 〖工·電〗 색류(塞流)〔감압(減壓)〕하다(*throttle* (*down*)); 절기(節氣)하다《관을 막아》; (속력 따위를) 줄이다《브레이크를 걸어서》.

drüben [drý:bən] [=dar üben] *adv.* 저쪽에, 저 편에; 내세〔저승〕에. ¶von ∼ 미국에서《유럽에서 보아》.

drüber [drý:bər] [=dar über] *adv.* 《俗》 =DARÜBER.

Druck [druk] *m.* –(e)s, 《Ⅰ》 [<drücken] (*pl.* ⁼e) ① 누르기, 압박; (Hände∼) 꽉 움켜쥠(*squeeze*). ② 〖物·工〗 압력(*pressure*). ③ 무게, 중압, (지속적인) 압박(*compression*); 무거운 것, 중하(*burden*); 압제(*oppression*); 궁핍(*hardship*); ④ 〖商〗 불황, (물가의) 하락. 《Ⅱ》 [<drucken] (*pl.* –e) 인쇄물; 교정쇄; 판(版)(*print(ing), impression*).

Druck≈bleistift *m.* 샤프펜슬. **∼≈bogen** *m.* 인쇄 전지(全紙).

Drückeberger [drýkəbɛ́rgər] *m.* –s, –, 《俗》 (의무·위험으로부터) 도피하는 자, 게으름장이; 〖軍〗 (징병 또는 근무) 기피자.

drucken [drúkən] [drücken 의 상(上)독일에서의 꼴(인쇄술은 상독일에서 시작되었음)] *t.* ① 인쇄하다(*print*); 날염하다. ¶《比》 er lügt wie gedruckt 그는 그럴싸한 거짓말을 한다. ② (포도 따위를) 압착하다.

drücken [drýkən] 《Ⅰ》 *t.* ① 누르다(*press*); 내리 누르다(*bring down*); 죄다; 짜다. ¶jm. die Hand ∼ a) 아무의 손을 꼭 쥐다(*squeeze*), b) 아무와 악수하다. ② (물가를) 내리다(*depress*); 싼 값을 매기다; 〖競〗 (기록을) 저하시키다(*lower*). ③ (압박하여) 괴롭히다(*oppress*). ¶m–e Stiefel ∼ mich 장화가 꽉 끼어 발이 아프다. 《Ⅱ》 *i.*(h.) 누르다. ¶die Last drückt 짐이 무겁다 / auf jn. ∼ 아무

의 마음을 무겁게 하다, 괴롭히다. 《Ⅲ》 *refl.* 몸을 굽히다, 목을 움츠리다; 《比》 외축(畏縮)하다, 오그라지다; 《俗》 (보이지 않게 오그리다의 뜻:) 슬쩍 달아나다, (의무·일 따위를) 기피하다. 《Ⅳ》 **gedrückt** *p.a.* 눌린; 《比》 의기 소침한, 기가 꺾인(*depressed*); 〖商〗 불경기의. ¶in ~er Lage sein 곤궁해 있다 / ~e Preise 싼 값. 《Ⅴ》 **drückend** *p.a.* 누르는, 무거운; 답답한.

Drucker [drúkər] *m.* -s, -, 인쇄자; 인쇄공; 인쇄업자; 날염공(*printer*).

Drücker [drÝkər] *m.* -s, -, 누르는 사람〔도구〕; 압력 기계; 핸들(*handle*); (문의) 손잡이(*latch*); 누름단추; (총의) 방아쇠(*trigger*).

Druckerei [drukərái] *f.* -en, 인쇄술〔업〕; 인쇄소; 날염업〔공장〕.

Drückerei [drʏkərái] *f.* -en, 압착, 압박; 혼잡, 붐빔; 도망.

Drucker·lohn *m.* 인쇄비. **~presse** *f.* 인쇄기. **~schwärze** *f.* 인쇄용 검은 잉크.

Druck·fehler *m.* 오식(誤植). **~fertig** *a.* (원고가) 인쇄 준비가 된. **~freiheit** *f.* 출판의 자유. **~knopf** *m.* (의복의) 스냅; 누름단추 《초인종 따위의》. **~kosten** *pl.* 인쇄비. **~kraft** *f.* 압력. **~lēgung** *f.* 인쇄에 부침, 간행. **~luft** *f.* 압착 공기. **~luftbremse** *f.* 압착 공기 브레이크. **~luftkrankheit** *f.* 잠수병. **~maschine** *f.* 인쇄기. **~messer** *m.* 압력〔기압〕계. **~ort** *m.* (서적의) 발행지. **~papier** *n.* 인쇄 용지. **~prōbe** *f.* 시험쇄(刷), 교정쇄(刷); 〖工〗 압력 시험. **~pumpe** *f.* 자아올리는 펌프. **~reif** *a.* =~FERTIG. **~sache** *f.* 〖郵〗 인쇄물. **~schrift** *f.* 활자; 인쇄물. **~seite** *f.* 인쇄 페이지.

drucksen [drúksən] [<drucken „drükken"] *i.*(h.) 《俗》 an et.[3] ~, (sich herumdrucken, zaudern) 무엇의 결단을 내리지 않다, 머무적거리다, 말문을 열지 않다(*waver, hesitate*).

Druck·stempel *m.* 〖工〗 피스톤. **~stock** *m.* 〖印〗 스테로판(版). **~versuch** *m.* 내압(耐壓) 시험. **~wāren** *pl.* 출판물. **~werk** *n.* 압력 펌프, 압력 기관; 인쇄물.

Drūde [drú:də] *f.* -n, 마녀(*witch*). **~nfūß** *m.* 5각(角)의 별 모양《마귀를 쫓는 부호》(*pentagram*); 〖植〗 석송(石松)(*club moss*).

drum [drum] *adv.* 《俗》 =DARUM.

drunten [drúntən] [=dar unten] *adv.* 저 밑에, 아래쪽에; 아래층에. **drunter** [drúntər] [=darunter] *adv.*: 《俗》 es geht ~ u. drüber 뒤죽박죽이다, 대혼란이다.

Drūse [drú:zə] [<Drüse] *f.* -n, 〖醫〗 선종(腺腫) (♀*druse*); (말의) 비저(鼻疽) (*glanders*).

Drǖse [drý:zə] *f.* -n, 〖醫〗 선(腺) (*gland*). **Drǖsen** *pl.* 선병(腺病), 나력(瘰癧)(*adenoids*).

drǖsig [drý:zıç] *a.* 선(腺) 모양의; 선병의.

d.s. 《略》 =*dal* segno.

Dschangel [dʒáŋəl] [ind. -engl.] *m.* u. *n.* -s, -; od. *f.* -n, (열대의) 밀림, 정글(♀*jungle*).

dt(sch). 《略》 =*deutsch* 독일(어)의.

Dtzd. 《略》 =*Dutzend* 타(打).

dū [du:] *prn.* 《동배·친우·가족간·아이·연소한 생도·부하·동물·자기·신·그리스도·성도·독자·일반 공중 등에 대한, 및 시문(詩文)에 있어서의 2人稱》 그대, 자네, 너(♀*thou*). ¶ mit jm. (auf) ~ u. ~ steh(e)n 아무와 너나하는 사이다.

Dǖbel [dý:bəl] *m.* -s, -, 〖建〗 (접합용의) 거멀못, 나무못, 장부(♀*dowel*; *peg, plug*).

Dublette [dublétə] [fr., <*duplus* „zwiefach"] *f.* -n, ① 쌍을 이루는 〔둘 있는〕 것; 복본(複本)(♀*duplicate*); 복사. ② 일종의 모조 보석. **dublieren** *t.* ① 2중으로 하다, 되접어 꺾다; (옷에) 안을 대다; (실을) 꼬다; 도금하다. ② 〖撞球〗 (공을) 쿠션으로 한번 되튀게 하다. ③ (의) 대역(代役)을 하다.

ducken [dúkən] [<tauchen] 《Ⅰ》 *t.* (머리 따위를) 숙이다(♀*duck*; *stoop*); 《比》 굴복시키다, 콧대를 꺾다(*humble*). 《Ⅱ》 *i.*(h.) u. *refl.* ① (몸을) 굽히다, 머리를 숙이다; 《比》 굴종〔비하〕하다(vor jm.). ② (물새 따위가) 물속으로 잠기다.

Duckmäuser [dúkmɔyzər] [<mhd. *tockelmusen* „Heimlichkeit treiben"] *m.* -s, -, 음험한 사람, 위선자(*sneak, hypocrite*). **Duckmäuserei** *f.* -en, 음험한 언행, 위선.

dūdeln [dú:dəln] [<türk. *düdük* „Flöte"] *t.* u. *i.*(h.) (바람 주머니가 달린) 피리를 불다(♀*tootle*); 서툰 음악을 하다; 《俗》 중얼거리다. **Dūdelsack** *m.* (바람 주머니가 달린) 피리, 낭적(囊笛)(*bagpipe*).

Duell [duél] [lat., *duo* „zwei"] *n.* -s, -e, (Zweikampf) 결투(♀*duel*). **Duellant** *m.* -en, -en, (결투) 상대. **duellieren** *refl.* 결투하다.

Duett [duét] [it., <lat. *duo* „zwei"] *n.* -(e)s, -e, 〖樂〗 2중창(곡), 2중주 (♀*duet*). 「있는 두터운 나사.」

Dǖffel [dÝfəl] [engl.] *m.* -s, -, 보풀

Duffle·coat [dáfəlko:t] [engl. „Mantel aus Düffel"] *m.* -s, -s, 더플코트.

Dufourkarte [dyfú:r-] *f.* 뒤푸르《스위스의 장군으로 측량국 총재》식 (스위스) 지도《산악 지도의 모범》.

Duft [duft] [♀Dampf] *m.* -(e)s, ⸚e, ① 증(발)기(氣); 안개, 아지랭이(*mist*). ② 숨기, 입김(*exhalation*). ③ 향기, 냄새(*fragrance, perfume*). ④ 수빙(樹氷), 무빙(霧氷).

duften [dúftən], **dǖften** [dÝftən] 《Ⅰ》 *i.* ① (s.) 증발하다. ② (h.) 증기를 뿜다; (의) 향기를 발하다, 풍기다. 《Ⅱ》 *t.* (향기 따위를) 발산하다. **duftig** *a.* ① 엷은 안개에 싸인; 수빙이 있는; 축축한. ② 향기가 있는〔풍기는〕.

Dukāten [duká:tən] [lat.] *m.* -(s), -, 옛 금화의 이름(♀*ducat*)《어떤 공작(*duca*)이 처음으로 주조》.

duktīl [duktí:l] *a.* (금속을) 펴 넓힐 수 있는, 가전성(可展性)의. **Duktor** *m.* -s, ..tōren, 〖工〗 도관(導管).

dulden [dúldən] [=lat. *tolerāre*] *i.*(h.)

u. *t.* ① 참다(*suffer*); 견디다, 배기다(*bear, endure*); 감수하다. ② 허용[관용]하다(*tolerate*). ¶ die Sache duldet keinen Aufschub 사태는 유예를 허용치 않는다. **Dulder** *m.* -s, -, 괴로움을 당하는 자, 인내자; 순교자; 관용자. **duldsām**[dúltza:m] *a.* 참을성 있는; 너그러운(*tolerant*). **Duldsāmkeit** *f.* 관용; 참을성 있음; 허용. **Duldung** *f.* -en, 관용; 인내; 〖法〗 묵인(의 의무).

Dult[dult] [*eig.* „Fest"] *f.* -e(n), (뮌헨 등 도시의) 큰 장, 대목장, 연시(年市)(*fair*).

dumm [dum] [♈taub; =engl. *dumb* „stumm"] *a.* ① 아둔한, 우둔한, 어리석은(*dull, stupid, silly*). ② 맛이 없어진; 색이 바랜; 마비된; 현기증이 나는.

dummdreist[dúmdraist] *a.* 뻔뻔스러운(*impertinent*); 무모한.

Dummheit[dúmhait] *f.* -en, 우둔, 몽매; 어리석은 짓.

Dumm⸗kopf [dúmkɔpf] *m.* 어리석은 사람, 바보. **~köpfig** *a.* 어리석은, 얼뜬.

dumpf [dumpf] [♈Dampf, Duft] *a.* ① 습기 있는(*muggy, damp*); 곰팡내 나는(*musty*). ② 숨막히는 (*stuffy*), 침울한(*gloomy*); 찌무룩한. ③ 몽롱한; 불분명한(*dull*); 공허한《음성·소리》(*hollow*). **dumpfig** *a.* 답답한, 곰팡내 나는.

Dumping [dʌ́mpɪŋ, dœ́m-] [engl.] *n.* -s, 투매; (특히) 국외 덤핑.

Dūne [dý:nə] *f.* -n, 사구(砂丘)(♈*dune*).

Dūnenhāfer [dý:nənha:fər] *m.* 〖植〗 갯보리《포아풀과》(*bent(s)*).

Dung [duŋ] *m.* -(e)s, =DÜNGER. ⌈DANG.⌉

dung [duŋ] ☞ DINGEN(그 옛過去); ☞

Dūngemittel [dýŋəmɪtəl] *n.* 비료.

düngen [dýŋən] *t.* (에) 거름을 주다 (♈*dung*). **Dünger** *m.* -s, -, 비료; 똥거름(♈*dung*).

Dung⸗gābel *f.* 똥거름 쇠스랑, 비료용 갈퀴. **~grūbe** *f.* 거름 구덩이. ⌈더미.⌉

Düngerhaufen [dýŋəhaufən] *m.* 거름

Düngung [dýŋuŋ] *f.* -en, 시비(施肥); 비료.

dunkel [dúŋkəl] 《I》 *a.* (*ant.* hell) ① 어두운, 암흑의 (*dark*); 흐릿한 (*dim, gloomy*); 모호한 (*obscure*); 거무스름한, 짙은 색의(*dark*). ② 《比》 분명치 않은, 애매한; 몽롱한; 음울한; 몽매한; 이름없는. 《II》 **Dunkel** *n.* -s, 암흑, 어두움; 《比》 불명료, 불가해; 애매함.

Dünkel [dýŋkəl] [<dünken] *m.* -s, 자부, 자만(*conceit*); 오만(*arrogance*).

dunkel⸗blau *a.* 암청색의. **~gelb** *a.* 황갈색의. **~haarig** *a.* 흑발의.

dünkelhaft [dýŋkəlhaft] *a.* 자부하는; 오만한.

Dunkelheit [dúŋkəlhait] *f.* -en, 암흑, 어둠(*dark(ness)*); 불명료, 모호(*obscurity*); 비밀; 유명하지 않음.

Dunkel⸗kammer *f.* 〖物〗 암실(*dark room*). **~mann** *m.* (*pl.* ..männer) 비개화주의자(*obscurant*); 저의가 있는[음험한] 사람.

dunkeln [dúŋkəln] 《I》 *t.* 어둡게 하다; (색을) 짙게 하다; 《比》 애매하게 하다. 《II》 *i.*(h.*u.*s.) 어두워지다(es dunkelt).

dünken^(*) [dýŋkən] [♈denken; =engl. *think*] 《I》 *i.*(h.) 여겨지다, 보이다 (*seem, appear, look*). ¶ et. dünkt mir [mich] soundso 무엇이 내게는 …인 것 같이 여겨진다 / 《非人稱》 es dünkt mir [mich] daß..., 내게는 …처럼 생각된다. 《II》 *refl.*: sich^{3,4} ~ 자신을(무엇이라고) 여기다, 자부하다(*imagine, fancy*).

dünn [dyn] [<dehnen] *a.* ① (한쪽으로 뻗은:) 가는, 가늘고 긴; 여윈. ② 얇은(♈*thin*); 희박한, 묽은(*dilute, rare*). ¶ durch dick u. ~ 고난을 헤치고 / e-e ~e Stimme 약한 음성, 선 목소리.

Dünn⸗darm *m.* 소장(小腸). **~druck⸗ausgābe** *f.* 인디안지판(版).

Dünne [dýnə] *f.* -n, **Dünnheit** *f.* dünn 임; 얇음; 희박; 약함.

Dünnung [dýnuŋ] *f.* -en, (사냥 짐승의) 옆구리.

Dunst [dunst] [*eig.* „Sturm, Hauch"] *m.* -es, ¨e, 증기(*vapour*); 김(*steam*); 안개, 아지랭이(*haze*); 연무(煙霧), 연기(*fume*). ¶ jm. (e-n) blauen ~ vormachen 아무를 속이다.

dunsten [dúnstən] *i.*(h. *u.* s.) 증발하다; 연기[안개]끼다; 발한(發汗)하다. ¶ 《非人稱》 es dunstet 안개가 끼다.

dünsten [dýnstən] 《I》 *t.* 찌다, 스튜로 하다(*stew*). 《II》 *i.*(h.) =DUNSTEN.

Dunst⸗gebilde *n.* 환상, 환영, 허깨비. **~höhle** *f.* 환기가 나쁜 곳.

dunstig [dúnstɪç] *a.* 증기 모양의; 증기로 찬; 안개[아지랭이]가 많은.

Dunst⸗kreis *m.* 대기(大氣), 분위기(*atmosphere*). **~loch** *n.* 통풍 구멍.

Dünung [dý:nuŋ] [<Düne] *f.* -en, (폭풍 후의) 물결의 굽이침, 놀(침)(*swell, surf*).

Duodenītis [duodení:tɪs] *f.* 십이지장염.

Duodēz [duodé:ts] [lat.] *n.* -es, 〖印〗 12 절판, 46 판.

düpieren [dýpi:rən] [fr.] *t.* 속이다.

Duplikāt [dupliká:t] [lat. „Doppeltes"] *n.* -(e)s, -e, 복본(複本), 등본(謄本)(♈*duplicate*). ⌈조(長調).⌉

Dūr [du:r] [it. „hart"] *n.* -, -, 〖樂〗 장

durch [durç] 《I》 *adv.* 통과하여(♈*through*). ¶ ~ und ~ 처음부터 끝까지, 철두철미, 전연(♈*thoroughly*). ¶ die [ganze] Nacht ~ 밤새. 《II》 *prp.* 《4格支配》 통과하여(♈*through*); (비스듬히) 질러서, 횡단하여(*accross*); (을) 통하여, (에) 의하여(*by (means of)*); (의) 덕분으로(*owing to*).

durch.. [dúrç-, durç-] *pref.* ① 《動詞의 分離前綴》 보기: durch|sitzen, saß durch, durchgesessen, (을) 통하여, 끝까지, 완전히, 뒤섞여 따위를 뜻함. ② 《動詞의 非分離前綴》 보기: durch|schlafen, durchschlief, durchschlafen, 관통, 충만, 역유(歷遊), 도처, 널리, 끝까지 따위의 뜻.

durch|ackern [dúrç-akərn] *t.* 가래로 땅을 다 일구다; 《比》 근본적으로 연구하다; 퇴고(推敲)하다.

durch|arbeiten [dúrç-arbaitən] 《I》 *t.* 충분히 손질하다; 마무르다; 단련하다《신체를》; 철저하게 연구하다. 《II》 *refl.* 애를 써서 뚫고 가다; (곤란을) 극복하다.

durchaus [durç-áus, dúrç-aus] [„hindurch und wieder heraus"] *adv.* 전혀, 철두철미, 모든 점에서; 끝까지(*by all means, quite, absolutely*). ¶ ~ nicht 전혀〔단연·결단코〕 …(이) 아닌(*by no means, not at all*) / nicht ~ 전혀 …이라고는 할 수 없다.

durchbeben [durç-bé:bən] *t.* 떨게 하다, 전율케 하다; 감동〔감격·흥분〕시키다.

durch|beißen* [-baisən] 《Ⅰ》 *t.* 물어 뜯다〔찢다·깨다〕. 《Ⅱ》 *refl.* 물어 뜯고 나아가다; 《比·俗》 뚫고 나아가다.

durch|betteln [-bɛtəln] *refl.* 구걸로 지내다《평생을》.

durch|bilden [-bɪldən] *t.* 완성〔발달〕시키다. ¶sich ~ 충분한 수양을 쌓다.

durch|blättern [-blɛtərn] *t.* (서적의) 페이지를 넘기다, (서적을) 죽 훑어보다.

durch|bleuen [-blɔyən] *t.* 《俗》 마구 두들기다.

Durchblick [dúrçblɪk] *m.* -(e)s, -e, 들여다보기; 돌연히 보이게 됨; 전망.

durch|blicken [-blɪkən] *i.*(h.) 통하여 보다, 들여다보다; 보이다, 나타나다. ¶~ lassen 암시하다, (슬쩍) 보이다.

durchblutet [durçblú:tət] *a.* 혈색이 좋은, 건강색의《피부》.

Durchblutung [-blú:tuŋ] *f.* 혈액 순환, 혈행(血行). ¶ gute 〔schlechte〕 ~ 혈액순환이 좋음〔나쁨〕. **Durchblutungsstörung** *f.* 혈행 장애.

durch|bohren [dúrçbo:rən] *t.* (구멍을) 뚫다; (에) 구멍을 내다. **durchbohren** [durçbó:rən] *t.* (에) 구멍을 뚫다; 찔러서 꿰다, 꿰뚫다.

durch|braten* [dúrçbra:tən] *t.* (고기를) 충분히 굽다; *i.*(s.) 충분히 구워지다.

durch|brechen* [-brɛçən] 《Ⅰ》 *t.* 쳐서 뚫다, 관통하다. 《Ⅱ》 *refl.* 부수고 나오다; 파옥하다. 《Ⅲ》 *i.*(s.) 부서지다, 쪼개어지다; 부수고 나오다; 발현하다. **durchbrechen*** [durçbrέçən] *t.* 《Ⅰ》 부수고 열다; (에) 구멍을 내다; 〖軍〗 돌파하다. 《Ⅱ》 **durchbrochen** *p.a.* 가는 구멍이 있는, 챗눈 세공의.

durch|brennen* [dúrçbrɛnən] *i.*(s.) 타서 뚫리다; 〖電〗 퓨즈가 끊어지다; 《比·俗》 (무엇을 훔쳐가지고) 도망가다, 줄행랑치다.

durch|bringen* [-brɪŋən] 《Ⅰ》 *t.* 가지고〔데리고·싣고〕 통과하다; (바늘 귀에 실을) 꿰다; 《比》 (무사히) 통과시키다; 낭비하다《금전을》. 《Ⅱ》 *refl.* 그럭저럭 지내다, 생계를 이어가다.

durchbrochen [-brɔ́xən] *p.a.* =DURCHBRECHEN.

Durchbruch [dúrçbrux] *m.* -e(s), ⸚e, 부수어 열기, 타계(打開); 〖軍〗 돌파; 〖坑〗 개착(開鑿); 《比》 돌연한 출현〔발생〕; 깨어진 금, 틈; 결궤(決潰)한 부분; 애로(隘路).

durchdacht [durçdáxt] *p.a.* 충분히 생각한, 숙고한.

durchdampfen [durçdámpfən] *t.* 증기〔연무〕로 가득 채우다.

durch|dämpfen [dúrçdɛmpfən] *t.* 충분히 쪄서 조리하다.

durchdenken* [-dɛŋkən] *t.* 충분히 생각하다, 숙고하다.

durch|drängen [dúrçdrɛŋən] *t.* 밀고 나아가게 하다; *refl.* 밀고 나아가다, (군중을) 헤치고 나아가다.

durch|dringen* [dúrçdrɪŋən] *i.*(s.) 관통하다, 뚫고 나아가다, 투과〔삼투·침입〕하다. ¶er ist damit durchgedrungen 그는 그것을 수행하였다, 그 목적을 달성하였다. **durchdringen*** *t.* (살살이) 꿰뚫다, (에) 스며들게 하다; 투입(透入)하다. **durchdringend** *p.a.* 꿰뚫는, 날카로운 (음성). **Durchdringung** *f.* -en, 관통; 관철. ¶ friedliche ~ 평화적 침입; 《특히》 경제적 침략.

durch|drücken [-drʏkən] 《Ⅰ》 *t.* 눌러서 통과하게 하다; 거르다; 《比》(의지를) 관철하다; (법률안을) 통과시키다. 《Ⅱ》 *refl.*: sich durch die Menge ~ 군중을 헤치고 나아가다.

durcheilen [durç-áilən] *t.* 급히 통과하다《어느 장소를》; 《比》 (책을) 죽 훑어보다.

durcheinander [durç-ainándər] 《Ⅰ》 *adv.* 한편이 딴편을 통하여서; 딴편과 뒤섞이어서; 뒤죽박죽이 되어, 어수선하게(*promiscuously, pell-mell*). 《Ⅱ》 **Durcheinander** *n.* -s, -, 뒤죽박죽(이 됨), 무질서, 혼란, 혼잡.

durch|fahren* [dúrçfa:rən] *i.*(s.) (배·수레로) 통과하다; (nur ~) (정류하지 않고) 지나쳐 가다《배·수레로》. **durchfahren*** *t.* (어떤 곳을) 질주(통과)하다; 두루 여행하다《배·차로》. ¶ 《比》 ein Schauder durchfuhr mich 나는 오싹 소름이 끼쳤다. **Durchfahrt** [dúrçfa:rt] *f.* -en, (배 또는 차로의) 통과, 통행; (거마의) 통로; 출입구.

Durchfahrtszoll [dúrçfa:rtstsɔl] *m.* 통과 관세, 《배 또는 차의》 통행세.

Durchfall [dúrçfal] *m.* -(e)s, ⸚e, 물건의 사이에서 떨어지기; 《比》 실패, 낙제, 낙선; 〖醫〗 설사(*diarrhoea*). **durch|fallen*** *i.*(s.) 물건의 사이에서 떨어지다, 새다; 《比》 떨어지다, 낙제〔낙선〕하다, 실패하다.

durch|faulen [dúrçfaulən] *i.*(s.) 썩어 버리다, 썩어 문드러지다.

durch|fechten* [-fɛçtən] 《Ⅰ》 *t.* 끝까지 싸우다; 《比》 (분투하여) 관철하다《의견을》. 《Ⅱ》 *refl.* 분투하여 혈로(血路)를 열다; 《俗》 구걸로 근근히 살아가다. **durchfechten*** *t.* (어느 곳을) 싸워서 통과하다; 구걸하며 지내다.

durch|fegen [dúrçfe:gən] *t.* 깨끗이 청소하다; 《比》 호되게 꾸짖다.

durch|feilen [dúrçfailən] *t.* 줄칼로 절단하다〔구멍을 뚫다〕; 《比》 (시문을) 퇴고(推敲)하다, 마지막 마무리를 하다.

durch|finden* [-fɪndən] *i.*(h.) u. *refl.* 통로를 찾다; 속내를 알다. ¶sich in e-r wissenschaft ~ 어떤 학문을 깨치다.

durchflechten* [durçflέçtən] *t.* (에) 엮어 넣다, (mit, 과) 짜맞추다. ¶das Haar mit Blumen ~ 머리를 꽃으로 장식하다.

durch|fliegen* [dúrçfli:gən] *i.*(s.) 날아서(사이를) 통과하다; 《俗》 (시험에) 낙제하다. **durchfliegen*** *t.* 날아서 지나다《어느 장소를》; 《比》 (급히) 훑어 읽다.

durch|fließen* [-fli:sən] *i.*(s.) (사이로) 흘러 지나가다, 관류(貫流)하다. **durchfließen*** *t.* (어느 장소를) 관류하다; 관개(灌漑)하다; 축이다.

D

Durchfluß [dúrçflus] *m.* ..sses, ..flüsse, 관류(貫流).

durchforschen [durçfórʃən] 《Ⅰ》 *t.* 샅샅이 탐구하다; 자세하게 탐색〔답사〕하다. 《Ⅱ》 *refl.* 자성(自省)하다.

duchforsten [durçfórstən] *t.* (산림을) 간벌하다.

durch|fragen [dúrçfra:gən] 《Ⅰ》 *t.* 차례차례로 질문하다; 남김없이 묻다《문제 따위를》. 《Ⅱ》 *refl.* 길을 물어가며 (목적지에) 가다〔닿다〕.

durch|fressen* [-frɛsən] 《Ⅰ》 *t.* (벌레가) 파먹어서 구멍을 내다; 부식하다. 《Ⅱ》 *refl.* 파먹어서 구멍을 내다, (해충 따위가) 파먹어 들다; 《比·俗》 식객으로 지내다.

durch|frieren* [-fri:rən] *i.*(s.) 완전히 얼다, 얼 대로 얼다.

Durchfuhr [dúrçfu:r] [<durchfahren] *f.* (배 또는 수레에 의한) 통과(*passage*); 〘商〙 (외국 화물의) 통과 운송(*transit*).

D

durchführbar [dúrçfy:rba:r] *a.* 실행〔실시〕할 수 있는. **durch|führen** *t.* 인도하여〔데리고〕 통과하다; 통과 운송하다; 《比》 관철〔수행·실행·실시〕하다 (*carry out, execute*).

Durchfuhr⸗erlaubnis *f.* (외국 화물의) 통과 허가. **∼gebiet** *n.* 통과 지구〔역〕. **∼handel** *m.* 통과〔중계〕 무역.

Durchführung [dúrçfy:ruŋ] *f.* -en, 수송, 운송, 실행, 실시, 성취.

durchfurcht [durçfúrçt] *p.a.* 온통 주름이 잡힌.

Durchgang [dúrçgaŋ] [<durchgehen] *m.* -(e)s, ⸚e, 통과, 통행; 〘商〙 통과 운송; 통로, 문; 골목, 샛길. **Durchgän⸗ger** *m.* -s, -, 도망〔실종〕자; 잘 놀라는〔자꾸 내달리려고 하는〕말. **durch⸗gängig** 《Ⅰ》 *a.* 보통의, 일반의, 예외가 없는. ¶∼er Preis 시가(市價). 《Ⅱ》 *adv.* 일반으로, 예외없이, 보통, 대개; 도처에.

Durchgangs⸗bescheinigung *f.* 통과 허가증. **∼gut** *n.* 통과 화물. **∼handel** *m.* 통과〔중계〕 무역. **∼verkehr** *m.* 통과〔중계〕 무역. **∼wagen** *m.* 〘鐵〙 복도가 달린 객차(*corridor-carriage*). **∼zoll** *m.* 통과세.

durch|geh(e)n* [dúrçge:(ə)n] 《Ⅰ》 *i.*(s.) 통과〔통행〕하다; 관통하다; 새다, 배다《액체가》; 전면에 퍼지다; 보편적이다; 놀라서 (말이) 달아나다; 도망치다, 줄행랑치다; 통하다, 통용하다; (법안이) 통과하다, 가결되다. 《Ⅱ》 *t.* 돌아다니다《걸어서》; 《比》 충분히 조사하다; 통독(通讀)하다. 《Ⅲ》 **durchgehend** *p.a.* ① 통과〔관통·직통〕하는. ¶∼er Zug 직행열차. ② 보통의, 일반의; 예외가 없는.

durchgehend(s) [dúrçge:ənt, -ts] *adv.* =DURCHGÄNGIG Ⅱ.

durchgeistigt [durçgáistıçt] *p.a.* 정신적인(*spiritual*); 지적인, 총명한 (용모).

durch|gießen* [dúrçgi:sən] *t.* 틈〔구멍〕으로 부어〔쏟아〕넣다; 거르다.

durchglühen [durçglý:ən] *t.* 작열(灼熱)케 하다, 〘化〙 하소(煆燒)하다; 《比》 불타오르게 하다, 감분(感奮)시키다.

durchgraben* [-grá:bən] *t.* 파서 뚫다; (흙을) 파 엎다.

durch|greifen* [dúrçgraifən] *i.*(h.) (사이로) 손을 내밀다〔찔러 넣다〕; 《比》 단호한 조처를 취하다, 끝까지 해내다. **durchgreifend** *p.a.* 단호〔철저〕한; 유효한.

durch|gucken [-gukən] *i.*(h.) 틈으로 「보다, 들여다보다.」

Durchguß [dúrçgus] *m.* ..gusses, ..güsse, ①부어〔쏟아〕넣어 통과시킴, 여과(濾過). ② 하수구.

durchhallen* [durçhálən] *t.* (에) 울려 퍼지다《소리 따위가 방안에》.

durch|halten* [-haltən] *t.* 최후까지 부지하다; 해내다, 관철하다.

durchharren* [durçháran] *t.* 기다리면서 지내다.

durch|hauen* [-hauən] *t.* 절단하다; (길을) 트다; 《俗》 호되게 치다. ¶ sich ∼ 혈로를 개척하다.

durch|hecheln [-hɛçəln] *t.* 충분히 훑다《삼실 따위를》; 《比》 (뒷구멍으로) 험담을 하다, 혹평하다.

durch|helfen* [-hɛlfən] 《Ⅰ》 *i.*(h.) u. *t.*: jm. ∼ 아무를 도와서 통과하게 하다, 《比》 타개하여 나아가게 하다. 《Ⅱ》 *refl.* 그럭저럭 꾸리다, 근근히 지내다; 해내다.

durchirren [durç-írən] *t.* (어느 장소를) 헤매어 다니다.

durch|jagen [dúrçja:gən] 《Ⅰ》 *t.* (짐승·적을) 몰며 통과하다. 《Ⅱ》 *i.*(s.) 질구(疾驅)하여 통과하다. **durchjagen** *t.* 달려 지나가다《어떤 장소를》.

durchkälten [durçkɛ́ltən] *t.* 아주 차갑게 하다, 얼리다.

durch|kämpfen [dúrçkɛmpfən] 《Ⅰ》 *t.* 끝까지 싸우다; 《比》 (의견을) 관철하다. 《Ⅱ》 *refl.* 싸워서 (뚫고) 지나가다.

durch|kauen [-kauən] *t.* 충분히 씹다; 《比》 몇 번이고 반복하다.

durch|kneten [-kne:tən] *t.* 충분히 반죽하다; 반죽을 마치다.

durch|kochen [dúrçkɔxən] *t.* 충분히 끓이다.

durch|kommen* [-kɔmən] 《Ⅰ》 *i.*(s.) 지나서 오다; 통과하다; 《比》 타개하여 나아가다; 시험에 급제하다. ¶mit et. ∼ 무엇으로 a) 목적을 달성하다, 고비를 넘기다, b) 임시 변통을 하다. 《Ⅱ》 **Durchkommen** *n.* -s, 통과; (병의) 회복; (의안의) 통과.

durchkreuzen [durçkrɔ́ytsən] *t.* 횡단〔교차〕하다; 《比》 방해하다, 어긋나게 하다《계획 따위를》.

Durchlaß [dúrçlas] *m.* ..sses, ..lässe, 통하게 함; 통행 허가; 통로, 출입구; 방출구; 배수(排水) 도랑; 〘鐵〙 암거(暗渠) (*culvert*).

durch|lassen* [-lasən] *t.* 통과시키다; 《比》 허용하다; 급제시키다《시험에》.

durchlässig *a.* (무엇을) 투과시키는, 투과성(透過性)의.

Durchlaucht [dúrçlauxt] [*eig.* „durchleuchtet"] *f.* -en, 전하《Fürst 에 대한 존칭》(*Highness*).

durchlauchtig [durçláuxtıç] *a.* 존엄한. ¶der ∼ste Fürst 전하.

Durchlauf [dúrçlauf] *m.* -(e)s, ⸚e, 달려서 통과하기; 회장(回章); 도수거(導水渠); 〘醫〙 설사. **durch|laufen*** *i.*(s.)

달려서 통과하다〔빠져나가다〕; 흘러 지나다《내가》; 새다, 투과하다《물·빛 등이》. **durchlaufen*** *t.* 달려서 지나다; (내가) 흘러서 지나다; 새다, (물·빛 따위가) 투과하다; 달려서〔걸어서〕 돌아다니다; 신어서 해뜨리다.

durchleben* [durçlé:bən] *t.* ① 지내다, 보내다《시일을》. ② **durch|leben** 체험하다. ¶et. selbst ~ 무엇을 체험하다.

durch|lesen* [dúrçle:zən] 《Ⅰ》 *t.* 통독하다. 《Ⅱ》 *refl.*: sich durch ein Buch ~ 어떤 책을 다 읽다.

durch|leuchten [-lɔyçtən] *i.*(h.) (빛이) 새다, 새어 비치다. **durchleuchten** *t.* 두루 비추다, (에) 빛을 통하다; (라듐·X 광선으로) 비추다. **Durchleuchtung** *f.* -en, 〚醫〛 투시법, X선 검사.

durch|liegen* [-lí:gən] *refl.* 몸이 자리에 배겨 헐다《오래 누움으로 해서》.

durchlochen [durçlɔ́xən] *t.* (에) 구멍을 뚫다; 〚鐵〛 개찰하다(*punch*). **durchlöchern** *t.* 《Ⅰ》 구멍투성이로 만들다. 《Ⅱ》 **durchlöchert** *p.a.* 구멍투성이의.

durchlüften [-lýftən] *t.* (에) 바람을 통하다; 공기에 쐬다; 환기하다.

durch|lügen* [dúrçly:gən] *refl.* 거짓말을 하여 그 자리를 모면하다.

durch|machen [-maxən] *t.* 통과시키다; 겪다, 경험하다(*suffer, experience*).

Durchmarsch [dúrçmarʃ] *m.* -es, ⸗e, (군대의) 통과 행진; 《俗》 설사. **durch|marschieren** *i.*(s.) 통과 행진하다《군대가》.

durchmessen* [durçmɛ́sən] *t.* (한쪽 끝에서 딴쪽 끝까지) 걸어서 통과하다, 두루 걸어다니다〔여행하다〕; 걷기를 마치다. **Durchmesser** [dúrçmɛsər] *m.* -s, -, 〚數〛 직경(*diameter*); 〚軍〛 (포의) 구경(口徑).

durch|müssen* [dúrçmysən] *i.*(h.) = DURCHGEHEN MÜSSEN.

Durchnahme [-na:mə] *f.* -n, 강의; (교재의) 논의, 토론.

durch|nässen [dúrçnɛsən] *t.* 흠뻑 적시다. ¶ganz durchnäßt 흠뻑 젖은.

durch|nehmen* [dúrçne:mən] *t.* (취택하여) 전반적으로 음미〔학습·고찰·강의〕하다.

durch|pausen [-pauzən] *t.* (=pausen) 복사(複寫)하다.

durch|peitschen [-paitʃən] *t.* 되게 채찍질하다; 채찍질하여 쫓아내다《문 따위를 통하여》; 《比》 황급히 통과시키다《법률안 따위를》.

durchplaudern [durçpláudərn] *t.* 지껄이며 지내다《때를》. 「제하다.」

durch|plumpsen [-psən] *i.*(s.) 《俗》 낙

durch|pressen [-prɛsən] *t.* 밀어서 통과하게 하다. 「패다.」

durch|prügeln [-pry:gəln] *t.* 두들겨

durchpulsen [durçpúlzən] *t.* (맥박치며 무엇을) 흘러서 통과하다.

durchqueren [-kvé:rən] *t.* 횡단하다; 《比》 방해하다, 좌절시키다.

durch|rasseln [dúrçrasəln] *i.*(s.) (차가) 덜컹덜컹 지나가다; 《俗》 낙제하다.

durch|räuchern [dúrçrɔyçərn] *t.* 충분히 불김에 쐬다. **durchräuchern** *t.* 연기〔향기〕로 채우다.

durch|rechnen [-rɛçnən] *t.* 남김없이 계산하다; 계산을 마치다.

durch|regnen [-re:gnən] *i.*(h.) 비가 새다. **durchregnen** *t.* 비에 적시다. ¶sich ~ lassen 비에 젖다.

durch|reiben* [-raibən] *t.* 스쳐 해어지게 하다; 스쳐 생채기가 나게 하다.

Durchreise [dúrçraizə] *f.* -n, (여행중의) 통과. **durch|reisen** *i.*(s.) 통과하다《여행중에》. ¶Durchreisende(r) (*m.*) 통과객. **durchreisen** *t.* (어느 지방을) 편력〔주유〕하다. **Durchreisevisum** *n.* 통과증.

durch|reißen* [dúrçraisən] 《Ⅰ》 *t.* 뚝 끊다. 《Ⅱ》 *i.*(s.) 뚝 끊어지다.

durch|reiten* [dúrçraitən] 《Ⅰ》 *i.*(s.) 말로 통과하다. 《Ⅱ》 *t.* 승마하여 상처를 입히다〔까지게 하다〕《말에》; 승마하여 닳아 떨어지게 하다《바지 따위를》.

durch|rennen* [-rɛnən] 《Ⅰ》 *i.*(s.) 달려서 통과하다. 《Ⅱ》 *t.* 달려서 (구두창 따위에) 구멍을 내다, (을) 상하게 하다.

durch|rieseln [-ri:zəln] *i.*(s.) 졸졸 흘러 지나다.

durch|rufen* [-ru:fən] *i.*(h.) 전화로 이야기하다; 큰 소리로 이야기하다; 끝까지 외치다. 「는 定冠詞).」

durchs [durçs] 《略》 =DURCH DAS 《das

Durchsage [dúrçza:gə] *f.* 전달. ¶~ durch den Rundfunk 라디오를 통한 전달.

Durchschallung [durçʃálʊŋ] *f.* 초음파(를 투파(投波)함)《재질 검사에》.

durch|schauen [dúrçʃauən] *i.*(h.) (구멍·현미경 따위를 통하여) 들여다보다; 비추어 보다《투명한 것을》. **durchschauen** *t.* 충분히 보다, 일일이 검사하다; 《比》 통찰〔간파〕하다.

durchschauern [durçʃáuərn] *t.* (추위·공포 등으로) 오싹하게 하다.

Durchschein [dúrçʃain] *m.* -(e)s, -e, 투과광(透過光). **durch|scheinen*** *i.* (h.) (빛이) 투과하여 비치다. **durchscheinend** *p.a.* (반) 투명의.

durch|scheuern [-ʃɔyərn] *t.* 닳아 해지게 하다《바지 따위를》; (무릎 따위를) 쓸려 까지게 하다.

durch|schießen* [dúrçʃi:sən] *i.*(h.) 틈사이로 쏘다, 쏘아 넣다. **durchschießen*** *t.* 쏘아 꿰뚫다; (의) 사이에(mit, 을) 끼우다; 〚印〛 (자간·행간을) 띄다〔벌리다〕《인테르·공목을 넣어서》.

durchschiffen [durçʃífən] *t.* 배를 타고 가다; (대양을) 횡단하다.

Durchschlag [dúrçʃla:k] *m.* -(e)s, ⸗e, ① 거르는 기구; 천공기(穿孔器), 구멍 뚫는 정(*punch(eon)*). ② 카본지에 의한 복사《타이프라이터의》. ③ 사이를 뚫음; 쳐 뚫은 데, 틈. **durch|schlagen*** [-gən] 《Ⅰ》 *t.* (쳐) 뚫다; 쳐박다《못을》; 거르다; 카본지로 복사하다《타이프라이터로》. ¶sich ~ 싸워서 난관을 타개하여 나아가다〔생계를 잇다·세상을 살다〕. 《Ⅱ》 *i.*(h.) 뚫고 가다, 관통하다; 스미다; 배다; 새다; 《比》 주효(奏効)〔유효〕하다; 적절하다《이유 따위가》. **durchschlagend** [-gənt] *p.a.* 유효한; 적절한; 적확한; 결정적인 (조처).

Durchschlāg·papier *n.* 카본지. ~**s·kraft** *f.* (총탄의) 관통력.

durch|schleichen* [-ʃlaiçən] *i.*(s.) u. *refl.* 살짝 (발소리를 안 내고) 지나가다.

durch|schleusen [-ʃlɔyzən] *t.* 수문을 통과하게 하다《배를》.

durch|schlüpfen [-ʃlʏpfən] *i.*(s.) 미끄러져 빠져나가다; 《比》(오류(誤謬) 따위가) 끼어들다.

durch|schneiden* [dúrçʃnaidən] *t.* 절단하다. **durchschneiden*** *t.* 횡단하다, (와) 교차하다. ¶sich (=einander) ~ (서로) 교차하다.

Durchschnitt [dúrçʃnɪt] *m.* -(e)s, -e, 절단; 교차; 단면; 평균, 평균치(*average*); 평범(한 것)(*mean*). ¶ im ~ 평균하여, 일반적으로. **durchschnittlich** *a.* 평균의; *adv.* 평균하여; 일반적으로.

Durchschnitts·alter *n.* 평균 연령. ~·**ansicht** *f.* 〖建〗 단면도. ~**preis** *m.* 평균가(價).

durch|schreiben* [-ʃraibən] *t.* 복사하다.

Durchschreibepapier [-ʃraibəpapi:r] *n.* 복사지.

durchschreiten* [durçʃráitən] *t.* (강을) 도보 횡단하다, 걸어서 건너다.

Durchschrift [dúrçʃrɪft] *f.* -en, (카본지 등에 의한) 복사.

Durchschuß [dúrçʃus] [<durchschießen] *m.* ..sses, ..schüsse, 관통 총상(銃傷); 〖紡〗 씨줄(*woof, weft*); 〖製本〗 간지(間紙)(*blank*); 〖印〗 행(行)의 간격(*space*).

durchschweifen [-ʃváifən] *t.* (어느 장소를) 헤매돌다, 방랑하다.

durchschwimmen* [durçʃvímən] *t.* 헤엄쳐서 건너다; 헤엄쳐 돌아다니다.

durchsegeln [-zé:gəln] *t.* 순항(巡航)하다; 두루 항해하다.

durch|sehen* [dúrçze:ən] 《I》 *i.*(h.) 통하여〔들여다·비추어〕 보다; 관철(觀徹)하다, 판연히 보다. 《II》 *t.* [durçzé:ən] 틈으로 보다, 엿보다; 훑어보다; 검열〔교열〕하다.

durch|seihen [dúrçzaiən] 《I》 *i.*(s.) 새다. 《II》 **durchseihen** *t.* 거르다; 여과하다.

durch|setzen [dúrçzɛtsən] *t.* 해내다; 관철하다; (법률을) 실시하다; (의안을) 통과시키다. ¶sich ~ 의지를 관철하다. **durchsetzen** [durçzétsən] *t.* (에)(mit, 를) 혼화(混和)하다, 함유시키다. ¶mit Gold durchsetztes Gestein 금을 함유한 암석.

Durchsicht [dúrçzɪçt] [<durchsehen] *f.* -en 통하여〔들여다·투과하여〕 보기; 조망, 전망(*view, vista*); 《比》 열독(閱讀)(*perusal*); 검열, 교열(*revision*). **durch·sichtig** *a.* 투명한(*transparent*); 《比》 투철〔명석〕한(*clear*). **Durchsichtig·keit** *f.* 투명(도).

durch|sickern [-zɪkərn] *i.*(s.) 새다, 삼투(滲透)하다; 《比》 누설되다, 알려지다. ¶et. ~ lassen 삼출〔여과〕시키다.

durch|sieben [-zi:bən] *t.* 체질하다, 체질하여 가려내다.

durch|sitzen* [-zɪtsən] *t.* 앉아서 보내다《때를》; 앉아서 해지게〔상하게〕 하다.

durch|sollen* [-zɔlən] *i.*(h.) 《俗》 통과하지 않으면 안 되다.

durch|spicken [-ʃpɪkən] *t.* (에) 지육(脂肉)을 섞다.

durch|spielen [-ʃpi:lən] *t.* (어떤 곡을) 끝까지 연주하다; 〖劇〗 (어떤 역을) 끝까지 연기하다. ¶immer wieder ~ 반복 연습하다.

durchsprechen* [-ʃpréçən] *t.* 충분히 이야기하다, 숙의(熟議)하다(*talk over*).

durch|sprengen [-ʃprɛŋən] *i.*(s.) 질구(疾驅)하여 통과하다. **durchsprengen** [durçʃpréŋən] *t.* 말을 몰아 통과하다《어떤 장소를》.

durch|spüren [-ʃpy:rən] *t.* ① (무엇을 통하여) 감지하다. ② 〔통상: **durchspü·ren**〕 샅샅이 두루 찾다.

durch|stechen* [dúrçʃtɛçən] *t.* (바늘·칼 따위를) 꽂다, 찌르다. **durchste·chen*** [durçʃtéçən] *t.* (에)(mit, 를) 꿰찌르다, 찔러 꿰뚫다; 개착(開鑿)하다; (둑 따위를) 파 뚫다. **Durchstecherei** *f.* -en, 결탁, 공모.

durch|stehen* [dúrçʃte:ən] *t.* 견디어〔버티어〕 내다. ¶wir haben böse Zeiten miteinander durchgestanden 〔durchstanden〕 우리는 서로 어려운 시대를 견디어 왔다.

durch|stehlen* [-ʃte:lən] *refl.* ① 몰래 빠져나가다. ② 도둑질하여 살아나가다.

Durchstich [dúrçʃtɪç] *m.* -(e)s, -e, 개착; 터널의 굴착; (언덕 따위를) 터서 낸 길; 운하, 도랑.

durchstöbern [durçʃtø:bərn] *t.* 샅샅이 찾다.

durch|stoßen* [dúrçʃto:sən] *t.* 찌르다, 꽂다; 부딪쳐 뚫다, 쳐부수어 열다. **durchstoßen*** *t.* 꿰찌르다.

durchstrahlen [durçʃtrá:lən] *t.* 샅샅이 비추다.

durch|streichen* [dúrçʃtraiçən] *t.* 줄을 그어 지우다; 《比》 삭제〔말살〕하다. **durchstreichen*** [durçʃtráiçən] *t.* 헤매다《어떤 지방을》.

durchstreifen [-ʃtráifən] *t.* 유랑하다《어떤 지방을》.

Durchstrich [dúrçʃtrɪç] [<durchstreichen] *m.* -(e)s, -e, 삭제, 말살.

durch|strömen [dúrçʃtrø:mən] *i.*(s.) (강·군중 등이) 도도히 흘러서 통과하다. **durchströmen** *t.* 관류(貫流)하다.

durch|suchen [dúrçzu:xən], **durch·suchen** *t.* 샅샅이 수색하다; 엄중히 수색〔검사〕하다. **Durchsuchung** *f.* -en, 수색, 검사, 임검(臨檢). **Durchsu·chungsrecht** *n.* 〖法〗 수색권.

durch|tanzen [dúrçtantsən] *t.* 춤 추어서 해지게 하다《구두를》; 끝까지 춤추다. **durchtanzen** *t.* (홀 따위를) 춤추며 돌아다니다. ¶die Nacht ~ 춤을 추며 밤을 새우다.

durchtrainiert [dúrçtrɛni:rt] *a.* 충분히 훈련한.

durchtränken [durçtréŋkən] *t.* (에) 침윤시키다, 스며들게 하다.

durch|treiben* [dúrçtraibən] *t.* (쐐기·마개를) 쳐서 박다.

durch|treten* [-tre:tən] *t.* (구두창 따위를) 밟아서 해지게〔상하게〕 하다, 밟아서 구멍을 내다; 밟아 부수다.

durchtrieben [durçtrí:bən] [<†durchtreiben "아주 채우다"] *p.a.* 정통한, 빈틈없는, 약은, 교활한, 노회(老獪)한(*cunning, sly, artful*). **Durchtrie·benheit** *f.* 위입.

durch|üben [-y:bən] *t.* 처음부터 끝까지 (남김없이) 연습하다; 〖劇〗 (공연 전에) 시연(試演)하다.
durchwachen [-váxən] *t.* 자지 않고 지내다. ¶die (ganze) Nacht ～ 철야하다.
durchwachsen* [-váksən] *t.* (에)(나서) 섞이다. ¶(mit Fett) ～es (*p. a.*) Fleisch 지방질이 희끗희끗 섞인 고기.
durch|walken [dúrçvalkən] *t.* 충분히 다듬어 바래다《피륙을》; 《比》 호되게 두들기다.
durch|wandern [-vandərn] *i.*(s.) 방랑하다; 편력하다. **durchwandern** [durçvándərn] *t.* 방랑〔편력〕하며 지나다《어떤 지방을》.
durch|wärmen [dúrçvɛrmən], **durchwärmen** *t.* 충분히 데우다〔따뜻하게 하다〕.
durch|wäten [-va:tən] *i.*(s.) 걸어서 (물을) 건너다. **durchwäten** *t.* (내 따위를) 걸어서 건너다.
durchweben(*) [durçve:bən] *t.* (mit, 을) 짜 넣다.
Durchweg [dúrçve:k] *m.* -(e)s, -e, 통로.
durchweg [durçvέk, dúrçvɛk] *adv.* 철두 철미; 예외없이; 전적으로, 항상.
durch|weichen [dúrçvaiçən] *i.*(s.) 아주 부드러워지다; 흠씬 젖다, 축축히 젖다. **durchweichen** *t.* 아주 부드럽게 하다; 흠씬 적시다, 축축히 젖게 하다.
durch|winden [-vındən] 《Ⅰ》 *t.* 끝까지 감다. 《Ⅱ》 *refl.* 헤치고 나아가다, 비집고 빠져나가다; 《比》 뚫고 나아가다. **durchwinden*** 《Ⅰ》 *t.* 엉키게 하다, 엮어 넣다. 《Ⅱ》 *refl.* (강이 협곡 따위를) 굽이쳐 지나다, (몸을 틀어) 빠져 나가다, 《比》 (곤란 따위를) 뚫고 나가다.
durchwintern [durçvíntərn] *t.* 겨울을 나게 하다, 월동시키다《식물·가축 따위를》.
durchwirken [-vírkən] *t.* (에) (mit, 을) 짜 넣다. ¶mit Seide ～ 명주를 섞어 짜다.
durch|wischen [dúrçvıʃən] *i.*(s.) 재빨리 도망치다, 빠져나가다.
durch|wühlen [dúrçvy:lən] 《Ⅰ》 *t.* 〔**durchwühlen**〕 ① (돼지 따위가 땅을) 파헤치다; 《比》 (광풍이 해면을·슬픔이 마음을) 어지럽히다. ② 《比》 e-e Schublade ～ 서랍을 샅샅이 뒤지다. 《Ⅱ》 *refl.* 파〔뚫고〕나가다; 《比》 겨우 타개하다.
durch|zählen [dúrçtsɛ:lən] *t.* 끝까지 세다, 남김없이 세다.
durch|zechen [dúrçtsɛçən] *i.*(h.) 밤새어 마시다.
durch|zeichnen [-tsaiçnən] *t.* 다 그려내다; 복사하다, 투사(透寫)하다.
durch|ziehen* [-tsi:ən] 《Ⅰ》 *t.* ① 사이로 통과시키다. ② 끌고 통과하다. ③ (사이에) 건너지르다. 《Ⅱ》 *refl.* 관통하다; 뻗어 퍼지다, 길게 이어지다. 《Ⅲ》 *i.*(s.) 통과하다; 스며들다. **durchziehen*** *t.* (을) 통과〔관통〕하다; (mit, 을) 섞다, 섞어 짜다, 스며들게 하다.
durchzucken [durçtsúkən] *t.* 번득이며 지나가다.
Durchzug [dúrçtsu:k] [<durchziehen] *m.* -(e)s, ⸚e, 통화; 관통; 통풍.
durch|zwängen [-tsvɛŋən], **durch|zwingen*** [-tsvıŋ-] *t.* (억지로) 밀고 나아가다. ¶sich ～ 헤치고〔비집고〕 나아가다.
dürfen* [dʏ́rfən] [♈darben] 《Ⅰ》 *i.*(h.) u. *t.* † (=be～) 필요로 하다; =DÜRFTIG. 《Ⅱ》 《話法의 助動詞》 ① 《形態上 또 意味上 否定의 문장일 때, 또는 nur를 隨伴할 때》 요(要)하다, 필요로 하다. ② (…하는 것이) 허락되어 있다, (…하여도) 좋다 (*be allowed, be permitted, may*). ③ …할 이유가 있다, …함이 당연하다. ¶darüber ～ Sie sich nicht wundern 당신은 그 일에 별로 놀랄 것 없다. ④ 《겸손한 主張》 das dürfte wohl geschehen 그것이 일어나지 않는다고는 말할 수 없을 것이다.
dürftig [dʏ́rftıç] [<dürfen] *a.* 결핍하여 있는, 옹색한, 가난에 시달리는(*needy, indigent, poor*); 넉넉하지 않은; 빈약한, 보잘것 없는(*paltry*). **Dürftigkeit** *f.* 위임.
dürr [dʏr] [♈dorren, Durst] *a.* ① 건조한, 바싹 마른(*dry, arid*); 말린(*dried*). ② 야윈, 뼈와 가죽뿐인(*lean, meager*). ③ 메마른, 불모의(*barren*). ④ 말을 꾸미지 않는, 솔직한. ¶mit ～en Worten 솔직하게 말한다면.
Dürre [dʏ́rə] *f.* -n, 마름, 건조; 가물음; 여윔; 불모(不毛).
Durst [durst] [<dürr] *m.* -es, ① 목마름(♈*thirst*). ② 《比》 갈망. ¶s-n ～ stillen 갈증을 풀다. **dursten** [dúrstən], **dürsten** *i.*(h.): es dürstet mich, mich dürstet 나는 목이 마르다, 갈증을 느낀다 / 《比》 nach et. ～ 무엇을 갈망하다. **durstig** *a.* 목이 마른, 갈증을 느끼는. ¶～es Wetter 가물음 / 《比》 nach et.³ ～ sein 무엇을 갈망〔열망〕하고 있다.
Dusch·anlage [dúʃanla:gə] *f.* -n, 샤워 (설비).
Dusche [dúʃə, dú:ʃə] [fr.] *f.* -n, 관수욕(灌水浴), 샤워(♈*douche; shower bath*). **duschen** *t.* 샤워시키다.
Düse [dʏ́:zə] [tschech. „Seele"] *f.* -n, 〖工〗 노즐(*nozzle, jet*).
Dusel [dú:zəl] [♈Tor, töricht] *m.* -s, 현기(眩氣)(♈*dizziness*); 혼미(昏迷)(상태)(*stupor*). **dus(e)lig** *a.* 현기증을 일으킨(♈*dizzy*); 멍한; 얼빠진. **duseln** *i.*(h.) 현기증을 느끼다; 꾸벅꾸벅 졸다; 몽상하다.
Düsen·antrieb [dʏ́:zən-antri:p] *m.* -(e)s, -e, 제트 추진기(推進器).
Düsenflugzeug [dʏ́:zənflu:ktsɔʏk] *n.* 제트기(機).
Dussel [dúsəl] *m.* -s, -, 《俗》 바보, 등신.
düster [dʏ́:stər] *a.* 어두운, 침침한(*dark*); 음울〔암담〕한(*gloomy, sad, dismal*). **Düsterkeit** *f.* 암담, 음울.
Dutzend [dútsənt] [fr., *aus* lat. *duodecim* „zwei zehn (=zwölf)"] *n.* -s, -e, 12, 다스(♈*dozen*).
dutzendemal [dútsəndəma:l] *adv.* 수십 번, 몇 번이나.
dutzend=mal [dútsənt-] *adv.*: ein ～mal 12번. **～mensch** *m.* 평범한 인간. **～weise** *adv.* 다스로, 다스씩.

D

Duvet [dyvέ] [fr. „Flaum"] *m.* -(e)s, 《schw.》 솜이불, 깃털이불. **Duvetine** [dyftí:n] *m.* -s, -s, 빌로도를 모방한 직물명《양모에 무명이나 명주를 섞어 짬》.

Dūzbrūder [dú:tsbru:dər] *m.* 너나들이 하는 벗. **dūzen** [dú:tsən] [<du] *t.* (을 보고) 자네〔너〕라고 부르다. **Dūzfūß** *m.*: auf dem ~ (miteinander) stehen 너나들이하는〔친밀한〕 사이다.

dwars [dvars] *adv.* 〖海〗 가로, 비스듬히(♈*athwart*).

Dyāde [dyá:də] [gr. *dyás* „Zweiheit"] *f.* -n, (단위로서의) 둘, 쌍.

Dȳn [dy:n] [gr. *dynamis* „Kraft"] *n.* -s, -, 〖物〗 다인《힘의 시 지 에스 단위》. **Dynāmik** [dyná:mık] *f.* 동역학, 역학; 기운, 활기; 활동성. **dynāmisch** *a.* 역학의, 역동(力動)의, 역학적인; 동적인. **Dynamīt** [dynamí:t, -mít] *n.* 〔*m.*〕 -(e)s, -e, 다이너마이트. **Dynamo** [dyná:mo, dý:namo] *m.* -s, -s, 〔*f.* -s〕, **Dynāmomaschīne** 발전기, 다이너모.

Dynast [dynást] [gr. „Machthaber"] *m.* -en, -en, 주권자, 군왕(君王); (흔히 중세 작은 나라의) 군주. **Dynastīe** [dynastí:] *f.* ..tīen, 군주의 가계(家系), 왕가; 왕조.

Dysbasīe [dysbazí:] [gr.] *f.* 보행 곤란. **Dystonīe** [-toní:] *f.* ..nīen, 이긴장(異緊張)(증), 근(筋)긴장 이상. **Dystrophīe** [-trofí:] *f.* ..phīen, 이(異)영양증, 영양 실조증. **Dysurīe** [-zurí:] *f.* ..rīen, 배뇨 곤란.

dz. 《略》 = derzelt 요즈음, 당시.

D-Zūg [dé:tsu:k] *m.* 《略》 = durchgangs*zug*.

E

E [e:] *n.* -, -, 〖樂〗 마 음(音); (*E-dur*) 마장조. ***e*** *n.* -, -, 〖樂〗 마 음(音); (*e-moll*) 마단조.

Ebbe [έbə] *f.* -n, 썰물, 간조(♈*ebb*); 쇠퇴, 감퇴. ¶~ und Flut 썰물과 밀물; 《比》 영고 성쇠. **ebben** [έbən] *i.* (h.) 조수가 써다, 삐다(♈*ebb*); 쇠〔감〕하다.

ebd. 《略》 = *eb*en*d*a 같은 곳에.

ēben [é:bən] 《Ⅰ》 *a.* 펀펀한, 평탄한, (♈*even, level, flat, smooth*); 〖數〗 평면의(*plane*). ¶zu ~er Erde 일층에. 《Ⅱ》 *adv.* 펀펀히(♈*evenly*); 방금, 이제 막, 꼭(♈*even, just, exactly*). ¶ ~ erst 지금 막, 이제 겨우(…을 마쳤다).

Ēben≈bild [é:bənbılt] *n.* 닮은 모습, 초상(*likeness, image*). **~bürtig** *a.* (jm., 아무와) 같은 집안〔신분〕의; 동등〔대등〕한, 동격의.

ēben≈dā *adv.* 바로 그곳에, 같은 곳에 《略: ebd.》. **~dēr, ~derselbe** *prn.* 바로 이 사람. **~deshalb, ~deswēgen** *adv.* 바로 그 때문에. **~dort** *adv.* 바로 그 곳에.

Ēbene [é:bənə] *f.* -n, 평지, 평야(*plain*); 평면(*plane*); (어떤 높이의) 땅, 면(*level*).

ēb(e)nen *t.* 펀펀하게〔반반하게·매끄럽게〕 하다, 고르게 하다.

ēbenfalls [é:bənfals] *adv.* 마찬가지로, 도 역시(*likewise, also*).

Ēbenheit [é:bənhait] *f.* -en, 평탄, 평등, 균등.

Ēbenholz [-hɔlts] [Lw. gr. *ébenos* „Stein"] *n.* 흑단(黑檀)(재) (♈*ebony*); 《比》 흑인.

Ēben≈māß [é:bənma:s] *n.* 균형이 잘 잡힘(*due proportion*); 균제, 대칭(*symmetry*); 조화(*harmony*). **~māßig** *a.* 균형이 잡힌, 어울리는, 대칭적인.

ēbensō [-zo:] *adv.* 바로 그렇게; 똑같이. ¶~ wie (als) ... …과 똑같이, 똑같은 정도로.

ēbensō≈gūt *adv.* 마찬가지로 좋게, 이에 못지 않게. **~oft** *adv.* 그만큼 자주. **~sehr** *adv.* 그 정도로 매우, 같은 정도로. **~viel** *adv.* 그만큼 많이, 같은 정도로. **~weit** *adv.* 그만큼 멀리, 같은 정도로. **~wēnig** *adv.* 그만큼 적게.

Ēber [é:bər] *m.* -s, -, 〖動〗 돼지〔멧돼지〕의 수컷(*boar*).

Ēber≈esche [é:bər-εʃə] [<Eibe ?] *f.* 〖植〗 마가목(*mountain ash*). **~zahn** *m.* 멧돼지의 엄니; 〖植〗 포도넝쿨의 곁가지.

Ebonīt [eboní:t, -nít] [engl.] *n.* -(e)s, 에보나이트.

echauffieren [eʃofí:rən] [fr.] 《Ⅰ》 *t.* 열하다; 격앙(激昻)시키다. 《Ⅱ》 *refl.* 뜨거워지다; 격앙하다.

Echō [έço:, é:ço:] [gr.] *n.* -s, -s, 반향, 메아리(♈*echo*). **echō·en** [έço:ən] *i.* (h.) 반향하다; 《比》 찬동〔뇌동〕하다. **Echō≈lōt** *n.* 음향 탐지기.

echt [εçt] [*aus* mhd. *ehehaft* „gesetzlich"] *a.* ① 진정한, 진실한(*genuine, true, real, legitimate*). ② 순수한, 단단한, 바래지 않는(색)(*fast*). **Echt·heit** *f.* 진정, 순수; 합법, 정당, 적출(嫡出).

Eck [εk] [Ecke의 別形] *n.* -(e)s, -e, ① 모서리, 각(*corner*). ② 《合成用語》 „각(角)"의 뜻. 보기: Drei~ 삼각형.

Eckball [έkbal] *m.* =ECKSTOß.

Ecke [έkə] [*eig.* „Spitze"] *f.* -n, 모서리, 가(♈*edge*); 구석, 귀퉁이(*corner*); 모, 각(*nook, angle*); 길 모퉁이(*turning*); 〖蹴〗 코너킥. ¶über ~ 가로질러, 비스듬히 / **um** die ~ bringen 해치우다, 죽이다 / **an** allen ~n und Enden 도처에. **Eckenstēher** *m.* 길 모퉁이에 서 있다가 남의 심부름을 해주는 사람.

Ecker [έkər] *f.* -n, 떡갈나무 열매, 도토리(♈*acorn*); (Buch~) 너도밤나무 열매(*beech-nut*).

Eckhaus [έkhaus] *n.* 길 모퉁이 집.

eckig [έkıç] *a.* 모가 있는; 《比》 멋없는, 무뚝뚝한, 버릇없는(*awkward*).

Eck≈stōß, ~wurf *m.* 〖蹴〗 코너킥. **~≈zahn** *m.* 〖解〗 송곳니.

Ecrasé·lēder [ekrazé:le:dər] [fr. *écraser* „zerquetschen"] *n.* 에크라제 가죽《굵은 돌기가 있는 염소 가죽》.

Ecrüseide [ekrý:zaidə] *f.* =EKRÜSEIDE.

edāphisch [edá:fıʃ] [gr., *édaphos* „Erdboden"] *a.* 토양의; 토양의 영향을 받는 (식물).

ēdel [é:dəl] [<Adel] *a.* 고귀한, 귀족의 (*well-born, noble*); 《比》 고상한, 고결한 (*noble, honourable*); 기품이 있는, 의협

적인(*generous*); 귀중한(*precious*). ¶ein edles [é:dləs] Pferd 준마(駿馬) / edle Metalle 귀금속 / edle Steine 보석.

Edel=dāme *f.* 귀부인. **~denkend** *a.* 지조가 높은, 고매한. **~frau** *f.* 귀부인. **~gāse** *pl.* 〖化〗 희(稀)가스류. **~=hirsch** *m.* 수사슴. **~hōf** *m.* (시골에 있는) 귀족[지주]의 저택, 장원.

Edeling [é:dəlɪŋ] *m.* -s, -e, 귀족, 귀인.

Edel=knābe *m.* (귀족 신분의) 시동(侍童). **~leute** *pl.*, **~mann** *m.* 귀인, 귀족. **~männisch** *a.* 귀족적인. **~=metall** *n.* 귀금속. **~mūt** *m.* =~SINN. **~mütig** *a.* =~DENKEND. **~ōbst** *n.* (디저트용의) 고급의 과일. **~sinn** *m.* 고결한 마음; 의협심; 관용, 아량. **~=stahl** *m.* 특수강(鋼). **~stein** *m.* 보석; 《比》 보물. **~tanne** *f.* 〖植〗 독일전나무(*silver fir*). **~wild** *n.* 고등 사냥감《사슴·곰·영양 따위》.

Eden [é:dən] [hebr. „Wonne"] *n.* -s, 〖聖〗 (Garten ~) 에덴 동산.

e·dieren [edí:rən] [lat. „heraus-geben] *t.* 출판[발행]하다.

E·dikt [edíkt] [lat. „Heraus-gesagtes"] *n.* -(e)s, -e, 포고, 칙령.

Edition [editsǐó:n] [lat. <edieren] *f.* -en, 출판; 간행본; 판(版). **Editor** [é:di-tɔr] *m.* -s, ..tōren, 출판[발행]자.

Edukation [edukatsǐó:n] [lat.] *f.* -en, (Erziehung) 교육.

EEC [engl.] 《略》 =*E*uropean *E*conomic *C*ooperation Organisation(Europäische Organisation für wirschaftliche Zusammenarbeit 유럽 경제 공동체).

EEG 《略》 =*E*lektroenzephalo*g*ramm 뇌파(腦波).

Efeu [é:fɔy] *m.* 〔†俗 *n.*〕 -s, 〖植〗 송악(♈*ivy*).

Effekt [ɛfɛ́kt] [lat., *ef-ficere*, „heraus-machen", bewirken] *m.* -(e)s, -e, ① 효과, 결과; 좋은 결과, 성공. ② 공정(工程). **Effekten** *pl.* 동산(動産); 〖商〗 유가 증권.

Effekten=börse *f.* 증권 거래소. **~=handel** *m.* 증권 거래. **~händler** *m.* 증권업자. **~markt** *m.* 증권 시장.

Effekt·hascherei [ɛfɛ́kthaʃərai] *f.* 허세, 인기 전술.

effektiv [ɛfɛktí:f] 《Ⅰ》 *a.* 효과적인, 유효한; 실제의, 실물의. 《Ⅱ》 **Effektiv** *n.* -s, -s, 현물, 현품; 현금.

Effektīv=bestand *m.* 실제 잔고; 〖軍〗 실제 인원수. **~wērt** *m.* 매매 가격.

effektuieren [ɛfɛktuí:rən] [fr.] *t.* 실행[실시]하다; 〖商〗 치우다; 마치다; 발송[송달]하다. **effektvoll** *a.* 효과가 많은, 유효한; 매력 있는.

effeminieren [ɛfeminí:rən] [lat.] *t.* 연약하게 하다, 여성화하다.

Effusion [ɛfuzió:n] [lat.] *f.* -en, (가스 따위의) 누출; (용암 따위의) 유출; 격정(激情)의 발발.

E.G. 《略》 =*E*ingetragene *G*enossenschaft 등록 회사.

egal [egá:l] [fr.] 《Ⅰ》 *a.* 같은, 동일한(♈*equal, same, like*); 아무래도 좋은. ¶es ist mir ganz ~ 난 아무래도 상관없다. 《Ⅱ》 *adv.* 끊임없이, 언제나.

egalisieren *t.* 균등하게 하다, 고르다.

Egalität *f.* 균등.

Egel [é:gəl] *m.* -s, -, 〖動〗 (Blut~) 거머리(*leech*).

Egge [ɛ́gə] [♈Ecke] *f.* -n, 써레(*harrow*). **eggen** [ɛ́gən] *t.* u. *i.*(h.) 써레로 고르다.

ego [égo, é:go] [lat., „ich"] *n.* -, 나, 자아(自我). **Egoismus** [egoísmus] *m.* -, 이기(주의). **Egoist** *m.* -en, -en, 이기주의자. **egoistisch** *a.* 이기적인, 이기(주의)의. **Egotismus** [-tís-] *m.* -, 자기 중심벽, 지나친 자존. **Egotist** *m.* -en, -en, 자기 중심[본위]인 사람, 자기 말만 하는 사람. **egozentrisch** *a.* 자기 중심의.

eh [e:] *adv.* u. *cj.* =EHE.

ehe [é:ə] 《Ⅰ》 *adv.* 이전에; 오히려. 《Ⅱ》 *cj.* (…하기) 전에(♈*ere, before*).

Ehe [é:ə] [*eig.* „Gesetz"] *f.* -n, 혼인, 결혼(*marriage, matrimony*); 결혼 생활, 부부 (관계). ¶wilde ~ 야합(野合) / die ~ brechen 간통하다.

Ehe=band *n.* (*pl.* -e) 부부의 연분. **~=betrūg** *m.* 사기 결혼. **~bett** *n.* 부부의 잠자리. **~|brechen*** *i.*(h.) 간통하다. **~brecher** *m.* 간부(姦夫). **~brecherin** *f.* 간부(姦婦). **~brecherisch** *a.* 간통한. **~bruch** *m.* 간통(죄). **~=bund** *m,* **~bündnis** *n.* 짝지음, 혼인.

ehe·dēm [é:əde:m, e:ədé:m] *adv.* 이전에, 옛날. **~denn** [é:ədɛn, e:ədɛ́n] *cj.* (…하기) 전에, 에 앞서.

Ehe=frau *f.* 아내, 처. **~gatte** *m.* 남편. **~gattin** *f.* 아내. **~gelübde** *n.* 약혼. **~gemach** *n.* 신부의 방. **~ge=mahl** *m.* 남편. **~gemahlin** *f.* 아내. **~glück** *n.* 결혼[부부]의 행복. **~=hälfte** *f.* 《戱》 아내, 마누라. **~herr** *m.* 남편. **~irrung** *f.* 간통. **~kreuz** *n.* 결혼 생활의 불행. **~krüppel** *m.* 《戱》 남편, 《俗》 공처가, 노쇠한 남편. **~lēben** *n.* 결혼 생활. **~leute** *pl.* 부부.

ehelich [é:əlɪç] *a.* ① 혼인의, 결혼에 관한. ② 적출(嫡出)의. **ehelichen** *t.* jn.: (와) 결혼하다(*marry*).

Ehe=liebste *m.* u. *f* 《形容詞變化》《俗》 남편, 아내. **~lōs** *a.* 미혼의; 독신의. **~lōsigkeit** *f.* 미혼; 독신 (생활). **~=lustig** *a.* 결혼을 희망하는.

ehemālig [é:əma:lɪç] *a.* 이전의, 옛적의. **ehemāls** [é:əma:ls] *adv.* 이전에, 옛적에, 일찌기.

Ehe=mann *m.* (*pl.* ⸚er) 남편. **~mün=digkeit** *f.* 결혼 적령, 혼기(婚期). **~=paar** *n.* 부부. **~pfand** *n.* 봉치. **~pflicht** *f.* 혼인상의 의무. **~prozeß** *m.* 혼인 소송.

eher [é:ər] 《ehe 및 bald 의 比較級》 *adv.* 보다 일찌기[빨리](*sooner*); 보다 전에(*before*); 오히려(*rather*). ¶~ als[~ denn](…)의 전에.

Ehe=recht *n.* 〖法〗 혼인법. **~ring** *m.* 결혼 반지.

ehern [é:ərn] [<Erz] *a.* ① 청동(靑銅)의(*bronze*). ② 센, 완고한. ¶mit ~er Stirn 철면피하게.

Ehe=sache *f.* 혼인에 관한 사건[소송]. **~schänder** *m.* 간통자. **~scheidung** *f.* 이혼. **~scheidungsklāge** *f.* 이혼 소송. **~schließung** *f.* 결혼(계약).

E

Ēhes·dārlehen [é:əsda:rle:ən] *n.* (국가의) 결혼 대부금.
Ēhesēgen [é:əze:gən] *m.* 결혼의 축복; 많은 자식.
ēhest [é:əst] (ehe 및 bald 의 最上級) *a.* 가장 이른(*first*). ¶am ~en 제일 먼저, 선두로 / mit ~em 될 수 있는 대로 빨리, 근일중에.
Ēhestand [é:əʃtant] *m.* 결혼 생활.
ēhestens [é:əstəns] *adv.* 될 수 있는 대로 (제일) 빨리; 일러도.
Ēhe-steuer *f.* 지참금. ~**stifter** *m.*, ~**stifterin** *f.* 중매인. ~**stiftung** *f.* 중매. ~**versprechen** *n.* 혼약. ~**verträg** *m.* 결혼 계약(서). ~**weib** *n.* 아내. ~**werbung** *f.* 중매.
Ēhr·abschneider [é:r-apʃnaidər] [前半: Ehre] *m.* 중상[비방]자.
ehrbār [é:rba:r] [<ehren] *a.* 존경할 만한; 신용이 있는; 품행 방정한, 진지한, 착실한; 단정한.
Ehr-begier(de) *f.* 명예욕, 야심. ~**begierig** *a.* 명예욕이 강한, 야심 있는.
Ehre [é:rə] [*eig.* „Schätzung"] *f.* -n, 명예(*honour*); 명예심; (서로간에 주고 받는) 존경, 경의, 예우(禮遇); 체면, 면목(*respect*); 명성, 명예(*reputation*); 처녀성. ¶s-e ~ darein stezen 그것을 자기의 명예로 여기다/er raubte ihr die ~ 그는 그녀의 정조를 뺏었다 / **auf** (m-e) ~! *od.* **bei** (m-r) ~! 나의 명예를 걸고, 맹세코 / **in** allen ~n 공손히 / et. **mit** ~n bestehn 무엇을 훌륭히 해내다 / **um** s-e ~ bringen 아무의 명예를 빼앗다 / ein Mann **von** ~ 명예 있는[를 존중하는] 사람 / jm. **zu** ~n 아무(의 명예)를 위하여. **ehren** [é:rən] *t.* ① 존경하다(*honour*). ② 존중[칭찬]하다. ③ (에) (경의를 표하기 위하여) 물건을 증정하다 ¶(sehr) geehrter Herr! 근계(謹啓). ④ 〖商〗 e-n Wechsel ~ 어음을 인수하여 (기일에) 지불하다.
Ehren-amt *n.* 명예직. ~**amtlich** *a.* 명예직의. ~**bezeigung** *f.* 예우; 경례. ~**bōgen** *m.* 개선문. ~**bürger** *m.* 명예 시민. ~**dienst** *m.* ① 시종직(侍從職). ② 예의. ~**doktor** *m.* 명예 박사. ~**erklārung** *f.* 명예 회복의 선언; 명예의 옹호. ~**fall** *m.* 명예(손상)에 관한 사건. ~**gābe** *f.* =~GESCHENK. ~**gast** *m.* 주빈. ~**gehalt** *n.* 연금. ~**geleit** *n.* 의장병; 수행원. ~**gericht** *n.* (귀족 등의) 명예 재판(소), (변호사·의사 등의) 징계 재판(소); 〖軍〗 군법 회의. ~**geschenk** *n.* 명예 표창의 기념품.
ehrenhaft [é:rənhaft] *a.* 존경할 만한, 고결한; 성실한.
ehrenhalber [é:rənhalbər] *adv.* 명예를 위하여, 체면상(略: E. h.).
Ehren-handel *m.* 명예 훼손[회복]의 소송; 결투. ~**kleid** *n.* 예복; 제복. ~**kränkung** *f.* 명예 훼손. ~**kranz** *m.* 영관(榮冠). ~**kreuz** *n.* 십자 훈장. ~**lohn** *m.* 사례(금). ~**māl** *n.* (*pl.* -e *u.* ¨er) 기념비. ~**mann** *m.* (*pl.* ¨er) 신사. ~**mitglied** *n.* 명예 회원. ~**nāme** *m.* 경칭. ~**pforte** *f.* 개선문. ~**platz** *m.* 고관. ~**preis** ① *m.* 포상; (경기 등의) 상배. ② *n.* od. *m.* 〖植〗 꼬리풀의 일종(*speed-well*). ~**punkt** *m.* 체면 문제. ~**raub** *m.* 명예 훼손; 강간. ~**recht** *n.* ① 예의 범절. ② 공민권. ~**reich** *a.* 영예로운. ~**rettung** *f.* 명예 회복. ~**rührig** *a.* 명예를 훼손하는, 비훼(誹毁)의. ~**rührung** *f.* 비훼. ~**sache** *f.* 명예에 관한 사항. = ~HANDEL. ~**salve** *f.* 예포. ~**schänder** *m.* 명예 훼손자; 강간자. ~**schuld** *f.* 명예를 걸고 얻는 빚, 신용차금. ~**sold** *m.* 사례(謝禮). ~**stelle** *f.* 명예직[신분]. ~**strāfe** *f.* 징계, 견책. ~**tāg** *m.* (결혼) 기념일. ~**titel** *m.* 경칭, 존호; 명예 칭호. ~**trunk** *m.* 축배(를 듦); 환영연. ~**voll** *a.* 명예[영예]로운. ~**wache** *f.* 〖軍〗 의장병. ~**wērt** *a.* 명예[영예]로운; 존경할 만한. ~**wort** *n.* 명예를 건 약속; 선서. ¶auf ~wort! 맹세코. ~**zeichen** *n.* 명예 훈장, 상패(賞牌)
ehr-erbietig [é:rɛrbi:tɪç] *a.* 공손한, 정중한. ~**erbietung** *f.* 존경; 정중. ~**furcht** *f.* 존경, 외경(*respect, awe, reverence*). ~**fürchtig** *a.* 경외하는, 존경심을 품은. ~**gefühl** *n.* 염치. ~**geiz** *m.* 명예심, 공명심, 야심. ~**geizig** *a.* 공명심[야심]이 있는. ~**geizling** *m.* 야심가.
ehrlich [é:rlɪç] *a.* ① 훌륭한, 정직한, 성실한(*honest, fair*); 의젓한, 떳떳한. ② 존경할 만한; 명망 있는. ¶~ währt am längsten 《俗談》 정직이 최상책이다.
Ehrlichkeit *f.* 정직, 성실, 공명 정대.
Ehr-liebe *f.* 명예심. ~**liebend** *a.* 명예심이 있는. ~**lōs** *a.* 명예심이 없는; 파렴치한; 명예롭지 못한.
ehrsām [é:rza:m] *a.* (현재는 주로 칭호로서) 존경할 만한; 품위가 있는.
Ehr-sucht *f.* 명예욕, 공명심, 야심. ~**süchtig** *a.* 명예욕[공명심]이 있는, 야심 만만한. ~**vergessen** *a.* 파렴치한, 비열한. ~**verlust** *f.* 공권 상실[박탈]. ~**widrig** *a.* 불명예의, 부끄러운. ~**würden** *pl.*: Euer ~würden! 신부[목사]님《성직자에 대한 존칭》. ~**würdig** *a.* 존경[경외]할 만한.
ei! [ai] *int.* 《놀라움》 아차; 《注意·同感》 야, 자, 이봐, 원, 그래. ¶~, ~! 그래 그래 (착한 아이다).
Ei [ai] *n.* -(e)s, -er, 달걀, 알(Ƴ*egg*). ¶~er legen 알을 낳다 / wie aus dem ~ gepellt (껍질 벗긴 알처럼) 말쑥하게 (차려 입은).
Eibe [áibə] *f.* -n, 〖植〗 주목(朱木)(Ƴ*yew*). [~**n·baum** *m.*]
Eibisch [áibɪʃ] [Lw. gr. -lat.] *m.* -es, -e, 〖植〗 양아욱(*marsh-mallow*).
Eich·amt [áiç-amt] *n.* 도량형 검정국.
Eich-apfel *m.* 몰식자, 오배자. ~**baum** *m.* =EICHE.
Eiche [áiçə] *f.* -n, 〖植〗 떡갈나무, 참나무(Ƴ*oak*).
Eichel [áiçəl] [*dim.* < Eiche] *f.* -n, ① 떡갈나무 열매, 도토리(*glans*); 〖解〗 귀두(龜頭). ② *pl.* (카드놀이의) 클럽(*club*).
Eichel-bohrer *m.* 투구벌레의 일종. ~**entzündung** *f.* 귀두염(龜頭炎). ~**hāher** *m.* 〖鳥〗 어치(*jay*). ~**mast** *f.* 도토리《돼지의 사료》. ~**tripper** *m.* 임질성 귀두염.
eichen[1] [áiçən] *a.* 떡갈나무로 만든, 떡갈나무 (재목)의.

eichen² *t.* (도량형기를) 검정〔검량〕하다 (*gauge, adjust*). **Eichen⸗laub** *n.* 떡갈나무 잎. **~wald** *m.* 떡갈나무 숲.
Eicher [áiçər] *m.* -s, -, 도량형기 검정관.
Eich⸗horn, ~hörnchen, ~kätzchen *n.* 〖動〗 다람쥐.
Eich⸗māß *n.* (도량형의) 원기; 척도, 표준. **~meister** *m.* 도량형기 검정관. **~stāb** *m.* 저울대, 표준자.
Eichung [áiçʊŋ] *f.* 도량형기 검정.
Eichungs·amt *n.* =EICHAMT.
Eid [ait] *m.* -es, -e, 맹세, 서약, 선서 (♈*oath*). ¶e-n ~ auf et.⁴ ablegen 〔leisten〕 무엇을 맹세하다.
Eidam [áidam] [„durch Eid verbundener Sohn"] *m.* -(e)s, -e, 《方》 (데릴) 사위, 양자(*son-in-law*).
Eid⸗brecher *m.* 선서〔서약〕 위반자. **~⸗bruch** *m.* 선서〔서약〕 위반. **~brüchig** *a.* 서약을 깨뜨린.
Eidechse [áidɛksə] *f.* -n, 〖動〗 도마뱀 (*lizard*).
Eider [áidər] *m.* -s, -; od. *f.* -n, 〖動〗 〔**~gans** *f.*〕 솜털오리(*eiderduck*); 〔**~⸗daunen** *pl.*〕 위의 솜털(♈*eider down*).
Eides⸗abnahme *f.* 선서시킴. **~fähig** *a.* 선서 능력이 있는. **~formel** *f.* 선서 방식; 선서문. **~kräftig** *a.* 선서에 의한, 선서를 거친. **~leistung** *f.* 선서(를 하기), 서약. **~pflicht** *f.* 선서 의무. **~stättig, ~stattlich** *a.* 선서에 갈음할.
Eid⸗genoß, ~genosse *m.* 맹약〔동맹〕한 사람. **~genossenschaft** *f.* 동맹(국), 연방. ¶Schweizer ~genossenschaft 스위스 연방.
eidlich [áitlɪç] *a.* 선서의, 맹세한; *adv.* 맹세코, 서약하여.
Ei·dotter [áidɔtər] *m.* 〔*n.*〕 노른자위.
Eid·schwūr [áit-] *m.* 맹세, 서약.
Ei·er⸗becher [前半: *pl.* <Ei] *m.* 달걀 컵 《반숙한 달걀을 담는》. **~kūchen** *m.* 고기가 들지 않은 오믈렛; 계란 과자. **~⸗lēgen** *n.* 산란(產卵). **~mann** *m.* (*pl.* ¨er) 계란 장수. **~pflanze** *f.* 〖植〗 가지. **~prüfer** *m.* 검란기(檢卵器). **~⸗schāle** *f.* 달걀 껍질. **~schaum, ~⸗schnee** *m.* 휘저은 달걀의 흰자와 우유·설탕으로 묵처럼 만든 음식. **~speise** *f.* 계란 요리. **~stock** *m.* 〖植〗 자방(子房); 〖解〗 난소(卵巢)(*ovary*).
Eifer [áifər] *m.* -s, ① 열광, 격정, 격앙. ② 열심, 열중(*zeal, ardour, fervour, passion*). **Eiferer** *m.* -s, -, 열중하는 사람(*zealot*). **eifern** [áifərn] *i.* (h.) ① 격분〔격앙〕하다. ② 열을 내다; 경쟁하다. ③ 열망하다; 전념〔열중〕하다.
Eifer⸗sucht *f.* 질투; 샘(*jealousy, envy*). **~süchtig** *a.* 질투하는, 샘 많은.
eiförmig [áifœrmɪç] *a.* 달걀꼴의(*oval, oblong*).
eifrig [áifrɪç] [<Eifer] *a.* 열심인, 열중하는(*zealous, ardent*); 질투하는.
eigen [áigən] *a.* ① 자기의, 사유의; 특유한, 고유의(♈*own, proper*). ¶sich³ et. zu ~ machen 무엇을 제 것으로 하다, 획득하다. ② 특별한, 특수한(*peculiar, special*). ③ 유일한(*singular*); 희유의, 묘한(*odd, strange*). ④ 까다로운, 완고한(*delicate, nice, ticklish*). **Eigen** *n.* -s, 《詩》 소유물, 재산.
Eigen⸗ārt *f.* 특성, 특색; 기벽(奇癖). **~ārtig** *a.* 특별한; 고유의, 독특한; 기묘한. **~bedarf** *m.* 자가용. **~bewē⸗gung** *f.* 〖天〗 고유 운동. **~brödler, ~brötler** *m.* 괴짜. **~brötelei** *f.* 기벽(奇癖). **~dünkel** *m.* 자부, 자만. **~gewicht** *n.* 〖工〗 (차량 등의) 자중(自重); 〖商〗 정량(의 무게). **~händig** *a.* 자신의, 스스로의; *adv.* 손수.
Eigenheit [áigənhait] *f.* -en, 특징, 특색; 천성, 버릇.
Eigen⸗hilfe *f.* 자조(自助). **~lēben** *n.* 개인 〔사〕생활. **~liebe** *f.* 자애(自愛). **~lōb** *n.* 자찬(自讚). **~mächtig** *a.* 자주〔자력〕의; 독단의. **~meer** *n.* 영해. **~nāme** *m.* 〖文〗 고유 명사(*proper noun*). **~nutz** *m.* 이기, 사리, 사욕. **~nützig** *a.* 이기적인, 욕심 많은.
eigens [áigəns] *adv.* 특히, 오로지.
Eigenschaft [áigənʃaft] *f.* -en, ① 성질, 고유성, 특성(*property, quality*); 속성 (*attribute*). ② 자격(*capacity, character*). **~s⸗wort** *n.* (*pl.* ¨er) 〖文〗 형용사 (*adjective*).
Eigen⸗sinn *m.* 제고집; 완고, 집요. **~⸗sinnig** *a.* 위의.
eigentlich [áigəntlɪç] 《Ⅰ》 *a.* 고유의 (*proper*); 본래의, 원래의(*essential, true, real*). 《Ⅱ》 *adv.* 원래, 본래; 실(제)로; 엄밀히(*really, exactly*).
Eigentūm [áigəntu:m] *n.* -(e)s, ¨er, ① 소유(물), 재산(*property*). ② 소유권; 관권. **Eigentümer** *m.* -s, -, 소유자, 임자. **eigentümlich** [áigənty:mlɪç] *a.* ① 소속의, 소유의(*proper, own*). ② 〔흔히 aigənty:m-〕 고유한, 독특한(*peculiar, singular, odd*). **Eigentümlichkeit** [aigənty:m-, áigən-] *f.* -en, 특성, 특색, 특징; 괴상함, 기벽(奇癖).
Eigentūms⸗recht *n.* 소유권. **~ver⸗gēhen** *n.* 소유권 침해(죄).
Eigen⸗wärme *f.* 비열(比熱); 체온. **~⸗wille** *m.* 고집, 자의(恣意); 완고. **~⸗willig** *a.* 제 맘대로의, 독단의; 완고한.
eignen [áignən, áiknən] 《Ⅰ》 *t.* 적응시키다; *refl.* 알맞다, 적당하다. 《Ⅱ》 *i.* (h.): jm. ~ 아무의 소유물이다, 아무에게 고유한 것이다, 아무의 특색을 이루다. 《Ⅲ》 **geeignet** *p.a.* (zu, 에; für, 에 있어서) 적당한, 어울리는, 능력 있는. **Eigner** *m.* -s, -, =EIGENTÜMER.
Eignung *f.* -en, 자격, 적성. **Eig⸗nungsprüfung** *f.* 적성 검사; 자격 시험.
Eiland [áilant] [nd. „Auen-land"] *n.* -(e)s, -e, 《詩》 섬(♈*island*).
Eil⸗bestellung [前半: <Eile, eilen] †*f.* 속달. **~bōte** *m.* 파발(擺撥), 속달 우편 배달원. **~bōtenlauf** *m.* 릴레이 경주. **~brief** *m.* 급신(急信), 속달 우편.
Eile [áilə] [<eilen] *f.* 서두름, 급함, 신속(*haste, speed, hurry*). ¶~ haben 서두르다, 급하다.
Ei·leiter [ái-laitər] *m.* 〖解〗 나팔관.
eilen [áilən] 《Ⅰ》 ① *i.* (h.) 서둘다(*hurry, hasten*). ¶es eilt nicht 급하지 않다. ② *i.* (s.) 급히 하다〔가다〕. ¶eile mit Weile ! 급할수록 침착하라 / es eilt 그

E

것은 급하다 / eilt ! (편지 봉투에:) 지급. 《Ⅱ》 *refl.* (=sich beeilen) 서두르다, 급히 가다. 《Ⅲ》 **eilend** *p. a.* 급한.

eilends [-ts] *adv.* (황)급히; 허둥지둥.

eilfertig [áilfertıç] *a.* 급한, 황망한; 성급한, 덤벙거리는. **Eifertigkeit** *f.* -en, 화급, 성급함, 덤벙댐, 경솔.

Eil=**fracht** *f.*, ~**gūt** *n.* 속달 취급 화물.

eilig [áilıç] *a.* 급한, 서두르는, 촉박한. ¶es ~ haben, (mit, 을) 서두르다.

Eil=**marsch** *m.* 〖軍〗 강행군. ~**post** *f.* 속달 우편. ~**schritt** *m.* 속보(速步). ~**zūg** *m.* 준급행 열차.

Eimer [áimər] [Lw. gr. -lat.] *m.* -s, -, 물통, 동이, 바께쓰, 두레박(*pail, bucket*).

ein[1] [ain] [lat. *ūnus*, =engl. *one, an, a*] 《Ⅰ》 《數詞: 악센트가 있음》 하나의, 한 사람(의)(♈*one*). ¶~mal ~s ist ~s 일 곱하기 일은 일 / es schlug ~s 한 시를 쳤다. 《Ⅱ》 《不定代名詞》 (어떤) 사람〔것〕 (♈*one*). ¶manch ~er 여러 사람 / unser ~er 우리들 중의 한 사람; 우리와 같은 사람 / es ist ~s draußen 누군가가 밖에 있다. 《Ⅲ》 《不定冠詞: 악센트가 없음》 하나의, 한 사람의, 어떤. (♈*an*, ♈*a*) ¶sie ist ~e Engländerin 그녀는 영국 여성이다 / ich habe ~ buch 나는 한 권의 책을 가지고 있다.

ein[2] [ain] [♈in; 말뜻은 =engl. *into*] *adv.* 안으로, 속으로. ¶~ und aus 들락날락 / querfeld~ 들판을 가로질러 / weder ~ noch aus wissen 어찌할 바를 모르고 있다.

ein.. [áin-] 《動詞의 分離前綴》 "안으로의 방향·상태의 변화, 파괴·감소·내재" 등의 뜻을 나타냄. 보기: eingreifen, griff ein, eingegriffen.

einachsig [áin-aksıç] *a.* 〖鑛·地〗 단축성(單軸性)의.

Ein=**akter** *m.* 〖劇〗 단막극. ~**aktig** *a.* 단막의, 단막물의.

einander [ainándər, 때로 ain-ándər] *prn.* u. *adv.* (ander 는 3格 또는 4格: "이것이 다른 것에 〔을〕"의 뜻:)서로 서로, 상호간(*one another, each other*).

ein|arbeiten [áin-arbaitən] 《Ⅰ》 *t.* (에) 넣다, 덧붙이다. 《Ⅱ》 *refl.* 공부〔일〕하여 (in⁴, 에) 숙달하다.

ein·armig [áin-armıç] *a.* 외팔의, 한팔의.

einārtig [áina:rtiç] *a.* 한 종류의, 한결 같은.

ein|äschern [áin-ɛʃərn] *t.* 태워서 재로 만들다; (시체를) 태우다; 〖化〗 하소(煆燒)하다. **Ein·äscherung** *f.* -en, 소각; 화장. **Ein·äscherungshalle** *f.* 화장터.

ein|ātmen [áin-a:tmən] *t.* 숨을 들이쉬다, 빨아들이다. **Einātmung** *f.* -en, 흡입.

ein|ätzen [áin-ɛtsən] *t.* 부각(腐刻)하다 《동판에》.

ein·äugig [áin-ɔygıç] *a.* 외눈의; 단안(單眼)의.

ein|backen* [áinbakən] *t.* 굽다; *refl.* 구워져〔타서〕 줄다.

Einbahn=**straße** *f.*, ~**wēg** *m.* 일방통행로.

ein|ballen [áinbalən], **ein|ballieren** [-bali:rən] *t.* 고리짝에 담다, 짐을 꾸리다.

ein|balsamieren [áinbalzami:rən] *t.* (시체에) 발삼 향유를 바르다; 미라로 보존하다; 《比》 (세탁물 등에) 비누를 칠하다. ¶einbalsamierte Leiche 미라.

Einband [áinbant] [<einbinden] *m.* -(e)s, ⸚e, 제본, 장정; 표지. **Einband**=**decke** *f.* 표지.

einbändig [áinbɛndıç] *a.* 한 권으로 된, 한 권의.

ein|bauen [áinbauən] *t.* (…의) 안에 짓다, 세우다; 장치〔설치〕하다.

Einbauküche [áinbaukyçə] *f.* 가구를 붙박이한 부엌.

Einbaum [áinbaum] *m.* 통나무배.

Einbau=**mōbel** *n.* (벽 따위에) 붙박이한 가구. ~**schrank** *m.* 붙박이 찬장.

ein|begreifen* [áinbəgraifən] 《Ⅰ》 *t.* (mit) ~ 포함하다, 셈에 넣다 (*include, comprise*). 《Ⅱ》 **eingebegriffen** *p. a.* (mit) ~ (를) 포함하여, 산입(算入)하여 / Kosten ~ 비용을 포함하여.

ein|behalten* [áinbəhaltən] *t.* 보류하다, 넘겨 주지 않다(jn. et.).

einbeinig [áinbainıç] *a.* 한 다리의, 외다리의.

ein|beißen* [áinbaisən] *i.* (h.): in et.⁴ ~ 물어 뜯다; *refl.* 물다, 쏘다《벌레가》.

ein|bekennen* [áinbəkɛnən] *t.* 자백〔고백〕하다; 〖法〗 (소득을) 신고하다.

ein|bekommen* [-bəkɔmən] *t.* 받아들이다; 《俗》(에) 따라붙다(jn.).

ein|berūfen* [áinbəru:fən] *t.* 소집하다. **Einberūfung** *f.* -en, 소집, 징집.

ein|betten [áinbɛtən] 《Ⅰ》 *t.* 잠자리에 들게 하다; 깊이 묻다. 《Ⅱ》 *refl.* 묵다, 머물다(bei jm.).

einbettig [áinbɛtıç] *a.* 싱글베드의.

ein|biegen* [áinbi:gən] 《Ⅰ》 *t.* 안쪽으로 구부리다, 접다, 꺾다, 휘다. 《Ⅱ》 *i.* (s. *u.* h.) 접어들다《어떤 길로》. 《Ⅲ》 *refl.* 안으로 굽다. 《Ⅳ》 **eingebōgen** *p. a.* ①안으로 굽은. ② 울퉁불퉁한, 파상의.

ein|bilden [áinbıldən] 《Ⅰ》 *t.* u. *refl.*: sich³ et. ~ 무엇을 상상〔공상〕하다 (*imagine, fancy, think*) / sich³ auf et.⁴ viel ~ 무엇을 자부하다, 뽐내다(*pride oneself on*). 《Ⅱ》 **eingebildet** *p. a.* ① 상상의, 망상적인. ② 자만하는, 잘난체하는. **Einbildung** *f.* -en, ① 상상(력), 공상(*imagination, fancy*). ② 자부, 자만(*conceit, presumption*). **Ein**=**bildungs**=**kraft** *f.*, ~**vermōgen** *n.* 상상력.

ein|binden* [áinbındən] *t.* ① 묶어 넣다; 장정〔제본〕하다. ¶Waren ~ 상품을 포장하다. ② 명(命)하다; 유념하게 하다(jm. et.).

ein|blāsen* [áinbla:zən] *t.* 불어넣다; 《比》 a) 꼬드기다, 교사하다, b) 속삭여 귀띔하다; 주의시키다. **Einbläser** *m.* -s, -, 교사자; 〖劇〗 프롬프터; 흑막.

Einblattdruck [áinblatdruk] *m.* 〖印〗 일면(一面) 인쇄.

ein|bleuen [áinblɔyən] *t.* 강제로 주입하다, 가르치다; 엄명하다.

Einblick [áinblık] *m.* -(e)s, -e, 들여다봄, 일별(一瞥), 통찰(*insight*). **ein|**=**blicken** [áinblıkən] 《Ⅰ》 *t.* 들여다 보다. 《Ⅱ》 *i.* (h.) 통찰하다, 진상을 알다.

ein|brechen* [áinbrɛçən] 《Ⅰ》 *t.* 부수어 열다, (구멍을) 뚫다. 《Ⅱ》 ① *i.* (s.) 부러지다, 무너져 꺼지다. ② *i.* (h. *u.* s.) 침

입〔투입〕하다. ③ *i.* (s.) 《比》 갑자기 다가오다〔나타나다·일어나다〕. ¶die Nacht bricht ein 밤이 다가오다. **Einbrecher** *m.* -s, -, 침입자, 강도(*burglar*).

ein|brennen* [áinbrɛnən] 《Ⅰ》 *t.* 속속들이 굽다; (낙인 따위를) 불에 달구어 찍다. ¶Mehl ~ 밀가루를 버터로 지지다. 《Ⅱ》 *i.* ① (s.) 타내리다, 타서 내려앉다. ② (h.) 〖醫〗 소작(燒灼)하다. 《Ⅲ》 *refl.* 구워져〔타서〕 줄다.

ein|bringen* [áinbrɪŋən] *t.* ① 들이다, 가지고 들어오다, 반입하다; 수장(收藏)〔수용〕하다; 제출〔제기〕하다. ② (수입·이익·명성을) 가져오다. ③ (wieder) ~ 메꾸다, 보상하다(*make up for*). **einbringlich** *a.* 이익이 되는, 수익을 낳는, 생산적인.

ein|brocken [áinbrɔkən] *t.*: etwas in die Suppe ~ 수프 속에 무엇을 부스러뜨려 넣다 / jm. e-e hübsche Suppe ~ 아무에게 가혹한 짓을 하다 / sich³ etwas ~ 사고를 저지르다, 혼나다.

Einbruch [áinbrux] [<einbrechen] *m.* -(e)s, ⸚e, ① 터져 벌어짐, 함몰, 함입(한 곳); 침입, 틈입; 가택 침입《강도의》. ② ~ der Dämmerung 해거름. **~s=diebstahl** *m.* 〖法〗 파괴 절도.

Einbuchtung [áinbuxtuŋ] *f.* -en, **Einbūg** [áinbu:k] *m.* -(e)s, ⸚e, 만입(灣入), 오목한 곳(*dent*); 후미, 작은 만(*bay*).

ein|bürgern [áinbʏrgərn] 《Ⅰ》 *t.* ①시민권을 주다, 귀화시키다; (외국의 언어·풍습을) 채용〔동화〕하다. ②(식물을) 풍토에 순화하다(*naturalize*). 《Ⅱ》 *refl.* 시민이 되다, 귀화하다; 동화〔순화〕하다. **Einbürgerung** *f.* -en, 시민권 획득; 귀화; 동화, 순화.

Einbuße [áinbu:sə] *f.* -n, 손실 (*loss, damage*). **ein|büßen** *t.* u. *i.* (h.) 잃다, 상실하다.

ein|dämmen [áindɛmən] *t.* 제방〔둑〕으로 둘러싸다; 《比》 억제〔방지〕하다(*check*).

ein|decken [áindɛkən] *t.* 지붕을 이다; *refl.* (mit, 을) 충분히 마련하다, 풍부히 저장하다.

Eindecker [áindɛkər] *m.* 〖空〗 단엽(비행)기.

ein|deutig [áindɔytɪç] *a.* 한가지 뜻의, 명백한(*clear, plain*).

ein|deutschen [áindɔytʃən] *t.* 독일화하다(jn.: 독일인으로 하다; et.: 독일어로 번역하다).

ein|dōsen [áindo:zən] *t.* 보존〔저장〕하다; 통조림〔병조림〕으로 하다.

ein|drängen [-drɛŋən] 《Ⅰ》 *t.* 밀어 넣다, 처넣다. 《Ⅱ》 *refl.* 밀고 들어가다; 간섭하다.

ein|dringen* [áindrɪŋən] *i.* (s.) 억지로 들어가다, 침입하다; 스며들다, (물 따위가) 배어들다; 《比》 (auf jn., 아무에게) 달려들다, 육박하다; (in et., 무엇에) 철저〔정통〕하다. **eindringlich** *a.* 들어가는, 배어드는; 《比》 인상적인, 마음에 사무치는(*impressive*); 밀어닥치는, 절박한 (*urgent*). **Eindringling** [-drɪŋlɪŋ] *m.* -s, -e, 침입자, 틈입자; 방해자(*intruder*).

Eindruck [áindruk] *m.* -(e)s, ⸚e, (눌러) 본뜨기, 날염(捺染); 눌린 자국; 《比》 감명, 인상(*impression*). **ein|drücken** [-drʏkən] *t.* 눌러 박다, 밀어 넣다; 눌러서 찍다, 명각(銘刻)하다, (눌러서) 납작하게 하다. **eindrüklich** *a.* 인상적인.

Eindrucks=dichtung *f.* 인상주의 문학. **~lōs** *a.* 인상〔감명〕을 주지 않는. **~voll** *a.* 인상〔감명〕깊은.

ein|ēb(e)nen [áin-e:b(ə)nən] *t.* 고르다, 평탄하게 하다.

Ein·ēhe [áin-e:ə] *f.* 일부 일처제.

einen [áinən] [<ein] *t.* u. *refl.* 합일〔통일·일치·결합〕하다(♈*unite*).

ein|engen [áin-ɛŋən] *t.* (좁은 곳에) 밀어 넣다; 좁히다; 《比》 국한하다(*confine*); 농축〔응축〕하다.

Einer [áinər] *m.* -s, -, 한 자리의 수(*unit*); 1인승의 배·비행기 (따위).

einerlei [áinərlai, ainərlái] 《Ⅰ》 *a.* (不變化) 같은 〔한〕 종류의(*of one sort*); 마찬가지의, 동일한, 아무래도 좋은. ¶~! 마찬가지야, 아무래도 좋아. 《Ⅱ》 **Einerlei** *n.* -s, 동일(*sameness*); 불변; 단조(*monotony*). ¶das ewige ~ 천편일률.

ein|ernten [áin-ɛrntən] *t.* 수확하다, 거둬들이다; (명성 따위를) 얻다.

einerseits [áinərzaits], **einesteils** [áinəs-tails] *adv.* 한편으로는, 일방으로는.

ein|exerzieren [áin-ɛksɛrtsi:rən] *t.* 〖軍〗 교련〔훈련〕하다.

einfach [áinfax] 《Ⅰ》 *a.* 단일의(*single*); 《比》 간단한, 간소한(*simple, plain*); 소박〔순박〕한. ¶~e Buchführung 단식부기 / e-e ~e Fahrkarte 편도 차표 / ~e Sitten 순박한 풍속. 《Ⅱ》 *adv.* 단적으로, 전연(*simply*). **Einfachheit** *f.* 단일, 간단, 간소, 절제.

ein|fādeln [áinfɛ:dəln] *t.* (바늘에) 실을 꿰다; 《比》 시작하다, (나쁜 일을) 꾸미다, 꾀하다(*contrive*).

ein|fahren* [áinfa:rən] 《Ⅰ》 *t.* (수확물을) 날라 들이다; 차를 몰아 망가뜨리다〔넘어뜨리다·트다〕; (말을) 몰아 길들이다《수레를 끌도록》. 《Ⅱ》 *i.* (s.) 차를 몰고 들어가다; (차·배가) 들어오다; 입갱(入坑)하다. **Einfahrt** *f.* -en, 차를 몰고〔타고〕 들어옴; (기차의) 입선(入線); 입항; 입갱; 입구; 찻길; 갱구(坑口); 항구.

Einfall [áinfal] *m.* -(e)s, ⸚e, ① 꺼져〔빠져〕 들어감, 함몰, 붕괴; (광선의) 입사(*incidence*); 침입, 침구(侵寇)(*invasion*). ② 생각남, 묘안, 착상(*idea, brainwave*). **ein|fallen*** *i.* (s.) ① 빠져〔꺼져〕 들어가다, 함몰〔붕괴〕하다; 입사하다, 들어오다《빛이》. ② 움푹 들어가다, 오목해지다, (볼이) 여위다. ③갑자기 엄습하다; 갑자기 울리기 시작하다. ④ 말을 가로막다. ⑤ (jm., 아무의 염두에) 떠오르다. ¶es fällt mir ein 나는 그것이 생각난다 / das fällt mir nicht ein 그것은 생각도 하지 않은 일이다 / was fällt dir (nur) ein? 넌 무엇을 생각하고 있니, 당치도 않다, 그만둬라 / sich³ et. ~ lassen 무엇이 생각나다.

Einfalls=ēbene *f.* 〖物〗 입〔투〕사면. **~lōt** *n.* 입사 수직선. **~winkel** *m.* 입사〔투사〕각.

Einfalt [áinfalt] *f.* 단순, 간단; 간소(*simplicity*); 순진, 우직(愚直). **einfältig** *a.* 한겹의; 간단한(*simple, plain*); (머리가) 단순한, 호인의, 사람 좋은(*innocent*);

E

어리석은(*foolish*). **Einfalts·pinsel** *m.* 《蔑》 무골 호인, 바보.

Einfamilienhaus [áinfami:liənhaus] *n.* 단독 주택, 일가족용 가옥.

Einfang [áinfaŋ] *m.* -(e)s, ..fänge, ① 에두른 땅. ② 〖物〗 (입사 입자의) 투입.

ein|fangen* [áinfaŋən] *t.* 잡다, 체포하다. ¶in Worte ~ 표현하다.

einfarbig [áinfarbıç] *a.* 한 색의, 단색의; (천이) 무지인.

ein|fassen [-fasən] *t.* 둘러싸다; 식서(飾緖)를 두르다; (틀에) 넣다, 끼우다.

Einfassung [áinfasuŋ] *f.* -en, 에워쌈, 끼우기; (둘러싸는 것:) 울타리, 테, 틀; 둑, 제방; 옷의 가장자리〔단·깃〕; 미닫이〔창〕틀.

ein|fetten [áinfɛtən] *t.* (에) 기름을 바르다, 치다; (기계에) 기름을 치다.

ein|feuern [áinfɔyərn] *i.*(h.) ① (난로에) 불을 지피다. ② 《比》 (또: *t.*) jm. 〔jn.〕 ~ 아무를 흥분시키다, 고무하다.

ein|finden* [-fındən] *refl.* (약속한 장소·시각에) 나타나다, 출석〔출두〕하다.

ein|flechten* [áinflɛçtən] *t.* 짜〔엮어〕넣다; 《比》 (말·인용구를) 삽입하다.

E

ein|fließen* [-fli:sən] *i.*(s.) 흘러들다, 《比》 (돈이) 들어오다. ¶《比》 ein Wort (mit) ~ lassen 한마디 끼다, 참견하다.

ein|flößen [áinflø:sən] *t.* 흘러 들어가게 하다, 부어〔따라〕넣다; 〖醫〗 수혈하다; 《比》 (어떤 감정을) 일으키다.

Einflūg [áinflu:k] [<einfliegen] *m.* -(e)s, ⸚e, ① 날아듦; 공습. ② 시험비행.

Einfluß [áinflus] *m.* ..sses, ..flüsse, ① 유입, 주입; 유입구, 강어귀; 합류점. ② 《比》 영향, 감화; 세력(♈*influence*).

einfluß·lōs *a.* 영향〔감화〕없는; 세력 없는. **~reich** *a.* 영향력〔감화력〕이 큰. **~rohr** *n.* 유입관(管). **~sphäre** *f.* 영향 범위, 세력권.

ein|flüstern [áinflystərn] *t.* 속삭이다; 「《比》 교사하다.」

ein|fordern [áinfɔrdərn] *t.* 수금하다, 징수하다《빚돈·세금을》.

einförmig [áinfœrmıç] *a.* 같은 모양의 (♈*uniform*); 변화 없는, 단조로운(*monotonous*). **Einförmigkeit** *f.* 같은 모양; 단조; 지루함.

ein|fried(ig)en [-fri:d(ıg)ən] *t.* 담으로 둘러싸다, (에) 울타리를 하다. **Einfrie·d(ig)ung** *f.* -en, 울타리를 침〔에움〕; 울타리한〔에운〕곳; 담, 울타리, 울짱.

ein|frieren* [áinfri:rən] *i.*(s.) 동결〔결빙〕하다; 《比》 움직일 수 없게 되다, 정체하다.

ein|fūgen [áinfy:gən] *t.* 끼워 넣다, 접합하다; *refl.* 적합〔적응·순응〕하다.

ein|fühlen [áinfy:lən] *refl.*: sich in et.[4] ~ 무엇에 감정을 이입(移入)하다, 무슨 마음이 되다. **Einfühlung** *f.* -en, 감입(感入); 〖哲〗 감정 이입 (*empathy*).

Einfühlungs·theorie [áinfy:luŋs–] *f.* 〖哲〗 감정 이입설. **~vermögen** [-fɛr-mǿ:gən] *n.* 감(정 이)입 능력.

Einfuhr [áinfu:r] *f.* -en, 반입; 입고; 수입(*import*); *pl.* 수입품(*importation*). ¶~ 〔Ein-〕 und Ausfuhr 수출입. **~·artikel** *pl.* 수입품.

einführbār [áinfy:rba:r] *a.* 도입할 수 있는; 수입할 수 있는.

ein|führen [-fy:rən] *t.* 《Ⅰ》 ① 이끌어 들이다, 도입(導入)하다(*introduce*); 날라 들이다, 가지고 들어오다; (상품을) 수입하다(*import*). ② (풍속·습관을) 받아들이다, (유행 따위를) 만들다. ③ 안내하다; 소개하다; 임명하다. 《Ⅱ》 **eingeführt** *p.a.* 수입된; 습관이 된, 유행의. ¶neu ~ 최신의.

Einfuhr·handel *m.* 수입 무역. **~liste** *f.* 선화(船貨) 목록; 수입품 목록. **~·prämie** *f.* 수입 장려금. **~register** *n.* =~LISTE. **~sperre** *f.* 수입 금지.

Einführung [áinfy:ruŋ] *f.* -en, 도입; 수입; 끌어들이기《전선 따위를》; 실시, 시행; 제정; 소개, 안내; 입문; 임명.

Einfuhr·vervōt *n.* 수입 금지. **~wā·ren** *pl.* 수입품. **~zoll** *m.* 수입세.

ein|füllen [áinfylən] *t.* 가득 채우다, 부어 넣다; (병·통 따위에) 채우다.

Eingābe [áinga:bə] [<eingeben] *f.* -n, 제출; (관청에 제출하는) 청원서, 진정서.

Eingang [áingaŋ] [<eingehen] *m.* -(e)s, ⸚e, ① 들어감, 입장 (*entry*), 입구(*entrance*); 현관(*hall*). ¶verbotener ~! 입장 사절《게시》. ② 채용, 허용(됨). ¶~ finden 청허〔허용〕되다; 쓰이다. ③ 입하, 입금, 수입; 도착; 들어오는 것, 도착한 것; 착하(着荷). ④ 발단(*beginning*); 머리말, 서언(*introduction*); 〖樂〗 서곡; 〖劇〗 서막. **eingangs** [áingaŋs] *adv.* u. *prp.* 《2格支配》 시초에, 처음에.

Eingangs·būch *n.* 〖商〗 도착 기입부. **~rēde** *f.* (연설 따위의) 서두; 취임〔개회〕사. **~zoll** *m.* 수입세.

ein|gēben* [-ge:bən] *t.* (약·독을) 복용시키다; (원서 등을) 제출하다; 불어 넣다, 시사하다(*inspire* (*with*), *prompt*).

eingebildet [áingəbıldət] *p.a.* ☞ EIN-BILDEN.

eingebōren [áingəbo:rən] *p.a.* 《Ⅰ》[ein "하나"] der ~e Sohn Gottes 하느님의 독생자《그리스도》. 《Ⅱ》[ein "가운데"] 토착의(*native*); 타고난, 본래의(*innate*).

Eingēbung [áinge:buŋ] *f.* -en, (문득 떠오르는) 착상, 생각(*suggestion*); (göttliche ~) 영감(*inspiration*); 투약(投藥).

eingedenk [áingədɛŋk] *a.*: e-r Sache[2] ~ sein 무엇을 기억하고 있다, 잊지 않다(*remember*).

eingefallen [áingəfalən] *p.a.* ☞ EIN-「FALLEN.」

eingefleischt [áingəflaiʃt] *p.a.* 사람 모습을 취한, 화신한. ¶ein ~er Teufel 악마의 권화(權化).

eingefrōren [-gəfro:rən] *p.a.* ☞ EIN-「FRIEREN.」

ein|gēh(e)n* [áinge:(ə)n] 《Ⅰ》 *i.*(s.) ① 들어가다(*enter*). ② (서류·돈이) 들어오다, 도착하다(*come in, arrive*). ③ (직물이) 줄다(*shrink*). ④ 소멸되다, 중지〔폐지〕되다(*cease, stop*). ¶~ lassen 그만두다, 폐하다. ⑤ (동물이) 쓰러져 죽다(*die*); (식물이) 말라 죽다(*decay*). ⑥ auf et.[4] ~, a) 무엇에 동의하다, 승낙하다(*agree to*), b) 관계하다, 말다 / auf et.[4] näher ~ 무엇을 상세히 조사하다, 논하다, 다루다. 《Ⅱ》 *t.* (관계·계약을) 맺다. ¶e-e Ehe ~ 결혼하다 / e-e Wette ~ 내기를 하다. 《Ⅲ》 **eingēhend** [-ge:-ənt] *p.a.* ① 상세한, 세부적인. ② *adv.* 상세히, 철저히.

eingemacht [áingəmaxt] *p. a.* ☞ EINMACHEN.

ein|gemeinden [-gəmaindən] *t.* (어떤 시·읍·면 또는 교구에) 병합〔편입〕하다. **Eingemeindung** *f.* -en, 병합, 합병, 편입.

eingenommen [áingənɔmən] *p.a.* ☞ EINNEHMEN.

Eingesandt [-gəzant] *n.* -s, -s, ☞ EINSENDEN.

eingeschränkt [-gəʃrɛŋkt] *p. a.* ☞ EINSCHRÄNKEN.

eingeschrieben [áingəʃri:bən] [<einschreiben] *p. a.* 등기가 된; 〖郵〗 등기의(*registered*).

eingesessen [-gəzɛsən] [<einsitzen] 《Ⅰ》 *p. a.* 영주하는, 정주(定住)의. 《Ⅱ》 **Eingesessene** *m.* u. *f.* 《形容詞變化》 거주자, 정주자.

Eingeständnis [áingəʃtɛntnɪs] *n.* -ses, -se, 자백, 고백 (*confession, avowal*).

ein|gesteh(e)n* *t.* 자백〔고백〕하다(*confess*); 인정〔시인〕하다(*admit, avow*).

eingestrichen [áingəʃtrɪçən] [<einstreichen] *p. a.* 〖樂〗 ~e Note 팔분 음부.

eingetragen [-gətra:gən] [<eintragen] *p. a.* 등록필의(*registered*).

Eingeweide [áingəvaidə] [ein-„in" *u.* ahd. *weida* „Speise"] *n.* -s, -, (흔히 *pl.*) 내장《원래 사냥 용어로서, 개에게 던져 주어 먹게 하는 사냥감의 내장》 (*bowels, entrails*); 《比》 내심.

eingeweiht [áingəvait] *p. a.* 내정(內情)〔비결·오의(奧義)〕에 정통한. ☞ EINWEIHEN.

ein|gewöhnen [-gəvø:nən] *t.* 익숙하게 하다, 습관 들이다; *refl.* 익숙해지다.

eingewurzelt [áingəvurtsəlt] *p. a.* (깊이) 뿌리박인.

eingezogen [áingətsó:gən] *p.a.* ☞ EINZIEHEN. **Eingezogenheit** *f.* 은퇴, (집에) 들어박힘.

ein|gießen* [áingi:sən] *t.* 부어 넣다; (jm., 아무에게) 한 잔 부어 주다.

ein|gittern [áingɪtərn] *t.* 울타리〔격자〕로 둘러싸다.

Einglas [áingla:s] *n.* 단(單)안경(*monocle*).

eingleisig [áinglaiziç] *a.* 〖鐵〗 단선의.

ein|gliedern [áingli:dərn] *t.* (같은 사항으로서) 끼워 넣다, 편입하다(*incorporate*).

ein|graben* [-gra:bən] 《Ⅰ》 *t.* 파묻다, 매장하다; 쪼다, 새기다. ¶《比》 ins Gedächtnis ~ 명기하다. 《Ⅱ》 *refl.* 굴〔구멍〕을 파고 숨다; 〖軍〗 참호를 파고 들어가다.

ein|gravieren [áingravi:rən] *t.* 새기(어 넣)다; 조각하다.

ein|greifen* [-graifən] *i.* (h.) (물건이) 박혀 들어가다, 꽉 끼다; (사람이) 손〔손가락〕을 집어넣다; (in die Saiten, 현을) 튀기다; 《比》 (in e-e Angelegenheit, 일에) 관여〔간섭〕하다(*intervene, interfere*). **Eingriff** [áingrɪf] *m.* -(e)s, -e, (잡음, 손을 댐:) 조작, 처치; 〖醫〗 수술; (밖으로부터의) 작용; 간섭.

ein|haken [áinha:kən] 《Ⅰ》 *t.* 고리〔열쇠〕로 채우다. 《Ⅱ》 *i.* (s.) u. *refl.* (열쇠 따위가) 걸리다; (bei, 와) 팔을 끼다.

Einhalt [áinhalt] *m.* -(e)s, 저지, 방해; 금지; 제한. ¶e-r Sache[3] ~ tun 〔gebieten〕 무엇을 저지〔정지·방해·금지〕하다. **ein|halten*** 《Ⅰ》 *t.* ① 감금하다; 저지〔정지·금지〕하다; 속박하다. ② 엄수하다. 《Ⅱ》 *i.* (h.) (mit, 을) 중지〔정지〕하다. **Einhaltung** *f.* -en, 감금; 정지, 금지; 엄수.

ein|hämmern [áinhɛmərn] *t.* 망치로 쳐박다; 《比》 머리 속에 쑤셔넣다.

ein|handeln [áinhandəln] *t.* 사들이다, 구입하다.

einhändig [áinhɛndɪç] *a.* 한손의; 독력〔독립〕의. **ein|händigen** [áinhɛndɪgən] *t.* 수교하다, 교부하다, 인도(引渡)하다. **Einhändigung** *f.* 인도.

ein|hängen [áinhɛŋən] *t.* 걸다, 매달다; (문·창을) 돌쩌귀에 걸다.

ein|hauchen [áinhauxən] *t.* (입김으로) 불어넣다.

ein|hauen* [-hauən] 《Ⅰ》 *t.* 베어〔찍어〕 열다; 깊이 베다, 새기다; (검으로) 쿡 찌르다; (적진을) 무찌르다. 《Ⅱ》 *i.* (h.) (in et., 무엇에) 덤벼들다; (auf den Feind, 적중에) 쳐들어가다; 《俗》 tüchtig 〔wacker〕 ~ 마구 먹다, 잔뜩 먹다.

ein|heften [-hɛftən] *t.* 감치어 꿰매다, 깁다; (책을) 가철(假綴)하다.

ein|hegen [-he:gən] *t.* 울타리로 둘러싸다.

einheimisch [áinhaimɪʃ] *a.* 그 고장의, 토박이의(*native*); (그 고장) 고유의 《식물이》 (*indigenous*); 국산의(*homemade*).

ein|heimsen [áinhaimzən] *t.* (곡물 등을) 수확하다; 《一般的》 획득하다; 《俗》 엄청나게 벌다.

Einheirat [áinhàira:t] *f.* -en, (상속인인 여성과의 결혼에 의해) 가족이나 회사의 일원이 됨. **ein|heiraten** *refl.* u. *i.* (h.): (sich) in ein Geschäft ~ 혼인에 의하여 어떤 사업체의 일원이 되다.

Einheit [áinhait] *f.* -en, 단일(성), 일원(一元); 통일, 조화, 일치; 〖理〗 단위(*unit*); 〖軍〗 단위 부대; 〖文〗 단수. **einheitlich** *a.* 통일적인(*uniform, homogeneous*); 조화한; 일치한; 한결같은; 중심이 있는, 집중적인(*centralized*). **Einheitlichkeit** *f.* 귀일, 통일; 조화, 일치; 한결같음; 중앙 집권.

Einheits=kurs *m.* 〖經〗 단일 시세. **~=preis** *m.* 균일 가격. **~wert** *m.* 과세 표준 가격. **~zeit** *f.* 표준시.

ein|heizen [áinhaitsən] *t.* u. *i.* (h.) ① 난로를 피우다, 방을 덥게 하다. ② 《俗》 아무를 열오르게 하다, 노하게 하다, 괴롭히다, 골리다, 격려하다.

ein|helfen* [-hɛlfən] *i.* (h.) 돕다, 조언하다; 〖劇〗 무대 뒤에서 대사를 읽어 주다(*prompt*).

einhellig [áinhɛlɪç] [„in eins hallend"] *a.* 이구 동성의, 만장 일치의(*unanimous*).

einher [ainhé:r] *adv.* 이쪽으로, 그쪽으로; (흔히 방향의 뜻을 잃고:) 유유히, 성큼성큼, 위엄을 갖추고.

einher=|fahren* *i.* (s.) 차로 가다〔오다〕. **~|geh(e)n*** [-ge:(ə)n] *i.* (s.) 유유히 걷다〔걸어오다〕; 의 모양을 하고 있다. **~|=ziehen*** *i.* (s.) 행진하다.

ein|holen [áinho:lən] *t.* ①("맞아들이다"의 뜻:) (열을 지어) 마중하다. ② ("도망치는 사람〔짐승〕을 되잡아 오다"의 뜻:) (을) 따라잡다(*overtake*); 《比》 (뒤떨어진 것을) 만회하다(*make up for*). ③ 가져오다;

모으다; (승인·명령·충고 따위를) 구하여 얻다; 사들이다(*shop*). ¶~ geh(e)n 장보러 가다.

Ein·horn *n.* 일각수(一角獸) ⦅전설상의⦆ (♈*unicorn*). **~hufig** *a.* 단제(單蹄)의.

ein|hüllen [áinhʏlən] *t.* 싸다; 말아서 싸다, 숨기다.

einig [áinɪç] [<ein] ⦅Ⅰ⦆ *a.* 일치한, 의견이 같은, 사이 좋은 (*one, united, agreed*). ¶mit sich selbst nicht ~ sein 마음을 정하지 못하고 있다. ⦅Ⅱ⦆ *adv.* 일치하여, 사이 좋게 (*in concord*). ⦅Ⅲ⦆ *a.* u. *prn.* ⦅不定數詞, 不定代名詞⦆ 아무거나 하나(의), 어떤 것(의) (♈*any*); 얼마간의, 두서넛의, 몇 개의(*some, a few, several*); ⦅흔히 複數形 **~e** 를 씀; 物質·集合·抽象名詞의 앞에서는 單數形⦆. **einigemāl** *adv.* 이삼차, 여러 번.

einigen [áinɪgən] *t.* 일치시키다, 통일하다; *refl.* 일치〔부합〕하다.

einigermāßen [áinɪgərma:sən] *adv.* 얼마간, 다소; 말하자면, 오히려.

Einigkeit [áinɪçkait] *f.* 통일; 일치, 조화, 합동, 단결.

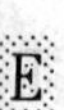

Einigung [áinɪgʊŋ] *f.* -en, 일치, 단결, 합의; 조정; 협조, 화해.

ein|impfen [áin-ɪmpfən] *t.* 〖醫〗 접종하다(*inoculate*); 〖園〗 접목하다; (에) 심다; ⦅比⦆ (나쁜 생각·습관을) 심어 주다.

Ein·impfer *m.* -s, -, 접종〔접목〕하는 사람. **Ein·impfung** *f.* -en, 접종, 우두; 접목.

ein|jāgen [áinja:gən] *t.* 몰아들이다, 후려넣다. ¶⦅比⦆ jm. Furcht ~ 아무에게 공포심을 일으키게 하다.

einjährig [áinjɛ:rɪç] *a.* 일년의, 한 살의; 〖植〗 일년생의; 일년간의.

Einkammersystēm [áinkámərzyste:m] *n.* 〖議會〗 단원제.

ein|kapseln [áinkapsəln] *t.* 주머니〔캡슐〕에 넣다.

ein|kassieren [áinkasi:rən] *t.* 회수〔징수〕하다, 거두다⦅돈을⦆.

Einkauf [áinkauf] *m.* -(e)s, ⸚e, 매입, 구입품(*purchase*). **ein|kaufen** ⦅Ⅰ⦆ *t.* 사들이다. ¶~ geh(e)n 장보러 가다. ⦅Ⅱ⦆ *refl.*: sich in e-e Lebensversicherung ~ 생명 보험에 가입하다.

Einkäufer [-kɔyfər] *m.* -s, -, 구입자.

Einkaufs·būch *n.* 구입 장부. **~preis** *m.* 매입 가격, 원가. **~rechnung** *f.* 송장(送狀), 계산서.

Einkehr [áinke:r] *f.* -en, ① 들름; 숙박. ②주막, 음식점. ③ (innere ~) 심사숙고, 내성(*contemplation*). **ein|kehren** *i.*(s.) ① (손님으로) 들르다, 방문하다(*put up*). ② ⦅比⦆ bei 〔in〕 sich (selbst) ~ 명상하다, 내성(內省)하다(*commune with oneself*).

ein|keilen [áinkailən] *t.* 쐐기를 박아 넣다, 쐐기로 멈추다.

ein|kellern [áinkɛlərn] *t.* 땅광에 넣다, 저장하다.

ein|kerben [áinkɛrbən] *t.* (에) 새김눈〔벤금〕을 내다.

ein|kerkern [áinkɛrkərn] *t.* 투옥〔감금〕하다.

ein|kesseln [áinkɛsəln] *t.* 〖獵〗 (짐승을) 몰아 넣다; 〖軍〗 포위하다(*encircle*).

ein|klāgen [áinkla:gən] *t.* (의) 청구 소송을 제기하다.

ein|klammern [áinklamərn] *t.* 꺾쇠로 죄다; 괄호 안에 넣다.

Einklang [áinklaŋ] [ein- "하나"] *m.* -(e)s, ⸚e, 〖樂〗 화음, 화성(*unison*); ⦅比⦆ 일치, 조화(*harmony*). ¶im ~ steh(e)n, (mit, 와) 일치〔조화〕되어 있다.

ein|kleiden [áinklaidən] *t.* ① (에) 의복〔제복·군복〕을 입히다; 임직(任職)하다. ¶sich ~ (정해진) 옷을 입다. ② ⦅比⦆ (사상을 말로) 표현하다. **Einkleidung** *f.* -en, ① 제복 급여; 〖가톨릭〗 착의(식). ② 표현(법), 글귀, 문장.

ein|klemmen [áinklɛmən] *t.* 죄어 붙이다, 밀어넣다; 끼우다, 집다. ¶ 〖醫〗 ein eingeklemmter Bruch 감돈 탈장(嵌頓脫腸).

ein|klinken [áinklɪŋkən] *t.* (문의) 고리를 걸다(*latch*).

ein|knicken [-knɪkən] ⦅Ⅰ⦆ *t.* 꺾(어 휘)다, (에) 접은 자죽을 내다. ¶eingeknickte Beine 안짱다리. ⦅Ⅱ⦆ *i.*(s.) 꺾이다, 굽다, 휘다.

ein|kochen [áinkɔxən] ⦅Ⅰ⦆ *t.* 바짝 졸이다; 잼을 만들다. ⦅Ⅱ⦆ *i.*(s.) 졸아들다.

ein|kommen* [áinkɔmən] ⦅Ⅰ⦆ *i.*(s.) ① 들어오다, 오다, 도착하다. ② (um, 을) 진정〔청원〕하다, 신청하다(*apply for*); (gegen, 에 대해) 항의하다(*protest against*). ③ (돈·이자 등이) 들어오다, 수입이 있다. ④ ⦅比⦆ 마음에 떠오르다. ⦅Ⅱ⦆ **Einkommen** *n.* -s, -, 수입, 소득(*income, revenue*). **Einkommen·steuer** *f.* 소득세.

ein|kreisen [áinkraizən] *t.* 포위하다 (*encircle*); 포위하여 고립시키다(*isolate*). **Einkreisung** *f.* -en, 포위.

Einkünfte [áinkʏnftə] [<einkommen] *pl.* ⦅單數 없음⦆ 수입, 소득(*income, revenue*); 수익.

ein|lāden* [áinla:dən] ⦅Ⅰ⦆ *t.* (차·배에) 싣다; 초대하다, 초청하다(*invite*). ⦅Ⅱ⦆ **einlādend** *p. a.* ⦅比⦆ 유혹적인, 마음을 끄는, 애교 있는, 먹음직한. **Einlāder** *m.* -s, -, 짐싣는 사람; 초대자. **Einlā·dung** *f.* -en, 적재; 초대(*invitation*); 유혹.

Einlāge [áinla:gə] [<einlegen] *f.* -n, ① 저장; 포장. ② 동봉한 것, 부록; (목걸이·모자의) 심; 채워 넣는 것 (구두의: *support*; 이의: *filling*); (Gesangs~) 삽입 가곡. ③ 출자; 예금(*deposit*), 내기에 거는 돈(*stake*), 상금.

ein|lāgern [-la:gərn] *t.* 곳간〔창고〕에 넣다, 저장하다(*store up*); 숙영시키다.

Einlaß [áinlas] *m.* ..sses, ..lässe, 들어감을 허락함; 입장 허가; 입구(♈*inlet*); 얼음 구멍. **~billett** *n.* 입장권.

ein|lassen* [-lasən] ⦅Ⅰ⦆ *t.* 들이다, 들어오게 하다; (증기를) 통하다; 주사하다; 끼워넣다, 짜맞추다. ⦅Ⅱ⦆ *refl.*: sich in 〔auf〕 et.⁴ ~ 무슨 일에 관계하다, 상관하다 / sich mit jm. ~ 아무와 관계를 맺다, 상관하다.

Einlaß·geld *n.* 입장료. **~karte** *f.* 입장권.

Einlauf [áinlauf] *m.* -(e)s, ⸚e, 도래, 도착(*arrival*); 〖醫〗 관장(灌腸)(*enema*).

ein|laufen* ⦅Ⅰ⦆ *i.*(s.) ① 달려 들어오다(*come in*); (강이) 흘러들다; 입항하다. ② (편지 따위가) 도착하다, 닿다(*arrive*). ③ (피륙이) 줄어들다(*shrink*). ⦅Ⅱ⦆ *t.* 부딪쳐 뚫다, 돌파하다. ¶jm. das Haus 〔die Tür〕 ~ 아무의 집에 성가시

게 찾아오다. 《Ⅲ》 *refl.* (기계가) 정상적으로 돌아가다.

ein|läuten [áinlɔytən] *t.* (미사·대목장 따위의) 시작 종을 울리다.

ein|lēben [áinle:bən] *refl.* (어떤 고장·일에) 익숙해지다.

ein|lēgen [–le:gən] *t.* ① 넣다, 끼워넣다; 삽입하다; 동봉하다, 봉해 넣다《편지에》; (돈을) 불입하다; 박아 넣다; (칼을) 접다. ② (음식을) 저장하다, 절이다. ③ Ehre mit et. ~ 무엇으로 명예를 얻다. ④ (가지를) 흙으로 덮다, 휘묻이하다.

Einlēge=sohle *f.* 구두의 안창《따뜻하게 하기 위한》. **~stuhl** *m.* =KLAPPSTUHL.

ein|leiten [áinlaitən] 《Ⅰ》 *t.* ① 이끌어들이다, 안내하다(*introduce*); (저서의) 서문을 쓰다; 〖樂〗 서곡을 연주하다(*prelude*). ② 개시하다(*begin*); 준비하다. 《Ⅱ》 **einleitend** *p.a.* 처음의, 초보의, 입문의. **Einleitung** *f.* –en, 머리말, 서문(*introduction, prelude*); 입문, 개론; 〖樂〗 서곡, 전주(곡); 개시; 준비.

ein|lenken [áinlɛŋkən] *i.* (h., 稀: s.) ① (어떤 길로) 접어들다. ② 《比》 wieder ~, a) 바른 길로 돌아서다, 본론으로 돌아가다, b) 고쳐 생각하다, c) 양보하다.

ein|lernen [–lɛrnən] *t.* ① 외다. ② jm. et. ~ 아무에게 무엇을 가르쳐 주다.

ein|lēsen* [áinle:zən] 《Ⅰ》 *t.* 주워 모으다, 수집하다. 《Ⅱ》 *refl.*: sich in et.[4] ~ 무엇을 읽고 터득하다.

ein|leuchten [áinlɔyçtən] 《Ⅰ》 *i.* (h.) 《대개 3人稱이 主格》 jm: 명백하다, 잘 이해되다(*be clear, evident*). 《Ⅱ》 **ein=leuchtend** *p.a.* 분명한, 이해가 가는.

ein|liefern [áinli:fərn] *t.* (포로·상품 따위를) 인도(引渡)하다; (편지를) 부치다.

ein|liegend [áinli:gənt] *p.a.* 동봉한, 봉해 넣은(*enclosed*).

ein|logieren [áinloʒi:rən] *t.* 숙박시키다; *refl.* 숙박하다.

ein|lȫsen [áinlø:zən] *t.* ① 되찾다(*redeem*); (포로를) 인도받다(*ransom*); 치르다(빚·돈을: *discharge*; 어음을: *honour*). ② 《比》 (직무·약속을) 수행[이행]하다.

ein|lullen [áinlulən] *t.* 자장가를 불러서 재우다(*lull to sleep*).

Einmach(e)glās [áinmax(ə)gla:s] *n.* 저장용의 병.

ein|machen [áinmaxən] 《Ⅰ》 *t.* 들이다, 넣다; (소금·설탕에) 절이다; (통·병에) 채우다. 《Ⅱ》 **Eingemachte** *n.* 《形容詞變化》 저장물; 설탕[소금]절임; 통[병]조림; 잼.

einmāl *adv.* 《Ⅰ》 [áinma:l] 《ein 은 數詞》 한번, 한곱(*once*). ¶**noch** ~ [또 ainmá:l] 한 번 더(*once more*) / **auf** ~ [稀 ainmá:l] 갑자기(*all at once*) / ~ ..., ~ ..., 어떤때는… 어떤때는… / er wurde ~ rot, ~ blaß 그는 푸르락붉으락했다. 《Ⅱ》 [ainmá:l] 《ein 은 不定冠詞》 ① 일찌기, 이전에, 옛날에(*once, formerly*). ② 앞으로 언젠가, 장차 (*one day, some day*). ¶**noch** ~ 또 장차 언젠가는. ③ 확실히, 전혀, 무어라 해도. ¶da es nun [doch] ~ so ist 사실이 그러하니, 일단 그렇게 됐으니. ④ 《nicht 와 함께》 **nicht** ~ lesen kann er 그는 읽기조차 못한다. ⑤ 자아. ¶komm (ein)mal her! 자아 이리 오게.

Einmāl·eins [ainma:l-áins] *n.* –, –, 〖數〗 구구표 (*multiplication table*).

einmālig [áinma:lıç] *a.* 일회의, 한 번의; 유일한.

Einmarsch [áinmarʃ] *m.* –es, ⸗e, 〖軍〗 진입, 진주. **ein|marschieren** *i.* (s.) 진입[진주]하다.

ein|mauern [–mauərn] *t.* 벽으로 둘러싸다; 벽에 끼워 넣다; 감금[유폐]하다.

ein|meißeln [áinmaisəln] *t.* 끌로 파다, 새기다.

ein|mengen [áinmɛŋən] *t.* u. *refl.* ☞ EINMISCHEN.

ein|messen* [áinmɛsən] *t.* 달아서 (그릇에)넣다.

ein|mieten [áinmi:tən] *t.* (jn., 에게) 집[방]을 빌려주다; *refl.* 집[방]을 빌다, 하숙하다.

ein|mischen [áinmıʃən] *t.* 섞어 넣다; *refl.* (in et., 무엇에) 개입[간섭]하다.

ein|motten [áinmɔtən] *t.* 좀이 먹지 않게 하다《모피 따위를》.

ein|mumme(l)n [áinmumə(l)n] *t.* 복면[가장]시키다; *refl.* 복면[가장]하다.

ein|münden [áinmʏndən] *i.* (h.) (강이) 흘러들다; 합류하다; 〖解〗 (혈관 등이) 접합하다; (길이 딴 길로) 통해 있다. **Einmündung** *f.* –en, 유입(流入), 주입(注入); 합류; 〖解〗 접합, 문합(吻合).

einmūtig [áinmy:tıç] *a.* 일치[협동·단결]한(*unanimous*). **Einmūtigkeit** *f.* 일치, 협동, 단결.

ein|nähen [áinnɛ:ən] *t.* 꿰매어 감치다; 꿰매어 줄이다.

Einnahme [áinna:mə] [<einnehmen] *f.* –n, ① 받아들임; 접수, 영수, 징수 (*receiving, receipt*); 소득, 수입(*revenue*). ② 점령, 탈취(*capture, taking*).

Einnahme=būch, ~journal *n.* 영수대장(領收臺帳). **~quelle** *f.* 수입·원천, 재원. **~stätte** *f.* 수납구(收納口).

ein|nēbeln [áinne:bəln] *t.* 〖軍〗 연막으로 은폐하다.

ein|nehmen* [áinne:mən] 《Ⅰ》 *t.* ① 들이다, 수용하다, 거두다; 실어 들이다; 들여쌓다; (돛을) 접다; 섭취하다, 복용하다(*take*); (돈을) 받다; 벌다; (세금을) 징수하다; 〖軍〗 점령[탈취]하다(*take, occupy*); (지위를) 차지하다. ② jn. [js. Herz] ~ 아무의 마음을 사다, 아무를 매혹하다(*captivate, charm*). ¶gegen jn. ~ 아무를 나쁘게 여기게 하다. ③ 멍하게 하다. 《Ⅱ》 **einnehmend** *p.a.* 호감을 주는, 마음을 끄는, 매혹적인. 《Ⅲ》 **eingenommen** *p.a.* (마음이) 사로잡힌, 편벽된; (für, 을) 편애하는, 편드는; (gegen, 에 대하여) 반감[편견]을 가진. ¶von sich (selbst) ~ 자만하는.

Einnehmer *m.* –s, –, 수납계원, 회계원; (Zoll~) 세리.

ein|nicken [áinnıkən] *i.* (s.) (꾸벅꾸벅) 졸다.

ein|niste(l)n [áinnıstə(l)n] *refl.* 둥지를 틀다, 깃들이다; 《比》 정주하다《불법으로》, 근거지를 마련하다.

Einōde [áin-ø:də, áinø:də] [ahd. *ein-ôti*; 前半: ein "하나", 後半: Heimat 의 –at 와 같음] *f.* –n, 황야, 황무지, 사막; 인적이 드문 곳(*desert, solitude*).

ein|ölen [áin-ø:lən] *t.* (에) 기름을 바르다.

ein|ordnen [áin-ɔrdnən, -ɔrt-] *t.* (순서 있게) 정돈〔배열〕하다.

ein|packen [-pakən] 《Ⅰ》 *t.* 싸다, 포장하다; 짐을 꾸리다. 《Ⅱ》 *refl.* 복면을 하다. 《Ⅲ》 *i.*(h.) (가게를) 닫다; 《比》 (짐을 꾸리다:) 도망하다; 《俗》 그만두다.

ein|paschen [-paʃən] *t.* 밀수입하다.

ein|passen [-pasən] 《Ⅰ》 적용시키다, 끼워넣다. 《Ⅱ》 *i.*(h.) 적응〔순응〕하다, 끼이다.

ein|pauken [-paukən] *t.* 주입식으로 가르치다(*cram*); (에) 수험 준비를 시키다. **Einpauker** *m.* -s, -, 수험 지도자; 〖競〗 코치, 감독.

ein|pferchen [-pfɛrçən] *t.* (양 따위를) 울안으로 몰아 넣다; 《比》 (사람 등을) 채워 넣다.

ein|pflanzen [-pflantsən] *t.* 심다; 《比》 (아무의 마음에) 심어 넣다(jm. et.).

ein|pfropfen [-pfrɔpfən] *t.* 접목(接木)하다; 《比》 채워 넣다; 외게 하다.

ein|pökeln [-pø:kəln] *t.* 소금에 절이다.

ein|prägen [áinprɛ:gən] *t.* 눌러서 무늬를 뜨다; 《比》 (의) 마음에 아로새기다, 명심시키다; *refl.* 깊은 인상을 남기다. **einprägsam** *a.* 감명〔인상〕 깊은.

ein|pressen [-prɛsən] *t.* 압축〔압착〕하다; 밀어 넣다, 채워 넣다; 날염하다.

ein|puppen [-pupən] *refl.* 고치〔번데기〕가 되다.

ein|quartieren [-kvarti:rən] *t.* 숙박〔숙영〕시키다; *refl.* 숙박하다. **Einquartierung** *f.* -en, 〖軍〗 민가 숙박《흔히 훈련시의》; 《總稱》 숙영병.

ein|quellen(*) [-kvɛlən] 《Ⅰ》 *i.*(h.) 물속에서 (세차게) 솟아오르다. 《Ⅱ》 *t.* 담그다, 담가서 불리다.

ein|rahmen [-ra:mən] *t.* 테〔틀〕에 끼우다; 《比》 둘러싸다.

ein|ramme(l)n [-ramə(l)n] *t.* (말뚝 따위를) 두들겨 박다.

ein|rangieren [-rãʒi:-, -raŋʃi:-] *t.* 열(列)에 넣다; 〖軍〗 병적에 편입시키다.

ein|rasten [-rastən] *i.*(h.) ① (열쇠나 톱니바퀴가) 들어맞다, 서로 끼이다, 맞물리다. ② 《俗》 er ist börbar eingerastet 녀석 발끈한 모양이다.

ein|räuchern [-rɔyçərn] *t.* 그을리다; 훈제(燻製)로 하다.

ein|räumen [-rɔymən] *t.* ① (in e-n Raum schaffen) 넣다, 들이다, 거두다, 챙기다, 치우다; 가져오다, 날라 들이다; (집에) 세간을 갖추다. ② (e-n Raum zum Einnehmen gewähren) 명도(明渡)하다《집·방을》; 《比》 양도하다(*concede*); 용인〔양보〕하다(*grant, allow*). **Einräumung** *f.* -en, 명도; 양도; 용인.

ein|raunen [-raunən] *t.* 속삭이다, 밀고하다.

ein|rechnen [-rɛçnən] *t.* 셈에 넣다; 「《比》 고려에 넣다.」

Einrēde [áinre:də] *f.* -n, 이의, 항의(*objection, protest*); 〖法〗 (피고의) 항변(권)(*plea*). **ein|rēden** 《Ⅰ》 *t.* 타일러 권하다; 그럴싸하게 말하다, 믿게 하다. ¶jm. Mut ~ 아무를 격려하다. 《Ⅱ》 *i.*(h.): auf jn. ~ 아무를 설유하다, 아무에게 이의를 말하다(*object*), 아무를 간하다(*interrupt*).

ein|rēgnen [áinre:gnən] *i.*(h.) u. *refl.*: es regnet sich ein 장마가 된다.

ein|reiben* [-raibən] *t.* 문질러 넣다; 발라 문지르다. **Einreibung** *f.* -en, 문질러 넣음; 도찰(塗擦)(*embrocation*).

ein|reichen [-raiçən] *t.* (신고서·원서 따위를) 제출하다.

ein|reihen [-raiən] *t.* 열 속에 끼우다; 〖軍〗 병적(兵籍)에 편입시키다. 「의 (옷).」

einreihig [-raiıç] *a.* 일렬의; 한 줄 단추

Einreise [áinraizə] *f.* 입국(入國). **Einreise·erlaubnis** *f.* 입국 허가. **ein|reisen** *i.*(s.) 입국하다.

ein|reißen* [-raisən] 《Ⅰ》 *t.* (에) 금〔틈〕을 내다, 잡아찢다; (집을) 허물다. 《Ⅱ》 *i.*(s.) 찢어지다, 금가다, 터지다; 《比》 (악습이) 퍼지다, 만연하다.

ein|renken [-rɛŋkən] *t.* 정골〔정복(整復)〕하다; 《比》 원상태로 복귀시키다《사건을》.

ein|rennen* [-rɛnən] 《Ⅰ》 *i.*(s.) 뛰어들다. 《Ⅱ》 *t.* 달려가 부딪쳐 쓰러뜨리다; (문을) 밀쳐 열다〔부수다〕; ¶ 《比》 jm. das Haus ~ 아무의 집을 귀찮게 방문하다.

ein|richten [áinrıçtən] 《Ⅰ》 *t.* ① 정리〔배치〕하다; 〖機〗 조정하다; 〖樂〗 편곡하다. ② et. **nach** et. ~ 무엇을 무엇에 합치〔적응〕시키다 / et. **so** ~, daß... 무엇을 …이 되도록 처리하다. ③ 정리〔설비·조직·설립〕하다. ④ 〖數〗 약분(約分)하다. 《Ⅱ》 *refl.* ① 살림을 차리다; 절약하다. ② sich **auf** et.⁴ ~ 무엇의 준비를 하다 / sich **nach** et. ~ 무엇에 적응하다, 순응하다.

Einrichtung [-tuŋ] *f.* -en, ① 정리, 정돈(*arrangement*); 〖醫〗 정골(整骨), 정복(整復); 처리, 수배(手配). ② 장비, 설비, 조직, 편제, 제도(*establishment*); 〖數〗 약분; 순응, 적응.

ein|riegeln [áinri:gəln] *t.* 빗장을 걸어 가두어 넣다.

ein|rollen [-rɔlən] 《Ⅰ》 *t.* 말아 넣다〔싸다〕. 《Ⅱ》 **eingerollt** *p.a.* 〖植〗 안으로 말린.

ein|rosten [-rɔstən] *i.*(s.) 녹슬다; 《比》 무디어〔둔해〕지다; 노쇠하다.

ein|rücken [-rʏkən] 《Ⅰ》 *t.* 끼우다, 삽입하다(*insert*); (신문 따위에) 게재하다《광고를》; 〖工〗 (기계를) 걸다, 운전하다. 《Ⅱ》 *i.*(s.) 〖軍〗 진입하다; 입대하다, 군대에 복무하다. ¶in js. Stelle ~ 아무의 뒤를 잇다〔계승하다〕.

ein|rühren [-ry:rən] *t.* (물을 타서)·휘저어 섞다《가루·달걀 따위를》. ¶《比》 jm. etwas (Schlimmes) ~ 아무를 괴롭히다.

eins [ains] [<中性 1 格 eines] 《數詞, 不定代名詞》 하나, 한 개(영 *one*). ¶~ ins and(e)re (차례차례로) 합계하여, 평균하여 / ~ sein 하나가 되어〔일치되어〕 있다 / es läuft auf ~ hinaus 결국은 마찬가지이다 / es ist mir alles ~ 나에게는 어떻든 매한가지다 / ein Viertel auf ~ (한 시를 향해서 15 분:) 0 시 15 분.

ein|sacken [áinzakən] *t.* 자루에 넣다; 《比》 지갑에 넣다, 착복하다; 잔뜩 먹다.

ein|säen [-zɛ:ən] *t.* 씨뿌리다, 파종하다.

ein|sägen [-zɛ:gən] *t.* (에) 톱자국을 내다; 톱질하다.

ein|salben [-zalbən] *t.* (에) 고약을 〔향유를〕 바르다.

ein|salzen(*) [-zaltsən] *t.* (에) 소금을 뿌리다; 소금에 절이다.

einsām [áinza:m] *a.* 혼자의, 고독한 (*alone*); 《比》 쓸쓸한(*lonely, solitary*). **Einsamkeit** *f.* 고독; 적료(寂寥) (*loneliness, solitude*); 적료한 곳.

ein|sammeln [áinzaməln] *t.* 모아들이다; 《比》 얻다, 누리다《명예·성공 따위를》. **Einsammler** *m.* -s, -, 모으는 사람; (세금의) 징수원. **Einsammlung** *f.* -en, 모으기; 징집.

ein|sargen [-zargən] *t.* 입관(入棺)하다 (*coffin*); 《比》 매장해 버리다.

Einsatz [áinzats] [<einsetzen] *m.* -es, ⁼e, ① 삽입(물), 장전(물). ② 가슴 장식용 레이스, 금은실 자수. ③ (내기에) 건 물건〔돈〕. ④ 〖樂〗 (합창·합주 따위의) 어떤 음성〔음〕의 가입(*striking in*). ⑤ (노력의) 경주. ¶mit ∼ des Lebens 목숨을 걸고. ⑥ (노동력·군대 따위의) 투입; 배치; (전투기의) 출격. ¶zum ∼ bringen 출동시키다.

Einsatzbereit·schaft [-bəraitʃaft] *f.* 출격 준비.

ein|sauen [-zauən] *t.* 더럽히다《진흙 등으로》.

ein|säuern [áinzɔyərn] *t.* 초에 절이다, 앙실라즈〔산발효(酸醱酵)〕시키다.

ein|saugen(*) [-zaugən] 《Ⅰ》 *t.* 빨아들이다; 《比》(사상 등을) 받아들이다. 《Ⅱ》 *refl.* 흡수되다; (빛깔이) 배다.

ein|säumen [-zɔymən] *t.* 테를〔단·가선을〕 두르다.

ein|schachteln [-ʃaxtəln] *t.* 상자에 넣다; (순서대로) 포개어 끼우다〔넣다〕. ¶ ein eingeschachtelter Satz 〖文〗 삽입문.

ein|schalten [áinʃaltən] *t.* 삽입하다 (*insert, put in*); (연동 장치를) 연결하다; 〖電〗 연결하다, (전기 회로를) 단락(短絡)하다. ¶eingeschalteter Tag 윤일(閏日). **Einschaltung** *f.* -en, 삽입; 〖工·電〗 연결, 단락(短絡); 〖天〗 윤달을 둠.

ein|schärfen [-ʃɛrfən] *t.* 단단히〔엄하게〕 가르치다(*impress upon, inculcate*).

ein|scharren [-ʃarən] *t.* 땅을 파고 묻다; *refl.* (짐승이) 구멍을 파고 숨어들다.

ein|schätzen [-ʃɛtsən] *t.* (schätzend in e-e (Steuer-) Klasse setzen) (의) 납세 등급을 정하다, 세액을 사정하다(*assess*); 《比》 평가하다(*estimate*).

ein|schenken [-ʃɛŋkən] *t.* (마실 것을) 부어 넣다, 따라 주다. ¶《比》 jm. reinen Wein ∼ 아무에게 사실 그대로를 말하다.

ein|schicken [-ʃɪkən] *t.* 송달하다; (잡지의 편집부 따위에) 보내다.

ein|schieben* [-ʃi:bən] *t.* 밀어넣다, 끼워 넣다; (글귀를 몰래) 삽입하다.

Einschienenbahn [áinʃí:nənba:n] *f.* 〖鐵〗 단궤(單軌) 철도.

ein|schießen* [-ʃi:sən] 《Ⅰ》 *t.* ① 사격〔포격〕하여 파괴하다; (총을) 쏘아 익히다. ② (신속히) 끼워 넣다. ③ (돈을) 납입하다. 《Ⅱ》 *i.* (s.) 습격〔저격〕하다. 《Ⅲ》 *refl.* ① (총이) 사격에 길들다. ② (총을) 시사(試射)하다, 사격 연습을 하다. ¶ sich in ein Fach ∼ 어떤 전문 분야에 숙달되다.

ein|schiffen [áinʃɪfən] 《Ⅰ》 *t.* 배에 싣다; 승선시키다. 《Ⅱ》 *refl.* 배를 타다. 《Ⅲ》 *i.* (s.) 입항하다. **Einschiffung** *f.* -en, 탑재(搭載); 승선.

ein|schlāfen* [-ʃla:fən] *i.* (s.) 잠들다; 《比》 (자는 듯이) 죽다; 마비되다; 《比》 잊혀지다, (풍습 등이) 쇠잔해지다; (열성 따위가) 식다, 풀리다.

ein|schläfern [áinʃlɛ:fərn] 《Ⅰ》 *t.* 잠들게 하다; 《比》 (에) 위안이 될 말을 하다; 마비시키다(*narcotize*). 《Ⅱ》 **einschläfernd** *p.a.* 졸음이 오게 하는, 최면적인; 마취하는. **Einschläf(e)rungsmittel** *n.* 최면제, 마취제.

einschläfig [-ʃlɛ:fɪç] *a.* 일인용의 (침대).

Einschlāg [áinʃla:k] *m.* -(e)s, ⁼e ① 때려박음, 처넣음; 벼락; (포탄의) 명중 착탄. ② 싸기; 덮개; 씨줄(*weft, woof*). ③ 혼입물, 가미(加味) (민족 혈액의) 혼입(混入) (*admixture, touch*).

ein|schlāgen* [-ʃla:gən] 《Ⅰ》 *t.* ① 때려박다, 처넣다; 쳐부수다; (구멍을) 쳐 뚫다. ② 싸다, (에) 커버를 하다; 접어 넣다; 감치다. ③ (방향·길을) 잡고 나아가다. ¶ 《比》 e-e Laufbahn 〔e-n Beruf〕 ∼ 어떤 생활로 들어가다 〔직업을 갖게 되다〕. 《Ⅱ》 *i.* (h.) ① (상대방의 손을) 덥석 쥐다《계약의 표시로》; 박이다; 찔리다; (탄환이) 명중하다; 벼락치다. ¶in et.⁴ ∼ 무엇에 속하다, 관계하다. 《Ⅲ》 *i.* (s.) ① (어떤) 결과를 가져오다, 잘 되어가다, 성공하다, 들어맞다. ② (땀·피부병이) 사그라들다, 색이 바래다.

Einschlāg(e)·papier *n.* 포장지, 커버. **∼seide** *f.* 커버용 비단《금녹색의》.

ein|schlägig [áinʃlɛ:gɪç] *a.* 소속의, 관계하는, 당해의.

ein|schleichen* [-ʃlaiçən] *i.* (s.) u. *refl.* 몰래 숨어들다; 《比》 슬며시 끼어들다.

ein|schleiern [-ʃlaiərn] *t.* 베일로 가리다. ¶《比》 sich ∼ lassen 수녀가 되다, 수도원에 들어가다.

ein|schleppen [-ʃlɛpən] *t.* 끌어들이다; (병 따위를) 옮겨오다, 전염시키다.

ein|schließen* [áinʃli:sən] 《Ⅰ》 *t.* 가두다; 밀폐〔감금〕하다; 에워싸다, 포위〔봉쇄〕하다; 봉해 넣다. ¶(mit) ∼ 포괄〔포함〕시키다, 수반하다(*include, comprise*). 《Ⅱ》 **eingeschlossen** *p.a.* 포위된; 포함된; 동봉한. **einschließlich** *a.* 포함하는(*inclusive*); *adv.* 포함하여, 넣어서(*inclusively*).

ein|schlummern [-ʃlumərn] *i.* (s.) (꾸벅꾸벅) 졸다, 잠들다; 《比》 (편안히) 숨을 거두다.

ein|schlüpfen [-ʃlʏpfən] *i.* (s.) 살짝〔몰래〕 숨어 들어가다.

ein|schlürfen [-ʃlʏrfən] *t.* 홀짝홀짝 들이마시다, 빨아들이다.

Einschluß [áinʃlus] [<einschließen] *m.* ..sses, ..lüsse, ① 포위; 포괄, 포함 (*inclusion*). ¶mit ∼ von 을 포함하여. ② 동봉; 동봉서(*enclosure*); 〖文〗 삽입구.

ein|schmeicheln [-ʃmaiçəln] 《Ⅰ》 *t.* jm et. ∼ 아무에게 감언으로 무엇을 시키다. 《Ⅱ》 *refl.* (bei, 에게) 교묘히 환심을 사다.

ein|schmeißen* [-ʃmaisən] *t.* (창 따위를) 물건을 던져 깨뜨리다.

ein|schmelzen(*) [-ʃmɛltsən] 《Ⅰ》《强變化》 *i.*(s.) 용해하다; 녹아서 없어지다〔줄다〕. 《Ⅱ》《弱變化》 *t.* 녹여 넣다; 용해하다.

ein|schmieren [-ʃmi:rən] *t.* (기름을) 바르다; 가르쳐 주다; (에) (mit, 을) 칠하다; (기름으로) 더럽히다; 《比》 아무렇게나 써넣다.

ein|schmuggeln [-ʃmugəln] *t.* 밀수입「하다.」

ein|schmutzen [-ʃmutsən] ① *t.* 몹시 더럽히다. ② *i.*(s.) 아주 더러워지다.

ein|schnappen [-ʃnapən] *i.*(s. *u.* h.) (자물쇠 등이) 찰칵 채워〔끼워〕지다; 《比》 나쁘게 해석하다; 모욕을 느끼다.

ein|schneiden* [áinʃnaidən] 《Ⅰ》 *t.* (에) 진집〔칼자국〕을 내다; 잘라 넣다, 새겨 넣다. 《Ⅱ》 *i.*(h.) 베어 들어가다; 《比》 사무치다, 통절히 느끼다; 유효하다. 《Ⅲ》 **einschneidend** *p.a.* 베어지는, 에는, 베어 들어가는; 《比》 통렬한 (*trenchant*), 단호한(*decisive*). ★ eingeschnitten, 깎여 들어간, 톱니 모양의.

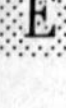

ein|schneien [-ʃnaiən] *t.* 눈으로 덮다〔갇히게 하다〕.

Einschnitt [áinʃnɪt] [<einschneiden] *m.* -(e)s, -e, 베기; 절개(切開); 진집, 갈라진 금; 베어 들어간 데, 새긴 금; (Erd∼) 굴착 통로; 《比》 구분, 구절, 전환점(*turning point, epoch*).

ein|schnüren [-ʃny:rən] *t.* 줄로〔끈으로〕 묶다, 졸라매다; 죄다.

ein|schränken [áinʃrɛŋkən] 《Ⅰ》 *t.* (울로 둘러싸다:) 국한〔제한〕하다(*limit, restrain*); 줄이다(*curtail*). 《Ⅱ》 *refl.* 줄이다, 절감(節減)하다(*retrench*). 《Ⅲ》 **eingeschränkt** *p.a.* 제한〔국한〕된; 편협한. **Einschränkung** *f.* -en, 국한, 제한; 줄임, 절약.

ein|schrecken [-ʃrɛkən] *t.* (schreckend einschüchtern) 위협하다(*intimidate*).

Einschreib(e)⸗amt *n.* 등록소, 등기소. **∼brief** *m.* 등기 편지. **∼gebühr** *f.* 등기료; 등기 우편료.

ein|schreiben* [áinʃraibən] 《Ⅰ》 *t.* 기입하다(*enter, note down*); 등기〔등록〕하다, 〖郵〗 (국원이) 등기 우편으로 하다 (*register*). ¶∼ lassen 등기 우편으로 부치다 / sich ∼ lassen 자기 이름을 등록하게 하다. 《Ⅱ》 *refl.* 이름을 기입〔등록〕하다; (대학에) 입학하다.

ein|schreiten* [-ʃraitən] *i.*(s.) 발을 들여놓다; 개입하다; 《比》 행동으로 나오다, 절차를 밟다(*take steps*); 간섭하다 (*interfrre, intervene*).

ein|schrumpfen [-ʃrumpfən] *i.*(s.) 움츠러지다, 오그라들다; 시들다; 주름이 잡히다; 《比》 작아지다.

ein|schüchtern [-ʃʏçtərn] *t.* 위협하다, 외축시키다(*intimidate*). **Einschüchterungsversuch** *m.* 공갈 미수〔취재〕.

ein|schulen [-ʃu:lən] *t.* 학교에 넣다; (schülend einüben) 연습시키다; 교화하다, 길들이다.

Einschuß [áinʃus] [<einschießen] *m.* ..sses, .. schüsse, (피륙의) 씨줄(*woof, weft*); 〖商〗 출자; 예금.

ein|schütten [áinʃʏtən] *t.* 부어 넣다; 깔때기로 부어 넣다.

ein|schwärzen [-ʃvɛrtsən] *t.* 검게 칠하다〔물들이다〕; 밀수입하다.

ein|schwatzen [-ʃvatsən] 《Ⅰ》 *i.*(h.) 설득하다. 《Ⅱ》 *t.* 갖은 말로 설복시키다. 《Ⅲ》 *refl.* 교묘히 환심을 사다.

ein|schwingen* [-ʃvɪŋən] *i.* (s.) (새가 나무 따위에) 날아와 앉다.

ein|segnen [áinze:gnən] *t.* 축복하다; 불제(祓除)하다(*consecrate*); (아동에게) 견진 성사(堅振聖事)를 베풀다(*confirm*). **Einsegnung** *f.* -en, 축성(祝聖); 견진성사.

ein|sehen* [-ze:ən] 《Ⅰ》 *t.* (을) 들여다보다, 조사〔검사〕하다; 《比》 눈치채다, 통찰〔이해〕하다; 인지〔감지〕하다. 《Ⅱ》 **Einsehen** *n.* -s, 통찰, 이해. ¶ein∼ haben 이해성〔동정심〕이 있다.

ein|seifen [-zaifən] *t.* (에) 비누를 문지르다; 《俗》 속이다.

einseitig [áinzaitɪç] *a.* ① 한 면〔편〕의, 한쪽의; 〖法〗 편무(片務)의. ② 일방적인; 불공평한, 편파적인(♀*one-sided*). **Einseitigkeit** *f.* -en, 위임.

ein|senden(*) [áinzɛndən] 《Ⅰ》 *t.* 송달〔송부〕하다; 투서〔기고〕하다(*contribute*). 《Ⅱ》 **Eingesandt** *n.* -s, -s, 기고, 투서; 광고. **Einsender** *m.* -s, -, 송부자; 투서자, 기고자. **Einsendung** *f.* -en, 송달, 송부; 투서, 기고.

ein|senken [áinzɛŋkən] *t.* 가라앉히다; 묻다; 담그다, 잠그다; (꺾꽂이 가지를) 꽂다, 심다, 휘묻이하다.

ein|setzen [áinzɛtsən] 《Ⅰ》 *t.* ① 넣다, 놓다(들여놓을〔있어야 할〕 자리에). ② 심다, 끼워 넣다, 집다, 삽입하다, 박다. ③ (돈을) 걸다(*stake*); 《比》 (목숨·명예를) 걸다. ④ (in e-e Stelle setzen) 임명〔지명〕하다(*appoint*); 제정하다(*institute*). ⑤ ∼ lassen (신문 따위에) 광고하다. 《Ⅱ》 *refl.* (차내에) 착석하다; 고정하다, 뿌리박다. ¶sich für jn. ∼ 아무를 위하여 진력하다. 《Ⅲ》 *i.* ① (s.) 들어오다; 나타나다, 일어나다; 시작하다. ② (h.)〖樂〗 연주〔노래〕하기 시작하다. **Einsetzung** *f.* -en, (우리 따위에) 넣기; 감금; 걸기; 제정; 임명.

Einsicht [áinzɪçt] [<einsehen] *f.* -en, 검사, 열람, 통찰(♀*insight*); 이해, 판단; 통관. **einsichtig** *a.* 총명한, 통찰력이 있는. **Einsichtnahme** *f.* 열람, 입회검사. ¶zur ∼ 견본으로.

einsichts⸗los *a.* 안식이 없는, 몰이해한. **∼voll** *a.* =EINSICHTIG.

ein|sickern [áinzɪkərn] *i.*(s.) 스며들다, 삼투하다.

Einsiedelei [ainzi:dəlái] *f.* -en, 은자의 암자, 초암(草庵).

ein|sieden* [áinzi:dən] *t.* 조리다; *i.*(s.) u. *refl.* 졸다, 졸아들다.

Einsiedler [áinzi:dlər, 또 -tlər] [gr. Mönch (*eig.* „allein lebend")의 譯] *m.* -s, -, 은자(*hermit*). **einsiedlerisch** *a.* 은자같은; 고독한.

ein|siegeln [áinzi:gəln] *t.* 봉해 넣다; 「봉인하다.」

einsilbig [áinzɪlbɪç] *a.* 〖文〗 단철의 (*monosyllabic*); 《比》 말이 없는, 말이 적은(*taciturn*). **Einsilbigkeit** *f.* 〖文〗 단철음(單綴音); 말이 없음, 과묵.

ein|singen* [–zɪŋən] 《Ⅰ》 *t.* 노래를 불러 잠들게 하다; (에) 노래 연습을 시키다. 《Ⅱ》 *refl.* 노래 연습을 하다.

ein|sinken* [–zɪŋkən] *i.*(s.) 침강〔침몰·함몰〕하다; 무너져내리다.

ein|sitzen* [–zitsən] 《Ⅰ》 *i.*(s.) 들어박히다; (차 안에) 자리잡고 앉다, 승차하다. 《Ⅱ》 (무엇을) 앉아서 우묵하게 만들다.

einsitzig [áinzɪtsɪç] *a.* 한사람 타는; (항공기가) 단좌(單座)의.

ein|spannen [–ʃpanən] *t.* 틀에 메우다; (말을) 마차에 메우다; 구속하다.

Einspänner [áinʃpɛnər] *m.* –s, –, 말 한 필이 끄는 마차. **einspännig** *a.* 한 필이 끄는. ¶∼ (*adv.*) fahren 한 필 마차를 몰다.

ein|spāren [–ʃpa:rən] *t.* (돈·시간을) 아끼다, 절약해서 얻다.

ein|sperren [–ʃpɛrən] *t.* 가두다, 감금〔금고·구류〕하다.

ein|spielen [–ʃpi:lən] *refl.* 연주 연습을 하다.

ein|spinnen* [–ʃpɪnən] 《Ⅰ》 *t.* 실을 자아 넣다〔싸다〕; (거미가) 거미줄에 싸다. 《Ⅱ》 *refl.* (누에가) 고치를 짓다; 《比》 골몰하다; 들어박히다, 은둔하다.

Einsprāche [áinʃpra:xə] [＜einsprechen] *f.* –n, 《稀》 항의.

einsprāchig [–ʃpra:xɪç] *a.* (나라가) 한 가지 언어의.

ein|sprechen* [áinʃprɛçən] 《Ⅰ》 *t.* 불어넣다, 고취하다. ¶jm. Mut 〔Trost〕 ∼ 아무를 격려〔위로〕하다. 《Ⅱ》 *i.*(h.) **auf** jn. ∼ a) 아무를 위로하다, 에 충고하다, b) 을 욕하다, 대들다 / **bei** jm. ∼ 아무에게 들르다 / **gegen** et. ∼ 무엇에 항의하다.

ein|sprengen [–ʃprɛŋən] *t.* (물을) 뿌려서 적시다; 부수어 열다; 폭파하다; (“뿌려 넣다”의 뜻:) (에) 점철(點綴)하다. ¶ in diesem Gestein ist Silber eingesprengt 이 광석에는 은이 섞여 있다.

ein|springen* [–ʃprɪŋən] *i.*(s.) ① 뛰어들다; (auf jn. 〔et.[4]〕, 아무〔무엇〕에) 달려 들다. ② (자물쇠)가 찰칵 걸리다. ③ 안으로 굽다, 오목해지다. ¶∼der Winkel 요각(凹角). ④ für jn. ∼ 아무를 대리하다.

ein|spritzen [–ʃprɪtsən] *t.* 주입하다(*inject*); 주사하다(*syringe*). **Einspritzung** *f.* –en, 주입; 주사(注射).

Einspruch [áinʃprux] [＜einsprechen] *m.* –(e)s, ⸚e, 이의, 항의(*objection, protest*). ¶∼ erheben (gegen, 에 대하여) 이의를 제기하다.

Einspūrbahn [áinʃpu:rba:n] *f.* 단선 철도(單線鐵道). **ein·spūrig** [–ʃpu:rɪç] *a.* 〖鐵〗 단선의.

einst [ainst] [*eig.* eines (ein 의 2格), -t 는 添加音] 《Ⅰ》 *adv.* ① 한때, 이전에, 옛날에(*one day*). ② 언젠가, 장차, 뒷날(*someday*). 《Ⅱ》 **Einst** *n.* –, 과거, 옛적; 장래.

ein|stampfen [áinʃtampfən] *t.* 밟아〔두들겨〕 넣다; (지면을) 밟아〔다져서〕 고르게 하다.

Einstand [áinʃtant] [＜einsteh(e)n] *m.* –(e)s ⸚e, ① 취임; 취임 피로연; 입사〔입회〕비. ② 신원 보증; 구매 조합 가입.

Einstands-geld *n.* 입회〔입사〕금; 취직〔취임〕 피로연 비용. **∼preis** *m.* 선매(先買) 가격《물품 가격에 수수료·송료를 더한 것》.

ein|stauben [áinʃtaubən] *i.*(s.) 먼지투성이가 되다. **ein|stäuben** *t.* 먼지〔가루〕투성이로 만들다.

ein|stechen* [–ʃtɛçən] ① *t.* 찔러 넣다, 찌르다; (구멍을) 뚫다. ② *i.*(s.): in See ∼ 난바다로 나가다, 출범하다.

ein|stecken[(*)] [–ʃtɛkən] *t.* 끼워〔꽂아〕 넣다, 집어넣다; 칼집에 꽂다; 호주머니에 넣다; 《比》 옥에 가두다; 체포하다; (수모 따위를) 참다, 견디다.

ein|steh(e)n* [áinʃte:(ə)n] *i.* (s. *u.* h.) (für, 의) 보증을 서다, 책임을 지다.

ein|steigen* [–ʃtaigən] *i.*(s.) 올라 타다 ¶zum Fenster ∼ 창으로 몰래 들어가다.

einstellbār [–ʃtɛlba:r] *a.* 조정할 수 있는.

ein|stellen [áinʃtɛlən] 《Ⅰ》 *t.* ① (두는 장소에) (집어) 넣다(*put in*). ② 고용하다(*engage*); (신병을) 편입하다(*enlist*). ③ (바른 자리에 두다:) 조정하다, (의) 도수를〔초점을〕 맞추다(*adjust*). ¶《比》 auf et.[4] eingestellt sein 무엇을 목표〔과녁〕으로 하다 / philosophisch eingestellt 철학적인 견지에 선. ④ (“거두다”의 뜻:) 그치다, 중지하다(*leave off, stop, suspend*); (소송을) 취하하다. ¶die Arbeit ∼ 파업하다(*strike*), 폐점〔휴업〕하다. 《Ⅱ》 *refl.* ① (어떤 곳에) 나타나다, 출두〔출현〕하다, 생기다(*come, appear*). ② 도수가〔초점이〕 맞다. ¶《比》 sich auf et.[4] ∼ 무엇을 겨누다〔목표로 삼다〕.

einstellig [áinʃtɛlɪç] *a.* 〖數〗 (수가) 한 자리의.

Einstell-kurbel *f.* 조정 핸들. **∼scheibe** *f.* 다이얼. **∼skāla** *f.* 조절용의 (눈금)판.

Einstellung [áinʃtɛlʊŋ] *f.* –en, ① 고용; (병적) 편입. ② 정지, 중지; 파업; 〖法〗 취하(取下). ③ 도수〔초점〕 맞추기; 조정; 착안점, 관점, 입각지; 입장; 자세, 태도(*attitude*).

ein|stemmen [–ʃtɛmən] *t.* 떠받치다, 괴다; 〖坑〗 바닥짚다.

ein|sticken [–ʃtɪkən] *t.* 수놓다.

einstig [áinstɪç] [＜einst] *a.* ① (언젠가) 장차의, 뒷날의(*future*). ② (언젠가) 옛날의, 이전의(*former*), 고(故)(인이 된)(*late*).

ein|stimmen [–ʃtɪmən] *i.*(h.) 노래〔연주〕하기 시작하다; 가락을 맞추다. ¶mit ∼ 창화(唱和)하다; 《比》 일치〔동의〕하다(*consent, agree*).

einstimmig[1] [áinʃtɪmɪç] *a.* 일치하는, 같은 의견의.

einstimmig[2] *a.* 〖樂〗 독창〔동성, 동음〕의; 이구 동성의; *adv.* 이구 동성으로.

Einstimmigkeit *f.* 《Ⅰ》 일치, 동의. 《Ⅱ》 〖樂〗 단성임; 이구 동성.

ein|stippen [–ʃtɪpən] *t.* 《俗》 물에 담그다.

einstmāls [áinstma:ls] *adv.* 언젠가 한 번(*once*).

einstöckig [áinʃtœkɪç] *a.* 이층 건물의 《지층은 Stock에 들지 않음》.

einstōßen* [–ʃto:sən] *t.* 쳐박아〔쑤셔·밀어〕넣다; 찔러 부수다, 밀쳐 허물다.

ein|strahlen [–ʃtra:lən] *i.*(s.) (빛이) 새어들다. **Einstrahlung** *f.* 〖氣象〗 일사(日射).

ein|streichen* [-ʃtraiçən] 《Ⅰ》 *t.* 문질러〔비벼〕 넣다, 발라 메우다, 칠하다; (돈을) 호주머니에 넣다. 《Ⅱ》 *i.*(s.) 어정거리다; (종다리 등이) 들에 내려오다; 그물에 걸리다.

ein|streuen [-ʃtrɔyən] *t.* 뿌려 넣다; 가축에 짚을 깔아 주다; 《比》 섞다; 말참견하다.

ein|strömen [-ʃtrø:mən] 《Ⅰ》 *i.*(s.) 흘러들다; 《比》 (군중 등이) 밀어닥치다. 《Ⅱ》 *t.* (남에게 어떤 기분을) 불어넣다.

ein|studieren [-ʃtudi:rən] *t.* 익혀 외다; 연습하다; 〖劇〗 예비 연습을 하다.

ein|stūfen [-ʃtu:fən] *t.* 등급으로 나누다, 분류하다.

ein|stündig [áinʃtʏndɪç] *a.* 한 시간의.

ein|stürmen [-ʃtʏrmən] 《Ⅰ》 *i.*(s.) 돌입하다; (auf jn., 아무를 향하여) 돌진〔습격〕하다. 《Ⅱ》 *t.* 밀어 쓸어뜨리다; 찔러 넣다.

Einsturz [áinʃtʊrts] *m.* –es, ⸚e, 함몰, 붕괴. ¶～ des Bodens 사태. **ein|stürzen** [áinʃtʏrtsən] 《Ⅰ》 *i.*(s..) 함몰〔붕괴〕하다. 《Ⅱ》 *t.* 함몰〔붕괴〕시키다.

einstweilen [áinstváilən] *adv.* 그 사이에, 그 동안, 이럭저럭 하는 동안에 (*meanwhile*); 임시로, 당분간, 현재로서는 (*for the present*). **einstweilig** *a.* 당분간의, 임시의(*temporary, provisional*).

eintāgig [áintɛ:gɪç] *a.* (곤충·꽃 따위) 하루 (동안)의; 《比》 덧없는, 잠깐 사이의.

Eintāgs=fliege *f.* 〖蟲〗 하루살이(*May-fly*). **～tiden** *pl.* 하루 한 번뿐인 조수의 간만.

ein|tanzen [áintantsən] *t.*: jn. ～ 아무에게 댄스 연습을 시키다. **Eintänzer** *m.* -s, -, 무도장에 전속된 (남자) 댄서 (*gigolo*).

ein|tauchen [áintauxən] 《Ⅰ》 *t.* 담그다, 절이다; 잠수하게 하다. 《Ⅱ》 *i.*(s.) 담기다, 잠기다, 절여지다; 잠수하다.

ein|tauschen [-tauʃən] *t.* 교환〔교역〕하다.

ein|teeren [-te:rən] *t.* (에) 타르를 칠〔하다.〕

ein|teilen [áintailən] *t.* (계획적〔조직적〕으로) 나누다, 분할〔구분〕하다; 분배하다; 정리하다(*devide, classify, arrange, distribute*).

Einteilung [áintailʊŋ] *f.* -en, 나누기; 구분, 분도(分度); 배분; 〖文〗 구두(법); 〖樂〗 분절법. ¶k-e ～ haben 불규칙한 생활을 하다.

ein=tönig [áintø:nɪç] *a.* 한결같은, 단조로운(*monotonous*). **～tönigkeit** *f.* 위임.

Eintracht [áintraxt] [ein-은 "하나", -tracht 는 tragen 에서 파생; <mhd. *in eins tragen* „übereinkommen"] *f.* 일치, 융화, 협조(*harmony, concord*). **ein=trächtig** *a.* 일치〔협조〕하는.

Eintrāg [áintra:k] *m.* -(e), ⸚e, 기입, 등록(*entry*); 〖紡〗 씨줄(*woof, weft*); 손해, 피해(*damage, harm*). **ein|trāgen*** [áintra:gən] *t.* ① 날라 들이다; (씨줄을) 넣다. ② 등록〔등기〕하다(*enter, book*). ③ (이익·손실 따위를) 가져오다(*bring in, yield*). **einträglich** [-trɛ:k-] *a.* 수지가 맞는, 유리한. **Einträgung** [áintra:gʊŋ] *f.* -en, 기입, 등록, 등기.

ein|tränken [áintrɛŋkən] *t.* ① 담그다, 축이다, 절이다. ② 《比》 jm. et. ～ 아무에게 무엇의 앙갚음을 하다.

ein|träufeln [-trɔyfəln] *t.* 한 방울씩 떨어뜨려 넣다; 〖醫〗 적주(滴注)하다.

ein|treffen* [-trɛfən] *i.*(s.) (예정된 때·곳에) 도착하다(*arrive*); (稀: h.) 《比》(예정대로) 실현하다, 생기다, 일어나다(*happen*); 적중하다(*come true, be fulfilled*).

ein|treiben* [-traibən] *t.* (가축을) 몰아 넣다; (못·쐐기를) 쳐 박다; 거둬들이다, (지불을) 독촉하다《세금을: *collect*, 빚돈을: *exact*》.

ein|trēten* [-tre:tən] 《Ⅰ》 *i.*(s.) ① 들어가다, 들르다, 걸어 들어가다; 가입〔입회·취임〕하다. ② **für** jn. ～ 아무의 대리를 보다, 의 편을 들다, 을 보증〔옹호〕하다, 를 위하여 중재〔알선〕하다. ③ (무엇이) 일나나다, 생기다, 나타나다, 시작되다(*take place, occur, happen*). ¶die Nacht tritt ein 해가 진다, 날이 저문다. 《Ⅱ》 *t.* 밟아서〔차서〕 부수다.

ein|trichtern [-trɪçtərn] *t.* 깔때기로 부어넣다; 《比》 주입식으로 가르치다 (*drum into one's head*).

Eintritt [áintrɪt] [<eintreten] *m.*-(e)s, -e, 발을 들임, 걸어 듦(*entrance*); 개시 (*commencement*); 입장(료). ¶～ in ein Amt 취임, 취직 / bei ～ der Dunkelheit 땅거미질 때에.

Eintritts=exāmen *n.* 입학〔입사〕 시험. **～geld** *n.* 입장료; 입학금, 입사금. **～karte** *f.* 입장권. **～preis** *m.* 입장료. **～prūfung** *f.* 입학〔입사〕 시험.

ein|trocknen [áintrɔknən] 《Ⅰ》 *i.*(s.) 말라서 오그라들다; 바싹 마르다, 말라 빠지다. 《Ⅱ》 *t.* 말리다; 포로 만들다.

ein|tröpfeln [-trœpfəln] *t.* 뚝뚝 떨어뜨려 넣다, 〖醫〗 적주(滴注)하다.

ein|tūn* [áintu:n] 《俗》 《Ⅰ》 (집어) 넣다; 치워 버리다; 감금하다. 《Ⅱ》 *refl.* (사냥꾼 등이) 몸을 숨기다.

ein|tunken [-tʊŋkən] *t.* 적시다.

ein|üben [áin-y:bən] 《Ⅰ》 *t.*: et.: 연습하여 익히다(*practise*); jn.: (에게) 연습을 시키다, (을) 훈련하다(*train*). 《Ⅱ》 *refl.* 연습〔습득〕하다.

ein|verleiben [-fɛrlaibən] *t.* (신체에) 섭취 동화하다(*imbibe*); 합병〔병합〕하다 (*incorporate, annex*).

Einvernehmen [áinfɛrne:mən] *n.* -s, 양해, 합의; 일치, 협조.

ein|verstanden [áinfɛrʃtandən] [<† einverstehen] *p. a.* 양해가 된, 일치〔합의〕한. ¶～! 알았읍니다, 좋소(*agreed!*).

Einverständnis *n.* -ses, -se, 양해, 합의; 일치, 협조.

ein|wägen(*) [-vɛ:gən] 《Ⅰ》*t.* 달아서 넣다; 〖建〗 수준기(水準器)로 재다. 《Ⅱ》 *refl.* (달아서) 축나다.

Einwand [áinvant] [<einwenden] *m.* -(e) ⸚e, 이론(異論), 이의, 장애, 고장 (*objection*).

Einwand(e)rer [áinvand(ə)rər] *m.* -s, -, **Einwand(e)rerin** [-rərɪn] *f.* -nen. (타국에서의) 이민, 이주자. **ein|wan=dern** *i.*(s.) (타국에서) 이주〔입국〕하다 (*immigrate*). **Einwand(e)rung** *f.* -en, 이주, 입국; 이민.

einwandfrei [áinvantfrai] *a.* 이의가 〔이론이〕 없는, 나무랄 데 없는.
einwärts [áinvɛrts] *adv.* 안쪽으로, 안으로(♈*inward*(*s*)).
ein|wässern [áinvɛsərn] *t.* 물에 담그다〔적시다〕.
ein|wēben(*) [áinve:bən] *t.* 짜 넣다, 엮어 짜다.
ein|wechseln [áinvɛksəln] *t.* 돈을 바꾸다.
ein|wecken [áinvɛkən] *t.* (식품을) 병에 채워 담다.
ein|weichen [-vaiçən] *t.* ① 물에 적셔 부드럽게 하다. ② 《比》 개 패듯하다.
ein|weihen [áinvaiən] *t.* ① 불제(祓除)하다, 성별(聖別)하다《성직 임명, 교회의 헌당식 따위》 (*consecrate*). ② 쓰기 시작하다, 개회〔개통·개업·제막〕식을 거행하다(*inaugurate, open*). ③ 끌어들이다, (비밀 따위를) 전수하다. ¶jn. in ein Geheimnis ~ 아무에게 어떤 비밀을 털어놓다 / ein Eingeweihter a) 소식통, b) 비전(祕傳)을 받은 사람, 새 가입자, c) 공모자. **Einweihung** [-vaiuŋ] *f.* -en, 불제(祓除); 성별; 봉납, 봉헌, 〔~**s⸗feier** *f.*〕 개시의 축하; (비밀 따위에) 끌어들이기, (내막을) 알게 함.
ein|weisen* [áinvaizən] *t.* (어떤 직·지위에) 앉히다, 임명하다.
ein|wenden(*) [áinvɛndən] *t.* 이의를 제기하다, 반대하다(*object*). **Einwen⸗dung** *f.* -en, 이의, 항의.
ein|werfen* [áinvɛrfən] *t.* ① 던져 넣다; (돈을) 불입하다, 예금〔투자〕하다; (편지를) 투함하다. ② 물건을 던져 부수다 (*smash*). ③ 《比》 이론을 제기하다, 반대하다(*object*).
einwērtig [áinve:rtɪç] *a.* 〖化〗 일가(一價)의 (*univalent*).
ein|wickeln [áinvɪkəln] *t.* 싸다, 꾸리다. **Einwickelpapier** *n.* 포장지.
ein|wiegen* [áinvi:gən] *t.* 흔들어 재우다; 《比》 진정시키다; 가라앉히다(*lull*).
ein|willigen [áinvɪlɪgən] *i.*(h.) 동의하다 (*consent*). **Einwilligung** *f.* -en, 동의(*consent*).
ein|wirken [áinvɪrkən] *i.* (h.) (auf jn. 〔et.〕, 아무〔무엇〕에) 작용하다. 감화〔영향〕를 주다(*work on, influence*). **Ein⸗wirkung** *f.* -en, 작용, 영향, 감화.
ein|wohnen [áinvo:nən] 《Ⅰ》 *i.*(h.) 거주하다. 《Ⅱ》 *refl.* (in, 에)(오래 살아) 익숙해지다. **Einwohner** *m.* -s, -, **Einwohnerin** *f.* -nen, 주민(*inhabitant*). **Einwohnerschaft** *f.* -en, 주민《전체》; 전 인구.
ein|wollen* [áinvɔlən] *i.*(h.) ① (안으로) 들어가기를 원하다. ② das will mir nicht ein 그건 도무지 납득이 안 간다.
Einwurf [áinvʊrf] [<einwerfen] *m.* -(e)s, ⸚e, 투입; 투입구(口); 《比》 이의, 이론, 반박, 항의(*objection*).
ein|wurzeln[áinvʊrtsəln] *i.*(*su.* h..) u. *refl.* 뿌리박다; 《比》 고착〔고정〕하다.
Einzahl [áintsa:l] *f.* -en, 〖文〗 단수 (*singular*).
ein|zahlen [áintsa:lən] *t.* 불입하다; 예금하다.
ein|zählen[áintsɛ:lən]*t.* (mit einzählen) 셈에 넣다, 수에 넣다.
Einzahlung [áintsa:luŋ] *f.* -en, 불입(금).
ein|zäunen [áintsɔynən] *t.* (에) 울타리를 두르다, (을) 울타리로 에우다. **Ein⸗zäunung** *f.* -en, 위를 하기; 울타리.
ein|zeichnen [áintsaiçnən] 《Ⅰ》 *t.* 써〔적어〕넣다, 기입〔기장〕하다. 《Ⅱ》 *refl.* 서명〔기명〕하다, 성명을 기입하다.
Einzel⸗arrest [前半: <einzeln] *m.* 독방금고(禁錮). **~ding** *n.* 〖哲〗 개물(個物) (*individual* (*thing*)). **~fall** *m.* 개개의 특수한 경우. **~haft** *f.* 독방 구류. **~handel** *m.* 소매(업). **~haus** *n.* 한 채의 집, 외딴집.
Einzelheit [áintsəlhait] *f.* -en, ① 단일, 개개; 개개의 사물, 개체(*individuality*). ② *pl.* 세목, 명세, 상세(*details, data*).
Einzelkampf [áintsəlkampf] *m.* 각개전투, 접전.
einzellig [áintsɛlɪç] *a.* 단세포의.
einzeln [áintsəln] [<ein "하나"] 《Ⅰ》 *a.* ① 단일의, 단독의(*single, one*); 개개의, 고립한(*particular, separate*); 외딴(*detached*); 외짝의《장갑이》(*odd*);독신의; 개별적인; 상세한. ¶die ~en Umstände 세목, 자세 / ~e 각개인 / ~es, a) 소수의 물건, 두세 개의 것, b) 잔돈 / im ~en a) 따로따로, 하나하나, b) 소매로. ② 두셋의, 소수의. ¶~e Leute 소수의 사람들. 《Ⅱ》 *adv.* 하나씩, 따로따로; 소매로(*in or by retail*).

Einzel⸗spiel *n.* 〖테니스〗 단식(시합). **~teile** *pl.* 세목; 부분품. **~wēsen** *n.* 개체. **~zelle** *f.* 독방.
ein|ziehen* [áintsi:ən] 《Ⅰ》 *t.* ① 끌어들이다〔넣다〕; (실을) 꿰다; (유리를) 끼우다; 집어넣다; 거두다; (eingehen lassen) 줄이다, 움츠리다, 좁히다; 빨아들이다. ② 소집하다; 되불러 들이다, 철퇴시키다. ③ 체포〔구금〕하다(*arrest*). ④ 징수〔회수〕하다(*call in, collect*); 몰수하다(*confiscate*); 《比》 폐지하다(*suppress*). ⑤ (정보를) 수집하다. ⑥ (물·향기 따위를) 빨아들이다. 《Ⅱ》 *refl.* ① 움츠리다, 오므라들다(*shrink*); 물러나다, 퇴각하다(*withdraw*); 절약하다. ② 흡수되다, 빨려들다. 《Ⅲ》 *i.*(s.) (어떤 집으로) 옮겨오다, 이사하다(*move in*); 〖軍〗 진입하다(*enter, march in*); 스며들다, 빨려들어가다(*soak in*). 《Ⅳ》 **eingezōgen** *p.a.* 은퇴한, 고독한. **Einziehung** [áintsi:uŋ] *f.* -en, 끌어들이기, 움츠러들기; 회수, 징수; 체포, 구금; 폐지; 몰수; 전거(轉居); 징집; 진입.
einzig[áintsɪç] [<ein "하나"] 《Ⅰ》 *a.* 유일한(*only, sole*); 《比》 비할 바 없는 (*unique*). 《Ⅱ》 *adv.*: ~ (und allein), 오직, 다만. **~ārtig** *a.* 비길 데 없는, 유례없는.
ein|zuckern [áintsʊkərn] *t.* 설탕에 절이다.
Einzūg [áintsu:k] [<einziehen] *m.* -(e)s, ⸚e, (어떤 지방에) 들어옴, 전입; 이사, 이전.
ein|zwängen [áintsvɛŋən] *t.* 밀어〔쑤셔〕 넣다; (신 따위가) 죄다; 《比》 몹시 속박〔강제〕하다.
eis [é:ɪs] *n.* -, -, 〖樂〗 올림 마 음(音).
Eis [ais] *n.* -es, 얼음(♈*ice*); 빙과, 아이스크림(*ice cream*).
Eis⸗bahn *f.* 얼음판, 스케이트장. **~⸗bär** *m.* 〖動〗 북극곰, 백곰.
Eisbein [áisbain] [前半: ♈gr. *ischion* „Hüfte"?] *n.* 돼지족《북독일의 요리》.

Eis·berg *m.* 빙산; 얼음으로 덮인 산. **~beutel** *m.* 〖醫〗 얼음 주머니. **~·bock, ~brecher** *m.* 쇄빙선. **~bombe** *f.* 아이스(크림의) 푸딩《과자 이름》. **~·decke** *f.* 수면에 얼어붙은 얼음.

eisen [áizən] [<Eis] 《Ⅰ》 *t.* (의) 얼음을 치우다, 얼음을 깨어[떠] 내다《저장용으로》. 《Ⅱ》 *i.*(s.) 결빙하다. 《Ⅲ》《非人稱》 es eist 얼(어 붙)다, 결빙하다.

Eisen [áizən] [Lw. kelt.] *n.* -s, -, 쇠, 철(♈*iron*); 쇠 도구[연장]; 날붙이; (Huf-~) 제철(蹄鐵), 편자; 무기, 검; 다리미, 덫; 갈고리; 쇠고랑; 질곡. ¶zum alten ~ werfen 폐물로 버리다; 해고하다 / in ~ liegen 매여 있다. 「철공, 대장장이.」

Eisen·abfall *m.* 파쇠. **~arbeiter** *m.*

Eisenbahn [áizənba:n] *f.* 철도(*railway, -road*); 열차; 철도 관청; 정거장.

Eisenbahn·aktie *f.* 철도 회사 주식. **~beamte** *m.* 《形容詞變化》 철도 관리. **~brücke** *f.* 철(도)교. **~damm** *m.* 철(로)둑.

Eisenbahner [áizənba:nər] *m.* -s, -, 철도 종업원《직원·노무자》.

Eisenbahn·fahrkarte *f.* 기차표. **~·fahrplan** *m.* 열차 시간표. **~fahrt** *f.* 기차 여행. **~knotenpunkt** *m.* 철도 교차점. **~kraftwagen·verkehr** *m.* 국유 철도[철도 회사] 영업의 화물 자동차에 의한 수송. **~kreuzung** *f.* 철도 교차. **~kursbuch** *n.* 철도 안내, 기차 시간표. **~material** *n.* 차량《전부》. **~netz** *n.* 철도망. **~schaffner** *m.* 차장. **~schwelle** *f.* 철도 침목. **~station** *f.* 정거장. **~übergang** *m.* 철도 건널목. **~unfall** *m.* 철도 사고. **~verwaltung** *f.* 철도 관리(국). **~·wagen** *m.* 기차의 차량. **~wärter** *m.* 건널목지기. **~zug** *m.* 열차.

Eisen·beton *m.* 철근 콘크리트. **~·blech** *n.* 얇은 철판. **~erz** *n.* 철광. **~fresser** *m.* 《俗》 호언 장담하는 사람; 약자를 괴롭히는 사람. **~gießer** *m.* 주철공. **~gießerei** *f.* 주철; 주철 공장. **~guß** *m.* 주철. **~haltig** *a.* 철을 함유하는. **~hammer** *m.* 쇠망치; 제철소. **~handel** *m.* 철(물) 매매. **~·händler** *m.* 철물 상인. **~handlung** *f.* 철물점. **~hart** *a.* 쇠같이 굳은. **~·hut** *m.* 〖植〗 개정향풀(*aconite*). **~hüt·te** *f.* 제철소. **~krebs** *m.* 철암(鐵癌)《주철 속의 부식》. **~laden** *m.* 철물전(廛). **~oxyd** *n.* 〖化〗 산화(제2)철. **~oxydul** *n.* 〖化〗 산화 제1철. **~·platte** *f.* 철판. **~schmied** *m.* 대장장이, 철공(*black-smith*). **~waren** *pl.* 철제품. **~werk** *n.* 철물 도구[장구(裝具)·연장]; 제철소. **~zeit** 철기 시대.

eisern [áizərn] [<Eisen] *a.* 철의(♈*iron*). ¶ ~er Bestand, a) 〖經〗 고정 재고(在庫), b) 〖軍〗 (~e Portion) 휴대[비상] 양식 / das ~e Kreuz 철십자 훈장《무훈을 표시》/ ~er Vorhang a) 철로 된 막, b) 《比》 철의 장막《소련 및 동구의》.

eis·frei *a.* 얼음이 없는(강·바다), 얼지 않는. **~fuchs** *m.* 〖動〗 북극 여우. **~·gang** *m.* (봄에 강의) 얼음이 떠내려 감, 빙류. **~grau** *a.* 서리처럼 흰; 백발의. **~grube** *f.* =~KELLER. **~hockey(spiel)** *n.* 〖競〗 아이스하키. **~höhle** *f.* =~KELLER.

eisig [áiziç] [<Eis] *a.* 얼음의, 얼음 같은 (♈*icy*); (~ kalt) 얼음처럼 차가운.

Eis·jacht *f.* 쇄빙선; 빙상 요트. **~kalt** *a.* 얼음처럼 찬. **~keller** *m.* 빙고, 얼음 창고. **~kühler** *m.* 냉각기, 냉장고. **~lauf** *m.* 스케이팅. **~läufer** *m.* 스케이트 타는 사람. **~maschine** *f.* 제빙기; 냉동기. **~meer** *n.* (북·남)빙양. **~nägel** *m.* 빙상용 편자에 박는 못. **~pickel** *m.* (아이스)피켈, 쇄빙용 도끼《등산용》. **~scholle** *f.* 얼음 덩이. **~schrank** *m.* 얼음 상자, 냉장고. **~·schuhe** *pl.* 스케이트 구두. **~sporn** *m.* =~NAGEL. **~treiben** *n.* 빙류(氷流). **~vogel** *m.* 〖鳥〗 물총새(*kingfisher*). **~zapfen** *m.* 고드름. **~zeit** *f.* 빙하 시대.

eitel [áitəl] [*eig.* „leer“; =engl. *idle*] *a.* ① 《不變化; 現在는 lauter를 씀》 오로지, 오직, 다만(*only, nothing but*). ② 《詩》 공허한, 무가치한, 보잘것없는, 쓸데없는, 무상한, 헛된, 덧없는, 텅 빈 (*vain, empty*). ③ 허영심이 강한, 뽐내는(*conceited*). **Eitelkeit** *f.* -en, 공허; 허영심, 자부, 자만(*vanity*); 무가치.

Eiter [áitər] *m.* -s, 고름(*matter, puss*). **~beule** *f.* 농양(膿瘍).

eit(e)richt, eit(e)rig [áit(ə)rıç(t)] *a.* 화농성의; 곪은; 고름 모양의.

eitern [áitərn] *i.*(h. *u.* s.)곪다, 화농하다.

Eiter·pilz *m.* 화농균(菌). **~stock** *m.* (종기의) 근. 「〖生·化〗 단백(질).」

Eiweiß [áivais] *n.* -es, -e, 난백(卵白);

Eiweiß·fasterstoff *m.* 단백 섬유질(=natürliche ~e 명주·양모 등). **~stoff** *m.* 단백질.

Eizahn [áitsa:n] *m.* 난치(卵齒)《모기나 도마뱀이 알에서 나올 때 깍지를 쪼는 뾰족한 이》.

Ekel [é:kəl] 《Ⅰ》 *m.* -s, ① 구역, 욕지기(*nausea*); 구역질이 남. ② 염오(*aversion, disgust*); 구역질[진절머리]나는 것. 《Ⅱ》《俗》 *n.* -s, -, 불쾌한 놈. **ekel·haft, ek(e)lig** *a.* 구역질나는, 불쾌한, 넌더리나는. **ekeln** [é:kəln] *i.*(h.): es ekelt mich[mir] 나는 욕지기가 난다 / mich[mir] ekelt vor et.³ 나는 무엇이 싫어 죽을 지경이다. 「도(心電圖).」

EKG 《略》=*E*lektro*k*ardio*g*ramm 심전

Eklat [eklá:] [germ. -fr.] *m.* -s, -s, ① 폭발; (박수 따위의) 소음. ② 명성; 광휘; 화려; 《反》 추문. **eklatant** [eklatánt] *a.* 빛나는; 눈부신; 현저한; 명백한; 뚜렷한.

Eklogit [ɛklogí:t] [gr. *eklogé* „Auswahl“] *m.* -(e)s, -e, 유섬석(榴閃石)《휘석과 석류석의 입상 집합으로 된 암석》.

Ekrü-seide [ekrý:-] [前半: lat. -fr.] *f.* 생사(生絲).

Ekstase [ɛkstá:zə] [gr. „sich (aus sich) Heraus-stellen“] *f.* -n, 망아(忘我), 황홀(상태), 무아경(♈*ecstasy*).

Ektoplasma [ɛktoplásma] [gr.] *n.* -s, ..men, 〖生〗외질(外質)《원형질의 바깥층》.

Ekzem [ɛktsé:m] [gr.] *n.* -s, -e, 〖醫〗 습진(♈*eczema*). 「중, 감격.」

Elan [elã:] [fr.] *m.* -s, 비약, 돌진; 열

elastisch [elástɪʃ] *a.* 탄력있는, 탄(력)성의, 신축 자재한(♈*elastic*). **Elastizität** [elastitsitɛ́:t] *f.* -en, 탄력; 탄(력)성(♈*elasticy*); 경쾌; 신축 자재.

Elbe [ɛ́lbə] [*eig.* „Fließendes, Fluß"] *f.*: die ∼ 엘베 강《독일의》.

Elch [ɛlç] *m.* -(e)s, -e, 〖動〗 고라니《지금은 흔히 Elentier》(♈*elk*).

Elefant [elefánt, elə-] [ägypt. -gr.] *m.* -en, -en, 코끼리(♈*elephant*).

Elefanten·robbe *f.* 〖動〗 해마(海馬). **∼zahn** *m.* 상아.

elegant [elegánt] [lat., fr. „auswählend"] *a.* 우아한, 멋진. **Eleganz** [-ts] *f.* 우아; 멋, 맵시.

Elegie [elegí:] [gr.] *f.* ..gi̲en, 애시(哀詩), 비가(♈*elegy*). **elegisch** *a.* 비가의; 애처로운.

elektrifizieren [elɛ̀ktrifitsí:rən] [„elektrisch machen"] *t.* 전화(電化)하다, (에) 전기를 통하다. **Elektriker** [eléktrikər] *m.* -s, -, 《俗》 전기 기사. **elektrisch** [eléktrɪʃ] [gr. <*ḗlektron*, „Bernstein", 애초에 호박(琥珀)의 마찰에 의하여 전기를 얻은 데 기인하여 붙인 이름] *a.* 전기의, 전기에 관한, 전기에 의한, 발전의(♈*electric*(*al*)). ¶∼e Bahn 전차 / ∼e Batterie 전지 / ∼er Funken 전기 스파크 / ∼e Klingel 전령 / ∼es Licht 전등 / ∼er Schlag 전격(電擊). **elektrisieren** [elɛ̀ktrizí:rən] *t.* (에) 전기를 통하다, 대전시키다; 전화(電化)하다. **Elektrisiermaschine** *f.* 발전기. **Elektrizität** [elɛktritsitɛ́:t] *f.* -en, 전기(♈*electricity*).

Elektrizitäts·messer *m.* 전위계. **∼werk** *n.* 발전소.

Elektro·analyse [elɛktro-] *f.* 전기 분석. **∼chemie** *f.* 전기 화학.

Elektrode [elɛktró:də] [gr., *hodós*, „Weg, Gang"] *f.* -n, 전극.

Elektro·diagnostik [-diagnɔ́stik] [gr.] *f.* 전기를 쓰는 진단학. **∼dynamik** *f.* 전기 역학. **∼enzephalogramm** [-ɛntsefalɔgrám] [gr.] *n.* -(e)s, -e, 뇌파(腦波). **∼enzephalographie** [-grafí:] *f.* 뇌파 전위 기록법.

Elektro·fischerei [eléktro-] *f.* 강(强)전류 어획법. **∼industrie** *f.* 전기 공업. **∼ingenieur** [-ɪnʒeniǿ:r] 전기 기사.

Elektro·kardiogramm [elɛktrokardiográm] [gr.] *n.* -(e), -e, 심전도(心電圖). **∼kardiographie** [-grafí:] *f.* 심전도 묘화법.

Elektrokrampf [eléktro-] *m.* 전기(에 의한) 근경만(筋痙彎)《정신병원에서 행하는》.

Elektrolyse [elɛktrolý:zə] [gr.] *f.* *-n*, 전기 분해. **Elektrolyseur** [-lyzǿ:r] *m.* -s, -e, 전해(電解) 장치. **elektrolytisch** [-lý:-] *a.* 전기 분해의.

Elektro·magnet *m.* 전자석. **∼motor** *m.* 전동기.

Elektron [eléktrɔn, ɛ́lɛktrɔn, elɛktró:n] [gr. „Bernstein"] *n.* -s, ..tro̲nen, 전자(電子), 엘렉트론.

Elektronen·gehirn *n.* 전자 두뇌《전자 계산기》. **∼mikroskop** *n.* 전자 현미경. **∼optik** *f.* 전자 광학. **∼röhre** *f.* 전자관; 진공관.

Elektronik [elɛktró:nɪk] *f.* 전자 공학. **elektronisch** *a.* 전자 공학의. ¶∼e Kampfführung 전자 작전《적의 전파를 방해하는》/ ∼e Musik 전자 음악.

Elektroschok [eléktroʃɔk] *m.* (뇌에 주는) 충격《정신병 요법》.

Element [elemént, eləmént] [lat. „Grundstoff", 기원은 알파벳의 l, m, n 으로, 우리말의 "가나다"처럼 사물의 시작을 표시함] *n.* -(e)s, -e, ① 원소; 〖數〗 원리; 요소, 성분; (흙·물 따위) 생물의 서식처; (사람의) 본령(本領), 활동 무대. ¶die vier ∼e, 사대 원소(흙, 물, 불, 바람) / in s-m ∼ sein 뽐낼 만한 경지에 있다. ② (*pl.*) (학술의) 초보; 기본(*rudiments*). ③ (elektrisches ∼) 전지(*cell*).

elementar [elemɛntá:r, elə-] *a.* 초보의; 기본〔근본〕적인; 원소의; 자연력의; (♈*elementary*). ¶mit ∼er Gewalt 불가항력으로.

Elementar·buch *n.* 입문서, 참고서. **∼gewalt** *f.* 자연력, 불가항력. **∼schule** *f.* 국민 학교; 초급의 과제.

Elen [é:lɛn] [litauisch, „Hirsch"] *m.* od. *n.* -s, -, 〖動〗 고라니(*elk*).

Elend [é:lɛnt] [원뜻„Ausland"] *n.* -(e)s, [-ts, -dəs], 처참한 지경, 불행, 비참(*distress, misery*); 곤궁, 빈곤. **elend** [é:lɛnt, 때로 e:lɛ́nt] *a.* 참혹한, 가엾은(*miserable, pitiful*), 비참한(*wretched*).

Elendsviertel *n.* 빈민굴.

Elentier [é:lɛnti:r] *n.* =ELEN.

Elevator [elevá:tɔr] [lat.] *m.* -s, ..vato̲ren, 승강기. **Eleve** [elé:və] [lat. -fr.] *m.* -n, -n, 제자, 학생. **Elevin** *f.* -nen, 여제자, 여학생.

Elf[1] [ɛlf] *m.* -en, -en, **Elfe** *f.* -n, 요정《특히 공기 및 땅의》(♈*elf, fairly*).

elf [ɛlf] [ahd. *ein-lif* „eins drüber" (10과) 나머지가 1의 뜻] 《Ⅰ》 *num.* 11 (♈*eleven*). 《Ⅱ》 **Elf**[2] *f.* -en, 11 (이라는 수).

Elfenbein [ɛ́lfənbain] [„Elefantenbein"] *n.* 상아 (세공)(*ivory*). **elfenbeine(r)n** *a.* 상아(제)의.

elfenhaft [ɛ́lfənhaft] *a.* 요정 같은.

Elfenring [ɛ́lfənrɪŋ] *m.* =HEXENRING.

elferlei [ɛ́lfərlai] *a.* 11 종의.

elf·fach *a.* 11 배〔겹〕의. **∼jahrig** *a.* 11 살의. **∼mal** *adv.* 11 배, 열한 번.

elft [ɛlft] *a.* 제 11 의. **elftens** *adv.* 제 11(번째)에.

Elimination [eliminatsió:n] [lat.] *f.* -en, 제거; 소거(消去). **eliminieren** [lat., „aus dem Hause stoßen"] *t.* 제거〔삭제〕하다(♈*eliminate*); 〖數〗 소거하다.

Elite [elí:tə] [fr. „Aus-wahl"] *f.* -n, 선발(된 물건, 사람들), 정예(精鋭), 정화; 〖軍〗 〔**∼truppe** *f.*〕 정병.

Elixier [elɪksí:r] [gr. -ar.] *n.* -s, -e, 식물의 정(精)을 뽑은 팅크 모양의 약제; 선약(仙藥), 영약(靈藥).

Elle [ɛ́lə] *f.* -n, 팔뚝(*ulna*); (팔뚝의 길이:) 엘《독일의 옛 척도》(♈*ell*); (englische ∼) 야드(碼)(*yard*). 「(♈*elbow*).

Ell(en)bogen [ɛ́l(ən)bo:gən] *m.* 팔꿈치

Eller [ɛ́lər] *f.* -n, 〖植〗 =ERLE.

E

Ellipse [ɛlípsə] [gr. „Auslassung"] *f.* -n, 〖文〗 생략(법); 〖數〗 타원. **ellip·tisch** *a.* 〖文〗 생략한; 〖數〗 타원형의; *adv.* 생략하여.

Eloge [eló:ʒə] [lat. -fr.] *f.* -n, 찬사, 칭찬의 말. ¶jm. ~n machen 아무에게 엉너리치다. 「변.」

Eloquenz [elokvɛ́nts] [lat.] *f.* 웅변, 능

Elsaß [ɛ́lzas] [*eig.* „Aussitzender" (*el* „ander")] *n.* - *u.* ..sses, 라인 강 상류 프랑스의 주 이름《누차 독일령이 되었었음》(♈ *Alsace*). **Elsässer** [ɛ́lzɛsər] *m.* -s, -, 알사스 사람. **elsässisch** *a.* 알사스의. **Elsaß·Lothringen** [-ló:t-] *n.* 프랑스의 주 이름(♈ *Alsace-Lorraine*).

Else [ɛ́lzə] *f.* -n, =ERLE.

Elster [ɛ́lstər] *f.* -n, 〖鳥〗 (유럽의) 까치(*magpie*). 「운].」

elterlich [ɛ́ltərlıç] *a.* 양친의, 부모의[다

Eltern [ɛ́ltərn] [=die Älteren] *pl.* 어버이, 양친, 부모(*parents*).

eltern·los *a.* 부모 없는, 고아의. **~rat** *m.* 사친회. 「*werk* 발전소.」

Eltwerk [ɛ́ltvɛrk] *n.* =*Elektrizitäts-*

Email [emái, emáil, emá:j] [fr. <d. schmelzen] *n.* -s, -s, 에나멜(*enamel*).

emaillieren [ema(l)jí:rən] *t.* (에) 에나멜을 바르다.

Emanation [emanatsĭó:n] [lat., „Ausfluß"] *f.* -en, 유출; 방사; 〖化〗 에마나티온. **emanieren** 《Ⅰ》 *i.*(s.) 방사[유출]하다. 《Ⅱ》 *t.* 〖法〗 반포하다.

Emanzipation [emantsipatsĭó:n] [lat.] *f.* -en, 해방 《특히 여성의》; 구제(救濟). **emanzipieren** [lat. „aus der väterlichen Gewalt geben"] *t.* (여성을) 해방하다.

Embargo [ɛmbárgo] [sp.] *n.* 〔*m.*〕 -s, -s, 출항 정지; 수출 금지; 선박 억류.

Em·bolie [ɛmbolí:] [gr. „Ein-wurf"] *f.* ..lien, 〖醫〗 전색증(栓塞症).

Emigrant [emigránt] [lat. „Auswanderer"] *m.* -en, -en, 인민, 이주자; 망명자. 「남자 이름.

Emil [é:mi:l] [lat., „Nacheiferer"] *m.*

Emissär [emısɛ́:r] *m.* -s, -e, 밀사; 밀정. **Emission** [-sĭó:n] *f.* -en, 유출, 방출; 방사; 〖商〗 (공채 따위의) 발행. **emittieren** *t.* 내어보내다; (빛 따위를) 발하다, 방사하다; (공채 따위를) 발행하다.

Emotion [emotsĭó:n] [lat.] *f.* -en, 감정, 정서; 감동, 감격.

emp.. [ɛmp-, 악센트 없음] =ENT- 《그 f 앞에 있을 때의 형태》.

empfahl [ɛmpfá:l] ☞EMPFEHLEN 《그 過去》. 「過去》.

empfand [ɛmpfánt] ☞EMPFINDEN 《그

Empfang [ɛmpfáŋ] *m.* -(e)s, ⸚e, ① 받음; 수령(*receipt*); 〖電〗 수신; ② 영접, 응접, 대접; 환영 (*reception*). **empfan·gen*** [=„entfangen"] 《Ⅰ》 *t.* ① 받다, 수령하다. ② 맞아들이다, 응접[환영]하다(*welcome*). 《Ⅱ》 *i.*(h.) 임신하다(*conceive*); 〖電〗 수신하다(*receive*). **Emp·fänger** [ɛmpfɛ́ŋər] *m.* -s, -, 수취인; 수신자; 수신기. **empfänglich** [-lıç] *a.* 감수성 있는(*susceptible, sensible*). ¶~ für Ratschläge 충고를 잘 받아들이는. **Empfänglichkeit** *f.* -en, 민감; 감수성[력], 수용력. **Empfang·nahme** *f.* 수취, 영수(領收); 응접, 접대. **Empfängnis** [-nıs] *f.* -se, 수태 (*conception*).

Empfangs·anlage *f.* 수신 장치. **~·dame** *f.* (여자) 응접원. **~gerät** *n.* 수신기. **~röhre** *f.* 진공관. **~schein** *m.* 수령[영수]증. **~störung** *f.* 수신 방해. **~zimmer** *n.* 응접실, 접견실.

empfehlen* [ɛmpfé:lən] [=„entfehlen"; =befehlen] 《Ⅰ》 *t.* 부탁하다; 추천[소개]하다, 권하다(*recommend*). ¶~ Sie mich Ihrer Frau Gemahlin! 부인께 안부 전해 주십시오. 《Ⅱ》 *refl.* (jm., 아무에게 안부 전해 달라는) 말을 의뢰하다; (jm., 아무에게) 작별을 고하다. ¶es empfiehlt sich, daß... …하는 것이 적절하다고[좋다고] 생각한다. **empfeh·lenswert, empfehlenswürdig** *a.* 추천할 가치가 있는; 권할 만한. **Emp·fehlung** [ɛmpfé:lʊŋ] *f.* -en, 추천[소개](장) 《신분·기술의》; 안부의 말.

Empfehlungs·brief *m.*, **~schrei·ben** *n.* 추천장, 소개장.

empfiehl! [ɛmpfí:l] ☞EMPFEHLEN 《그 命令形》. 「득]할 수 있는.」

empfindbar [ɛmpfíntba:r] *a.* 지각[감

Empfindelei [ɛmpfındəlái] *f.* -en, 지나치게 감상적임(*sentimentality*).

empfinden* [ɛmpfíndən] [=„ent-finden"] *t.* 지각[감지]하다(*perceive*); (정신적으로) 느끼다(*feel*); 받다, 경험하다. ¶ ihr sollt es ~ 두고 봐라 (혼내줄 테니). 《Ⅱ》 *i.*(h.) 감정[감각] 있는. ¶ein ~des (*p. a.*) Wesen 감정이 있는 생물. **emp·findlich** [ɛmpfíntlıç] *a.* ① 느끼기 쉬운(*sensible, sensitive*); 민감한(*tender, nice*); 감상적인, 상처받기 쉬운(*sore*); 성마른 (*irritable, touchy*); 정교한(*delicate*). ② 통절한, 엄한, 심한, 견디기 어려운(*painful*). **Empfindlichkeit** *f.* -en, 느끼기 쉬움, 민감, 감수(성); 성마름; 감성; (기계의) 감도; 통절; 통렬; 신랄. **empfind·sam** [ɛmpfínt-] *a.* 다감한 (*sensitive*); 감상(感傷)적인(*sentimental*). **Empfindsamkeit** *f.* -en, 다감; 감상(주의). **Empfindung** *f.* -en, 감각 (*perception*); 감정(*sensation, feeling*); 기분(*sentiment*).

empfindungs·los *a.* 무감각한; 무감정한; 냉담한. **~vermögen** *n.* 감각 능력. **~wort** *n.* 감탄사. 「過去》.」

empfing [ɛmpfíŋ] ☞EMPFANGEN 《그

empfohlen [ɛmpfó:lən] ☞EMPFEHLEN 《그 過去分詞》.

empfunden [ɛmpfúndən] [<empfinden] *p. a.*: (tief) ~ 통감한, 충심으로부터의, 간절한; 정성어린.

Emphase [ɛmfá:zə] [gr.] *f.* -n, 강조, 역설(♈ *emphasis*); 어세(語勢), 문세. **em·phatisch** [ɛmfá:tıʃ] *a.* 힘을 들인, 힘준; 어세가 강한, 강조[역설]된(♈ *emphatic*).

Empirem [ɛmpiré:m] [gr. <Empirie] *n.* -s, -e, 〖哲〗 경험 사항.

Empirie [ɛmpirí:], **Empirik** [ɛmpí:rık] [gr.] *f.* 〖哲〗 경험; 경험적 지식. **empirisch** *a.* 경험적인(♈ *empirical*).

Empirismus *m.* -, 〖哲〗 경험론.
empor [ɛmpó:r] [ahd. *in bore* „in die Höhe"] *adv.* 위로, 높이(*up, upwards*); 위에(*on high*).
empor⸗|arbeiten *refl.* 위로 향하여 나아가다, 오르다. ～|**blicken** *i.*(h.) 쳐다보다, 우러러보다. ～|**blühen** *i.*(s.) 번영하다. ～|**bringen*** *t.* 올리다, 일으키다; 《比》 들어올리다, 진흥시키다.
Empore [ɛmpó:rə] *f.* -n, (교회의) 이층석, 합창대석; 〖劇〗 맨 위층.
empören [ɛmpǿ:rən] [<empor] 《 I 》 *t.* 반항〔분개〕케 하다(*excite, enrage*). 《 II 》 *refl.* (gegen, 에 대하여) 반항하다, 모반을 일으키다(*rebel, revolt*); (über⁴, 에 대하여) 분개하다 (*grow furious*). 《 III 》 **empörend** *p.a.* 화나게 하는, 괘씸한, 못마땅한, 밉살스러운. **Empörer** *m.* -s, -, 반역자, 폭도. **empörerisch** *a.* 반항적인; 선동적인.
empor⸗|halten* *t.* 쳐들어 올리고 있다. ～|**heben*** *t.* 올리다; 높이다. ～|⸗**helfen*** *i.*(h.): jm. ～helfen 아무를 부축해 일으키다. ～|**klimmen**⁽*⁾ *i.*(s.) 기어오르다, 애써 오르다. ～|**kommen*** *i.*(s.) 오르다; 자라다; 《比》 승진〔출세·번영〕하다. ～**kömmling** [-kœmlıŋ] *m.* -s, -e, 벼락 부자. ～|**ragen** *i.*(h.) 솟다, 뛰어나다. ～|**schauen** *i.*(h.) 쳐다보다. ～|**sehen*** *i.*(h.) 쳐다보다; 《比》 존경하다. ～|**steigen*** *i.*(s.) 올라가다, 오르다. ～|**treiben*** *t.* 밀어올리다, 몰아대다; 〖化〗 승화시키다.
Empörung [ɛmpǿ:rʊŋ] *f.* -en, 모반, 폭동; 분개.
empor⸗|wachsen* *i.*(s.) 성장하다, 뻗어가다. ～|**ziehen*** 《 I 》 *t.* 끌어올리다, 인상(引上)하다. 《 II 》 *i.*(s.) 위로 나아가다.
emsig [ɛ́mzıç] *a.* 근면한(*assiduous, industrious*); 바쁜; 끈기있는. **Emsigkeit** *f.* 근면함, 열심임; 바쁨; 끈기가 있음.
Emulsion [emulzió:n] [lat.] *f.* -en, 〖醫·化〗 유탁액(乳濁液); (감광(感光)) 유제(乳劑).
encouragieren [ãkuraʒí:rən] [fr.] *t.* 용기를 주다, 격려하다 (=ermutigen).
End⸗absicht [ɛ́nt-] *f.* 궁극의 목적〔의도〕. ～**bahnhof** *m.* 종착역. ～**be⸗scheid** *m.* 최후 통첩. ～**buch·stabe** *m.* 최종 자모.
Endchen [ɛ́ntçən] *n.* -s, -, [<Ende] 말단(末端), 쪼가리, 단거리.
Ende [ɛ́ndə] [ahd. *enti, anti* "향방, 선단, 앞면"] *n.* -s, -n, 말단, 끝, 극(極); 종말, 종결, 결과(♈*end*); 목표, 목적(*object, purpose*). ¶letzten ～s 결국, 필경 / ～ Mai, 5월말 / kein ～ finden 끝이 없다, 끝장이 나지 않다 / ein ～ nehmen 그치다, 다하다 / **am** ～ 마치고, 지나서; 마지막에, 뒤에; 필경, 결국 / **ohne** ～ 무한한 / **zu** ～ 끝까지.
Endemie [ɛndemí:] [gr.] *f.* -mien, 풍토병. **endemisch** *a.* 지방 특유의, 풍토성의.
enden [ɛ́ndən] 《 I 》 *t.* 끝내다, 마치다(♈*end, finish*). 《 II 》 *i.*(h.) u. *refl.* 끝나다, 마치다, 그치다, 멈추다(*cease, stop, terminate*); 끝장나다, 죽다(*die*).
End⸗erfolg *m.*, ～**ergebnis** *n.* 최후의 결과〔성과〕.
Endes·unterzeichnete *m.* u. *f.* (形容詞變化) 서명자(署名者).
en détail [ã detái, -tá:j] [fr.] 〖商〗 소매로. ¶～ ～ verkaufen 소매하다.
End⸗geschwindigkeit *f.* 〖物〗 종속(終速). ～**gültig** *a.* 최종의, 궁극의, 마지막의, 결정적인.
endigen [ɛ́ndıgən] = ENDEN. **Endigung** *f.* -en, 종료, 종결.
Endivie [ɛndí:viə] [lat.] *f.* -n, 〖植〗 꽃상치(♈*endive*).
Endkampf [ɛ́ntkampf] *m.* 결승전; 말기의 고민.
endlich [ɛ́ntlıç] [<Ende] 《 I 》 *a.* 끝〔한정〕이 있는, 유한한, 무상한(*finite, limited*); 드디어 실현된, 마지막의(*final, ultimate*). 《 II 》 *adv.* 최후에, 끝에, 드디어, 마침내(*finally, at last*); 필경에, 결국에. **Endlichkeit** *f.* -en, 유한, 무상; 〖宗〗 현세; 유한한 것, 죽어 없어질 물건.
end⸗los *a.* 무한한, 영원한, 불멸의. ～⸗**losigkeit** *f.* 무한, 영원, 불멸.
Endogamie [ɛndogamí:] [gr.] *f.* 동족결혼. **Endokarditis** [-kardí:tıs] *f.* 심(장)내막염.
Endolymphe [ɛndolʏ́mfə] [gr.] *f.* 내임파(內淋巴)《내이(內耳) 미로(迷路) 속의 액(液)》. **Endo·skopie** [-doskopí:, -dɔs-] *f.* ..pien, 내시경(內視鏡) 검사법.
End⸗punkt *m.* 종점, 극점(極點), 목적(지). ～**silbe** *f.* 어미 철자. ～**spiel** *n.* 결승전, (서양 장기 등의) 종반전. ～**spurt** *m.* (운동 경기의) 라스트 스퍼트, 최종 역주. ～**station** *f.* 종착역.
Endung [ɛ́ndʊŋ] [<enden] *f.* -en, 끝, 결말; 〖文〗 어미(語尾).
End⸗ursache *f.* 최종 원인. ～**ziel** *n.*, ～**zweck** *m.* 최종 목적〔목표〕.
Energie [enɛrgí:, ɛnɛr-] [gr. „im (*en*) Werk (*érgon*)"] *f.* ..gien, (활동하는) 힘, 세력, 정력, 활력, 에네르기(♈*energy*). **energielos** *a.* 힘〔원기·기력〕이 없는; 실행력이 없는. **energisch** [enɛ́rgıʃ, ɛnɛ́r-] *a.* 정력적인, 힘좋은(♈*energetic*), 활동적인, 실행력이 있는.
eng [ɛŋ] [♈Angst, ♈bange] *a.* ① 좁은(*narrow*); 째는, 빽빽한(*tight, strict*); 밀접〔밀집〕한, 촘촘한(*close*). ¶～er machen 좁히다, 죄다, 빽빽하게 하다. ② 《比》 친밀한, 긴밀한; 편협한. ¶～e Beziehungen 긴밀한 관계 / ～e Freunde 친구 / ein ～es Herz 편협한 마음〔사람〕.
Engagement [ãgaʒəmã́:] [fr.] *n.* -s, -s, ① 약속, 계약, (좌석 등의) 신청. ② 고용; 지위, 직무. **engagieren** [ãgaʒí:rən] [fr. „in Pfand (*gage*) setzen"] 《 I 》 *t.*: jn. ～ 아무에게 계약하게 하다, 약속시키다; 채용〔모집〕하다. 《 II 》 *refl.* 계약〔약속〕하다; 고용되다. 《 III 》 **enga⸗giert** *p.a.*: sehr ～ sein 다망(多忙)하다 / engagierte Literatur 앙가즈망 문학(Sartre 가 쓰기 시작한 말).
eng⸗begrenzt *a.* 비좁은, 답답한. ～⸗**brüstig** *a.* 흉곽이 좁은; 천식성의.
Enge [ɛ́ŋə] *f.* -n, 좁음, 협착; 좁은 곳; 애로; 《比》 궁경. ¶jn. in die ～ treiben 아무를 궁지로 몰아넣다.
Engel [ɛ́ŋəl] [gr. „Bote" "사자(使者)"] *m.* -s, -, 천사 (♈*angel*). **Engelbild**

n. 천사의 상(像); 천사와 같은 사람.

engelgleich, engelhaft a. 천사 같은.

Engel=kopf m. 천사장(天使長); 예쁜 어린이. **~rein** a. 천사와 같이 순결한.

Engel=schar f. 천사의 무리. **~schön** a. 천사처럼 아름다운.

Engels=geduld f. 천사와 같은 인내[관용]. **~gruß** m. 〖宗〗 천사의 (성모 마리아에 대한) 축사(祝詞), 삼종(三鍾)기도.

Engelszungen [éŋəlstsuŋən] pl. 천사의 말[음성].

Engerling [éŋərlıŋ] m. -s, -e, 〖蟲〗 풍뎅이 따위 곤충의 유충.

England [éŋlant] [„das Land der Angeln"] n. 영국. **Engländer** [éŋlεndər] m. -s, -, 영국 사람.

englisch[1] [éŋlıʃ] a. 천사의, 천사와 같은. ¶ ~er Gruß =ENGELSGRUß.

englisch[2] [éŋlıʃ] 《Ⅰ》 a. 영국(인·어)의. ¶die ~e Krankheit 영국병, 곱추병 / ~es Pflaster 명주 반창고. 《Ⅱ》 **Englisch** n. -(s), das **Englische** n. 영어.

en gros [ã gró:] [fr. „im großen"] adv. 〖商〗 도매로(*wholesale*).

Engros=geschäft [ãgró:-] n., **~handel** m. 도매업. **~händler** m. 도매상.

Engrossist [ãgrɔsíst] [fr. <*en gros*] m. -en, -en, 도매상인.

Enkel[1] [éŋkəl] m. -s, -, 《方》 복숭아뼈 「(♈*ankle*).」

Enkel[2] [éŋkəl] m. -s, -, 손자(*grandson*); pl. 자손. **Enkelfrau** f. 손자며느리. **Enkelin** f. -nen, 손녀(*granddaughter*). **Enkelkind** n. 나어린 손자(*grandchild*). **Enkeltochter** f. 손녀.

ennuyant [anyjánt, ãnyijã:] [fr.] a. 지루한; 싫은.

enorm [enɔ́rm] [lat. „außer-ordentlich"] a. 엄청난, 대단한, 거대한(♈*enormous, huge*).

Enquete [ãkέ:tə] [lat. -fr.] f. -n, 〖法〗 증인 심문; 조사; 앙케트.

enragiert [ãraʒí:rt] [lat. -fr.] a. 격노[격분]한, 열광한.

Ensemble [ãsã:bəl] [lat. -fr.] n. -s, -s, 전체; 집단; 〖劇〗 합동 연주, 합동극(단).

ent.. [εnt-, 악센트 없음] [♈ant-; =gr. *antí*, lat. *ante*] 《動詞의 非分離前綴; f 음 앞에서는 emp-가 됨》 대향(對向), 반대, 악화, 분리, 탈출, 출현, 성립 따위의 뜻.

entamten [εnt-ámtən] t. 면직하다, 해「고하다.」

entarten [εnt-á:rtən] 《Ⅰ》 i.(s.) u. refl. 변질[퇴화]하다(*degenerate*); 타락하다. 《Ⅱ》 t. 변질[퇴화]시키다; 타락시키다. 《Ⅲ》 **entartet** p. a. 변질[퇴화]한; 타락한. **Entartung** f. -en, 변질, 퇴화; 타락.

entäußern [εnt-ɔ́ysərn] t. u. refl. (e-s Dinges, 무엇을) 버리다, 단념하다, 주다, 팔다; 〖法〗 양도하다.

entbasten [εntbástən] t. (의) 인피(靭皮)[내피(內皮)]를 제거하다.

entbehren [εntbé:rən] [-behren은 ♈ Bahre: „tragen"] t. ① 부족하다, 결핍하다, 에 옹색하다(*be without, lack*). ② 없이 해내다(*do without*). **entbehrlich** [εntbé:rlıç] a. 없어도 되는; 무용한. **Entbehrung** f. -en, 결핍; 궁핍, 옹색, 없이 해냄; 자제(自制).

entbieten* [εntbí:tən] t. ① 기별[명령]을 전하게 하다. ② zu sich ~ 부르러 보내다.

entbinden* [εntbíndən] 《Ⅰ》 t. ① 해방하다; 방출[유리]하다; (von, 에서) 해제[면제]하다. ② (임부에게) 분만시키다 《산과가》. ¶von e-m Kinde entbunden werden 아이를 분만하다. 《Ⅱ》 i. (h.) 《方》 sie hat entbunden 그녀는 분만하였다. **Entbindung** f. -en, ① 해방; 면제; 방출, 유리. ② 분만, 조산(助産).

Entbindungs=anstalt f. 산원, 산과병원. **~kunst** f. 조산[산과]술. 「하다.」

entbitten [εntbítən] t. (의) 고통을 제거

entblättern [εntblέtərn] 《Ⅰ》 t. (의) 잎을 떨어뜨리다. 《Ⅱ》 refl. 잎이 지다.

entblöden [εntblǿ:dən] [<blöde „schüchtern"] refl. (ent-가 가진 부정의 뜻을 강조하여 nicht를 중복적으로 씀): sich nicht ~ 두려워하지 않다, 감히 하다.

entblößen [-blǿ:sən] 《Ⅰ》 t. ① 드러내다, 노출시키다, 발가벗기다. ¶den Degen ~ 칼을 빼다 / das Haupt ~ 모자를 벗다. ② jn. e-s Dinges [von e-r Sache] ~ 아무의 무엇을 빼앗다, 탈취하다. 《Ⅱ》 refl. 발가벗다, 노출하다. ¶sich e-s Dinges ~ 무엇을 잃다, 포기하다. 《Ⅲ》 **entblößt** p. a. 발가벗은, 노출한.

entbrechen* [-brέçən] 《Ⅰ》 i.(s.) 뚫고 나가다; 내뿜다. 《Ⅱ》 refl.: sich nicht ~ können, et. zu tun 무엇을 하지 않을 수 없다.

entbrennen* [-brέnən] 《Ⅰ》 i.(s.) 타다, 불붙다; 《比》 (감정이) 타오르다. 《Ⅱ》 t. 《稀》 불태우다.

entdecken [εntdékən] 《Ⅰ》 t. ① (의) 씌우개[덮개]를 벗기다; 드러내다, 폭로하다 (*disclose*); 발견하다(*discover*). ② 밝히다, 털어놓다 (*confide*). 《Ⅱ》 refl. 발견되다. ¶sich jm. ~ 아무에게 마음 속을 털어놓다. **Entdecker** m. -s, -, 발견자. **Entdeckung** f. -en, 발견(*discovery*), 드러남. **Entdeckungs=reise** f. 탐험 여행.

Ente [έntə] f. -n, ① 〖鳥〗 오리(종류의 새)(*duck*); (zahme ~) 집오리; (wilde ~) 들오리. ② (Zeitungs~) 허보(虛報)(*canard*).

entehren [εnt-é:rən] 《Ⅰ》 t. (의) 명예를 빼앗다, 욕보이다(*dishonour, disgrace*). 《Ⅱ》 refl.: (자기의) 명예를 더럽히다, 욕보다. 《Ⅲ》 **entehrend** p. a. 불명예스러운, 창피[수치]스러운. **Entehrung** f. -en, 명예 훼손; 능욕; 강간.

enteignen [εnt-áignən, -áik-] t.: jn. ~ (의) 소유권[소유물]을 수용(收用)하다 (*expropriate, dispossess*). **Enteignung** f. -en, 수용(收用), 몰수.

enteilen [εnt-áilən] i.(s.): jm. [e-m Ort] ~ 아무[어떤 장소]로부터 급히 물러가다[떠나가다]. 「을 제거하다.」

enteisen [εnt-áizən] t. (강 따위의) 얼음

Enten=braten m. 오리의 불고기. **~jagd** f. 오리 사냥.

Entente [ãtã:tə] [lat. -fr.] f. -n, ① 양해(諒解). ② 협정, 협상; (제1차 대전 때의) 연합국측 동맹 협상. **~mächte** pl.

(제1차 대전 때의) 연합국측.

enterben [ɛnt-ɛ́rbən] 《Ⅰ》 *t.* (의) 상속권을 박탈하다 (*disinherit*). 《Ⅱ》 **Enterbte** *m.* u. *f.* 《形容詞變化》 상속권 상실자; *pl.* 무산자(無產者).

Enterhāken [ɛ́ntərha:kən] [<entern] *m.* 〖海〗 적선을 끌어당기는 데 쓰는 쇠갈고리.

Enterich [ɛ́ntərɪç] [<Ente] *m.* -(e)s, -e, 수오리(*drake*).

Enterītis [ɛnterí:tɪs] [gr.] *f.* 〖醫〗 (소)장염.

entern [ɛ́ntərn] [fr. *entrer*, „eintreten"] 《Ⅰ》 *t.* 적의 선박에 뛰어들다《쇠갈고리로 잡아당기어》 (*grapple, board*). 《Ⅱ》 *i.*(h.) 삭구(索具) 따위에 기어오르다.

Enteroklyse [ɛnteroklý:zə] [gr. énterom „Darm", *klyzeim* „spülen"] *f.* -n, 고위(高位) 관장(법).

entfachen [ɛntfáxən] *t.* (불을) 붙이다, 사르다 (*kindle*), 불어서 피우다〔일으키다〕, 부채질하다(*fan*).

entfahren* [ɛntfá:rən] *i.*(s.) ① e-m Dinge ~ 무엇에서 도망치다(*escape*) / sich^3 et. ~ lassen 무엇을〔기회 따위를〕 놓치다. ② jm. ~ 아무의 입에서 새다〔누설되다〕.

entfallen* [ɛntfálən] *i.*(s.) ① jm. ~ 아무(의 손)에서 미끄러져 떨어지다. ② 《比》 잊다, (기억에서) 사라지다. ③ auf jn. ~ 아무의 것이 되다〔몫이 되다〕.

entfalten [ɛntfáltən] 《Ⅰ》 *t.* 펴다《접은 것을》, 풀다《말았던 것을》, 펼치다(*unfold*); 개진(開陳)하다, 나타내다, 보이다(*display*); 전개하다, 발전〔발달〕시키다(*develop*). 《Ⅱ》 *refl.* 펴다, 풀다, 펼치다; (꽃이) 피다; 발달〔발전·발육〕하다.

entfärben [ɛntfɛ́rbən] 《Ⅰ》 *t.* (의) 색을 빼다, 탈색시키다(*discolour*); 표백하다. 《Ⅱ》 *refl.* 퇴색하다; 파래지다《안색이》.

entfernen [ɛntfɛ́rnən] [<fern] 《Ⅰ》 *t.* 멀리하다; 제외하다, 제거하다 (*put away, remove*). 《Ⅱ》 *refl.* 멀어지다, 떠나다, 물러서다(*retire, withdraw*). 《Ⅲ》 **entfernt** *p.a.* 먼, 멀리 떨어진; *adv.* 멀리, 멀리서, 에워서, 우회하여. ¶nicht im ~esten 조금도〔결코〕 …않다. **Entfernung** [ɛntfɛ́rnʊŋ] *f.* -en, ① 멀리함, 제거, 배척; 면직; 결석, 퇴거. ② 멂, 원방; 거리(*distance*). ¶in e-r gewissen ~ 떨어져서; 저 멀리.

entfesseln [ɛntfɛ́səln] 《Ⅰ》 *t.* (의) 쇠사슬을 풀다; 《比》 (의) 속박을 풀다; 해방〔석방〕하다. 《Ⅱ》 *refl.*: 속박을 벗어나다.

entfetten [ɛntfɛ́tən] *t.* 탈지(脫脂)하다; 여위게〔파리하게〕 하다; 〖醫〗 (의) 비만증을 치료하다. **Entfettung** *f.* -en, 탈지; 비만증 치료. **Entfettungskūr** *f.* 〖醫〗 탈지 요법.

entflammen [ɛntflámən] 《Ⅰ》 *t.* 불붙게 하다; 타오르게 하다; 《比》 선동〔고무〕하다. 《Ⅱ》 *i.*(s.) u. *refl.*: 불타오르다; 《比》 열중〔감격〕하다.

entflechten* [ɛntflɛ́çtən] *t.* 풀다; 해체하다《카르텔 따위를》.

entfliegen* [ɛntflí:gən] *i.*(s.) 날아가 버리다; 《比》 (시간이) 빨리 경과하다.

entfliehen* [ɛntflí:ən] *i.*(s.) (에서)도망하다; 《比》 (시간이) 빨리 지나가다.

entfremden [ɛntfrɛ́mdən] 《Ⅰ》 *t.*: jm. et. ~, *od.* jn. e-m Dinge ~ 아무로부터 무엇을 멀리하다, 아무로 하여금 무엇을 등지게〔배반하게〕 하다(*estrange, alienate*). 《Ⅱ》 *i.*(s.) u. *refl.*: (sich) jm. ~ 아무와 소원하게 되다.

entführen [ɛntfý:rən] *t.* 데리고 도망가다; 납치하다, 유괴하다(*kidnap*); (와) 눈이 맞아 달아나다(*elope with*). **Entführer** *m.* -s, -, 유괴자; 눈맞아 달아난 사람. **Entfürung** *f.* -en, 유괴, 눈맞아 도망하기.

entgēgen [ɛntgé:gən] [ahd. *in-gegen* (t는 添加音); =engl. *again*] 《Ⅰ》 *adv.* ① 향하여(*towards*). ② 대해서(*against, in face of*). 《Ⅱ》 *prp.* 《3格支配: 名詞의 뒤에도 놓임》 향하여; 거슬러서, (반)대하여 (*opposed to, contrary to*). ¶s-m Befehle ~ 그의 명을 어기고.

entgēgen|arbeiten *i.*(h.): jm. 〔e-m Dinge〕 ~arbeiten 아무〔무엇〕에 반대하다, (을) 저지하다. **~|eilen** *i.*(s.): jm. ~eilen 서둘러〔급히〕 맞아들이다 / s-m Verderben ~eilen 멸망의 길을 재촉하다. **~|fahren*** *i.*(s.) 탈것으로 영접하러 가다 (jm.). ¶gegen et. ~fahren 거슬러 가다 《배·차로》. **~|gēh(e)n*** *i.*(s.) (을) 마중나가다. ¶der Gefahr^3 ~geh(e)n 위험 앞에 나서다. **~gesetzt** *p.a.* 맞서는; 반대의, 적대적인(*opposite, contrary*). **~|halten*** *t.* 《比》 (이의를) 제출하다 (*object*); 비교〔대조〕하다 (*contrast*). **~|handeln** *i.*(h.) 반대〔반항〕하다 (jm. 〔et.^{3}〕). ¶e-m Dinge ~handeln 무엇을 거역하다, 범하다.

entgēgen|kommen* [-kɔmən] 《Ⅰ》 *i.*(s.) 마중나가다(jm.); 《比》 (아무의) 뜻을 받아들이다. ¶er js. Wünschen^3 ~아무의 청을 들어주다. 《Ⅱ》 **Entgēgenkommen** *n.* -s, 환영, 친절. 《Ⅲ》 **entgēgenkommend** *p.a.* 친절한. ¶sich ~ zeigen 친절한 태도를 보이다.

entgēgen|laufen* [-laufən] *i.*(s.) ① 달려가 맞다. ② 《比》 (의견 등이) 상반하다. **~|nehmen*** *t.* 받다, 받아들이다. **~|schicken** *t.* 마중하러 보내다 (jm.). **~|sēhen*** *i.*(h.) ① jm. 〔e-m Dinge〕 ~sehen 아무〔무엇〕의 쪽을 바라보다. ② e-m Dinge ~sehen 무엇을 기다리다, 기대〔예기〕하다. **~|sein*** *i.*(s.) 미움을 받고 있다(jm.); 적대하다; 방해가 되다(jm. *od.* et.^{3}). **~|setzen** 《Ⅰ》 *t.* 대치하다. 《Ⅱ》 *refl.*: *sich* ~setzen 대항〔반대〕하다. **~|stēh(e)n*** *i.*(h.): jm. 〔e-m Dinge〕 ~steh(e)n 대립하고 있다, 반대이다. **~|stellen** *t.* u. *refl.* 대치하다; 대항〔대립〕하다. **~|strecken** *t.*: jm. 〔e-m Dinge〕 ~strecken 아무〔무엇〕 쪽으로 내밀다〔내뻗다〕. **~|trēten*** *i.*(s.): jm. ~treten 마중하다; 대항하다, 맞서다. **~|wirken** *i.*(h.): e-m Dinge ~wirken 반작용하다, (효력을) 없애다.

entgēgnen [ɛntgé:gnən, -gé:k-] [<entgegen] *i.*(h.) u. *t.*: jm. 〔et.〕 ~ 답하다, 보답하다, 대꾸하다(*reply*); 항변하다 (*retort*). **Entgēgnung** *f.* -en, 답; 응수, 항변.

entgēh(e)n* [ɛntgé:(ə)n] *i.*(s.) (에서) 달아나다, 빠져나가다, (을) 모면하다(et.^{3}). ¶das ist mir entgangen 나는 그것을

못 보고 빠뜨리었다, 귀넘어 들었다, 깜빡 잊었다.

entgeistern [ɛntgáistərn] 《Ⅰ》 *t.* (의) 원기[생기]를 앗다. 《Ⅱ》 **entgeistert** *p.a.* 원기[생기]가 없는; 망연 자실한.

Entgelt [ɛntgɛ́lt] *n.* u. *m.* -(e)s, 대가, 보수(*remuneration*). ¶ gegen [ohne] ~ 유상[무상]으로. **entgelten*** [-tən] (ent- 主語로부터 分離를 표시함) *t.* 보상하다, (의) 값을 치르다(*pay for, atone for*).

entgiften [ɛntgíftən] *t.* (의) 독을 없애다.

entgleisen [-gláizən] *i.*(s.) 〖鐵〗 탈선하다; 《比》 본론에서 벗어나다. **Entgleisung** *f.* -en, 탈선.

entgleiten(*) [-gláitən] *i.*(s.) 에서 미끄러져 떨어지다(jm.).

entglimmen(*) [ɛntglímən] *i.*(s.) ①타기 시작하다. ¶et.³ ~ 무엇에서 미광(微光)을 발하다. ② 《比》 (정열이) 불타기 시작하다.

entgöttern [ɛntgœ́tərn] *t.* (에서) 신들을 빼앗다; (의) 신성(神性)을 박탈하다.

entgräten [ɛntgrɛ́:tən] *t.* (고기의) 가시를 빼내다.

enthaaren [ɛnthá:rən] *t.* (의) 털을 없애다, 털을 뽑아 버리다. **Enthaarungsmittel** *n.* 탈모제(脫毛劑).

enthaften [ɛnthάftən] *t.* (의) 구금을 풀다, 해방[석방]하다.

enthalten* [ɛntháltən] 《Ⅰ》 *t.* 함유하다, 지니다, 포함[포괄]하다(*hold, contain, comprise*). 《Ⅱ》 *refl.* (von et. *od.* e-s Dinges, 무엇을) 멀리하다, 그만두다, 억제[단념·포기]하다 (*refrain, abstain from*). **enthalt·sām** *a.* 삼가는, 절제하는, 금욕적인(*temperate*); 금욕[금주]하는(*abstinent*). **Enthalt·sāmkeit** *f.* 조신(操身), 절제, 금욕; 금주(*continence*).

enthaupten [ɛnthάuptən] *t.* 목을 베다. **Enthauptung** *f.* -en, 참수(斬首).

entheben* [ɛnthé:bən] *t.* (e-s Dinges, 무엇을) 면하게 하다(*relieve of*). ¶jn. s-s Dienstes [Amtes] ~ 아무를 해임[면직]하다(*dismiss from*).

entheiligen [-háilɪgən] *t.* (의) 신성을 모독하다; 속되게 쓰다《신에의 제물을》.

enthüllen [ɛnthýlən] 《Ⅰ》 *t.* ① (의) 덮개를 벗기다, 드러내다(*unveil*). ¶das Dankmal ~ 기념비의 제막식을 거행하다. ② jm. et. ~ 피력[고백]하다, 털어놓다(*reveal*). 《Ⅱ》 *refl.* 드러나다.

enthülsen [-hýlzən] *t.* (의) 깍지를[껍질을] 벗기다.

En·thūsiasmus [ɛntu:ziásmus] *m.* -, 영감, 감격, 열광. **En·thūsiast** *m.* -en, -en, 열광자, 광신자. **en·thūsiastisch** *a.* 감격[열광]하는.

entjungfern [ɛntjúŋfərn] *t.* (의) 처녀성을 빼앗다(*deflower*).

entkeimen [-káimən] 《Ⅰ》 *i.*(s.) 싹이 돋다; 《比》 발생[발전]하다. 《Ⅱ》 *t.* 싹을 꺾다; 살균[소독]하다(*sterilize*).

entkernen [-kɛ́rnən] *t.* (의) 핵을[씨를] 제거하다.

entkirchlichen [ɛntkírçlɪçən] *t.* 파문하다, 환속시키다.

entkleiden [-kláidən] 《Ⅰ》 *t.* ① (의) 옷을 벗기다. ② 《比》 (s-r Würde, 지위를) 박탈하다. ¶jn. s-s Amtes ~ 아무를 면직하다. 《Ⅱ》 *refl.* 옷을 벗다.

entkommen* [ɛntkɔ́mən] 《Ⅰ》 *i.*(s.) (에서) 도망하다, 달아나다(jm., et³). ¶ e-r Gefahr³ ~ 위험을 면하다. 《Ⅱ》 **Entkommen** *n.* -s, 도주, 탈주.

entkorken [-kɔ́rkən] *t.* (병의) 마개를 빼다.

entkräft(ig)en [ɛntkrɛ́ft(ɪg)ən] 《Ⅰ》 *t.* (의) 힘을 빼앗다, 쇠약[피폐]케 하다; 《比》 무력케 하다; (어떤 증거를) 반박하다. 《Ⅱ》 *refl.* 무력하게 되다, 쇠약하여지다. 《Ⅲ》 **entkräftet** *p.a.* 쇠약한. **Entkräftung** *f.* -en, 무기력, 쇠약, 피폐; 논박; 〖法〗 실효(失效).

entkuppeln [-kúpəln] *t.* (의) 연결을 풀다, (자동차의) 클러치를 빼다.

entladen* [ɛntlá:dən] 《Ⅰ》 *t.* ① (의) 짐을 부리다. ② (총을) 발사하다, (전지를) 방전하다. ③ 《比》 jn. von et. [e-s Dinges] ~ 아무를 무엇으로부터 면제[해제]하다. 《Ⅱ》 *refl.* ① 발사되다; 폭발하다; 방전하다; (천둥이) 일어나다. ② 해방되다, 면하다. **Entlader** *m.* -s, -, 짐부리는 사람; 〖電〗 방전자(放電子); 〖軍〗 발사 장치. **Entladung** *f.* -en, 하역(荷役); 발사; 폭발; 방전(放電).

entlang [ɛntláŋ] [„in (der) Länge" (세로), t 는 添加音] *adv.* u. *prp.* (4·3·2 格支配) …을 따라서(♈*along*).

entlarven [-lárfən, -lárvən] 《Ⅰ》 *t.* (의) 가면을 벗기다. 《Ⅱ》 *refl.* 가면을 벗다, 정체를 드러내다.

entlassen* [ɛntlásən] *t.* 물러가게 하다, 내보내다(*dismiss*); 해고하다; 퇴직시키다; 석방하다; 졸업시키다; 제대시키다; (군대를) 해산하다. **Entlassung** *f.* -en, 떠나보냄; 면직, 퇴직; 석방, 해방; 졸업(식); 제대. ¶ s-e ~ nehmen 사직[퇴직]하다.

Entlassungs·feier *f.* 졸업식. **~gesūch** *n.* 사표. **~schein** *m.*, **~zeugnis** *n.* 가출옥증(假出獄證).

entlasten [ɛntlástən] 《Ⅰ》 *t.* ① (의) 짐을 부리다; (의무·부담 따위를) 면제[경감·회피]하다. ② (임원·회계 따위의) 업무 집행을 시인하다. ③ 〖商〗 jn. für e-e gewisse Summe ~ 어떤 금액을 아무의 대변(貸邊)에 기입하다, 장부상으로 상쇄하다. 《Ⅱ》 *refl.*: sich e-s Dinges ~ 어떤 일을 면하다; (귀찮은 일을) 해치우다. **Entlastung** *f.* -en, 면책(免責); 〖商〗 대변 기입.

Entlastungs·angriff *m.* 견제 공격(牽制攻擊). **~bōgen** *m.* 〖建〗 분리 아치. **~straße** *f.* 옆길. **~zeuge** *m.* 〖法〗 면책 증인《피고의 항변을 위한》.

entlaubt [ɛntláupt] *p.a.* 낙엽진.

entlaufen* [ɛntláufən] *i.*(s.) (jm., e-m Dinge, 아무·무엇에서) 달아나다; 도망하다. ¶ s-n Eltern ~ 가출(家出)하다.

entlausen [-láuzən] *t.* (의) 이(蝨)를 없애다.

entlēdigen [ɛntlé:dɪgən] 《Ⅰ》 *t.* 자유롭게 하다, 면하게 하다, 놓아 주다. ¶e-r Dinges entledigt (*p.a.*) sein 무엇을 면하고 있다, 처리해 놓고 있다. 《Ⅱ》 *refl.*: sich e-s Dinges ~ 무엇을 면하다(*get rid of*); 해치우다, 다하다(*perform, execute*).

entleeren [ɛntlé:rən] 《I》 *t.* 텅 비게 하다, 비우다. ¶den Darm ~ 배설하다. 《II》 *refl.* 비다; 용변보다; 《比》 심중을 털어놓다. **Entleerung** *f.* -en, 비게 하기; 배설(물).

entlegen [ɛntlé:gən] [*p.p* <†entliegen „entfernt liegen"] *a.* 멀리 떨어진, 외딴 (*remote, distant*). **Entlegenheit** *f.* 멀리 떨어짐; 두메, 벽촌.

entlehnen [ɛntlé:nən] *t.* (jm. od. von jm., 아무로부터) 빌다(*borrow*).

entleiben [ɛntláibən] [<Leib„Leben"] 《I》 *t.* 죽이다. 《II》 *refl.* 자살하다.

entleihen* [-láiən] *t.* 빌다(*borrow*).

entloben [-ló:bən] *refl.* 약혼을 파기하다.

entlocken [-lɔ́kən] *t.*: jm. et. ~ 아무에게서 무엇을 꾀어 빼앗다.

entlohnen [-ló:nən] *t.* (에게) 임금을〔보수를〕 지불하다.

entlüften [-lýftən] *t.* 배기〔환기·통기〕 하다. **Entlüfter** *m.* -s, -, 통풍기; 배기 장치.

entmagnetisieren [-magnetizí:rən] *t.* (의) 자력(磁力)을 없애다.

entmannen [-mánən] *t.* 거세하다(*castrate*); 《比》 기력(氣力)을 꺾다(*emasculate, enervate*). **Entmannung** *f.* -en, 거세(去勢).

entmensch(lich)en [ɛntmɛ́nʃ(lɪç)ən] 《I》 *t.* (의) 인간다움을 상실케 하다. 《II》 **entmenscht** *p.a.* 인간성을 잃은, 사람답지 않은; 잔인한.

entmilitarisieren [-militarizí:rən] *t.* (의) 군비를 철폐하다, 비군사화하다.

entmündigen [ɛntmýndɪgən] [„der Mündigkeit berauben"] *t.* 〖法〗 (에게) 금치산의 선고를 내리다, 후견인을 두다.

entmutigen [ɛntmú:tɪgən] 《I》 *t.* (의) 용기를 저상시키다, 사기를 떨어뜨리다. 《II》 **entmutigt** [-çt] *p.a.* 의기〔사기〕가 떨어진, 실망〔낙담〕한.

Entnahme [ɛntná:mə] *f.* -n, 치움, 가져감; 차용; 매입, 구입.

entnationalisieren [ɛntnatsĭo-] *t.* (의) 국적을 빼앗다, 제적(除籍)하다.

entnehmen* [ɛntné:mən] *t.* (jm., aus jm., bei jm., 아무에게서) ① 취하다, 얻다, 사다(*take*), 빌다(*borrow*). ② 《比》 (aus, 에서) 추측〔짐작〕하다(*gather, infer*). ③ 〖商〗 auf jn. ~ 아무 앞으로 수표를〔어음을〕 발행하다. **Entnehmer** *m.* -s, -, 〖商〗 수표 발행인.

entnerven [ɛntnɛ́rfən, -nɛ́rvən] 《I》 *t.* 신경을 둔하게 하다; (의) 원기를 꺾다, 쇠약하게 하다. 《II》 *refl.* 약해지다, 쇠약해지다. **entnervt** [-ft] *p.a.* 쇠약해진, 신경이 둔한; 퇴폐적인.

Entomologie [ɛntomologí:] [gr. „Kerbtier-kunde"] *f.* ..gien, 곤충학.

Entoplasma [ɛntoplásma] [gr.] *n.* -s, ..men, 〖生〗 내질(內質) 《원형질의 내층(內層)》.

entpersönlichen [ɛntpɛrzǿ:nlɪçən] *t.* 「비인격화하다.」

entpuppen [ɛntpúpən] *refl.* 고치를 뚫고 나오다; 《比》 정체를 드러내다.

entraten* [ɛntrá:tən] *i.*(h.) u. *t.* (e-s Dinges, 무엇을) 결하다, 결핍하다, (무엇) 없이 지내다(*do without*). ¶e-s Dinges nicht ~ können 무엇이 없어서는 안 되다. 「의문을) 풀다.」

enträtseln [ɛntrɛ́:tsəln] *t.* (수수께끼·

entrechten [ɛntrɛ́çtən] *t.* (의) 권리를〔공권을〕 박탈하다.

Entree [ãtré:] [fr.] *n.* -s, -s, 입구; 입장(료); 발단; 〖樂〗 전주곡.

entreißen* [ɛntráisən] 《I》 *t.* ① jm. et. ~ 아무에게서 무엇을 잡아채다, 탈취하다. ② jn. 〔et.〕 e-r Sache[3] ~ 아무로 〔무엇으로〕 하여금 무엇을 모면케 하다, 을 무엇에서 구해 내다. 《II》 *refl.*: sich e-m Dinge ~ 무엇에서 몸을 간신히 빼내다, 무엇을 뿌리치다.

entrichten [ɛntrɪ́çtən] *t.* 지불하다, 판상(辦償)하다, 납부하다(*pay, discharge*); (경의를) 표하다. 「기다.」

entriegeln [ɛntri:gəln] *t.* (의) 빗장을 벗

entringen* [ɛntrɪ́ŋən] 《I》 *t.* (jm. et., 아무에게서 무엇을) 빼앗다. 《II》 *refl.* 몸을 뿌리치고 달아나다. ¶s-r Brust entrang sich ein Seufzer 그의 가슴에서 한숨이 새어 나왔다.

entrinnen* [ɛntrínən] *i.*(s.) ① 흘러나오다. ② 빨리 지나가다《시간이》; (에서) 빠져나오다, 도망치다.

entrollen [ɛntrɔ́lən] 《I》 *i.*(s.) (에서) 굴러 떨어지다, 굴러가 버리다. 《II》 *t.* 풀다, 펴다《만 것을》, 전개하다. 《III》 *refl.* 풀리다, 열리다; 전개되다; 굴러가 버리다.

entrücken [-rýkən] 《I》 *t.* 밀어내다, 움직여서 치우다, 옮기다. 《II》 *refl.*: sich dem Auge ~ 남의 눈을 피하다, 소실(消失)하다. 《III》 **entrückt** [ɛntrýkt] *p.a.* 황홀한, 감격한. ¶sich[3] selbst ~ sein 좋아 어쩔줄 모르고 있다, 황홀경에 있다.

entrümpeln [ɛntrýmpəln] *t.* (의) 허섭스레기를 치워 없애다(*clear out* (*for salvage*)).

entrüsten [ɛntrýstən] 《I》 *t.* 노하게 하다, 격분시키다(*provoke*). 《II》 *refl.* 분격하다(*get angry*). **Entrüstung** *f.* -en, 분노, 분격.

entsagen [ɛntzá:gən] 《I》 *i.*(h.): e-m Dinge ~ 무엇을 단념〔포기〕하다(*renounce, resign, abandon*) / dem Thron ~ 퇴위하다(*abdicate*) / allen Vergnügungen ~ 모든 쾌락을 끊다. **Entsagung** *f.* -en, 포기, 단념(*renunciation*); 체념, 인종(忍從) (*resignation*); (Thronentsagung) 퇴위(*abdication*).

Entsatz [ɛntzáts] [<entsetzen] *m.* -es, 구원(*relief*); 원병(援兵).

entschädigen [ɛnt-ʃɛ́:dɪgən] 《I》 *t.*: jn. für et. ~, jm. et. ~ 아무에게 보상〔배상〕하다 (*indemnify, compensate*). 《II》 *refl.*: sich für e-n Verlust ~ 손해를 보상(補償)하다. **Entschädigung** *f.* -en, 갚음, 보상, 배상; 보전; 배상금; 보수. 「정형 수술을 하다.」

entschandeln [ɛnt-ʃándəln] *t.* 〖醫〗(에)

Entscheid [ɛnt-ʃáit] *m.* -(e)s, -e, 결정; 판정, 판결. **entscheiden*** 《I》 *t.* 결정하다(*decide, resolve*); 〖法〗 (법원이) 판정을 내리다, 판결하다(*pass sentence*). 《II》 *i.*(h.) 결정되다. 《III》 *refl.* (사람이) 자신의 마음을 정하다, 결심하다; (일이) 정해지다. 《IV》 **entscheidend** *p.a.* 결

정적인(*decisive*). **Entscheidung** [ɛnt-ʃáidʊŋ] *f.* -en, 결심; 결정(*decision*); 〖法〗판정, 판결.

Entscheidungs≈schlacht *f.* 〖軍〗결전. **∼spiel** *n.* (스포츠의) 결승전. **∼stimme** *f.* 결정 투표, 재결권(의장의).

entschieden [ɛnt-ʃí:dən] *a.* 결정적인; 단호한, 결연한. ¶auf ∼ste 단호히.

Entschiedenheit *f.* 결정적임, 결연함, 확고 부동.

entschlafen* [ɛnt-ʃlá:fən] *i.*(s.) 잠들다; (편안히) 잠들다. ¶der (die) ∼e 사자(死者), 고인(故人).

entschlagen* [ɛnt-ʃlá:gən] 《Ⅰ》 *t.* s-r Hand[3] den Degen ∼ 그의 손에서 검을 쳐 떨어뜨리다. 《Ⅱ》 *refl.* (e-s Dinges, 무엇을) 포기하다, (에서) 벗어나다, 탈각하다.

entschleichen* [ɛntʃláiçən] *i.*(s.) (에서) 슬그머니 도망하다(jm. od. et.[3]).

entschleiern [ɛnt-ʃláiərn] =ENTHÜLLEN.

entschließen*[ɛnt-ʃlí:sən] 《Ⅰ》 *refl.* 결심하다(*make up one's mind, resolve*). 《Ⅱ》 **entschlossen** [ɛnt-ʃlɔ́sən] *p.a.* 결심한; 단호한. **Entschließung** *f.* -en, 결심(하기). **Entschlossenheit** *f.* 결심(하고 있음); 단호(함), 각오.

entschlummern [ɛnt-ʃlúmərn] *i.*(s.) 잠들다; 죽다.

entschlüpfen [ɛnt-ʃlýpfən] *i.*(s.) (에서) 미끄러져 나가다; 살며시 도망치다. ¶ jm. ∼ 아무의 손을 벗어나서 도망하다 / sich[3] e-e Gelegenheit ∼ lassen 기회를 놓치다.

Entschluß [ɛnt-ʃlús] [<entschließen] *m.* ..schlusses, ..schlüsse, 결심, 결의, 결단(*resolution*). ¶e-n ∼ fassen 결심하다. **∼kraft** *f.* 결단력.

entschuldbar [ɛnt-ʃúlt-] *a.* 구실이 서는, 용서할 만한. **entschuldigen** [ɛnt-ʃúldɪgən, -ʃúldjn] 《Ⅰ》 *t.* 용서하다(*excuse*); 변명〔변호〕하다(*exculpate*). ¶ ∼ Sie! 미안합니다, 실례입니다만. 《Ⅱ》 *refl.* 변명〔해명〕하다(*apologize*). **Entschuldigung** *f.* -en, 용서; 변명, 핑계, 구실; 사죄.

entschwinden* [ɛnt-ʃvíndən] *i.*(s.) ① 사라지다. ② 빨리 지나가다.

entseelen [ɛntzé:lən] 《Ⅰ》 *t.* (의) 목숨을 빼앗다, 죽이다. 《Ⅱ》 **entseelt** [ɛntzé:lt] *p.a.* 영혼〔생명〕이 없는, 죽은.

entsenden* [ɛnt-zéndən] *t.* 발송하다; 파견하다《사자를》; 쏘다《화살을》.

entsetzen [ɛnt-zétsən] 《Ⅰ》 *t.* ① (aus dem Besitz bringen) s-s Amtes ∼ 파면하다(*dismiss from*) / des Thrones ∼ 왕위에서 쫓다. ② [*ant.* †besitzen „belagern"] e-e Festung ∼ 요새의 포위를 풀다(*relieve*). ③ (aus dem Sitz *d. h.* aus der Ruhe bringen) 놀라게 하다, 겁먹게 하다(*terrify, horrify*). 《Ⅱ》 *refl.* 놀라다, 겁먹다. 《Ⅲ》 **Entsetzen** *n.* -s, 경악, 공포(*horror, terror*). 《Ⅳ》 **entsetzt** *p.a.* 깜짝 놀란, 겁먹은.

entsetzlich [ɛntzétslɪç] *a.* 놀라운, 겁나는, 무서운(*terrible, dreadful*); *adv.* 무섭게, 엄청나게, 터무니없이(=sehr).

Entsetzung *f.* -en, ① 파면; 폐위. ② 포위를 풂, 구원.

entsichern [ɛnt-zíçərn] *t.* (총의) 안전장치를 풀다《사격의 준비》.

entsiegeln [ɛnt-zí:gəln] *t.* 개봉하다; 《比》(비밀을) 폭로하다.

entsinken* [ɛnt-zíŋkən] *i.*(s.) 가라앉아 없어지다; 빠져 떨어지다; 넘어지다; 《比》(용기가) 죽다.

entsinnen*[ɛnt-zínən] *refl.* (e-s Dinges, 무엇을) 생각해 내다, 상기하다(*remember, recollect*).

entsittlichen[ɛnt-zítlɪçən] *t.* (의) 풍기를 문란케 하다, 타락시키다, 사기를 꺾다(*demoralize*). **Entsittlichung** *f.* -en, 풍기 문란.

entspannen [ɛnt-ʃpánən] *t.* (의) 긴장을 풀다, 이완시키다(*relax*); 완화하다; *refl.* 긴장이 풀리다, 이완하다. **Entspannung** *f.* -en, 긴장을 풀기, 휴식; 긴장이 풀림, 이완; 완화.

entspinnen* [ɛnt-ʃpínən] 《Ⅰ》 *t.* =ANSPINNEN. 《Ⅱ》 *refl.* (서서히) 퍼지다; 전개하다, 생기다, 일어나다.

entsprechen* [ɛnt-ʃpréçən] [*eig.* "대답하다, 응하다"] 《Ⅰ》 *i.*(h.): e-m Dinge ∼ 무엇에 부응하다, 대응〔상응〕하다(*adequate, correspond*); (기대에) 어그러지지 않다; (목적에) 들어맞다; 응하다. 《Ⅱ》 **entsprechend** ① *p.a.* 대응〔상응〕하는. ¶∼es Stück 대폭(對幅) / 〖法〗∼e Anwendung 준용(準用). ② *prp.* 《3格支配》 dem [dé:m] ∼ 따라서.

entsprießen* [ɛnt-ʃprí:sən] *i.*(s.) (e-m Dinge, 무엇에서) 싹트다, 생기다; 《比》(무엇의) 출신〔후예〕이다.

entspringen* [ɛnt-ʃprɪŋən] *i.*(s.) ① 날라가 버리다, 도망하다. ② 발원(發源)하다《강·샘이》(*spring from*); 《比》(…에서) 생기다, 일어나다, 유래하다(*arise*).

entstammen [ɛnt-ʃtámən] *i.*(s.): jm. ∼ 아무의 후손이다(*descend from*).

entstauben[ɛnt-ʃtáubən], **entstäuben** [ɛnt-ʃtɔ́ybən] *t.* (의) 먼지를 제거하다.

Entstäuber *m.* -s, -, 전기 청소기.

entsteh(e)n* [ɛnt-ʃté:ən] *i.*(s.) 생성하다, 생기다, 일어나다(*arise, originate, come into being*). **Entstehung** [ɛnt-ʃté:ʊŋ] *f.* -en, 생성, 성립(*formation*); 기원, 기인, 유래(*origin, rise*).

entstellen [ɛnt-ʃtélən] *t.* (의) 형태를 일그러뜨리다, 삐뚜러지게 하다, 흉하게 하다, 기형으로 하다(*disfigure*); 《比》 손상하다, 왜곡하다, 거짓 꾸며대다(*distort, misrepresent*). **Entstellung** *f.* -en, 왜곡(함), 삐뚤어짐, 기형; 훼손; 손상, 날조.

entstören [ɛnt-ʃtǿ:rən] *t.* (무전의) 잡음을 제거하다.

entströmen [ɛnt-ʃtrǿ:mən] *i.*(s.) (에서) 흘러나오다(et.[3]); 《比》(냄새 따위가) 발산하다.

entsühnen [ɛntzý:nən] *t.* (의) 죄를 씻다; *refl.* 속죄하다.

enttäuschen [ɛnttɔ́yʃən] 《Ⅰ》 *t.*: jn. ∼ (ihm die Täuschung benehmen) 아무를 미몽에서 깨어나게 하다, (기대에 어긋나서) 실망시키다, 환멸을 느끼게 하다(*disappoint*). 《Ⅱ》 *refl.* 미몽에서 깨어나다, 기대에 어긋나다, 실망하다. **Enttäuschung** *f.* -en, 미몽에서 깨어남, 환멸, 실망(*disappointment*).

entthronen [ɛnttróːnən] *t.* 퇴위〔폐위〕시키다(*dethrone*). **Entthronung** *f.* -en, 퇴위, 폐위.

enttrümmern [ɛnttrýmərn] *t.* (의) 파편을〔허섭스레기를〕 치우다.

entvölkern [-fœ́lkərn] *t.* (의) 주민을 절멸시키다, 인구를 감소시키다(*depopulate*).

entwachsen* [ɛntváksən] *i.*(s.) ① 나다; 《比》 (의) 출신〔자손〕이다. ¶dem Boden ~ 땅 속에서 나다. ② e-m Dinge ~ 무엇보다 더 커지다 / den Kinderschuhen ~ sein 이제는 아이가 아니다.

entwaffnen [ɛntváfnən] *t.* (의) 무기를 빼앗다, 무장을 해제하다, 군비를 철폐하다; 《比》 무력하게 하다. **Entwaffnung** *f.* -en, 무장 해제, 군비 철폐〔축소〕.

entwalden [ɛntváldən] *t.* (의) 산림을 벌채하다.

entwarnen [ɛntvárnən] *i.*(h.) 공습 경보를 해제하다. **Entwarnung** *f.* -en, 공습 경보 해제.

entwässern [ɛntvέsərn] *t.* (에서) 배수(排水)하다; 〖化〗 탈수하다. **Entwässerung** *f.* -en, 배수; 〖化〗 탈수.

entweder [ɛntvéːdər, 때로: ɛ́ntveː-] [mhd. *ein-de-weder* „einer v. beiden", 양자 택일의 뜻] *cj.* (oder 와 함께 쓰임) (이) 아니면 …을(*either or*). ¶~ A oder B, A나 B / ~, oder ! 둘 중 하나를 택하라. **Entweder-Oder** *n.* -, -, 양자 택일.

entweichen*[ɛntváiçən] *i.*(s.) ① 도망쳐 버리다, 회피하다. ② 〖工〗 (가스 따위가) 새어나오다; (때가) 지나가다.

entweihen [ɛntváiən] *t.* ① 성직을 박탈하다. ② (의) 신성을 모독하다, (성물(聖物)을) 더럽히다.

entwenden(*) [ɛntvέndən] 《Ⅰ》 *t.* 훔치다, 횡령하다(*purloin, steal*). 《Ⅱ》 *i.*(s.) 몸을 피하다; 도망하다. **Entwendung** *f.* -en, 절취, 횡령.

entwerfen* [ɛntvέrfən] [„(bildend) v. sich geben"] *t.* 제도하다, (의) 약도를 그리다(*sketch, project*); 《比》 안을 세우다, (의) 초안을 작성하다(*draft, outline*).

entwerten [ɛntvéːrtən] 《Ⅰ》 *t.* ① 무가치하게 하다; (의) 가치를 〔가격을〕 떨어뜨리다. ¶Geld ~ 화폐의 평가를 절하하다. ② (우표에) 소인을 찍다. 《Ⅱ》 *i.*(s.) u. *refl.* 무가치하게 되다; (의) 가치를 감소하다.

entwesen [ɛntvéːzən] *t.* (해충 따위를) 구제하다, 소독〔청소〕하다.

entwickeln [ɛntvíkəln] 《Ⅰ》 *t.* 풀다, 풀어 헤치다, 열어 펼치다 (*unfold*); 《比》 개진〔설명〕하다 (*explain*); 전개〔발전〕시키다, 발달〔진화〕시키다(*develop*); 〖化〗 발생시키다 《가스를》; 〖軍〗 전개시키다 (*deploy*). 《Ⅱ》 *refl.*: 전개〔발전〕하다, 발달〔발육·진화〕하다; (매듭 따위가) 풀리다; 발생하다《가스가》; 〖數〗 전개하다. **Entwick(e)ler** *m.* -s, -, 〖寫〗 현상. **Entwick(e)lung** [-vík(ə)luŋ] *f.* -en, 풀기, 열기, 열어 펼침; 《比》 개진, 설명; 전개, 발전, 발달, 발육, 진화; 발생; 표시, 발휘; 현상《사진의》.

Entwick(e)lungs≈gang *m.* 발전〔발달〕 과정. **~geschichte** *f.* 발전사; 발생학. **~jahre** *pl.* 사춘기. **~lehre** *f.* 진화론.

entwinden* [ɛntvíndən] 《Ⅰ》 *t.* jm. et. ~ 아무에게서 무엇을 빼앗다, 탈취하다. 《Ⅱ》 *refl.*: sich et³ ~ 무엇으로부터 몸을 간신히 빼내다, 무엇을 뿌리치다.

entwirren [ɛntvírən] *t.* 풀다《얽힌 것을》; 《比》 (혼란을) 수습하다, (곤란을) 해결하다.

entwischen [ɛntvíʃən] *i.*(s.); jm. ~ 아무에게서 재빨리 도망하다(*escape*) / entwischte (*p. a.*) Worte 무심코 나온 말.

entwöhnen [ɛntvǿːnən] 《Ⅰ》 *t.*: jn. e-s Dinges ~ 아무에게 어떤 버릇을 그만두게 하다, 어떤 습관을 버리게 하다 / ein kind (von der Brust) ~ 아이의 젖을 떼다. 《Ⅱ》 *refl.*: sich e-s Dinges ~ 어떤 버릇을 그만두다.

entwürdigen [ɛntvýrdɪgən] 《Ⅰ》 *t.* (의) 품위를 떨어뜨리다(*degrade*); 욕되게 하다, 망신시키다(*disgrace*). 《Ⅱ》 *refl.* (자기의) 품위를 떨어뜨리다, 면목을 잃다.

Entwurf [ɛntvúrf] [<entwerfen] *m.* -(e)s, ⸚e, ① 설계도; 약도, 윤곽, 스케치(*design, sketch*). ② 설계, 기획, 구상(*project, plan*); 초안(*rough copy*).

entwurzeln [ɛntvúrtsəln] *t.* 뿌리째 뽑다; 《比》 근절하다.

entzaubern [ɛnttsáubərn] *t.* 마법에서 구해내다; 《比》 (의) 미몽에서 깨게 하다.

entziehen* [ɛnttsíːən] 《Ⅰ》 *t.* 빼앗아 가다, 탈취하다 (jm. et.). ¶ jm. den Boden ~ 아무로부터 그 기반을 빼앗다/ e-m Oxyd Sauerstoff ~ 산화물에서 산소를 제거하다. 《Ⅱ》 *refl.*: sich et.³ ~ 무엇에서 멀어지다, 피(避)하다. **Entziehung** *f.* -en, 탈취; 〖法〗 (공권 등의) 박탈; 〖醫〗 억제, 금단. **Entziehungskur** *f.* 〖醫〗 금단 요법《알콜·몰핀 따위의》, 감식(減食) 요법.

entziffern [ɛnttsífərn] *t.* (암호 등을) 해독〔판독〕하다. **Entziff(e)rung** *f.* -en, 해독(解讀), 판독.

entzücken [ɛnttsýkən] [<zücken „ziehen"] 《Ⅰ》 *t.* ① 데려가다. ② 무아경에 들게 하다, 기뻐서 어찌할 바를 모르게 하다, 환희에 도취하게 하다 (*delight, charm, enchant*). 《Ⅱ》 *refl.* 황홀해 하다, 환희하다. 《Ⅲ》 **entzückend** *p.a.* 매력이 있는, 황홀케 하는, 사랑스러운, 고귀한; *adv.* 훌륭히. **Entzückung** *f.* -en, 황홀, 환희.

entzündbar [ɛnttsýntbaːr] *a.* 타기 쉬운; 가연성의; 《比》 감격하기 쉬운. **entzünden** [ɛnttsýndən] 《Ⅰ》 *t.* ① 태우다, (에) 점화하다(*kindle, set fire to*). ② 《比》 (애정 따위를) 불태우다; (전쟁 따위를) 일으키다. ③ 〖醫〗 염증 따위를 일으키다(*inflame*). 《Ⅱ》 *refl.* 불붙다, 발화하다; 《比》 (애정 따위가) 불타오르다; (전쟁 따위가) 일어나다. **entzündlich** *a.* ① =ENTZÜNDBAR. ② 염증성의.

Entzündung *f.* -en, 발화, 점화; 염증.

entzwei [ɛnttsvái] [ahd. *in zwei*] *adv.* 둘로(*in two*); 깨어져, 쪼개져(*asunder, torn, broken*). ¶mitten ~ 딱 둘로.

entzwei|brechen* 《Ⅰ》 *t.* 둘로 꺾다〔접다·찢다〕. 《Ⅱ》 *i.*(s.) 둘로 꺾이다

E

〔쪼개지다〕. **entzweien** 《Ⅰ》 *t.* 둘로 가르다, 이간하다(*disunite*). 《Ⅱ》 *refl.* (mit, 와) 티격나다, 사이가 벌어지다. 《Ⅲ》 **entzweit** *p.a.* 불화의, 티격난. **entzwei|gēh(e)n*** *i.*(s.) 둘로 갈라지다. **Entzweiung** *f.* –en 이간; 불화.

Enveloppe [ãvəlɔ́pə] [lat. –fr.] 봉투.

Envoyé [ãvoajé:] [fr.] *m.* –s, –s, 사절(使節); (전권) 공사.

En·zephalītis [ɛntsefalí:tɪs] [gr. *kephalé* „Kopf"] *f.* ..litīden, 뇌염.

Enziān [éntsĭa:n] [lat.] *m.* –s, –e, 〘植〙 용담(龍膽)(♈*gentian*).

Enzȳklika [ɛntsý:klika] [gr.; *en* „in", ☞ Zyklus] *f.* ..ken, 교황의 회칙(回勅) (♈*encyclic*).

Enzyklopädie [ɛ̀ntsyklopɛdí:] [gr. „Kreis der Lehrgegenstände"; *en* „in" *kýklos* „Zyklus", *paideíā* „Erziehung"] *f.* ..īen [–dí:ən], 백과 전서〔사전〕. **enzyklopādisch** *a.* 백과 전서의; 해박한.

Ēpen [é:pən] *pl.* =EPOS.

epi.. [epi–] [gr. *epí*] hinzu, zu, nach, bei, daneben, an, auf, über, darüber 따위의 뜻. 그리로, 그쪽으로, 거기에, 나중에, 후에, 거기에서, 그 위에, (그곳을) 넘어서 《母音 앞에서는 ep–, 다음의 h음과 더불어 eph–가 됨》.

Epidemie [epidemí:] [gr. *epi-dēmos* „über das Volk verbreitet"] *f.* ..īen [–mí:ən], 전염병, 유행병, 염병. **epidēmisch** *a.* 유행성의, 염병의.

Epigōne [epigó:nə] [gr. „Nachgeborener"] *m.* –n, –n, (흔히 *pl.*) ① 자손, 후예. ② 《比》 아류(亞流) (*descendant*).

Epigramm [epigrám] [gr. „Darauf Geschriebenes"] *n.* –s, –e, 제명(題銘), 제사(題詞), 에피그램.

Ēpik [é:pɪk] [gr. <episch] *f.* 서사시〔문학〕; 서사시체. **Ēpiker** [é:pɪkər] *m.* –s, –, 서사시인.

Epilepsie [epilɛpsí:] [gr. „An-griff"] *f.* ..sīen, 〘醫〙 (Fallsucht) 간질. **Epileptiker** *m.* –s, –, 간질병 환자. **epileptisch** *a.* 간질성의, 간질병의.

Epi·lōg [epiló:k] [gr. „Nach-rede"] *m.* –(e)s, –e, 맺는 말, 발문(跋文); 〘劇〙 끝맺는 대사; 〘樂〙 후주부(♈*epilogue*).

Epi·nastie [epinastí:] [gr. *epí* „darauf", *nastós* „dicht gedrängt"] *f.* 〘植〙 (일광·난기(暖氣)에 의한) 상편 성장(上偏成長).

Epiro·genēse [epirogené:zə] [gr. *epí* „hinzu", *oros* „Berg"] *f.* –n, 〘地〙 조륙 작용(造陸作用) 《대륙 지각의 장기에 걸친 융기 운동》. 「서사시의.」

ēpisch [é:pɪʃ] [gr. <Epos] *a.* 서사적인;

Epi·sklerītis [episklerí:tis, –pɪs–] [gr. *epí* „darauf" *u.* sklera] (눈의) 상공막염(上鞏膜炎).

Episōde [epizó:də] [gr. "가운데에 온 것"; *epí* „hin", *eis* „in, ein–", *hodós* „Weg"] *f.* –n, 삽화, 에피소드; 〘樂〙 삽입곡, 간주곡.

Epi·staxis [epistáksɪs, epɪs–] [gr. *epí* „hinzu", *stuzein* „tröpfeln„] *f.* 코의 출혈.

Epistel [epístəl] [gr. *epi-stéllein* „hinschicken"] *f.* –, 서간(書簡)(♈*epistle*).

Epistemo·logie [epɪstemologí:] [gr. *epistéme* „Wissenschaft"] *f.* (Erkenntnislehre) 인식론.

Epizentrāl-entfernung [epitsɛntrá:l-ɛntfɛrnuŋ] *f.* 진앙(震央)(에서 관측 지점까지의) 거리.

Epoche [epɔ́xə] [gr. "정지, 구분", *epêchein* „an-halten"] *f.* –n, 시기, 기(期)(♈*epoch, period*); 한 시대의 초기, 신기원(*era*). ¶~ machen 신기원을 열다. **epochemachend** *a.* 획기적인.

Ēpos [é:pɔs] [gr. „das Gesagte"] *n.* –, Epen, 서사시(*epic poem*); 영웅사시(英雄史詩).

Eppich [ɛ́pɪç] [Lw. lat.] *m.* –(e)s, –e, 〘植〙 ① 셀러리(*celery*). ② =EFEU.

Equipage [ekipá:ʒə, ekvi–] [fr.] *f.* –n, ① 장비. ② 여행 용구; (호화스러운) 마차(*carriage*).

er [e:r, 弱 er, ɛr, ər, 또 eə, ɛə] [e음은 i음의 轉訛, ♈ihm, ihn, ihr] *prn.* ①《人稱代名詞》 그, 그 사람, 저 사람(♈*he*). ②《動物·事物을 표시하는 男性名詞를 받아서》 그것. **Er** *m.* 남성, 수컷.

er.. [ɛr–, ər–] [ur-가 악센트를 잃고 변화한 꼴, ♈aus; *eig.* "(가운데로부터) 밖으로"] 《動詞의 非分離前綴》(안에서) 밖으로; (밑에서) 위로; 《動作·狀態의 出現, 到達》 …하기에 이르다. 보기: erreichen, erreichte, erreicht.

erachten [ɛr-áxtən, ər–] 《Ⅰ》 *t.* (für, 로) 생각하다, 간주하다, 인정하다(*think, consider*). 《Ⅱ》 **Erachten** *n.* –s, 의견, 생각. 「〔벌다〕.」

erarbeiten [ɛr-árbaitən] *t.* 일하여 얻다

Erb-ādel [前半: <erben, Erbe] *m.* 세습 귀족. **~anfall** *m.* 상속 재산의 귀속. **~anlāge** *f.* 유전적 소질. **~anspruch** *m.* 상속 청구권.

erbarmen [ɛrbármən, ər–] [arm에서 파생한 armen이 語幹이며 거기에 er–와 be–가 붙은 형태] 《Ⅰ》 *t.* (에) 가엾은 마음을 일으키게 하다(*move to pity*). 《Ⅱ》 *imp.* 《稀》 es erbarmt mich seiner 나는 그를 가엾게 생각한다. 《Ⅲ》 *refl.*: sich über jn. 〔js.〕 ~ 아무를 가엾게 여기다(*pity, have mercy*). 《Ⅳ》 **Erbarmen** *n.* –s, 연민, 자비(*pity, commiseration*). **erbarmenswērt, erbarmenswürdig** *a.* 가엾은, 불쌍한. **Erbarmer** *m.* –s, –, 대자비의 신. **erbärmlich** [–bɛ́rm–] 《Ⅰ》 *a.* 가엾은, 불쌍한(*pitiful*); 참담한(*miserable*); 비열한(*wretched*). 《Ⅱ》 *adv.* 불쌍하게, 비참하게; 대단히. **Erbärmlichkeit** *f.* –en, 비참, 비열. **erbarmungslōs** *a.* 무자비한; 냉혹한. **erbarmungsvoll** *a.* 자비심 많은.

erbauen [ɛrbáuən, ər–] 《Ⅰ》 *t.* ① 세우다, 건립하다(*erect, build*); 재배하다. ② 《比》 (의) 덕성을 기르다, 〘宗〙 (에) 신앙심이 일게 하다; 교화〔선도〕하다(*edify*); 《俗》 기쁘게 하다. 《Ⅱ》 *refl.*: sich an et.³ ~ 무엇으로 교화되다, 무엇을 기뻐하다, 에 감동〔만족〕하다. **Erbauer** *m.* –s, –, 건립자, 건설자. **erbaulich** [ɛr-báulɪç, ər–] *a.* 덕성을 기르는; 신앙심을 일으키는; 교화적인, 유익한. **Erbauung** *f.* –en, ① 건립, 건설. ② 《比》 덕

성을 함양함; 교화, 신앙의 권유; 경건한 마음.

Erbauungs-buch *n.*, ~**schrift** *f.* 기도서. ~**stunde** *f.* 기도 시간.

Erb-baurecht *n.* 지상권(地上權). ~**begräbnis** *n.* 집안 대대의 묘. ~**berechtigt** *a.* 상속권이 있는. ~**buch** *n.* 토지 대장.

Erbe [ɛ́rbə] 《I》 *n.* -s, 유산 (*heritage, inheritance*); 〖生〗 유전. 《II》 *m.* -n, -n, 상속인, 사자(嗣子)(*heir, inheritor*); 계승자(*successor*).

erbeben [ɛrbé:bən] *i.*(s.) (vor, 을 두려워하여) 떨다, 전율하다.

erb-eigen *a.* 상속〔세습〕의. ~**eigentum** *n.* 상속 재산.

erben [ɛ́rbən] [<Erbe] 《I》 *t.* 상속하다 (*inherit*); 《比》 (지위를) 계승하다. 《II》 *i.*(s.) u. *refl.* 전해지다, 상속〔계승〕되다, 유전하다(auf jn.).

erbeten [ɛrbé:tən] *t.* 기도하여〔청원하여〕 얻다.

erbetteln [ɛrbɛ́təln] *t.* 동냥하여 얻다.

erbeuten [ɛrbɔ́ytən] *t.* ① 노획하다, 약탈하다(*capture, loot*). ② (상품 따위를) 획득하다(*obtain*).

erbfähig [ɛ́rp-fɛ:ıç] *a.* 상속 능력이 있는.

Erb-faktor *m.* 유전 인자. ~**fall** *m.* 상속 개시. ~**fehler** *m.* 유전적 결함. ~**feind** *m.* 집안 대대의 원수, 불구 대천의 원수; 〖宗〗 악마. ~**folge** *f.* 상속(순위), 계승. ~**folgekrieg** *m.* 왕위 계승 전쟁. ~**gesund** *a.* 유전병질이 없는. ~**gut** *n.* 세습지, 상속 재산; 〖醫〗 유전질. ~**herr** *m.* 세습 군주.

erbieten* [ɛrbí:tən] *refl.* (zu, 을) 하겠다고 나서다.

Erbin [ɛ́rbın] [<Erbe II] *f.* -nen, 여자 상속인(*heiress*).

erbitten* [ɛrbítən] *t.* 애걸하다(*ask, request*); (에게) 간청하여 뜻을 이루다(*prevail upon*).

erbittern [ɛrbítərn] *t.* 성나게 하다, 격분시키다. ¶auf 〔gegen, über〕 jn. erbittert sein 아무에 대하여 분격하고 있다. **erbittert** *p.a.* 격분한; 격렬한 《투쟁 따위》. **Erbitterung** *f.* -en, 화, 분격; 원한; 격렬함.

erbittlich [ɛrbítlıç] *a.* 유유 낙낙한; 관용적인.

Erb-königreich *n.* 세습 왕국(王國). ~**krank** *a.* 유전병질이 있는. ~**krankheit** *f.* 유전병.

erblassen [ɛrblásən, ər-] *i.*(s.) 창백해지다, 퇴색하다.

Erb-lasser *m.* 피상속인; 유언자; (부동산의) 유증자(遺贈者). ~**lehre** *f.* 유전 학설.

erbleichen(*) [ɛrbláiçən] *i.*(s.) ① 창백해지다, 파래지다. ② 《强變化》 빛을 잃다, 죽다.

erblich [ɛ́rplıç] [<Erbe, erben] *a.* 상속의, 세습의; 유전(성)의(*hereditary*). **Erblichkeit** *f.* ① 상속〔세습〕될 수 있음. ② 유전.

erblicken [ɛrblíkən] *t.* 보다, 인정하다 (*catch sight of, see, perceive*).

erblinden [ɛrblíndən] *i.*(s.) 눈멀다, 소경이 되다. **Erblindung** *f.* -en, 소경이 됨, 실명.

erblos [ɛ́rplo:s] *a.* 상속인이〔사자(嗣子)가〕 없는; 상속 재산이 없는.

erblühen [ɛrblý:ən] *i.*(s.) 꽃이 피다; 꽃이 만발하다; 《比》 번영하다; 생기다; (소녀가) 묘령이 되다.

Erb-mangel *m.* =~FEHLER. ~**masse** *f.* 〖法〗 상속 재산, 유산 《總稱》; 〖醫〗 유전 소질 《總稱》. ~**nehmer** *m.* 상속인. ~**onkel** *m.* (막대한 유산을 남길 가능성이 있는) 부유한 숙부.

erborgen [ɛrbɔ́rgən] 《I》 *t.* 빌다, 차용하다. 《II》 **erborgt** [-kt] *p.a.* 차용한, 임시의. ¶~es Licht 반사광(反射光).

erbosen [ɛrbó:zən] [<böse] 《I》 *t.* 노하게 하다. 《II》 *i.*(s.) u. *refl.* 노하다 (über jn.).

erbötig [ɛrbǿ:tıç, ər-] [<erbieten] *a.* 《述語的으로만 쓰임》 zu et. ~ sein, ~ sein, et. zu tun 무엇을 하겠다고 나서다, (을) 사양치 않을 작정이다.

Erb-pacht *f.* 영대 차지(永代借地), 영소작(永小作). ~**pächter** *m.* 영대 차지인, 영소작인. ~**prinz** *m.* (황)태자.

erbrechen* [-brɛ́çən] 《I》 *t.* 부수어 열다(*break open*); 개봉하다《편지를》; 토해내다. 《II》 *refl.* 구토하다(*vomit*). ¶ sich ~ wollen 메스껍다, 구역질나다. 《III》 **Erbrechen** *n.* -s, 부수어 열기; 개봉; 구토.

Erb-recht [ɛ́rprɛçt] *n.* 상속권; 상속법.

erbringen* [ɛrbríŋən] *t.* (증거 따위를) 제출하다; (이익을) 가져오다.

Erbschaft [ɛ́rpʃaft] [<Erbe I] *f.* -en, 상속 재산; 유산; 계승. **erbschaftlich** *a.* 상속〔유산〕상의.

Erbschafts-anspruch *m.* 상속 회복 청구권. ~**masse** *f.* 유산《總稱》. ~**steuer** *f.* 상속세.

Erb-schein *m.* 상속 증명서. ~**schleicher** *m.* 사기 상속인, 유산 횡령자. ~**schleicherei** *f.* 사기 상속, 유산 횡령.

Erbse [ɛ́rpsə] *f.* -n, 〖植〗 완두(*pea*).

Erbsen-brei *m.* 완두콩 죽. ~**groß** *a.* 완두 크기의. ~**mehl** *n.* 완두 가루. ~**schote** *f.* 완두 콩깍지. ~**suppe** *f.* 완두 수프. ~**zähler** *m.* 깍정이.

Erb-stück *n.* 상속물. ~**sünde** *f.* 〖聖〗 원죄.

Erb-teil *n.* 《특히 민법에서는 *m.*》 상속분; 유산. ~**teilung** *f.* 유산의 분배; 유전 소질. ~**tochter** *f.* 여자 상속인. ~**tüchtig** *a.* 유전적 결함이 없는.

Erbtum [ɛ́rptu:m] *n.* -(e)s, ⸚er, 상속 재산. **erbtümlich** *a.* 상속의, 상속하여 얻은.

Erb-vergleich, ~**vertrag** *m.* 상속 계약. ~**zins** *m.* 영대 차지료.

Erd-abwehr [é:rt-] *f.* 대공(對空) 방어. ~**achse** *f.* 지축(地軸).

erdacht [-dáxt] *p.a.* =ERDENKEN.

Erd-alkalimetalle *pl.* 〖化〗 알칼리 토금속(土金屬). ~**antenne** *f.* 지중 안테나. ~**apfel** *m.* 감자. ~**arbeit** *f.* 토목 공사. ~**arbeiter** *m.* 토공, 미장이. ~**art** *f.* 토질, 지질. ~**bahn** *f.* 지구의 궤도. ~**ball** *m.* 지구. ~**beben** *n.* 지진(*earthquake*). ~**bebenmesser** *m.* 지진계. ~**beere** *f.* 〖植〗 딸기(*strawberry*). ~**beschreibung** *f.* 지지(地誌); 지리학. ~**boden** *m.* 토지, 대지, 토양. ~**draht** *m.* 〖電〗 접지선(接地線),

E

어드선. **~durchmesser** *m.* 지구의 직경.

Erde [é:rdə] *f.* -n, ① 흙, 토양(*soil*). ② 지면, 대지, 토지(♀*earth, ground*). ¶auf die ~ fallen 땅 위에 떨어지다〔넘어지다〕/unter ~ bringen 매장하다/ zu eb(e)ner ~, a) 지면의 높이에, b) 아래층에 (사는). ③ 지구(♀*earth*); 지상, 이 세상(♀*earth, world*). ④〖電〗 접지(接地), 어드.

erden [é:rdən] *t.* 〖電〗 접지하다; (에) 어드를 대다.

Erden·bürger *m.* 인간. **~glück** *n.* 현세의 (덧없는) 행복.

erdenkbār [ɛrdɛ́ŋkba:r] *a.* =ERDENKLICH. **erdenken*** *t.* ① 생각해 내다, 안출하다, 고안해 내다, 연구하다(♀*think out, conceive, invent*). ② 날조하다, 꾸며내다. ¶erdachter (*p. a.*) Fall 가공의 경우(*forge, fabricate*).

Erdenkind [é:rdənkɪnt] *n.* 사람, 인간.

erdenklich [ɛrdɛ́ŋklɪç] *a.* 생각할 수 있는, 모든.

Erden·kloß *m.* 흙덩이; 《比》 인간. **~·lēben** *n.* 현세; 사람의 일생. **~lōs** *n.* 현세의 운명, 사람의 운수. **~rund** *n.* 지구. **~sohn** *m.* =~KIND. **~wallen** *n.* 인생 행로. **~wurm** *m.* 《詩》 불쌍한 인간.

erd·fahl, **~falb** *a.* 흙빛의. **~fall** *m.* 지반의 함몰, 사태. **~farben**, **~·farb(ig)** *a.* 흙빛의. **~ferne** *f.* 〖天〗 원지점(遠地點)《달의》(*apogee*). **~fläche** *f.* 지표.

Erd·gās *n.* 천연 가스. **~gebōr(e)ne** *m.* u. *f.* 《形容詞變化》 인간. **~gebun·den** *a.* 대지에 묶인; 대지에서 태어난; 이승의. **~geschichte** *f.* 지질학. **~geschoß** *n.* 일층(*ground-floor*). **~gürtel** *m.* 지대(*zone*). **~haltig** *a.* 흙을 함유하는. **~hārz** *n.* 아스팔트.

erdichten [ɛrdɪ́çtən, ər-] *t.* 허구〔날조〕하다(*feign*). 가구(假構)하다, 공상으로 창작하다(*imagine, invent*). **Erdich·tung** *f.* -en, 꾸며낸 이야기; 가구, 가공; 허구.

erdig [é:rdɪç] *a.* 흙의, 흙과 같은 성질〔모양〕의.

Erd·innere *n.* 지구의 내부. **~kābel** *n.* 지하 전선. **~karte** *f.* 세계 지도. **~klumpen** *m.* 흙덩이. **~kohle** *f.* 갈탄. **~körper** *m.* 지구《천체로서의》. **~kreis** *m.* 전세계, 전지구. **~kūgel** *f.* 지구(의). **~kunde** *f.* 지(리)학(*geography*). **~leitung** *f.* 〖電〗 지선, 접지선. **~messer** *m.* 측량사. **~meß·kunst** *f.* 측량술. **~nähe** *f.* 근지점《달의》(*perigee*). **~nuß** *f.* 낙하생. **~·ōberfläche** *f.* 지표(地表). **~ōl** *n.* 광유; 석유.

erdolchen [-dɔ́lçən] *t.* 비수로 찔러 죽이다.

Erd·pech *n.* 아스팔트. **~pōl** *m.* 지극(地極). **~reich** *n.* 지구; 세계; 뭍; 토양; 〖聖〗 지상의 왕국.

erdreisten [-dráistən] *refl.*: sich e-s Dinges ~, sich ~, et. zu tun 대담하게도〔뻔뻔스럽게도〕 무엇을 하다, 감히 하다(*dare, presume*).

Erdrinde [é:rtrɪndə] *f.* 지각(地殼).

erdröhnen [-drø̃:nən] *i.*(h. *u.* s.) 울려퍼지다.

erdrosseln [-drɔ́səln] [<Drossel „Kehle"] 《Ⅰ》 *t.* 교살하다(♀*throttle, strangle*); 억압하다. 《Ⅱ》 *refl.* 목매어 죽다. **Erdrosselung, Erdroßlung** *f.* -en, 교살; 액사(縊死).

erdrücken [-drʏ́kən] *t.* 눌러서 찌그러뜨리다, 압살하다; 질식시키다; 《比》 (반란 등을) 진압하다. ¶zum ~en voll 숨이 막힐 정도로 사람이 가득찬 / e-e ~de (*p. a.*) Übermacht 압도적 우세.

Erd·rutsch *m.* (산)사태. **~schicht** *f.* 지층. **~schluß** *m.* 〖電〗 접지(接地); 누전. **~scholle** *f.* 흙덩이; 토양. **~·stock** *m.* 땅 속의 그루터기. **~stōß** *m.* 대지의 진동. **~strich** *m.* 지방, 지대(*zone*). **~teil** *m.* 대륙(*continent*).

erdulden [-dúldən] *t.* 참고 견디다(*endure*); (고통·손해를) 입다〔받다〕(*suffer*).

Erd·umfang *m.* 지구의 둘레〔넓이〕. **~umschiffung**, **~umsēg(e)lung** *f.* 세계 일주 항해.

Erdung [é:rdʊŋ] *f.* -en, 〖電〗 접지, 어드.

Erd·winkel *m.* 땅 끝. **~zunge** *f.* 갑(岬), 곶.

ereifern [-áifərn] *refl.* 열중하다, 분격하다(*get excited*).

ereignen [ɛr-áignən, -áik-; ər-] [*eig.* er-äugnen „vor Augen treten"] *refl.* 일어나다, 생기다(*come to pass, happen, occur*). **Er·eignis** [ɛráiknɪs, ər-] *n.* -ses, -se, (굉장한) 사건(*occurrence, event, incident*).

ereignis·lōs *a.* 무사고의. **~reich**, **~·voll** *a.* 일이 많은.

ereilen [-áilən] *t.* (에) 급히 쫓아가다(*overtake*).

erektil [ɛrɛktí:l] [lat.] *a.* 〖醫〗 발기성(勃起性)의. **Erektion** [-tsĭó:n] *f.* -en, 발기(勃起).

Eremit [eremí:t] [gr. *erēmos* „einsam"] *m.* -en, -en, 은사(隱士), 은자(♀*hermit*).

ererben [-ɛ́rbən] *t.* 《Ⅰ》 상속하다(*inherit*). 《Ⅱ》 **ererbt** [-pt] *p. a.* 상속한, 계승한; 〖生〗 유전성의.

erfahren* [ɛrfá:rən, ər-] [„durch Fahren erwerben"] 《Ⅰ》 *t.* (에) 조우하다, 부닥치다, (의) 일을 당하다; (고통 따위를) 받다; 경험하다 (*experience*); 견문하다, 듣고 알다, 알다. 《Ⅱ》 **erfahren** *p. a.* 경험이 있는; 숙련한(*expert, skilful*). **Erfahrenheit** *f.* -en, 경험이 있음, 숙련, 노련. **Erfahrung** [-fá:rʊŋ] *f.* -en, 경험(*experience*), 견문; 숙련. ¶aus ~ 경험으로 / in ~ bringen 듣고 알다.

erfahrungs·gemäß, **~mäßig** *a.* 경험에 의한, 경험적인; *adv.* 경험상; 통례적으로.

erfassen [ɛrfásən, ər-] *t.* ① (붙)잡다, 포착하다. ② 《比》 파악〔이해〕하다 (*grasp, understand*).

erfechten* [-fɛ́çtən] *t.* 《稀》 쟁취하다. ¶den Sieg ~ 승리를 얻다.

erfinden* [ɛrfíndən, ər-] *t.* ① 발명하다 (*invent*); (새로운 것을) 안출〔고안〕하다 (*contrive*). ② 꾸며대다, 날조하다; 창작하다. **Erfinder** *m.* -s, -, 발명자, 안출자. **erfinderisch** *a.* 연구심이 강한, 발명의 재간이 있는, 독창적인. **Erfin·dung** [ɛrfíndʊŋ, ər-] *f.* -en, 연구, 발

명; 발명품; 허구, 가구(假構); 창작.
Erfindungs≈gabe, ∼kraft *f.* 발명의 재간, 독창력. **∼patent** *n.* (발명) 특허; 특허장. **∼reich, ∼voll** *a.* =ERFINDERISCH.
erfischen [ɛrfíʃən] *t.* 낚아올리다.
erflehen [-flé:ən] *t.* 간원하여 얻다; 탄원하다.
Erfolg [ɛrfɔ́lk, ər-] *m.* -(e)s, -e, 성과, 결과, 효과(*issue, result*). ¶(guter, glücklicher) ∼ 성공(*success*).
erfolgen [-fɔ́lgən] *i.*(s.) ① 결과로서 일어나다(*ensure, result*); (auf⁴, 에) 잇닿다(*follow*). ② 일어나다, 생기다, 행하여지다.
erfolg≈los *a.* 효과가 없는, 실패한. *adv.* 헛되이. **∼losigkeit** *f.* 무효과, 실패; 도로(徒勞). **∼reich** *a.* 효과가 있는; 성공적인. **∼versprechend** *a.* 유망한, 성공할 가망이 있는.
erforderlich [ɛrfrɔ́rdərlıç] *a.* 필요한, 필수의. **∼enfalls** *adv.* 필요시에는.
erfordern [-fɔ́rdərn] *t.* 필요로 하다, 요(구)하다(*require, demand*). **Erforder≈nis** *n.* -ses, -se, 필요, 요구, 필요물; (필요한) 자격〔조건〕.
erforschen [-fɔ́rʃən] *t.* 탐험하다; 탐구하다, 연구하다(*explore, investigate*). **Erforscher** *m.* -s, -, 탐구자, 연구자; 탐험가. **Erforschung** *f.* -en, 탐구, 연구(*research*); 탐험.
erfragen [-frá:gən] *t.*: et. ∼ 물어서 알다〔확인〕하다 / jn. ∼ (에) 조회하다, 물어보다, 문의하여 확인하다.
erfrechen [-fréçən] *refl.* 뻔뻔스럽게도 …하다, 감히 …하다.
erfreuen [ɛrfrɔ́yən, ər-] 《Ⅰ》 *t.* 기쁘게 하다(*rejoice, delight, cheer*); 만족하게 하다. 《Ⅱ》 *refl.*: 기뻐하다 (*be glad*); (an³, 을) 기뻐하다(*rejoice in*); (e-s Dinges, 기뻐할 만한 무엇을) 향유하다, 즐기다. ¶sich e-s guten Rufen ∼ 평판이 좋다. 《Ⅲ》 **erfreut** *p.a.* 기뻐하는. **erfreulich** *a.* 기쁜, 즐거운, 좋은, 반가운. **erfreulicherweise** *adv.* 기쁘게도, 다행히도.
erfrieren* [ɛrfrí:rən, ər-] 《Ⅰ》 *i.*(s.) 얼어죽다, 동상을〔상해(霜害)를〕 입다; 얼도록 차다, 얼어서 마비되다, 곱다. 《Ⅱ》 *t.*: sich³ die Füße ∼ 발이 얼다, 발에 동상이 생기다. 《Ⅲ》 **erfroren** *p.a.* 얼어 죽은, 동상을 입은; 곱은.
erfrischen [ɛrfríʃən, ər-] 《Ⅰ》 *t.* 신선하게하다; 원기를 돋우다, (의) 기분을 상쾌하게 하다(*refresh*). 《Ⅱ》 *refl.* 기운이 솟다, 생기가 나다. **Erfrischung** *f.* -en, 신선〔상쾌〕함; 원기 회복; 청량제, 기력을 돋구는 음식물.
Erfrischungs≈raum *m.*, **∼zimmer** *n.* 식당 《역·열차·극장 등의》; 요리집; 음식점.
erfroren [-fró:rən] *p.a.* =ERFRIEREN.
erfüllen [ɛrfýlən, ər-] 《Ⅰ》 *t.* 채우다; 다하다, 이루다; 실현〔실행〕하다(*fulfil, perform*); 성취하다 《소원을》 (*comply with*). 《Ⅱ》 *refl.* 성취〔실현〕되다; (예언 따위가) 적중하다. **Erfüllung** [-fýlʊŋ] *f.* -en, 채움, 충만함; 충족, 실현, 실행, 이행, 성취(*fulfilment*).
Erfüllung·sort [ɛrfýlʊŋs-ɔrt] *m.* 계약 이행지; 인도지(引渡地); 지불지.
Erg [ɛrk] [gr.] *n.* -s, -, 〖物〗 에르크 《일 또는 에네르기의 절대 단위》.
ergänzen [ɛrgéntsən, ər-] [<ganz] 《Ⅰ》 *t.* (ganz machen) 완전하게 하다 (*complete*); (모자라는 것을) 보충하다 (*make up, supply*); **∼d**(*p.a.*) 보충적인, 보족하는. 《Ⅱ》 *refl.* 보충〔보완〕되다; 서로 보충〔보완〕하다. **Ergänzung** [-géntsʊŋ] *f.* -en, 보완, 보결, 보충, 보족, 보급, 보유, 보수(補修); 〖數〗 보각; 〖文〗 보족어.
Ergänzungs≈band *m.* (*pl.* ..bände) (책·서류 등의) 증보(增補), 부록, 별권. **∼bestimmung** *f.* 보완적 규정. **∼≈farben** *pl.* 〖物〗 보색(補色). **∼mann≈schaft** *f.* 보충병; 예비역. **∼wahl** *f.* 보궐 선거. **∼winkel** *m.* 〖數〗 여각(餘角); 보각(補角). **∼wörterbuch** *n.* 보유 별권《사전의》.
ergattern [-gátərn] [<gattern „lauern"] *t.* 《方》 틈을 타서〔기회를 봐서〕 손에 넣다.
ergaunern [ɛrgáunərn] *t.* 사취하다.
ergeben* [ɛrgé:bən, ər-] 《Ⅰ》 *t.* ① (결과로서) 생기다, 이루어지다(*yield*); (…의 결과를) 보이다, 밝히다. ② †인도(引渡)하다; 바치다(*deliver up*). 《Ⅱ》 *refl.* (jm., 아무에게) 항복하다 (*surrender*); (in et., 무엇에) 몸을 맡기다, 복종하다, 따르다(*devote oneself to*), 무엇을 감수하다, 참다(*submit*); (e-m Dinge, 무엇에) 골몰하다(*take to*); (결과·결론으로서) 생기다, 일어나다, 명백해지다 (*result from*). 《Ⅲ》 **ergeben** *p.a.* 몸을 맡긴; 복종한; 전심하는; 몰두하는; 감수하는, 참는. **Ergebenheit** *f.* 복종, 인종; 귀의; 공순; 충성; 전심. **Ergebnis** [-gé:pnɪs] *n.* -ses, -se, 결과; 성과; 수확; 수익; 〖數〗 답(答)(*result*). **ergeb≈nislos** *a.* 효과 없는, 무익한. **Erge≈bung** [-gé:bʊŋ] *f.* -en, 복종, 인종; 귀의; 체념; 〖軍〗 항복.
ergeh(e)n* [ɛrgé:(ə)n, ər-] 《Ⅰ》 *i.*(s.) ① 발표〔발행·발간〕되다《문서 따위가》; 선고되다. ¶∼ lassen, a) 발행하다(*issue, publish*), b) 선고하다(*pass*) / et. über sich⁴ ∼ lassen 무엇을 참고 견디다. ② 《非人稱》 (…형편으로) 되어가다(*go, fare with*). ¶es ergeht ihm gut 그는 잘 지내고 있다, 행복하다. 《Ⅱ》 *refl.* 운동〔산보〕하다《마음 내키는 대로》; (in et.³, 무엇에) 몰두하다(*indulge (in)*). 《Ⅲ》 **Ergehen** *n.* -s, 안부; 건재(健在).
ergiebig [ɛrgí:bɪç, ər-] [<ergeben] *a.* 생산〔수익·수확〕이 많은(*productive*); 풍요한; 비옥한(*fertile*); 풍부한, 매우 넉넉한(*rich*). **Ergiebigkeit** *f.* 수확〔수익〕이 많음, 생산적임; 풍요, 비옥, 풍부.
ergießen* [-gí:sən] 《Ⅰ》 *t.* 쏟아내다; 넘치게 하다; 《比》 (감정을) 토로하다. 《Ⅱ》 *refl.* 유출하다; 범람하다; 〖醫〗 일출(溢出)하다; (ins Meer, 바다에) 흘러들다.
erglänzen [-gléntsən] *i.*(h. *u.* s.) 빛나다, 번쩍이다. 「작열하다.」
erglühen [-glý:ən] *i.*(s.) 달기 시작하다;
ergötzen [ɛrgœ́tsən, ər-] [ahd. *irget-*

E

zan „vergessen machen"] 《Ⅰ》 *t.* 시름을 잊게 하다, 위로하다, 흥겹게 하다(*amuse, delight*). 《Ⅱ》 *refl.* 흥겨워하다, 기뻐하다, 즐기다. **ergötzlich** *a.* 재미있는, 유쾌한. **Ergötzlichkeit** *f.* -en, 기쁨, 즐거움, 재미있음; 희열; (*pl.*) 오락, 여흥. **Ergötzung** *f.* -en, 기쁘게 함, 즐거움, 기쁨; 여흥.

ergrauen [-gráuən] *i.*(s.) 회색이 되다, (머리가) 시어지다; 어스름해지다; 어두컴컴해지다.

ergreifen* [ɛrgráifən, ər-] 《Ⅰ》 *t.* 잡다, 쥐다; 붙잡다; 《比》 (의) 마음을 사로잡다, 감동시키다(*move, touch*). 《Ⅱ》 **ergreifend** *p.a.* 《比》 감동을 주는, 인상 깊은; 효과 있는, 통절한. 《Ⅲ》 **ergriffen** *p.a.* 붙잡힌; 감동한. **Ergreifung** *f.* -en, 포착; 체포; 채택, 채용; 이용. **Ergriffenheit** [ɛrgrífən-] *f.*, **Ergriffensein** *n.* -s, 감동.

ergrimmen [-grímən] 《Ⅰ》 *i.*(s.) 분격[격노]하다. 《Ⅱ》 *t.* 분격[격노]하게 하다.

ergründen [-grýndən] *t.* (의) 깊이를 재다(*fathom*); 《比》 (의) 근본을 캐다, 탐구하다; 천명하다(*prove, look into*).

E

Erguß [ɛrgús, ər-] *m.* ..sses, ..güsse, ① =ERGIEßUNG. ② 〖醫〗 우려냄, 우려낸 액체 《약 따위를 물이나 알콜 등에》.

erhaben [ɛrhá:bən, ər-] [<erheben 의 옛 過去分詞] *a.* ① 높은, 불룩 나온, 뜬. ¶~e Arbeit 부조(浮彫) (*relief*). ② 《比》 뛰어난, 고상한, 숭고한(*exalted, sublime, noble*). ③ über et. ~ 무엇을 초월한; 무엇에 초연한. **Erhabenheit** *f.* 높아짐, 융기, 돌출; 부조(浮彫); 〖物〗 철면(凸面); 《比》 초월; 탁월; 고귀; 숭고, 장엄.

Erhalt [ɛrhált, ər-] *m.* -(e)s, 수령, 영수(*receipt*).

erhalten* [ɛrháltən, ər-] 《Ⅰ》 *t.* ① 지니다, 간직하다, 보존[유지]하다(*preserve, keep*); 받치다, 지탱하다, 부양하다(*support, maintain*). ② 받다, 얻다(*obtain*); 수취하다(*receive*). 《Ⅱ》 *refl.* 몸을 보전하다, 보존[유지]되다; 생계를 세우다. ¶sich in Kraft ~ 체력을 지니다. **Erhalter** *m.* -s, -, 보존자, 유지자; 부양자; 수취인. **erhältlich** [ɛr-hɛ́lt-] *a.* 손에 넣을 수 있는; 살 수 있는. **Erhaltung** *f.* -en, 보존, 유지; 부양; 수취. **Erhaltungstrieb** *m.* 생존 본능, 생활욕.

erhandeln [-hándəln] *t.* 매입하다; (재산을) 장사하여 장만하다.

erhängen [-hɛ́ŋən] 《Ⅰ》 *t.* 교살하다. 《Ⅱ》 *refl.* 목매어 죽다.

erharren [erhárən] *t.* 손꼽아 기다리다.

erhärten [-hɛ́rtən] *t.* 단단하게 하다, 견고하게 하다, 경화하다; 굳히다; 《比》 시인[확인]하다; 증명하다.

erhaschen [-háʃən] *t.* 잡아채다, 날쌔게 붙잡다.

erheben* [ɛrhé:bən, ər-] 《Ⅰ》 *t.* ① 높이다, 들어올리다, 일으켜세우다. ② 올리다, 승진시키다, 오르게 하다; 치켜 올리다, 상찬하다. ③ 거두다. 징수하다《세금을》(*levy, collect*). ④ (목청 따위를) 돋우다; 시작하다. ⑤ 〖數〗 (e-e Zahl) ins Quadrat ~ (어떤 수를) 제곱하다. 《Ⅱ》 *refl.* ① 일어서다, 날아오르다; 상승하다; 솟다; 일다. ② (전쟁·논쟁·폭풍 따위가) 일어나다; (의문이) 생기다; (소문이) 나다. 《Ⅲ》 **erhebend** *p.a.* (사람의 마음을) 북돋아 주는; 감명이 깊은, 감격적인. **erheblich** [-hé:p-] *a.* 무시못할, 쉽지 않은(*considerable*); 중요한, 유력한, 저명한(*important*), 다대한.

Erhebung *f.* -en, ① 높임; 높아짐, 불룩하게 함; 고지, 구릉. ② 승격; 기용(起用). ③ (마음의) 고양; 찬양. ④ 반항, 반란. ⑤ 검증; 조사. ⑥ 〖數〗 자승법, 멱법.

erheiraten [-hái-] *t.*: ein Vermögen ~ 결혼하여 재산을 얻다.

erheischen [-háiʃən] *t.* 필요로 하다(*require*); 요구하다(*claim*).

erheitern [-háitərn] 《Ⅰ》 *t.* 밝게[맑게] 하다; 《比》 (의) 기분을 명랑하게 하다(*cheer*). 《Ⅱ》 *refl.* 맑아지다; 명랑해지다; 흥겨워하다.

erhellen [-hɛ́lən] 《Ⅰ》 *t.* ① 밝게 하다; 비치다; 《比》 해명[해결]하다; 계발(啓發)하다(*enlighten*). 《Ⅱ》 *i.*(h.) u. *refl.* 밝아지다; 《比》 명백해지다.

erheucheln [-hɔyçəln] 《Ⅰ》 *t.* ① …인 체하다, 가장하다(*feign, sham*). ② sich³ et. ~ 속여서 무엇을 얻다. 《Ⅱ》 **erheuchelt** *p.a.* 거짓의, 가면의.

erhitzen [-hítsən] 《Ⅰ》 *t.* 뜨겁게 하다, 열하다; 《比》 분격[흥분]시키다. 《Ⅱ》 *refl.* 더워지다; 《比》 열중하다, 발끈하다.

erhoffen [ɛrhɔ́fən] *t.* 기대하다(et. von jm.).

erhöhen [ɛrhǿ:ən, ər-] 《Ⅰ》 *t.* ① 높이다, 올리다. ② 승진[승급]시키다; (능률 따위를) 올리다. 《Ⅱ》 *refl.* 오르다, 높아지다, 등귀하다. 《Ⅲ》 **erhöht** *p.a.* 높혀진. ¶~e Geschwindigkeit 가속도. **Erhöhung** [-hǿ:uŋ] *f.* -en, 높임; 높은 곳, 구릉, 산; 승진; 등귀.

erholen [ɛrhó:lən, ər-] [„wieder Atem holen"의 뜻:] *refl.* (von, 부터) 회복하다(*recover* (*from*)); 휴양하다(*recreate, rest*). **Erholung** [-hó:luŋ] *f.* -en, 회복; 휴양, 기분 전환.

Erholungs-heim *n.* 요양소. **~pause** *f.* 중간 휴식. **~reise** *f.* 휴양 여행. **~stunde** *f.* 휴식 시간. **~urlaub** *m.* (위로) 휴가.

erhorchen [ɛrhɔ́rçən] *t.* 엿듣다, 몰래 듣다.

erhören [-hǿ:rən] *t.* ① 듣다; 듣고 알다. ② 들어주다, 청허하다(*grant*).

Erika [é:rika, erí:-] [gr.] *f.* ..ken, 〖植〗 에리카속《석남과의 일속》.

erinnerlich [ɛr-ínər-, ər-, ɛrínə-] *a.* 회상할 수 있는, 기억에 남는. **erinnern** 《Ⅰ》 *t.* (=machen, daß jemand etwas „inne" wird) jn. ~ (에게) (an⁴, 을) 주의하다, 상기시키다 (*remind*); 재촉[독촉]하다(*warn*) / dagegen ist nichts zu ~ 그것에 관하여 더 말할 나위가 없다. 《Ⅱ》 *refl.* 상기하다(*recollect*); 기억하고 있다(*remember*). **Erinnerung** [ɛr-ínəruŋ, ər-, ɛrínəruŋ] *f.* -en, ① 주의, 경고, 독촉(*admonition, warning*). ② 상기, 기억, 회상, 기념(*remembrance*). ¶zur ~ an jn. 아무를 기념하기 위하여.

Erinnerungs-bild *n.* 〖心〗 기억 심상.

~kraft *f.* 기억력. **~schreiben** *n.* 독촉장. **~vermögen** *n.* 기억력. **~zeichen** *n.* 추억거리가 되는 것; 기념물, 유물.
erjāgen [ɛrjá:gən] *t.* 사냥하여 잡다; 《比》 노력하여 얻다.
erkalten [-káltən] *i.*(s.) 식다, 차지다. ¶im Tode ~ 죽다. **erkälten** [-kɛ́ltən] *refl.* 감기들다(*catch cold*). **Erkältung** *f.* -en, 감기. ¶sich³ e-e ~ zuziehen 감기가 들다.
erkämpfen [-kɛ́mpfən] *t.* 싸워 얻다, 쟁취하다.
erkaufen [-káufən] *t.* 사다, 매입하다; 매수하다.
erkecken [-kɛ́kən] *refl.* 대담하게도 …을 하다.
erkennbār [ɛrkɛ́nba:r, ər-] *a.* 식별[인식]할 수 있는.
erkennen* [ɛrkɛ́nən, ər-] 《Ⅰ》 *t.* ① 인식하다, 알다(*perceive, discern, know*). ¶jn. am Gang ~ 걸음 걸이로 아무임을 알다 / daran erkenne ich ihn 그것은 그에게 있음직한 일이다, 그야말로 그다운 짓이다. ② 감식하다; 승인하다(*recognize*). ③ (또 *i.*(h.)) 〖法〗 판결을 내리다, 선고하다. ¶zu ~ geben 알리다 / 〖商〗 jn. für e-n Betrag ~ 어떤 금액을 아무의 대변(貸邊)에 기장하다(*credit*). 《Ⅱ》 *refl.*: sich für schuldig ~ 복죄(服罪)하다. **erkenntlich** *a.* ① =ERKENNBAR. ② 감사하는, 고마와하는(*grateful*). **Erkenntnis** [ɛrkɛ́ntnɪs, ər-] 《Ⅰ》 *f.* -se, 지각, 인지(*perception*); 인식(*cognition*); 통찰, 깨달음(*understanding*). 《Ⅱ》 *n.* -ses, -se, 〖法〗 판결, 선고(*judgement, sentence*).
Erkenntnis∗grund *m.* 〖哲〗 인식 이유; 〖法〗 판결 이유. **~theorie** *f.* 〖哲〗 인식론.
Erkennung [ɛrkɛ́nuŋ, ər-] *f.* (사람·사물이 어떠함을) 앎, 인지(*recognition*); 감식; 〖化〗 검출; 〖醫〗 진단.
Erkennungs∗dienst *m.* 〖法〗 (범인) 감식 사무. **~marke** *f.* 〖軍〗 인식표. **~wort** *n.* 암호. **~zeichen** *n.* 인식표; 휘장, 배지.
Erker [ɛ́rkər] [Lw. lat. *arcus* „Bogen"] *m.* -s, -, (집의) 불쑥 나온 부분[창].
Erker∗fenster *n.* 불쑥 나온 창. **~zimmer** *n.* 불쑥 나온 창이 있는 방, 구석방.
erkiesen(*) [-kí:zən] *t.* 선출하다(*choose*); =ERKÜREN.
erklärbār *a.* 설명[해석]할 수 있는, 명백한. **erklären** [ɛrklɛ́:rən, ər-] [< klar] 《Ⅰ》 *t.* 명백하게 하다, 밝히다, 설명[해명·천명]하다(*explain*); 언명[성명·선언·포고]하다(*declare*). ¶jn. **zum** Erben ~ 아무를 상속인으로 지정함을 공표하다 / den Krieg ~, (gegen, 에 대하여) 선전 포고하다. 《Ⅱ》 *refl.* (무엇이) 밝혀지다, 설명되다. ¶sich **für** [**gegen**] jn. ~ 아무에 찬동[반대]함을 언명하다. 《Ⅲ》 **erklārt** *p.a.* 언명[공포]된, 명백한, 공공연한; 세상이 다 아는, 뻔한. ¶ein ~er Feind 불공 대천의 (원수). **erklärlich** *a.* =ERKLÄRBAR.
Erklärung *f.* -en, 설명, 해명; 언명, 성명; 선언, 포고, 선전 포고.
erklecklich [-klɛ́klɪç] [<mhd. *klecken* „tönend schlagen"] *a.* 충분한; 꽤 많은; 다대한.
erklettern [-klɛ́tərn], **erklimmen*** [-klɪ́mən] *t.* (의 꼭대기까지) 기어오르다; 등반하다.
erklingen* [-klɪ́ŋən] *i.*(s.) 울리기 시작하다.
erkōr [ɛrkó:r, ər-] ☞ ERKIESEN, ERKÜREN 《그 過去》.
erkōren [-kó:rən] *p.a.* 뽑힌, 선발된.
erkranken [-kráŋkən] *i.*(s.) 병이 들다. ¶an der Ruhr ~ 이질에 걸리다. **Erkrankung** *f.* -en, 이병(罹病), 발병, 질병.
erkühnen [-ký:nən] *refl.* (을) 감히 하다.
erkunden [-kúndən] *t.* 탐색[탐지]하다(*ascertain*); 〖軍〗 정찰하다(*reconnoitre*). **erkundigen** [-kúndɪgən] *refl.* 문의[조회]하다(*inquire*).
Erkundung [ɛrkúnduŋ] *f.* -en, 탐지, 탐색; 〖軍〗 수색, 정찰.
Erkundungs∗dienst *m.* 정찰 근무. **~flūg** *m.* 정찰 비행. **~flūgzeug** *n.* 정찰기. **~stelle** *f.* 안내소, 흥신소.
erkünsteln [-kýnstəln] *t.* 거짓 꾸미다, 가장하다, …체하다(*affect, feign*). **erkünstelt** *p.a.*, 거짓의, …하는 체하는.
erküren*† [-ký:rən] *t.* =ERKIESEN.
erlahmen [-lá:mən] *i.*(s.) 절름발이가 되다; 마비되다; 《比》 약해지다, 지치다; 이완(弛緩)되다.
erlangen [ɛrláŋən, ər-] [*wohl eig.* „sich verlängernd erreichen", <lang] *t.* (에) 달하다(*reach, attain*); (어떤 사물을) 얻다(*obtain, get, acquire*). ¶ein hohes Alter ~ 고령에 달하다 / Zutritt ~ 입장을 허락받다.
Erlaß [ɛrlás, ər-] *m.* ..lasses, ..lasse [*u.* ..lässe], 발령, 반포(*emission*); 명령, 훈령(*decree*); (법의) 제정; 면제(*pardon*), 경감; 〖商〗 할인, 감가. **erlassen*** *t.* 발하다, 반포하다(*issue*); 면[사면]하다, 면제하다(jm. et.), 사(赦)하다, 용서하다(*remit, release*). **erläßlich** [-lɛ́slɪç] *a.* 면제할 수 있는, 사할 수 있는. **Erlassung** *f.* -en, 면제, 사면.
erlauben [ɛrláubən, ər-] [-lauben은 ♀ lieb, Lob, Glaube; *eig.* "잘 되다·좋다고 하다"] *t.*: jm. et.: 허락[허가]하다(*allow, permit*). ¶ sich³ et. ~ 무엇을 감히 하다, 마음대로 무엇을 하다(*dare, presume*). **Erlaubnis** [-láupnis] *f.* -se, 허가 (*permission*); 인가 (*licence*). **Erlaubnisschein** *m.* 허가증.
erlaucht [ɛrláuxt, ər-] [<erleuchten] *a.* 귀현(貴顯)의, 고상한(*illustrious, noble*). ¶~er Herr 각하.
erlauern [ɛrláuərn] *t.* 들어서 알다.
erlauschen [ɛrláuʃən] *t.* 경청하여 알다.
erläutern [ɛrlɔ́ytərn, ər-] [<lauter] *t.* 밝히다, 해명하다(*explain*); 설명[해설]하다(*comment*); 도해하다(*illustrate*). ¶ erläuternde Anmerkungen 주해. **Erläuterung** *f.* -en, 해명, 설명, 주해, 도해. **Erläuterungsschrift** *f.* 주해서.
Erle [ɛ́rlə] *f.* -n, 〖植〗 오리나무 (*alder-tree*).
erlēben [ɛrlé:bən, ər-] *t.* 살아서 만나다, (에) 조우하다((*live to*) *see*); (im Leben erfahren) 체험하다(*experience*). **Erlēbnis** [-lé:p-] *n.* -ses, -se, 경험, 견문(*experience*).

E

erledigen [ɛrlé:dɪgən, ər-] *t.* 비우다 (*vacate*); 치우다, 해치우다, 끝내다(*dispatch*); 해결하다《문제를》 (*settle*). ¶erledigt werden 공석(空席)〔결원(缺員)〕이 되다 / erledigt sein 처치되어 있다, 이젠 틀렸다, 죽었다. **Erledigung** *f.* -en, 해치움, 끝냄, 처리, 해결.

erlegen [-lé:gən] *t.* (돈을) 납입하다; 죽이다《적·짐승 따위를》.

erleichtern [-láiçtərn] *t.* 가볍게 하다 (*lighten*); 편하게 하다, 안심시키다(*ease, relieve*); 용이하게 하다(*facilitate*).

erleiden* [ɛrláidən, ər-] *t.* ① (해악·변화 따위를) 받다, 입다(*suffer, undergo*). ② 감수하다, 참다.

Erlen·baum *m.* =ERLE. ~**bush** *m.* 오리나무 숲.

erlernen [-lέrnən] *t.* 학습하다, 배우다, 습득하다.

erlesen* [ɛrlé:zən, ər-] 《Ⅰ》 *t.* 선발〔정선〕하다. 《Ⅱ》 **erlesen** *p.a.* 정선된, 우량한.

erleuchten [ɛrlɔ́yçtən, ər-] *t.* 밝게 하다, 비추다; 《比》 (geistig ~) 깨우치게 하다(*enlighten*). **Erleuchtung** *f.* -en, 조명; 《比》 개명, 계몽, 깨우침, 각성.

erliegen* [-lí:gən] *i.*(s.) (e-m Dinge, 무엇에) 쓰러지다, 굴복하다, 패하다(*succumb*). ¶〖鑛〗 zum ~ kommen 폐갱이 되다.

erlisten [ɛrlístən] *t.* sich³ et. ~ 무엇을 술책에 의하여 얻다.

Erlkönig [έrlkø:nɪç] [dän. *eller-konge* „Elfen-könig"(그 誤譯)] *m.* -(e)s, 작은 요정(妖精)《땅의 정, 물의 정 따위》의 왕.

erlogen [-ló:gən] [<erlügen] *p.a.* 허위의, 허구의.

Erlös [ɛrlǿ:s, ər-] [<erlösen] *m.* -es, -e, 번 돈, 수익금, 매상고(*net proceeds*).

erlöschen* [ɛrlœ́ʃən, ər-] *i.*(s.) 꺼지다 (*go out, be extinguished*); 《比》 없어지다, 소멸하다; (회사 등이) 해산하다; (법률 따위가) 실효되다(*expire, die*).

erlosen [ɛrló:zən] *t.* 추첨으로 얻다.

erlösen [ɛrlǿ:zən, ər-] *t.* 구출〔구제〕하다(*save, deliver*); 도로 찾다, 구원하다, 속바치다(*redeem*). **Erlöser** *m.* -s, -, 구제자; 〖宗〗 구세주, 그리스도. **Erlösung** *f.* -en, 구제; 〖宗〗 구원, 속죄, 구속(救贖).

erlügen [-lý:gən] *t.* 꾸며대다, 날조하다.

ermächtigen [-mέçtɪgən] *t.*: jn. ~ 에게 (zu, 의) 권력〔권능·자격〕을 주다(*empower, authorize*). **Ermächtigung** *f.* -en, 전권 위임; 권능, 전권.

ermahnen [-má:nən] *t.* 충고〔훈계·경고〕하다(*exhort, admonisch*).

ermangeln [-máŋəln] *i.*(h.)(e-s Dinges, 무엇을) 결하다, 없다, 부족하다(*lack*). ¶es an nichts ~ lassen 전력을 다하다 / ich werde nicht ~ zu kommen 나는 꼭 가겠읍니다. **Ermang(e)lung** *f.* -en, 결핍, 부족. ¶in ~ e-s Besseren 달리 묘안이 없어, 부득이.

ermannen [-mánən] *refl.* 용기를 내다 (*take heart*).

ermäßigen [-mέ:sɪgən] *t.* 아끼다(*moderate*); (값을) 깎다. **Ermäßigung** *f.* -en, 절약; 경감; 완화; 가격 인하, 할인.

ermatten [-mátən] *i.*(s.) 피로하다, 진력나다; *t.* 지치게 하다, 물리게 하다. **Ermattung** *f.* -en, 피로, 곤비; 권태.

ermessen* [-mέsən] 《Ⅰ》 *t.* (전 길이를) 재다; 측정하다; 《比》 어림〔추측〕하다 (*consider, judge*). 《Ⅱ》 **Ermessen** *n.* -s, 어림, 판단, 추정; 재량.

ermitteln [ɛrmítəln, ər-] *t.* 탐구〔발견〕하다; 조사하다. **Ermitt(e)lung** [-mít(ə)luŋ] *f.* -en, 탐구; 발견; 조사. ¶~en anstellen 사문하다.

ermöglichen [-mǿ:klɪçən] *t.* 가능하게 하다, (될 수 있게) 궁리하다.

ermorden [-mɔ́rdən] 《Ⅰ》 *t.* 죽이다, 살해하다; 학살하다. 《Ⅱ》 *refl.* 자살하다. **Ermordung** *f.* -en, 살해; 암살; 학살.

ermüden [-mý:dən] 《Ⅰ》 *t.* 피로하게 하다; 질력나게 하다; 괴롭히다. 《Ⅱ》 *i.*(s.) 지치다, 피로해지다; 권태롭다. 《Ⅲ》 **ermüdend** *p.a.* 귀찮은, 지루한, 지친. **Ermüdung** *f.* -en, 피로, 권태.

ermuntern [-múntərn] 《Ⅰ》 *t.* (자고 있는 사람을) 깨우다, 일으키다; 원기를 돋우다, 격려하다; 명랑하게 하다. 《Ⅱ》 *refl.* 깨다; 기운이 나다; 힘쓰다.

ermutigen [-mú:tɪgən] *t.* 원기를 돋우다, 격려하다.

ernähren [ɛrnέ:rən, ər-] 《Ⅰ》 *t.* (에게) 먹이다, 기르다, 양육하다. 《Ⅱ》 *refl.* (von, 으로) 몸을 보양하다; 를 먹고 살다. ¶sich mit 〔durch〕 et. ~ …으로서 생계를 세우다. **Ernährer** *m.* -s, -, 부양자; (식구 중의) 돈벌이 하는 사람. **Ernährung** [-nέ:ruŋ] *f.* -en, 교육, 부양; 생계; 배양; 영양; 양분, 식량.

Ernährungs·amt *n.* 식량 관리국. ~**behandlung**, ~**therapie** 식이 요법. ~**zustand** *m.* 영양 상태.

ernennen* [ɛrnέnən, ər-] *t.* (zu, 에) 지명하다, 임명하다(♈*nominate, appoint*). **Ernennung** *f.* -en, 지명, 임명; 추천(장).

Ernennungs·brief *m.*, ~**urkunde** *f.* 임명장, 사령.

erneuern [ɛrnɔ́yərn, ər-] *t.* 새롭게 하다, 갱신〔개정〕하다(*renew*). **Erneuerung** *f.* -en, 개정, 갱신.

erniedrigen [ɛrní:drɪgən, ər-] 《Ⅰ》 *t.* 낮추다, 내리다; (값을) 감하다; 《比》 천하게 하다; 창피주다, 욕보이다(*degrade, humiliate*). 《Ⅱ》 *refl.* 비하(卑下)하다, 자신의 품위를 떨어뜨리다. **Erniedrigung** *f.* -en, 낮추기, 내리기; 비천, 굴종; 〖商〗 감가; 〖樂〗 반음내리기.

Ernst [ɛrnst] [*eig.* „Kampf"] 《Ⅰ》 *m.* -es, 진정, 성실, 신심, 열심(♈*earnestness*), *seriousness*); 엄숙(*severity*); 중대(*gravity*). ¶alles〔allen〕 ~es 진지하게, 단호하게 / mit et. ~ machen 무엇을 진지하게 다루다, 중대시하다. 《Ⅱ》 **ernst** *a.* 진지한, 진심〔진정〕의(♈*earnest, serious*); 중대한(*grave*); 엄숙한, 엄격한 (*severe*). ¶die Verluste sind ~ 손해는 막대하다 / (für) ~ nehmen 곧이듣다.

Ernstfall *m.* 위급한 경우; 전시(戰時).

ernst·haft [έrnsthaft] *a.* 진지한, 진심의, 진정의. ¶ ~ meinen 본심이다.

ernstlich [έrnstlɪç] *a.* 진지한, 본심의; 엄숙한, 중대한; *adv.* 진지하게, 대단히. ¶er ist ~ krank 그는 중태다.

Ernte [érntə] *f.* -n, 거두어 들임, 수확(*harvest*); 수확물(*crop*).

Ernte≈arbeit *f.* 수확 작업. **~(dank)≈fest** *n.* 수확제, 추수 감사절. **~kinder≈garten** *m.* 추수철의 탁아소. **~mō≈nat** *m.* 수확의 달, 8월.

ernten [érntən] *t.* 거두어들이다, 수확하다(*reap, harvest*). ¶《比》Lob ~ 칭찬받다.

Ernte≈sēgen *m.* 풍작. **~wetter** *n.* 추수에 알맞은 날. **~zeit** *f.* 수확기.

ernüchtern [-nýçtərn] 《Ⅰ》*t.* 취기를 깨게 하다(*sober*); 흥을 깨뜨리다. 《Ⅱ》*refl.* 취기가 깨다; 《比》각성하다.

Erōberer *m.* -s, -, 정복〔침략〕자(*conqueror*). **erōbern** [ɛr-ó:bərn, ər-, ɛró:bərn] *t.* (durch Kampf der Obere werden) 정복하다(*conquer*); 《比》얻다, 획득하다. **Erōberung** *f.* -en, 정복; 획득(물) (*conquest*).

Erōberungs≈durst *m.* 정복욕. **~≈krieg** *m.* 침략 전쟁.

eröffnen [ɛr-œ́fnən, ər-] 《Ⅰ》*t.* 열다(*open*); 개시하다(*inaugurate*); 열어 보이다, 들추어 내다, 털어놓다, 알리다, 통고하다(*disclose, declare*). ¶ein Testament ~ 유언장을 펼치다. 《Ⅱ》*refl.* 열리다; 나타나다; (심중을) 토로하다. **Eröffnung** *f.* -en, 열기; 개시, 개장, 개업, 개점, 개통, 개회; 위의 축하(식); 열어 보임, 토로. **Eröffnungsrēde** *f.* 개회사.

erogēn [erogé:n] [gr.] *a.* 〖心〗성감 자극(性感刺戟)의.

eroico [eró:iko] [it.] *a.* 〖樂〗영웅적인. **Erōika** [eró:ika] *t.* 베토벤의 제 3〔영웅〕교향곡.

erōrtern [ɛr-œ́rtərn, ər-] [<Örter *pl.*; mhd. *ort*, „Ende, Ecke"] *t.* (철저하게) 논의〔토론〕하다(*discuss*). **Erörterung** *f.* -en, 논의, 토의(*discussion*).

Eros [é:rɔs, éro:s] [gr.] *m.* -, 〖神〗연애의 남신(로마 신화의 Amor, Cupido 에 해당); (육적인) 연애, 성애; 〖哲〗진선미를 추구하는 사랑.

Erōtik [eró:tɪk] [<Eros] *f.* 연애술; 연애시〔문학〕. **erōtisch** *a.* 연애〔성애·색정〕의.

Erpel [érpəl] *m.* -s, -, 《方》수오리(*drake*).

erpicht [ɛrpíçt, ər-] *p.a.*: auf et. ~ (=wie mit Pech (daran) geklebt) 무엇에 애착〔집념〕하는.

erpressen [ɛrprésən, ər-] *t.* 짜〔우려〕내다, 강탈〔공갈 취재(取財)〕하다(*extort, blackmail*). **Erpresser** *m.* -s, -, 강탈자. **Erpressung** *f.* -en, 강청, 강요; 〖法〗공갈 취재.

erprōben [ɛrpró:bən, ər-] *t.* (유용한가를) 시험하다, 시험해〔겪어〕보고 알다, 알아보다(*try, test*).

erquicken [ɛrkvíkən, ər-] *t.* 기운을 북돋우다, (의 기분을) 상쾌하게 하다(*refresh*). **Erquickung** *f.* -en, 위안(물); 기분을 상쾌하게 하는 것, 청량제.

errāten* [ɛrrá:tən, ər-] *t.* 추측〔짐작〕하다(*guess*); (수수께끼를) 풀다.

errātisch [ɛrá:tɪʃ] [lat. „verirrt"] *a.* 부정시(不定時)의, 유주성(遊走性)의. ¶〖地〗~er Block 표석(漂石).

errēgbār [ɛrré:kba:r, ər-] *a.* 격앙〔흥분〕하기 쉬운; 피자극성의. **errēgen** [-gən] *t.* 움직이다, 일으키다, 자극하다(*stir up, excite*). ¶Schrecken ~d 가공할. **Errēger** *m.* -s, -, 자극하는 사람〔물건〕; 〖醫〗병원체. **Errēgung** *f.* -en, 자극, 고무; 흥분, 격앙.

erreichbār [ɛrráiçba:r, ər-] *a.* 도달할 수 있는. **erreichen** *t.* (에) 도달하다, 닿다(*reach*); 달성하다(*attain, obtain*). **Erreichung** *f.* -en, 도달; 달성.

erretten [-rétən] *t.* 구조하다(*save, rescue, deliver*). **Erretter** *m.* -s, -, 구조자; 〖宗〗구세주. **Errettung** *f.* -en, 구조, 구원.

errichten [-ríçtən] *t.* 세우다, 건립하다(*erect, raise*); 창립하다, 설립하다(*establisch*). **Errichtung** *f.* -en, 건축; 창립, 설립.

erringen* [-ríŋən] *t.* 격투〔노력〕하여 얻다(*gain, win*); 승리하다, 명성을 얻다(*achieve*).

errōten [-rǿ:tən] *i.*(s.) (노여움·수치로) 빨개지다(*blush*). **Errōten** *n.* -s, 홍조(紅潮).

Errungenschaft [ɛrrúŋənʃaft, ər-] *f.* -en, 획득물; 공적, 업적; 결과; 성과.

Ersatz [ɛrzáts, ər-] [<ersetzen] *m.* -es, 보상, 배상(*amends, compensation*); 공제, 상쇄(*set off*); 대용(물) (*substitute, surrogate*); 〖軍〗보충(*reserve*). ¶für et. ~ leisten 무엇을 배상하다.

Ersatz≈anspruch 〖法〗배상 청구권. **~blei** *n.* 샤프펜슬의 심. **~glied** 의족, 의수. **~mann** *m.* 대리인; 보결인. **~mannschaft** *f.* 보충병. **~mittel** *n.* 대용물. **~pflicht** *f.* 배상 의무. **~≈rād** *n.* 예비 바퀴. **~reifen** *m.* 스페어타이어. **~spieler** *m.* 보결 선수. **~≈stoff** *m.* 대용물. **~stück** *n.* 보충품, 예비품. **~teil** *m.* 예비 부속품. **~≈truppen** *pl.* 보충 부대. **~wahl** *f.* 보궐 선거.

ersaufen* [-záufən] *i.*(s.) 《俗》익사하다. **ersäufen** [-zɔ́yfən] 《Ⅰ》*t.* 《俗》익사시키다. ¶die Sorgen im Alkohol ~ 술로 시름을 잊다. 《Ⅱ》*refl.* 투신 자살하다.

erschachern [-ʃáxərn] *t.* 에누리해서 사다.

erschaffen* [-ʃáfən] *t.* (强變化) 창조〔창작〕하다(*create, produce*). **Erschaf≈fer** *m.* -s, -, 창조자; 조물주, 하느님. **Erschaffung** *f.* -en, 창조; 창작.

erschallen^(*) [-ʃálən] *i.*(s.) 울리다, 울려 퍼지다; 《比》(명성 등이) 알려지다. ¶~ lassen 울리게 하다.

erscheinen* [ɛrʃáinən, ər-] *i.*(s.) 나타나다(*appear*); 출두하다; 출판〔발행〕되다(*come out, be published*); (으로) 보이다, 생각되다(*seem*). **Erscheinung** [ɛrʃáinuŋ, ər-] *f.* -en, 나타남, 출현; 출두; 겉모양, 외관, 외양; 모양(*appearance*); 간행물, 출판물(*publication*); 현상(現象); 환상, 환영, 유령(*apparition*); 〖가톨릭〗(~ Christi) 주(主)의 공현(公顯) 대축일(*Epiphany*); 〖醫〗병적 징후, 증상.

Erscheinungs≈bild *n.* (유전학상의) 현상형(現象型)(*phenotype*). **~tāg** *m.* (유가 증권의) 발행일.

erschießen* [-ʃí:sən] *t.* 총살〔사살〕하

다; *refl.* 권총 자살(拳銃自殺)하다.

erschlaffen [-ʃláfən] 《Ⅰ》 *i.*(s.) 늦추어지다, 느슨해지다, 풀어지다. 《Ⅱ》 *t.* 늘어지게 하다, 풀어지게 하다, 이완하다. **erschlafft** *p.a.* 느즈러진; 무기력한; 탄력이 없는.

erschlagen* [-ʃlá:gən] *t.* 때려 죽이다 (*slay, kill*). ¶vom Blitze erschlagen werden 벼락에 맞아죽다.

erschleichen* [-ʃláiçən] 《Ⅰ》 *t.*: (sich³) et. ~ 무엇을 몰래〔부정 수단으로〕 손에 넣다, 사취하다. 《Ⅱ》 **erschlichen** *p. a.* 부정 수단으로 얻은.

erschleppen [-ʃlépən] *t.* 끌고 오다.

erschließen* [ɛrʃlí:sən, ər-] *t.* 열쇠로 열다; 《比》 열다; (토지·판로 등을) 개척하다; 털어 놓다; 추리〔추론〕하다(*infer, conclude*).

erschmeicheln [-ʃmáiçəln] *t.*: sich³ et. ~ 감언으로 무엇을 얻다.

erschnappen [-ʃnápən] *t.* 《俗》 덥석 물다; 잡아 채다, 붙잡다.

erschöpfen [ɛrʃœpfən, ər-] *t.* 다 퍼내다 《우물 따위를》; 《比》 비우다, 고갈시키다; 지치게 만들다; 소진〔소모〕하다(*exhaust*). **erschöpfend** *p.a.* 빠짐없는, 유루(遺漏)가 없는. **Erschöpfung** *f.* -en, 다 퍼냄; 고갈; 곤비.

erschrecken⁽*⁾ [ɛrʃrékən, ər-] 《Ⅰ》《强變化》 *i.*(s.) u. *refl.* 놀라다; 무서워하다. 《Ⅱ》《弱變化》 *t.* 놀라게 하다; 위협하다. **erschrocken** *p.a.* 놀란, 겁낸. **Erschrockenheit** *f.* 놀람, 경악; 공포; 놀라기 쉬움, 겁냄.

erschüttern [ɛrʃýtərn, ər-] 《Ⅰ》 *t.* 흔들어 움직이다; 《比》 깊이 감동시키다, 격동〔충격〕을 주다; (건강 등을) 해치다. 《Ⅱ》 *i.*(s.) 흔들리다, 진동하다.

erschweren [-ʃvé:rən] *t.* 무겁게 하다; 《比》 더욱 곤란하게 하다.

erschwindeln [-ʃvíndəln] *t.* 사취하다.

erschwingen* [-ʃvíŋən] *t.* (곡식을) 까부르다. ¶die Flügel ~ (새가) 날개치며 날아오르다 / 《比》 ich kann die Kosten nicht ~ 나로서는 그 비용을 마련할 길이 없다. **erschwinglich** *a.* 조달할 수 있는; 재력이 허락하는.

ersehen* [ɛrzé:ən, ər-] *t.* ① 알아차리다, 인식하다; (기회를) 엿보다. ¶aus et.³ ~ 무엇으로 미루어 알다. ② 《俗》 ich kann ihn nicht ~ 그 자를 보기도 싫다.

ersehnen [-zé:nən] *t.* 초조히 기다리다, 「열망하다.」

ersetzbar [ɛrzétsba:r, ər-] *a.* =ERSETZLICH. **ersetzen** *t.* 갚아 주다, 보충하다 (*repair, compensate*); (의) 대리가 되다, (에) 대신하다(*replace*); 보상하다. **ersetzlich** *a.* 대신〔보충·보상〕할 수 있는.

ersichtlich [ɛrzíçtlıç, ər-] *a.* 볼 수 있는, 알 수 있는; 명백한(*evident*).

ersiegen [ɛrzí:gən, ər-] *t.* 쟁취하다.

ersingen* [ɛrzíŋən, ər-] *t.* 노래하여 얻다〔돈을 벌다〕.

ersinnen* [-zínən] *t.* 생각〔연구〕해 내「다; 날조하다.」

erspähen [-ʃpé:ən] *t.* 탐지〔탐색〕하다, 노리다, (기회를) 엿보다.

ersparen [ɛrʃpá:rən, ər-] *t.* 절약하다, 저축하다, 덜어 두다(*save, spare*). **Ersparnis** *f.* -se, 절약; (또: *n.* -ses, -se) 저축, 저금(*savings*).

erspielen [-ʃpí:lən] *t.*: sich³ et. ~ 무엇을 내기로 얻다〔벌다〕.

ersprießen* [ɛrʃprí:sən] *i.*(s.) 싹이 나다. ¶aus et. ~ 무엇에서 생기다. **ersprießlich** [-ʃprí:slıç] *a.* 유용한(*useful*); 유리한(*profitable*), 편리한.

erst [e:rst, 때로 ɛrst] [*sup.*, <ehe, eher] 《Ⅰ》 *adv.* ① 최초에, 처음에(*first*); 앞서서, 우선, 미리, 먼저. ② 비로소, 겨우. ¶~ jetzt 〔jetzt ~〕, a) 이제 겨우, b) 지금 막 / ich sah ihn ~ gestern 어제서야 겨우 그를 만났다 / wenn er nur ~ hier wäre! 그 사람이 여기에 있어 주면 좋겠는데. 《Ⅱ》 (der, die, das ~) *num.* ① 제일의, 맨 첫째번의, 맨 처음의, 최초의. ¶Karl der ~e 칼 I 세 / am ~en (Tag der) Mai, 5월 1일에 / ~e Hilfe 최초의 조력, 응급 치료 / das ~e und das letzte 최초이며 최후의 것, 궁극적인 것 / der 〔die, das〕 ~e beste 눈에 띄는〔닥치는〕대로의, 마음대로의. ② 《副詞句》 **am** ~en, a) 첫째로, 최초에, b) 자칫〔걸핏〕하면 / **fürs** ~e, a) 첫째로, b) 우선, 당장은 / **mit** ~em 최근에, 근래 / †**zum** ~en 처음(엔), 먼저, 우선. ③ 《다시 比較級을 만들어》 der〔die, das〕 ~ere 전자(*ant.* der〔die, das〕 letztere).

erstarken [ɛrʃtárkən] *i.*(s.) 강해지다.

erstarren [-ʃtárən] *i.*(s.) 굳어지다, 경직(硬直)하다; (추위로) 곱아지다; 마비되다; 응고〔응결〕하다; (무서운 나머지) 움찔하다.

erstatten [-ʃtátən] *t.* 돌려보내다, 갚다 (*return, compensate*). ¶Bericht ~ 보고하다(*report*). **Erstattung** *f.* 반제, 상환; 보수.

Erst·aufführung [-auffy:ruŋ] *f.* 〖劇〗 「초연, 첫공연.」

erstaunen [-ʃtáunən] 《Ⅰ》 *i.*(s.) 놀라다, 어이없어하다, 의아하게 여기다(*be astonished*). 《Ⅱ》 *t.* 놀라게 하다, 의아하게 하다(*astonish*). 《Ⅲ》 **Erstaunen** *n.* -s, 경악. ¶in ~ setzen 놀래다. **erstaunlich** *a.* 놀랄 만한; 이상한; 멋진.

Erst·ausgabe *f.* 초판(初版). **~druck** *m.* 초판쇄(刷).

erstechen* [-ʃtéçən] *t.* 찔러 죽이다.

ersteh(e)n* [-ʃte:(ə)n] 《Ⅰ》 *i.*(s.) 일어서다; 부활하다. 《Ⅱ》 *t.* 경매에서 경락하다, 사들이다(*buy, purchase*). **Erstehung** [-ʃté:uŋ] *f.* -en, 부활; 낙찰, 구매.

ersteigen* [-ʃtáigən] *t.* 올라서(정상에) 다다르다, (에) 등반하다. **Ersteigung** *f.* -en, 올라 다다름, 등반(*ascent*).

erstellen [ɛrʃtélən] *t.* 만들어 내다, 완성하다; 준비하다.

erstemal [é:rstənma:l] *adv.* :das ~ 처음(회)에 / beim ~ 처음에는, 첫회는, 단 / das geschah zum ersten Mal 그 일이 일어난 것이 처음이었다.

erstens [é:rstəns, 때로 ér-] *adv.* 맨먼저, 최초에, 처음에(*first(ly)*).

ersterben* [-ʃtérbən] 《Ⅰ》 *i.*(s.) 사멸하다; 《比》 (차츰) 소멸하다; (손발이) 마비되다. 《Ⅱ》 **erstorben** *p.a.* 사멸〔소멸〕한.

erstere [é:rstərə] (der, die, das ~) *a.* 전자(前者).

erst·geboren *p.a.* 처음 낳은, 적출(嫡

出)의. **~gebūrt** *f.* 적자(嫡子)〔장자〕임. **~gebūrtsrecht** *n.* 〖法〗 장자 상속법〔상속권〕.

ersticken [ɛrʃtíkən, ər-] 《I》 *t.* (의) 숨을 막다, 질식시키다(*suffocate*); 《比》 억제〔억압〕하다. 《II》 *i.*(s.) 질식하다; 숨막히다. **Erstickung** *f.* -en, 질식; 교살.

ērstklassig [-klasıç] *a.* 1류의, 1급의, 우수한.

ērstlich [é:rstlıç] *adv.* 처음에, 최초에 「(*firstly*).」

Ērstling [é:rstlıŋ] *m.* -s, -e, 첫아기〔아들〕, 맏이; 첫물.

Ērstlings≈arbeit *f.* 처녀작; 개척 사업. **~versūch** *m.* 최초의 시도. **~wäsche** *f.* (아기) 기저귀.

ērst≈mālig *a.* 제1회의, 처음의. **~≈māls** *adv.* 처음으로; 최초에.

ērstrangig [é:rstraŋıç] *a.* 제1류〔등〕의.

erstrēben [ɛrʃtré:bən, ər-] *t.* 얻으려고 노력하다, 노력하여 얻다.

erstrecken [-ʃtrékən] *refl.* 펼쳐지다, 퍼지다, 뻗다, 넓어지다; 이르다, 미치다.

erstreiten* [-ʃtráitən] *t.* 싸워서〔투쟁하여〕 얻다.

erstürmen [-ʃtýrmən] *t.* 습격하여 얻다; 공략하다; 《比》 졸라 얻어내다.

ersūchen [-zú:xən] 《I》 *t.*: jn.: (에)(um, 을) 부탁〔의뢰〕하다(*request, entreat*). 《II》 **Ersūchen** *n.* -s, 간구(懇求), 부탁, 간청.

ertappen [-tápən] *t.* 불시에 습격하여 잡다(*surprise*). ¶auf frisher Tat ~ 현행범을 잡다.

ertauben [-táubən] *i.*(s.) 귀머거리가 되「다.」

erteilen [-táilən] *t.* 주다; 수여하다.

ertōnen [-tǿ:nən] *i.*(s.) 울리(어 퍼지)다.

ertōten [-tǿ:tən] *t.* ① 죽이다. ② 《比》 근절하다; 억제하다; (정욕을) 끊다.

Ertrāg [ɛrtrá:k, ər-] *m.* -(e)s, ⸚e, 생산, 수익, 소득(*produce, proceeds, profit*). **ertrāgen*** [-trá:gən] *t.* 수익을 올리다; 참다, 견디다(*bear, endure, suffer, tolerate*). **Erträgfähigkeit** *f.* (토지의) 생산력. **ertrāglich** [ɛrtrɛ́:klıç, ər-] *a.* 참을 수 있는, 견딜 수 있는; 상당한. **Ertrāgnis** *n.* -ses, -se, =ERTRAG.

Ertrāgs≈anteil *m.* 수익의 몫《사용료·상연료·인세 따위》 **~steigerung** *f.* 수익 증가. **~steuer** *f.* 수익세.

ertränken [-trɛ́ŋkən] 《I》 *t.* 물에 빠뜨리다, 익사시키다(*drown*). 《II》 *refl.* 물에 빠지다, 익사하다.

erträumen [-trɔ́ymən] *t.* 꿈꾸다, 몽상「하다.」

ertrinken* [-tríŋkən] *i.*(s.) 물에 빠지다, 익사하다. ¶《比》 im Wohlleben ~ 사치〔일락〕에 빠지다.

ertrotzen [-trɔ́tsən] *t.* 억지〔고집〕부려 손에 넣다, 억지써서(어떤 목적을) 달성하다.

ertüchtigen [-týçtıgən] *t.* 단련하다. **Ertüchtigung** *f.* 단련.

erūbrigen [ɛr-ý:brıgən, ər-] 《I》 *t.* 남기다, 저축하다(*save*). 《II》 *refl.* 필요〔쓸데〕없다(*be superfluous*).

eruieren [eruí:rən] [lat.] *t.* 찾아내다, 탐지하다.

erwachen [ɛrváxən, ər-] *i.*(s.) 잠을 깨「다;《比》 각성하다.」

erwachsen* [ɛrváksən, ər-] 《I》 *i.*(s.) (충분히) 성장하다; 어른이 되다; (aus, 에서) 생기다, 일어나다. ¶daraus ~ Ihnen Ausgaben 그건 당신 비용의 출처가 됩니다. 《II》 **erwachsen** *p.a.* 어른이 된, 다 자란. ¶der 〔die〕 ~e 성인, 어른.

erwāgen* [ɛrvé:gən, ər-] *t.* 헤아리다, 고려하다(♈*weigh, consider*). **Erwāgung** *f.* -en, 헤아림, 음미.

erwählen [ɛrvɛ́:lən, ər-] *t.* 선출하다, 뽑다; (투표에 의하여) 선출〔선거〕하다(*elect*). **Erwählung** *f.* -en, 선택, 선발; 선거, 선출; 당선.

erwähnen [ɛrvɛ́:nən, ər-] [-wähnen: ♈lat. *vox* „Stimme"] *t.* u. *i.*(h.) (에) 관하여 (한마디) 말하다, (에) 언급하다(*mention*). ¶wie oben erwähnt 상술한 바와 같이. **erwähnenswērt** *a.* 말할 가치가 있는. **Erwähnung** *f.* -en, 말함, 언급.

erwarmen [-vármən] *i.*(s.) 따뜻해지다, 더워지다. **erwärmen** [-vɛ́rmən] 《I》 *t.* 따뜻하게 〔덥게〕 하다, 데우다, 《比》 흥미를 일으키다, 열중시키다. 《II》 *refl.* 더워지다.

erwarten [ɛrvártən, ər-] *t.* 기다리다(*wait for*); 기대하다(*expect*). **Erwartung** [ɛrvártʊŋ] *f.* -en, 대망, 기대, 예기, 가망. **erwartungsvoll** *a.* u. *adv.* 기대에 찬, 큰 기대를 가지고.

erwecken [-vɛ́kən] *t.* (잠에서) 깨우다, 일으키다; 《比》 환기하다《어떤 생각을》. ¶vom Tode ~ 소생(蘇生)시키다. **Erweckung** *f.* -en, 깨우기; (religiöse ~) 각성; 소생; 환기, 고무.

erwehren [-vé:rən] *refl.* (e-s Dinges, 무엇을) 방어하다, 막다(*defend oneself from*).

erweichen [-váiçən] 《I》 *t.* 부드럽게 하다; 《比》 (의) 마음을 누이다. ¶〖醫〗 ~des (*p.a.*) Mittel 완화제. 《II》 *i.*(s.) u. *refl.* 부드럽게 되다. ¶ sich ~ lassen 마음이 풀리다, 감동되다.

Erweis [ɛrváis, ər-] *m.* -es, -e, 표명; 실증, 증명. **erweisen*** [-váizən] 《I》 *t.* 증명〔실증〕하다(*show*); 실지로 보이다(*render, do*). 《II》 *refl.*: sich als wahr ~ 진실임이 증명되다. **erweislich** *a.* 증명할 수 있는.

erweitern [-váitərn] 《I》 *t.* 넓히다, 확대〔확장〕하다. 《II》 *refl.* 넓어지다. **Erweiterung** *f.* -en, 확대, 확장, 확충; 〖修辭〗 부연(敷衍).

Erweiterungs≈bau *m.* (*pl.* -ten) 증축. **~urteil** *n.* 〖哲〗 확장적 판단.

Erwerb [ɛrvérp, ər-] [<erwerben] *m.* -(e)s, -e, 취득, 수득; 이득, 벌이, 임금; 영리; 영업, 생업. **erwerben*** [-vérbən] *t.* (일하여) 손에 넣다, 구하다, 얻다, 벌다(*acquire, gain, earn*).

Erwerbs≈fleiß *m.* 산업(*industry*). **~≈fleißig** *a.* 근로하는. **~lōs** *a.* 생업이 없는; 실업의. ¶der ~lose 실업자. **~≈lōsen·unterstützung** *f.* (실업 보험에 의한) 실업 수당. **~quelle** *f.* 생계의 자원. **~tätig** *a.* 생업을 영위하는. ¶der 〔die〕 ~tätige 근로자, 직업인. **~≈unfähig** *a.* 생계 능력이 없는, 생업 불능의. **~zweig** *m.* 생업〔산업〕 부문.

erwidern [ɛrví:dərn, ər-] *t.* 갚다, 보답

E

하다(*return*); 응답하다; (에) 대답하다《말을 받아》(*reply*). ¶e-n Besuch ~ 답례 방문하다 / das Feuer ~ 응사(應射)하다.

erwiesenermaßen [-ví:zənərma:sən] [<erweisen] *adv.* 증명되는 바와 같이, 명백히, 확실히.

erwirken [-vírkən] *t.* 노력하여 얻다〔성취하다〕. ¶jm. e-e Unterstützung ~ 아무가 보조를 받도록 힘써주다.

erwischen [-víʃən] *t.* (재빨리) 붙잡다; (급습하여) 잡다. ¶jn. bei frischer Tat ~ 아무의 범행 현장을 덮치다.

erwünscht [-výnʃt] *p.a.* 소원〔희망〕대로의; 바람직한. ¶ ~ kommen 바라던 그대로다.

erwürgen [-výrgən] *t.* 교살하다; 질식시키다; 《比》 학살하다.

Ērz [e:rts, 때로: ɛrts] [♈ehrn] *n.* -es, -e, (廣義:) 광석(♈*ore*); (狹義:) 조광(粗鑛); 《一般的》 금속 (*metal*); (특히) 놋쇠 (*brass*); 청동(*bronze*).

erz.. [érts-, é:rts-] [Lw. gr. *archi-* "erst, ober, vorzüglichst"] 《合成用語》 "최고·제일·우두머리 및 극악"의 뜻.

Ērz·āder [é:rts-a:dər] *f.* 광맥(鑛脈).

erzählen [ɛrtsɛ́:lən, ər-] [<zählen] *t.* (하나하나) 이야기하다, 말하다(♈*tell, relate, narrate*). **erzählend** *p.a.* 이야기체의. **Erzähler** *m.* -s, -, 이야기하는 사람; 작가, 소설가. **Erzählung** *f.* -en, 이야기하기(*narration*); 이야기, 소설(*narrative, tale, story*).

Erz·betrüger *m.* 큰 사기꾼. **~bischof** *m.* 대주교《가톨릭·그리스정교의》; 대감독《신교의》. **~bischöflich** *a.* 위의. **~bistūm** *n.* 위의 직〔교구〕. **~bösewicht** *m.* 극악 무도한 놈. **~dumm** *a.* 큰 바보의.

erzeigen [-tsáigən] *t.* (실지로) 보이다, (경의 등을) 표시하다(jm. et.).

Erz·engel [érts-ɛŋəl] *m.* 천사장, 대천사.

erzeugbār [-tsɔ́ykba:r] *a.* 낳을 수 있는; 생산〔산출〕할 수 있는. **erzeugen** [-tsɔ́ygən] *t.* (자식을) 낳다, 보다《흔히 아버지에 대한 말; 어머니는 gebären》(*beget, engender*); 산출〔생산〕하다 (*produce*); 《比》 발생시키다(*generate*). **Erzeuger** *m.* -s, -, 아버지, 실부(實父); (*pl.*) 양친; 생산자; 발생기. **Erzeugnis** [-tsɔ́yk-] *n.* -ses, -se, 생산물, 제작품; 작품; (농)작물. **Erzeugung** *f.* -en, 낳기, 생식; 생산, 제조; 창작.

Erzeugungs·kraft *f.* 생산력; 생식력(生殖力). **~schlacht** *f.* 증산 투쟁 〔운동〕. 「빛의.」

ērzfarbig [é:rtsfarbiç] *a.* 청동색의, 놋

Erzfeind [értsfáint] *m.* 불구 대천의 원수; 〖聖〗 사탄.

Ērz·förderung *f.* 채광(採鑛); 채굴량(採掘量). **~gießer** *m.* 청동 주조자. **~grūbe** *f.* 광갱; 광산. **~haltig** *a.* 광석을 함유하는.

Erz·herzōg *m.* 대공(大公)《옛 오스트리아 왕자의 칭호》. **~herzōgtūm** *n.* 대공의 영지〔지위〕.

Ērzhütte [é:rtshʏtə] *f.* 제련소(製鍊所).

erziehen* [ɛrtsí:ən, ər-] *t.* 길러내다, 사육하다(*bring up*); 교육하다, 훈도하다(*educate*); †끌어내다. **Erzieher** *m.* -s, -, **Erzieherin** *f.* -nen, 교육자, 교육가, 교사. **erzieherisch** *a.* 교육자의, 교육상의, 교육적인. **Erziehung** [ɛrtsí:ʊŋ, ər-] *f.* -en, 양육하기(*upbringing*); 교육(*education*).

Erziehungs·anstalt *f.* 교육 기관, 학교. **~beihilfe** *f.* 장학금. **~kunde** *f.* 교육학. **~wēsen** *n.* 교육 제도; 교육 사항. **~wissenschaft** *f.* 교육학 (*pedagogics*).

erzielen [ɛrtsí:lən, ər-] *t.* †겨누다, 노리다; (노리어) 얻다, 달하다. ¶erzielter (*p.a.*) Gewinn 목적한 바의 이익.

erzittern [ɛrtsítərn, ər-] *i.* (s. *u.* h.) 떨(기 시작하)다, 전율하다.

Erz·jūde [értsjú:də] *m.* 진짜 유태인; 지독한 고리대금업자〔수전노〕.

Ērzkunde [é:rtskundə] *f.* 야금학.

Erz·lügner *m.* 터무니없는 거짓말장이. **~lump** *m.* 큰 악당. **~narr** *m.* 큰 머저리.

erzürnen [ɛrtsýrnən] [<Zorn] 《I》 *t.* 노하게 하다. 《II》 *refl.* 노하다(über et.[4]). ¶sich mit jm. ~ 아무와 사이가 나빠지다.

Erzväter [értsfa:tər, e:rts-] *m.* 가장(家長); 족장(族長)《특히 이스라엘 민족의》. **erzväterlich** *a.* 가장〔족장〕의.

erzwingen* [ɛrtsvíŋən] 《I》 *t.* 무리하게 빼앗다; 강행하다. 《II》 **erzwungen** *p.a.* 강제당한; 《比》 무리한, 억지의, 부자연스러운.

es [ɛs, 弱 əs, əs] *prn.* 《I》 《人稱代名詞 er의 中性: 그것은, 그것이(♈*it*); 그것을》 ① 《先行하는 것을 받음》 da kommt jemand 〔wer〕, ~ ist der Vater 누군가 오는데 그것은 아버지다 / er ist hier, ich weiß ~ 그는 여기 있다, 나는 알고 있어. ② 《不定의 主語로서》 ~ ist ein Hund (저 소리는) 개다. ③ 《非人稱動詞의 主語》 ~ regnet 비가 온다 / ~ graut mir vom dem Gedanken 그것을 생각하면 무섭다 / ~ klopft 노크 소리가 난다. ④ 《受動의 뜻을 갖는 문장의 主語로서》 ~ wurde getanzt 댄스가 있었다. ⑤ 《後續主語를 指示》 ~ lebe der König! 국왕 만세. ⑥ 《副文 또는 그 단축문을 받아서》 ~ freut mich, daß du wohl bist 네가 건강하니 나는 기쁘다. ⑦ 《成句에서 막연한 뜻의 人格의 目的語로서》 ~ weit bringen 진보〔성공〕하다. ⑧ 《前置詞나 從屬格을 지배하는 動詞의 文法上 主語로서》 ~ ist an dir 네 차례다. 《II》 《原來 er, es의 2格 꼴; 금일엔 4格, 1格으로 느껴짐》 ~(=dessen) ist zu viel 그것은 너무 많다, 너무하다 / ich bin ~ (=damit) zufrieden 그것으로 만족한다.

es [ɛs] *n.* -, -, 〖樂〗 내림 마조(調); (*es-Moll*) 내림 마단조. *Es n.* -, -, 〖樂〗 (*Es-Dur*) 내림 마장조.

Es, Esc 《略》 = *Escudo*.

Esche [ɛ́ʃə] *f.* -n, 〖植〗 물푸레나무(*ash*). **eschen** *a.* 물푸레나무제(製)의.

Escudo [ɛskú:do] [span. „Wappenschild"] *m.* -(s), -(s), 포르투갈의 화폐 단위《옛날에는 스페인, 포르투갈, 남미 등의 방패꼴 금화》.

Ēsel [é:zəl] [Lw. lat.] *m.* -s, -, 〖動〗

당나귀(*ass*; Reit∼: *donkey*). **Ēselei** *f.* -en, 우둔(愚鈍), 우행(愚行). **ēselhaft** *a.* 당나귀 같은; 《比》 어리석은; 미련한; 버릇 없는. **Ēselin** *f.* -nen, 암탕나귀.

Ēsels-brücke *f.* (열등생·게으름뱅이용의) 자습서, 참고서. **∼ohr** *n.* 책장의 귀접이(한 부분).

Ēseltreiber [éːzəltraibər] *m.* 나귀 모는 사람.

Eskadrōn [ɛskadróːn] [fr.] *f.* -en, 기병(중)대(♈*squadron*).

eskamotieren [ɛskamotíːrən] [span. -fr.] *t.* 요술로 숨기다; 《比》 (속여서) 훔치다, 후무리다.

Eskimo* [éskimoː] [indian. „Rohfleischesser"] *m.* -s, -s, 에스키모인.

Eskorte [ɛskɔ́rtə] [fr. „Geleit"] *f.* -n, 호위(병, 군함)(♈*escort*). **eskortieren** *t.* 호위〔호송〕하다.

Espe [éspə] *f.* -n, 〖植〗 백양(白楊)(*asp(en)*). **Espenlaub** *n.* 백양나무 잎. ¶wie ∼ zittern 부들부들 떨다.

Esprit [ɛspríː] [fr.] *m.* -s, -s, 정신(=Geist); 재기, 기지(=Witz).

ESRO [engl.] =*E*uropean *S*pace *R*esearch *O*rganisation (Europäische Organsation für Weltraumforschung 유럽 우주 연구 기구).

Essai [ɛséː] [fr.], **Essay** [éseː, ɛséː] [engl., „Versuch"] *m.* -s, -s, 에세이, 수필. **Essayist** [ɛseːíst] *m.* -en, -en, 수필가.

eßbār [ésbaːr] [<essen] *a.* 먹을 수 있는, 식용이 되는. **Eßbārkeit** [ésbaːrkait] *f.* 위입; (*pl.* -en), 음식, 식품.

Esse [ésə] *f.* -n, 대장간(*forge*); 굴뚝(*chimney*).

essen* [ésən] 《Ⅰ》 *t.* 먹다(♈*eat*). 《Ⅱ》 *refl.*: sich satt 〔krank〕 ∼ 포식〔식상〕하다. 《Ⅲ》 **Essen** *n.* -s, -, 먹기; 식사; 식품; 요리; 연회.

essentiell [ɛsɛntsiɛ́l] [lat. -fr.] *a.* 본질적인; 〖醫〗 진성의. **Essenz** [ɛsɛ́nts] [lat. <esse „sein"] *f.* -en, 본질, 실체; 정(精), 엑스; (식물의) 향기(♈*essence*).

Essenszeit [ésəns-tsait] *f.* 식사 시간.

Esser [ésər] *m.* -s, -, 먹는 사람. ¶ ein starker ∼ 대식가.

Eß-gelāge *n.* 회식, 연회, 향연. **∼geschirr** *n.* 식기. **∼gier** *f.* 식욕. **∼stäbchen** *n.* 젓가락.

Essig [ésɪç] [Lw. lat.] *m.* -s, -e, 식초(*vinegar*).

Essig-āther *m.* 초산 에테르. **∼fabrik** *f.* 제초(製酢) 공장. **∼flasche** *f.* 식초병. **∼gurke** *f.* 초에 절인 오이. **∼sauer** *a.* 초산의; 초같이 신. **∼säure** *f.* 초산.

Essig- und Ōlständer *m.* 양념대(臺).

Eß-löffel *m.* 숟가락. **∼lust** *f.* 식욕(*appetite*). **∼saal** *m.* 식당. **∼tisch** *m.* 식탁. **∼wāren** *pl.* 식료품. **∼zeit** *f.* 식사 시간. **∼zimmer** *n.* 식당.

Este [éstə] *m.* -n, -n, **Estin** *f.* -nen, 에스토니아 사람. **Ēstland** *n.* 에스토니아《소련 방의 하나》. **Ēstländer** *m.* -s, -, =ESTE. **ēstländisch** *a.* 에스토니아의.

Estrich [éstrɪç] [Lw. lat.] *m.* -s, -e, 〖建〗 (포장한) 바닥(*pavement*).

et [ɛt] [lat., „und"] *cj.* 그리고, 및 《기호: &》. ★ 흔히 독일식으로 und라 읽음.

etablieren [etabliːrən] [fr. *aus* lat., ☞stabil] 《Ⅰ》 *t.* 정치(定置)〔확정〕하다; 창립하다(♈*establish*). 《Ⅱ》 *refl.* (어떤 장소에) 정착하다; 개점〔창업〕하다(*settle*). **Etablissement** [etablɪsəmã́ː, -mɛ́nt] *n.* -s, -s, 창업, 개업; 상점; 공장; 유흥장 (♈*establishment*).

Etage [etáːʒə] [fr. *aus* lat. *stāre* „steh(e)n"] *f.* -n, 층(*floor, flat*). ¶erste ∼ 이층.

Etagen-geschäft *n.* 위층 영업《길에 면한 가게를 갖지 못하고, 위층 주거에서 하는 소규모 장사》. **∼heizung** *f.* 각층(에 중심이 있는 스팀) 난방. **∼wohnung** *f.* 같은 층의 여러 방을 한 세대용으로 설비한 주택(*flat*). **Etagere** [-ʒɛ́ːrə] *f.* -n, (층층이 되어 있는) 시렁(*stand*).

Etappe [etápə] [fr., <d. Stapel] *f.* -n, 〖軍〗 (병참)기지.

Etappen-flūg *m.* 중간 착륙 비행. **∼straße** *f.* 보급로.

Etat [etáː] [fr. „Stand"] *m.* -s, -s, (Ist∼) 재정 현상(財政現狀); 정원(定員); (Soll∼) 예산(안) (*estimate, budget*). **etatisieren** [etatizíːrən] *t.* 예산을 심의하다. **etatmäßig** [etáː-] *a.* 예산에 의한, 예산대로의, 예산상의. **Etāts-jahr** [etáːs-] *n.* 예산〔회계〕연도.

ētepetēte [èːtəpətéːtə] *a.* 점잔빼는, 체하는; 까다로운, 잔소리가 심한.

Ēthik [éːtɪk] [<Etos] *f.* 윤리(성); 윤리학. **Ēthiker** *m.* -s, -, 윤리학자; 도덕적인 사람. **ēthisch** *a.* 윤리학의; 윤리상의, 윤리〔도덕〕적인.

ethnisch [étnɪʃ] [gr., *éthnos* „Volk"] *a.* 인종 특유의; 종족〔민족〕적인. **Ethnographie** [ɛtnografíː] [gr. „Völker-beschreibung"] *f.* .. phīen, 인종지(人種誌); (기술(記述)) 인종〔민족〕학. **Ethnologie** [„Völker-kunde"] *f.* ..gīen, (비교) 인종〔민족〕학.

Etho·logie [etologíː] [gr. *êthos* „Gewohnheit, Stitte", *lógos* „Rede, Kunde"] *f.* (동물의) 생태학. **Ēthos** [éːtɔs] *n.* -, 풍습; 습성; 풍격, (도덕적) 성격, 품성.

Etikette [etikétə] [fr. <d. stecken] *f.* -n, ① 첩지(貼紙), 상표; 삐라, 레테르(*label*). ② 예의, 범절, 에티켓(♈*etiquette*). **etikettieren** *t.* (에) 표찰을〔레테르를〕 붙이다.

etlich [étlɪç] [et-는 etwas의 et-처럼 不定의 뜻] *a.* u. *prn.* ①《名詞的用法》 ∼es 두서넛, 약간; ∼e (*pl.*) 약간의 사람〔물건〕. ②《附加語的用法》 ∼e 두서넛의, 소수의, 약간의. **etlichemāl** *adv.* 두세번; 몇 차례.

Etūde [etýːdə] [fr.] *f.* -n, 〖樂〗 연습곡; 〖畫〗 습작.

Etui [etvíː, etyíː] [fr.] *n.* -s, -s, 작은 상자, 갑(*box*); 봉지, 칼집(*case*).

etwa [étva, 때로 ɛtváː] [et-는 不定의 뜻, -wa „wo"] *adv.* ① 정도, 쯤; 대략, 거의(*about, nearly*). ¶∼ 500 약 500 / ∼ auf diese Weise 대체로 이런 방법으로. ② 아마, 혹시, 우연히, 어쩌다가(*perhaps, by chance*). ¶was ∼ vorkommen mag 무슨 일이 일어나더라도. ③ †in ∼ 얼마쯤, 다소. **etwaig** [étvaːɪç,

E

ɛtvá:ɪç] *a.* 어쩌면 일어날〔있을〕 법한, 만일의. ¶Sie mir s-e ~e Ankunft 혹시 그가 도착하면 알려주시오.

etwas [ɛ́tvas] 《Ⅰ》 *a.* 얼마간의, 다소의 (*some*); 어떤(*any*). ¶~ Geld 〔Mut〕 약간의 돈〔용기〕/~ Neues 어떤 새 것〔일〕. 《Ⅱ》 *prn.* 어떤 것 (*anything, something*); 조금, 좀(*somewhat*); 무엇인가 어떤 것, 상당한 것, 그럴싸한 것; 중요한 〔대단한〕 것〔일〕. ¶das will ~ sagen 그래도 다소의 뜻〔중요성〕은 있는 것이다. 《Ⅲ》 *adv.* 얼마간, 다소, 조금, 약간(*somewhat, a little, rather*). ¶~ rot 붉그스름한 / das ist ~ stark 그건 좀 너무하다.

Etymologie [etymologí:] [gr.] *f.* ..gien 어원학(語源學). **etymologisch** *a.* 어원학의, 어원상의.

Etymon [é:tymɔn, ɛ́ty–] [gr. „Wahres"] *n.* -s, ..ma, 말의 본래의 뜻; 어근, 어원.

euch [ɔyç] *prn.* 《人稱代名詞 ihr 의 4格 및 3格》 너희들을, 너희〔그대들〕에게 (♀*you*).

Eucharistie [ɔyçarɪstí:] [gr. „Danksagung"] *f.* ..stien, 〖宗〗 성찬(식).

Eudämonie [ɔydɛmoní:] [gr.] *f.* 행복. **Eudämonismus** [..nísmus] [gr.] *m.* -, 〖哲〗 행복설〔주의〕.

euer [ɔ́yər] *prn.* 《Ⅰ》 《人稱代名詞: ihr 의 2格》 너희들의(일)(*of you*). ¶ich gedenke ~ 나는 너희들을 잊지 않는다 / ~ einer 너희들 중의 한 사람. 《Ⅱ》 《所有代名詞》 너희들의 (것) (♀*your*).

euert·halben, ~wegen, um **~willen** =EURETHALBEN, EURETWEGEN, um EURETWILLEN.

Eugenetik [ɔygené:tɪk] *f.* 〖醫〗 우생학(優生學). **eugenetisch** *a.* 우생학상의.

Eule [ɔ́ylə] *f.* -n, 〖鳥〗 부엉이(♀*owl*).

Eulen·flucht *f.* 《方》 땅거미, 해질녘. **~nest** *n.* 부엉이 둥지. **~spiegel** [ɔ́ylənʃpi:gəl] *m.* 《比》 장난꾸러기, 익살꾼. **~spiegelei** [ɔylənʃpi:gəlái] *f.* -en, 장난, 지나친 장난.

Euphrat [ɔ́yfrat] *m.* 유프라테스강.

Euratom [ɔyrató:m] *f.* 《略》 =*Euro*päische *Atom*gemeinschaft 유럽 원자력 협회.

eurerseits [ɔ́yrərzaits] *adv.* 너희들〔그대들〕쪽에서. **euresgleichen** *prn.* 《不變化》 너희 같은 사람들, 너희들의 동배.

euret·halben, ~wegen, um **~willen** *adv.* 너희를 위해, 너희들 때문에.

eurige [ɔ́yrɪgə] [<euer] *prn.* (der, die, das ~, *pl.* die ~n) 너희들의 것. ¶ich bin ganz der ~ 올림, 재배 《편지의 끝말》. 「시장.

Euromarkt [ɔ́yromarkt] *m.* 유럽 공동

Europa [ɔyró:pa] [gr.] *n.* -s, 유럽, 구주. **Europä·er** *m.* -s, -, 유럽 사람. **europä·isch** *a.* 유럽(사람)의. ¶der ~e Gemeinsame Markt 유럽 공동 시장.

Eurovision [ɔ́yrovizǐo:n] *f.* 유럽 방송 (프로그램 교환) 연합.

Euter [ɔ́ytər] *n.* -s, -, (암소 따위의) 유방, 젖통(♀*udder*).

Euthanasie [ɔytanazí:] [gr.] *f.* 안락사; 〖醫〗 안사술(安死術).

Evakuation [evaku-atsǐó:n] [lat.] *f.* -en, 명도; 배설; 〖理〗 배기(排氣). **evakuieren** [evaku-í:rən] [lat. „ausleeren"] *t.* 비우다; 명도하다; 배설하다; 소개(疏開)시키다.

evangelisch [evaŋgé:lɪʃ] *a.* 복음의; 복음서의. **Evangelist** *m.* -en, -en, 복음서의 저자; 복음사가; 순회 설교자. **Evangelium** [evaŋgé:lǐum] [lat., *aus* gr. *eu-angélion* „gute Kunde"] *n.* -s, ..lien [-lǐən], 복음. ¶《比》 sein ~ ist der Sport 그의 복음은 스포츠다, 그는 스포츠에 열중하고 있다.

Evaporation [evaporatsǐó:n] [lat.] *f.* -en, 증발, 기화, 발산. **evaporieren** *i.*(s.) u. *t.* 증발하다〔시키다〕.

Eventualität [evɛntualtɛ́:t] [lat. *eventus* „Aus-gang"] *f.* -en, 혹 일어날지도 모르는 일, 뜻밖의 일, 만일의 경우. **eventuell** [-ɛ́l] [fr.] *a.* 혹 일어날 수도 있는, 뜻하지 않은, 만일의; *adv.* 혹시, 자칫하면; 경우에 따라서는.

evident [evidɛ́nt] [lat.] *a.* 명백한, 분명한. **Evidenz** *f.* 명백, 자명한 이치; 〖法〗 증거.

Evolution [evolutsǐó:n] [lat.] *f.* -en, 발전, 전개; 진화(進化). **Evolutionismus** [-tsǐo-] *m.*, **Evolutionslehre** *f.* 진화론.

Ew. [ɔ́yər] [mhd. *iu-wer* 의 略, w음이 없어진 뒤도 글자가 남음] 《略》 =Euer. 보기: Ew. Majestät 폐하《2 인칭》.

Ewald [é:valt] [„Gesetzes-walter, -hüter] *m.* 남자 이름.

Ewer [é:vər] [nd. „Einfahrer"] *m.* -s, -, 〖海〗 돛대가 하나 (또는 둘)인 작은 범선(*smack*).

EWG 《略》 =*E*uropäische *W*irtschafts*g*emeinschaft 유럽 경제 협동체.

ewig [é:vɪç] 《Ⅰ》 *a.* 영원한, 영구적인 (*eternal, everlasting, perpetual*). ¶ auf ~ 영원히(*for ever*) / die ~e Stadt 영원한 도시《로마》. 《Ⅱ》 *adv.* 영구히; 언제까지나, 끊임없이. **Ewigkeit** *f.* 영원, 영구(*eternity*). **ewiglich** [é:vɪklɪç] *adv.* 영구히.

ex.. [ɛks] 《Ⅰ》 [gr.] = „AUS-"; 보기: Exegese; 《子音 앞에서는 ek-가 됨》 보기: Ekstase. 《Ⅱ》 [lat.] 앞의, 먼저의; 보기: Exkaiser 페제(廢帝) / Exminister 전장관(前長官).

exakt [ɛksákt, ɛks-ákt] [gr. „ausgeführt", vollendet, vollkommen] *a.* 정밀한, 정확한(♀*exact*). **Exakt·heit** *f.* -en, 정밀함, 정확함.

Exaltation [ɛksaltatsǐó:n, ɛks-al-] [lat.] *f.* -en, 고양(高揚); 흥분. **exaltiert** [ɛksaltí:rt, ɛks-al-] [lat. „erhöht"] *p.a.* 흥분 〔열광〕 상태에 있는, 들떠 있는.

Examen [ɛksá:mən] [lat. *exigere* „(durch Untersuchung)herausbringen"] *n.* -s, - *u.* ..mina, 시험(♀*examination*). **Examen(s)arbeit** *f.* 시험답안〔문제〕. **Examinand** [ɛksaminánt] *m.* -en, -en, 수험생. **Examinator** [ɛksaminá:tɔr] *m.* -s, ..toren [-nató:rən] 시험관, 시험〔고시〕 위원. **examinieren** *t.* 시험〔심문·검사〕하다.

Exegese [ɛksegé:zə] [gr. „Ausführung"] *f.* –n, (Auslegung) 석의(釋義), 주해, 주석 《특히 성서의》. **Exeget** *m.* –en, –en, (특히 성서의) 석의자, 주해자.

exekutieren [ɛksekutí:rən] [lat.] *t.* 수행〔실행·시행〕하다; 〖法〗 집행하다. **Exekution** *f.* –en, 수행, 실행, 시행; 강제 집행, 사형 집행. **exekutiv** [–tí:f] *a.* 수행〔실행·시행〕하는; (강제) 집행의. **Exekutive** [ɛksekutí:və], **Exekutivgewalt** *f.* (국가의) 집행권, 행정권. **Exekutor** [–kú:tɔr] *m.* –s, ..toren, 집행자, 〖법〗 유언 집행자.

Exempel [ɛksɛ́mpəl] [lat. „Herausgenommenes"] *n.* –s, –, 예, 보기(♈*example*); 〖數〗 예제(*sum*). **Exemplar** *n.* –s, –e, 예, 표본, 모범, (본)보기 (♈*sample, specimen*); (책의) 부, 권 (*copy*). **exemplarisch** *a.* 모범적인 (♈*examplary*); 본보기로서의, 훈계적인. **exemplifizieren** *t.* 예시〔예증〕하다.

Exequien [ɛksé:kvĭən] [lat. *exsequi* „hinaus-begleiten"] *pl.* 장의(葬儀); 〖가톨릭〗 위령 미사, 사도(赦禱) 예절.

exerzieren [ɛksɛrtsí:rən] [lat.] 《Ⅰ》 *i.*(h.) 연습하다(♈*exercise*). 《Ⅱ》 *t.* 가르치다; 〖軍〗 훈련〔교련〕하다(*drill*).

Exerzier·meister *m.* 교련 교관. **∼platz** *m.* 연병장. **∼reglement** [–rɛgləmã] *n.* 훈련 교범〔교본〕.

Exerzitium [ɛksɛrtsí:tsĭʊm] *n.* –s, ..tĭen [–tĭən], 연습 문제(♈*exercise*); *pl.* 〖가톨릭〗 심령 수업, 묵상 (*meditation*).

Exhaustor [ɛks-háustɔr] [lat.] *m.* –s, ..storen, 통풍〔환풍〕기.

exhibieren [ɛks-hibí:rən] [lat.] 《Ⅰ》 *t.* 제출하다; 출품하다. 《Ⅱ》 *refl.* 전람(展覽)하다, …의 실적을 보이다; 두드러지다. **Exhibition** *f.* –en, ① (서류의) 제출. ② 전람회. ③ (음부의) 노출.

Exil [ɛksí:l] [lat. „Verbannung"] *n.* –s, –e, 추방, 귀양; 망명; 유배(지) (♈*exile*). **exilieren** [ɛksilí:rən] *t.* 추방하다, 귀양보내다.

Existentialismus [ɛksɪstɛntsĭalísmʊs] [lat.] *m.* –, 실존주의 (철학). **Existenz** [ɛksɪstɛ́nts] *f.* –en, ① 존재; 〖哲〗 실존. ② *pl.* 사람들.

Existenz·berechtigung *f.* 생존권. **∼kampf** *m.* 생존 투쟁. **∼mindestmaß**, **∼minimum** *n.* 최저 생활비. **∼mittel** *pl.* 생활 수단. **∼philosophie** *f.* 실존 철학.

existieren [ɛksɪstí:rən] [lat. *ex(s)istere* „ent-stehen"] *i.*(h.) 살아 있다; 존재하다 (♈*exist*); 〖哲〗 실존하다; 살아가다, 생계를 이어가다.

exkludieren [ɛkskludí:rən] [lat., „ausschließen"] *t.* 몰아내다, 제외〔배척〕하다. **exklusiv** [–kluzí:f] *a.* 배타〔독점〕적인.

ex·kommunizieren [ɛkskɔmunitsí:rən] [lat. „aus-gemeinden"] *t.* 〖宗〗 파문하다.

exlex [ɛkslɛ́ks] [lat. „außerhalb des Gesetzes] *a.* 법률 밖의, 비합법의, 법의 보호를 받지 않는, 추방된.

exmatrikulieren [ɛksmatrikulí:rən] [lat. =Matrikel] *t.* 제명〔제적〕하다; 퇴학(退學)시키다《대학생을》.

Exmission [ɛksmɪsĭó:n] [lat.] *f.* –en, 강제 퇴거; 명도를 명함. **exmittieren** [–mɪtí:rən] *t.* 내쫓다; (에) 명도〔퇴거〕를 명하다.

Exo·karp [ɛksokárp] [gr. *exo* „außerhalb", Karpós „Frucht"] *n.* –(e)s, –e, 〖植〗 외과피(外果皮).

exotisch [ɛksó:tɪʃ] [gr. *éxō* „draußen"] *a.* 외국(산)의; 이국풍의(♈*exotic*).

Expedient [ɛkspediɛ́nt] *m.* –en, –en, 발송계. **expedieren** *t.* 파견〔발송·운송〕하다 (*dispatch, forward*). **Expedition** *f.* –en, 파견; 발송, 운송; 발송부; 발행소; 연구 여행, 탐험; 원정.

Expensen [ɛkspɛ́nzən] [lat.] *pl.* 출비(出費); (특히) 재판 비용. **expensiv** *a.* 돈이 드는, 비경제적인.

Experiment [ɛksperimɛ́nt] [lat. *ex-* „aus-", *-periri* „durchmachen"] *n.* –(e)s, –e, 실험. **experimentell** [–tɛ́l] *a.* 실험적인. **experimentieren** *i.*(h.) (mit, 을) 실험하다.

expert [ɛkspɛ́rt] [lat. „erfahren"] *a.* 정통한; 노련한. **Expert(e)** *m.* ..ten, ..ten, 정통자, 숙련〔전문〕가. **Expertise** [–tí:zə] *f.* –n, 감정《전문가의》.

Explikation [ɛksplikatsĭó:n] [lat.] *f.* –en, 설명, 해설, 해석. **explizieren** *t.* 설명〔해설·해석〕하다.

ex·plodieren [ɛksplodí:rən] [lat. „ausklatschen"] *i.* (s. *u.* h.) 폭발〔파열〕하다 (♈*explode*).

Exploiteur [ɛksploatǿ:r] [lat. –fr.] *m.* –s, –e, 이용자; 착취자. **exploitieren** [–ploatí:rən] *t.* 이용하다; 착취하다.

Explosion [–zĭó:n] *f.* –en, 폭발. **Explosionsmotor** *m.* 내연 기관. **Explosivstoff** [–zí:f–] *m.* 폭발물.

Exponat [ɛksponá:t] [lat. <exponieren] *n.* –(e)s, –e, 전시물, 진열품.

Exponent [ɛksponɛ́nt] [lat.] *m.* –en, –en, 대표자; 〖數〗 지수(指數). **exponieren** [ɛksponí:rən] [lat.] *t.* ① (aussetzen) 드러내다(♈ *expose*). ② (auslegen) 진열하다; 개진(開陳)〔설명〕하다(*expound, explain*).

Ex·port [ɛkspɔ́rt] [lat. „Aus-fuhr"] *m.* –(e)s, –e, 수출. **Exporteur** [–tǿ:r] [fr.] *m.* –s, –e, 수출상〔업자〕. **exportieren** [lat.] *t.* 수출하다. **Exportförderung** *f.* 수출 촉진〔장려〕.

ex·preß [ɛksprɛ́s] [lat. „aus-drücklich"] *a.* 명확한, 명시된; 단호한; 특별한; 특별히 만든. **Expreß** *m.* ..presses, ..presse, 특급 열차.

Expression [ɛksprɛsĭó:n] [lat. „Ausdruck"] *f.* –en, 표현. **Expressionismus** [–prɛsĭonísmʊs] *m.* –, 표현주의.

expressis verbis [ɛkspɛ́sɪs vɛ́rbɪs] [lat. „mit ausdrücklichen Worten"] 똑똑히 말하여, 판연한 말로.

Expulsion [ɛkspʊlzĭó:n] [lat.] *f.* –en, 축출(逐出), 구제(驅除); 제명.

Ex·sudat [ɛkszudá:t] [lat. Aus-geschwitztes"] *n.* –(e)s, –e, 〖醫〗 삼출(물) (♈*exudate, exudation*).

Extemporale [ɛkstɛmporá:lə, –le:] [lat. *ex tempore* „aus der Zeit"] *n.* –s, ..lĭen,

E

즉석 과제(卽席課題). **extemporieren** *t.* u *i.*(h.) 즉석에서 행하다《연설 등을》.

Extension [ɛkstɛnzĭó:n] [lat., „Ausdehnung"] *f.* -en, 신장; 범위; 〖論〗 외연(外延).

extern [ɛkstérn] *a.* 외부〔외국·외래〕의. **Externist** *m.* -en, -en, 〖醫〗 외래 환자; 외과 의사.

extra [ékstra] [lat. „außer"] *adv.* 그 밖에; 임시로; 특별히; *a.* 《俗》 특별한.

Extra=ausgābe *f.* ① 임시비, 특별 지출. ② 특별호. **~blatt** *n.* 신문 호외(號外). **~bōte** *m.* 특사. **~fein** *a.* 극상의, 절호의, 최고의.

ex·trahieren [ɛkstrahí:rən] [lat. „ausziehen"] *t.* 끌어내다, 뽑아내다, 발췌하다, 추출하다(♈*extract*). **Extrakt** [ɛkstrákt] *m.* 〔*n.*〕 -(e)s, -e, 발췌(拔萃), 초록(抄錄); 〖化〗 추출물, 엑스.

Extra=tour [-tu:r] *f.* 편도(片道) 여행. **~zūg** *m.* 특별〔임시〕 열차.

extrēm [ɛkstré:m] [lat. „äußerst"] 《 I 》 *a.* 말단에 있는, 극단적인(♈*extreme*); 《比》 과격한(*exaggerated, radical*). 《 II 》 **Extrēm** *n.* -s, -e, 극단, 극도. **Extremitāt** [ɛkstremité:t] *f.* -en, 말단, 극단.

Exultation [ɛksultatsĭó:n] [lat.] *f.* -en, 환희; 환호.

ex·zellent [ɛks-tsɛlént] [lat. „hervorragend"] *a.* 탁월한, 뛰어난(♈*excellent*). **Exzellenz** [-ts] *f.* -en, 탁월, 우수; (존칭:) 각하.

exzentrisch [ɛks-tséntrɪʃ] [lat., =Zentrum] *a.* 중심에서 벗어난; 《比》 괴팍스러운, 기괴한(♈*eccentric*).

ex·zerpieren [ɛks-tsɛrpí:rən] [lat. „heraus-pflücken"] *t.* 적출(摘出)〔초록 (抄錄)·발췌(拔萃)〕하다.

Ex·zeß [ɛks-tsés] [lat. „Aus-schreitung"] *m.* ..sses, ..sse, 과도(한 행동), 방종, 난폭(♈*excess*).

E=zug *m.* 《略》 =*Eilzug* 급행 열차.

F

F [ɛf] *n.* -, -, 〖樂〗 바 음(音); (*F-Dur*) 바장조. ***f*** *n.* -, -, 〖樂〗 바 음(音); (*f-moll*)바단조.

Fābel [fá:bəl] [Lw. lat., <*fāri* „sprechen"] *f.* -n, 우화, 비유담(談)(♈*fable*); 《比》 꾸민 이야기, 허구(虛構); (소설·각본의) 줄거리. **Fābeldichter** *m.* 우화 작가. **Fābelei** *f.* -en, 꾸민 이야기. **fābelhaft** *a.* 꾸민 이야기〔거짓말〕 같은, 믿을 수 없는.

fābeln [fá:bəln] *i.*(h.) u. *t.* 우화를 만들다 ; 이야기를 꾸며 내다.

Fābel=schmied *m.* 꾸민 이야기를 하는 사람, 허풍 떠는 사람. **~wēsen** *n.* 소설적인〔허구의〕 인물; 신화〔전설〕의 동물.

Fabrīk [fabrí:k] [fr., <lat. *facere* „machen"] *f.* -en, (대) 제작소, (큰) 공장 (♈*factory, mill, works*). **Fabrīk·anlāge** *f.* 공장 시설. **Fabrikant** [fabrikánt] *m.* -en, -en, 제조(업)자; 공장주(主).

Fabrīk=arbeit *f.* 공장 노동〔제품〕. **~arbeiter** *m.* 공장 노동자. **~arbeiterin** *f.* 여공.

Fabrikāt [fabriká:t] *n.* -(e)s, -e, 공장 제품; (*pl.*) 직물. **Fabrikation** *f.* -en, 제조, 제작.

Fabrīk=marke *f.* =~ZEICHEN. **~mäßig** *a.* 공장식의; 대량 생산의; 특색 없는. **~preis** *m.* 제조 원가. **~stadt** *f.* 공장 도시. **~wāre** *f.* 공장 제품; 대량 생산품. **~zeichen** *n.* 제조 공장의 상표.

fabrizieren [fabritsí:rən] *t.* 제조〔제작〕하다.

fabulieren [fabulí:rən] [lat.] *i.*(h.) u. *t.* =FABELN.

Facette [fasétə] [fr.] *f.* -n, (다면체로 깎인 보석 따위의) 소면(小面). **facettiert** [fasɛtí:rt] *p.a.* 다면체로 깎인; 그물코 모양의.

Fach [fax] *n.* -(e)s, ⸚er 〔稀: -e〕, 구획, 간막이(*compartment, partition, department*); (geheimes ~) 서랍(*drawer*); 《比》 부문(*branch, line*); 전문, 분과(*subject*); 학과.

Fach=arbeiter *m.* 전문 기술자, 숙련공. **~ausbildung** *f.* 전문 교육. **~ausdruck** *m.* 전문어, 술어.

fächeln [féçəln] [<fachen] *t.* 부채질하다(*fan*). **Fächer** [féçər] *m.* -s, -, 부채(*fan*). **fächerförmig** *a.* 부채꼴의.

Fach=gelehrte *m.* u. *f.* 《形容詞變化》 전문 학자. **~genosse** *m.* 동료. **~kenntnis** *f.* 전문적 지식. **~kundig** *a.* 노련한, 정통한. **~lehrer** *m.* (어떤 사항에 대한) 전문 교사.

fachlich [fáxlɪç] *a.* 전문적인.

Fach·literatūr *f.* 전문 서적. **~mann** *m.* ..männer *u.* ..leute 전문가. **~männisch** *a.* 전문가의; 노련한.

Fachschaft [fáxʃaft] *f.* -en, 동업자 단체.

Fachschūle [fáxʃu:lə] *f.* 전문 학교.

Fach·simpel [fáxzɪmpəl] *m.* 자기의 전문 외의 일은 모르는 사람. **fachsimpeln** *i.*(h.) 자기 전문〔직업〕의 일에 관하여서만 이야기하다.

Fach=sprāche *f.* 전문어, 술어. **~stūdium** *n.* 전문적 연구. **~werk** *n.* 구획된 것; 〖建〗 뼈대, 구조. **~werkbau** *m.*, **~werkhaus** *n.* 목골(木骨) 건축. **~wissenschaft** *f.* 전문 학과. **~zeit·schrift** *f.* 전문 잡지.

Fackel [fákəl] [Lw. lat.] *f.* -n, 횃불(*torch*, 초의: *flambeau*). **fackeln** [fákəln] *i.*(h.) (불꽃이) 나울거리다; 《俗》 우물쭈물하다, 주저하다.

Fackel=schein *m.* 횃불 빛. **~zūg** *m.* 횃불 행렬.

fāde [fá:də] [Lw. fr.] *a.* 풍미없는, 김빠진, 무미 건조한(*insipid, stale, dull*).

Fāden [fá:dən] *m.* -s, ⸚ [fé:dən] *u.* -, 두 팔을 벌린 길이, 발《약 6 피트》(♈*fathom*); (두 팔을 벌린 길이의 실의 뜻에서, 일반적으로:) 실(*thread, string*); 끈실(*twine*); 끈(*cord*); 섬유(*fibre*). ¶ k-n trockenen ~ am Leibe haben 흠씬 젖어 있다 / sein Leben hängt an einem ~ 그의 목숨은 풍전 등화의 상태에 있다.

Fāden=heftung *f.* 〖製本〗 실로 철하기. **~nūdeln** *pl.* 국수. **~scheinig** *a.* 실오리가 보이는, 해진. **~sonde** *f.* 기류 측정에 실을 사용하는 장치.

Fagott [fagɔ́t] [it.] *n.* -(e)s, -e, 〖樂〗 파고트(*bassoon*).

fähig [fɛ́:ɪç] [<fahen; *eig.* „fassend", 능력을 "가지는"] *a.* 능력〔재능〕 있는 (*clever, fit*); 유위한; (zu et.³, 무엇을 할) 능력〔자격〕이 있는(*capable, able*). **Fähigkeit** *f.* -en, 능력, 소질; 자격 (*capability, ability, faculty*); 재능(*talent*).

fahl [fa:l] *a.* 흐릿한; 흙빛의, 납빛의, 잿빛의, 창백한(♈*fallow, pale*).

Fähnchen [fɛ́:nçən] [*dim.* v. Fahne] *n.* -s, -, 작은 기(*pennon, banner*).

fahnden [fá:ndən] [♈finden] *i.*(h.) u. *t.* 탐색하다(*search (for)*).

Fahne [fá:nə] *f.* -n, 기, 국기, 선기(船旗), 장기(長旗)(*flag, banner, standard*); 〖軍〗 군기(*colours*); (Wetter~) 풍신기 (♈*vane*); 〖印〗 =FAHNENABZUG.

Fahnen·abzūg *m.* 〖印〗 게라쇄(刷)(*galley proof*). **~eid** *m.* 군기에의 선서. **~flucht** *f.* 〖軍〗 도망, 탈영. **~junker** *m.* (옛) 기수; 사관 후보생. **~stange** *f.*, **~stock** *m.* 깃대. **~träger** *m.* 기수. **~wache** *f.* 〖軍〗 군기 위병. **~weihe** *f.* 군기 수여식.

Fähnlein [fɛ́:nlain] [*dim.* v. Fahne] *n.* -s, -, 작은 기; 〖軍〗 (16~17 세기의) 중대.

Fähnrich [fɛ́:nrɪç] *m.* -(e)s, -e, (중세의) 기수(旗手); 〖軍〗 사관 후보생.

Fahr·abteilung *f.* 〖軍〗 수송대. **~bahn** *f.* 차도, 선로.

fahrbār [fa:rba:r] *a.* 차가 다닐 수 있는; 항행〔운반〕할 수 있는.

Fahr·damm *m.* 둑길; 차도, 국도. **~dienst** *m.* 철도 운수(업무). **~dienstleiter** *m.* 운수 사무장.

Fähre [fɛ́:rə] [<fahren] *f.* -n, 나룻배 (♈*ferry*); 도선장.

fahren* [fá:rən] [=engl. *fare*] 《Ⅰ》 *i.* (s.) ① 나아가다, 가다(*proceed, go*). ¶fahre wohl! 안녕히 가시오(♈*farewell!*) / gen Himmel ~ 승천(昇天)하다 / in die Grube ~ 〖坑〗 갱 안에 들어가다 / zur Höll ~ 지옥에 떨어지다. ② 《몸의 어떤 돌연한 動作을 나타냄》 aus dem Bett ~ 잠자리에서 벌떡 일어나다 / in die Höhe ~ 펄쩍 뛰어 오르다, 벌떡 일어나다 / man möchte aus der Haut ~ 더 참을 수 없다. ③ (물건이) 통과하다. ¶e-e Kugel fuhr ihm durch den Leib 한발의 탄환이 그의 몸을 관통했다 / in die Schuhe ~ 황급히 신을 신다. ④ 《場所의 移動의 뜻이 희박해져서》 gut ~, (bei, 에 즈음하여) 무사〔성공〕하다; (mit jm., 아무에게서) 좋은 대우를 받다. ⑤ 《오늘날의 보통의 의미》 (배·차 따위의 탈것으로) 가다, 나아가다, 다니다. ¶mit der Eisenbahn ~ 기차로 가다 / erster 〔dritter〕 Klasse² ~ 일등〔삼등〕(차)로 여행하다. ⑥ ~ lassen, a) (차·배 등을) 달리게 하다, (밧줄을) 풀어내다, b) 포기〔단념〕하다. 《Ⅱ》 *t.* (배〔차〕로) 나르다(*convey*); 운전하다, 말을) 부리다, 몰다(*drive, ride*).

Fahrer [fá:rər] *m.* -s, -, 마부; 조종자, 운전사. **Fahrerflucht** *f.* 교통사범 운전사의 도주(뺑소니 따위).

Fahr·gast *m.* 승객, 여객. **~geld** *n.* 운임.

Fährgeld [fɛ́:rgɛlt] *n.* 나룻배의 삯.

Fahr·gelēgenheit *f.* 선차(船車)의 편(便); (철도 따위의) 연락. **~gestell** *n.* 차대(車臺); (비행기의) 다리. **~gleis** *n.* 궤도. **~gūt** *n.*, **~hābe** *f.* 동산.

fahrig [fá:rɪç] *a.* 변덕스러운, 산만한.

Fahrkarte [fá:rkartə] *f.* 표, 승차권, 승선권. **~n·ausgābe** *f.* 승차〔승선〕권 발매. **~n·schalter** *m.* 출찰구.

fahr·lässig [<fahrenlassen] *a.* 되는 대로의, 부주의한(*careless*); 태만한(*negligent*). **~lässigkeit** *f.* 부주의; 태만; 〖法〗 (부주의에서 생기는) 과실.

Fährmann [fɛ́:rman] *m.* 나룻배의 사공 (♈*ferryman*).

Fahr·plān *m.* (기차나 기타의) 시간표. **~plānmäßig** *a.* 시간표대로의, 정시(定時)의. **~preis** *m.* 뱃삯, 찻삯, 운임. **~preis·anzeiger** *m.* (자동차 따위의) 요금 표시기. **~rād** *n.* 자전거 (*cycle*). **~rinne** *f.* =~WASSER. **~schein** *m.* =~KARTE.

fährst [fɛ:rst] (du ~) ☞ FAHREN 《그 現在》.

Fahr·straße *f.* 차도; 큰길. **~stuhl** *m.* 승강기, 엘리베이터. **~stuhlführer** *m.* 엘리베이터 담당원.

Fahrt [fa:rt] *f.* -en, 진행, 통행, 여행, 항행; 소여행, 소풍; (freie ~) 통행 허가, 통행권; 배의 진행로, 항로, 침로(針路). ¶in voller ~ 전속력으로.

fährt [fɛ:rt] ☞ FAHREN 《그 現在》.

Fährte [fɛ́:rtə] [<Fahrt] *f.* -n, 〖獵〗 (사슴〔산돼지〕의) 발자국, 자귀(*track*); (발자국의) 냄새(*scent*).

Fahrten·messer *n.* 등산용 나이프. **~schreiber** *m.* 자기(自記) 속도계.

Fahr·treppe [fá:rtrɛpə] *f.* 에스컬레이터.

Fahrt·richtung [fá:rtrɪçtʊŋ] *f.* 진행 방향, 진로. **~s·anzeiger** *m.* (자동차의) 방향 지시기; 〖鐵〗 종착역 표시판.

Fahr·truppe *f.* 〖軍〗 수송대. **~unterricht** *m.* 운전술 교수. **~verbōt** *n.* 차마 통행 금지. **~wasser** *n.* 〖海〗 수로, 항로; 항적(航跡). ¶《比》 in s-m ~wasser sein 득의의 경지에 있다. **~wēg** *m.* 차도. **~zeit** *f.* 운전〔항해·비행〕 시간; 발차〔출항〕 시각. **~zeug** *n.* 선박; 차량.

Faible [fɛ́:bl] [lat. -fr.] *n.* -s, 약점; 편애.

fair [fɛ:r] [engl.] *a.* 기품 있는; 진지한; 공정한; 단정한.

fäkal [fɛká:l] [lat.] *a.* 분뇨의, 매설물의.

Faksimilē [fakzí:mile:] [lat. „mach ähnlich!"] *n.* -(s), -(s) *u.* ..simīlia, 모사(模寫)《특히 진적(眞蹟)의》. **faksimilieren** *t.* 모사하다.

faktisch [fáktɪʃ] *a.* 사실상의, 실제의 (*real, actual*); *adv.* 사실상, 실제로.

Faktor [fáktɔr] [♈„Macher"] *m.* -s, ..tōren, 동인(動因), 원동력; 〖生〗 인자; 〖數〗 인수; 〖商〗 대리인; 중개인, 도매상; 직공장. **Faktorei** *f.* -en, (해외) 대리점. **Faktum** [fáktum] [lat. <*facere* „tun"] *n.* -s, ..ta *u.* ..ten, (Tatsache) 사실(♈*fact*).

Faktur(a) [faktú:r(a)] [lat., „Machen, Verfertigen"] *f.* ..ren, 〖商〗 계산서, 인보이스, 송장(送狀)(*invoice*). **fakturieren** *t.* (상품의) 송장을 만들다.
Fakultät [Fakulté:t] [lat. "능력, 자격", <*facere* „machen, tun"] *f.* -en, ① 능력; 소질, 재능; 〖가톨릭〗 권한. ② (대학의) 학부; (1학부의) 교수단(♈*faculty*); 교수자격. **fakultativ** [-f] *a.* 임의의, 수의 (선택)의(*optional*).
falb [falp] [obd.: =nd. fahl] *a.* 짙은 회색의; (특히) 담갈색(淡褐色)의, 크림 빛의(♈*fallow, pale*).
Falbel [fálbəl] [Lw. it.] *f.* -n, 가장자리 장식, 옷단 장식, 옷단 주름(*furbelow, flounce*).
Falke [fálkə] [Lw. lat.] *m.* -n, -n, 〖鳥〗 매(♈*falcon, hawk*).
Falken=beize, ～jagd *f.* 매사냥.
Falkner [fálknər] *m.* -s, -, 매를 훈련하는 사람.
Fall [fal] [<fallen] *m.* -(e)s, ⸚e. ① 낙하, 추락, 하강, 쓰러짐, 전도(*tumble*); 낙차(落差); 경사; (Wasser～) 폭포; (물가의) 하락; (소리의) 저하(低下). ② 〖商〗 도산, 파산(*failure, bankruptcy*); 타락; 실패, 영락(零落); 전변(轉變), 불행, 사고. ③ (가축의) 폐사(斃死); 참사, 전사. ④ 일어난 일, 사건(*accident*); 경우(*case*); 상황, 사정. ¶ auf jeden ～ [auf alle Fälle] 어떠한 경우에도, 반드시 / auf k-n ～ 결코 …(않다) / im ～, daß..., …의 경우에는. ⑤ 〖文〗 격(格)(*case*).
Fall=beil *n.* 단두대(斷頭臺)(*guillotine*). **～brücke** *f.* 적교(弔橋).
Falle [fálə] [<fallen] *f.* -n, 함정(*trap*); 덫, 올가미(*snare*).
fallen [fálən] 《Ⅰ》*i.*(s.) ① 떨어지다; 넘어지다, 구르다; (값이) 싸지다; 《比》 타락하다; 멸망하다; 〖商〗 파산하다. ¶ ein gefallener (*p.a.*) Engel 타락 천사, 윤락여성 / er ist **auf** mich gefallen 그는 내게 달려들었다 / 《比》 **aus** allen Himmeln gefallen 낙심 천만하여 / jm. **in** den Arm ～ 아무의 팔을 잡다〔잡아 제지하다〕. ② 즉사하다; 〖軍〗 전사하다, ¶ die Gefall(e)nen 전사자들. ③ 맞다, 당하다; 빠지다. ¶ das Los fällt auf mich 내가 당첨되었다 / in Ungeduld ～ 초조해하다, 애타하다. ④ (～**lassen**) 떨어뜨리다; 중지〔포기〕하다. 《Ⅱ》 *refl.* 《結果를 나타내어》 sich wund 〔tot〕 ～ 떨어져 다치다〔죽다〕. 《Ⅲ》 **Fallen** *n.* -s, ① 낙하, 추락; 하강; 전도; (기온 등의) 저하; (값 등의) 하락; 〖商〗 영락; 쇠퇴; 파산. ② 참사; 전사; 폐사.
fällen [félən] [„fallen machen"] *t.* 내리다; (수목을) 베어 넘어뜨리다; 사살하다 《짐승을》; 〖化〗 침전시키다; 분리하다.
fallen|lassen* [fálənlasən] *i.*(h.)=FALLEN④.
Fallen=leger, ～steller *m.* 덫을 놓는 사람.
Fall=geschwindigkeit *f.* 낙하 속도. **～grube** *f.* 〖獵〗 함정.
fallieren [fali:rən] [it., lat. *fallere* „täuschen"] *i.*(h.) 지불 불능에 빠지다, 도산〔파산〕하다.
fällig [félıç] [<fallen] *a.* 오래지 않아 도래〔도착〕할; 〖商〗 지불 기한이 된, 만기의(*payable, due*). **Fälligkeit** *f.* -en, 만기.
Fall=obst *n.* (충해·풍해 따위로) 떨어진 과실. **～reep** *n.* 〖海〗 현문(舷門).
falls [fals] [Fall의 2格] *cj.* …인 경우에는(*in case, if, in the event*).
Fallschirm [fálʃırm] *m.* 〖空〗 낙하산.
Fallschirm=absprung *m.* 낙하산 강하. **～jäger** *m.* 낙하산 대원. **～truppe** *f.* 낙하산 부대.
Fall=strick *m.* 덫; 《比》 함정. **～sucht** *f.* 〖醫〗 간질(*epilepsy*). **～süchtig** *a.* 간질의.
fällst [fɛlst] (du ～) ☞ FALLEN, FÄLLEN 《그 現在》.
Falltür(e) [fálty:r(ə)] *f.* 내리닫이 문《지하실 입구의》.
Fällung [féluŋ] [<fällen] *f.* en, 〖林〗 벌목; 〖法〗 (판결의) 선고, 의견의 개진; 〖化〗 침전.
Fällungsmittel [féluŋsmıtəl] *n.* 침전제(沈澱劑).
Fall=wind *m.* 산에서 내리부는 바람. **～winkel** *m.* 낙(하) 각(도)《탄도의》.
falsch [falʃ] [<lat. *eig.* „getäuscht"] 《Ⅰ》 *a.* ① 허위의, 불실한 (♈*false*). ② 위조의, 모조(模造)의(*counterfeit*). ③ 틀린, 오류의 (*wrong*). ¶ ～ (*adv.*) sprechen 말을 틀리게 하다, 잘못 말하다. 《Ⅱ》 **Falsch** *m.* od. *n.* -(es),: ohne ～ 악의 없는, 정직한.
Falsch=aussage *f.* 〖法〗 허위 진술. **～geld** *n.* 가짜돈.
fälschen [félʃən] *t.* 위조〔모조〕하다; (술 따위에) 섞음질하다. **Fälscher** *m.* -s, -, 위조〔모조〕자. **Falschheit** *f.* -en, 오류, 틀림; 허위, 불성실, 불신; 위의 사물〔언행〕. **fälschlich** [félʃlıç] *a.* 틀린, 허위의, 불신의(♈*false*); *adv.* 틀려서, 거짓으로, 속여서(♈*falsely*).
Falsch=münzer *m.* 화폐 위조자. **～spieler** *m.* 사기 도박사.
Fälschung [félʃuŋ] *f.* -en, 위조, 모조; 변조; 개악; 위조〔모조〕품; (신분) 사칭.
Falte [fáltə] [<falten] *f.* -n, 주름(♈*fold, plait*); 접은 금(*crease*); 주름살(*wrinkle*). ¶ ～n werfen 주름이 지다《의복에》/ in ～n ziehen 개키다, (에) 주름〔접은 금〕을 잡다; (이마에) 주름살을 짓다. **fälteln** [féltəln] [<falten] *t.* 작게 개키다〔접다〕; 작은 주름〔구김〕살을 잡다. **falten**(*) [fáltən] *t.* 개키다, 접다 (♈*fold*); (에) 접은 금〔주름〕을 짓다 (*wrinkle*); (이마에) 주름지게 하다(*knit*).
falten=boot *n.* 꺾어 접는 식의 보트. **～los** *a.* 접은 금〔주름〕이 없는. **～rock** *m.* 주름이 있는 가운 또는 스커트. **～wurf** *m.* 주름잡기, 주름잡은 모양.
Falter [fáltər] [♈flattern] *m.* -s, -, 〖蟲〗 나비(*butterfly*).
faltig [fáltıç] [<Falte] *a.* 접은 금〔주름〕이 있는; 주름살이 진.
Falz [falts] [falten 의 擴張形?] *m.* -es, -e, (접은 종이나 꺾어 굽힌 양철의) 가장자리(♈*fold*); 〖建〗 이음자리, 홈, 턱솔 (*groove, notch*). **Falzbein** *n.* 〖製本〗 접지(摺紙) 칼. **falzen** *t.* 접어 겹치다, 개키다(♈*fold*); (널에) 홈을 내다, 장부로 잇다(*groove*).
familiär [familié:r] [lat.] *a.* 친한; 터

놓은(♈familiar). **Famili̯e** [famí:li̯ə] [fr., *aus* lat.] *f.* -n, 가족, 가정(♈*family*); 〖動·植〗 과(科).

Famili̯en≈anschluß *m.* 가족적인 유대. **~kreis** *m.* 가족(의 서클), 한집안의 사람들. ¶in ~kreis 집안 사람들끼리. **~nāme** *m.* 성(姓). **~stück** *n.* 가전(家傳)의 동산《그림·집기 따위》. **~unterstützung** *f.* 가족 수당. **~≈versicherung** *f.* (가입자의) 가족 보험. **~zuschlāg** *m.* (실업자에 대한) 가족 수당.

famo̱s [famó:s] [lat.] *a.* 고명(高名)한(♈*famous*); 《俗》 훌륭한, 멋진(*excellent, capital*); 악평이 있는.

Fa̱mulus [fá:mulʊs] [lat. „Diener"] *m.* -, -se *u.* ..lī, 종자(從者); (독일 대학의) 조수《교수를 돕는 학생 또는 젊은 독토르》.

Fana̱l [faná:l] [gr. -fr.] *n.* od. *m.* -s, -e, 〖海〗 선등(船燈); 항로 표지; 등대; 〖軍〗 봉화.

Fana̱tiker [faná:tıkər] *m.* -s, -, 광신자. **fana̱tisch** [lat., <*fānum* „Heiligtum"] *a.* 광신적인(♈*fanatic(al)*). **fana≈tisi̱eren** *t.* 광신적으로 만들다, 열광시키다. **Fanati̱smus** *m.* -, 광신, 열광.

fand [fant] ☞FINDEN 《그 過去》.

Fanfa̱re [fanfá:rə] [fr.] *f.* -n, 〖樂〗 나팔의 화려한 취주, 팡파르(*flourish*); 위를 취주하는 나팔.

Fang [faŋ] [<fangen] *m.* -(e)s, ¨e, 잡기, 포착, 포획(捕獲)(♈*catch(ing), capture*); 포획물; 포획장《어장, 수렵장》; 덫, 함정(*trap, snare*); (맹수의) 엄니(♈*fang*); (맹금(猛禽)의) 갈고랑이 발톱(*claw, talon*); (사냥칼 따위로) 찌름. ¶dem Wild den ~ geben 짐승을 찔러서 숨을 끊다.

Fa̱ng≈baum *m.* (해충 구제를 위해) 벤 나무. **~eisen** *n.* 〖獵〗 쇠덫《디디면 치이는》.

fa̱ngen* [fáŋən] [mhd. *vāhen*; 16 세기에는 여전히 fahen 의 꼴이 통용되었음] 《Ⅰ》 *t.* (움직이는 것을) 잡다, 받다(*catch*); (달아나려고 하는 것을) 붙잡다(*capture*); 걸려들게 하다(*entrap*); 《一般的》 잡다, 얻다(*seize, take*) ¶Feuer ~ 발화〔인화〕하다. 《Ⅱ》 *refl.* (불)잡히다.

Fa̱ng≈garn *n.* (어업용의) 그물. **~leine** *f.* 〖海〗 배를 매는 밧줄; 〖獵〗 개를 매는 끈.

fängst [fɛŋst] (du ~) ☞FANGEN.

fängt [fɛŋt] (er ~) ☞FANGEN.

Fant [fant] *m.* -(e)s, -e, 멥시꾼, 멋장이(*fop, coxcomb*).

Fa̱rb≈abweichung *f.* (chromatische Aberration) 색수차. **~band** *n.* (*pl.* ..bänder) 타자용 리본.

Fa̱rbe [fárbə] *f.* -n, ① 색(色), 색채(*colour*); 빛깔, 색조(*tint*); 착색, 채색; 안색(*complexion*). ② 염료(染料), 안료(顔料)(*dye*); 도료(塗料), 페인트, 채료(彩料)(*paint*); 인쇄용 잉크; (Fahnen~) 표색기(標色旗); (Mappen~) 색 휘장(徽章), 색 리본《나라·당파·단체·학생 조합 등의》. ③ 카드의 짝; (Trumpf~) 으뜸패. ¶ ~ bekennen 같은 짝의 패를 내다; 《比》 기치(旗幟)를 선명히 하다.

Fä̱rbe *f.* -n, 염색; 염색 공장〔업자〕.

Fa̱rbebrett [fárbəbrɛt] *n.* 〖印〗 잉크 개는 판. **fa̱rb·echt** [fárp-ɛçt] *a.* 퇴색하지 않는; 빛이 날지 않는.

fä̱rben [fɛ́rbən] [<Farbe] 《Ⅰ》 *t.* 염색〔착색〕하다; 《比》 윤색하다(*colour, dye, stain*). 《Ⅱ》 *refl.* 물이 들다, 염색되다; 얼굴이 붉어지다; 화장하다.

Fa̱rben≈bild *n.* =~SPEKTRUM. **~≈blind** *a.* 색맹의. **~blind·heit** *f.* 색맹. **~druck** *m.* 원색 인쇄; 착색 판화. **~film** *m.* 천연색 영화. **~gēbung** *f.* 착색(법), 채색(법). **~glās** *n.* 색유리. **~kasten** *m.* 그림물감 상자. **~≈kleckser** *m.* 3류 화가. **~kunde, ~lehre** *f.* 색채학〔론〕. **~photogra≈phie** *f.* 천연색 사진. **~schmelz** *m.* 색의 혼화(混和). **~sinn** *m.* 색채 감각. **~spektrum** *n.* 색 스펙트럼. **~spiel** *n.* 색채의 변화; 무지개 색; 훈색(暈色). **~steindruck** *m.* 착색 석판(화). **~stift** *m.* 색연필. **~tōn** *m.* (*pl.* ..töne) 색조.

Fä̱rber [fɛ́rbər] *m.* -s, -, 염색업자, 염색공(*dyer*). **Färberei̱** [fɛrbərái] *f.* -en, 염색술; 염색업(染色業); 염색 공장.

Fa̱rb≈fernsēhen [fárp-] *n.* 칼라텔레비전. **~filter** *m.* od. *n.* 〖物〗 색필터; 〖醫〗 여광장(濾光障).

fa̱rbig [fárbıç] *a.* 색이 있는, 채색〔착색〕한; 다채로운, 다색(多色)의, 잡색의. ¶ ein ~er 유색인 《특히 흑인》.

fa̱rb≈lōs *a.* 무색의; 색을 지운; 창백한; 《比》 (문체가) 특색이 없는; 중립의. **~≈stift** *m.* 색연필. **~stoff** *m.* 색소; 염료. **~tōn** *m.* =FARBENTON.

Fä̱rbung [fɛ́rbʊŋ] *f.* -en, 염색, 채색, 색채; 빛깔, 색조(色調).

Farce [fársə] [fr., <lat. *farcire* „stopfen"] *f.* -n, 〖料〗 소, (특히) 소로 쓰이는 다진 고기(*stuffing*); 익살극, 코메디(♈*farce*). **farci̱eren** [farsí:rən] *t.* 〖料〗 소를 넣다.

Fari̱n [farí:n] [lat. „Mehl"] *m.* -s, **Fa≈rina̱de** [fariná:də] *f.* -n, 설탕.

Farm [farm] [engl. „(*eig.*) fester Besitz"] *f.* -en, 농장, 농원. **Fa̱rmer** *m.* -s, -, 영농자, 농민; (해외) 이민.

Farn [farn] *m.* -(e)s, -e, **Fa̱rnkraut** *n.* 〖植〗 양치, 고사리(♈*fern*).

Fa̱rre [fárə] *m.* -n, -n, 수송아지, 종우(種牛)(*bull*). **Fä̱rse** [fɛ́rzə] *f.* -n, (아직 새끼를 낳지 않은) 젊은 암소(*heifer*).

Fasa̱n [fazá:n] [gr.] *m.* -(e)s, -e(n), 〖動〗 꿩(♈*pheasant*). **Fasaneri̱e** [faza-nərí:] *f.* ..ri̱en, 양계장.

Faschi̱ne [faʃí:nə] [it.] *f.* -n, 〖軍〗 편비내《호안·충전용(充塡用의)》(♈*fascine*).

Faschi̱nen≈messer *n.* 자루가 긴 낫《갈대·대 따위를 베는》; 〖軍〗 공병도(刀). **~werk** *n.* 편비내 공사.

Fa̱sching [fáʃıŋ] *m.* -s, -e, 사육제(*carnival*). **Fa̱schings·scherz** *m.* 사육제의 여흥.

Faschi̱smus [faʃísmʊs] [it.] *m.* -, 파시즘《이탈리아 국가주의, Faszes 를 당의 상징으로 삼음》.

F

Fāselei [fa:zəlái] *f.* -en, 허튼 짓[말]; 객소리, 빈 말. **Fāselhans** *m.* 바보, 멍청이. **fāselhaft, fāselig** *a.* 멍청한, 지각 없는.

fāseln^{1} [fá:zəln] *i.*(h.) 새끼를 낳다 《특히 돼지가》; 《比》 벌이가 되다; (약·충고 등) 효험이 있다.

fāseln^{2} 《Ⅰ》 *i.*(h.) 바보 같은 짓[말]을 하다; 허튼 소리를 하다(*twaddle, drivel*). 《Ⅱ》 *t.* 고안[상상]하다.

Fāser [fá:zər] *f.* -n, 섬유, 실; 힘줄 (*fibre, filament, thread*). **Fāsergewe=be** *n.* 섬유 조직. **fās(e)rig** *a.* 실 모양의; 섬유질의. **fāsern** [fá:zərn] *i.*(h.) u. *refl.* 풀려서 섬유가 되다. **Fāserstoff** *m.* 섬유소(素); 섬유질.

Fashion [fǽʃən] [engl.] *f.* -s, 만듦새, 유행, 복장; 예의 범절.

Faß [fas] [*eig.* „Zusammenfassendes", Umschließendes, 용기(容器)] *n.* Fasses, Fässer, (뚜껑 없는) 나무통(♈*vat, tub*); (큰) 통(*case, barrel*); 〖聖〗 육체.

Fassāde [fasá:də] [fr. „Vorderseite"] *f.* -n, 〖建〗 정면, 전면(前面)(♈*facade*). **~n=kletterer** *m.* 창문으로 드는 도둑(*cat-burglar*).

Faß=bier *n.* (통 들이) 생맥주. **~bin=der** *m.* 통장이. **~bohrer** *m.* 통에 구멍[주둥이] 내는 송곳. **~daube** *f.* 통짝, 통 널빤지.

fassen [fásən] [<Faß] 《Ⅰ》 *t.* ① (용기에) 넣다, 부어 넣다; 담다; 수용하다(*hold, contain*). ¶ins Auge ~ (눈에 넣다:) 주시(注視)하다, 지향하다. ② 이해하다(*conceive, comprehend*). ③ 끼우다(*set*). ④ 말로 나타내다, 표현하다. ⑤ 《오늘날 보통의 의미》 잡다, 누르다, 붙잡다 (*seize, grasp*). 《Ⅱ》 *refl.* 마음[기분]을 가라앉히다. ¶~ Sie sich kurz! 요약해서 말하시오(*be brief*).

Fassiōn [fasió:n] [lat.] *f.* -en, 고백; 납세 신고.

faßlich [fáslıç] *a.* 잡을 수 있는; 이해할 수 있는, 쉬운.

Fasson [fasɔ̃:, öst. 또 fasó:n] [fr., <lat. *facere* „machen"] *f.* -s, 만듦새, 지음새; 꼴(*shape*); 양식, 방식(*way*).

Fassung [fásuŋ] *f.* -en, 잡음, 파악; 끼우기; 〖電〗 소켓; 틀, 테《안경의》; 조사(措辭), 어법, 표현 방식; 초고(草稿), 텍스트《문서의》; 이해(력); 자제, 침착, 마음의 평정. ¶aus s-r ~ kommen 마음의 평정을 잃다, 당황하다.

Fassungs=gābe, **~kraft** *f.* 이해력. **~lōs** *a.* 마음의 평정을 잃은, 당황한. **~vermōgen** *n.* =~GABE.

fast [fast] [fast의 옛 別形, *eig.* „sehr, stark"] *adv.* 거의(*almost, nearly*).

fasten [fástən] [<fest, *eig.* „fest sein", 마음이 굳다] 《Ⅰ》 *i.*(h.) 절식(絕食)하다; 〖宗〗 단식하다, 정진하다, 육식을 끊다(♈*fast*). 《Ⅱ》 **Fasten** *n.* -s, 절식, 단식, 정진, 단육. 《Ⅲ》 **Fasten** *pl.* 정진[단식·단육] 기간; 〖가톨릭〗 사순절(四旬節), 사순재(齋).

Fasten=sonntāg *m.* 사순절의 일요일. **~speise** *f.* 사순절에 먹어도 되는 음식물. **~zeit** *f.* 사순절기(期).

Fastnacht [fástnaxt] *f.* 재의 수요일 전의 화요일; (가톨릭을 믿는 지방의) 사육제(謝肉祭), 카니발.

Fasttāg [-ta:k] *m.* 단식일(斷食日).

Faszes [fás-tse:s, -tsɛs] [lat.] *pl.* 속간(束桿)《가는 막대기의 묶음 사이로 도끼날이 내민 것, 고대 로마의 권위 장표(章標)》. **Faszīkel** [fas-tsí:kəl] *m.* -s, -, 종이 묶음, 책자; 서류 묶음.

faszinieren [fas-tsiní:rən] [lat.] *t.* 매혹[뇌쇄]하다, 홀리게 하다(♈*fascinate*).

fatāl [fatá:l] [lat., *fatum* „Gesprochenes", 천명] *a.* 숙명적인(♈*fatal*); 불운한, 불길한(*awkward*); 《俗》 불쾌한, 귀찮은 (*disagreeable*). **Fatalismus** [fatalísmus] *m.* -, 숙명론.

fatieren [fatí:rən] [lat.] *t.* 고백하다; 《方》 (납세를) 신고하다.

fatigant [fatigánt] [lat., -fr.] *a.* 고달프게 하는, 고된; 지루한, 성가신.

Fatzke [fátskə] [♈Faxe, -ke „-chen"] *m.* -n, -n, 《方》 뱁시꾼; 얼간망둥이, 멍청이(*coxcomb, fool*).

fauchen [fáuxən] [擬聲語] *i.*(h.) (고양이 따위가) 식식거리다(*snort, spit*); 칙칙거리며 증기를 뿜다《기관차가》(*hiss*).

faul [faul] *a.* ① 썩은, (썩어서) 너덜너덜한(♈*foul, rotten, putrid*). ② 게으른, 나태한(*sluggish, lazy*). ③ 《比》 쓸모없는. ④ 《比》 미심쩍은; 시원찮은, 곤란한, 성가신. ¶~er Zauber 속임수(*humbug*).

Faul=baum *m.* 〖植〗 서양갈매나무. **~=bett** *n.* 휴식용 장의자.

Fäule [fɔ́ylə] *f.* -n, =FÄULNIS.

faulen [fáulən] *i.*(s. *u.* h.) 썩다, 부패하다.

faulenzen [fáulɛntsən] [< „der faule Lenz 게으름뱅이 렌츠"] *i.* (h.) 게으름부리다, 빈둥거리며 날을 보내다. **Faulenzer** *m.* -s, -, 게으름뱅이; 휴식용 장의자. **Faulenzerei** [faul-] *f.* 나태, 게으름; 방종한 생활.

Faulfieber [fáulfi:bər] *n.* 〖醫〗 부패열; 《俗》 나태.

Faulheit [-hait] *f.* -en, 나태, 게으름.

faulig [fáulıç] *a.* 부패한; 썩기 쉬운.

Fäulnis [fɔ́ylnıs] *f.* 부패, 부식. **~er=rēger** *m.* 부패균. **~widrig** *a.* 방부성(防腐性)의.

Faul=pelz *m.* 게으름뱅이. **~tier** *n.* 〖動〗 나무늘보.

Faust^{1} [faust] *f.* ⸗e [fɔ́ystə], 주먹 (♈*fist, clenched hand*). ¶auf eigene ~ 독단으로, 책임지고, 자력으로.

Faust^{2} [faust] [lat. „der Beglückte"] *m.* 남자 이름. ¶Doktor ~ 독토르 파우스트《중세 연금술사의 이름》.

Faustball [fáustbal] *m.* 〖競〗 파우스트볼《배구 비슷한 구기(球技)》.

Fäustchen [fɔ́ystçən] *n.* -s, -, 작은 주먹. ¶sich^{3} ins ~ lachen 낄낄 웃다.

faustdick [fáustdík] *a.* 주먹 크기의; 《比》 썩 굵은. ¶~ lügen 새빨간 거짓말을 하다 / er hat es ~ hinter den Ohren a) 그는 엉큼한 놈이다, b) 만만찮은 놈이다.

faust=grōß *a.* 주먹 크기의. **~hand=schuh** *m.* 벙어리 장갑(*mitten*).

faustisch [fáustıʃ] *a.* 파우스트적인.

Faust=kampf *m.* 권투 (시합). **~käm=pfer** *m.* 권투 선수.

Fäustling [fɔ́ystlıŋ] *m.* -s, -e, =FAUSTHANDSCHUH.

Faust=pfand *n.* (*ant.* Hypothek) 〖法〗

동산 저당. ～**recht** *n.* 자력 방위《중세의》. ～**schlag** *m.* 주먹으로 치기.
Fauvismus [fovísmus] [fr.] *m.* -, 〖畫〗포비즘, 야수파.
Fauxpas [fo:pá, -pá:] [fr.] *m.* -, -, 「과실, 실수.」
Favorit [favorí:t] [fr. „Günstling"] *m.* -en, -en, 총애를 받는 자《총신·총아·애마(愛馬) 따위》(♈*favourite*).
Faxe [fáksə] *f.* -n, 익살, 어리석은 말〔짓〕. ¶ ～n machen 바보짓을 하다, 익살부리다. ～**n-macher** *m.* 익살꾸러기, 까불이.
Fayence [fajã́:s] [fr.; 이탈리아의 도시명 *Faenza* 에서] *f.* -n, 파엔차 도자기.
Fazit [fá:tsɪt] [lat. „es macht"] *n.* -s, -e u. -s, 합계, 총계(*sum* (*total*)); 결과, 답(答)(*result*).
Feature [fí:tʃər] [engl.] *n.* -s, -s, od. *f.* -s, 특색; (신문·방송 등의) 인기물.
Februar [fé:brua:r, februá:r] [lat.] *m.* -(s), -e, 2월.
fechsen [féksən] *t.* u. *i.*(h.) (곡물·포도를) 수확하다; 휘문이하다.
Fecht-boden *m.* 펜싱장(場). ～**bruder** *m.* 《俗》 거지.
fechten* [féçtən] *i.*(h.) 펜싱하다(*fence*); 싸우다, 투쟁하다(♈*fight*); 《俗》 (타인과 시합하다, 타인을 상대로 하다의 뜻에서:) (s.) (～ geh(e)n) (장인(匠人)의 도제가) 뜨내기로 세상을 돌아다니다, 걸식하며 다니다(*go begging*). **Fechter** [féçtər] *m.* -s, -, 펜싱하는 사람; 검투사(劍鬪士)《고대 로마의》; 《俗》 거지.
Fecht-hand-schuhe *pl.* (펜싱용) 글러브. ～**kunst** *f.* 펜싱술(術). ～**lehrer**, ～**meister** *m.* 펜싱 사범. ～**schule** *f.* 펜싱 도장; 펜싱 교수. ～**stunde** *f.*, ～**unterricht** *m.* 펜싱의 지도〔교수〕.
Feder [fé:dər] *f.* -n, ① 깃, 우모(羽毛)(♈*feather, plume*). ② (Scheib～) 펜, 깃펜 (*pen, nib*); 연필; 만년필; 《比》 필치, 필적. ③ (Sprung～) 태엽, 용수철, 스프링(*spring*).
Feder-ball *m.* 깃털 공. ～**ballspiel** *n.* 배드민턴. ～**bett** *n.* 새털 이불. ～**büchse** *f.* 펜, 붓통. ～**busch** *m.* 깃장식, 〖動〗 (깃털의) 술; 볏, 관모(冠毛). ～**fuchser** *m.* 《蔑》 3류 작가; 서기(書記). ～**gewicht** *n.* 〖拳〗 페더급(級)《체중 53～57 킬로》. ～**halter** *m.* 펜대. ～**hammer** *m.* 스프링 (달린 동력) 해머.
federig [fé:dərɪç] *a.* 깃털 모양의; 깃털이 있는, 깃털로 덮인.
Feder-kasten *m.* 펜〔붓〕통. ～**kiel** *m.* 깃축. ～**kraft** *f.* 탄력; 탄력성, 유연성(*elasticity*). ～**krieg** *m.* 필전(筆戰), 논전(論戰). ～**krone** *f.* (종자의) 관모(冠毛). ～**leicht** *a.* 깃과 같이 가벼운. ～**lesen** *n.* 깃털을 집어〔뜯어〕내기《옷 따위에서》; 《比》 아첨; 지나치게 세심함. ¶mit et.[3] nicht viel ～lesens machen 무엇을 척척 해치우다. ～**los** *a.* 깃이 없는; 탈모한. ～**messer** *n.* 깃펜 만드는 데에 쓰이는 작은 칼; 주머니 칼.
federn [fé:dərn] 《Ⅰ》 *i.*(h.) u. *refl.* (새가) 털을 갈다(*moult*), (깃털 이불이) 털이 빠지다; 용수철로 장치되어 있다, 탄력이 있다, 뛰다(*be elastic*). 《Ⅱ》 *t.* (에) 용수철을 장치하다. ～**d** *p.a.* 탄력이 있는, 가벼운; 《比》 원기있는.
Feder-nelke *f.* 〖植〗 아메리카패랭이꽃(*Sweet William*). ～**skizze** *f.* 펜화(畫)의 스케치. ～**spule** *f.* =～KIEL. ～**strich** *m.* 일필(一筆), 자획(字劃).
Federung [fé:dəruŋ] *f.* -en, 탄력이 있음; 탄성(彈性); (자동차 등의) 용수철 장치.
Feder-vieh *n.* 가금(家禽). ～**wisch** *m.* 깃털 브러시〔비〕. ～**wischer** *m.* 펜닦개. ～**wolke** *f.* 권운(卷雲)(*cirrus*). ～**zeichnung** *f.* 펜화(畫).
Fee [fe:] [fr.] *f.* Feen [fé:ən], 운명의 여신; 요정(*fairy*). **fe-enhaft** [fé:ən-] *a.* 요정 같은; 매혹적으로 아름다운.
fe-en-märchen *n.* 동화, 옛이야기. ～**ring** *m.* 요정의 고리 《균의 작용으로 풀밭에 생기는 둥글게 검은 부분》. ～**welt** *f.* 요정의 나라.
Feg(e)feuer [fé:gə-] *n.* 〖宗〗 연옥(煉獄)(*purgatory*).
fegen [fé:gən] [♈engl. *fair* „schön, rein"] 《Ⅰ》 *t.* 깨끗이 하다, 소제하다(*cleanse, sweep*); (곡물을) 까부르다(*winnow*). 《Ⅱ》 *i.*(s.) (바람이) 스치다, 불어 지나다(*scour along, dash, flit*). **Feger** *m.* -s, -, 청소인; 연마사(硏磨師); 비.
Feh [fe:] *n.* -(e)s, -e, 〖動〗 시베리아산(產)의 다람쥐. **Fehpelz** *m.* 위의 모피.
Fehde [fé:də] [♈engl. *foe* „Feind"] *f.* -n, 적시(敵視), 반목, 불화, 확집(確執)(♈*feud, challenge*).
Fehde-brief *m.* 도전〔결투〕장. ～**handschuh** *m.*: jm. den ～handschuh hinwerfen 아무에게 도전하다.
Fehl [fe:l] [<fehlen] 《Ⅰ》 *m.* -(e)s, -e, † 결점, 흠. ¶sonder 〔ohne〕 ～ 결점이 없는, 완전 무결한. 《Ⅱ》 **fehl** *adv.* 《Fehl 의 4格》 그르쳐서, 실패하여; 헛되이(*amiss, wrong*). 「과실이 있는.」
fehlbar [fé:lba:r] *a.* 틀린, 틀리기 쉬운;
Fehl-bestand *m.* 부족액. ～**betrag** *m.* 결손(*deficit*). ～**bitte** *f.* 헛된 청원. ¶e-e ～bitte tun 거절당하다. ～**bitten*** *i.*(h.) 헛되이 청원하다. ～**boden** *m.* 〖建〗 방음판(防音板).
fehlen [fé:lən] [Lw. fr. *faillir*] 《Ⅰ》 *t.* (ver～) 그르치다, 빗맞히다(*miss*). 《Ⅱ》 *i.*(h.) ① 빗맞다, 명중치 않다. ② 실패하다, 실현 못하다(♈*fail*); 그르치다, 실수를 하다(*err, mistake*); 죄를 범하다(*offend*). ③ 결(缺)하다; 결석하다, 없다(*be absent*). ④ 없음을 섭섭히 여기다, (있었으면 하고) 아쉽게 여겨지다(*be missing*); 부족하다, 없다(*want*). ¶sich[3] nichts ～ lassen 조금도 불편을 느끼지 않다, 하고 싶은 대로 다하다 / was fehlt Ihnen ? 어디가 편찮으신가요. **Fehler** [fé:lər] [<fehlen] *m.* -s, -, ① 흠; 결점, 결함. ② 부족(*defect*). ③ 오류, 틀림, 과실, 실책(*fault, error, mistake, blunder*). **fehlerfrei** *a.* 결점이 없는, 정확한, 완전한. **Fehlergrenze** *f.* 오차의 한계; 〖法〗 공차(公差). **fehlerhaft** *a.* 결점이〔오류가〕 있는; 부정확〔불완전〕한; 파손한, 하자가 있는. **Fehlerhaftigkeit** *f.* -en, 위임; 〖醫〗 기형, 병신.
fehler-los *a.* =～FREI. ～**quelle** *f.*

F

착오의 원인. **~voll** *a.* 결점〔결함〕이 많은.

fehl·|fahren* *i.*(s.) 길을 잘못 들다, 길을 잃다; 그르치다, 실수하다. **~farbe** *f.* 손에 없는(카드의) 패, 보통패《으뜸패 이외의》. **~|gebären*** *t.* 유산하다. **~geburt** *f.* 유산. **~|geh(e)n*** *i*(s.) 길을 잘못 들다, 길을 잃다; 명중〔성공〕못하다. **~|greifen*** *i.*(h.) 붙잡지 못하다; 잘못하다, 실수하다. **~griff** *m.* 과오, 실책. **~leistung** *f.* 실수, 과실. **~|schießen*** *i.*(h.) 잘못 쏘다; 《比》 그르치다; 실패하다. **~schlag** *m.* 잘못 치기; 《比》 실패. **~|schlagen*** *i.*(h. *u.* s.) 잘못 치다; 실패하다. **~schluß** *m.* 틀린 결론; 오진(誤診); 배리(背理). **~schuß** *m.* 잘못 쏘기. **~|sprechen*** *i.*(h.) 실언하다; 〖法〗 오심(誤審)하다. **~spruch** *m.* 〖法〗 오판(誤判). **~stoß** *m.* (펜싱·당구 등의) 잘못 찌름. **~|treten*** *i.*(h.) 헛디디다; 실패하다; 죄를 범하다. **~tritt** *m.* 헛디딤; 실패, 과실. **~urteil** *n.* 〖法〗 오판. **~zug** *m.* 잘못 두기《장기 따위의》. **~zündung** *f.* (엔진·모터 등의) 불발(화), 딴 장소에서의 발화《배기관 등에서의》(*misfire*); 《比》 힘의 낭비.

Feier [fáiər] [Lw. lat. *fēriae* (*pl.*) „Ferien"] *f.* -n, 휴식(*rest*); 축제, 의식(*celebration*, *festival*, *solemnity*).

F

Feier·abend *m.* (나날의) 일의 끝, 종업(終業); 휴식 시간. ¶~abend machen 일을 마치고 쉬다. **~klang** *m.* 축가(祝歌); 찬미가; 장중한 종소리; 환호(성). **~kleid** *n.* 예복; 나들이 옷.

feierlich [fáiərlıç] *a.* 축제같은; 엄숙한, 장중한; 의식을 갖춘. **Feierlichkeit** *f.* -en, 위엄; 의식, 축제, 축전(祝典).

feiern [fáiərn] 《Ⅰ》 *t.* 축하하다, 제사지내다, (식을) 거행하다; 찬양하다. (에) 경의를 표하다. 《Ⅱ》 *i.*(h.) 일을 쉬다; (일이 없어) 놀다; 허송 세월하다; 파업하다.

Feier·stimmung *f.* 엄숙, 장중(한 느낌). **~stunde** *f.* 휴식 시간. **~tag** *m.* (국가 및 교회의) 축일(祝日). **~zeit** *f.* 휴식시(時); 축제시.

feig [faik], **feige** [fáigə] [*eig.* „totgeweiht"] *a.* 죽음을 두려워하는; 소심한, 비겁한(*cowardly*).

Feige [fáigə] [Lw. lat.] *f.* -n, 〖植〗 무화과의 열매〔나무〕(♈*fig*); (여성의) 음부.

Feigen·blatt *n.* 무화과의 잎; 조상(彫像)의 음부 가리개. **~kaffee** *m.* 무화과 코피《코피 대용》.

Feigheit [fáikhait] *f.* -en, 소심, 비겁; 위의 언행. **feigherzig** *a.* =FEIG. **Feigling** *m.* -s, -e, 겁장이, 비겁자.

Feigwarze [fáikvartsə] *f.* 첨형(尖形) 부스럼《축축한 살갗 부분에 남》.

feil [fail] *a.* ① 팔, 팔아야 할(*to be sold*, *for sale*). ¶~ sein 매물이다. ② 돈받고 일하는, 돈만 아는; 저열한. ¶ihm ist alles ~ 그는 돈을 위하여서는 무엇이나 한다 / ~e Dirne 창녀.

feil·|bieten* *t.* 팔려고 내놓다. **~bietung** *f.* 팔려고 내놓음, 판매.

Feile [fáilə] *f.* -n, (쇠)줄 (♈*file*). **feilen** [fáilən] *t.* u. *i.*(h.) 줄질하다(♈*file*); 《比》 다듬다, 세련되게 하다; (문장을) 퇴고(推敲)하다(*polish*, *elaborate*).

Feilen·hauer *m.* 줄날 세우는 직공〔기계〕. **~hieb** *m.* 줄날 세우기.

feil|halten* [fáilhaltən] *t.* 팔 것으로 내놓고 있다, 팔고 있다.

feilschen [fáilʃən] [<feil] *i.*(h.): um et. ~ 무엇의 값을 깎다(*bargain*, *haggle*). **Feilscher** *m.* -s, -, 값을 깎는 사람.

Feil·späne *pl.*, **~staub** *m.* 줄밥.

Feilung [fáiluŋ] *f.* 마무리, 끝손질.

fein [fain] [Lw. fr. *fin*, <lat. *fīnītus* „begrenzt, vollendet, vollkommen"] 《Ⅰ》 *a.* 아주 작은; 미세한(♈*fine*); 가는(*thin*); 가냘픈, 화사(華奢)한(*delicate*); 정교한; 정제(精製)된, 순수한; 정량(精良)한, 우량한; 훌륭한; 조촐한, 멋진(*nice*); 우아한, 기품이 있는, 우미(優美)한(♈*fine*, *polite*, *elegant*); 섬세한, 예민한, 미묘한(*subtle*); 머리가 예민한, 영리한; 교활한(*sly*). 《Ⅱ》 *adv.* 아름답게, 기품 있게, 교묘하게, 가늘게, 미세하게. ¶~ hören 귀가 밝다 / sei ~ artig! 얌전해야 한다.

Fein·arbeit *f.* 정밀 작업. **~bäcker** *m.* 빵과자 제조인. **~|brennen*** *t.* 정련(精鍊)하다.

Feind [faint] [*eig.* „Hassender"] *m.* -(e)s, -e, 적, 적군; (무엇에 대한) 증오자, 반대자; 〖聖〗 악마. **feind** *a.* 《述語的으로만 쓰임》 적의가 있는(*hostile*, *inimical*). ¶jm. ~ sein 아무를 미워하다. **Feindin** *f.* -nen, (무엇에 대한) 증오자; 염오자; 적, 원수(*enemy*, *foe*). ¶der böse ~ 악마(*the fiend*). **feindlich** [fáintlıç] *a.* 적의; 적대적인; (~ (*adv.*) gesinnt) 적의를 품은. **Feindschaft** [fáint-ʃaft] *f.* 적대 (관계), 적의(*enmity*, *hatred*). **feind·schaftlich** *a.* 적의를 품은, 적대시하는.

feindsēlig [fáintze:lıç] *a.* 적의가 있는, 적개심에 찬. **Feindsēligkeit** *f.* -en, 적의, 적개심; 적대 행위.

feinen [fáinən] *t.* 정련하다, 정제하다.

feinern =FEINEN.

fein·fühlig *a.* 감정이 섬세한, 민감한. **~gefühl** *n.* 섬세한 느낌, 민감(*tact*). **~gehalt** *m.* (합금 중의 금은의) 순분도(純分度); (화폐의) 품위. **~gold** *n.* 순금.

Feinheit [fáinhait] *f.* -en, 순량(도)(純良(度)); 섬세; 섬약(纖弱); 우아; 고상함, 점잖음; 멋; 정치(精緻), 정교; 민감, 예민《오관의》; 영리, 민첩; 교활.

Fein·kost·handlung *f.* 식료품점. **~mechāniker** *m.* 정밀(精密) 기계공. **~schmecker** *m.* 미식가, 식도락가. **~sinnig** *a.* =~FÜHLIG.

Feinsliebchen [fainslí:pçən] *n.* 《詩》 연인, (여자) 애인.

Fein·struktūr *f.* 미세 구조《원자의 스펙트르 선이 가리키는》. **~zucker** *m.* 정제당(精製糖).

feist [faist] [obd.; =nd. fett; *eig.* „gemästet"] *a.* 살찐(♈*fat*).

feixen [fáiksən] [<Fex] *i.*(h.) 《俗·學》 바보처럼 웃다; 조소하다; 얼굴을 찡그리고 웃다《아픔을 참고》.

Feld [fɛlt] *n.* -(e)s, -er, 들, 벌(♈*field*,

plain); 밭, 경작지(♀field); 전장(戰場)(battlefield); 구획된 간(間)(panel); 장기판의 눈(square); 천장의 정간(井間); 문장(紋章)의 바탕; (망원경의) 시계, 시역(視域); 〖理〗 장(場); 〖電〗 전장(電場); 《比》 활동 범위, 분야, 전문(department); 경기장, 코트; 경기 참가자《전체》; 조(組). ¶ ins ~ rücken〔ziehen〕, zu ~e ziehen 출전(出戰)하다 / ins ~ führen 끄집어 내다 / im weiten ~e liegen 아직 막연하다, 분명하지 않다.

Feld≈arbeit *f.* 들일, 경작. **~artillerie** *f.* 야전 포병. **~aufnahme** *f.* 〖映〗 야외 촬영. **~bäckerei** *f.* 야전 빵 제조소. **~bahn** *f.* 야외 궤도《협궤의》; 경편 철도. **~bau** *m.* 경작, 농경, 농업(*agriculture*). **~bett** *n.* 야전 침대 **~binde** *f.* 진중 휘장(陣中徽章). **~blūme** *f.* 들꽃. **~dienst** *m.* 야전 근무. **~ein** *adv.* 들로. ¶ ~ein u. ~aus 들을 가로질러. **~elektrōnen** *pl.* 장(場) 전자《고도의 장의 세기로 인해 금속으로부터 분리된 전자》. **~flasche** *f.* 〖軍〗 수통. **~flüchtig** *a.* 〖軍〗 탈주한. ¶ der ~flüchtige 탈주병. **~früchte** *pl.* 농작물, 곡식. **~geistliche** *m.* u. *f.* 《形容詞變化》 군목(軍牧). **~gepäck** *n.* 군용(軍用) 행낭. **~gerät** *n.* 경작 용구, 농구; 병기. **~geschrei** *n.* 함성(喊聲). **~gottesdienst** *m.* 진중 예배. **~grau** *a.* 암회색의 (군복). **~herr** *m.* 장군; (전시의) (최고) 사령관. **~herrnkunst** *f.* 전략. **~herrnstāb** *m.* 막료(幕僚). **~hütte** *f.* (들 가운데의) 오두막집; 야전용 병사(兵舍). **~kessel** *m.* 반합(飯盒)(*camp-kettle*). **~küche** *f.* 야전 취사차(車). **~lāger** *n.* 야영. **~lazarett** *n.* (천막의) 야전 병원 **~lerche** *f.* 〖鳥〗 들종다리. **~marschall** *m.* 원수(元帥). **~marschmäßig** *a.* 야전용의. **~messer** *m.* 측량 기사. **~meßkunst** *f.* 측량술. **~mütze** *f.* 〖軍〗 약모(略帽). **~post** *f.* 군사 우편. **~posten** *m.* 전초(前哨). **~prēdiger, ~priester** *m.* 군목. **~raute** *f.* 〖植〗 들운향. **~schāden** *m.* 농작물의 피해. **~schēr(er)†** *m.* (옛) 하급 군의. **~schlacht** *f.* 야전. **~spāt** *m.* 〖鑛〗 장석. **~stärke** *f.* 〖電〗 전장의 세기. **~stecher** *m.* 쌍안경. **~stuhl** [Faltstuhl 의 전와(轉訛)] *m.* 접의자(摺椅子). **~theāter** *n.* 야외 극장. **~truppen** *pl.* 야전군. **~wache** *f.* 〖軍〗 전초(前哨). **~wēbel** *m.* 상사(上士); 중사. **~wēg** *m.* 들 길. **~wirt·schaft** *f.* 농업. **~zeichen** *n.* 군기(軍旗). **~zūg** *m.* 출정(出征); 전역(戰役). **~zūlāge** *f.* 전지 특별 수당.

Felge [fɛ́lgə] *f.* -n, 바퀴의 테(♀*felly*, ♀*felloe, rim*); (철봉의) 대차(大車).

felgen *t.* (바퀴에) 테를 끼우다.

Fell [fɛl] [=engl. *fell*] *n.* -(e)s, -e, 가죽(*skin*); (특히) 수피(獸皮), 피혁(皮革)(*hide, coat*); 모피(毛皮)(의 망토)(*fur*); 얇은 껍질, 막(膜)(*film*). ¶ jm. das ~ über die Ohren ziehen 아무를 속이다, 아무에게서 돈을 털다 / ein dickes ~ haben 무감각하다.

Fell≈eisen [fr. *valise* 의 속해(俗解)에 의한 꼴] *n.* 배낭; 〖郵〗 행낭. **~händler** *m.* 모피상(인). **~werk** *n.* 모피 제품.

Fels [fɛls] [=Felsen] *m.* -en, -en, 바위, 암석(*rock*); 암벽(*cliff*).

Felsblock [-blɔk] *m.* 암괴(岩塊).

Felsen [fɛ́lzən] [=Fels] *m.* -s, -, 바위, 암석(*rock*); 암초, 암벽(*cliff*).

Felsen≈gebirge *n.* 로키 산맥(*Rocky Mountains*). **~hart** *a.* 바위처럼 굳은; 《比》 냉혹한. **~kluft** *f.* 바위의 갈라진 틈. **~riff** *n.* 암초. **~spitze** *f.* 바위의 첨단, 암정(岩頂). **~wand** *f.* 암벽. **~werk** *n.* 적석(積石) 공사.

Felsglimmer [-glímər] *m.* 운모(雲母).

felsicht, felsig [fɛ́lzɪç] *a.* 바위로 된; 암석이 많은(*rocky*); 바위 같은.

Fels≈klettern *n.* 로크크라이밍. **~klippe** *f.* 절벽. **~kluft** *f.* =FELSENKLUFT. **~sturz** *m.* 바위사태. **~wand** *f.* 암벽.

Fēme [féːmə] [*eig.* „Strafe"] *f.* -n,

Fēmgericht *n.* 비밀 재판.

feminīn [feminíːn] [lat. *fēmina* „Weib"] *a.* 여성의, 여자다운. **Femininum** [feminíːnum, féːmininum] *n.* -s, ..na, 〖文〗 여성; 여성 명사; 여성형.

Feminismus [-nísmus] *m.* -, ..men, 여성 존중주의; (남자의) 여성화.

Fenchel [fɛ́nçəl] [Lw. lat.] *m.* -s, u. *f.* 〖植〗 회향(茴香)(♀*fennel*).

Fenn [fɛn] *n.* 〔*m.*〕 -(e)s, -e, 소택(沼澤), 소택지의 초원(♀*fen*).

Fenster [fɛ́nstər] [Lw. lat.] *n.* -s, -, (*window*); (Oberlicht~) 창; 《比》 눈.

Fenster≈bank *f.* (*pl.* ..bänke) 창가〔창밑〕의 의자. **~blei** *n.* 창유리를 끼우기 위한 납으로 된 홈. **~brett** *n.* 창의 문지방. **~flügel** *m.* 창 문짝. **~gitter** *n.* 창의 격자. **~glās** *n.* 창유리. **~kreuz** *n.* 창의 십자잔(十字棧). **~lāden** *m.* 창의 덧문. **~nische** *f.* 창의 벽감(壁龕). **~pfeiler** *m.* 창의 설주《두 창 사이의》. **~pfosten** *m.* 창 사이의 벽. **~rahmen** *m.* 창틀. **~riegel** *m.* 창의 걸쇠. **~rōse** *f.* 부채꼴 들창. **~scheibe** *f.* 창 유리(*pane*). **~sims** *m.* 〔*n.*〕 창문의 문지방. **~sturz** *m.* 창의 상인방. **~tūr** *f.* 마루까지 닿는 창.

Ferge [fɛ́rgə] [<fahren] *m.* -n, -n, 《詩》 나룻배 사공(*ferry man*).

Fērien [féːrĭən] [lat.] *pl.* 휴가(*holidays, vacation*).

Fērien≈kolonie *f.* 임해〔임간〕 학교. **~(sonder)zūg** *m.* 휴가 임시 열차.

Ferkel [fɛ́rkəl] *n.* -s, -, 돼지 새끼.

ferkeln *i.*(h.) (돼지가) 새끼를 낳다.

ferm [fɛrm] [lat.] *a.* 《俗》 유능한, 확실한; 확고한; 완성된.

Fermāte [fɛrmáːtə] [it. „Haltestelle"] *f.* -en, 〖樂〗 늘임표(𝄐 또는 𝄑) (*pause*).

Ferment [fɛrmɛ́nt] [lat.] *n.* -(e)s, -e, 효소; 《方》 소맥. **Fermentatiōn** [-tatsĭóːn] *f.* -en, 발효(醱酵). **fermentieren** [-tíːrən] *t.* u. *i.*(h.) 발효시키다〔하다〕.

fern [fɛrn] 《예전과 시어(詩語)로는 **ferne**》 *a.* u. *adv.* 먼, 아득한(♀*far*

distant, remote). ¶ von ~ 멀리에서 / in ~en Tagen 훨씬 전〔후〕에 / das sei ~ (von mir)! 당치도 않은 소리.
fern·ab [férnap] *adv.* 멀리 떨어져서.
Fern·amt *n.* 장거리 전화국. **~anruf** *m.* 장거리 전화 호출. **~bedienung** *f.* 원격 조작, 리모트 콘트롤. **~|bleiben*** *i*(s.): e-m Dinge ~bleiben 무엇에서 멀리 떨어져 있다, 초연해 있다.
Ferne [férnə] *f.* -n, 멂; 먼 곳〔지역〕; 먼 옛날, 먼 장래. **Fern·empfang** 장거리 수신.
ferner [férnər] [fern 의 比較級] 《Ⅰ》 *a.* 더 먼, 더 아득한(*farther*), 그 이상의(*further*). 《Ⅱ》 *adv.* 더욱 (*furthermore*). ¶ und so ~ 등등, 따위. **~hin** *adv.* 금후, 장차(*henceforth*).
Ferner [férnər] [<Firn] *m.* -s, -, 〖方〗 만년설; 빙하(*glacier*).
Fern·flug *m.* 원거리 비행. **~geschütz** *n.* 장거리포. **~gespräch** *n.* 장거리 통화. **~glas** *n.* 쌍안경(*telescope, binoculars*). **~|halten*** *t.* 멀리하다, 떼어 놓다; *refl.* 떨어져 있다, 멀어져 있다. **~heizung** *f.* 원격(遠隔) 난방. **~leitung** *f.* (전화의) 장거리선(線). **~|lenken** *t.* 무선 조종하다. **~lenkwaffe** *f.* 〖軍〗 미사일.
fern|liegen* [férnli:gən] 《Ⅰ》 *i.*(h.): das liegt mir fern 그럴 마음은 조금도 없다; 《俗》 그건 내 전문이 아니다. 《Ⅱ》 **fernliegend** *p.a.* 먼, 인연이 먼.
Fern·melde·amt *n.* 장거리 통신국〔전보 전화국〕. **~melde·anlagen** *pl.* 장거리 통신 시설. **~meldedienst** *m.* 장거리 통신 서비스. **~messung** *f.* 전파 측량. **~mündlich** *a.* 전화로의; *adv.* 전화로. **~punkt** *m.* (눈의) 원시점(遠視點). **~rohr** *n.* 망원경(*telescope*). **~ruf** *m.* =~ANRUF. **~schach** *n.* 원격 장기《통신으로 장기를 두게 함》. **~schreiber** *m.* 텔레타이프. **~|sehen*** *i.*(h.) 미래를 예지하다; 천리안이다. **~sehen** *n.* 천리안; 텔레비전. **~sehgespräch** *n.* 텔레비전 통화. **~sicht** *f.* 원망(遠望), 원경(遠景). **~sichtig** *a.* 〖醫〗 원시안의; 《比》 선견지명이 있는.
Fernsprech·amt *n.* 전화 (교환)국. **~anschluß** *m.* 전화 접속. **~apparat** *m.* 전화기. **~automat** *m.* 자동전화. **~buch** *n.* 전화 번호부.
fern·|sprechen* *i.*(h.) 전화로 말하다, 전화를 걸다. **~sprecher** *m.* 전화기.
Fernsprech·nummer *f.* 전화 번호. **~stelle** *f.* ① =~AMT. ② 공중 전화. **~zelle** *f.* 전화실(室).
Fern·spruch *m.* (전화의) 통화. **~steuerung** *f.* 무선 조종. **~straße** *f.* 대륙 횡단 도로. **~student** *m.* 통신 대학생. **~studium** *n.* 통신 대학 과정 학습. **~unterricht** *m.* 통신 교육. **~verbindung** *f.* 장거리 접속. **~verkehr** *m.* 〖鐵〗 장거리 수송. **~wirkung** *f.* 원격 작용; 〖心〗 정신 감응. **~zug** *m.* 장거리 열차.
Ferse [férzə, 方: fé:r-] *f.* -n, 발꿈치 (*heel*). **Fersengeld** *n.*: 《俗》 ~ geben 도주하다.
fertig [fértɪç] [<fahren, *eig.* „fahrbereit"] *a.* ① zu et.³: 준비된(*ready, prepared*). ② in et.³: 숙련된, 교묘한(*skilled*); 유창한(*fluent*). ③ 다 된, 완성된, 끝난(*done, finished, accomplished*); 기성의(*ready-made*). ¶ ~ bringen 끝내다 / ~ werden, (mit et.³, 무엇을) 끝내다, 성취하다, 탕진하다; (mit jm., 아무와의 사이에) 결말을 짓다. **Fertigbau** *m.* 조립식 건축. **fertigen** *t.* 끝내다, 마치다; 마무르다; 만들다, 제조하다; (unter~) 서명하다. **Fertigfabrikat** *n.* 기성품. **Fertigkeit** *f.* -en, 숙련; *pl.* 재능.
fertig·|machen, ~|stellen *t.* 완성하다, 마무르다.
Fertigung [fértɪguŋ] *f.* -en, 마침, 완성, 마무리; 생산, 제조. **~s·straße** *f.* 생산 공정.
Fertigware [fértɪçva:rə] *f.* 기성품.
fertil [fɛrtí:l] [lat.] *a.* 풍요한, 비옥한, 다산(多産)인 (=fruchtbar); 수태 능력이 있는.
Fes [fɛs] [türk.] *m.* -, -, od. *m.* Fesses, Fesse, 붉은 터키 모자(♈*fez*).
fesch [fɛʃ, (öst.) fe:ʃ] [<engl. *fashionable* „modisch"] *a.* 멋진, 스마트한.
Feschak [féʃak] [<fesch] *m.* -s, -s, 《俗》 《öst》 스마트한 남자.
Fessel[1] [fésəl] [♈Fuß] *f.* -n, (말의) 발굽.
Fessel[2] [♈fassen] *f.* -n, (사람을 매는) 줄, 질곡(桎梏)(♈*fetter*); 차꼬; (Hand~) 수갑; 사슬(*chain*).
Fesselballon [-balò:n, -lɔ̃:] *m.* 계류기구(繫留氣球).
fessellos [fésəllo:s] *a.* 질곡에서 풀린, 속박이 없는, 자유로운.
fesseln [fésəln] *t.* 질곡〔사슬〕에 매다; 《比》 속박〔구속〕하다; (의 마음을) 사로잡다, 매혹하다.
fest [fɛst] [fast 와 同語] 《Ⅰ》 *a.* ① 굳은, 고체의(*solid, hard*). ② 죄어진, 긴밀한(*tight, compact*), ③ 고정한, 움직이지 않는(♈*fast; fixed*). ④ 견고한 (*strong*). ¶ ~e Nahrung 고형 식품 / ein ~er Platz 요새 / ~e Preise 정가 / ~er Schlaf 숙면 / ~e Stellung 안정된 지위 / gegen et. ~ sein 무엇의 해를 입지 않다 / in et.³ ~ sein 무엇에 숙달〔정통〕하여 있다. 《Ⅱ》 *adv.* 굳게, 단단히, 꽉.
Fest [fɛst] [Lw. lat.] *n.* -es, -e, 축제 (♈*feast*, ♈*festival*); 축일, 축제일(*holiday*). **Fest·abend** *m.* 축제의 밤; 축제의 전야.
fest·besoldet *a.* 고정 급료를 받고 있는. **~|binden*** *t.* 굳게 매다. **~|bleiben*** *i.*(s.) ① (물가가) 변동하지 않다, 보합되다. ② (의견 따위를) 고집하다.
Feste [féstə] [<fest] *f.* -n, 성채; 요새 (*stronghold*); 〖聖〗 (~ des Himmels) 창천, 하늘(*firmament*).
festen [fɛstən] *i.*(h.) 《稀》 제전을 거행하다; 향연을 열다.
Fest·essen [fést-ɛsən] *n.* (축제의) 향연.
fest|fahren* [féstfa:rən] *i.*(s.) u. *refl.* (차가) 진흙에 빠지다; 〖海〗 좌초하다.
Fest·feier *f.* 축제. **~gabe** *f.* 축하의 선물. **~halle** *f.* 연회장.
fest|halten* [késthaltən] 《Ⅰ》 *t.* 꽉 잡다; 구류하다. 《Ⅱ》 *i.*(h.): an s-r Meinung ~ 자기 설을〔권리를〕 고집하다.

《Ⅲ》 *refl.* (an et.³, 에) 붙어서 떨어지지 않다.
festigen [féstɪgən] *t.* 굳히다; 〖商〗 (어음에) 지급지를 기입하다; (통화를) 안정시키다.
Festigkeit [féstɪçkait] *f.* -en, ① 굳음, 긴밀; 고정; 불변, 항상(恒常); 견인; 완건(頑健), 강의(剛毅). ② 〖物〗 강성(剛性); 〖工〗 (재료의) 강도.
Festival [féstival, fɛstivál] [engl.] *n.* -s, -s, 음악제; 축제의 여러 가지 모임이나 연예 따위; 축제.
Festkleid [féstklait] *n.* 예복.
Fest·körper *m.* 단단한 물체; 고체; 결정체. **~land** *n.* 대륙; 본토. **~|lēgen** 《Ⅰ》 *t.* 단호히 결정하다; (자본을) 고정하다, 확실한 곳에 투자하다; 언질을 잡다. 《Ⅱ》 *refl.* 구속되다, 언질을 주다; 정박하다.
festlich [féstlɪç] *a.* 축제의; 축제 같은; 《比》 장려한, 화려한. **Festlichkeit** *f.* -en, 축제, 식; 향연; 장려, 화려.
fest·|liegen* *i.*(h.) 고착〔고정〕해 있다; (환자가) 병상에 누운 채이다. **~|machen** *t.* 고착〔고정〕시키다; 《比》 확정〔규정〕하다; 〖軍〗 (도시에) 방비를 베풀다 《축성 따위》; 〖商〗 (거래 관계를) 맺다.
Festmahl [féstma:l] *n.* ＝FESTESSEN.
fest·nägeln *t.* 굳게 붙박다; 《比》 확증하다. **~nahme** *f.* 체포, 구금. **~|nehmen*** *t.* 체포〔구금〕하다.
Feston [fɛstɔ̃:] [fr. ♈Fest] *n.* -s, -s, 꽃걸이 장식; 레이스의 꽃무늬. **festonieren** *t.* 꽃걸이 장식으로 꾸미다.
Fest·ordner *m.* 축제 행사의 진행 위원. **~ordnung** *f.* 축제의 순서〔프로그램〕.
Festpreis [féstprais] *m.* 정가; 정지 가격, 통제 가격.
Fest·rēde *f.* 식사, 축사. **~schrift** *f.* 기념 논문집.
fest·|setzen [féstzɛtsən] 《Ⅰ》 *t.* 체포〔구금〕하다; 확정〔결정〕하다; 〖法〗 지정〔제정〕하다. 《Ⅱ》 *refl.* (사람이) 정주하다; (습관이) 뿌리박다. **~setzung** *f.* 확정, 결정; 지정; 구금.
Fest·spiel [fést-ʃpi:l] *n.* 축제의 여흥·연예; 축제극.
fest|stēh(e)n* [fést-ʃte:ən] 《Ⅰ》 *i.*(h.) 확실하다. ★ fest steh(e)n 굳건히 서 있다; 움직이지 않다. 《Ⅱ》 **fest·stēhend** *p.a.* 붙박인; 《比》 확립〔확정〕된, 확실한.
fest·|stellen [-ʃtɛlən] *t.* 확립〔확정·확증·확인〕하다. ★ fest stellen 움직이지 않게 두다〔장치하다〕. **~stellung** *f.* 확립, 확정, 확인, 확증.
Fest·tāg *m.* 축일, 휴일. **~täglich** *a.* 축제일다운; 장중〔엄숙〕한.
Festung [féstuŋ] [<fest] *f.* -en, 〖軍〗 요새(*stronghold, fortress*).
Festungs·bau *m.* 요새 구축. **~bereich** *m.* 요새 지대. **~grāben** *m.* 해자(垓字). **~haft** *f.* (정치범 따위의) 요새내의 금고. **~strāfe** *f.* 금고형(刑). **~wall** *m.* 성벽, 누벽(壘壁). **~werk** *n.* 축성 공사; (*pl.*) 요새.
Festwoche [féstvɔxə] *f.* 〖宗〗 축일 후의 주간.
fest|wurzeln [féstvurtsəln] *i.*(s.) 깊이 뿌리박다.
Festzūg [fésttsu:k] *m.* 축제 행렬.
Fete (**Fête**) [fé:tə, fɛ:t] [fr.] *f.* -n, 축제; 성대한 환대, 향응.
Fētisch [fé:tɪʃ] [port.] *m.* -es, -e, 주물(呪物).
fett [fɛt] [＝nd., obd. feist] *a.* ① 살찐, 통통한(♈*fat*). ② 지방이 많은(*greasy*). ③ 비옥한(*fertile*). ④ 풍부한(*rich*); 수입이 많은, (돈이) 벌리는 (*lucrative*). **Fett** [fɛt] *n.* -(e)s, -e, (*pl.* 은 종류를 나타냄) 지방, 비계(♈*fat*; *grease*). ¶ ~ ansetzen 지방이 붙다, 비만하여지다.
Fett·auge *n.* 수프 표면에 뜨는 굳기름 방울; 〖醫〗 안구 돌출. **~bauch** *m.* 올챙이 배(의 사람). **~darm** *m.* 〖解〗 직장(直腸). **~druck** *m.* 굵은 체의 인쇄. **~drüse** *f.* 피지선(皮脂腺). **~fleck** *m.* 지방의 반점〔오점〕. **~gans** *f.* 펭귄새. **~gehalt** *m.* 지방 함유량. **~gewēbe** *n.* 〖解〗 지방 조직. **~haltig** *a.* 지방을 함유한.
fettig [fétɪç] *a.* 지방 같은, 미끈미끈한, 찐득찐득한; 기름때가 묻은, 기름으로 번지르르한.
Fett·klumpen *m.* 비곗덩어리. **~leibig** *a.* 비만한. **~masse** *f.* 비곗덩어리. **~näpfchen** *n.* 지방 용기. ¶ 《比》 ins ~näpfchen treten 실패하다, 잘못을 저지르다. **~stift** (유리 같은 매끄러운 데 쓰는) 왁스크레용. **~sucht** *f.* 지방 과다증. **~wanst** *m.* ＝~BAUCH. **~wāre** *f.* 지방 제품《버터 따위》.
Fetzen [fétsən] *m.* -s, -, ① 찢어진 조각, 나부랑이(*shred, rag*). ② 넝마(*tatter*).
feucht [fɔyçt] *a.* 축축한, 젖은(*moist, humid, damp*). **feuchten** *t.* 축이다, 적시다(*moisten, wet, damp*). **Feuchtigkeit** [fɔ́yçtɪçkait] *f.* -en, 축축함, 습윤, 습기, 수분; 습도; 액(체). **Feuchtigkeitsmesser** *m.* 습도계.
feudāl [fɔydá:l] [lat. <*feudum* „Lehen" (*aus* got. *haihn* „Vieh" *od.* „Gut, Besitz")] *a.* 봉건 (제도)의; 봉건적인; 귀족적인. **Feudālherr** *m.* 봉건 군주.
Feuer [fɔ́yər] *n.* -s, -, ① 불(♈*fire*); 화제. ¶ ~ fangen 인화〔발화〕하다 / jm. ~ geben 아무에게 담뱃불을 빌려주다. ② 〖軍〗 포화, 사격. ③ 《比》 정열, 열렬, 활기. ¶ ~ u. Flamme sein, a) 격분하고 있다, b) 열심이다.
Feuer·befehl *m.* 사격 명령. **~berg** *m.* 화산. **~beständig** *a.* 내화성의. **~bestattung** *f.* 화장(火葬). **~bohne** *f.* 〖植〗 붉은꽃강낭콩. **~brand** *m.* (방화용) 소시개. **~eifer** *m.* 불타는 열의. **~eimer** *m.* 방화수통. **~einstellung** *f.* 〖軍〗 휴전. **~esse** *f.* 굴뚝; 대장간. **~fangend** *a.* 가연성의. **~farbe** *f.* 불꽃색. **~farben**, **~farbig** *a.* 불꽃색의. **~fest** *a.* 내화성의, 불연성의. **~gefährlich** *a.* 인화〔발화〕하기 쉬운. **~gewehr** *n.* 화기(火器), 총포. **~gitter** *n.* 난로 (둘레에 치는) 격자. **~glocke** *f.* 화재의 경종. **~hāken** *m.* (소방용) 불 갈고랑이; 부지깽이. **~hērd** *m.* (불이 타고 있는) 난로, 아궁이. **~holz** *n.* 장작. **~kanāl** *m.* (보일러) 염관(炎管), 염도(炎道). **~lärm** *m.* 화재 경보. **~leiter** *f.* 소방용 사다리. **~lilie** *f.* 〖植〗 백합의 일종. **~linie**

f. 〖軍〗 전선(前線). **~loch** *n.* 점화공(點火孔). **~lösch·apparāt** *m.* 소화기(消火器). **~löscher** *m.* 소화기. **~löschmannschaft** *f.* 소방단. **~māl** *n.* 〖醫〗 모반(母斑). **~materiāl** *n.* 연료. **~mauer** *f.* 방화벽. **~melder** *m.* 화재 경보기.

feuern [fɔ́yərn] 《Ⅰ》 *t.* 불태우다, 때다; (에) 불을 지피다. 《Ⅱ》 *i.*(h.) 발포〔사격〕하다(♈*fire, shoot*).

Feuer·ōfen *m.* 난로; 스토브. **~prōbe** *f.* 불에 의한 신명(神明) 재판; 《比》 괴로운 시련. **~raum** *m.* 화실(火室). **~rōt** *a.* 불같이 붉은.

Feuersbrunst [fɔ́yərsbrʊnst] *f.* 대화재.

Feuer·schāden *m.* 화재의 손해. **~schaufel** *f.* 부삽, 불쑤시개. **~schiff** *n.* 등대선(燈臺船). **~schirm** *m.* 난로 앞의 간막이. **~schwamm** *m.* 부싯깃.

Feuers·gefahr *f.* 화재의 위험. **~nōt** *f.* 화재; 화난(火難).

Feuer·sozietāt *f.* 화재 보험 회사. **~speiend** *p.a.* 불을 뿜는. **~spritze** *f.* 소화 펌프. **~stahl** *m.* (부싯돌의) 부시. **~stätte** *f.* 화재 장소; 난로. **~stein** *m.* 부싯돌(*flint*). **~stelle** *f.* 난로. **~taufe** *f.* 〖聖〗 불 세례《마태 3 : 11》; 《比》 포화의 세례; 첫 출전. **~tōd** *m.* 소사(燒死). **~überfall** *m.* 〖軍〗 기습 사격, 화력 기습.

F

Feu(e)rung [fɔ́y(ə)rʊŋ] *f.* -en, 불을 일으키기〔지피기〕; 연소, 가열; 불이 타는 장소; 화실(火室), 난로, 화덕; 연료.

Feuerversicherung [fɔ́yərfɛrzɪçərʊŋ] *f.* -en, 화재 보험.

Feuerversicherungs·anstalt, **~gesellschaft** *f.* 화재 보험 회사. **~schein** *m.* 화재 보험 증서.

Feuer·wache *f.* 화재 경비; 소방원 대기소. **~wächter** *m.* 화재 감시원. **~waffen** *pl.* 화기, 총포. **~wehr** *f.* 소방대. **~wehrmann** *m.* 소방사. **~werk** *n.* 연화(煙火), 불꽃놀이 **~werker** *m.* 불꽃놀이 화약을 만드는 사람; 〖軍〗 병기 하사관. **~zange** *f.* 부집게, 부젓가락. **~zeichen** *n.* 화광 신호; 화재 신호. **~zeug** *n.* 점화기.

Feuilleton [fœjətɔ̃́:, fœ́(l)jətɔ̃] [fr.] *n.* -s, -s, (신문의) 문예 오락란; 문예난물《수필·평론·연재 소설 등》. **Feuilletonist** [fœjətoníst] *m.* -en, -en, 문예 오락 담당 기자; (경멸적으로) 잡문가.

feurig [fɔ́yrɪç] *a.* 화기(火氣)가 있는, 불타고 있는, 뜨거운; 불 같은(♈*fiery*). ¶ ~er Wein 독한 술.

ff. 《略》 =folgende Seiten 다음 페이지 이하.

Fiaker [fiákər] [fr.] *m.* -s, -, 삯마차(*cab*).

Fiasko [fiásko] *n.* -s, -s, 실패(*failure, breakdown*).

Fībel[1] [fí:bəl] [*aus* Fable *u.* Bilbel?] *f.* -n, 입문서(*primer*); 철자 교과서(*spelling book*), 초보 독본.

Fībel[2] [fí:bəl] [lat. *fibula*] *f.* -n, 후쿠단추, 브로치, 안전핀(*brooch, clasp*).

Fīber [fí:bər] [lat. *fibra*] *f.* -n, 섬유(♈*fibre*). **Fibrīn** [fibrí:n] *n.* -s, 섬유소.

ficht [fɪçt] (er ~) ☞ FECHTEN 《그 現在》.

Fichte [fíçtə] *f.* -n, 〖植〗 독일가문비(*spruce*); 《俗·方》 소나무(*pine*). **fichten** *a.* 독일가문비의; 소나무 재목의.

Fichten·apfel *m.* =~ZAPFEN. **~hārz** *n.* 수지(樹脂). **~holz** *n.* 가문비 재목; 소나무 재목. **~nādeln** *pl.* 가문비 잎; 솔잎. **~zapfen** *m.* 솔방울.

fichtst [fɪçtst] (du ~) ☞ FECHTEN 《그 現在》.

Fide·ikommiß [fi:deikɔmís, fí:deikɔmɪs] [lat. „der Treue (*d. h.* dem staatlichen Schutze) anvertraut"] *n.* ..sses, ..sse, 〖法〗 신탁 유증(信託遺贈)(*entail*).

fidēl [fidé:l] [lat. „treu"] *a.* 유쾌한, 명랑한, 쾌활한(*merry, jally*).

Fīdibus [fí:dibʊs] [lat. 옛 학생 속어] *m.* -(ses), -(se), 점화용의 종이 노끈(*spill*).

Fieber [fí:bər] [Lw. lat.] *n.* -s, -, 열, 열병(♈*fever*); (Wechsel~) 간헐열; (Sumpf~) 학질. ¶ hitziges ~ 염증열 / kaltes ~ 오한(*ague*).

Fieber·anfall *m.* 열병의 발작. **~ārtig** *a.* 열병 같은. **~frost** *m.* 오한.

fieberhaft [fí:bərhaft] *a.* 열병 같은; 《比》 성급한, 흥분한; 열광적인.

Fieberhitze [-hítsə] *f.* 고열(高熱).

fieberig [fí:bərɪç] *a.* 열이 있는, 열병에 걸린 것 같은.

fieber·krank *a.* 열병에 걸린. **~mittel** *n.* 해열제.

fiebern [fí:bərn] *i.*(h.) 열이 있다; 열이 높아 헛소리하다.

Fieber·phantasie *f.* =~WAHN. **~rinde** *f.* 기나수(樹) 껍질. **~schauer** *m.* 오한. **~thermomēter** *n.* 체온계. **~wahn** *m.* 〖醫〗 섬망(譫妄).

Fiedel [fí:dəl] [Lw. lat. *vitula*] *f.* -n, 피델《중세에서 근세에 걸쳐 쓰인 악기, 바이올린의 전신(♈*fiddle*)》; 《俗》 바이올린. **Fiedelbōgen** *m.* 바이올린의 활.

fiedeln *i.*(h.) u. *t.* (서투르게) 바이올린을 켜다.

Fieder [fí:dər] [<Feder] *f.* -n, 작은 깃털; 〖植〗 깃모양의 작은 잎(*leaflet*).

Fiedler [fí:dlər] *m.* -s, -, 서툰 바이올린 주자.

fiel [fi:l] ☞ FALLEN 《그 過去》.

FIFA, **Fifa** [fí:fa] [fr.] *f.* 《略》 =*F*édération *I*nternationale de *F*ootball *A*ssociation 국제 축구 연맹.

fighten [fáitən] [engl. „kämpfen"] *i.*(h.) 투지를 불태우다, 적극적으로 공격하다. **Fighter** *m.* -s, -, 공격형의 권투 선수.

Figūr [figú:r] [lat., <fingieren] *f.* -en, ① 형, 몸매, 자태(*form, shape*). ② 자세, 모양(♈*figure*). ③ 윤곽; 상(*image*). ④ 〖數〗 그림, 도형(*diagram*). ⑤ (장기의) 말(*chessman*); (도기 따위로 제조된) 상(像)(♈*figure*); (Rede~) 비유.

figūrlich [figý:rlɪç] *a.* 비유적인(♈*figurative*); *adv.* 비유적으로, 은유적으로(*metaphoricaly*).

Fiktiōn [fɪktsĭó:n] [lat., <fingieren] *f.* -en, 작위(作爲), 허구(虛構)(*invention, pretence*). **fiktīv** [fɪktí:f] *a.* 작위의, 허구의(♈*fictitious*).

Filet [filé:] [fr., lat. *filum* „Faden"] *n.* -s, -s, 그물 실; 그물 세공(*network*); 〖料〗 등심(살)(♈*fillet*).

Filiale [filiá:lə] [lat.; *fīlius* „Sohn“, *fīlia* „Tochter“] *f.* -n, 지소(支所), 지점, 지사(*branch*).

Filigran [filigrá:n] [lat. „Faden-korn“] *n.* -s, -e, 금은 선세공(線細工)(♈*filigree*); 정밀한 세공.

Film [fılm] [engl. „Häutchen“] *m.* -(e)s, -e, ① 얇은 껍질, 막(膜). ② 필름, 감광막(感光膜). ③ 영화.

Film≈atelier *n.* 영화 촬영소. **~auf≈nahme** *f.* 영화 촬영. **~diva** [-di:va] *f.* 영화 스타(여).

filmen [fílmən] 《Ⅰ》 *i.*(h.) u. *t.* 영화로 찍다. 《Ⅱ》 *i.*(h.) 영화에 출연하다.

Film≈größe *f.* 영화 스타. **~kassette** *f.* (사진기의) 필름 통. **~regisseur** *m.* 영화 감독. **~rolle** *f.* 감긴 필름. **~schauspieler** *m.* 영화 배우. **~≈stār** *m.* 영화 스타. **~streifen** *m.* 띠 모양의 필름. **~theāter** *n.* 영화관. **~verleih** *m.* 영화 배급. **~vōrstel≈lung** *f.* 상영(上映). **~welt** *f.* 영화계. **~woche** *f.* 주간 뉴스 영화.

Filter [fíltər] [lat., *aus* germ.; <Filz] *m.* 〔*n.*〕 -s, -, 여과기, 필터(♈*filter*). **filtern** *t.* =FILTRIEREN. **filtrieren** *t.* 여과하다.

Filtrier≈papier *n.* 여과지. **~trichter** *m.* 여과용 깔때기.

Filz [fılts] *m.* -es, -e, ① 모전(毛氈), 펠트(♈*felt*); 펠트 모자. 〖植〗 솜털. ② 시골뜨기; 구두쇠. ③ 심한 힐책. **filzen** *t.* 펠트로 만들다; 훌닦다. **Filzhūt** *m.* 펠트 모자. **filzig** *a.* 펠트의; 〖植〗 솜털이 있는; 《比》 인색한.

Filz≈laus *f.* 〖蟲〗 사면발이. **~schuh** *m.* 펠트 구두.

Fimmel [fíməl] [<fummeln] *m.* -s, -, 《俗》 부질없는 열정, 열광(狂).

final [finá:l] [lat.] *a.* 최후의. **Finale** [finá:lə, -le:] [it.] *n.* -s, -s, 〖樂〗 피날레; 〖劇〗 대단원.

Finanz [finánts] [fr.] *f.* -en, 금융(업·시장·계); (*pl.*) 재정(財政)(♈*finances*).

Finanz≈amt *n.* 재무국; 세관; 세무서. **~anschlāg** *m.* 예산. **~behörde** *n.* 세무 관청.

finanziell [finantsiél] [fr.] *a.* 재정〔경제〕상의. **finanzieren** [-tsí:rən] *t.* (의) 자금을 조달〔공급〕하다, 융자하다.

Finanz≈jahr *n.* 회계 연도. **~lāge** *f.* 재정 상태. **~mann** *m.* 재정가. **~≈minister** *m.* 재무부 장관. **~mini≈stērium** *n.* 재무부(*Treasury*). **~poli≈tik** *f.* 재정 정책. **~wēsen** *n.* 재정(사항). **~wissenschaft** *f.* 재정학.

Findel [fíndəl] *m.* 〔*n.*〕 -s, -, 기아(棄兒).

Findel≈haus *n.* 기아(棄兒) 양육원. **~≈kind** *n.* 기아.

finden* [fíndən] [„가다“의 뜻인 인도 유럽어의 어근에 속함] 《Ⅰ》 *t.* ① (눈으로) 찾아내다(♈*find; meet with*); 발견하다(*find out, discover*). ② (…으로) 인정하다(*think*); 생각하다. ③ 손에 넣다; 얻다. ¶Anerkennung ~ 진가를 인정받다, 호평받다. ④ 느끼다. 《Ⅱ》 *refl.* ① (자신이 …임을) 깨닫다; 제정신이 들다. ② 어느 장소〔상태〕에 있다. ¶am Markt findet sich ein altes Haus 시장 옆에 낡은 집이 있다. ③ 발견되다; 출현하다; 나타나다. ¶so et. findet sich nicht oft 그런 일은 좀처럼 일어나지 않는다. ④ 어느 방향으로 가다. ¶sie fand sich heim 그녀는 귀가길에 올랐다 / sich in et. ~, a) 무엇에 순응하다, 거스르지 않다, b) 무엇에 통달하다. ⑤ es wird sich (mit der Zeit) ~ 그것은 (차차) 좋아질 것이다. **Finder** *m.* -s, -, 발견자, 습득자. **Finderlohn** *m.* 습득자에 대한 사례.

findig [fíndıç] *a.* 발견된; 솜씨〔손재주〕 있는, 창의성이 풍부한. **Findigkeit** *f.* 기지, 민완, 명민(함).

Findling [fíntlıŋ] *m.* -s, -e, ① 기아(棄兒); 주워온 아이. ② 〔~s≈block〕 〖地〗 표석(漂石).

fing [fıŋ] ☞FANGEN 《그 過去》.

Finger [fíŋər] *m.* -s, -, 손가락(♈*finger*). ¶**an** den ~n abzählen 손가락을 꼽아 헤아리다 / Gottes ~ 신의 가리킴〔섭리〕 / jm. **auf** die ~ klopfen 아무를 타이르다 / et. **aus** den ~n lassen 무엇을 놓아버리다 / jm. **durch** die ~ sehen 아무를 너그러이 보아주다 / jn. **um** den ~ wickeln 아무를 마음대로 조종하다.

Finger≈abdruck *m.* 무인(拇印); 지문. **~fertig** *a.* 손 끝이 여문. **~gelenk** *n.* 손가락 관절. **~hūt** *m.* 골무; 〖植〗 디기탈리스(*foxglove*).

Fingerling [fíŋərlıŋ] *m.* -s, -e, 장갑의 손가락; 골무.

fingern [fíŋərn] 《Ⅰ》 *i.*(h.) 손가락 (끝)을 움직이다; (an, 에) 손가락으로 대다, (을) 만지다. 《Ⅱ》 *t.* 손가락으로 만지작거리다; 《俗》 처리하다, 잘 해치우다.

Finger≈ring *m.* 반지. **~satz** *m.* 〖樂〗 운지법. **~spitze** *f.* 손가락 끝. **~≈sprāche** *f.* 수화(手話)(법). **~zeig** *m.* 지시; 힌트.

fingieren [fıŋgí:rən] [lat. *fingere* „formen, gestalten“] *t.* 날조하다, (없는 것을) 지어내다; 속이다, 체하다; 가정하다.

finit [finí:t] [lat. „begrenzt“] *a.*: 〖文〗 ~e Verbalform 정동사형(定動詞形).

Fink(e) [fıŋk, fíŋkə] *m.* ..ken, ..ken, 〖鳥〗 방울새(♈*finch*); 《比》 칠칠치 못한 녀석.

Finne[1] [fínə] [Lw. lat. *penna*] *f.* -n, 〖動〗 피네 애벌레; (위에 의하여 생기는) 소구진(小丘疹), 여드름(*pimple*). **Finne**[2] *f.* -n, (Fisch~) 등지느러미(♈*fin*).

Finne[3] [fínə] *m.* -n, -n, **Finnin** *f.* -nen, 핀란드 사람.

finnig [fínıç] [<Finne[1]] *a.* 피네 유충이 있는; 여드름이 있는.

finnisch [fínıʃ] 핀란드 (사람·말)의. **Finnland** *n.* 핀란드. **Finnländer** *m.* -s, -, =FINNE.[3] **finnländisch** *a.* 핀란드의. **Finnmark** *f.* 핀란드 마르크 《화폐 단위명》.

finster [fínstər] *a.* 어두운(*dark, obscure*); 암담한, 음울한(*gloomy, sad, sullen*). **Finsterling** *m.* -s, -e, 비개화주의자(*obscurantist*). **Finsternis** *f.* -se, 암흑; 《比》 무지 몽매, 미개; 〖天〗 식(蝕).

Finte [fíntə] [lat. -it., <fingieren] *f.* -n, 〖펜싱〗 페인트(*feint*); 《比》 책략, 계교(*trick*); 둔사(遁辭)(*fib*).

Firlefanz [fírləfants] [*eig.* „Kreiseltanz"] *m.* -es, -e, 실없는 장난, 바보 같은 일, 하찮은 것(*foolery, nonsense*).

Firma [fírma] [it., <lat. *firmus* „fest, sicher"] *f.* ..men, (상회의) 서명(署名); 상회(♈*firm; concern*). **Firmament** [fɪrmamɛ́nt] [lat. *firmus* „fest"] *n.* -(e)s, -e, †(das feste Himmelsgewölbe) 창천, 창궁. **firme(l)n** [fírmə(l)n] [< lat. *firmus* „firm"] *t.* 〖가톨릭〗 (에게) 견진 성사를 베풀다(*confirm*).

Firmen≈(adreß)buch *n.* 상회〔상점〕 명부. **~inhaber** *m.* 상회의 주인. **~register, ~verzeichnis** *n.* =~BUCH. **~schild** *n.* 상점의 간판.

Firmling [fírmlɪŋ] [lat.] *m.* -s, -e, 〖가톨릭〗 견진 성사를 받는 소년. **Firmung** [fírmʊŋ] *f.* -en, 견진 성사.

Firn [fɪrn] [<firn (♈fern) „vergangen, von vorigem Jahr"] *m.* -(e)s, -e(n), 만년설(*névé*); 빙설(氷雪)(*glacier-snow*).

Firnis [fírnɪs] [Lw. fr.] *m.* -ses, -se, 니스, 와니스(♈*varnish*); 《比》 허식(虛飾), 외관. **firnissen** *t.* (에) 와니스를 바르다; 《比》 의 겉을 꾸미다.

First [fɪrst] [♈vor] *m.* -(e)s, -e; od. 《方》 *f.* -en, 〖建〗 (지붕의) 용마루(*ridge*); 〖詩〗 산등성이(*mountain ridge*).

Fis [fɪs] *n.* -, -, 〖樂〗 올림 바 음; (*Fis-dur*) 올림 바장조. ***fis*** *n.* -, -, 〖樂〗 올림 바 음; (*fis-moll*) 올림 바단조.

Fisch [fɪʃ] *m.* -es, -e, 물고기, 생선(♈*fish*).

Fisch≈aar, ~adler *m.* 〖鳥〗 물수리(*osprey*). **~ähnlich** *a.* 물고기를 닮은. **~angel** *f.* 낚시 바늘. **~artig** *a.* 물고기 모양의. **~behälter** *m.* 어조(魚槽), 산 물고기 담는 물통. **~bein** *n.* 고래 뼈. **~brut** *n.* 물고기 새끼. **~dampfer** *m.* 원양 어업(용 증기)선.

fischen [fíʃən] 《I》 *t.* 고기를 잡다. ¶ jn. aus dem Wasser ~ 아무를 물에서 끌어 올리다〔구하여 내다〕. 《II》 *i.*(h.) 고기를 잡다, 고기잡이를 하다. ¶ 《比》 im Trüben ~ 어수선한 틈에 한몫 보다. **Fischer** [fíʃər] *m.* -s, -, 어부(*fisherman*).

Fischer≈barke *f.*, **~boot** *n.* 어선(漁船). **~dorf** *n.* 어촌.

Fischerei [fɪʃəráɪ] *f.* -en, 고기잡이; 어업, 수산업; 어장. **~recht** *n.* 어업권〔법〕.

Fischer≈flotte *f.* 어선대(漁船隊). **~garn** *n.* 어망. **~gerät** *n.* 어구(漁具). **~netz** *n.* 어망.

Fisch≈fang *m.* 고기잡이, 어획. **~garn** *n.* 어망. **~gerät** *n.* 어구(漁具). **~geruch** *m.* 물고기의 냄새. **~gräte** *f.* 물고기의 가늘고 뾰족한 뼈《등뼈에서 양 쪽에 난 것》. **~händler** *m.* 생선 장수. **~haut** *f.* 생선 껍질; 〖醫〗 닭살.

fischig [fíʃɪç] *a.* 물고기 같은〔모양의〕.

Fisch≈kasten *m.* 어조(魚槽). **~konserve** *f.* 생선 통조림. **~laich** *m.* 어란(魚卵), 곤이(*spawn*). **~leim** *m.* 물고기 아교. **~milch** *f.* (물고기의) 이리. **~netz** *n.* 어망. **~otter** *m.* 〔*f.*〕 〖動〗 수달. **~reich** *a.* 어류가 풍부한. **~reiher** *m.* 〖鳥〗 왜가리(*heron*). **~reuse** *f.* 어살(*weir*). **~rogen** *m.* 어란(魚卵), 곤이. **~satz** *m.* =~BRUT. **~teich** *m.* 양어지. **~tran** *m.* 어유(魚油), 간유. **~wehr** *n.* 어량(魚梁). **~weib** *n.* 여자 생선 장수; 《比》 야비한 여자. **~zucht** *f.* 양어. **~zug** *m.* 어망 끌기; 한 그물의 고기; 어군(魚群).

Fiskal† [fɪská:l] [lat. <Fiskus] *m.* -s, -e, 국고 출납관. **fiskalisch** *a.* 국고의(♈*fiscal*); 국가〔국유〕의. **Fiskus** [fís-kʊs] [lat. „Geldkorb"] *m.* -, - u. ..ken, 국고(國庫)(*Exchequer, Treasury*).

Fistel [fístəl] [Lw. lat. *fistula* „Röhre, Rohrpfeife"] *f.* -n, 〖解〗 누관(瘻管); 〖樂〗 〔**~stimme** *f.*〕 팔세토, 가성(假聲)(*falsetto*).

Fittich [fítɪç] [<Feder] *m.* -(e)s, -e, 날개(*wing, pinion*).

fix [fɪks] [Lw. lat. *fixus* „fest"] 《I》 *a.* 고정된(♈*fixed*). ¶ ~es Gehalt 고정된 봉급 / ~e Idee 고정 관념. 《II》 *a.* u. *adv.* 《俗》 재빠른, 약삭빠른, 기민한(*quick, smart*). ¶ ~ u. fertig 준비가 다 된. **Fixierbad** *n.* 〖寫〗 정착욕(定着浴). **fixieren** [fɪksí:rən] *t.* 고착시키다; 확정하다; 〖寫〗 정착시키다; (mit den Augen ~) 응시하다. **Fixiermittel** *n.* (사진의) 정착제(劑).

Fix≈punkt *m.* 정점(定點); 주시점. **~stern** *m.* 〖天〗 항성(恒星).

Fixum [fíksʊm] *n.* -s, ..xa, 고정 수입, 고정 봉급.

Fjord [fjɔrt] [dän.] *m.* -(e)s, -e, 절벽에 에워싸인 좁은 만, 협만(峽灣)(♈*fiord*).

flach [flax] *a.* ① 평평한(*flat, plain, level*). ② 납작한, 얇은(*shallow*). ③ 《比》 천박한.

Fläche [flɛ́çə] [<flach] *f.* -n, 평탄(한 것); 평지, 평야(*plain*); 손바닥(*palm*); 표면(*surface*), 면(적)(*area*); 〖數〗 평면.

Flächen≈ausdehnung *f.* 면의 넓이. **~heizung** *f.* 전면 난방《열탕관을 마루·벽·천정 등에 끼운》. **~heiligkeit** *f.* 면(面) 조명도. **~inhalt** *m.* 면적. **~maß** *n.* 평방적, 면적 측정의 단위. **~messung** *f.* 면적 측량; 평면 기하학. **~raum** *m.* =~INHALT.

Flach≈feld *n.* 평원, 평야. **~gedrückt** *a.* 눌려 납작해진, 평평한.

Flachheit [fláxhaɪt] *f.* -en, 평평함, 평탄함; 《比》 평범, 천박(한 사물·언행).

Flach≈land *n.* (*pl.* ..länder) 평지, 저지. **~rennen** *n.* (경마의) 평지 경주.

Flachs [flaks] [♈flechten] *m.* -es, 〖植〗 아마(♈*flax*).

Flachs≈acker *m.* 아마 밭. **~bau** *m.* 아마 재배. **~blond** *a.* 아마색의, 짙은 블론드의. **~breche** *f.* 아마를 훑는 빗.

flächse(r)n [flɛ́ksə(r)n] *a.* 아마(제)의; 아마 같은.

Flachs≈haar *n.* 아마색의 머리털《금발의 일종》. **~kopf** *m.* 아마색 머리털의 사람. **~röste, ~rotte** *f.* 아마의 건조 (장치). **~samen** *m.* 아마인(仁). **~seide** *f.* 〖植〗 실새삼의 일종. **~spinnerei** *f.* 마방(麻紡) (공장).

F

Flach=zange *f.* 입이 납작한 집게. **~=ziegel** *m.* 납작 기와.

flackern [flákərn] *i.* (h. *u.* s.) (불이) 날름날름 타다(*flare*); (빛이) 깜박거리다 (*flicker*).

Fladen [flá:dən] *m.* -s, -, 납작하고 둥근 과자(*flat cake*); (Kuh~) 쇠똥(*cow-dung*); 똥똥보.

Flageolett [flaʒolέt] [fr.] *n.* -(e)s, -e *u.* -s, 〖樂〗 플라졸렛《부리 모양의 작은 피리》; 〔**~tōn** *m.*〕 현악기로 내는 플루트를 닮은 소리.

Flagge [flágə] *f.* -n, (4 각의) 기(♈*flag*); (특히) 선기(船旗), 국기. **flaggen** *i.*(h.) 기를 나부끼다, 기를 게양하다.

Flaggen=stange *f.*, **~stock** *m.* 깃대. **~tūch** *n.* 깃발.

Flaggschiff [flákʃɪf] *n.* 기함(旗艦).

Flak [flak] *f.* -(s), 《略》 =*Fl*iegerab-wehr*k*anone, 고사포; 〔**~artillerie** *f.*〕 고사포대.

Flakon [flakɔ̃:] [fr. „Fläschchen"] *m.* od. *n.* -s, -s, 작은 병(*phial*); 향수병 (*scent-bottle*).

Flāme [flá:mə] *m.* -n, -n, **Flāmin**, **Flāmin** *f.* -nen, 플란더즈 사람.

Flamingo [flamíŋgo] [port.] *m.* -s, -s, 〖鳥〗 플라밍고, 홍학.

flāmisch [flέ:mɪʃ] *a.* 플란더즈(사람·말)의; 메부수수한; 무뚝뚝한.

Flāmländer [flá:mlɛndər] *m.* =FLAME.

flāmländisch *a.* 플란더즈의.

Flamme [flámə] [Lw. lat.] *f.* -n, ① 불꽃, 화염(♈*flame*; *blaze*). ¶in ~n aufgeh(e)n 소실되다. ② 《俗》 애인.

flammen [flámən] 《Ⅰ》 *i.* (h.) ① (불꽃을 튀기며) 타다, 타오르다. ② 빛나다, 번쩍이다. ③ 격하다. 《Ⅱ》 *t.* ① 태우다. ② (피륙에) 불꽃 무늬를 넣다.

Flammen=bōgen *m.* 발염(發炎) 아크등. **~ōfen** *m.* =FLAMMOFEN. **~wer=fer** *m.* 화염 방사기. **~zeichen** *n.* 화광(火光) 신호.

Flammerī [flámərì:] [engl. *flummery*] *m.* -(s), -s, 〖料〗 플라메리《밀가루·우유·계란 따위로 만든 푸딩》.

flammig [flámɪç] *a.* 불타는, 불꽃이 이는; 불꽃〔물결〕 모양의 무늬가 있는.

Flamm=ōfen *m.* 반사로. **~punkt** *m.* 인화점.

Flandern [flándərn] *n.* 플란더즈《벨기에의 한 지방》. **flandrisch** [-drɪʃ] *a.* 플란더즈의; 《比》 경박한.

Flanell [flanέl] [engl. *flannel*] *m.* -s, -e, 플란넬.

Flanke [fláŋkə] [fr. *aus* ahd. *hlanca* „Seite"] *f.* -n, 〖軍〗 측면, 익(翼)(*flank*); (동물의) 옆구리(*side*); 산허리. **~n=an=griff** *m.* 측면 공격.

flankieren [flaŋkí:rən] *t.* (의) 측면을 공격〔엄호〕하다.

flapsig [flápsɪç] *a.* 메부수수한, 나태한 (*boorish*, *uncouth*); 무기력한.

Flāschchen [flέʃçən] [*dim.* v. Flasche] *n.* -s, -, 작은 병; 포유병(瓶).

Flasche [fláʃə] [Lw. lat. *flasca*] *f.* -n, 병(*bottle*), 플라스크(♈*flask*).

Flaschen=bier *n.* 병 맥주. **~hals** *m.* 병의 목. **~keller** *m.* ① 술 곳간. ② 병 담는 그릇《여행용》. **~kürbis** *m.* 〖植〗 호리병박. **~post** *f.* (조난 때 등에) 병에 종이를 넣어 바닷물에 흘려 보내는 통신법. **~zūg** *m.* 도르래.

flatterhaft [flátərhaft], **flatt(e)rig** *a.* 마음이 변하기 쉬운, 경박한. **Flatter=haftigkeit** *f.* -en, 변덕스러움, 경박함.

Flattermine [flátərmi:nə] *f.* 〖軍〗 지뢰.

flattern [flátərn] *i.* (h. *u.* s.) 펄펄 날다, (에) 나부끼다(♈*flutter*); 변덕스럽다.

flattieren [flatí:rən] [fr.] *i.*(h.) 아첨하다, 알랑거리다(jm.).

flau [flau] [Lw. fr.] *a.* ① 약한 쇠약한; 지친; 무력한; 나태한; 우유부단한. ② 흐릿한; 김 빠진 (주류); 원기 없는 (*queer*, *quaint*); 잠잠한(*calm*). ③ 〖商〗 매기가 부진한; (시황이) 활발치 못한, (*slack*). **Flauheit** *f.* -en, 쇠약, 피로; 활기 없음; 불황, 부진.

Flaum [flaum] [Lw. lat. *pluma* „Feder"] *m.* -(e)s, 솜털(*down*, *fluff*).

Flaum=bārt *m.* 솜털 수염; 애숭이. **~=fēder** *f.* 솜털.

flaumig [fláumɪç] *a.* 솜털이 있는; 솜털 같은.

Flaus [flaus], **Flausch** [flauʃ] [♈ Vlies] *m.* -es, -e, (두껍고 괴깔이 긴) 성긴 나사(羅紗).

Flause [fláuzə] *f.* -n, (흔히 *pl.*) 속임수, 핑계, 허풍(*humbug*). **~n=macher** *m.* 속이는 사람; 허풍선이.

Flaute [fláutə] [<flau] *f.* -n, (풍파의) 잠잠함(*calm*); 불활발(*dullness*).

Flechse [flέksə] [Lw. lat. *flexus* „Biegung"] *f.* -n, 〖解〗 건(腱)(*tendon*, *sinew*).

Flechte [flέçtə] *f.* -n, 엮어진 것, 버들 세공; 〖醫〗 태선(苔癬)(*herpes*); 〖植〗 지의류(地衣類)(*lichen*). **flechten*** [flέçtən] *t.* 엮다(*plait*, *braid*); 꼬다, 땋다(*twist*); *refl.* 꼬이다, 짜이다, 엉키다.

Flecht=weide *f.* 〖植〗 꽃버들. **~werk** *n.* 버들 세공, 바구니 세공.

Fleck [flɛk] [*eig.* „Fetzen"] *m.* -(e)s, -e, ① 조각, 쪼가리(*piece*); 이음 조각 (*patch*). ② (작은) 장소, 지점(*place*), 개소(箇所). ¶vom ~ Kommen 진행하다, 순조롭게 되다. ③ 반점(*spot*). 얼룩, 오점(*stain*); 《比》 오욕, 결점(*blot*).

Flecken [flέkən] [„Stück Raum", < Fleck] *m.* -s, -, 《Ⅰ》 작은 읍, 소도시 (*market town*, *borough*). 《Ⅱ》 (Fleck) 점, 오점, 얼룩. **flecken** [flέkən] 《Ⅰ》 *t.* (에) 얼룩〔반점〕을 붙이다. 《Ⅱ》 *i.*(h.) 《俗》 (vom Fleck kommen) 진척되다 (*get on*).

flecken=frei, **~lōs** *a.* 더럼〔오점·결점〕이 없는, 결백한.

Fleckfieber [flέkfi:bər] *n.* 발진티푸스.

fleckig [flέkɪç] *a.* 반점〔결점〕이 있는.

Fleck=kūgel, **~seife** *f.* 얼룩을 빼는 비누. **~tȳphus** *m.* 발진 티푸스. **~=wasser** *n.* 얼룩 빼는 액체, 벤진.

Flēdermaus [flé:dər-] [前半: ♈flattern] *f.* 〖動〗 박쥐(*bat*).

Flēgel [flé:gəl] [Lw. lat.] *m.* -s, -, (Dresch~) 도리깨(♈*flail*); 《比》 버릇 없는 자, 메부수수한 사람(*lout*, *boor*); 한창 건방진 나이의 소년. **Flēgelei** *f.*

F

-en, 버릇 없음; 염치를 모름; 그런 행위. **flegelhaft** *a.* 버릇 없는, 메부수수한. **Flegeljahre** *pl.* 한창 건방진 나이(*cubhood*). **flegeln** [flé:gəln] 《Ⅰ》 *t.* 도리깨로 탈곡하다, 때려 눕히다. 《Ⅱ》 *i.*(h.) 버릇없이〔메부수수하게〕 굴다.

flehen [flé:ən] 《Ⅰ》 *i.*(h.) u. *t.* 애원〔간원·탄원〕하다(*implore, entreat, supplicate*). 《Ⅱ》 **Flehen** *n.* -s, 탄원, 간원, 애원. **flehentlich** [flé:əntlıç] *a.* 간절한; *adv.* 간절히.

Fleisch [flaiʃ] *n.* -es, ① 살(♈*flesh*); (Muskel∼) 근육(*brawn*). ② (Koch∼) 식용육(肉)(*meat*). ③ 〖植〗 과육(果肉)(♈*flesh, pulp*). ④ 〖聖〗 육체, 인간; 정욕.

Fleisch=bank *f.* 고기를 파는 대(臺). **∼brühe** *f.* 고기 수프.

Fleischer [fláiʃər] *m.* -s, -, 푸주한, 백정(*butcher*). **Fleischerei** *f.* -en, 도살업, 푸주.

Fleischergang [-gaŋ] *m.* 《比》 헛걸음 (푸주 주인이 농가에 소를 사러 가나 송아지여서 종종 헛걸음침과 같은).

Fleischeslust [fláiʃəslust] *f.* 육욕, 정욕.

Fleisch=extrakt *m.* 고기 엑스. **∼farbe** *f.* 살빛. **∼farben, ∼farbig** *a.* 살빛의. **∼faser** *f.* 근육 섬유. **∼fliege** *f.* 고기 파리《고기나 상처에 알을 깜》. **∼fressend** *a.* 육식의; ¶ ∼fressende Pflanzen 포충 식물(捕蟲植物). **∼geworden** *a.* 〖宗〗 성육신(成肉身)한, 인자(人子)가 된 《그리스도》. **∼hacker** *m.* 도살자; 푸주. **∼hackmaschine** *f.* 고기 저미는 기계. **∼hauer** *m.* =∼HACKER.

fleischig [fláiʃıç] *a.* 살이 많은; 살 같은.

Fleisch=kamm *m.* (닭의) 볏. **∼kammer** *f.* 고기 저장실. **∼klöß** *m.*, **∼klößchen** *n.* 완자. **∼konserve** *f.* 고기 통조림. **∼kost** *f.* 육식, 고기 요리. **∼lauch** *m.* 양파.

fleischlich [fláiʃlıç] *a.* 살의; 육체적인; 육욕〔육감〕적인. ¶ ∼er Umgang 성교. **fleischlös** *a.* 살 없는; 여윈; 고기를 넣지 않은.

Fleisch=markt *m.* 고기 시장. **∼pastēte** *f.* 고기 만두〔파이〕. **∼schnitte** *f.* 고기의 자른 조각. **∼speise** *f.* 고기 요리. **∼suppe** *f.* 고기 수프. **∼wāre** *f.* 식육(食肉); 육제품(肉製品). **∼wērdung** *f.* 〖宗〗 성육신(成肉身); (그리스도의) 탁신(託身). **∼wolf** *m.* 고기 저미는 기계. **∼wunde** *f.* 가벼운 상처. **∼wurst** *f.* 고기 소시지.

Fleiß [flais] [*eig.* "분투"; ♈engl. *flite* „Streit"] *m.* -es, ① 근면 (*diligence, industry*). ¶ mit ∼ 열심히, 애써서. ② 의도, 배려, 조심. ¶ mit 〔《方》zu〕 ∼ 일부러, 짐짓, 고의로. **fleißig** 《Ⅰ》 *a.* 근면한, 열심인(*diligent, industrious*); 정성을 들인. 《Ⅱ》 *adv.* 열심히; 부지런히. ¶ ∼ besuchen 종종 방문하다.

flektieren [flɛktí:rən] [lat. „biegen"] *t.* 〖文〗 굽히다, 변화시키다(♈*inflect*).

flennen [flɛ́nən] *i.*(h.) 《俗》 울상을 짓다; (입을 삐죽거리며) 찔끔찔끔 울다(*whine*).

fletschen [flɛ́tʃən] *t.*: die Zähne ∼ 이를 드러내다《노여움의 표정》.

Flexion [flɛksió:n] [lat., <flektieren] *f.* -en, 〖文〗 어형 변화.

flicht [flıçt] (er ∼), **flichtst** [-tst] (du ∼) ☞FLECHTEN 《그 現在》.

Flicke [flíkə] *f.* -n. 수선. **flicken** [flíkən] [<Fleck] *t.* (에) 헝겊을 대다, 보철(補綴)하다(*patch*); (신 따위를) 수선하다(*mend, repair*). **Flicken** *m.* -s, -, 깁는〔때우는〕 조각〔헝겊, 가죽, 쇠붙이〕. **Flicker** *m.* -s, -, 수선공; (Schuh∼) 구두 수선공; (Kessel∼) 땜장이. **Flickerei** *f.* -en, 수선; 기움질.

Flick=schneider *m.* 수선 전문 재단사. **∼schuster** *m.* 신기료 장수(*cobbler*). **∼werk** *n.* 땜질〔기움질〕을 한 것; 독창성이 없는 시문(詩文). **∼wort** *n.* 〖修〗 허사(虛辭)(*expletive*). **∼zeug** *n.* 수선용품(品).

Flieder [flí:dər] *m.* -s, -, 〖植〗 말오줌나무(*elder*); (spanischer ∼) 라일락(*lilac*). **∼tee** *m.* 위의 꽃으로 만든 차(茶)《발한제》.

Fliege [flí:gə] [<fliegen] *f.* -n, ① 파리(♈*fly*). ② 아랫입술과 턱사이의 수염(*imperial*). ¶ spanische ∼, a) 〖蟲〗 가뢰, b) 위를 써서 만든 발포고(發泡膏).

fliegen* [flí:gən] 《Ⅰ》 *i.* (s. *u.* h.) ① 날다, 비상〔비행〕하다(♈*fly*). ¶ ∼ lassen (기를) 흔들다, (화살을) 쏘다, (비둘기를) 놓다, (연을) 띄우다. ② 《比》 날다, 날듯이 달리다〔나아가다〕(*rush*). ¶ in die Luft ∼ 폭발하다. **fliegend** *p.a.* ① 나는 듯한, 신속한. ¶ ∼es Blatt 삐라; 소책자(小册子) / in ∼er Eile 황급히. ② 이동〔부유·편력〕하는. ¶ ∼e Brücke 부교(浮橋), 선개교(旋開橋); 나룻배. ③ 펄럭이는; 급한; 잠시의. ¶ ∼e Hitze 간헐열(間歇熱). **Fliegen** *n.* 날기, 비행(*aviation*).

Fliegen=dreck *m.* 파리 똥. **∼fänger** *m.* 파리잡이 종이. **∼gewicht** *n.* 〖拳〗 플라이급. **∼klappe, ∼klatsche** *f.* 파리채. **∼pilz** *m.* 〖植〗 독버섯의 하나. **∼schrank** *m.* 파리장(帳)(*meat safe*). **∼wēdel** *m.* 파리채.

Flieger [flí:gər] *m.* -s, -, ① 나는 사람, 나는 것, 비행사(*airman, aviator, pilot*). ② 비행기; 급행 열차; 쾌주선. ③ 쾌속의 경마말; 단거리 (자전거) 경주자.

Flieger=abwehr *f.* 방공(防空). **∼abwehrkanōne** *f.* 고사포《略: Flak》. **∼alarm** *m.* 공습 경보. **∼angriff** *m.* 공습. **∼aufnahme** *f.* 공중 촬영. **∼bombe** *f.* (비행기에서의) 투하 폭탄. **∼horst** *m.* 〖軍〗 항공 기지. **∼kampf** *m.* 공중전. **∼rennen** *n.* 단거리 경주.

flieh! [fli:] ☞FLIEHEN 《그 命令形》.

fliehen* [flí:ən] 《Ⅰ》 *i.*(s.) 도망치다(♈*flee; run away*); (시간이) 지나가다(*pass away*). 《Ⅱ》 *t.* 피하다, 멀리하다 (*shun, avoid*). **Fliehkraft** *f.* 〖物〗 원심력(遠心力).

Fliese [flí:zə] *f.* -n, (마루·벽 따위에 대는) 타일(*floorstone, tile*).

Fließ=arbeit *f.* 〖工〗 일관 작업. **∼band** *n.* 컨베이어. **∼druck** *m.* (*pl.* 없음) 수압(水壓).

fließen* [flí:sən] 《Ⅰ》 *i.* (s. *u.* h.) ① 흐르다(♈*flow, stream, run*); 나오다, 듣다; (시간이) 경과하다; 녹다; (군중이) 흘

어지다; (종이에 액체가) 배다. ② (옷·머리 따위가) 펄럭이다. ③ (말·소리 따위가) 유창하게 나오다. ④ 넘치도록 있다, 풍부하다(von et.). 《Ⅱ》 **fließend** *p.a.* 흐르는; 유동체의; 《比》 유창한, 거침없는(♈*fluent*). ¶ ~ (*adv.*) sprechen 유창하게 말하다 / ~e Fertigung 일관 작업.

Fließ·laut *m.* 〖文〗 유음(流音)《l, r》. **~papier** *n.* 압지(押紙).

fließpressen *t.* (금속에) 고압을 가하여 녹이다.

Flimmer [flímər] [<Flamme] *m.* -s, -, 번쩍이는 빛, 가물거리는 빛(*glimmer*); 번쩍거리는 물건(*tinsel*). **flimmern** *i.*(h.) 번쩍번쩍 빛나다(*glitter*); (별 따위가) 반짝거리다(*twinkle, sparkle*).

Flimmer·skotōm [-skoto:m] *n.* 전광암점(顫光暗點)《눈이 아물거리어 사물이 안 보이는 일, 일시적인 혈행 장애로》.

flink [flɪŋk] [nd. „blinkend"] *a.* 재빠른, 민첩한(*quick, nimble, brisk*).

Flinte [flíntə] *f.* -n, (예전의) 화승총; 활강총(滑腔銃)《엽총》(*gun, rifle*). ¶ die ~ ins Korn werfen 낙심하여 희망〔계획〕을 포기하다.

Flinten·kolben *m.* 개머리판. **~kūgel** *f.* 총알. **~lauf** *m.*, **~rohr** *n.* 총신(銃身). **~schaft** *m.* 총대. **~schloß** *n.* 총의 놀이쇠 뭉치. **~schuß** *m.* 총의 발사.

flirren [flírən] [擬聲語] *i.*(h.) (빛 따위가) 흔들리다(*vibrate*); 펄럭펄럭 움직이다(*whir*); 깜박깜박 빛나다(*flicker*).

Flirt [flɪrt, flə:rt] [engl.] *m.* -s, -s, (남녀의) 농탕; 사랑의 희롱. **flirten** *i.*(h.) 농탕치다, 미태부리다, 구애하다.

Flitter [flítər] [<flittern] *m.* -s, -; od. *f.* -n, 자수용의 금은박, 번드르르한 물건(*spangle, tinsel*).

Flitter·glanz *m.* 번드르르함《싼 물건의》. **~gold** *n.* 금박. **~krām** *m.* 겉만 번드르르한 물건, 굴퉁이. **~staat** *m.* 번드르르한 겉치레. **~tand** *m.*, **~werk** *n.* =~KRAM. **~wochen** *pl.* 밀월(*honeymoon*).

Flitz [flɪts] [Lw. fr., <d. fliehen] *m.* -es, -e, † 화살. **flitzen** *i.*(s.) 《俗》 화살같이 날다(♈*flit*).

[...]cht [flɔxt] ☞FLECHTEN 《그 過去》.

[...]cke [flɔ́kə] *f.* -n, 《Ⅰ》 [<fliegen] [...] 나는) 눈송이(♈*flake*). 《Ⅱ》 [Lw. [...] 양털 부스러기, 솜 부스러기(♈ [...]

[...]lɔ́kɪç] *a.* 《Ⅰ》 박편(薄片) 모양 [...]片)이〔부스러기가〕 되기 쉬운. [...]러기 같은; 부드러운. [...] 생사(生絲) 부스러기; 풀 [...] 양털 부스러기.

[...]LIEGEN 《그 過去》.

[...]HEN 《그 過去》.

[...]n „springen"] *m.* [...]蟲〗 벼룩 (♈*flea*). [...] Ohr setzen 아무 [...] 을 잡아주다. [...] 이 문 자극. [...]"] *m.* -s, [...]*ssom*); 개화기

(開花期)(*blossoming time*).

Flōr[2] [ndl. <lat. *villōsus* „wollen"] *m.* -s, -e, 사(紗), 가제(*gauze*).

Florenz [florénts] [it. *Firenze*] *n.* -, 플로렌스《이탈리아의 도시 이름》.

Florett [florét] [fr., ♈Flor] *n.* -(e)s, -e, 펜싱용의 칼(*foil*). **~fechten** *n.* 〖競〗 펜싱.

florieren [florí:rən] [fr. „blühen"] *i.*(h.) 꽃이 만발하다, 《比》 번영하다, 한창이다(*flourish, prosper*).

Florist [floríst] [lat.] *m.* -en, -en, 꽃 애호가; 화초 재배〔연구〕자; 꽃장수.

Floskel [flɔ́skəl] [lat. „Blümchen"] *f.* -n, 멋진 말투, 미사 여구(美辭麗句)《흔히 내용이 빈약한》.

floß [flɔs] ☞FLIESSEN 《그 過去》.

Flōß [flo:s, 때로 flɔs] [<fließen] *n.* 〔*m.*〕 -es, ⸚e [flø:sə], 뗏목(*raft*, ♈*float*).

Flōß·boot *n.* 부낭(浮囊)배. **~brücke** *f.* 뗏목 다리.

Flosse [flɔ́sə] [<fließen] *f.* -n, 지느러미; (비행기·수뢰 등의)키 부분; 무쇠; 어망의 부표.

Flōße [flǿ:sə] *f.* -n, 유목(流木); 뗏목; 어망의 부표; 〖冶〗 무쇠. **flōßen** [flǿ:sən] *t.* 뗏목으로 만들어 떠내려 보내다《재목을》; 주입하다. **Flōßer** [flø:sər] *m.* -s, -, 뗏목꾼.

Floßfēder [flɔ́sfe:dər] *f.* 지느러미.

Flōßholz [fló:shɔlts] *n.* 뗏목의 재목.

Flōte [flǿ:tə] [Lw. fr., <lat. *flāre* „blasen"] *f.* -n, 피리, 플루트(♈*flute*). ¶ (die) ~ 〔auf der ~〕 blasen 피리를 불다. **flōten** *i.*(h.) u. *t.* ① 피리를 불다; 피리 소리 같은 음성으로 노래〔이야기〕를 하다. ② 《俗》 ~ geh(e)n =FLÖTENGEH(E)N.

Flōten·bläser *m.* 플루트 주자(奏者). **~|gēh(e)n*** [pleitengeh(e)n 의 俗解에 의한 꼴, ☞Pleite] *i.*(s.) 없어지다; 망하다, 죽다. **~register** *n.* (파이프오르간의) 음전. **~spieler** 피리부는 사람; 플루트 주자. **~zūg** *m.* (파이프오르간의) 플루트 음전(音栓).

Flōtist [flø:tíst] *m.* -en, -en, 피리부는 사람; 플루트 주자.

flott [flɔt] [*eig.* „schwimmend" <fließen] *a.* ① 떠 있는 (♈*floating*, ♈*afloat*) ② 경기(景氣)가 좋은 (*fast, luxurious*); 흥겨운, 유쾌한(*gay, jolly*). ③ 민첩한, 경쾌한(*fast*); 멋진(*smart*). **Flotte** [flɔ́tə] [fr. *flotte*, <d. flott, Flut] *f.* -n, ① 선대(船隊), 함대(♈*fleet*); 일국의 총함선수; 해군력. ② 염료, 염액(통).

Flotten·abkommen *n.* 해군 협정. **~führer** *m.* 함대 사령관. **~schau** *f.* 관함식(觀艦式). **~stützpunkt** *m.* 해군 근거지.

flottieren [flɔtí:rən] [fr.] *i.*(h.) ① 뜨다; 동요하다, 고정하지 않다. ② 〖織〗 얽히다, (씨실이) 엉클어지다

Flottille [flɔtílə, -tíljə] *f.* -n, 소함대.

flottweg [flɔtvék, flɔ́tvék] *adv.* 내리계속; 민첩하게; 수월히.

Flōz [flø:ts] [*eig.* „flachliegend"; ♈engl. *flat* „flach"] *n.* -es, -e, (수평의) 층(層)(*layer, stratum, seam*); 광상(鑛床) (*deposit, bed*).

F

Fluch [flu:x] *m.* –(e)s, ⸚e, 저주(*curse, malediction*); 저주의 말(*oath*); 파문; 독신(瀆神); 재앙, 천벌.

fluch·belāden, ～**belastet** *a.* 저주받은, 업보(業報)를 받은.

fluchen [flú:xən] *i.*(h.) 저주하다; 비방하다. **Flucher** *m.* –s, –, 저주하는 자; 독신자(瀆神者).

Flucht [fluxt] *f.* –en, 《Ⅰ》 [<fliehen] ① 도주, 도망(♈*flight, escape*). ¶ wilde ～ 궤주(潰走), 패주(敗走) (*stampede, rout*) / die ～ ergreifen 도주하다 / in die ～ schlagen 패주시키다 / die ～ der Zeit 세월의 덧없음. ② (기계 따위의) 운동 범위; 〖獵〗 도망 장소. 《Ⅱ》 [♈ fliegen] ① 나는 새의 떼; (사슴 따위의) 도약. ② 열, 줄 (*row, suit*); 《比》. (사건 따위의) 연속. **flüchten** [flʏ́çtən] 《Ⅰ》 *i.*(s.) u. *refl.*: 급히 도주〔피난〕하다(♈ *flee*, ♈*flight*). 《Ⅱ》 *t.* 도와서 달아나게 하다, 구호하다.

flüchtig [flʏ́çtıç] *a.* ① 도주 중인. ② 사려 없는, 경솔한; 조잡한; 피상적인. ③ 신속한; 숙련된. ④ 순간적인, 무상한, 덧없는; 〖化〗 휘발성의(*volatile*). ¶ ～ (*adv.*) durchlesen 죽 훑어 읽다. **Flüchtigkeit** *f.* –en, 재빠름. **Flüchtling** *m.* –s, –e, 도망자, 망명자, (피)난민(*fugitive, refugee*).

「괘씸한.」
fluchwürdig [flú:xvʏrdıç] *a.* 저주할,

Flug [flu:k] [<fliegen] *m.* –(e)s [–ks, –gəs], ⸚e [flʏ́:gə], ① 날기, 비행, 비상(♈*flight*). ¶ im ～e, a) 비행중에, b) 나는 듯이, 신속히. ② 나는(새 등의) 떼 (*flock, covey, swarm*).

Flug·abwehr *f.* 방공(防空). ～**ab·wehr·geschütz** *n.*, ～**abwehr·ka·nōne** *f.* 고사포. ～**apparāt** *m.* 항공기, 비행기. ～**bahn** *f.* 탄도(彈道); 항공로. ～**blatt** *n.* 삐라, 팜플렛. ～**boot** *n.* 비행정(艇).

Flügel [flʏ́:gəl] [<fliegen] *m.* –s, –, (새·박쥐·곤충 따위의) 날개(*wing*); 〖建〗 (날개집의) 날개; 문짝(*leaf, casement*); 풍차(風車)의 바람받이(*sail*); (프로펠러의) 날개(*blade*); (닻의) 가지(*fluke*); 〖軍〗 익(翼)(*flank, wing*); 〖樂〗 그랜드 피아노.

Flügel·adjutant *m.* 시종 무관. ～**decke** *f.* (곤충의) 시초(翅鞘). ～**fen·ster** *n.* 두짝 열개 창. ～**haube** *f.* (모터의) 헬멧. ～**kaktus** *m.* 선인장의 일종. ～**lahm** *a.* 날개가 움직이지 않는. ～**mann** *m.* 〖軍〗 향도. ～**mut·ter** *f.* 〖工〗 날개 달린 암나사, 나비너트. ～**nuß** *f.* 날개호두《카프카스산, 양질의 재질》. ～**pumpe** *f.* 날개바퀴 달린 펌프. ～**roß** *n.* 천마(天馬), 페가수스. ～**schlāg** *m.* 날개 치기. ～**spitze** *f.* 날개의 첨단. ～**tōr** *n.* 두짝 열개 대문. ～**tūr**(e) *f.* 두짝 열개(방)문. ～**weite** *f.* 두짝 열개 문의 개정(開程).

Flug·feld *n.* 비행장. ～**fertig** *a.* 날 준비가 된. ～**funk** *m.* 항공 무전. ～**gast** *m.* 항공 여객.

flügge [flʏ́gə] [<fliegen] *a.* 날개가 돋친(*fledged*), 날 수 있는《새 새끼》.

Flug·hāfen *m.* 공항. ～**haut** *f.* (박쥐 따위의) 비막. ～**hōhe** *f.* 비행 고도. ～**karte** *f.* 비행기표. ～**klār** *a.* 비행 준비가 된. ～**lāge** *f.* 비행 자세. ～**linie** *f.* 탄도; 비행 경로; 항공로. ～**maschine** *f.* 항공기; 비행기. ～**modell** *n.* 모형 비행기. ～**platz** *m.* 비행장. ～**post** *f.* 항공 우편.

flugs [flu:ks, fluks] [원래 Flug의 2格] *adv.* 날듯이, 재빨리, 신속히(*quickly, speedily*).

Flug·sand *m.* (사막 따위의) 비사(飛砂), 유사(流砂). ～**schiff** *n.* 비행선. ～**schrift** *f.* 소책자, 팜플렛. ～**strecke** *f.* 항공로. ～**technik** *f.* 항공 기술. ～**verkehr** *m.* 항공 (교통), 비행기편. ～**weite** *f.* 비행 거리; 사정(射程). ～**wēsen** *n.* 항공 (관계 사항).

「기.」
Flugzeug [flú:ktsɔyk] *n.* 항공기, 비행

Flugzeug·aufnahme *f.* 공중 촬영. ～**führer** *m.* 비행기 조종사. ～**halle** *f.* ＝～SCHUPPEN. ～**körper** *m.* 기체(機體). ～**mutterschiff** *n.* 항공 모함. ～**schleuder** *m.* 비행기 사출기, 캐터펄트. ～**schuppen** *m.* 격납고(格納庫). ～**staffel** *f.* 비행 중대. ～**torpēdo** *m.* 공중 어뢰. ～**träger** *m.* ＝～MUTTERSCHIFF. ～**wache** *f.* 대공(對空) 감시. ～**wetter** *n.* 비행하기에 좋은 날씨.

Fluidum [flú:idum] [lat. „Flüssigkeit"] *n.* –s, ..da, 유(동)체(♈*fluid*); 《比》 (사람 또는 예술품에서) 우러나는 기품, 풍취(*atmosphere, ton, influence*).

Flunder [flúndər] [*eig.* „Plattfisch"] *f.* –n; od. *m.* –s, –, 〖魚〗 넙치류(♈ *flounder*).

Flunkerei [fluŋkərái] *f.* –en, 거짓말, 호언. **flunkern** *i.*(h.) 호언 장담하다, 풍을 떨다(*brag, swank*); 거짓말을 하다 (*tell fibs*).

Fluor [flú:ɔr] [lat.] *n.* –s, 〖化〗 플루오르(♈*fluorine*). **Fluoreszenz** [fluorεstsέnts] *f.* 형광(螢光). **fluoreszieren** [–tsí:rən] *i.*(h.) 형광을 발하다.

Flur [flu:r] 《Ⅰ》 *f.* –en, 평야, 평지, 전답(田畓), 경지, 초원(*field, meadow*). 《Ⅱ》 *m.* –(e)s, –e [*f.* –en], (Haus～) 현관(의 방), 문간방(*lobby*, (*entrance-*)*hall*); 복도, 옥내의 통로(*corridor*).

Flur·bereinigung *f.* 경지 정리. ～**būch** *n.* 토지 대장. ～**decke** *f.* 현관의 깔개. ～**hüter**, ～**schütz**(e) *m.* 전답의 감시인. ～**schāden** *m.* 〖軍〗 (훈련으로 인한) 전답의 손해.

Fluß [flus] [<fließen] *m.* Flusses, Flüsse, ① 하류, 하천, 내(*river*). ② 흐름, 유동(*flow, flux*); 유창함《변설의》(*fluency*). ③ 용해, 융해(*fusion*). ④ 〖醫〗 피나 점액이 흐르는 병《이루(耳漏), 백대하(白帶下) 따위》; 류머티즘; (Schlag～) 졸도 발작. **fluß·ab**(**wärts**) *adv.* 강을 따라 아래로. **fluß·auf**(**wärts**) *adv.* 강을 거슬러 위로.

Fluß·arm *m.* 지류(支流). ～**bād** 하수욕(河水浴). ～**bett** *n.* 하상(河

Flüßchen [flʏ́sçən] *n.* –s, –, 시내 울.

Fluß·eisen *n.* 쇳물. ～**fisch** *m* 고기. ～**gebiet** *n.* 유역.

flüssig [flʏ́sıç] [<Fluß] *a.* 흐르 동체의, 액체의(*fluid, liquid*); 거침이 없는(*fluent*); 〖商〗 유동

할 수 있는(*ready*). ¶ ~e Gelder 현금. **Flüssiggas** *n.* 액체 가스. **Flüssigkeit** *f.* -en, 유동성〔상태〕(*fluidity*); 유창함; 액체, 유동체(*fluid, liquid*). **Flüssigkeitswaage** *f.* = ARÄOMETER.

Fluß=krebs *m.* 〔動〕 가재. **~lauf** *m.* 강줄기. **~mittel** *n.* 용제(溶劑), 액화제. **~pferd** *n.* 〔動〕 하마. **~regulierung** *f.* 치수(治水). **~sand** *m.* 강모래. **~schiff** *n.* 하선(河船). **~schiffahrt** *f.* 하천 항행. **~spat** *m.* 〔鑛〕 형석(螢石). **~übergang** *m.* 나루터, 여울. **~ufer** *n.* 강가. **~wasser** *n.* 강물.

flüstern [flýstərn] *t.* u. *i.*(h.) 속삭이다; 귓속말을 하다(*whisper*).

Flut [flu:t] [<fließen] *f.* -en, 밀물, 큰 물(♈*flood, deluge*); (hohe ~) 만조, 고조(高潮)(*full tide*). ¶ Ebbe und ~ 조수의 간만.

fluten [flú:tən] *i.*(h. *u.* s.) 물이 붇다, 넘치다; 도도히 흐르다; 《比》 도도히 밀려들다, 쇄도하다《군중 따위가》. ¶ es flutet 만조가 되다. **Fluter** *m.* -s, -, 둑의 방수구(放水口).

Flut=wechsel *m.* 조수의 간만. **~welle** *f.* 해일. **~zeit** *f.* 만조시(時).

Fluxion [fluksió:n] [lat.] *f.* -en, 흐름, 파동; 〔醫〕 충혈; 〔數〕 미분. 「단위.」

Fmk 《略》 = *Finnmark* 핀란드의 화폐

focht [fɔxt] ☞ FECHTEN (그 過去).

Fock=mast *m.* 앞 돛대. **~segel** *n.* 앞 돛.

Föderalismus [fø:dəralísmus] [lat. *foedus* „Bündnis"] *m.* -, 연방 조직; 연방주의(♈*federalism*). **föderalistisch** *a.* 연방주의(자)의. **Föderation** *f.* -en, 연합, 연맹; 연방. **föderativ** [-tí:f] *a.* 연합의; 연방의.

Fohlen [fó:lən] 《I》 [=nd., hd. Füllen] *n.* -s, -, 망아지, 어린 말(♈*foal, colt*). 《II》 **fohlen** *t.* u. *i.*(h.) 새끼를 낳다 《암말이》.

Föhn [fø:n] [Lw. lat. <*fovere* „wärmen"] *m.* -(e)s, -e, ① 푄《알프스에서 내리부는 건조성의 더운 바람》. ② 머리털 건조기(器). 「(*Scotch fir, pine*).」

Föhre [fø:rə] *f.* -n, 〔植〕 은송(銀松)

fokal (foká:l) [lat.] *a.* 〔物〕 초점의; 〔醫〕 병소(病巢)의. **Fokus** [fó:kus] *m.* -, -(se), 초점; 병소.

Folge [fɔ́lgə] [<folgen] *f.* -n, ① 계속, 연속; 계열(系列); 순서; 시리즈; 계속되는 시간, 후(後). ¶ in der ~ 후에. ② 결과; 귀결, 결론. ③ 순종, 복종; 응낙; 준수. ¶ jm. 〔e-r Sache〕 ~ leisten 아무에게 복종하다, 무엇에 응하다. ④ 동반, 수반, 수행; 종자(從者).

folgen [fɔ́lgən] 《I》 *i.*(s.): jm. 〔e-r Sache〕 ~ 아무에게 〔무엇에〕 잇따르다, 의 뒤를 좇다(♈*follow*), 아무에게 수행〔무엇에 수반〕하다(*succeed*) / aus et.[3] ~ 무엇에서 생기다, 무엇에서 어떤 결론〔단정·추론〕이 나오다(♈*follow, result from*). 《II》 *i.*(h.) 에 따르다; 응하다, 을 좇다, 에 복종하다(*obey, conform to*). 《III》 **folgend** *p.a.* 다음의 (♈*following, next, subsequent*). 「음과 같이.」

folgendermaßen [fɔ́lgəndər-] *adv.* 다

folgen=los *a.* 효과 없는; 중요하지 않은. **~reich** *a.* 효과가 큰; 성과 있는. **~schwer** *a.* 중대한 (결과를 낳는).

folgerecht [fɔ́lgərεçt], **folgerichtig** *a.* 시종 여일한, 모순이 없는; 논리적인; 적확한; 철저한. **Folgerichtigkeit** *f.* 시종 일관; 철저.

Folgern [fɔ́lgərn] *t.* (als Folge aus et.[3] herleiten): aus et.[3] ~ 무엇으로부터 결론을 내리다, 연역〔추론·단정〕하다(*conclude, infer, deduce*). **Folgerung** [-gəruŋ] *f.* -en, 추리; 결론; 단정; 연역; 귀결, 결과.

Folge=satz *m.* 추단, 결론; 〔文〕 결과문. **~widrig** [unlogisch 의 독일 譯, *ant.* folgerichtig] *a.* 시종 여일하지 않은, 모순된; 철저하지 않은. **~zeit** *f.* 다음 시대, 장래, 후세; 자손.

folglich [fɔ́lklıç] *adv.* 따라서, 이리하여 (*consequently, then*). **folgsam** [fɔ́lkza:m] *a.* 순순한; 다루기 쉬운(*obedient, docile*). **Folgsamkeit** *f.* -en, 순종.

Foliant [foliánt] [lat., *folium* „Blatt"] *m.* -en, -en, 2절판(折判) 서적, 대형본(♈ *folio(-volume)*). **Folie** [fó:liə] *f.* -n, 금속의 박(箔)(♈*foil*); (Spiegel~) 거울 뒤의 수은박; 《比》 배경. ¶ e-r Sache als ~ dienen 무엇을 한층 아름답게 보이게 하다, 뚜렷하게 하다.

Follikelhormon [fɔlí:kəlhɔrmó:n] [gr.] *n.* 여포(濾胞) 호르몬《여성 발정 호르몬의 일종》.

Folter [fɔ́ltər] [Lw. lat.] *f.* -n, 고문기구; 고문(*torture*); 격심한 고뇌. ¶ auf die ~ spannen 고문하다, 괴롭히다.

Folterbank [-baŋk] *f.* 고문대(臺).

Folterer [fɔ́ltərər] *m.* -s, -, 고문자, 괴롭히는 사람.

Folter=gerät, **~instrument** *n.* 고문기구. **~kammer** *f.* 고문실. **~knecht** *m.* = FOLTERER.

foltern [fɔ́ltərn] *t.* 고문〔가책〕하다.

Fond [fɔ̃:] [fr. *aus* lat. *fundus* „Boden"] *m.* -s [fɔ̃:s], -s [fɔ̃:s], 바탕, 기초(*foundation*); (차의) 뒷좌석(*back seat*).

Fonds [fɔ̃:] *m.* - [fɔ̃:(s)], - [fɔ̃:s], 기본 재산(♈*funds*); 자본금(*capital*); 준비금 (*stock*); (*pl.*) 국채, 공채.

Fonds=besitzer [fɔ̃:(s)-] *m.* 공채〔주권〕 소유자. **~börse** *f.* 증권 거래소. **~makler** *m.* 증권업자. 「말리다.」

fönen [fǿ:nən] [<Fön] *t.* 드라이어로

Fontäne [fɔnté:nə, fɔ̃t-] [fr. <lat. *fons* „Brunnen"] *f.* -n, 분천, 분수(♈ *fountain*). **Fontanelle** [fɔntanέlə, fɔ̃ta-] [„kleiner Brunen"] *f.* -n, 〔解〕 숫구멍, 정문(頂門)(♈*fontanel(l)*).

foppen [fɔ́pən] *t.* u. *i.*(h.) 우롱하다, 놀리다(*fool, hoax, tease*). **Fopperei** [fɔpərái] *f.* -en, 우롱, 야유.

Force [fɔ́rsə] [lat. -fr.] *f.* -n, 힘셈, 세력, 완력; 장점. **forcieren** [fɔrsí:rən] *t.* 강요〔강제〕하다; 탈취하다; 이겨내다.

Förde [fǿ:rdə] [♈fahren, ♈Furt] *f.* -n, 협만(狹灣)(*inlet, gulf*).

Förder=anlage *f.* 운반 장치. **~bahn** *f.* 운반용 궤도. **~band** *n.* 〔工〕 콘베이어 벨트. **~hund** *m.* 광차(鑛車) **~kohle** *f.* 반출(搬出) 석탄.

F

förderlich [fœ́rdərlɪç] *a.* 촉진하는(*conductive*), 유익한, 유효한(*serviceable, useful*).

fordern [fɔ́rdərn] [<vorder] *t.* ① 요구하다, 청구하다(*demand, ask, claim*); 필요로 하다(*require, exact*). ② 불러내다, (에) 출두를 요구하다. ¶ jn. vor Gericht ~ 아무를 법정에 소환하다(*summon*). ③ (heraus~) (에) 도전하다.

fördern [fœ́rdərn] [<fürder] *t.* ① 추진〔촉진·증진(增進)·장려〕하다 (*advance, further, promote*). ② 〖坑〗 (zu Tage ~) 반출〔채굴〕하다(*haul, dig*). ¶ 《比》 zutage ~ 공개〔공표·폭로〕하다. **för=dersām** *a.* =FÖRDERLICH.

Forderung [fɔ́rdərʊŋ] *f.* -en, ① 요구; 청구(권); 채권. ② 호출당하기, 소환. ③ 도전.

Förderung [fœ́rdərʊŋ] *f.* -en, 추진함; 촉진, 장려, 조성(助成); 운반; 〖坑〗 반출, 채굴.

Forelle [forɛ́lə] *f.* -n, 〖魚〗 연어속의 일종, 송어(*trout*).

Forke [fɔ́rkə] [Lw. lat. *furca* „Gabel"] *f.* -n, (건초·퇴비 따위를 다루는 데에 쓰는 자루 긴) 쇠스랑, 포크(*pitchfork*).

Form [fɔrm] [Lw. lat. *forma*] *f.* -en, ① 꼴, 외형, 형태, 형상(♈*form, shape, figure*); 형(型), 치수(*cut*); 골, 모형, 모델(*model*); 원형(*mould*). ② 형식(격임), 체재; 예법, 습관, 의례(*fashion*).

Formālien [fɔrmáːlĭən] *pl.* 형식, 법식, 예식(♈*formalities*). **Formalitāt** *f.* -en, 형식, 법식(♈*formality*); 정식(임). **Formāt** *n.* -(e)s, -e, (종이·서적의) 형(型), 치수, 판(*size*). **Formatiōn** [<formieren] *f.* -en, 〖軍〗 대형(隊形); 편대; 〖地〗 성층(成層).

Formel [fɔ́rməl] *f.* -n, 형식, 방식, 서식, 성구(成句); 〖數〗 공식; 〖化〗 화학식(♈*form*, ♈*formula*). **formell** [fɔrmɛ́l] [fr.] *a.* 형식적인; 정식의(♈*formal*).

formen [fɔ́rmən] [<Form] *t.* 형성하다, 꼴을 만들다, (어떤 형(型)에 맞추어서) 만들다(♈*form, shape, fashion, mould, model*).

Formen=lehre *f.* 〖文〗 어형론; 형태론. **~mensch** *m.* 형식주의자. **~reich** *a.* 모양이 풍부한.

Former [fɔ́rmər] *m.* -s, -, 형성자, 조형공(造型工). **Formerei** *f.* -en, 주조, 주물 공장.

Form=fehler *m.* 형식상의 결함; 흠, 하자; 기형. **~gēbung** *f.* 조형, 소상(塑像) 만들기, 주조.

formieren [fɔrmíːrən] [lat. <Form] 《Ⅰ》 *t.* 형성하다(♈*form*); 편성〔배치〕하다(*arrange*); 〖商〗 기장(記帳)하다. 《Ⅱ》 *refl.* 〖軍〗 정렬(整列)하다.

förmlich [fœ́rmlɪç] [<Form] 《Ⅰ》 *a.* 형식에 맞는, 정식의 (♈*formal*); 〖法〗 합법적인; 형식적인, 격식을 차린 (*ceremonious, stiff*); 《俗》 전적인(*real*). 《Ⅱ》 *adv.* 바로, 참으로(*really*).

formlōs [fɔ́rmloːs] *a.* 정형이 없는; 꼴이 흉한; 불구의; 《比》 버릇 없는.

Formōsa [fɔrmóːza] [port. „schöne (Insel)", <Form] *n.* 대만(臺灣).

Formulār [fɔrmuláːr] [lat.] *n.* -s, -e, ① 서식(書式) 용지(♈*form*); 신청 용지. ¶ ~ für Telegramme 전보 용지. ② 법식; 〖法〗 관례. **formulieren** [fɔrmulíːrən] *t.* 공식화하다; 서식대로 적다(♈*formulate*).

Form=veränderung *f.* 변형, 방식 변경. **~vollendet** *a.* 형식이 완비(完備)한. **~vorschrift** *f.* 〖法〗 (법무 사항의) 형식 규정. **~widrig** *a.* 격식을 어긴. **~zahl** *f.* 목재의 양 산출치 《나무의 직경과 높이의 수치를 곱한 수》.

forsch [fɔrʃ] [fr., *force* „Stärke"] 《俗》 *a.* 강건한(*energetic*); 활발한 (*dashing*); 멋진(*smart*).

Forsch=begier(de) *f.* 연구심, 탐구심. **~begierig** *a.* 연구심이 왕성한; 호기심이 강한.

forschen [fɔ́rʃən] [♈fragen] *i.*(h.) 탐구〔연구〕하다; 탐색하다; 조사하다(*search, investigate*). **Forscher** [fɔ́rʃər] *m.* -s, -, 탐구자; 연구자, (과)학자; 탐색자.

Forschung [fɔ́rʃʊŋ] *f.* -en, 탐구, 연구; 조사, 탐험.

Forschungs=institūt *n.* 연구소. **~=reisende** *m.* u. *f.* 《形容詞變化》 탐험가, 답사자.

Forst [fɔrst] [Lw. lat.] *m.* -es, -e; od. *f.* -en, 영림(營林), 조림(♈*forest*); 《一般的》 숲, 산림(*wood*).

Forst=akademie *f.* 임업 대학. **~amt** *n.* 영림서(營林署).

Förster [fœ́rstər] *m.* -s, -, 산림 간수(♈*forester*). **Försterei** *f.* -en, 산림 간수의 주택.

Forst=meister *m.* 산림 국장. **~wēsen** *n.* 임업, 임정(林政). **~wirt·schaft** *f.* 임업, 산림 경영.

Fort [foːr] [fr., <lat. *fortis* „fest"] *n.* -s, -s, 요새, 보루((*detached*) *fort*).

fort [fɔrt] [♈vor] *adv.* 앞으로(♈*forth, forward*); 나아가서, 더욱더, 잇달아서(*on, continually*); 저쪽으로, 떠나서 (*away, off, gone*). ¶ ~! 꺼져; 전진, 앞으로.

fort=ab, ~an *adv.* 지금부터, 금후 (*from this time, henceforth*).

fort=|arbeiten *i.*(h.) 계속하여 일하다. **~|begēben*** *refl.* 떠나다, 물러가다. **~bestand** *m.* 계속, 존속, 지속. **~|=bestēh(e)n*** *i.*(h.) 존속〔지속〕하다.

fort|bewēgen [fɔ́rtbəveːgən] *t.* 이동〔이전〕시키다; *refl.* 이동하다. **Fortbe=wēgung** *f.* 이동, 이전; 전진.

fort|bilden [fɔ́rtbɪldən] 《Ⅰ》 *t.* (의) 교육을 계속하다, (에게) 보충 교육을 베풀다 (jn.). 《Ⅱ》 *refl.* 학업을 계속하다; 보충 교육을 받다. **Fortbildung** [fɔ́rtbɪldʊŋ] *f.* -en, 교육의 계속; 보충 교육, 성인 교육.

Fortbildungs=anstalt, ~schūle *f.* 보습〔성인〕 학교.

fort|bringen* [fɔ́rtbrɪŋən] 《Ⅰ》 *t.* 가져〔날라〕가다, 옮기다; 데려가다, 바래 주다; 《比》 배양〔사육〕하다, (꽃 따위를) 재배하다. 《Ⅱ》 *refl.* (mit, 으로) 변통하다, 생계를 세우다.

Fortdauer [fɔ́rtdauər] *f.* 지속, 계속, 존속. **fort|dauern** 《Ⅰ》 *i.*(h.) 계속하다, 지속〔존속〕하다(*continue, last*). 《Ⅱ》

fortdauernd *p.a.* 지속적인; *adv.* 계속하여, 끊이지 않고.

fort=|dürfen* *i.*(h.) (fortgehen dürfen) 퇴거가 허락되어 있다. **~|eilen** *i.*(s.) 총총히 가버리다. **~|erben** *i.*(h.) u. *refl.* 전(傳)하다, 유전하다. **~|fahren*** 《Ⅰ》 *t.* 운반하여 가버리다《거마로》. 《Ⅱ》 *i.*(s.) 가버리다《거마로》; (h.) (mit, 을) 계속하다.

Fortfall [fɔ́rtfal] *m.* -(e)s, 중지; 폐지; 누락. **fort|fallen*** *i.* (s.) 중지〔폐지〕되다; 결손하다; (눈 따위가) 계속 내리다.

fort=|fliegen* *i.*(s.) 날아 가버리다. **~|=fließen*** *i.*(s.) 흘러 가버리다; (s. *u.* h.) 계속하여 흐르다. **~|führen** *t.* 데려〔날라〕 가버리다; 계속하다(*continue, carry on*).

Fortgang [fɔ́rtgaŋ] [<fortgeh(e)n] *m.* -(e)s, 퇴거; 계속; 전진, 진보; 성공. **fort|gēh(e)n*** *i.*(s.) 가버리다(*go away*); 출발하다; 전진하다(*proceed*); 계속하여 가다, 진행하다(*continue*).

fort=gesetzt *p.a.* 연속하는(*continuous*); 끊임없는(*incessant*). **~|helfen*** *i.*(h.): jm. ~helfen, a) 아무를 도와서 가게 하다, 전진시키다, 달아나게 하다, b) 아무를 부조〔원조〕하다 / sich³ ~helfen 생계를 세우다, 삶을 이어가다.

frot|jāgen [fɔ́rtja:gən] 《Ⅰ》 *t.* 쫓아버리다, 쫓아내다. 《Ⅱ》 *i.*(s.) 마구 달려 가버리다; (h.) 사냥을 계속하다.

fort|kommen* [fɔ́rtkɔmən] 《Ⅰ》 *i.*(s.) ① 가버리다, 달아나다; 출발하다. ② 전진하다, 진척하다; (gut ~) 생장〔번성〕하다(*thrive*); 입신〔성공〕하다(*succeed*). ③ (in Leben ~) 생계를 세우다, 생활하여 가다. ④ 옮겨지다; 분실하다. 《Ⅱ》 **Fortkommen** *n.* -s, 도주; 성공; 생계.

fort=|können* *i.*(h.) 떠날〔갈·나아갈〕 수 있다. **~|lassen*** *t.* (에게) 퇴거를 허락하다; 생략하다(*leave out, omit*).

fort|laufen* [-laufən] *i.*(s.) 달려 가버리다, 빨리 달려가다; 계속하여 달리다; 길게 뻗어 있다; 계속〔연속〕하다. **fort=laufend** *p.a.* 계속하여 달리는; 연속하는, 끊임〔간단〕 없는(*continuous*).

fort|lēben [fɔ́rtle:bən] 《Ⅰ》 *i.*(h.) 연명(延命)하다, 잔존하다. 《Ⅱ》 **Fortlēben** *n.* -s, 존속; 사후의 생.

fort=|machen *refl.* 떠나다, 달아나다. **~|müssen*** *i.*(h.) 떠나지 않으면 안 되다; 《比》 죽지 않으면 안 되다. **~neh=men*** *t.* 빼앗다 (jm. et.).

fort|pflanzen [fɔ́rtpflantsən] 《Ⅰ》 *t.* 번식〔만연〕시키다, 전파하다(*propagate*); (후세에) 전하다, 유전하게 하다(*reproduce*). 《Ⅱ》 *refl.* 번식〔전파·만연〕하다; 전하다. **Fortpflanzung** *f.* -en, 번식, 생식; 전파, 만연; 〖物〗 전달, 전도.

fort=|reisen *i.*(s.) 출발하다; (h.) 여행을 계속하다. **~|reißen*** *t.* 잡아채다, 잡아 찢다, 잡아 떼다; 일소하다; 감동시키다. **~=reiten*** *i.*(s.) 말 타고 가버리다; (h.) 기행(騎行)을 계속하다. **~|=rücken** 《Ⅰ》 *t.* 밀(어 나아가게 하)다. 《Ⅱ》 *i*(s.) 움직이다, 전진하다; 《比》 진보〔진취·성공〕하다. **~|schaffen**⁽*⁾ *t.* 옮기다, 날라 가버리다; 제거하다, 철거하다. **~|schēren** *refl.* 가버리다, 달아나다. **~|schicken** *t.* 보내다, 떠나 보내다; 해고하다. **~|schieben*** *t.* u. *i.*(h.) 밀어 제치다; 계속하여 밀다. **~|schiffen** *i.*(s.) 출범하다. **~|schlā=fen*** *i.*(h.) 계속하여 잠을 자다. **~|=schleichen*** *i.*(s.) u. *refl.* 슬그머니 가버리다. **~|schleppen** *t.* 질질 끌고 가(버리)다. **~|schreiben*** *t.* u. *i.*(h.) 계속하여 쓰다〔적다〕.

fort|schreiten* [fɔ́rt-ʃraitən] 《Ⅰ》 *i.*(s.) 걸어 나아가다; 《比》 전진〔진보·향상〕하다. 《Ⅱ》 **fortschreitend** *p.a.* 전진하는; 진보적인. **Fortschritt** [fɔ́rt-ʃrɪt] *m.* -(e)s, -e, 전진, 진보(*progress*). **fortschrittlich** *a.* 진보주의의, 진보〔진취〕적인(*progressive*).

fort=|schwemmen *t.* (파도가) 씻어내다. **~schwimmen*** *i.*(s.) 헤엄을 쳐 가버리다. **~|sēgeln** *i.*(s.) 출범하다. **~|sehnen** *refl.* 떠나고 싶어하다.

fort|setzen [fɔ́rtzɛtsən] *t.* 옮기다, 제거하다, 벗기다; 계속〔속행〕하다(*go on, continue, pursue*). **Fort·setzung** *f.* -en, 계속, 속행(*continuation, pursuit*); 연속.

fort=|sollen* *i.*(h.) 떠나야 하다, 떠나도록 명령을 받고 있다. **~|springen*** *i.*(s.) 뛰어 가버리다. **~|stehlen*** *refl.* 슬그머니 가버리다〔달아나다〕. **~|stō=ßen*** *t.* 떠밀다, 부딪쳐 제치다; 《比》 배척하다. **~|sündigen** *i.*(h.) 죄되는 생활을 계속 하다. **~|trāgen*** *t.* 운반하여 가버리다. **~|treiben***《Ⅰ》 *t.* 쫓아 버리다; 밀어 제치다; 계속하여 쫓다; 〖工〗 추진하다; 속행하다. 《Ⅱ》 *i.*(s.) 떠내려 가버리다; 흘러가다. **~trieb** *m.* -(e)s, 축출; 속행.

fort|währen [fɔ́rtvɛ:rən] 《Ⅰ》 *i.*(h.) 계속〔존속·지속〕하다(*continue, last*). 《Ⅱ》 **fortwährend** [fɔ́rtvɛ:rənt, fɔrtvɛ́:-] *p.a.* ① 계속〔영속〕하는(*continual*); 끊임없는(*perpetual*). ② *adv.* 끊임없이, 늘.

fort=|weisen* *t.* 쫓아 버리다. **~wir=ken** *i.*(h.) 활동을 계속하다, 영향〔효과〕가 잔존하다. **~|wollen*** *i.*(h.) 떠나려고 하다. **~|ziehen*** 《Ⅰ》 *t.* 끌고 가버리다; 계속하여 끌다. 《Ⅱ》 *i.*(s.) 가 버리다; 옮아가다, 이전〔이주〕하다; 계속하여 나아가다.

fossīl [fɔsí:l] [lat. -fr., „ausgegraben"] 《Ⅰ》 *a.* 화석(化石)화한; 시대에 뒤진. 《Ⅱ》 **Fossīl** *n.* -s, ..līen, 화석(♈ *fossil, petrification*); 시대에 뒤진 사람.

Fōto [fó:to] *n. usw.* =PHOTO *usw.*

foulen [fáulən] [engl. <foul] *t.* u. *i.* (h.) 반칙하다.

Foyer [foajé:] [fr. „geheizter Raum"] *n.* -s, -s, (호텔 따위의) 오락실, (극장 따위의) 휴게실(*lobby*); 대기실(*entrance hall*).

Fracht [fraxt] *f.* -en, 운송 화물, 적하(積荷), 뱃짐(♈*freight, cargo, load*); 하물 적재; 운임.

Fracht=brief *m.* 운송장; 선하 증권(船荷證券). **~dampfer** *m.* 화물선.

frachten [fráxtən] *t.* 짐을 싣다; 운송하다; 탁송하다. **Frachter** *m.* -s, -, 화주(貨主); 운송인.

F

frachtfrei [fráxtfrai] *a.* u. *adv.* 무임(無賃)의〔으로〕; 운임납필(納畢)의〔로〕.

Fracht≈fuhre *f.*, **∼fuhrwerk** *n.* 화물(운송)차. **∼fuhrmann** *m.* 운송인. **∼geld** *n.* 운임. **∼geschäft** *n.* 운송업. **∼gut** *n.* 운송 화물, 적하(積荷). **∼lohn** *m.* 운임. **∼schiff** *n.* 화물선. **∼schiffer** *m.* 운송 선원. **∼stück** *n.* 운송 화물, 짐짝, **∼wagen** *m.* 짐수레; 〖鐵〗 화차.

Frack [frak] [engl. *frock*] *m.* -(e)s, -s *u.* ⸗e, 연미복(燕尾服)(*dress-coat*).

Frage [frá:gə] [<fragen] *f.* -n, ① 물음, 질문(*inquiry, query*); 문제(*question*). ¶e-e ∼ tun 〔stellen〕 질문하다 / ohne ∼ 의심없이 / nicht in ∼ kommen 문제가 안 되다. ② 〖商〗 (Nach∼) 수요(*demand*).

Frage≈bogen *m.* 문제지(紙), 질문표. **∼buch** *n.* 문제집.

fragen(*) [frá:gən] 《Ⅰ》 *t.* 묻다, 질문하다(*ask, inquire*). ¶ jn. et. ∼ 《4 格이 두 개》 아무에게 무엇을 묻다; 구하다, 청하다. 《Ⅱ》 *i.*(h.): nach jm. 〔et.[3]〕 ∼, a) 아무〔무엇〕에 관하여 묻다, b) 아무〔무엇〕의 일을 문제 삼다, 염려하다, 중요시하다. 《Ⅲ》 *refl.*: es fragt sich ob.., …인지 아닌지가 문제이다.

Frager *m.* -s, -, 질문자, 신문자.

F

Frage≈satz *m.* 의문문. **∼stellung** *f.* 질문; 의문체. **∼weise** *adv.* 질문적으로, 의문체로. **∼wort** *n.* 의문사. **∼zeichen** *n.* 의문부(符).

fragil [fragí:l] [lat.] *a.* 부서지기 쉬운, 취약한, 포유질(蒲柳質)의. **Fragilität** *f.* 취약(성), 허약, 포유질.

fraglich [frá:klıç] *a.* 물어야 하는, 문제가 되는; 문제가 되어 있는. ¶die ∼e Person 당해인(當該人), 문제의 인물.

fraglos *a.* 의문이 없는(*unquestionable*); *adv.* 의심 없이, 확실히.

Fragment [fragmέnt] [lat. „Bruchstück] *n.* -(e)s, -e, 조각, 단편(斷篇), 단장(斷章). **fragmentarisch** *a.* 조각의; 단편(斷篇)의, 단장의.

fragwürdig [frá:kvʏrdıç] *a.* 질문의 가치 있는; 불확실한; 의심스러운.

Fraktion [fraktsió:n] [lat. „Bruch"] *f.* -en, 부문; (의회내의) 당파, (정치적) 분파, 프랙션.

Fraktions≈sitzung *f.* 각 파별 미팅, 부회. **∼stärke** *f.* 당파 형성상의 정수(定數).

Fraktur [fraktú:r] [lat. „Bruch"] *f.* -en, 독일 활자체, 고딕체. **Fraktur≈schrift** *f.* 독일 문자의 활자.

Francium [frántsium] *n.* -s, 〖化〗 프란시움《방사능이 있는 알카리 금속 원소의 하나, 기호: Fr》.

frank [fraŋk] [fr. *franc* „fränkisch"] *a.* 자유로운(♈*frank, free*);솔직한(*open*).

Franke [fráŋkə] [*eig.* Freie] *m.* -n, -n, 프랑크 사람; (독일) 프랑켄 지방의 사람.

Franken 《Ⅰ》 *pl.* 프랑크 사람. 《Ⅱ》 *n.* -s, 프랑켄 주(州). 《Ⅲ》 *m.* -s, -, 프랑《화폐》(♈*franc*).

Frankfurt [fráŋkfurt] *n.* 독일의 도시 이름. ¶∼ am Mein 마인 강변의 프랑크푸르트 / ∼ an der Oder 오데르 강변(江邊)의 프랑크푸르트.

frankieren [fraŋkí:rən] [it. „freimachen", *aus* d. frank] *t.* 우편 요금을 선납하다, (편지에) 우표를 붙이다(*pay postage, stamp*). **frankiert** *p.a.* 우편 요금 선납의, 우표를 붙인. 「랑켄 주의.

fränkisch [frέŋkıʃ] *a.* 프랑크족의; 프

franko [fráŋko] *adv.* 우편 요금을 선납하여, 우표를 붙여서; 〖商〗 운임 선불〔무료〕로.

Frankreich [fráŋkraiç] ["프랑크 족의 나라"의 뜻.] *n.* -s, 프랑스.

Franse [fránzə] [fr.] *f.* -n, 술, 술 장식(♈*fringe*). **fransig** *a.* 술이 있는; 술 같은.

Franz [frants] [Franziskus의 愛稱形] *m.* -ens, -en *u.* -e, ① 남자 이름. ② 〖戱〗 관찰자; 〖空〗 항공사.

Franz≈band *m.* 프랑스식 장정(裝幀); 송아지 가죽 장정(의 책). **∼branntwein** *m.* 프랑스식〔산〕 화주《포도주로 만듦》. **∼brot** *n.* 프랑스 빵.

Franziskaner [frantsıská:nər] *m.* -s, -, 프란체스코 수도회의 수도사. 「람.

Franzmann [frántsman] *m.* 프랑스 사

Franzium [frántsium] =FRANCIUM 《그 독일 꼴》.

Franzose [frantsó:zə] *m.* -n, -n, 프랑스 사람(*Frenchman*); *pl.* 《俗》 매독.

französisch [frantsǿ:zıʃ] *a.* 프랑스의; 프랑스 사람〔말·식〕의(♈*French*).

frappant [frapánt] [fr.] *a.* 두드러진, 현저한(*striking*). **frappieren** *t.* 눈을 번쩍 뜨게 하다, 놀라게 하다, (의) 주의를 끌다(*strike*).

Fräse [frέ:zə] [Lw. fr. „Bohrer"] *f.* -n, 〖機〗 프레이즈반(盤), 커터. **fräsen** *t.* 프레이즈반으로 깎다. **Fräsmaschine** *f.* =FRÄSE.

Fraß [fra:s] *m.* -es, -e, 탐식, 폭식; 먹이(*food*); 짐승의 사료(*feed*); 〖醫〗 카리에스(*caries*).

fraß [fra:s] ☞FRESSEN 《그 過去》.

Fratz [frats] [<Fratze] *m.* -es, -e, 추한 사람; 개구장이; 말괄량이. **Fratze** [frátsə] [Lw. it.] *f.* -n, 찌푸린 얼굴(*grimace*); 《俗》 얼굴, 낯; 희화(戱畫)(*caricature*). **fratzenhaft** *a.* 일그러진; 기괴한.

Frau [frau] [ahd. *frouwa* "Herrin"; ♈ fron, Fürst] *f.* -en, ① 《一般的》 부인, 여성(*lady, woman*); 아내(*wife*). ¶ zur ∼ nehmen 아내로 삼다 / m-e ∼ 나의 아내. ② 《존칭》 부인(夫人)(*mistress*). ¶ Unsere Liebe ∼ 성모 마리아 / gnädige ∼! 마나님 / Ihre ∼ Gemahlin 당신의 부인. ③ 여성; 여자. ¶die weise ∼ 산파.

Frauen≈abteil *n.* 〔*m.*〕 〖鐵〗 여성 전용 차간. **∼arzt** *m.* 부인과 의사. **∼bewegung** *f.* 여성 (해방) 운동. **∼frage** *f.* 여성 문제. **∼gestalt** *f.* 여성상《문예 따위에 그리어지는》. **∼haar** *n.* 〖植〗 공작고사리(*maidenhair*).

frauenhaft [fráuənhaft] *a.* 여자〔아내·주부〕다운; 정숙한; 연약한.

Frauen≈hemd *n.* 시미즈. **∼hut** *m.* 여성모(帽), 보니트. **∼kleid** *n.* 여성복. **∼kloster** *n.* 수녀원. **∼krankheit** *f.* 부인병. **∼milch** *f.* 모유(母乳).

~putz *m.* 여성의 장신구. **~rechte** *pl.* 여권(女權). **~rechtlerin** *f.* 여권론자. **~schneider** *m.* 여성복 재단사.
Frauens·leute *pl.* 《俗》 여인네들. **~·mensch** *n.* 《蔑》 여편네; 계집년.
Frauen·stift *n.* 부녀원《옛 수녀원 등에서 의지할 곳 없는 부녀자들을 수용하던 곳》. **~stimme** *f.* 여성(女聲). **~·stimmrecht** *n.* 여성 선거권. **~wahl·recht** *n.* 여성 선거〔참정〕권. **~zimmer** *n.* 여성의 거실; (지금은 경멸적으로)년, 또는 농으로:) 계집(*woman, female*).
Fräulein [frɔ́ylain] *n.* [*dim.* v. Frau] 영양, 아가씨(*young lady*); 여판매원, 여점원, 여사무원. ¶ ~ M., M양(*Miss M.*).
fraulich [fráulıç] *a.* 여성의; 여자다운.
frech [frɛç] [원뜻 „gierig"] *a.* 염치 없는, 뻔뻔스러운(*impudent, insolent*); 불손한, 건방진. ¶ mit ~er Stirn(e) 철면피하게. **Frechdachs** *m.* 파렴치한 인간. **Frechheit** *f.* -en, 염치없음, 건방짐; 철면피; 대담함.
Fregatte [fregátə] [it.] *f.* -n, 프리깃함(艦)(*frigate*).
frei [frai] 《Ⅰ》 *a.* ① 자유스러운(♈*free*); 지배를 안 받는, 독립의(*independent*). ¶ jn. auf ~en Fuß setzen 아무를 석방하다. ② 자발적인(*spontaneous, voluntary*); 구속〔속박〕이 없는. ¶ aus〔von〕 ~en Stücken 마음대로 / jm. ~e Hand lassen 아무에게 행동의 자유를 허락하다. ③ 거리낌이 없는, 솔직한(*ingenuous, outspoken*); 방종한. ¶ et. ~ (heraus) sagen 무엇을 숨김없이 이야기하다. ④ 열린, 넓직한(*open*); 빈(*vacant*). ¶ ~e Zeit 한가한 때 / unter ~em Himmel 야외에서. ⑤ (kosten~) 무료의, 대가가 없는; (porto~) 우편 요금 무료의, 우편 요금 기납(旣納)의. ¶ ~er Eintritt 입장 무료. ⑥ 면(免)한, 면제된; (이) 없는. ¶ ~ vom Dienst 비번의 / ~ von Abgaben 면세〔무세〕의. 《Ⅱ》 *adv.* 자유롭게, 독립하여; 터놓고; 사로잡히지 않고; 임의로; 숨김없이.
Frei·aktie *f.* 무상주(株). **~betrag** *m.* 면세 수입(免稅收入). **~beuter** *m.* 해적; 약탈자; 표절자(剽窃者). **~·billet(t)** [-bıljɛt] *n.* 무료 입장권; 무료 승차권; 패스. **~bleibend** *a.* 구속이 없는; 가격 계약이 없는 (제공). **~brief** *m.* 여권; 면허장; 《比》 특권. **~den·ker** *m.* 자유 사상가(♈*freethinker*).
freien [fráiən] [<*fri* „Weib"] *i.*(h.) 구혼하다, 청혼하다《보통, 남자가 여자에게》(*court, woo*). **Freier** *m.* -s, -, 구혼자, 청혼자. ¶ 《戱》 auf ~sfüßen geh(e)n 청혼하다, 마누라감을 찾다. **Freierei** *f.* -en, 구혼; 혼담.
Frei·exemplar *n.* 증정본(贈呈本). 헌본(獻本). **~frau** *f.* 남작 부인. **~ga·be** *f.* =~GEBUNG. **~|geben*** *t.* 해방〔해제〕하다; 환부하다. **~gebig** *a.* 물건을 아끼지 않는, 인색하지 않은; 관대한(*liberal, generous*). **~gebigkeit** *f.* 활수(滑手), 관대(함). **~geboren** *a.* 자유의 몸으로 태어난《노예가 안닌》. **~·gebung** *f.* 해방, 해제; 환부. **~geist** *m.* =~DENKER. **~gelassene** *m.* u. *f.* 《形容詞變化》 방면(放免)〔해방〕된 사람. **~gepäck** *n.* 무임(無賃) 수하물. **~got** *n.* 자유 보유지(保有地)《봉건 시대의》; 면세지《예전의》. **~hafen** *m.* 자유 (무역)항.
frei|halten* [fráihaltən] *t.* (좌석을) 잡아 놓다; (의) 대신으로 치르다(jn.).
Frei·handel *m.* 자유 무역. **~händig** *a.* ① 의지할 것〔도움·받침·본〕이 없는, 자유로운. ¶ ~ (*adv.*) zeichnen 자유화를 그리다. ② 《商》 중매(仲買)〔경매〕가 없는.
Freiheit [fráihait] *f.* -en, 자유, 독립(*freedom, liberty*); 면제; 면허, 특권(*licence*); 자유로운〔멋대로의 무엄한〕 언행. **freiheitlich** *a.* 자유에 관한, 자유를 위한.
Freiheits·drang *m.* 자유에 대한 열망. **~krieg** *m.* 독일 독립 전쟁(1813-15). **~strafe** *f.* 자유(박탈)형, 금고형.
freiheraus [fraihɛráus] *adv.* 솔직하게, 정직하게.
Freiherr [fráihɛr] *m.* 남작(*baron*). **frei·herrlich** *a.* 남작의.
Frei·karte *f.* =~BILLETT. **~korps** [-ko:r] *n.* 의용(병)단. **~kuvert** *n.* 봉함 엽서.
frei|lassen* [-lasən] *t.* 해방〔석방〕하다. **Freilassung** *f.* 해방, 석방.
Frei·lauf *m.* 자유 회전. **~laufrad** *n.* 자유 회전 차륜(車輪).
Freileitung [-laitʊŋ] *f.* 공중 전선.
freilich [fráilıç] [<frei] *adv.* 확실히 (*certainly, to be sure, indeed*); 물론, 사실(…이기는 하지만) (*I confess, I admit*).
Freilicht·bühne *f.* 야외 극장. **~ma·lerei** *f.* 외광파(外光派) 회화.
frei|machen [-maxən] *t.* (편지의) 우편 요금을 선납하다, (에) 우표를 붙이다. ★ frei machen (*t.*) 자유롭게 하다, 해방하다.
Frei·marke *f.* 우표. **~maurer** [-maurər] *m.* 프리메이슨 단원(♈*freemason*). **~maurerei** *f.* 프리메이슨단의 제도. **~mut** *m.* 솔직, 공명 정대. **~mütig** *a.* 위의. **~mütigkeit** *f.* =FREIMUT. **~sasse** *m.* 자유 지주(地主); 자작 농민. **~schar** *f.* 의용대. 의용 병단. **~schärler** *m.* 의용대원. **~schule** *f.* 수업료를 받지 않는 학교. ¶ ~schule haben 급비생이다. **~schü·tz(e)** *m.* 자재탄(自在彈)《백발 백중하는 마법의 탄환》을 쏘는 사람. **~sinn** *m.* 자유로운 사고 방식〔사상〕 **~sin·nig** *a.* 사고 방식이 자유로운. **~sin·nigkeit** *f.* 사고의 자유; (정치상의) 자유주의.
frei|sprechen* [fráiʃprɛçən] *t.* 방면〔면제〕하다. **Freisprechung** *f.* 방면; 면제.
Frei·staat *m.* 공화국. **~statt, ~·stätte** *f.* 피난소. **~|steh(e)n*** *i.*(h.) (jm., 아무에게) 자유이다, 허락되어 있다; (셋집이) 비어 있다. ★ FREI STE·H(E)N* *i.*(h.) 고립하여〔떨어져〕 있다. **~stehend** *a.* 고립한. **~stelle** *f.* 장학금; 식사 무료 제공. **~stellen** *t.*:jm. et.: 허락하다, 맡기다; ★ FREI STELLEN *t.* 받침이 없이〔펴지 않고〕 세우다〔두

F

다]. **∼stunde** *f.* 휴식 시간; 방과 시간.

Freitāg [fráita:k] ["여신 Freyja 의 날"] *m.* 금요일(♈*Friday*).

frei·tätig *a.* 자유로이 행동하는; 자동적인. **∼tisch** *m.* 무료 식사〔접대〕. **∼tōd** *m.* 자해(自害), 자살. **∼treppe** *f.* 밖으로 통하는 계단. **∼übungen** *pl.* 도수 체조. **∼umschlāg** *m.* 우표가 붙은 봉투, 봉함 엽서. **∼verkehr** *m.* 자유 거래, 장외 시장. **∼werber** [<freien] *m.* 중매인(仲媒人). **∼willig** 《Ⅰ》 *a.* 자유 의지의(*voluntary*); 자발적인(*spontaneous*); 〖軍〗 지원한; *adv.* 자유 의지로, 지원하여. 《Ⅱ》 **∼willige** *m.* u. *f.* 《形容詞變化》 지원병. **∼willigkeit** *f.* 자유 의지(임); 자발(적임). **∼zettel** *m.* 면허장, 허가증; 여권(旅券). **∼zūgig** *a.* 거주〔이주〕의 자유가 있는. **∼zūgigkeit** *f.* 임의 이주권.

fremd [frɛmt] [♈engl. *from* "(멀리)에서, (타(他))에서"] *a.* 《述語的으로는 3格支配》 ① 딴 곳의, 타처의, 타국〔외국〕의(*foreign*). ② 타인의, 자기 것이 아닌(*not one's own*); 낯선, 알려지지 않은, 모르는(*unknown*); 소원한; 인연이 없는. ③ 다른; 관계가 없는; 기이(奇異)한(*strange*). **fremdārtig** *a.* 외국풍의; 이종(異種)의; 별스러운. **Fremde** [frέmdə] 《Ⅰ》 *m.* u. *f.* 《形容詞變化》 딴 곳의 사람; 외국인; 낯선 사람; 내객(來客); 여객. 《Ⅱ》 *f.* 타향, 이향, 객지; 외국, 타국. ¶ in die ∼ gehen, a) 외국에 가다, b) 길 떠나다 / in der ∼ sein 외국〔타처〕에 있다.

F

Fremden·būch *n.* 숙박인 명부, 숙박계. **∼führer** *m.* 외인(外人)〔관광객·명소(名所)〕의 안내인; 여행 안내《책의 이름》. **∼legiōn** *f.* 외인 부대. **∼verkehr** *m.* 외인객의 내왕. **∼zimmer** *n.* 객실.

Fremd·herrschaft *f.* 외국에 의한 통치. **∼körper** *m.* 〖醫〗 이물(異物); 침입자. **∼ländisch** *a.* 외국의; 이국풍의.

Fremdling [frέmtlɪŋ] *m.* -s, -e, 낯선 사람, 외래자; 외국인; 문외한.

fremd·rassig *a.* 이종족(異種族)의. **∼sprāche** *f.* 외국어. ¶ ∼sprachlicher Unterricht 외국어의 수업. **∼stämmig** *a.* 타종족의. **∼wort** *n.* 외래어. **∼wörterbūch** *n.* 외래어 사전. **∼wörterei** *f.* 외래어의 남용.

frequentieren [-kvɛn-] [lat.] *t.* 종종 가다, 왕래〔교제〕하다(♈*frequent*). **Frequenz** [frɛkvέnts] *f.* -en, 빈번; 빈수(頻數), 빈도(♈*frequency*); (학교의) 출석수; 〖鐵〗 수송량; 〖物〗 진동수; 〖電〗 주파수.

Fresko [frέsko] [it., <d. frisch] *n.* -s, ..ken, 프레스코《채 마르지 않은 석회벽에 그리는 벽화》.

Fressālien [frɛsá:lĭən] *pl.* 《俗》 식료품.

Freß·begierde *f.* 탐식(貪食), 폭식. **∼beutel** *m.* 양식 자루; 꼴망태.

Fresse [frέsə] *f.* -n, 《俗》 입. ¶ halt die ∼! 입 닥쳐.

fressen* [frέsən] [„veressen" 그 省略轉化] 《Ⅰ》 *t.* 먹다; 게걸스럽게 먹다, 우음마식(牛飮馬食)하다《사람이》; 침식하다; 부식(腐蝕)시키다(*corrode*). ¶ zu ∼ geben 먹이를 주다. 《Ⅱ》 **Fressen*** *n.* -s, (동물의) 먹이, 모이(*food*). ¶ ein gefundenes ∼ 뜻밖의 획득물, 횡재.

Fresser *m.* -s, -, 먹는 동물; 대식가.

Fresserei *f.* -en, 대식, 탐식, 먹세 좋음; 성연(盛宴), 큰 잔치.

Freß·gier *f.* 탐식. **∼gierig** *a.* 탐식의. **∼napf** *m.* 모이 단지, 모이 접시《새의》. **∼sack** *m.* 대식가, 폭식가.

Frett [frɛt] [Lw. fr. *furet* „kleiner Dieb"] *m.* -(e)s, -e, **Frettchen** *n.* -s, -, (*dim.*) 〖動〗 흰 족제비《토끼 사냥에 쓰임》(♈*ferret*).

Freude [frɔ́ydə] [<froh] *f.* -n, 기쁨, 즐거움(*joy, gladness, delight, pleasure*). ¶ s-e ∼ **an** jm. 〔et.[3]〕 haben 아무를〔무엇을〕 기뻐하다, 좋아하다, 즐기다 / **mit** ∼n 기꺼이.

Freuden·becher *m.* 환락의 잔. **∼bōtschaft** *f.* 기쁜 소식, 길보. **∼fest** *n.* 축하회. **∼feuer** *n.* (경축을 위한) 화톳불, 축화(祝火). **∼geschrei** *n.* 환성; 환호. **∼haus** *n.* 창가(娼家). **∼mädchen** *n.* 창부(*prostitute*). **∼störer** *m.* 쾌락의 방해자. **∼tāg** *m.* 기쁨의 날; 축일; 길일(吉日). **∼taumel** *m.* 광희(狂喜). **∼träne** *f.* 기쁨의 눈물.

freude·strahlend *a.* 희색 만면의. **∼trunken** *a.* 환희에 취한, 광희(狂喜)하는. **∼voll** *a.* 기쁨에 찬.

freudig [frɔ́ydɪç] *a.* 기뻐하는, 즐거워하는; 기쁜, 즐거운(*joyful, cheerful*); 쾌락(快諾)한; 흔연(欣然)한; *adv.* 기꺼이. **Freudigkeit** *f.* 희열, 기쁨.

freud·lōs [frɔ́yt-] *a.* 기쁨이 없는. **∼voll** *a.* ＝FREUDEVOLL.

freuen [frɔ́yən] [<froh] 《Ⅰ》 *t.* 기쁘게 하다. ¶ es freut mich, Sie hier zu sehen 당신을 여기서 만나니 반갑습니다. 《Ⅱ》 *refl.* (an, 을) 기뻐하다, 즐기다, (auf et., 무엇을) 즐거움으로 기다리다; (über et., 무엇을) 기쁨으로 삼다 《an 보다도 一般的》.

Freund [frɔynt] *m.* -(e)s, -e, 애호자, 동호자, 지지자; 벗, 친구(♈*friend*); 편; 〖商〗 거래처. **freund** [frɔynt] [*eig.* „liebend"] *a.*: jm. 〔e-r Sache〕 ∼ sein 아무와 친하다, 무엇을 좋아하다.

Freundes·arm *m.* 우정의 손; 원조. **∼dienst** *m.* 우정에서 울어나온 행위. **∼kreis** *m.* 교우 범위〔관계〕.

Freundin [frɔ́yndɪn] *f.* -nen, (여성의) 벗; 《俗》 애인, 첩.

freundlich [frɔ́yntlɪç] *a.* 친한, 우정〔호의〕 있는, 친절한(♈*friendly, kind*); 싹싹한, 공손한(*obliging, amiable*); 호감이 가는, 기분 좋은(*pleasant*). **Freundlichkeit** *f.* -en, 친절, 호의; 싹싹함, 공손함; 기분이 좋음, 형편이 좋음.

freundlōs [frɔ́yntlo:s] *a.* 친구가 없는.

Freund·schaft [frɔ́ynt-ʃaft] *f.* -en, 우인 관계, 우의; 우정, 우애(*friendship*). **freund·schaftlich** *a.* 우정이 있는, 우의적인.

freund·schafts·dienst *m.*, **∼stück** *n.* 우의적 행위, 친절, 호의.

Frēvel [fré:fəl] *m.* -s, -, 불법(*outrage, wantonness, mischief*); 모독(*sacrilege*);

〖法〗(정도가 가벼운) 침해, 규칙 위반; (Feld∼) 논〔밭〕 침입. **frevelhaft, freventlich** [fré:fəntlıç] *a.* 불법의, 무도한; 방자한, 거만한; 모독적인. **freveln** [fré:fəln] *i.*(h.) 죄를 범하다, 나쁜 짓을 행하다, 폭행하다; (gegen, 을) 범하다.

Frevel·sinn *m.* 악의, 사악; 방자, 불손. **∼tat** *f.* 나쁜 짓, 폭행, 흉포.

Frevler [fré:flər] *m.* -s, -, 악인, 무법자, 독신자(瀆神者). **frevlerisch** *a.* = FREVELHAFT.

Friede [frí:də] [*eig.* „Zustand der Liebe"; ♈frei, Freund] *m.* -ns, -n, **Frieden** *m.* -s, -, 평화(*peace*); 태평, 정밀(靜謐); 화평, 화목, 친선(*harmony*); 안정; (Seelen∼) 안심. ¶zum ewigen ∼ eingehen 극락 왕생하다.

Friedens·bruch *m.* 평화 조약 위반; 평화의 교란. **∼fuß** *m.* 〖軍〗 평시 정원. **∼kongreß** *m.* 평화 회의. **∼miete** *f.* 평화시의 집세. **∼pfeife** *f.* (인디언의) 친목의 담뱃대《화평의 증표로 서로 빪》. **∼politik** *f.* 평화 정책. **∼preis** *m.* 평화상; 평시 가격. **∼richter** *m.* 치안 판사《영국의》; 중재인, 조정자《독일의》. **∼schluß** *m.* 평화 조약 체결.

Frieden(s)·stifter *m.* 중재자, 조정자. **∼störer** *m.* 평화 교란자, 치안 방해자.

Friedens·vertrag *m.* 강화〔평화〕 조약. **∼vorschlag** *m.* 강화 제의.

Friederike [fridərí:kə] [半 프랑스 形, <Friedrich] *f.* 여자 이름.

friedfertig [frí:tfɛrtıç] *a.* 평화를 사랑하는, 온건〔온화〕한. ¶〖聖〗 selig sind die ∼en 평화를 구하는 자는 복이 있나니.

Friedhof [frí:tho:f] [eig. „eingefriedigtes Grundstück"] *m.* 묘지.

friedlich [frí:tlıç] *a.* 평화로운; 평화적인; 평온한; 만족한.

friedliebend [frí:tli:bənt] *a.* 평화를 사랑하는.

Friedrich [frí:drıç, frí:t-] [„Friedefürst"] *m.* 남자 이름.

fried·selig [-ze:lıç] *a.* 평화를 좋아하는, 평화적인.

frieren* [frí:rən] [♈Frost] *i.* 《Ⅰ》 (s.) 얼다, 결빙〔동결〕하다(♈*freeze*). 《Ⅱ》 (h.) 춥다, 시리다(*be cold, feel cold*). ¶es friert 얼음이 언다 / mich friert 나는 춥다.

Fries [fri:s] *m.* -es, -e, 《Ⅰ》 [기원은 프리즈란드 사람의 물결 모양의 결발(結髮)] 〖建〗 프리즈, 대상(帶狀) 장식(♈*frieze*). 《Ⅱ》 [„friesischer" Stoff 의 뜻] 한 면만 털을 세운 외투용의 조방 모직물(粗紡毛織物).

Friese [frí:zə] *m.* -n, -n, **Friesin** *f.* -nen, 프리즈란드 사람.

Frieseln [frí:zəln] [„Hirsekörner"] *pl.* 〖醫〗 속립진(粟粒疹) (*purples*).

Frikassee [frikasé:] [fr. <lat. *fricare* „zerreiben"] *n.* -s, -s, 〖料〗 프리커시 《닭·토끼 따위의 엷은 고기 조각을 스튜한 것》. **frikassieren** [frikasí:rən] *t.* 프리커시로 만들다《고기를》; (고기를) 저미다.

Friktion [frıktsió:n] [lat.] *f.* -en, 마찰; (의견의) 충돌, 알력, 불화.

frisch [frıʃ] 《Ⅰ》 *a.* 신선한(♈*fresh*); 시원한, 상쾌한(*cool, refreshing*); 싱싱한, 새로운(*new, recent*); 갓 만들어진; 젊은; 아직 쓰이지 않은, 맏물의; 팔팔한, 활발한, 원기가 있는(*brisk, lively*). ¶von ∼em 새로이, 신규로 / auf ∼er Tat ertappen 현행범을 잡다. 《Ⅱ》 *adv.* 새롭게, 새로이; 활발하게, 원기 있게. ¶∼ (auf)! 자아, 힘 내어서.

Frische [fríʃə] *f.* 신선, 청신, 청량; 활발; 서늘한 장소; 피서지.

Frischgemüse [fríʃgəmy:zə] *n.* 생 야채.

Frischling [fríʃlıŋ] [*eig.* „frisch geborenes Schwein"] *m.* -s, -e, 〖獵〗 한 살된 산돼지 새끼.

Frisch·ofen *m.* 정련로(精錬爐). **∼stahl** *m.* 선철(銑鐵). **∼wasser** *n.* 청수, 담수.

Friseur [frizǿ:r] *m.* -s, -e, **Friseuse** [-zǿ:zə] *f.* -n, 이발사. **frisieren** [frizí:rən] [fr. *friser* „die Haare kräuseln", <Fries] *t.* (의) 머리카락을 지지다, 조발하다. ¶sich ∼ lassen 조발시키다.

Frisier·mantel *m.* 이발용〔화장용〕 위생복. **∼tisch** *m.* 조발대; 화장대.

friß! [frıs], **frissest** [frísəst] (du∼), **frißt** (du ∼, er ∼) ☞ FRESSEN 《그 命令形 및 現在》.

Frist [frıst] *f.* -en, 기한, 기간(*appointed time,* (*fixed*) *term*); 유예 (기간) (*respite, delay*). **fristen** [frístən] *t.* 연기〔유예〕하다((*grant*) *delay, respite*). ¶sein Leben ∼en 목숨을 잇다. **Fristung** *f.* -en, 연기, 유예. ¶∼ des Lebens 연명(延命)하기. **Fristverlängerung** *f.* 기한 연장.

Frisur [frizú:r] *f.* -en, 조발, 이발.

Fritz [frıts] [Friedrich 의 단축형] *m.* 남자 이름.

frivol [frivó:l] [fr.] *a.* 경박한; 외잡(猥雜)한, 야비한; 하찮은(♈*frivolous*).

froh [fro:] [*eig.* „flink"] *a.* 기뻐하는, 즐거워하는(*glad, joyous, gay*); 기쁜, 즐거운(*joyful, happy*). **frohgemut** *a.* =∼SINNIG.

fröhlich [frǿ:lıç] *a.* 기쁜, 즐거운, 쾌활〔명랑〕한(*cheerful, happy, merry*). **Fröhlichkeit** *f.* -en, 위임.

frohlocken [fro:lɔ́kən, †fró:lɔk-] [-locken „hüpfen"] *i.*(h.) 춤추며(über⁴, 을) 기뻐하다.

Froh·sinn *m.* 쾌활, 명랑. **∼sinnig** *a.* 쾌활한, 명랑한.

fromm [frɔm] [♈vor, frot; *eig.* „förderlich, tüchtig"] *a.* 신심(信心) 깊은, 경건한(*pious, religious*); 성실한, 진심이 충만한(*devout*); 온순한(*quiet, tame*).

Frömmelei *f.* -en, 믿음이 깊은 체함, 위신(僞信), 위선. **frömmeln** [frœ́məln] *i.*(h.) 믿음이 깊은 체하다.

frommen [frɔ́mən] *i.*(h.) (jm., 아무에게) 도움이 되다. **Frömmigkeit** [frœ́mıçkait] *f.* -en, 경건(*piety*). **Frömmler** *m.* -s, -, 믿음이 깊은 체하는 사람; 독신자.

Fron [fro:n] [<ahd. *frô* „Herr"] *f.* -en, 부역, 강제 노동.

Fron·bote *m.* 법원의 정리(廷吏). **∼dienst** *m.* 부역, 강제 노동.

frönen [frǿ:nən] *i.*(h.): 《比》 jm. 〔e-m

Dinge] ~ 아무에게〔무엇에〕 사역되다, 의 노예이다 / den Lüsten ~ 쾌락에 탐닉하다.

Frọn=feste *f.* 감옥. **~herr** *m.* 부역을 과하는 영주(領主). **~lẹichnām** *m.* 〖가톨릭〗성체(聖體). **~lẹichnāmsfest** *n.* 성체 축일.

Front [frɔnt] [fr., <lat. *frōns* „Stirn"] *f.* -en, 〖建〗전면, 정면(♈*front, face*); 〖軍〗전선. ¶~ machen (gegen, 에) 반항〔저항〕하다.

frōr [fro:r] ☞ FRIEREN 《그 過去》

Frosch [frɔʃ] *m.* -es, ¨e [frœ́ʃə], 〖動〗 개구리(♈*frog*); 꽃불의 일종《점화하면 지상을 튀어 다님(*squib*)》.

Frọsch=laich *m.* 개구리 알. **~schen=kel** *m.* 개구리 (뒷 다리의) 살.

Frost [frɔst] [♈frieren] *m.* -es, ¨e, 서리(♈*frost*); 혹한(酷寒), 오한(*chill, coldness*). **Frọstbeule** *f.* 동상(凍傷).

frösteln [frœ́stəln] *i.*(h.) 오한을 느끼다, 으슬으슬해지다(*feel chilly, shiver*). **frọ=stig** *a.* 혹한의; 추위를 타는, 잘 어는; 《比》 냉혹한, 쌀쌀한, 냉정한.

Frọst=salbe *f.* 동상 연고. **~schāde(n)** *m.* 상해(霜害). **~schutz** *m.* 동상약.

frottiẹren [frɔtí:rən] [fr.] *t.* 마찰하다(*rub*). **Frottiẹr(hand)tūch** *n.* 마찰 타월.

Frucht [frʊxt] [Lw. lat. *frūctus*] *f.* ¨e, ① 열매(♈*fruit*); (Halm~) 곡식, (Baum~) 과실, 과일. ② (Lebies~) 태아(*foetus*). ③ 《比》 결실(結實)(*product*), 결과(*result*).

frụchtbār [frúxtba:r] *a.* 열매가 열리는, 다산의(*fruitful*); 비옥한, 풍요(豊饒)한(*fertile*); 〖比〗 다산적인, 효과가 많은. **Frụchtbārkeit** *f.* 위임. **Frụchtbār=keits·vitamin** *n.* 수태(受胎) 비타민 《Vitamin E를 말함》.

Frụcht=baum *m.* 과수(果樹). **~bōden** *m.* 곡창(穀倉); 〖植〗 화탁(花托). **~bon=bons** *pl.* 과즙이 든 봉봉. **~bringend** *a.* 열매를 맺는, 열매가 열리는; 《比》 생산적인, 이익이〔효과가〕 있는.

frụchten [frúxtən] *i.*(h.) 열매를 맺다; 《比》 효과〔쓸모〕가 있다(*have effect, avail*). ¶nicht(s) ~ 아무 쓸모없다.

Frụcht=folge *f.* 〖農〗 윤작(輪作). **~=gelée** *n.* 과실 젤리. **~hülle** *f.* 과피(果皮). **~hülse** *f.* 과실 껍데기; 깍지. **~knospe** *f.* 과실의 싹. **~knōten** *m.* 자방(子房); 〖醫·動〗 난소. **~läger** *n.* (균류(菌類)의) 자낭반(子囊盤). **~lēse** *f.* 열매 따기. **~lōs** *a.* 열매를 맺지 않는, 생산적이 아닌; 새끼를 낳지 않는; 무효(無效)의; 무익한(*vain*). **~mark** *n.* 과육(果肉) 잼. **~reich** *a.* 과실이 많은; 《比》 다산의, 유효한. **~saft** *m.* 과즙. **~schicht** *f.* =~LAGER. **~wechsel** *m.* 〖農〗 교체작(交替作) 《흔히: ~folge "윤작"을 하는 중의》.

frugāl [frugá:l] [lat. „Fru ht bringend", *frūx* „Frucht"] *a.* 검약한(♈*frugal*); 검소한(*plain, simple*).

früh [fry:] [♈vor; *eig.* "앞의"] 《Ⅰ》 *a.* (시각·시기·시대가) 이른(*early*); 조숙한, 올된. 《Ⅱ》 *adv.* 이르게, 일찌기(*in the morning*). ¶~ morgens 〔morgens ~〕 이른 아침에 / heute ~ 오늘 아침 / von ~ bis spät 이른 아침부터 늦은 저녁까지 / in ~(er)en Zeiten 이전에, 옛적 / ein ~er Tod 요절(夭折).

Frụ̈hbeet [frý:be:t] *n.* 온상(溫床).

Frụ̈he [frý:ə] *f.* 이른 아침. ¶in aller ~ 이른 아침에, 새벽에. **frụ̈her** [frý:-ər] 《früh(e) 의 比較級》 《Ⅰ》 *a.* 보다 이른(*earlier, sooner*); 이전에, 먼저의, 원래의(*former, previous*). 《Ⅱ》 *adv.* 보다 이르게; 이전에, 예전에, 원래.

frụ̈h(e)stens [frý:(ə)ʃtəns] *adv.* 가장 이르게; 일러도(*at the earliest*).

Frụ̈h=gebēt *n.* 이른아침의 기도. **~=gebūrt** *f.* 조산(早産); 조산아. **~jahr** *n.* 봄. **~klūg** *a.* 조숙한, 올된.

Frụ̈hling [frý:lɪŋ] *m.* -s, -e, (한해 중의 이른 계절:) 봄(*spring*); 《比》 청춘(기), 성장기.

Frụ̈hlings=luft *f.* 봄 공기, 춘풍. **~=nachtgleiche** *n.* 춘분. **~wetter** *n.* 화창한 날씨.

Frụ̈h=messe *f.* 〖가톨릭〗 이른 아침의 미사. **~mette** *f.* 〖가톨릭〗 이른 아침의 공과 또는 미사《성탄제에 있어서의》. **~=mọrgens** *adv.* 이른 아침에. **~ōbst** *n.* 철에 앞서서 난 과실. **~reif** *a.* 조숙한, 올된. **~rōt** *n.* 아침놀.

Frụ̈hstück [frý:ʃtʏk] *n.* (Stück Brot, das man morgens ißt) 조반(*breakfast*). **frühstücken** *i.*(h.) 조반을 먹다.

frụ̈h=zeitig *a.* 이른; 조숙한; 너무 이른, 때 아닌. **~zūg** *m.* 새벽 열차.

Frustratiọn [frustratsió:n] [lat.] *f.* -en, 좌절, 실패, 무효.

Fuchs [fʊks] *m.* -es, ¨e, ① 〖動〗 여우(♈*fox*); 자류마(紫騮馬). ② [*aus* Fex „Narr"] 《學》 (대학의) 신입생.

Fụchs=balg *m.* 여우 가죽. **~bau** *m.* 〖獵〗 여우 굴.

Fụchs·eisen [fúks-aizən] *n.* 〖獵〗 여우 덫. **fụchsen** [fúksən] *t.* u. *i.*(h.) 고통을 주다, 괴롭히다; 성나게 하다; 속이다. ¶sich über et.⁴ ~ 어떤 일로 성내다.

Fụchsfalle [-falə] *f.* 〖獵〗 여우 덫.

fụchsig [fúksɪç] *a.* 여우 같은; 여우빛의.

Fụ̈chsin [fýksɪn] *f.* -nen, 암여우.

Fụchs=jāgd *f.* 여우 사냥. **~rōt** *a.* 여우빛의; 적자색(赤紫色)의 《말》. **~=schwanz** *m.* 여우 꼬리; 한 손으로 켜는 작은 톱; 〖植〗 줄맨드라미《비름과(科)》. **~(teufels)wịld** *a.* 《俗》 미친 듯 노한, 광포한.

Fụchtel [fúxtəl] [<fechten] *f.* -n, 날이 넓은 군도(軍刀)《형구(刑具)》. ¶《比》 unter der ~ steh(e)n 엄격한 군기(軍紀) 밑에 있다. **fụchteln** [fúxtəln] *i.*(h.) (mit, 을) 휘두르다.

fụchtig [fuxtɪç] *a.* 미친듯이 노한.

Fụ̄der [fú:dər] *n.* -s, -, 마차 1대의 적재량(*cartload*); 푸더《술의 용량 단위》.

Fūg [fu:k] [<fugen] *m.* -(e)s,: mit ~ u. Recht 정당하게(*with full right or authority*).

fūgbār [fý:k-] *a.* 적합한.

Fūge¹ [fú:gə] [it. *fuga* „Flucht"] *f.* -n, 〖樂〗 둔주곡(遁走曲), 푸가(♈*fugue*).

Fūge² [<fugen] *f.* -n, 이은 자리, 맞춤

자리(*joint*); 봉합선(縫合線)(*seam*). ¶aus den ~n geh(e)n 이은 자리가 떨어지다; 《比》 지리멸렬(支離滅裂)하다.

fugen [fú:gən] 《Ⅰ》 *t.* 이어 맞추다, 결합[접합]하다. 《Ⅱ》 *i.*(h.) 꼭 들어맞다.

fügen [fý:gən] 《Ⅰ》 *t.* ① 맞추다, 끼우다 (*join, put or fit together*); 이어 맞추다. ② 정돈하다, 안배(按排)하다; 섭리하다《신(神)이》(*direct*). 《Ⅱ》 *refl.* ① 따르다, 복종하다, 응하다; (in⁴, 에) 접합하다, 맞다. ② (非人稱) ¶es fügt sich (so), daß..., a) …의 형세가[상태·운명이]되다, b) …의 일이 일어나다[생기다].

Fügensatz [fú:gənsats] *m.* 〖樂〗 둔주곡[푸가]의 주제(主題).

Fügewort [fý:gəvɔrt] *n.* 〖文〗 접속사.

füglich [fý:klıç] [<Fug] *adv.* 정당하게; 적당히(*conveniently, rightly*), 적당히 말하면, 실제는, 요컨대. **fügsām** [fý:kza:m] [<fugen] *a.* 유순한, 온순한, 다루기 쉬운. **Fügung** [fý:guŋ] *f.* -en, ① 접합; 접합물. ② 복종, 순응. ③ 처리, 안배(按排); 〖宗〗 섭리.

fühlbār [fý:lba:r] *a.* 감촉할 수 있는, 감지[지각]할 수 있는; †느끼기 쉬운.

fühlen [fý:lən] 《Ⅰ》 *t.* 손을 대보다, 만져 보다(♈*feel, touch*); 느끼다(♈*feel*); 감지[지각]하다(*perceive*). ¶ wer nicht hören will, muß ~ 말을 안듣는 자는 된 맛을 봐야 한다. 《Ⅱ》 *refl.* (몸에) 느껴지다. ¶es fühlt sich weich (an) 그것은 촉감이 부드럽다. **Fühler** *m.* -s, -, 느끼는 사람; 〖動〗 촉수, 촉각(觸角).

Fühl·fāden *pl.* 촉수(觸鬚)《곤충의》. **~·hörner** *pl.* 촉각(觸角). **~lōs** *a.* 무감각한, 무정한, 냉담한.

Fühlung [fý:luŋ] *f.* -en, 감각, 지각, 감정; 접촉. ¶《比》 mit jm ~ haben 〔nehmen〕 아무와 접촉하고 있다. **~s·nahme** *f.* 접촉.

fuhr [fu:r] ☞ FAHREN 《그 過去》.

Fuhre [fú:rə] *f.* -n, 운반, 운송; 마차, 짐수레; (한차분의) 적하(積荷), 적재량; 마차 삯, 운임.

führen [fý:rən] [♈fahren, =„fahren machen"] 《Ⅰ》 *t.* ① 가게 하다, 데리고 가다, 인도하다, 안내[향도]하다(*guide*). ¶jm. zu Tisch ~ 아무를 식탁에 안내하다. ② 이끌다, 통솔[교도·지도]하다 (*lead*); 지휘하다(*conduct*). ③ 가지고 가다, 나르다(*carry*). ¶aus dem 〔ins〕 ~ 수출[수입]하다. ④ (휴대하여 나르다:) 몸에 지니다, 보이다, 가지고 있다. ¶ e-n Titel ~ 어떤 칭호를 지니다 / et bei sich ~ 무엇을 지니고 있다. ⑤ (어떤 목적을 위하여) 움직이다; 사용하다, 다루다(*handle*). ¶den Bogen ~ 바이올린을 켜다. ⑥ ("가게 하다"의 뜻에서: 늘이다, 높이다:) 세우다, 짓다, 구축(構築)하다. ¶weiter ~ 증축하다. ⑦ 하다, 맡아서 하다(*carry on, control, manage*). ¶die Regierung ~ 집권하다 / Krieg ~ (mit, 와) 전쟁하다 / Klage ~ über jn. 아무에게 불평하다 / das Wort ~ 남을 대신하여 말하다, 대표자이다. 《Ⅱ》 *i.*(h.) 통하다《길이》; 리드하다《스포츠 등에서》. ¶ 《比》 zu et.³ ~, a) 어떤 결과가 되다, b) 어떤 구실을 하다, 어떤 목적을 가지다. 《Ⅲ》 *refl.* (사람이 主語) 처신하다. **führend** *p.a.* 지도적인; 중요한, 일류의. **Führer** [fý:rər] *m.* -s, -, 인도하는 사람, 향도; 안내자; 안내기(記), 안내서; 지휘자, 지배인; 지도자; 통솔자; 총통《Adolf Hitler의 호칭》; 운전수, 조종자.

Führer·prinzip *n.* 지도자 원리. **~·raum** *m.* 조종자실.

Führerschaft [fý:rərʃaft] *f.* -en, 지도, 지휘, 통솔; 지도자, 지도자(總稱).

Führer·schein *m.* 운전 면허장. **~·sitz** *m.* 조종[운전사]석(席). **~stand** *m.* 기관수석; 운전대; 〖空〗 조종사석.

Führertūm [-tu:m] *n.* -(e)s, ⸗er, 지도권(指導權)(*leadership*).

Fuhr·knecht *m.* 짐마차꾼. **~leute** *pl.* =~MANN. **~lohn** *m.* 짐마차 삯, 운임. **~mann** *m.* (짐마차의) 마부.

Führung [fý:ruŋ] *f.* -en, 운송, 수송; 인도, 안내; 지도, 교도; 〖競〗 리드하기; 통솔; 지휘, 사령(司令); 관장(管掌), 처리; (göttliche ~) 섭리; (Buch~) 부기; 취급[사용](법); 조종; 행실, 품행《흔히 좋은 의미의》; 〖工〗 정향(定向) 장치.

Führungs·būch *n.* (고용인의) 근무 수첩; (학교의) 성적 통지표. **~mann·schaft** *f.* 〖海〗 승무원, 선원. **~zeug·nis** *n.* 신원 증명서《경찰의》.

Fuhr·wēg *m.* 차도. **~werk** *n.* 차량; 운수 기관. **~wēsen** *n.* 운송, 운수.

Fülle [fÝlə] [<voll] *f.* 충분함, 충실(充實), 충만(♈*fullness*); 풍부(*abundance*). ¶Brot die ~ 많은 빵 / körperliche ~ 풍만한 육체. ② 채우는 것; 〖料〗 소. ¶ in (Hülle und) ~ haben 넉넉하게 가지고 있다. **füllen**¹ [fÝlən] [<voll] 《Ⅰ》 *t.* 채우다, 채워넣다, 그득하게 하다(♈*fill, stuff, put in*). ¶in 〔auf〕 Flaschen ~ 병에 (채워) 담다 / e-n hohlen Zahn ~ 충치를 봉박다. 《Ⅱ》 *refl.* 차다, 그득히 되다. 《Ⅲ》 **gefüllt** *p.a,* 꽉 찬, 만원의.

füllen² [fÝlən] *i.*(h.) (말 따위가) 새끼를 낳다. **Füllen** [hd.; =nd. Fohlen] *n.* -s, -, 망아지(♈*foal*; 수컷: *colt*, 암컷: ♈*filly*). **Füller** [fÝlər] *m.* -s, -, (= Füllfeder) 만년필.

Füll·fēder *f.*, **~(fēder)halt** *m.* 만년필. **~horn** *n.* 보각(寶角)《산양 뿔에 꽃·과실 등을 채운 풍요의 상징》(*cornucopia*). **~ōfen** *m.* 연속 연소로《석탄 자급 장치가 된》.

Füllsel [fÝlzəl] *n.* -s, -, 〖料〗 소, 소로 쓰이는 고기; (신문·잡지의) 빈 간을 메우는 일단 기사.

Füllung [fÝluŋ] *f.* -en, 채움, 충전(充塡); 소; 충전물; (문짝의) 경판(鏡板), 머름(*panel*).

Füll·wort, ~wörtchen *n.* (*pl.* ..wörter), 〖文〗 허사(虛辭), 조사(助詞)《보기: wer da bittet의 da》.

fummeln [fúməln] 《Ⅰ》 *i.*(h.) 갈팡질팡하다《일을 잘못하여》 (*fumble*). 《Ⅱ》 *t.* 《俗》 비비다, 문지르다, 닦다(*polish*).

Fund [funt] [<finden] *m.* -(e)s, -e, ① 찾아 냄, 발견(♈*finding, discovery*); 습득(물)(*find*). ¶e-n guten〔glücklichen〕 ~ tun 《比》 횡재하다, 우연히 좋은 것을 얻다. ② 발굴(물). ¶~ aus der vorzeit 선사 시대의 발굴물.

Fundament [fundamɛ́nt] [lat., *fundus* „Grund"] *n.* -(e)s, -e, 기저, 기초, 근저, 기본(♀*foundation, base*). **fundamentieren** *t.* (의) 기초를 닦다.

Fund·amt [fúntamt] *n.* 유실물〔습득물〕 보관소.

Fund=būrō *n.* 분실물〔습득물〕 계출소. **~geld** *n.* 습득 사례금. **~grūbe** *f.* (풍부한) 광갱(鑛坑); 《比》 보고(寶庫).

fundieren [fundí:rən] [lat.] *t.* (의) 기초를 놓다; 창립〔창설〕하다; (의) 기금〔자금〕을 기부하다.

Fund=ort *m.* 발견된 장소; 〖動·植〗 산지(產地), 생식지. **~sache** *f.* 습득물. **~stelle** *f.* 발견된 장소.

fünf [fʏnf] *num.* 다섯, 5(♀*five*). ¶es ist halb ~ (다섯시로 향하여 반 시간 지남:) 네시 반이다.

Fünf=akter *m.* 〖劇〗 5막극. **~eck** *n.* 5각형. **~eckig** *a.* 5각형의.

fünferlei [fʏ́nfərlai] *a.* 5종의.

fünf=fach, ~fältig *a.* 5배의, 5중(重)의. **~jährig** *a.* 5년간의; 5세의. **~jährlich** *a.* 5년 마다의 **~kampf** *m.* 5종(種) 경기. **~kant** *m.* 5능(稜), 5각. **~māl** *adv.* 다섯 번; 5배로. **~mālig** *a.* 다섯 번의; 5배의. **~seitig** *a.* 5변(邊)의; 5각의; 5면의. **~stellig** *a.* 다섯《수가》 자리의. **~stöckig** *a.* 6층의.

F

fünft [fʏnft] *a.* (der, die, das ~e) 제 5의.

fünf=tāgig *a.* 5일간의, 생후 5일의. **~tausend** *num.* 5000.

fünftel [fʏ́nftəl] 《Ⅰ》 *a.* 5분의 1의. 《Ⅱ》 ~ *n.* -s, -, 5분의 1.

fünftens [fʏ́nftəns] *adv.* 다섯 째로.

fünfzehn [fʏ́nftse:n] *num.* 15(♀*fifteen*). **fünfzehnt** *a.* 제 15의.

fünfzig [fʏ́nftsɪç] *num.* 50, 쉰(♀*fifty*). **Fünfziger** *m.* -s, -, 50세〔대〕의 사람. **fünfzigst** *a.* 제 50의.

fungieren [fuŋgí:rən] *i.*(h.) 근무하다, 구실을 하다(*function, act*); 직무를 행하다(*officiate*).

fungizid [fuŋgitsí:t] [lat. <Fungus] *a.* 살균력 있는. **Fungizid** *n.* -(es), -e, 살균제. **fungōs** [fuŋgǿ:s] *a.* 균질의; 버섯 모양의, 해면질의.

Funk [fuŋk] *m.* -(e)s, 《Funkentelegraphie의 생략》 무선 전신, 라디오(*wireless, radio*).

Funk=anlāge *f.* 무선 방송국〔설비〕. **~apparāt** *m.* =~GERÄT. **~beamte** *m.* 《形容詞變化》· 무선 기사(無線技師). **~bild** *n.* 텔레비전(의 수상(受像)).

Fünkchen [fʏ́ŋkçən] [*dim. v.* Funke(n)] *n.* -s, -, 작은 불꽃(*sparklet*); 극소(極少), 미세(微細).

Funke [fúŋkə] *m.* -n(s), -n. 불꽃, 불티(*spark*), 번쩍임(*flash*). ¶er hat k-n ~n (von) Ehrgefühl 그에게 명예심이란 조금도 없다. **funkeln** [fúŋkəln] *i.*(h.) 불티가 일어나다(*sparkle*), 번쩍번쩍하다; 빛나다(*twinkle*).

funkel(nāgel)neu [fúŋkəl(na:gəl)nɔ́y, fúŋkəl-nɔy] *a.* (so neu, daß es glänzt wie ein Nagel) 아주 새로운(*brand-new*).

Funk·empfang [fúŋk-ɛmpfaŋ] *m.* 무선 수신.

funken [fúŋkən] *i.*(h.) u. *t.* ① =FUNKELN; 발포하다. ② 무선 전신을 치다 (*wireless*); 라디오〔텔레비〕 방송을 하다 (*broadcast*). **Funken** [fúŋkən] *m.* -s, -, =FUNKE.

Funken=entlādung *f.* 불꽃 방전. **~fänger** *m.* (굴뚝 따위의) 불똥 마개. **~kammer** *f.* 불꽃실(室)《대전(帶電) 소입자의 궤도를 기록하는 것》. **~peilgerät** *n.* 라디오 측정기. **~prōbe** *f.* (강철 연마시의) 불똥 검사. **~sprühend** *p.a.* 불똥이 튀는. **~strecke** *f.* 〖電〗 불꽃 방전 장치〔간극〕. **~telegraphie** *f.* 무선 전신(술).

Funker [fúŋkər] *m.* -s, -. 무전 기사, 통신병.

Funk=feuer *n.* 무선 표지, 리디오 비컨. **~gerät** *n.* 무전기, 라디오. **~navigatiōn** *f.* 무선(에 의한) 항해〔항공〕. **~ortung** *f.* 무선에 의한 위치 탐지. **~peiler** *m.* 무선 방향 탐지기. **~spruch** *m.* 무선 전신(문). **~statiōn, ~stelle** *f.* 라디오 방송국, 무선 전신국. **~stille** *f.* 방송이 없는 시간. **~technik** *f.* 무선 공학.

Funktiōn [fuŋktsió:n] [lat., *z.* fungieren] *f.* -en. ① 근무, 직분, 직무(*office*); 기능, 작용. ② 〖數〗 함수(函數).

Funktiōnen·theorie *f.* 〖數〗 함수론(函數論). **funktionieren** *i.*(h.) ① =FUNGIEREN. ② (기계가) 운전〔작동〕되고 있다.

Funk=turm *m.* 무선 전신〔방송〕탑. **~zeitung** *f.* 라디오 신문.

Funzel [fúntsəl] [<Funke] *f.* -n, 《俗》 침침한 램프〔초〕.

für [fy:r, 弱 fyə] [vor 와 同語] 《略: *f.*》 《Ⅰ》 *prp.* 《4格 支配》 ① 《連續·交替》 Schritt ~ Schritt ("한 걸음의 앞에 한 걸음을":) 한 걸음 한 걸음 / Jahr ~ Jahr 연년 세세(年年歲歲). ② 《目的·用途·適合》을 위하여. ¶ein Buch ~ Kinder 아동용 책. ③ 《性能·感情의 方向》에 대하여. ¶Sorge ~ die Zukunft 미래에 대한 걱정. ④ 《관계된 範圍》에 있어서; 에 대하여. ¶ich ~ m-e Person 나 개인으로서(는) / ~ heute 오늘로서는 / ~ immer 영구히. ⑤ 《判斷의 標準》 로서는. ¶ ~ e-n Sechziger ist er noch recht rüstig 60세의 노인으로서는 건장하다. ⑥ 《利益·贊成》을 위하여, 에 찬성하여. ¶ ~s Vaterland Kämpfen 조국을 위해 싸우다 / ~ u. wider 찬부. ⑦ 《代理》의 대신에. ¶ ~ jn. zahlen 아무의 대신에 지불하다 / ein 〔einmal〕 ~ allemal 이번만은, 이번을 마지막으로, 단연 / 《was와 함께》: was ~ ein Mann ist das? 그건 어떤 사람이냐 / was ~ Lügen! 무슨 거짓말이냐. ⑧ 《同等, 同一》 …으로서. ¶ man erkennt es ~ wahr 사람들은 그것을 진리라고 인정한다. ⑨ 《交換·代償》 ~ et. zwei Mark zahlen 〔geben〕 무엇에 2마르크 지불하다. 《Ⅱ》 † *adv.*: ~ u. ~ 끊임없이; 언제〔어디〕까지나(=immer weiter).

Furage [furá:ʒə] [fr., *aus* d. Futter] *f.* 마량(馬糧), 양말(糧秣)(♀*forage*, ♀*fodder*).

Furan [furán] [lat. *furfur* „Kleie"] *n.* -s, 〖化〗 푸랑(Furrurol의 유도체).

fürbaß [fy:rbás, fý:rbas] [*eig.* „besser fort", vorwärts] *adv.* 앞쪽으로, 먼저. ¶ ~ schreiten 전진하다.

Fürbitte [fý:rbɪtə] *f.* -n, (Bitte zum Besten *od.* statt anderer) 대원(代願); 알선, 중재(仲裁)(*intercession*). ¶ ~ einlegen 대원하다.

Furche [fúrçə] *f.* -n, 고랑, 보습 자리; (배의) 항적(航跡) (♈*furrow*); 주름 (*wrinkle*). **furchen** *t.* (에) 두둑[고랑]을 내다. ¶die Stirn ~ 이마에 주름을 짓다 / ¶《比》 die Wogen ~ (배가) 물결을 헤치며 나아가다.

Furcht [furçt] [<fürchten] *f.* 두려움, 공포(*fear*, ♈*fright*, *dread*); 외포(畏怖); (Ehr~) 외경(畏敬)(*awe*); 염려, 근심(*anxiety*). ¶ ~ vor dem Tode 죽음의 공포. **furchtbār** [fúrçtba:r] *a.* 무서운, 굉장한(*terrible*, *dreadful*); *adv.* 무섭게; 대단히(*awfully*). **Furchtbār=keit** *f.* -en, 무서움.

fürchten [fýrçtən] 《I》 *t.* 두려워하다, 꺼리다; 우려하다, 염려하다(*fear*). 《II》 *refl.* (vor, 을) 두려워하다, 우려하다, 염려하다(*be afraid of*, *dread*). **fürch=terlich** [fýrçtərlɪç] *a.* 무서운, 가공(可恐)할, 지독한(♈*frightful*, *horrible*).

furchtlōs [fúrçtlo:s] *a.* 두려워하지 않는, 대담한. **Furchtlōsigkeit** *f.* 두려워하지 않음, 대담.

furcht·sām [fúrçtza:m] *a.* 두려워하는, 겁많은, 벌벌 떠는(*fearful*, *timorous*). **Furcht·sāmkeit** *f.* 겁, 비겁.

fürder [fýrdər] [fort의 옛 比較級] *adv.* 앞에, 앞으로(♈*further*); 금후, 장차 (*henceforward*).

für·einander [fy:rainándər] *adv.* 서로를 위하여, 서로.

Furfurōl [furfuró:l] [<lat. *furfur* „Kleie"] *n.* -s, 〖化〗 푸르푸롤《방향성 유상 액체, 합성 수지에 씀》.

Furie [fú:rĭə] [lat. *furiae* (*pl.*) „Wut, Raserei"] *f.* -n, 〖羅神〗 복수의 여신(♈*Fury*); 《比》 한부(悍婦).

Furier [furí:r] [fr., <Furage] *m.* -s, -e, 〖軍〗 급양(給養) 하사, 급양계(*quartermaster*).

fürlieb [fy:rlí:p] *adv.*: ~ nehmen 《한 단어로 써서 分離動詞로 하는 편이 좋음》, (mit, 으로) 만족하다, (으로) 때우다.

Furnier [furní:r] [fr., *fournir* „versehen, versorgen"] *n.* -s, -e, 합판(合板), 베니어 판(板)(♈*veneer*, *inlay*). **furnieren** *t.* (에) 합판을 대다. **Furnierholz** *n.* 베니어 판을 만드는 목재.

fürs [fy:rs, fyəs] 《略》 = *für* das 《das는 定冠詞》. ¶ ~ erste 당분간, 우선.

Fürsorge [fý:rzɔrgə] *f.* 배려, 돌보기 (*care*). ¶soziale ~ 사회 사업(*relief*).

Fürsorge=amt *n.* 사회 복지국. **~er=ziehung** *f.* 국가에 의한 청소년 보호[감화] 교육.

für|sorgen [fý:rzɔrgən] *i.*(h.) 《不定形 및 分詞形으로만 쓰임》 배려하다, 돌보다. **fürsorglich** *a.* 배려[조심]하는; 꼼꼼한; 사회 사업적인.

Fürsprāche [fý:rʃpra:xə] *f.* = FURBITTE. **für|sprechen*** *i.*(h.) 주선하다, ★ 現在形·過去形은 非分離. **Fürsprecher** *m.* -s, -, 중재[알선]인; 변호사.

Fürst [fyrst] [♈vor; „der Vorderste, Erste"; = engl. *first* „erst"] *m.* -en, -en, 왕후(王侯), 군후(*prince*, *sovereign*); 후작《Herzog 와 Graf 의 사이》.

Fürsten=geschlecht *n.* 군주의 혈통, 왕족. **~haus** *n.* 궁전, 왕궁.

Fürstentūm [fýrstəntu:m] *n.* -(e)s, ..tümer, 후작의 위(位); 후작령; 후작국.

Fürstin [fýrstɪn] *f.* -nen, 여군(女君); 후작 부인, 후비(侯妃).

fürstlich [fýrstlɪç] 《稱號로는: ~lich》 *a.* 왕후의, 왕후 같은. ¶ ~ (*adv.*) belohnen 굉장한[다액의] 사례를 주다.

Furt [furt] [♈fahren] *f.* -en, 걸어서 건널 수 있는 여울(♈*ford*).

Furunkel [furúŋkəl] [lat. „ein kleiner Dieb" 체력을 훔치는 까닭에] *m.* -s, -, 〖醫〗 부스럼, 정(疔)(♈*furuncle*, *boil*).

fürwahr [fy:rvá:r] *adv.* 확실히, 진정으로, 실제로(*verily*, *indeed*).

Fürwitz [fý:rvɪts] *m.* = VORWITZ.

Fürwort [fý:rvɔrt] *n.* -(e)s, 〖文〗 대명사(*pronoun*).

Furz [furts] *m.* -es, ⸚e, 《卑》 방귀(♈*fart*). **furzen** *i.*(h.) 방귀 뀌다.

Fūsel [fú:zəl] *m.* -s, -, 〖化〗 푸젤유(油); (푸젤유를 함유하는) 하치의 화주(火酒).

Füsilier [fyzilí:r] [fr., <*fusil* „Gewehr"] *m.* -s, -e, 총수(銃手); 경보병(輕步兵)(♈*fusileer*). **füsilieren** *t.* 〖軍〗 총살(형에 처)하다.

Fusiōn [fuzĭó:n] [lat. „Guß"] *f.* -en, 용해, 융합; (회사·정당 등의) 합동(合同). **fusionieren** [fuzĭoní:rən] *t.* 융합[합동]시키다.

Fūß [fu:s] *m.* -es, ⸚e, 《俗》 발(♈*foot* (*pl.* Füße, ♈*feet*)); 《길이의 單位; *pl.* ~e, 단 基數 다음에서는: ~》 피트. ¶ festen ~ fassen 발판을[지위를] 확보하다, 근거를 튼튼히 하다 / stehenden ~es 선 채로, 즉석에서 / jm. **auf** die Füße treten 아무의 발을 (모르고) 밟다/ auf eigenen Füßen steh(e)n 자립[독립]하다/auf e-m großen ~e leben 호사스럽게 살다 / auf gutem ~e steh(e)n, (mit, 와) 사이가 좋다 / **mit** gleichen Füßen 희희 낙락하여 / **zu** ~(e) gehen 도보(徒步)로 가다 / gut [schlecht] zu ~e sein 다릿심이 좋다[오래 걷지 못하다] / drei ~ lang 길이 3 피트.

Fūß=abstreicher *m.* 신털이 매트《문 앞의》. **~angel** *m.* 도적을 막기 위하여 땅에 꽂은 쇠 갈고랑이; 〖軍〗 마름쇠. **~=bād** *n.* 각욕(脚浴). **~ball** *m.*, **~ball=spiel** *n.* 축구. **~bank** *f.* 족대(足臺). **~bekleidung** *f.* 신는 것《신·양말 따위》. **~bōden** *m.* 마루《나무 또는 돌의》. **~breit** *m.* 1 피트의 넓이(의 평면). ¶ k-n ~breit weichen 한발도 양보하지 않다. **~bremse** *f.* 발(로 밟는) 브레이크《자동차의》. **~decke** *f.* 마루의 깔개, 양탄자, 돗자리; 발 덮개, 무릎 덮개.

füßeln [fý:səln] 《I》 *i.*(h.) 다리를 건들거리다; (탁자 밑 등에서) 발을 건드리며 장난치다. 《II》 *t.* 밟아 다지다.

fūßen [fú:sən] *i.*(h.) 발을 놓다; 토대로

F

삼다; (새가) 머물다. ¶auf et.[3,4] ~ 무엇에 기초를 두다[입각하다].

Fuß=ende *n.* (침대의) 발치. **~fall** *m.* 무릎 꿇기, 엎드리기. **~fällig** *a.* 무릎 꿇은, 엎드린; *adv.* 무릎 꿇고. **~gänger** *m.* 보행자; 〖軍〗 보병. **~knöchel** *m.* 복사뼈. **~lappen** *m.* 〖軍〗 (양말 대신의) 발싸개, 감발. **~māß** *n.* 피트 단위[척도]; (신의) 발 치수. **~nōte** *f.* 각주(脚註). **~pfād** *m.* 보도(步道); 작은 길. **~punkt** *m.* 〖天〗 천저(天底)(*nadir*). **~reise** *f.* 도보 여행. **~sack** *m.* 버선《보온용의》. **~schēmel** *m.* =~BANK. **~sohle** *f.* 발바닥. **~soldāt** *m.* 보병. **~spitze** *f.* 발끝. **~spūr**, **~stapfe** *f.* 발자국. **~steig** *m.* 보도; 작은 길. **~tritt** *m.* (발로) 밟기; 걸음; (발로) 차기; (차의) 디딤판, 발판. **~volk** *n.* 보병대. **~wanderung** *f.* 도보 여행, 하이킹(*hike*). **~wēg** *m.* 보도, 인도. **~wurzel** *f.* 〖解〗 부골(跗骨), 발목.

futsch [futʃ] *int.* u. *a.* 〔*adv.*〕 없어진, 사라진(*gone*); 부서진.

Futter[1] [fútər] *n.* -s, -, ① (가축의) 먹이, 사료(♈*fodder, forage*). ¶grünes ~ 목초 / trocknes ~ 건초(乾草). ② 《戲·蔑》 먹이《사람이 먹는》.

Futter[2] [fútər] *n.* -s, -. † (쐐우개:) (Spann~) 문틀(*casing*), (Kleider~) (의복의) 안, 안감(*lining*). **Futterāl** [futərá:l] *n.* -s, -e, 《라틴말식의 語尾를 붙여서 만듦》 그릇; 케이스; 집《칼 따위의》(*case, covering, sheath*).

Futter=beutel *m.* 여물 주머니《말의 목에 다는》. **~kasten** *m.* 먹이 담는 통. **~leinwand** *f.* 삼베의 안감. **~mittel** *n.* 사료, 여물.

futtern [fútərn] *i.*(h.) u. *t.* ① (fressen) 먹다《짐승이》. ② 《戲·蔑》 (essen) 처먹다《사람이》.

füttern[1] [fýtərn] *t.* 사료를 주다, 사육하다. ¶ ein Tier mit et. ~ 동물에 무엇을 (사료로) 주다 / e-m Pferde Hafer ~ 말에 귀리를 먹이다.

füttern[2] *t.* (에) 안을 대다. ¶mit Holz ~ (에) 널판을 붙이다.

Futter=neid *m.* 《俗》 (남의 이득에 대한) 질투. **~sack** *m.* 사료 주머니. **~trōg** *m.* 여물통, 말구유.

Fütterung [fýtəruŋ] *f.* -en, ① 의복의 안을 댐. ② 안감.

Futūr [futú:r] [lat.] *n.* -s, -e, 〖文〗 미래(형). **Futurist** *m.* -en, -en. 미래파 문인[화가]. **Futūrum** [futú:rum] *n.* -s, ..ra [-ra:]. 〖文〗 미래(형).

F=zūg [ɛf-tsu:k] *m.* 《略》 =*f*ernschnellzug 원거리 급행 열차.

G

G [ge:] *n.* -, -, 〖樂〗 사 음; (*G-dur*) 사장조. *g* [ge:] *n.* -, -, 〖樂〗 사 음; (*g-moll*) 사단조.

gāb [ga:p] ☞GEBEN 《그 過去》.

Gābe [gá:bə] [<geben] *f.* -n, ① 주는 [받는] 물건, 선물(♈*gift*); 선사품(*present*); 팁, 행하; 공물; (milde ~) 보시(布施)(*alms*). ② 천분(天分), 재능(*endowment, talent*). ③ 조세. ④ 약의 일회분 분량, 한번의 복용량(*dose*).

gābe [gɛ́:bə] 《Ⅰ》 =GEBEN 《gab의 接續法》. 《Ⅱ》 [„was sich leicht geben läßt"] : gang und ~, =ÜBLICH.

Gābel [gá:bəl] [*eig.* „Fassende, Greifende"] *f.* -n, 갈래(진 것); (Eß~, Tisch~) 포크(*fork*); (Mist~, Heu~) 갈퀴(*prong*); (Stimm~) 음차(音叉); 갈래진 나무, 완목(腕木), 차주(叉柱); 〖植〗 덩굴손, 권수(卷鬚)(*tendril*).

Gābel=anker *m.* 〖建〗 꺾쇠; 〖海〗 이물의 작은 닻. **~deichsel** *f.* (한 필이 끄는 마차의) 한 쌍의 [복식의] 채(*shafts*).

gābelförmig [gá:bəlfœrmıç] *a.* 포크 모양의, 둘로 갈래진.

Gābel=frühstück *n.* 새참, 샛밥《아침과 점심 사이에 먹는데 아침 식사보다 좋고 포크를 씀》(*luncheon*). **~gehörn**, **~geweih** *n.* (사슴의) 가지뿔.

gāb(e)lig [gá:b(ə)lıç] *a.* 두 갈래의; 갈래 모양의.

gābeln [gá:bəln] *t.* 포크[갈퀴]로 찌르다; *refl.* 갈래지다, 분기하다.

Gābel=pfērd *n.* 채에 메우는 말. **~schwanz** *m.* 소리개의 일종; 모기의 일종.

Gāb(e)lung [gá:b(ə)luŋ] *f.* -en, 〖植〗 차상분지(叉狀分枝); (강의) 분기(*bifurcation*); 분기점. 「의 갈래(*prong*).」

Gābel=zacke, **~zinke** *f.* 포크[갈퀴]

gackeln [gákəln], **gackern** [gákərn] *i.*(h.) 꼬꼬오[꽥꽥·까악깍]울다(♈*cackle*); 《比》 재잘거리다.

Gaffel [gáfəl] [„Gabel"] *f.* -n, 〖海〗 기움돛 막대《세로돛의 위를 잡아매는 둥근 재목》(♈*gaff*).

gaffen [gáfən] *i.*(h.) 멍하니 입을 벌리고 바라보다(♈*gape, stare*). **Gaffer** *m.* -s, -, 위의 사람. 「급료(*salary, pay*).」

Gage [gá:ʒə] [fr.] *f.* -n, (배우 따위의)

gähnen [gɛ́:nən] 《Ⅰ》 *i.*(h.) 큰 입을 벌리고 있다《심연 등이》(*gape*); 하품하다(♈*yawn*). 《Ⅱ》 **Gähnen** *n.* -s, -, 하품. **~krampf** *m.* 하품의 발작.

Gal [gál] *n.* -s, 갈《가속도의 단위, 이탈리아의 물리학자 Galilei의 이름에서》.

Gala [gála] [ar. -sp.] *f.* 예복(♈*gala*). ¶in großer ~ 성장하고, 대례복으로.

Galān [galá:n] [sp., fr., <Gala] *m.* -s, -e, 정부(情夫)(♈*gallant, lover*).

galant [galánt] *a.* (여성에 대하여) 정중한, 친절한(*courteous*); 호색의, 정사(情事)의(*amorous*); 멋진, 우아한(♈*gallant*). ¶ ein ~es Abenteuer 정사(情事).

Galanterie [galantərí:] *f.* ..rīen, (여성에 대한) 친절; 정사; 방물, 유행품.

Galanterie=arbeiten *pl.* =~WAREN. **~händler** *m.* 방물 장수. **~wāren** *pl.* 장신구, 방물.

Gala=uniform *f.* 예복, 대례복. **~vōrstellung** *f.* 〖劇〗 축제 흥행.

Gāle [gɛ́:lə] *m.* -n, -n, 켈트족(族).

Galeere [galé:rə] [it.] *f.* -n, 대형 돛배, 갤리선《돛과 노가 많은, 옛날 단갑판의 군함》(♈*galley*). 「리선을 젓는 노예.」

Galeeren=sklāve, **~sträfling** *m.* 갤

Galeōne [galeó:nə] [<sp.] *f.* -n, 스페

인의 3층 갑판 대범선. **Galeote** *f.* -n, ① 연안 항행의 소형 두대박이. ② 소형 쾌속 갤리선.

Galerie [galərí:, gale–] [mlat.] *f.* ..rien, ① (한쪽이 트인) 행랑; 긴 복도, 유보장. ② 〖劇〗 맨 위층의 값싼 좌석; (Gemälde~, Kunst~) 화랑, 미술관(♈*gallery*); 〖坑〗 횡갱(橫坑).

Galgen [gálgən] *m.* -s, -, 교수대(♈*gallows, gibbet*).

Galgen=dieb *m.* 교수형에 처할 도적. **~frist** *f.* 처형〔교수·단두〕의 유예; 《比》 (더는 불가능한) 최후의 유예〔연기〕. **~gesicht** *n.* 악당〔죄수〕의 상판대기. **~humor** *m.* 궁한 끝에 부리는 익살. **~schwengel** *m.* =~DIEB. **~=strick**, **~vogel** *m.* 악당.

Galiläa [galilɛ́:a] *n.* -s, Palästina 북부의 옛 지명. **Galilä·er** *m.* -s, -, 갈릴리 사람. **galilä·isch** *a.* 갈릴리의.

Galion [galĭó:n] [sp.] *n.* -s, -s *u.* -e, 이물 《장식 달린》. **Galions·figur** *f.* 이물 장식, 뱃머리 상(像).

Galizien [galí:tsĭən] *n.* 갈리시아《폴란드 남부 지방》. **Galizier** *m.* -s, -, 갈리시아 사람. **galizisch** *a.* 갈리시아의.

Gall·apfel [gál-apfəl] *m.* 몰식자, 오배자.

Galle[1] [gálə] [lat.] *f.* -n, 〖植〗 충영(蟲癭), 오배자, 몰식자(沒食子)(♈*gall*).

Galle[2] [♈gelb] *f.* -n, 〖醫〗 담즙; 《比》 찌무룩함, 뺏성, 분노, 원한.

gällen [gɛ́lən] [<Galle[1]] 《Ⅰ》 *t.* (맛을) 쓰게 하다; 《比》 성내게 하다; (흥미 따위를) 깨다. 《Ⅱ》 *i.*(h.) 담즙이 괴다; 《比》 골내다.

gallen=bitter *a.* 담즙처럼 쓴. **~blase** *f.* 담낭. **~fieber** *n.* 담열. **~stein** *m.* 담석. **~sucht** *f.* 황달(黃疸).

Gallert [gálərt] *n.* -(e)s, -e, **Gallerte** [galɛ́rtə] [*viell. z.* lat. *gelāre* „gefrieren machen"] *f.* -n. 교질물(膠質物), 젤리(*gelatine, jelly*); 〖化〗 젤라틴. ¶ tierische ~e 아교.

Gallien [gálĭən] *n.* 갈리아, 골 《프랑스의 라틴 옛 이름》. **Gallier** *m.* -s, -, 갈리아〔골〕사람《고대 프랑스인》.

gallig [gálɪç] *a.* ① 담즙이 있는. ② 담질의; 쓰디쓴. ③ 《比》 기분이 좋지 않은, 발끈 성을 잘 내는.

gallisch [gálɪʃ] *a.* 갈리아〔골〕의.

Gallsucht [gálzuxt] *f.* 황달(黃疸).

Galmei [galmái, gálmai] [lat. *aus* gr.] *m.* -(e)s, -e, 〖鑛〗 갈마이 광석, 능아연광(菱亞鉛鑛), 이극광(異極鑛) (♈*calamine*).

Galon [galɔ̃́:] [fr., Gala 와 同系] *m.* -s, -s, **Galone** [galó:nə] [it.] *f.* -n, 가는 장식 끈, 금〔은〕모르. **galonieren** [galoní:rən] *t.* 위를 달다.

Galopp [galɔ́p] [fr.] *m.* -s, -e *u.* -s, (말의) 갤럽, 질구(疾驅); 〖軍〗 구보. **Ga=loppade** *f.* 갤로페이드 《4분의 2박자의 빠른 춤》(♈*galloppade*). **galop=pieren** [-pí:rən] *i.* (h. *u.* s.) 질구하다. ¶ galloppierende Schwindsucht 분마성(奔馬性) 결핵.

Galosche [galɔ́ʃə] [fr.] *f.* -n. 고무 덧신(♈*galosh, overshoe*).

galt [galt] ☞GELTEN 《그 過去》.

galvanisch [galvá:nɪʃ] *a.* 갈바니 전기의. ¶ ~e Vergoldung 전기 도금. **gal=vanisieren** *t.* (에) 정상(定常) 전기를 통하다; 전기 도금을 하다; 갈바니 전기 치료를 하다. **Galvanismus** *m.* -, 동(動)전기학; 갈바니 전기, 정상 전류.

Galvano=kaustik [galvà:nokáustɪk, galvano–] *f.* 전기 소작(술)(燒灼(術)). **~meter** *n.*〔*m.*〕 〖物〗 검류계(檢流計). **~plastik** *f.* 〖印〗 전기판(電氣版) 제조(법).

Gamaschen [gamáʃən] [sp. –fr.] *pl.* (가죽 또는 베로 만든) 각반(*gaiters*; 짧은 것: *spats*).

Gammel [gáməl] [*viell. v.* dän. *gamle* „alt"] *m.* -s, 시시한 고물, 잡동사니. **gammelig** *a.* 낡은, 쓸모 없는, 하찮은. **gammeln** *i.*(h.) 빈둥빈둥하다; 게을리하다, 시원시원치 못하다.

Gams [gams] *m.* -, -, 〖獵〗 =GEMSE.

Gamsbart *m.* 염소 수염, 턱수염.

Gang[1] [gaŋ] [<geh(e)n] *m.* -e(s), ⸚e, ① 가기, 걷기, 보행(*walk*); 걸음; 걸음걸이(*gait, pace*); (가는) 길. ¶ der stolze ~ 당당한 걸음걸이. ② 일보러〔심부름〕감, 심부름, 위탁〔명령〕받은 일(*errand, commission*); 순회; 〖醫〗 회진(回診), 왕진. ¶ ~ e-s Arztes 의사의 왕진 / Gänge gehen 〔machen〕 심부름 가다. ③ 움직임(*motion*); (기계의) 운전; 〖天〗 운행; 속도의 단계《자동차 따위의》; 진행, 경과(*progress*). ¶ der ~ der Gestirne 천체의 운행 / der ~ der Zeiten 시대의 변천 / im ~e sein 운전〔진행·활동〕중이다, 통용하고〔행해지고〕있다. ④ 통로《좁고 길게 양쪽으로 둘러싸인》(*passage*); 좁은 길; 복도, 낭하(*corridor*); (Baum~) 가로수 길; 〖解〗 도관(導管), 관(*duct*); (Gestein~) 광맥(*vein*); 〖工〗 (나사의) 홈(*worm*); (기계의) 연동부(連動部). ⑤ (경기·격검 등의) 한판 시합(*round*); 한번에 나르는 음식물, 한코스, 일품, 한 접시(*course, service*). ¶ e-n ~ mit jm. wagen 아무와 한판하다.

Gang[2] [gæŋ] [engl.] *m.* -s, -s, 폭력단.

gäng [gɛŋ], **gang** [gaŋ] [ahd. *gengi* „was gehen kann"] *a.* 《다음 用法뿐임》 ~ und gäbe 세상에 행해지고 있는, 습관적인(*customary, usual*). 「행법.」

Gang·art [gáŋ-a:rt] *f.* 보조(步調), 보

gangbar [gáŋba:r] *a.* 보행〔통과〕할 수 있는; 왕래가 빈번한; 유행〔유통〕하는; 잘 팔리는.

Gängelband [gɛ́ŋəlbant] *n.* 손을 잡게 하고 끄는 끈 《유아의 보행 연습용》 (*leading-strings*). **gängeln** [gɛ́ŋəln] [<geh(e)n] *t.*: jn.:(에게) 줄을 잡게 하여 걸음을 가르치다; 《比》 마음대로 조종하다.

Gänger [gɛ́ŋər] *m.* -s, -, 보행자.

gängig [gɛ́ŋɪç] [<Gang] *a.* 잘 팔리는 (상품).

Gang·spill [gáŋʃpɪl] *n.* 〖海〗 양묘기(揚錨機), 교반(絞盤)《닻 따위를 감아 올리는》. 「-s, -, 갱(의 한 사람).」

Gangster [gǽŋstər, gáŋ–] [engl.] *m.*

Gans [gans] *f.* ⸚e, 〖鳥〗 (Haus~) 거위, (Wild~) 기러기(♈*goose*, (*pl.* Gänze ♈*geese*)).

G

Gänse·blümchen [前半: *pl.* <Gans] *n.*, **∼blume** *f.* 〖植〗 데이지, 프랑스 국화, 민들레(*daisy*). **∼braten** *m.* 거위 불고기. **∼feder** *f.* 거위의 깃털. **∼füßchen** *pl.* 인용 부호(„—"). **∼haut** *f.* (털을 뽑은) 거위의 피부; 《比》 소름. **∼hirt** *m.* 거위를 지키는 사람. **∼kiel** *m.* (거위) 깃(펜). **∼klein** *n.* 〖料〗 거위 내장 요리. **∼leber** *f.* 거위의 간. **∼marsch** *m.* 일렬 종대 행진.

Ganser [gánzər] *m.* -s, -, **Gänserich** [génzərıç] *m.* -(e)s, -e, 수커위(*gander*).

Gänse·schmalz *n.* 거위의 지방. **∼wein** *m.* 《戲》 물.

Gant [gant] [it., <lat. *in quantum* „wieviel?"] *f.* -en, (파산으로 말미암은) 경매, 공매 처분(*auction*); 파산(*failure*).

ganz [gants] [*eig.* „unverletzt"] 《Ⅰ》 *a.* 온전〔완전〕한; 전체의; 모든(*whole, entire, all, total, complete, full*). ¶ ∼es Geld 목돈 / e-e ∼e Zahl 정수(整數) / von ∼em Herzen 충심에서 / 《中性의 地名 앞에서는 不變化·無冠詞》 ∼ Deutschland, a) 독일 전국, b) 전 독일 사람들 / e-e ∼e Menge 다수, 다량. 《Ⅱ》 *adv.* 아주, 전혀, 완전히. ¶ ∼ u. gar 전혀, 철두 철미 / nicht ∼ 반드시 전부가 그렇지는 않다 / ∼ Auge sein 반해서〔골똘히〕 바라보고 있다 / ∼ gut 상당히 잘, 꽤 훌륭하게. 《Ⅲ》 **Ganze** *n.* 《形容詞變化》 전체, 전부; 총계, 총액; 〖軍〗 총원. ¶ im ∼n 대체〔전체〕로 / im ∼n genommen 전체적으로 보아, 아무튼. **Ganzheit** [gántshait] *f.* 온전〔완전〕함, 전체, 총계(總計). **Ganzheits·methode** *f.* 전체적 방법; (읽기 교수에서) 전습법(全習法) 《한 말을 한 형상으로서 다룸; *ant.* Buchstabiermethode》.

G

Ganz·lederband *m.* 〖製本〗 총 가죽제(의 장정). **∼leinenband** *m.* 총 클로드(장정).

gänzlich [géntslıç] *a.* 완전한, 온(*whole, entire, complete*); *adv.* 전혀, 완전히.

Ganztags·beschäftigung [gánts-ta:ks-] *f.* 전시간 종사.

Ganzton [gánts-to:n] *m.* 〖樂〗 온음.

gar [ga:r] [♈gerben] 《Ⅰ》 *a.* ① 준비된, 끝난(*ready, finished*); (충분히) 요리한, 잘 삶아진〔구워진〕(*well-done*). ¶ mehr als ∼ 너무 삶은〔구운〕. ② 무두질한(*dressed*); (금속이) 정련된(*refined*). ¶ ∼ machen (가죽을) 무두질하다. 《Ⅱ》 *adv.* ("가공이 끝난" 뜻에서) 아주, 몹시, 대단히(*quite, entirely, very*); 뿐만 아니라, 게다가, …조차(=sogar); ¶ ∼ nicht 결코 ..않다, 전혀 ..않다 / nun ∼ 설상가상으로.

Garage [gará:ʒə] [fr., *gare* „in Obhut bringen", <d. wahren] *f.* -n, 자동차 차고; 〖空〗 격납고(格納庫).

Garant [garánt] [fr., <d. (ge)währen] *m.* -en, -en, 〖商〗 보증인(♈*guarantor*). **Garantie** [garantí:] *f.* ..tien, 보증, 담보(♈*guarantee*); 《比》 신뢰, 기대. **garantieren** [-tí:rən] *t.* u. *i.*(h.) 보증하다(♈*guarantee*, ♈*warrant*).

Gar·aus [gá:r-aus, ga:r-áus] *m.* 〔*n.*〕 -, 최후의 일격. ¶ jm. den ∼ machen 아무를 죽이다, 아무의 숨통을 끊다.

Garbe [gárbə] [*eig.* „e-e Handvoll"; ♈greifen] *f.* -n, (곡물의) 단(*sheaf*); 《一般的》 단, 다발.

Gärbottich [gé:rbɔtıç] *m.* (양조용) 발효통(醱酵桶).

Garde [gárdə] [fr., *aus* d. Warte] *f.* -n, 위병(대)(♈*guard(s)*).

Gardenparty [gá:dnpa:tı] [engl. „Garten-gesellschaft"] *f.* ..ties, 원유회.

Garderobe [gardəró:bə] [fr. „bewahre Kleidung!"] *f.* -n, 의상실(衣裳室), 탈의실(♈*wardrobe*); 〖劇〗 휴대품《외투·모자 따위》 보관소(*cloakroom*).

Garderobe(n)·frau *f.* =GARDEROBIERE. **∼marke** *f.* 보관 표찰《휴대품의》. **∼ständer** *m.* 외투〔모자〕 걸이.

Garderobiere [-bĭέ:rə] [fr.] *f.* -n, 휴대품 보관 담당원《여자》.

Gardine [gardí:nə] [lat.] *f.* -n, 커튼, (장)막(*curtain*).

Gardinen·predigt *f.* 침실 설교《아내가 잠자리에 든 남편에 하는 잔소리》. **∼stange** *f.* 커튼 막대기.

Gardist [gardíst] [fr., <Garde] *m.* -en, -en, 근위병(近衛兵).

Gare [gá:rə] [<gar] *f.* ① 준비가 다 됨; 정제. ② 무두질; 〖農〗 비료; 토양의 비옥.

Gäre [gé:rə] *f.* 발효, 효모(酵母).

Gären[(*)] [gé:rən] [♈gar, Gischt] 《Ⅰ》 *i.*(h.) 발효하다(*ferment*); 끓다, 거품이 일다(*effervesce*). 《Ⅱ》 *t.* 발효시키다.

Gar·koch *m.* 식당〔음식점〕 주인. **∼küche** *f.* 음식점, 식당; 간이 식당.

Gärmittel [gé:rmıtəl] *n.* 효소.

Garn [garn] [*eig.* „Darmsaite"] *n.* -(e)s, -e, 실, 방사(紡絲)(♈*yarn, thread*); 꼰 실, 연사(撚絲)(*twist*); (Näh∼) 바느질실; (새 또는 고기 잡는) 그물(*net*). ¶ jm. ins ∼ geh(e)n 아무의 그물〔덫〕에 걸리다.

Garnele [garné:lə] [ndl.] *f.* -n, 〖動〗 (유럽산) 식용 새우 등속(*shrimp*).

garnieren [garní:rən] [fr. „besorgen, mit et.[3] versehen", *aus* d. warnen] *t.* (에) 비치〔장비〕하다(♈*garnish*); 장식하다, 식서(飾緖)를 돌리다(*trim*).

Garnison [garnizó:n] *f.* -en, 수비대, 위수지(衛戍地)(♈*garrison*). **garnisonieren** *i.*(h.) 위수〔수비〕하다.

Garnitur [garnitú:r] *f.* -en, 식서(飾緖); 장식(물); 설치(*trimming, fittings*); 짝, 벌《장식·가구 따위의》 (*set*); 〖軍〗 장비(*equipment*).

garstig [gárstıç] *a.* 썩은 것 같은, 더러운(*filthy, foul*); 추잡한, 불쾌한(*nasty,*); 추한, 흉칙한(*ugly, horrid*); 징글맞은, 밉살스러운(*loathsome*); 야비한(*vile*); 심한.

Gär·stoff [gé:rʃtɔf] *m.* 효소.

Garten [gártən] [=engl. *yard*; engl. *garden*은 d. „Garten" 이 프랑스 말을 거쳐 영어로 들어간 것] *m.* -s, ⸚, 뜰, 정원(♈*garden*); (Nutz∼) (식물을 재배하는) 밭(보기: Gemüse∼ 채전, Blumen∼ 화원; Obst∼ 과수원); (Lust∼) 유원지; (Zier∼) 놀이터. ¶ öffentlicher ∼ 공원 / botanischer ∼ 식물원 / zoologischer ∼ 동물원.

Garten·anlage *f.* 정원, 유원. **∼arbeit** *f.* 마당〔정원〕 가꾸기; 원포 경작

(園圃耕作). ~**bank** *f.* 정원용 벤치. ~**bau** *m.* 정원 가꾸기, 원예. ~**ērde** *f.* 배양토. ~**gerät** *n.* 원예 용구. ~**gewächse** *pl.* 야채, 채과(菜果); 재배식물. ~**haus** *n.* 정원에 있는 정자(*summer-house*). ~**laube** *f.* (나무로 만든) 정자. ~**pflanze** *f.* 원예 식물. ~**schēre** *f.* 원예용 가위, 전정(剪定)가위. ~**stadt** *f.* 전원 도시《정원이 있는 주택 지구》. ~**zwerg** *m.* 정원 장식용 도기 인형; 《比》 작은 남자, 꼬마.

Gärtner [gέrtnər] *m.* -s, -, 원정(園丁), 동산바치; 정원사; 원예가; 식물원 주인(♈*gardener*), 과수원 주인; 식물원. **Gärtnerei** *f.* -en, 정원 가꾸기, 원예(술); 동산바치의 뜰; 양수원(養樹園). **gärtnerisch** *a.* 원예의. **gärtnern** *i.*(h.) 원예를 하다, 식물원을 경영하다.

Gārung [gέ:ruŋ] [<gären] *f.* -en, 발효; 끓어 오름; 《比》 격앙, 흥분, 소란, 소요. ~**s-mittel** *n.*, ~**s-stoff** *m.* 효소(*ferment*).

Gās [ga:s, 때로 gas] [gr. *Chaos*에서 만듦] *n.* -es, -e, 가스, 기체(♈*gas*). ¶ 《比》 gib ~! 힘 내라.

Gās-abwehr *f.* 〖軍〗 (독) 가스 방어. ~**angriff** *m.* (독) 가스 공격. ~**anstalt** *f.* 가스 공장. ~**ārtig** *a.* 가스 모양의. ~**behälter** *m.* 가스 탱크. ~**beleuchtung** *f.* 가스 조명. ~**bleiche** *f.* 염소 가스에 의한 표백. ~**bombe** *f.* (독) 가스 (폭)탄. ~**brenner** *m.* 가스 버너, (가스등·난로 등의) 불켜는 데, 버너. ~**brust** *f.* 〖醫〗 기흉(氣胸). ~**einrichtung** *f.* 가스 장치. ~**förmig** *a.* =~artig. ~**fūßhēbel** *m.* (자동차의) 액셀러레이터, 가속 장치 ~**glühlicht** *n.* 백열 가스등. ~**hahn** *m.* 가스 마
ㅐ. ~**hēbel** *m.* 가스 조르개판의 손잡
; 가속 페달. ~**heizung** *f.* 가스 난
~**hērd** *m.* 가스레인지《부엌에서
:》. ~**kammer** *f.* 독가스(에 의한
살인)실. ~**kampf** *m.* (독)가스전.
ogne [gaskɔ́njə] [fr. "Basken-
]*f.* 프랑스의 옛 주 이름.
ank *a.* 독가스에 중독된. ~
m. (독) 가스전. ~**laterne** *f.*
로등. ~**leitung** *f.* 가스 도관
licht *n.* 가스등. ~**maske** *f.*
가스크, 방독면. ~**messer** *m.*
기. ~**ōfen** *m.* 가스 난로.
zolí:n] [gr. +lat.] *n.* -s, 가
. **Gasomēter** *m.* -s, -,
가스 탱크.
srø:rə] *f.* 가스관.
ən] [*dim* v. Gasse] *n.*
골목; 뒷골목.
sʃuts] *m.* (독)가스 방어.
. „ungepflasteter Weg
engl. *gate* „Tor"] *f.*
길, 소로, 골목, 뒷골
lane); 가로(*street*).
거리를 어정거리다/
무엇에나 참견하는
gang 막다른 골목.
항아. ~**dirne** *f.*
[<hauen † „lau-
는) 속가(俗歌),
unge *m.* =~.

bube. ~**kehrer** *m.* 거리 청소부. ~**rinne** *f.* 길 양쪽의 도랑. ~**schleuse** *f.* (차도와 인도 경계의) 측구(側溝).

Gast [gast] [*eig.* „Fremder"] *m.* -(e)s, ⸗e, ① 나그네; 타향 사람, 타국 사람. ② 손님(♈*guest, visitor, stranger*); 고객(*customer*); (Stamm~) 단골 손님; 〖劇〗 객연(客演) 배우(*star*). ¶ Gäste haben 손님이 있다 / zu ~e bitten 초대하다. **Gastbett** *n.* 손님용 침대. **Gasterei** *f.* -en, 향응, 연회.

gastfrei [gástfrai] *a.* 손님을 후대하는.

Gast-freund *m.* ① 손님. ② 손님을 후대하는 주인〔사람〕. ~**freundlich** *a.* 객을 후대하는. ~**freund·schaft** *f.* 손님을 후대함. ~**gēber** *m.* 향연을 베푸는 사람; 주인《손님에 대한》. ~**geschenke** *pl.* 선물. ~**haus** *n.* 여관, 여인숙; 요리집. ~**hōf** *m.* 큰 여관, 호텔; 요정. ~**hōrer** *m.* (대학의) 청강생.

gastieren [gastí:rən] 《Ⅰ》 *t.* 향응〔접대〕하다. 《Ⅱ》 *i.*(h.) 손님으로 있다; 대접을 받다; 〖劇〗 객연배우로 출연하다.

gastlich [gástlıç] *a.* 손을 후대하는(*hospitable, convivial*).

Gast-mahl *n.* 향연, 향응, 연회. ~**professor** *m.* 초빙 교수. ~**recht** *n.* ① 손님으로 환영을 받을 권리《원래는 종교적인 것》. ② 주인의 접대상의 권리.

Gastrektasie [gastrεktazí:] [gr.] *f.* 〖醫〗 위확장. **Gastrilōg** [gastriló:k] *m.* -en, -en, 복화술(腹話術)을 하는 사람.

gastrisch [gástrıʃ] *a.* 위(胃)의, 배의.

Gastrolle [gástrɔlə] *f.* 〖劇〗 객연 배우의 역(役). ¶ e-e ~ geben 객연 배우로 출연하다.

Gastronōm [gastronó:m] [gr.] *m.* -en, -en, 미식가(美食家).

Gast-spiel *n.* 〖劇〗 다른 극단으로부터의 객연 출연. ~**(spiel)reise** *f.* 〖劇〗 순회 공연. ~**stätte** *f.* 음식점, 레스토랑. ~**stūbe** *f.* 객실; (여관·요리집의) 응접실. ~**wirt** *m.*, ~**wirtin** *f.* 여인숙〔음식점〕의 주인. ~**wirt·schaft** *f.* 여관 영업; 여인숙, 음식점. ~**zimmer** *n.* =~STUBE.

Gās-uhr *f.* =~MESSER. ~**vergiftung** *f.* 가스 중독. ~**versorgung** *f.* 가스 공급. ~**werk** *n.* 가스 공장. ~**zelle** *f.* 〖物〗 가스 광전관(光電管).

Gatte [gátə] [*eig.* „Zusammengehöriges"; ♈engl. *gather*] *m.* -n, -n, ① 배우자, 남편(*husband, consort*). ② *pl.* 부부. **gatten** [gátən] *t.* 결합하다, 부부로 하다; *refl.* 결혼하다; 결합〔교미〕하다.

Gatten-liebe *f.* 부부애. ~**lōs** *a.* 남편〔배우자〕 없는, 과부의. ~**recht** *n.* 〖法〗 부권(夫權). ~**treue** *f.* 부부간의 절조(節操). ~**wahl** *f.* 배우자 선택.

Gatter [gátər] [*eig.* „Zusammenhalter"] *n.* -s, -, 난간; 격자; 울타리(*grate, railing*).

Gatter-tōr *n.* 격자문, 책문(柵門). ~**tūr** *f.* 격자문. ~**werk** *n.* 격자(세공).

Gattin [gátın] [<Gatte] *f.* -nen, 아내, 부인(夫人)(*wife, consort*).

Gattung [gátuŋ] [<Gatte] *f.* -en, ① 종류, 종속(種屬)(*kind, species*); 종족(*race*); 〖動·植〗 속(屬)(*genus*). ¶ unsere ~ 인류. ② 결합, 합동.

Gattungs-begriff *m.* 〖論〗 유(類)개념. **~name** *m.*, **~wort** *n.* (*pl.* ¨er) 종속 명사, 보통 명사.

Gau [gau] [ge-와 Au 와의 융합: „Landschaft am Wasser"] *m.* -(e)s, -e *u.* -en, ① 《一般的》 지대, 지방. ② (행정 구역상의) 지방, 주, 현; 대관구, 가우. ③ 《方》 시골; 평원.

Gauch [gaux] *m.* -(e)s, -e *u.* ¨e, 《俗》 바보 같은 놈, 멍청이(♈*gawk, simpleton, fool*); 배냇머리; 사기.

Gaudieb [gáudi:p] *m.* 기민한 도둑, 큰 도둑; 사기꾼.

Gaudium [gáudĭum] [lat.] *n.* -s, 즐거움, 희열; 농담.

Gauge [gɛɪdʒ] [engl. „표준 규격"의 뜻] *f.* 게이지《양말 실의 굵기 규격》. 「공상.

Gaukelbild [gáukəlbɪlt] *n.* 환영, 환상,」

Gaukelei [gaukəlái] *f.* -en, 마술, 요술; 속임수, 사기. **gaukelhaft** *a.* 마술의, 요술의; 속임수의, 사기의. **gaukeln** [gáukəln] 《I》 *i.*(h.) ① 여기저기 뛰어 다니다; 한들거리다, 나부끼다 (*flutter*). ② 재빨리 속이다, 요술을 부리다(♈*juggle*). 《II》 *t.* ① 속이다, 사기치다. ② 요술로 꺼내다. 《III》 *refl.* 몸을 흔들다.

Gaukel-posse *f.*, **~spiel** *n.* 요술. **~spieler** *m.* 요술장이. **~werk** *n.* =GAUKELEI.

Gaukler [gáuklər] *m.* -s, -, 요술장이, 마술사; 어릿광대; 곡예사. **gauklerisch** *a.* =GAUKELHAFT.

Gaul [gaul] *m.* -(e)s, ¨e, 말(*horse*); 복마(卜馬), 짐끄는 말(*strong horse*); 《蔑》 못쓸 말.

Gaumen [gáumən] *m.* -s, -, 〖解〗 구개(口蓋), 구강(口腔)(*palate*).

Gaumen-kitzel *m.* =~LUST. **~laut** *m.* 〖文〗 구개음(g, k, n 따위). **~lust** *f.* 좋은 맛; 미식을 즐김. **~platte** *f.* 〖齒〗 의치 가상(義齒假床). **~segel** *n.* 〖解〗 연구개(軟口蓋).

Gauner [gáunər] [hebr.] *m.* -s, -, 악한, 사기꾼, 협잡꾼(*sharper, swindler*).

Gaunerbande *f.* 사기꾼 무리. **Gaunerei** *f.* -en, 사기, 기만. **gaunerhaft, gaunerisch** *a.* 사기의, 속이는. **gaunern** *i.*(h.) 사기하다; 사기〔도둑질〕로 살아가다.

Gauner-sprache *f.* 악당들 사이의 변말. **~streich** *m.* 사기, 악행.

Gaze [gá:zə] [fr.] *f.* -n, 엷은 천, 사(紗), 항라; 〖醫〗 가제(♈*gauze*). **~artig** *a.* 사(紗)〔가제〕 같은, 엷은.

Gazelle [gatsɛ́lə] [ar.] *f.* -n, 〖動〗 가젤 영양《영양속의 일종》. 「*f.* -n, 신문.

Gazette [gazɛ́tə, 흔히: gatsɛ́tə] [fr.]」

ge.. [gə-, 때로는 분명히 ge-, 方: jə-] [lat. =*co-, com-, cum-*] 합(合), 동(同), 전(全)의 뜻. 《ge 의 e 가 없어지고 다음의 말과 융합한 것이 있음》 보기: Glaube, gleich, gleiten.

Geächtete [gə-ɛ́çtətə] *m.* u. *f.* 《形容詞變化》 법률상의 보호를 박탈당한 사람; 추방자. 「음함.

Geächz(e) [gə-ɛ́çts(ə)] *n.* ..zes, 계속 신」

Geäder [gə-ɛ́:dər] *n.* -s, 맥관(脈管) 《總稱》(*vains*); 〖動·植〗 맥서(脈序), 맥상(脈相)《잎 또는 벌레 날개의》; 맥상무늬, 대리석 무늬. **geädert** *p.a.* 맥상(脈狀) 무늬가 있는. 「질.

Geartet-heit [gə-á:rtət-] *f.* 특유한 성」

Gease [gə-ɛ́:zə] *n.* -s, -, **Geäß** *n.* -es, -e, ① 〖獵〗 초식 동물의 주둥이; 목장; 먹이, 사료.

Geäst(e) [gə-ɛ́st(ə)] *n.* ..stes, (*coll.* v. Ast) 나뭇가지(*branches*).

geb. 《略》 《I》 =*geb*oren 출생의. 《II》 =*geb*unden 제본된《책이》.

Gebäck [gəbɛ́k] [<backen] *n.* -(e)s, -e, 빵류(類), 빵과자; (빵 따위의) 한 번 구운 분; (도기 따위의) 한 가마.

Gebälk(e) [gəbɛ́lk(ə)] [<Balken] *n.* ..k(e)s, (지붕의) 들보 맞춤.

gebar [gəbá:r] ☞GEBÄREN 《그 過去》.

Gebärde [gəbɛ́:rdə] [<gebaren] *f.* -n, ① 거동, 몸짓, 태도(*gesture, air, bearing*); 손짓. ② 얼굴빛, 표정, 용모. **gebärden** [gəbɛ́:rdən] *refl.* 거동하다, (인)양 가장하다.

Gebärden-spiel *n.* 몸짓, 손짓. 〖劇〗 무언극, 흉내내기, 제스처. **~spieler** *m.* 팬토미스트. **~sprache** *f.* 몸짓으로 하는 말; 제스처.

gebaren [gəbá:rən] [<ahd. *bar* „Art, wie sich et. trägt 〔zeigt〕; ♈-bar, Bahre] 《I》 *refl.* (의) 거동을 하다, (처럼) 행동하다 (*deport oneself*). 《II》 **Gebaren** *n.* -s, 풍채; 표정; 거동, 태도(*deportment, behaviour*).

gebären(*) [gəbɛ́:rən] [mhd. *bern* „tragen"; ♈Bahre, Gebärde; =engl. *bear*] 《I》 *t.* (어머니가 아이를) 낳다 (*give birth to*), 분만하다; 《比》 생기다, 만들다. 《II》 **geboren** *p.a.* ① 태어난; 타고난; 토착의(♈*born, native*). ② sie ist e-e ~e Fischer 그녀의 친정 성씨는 피셔이다. **Gebärerin** *f.* -nen, 산부(産婦); 《詩》 어머니. **Gebärmutter** *f.* 〖解〗 자궁(*womb, uterus*).

Gebäude [gəbɔ́ydə] [<bauen] *n.* -s, -, 건물(*building*, 공공의: *edifice*); 가옥; 주거; 《比》 구조, 조직, 체계(*structure*). **~steuer** *f.* 가옥세.

Gebein [gəbáin] [ahd. *gi-beini* „alle Knochen"] *n.* -(e)s, -e, ① 골격(♈*bones*); 해골; 《比》 전신(全身). ② *pl.* 유골, 주검.

Gebelfer [gəbɛ́lfər] *n.* -s, **Gebell** *n.* -(e)s, **Gebelle** *n.* -s, (개 따위가) 연거푸 짖어댐, 짖는 소리.

geben* [gé:bən] 《I》 *t.* ① 주다(♈*give* ... 보내〔넘겨〕 주다, 내주다, 치르다; 베... 다, 수여하다; 팔다, 양도하다; 나누... ¶ gib mir das Buch! 그 책을 주세요 ... billig ~ 싸게 팔다 / Karten ~ 카드 ... 나누어 주다 / Wasser ~ 물을 치다 ... jm. e-n Kuß ~ 아무에게 키스하다 ... e-n Ball 〔ein Konzert〕 ~ 무도회〔... 회〕를 열다. ② 《"주다, 생기게 하 ... 에서》 으로 되다. ¶er wird e-n g... Soldaten ~ 그는 훌륭한 군인이 ... 이다. ③ von sich ~ (빛·소리를) ... 다, (먹은 것을) 토하다, (생각을) ... 하다, 손떼다. ④ viel 〔wenig〕 au... ~ 무엇을 중하게 여기다〔여기지 ... 《II》 *refl.* 몸을 바치다〔맡기다〕, ...

다; 양보[승낙]하다; 자신(이 무엇임)을 나타내 보이다[밝히다]. ¶sich jm. zu eigen ~ 아무에게 항복하다 / sich in et.[4] ~ 무엇에 몸을 맡기다, 무엇을 운명이라고 체념하다. 《Ⅲ》 *t. imp.* 《4格의 目的語가 意味上의 主語》 **es gibt**: ① 존재하다, 있다(*there is, there are*); was gibt es Neues? 무슨 진기한 소식이라도 있는가. ② 일어나다, 발생하다. ¶es gibt e-n Streit 싸움이 일어난다. 《Ⅳ》 **gegẹben** *p.a.* ①〔官〕~ zu Berlin 베를린에서 교부[발행]된. ② 천부로서 주어진. ③ 주어진, 임의의; 실제의, 현존하는. ¶〔數〕e-e ~e Größe 주어진 수 / das ~e 주어진[가정된] 것, 사실. **Gẹber** [gé:bər] *m.* -s, -, 주는 사람; 증여자; 분배자; (카드놀이 따위의) 물주; 양도인; 〔商〕(어음) 발행인; 〔電〕 송신기, 송화기; 자동 판매기.

Gebẹt [gəbé:t] [<beten] *n.* -(e)s, -e, 기도, 기도문(*prayer*). ¶das ~ des Herrn 주기도. **~bụch** *n.* 기도서.

gebẹten [gəbé:tən] *p. p.* ☞BITTEN.

gebịer! [gəbí:r], **gebịerst, gebịert** =GEBÄREN (그 命令 및 現在).

Gebịet [gəbí:t] [Gebot 의 別形, *eig.* „Befehlsbereich"] *n.* -(e)s, -e, 영역, 지역(*district, province*); 영토(*domain*); (Fluß~) 유역; 〔地·植〕계(界); 《比》 영역, 분야(*field, branch*). **gebịeten*** [gəbí:tən] [<bieten „kündigen"] 《Ⅰ》 *t.* 명하다(♈*bid, command, order*), 호령하다. 《Ⅱ》 *i.*(h.) 지배하다(*govern, rule*), 제어하다, 뜻대로 하다(*have at one's disposal*). **Gebịeter** *m.* -s, -, 명령자, 지배자, 군주. **gebịeterisch** *a.* 명령적인(*imperious, dictatorial*); 강제적인, 결정적인(*peremptory*); 독재적인. **Gebịets·erweiterung** *f.* 영토의 확장.

Gebịlde [gəbíldə] *n.* -s, -, 형성물; 형체, 형상; 도형; 조작물, 꾸민 것; 〔醫〕 조직; 〔地〕 층. ¶~ der Nacht 귀신.

gebịldet [gəbíldət] 《Ⅰ》*p.a.* ☞BILDEN. 《Ⅱ》 **Gebịldete** *m.* u. *f.* 《形容詞變化》 교양 있는 사람.

Gebịmmel [gəbíməl] *n.* -s, 끊임 없이 울리는 벨[종] 소리, 종이 계속 울림.

Gebịnde [gəbíndə] *n.* -s, -, 다발(*skein*); 통(액체의 단위로도)(*cask, barrel*).

Gebịrge [gəbírgə] [<Berg] *n.* -s, -, 산맥, 연산(連山)(*mountains*); 고지, 산지. **gebịrgig** *a.* 산이 깊은, 첩첩 산중의, 산이 많은, 산지(山地)의.

Gebịrgs·ärten *pl.* 암석류. **~bewohner** *m.* 산지(山地)의 주민. **~dorf** *n.* 산촌. **~gēgend** *f.* 산악 지역, 두메. **~grāt**, **~kamm** *m.* 산등성이. **~kette** *f.* 산맥. **~krieg** *m.* 산악전. **~paß** *m.* 산골짜기의 좁은 길; 협곡(峽谷). **~pflanze** *f.* 고산 식물. **~rücken** *m.* 산등성이. **~volk** *n.* 산지의 주민. **~wand** *f.* 암벽, 낭떠러지. **~zūg** *m.* 산맥.

Gebịß [gəbís] [<beißen] *n.* ..sses, ..sse, ① 잇바디, 치열(齒列); (künstliches ~) 의치(義齒). ② 재갈, 말굴레.

gebịssen [gəbísən] *p. p.* =BEIßEN.

Geblạ̈se [gəblέ:zə] *n.* -s, -, 송풍기(送風機); 풍구; (풍금의) 풀무.

geblịchen* [gəblíçən] *p. p.* =BLEICHEN.

geblịeben [gəblí:bən] [<bleiben] *p.a.* 난파한 배. ¶die ~en, 전사자.

Geblöͅk(e) [gəblø:k(ə)] *n.* -(e)s, (소·양 따위가) 잇달아 욺, 그 소리.

geblụ̈mt [gəblý:mt] [<Blume] *p.a.* 꽃무늬가 있는 (직물); 장식이 많은, 화려한 (언사).

Geblụ̈t [gəblý:t] [<Blut] *n.* -(e)s, (몸 안의) 전 혈액, 피; 《詩》 혈통(*race, family*); 집안; 《方》 월경.

gebọ̄gen [gəbó:gən] [<biegen] *p.a.* 휜, 굽은, 만곡한.

gebọ̄ren [gəbó:rən] *p.a.* ☞GEBÄREN.

geborgen [gəbɔ́rgən] [<bergen] *p.a.* 보호된(*saved*); 안전한(*safe, secure*).

geborsten [gəbɔ́rstən] *p.p.* ☞BERSTEN.

Gebọ̄t [gəbó:t] [<(ge)bieten] *n.* -(e)s, -e, ① 부르는 값《특히 경매에서》(♈*bid(ding), offer*). ② 명령(*command(ment), order*). ¶jm. zu ~e stehen 아무의 뜻대로 되다, 에게 예속하다. ③ 계율; 〔宗〕 신의 명령. ¶die Zehn ~e (모세의) 십계. 「GEBIETEN《그 過去》.

gebọ̄t [gəbó:t], **gebọ̈te** [gəbǿ:tə] ☞

gebọ̄ten [gəbó:tən] *p. p.* ☞(GE)BIETEN.

Gebr. 《略》 =*Gebr*üder 형제들.

gebrạcht [gəbráxt] *p. p.* ☞BRINGEN.

gebrạnnt [gəbránt] [<brennen] *p.a.* 불에 탄, 눌은, 그슬린. ¶~er Kalk 생석회.

gebrā̄ten [gəbrá:tən] *p. p.* ☞BRATEN.

Gebrạ̈u [gəbrɔ́y] [<brauen] *n.* -(e)s, -e, 양조물(釀造物), 맥주류(類); 혼성 음료.

Gebrạuch [gəbráux] *m.* -(e)s, ..̈e, ① 사용(*use, employment*); 이용; 적용; 실용. ¶~ von et.[3] machen 무엇을 사용하다. ② 풍습, 관습(*custom, rite*); 습관; 방식; 유행. **gebrạuchen** 《Ⅰ》 *t.* 사용[이용]하다; 응용[적용]하다. 《Ⅱ》 **gebraucht** *p.a.* 사용된; 써서 낡은. **gebräuchlich** [-brɔ́yçlıç] *a.* 통용되는; 관용의; 재래의.

Gebrạuchs·anweisung *f.* 사용법(의 설명서). **~artikel**, **~gēgenstand** *m.* 일용품. **~grāphik** *f.* 상업 미술. **~gūt** *n.*, **~gụ̈ter** *pl.* 소비재. **~musik** *f.* (특별한) 용도(를 위해 작곡된) 음악《영화의 주제가 따위》. **~muster** *n.* 실용 신안(新案) 의장(意匠).

gebrẹchen* [gəbrέçən] [<brechen] 《Ⅰ》 *i.*(h.) 없다, 부족하다, 없어 불편하다 (*fail, be wanting*). ¶es gebricht mir an et.[3] 나는 무엇이 부족하다, 없다, 떨어졌다, 없어 곤란을 받고 있다. 《Ⅱ》 **Gebrẹchen** *n.* -s, -, ① 결핍. ② (흔히 *pl.*) (육체상의) 결함(*infirmity*). **gebrẹchlich** [gəbrέçlıç] *a.* 결함이 있는; 부서지기 쉬운, 약한; 허약한, 노쇠한. **Gebrẹchlichkeit** *f.* -en, 허약; 결함, 불구; 노쇠; 취약.

gebrọchen [gəbrɔ́xən] *p.p.* ☞BRECHEN.

Gebrụ̈der [gəbrý:dər] [<Bruder] *pl.* 형제, (특히) 형제 상회. ¶die ~ Grimm 그림 형제.

Gebrụ̈ll [gəbrýl] *n.* -(e)s, (끊임 없는) 포효; 노호(怒號); (사람의) 울부짖음.

Gebrumme [gəbrúmə] *n.* -s, 줄곧 중얼거림, 잇달아 투덜거림; 웅웅〔잉잉〕 소리를 냄.

Gebühr [gəbýːr] [<gebühren] *f.* -en, ① 의무, 책무; 직분. ② 마땅히 할 일, 분수에 맞는 일; 온당함(*duty, propriety*). ¶über ~ 분에 넘치게, 지나치게. ③ *pl.* 요금, 수수료, 보수, 급료(*dues, fees, payment*). **gebühren** [gəbýːrən] [„zusammen-tragen", sich ziemen; ♈-bar, ♈Bahre] 《Ⅰ》 *i.*(h.) (jm., 아무에게) 마땅하다, 알맞다(*be due*). 《Ⅱ》 *refl.*: sich³ ~ 지당하다, 타당하다 / es gebührt sich³, daß… …은 지당하다, 알맞다(*be becoming, fit, proper*). 《Ⅲ》 **gebührend** *p.a.* 상응하는, 지당한, 당연한.

gebührender=maßen, **~weise** *adv.* 적당히, 알맞게.

gebühren=frei *a.* 수수료가 들지 않는, 무세(無稅)의. **~pflichtig** *a.* 수수료를 〔세금을〕 낼 의무가 있는.

gebührlich [gəbýːrlɪç] *a.* =GEBÜHREND.

Gebührnis *f.* ..nisse (稀: *n.* ..nisses, ..nisse), 〖軍〗 급료.

Gebund [gəbúnt] [<binden] *n.* -(e)s, -e, 다발; 소포, 하물. **gebunden** [gəbúndən] *p.a.* ☞BINDEN. **Gebundenheit** *f.* 속박, 강제, 제한; 종속.

Geburt [gəbúːrt] [*eig.* „Getragenes" <gebären] *f.* -en, ① 태어남, 출생, 탄생(♈*birth*). ② 태생, 가문, 혈통, 출신, 바탕. ③ 낳음, 해산, 분만. ④ 소산, 산물.

G

Geburten=abnahme *f.* 출산율 저하. **~beschränkung**, **~kontrolle**, **~regelung** *f.* 산아 제한. **~rückgang** *m.* 출생율 감퇴. **~überschuß** *m.* 출산 과잉. **~ziffer** *f.* 출산율.

gebürtig [gəbʏ́rtɪç] *a.* (어떤 곳) 태생의.

Geburts=adel *m.* 세습 귀족. **~anzeige** *f.* 출생 신고. **~attest** *n.* 출생 증서. **~fehler** *m.* 선천적 결함《병·기형 따위》. **~haus** *n.* 생가(生家). **~helfer** *m.* 산부인과 의사. **~helferin** *f.* 조산부, 산파. **~hilfe** *f.* 조산(법). **~jahr** *n.* 낳은 해. **~land** *n.* 출생국. **~ort** *m.* 출생지. **~schein** *m.* 출생 신고 증서. **~schmerzen** *pl.* 진통. **~stadt** *f.* 태어난 도시. **~tag** *m.* 생일.

Geburts·tags=feier *f.* 생일 축하. **~geschenk** *n.* 생일 선물.

Geburts=wehen *pl.* 진통. **~zange** *f.* 산과 겸자(產科鉗子).

Gebüsch [gəbʏ́ʃ] [<Busch] *n.* -es, -e, 덤불, 수풀, 숲, 총림(*thicket*); 관목림(灌木林), 잡목 숲(*copse*).

Geck [gɛk] *m.* -en, -en, 《Ⅰ》 ① 멋장이, 맵시꾼, 호사바치, 자만심이 강한 사람(*dandy, fop*). ② 《方》 바보(*fool*). ③ (geckenhaftes Mädchen) 멋부리는 아가씨. **geck** *a.* 《方》 바보스런; 머리가 돈. **geckenhaft**, **geckig** *a.* 멋 부리는; 건방진; 어리석은, 바보 같은.

Gecko [géko:] [mal.] *m.* -s, -s *u.* ..ckonen, 〖動〗 수궁, 도마뱀붙이.

gedacht [gədáxt] *p.a.* 《Ⅰ》 [<denken]: e-e ~e Münze 대용 화폐. 《Ⅱ》 [<gedenken] 전술(前述)한.

Gedächtnis [gədɛ́çtnɪs] [<denken, gedenken] *n.* -ses, -se, ① 기억(*memory, remembrance*); 기억력; 기념. ¶**aus** dem ~ 기억으로 / **im** ~ behalten 기억해 두고 있다 / **zum** ~ von jm. 아무를 기념하기 위하여. ② 기념물; 기념비.

Gedächtnis=buch *n.* 비망록. **~fei·er** *f.* 기념식. **~kirche** *f.* 기념 교회당. **~kram** *m.* 쑤셔 넣은 지식. **~kunst** *f.* 기억술. **~münze** *f.* 기념 메달. **~rede** *f.* 기념〔추도〕연설. **~schwund** *m.* 기억력 감퇴. **~tag** *m.* 기념일.

Gedanke [gədáŋkə] [<denken] *m.* -ns, -n, 생각, 사고, 사상, 상념(*thought*); 관념(*idea*). ¶**in** ~n versunken 심사하여, 깊이 생각에 잠겨 / es ist kein ~ daran 그것은 생각할 것도 없다, 전혀 없다 / **mit** e-m ~n umgehen 어떤 계획을 꾸미고 있다 / sich³ ~n **über** et.⁴ machen 무엇으로 시름에 잠기다, 걱정하다.

Gedanken=austausch *m.* 사상〔의견〕의 교환. **~folge** *f.* =~GANG. **~freiheit** *f.* 사상의 자유. **~gang** *m.* 사상의 진행; 사색의 과정. **~lesen** *n.* 독심(讀心)(술). **~los** *a.* 사상이 없는; 생각〔지각〕 없는; 방심한. **~losigkeit** *f.* 사상이 없음, 내용이 없음; 신중하지 못함; 방심. **~lyrik** *f.* 상념시(詩), 철학시. **~reich** *a.* 사상이 풍부한; 의미심장한. **~splitter** *m.* 사상의 단편; 잠언, 경구. **~strich** *m.* 횡선(橫線), 대시(—). **~übertragung** *f.* 사상 전달; 이심 전심(以心傳心)(*telepathy*). **~voll** *a.* 사상이 풍부한; 명상〔생각〕에 잠긴. **~welt** *f.* 사상; 사상계, 정신 세계.

gedanklich [gədáŋklɪç] *a.* 사상상의; 공상적인.

Gedärm [gədɛ́rm] *n.* -(e)s, -e, **Gedärme** *n.* -s, -, 내장, 오장 육부.

Gedeck [gədɛ́k] [<decken] *n.* -(e)s, -e, 덮개, 커버, 식탁포; 한 벌의 식기; 정식(定食), 메뉴. ¶ein trockenes ~ 술 없는 정식.

gedeihen* [gədáiən] 《Ⅰ》 *i.*(s.) ① 잘 되다, 성공하다(*succeed*); 번영하다, 융성하다(*prosper, thrive*); 생장하다(*grow*). ② 생기다, 진보하다(*develop*); (무엇이) 되어지다(*turn*). ¶et. gedeiht ihm gut 무엇이 아무의 이익이 되다, 이롭다 / das gedeiht ihm zum Spott 그것은 그의 치욕이 된다. 《Ⅱ》 **Gedeihen** *n.* -s, 번영(*thriving*); 융성(*prosperity*); 진척, 성공(*success*). **gedeihlich** *a.* 번영하는, 성공하는; 효험이 있는, 유익한; 자양이 되는; 형편이 좋은.

Gedenk=blatt *n.* 기념 인쇄지. **~buch** *n.* 비망〔회고〕록, 기념장〔記念帳〕; 생일을 적어넣은 노트.

gedenken* [gədɛ́ŋkən] [<denken, ge-는 뜻을 강조함] 《Ⅰ》 *i.*(h.) ① (js., 아무를) 마음에 두고 생각하다(*think of*); 기억하고 있다, 잊지 않다(*remember*); (에) 언급하다, 이야기하다(*mention*); 생각을 가지다. ② (zu, 을 할) 생각〔작정〕이다(*intend*). 《Ⅱ》 *t.*: jm. et. ~ 아무가 무엇을 한 일을 잊지 않다, 에 원한을 품다. 《Ⅲ》 **Gedenken** *n.* -s, 기억; 회상(*memory*).

Gedenk·fei·er *f.* 기념식. **～münze** *f.* 기념 메달. **～stätte** *f.* 기념의 장소. **～stein** *m.* 기념비. **～tafel** *f.* 기념액자.

Gedicht [gədíçt] [<dichten] *n.* -(e)s, -e, 시, 시가(*poetry*); 그 낱낱의 작품(*poem*).

gediegen [gədí:gən] [gedeihen 의 옛 過去分詞] *p.a.* ① 옹골찬, 실속 있는, 견실한(*solid, reliable*); 진실한(*genuine, true*); 순수한(*pure*). ② 《俗》 훌륭한, 탁월한(*excellent*). **Gediegenheit** *f.* 긴밀, 견고, 옹골참; 순수; 진실.

gedieh [gədí:], **gediehen** [-dí:ən] ☞ GEDEIHEN 《그 過去 및 過去分詞》.

Gedinge [gədíŋə] [<dingen] *n.* -s, -, 청부, 계약; 도급 임금.

Gedränge [gədrέŋə] [<dringen] *n.* -s, -, ① 붐빔, 혼잡, 욱시글거림(*crowd, throng*). ② 《比》 곤궁, 궁지(*embarrassment*). **gedrängt** [gədrέŋt] *p.a.* ☞ DRÄNGEN. **Gedrängt·heit** *f.* 간결; 밀집; 잡답; 긴밀.

Gedröhn [gədrǿ:n] *n.* -(e)s, 끊임없이 진동함.

gedroschen [gədrɔ́ʃən] *p.p.* ☞ DRESCHEN.

gedruckt [gədrúkt] *p.a.* 인쇄된.

gedrückt [gədrʏ́kt] *p.a.* ☞ DRÜCKEN.

gedrungen [gədrúŋən] *p.a.* ☞ DRINGEN.

Gedudel [gədú:dəl] *n.* -s, 졸렬한 연주, 단조로운 음악.

Geduld [gədúlt] [<dulden] *f.* 인내, 끈기(*patience*). **gedulden** [gədúldən] *refl.* 인내하다, 참고 기다리다. **geduldig** *a.* 참을성이 강한, 끈기가 있는(*patient, forbearing*).

Gedulds·faden *m.*: mir reißt der ～faden 나는 더 참을 수가 없다. **～probe** *f.* 인내의 시험. **～spiel** *n.* 인내력을 요하는 놀이《도려낸 그림 맞추기 따위》.

gedungen [gədúŋən] *p.p.* ☞ DINGEN.

gedunsen [gədúnzən] [<dunsen] *p.a.* 팽창한, 부푼, 부은(*bloated*).

gedurft [gədúrft] *p.p.* ☞ DÜRFEN.

Ge·ehrte [gə-é:rtə] *n.* 《形容詞變化, *pl.* 없음》 〖商〗 Ihr ～s 귀한(貴翰).

ge·eignet [gə-áignət, -áik-] *p.a.* ☞ EIGNEN. **Ge·eignet·heit** *f.* 적합함, 적성; 자격.

Geest [ge:st] *f.* -en, **Geestland** *n.* (특히 북서 독일의 불모의) 높고 건조한 땅 (*ant.* Marsch).

Gefackel [gəfákəl] *n.* -s, 전후〔좌우〕로 흔들림; 《比》 우유부단.

Gefahr [gəfá:r] [♈fahren, engl. *fear*] *f.* -en, 위해, 위난; 위험(*danger, peril, risk*). ¶～ laufen 모험하다 / auf m-e ～ 손해는 내가 부담하기로 하고. **gefahrbringend** *a.* 위험한. **gefährden** [gəfέ:rdən] *t.* 위태롭게 하다, 위험에 내맡기다. **Gefährdung** [gəfέ:rduŋ] *f.* 위태롭게 함, 위해.

gefährlich [gəfέ:rlıç] *a.* ① 위태로운, 위험한(*dangerous, perilous*). ② 《比·俗》 중대한. **Gefährlichkeit** *f.* -en, 위태로움; 위험한 일. **gefahrlos** *a.* 위험이 없는; 안전한.

Gefährt [gəfέ:rt] [<fahren] *n.* -(e)s, -e, 차량, 탈것(*vehicle*).

Gefährte [gəfέ:rtə] [<Fahrt] *m.* -n, -n, **Gefährtin** *f.* -nen, 동맹자, 반려, 동아리(*companion, fellow*); 배우자.

gefahrvoll [gəfá:rfɔl] *a.* 위험천만인; 위급한.

Gefäll(e) [gəfέl(ə)] [<Fall] *n.* -(e)s, ..fälle, ① (고저의) 차, 낙차; (도로의) 경사, 비탈. ② *pl.* (토지의) 소득, 수익; 지조(地租).

gefallen[1] [gəfálən] 《Ⅰ》 ☞ FALLEN, GEFALLEN[2] 《그 過去分詞》. 《Ⅱ》 **Gefallene** *m.* u. *f.* 《形容詞變化》 ① 전사자. ② e-e ～ 윤락 여성.

gefallen*[2] [gəfálən] [„zufallen", ge-는 合致를 표시] 《Ⅰ》 *i.*(h.) ① (jm., 아무에게) 딱 들어맞다, (의) 마음에 들다(*please*). ② *imp.* es gefällt mir in dieser Stadt 이 도시가 마음에 든다. ③ sich[3] et. ～ lassen 무엇을 승인〔시인〕하다, 무엇에 찬성〔동의〕하다; 무엇을 감수하다, (에) 따르다. 《Ⅱ》 **Gefallen** *n.* -s, 마음에 듦; 기호; 기쁨, 즐거움. ¶～ an et.[3] finden 무엇을 기뻐하다, 즐거워하다.

gefällig [gəfέlıç] *a.* ① 마음에 드는, 기분 좋은(*pleasing, agreeable*). ② 친절한, 돌보아주기 좋아하는(*kind, complaisant*). **Gefälligkeit** *f.* -en, ① 마음에 듦. ② 친절(한 언행), 돌봄, 호의, 후의. **Gefälligkeitswechsel** *m.* 〖商〗 융통 어음.

Gefall·sucht [gəfálzuxt] *f.* 환심 사기, 비위를 맞춤, 인기 전술, 아양, 교태, 아첨. **gefall·süchtig** *a.* 남에게 좋게 보이려 하는, 아양떠는.

gefalten [gəfáltən] *p.p.* ☞ FALTEN.

gefangen [gəfáŋən] 《Ⅰ》 *p.p.* ☞ FANGEN. 《Ⅱ》 *p.a.* 사로잡힌. ¶sich ～ geben 항복하다 / ～ nehmen. ＝GEFANGENNEHMEN. 《Ⅲ》 **Gefangene** *m.* u. *f.* 《形容詞變化》 죄수; 포로.

Gefangenen·aufseher *m.* 교도관, 간수(看守). **～lager** *n.* 포로 수용소.

gefangen·|halten* *t.* 구류〔감금〕하다. **～nahme** [-na:mə] *f.* 포로로 함; 체포, 감금. **～|nehmen*** *t.* 체포하다; 〖軍〗 포로로 하다.

Gefangenschaft [gəfáŋənʃaft] *f.* -en, 감금, 금고; 포로된 신세(*captivity*).

gefangen·|setzen *t.* 감금〔금고〕하다. **～wärter** *m.* 옥사장이, 교도관.

Gefängnis [gəfέŋnıs] *n.* -ses, -se, 감옥, 교도소(*prison*), 구치소(*jail*); 금고(형).

Gefängnis·strafe *f.* 금고형. **～wärter** *m.* 교도관, 간수. **～zelle** *f.* 감방.

Gefasel [gəfá:zəl] *n.* -s, 헛소리.

Gefäß [gəfέ:s] [<fassen] *n.* -es, -e, ① 그릇, 용기(*receptacle, vessel*). ② 〖解·動·植〗 맥(관), 도관(導管)(*vessel*); (Blut～) 혈관. ③ (Degen～) 칼자루(*hilt*).

gefaßt [gəfást] *p.a.* 태연한, 침착한, 냉정한(*calm, composed*); (auf et., 무엇을) 각오하고 있는(*ready, prepared*).

Gefecht [gəfέçt] [<fechten] *n.* -(e)s, -e, (소부대 간의) 전투; 교전 (♈*fight, battle, action*). ¶außer ～ setzen 전투력을 잃게 하다 / in der Hitze des ～es 격전 중에, 흥분한 때문에.

Gefechts·bereit·shaft *f.* 전투 준비. **~klār** *a.* 전투 준비가 된. **~lāge** *f.* 전황. **~linie** *f.* 전선(戰線). **~ūbung** *f.* 전투 훈련.

gefeit [gəfáit] *p. a.* (gegen, 에 대하여) 불사신의(*proof (against)*).

Gefieder [gəfí:dər] [<Feder] *n.* -s, -, 깃(털). **gefiedert** *p. a.* 깃털이 있는; 깃을 단; 〖植〗 깃 모양의.

Gefilde [gəfíldə] [<Feld] *n.* -s, -, 《詩》 광야, 들(판)(♈*fields*); 지역(*domain, region*). ¶ die ~ der Seligen (고대 그리스인의) 낙원.

Geflecht [gəfléçt] *n.* -(e)s, -e, 결기 세공, 편물; 광주리 세공; 〖醫〗 (신경 따위의) 총(叢)(*plexus*), 망상(網狀) 조직.

gefleckt [gəflékt] *p. a.* 얼룩이 있는, 흠점〔반점〕이 있는. ¶ e-e ~e Katze 얼룩 고양이.

geflimmer [gəflímər] *n.* -s, 끊임없이 반짝거림.

geflissen [gəflísən] [<Fleiß] *a.* 근면한. **Geflissenheit** *f.* 근면, 정근. ¶ mit aller ~ 고의로. **geflissentlich** *a.* 고의의(*wilful, intentional*); *adv.* 일부러, 고의로(*wilfully, on purpose*).

geflochten [gəflɔ́xtən] *p. p.* ☞ FLECHTEN.

geflogen [gəfló:gən] *p. p.* ☞ FLIEGEN.

geflohen [gəfló:ən] *p. p.* ☞ FLIEHEN.

geflossen [gəflɔ́sən] *p. p.* ☞ FLIEßEN.

Geflügel [gəflý:gəl] [<Flügel] *n.* -s, 조류(鳥類); 가금(家禽).

geflügelt [gəflý:gəlt] *p. a.* 날개가 있는 (*winged*); 〖植〗 우상(羽狀)의. ¶ 《比》 ~e Worte 뭇 입에 오르내리는 말; 명언(名言).

G

Geflunker [gəflúŋkər] *n.* -s, 《比》 호언 (장담), 큰소리, 허풍(*humbug*).

Geflüster [gəflýstər] *n.* -s, 끊임없는 속삭임; 소근거림.

gefochten [gəfɔ́xtən] *p. p.* ☞ FECHTEN.

Gefolge [gəfɔ́lgə] [<folgen] *n.* -s, -, ① 수행원, 호종(*followers, attendance*); 〖軍〗 종군자. ② 《比》 결과. ¶ im ~ von 의 결과로서, 에 의하여. **Gefolgschaft** [gəfɔ́lkʃaft] *f.* -en, 수반, 호종, 종업원. **Gefolgsmann** *m.* (*pl.* ..männer *u.* ..leute) (고대 게르만 왕후의) 호종(자); 부하; 지지자.

Gefrage [gəfrá:gə] *n.* -s, 귀찮게 질문함; 신문. **gefragt** [-kt] *p. a.* 〖商〗 수요가 많은(*sought after, in demand*).

Gefräß [gəfré:s] *n.* -es, -e, 사료《동물의》; 입. **gefräßig** *a.* 탐식하는, 탐욕의(*greedy*). **Gefräßigkeit** *f.* 대식, 탐식, 탐욕.

Gefreite [gəfráitə] [<frei] *m.* 《形容詞變化》 (하사 근무의) 상등병, 병장(*lance-corporal*).

Gefrier·apparat [gəfrí:r-] *m.* 냉동 장치; 제빙기(製氷機).

gefrieren [gəfrí:rən] *i.* (s.) 응결하다(*congeal*); 얼다(*freeze*).

Gefrier·fleisch *n.* 냉동육. **~punkt** *m.* 응고점; 〖物〗 빙점.

gefroren [gəfró:rən] 《Ⅰ》 *p. p.* ☞ FRIEREN *u.* GEFRIEREN. 《Ⅱ》 **Gefror(e)ne** *n.* 《形容詞變化, *pl.* 없음》 얼음과자, 아이스크림.

Gefüge [gəfý:gə] [<fügen] *n.* -s, -, 이음매; 접합, 결합(*joints*); 짜맞춤; 구조(*structure*); 조직(*texture*); 〖地〗 층(層)(*layer*). **gefüge, gefügig** *a.* 유연한, 잘 휘는; 공손한.

Gefühl [gəfý:l] [<fühlen] *n.* -(e)s, -e, ① 촉감, 촉각(*touch*); 느낌. ② 감정, 기분; 감동; 감수성; 정서, 정감(*sense, sensation*); (느끼는) 마음(♈*feeling*). **gefühllos** *a.* 무감각한; 무감정의; 무정한. **Gefühllosigkeit** *f.* -en, 무감각; 무(감)정.

Gefühls·duselei *f.* 감상벽(感傷癖). **~krankheit** *f.* 〖醫〗 감각 장애. **~mäßig** *a.* 감정상의. **~organ** *n.* 감각 기관. **~sinn** *m.* 촉각. **~vermögen** *n.* 감각 능력.

gefühlvoll [gəfý:lfɔl] *a.* 감정이〔정서가〕 풍부한; 다정 다감한; 인정이 많은; 표정이 풍부한.

gefunden [gəfúndən] [<finden] *p. a.* 발견된, 찾은.

gegangen [gəgáŋən] [† gangen (g- = ge-), ge-가 二重] *p. p.* ☞ GEH(E)N.

gegeben [gəgé:bən] *p. p.* ☞ GEBEN. **gegebenenfalls** *adv.* 경우에 따라서는, 필요한 경우에는(*eventually*).

gegen [gé:gən] *prp.* 《4格 (†3格) 支配》 ① 《方向》 (에) 대하여, 향하여, (의) 쪽으로(♈*against, towards*). ② 《反對·抵抗》 (에) 거슬러, 반대의, 맞서(♈*against, opposed to*). ③ 《關係·態度》 대하여. ¶ gütig ~ jn. 아무에게 친절한. ④ 《比較》 비하여(*in comparison with*). ¶ ~ früher 이전에 비하여 / Sieg 3 ~ 1 삼대 일의 승리. ⑤ 《時間》 무렵(*by*). ⑥ 《概數》 약(*about, nearly*).

Gegen·angriff *m.* 반격, 역습. **~anklage** *f.* 반소(反訴). **~anschlag** *m.* 대항책. **~antrag** *m.* 반대 동의〔제의〕. **~antwort** *f.* 답변; 항변. **~befehl** *m.* 반대 명령. **~bericht** *m.* 반대 보고. **~beschuldigung** *f.* = ~ANKLAGE. **~besuch** *m.* 답례 방문. **~bewegung** *f.* 반대 운동. **~beweis** *m.* 반증. **~bild** *n.* 쌍〔짝〕이 되는 것의 한 쪽. **~buch** *n.* 대차 대조표.

Gegend [gé:gənt] [*eig.*, „Gelände, das gegenüber liegt"] *f.* -en, ① 지역, 지방(*country, region*); 지구, 지대(*district*). ② 주위, 부근(*environs*). ③ 방위, 방향(*quarter*). ④ 〖醫〗 부위(部位)(*region*).

Gegen·dienst *m.* (호의에 대한) 보답. **~druck** *m.* 〖工〗 역압(逆壓).

gegen·einander [ge:gən-ainándər] ["마주 대하여"] *adv.* 상대하여(*against one another*); 서로(*each other*). ¶ ~ halten 비교하다 / ~ stellen 대립시키다.

Gegen·erklärung *f.* 반대 선언, 항의; 부정(否定). **~farbe** *f.* 보색(補色), 반대색. **~forderung** *f.* 반대 요구; 반대 채권. **~füßler** *m.* (지구상의 정반대 쪽에 사는) 대척자(對蹠者)(*antipode*). **~geschenk** *n.* 답례(하는 물건). **~gewicht** *n.* 추; 평형, 대항. ¶ jm. das ~gewicht halten 아무에게 대항하다, 와 맞먹다. **~gift** *n.* 해독제. **~grund** *m.* 반대 이유. **~gruß** *m.* 답례. **~hall** *m.* 메아리, 반향. **~kandidat**

m. 경쟁 후보자. ~**klāge** f. 반소(反訴). ~**leistung** f. 보답, 보수, 보상; 〖法〗 반대 급부(給付). ~**licht** n. 반대 광선, 역광선. ~**liebe** f. 사랑의 보답으로서의 사랑. ¶er findet k-e ~liebe 그의 사랑은 짝사랑이다. ~**list** f. 대항책. ~**macht** f. 반대 세력, 적. ~**māßnahme**, ~**māßrēgel** f. 대항 조치. ~**mittel** n. 대항 수단; 해독제. ~**part** ① m. 반대자, 적, 상대방(*opponent*). ② n. 반대. ~**partei** f. 반대당, 적편. ~**pōl** m. 대극(對極). ~**prōbe** f. 재시험. ~**rechnung** f. 채권자에 대한 빚; 차감, 차인, 상쇄. ~**rēde** f. 답변, 항변. ~|**rēden** i.(h.) 대답하다; 항변하다, 이의를 제기하다. ~**revolutiōn** f. 반혁명.

Gēgensatz [gé:gənzats] m. -es, ⸚e, ① 대립; 대조(*contrast*); 반대, 상반(*opposition*); 모순; 적대. ¶im ~ zu 와는 반대로. ② 〖論〗 대당(對當) 관계; 〖商〗 등가물(等價物), 대가. **gēgensätzlich** [-zɛtslɪç] a. 반대의, 대립의(*opposite*); 모순된, 상반된, 대조의(*contrary*).

Gēgen·schrift f. 반박서. ~**schuld** f. 반대 채무, 채무자로부터의 빚. ~**schwāher** m. 사위 또는 며느리의 아버지.

Gēgenseite [gé:gənzaitə] f. 반대측; 배면. **gēgenseitig** a. 서로의, 상호의 (*mutual, reciprocal*); adv. 서로. **Gēgenseitigkeit** f. 상호(성); 상호주의; 호혜주의(互惠主義).

Gēgen·sicherheit f. 재보증. ~**sinn** m. 반대 의미; 오해. ~**spiel** n. ① 아무를 상대로 한 승부. ② 반대, 역(逆). ③ 반항. ~**spieler** m. (유희·논쟁 등의) 상대.

Gēgenstand [gé:gənʃtant] [„das Gegenüberstehende"] m. -(e)s, ⸚e, 대상, 목적물, 사물(*object*); (담화 따위의) 제목(*subject, topic*). **gēgenständlich** [-ʃtɛntlɪç] a. 사물 그 자체의, 객관적인; 대상적인, 구체적인; 명쾌한. **Gēgenstandsglās** n. 대물경(對物鏡). **gēgenstandslōs** a. 대상이 없는; 근거 없는; 목적 없는, 무효의.

Gēgen·stimme f. 반대 투표. ~**stōß** m. 반격, 역습; 〖物〗 반동. ~**strōmung** f. 역류(逆流). ~**stück** n. = ~BILD. ~**tausch** m. 교환.

Gēgenteil [gé:gəntail] n. -(e)s, -e, 반대, 역. ¶im ~ 이에 반하여, 반대로, 그렇기는커녕. **gēgenteilig** a. 반대의, 역의. ¶die ~e Wirkung 반작용.

gēgenǖber [ge:gən-ý:bər] 《Ⅰ》 prp. 《3格支配》 (의) 맞은 편에(*opposite*); (에) 면하여(*face to face*). ¶dem Tisch ~ 책상을 향하여 / diesen Schwierigkeiten ~ 이들 곤란에 직면하여. 《Ⅱ》 adv. 향하여, 마주 대하여. 《Ⅲ》 **Gēgenǖber** n. -s, -, 맞은 편에 있는 것, 서로 대하고 있는 것(*vis-à-vis*).

gēgen·ǖber·|liegen* i.(h.) 서로 대하고 있다, 마주 보고 있다. ~|**stellen** t. 대립시키다; 적대(敵對)하게 하다; 《比》 대조하다; 〖法〗 대질시키다. ~**stellung** f. 대립, 대치; 대조; 대질.

Gēgen·unterschrift, ~**unterzeichnung** f. 부서(副署), 연서(連署). ~**versicherung** f. 반대 보증; 상호 보험. ~**vōrschlāg** m. 반대 제안. ~**vōrstellung** f. 이의(異議) 신청; 항의.

Gēgenwart [gé:gənvart] [eig. "대(對)·향(向)", -wart는 ♈werden] f. 현재; 지금(마주 대해) 있음, 현존, 임석(*presence*); 현시(現時), 현금, 현대(*present time*); 〖文〗 현재형. **gēgenwärtig** 《Ⅰ》 a. 지금 있는, 현존의, 임석의(*present*); 현재의, 현금의, 현대의(*present, current*). 《Ⅱ》 adv. 현금, 목하, 지금.

Gēgen·wehr f. 저항, 자위(自衛). ~**wērt** m. 등가(等價)(물)(*equivalent*). ~**wind** m. 역풍. ~**winkel** m. 〖數〗 대각(對角). ~**wirkung** f. 반작용; 반동, 저항. ~|**zeichnen** i.(h.) 부서(副署)〔연서(連署)〕하다. ~**zeichnung** f. 부서(副署), 연서(連署). ~**zeuge** m. 반대 증인. ~**zūg** m. 〖鐵〗 반대 방향으로 가는 열차.

gegessen [gəgésən] [† gessen (g-=ge-), ge-가 二重] p. p. ☞ESSEN.

geglichen [gəglíçən] p. p. ☞GLEICHEN.

gegliedert [gəglí:dərt] p. p. ☞GLIEDERN.

geglitten [gəglítən] p. p. ☞GLEITEN.

geglommen [gəglɔ́mən] p. p. ☞GLIMMEN.

Gēgner [gé:gnər, 또 gé:k-] [„Gegen-er" <gegen] m. -s, -, 반대자, 상대방(*adversary, opponent*); 적(*enemy*); 경쟁자. **gēgnerisch** a. 반대의, 적의. **Gēgnerschaft** f. -en, ① 반대측, 적의 편(*opponents*). ② 반대, 적대, 대항(*opposition, antagonism*).

gegolten [gəgɔ́ltən] p. p. ☞GELTEN.

gegōren [gəgó:rən] p. p. ☞GÄREN.

gegossen [gəgɔ́sən] p. p. ☞GIESSEN.

gegriffen [gəgrífən] p. p. ☞GREIFEN.

gehāben [gəhá:bən] 《Ⅰ》 refl. ① 어떤 행동〔거동〕을 취하다(*behave, conduct oneself*). ② 어떤 상태에 있다. ¶gehab(e) dich wohl! 안녕, 잘가라. 《Ⅱ》 **Gehāben** n. -s, 태도, 거동.

Gehalt [gəhált] [<halten] 《Ⅰ》 m. -(e)s, -e, ① 내용(*contents*); 성분(*substance*); (Fein~) 순분(純分), 금(金) 함유율《화폐의》(*alloy, standard*). ② (용기의) 내용(물), 용적(*capacity*). ③ 실질, 내용 가치, 진가(*value*). 《Ⅱ》 n. 〔m.〕 -(e)s, ⸚er, 봉급, 급료(*pay, salary*).

gehalten [gəháltən] [p. p. <halten] a. 의무가 있는(*bound, obliged*).

gehalt·lōs a. 내용 없는, 공허한; 천박한. ~**reich**, ~**voll** a. 내용이 풍부한, 실질적인, 함축성 있는《문장 따위》.

Gehalt(s)·abzūg m. 감봉(減俸). ~**empfänger** m. 봉급 생활자. ~**erhōhung** f. 증봉(增俸). ~**zūlāge** f. 가봉(加俸).

Gehänge [gəhéŋə] [<hängen] n. -s, -, ① 드리운 것; (Hals~) 목걸이; (Ohr~) 귀고리; (Blumen~) 꽃 장식; (Degen~) 검대. ② 〖坑〗 사면(斜面)(*declivity*).

gehangen [gəháŋən] p. p. ☞HANGEN.

geharnischt [gəhárnɪʃt] p. a. 갑옷을 입은; 무장한; 《比》 노기 띤.

gehässig [gəhésɪç] [<Haß] a. 증오하

는, 악의 있는, 밉살스러운(*malicious, spiteful*). **Gehässigkeit** *f.* -en, 증오함, 심술궂음, 악의.

Gehäuse [gəhɔ́yzə] [<Haus] *n.* -s, -, 용기, 상자, 케이스(*case, box*); 대팻집; (시계의) 케이스; (Kern∼) 과심(果心)(*core*); (달팽이의) 껍데기(*shell*).

geheftet [gəhɛ́ftət] *p. a.* 가제본(假製本)한.

Gehege [gəhé:gə] [<Hag] *n.* -s, -, ① 울안, 울장, 울타리. ② 구내(構內); 경내(境內); (Jagd∼) 수렵 구역《새나 짐승을 기르는》. ¶jm. ins ∼ kommen 아무의 영역〔세력권〕을 침범하다.

geheim [gəháim] [<Heim] 《Ⅰ》 *a.* ① 비밀의, 내밀한(*secret, clandestine*). ② 사적인, 사사로운(*private*); 친밀한. 《Ⅱ》 *adv.* 속으로 몰래, 은밀하게, 비밀히.

Geheim≈bote *m.* 밀사; 간첩. **∼buch** *n.* 비밀 장부. **∼bund** *m.* 비밀 동맹〔결사〕. **∼bündler** *m.* 비밀 결사원. **∼|halten*** *t.* 비밀로 하다. **∼lehre** *f.* 비교(秘教).

Geheimnis [gəháimnɪs] *n.* -ses, -se, 비밀(*secret*); 신비(*mystery*).

Geheimnis≈krämer *m.* 비밀주의의 사람, 비밀에 정통한 척하는 사람. **∼krämerei** *f.* 비밀주의, 비밀에 밝은 척함.

geheimnisvoll [gəháimnɪsfɔl] *a.* 신비적인, 은밀한, 수수께끼의.

Geheim≈polizei *f.* 비밀 경찰. **∼polizist** *m.* 형사, 탐정. **∼schreiber** *m.* 암호쓰기; 비서. **∼schrift** *f.* 암호(문). **∼sprache** *f.* 암호. **∼|tun*** *i.*(h.) 비밀이 있는 체하다.

Geheiß [gəháis] [<heißen] *n.* -es, 분부, 명령, 지시(*command, order*).

geh(e)n* [gé:(ə)n] [mhd. *gen, gan* (지금의 h는 후세에 와서 첨가됨)] 《Ⅰ》 *i.*(s.) ① 《사람이 主語》 걷다, 가다(*go*); 걸어가다, 지나가다; (*ant.* kommen) 떠나다, 출발하다. ¶gegangen kommen 걸어서 오다 / nach Amerika ∼ 미국에 가다. ② 《事物이 主語》 움직이다; (기계가) 돌아가다; (맥박이) 뛰다; (반죽이) 부풀다; (문이) 열리다; (시계가) 가다; (바람이) 불다; 《比》 행하여지다, (일이) 되어가다; (상품이) 팔리다; (화폐가) 통용되다; (잘) 되어가다, 할 수 있다. ¶das geht 그것은 된다, 잘 돼 간다, 그것으로 괜찮다 / das geht nicht 그것은 틀렸다. ③ 《不定形과 함께》 schlafen ∼ 취침하다 / spazieren ∼ 산보하다. ④ 《形容詞, 副詞 등과 함께》 es geht anders 정황〔사정〕이 다르다 / müßig ∼ 게으르다. ⑤ 《lassen 과 함께》 ∼ lassen 가게 하다; (jn., 아무를) 떠나게 하다, 가도록 내버려 두다, 방임하다; (et., 무엇을) 되는 대로 내버려 두다 / sich ∼ lassen 마음대로 굴다, 마음 내키는 대로 하다, 게으름 부리다. ⑥ 《前置詞와 함께》 jm. **an** die Hand ∼ 아무를 원조〔지지〕하다 / **auf** et. ∼ 무엇에 면하여 있다 / jm. **aus** dem Wege ∼ 아무에게 길을 양보하다, 아무를 피하다 / das ging mir **durchs** Herz 그것은 마음 속에 사무쳤다 / **in** sich ∼ 후회하다, 생각하다 / **mit** jm. ∼ 아무와 동행하다 / alles geht **nach** Wunsch 모든 것이 뜻대로 되어 가다 / **unter** (die) Leute ∼ 사교계에 나가다 / **zu** Fuße ∼ 도보로 가다. 《Ⅱ》 *i.*(s.) *imp.*: wie geht es (Ihnen)? 안녕하세요 / es geht gut damit 그것은 잘 돼가고 있다. 《Ⅲ》 *t.* 《結果를 나타냄》 die Füße wund ∼ 걸음을 걸었더니 발이 아프다. 《Ⅳ》 *refl.* ① 《結果를 나타냄》 sich müde ∼ 걸음을 걸어 지치다. ② hier geht es sich gut 여기는 걷기가 편하다. 《Ⅴ》 **Gehen** *n.* -s, 걸음, 보행; (기계 등의) 운전, 활동. 《Ⅵ》 **gehend** *p. a.* 가는, 보행하는; 지나가는. ¶tief ∼ 심원한 / glänzend ∼ 왕성한, 번창하는.

Gehenk [gəhɛ́ŋk] *n.* -(e)s, -e, 〖軍〗 대검(帶劍). **gehenkelt** *p. a.* 손잡이〔자루〕가 달린.

geheuer [gəhɔ́yər] [mhd. *gihiure* „sanft, anmutig"] *a.*: nicht ∼ 소란한, 수상한(*uncanny*).

Geheul [gəhɔ́yl] *n.* -(e)s, 끊임없이 (울부)짖는 소리, 호읍(號泣).

Gehilfe [gəhílfə] *m.* -n, -n, **Gehilfin** *f.* -nen, 보좌하는 사람, 조력자, 심부름꾼(*assistant, help(mate)*); 조수, 점원.

Gehirn [gəhírn] [<Hirn] *n.* -(e)s, -e, 뇌, 뇌수(*brain*); 《比》 두뇌, 지력(智力).

Gehirn≈blutleere *f.* 뇌빈혈. **∼blutung** *f.* 뇌일혈. **∼entzündung** *f.* 뇌염. **∼erschütterung** *f.* 뇌진탕. **∼erweichung** *f.* 뇌연화증(腦軟化症). **∼haut** *f.* 뇌막. **∼haut·entzündung** *f.* 뇌막염. **∼los** *a.* 뇌수가 없는; 《比》 머리가 나쁜. **∼schlag** *m.* 뇌졸중. **∼waschung** *f.* 세뇌(洗腦). **∼wassersucht** *f.* 뇌수종(腦水腫).

gehoben [gəhó:bən] *p. a.* ☞HEBEN.

Gehöft [gəhǿ:ft, 흔히 -hœ́ft] [<Hof] *n.* -(e)s, -e, 농장, 농가(*farm (-stead)*).

geholfen [gəhɔ́lfən] *p. p.* ☞HELFEN.

Gehölz [gəhœ́lts] [<Holz] *n.* -es, -e, 수풀(*wood*); 잡목림(*thicket, copse*).

Gehör [gəhǿ:r] [<hören] *n.* -(e)s, ① 청각, 청력(聽力). ¶musikalisches ∼ 음감(音感) / kein ∼ haben 음악을 모르다. ② 경청; 주의; 알현. ¶jm. ∼ geben 들어주다, 경청하다.

gehorchen [gəhɔ́rçən] *i.*(h.): jm. ∼ 아무에게 따르다; 아무에게 복종〔순종〕하다 (*obey*).

gehören [gəhǿ:rən] 《Ⅰ》 *i.*(h.): jm. ∼ ① 아무에게 속하다, 아무의 소유물이다 (*belong, appertain*) / das Buch gehört mir 이 책은 내 것이다. ② 일부를 이루다, (에) 부속하다. ¶er gehört zu m-n Freunden 그는 내 친구 중의 하나이다. ③ 마땅히 그렇게 해야 한다. 《Ⅱ》 *refl.* u. *imp.*: es gehört sich³ 그것이 당연〔마땅〕하다, 알맞다(*be proper, becoming*). **Gehörgang** *m.* 〖解〗 이도(耳道).

gehörig [gəhǿ:rɪç] 《Ⅰ》 *a.* ① (jm., 아무에게) 속하는, (의) 소유인. ② (zu 〔wohin〕, 무엇에) 소속〔부속〕하는; 마땅히 그러해야 할; 소요의, 필요한; 마땅한. ③ 충분한. 《Ⅱ》 *adv.* 충분히.

Gehörn [gəhœ́rn] [<Horn] *n.* -(e)s, -e, 양뿔; 사슴의 갈라진 뿔.

Gehör·nerv [gəhǿ:rnɛrf] *m.* 〖解〗 청신경(聽神經).

gehörnt [gəhœ́rnt] *a.* 뿔이 있는; 뿔 모양의.

gehōrsām [gəhó:rza:m] [<hören] *a.* 복종하는, 순종하는(*obedient, dutiful*). **Gehōrsām** *m.* -(e)s, 복종, 순종, 공손(*obedience*). ¶jm. ~ leisten 아무에게 복종하다.

Gehre [gé:rə] [<Ger] *f.* -n, 쐐기 모양의 물건; 보강용(補强用) 삼각천, (옷의) 무 (♈*gore, gusset*); (쐐기꼴의) 사각(斜角), 사선(斜線).

Gehrock [gé:rɔk] [Ausgehrock의 略] *m.* ① 프록 코트. ② 외투.

Geier [gáiər] [*eig.* „gieriger (Vogel)"] *m.* -s, -, 〖鳥〗 독수리, 콘도르 속(*vulture*).

Geifer [gáifər] *m.* -s, 침, 군침, (입) 거품(*drivel, slaver*); 《比》 분노의 폭발.

Geifer·lappen, ~**latz** *m.*, ~**lätzchen** *n.* 턱받기.

geifern [gáifərn] *i.*(h.) 침을 흘리다, 거품을 내뿜다; 입아귀에 거품을 내뿜다; 독설을 퍼붓다, 노발대발하다. **Geifer·tūch** *n.* (*pl.* ⁼er) 턱받기.

Geige [gáigə] *f.* -n, 바이올린(*violin, fiddle*). **geigen** *t.* u. *i.*(h.) 바이올린을 켜다.

Geigen·bōgen *m.* 바이올린의 활. ~**hārz** *n.* 바이올린의 활에 바르는 수지(樹脂). ~**kasten** *m.* 바이올린의 울림통. ~**macher** *m.* 바이올린 제작자. ~**spieler** *m.* 바이올린 연주자. ~**stēg** *m.* 바이올린의 줄받침. ~**strich** *m.* 바이올린 연주.

Geiger [gáigər] *m.* -s, -, 바이올린 연주자, 바이올리니스트.

geil [gail] *a.* ① 싱싱한, 무성한(*rank*); 비옥한. ② 정욕이 왕성한; 음탕한, 호색의(*wanton, lascivious*). ③ 기름진; 지방이 많은.

Geile [gáilə] *f.* -n, ① (*pl.* 없음) 비료. ② 〖獵〗 고환(睾丸). **Geilheit** *f.* 무성, 번성; 비옥; 색욕; 음탕.

Geisel [gáizəl] *m.* -s, -; od. *f.* -n, 인질, 볼모(*hostage*).

Geiser [gáizər] [♈isländ. gären] *m.* -s, -, 간헐(온)천(♈*geyser*).

Geiß [gais] *f.* -en, 〖方〗 암산양(♈*goat*); (Reh~) 영양·사슴 따위의 암컷(*doe*).

Geiß·blatt *n.* 〖植〗 인동덩굴. ~**bock** *m.* 수산양. ~**būb**(e) *m.* 양치는 목동.

Geißel [gáisəl] *f.* -n, 채찍(*scourge, whip*); 《比》 징계, 징벌; 탄핵; 천벌, 재액. **geißeln** [gáisəln] *t.* 채찍질〔매질〕하다; 《比》 징벌〔탄핵·비난·공격〕하다. **Geiß**(e)**lung** *f.* -en, 채찍질, 태형.

Geißler *m.* -s, -, 채찍질하는 사람.

Geist [gaist] [*eig.* „Aufgeregtheit"] *m.* -es, -er, ① 활기, 정기(*spirit*); 생명력. ¶den ~ aufgeben 숨을 거두다, 죽다. ② 영혼, 정신, 마음(*spirit, soul*). ¶im ~e 마음속으로 / die Armen im ~e 〖聖〗 마음이 가난한 사람들. ③ (망)령, 유령(♈*ghost, spirit*); (통속 신앙에 있어서의) 정령, 요정(妖精); (der Heilige ~) 성령. ④ 정신, 지혜, 슬기, 재치(*spirit, intellect, wit*). ¶der ~ der Zeit 시대 정신. ⑤ 기(氣), 정(精)(*spirit*); (Wein~) 주정.

Geister·banner, ~**beschwōrer** *m.* 굿하는 사람, 무당. ~**erscheinung** *f.* 유령의 출현; 환영(*vision*). ~**furcht** *f.* 유령에 대한 공포.

geisterhaft [gáistərhaft] *a.* 유령과 같은; 무서운; 초자연의, 신비스러운.

Geister·reich *n.* 영적 세계, 유명계. ~**sēher** *m.* 유령을 보는 사람(♈*ghost-seer*); 환상가. ~**stunde** *f.* 한밤중. ~**welt** *f.* ① =~REICH. ② =GEISTESWELT.

geistes·abwēsend [gáistəs-apve:zənt] *a.* 방심한; 얼빠진, 멍한.

Geistes·abwēsenheit *f.* 방심; 멍하니 있음. ~**arbeiter** *m.* 정신 노동자. ~**arm** *a.* 정신〔사상〕이 빈약한; 우둔한. ~**armūt** *f.* 정신적〔지적〕 빈곤; 우매. ~**bildung** *f.* 정신 수양. ~**blitz** *m.* 인스피레이션. ~**gābe** *f.* 천부의 재능, 타고난 재주. ~**gēgenwart** *f.* 침착. ~**gestōrt** *a.* 정신 착란의. ~**haltung** *f.* 정신적인 태도. ~**krank** *a.* 정신병의, 미친(*insane*). ~**krankheit** *f.* 정신병; 광기(狂氣). ~**schwach** *a.* 정신 박약의, 저능의. ~**schwäche** *f.* 정신 박약, 저능. ~**stōrung** *f.* 정신 착란. ~**verfassung** *f.* 정신 상태; 기질; 〖軍〗 사기. ~**verwandt** *a.* 정신〔기질〕이 비슷한, 마음이 맞는. ~**verwirrung** *f.* 정신 착란. ~**welt** *f.* 정신〔사상〕계. ~**wissenschaft** *f.* 정신 과학. ~**zerrüttung** *f.* 정신 착란. ~**zūstand** *m.* 정신〔심리〕 상태.

geistig [gáistɪç] *a.* ① 정신적인, 심적인, 영적인, 지적인(*spiritual, intellectual, mental*). ② 알콜을 함유하는(*spirituous, alcoholic*). ¶~e Getränke 알콜 음료.

geistlich [gáistlɪç] 《Ⅰ》 *a.* 영에 관한, 종교상의(*spiritual*); 교회의, 성직의(*clerical, religious*). ¶~e Lieder 찬송가. 《Ⅱ》 **Geistliche** *m.* 《形容詞變化》 성직자; 목사, 사제. **Geistlichkeit** *f.* 성직자《總稱》.

geist·lōs *a.* ① 재치가 없는, 무지한, 어리석은. ② 활기〔생기〕 없는, 멍청한. ~**reich** *a.* 재치가 있는, 영리한. ~**tōtend** *a.* 활기를 꺾는, 따분한, 무미건조한. ~**voll** *a.* 총명한, 재치 있는.

Geiz [gaits] *m.* -es, -e, ① 탐욕(*avarice, covetousness*); 인색(*stinginess*). ② 곁가지. **geizen** [gáitsən] 《Ⅰ》 *i.*(h.) ① (nach, 을) 열망하다. ② 욕심내다; (mit, 을) 아끼다. 《Ⅱ》 *t.* 〖農〗 곁가지 치다.

Geiz·hals, ~**krāgen** [*eig.* „gieriger Rachen"] *m.* 욕심장이, 구두쇠.

geizig [gáitsɪç] *a.* 탐욕한, 인색한.

Gejammer [gəjámər] *n.* -s, 끊임없는 비탄.

Gejauchze [gəjáuxtsə] *n.* -s, 연달아 환호성을 올림.

Gejohle [gəjó:lə] *n.* -s, 끊임없는 울부짖음.

Gejūbel [gəjú:bəl] *n.* -s, =GEJAUCHZE.

gekachelt [gəkáxəlt] *p. a.* 타일 입힌.

gekannt [gəkánt] *p. p.* ☞KENNEN.

Gekeife [gəkáifə] *n.* -s, 끊임없는 욕지거리.

Gekicher [gəkíçər] *n.* -s, 연달아 낄낄 웃음.

Gekläff(e) [gəklɛ́f(ə)] *n.* -(e)s, 자꾸 짖어댐.

Geklapper [gəklápər] *n.* –s, 연달아 달가닥거리는 소리.

Geklatsch(e) [gəklátʃ(ə)] *n.* –(e)s, 간단없는 박수; (무엇으로) 딱딱 소리냄; 재잘거림.

Geklimper [gəklímpər] *n.* –s, (동전 따위를) 계속 잘랑거림.

Geklingel [gəklíŋəl] *n.* –s, 연달아 초인종을 울림.

Geklirr(e) [gəklír(ə)] *n.* –(e)s, 연달아 잘가닥거림.

geklōben [gəkló:bən] *p. p.* ☞KLIEBEN.

geklommen [gəklɔ́mən] *p. p.* ☞KLIMMEN.

Geklopfe [gəklɔ́pfə] *n.* –s, (대문 따위를) 계속 두드림.

Geknatter [gəknátər] *n.* –s, 연달아 따닥따닥 소리남; 계속적인 폭음〔총성〕.

gekniffen [gəknífən] *p. p.* ☞KNEIFEN.

Geknister [gəknístər] *n.* –s, 연달아 따딱따닥〔바삭바삭〕하는 소리.

gekommen [gəkɔ́mən] *p. p.* ☞KOMMEN.

gekonnt [gəkɔ́nt] *p. p.* ☞KÖNNEN.

geköpert [gəkǿ:pərt] *p. a.* 능직(綾織)의 (*twilled*).

gekōren [gəkó:rən] *p. p.* ☞KIESEN, KÜREN.

gekörnt [gəkœ́rnt] *a.* 입상(粒狀)의.

Gekrach [gəkráx] *n.* –(e)s, 계속 우두둑〔우지직〕 울림, 끊임없는 천둥〔폭음〕.

Gekreische [gəkráiʃə] *n.* –s, 연달아 날카롭게 외침; 그 소리.

Gekritzel [gəkrítsəl] *n.* –s, 악필, 졸필, 서투른 글씨.

gekrochen [gəkrɔ́xən] *p. p.* ☞KRIECHEN.

Gekröse [gəkrǿ:zə] ["주름이 있는 것"; <kraus] *n.* –s, –, 〖解〗 장간막(腸間膜)(*mesentery*); 〖料〗 (새·짐승 등의) 내장(*tripe*).

gekünstelt [gəkýnstəlt] *a.* 인공적인, 어색한, 부자연스러운.

Gēl [ge:l] [lat.] *n.* –s, –e, 〖化〗 겔.

Gelächter [gəlɛ́çtər] *n.* –s, –, 홍소(哄笑)(♈*laughter, laugh*).

Gelāge [gəlá:gə] [*eig.* „was der Gesellschaft zum Verzehren Zusammengelegtes"] *n.* –s, –, (떠들썩한) 연회, 잔치(*banquet, revel*).

Gelände [gəlɛ́ndə] [<Land] *n.* –s, –, (기술적 견지에서의) 토지, (경작) 지대; (*tract of land, fields*); 〖스키〗 겔렌데; 〖軍〗 지형(*ground*).

Gelände⸗aufnahme *f.* 지형 측량. **~⸗fahrt** *f.* 단교 차행(斷郊車行) 《경주》. **~hindernis** *n.* 지세상의 장애물. **~⸗kunde** *f.* 지형학. **~lauf** *m.* 단교 경주(*cross country race*).

Geländer [gəlɛ́ndər] [<†Lander „Zaunlatte"] *n.* –s, –, 〖工〗 안전책(安全柵)(*railing*); 손잡이, 난간(*handrail*).

Gelände⸗sport *m.* 야외 경기; 야외 공방(野外攻防) 연습. **~übung** *f.* 〖軍〗 야외 훈련.

gelang [gəláŋ] ☞GELINGEN 《그 過去》.

gelangen [gəláŋən] [*eig.* „e-n langen Weg gehen", <lang] *i.*(s.) 다다르다, 이르다(*arrive at, get, come to*). ¶**an** jn. 〔zu jm.〕 ~ 아무와 (요행히) 만나다 / **auf** die Nachwelt ~ 후세에 전해지다 / **in** andere Hände ~ 남의 손에 넘어가다.

Gelaß [gəlás] [<lassen] *n.* ..sses, ..sse, (Raum, worin man etwas lassen kann) =ZIMMER, RAUM.

gelassen [gəlásən] 《Ⅰ》 *p. p.* ☞LASSEN. 《Ⅱ》 *a.* 태연〔침착〕한(*calm, composed*). **Gelassenheit** *f.* 침착, 평정(平靜).

Gelatine [ʒəlatí:nə, ʒe–] [fr., *aus* lat. *gelāre*, „gefrieren"] *f.* 젤라틴, (정제한) 아교. **gelatinieren** [ʒəlatiní:rən, ʒe–] *i.*(s.) 젤라틴이 되다, 아교화하다.

Gelaufe [gəláufə] *n.* –s, 쉴 사이 없이 뛰어 다님, 동분 서주.

geläufig [gəlɔ́yfıç] *a.* (leichten Lauf habend) 거침 없이 〔술술〕 달리는; 유창한(*fluent, easy*); 익숙한, 숙달한(*familiar*). **Geläufigkeit** *f.* 유창; 숙달.

gelaunt [gəláunt] [<Laune] *a.* (의) 기분인 (*disposed, tempered*). ¶gut 〔schlecht〕 ~ 기분이 좋은〔나쁜〕.

Geläut(e) [gəlɔ́yt(ə)] *n.* –s, –, (잇달아) 종을 울림; 종소리; (總稱) 종, 방울.

gelb [gɛlp] *a.* 《Ⅰ》 황색의 (♈*yellow*). 《Ⅱ》 **Gelb** *n.* –(e)s, 황색; 황색 물감. 《Ⅲ》 **Gelbe** *m.* u. *f.* 《形容詞變化》 황색인; 황색말.

Gelb⸗filter *m.* 〖寫〗 황색 필터 **~gießer** *m.* 황동 주조공. **~grün** *a.* 황녹색의. **~guß** *m.* 놋쇠. **~körper** *m.* (난소의) 황체(黃體). **~körperhormon** *n.* 황체 호르몬. **~kreuz** *n.* 황십자(黃十字)《여러가지 독가스 재료의 가명》.

gelblich [gɛ́lplıç] *a.* 누르스름한(♈*yellowish*).

Gelb⸗scheibe *f.* =~FILTER. **~schnābel** *m.* 노랑 부리《새 새끼의》; 새 새끼, 병아리; 《比》 풋나기, 신출나기. **~⸗sucht** *f.* 황달. **~süchtig** *a.* 황달의.

Geld [gɛlt] [*eig.* „Vergeltung", <gelten] *n.* –(e)s, –er, 돈, 금전(*money*); (gemünztes ~) 화폐, 경화(硬貨)(*coin*); (Papier~) 지폐.

Geld⸗abfindung *f.* 급여금(給與金); 사여금(賜與金). **~angelēgenheiten** *pl.* 금전 문제, 금전상의 사건. **~anlāge** *f.* 투자. **~anleihe** *f.* 차입금, 부채. **~anweisung** *f.* 환, 우편환. **~aufwērtung** *f.* 화폐 재평가. **~ausgābe** *f.* 지출, 출금. **~beutel** *m.* 돈 주머니. **~brief** *m.* 현금이 든 편지. **~⸗buße** *f.* =~STRAFE. **~einwurf** *m.* 금전 투입구《자동 판매기 따위의》. **~⸗entwērtung** *f.* 화폐 가치의 하락; 인플레이션. **~erwerb** *m.* 돈벌이, 영리. **~gēber** *m.* 투자자, 스폰서(*sponsor*). **~geschäfte** *n.* 금융업. **~gier** *f.* 금전욕. **~gierig** *a.* 돈을 탐내는, 이욕이 강한. **~kasten** *m.*, **~kiste** *f.* 금고, 돈궤. **~klemme**, **~knappheit** *f.* 재정 궁핍, 금융난. **~krisis** *f.* 재정 위기, 금융 공황. **~leute** *pl.* =~MANN. **~mäkler** *m.* 금융업자. **~mangel** *m.* 돈의 결핍, 금융 경색. **~mann** *m.* 자본가, 은행가. **~markt** *m.* 금융 시장. **~mittel** *pl.* 자금, 자력. **~preis** *m.* 화폐 가격, 환시세. **~quelle** *f.* 재원, 수입의 원천. **~⸗sache** *f.* =~ANGELEGENHEIT. **~sack** *m.* 지갑; 큰 부자. **~schneider** *m.* 고리 대금업자. **~schrank** *m.* 금고. **~schuld** *f.* 채무, 부채. **~sendung**

f. 송금(送金). **∼sorte** *f.* 화폐의 종류. **∼stolz** *a.* 부(富)를 자랑하는(*purse-proud*). **∼stolz** *m.* 돈 자랑, 졸부의 근성. **∼strāfe** *f.* 벌금, 과료(*fine*). **∼stück** *n.* 화폐《낱낱의》. **∼tasche** *f.* 지갑, 돈 주머니. **∼tisch** *m.* 돈 치르는 데, 카운터. **∼überweisung** *f.* 환 발행. **∼umlauf** *m.* 화폐의 유통. **∼umsatz,** **∼verkehr** *m.* 금융(*exchange of money*), 거래고(高). **∼verlēgenheit** *f.* =∼KLEMME. **∼verlust** *m.* 금전상의 손실. **∼vōrschuß** *m.* 선불, 선금. **∼währung** *f.* 화폐 본위; 통화. **∼wechsel** *m.* 환전(換錢). **∼wechsler** *m.* 환전상(換錢商). **∼wērt** *m.* 화폐(로 환산한) 가치. **∼wēsen** *n.* 화폐 제도, 금융, 재정. **∼wūcher** *m.* 고리(高利).

Gelee [ʒeléː, ʒə–] [fr., <lat. *gelāre* „gefrieren"] *n.* od. *m.* –s, –s, 아교 모양의 과실즙〔육즙(肉汁)〕, 젤리(♈*jelly*).

gele̱gen [gəléːgən] *p. a.* 《Ⅰ》 [<liegen] ① (한) 위치의(*situated*). ¶ nach Süden ∼ 남향의. ② (=an∼) 중요한. ¶ mir ist an ihm ∼ 그는 나에게 소중한 사람이다. 《Ⅱ》 [†<geliegen „zusammenliegen, passend sein"] 적당한, 형편이 좋은, 알맞은(*convenient, suitable*). **Gele̱genheit** [gəléːgənhait] *f.* –en, ① (땅·장소 등의) 위치; (장소의) 상태. ② 경우(*occasion*); 기회, 호기(好機), 때(*opportunity*); (gute ∼) (좋은) 형편(*convenience*). ③ (Fahr∼) 편《배·차 따위의》. ④ 변소.

Gele̱genheits·arbeiter *m.* 임시 고용 노동자. **∼gedicht** *n.* 즉흥시. **∼kauf** *m.* 특매품〔헐한 상품〕의 구입. **∼macher** *m.*, **∼macherin** *f.* (남녀간의) 매개자, 주선자.

gele̱gentlich [gəléːgəntlɪç] 《Ⅰ》 *a.* 때에 따라서의, 임기의(*occasional*). 《Ⅱ》 *adv.* 때에 따라서, 임시로, 하는 김에(*occasionally*).

gele̱hrig [gəléːrɪç] *a.* 가르치기 쉬운(*docile, tractable*); 깨침이 빠른; 고분고분한. **Gele̱hrigkeit** *f.* 가르치기 쉬움, 고분고분함. **Gele̱hrsamkeit** [gəléːrzaːm–] *f.* 학식, 박식(*learning, erudition*); 학문.

gele̱hrt [gəléːrt] *a.* (가르침을 받은:) 학식 있는(*learned*); 학문(상)의(*scientific, literary*). **Gele̱hrte** *m.* u. *f.* 《形容詞變化》 학자, 박식한 사람.

Gele̱ise [gəláizə] [♈leisten, Leisten] *n.* –s, –, 수레바퀴 자국(*rut, track*); 〖鐵〗 궤도, 레일(*line of rails*).

Gele̱it(e) [gəláit(ə)] [<leiten] *n.* –t(e)s, –te, ① 동반, 수행, 안내; 《總稱》 수행원 (*accompaniment*). ¶ jm. das (letzte) ∼ geben 아무를 동반하다(아무의 장례(葬禮)에 참가하다). ② 호송, 호위(*escort, convoy, guard*). ¶ jm. freies ∼ gewähren 아무에게 통행권을 주다.

gele̱iten [gəláitən] *t.* 동반하다, 전송하다; 호송하다, 수행하다.

Gele̱its·brief *m.* 통행증; 여권; 〖商〗 허가장. **∼schiff** *n.* 호송선.

Gele̱it·wort *n.* (*pl.* –e) 머리말(*preface*). **∼zūg** *m.* 호송 선단.

Gelẹnk [gəlɛ́ŋk] *n.* –(e)s, –e, 〖解〗 관절(*joint, articulation*); 〖工〗 접합(점); 링크, 돌쩌기(♈*link, hinge*). **Gelẹnk·entzündung** *f.* 〖醫〗 관절염.

gelẹnkig [gəlɛ́ŋkɪç] *a.* 굴절이 자유 자재인, 부드럽고 연한(*pliable, supple*).

Gelẹnk·rheumatịsmus *m.* 관절 류머티즘. **∼versteifung** *f.* 관절 강직(關節强直).

gelẹrnt [gəlɛ́rnt] *p. a.* ☞LERNEN.

Gele̱se [gəléːzə] *n.* –s, 다독, 남독.

gele̱sen [gəléːzən] *p. a.* ☞LESEN.

Gelịchter [gəlɪ́çtər] [*eig.* „Geschwister"] *n.* –s, 한 패거리, 도당, 도배(*gang, set, riff-raff*).

geli̱ebt [gəlíːpt] *p. a.*, **Geli̱ebte** [–ptə] *m.* u. *f.* ☞LIEBEN.

geli̱ehen [gəlíːən] *p. p.* ☞LEIHEN.

gelịnd(e) [gəlɪ́nt, –lɪ́ndə] *a.* 부드러운(*soft, smooth*); 누긋한, 온화한(*gentle, mild*); 관대한(*slight*). ¶ gelindes Feuer 뭉근하게 타는 불. **Gelịndigkeit** *f.* 유연; 온화, 관대; 경미.

gelịngen* [gəlɪ́ŋən] [♈leicht, Lunge] 《Ⅰ》 *i.*(s.) ("가볍게·거침 없이 되어 가다":) 잘 되어 가다, 성공〔성취〕하다(*succeed*). ¶ et. gelingt wohl 무슨 일이 잘 되어간다. 《Ⅱ》 **Gelịngen** *n.* –s, 성공, 성취. 《Ⅲ》 **gelụngen** *p.a.* 성공한, 훌륭한, 우수한(capital, excellent); 기발한(funny).

Gelịspel [gəlɪ́spəl] *n.* –s, 간단 없는 속「삭임〔밀어〕.」

gelịtten [gəlɪ́tən] [*p. p.* ☞leiden] *a.*: bei jm. wohl ∼ sein 아무에게 미움받지 않다.

gellen [gɛ́lən] [♈Nachtigall 의 –gall] 《Ⅰ》 *i.*(h.) 날카롭게 울리다(♈*yell, shrill*). ¶ es gellt mir in den Ohren 귀가 울리다. 《Ⅱ》 **gellend** *p. a.* 날카롭게 울리는, 귀청이 떨어질 듯한.

gelo̱ben [gəlóːbən] [<loben] 《Ⅰ》 *t.* ("좋다고 하다"의 뜻:) (굳게) 약속하다(*promise, vow, pledge*). ¶ das Gelobte Land 언약의 땅(=Palästina). 《Ⅱ》 *refl.* sich⁴ jm. ∼ 아무에 몸〔정성〕을 바치다. **Gelö̱bnis** [gəløːpnɪs] *n.* –ses, –se, 서약.

gelo̱gen [gəlóːgən] *p. p.* ☞LÜGEN.

gelọschen [gəlɔ́ʃən] *p. p.* ☞LÖSCHEN[1].

gelt[1] [gɛlt] [=„soll es gelten?"] *int.*: ∼? (nicht wahr? stimmt es?) 그렇지, 그렇지 않아요.

gelt[2] *a.* 젖이 안나는; 새끼를 낳지 않는.

gelten* [gɛ́ltən] [=engl. *yield*] 《Ⅰ》 *i.*(h.) ① (에) 응수〔보답〕하다. ¶ Gleiches mit Gleichem ∼ 똑 같이 응수하다〔갚다〕. ② (의) 가치가 있다(*be worth*); 가치를 지니고 있다(*have value, cost*). ¶ wie viel gilt das? 그것은 얼맙니까 / das gilt mir gleich 그것은 나에게 아무래도 좋다. ③ 중요시되다, 세력〔영향〕이 있다(*have influence*). ¶ ein Mann, der et. gilt 세력 있는 사람. ④ 타당하다, 유효하다(*be valid, be in force*); 통용하다(*be current*). ¶ ∼ lassen 승인하다, 반대하지 않다 / für et. ∼ 무엇으로 생각되다; 간주되다(*pass for*) / der Spott gilt mir 그 욕설은 나에게 퍼부은 것이다 / es gilt! 알았다, 됐다, 좋다《도박 따위에서》 / jetzt gilt es 지금이

다, 지금이야말로 중요한 때이다 / **von** jm. 〔et.〕 ～ 아무〔무엇〕에 적용되다. ⑤ *imp.*: es gilt um Leben und Tod 그것은 생사에 관한 일이다. 《Ⅱ》 *t.* ① jm. e-e Summe ～ 아무에게 얼마 상당의 이익〔손실〕을 가져오다. ② (의) 가치가 있다. ③ *imp.*: es gilt et.⁴ 무엇에 관한 일이다 / was gilt's? =nicht wahr? gewiß, sicher. ④ es gilt Mut 용기가 간요하다. 《Ⅲ》 **geltend** *p.a.* 유효한, 통용되는, 현행의; 중요〔위급〕한. **Geltung**[gέltʊŋ] *f.* -en, 통용, 유효; 가치; 세력. ¶zur ～ kommen, *od.* (sich³) ～ verschaffen 유효하게 되다, 세력을 얻다.

Geltungs-bedürfnis *n.* (남에게 중요시되고 싶음:) 명망욕, 권세욕. **～bereich** *m.*, **～gebiet** *n.* 효력〔적용〕범위, 시행 구역.

Gelübde [gəlýpdə] [<geloben] *n.* -s, -, (하느님께의) 맹세, 서원(誓願)(*vow*).

gelungen [gəlúŋən] *p.a.* ☞GELINGEN.

Gelüst(e) [gəlýst(ə)] [<Lust] *n.* ..stes, ..ste, (nach, 을 얻으려는) 욕망(*desire*); 정욕. **gelüsten** [gəlýstən] *i.*(h.) u. *t.* ich lasse mich nach et.³ ～ *od.* 《非人稱》 es gelüstet mich nach et.³ 나는 무엇을 갖고 싶어 못견디겠다; 에 굶주려 있다.

gelzen [gέltsən] *t.* (가축 특히 돼지를) 「불까다.」

Gemach [gəmáx, gəmá:x] *n.* -(e)s, ⸚er *u.* 《詩》 -e, 방, 거실(居室), 작은 방(*room, apartment*). **gemach** [gəmáx, -má:x] [*eig.* „bequemlich", 쾌적한, <machen] *adv.* 천천히, 차분히, 유유히(*softly, slowly*). ¶(nur) ～! 침착하게, 조용히, 〖海〗 (젓기) 그만. **gemächlich** [gəmέ(:)çlıç] *a.* 쾌적한, 안락한(*comfortable*); 아늑한, 편안한(*easy*).

Gemahl [gəmá:l] [♈vermählen] *m.* -(e)s, -e, 남편, 낭군(*consort, husband*). ¶Ihr Herr ～ 주인 양반.

Gemahlin [-lın] *f.* -nen, 아내, 처, 부인(*wife, consort*). ¶Ihre Frau ～ 안주인, 사모님.

gemahnen [gəmá:nən] *t.*: jn. an et.⁴ ～ 아무에게 무엇을 상기시키다(*remind*).

Gemälde [gəmέ:ldə] [<malen] *n.* -s, -, 유화(油畫)(*painting*); 회화《특히 채색한》(*picture*).

Gemälde-ausstellung *f.* 회화 전람회. **～galerie** *f.* 회화 진열실, 화랑.

gemäß [gəmέ:s] [<messen] 《Ⅰ》 *a.* (angemessen) 적합한(*conformable, suitable*); 마음에 맞는(*agreeable*). 《Ⅱ》 *prp.* 《3格支配》 에 따라서(*according to, in accordance with*). **Gemäßheit** *f.*: in ～ (=gemäß) 에 따라서.

gemäßigt [-sıçt] *p.a.* 절도 있는, 알맞은, 온화한(*moderate, temperate*).

Gemäuer [gəmɔ́yər] *n.* -s, -, ① 《總稱》 벽(*walls*). ② altes ～ 폐허, 폐가(*ruins*).

gemein [gəmáin] *a.* ① 일반의, 공통의, 공유의(*general,* ♈*common*); 공공의(♈*common, public*). ¶～ haben 공유하다. ② 보통의, 통례의, 흔히 있는(*ordinary, (too) familiar*). ¶ein ～er Soldat 사병. ③ 비속한, 비천한; 비열한(*vulgar, low,* ♈*mean*). ¶sich ～ machen 신분이 낮은 사람과 교제하다. **Gemeinde** *f.* -n, 공동체(*community*); 지방 자치단체(*municipality*); (Pfarr～)교구, 교구민(敎區民)(*parish*); 회중(*congregation*).

Gemeinde-abgāben *pl.* 시읍면동세(市邑面洞稅). **～acker** *m.* 공유 경지. **～anger** *m.* 시읍면 소유〔공유〕 목장. **～bezirk** *m.* 자치 도시. **～gūt** *n.* 시읍면 공유 재산(*common*). **～haus** *n.* 시읍면동 사무소. **～rāt** *m.* 시읍면 참사회(원). **～schūle** *f.* 시읍면 설립〔공립〕 학교. **～steuer** *f.* 시읍면세(稅). **～vōrstand** *m.* 지방 의회. **～vōrsteher** *m.* 시읍면장.

Gemein-eigentūm *n.* 시민 공유 재산. **～faßlich** *a.* =～VERSTÄNDLICH. **～gebrauch** *m.* 공동 사용(권). **～gefährlich** *a.* 공안(公安)을 해치는.

Gemein-geist *m.* 공공심. **～gültig** *a.* 일반적으로 타당한. **～gūt** *n.* 공유 재산.

Gemeinheit [gəmáinhait] *f.* 속악(俗惡), 비천, 비열(*vulgarity, meanness*); (*pl.* -en) 위의 언행.

gemeinhin [gəmainhín, -máinhın] *adv.* 일반적으로, 보통, 대체로. **gemeiniglich** [-nıklıç] *adv.* 일반적으로, 보통, 대개.

Gemein-interesse *n.* 공동 이해. **～jahr** *n.* (*ant.* Schaltjahr) 평년《365일》. **～kosten** *pl.* 일반〔공통〕 비용. **～nutz(en)** *m.* 공익. **～nützig,** **～nützlich** *a.* 공익의. **～platz** *m.* 상투어, 진부한 말(*commonplace*). **～recht** *n.* 보통법.

gemeinsām [gəmáinza:m] 《Ⅰ》 *a.* 공동의, 공통의(*common*); 연대(連帶)의(*mutual*). ¶～e Sache machen, 다 같이 일에 힘쓰다. 《Ⅱ》 *adv.* 같이. **Gemeinsāmkeit** *f.* -en, 공동, 공유.

Gemeinschaft [-ʃaft] *f.* -en, ① 공동, 공통, 공유. ② 공동 사회, 협동체(*community*); 단체, 조합 ¶in ～, (mit, 와) 함께, 공동으로. **Gemeinschaftlich** *a.* 공동의, 공유의; 연대의, 상호의; *adv.* 공동으로, 연대로.

Gemeinschafts-arbeit *f.* 협동, 팀워크. **～dienst** *m.* 공동〔사회〕 봉사. **～erziehung** *f.* 남녀공학. **～geist** *m.* 단체〔협동〕 정신; 공공심. **～siedlung** *f.* 협동 부락.

Gemein-sinn *m.* 공공심. **～sprāche** *f.* (*ant.* Mundart) 표준〔일반·공통〕어. **～verständlich** *a.* 누구나 다 아는, 통속의, 쉬운. **～wēsen** *n.* 공동(단)체, 사회, 국가. **～wohl** *n.* 공공의 복지, 공익.

Gemenge [gəméŋə] *n.* -s, -, 혼합, 혼화(하기); 〖軍〗 (Hand～) 격투. **Gemengsel** [-méŋzəl] *n.* -s, -, 뒤범벅, 혼잡, 혼란(*medley*).

gemessen [gəmέsən] [<messen] *p.a.* ① (정확히) 잰. ② 근엄한, 신중한, 장중한(*grave*); 형식적인, 틀에 박힌(*formal*). **Gemessenheit** *f.* -en, 위엄; 위의 언행.

Gemetzel [gəmέtsəl] *n.* -s, -, 도살, 학살(*slaughter, massacre*).

gemieden [gəmí:dən] *p. p.* ☞MEIDEN.
Gemisch [gəmíʃ] *n.* -es, -e, 혼합(물).
Gemme [gémə] [lat. „Knopse"] *f.* -n, (조각한) 보석(♈*gem, cameo*).
Gemmoglyptik [gɛmoglýptɪk] [gr.] *f.* 보석 조각술, 조석(彫石)술. **Gemmologie** [-logí:] *f.* 보석학.
gemocht [gəmɔ́xt] *p. p.* ☞MÖGEN.
gemolken [gəmɔ́lkən] *p. p.* ☞MELKEN.
Gemse [gémzə] [Lw. rom.] *f.* -n, 〖動〗 알프스영양(羚羊)(♈*chamois, alpine goat*).
Gemunkel [gəmúŋkəl] *n.* -s, 귓속 말, 밀어; 소문; 음모.
Gemurmel [gəmúrməl] *n.* -s, 노상 중얼거림〔투덜거림〕.
Gemurre [gəmúrə] *n.* -s, 우르르 소리; 투덜거림.
Gemüse [gəmý:zə] [*eig.* „Speise", < Mus] *n.* -s, -, 채소, 야채, 푸성귀 (*vegetables, greens*).
Gemüse·bau *m.* 채소의 재배. **~garten** *m.* 남새밭. **~händler** *m.* 채소 장수.
gemußt [gəmúst] *p. p.* ☞MÜSSEN.
gemustert [gəmústərt] *p. a.* 무늬 있는.
Gemüt [gəmý:t] [<Mut] *n.* -(e)s, -er, 기분; 기질(*disposition*); (느끼는) 마음, 심정, 정의(情意), 정서(*mind, soul, heart*). **gemütlich** *a.* 기분좋은, 편안한《사물이》(*comfortable, cosy, snug*); (사람이) 인정미 있는, 포근한, 흐뭇한, 유유자적한(*hearty, good-natured*).
Gemüts·art, **~beschaffenheit** *f.* 기질, 성정(性情). **~bewegung** *f.* 정서; 감동, 흥분. **~krank** *a.* 정신병의; 광기의; 우울한. **~krankheit** *f.* 정신병; 우울증. **~mensch** *m.* 인정미가 많은 사람. **~ruhe** *f.* 마음의 평정, 침착한 기분. **~stimmung**, **~verfassung** *f.* 기분, 정조(情調). **~zustand** *m.* 심적 상태, 기분. **~voll** *a.* 정취〔정서〕 풍부한; 곰살궂은.
gen [gɛn] [† gegen 의 短縮形] *prp.* 《4格支配》 을 향하여(*towards, to*).
genannt [gənánt] [<nennen] *p. a.* 라고 불리는, …라는 이름의; 앞에 말한.
genarbt [gənárpt] *p. a.*: ~es Leder 두툴두툴한 가죽.
genas [gəná:s] ☞GENESEN 《그 過去》.
genau [gənáu] [mhd. (*ge*)*nouwe* „sorgfältig"] *a.* ① 딱 들어맞는(*close, tight*); 정확한; 정밀한(*exact, accurate*); 엄밀한, 꼼꼼한(*precise*). ② 검약한, 알뜰한(*sparing*); 엄격한, 면밀한, 빈틈 없는(*strict*). ¶peinlich ~ 지나치게 면밀한〔상세한·소심한〕. ③ 빡빡한, 간신히, 겨우, 빠듯한. ¶mit ~er Not 간신히. **Genauigkeit** *f.* -en. 정확, 엄밀, 꼼꼼함, 엄격; 〖理〗 정밀도; (지나치게) 검약함〔알뜰함〕. **genauso** *adv.* 바로 그대로. ¶es ist ~, wie ich gesagt habe 바로 내가 말한 대로다. ★ er hatte genau so viel Geld, daß... 그는 꼭 … 만큼의 돈을 갖고 있었다.
Gendarm [ʒandárm, ʒɑ̃d-] [fr. *gens d'armes* „Leute v. Waffen"] *m.* -en, -en, 헌병(*military policeman, constable*). **Gendarmerie** [ʒandarmərí:, ʒɑ̃d-] *f.* ..rīen, 헌병(대).
Genealōg(e) [genealó:gə, -ló:k] [gr., *geneá* „Geburt"] *m.* ..gen, ..gen, 계보학자(♈*genealogist*). **Genealogie** *f.* ..gīen, 계보(학).
genehm [gəné:m] [„was zu nehmen ist, 취할 만한"] *a.* 마음에 드는, 기분 좋은, 형편에 알맞은 (*acceptable, agreeable*). **genehmigen** *t.* 인가〔승낙·허락〕하다(*approve of*); 재가(裁可)하다 《법률을》, 비준하다 《조약을》(*sanction*).
Genehmigung *f.* -en, 인가, 승낙, 시인, 추인(追認), 재가; 비준.
geneigt [gənáikt] [<neigen] *p. a.* ① 기운, 비스듬한(*inclined*). ② (zu, 에의) 경향〔버릇〕이 있는, (을) 싫어하지 않는 (*disposed to*). ③ 호의 있는, 친절한 (*favourable, friendly*). ¶~es Gehör schenken 아무의 말에 기꺼이 귀를 기울이다 / der ~e Leser! 친애하는 독자여! **Geneigt·heit** *f.* 경사(傾斜); 경향, 성벽; 호의.
Genera [gé:nəra, gén-] *pl.* ☞GENUS.
General [genərá:l] [lat. „allgemein", =generell] *m.* -s, -e *u.* ⸚e, 장군, 장성. ¶kommandierender ~ 사령관.
General·agent *m.* 총대리인. **~baß** *m.* 〖樂〗 통주저음(通奏低音). **~direktor** *m.* 〖商〗 총지배인; 총재; 사장.
Generalfeldmarschall [genəra:lfélt-, gənərá:lfɛlt-] *m.* 원수(元帥).
General·frāgen *pl.* 〖法〗 형식적 예비심문. **~gouverneur** [-guvɛrnø:r] *m.* 총독.
Generalität [genəralitɛ́:t] *f.* -en, 일반, 보편(성); 장성(將星)《總稱》.
General·leutnant [genərá:llɔyt-] *m.* 육군 중장. **~majōr** *m.* 육군 소장. **~marsch** *m.* 비상 경보, 경종. **~nenner** *m.* 〖數〗 공통 분모. **~pardon** *m.* 〖法〗 대사(大赦). **~prōbe** *f.* 〖劇〗 총시연(試演). **~stāb** *m.* 참모(본)부.
Generalstābs·ärzt *m.* 군의감. **~karte** *f.* 참모본부 지도.
General·streik *m.* 총파업. **~versammlung** *f.* (주주) 총회. **~vikār** *m.* 〖가톨릭〗 주교 총대리. **~vollmacht** *f.* 〖法〗 일반 대리(권).
Generatiōn [genəratsió:n] [lat., 根語 *gen-*은 "생산"을 가리킴] *f.* -en, 생산; 소산; 세대, 한 시대《1세기의 약 3분의 1》. ¶die junge ~ 젊은 세대《=젊은 사람들》.
Generātor [genərá:tɔr] [lat.] *m.* -s, ..tōren, 발전기; 발생기《가스 따위의》.
generell [genərél] [fr. „zur Gattung gehörig, allgemein", <lat. *genus* „Gattung"] *a.* (*ant.* speziell) 일반의, 보편의(♈*general*).
generös [genərø:s, ʒenə-] [lat. -fr.] *a.* 관대한, 도량이 넓은, 활수한.
Genēse [gəné:zə] [gr.] *f.* -n, 생성, 발생, 기원.
genēsen* [gəné:zən] [♈nähren, *eig.* „lebend davonkommen"] *i.* (s.) ① (von, 에서) 회복하다(*recover* (*from*)); (병이) 낫다(*grow or get well*). ¶der ~e 완치자 / der ~de 나아가는 환자(*convalescent*). ② e-s Kindes ~ 아이를 낳다, 분만하다.
Genesis [gé(:)nezɪs] [gr.] *f.* 발생(사); 〖聖〗 창세기.

Genesung [gəné:zʊŋ] *f.* -en, 쾌유, 완치.

Genetik [gené:tɪk] [<Genese] *f.* 발생학; 유전학.

genial [genĭá:l] [lat., <Genius] *a.* 천재적인(*ingenious*). **Genialität** *f.* 천재, 독창성.

Genick [gəník] [<Nacken] *n.* -(e)s, -e, 연해 고덕임; 목덜미, 목(♈*neck, nape*).

Genick-fänger *m.* 사냥칼. **~schuß** *m.* 경부(頸部)(에 탄환을 쏘아서의) 사살. **~starre** *f.* 〖醫〗 경부 경직(頸部硬直).

Genie [ʒení:] [fr., <lat. Genius] *n.* -s, -s, 천부의 재능, 독창력; 천재(적인 사람). **~korps** [-ko:r] *n.* 공병대. **~soldat** *m.* 공병.

genieren [ʒení:rən] [fr.] 《Ⅰ》 *t.* 괴롭히다, 성가시게 하다; 곤란하게 하다(*trouble, embarrass*). ¶ ~ Sie sich nicht! 사양하지 마십시오. 《Ⅱ》 *refl.* 곤란해하다, 꺼리다, 사양하다, 부끄러워하다. 《Ⅲ》 **geniert** *p.a.* 암띤, 사양하는.

genießbar [gəní:sba:r] *a.* 향락할 수 있는, 먹을〔마실〕 수 있는, 맛볼 수 있는.

genießen* [gəní:sən] [*eig.* "쓰이다"; ♈Nutzen] *t.* ① 향수하다, 맛보다, 즐기다, 누리다, 향유하다(*enjoy, have the use of*). ② 먹다, 마시다(*take (food), eat, drink*).

Genitalien [genitá:lĭən] [lat., 根語 *gen*-은 생산을 가리킴] *pl.* 생식기, 음부. **Genitiv** [gé:niti:f, genití:f] *m.* -s, -e, 〖文〗 생산격(生產格)《第2格, 所有格》. **Genius** [gé:nĭʊs] *m.* -, ..nĭen, 수호신(守護神); 정신.

genommen [gənɔ́mən] *p.p.* ☞NEHMEN.

genormt [gənɔ́rmt] *p.a.* 표준에 맞춘, 규격화한.

genos [gənɔ́s] ☞GENIEßEN 《그 過去》.

Genoß [gənɔ́s], **Genosse** [gənɔ́sə] *m.* ..ssen, ..ssen, 친구, 동아리(*companion, comrade, mate*); (Amts~) 동료; 동배.

genösse [gənœ́sə], **genossen** [gənɔ́sən] ☞GENIEßEN 《그 接續法 및 過法分詞》.

Genossenschaft [gənɔ́sənʃaft] *f.* -en, 동배 관계; 《總稱》 동아리; 조합.

Genossin [-sɪn] *f.* -nen. =GENOß 《그 女性》.

Genre [ʒã:r] [fr., *aus* lat. Genus] *n.* -s, -s, ① (종)류, 체(體), 풍(風), 양식. ② 〔~**bild** *n.*, ~**malerei** *f.*〕 세태화(世態畫), 풍속화.

Genua [gé:nua] [it. *Genova*] *n.* 이탈리아의 항구 도시명.

genug [gənú:k] 《Ⅰ》 *a.* 《不定數詞》 부족이 없는, 충분한, 넉넉한(♈*enough, sufficient*). ¶jm. ~ tun ☞GENUGTUN / ich habe davon ~ 나는 이젠 그것에 싫증이 났다, 이젠 그만해 줘 / ~ davon! 그만해둬, 더 말 안해도 알아. 《Ⅱ》 *adv.* 충분히(*sufficiently*). ¶groß ~ 대단히 큰. **Genüge** [gəný:gə] *f.* 충분; 만족. ¶zur ~ 충분히 / jm. ~ leisten 아무를 만족시키다. **genügen** 《Ⅰ》 *i.*(h.) 충분하다, 족하다. ¶jm. ~ 아무를 만족시키다 / s-r Pflicht ~ 의무를 다하다 / sich³ et. ~ lassen 무엇으로 만족하다. 《Ⅱ》 **genügend** *p.a.* 충분한; 만족한; (성적이) 좋은. **genügsam** *a.* 만족할 줄 아는, 욕심 부리지 않는(*easily satisfied*). **genug|tun*** *i.*(h.): jm. ~ 아무를 만족시키다, ★ genug tun 충분히 하다. **Genugtuung** [gənú:ktu:ʊŋ] *f.* 만족; 보상; 명예 회복.

Genus [gé:nʊs, gέn-] [lat., *gen*-은 생산을 가리키는 根語] *n.* -, ..nera [-nəra], 종, 유; 종속; 〖文〗 성(性).

Genuß [gənʊ́s] [<genießen] *m.* ..nusses, ..nüsse, 향수, 누림, 즐김, 기호(嗜好), 완상(玩賞), 향락(*enjoyment, pleasure*); 이용, 사용(*use*).

Genuß-mensch *m.* 쾌락주의자, 도락자. **~mittel** *pl.* 향락의 수단; 기호품. **~reich** *a.* 향락이 많은; 사치스러운. **~sucht** *f.* 향락욕, 놀기만 좋아함. **~süchtig** *a.* 향락을 즐기는, 도락벽의.

Geodäsie [geodεzí:] [gr. „Erd-messung"] *f.* 측지학(測地學).

Geodynamik [-dyná:mɪk] [gr.] *f.* 지구 역학. **geodynamisch** *a.* 지구 역학의.

Geo·graph [geográ:f] [gr. „Erde-beschreiber"] *m.* -en, -en, 지리학자. **Geographie** *f.* 지리학. **geographisch** *a.* 지리학의. ¶ ~e Breite 〔Länge〕 위도〔경도〕.

Geoisotherme [geoizotέrmə] [gr.] *f.* -n, 지구 내부의 등온선.

Geolog(e) [geoló:k, -gə] [gr.] *m.* ..gen, ..gen, 지질학자. **Geo·logie** [„Erd-kunde"] *f.* 지질학. **geologisch** *a.* 지질학의.

Geo·meter [geomé:tər] [gr. „Land-messer"] *m.* -s, -, 측량사; 기하학자. **Geometrie** *f.* 기하학. **geometrisch** *a.* 기하학의.

Geopolitik [geopolití:k] [gr.] *f.* 지정학(地政學).

Ge·org [geɔ́rk, gé:ɔrk] [gr. „Erd-wirker", Landmann, Bauer] *m.* 남자 이름. **Georgine** [geɔrgí:nə] *f.* -n, 〖植〗 천축 모란, 달리아《식물학자 Georgi에 기인》.

Gepäck [gəpέk] [<Pack] *n.* -(e)s, -e, (수)하물(*baggage*); 〖軍〗 행낭, 배낭(*luggage*).

Gepäck-abfertigung *f.* 수하물 발송(소). **~annahme** *f.* 수하물 인수(소). **~aufbewahrung(s·stelle)** *f.* 수하물〔휴대품〕 맡기는 곳. **~ausgabe** *f.* (수)하물 인도(소). **~halter** *m.* 짐받이《자전거 따위의》. **~marsch** *m.* 〖軍〗 완전 무장 행군. **~netz** *n.* 그물 선반《객차의》. **~raum** *m.* 수하물 보관소, 하물실. **~revision** *f.* 수하물 검사. **~schein** *m.* 수하물 표, 첵. **~stück** *n.* 수하물《낱낱의》. **~träger** *m.* 수하물 운반인, (역) 하역부. **~wagen** *m.* 수하물차《기차의》.

gepfiffen [gəpfífən] *p.p.* ☞PFEIFEN.

gepflegt [gəpflé:kt] *p.a.* 손질이 잘 된.

gepflogen [gəpfló:gən] *p.p.* ☞PFLEGEN. **Gepflogenheit** *f.* -en, 관습, 관례(*custom, habit, usage*).

Geplänkel [gəplέŋkəl] *n.* -s, -, 〖軍〗 전초전, 수색전, 정찰전(*skirmish(ing)*).

Geplapper [gəplápər] *n.* -s, 쉴 사이 없이 재잘거림; 수다, 요설.

Geplätscher [gəplέtʃər] *n.* -s, 물이 돌 같은 데에 연달아 떨어짐; 그 소리; 절벅거림, 철버덩거림.

Geplauder [gəpláudər] *n.* -s, 줄곧 지껄여댐; 잡담, 한담.

Gepolter [gəpɔ́ltər] *n.* -s, 내리 쿵쾅〔우르릉〕거림; (계속적인) 훤소; 요물이 떠드는 소리; (떠드는) 요괴.

Gepräge [gəprɛ́:gə] *n.* -s, -, 인상(*impression*); 각인(刻印); 《比》 형(型), 특색(*stamp, cast*). 「화려(華麗); 과시.」

Gepränge [gəprɛ́ŋə] [<prangen] *n.* -s,

Geprassel [gəprásəl] *n.* -s, 잇달아 쿵쿵〔덜커덩〕거림, 연달은 폭음.

gepriesen [gəprí:zən] *p. p.* ☞PREISEN.

gepunktet [gəpúŋktət] *p. a.* 점 무늬가 있는《천 따위가》.

geputzt [gəpútst] *p. a.* ☞PUTZEN.

Gequieke [gəkví:kə] *n.* -s, 연달아 찍찍거림《쥐 따위가》.

gequollen [gəkvɔ́lən] *p. p.* ☞QUELLEN.

Gēr [ge:r] *m.* -(e)s, -e, (고대 게르만인의, 또는 현 투창에 쓰는) 창(*spear*).

g(e)rāde¹ [g(ə)rá:də] [rade 는 "수"를 뜻하며 ♈Rede; "어떤 수를 이룬(ge-)"] *a.* 2로서 나누어지는. ¶e-e ~ Zahl 짝수.

g(e)rāde² [-rade 는 ♈Rad, ♈rasch; = engl. *rath(e)*; "신속한, 무럭무럭 자란"] 《Ⅰ》 *a.* ① 곧은(*even, straight, direct*). ② 바른, 옳은(*just*); 정직한, 솔직한(*upright, honest*). 《Ⅱ》 *adv.* 곧게, 똑바로; 바르게; 꼭, 바로; …이야말로(*just*); 정직하게, 솔직하게. 《Ⅲ》 **Gerāde** *f.* -n, 직선; 직선 코스《경주로·활주로》.

gerāde=aus *adv.* 곧장 (밖〔앞〕으로). ~=**halter** *m.* 〖醫〗 코르셋. ~**heraus** *adv.*: mit der Sprache ~heraus ge-h(e)n 터놓고〔거리낌 없이〕 말하다. ~=**hin** *adv.* 똑 바로; 《比》 거리낌없이.

gerāde(s)wēgs [gərá:də(s)ve:ks, gəra:dəsvé:ks] *adv.* 똑 바로; 직접; 《比》 서슴없이, 터놓고.

gerāde=über *adv.* 바로 맞은 편에. ~=**zu** *adv.* 솔직이, 거리낌 없이; 바로, 정말로. 「적임; 《比》 솔직, 성실.」

Gerādheit¹ [gərá:thait] *f.* 곧음, 직선

Gerādheit² *f.* 〖數〗 짝수, 우수(임).

gerād=linig *a.* 직선의; 직계인. ~=**sinnig** *a.* 솔직한, 성실한. 「MELN.」

gerammelt [gərámәlt] *p. a.* ☞RAM-

Geranie [gerá:nıə] [lat., <gr. *geranos* „Kranich"] *f.* -n, 〖植〗 쥐소니풀과《이질풀 따위》, 제라늄《열매가 부리를 닮음》(♈*geranium, pelargonium*).

gerannt [gəránt] *p. p.* ☞RENNEN.

Gerassel [gərásəl] *n.* -s, (수레바퀴·무기 등이) 덜거덩〔달그락〕거림. 「現在).」

gerāt [gərɛ́:t] (er~) ☞GERATEN 《그

Gerāt [gərɛ́:t] [<Rat; *eig.* „Fürsorge, Ausrüstung"] *n.* -(e)s, -e, 도구, 기구, 연장(*tools, implement, utensils*); 설비, 장치(*apparatus, appliance*); (Haus~) 살림, 가구(*furniture*).

gerāten¹ [gərá:tən] 《Ⅰ》 [<raten, ge-는 강조] *i.* (s.) ① ("끼워지다, 꼭 맞다"의 뜻:) 잘 되어가다, 성공하다, 번영하다(*succeed, prosper*). ¶**nach** jm. ~ 아무를 닮다. ② ("사이에 끼다"의 뜻:) 빠지다, 빠져 들어가다, 다다르다(*come, fall, get (into)*). ¶**auf** Abwege ~ 나쁜 길〔사도〕에 빠져 들어가다 / **außer** sich ~ 이성을 잃다, 격분하다 / **in** Brand ~ 불이 나다, 불이 붙다 / **über** jn. ~ 아무를 습격하다 / **unter** die Mörder ~ 살인자들의 수중에 들어가다. 《Ⅱ》 **ge=rāten** *p. a.* 잘된(*successful*). ¶ ein wohl ~es Kind 착한〔예절바른〕 아이.

gerāten² *p. a.* [<raten] 권할 만한, 알맞은, 상책인(*advisable*). 「계 체조.」

Gerāt(e)turnen [gərɛ́:t(ə)turnən] *n.* 기

Gerātewohl [gəra:təvó:l, gərá:təvo:l] *n.* -(s),: auf(s) ~ 운을 하늘에 맡기고, 닥치는 대로, 되는 대로(*at random*).

Gerāt·schaften [gərɛ́:t-ʃaftən] *pl.* 도구, 기구.

geraum [gəráum] [<Raum] *a.*: e-e ~e Zeit 오랫 동안. **geräumig** [gərɔ́ymıç] *a.* (viel Raum habend) 넓은, 광대한 (♈*roomy, spacious*).

Geräusch [gərɔ́yʃ] [<rauschen] *n.* -es, -e, 시끄러운 소리, 소음(*noise*); 법석, 수선떨기(*bustle*).

geräusch=lōs *a.* 소음이 없는, 조용한. ~**voll** *a.* 웅성웅성하는, 떠들썩한.

gerben [gérbən] [<gar] *t.* 무두질하다《가죽을》(*tan*; 희게: *taw*). ¶《比》 jm. das Fell ~ 아무를 개패듯하다. **Gerber** *m.* -s, -, 무두장이, 제혁공. **Gerberei** [gɛr-] *f.* 무두질하기, 제혁(업·공장).

Gerb=säure [gérp-] *f.* 〖化〗 타닌산《유피제(鞣皮劑)로 쓰임》. ~**stoff** *m.* 타닌.

gerecht [gərɛ́çt] [<recht] 《Ⅰ》 *a.* ① 정당한, 올바른(*just, right, lawful*); 공정한(*fair*); 정의의, 의로운(*righteous*). ¶ jm. ~ werden 아무에게 공평하다, 아무를 정당히 취급〔평가〕하다. ② 꼭 맞는, 합치하는(*fit*). 《Ⅱ》 **Gerechte** *m.* u. *f.* 《形容詞變化》 올바른 사람. **Ge=rechtigkeit** *f.* -en, 정의; 정당함; 사직(司直), 사법(司法). **Gerecht·same** *f.* -n, 권리(*right*); 특권; 특허; 면허(*privilege*).

Gerede [gəré:də] *n.* -s, 말이 많음, 요설(*talk*); 소문, 평판(*rumour*). ¶ins ~ kommen 남의 입에 오르내리다, 소문 나다.

gereichen [gəráiçən] [<reichen] *i.* (h.) (zu, 의 결과로) 되다(*turn out to be*). ¶ es gereicht ihm zur Ehre 그것은 그의 명예가 된다. 「《比》 세련된.」

gereift [gəráift] [<reifen] *p. a.* 익은;

gereizt [gəráitst] [<reizen] *p. a.* 성난 (*irritated*). **Gereizt·heit** *f.* -en, 위임.

gereuen [gərɔ́yən] *t.* 후회하게 하다. ¶ es gereut ihm, daß... 그는 …을 후회하고 있다(*repent*) / sich³ keine Mühe ~ lassen 수고를 아끼지 않다 / mich gereut d-r Not 너의 고생이 가엾다(*be sorry*).

Geriatrie [geriatrí:] [gr. *géron* „alt, bejahrt", *iatreia* „Heilung"] *f.* 노인병 치료법, 노인병학.

Gericht [gərıçt] [<recht] *n.* -(e)s, -e, ① 조리(調理), 요리, 음식물(의 접시)(*dish, course*). ② 사직(司直), 사법, 재판(*judgement, trial*); 법원, 법정(*court of justice*). ¶das Jüngste ~ 최후의 심판(*day of judgement*).

gerichtet [gərıçtət] *p.a.* 어떤 방향을 취하는; 어느 당파에 속하는; 유죄 판결을 받은, 처형된; 의 마음〔의향〕을 품은.

gerichtlich [gəríçtlıç] *a.* 사직(司直)의, 재판(소)의, 법정의; 재판관의, 법률상의; 합법적인. ¶ ~e Medizin 법의학 / ~e Hilfe 민사 소송.
Gerichts·amt [gəríçts·amt] *n.* 법원.
Gerichtsbarkeit [-ba:rkait] *f.* -en, 재판(관할)권; 법원 관할구.
Gerichts⸗beamte *m.* 《形容詞變化》 재판관, 법관. **~befehl** *m.* 법원의 영장. **~⸗bezirk** *m.* 법원 관할구. **~diener** *m.* 정리(廷吏). **~gebühren** *pl.* 재판 비용, 소송비. **~hōf** *m.* 법정, 법원. **~⸗kosten** *pl.* 재판 비용. **~pflēge** *f.* 사법(司法). **~schreiber** *m.* 법원 서기. **~sitzung** *f.* 공판, 개정. **~stūbe** *f.* 법정. **~tāg** *m.* 공판날. **~ver⸗handlungen** *pl.* (법원의) 변론, 심리. **~vollzieher** *m.* 집달리. **~wēsen** *n.* 재판〔사법〕 제도; 재판 사항.
gerieben [gərí:bən] [*p.p.* <reiben] *a.* 약은, 교활한(*cunning, sly*).
Geriesel [gərí:zəl] *n.* -s, 졸졸《물 흐르는 소리》; (*pl.* -) 실개천, 시내.
geriet [gərí:t] ☞GERATEN¹ 《그 過去》.
gering [gəríŋ] [ahd. (*gi*)*ringi* „leicht"] *a.* 경미한, 대수롭지 않은(*trifling, unimportant*); 근소한(*little, small*); 변변치 않은, 하찮은, 가치 없는, 열등한, 미천한(*low, slight, mean*). ¶ ~e Ware 싸구려 물건 / es war kein ~erer als Schiller 그는 다름아닌 쉴러(라는 위대한 사람) 바로 그 사람이었다 / im ~sten 조금만 / nicht zum ~sten, a) 전혀 …이다, b) (=nicht im ~sten) 조금도 … 아니다, 결코 아니다.
gering⸗achten *t.* =~SCHÄTZEN.
geringer [gəríŋər] 《gering의 比較級》 *a.* 보다 가벼운〔적은·못한·천한〕.
gering⸗fügig *a.* 미미〔사소〕한, 변변치 않은, 말할 나위 없는(*insignificant, trifling, paltry*). **~fügigkeit** *f.* 위임; 위의 사물. **~haltig** *a.* (화폐가 금은의) 함유량이 적은; 《比》 가치가 적은.
gering⸗schätzen *t.* 경시〔멸시〕하다. ★ gering schätzen 값싸게 평가하다. **~schätzig** *a.* 얕보는, 경멸적인. **~⸗schätzung** *f.* 얕봄, 경멸.
geringst [gəríŋst] 《gering의 最上級》 *a.* 가장 가벼운〔적은·못한·천한〕.
Gerinne [gərínə] *n.* -s, -, 끊임 없이 흐름; 흐르는〔듣는·새는〕 액체; 홈통, 도랑(*channel, gutter*). **gerinnen*** [gərínən] [„zusammenlaufen, 흘러 모이다"] *i.*(s.) 응결〔응고〕하다(*curdle, coagulate*).
Gerinnsel [gərínzəl] *n.* -s, -, 흐르는〔듣는·새는〕 물; 응괴(凝塊)(*clot*); 〖醫〗 혈전(血栓), 응혈.
Gerippe [gərípə] [<Rippe] *n.* -s, -, 해골, 골격(*skeleton*); 〖建〗 뼈대, 외부 구조(*framework*). **gerippt** *p.a.* 늑골이 있는; 〖植〗 엽맥(葉脈)이 있는(*laid*).
gerissen [gərísən] [<reißen] *p.a.* 교활한, 약아 빠진, 노회(老獪)한 (*cunning*).
geritten [gərítən] *p.p.* ☞REITEN.
Germane [gɛrmá:nə] *m.* -n, -n, 게르만 사람《넓은 의미의 독일 민족》(*Tuton*).
germanisch *a.* 게르만의. **Germa⸗nist** [-st] *m.* -en, -en, 게르만학자; 독일어학자; 독일법학자. **Germanistik** *f.* 게르만학(學); 독일어학; 게르만법학.
Germanium [-nĭum] *n.* -s, 〖化〗 게르마늄.
gern [gɛrn], **gerne** [gɛ́rnə] [♈begehren, Geier] *adv.* 좋아서, 기꺼이, 즐겨, 흔연히(*with pleasure, gladly, willingly, readily*). ¶ von Herzen ~ 충심으로 기꺼이, 자진하여 / et. ~ essen 무엇이 기호 식품이다 / (es ist) ~ geschehen, a) 그것은 좋아서 한 일입니다, b) 천만에 말씀입니다, 별말씀을 다 하십니다 / Sie sind ~ gesehen 언제든지 와 주십시오 / et. ~ haben 좋아하다 / 《反》 der 〔er〕 kann mich 〔aber〕 ~ haben 저자와는 상종도 하기 싫다.
Gern(e)⸗groß *m.* -, -e, 어른이 되고파 하는 어린이; 우쭐대는〔오만한〕 사람 (*would-be-great, upstart*).
gerochen [gərɔ́xən] *p.p.* ☞RIECHEN, RÄCHEN.
Geröll(e) [gərœ́l(ə)] *n.* -(e)s, -e, (강가의) 자갈, 조약돌(*boulders*); 잡동사니, 파편.
geronnen [gərɔ́nən] *p.p.* ☞RINNEN.
Gerontologie [gərɔntologí:] [gr. *géron* „alt, bejahrt"] *f.* 노인(병)학, 장수학.
Gerste [gɛ́rstə] *f.* 보리(*barley*).
Gersten⸗brōt *n.* 보리빵. **~graupen** *pl.* 보리쌀《껍질을 벗긴》. **~korn** *n.* 보리알; 〖醫〗 맥립종(麥粒腫), 다래끼(*sty*). **~saft** *m.* 보리차; 《詩》 =BIER. **~schleim** *m.* 보리차.
Gerte [gɛ́rtə] *f.* -n, 어린 가지(의 잘린 것)(*switch, twig*); (Reit~) 채찍, 매(*whip*).
Geruch [gərúx] *m.* -(e)s, 《I》 [<riechen] 후각(嗅覺)((*sense of*) *smell*); 향기, 냄새(*smell, odour, scent, flavour*). 《II》 [<Gerücht ?] †평판, 소문(*reputation*). **~lōs** *a.* 후각을 잃은; 냄새 없는.
Geruchs⸗nerv *m.* 후각(嗅覺) 신경. **~⸗sinn** *m.* 후각.
Gerücht [gərýçt] [<rufen] *n.* -(e)s, -e, 소문, 풍문(*rumour, report*). ¶ es geht das ~, daß... …의 소문이 떠돌고 있다. **~weise** *adv.* 소문으로, 풍문에 의하면.
geruhen [gərú:ən] [ahd. (*gi*)*ruochen* „sorgen, Rücksicht nehmen"] *i.*(h.) 생각하시다, 황송하게도 …하시다(*be pleased, deign*).
Gerümpel [gərýmpəl] *n.* -s, 쓸데없는 물건, 잡동사니(*lumber*). **Gerümpel⸗kammer** *f.* 헛간, 광.
Gerundium [gərúndĭum] [lat., *gerere* „verrichten"] *n.* -s, ..dĭen, 〖文〗 동명사.
gerungen [gərúŋən] *p.p.* ☞RINGEN.
Gerüst [-rýst] [<rüsten] *n.* -(e)s, -e, 구조, 뼈대; 받침대, 가(架)(*frame*); (Schau~) 무대, 가설 무대(*stage*); 발판, 비계(*scaffold(ing)*).
Ges [gɛs] *n.* -, -, 〖樂〗 내림 사음; (*Ges-dur*) 내림 사 장조. ***ges*** *n.* -, -, 〖樂〗 (*ges-moll*) 내림 사 단조.
gesamt [gəzámt] [*eig.* „gesammelt"] *a.* 모든, 전체의(*whole, entire, all*); 총괄한(*joint*).
Gesamt⸗ausgābe *f.* 전집판. **~bet⸗rāg** *m.* 전액, 총계. **~eindruck** *m.* 전체의 인상. **~erbe** *m.*, **~erbin** *f.*

총 상속인. **~erträg** *m.* 총수익.
Gesamt·heit [gəzámthait] *f.* 전체, 총체(*totality, whole*); 전체 사회.
Gesamt·summe *f.* 총액. **~übersicht** *f.* 개관, 강요(綱要). **~unterricht** *m.* 전과목 교수. **~verband** *m.* 총연맹. **~wille** *m.* 전체 의사, 총의. **~wohl** *n.* 공안(公安), 공익. **~zahl** *f.* 총수.
gesandt [gəzánt] 《Ⅰ》 *p.p.* ☞SENDEN. 《Ⅱ》 **Gesandte** *m.* u. *f.* 《形容詞變化》 사자; 〖法〗 사절, 공사(*ambassador, envoy*). **Gesandt·schaft** *f.* -en, 사절; 공사관; 사절〔공사〕의 직책.
Gesandt·schafts·gebäude, **~hotel** *n.* 공사관(公使館).
Gesang [gəzáŋ] [<singen] *m.* -(e)s, ⸚e, 노래함, 창가(*singing*); 〖樂〗 성악; 노래, 가요, 가곡(♈*song, poem, air*); (Lob~) 찬미가(*hymn*); (서사시의) 노래, 가사, 가장(歌章). **~būch** *n.* 노래책; 찬미가집.
Gesang·lehrer *m.* 성악 교사. **~lich** *a.* 노래의, 성악의; 노래가락 같은. **~lōs** *a.* 노래 (재주)가 없는. **~reich** *a.* 노래가 많은; 선율이 풍부한.
Gesangs·einläge *f.* 〖劇〗 삽입곡. **~kunst** *f.* 창법(唱法).
Gesang·stunde *f.* 노래 시간〔연습〕. **~verein** *m.* 음악회; 합창단.
Gesäß [gəzɛ́:s] [<sitzen] *n.* -es, -e, (의자 따위의) 좌석(*breech, seat*); 엉덩이, 궁둥이(*bottom, posterior*).
Gesäusel [gəzɔ́yzəl] *n.* -s, 〔바람 소리.〕 솔솔 부는
Geschäft [gəʃɛ́ft] [<schaffen] *n.* -(e)s, -e, (was man zu schaffen, tun hat). ① 일(*business, deal*); 사무, 업무(*transaction*); 요건, 용건, 볼일(*affair*). ② 영업, 장사(*occupation*); (Handes~) 거래. ③ 사무소(*office*); 영업소, 상점(*shop*). ¶ ein ~ verrichten 용무를 다 마치다; 《俗》 뒤 보다, 용변을 보다. **geschäftig** *a.* 일이 있는; 바쁜, 활동적인(*busy, active, industrious*). **Geschäftigkeit** *f.* -en, 위입. **geschäftlich** *a.* 일에 있어서의, 사무상의; 거래상의; 상용의.
Geschäfts·anzeige *f.* 광고 삐라. **~aufgābe** *f.* 폐점, 폐업. **~aufsicht** *f.* 영업 감독. **~auto** *n.* 배달 자동차. **~bereich** *m.* 일의 범위. **~bericht** *m.* 영업 보고(서). **~brief** *m.* 상용(商用) 편지. **~freund** *m.* 거래선(先). **~führer** *m.* 지배인(*manager*). **~gang** *m.* 사무 진행〔루트〕. **~geba(h)ren** *n.* 집무 방식. **~gēgend** *f.* 상업 구역. **~geheimnis** *n.* 영업상의 비밀. **~haus** *n.* 상관(商館). **~jahr** *n.* 영업 연도. **~karte** *f.* 업무용 카드. **~kreis** *m.* 영업 범위. **~kundig** *a.* 사무에 익숙한. **~lāge** *f.* 상황(商況). **~lēben** *n.* 실무 생활; 상업〔무역·실업〕계. **~leute** *pl.* =~MANN. **~lokāl** *n.* 사무소, 영업소. **~mann** *m.* 실업가(*business man*). **~māßig** *a.* 실무의; 사무적인; 《比》 기계적인. **~ordnung** *f.* 의사(議事), 규칙. ¶ zur ~ordnung sprechen 의사 규칙 위반을 항의하다. **~papiere** *pl.* 업무용 서류. **~reise** *f.* 상용 여행. **~reisende** *m.* u. *f.* 《形容詞變化》 상용 여행자, 출장 점원. **~schluß** *m.* 폐점 (시간). **~stelle** *f.* =~LOKAL. **~stunden** *pl.* 집무〔영업〕시간. **~teilhāber** *m.* 조합원, 사원. **~träger** *m.* 대리인; 대리 공사. **~viertel** *n.* 상업구(區)《도시의》. **~wāgen** *m.* 배달차《상품을 구입자에게 배달하는》. **~zeit** *f.* 집무 시간. **~zimmer** *n.* 사무실(*office*). **~zweig** *m.* 영업 부문.
geschah [gəʃá:], **geschähe** [gəʃɛ́:ə] ☞ GESCHEHN 《그 過去》.
geschecht [gəʃɛ́kt] *p.a.* 얼룩이 있는.
geschēhen* [gəʃé:ən] [♈schicken, ♈Schuh; *eig.* "걷다, 가다"] *i.*(s.) 행하여지다(*be done*); (우연히) 발생하다, 일어나다, 생기다(*happen, occur, come to pass*). ¶ es geschehe! 그렇게 되는 것이 좋다 / ~ lassen 시키다, 막지 않다, 방임〔간과〕하다 / es ist ihm recht ~ 그가 그렇게 당한 것은 당연하다 / es ist um mich ~ (*p.p.*) 나는 다 틀렸다, 파멸이다. **Geschehnis** [gəʃé:nɪs] *n.* -ses, -se, 일어난 일, 사건.
gescheit [gəʃáit] [<scheiden, *eig.* „geistig sondernd"] *a.* 영리한, 똑똑한(*clever, intelligent*); 재치 있는, 슬기 있는(*bright*). ¶ nicht (recht) ~ sein 정신 이상이다, 돌았다.
Geschenk [gəʃɛ́ŋk] [<schenken] *n.* -(e)s, -e, 선물, 예물(*present*); 시여물, 행하, 팁(*gift*). **Geschenkpackung** *f.* 선물 상자.
Geschichte [-ʃíçtə] [<geschehen] *f.* -n, 일어난 일, 사건(*event, affair*); 일, 사항(*concern*); 역사(*history*); 이야기, 옛날 이야기, 설화(說話)(*story, tale*). ¶ neuere ~ 근세사.
Geschichten·būch *n.* (옛날) 이야기책. **~erzähler** *m.* 이야기하는 사람.
Geschichtler [gəʃíçtlər] *m.* -s, -, 역사가, 사학가. **geschichtlich** [gəʃíçtlɪç] *a.* 역사상의; 역사적인.
Geschichts·būch *n.* 역사책. **~forscher** *m.* 역사 연구자, 사학자. **~forschung** *f.* 역사 연구, 사학. **~klitterung** *f.* 엉터리 편사(編史). **~māler** *m.* 역사 화가. **~quelle** *f.* 사료(史料). **~schreiber** *m.* 사가(史家).
Geschick [gəʃík] [<schicken] *n.* -(e)s, -e 신의 섭리; 신수, 운명(*destiny, fate*). **Geschicklichkeit** *f.* -en, 숙련, 기능, 수완(*skill, dexterity*); 재능(*aptitude*).
geschickt [gəʃíkt] [*p.p.* <schicken] *a.* 재능이 있는(*fit, apt*); 유능한(*able*); 익숙한, 숙련된, 교묘한(*skilful*).
Geschiebe [gəʃí:bə] *n.* -s, -, (하류·빙하에 의하여 흘러내린) 표석(漂石), 자갈(*boulder, detritus*).
geschieden [-ʃí:dən] [*p.p.* <scheiden] *a.* 갈라진; 이혼한.
geschieht [-ʃí:-] (es ~) ☞GESCHEHEN 〔《그 現在》.〕
geschienen [-ʃí:-] *p.p.* ☞SCHEINEN.
Geschieße [gəʃí:sə] *n.* -s, 연사(連射).
Geschimpfe [gəʃímpfə] *n.* -s, 욕지거리, 악담.
Geschirr [gəʃír] *n.* -(e)s, -e, (가정용의) 그릇, 용기(*vessel*); 《특히》 식기 《쟁반·접시·사발 따위》; (Pferde~) 마구(馬具)(*harness*); 마차(*equipage*).

Geschirr·spüler *m.*, ~**spülmaschine** *f.* 식기 세척기.
geschlafen [gəʃlá:fən] *p. p.* ☞SCHLAFEN.
geschlagen [gəʃlá:gən] *p. p.* ☞SCHLAGEN.
Geschlecht [gəʃléçt] [*eig.* 동 „(同) (ge-) 종(種)(mhd. *slahte* „Art")"] *n.* -(e)s, -er *u.* (詩:) -e, 종속(種屬), 종(種)(*kind, species*); 동족, 가족, 혈족(*race, family*); 태생, 바탕, 가문; 세대, 세(世), 대(代)(*generation*); 성(*sex*); (문법상의) 성(*gender*).
Geschlechter·folge *f.* 혈통, 태생. ~**kunde** *f.* 혈통[계보]학.
geschlechtlich [gəʃléçtlıç] *a.* 성의. ¶ ~e Ausschweifungen 방사 과도.
Geschlechts·ādel *m.* 세습 귀족. ~**akt** *m.* 성행위, 성교. ~**hormōn** *n.* 성호르몬. ~**krankheit** *f.* 성병. ~**kunde** *f.* 계보학. ~**nāme** *m.* 가족명, 성(姓); 〖動·植〗 속명(屬名). ~**organe** *pl.* 생식기. ~**register** *n.* 계도, 계보(系譜). ~**reife** *f.* 성적 성숙. ~**teile** *pl.* 생식기. ~**trieb** *m.* 성적 충동, 성욕, 색정. ~**verkehr** *m.* 성교. ~**wort** *n.* 〖文〗 관사(*article*). ~**zelle** *f.* 생식 세포.
geschlichen [gəʃlíçən] *p. p.* ☞SCHLEICHEN.
geschliffen [gəʃlífən] [<schleifen] *p. a.* (칼 따위) 잘 갈린, 날카로운; (보석 따위) 잘 닦인. **Geschliffenheit** *f.* 연마, 갊, 광택; 《比》 퇴고(推敲).
Geschlinge [gəʃlíŋə] [<Schlung (= Schlund)] *n.* -s, -, 꿀꺽 삼키기; 도살한 짐승의 목구멍 《다른 내장과 함께》 (*pluck*).
geschlissen [gəʃlísən] *p. p.* ☞SCHLEIßEN.
geschlossen [gəʃlɔ́sən] [<schließen] *p. a.* 닫힌(*closed*); 《比》 비공개의, 배타적인; 사사로운, 폐쇄적인. ¶ ~e Gesellschaft 사적인 회합, 사교 구락부 / ~es Ganze(s) 일괄된 것, 하나로 뭉친 것 / ~e Ordnung 밀집 대형(隊形) / ~es o, 폐음의《입을 오무려 발음한》 o.
Geschluchze [gəʃlúxtsə] *n.* -s, 계속 흐느껴 울기.
geschlungen [gəʃlúŋən] *p. p.* ☞SCHLINGEN.
Geschmack [gəʃmák] [<schmecken] *m.* -(e)s, ⸚e, 미각; 맛, 풍미(*flavour*); 기호(*liking*); 취미(*taste*); 풍취, 아취(*fancy, style*). ¶an et.[3] ~ finden 무엇이 좋아지다, 취미가 생기다. ~**lōs** *a.* 맛이 없는; 무취미의. ~**lōsigkeit** *f.* 위임; 위의 언행.
Geschmacks·nerv *m.* 미(味)각 신경. ~**richtung** *f.* 기호, 취향.
Geschmack(s)·sache *f.* 취미에 관한 일. ~**sinn** *m.* 취미, 심미 감각.
Geschmacksverirrung *f.* 미각의 도착(倒錯); 악취미.
geschmack·voll *a.* 맛있는, 풍미가 좋은; 취미[아취]가 있는. ~**widrig** *a.* 몰취미의, 잡상스러운.
Geschmatze [gəʃmátsə] *n.* -s, 노상 입맛다시며[쩝쩝거리며] 먹기.
Geschmause [gəʃmáuzə] *n.* -s, 계속 술자리를 벌리기.
Geschmeide [gəʃmáidə] [*eig.* Geschmiedetes"] *n.* -s, -, (금은의) 장신구 (*trinkets, jewels*). **geschmeidig** [gəʃmáidıç] *a.* 불릴 수 있는, 두들겨 펼 수 있는(*malleable*); 유연한, 나긋나긋한 (*flexible, pliant, supple*). **Geschmeidigkeit** *f.* 가전성(可展性).
Geschmeiß [gəʃmáis] [<schmeißen] *n.* -es, 똥《특히 맹금(猛禽)의》; (우글거리는) 벌레, 구더기(*vermin*); 《比》 인간 폐물(*rabble*).
Geschmetter [gəʃmétər] *n.* -s, (연달은) 날카로운 음향; 나팔 소리.
Geschmier(e) [gəʃmí:r(ə)] *n.* ..r(e)s, 채료를 뒤바르기; 서투른 그림[글씨]; 악필, 마구 갈겨 쓰기(*scrawl*).
geschmissen [gəʃmísən] *p. p.* ☞SCHMEIßEN.
geschmolzen [gəʃmɔ́ltsən] *p. p.* ☞SCHMELZEN.
Geschmūs(e) [gəʃmú:s, -ʃmú:zə] *n.* -ses, 수다; 달래기; 빈말; 따리.
Geschnatter [gəʃnátər] *n.* -s, 꽥꽥 계속하여 울; 《比》 재잘거림.
geschniegelt [gəʃní:gəlt] *p. a.*: ~ (und gebügelt) 잔뜩 멋부린, 멋들어진(*spruce, smart*).
geschnitten [gəʃnítən] *p. p.* ☞SCHNEIDEN.
geschnōben [gəʃnó:bən] *p. p.* ☞SCHNAUBEN.
geschōben [gəʃó:bən] *p. p.* ☞SCHIEBEN.
geschollen [gəʃɔ́lən] *p. p.* ☞SCHALLEN.
gescholten [gəʃɔ́ltən] *p. p.* ☞SCHELTEN.
Geschöpf [gəʃœ́pf] [<schöpfen „schaffen"] *n.* -(e)s, -e, 피조물, 생물(*creature*); (특히) 인간.
geschōren [gəʃó:rən] *p. p.* ☞SCHEREN.
Geschoß [gəʃɔ́s] [<schießen] *n.* ..sses, ..sse, ① 쏘는 것; 탄환; 폭탄, 수류탄; 화살, 투창. ② (쏜것 같이 죽죽 벋어 나는 것:) 어린 가지(♈*shoot*); 마디 사이. ③ (죽죽 벋은 것같이 치솟은 것:) 층(層), 계단(*story, floor*). **Geschoßbahn** *f.* 탄도(彈道).
geschossen [gəʃɔ́sən] *p. a.* =SCHIEßEN.
geschraubt [gəʃráupt] [<schrauben] *p. a.* 《比》 일부러 꾸민, 체하는, 과장한 (*stilted*).
Geschrei [gəʃrái] [<schreien] *n.* -(e)s, 외침, 부르짖음; 비명(*cry, cries*); 소란 (*clamour*); 풍문, (특히) 악평.
Geschreibe [gəʃráibə] *n.* -s, 줄곧 쓰기; 휘갈겨 씀, 졸렬한 작품.
geschrieben [gəʃrí:bən] *p. p.* ☞SCHREIBEN.
geschrien [gəʃrí:n] *p. p.* ☞SCHREIEN.
geschritten [gəʃrítən] *p. p.* ☞SCHREITEN.
geschrōben [gəʃró:bən] *p. p.* ☞SCHRAUBEN.
geschrōten [gəʃró:tən] *p. p.* ☞SCHROTEN.
geschrunden [gəʃrúndən] *p. p.* ☞SCHRINDEN.
geschunden [gəʃúndən] *p. p.* ☞SCHINDEN.
Geschütz [gəʃʏ́ts] [<schießen] *n.* -es, -e, 대포(大砲)(*cannon, gun*). ¶ schweres ~ 중포(重砲)(*ordnance*).
Geschütz·bedienung *f.* 포의 조작(操作). ~**donner** *m.* 포성. ~**feuer** *n.* 포화. ~**park** *m.* 포창(砲廠). ~**rohr** *n.* 포신(砲身). ~**stand** *m.* 포상(砲床). ~**turm** *m.* 포탑. ~**wēsen** *n.* 포술(砲術); 포병 사항(事項).

Geschwa̱der [gəʃvá:dər] [Lw. it.] *n.* -s, –, (네모꼴의 밀집(密集):) (비행중의) 편대, 〖海〗 전대(戰隊)(♈*squadron*); 비행 대대(*wing*); 《比》 (기병·새 등의) 밀집군. **Geschwa̱derflu̱g** *m.* 편대 비행.

Geschwa̱tz [gəʃvéts] [<schwatzen] *n.* -es, –e, 수다, 재잘거림(*idle talk, gossip, babble*). **geschwa̱tzig** *a.* 수다스러운(*talkative*). **Geschwa̱tzigkeit** *f.* -en, 수다, 다변.

geschwe̱ift [gəʃváift] *p.a.* 만곡한, 잦「혀진.」

geschwe̱ige [gəʃváigə] *adv.*: ～ (denn) 하물며, 황차(*not to mention, much (far) less*).

Geschwe̱lge [gəʃvɛ́lgə] *n.* -s, 음식에 사치함, 탐닉.

geschwi̱egen [gəʃví:gən] *p.p.* ☞「SCHWEIGEN.」

geschwi̱nd [gəʃvínt] *a.* 빠른, 날랜, 잽싼(*quick, swift*); *adv.* 빨리, 신속히. **Geschwi̱ndigkeit** *f.* -en, 빠르기, 속력(*quickness, haste, speed*); 속도(*velocity, rate*). **Geschwi̱ndigkeitsmesser** *m.* 속도계.

Geshwi̱nd·schrift *f.* 속기 문자〔술〕. **～schritt** *m.* 〖軍〗 속보《1 분에 66m》.

Geschwi̱ster [gəʃvístər] [<Schwester] *n.* -s, –, (*pl.*) 동포, 형제 자매(*brother(s) and sister(s)*). **～kind** *n.* (남녀) 사촌; 생질, 질녀.

geschwi̱sterlich [-lıç] *a.* 형제 자매의; *adv.* 형제 자매처럼.

Geschwi̱ster·liebe *f.* 형제 자매간의 애정〔우애〕. **～paar** *n.* 오빠와 누이동생, 누나와 남동생.

geschwo̱llen [gəʃvɔ́lən] [<schwellen] *p.a.* 팽창한; 염주 모양의; 거만한, 뽐내는.

geschwo̱mmen [gəʃvɔ́mən] *p.p.* ☞ SCHWIMMEN.

geschwo̱ren[1] [gəʃvó:rən] *p.p.* ☞「SCHWÄREN.」

geschwo̱ren[2] [gəʃvó:rən] [<schwören] *p.a.* 서약〔선서〕한. ¶ein ～er Feind 불구 대천의 원수. **Geschwo̱r(e)ne** *m.* u. *f.* 《形容詞變化》 서약자; 〖法〗 배심원; 〖俗〗 *f.* 조산원.

Geschwo̱r(e)nen·gericht *n.* 배심 재판(소). **～liste** *f.* 배심원 명부.

Geschwu̱lst [gəʃvúlst] [<schwellen] *f.* ⸚e, 종기, 종양, 혹(*swelling, tumour*).

geschwu̱nden [gəʃvúndən] *p.p.* ☞ SCHWINDEN.

geschwu̱ngen [gəʃvúŋən] *p.p.* ☞「SCHWINGEN.」

Geschwü̱r [gəʃvý:r] [<schwären] *n.* -(e)s, –e, 농종(膿腫), 궤양(潰瘍)(*ulcer, sore, abscess*).

gese̱gnet [gəzé:gnət] *p.a.* ☞ SEGNEN.

Gese̱lchte [-zélçtə] *n.* -n, 《形容詞變化; *pl.* 없음》 훈제(燻製)한 고기.

Gese̱ll(e) [gəzél(ə)] [*eig.* "같은 방 사람", 후반은 Saal 에서] *m.* ..llen, ..llen, ① 친구, 동아리, 붕배(朋輩)(*companion, comrade, fellow*). ② 사내, 놈, 녀석, 자(者)(*fellow*). ③ (Handwerks～) 장색(匠色)《제 구실을 할 수 있는, 도제(徒弟)와 도장(都匠)의 중간》(*journeyman*). **gesellen** [gəzélən] 《Ⅰ》 *t.* 동무로 하다, 동아리에 들게 하다, 가입시키다. 《Ⅱ》 *refl.* 동아리〔동무〕가 되다, 한몫 끼다(*associate (with), join*).

Gese̱llen·jahre *pl.*, **～zeit** *f.* 장색 시절.

gese̱llig [gəzélıç] *a.* 교제상의(*social*); 사교적인(*sociable*); 〖動〗 모여 살기를 좋아하는. ¶～er Verein 사교 구락부. **Gese̱lligkeit** *f.* 사교, 단란(團欒); 사교적임, 교제를 좋아함.

Gese̱llschaft [gəzélʃaft] [<Geselle] *f.* -en, ① 공동, 협력, 교제(*company*); 상대방, 반려, 벗(남녀). ② 모임, 집회(*assembly*); 사회(*society*); (Handels～) 회사(*company*); (협)회, (결)사(*society*). ③ (사교적인) 집회, 회(*party*); 회중, 손님, 한자리의 사람들; (Reise～) 일행. ¶jm. ～ leisten 아무의 상대가 되다, 아무와 동반하다. **Gese̱llschafter** *m.* -s, –, **Gese̱llschafterin** *f.* -nen, ① 반려, 상대방; 〖商〗 (Handels～) 조합원, 사원. ¶stiller ～ 익명 사원. ② 《*f.* 때만》 남의 상대역을 하는 여자《직업적으로》.

gese̱llschaftlich *a.* 모이는, 공동의; 교제를 좋아하는, 사교적인, 사회의, 사회적인(*social*); 상류 사회의, 사교계의.

Gese̱llchafts·anzu̱g *m.* 야회복. **～da̱me** *f.* =GESELLSCHAFTERIN ②. **～lehre** *f.* 사회학(*sociology*). **～reise** *f.* 단체 여행. **～spiel** *n.* 사교〔단체〕적 유희. **～tanz** *m.* 사교 댄스. **～vertra̱g** *m.* 조합 정관(定款)〔계약〕. **～zimmer** *n.* 객실, 응접실; 집회실.

gese̱ssen [gəzésən] *p.p.* ☞ SITZEN.

Gese̱tz [gəzéts] [*eig.* „Festgesetztes", <setzen] *n.* -es, –e, ① 규율, 율법, 법률(*law*); 성문법, 법규(*statute*). ② 정률(定律), 법칙, 원리(*principle*).

Gese̱tz·antra̱g *m.* 법(률)안, 제의, 동의. **～blatt** *n.* 법률 공보. **～bu̱ch** *n.* 법전. **～entwurf** *m.* 법률안.

Gese̱tzeskraft [gəzétsəs-] *f.* 법의 효력.

gese̱tz·ge̱bend *a.* 입법의(*legislative*). **～ge̱ber** *m.* 입법자. **～ge̱bung** *f.* -en, 입법. **～kunde** *f.* 법률학.

gese̱tzlich [gəzétslıç] *a.* 법률상의, 법으로 정한, 법에 맞는, 합법적인(*legal, lawful*); *adv.* 법률상. **Gese̱tzlichkeit** *f.* 적법, 합법; 법칙성.

gese̱tz·lo̱s *a.* 법률〔법칙〕이 없는; 법률 밖의; 무정부의. **～mäßig** *a.* 법에 맞는, 규칙적인.

gese̱tzt [gəzétst] [<setzen] 《Ⅰ》 *p.p.*: ～ den Fall, daß.. …라고 가정하면. 《Ⅱ》 *a.* 가정된; 《比》 침착한, 견실한, 요지부동의(*sedate*), 분별 있는(*mature*).

Gese̱tz·ta̱fel [-ta:fəl] *f.* 법률 고지판.

gese̱tztenfalls [gəzétstənfals] *adv.* ☞ GESETZT 《Ⅰ》.

Gese̱tzt·heit [-hait] *f.* 침착함, 분별「있음.」

Gese̱tz·vo̱rla̱ge *f.* 법률안(의 제출). **～widrig** [-vi:drıç] *a.* 위법의.

Gese̱ufze [gəzɔ́yftsə] *n.* -s, 자꾸만 한숨 쉼.

Gesi̱cht [gəzíçt] [<sehen] *n.* -(e)s, ① (바라)봄, 시각, 시력(*sight, eyesight, eyes, view*). ¶～ bekommen 발견하다, 알아내다. ② (*pl.* -er) (보이는 것:) 외모, 얼굴, 걸면(*face, countenance*). ¶das steht gut zu ～ 그것은 잘 어울린다 / ～er machen 〔schneiden〕 얼굴을 찌푸리다. ③ (*pl.* -e) 환영(幻影);

G

환각(*vision, apparition*); 양상(*espect, look*). ¶ das Zweite ~ 투시력, 천리안.

Gesichts·ausdruck *m.* 얼굴의 표정. **~bildung** *f.* 용모, 인상(人相). **~farbe** *f.* 안색. **~feld** *n.* 시야, 시계. **~kreis** *m.* 시계; 지평선(*horizon*). **~nerv** *m.* 안면 신경. **~punkt** *m.* 시점(視點); 관점, 견지(*point of view*). **~rōse** *f.* 〖醫〗안면 단독(丹毒). **~sinn** *m.* 시각. **~täuschung** *f.* 착시(錯視). **~weite** *f.* 시력 거리. **~winkel** *m.* 〖醫〗안면각; 시각(視角); 관점. **~zūg** *m.* 얼굴의 윤곽; (*pl.*) 얼굴의 생김새, 용모, 인상(*features*).

Gesims [gəzíms] [<Sims] *n.* -es, -e, 〖建〗장식 돌기(突起), 처마 복공(*cornice*); 장식틀(*moulding*); 선반(*ledge*).

Gesinde [gəzíndə] *n.* -s, -, 하인, 종, 머슴(*servants*).

Gesindel [gəzíndəl] *n.* -s, -, 천민(*rabble, mob*).

Gesinde·ordnung *f.* 고용법. **~stūbe** *f.* 하인의 방.

gesinnt [gəzínt] [<Sinn] *a.* (의) 마음을 품은(*minded, disposed*). ¶ anders ~ 다른 생각을 품은 / vaterländisch ~ 애국적인. **Gesinnung** [gəzínuŋ] *f.* -en, 마음씨, 마음가짐, 지조(*mind, way of thinking, disposition*).

Gesinnungs·genosse *m.* 같은 의견〔주의〕의 사람, 동지. **~lōs** *a.* 무절조한, 정견이 없는(*unprincipled*). **~treu** *a.* 성실한. **~tüchtig** *a.* 절조 있는, 성실한. **~wechsel** *m.* 변절, 변심.

gesittet [gəzítət] [<Sitte] *a.* 예의 바른, 예절이 있는(*well-mannered*); 행실이 좋은; 우아한(*polite*); 개화한, 교양이 있는(*civilized*). **Gesittung** [gəzítuŋ] *f.* -en, 미풍 양속, 예절, 교양, 문명.

Gesöff [gəzœ́f] [<saufen] *n.* -(e)s, 폭음(暴飮); (*pl.* -e) 나쁜 술.

gesoffen [gəzɔ́fən] *p.p.* ☞SAUFEN.

gesōgen [gəzó:gən] *p.p.* ☞SAUGEN.

gesonnen [gəzɔ́nən] [*p.p.* <sinnen] *a.* (을 할) 생각이 있는, 할 작정인(*disposed, resolved*).

gesotten [gəzɔ́tən] *p.p.* ☞SIEDEN.

Gespann [gəʃpán] [<spannen] *n.* -(e)s, -e, (한 수레를 끄는) 두 마리(이상)의 마소(*team*), 겨릿소.

gespannt [gəʃpánt] [*p.p.* <spannen] *a.* 팽팽한, 켕긴(*tense*); 《比》긴장한(*intent, intense*); 긴장된 (관계)(*strained*). ¶ ~ sein (auf et.⁴ 을) 긴장하여 기다리다〔대비하다〕/ auf ~em Fuße steh(e)n, (mit, 와) 긴장된 관계에 있다〔알력이 있다〕.

Gespenst [gəʃpénst] *n.* -es, -er, 환영(*apparition*); 유령, 요괴(*ghost*).

gespensterhaft [gəʃpénstər-] *a.* 유령 같은.

Gespenster·spūk *m.* 유령(의 출현). **~stunde** *f.* 축시(丑時) 《요괴가 들끓는 시간》.

gespenstig [gəʃpénstɪç], **gespenstisch** [-tɪʃ] *a.* 유령의, 유령 같은.

Gespiele [gəʃpí:lə] *m.* -n, -n, **Gespielin** *f.* -nen, 놀이 친구(*play-mate*).

Gespinst [gəʃpínst] [<spinnen] *n.* -es, -e, (실로) 짠 것, 연사(撚絲)(*spun yarn, thread*); 직물(*web, texture*); 고치; 거미줄〔집〕, 그물.

gesplissen [gəʃplísən] *p.p.* ☞SPLEIßEN.

gesponnen [gəʃpɔ́nən] *p.p.* ☞SPINNEN.

Gespött [gəʃpœ́t] [<spotten] *n.* -(e)s, 조소(*mockery. derision*); 웃음거리.

Gespräch [gəʃprɛ́:ç] [<Sprache] *n.* -(e)s, -e, ① 담화(*talk, conversation*); (Zwie~) 회화, 대화(*dialogue*); (전화의) 통화(*call*). ② 이야깃 거리, 화제, 소문(*topic*). **gesprächig** [gəʃprɛ́:çɪç] *a.* 입이 싼, 수다스러운(*talkative*).

Gesprächs·form *f.* 회화체, 대화 형식. **~gēgenstand**, **~stoff** *m.* 화제; 이야깃 거리(*topic, subject*), **~weise** *adv.* 담화체로; 담화중에.

gespreizt [gəʃpráitst] *p.a.* 떠벌리는, 허세 부리는(*pompous, stilited*).

gesprenkelt [gəʃpréŋkəlt] *p.a.* 반점〔얼룩〕이 있는(*speckled*).

gesprochen [gəʃprɔ́xən] *p.p.* ☞SPRECHEN.

gesprossen [gəʃprɔ́sən] *p.p.* ☞SPRIEßEN.

gesprungen [gəʃprúŋən] *p.p.* ☞SPRINGEN.

Gestāde [gəʃtá:də] [<stehen] *n.* -s, -, 《詩》물가(*bank*); 해안, 바닷가(*shore*).

Gestalt [gəʃtált] [*eig.* „Gestelltes", <stellen] *f.* -en, ① 형태, 형상, 모습, 모양, 꼴(*figure, form, shape*). ② 양상, 상태, 사정(*aspect, manner*). ¶ ~ annehmen 형태를 이루다; 실현하다.

gestalten [gəʃtáltən] *t.* 《I》 형성하다; 모양으로 나타내다, 그리다, 조형(造形)하다, 표현하다(*form, shape, mould, fashion*). 《II》 *refl.* 어떤 형상〔형세·사태〕로 되다.

gestalt·lōs *a.* 형태 없는, 무형의; 실체 없는, 추상적인. **~psychologie** *f.* 게슈탈트〔형태〕 심리학.

Gestaltung [gəʃtáltuŋ] *f.* -en, 모양 지음, 형성물, 형상, 형태(*formation*); 형세, 상태(*state*). **~s·kraft** *f.* 형성력, 조형력.

Gestaltwandel [gəʃtáltvandəl] *m.* 모습을 바꿈, 변용, 변모.

Gestammel [gəʃtáməl] *n.* -s, 연거푸 (말을) 더듬음.

gestand [gəʃtánt], **~en** [-dən] ☞GESTEH(E)N 《그 過去 및 過去分詞》.

geständig [gəʃtɛ́ndɪç] [<gestehen] *a.* 자백〔승인〕한. ¶ e-s Vergehens ~ sein 어떤 범죄를 자백하다. **Geständnis** [gəʃtɛ́ntnɪs] *n.* -ses, -se, 자백(*avowal*); 고백(*confession*).

Gestank [gəʃtáŋk] [<stinken] *m.* -(e)s, 악취; 《比》악평.

Gestāpo [gestá:po] *f.* 《略》 =*Ge*heime *Sta*ats*po*lizei (나치스 독일의) 비밀 경찰.

gestatten [gəʃtátən] [<Statt, *eig.* „günstige Stätte, Gelegenheit geben"] *t.* 승락하다, 승인〔승낙〕하다(*permit, allow*).

Geste [gɛ́stə] [lat.] *f.* -n, 몸짓, 손짓; 〖劇〗표정(♈*gesture*); 《比》암시.

gestēh(e)n* [gəʃté:(ə)n] [*eig.* „stehenbleiben"] *t.* 자백〔고백〕하다(*confess*); 인용〔승인〕하다(*admit*). ¶ offen gestanden 사실을 말하면. **Gestēhungskosten** *pl.* 생산비, 원가(*prime cost*).

Gestein [gəʃtáin] *n.* -(e)s, -e, 암석(*stone, rock*); 광석(*mineral (ore)*).

~s=gang *m.* 광맥. ~(s)=kunde *f.* 암석학.
Gestell [gəʃtɛ́l] [<Stall "구조", 지금의 어감은 stellen과 결부되어 있음] *n.* -(e)s, -e, ① 대(臺), 받침대, 세우개(*stand*). ② 시렁, 선반(*rack*); 틀, 테(*frame*); 다리(*trestle*). **Gestellung** *f.* -en, 출두; 소집. **Gestellungsbefehl** *m.* 소집령.
gestelzt [gəʃtɛ́ltst] *p. a.* 죽마를 탄.
gestern [gɛ́stərn] [*eig.* "딴 (날에)"] *adv.* 어제(*yesterday*). ¶~ abend 어제 저녁에(*last night*).
gesternt [gəʃtɛ́rnt] *a.* 별이 있는; 별 모양의.
gestiefelt [gəʃtí:fəlt] *p. a.* 장화를 신은.
gestiegen [gəʃtí:gən] *p. p.* ☞STEIGEN.
gestielt [gəʃtí:lt] *p. a.* 자루가 있는.
Gestik [gɛ́stɪk] [lat. <Geste] *f.* (배우 등의) 동작.
gestikulieren [gɛstikulí:rən] [lat. < Geste] *i.* (h.) 몸짓[시늉]을 하다(♈*gesticulate*).
Gestirn [gəʃtírn] [<Stern] *n.* -(e)s, -e, 별, 일월 성신, 천체(♈*star*). ~stand *m.* 성좌.
gestirnt [gəʃtírnt] *p. a.* 별이 있는.
gestoben [gəʃtó:bən] *p. p.* ☞STIEBEN.
Gestöber [gəʃtǿ:bər] *n.* -s, -, 휘날아 흩어지는 것(*drift*); (특히) (Schnee~) 눈보라.
gestochen [gəʃtɔ́xən] *p. p.* ☞STECHEN.
gestohlen [gəʃtó:lən] *p. p.* ☞STEHLEN.
gestorben [gəʃtɔ́rbən] *p. p.* ☞STERBEN.
gestört [gəʃtǿ:ert] *p. p.* ☞STOREN.
Gestotter [gəʃtɔ́tər] *n.* -s, 연거푸 말을 더듬음.
Gesträuch [-ʃtrɔ́yç] *n.* -(e)s, -e, 수풀, 덩굴숲, 총림(*shrubs, bushes*).
gestreckt [gəʃtrɛ́kt] *a.*: im ~en Galopp 질주하여, 전속력으로.
Gestreichel [gəʃtráiçəl] *n.* -s, 자꾸 비벼대는 일; 애무.
gestreift [gəʃtráift] *p. a.* 줄 무늬가[자국이] 있는.
Gestreite [gəʃtráitə] *n.* -s, 끊임없는 싸움[말다툼].
gestreng [gəʃtrɛ́ŋ] *a.* 엄격한(*severe, rigorous*). ¶~er Herr 상감.
gestrichen [gəʃtríçən] [*p. p.* <streichen] *a.* 말살된. ¶frisch ~! 페인트(칠) 주의 / ~ voll 가장자리까지 가득한.
gestrig [gɛ́strɪç] [<gestern] *a.* 어제의. ¶der ~e Abend 어제 저녁.
gestritten [gəʃtrítən] *p. p.* ☞STREITEN.
Gestrüpp [gəʃtrʏ́p] [<sträuben] *n.* -(e)s, -e, 관목의 덤불, 수풀(*bushes*).
Gestühl(e) [gəʃtʏ́:l(ə)] *n.* -(e)s, -e, 의자(의 전부), 좌석《특히 교회의》(*pew(s)*).
Gestümper [gəʃtʏ́mpər] *n.* -s, 서툴음, 졸작, 졸연(拙演).
gestunken [gəʃtúŋkən] *p. p.* ☞STINKEN.
Gestüt(e) [gəʃtʏ́:t(ə)] [<Stute] *n.* -(e)s, ..te, 종마장(種馬場), 양마장(♈*stud*).
Gesuch [gəzú:x] [<suchen] *n.* -(e)s, -e, 청원(*petition, request*); 원서(*application*).
gesucht [gəzú:xt] 《I》 *p. p.* ☞SUCHEN. ¶Sekretärin ~ (광고에서) 비서 구함. 《II》 *a.* 바라는 사람이 많은; 〖商〗 수요(需要)가 있는; 짐짓 꾸민(*affected*).
Gesudel [gəzú:dəl] *n.* -s, 더럽힘; 뒤바름; 서투른 글씨[그림].
Gesumm(e) [gəzúm(ə)] *n.* -(e)s, 윙윙거림《벌·모기 따위가》.
gesund [gəzúnt] *a.* ① 건강한(♈*sound, healthy*). ② 건강에 좋은, 위생적인(*salutary*); 건전한(*wholesome*). ¶ ~er Menschenverstand 상식.
Gesund=beterei *f.* 기도(祈禱)요법. ~brunnen *m.* 광천(鑛泉).
gesunden [gəzúndən] *i.* (s.) 건강하게 되다; 완쾌하다.
Gesund·heit [gəzúnthait] *f.* 건강(*health*); 건강에 좋음, 위생(*salubrity*); 건전(*wholesomeness*). ¶öffentliche ~ 공중 위생 / js. ~ ausbringen 아무의 건강을 축복하여 건배하다. **gesund=heitlich** *a.* 건강[위생]상의.
Gesund·heits=amt *n.* 위생국. ~apostel *m.* 위생 개량가(改良家). ~halber *adv.* 건강을 위하여, 위생상. ~kunde, ~lehre *f.* 위생학. ~pflege *f.* 섭생, 위생(법). ~polizei *f.* 위생 경찰, 검역(檢疫). ~schädlich *a.* 건강에 해로운, 비위생적인. ~wesen *n.* 국민보건 (제도), 위생[후생](시설). ~zeugnis *n.* 건강 증명서. ~zustand *m.* 건강 상태.
Gesund|machen [gəzúntmaxən] *refl.* 《俗》 지불 능력을 되찾다, 주머니 사정이 좋아지다. ★ jn gesund machen 아무를 건강하게 하다. **Gesundmachung** [-maxuŋ] *f.* 치료; (공기의) 정화, 소독.
Gesundung *f.* 건강의 회복.
gesungen [gəzúŋən] *p. p.* ☞SINGEN.
gesunken [gəzúŋkən] *p. p.* ☞SINKEN.
Getäfel [gətɛ́:fəl] [<Tafel] *n.* -s, -, 판장, 벽판자, 널빤지.
getan [gətá:n] *p. p.* ☞TUN.
Getändel [gətɛ́ndəl] *n.* -s, 줄곧 시시덕거림, 농탕침.
Getanze [gətántsə] *n.* -s, 끊임없이 춤을 춤.
Getier [gətí:r] *n.* -(e)s, 짐승(류), 동물(계).
Getöse [gətǿ:zə] [<tosen] *n.* ..ses, 잇단 굉음, 아우성(*noise, din*).
getragen [gətra:gən] [*p. p.* <tragen] *a.* 〖樂〗 소리를 길게 끈.
Getrampel [gətrámpəl] *n.* -s, 잇달아 짓밟음, 꾹꾹 내리밟기.
Getränk [gətrɛ́ŋk] [<Trank] *n.* -(e)s, -e, 마실 것, 음료(♈*drink, beverage*). 물약.
Getratsch(e) [gətrá:tʃ(ə)] *n.* ..tsches, 쓸데없는 말, 소문.
getrauen [gətráuən] *refl.* 감히 …하다.
Getreide [gətráidə] [後半: ♈tragen, *eig.* „was getragen wird"] *n.* -s, -, 열매, (특히) 곡식(*corn, grain*).
Getreide=art *f.* 곡물(의 종류)(*cereal*). ~bau *m.* 곡물 경작. ~boden *m.* 경지. ~börse *f.* 곡물 거래소. ~feld *n.* 논밭. ~handel *m.* 곡물 거래. ~mangel *m.* 곡식 부족. ~markt *m.* 곡물 시장. ~reich *a.* 곡물이 풍부한. ~speicher *m.* 곡창.
getreu [gətrɔ́y] *a.* 충실한(*faithful, true, loyal*); **getreulich** *adv.* 충실히(*faithfully*).

Getriebe [gətríːbə] [<treiben] *n.* -s, -, ① 활동, 활발한 영위(*bustle*). ② 기어, 톱니바퀴, 운전 장치(*machinery*); 연동기((*driving*) *gear*). ③ (정치) 기관; 동기(動機). ~**bremse** *f.* 동륜(動輪) 브레이크, 밴드 브레이크. ~**lehre** *f.* 〖物〗 운전학.

getrieben [gətríːbən] *p. p.* ☞ TREIBEN.

getroffen [gətrɔ́fən] *p. p.* ☞ TREFFEN, TRIEFEN.

getrogen [gətróːgən] *p. p.* ☞ TRÜGEN.

getrost [gətróːst] [trösten 의 옛 過去分詞] *a.* 믿는 데가 있는, 안심한(*confident*); 원기 있는, 기운 내는(*of good cheer*). **getrösten** *refl.* (e-s Dinges, 무엇을) 안심하고 기다리다.

Getrümmer [gətrʏ́mər] *n.* -s, -, 폐허.

getrunken [gətrúŋkən] *p. p.* ☞ TRINKEN.

Getter [gétər] [engl. *get* „bekommen, erhalten"] *m.* -s, -, 〖電〗 게터《전구 속 또는 진공관 속의 잔류 가스를 흡수시키는 물질》.

Getto [géto] [it.] *n.* 〔*m.*〕 -s, -s, 유태인 거리(=Ghetto).

Getu(e) [gətúː(ə)] [<tun] *n.* -(e)s, 짐짓 위엄을 차리는〔야단스러운·법석을 떠는·꾸민 듯한〕 동작〔짓〕(*fuss*).

Getümmel [gətʏ́məl] *n.* -s, -, 혼잡, 소동(*tumult, bustle*).

geübt [gə-ýːpt] *p.a.* ☞ ÜBEN. **Geübtheit** *f.* 숙련, 숙달.

Gevatter [gəfátər] [„Mit-vater"] *m.* -s *u.* -n, -(n), ① 세례의 입회인, 대부(*godfather*). ② 《比》 친척(*relative*); 이웃(*neighbour*); 동무, 단짝. **Gevatterin** *f.* -nen, 대모(代母)(*godmother*). **Gevatterschaft** *f.* -en, 대부모가 됨, 대부모들; 친척들.

geviert [gəfíːrt] *p.a.* 사각형의. **Geviert**(e) *n.* -(e)s, -e, 사각형(*square*).

Gewächs [gəvéks] [<wachsen] *n.* -es, -e, ① 식물(*plant, vegetable*); 채소(*herb*). ② 포도주(*vintage*). ③ 군살, 혹(*growth*).

gewachsen [gəváksən] [<wachsen] 《Ⅰ》 *p.p.* 성장한; 토착의; 자연 그대로의. 《Ⅱ》 *a.*: jm. ~ sein 아무에게 뒤떨어지지 않다, 에 필적하다 / et.³ ~ sein 무엇을 선처할 힘이 있다, 에 견디다.

Gewächs·haus *n.* 온실. ~**reich** *n.* 식물계. ~**sammlung** *f.* 식물 채집; 〖植〗 책갈피 등에 끼워 말린 잎 표본.

gewagt [gəváːkt] *p.a.* 대담(大膽)한, 모험적인.

gewählt [gəvéːlt] *p.a.* 정선(精選)된; 점잖은 (*choice, select*).

gewahr [gəváːr] [<ahd. *wara* „Acht"] *a.*: ~ werden 알다, 깨닫다(*be aware of, preceive*).

Gewähr [gəvéːr] [<gewähren] *f.* 보증, 담보(*security, surety*). ¶ für et. ~ leisten 무엇을 보증하다.

gewahren [gəváːrən] *t.* 인지(認知)하다, 깨닫다; *refl.* 주의하다.

gewähren [gəvéːrən] 《Ⅰ》 *t.* 허락〔승낙·동의〕하다, (소원 따위를) 풀어 주다(*grant*); 얻게 하다, 주다(*give*). 《Ⅱ》 *i.*(h.) ① 보증하다. ② et. 〔jn.〕 ~ lassen 아무것이〔아무가〕 되는〔하는〕 대로 내맡기다, 방임하다.

Gewährleistung [gəvéːrlaistuŋ] *f.* -en, 보증; 담보.

Gewahrsam [gəváːrzaːm] [<wahren] 《Ⅰ》 *m.* -(e)s, -e, 보관(*custody*); 구금(拘禁), 금고(禁錮). 《Ⅱ》 *n.* -(e)s, -e, 구치소, 교도소(*prison*).

Gewährschaft [gəvéːrʃaft] *f.* 〖法〗 담보, 보장.

Gewährsmann [gəvéːrsman] *m.* -(e)s, *pl.* ..männer 및 ..leute, ① 보증인. ② 〖法〗 (권위 있는) 증인.

Gewährung [gəvéːruŋ] *f.* -en, 허락, 허가.

Gewalt [gəvált] [<walten] *f.* -en, ① 지배력, 권력(*power, authority*). ② 강제, 폭력(*force, violence*). ¶ jm. ~ antun 아무에게 폭력을 가하다, 강간하다 / mit ~ 강제로, 몹시.

Gewalt·haber *m.* 권력자, 주권자. ~**herrschaft** *f.* 전제〔독재〕 정치(*despotism*). ~**herr(scher)** *m.* 전제 군주.

gewaltig [gəváltɪç] *a.* 《Ⅰ》 권력이 있는(*powerful*); 폭력적인; 맹렬한(*violent*); 엄청난(*huge*). 《Ⅱ》 *adv.* 강력히; 맹렬하게.

Gewalt·marsch *m.* 강행군. ~**maßregel** *f.* 고압 수단, 강제 처분.

gewalt·sam [gəváltzaːm] *a.* 폭력적인, 강제적인(*violent, forcible*).

Gewalt·schritt *m.* 강제 처치, 고압 수단, 탄압. ~**streich** *m.* 폭력 수단, 쿠데타. ~**tat** *f.* 폭행, 포학(暴虐). ~**tätig** *a.* 폭력적인, 무법의. ~**verbrechen** *n.* 강력범. ~**verzichtsabkommen** *n.* 무력 불행사 협정.

Gewand [gəvánt] [<wenden: "돌려진·접힌 것", 피륙] *n.* -(e)s, ⸗er 〔詩: -e〕, 옷, 의복(*dress, garment*).

gewandt [gəvánt] [<wenden] *p.a.* 재빠른, 기민한(*agile*); 숙달한, 솜씨 있는, 교묘한 (*dexterous, adroit; skilful, clever*). **Gewandt·heit** *f.* 솜씨있음; 민첩(敏捷).

gewann [gəván] ☞ GEWINNEN (그 過去).

gewärtig [gəvértɪç] *a.*: ~ sein, (jm., 아무의 분부를) 기다리고 있다, (에) 시중들고 있다; (e-s Dinges, 무엇을) 기다리고 있다, 예기〔각오〕하고 있다. **gewärtigen** *t.* 기다리다, 기대〔예기〕하다.

Gewäsch(e) [gəvéʃ(ə)] *n.* -es, 잡담, 요설, 수다(*silly talk, twaddle*).

Gewässer [gəvésər] *n.* -s, -, 물《하천·호수·바다·물줄기 따위의 총칭》(*waters*); (개개의) 강〔바다〕(*water*).

Gewebe [gəvéːbə] [<weben] *n.* -s, -, ① 짜기, 뜨기, 뜨개질(*weaving*); 짜는 방법(*texture*). ② 직물(織物)(*web, fabric*). ③ 〖生〗 조직(*tissue*). **Gewebelehre** *f.* 〖生〗 조직학(*histology*).

Gewebs·hormon [gəvéːps-] *n.* 〖動·植〗 (각종) 조직(내에서 산출된) 호르몬(에 유사한 물질).

geweckt [gəvékt] *p.a.* 깬; 활발한(*lively*); 재치있는(*bright, clever*).

Gewehr [gəvéːr] [<wehren] *n.* -(e)s, -e, ① 방어물; 무기(*weapon*); (Seiten~) 검(劍). ② (Feuer~, Schieß~) 총(*musket, gun, rifle*). ¶ präsentiert (das) ~! 받들어 총 / ~ ab! 세워 총.

Gewẹhr⸗fabrik *f.* 병기 공장. ~**feuer** *n.* 총화(銃火). ~**kolben** *m.* 개머리판. ~**lauf** *m.* 총신. ~**pyramide** *f.* 걸어 총(한 것). ~**riemen** *m.* 총의 멜빵. ~**schrank** *m.* 병기고.

Gewẹih [gəvái] *n.* –(e)s, –e, 사슴의 갈라진 뿔, 가지뿔(*horns, antlers*).

Gewẹrbe [gəvɛ́rbə] [<werben(*eig.* "sich drehen, 두루 돌아다니며 바삐 일하다"] *n.* –s, –, ① 《廣義》 (농업·학문·예술·관리 따위 직업 이외의) 직업(*profession*); 상업, 영업, 실업(*business, trade*). ② 《狹義》 (상업에 대한) 공업(*industry*), 공예(*craft*).

Gewẹrbe⸗ausstellung *f.* 산업 박람회. ~**betrieb** *m.* 영업. ~**fleiß** *m.* 산업(활동). ~**fleißig** *a.* 산업을 경영하는. ~**freiheit** *f.* 영업의 자유. ~**gericht** 노동 쟁의 심의회. ~**kammer** *f.* 직업 대표단. ~**krankheit** *f.* 직업병. ~⸗**kunde** *f.* 공(예)학(*technology*). ~⸗**schein** *m.* 영업(용) 감찰. ~**schūle** *f.* 실업 학교. ~**steuer** *f.* 영업세. ~⸗**treibend** *a.* 실업에 종사하는. ¶~treibende(r) 실업가. ~**verein** *m.* 노동 조합.

gewẹrblich [gəvɛ́rplıç] *a.* 영업의, 실업의; 공업의(*industrial*).

Gewẹrbs⸗mann *m.* (*pl.* ..leute) 실업〔공업〕가. ~**māßig** *a.* 영업상의, 직업(으로서)의. ~**zweig** *m.* 산업〔공업〕 부문.

Gewẹrk [gəvɛ́rk] *n.* –(e)s, –e, 수공업(*craft*); 동업 조합(*guild, corporation*).

Gewẹrkschaft [gəvɛ́rkʃaft] *f.* –en, 노동 조합(*trade union*). **Gewẹrkschaft⸗(l)er** *m.* –s, –, 노동 조합원.

Gewẹrks⸗ordnung *f.* 노조 규약. ~⸗**verein** *m.* =GEWERKSCHAFT.

gewē̤sen [gəvé:zən] [♈währen, Wesen] 《I》 *p.p.* ☞SEIN. 《II》 *a.*: der ~e Präsident 전 대통령.

gewịchen [gəvíçən] *p.p.* ☞WEICHEN.

Gewịcht [gəvíçt] [<wiegen] *n.* –(e)s, –e, 무게, 중량(♈*weight*); 추(錘). ¶totes ~ 자중(自重)《첨가물을 제외한 자체 무게》 / schwer ins ~ fallen 무게가 나가다, 《比》 중요하다. **gewịchtig** *a.* 무게가 있는; 《比》 무거운, 육중한, 중요한(*important*).

Gewịchts⸗abnahme *f.*, ~**verlust** *m.* 중량의 감소.

gewịegt [gəví:kt] [*eig.* „von der Wiege an erzogen"] *p.a.* 숙련된, 노련한(*experienced*).

Gewịeher [gəví:ər] *n.* –s, 말의 끊임 없는 울음 소리.

gewịesen [gəví:zən] *p.p.* ☞WEISEN.

gewịllt [gəvílt] [<Wille] *p.a.* (무엇을 할) 의욕〔의향·생각〕이 있는(♈*willing*).

Gewịmmel [gəvíməl] *n.* –s, –, 몰려듦, 떼를 지음, 떼(*swarm(ing), crowd*).

Gewịmmer [gəvímər] *n.* –s, 연달아 울어댐; (어린 아이의) 울부짖음.

Gewịnde [gəvíndə] [<winden] *n.* –s, –, ① 휘감김; 감은〔감긴〕 것, 태래; 꾸불꾸불함. ② (Blumen~) 꽃장식, 화환(*garland*). ③ 나사산(山)(*worm, thread*); 경첩. ~**bohrer** *m.* 암나사 파는 틀, 탭(*screw tap*).

Gewịnn [gəvín] [<gewinnen] *m.* –(e)s, –e, ① (이익·승리를) 얻음. ② 이득, 이익(*gain, profit*); 상금(*prize*). ¶ein Buch mit ~ lesen 어떤 책을 읽고 깨달음을 얻다.

Gewịnn⸗anteil *m.* 이익 배당. ~**be⸗teiligung** *f.* 이익 배분. ~**bringend** *a.* 이익을 가져오는.

gewịnnen* [gəvínən] [ge-는 결과를 가리킴, -winnen „sich bemühen"] 《I》 *t.* ① 얻다, 획득하다, 벌다(♈*win, earn, gain, get, obtain*). ¶die Herrschaft über et.[4] ~ 어떤 것의 지배권을 쥐다. ② 승리를 얻다, 이기다. ¶den Sieg in der Schlacht ~ 전투에 이기다. 《II》 *i.*(h.) 이득을 보다, 벌다; 승리를 얻다. ¶an Stärke ~ 증강하다. 《III》 **gewịn⸗nend** *p.a.* 애교 있는, 매력 있는(*engaging, winning*). **Gewịnner** *m.* –s, –, 이득자; 승자(勝者). **Gewịnnler** *m.* –s, –, 이득자; 폭리를 탐하는 사람.

Gewịnn⸗lōs *n.* 당첨(當籤). ~**lōs** *a.* 이익이 없는, 무익한. ~**steuer** *f.* 이윤세(利潤稅). ~**sucht** *f.* 이욕(利欲), 이익을 탐내는 마음. ~**süchtig** *a.* 탐욕스런.

Gewịnsel [gəvínzəl] *n.* –s, 흐느껴 욺; 신음.

Gewịnst [gəvínst] *m.* –es, –e, 이득; 상, 당첨.

Gewịrke [gəvírkə] *n.* –s, –, ① 직물(織物). ② 벌집.

Gewịrr(e) [gəvír(ə)] *n.* –(e)s, 얽힘, 분규(*maze*); 혼란(*confusion*).

gewịß [gəvís] [wissen의 옛 過去分詞: "gewußt, 이미 아는·기정의"] 《I》 *a.* 확실한, 틀림없는(*sure, certain*); 어떤 (사람·물건 따위), 모모의(*certain*). 《II》 *adv.* 확실히, 꼭(*certainly, indeed*); 다분히, 아마.

Gewịssen [gəvísən] [<wissen] *n.* –s, –, 양식, 양심, 도덕 관념(*conscience*). **gewịssenhaft** *a.* 양심적인, 성실한. **gewịssenlōs** *a.* 양심이 없는, 불성실(不誠實)한.

Gewịssens⸗angst *f.* 양심의 가책. ~⸗**biß** (보통 *pl.*) 양심의 가책, 회한. ~⸗**freiheit** *f.* 양심의 자유. ~**nōt** *f.* 양심의 고뇌. ~**pein**, ~**quāl** *f.* =~-ANGST. ~**rūhe** *f.* 양심의 평정. ~⸗**skrūpel** *m.* 양심의 불안. ~**zwang** *m.* 양심의 압박. ~**zweifel** *m.* 양심의 의혹.

gewịssermāßen [gəvisərmá:sən] *adv.* 어느 정도까지, 얼마만큼 (*to some extent*); 말하자면(*so to speak*).

Gewịßheit [gəvíshait] *f.* –en, 확실(성), 확정; 확신; 확증; (*pl.* –en) 확실한 일, 사실. **gewịßlich** *adv.* 아주 확실히.

Gewịtter [gəvítər] [<Wetter] *n.* –s, –, 뇌우(*thunder-storm*). **gewịtt(e)rig** *a.* 소나기가 올 듯한; 무더운. **Gewịtter⸗luft** *f.* 뇌우 직전의 무더운 공기.

gewịttern [gəvítərn] *i.*(h.) u. *imp.*: es gewittert 소나기가 온다, 천둥치다.

Gewịtter⸗rēgen, ~**schauer** *m.* 소나기, 뇌우. ~**schwanger**, ~**schwēr**, ~**schwūl** *a.* 소나기가 올 듯한, 무더운. ~**wolke** *f.* 소나기 구름.

gewịtzigt [gəvítsıçt] *p.a.* (손해를 보고)

G

약아진, 약삭빠른, 꾀부리는. **gewitzt** *p. a.* 빈틈 없는, 약빠른(*shrewd*).

gewoben [gəvó:bən] *p. p.* ☞WEBEN.

gewogen [gəvó:gən] [*eig. p. p.* <wägen „Gewicht haben, angemessen sein"] *a.* (jm., 아무에게 대하여) 호의가 있는(*well-disposed* (*towards*)). **Gewogenheit** *f.* 호의, 친절.

gewöhnen [gəvǿ:nən] [„gewohnt machen"] 《Ⅰ》 *t.* (an et.[4], 에) 길〔습관〕들이다, 익숙하게 하다(*accustom*). 《Ⅱ》 *refl.* (an, 에) 익숙해지다.

Gewohnheit [gəvó:nhait] [<gewohnt] *f.* -en, 버릇, 습관(*habit, custom*).

gewohnheitsmäßig [-haitsmɛ:sıç] *a.* 습관에 의한, 버릇이 된, 상습적인.

Gewohnheits=mensch *m.* 습관에 매인 사람. **~recht** *n.* 관습법. **~sünde** *f.* 습관적 죄악. **~trinker** *m.* 상습적인 술꾼. **~verbrecher** *m.* 상습범.

gewöhnlich [gəvǿ:nlıç] [<gewohnt] 《Ⅰ》 *a.* ① 관용의, 일상의, 보통의(*customary, usual*). ② 통례적인, 평범한(*average, ordinary*). ③ 범속한, 하급의(*common, vulgar*). 《Ⅱ》 *adv.* 일반적으로, 보통으로.

gewohnt [gəvó:nt] [mhd. *gewon*] *a.* 익숙해진, 버릇이 된(*accustomed, used* (*to*)); 통례의, 으레 하는(*usual*).

Gewöhnung [gəvǿ:nuŋ] *f.* -en, 길듦, 버릇이 됨; 습관.

Gewölbe [gəvœ́lbə] [<wölben] *n.* -s, -, 〔建〕 둥근 천장(*vault*); 아치 형의 지붕(*arch*); 지하실, 움; (Waren~) 상품 장려〔직매〕관(지금은 둥근 천정이 없는 것도); 창고.

G

gewölbt [gəvœ́lpt] *p. a.* 아치 형의.

Gewölk [gəvœ́lk] [<Wolke] *n.* -(e)s, 뭉게구름, 적운(積雲).

gewollt [gəvɔlt] *p. p.* ☞WOLLEN.

gewonnen [gəvɔ́nən] *p. p.* ☞GEWINNEN.

geworben [gəvɔ́rbən] *p. p.* ☞WERBEN.

geworden [gəvɔ́rdən] 《Ⅰ》 *p. p.* ☞WERDEN (獨立動詞인 경우). 《Ⅱ》 *a.* 이루어진.

geworfen [gəvɔ́rfən] *p. p.* ☞WERFEN.

Gewühl [gəvý:l] *n.* -(e)s, 혼잡, 잡답.

gewunden [gəvúndən] [*p. p.* <winden] *a.* 말린, 감긴, 꼬인, 비틀린(*twisted*); 나선형의; 《比》 꾸불꾸불한(*tortuous*).

gewürfelt [gəvýrfəlt] *p. a.* 바둑판〔격자〕 무늬의(*checkered*).

Gewürge [gəvýrgə] *n.* -s, 교살, 참살; 혼잡.

Gewürm [gəvýrm] [<Wurm] *n.* -(e)s, -e, 연충류(蠕蟲類)(*worms, reptiles*); 《比》 구더기(같은 놈)(*vormin*).

Gewürz [gəvýrts] [<Wurz] *n.* -es, -e, 양념(*spice*), 향료, 조미료. **gewürzartig** *a.* 풍미가 있는, 향긋한. **gewürzhaft** *a.* 양념을 친, 풍미가 좋은.

Gewürz=nelke *f.* 〔植〕 정향(丁香) (*clove*). **~waren** *pl.* =GEWÜRZ.

gewußt [gəvúst] *p. p.* ☞WISSEN.

gezackt [gətsákt] *a.* 톱니 모양의, 깔쭉깔쭉한.

gezähnelt [gətsɛ́:nəlt] *p. a.* ☞ZÄHNE(L)N.

gezahnt [gətsá:nt] *p. a.* 이가 있는(♈ *toothed*); (잎의) 가장 자리가 깔쭉깔쭉한.

Gezänk [gətsɛ́ŋk] *n.* -(e)s, **Gezanke** [-tsáŋkə] *n.* -s, 자꾸 싸움, 계속하는 말다툼.

Gezauder [gətsáudər] *n.* -s, 우유부단.

gezeichnet [gətsáiçnət] *p. a.* ☞ZEICHNEN.

Gezeiten [gətsáitən] *pl.* 조수, 조수의 간만(♈*tides, ebb and tide*). **Gezeitenkraftwerk** *n.* 조석(潮汐) 발전소.

Gezeter [gətsé:tər] *n.* -s, 줄곧 지르는 비명.

Geziefer [gətsí:fər] *n.* -s, -, 해충; 《比》 불량배.

geziemen [gətsí:mən] [ziemen 을 강조함, 단 뜻에는 거의 변화가 없음] 《Ⅰ》 *i.*(h.) u. *refl.* 알맞다, 어울리다, 적합하다(*become, be fit*). 《Ⅱ》 **geziemend** *p. a.*, **geziemlich** *a.* 어울리는, 알맞은; 온당한, 예의바른.

Geziere [gətsí:rə] *n.* -s, 표면을 꾸밈, 태부림. **geziert** [gətsí:rt] *p. a.* 젠체하는, 점잔 빼는(*affected*); 새치름한. **Geziert·heit** *f.* 태부림; 부자연스러움.

Gezirp(e) [gətsírp(ə)] *n.* -(e)s, (벌레·새가) 자꾸 욺.

Gezisch(e) [gətsíʃ(ə)] *n.* -(e)s, 쉿쉿 소리(가 남), 쉬하는〔꾸짖는〕 소리.

gezogen [gətsó:gən] [*p. p.* <ziehen] *a.* 당겨 늘여진; (총신 내에) 나선상의 홈이 있는(*rifled*).

Gezücht [gətsýçt] [<Zucht „Aufgezogenes"] *n.* -(e)s, -e, 한배 새끼, 겨레붙이(*brood*); 《比》 불량배, 못된 놈(*vermin*).

Gezwitscher [gətsvítʃər] *n.* -s, 자꾸 우짖음; 지저귐.

gezwungen [gətsvúŋən] [*p. p.* <zwingen] *a.* 강제된, 무리한(*forced*); 부자연스러운; 짐짓 꾸민 듯한(*affected*).

Ghost·writer [góustraitə] [am. „Geistschreiber"] *m.* -s, -, 유령 작가(대작(代作)자).

gib! [gi:p, gıp] ☞GEBEN (그 單數 命令形이).

Gicht[1] [gıçt] *f.* -en, 용광로 위의 아궁이.

Gicht[2] [<ahd. *jehan* „sagen": "주문에 의하여 불여진 것"] *f.* 〔醫〕 통풍(痛風) (*gout*). **gichtbrüchig** *a.* 중풍에 걸린, 반신 불수가 된. **gichtisch** *a.* 통풍에 걸린. **Gichtknoten** *m.* 〔醫〕 통풍 결절(痛風結節).

Gickel [gíkəl] *m.* -s, -, 수탉.

Giebel [gí:bəl] [*eig.* „oberste Spitze"] *m.* -s, -, 〔建〕 박공, 박풍(牔風), 합각머리(♈*gable*(*-end*)).

Giebel=dach *n.* 박공 지붕. **~feld** *n.* 박공의 삼각면 부분. **~haus** *n.* 박공 지붕의 집.

Gier [gi:r] [♈gern, begehren] *f.* (격렬한) 욕망(*eagerness*); (한정 없는) 탐욕(*greed*(*iness*)). **gieren**[1] *i.*(h.) (nach, 을) 열망하다(*yearn or long eagerly* (*for*)).

gieren[2] [gí:rən] *i.*(h.) 〔海〕 항해 중에 뱃머리를 좌우로 흔들다, 침로에서 빗나가다(*deviate from the course, yaw*).

gierig [gí:rıç] *a.* (nach, 을) 열망〔갈망〕하는; 탐욕적인(*greedy*).

Gieß=bach *m.* (산의) 급류, 분류(*torrent*). **~bad** *n.* 관수욕(*shower-bath, douche*).

gießen* [gí:sən] [=engl. *gush*] 《Ⅰ》 *t.* ① 붓다(*pour*); (에) 물을 대다(*water*). ② 지어 붓다, 주조(鑄造)하다(*cast*). ③ 《比》 토해 내다; (틀에 박은 듯) 꼭 맞다. ¶ wie gegossen sitzen (옷이 몸에) 딱 맞다. 《Ⅱ》 *i.*(h.) 《非人稱》 es gießt (in Strömen) 비가 억수로 퍼붓다.

Gießer [gí:sər] *m.* -s, -, 주조자, 주조공. **Gießerei** [gi:sərái] *f.* -en, 주조(술), 주물 공장.

Gieß=form *f.* 거푸집. **~harz** *n.* (인조) 용융(溶融) 수지. **~kanne** *f.* 수세기, 물뿌리개, 조로. **~mutte** *f.* 〖印〗 자모(字母).

Gift [gɪft] [*eig.* „Gabe", <geben] 《Ⅰ》 *n.* -(e)s, -e, („die tödliche Gabe") 독(毒)(*poison, venom*). ¶ ~ mischen 독을 섞다 / darauf kannst du ~ nehmen 그것은 절대로 틀림없다. 《Ⅱ》 *m.* -(e)s, 독심, 악의(*malice*).

Gift=becher *m.* 독이 든 잔. **~gās** *n.* 독가스. **~hauch** *m.* 독기.

giftig [gíftɪç] *a.* 독 있는; 《比》 악의 있는. ¶ auf jn. ~ sein 아무에게 앙심을 품다, 미워하다.

Gift=kraut *n.* 독초; 담배. **~krieg** *m.* 독가스전(戰). **~mischer** *m.* 독을 타는 사람, 독살자. **~mischerei** *f.* 독살. **~mittel** *n.* 해독제. **~mord** *m.* 독살. **~pflanze** *f.* 유독 식물. **~pilz** *m.* 독버섯. **~schlange** *f.* 독사. **~=schwamm** *m.* 독균, 독버섯. **~stoff** *m.* 독소. **~trank** *m.* 유독 음료. **~=zahn** *m.* (뱀의) 독아(毒牙).

Gigant [gigánt] [gr. "*Gaia* (대지의 여신)의 아들"] *m.* -en, -en, 거인(♈*giant*). **gigantisch** *a.* 거인 같은, 거대한(♈*giantic*).

Gigerl [gí:gərl] *m.* od. *n.* -s, -, 멋장이(*fop, dandy*).

Gilde [gíldə] *f.* -n, 조합, 길드(♈*guild, corporation*).

Gil·over [ʒɪl-ó:vər] [schw.] *n.* -s, -, 질오버《메리야스 자켓의 일종》.

gilt [gɪlt] (es ~) ☞GELTEN 《그 現在》.

Gimpel [gímpəl] [♈engl. *jump* „hüpfen"] *m.* -s, -, 〖鳥〗 피리새(*bull finch*); 《比》 바보, 멍청이, 무골 호인, 무골충.

ging [gɪŋ] ☞GEH(E)N 《그 過去》.

Gingkō [gíŋko:], **Ginkgo** [gíŋko:] [chin.] *m.* -s, -s, 〖植〗 은행.

Ginseng [dʒínzɛŋ] *m.* -s, -s, 인삼.

Ginster [gínstər] [Lw. lat.] *m.* -s, -, 〖植〗 금작화속(*broom*).

Gipfel [gípfəl] [Kuppe와 同系의 縮小形] *m.* -s, -, 꼭대기, 정상(*top, summit, peak*); 우듬지; 《比》 절정(*climax*).

Gipfel=flūr *f.* (잇단 여러 산의) 정상(이 거의 같은 높이인) 평지(를 이루는 것). **~gesprāch** *n.*, **~konferenz** *f.* (지도자들의) 정상 회담. **~leistung** *f.* 최대 능률, 최고 성적(*record*).

gipfeln [gípfəln] *i.*(h.) 정점〔극(치)〕에 달하다(*culminate*).

Gipfel=punkt *m.* 정점. **~ständig** *a.* 〖植〗 정생(頂生)의.

Gips [gɪps] [Lw. gr.] *m.* -es, -e, 〖鑛〗 석고(♈*gypsum*); 〖化〗 황산 칼슘; 〖工〗 회반죽(*plaster of Paris, stucco*); 〖醫〗 깁스.

Gips=abdruck, **~abguß** *m.* 석고 모형. **~arbeiter** *m.* 석고 세공인. **~=bild** *n.* 석고상. **~büste** *f.* 석고 반신상. **~decke** *f.* 회반죽 천장.

gipsen [gípsən] *t.* (에) 석고를〔회반죽을〕 바르다.

Gips=figūr *f.* 석고상. **~gießer** *m.* 석고 세공인. **~verband** *m.* 〖醫〗 석고 붕대.

Giraffe [giráfə, ʒi-] [it. *aus* ar.] *f.* 〖動〗 기린.

Girant [ʒiránt] *m.* -en, -en, 배서인.

girierbār [ʒirí:rba:r] *a.* 배서〔양도〕할 수 있는. **girieren** [ʒirí:rən] [<Giro] *t.* (어음에) 배서(背書)하다(*endorse*).

Girlande [gɪrlándə] [fr.] *f.* -n, 꽃장식, 화환.

Giro [ʒí:ro:, dʒí:-] [it.] *n.* -s, -s *u.* ..ri, 〖商〗 (어음의) 배서(*endorsement*); 대체(對替).

Giro=bank *f.* 대체 은행. **~kontō** *n.* 대체 계정. **~verkehr** *m.* 대체 거래. **~zentrāle** *f.* 어음 교환소.

girren [gírən] [擬聲語] *i.*(h.) (비둘기가) 구구하고 울다(*coo*).

Gis [gɪs] *n.* -, -, 〖樂〗 올림 사음(音); (*Gis-dur*) 올림 사장조. ***gis*** *n.* -, -, 〖樂〗 (*gis-moll*) 올림 사단조.

Gischt [gɪʃt] [♈gären; =engl. *yeast*] *m.* -es, -e, 끓어 오르는 물, 물(결의) 거품(*froth, foam*).

Gitarre [gitárə] [sp., <gr. Zither] *f.* -n, 〖樂〗 기타(♈*guitar*).

Gitter [gítər] [♈Gatter] *n.* -s, -, (가는) 격자, 창살(*lattice, grat(ing)*); 울짱, 난간(*fence, railing*); 〖電〗 그리드(*grid*).

Gitter=bett *n.* (소아용의) 간살을 댄 침대, 간이 침대(*cot*). **~fenster** *n.* 격자창, 살창. **~förmig** *a.* 격자꼴의. **~=mast** *m.* 격자탑《고압전류·군함용》.

gittern [gítərn] *t.* (에) 격자를 대다.

Gitter=spannung *f.* 그리드 전압. **~=tōr** *n.* 격자 대문. **~tür** *f.* 격자문. **~werk** *n.* 격자; 격자 세공. **~zaun** *m.* 격자울〔담〕.

Glacé [glasé:] [fr. „Eisstoff"] *n.* -, -s, 윤나는 가죽. **~handschuh** *m.* 윤나는 가죽 장갑《예장용》.

Glandel [glándəl] [lat.] *f.* -n, 〖解〗 선(腺); 편도선.

Glanz [glants] [♈glühen] *m.* -es, -e, 빛남, 번쩍임, 광휘, 광채(*brightness, lustre, splendour*). **Glanzbürste** *f.* 윤 내는 솔.

glänzen [gléntsən] [<Glanz] 《Ⅰ》 *i.*(h.) ① 빛나다, 번쩍번쩍하다(*be bright, glitter, gleam*); 《比》 빛나다, 뛰어나다, 두각을 나타내다(*shine*). 《Ⅱ》 **glänzend** *p.a.* 빛나는, 광채가 있는; 《俗》 훌륭한, 굉장한.

Glanz=kohle *f.* 무연탄. **~lēder** *n.* 윤나는 가죽. **~leinwand** *f.* 윤나는 마포(麻布). **~leistung** *f.* 혁혁한 성적〔업적〕(*record*). **~lōs** *a.* 윤이 없는, 흐린. **~papier** *n.* 광택지. **~periōde** *f.* 전성 시대. **~punkt** *m.* 정점, 극치(*acme*). **~reich** *a.* =~VOLL. **~=stärke** *f.* 윤나는 풀. **~voll** *a.* 광채가 찬란한; 화려한(*splendid, glorious, brilliant*). **~wichse** *f.* (윤내는) 구두약. **~zeit** *f.* 전성기.

Glas [gla:s, 方 glas] [♈Glast, *eig*. "빛나는 것"] *n*. -es, ¨er [glέ:zər], 유리(♈*glass*); 유리잔, 유리컵(*tumbler*); 안경; 망원경; 창유리; 거울.

glas-ähnlich *a*. 유리와 비슷한. **~arbeit** *f*. 유리 제조(품). **~artig** *a*. 유리 모양의. **~auge** *n*. (유리) 의안(義眼); 〖獸醫〗 (말의) 흑내장병(黑內障病). **~bild** *n*. 〖寫〗 네가 건판. **~bläser** *m*. 유리액을 불어 기구를 만드는 사람. **~deckel** *m*. 유리 뚜껑.

Glaser [glá:zər] *m*. -s, -e, 유리공. **Glaserkitt** *m*. (창) 유리를 고정〔부착〕시키는 퍼티. **gläsern** *a*. 유리로 만든, 유리 같은; 투명한.

Glas-fabrik *f*. 유리 공장. **~faser** *f*. 유리 섬유. **~fenster** *n*. 유리 창. **~flasche** *f*. 유리병. **~glocke** *f*. (종 모양의) 유리 그릇〔뚜껑〕. **~grün** *a*. 유리병 같은 녹색의, 암녹색의. **~handel** *m*. 유리 판매. **~hart** *a*. 유리처럼 굳은, 깨어지기 쉬운. **~haus** *n*. 유리를 둘러 끼운 집. **~hütte** *f*. 유리 제조장.

glasieren [glazí:rən] [<Glas, 프랑스식의 말] *t*. (에) 유리를 끼우다; (질그릇에) 잿물을 입히다, 에나멜을〔니스를〕 칠하다(*varnish*); 당의(糖衣)를 입히다(*ice*).

glasig *a*. 유리질의, 유리 같은.

Glas-kasten *m*. 유리를 낀 진열 상자. **~körper** *m*. (눈알의) 수정체. **~linse** *f*. 유리 렌즈. **~malerei** *f*. 유리 그림, 스테인드 글라스. **~masse** *f*. 유리 재료; 용융(溶融) 유리. **~ofen** *m*. 유리 제조 가마. **~palast** *m*. (런던의) 수정궁. **~perle** *f*. 유리 구슬(*bead*). **~röhre** *f*. 유리관. **~scheibe** *f*. 유리판. **~schleifen** *n*. 유리 조각(彫刻); 유리 닦기. **~schrank** *m*. 유리찬장, 유리 그릇 장. **~sturz** *m*. =~GLOCKE.

Glast [glast] [♈Glanz, Glas] *m*. -es, -e, 광채, 빛남(*glare, radiance*).

Glas-tafel *f*. 유리판, 판유리. **~tür**(e) *f*. 유리문.

Glasur [glazú:r] *f*., -en. ① 광택제(光澤劑)(*glazing*); 잿물; 에나멜, 니스(*varnish*). ② (과자의) 당의(糖衣)(*icing*).

Glas-veranda *f*. 일광욕실. **~wand** *f*. 유리벽(壁). **~waren** *pl*. 유리 제품. **~weise** *adv*. 컵으로. **~wolle** *f*. 글라스울.

glatt [glat] [=engl. *glad* "기쁨에 빛나다"] 《I》 *a*. 번쩍번쩍하는, (윤나게) 닦은(*polished*); 반들반들한(*smooth*); 반반한(*even, plain*); 매끄러운(*slippery*). ¶ ~es Geschäft 순조로운 장사 / ~e Lüge 새빨간 거짓말. 《II》 *adv*. ① 매끄럽게, 반들반들하게, 편편하게; 울툭불툭함이 없이. ¶ ~ anliegen (의복이) 몸에 꼭 맞다. ② 《比》 술술, 원활하게; 솔직하게; 단호히. **Glätte** [glέtə] *f*. -n, 광택; 평활(平滑); 《比》 원활; (말의) 유창; (스타일 등의) 세련, 유려.

Glatt-eis [glát-ais] *n*. (길 따위에) 반들반들한 얼음. **glatt-eisen** *i*.(h.) u. *imp*.: es glatteist 땅바닥이 반들반들하게 얼어 붙었다.

glätten [glέtən] [<glatt] *t*. 광을 내다, 닦다(*polish*), 갈다.

Glatt-hobel [glátho:bəl], **Glätt-hobel** [glέt-] *m*. 마무리 대패.

glatt|machen [glátmaxən] *t*. 평평하게 하다, 고르다; 〖商〗 지불〔청산〕하다.

Glätt-stahl [glέtʃta:l] *m*. 연마기.

Glatt-stellung [glátʃtɛluŋ] *f*. -en, 정산, 청산.

glatt|streichen* [glátʃtraiçən] *t*. 매끄럽게 하다, 갈고 닦다.

glattweg [glatvέk] *adv*. 솔직히, 딱 잘라서; 마치 (…인 것처럼).

Glatze [glátsə] [<glatt] *f*. -n, 머리의 벗어진 곳; 대머리(*bald head*).

Glatz-kopf *m*. 대머리(인 사람). **~köpfig** *a*. 대머리의.

glau [glau] *a*. 밝은; 빛나는.

Glaube(n) [gláubə(n)] [<*ge-laube*, 後半: ♈lieb, Lob, =engl. *be-lief* 의 *-lief*; *eig*. "좋다고 함"] *m*. ..bens, 믿음, 신념(*belief*); 신용(*credit*), 신뢰(*trust, confidence*); 신앙(*faith*). ¶ der ~ an Gott 하느님(의 존재함)을 믿음 / et. 〔jm.〕 Glauben beimessen 어떤 일〔사람〕을 믿다.

glauben [gláubən] 《I》 *t*. ① 믿다(*believe*), (진실이라고) 생각하다(*think, suppose*). ② (jm. et., 아무가 말하는 무엇을) 신용하다(*trust*). 《II》 *i*.(h.) ① 신용하다. ② **an** et. ~, a) 무엇의 존재를 믿다, b) 무엇을 신용하다.

Glaubens-änderung *f*. 개종(改宗). **~artikel** *m*. 신조(信條). **~bekenntnis** *n*. 신앙 고백(*confession of faith*), 신조(*creed*). **~eifer** *m*. 광신(狂信). **~freiheit** *f*. 신앙의 자유. **~genoß**, **~genosse** *m*. 교우. **~held** *m*. 순교자. **~lehre** *f*. 교의(론). **~satz** *m*. 교리, 교의(*dogma*). **~voll** *a*. 신앙심이 깊은. **~zeuge** *m*. 순교자. **~zwang** *m*. 신앙의 강제.

glaubhaft [gláuphaft] *a*. =GLAUBWÜRDIG.

gläubig [glɔ́ybıç] *a*. 신앙하는; 믿음이 두터운, 경건한; (recht~) 정통파의. **Gläubige** *m*. u. *f*. 《形容詞變化》 신자. **Gläubiger** *m*. -s, -, 채권자(*creditor*).

glaublich [gláuplıç] *a*. 믿을 만한, 사실 같은, 있음직한.

glaubwürdig [gláupvʏrdıç] *a*. 신용할 만한; 확실한.

Glaukom [glaukó:m] [gr.] *n*. -s, -e, 〖醫〗 녹내장.

gleich [glaiç] [ge- *u*. Leiche „Körper“, *eig*. "같은 몸의"] 《I》 *a*. ① 같은(*like*), 동일한; 동등한, 대등한(*equivalent*); 불변의; 〖數〗 (~ groß) 같은(*equal*). ¶ zu ~er Zeit 동시에. ② 닮은(*similar*); 알맞은(*adequate*). ¶ jm ~ sehen 아무를 꼭 닮았다 / das sieht ihm nicht ~ 그것은 그답지 않은 일이다 / es ist mir (alles) ~ 나(에게)는 아무래도 좋다. ③ 한결같은(*uniform*); 펀펀한, 평탄한(*even, level*). 《II》 *adv*. ① 같이, 마찬가지로, 똑같이(*like, alike, equally*). ② 마치. ¶ ~ als ob 〔wenn〕 마치 …과 같이 ((*just*) *as if*) / ~ wie 마치 …같이. ③ 곧, 바로(*at once, immediately*). ¶ ~ nach dem Essen 식후 곧.

gleich-alt(e)rig *a*. 동연배의. **~artig**

G

a. 동종(同種)〔동질(同質)·동성(同性)〕의. **~bedeutend** *a.* 같은 의의의; 동등한. **~berechtigt** *a.* 동권(同權)의. **~|bleiben*** *i.*(s.) u. *refl.* 변하지 않다, 같다. **~bleibend** *p. a.* 불변의.

gleichen(*) [gláiçən] [<gleich] *i.*(h.) 《3格 支配》 같다(*be like, be equal*); 닮다(*resemble*); 어울리다. ¶das gleicht dir 그건 과연 너답다. **Gleicher** *m.* -s, ① 적도(赤道). ② (*pl.* -) 《方》 도량형기 검사관.

gleicher·gestalt, ~maßen, ~weise *adv.* 마찬가지로, 똑같이(*likewise*); 평등하게.

gleich·falls *adv.* 같게, 마찬가지로, (도) 역시. **~förmig** *a.* 같은 꼴의; 서로 같은. **~fühlend** *a.* 동감(同感)의. **~geltend** *a.* 동가〔등가〕의 **~geschlechtlich** *a.* 동성(同性)의. **~gesinnt** *p. a.* 같은 의견의, 동지(同志)의. **~gestellt** *p. a.* 동등한, 동격의. **~gestimmt** *p. a.* ① 〖樂〗 같은 음조의. ② 《比》 같은 감정〔의견〕의.

Gleichgewicht [gláiçgəvɪçt] *n.* -(e)s, 평형, 균형(*equilibrium*); 세력 균형(*balance*). **~s·lehre** *f.* 〖物〗 정(靜)역학.

gleichgültig [gláiçgʏltɪç] *a.* ① 아무래도 좋은, 경중〔차별〕이 없는(*indifferent*). ¶das ist mir ~ 나에게는 그런 일은 아무래도 좋다. ② 개의치 않는, 무관심한, 냉담한(*unconcerned*). **Gleichgültigkeit** *f.* ① 차별이 없음; 중요하지 않음. ② 무관심.

Gleichheit [gláiçhait] *f.* 같음, 동일; 평등, 무차별; 한결같음. **~s·zeichen** *n.* 〖數〗 등호(等號)《=》.

Gleich·klang *m.* 〖樂〗 화음, 《比》 일치, 조화(*unison, consonance*). **~|kommen*** *i.*(s.): jm. 〔et.³〕 ~kommen 아무와〔무엇과〕 동등하다, 필적〔비견〕하다. ★ gleich kommen 금방 오다. **~|laufen*** *i.*(s.) 평행하다, (기계 따위가) 동시에 작동하다. **~laufend** *p. a.* 평행하는(*parallel*). **~laut** *m.* 동음 (이의(異義)). **~lautend** *a.* 동음의; 〖文〗 동음 이의의; 동문(同文)의. ¶ ~lautende Abschrift 등본, 사본. **~|machen** *t.* 같게 하다; 고르다. ¶dem Boden ~machen (도시·요새 따위를) 파괴하다. ★ gleich machen 즉시 행하다. **~macherisch** *a.* 평등주의의(*equalitarian*). **~maß** *n.* 균형, 균제(*proportion, symmetry*). **~mäßig** *a.* 균형이 잡힌, 가지런한; 균등한, 한결같은; 《比》 마음이 평정한(*even-tempered*). **~mūt** *m.* 평정, 침착; 무관심; 체념. **~mūtig** *a.* 침착한; 냉담한. **~mūtigkeit** *f.* = ~MUT. **~nāmig** *a.* 같은 이름〔성〕의; 〖文〗 동음 이의의; 〖數〗 동분모의.

Gleichnis [gláiçnɪs] *n.* -ses, -se, 초상(image); 비유(比喩); 비교(*comparison*).

gleichnisweise *adv.* 비유적으로, 우의(寓意)적으로.

gleich·|richten *t.* 〖電〗 정류(整流)하다(*recify*). **~richter** *m.* 정류기(整流器).

gleichsām [gláiçza:m] [-sam =engl. *same*] *adv.* 마치; 말하자면(*as it were, as if*); 거의(*almost*); 얼마간.

gleich·|schalten *t.* 통제하다. **~schaltung** *f.* -en, 통제, 균제. **~schenk(e)·lig** *a.* 〖數〗 이등변의. **~seitig** *a.* 〖數〗 등변의. **~|setzen** *t.* 동일시하다; 대치하다. **~|stēh(e)n*** *i.*(h.) 같은 선에 서다; (jm., 아무와) 동등〔대등〕하다. **~|stellen** *t.* 대등〔동등〕하게 하다. ★ gleich stellen 즉각 세우다. **~stimmig** *a.* =GESTIMMT. **~strōm** *m.* 〖電〗 직류. **~|tūn*** *t.*: es jm. ~tun 아무와 경쟁하다, 겨루다. ★ gleich tun 즉각 행하다.

Gleichung [gláiçʊŋ] *f.* -en, 같게〔동등하게〕 함(*equalization*); 〖數〗 방정식(*equation*). ¶e-e ~ lösen 방정식을 풀다.

gleich·viel *adv.* 마찬가지로, 아뭏든(*all the same, no matter*). **~welle** [gláiç-] *f.* (몇 개의 방송국에 보내는) 등장(等長) 전파. **~wērtig** [gláiç-] *a.* 등가(等價)의. **~wie** *cj.* 마치 …같이. **~wohl** *adv.* 그럼에도 불구하고(*yet, however*). **~zeitig** [gláiç-] 《Ⅰ》 *a.* 동시의; 동시대의. 《Ⅱ》 *adv.* 동시에.

Gleis [glais] *n.* -es, -e, =GELEISE.

Gleisner [gláisnər] *m.* -s, -, 위선자(*hypocrite*). **Gleisnerei** *f.* 위선; 가면쓰기. **gleisnerisch** *a.* 위선적인.

gleißen(*) [gláisən] *i.*(h.) 빛나다, 번쩍번쩍하다(*glisten, glitter*).

Gleit·bahn *f.* 얼음판; 활빙로(滑氷路). **~boot** *n.* 활주정(滑走艇).

gleiten [gláitən] *i.*(s. *u.* h.) 미끄러지다(♈*glide, slide, slip*). **Gleiten** *n.* -s, 활주. **Gleiter** *m.* -s, -, 얼음을 지치는 사람; 글라이더.

Gleit·flieger *m.* 글라이더; 활공사(士). **~flūg** *m.* 활공. **~flūgzeug** *n.* 글라이더. **~laut** *m.* 〖文〗 유음(流音)(r. l). **~schutz** *m.* 미끄럼 방지 장치.

Gletscher [glétʃər] [Lw. lat., <*glaciēs* „Eis"] *m.* -s, -, 빙하(♈*glacier*).

Gletscher·periōde *f.* 빙하 시대. **~spalte** *f.* 빙하의 균열(*crevasse*).

glich [glɪç] ☞GLEICHEN 《그 過去》.

Glied [gli:t] [mhd. *ge-lit*, 後半: ♈engl. *limb*] *n.* -(e)s, -er, ① 마디, 관절, 지체(♈*limb, member*); (Finger~) 손가락 마디(*joint*), (männliches ~) 음경(*penis*); (*pl.*) 사지, 신체. ② (쇠사슬의) 고리(*link*); 〖數〗 (비례의) 항(*term*). ③ (전체를 구성하는) 일원, 소속원, 회원, 부원(*member*). ④ 대, 세대(*generation*). ⑤ 〖軍〗 열(列)(*rank, file*).

Glieder·bau *m.* (신체의) 구조. **~fūß(l)er** *m.* 절지 동물(*arthropod*). **~krankheit** *f.* 관절병. **~lahm** *a.* 사지가 마비된. **~lähmung** *f.* 지체 마비. **~mann** *m.* 인체 모형; 모델 인형.

gliedern [glí:dərn] 《Ⅰ》 *t.* 부분으로 나누다, 분절(分節)하다(*articulate*); 정돈〔조성〕하다(*arrange*); 조직〔편성〕하다(*organize*). 《Ⅱ》 **gegliedert** *p. a.* 이음매가〔관절이〕 있는(*articulate*); 사지를 갖춘; 접합된(*jointed*); 유기적인.

Glieder·puppe *f.* 수족이 움직이는 인형, 자동 인형; 꼭두각시. **~reißen** *n.*, **~schmerz** *m.* 류머티즘성 동통.

Gliederung [glí:dərʊŋ] *f.* -en, 관절, 분절; 계통적 분류, 정돈; 조직, 구성; 편성; (문장·어구 등의) 구조.

G

Glieder·weh *n.* =~REIßEN. **~weise** *adv.* 관절〔열〕을 이루어; 관절〔고리·열〕마다, 2열 종대로.

Glied·mäßen [지체를 "치수" (Maße)로 쓴 데서] *pl.* 사지, 수족(*limbs*). **~wasser** *n.* 〖解〗 관절액, 활액(滑液). **~weise** *adv.* =GLIEDERWEISE.

glimmen(*) [glímən] *i.*(h.) (불꽃이 일지 않고) 타다, 희미하게 빛나다(♈*glimmer, burn faintly, glow*). **Glimmer** [glímər] *m.* -s, -, 미광, 여신(餘燼); 〖鑛〗 운모(♈*glimmer, mica*). **glimmern** [glímərn] *i.*(h.) 반짝이다(♈*glimmer*). **Glimmerschiefer** *m.* 운모 편암(片岩).

glimpflich [glímpflıç] [ahd. *gilimpf* "Angemessenheit"] *a.* 온건한, 온화한, 관대한(*gentle, mild*). ¶ ~ (*adv.*) davonkommen 무사히 모면하다.

gliß [glıs] ☞GLEIßEN 《그 過去》.

Glitschbahn [glítʃba:n] *f.* 《方》 스케이트링크. **glitschen** [glítʃən] [<gleiten] *i.* (s. *u.* h.) 미끄러지다(*slide*).

glitt [glıt] ☞GLEITEN 《그 過去》.

glitzern [glítsərn] *i.*(h.) 번쩍번쩍하다, 번쩍이다(♈*glitter, sparkle*).

Globin [globí:n] [lat.] *n.* -s, 글로빈《적혈구 색소 중의 단백 성분》.

Glōbus [gló:bʊs] [lat. „Kugel"; ♈d. Kolben] *m.* - *u.* -ses, ..ben *u.* -se, 지구, 천구(天球)(♈*globe*).

Glocke [glɔ́kə] [Lw. klt.] *f.* -n, ① 종(♈*clock*); (큰) 방울, 벨(*bell*). ② 시종(時鐘), 시각. ③ 종 모양의 것, 유리의 둥근 뚜껑, (남포의) 둥근 갓(*shade*); 〖植〗 (종 모양의) 꽃받침(*cup*).

Glocken·blūme *f.* 풍령초(風鈴草). **~bronze** *f.* 종동(鐘銅) 《동과 주석의 합금》. **~förmig** *a.* 종 모양의. **~geläut(e)** *n.* 종소리. **~gießer** *m.* 종 만드는 사람. **~haus** *n.* 종루(鐘樓), 종각. **~hell** *a.* 종〔방울〕소리처럼 맑은. **~klang** *m.* 종소리의 울림. **~schlag** *m.* 종〔시계〕 치는 소리. **~schwengel** *m.* 종의 추. **~speise** *f.* 종을 주조하는 데 쓰는 쇠붙이. **~spiel** *n.* 글로켄슈필, 철금(鐵琴)(*chimes*). **~stūbe** *f.*, **~stuhl** *m.* 종가(鐘架). **~turm** *m.* 종루, 종각.

Glöckner [glœ́knər] *m.* -s, -, (교회의) 종치는 이.

glomm [glɔm] ☞GLIMMEN 《그 過去》.

Glōrie [gló:rïə] [lat. „Ruhm, Ehre"] *f.* -n, ① 광휘, 영광(♈*glory*). ② 〔**Glōri·enschein** *m.*〕 후광(後光), 원광(圓光), 광륜(光輪)(*hallo, aureola*). **glorios** *a.* 영광스러운, 꽃다운; 자랑하는. **glōr·reich** *a.* 광영 있는, 영광스러운, 혁혁한(♈*glorious*).

Glossār [glɔsá:r] *n.* -s, -e *u.* ..rïen, 어휘(♈*glossary*). **Glossārium** [gr.] *n.* -s, ..rïen, 전문어〔특수어〕사전. **Glosse** [glɔ́sə] [gr. „Zunge, Sprache"] *f.* -n, (어구의) 주, 주석(♈*gloss, comment*). **glossieren** [glɔsí:rən] *t.* (에) 주해〔방주(傍註)〕를 달다. **Glossitis** *f.* 〖醫〗 설염(舌炎).

Glotz·auge [glɔ́ts-augə] *n.* 눈딱부리, 퉁방울 눈(*goggle-eye*). **glotzen** [glɔ́tsən] *i.*(h.) (auf⁴, 를) 뚫어지게 보다, 눈을 부릅뜨고 보다(*gape, stare (at)*).

Glück [glʏk] [mhd. *g(e)-lucke*, 後半: =engl. *luck*] *n.* -(e)s, ① 운, 운명(♈*luck, fate*). ¶ auf gut ~ 운명을 하늘에 맡기고. ② (gutes ~) 행운, (흉(凶)에 대한) 길(吉)(♈*luck, fortune*); 성공, 번영(*success*); (inneres ~) 행복(*happiness, felicity*). ¶ ~ auf! 안녕히 / ~ wünschen (zu, 에 대한) 축사를 하다 / zum ~ 다행히도 / ~ haben 운수가 좋다, 성공〔번창〕하다. ③ 요행 (*lucky chance*). **glückbringend** *a.* 행운〔행복〕을 가져오는, 상서(祥瑞)로운.

glück·begünstigt *a.* 행운이 반겨주는. **~bringend** *a.* 행운을 가져다 주는.

Glucke [glʊ́kə] *f.* -n, =GLUCKHENNE. **glucken** [擬聲語] *i.*(h.) ① (암탉이) 꼬꼬대 울다. ② 꿀떡꿀떡 소리내다〔마시다〕.

glücken [glʏ́kən] *i.*(h. *u.* s.) 잘 되다, 성공하다, 번영하다(*succeed*). ¶ alles ist ihm geglückt (*p. a.*) 그는 무슨 일에나 성공했다.

Gluckhenne [glʊ́khɛnə] *f.* 알을 품은 〔병아리를 거느린〕 암탉.

glücklich [glʏ́klıç] *a.* ① 행운의, 형편이 좋은(♈*lucky*). ② 행복한, 즐거운, 기쁜(*happy*). ③ 성공한, 효과적인(*prosperous*). **glücklicherweise** *adv.* 다행히도, 운 좋게.

Glücks·ball *m.* 운명의 꼭두각시. **~bōte** *m.* 복음의 사자(使者).

glücksēlig [glʏkzé:lıç, glʏ́kze:-] *a.* 지복(至福)의, 기쁨이 넘치는(*blissful, happy*). **Glücksēligkeit** *f.* 지복(의 느낌), 희열.

glucksen [glʊ́ksən] *i.*(h.) 딸꾹질하다(*gurgle*); =GLUCKEN.

Glücks·fall *m.* 우연한 행운, 요행. **~göttin** *f.* 행운의 여신(*Fortune*). **~güter** *pl.* 재물, 부(富). **~jäger** *m.* =~RITTER. **~kind** *n.* 행운아. **~klee** *m.* 네잎 클로버. **~pfennig** *m.* 행운의 페니《구멍을 뚫어 시곗줄 같은 데 달고 다님》. **~pilz** *m.* 《比》 행운의 총아; 벼락 부자, 벼락 감투 쓴 사람. **~ritter** *m.* 행운을 노리는 모험가, 투기꾼, 듣보기꾼(*fortune hunter*). **~spiel** *n.* 도박; 제비(추첨), 복권. **~stern** *m.* 행운의 별. **~strähne** *f.* 행복의 머리털. **~tāg** *m.* 길일(吉日). **~topf** *m.* (도박 놀이의) 추첨 단지. **~wurf** *m.* 요행수, 재수.

glück·verheißend *a.* 길조를 나타내는, 행운의, 재수 좋은. **~wunsch** *m.* 축하, 축사(*good wishes, congratulation*).

Glühbirne [glý:bırnə] *f.* 전구, 전등알.

Glüh·emissiōn [glý:emısïo:n] *f.* 백열방사《백열하는 금속체의 표면에서 엘렉트론이 탈출하는 현상》.

glühen [glý:ən] 《Ⅰ》 *i.*(h.) 작열하고 있다(♈*glow*); 《比》 (감정이) 끓다. ¶ für jn. in Liebe ~ 아무를 열애하다 / vor Wut ~ 노발대발하다. 《Ⅱ》 **glühend** *p. a.* 작열한; 《比》 불길 같은(*ardent*).

Glüh·fāden *m.* 〖電〗 필라멘트. **~feuer** *n.* 열화(烈火). **~heiß** *a.* 작열하는. **~hitze** *f.* 〖物〗 백열(白熱). **~kerze** *f.* 백열 금속선《디젤 엔진의 시동에 쓰임》. **~lampe** *f.* 백열등 (燈).

~licht *n.* 백열광. **~strumpf** *m.* 백열〔가스〕 맨틀. **~wein** *m.* 데운 향료를 친 포도주. **~wurm** *m.* 개똥벌레 (♈*glow worm*).

Glūt [glu:t] [<glühen] *f.* -en, 작열, 치열(熾熱)(♈*glow, heat*); 열화(熱火)(*fire*); 《比》 정열, 열정(*ardour*).

Glutamịn [glutamí:n] [lat. <Gluten] *n.* -s, 글루타민《결정성 아미노산의 일종》. **Glutamịnsäure** *f.* 글루타민산.

Glūt≈meer *n.* 불바다. **~pfanne** *f.* 화로, 불통.

Glykogẹn [glykogé:n] [gr. *glykýs* „suß", =-gen] *n.* -s, 〖化〗 글리코겐.

Glykọse [-kó:zə] *f.* 포도당. **Glykos≈urịe** [glyko:s-urí:, -kozu-] *f.* 〖醫〗 당뇨(糖尿).

Glyptik [glýptık] [gr.] *f.* 석각술(石刻術). **Glyptothẹk** [glyptoté:k] *f.* -en, 조각 소장품〔진열관〕.

Glyzerịn [glytsərí:n] [gr., *glykýs* „suß"] *n.* -s, 〖化〗 글리세린(♈*glycerine*).

Gnāde [gná:də] [mhd. *g(e)-nade* „Herablassung"] *f.* -n, ① 은혜, 은총(*favour, grace*). ¶ von Gottes ~ 신의 은총에 의하여. ② 인자(*mercy*); 관대, 사면(赦免)(*pardon*); 〖軍〗 (항복자의) 구명(救命)(*quarter*). ¶ sich auf ~ u. Ungnade ergeben 무조건 항복하다.

Gnāden≈akt *m.* 자비로운 행위; 은사(恩赦). **~bezeigung** *f.* 은혜, 은총(을 베풀기). **~bild** *n.* 영험(靈驗)이 충만한 성(모)상. **~brōt** *n.* 선심에서 베푸는 음식. **~frist** *f.* 유예 (기간). **~≈gehalt**, **~geld** *n.* 하사금(下賜金); 연금. **~geschenk** *n.* 희사물, 하사품. **~gesūch** *n.* 사면원(赦免願). **~lohn** *m.* 촌지, 팁; 퇴직금. **~mittel** *pl.* (신의) 은총의 수단. **~ort** *m.* (*pl.* -e) 성상 안치소, 순례지. **~reich** *a.* 은총이 두터운, 자비로운. **~sold** *m.* 하사금, 급여금. **~stōß** *m.* 자비의 일격《죽음의 고통을 덜어주기 위하여 가하는 치명적인 일격》. **~wahl** *f.* (신의) 은총에 의한 선택됨. **~wēg** *m.*: auf dem ~-weg (신의) 은총으로. **~zeit** *f.* 연금 기간.

gnạ̄dig [gné:dıç] *a.* ① 은혜로운, 자비로운(*gracious*); 자비심이 많은, 너그러운《형벌 따위》(*merciful*). ② 《敬稱》 ~e Frau! 마님(*madam*).

Gneis [gnais] *m.* -es, -e, 〖鑛〗 편마암(片麻岩)(♈*gneiss*).

Gnōm [gno:m] [gr.] *m.* -en, -en, 〖希神〗 땅의 요정(妖精)《땅 속에 사는 귀신》(♈*gnome*); 《比》 (흉측한) 난장이. **gnō≈menhaft** *a.* 땅귀신 같은; 《比》흉측한.

Gobelin [gɔbəlɛ́:, 드물게 gɔbəlí:n] [fr.] *m.* -s, -s *u.* -e, 고블랑직(織)《파리의 염색사 Gobelin 의 이름에서》.

Gọckel [gɔ́kəl] [擬聲語] *m.* -s, -, **~≈hahn** *m.* 수탉(♈*cock*).

Gọethe [gǿ:tə] *m.* -s, Johann Wolfgang von ~ 독일의 시인(1749-1832).

Gōlasch [gó:laʃ] =GULASCH.

Gold [gɔlt] [♈gelb, glühen] *n.* -(e)s, [-ts, -dəs], 금, 황금(♈*gold*).

Gọld≈āder *f.* 금광맥. **~agio** [-dʒo, -ʒio] *n.* 〖商〗 금 프리미엄. **~ammer** *f.* 〖鳥〗 멧새류의 작은 우는 새. **~ap≈fel** *m.* 토마토; 오린지의 일종. **~ar≈beiter** *m.* 금세공사. **~barren** *m.* 금막대기. **~bergwerk** *n.* 금갱. **~≈bestand** *m.* (화폐 발행의) 금준비. **~≈blech** *n.* 금의 연판(延板). **~borte** *f.* 금몰. **~durst** *m.* 황금욕, 배금(拜金).

gọlden [gɔ́ldən] *a.* ① 금의, 금으로 만든(♈(of) gold); 금빛의. ② 《比》 귀중한; 훌륭한. **Gọlderling** [gɔ́ldərlıŋ] *m.* -s, -e, 황금색의 사과 품종.

Gọld≈fāden *m.* 금실. **≈farben**, **≈farbig** *a.* 금빛의. **~fasān** *m.* 〖鳥〗 금계(金鷄)《중국산 꿩》. **~fēder** *f.* 금펜. **~finger** *m.* 약손가락《금반지를 끼므로》. **~fisch** *m.* 금붕어. **~fuchs** *m.* 자류마(紫騮馬). **≈gelb** *a.* 황금색의. **~gewicht** *n.* (금을 다는) 금저울(*troy weight*). **~gräber** *m.* 금채굴자. **~grūbe** *f.* 금갱; 《比》 재원, 보고. **~grund** *m.* (옛모자이크나 회화의) 금빛 바탕. **≈haltig** *a.* 금을 함유하는.

gọldig [gɔ́ldıç] *a.* 금과 같은, 금색 찬연한, 굉장한, 귀여운, 유쾌한.

Gọld≈kāfer *m.* 〖蟲〗 꽃무지(*rose-beetle*). **~kind** *n.* 착한 아이, 귀염둥이(*darling, pet, love*). **~klumpen** *m.* 금덩이. **~lack** *m.* 〖植〗 겨자과의 다년생 초본(*wall-flower*). **~leiste** *f.* 〖建〗 금색 돌림띠〔장식 돌기〕. **~macher** *m.* 연금술사(*alchemist*). **~mīne** *f.* 금광산. **~münze** *f.* 금화. **~rēgen** *m.* 〖植〗 (유럽산) 콩과의 낙엽 교목의 하나. **≈reich** *a.* 금이 풍부한 《광산 따위》. **~schaum** *m.* 금박. **~scheider** *m.* 금을 제련하는 사람. **~scheide·wasser** *n.* =KÖNIGSWASSER. **~schmied** *m.* 금세공사(♈*goldsmith*). **~schnitt** *m.* 〖製本〗 (재단면의) 금박칠. **~sticker** *m.* 금실로 수놓는 사람. **~stickerei** *f.* 금실 자수. **~stoff** *m.* 금실이 든 (견)직물, 금란(金襴). **~stück** *n.* 금화. **~waage** *f.* 금저울. ¶ 《比》 et. auf die ~waage legen 면밀히 고려하다. **~währung** *f.* 금본위 제도.

Golf[1] [gɔlf] [fr. *aus* gr. *kólpos* „Busen"] *m.* -(e)s, -e, 후미, 만(♈*gulf*).

Golf[2] [engl. <schottisch *gouf* „Schlag"] *n.* -s, 골프《구기》.

Gọlf≈ball *m.* 골프공. **~platz** *m.* 골프장(*golf links*). **~spiel** *n.* 골프 (놀이).

Gọlf·strōm *m.* 멕시코 만의 난류.

Gọndel [gɔ́ndəl] [it.] *f.* -n, 곤돌라 《Venedig 의 유람선》(♈*gondola*); (비행선·기구의) 적롱(吊籠)(*car*). **Gọndel≈führer** *m.* 곤돌라의 뱃사공.

gọ̈nnen [gœ́nən] [ahd. *gi-unnan*, 前半: ge-, 後半: "베풀다"] *t.* ① 기꺼이 주다〔허락하다〕(*wish well, grant*). ¶ nicht ~ 아끼다, 인색하게 굴다, 샘내다(*grudge, envy*). ② 《현재의 主要用法》 (남의 행·불행 따위를) 바라다. ¶ wir ~ es ihm von Herzen 우리는 진심으로 그가 그렇기를 바란다. **Gọ̈nner** *m.* -s, -, **Gọ̈nnerin** *f.* -nen, 애고자(愛顧者), 보호〔후원〕자, 패트런 (*protector, patron*). **Gọ̈nnermiene** *f.* 은인〔후견

인]인 양하는 태도, 생색 내는 태도. **gönnerhaft** *a.* 보호자 같은; 은혜를 입히듯하는, 건방진. **Gönnerschaft** *f.* 애고(愛顧), 보호, 후견(*patronage*).

Göpel [gǿ:pəl] *m.* -s, -, 고패, 감아올리는 기계, 윈치(*winch*; 말에 의한: *capstan*; 광산의: *whim*).

gor [go:r] ☞GÄREN 《그 過去》.

Gör [gø:r] *n.* -(e)s, -en, 아이, 깜찍한 계집애(*child, brat*).

Gorilla [goríla] [아프리카 토어로 „wilder Mensch"] *m.* -s, -s, 〖動〗 고릴라.

Gösch [gœʃ] *f.* -en; od. *m.* -es, -e, 함수(艦首)〔선수(船首)〕기.

goß [gɔs] ☞GIEßEN 《그 過去》.

Gosse [gɔ́sə] [<gießen] *f.* -n, 수채(구멍), 배수로, 하수도, 하수 도랑(♈*gutter, drain*), 하수관(*sewer*).

Gote [gó:tə] *m.* -n, -n, 고트 사람《동게르만 민족의 한 종족》. **Gotik** *f.* 고딕 양식〔예술〕. **gotisch** *a.* 고트 민족의; 고딕 양식〔시대〕의.

Gott [gɔt] *m.* -(e)s, ⸚er [gœ́tər], 하느님, 신(神)(♈*god, deity*; 그리스도교의: *God*). ¶um ~es willen 무보수로, 호의로 / um ~es willen! 제발, 어떻게 든지 / ach ~! *od.* mein ~! 아아, 어머나, 이런, 아이고 큰일 났군 / ~³ befohlen! 안녕, 평안히 / grüß ~! 안녕하십니까《남독일의 인사》/ ~³ sei Dank 아이 고마와라, 고맙게도 / leider ~e 《leider를 강조함》 안됐지만, 딱하지만, 아깝게도.

gott·ähnlich *a.* 신을 닮은, 신 같은. **~begnadet** *a.* 신의 은총을 입은.

Götter·bild *n.* 신상(神像), 우상. **~böte** *m.* 〖神〗 신의 사자. **~dämmerung** *f.* 〖北歐神〗 신들의 황혼《옛 신들과 세계가 멸망하는 일》.

gott·ergeben [gɔ́t-ɛrg:bən] *a.* 신께 귀의한, 독실(篤實)한.

Götter·lehre *f.* 신화학(神話學). **~mahl** *n.* 신들의 향연. **~säge** *f.* 신화. **~speise** *f.* 신들의 음식물(*ambrosia*); 〖料〗 거품 나는 크림 과자. **~trank** *m.* 〖希神〗 신주(神酒)(*nectar*); 《比》 감로주(甘露酒), 미주(美酒).

Gottes·acker *m.* 묘지(*church yard, cemetery*). **~diener** *m.* 신부, 목사. **~dienst** *m.* 예배, 미사; 종교 의식. **~dienstlich** *a.* 예배의; 신심의. **~furcht** *f.* 신(과 그 가르침)에 대한 경외, 경신(敬神). **~fürchtig** *a.* 신을 경외하는 마음이 두터운, 경건한. **~gelehrsämkeit** *f.* 신학(*theology*). **~gelehrte** *m.* u. *f.* 《形容詞變化》 신학자. **~gericht** *n.* =~URTEIL. **~haus** *n.* 하느님의 집, 교회; 신전. **~kasten** *m.* 희사함(喜捨函), (교회의) 헌금궤. **~lästerer** *m.* 신을 모독하는 사람. **~lästerlich** *a.* 신을 모독하는. **~lästerung** *f.* 독신(瀆神)(*blasphemy*). **~leugner** *m.* 무신론자(*atheist*). **~lohn** *m.* 신의 보답. ¶um e-n ~lohn 무보수로, 자선적으로. **~mutter** *f.* 성모 마리아. **~reich** *n.* 신의 나라. **~sohn** *m.* 하느님의 아들 그리스도. **~urteil** *n.* 신의 재판; (특히) 신명(神明) 재판《고대의 관죄법, 결투나 끓는 물에 손을 넣게 하는》(*ordeal*). **~verächter** *m.* 신을 경멸하는 사람. **~verehrung** *f.* 경신(敬神). **~wort** *n.* 성서(聖書).

Gottfried [gɔ́tfri:t] [„Gottes-friede", der durch Gott Geschützte] *m.* 남자 이름(♈*Godfrey, Geoffrey*).

gott·gefällig *a.* 하느님 뜻에 합당한. **~geweiht** *a.* 신에게 바쳐진, 신성한.

Gott·heit [gɔ́thait] *f.* -en, 신성, 신격, 신(그 자체)(*deity, divinity*); (한 분의) 신(*godhead*).

Göttin [gœ́tɪn] *f.* -nen, 여신(*goddess*).

göttlich [gœ́tlɪç] *a.* 신의, 신 같은, 신성한, 거룩한(♈*godly, godlike, divine*). ¶die ~e Komödie (단테의) 신곡 / ~e Grobheit 호방 뇌락(豪放磊落) / ~e Dummheit 천치, 숙맥. **Göttlichkeit** *f.* 거룩함, 신성(神聖), 신성(神性).

gottlob! [-ló:p] *int.* 고맙게도, 고마와라.

gott·los *a.* 신을 배반한; 신을 업신여기는, 무신론〔무신앙〕의. **~mensch** *m.* 신인(神人)(=Jesus).

Gott·seibeiuns [gɔtzaibái-uns, gɔtzái-bai-] *m.* -, 《俗》 악마(=Teufel).

gottselig [gɔtzé:lɪç, gɔ́tze:lɪç] *a.* 신을 믿고 의지하는, 신앙심이 깊은.

Gott·vater *m.* 《冠詞없이》 아버지이신 하느님. **~vergessen** *a.* 신을 망각한; 극히 불경한, 극악 무도한. **~verlassen** *a.* 신의 버림을 받은; 황량한.

Götze [gœ́tsə] [„Göttchen", *od.* <gießen] *m.* -n, -n, 우상; 신상(神像)(*idol*); 사신(邪神)(*false deity*); 《俗》 멍텅구리, 등신.

Götzen·bild *n.* 우상. **~diener** *m.* 우상〔사신〕 숭배자. **~dienst** *m.* 우상 숭배. **~tempel** *m.* 우상의 신전.

Gourmand [gurmã́:] [fr.] *m.* -s, -s, 식도락가, 미식가.

Gout [gu:] [fr.] *m.* -s, -s, 미각, 맛, 취미. **goutieren** [gutí:rən] *t.* 시식하다, 맛보다; 시인〔찬성〕하다; 좋아하다, (에) 취미가 있다(et.).

Gouvernante [gu:vɛrnántə] [fr.] *f.* -n, 여(가정)교사(♈*governess*). **Gouvernement** [..nəmã́:] *n.* -s, -s, 통치, 지배; 정체(政體), 정부. **Governeur** [-nǿ:r] *m.* -s, -e, 총독(♈*governor*).

Grab [gra:p, grap] [<graben] *n.* -(e)s, ⸚er, [grɛ́:bər], 묘혈(墓穴), 무덤(♈*grave, tomb, sepulchre*). **Grab·arbeit** [grá:p-arbait] *f.* 무덤파는 일.

grabbeln [grábəln] *i.*(h.) 《俗》 손으로 더듬다, 모색하다(*grope or fumble about*).

Gräbchen [grɛ́:pçən] *n.* -s, -, 작은 묘(비).

graben* [grá:bən] 《Ⅰ》 *t.* u. *i.*(h.) 파다, 채굴하다(*dig*); 호를 파다(*ditch*); 새기다, 조각하다(*carve, engrave*). 《Ⅱ》 *refl.*: sich müde ~ 파다 지치다 / sich in Herz ~ 깊이 인상에 남다. **Graben** [grá:bən] *m.* -s, ⸚ [grɛ́:bən], 도랑, 호(*ditch, drain*); 〖軍〗 참호(*trench*). **Grabenkrieg** *m.* 참호전. **Graben·mörser** *m.* 박격포.

Gräber [grɛ́:bər] *m.* -s, -, 파는 사람; (Toten~) 무덤 파는 사람; 굴파는 짐승《토끼 따위》.

Gräberfund [-funt] *m.* 무덤에서 파낸 물건.

Grābes⸗mōder *m.* 묘지의 음산하고 퀘퀘한 냄새. **~rūhe, ~stille** *f.* 묘지의〔죽음 같은〕 정적. **~stimme** *f.* 음산〔처량〕한 소리.

Grāb⸗geläut(e) *n.* 조종(弔鐘). **~geleit** *n.* 장례 행렬. **~gesang** *m.* 만가. **~gewölbe** *n.* 아치형(形)의 묘혈. **~hügel** *m.* 묘총(墓塚). **~lēgung** *f.* 매장. **~lied** *n.* 만가. **~māl** *n.* 묘표(墓標), 묘석. **~platte** *f.* 평평한 묘석. **~rēde** *f.* 조사(弔辭). **~scheit** *n.* 《方》 삽(*spade*). **~schrift** *f.* 비명(碑銘).

grābst [grɛ:pst] (du ~), ☞GRABEN 《그 現在》.

Grāb⸗stätte *f.* 묘소. **~stein** *m.* 묘석. **~stelle** *f.* 묘소. **~stichel** *m.* 동판 조각용 끌, 정.

grābt [grɛ:pt] (er ~) ☞GRABEN 《그 現在》.

Gracht [graxt] [ndl.] *f.* -en, 운하.

Grād [gra:t] [lat. *gradus* „Schritt"] *m.* -(e)s, -e, ① 단계, 등급(*order, rank*); 정도, 도(*degree*). ¶in hohem ~e 고도로, 크게, 심하게 / im höchsten ~e 극도로, 심히. ② 〖法〗 친등(親等). ③ 〖數〗 차(次). ④ 학위; (Dienst~) 위계(位階). ⑤ 〖文〗 비교급.

Gradatiōn [gradatsió:n] [lat.] *f.* -en, 단계, 등급. **Grādbōgen** *m.* 각도기, 분도기.

grāde [grá:də] *a.* =GERADE.

Grād·einteilung [grá:t-aintailuŋ] *f.* 도수〔눈금〕 새김(법).

gradieren [gradí:rən] [<Grad] *t.* 등급으로 나누다(♀*graduate*); 고도화(高度化)하다, 정제(精製)하다(*refine*).

Gradierwerk [grdí:rvɛrk] *n.* 가조식 정염 장치(架條式精鹽裝置); 냉각 장치.

Grād⸗messer *m.* 각도〔측도〕기. **~messung** *f.* 측도(測度). **~netz** *n.* 지구의(地球儀) 상의 경위도선.

graduell [-duél] [fr., <Grad] 《Ⅰ》 *a.* 등급이 있는; 단계적인, 점차의. 《Ⅱ》 *adv.* 점차로, 단계적으로.

grādweise [grá:tvaizə] *adv.* 점차로, 서서히(*gradually*).

Grāf [gra:f] [*eig.* „Befehlshaber"] *m.* -en, -en, 백작(*count*); 관리. **Grāfin** [gré:fɪn] *f.* -nen, 백작 부인〔딸〕.

grāflich *a.* 백작다운, 백작의. **Grāfschaft** *f.* -en, 백작령, 백작의 신분; 옛 행정 구역.

Grāl [gra:l] [Lw. lat.] *m.* -(e)s,: der Heilige ~ 성배(聖杯)《그리스도의 최후의 만찬에 쓰인 잔》(♀*the Holy Grail*).

Grām [gra:m] *m.* -(e)s, 비통, 원한, 상심(*grief, sorrow*). **grām** [gra:m] [♀ Grimm] *a.* 《述語的用法 뿐》 jm. ~ sein 아무를 원망하다. **grāmen** *refl.* 한탄하다, 원통해 하다, 슬퍼하다, 상심하다(*grieve, worry, fret*). ¶sich zu Tode ~ 고민하다 죽다. **grāmlich** *a.* 침울한, 뚱한, 시무룩한, 실쭉한(*peevish, sullen, morose*).

Gramm [gram] [gr. *gramma* (*eig. graphma*) „Schrift, Zeichen"] *n.* -s, -e, 그램《기호: *g*》(♀*gram(me)*).

Grammatik [gramátɪk] [gr. (*tēchnē*) *grammatikē* „Kunst des Schreibens"] *f.* -en, 문법(책), 문전(文典)(♀*grammar*). **grammatikālisch** *a.* 문법상의; 문법에 맞는. **Grammatiker** *m.* -s, -, 문법가. **grammatisch** *a.* 문법의; =GRAMMATIKALISCH.

Gramm·atōm [grám-ato:m] *n.* 〖物〗 그램 원자.

Grammophōn [gramofó:n] [gr. "기음(記音)" 기(器)] *n.* -s, -e, (원반식의) 축음기. **~nādel** *f.* 위의 바늘. **~platte** *f.* 음반(音盤), 레코드.

grāmvoll [grá:mfɔl] *a.* 깊이 고민한; 한이 맺힌.

Grān [gra:n] [lat. *grānum* „Korn"] *n.* -(e)s, -e, 그란《옛 약량(藥量) 이름》(♀*grain*).

Granāt [graná:t] [lat. *grānum* „Korn"] *m.* -(e)s *u.* -en, -e(n), 〖鑛〗 *m.* 석류석(♀*garnet, carbuncle*).

Granāt⸗apfel [-apfəl] *m.* 〖植〗 석류 열매(*pomegranate*). **~(apfel)baum** *m.* 석류나무.

Granāte [graná:tə] [it. „Granatapfel"] *f.* -n, 유탄(榴彈)(*shell*); (Hand~) 수류탄(♀*grenade*).

Granāt⸗splitter *m.* 유탄의 파편. **~stein** *m.* 〖鑛〗 석류석. **~trichter** *m.* (깔때기 꼴인) 유탄의 폭발 흔적(*crater*). **~werfer** *m.* 척탄병(擲彈兵).

Grand [grant] *m.* -(e)s, 자갈(*coarse sand, gravel*). **grandig** *a.* 자갈 같은, 알이 큼직한; 자갈이 섞인.

Granīt [graní:t, -nít] [lat. *grānum* „Korn"] *m.* -(e)s, -e, 화강암《입상(粒狀)이므로》(♀*granite*). **granīten** *a.* 화강암(질)의.

Granne [gránə] *f.* -n, 〖植〗 까끄라기(*awn, beard*).

grantig [grántɪç] *a.* 《方》 기분이 좋지 않은, 성미가 까다로운.

Granulatiōn [granulatsió:n] [lat. *grānum* „Korn"] *f.* -en, ① 입상(粒狀)으로 됨. ② 〖醫〗 육아(肉芽) 발생. **Granulatiōnsgewēbe** *n.* 육아(肉芽) 조직. **granulieren** *t.* (금속 등을) 입상(粒狀)〔알〕 모양으로 하다(♀*granulate*).

Granulōm [granuló:m] [lat. *granulum* „Körnchen"] *n.* -s, -e, 육아종(肉芽腫).

Grāphik [grá:fɪk] [gr., „Schreibkunst"] *f.* -en, 서법; 화법(畫法), 도법(*graphic arts*); 판화(版畫) 인쇄, 그래픽. **Grāphiker** *m.* -s, -, 판화가. **grāphisch** *a.* 서법〔도법〕의; 판화의. ¶~e Darstellung 도표, 약도. **Graphīt** [grafí:t, -fít] *m.* -(e)s, -e, 〖鑛〗 흑연(♀*graphite*). **Graphologie** [-logí:] [„(Hand-)schrift-kunde"] *f.* ..gīen, 필적 감정〔관상〕학.

grapsen [grápsən], **grapschen** [grápʃən] [<greifen] 《Ⅰ》 *t.* 움켜 잡다, 잡아채다(♀*grab, snatch*). 《Ⅱ》 *i.*(h.) (nach, 을) 꽉 붙잡다.

Grās [gra:s] *n.* -es, ⸚er [gré:zər], 풀(♀*grass*); *pl.* 화본과(禾本科) 식물. ¶《比》 ins ~ beißen 죽다.

Grās⸗affe *m.* 《蔑》 풋나기. **~ārtig** *a.* 풀 같은; 화본과의.

grāsen [grá:zən] *i.*(h.) (동물이) 풀을 뜯어 먹다(♀*graze*). ¶~ lassen 놓아 기르다, 방목하다.

Grās⸗fleck *m.* 풀밭, 잔디밭. **~fressend** *a.* 풀을 먹는. **~grün** *a.* 초록빛의. **~halm** *m.* 풀줄기. **~hopper, ~hüpfer** *m.* 〖蟲〗 메뚜기, 누리.

grāsig [grá:zɪç] *a.* 풀 같은, 풀 종류의; 풀이 난; 풀이 무성한(♈*grassy*).
Grās=land *n.* 풀밭; 목장. **~leinen** *n.* 저마포(紵麻布), 모시. **~mücke** *f.* 〖鳥〗 바위종다리〔휘파람새〕과의 새. **~pfērd** *n.* =~HÜPFER. **~platz** *m.* 초원, 잔디밭. **~reich** *a.* 풀이 무성한.
grassieren [grasí:rən] [lat.] *i.*(h.) 〖醫〗 유행〔만연·창궐〕하다(*prevail, rage*).
gräßlich [gréslɪç] *a.* 무서운, 소름 끼치는; 참혹한; 모진. (*horrible, dreadful, shocking*). **Gräßlichkeit** *f.* 위임; *pl.* (-en) 잔학한 행위, 참사(慘事). **Grās=weide** [grá:svaidə] *f.* 목장.
Grāt [gra:t] *m.* -(e)s, -e *u.* ⸗e, 뾰족한 모서리, 칼날 끝의 도드라진 곳(*edge, ridge*); (Berg~) 산마루, 산등성이; 〖建〗 용마루, 지붕의 당마루; 〖解〗 (Rück~) 척추.
Grāte [gré:tə] [<Grat] 《Ⅰ》 *pl.* =Grat. 《Ⅱ》 *f.* -n, 물고기 뼈의 딱딱하고 뾰족한 부분(*fish-bone*). 「마른.
grātig [gré:tɪç] *a.* 가시가 많은; 《比》 성
grātis [grá:tɪs] [lat.] *adv.* 무료로, 거저(♈*gratis, free of charge*).
Grātis=beilāge *f.* 부록. **~exemplār** *n.* 증정본(贈呈本).
Grātsche [gré:tʃə] *f.* -n, 〖體〗 두 발을 동시에 벌림. **grātschen** *i.*(h.) 〖體〗 두 발을 동시에 벌리다(*straddle*).
Gratulant [gratulánt] [lat.] *m.* -en, -en, 축하객, 축사자. **Gratulation** *f.* -en, 축하; 축사. **gratulieren** [-lí:rən] *i.*(h.) 축하하다(*congratulate*); (zu, 의) 축사를 하다.

Grātzel [gré:tsəl] [öst.] *n.* -s, - *u.* -n, 《俗》 가옥군, (시 지구의) 구획, 가(街).
grau [grau] 《Ⅰ》 *a.* ① 회색의, 쥐색의(♈*grey, gray*). ② (늙어서) 머리가 센(*grizzled*). ③ 먼 옛날의 (*ancient*). ¶ ~es Altertum 태고(太古). 《Ⅱ》 **Grau** *n.* -s, 회색, 잿빛.
Grau=bārt *m.* 흰 수염(의 노인). **~=brōt** *n.* 호밀과 밀가루를 섞어 만든 빵.
Grauen[1] [gráuən] *n.* -s, 어슴새벽.
Grauen[2] *n.* -s, 공포, 전율(*horror*).
grauen[1] [gráuən] [<Grau] *i.*(h.) 잿빛이 되다; 백발이 되다. ¶es graut 날이 새다, 먼동이 트다(*it dawns*).
grauen[2] *i.*(h.) *imp.* u. *refl.*: es graut mir vor et.[3] 무엇이 무섭다, 섬뜩하다 (*have a horror* (*of*)).
grauenhaft [-haft], **grauenvoll** [-fɔl] *a.* 무서운, 무시무시한, 섬뜩한.
grau=haarig *a.* 백발의. **~kopf** *m.* 흰 머리(의 사람).
graulen [gráulən] =GRAUEN[2].
graulich [gráulɪç], **gräulich** [grɔ́ylɪç] [<grau] *a.* 회색을 띤; 《比》 음울한.
Graupe [gráupə] *f.* -n, 껍질을 벗긴 보리(*peeled barley*); 굵게 탄 보리(*groats*); 〔~l *f.*〕 싸락눈, 우박. **graupeln** *i.*(h.) *imp.*: es graupelt 싸락눈〔우박〕이 내리다. **Graupelwetter** *n.* 싸락눈〔우박〕이 내릴 날씨.
Graus [graus] [<grausen] *m.* -es, 공포, 전율(케 하는 것).
grausām [gráuza:m] [<grauen] *a.* 무서운, 떨리는, 지독한(*terrible*); 잔인한, 무자비한(*cruel*); *adv.* 《俗》 무섭게, 지독히(=sehr). **Grausāmkeit** *f.* -en, 잔인, 무자비; 그 행위.
Grauschimmel [gráuʃɪməl] *m.* 서라말.
grausen [gráuzən] [<grauen] 《Ⅰ》 *i.*(h.): mir graust (es), 무서워서 소름이 끼친다(*I shudder*). 《Ⅱ》 **Grausen** *n.* -s, 소름 끼치는 공포.
grausig [gráuzɪç], **grauslich** [<grausen] *a.* 무서운, 소름 끼치는(*horrible*).
Grau=tier *n.* 당나귀(*ass, donkey*). **~=werk** *n.* 회색다람쥐의 모피.
Graveur [gravǿ:r] *m.* -s, -e, 동판(銅版) 조각사, 인각사. **gravieren**[1] [graví:rən] [fr. *aus* d. graben] *t.* 판각하다, 조각하다(*engrave*).
gravieren[2] [graví:rən] [lat. <*gravis* „schwer"] *t.* (에) 죄를 돌리다(*charge*); (에게) 무거운 짐을 지우다(*aggravate*).
Gravimēter [gravimé:tər] [lat. +gr.] *n.* 〔*m.*〕 -s, -, 비중〔중력〕계.
Gravimetrie [-metrí:] [lat.] *f.* 중량〔밀도〕 측정.
Gravität [gravité:t] *f.* 장중; 위엄, 엄숙. **gravitätisch** *a.* 무게 있는, 장중한, 의젓한(♈*grave, solemn*).
Gravūre [gravý:rə] [fr.] *f.* -n, 그라비아, 동판(화), 판화.
Grazīe [grá:tsiə] [lat.] *f.* -n, 우미, 전아(典雅), 애교(♈*grace, charm*). **gra=ziōs** *a.* 우미한, 전아한, 애교 있는.
Gregorianik [gregoriá:nɪk] *f.* 그레고리 성가《교황 Gregor 1세에 의해 보수 완성된 전례용 성가》(의 전)형식; 그레고리 성가학.
Greif [graif] [gr.] *m.* -(e)s, e; *u.* -en, -en, 〖神〗 독수리의 머리와 날개를 갖고 사자 몸을 한 괴수(怪獸)(♈*griffin*).
greifbār [gráifba:r] *a.* 잡을〔쥘〕 수 있는; 만져서 알 수 있는; 《比》 구체적인; 명백한; 〖商〗 곧 인도할 수 있는(상품).
greifen* [gráifən] 《Ⅰ》 *t.* (er~en) 잡다, 쥐다(*seize, grasp*); 사로잡다, 붙잡다(*catch*); (현(絃)을 퉁기어) 소리 내다. ★ 지금은 흔히 an-, 또는 ergreifen을 씀. 《Ⅱ》 *i.*(h.) 잡으려 하다, 손을 내밀다(*snatch* (*at*)); (톱·수레 바퀴 따위가) 잘 끼이다, 잘 듣다; 《比》 효험이 있다, 작용하다. ¶zu weit ~ 지나치다 / **an** den Hut ~ (인사하려고) 모자를 잡다 / **in** et.[4] (hinein) ~무엇 속에 손을 넣다 / ineinander ~ 〖工〗 (톱니바퀴 따위가) 맞물다 / **nach** et.[3] ~ 어떤 쪽으로 손을 뻗치다, 을 잡으려 하다 / **um** sich ~ 함부로 여기저기 손대다; 《比》 (불길·병 따위가) 만연하다, 퍼지다 / jm. **unter** die Arme ~ 아무를 원조〔지지〕하다 / **zu** et.[3] ~ 무엇에 손을 대다, 무엇을 잡다. **Greifer** *m.* -s, -, (석탄, 흙 따위를) 퍼 올리는 기계(*catcher, grab*).
greinen [gráinən] [=engl. *grin, groan*] *i.*(h.) (입을 비죽거리며) 울다 (*weep, whine*).
greis [grais] [♈grau?] *a.* 회백색의; 백발의. **Greis** *m.* -es, -e, (백발의) 노인, 옹(翁). **Greisenalter** *n.* 노년; 노쇠. **greisenhaft** *a.* 노인다운; 노쇠한. **Greisin** *f.* -nen, 노파, 할멈.
grell [grɛl] [*eig.* „zornig"] *a.* ("격렬한"

의 뜻에서:) 날카로운, 쨍쨍 울리는(소리)(*shrill*); 번쩍거리는, 눈부신(광선·색)(*glaring, crude, dazzling*).

Grenadier [grenadí:r] [fr. „Granatenwerfer"] *m.* -s, -e, 척탄병(擲彈兵); (근위) 보병.

Grenz≈baum *m.* 경계표, 경계수(樹). **~bewohner** *m.* 국경에 사는 주민.

Grenze [gréntsə] [<poln.] *f.* -n, 경계(*boundary*); 국경(*frontier*); 한계, 극한(*limit*). ¶ e-m Dinge ~n setzen 무엇을 제한〔국한〕하다. **grenzen** *i.*(h.) (an et.⁴, 무엇에) 경계를 접하다. **grenzenlōs** *a.* 경계가 없는; 《比》 무(제)한의; 엄청난, 터무니 없는. **Grenzenlōsigkeit** *f.* -en, 위임.

Grenz≈fall *m.* 극단의 경우. **~festung** *f.* 국경 요새. **~gänger** *m.* 월경자《인접한 타경(他境)으로 벌이 나가는 사람; 사람을 안내하여 월경시키는 사람; 암거래꾼, 밀수자》. **~gēgend** *f.* 국경 지방. **~land** *n.* 국경 지방, 경계지. **~linie** *f.* 경계〔국경〕선. **~mark** *f.* =~LAND. **~nachbār** *m.* 경계를 접한 이웃. **~pfahl** *m.* 경계표〔의 말뚝〕. **~polizei** *f.* 국경 경찰. **~scheide** *f.* =~LINIE. **~stadt** *f.* 국경 도시. **~stein** *m.* 경계석. **~strang** *m.* 〖解〗 교감 신경. **~streit** *m.* 경계〔국경〕 분쟁. **~≈übergang** *m.* 국경 통과. **~übertritt** *m.* 월경(越境). **~verkehr** *m.* 국경의 교통〔거래〕. **~wache** *f.*, **~wächter** *m.* 국경 수비병. **~wērt** *m.* 〖數〗 극한(치). **~zoll** *m.* 국경 관세.

Greuel [grɔ́yəl] [<grauen²] *m.* -s, -, ① 공포, 전율(*horror*); 염오(*abomination*). ② 소름끼치게 하는 것. ③ 흉악〔잔학〕한 행위.

greulich [grɔ́ylɪç] *a.* 무서운, 소름끼치는(*dreadful*); 잔학한(*atrocious*).

Griebe [grí:bə] *f.* -n, 수지(獸脂)〔지방〕의 녹은 찌꺼기, 기름 찌끼.

Grieben [grí:bən] *m.* -s, -, **Griebs** [gri:ps] *m.* -es, -e, 〖植〗 과심(果心), 핵(*core*).

Grieche [grí:çə] *m.* -n, -n, 그리스인(♈*Greek*). **Griechenland** *n.* 그리스(♈*Greece*). **Griechin** *f.* -nen, 그리스 여성. **griechisch** *a.* 그리스(인)의; 그리스어의.

Griesgrām [grí:sgra:m] [<mhd. *gristen* „(Zähne)knirschen" *'n* gram] *m.* -(e)s, -e, 언제나 기분이 언짢음, 불쾌, 뚱함, 까다로움; 위의 사람(*grumbler*). **griesgrämig** *a.* 성마른, 늘 기분이 언짢은, 찌무룩한.

Grieß [gri:s] *m.* -es, -e, 모래알, 자갈(♈*grit*); 〖醫〗 결석(結石)(*gravel*); 〖坑〗 분탄(粉炭); 〔**~mehl** *n.*〕 거칠게 빻은 곡물, 세몰리나(*semolina*).

griff [grɪf] ☞GREIFEN 《그 過去》.

Griff [grɪf] [<greifen] *m.* -(e)s, -e, ① 움켜 쥠, 잡음, 파악(♈*grip, grasp*). ¶ 《比》 e-n falschen ~ tun 실수하다. ② 한 줌, 한 움큼. ③ 〖樂〗 운지법, 터치(*touch*); 잡는 법, 쥐는 법, 다루는 법; 〖軍〗 조총법(操銃法); 《比》 *pl.* 술책, 음모. ¶ ~e machen 〔《俗》 kloppen〕 집총 교련을 하다. ④ 손잡이, 자루, 핸들(*handle*); 칼자루(*hilt*). **Griffbrett** *n.* (현악기의) 지판(指板); (피아노의) 건반.

Griffel [grífəl] [Lw. lat. *graphium* (☞graphisch)] *m.* -s, -, (예전 납판용의) 첨필(尖筆)(*style*); 석필(石筆)(*slate-pencil*); 〖植〗 화주(花柱)(*pistil*).

Griffeūben [grífə-y:bən] *n.* 〖軍〗 집총 교련.

Grille [grílə] [Lw. gr.] *f.* -n, 〖蟲〗 귀뚜라미(*cricket*); 《比》 (보통 *pl.*) 변덕(*whim, caprice*); 시름, 우울, 우수(*low spirits*). ¶ ~n fangen 우울해하다, 변덕부리다. **Grillenfänger** *m.* 변덕장이; 우울병자. **grillenhaft** *a.* 변덕스러운, 망상적인, 우울한.

Grimasse [grimásə] [fr.] *f.* -n, 찌푸린 얼굴(♈*grimace*). ¶ ~n schneiden 얼굴을 찌푸리다.

Grimm [grɪm] [♈Gram] *m.* -(e)s, 분노(憤怒)(*anger, rage*); (자연력의) 맹위.

Grimmdarm [grímdarm] *m.* 〖解〗 결장(結腸).

grimmen [grímən] [<mhd. *krimmen*] 《Ⅰ》 *t.* 격통을 일으키다. 《Ⅱ》 **Grimmen** *n.* -s, 산통(疝痛)(*colic, gripes*).

grimmig [grímɪç] *a.* 격노한, 광포한, 무서운(♈*grim, furious*). ¶ ~es Tier 맹수/ 《俗》 ~(*adv.*) kalt 지독히 추운.

Grind [grɪnt] [<Grand „Sand"] *m.* -(e)s, -e, 〖醫〗 (Kopf~) 옴(*scab*); 비듬(*scurf*). **grindig** *a.* 옴을 앓는, 비듬투성이의.

Grind≈kopf *m.* 기계충을 앓는 머리(의 사람). **~wāl** *m.* 거두(巨頭) 고래.

grinsen [grínzən] 《Ⅰ》 *i.*(h.) u. *t.* 비죽비죽 웃다, 히죽이 웃다(♈*grin, smirk*). 《Ⅱ》 **Grinsen** *n.* -s, -, 위를 하기.

grippāl [grɪpá:l] [Grippe] *a.* 유행성 감기의. ¶ ~es Infekt 가벼운 돌림 감기. **Grippe** [grípə] [fr. <d. greifen] *f.* -n, 유행성 감기, 독감(*influenza, flu*). **grippōs** [grɪpǿ:s] *a.* =GRIPPAL.

grob [gro:p, grɔp (語尾變化를 했을 때 -e =gró:bə)] *a.* ① 거친(*coarse, rough*); 묵직한(*heavy*); 굵은, 두꺼운(*thick*). ¶ ~e Arbeit 막일 / ~es Tuch 조포(粗布). ② 커다란, 큼직한(*big, large*). ¶ ~es Geschütz 중포(重砲). ③ 중대한, 대단한. ¶ ~er Fehler 큰 잘못. ④ 무엄한, 무작한, 뻔뻔한, 무례한(*rude, uncivil*). ¶ jn. ~ anfahren 아무를 호통치다.

Grobheit [gró:p-, grɔ́p-] *f.* -en, 거칢. 무작함, 버릇 없음, 무엄, 무례(한 언행).

Grobiān [gró:bĭa:n] [<grob] *m.* -(e)s, -e, 무작한 촌놈. 「알의.」

grōbkörnig [gró:pkœrnɪç] *a.* 굵은 낟

gröblich [grǿ:plɪç, grœ́p-] *a.* (약간) 거친; *adv.* 거칠게, 심하게.

grob≈schlächtig *a.* 만듦새가 변변치 않은; 조야한(*uncouth*). **~schmied** *m.* 대장장이, 철공(*blacksmith*).

gröhlen, grölen [grǿ:lən] *i.*(h.) 고함치다; 《卑》 소리소리 지르며 노래하다〔떠들다〕(*bawl, squall*).

Groll [grɔl] *m.* -(e)s, (마음 속에 품은) 노염, 증오, 분만(憤懣), 원한(*anger, ill-will, resentment*). **grollen** *i.*(h.) (jm., 아무를) 원망하다, 분히 여기다, 미워하다; (천둥이) 우르릉거리다.

Grönland [grǿ:nlant] *n.* -s, 그린란드 (♈*Greenland*). **Grönlandfahrer** *m.* (그린란드 항해자:) 포경자(捕鯨者) 〔선〕.

Gros[1] [gro:] [fr. *aus* lat. *grossus* „dick"] *n.* -, -[gro:(s)], 대부분, 주요부; 〖軍〗 본대(本隊)(*main body*).

Gros[2] [grɔs] [ndl. „das große (Dutzend)"] *n.* Grosses, Grosse, 그로스, 12 다스(♈*gross, twelve dozen*).

Groschen [grɔ́ʃən] *m.* -s, -, 그로센《13 세기 이래 각국의 여러 가지 은화 이름》(*penny*).

groß [gro:s] *a.* ① …크기의. ¶einen Fuß ~, 1피트 크기〔길이〕의. ② 큰(♈*great*); (모양이) 큰, 굵은, 두꺼운, 부피가 큰(*large, big, huge*); 넓은(*vast*). ③ 키가 큰(*tall*), 크게 된, 다 큰, 성인이 된 (*grown up*); 웅대한(*grand, high*); 위대한, 훌륭한, 뛰어난(*eminent, important*). ¶~er Buchstabe 대문자 / der ~e Ozean 태평양 / ~ u. klein 어른도 아이도, 너도 나도, 누구나 다 / im ~en 대규모로, 〖商〗 도매로 / ~es Geld 대금(大金) / im ~en u. ganzen 대체로, 일반적으로 / sich ~ machen 젠체하다, 뻐기다 / Karl der ~e, 칼 대제(大帝).

groß=artig *a.* 굉장히 큰, 웅대한, 대규모의. **~aufnahme** *f.* (영화의) 대사(大寫)(*close-up*), 클로즈업. **~bildstelle** *f.* TV 방송국. **~boot** *n.* (군함에 싣는) 긴 보트. **~britannien** [보통 gro:s-británi̯ən] *n.* -s, 대영제국. **~britannisch** *a.* 위의.

G

Größe [grǿ:sə] *f.* -n, ① 큼, 위대함 (*greatness*); 대(大); 크기(*largeness*); 굵기(*bigness*); 연장(*dimention*); 부피, 용적(*bulk*); 양, 수량(*quantity*); 신장(*size, tallness*); 형(型)(*size*); 〖天〗 (별의) 등급 (*magnitude*). ② 《比》 큰 인물(*great person*); 명사(*celebrity*); 인기 있는 사람 (*star*).

Groß=eltern *pl.* 조부모. **~enkel** *m.*, **~enkelin** *f.* 증손.

Größen=lehre *f.* 기하학, 수학. **~reihe** *f.* 〖數〗 급수.

größenteils [gro:səntáils, gró:səntails] *adv.* 대부분은; 흔히; 주로.

Größenwahn(sinn) [grǿ:sənva:n(zın)] *m.* 과대 망상(*megalomania*).

größer [grǿ:sər] [groß의 比較級] *a.* 보다 큰(*greater*).

Groß=familie *f.* 〖民族學〗 대가족. **~feuer** *n.* 대화재. **~flugzeug** *n.* 대형 비행기. **~fürst** *m.* (옛 러시아의) 대공. **~grundbesitz** *m.* 대 소유지 〔농장〕. **~grundbesitzer** *m.* 대지주. **~handel** *m.* 도매, 도매상(*wholesale trade*). **~händler** *m.* 도매상인. **~herr** *m.* 대황제《옛 투르크 황제의 칭호》. **~herzig** *a.* 도량이 넓은, 관대한(*magnanimous*). **~herzog** *m.* (옛 독일의) 대공. **~herzogin** *f.* 대공비. **~herzogtum** *n.* 대공국. **~hirn** *n.* 대뇌. **~industrie** *f.* 중공업.

Grossist [grɔsíst] [fr., ☞Gros[1]] *m.* -en, -en, 도매상인.

groß=jährig *a.* 성년의(*of age*). **~jährigkeit** *f.* 성년.

Groß=kaufmann *m.* 대〔도매〕상인. **~kreuz** *n.* 대십자 훈장. **~küche** *f.* (호텔 등의) 대요리장. **~macht** *f.* 큰 권력; 강국(*great power*). **~mächtig** [gró:smɛ́çtıç, gró:smɛç-] *a.* 큰 세력을 가진, 강대한; 거대한. **~mannssucht** *f.* 과대망상증. **~maul** *n.* 허풍장이. **~mäulig** *a.* 허풍장이의. **~mut** *f.* 관대, 아량, 넓은 도량(*magnanimity, generosity*). **~mütig** *a.* 위의. **~mutter** *f.* 할머니(*grandmother*). **~neffe** *m.* 조카의 아들. **~nichte** *f.* 조카의 딸.

Großoktav [gro:s-ɔktá:f, gró:s-ɔkta:f] *n.* 〖印〗 대 8절판.

Groß=onkel *m.* 종조부(從祖父). **~prahler** *m.* 대허풍선이. **~raum** *m.*: im ~raum von London 대 런던에서. **~raumwirtschaft** *f.* 광역(廣域) 경제. **~reinemachen** *n.* 대청소; 《比》 대대적 감원. **~schreibung** *f.* 낱말의 첫글자를 큰 글자로 쓰기. **~sprechen** *i.*(h.) 호언 장담하다. **~sprecher** *m.* 큰소리 치는 사람, 허풍장이. **~spurig** *a.* 〖鐵〗 궤도가 넓은; 《比》 젠체하는, 오만한, 건방진. **~stadt** *f.* 대도시《인구 10만 이상의》. **~städter** *m.* 대 도시 사람. **~städtisch** *a.* 대도시(풍)의; 전아(典雅)한, 아담한.

größt [grø:st] 《groß의 最上級》 *a.* 최대의(♈*greatest*).

Groß=tante *f.* 종조모. **~tat** *f.* 대업, 위업; 숭고한 행위.

größtenteils [grǿ:stəntails] *adv.* 대부분은, 대개는; 주로.

Größtmaß [grǿ:stma:s] *n.* -es, -e, 최대한, 극도.

größtmöglich [grǿ:stmǿ:klıç] *a.* 되도록 큰. ★ möglichst groß가 더 나음.

Groß=tuer *m.* 뻐기는 사람, 떠벌이. **~tuerisch** *a.* 위의. **~|tun*** 《I》 *i.*(h.) 젠체하다, 뻐기다, 허풍떨다. 《II》 *refl.* sich ~tun, (mit, 을) 자랑하다. **~vater** *m.* 할아버지(*grandfather*). **~vaterstuhl** *m.* 큰 안락 의자. **~wohnung** *f.* 대저택《적어도 일곱 방 이상의》. **~|ziehen*** *t.* 키우다, 길러 내다. **~zügig** *a.* 대규모의(*on a large scale*); 배짱이 큰, 도량이 넓은(*liberal*).

grotesk [grotɛ́sk] [it.] *a.* 기괴한, 그로테스크한, 괴상한(♈*grotesque*).

Grotte [grɔ́tə] [<it.] *f.* -n, (얕은) 동굴, 굴(♈*grotto*).

grub [gru:b] ☞GRABEN (그 過去).

grubben [grúbən] *t.* 교토기(攪土機)로 갈다《땅을》.

Grübchen [grý:pçən] [*dim.* v. Grube] *n.* -s, -, 조금 옴폭 들어간〔오목한〕 곳; 보조개(*dimple*); 빠진 데, 빈 곳(*lacuna*).

Grube [grú:bə] [<graben] *f.* -n, 구멍, 구렁, 오목한 곳(*hole, pit*); 〖解〗 와(窩); 〖醫〗 마마 자국; 〖坑〗 광갱(鑛坑)(*pit, mine*); (Tier~) 동물의 굴(*den*); 《比》 무덤(*grave*).

grübe [grý:bə] ☞GRABEN (그 接續法).

Grübelei [gry:bəlái] *f.* -en, 곰곰이〔골똘히〕 생각하며 번뇌함; 심사숙고; 꼬치꼬치 캠. **grübeln** [grý:bəln] [*eig.* „herumgraben", <graben] *i.*(h.) ① 파헤치다; 《比》 (꿍꿍) 생각하며 고민하다 (*brood*); 생각에 잠기다, 깊이 생각하다 (*meditate*).

Gruben=arbeiter *m.* 갱부. **~brand** *m.* 갱내 화재. **~gās** *n.* 갱내 가스; 메탄. **~holz** *n.* 갱목. **~lampe** *f.* 갱내용 안전등. **~wetter** *n.* 갱내 가스. **~wurm** *m.* 〖動〗 십이지장충.

Grübler [grý:blər, -plər] *m.* -s, -, 하찮은 일로 애태우는 사람; 군걱정하는 사람; 꼬치꼬치 캐는 사람.

Gruft [gruft] [<graben] *f.* ⸗e, 아치형의 지하 납골당; (저장용) 땅굴, 구덩이 (*crypt, vault*); 묘혈, 영묘(靈廟) (*tomb, mausoleum*).

Grum(me)t [grúm(ə)t] [mhd. *guronmat* „Grün-mahd"] *n.* -s, 〖農〗 두번째 베는 풀〔건초〕(*aftermath*).

grün [gry:n] [원래 자라는 풀의 빛깔을 나타냄, ♈Gras, engl. *grow* „wachsen"] 《Ⅰ》 *a.* ① 녹색의(♈*green*); 초록의, 푸른(*verdant*; 생생한: *raw*, 신선한: *fresh*). ¶ ~e Tisch (푸른 보를 깐) 관청의 책상 / ~ u. gelb vor Neid 〔Zorn〕 werden 질투〔분노〕한 나머지 창백해지다 / auf e-n ~en Zweig kommen 출세하다, 성공하다. ② 미숙한, 날것인, 신선한; 무경험의. ¶ ~e Ware 푸성귀, 야채 / ~e Junge 풋나기, 미숙자. 《Ⅱ》 **Grün** *n.* -s, 초록색; 녹색의 물건; 푸른 옷; 푸른 풀〔나무〕; 푸성귀, 야채; 〖카드〗 스페이드. ¶ bei Mutter ~ schlafen 노숙하다.

Grün·anlāge [grý:n-anla:gə] *f.* (흔히 *pl.*) 녹지대(綠地帶).

Grund [grunt] *m.* -(e)s, ⸗e, ① 땅, 지면(*ground, soil*); 토지, 소유지(*land, estate*). ¶ auf eigenem ~ u. Boden (경영 등을) 자기 땅에서. ② (건물 따위의) 토대, 기초(*basis*); 기본 (원리)(*principle*). ¶ im ~e (genommen) 근본에 있어서, 즉, 실제로. ③ 바닥《바다·배·그릇 따위의》(*bottom, base*); 낮은 지대, 골짜기, 협곡(峽谷)(*valley*). ¶ et.³ **auf** den ~ geh(e)n 무엇의 근본을 구명하다 / auf (den) ~ geraten 좌초(坐礁)하다 / **in** ~ u. Boden 철저히, 철두 철미, 완전히 / **von** ~ aus, a) 근본적으로, b) 처음부터, c) 완전히, 철두 철미 / **zu** ~e 〔zugrunde〕 geh(e)n 가라앉다, 《比》 몰락하다, 멸망하다 / zu ~e 〔zugrunde〕 richten 멸하다. ④ 침전물; 근저, 터, 배경; 〖畫〗 기본색; (직물의) 바탕, 결(*basis*). ⑤ 근거(*foundation*); 원인(*cause, motive*); 까닭(*reason*); (Beweis~) 이유(*argument*). ¶ auf ~ s-r Aussage 그의 증언에 의거하여 / aus guten Gründen 정당한 이유에서 / ohne 〔nicht ohne〕 ~ 까닭없이〔까닭 있어〕.

Grund=abgābe *f.* 지조(地租). **~bau** *m.* (*pl.* -ten) 기초 공사. **~bedeutung** *f.* 원뜻. **~begriff** *m.* 근본 개념, 원리. **~besitz** *m.* 토지 소유. **~besitzer** *m.* 토지 소유자, 지주. **~būch** *n.* 토지 대장. **~ehrlich** *a.* 참으로 정직한. **~eigentūm** *n.* 토지 소유(권). **~eigentümer** *m.* 지주. **~eis** *n.* 밑바닥에서 언 얼음.

gründen [grýndən] 《Ⅰ》 *t.* (의) 기초를 닦다〔세우다〕, 창설〔창립〕하다(*found, establish*); (회사·사업을) 발기〔설립〕하다 (*float, promote*). 《Ⅱ》 *refl.* (auf et., 무엇을) 기초로 하고 있다, (에) 의거〔근거〕하다. **Gründer** *m.* -s, -, 창립자; 발기인; 〖宗〗 개조(開祖).

grundfalsch [grúntfálʃ] *a.* 근본적으로 틀린, 전혀 허위의.

Grund=farbe *f.* 기본색, 원색, 바탕색. **~feste** *f.* 기초. **~fläche** *f.* 〖數〗 밑변. **~gebühr** *f.* 기본 요금. **~gedanke** *m.* 근본 사상, 주지(主旨). **~gelehrt** *a.* 학식이 심원한. **~gesetz** *n.* 근본 법칙; 〖法〗 기본법. **~herr** *m.* 대지주, (장원) 영주. **~herrschaft** *f.* (중세의) 장원 제도; 영주 또는 그 부인.

grundieren [grundí:rən] [Grund 의 外國語風] *t.* (의) 바탕을 만들다〔칠하다〕 (*prime*).

Grundierfarbe [grundí:rfarbə] *f.* 초벌 「색의 빛깔.」

Grund=irrtūm *m.* 근본적 오류. **~kapitāl** *n.* (주식) 자본. **~lāge** *f.* 토대, 기초, 근저(*foundation, base*). **~legend** *a.* 기초〔토대〕가 되는. **~lēgung** *f.* -en, 기초 공사; 창건(創建). **~lehre** *f.* ① 근본 원리. ② *pl.* 초보.

gründlich [grýntlıç] *a.* 철저한(*thorough, profound*); 근본적인(*radical*); 대단한, 지독한. ¶ ein ~er Regen 호우, 억수. **Gründlichkeit** *f.* 위임.

Gründling [grýntlıŋ] *m.* -s, -e, 〖魚〗 (물 밑에 사는) 작은 고기(♈*groundling*); 《戱》 입석 관람객.

Grund=linie *f.* 기선(基線); 〖數〗 밑줄; 《比》 *pl.* 윤곽; 초고(草稿); 〖테니스〗 베이스라인(*base line*). **~lohn** *m.* 기본 급료, 본봉(*base wage*). **~lōs** *a.* 바닥이 없는, 측량할 수 없는; 《比》 이유〔근거〕 없는. **~lōsigkeit** *f.* 위의 일. **~mauer** *f.* 기초벽, 지벽(地壁).

Grün·donnerstāg [grý:n-] *m.* 세족 목요일(洗足木曜日); 〖가톨릭〗 성(聖) 목요일《부활절 전의 목요일》.

Grund=pfeiler *m.* 주추 기둥. **~rēgel** *f.* 원칙, 공리. **~rente** *f.* 지대. **~riß** [-riß 는 "표기한 것, 선", =engl. *write*] *m.* 〖建〗 기저도(基底圖), 평면도 (*ground-plan, sketch, outline*); 《比》 요강(*compendium*). **~satz** *m.* 원칙, 주의(*principle, maxim, tenet*). **~sätzlich** *a.* 주의상의, 원칙상의, 근본적인; *adv.* 주의로서, 원칙으로서. **~schūle** *f.* 기본 학교《독일 국민학교의 처음 4 학년》. **~stein** *m.* 〖建〗 주춧돌, 초석(礎石). **~steuer** *f.* 지조(地租). **~stock** *m.* 기초, 기본. **~stoff** *m.* 〖化〗 원소(*element*); 《比》 제일 원리; 원료(原料). **~strich** *m.* (글자 또는 그림의) 기선(基線). **~stück** *n.* 토지, 부동산. **~stücksmākler** *m.* 토지 부로커. **~stūfe** *f.* 〖文〗 원급(*positive*). **~text** *m.* 원문, 본문. **~tōn** *m.* (*pl.* ..töne) 〖物·樂〗 기음(基音); 《比》 주안, 기조(基調)(*keynote*). **~ūbel** *n.* 근본악(惡), 화근. **~umsatz** *m.* 〖醫〗 기초 대사(基礎代謝).

Gründung [grýndʊŋ] *f.* -en, 기초를 세움, 건설, 창립; (영터리) 회사의 설립.

Gründünger [grý:ndyŋər] *m.* 〖農〗 녹비(綠肥).

Grund=ūrsache *f.* 근본적인 원인, 주인(主因). **~vermōgen** *n.* 기본 재산,

자본; 토지, 부동산. ∼verschieden *a.* 근본적으로 다른. ∼wasser *n.* 지하수. ∼wort *n.* 〖文〗 어근(語根). ∼zahl *f.* 〖數·文〗 기수(基數). ∼zins *m.* 지대(地代). ∼zūg *m.* (기본적인 선:) 개요; 특징, 특색(*characteristic, main feature*). ∼zustand *m.* (원자 또는 원자핵의) 기저 상태《최저 에네르기의 상태》.

Grüne [grý:nə] 《Ⅰ》 *n.* 《形容詞變化; *pl.* 없음》 녹초(綠草); 초원; 목장. 《Ⅱ》 *f.* 녹색. **grünen** *i.*(h.) ① 녹색이다, 푸릇푸릇하다. ② (u. *refl.*) 녹색이 되다, 푸르게 되다; 《比》 번영하다(*flourish*).

Grün=fläche *f.* 잔디; 녹지대. ∼futter *n.* (동물의) 청초 사료(青草飼料). ∼horn *n.* 풋나기. ∼kern *m.* 말린 설익은 밀알《수프용》. ∼kohl *m.* 녹색 캐비지. ∼krām *m.* 채소 (가게). ∼krāmhändler *m.* 푸성귀 가게. ∼land *n.* 풀밭, 녹지, 목장.

grünlich [grý:nlɪç] *a.* 푸르스름한, 초록빛을 띤(*greenish*).

Grün=rock *m.* 《戲》 산림 간수; 사냥꾼. ∼schnābel *m.* 《比》 신출내기, 풋나기. ∼spān [„spanisches Grün"] *m.* 〖化〗 녹청(*verdigris*). ∼specht *m.* 〖鳥〗 청딱다구리; 《比》 풋나기.

grunzen [grúntsən] [擬聲語] *i.*(h.) (돼지 따위가) 꿀꿀거리다; 《比》 투덜거리다 (♈*grunt*).

Grünzeug [grý:ntsɔyk] *n.* 야채; 수프용 야채; 《比》 풋나기.

G

Gruppe [grúpə] [fr., <d. Kropf] *f.* -n, 무리, 떼, 집단, 그루프(♈*group*).

Gruppen=bild *n.* 군상. ∼führer *m.* 〖軍〗 분대장. ∼weise *adv.* 떼를 지어, 집단적으로.

gruppieren [grupí:rən] *t.* 그루프[집단으]로 하다, 한데 모으다, 배열하다; *refl.* 떼를 짓다, 한데 모이다.

Grūs [gru:s] *m.* -es, -e, 쇄석, 자갈. **Grūskohle** *f.* 분탄(粉炭)(*coal, slack*).

grūselig [grú:zəlɪç] *a.* 등골이 오싹하는, 무서운. **grūseln** [-zəln] *i.*(h.) u. *refl.* od. *imp.*: mir [mich] gruselt('s) 무서워 떨린다, 등골이 오싹한다(♈*I shudder*).

Grūß [gru:s] *m.* -es, ⸗e [grý:sə], 인사(♈*greeting*); 〖軍〗 경례(*salute*). **grūßen** [grý:sən] *t.* (에게) 인사하다(♈*greet*); 〖軍〗 경례하다(*salute*). ¶∼ Sie ihn von mir! 그에게 안부를 전해 주시오 / er läßt Sie ∼ 그가 당신에게 안부를 전해 달라고 합니다.

Grütze [grýtsə] *f.* -n, 《Ⅰ》 [♈Grieß] 거칠게 빻은 [굵게 탄] 곡식(♈*groats*); 그것으로 만든 죽, 오트밀(*oatmeal*); 죽 같은 것. ¶rote ∼ 과실즙으로 만든 젤리. 《Ⅱ》 [<Kritz † „Verstand"] 《比》 이해력, 지혜. ¶∼ im Kopfe haben 지혜[슬기]가 있다, 현명하다.

Guanidīn [guanidí:n] [*kw.* Guanin] *n.* -s, 구아니딘《질소 화합물의 하나》.

Guanīn [guaní:n] [*kw.* Guano „분화석"] *n.* -s, 구아닌《분화석 따위에서 얻어지는 백색 분말 알칼로이드》.

Guāno [guá:no] [sp.] *m.* -s, 〖農〗 분화석(糞化石).

gucken [gúkən] *i.*(h.) 보다(*look*); (특히) 엿보다, 들여다 보다(*peep*).

Guck=kasten *m.* 요지경(*peepshow*). ∼loch *n.* 들여다 보는 구멍.

Guerilla [gəríl(j)a] [sp. „Kleinkrieg"] *f.* -s *u.* ..llen, ∼krieg *m.* 게릴라전; ∼s (*pl.*) 게릴라 부대.

Guillotine [gɪljotí:nə, gijɔtí:n] [fr.] *f.* -n, 단두대, 기요틴《발명자 Guillotin 의 이름에서》. **guillotinieren** [gɪljotiní:rən, gijɔti-] *t.* 단두대에서 참수하다.

Gulasch [gúlaʃ] [ung.] *n.* [*m.*] -es, 후추를 많이 넣은 헝가리의 스튜. ∼kanōne *f.* 《戲》 야전 취사차(炊事車).

Gulden [gúldən] [=„goldener (Pfennig *od.* Schilling)"] *m.* -s, -, 굴덴《옛 금화 이름》(*florin*); (Silber∼) 은(銀)굴덴 《은화 이름》.

Gully [gúli, gʌ́-] [engl.] *m.* od. *n.* -s, -s, 하수구, 수챗구멍.

gūltig [gýltɪç] [<gelten] *a.* 가치 있는, 유효한(*available, valid*); 통용하는(*current*); (rechts∼) 법률상 유효한(*valid, legal*). ¶ 〖哲〗 allgemein∼ 보편 타당한. **Gūltigkeit** *f.* 유효, 통용, 〖哲〗 타당(성); 적법(適法).

Gumma [gúma] [*kw.* Gummi] *n.* -s, ..men, u. -ta, 고무종(腫) 《제 3 기 매독의》.

Gummi [gúmi:] [lat. <ägypt.] 《Ⅰ》 *m.* -s, -(s), 고무(♈*gum*); 지우개(*india-rubber*). 《Ⅱ》 *n.* -s, -(s), 수지(樹脂), 아라비아 고무.

Gummi=absatz *m.* (구두의) 고무 뒤축. ∼arābikum *n.* -s, 아라비아 고무. ∼ball *m.* 고무 공. ∼band *n.* 고무 띠[줄]. ∼druck *m.* 〖印〗 오프셋 판.

gummieren [gumí:rən] *t.* (에) 고무를 입히다, 고무로 잇다[메우다].

Gummigutt [gumigút] *n.* -(e)s, 〖藥〗 자황(雌黃); 〖畫〗 갬부지(*gamboge*).

Gummi=hand·schuh *m.* 고무 장갑. ∼knüppel *m.* 고무로 만든 경찰봉. ∼lōsung *f.* 고무 용액. ∼mantel *m.* 고무 입힌 망토. ∼schuh *m.* 고무신; 고무 덧신(*galoshes*). ∼sohle *f.* 고무 바닥[창] 《구두의》. ∼stempel *m.* 고무 도장. ∼zelle *f.* (사면에 두꺼운 고무를 댄) 정신병 환자실. ∼zūg *m.* 고무 줄[띠].

gummōs [gumǿ:s] [<Gumma] *a.* 고무종(腫) 모양의; 고무종을 일으킨.

Gunst [gunst] [<gönnen] *f.* -en, 은혜, 애고(愛顧)(*favour*); 호의(*kindness*); 총애(*affection*); 편애(偏愛)(*partiality*). ¶ zu ∼ von 을 위하여; 〖商〗 의 대변(貸邊)에. **Gunstbezeigung** *f.* 호의[총애]의 표시.

günstig [gýnstɪç] *a.* ① 총애하고 있는 (*favourable*); 호의적인(*kind, friendly*). ② 형편이 좋은, 유리한(*advantageous, good*). ¶∼er Wind 순풍.

Günstigkeits·prinzip [-kaits-] *n.* 유리한 원리《종업원이 개개의 계약을 맺는 데의》.

Günstling [gýnstlɪŋ] *m.* -s, -e, 귀염둥이, 총아(*favourite*); 《蔑》 빌붙는 사람. ∼s·wirt·schaft *f.* 정실 정치(情實政治); 정실 만능, 편파(*favouritism*).

Gurgel [gúrgəl] [<lat.] *f.* -n, 목구멍,

후두부, 인후, 식도, 기관(*throat*). ¶ jm. die ~ abschneiden 〔zuschnüren〕 아무의 목을 자르다〔죄다〕; 《比》 경제적으로 파멸시키다. **gurgeln** 《Ⅰ》 *i.*(h.) 목구멍을 고르롱거리다; 후두음을 내다. 《Ⅱ》 *t.* u. *refl.* 목가심하다(♈*gargle*). **Gur=gelwasser** *n.* 양칫물(♈*gargle*).

Gurit [guríːt] [*Kw.*] [schwz.] *n.* -(e), 구리트《인조 고무 이름》.

Gurke [gúrkə] [sl. <pers.] *f.* -n, 〖植〗 오이(*cucumber*); 《比》 (뭉툭한) 코; 익살꾼, 개구장이. ¶ saure ~n 초에 절인 오이.

Gurken=baum *m.* 〖植〗 양도류(洋桃類) 《맛이 오이 비슷함》. **~salāt** *m.* 오이 샐러드. **~zeit** *f.* (오이가 한창인 때:) 〖商〗 die (saure) ~zeit 경기가 한산한 시기(*dead or dull season*).

Gurre [gúrə] *f.* -n, 《比》 굴러먹은 여자.

gurren [gúrən] [擬聲語] *i.*(h.) 구구구 울다《특히 수피둘기가》(♈*coo*); (배가) 꼬로록거리다.

Gurt [gurt] *m.* -(e)s, -e, (폭 넓은) 띠, 끈, (말의) 뱃대끈(♈*girth, strap*).

Gurt=band *n.* 〖建〗 (복공 모양의) 가로지른 띠. **~bett** *n.* 해먹, 달아 맨 침대.

Gürtel [gʏ́rtəl] *m.* -s, -, (폭이 좁은) 띠, 밴드, 끈(♈*girdle; belt, sash*); 〖天·地〗 대(帶); 지대(地帶)(*zone*).

Gürtel=flechte, **~rōse** *f.* 〖醫〗 대상포진(帶狀疱疹). **~schnalle** *f.* 띠의 죔쇠. **~tier** *n.* 〖動〗 아르마딜로속(屬)의 동물(*armadillo*).

gürten [gʏ́rtən] *t.* u. *refl.* ① (의) 띠를 죄다, 띠를 두르다(♈*gird(le)*). ② sich ~ 채비하다; 무장하다.

Gürtler [gʏ́rtlər] *m.* -s, -, 놋쇠 주조〔세공〕인, 벨트공.

Guß [gus] [<gießen] *m.* ..sses, Güsse, ① 부어 냄, 쏟아 냄, 흘러나옴(*pouring*); (Regen~) 억수(♈*gush, shower*). ② 주조(물)(*cast(ing), founding*); (한벌의) 활자(*fo(u)nt*). ¶ aus einem ~ 한 번에 부어 만든《이어 붙이지 않은》; 《比》 완전한, 혼연한.

Guß=eisen *n.* 주철(鑄鐵). **~eisern** *a.* 주철의. **~form** *f.* 주형(鑄型), 거푸집. **~stahl** *m.* 주강(鑄鋼). **~stein** *m.* (부엌의) 수채. **~wāren** *pl.* 주(조)물.

gustiōs [gustiǿːs] [<Gusto, gustieren] *a.* [öst.] 《俗》 먹음직한.

gūt [guːt] [♈Gatte, *eig.* "맞는"] 《Ⅰ》 *a.* ① 좋은(♈*good*), 선량한; 성실한; 경건한; 기품 있는; 예절 바른; 사람 좋은. ② 호의 있는, 친절한; 공손한. ¶ jm. ~ sein 아무에게 호의를〔애정을〕 품고 있다. ③ 훌륭한, 우수한, 질이 좋은. ¶ 《比》 die ~e Stube 응접실. ④ 기분 좋은; 행복한; 건강한; 바람직한; 나무랄 바 없는. ¶ es ~ haben 행복하다. ⑤ 유용〔유익〕한, 적합한, 소용되는; 잘 듣는. ¶ wozu ist das ~? 그건 무엇이 되느냐. ⑥ 듬뿍한, 충분한, 꼬박의; 만족한. ¶ ~ eine Stunde 꼬박 한 시간. ⑦ **so ~ wie** 〔**als**〕와 마찬가지로. ⑧ 확실한; 신용 있는; 〖商〗 대변(貸邊)의(= ~ HABEN). ⑨ 《haben, sein 과 함께》 hier ist ~ wohnen 여기는 살기가 좋다. ⑩ 《별 뜻 없이》 e-s ~en Morgens 어느날 아침. 《Ⅱ》 *adv.* 잘, 좋게, 훌륭하게, 친절하게, 충분히. ¶ kurz und ~ 간단히, 손쉽게, 날림으로, 요컨대. 《Ⅲ》 **Gūte** *m.*, *f.*; *n.* 《形容詞變化》 ① (*m.* u. *f.*) 선인. ¶ mein ~r! 자네. ② (*n.*, *pl.* 없음)선, 좋은 일. ¶ von jm. ~s sagen 아무를 칭찬하다 / 《前置詞와 함께》 im ~n〔in ~m〕 호의로, 평화적으로(*amicably*).

Gūt [guːt] [<gut] *n.* -(e)s, ⸚er [gýːtər], ① (*pl.* 없음) 선(善). ② 귀중한 것, 재물, 보배, 재보(*goods*); 재산(*property*). ③ 소유지, 토지; 영지(*estate*); 농장(*farm*); (영지의) 저택, 관(館). ¶ (un)bewegliche Güter (부)동산 / liegende Güter 땅, 소유지. ④ 재화; 상품(*merchandise*) 《특히 (운송) 화물》. ¶ irdenes ~ 오지 그릇.

Gūt=achten *n.* 전문가의 감정(*expert evidence*); 법률가의 의견(*opinion*). **~=achter** *m.* 감정인, 전문가. **~ārtig** *a.* 유순〔온순〕한; 〖醫〗 (질병·종양 등이) 양성(良性)인.

Gūtdünken [gúːtdʏŋkən] *n.* 판단, 의견, 생각(*opinion*). ¶ nach m-m ~ 내 생각으로는.

Gūte [gýːtə] *f.* 《稀》 -n, ① 좋음, 양부(良否), 품질(*quality, value*). ¶ Waren letzter ~ 최하 품질. ② 선함, 선량(*goodness*). ③ 우수, 우량(*excellence*). ④ 호의, 친절(*kindness*); 호의적인 해결, 우의, 화해, 시담(示談).

Gūter [gýːtər] *pl.* ☞GUT.

Gūter=abfertigung, **~annahme** *f.* 화물 발송; 〖鐵〗 화물 취급소. **~bahn=hōf** *m.* 화물역. **~bestätiger,** **~be=stätter** *f.* 화물 운송업자. **~gemein=schaft** *f.* (부부의) 재산 공유. **~tren=nung** *f.* 〖法〗 (부부간의) 재산 분리, 별산제(別産制). **~wāgen** *m.* 화차. **~=zūg** *m.* 화물 열차.

Gūtezeichen [gýːtətsaiçən] *n.* 품질(검「필) 마크.」

gūt=gebaut *a.* 모양이 좋은. **~ge=launt** *a.* 기분이 썩 좋은. **~gesinnt** *a.* 고결〔정직〕한; 호의 있는. **~gläubig** *a.* 사람이 좋은, 악의 없는.

gūt|hāben* [gúːthaːbən] *t.* bei jm. ~ 아무에게 빚준 것이 있다. **Gūt·hāben** *n.* -s, -, 대부(貸付).

gūt|heißen* [gúːthaisən] *t.* 좋다고 하다, 인가〔재가·시인·비준〕하다. 「한.」

gūt·herzig [gúːthɛrtsɪç] *a.* 선량〔친절〕

gūtig [gýːtɪç] *a.* 호의적인, 친절한(♈*good, kind*). ¶ Ihr ~es Schreiben 혜한(惠翰).

gūtlich [gýːtlɪç] *a.* ① 호의적인, 우의적인(*amicable, friendly*). ¶ ein ~er Vergleich 화해, 시담. ② sich an et.³ ~ (*adv.*) tun 무엇을 즐기다.

gūt|machen [gúːtmaxən] *t.* (수목(樹木) 등을) 개량하다. ¶ es ~ 비용을 지불하다 / et. wieder ~ 보상〔수선〕하다.

gūtmūtig [gúːtmyːtɪç] *a.* 선량한, 정직한, 착한, 사람 좋은.

gūt|sāgen [-zaːgən] *i.*(h.) (für, 을 위하여) 보증하다(*be security* (*for*)).

Gūtsbesitzer [gúːts-] *m.* 영주, 지주.

Gūt·schein [-ʃain] *m.* 어음, 증서, 증권(*voucher*); 증시물(證示物)(*token*); 상품권.

gut|schreiben* [-ʃraibən] *t.* 대변(貸邊)에 기입하다. **Gut·schrift** *f.* 대부, 대변(*credit*).

gut|sein* [gú:tzain] *i.*(s.) 보증되어 있다. ¶ verlaß dich darauf, ich bin dafür gut 믿어라, 그건 내가 보증하지.

Guts=haus *n.* 농가. **∼herr** *m.* 지주, 영주(領主). **∼hof** *m.* 대농장, 장원(莊園)《저택이 있는》.

gut·situiert [gú:tzituirt] *a.* 유복한.

Guts=verwalter *m.* 토지 관리인. **∼=verwaltung** *f.* 토지 관리.

Guttapercha [gutapérça, -tʃa] [malai.] *f.* 〔*n.* -(s).〕 구타페르카《탄력없는 경질(硬質) 고무; 절연체·치과 충전 재료(充塡材料)》.

Gut·tat [gú:tta:t] *f.* 선행, 자선 (행위).

Gut·templer [gú:ttɛmplər] *m.* -s, 국제 금주 협회원(國際禁酒協會員).

gut|tun* [gú:ttu:n] *t.* u. *i.*(h.) ① 유효하다, 이롭다. ¶ jm. ∼ (약이) 아무에게 듣다. ② 의무를 다하다; 배상하다.

gutwillig [-vılıç] *a.* 호의의; 친절한; 자발적인.

Gymnasial=bildung [gʏmnaziá:l-] *f.* 김나지움의 교육; 고전 교육(古典教育). **∼lehrer** *m.* 김나지움 교사.

Gymnasiast [gʏmnaziást] [gr.] *m.* -en, -en, 김나지움 생도.

Gymnasium [gʏmná:zĭum] [gr.] *n.* -s, ..sĭen, 김나지움《고전어 교육을 주로 하는 독일 문과 고등학교》. **Gymnast** *m.* -en, -en, 체육인, 체육 선생. **Gymna=stik** [gʏmnástık] *f.* -en, 체조, 체육. **gymnastisch** *a.* 체조의, 체육의.

Gynäkolog(e) [gynɛkoló:k, -ló:gə] *m.* ..gen, ..gen, 부인과 의사. **Gynäko=logie** [gynɛkologí:] [gr. „Frauen(heil)-kunde"] *f.* ..gĭen, 부인과학(學).

Gyrorektor [gyroréktɔr] [gr. + lat.] *m.* -s, ..rektoren, 〖空〗(맹목비행(盲目飛行)용) 수평 안전 장치. **Gyroskop** [gyrɔskó:p] [gr.] *n.* -s, -e, 〖理〗 자이로스코프, 회전의(回轉儀).

H

H [ha:] *n,* -, -, 〖樂〗 나음(音); (*H-dur*) 나장조(長調). ***h*** *n.* -, -, 〖樂〗 나음(音); (*h-moll*) 나단조(短調).

H 《略》=*H*ydrogenium 수소.

ha! [ha:] *int.* 아《ah! 보다 강한 탄성(歎聲)》. ¶ ∼ ∼ ∼! 하하하《웃음소리》.

Haag [ha:k] *m.* -s, 헤이그 시(市)《네덜란드의 서울》(♈*Hague*).

Haar [ha:r] *n.* -(e)s, -e, ① 털, 머리털(♈*hair*); 괴깔 (*pile, nap*); (Kopf∼) 두발(頭髮). ¶ falsches ∼ 가발(假髮). ② 《比》《動詞와 함께》 ∼e auf den Zähnen haben 의연하(게 하고 있)다 / kein gutes ∼ an jm. lassen 아무를 혹평하다 / ∼e spalten (하는 것이) 너무도 좀스럽다 / ∼e lassen müssen 혼나다, 속임을 당하다. ③ 《比》《前置詞와 함께》 **an** einem ∼ hängen 위기 일발이다 / **aufs** ∼ 면밀히 / **bei** einem ∼e 거의, 하마터면 / sich **in** die ∼e fahren 드잡이를 벌이다 / **mit** Haut u. ∼(en) 모두, 모조리 / **ums** ∼ 자칫하면.

Haar=aufsatz *m.* 가발(假髮). **∼aus=fall** *m.* 탈모(脫毛). **∼balg** *m.* (피부의) 털구멍. **∼balg·drüse** *f.* 지선(脂腺). **∼besen** *m.* 털 비. **∼bürste** *f.* 헤어 브러시. **∼büschel** *m.* 털〔술〕 뭉치. **∼eisen** *n.* 머리 인두.

haaren [há:rən] 《Ⅰ》 *t.* (의) 털을 뽑다. 《Ⅱ》 *i.*(h.) u. *refl.* 털이 빠지다; 털갈이하다.

Haar·ersatz [há:rerzats] *m.* (머리의) 「다리.」

Haaresbreite [Há:rəsbraitə, Ha:rəs-bráitə] *f.* 털끝만한 틈〔간격〕. ¶ um ∼ 거의, 하마터면.

haar=fein *a.* 털처럼 가는, 미세한; 정밀한. **∼flechte** *f.* 땋은 (머리)털, 편발(辮髮). **∼förmig** *a.* 털 모양의; 모세관 모양의. **∼gefäß** *n.* 〖解〗 모세(혈)관(*capillary* (*vessel*)). **∼genau** *a.* 세심한.

haarig [há:rıç] *a.* 털로 만든; 털 모양의; 털이 난; 털투성이인; 《俗》 비상한, 터무니없는.

Haar=klauber *m.* =∼SPALTER. **∼=klein** *a.* 미세한; *adv.* 미세〔정밀〕하게. **∼künstler** *m.* 이발〔미용〕사. **∼locke** *f.* 고수머리. **∼los** *a.* 털이 없는; 대머리의; 괴깔이 없는. **∼nadel** *f.* 머리 핀. **∼nadel·kurve** *f.* 헤어핀 커브, 예각 커브《교통로의 급격한 굴곡》. **∼röhrchen** *n.* 모세관. **∼scharf** *a.* 대단히 예리한; 《比》 극히 면밀〔엄밀〕한. **∼schleife** *f.* 머리 리본. **∼=schmuck** *m.* 머리 장식. **∼schopf** *m.* 머리 술〔다발〕. **∼spalterei** [ha:r-ʃpaltərái] *f.* 하찮은 일에 까다로움, 꼬치꼬치 캠. **∼sträubend** *a.* 소름이 끼치는. **∼strich** *m.* 가는 선《문자의》 (*ant.* Grundstrich). **∼trock(e)ner** *m.* 헤어드라이어. **∼tuch** *n.* (씨에 말총을 섞어 짠) 모직물(*haircloth*); 모헤어직(織). **∼wasser** *n.* 세발용 향수. **∼wickel** *m.* 클립《머리 털 지질 때 쓰는》. **∼wild** *n.* 짐승. **∼wuchs** *m.* 모발의 생장; 두발. **∼zopf** *m.* 땋은 머리 《소녀의》; 편발(辮髮)《중국 남자의》.

Habe [há:bə] [<haben] *f.* 재산, 소유물 (*property, goods*). ¶ bewegeliche 〔fahrende〕 ∼ 동산.

haben* [há:bən, 弱 há:bm] 《Ⅰ》《獨立動詞로서》 *t.* 가지(고 있)다, 포함하다, 입수하다; 느끼다; 얻다; 외다. ¶ gern ∼ 좋아하다 / nötig ∼ 필요로 하다 / zu tun ∼ 할 일이 있다 / ich habe **zu** arbeiten 나는 일하지 않으면 안 된다 / (nicht) zu ∼ sein 무엇을 얻을 수 있다〔없다〕 / da ∼ wir's 이거 큰 일 났다, 어쩌면 좋담 / da hast du's 자 봐라, 어때, 알겠니 / was hat er? 그는 웬 일입니까《어디 아픕니까》 / e-n Freund **an** jm. ∼ 아무를 벗으로 하고 있다 / es hat viel 〔nichts〕 **auf** sich[3] 그것은 중대한 일이다〔일이 아니다〕 / **bei** sich ∼ 가지고 있다 / etwas **für** sich ∼ 장점이 있다 / etwas **gegen** jn. ∼ 아무의 일을 화내고 있다 / **in** sich[3] ∼ 함유하다 / ich habe es **von** ihm 그에게서 그것을 얻었다〔들었다〕 / jn. **zur** Frau ∼ 아무를 아내로 하고 있다. 《Ⅱ》 *refl.* 《俗》 행동

하다; 거드름 피우다. 《Ⅲ》《매의 助動詞로서 完了形을 만듦》 ich habe gelacht 나는 웃었다《gelacht, "웃었다"는 사실을 가지다의 뜻》/ es hat geregnet 비가 왔다 / er hätte gehen können 그는 가려면 갈 수 있었는데. 《Ⅳ》 **Haben** *n.* –s, 〖商〗 대변(貸邊). ¶ (das) Soll u. ~ 대차(貸借).

Habe·nichts [há:bə-nıçts] [=„(ich) habe nichts"] *m.* – *u.* –es, –e, 빈털터리.

Habe·recht [há:bərɛçt] [=„(ich) habe recht"] *m.* –(e)s *u.* –, –e, 《俗》 항상 자기 말이 옳다고 하는 사람, 독선가.

Hab=gier [há:pgi:r] *f.* 탐욕, 이욕(利欲). **~gierig** *a.* 욕심 많은.

habhaft [há:phaft] [*eig.* „mit Besitz versehen"] *a.*: e–s Dinges ~ werden 무엇을 손에 넣다, 잡다.

Habicht [há:bıçt] *m.* –(e)s, –e, 〖鳥〗 매 (♈*hawk*); (Hühner~) 보라매. **~s=näse** *f.* 매부리코.

habil [habí:l] [lat.] *a.* 교묘〔숙달〕한, 유능한, 자격 있는. **Habilitand** [habilitánt] [lat. <habilitieren] *m.* –en, –en, 대학 교수 자격 희망자. **Habilitation** [–tatsĭó:n] *f.* –en, 대학 교수 자격 획득〔수여〕. **habilitieren** [habilití:rən] [lat. *habilis* „geschickt" (engl. *able*)] *refl.* 대학 교수의 자격〔직〕을 얻다.

Habit [habí:t] [fr.] *n.* 〔*m.*〕 –s, –e, 제복 《수도회 따위의》; 성직자복; 직복(職服). **habituell** [habituέl] *a.* 습관〔상습〕적인.

Habschaft [há:pʃaft] [<Habe] *f.* –en, 소유물, 재산. **Habseligkeiten** [há:pze:lıç–] *pl.* (하찮은) 소유물, (특히) 자질구레한 애완물.

Hachse [háksə] *f.* –n, 오금; 무릎 관절 《말 따위의》.

Hack=bank *f.* 도마. **~beil** *n.* 까뀌; 식칼《푸주간의》. **~block** *m.* 도마; 고기 써는 대(臺). **~brett** *n.* 도마; 〖樂〗 =CYMBAL.

Hacke[1] [hákə] [<hacken] *f.* –n, 괭이, 갈퀴, 곡괭이(*hoe, mattock*).

Hacke[2] *f.* –n, **Hacken** *m.* –s, –, (발·구두·양말의) 뒤꿈치(*heel*). ¶ 〖軍〗 ~n zusammen! 차려.

hacken [hákən] [=engl. *hack*] *t.* u. *i.*(h.) 저미다, 잘게 썰다(*hash, mince*); 쪼개다《나무 따위를》(*chop, cleave*); 괭이로 파 일구다(*hoe*); 쪼(아 먹)다(*pick*).

Häckerling [hέkərlıŋ] *m.* –s, –e, (마소의) 여물; 허섭스레기.

Hack=fleisch *n.* 잘게 썬〔저민〕 고기. **~mack** *m.* 잡동사니; 천민(賤民).

Häcksel [hέksəl] *m.* 〔*n.*〕 –s, (사료의) 썬 짚. **Häcksel(schneide)maschine** *f.* 작두.

Hader[1] [há:dər] *m.* –s, –n, ① 넝마 (*rag*). ② 무뢰한, 부랑자. **~lumpen** *m.* 삼베의 넝마.

Hader[2] [há:dər] *m.* –s, 논쟁, 불화, 싸움 (*quarrel, dispute*).

Hader=lump *m.* =HADER[1] 2. **~lum=pen** *m.* =HADER[1] 1.

hadern [há:dərn] *i.*(h.) 싸우다, 다투다, 「말다툼하다.

Hafen [há:fən] [*eig.* „in sich Fassendes"] *m.* –s, ⸚, 《Ⅰ》 단지, 병(*vessel, pot*)(=Hafner). 《Ⅱ》 항구, 항만(♈*haven, port, harbour*); (Flug~) 공항(空港).

Hafen=amt *n.* 항만국(局). **~anlā=gen** *pl.* 축항(築港), 부두; 항구. **~ar=beiter** *m.* 부두 노동자. **~damm** *m.* 선창, 부두; 방파제. **~geld** *n.* 입항료, 정박세. **~meister** *m.* 항무장(港務長). **~sperre** *f.* 항만 봉쇄, 선박 출입 금지. **~stadt** *f.* 항구 도시.

Hafer [há:fər] *m.* –s, 〖植〗 귀리(*oats*).

Hafer=brei *m.* 귀리죽, 오트밀죽(*porridge*). **~flocken** *pl.* 납작보리. **~=grütze** *f.* 탄 귀리. **~kasten** *m.* 귀리통《말의 여물통》. **~mehl** *n.* 귀리가루, 오트밀(*oatmeal*). **~schleim, ~trank** *m.* 된 귀리죽.

Haff [haf] [*eig.* „Meer"] *n.* –(e)s, –e, (발트 해안의) 해안호(湖)(♈*haff, bay*).

Hafner [há:fnər] [<Hafen] *m.* –s, –, 항아리〔병〕 만드는 사람, 도공(陶工).

Haft [haft] [*eig.* „Fessel, Band"; <heben] *f.* 〖法〗 ① 구류, 구금(*custody, arrest*). ② 저당, 담보.

haftbār [háftba:r] *a.* (für, 에 대하여) 책임 있는(*responsible (for)*).

Haft=befehl, ~brief *m.* 구속 영장.

haften [háftən] [<Haft] *i.*(h.) (an, 에) 들러붙어 있다(*stick, cling, adhere (to)*); (für, 에 대해) 보증하다, 책임지다(*be security, answer (for)*).

Haftgeld [háftgεlt] *n.* 보증금, 계약금.

Häftling [hέftlıŋ] *m.* –s, –e, 구속된 사람, 수인(囚人), 죄수.

Haft=pflicht *f.* 책임, 배상 의무. **~=pflichtig** *a.* 위의 의무〔책임〕 있는. **~=pflichtversicherung** *f.* 책임 보험.

Haftung [háftuŋ] *f.* –en, 보증, 책임(을 짐). ¶ mit beschränkter ~ 유한 책임의.

Haftvollzūg [háftfɔltsu:k] *m.* 구속 (집행).

Hag [ha:k] [=engl. *hay, haw*] *m.* –(e)s [–ks, –gəs], –e [–gə], 산울타리(*hedge*); 관목(의 산울타리) (*grove*); (산울타리가 있는) 초원, 목장(*meadow*).

Hage=būche *f.* 〖植〗 서나무. **~butte** *f.* 들장미 열매(*hip, haw*). **~dorn** *m.* 〖植〗 산사나무(♈*hawthorn*).

Hagel [há:gəl] *m.* –s, 싸라기눈, 우박 (♈*hail*); 《比》 산탄(霰彈). ¶ ein ~ von Steinen 빗발치듯 날아오는 돌.

Hagelkorn [–kɔrn] *n.* 싸라기〔우박〕의 낟알; 〖醫〗 다래끼.

hageln [há:gəln] *i.*(h.) *im.*: es Hagelt 우박〔싸라기눈〕이 내리다 / 《比》 es hagelt Steine 돌이 빗발치듯하다.

Hagel=schāden *m.* 우박의 피해. **~=schlāg** *m.* 우박이 옴. **~schlōße** *f.* 우박의 낟알. **~wetter** *n.* 우박이 오는 날씨.

hager [há:gər] *a.* 마른, 홀쭉한, 수척한 (♈*haggard, thin, lean*). **Hagerkeit** *f.* 마름; 초췌.

Hage=rōse *f.* 〖植〗 들장미. **~stolz** [mhd. *hage-stalt* „Hag-besitzer", 산울타리로 두룬 좁은 토지에 사는 사람, 취처(娶妻)할 수 없는 미약한 자, stolz에 관련됨] *m.* –es, –e, *u.* *m.* –en, –en, 혼기를 넘긴 독신자(*bachelor*); 여자를 싫어하는 사람.

H

hahā ! [hahá:] *int.* 하하《웃음 소리, 또는 비웃는 소리》.

Häher [hɛ́:ər] *m.* -s, -, 〖鳥〗 어치(속의 새)(*jay*).

Hahn [ha:n] [ψlat. *can-ere* „singen"] *m.* -(e)s, ¨e [hɛ́:nə], 수탉(*cock*); 《一般的》 새의 수컷; (Wasser~) 고동, (대롱) 꼭지, 마개(*tap*); (Gewehr~) 공이치기(*cock*). ¶(der beste) ~ im Korb sein 여자들에게 인기가 있다; 사람들의 총애를 받다 / es kräht kein ~ danach 그것을 마음에 두는 사람은 없다.

Hahnen=balken *m.* 닭장의 홰. **~ei** *n.* 극히 작은 알; 망상. **~fēder** *f.* 닭의 깃털. **~fūß** *m.* 〖植〗 미나리아재비(속)(*crowfoot*). **~kamm** *m.* (닭의) 볏. **~kampf** *m.* 닭 싸움. **~kräh** *f.*, **~rūf**, **~schrei** *m.* 계명(鷄鳴). **~=tritt** *m.* 계란의 배반(胚盤).

Hahnrei [há:nrai] ["거세된 닭"에서, 성적으로 무력한 남자] *m.* -(e)s, -e, 간부(姦婦)의 남편(*cuckold*). ¶jn. zum ~ machen 아무〔남편〕의 눈을 속여 부정(不貞)한 짓을 하다.

Hai [hai] *m.* -(e)s, -e, **Haifisch** *m.* 〖魚〗 상어(*shark*).

Hain [hain] [mhd. *hagen* „Hagen"] *m.* -(e)s, -e, 《詩》(울이 있는) 숲, 신성한 수풀(*grove*); (아늑한) 임원(林苑), 유보림(遊步林)(*wood*).

Häkchen [hɛ́:kçən] [*dim.* v. Haken] *n.* -s, -, 작은 갈고리; 〖文〗 어포스트러피(').

Häkelarbeit [hɛ́:kəl-arbait] *f.* 코바늘뜨기.

Häkelei [hɛ:kəlái] *f.* -en, 코바늘뜨기. **häkeln** [hɛ́:kəln] [*dim.* v. haken] *t.* u. *i.*(h.) 코바늘로 뜨다(*crochet*). **Hä=kelnādel** *f.* 코바늘.

Hāken [há:kən] *m.* -s, -, ① 갈고리(ψ*hook*); (Kleider~) 옷걸이 못; 거멀못, 꺾쇠(*peg*); 멈춤쇠, 깍지 단추; 낚시 바늘. ¶《比》 das hat e-n ~ 그것에는 어려움이 있다, 잘 안 된다. ② (권투의) 훅. **hāken** [há:kən] 《I》 *t.* 갈고리에 걸다, 갈고리로 끼다. 《II》 *i.*(h.) u. *refl.* 갈고리에 걸리다.

Hāken=büchse *f.* 화승총. **~kreuz** *n.* 갈고리 십자(十字), 하켄크로이츠(卐)(*swastika*). **~nāse** *f.* 매부리코. **~=schlüssel** *m.* 결쇠. **~spieß** *m.* 작살. **~zahn** *m.* 엄니.

hākig [há:kıç] *a.* 갈고리가 있는; 갈고리 모양의, 굽은.

Halali [halalí:] [ar. -fr.] *n.* -s, -(s), 사냥감을 잡았을 때의 신호.

halb [halp] [*eig.* „Seite"] *num.* 〔*a.* u. *adv.*〕 (절)반의, 반분의(ψ*half*); *adv.* 반으로(*by halves*). ¶~ so viel 그 반쯤 / ~ London, a) 런던의 절반, b) 런던 시민의 절반 / auf ~em Wege 중도에서, 도중에서 / ~ eins, 12시 반, 영(零)시 반/ ~ ..., ~ ..., 절반은… 절반은…, 반쯤은 … 반쯤은…/ ~ und ~, a) 등분하여, b) 얼마쯤, 조금; 거의 /《名詞的》 ein ~ 2분의 1, (절)반.

halb=amtlich *a.* 반관적(半官的)인. **~=atlas** *m.* 무명 교직의 비단. **~bier** *n.* 약한 맥주. **~bildung** *f.* 얼치기 교양. **~blūt** *n.* 잡종《주로 말에 쓰임》. **~=brillant** *m.* 반만 간 다이아몬드《상부만 갈고, 하부는 유리로 대용한》. **~brūder** *m.* 이(異)부〔모〕 형제. **~bürtig** *a.* 이(異)부〔모〕의; 이복(異腹)의. **~dunkel** *a.* 어스름한, **~dunkel** *n.* 어스름함, 어스레함.

Halbe [hálbə] *f.* -n, 반; 《方》 쪽, 방향.

Halb·ēdelstein [hálp-] *m.* 준보석(準寶石). **..halben** [-halbən, -hál-] *adv.* 《合成用語》 보기; deinet~ 너 때문에 / allent~ 도처에. **halber** [hálbər] [halb의 男性 1格 固定形] *prp.* 《2格支配》 …때문에. ¶der Freundschaft ~ 우의상. **..halber** [-halbər] *adv.* 《合成用語》 보기: krankheits~ 병(病) 때문에.

Halb=erzeugnis, **~fabrikāt** *n.* 반제품(半製品). **~fertig** *a.* 반제품의. **~=gār** *a.* 〖製革〗 반무두질한; 〖料〗 설구워진. **~geschoß** *n.* 중이층《일층과 이층 사이의 중간층》. **~geschwister** *pl.* 이모부(異父母)의 형제 자매〔동기〕. **~gott** *m.*, **~göttin** *f.* 〖神〗 반신(半神)《양친의 한 쪽이 신인 사람》.

Halbheit [hálphait] *f.* -en, (절)반임; 중동무이; 불안전; 위의 사물〔행위〕, 고식적인 처리. **halbieren** [halbí:rən] *t.* 절반〔양분〕하다, 2등분하다. **Halbierung** *f.* -en, 절반, 양분, 2등분.

Halb=insel *f.* 반도(*peninsula*). **~jahr** *n.* 반년, 6개월. **~jährig** *a.* 반년 지난, 반년간의. **~jährlich** *a.* 반년마다의; *adv.* 반년마다. **~kreis** *m.* 반원(형). **~kristall** *n.* 반수정《유리 제품》. **~kūgel** *f.* 반구(半球)(*hemisphere*). **~laut** *a.* 저음의; *adv.* 저음으로 (*in an undertone*). **~lēder** *n.* 반혁 장정(半革裝幀), 배혁 장정. **~mast** *adv.* 〖海〗 반기(半旗)로. **~messer** *m.* 〖數〗 반경 (*radius*). **~militārisch** *a.* 반(半)군사적인, 군사 보조적인. **~mōnd** *m.* 반달. **~muschelglās** *n.* (*pl.* ..gläser) 요철(凹凸) 렌즈. **~offen** *a.* 반개(半開)의. **~part** *adv.* 절반으로. ¶mit jm. ~part machen 아무와 절반씩 나누다. **~part** *m.* 절반. **~rund** *a.* 반원형의. **~schlāf** *m.* 가수(假睡), 비몽 사몽(非夢似夢). **~schlächtig** *a.* 잡종의. **~schuh** *m.* 반구두, 단화. **~=schwērgewicht** *n.* 〖拳〗 라이트헤비급(의 선수) (*light heavyweight*). **~schwe=ster** *f.* 이부모(異父母)의 자매. **~=starke** *m.* u. *f.* 《形容詞變化》 줄때기《미숙한 또는 불량성을 띤 젊은이》. **~=stiefel** *m.* 반장화. **~strümpfe** *pl.* 짧은 양말. **~stündig** *a.* 반시간의, 반시간 지난. **~stündlich** *a.* 반시간마다의. **~tāg** *m.* 한나절. **~tāgig** *a.* 한나절의, 한나절 지난. **~teil** *m.* 절반. **~tōn** *m.* 〖樂〗 반음(半音). **~vo=kāl** *m.* 반모음(w, j). **~wēgs** *adv.* 도중에, 중간에서. **~welt** *f.* 화류계, 창부 사회(*demimonde*). **~wert(s)zeit** *f.* (방사성 원소의) 반감기. **~wüchsig** *a.* 충분히 자라지 않은. **~zeit** *f.* 〖競〗 하프 타임, 중간 휴식. **~zeug** *n.* 반제품. **~zirkel** *m.* 반원(형).

Halde [háldə] [ψhold, Huld] *f.* -n, 산허리, 언덕(*slope, hillside*); 〖坑〗 돌 부스러기〔광재·토사〕 따위의 더미.

half [half] ☞HELFEN 《그 過去》.

Hälfte [hɛ́lftə] [<halb] *f.* -n, (절)반,

2분의 1(♈*half*); 중간, 중앙(*middle*); (Ehe∼) 남편, 아내. ¶ m–e bessere ∼ 마누라, 집사람 / zur ∼ 절반만, 절반쯤.

Halfter[1] [hálftər] [mhd. *hulfter*, „Köcher"] *f.* –n, (말안장에 붙인) 권총 케이스 (♈*holster*).

Halfter[2] [hálftər] [ahd. *halftra*] *f.* –n, 〔*m.* od. *n.* –s, –〕, 고삐, 굴레.

Hall [hal] [<hell] *m.* –(e)s, –e *u.* ⸚e, 울림, 반향(*sound, peal, resonance*).

Halle [hálə] [<hehlen] *f.* –n, 홀, 넓은 방, 회당, 강당, 큰 식당(♈*hall*); (Vor∼) 현관 (*porch*); (Kauf∼) 백화점, 큰 상점; (Markt∼) 시장의 건물, 실내경기장; (Flieger∼) 격납고(格納庫)(*hangar*).

hallen [hálən] *i.*(h.) 울리다, 반향하다.

Hallen=(schwimm)bād *n.* 실내 풀. **∼sport** *m.* 실내 경기. **∼turnen** *n.* 실내 체조.

hallō! [haló:] [<ahd. *halôn* „holen", 사공을 부르는 hol(über)! "저쪽 강가로 건네다오"에서] *int.* 여보시오, 야《사람을 부를 때》; 〖電話〗 여보세요.

Halluzinatiōn [halutsinatsĭó:n] [lat.] *f.* –en, 환각, 착각.

Halm [halm] *m.* –(e)s, –e, (Gras∼) 줄기(*blade*); (Getreide∼) 짚, 볏대(*stalk*).

Halmfrüchte [hálmfryçtə] *pl.* 화곡류(禾穀類).

Hals [hals] *m.* –es, ⸚e [hɛ́lzə], 목(*neck*); 목덜미, 목구멍(*throat*). ¶ sich³ den ∼ brechen 목이 부러지다, 《比》 파멸하다 / jn. 〔et.〕 auf dem ∼e haben 아무에게〔무엇에〕 시달리고 있다 / aus vollem ∼e 가능한 한의 큰 소리로 / sich³ et. auf den ∼ laden 무엇〔귀찮은 것〕을 짊어지다 / über ∼ und Kopf 몹시 서둘러 / jm. um den ∼ fallen 아무의 목을 부둥켜 안다 / sich³ et. von ∼e schaffen 어떤 귀찮은 것을 내쫓다, 성가심을 면하다.

Hals=abschneider *m.* 《比》 고리 대금업자. **∼āder** *f.* 〖解〗 경정맥(頸靜脈). **∼ausschnitt** *m.* (의복의) 목 부분, 네크라인. **∼band** *n.* 목걸이; 개 목고리. **∼binde** *f.* 목걸이, 넥타이. **∼bräune** *f.* 〖醫〗 디프테리아, **∼brecherisch** *a.* 생명을 건, 위험 천만한. **∼eisen** *n.* 칼《중세에 죄인에게 씌우던》. **∼ent=zündung** *f.* 〖醫〗 인두(咽頭)염, 안기나. **∼kette** *f.* 목고리; 목걸이. **∼=krāgen** *m.* 칼라, 옷깃. **∼krause** *f.* 주름 있는 옷깃 장식. **∼länge** *f.* 목의 길이. ¶ um e–e ∼länge 목 하나 길이의 차로. **∼leiden** *n.* 인후(咽喉)병. ¶ 《俗》 ∼leiden haben (고위) 훈장을 탐내다. **∼schmerzen** *pl.* 목의 아픔. **∼schmuck** *m.* 목걸이. **∼starrig** *a.* 완고한, 고집 센(*obstinate, stubborn*). **∼=tūch** *n.* 목도리, 네커치프. **∼wärmer** *m.* 긴 털목도리. **∼weh** *n.* 인후통(痛). **∼wirbel** *pl.*, **∼wirbelbeine** *pl.* 〖解〗 경추(頸椎).

halt! [halt] *int.* 정지.

Halt [halt] [<halten] *m.* –(e)s, –e, ① (붙)잡을 것, 받침, 의지할 곳(♈*hold, support*); 발판(*footing*). ② 정지(♈*halt, stop*); 정거; 정거장.

haltbār [háltba:r] [<halten] *a.* 버틸〔방어할·지킬〕 수 있는; 확실한 《약속 따위》; 안정된, 견고한, 바래지 않는《색 따위》.

halten* [háltən] 지키다, 지니다(♈*hold*): 《Ⅰ》 *t.* ① 지키다(*keep, observe*); (에) 따르다(*follow*). ② (행)하다. ¶ e–e Rede ∼ 연설하다. ③ 고용하(여 두)다《하인 따위를》; 사육하(고 있)다, 지니고〔쥐고, 안고, 떠받치고〕 있다; 보유〔유지〕하다(*retain*). ④ 지지하다(*support*). ¶ es mit jm. ∼ 아무에게 편들다. ⑤ 삼가다, 그치다, 참다. ¶ den Mund ∼ 입을 다물다. ⑥ 다루다, 취급하다 (*use, treat*). ⑦ (haben의 뜻을 지니고)(für, 로) 생각하다(*esteem*). ¶ viel ∼, (von, 을) 중히 여기다(*value*). 《Ⅱ》 *i.*(h.) ① (über *od.* auf⁴, 을) 지켜〔망〕보다; (auf et.³, 무엇을) 준수하다, (에) 중점을 두다. ② 멈추다, 정지하다(♈*halt, stop*). ¶ an sich³ ∼ 삼가다, 자제하다. ③ 유지〔보유〕하다, 오래 가다. 《Ⅲ》 *refl.* 견디다, 지속하다; 참다; 의지(하려)하다. ¶ sich **an** jn. 〔et.⁴〕 ∼ 아무에게〔무엇에〕 의지(하려)하다.

Halte=platz *m.* 주차장; 정거장, 정류장, **∼punkt** *m.* 지점(支點); 정거장. **∼signāl** *n.* 정지 신호. **∼stelle** *f.* 정거장, 정류소, 주차장. **∼tau** *n.* 계류삭(繫留索).

haltig [háltıç] *a.* 〖鑛〗 함유하고 있는.

halt=lōs *a.* 받침이 없는, 불안정한, 흔들리는(*unsteady*); 절조 없는(*unprincipled*); 지지할 수 없는(*untenable*). **∼|=machen** *i.*(h.) 정지하다.

hältst [hɛltst] (du ∼) ☞HALTEN 《그現在》.

Haltung [háltuŋ] *f.* –en, halten 하기; (특히) 몸가짐, 자세(*carriage*); 태도, 의용(儀容)(*behavior, attitude*). ¶ die ∼ bewahren 침착성을 잃지 않다.

Halunke [halúŋkə] [tschech. „Bettler"] *m.* –n, –n, 악한, 무뢰한(*scoundrel*).

Hämatorrhöe, Hämatorrhoe [hɛmatɔrǿ:–to–] [gr. „Blutsturz", *rhoé* „Fluß"] *f.* –n, 대각혈.

Hāmen [há:mən] *m.* –s, –, 삼태 그물(*draw net*).

hämisch [hɛ́:mıʃ] [*eig.* „versteckt", heimisch와 同語] *a.* 음험한, 악의 있는, 심술궂은(*malicious, spiteful*).

Hamīt [hamí:t] *m.* –en, –en, **Hamītin** *f.* –nen, 함 인종《노아의 아들 함의 자손인 함 족의》.

Hämling [hɛ́mlıŋ] *m.* –s, –e, 불깐 사람.

Hammel [háməl] *m.* –s, – *u.* ⸚, 거세된 수양, 불깐 양(*wether*).

Hammel=brāten *m.* 구운 양고기. **∼=fleisch** *n.* 양고기. **∼keule** *f.* 양의 허벅지 살. **∼sprung** *m.* 〖議〗 채결(採決).

Hammer [hámər] [*eig.* „Fels, Stein"] *m.* –s, ⸚ [hɛ́mər], ① 망치, 메, 해머(♈*hammer*). ② (Eisen∼) 철공소(*forge*).

hämmerbār [hɛ́mər–] *a.* 망치로 쳐서 늘일 수 있는, 불릴 수 있는.

hämmern [hɛ́mərn] *t.* u. *i.*(h.) 망치로 치다; 불리다, 단련하다, 두드려 늘이다; 강타하다(♈*hammer*).

Hammer=schmied *m.* 대장장이; 대장

간. ∼**werfen** *n.* 〖競〗 해머 던지기. ∼**werk** *n.* 철공소. ∼**wurf** *m.* =∼WERFEN. 「드 오르간.」

Hammond⸗orgel [hǽmənd–] *f.* 하몬

Hämor·rhoide [hɛmoroíːdə] [gr. „Blutfluß"] *f.* –en, 〖醫〗 치질.

Hampelmann [hámpəl–] *m.* 꼭두각시 (*jumping-jack*).

Hamster [hámstər] *m.* –s, –, 〖動〗 산쥐, 햄스터. **Hamsterei** *f.* –en, 모아들임, 사재기, 매점. **Hamsterer** *m.* –s, –, 사재기하는〔매점하는〕 사람; 욕심장이. **hamstern** [hámstərn] *t.* 모으다; 매점하다.

Hand [hant] *f.* ⸚e, 손(♈*hand*). ¶ die flache ∼ 손바닥 / die hohle ∼ 손바닥의 오목한 곳; 필적 / die Sache hat ∼ u. Fuß 그것은 가치있다, 쓸모있다 / ∼ anlegen, a) an jn.: 손을 대다; 《比》 폭행〔위해〕하다, b) an et.: 착수하다 / ∼ an sich (selbst) legen 자살하려 하다 / die letzte ∼ (an et.) anlegen (무엇을) 마무리하다 / jm. die ∼ geben 아무와 (auf et., 무슨 약속의 표시로) 악수하다 / **an** die ∼ geben 공급하다, 후원하다, 조언하다 / **auf** eigene ∼ 자기가 책임지고, 자비(自費)로, 독력으로 / auf (den) Händen tragen 소중히 하다 / **aus** der ∼ legen 손에서 내놓다, 옆에 놓다 / aus erster ∼ 생산자로부터, 직접으로 / aus zweiter ∼ 간접으로 / **bei** der ∼ haben 수중에 가지고 있다, 준비하고 있다 / ∼ **in** ∼ geh(e)n 손잡고 걷다; 《比》 제휴하다 / **unter** der ∼ 은밀히 / **von** der ∼ in den Mund leben 근근히〔간신히〕 살아가다 / von langer ∼ 곰곰이 생각한 / von guter ∼ 확실한 소식통에서 / **zur** ∼ =bei der ∼ Zu Händen von (…씨) 전교(轉交)(로) / zur ∼ geh(e)n 조력〔원조〕하다 / zur ∼ nehmen 손에 잡다 / (zu) rechter 〔linker〕 ∼ 오른〔왼〕 손에, 오른〔왼〕편에.

Hand⸗arbeit *f.* 손일, (육체) 노동; 수공업; 수예《특히 여자의》. ∼**arbeiten** *t.* 손으로 공작하다《기계에 의한 작업의 반대》. ¶ Sie hat dies selbst gehandarbeitet 이것은 그녀가 손으로 짠 것이다. ∼**arbeiter** *m.* 수공 노동자. ∼**auf⸗heben** *n.* (찬성을 표시하는) 거수(擧手). ∼**ball** *m.* 핸드볼. ∼**beil** *n.* 자귀. ∼**bibliothek** *f.* (손 가까이 두는) 참고 서류. ∼**breit** *a.* 손 넓이〔4인치〕 정도의. ∼**bremse** *f.* 수동(手動) 브레이크. ∼**buch** *n.* 편람(便覽), 요강(要綱), 안내서.

Händedruck [héndədruk] *m.* 악수.

Hand⸗eimer *m.* 바께쓰. ∼**eisen** *n.* 수갑. 「수 (갈채).」

Händeklatschen [héndəklatʃən] *n.* 박

Handel [hándəl] [<handeln] *m.* –s, ⸚ [héndəl], ① 사무, 용무(*transaction, business*); 사건(*affair*); (Rechts∼) 소송; 〖商〗 거래, 매매(*bargain*); 장사, 상업, 통상(*commerce, trade, traffic*). ¶ e-n ∼ abschießen 거래를 약정하다 / ∼ treiben, (mit, 의) 장사를 하다; (을) 매매하다 / ∼ im großen 〔kleinen〕 도매〔소매〕상. ② *pl.* 분규, 다툼, 싸움. ¶ Händel suchen, (mit, 에게) 싸움을 걸다. **handeln** [hándəln] [<Hand; *eig.* "다루다"] 《Ⅰ》 *i.*(h.) 취급하다(♈*handle*); (von, 을) 취급〔제목으로〕하고 있다 (*treat* (*of*), *deal* (*with*)); 행하다, 행동하다(*act, do*); 상품을 다루다, 매매하다, 상업하다, 거래하다(*trade, do business* (*with*)); (mit, 을) 장사하다(*deal* (*in*)); 상의(商議)〔담판〕하다(*negotiate*); (um, 의) 흥정을 하다, 값을 깎다(*bargain*). 《Ⅱ》 *refl. imp.*: es handelt sich um et. 무엇이 문제거리이다, 무엇에 관계되다. 무엇이 초점이다〔긴요하다〕(*be a matter or question* (*of*)).

Handels⸗agent *m.* 대리상; 상무관. ∼**amt** *n.* 상무국. ∼**angelegenheit** *f.* 상사(商事). ∼**artikel** *m.* 상품. ∼**betrieb** *m.* 상업. ∼**beziehungen** *pl.* 상업〔거래·무역〕 관계. ∼**bilanz** *f.* 무역 차액〔균형〕. ∼**brauch** *m.* 상업상의 관례. ∼**buch** *n.* 회계 장부. ∼⸗**bündnis** *n.* 통상 조약. ∼**einig** *a.*: ∼einig werden, (über et., 무엇의) 상담을 성립시키다. ∼**flotte** *f.* 상선대. ∼**frau** *f.* 여자 상인. ∼**freiheit** *f.* 통상의 자유, 자유 무역. ∼**freund** *m.* 거래선(去來先). ∼**gärtner** *m.* 꽃장수, 꽃집. ∼**genoß** *m.* 상사원(商社員). ∼**genossenschaft** *f.* 상사 회사〔조합〕. ∼**gericht** *n.* 상사 재판소. ∼**gesellschaft** *f.* 상사. ∼**gesell⸗schafter** *m.* 상사원. ∼**gesetz** *n.* 상법(商法). ∼**hafen** 상항, 무역항. ∼⸗**haus** *n.* 큰 상점. ∼**herr** *m.* 상점 주인. ∼**hochschule** *f.* 상과 대학. ∼⸗**kammer** *f.* 상공 회의소. ∼**korres⸗pondent** *m.* 상업 통신원; 거래처. ∼⸗**korrespondenz** *f.* 상업 통신(문). ∼⸗**krieg** *m.* 무역 전쟁, 경제전. ∼**kri⸗se,** ∼**krisis** *f.* 상업 공황. ∼**kunde** *f.* 상학(商學). ∼**leute** *pl.*, ∼**mak⸗ler** *m.* 브로커, 거간꾼. ∼**mann** *m.* 상인. ∼**marine** *f.* =∼FLOTTE. ∼⸗**marke** *f.* 상표. ∼**minister** *m.* 상무 장관. ∼**ministerium** *n.* 상무부(部). ∼**platz** *m.* 시장; 상업(중심)지. ∼**politik** *f.* 상업〔무역〕 정책. ∼**rei⸗sende** *m.* u. *f.* 《形容詞變化》 출장 점원. ∼**schiff** *n.* 상선. ∼**schule** *f.* 상업 학교. ∼**sperre** *f.* 무역〔통상〕 금지. ∼**stadt** *f.* 상업 도시. ∼**stand** *m.* 상인 계급, 실업계.

handels·üblich [–yːplıç] *a.* 상관례의.

händel·süchtig [héndəlzyçtıç] *a.* 싸우기 좋아하는.

Handels⸗unternehmen *n.* 투기. ∼⸗**vertrag** *m.* 통상 조약. ∼**vertreter** *m.* 통상 대리인. ∼**ware** *f.* 상품. ∼**welt** *f.* 상업계. ∼**wert** *m.* 상업 가치. ∼⸗**wesen** *n.* 상업(에 관한 사항), 상사(商事). ∼**wissenschaft** *f.* 상업학.

handeltreibend [hándəltraibənt] *a.* 상업하는, 장사하는.

Hand⸗feger *m.* 작은 비, 솔, 브러시. ∼**fertig** *a.* 손재주 있는 (*dexterous*). ∼**fertigkeit** *f.* 손재주 있음, 수공, 수예. ∼**fesseln** *pl.* 수갑. ∼**fest** *a.* 완력 있는, 힘센. ∼**feuerwaffe** *f.* 휴대 화기(火器). ∼**fläche** *f.* 손바닥. ∼**geld** *n.* 계약금. ∼**gelenk** *n.* 팔의

관절, 팔목(*wrist*). ～**gelöbnis**, ～**gelübde** *n.* 악수에 의한 서약. ～**gemein** *a.*: ～gemein werden 드잡이하다, 격투하다; 〖軍〗 접전하다. ～**gemenge** *n.* 드잡이, 격투; 접전. ～**gepäck** *n.* 〖鐵〗 수화물. ～**gerecht** *a.* 손재주가 있는; 손에 알맞은, 편리한. ～**gewēbt** *p.a.* 손으로 짠. ～**granāte** *f.* 〖軍〗 수류탄. ～**greiflich** *a.* 누구나가 아는, 분명한. ～**griff** *m.* 손으로 쥠; 다루는 법, 조작(操作); 요령, 솜씨; 손잡이, 자루; 핸들. ～**grōß** *a.* 손만한 크기의. ～**hābe** *f.* 자루, 손잡이, 핸들(*handle*). ～**hāben** *t.* 다루다, 취급하다; 사용〔조종〕하다; 집행하다. 말아보다. ～**hābung** *f.* 다룸, 처리, 조작; 관장, 관리.

Handikap [hǽndikæp] [engl.] 핸디캡.

Hạnd-in-Hạnd-Ạrbeiten *n.* -s, 제휴하여 일함.

Hạnd·karre *f.*, ～**karren** *m.* 손수레, 트럭. ～**kauf** *m.* 눈대중으로 물건을 삼. ～**koffer** *m.* 손가방. ～**korb** *m.* 손바구니. ～**kuß** *m.* 손에 입맞추기. ～**langer** *m.* 장인(匠人)의 조수, 계시. ～**leiter** ① *f.* 작은 사다리. ② *m.* 손을 잡고 이끄는 사람. ～**leitung** *f.* 손을 잡고 이끎, 선도, 안내.

Hạ̈ndler [héndlər, hént–] [<handeln] *m.* -s, -, 취급인, 소매 상인 (*dealer, trader*); 《一般的》 상인(*merchant*).

Hạndlēsekunst [–le:zəkʊnst] *f.* 수상학(手相學).

hạndlich [hántlıç] *a.* 다루기 쉬운, 편리한 (*handy, manageable*).

Hạndlung [hándlʊŋ, hánt–] [<handeln] *f.* -en, 행위, 행동, 동작, 행사(*act, action, deed*); 〖劇〗 사건의 진행, 줄거리(*plot*); 상업, 거래(*commerce, trade*); 상점(*shop*).

Hạndlungs·ārt *f.* =～WEISE. ～**fähigkeit** *f.* 행위 능력. ～**freiheit** *f.* 행동의 자유. ～**gehilfe** *m.* 점원(*clerk*). ～**reisende** *m.* u. *f.* 《形容詞變化》 상용(商用) 여행자, 출장 점원. ～**weise** *f.* 품행, 행실.

Hạnd·orgel *f.* 손풍금. ～**pauke** *f.* 〖樂〗 탬버린. ～**pfērd** *n.* 예비마(豫備馬). ～**pumpe** *f.* 수동 펌프. ～**reichung** *f.* 원조, 조력. ～**rücken** *m.* 손등. ～**schellen** *pl.* 수갑. ～**schlāg** *m.* 손으로 치기; 악수《약속·서약의 표시로》, 손뼉치기. ～**schreiben** *n.* 친서; 추천장. ～**schrift** *f.* 필적, 글씨 (*hand(-writing)*); 원고(*manuscript*); 증서(*handbill*). ～**schriftendeutung** *f.* 필적 감정. ～**schriftlich** *a.* 필적의; 필사의; 원고의. ～**schuh** *m.* 장갑 (*glove*). ～**schuhnummer** *f.* 장갑 (크기의) 치수. ¶das ist m-e ～ 이것은 나에게 알맞다 / 《俗》 sieh mal m-e ～! 내 장갑 치수를 보여 주겠다《너를 때려 주겠다》. ～**spiegel** *m.* 손거울. ～**streich** *m.* 기습. ～**täschchen** *n.* 휴대용 화장품 상자(*vanity bag*). ～**tasche** *f.* 핸드백. ～**teller** *m.* =～FLÄCHE. ～**tūch** *n.* 수건, 타월. ～**umdrēhen** *n.*: im ～umdrehen 잠간 사이〔순식간〕에. ～**voll** *f.* 한줌, 한 움큼. ～**wāgen** *m.* 손수레. ～**wärmer** *m.* 토시, 머프.

Hạndwerk [hántverk] *n.* -(e)s, -e, 손일, 수공업(*handicraft*); 《一般的》 직업, 장사(*trade*). ¶jm. das ～ legen 아무의 장사를 그만두게 하다.

Hạndwerker [–verkər] *m.* -s, -, 장인(匠人), 수공업자. ～**verein** *m.* 장인 조합.

Hạndwerks·bursche *m.* 장인(匠人)의 도제(徒弟). ～**mäßig** *a.* 본업의; 장인다운, 장인 근성의, 직업적인; 《比》 기계적인. ～**zeug** *n.* (장사하는) 도구, 연장, 공구.

Hạnd·wörterbūch *n.* 중형 사전. ～**wurzel** *f.* 손목, 팔목, ～**zeichnung** *f.* 밑그림, 스케치; 〖工〗 겨냥도; 〖商〗 서명, 사인.

hạnebūchen [há:nəbu:çən], **hạnebüchen** [há:nəby:çən] [<Hainbuche "서나무"] *a.* 《俗》 터무니 없는, 심한.

Hanf [hanf] *m.* -(e)s, 〖植〗 삼, 대마 (♈*hemp*); 베실. **hạnfen, hänfen** *a.* 마제(麻製)의.

Hạ̈nfling [hénflıŋ] *m.* -s, -e, 〖鳥〗 되새의 아속(亞屬). 「삼줄.」

Hạnf·sāme(n) *m.* 삼씨. ～**strick** *m.*

Hạng [haŋ] [<hängen] *m.* -(e)s, ⸚e, [héŋə], 경사(도); 경사면, 비탈(*slope*); (zu, 에의) 경향, 성벽(性癖)(*inclination, propensity*).

Hạ̈nge·bauch *m.* 아래로 처진 배. ～**böden** *m.* (매단) 선반. ～**brücke** *f.* 적교(弔橋). ～**lampe** *f.* 매다는 남포. ～**matte** [*ursp.* karaib. *hamaca*, 이것을 hangen 과 matte 로서 나타냄] *f.* 해먹(♈*hammock*).

hạngen* [háŋən] 《不定法 및 *pl.* wir, sie 의 경우에는 오늘날은 흔히 hängen》 *i.* (h., 종종: s.) ① 달려〔드리워져〕 있다, 걸려 있다(♈*hang, be suspended*). ¶(am Galgen) ～ 교수대에 매달려 있다; 아래로 늘어져 있다(*dangle*). ② 《比》 (an, 에) 애착〔집착〕하다 (*be attached (to)*); 현안(懸案)이 되어 있다, 미결중이다; 정체해 있다, 진행되지 않다. ③ 《한 單語로 써서 分離動詞로도 할 수 있음》: ～ (흔히 : hängen) bleiben a) 걸린 채로 있다, 달려〔부착하여, 정체하여〕 있다, b) 관련되어 있다, c) 혼처가 없다, 시집 못가고 있다. ④ et. hängt an jm. 〔et.[3]〕 무엇이 아무〔무엇〕에게 달려 있다 〔좌우되다〕, 아무〔무엇〕의 뜻대로이다.

hạ̈ngen [héŋən] [„hangen machen"] 《Ⅰ》 *t.* 달다, 걸다; 늘어뜨리다, 매달다(♈*hang, suspend*); 교수형에 처하다; 부착〔결합〕하다(*attach, fix*). ¶sein Herz an et.[4] ～ 무엇에 집념〔집착〕하다. 《Ⅱ》 *refl.* 목매어 죽다; (an jn. 〔et.〕, 아무〔무엇〕에) 결합하다, (에) 쏠리다, 애착〔집착〕하다. 《Ⅲ》 *i.* (h.) =HANGEN.

Hannọver [hanó:fər, –vər] *n.* 독일의 주(州) 및 도시 이름. **Hannoverạner, Hannọverer** [–fə–, –və–] *m.* -s, -, 하노버 사람. **hannọver(i)sch** *a.* 하노버의.

Hans [hans] [*dim.* v. Johannes] *m.* -en, -en *u.* ⸚e, 남자 이름(♈*John*).

H

¶～ im Glück 행복한 한스《무엇에든지 만족하는 사람, 독일 동화의 인물》.
Hansa [hánza] [Hanse의 라틴어화(化)한 꼴] *f.* ..sen, 〖史〗 한자 동맹. **～stadt** *f.* 한자 동맹 도시.
Häns·chen [hɛ́nsçən] [*dim.* v. Hans] *n.* 남자 이름. ¶was ～ nicht lernt, lernt Hans nimmermehr 배우는 것도 젊을 때의 일이다.
Hanse [hánzə] [*eig.* „Schar"] *f.* =HANSA. **hänseln** *t.* 우롱하다, 조롱하다 (*tease, make a fool of*).
Hans·narr [hansnár, hánsnar] *m.* 바보, 못난이. **～wurst** [hansvúrst, hánsvurst] *m.* –(e)s, –e, (중세기 연극의) 어릿광대역(役).
Hantel [hántəl] [nd. „Handhabe, Griff"] *m.* –s, –, od. *f.* –n, 〖體〗 아령(*dumbbell*). **hanteln** *i.*(h.) 아령 체조하다.
hantieren [hantí:rən] [fr. *hanter* „oft besuchen"; ♈engl. *haunt*] 《I》 *i.*(h.) 분주하다, 바삐 일하다, 다망하다(*stir or bustle about*). 《II》 [Hand와 섞여] *t.* 취급하다, 사용[조종]하다(*handle, manage*). **Hantierung** *f.* –en, 취급(법), 사용; 일, 장사《경멸의 뜻으로》.
hāpern [há:pərn] *i.*(h.), *imp.* 정체하다, 진척되지 않다(*stop, hitch*). ¶es hapert mit der Sache 일이 진척되지 않다 / da hapert's 거기에 탈이 있다.
Happen [hápən] *m.* –s, –, 한 입(의 음식물)(*morsal, mouthful*). **happig** *a.* 게걸스레 먹는, 탐욕한(*greedy*); 《俗》 지나친, 과한(*too much*).
hären [hɛ́:rən] [<Haar] *a.* 털의, (양털 아닌) 털로 짠(♈*hairly*).
Häresie [hɛrezí:] [gr. „Wahl"] *f.* ..sien [–zí:ən], 이교(異敎), 이단, 사교(邪敎) (♈*heresy*).
Härētiker [hɛré:tıkər] *m.* –s, –, 이교도, 이단자(♈*heretic*). **härētisch** *a.* 이교(도)의, 이단의(♈*heretical*).
Harfe [hárfə] *f.* –n, 〖樂〗 하프, 수금(竪琴)(♈*harp*). **harfen** *i.*(h.) 하프를 타다. **Harfenist** [harfənı́st] *m.* –en, en, 하프 주자(奏者). **Harfenspiel** *n.* 하프 연주. **Harfenspieler, Harfner** *m.* –s, –, 하프 주자.
Harke [hárkə] *f.* –n, 쇠스랑, 갈퀴 (*rake*). **harken** *t.* u. *i.*(h.) 갈퀴로 긁다[고르다](*rake*).
Harlekin [hárleki:n] [it. *Arlecchino*, 원래 중세 프랑스 신비극의 악마] *m.* –s, –e, (이탈리아 희극의) 광대(♈*harlequin*).
Harm [harm] [=engl. *harm*] *m.* –(e)s, ① 《詩》 슬픔, 비수, 비분(*grief, sorrow*), 원한. ② 해(害), 위해; 무례, 모욕(*injury*). **härmen** [hɛ́rmən] *t.* 비탄에 젖게 하다, 분격하게 하다. *refl.* (über et.⁴, 무엇을) 원망하다, 슬퍼하다 (*grieve, fret, worry (about)*). **harmlōs** [hármlo:s] *a.* 악의[죄] 없는, 무해한; 순진한, 정직한, **Harmlōsigkeit** *f.* –en, 악의 없음, 무죄함, 무해함; 순진함, 정직함.
Harmonie [harmoní:] [gr. „Fügung, Eintracht"] *f.* ..nien, 조화(♈*harmony*); 화합; 〖樂〗 화음(*concord*); 화성. **Harmonielehre** *f.* 화성학 **Harmoniemusik** *f.* 취주악. **harmonieren** [harmoní:rən] *i.*(h.) (mit, 와) 조화[일치]하다; 〖樂〗 화성[화음]이 되다. **Harmōnika** [–nika] *f.* –s *u.* ..ken, (Zieh～) 손풍금; (Mund～) 하모니카. **harmōnisch** [harmó:nıʃ] *a.* 조화적인; 일치하는; 화성의, 화음의. **harmonisieren** [harmonizí:rən] 《I》 *t.* 조화[일치]시키다; 화성[화음]으로 하다, (에) 화성[화음]을 첨가하다. 《II》 *i.*(h.) 조화[일치]하다. **Harmōnium** [harmó:nĭum] *n.* –s, ..nĭen, 하모늄《풍금의 일종》.
Harn [harn] *m.* –(e)s, 오줌, 소변 (*urine*). ¶den ～ lassen 오줌 누다.
Harnbeschwērde *f.* 배뇨 장애.
Harnblāse *f.* 방광. **harnen** [hárnən] *i.*(h.) 오줌 누다, 소변 보다.
Harn·fluß *m.* 요실금(尿失禁); 당뇨병. **～gang** *m.* 요관(尿管). **～glās** *n.* 변기. **～grieß** *m.* 요사(尿砂).
Harnisch [hárnıʃ] [Lw. fr.] *m.* –es, –e, 갑옷, 갑주(甲冑)(♈*harness, armour*); (Brust～) 흉갑(胸甲). ¶《比》 in ～ geraten 노하다.
Harn·röhre *f.* 요도(尿道). **～ruhr** *f.* 당뇨병. **～säure** *f.* 요산(尿酸). **～stoff** *m.* 요소. **～treibend** *a.* 이뇨의, 이뇨성의. **～winde** *f.*, **～zwang** *m.* 이뇨[배뇨] 곤란.
Harpūne [harpú:nə] [Lw. ndl.] *f.* –n, 〖海〗 작살(♈*harpoon*). **harpunieren** *t.* u. *i.*(h.) 작살로 잡다, 작살을 던지다.
Harpūse [harpý:zə] *f.* –n, 수지(樹脂).
Harpyie [harpý:ĭə, –pý:jə] [gr.] *f.* –n, 〖希神〗 몸과 얼굴은 여자면서 날개와 새의 발톱을 가진 괴물.
harren [hárən] *i.*(h.) (auf et.⁴, 을) 고대하다, 초조하게 기다리다(*wait (for), await*).
harsch [harʃ] *a.* (파삭파삭하게) 마른; 굳은, 단단한; 거친, 꺼칠꺼칠한(♈*harsh, rough*). **Harsch** *m.* –es, 경설(硬雪) 《표면이 빙결한 눈》. **Harschen** *i.*(s. *u.* h.) 굳어지다, (상처에) 딱지가 앉다, 유착하다.
hart [hart] 《I》 ① 굳은, 단단한, 견고한(♈*hard*). ② 가혹한, 모진, 혹심한 (*severe*). ③ 완고한, 무감각한. ¶e–n ～en Kopf haben 느리고 둔하다. ④ 강한, 튼튼한, 강건(强健)한. 《II》 *adv.* ① 어렵게, 고생스럽게, 괴롭게, 엄하게, 모질게. ② 바로 곁에, 밀접하게. ¶～ an et.³ 무엇과 아주 가까이. **Härte** [hɛ́rtə] *f.* –n, ① 단단함, 굳기, 경도(硬度)(*hardness*); (신체의) 단련, 저항력. ② 엄격함; 냉혹, 무정. **Härtegrād** *m.* 경도(硬度), 견고도. **härten** [hɛ́rtən] 《I》 *t.* 굳게 하다, 단단하게 하다(♈*harden*); 경질(硬質)로 하다; 〖冶〗 불리다, 단련하다(*temper*). 《II》 *i.*(h.) u. *refl.* 굳어지다, 경질(硬質)로 되다; 응결하다. **Härteskāla** *f.* 〖物〗 경도계(硬度計). **Härtestūfe** *f.* 경도.
Hart·geld *n.* 경화(硬貨). **～gesotten** *a.* 삶아서 단단해진《달걀》; 《比》 완고한, 가혹한. **～gummi** *n.* 경화(硬化) 고무, 에보나이트. **～guß** *m.* 〖冶〗 단금질(한 물건). **～herzig** *a.* 무정한, 냉혹한. ～

hōrig *a.* 귀먹은, 난청의. **~köpfig** *a.* 지둔한; 완고한. **~leibig** *a.* 변비(便秘)가 된. **~leibigkeit** *f.* 변비. **~mäulig** *a.* 고집 센, (말 따위) 어거하기 힘든. **~näckig** [-nɛkɪç] *a.* 완고한. 고집 센(*obstinate, stubborn*); (병 따위) 고치기 힘든(*chronic*); *adv.* 완강하게. **~näckigkeit** *f.* 완고, 고집.

Hart·spiritus [hártʃpi:ritus] *m.* 고체 알콜.

Hartung [hártuŋ] *m.* -s, -e, 1월.

Härtung [hɛ́rtuŋ] *f.* -en, 단단하게 함; 〖冶〗 단금질.

Hārz [ha:rts] *n.* -es, -e, 수지(樹脂), 송진(*resin*); (바이올린의) 로진(*rosin*).

hārzen [há:rtsən] 《Ⅰ》 *i.*(h.) 수지(樹脂)를 채취하다, (나무에서) 수지가 나오다. 《Ⅱ》 *t.* (에서) 수지를 채취하다, (에) 수지를 바르다.

Hārzfluß [há:rtsflus] *m.* 수지 누출(樹脂漏出).

hārzicht [há:rtsɪçt], **hārzig** *a.* ① 수지상(樹脂狀)의. ② 찐득찐득한, 끈끈한.

Hasard [hazárt, 때로 azá:r] [fr. „Zufall"] *n.* -s, **Hasardspiel** *n.* 도박, 노름(*game of chance, gambling*).

Haschee [haʃé:] [fr.] *n.* -s, -s, 저민〔다진〕 고기(♈*hash*).

Häs·chen [hɛ́:sçən] [*dim.* v. Hase] *n.* -s, -, 새끼 토끼《부모가 아기를 부를 때도 씀》.

haschen [háʃən] [♈heben] 《Ⅰ》 *t.* (날쌔게) 붙잡다(*catch, seize*). 《Ⅱ》 *i.*(h.) (nach, 을) 붙잡으려고 하다 (*snatch* (*at*)); 《比》 갈망하다, 얻으려고 애쓰다. 《Ⅲ》 *refl.* 술래잡기하다. 《Ⅳ》 **Haschen** *n.* -s, 술래잡기.

Häscher [hɛ́ʃər] *m.* -s, -, 정리(廷吏).

haschieren [haʃí:rən] *t.* u. *i.*(h.) (고기를) 잘게 썰어 다지다, 저미다(♈*hash*).

Haschisch [háʃɪʃ, haʃíʃ] [ar.] *n.* -, 인도 대마로 만든 마취제, 하시시.

Hase [há:zə] *m.* -n, -n, ① 〖動〗 토끼 (♈*hare*). ② 《比》 겁장이, 암띤 사람; 멋장이.

Hāsel [há:zəl] *f.* -n; 《稀》 *m.* -s, -, 〖植〗 개암나무(♈*hazel* (*nut-tree*)).

Hāsel·busch *m.*, **~gebüsch** *n.* 개암나무 숲. **~huhn** *n.* 〖鳥〗 들꿩.

haselieren [hazəlí:rən] [fr.] *i.*(h.) 실떡거리다, 날뛰다; 낭비하다.

Hāsel·maus *f.* 〖動〗 산쥐류(類). **~nuß** *f.* 개암. **~(nuß)strauch** *m.* 개암나무. **~rūte** *f.* 개암나무의 가는 가지.

Hāsen·brāten *m.* 구운 토끼고기. **~fuß** *m.* 토끼 발; 《比》 겁장이. **~herz** *n.* 《比》 겁장이. **~jāgd** *f.* 토끼 사냥. **~klein** *n.* 토끼의 내장. **~panier** [*eig.* „Schwanz des Hasen"] *n.*: das ~panier ergreifen 재빨리 달아나다. **~pfeffer** *m.* =~KLEIN. **~scharte** *f.* 언청이. **~schwarz** *m.* =~KLEIN.

Hāsin [hɛ́:zɪn] *f.* -nen, 암토끼.

Haspe [háspə] *f.* -n, 꺾쇠, 죔쇠, 경첩; 돌쩌귀(의 축)(♈*hasp, hinge*). **Haspel** [háspəl] *m.* -s, -, od. *f.* -n, (Garn~) 물레(*reel*); (Förder~) 자아틀, 윈치(*winch*). **haspeln** *t.* u. *i.*(h.) 물레로 감다, 감아 올리다; 《俗》 서둘다.

Haß [has] [*eig.* „Verfolgung"; ♈Hader] *m.* ..sses, 미움, 증오(♈*hate, hatred*). **hassen** [hásən] *t.* 증오하다, 싫어하다, 미워하다, 원망하다. **hassenswērt, hassenswürdig** *a.* 증오(憎惡)할, 혐오할. **Hasser** *m.* -s, -, 미운 사람; 《比》 적(敵).

haß·erfüllt *a.* 증오에 찬. **~errēgend** *a.* 미운.

häßlich [hɛ́slɪç] [<Haß] *a.* 더러운, 추한, 보기 싫은(*ugly, nasty*); (moralisch ~) 증오할 (*wicked, vile*); 불쾌한, 나쁜, 더러운. **Häßlichkeit** *f.* 더러움; 추악함; 혐오.

hast [hast] (du~) ☞HABEN 《그 現在》.

Hast [hast] [fr., ♈heftig] *f.* 황망, 성급, 조급, 총망(悤忙) (♈*haste, hurry*).

hasten [hástən] 《Ⅰ》 *t.* 재촉하다. 《Ⅱ》 *i.*(h. *u.* s.) u. *refl.* 서두르다. 성급하게 굴다; 빠르게 말하다. **hastig** *a.* 서두르는; 성급한; 성마른; *adv.* 급히, 성급하게.

hat [hat] [<habt] (er ~) ☞HABEN 《그 現在》.

hätscheln [hɛ́:tʃəln, hɛ́tʃ-] *t.* 애무하다, (아기를) 어르다 (*fondle, caress*); 《比》 응석받다(*pamper*).

hatte [hátə] [<habte], **hätte** [hɛ́tə] ☞HABEN 《그 直說法·接續法 過去》.

Hau [hau] *m.* -(e)s, -e, (수목의) 벌채; 벌채 구역; 공유림 벌채권; 관목림.

Haube [háubə] *f.* -n, ① 두건, 모자, 후드, 여성모《특히 기혼 여성의》(*hood, cap*). ¶unter die ~ kommen 결혼하다. ② 두건 모양의 물건; 종의 상반부; (건물의) 원개부(圓蓋部), (모터의) 덮개, 보니트; (새의) 볏, 머리깃, 관모.

Hauben·band *n.* (*pl.* ..bänder) (모자 따위의) 리본. **~lerche** *f.* 볏〔머리깃〕이 있는 오리〔닭·종다리〕. **~schachtel** *f.* 모자 상자. **~stock** *m.* 모자〔두건〕골《머리 모양의 틀로 모자·두건의 모양이 상하지 않게 하기 위한 것》.

Haubitze [haubítsə] [tschech. „Steinschleuder"] *f.* -n, 곡사포(♈*howitzer*).

Haublock [háublɔk] *m.* 도마.

Hauch [haux] [<hauchen] *m.* -(e)s, -e, 숨, 기식(氣息)(*breath*); (Luft~) 미풍(*breeze*); 《比》 기미, 기척. **hauchen** [háuxən] [擬聲語] 《Ⅰ》 *i.*(h.) 숨을 내쉬다; 호흡하다; 속삭이다. 《Ⅱ》 *t.* 숨과 함께 내쉬다; 불어넣다; 들이마시다; 풍기다; 속삭이다; 〖文〗 마찰음을 내다《h를 발음할 때》.

Hauch·laut *m.* 〖文〗 마찰음《h 소리》. **~zeichen** *n.* 마찰음 부호.

Haue[1] [háuə] [<hauen] *f.* -n, 괭이, 호미(♈*hoe*); 곡괭이(*mattock*). **Haue**[2] [<Hau] *f.* 《俗》 구타. ¶~ kriegen 얻어맞다.

hauen* [háuən] 《Ⅰ》 *i.*(h.) (손을 쳐들고 또는 힘을 주어서) 후려치다, 칼부림하며 들이치다. ¶um sich ~ 사방으로 마구 돌며 치다. 《Ⅱ》 *t.* 《俗》 치다(*strike*); 때리다(*whip, lash*); 찍다, 자르다, 베다 (♈*hew, cut*); (klein ~) 잘게 썰다. 저미다. 《Ⅲ》 *refl.* 아무와 드잡이하다, 싸우다. **Hauer** *m.* -s, -, 자르는 사람, 벌채하는 사람; 〖獵〗 (산돼지의) 엄니. **Häuer** [hɔ́yər] *m.* -s, -, 〖坑〗 갱부(坑夫).

häufeln [hɔ́yfəln] 《Ⅰ》 *i.*(h.) 작게 쌓이다. 《Ⅱ》 *t.* 작게 쌓다(♈*heap*); 〖農〗(에) 북돋우다(*earth*).

Haufe(n) [háufən, –fə] *m.* –s, –, ① 무더기, (산)더미, 퇴적, 쌓아올린 것(♈*heap, pile*). ¶ **auf** e–n Haufen 겹겹이 쌓여서, 무더기로 / **in** Haufen 무더기가 되어 / **über** den Haufen werfen 무엇을 무너뜨리다. ② 군중, 《比》 무리(*crowd*); 떼(*troop*). ¶ **auf** einen Haufen 밀집하여.

häufen [hɔ́yfən] [<Haufen] 《Ⅰ》 *t.* 퇴적하다, 쌓아올리다(♈*heap*); 모으다, 모아 두다(*accumulate*). 《Ⅱ》 *refl.* 쌓이다, 모이다. 《Ⅲ》 **gehäuft** *p.a.* 퇴적한, 축적된; 집합적인.

Haufen·dorf *n.* 가옥이 집단을 이루고 있는 마을《길가에 연(沿)하지 않고》. ～**weise** *adv.* 떼를 지어, 퇴적하여, 쌓여서. ～**wolke** *f.* 뭉게구름.

häufig [hɔ́yfɪç] [<Haufen] *a.* 빈번한. 잦은(*frequent*); 막대한(*abundant*); 예사의; *adv.* 빈번히, 자주, 수시로. **Häufigkeit** *f.* –en, 빈번함; 도수(度數), 빈도, 빈출도(頻出度)(*frequency*).

Häufung [hɔ́yfʊŋ] *f.* –en, 쌓음, 퇴적, 집적(集積); 집합; 군집; 증가; 많음; 반복, 빈번.

Haupt [haupt] *n.* –(e)s, ¨er [hɔ́yptər], ① (사람의) 머리(♈*head*); 《比》 대가리. ② 우두머리, 수령, 두목(*chief, principal, leader*); 추장; (국가의) 원수. ¶ ein gekröntes ～ 군주, 왕. ③ 베갯머리. ¶ jm. **zu** Häupten 베갯머리에. ④ 《比》 산꼭대기; 〖軍〗 교두보(橋頭堡).

Haupt·abschnitt *m.* 주요 부분; 가장 중요한 시기; (서책의) 주장(主章). ～**absicht** *f.* 주지(主旨). ～**altār** *m.* 본제단(本祭壇). ～**arbeit** *f.* 주된 일, 주저(主著). ～**armee** *f.* 〖軍〗 본대(本隊). ～**artikel** *m.* (조약·법률 따위의) 주요 조항; (신문의) 사설. ～**bahn** *f.* (철도의) 간선. ～**bahnhōf** *m.* (한 도시의) 중앙역(驛). ～**bestandteil** *m.* 주성분. ～**būch** *n.* 원부(原簿), 대장. ～**eingang** *m.* 대문, 정문. ～**erbe** *m.* 〖法〗 일반 상속인. ～**fach** *n.* 주요 부문; 본과; 전문《좋아하는 학과·기예》. ～**farbe** *f.* 주요색, 원색. ～**fehler** *m.* 중대한 과오. ～**form** *f.* 〖文〗 명사로 쓰인 동사의 부정형(不定形). ～**frāge** *f.* 주요 문제. ～**gedanke** *m.* 근본 사상, 〖樂〗 주제. ～**geld** *n.* 인두세(人頭稅). ～**geschäft** *n.* 주요 업무; 본계약; 본점. ～**gūt** *n.* 기본 재산, 자본. ～**haar** *n.* 머리, 두발. ～**handels·artikel** *m.* 주요 산물; 〖工〗 메인 코크, 으뜸 고동. ～**inhalt** *m.* 주요 내용, 대의(大意). ～**kerl** *m.* 두목; 《俗》 대단한 녀석; 약삭빠른 놈. ～**kirche** *f.* 주교좌 성당, 대성당. ～**lāger** *n.* 〖軍〗 본부(本部). ～**lehrer** *m.* 교장 대리, 교감. ～**leitung** *f.* 〖電·工〗 본선, 간선.

Häuptling [hɔ́yptlɪŋ] [<Haupt] *m.* –s, –e, 두목, 수괴; 추장; 지도자, 주동자.

häuptlings [–lɪŋs] *adv.* 거꾸로.

Haupt·liniе *f.* 주선(主線), 본선; 〖鐵〗 간선. ～**macht** *f.* 주력. ～**mann** *m.* 《Ⅰ》 (*pl.* ..leute) 〖軍〗 중대장, 대위. 《Ⅱ》 (*pl.* ..männer) 우두머리, 수령; 장관. ～**merkmāl** *n.* 주요 목표, 뚜렷한 특징. ～**nenner** *m.* 〖數〗 공분모. ～**ort** *m.* 중요한 곳, 수도(首都). ～**persōn** *f.* 주요〔중심〕 인물(人物); 〖劇〗 주역(主役), 주인공. ～**post** *f.*, ～**post·amt** *n.* 중앙 우체국. ～**prōbe** *f.* 〖劇〗 총연습. ～**quartier** *n.* 〖軍〗 본부, 사령부(*head-quarters*). ～**quelle** *f.* 근원, 본원(本源). ～**röhre** *f.* (가스의) 본관(本管). ～**rolle** *f.* 〖劇〗 주역. ～**sache** *f.* 주요한 일, 요점, 본제. ～**sächlich** [hauptzɛ́çlɪç, háuptzɛç–] *a.* 요점에 관한, 주요한, 중요한; *adv.* 주로, 특히. ～**satz** *m.* 〖文〗 주문장; 〖樂〗 (제일) 주제(主題). ～**schalter** *m.* 〖電〗 으뜸 스위치. ～**schlacht** *f.* 주전투, 결전. ～**schläg·āder** *f.* 〖解〗 대동맥. ～**schlüssel** *m.* 결쇠《집안의 주요한 자물쇠에 모두 들어맞는》, 마스터 키. ～**schriftsteller** *m.* 주필《신문 따위의》 (*chief editor*). ～**schuldiger** *m.* 주범(자). ～**seite** *f.* ① 주요한 (측)면. ② (건물의) 정면. ③ 화폐의 표면. ～**spāß** *m.* 대단히 재미있는 일. ～**stadt** *f.* 서울, 수도 (*capital, metropolis*). ～**städter** *m.* 수도의 주민. ～**statiōn** *f.* 주역(主驛), 종착역. ～**stimme** *f.* 〖樂〗 (합창의) 주성부(主聲部). ～**strāße** *f.* 간선 도로, 큰 거리; 국도(國道). ～**stück** *n.* 중요부; (서책의) 장(章). ～**summe** *f.* 총계, 총액. ～**tōn** *m.* 〖樂〗 주조(主調). ～**treffer** *m.* 당첨(當籤). ～**tūgend** *f.* 기본 도덕. ～**ūrsache** *f.* 주인(主因). ～**verbrechen** *n.* 주(主)범죄. ～**verkehrsstunden** *pl.*, ～**verkehrszeit** *f.* 러시 아워. ～**versammlung** *f.* 총회. ～**verwaltung** *f.* 중앙 행정부. ～**werk** *n.* 주요한 일; 주저(主著); 걸작. ～**wort** *n.* 〖文〗 명사 (*substantive, noun*). ～**zūg** *m.* 주요한 선(線) 《문자·그림 따위의》; 《比》 특성, 특질. ～**zweck** *m.* 주목적.

Haus [haus] *n.* –es [háuzəs], ¨er [hɔ́yzər] ① 집, 가옥(♈*house*); 주택; 자택, 자기 집, 주거(*residence, home*). ¶ **nach** ～e kommen 귀가하다 / das ～ hüten 집을 지키다, 집에 들어박혀 있다. ② 가정(*family*); 집안 사람, 가인(家人), 가족. ③ 가정(家政), 집안 일, (집안) 살림(*household*). ¶ das ～ verwalten 집안 일을 꾸려 나가다. ④ (Handels～) 상점(♈*house, firm*); 의사당; 극장. ¶ ～ der Gemeinen 하원 / ein volles ～ erzielen (극장 따위가) 만원이 되다.

Haus·andacht *f.* 가정에서의 예배〔기도〕. ～**angestellte** *m.* u. *f.* 《形容詞變化》 비복(婢僕), 집에서 부리는 사람. ～**apothēke** *f.* 가정 상비약. ～**arbeit** *f.* 가사 노동; 집에서의 자습; 숙제. ～**arrest** *m.* 자택 구금, 연금(軟禁). ～**ārzt** *m.* 가정의(醫). ～**ausgāben** *pl.* 가계(지출)비. ～**backen** *a.* (zu Hause gebacken) 집에서 구운, 수제(手製)의 《빵·과자》; 검소한; 평범한. ～**bau** *m.* 주택 건축. ～**bedarf** *m.* 자가용; 가정 필수품. ～**besitzer** *m.* 집주인. ～**bewohner** *m.* 거주자; 차가인(借家人).

Häus·chen [hɔ́ysçən] [*dim.* v. Haus]

n. -s, -*u.* Häuserchen ① 작은 집, 두옥(斗屋)(*small house, cottage*); (짐승을 가두는) 우리. ② 《俗》 변소.

Haus=dāme *f.* ① 주부; 가정부. ② (직업적으로 귀부인들의) 이야기 상대가 되는 여성. **～diener** *m.* 하인, (여관·상점 등의) 고용원. **～drache** *m.* 《蔑》 바가지 긁는 여편네. **～durch·sūchung** *f.* 가택 수색.

hausen [háuzən] *i.*(h.) ① 살다, 거주하다, 체류하다. ② 살림살이를 돌보다; 살림을 차리다; (가사를) 잘 처리하다. ③ 단속하다, 관리하다.

Hausen [háuzən] *m.* -s, -, 〖動〗 철갑상어속(屬)의 일종(*sturgeon*). **～blāse** *f.* 철갑상어의 부레; 아교.

Haus·ente [háus-ɛntə] *f.* 〖鳥〗 오리.

Häuserblock [hɔ́yzərblɔk] *m.* 가구(街區). 「eck *n.* =～BLOCK.」

Häuser=reihe *f.* 늘어선 집. **～vier=**

Haus=erziehung *f.* 가정 교육. **～fleiß** *m.* =～INDUSTRIE. **～flūr** *m.* 현관에 딸린 작은 방. **～frau** *f.* 여주인; 주부. **～freund** *m.*, **～freundin** *f.* 가족과 친밀한 사람. **～friede** *m.* 가정의 평화. **～genosse** *m.*, **～genossin** *f.* 동거인. **～gerät** *n.* 가구, 집물(什物). **～=gesinde** *n.* 종, 비복. **～gottesdienst** *m.* 가정 예배, 제사. **～hahn** *m.* 〖鳥〗 수탉. **～halt** *m.* ①가정(家政), 가계, 살림살이, ② 재정. **～|halten*** *i.*(h.) ① 살림을 관리하다, 가사(家事)를 처리하다. ② (mit, 을) 절약〔검약〕하다. **～=halter**, **～hälter** *m.* 호주; 가사 관리인, 하우스 키퍼, 집사, 청지기. **～=hälterin** *f.* 주부; 가정부. **～hälte=risch** *a.* 살림 잘하는; 검소한(*economical*). **～halts·artikel** *pl.* 가재 도구. **～halt(s)plān** *m.* 예산안. **～halt(s)=vōrstand** *m.* 가장(家長). **～haltung** *f.* 가계; 살림; 검약, 절약. **～herr** *m.* 가장, 주인. **～hōch** *a.* 집 높이 만한. **～hōfmeister** *m.* 청지기, 집사. **～=hund** *m.* 번견(番犬).

hausieren [hauzí:rən] [<Haus] *i.*(h.) 행상(行商)하다 (*peddle, hawk*). ¶ mit et. ～ 무엇을 행상하다 / ～ gehen 행상하다. **Hausierer** *m.* -s, -, 행상인. **Hausierhandel** *m.* 행상.

Haus=industrie *f.* 가내 공업. **～kat=ze** *f.* 〖動〗 고양이. **～kleid** *n.* 실내옷, 평상복. **～knecht** *m.* 머슴. **～=kreuz** *n.* 《比》 가정의 불행; 악처(惡妻)에 의한 재난; 악처(惡妻). **～lehrer** *m.*, **～lehrerin** *f.* 가정 교사 (*m. private tutor; f. governess*).

Häusler [hɔ́yslər] *m.* -s, -, 전답을 가지지 못한 농부, 소작인.

häuslich [hɔ́yslıç] *a.* ① 집의, 가정의, 가정상(家政上)의, 가정적인. ¶ die ～e Arbeit 숙제. ② 살림 잘하는. **Häus=lichkeit** *f.* -en, ① (*pl.* 없음) 살림을 잘함; 가정적임. ② 살림.

Haus=liste *f.* (납세 의무자 등의) 가택 명부. **～mädchen** *n.*, **～magd** *f.* 하녀. **～mann** *m.* 문지기. **～manns=kost** *f.* 가정 부식물(영양 본위의 검소한 식사). **～meister** *m.* 가정(家政) 관리인; 집사(執事). **～miete** *f.* 집세. **～=mittel** *n.* 풋내기의 수제약(手製藥); 가정약. **～mutter** *f.* 주부, 일가(一家)의 어머니. **～nummer** *f.* 가번(家番), 번지; 구두의 사이즈. **～rāt** *m.* =～GERÄT. **～recht** *n.* 호주권. **～rock** *m.* 평복 저고리. **～schlüssel** *m.* 집의 출입구, 〔대문·현관〕의 열쇠. **～schūhe** *pl.* 실내화, 슬리퍼. **～schwamm** *m.* 〖植〗 재목을 썩이는 버섯의 총칭《눈물버섯 따위》. **～schwelle** *f.* 문턱, 문지방.

Hausse [hó:sə, o:s] [fr. *haut* „hoch"] *f.* -n, 〖商〗 (증권 시세·물가의) 등귀(騰貴)(*advance (of prices), boom*); (시세의) 강세. 「식(복).」

Haus·sēgen *m.* 가정의 축복; 《比》 자」

Haussier [ho:sié:, o:sjé:] *m.* -s, -s, 시세를 등귀시키는 사람, 매점하는 사람(*bull*), 투기꾼.

Haus=stand *m.* ① 살림, 가정(家政). ② 가족《집합적》. **～stätte** *f.* 나의 집; 농군의 집. **～steuer** *f.* 가옥세(家屋稅). **～sūchung** *f.* 〖法〗 가택 수색. **～taube** *f.* 〖鳥〗 집비둘기. **～tier** *n.* 가축. **～tōr** *n.* 집의 문. **～trank** *m.* 가정 음료; 약한 맥주 **～tūr(e)** *f.* 대문, 현관문. **～vāter** *m.* 가장(家長), 주인. **～verstand** *m.* 상식. **～verwalter**, **～vōgt** *m.* 청지기, 집사. **～wart** *m.* =MEISTER. **～wēsen** *n.* 가정(家政), 살림, 가사. **～wirt** *m.* 집주인; 호주, 가장(家長); 주인《향응의》. **～wirtin** *f.* 여주인, 주인 마누라; 주부; 여자 주인《향응의》. **～wirt·schaft** *f.* 가정(家政), 가계(家計). **～zins** *m.* 집세.

Haut [haut] *f.* ⁼e [hɔ́ytə], ① (사람의) 살갗, 피부(*skin*, ♈*hide*); (Ober～) 상피(上皮), 표피; (Leder～) 진피(眞皮); 《比》 신체, 생명. ¶ juckt dich die ～? 어디가 근질근질하나 《매맞고 싶은가》 / sich[3] s-r ～ wehren 기를 쓰고〔죽을 힘을 다해〕 저항하다 / aus der ～ fahren wollen 견딜 수 없게 되다, (화나서) 속이 뒤끓다 / **mit** heiler ～ davonkommen 무사하게 모면하다. ② (동물의) 가죽, 모피. ③ 껍데기, 껍질; 피막(皮膜)(*membrance*); 박피(薄皮)(*film*).

Haut·ausschlāg [háut-ausʃla:k] *m.* 〖醫〗 (피부) 발진(發疹).

Häutchen [hɔ́ytçən] *n.* -s, -, [縮<Haut] 작은 가죽; 박피(薄皮), 막(膜), 피막, 표피.

häuten [hɔ́ytən] 《Ⅰ》 *t.* (의) 껍질을 벗기다. 《Ⅱ》 *refl.* 탈피하다; 껍데기〔딱지〕가 떨어지다.

haut·eng [háut-ɛŋ] *a.* 살갗에 착 붙는《옷 따위》. ¶ ～ (*adv.*) tansen 꼭 붙어서 춤추다.

Hautevolee [o:tvolé, ho:t-] [fr.] *f.* 최상류 사회, 신사〔명사〕 사교계; (현금에는 흔히 경멸적으로:) 상류〔명사〕인 척하는 사람들.

Haut=farbe *f.* 피부색, 안색. **～flügler** *pl.* 막시류(膜翅類). **～gefühl** *n.* 촉각, 촉감. **～gewēbe** *n.* 피부 조직.

Hautgout [o:gú:, ho:-] [fr.] *m.* -s, 약간 썩은 고기의 짙은 맛《특히 사냥 짐승의》; 《比》 퇴폐 취미; 악평, 불명예.

häutig [hɔ́ytıç] *a.* ① 껍질〔피막〕이 있는. ② 가죽의, 피부 모양의.

H

Haut=krankheit *f.* 피부병. **~krēbs** [-kre:ps] *m.* 피부암. **~milbe** *f.* 피부(에 기생하는) 진드기. **~pflēge** *f.* 피부 손질, 피부 위생.

Häutung [hɔ́ytʊŋ] *f.* -en, 가죽을 벗김, 박피(剝皮); 탈피(脫皮).

Hau=werk *n.* 퇴적물; 채굴한 광석의 퇴적. **~zahn** *m.* 엄니《멧돼지 따위의》.

Havan(n)a [havána] 《I》 *n.* -s, 쿠바의 서울. 《II》 *f.* -s, **~zigarre** *f.* 아바나 산의 엽궐련.

Havarie [havarí:] [ar. -it.] *f.* ..rīen [-rí:ən], 입항세(入港稅); 도선(導船) 안내료; 해손(海損)《선박 적하(積荷)의》(*damage by sea, average*), (항공기의) 파손. 「원《특히 중남미의》.

Hazienda [hatsiénda] [span.] *f.* -s, 농

H-Bombe [há:bɔmbə] [<Hydrogenium. „Wasser-stoff"] 수소 폭탄.

hē! [he:] *int.* ① (주의를 환기시킴) 야, 여보. ¶~ da!, 야, 여보시오. ② (비웃음) 흥, 이봐.

Hēb·amme [hé:p-amə, 때로 hé:bame] [ahd. *havianna* „die Hebende" "아기 받는 할머니" 이것을 Amme에 연관시켜 잘못 씀] *f.* -n, 조산원.

Hēbe=balken *m.* 지레. **~baum** *m.* 지레(로 쓰이는 굵은 나무). **~bock** *m.* 재크. **~eisen** *n.* 쇠지레. **~krān** *m.* 승강 기중기.

Hēbel [hé:bəl] [<heben] *m.* -s, -, 지레, 공간(槓杆), 레버《방적기(紡績機) 따위의》(*lever, jack*).

hēben* [hé:bən] 《I》 *t.* ① 들어 올리다 (*heave, lift*); 올리다, 들다, 높이다, 일으키다(*raise, elevate*). ② 들어 움직이다; 옮기다, 치우다(*remove, stop*). ③ 받아들이다《독촉하여》, 징수하다《금전을》; (은행에서) 인출(引出)하다. ④ 뚜렷이 하다. 두드러지게 하다. ⑤ 두둔하다, 편들다; 일으키다, 장려하다, 번창케 하다. ⑥ 〖數〗 (auf~) 약하다《분수를》(*reduce*). 《II》 *refl.* ① 오르다, 올라가다, 높아지다; 성하다, 번창하다. ② 《俗》 일어나다, 시작되다. ③ 떠나다, 퇴거하다. ④ 〖數〗 상쇄하다; 맞비겨 멀어지다(*cancel*). 《III》 **gehōben** *p.a.* 고양(高揚)된(*elevated*); 고위의; 사기가 드높은; 고상한, 격조 높은 (말). **Hēbe=punkt** *m.* 지레의 지점(支點).

Hēbe=register *n.* 징세부(徵稅簿). **~=rolle** *f.* 징세부; 도르래. **~stelle** *f.* 납세 징수소.

Hebrā·er [hebré:ər] [hebr. *ibrim* „der Jenseitige", 요단강 저 쪽《동쪽》에 사는 자의 뜻] *m.* -s, -, 헤브류 사람. **hebrā=isch** [hebré:ɪʃ] *a.* 헤브류(말)의.

Hēbung [hé:bʊŋ] *f.* -en, ① 올림, 높임, 일으킴. ② 〖地〗 (지각의) 융기. ③ 징수. ④ 장려, 촉진. ⑤ 제거; 철폐; 〖數〗 약분.

Hechel [héçəl] [↑Haken] *f.* -n, 삼빗, 삼 훑는 기구(↑*hackle, hatchel*). **he=cheln** [héçəln] *t.* 훑다, 빗다《삼을》; 《比》 헐뜯다, 혹평하다.

Hechse [héksə] *f.* -n, (말 따위의 뒷다리) 무릎 (관절)(*hough, hock*).

Hecht [heçt] [*eig.* „stechender (Fisch)" ↑Hanken, Hechel] *m.* -es, -e, 〖魚〗 에속스(Esox) 《날카로운 이빨을 가진 식용 민물고기》(*pike*).

Hecht=angel *f.* 에속스를 낚는 바늘. **~blau** *a.* 에속스와 같이 푸른, 청회색(靑灰色)의. **~gebiß** *n.* 주걱턱. **~=grau** *a.* 담회색(淡灰色)의. **~rolle** *f.* (체조에서) 전방 회전. **~sprung** *m.* (수영에서) 새우형 다이빙.

Heck [hɛk] [<Hecke[1]] *n.* -(e)s, -e, ① 울타리, 울; 방책. ② 〖海〗 고물(*stern*).

Hecke[1] [hékə] [↑Hag] *f.* -n, ① (산)울타리(↑*hedge*). ② 덤불, 수풀.

Hecke[2] [hékə] *f.* -n, ① 부화(孵化), 부화기(期)(↑*hatch, breed*); 부화용의 새장; 보금자리. ② 한배 새끼(*brood*).

hecken [hékən] *t.* u. *i.*(h.) 부화하다, 알을 까다《새가》; 새끼를 낳다《짐승이》; 《比》 왕성히 낳아 불리다; 안출하다.

Hecken=beere *f.* 〖植〗 야생 구즈베리. **~münze** *f.* 가짜 돈, 위폐. **~reiter** *m.* 노상 강도《흔히 말을 탄》. **~rōse** *f.* 〖植〗 (산울타리로 쓰이는) 들장미의 한 가지. **~winde** *f.* 〖植〗 메꽃류.

Heck=feuer *n.* 함미 사격(艦尾射擊). **~laterne** *f.* 〖海〗 선미등(船尾燈). **~=mōtor** *m.* (자동차 따위의) 후미 엔진. **~münze** *f.* 가짜 돈, 위폐 **~zeit** *f.* 부화기(孵化期). 「삼밥(↑*hards*).

Hēde [hé:də] *f.* -n, 삼, (삼빗에 낀)

Hēderich [hé:dərɪç] [Lw. lat., *eig.* „efeuähnlich", <*hedera* „Efeu"] *m.* -(e)s, -e, 〖植〗 적설초(積雪草), 개구리자리, 말냉이.

Hedonismus [hedonísmus] [gr.] *m.* -, 쾌락(주의); 향락주의.

Heer [he:r] *n.* -(e)s, -e, ① 군대, 육군(*army*). ② 무리, 떼(*mass, host*).

Heer=bann *m.* 징병(권); 징모(徵募). **~=dienst** *m.* 병역, 군무.

Heeres=bericht *m.* 전황 뉴스, 군사 보도〔정보〕. **~flucht** *f.* 탈영(脫營). **~=folge** *f.* 종군, 응소; 출정. **~füh=rung** *f.* 통수(統帥). **~gruppe** *f.* 집단군. **~leitung** *f.* 용병(用兵), 통수. **~macht** *f.* 병력; 군대. **~zūg** *m.* 출정, 원정; 파견군.

Heer=fahrt *f.* 출정. **~flucht** *f.* 탈영. **~führer** *m.* 군(軍) 사령관. **~gerāt** *n.* 병기(兵器); 군용 화물. **~lāger** *n.* 진영(陣營). **~schār** *f.* 군대; 〖聖〗 천사. ¶die himmlischen ~scharen 천사의 무리 / der Herr der ~scharen 만군의 주(主), 하느님. **~schau** *f.* 열병(閱兵). **~strāße** *f.* 군용 도로; 한길, 국도(國道). **~wēsen** *n.* 군사(軍事); 병제(兵制).

Hēfe [hé:fə] [*eig.* „das Hebende", <heben] *f.* -n, ① 효모; 이스트(*yeast*). ② 침전물, 앙금; 찌꺼기.

Heft[1] [hɛft] [*eig.* „das Haltende", <heben, haben] *n.* -(e)s, -e, 자루 (*handle*); 칼자루(*hilt*); 《比》 지배권, 권력. ¶das ~ in der Hand haben 권력을 쥐고 있다.

Heft[2] [hɛft] [<heften] *n.* -(e)s, -e, 가제본(假製本), 잡기장, 노트, 소책자 (*notebook, exercise book, pamphlet*). **Hef=tel** [héftəl] [<Heft[1]] *m.* od. *n.* -s, -; od. *f.* -n, (의복의) 훅, 고리(*hook, clasp*).

hefteln *t.* 훅으로 채우다. **heften** [héftən] [*eig.* „haften machen"] 《I》 *t.* ① 부착시키다, 붙이다(*fasten, stick*); 묶다. ② 가봉(假縫)하다; 꿰매다, 깁다, 매다《책을》(*sew, stitch*). ③ die Augen ~, (auf jn. 〔et.〕, 아무〔무엇〕에) 주목하다, (을) 응시하다. 《II》 *refl.* (an jn. 〔et.〕, 아무〔무엇〕에) 붙다, (에서) 떨어지지 않다; 《比》 집착하다; 구애되다.

Heft⸗fāden *m.*, **~garn** *n.* 철하는 실; 가봉용 실, 시침실.

heftig [héftɪç] [ΨHast, hastig] 《I》 *a.* 열렬한, 격렬한(*violent, vehement*); 격정적인(*passionate*). 《II》 *adv.* 격렬하게; 거칠게. ¶ ~ lieben 열애(熱愛)하다.

Heftigkeit *f.* -en, 강렬, 격렬; 열렬; 격렬한 언행; 성급함, 뻣성.

Heft⸗klammer *f.* 클립, 죔쇠《종이를 철하는 기구》, 스테이플. **~lāde** *f.* 책을 철하는 압착기, 철하는 틀. **~nādel** *f.* 〔製本〕 철침(綴針); 〔醫〕 봉합침(縫合針). **~pflaster** *n.* 바르는 고약; 반창고. **~stich** *m.* 가봉, 시침. **~zwecke** *f.* 핀, 꽂이 바늘.

Hēge [hé:gə] *f.* ① 보존, 보호. ② (*pl.* -n) 보호림; 금렵기(禁獵期).

Hēgemonie [he:gemoní:] [gr.] *f.* ..nīen, 수장(首長)의 지위, 지도〔최고〕권, 패권, 헤게모니.

hēgen [hé:gən] [<Hag] *t.* ① 담장으로 두르다(*hedge about*). ② 보육하다, 부양하다, 간호〔보호〕하다(*nurse, foster*). ③ (마음 속에) 품다(*entertain, bear*). ¶ e-n Verdacht ~ 어떤 의혹을 품다.

Hēger *m.* -s, -, ① 보육자. ② 산림간수, 산지기. ③ †(봉건 시대의) 소작인.

Hēge⸗reiter *m.* 사냥터 감시인, 산림간수. **~schlāg** *m.* 보호림. **~wald** *m.* 보호림, 금렵 지역. **~zeit** *f.* 금렵기(期).

Hehl [he:l] [<hehlen] *n.* -(e)s, 은폐, 은닉; 비밀. ¶ aus et.[3] kein ~ machen 무엇을 숨기지 않다. **hehlen** [hé:lən] [*eig.* „bedecken"; ΨHülle, Höhle] *t.* 숨기다, 감추다(*conceal, keep secret*); (훔친 물건을) 은닉하다(*receive stolen goods*). **Hehler** *m.* -s, -, 은닉자; 장물 취득자. **Hehlerei** [-rái] *f.* -en, 은닉; 장물 취득(죄); 범인 은닉죄.

hehr [he:r] [*eig.* „ehrwürdig"; =engl. *hoar* „grau (altersgrau)"] *a.* 거룩한, 숭고한, 신성한(*sublime, sacred*).

hei! [hai] *int.* ① 여어《기쁨의 소리》. ② 어, 저런《놀란 소리》. ③ 어유《고통 소리》.

Heide[1] [háidə] *f.* -n, (풀과 관목(灌木)만 난) 황야, 황무지(Ψ*heath*).

Heide[2] [lat. *pāgānus* „Landmann, Heide"를 본따 Heide[1]에서 만듦] *m.* -n, -n, 이교도(Ψ*heathen*), 비기독교도.

Heide⸗blūme *f.* 히드의 꽃. **~korn** *n.* 메밀. **~kraut** *n.* 〔植〕 히드. **~⸗kultūr** *f.* 황무지 개간. **~land** *n.* 황무지.

Heidelbeere [háidəlbe:rə] [<Heide[1]] *f.* 〔植〕 월귤나무(*bilberry*).

Heide·lerche [háidəlɛrçə] *f.* 〔鳥〕 (유럽산) 종달새의 일종.

Heiden⸗angst *f.* 격심한 불안〔공포〕. **~bekehrung** *f.* 이교도의 개종. **~⸗christ** *m.* 기독교로 개종한 이교도. **~⸗geld** *n.* 《俗》 거액의 돈. **~māßig** *a.* 이교식의; 대단한, 터무니없는.

Heide(n)⸗rös·chen, **~röslein** *n.* 들장미.

Heidentūm [háidəntu:m] *n.* -(e)s, ① 이교(異教). ② 《總稱》 이교도, 이교국.

Heide⸗rös·chen *n.*, **~rōse** *f.* 들장미.

heidī [haidí:, háidi:] *int.* ① 여어, 만세《환성》. ② 《俗》 자 가라, 꺼져. ③ 자 해라, 빨리.

Heidin [háidɪn] *f.* -nen, 여자 이교도.

heikel [háikəl] *a.* 꾀까다로운(*dainty*); 다루기 힘든, 미묘한(*ticklish, delicate*).

Heil [hail] *n.* -(e)s, ① 건전, 안녕, 무사(*welfare*). ② 행복, 행운(*happiness*). ③ 〔宗〕 구원, 구제(*salvation*), 신(神) 또는 그리스도. ¶ im Jahre des ~s 1981 서기 1981 년에. ④ 《인사말》 ~! 만세 / ~ dem König! 국왕 만세 / ~ dir! 건강을 빕니다.

heil [hail] *a.* 흠 없는, 완전한(Ψ*whole*); 건강한, 건전한(*sound*); 쾌유(快癒)〔회복〕한(*healed, cured*); 《方》 대단한, 큰.

Heiland [háilant] [der „Heilende"] *m.* -(e)s, -e, 구세주(=Christus).

Heil⸗anstalt *f.* 요양소; 병원. **~bād** *n.* 약수(藥水); 광천(鑛泉).

heilbār [háilba:r] [<heilen] *a.* 치료〔완쾌〕할 수 있는; 구제〔교정〕할 수 있는.

heil⸗bringend *a.* 행복〔구원〕을 가져오는; 효험이 있는, 유익한. **~brunnen** *m.* 온천, 광천.

heilen [háilən] [<heil] 《I》 *i.*(h. *u.* s.) 완쾌하다, 낫다(Ψ*heal, be cured*). 《II》 *t.* 고치다, 완쾌시키다(*cure*); 교정하다. ¶ jn. von et. ~ 아무의 무엇을 낫게 하다. 《III》 *refl.* 치유되다, 낫다.

Heiler [háilər] *m.* -s, -, 의사; 구제자.

Heilfasten [háilfastən] *n.* 단식〔절식〕 요법.

heilfroh [háilfró:] *a.* 매우 기쁜. ★ 술어적으로 만 쓰임.

Heil⸗gehilfe *m.* 간호인; 마사지사. **~gymnastik** *f.* 보건 체조.

heilig [háilɪç] [*eig.* „(göttliches) Heil bringend", <Heil] 《I》 *a.* 거룩한, 신성한(Ψ*holy, sacred*). ¶ die ~e Jungfrau; die ~e Mutter 성모 마리아 / der ~e Geist 성령(聖靈) / die ~e Schrift 성서. 《II》 **Heilig** *n.* 《不變化》 찬송가.

Heilig·ābend *m.* 크리스마스 이브.

Heilige [háilɪgə] 《形容詞變化》 ① *n.* (*pl.* 없음) 신성한 것〔곳〕. ② *m. u. f.* 성인; 천사. **heiligen** *t.* 신성하게 하다; 시성(諡聖)하다; 숭앙하다, 정결하게 하다; 봉헌하다; 《比》 정당화하다, 시인하다.

Heiligen⸗bild *n.* 성자상(聖者像). **~⸗legende** *f.* 성담(聖譚). **~māßig** *a.* 성자와 같은. **~schein** *m.* (성인의 머리 위에 그려지는) 후광(*halo*), 광륜(光輪). **~stātue** *f.* 성상.

heilig|halten* [háilɪçhaltən] *t.* 제사지내다, 모시다. **Heilighaltung** *f.* (종교상 의식의) 준수.

Heiligkeit [háilɪçkait] *f.* 신성한 것〔일〕; 신성, 존엄; 성자다움. ¶ S-e ~ 교황 성하《교황에의 경칭》.

heilig|sprechen* [-ʃprɛçən] *t.* 시성(諡聖)하다.

Heiligtum [háilıçtu:m] *n.* –(e)s, ⸚er, ① 신성한 곳, 성전; 예루살렘. ② 신성한 물건; (성도의) 유물, 유골; 《比》 귀중한 물건, 보물.

Heiligung [háiliguŋ] *f.* –en, 성화(聖化); 시성(諡聖).

Heil≈kraft *f.* 치유력(治癒力), 약효. **∼≈kräftig** *a.* 치유력 있는. **∼kraut** *n.* 약초(藥草). **∼kunde** *f.* 의학, 의술(醫術). **∼kundig** *a.* 의학〔의술〕에 능통한. **∼kunst** *f.* 의술(醫術). **∼lōs** *a.* ① 고칠 수 없는; 절망적인. ② 신앙심이 없는. **∼mittel** *n.* 약(藥), 약제(藥劑). **∼pflanze** *f.* 약용 식물. **∼prakti≈kant**, **∼praktiker** *m.* 무면허 의사. **∼quell** *m.*, **∼quelle** *f.* 온천, 광천. **∼rūf** *m.* 만세의 외침.

heilsām [háilza:m] *a.* 행운을 가져오는; 치료에 효험 있는, 건강에 유익한, 약이 되는, 이로운.

Heils≈armee *f.* 구세군. **∼bōt·schaft** *f.* 구원의 복음. 「혈청.

Heil·sērum [háilze:rum] *n.* 〖醫〗 치료

Heils≈geschichte *f.* 그리스도 수난사. **∼lehre** *f.* 구원의 교의, 그리스도 구세론. **∼ordnung** *f.* 구원의 길.

Heil·stätte [háilʃtɛtə] *f.* 요양소.

Heilung [háiluŋ] *f.* –en, 치료, 치유 (♈*healing, cure*).

Heil≈verfahren *n.* 치료법. **∼voll** *a.* 건강에 좋은, 유익한.

Heim [haim] [*eig.* „Dorf", gr. *kṓme* ♈Dorf] *n.* –(e), –e, 고향, 본국; 자택, 자기 집; 집회소, 사회 시설. **heim** *adv.* 집으로, 고향으로.

Heim≈arbeit *f.* 가내 노동〔공업〕, 내직(內職). **∼arbeiter** *m.* 가내 노동자.

Heimāt [háima:t] [mhd. *hei-mōt* „Dorf-gut", <Heim] *f.* –en, 고향, 향리(鄕里)(♈*home*); 고국; 생가(生家), 본가; 〖植·動〗 원산지; 〖法〗 본국, 본적지.

heimāt≈berechtigt *a.* 시민권이 있는. **∼hafen** *m.* 선적항(船籍港). **∼krie≈ger** *m.* 재향 군인. **∼kunst** *f.* 향토 예술. **∼land** *n.* (*pl.* ..länder *u.* ..lande) 고국(故國).

heimātlich [háima:tlıç] *a.* 고향의, 본국의(*native, home*); 고향 같은, 고향을 생각하게 하는(*homelike*).

heimāt≈lōs *a.* 고향〔고국·국적〕이 없는; 부랑의; 망명의. **∼lōse** *m.* u. *f.* 《形容詞變化》 실향민, 유랑민; 망명자. **∼recht** *n.* 시민〔거주〕권. **∼schein** *m.* 여권; 〖商〗 원산지 증명서. **∼schutz** *m.* 향토 천연 기념물 보호; 향토 방위(군). **∼vertriebene** *m.* u. *f.* 《形容詞變化》 (피)난민.

heim≈|begēben* *refl.* 귀향〔귀국〕하다. **∼|bringen*** *t.* 집〔고향·고국〕으로 가져가다.

Heimchen [háimçən] [<Heim] *n.* –s, –, **Heime** *f.* –n, 〖蟲〗 귀뚜라미(*cricket*). **heimelig** *a.* 《方》 가정의, 친근한, 내집 같은, 격의 없는.

heim≈|fahren* *i.*(s.) 귀가〔귀향〕하다. **∼fahrt** *f.* 귀려(歸旅). **∼fall** *m.* 〖法〗 귀속(歸屬). **∼|fallen*** *i.*(s.) 〖法〗 (jm. *od.* an jn., 아무에게) (재산이) 귀속하다. **∼fällig** *a.* 귀속할. **∼|führen** *t.* 집으로 데리고 가다; (아내를) 맞아들이다. **∼gang** *m.* 귀가, 귀향; 〖聖〗 사망. **∼gegangene** *m.* u. *f.* 《形容詞變化》 사망자, 고인(故人). **∼|gēh(e)n*** *i.*(s.) 귀가하다; 죽다. **∼|hōlen** *t.* 집으로 가져가다.

heimisch [háimıʃ] [<Heim] *a.* 고향의, 본국의; 그 땅에서 난, 토착의; 국내의, 국산(國産)의(*indigenous*); 고향 같은, 친근한.

Heim≈kehr *f.* 귀향, 귀가, 귀국; 〖軍〗 귀환. **∼|kehren** *i.*(s.) 귀가〔귀향〕하다. **∼kehrer** *m.* 귀가〔귀향〕자; 귀휴병. **∼kīno** *n.* 가정용 영사기. **∼|kom≈men*** *i.*(s.) 귀가〔귀향〕하다. **∼kunft** *f.* 귀향. **∼|leuchten** *i.*(h.): jm. ∼-leuchten 아무를 집까지 불켜 들고 전송하다; 《俗》 쫓아 보내다, 두들겨 내쫓다.

heimlich [háimlıç] [<Heim] *a.* 사사로운, 은밀한, 내밀한, 비밀의(*private, secret, furtive*); *adv.* 몰래, 내밀히.

Heimlichkeit *f.* –en, ① 내밀, 비밀, 숨기기; 은밀한 일, 사사(私事). ② *pl.* 밀계, 음모.

Heimlich≈tuer *m.* 비밀이 있는 체하는 사람. **∼|tūn*** *i.*(h.) 비밀이 있는 체하다.

heim≈lōs *a.* 집〔고향〕이 없는, 부랑의. **∼reise** *f.* 귀국〔귀향〕길; 귀항(歸航).

heim≈|schicken *t.* ① 집〔고향〕으로 보내다. ② 쫓아 보내다, 퇴짜 놓다, 거절하다. **∼|sehnen** *refl.* 집〔고향〕을 그리워하다.

heim|sūchen [háimzu:xən] *t.* ① 방문하다; 나타나다《유령이》, 배회하다《도둑이》. ② (병·재난이) 덮치다, 괴롭히다; (에게) 벌〔시련〕을 내리다. **Heimsū≈chung** [–zu:xuŋ] *f.* ① 방문. ② 천벌, 시련; 재앙, 액운.

Heim·tücke [háimtʏkə] [前半: ♈hä-misch] *f.* –n, 악의; 교활; 음험(*malice*); 배신; 간책(*underhand trick*). **heim≈tückisch** *a.* 음흉한, 간악한(*malicious*).

heimwärts [háimvɛrts] *adv.* 집〔고향·본국〕으로.

Heim≈wēg *m.* 귀로(歸路). **∼weh** *n.* 향수, 홈식. **∼wēsen** *n.* 가정; 살림. **∼|zahlen** *t.* 반제(返濟)하다; 《比》 앙갚음하다.

Hein [hain] [*dim.* v. Heinrich] *m.* 남자 이름. ¶Freund ∼ 사신(死神).

Heinrich [háinrıç] [„Heim-fürst, Haus-könig"] *m.* 남자 이름.

Heirāt [háira:t] [*eig.* „Hausbesor-gung", <Heim *u.* Rat] *f.* –en, 결혼(*marriage*); 혼례(*wedding*). **heirāten** *t.* u. *i.*(h.) 결혼하다(*marry*). ¶(nach) Geld ∼ 돈을 목적으로 결혼하다.

Heirāts≈alter *n.* 결혼 연령, 적령기. **∼anträg** *m.* 청혼(請婚). **∼fähig** *a.* 결혼 능력 있는; 결혼 적령(適齡)의. **∼≈gūt** *n.* 혼수(婚需), 지참금. **∼kandi≈dāt** *m.* 구혼자(求婚者). **∼lustig** *a.* 결혼할 의사가 있는. **∼schein** *m.* 결혼증서. **∼stifter**, **∼vermittler** *m.* 중매인.

heischen [háiʃən] [h 는 heißen 과 혼동하여 添加] *t.* (꼭 하도록) 요구〔요청〕하다(♈*ask, demand*).

heiser [háizər] *a.* 목쉰, 목소리가 잠긴 (♈*hoarse*). **Heiserkeit** *f.* 목쉼, 목쉰 소리.

heiß [hais] *a.* ① 뜨거운, 더운(♈*hot*). ②《比》열렬한, 격렬한(*ardent*).

heißa! [háisa] *int.* =HEI!

heißblütig [háisbly:tıç] *a.* 온혈(溫血)의; 《比》열혈(熱血)의, 흥분하기 쉬운.

heißen* [háisən] [engl. *be-hest* ♈„Befehl"의 後半]《Ⅰ》*t.* ① (무엇은 …이라고) 말하다, 일컫다, 이름짓다, 부르다 (*call, name*). ¶alle ~ ihn e-n Betrüger 모두가 그를 사기꾼이라고 부른다 (4格이 둘 있음) / gut ~ 시인〔인가·승인〕하다 / willkommen ~ 환영하다. ② (zu 없는 不定法과 함께) 분부하다, 명령하다(*command, bid*). ¶jn. geh(e)n ~ 아무에게 가라고 명령하다.《Ⅱ》*i.*(h.) ① (…라고) 불리다, 일컬어지다(*be called*). ¶ich heiße Karl 나는 칼이라고 합니다, 내 이름은 칼입니다. ② 말하다, 의미하다(*mean*). ¶das will etwas ~ 그것은 중요한 일이다 / das heißt 말하자면, 즉. ③ *imp.*: es heißt, a) 라고들 한다, 그런 소문이다, b) 긴요〔필요〕하다 / jetzt heißt es Mut 지금이야말로 용기가 필요하다, 용기를 내라.

Heiß≈hunger *m.* 탐식증, 식욕 과다; 《比》갈망, 욕심. **~hung(e)rig** *a.* 탐식증의, 갈망하는, 탐하는. **~laufen*** *i.*(s.) (기계의 부분이) 회전하여 과열하다. **~leiter** *m.* 대열(帶熱) 양도체《열 띤 상태에서 전류를 보다 잘 이끎》. **~sporn** *m.*《比》성마른 사람, 성급한 사람(♈*hotspur*). **~wasserheizung** *f.* 열탕(熱湯) 난방 장치.

heiter [háitər] *a.* ① 밝은, 갠, 청명한 (*clear, bright, serene*). ② 명랑〔쾌활〕한, 유쾌한(*gay, cheerful*). **Heiter≈keit** *f.* 청랑(淸朗); 쾌활, 즐거움, 기분 좋음; 홍소(哄笑); 유쾌한 일.

Heiz≈anlage *f.*, **~apparat** *m.* 난방 장치, 난방기.

Heiz≈batterie *f.* A 전지, 필라멘트 전지. **~effekt** *m.* 열효과, 열력(=~wert).

heizen [háitsən] [<heiß]《Ⅰ》*t.* u. *i.*(h.) 따뜻하게 하다, 열하다, 데우다(♈*heat*); 난방하다, (난로에) 불을 피우다 (*put on a fire*).《Ⅱ》*refl.* 데워지다, 따뜻해지다. **Heizer** *m.* -s, -, 화부(火夫).

Heiz≈faden *m.*〖電〗필라멘트. **~gas** *n.* 연료 가스. **~kanal** *m.*〖工〗(난방 장치의) 열기송관(熱氣送管); (보일러의) 연관(煙管). **~kissen** *n.* 전기 방석. **~körper** *m.* 방열기. **~kraftwerk** *n.* 열력 발전소《전력뿐만 아니라 열력을 냄》. **~leiter** *m.* 전열선. **~material** *n.* 연료. **~platte** *f.* (요리용) 전열판. **~sonne** *f.* 전기 스토브《원형의》. **~stoff** *m.* 연료. **~tür** *f.* (보일러의) 아궁이.

Heizung [háitsuŋ] *f.* -en, 가열; 난방〔장치〕; 연료.

Heiz≈vorrichtung *f.* =~ANLAGE. **~wert** *m.*〖物〗발열량, 카롤리량, 연소가.

Hektar [hέkta:r, hεktá:r] [gr. „hundert Ar"] *n.* 〔*m.*〕 -s, -e, 헥타르.

Hektograph [hεktográ:f] [gr. „Hundertschreiber"] *m.* -en, -en,〖印〗젤라틴 판. **hektographieren** *t.* 복사하다, 젤라틴 판으로 찍다.

Held [hεlt] [Lw. kelt.] *m.* -en [hέldən], -en [hέldən], 영웅, 용사, 위인(*hero*); 《一般的》주인공, 주요 인물, 인기 있는 사람;〖劇〗주역(主役). ¶ein ~ des Tages 당대(當代)의 거물.

Helden≈alter *n.* 영웅 시대. **~buch** *n.* 영웅 서사시집(集). **~gedicht** *n.* 영웅 서사시. **~geist** *m.* 영웅적 정신, 호용, 무용(武勇).

heldenhaft [hέldənhaft] *a.* 영웅다운, 용맹한.

Helden≈kraft *f.* 초인적인 힘. **~lied** *n.* 영웅 찬가; 서사시. **~mäßig** *a.* =~MÜTIG. **~mut** *m.* 영웅적 용기, 호담(豪膽). **~mütig** *a.* 호탕한, 강용(剛勇)한. **~tat** *f.* 영웅적 행위, 무훈. **~tod** *m.* 영웅적〔장렬한〕죽음.

Heldentum [hέldəntu:m] *n.* -(e)s, 영웅다움; 영웅 정신, 헤로이즘; 영웅 시대.

Helden≈verehrung *f.* 영웅 숭배. **~≈weib** *n.* 여걸.

Heldin [hέldın] *f.* -nen, 여걸, 여장부, 용감한 여자; (시·소설의) 여주인공.

helfen* [hέlfən] *i.*(h.) (3格支配) ① 돕다, 원조〔보좌·부조〕하다, 조력하다, 거들다(♈*help, aid, assist*). ¶jm. arbeiten ~ 아무의 일을 거들다. ② 도움〔소용·보탬〕이 되다(*avail, do good*). ¶es hilft (zu) nichts 그것은 아무런 쓸모가 없다 / (zu) was hilft das mir? 그것이 나에게 무슨 소용이 있단 말인가. ③ sich³ (selbst) ~ 스스로 돕다, 스스로 대책을 강구하다 / sich³ zu ~ wissen 걱정 없다, 궁색하지 않다. **Helfer** [hέlfər] *m.* -s, -, 원조자; 구조자; 조수, 거들어 주는 사람;〖가톨릭〗부제(副祭), (Pfarr~) 부목사. **Helfers·helfer** [*eig.* „구원의 조력자", 본뜻이 약해지고 바뀌어] *m.* 가담자, 같은 무리;〖法〗종범, 방조자.

hell [hεl] [♈hallen] *a.* ① 명쾌한, 맑은; 날카로운《소리》; 밝은(*bright, light*). ¶am ~en Tage 백주〔대낮〕에. ② (색이) 엷은(*pale*). ③ 총명한, 두뇌가 명석한 (*clear*). ¶~e Augenblicke (미친 사람이) 제정신으로 돌아온 순간. ④ 명백한, 선명한(*clear, distinct*). ¶in ~en Haufen 밀집하여, 대거.

hell≈auf *adv.*: ~auf lachen 가가 대소하다. **~blau** *a.* 담청색(淡靑色)의. **~≈braun** *a.* 엷은 갈색의. **~denkend** *a.* 두뇌가 명석한. **~dunkel** *a.* 어스레한, 어둑어둑한. **~dunkel** *n.* 어스름;〖畫〗명암(법).

Helle [hέlə] *f.* 밝음, 광도, 휘도(輝度); 투명도(度), 밝기;〖醫〗청음(淸音)《타진(打診)상의》;《比》명석.

Hellebarde [hεləbárdə] [mhd. *helmbarte* „Barte (=Beil, Axt) zum Durchhauen des Helms"] *f.* -n, 월(鉞)《창과 도끼를 함께 붙인 중세의 무기》(♈*halberd*).

hellen [hέlən] [<hell] *t.* 밝게 하다; *refl.* 밝게 되다.

Hellene [hεlé:nə] [gr.] *m.* -n, -n, 고대 그리스 사람. **hellenisch** *a.* (고대) 그리스의.

H

Heller [hélər] *m.* -s, -, 옛날 독일의 동전(銅錢) 이름.

hell·farbig *a.* 밝은 빛의, 담색의. **~·glänzend** *a.* 찬연한. **~hörig** *a.* 귀가 밝은.

hellicht [hɛ́lıçt] 《分綴: hell-licht》 *a.* 밝은. ¶ ~er Tag 대낮에.

Helligkeit [hɛ́lıçkait] [<hell] *f.* 밝기, 광도, 휘도(輝度).

Helling [hɛ́lıŋ] *m.* -s, -e, *od. f.* -en, ① 〖海〗조선대; 진수대; 조선소. ② 〖方·植〗삼.

Hell·sehen *n.* 투시(透視), 천리안(眼) (*clairvoyance*). **~sehend** *p.a.* 천리안의, 투시 능력 있는. **~seher** *m.*, **~·seherin** *f.* 투시자, 천리안. **~sichtig** *a.* 시력이 밝은; 형안(炯眼)의; 천리안의.

Helm[1] [hɛlm] [<hehlen] *m.* -(e)s, -e, 투구, 헬멧(♈ *helmet*); 〖海〗키, 타기(舵機) (♈ *helm, rudder*).

Helm[2] *m.* od. *n.* -(e)s, -e, (메·도끼 따위의) 자루.

Helm·busch *m.* 투구의 깃장식〔꼬꼬마〕. **~dach** *n.* 돔, 둥근 지붕.

Helot(e) [heló:t(ə)] *m.* ..ten, ..ten, 노예, 농노.

hem! [həm, hm] *int.* ① 에헴《헛기침》. ② 흠《의심·불찬성의 소리》.

Hemd [hɛmt] *n.* -(e)s, -en [-dən], 속옷, 샤쓰(*shirt*); 시미즈(*chemise*).

Hemd·bluse *f.* 블라우스. **~brust** *f.* 샤쓰의 가슴패기.

Hemd(en)·knopf *m.* 샤쓰의 단추. **~·kragen** *m.* 샤쓰의 깃.

Hemds·ärmel [hɛmts-ɛrməl] *m.* 와이샤쓰 소매.

Hemisphäre [hemisfɛ́:rə, -mı-] *f.* -n, 반구(半球).

Hemme [hɛ́mə] *f.* -n, 브레이크.

hemmen [hɛ́mən] [*eig.* „im Zaum halten"] *t.* 저지〔제동(制動)〕하다(*stop, check*); 지체하게 하다; 연기하다; 중지하다; 《比》(눈물을) 억제하다. **Hemm·kette** *f.* 바퀴 멈추는 쇠사슬《수레의》. **Hemmnis** [hɛ́mnıs] *n.* -ses, -se, 저지(*check*; 장애: *obstruction*). **Hemm·schuh** *m.* 바퀴 멈추는 장치, 제동기. **Hemmung** [hɛ́mʊŋ] *f.* -en, 제동(制動), 제지, 저지, 억제, 억압; 방해, 정지; (차의) 브레이크, 제동 장치; (시계의) 에스케이프. **hemmungslos** *a.* 저지〔제한·제지〕가 없는, 구속이 없는. **Hemmvorrichtung** *f.* 제동 장치.

Hengst [hɛŋst] *m.* -es, -e, 수말, 종마(種馬)(*stallion*). **Hengstfüllen** *n.* 수망아지(*colt*).

Henkel [hɛ́ŋkəl] [<henken „aufhängen"] *m.* -s, -, 자루, 족자리, 손잡이, (*handle, hook*). **Henkelkorb** *m.* 족자리가 달린 바구니.

henken [hɛ́ŋkən] [<hängen] *t.* 교수형에 처하다(♈ *hang*). **Henker** [hɛ́ŋkər] *m.* -s, -, 교수형 집행인(*hangman, hanger*); 《一般的》 형리 (*executioner*). ¶ geh zum ~! 죽어버려라, 꺼져라.

Henkersmahl *n.* 처형 전의 식사; 《俗》송별연(送別宴).

Henne [hɛ́nə] [<Hahn] *f.* -n, 새의 암컷, 암새; (특히) 암탉(♈ *hen*).

her [he:r] [♈hier] *adv.* (*ant.* hin) 이쪽으로(♈ *here, hither*). ¶ es ist drei Tage ~ 그 후 3일째이다, 그것은 사흘 전의 일이다 / nicht weit ~ sein 멀지 않은 곳에 있다; 《比》 대수로운 것 아니다 / hinter jm. ~ sein 아무를 뒤쫓다, 추구하다 / von alters ~ 예로부터, 자고이래로 / hin u. ~ 여기저기; 때때로.

her.. [hé:r-] 《動詞의 分離前綴; 항상 악센트가 있음》 "대화자에의 방향·기원·정리·기계적 암송"의 뜻을 나타냄. 보기: her|richten, richtete her, hergerichtet.

herab [hɛráp] *adv.* 아래(쪽으)로. ¶ den Berg ~ 산을 내려(와)서.

herab·|bemühen *refl.* 일부러 내려오다. **~|blicken** *i.*(h.) 내려다보다. **~|bringen*** *t.* 내려 놓다; 《比》 영락〔파멸〕시키다 (jn.). **~hängend** *p.a.* 드리워 있는. **~|kommen*** *i.*(s.) 내리다, 내려오다, 떨어지다; 《比》 쇠약해지다, 몰락하다.

herab|lassen* [hɛráplasən] 《Ⅰ》 *t.* 내려놓다, 낮추다; (의) 명성을 손상하다. 《Ⅱ》 *refl.* 내리다; 《比》 몸을 굽히다, 겸손하다(*condescend*). **Herablassung** *f.* 뽐내지 않음; 겸손.

herab|nötigen *t.* 내려오지 않을 수 없게 하다. **~|sehen*** *i.*(h.) (auf et. 〔jn.〕, 무엇을〔아무를〕) 내려다보다; 《比》 깔보다, 멸시하다. **~|setzen** *t.* 내려놓다, 내리다; 값을 내리다; 《比》 경시〔경멸〕하다. **~setzung** *f.* 저하; 값을 내림; 할인; 명예 훼손, 모욕; 좌천, 파면. **~|steigen*** *i.*(s.) 내리다; 《比》 몸을 낮추다; 영락하다. **~|würdigen** *t.* (의) 지위〔품위〕를 떨어뜨리다. **~|zie·hen*** *t.* 끌어내리다; 《比》 (의) 품위를 떨어뜨리다.

Heraldik [heráldık] [fr., *aus* d. Herold] *f.* 문장학(紋章學)(♈ *heraldry*).

heran [hɛrán] *adv.* 이쪽으로, 가까이로 (*on, near, along*). ¶ an die Tür ~ 문 있는 쪽으로.

heran·|bilden *t.* 교육〔훈련〕하다. **~|·kommen*** *i.*(s.) 다가오다, 접근하다. **~|nahen** *i.*(s.) 접근하다; 절박하다. **~|nehmen*** *t.* 취학시키다. **~|pir·schen** *refl.* (사냥감에) 몰래 다가가다. **~|reichen** *i.*(h.) (an et., 에) 닿다, 도달하다. **~|reifen** *i.*(s.) 성숙〔성장〕하다. **~|rücken** *i.*(s.) 다가가다, 근접하다. **~|treten*** *i.*(s.) 가까이 다가가다, 접근하다. **~|wachsen*** *i.*(s.) 성장하다, 어른이 되다. **~|ziehen*** 《Ⅰ》 *t.* 끌어당기다, 초치하다; 《比》 가입시키다. 《Ⅱ》 *i.*(s.) 접근하다.

herauf [hɛráuf] *adv.* 위로, 위쪽으로 《이 쪽의》(*up(wards)*). ¶ die Treppe ~ 계단을 올라서.

herauf·|beschwören* *t.* 영혼을 불러내다《마법〔주문〕으로》; 《比》 (전쟁 따위를) 야기하다. **~|kommen*** *i.*(s.) 올라가다, 오르다; 《比》 승진〔출세〕하다. **~|setzen** *t.* (값·석차 따위를) 올리다. **~|steigen*** *i.*(s.) 오르다, 올라가다, 점점 심해지다《폭풍 따위가》. **~|ziehen*** 《Ⅰ》 *t.* 끌어올리다; 접어〔걷어〕올리다. 《Ⅱ》 *i.*(s.) = ~|STEIGEN.

heraus [hɛráus] *adv.* 바깥으로《이 쪽의》 (*out*). ¶ ~! 나오너라 / ~ mit dem Degen! 칼을 빼들어라.

heraus≈|arbeiten 《Ⅰ》 *t.* 고심하여 끄집어〔만들어〕 내다; 뜨게 하다; 고심하여 성취하다. 《Ⅱ》 *refl.* 고심하여 벗어나다. ～|**bekommen*** *t.* 끄집어 내다, 뽑아내다; (과불한 돈을) 돌려 받다, (비밀 따위를) 탐지해 내다; 《比》 이해하다, 풀다. ～|**bringen*** *t.* 빼내다, 드러내다, 제거하다; (얼룩·이 따위를) 빼다; (말을) 꺼내다; 《比》 공연하다; (신간을) 발행하다; 이해하다, 풀다, 추측하다; 생산하다. ～|**finden*** 《Ⅰ》 *t.* 찾아 내다; 《比》 이해하다, 인식하다. 《Ⅱ》 *refl.* 나오다《출구를 찾아》, 벗어나다; 《比》 이해가 가다, 사정을 알다.

heraus|fordern [hɛráusfɔrdərn] 《Ⅰ》 *t.* (에) 도전하다, 도발하다, 자극하다; (의) 반환〔상환〕을 요구하다. 《Ⅱ》 **heraus≈fordernd** *p.a.* 도전적인; 도발적인. **Herausforderung** *f.* (결투 따위의) 도전; 도발.

heraus|fühlen [-fy:lən] *t.* 만져서 알아내다; 낌새를 알아채다, 감지하다.

Herausgābe [-ga:bə] *f.* 인도(引渡); 반환; 발행, 간행. **heraus|gēben*** *t.* 내어주다, 건네다; 반환하다; 거스름돈을 내어주다; 발행〔간행〕하다. **Herausgē≈ber** *m.* 간행자; 저자, 편집자(*editor*); 발행인(*publisher*).

heraus≈|gēh(e)n* *i.*(s.) ① (밖으로) 나오다, 나가다, 유출하다; 마음을 터놓다; (못·얼룩 따위가) 빠지다. ～|**greifen** *t.* 끄집어 내다, 골라내다. ～|**hauen*** *t.* 잘라내다; 〖軍〗 (포위를 뚫고) 구해 내다. ～|**hēben*** *t.* 끄집어 내다; (차에서) 부축해 내리다; 《比》 돋보이게 하다; 강조하다. ～|**helfen*** *i.*(h.): jm. aus et.³ ～helfen 아무를 무엇에서 구출해 내다. ～|**kommen*** *i.*(s.) ① 나오다; 벗어나다; 나타나다. ② 널리 알려지다, 소문이 나다. ③ (…처럼) 들리다, (…로) 이해되다《말이》. ④ 출판〔발행〕되다, 나오다. ⑤ …의 결과가 되다. ¶es kommt nichts dabei heraus 그건 아무 소용도 없다. ⑥ 논하다, 생각을 말하다. ¶ mit der Sprache ～kommen 숨김없이 말하다. ⑦ 《比》 aus et. ～kommen 무엇을 해내다. ～|**machen** 《Ⅰ》 *t.* 끄집어 내다, 제거하다; (옷 따위의 얼룩을) 빼다. 《Ⅱ》 *refl.* 나가다; 출발하다; 성공하다; 건강해지다; 예뻐지다. ～|**neh≈men*** *t.* 집어내다. ¶sich³ et. ～nehmen, a) 무엇을 골라내다, b) (분에 넘치는) 짓을 하다(*presume*). ～|**platzen** *i.*(s.) (mit, 을) 갑자기 끄집어 내어 말하다. ～|**putzen** *t.* 매만져 장식하다. ～|**rēden** 《Ⅰ》 *i.*(h.): frei ～reden 거리낌없이 말하다. 《Ⅱ》 *refl.* 구실을 붙여 발뺌하다. ～|**reißen*** *t.* 빼내다; 《比》 모면하게 하다. ～|**rücken** 《Ⅰ》 *t.* 밀어내다, 꾀어내다; 《比》 (돈을) 척척 내다. 《Ⅱ》 *i.*(h.): mit der Sprache ～rücken 거리낌없이 말하다. ～|**schlā≈gen*** *t.* 쳐서 내다; 쳐서 떨어뜨리다. ¶ 《比》 Geld aus et.³ ～schlagen 무엇을 돈으로 바꾸다. ～**stecken** *t.* 밖으로 내밀다, (기 따위를) 게양하다; 《比》 말하다. ～|**stellen** 《Ⅰ》 *t.* 밖에 세우다〔두다·내다〕; 나타내다. 《Ⅱ》 *refl.* 나타나다, 뚜렷해지다. ¶er stellte sich als ... heraus 그는 …이라는 것을 알았다. ～|**streichen*** *t.* 《比》 찬양〔칭찬〕하다. ～|**sūchen** *t.* 찾아서 끄집어 내다. ～|**trāgen*** *t.* 날라 내다. ～|**trē≈ten*** *i.*(s.) 걸어 나오다; 〖醫〗 탈장(脫腸)하다. ～|**wickeln**, ～|**winden*** *t.* 감아 내다. 《比》 모면하게 하다, 구해 내다; 모면하다, 벗어나다 《몸부림쳐서》. ～|**ziehen*** 《Ⅰ》 *t.* 끌어〔끄집어〕내다; 뽑아〔빼〕 내다; 발췌하다. 《Ⅱ》 *i.*(s.) 나가다, 진군하다.

herb [hɛrp] [mhd. *harwe* „scharf schneidend"] *a.* 매운, 아린(*sharp, acrid*); 신(*acid, tart*); 맛 없는, 떫은(*dry*); 《比》 신랄한, 혹독한(*harsh, bitter*); 준엄한(*austere*); 까다로운(*dour*).

Herbe [hέrbə] [<herbe] *f.* 떫은 〔신·쓴〕 맛; 신랄, 준엄, 가혹.

herbei [hɛrbái] *adv.* 이쪽으로, 이리로 (*hither, here*).

herbei≈|bringen* *t.* 가지고 오다; (증거 따위를) 제출하다. ～|**eilen** *i.*(s.) 급히 달려 다가오다. ～|**führen** *t.* 데리고〔이끌어〕 오다; 《比》 야기〔유발〕하다. ～|**hōlen** *t.* 가지고 오다, 가지러 가다. ～|**lassen** *refl.* (zu, 을) 승낙〔감수〕하다. ～|**schaffen** *t.* 운반해 오다; (돈을) 조달하다; 얻다; 모으다. ～|**strōmen** *i.*(s.) 흘러오다.

hēr|bemühen [hé:rbəmy:ən] *t.* 수고롭게〔일부러〕 오게 하다; *refl.* 일부러 〔수고를 아끼지 않고〕 오다.

Herberge [hérbɛrgə] [„das Heer bergender Ort"] *f.* -n, (외래자를 위한) 숙소, 숙박소(*lodging*); 값싼 여인숙(*inn*); 피난처. **herbergen** 《Ⅰ》 *t.* (에) 피난처를 제공하다, 묵게 하다(♈*harbour, shelter*); 숙박시키다(*lodge*). 《Ⅱ》 *i.*(h.) 숙박하다, 머무르다.

hēr≈|bestellen *t.* 사람을 시켜 오도록 하다, 불러들이다; 〖法〗 소환하다. ～|≈**bēten** *t.* (기도문을) 죽 외다; 《比》 외듯〔기계적으로〕 진술하다.

Herbheit [hérphait], **Herbigkeit** [hérbɪç-] *f.* -en, 떫은 맛, 쓴 맛, 신〔아린〕 맛; 《比》 준엄, 신랄.

hēr|bitten* [hé:rbɪtən] *t.* 초대하다, 초청하다.

hēr|bringen* [hé:rbrɪŋən] *t.* 가지고〔데리고〕 오다. **hērgebracht** *p.a.* 전래의, 인습적인(*traditional, customary*).

Herbst [hɛrpst] *m.* -es, -e, 수확(♈*harvest*); 수확기, 가을(*autumn*).

Herbst≈anfang *m.* 초가을, 입추. ～≈**äquinoktium** *n.* 〖天〗 추분점.

herbsteln [hérpstəln] *i.*(h.) u. *imp.*: es herbstelt 가을다와지다, 가을이 되다.

herbstlich [hérpstlɪç] *a.* 가을의; 가을다운. **Herbstling** *m.* -s, -e, 가을 과일; 가을 새끼《특히 송아지의》.

Herbst≈fāden *m.*, ～**fāden** *pl.* = ALTWEIBERSOMMER. ～**māßig** *a.* 가을다운. ～**mōnat** *m.* 가을의 달(9. 10. 11 월), (특히) 9 월. ～**mōnd** *m.* 9 월, 〖詩〗 중추의 만월. ～**sēgen** *m.* 가을의 결실. ～**tāg** *m.* 가을날. ～**zeit** *f.* 가을철; 포도 수확의 계절. ～**zeitlōse** *f.* 〖植〗 새프런, 콜히쿰《약용 식물의 일종》.

Hērd [he:rt] *m.* -(e)s [-ts, -dəs], -e [-də], 아궁이, 화덕(♈*hearth*); 아궁이

받이; (증기 기관의) 화실(火室) (♈*fireplace*); 《比》 중심지, 발생지; 〖醫〗 병소(病巢). ¶ ~ des Erdbebens 진원지.

Hērde [hé:rdə] *f.* –n, 가축의 떼(♈*herd, flock*); 《比》 무리, 집단(*crowd, troop*). ¶in ~n leben 군거(群居)하다.

Hērden≈tier *n.* 군거 동물. **≈weise** *adv.* 무리를 지어, 군거하여.

hereditạ̈r [hereditέ:r] [lat.] *a.* 유전(성)의; 〖法〗 세습〔상속상〕의. **Hereditạ̈t** *f.* 유전; 세습, 상속권.

herẹin [hεráin] *adv.* 이리로, 안으로(이쪽의)(*in, in here, inward*). ¶(kommen Sie) ~! 예, 들어오십시오(노크하는 사람에게 대한 대답).

herẹin≈|brechen* *i.*(s.) 갑작스레 들어오다, 틈입(闖入)하다; (불행 등이) 덮치다. ¶die Nacht bricht herein 갑자기 날이 저물다. **~|dürfen*** *i.*(h.) 들어와도 좋다, 들어옴이 허락되어 있다. **~≈fall** *m.* 추락, 함몰; 《比》 실패; 불행. **~|fallen*** *i.*(s.) 빠져 들어가다; 《比》 실패하다; 속다. **~|gēh(e)n*** *i.*(s.) 들어오다; 들어갈 자리가 있다, 들어가 박히다. **~|kommen*** *i.*(s.) 들어오다. **~|lassen*** *t.* 들어오게 하다. **~|≈platzen** *i.*(s.) 느닷없이 뛰어들다, 불시에 오다. **~|rūfen*** *t.* 불러들이다. **~|schneien** *i.*(s.) 뜻밖에 나타나다. **~|wollen*** *i.*(h.) 들어오려고 하다.

hēr≈|fallen* [hé:rfalən] *i.*(s.) 내리 떨어지다, 엄습하다; 급히〔힘차게〕 착수하다. **~|führen** *t.* 이쪽으로 이끌다, 이끌어〔운반해〕 오다.

Hērgang [hé:rgaŋ] *m.* –(e)s, ⸚e, 이쪽으로의 길; (사건의) 경과 (*course of events, proceedings*); 사건.

hēr|gēben* [hé:rge:bən] 《I》 *t.* 인도(引渡)하다; 주다, 교부하다. 《II》 *refl.* (zu, 에) 힘을 써주다, 명의를 빌려주다.

hērgebracht [hé:rgəbraxt] *p.a.* ☞ HERBRINGEN. **hērgebrachtermạßen** *adv.* 습관에 따라, 전통적〔인습적〕으로.

hēr≈|gēh(e)n* *i.*(s.) 이쪽으로 걸어오다; 죽 (걸어)가다. ¶so geht es (in der Welt) her 세상이란 그런 것이다. **~|≈gehȫren** *i.*(h.) 여기에 속하다, 이 경우에 관계가 있다.

hēr≈|halten* 《I》 *t.* 이쪽으로 내밀다. 《II》 *i.*(h.) 참다, 감수하다(*submit, suffer* (*for*)). **~|hōlen** *t.* 가지고〔데리고〕 오다. ¶《比》 weit hergeholt 견강부회의, 억지의.

Hēring [hé:rɪŋ] *m.* –s, –e, 〖魚〗 청어(♈*herring*).

hēr|kommen* [hé:rkɔmən] *i.*(s.) 이쪽으로 오다, 다가오다; 《比》 유래〔기인〕하다; (von, 의) 산(產)이다. **Hērkom≈men** *n.* –s, 출신, 혈통 (=Herkunft); 구습, 관습. **hērkömmlich** [hé:rkœmlɪç] *a.* 전래의, 관습적인(*customary, usual*).

Hērkunft [hé:rkʊnft] *f.* ⸚e, 도착; 도래; 출처, 유래, 혈통.

hēr≈|lassen* *t.* 이리 오게 하다, 가까이 오게 하다. **~|leiten** *t.* 이쪽으로 이끌어 오다; 《比》 (aus, 에서) 기원을 규명하다; 연역하다. **~|lēsen*** *t.* 단조롭게 읽다.

Hẹrling [hέrlɪŋ] *m.* –s, –e, 시고 덜 익은 포도.

hēr|machen [hé:rmaxən] 《I》 *refl.* (über jn. 〔et.〕, 아무〔무엇〕에) 덤벼 들다, 덮치다; 착수하다. 《II》 *i.*(h.): viel von et. ~ 무엇으로 소동을 벌이다.

Herm·aphrodị̄t [hὲrm-afrodí:t, hὲrma–] [gr.] *m.* –en, –en, 〖醫〗 반음양자; 〖動·植〗 자웅 동체〔동주〕.

Hermelị̄n [hεrməlí:n] 《I》 [mhd. *harme, dim.* v. „Wiesel"] *n.* –s, –e, 어민(족제비속(屬)의 일종)(♈*ermine*). 《II》 *m.* –s, –e, 어민의 털가죽.

Hermenẹutik [hεrmenɔ́ytɪk] [gr.] *f.* 해석학; 〖宗〗 성서 해석학.

hermē̄tisch [hεrmé:tɪʃ] [gr.] *a.* 〖物〗 밀폐한, 기밀(氣密)의(♈*hermetical*).

hēr|müssen* [hé:rmʏsən] *i.*(h.) 이쪽으로 와야만 하다.

hernạ̄ch [hεrná:x] *adv.* 그 뒤에, 나중에.

hēr≈|nehmen* *t.* 가져오다; 얻다. **~|≈nennen*** *t.* 열거하다, 낱낱이 들어 세다.

herniẹder [hεrní:dər] *adv.* (이쪽의) 아래로〔밑으로〕.

hēr|nōtigen [hé:rnø:tɪgən] *t.* (이쪽으로) 오도록 강제하다.

Heroị̄ne [heroí:nə] [gr. <Heros] *f.* –n, 여주인공, 헤로인. **herọ̄isch** [heró:ɪʃ] *a.* 영웅시(詩)의; 영웅의; 영웅적인, 장렬한; 웅장한(건축 등). **Heroịsmus** [heroísmus] *m.* –, 영웅적 정신〔행위〕, 장렬, 헤로이즘.

Hērold [hé:rɔlt] [fr. *aus.* d. Heerwalter (語順 Walther의 逆)] *m.* –(e)s [–ts, –dəs], –e [–də], 전령사(傳令使); 의전관; (무술 경기에서의) 문장(검열)관(紋章(檢閱)官)(♈*herald*).

Hēros [hé:rɔs] [gr. „Held"] *m.* –s, **Herọ̄en** [heró:ən], 〖希神〗 반신(半神), 영웅; 용사, 전사(戰士)(♈*hero*).

Herr [hεr] [=der Hehrere; *vgl.* hehr] *m.* –n *u.* 《稀》 –en, –en *u.* 《稀》 –n, ① 주인(*master*); 군주, 영주(*lord*); 소유주(*proprietor*). ¶es ist nicht mehr ~ über sich 그는 자제력을 잃었다 / e-s Dinges ~ werden 무엇을 제어하다, 제압하다. ② 〖宗〗 der ~ 주이신 하느님 / unser ~ (Christus) 주(主)(그리스도) / im Jahre das ~n 기원, 서력(西曆) (몇 년에). ③ 신사(중류 사회 이상의 남자), 남자(양반)(*gentleman*); 《稱號》 씨, 님, 선생(*Mr., Sir*). ¶mein ~! 여보세요(이름·신분·관직을 알 때는 안 씀)(*Sir!*)/ m-e ~en! 여러분, 제위(諸位) (대중을 향하여)(*gentlemen!*).

hēr≈|rechnen *t.* 열거하다, 낱낱이 들어 세다 (사람들 앞에서). **~|reichen** *t.* 내밀다, 건네다. **≈reise** *f.* 이쪽으로의 여행; 돌아오는 길.

Hẹrren≈artikel *m.* 〖商〗 신사 용품. **~fahrer** *m.* (자전거 또는 자동차 경주에서) 자가용 차를 사용하는 선수. **~≈gesellschaft** *f.* 남자들만의 (연)회. **~≈haus** *n.* 귀족의 저택; 귀족원. **~hōf** *m.* 귀족〔영주〕의 저택. **≈lōs** *a.* 주인 없는; 소유주가 없는. **~reiter** *m.* 남자 기수(騎手). **~schnitt** *m.* 깎아 올린 단발(여자의). **~zimmer** *n.* 서재; 흡연실(吸煙室).

Hẹrrgott [hέrgɔt] *m.* –(e)s, 하느님, 주(主) 그리스도.

Hẹrrgotts≈frūhe *f.*: in aller ~frühe

이른 아침에. **∼schnitzer** *m.* 십자가상 조각가; 목상 조각가. **∼winkel** *m.* 성상(聖像)을 안치해 두는 구석 《특히 가톨릭 농가에서》.

he̱r|richten [hé:rrıçtən] *t.* 정돈〔정비〕하다, 마무르다 (*fit up, arrange*).

Hẹrrin [hérın] *f.* -nen, 여주인, 주부; 여자 소유주.

hẹrrisch [hérıʃ] *a.* 주인 같은; 위압적「인, 거만한(*imperious*).」

herrje̱! [herjé:] [*aus*: Herr Jesus Domine!] *int.* 아이, 이것 참, 야단났다, 어머.

hẹrrlich [hérlıç] [원래는 hehr 와 -lich; 나중에 Herr 에 관련된 것으로 해석됨] *a.* 훌륭한, 장려한, 찬란한, 굉장한(*excellent, magnificent, splendid*). **Hẹrrlichkeit** *f.* 숭고함, 훌륭함; 존엄, 영광(*glory*). ¶ Pracht u. ∼ 호화 찬란.

Hẹrrschaft [hérʃaft] [<Herr] *f.* -en, 주인임; 주권, 지배, 통제(*dominion, rule, command*); 주인 《부부》 (*master and mistress*); 영지, 소유지(*domain, estate*). ¶ m-e ∼en 신사 숙녀 여러분. **hẹrrschaftlich** *a.* 주인의; 귀인의; 신사의; 영주의; 부유한.

Hẹrrschbegier(de) [hérʃbəgi:r(də)] *f.* 「권세욕, 야심.」

hẹrrschen [hérʃən] [<Herr] 《Ⅰ》 *i.*(h.) 군림하다, 지배하다, 통치하다 (*rule, govern*); (vorherrschen) 지배하다, 우세〔번성〕하다(*prevail, obtain*); 유행하다 (*be in vogue*). 《Ⅱ》 **hẹrrschend** *p. a.* 군림하는; 우뚝 솟는; 지배하는, 주권이 있는; 지배적인, 세력 있는; 성행(盛行)하는, 널리 행해지고 있는. **Hẹrrscher** [hérʃər] *m.* -s, -, 지배자, 통치자(*ruler*); (특히) 군주, 왕(*sovereign*).

Hẹrrscher⸗blick *m.* (왕으로서의) 위엄 있는 안광(眼光). **∼geist** *m.* 지배자의 정신.

Hẹrrsch⸗sucht *f.* 지배욕(支配慾); 야심, 패기. **∼süchtig** *a.* 지배욕이 있는, 권력을 좋아하는, 야심 있는.

he̱r⸗|rücken [hé:rrʏkən] 《Ⅰ》 *t.* 이쪽으로 오게 하다, 다가오게 하다. 《Ⅱ》 *i.*(s.) 이리로 오다, 다가오다. **∼|rūfen*** *t.* 불러 들이다. 가까이 부르다. **∼|rühren** *i.*(h.) (von, 에) 기인하다, 근거를 두다, (에서) 생기다. **∼|sāgen** *t.* 읊다, 암송하다(*recite, rehearse*). **∼|schaffen** *t.* 날라〔가져〕오다; (돈을) 조달하다. **∼|schicken** *t.* 보내 오다. **∼|schreiben*** *refl.* 유래하다, 시작하다, 비롯되다. **∼|sehnen** *refl.* 이쪽으로 오기를 갈망하다. **∼|sein*** *i.*(s.) (von, 에서) 나오다, (의) 출신〔태생〕이다. **∼|setzen** *t.* 이쪽에 두다, 다그다. **∼|singen*** *t.* 단조롭게 노래부르다; (기계적으로) 외다. **∼|stammen** *i.*(s.) (von, 에서) 유래하다, (의) 계통이다, (에서) 전하여지다.

he̱r|stellen [hé:rʃtɛlən] *t.* 이쪽에 세우다, 가까이 두다. ¶ (wieder) ∼ 그전처럼 하다, 회복〔재건·갱신〕하다(*repair, restore*); 조제〔제조·생산〕하다 (*produce, make*). **He̱rsteller** *m.* -s, -, 제조인, 생산자; 수복자(修復者). **He̱rstellung** [hé:rʃtɛlʊŋ] *f.* -en, 회복, 재건, 갱신; 조제, 제조, 생산.

he̱r⸗|stürzen [hé:rʃtʏrtsən] 《Ⅰ》 *i.*(s.) 이쪽으로 돌진하다. 《Ⅱ》 *i.*(s.) u. *refl.* (über jn. 〔et.〕, 에) 덤벼들다. **∼|trāgen*** *t.* 이쪽으로 나르다; 갖고 오다.

Hertz [hɛrts] *n.* -, -, 〖物〗 헤르츠《진동수의 단위》. ¶ ∼sche Wellen 헤르츠파(波).

herü̱ber [hɛrý:bər] *adv.* 이쪽으로, 이「편에(*over, across*).」

herụm [hɛrʊ́m] *adv.* 둘레에(*round, about*). ¶ um et. ∼, a) 무엇의 주위에, 무엇을 돌아서, b) 무엇을 돌아서 이쪽으로 / rund ∼ 빙 둘러서, 주위에 / hier 〔dort〕 ∼ 이〔저〕 주변 근처에.

herụm⸗|balgen *refl.* 격투하다. **∼|bekommen*** *t.* 돌리다; (의) 의견을 바꾸게 하다. **∼|bringen*** *t.* ① (방향을) 회전시키다; 의견을 돌이키다; 설득하다; (처녀 따위를) 꾀다. ② 가지고 돌아다니다; (소문·경위를) 유포시키다. ③ (시간 따위를) 허비하다. **∼|drēhen** *t.* 회전시키다; 비틀다; *refl.* 회전하다, 돌다; 돌아 눕다《자면서》. **∼|drucksen** *i.*(h.) 《俗》 시원치 않다; 말을 머뭇거리다. **∼|fuchteln** *i.*(h.) 《俗》 mit den Armen ∼fuchteln 팔을 (함부로) 내흔들다. **∼|führen** *t.* 데리고〔안내하여〕 돌아다니다. **∼|fuhrwerken** *i.*(h.) 《俗》 바스락거리며 물건을 다루다. **∼|kommen*** *i.*(s.) 돌다, 주유〔편력〕하다. **∼|kriegen** =∼|BRINGEN. **∼|lungern** *i.*(h.) (아무 일도 하지 않고) 빈둥빈둥하고 있다. **∼|treiben*** *refl.* 표박〔유랑·배회〕하다. **∼|ziehen*** 《Ⅰ》 *t.* 끌고 다니다; 《比》 (감언 따위로) 속이다. 《Ⅱ》 *i.*(s.) 걸어다니다, 편력하다; 전전하다.

herụnter [hɛrʊ́ntər] *adv.* (이쪽의) 아래로(*down, off*). ¶ ∼ mit ihm! 그를 타도하라〔넘어뜨려라〕/ ganz ∼ sein, a) 몰락하여 있다, b) 쇠약해 있다.

herụnter⸗|kommen* *i.*(s.) 내려오다, 내리다; 《比》 쇠약하여지다; 낙심하다; 몰락하다. **∼|machen** *t.* 내리우다, 낮추다; (옷깃 따위를) 접다; 《比》 헐뜯다; 욕하다. **∼|reißen*** *t.* 끌어 내리다; 넘어뜨리다, (집 따위를) 부수다, 헐어 버리다. **∼|sein*** *i.*(s.) 내려와 있다; 쇠약해져 있다. **∼|setzen** *t.* 떨어뜨리다; 헐뜯다; 멸시하다. **∼wärts** *adv.* (이쪽의) 아래쪽으로.

hervo̱r [hɛrfó:r] *adv.* 밖으로, 겉〔바깥〕으로 《안에서》 (*forth, out*). ¶ ∼ mit euch! (숨은 데서) 나오너라.

hervo̱r⸗|bringen* *t.* 내다; 발하다《말·소리 따위를》 (*utter*); 일으키다, 발생시키다, 낳다(*bring forth*); 산출하다 (*generate*). **∼bringung** *f.* 낳음, 발생, 발함; 산출, 생산; 산물; 작품. **∼|drängen** *t.* 밀어내다, 밀어서 가게 하다. ¶ sich ∼drängen 밀어제치고 나가다, 건방지(게 굴)다. **∼|gēh(e)n*** *i.*(s.) 나오다, 나타나다. ¶ er ist als Sieger aus dem Kampfe hervorgegangen 그는 싸움의 승리자가 되었다. **∼|hēben*** *t.* 집어내다, 들어〔빼〕내다; 《比》 뚜렷하게〔드러나게〕 하다, 찬양하다, 강조하다(*make prominent, stress, emphasize*). **∼|rāgen** *i.*(h.) 높이 솟다(*project*); 《比》 걸출〔탁월〕하다, 뛰어나다 (*be prominent, surpass*). **∼rāgend** *p. a.* 돌출한, 높이 솟은; 탁월한, 발군의, 뛰

어난(*prominent, distinguished*). **∼ruf** *m.* 불러냄《앙코르에》. **∼|rufen*** *t.* 불러내다, 소환하다; 《比》 야기하다. **∼|sehen*** *i.*(h.) 엿보다, 노리다. **∼|stechen*** *i.*(h.) 돌출하다, 두드러지다; 《比》 눈에 뜨이다, 뚜렷하다. ¶ ∼stechend *p.a.* 눈에 뜨이는, 뚜렷한; 선명한, 현란(絢爛)한 《문체》. **∼|steh(e)n*** *i.*(h.) 튀어 나오다, 돌기하다. **∼|treten*** *i.*(s.) 걸어 나오다; 나타나다; 돌출하다; 《比》 두드러지다, 눈에 뜨이다. **∼|tun*** *refl.* 두각을 나타내다, 뛰어나다(*distinguish*).

her|wagen *refl.* 감히 가까이 오다. **∼wärts** [-vɛrts] *adv.* 이쪽으로. **∼weg** *m.* 이쪽으로 오는 길; 귀로.

her|wollen *i.*(h.) 이리로 오려고 하다. **∼|wünschen** *t.* 이리로 오고파하다.

Herz [hɛrts] *n.* 《2格》: -ens (《醫》: -es), 《3格》: -en, 《4格》: -, *pl.* -en, ① 심장 (♈*heart*). ¶ein Kind **unter** dem ∼en tragen 임신하고 있다. ② 가슴(*breast*). ③ 마음, 심정; 심중(心中), 가슴 속(♈*heart, feeling, mind*). ¶jm. et. **ans** ∼ legen 아무에게 무엇을 간절하게 권하다, 타이르다 / et. **auf** dem ∼en haben, a) 무슨 심원(心願)이 있다, b) 말하지 않고는 못 견딜 일이 있다 / **von** ganzem ∼en gern 진심으로, 기꺼이 / sich³ **zu** ∼en nehmen 걱정하다, 슬퍼하다. ④ 결의(*mind*), 용기(*courage*). ¶sich³ ein ∼ fassen 결심하다. ⑤ 속, 내부; 중심(부); 《植》 고갱이(*pith*). ⑥ (카드의) 하트.

Herz·ader [hέrts-a:dər] *f.* 대동맥(*aorta*).

her|zählen [hé:rtsɛ:lən] *t.* 낱낱이 세다, 열거하다. 「력적인.

herz·allerliebst *a.* 가장 사랑하는; 매

Herz=beklemmung *f.* 마음의 괴로움. **∼beutel** *m.* 《解》 심낭(心囊). **∼blatt** *n.* 《比》 귀여운 사람(*darling*). **∼blut** *n.* 심장의 피, 심혈(心血). **∼brechend** *a.* 가슴이 미어질 듯한, 비통한. **∼brennen** *n.* 애탐, 속이 탐. **∼bube** *m.* (카드에서) 하트의 잭. **∼dame** *f.* (카드에서) 하트의 퀸. 「번민.

Herzeleid [hέrtsəlait] *n.* 비통, 상심,

herzen [hέrtsən] *t.* 끌어안다, 포옹하다 (*press to the heart, embrace*).

Herzens=angst *f.* 오뇌, 번민. **∼erguß** *m.* 심정의 토로, 흉금의 피력. **∼freude** *f.* 충심에서 우러나는 기쁨〔희열〕. **∼freund** *m.* 친구, 마음의 벗. **∼froh** *a.* 충심으로 기쁜. **∼gut** *a.* 참으로 친절한, 진심인. **∼güte** *f.* 친절, 성의. **∼junge** *m.* 가장 사랑하는 남자. **∼kind** *n.* 가장 사랑하는 아이. **∼lust** *f.* 마음에서 우러나는 기쁨〔소원〕, 심원(心願). ¶nach ∼lust 마음껏. **∼wunsch** *m.* 심원(心願), 열망(熱望).

herz=ergreifend *a.* 마음을 감동시키는, 통절한, 비참한. **∼erhebend** *a.* 마음을 부풀게 하는, 고무〔분기〕시키는. **∼erweiterung** *f.* 심장 비대(肥大). **∼fehler** *m.* 심장편막증. **∼förmig** *a.* 심장 모양의. **∼gegend** *f.* 심장부. **∼gespann** *n.* 《植》 익모초《송장풀 무리》. **∼grube** *f.* 심와(心窩), 명치.

herzhaft [hέrtshaft] *a.* 용감한, 대담한; 억센; 단호한; 왕성한; 실질적인(식사).

her|ziehen* [hé:rtsi:ən] 《I》 *t.* 끌어당기다. 《II》 *i.*(s.) ① 이쪽으로 다가오다. ② 《比》 욕하다, 비난하다(über jn. 〔et.〕).

herzig [hέrtsıç] *a.* 귀여운, 가장 사랑하는.

Herz=infarkt *m.* 심근 경색(心筋梗塞). **∼innig** *a.* 진심의, 간절한. **∼inniglich** *adv.* 진심으로, 아주 친절히.

Herz=kammer *f.* 《解》 심실(心室). **∼kirsche** *f.* 앵두의 일종. **∼klappen** *pl.* 심장 판막(瓣膜). **∼klaps** *m.* 《俗》 =∼FEHLER. **∼klopfen** *n.* 심계증(心悸症). **∼königin** *f.* 마음 속의 여인, 연인《여자》. **∼krankheit** *f.* 심장병. **∼leidend** *a.* 심장을 앓는.

herzlich [hέrtslıç] *a.* 충심(衷心)에서의; 정성을 다한, 애정 깊은; 성실한; *adv.* 마음에서. ¶∼ schlecht 참으로 나쁜.

Herzlichkeit *f.* -en, 진심, 성실; 정애(情愛), 우의(友誼); 위의 언행.

Herz=liebchen *n.*, **∼liebste** *m.* u. *f.* 《形容詞變化》 가장 사랑하는 사람〔아이〕. **∼los** *a.* 심장이 없는; 《比》 무정한, 냉혹한. **∼mittel** *n.* 강심제.

Herzog [hέrtso:k] [„der mit dem Heer Ausziehende, Heerführer"] *m.* -(e)s, -e *u.* ⸚e [-tsø:gə], 대공(大公); 《稱號》 공작(公爵)(*duke*). **Herzogin** [-tso:gın] *f.* -nen, 대공〔공작〕 부인, 공비(公妃); 대공〔공작〕 영양(令孃). **herzoglich** [-tso:klıç] *a.* 대공의, 공작의; 대공령(領)의, 공작령의; 대공〔공작〕다운.

Herzogtum [hέrtso:ktu:m] *n.* -(e)s, ⸚er, 대공국; 공작령; 대공〔공작〕의 지위.

Herz=schlag *m.* 심장의 고동; 심장 마비. **∼schwäche** *f.* 심장 쇠약. **∼stärkend** *a.* 《醫》 강심(强心)에 효과 있는. **∼transplantation** *f.* 심장 이식.

herzu [hɛrtsú:] *adv.* 이쪽으로 (*hither, near*). **herzu|eilen** *i.*(s.) 급히 오다.

Herz=verfettung *f.* 심장 지방 변성(脂肪變性). **∼weh** *n.* 심장통; 《比》 비통, 애통. **∼wurzel** *f.* 《植》 직근(直根), 주근(主根). **∼zerreißend** *a.* 가슴을 에어내는 듯한, 비통한.

Hesse [hέsə] *m.* -n, -n, 헤센 사람.

Hessen [hέsən] *n.* 독일 서부의 한 주(州). **Hessin** [hέsın] *f.* -nen, 헤센 여자.

Hetäre [heté:rə] [gr. „Fremdin"] *f.* -n, (고대 그리스의) 기생, 유녀(遊女) (*courtesan*).

heterochrom [-kró:m] [gr.] *a.* 《生》 이색(異色)의, 다색의. **Heterochromie** [-kromí:] *f.* 《生》 이색, 다색(임).

heterogen [heterogé:n] [gr. „fremderzeugt"] *a.* (*ant.* homogen) 이종적(異種的)〔이질적〕인(♈*heterogeneous*); 《化》 불균일(不均一)의.

Heteroplastik [-plástık] [gr.] *f.* 《外科》 이종(異種) 조직 이식.

heterotroph [-tró:f] [gr. *trophé* „Ernährung"] *a.* 《生》 종속 영양의. **Heterotrophie** [-trofí:] *f.* 종속 영양.

Hetzblatt [hέtsblat] *n.* 선동적인 신문.

Hetze [hέtsə] [<hetzen] *f.* -n, 몰이(사냥) (*hunt*); 광분(狂奔), 조급(*hurry, rush*);

사주(使嗾)(gegen jn.) (*instigation*). **hetzen** [hétsən] [<Haß *eig.* "뒤쫓게 하다, 몰다"] *t.* 부추기다(*set on*); (사냥감을) 몰이하다, 사냥하다(*hunt*); 《比》 사주하다(*provoke, incite*). **Hetzer** *m.* -s, -, 〖獵〗 몰이군; 《比》 사주자; 선동자.

Hetz·jāgd *f.* 몰이사냥, 사냥개를 쓰는 사냥; 《比》 분주하게 돌아다님, 동분 서주, 조급. **∼rēde** *f.* 선동 연설.

Heu [hɔy] [*eig.* „abgehauenes (Gras)" <hauen] *n.* -(e)s, 꼴, 건초(♈*hay*).

Heubōden [hɔ́ybo:dən] *m.* 건초 곳간.

Heuchelei [hɔyçəlái] *f.* -en, 꾸며댐, 가장, 위선, 거짓 믿음. **heucheln** [hɔ́yçəln] 《I》 *i.*(h.) 꾸며대다, (..인) 체하다(*dissemble*); 위선을 행하다, 독실히 믿는 체하다(*play the hypocrite*). 《II》 *t.* 가장〔가식(假飾)〕하다(*feign, affect*). **Heuchler** [hɔ́yçlər] *m.* -s, -, 체하는 사람, 위선자. **heuchlerisch** *a.* 꾸며대는, 위선의, 표리(表裏)가 다른.

heuen [hɔ́yən] *i.*(h.) 건초를〔꼴을〕 만들다.

heuer [hɔ́yər] [*aus* ahd. *hiu jaru* „hier Jahr (=indiesem Jahre)"] *adv.* 금년에; 현금(現今), 지금, 목하.

Heuer [hɔ́yər] *m.* -s, -, 건초 만드는 사람.

heuern [hɔ́yərn] *t.* 임차(賃借)하다, 세내다; (선원을) 고용하다(♈*hire*).

Heu·fieber *n.* 〖醫〗 고초열(枯草熱). **∼gābel** *f.* 건초용(乾草用) 쇠스랑.

heulen [hɔ́ylən] [擬聲語] *i.*(h.) 울부짖다, 포효하다; (폭풍 따위가) 윙윙거리다(♈*howl*); 울다(*cry*).

Heul·meier *m.* (훌쩍훌쩍) 우는 사람; 반동가. **∼pēter** *m.*, **∼pfeife**, **∼sirēne** *f.* 사이렌.

Heu·miete *f.* (위를 덮은) 건초 가리〔더미〕. **∼mōnat** *m.* 7월(*July*). **∼pfērd** *n.* 〖蟲〗 메뚜기류(類). **∼schōber** *m.* =∼MIETE. **∼schrecke** ["마른 풀 속을 뛰는 것", *vgl.* schrecken] *f.* 직시류(直翅類). **∼stādel** *m.* 건초 곳간.

heurig [hɔ́yrıç] *a.* 금년(今年)의, 올해의.

heute [hɔ́ytə] 〔俗: **heut**〕 [*aus* ahd. *hiu tagu* „hier Tag" (=an diesem Tag)] *adv.* 오늘(*today*); 금일; 오늘날에는, 현금(現今)은. ¶ ∼ abend 오늘 밤 / ∼ früh 오늘 아침 / ∼ **vor** acht Tagen 지난 주일의 오늘 / ∼ **über** acht Tage 내주의 오늘. **heutig** *a.* 오늘의, 현금(現今)의; *adv.* die ∼e Zeitung 오늘의 신문. **heutigentāgs**, **heut·zu·tāge** *adv.* 요새, 목하(目下)(*nowadays*).

Hexe [héksə] *f.* -n, 마녀(♈*hag, witch*). **hexen** *i.*(h.) 마법〔요술〕을 부리다.

Hexen·einmāleins *n.* 마녀의 구구, 방진(方陣)《여러 수를 방형으로 벌여 가로 세로나 대각선상의 합친 수가 모두 같게 한 것》. **∼kessel** *m.* 《比》 혼란, 소요(騷擾). **∼kunst** *f.* 마술. **∼meister** *m.* 마술사, 마법사. **∼prozeß** *m.* 마녀(에 대한) 심리〔재판〕. **∼ring** *m.* ① 풀밭에 보이는 별로 풀 없는 원형의 장소. ② 둥글게 발생한 버섯의 줄. **∼schuß** *m.* 요통(腰痛). **∼wahn** *m.* 마녀에의 미신.

Hexerei [hɛksərái] *f.* -en, 마법; 매혹; 마술, 요술.

hie [hi:] *adv.* 《方》 (=HIER) 여기에. ¶ ∼ u. da, a) 여기저기, b) 때때로.

hieb [hi:p] ☞HAUEN 《그 過去》.

Hieb [hi:p] [<hauen] *m.* -(e)s, [-ps, -bəs], -e, 타격, 내리 침(*blow, stroke*); (칼 따위로) 벰(*cut*); 칼로 베인 자리〔상처〕(*scar, wound*); 〖林〗 벌채(구역). ¶ ∼e bekommen 얻어 맞다 / der ∼ sitzt 〖펜싱〗 일격이 성공하다; 《比》 (야유 등이) 급소를 찌르다 / ∼ auf jn. 아무에 대한 비난〔비꼼·빈정거림〕.

Hieber [hí:bər] *m.* -s, -, 날이 넓은 칼; 결투용의 가벼운 칼.

hieb·fest *a.* 칼로 상처낼 수 없는, 날이 먹지 않는, 불사신의. **∼waffe** *f.* 대검(大劍).

hielt [hi:lt] ☞HALTEN 《그 過去》.

hienieden [hi:ní:dən] *adv.* 이 세상에서, 이승에서(*here below*).

hier [hi:r; 合成語일 때에는 악센트 위치가 일정치 않음] [♈her, ♈hin] *adv.* ① 여기서, 여기에(♈*here*). ② 《時間的》 이(런) 경우에, 이 때에; 이 점에서. ¶ ∼ u. da 여기저기서; 때때로.

hieran [hi:rán, hí:ran] *adv.* 여기에, 이리로; 여기까지; 이것에 관해서〔대해서〕; 이것에 의해서.

Hi·erarchie [hierarçí:, hì:e–] [gr. ..heilige Herrschaft"] *f.* ..chīen [–çí:ən], 교회〔성직자〕 정치; 교권 제도; (관리 등의) 계급 (제도); 〖가톨릭〗 위계 제도.

hier·auf [hi:ráuf, hí:rauf; 이하 같음] *adv.* 이것에 대해서, 이것을 향해서; 이 점에 있어서; 그것에 이어서, 그 다음에. **∼aus** *adv.* 이 안에서부터, 이 때문에.

hierbei [hi:rbái, hí:rbai] *adv.* 이 〔그〕 곁에, 이것과 함께; 동봉하여서; 이 때에.

hier·durch *adv.* 여기를 지나서〔통해서〕, 이것을 지나서; 이것에 의해서. **∼für** *adv.* 이 때문에; 이것에 대해서; 이것 대신에. **∼gēgen** *adv.* 이것에 대해서, 이것에 반(反)해서. **∼hēr** *adv.* 이리로, 여기까지. ¶ bis ∼her, a) 여기까지, b) 이 때까지, 여태껏, 지금까지, 오늘까지. **∼hin** *adv.* 이리로, 여기로. **∼hinaus** *adv.* 여기에서(부터) 밖으로. **∼hinein** *adv.* 여기에서(부터) 안으로. **∼hinten** *adv.* 이 때〔뒤〕에. **∼in** *adv.* 이 안에; 이 점에 있어서. **∼mit** *adv.* 이것으로서, 이것과 함께; 이렇게 말하고; 이 편지로써, 이것에 덧붙여서. **∼nāch** *adv.* 이 다음에; 이것에 따라서. **∼nāchst** *adv.* 《稀》 바로 곁에, 이웃에, 그 다음 〔직후〕에; 이 이외〔밖〕에. **∼nēben** *adv.* 이와 나란히, 이 곁에.

Hi·eroglȳphe [hieroglý:fə, hì:ero–] [gr. „heilige Eingrabungen"] *f.* -n, 상형(象形) 문자.

Hi·eromant [–mánt] [gr. *manteia* „Weissagung"] *m.* -en, -en, 공양물에 의해 점치는 사람. **Hi·eromantie** [–mantí:] *f.* 공양물에 의한 점.

hier·orts [hí:r-ɔrts] *adv.* 〖官〗 당지에서, 여기서. **∼sein** *n.* 여기〔이곳〕에 있음, 당지에서의 체재(滯在). **∼selbst** [hi:rzélpst, hí:rzɛlpst; 이하 같음] *adv.* 당지에서, 여기서. **∼ūber** *adv.* 여기를 지나서〔넘어서〕; 이것에 관해서〔대해서〕. **∼um** *adv.* 여기를 돌아서, 이 주위〔근처〕에; 이것에 관해서. **∼unten** *adv.* 이 아래에서. **∼unter** *adv.* 이 아래

〔밑〕에; 이것들 사이에; 이것들 중에. **~=von** *adv.* 여기에서(부터), 이제부터; 이것에 관해서. **~zu** *adv.* 이것을 향해서; 이것에 대해서; 이것에 더하여, 더욱이, 또한. **~zulande** *adv.* 이 나라에 있어서. **~zwischen** *adv.* 이것들 사이에.

hiesig [hí:zıç] [<hiə] *a.* 당지(當地)의, 당지 태생〔산(産)〕의.

hieß [hi:s] ☞HEIßEN 《그 過去》.

Hift·horn [hífthɔrn] *n.* 뿔 나팔, 엽적(獵笛), 호각.

hilf! [hılf] ☞HELFEN 《그 命令法》.

Hilfe [hílfə] [<helfen] *f.* -n, 도움, 조력, 원조, 거들음, 보좌(♈*help, aid, assistance*); 구조, 구출, 구원(*relief, succor*); 구호(*aid*); 구제 (수단)(*remedy*). ¶ (zu) ~! 도와다오 / erste ~ 응급 치료 / jm. ~ leisten 아무에게 원조〔가세〕하다. **Hilf(e)leistung** *f.* 원조, 부조, 구조.

Hilfe=ruf *m.*, **~rufen** *m.* 구조를 외치는 소리. **~tätig** *a.* 원조 활동을 하는.

hilf=los *a.* 도움을 받을 데 없는, 의지할〔믿을〕곳 없는, 어찌 할 바를 모르는. **~losigkeit** *f.* 위임. **~reich** *a.* 남을 돕기 좋아하는; 자비심이 많은.

Hilfs=arbeiter *m.* 보조공; 조수. **~=bedürftig** *a.* 원조를 요(要)하는, 의지할 데 없는. **~bereit** *a.* 남을 돕기 좋아하는. **~gelder** *pl.* 보조금. **~kraft** *f.* 보조원. **~lehrer** *m.* 조교(助教). **~linie** *f.* 보조선. **~mittel** *n.* (보조) 수단; 방책; 자원. **~motor** *m.* 보조 모터. **~prediger** *m.* 부(副) 목사. **~=quelle** *f.* 자원. **~schule** *f.* 저능아 학교. **~schul·lehrer** *m.* 특수학교〔저능아 학교〕의 교사.

hilfst [hılfst] (du ~), **hilft** [hılft] (er ~) ☞HELFEN 《그 現在》.

H **Hilfs=truppen** *pl.* (구)원군. **~zeit=wort** *n.* 〖文〗 조동사.

Himbeere [hímbe:rə] [<Hinde] *f.* -n, 나무딸기(의 나무·열매)(*raspberry*).

Himmel [híməl] *m.* -s, -, ① 하늘, 창공(♈*heaven, sky*). ¶ **unter** freiem ~ 노천에서, 야외에서. ② 천상계(天上界), 천국, 천당; 하느님. ¶ **aus** allen ~n gefallen sein 미몽(迷夢)에서 깨어나다, 낙심 천만하다 / **im** siebenten ~ 제 7 천국에서《하느님의 바로 곁에》; 《比》 기뻐서 어찌할 줄 모르는, 더할 나위 없이 기쁜. ③ 천개(天蓋)(*canopy*). **~an** *adv.* 하늘로.

Himmel=angst *f.* 더할 수 없는 불안〔공포〕. **~angst** *a.* 《俗》 es ist mir ~angst 무서워 죽을 지경이다. **~bett** *n.* 닫집이 달린 침대. **~blau** *a.* 하늘색의, 푸른 빛깔의. **~fahrt** *f.* (예수의) 승천. **~fahrtstag** *m.* (예수) 승천 축일. **~hoch** *a.* 하늘처럼 높은; 하늘 높이 솟은. ¶ ~hoch (*adv.*) jauchzend 하늘이 진동하게 환호하며.

Himmelreich [híməlraiç] *n.* 천국; 극락.

Himmels=achse *f.* 우주의 축(軸); 지축. **~angel** *f.* 〖地〗 천극(天極). **~=bahn** *f.* 천체 궤도. **~braut** *f.* 수녀; 비구니.

himmel·schreiend [-ʃraiənt] *a.* 천벌을 받을, 천인공노할.

Himmels=gegend *f.* 방위(方位). **~=gewölbe** *n.* 창천(蒼天). **~körper** *m.* 천체. **~schreiber** *m.* 공중에 광고 글씨를 쓰는 비행기. **~strich** *m.* (지)대(*zone*); 지방(*region*); 풍토(*climate*). **~=zelt** *n.* 창천. **~zeichen** *n.* 〖天〗 수대(獸帶), 황도 십이궁(黃道十二宮).

himmel=wärts *adv.* 하늘로 향하여. **~=weit** *a.* 하늘처럼 먼; 요원한.

himmlisch [hímlıʃ] *a.* ① 하늘의, 천공(天空)의. ② 천국의, 하늘에 계신, 신성한. ③ 숭고한.

hin [hın] [♈her, ♈hier] *adv.* ① 저쪽〔저편〕으로, 저기로(*there, thither*). ¶ über all ~ 〔überallhin〕 사방팔방으로 / es ist noch weit ~ 거기까지는 아직 멀다 / wo gehst du ~ 〔wohin gehst du〕? 어디로 가느냐. ② 가버리고, 지나가고; 꺼지고; 사라지고; 죽고. ③ **auf** et. ~ 무엇을 목표로〔토대로〕 하여. ④ ~ **u. her** 여져저기; 이리저리, 정처 없이 / ~ **u. wieder** 여기저기에, 때때로 / ~ **u. zurück** 오(고) 가고, 왕복하여.

hinab [hınáp] *adv.* 아래 쪽으로, 내려가서. ¶den Berg ~ 산을 내려서.

hinan [hınán] *adv.* 위쪽으로. ¶den Berg ~ 산 위〔꼭대기〕로.

hinan=|geh(e)n*, **~|steigen*** *i.*(s.) 오르다, 올라가다.

hin|arbeiten [hín-arbaitən] *i.*(h.) (auf et., 무엇을) 목표로 노력하다.

hinauf [hınáuf] *adv.* 위쪽으로, 올라가서.

hinauf=|arbeiten *refl.* 애쓰며 오르다. **~|geh(e)n*** *i.*(s.) 오르다; 〖樂〗 (현악기 연주시 왼손을 바꾸어) 가락을 높이다; 값이 오르다.

hinaus [hınáus] *adv.* 밖으로. ¶oben ~ 위에서 밖으로 / darüber ~ 그것을 넘어, 그밖으로.

hinaus=|begleiten *t.* 밖〔현관〕까지 배웅하다. **~|geh(e)n*** *i.*(s.) 밖으로 나가다; 외출하다; (auf et., 무엇을) 뜻하다; (에) 면하고 있다《창문이》. ¶über et. ~gehen 무엇을 넘어서 가다, 넘다; 《比》 무엇보다 낫다, 을 능가하다. **~|kom=men*** *i.*(s.) 나오다. ¶auf eins ~kommen, ☞~|laufen. **~|laufen*** *i*(s.) 내달리다. ¶auf eins ~laufen 같은 결과가 되다. **~|legen** *t.* 밖에 두다 밀쳐내다. **~|schieben*** *t.* 밀어 내다, 연기하다. **~|sein*** *i.*(s.) 나가〔밖에〕 있다 / **~|setzen** *t.* 밖에 두다. **~|wer=fen*** *t.* 밖으로 던지다; 《俗》 내쫓다, 해고하다. ¶zur Tür ~werfen 문에서 몰아 내다. **~|wollen*** *i.*(h.) 나가려고 하다; 어떤 목적을 가지다. ¶zu hoch ~wollen (분에 넘치는) 대망을 품다. **~|ziehen*** *t.* 끌어 내다; 길게 하다, 지연〔연기〕하다.

Hinblick [hínblık] *m.* -(e)s, -e, 둘러봄, 슬쩍 봄. ¶im ~ auf et.[4] 을 염두에 두고, 에 관하여(*with regard to, in view of*). **hin|blicken** *i.*(h.) (nach, 을) 둘러 보다, 일별하다; (auf et. 무엇을) 기대하다.

hin|bringen* [hínbrıŋən] *t.* (그리로) 가지고〔데리고〕 가다; (시간을) 보내다; (재산 등을) 탕진하다, 다 써 버리다.

hinderlich [híndərlıç] *a.* 방해가 되는.

hindern [híndərn] [*eig.* „nach hinten treiben" <hinter] *t.* (*ant.* fördern) 방해하다, 방지〔저지〕하다 (♈*hinder, prevent*). ¶gehindert sein 지장이 있다. **Hindernis** [híndərnɪs] *n.* -ses, -se, 방해, 지장, 장애; 저지; 장애물.

Hindernisrennen [-rɛnən] *n.* (경마의) 장애물 경주(*steeple chase*).

hin|deuten [híndɔytən] *i.*(h.) (auf et.^{4} 무엇을) 지시〔암시·시사·예고〕하다, 표시하다(*point* (*to*), *hint* (*at*)).

Hindin [híndɪn] *f.* -nen, 암사슴(♈*hind*); 《比》 애인.

Hindu [híndu:] [<pers. *hind* „Indien"] *m.* -(s), -s, 인도 사람; 힌두교도(♈*Hindoo*).

hindurch [hɪndúrç] *adv.* (을) 관통〔통과〕하여. ¶mitten ~ 한 가운데를 지나서/die Nacht ~ 밤새도록.

hinein [hɪnáin] *adv.* (그) 안으로, (그) 속으로. ¶zum Fenster ~ 창문 안으로.

hinein=|denken* *refl.* (in et., 무엇을) 곰곰이 생각하다, 의 입장에서(생각해) 보다. **~|finden*** *refl.* (in et., 무엇의) 안으로 들어가다; (에) 통효〔숙달〕하다. **~|knien** *refl.* (in et.^{4}, 무엇에) 몰두하다. **~|lēgen** *t.* 안에 넣다; 속이다; 해치다. **~|rēden** *i.*(h.). ¶ins Blaue ~reden 입에서 나오는 대로 지껄이다. **~|riechen*** *i.*(h.) 《俗》 in et. ~riechen 무엇에 조금 관계하다. **~|stecken** *t.* 삽입하다; 투자하다. **~|ziehen*** *t.* 끌어들이다; *i.*(s.) 들어가다.

hin|fahren* [hínfa:rən] 《Ⅰ》 *t.* (그리로) 나르다, 운반하다. 《Ⅱ》 *i.*(s.) ① (배·차로) (그리로) 가다. ¶über et.^{4} ~ 무엇의 위를 스쳐가다. ② 《比》 가 버리다; 죽다. **Hinfahrt** *f.* -en, (그리로의) 여행 《배·차로의》, 가는 길. ¶Hin- u. Herfahrt 왕복.

hin|fallen* [hínfalən] *i.*(s.) 넘어지다, 추락〔도피〕하다. **hinfällig** [-fɛlɪç] *a.* 쓰러질 듯한; (근거가) 불충분한; 보잘 것 없는. **Hinfälligkeit** *f.* 위임.

hinfort [hɪnfɔ́rt] *adv.* 이제부터, 앞으로, 금후, 이후 (*henceforth*); 장래에(*in future*).

hing [hɪŋ] ☞ HANGEN *u.* 《方》 HÄNGEN 「(그 過去).」

Hingabe [hínga:bə] [<hingeben] *f.* 줌; (=Hingabe s-r selbst) 헌신, 몰두.

Hingang [híngaŋ] [<hingehen] *m.* -(e)s, (저리로) 감; 사망, 죽음.

hin|gēben* [hínge:bən] 《Ⅰ》 *t.* 내주다, 건네다; 버리다; 희생하다, 바치다. 《Ⅱ》 *refl.* 몸을 바치다; (일에) 몰두하다. 《Ⅲ》 **hingēbend** *p.a.* 헌신적인, 몰두하고 있는. **Hingēbung** *f.* -en, =HINGABE.

hingēgen [hɪngé:gən] *adv.* 이에 반(反)하여; 다른 한편으로는; 그 대신.

hin=|gēh(e)n* [hínge:(ə)n] *i.*(s.) (그리로) 가다, 경과하다《시간이》; 《俗》망하다, 죽다, 없어지다. ¶es geht (so) hin 그만하면 됐다, 참을 만하다/jm. et. ~gehen lassen 아무의 무엇(죄)을 너그럽게 봐주다. **~|gehōren** *i.*(h.) (거기에) 속하다, 적합하다. **~|gerāten*** *i.*(s.) (그리로) 우연히 오다. **~|halten*** *t.* 내밀고 있다; 《比》 오래 끌게 하다; (속여서) 기대를 갖게 하다. ¶jn. mit Hoffnung ~halten 아무에게 희망을 걸고 있게 하다. **~|hängen¹*** *i.*(h.) (거기에) 걸려 있다. **~|hängen²** *t.* (거기에) 걸다. **~|hauen*** 《Ⅰ》 *i.* ① (h.) 《俗》 서두르다; 치고 들어가다. ② (s.) 《俗》 덜컥 넘어지다. 《Ⅱ》 *t.* 《俗》 내던지다; 《比》 얼른 해치우다.

hinken [híŋkən] *i.*(h. *u.* s.) ① 절다, 절름〔절뚝〕거리다(*limp, go lame*). ② 〖競〗 한쪽 다리로 (껑충껑충) 뛰다.

hin=|kommen* *i.*(s.) (그리로) 가다, (우연히) 다다르다. **~kunft** *f.* ① 도착, 도달. ② 《稀》 in ~ 장차.

hin|langen [hínlaŋən] *t.* 내주다, 내놓다; *i.*(h.): nach et. ~ 무엇을 얻으려고 하다. **hinlänglich** [hínlɛŋlɪç] *a.* 넉넉한, 충분한(*sufficient*). **Hinlänglichkeit** *f.* 충분(함).

hin=|lassen* *t.* (그리로) 감을 허락하다. **~|lēgen** *t.* 《Ⅰ》 (거기에) 두다, 눕혀 두다; 받아 두다. 《Ⅱ》 *refl.* 드러눕다; 누워 쉬다. **~|machen** 《Ⅰ》 *i.* ① (h.) 아무렇게나 하다, 서두르다. ¶mach(e) hin! 서둘러 해라. ② (h.) (소아·개가) 오줌똥 누다. ③ (s.) 《俗》 =HINREISEN. 《Ⅱ》 *t.* ① 장치하다, 붙박다, 두다. ¶sich ~ (그곳으로) 가다. ② 《方》 파괴하다; 망그러뜨리다.

Hinnahme [hínna:mə] *f.* 받아들임, 수용; 감수. **hin|nehmen*** *t.* 취하다, 받다, 수취하다; 《比》 감수하다, 참(고 견디)다(*put up with, suffer*).

hinnen [hínən] *adv.*: (von) ~ 여기서부터/《比》 von ~ scheiden 죽다.

hin=|opfern [hínɔpfərn] *t.* 희생시키다. **~|raffen** *t.* 잡아 채다; 뺏어 가다; 죽이다. **~|rēden** *t.*: vor sich^4 ~reden 혼잣말하다. **~|reichen** 《Ⅰ》 *t.* 건네주다, 내놓다. 《Ⅱ》 *i.*(h.) (zu, 에) 족하다, 충분하다(*suffice*). **hinreichend** *p.a.* 충분한(*sufficient*).

Hinreise [hínraizə] *f.* -n, 가는 길, 가는 여행〔항해(航海)〕. Hin- u. Herreise 왕복. **hin|reisen** *i.*(s.) (그리로·저리로) 여행하다.

hin|reißen* [hínraisən] *t.* 낚아 채다, 빼앗아 가다; 《比》 (의) 마음을 사로잡다, 매혹하다. ¶sich ~ lassen, (von, …때문에) 자기를 잊다. **~d** (*p.a.*) 마음을 사로잡는〔빼앗는〕, 매혹적인(*charming, thrilling*).

hin|richten [hínrɪçtən] *t.* ① (nach *od.* auf et.^{4}, 쪽으로) 향하게 하다, 돌리다. ② 파멸시키다; 처형하다(*execute*). **Hinrichtung** *f.* -en, 처형(處刑)(*execution*).

hin=|schaffen *t.* (그리로) 나르다, 운반하다. **~|scheiden*** *i.*(s.) 세상을 떠나다, 죽다. **~|schicken** *t.* (그리로) 보내다, (보내)주다. **~|schleppen** *t.* (그리로) 질질 끌고 가다; 빈들빈들 날을 보내다. **~|schreiben*** *t.* 써 보내다, 편지로 (거기에) 알리다; (거기에) 쓰다. 적어 두다. **~|schütten** *t.* (거기에다) 쏟(아 내)다, 쏟아 버리다. **~|schwinden*** *i.*(s.) 수축하다; 꺼져〔쇠하여〕가다. **~|sēhen*** *i.*(h.) (거기를) 건너다 보다. **~|sehnen** *refl.* (그곳을) 그리워하다. **~|sein*** *i.*(s.): er ist ganz hin in sie 그는 그녀에게 홀딱 반해 있다/er ist ganz hin von ihr 그는 그녀에게 미쳐 있다. ~|**setzen** *t.* (거기에) 놓다, 두다; 앉히다; 《比》 가둬 넣다. ¶sich ~-setzen 앉다, 착석하다.

Hinsicht [hínzıçt] [<hinsehen] *f.* -en, ① 건너다 봄. ② 《比》 고려(*regard, respect, view*). ¶in ~ auf et.⁴, a) 을 참작하여, b) 에 관해서 / in dieser ~ 이 점에 있어서. **hinsichtlich** *prp.* 《2格支配》 에 관해서.

hin=|siechen [hínzi:çən] *i.*(s.) 쇠약〔초췌〕해 가다. ~|**sinken*** *i.*(s.) 붕괴하다, 넘어지다. ~|**stellen** *t.* (거기에) 세우다, 설치하다; 《比》 주장〔언명〕하다. ¶ sich als et. ~stellen 자기는 …이라고 자칭〔사칭〕하다. ~|**sterben*** *i.*(h.) 숨져〔죽어〕가다; 《比》 종식〔소멸〕하다; (목소리 따위가) 꺼져가다. ~|**stürzen** *i.*(s.) (그리로) 돌진해 가다; 거꾸러지다.

hint·an [hınt-án] [hinten an] *adv.* 뒤로, 뒤에(*behind, after*).

hint·an|setzen [hınt-ánzɛtsən] *t.* 맨 뒤에 두다, 뒤로 돌리다; 《比》 소홀히 하다, 경시〔무시〕하다(*neglect, slight*). **Hint·ansetzung** *f.* 뒤로 하기.

hint·an=|stēh(e)n* *i.*(h.) 구석 〔끝〕 자리에 있다; 《比》 멸시받다. ~|**stellen** *t.* =~|SETZEN.

hinten [híntən] *adv.* (*ant.* vorn) 뒤에, 배후에(*behind*); 〖海〗 고물에. ¶von ~ 뒤에서(부터). ~**nach** *adv.* 뒤에, 배후에; 《時間的》 후에, 나중에.

hinter [híntər] [♈hinten] (*ant.* vor) 《Ⅰ》 *prp.* ① 《3格支配》의 뒤에, 뒤에서, 배후에서, 이면에(서)(*behind, after*). ¶~ jm. 〔et.³〕 her sein 아무를〔무엇을〕 뒤쫓고〔추구하고〕 있다, 에 열중하고 있다 / jn. ~ sich lassen 아무를 앞지르다, 능가하다. ② 《4格支配》의 뒤로, 배후로, 구석으로. ¶~ et. kommen, a) 무엇을 발견하다, b) 무엇의 비밀〔요령〕을 알다. 《Ⅱ》 *a.* 뒤(쪽)의, 배후의(♈(*be*)*hind, back*); 다음〔후부〕의(*posterior*). ¶der ~e 배후의 인물; 궁둥이.

hinter.. [híntər-, hıntər-] ① 《動詞의 分離前綴로는 "배후에〔로〕, 속에〔으로〕"의 뜻》 보기: hinter|bleiben [híntər-], 뒤에 남다(blieb hinter, hintergeblieben); ② 《動詞의 非分離前綴로는 비유적인 뜻》 보기: hinter-bleiben [hıntərbláibən] 유족으로서 남다(hinterblieb, hinterblieben).

Hinter=backe *f.* 둔부(臀部), 궁둥이. ~**bein** *n.* (짐승의) 뒷다리.

hinter|bleiben* [híntərbláibən] *i.*(s.) 뒤에 남다, 잔류하다. **hinterbleiben*** 《Ⅰ》 *i.*(s.) 유족으로서 남다. 《Ⅱ》 **Hin=terbliebene** *m.* u. *f.* 《形容詞變化》 유족(의 한 사람). **Hinterbliebenen=rente** *f.* 유족 연금.

hinterbringen* [hıntərbríŋən] *t.* 고자질하다, 밀고하다(*inform (secretly)*).

Hinterdeck [híntərdɛk] *n.* 〖海〗 후갑판(後甲板).

hinterdrein [hıntərdráin] *adv.* 《空間的》 배후에서; 《時間的》 나중에, 추가로.

hintere [híntərə] 《Ⅰ》 *a.* 뒤〔후부〕의. 《Ⅱ》 **Hintere** 《形容詞變化》 ① *m.* u. *f.* 배후 인물. ② *n.* 배후의 물건. ③ *m.* 《俗》 궁둥이.

hinter·einander [hıntərainándər] *adv.* 꼬리를 물고, 차례차례로, 연이어. ¶ drei Tage ~ 연 사흘 내리.

hinter|essen* [-ɛsən] *t.* 《俗》 삼키다, 무리하게 먹다.

Hinter=fūß *m.* 뒷발《짐승의》. ~**ge=bäude** *n.* 뒤채; (건물의) 뒤쪽. ~**ge=danke** *m.* 속마음, 저의(底意), 내심.

hinter|gēh(e)n* [híntərge:ən] *i.*(s.) 배후로 가다; 《俗》 변소에 가다. **hinter=gēh(e)n*** *t.* 속이다, 기만하다.

Hinter=glied *n.* 〖軍〗 후열(後列). ~=**grund** *m.* 〖劇·畫〗 배경(背景).

Hinterhalt [híntərhalt] *m.* -(e)s, -e, 은신처, 〖軍〗 매복소(埋伏所), 복병; 《比》 함정; 저의(底意). **hinterhältig** *a.* 저의 있는, 음흉한(*insidious, malicious*).

Hinter=hand *f.* (말의) 엉덩이, 뒷부분; (카드놀이의) 회두리. ~**haupt** *n.* 후두(부)(後頭(部)). ~**haupt(s)·lāge** *f.* (태아의) 뒷머리(가 산도(産道)를 여는) 위치. ~**haus** *n.* 뒤채; 가옥의 뒷면.

hinterhēr [hıntərhé:r] *adv.* 배후에서, 뒤에서; 나중에, 뒤늦게.

Hinter=indīen *n.* 인도차이나. ~**kopf** =~HAUPT. ~**läder** *m.* 후장총(後裝銃). ~**land** *n.* 배후지역, 내지(內地), 오지(奧地); 〖商〗 판로(販路).

hinterlassen* [hıntərlásən] 《Ⅰ》 *t.* 남기다(*leave (behind)*); 말을 남기다; 유언으로 주다. 《Ⅱ》 **hinterlassen** *p.a.* 죽은 뒤의, 사후의, 남겨진. **Hinterlassen=schaft** *f.* 유산(遺產), 상속 재산.

hinterlēgen [hıntərlé:gən] *t.* 맡기다, 기탁〔공탁〕하다(*deposit*). **Hinterlē=gung** *f.* -en, 맡김, 기탁; 공탁.

Hinterleib [híntərlaip] *m.* (사람·짐승의) 후반신.

Hinterlist [-lıst] *f.* 술책, 궤계(詭計) (*artifice*); 사기(*fraud*). **hinterlistig** *a.* 음험한, 교활한, 못 믿을.

Hintermann [-man] *m.* (*pl.* ⸗er) 뒤에 있는 〔오는〕 사람; 후열병(後列兵).

Hinter=rād *n.* 뒷바퀴. ~**rād·an=trieb** *m.* 후륜 구동(後輪驅動).

hinterrücks [-rʏks] *adv.* 배후로부터; 뒤로; 배후에서; 《比》 몰래.

hinters [híntərs] 《俗》 =*hinter* das (das는 冠詞). 「(마차 등의) 뒷자리.

Hinter=seite *f.* 뒤편, 이면. ~**sitz** *m.*

hinterst [híntərst] *a.* 최후의, 맨 끝의 (*hindmost, last*).

Hinter=stēven *m.* 〖海〗 선미재(船尾材). ~**teil** *m.* u. *n.* 뒷부분, 배부(背部); 《俗》 엉덩이; (배의) 고물. ~**treffen** *n.* 〖軍〗 후방 전열(戰列), 후위. ¶ins ~-treffen geraten〔kommen〕 불리하게 되다, 물러서다, 등한시되다.

hintertreiben* [hıntərtráibən] *t.* 방해〔저지〕하다(*hinder, thwart*).

Hinter=treppe *f.* (큰 집의) 뒷계단. ~**treppenromān** *m.* 저속한 소설. ~**tūr(e)** *f.* 뒷문. ~**viertel** [-fır-] *n.* 식육수(食肉獸)의 후반의 절반, 채끝살. ~**wäldler** *m.* 미개지의 주민; 물정에 어두운 사람, 시골뜨기. ~**wärts** *adv.* 뒤로; 배후로; 〖海〗 고물로; 몰래.

hinterziehen* [hɪntərtsíːən] *t.* (공금 따위를) 횡령[착복]하다(*defraud*).

hinüber [hɪnýːbər] *adv.* 저쪽으로.

hinüber-reichen 《I》 *i.*(h.) 저쪽에 이르다, 미치다. 《II》 *t.*: jm. et. über e-n Tisch ~reichen 아무에게 무엇을 식탁 너머로 건네다. ~**setzen** *t.* (über e-n Fluß, 강을) 건네주다. ~**wechseln** *i.*(s.) 다른 영역으로 바꿔들다; 《比》 변절[투항]하다.

hinunter [hɪnúntər] *adv.* (저쪽의) 밑으로, 아래 쪽에. ¶ (geb) ~ mit ihm ! 그를 타도하라.

hinunter-schlucken *t.* 삼켜 버리다, 삼켜 넘기다; 《比》 (분노 등을) 참다, 감수하다, 말하지 않다. ~**stürzen** *i.*(s.) 추락하다, 급히 내려가다; *t.* (술 따위를) 죽 들이켜다.

hin-wärts [hínverts] *adv.* 저쪽으로, 그쪽에. ~**wēg** *m.* 저쪽으로 가는 길.

hinweg [hɪnvέk] *adv.* 저쪽으로, 저멀리 (♈*away, off*). ¶ ~ (mit dir) ! 물러가라, 꺼져라.

hinweg-gēh(e)n* *i.*(s.) 저리로 가다; 《比》 손쉽게 처리하다, 간과하다. ~**kommen*** *i.*(s.) 넘어서 오다, 저 쪽에 다다르다. ~**sēhen*** *i.*(h.): (über et.⁴, 무엇을) 쭉 훑어보다, 대충 보다; 《比》 봐 넘기다; 무시하다. ~**sein*** *i.*(s.) 가버리고 없다; (über et.⁴, 을) 넘어서[초월해] 있다. ~**setzen** *t.* 제거하다, 옮기다. ¶ sich über et.⁴ ~setzen 무엇을 무시하다[간단히 처리하다].

Hinweis [hínvais] *m.* -es, -e, 지시, 암시, 힌트; 참조, 언급. **hin-weisen*** [hínvaizən] 《I》 *t.*: jn. auf et.⁴ ~ 아무에게 무엇을 가르쳐 주다. 《II》 *i.*(h.): auf et.⁴ ~ 무엇을 가리키다, 지시하다, 참조시키다, (에) 언급하다. 《III》 **hinweisend** *p.a.* 지시적인(대명사 따위).

Hinweisung *f.* -en, =HINWEIS.

hin-welken *i.*(s.) 시들어 가다; 쇠퇴[쇠약]해 가다. ~**werfen*** [hínverfən] 《I》 *t.* 그리로 던지다, 던져 주다; 내던지다, 팽개치다; (auf das Papier, 종이에) 적바림하다. ¶ ein Wort ~ 어떤 말을 무심코 지껄이다. 《II》 *refl.* 몸을 내던지다, 엎드리다.

hinwieder(um) [hɪnvíːdər, -rum] *adv.* 그것에 대해서, 이쪽에서도(*in return*); 재차, 또다시(*again*).

hin-zählen *t.* 세어서 내다(금액 등을). ~**zeigen** *t.* 지시[지적]하다. ~**ziehen*** 《I》 *t.* ① (그리로) 끌다; 《比》 끌어 당기다, 호리다. ② 지연시키다. 《II》 *i.*(s.) (저리로) 가다, 향하다, 옮기다, 나아가다. 《III》 *refl.* 오래 끌다; 늘어나다, 펴지다; 길게 뻗치다. ~**zielen** *i.*(h.) (auf et.⁴, 을) 노리다, 뜻하다.

hinzū [hɪntsúː] *adv.* ① 그 가까이로, 그쪽으로. ② 그에 덧붙여서, 그 위[밖]에 (*in addition to*).

hinzū-denken* *t.* 덧붙여 생각하다, 마음 속으로 보충하여 생각하다. ~**drängen** *refl.* 육박하다, 밀려들다. ~**fügen** *t.* 부가[첨부]하다(*add, join*). ~**fūgung** *f.* -en, 부가(물), 첨부물; 부록, 부언. ~**gehōren** *i.*(h.) (그것에) 속하다, (그것의) 일부분을 이루다. ~**kommen*** *i.*(s.) (그리로) 다가오다, 접근하다; (다시) 첨가되다, 부가되다. ~**tūn*** *t.* 더하다, 첨가하다, 덧붙이다. ~**ziehen*** *t.* 부가하다; 끌어 넣다, 가입시키다; (의사 등을) 부르다.

Hiob [híːɔp] *m.* 〖聖〗 욥; 《比》 수난자, 고난을 견디어 내는 사람.

Hiobs-bōtschaft, ~**post** *f.* 흉보(凶報) 《욥 1 : 14 이하》.

Hippe [hípə] *f.* -n, 큰 낫(*scythe*); (원예용의) 굽은 낫(*billhook*).

Hippie [hípiː] [amer.] *m.* -(s), -s, 히피.

Hirn [hɪrn] *n.* -(e)s, -e, 뇌, 뇌수(腦髓) (*brain*); 《比》 두뇌; 지력(智力).

Hirn-anhang *m.* 〖解〗 뇌하수체. ~**blūtung** *f.* 뇌일[뇌출]혈. ~**erschütterung** *f.* 뇌진탕. ~**gespinst** *n.* 환상, 환영(幻影)(*phantom*); 망상(*whim*). ~**haut** *f.* 뇌막. ~**haut-entzündung** *f.* 뇌막염. ~**lōs** *a.* 뇌가 없는; 《比》 우매한. ~**schādel** *m.,* ~**schāle** *f.* 두개(頭蓋)(*scull*). ~**verbrannt** *a.* 광기가 있는(*mad*); 우매한.

Hirsch [hɪrʃ] *m.* -es, -e, 〖動〗 수사슴 (♈*hart, stag*); 《一般的》 사슴(*deer*).

Hirsch-bock *m.* 수사슴. ~**fänger** *m.* 사냥칼. ~**farben,** ~**farbig** *a.* 담황갈색의. ~**geweih** *n.* 사슴 뿔. ~**horn** *n.* 녹각(鹿角). ~**jāgd** *f.* 사슴 사냥. ~**kāfer** *m.* 〖蟲〗 사슴벌레. ~**kalb** *n.* 하릅사슴, 새끼 사슴(*fawn*). ~**kuh** *f.* 암사슴(*hind*). ~**lēder** *n.* 사슴 가죽. ~**lēdern** *a.* 사슴 가죽(제)의.

Hirse [hírzə] *f.* 〖植〗 기장(*millet*). ~**brei** *m.* 기장 죽.

Hirt [hɪrt] [♈Herde] *m.* -en, -en, 목자(牧者), 목동(*herds man*); (특히) 양치는 사람(*shepherd*).

Hirten-amt *n.* 목사[감독·주교]의 직. ~**brief** *m.* 감독[주교]의 교서. ~**gedicht** *n.* 목가(牧歌), 전원시. ~**knābe** *m.* 목동. ~**lēben** *n.* 목자 생활; 《比》 목가적인 생활. ~**māßig** *a.* 목자다운, 전원풍의. ~**stāb** *m.* 목자의 (굽은) 지팡이; 주교장(主教杖).

Hirtin [hírtɪn] *f.* -nen, 여자 양치기.

His [hɪs] *n.* -, -, 〖樂〗 올림 나 음(音); (*His-dur*) 올림 나 장조. ***his*** *n.* -, -, 〖樂〗 (*his-moll*) 올림 나 단조.

hissen [hísən] *t.* 〖海〗 (기·돛 따위를) 감아 올리다(♈*hoist*).

hist ! [hɪst, hiːst] *int.* 저라《마부의 말「모는 소리」》.

Histologie [histologíː] *f.* 조직학(組織學)《생물학·해부학 등의》.

Historie [hɪstóːrĭə] [gr. „Erforschen, Kunde"] *f.* -n, ① 사실(史實), 역사(♈*history*). ② 이야기(*story*). **Historiker** [-rɪkər] *m.* -s, -, 사학자. **historisch** [-rɪʃ] *a.* 역사(상)의.

Hit [hɪt] [engl. (am.) „Schlager"] *m.* -(s), -s, 히트곡.

hitch(hik)en [hítʃ(haɪk)ən] [<am. *hitchhike*] *i.*(h. *u.* s.) 히치하이크하다.

Hitz-blāse, ~**blatter** *f.* 〖醫〗 습진, 땀띠.

Hitze [hítsə] [<heiß] *f.* ① 더위, 열(熱), 고온(高溫)(♈*heat*). ② 《比》 열렬(함), 격정, 분격(*ardour, passion*).

H

hitze·beständig [hítsəbəʃtɛndıç] *a.* 열에 의해 변하지 않는, 내열(耐熱)의. **Hitzebeständigkeit** *f.* 내열(성).

hitzen [hítsən] *t.* 가열하다.

Hitzewelle [hítsəvɛlə] *f.* 〖氣象〗 열파(熱波).

hitzig [hítsıç] *a.* ① 뜨거운(♈*hot*); 《比》 열렬한, 격한(*ardent*); 성마른(*passionate*); (말이) 사나운; 〖醫〗 급성의. ② (술이) 독한.

Hitz·kopf *m.* 흥분하기 쉬운 사람, 성급한 사람, 열혈한(熱血漢). **∼köpfig** *a.* 흥분하기 쉬운, 성마른, 조급한. **∼schlāg** *m.* 〖醫〗 일사병.

hm! [hm:, hm] *int.* 에헴.

HO [ha:ó:] 《略》 =*H*andels*o*rganisation 동독의 국영 소매 기구.

hō! [ho:] *int.* 어이, 이봐; 워, 우어《말을 세울 때》; 허, 흥《가벼운 경멸 따위를 나타내는 소리》.

hōb [ho:p] ☞HEBEN (그 過去).

Hobel [hó:bəl] *m.* -s, -, 대패(*plane*).

Hobel·bank *f.* 대패질 모탕. **∼eisen** *n.* 대팻날. **∼maschine** *f.* 평삭 선반(平削旋盤).

hobeln [hó:bəln] *t.* (에) 대패질하다;《俗》(을) 세련되게 하다. **Hobelspäne** *pl.* 대팻밥.

Hoboe [hobó:ə] [fr. *haut-bois* „Hochholz (bis zu hohen Tönen gehend)"] *f.* -n, 〖樂〗 오보에(♈*hautboy*, ♈*oboe*). **Hoboist** [hoboíst] *m.* -en, -en, 오보에 취주자; 〖軍〗 취관(吹管)병.

hōch [ho:x] [mhd. *hoh*] (ch는 다음에 e가 올 때 원래의 h로 돌아감) 《Ⅰ》*a.* ① 높은(♈*high*). ¶auf hoher See 난바다〔외양〕에서 / im hohen Norden 북극지방에. ② (신분·지위·순위 등이) 높은. ¶∼ und niedrig, Hohe und Niedrige 귀천을 불문하고, 누구나 다 / hohe Schule, a) =GYMNASIUM, b) =HOCHSCHULE. ③ 때가 찬, 한창인. ¶hoher Sommer 한여름 / ein hohes Alter 고령(高齢). ④ (수량·값이) 큰, 많은. ¶hohe Summe 고액, 거액. ⑤ 거만한, 거드름 피우는. ⑥ 〖樂〗 고음의. ⑦ 〖數〗 4∼5 〔4^5〕, 4의 5제곱. 《Ⅱ》 *adv.* 높이. ¶wenn es ∼ kommt, a) 그것이 높아〔많아〕질 때에는, b) 기껏해야, 고작해야, c) 일단 유사시에는 / jn. ∼ leben lassen 아무의 건강을 축복하여 건배하다, 아무의 만세를 부르다. 《Ⅲ》 **Hoch** *n.* ① -s, -s *u.* -rufe, 만세(소리). ② -(s), -(e) *u.* -s, 고기압(권).

hoch|achten [hó:x-axtən] *t.* 매우 존경〔존중〕하다. **Hochachtung** [-axtuŋ] *f.* -en, 대단한 존경, 흠모. **hochachtungsvoll** *a.* 공손한, 경의에 찬; *adv.* 공손히, 삼가; (편지의) 경구(敬具).

Hoch·altār *m.* 높은〔대〕제단(祭壇), (중앙) 본제단. **∼amt** *n.* 〖가톨릭〗 대〔본〕미사. **∼antenne** *f.* 옥외 안테나. **∼bahn** *f.* 고가(高架) 철도. **∼bau** *m.* 지상(地上) 공사〔건축〕. **∼beglückt** *a.* 다행한. **∼bejahrt** *a.* 고령의, 나이 많은. **∼berühmt** *p.a.* 이름 높은, 고명한. **∼betāgt** *a.* =∼BEJAHRT. **∼betrieb** *m.* 〖商〗 대호황(大好況). **∼burg** *f.* 견고한 성; 《比》 (정치 운동의) 아성, 본영(本營), 중심.

Hochdeutsch [hó:xdɔytʃ] *n.* 고지(高地) 독일어.

Hoch·druck *m.* 고압; 고기압; 고혈압; 철판(凸版) 인쇄. **∼ēbene** *f.* 고원(高原). **∼erfreut** *a.* 대단히 기뻐하는. **∼fahrend** *a.* 오만한, 건방진(*haughty*). **∼fein** *a.* 《俗》 아주 훌륭한, 정묘한; 최고급의 《상품》. **∼fliegend** *a.* 높이 나는; 《比》 대망을 품은; 원대한 《계획 따위》. **∼frequenz** *f.* 고주파. **∼gebirge** *n.* 고산계(高山系) 《1600 m 이상》. **∼gefühl** *n.* 고조된 감정, 감격.

hoch|gēh(e)n* [hó:xge:(ə)n] *i.*(s.) 높아지다, 일다; 《比》 격앙하다.

Hoch·genuß *m.* 더 없는 쾌락, 지락(至樂). **∼gericht** *n.* 형장(刑場); 교수대. **∼geschätzt** *a.* 높이 존중되는. **∼gespannt** *a.* 팽팽한; 〖工〗 고압의; 《比》 긴장한; 지나친《기대 따위》. **∼gestellt** *a.* 고위〔고관〕의. **∼grādig** *a.* 고도의, 강렬한, 대단한. **∼|halten*** *t.* 올려〔걸어〕두다; 《比》 존중하다. **∼haus** *n.* 고층 건물. **∼herzig** *a.* 지조가 높은(*noble minded*); 도량이 넓은(*magnanimous*). **∼kirche** *f.* 영국 국교회(國敎會) (*High Church*). **∼konjunktūr** *f.* 〖經〗 호경기(好景氣). **∼land** *n.* 고지(高地), 산지《해발 200 m 이상》; 스코틀랜드의 고원 지방. **∼länder** *m.* 산지의 주민; 스코틀랜드의 산지 사람.

höchlich [hǿ:çlıç] *adv.* (hoch 보다 약함) 고도로, 지나치게, 대단히.

Hoch·meister *m.* (독일의) 기사 단장. **∼mūt** *m.* 오만, 교만, 불손(*haughtiness, pride*). **∼mütig** *a.* 오만한, 교만한, 불손한. **∼näsig** *a.* 《俗》 거드름 피우는, 거만한. **∼ōfen** *m.* 용광로. **∼plateau** *n.* 고원, 대지. **∼prozentig** *a.* 높은 퍼센트의, 함유율이 높은 《대개 알콜 성분에 대해》. **∼relief** *n.* 고부조(高浮彫). **∼rōt** *a.* 진홍의. **∼|schätzen** *t.* 존중〔숭상〕하다. **∼schūle** *f.* 대학《종합 대학(*university*), 단과 대학(*academy*)의 총칭》. **∼seefischerei** *f.* 원양 어업. **∼sēlig** *a.* 고인이 된(*late*). ¶der ∼selige König 선왕(先王). **∼sinnig** *a.* 고매한. **∼sommer** *m.* 한여름, 성하(盛夏)《7·8월》. **∼spannung** *f.* 고도의 긴장; 〖電〗 고압. **∼|spielen** *t.* 과대평가하다; 널리 알리다. **∼sprung** *m.* 높이뛰기.

höchst [hø:çst] (hoch의 最上級) 《Ⅰ》 *a.* 최고의, 최상의(♈*highest*). ¶am ∼en 가장 높이(비교적으로) / aufs 〔auf das〕 ∼e 아주 높이 《절대적으로, =대단히 높이》. 《Ⅱ》 *adv.* 심히, 대단하게, 지극히. ¶aufs 〔auf das〕 ∼e 극도로, 아주 심하게, 지극히, 대단히 / zum ∼en, a) (∼ens) 기껏해야, 겨우, b) (aufs ∼e) 대단히 / ∼e Wesen 최고의 존재, 지고(至高)의 것.

hoch·stämmig *a.* 키 큰 《나무》; 《比》 키 큰 《사람》. **∼stand** *m.* 고수위선(高水位線); 《比》 고도(를 유지함); 융성. **∼stāpelei** *f.* 고등 사기. **∼stāpler** *m.* 고등 사기꾼.

Höchst·bietende *m.* u. *f.* (形容詞變化) (경매에서) 최고 값을 매기는 사람, 낙찰자. **∼eigen** *a.* 친히 하는, 몸소

의, 손수의. ¶in ~eigener Person 친히, 손수, 몸소.
hö̱chstens [hø:çstəns] *adv.* 기껏해야, 고작해야, 겨우(*at* (*the*) *most, at best*).
Hö̱chstgeschwindigkeit [-gəʃvɪndɪçkait] *f.* 최대 속력.
Hö̱chst·kommandierende *m.* 《形容詞變化》 〖軍〗 최고 지휘관, 총사령관. **~leistung** *f.* 최대 능률; 〖競〗 최고 기록. **~lohn** *m.* 최고 임금. **~māß** *n.* 최고도, 최대한. **~preis** *m.* 최고치(値).
Ho̱ch·strāße [hó:xʃtra:sə] *f.* 고가 도로.
Hö̱chst·stūfe *f.* 〖文〗 최상급 (*superlative*). **~wahrsche̱inlich** *a.* 아주 그럴싸한, 그럴듯한; *adv.* 아마도, 다분히.
Ho̱ch·tōn *m.* 제 1 악센트. **~tour** [-tu:r] *f.* 등산, 산악 여행. **~tourist** [-turɪst] *m.* 등산가. **~trābend** [„hoch zu Roß trabend"] *a.* 《比》 과장한《문체》. **~verdient** *a.* 높은 〔큰〕 공적이 있는. **~verrāt** *m.* 대역〔반역〕죄 (*high treason*). **~verrǟter** *m.* 대역 범인, 반역자. **~verrǟterisch** *a.* 대역의, 모반의. **~wald** *m.* 교목림(喬木林)《지명으로도 몇 군데 쓰임》. **~wasser** *n.* 홍수, 범람; (바다의) 고조(高潮). **~wērtig** *a.* 가치가 높은; 함유량이 많은. **~wild** *n.* 고등 엽수(高等獵獸)《사슴·산돼지·곰 따위》. **~wo̱hlgebōren** *a.* 각하, 귀하. **~wü̱rden** *pl.*: Ew. (= Euer *od.* Eure) ~würden! 스승님, 성하(聖下)《고위 성직자에 대한 존칭》. **~wü̱rdig** *a.* 높이 존경할 만한. **~zahl** *f.* 〖數〗 지수(指數).
Họchzeit [hɔ́xtsait] [mhd. *hohe Zeit*] *f.* -en, 혼례, 결혼(식)(*wedding, marriage*). **Họchzeiter** *m.* -s, -, 《方》 신랑. **họchzeitlich** *a.* 혼례의.
Họchzeit(s)·gedicht *n.* 혼례의 축가(祝歌). **~geschenk** *n.* 결혼 선물. **~reise** *f.* 신혼 여행. **~tāg** *m.* 혼례일.
Ho̱chziel [hó:xtsi:l] *n.* 높은 목표.
Họcke [hɔ́kə] *f.* -n, 낟가리; 〖體〗 (몸을) 쪼그림. **họcken** [hɔ́kən] 《Ⅰ》 *t.* (곡식 단을) 가리다, 낟가리를 가리다. 《Ⅱ》 *i.* (h.) 웅크리다, 쪼그리다(*squat, crouch*). **Họcker** *m.* -s, -, 웅크린 사람; (Stuben~) 안방 샌님; 걸상, (낮은 걸상 모양의) 발판, 승창(*stool*). **Hö̩cker** [hœ́kər] *m.* -s, -, 언덕(*knoll, knob*); 구상 돌기(丘狀突起), 혹, 융기(*hump, hunch*); (낙타·곱사등이의) 육류(肉瘤); 소결절(小結節) (*knot*). **Họckergrāb** *n.* 〖考古〗 굴장묘(屈葬墓). **hö̩ckerig** *a.* 구상(丘狀)으로 돌기한, 혹 있는, 융기한, 소결절이 있는; 육류(肉瘤)가 있는, 곱사등이의.
Họckey [hɔ́kɪ] [engl.] *n.* -s, 〖競〗 하키.
Ho̱de [hó:də] *f.* -n, **Ho̱den** [hó:dən] *m.* -s, -, 고환(睾丸), 불알(*testicle*).
Ho̱den·bruch *m.* 〖醫〗 음낭헤르니아〔탈장〕. **~sack** *m.* 음낭(*scrotum*).
Hodomēter [hodomé:tər] [gr.] *n.* 〔*m.*〕 -s, -, 주정 기록계(走程記錄計); 보정 기록계(步程記錄計).
Hōf [ho:f] *m.* -(e)s, ⸚e [hø:fə], ① 울안, 구내(*court*); 안마당, 앞뜰(*courtyard*). ② (건물·토지를 포함한) 농가, 농장(*farm*); (도회의) 훌륭한 저택, (Gast~) 여관; (지주·영주의) 저택. ③ 궁정(宮廷)(*court*); 조신(朝臣)(들). ¶《比》 den ~ machen, (jm., 아무에게) 대접을 극진히 하다, (의) 마음을 사다; (e-r Dame, 어떤 여성에게) 치근치근 따라다니다, 구애(求愛)하다. ④ (Gerichts~) 법정. ⑤ (해·달의) 무리(*halo*).
Hōf·ārzt *m.* 궁정의 시의(侍醫). **~dāme** *f.* 궁내의 여관(女官), 궁녀. **~fǟhig** *a.* 입궐할 자격이 있는.
Họffārt [hɔ́fa:rt] [mhd. *hoch-vart* „Hoch-fahrt, 호화로이 지냄, 호사"] *f.* 오만, 교만(*haughtiness, pride*). **họffǟrtig** [hɔ́fɛ:rtɪç] *a.* 위의.
họffen [hɔ́fən] *t.* u. *i.* (h.) (*ant.* fürchten) 희망하다, 바라다, 소망〔예기〕하다 (♈*hope*); (좋은 일을) 기대하다(*expect*).
họffentlich 《t 는 添加音》 *adv.* 바라건대, 아마도.
Họffnung [hɔ́fnʊŋ] *f.* -en, (*ant.* Furcht) 희망(♈*hope*); 기대, 가망(*expectation*). ¶guter ~^{2} sein, a) 희망에 차 있다, b) 임신하고 있다.
Họffnungs·anker *m.* 《比》 희망의 닻, 최후의 희망. **~lōs** *a.* 희망〔가망〕이 없는. **~voll** *a.* 희망에 찬; 유망한.
Hōf·fräulein *n.* 궁녀, 궁내의 여관(女官). **~gericht** *n.* (국왕 또는 영주의) 최고 재판소. **~haltung** *f.* 궁정, 궁중.
Hōfhund [hó:fhʊnt] *m.* (농가의) 집 지키는 개.
hofi̱eren [hofí:rən] [<Hof] *i.* (h.) 섬기다; 아첨하다, 비위를 맞추다. **hö̱fisch** [hǿ:fɪʃ] *a.* 궁정의, 궁중풍(風)의.
Hōf·kleid *n.*, **~kleidung** *f.* 궁중〔궁정〕복(服). **~lāger** *n.* 대내(大內); 궁궐, 궁성. **~lēben** *n.* 궁중 생활. **~leute** *pl.* = ~MANN.
hö̱flich [hǿ:flɪç] [<Hof] *a.* ("궁정풍(風)의":) 우미(優美)한, 우아한, 겸손한, 정중한(*courteous, polite, civil*). **Hö̱flichkeit** *f.* -en, 겸손, 정중; 예의 범절; 겸양스런 태도〔언행〕; 친절; 인사, (겉) 치레로 하는 말.
Hōf·lieferant [hó:fli:fərant] *m.* 궁중 어용 상인.
Hö̱fling [hǿ:flɪŋ] [<Hof] *m.* -s, -e, 정신(廷臣); 《蔑》 간신, 아첨꾼.
Hōf·mann *m.* 정신, 궁내관(宮內官). **~männisch** *a.* 정신풍(風)의. **~marschall** *m.* (영국의) 궁내 대신; 시종(侍從), 의전관(儀典官). **~mǟßig** *a.* 궁정풍의.
Hōfmeister [hó:fmaistər] *m.* (영주가(家)의) 집사; 사부(師傅), 가정 교사.
Hōfmeisterin *f.* 가정부; 여자 가정 교사. **hōfmeistern** *t.* 교도〔훈육·훈계〕하다.
Hōf·narr *m.* 궁중의 어릿광대. **~poēt** *m.* 궁정 시인. **~prēdiger** *m.* 궁중 설교사(師). **~rāt** *m.* 추밀원, 궁중 회의; 궁중 고문관. **~raum** *m.* 담을 친 땅, 안뜰. **~schranze** *m.* u. *f.* 《蔑》 간신; 아부〔아첨〕꾼. **~sitte** *f.* 궁중의 습관. **~staat** *m.* 호종(扈從), 정신(總稱); 궐내, 궁중. **~trauer** *f.* 궁중상(宮中喪). **~zwang** *m.* 궁중 예식.
Hö̱he [hǿ:ə] [<hoch] *f.* -n, ① 높음; 높이(♈*height*). ② 높은 곳; 고지 ③ 정

H

상, 정점(*summit, top*); 고도(*altitude*); 위도(緯度)(*latitude*). ④ 액수(額數) (*amount*); 〖軍〗 대열의 수(數). ¶in die ~ 위로, 높이 / das ist die ~ 여기서 극에 달하다 《행패 따위가》/ nicht auf der ~ sein 컨디션이 썩 좋지는 않다.

Hoheit [hó:hait] [hoch *u.* -heit] *f.* -en, ① 높음; 숭고, 위대. ② 고위, 존귀, 귀현(貴顯). ③ (높은·큰) 권력; (Ober~) 지상권(至上權), 주권; (Staats~) 국권(國權). ④ 《稱號》 전하, 폐하.

Hoheits≈gewässer *n.* 영해(領海). **~≈recht** *n.* 주권, 국권, 영토권. **~voll** *a.* 존엄한, 장중한. **~zeichen** *n.* 주권의 표지.

Hohelied [ho:əlí:t, hó:əli:t] *n.* 아가(雅歌) 《구약의 1편》 (*Solomon's Song*).

Höhen≈flosse *f.* =~STEUER. **~kur≈ort** *m.* 고지 요양소. **~leitwerk** *n.* (비행기의) 승강타(舵). **~linien** *pl.* (지도의) 등고선. **~luft** *f.* 고지의 공기. **~messung** *f.* 고도 측정, 측고(測高). **~plan** *m.* 고도를 표시한 교통 지도. **~rekord** *m.* 〖空〗 고도 기록. **~son≈ne** *f.* 고지의 태양 조사(照射); 태양등.

Hohenstaufen [ho:ənʃtáufən] *pl.* 중세 독일의 왕족명.

Höhen≈steuer *n.* 〖空〗 승강타(昇降舵). **~strahlung** *f.* 우주선.

Hohenzollern [ho:əntsɔ́lərn] *pl.* (제 1차 세계 대전시까지의) 독일 왕족명.

Höhenzug [hǿ:əntsu:k] *m.* 낮은 산맥, 구릉대(丘陵帶).

Hohepriester [ho:əprí:stər, hó:əpri:-] *m.* (유대교의) 대사제(大司祭).

Höhepunkt [hǿ:əpuŋkt] *m.* 최고점(⚲ *highest point*); 정점, 절정(*climax, zenith, acme*).

höher [hǿ:ər] (hoch 의 比較級) *a.* 보다 높은(⚲ *higher*). ¶~e Bildung 고등 교육 / ~e Gewalt 초인간력, 불가항력.

Höherversicherung [-fɛrzıçəruŋ] *f.* 증액 보험.

hohl [ho:l] *a.* ① 속이 빈, 공동의(⚲ *hollow*). ② 움푹한, 오목한(*concave*). ③ (정신적 내용의) 공허한, 천박한(*shallow*).

hohl≈äugig *a.* 눈이 움푹 들어간. **~≈blockstein** *m.* 속이 빈 블록 석재.

Höhle [hǿ:lə] *f.* -n, ① 움푹한 곳, 공동, 동혈(⚲ *hollow, cavity, cave*). ② 구멍, 와(窩), 강(腔)(⚲ *hole*); 소굴(*den*).

Höhlen≈malerei *f.* (석기 시대의) 동굴 회화. **~mensch**, **~bewohner** *m.* 혈거자(穴居者).

Hohlheit [hó:lhait] *f.* -en, 속이 비었음; 《比》 공허, 천박.

Hohl≈kehle *f.* (기둥 따위의) 홈. **~≈linse** *f.* 오목 렌즈. **~maß** *n.* 말, 되. **~raum** *m.* 공동(空洞). **~rund** *a.* (렌즈가) 요면(凹面)의(*concave*). **~saum** *m.* 감침질, 공그르기. **~schliff** *m.* 오목하게 갈아 날 세우기《면도 따위를》. **~spiegel** *m.* 오목 거울.

Höhlung [hǿ:luŋ] *f.* -en, 움폭[오목하게] 팜, 속이 비게 함, 속을 도려냄; 움푹한 곳, 허방, 굴, 홈; 협곡; 〖解〗 와(窩), 강(腔), 실(室).

Hohl≈weg *m.* 움푹 파진 길, 애로; 협곡. **~welle** *f.* 〖工〗 중공축(中空軸). **~ziegel** *m.* 속이 빈 벽돌; 파상(波狀)기와[벽돌]. **~zirkel** *m.* 구면(球面) 콤파스.

Hohn [ho:n] *m.* -(e)s, ① 조소, 비웃음, 냉소 (*scorn, derision*); 모멸(侮蔑), 모욕 (*disdain, insult*). ② 웃음[조롱]거리.

höhnen [hǿ:nən] *t.* u. *i.*(h.) 비웃다, 업신여기다. **Hohngelächter** *n.* 조소(嘲笑)(의 원인). **höhnisch** [hǿ:nıʃ] *a.* 조소적인, 모멸적인(*scornful, sneering*).

hohn≈lächeln, **~lachen** *i.*(h.) 비웃다, 조소[냉소]하다. **~sprechen*** *i.*(h.) 비웃다; 욕하다.

Höker [hǿ:kər] [<hocken] *m.* -s, -, 노점 상인, 행상인(⚲ *hawker, huckster*). **Hökerin** *f.* -nen, 여자 노점 상인, 여자 행상인. **hökern** *i.*(h.) 노점을 벌리다, 소매상을 하다; 도부치다.

Hokuspokus [hò:kus-pó:kus] *m.* -, 요술사의 주문(呪文); 요술, 기술; 홀림수, 속임수.

hold [holt] [⚲ Halde, *eig.* „geneigt, 마음을 기울인"] *a.* ① 호의[애정]을 품은, 인자한(*friendly, favourable*); 친절한(*kind*). ¶sie ist mir ~ 그녀는 나를 사랑한다 / das Glück ist ihm ~ 그는 행운아다. ② 사랑스러운, 귀여운, 상냥한(*lovely, sweet*).

Holdinggesellschaft [hó:ldıŋ-] [engl. +d.] *f.* 〖經〗 지주(持株) 회사.

holdselig [hɔ́ltze:lıç] *a.* 썩 아름다운, 애교가 넘치는. **Holdseligkeit** *f.* 우아(함), 애교(있음).

holen [hó:lən] *t.* 가서 가져[데려·맞아]오다(*fetch, go or come for*). ¶~ lasssen 맞으러[가지러] 보내다, 가져오게 하다 / sich³ bei jm. Rat(s) ~ 아무의 조언을 구하다, 에게 의논하다 / Atem ~ 숨쉬다, 호흡을 계속하다 / sich³ et. ~ 무엇을 얻다[초래하다]《죽음·재앙·병 따위를》.

holla! [hóla:, hɔlá:] [<holen, 원래 강건너편 뱃사공을 부르는 소리] *int.* 어어이, 여보(시오)《사람을 부르는 소리》; 멈춰라, 서라.

Holland [hɔ́lant] [=„Holz-land"] *n.* 네덜란드. **Holländer** [hɔ́lɛndər] *m.* -s, -, 네덜란드 사람. **Holländerei** *f.* -en, 낙농(酪農). **holländern** *i.*(h.) 네덜란드식(式)으로 (몸을 흔들면서) 스케이트를 지치다. **holländisch** *a.* 네덜란드의; 네덜란드어(語)의.

Hölle [hœ́lə] [⚲ hehlen, *eig.* "숨는 곳"] *f.* 《稀》 -n, 지옥, 명부(冥府)(⚲ *hell*). ¶jm. die ~ heiß machen 아무를 몹시 훌닦다, 못배기게 하다.

Höllen≈angst *f.* 극심한 공포; 대공황. **~fahrt** *f.* 지옥에 떨어짐. **~feuer** *n.* 지옥의 불. **~lärm** *m.* 《比》 큰 소동. **~maschine** *f.* (범죄용) 폭발 장치. **~≈rachen** *m.* 지옥의 입구; 《比》 분화구. **~stein** *m.* 질산은(窒酸銀) 《부식용》.

höllisch [hœ́lıʃ] *a.* ① 지옥의(⚲ *hellish, infernal*); 저주 받은, 꺼려지는. ② 무시무시한, 대단한. ¶~(*adv.*) teurer 무지무지하게 비싼.

Holm¹ [hɔlm] *m.* -(e)s, -e, 강 가운데의 섬[사주](⚲ *holm, islet*); 〖海〗 조선소.

Holm² [hɔlm] *m.* -(e)s, -e, 횡목(橫木), 가름대(*beam, transom*); 도리(*spar*).

Holmgang [hɔ́lmgaŋ] [<Holm¹] *m.* (옛날 행하여진) 고도(孤島)에서의 결투.
Holmium [hɔ́lmĭum] *n.* -s, 〖化〗 홀뮴《희토 원소; 기호: *Ho.*》.
Holozān [holotsɛ́:n] [gr. kaniós „neu"] *n.* -s, 〖地〗 (현대를 포함하는) 완신세(完新世).
holp(e)rig [hɔ́lp(ə)rıç] *a.* 울툭불툭한 (*rough, uneven*); 덜거덕거리는 (*stumbling*). **holpern** [hɔ́lpərn] *i.*(h.) 울툭불툭[우툴두툴]하다; 울툭불툭한 길을 걷다, 덜거덕거리다, 비틀거리다(*folt*).
holter(die)polter! [hɔ́ltər(di)pɔ́ltər] *adv.* 허둥지둥하여, 몹시 당황하여.
Holunder [holúndər, hɔ–] *m.* –s, –, 〖植〗 딱총나무(*elder*). ¶ spanischer ~ 라일락, 자정향(*lilac*).
Holz [hɔlts] *n.* –es, ⸗er [hœ́ltsər], ① 재목, 목재(*timber*); (Brenn~) 장작, 땔감; (수목의) 목질(木質); 나무의 종류 (Nadel~, 침엽수; Laub~, 활엽수). ② 숲, 삼림(*wood*); 수풀(*grove*).
Holz⸗apfel *m.* 야생 능금. **~arbeiter** *m.* 초부(樵夫), 나무꾼. **~ārtig** *a.* 목질(木質)의. **~asche** *f.* 나무가 탄 재. **~axt** *f.* 벌채용 도끼; 장작 패는 도끼. **~birne** *f.* 야생 서양배. **~blāsinstrument** *n.* 목관 악기. **~bock** *m.* 모탕, 목가(木架); 〖蟲〗 진드기. **~bōden** *m.* 재목 두는 곳; 널마루. **~brandmālerei** *f.* 낙화(烙畫)(술). **~brandtechnik** *f.* 낙화 기술. **~dieb** *m.* 재목 도둑, 장작 도둑.
holzen [hɔ́ltsən] *i.*(h.) 나무를 베다, 벌목하다. **hölzern** [hœ́ltsərn] *a.* 목제의, 목조의(*wooden*); 《比》 딱딱한, 무뚝뚝한; 재간 없는(*awkward*).
Holz⸗essig *m.* 목초(木醋). **~fachschūle** *f.* 목재 (공업) 전문학교. **~fäller** *m.* 벌목자, 초부(樵夫), 나무꾼. **~fāser** *f.* 목질(木質) 섬유. **~fāserplatte** *f.* 목질 섬유판, 파이버보드. **~frei** *a.* (종이가) 목질 섬유가 섞이지 않은. **~frēvel** *m.* 도벌자. **~fuhre** *f.* 목재 운송차; 목재 반출. **~hacker** *m.* 나무꾼, 벌목자. **~hammer** *m.* 나무 메. **~hammermethōde** *f.* 《戱》 거칠게 다루기. **~handel** *m.* 목재상. **~hauer** *m.* =~HACKER. **~haus** *n.* 목조 가옥. **~hōf** *m.* 목재 두는 곳.
holzig [hɔ́ltsıç] *a.* 나무 같은, 목질의; 목질 섬유를 함유하는.
Holz⸗imprägnierung *f.* 목재 방부법 《약제를 주입시켜 하는》. **~kitt** *m.* 목재용 퍼티. **~klotz** *m.* 통나무. **~kohle** *f.* 목탄(*chalcoal*). **~leim** *m.* 목재용 아교. **~land** *n.* 삼림 지대. **~macher** *m.* 나무 쪼개[패]는 사람. **~nāgel** *m.* 나무못. **~opāl** *m.* 목단백석(木蛋白石). **~pantine** *f.*, **~pantoffel** *m.* 나막신. **~pappe** 목재 펄프《지저깨비로 만든 판지》. **~pflock** *m.* 나무못. **~pilz** *m.* =~SCHWAMM. **~platz** *m.* =~HOF. **~schlāg** *m.* 벌목, 벌채. **~schliff** *m.* 쇄목(碎木) 펄프. **~schneider** *m.* 목판사(木版師). **~schnitt** *m.* 목판술; 목판화. **~schnitzer** *m.* 목조사(木彫師). **~schuh** *m.* 나막신, 바닥이 나무로 된 신(*clog*). **~schwamm** *m.* 〖植〗 (나무를 썩히는) 담자균(擔子菌)류. **~spān** *m.* 지저깨비, 나무 조가리. **~stall** *m.* 장작 헛간. **~stōß** *m.* 재목 더미; 장작 더미. **~tapēte** *f.* 벽지 대용의 두꺼운 판자. **~taube** *f.* 비둘기속(屬)의 일종. **~trockenanlāge** *f.* 목재 건조실.
Holzung [hɔ́ltsuŋ] *f.* –en, 벌목; 삼림.
Holz⸗wāre *f.* 목제품. **~wēg** *m.* 재목 운반로(路), 숲 속의 길《깊은 골짜기에서 없어지는》. ¶ 《比》 auf dem ~weg sein 길을 잘못 들고 있다, 나쁜 길에 빠져 있다. **~werk** *n.* (건물의) 목조부(木造部), 판자벽; 목재 뼈대. **~wirtschaft** *f.* 목재업; 제재업. **~wolle** *f.* 대팻밥 《포장용》. **~wurm** *m.* 나무를 갉아먹는 벌레.
homo.. [homo–] [gr. „gleich"] 동일한. **homogēn** [–gé:n] *a.* 동질적인(♈*homogeneous*). **homogenisieren** [–genizí:rən] [lat.] *t.* 균질(均質)되게 하다.
Homöopāth [homøopá:t] *m.* –en, –en, 유사 요법 의사(類似療法醫師). **homöopāthisch** *a.* 유사 요법의. 「(同)性(애)의.
homo·sexuell [homozɛksuέl] *a.* 동성
honett [honέt] [fr. „ehrenhaft"] *a.* 존경할 만한; 정직한(♈*honest*); 예의 바른, 겸손한(*genteel*).
Hōnig [hó:nıç] *m.* –s, 벌꿀(♈*honey*); 《比》 감미, 단맛.
Hōnig⸗biene *f.* 꿀벌. **~kūchen** *m.* 꿀이 든 후추 과자《크리스마스용의》. **~mōnd** *m.* 밀월(密月)《신혼 후 1개월간》. **~scheibe** *f.* 꿀이 꽉 찬 벌집. **~seim** *m.* 생청(生淸), 개꿀. **~süß** *a.* 꿀처럼 달콤한. **~wābe** *f.* =~SCHEIBE.
Honorār [honorá:r] [lat. *honor* „Ehre"] *n.* –s, –e, 사례, 보수《의사·교사·변호사 등에게 주는》(*fee*). **Honoratiōren** [honoratsĭó:rən] *pl.* (한 지방의), 명망가(名望家), 유지. **honorieren** *t.* (에) 경의를 표하다; (에) 사례금을 주다(*fee*); 〖商〗 (어음을) 인수하다(♈*honour*).
Hopfen [hɔ́pfən] *m.* –s, –, 〖植〗 홉《그 꽃을 맥주 양조에 씀》(♈*hop*).
Hopfen⸗bau *m.* 홉 재배(栽培). **~stange** *f.* 홉덩굴을 감기게 하는 막대기; 《戱》 훌쭉한 사람.
hopp! [hɔp] *int.* 《命令形》 뛰라 뛰라《승마·무용에서 빨리 뛰라고 하는 소리》. **hopsa!** [hɔ́psa] *int.* =HOPP! **hopsen** [hɔ́psən] *i.*(h.) 뛰다, 도약하다(♈*hop, jump*); 한(쪽) 발로 뛰다(*skip*). **Hopser** *m.* –s, –, 급속한 도약; 급템포의 무도(舞蹈) 이름.
Hōra [hó:ra] [gr. –lat., „Jahreszeit, Stunde"] *f.* Horen, ① 시간, 시각. ② 〖가톨릭〗 성무 일과. ③ *pl.* 〖希神〗 계절과 질서의 세 연신들.
Hōr·apparāt [hǿ:r-apara:t] *m.* (전화의) 수화기; 보청기. 「리는.
hōrbār [hǿ:rba:r] *a.* 들을 수 있는, 들
Hōr⸗bereich *m.* 〔*n.*〕 청취[가청] 범위. **~bericht** *m.* (라디오) 실황 방송; 목격자의 이야기. 「화(劇化) 르포르타지.
Hōrbild [hǿ:rbılt] *n.* 단편 방송극, 극
horchen [hɔ́rçən] [<hören] *i.*(h.) (auf jn., 아무의 말에) 귀를 기울이다(♈*heark-*

en, listen); (nach, (비밀 따위를) 엿듣다, 도청하다(*spy*). **Horcher** *m.* -s, -, 경청하는 사람; 엿듣는 사람.

Horch=gerät *n.* 청음기(聽音器). **~=posten** *m.* 〖軍〗 청음초(聽音哨).

Horde [hɔ́rdə] [Lw. türk.] *f.* -n, 유목민의 집단(♀*horde, tribe*); 불량배, 갱(*gang*).

hören [hǿ:rən] *t.* u. *i.*(h.) 《Ⅰ》 듣다(♀*hear, harken*); (라디오를) 청취하다. ¶ jn. ~ 아무의 말을 듣다; 아무의 말에 귀를 기울이다 / schwer ~ 귀가 멀다 / sagen ~ 〔sagen|hören〕 남에게서 듣다, 소문으로 듣다 / e-e Vorlesung ~ 강의를 듣다, 강의에 출석하다 / ~ lassen, a) 들려주다, b) 울리다 / lassen Sie von sich ~! 소식을 알려 주시오. 《Ⅱ》 *refl.* ① er hört sich (selbst) gern 그는 말하기를 좋아한다, 잘 지껄인다. ② sich an et.[3] satt ~ 무엇을 듣기에 진력나다. ③ das hört sich gut 그것은 그럴 듯하다, 사실 같다. ④ sich ~ lassen 말하다, 노래하다, 연설〔연주〕하다 / das läßt sich ~ 그것은 들을 만하다, 그럴지도 모르지. **Hörensagen** *n.* -s, 들어서 앎; 소문. ¶ et. nur von 〔vom〕 ~ wissen 무엇을 전해 듣고 알 뿐이다. **Hörer** *m.* -s, -, 듣는 사람; (라디오의) 청취자; 청강자; 리시버. **Hörer=shaft** *f.* -en, 청중(聽衆). **Hörfehler** *m.* 잘못 들음. **Hörfolge** *f.* 방송 프로.

hörig [hǿ:rɪç] [<hören] 《Ⅰ》 *a.* ("청종하다"의 뜻에서:) 종속〔예속〕하는(*belonging to*). 《Ⅱ》 **Hörig** *m.* u. *f.* (形容詞變化) 예속자; 노예, 농노. **Hörigkeit** *f.* 예속(성)(*bondage*); 〖經〗 예농(隷農)(*serfdom*).

Horizont [horitsɔ́nt] [gr. "한계"] *m.* -(e)s, -e, 시(야의 한)계, 지평선, 수평선(♀*horizon*). ¶ das geht über m-n ~ 그것은 내 머리로서는 알 수 없다. **horizontal** *a.* 수평의; *adv.* 수평으로. **Horizontale** *f.* -n, (때로는 形容詞變化) 〖數〗 수평선.

Hormon [hɔrmó:n] [gr. „Anreger"] *n.* -s, -e, 호르몬.

Hormon=drüse *f.* 호르몬선(내분비선). **~präparat** *n.* 호르몬제(劑).

Hörmuschel [hǿ:rmʊʃəl] *f.* 수화기의 리시버.

Horn [hɔrn] *n.* -(e)s, ⸗er [hœ́rnər], (종류를 나타낼 때:) -e, ① 뿔(♀*horn*) ¶ sich[3] die Hörner ablaufen (혼이 나고서) 정신 차리다, 미몽에서 깨어나다. ② 〖動〗 (Fühl~) 촉각(*feeler*). ③ 뿔피리, 각배(角杯), 호른, 나팔(*bugle*). ④ 초승달의 양끝, 갑(岬), 반도, 휘우듬한 만(灣), 뾰족한 산봉우리(*peak*).

Horn=arbeiter *m.* 뿔 세공인. **~blä=ser** *m.* 호른 취주자. **~blende** *f.* 〖鑛〗 각섬석(角閃石). **~brille** *f.* 뿔테 안경.

Hörnchen [hœ́rnçən] *n.* -s, -, 작은 뿔; 뿔 모양의 빵.

hörnen[1] [hœ́rnən] 《Ⅰ》 ① (에) 뿔을 붙이다. ¶ 《比》 den Ehegatten ~ 남편 몰래 간통하다. ② 각질로 하다, 굳게 하다. 《Ⅱ》 *refl.* (사슴 따위가) 뿔갈이하다, 뿔로 싸우다. 《Ⅲ》 *i.*(h.) 뿔로 찌르다; 뿔피리를 불다. 《Ⅳ》 **gehörnt** *p.a.* 뿔 있는; 각질이 된; 《比》 아내가 간통한.

hörnen[2], **hörnern** [hœ́rnərn] *a.* 뿔의, 각제(角製)의; 각질(角質)의.

Horn=erz *n.* 〖鑛〗 염화은. **~haut** *f.* (손·발의) 못; 각막(角膜).

Hornisse [hɔrnísə, hɔ́rnɪsə] *f.* -n, 〖蟲〗 말벌속(屬)(♀*hornet*).

Hornist [hɔrníst] *m.* -en, -en, 호른 주자(奏者).

Hörnling [hœ́rnlɪŋ] *m.* -s, -e, 싸리버섯(류).

Horn=signal *n.* 뿔피리의 신호. **~=späne** *pl.* 뿔부스러기. **~strahler** *m.* 각상(角狀) 안테나(마이크로 전파 송신용). **~tiere** *pl.* 유각수(有角獸).

Hornuß [hɔ́rnus] [<Hornisse?] 《schw.》 *m.* ..sses, ..sse, 호르누스 《난형의 경질 고무 원판, 공치기 놀이용》. **hornussen** *i.*(h.) 호르누스놀이를 하다.

Hornvieh [hɔ́rnfi:] *n.* 유각수(有角獸) 《소 따위》; 《比·俗》 바보, 멍청이.

Horoskop [horɔskó:p] [gr. „Stundenschauer"] *n.* -s, -e, 〖占星〗 탄생시의 별의 위치. ¶ jm. das ~ stellen 아무의 운수를 점치다.

horrend [hɔrέnt], **horribel** [hɔrí:bəl] [lat.] *a.* 무서운, 지독한, 소름끼치는; 대단한.

Hör·rohr [hǿ:rro:r] *n.* 보청기; 청진기.

Horror [hɔ́rɔr] [lat.] *m.* -s, 전율, 공포; (심한) 혐오.

Hörsaal [hǿ:rza:l] *m.* 강당. **Hörsam=keit** *f.* 음향 효과. **Hörspiel** *n.* 방송극, 라디오드라마.

Horst [hɔrst] *m.* -es, -e, 수풀, 관목림(林)(*thicket*); (맹금(猛禽)의) 높이 있는 보금자리(*aerie*). **horsten** *i.*(h.) (맹금이) 보금자리를 높은 곳에 만들다; 《比》 (높은 곳에) 살다.

Hör=störung *f.* 청각 장애. **~stunde** *f.* 방송 시간.

Hort [hɔrt] *m.* -(e)s, -e, 보배, 재보(財寶)(♀*hoard, treasure*); 안전한 장소, 피난처, 성곽(城廓); 옹호(자), 뒷받침; (~ für Kinder) 탁아소. **horten** [hɔ́rtən] *i.*(h.) (돈 따위를) 모으다, 축재하다.

Hortensie [hɔrtέnziə] [lat.] *f.* -n, 〖植〗 수국(水菊)(*hydrangea*).

Hortnerin [hɔ́rtnərɪn] [<Hort] *f.* -nen, (탁아소·유치원의) 보모.

Hörweite [hǿ:rvaitə] *f.* 청취 거리.

Hose [hó:zə] *f.* -n, 바지, 즈봉(긴 바지: *trousers*; 짧은 바지: *shorts*; 통넓은 바지: *bags*; 통 넓은 반즈봉: *knickers*).

Hosen=band *n.* 즈봉의 멜빵; 양말 대님. **~band·orden** *m.* 영국의 가터 훈장. **~boden** *m.* 바지의 엉덩이 부분. **~bund**, **~gurt** *m.* 허리띠, 밴드. **~klappe** *f.*, **~latz** *m.* (개구멍 바지의) 터 놓은 부분의 가리개. **~rolle** *f.* 〖劇〗《戱》 (여배우의) 남자 역(役). **~trä=ger** *pl.* 바지 멜빵. **~zeug** *n.* 즈봉감.

hosianna! [hoziána:] [hebr.] *int.* 호산나 《하느님·그리스도를 찬미하는 소리》.

Hospital [hɔspitá:l] [lat.] *n.* -s, -e u. ⸗er [-tέ:lər], (자선) 병원. **Hospi=tant** [hɔspitánt] *m.* -en, -en, (대학의) 임시 청강생. **hospitieren** *i.*(h.) 임시로 청강하다. **Hospiz** [hɔspí:ts] *n.* -es, -e, 나그네〔순례자〕를 숙박시키는 수도원; 수용소.

Hostess [hóstɛs] [engl. „Gastfreundin" <lat. *hospes* „Gastgeber"] *f.* -en [-tɛ́sən], 호스테스, 접대원.
Hostie [hɔ́stĭə] [lat.] *f.* -n, 〖가톨릭〗 성체(聖體), 성병(聖餠) 《성찬용 빵》 (♈ *Host*). **Hostiengefäß** *n.* 성체기(聖體器).
Hot [hɔ́t] [engl. „heiß"] *m.* -s. -s, 열렬한 가락, 호트《재즈 음악의》; =~ JAZZ.
Hotel [hotɛ́l] [fr.] *n.* -s, -s, (큰) 여관, 호텔. **Hotelier** [hotɛlié:] *m.* -s, -s, 호텔[여관] 주인.
Hot jazz [hɔ́t dʒǽz] [engl.] *m.* -, -, 호트재즈《즉흥적이며 흥분적인 재즈》.
hott! [hɔt] *int.* (말 모는 소리:) 어디여; 이러.
Hotte·hü [hɔtəhý:] [hott! "어디여", hü! "저라"] *n.* -s, -s, 《小兒》 말(馬).
Hourdi [urdí:] [fr.] *m.* -s, -s, 우르디 《길고 속이 빈 기와판》.
Hub [hu:p] [<heben] *m.* -(e)s, ⸗e [hý:bə], (끌어·들어) 올림; 올라간 높이; 펌프의 한 번 오르내림.
hüben [hý:bən] [*aus.* „hie üben"] *adv.* 여기서, 이 쪽에(*on this side*).
Hubmagnet [hú:pmagne:t] *m.* 무거운 것을 올리는 자석, 자석 장치 기중기.
Hub⸗pumpe *f.* 〖工〗 무자위 펌프. **~⸗raum** *m.* 실린더 위아래의 사점(死點) 사이의 공간, 피스톤의 행정(行程).
hübsch [hʏpʃ] [nd. "궁정풍의"; =hd. höfisch] *a.* ① 애교 있는, 귀여운, 예쁜, 참한(*charming, pretty, nice*). ② 상당한, 충분한(*considerable*). ¶ ein ~es Vermögen 상당한 재산. ③ 예의바른; 친절한. ¶ das ist ~ von Ihnen 감사합니다. ④ 《副詞的》 충분히.
Hub⸗schrauber *m.* 헬리콥터. **~stapler** *m.* 포크리프트《짐을 들어올려 쌓는 장치를 갖춘 차》.
Hucke [húkə] *f.* -n, 짊어진 짐, 《俗》 등. **huckeln** *t.* 짊어지다.
huckepack [húkəpak] *adv.*: ~ reiten 목말타다, 업히다(♈*ride pickaback*).
Hudelei [hu:dəlái] *f.* -en, 조제, 날림 일; 성가신 일; 화나는 일. **hudeln** [hú:dəln] 《Ⅰ》 *t.* 되는 대로 하다, 날림 일을 하다(*bungle*); 들볶다, 괴롭히다(*vex, tease*). 《Ⅱ》 *refl.* 달아나다, 몸을 숨기다.
Huf [hu:f] *m.* -(e)s, -e, (특히 말의) 말굽(♈*hoof*).
Hufe [hú:fə] *f.* -n, 후페《옛 경지 면적의 단위》.
Huf·eisen [hú:f-aizən] *n.* 편자.
hufen [hú:fən] [<huf!] 《Ⅰ》 *i.* (s. *u.* h.) 후퇴하다, 물러나다: 《比》 (한 말을) 취소하다. 《Ⅱ》 *t.* (말을) 후퇴시키다.
Huf⸗lattich *m.* 〖植〗 머위. **~nagel** *m.* 편자못. **~schlag** *m.* 말굽으로 밟기[차기]; 말굽 자국. **~schmied** *m.* 제철공(蹄鐵工)(*farrier*).
Hüftbein [hʏ́ftbain] *n.* 요골(腰骨), 무명골(無名骨).
Hüfte [hʏ́ftə] *f.* -n, ① 좌골부(坐骨部), 엉덩이. ② 허리(♈*hip*); 요부(腰部)(*haunch*).
Hüft⸗former *m.* 코르셋. **~gelenk** *n.* 좌골 관절. **~halter** *m.* 코르셋. **~lahm** *a.* 좌골 관절을 삔, 허리를 삔. **~weh** *n.* 요통; 좌골 신경통.

Hügel [hý:gəl] [*eig. dim.* v. hoch] *m.* -s, -, 작은 산, 언덕, 구릉(*hill*(*ock*), *knoll*). **hüg(e)lig** *a.* 구릉상(丘陵狀)의; 구릉이 많은.
Hughes·telegraph [hjú:z-] *m.* 휴즈식 전신기《송신을 공자(孔字)로 변환하는》.
Huhn [hu:n] [<Hahn] *n.* -(e)s, ⸗er [hý:nər], 닭(=Hahn, Henne); 암탉(=Henne); *pl.* 가금(家禽). **Hühnchen** [hý:nçən] *n.* -s, -, 영계, 병아리. ¶ ein ~ mit jm. zu pflücken 〔rupfen〕 haben 아무에게 변명을 들어야겠다, 아무와 결말을 지어야 할 일이 있다.
Hühner⸗auge *n.* 〖醫〗 티눈(*corn*). **~⸗blind·heit** *f.* 〖醫〗 야맹증(夜盲症). **~⸗höf** *m.* 양계장. **~hund** *m.* 자고(鷓鴣) 사냥에 쓰는 개《포인터, 세터》. **~⸗korb** *m.* 닭의 어리, 닭장. **~leiter** *f.* 닭이 둥우리로 오르는 사닥다리; 《比》 위험한 계단. **~stall** *m.* 닭장, 새장. **~stange** *f.* 홰. **~steige, ~stiege** *f.* =~LEITER. **~zucht** *f.* 양계.
hui! [hui, hʊi, hú:i] *int.* 재빨리, 척척; 빨리빨리. ¶ in einem ~ 순식간에, 재빨리.
Huld [hʊlt] [<hold] *f.* † -en, ① 은혜(를 베풂), 은총, 총애; 애정; 호의, 친절(*grace, favour*). ② 충성, 충절. ③ 우미, 애교(*charm*). **huldigen** [húldɪgən] *i.* (h.) 신하로서 섬기다, 충성을 맹세하다(*homage to*); 《比》 경의를 표하다; 열중하다(*indulge in*). **Huldigung** [húldɪgʊŋ] *f.* -en, 신하로 섬김, 귀순[충성]의 맹세[표시]. **Huldigungs·eid** *m.* 충성의 맹세. **huldreich, huldvoll** *a.* 은고가 두터운, 자애 깊은, 간독(懇篤)한.
hülfe [hʏ́lfə] ☞HELFEN 《그 接續法過去》.
Hülfe [hʏ́lfə] *f.* -n, =HILFE.

Hülle [hʏ́lə] [♈hehlen] *f.* -n, ① 싸개, 보, 씌우개(*envelope, cover*(*ing*)). ② 껍질, 껍데기, 깍지; 집《칼집 따위의》, 케이스; 자루; 〖植〗 (Blüten~) 총포(總苞)(*integument*). ¶ sterbliche ~ 육체 / in ~ u. Fülle 듬뿍, 넘치도록. **hüllen** [hʏ́lən] *t.* 싸다; 씌우다, 덮다(*cover, wrap*). ¶ sich in Schweigen ~ 완고히 침묵을 지키다.
Hüllkurve [hy:lkurvə, -fə] *f.* 〖數〗 (Enveloppe) 포락선(包絡線).
Hülse [hʏ́lzə] [<hehlen] *f.* -n, ① 씌우개(♈*hull*). ② 깍지, 꼬투리(*pod*); 껍질, 껍데기(*husk, shell*). ③ 집《칼집 따위》, 통, 갑, 케이스(*case*). **hülsen** 《Ⅰ》 *t.* (의) 깍지[꼬투리·껍질·껍데기]를 벗기다(♈*hull*). 《Ⅱ》 *refl.* 깍지가 벗겨지다. **Hülsenfrucht** *f.* 협과(莢果); *pl.* 꼬투리 있는 열매류. **hülsig** *a.* 깍지[꼬투리]가 있는; 깍지[꼬투리] 같은, 깍지 모양의.
hum! [hum] *int.* ①=HM!. ② (마부의 소리:) 돌아.
human [humá:n] [lat. *homo* „Mensch"] *a.* 인간의, 인간다운, 인도적인(♈*humane*). **Humanismus** [humanɪ́smʊs] *m.* -, 휴머니즘, 인간[인도·인본·인문]주의. **humanistisch** *a.* 인본[인문]주의의. ¶ ~es Gymnasium 고전주의 김나지움《희랍·라틴어를 가르치는》.
humanitär [-nitɛ́:r] *a.* 인문주의의, 박

애주의의. **Humanität** [humanitέ:t] *f.* (순) 인간성; 인도(주의), 박애(주의), 인애(주의).

Humanitäts≈studien *pl.* 고전 연구. **~verbrechen** *n.* 인도에 대한 범죄.

Humbug [húmbʊk, hʌ́mbʌg] [engl.] *m.* -s, 사기, 속임수; 허풍; 농담.

humifizieren [humifitsí:rən] [lat. Humus] *t.* 썩이다, 부식되게 하다.

Hummel [húməl] [擬聲語] *f.* -n, 〖蟲〗 어리뒝벌(♈*humble-bee*); 《比》 소녀. **hummen** *i.*(h.) 윙윙거리다.

Hummer [húmər] *m.* -s, -, 〖動〗 바다가재(*lobster*).

Humor [humó:r] [lat. „Feuchtigkeit, Saft"] *m.* -s, 《稀》 -e, 기질, 기분, 마음; 유머, 익살(♈*humor*). **Humoreske** [humoréskə] *f.* -n, 유머 소설. **Humorist** [humorist] *m.* -en, -en, 유머 작가; 익살꾼. **humoristisch** *a.* 익살맞은.

humpeln [húmpəln] *i.*(h. *u.* s.) 절다, 절름거리다(*hobble, limp*).

Humpen [húmpən] *m.* -s, -, (손잡이가 달린) 큰 잔(*bumper*).

Humus [hú:mʊs] [lat.] *m.* -, 부식토, 기름진 땅, 옥토(*vegetable mould*).

Hund [hʊnt] *m.* -(e)s [-ts, -dəs], -e [húndə], ① 개(*dog*); (Jagd~) 사냥개(♈*hound*). ¶auf den ~ kommen 비참하게 되다, 영락하다 / er ist mit allen ~en gehetzt 그는 산전 수전 다 겪은 사람이다 / vor die ~e gehen, 몰락〔파멸〕하다. ② 〖坑〗 손수레, 광차(鑛車).

Hunde≈arbeit *f.* 고역, 천한 일. **~≈elend** *a.* 몹시 비참한. **~gebell** *n.* 개 짖는 소리. **~hütte** *f.* 개집; 《比》 좁고 누추한 집. **~kälte** *f.* 혹한(酷寒). **~leben** *n.* 개 같은〔비참한〕 생활. **~≈loch** *n.* 개집; 《比》 누옥(陋屋). **~marke** *f.* 개패, 개의 감찰(鑑札). **~müde** *a.* 기진 맥진한, 녹초가 된. **~peitsche** *f.* 개를 치는 채찍. **~rennen** *n.* 개 경주.

hundert [húndərt] 《Ⅰ》 *num.* 100(의) (♈*hundred*). 《Ⅱ》 **Hundert** *n.* -(e)s, -e, 100(의 수); vier vom ~ 《略: v. H.》, 4 퍼센트. **hunderterlei** *a.* 100 가지의.

hundert≈fach, **~fältig** *a.* u. *adv.* 100 배의〔로〕. **~fünfundsiebziger** [-zí:p-] *m.* 《俗》 동성애를 하는 자《형법 제 175 조에 걸림》. **~jahrfeier** *f.* 백년제(百年祭). **~jährig** *a.* 100 년간의, 100 세의. **~mal** *adv.* 100 번; 100 배로. **~prozentig** *a.* 백 퍼센트의, 완전한. **~satz** *m.* 백분율.

hundertst [húndərtst] *a.* (der, die, das ~e) 제 100 의, 100 번째의.

hundertweise [húndərtvaizə] *adv.* (수) 백씩, 몇 백이든지.

Hunde≈wärter *m.* 개를 기르는 사람. **~wetter** *n.* 아주 나쁜 날씨. **~wurm** *m.* 개(에게 생기는) 촌충. **~zucht** *f.* 개의 사육〔훈련〕; 《比》 방종, 불규칙.

Hündin [hýndɪn] *f.* -nen, 암캐. **hündisch** *a.* 개 같은; 《比》 비굴한; 염치없는.

Hunds≈blume [húnts-] *f.* 〖植〗 지느러미엉겅퀴(속(屬)). **~fott** *m.* -(e)s, ⸗er, 암캐의 음부; 《比》 비열한(漢), 무뢰한, 비루한(*scoundrel*). **~föttisch** *a.* 비열한, 무뢰한(♈*roguish, infamous*). **~gemein** *a.* 비열한, 파렴치한. **~≈rose** *f.* 〖植〗 들장미의 일종. **~stern** *m.* 〖天〗 천랑성(天狼星) (*Sirius*). **~≈tage** *pl.* 한여름, 성하(盛夏), 삼복. **~wut** *f.* 광견병, 공수병.

Hüne [hý:nə] *m.* -n, -n, (전설상의) 거인, 위장부(偉丈夫) (*giant, athlete*).

Hünengrab [hy:nəngra:p] *n.* 거인총(巨人塚)《큰 돌로 덮여 있는 고대의 무덤》.

hünenhaft [hý:nənhaft] *a.* 거인 같은, 거구(巨軀)의.

Hunger [húŋər] *m.* -s, 굶주림, 기아, 공복(空腹)(♈*hunger*). ¶ ~ haben 배고프다, 빈속이다 / ~ leiden 굶주림에 시달리다 / ~s sterben 굶어 죽다 / ~ nach Gold 금전욕(金錢欲).

hungerig [húŋərɪç] *a.* 시장한, 배고픈, 굶은; (nach, 을) 갈망〔열망〕하는.

Hunger≈kur *f.* 단식〔기아〕 요법. **~≈leider** *m.* 굶주림에 시달리는 사람, 말라 빠진 사람; 적빈자(赤貧者). **~lohn** *m.* 기아〔살 수 없는 최저〕 임금; 박봉.

hungern [húŋərn] *i.*(h.) 절식〔단식〕하다; 공복(空腹)이다. ¶nach et.[3] ~ 무엇을 하고 싶어 하다; 을 갈망하다.

Hunger≈ödem *n.* 〖醫〗 기아 부종(浮腫)《영양 실조로 일어남》. **~pfoten** *pl.*: ~pfoten saugen 굶주림에 시달리다, 곤궁하다.

Hungers·not [húŋərsno:t] *f.* 기근, 굶주림(*famine*).

Hunger≈streik *m.* 단식 동맹 파업〔스트라이크〕. **~tod** *m.* 아사(餓死), 굶어 죽음. **~tuch** *n.* 중세기에 사순절이 시작될 때 제단을 덮은 헝겊; 《比》 am ~tuche nagen 굶주림에 시달리다.

Hunne [húnə] *m.* -n, -n, 훈, 흉노(匈奴); (*pl.*) 훈족(族).

Hupe [hú:pə] *f.* -n, 경적(警笛)(*horn*). **hupen** *i.*(h.) 경적을 울리다.

hüpfen [hýpfən] *i.* (h. *u.* s.) 뛰다, 뛰어오르다, 도약하다(♈*hop, jump, skip*).

Hüpfmaus [hýpfmaus] *f.* (springnager) 시궁쥐.

Hürde [hýrdə] *f.* -n, 경그레; 가지로 엮는 세공; (가축 특히 양의) 울 또는 우리(♈*hurdle, pen*); 장애물, 허들(♈*hurdle*).

Hürden≈lauf *m.* 장애물 경주. **~rennen** *n.* (경마의) 장애물 경주.

Hure [hú:rə] *f.* -n, 창부, 갈보 (♈*whore, prostitute*). **huren** *i.* (h.) 간통〔간음〕하다, 매음하다.

Huren≈haus *n.* 갈보집, 유곽, 청루. **~≈kind** *n.* 창녀의 아이, 사생아. **~wirt** *m.* 갈보집 주인, 포주; 뚜장이.

Hurer [hú:rər] *m.* -s, -, 간통자; 방탕자. **Hurerei** [hu:rərái] *f.* 간음, 방탕, 오입. **hurerisch** *a.* 음탕한, 추잡한.

hurra! [hʊrá:, húra:] *int.* 만세(의 환성); 와아《돌격 때의 외침》.

hurtig [húrtɪç] *a.* 민속한, 신속한(*quick, swift*); *adv.* 〖樂〗 급속히. **hurtigkeit** *f.* 민속(敏速).

Husar [huzá:r] [ung.] *m.* -en, -en, 경기병(輕騎兵)(♈*hussar*); 《方》 말괄량이.

husch! [hʊʃ] *int.* 휙, 갑자기(♈*hush!, quick!*). **huschen** [húʃən] *i.*(s.) 휙 스치고 지나가다(*scurry, whisk*).

hūsteln [hý:stəln] [<husten] *i.* (h.) 잔기침하다(*cough slightly*). **hūsten** [hú:stən] 《I》 *i.* (h.) 기침하다(*cough*). 《II》 *t.* 기침하여 뱉다. ¶ 《比》 ich werde dir (et)was ～ 네 소원 따위는 들어 줄 수 없어, 기대에 부응해 드릴 수 없읍니다. **Hūsten** [hú:stən] *m.* -s, -, 기침; 헛기침; 〖醫〗 해소.

Hūt[1] [hu:t] [♈Hut[2]] *f.* -en, ① 보호(*protection*); 경계, 감시(*guard, keeping*). ¶ **auf** der ～ sein 주의〔경계〕하고 있다. ② 《方》 목장(*pasture*).

Hūt[2] [hu:t] [♈Hut[1]: 머리를 "보호하는 것"] *m.* -(e)s, ⸗e [hý:tə], ① 모자《특히 높고 딱딱한》(♈*hat*). ¶ unter einem ～e spielen, (mit, 와) 결탁하다. ② 모자 모양의 물건; 탑의 원개; 〖植〗 버섯의 갓; (Zucker～) (원추형의) 설탕 덩어리 (*loaf*).

Hūtband [hú:tbant] *n.* 모자의 리본.

hūten [hý:tən] [<Hut[1]; =engl. *heed*] 《I》 *t.* 망보다, 지키다(*look to, guard*); 감시〔감독〕하다(*take care of*). ¶ das Bett 〔das Haus〕 ～en (müssen) 병으로 누워 있다〔집에 들어박혀 있다〕. 《II》 *refl.* 주의〔경계〕하다(*take care, be on one's guard*); (vor, 에) 주의하다(*beware of*). **Hūter** *m.* -s, -, 지키는 사람, 파수꾼; 감독자; (Viehhüter) 목자.

Hūt⸗fabrik *f.* 모자 제조소. **～fēder** *f.* 모자의 깃털 장식. **～krempe** *f.* 모자 차양. **～macher** *m.* 모자 제조인. **～schachtel** *f.* 모자 상자. **～schnūr** *f.* 모자줄〔리본〕.

Hūtte [hýtə] *f.* -n, ① 작은 집, 오두막집(♈*hut, cottage*); 산간 두옥(斗屋), 통나무집. ② 야금 공장, 정련소; (Glas～) 유리 공장.

Hūtten⸗arbeiter *m.* 용광부. **～bims** *m.* 용광로에서 생기는 경석상(輕石狀)의 깍지《전기 절연체가 됨》. **～kunde** *f.* 야금학(*metallurgy*). **～rauch** *m.* 야금 공장의 연기; (특히) 용광로의 광독연(鑛毒煙). **～werk** *n.* 야금 공장, 제련소. **～wēsen** *n.* 야금(冶金); 제련.

Hūtung [hú:tʊŋ] *f.* -en, 목축; 목장; 방목권.

Hūtung [hý:tʊŋ] *f.* -en, 감시, 감독, 〔망보기; 목축(업).〕

Hūtweide [hú:tvaidə] *f.* 방목장.

hutz(e)lig [hʊ́ts(ə)lɪç] *a.* 말라 빠진, 시든(*shrivelled*).

Hūt·zucker [hú:t-tsʊkər] *m.* 덩어리〔막대기〕 설탕.

Hyāne [hyέ:nə] [gr.] *f.* -n, 〖動〗 하이에나(♈*hyena*).

Hyazinthe [hyatsíntə] *f.* -n, 〖植〗 히〔아신드.〕

Hybrīde [hybrí:də] [gr. -lat.] *f.* -n, *od. m.* -n, -n, 〖動·植〗 잡종.

Hydrant [hydránt] [gr. *hýdōr* „Wasser"] *m.* -en, -en, 소화전(消火栓); 급수전. **Hydrāt** *n.* -(e)s, -e, 〖化〗 수화물(水化物), 수산화물, 함수물(含水物).

Hydraulik [hydráulɪk] *f.* 수역학(水力學). **hydraulisch** *a.* 수력의, 수압의; 수경성(水硬性)의.

hydro.. [hy(:)dro-] [gr. *hýdōr*, „Wasser"] 《合成用語》 "물"의 뜻. **Hydrogēn⸗(ium)** [-gé:n(ĭʊm)] *n.* -s, 〖化〗 수소.

Hydrogeologie [hydrogeologí:] [gr.] *f.* 지하수학. **Hydrolȳse** *f.* 〖化〗 가수(加水) 분해. **Hydrometallurgie** [-gí:] *f.* 습식(濕式) 야금법. **Hydrometeōr** [-ó:r] *m.* -(e)s, -e, 〖氣象〗 습윤 기상.

Hydromēter *n.* 〔*m.*〕 ① 〖物〗 측류계(測流計), 수속계(水速計). ② 부칭(浮秤).

Hydroplān *m.* -(e)s, -e, 수상 비행기. **Hydroskōp** 《I》 *m.* -en, -en, 험습기(驗濕器). 《II》 *n.* -s, -e, 물시계.

Hydrotropismus [-pís-] *m.* -, 굴수성(屈水性). ¶ positiver ～ 향수성(向水性) / negativer ～ 배수성(背水性). **Hydro⸗xȳd** [hydrɔksý:t] *n.* -(e)s, -e, 〖化〗 수산화물.

Hygiēne [hygĭé:nə] [gr.] *f.* 위생; 위생학, 위생법. **hygiēnisch** *a.* 위생의; 위생학의; 위생적인.

Hygromēter [hygromé:tər] [gr.] *n.* 〔*m.*〕 습도계.

Hymnār [hʏmná:r] [gr. Hymne] *n.* -(e)s, -e, 찬송가집, 성가집. **Hymne** [hʏ́mnə] [gr.] *f.* -n, 송가(頌歌), 찬가(讚歌); 〖宗〗 찬미〔찬송〕가 (♈*hymn*).

Hymnologie [hʏmnologí:] *f.* 찬송가학, 성가학.

Hyperbel [hypérbəl] [gr. „Überwerfung", -treibung] *f.* -n, 〖修〗 과장(법) (♈*hyperbole*); 〖數〗 쌍곡선(♈*hyperbola*).

Hypertensiōn [hypɛrtɛnzió:n] *f.*, **Hy⸗pertonie** [hypɛrtoní:] [gr.] *f.* -nĭen 고혈압.

Hypnōse [hʏpnó:zə] [gr. „Schlaf"] *f.* -n, 최면 상태. **hypnōtisch** *a.* 최면(술)의; 최면술에 걸린. **Hypnotiseur** [hʏpnotizø:r] [fr.] *m.* -s, -e, 최면술사(師). **hypnotisīeren** *t.* (에게) 최면술을 쓰다.

Hypochonder [hypoxɔ́ndər] [gr.] *m.* -s, -, 우울증 환자. **Hypochondrie** [hypoxɔndrí:] *f.* 히포콘드리, 우울증. **hypochondrisch** *a.* 우울증의.

Hypo·glykämie [hypoglykɛmí:] [gr. *hype* „unter", *glykŷs* „süß" *haima* „Blut"] *f.* 〖醫〗 혈당 결핍(증).

Hypokrisie [hypokrizí:] [gr.] *f.* 위선. **Hypokrīt** [-krí:t] *m.* -en, -en, 위선자.

Hypophȳse [hypofý:zə] [gr.] *f.* 〖解〗 뇌하수체.

Hypotenūse [hypotenú:zə] [gr. „die (sie) Unterspannende"] *f.* -n, 〖數〗 (직각 삼각형의) 빗면.

Hypo·thēk [hypoté:k] [gr. "Untersatz"] *f.* -en, 〖法〗 저당권《부동산의》, 담보 (*mortgage*). **hypothekārisch** [-teká:rɪʃ] *a.* 〖法〗 저당권(상)의.

Hypo·thēse [hypoté:zə] [gr. „Unterlegung"] *f.* -n, 가정, 가(상)설. **hypo⸗thētisch** *a.* 가정의, 가설의; 가언적(假言的)인; *adv.* 가정적으로.

Hysterēse [hʏsteré:zə], **Hystērēsis** [-té:rezɪs] [gr. „Nachbleiben"] *f.* 〖物〗 히스테리시스, 이력.

Hysterie [hʏsterí:] [gr. *hystéra* „Gebärmutter"] *f.* ..rīen, 〖醫〗 히스테리. **hystērisch** [hʏsté:rɪʃ] *a.* 히스테리의.

Hystero·skōp [hʏsterɔskó:p] [gr. *hýstera* „Gebärmutter", *skopein* „schauen"] *n.* -s, -e, 〖醫〗 자궁경. **Hystero⸗skopie** [-skopí:] *f.* 자궁 검진.

H

I

i! [i:] *int.* 이크, 아이고, 어머나(놀라움·경탄·의아 따위를 나타냄). ¶ i bewahre! 아이고 어림도 없지 / i wo! 웬걸, 천만에.

iambisch [i-ámbiʃ] *a.* 단장격(短長格)의; 억양격(抑揚格)의, 약강격(弱强格)의.

Iambus [i-ámbus] [gr.] *m.* –, ..ben, 〖詩學〗 단장격; (독일 시의) 억양격, 약강격(율각(律脚)의 이름. ◡—).

ich [ıç] 《Ⅰ》 *prn.* 나(*I*)(예전에는 *ic*). 《Ⅱ》 **Ich** *n.* –(s), –(s), 나, 자아(自我). **Ichform** *f.* (소설의) 1인칭 형식. **Ich-Roman** *m.* 사소설(私小說).

Ich∗sucht *f.* 이기(주의), 자기 본위. (=Egoismus). **∼süchtig** *a.* 이기적인, 자기 본위의.

ideal [ideá:l] [gr. <Idee] 《Ⅰ》 *a.* 이상〔모범〕적인; 완전 무결한(♈*ideal, perfect, excellent*). 《Ⅱ》 **Ideal** *n.* –s, –e, 이상(♈*ideal, principle, model*). **idealisieren** *t.* 이상화하다(♈*idealize*). **Idea∗lismus** *m.* –, 〖哲〗 관념론; 이상주의. **Idealist** *m.* –en, –en, 관념론자; 이상주의자. **idealistisch** *a.* 이상주의적인.

Idee [idé:] [gr. *idéa*(根語 *id-* "보다"), ♈d. wissen] *f.* Ideen, 관념(♈*idea*); 사고(*thought*); 의견, 의도, 생각(*notion*); 〖哲〗 이념, 이데; 《俗》 조금, 미소(微少)(*a little (bit)*). ¶ k-e ∼ 〔nicht die ∼〕! 조금도 아니다.

Ide·en∗geschichte *f.* 사상〔정신〕사. **∼∗reich** *a.* 사상이 풍부한. **∼verbin∗dung** *f.* 관념 연합, 연상. **∼welt** *f.* 관념계; 이데아의 세계.

identi·fizieren [identifitsí:rən] [lat. „gleich machen"] *t.* 《Ⅰ》 동일화(化)〔동일시(視)〕하다 (♈*identify*); 틀림없음을 확인〔식별〕하다. 《Ⅱ》 *refl.* (mit, 와) 일치하다. **identisch** *a.* 동일한, 일치하는(♈*identical*). **Identität** *f.* 동일(성), 일치; 〖法〗 동일인(人)〔동일물〕임.

Ideologie [ideo–] [gr. „Begriffslehre"] *f.* ..gien, 관념 형태, 이데올로기; 공론, 몽상.

Idioblast [idioblá:st] [gr. idios „eigen", *blastanein* „keimen"] *m.* –en, –en, 〖植〗 이형(異形) 세포, 이상 세포.

Idiom [idĭó:m] [gr.] *n.* –s, –e, 말씨, 어법; 사투리; 관용어, 숙어.

Idiot [idĭó:t] [gr.] *m.* –en, –en, 바보; 〖醫〗 백치(白痴). **idiotensicher** *a.* 바보라도 다룰 수 있는(절대 안전한 또는 간단한 기계 따위에 대해 이름). **Idio∗tie** [idĭotí:] *f.* ..tien, 천치 짓; 백치. **idiotisch** *a.* 우둔한; 백치의.

Idol [idó:l] [gr.] *n.* –s, –e, 우상.

Idyll [idýl] [gr. „Bildchen"] *n.* –s, –e, 소경(小景); 평화로운 전원 생활, 목가적인 생활. **Idylle** *f.* –n, 전원시(詩); 목가(牧歌). **idyllisch** *a.* 전원시의, 목가적인.

Igel [í:gəl] *m.* –s, –, 〖動〗 고슴도치(*hedgehog*).

Ignorant [ıgnoránt] [gr. „Unwissender"] *m.* –en, –en, 무학자(無學者). **Ignoranz** [–ts] *f.* 무지, 무학, 문맹.

ignorieren *t.* 무시하다, 거들떠 보지 않다(♈*ignore*).

ihm [i:m] *prn.* 《人稱》 (er와 es의 3格) (사람:) 그에게; (사물:) 그것에.

ihn [i:n] *prn.* 《人稱》 (er의 4格) (사람:) 그를; (사물:) 그것을.

ihnen [í:nən] *prn.* (sie의 複數 3格) 《Ⅰ》 (사람:) 그들에게; (사물:) 그것들에. 《Ⅱ》 **Ihnen** (單數) 당신에게; (複數) 당신들에게.

ihr [i:r] 《Ⅰ》 *prn.* 《人稱》 ① (du의 *pl.*) 그대들, 너희들. ② (單數 sie의 3格) (사람:) 그 여자에게; (사물:) 그것에. 《Ⅱ》 *prn.* 《所有》 ① (사람:) 그 여자의; (사물:) 그것의. ② *pl.* (사람 및 사물:) 그들의, 그것들의. ③ **Ihr** 당신(들)의.

ihrer [í:rər] *prn.* 《Ⅰ》 《人稱》 ① (單數 sie의 2格) 그 여자의 (일). ② (複數 2格) 그들의 (일). ③ **Ihrer** 당신(들)의 (일). 《Ⅱ》 《所有》 (ihrer, ihre, ihres; *pl.* ihre) ① (사람:) 그 여자의 것; (사물:) 그것의 것. ② 그것들〔그들〕의 것.

ihrer∗seits [í:rərzaits] *adv.* 그녀〔그들〕 쪽에(서). **∼seits** *adv.* 당신(들) 쪽에(서).

ihres∗gleichen [í:rəsglaiçən, i:rəsglái–] *prn.* (變化 없음) 그 여자〔그들〕 같은 사람(들), 그 여자〔그들〕의 동배. **∼glei∗chen** *prn.* 당신(들) 같은 사람(들).

ihret∗halben [í:rət–], **∼wegen**, um **∼willen** [前半: <ihr] *adv.* ① 그 여자를〔그들을〕 위하여, 그 여자〔그들〕 때문에. ② (大文字) 당신(들)을 위하여.

ihrige [í:rıgə] (der, die, das) *pl.* die ∼n, *prn.* (形容詞變化; 종종 大文字를 씀) 《所有》 그녀의 것; 그들의 것. **Ihrige** (der, die das) *pl.* die ∼n, *prn.* 당신(들)의 것. ¶ ganz der〔여자이면 die〕 ∼ 경백(敬白), 근배(謹拜).

il.. [lat.] (in–이 l의 앞에서 同化한 形態) 《Ⅰ》 ☞UN–, NICHT. 《Ⅱ》 ☞EIN–(안으로).

illegal [ílega:l, ılegá:l] [lat. „ungesetzlich"] *a.* 불법의; 위법의. **Illegalität** *f.* –en, 불법, 위법.

illegitim [ílegiti:m, ılegití:m] [lat. „ungesetzmäßig"] *a.* 정당하지 않은; 사생(私生)의, 서출(庶出)의(♈*illegitimate*). **Illegitimität** *f.* 위법, 정당치 못함; 사생, 서출(庶出).

Illiterat [ılıtərá:t] [lat.] *m.* –en, –en. 무학자, 문맹.

il·loyal [íloaja:l, ıloajá:l] [fr. „un-treu"] *a.* 불(충)실한(*disloyal*).

Illumination [iluminatsĭó:n] [lat.] *f.* –en, 조명; 《比》 계몽; 일루미네이션. **illuminieren** [ılu–] [lat. „hineinleuchten"] *t.* 조명하다; (에) 전기 장식을 하다(♈*illuminate*).

Illusion [ılu–] [lat. „Hineinspielen"] *f.* –en, 착각, 환각. **illusorisch** *a.* 착각의, 환각의(♈*illusory*).

Illustration [ılustratsĭó:n] [lat.] *f.* –en, 설명; 삽화, 도해. **illustrieren** [ılustrí:rən] [lat. „hineinleuchten„] *t.* 설명〔도해(圖解)〕하다; (에) 삽화를 넣다(♈*illustrate*).

Iltis [íltıs] *m.* –ses, –se, 〖動〗 스컹크(*polecat*).

im [ım] (略) =*in* de*m* (dem은 定冠詞).

im.. [ım–] [lat.] (in–이 唇音 b, m, p의 앞에 올 때의 꼴) 《Ⅰ》 ☞UN–, NICHT.

《Ⅱ》 ☞EIN- (안으로).

imaginär [imaginɛ́:r, –ʒi–] [fr., <lat. *imāgo* „Ebenbild, Bild,"] *a.* 상상의, 공상적인. ¶ ~e Zahl 〖數〗 허수. **Imagination** *f.* –en, 상상(력), 공상, 가상.

Im·biß [ímbɪs] [„Ein-beißen"] *m.* ..sses, ..sse, 가벼운 식사, 간식(*light meal, snack*).

Imitation [imitatsĭó:n] [lat.] *f.* –en, 모방, 모조(품). **imitieren** [imití:rən] [lat.] *t.* 모방하다, 모조하다(♈imitate).

Imker [ímkər] [<Imme] *m.* –s, –, 양봉가(養蜂家). **Imkerei** *f.* –en, 양봉.

Immaterialgüterrecht [ɪmaterĭá:lgy-tərrɛçt] *n.* 무형재《특허권 따위》에 대한 권리, 무체(無體) 재산권.

immateriell [ɪmaterĭɛ́l, ímaterĭɛl] [fr. „nicht stofflich"] *a.* 비(非)물질적인; 무형의.

immatrikulieren [ɪmatri–] [lat. „in die Matrikel eintragen"] *t.* 대학 학적에 등록하다, 대학 입학을 허가하다(♈ *martriculate*). ¶ sich ~ lassen 대학에 입학하다.

Imme [ímə] [„Schwarm"] *f.* –n, 꿀벌 (*bee*).

immens [ɪméns] [lat.] *a.* 헤아릴 수 없는, 무한(량)의, 막대한.

immer [ímər] [ahd. *io mēr* „je mehr"] *adv.* ① 《比較級과 함께》 더욱 더, 점점 더. ¶ ~ weiter 앞으로 앞으로. ② 늘, 언제나(*always*). ¶ nicht ~ 반드시 …은 아니다 / noch ~ 〔~ noch〕 여전히, 지금도 역시 / (~ u.) ~ wieder 몇 번이고 되풀이하여. ③ 영구히, 영원히(*ever*). ¶ auf ~ 〔für ~, *od.* ~ u. ~ *od.* ~ u. ewig〕 영구히. ④ 《認容文에서》 so 〔wie〕 reich er auch ~ sein mag 그가 아무리 부자일지라도 / wer es auch ~ sein mag 그것이 누구일지라도.

immer·dar [ímərda:r, ɪmərdá:r] *adv.* 《强한 immer》 언제까지나, 영구히. **~·fort** [ímərfɔrt, ɪmərfɔ́rt] *adv.* 간단 없이, 잇달아.

immer·grün *a.* 상록의(*evergreen*). **~grün** *n.* 〖植〗 빙카; 송악. **~hin** [ɪmərhín] *adv.* 그래도, 어쨌든(*for all that, still*). ¶ darf ich? — ~hin! 그렇게 하여도 좋습니까— 괜찮습니다. **~während** *a.* 영속하는, 간단 없는; 영원한. **~zu** [ímərtsu:, ɪmərtsú:] *adv.* 잇달아; 앞으로 앞으로. ¶ (geh) nur ~zu! (자) 가거라 가.

immobil [ímobi:l, imobí:l] [lat.] *a.* 부동의, 고정된. **Im·mobilien** [ɪmobí:lĭən] [lat. „die Un-beweglichen"] *pl.* (*ant* Mobilien) 부동산(♈*immovables*); (흔히) 토지(土地); 〖商〗 고정 자본.

immoralisch [ɪmorá:lɪʃ] [lat.] *a.* 부도덕한.

Immortalität [ɪmɔrtalitɛ́:t] [lat.] *f.* 불후, 불멸. **Im·mortelle** [ɪmɔrtɛ́lə] [fr. „die Unsterbliche"] *f.* –n, 〖植〗 부조화(不凋花), 영구화(*everlasting*). ¶ rote ~ 천일초(千日草).

im·mun [ɪmú:n] [lat. „nicht dienst-pflichtig,"] *a.* (납세·병역 의무 따위가) 면제된; 〖醫〗 면역성의(♈*immune*). **im·munisieren** [ɪmunizí:rən] *t.* 면제하다; 〖醫〗 면역시키다. **Immunität** *f.* –en, 면제; 불가침(권); 〖醫〗 면역(성).

Imperativ [ímperati:f, ɪm–tí:f] [lat.] *m.* –s, –e [–və], 〖文〗 명령법.

Im·perfekt [ímpɛrfɛkt, ɪmpɛrfɛ́kt] [lat. „un-vollendet"] *n.* –s, –e, **Imper·fektum** *n.* –s, ..ta, 〖文〗 미완료 과거 《보통 "過去"라고 칭하는 時法, 보기: ich sah》.

Imperialismus [ɪmperĭalísmus] [lat.] *m.* –, 제국주의; 침략주의, 팽창주의. **imperialistisch** *a.* 제국〔침략〕주의의.

Imperium *n.* –s, ..rĭen, 최고〔절대〕권, 주권; 제국.

im·pertinent [ɪmpɛrtinɛ́nt] [lat. „nicht (dazu) gehörig"] *a.* 부당한, 염치없는, 낯두꺼운. **Impertinenz** *f.* –en, 부당; 몰염치, 낯두꺼움; 위의 언행.

Impf·anstalt *f.* 종두 놓는 곳. **~arzt** *m.* 종두의(醫).

impfen [ímpfən] [Lw. lat. *im-putāre* „ein-schneiden"] *t.* 접목(接木)하다(*inoculate*); 〖醫〗 접종(接種)〔종두(種痘)〕하다(*vaccinate*). **Impfen** *n.* –s, –, †접목(接木); 〖醫〗 접종.

Impf·schein *m.* 종두 증명서. **~stoff** *m.* 두묘(痘苗), 왁친.

Impfung *f.* =IMPFEN.

implizite [ɪmplí:tsite:] [lat.] *adv.* 포함하여, 포괄적으로; 암암리에.

Im·ponderabilien [ɪmpɔnderabí:lĭən] [lat. „die Unwägbaren"] *pl.* (옛 물리학의) 불가량물(不可量物)《열·빛 따위》.

im·ponieren [ɪmponí:rən] [lat. „hinein-setzen"] *i.*(h.) (에게) 외경(畏敬)〔감탄〕의 마음을 일으키게 하다, 깊은 인상을 주다(*impress greatly*). **imponierend** *p.a.* 위엄 있는, 위풍 당당한, 뛰어난. (♈*imposing, impressive*).

Im·port [ɪmpɔ́rt] [lat. „Ein-fuhr"] *m.* –(e)s, –e, 수입(*import(ation)*). **Importe** *f.* –n, 수입품. **Importeur** *m.* –s, –e, 수입업자. **importieren** *t.* 수입하다.

importun [ɪmportú:n] [lat.] *a.* 부적당한, 불편한.

imposant [ɪmpozánt] [lat.] *a.* =IMPONIEREND.

im·potent [ímpotɛnt, ɪmpotɛ́nt] [lat. „un-vermögend"] *a.* 무력한, 무능한; 〖醫〗 성교 불능의, 음위(陰痿)의. **Im·potenz** [ímpotɛnts, ɪmpotɛ́nts] *f.* 무력, 무능; 〖醫〗 음위(陰痿).

imprägnieren [ɪmprɛgní:rən] [lat.] *t.* (에) (방부제를) 주입하다; 잉태케 하다 (♈*impregnate*). **Imprägnierung** *f.* –en, 방부제 주입; 임신.

Impression [ɪmprɛsĭó:n] [lat.] *f.* –en, 감명, 인상. **Impressionismus** *m.* –, 인상주의. **impressionistisch** *a.* 인상주의의.

Improvisation [ɪmprovɪzatsĭó:n] [lat.] *f.* –en, 즉흥 연설; 즉흥곡. **im·provi·sieren** [ɪmprovizí:rən] [lat. *improvīsus* „un-vorhergesehen"] *t.* u. *i.*(h.) 즉석에서 만들다〔행하다·연주하다〕(♈*improvise*).

Impuls [ɪmpúls] [lat. „Hineinstoß"] *m.* –es, –e, 충격; 충동. **impulsiv** [ɪmpulzí:f] *a.* 충동적인.

imstande [ɪmʃtándə] [=im Stande] *a.*: ~ sein et. zu tum 무엇을 할 수 있다 (*be in position* (*to*), *be able* (*to*)).

I

in [ɪn] *prp.* 《Ⅰ》《3格支配》 …의 안에(서), 에 있어서(*in, at, within*). ① 《어떤 物件〔場所〕 안》 ~ dem Garten 정원에서 / 《比》 ~ der Seele 심중에. ② 《時間的》 ~ der nacht 밤중에. ③ 《狀態·境遇·服裝》 im Zorn 노하여 / im Hemde 샤쓰 바람으로. ④ 《方法》 ~ der Tat 실제로. ⑤ 《材料·內容》 ~ Öl malen 유화로 그리다. ⑥ 《制限》 ~ diesem Sinne 이 뜻으로는. 《Ⅱ》 *prp.* 《4格支配》 의 안으로(*into, to*). ① 《무엇·어느 場所 속으로의 運動》 ins Wasser fallen 물에 빠지다. ② 《方向·延長》 et. ~ die Höhe werfen 무엇을 위로 던지다. ③ 《時間的》 bis ~ den Tod 죽을 때까지. ④ 《材料》 ~ Kupfer stechen 동판 조각을 하다. ⑤ 《狀態의 變化》 ~ Schlaf fallen 잠들어 버리다.

in·aktiv [ín-aktif, in-aktí:f] [lat.] *a.* 활동〔활발〕하지 않은; 퇴역의.

In·angriffnahme [ɪn-ángrɪfna:mə] *f.* 착수, 개시; 〖鐵〗 기공(起工).

In·anspruchnahme [ɪn-ánʃprux-na:mə] *f.* 요구; 골몰하기, 몰두.

in·artikuliert [ɪn-artikulí:rt, ín-li:rt] [lat.] *p.a.* 음절〔관절〕이 없는; 뜻이 똑똑하지 않은《발음》.

in·augurieren [ɪn-augurí:rən] [lat.] *t.* 서임(叙任)하다; (일을) 개시하다.

Inbegriff [ínbəgrɪf] *m.* -(e)s, 총괄; 총체(*sum(mary)*); 실질(*embodiment*); 정수(*essence*). **inbegriffen** *adv.* (을) 포함하여, 가산하여(*including, included*).

Inbetriebnahme [ɪnbətrí:p-], **Inbetriebsetzung** *f.* 운전〔작업〕 개시.

In·brunst [ínbrunst] [„innere Glut“, <brennen] *f.* 《比》 열렬, 열정, 열심(*fervour, ardour*). **inbrünstig** *a.* 열렬한, 열심인(*fervent, ardent*).

Indanthrēn [ɪndantré:n] [*Kw. Indi*go *u. Anthrazen*] *n.* -s, -e, 햇볕에도 물에도 바래지 않는 물감의 이름.

indem [ɪndé:m] [<in dem, daß..] *cj.* …하는 동안에(*while*); …하면서; …함에 따라(*by, on (doing)*); …하기 때문에(*because, since*).

Indemnität [ɪndɛmnité:t] [lat.] *f.* 배상(금); 사면, 면책.

Inder [índər] *m.* -s, -, **Inderin** *f.* -nen, 인도 사람.

indes [ɪndés], **indessen** [ɪndésən] 《Ⅰ》 *adv.* 그 동안에, 그럭저럭하는 사이에(*(mean)while*). 《Ⅱ》 *cj.* 그렇지만, 그러나; 어떻든, 뭐니뭐니 해도(*while, however*).

Index [índɛks] [lat. „Zeiger“] *m.* -es, -e, *od. m.* -, ..dizes [-ditsɛs], ① 색인; 〖數〗 지수, 율; 〖工〗 (눈금의) 지침. ② 〖가톨릭〗 금서 목록.

Index·familie *f.* 지표(指標) 가족《통계를 위한 평균 가족》. **~währung** *f.* 지표 가치《통화의 안전 가치》. **~ziffer** *f.* 물가 지수.

indezent [índetsɛnt] [lat.] *a.* 버릇없는, 야비한, 외설적인.

Indianer [ɪndiá:nər] [„Bewohner Indiens“] *m.* -s, -, **Indianerin** *f.* -nen, 아메리칸 인디언. **indianisch** *a.* 아메리칸 인디언의.

Indien [índĭən] [„Stromland (Indus의 땅)“] *n.* -s, -, 인도(♈*India*).

Indienst·stellung [ɪndí:nst-ʃtɛluŋ] *f.* -en, 〖軍·海〗 취역(就役)시킴.

Indier *m.* -s, -, [índĭər], **Indierin** *f.* -nen, 인도 사람.

indifferent [índɪfərɛnt, ɪndɪfərɛ́nt] [lat.] *a.* 무차별한, 공평한; 냉담한.

Indifferenz [índɪfərɛnts, ɪndɪfərɛ́nts] *f.* -en, 무차별, 공평; 냉담.

Indigestion [ɪndigɛstió:n] [lat.] *f.* -en, 소화 불량.

Indigō [índigo:] [sp. „das Indische“] *m.* od. *n.* -s, -s, 인디고, 인도남(藍).

Indikativ [índikati:f, ɪndikatí:f] *m.* -s, -e [-və], 〖文〗 직설법.

in·direkt [índirɛkt] [lat. „nicht direkt“] *a.* (mittelbar) 간접의, 완곡한.

indisch [índɪʃ] [<Indien] *a.* 인도(사람)의.

in·diskrēt [índɪskre:t] [lat. nicht diskret“] *a.* 분별이 없는, 경솔한(♈*indiscreet*). **Indiskretion** *f.* 무분별, 경솔.

Individualismus [ɪndividualísmʊs] [lat.] *m.* -, 개인주의. **Individualität** [-tɛ́:t] *f.* -en, 개성; (개인의) 인격.

individuell [fr.] *a.* 개성적인, 개인적인, 독특한. **In·dividu·um** [-ví:duum] [lat. „Un-teilbares“] *n.* -s, ..duen [-duən], 개체, 개인(♈*individual*).

Indizienbeweis [ɪndí:tsĭənbəvais] *m.* 〖法〗 정황(情況)에 의한 증거, 간접 증거.

in·dizieren [-tsí:rən] [lat. „an-zeigen“] *t.* 지시〔표시〕하다(♈*indicate*).

indolent [índolɛnt] [lat.] *a.* 무감각〔무관심〕한; 게으른.

Indossament [ɪndɔsamɛ́nt] [it.] *n.* -(e)s, -e, 〖商〗 (어음의) 배서. **Indossant** [ɪndɔsánt] *m.* -en, -en, 〖商〗 배서인. **Indossat** *m.* -en, -en, 피배서인, 배서 양수인(讓受人). **indossieren** *t.* 〖商〗 배서하다.

Induktion [ɪndʊktsĭó:n] [lat.] *f.* -en, 〖哲〗 귀납법; 〖電〗 유도.

Induktions·apparāt [ɪndʊktsĭó:ns-] *m.* 〖電〗 유도〔감응〕 코일. **~mōtor** *m.* 유도 전동기. **~strōm** *m.* 유도 전기.

industrialisieren [ɪndʊstrializí:rən] *t.* 공업(국)화하다. **Industrie** [ɪndʊstrí:] *f.* ..rien, 산업, (특히) 공업(♈*industry*).

industriell [ɪndʊstriɛ́l] [fr.] 《Ⅰ》 *a.* 산〔공·실〕업의. 《Ⅱ》 **Industrielle** *m.* 《形容詞變化》 산〔공·실〕업가.

in·einander [ɪn-ainándər] *adv.* 서로 상대방 속〔안〕으로, 서로 뒤섞여(*into one another*). **~fügen** *t.* 짜 맞추다. **~greifen*** *i.*(h.) (서로) 맞물다《톱니바퀴 가》; 《比》 협력하다.

infallibel [ɪnfalí:bəl] [lat.] *a.* 오류가〔과실이〕 없는, 확실한.

in·fām [ɪnfá:m] [lat. „in (Nach)rede (stehend)“] *a.* 불명예스러운(♈*infamous*); 수치스러운(*disgraceful*).

Infamie [ɪnfamí:] *f.* ..mien, 불명예, 오욕; 추행.

Infant [ɪnfánt] [sp.] *m.* -en, -en, 왕자《스페인 또는 포르투갈의》. **Infanterie** [ɪnfantərí:, ínfantəri:] [fr. *aus* sp. *infant* „Kind, Knappe, Soldat“] *f.* ..rien, 보병《부대 또는 병과》. **Infanterist** [ɪnfantəríst, ɪnf-] *m.* -en, -en, (개개의) 보병. **infantil** [ɪnfantí:l] [lat. „kindisch“] *a.* 어린이의, 어린이다운.

Infektion [ɪnfɛktsĭóːn] [lat. <infizieren] *f.* -en, 〖醫〗 전염; 전염병.
Infektions·krankheit *f.* 전염병. ～**psychose** *f.* 전염성 정신병.
infektiös [ɪnfɛktsĭǿːs] *a.* 전염성의, 감염하는.
Infel [ínfəl] *f.* -n, =INFUL.
inferior [ɪnferĭóːr] [lat.] *a.* 하급의; 열등한.
Infiltration [ɪnfɪltratsĭóːn] [lat.] *f.* -en, 침입, 침투; 〖醫〗 침윤. **infiltrieren** *i.*(h.) 침입하다; 침윤이 생기다.
In·finitiv [ínfinitiːf, ɪnfinitíːf] [lat. „un-begrenzt"] *m.* -s, -e [-və], 〖文〗 부정법〔형·사〕《동사의》.
in·fizieren [ɪnfitsíːrən] [lat. „hinein-tun"] *t.* 감염〔전염〕시키다(♈*infect*).
Inflammation [ɪnflamatsĭóːn] [lat.] *f.* -en, 연소; 《比》 흥분; 〖醫〗 염증.
In·flation [ɪnflatsĭóːn] [lat. „Hineinblasung", Aufblähung] *f.* -en, 통화 팽창, 인플레이션.
In·fluenza [ɪnfluέntsa] [it. „Ein-fluß"] *f.* 유행성 감기, 인플루엔자.
infolge [ɪnfɔ́lgə] *prp.* 《2格支配》 …의 결과로서, …의 작용〔영향〕으로서, 때문에, …으로 말미암아. **infolgedessen** [ɪnfɔlgədέsən] *adv.* 그 결과로서; 그 때문에; 따라서, 그러므로.
Information [ɪnfɔrmatsĭóːn] *f.* -en, 교시(敎示), 교수; 통보, 보고. **Informatik** [ɪnfɔrmáːtɪk] [lat <Information] *f.* 정보 이론〔학〕. **Informator** *m.* -s, ..matoren, (가정) 교사. **informieren** [-míːrən] [lat. „in Form setzen", 형태를 이루게 하다, 교육하다] *t.* 가르치다; 통보(通報)〔보고〕하다(♈*inform*); *refl.* 조회하다; 조사하다.
Infra·struktur [ínfra-] *f.* (고도 경제의) 하부 구조; (군의) 하부 시설《병영·비행장 따위》.
Inful [ínful] [lat.] *f.* -n, 주교관(主敎冠)(*mitre*).
In·fusion [ɪnfuzĭóːn] [lat. „Ein-flößung"] *f.* -en, 주입, 주사. **Infusorien** [ɪnfuzóːrĭən] *pl.* 〖蟲〗 적충류(滴蟲類)(♈*infusoria*).
Ingenieur [ɪnʒenĭǿːr] [fr.] *m.* -s, -e, 기사(技師), 기술자, 엔지니어; 〖軍〗 공병(工兵).
Ingenieur·bau *m.* 고도의 기술에 의한 건축 공사; 그러한 건축물. ～**kunst** *f.* 공학. ～**schule** *f.* 공업 학교, 공과 대학; 〖軍〗 공병 학교.
ingeniös [ɪngenĭǿːs] [lat. -fr.] *a.* 재주 있는, 영리한; 발명의 재주가 있는.
In·gredienz [ɪngreːdiέnts] [lat. „Hineingehendes"] *f.* -en, (흔히 *pl.*) 함유분(含有分), 성분.
Ingrimm [íngrɪm] *m.* -(e)s, (innerer, verbisserer Grimm) 원한, 분만(忿懣), 통분(痛憤)(*anger, wrath*). **ingrimmig** *a.* 위를 품은.
Ingwer [íŋvər] [ind.] *m.* -s, 〖植〗 생강(♈*ginger*).
Inhaber [ínhaːbər] *m.* -s, -, (Im Besitz Habender) 임자, 소지인, 소유자(*possessor*); (어음의) 지참인(*holder*).
Inhalation [ɪnhalatsĭóːn] [lat.] *f.* -en, 흡입(吸入). **Inhalations·apparat** *m.* 〖醫〗 흡입기(吸入器). **in·halieren** [ɪnhalíːrən] [„ein-atmen"] *t.* 흡입하다, 숨을 들이쉬다(♈*inhale*).
Inhalt [ínhalt] [<in *u.* halten] *m.* -(e)s, -e, 내용, 속에 든 것(*contents; tenor; meaning*); 수용력, 용량(*capacity*). **inhaltlich** *a.* 내용상의; 실질적인. **Inhalts·angabe** *f.* 요강; 경개(梗槪), 대요(*summary*).
inhalt(s)·leer, ～**los** *a.* 내용이 빈약한, 공허한, 무의미한. ～**reich,** ～**schwer** *a.* 내용이 풍부한, 의미가 깊은, 중요한.
Inhalts·verzeichnis *n.* 목차, 목록; 색인. ～**voll** *a.* 내용이 풍부한, 의미 심장한, 중요한.
inhibieren [ɪnhibíːrən] [lat.] *t.* 금지〔제지·저지〕하다, 억제〔억압〕하다.
inhuman [ínhumaːn] [lat.] *a.* 몰인정한, 무정한.
Initiale [ɪnitsĭáːlə, ini-] [lat.] *f.* -n, 〖文〗 두문자. **Initiativ·antrag** [-tsĭatíːf-] *m.* 법률안의 제의. **Initiative** [ɪnitsĭatíːvə, ini-] *f.* -n, 발단; 발기(發起), 주동. ¶die ～ ergreifen 발기하다, 주동자가 되다 / aus eigener ～ 자발적으로. **Initiator** [-tsĭáːtɔr] *m.* -s, ..toren, 발기인, 장본인.
Injektion [ɪnjɛktsĭóːn] [lat.] *f.* -en, 주사, 주입. **in·jizieren** [ɪnjitsíːrən] [lat. „hinein-werfen"] *t.* 주입〔주사〕하다(♈*inject*).
In·jurie [ɪnjúːrĭə] [lat. Un-recht"] *f.* -n, 모욕, 능욕(*insult*); (Verbal～) 중상, 비방(*slander*).
Inkasso [ɪnkáso] [it. „in Kasse"] *n.* -s, -s, 〖商〗 현금 추심(推尋), 대금 회수(♈*cashing*). ～**geschäft** *n.* 대금 징수 업무. ～**vollmacht** *f.* (현금·어음 등을) 회수하는 전권.
inklusive [ɪnkluzíːvə, -veː] [lat. „einschließlich"] *adv.* u. *prp.* 《2格支配》 (을) 포함하여, 넣어서.
inkognito [ɪnkɔ́gnito] [it.] *adv.* 익명〔변명〕으로, 남 몰래. **Inkognito** *n.* -s, -s, 익명, 미행(微行).
inkommodieren [ɪnkɔmodíːrən] [lat.] *t.* 번거롭히다, 에 수고를 끼치다; *refl.* 애쓰다, 수고하다.
inkonsequent [ínkɔnzekvɛnt] [lat. „nicht konsequent"] *a.* 수미 일관하지 않는, 전후 당착의, 모순된. **Inkonsequenz** [-ts] *f.* -en, 전후 당착, 모순.
Inkorporation [ɪnkɔrporatsĭóːn] [lat.] *f.* -en, 합병, 편입; 〖醫〗 복용.
inkorrekt [ínkɔrɛkt] [lat.] *a.* 부정확한, 잘못된. **Inkorrekt·heit** *f.* -en, 부정확, 오류.
Inkraft·treten [ɪnkráfttreːtən] *n.* -s, (법률 따위의) 효력 발생, 시행.
Inkret [ɪnkréːt] [lat.] *n.* -(e)s, -e, 내분비물, 호르몬. **Inkretion** [-tsĭóːn] *f.* -en, 내분비.
Inland [ínlant] *n.* -(e)s, 내국, 국내(♈*inland*); 내지(內地)(*home*). **Inländer** [ínlɛndər] *m.* -s, -, 내국인; 내지인. **inländisch** *a.* 내국의, 내지의; 국(내)산의.
Inlaut [ínlaut] *m.* 〖文〗 중간음《철자 또는 낱말 중간의》.
Inlett [ínlɛt] *n.* -(e)s, -e, 이불감에 쓰이는 무명(*ticking*).
inliegend [ínliːgənt] *p. a.* 봉투에 넣은, 동봉한(*enclosed*).

I

inmitten [ınmítən] *prp.* 《2格支配》의 중앙에, 한중간에.

inne [ínə] [<in] *adv.* ① 속에, 안에(♈ *in, within*). ¶ mitten ~ 중앙에, 한가운데에. ② 소유〔점유〕하여.

inne=|haben* *t.* 소유〔점유〕하다; (에) 숙달〔능통〕하다. **~|halten*** 《I》 *t.* 점유〔점령〕하여 두다, 간직하다; 보유하다, 지키다. 《II》 *i.*(h.) 중지하다, 그만두다(*stop*).

innen [ínən] [<in] *adv.* 안에, 속에(♈ *in, within, inside*); 옥내에서, 실내에서, 차내에서; 심중에.

Innen=architektur *f.* 실내 장식술. **~fläche** *f.* 내면. **~leben** *n.* 내면〔정신〕생활. **~minister** *m.* 내무 장관. **~ministerium** *n.* 내무부. **~=politik** *f.* 내정(內政). **~seite** *f.* 안쪽. **~steuerung** *f.* 〖工〗 내부 조종. **~welt** *f.* 정신계. **~winkel** *m.* 〖數〗 내각(內角).

inner [ínər] [<in] *a.* 안쪽의, 내부의, 내적인(♈ *inner, interior, internal*).

Innere *n.* 《形容詞變化》 내부, 내면, 《比》 중심; 심중, 정신. ¶ Ministerium des ~n 내무부.

innerhalb [ínərhalp] [–halb „Seite"] 《I》 *adv.* 안쪽에, 내부에. 《II》 *prp.* 《2格支配》 의 안에서; 안쪽에, 내부에.

innerlich [ínərlıç] *a.* 내부의, 내면의; 심중(心中)의; 내(면)적인, 정신적인; 심오한; 내심에서의, 진지한, 성실한. ¶ ~ anzuwenden 내복용《병에 써 붙인 지시》.

Innerlichkeit *f.* (稀: *pl.* –en,) 내성(內性), 본질; 내면적임, 내향성, 심오성(深奧性); 성실.

innerpolitisch [ínərpoli:tıʃ] *a.* 내정(상)의.

innerst [ínərst] (inner의 最上級) *a.* 가장 내부의〔깊숙한〕. ¶ im ~en 마음의 가장 깊은 구석에서, 충심으로.

inne=|sein* *i.*(s.) (e–s Dinges, 무엇을) 깨닫고〔알고〕 있다. **~|werden*** *i.*(s.) u. *t.* (e–s Dinges, 무엇을) 인지하다, 지각하다, 알(게 되)다. **~|wohnen** *i.*(h.) 내재하다, 고유(固有)하다(et.³).

I

innig [ínıç] [<inne] *a.* 충심에서의, 진심에서의(*hearty*); 친밀한, 밀접한(*intimate*). **Innigkeit** *f.* –en, 위임.

Innung [ínuŋ] [<ahd. *innōn* „aufnehmen (in das Innere)"] *f.* –en, (상공 관계의) 조합, 동업 조합, 길드(*corporation, guild*).

in·offiziell [ín-ɔfitsiɛl, ın-ɔfitsiɛ́l] [lat. –fr.] *a.* 공적이 아닌, 비공식의.

in·okulieren [ın-okulí:rən] [lat.] *t.* 〖醫〗 접종하다; 〖農〗 접지(接枝)하다.

Inquilin [ınkvilí:n] [lat.] *m.* –en, –en, (Insasse) 기우자(寄寓者); (딴 동지 속에서 동거하는) 기생 동물.

in·quirieren [ınkvirí:rən] [lat. „untersuchen"] *t.*: jn.: 문초하다, 심문〔신문〕하다(♈ *inquire*). **Inquisition** [ınkvizitsió:n] *f.* –en, 〖宗〗 (중세의) 종교 재판. **inquisitorisch** *a.* 위의; 《比》 준열한.

ins [ıns] 《略》=*in* das (das는 定冠詞).

In·saß [ínzas], **In·sasse** [ínzasə] [„Eingesessener", Einwohner] *m.* –n, –n, 거주자; (차의) 승객.

insbesond(e)re [ınsbəzɔ́nd(ə)rə] *adv.* 특히; 따로따로.

Inschrift [ínʃrıft] *f.* –en, 명(銘), 비문(碑文)(♈ *inscription*). **Inschriftenkun=de** *f.* 제명학(題銘學), 비문학(碑文學). **inschriftlich** [ínʃrıftlıç] *a.* 제명(題銘)의, 제명 같은; *adv.* 제명으로서.

Insekt [ınzɛ́kt] [lat. „Ein-gekerbtes"] *n.* –(e)s, –en, 곤충.

Insekten=kunde *f.* 곤충학. **~pulver** *n.* 제충분(除蟲粉).

Insel [ínzəl] [Lw. lat.] *f.* –n, 섬, 도서(♈ *isle, island*); (Verkehrs~) 안전 지대.

Insel=bewohner *m.* 섬사람. **~grup=pe** *f.* 군도(群島). **~meer** *n.* 다도해(多島海). **~organ** *n.* 섬 기관(器官)《췌장내에 일단이 되어 존재하는 내분비 세포군》.

Inserat [ınzerá:t] *n.* –(e)s, –, (신문 잡지의) 광고. **Inseratenteil** *m.* (신문의) 광고난. **Inserent** [ınzerɛ́nt] *m.* –en, –en, 광고주(主). **inserieren** [lat. „einfügen"] *t.* 삽입하다(♈ *insert*); 광고하다 《신문 잡지에》.

insgeheim [ınsgəháim] *adv.* 몰래, 은밀히.

insgemein [ınsgəmáin] *adv.* 일반적으로; 보통; 대개는, 흔히.

insgesamt [ınsgəzámt] *adv.* 함께, 모두, 죄다.

Insiegel [ínzi:gəl] *n.* 《雅》 인(印), 인장(♈ *seal*).

Insignien [ınzígnīən, –zí:gnīən] [lat. „Eingezeichnete"] *pl.* 기장(記章), 훈장(♈ *insignia*).

insinuieren [ınzinuí:rən] [lat. „in den Busen (*sinus*) bringen"] *t.* 넌지시 알리다, 암시하다(♈ *insinuate*).

inskribieren [ınskribí:rən] [lat.] *t.* 기입하다, 등기〔등록〕하다; (대학에) 입학을 허가하다.

insofern 《I》 [ınzó:fern] *adv.* 그 한도내에서, 그 점까지(는). 《II》 [ınzofɛ́rn] *cj.*: ~ es mich betrifft 나에 관한 한, 나에 관하여서는.

insolvent [ínzɔlvɛnt, ın–vɛ́nt] [lat. „nicht solvent"] *a.* 지불 불능의. **In=solvenz** [ınzɔlvɛ́nts, ín–vɛnts] *f.* 지불 불능, 무자력(無資力), 파산.

insonderheit [ınzɔ́ndərhait] *adv.* 특히, 각별히(*especially*).

insoweit 《I》 [ınzó:vait] *adv.* =INSOFERN I. 《II》 [ınzováit] *cj.* =INSOFERN II.

Inspektion [ınspɛktsió:n, ınʃp–] [lat. <inspizieren] *f.* –en, 조사, 검찰, 검열; 감독; 감독청; 감독 관구. **Inspek=tor** [ınspɛ́ktɔr, ınʃp–] *m.* –s, ..toren, 감독관; 관리〔지배〕인; 장학사; 〖鐵〗 역장.

Inspiration [ınspiratsió:n] [lat.] *f.* –en, 영감, 인스피레이션; 숨을 들이쉼, 흡기(吸氣). **inspirieren** [ınspirí:rən] [lat. „einatmen"] *t.* 흡입〔흡기(吸氣)〕하다; (에) 영감을 주다(♈ *inspire*).

Inspizient [ınspitsiɛ́nt, –ʃp–] *m.* –en, –en, 감독관, 검사관; 〖劇〗 무대 감독. **inspizieren** [ınspitsí:rən, ınʃp–] [lat. „hinein-sehen"] *t.* 감독〔검사〕하다.

Installateur [ınstalatø:r] [fr.] *m.* –s, –e, (수도·가스·전기 따위의) 시설인(施設人). **Installation** [–tsió:n] *f.* –en,

임명; 설치. **installieren** [ɪnstalíːrən] [lat. <ahd. *stal* „Stelle"] *t.* (어떤 지위에) 앉히다, 임명하다; (수도·전기를) 설비〔설치〕하다(♈*install*); *refl.* 취직〔취임〕하다.

instand [ɪnʃtánt] *adv.* (in gutem Stand) 좋은 상태에. ¶～ halten 손질해 두다/～ setzen 손질하다. ★ in den Stand setzen, et. zu tun 무엇을 할 입장에 두다, 무엇을 할 수 있게 하다. **Instand·haltung** *f.* -en, 정돈, 손질.

inständig [ínʃtɛndɪç] [<in Stand, 어떤 일 "의 가운데에 섬", 고지(固持)] *a.* 열심인, 간절한(♈*instant, urgent*). ¶～(*adv.*) bitten 애걸하다.

Instandsetzung [-zɛtsʊŋ] *f.* 수선, 손질.

Instanz [ɪnstánts] [lat.] *f.* -en, 〖法〗 소송 절차, 심급(審級)(*court (of judicature)*). ¶höchste ～ 최고심(급), 대법원.

Instanzen·weg, ～zug *m.* 관청〔재판〕의 절차.

Instinkt [ɪnstíŋkt] [lat. „Hineinstich, 찌르고〔밀치고〕 (안으로) 달리는 것"] *m.* -(e)s, -e, 본능, 천성. **instinktiv** [ɪnstɪŋktíːf] *a.* 본능적인.

Institut [ɪnstitúːt] [lat.] *n.* -(e)s, -e, 건축물; 연구소; 학교; (사립의) 강습소, 교실.

instruieren [ɪnstruíːrən] [lat. „hineinbauen", zurichten] *t.* 교시〔지도·훈령(訓令)〕하다 (♈*instruct*). **Instruktion** [ɪnstrʊktsĭóːn] *f.* -en, 교시, 지도, 지시, 훈령.

Instrument [ɪnstrumɛ́nt] [lat. <instruieren] *n.* -(e)s, -e, 기구, 기계; (특히) 악기. **Instrumenten·fabrikant** *m.* 악기 제작자. **instrumentieren** [ɪnstrumɛntíːrən] *t.* (어떤 악곡을) 기악용(器樂用)으로 편곡하다, (에) 악기를 배합하다.

Insulaner [ɪnzuláːnər] [lat. <Insel] *m.* -s, -, 섬사람, 섬나라 사람.

insultieren [ɪnzʊltíːrən] *t.* (에) 무례한 것을 하다, 모욕하다; 공격하다; 괴롭히다.

Insurgent [ɪnzʊrgɛ́nt] [lat.] *m.* -en, -en, 반역〔반란〕자.

inszenieren [ɪn-stseníːrən] [lat. „in Szene" setzen] *t.* 〖劇〗 상연하다.

integral [ɪntegráːl] *a.* 완전한; 〖數〗 정수(整數)의; 적분의. **Integral·rechnung** *f.* 적분법(積分法).

Intellekt [ɪntɛlɛ́kt] [lat. <intelligent] *m.* -(e)s, 지력(智力); 지성, 이지(理知); 오성. **intellektuell** [ɪntɛlɛktuɛ́l] [lat.-fr.] *a.* 지력상(智力上)의; 지식의; 지(성)적인. ¶～e 지식 계급, 인텔리.

Intelligence Servic [ɪntɛ́lɪdʒəns sɔ́ːvɪs] [engl.] *m.* -, -, (영국의) 정보 기관.

intel·ligent [ɪnteligɛ́nt] [lat. „dazwischen auswählend", gescheit] *a.* 이해가 빠른, 이지적인, 총명한; 지식〔교양〕이 있는. **Intelligenz** [-gɛ́nts] *f.* -en, 이지(理知), 지력, 지능; 인텔리겐차, 지식 계급.

Intendant [ɪntɛndánt] [lat.] *m.* -en, -en, 감독자; 〖劇·映〗 감독. **Intendantur** *f.* -en, 감독 관청.

Intensität [ɪntɛnzitɛ́ːt] *f.* -en, 긴장도(度), 강도, 강약; 격렬. **intensiv** [-zíːf] [lat.] *a.* 긴장된, 강한; 〖論〗 내포적인; 〖農〗 집약적인.

interessant [ɪntərɛsánt, ɪnte-] [lat.-fr.] *a.* 관심 사항인, 중요한; 흥미 있는, 재미 있는(♈*interesting*). ¶in ～en Umständen 임신하여. **Inter·esse** [ɪntərɛ́sə, ɪnte-] [lat. „Dazwischen-sein"] *n.* -s, -n, ① 관여, 관계; 관심, 흥미(♈*interest*). ¶reiche ～n haben 여러가지 일에 관심을 가지다. ② 이해 (관계); 관계; 이익, 이득(*advantage*). **Interes·sengemeinschaft** [ɪntərɛ́səngəmainʃaft] *f.* 〖商〗 이익 협동(체); 카르텔.

Interessent *m.* -en, -en, 관여자; 관심자; 이해 관계가 있는 사람. **interessieren** 《Ⅰ》 *t.* (für, 에) 관계〔관여〕하게 하다, 관심을〔흥미를〕 가지게 하다(♈*interest, concern*). 《Ⅱ》 *refl.* 관심을 가지다, 관여하다, 돌보다.

Interferenz [ɪntərferɛ́nts] [lat.] *f.* -en, 간섭, 방해; 〖理〗 (광파·전파 등의) 간섭(干涉).

Interim [íntərɪm] [lat.] *n.* -s, -s, 중간시, 잠시; 과도 상태; 일시적 규정. **interimistisch** *a.* 일시적, 과도적.

Interkontinental [-táːl] [lat.] *a.* 대륙간의. ¶～e Rakete 대륙간 로케트.

Interlock·machine [íntɛrlɔk-] [engl. *interlock* „ineinandergreifen"] *f.* 맞물리는 (연동) 편물기. **～ware** *f.* 위의 것으로 짠 상품《속옷용》.

intern [ɪntɛ́rn] [lat.] *a.* 안의; 내부의; 내무〔내근〕의; 기숙하는; 〖醫〗 내과의.

Internat [ɪntɛrnáːt] *n.* -(e)s, -e, 기숙사; 기숙사가 있는 학교.

international [ɪntərnatsĭonáːl] [lat.] *a.* 제국(민)간의, 국제적인. **Interna·tionale** *f.* -n, 국제 노동자 연맹(가).

internieren [ɪntɛrníːrən] *t.* 억류〔감금〕하다(♈*intern*); (병자를) 격리하다. **In·ternist** *m.* -en, -en, 내과 의사.

interpellieren [ɪntərpɛlíːrən] [lat. „dazwischentreiben", -reden] *t.* 〖議會〗 질문하다.

interpolieren [ɪntərpolíːrən] [lat. „hinein-polieren 삽입하여 윤을 내다"] *t.* (문구를) 삽입하다; (문서를) 변조하다.

interpretieren [ɪntərpretíːrən] [lat.] *t.* 해석하다; 통역하다.

interpungieren [ɪntərpʊŋgíːrən], **in·terpunktieren** [-pʊŋktíːrən] [lat. „dazwischen stechen"] *t.* 〖文〗 (에) 구두점을 찍다. **interpunktion** *f.* -en, 구두점을 찍기; 구두법. **Interpunkti·onszeichen** *n.* 구두점.

interstellar [ɪntərstɛláːr] [lat.] *a.* 〖天〗 성간(星間)의.

Inter·unfall [íntɛr-] *m.* 《俗》 = *Inter*nationale *unfall*versicherung 국제 재해 보험.

Intervall [ɪntərvál] [lat. „(Raum) zwischen (zwei) Wällen, 이루벽(二壘壁)의 사이"] *n.* -s, -e, 중간, 사이; 중절기(中絶期); 〖樂〗 음정; 〖法〗 기한(期限).

intervenieren [ɪntərveníːrən] [lat. dazwischen"] *i.*(h.) 사이에 들다, 중재〔조정〕하다; 개입〔간섭〕하다. **Inter·vention** *f.* -en, 중재, 조정; 개입, 간섭. ¶bewaffnete ～ 무력 간섭.

Interview [ɪntərvjúː, íntərvjuː] [engl.

"상호간의 회견"] *n.* -(s), -s, 기자 회견. **interviewen** [ɪnərvjúːən] *t.* (와) 회견하다.
interzonal [-tsonáːl] [lat.] *a.* (동서 양 독일의) 지역(상호)간의.
Interzonen=grenze [ɪntərtsóːnən-] *f.* (동서 양 독일) 양지대의 경계. **~handel** *m.* 양지역간의 무역. **~verkehr** *m.* 양지역간의 교통. **~zug** *m.* 양지대간 교통의 열차.
Inthronisation [ɪntronizatsĭóːn] [lat.] *f.* -en, 즉위(식); 〖가톨릭〗 주교 서임식(主教敍任式).
intim [ɪntíːm] [lat. „innerst"] *a.* 친밀한, 허물 없는(♈*intimate, familiar*); 편한. **Intimität** [ɪntimitɛ́ːt] *f.* -en, 친밀; 친밀한 태도[언행]. **Intimus** *m.* -, ..mi, 친구.
intolerant [íntolərant, -ánt] [lat.] *a.* 너그럽지 못한, 편협한; 〖宗〗 타종교를 배척하는. **Intoleranz** *f.* -en, 너그럽지 않음; 〖宗〗 타(他)종교 배척.
intonieren [ɪntoníːrən] [lat. „in Ton" setzen] *t.* (가락을 가다듬어) 노래하기 시작하다; (에) 억양을 붙이다(♈*intone*).
Intoxikation [ɪntɔ̀ksikatsĭóːn] [gr. -lat.] *f.* -en, 〖醫〗 중독(中毒).
intrigant [ɪntrigánt] [fr.] *a.* 음모를 좋아하는, 간사스러운. **Intrigant** *m.* -en, -en, 음모가, 간사한 사람; 〖劇〗 악인역. **Intrige** [ɪntríːgə] *f.* -n, 음모, 간계(奸計)(♈*intrigue*). **intrigieren** [-trigíːrən] *i.*(h.) 음모하다, 간책을 쓰다.
Introduktion [ìntroduktsĭóːn] [lat.] *f.* -en, 입문, 초보; 머리말; 〖音〗 서곡.
Introversion [ɪntrovɛrzĭóːn] [lat.] *f.* -en, 〖心〗 내향(성).
Intrusivgestein [-zíːf-] *n.* 〖地〗 관입암(貫入岩).
Inundation [inundatsĭóːn] [lat. *unda* „welle"] *f.* -en, 범람, 큰물.
invalid(e) [ɪnvalíːt, -də] [lat. „nicht valid"] *a.* 근무 불능의, 상병(傷病)의; 노후(老朽)한. **Invalide** [-də] *m.* u. *f.* (形容詞變化) 근무 불능자; 상이 군인; 폐인.
Invaliden=haus *n.* 상이 군인 수용소; 양로원. **~pension** *f.* 퇴직[상병(傷兵)]자 연금. **~versicherung** *f.* 폐질(廢疾) 보험; 상병(傷兵) 보험.
Invasion [ɪnvazĭóːn] [lat. -fr.] *f.* -en, 침입; 〖醫〗 발병.
Invektive [ɪnvɛktíːvə] [lat.] *f.* -n, 야유; 욕설, 비방.
Inventar [ɪnventáːr] [lat.] *n.* -s, -e, 재고품[비품·재산] 목록; 위 목록에 있는 물품(♈*inventory*). ¶lebendes ~ (농장의) 가축. **Inventur** *f.* -en, 재고품[재산 목록]의 작성.
investieren [ɪnvɛstíːrən] [lat. „einkleiden"] *t.* 서임(敍任)하다; 〖商〗 투자하다(♈*invest*).
in vitro [ɪn víːtro] [lat. „im Glase"] *a.* u. *adv.* 시험관 속에서(의).
involvieren [ɪnvɔlvíːrən] [lat.] *t.* 싸다, 포함하다.
inwärts [ínvɛrts] *adv.* 안쪽으로(♈*inwards*).
inwendig [ínvɛndɪç] 《I》 *a.* 안쪽의, 내부의. ¶der ~e Mensche 영혼. 《II》 *adv.* 안쪽으로, 내부로. ¶et. in- u. auswendig kennen 무엇에 정통하고 있다.
inwiefern [ɪnvifɛ́rn], **inwieweit** [ɪnvivάit] *adv.* 어느 정도[범위]까지.
Inzest [ɪntsɛ́st] [lat.] *m.* -es, -e, 근친상간; 동종 교배.
inzident [ɪntsidɛ́nt] [lat. „hineinfallend"] *a.* 일어나기 쉬운, 있기 쉬운, 부수적인; 〖法〗 부대의; 〖物〗 입사[투사]의. **Inzidenz** [-dɛ́nts] *f.* -en, 사건(事件); 〖物〗 투사(投射).
Inzucht [íntsʊxt] [„ein" heimische, ungemischte „Zucht"] *f.* -en, 동종 교배; 자가 수분(自家受粉)(*inbreeding*).
inzwischen [ɪntsvíʃən] *adv.* 그 동안에 (*in the meantime*).
I.O.K. [iːoːkáː] 《略》 =*I*nternationales *O*lympisches *K*omitee 국제 올림픽 위원회.
Ion [ióːn] [gr.] *n.* -s, -en, 〖化〗 이온. **~en=austausch** *m.* 이온 교환. **~=en=austauscher** *m.* 이온 교환 물질.
Ionien [ióːnĭən] [gr.] *n.* 이오니아《고대 소아시아의 지명》. ¶das ionische Meer 이오니아 바다.
Ionisation [ionizatsĭóːn] [<ionisieren] *f.* 〖理〗 이온화, 전리(電離). **~s=kammer** *f.* 전리 상자.
I-Punkt [íːpʊŋkt] *m.* -(e)s, -e, i의 꼭지점.
IR 《略》 =*I*nfanterie*r*egiment 보병 연대.
i.R. 《略》 =*i*m *R*uhestand(e) 퇴직(退職)한.
Irak [iráːk] [ar. „Niederungsland"] *m.* 이라크.
Iran [iráːn] *m.* 이란, 이란 고원.
irden [írdən] [<Erde] *a.* 흙[진흙]으로 만들어진(♈*earthen*). ¶~e Waren 도기(陶器). **irdisch** [írdɪʃ] [<Erde] *a.* 이 세상의, 현세의; 속세[세속]의(♈*earthly, worldly*). ¶~e überreste 유해, 송장.
Ire [íːrə] *m.* -n, -n, =IRLÄNDER.
irgend [írgənt] *adv.* ① 어떻게, 도대체. ¶wenn es ~ möglich ist (어떻게든지) 가능하기만 하다면. ② 어느 것인가, 무엇인가. ¶~ etwas 어떤 무엇, 그 무엇 / ~ jemand 어느 누구, 그 누구. **~ein** *prn.* 그 어떤 (것). **~einer** [írgənt-ainər, ɪrgənt-áinər, írgənt-ái-] *prn.* 그 어느 사람. **~wann** *adv.* 언젠가, 어느 땐가. **~welch** *a.* u. *prn.* 얼마인가(의 것). **~wie** *adv.* 어떻게든지 하여서. **~wo** *adv.* 어디인가[어떤 곳]에서. **~woher** *adv.* 어디에서인가. **~wohin** *adv.* 어디로인가. **~womit** *adv.* 무엇인가 가지고. **~worin** *adv.* 어떤 무엇 속에.
Irin [íːrɪn] *f.* -nen, =IRLÄNDERIN.
Irisch [íːrɪʃ] *a.* 에이레 (사람)의.
IRK 《略》 =*I*nternationales *R*otes *K*reuz 국제 적십자사.
Irland [írlant] [„das westliche Land"] *n.* 에이레, 아일랜드. **Irländer** [írlɛndər] *m.* -s, -, **Irländerin** *f.* -nen, 에이레[아일랜드]사람. **irländisch** *a.* 에이레의.
Ironie [ironíː] [gr. „Verhüllung"] *f.* ..nien, 아이러니, (진의를 숨긴) 반어(反語), 풍자, 비꼼(♈*irony*). **ironisch** [iróːnɪʃ] *a.* 풍자적인, 비꼬는(♈*ironical*). **ironisieren** *t.* (을) 빈정거리다.
irr [ɪr] *a.* 《稀》 =IRRE.

I

irre [írə] 《Ⅰ》 *a.* ① 헤매는, 길을 잘못 든(*astray, wrong*). ¶～ geh(e)n 길을 잃다. ② 《比》 어쩔 바를 모르는, 헷갈린(*confused*). ¶～ **sein** 〔**werden**〕, (an, 에 관하여) 홀리다, 넋을 잃다, 혹란(惑亂)되다, 미혹되다. ③ 《比》 제정신이 아닌, 미친(*insane*). ¶der 〔die〕 ～ 〔ein ～r〕 정신 착란자, 광인. 《Ⅱ》 **Irre** *f.* (길이) 헷갈림, 미혹(迷惑); 미로. ¶in die ～ geh(e)n 헷갈리다.

irre₌farhen* *i.*(s.) 길을 잃다. **～führen** *t.* 나쁜 길로 이끌다; 속이다. **～geh(e)n*** *i.*(s.) 길을 잃다.

irreligiös [íreligiø:s, ɪre-ǿ:s] [lat.] *a.* 무신앙의; 무종교의.

irre|machen [írəmaxən] *t.* 헷갈리게 하다, 현혹시키다; 당혹하게 하다.

irren [írən] 《Ⅰ》 *i.*(h.*u.* s.) ① (길을) 잃다(*lose one's way*). ② (umher～) 방황〔방랑〕하다(*wander*). ③ 《比》 헷갈리다, 그르치다, 잘못하다(♈*err*). ¶～ ist Menschlich 누구에게나 과오는 있는 것이다. 《Ⅱ》 *refl.* 잘못 생각하다, 잘못 보다(*be mistaken, be worng*). ¶sich in jm. ～ 사람을 잘못 보다.

Irren₌anstalt *f.*, **～haus** *n.* 정신 병원. **～ärzt** *m.* 정신병 의사.

Irr₌fahrt *f.* 방황, 표박. **～gang, ～garten** *m.* 미로, 미궁(迷宮)(*labyrinth, maze*). **～glaube(n)** *m.* 미신, 사교(邪教), 이단. **～gläubig** *a.* 미신의, 사설에 빠진. 「망상에 사로잡힌.

irrig [írɪç] *a.* (마음이) 헷갈리는, 틀린;

Irrigation [ɪrɪgatsĭó:n] [lat.] *f.* -en, 〖農〗 관개; 〖醫〗 관주(灌注)(법), 세척.

irritieren [ɪrití:rən] [lat.] *t.* 자극하다, 흥분시키다; 성나게 하다(♈*irritate*).

Irr₌läufer *m.* 방랑자; 오배(誤配)된 우편물. **～lehre** *f.* 사설(邪說); 〖宗〗 사교, 이단. **～lehrer** *m.* 위를 제창하는 사람. **～licht** *n.* 도깨비 불. **～lichteln** *i.*(h.) 도깨비 불처럼 깜박거리다.

Irr·rēde [írre:də] *f.* 헛소리.

Irrsāl [írza:l] [<irre] *n.* -(e)s, -e, (마음이) 헷갈림, 갈등; 오류(*error*); 방황; 과실; 미로, 미궁;

Irr₌sinn [írzɪn] *m.* 광기, 정신 착란. **～sinnig** *a.* 광기의, 정신 착란의.

Irrtūm [írtu:m] [<irre] *m.* -(e)s, ⁻er, 틀림, 오류, 착오; 착각(*error, mistake, fault*). **irrtūmlich** *a.* 그릇된, 틀린(*erroneous*); *adv.* 그르쳐서.

Irrung [írʊŋ] [<irren] *f.* -en, 변칙; 위배됨; 틀림; 길을 그릇 듦(*divergence*).

Irr₌wahn [írva:n] *m.* 헷갈림, 망상; 편견, 미신. **～wēg** *m.* 미로, 사도(邪道). **～wisch** *m.* =～LICHT; 요정《산·집 등의》. 「경통(♈*sciatica*).

Ischias [ísçias, íʃías] [gr.] *f.* 좌골 신

Isegrim [í:zəgrɪm] [nd. „Eisenhelm"] *m.* -(e)s, -e, 이저그림《동물 우화 중의 늑대 이름》; 《比》 불평가, 잿통이.

Islam [íslam, ɪslá:m] [ar. „Hingebung an Gott"] *m.* -s, 회교.

Island [í:slant, ís-] [„Eis-land"] *n.* 아이슬란드(♈*Iceland*). **Isländer** *m.* -s, -, **Isländerin** *f.* -nen, 아이슬란드 사람. **isländisch** *a.* 아이슬란드의.

Isobāre [izobá:rə] [gr.] *f.* -n, 〖物·氣象〗 등압선(等壓線). 「등어선(等語線).

Isoglosse [izoglósə] [gr.] *f.* -n, 〖言〗

Isolātor [izolá:tɔr] [lat., <isolieren] *m.* -s, ..latōren, 절연체, 애자(碍子), 뚱딴지(♈*insulator*).

Isolier₌band *n.* (*pl.* ..bänder) 절연 테이프. **～baracke** *f.* 격리 병실.

isolieren [izolí:rən] [fr., "고도화(孤島化)하다" <lat. *insula* „Insel"] 《Ⅰ》 *t.* 고립시키다, 격리〔분리〕하다(♈*isolate*); 〖物〗 절연하다(♈*insulate*). 《Ⅱ》 *refl.* 고독하게 되다, 은거하다.

Isolier₌flasche [izolí:rflaʃə] *f.* 보온병(保溫瓶). **～schicht** *f.* 절연층(絶緣層).

Isolierung [izolí:rʊŋ] *f.* 격리, 고립; 〖電〗 절연.

Isolierzelle [izolí:rtsɛlə] *f.* 독방.

Isra·el [ísraɛl] [hebr. „Gottes Streiter"] *m.* -s, 〖聖〗 Jakob의 이명(異名); 이스라엘 사람; 이스라엘 공화국. **Isra·elit** [israɛlí:t] *m.* -en, -en, 이스라엘 사람.

iß! [ɪs] ☞ESSEN 《그 命令法》.

issest [ísəst] (du ～), **ißt** (du ～, er ～) ☞ESSEN 《그 現在》.

Ist [ɪst] [<ist] *n.* -s, 실수지(實收支).

ist [ɪst] (er ～) ☞SEIN 《그 現在》.

Ist-Stärke [íst-ʃtɛrkə] *f.* 〖軍〗 현재 병력〔인원〕.

Italien [itá:lĭən] [it.] *n.* 이탈리아.

Italiener [italĭé:nər] *m.* -s, -, **Italienerin** *f.* -nen, 이탈리아 사람. **italienisch** *a.* 이탈리아의.

IWF 《略》 =*I*nternationaler *W*ährungs-*F*onds 국제 통화 기금(engl. *IMF*).

J

J. 《略》 =Jahr 해, 년(年). i. J. 《略》 = *im Jahre*.

ja [ja:, (약하게) ja] [♈ahd. *jëhan* „sagen"] 《Ⅰ》 *adv.* ① (*ant.* nein) 예, 그렇소, 옳습니다(♈*yea*, ♈*yes*). ¶ja wohl 〔jawohl〕! 그렇고 말고요, 물론입니다. ② 《否定의 뒤에》 hast du es nicht gehört? —ja! 너는 그것을 듣지 못했느냐—물론 들었지, 못들었을 리가 있나. ③ 《文章 가운데에 두어》 물론, 말할 것도 없이; 더구나, 그뿐만 아니라, 오히려. ④ 《條件文中에서》 만일, 하여간. ¶wenn er es ja leugnen sollte 그가 만일 그 일을 부인한다면 / fahren Sie ja fort! 부디 계속해 주십시오. ⑤ 제발, 꼭. 《Ⅱ》 **Jā** *n.* -(s), -(s), 예〔그렇소〕하는 말, 긍정, 승인, 승낙.

Jābrūder [já:bru:dər] *m.* (상사의 말에는) 무엇이나 예예하는 사람, 예스맨.

Jacht [jaxt] [ndl. „Jagdboot"] *f.* -en, 요트, 쾌속정(♈*yacht*).

Jäckchen [jɛ́kçən] *n.* -s, -, 작은 자켓.

Jacke [jákə] [Lw. fr.] *f.* -n, (짧은) 웃옷, 자켓(♈*jacket*); (Unter～) 조끼.

Jackenkleid *n.* 아래위 같은 천의 여자옷, 슈트. **Jackett** [ʒakɛ́t] [engl.] *n.* -(e)s, -e *u.* -s, 자켓, 짧은 웃옷(♈*jacket, short coat*).

Jāde [já:də] [sp.] *m.* -, 〖鑛〗 비취.

Jāgd [ja:kt, 方 jaxt] [<jagen] *f.* -en, ① 추적, 추구. ¶～ nach (dem) Glück

사행심(射倖心). ② 《比》 질구(疾驅), 광분(*chase, pursuit*). ¶ ~ machen, (auf et.⁴ 무엇을) 추격하다, 얻으려고 애쓰다. ③ 사냥, 수렵(*hunt(ing)*); 사냥감. ¶ auf die ~ gehen 사냥하러 가다.

Jāgd=aufsēher *m.* 사냥터 지기. **~=ausdruck** *m.* 수렵 용어.

jāgdbār [já:ktba:r] *a.* 사냥할 수 있는, 사냥에 알맞은, 사냥철에 접어든.

Jāgd=flieger *m.* 전투〔추격〕기 (탑승원). **~flinte** *f.* 엽총. **~flūgzeug** *n.* 전투〔추격〕기. **~frēvel** *m.* 밀렵. **~ge=wehr** *n.* 엽총. **~haus** *n.* 사냥 막사(幕舍). **~horn** *n.* 엽적(獵笛), 호각. **~hund** *m.* 사냥개. **~messer** *n.* 사냥칼. **~partie** *f.* 사냥꾼의 일행. **~pfērd** *n.* 사냥말. **~recht** *n.* 수렵권〔면허〕. **~revier** *n.* 사냥터. **~=schein** *m.* 수렵 감찰. **~schutz** *m.* (관헌에 의한) 사냥 짐승 보호. **~=signal** *n.* 수렵(개시 및 종결의) 신호. **~spinne** *f.* 사냥꾼거미《집을 짓지 않고 숨은 장소에서 먹이를 덮침》. **~=staffel** *f.* 전투기 중대. **~tasche** *f.* 엽낭(獵囊), 사냥 포대. **~verband** *m.* 수렵 조합. **~zeit** *f.* 수렵기.

jāgen [já:gən] 《Ⅰ》 *i.* (h. *u.* s.) ① 질구〔돌진·광분〕하다(*drive at full speed, rush*). ② 추구〔추적〕하다. ③ 수렵하다, (몰이) 사냥하다(*hunt*). 《Ⅱ》 *t.* 몰아대다, 쫓다(*chase, hunt*). ¶ aus dem Hause ~ 집에서 몰아내다 / in die Flucht ~ 패주시키다. 《Ⅲ》 **Jāgen** *n.* -s, -, 서두름; 마구 몰아댐; 사냥, 수렵. **Jäger** [jé:gər] *m.* -s, -, 사냥꾼, 수렵가(*hunter*); 사냥터 지기; 저격병, 엽병(獵兵); 전투기병(兵). **Jāgerei** *f.* -en, 수렵(술).

Jäger=haus *n.* 사냥터지기의 집. **~=latein** *n.* 수렵 용어(用語); 사냥꾼의 무용담; 《比》 허풍. **~meister** *m.* 사냥꾼의 우두머리.

Jāguār [já:gua:r] [Brasil.] *m.* -s, -e, 〖動〗 열대 아메리카산 범, 재규어.

jäh(e) [jɛ:(ə)] *a.* ① 급격한; 갑작스런, 불의의(*sudden*). ② 성급한, 성마른(*hasty, passionate*). ③ 가파른, 험준한, 깎아세운 듯한(*steep*). **Jähe** [jɛ́:ə] *f.* -n, 험준; 가파른 비탈, 낭떠러지, 벼랑; 급격, 졸지; 성급, 성마름; 무뚝뚝함. **jäh=lings** *adv.* 급히, 갑자기, 당돌하게.

Jahr [ja:r] *n.* -(e)s, -e, ① 연(年), 해(*year*). ¶ ~ aus, ~ ein, 〔~aus, ~ein〕 연년 세세(年年歲歲) / ~ für ~ 해마다, 매년. ② 《나이》 er ist 8 ~e (alt) 그는 (만) 여덟 살이다 / in die ~e kommen 나이를 먹다.

jahraus [ja:r-áus] *adv.*: ~, jahrein 《句》 연년 세세, 해마다.

Jahrbūch [já:rbu:x] *n.* 연보(年報), 연감(年鑑).

jahrelang [já:rəlaŋ] *a.* 여러 해의; *adv.* 여러해 동안에. **jähren** [jɛ́:rən] *refl.*: es jahrt sich heute, daß ... 오늘로써 만 1년이 된다, 1주년이다.

Jahres=abschluß *m.* 연말; 연도말 결산(決算). **~bericht** *m.* 연보(年報), 연도 보고. **~einkommen** *n.* 연수입. **~feier** *f.* 연례(年例)의 축제. **~ge=halt** *n.* 연봉(年俸). **~rente** *f.* 연금. **~ring** *m.* 〖植〗 연륜(年輪), 나이테. **~tāg** *m.* (예년의) 기념일(*anniversary*). **~wechsel** *m.*, **~wende** *f.* 해의 바뀜, 회력(回曆). **~zahl** *f.* 기원〔연호(年號)〕의 연수(年數). **~zeit** *f.* 계절(*season*). ¶ (vier) ~zeiten 사철, 4계절.

Jahr=gang *m.* 연산《일년간 수확》; (신문·잡지의) 연도분(年度分); 같은 해의 출생자, 동갑; 동년병(同年兵). **~gehalt** *n.* 연봉(年俸), 연수(年收).

Jahrhundert *n.* -(e)s, -e, 100년, 세기(*century*). **~feier** *f.* 100년제(祭).

jährig [jɛ́:rɪç] *a.* 1년간의; 한 살의; 1개년 이래의. **..jährig** *a.* 《合成用語》 보기: zwölf~, 12년 간〔12세〕의.

jährlich [jɛ́:rlɪç] *a.* 매년의, 해마다의, 예년의; 1년 간의. **..jährlich** *a.* u. *adv.* 《合成用語》 보기: all~ 해마다(의).

Jährling [jɛ́:rlɪŋ] *m.* -s, -e, 한 살짜리 동물; (특히 가축의) 하릅 새끼.

Jahrmarkt [já:rmarkt] *m.* 대목장《1년에 1회 내지 수회의》(*fair*).

Jahrtausend [ja:rtáuzənt] *n.* -(e)s, -e, 1000년, 10세기(*millennium*).

Jahrzehnt [-tsé:nt] *n.* -(e)s, -e, 10년(*decade*).

Jahvē, Jahwe [já:ve:, javé:] [hebr. „der Seiende"] *m.* 여호와(=Jehova).

Jäh=zorn [jɛ́:tsɔrn] *m.* 성마름, 불끈거리는 성미. **~zornig** *a.* 성마른, 불끈거리기 잘하는.

Jaina [dʒáina] [<skrt. jina „Sieger"] *m.* -s, -s, 자이나교도. **Jainismus** [-nís-] *m.* -, 자이나교, 지나교《불교와 가까운 인도 종교》.

Jākob [já:kɔp] [hebr. „der Felsenhalter"] *m.* 야곱《남자 이름》.

Jākobs=leiter *f.* 〖聖〗 야곱이 꿈에 본 하늘에 이르는 사닥다리. **~strāße** *f.* 〖天〗 은하(수).

Jalousie [ʒaluzí:] [fr. „Eifersucht"] *f.* ..sien, ① 질투. ② (남이 못 보도록 발처럼 된) 덧문, 차양, 블라인드(*Venetian blind*).

Jammer [jámər] *m.* -s, ① 비탄, 애읍(哀泣)(*lamentation*). ② 비참, 곤궁(*misery, distress*). ③ 애석(哀惜), 연민, 유감. ¶ es ist ein ~ 그것은 매우 딱하다, 가엾다.

Jammer=bild *n.* 비참한 꼴, 초라한 모습. **~gestalt** *f.* 비참한 꼴. **~lappen** *m.* 겁장이; 비참한 인간; 비열한 인간.

jämmerlich [jɛ́mərlɪç] *a.* 비참한, 가련한, 애처로운, 가엾은(*deplorable, miserable, wretched*); 비탄에 잠긴, 슬퍼하는(*woeful*).

Jämmerling [jɛ́mərlɪŋ] *m.* -s, -e, 불쌍한 사람〔놈〕.

jammern [jámərn] 《Ⅰ》 *i.* (h.) 비탄하다(*lament*); (um, 의 일 때문에) 통탄〔통곡〕하다(*mourn*). 《Ⅱ》 *t.* u. *imp.* (에) 연민의 정을 자아내게 하다. ¶ du jammerst mich, 나는 너를 불쌍하게 여긴다, 깊이 동정한다. 《Ⅲ》 *refl.*: sich zu Tode ~ 죽도록 한탄하다.

jammer=schāde *a.*: es ist ~schade um ihn 그 사람은 정말 애석하다, 유감이다. **~tāl** *n.* 눈물의 골짜기, 뜬 세상, 속세. **~voll** *a.* 몹시 비참한, 무참한, 동정을 금할 수 없는.

Jan. 《略》 =*Jan*uar.

J

Janhāgel [janhá:gəl, jánha:-] [ndl. -ndd.] *m.* -s, (Pöbel) 천민, 우민(*rabble, mob*).

Jani·tschār [janitʃá:r] [türk.] *m.* -en, -en, (옛) 터키왕의 친위병.

janken [jáŋkən] *i.*(h.) 《方》 울다, 소리지르다; 우는소리 하다; 간절히 가지고 싶어하다.

Jänner [jénər] [*aus* Januar] *m.* -(s), -, 《方》 1월, 정월.

Januār [jánua:r] [lat.; <Janus] *m.* -(s), -e, 1월, 정월(♈*January*).

Jāpan [já:pan] *n.* 일본. **Japāner** *m.* -s, -, **Japānerin** *f.* -nen, 일본 사람. **japānisch** *a.* 일본(사람·말)의.

Jāphet [já:fɛt] *m.* -s, 야벳(Noah의 세째 아들). **Japhetīt** [jafetí:t] *m.* -en, -en, 야벳족 사람(소아시아의 민족). **japhetītisch** *a.* 야벳의; 야벳계의.

jappen [jápən] [♈gaffen] *i.*(h.) 입을 벌름거리다, 헐떡거리다(*gasp, pant*).

jargon [ʒargɔ̃:] [fr.] *m.* -s, -s, (지역·직업·계급에 따라 생긴 야비한) 특수 용어, 통용어; 은어(隱語).

Jarowisatiōn [jarovizatsĭó:n] [russ. *jarowoje* „Sommergetreide"] *f.* -en, 야로비 농법(소련의 축성 재배법의 하나).

Jasmīn [jasmí:n] [pers.] *m.* -s, -e, 〖植〗 재스민(♈*jasmine*, ♈*jessamine*).

Jaspis [jáspɪs] [assyr. -gr.] *m.* - *u.* -ses, -se, 〖鑛〗 벽옥(碧玉)(♈*jasper*).

jāten [jé:tən] *t.* u. *i.*(h.) 잡초를 없애다, 제초(除草)하다(*weed*).

Jauche [jáuxə] [Lw. sl.] *f.* -n, ① 썩은 물, 오수(汚水); (특히) (Mist∼) 물거름, 똥오줌(*liquid manure*). ② 하치 맥주. ③ 〖醫〗 부패농(腐敗膿)(*ichor*). **jauchen** *i.*(h.) u. *t.* 물거름을 주다.

jauchzen [jáuxtsən] 《Ⅰ》 *i.*(h.) 환호하다(*shout with joy, exult, rejoice*). 《Ⅱ》 **Jauchzen** *n.* -s, 환호, 갈채.

jaulen [jáulən] *i.*(h.) (개 따위가) 슬프게 울다.

Jause [jáuzə] [sl.] *f.* -n, 《方》 오후의 간식. **jausen** *i.*(h.) 간식을 먹다.

jawohl [javó:l] *adv.* (ja의 강조) 그렇고 말고.

Jā·wort [já:vɔrt] *n.* (稀: *pl.* -e) 승낙(의 말).

Jazz [dʒæz, jats, dʒɛz] [am.] *m.* -, 〖樂〗 재즈 음악.

jē [je:] 《Ⅰ》 *adv.* ① 늘, 언제나(*at any time*). ¶ von ∼(her) 예로부터, 고래로. ② 언젠가, 일찌기(*at a time ever*). ③ (分配) …마다, …씩(*each, apiece*). ¶ ∼ zwei (u. zwei) 둘씩 / ∼ im. 5 Jahre, 5년째마다; (**nach** 또는 **nachdem** 과 더불어) ∼ nach den Umständen 사정 여하로〔에 따라서〕/ ∼ nachdem … 에 따라서〔비례하여〕. ④ (比較級과 더불어) ∼ eher, ∼〔desto〕 lieber 이르면 이를수록 좋다.

jēdenfalls [jé:dənfals, je:dənfáls] *adv.* 어쨌든, 아무튼, 좌우간(*at all events*).

jēder [jé:dər], **jēde**(女性), **jēdes**(中性) *prn.* ① 누구나, 어느 것이나(♈*either*). ② (一般的) 각각의, 저마다의, 매(每), …마다; 모든(*every, each*). **jēderlei** [jé:dərlai, je:-lái] *a.* 각종의, 갖가지의. **jēdermann** *prn.* (2格 -s, 그 외는 不變化) 각자, 누구든지(*everyone, everybody*). **Jēdermannsfreund** *m.* 팔방미인. **jēderzeit** *adv.* 언제든지, 언제나, 늘.

jēdesmāl [jé:dəsma:l] *adv.* 매번, 그때마다(*every time*). **jēdesmālig** *a.* 매번의.

jēdoch [je:dɔ́x] *adv.* u. *cj.* 그래도, 그렇지만(*however, yet*).

jēdwēder [jé:tve:dər, je:tvé:-] *prn.* 《詩》=JEDER.

jēglicher [jé:k-] [*eig.* „jeder, gleichviel welcher"] *prn.* 《詩》〖聖〗=JEDER.

jēhēr [jé:he:r, je:hé:r] *adv.*: von ∼ 예로부터, 고래로.

Jehōvā(h) [jehó:va:] [hebr.; 바르게는: Jahve] *m.* 여호와.

Jēlängerjēlieber [je:léŋərje:lí:bər] *n.* 〔稀: *m.*〕 -s, -, 〖植〗 겨우살이덩굴(*honeysuckle*).

jēmāls [jé:ma:ls] *adv.* 언젠가, 일찌기(*at any time, ever*).

jēmand [jé:mant] [mhd. *ie-man* „je ein Mann"] *prn.* 누군가, 어떤 사람(*somebody, someone*). ¶ irgend ∼ 그 어느 누구(*anybody, anyone*).

jēminē! [jé:mine:] [<lat. *Je(su do)mine!*] *int.*: O∼!, herr∼! 어머나, 이런, 저런.

jēner [jé:nər], **jēne**(女性), **jēnes**(中性) *pl.* **jēne** [=engl. *yon(der)*] *prn.* (指示) (*ant.* dieser) 저(사람), 저(것)(*that*); (*ant.* dieser "후자") 전자(*the former*).

jenseit [jé:nzait, jén-] *prp.* (2格支配) (의) 저쪽〔건너편〕에, 너머에. **jenseitig** *a.* 저쪽편의, 건너편의; 피안(彼岸)의, 저승의. **jenseits** 《Ⅰ》 *adv.* 저쪽에, 저편에, 건너편에; 저승에서. 《Ⅱ》 *prp.* =JENSEIT. **Jenseits** [jé:nzaits, jén-] *n.* -, 저 세상, 저승, 내세(來世).

Jeremiāde [jeremiá:də] [fr.] *f.* -n, 애가, 비가; 비탄.

Jesuīt [jezu-í:t] [<Jesus] *m.* -en, -en, 〖가톨릭〗 예수회(會)에 속하는 수도사; (比) 음험〔교활〕한 사람. **jesuītisch** *a.* 예수회의; 예수회 수도사의〔와 같은〕.

Jēsus [jé:zus] [gr. *aus* hebr. *Jehōschūa* „Jahve hilf!"] *m.* 예수.

jett [dʒɛt] [lat. -engl.] *m.* u. *n.* -(e)s, 〖鑛〗 흑옥(黑玉).

jetzig [jétsɪç] [<Jetzo] *a.* 지금의, 현재의(*present*); 현하의(*actual*); 당대의(*nowadays*). **jetzt** [jɛtst] [<†jetzo „je zu"] *adv.* 지금, 목하, 현재(*now, at present*). ¶ für ∼ 지금으로서는, 우선은 / von ∼ an 〔ab〕 지금부터, 금후.

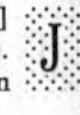

Jetzt·mensch *m.* 현대인 (인종적·생물학적으로). ∼**zeit** *f.* 현대, 현금, 현시.

jēweilig [jé:vailɪç] *a.* 때때로의, 수시로의, 그때마다의, 그때그때의. **jēweils** *adv.* 때때로, 이따금; 그럴 때마다.

Job [dʒɔb] [engl.] *m.* -s, -s, 일; 수입; 지위. **Jobber** [dʒɔ́bər, jɔ́-] *m.* -s, -, (주식) 중매인.

Joch [jɔx] *n.* -(e)s, -e, ① 멍에(♈*yoke*); (比) 속박, 예속; 부담. ② (Berg∼) 산등성이(봉우리와 봉우리 사이의); 산마루, 분수령(*ridge*). ③ 〖建〗 인방; 도리, 들보(*cross-beams*); (Brücken∼) 교항(橋桁)(*piles*).

Jochbein [jɔ́xbain] *n.* 〖解〗 광대뼈.

Jockei [dʒɔ́ke:, ʒɔ́kai] [engl. *jocky, dim.* v. Jack „Jakob"] *m.* -s, -s, (직업적) 경마 기수.

Jōd [jo:t] [gr. „veilchenfarbig"] *n.* -(e)s, 〖化〗 요드, 옥소(기호: *J*)(♈*iodine*).
Jōdel [jó:dəl] *m.* -s, - u. ⸗, 요들. **jōdeln** [jó:dəln] *i.*(h.) (알프스 지방의 주민이) 흉성(胸聲)과 두성(頭聲)을 엇바꾸며 노래하다(♈*yodel*). **Jōdler** *m.* -s, -, 요들; 위를 부르는 사람.
Jodoform [jodofɔ́rm] [gr. +lat.] *n.* -s, 〖化〗 요도포름. **Jodometrie** [jodometrí:] *f.* 요도메트리《옥소를 사용한 측정, 정량 분석법의 하나》. **Jōdtinktūr** *f.* 옥도정기.
Jōd⸗präparāt [jo:t-] *n.* 요드제(劑). **∼quelle** *f.* 요드샘.
Johannes [johánes] [hebr.] *m.* 남자 이름; 〖聖〗 ∼ der Täufer 세례 요한. **Johanni(s)** [Johannes의 2格] *n.* -, 세례 요한의 축일《6월 24일》; 하지(夏至)(*Midsummer*).
Johannis⸗beere *f.* 〖植〗 구즈베리(열매). **∼brōt** *n.* 〖植〗 메뚜기콩(*carob*). **∼fest** *n.*, **∼tāg** *m.* ＝JOHANNI(S). **∼⸗würmchen** *n.* 〖蟲〗 개똥벌레(*glowworm*).
jōhlen [jó:lən] *i.*(h.) (큰 소리로) 부르짖다, 떠들썩거리다(*howl, yell*).
Jōkus [jó:kus] [lat.] *m.* -, ..kusse, 익살, 농담; 기분 전환, 오락.
Jolle [jɔ́lə] *f.* -n, (군함·선박 부속의) 보트, (돛대가 하나인) 작은 배(*jolly boat*).
Jongleur [ʒɔ̃gló:r, ʒɔŋ-] [fr.] *m.* -s, -e, 곡예사, 요술사(♈*juggler*). **jong⸗lieren** *t. u. i.*(h.) 곡예를 하다, 요술을 부리다, 속이다(♈*juggle*).
Joppe [jɔ́pə] [ar.] *f.* -n, 사냥복, 짧은 웃옷; 자켓(*jacket*).
Jordānien [jɔrdá:nĭən] *n.* -s, 요르단(왕국). **jordānisch** *a.* 요르단(인·어)의.
Jot [jɔt] [gr.] *n.* -(s), -(s), 자모 J의 이름. **Jōta** [jó:ta] *n.* -(s), -, 그리스 자모 Ι, ι의 이름.
Journal [ʒurná:l] *n.* -s, -e, 잡지, 정기 간행물(♈*journal, periodical*); 신문. **Journalist** [ʒurnalíst] *m.* -en, -en, 저널리스트, 신문〔잡지〕 기자.
joviāl [joviá:l] [fr. <Jupiter] *a.* 쾌활한, 유쾌한; 상냥한.
Jūbel [jú:bəl] [Lw. lat.] *m.* -s, 환호, 환성(♈*jubilation, rejoicing*); 기념 축제.
Jūbel⸗feier *f.*, **∼fest** *n.* (10년·25년·50년·100년 따위의) 기념 축제(♈*jubilee*). **∼hochzeit** *f.* 금〔은〕혼식. **∼⸗jahr** *n.* 기념 축제의 해. ¶《比》 alle ∼jahre einmal 극히 드물게.
jūbeln [jú:bəln] *i.*(h.) 환호하다.
Jubilār [jubilá:r] [lat.] *m.* -s, -e, 축하를 받는 고령자. **Jubilā·um** [jubilɛ́:um] *n.* -s, ..lāen, 기념 축제《특히 25년제, 50년제, 100년제의》, 축제(♈*jubilee*).
juch! [ju:x, jux], **juchhē!** [juxhé:] *int.* 만세, 좋구나, 지화자 좋다.
Juchten [júxtən] [russ.] *m.* od. *n.* -s, 〔∼lēder *n.*〕 러시아 가죽《소 또는 송아지의, 독특한 향기가 있음》.
Juck⸗ausschlāg [júk-] *m.*, **∼flechte** *f.* 〖醫〗 (prurigo) 양진(痒疹).
jucken [júkən] [*eig.* „springen"] 《Ⅰ》 *i.*(h.) 가렵다, 근질근질하다(♈*itch*); 《比》 열광〔동경〕하다. 《Ⅱ》 *refl.* 제 가려운 데를 긁다. 《Ⅲ》 **Jucken** *n.* -s, 가려움, 근질근질함(♈*itching*); 《比》 열망, 초조.
Jūda [jú:da] [hebr. „Gottlob!"] *m.* -s, 〖聖〗 유다《야곱의 네째아들》. **Jūdas** 남자 이름. **Jūde** [jú:də] *m.* -n, -n, 유대인; 유대교도. ¶der Ewige ∼ 영원한 유대인《＝Ahasver, 예수의 재림날까지 이 지구 위를 방황하는 유대인》.
Jūden⸗deutsch *n.* 유대어 말투의 독일어; 횡설수설. **∼feind** *m.* 유대인 배척주의자. **∼gasse** *f.* 유대인 거리. **∼⸗hetze** *f.* 유대인 박해.
Jūdenschaft [jú:dənʃaft] *f.* -en, 유대인임; (어느 지역의) 유대인 전체.
Jūden⸗schūle *f.* 유대인 학교; ＝SYNAGOGE. **∼tempel** *m.* ＝SYNAGOGE.
Jūdentūm [jú:dəntu:m] *n.* -(e)s, 유대교; 유대풍, 유대인 기질; 유대 민족.
Jūden⸗verfolgung *f.* 유대인 박해. **∼viertel** *n.* 유대인 거리.
Jǖdin [jý:dɪn] *f.* -nen, 유대 여자. **jǖdisch** *a.* 유대 사람의, 유대어의, 유대인 기질의; 《比》 탐욕스러운.
judizieren [juditsí:rən] [lat.] *i.*(h.) 판결을 내리다, 재판하다. **Judizium** *n.* -s, ...zĭen, 판결; 재판(소); 판단력.
Jūgend [jú:gənt] [<jung] *f.* -en, 젊음, 청춘(♈*youth*); 젊은시절; 유년〔소년소녀·청년〕시절; 젊은이, 소년, 청년.
Jūgend⸗alter *n.* 청년기. **∼amt** *n.* 소년 보호국. **∼arbeit** *f.* (18세 이하의) 소년 노동. **∼bewēgung** *f.* 청년 운동. **∼būch** *n.* 소년용 책. **∼bücherei** *f.* 청소년 도서관, 소년 문고. **∼bühne** *f.* ＝∼THEATER. **∼erinnerung** *f.* 젊은 시절의 추억. **∼freund** *m.* 죽마 고우. **∼frische** *f.* 젊음의 생기. **∼fūrsorge** *f.* 연소자 보호 사업. **∼gericht** *n.* 소년 법원. **∼herberge** *f.* 유드 호스텔《도보 여행자를 위한》. **∼jahre** *pl.* 유년 시절, 소년 시절. **∼kraft** *f.* 청년의 힘, 혈기. **∼kräftig** *a.* 혈기 왕성한, 발랄한.
jūgendlich [jú:gəntlɪç] *a.* 연소자〔소년·청년〕의, 젊은이 같은, 젊은(*youthful, young*). ¶der 〔die〕 ∼e 청소년.
Jūgend⸗liebe *f.* 소년 소녀의 (풋)사랑(*calf-love*). **∼musikbewēgung** *f.* 소년(을) 음악(으로 교육하는) 운동. **∼⸗pflēge** *f.* 청소년 보도(補導)〔훈육〕. **∼schriften** *pl.* 청소년용 서적. **∼⸗streich** *m.* 아이들의 장난, 젊은 기분의 우행(愚行). **∼sünde** *f.* (청)소년 범죄〔과실〕. **∼theater** *n.* 소년(에 의한 또는 소년에게 적합한) 연극. **∼werk** *n.* 청년 시절〔초기의〕 작품. **∼zeit** *f.* 어린 시절, 청소년 시절.
Jūgoslāwien [ju:goslá:vĭən] [sl. „Südslawien"] *n.* 유고슬라비아. **Jūgoslāwe** *m.* -n, -n, **Jūgoslāwin** *f.* -nen, 유고슬라비아 사람. **jūgoslāwisch** *a.* 유고슬라비아(사람·말)의.
Jūl [ju:l] *m.* -s, **Jūlfest** *n.* (고대 북구의) 동지제(冬至祭); (지금의) 크리스마스.
Jūlei [jú:lai] *m.* -s, -s, ＝JULI 《그 i자를 설명적으로 발음하여 고친 것》.
Jūli [jú:li:] [lat. „Julius Cäsar를 기념

하는 달"] *m.* -(s), -s, 7월(♈*july*).
Jumper [júmpər, dʒʌ́m-] [engl.] *m.* -s, -, 점퍼.
jung [jʊŋ] *a.* ① 젊은, 연소한, 어린 나이의, 어린(♈*young*). ② 젊음이 넘치는(*youthful*); 생생한, 신선한(*new, fresh*).
Jungbrunnen [júŋbrunən] *m.* 목욕하면 되젊어진다는 (전설의) 샘.
Junge [júŋə] 《Ⅰ》 *m.* -n, -n, 〔俗 Jungs *u.* -ns〕, 남아, 사내 아이, 소년(*boy, youth*); 〖카드〗 잭(*knave*), 도제(徒弟), 견습. 《Ⅱ》 (形容詞 jung의 名詞化) der 〔die〕 ～ 젊은이 / das ～ 새끼《동물의》 (*young one, cub*) / ～ werfen 새끼를 낳다(*cub*). **jungen** *i.*(h.) 새끼를 낳다《가축 따위가》. **jungenhaft, jugenmäßig** *a.* 소년다운, 어린애 같은. **Jungenstreich** *m.* 사내아이의 장난.
jünger [jýŋər] (jung의 比較級) *a.* ① 보다 젊은(♈*younger*). ¶～ Bruder 동생, 아우. ② 연륜이 보다 아래인, 보다 새로운(*later*). **Jünger** [jýŋər] *m.* -s, -, 제자(*disciple*); 귀의자(*adherent*); 유파〔학파〕의 사람(*follower*). ¶die zwölf ～ (Jesu) 예수의 12 사도.
Jungfer [júŋfər] [mhd. *juncfrouwe* „Jungfrau"] *f.* -n, 처녀, 미혼 여자(*maid(en), virgin*); (Kammer∼) 시녀; (Laden∼) 여점원; (Zimmer∼) 하녀. ¶ e-e alte ～ 노처녀. **jüngferlich** *a.* 처녀 같은〔다운〕. ¶～er Boden 처녀지.
Jungfern·fahrt *f.* 처녀 항해. **～honig** *m.* 벌집에서 저절로 흘러 나오는 벌꿀. **～kranz** *m.* 결혼식 때 쓰는 신부의 화관; 《比》 순결. **～rēde** *f.* 처녀 연설《특히 의원의》.
Jungfernschaft [júŋfərnʃaft] *f.* 처녀임, 동정, 순결(*virginity*).
Jungfrau [júŋfrau] *f.* -en, 처녀, 소녀, 아가씨(*maid(en), virgin*); 《比》 순결한 것. ¶die Heilige ～ (Maria) 성모 마리아. **jungfräulich** *a.* 처녀의, 처녀 같은; 순결한; 수줍은.
Junggesell(e) [júŋgəzɛl(ə)] *m.* 독신자, 미혼자. **Junggesellenstand** *m.* 독신, 미혼 남자의 신분.
Jungherr [júŋhɛr] *m.* 젊은 귀족, 귀공자.
Jüngling [jýŋlɪŋ] *m.* -s, -e, 젊은이, 청년(*young man, lad*).
Jünglings·alter *n.*, **～jahre** *pl.* 청년기.
jüngst [jyŋst] (jung의 最上級) 《Ⅰ》 *a.* 가장 젊은(♈*youngest*); 최근의, 요즈음의(*latest*); 최후의《미래에 있어서》 (*last*). ¶das ∼e Gericht, *od.* der ∼e Tag 최후의 심판날. 《Ⅱ》 *adv.* 〔～hin〕 요사이; 요전에, 얼마 전에(*lately, recently, the other day*).
jüngst·gebören *a.* 마지막에 낳은, 끝의 (아이). **～vergangen** *a.* 갓지난, 요즈음의.
Jūni [jú:ni:] [lat. "女神 Juno의 달"] *m.* -(s), -s, 6월(♈*June*).
junior [jú:nĭɔr] [lat.] *a.* (*ant. senior*) 보다 젊은, 후진의.
Junker [júŋkər] [mhd. *juncherre* „Jung-herr"] *m.* -s, -, 귀공자(*young nobleman*); (Land∼). 토지 귀족《특히 Elbe 강 동쪽 지방의 대지주》(*squire*).
Jūpiter [jú:pɪtər] [lat.] *m.* -s *u.* Jovis [jó:vɪs], 〖神〗 주피터《로마의 주신(主神)》; 〖天〗 목성.
Jūra[1] [jú:ra] [klt.] *m.* -(s), 주라 산맥; 〖地〗 주라기(紀).
Jūra[2] [lat., *pl.* v. Jus] *pl.* 법률(학). ¶～ studieren 법률학을 연구하다, 법학도이다.
Jurist [jurɪ́st] *m.* -en, -en, 법률가; 법학자; 법학생. **juristisch** *a.* 법률(상)의; 법률가의. ¶∼e Person 법인(法人).
Jury [ʒyrí:, dʒú:ri, 종종 jú:ri:] [fr.] *f.* -s, 배심원; 심사 위원(회).
Jus [jʊs] [lat.] *n.* -, Jura, 법률, 법학.
just [jʊst] [lat.] *adv.* ① 바로, 틀림없이, 꼭, 정확히(♈*just, exactly*). ② 방금, 지금 막(*just now*). **justieren** [jʊs-tí:rən] *t.* 정리〔조정〕하다(♈*adjust, size*); 〖印〗 정판하다(♈*justify*).
Justīz [jʊstí:ts] [lat.] *f.* 정의; 사직(司直), 사법; 법원(♈*justice*).
Justīz·minister *m.* 법무 장관. **～mord** *m.* 무죄인의 사형. **～rāt** *m.* 법률 고문관. **～wēsen** *n.* 사법 제도〔사항(事項)〕.
Jūte [jú:tə] [ind. -engl.] *f.* -n, 〖植〗 황마(黃麻)(♈*jute*).
Jūtland [jý:tlant] *n.* 유틀란드《덴마크 북부 반도 이름》.
Juwēl [juvé:l] [fr.] *n.* -s, -en; od. *m.* -s, -e, 보석(♈*jewel, gem*); (*pl.*) 보석 장신구(裝身具).
Juwēlen·handel *m.* 보석상. **～kästchen** *n.* 보석 상자.
Juwelier [juvelí:r] *m.* -s, -e, 보석〔귀금속〕 상인; 보석 세공사. **～arbeiten** *pl.* 보석 세공 (장식품).
Jux [jʊks] [Lw. lat.] *m.* -es, -e, 《俗》 ① 익살, 농담, 유쾌(히 떠듦)(♈*joke, lark*). ② 《方》 오물; 외설(스러운 언행).
jwd, j.w.d. [jɔtvedé:] 《略》 =janz(berl. „ganz") weit draußen. ¶er wohnt ～ (=abgelegen) 그는 아주 먼 곳에 살고 있어.

K

Kabache [kabáxə] [russ.] *f.* -n, 목로 주점; 황폐한 집.
Kabāle [kabá:lə] [hebr. -fr.] *f.* -n, 음모, 간계(♈*cabal, intrigue*).
Kabarett [kabarɛ́t, (öst.) -ré:] [fr.] *n.* -(e)s, -e, 카바레(♈*cabaret*).
Kabäus·chen [kabɔ́ysçən] [<Kabuse] *n.* -s, -s, 《俗》 쾌적한 작은 집.

Kābel [ká:bəl] [Lw. fr.] *n.* -s, -, 케이블, (삼 또는 철사로 만든) 굵은 바, 참바, 닻줄, 전람(電纜), 전선(電線)(♈*cable*).
Kābel·briefe *pl.* 해저 전보. **～depesche, ～drahtung** *f.*, **～gramm** *n.* 해저〔지하〕 전신(電信).
Kābeljau [ká:bəljau] [ndl.] *m.* -s, -e *u.* -s, 〖魚〗 (유럽산의) 대구(*codfish*).
kābeln [ka:bəln] *t.* u. *i.*(h.) 해저 전신을 발신하다.
Kābel·schiff *n.* 해저 전선 부설선. **～telegramm** *n.* 해저 전보.
Kabīne [kabí:nə] [fr.] *f.* -n, 선실, 캐빈(♈*cabin*); (비행기의) 객실; 경의실.
Kabinett [kabinɛ́t] [*dim.* v. Kabine] *n.* -(e)s, -e, ① 작은 방; 사실(私室),

밀실. ② 진열실; (귀중품) 장롱. ③(궁정 안의) 회의실; 내각(♈*cabinet*). ④ 변소 (*closet*).

Kabinetts=befehl *m.* 칙령(勅令), 각령. **~frāge** *f.* 내각의 중대〔신임〕 문제. **~minister** *m.* 국무 장관, 각료. **~rāt** *m.* 각의(閣議).

Kabriolett [kabriolét] [fr.] *n.* -(e)s, -e, 말 한 필이 끄는 가벼운 이륜 마차; 쿠페차; 역마차, 택시.

Kachel [káxəl] [Lw. lat.] *f.* -n, 도토(陶土)제의 벽돌; (미장) 타일(*Dutch tile*).

Kachelōfen *m.* 타일제(製) 난로.

Kacke [kákə] [lat.] *f.* 《俗》 인분, 대변. **kachen** *i.*(h.) u. *t.* 대변보다.

Kadāver [kadá:vər] [lat. „Gefallenes", <*cadere* „fallen"] *m.* 〔*n.*〕 -s, -, 시체 《특히 동물의》(*corpse, carcass*). **~gehōrsām** *m.* 절대 복종, 맹종.

Kadenz [kadénts] [lat., *cadere* „fallen"] *f.* -en, 〖文〗 (음성(音聲)의) 저하, 억양; 〖樂〗 (악곡의) 종지(終止), 카덴차.

Kāder [ká:dər] [fr.] *m.* -s, -, 테, 틀; 〖軍〗 간부.

Kadett [kadét] [fr.] *m.* -en, -en, 〖軍〗 유년 학교 생도; (See~) 해군 사관 생도; 《戲》 사람; 놈.

Kadetten=anstalt *f.*, **~haus** *n.* 〖軍〗 유년 학교. **~korps** *n.* 유년 학교 생도단.

Kadmieren [katmí:rən], **Kadmisieren** [-mizí:rən] = VERKADMEN.

Kadmium [kátmium] [gr.] *n.* -s, 〖化〗 카드뮴 《금속 원소의 하나》.

Kāfer [ké:fər] [*eig.* „Nager"] *m.* -s, -, 〖蟲〗 갑충(甲蟲)(*beetle*).

Kaff[1] [kaf] *n.* -(e)s, 《方》 왕겨(♈*chaff*).

Kaff[2] [hebr. <Kaffer] *n.* -(e)s, -e, 《俗》 마을, 한촌(寒村).

Kaffee [káfe:, kafé:] [ar. -fr.] 《 I 》 *m.* -s, -s, 코피(♈*coffee*). 《 II 》 [흔히: kafé:] *n.* -s, -s, 코피점, 카페(*café*).

Kaffee=bohne *f.* 코피 열매. **~grund** *m.* =~SATZ. **~haus** *n.* 다방, 카페. **~kanne** *f.* 코피를 끓이는 주전자. **~machine** *f.* 코피끓이개. **~mühle** *f.* 코피 가는 기계. **~satz** *m.* 코피를 걸러 내고 남은 찌꺼기. **~tasse** *f.* 코피잔. **~trichter** *m.* (깔때기 모양의) 코피 여과기. **~wirtschaft** *f.* 코피점.

kaffein [kafeí:n] [<kaffee] *n.* -s, 〖化〗 카페인, 다소(茶素).

Kaffer [káfər] [ar. „Ungläubiger"] *m.* -n, -n, 카피르 족《남아프리카의 사나운 인종》.

Kāfig [ké:fıç] [Lw. lat.] *m.* -(e)s, -e, 새장, 우리(♈*cage*); 《比》 감옥.

kahl [ka:l] *a.* 벌거숭이의, 덮개가 없는, 털이 없는, 대머리의(*bald, naked, bare*). ② 잎〔꽃·열매〕 없는; 초목이 없는, 불모의; 황량한; 《比》 공허한, 빈약한. **kahl=geschōren** *a.* 박박 깎은, 까까머리인.

Kahlheit *f.* 노출; 민숭민숭함 《사람의 머리·산 따위의》; 《比》 불모(不毛); 공허; 빈약.

Kahl=hieb *m.* 개벌(皆伐); 개벌한 임지(林地). **~kopf** *m.* 대머리. **~köpfig** *a.* 대머리의. **~schlāg** *m.* (산림 가운데의) 모조리 벌목한 곳.

Kahm [ka:m] [Lw. lat.] *m.* -(e)s, -e, 곰팡이《술·맥주 따위의》(*mould*). **kahmig** *a.* 곰팡이 난(*mouldy*).

Kahn [ka:n] *m.* -(e)s, ¨e [ké:nə], 거룻배, (내해(內海)의) 작은 배, 마상이, 평저선(平底船)(*barge*).

Kai [kai] *m.* 〔*n.*〕 -s, -e *u.* -s, 선창, 부두, 안벽(岸壁)(♈*quay, pier*).

Kaiser [káizər] [Lw. lat. *Caesar*] *m.* -s, -, 황제(*emperor*).

Kaiser=bārt *m.* 카이저 수염. **~burg** *f.* 황성(皇城). **~haus** *n.* 제실(帝室), 황실. **~hōf** *m.* 궁정.

Kaiserin [káizərın] *f.* -nen, 여제(女帝); 황후.

Kaiserin=mutter, ~witwe *f.* 황태후.

kaiserlich [káizərlıç] *a.* 황제의, 황제 같은; 황제다운; 황제파의. ¶S-e ~e Majestät 황제폐하.

Kaiser=reich *n.* 제국. **~schnitt** *m.* 제왕 절개술. **~thrōn** *m.* 제위, 왕위.

Kaisertūm [káizərtu:m] *n.* -(e)s, ¨er [-ty:mər], 제국(*empire*); 제위(帝位), 제권(帝權); 제정(帝政).

Kājak [ká:jak] [grönländ.] *m.* 〔*n.*〕 -s, -e *u.* -s, 에스키모인의 작은 고기잡이배; 1인승의 경조용(競漕用) 보트; 접을 수 있는 보트.

kajolieren [kaʒolí:rən] [fr.] *t.* 애무하다; 아첨하다, 감언으로 속이다.

Kajüte [kajý:tə] *f.* -n, 〖海〗 선실(*cabin*).

Kakadū [ká(:)kadu:] [mal. „alter Bruder"] *m.* -s, -s, 앵무새(♈*cockatoo*).

Kakāo [kaká:o] [mexikan. -sp.] *m.* -s, -s, 카카오, 코코아(♈*cocoa*). ¶《俗·比》 jn. durch den ~ ziehen 아무를 바보 취급하다.

Kākerlak [ká:kərlak] [südamerikan.] *m.* -s *u.* -en, -en, 〖蟲〗 좀날개바퀴(*cockroach*).

Kaktēe [kakté:ə] [gr. -lat.] *f.* -n, **Kaktus** [káktus] *m.* -(ses), -(se) *u.* ..tēen, 〖植〗 선인장(♈*cactus*).

Kalamitāt [kalamité:t] [lat.] *f.* -en, 불행; 곤란, 궁한 처지.

Kalander [kalándər] [fr.] *m.* -s, -, (종이·천 따위의) 광택기.

Kālauer [ká:lauər] [d. -fr.] *m.* -s, -, 진부한 결말, 서툰 익살(*pun, stale joke*).

Kalb [kalp] *n.* -(e)s [-ps, -bəs], ¨er [kélbər], 송아지(♈*calf*); 〖獵〗 새끼 사슴(*fawn*). **Kalbe** [kálbə] *f.* -n, 암송아지(*heifer*). **kalben** *i.*(h.) 송아지를 낳다(♈*calve*); (송아지처럼) 뛰어다니다; 망나니로〔방자하게〕 굴다. **kälberhaft, kälberig** *a.* 송아지 같은; 뛰어다니는; 개구장이인. **kalbern, kälbern** *i.*(h.) =KALBEN.

Kalb=fell *n.* 송아지 가죽. **~fleisch** *n.* 송아지 고기. **~lēder** *n.* 송아지 가죽.

Kalbs=brāten *m.* 구운 송아지 고기. **~keule** *f.* 송아지의 넓적다리살. **~milch** *f.* 송아지의 지라.

Kaldaune [kaldáunə] [lat.] *f.* -n, (흔히 *pl.*) (식용의) 내장; 〖料〗 내장 요리.

Kaleidoskōp [kalaidɔskó:p] [gr.] *n.* -s, -e, 〖物〗 만화경.

Kalender [kaléndər] [lat.] *m.* -s, -, 달력(♈*calendar*) 역(曆), 기원(紀元), 책력, 연보(年報), 연감(年鑑) (*almanac*).

¶ 《比》 alte ~ 고물(古物), 무용지물.

Kalender·block *m.* 일력(日曆). **~·macher** *m.* 《比》 군걱정하는 사람.

Kalesche [kalɛ́ʃə] [tschech.] *f.* –n, 경사륜 마차.

Kalfaterer [kalfá:tərər] *m.* –s, –, 뱃밥을 메우는 사람. **kalfatern** [kalfá:tərn] [ar.] *t.* u. *i.*(h.) (배에) 뱃밥을 메우다 (*caulk*).

Kali [ká:li:] [ar.] *n.* –s, –s, 〖化〗 칼리 (*potash, potassium*).

Kaliber [kalí:bər] [ar. –fr.] *n.* –s, –, (총포의) 구경(口徑)(♈*calibre*). **..kali·b(e)rig** *a.* 《合成用語》 보기: klein~ 소구경의.

Kalif [kalí:f] [ar. „Nachfolger (Muhammeds)"] *m.* –en, –en, 회교국왕의 칭호, 칼리프《지금은 폐지》(♈*caliph*).

Kalifornium [kalifɔ́rnĭum] *n.* –s, 〖物〗 칼리포르늄《초(超)우라늄 원소의 하나》.

Kali·haltig [ká:li:–] *a.* 칼리를 함유한.

Kalikō [káliko:] [indisch] *m.* –s, –s, 캘리코, 옥양목.

Kali·salpēter [–zalpe:tər] *m.* 칼리 초석(硝石).

Kalium [ká:lĭum] [<Kali] *n.* –s, 〖化〗 칼륨(*potassium*).

Kalium·bromid *n.* 취화 칼륨. **~chlo·rid** *n.* 염화 칼륨. **~hydroxyd** *n.* 수산화 칼륨. **~oxyd** *n.* 산화 칼륨.

Kalk [kalk] [Lw. lat.; ♈engl. *chalk*] *m.* –(e)s, –e, 석회(*lime*); 〖工〗 회반죽.

kalk·ärtig *a.* 석회질의. **~bruch** *m.* 석회석갱(坑).

kalken [kálkən], **kälken** [kɛ́lkən] 《I》 *t.* (에) 석회를 섞다; 석회수에 담그다, (에) 회반죽을 바르다. 《II》 *i.*(h.) 석회를 소화(消和)하다; 날림 일을 하다.

Kalk·ērde *f.* 석회토 **~fels** *m.* 석회암. **~haltig** *a.* 회석질의, 석회를 함유한.

kalkig [kálkıç] *a.* 석회질의, 석회를 함유하는.

Kalk·malerei *f.* 벽화(壁畫). **~mör·tel** *m.* 석회 모르타르, 회박죽. **~·ōfen** *m.* 석회 굽는 가마. **~spāt** *m.* 〖鑛〗 방해석(方解石). **~stein** *m.* 석회암.

kalkulieren [kalkulí:rən] [lat. *eig.* „mit Steinchen berechnen", <Kalk] *t.* 계산하다(♈*calculate*).

Kalkwasser [kálkvasər] *n.* 석회수.

Kalme [kálmə] [lat. –rom.] *f.* –n, 무풍, 바람이 잠.

Kalmus [kálmus] [lat.; ♈d. Halm] *m.* –, –se, 〖植〗 창포(*sweet flag*).

Kalorie [kalorí:] [lat., *calor* „Hitze"] *f.* ..rīen, 칼로리《열량 단위》.

kalt [kalt] [*eig.* „gefroren", -t는 원래 과거 분사의 어미] *a.* (*ant.* heiß) ① 추운, 찬(♈*cold, chilly, frigid*). ¶ ~e Zone 한대. ② 《比》 쌀쌀한; 냉혹한; 냉정한; 냉담한; 열이 없는. ¶〖畫〗 ~e Farben 한색(寒色) / 〖理〗 ~es Licht 냉광(冷光) / ~er Krieg 냉전 / 〖醫〗 ~er Brand 건성 회저(乾性壞疽).

Kaltblüter [káltbly:tər] *m.* –s, –, 냉혈 동물. **kaltblūtig** *a.* 냉혈의; 쌀쌀한, 냉담한, 냉연한, 냉정한.

Kälte [kɛ́ltə] *f.* 추위, 차가움; 《比》 냉담; 무관심.

Kälte·erzeuger *m.* 냉각기. **~(erzeu·gungs)maschine** *f.* 냉동 장치, 제빙기. **~grād** *m.* 빙점 (이하의 온도).

kälten [kɛ́ltən] *t.* 춥게〔차게〕하다, 식히다, 냉각하다. ★ 지금은 흔히: erkälten.

Kälte·pōl *m.* 북극 〔극한〕 지대. **~·schutz** *m.* 냉각〔냉동〕 방지. **~sturz** *m.* 급격한 기온 하강, 한파(寒波). **~·welle** *f.* 한파.

Kalt·formung *f.* (금속의) 상온 변형(常溫變形). **~glasūr** *f.* 광택제의 상온에 의한 도포(塗布). **~härtung** *f.* (합성 물질에 산을 가함으로써의) 상온 경화. **~nādelstich** *m.* 가는 바늘을 쓰는 동판화《산(酸)에 의하여 부식되지 않음》.

kalt|stellen [káltʃtelən] *t.* 파면하다, (의) 세력을 꺾다. ★ kalt stellen 식히다, 냉장하다.

Kaltwasser·heil·anstalt [kaltvásər–] *f.* 수치료원(水治療院). **~kūr** *f.* 수치료법(水治療法).

Kalvārĭenberg [kalvá:rĭən–] [lat.] *m.* 예수가 십자가에 달린 언덕.

Kalyptra [kalýptra] [gr. „Decke, Deckel"] *f.* ..ren, 〖植〗 근관(根冠).

kalzinieren [kaltsiní:rən] [<Kalk] *t.* 석회화하다, 하소(煆燒)하다. **Kalzium** [káltsĭum] *n.* –s, 〖化〗 칼슘.

kām [ka:m] ☞ KOMMEN 《그 過去》.

Kambrium [kámbrium] *n.* –s, 〖地〗 캄브리아 층《고생대의 가장 오랜 층》.

Kambüse [kambý:zə] [Lw. ndl.] *f.* –n, 배 안의 주방(♈*comboose*).

Kamēe [kamé:ə] [it.] *f.* –n, 부조(浮彫)한 보석(♈*cameo*).

Kamēl [kamé:l] [gr. *aus* ar. *u.* hebr.] *n.* –(e)s, –e, 〖動〗 낙타(♈*camel*).

Kamēl·füllen *n.* 낙타 새끼. **~garn** *n.* 낙타의 털실. **~haar** *n.* 낙타 털.

Kamēlie [kamé:lĭə] *f.* –n, 〖植〗 동백나무(♈*camellic*).

Kamera [kámərа, ká:mə–] [lat. „Kammer"] *f.* –s, 카메라, 어둠 상자(♈*camera*).

Kamerād [kamərá:t] [fr., <Kammer] *m.* –en, –en, 동실자(同室者); 동무, 친구, 동료, 동배(♈*comrade, mate, chum*). **Kamerād·schaft** *f.* –en, 위의 관계; 동료(일동). **kamerād·schaft·lich** *a.* 동배의, 동배다운; 사이 좋은; 사교적인.

Kamerālĭen [kamərá:lĭən] [lat., < Kammer] *pl.* 재정학; 행정학.

Kamille [kamílə] [gr. –lat.] *f.* –n, 〖植〗 카밀레(♈*camomile*).

Kamīn [kamí:n] [lat.] *m.* –s, –e, 벽난로, 굴뚝(의 하부)(*chimney*).

Kamīn·fēger *m.* 굴뚝 소제부. **~sims** *m.* od. *n.* 맨틀피스.

Kamisōl [kamizó:l] [fr.] *n.* –s, –e, (소매가 짧은) 웃저고리, 동옷, 조끼; 자켓 (*jacket*).

Kamm [kam] [*eig.* „Gezahntes"] *m.* –(e)s, ⸚e [kɛ́mə], ① 빗(♈*comb*). ② 〖動〗 볏《닭 따위의》(*crest*). ③ 산등성이, 산마루(*ridge*); (말의) 목덜미(의 윗부분).

Kammacher [kámmaxər] 《分綴 Kamm-macher》 *m.* –s, –, 빗 제조인.

kämmen [kɛ́mən] *t.* ① 빗질하다; 빗다. ② 매끄럽게 하다; 다듬다. ③ 《戲》 심

K

술사납게 괴롭히다; (돈을) 후려내다.

Kammer [kámər] [lat. *camera*] *f.* -n, ① 작은 방, 방; (Schlaf~) 침실. ② 의회, 국회《특히 프랑스의》(♈*chamber*). ¶Erste ~ 상원 / Zweite ~ 하원. ③ (법원의) 부(部). ¶Straf~ 형사부. ④ (Schatz~) 회계국《궁정의》; 재무부, 국고. ⑤ (Handels~) 상공회의소. ⑥〖軍〗(피복·무기) 창고.

Kammer≈chōr [kámərko:r] *m.* 실내 합창(곡). **~diener** *m.* (군주의) 시종, 종자(從者).

Kämmerei [kɛmərái] *f.* -en, (국가의) 회계국, 국고; (시(市)의) 회계과, 금고.

Kämmerer [kɛ́mərər] *m.* -s, -, (시의) 회계원, 재무관; (박물관 등의) 관장.

Kammer≈frau *f.* 시녀, 여관(女官). **~gericht** *n.* 대법원, 고등 법원. **~≈herr** *m.* 시종《귀족의 궁정 칭호로도 씀》. **~jäger** *m.* 해충 구제부(驅除夫). **~jungfer** *f.* 시녀, 여관(女官). **~≈junker** *m.* 나어린 시종. **~konzert** *n.* 실내 협주(곡). **~mädchen** *n.* = ~JUNGFER. **~musik** *f.* 실내악. **~≈orchestra** *n.* 실내 오케스트라. **~≈spiel** *n.* 소극장용 소연극; 위를 공연하는 소극장. **~tōn** *m.*〖樂〗표준율. **~zōfe** *f.* =~JUNGFER.

Kamm≈garn *n.* (양털의) 소모사(梳毛絲). **~macher** *m.* =KAMMACHER. **~rād** *n.* 톱니바퀴. **~stück** *n.* (소·돼지 따위의) 목덜미(위쪽) 고기. **~≈wolle** *f.* 소모(梳毛).

Kampagne [kampánjə] [lat. -fr.] *f.* -*n*, ① 전원, 농장. ② 활동기; 수확 작업;〖工〗운전 시간.

Kämpe [kɛ́mpə] [nd. „Kämpfer"] *m.* -n, -n, 전사(戰士); 선수(*champion*).

Kampf [kampf] [Lw. lat. *campus* „Feld, Schlachtfeld"] *m.* -(e)s, ⸗e [kɛ́mpfə], 싸움, 전투(*fight, combat*); 투쟁(*struggle*). ¶der ~ ums Dasein 생존 경쟁.

Kamf≈bahn *f.* 경기장(*stadium*), 트랙. **~begierig** *a.* 호전적인. **~bereit** *a.* 전투 준비를 갖춘; 투쟁적인. **~einheit** *f.* 전투 단위.

kämpfen [kɛ́mpfən]《Ⅰ》*i.*(h.) 싸우다, 전투하다(*fight, combat*); 다투다, 투쟁하다(*struggle*). ¶**für** das Vaterland ~ 조국을 위하여 싸우다 / **gegen** Schwierigkeiten ~ 곤란과 싸우다 / **mit** sich selbst ~ 번민하다, 결심이 안 서다/ **um** den Sieg ~ 승리를 위해 싸우다. 《Ⅱ》*refl.* (結果를 나타내어) sich müde ~ 싸워 지치다.

Kampfer [kámpfər] [ar. -fr.] *m.* -s,〖化〗장뇌(樟腦)(♈*camphor*).

kämpfer [kɛ́mpfər] *m.* -s, -, 전사(戰士), 투사; 용사, 선수.

kämpferisch [-rɪʃ] *a.* 전사다운, 용감한.

kampf≈fähig *a.* 전투 능력이 있는. **~fertig** *a.* 전비를 갖춘.

Kampf≈flieger *m.* 폭격기; 폭격대원. **~geist** *m.* 투지. **~gierig** *a.* 호전적인. **~gruppe** *f.* 전투 군대《각종 병과가 한 군(群)을 이루는 것》**~hahn** *m.* 투계(鬪鷄). **~lust** *f.* 투지; 호전적임. **~platz** *m.* 전장; 경기장. **~preis** *m.* (승자가 받는) 상품;〖商〗경쟁 가격. **~≈richter** *m.* 심판자. **~spiel** *n.* 모의전(模擬戰); 시합; 경기. **~sport** *m.* 개인 경기. **~stoff** *m.* 화학 병기《독가스 따위》. **~unfähig** *a.* 전투력이 없는. **~wāgen** *m.* 전차(戰車). **~zeit** *f.* 전투시, 투쟁 시대. **~zeuge** *m.* (결투 따위의) 시중드는 사람.

kampieren [kampí:rən] [fr., <lat. *campus* „Feld"] *i.*(h.) 야영(野營)하다, 캠프하다(♈*camp*).

Kamuffel [kamúfəl] *n.* -s, -, 바보.

Kanādier [kaná:dïər] *m.* -s, -, 캐나다인; 캐나다식 카누. **kanādisch** *a.* 캐나다의.

Kanāl [kaná:l] [lat. *canna* „Rohr"] *m.* -s, ..näle, ① 운하, 수로(♈*canal*); 하수도, 배수거(渠)(*ditch, drain*). ②〖解·植〗도관(導管); 관. ③ 해협(♈*channel*); (Ärmel~) 영불 해협. **Kanalisation** *f.* -en, 운하 개착(開鑿); 하수도 시설.

kanalisieren *t.* (에) 운하를 파다; (에) 하수 장치를 시설하다.

Kanapee [ká(:)nape:, (öst.) kanapé:] [gr. -fr.] *n.* -s, -s, 안락 의자, 장의자(*sofa, settee*).

Kanārien·vōgel *m.*〖鳥〗카나리아.

Kanārische Inseln *pl.* 카나리아 군도.

Kandāre [kandá:rə] [ung.] *f.* -n, 말에 물리는 재갈의 일종(*curb bit*).

Kandelāber [kandelá:bər] [lat. *candēla* „Kerze"] *m.* -s, -, (가지달린) 등가(燈架), 높은 촛대, 샹들리에(♈*candelabrum, chandelier*).

Kandidāt [kandidá:t] [lat.] *m.* -en, -en, 지원자, 응모자, 후보자(♈*candidate*);《學》수험자; 가정 교사. **kan≈didieren** *i.*(h.) 입후보[지원]하다.

kandieren [kandí:rən] [ar. -it.] *t.* (에) 설탕을 뿌리다; 당과(糖果)로 만들다(♈*candy*). **Kandis** [kándɪs] *m.* -, 얼음사탕, 캔디(♈*candy*).

Kanevas [kánəvas, -ne-] [fr.] *m.* - *u.* ..vasses, *pl.* - u. ..vasse, 캔버스, 화포(畫布).

Känguruh [kɛ́ŋguru:] [austral. -ndl.] *n.* -s, -e *u.* -s,〖動〗캥거루(♈*kangaroo*).

Kaninchen [kaní:nçən] *n.* -s, -,〖動〗집토끼(*rabbit*).

Kaninchen≈bau *m.* 집토끼의 집. **~≈fell** *n.* 집토끼의 가죽. **~gehēge** *n.* 양토장(養兎場).

Kanister [kanístər] [lat.] *m.* -s, -, 양철통, 깡통.

Kanker [káŋkər] [lat.] *m.* -s, -,〖醫〗암종(癌腫)(♈*canker*).

kann [kan] (ich ~, er ~) ☞KÖNNEN(그 現在).

Kanne [kánə] *f.* -n, ① 깡통, 주전자, 병(♈*can, jug, pot*). ¶《比》es gießt wie mit ~n 비가 억수로 쏟아진다. ② 카네《옛 액량의 단위》.

Kannegießer [kánəgi:sər] *m.* 주석 주물공(工);《蔑》정치광, 엉터리 정론가.

Kannegießerei *f.* 엉터리 정치론.

kannegießern *i.*(h.) 엉터리 정치론으로 기염을 토하다.

kannelieren [kanelí:rən, kanə-] [< Kanal] *t.*〖建〗(에) 홈을 파다, 요선(凹線)을 새겨 넣다(♈*channel, flute*).

Kannibāle [kanibá:lə] [sp., Karaibe "카리브섬 사람"의 變形] *m.* -n, -n, 《比》 식인자(食人者); 잔인한 사람. **kannibālisch** *a.* 식인자 같은; 《比》 잔인한; 《戱》 대단한. ¶ ~er Hunger 심한 공복.

kannte [kántə] ☞KENNEN《그 過去》.

Kānon [ká:nɔn] [gr. „gerader Stab", <*kanna* „Rohr"] *m.* -s, -, ① 규범, 규준(♈*canon*). ② 〖樂〗 카논(*canon*). ③ 〖가톨릭〗 성서의 정전(正典) 목록; 교의 전범(教義典範); 미사의 전문(典文).

Kanonāde [kanoná:də] [it., <Kanone] *f.* -n, 포격; (집중) 포화. **Kanōne** [kanó:nə] [it., <lat. *canna* „Rohr"] *f.* -n, ("큰 통(筒)":) 대포, 카농포(♈*cannon, big gun*); 《戱》 (학계·체육계의) 거물, 중진.

Kanōnen-boot *n.* 포함(砲艦). **~futter** *n.* 대포의 밥, 군인들. **~kūgel** *f.* 포탄. **~rohr** *n.* 포신(砲身). **~schuß** *m.* 포격. **~stiefel** *pl.* (무릎 위까지 오는) 장화.

Kanonier [kanoní:r] *m.* -s, -e, 포수(砲手), 포병(*gunner*). **kanonieren** *t.* u. *i.*(h.) 포격하다; 《比》 압박하다.

Kanōnikus [kanó:nikus] [lat. "宗規에 복종하는 자"] *m.* -, ..ker, 〖가톨릭〗 주교좌 성당 참사 회원. **kanōnisch** *a.* 규범적인; 정규의; 교회법의; 종규(宗規)에 적합한. **kanonisieren** *t.* 성인의 반열에 올리다.

Kantāte [kantá:tə] [it., <lat. *cantāre* „singen"] *f.* -n, 〖樂〗 칸타타《기악의 반주가 있는 서정적인 성악곡(聖樂曲)》.

Kante [kántə] [Lw. lat.] *f.* -n, ① 모, 모서리; 귀퉁이, 끝, 가장자리, 가(*brim, border, edge*). ¶ 《比》 Geld auf die hohe ~ legen 돈을 모으다. ② (직물의) 변폭, 식서(飾緖) (*selvage*); 레이스(*lace*).

Kantel [kántəl] *m.* u. *n.* -s, -, 4각자. **kanten** *t.* 각지게 하다, 4각으로 자르다; 모서리를 밑으로 하여 세우다, 세로 놓다; (에) 가선을 대다; 굴리다, 돌리다. **Kanten** *m.* -s, -, 《方》 빵 부스러기〔껍질〕.

Kant·hāken [kántha:kən] *m.* (통나무·보트 따위를 굴리거나 움직이는) 갈고랑쇠가 달린 지렛대〔장대〕.

kantig [kántıç] *a.* 모서리가 있는, 마름모꼴의. ¶~ hauen 네모로 자르다.

Kantine [kantí:nə] [fr.] *f.* -n, 지하실 술창고; (영내·공장 등의) 매점(♈*canteen*); 〖樂〗 현악기의 제 5 음.

Kantōn [kantó:n] [fr. "구석진 땅", < Kante] *m.* -s, -e, 지방 징병구, 주, 현(♈*canton*). **kantonieren** 《I》 *i.*(h.) (어떤 곳에) 주둔하다. 《II》 *t.* 주둔시키다. **Kantonist** *m.* -en, -en, 징집된 신병, 입영자. ¶《俗》 ein unsicherer ~ 믿을 수 없는 사람.

Kantor [kántɔr] [lat. „Sänger"] *m.* -s, ..tōren [-tó:rən], (교회의) 합창 지휘자; 마을 학교의 교사.

Kanu [kanú:, ká:nu] [engl. *aus* karib „Baumstamm"] *n.* -s, -s, 카누(♈*canoe*).

Kanūle [kaný:lə] [fr., *dim.* <lat. *canna* „Rohr"] *f.* -n, 〖醫〗 카뉼러, 삽관(插管)(♈*cannula, tubule*).

Kanzel [kántsəl] [Lw. lat.] *f.* -n, 설교단, 강단(*pulpit*).

Kanzel-pult *n.* 단상(壇上)의 책상. **~rēde** *f.* 설교. **~rēdner** *m.* 설교자. **~tōn** *m.* 설교조(調).

Kanzlei [kantsláı] *f.* -en, (행정 기관의) 비서실, 사무국(♈*chancellery*); (변호사 등의) 사무소(*office*).

Kanzler [kántslər] *m.* -s, -, (관청의) 비서실장(♈*chancellor*); 사무장; (Reichs-~)재상; (Lord~)대법관《영국의》. **Kanzlist** *m.* -en, -en, (관청의) 비서.

Kaolin [kaolí:n] [chin.] *n.* od. *m.* -s, 〖鑛〗 고령토(高嶺土). **Kaolinit** [kaoliní:t, -nít] [<Kaolin] *m.* -(e)s, -e, 고릉석(高陵石)《Kaolin의 주성분》.

Kap [kap] [it., *aus* lat. *caput* „Haupt"] *n.* -s, -e *u.* -s, 갑(岬), 곶.

Kap. 《略》 =*Kap*itel 장(章).

Kapaun [kapáun] [Lw. lat.] *m.* -s, -e, 거세하여(살찌게) 기른 수탉(♈*capon*).

Kapazität [kapatsité:t] [lat. „Fähigkeit"] *f.* -en, 수용력, 용적, 용량(♈*capacity*); 《比》 능력(있는 인물), 전문대가, 권위(*authority*).

Kapelle [kapélə] [lat.] *f.* -n, ① 예배당, 작은 성당(♈*chapel*). ② 교회 성가대; 관현악단, 악대(*band*).

Kapellmeister [kapélmaistər] *m.* 악장(樂長), 지휘자.

Kāper[1] [ká:pər] [ar.] *f.* -n, 풍조목(風鳥木)의 꽃봉오리《초에 절여 양념으로 씀》(♈*caper*).

Kāper[2] [ká:pər] [ndl., <kapern „auflauern"] *m.* -s, -, 전시에 적선(敵船) 나포 면허를 가진 배; 해적(선)(*pirate*).

Kāperbrief *m.* 적선 나포 면허장.

kāpern *t.* (배를) 나포하다, 약탈하다.

kapieren [kapí:rən] [lat. *capere* „fassen"] *t.* 이해하다, (begreifen) 깨닫다(*understand, take in*).

kapillār [kapılá:r] [lat.] *a.* 털의; 털과 같이 가느다란; 모세관 (현상)의. **Kapillāre** [kapılá:rə] *f.* -n, 모세관.

kapitāl [kapitá:l] [lat. *caput* „Haupt"] *a.* 우두머리인, 주된, 주요한, 훌륭한, 두드러진 (♈*capital*). **Kapitāl** [kapitá:l] *n.* -s, -e *u.* ..lien [-lĭən], 자본(♈*capital*); 기금(*fund*); 원금(*principal*).

Kapitǟl [kapité:l] *n.* -s, -e, =KAPITELL.

Kapitāl-anlāge *f.* 투자, 출자(出資). **~būch·stābe** *m.* 대문자.

Kapitāle [kapitá:lə] *f.* -n, 수도, 서울.

Kapitāl-fehler *m.* 중대한 과실〔착오〕. **~flucht** *f.* (외국으로의) 자본 도피.

kapitalisieren [kapilalizí:rən] *t.* ① (에) 자본을 조달하다. ② 자본화하다, 자본 가치로 환산하다. **Kapitalismus** *m.* -, 자본주의. **Kapitalist** *m.* -en, -en, 자본가; 자본주; 부자. **kapitalistisch** *a.* 자본가의, 자본주의의.

Kapitāl-markt *m.* 자본〔금융〕 시장. **~steuer** *f.* 재산세. **~verbrechen** *n.* 중죄, 죽을 죄. **~zinsen** *pl.* 자본 이자.

Kapitǟn [kapité:n] [fr., <lat. *caput* „Haupt"] *m.* -s, -e, ① 대위, 중대장. ② 함장, 선장; 기장(機長). ③ 〖競〗 주장. **~leutnant** *m.* 해군 대위.

Kapitel [kapítəl] [lat. „Köpfchen"] *n.* –s, –, (Hauptabschnitt) 장(章), 관(款) (♈*chapter*). **∼fest** *a.* 성전(聖典)에 정통한; 박식한; 《戲》 건강한.

Kapitell [kapitέl] [lat. „Köpfchen"] *n.* –s, –e, 〖建〗 주두(柱頭)(♈*capital*).

Kapitol [kapitó:l] [lat.] *n.* –s, –e, (로마의 카피톨 언덕에 있었던) 고대 로마의 성(城); 《一般的》 성채.

Kapitulation [kapitulatsió:n] *f.* –en, ① 항복. ② (흔히 *pl.*) 불평등 조약. **kapitulieren** [kapitulí:rən] [lat. < Kapitel] *i.*(h.) (성문을 열고) 항복하다 (♈*capitulate*).

Kaplan [kaplá:n] [lat. <Kapelle] *m.* –s, ⸚e [–plέ:nə], 〖가톨릭〗 보좌 신부; 예배당 신부〔목사〕; 복지·후생 시설 근무의 신부〔목사〕 (♈*chaplain*).

Kapo [ká:po] [it. *capo* „Kopf, Haupt"] *m.* –s, –s, 죄수 노동대의 감독; 〖軍〗 하사관.

Kappe [kápə] [Lw. lat. *cappa* od. *cāpa* "두건 달린 외투"] *f.* –n, ① (머리에 착 붙여 쓰는) 모자《베레모·헌팅캡 따위》(♈*cap*); 두건(*hood*); (Mönchs∼) 수도사의 두건(*cowl*). ¶ 《比》 et. auf s–e (eigene) ∼ nehmen 어떤 일의 책임을 지다. ② 모자 모양의 물건; 덮개, 씌우개, (굴뚝 따위의) 갓; (돌담 등의) 꼭대기 부분; 〖建〗 궁륭부; (구두 코·뒤축의) 단단한 가죽. **kappen**[1] *t.* (에) 모자를 씌우다, (의) 꼭대기를 덮다.

kappen[2] [kápən] [Lw. mlat.] *t.* (의 끝머리를) 자르다, (나무의) 우듬지를 치다, (을) 쳐〔잘라〕내다.

kappen[3] [♈Kapaun] *t.* 거세하다.

Kapriole [kaprió:lə] [it. „Bocksprung"] *f.* –n, (말의) 도약 (♈*caper*); 《比》 진묘한 착상, 변덕; 광태.

kaprizieren [–tsí:–] [lat.] *refl.* (auf et., 무엇을) 고집하다(*stick obstinately* (*to*)). **kapriziös** *a.* 변덕스런, 제멋대로인.

Kapsel [kápsəl] [Lw. lat., *dim.* < Kasse] *f.* *n*, 캡슐, 자루, (칼 따위의) 집, 상자, 케이스, 포장(*case, box*); 〖植〗 낭(囊), 삭(蒴), 삭과(蒴果)(♈*capsule*).

Kapsikum [kápsikum] [lat.] *n.* –s, 〖植〗 고추. **Kapsikum·pflaster** *n.* 고추 연고.

kaputt [kapút] [fr. *capot* „verloren im Spiel"] *a.* 괴멸한, 못쓰게 된, 부서진. ¶∼ gehen 부서지다, 망하다, 죽다.

Kapuze [kapú:tsə] [lat. *cappa* „Kappe"] *f.* –n, 수도사의 두건(頭巾), 후드 (*hood, cowl*).

Kapuziner·affe *m.* 〖動〗 말꼬리원숭이. **∼kresse** *f.* 〖植〗 금련화(金蓮花).

Karabiner [karabí:nər] [Lw. fr.] *m.* –s, –, 기병총(♈*carbine, rifle*).

Karaffe [karáfə] [ar. –fr.] *f.* –n, 유리 마개가 있는 고급 유리병(♈*carafe*).

Karakal [kárakal] [türk. „Schwarzohr"] *m.* –s, –s, 〖動〗 스라소니(의 일종).

Karakalpake [karakalpá:kə] [türk „Schwarz-mütze"] *m.* –n, –n, 카라칼파크인《아랄해 남쪽에 사는 투르크족》.

Karambolage [karambolá:ʒə, karãb–] [fr.] *f.* –n, 〖撞球〗 캐넌(*cannon*); 《比》 충돌(*collision*). **karambolieren** *i.*(h.) 캐넌을 치다(*cannon*); 《比》 충돌하다(*collide*).

Karat [kará:t] [gr. –ar.] *n.* –(e)s, –e, 캐럿《금·보석 중량의 단위》(♈*carat*).

Karausche [karáuʃə] [gr. –lat.] *f.* –n, 〖魚〗 붕어(*crucian*).

Karawane [karavá:nə] [pers. „Kamelzug"] *f.* –n, 대상(隊商), 여행대(隊)(♈*caravan*).

Karbamid [karbamí:t] [*Kw. Karbon* u. *Amid*] *n.* –(e)s, 〖化〗 요소(尿素).

Karbatsche [karbá:tʃə] [türk. –sl.] *f.* –n, 가죽 채찍(*scourge, whip*).

Karbid [karbí:t] [lat. *carbo* „Kohle"] *n.* –(e)s, –e, 〖化〗 탄화물; 카바이드(♈*carbide*). **Karbolsäure** [karbó:l–] *f.* 〖化〗 석탄산. **Karbon** [karbó:n] *n.* –s, 〖化〗 탄소; 〖地〗 석탄기〔층〕. **Karbonade** [karboná:də] [fr. "숯불에 구운 것"] *f.* –n, 가리구이(*chop*); 커틀렛(*cutlet*).

Karbunkel [karbúŋkəl] [lat. „kleine glühende Kohle"] *m.* –s, –, 〖醫〗 정(疔), 옹(癰)(♈*carbuncle*).

Kardätsche [kardέ:tʃə] [it.] *f.* –n, 양털 빗는 솔(*card*); 소〔말〕의 털을 손질하는 솔(*curry-comb*). **kardätschen** *t.* (양모 등을) 솔질하다. **Karde** [kárdə] *f.* –n, 〖植〗 산토끼꽃, 티즐(*teasel*).

kardinal [kardiná:l] [lat. <*cardo* „Türangel"] *a.* 주된, 근본적인; 뛰어난, 첫째의. **Kardinal** *m.* –s, ⸚e [–nέ:lə], 〖가톨릭〗 추기경.

Kardinal·punkt *m.* 주요점, 안목. **∼s·hut** *m.* 추기경모《납작한 붉은 모자, 추기경의 표지》. **∼tugend** *f.* 기본 도덕. **∼zahl** *f.* (*ant.* Ordinalzahl) 기수(基數).

Kardiograph [kardiográ:f] [gr.] *m.* –en, –en, 〖醫〗 심장 운동계. **Karditis** [kardí:tɪs] *f.* 심장염.

Karenz [karénts] [lat.] *f.* –en, ① 부족, 결핍. ② 〔∼**zeit** *f.*〕 (지불) 유예 기간; 저작권 보호 기간.

Karessieren [karεsí:rən] *t.* 애무하다.

Karfreitag [ka:rfráita:k] *m.* 성금요일 《부활 축일 전의》.

Karfunkel [karfúŋkəl] *m.* –s, –, 〖鑛〗 「루비, 석류석.」

karg [kark] *a.* ① 구두쇠인, 인색한 (*niggardly, stingy*). ② 딸리는, 결핍된, 근소한(*scanty, poor*). **kargen** [kárgən] *i.*(h.) 구두쇠짓을 하다, 인색하게 굴다; (mit, 을) 아끼다, 절약하다. **Kargheit** *f.* –en, 인색, 구두쇠임; 궁색, 근소함. **kärglich** [kérk–] *a.* 인색한, 모자라는, 근소한(*scanty, poor*).

karieren [karí:rən] [fr., <lat. *quadrāre* „viereckig machen"] *t.* 격자무늬〔바둑판 무늬〕로 하다. **kariert** *p.a.* 바둑판 무늬의.

Karies [ká:rïεs] [lat.] *f.* 〖醫〗 카리에「스; 충치.」

Karikatur [karikatú:r] [it. „Überladung", <lat. *carrus* „Wagen"] *f.* –en, 캐리커처, 희화(戲畫), 만화, 풍자화(♈*caricature*). **Karikaturenzeichner** *m.*, **Karikaturist** *m.* –en, –en, 만화가. **karikieren** *t.* 만화로 그리다, 희화화(戲畫化)하다.

kariös [karïǿ:s] [lat. –fr.] *a.* 〖醫〗 카리에스성의. ¶∼e Zähne 충치.

Karl [karl] [*eig.* „Mann"; Kerl과 同語] *m.* 남자 이름(♈*Charles*).

Karmesin [karmezí:n] [ar. <Kermes] *n.* -s, 진홍색(♈*crimson*). **Karmin** [karmí:n] *n.* -s, 양홍(洋紅), 연지(♈*carmine*).

Karneol [karneó:l] [it. „Hornartiges"] *m.* -s, -e, 〖鑛〗 홍옥수(紅玉髓)(♈*cornelian*).

Karneval [kárnəval, -ne-] [it.] *m.* -s, -e *u.* -s, 사육제, 카니발(♈*carnival*).

Karnickel [karníkəl] *n.* -s, -, 《方》 집토끼(*rabbit*). ¶ 《俗》 das ~ hat angefangen ("토끼가 한 것이다") 아무도 했다는 자가 없다《어린이들이 장난을 추궁당할 때》.

Karnies [karní:s] [sp.] *n.* -es, -e, 〖建〗 처마장식 돌림띠; 반곡선(反曲線)(♈*cornice*).

Karo [ká:ro:] [fr. *carreau*, <lat. *quadrum* „Viereck"] *n.* -s, -s, 마름모꼴(*square*); (카드의) 다이아몬드(*diamonds*).

Karosse [karɔ́sə] [fr., <lat. *carru* „Wagen"] *f.* -n, 의장(儀裝) 마차(*state coach*). **Karosserie** [karɔsərí:] *f.* ..rien, (자동차의) 차체(*body*).

Karotte [karɔ́tə] [Lw. fr.] *f.* -n, 〖植〗 당근《특히 어리고 연한》(♈*carrot*).

Karpaten [karpá:tən] *pl.* 카르파티아 산맥《헝가리 국경의》.

Karpfen [kárpfən] [Lw. mlat.] *m.* -s, -, 〖魚〗 잉어(♈*carp*).

Karpfen⸗teich *m.* 잉어 양식 연못. **~zucht** *f.* 잉어 양식.

Karre [kárə] *f.* -n, =KARREN.

Karree [karé:] [fr.] *n.* -s, -s, 직사각형, 정방형(*square*); 〖軍〗 사각의 전투 대형(隊形).

Karren [kárən] [Lw. lat. *carrus*] *m.* -s, -, (1륜에서 4륜까지의) 수레(♈*car*); 짐수레(*cart*); 손수레(*wheel-barrow*). ¶ 《比》 mit jm. an einem ~ ziehen 아무와 협력하다. **karren** 《I》 *t.* 짐수레〔손수레〕로 나르다. 《II》 *i.*(h.) 짐수레를 끌다.

Karren⸗gaul *m.* 마차말. **~schieber** *m.* 손수레를 미는 사람.

Karriere [karĭé:rə, -ĭé:rə] [fr., <lat. *carrus* „Wagen"] *f.* -n, ① 출세의 경로, 이력, 경력(♈*career*). ② (말의) 갤럽(*gallop*). ¶(in) ~ reiten 전속력으로 말을 몰다.

Kärrner [kérnər] *m.* -s, -, 짐수레를 부리는 사람; (짐수레를 끌고 다니는) 행상인; (건축의) 잡역부.

Karst [karst] *m.* -es, -e, 〖農〗 (쇠발이 둘인) 곡괭이, 쇠스랑(*mattock*).

Kartätsche [karté:tʃə] [it. <Karte] *f.* -n, 〖軍〗 산탄(霰彈)《두꺼운 종이 또는 생철로 싼》. **kartätschen** *t.* u. *i.*(h.) 산탄으로 사격하다.

Karte [kártə] [Lw. fr. *carte* (lat. *charta*)] *f.* -n, 두꺼운 종이, 카드, 권(券)(♈*card*); (Spiel~) 화투, 트럼프; (Speise~) 메뉴; 해도(海圖), (Land~) 지도. ¶jm. die ~n legen 아무의 운수를 카드로 점치다. **Kartei** [kartái] *f.* -en, 카드식 색인, 카드 함(函).

Kartell [kartél] [fr., <Karte] *n.* -s, -e, ① 〖經〗 카르텔《기업 합동의 한 형태》(♈*cartel*). ② 협정; 포로 교환 조약.

karten [kártən] 《I》 *i.*(h.) 카드놀이를 하다. 《II》 *t.* 은밀히 획책하다.

Karten⸗blatt *n.* 카드〔지도·엽서 따위〕의 한 장. **~brief** *m.* 봉함 엽서. **~⸗geben** *n.* 카드의 패를 돌림. **~kunst⸗stück** *n.* 카드로 하는 요술. **~legen** *n.* 카드점(占). **~legerin, ~schläge⸗rin** *f.* 카드점을 치는 여자. **~projek⸗tion** *f.* 지도 투영(도법) 《둥근 지구를 평평한 도면에 투영하는》. **~skizze** *f.* 지형의 스케치(=Kroki). **~spiel** *n.* 카드놀이; 카드의 한 벌. **~spieler** *m.* 카드놀이를 하는 사람. **~stamm** *m.* 돌리고 남은 카드. **~werk** *n.* 지도서(地圖書).

kartieren [kartí:rən] [<Karte] *t.* 약도를〔도안을〕 그리다.

Kartoffel [kartɔ́fəl] [it. *tartufolo* „Trüffel"] *f.* -n, 〖植〗 감자(*potato*); (Süß~) 고구마.

Kartoffel⸗bau *m.* 감자 재배. **~⸗branntwein** *m.* 감자 소주. **~brei** *m.*, **~mus** *n.* 으깬 감자. **~ernte** *f.* 감자의 수확. **~feld** *n.* 감자밭. **~käfer** *m.* 〖蟲〗 콜로라도딱정벌레. **~mehl** *n.* 감자 가루. **~salat** *m.* 감자 샐러드. **~suppe** *f.* 감자 수프.

Kartograph [kartográ:f] [gr.] *m.* -en, -en, 제도자(製圖者). **Kartographie** *f.* 제도법.

Karton [kartɔ̃́:, -tó:n] [fr., <Karte] *m.* -s, -s [-tɔ̃́:s] *u.* -e [-tó:nə], 판지(板紙), 두꺼운 종이, 마분지(*cardboard*); 마분지 상자. **Kartonage** [kartoná:ʒə] *f.* -n, 마분지 상자; 두꺼운 종이의 포장; 판지 세공(細工). **kartonieren** 《I》 *t.* 두꺼운 표지를 붙이다〔붙여 철하다〕. 《II》 **kartoniert** *p.a.* 두꺼운 표지의.

Kartothek [kartoté:k] [gr.] *f.* -en, =KARTEI.

Kartusche [kartúʃə] [fr., <lat. *charta* „Karte"] *f.* -n, 〖軍〗 약포(藥包), 탄약통(♈*cartridge*).

Karussell [karusél] [fr.] *n.* -s, -e, 회전 목마(*merry-go-round*).

Karwoche [ká:rvɔxə] *f.* 〖가톨릭〗 성주간《부활 축일 전주(前週)》.

Karyo·kinese [karyokiné:zə] [gr. *káryon* „Nuß, Kern", *kínesis* „Bewegung"] *f.* -n, 〖生〗 간접 핵분열, 유사 분열.

Karzer [kártsər] [lat. *carcer* „Kerker"] *m.* od. *n.* -s, -, (옛 대학의) 감금(監禁), 금족(*lockup*); 감금실.

Karzinom [kartsinó:m] [gr.] *n.* -s, -e, 〖醫〗 암종(癌腫).

kaschen [káʃən] [kassieren? engl. catch „ergreifen"?] *t.* 《俗》 붙들다, 붙잡다; 잡다, 훔치다.

Kaschmir [kaʃmí:r, káʃmi:r] 《I》 *n.* 인도 북부의 지명. 《II》 *m.* -s, -e, 캐시미어《모직물의 이름》(♈*cashmere*).

Käse [ké:zə] [Lw. lat. *cāseus*] *m.* -s, -, 치즈(*cheese*).

Käse⸗blatt *n.* 보잘 것 없는 신문《치즈나 쌀 정도의》. **~blümchen** *n.* 〖植〗 데이지(*daisy*). **~glocke** *f.* 종모양의 치즈 덮개. **~händler** *m.* 치즈 상인.

Kasel [ká:zəl] [lat.] *f.* -n, 〖가톨릭〗 제의(祭衣)(♈ *chasuble*).

Kasematte [kazəmátə] [Lw. fr.] *f.* -n, 〖軍〗 (엄폐를 한) 포대; (군함의) 포탑(砲塔)(♈ *casemate*).

Käsemesser [kɛ́:zəmɛsər] *n.* 치즈용 나이프.

Käsen [kɛ́:zən] [<Käse] 《Ⅰ》 *i.*(h.) 치즈를 만들다; *i.*(h. *u.* s.) u. *refl.* (우유가) 응결하다, 치즈가 되다. 《Ⅱ》 *t.* (우유를) 응결시키다, 치즈로 만들다. **Käserei** *f.* -en, 치즈 제조(소).

Kaserne [kazɛ́rnə] [it.] *f.* -n, ① 병영, 병사(兵舍)(*barracks*). ② 임대 연립 주택.

Kasernen·arrest *m.* 〖軍〗 영창《징계로서의》. ~**hōf** *m.* 영정(營庭).

kasernieren [kazɛrní:rən] *t.* 입대시키다.

Käse·stoff [kɛ́:zəʃtɔf] *m.* 카제인(*casein*).

käsicht, käsig *a.* 치즈와 같은, 치즈의; 《比》 창백한《안색 따위》.

Kasino [kazí:no] [it. „Häuschen"] *n.* -s, -s, ① 장교 집회소(♈ *casino, officers' mess*), 클럽. ② 별장.

Kasper [káspər] *m.* -s, -, **Kasperle** [káspərlə] *n.* od. *m.* -s, -, (인형극의) 어릿광대(*Punch*). **Kasper(le)theāter** *n.* 인형극(의 무대).

kaspisch [káspɪʃ] *a.*: das ~e Meer 카스피 해(海), **Kaspisee** *f.* 카스피 해.

Kassa·būch *n.* 현금 출납부. ~**geschäft** *n.* 현금 거래.

Kasse [kásə] [it. *cassa* „Kasten"] *f.* -n, ① 돈 궤(*cashbox, till*), 금고. ② 현금 출납(소), 회계(과); (표·입장권의) 판매소. ③ 현금(♈ *cash*). ¶gegen ~ 현금으로.

Kassen·ārzt *m.* 건강 보험의. ~**beamte** *m.* 《形容詞變化》 출납원. ~**bestand** *m.* 현금 잔고. ~**bōte** *m.* 수금원. ~**būch** *n.* 현금 출납부. ~**führer** *m.* 출납원. ~**preis** *m.* 현금 가격. ~**revisiōn** *f.* =~STURZ. ~**schein** *m.* 증권; 은행권. ~**schrank** *m.* (내화(耐火)) 금고. ~**sturz** *m.* 회계 검사. ~**zettel** *m.* =~SCHEIN.

Kasserolle [kasərɔ́lə] [fr.] *f.* -n, (자루가 달린) 찜남비, 스튜 남비(*stew-pan*).

Kassette [kasétə] [it.] *f.* -n, 작은 상자; 작은 금고; 〖寫〗 필름을 끼우는 틀.

kassieren[1] [kasí:rən] [<Kasse] *t.* (돈을) 징수하다, 받아들이다.

kassieren[2] [<lat. *cassus* „nichtig"] *t.* ① 폐기〔파기〕하다(*annul, cancel*). ② 파면하다(*dismiss*); 해임하다(*discharge*).

Kassierer [kasí:rər] *m.* -s, -, **Kassie(re)rin** *f.* -nen, 출납원.

Kastagnette [kastanjétə] [sp. „Kastanie"] *f.* -n, 〖樂〗 캐스터네츠

Kastānie [kastá:nĭə] [lat.] *f.* -n, 〖植〗 밤(나무)(♈ *chestnut*).

Kastānien·baum *m.* 밤나무, 칠엽수. ~**braun**, ~**farbig** *a.* 밤색의. ~**wald** *m.* 밤나무 숲.

Kästchen [kɛ́stçən] [*dim.* v. Kasten] *n.* -s, -, 작은 상자, 작은 문갑.

Kaste [kástə] [<lat. *castus* „rein"] *f.* -n, 카스트《인도의 세습 계급》(♈ *caste*).

kasteien [kastáiən] [Lw. lat.] *t.* u. *refl.*: s-n Leib 〔sein Fleisch〕 ~; sich ~ 금욕하다, 난행 고행(難行苦行)하다 (*mortify*). **Kasteiung** *f.* -en, 금욕, 난행 고행.

Kastell [kastél] [lat.] *n.* -s, -e, 작은 성, 성채(♈ *castle, small fort*), 요새.

Kasten [kástən] *m.* -s, - *u.* ⸗ [kɛ́stən], 상자, 궤(♈ *chest, box*); (Tisch~) 책상 서랍; (Brief~, Post~) 우편함, 포스트.

Kasten·dünkel [<Kaste] *m.* 계급적 자부, 신분의 자만. ~**geist** *m.* 계급적 배타심, 계급 감정.

Kastrāt [kastrá:t] [lat.] *m.* -en, -en, 거세한 남자, 환관(宦官)(*eunuch*). **kastrieren** *t.* 거세하다(♈ *castrate*).

kasuāl [kazu·á:l] [lat.] *a.* 우연한; 임시의.

Kasuār [kazu·á:r] *m.* -s, -e, 〖鳥〗 화식조(火食鳥).

Kāsus [ká:zus] [lat. *casus* „Fall" <*cadere* „fallen"] *m.* -, -, ① 경우, 우연, 사건. ② 〖文〗 격(♈ *case*).

Katakaustik [-káustɪk] [gr. *katakaiein* „verbrennen"] *f.* 〖數·光〗 반사(에 의하여 일어난) 초선(焦線)(또는 화선(火線)).

Katakombe [katakɔ́mbə] [gr.] *f.* -n, (초기 기독교도의) 지하 묘지, 지하 납골당(納骨堂).

Katalōg [kataló:k] [gr. „Herzählung", Aufzählung, 열거] *m.* -s, -e [-gə], 목록, 카탈로그(♈ *catalogue*). **katalogisieren** [kàtalogizí:rən] *t.* (의) 목록을 꾸미다, 카탈로그에 싣다.

Katalȳse [katalý:zə] [gr.] *f.* -n, 〖化〗 접촉 반응.

Katapult [katapúlt] *m.* od. *n.* -(e)s, -e, 비행기 사출기, 카타펄트.

Katarrh [katár] [gr.] *m.* -s, -e, 〖醫〗 카타르(♈ *catarrh*); 감기(*cold*). **katarrhālisch** [katará:lɪʃ] *a.* 카타르성(性)의.

Kataster [katástər] [it.] *m.* od. *n.* -s, -, 토지 대장(*register of assessment*).

katastrophāl [katastrofá:l] *a.* 파멸적인; 무서운. **Katastrōphe** [katastró:fə] [gr. „Herab-wendung"] *f.* -n, ① 파국; 파멸; 대참사. ② 〖劇〗 대단원(大團圓).

Kāte [ká:tə] *f.* -n, 오두막(♈ *cot, cottage*).

Katechēse [kateçé:zə] [gr.] *f.* -n, 〖宗〗 문답 교시(敎示); 교리 문답. **Katechēt** *m.* -en, -en, 문답 교시자, 종교 교사.

Katechismus *m.* -, ..men, 가톨릭 교리서.

Katechumenāt [kateçumená:t] [gr. <Katechese] *n.* -(e)s, -e, 세례 준비의 교리 학습.

Kategorie [kategorí:] [gr. „Aussage"] *f.* ..rīen [-rí:ən], ① 〖哲〗 범주. ② 부문, 종류. **kategōrisch** *a.* 정언적(定言的); 《比》 단호한; *adv.* 단호히, 절대적으로.

Kāter [ká:tər] *m.* -s, -, ① 수코양이(*tom-cat*). ¶der gestiefelte ~ 장화를 신은 수코양이《동화의》. ② 《俗·學》 숙취(宿醉)(*hang-over*). ~**idee** *f.* 기상 천외의 생각, 광상(狂想).

Kathēder [katé:dər] [gr. „Sitz"] *m.* od. *n.* -s, -, 강단(講壇)(*lecturing desk*).

Kathedrāle [katedrá:lə] *f.* -n, **Kathedrālkirche** *f.* (주교좌(主敎座)가 있는) 대성당(♈ *cathedral*).

Kathēte [katé:tə] [gr.] *f.* -n, 〖數〗 직각 삼각형에서 직각을 낀 변. **Kathēter**

[katé:tər] [gr.] *m.* -s, -, 〖醫〗 카테터, 소식자(消息子), 도뇨관(導尿管).
Kathode [kató:də] [gr.] *f.* -n, 〖電〗 음극(陰極). **~n≈strahlen** *pl.* 음극선(線).
Katholik [katolí:k] *m.* -en, -en; **~in** *f.* -nen, 가톨릭 교도. **katholisch** [kató:lɪʃ] [gr.] *a.* ① 보편적인. ②〖宗〗 가톨릭교의, 천주교의(*Catholic*). **Katholizismus** [katolitsísmus] *m.* -, 가톨릭교, 천주교.
Kation [kátīɔn, kát-iɔn] [gr.] *n.* -s, ..iōnen, 〖電〗 양(陽)이온.
Kätner [kέ:tnər] [<Kate] *m.* -s, -, 소농(小農), 농가의 날품팔이꾼.
Kattun [katú:n] [ar. „Baumwolle"] *m.* -s, -e, 면직물, 캘리코(♈*cotton, calico*). **Kattunfabrik** *f.* 캘리코 공장.
katzbalgen [kátsbalgən] *refl.* 맞붙어 싸우다, 다투다(*scuffle, fight*). **katzbuckeln** *i.*(h.) 굽실굽실하다(*cringe, toady*). **Kätzchen** [kέtsçən] [*dim.* v. Katze] *n.* -s, -, ① 새끼 고양이(♈*kitten*); 말괄량이. ②〖植〗(버드나무 따위의) 유제 화서(葇荑花序)(♈*catkin*).
Katze [kátsə] [♈Kater] *f.* -n, 〖動〗 고양이; 《암수의 구별 없이 고양이로 쓰이나 특히 Kater에 대하여는》 암코양이.
Katzen≈auge *n.* 고양이 (같은) 눈; 후미등(後尾燈)《자전거 따위의》. **~fell** *n.* 고양이 가죽. **~freundlich** *a.* 고양이 탈을 쓰고 정다운 체하는, 위선의. **~jammer** *m.* 숙취(宿醉) (*hang-over*). **~kopf** *m.* ① 고양이 머리. ②《比》 따귀 때림. **~musik** *f.* 고양이 우는 소리. **~sprung** *m.* 고양이의 도약(跳躍); 《比》 짧은 거리. **~tisch** *m.* 어린이용 작은 식탁. **~wäsche** *f.* 고양이가 손발을 핥음; 《比》 간단하게 세수함.
Kauderwelsch [káudərvεlʃ] *n.* -(s), 알아들을 수 없는 말, 망언(妄言), 횡설수설(*gibberish, nonsense*).
kauen [káuən] *t.* u. *i.*(h.) 씹다, 저작(咀嚼)하다(♈*chew*); 씹어 으깨다(*masticate*).
kauern [káuərn] *i.*(h.) u. *refl.* 웅크리(고 있)다, 쪼그리고 앉다(♈*cower, squat*).
Kauf [kauf] *m.* -(e)s, ⸚e [kɔ́yfə], ① 매매, 거래, 장사(*bargain*). ② 사들임, 매입, 구매(품)(*buying, purchase*). ¶ jm. 20 Mark auf den ~ geben 아무에게 20 마르크를 계약금으로 주다 / leichten ~(e)s davonkommen 큰 손해 없이 모면하다.
Kauf≈abschluß *m.* 매매 계약. **~anschlag** *m.* 매물(賣物) 광고. **~brief** *m.* (부동산의) 매매 계약서. **~ehe** *f.* 매매혼(賣買婚).
kaufen [káufən] 《Ⅰ》 *t.* u. *i.*(h.) 사다, 구입하다(*buy, purchase*). 《Ⅱ》 *refl.*: sich von et. frei ~ 돈을 주고 어떤 일을 면하다. **Käufer** [kɔ́yfər] *m.* -s, -, **Käuferin** *f.* -nen, 사는 사람, 매주(買主).
Kauf≈fahrer *m.* ① 상선(商船). ② 선장, 승무원. **~fahrtei** *f.* -en, 통상 항해. **~fahrteischiff** *n.* 상선. **~geld** *n.* 구매 대금. **~haus** *n.* 백화점; 도매상. **~kraft** *f.* 구매력. **~kräftig** *a.* 구매력이 있는. **~läden** *m.* 상점. **~leute** *pl.* 상인.
käuflich [kɔ́yflıç] 《Ⅰ》 *a.* 살 수 있는; 매물(賣物)인; 잘 팔리는; 《比》 매수할 수 있는. 《Ⅱ》 *adv.* 구입하여, 구매에 의하여. ¶ ~ erwerben 구입하다.
Kauf≈lust *f.* 구매욕, 매기(買氣). **~lustig** *a.* 매기가 있는.
Kaufmann [káufman] *m.* (*pl.* ..leute) 상인. **kaufmännisch** *a.* 상인의; 상업상의; 상용(商用)의; 상인다운, 장사를 잘하는. **Kaufmannschaft** *f.* (어떤 곳의) 상인《總稱》; 상업, 장사.
Kaufmanns≈gut *n.* 상품. **~stand** *m.* 상인의 신분, 상인 계급.
Kauf≈preis *m.* 대금; 원가; 파는 값. **~schilling** *m.* 구매 대금; 착수금; 지불금. **~verträg** *m.* 구매 계약. **~weise** *adv.* 구매에 따라. **~zwang** *m.* 구매 의무.
Kau·gummi [káugumi:] *m.* -s, -s, 추잉검.
Kaule [káulə] *f.* -n, 갱(坑), 구덩이.
Kaulquappe [káulkvapə] [Kaul- „Kugel"] *f.* 〖動〗 올챙이(*tadpole*).
kaum [kaum] [*eig.* „mit Mühe"] *adv.* ① 거의 …않다, 간신히, 겨우(*hardly, scarcely, with difficulty*). ¶ er konnte ~ lesen 그는 거의 읽지 못하였다. ② 하자마자. ¶ ~ saßen wir, (da) begann die Musik 우리들이 자리에 앉자마자 음악이 시작되었다.
Kaupelei [kaupəlái] *f.* -en, 비밀 거래.
kausal [kauzá:l] [lat.] *a.* 원인이 되는; 이유를 나타내는. **Kausalität** *f.* -en, 인과 관계.
Kautabak [káutabak] *m.* 씹는 담배.
Kautel [kauté:l] [lat.] *f.* -en, 〖法〗 보류; (*pl.*) 예방법.
Kaution [kautsió:n] [lat.] *f.* -en, 보증(금)(*security*); 보석(금)(*bail*); 담보.
kautions≈fähig *a.* 담보 제공이 가능한, 보증할 수 있는. **~summe** *f.* 보증금, 보석금.
Kau·tschuk [káutʃuk] [indian.] *m.* od. *n.* -s, -e, 탄성(彈性) 고무 (♈*caoutchouc, rubber*).
Kauwerkzeuge [káuvεrktsɔygə] *pl.* 〖解〗 저작 기관(咀嚼器官).
Kauz [kauts] [우는 소리의 擬聲語] *m.* -es, ⸚e [kɔ́ytsə], ① 〖鳥〗 올빼미((*little*) *owl*); (Stein~) 부엉이. ② 《比》 괴짜, 기인(奇人)(*queer fellow*); 놈, 녀석(*fellow*).

Kavalier [kavalí:r] [fr., <*caballus* „Pferd"] *m.* -s, -e, 기사(騎士)(♈*cavalier*); 신사(*gentleman*). **Kavallerie** [kavalərí:, kávaləri:] *f.* ..rīen, 기병, 기병대(隊). **Kavallerist** [kavalərist, kávalərıst] *m.* -en, -en, 기병.
Kaviar [ká:vīa(:)r] [türk.] *m.* -s, -e, 〖料〗 (철갑상어 따위의) 알젓, 캐비아(♈*caviar(e)*).
Kayennepfeffer [kajέnəpfεfər] *m.* 고추.
Kebse [ké:psə] [*eig.* „Sklavin"] *f.* -n, 첩(*concubine*).
Kebs≈ehe *f.* 축첩(蓄妾), 첩의 신분; 내연(內緣). **~weib** *n.* 첩.
keck [kεk] [*eig.* „lebendig"; =engl. *quick* „schnell"] *a.* 용감한, 과감한, 대담

한(*bold, daring*); 무모한, 경솔한(*dashing*); 몰염치한, 뻔뻔스러운(*impudent*).

Keckheit [kέk-] *f.* -en, 용감, 과단, 대담; 무모함, 경솔; 후안 무치.

Keep-smiling [kí:p-smáılıŋ] [amer. „bewahre (dein) Lächeln!"] *n.* -(e)s, 늘 미소를 지님《인생의 방침으로서》.

Kegel [ke:gəl] *m.* -s, -, ① 구주희(九柱戲)의 기둥《원뿔의 사람 모양인데, 공을 굴려 넘어뜨림》(*ninepins, skittle*). ¶ ~ schieben 〔spielen〕 구주희를 하다. ② 〖數〗원뿔(*cone*). ③ †사생아; 꼬마. ¶ mit Kind u. ~ 온 가족이.

Kegel·bahn *f.* 구주희놀이터. **~förmig** *a.* 원뿔 모양의.

kegeln [ké:gəln] 《Ⅰ》 *i.*(h.) 구주희를 하다. 《Ⅱ》 *t.* 구주희의 공처럼 굴리다.

kegel·|schieben* *i.*(h.) 구주희를 하다. **~schieber** *m.* 구주희를 하는 사람.

Kegel·schnitt *m.* 〖數〗원뿔 곡선. **~spiel** *n.* 구주희.

Kehle [ké:lə] *f.* -n, ① 인후, 경부(頸部)(*throat*), 기관(氣管), 식도(*gullet*). ¶ aus voller ~ lachen 목청이 터지라고 웃다 / et. in die falsche ~ bekommen 무엇으로 목이 메다. ② 〖工·建〗홈통, 홈(새김).

Kehl·kopf *m.* 〖解〗후두(喉頭). **~kopfspiegel** *m.* 후두경(喉頭鏡). **~laut** *m.* 〖文〗후음(喉音). **~stimme** *f.* 가성.

Kehr·aus [ké:r-aus] *m.* -, 마지막 춤; 《比》끝. **~besen** *m.* (청소하는) 비. **~blech** *n.* 쓰레받기.

Kehre [ké:rə] [<kehren²] *f.* -n, 전회(轉回), 전향, 방향 전환(*turn, bend*); (길의) 모퉁이; 〖體〗배면(背面) 뛰기.

kehren¹ [ké:rən] *t.* 쓸다, 청소하다(*sweep, brush*).

kehren² 《Ⅰ》 *t.* 향하게 하다, 돌리다(*turn*); 뒤집다. 《Ⅱ》 *refl.* 향하다, 방향을 바꾸다(*turn*). ¶ sich an jn. ~ 아무 쪽으로 향하다, 아무에게 주의를 기울이다. 《Ⅲ》 *i.*(h.) 향하다, 방향을 바꾸다; *i.*(s.) 돌아가다, 귀환하다.

Kehricht [ké:rıçt] *m.* od. *n.* -(e)s, 쓰레기, 먼지.

Kehricht·haufen *m.* 쓰레기 더미. **~kasten** *m.* 휴지통. **~schaufel** *f.* 쓰레받기.

Kehrmaschine [ké:rmaʃi:nə] *f.* 청소기.

Kehr·reim *m.* 후렴, 반복운(韻)(*refrain, burden*). **~seite** *f.* (화폐 따위의) 이면(裏面); 《比》암흑면, 결점.

Kehrt [ke:rt] *n.* -, 전회(轉回), 선회. ¶ ~ machen 전회하다, 되돌아오다.

Kehr·um [ké:r-ʊm] *m.* 막다른 골목. **~um** *adv.* 차례로; 번갈아.

keifen⁽*⁾ [káifən] *i.*(h.) 소리쳐 꾸짖다, 욕하다(*scold, chide*). **Keiferin** *f.* -nen, 잔소리가 심한 여자(*scold*).

Keil [kail] *m.* -(e)s, -e, ① 쐐기(*wedge*). ② 쐐기 모양의 물건; 〖裁〗깃고대, 섶(*gore*); 〖工〗키, 결합쐐기(*key*); 〖印〗(판면(版面)을 죄는) 쐐기(*quoin*). ③ 《俗》구타. **keilen** [káilən] *t.* ① (에) 쐐기를 박다, 쐐기를 박아 쪼개다; 쐐기로 죄다. ② 《學》패다, 구타하다. **Keiler** *m.* -s, -, 〖動〗수멧돼지《2살 이상의》.

Keil·exzision *f.* 〖醫〗설상(楔狀) 절제술. **~förmig** *a.* 쐐기 모양의. **~hacke, ~haue** *f.* 곡괭이. **~kissen** *n.* 쐐기 모양의 긴 베개. **~rahmen** *m.* 〖印〗판면(版面)을 쐐기로 죄는 쇠틀. **~riemen** *m.* 〖工〗쐐기꼴 피대. **~schrift** *f.* 설형(楔形) 문자.

Keim [kaim] *m.* -(e)s, -e, 배(胚), 밑씨, 눈, 싹, 태아(胎芽)(*germ*); 맹아(萌芽), 꽃봉오리(*bud, shoot*); 〖醫〗병원체(病原體)(*germ*); 《比》시초, 원인. ¶ im ~ ersticken 미연에 방지하다.

Keim·blatt *n.* 〖植〗떡잎; 〖動〗배엽(胚葉). **~drüse** *f.* 〖解〗생식선(生殖腺).

keimen [káimən] 《Ⅰ》 *i.*(h. *u.* s.) 발아하다, 배태하다, 싹트다. ¶ ~de (*p. a.*) Liebe 싹트는 사랑. 《Ⅱ》 *t.* 발아시키다, 싹트게 하다.

keim·fähig *a.* 발아력(發芽力)이 있는. **~fleck** *m.* 〖動〗배반(胚斑)《달걀의 눈》. **~frei** *a.* 무배종(無胚種)의, 무균성(無菌性)의.

Keimling [káimlıŋ] *m.* -s, -e, 유아(幼芽), 배종(胚種); 태아.

Keim·plasma *n.* 배종(胚種) 원형질. **~scheibe** *f.* 〖動〗배판(胚板)《노란자위의 형성질》. **~töter** *m.* 소독기. **~träger** *m.* 〖醫〗보균자. **~zelle** *f.* 생식 세포; 《比》기원(起源).

kein [kain] [ahd. *nih-ein* „nicht ein"] *a.* u. *prn.* 《Ⅰ》《形容詞的》 **kein** *m.*, **keine** *f.*, **kein** *n.* 하나도 …않다, 조금도 …않다(♈*no, not a*). ¶ er hat ~ Geld 그는 조금도 돈을 가지지 않았다. 《Ⅱ》《名詞的》 **keiner** *m.*, **keine** *f.*, **kein(e)s** *n.* 한 사람도 …않다, 아무도 …않다; 하나도 …않다(♈*none, no one, not any*). ¶ ~er von uns 우리 중의 아무도 …않다(*neither of us*) / sag' es ~em! 아무에게도 말하지 마라. **keinerlei** *a.* 《不變化》어떤 종류의 것도 …않다(*of no sort*). **keinesfalls** *adv.* 어떤 경우에도 …않다, 결코 …않다(*on no account*). **keineswegs** *adv.* 아무리 해도〔결코·어쨌든·절대로〕…않다(*by no means, not at all*). **keinmal** *adv.* 한 번도〔결코〕…않다(*not once, never*).

..keit [-kait] [-ig-heit의 融合形] 여성 명사를 만드는 후철 (..bar, ..el, ..er, ..ig, ..lich, ..sam으로 끝나는 形容詞에 붙어 性質·狀態 등을 나타냄).

Keks [ke:ks] [engl., *pl.* <*cake* „Kuchen"] *m.* od. *n.* -es, - *u.* -e, 과자; 비스킷.

Kelch [kεlç] [Lw. lat.] *m.* -(e)s, -e, ① 컵; 굽이 높은 잔(*cup*); 성배(聖杯)(♈*chalice*). ② 꽃받침(♈*calyx*). **Kelch·blatt** *n.* 꽃받침 조각(*sepal*). **Kelch·glas** *n.* 굽이 높은 유리잔.

Kelle [kέlə] *f.* -n, 국자, 큰 숟가락(*ladle*); 흙손(*trowel*).

Keller [kέlər] [Lw. lat. <*cella* „Zelle"] *m.* -s, -, 땅광, 지하실(♈*cellar*); (지하실의) 술집. **Kellerei** *f.* -en, 술 저장고; 술집.

Keller·geschoß *n.* 지계(地階). **~gewölbe** *n.* 지하실의 원형 천장. **~loch** *n.* 땅광의 통풍 구멍, 채광 구멍. **~meister** *m.* 포도주〔맥주〕광의 관리인

(*butler*). **~wohnung** *f.* 지하 주택.

Kellner [kɛ́lnər] *m.* -s, -, 급사, 보이《요리집·술집의》(*waiter, barman*). **Kellnerin** *f.* -nen, 여급(*waitress, barmaid*).

Kelte [kɛ́ltə] *m.* -n, -n, 켈트인(人).

Kelter [kɛ́ltər] [Lw. lat.] *f.* -n, 포도주 압착기 (*winepress*); 포도 압착장.

keltern *t.* (포도를) 짜다.

Kem(e)nāte [kemənáːtə, kɛmn-] [lat.] *f.* -n, (성내의) 거실, 침실, 규방(*bower*).

kennbār [kɛ́nbaːr] *a.* 알 수 있는, 식별할 수 있는; 뚜렷한, 눈에 띄는.

kennen* [kɛ́nən] [♈können] 《Ⅰ》 *t.* 알(고 있)다(*know*); 정통하다; 간파하다; 식별하다. ¶ jn. von Gesicht ~ 아무의 얼굴을 알고 있다 / jn. an der Stimme ~ 목소리로 아무인지 알다. 《Ⅱ》 *refl.*: ich kenne mich hier 나는 이곳 사정을 잘 알고 있다.

kennen=lehren *t.*: jn. 〔jm.〕 et. ~lehren 아무에게 무엇을 가르치다. **~lernen** *t.*: jn. ~lernen 아무와 알게 되다. 「한 사람, 전문가.」

Kenner [kɛ́nər] *m.* -s, -, 정통〔노련〕

Kenner=blick *m.* 전문가의 감식안(鑑識眼). **~miene** *f.* 전문가의 표정.

Kennerschaft [-ʃaft] *f.* 정통(精通).

Kenn=farbe *f.* 식별색(識別色). **~karte** *f.* (경찰이 발행한) 신분 증명서.

kenntlich [kɛ́ntlɪç] *a.* (쉽게) 알 수 있는; 식별하기 쉬운; 명백한; 뚜렷한.

Kenntnis [kɛ́ntnɪs] *f.* -se, ① 앎, 양지(諒知). ¶ jn. von et.³ in ~ setzen; et. zu js. ~ bringen 아무에게 무엇을 알리다, 통지하다. ② (흔히 *pl.*) 지식(*knowledge*); 학식.

kenntnis=arm *a.* 무학(無學)의, 무지한. **~reich** *a.* 박학한, 박식한.

Kennung [kɛ́nʊŋ] *f.* -en, 표지, 부호; 〖海〗 육상 표지.

Kenn=wort *n.* (*pl.* ¨er) 표어, 모토(*motto, epigraph*). **~zeichen** *n.* 표지, 기호; 특징; 〖醫〗 징후. **~zeichnen** *t.* (에) 표지를 하다; 특징지우다. **~ziffer** *f.* 〖數〗 로그의 지표.

kentern [kɛ́ntərn] [♈Kante] 《Ⅰ》 *t.* 뒤엎다, 전복시키다(♈*cant, capsize*). 《Ⅱ》 *i.*(s.) 전복하다.

Kerāmik [keráːmɪk] [gr.] *f.* -en, 도자기 제작; 요업; 도자기류(♈*ceramics*).

Keratīn [keratíːn] [gr.] *n.* -s, 〖化〗 케라틴, 각소(角素). **Keratītis** *f.* 〖醫〗 각막염.

Keratōse [keratóːzə] [gr. kera „Horn"] *f.* -n, (겉껍질의) 각질화(角質化).

Kerb [kɛrp] *m.* -(e)s, -e, 《稀》=KERBE.

Kerbe [kɛ́rbə] [<kerben] *f.* -n, 새긴 자국, 벤 자국, 깔쭉깔쭉함 (*notch, groove*). 「전호류(♈*chervil*).」

Kerbel [kɛ́rbəl] [lat.] *m.* -s, -, 〖植〗

kerben [kɛ́rbən] [=engl. *carve*] *t.* (에) 눈금을 새기다, 깔쭉깔쭉한 자국을 내다 (*notch, indent*).

Kerb=holz *n.* 셈나무《옛날 상호간의 대차 관계를 기억하기 위하여 금액을 새긴 나무 조각》. ¶ auf dem ~holz haben 차용하고 있다. **~tier** *n.* 곤충(*insect*).

Kerker [kɛ́rkər] [Lw. lat.] *m.* -s, -, 감옥《특히 지하의》; 교도소(*prison, jail*).

Kerker=haft *f.* 감금, 금고. **~meister** *m.* 교도소장; 교도관. **~strāfe** *f.* 금고형(禁錮刑).

Kerl [kɛrl] [*eig.* „Mann", Karl과 同語] *m.* -(e)s, -e 〔俗: -s〕, 사나이, 놈, 녀석, 사람, 인간(*fellow, chap, man*).

Kern [kɛrn] [Korn과 同語別形] *m.* -(e)s, -e, ① 핵, 인(仁), 심(心)(♈*kernel, core*); 핵과(核果)의 심(*stone*); (Getreide~) 낟알(*grain*); (수목의) 수(髓)(*pith*). ② 《比》 핵심, 골자(*core, heart*); 정수(*essence*); 정화, 진수(*flower, choice*).

Kern=beißer *m.* 〖鳥〗 콩새. **~brāv** *a.* 아주 성실하고 정직한. **~deutsch** *a.* 순수한 독일(사람·말)의.

kernen [kɛ́rnən] 《Ⅰ》 *t.* (aus~) (의) 핵을 뽑아 내다. 《Ⅱ》 *i.*(h.) 《方》 버터를 〔마가린을〕 만들다.

Kern=explosiōn *f.* 핵폭발. **~fest** *a.* 극히 견고한. **~frucht** *f.* 핵과(核果). **~gesund** *a.* 아주 건전한; 속이 썩지 않은《과실》.

kernhaft [kɛ́rnhaft] *a.* 핵이 있는; 《比》 견고한, 강한, 튼튼한.

Kernholz [kɛ́rnhɔlts] *n.* 목수(木髓); 심재(心材), 견재(堅材).

kernig [kɛ́rnɪç] *a.* 핵〔속·심〕이 있는; 《比》 견고한, 튼튼한, 실한, 힘이 있는.

Kern=kräfte *pl.* 핵에네르기. **~kraftwerk** *n.* 원자력 발전소. **~lādung** *f.* 〖物〗 핵전하(核電荷). **~lēder** *n.* 최상(最上)의 가죽. **~lied** *n.* 정선된 노래; 찬가. **~ōbst** *n.* 핵과(核果). **~physik** *f.* 원자핵 물리학. **~prozeß** *m.* (원자)핵 (변환) 과정. **~punkt** *m.* 핵심, 요점. **~reaktiōn** *f.* 〖物·化〗 핵반응. **~reaktor** *m.* 원자로. **~seife** *f.* 염석(塩析) 비누. **~spruch** *m.* 금언, 격언. **~truppen** *pl.* 정예 부대.

Keroplastik [kero-] [gr.] *f.* -en, 납세공(蠟細工). **Kerosīn** [keroziːn] [gr. + lat.] *n.* -s, 등유(燈油).

Kerze [kɛ́rtsə] [Lw. lat.] *f.* -n, 양초(*candle, taper*); 〖物〗 촉광; (내연 기관의) 점화 플러그(*spark-plug*).

Kerzen=docht *m.* 양초의 심(芯). **~gerāde** *a.* 양초같이 곧은. **~halter** *m.* 촛대. **~licht** *n.* (*pl.* -er), **~schein** *m.* 양초의 불빛. **~stärke** *f.* 촉광. 「망.」

Kescher [kɛ́ʃər] *m.* -s, -, 곤충 채집

Keß [kɛs] [hebr.] *a.* 《俗》 뻔뻔스러운; 맵시 있는; 경박하고 천한《여자의》.

Kessel [kɛ́səl] [Lw. lat.] *m.* -s, -, 솥, 남비, 주전자(♈*kettle*); (Wasch~) 개수통; (Dampf~) 보일러(*boiler*); 솥 모양으로 푹 팬 곳(*hollow*); 분지(盆地)(*basin*).

Kessel=flicker *m.* 땜장이(*tinker*). **~jāgen** *n.* 〖獵〗 몰이 사냥; 《比》 (경찰의) 단속. **~pauke** *f.* 〖樂〗 팀파니. **~schmied** *m.* 남비〔솥〕 만드는 사람. **~stein** *m.* 남비〔솥·보일러〕의 물때. **~treiben** *n.* 몰이 사냥. **~wāgen** *m.* 유조차, 탱크차(車).

Kette [kɛ́tə] [Lw. lat.] *f.* -n, ① 쇠사슬(*chain*). ② 《比》 연쇄(*train*); (Gebirgs~) 산맥, 연산(連山) (*range*); 날(실·줄) (*warp*).

K

Kettel·(näh)maschine [kétəl(nɛ:)maʃi:nə] *f.* 사슬뜨기하는 미싱.

ketten [kétən] *t.* 쇠사슬로 잇다(*chain*); (쇠사슬로 이은 것처럼) 연결하다(*tie*).

Ketten·bruch *m.* 〖數〗 연분수. **~·brücke** *f.* 쇠사슬 다리, 적교(吊橋). **~fäden** *m.* 〖紡〗 날(줄). **~fahrzeug** *n.* 체인식 자동차《바퀴 대신에 사슬을 궤도로 하여 달림》. **~gelenk** *n.* =~GLIED. **~geschäft** *n.* 연쇄점. **~glied** *n.* 쇠고리줄. **~handel** *m.* 연쇄점식 영업. **~hund** *m.* 쇠사슬에 매인 개, 번견. **~läden** *pl.* 연쇄점. **~rād** *n.* (자전거의) 톱니바퀴; (자동차의) 연동 기어. **~raucher** *m.* 줄담배 피우는 사람. **~reaktiōn** *f.* 〖物·化〗 연쇄 반응. **~rechnung** *f.* 〖數〗 연쇄 계산. **~rēgel** *f.* 〖數〗 연쇄 계산법.

Ketzer [kétsər] *m.* -s, -, 이단자, 사교도(邪敎徒), 이단(*heretic*). **Ketzerei** [ketsərái] *f.* -en, 이단, 사교(*heresy*).

Ketzergericht [kétsərgərıçt] *n.* 종교 재판(소). **ketzerisch** *a.* 이단의, 사교의.

keuchen [kɔ́yçən] [=engl. *cough*] *i.*(h.) 헐떡거리다(*pant*); 숨차하다; 헐떡거리며 말하다. **Keuchhūsten** *m.* 〖醫〗 백일해 (*whoopingcough*).

Keule [kɔ́ylə] [♈Kugel] *f.* -n, ① 곤봉 (*club*); (Mörser~) 절굿공이(*pestle*). ② 〖料〗 (양·돼지·소 따위의) 뒷다리의 허벅지(*leg*).

Keulen·ärmel *m.* 삼각 소매. **~·förmig** *a.* 곤봉 모양의. **~schlāg** *m.* 곤봉으로 치는 일; 《比》 결정적인 타격. **~schwingen** *n.* 〖體〗 곤봉 체조. **~·stück** *n.* 뒷다리의 허벅지 고기.

keusch [kɔyʃ] [Lw. lat.] *a.* 순결한, 정결한(*chaste, pure*). ¶ein ~es Mädchen 숫처녀. **Keusch·heit** *f.* 순결, 정결, 정조.

Kicher [kíçər] [Lw. lat.] *f.* -n, **~·erbse** *f.* 〖植〗 이집트콩《잠두(蠶豆)의 일종》(*chick-pea*).

kichern [kíçərn] [擬聲語] *i.*(h.) 킬킬거리며 웃다(*giggle, titter*).

kicken [kíkən] [engl.] *t.* 〖競〗 (공을) 차다.

Kicks [kıks] *m.* -es, -e, (당구에서) 미스《실패》; 《比》 실책.

Kiebitz [ki:bıts] [擬聲語] *m.* -es, -e, 〖鳥〗 푸른도요(*lapwing, peewit*).

Kiefer[1] [kí:fər] *m.* -s, -, 〖解〗 턱(*jawbone*)).

Kiefer[2] [<Kienföhre] *f.* -n, 〖植〗 소나무(*pine, Scotch fir*).

Kiefer(n)·holz *n.* 소나무 재목; 송림(松林). **~nādel** *f.* 솔잎(*pine-needle*). **~spanner** *m.* 자벌레나방과의 일종. **~zapfen** *m.* 솔방울(*pine-cone*).

Kiel[1] [ki:l] *m.* -(e)s, -e, 깃줄기, 깃촉 (♈*quill*); 깃《전체》.

Kiel[2] *m.* -(e)s, -e, (배의) 용골(龍骨)(♈*keel*).

kielhōlen [kí:lho:lən] *t.* 〖海〗 (선체를) 기울이다《수리 따위를 하기 위하여》.

Kiel·linie *f.* 〖海〗 중심선. **~ōben** *adv.* 전복하여. **~raum** *m.* 선창(*hold*). **~schwein** *n.* 내용골(內龍骨). **~·wasser** *n.* 항적(航跡)(*wake*).

Kieme [kí:mə] [nd., ♈„Kimme", "들쭉날쭉함"] *f.* -n, 〖魚〗 아가미(*gill*).

Kien [ki:n] [ahd. *kien* „Nadelbaum, Lichtspan"] *m.* -es, 〔~föhre *f.*〕 수지(樹脂)가 많은 나무; 소나무 재목(*resinous pine-wood*).

Kien·apfel *m.* 솔방울. **~baum** *m.* 소나무. **~holz** *n.* 수지가 많은 재목.

kienig [kí:nıç] *a.* 송진이 있는(*resinous*).

Kiepe [kí:pə] *f.* -n, 등에 지는 채롱.

Kies [ki:s] *m.* -es, -e, 자갈(*gravel*). **kies·ärtig** *a.* 자갈 같은; 황철〔동〕광질(黃鐵〔銅〕鑛質)의.

Kiesel [kí:zəl] [*dim.*, <Kies] *m.* -s, -, 〔~stein *m.*〕 자갈, 작은 돌맹이(*pebble*); 규석(硅石); 〖化〗 규토(硅土)(*silica*).

Kiesel·ērde *f.* 〖化〗 규토(硅土). **~gūr** *f.* 규조토. **~hart** *a.* 자갈처럼 단단한. **~säure** *f.* 〖化〗 규산(硅酸). **~stein** *m.* 작은 돌; 부싯돌.

kiesen* [kí:zən] *t.* 《雅》 (좋아하여) 취하다, 선택하다(♈*choose*).

Kies·sand *m.* 자갈. **~wēg** *m.* 자갈길.

Kikeriki! [ki:kərikí:] [擬聲語] *int.* 꼬끼요. **Kikeriki** 《Ⅰ》 *m.* -s, -s, 《小兒》 수탉. 《Ⅱ》 *n.* -s, -s, 수탉의 울음소리.

killen[1] [kílən] [engl. *kill*] *t.* 《俗》 죽이다.

killen[2] *i.*(h.) 〖海〗 펄럭펄럭하다, 펄럭이다《돛 따위가》.

Kilo.., kilo.. [kilo-, ki:lo-] [gr.] 《合成用語》 „1000"의 뜻. **Kilogramm** [kilográm, ki:lo-] *n.* 킬로그램. **Kilo·hertz** *n.* 킬로헤르츠. **Kilometer** *n.* 〔*m.*〕 킬로미터. **Kilopond** [-pɔ́nt] *n.* -s, -, 킬로파운드. **Kilopond·mēter** *n.* 킬로파운드 미터. **Kilowatt** [-vát] *n.* 킬로와트. **Kilowatt·stunde** *f.* 킬로와트시(時).

Kimme [kímə] [<Kieme] *f.* -n, 새긴 금, 깊게 후벼 팬 곳, 구렁(*notch*); 〖軍〗 가늠자의 홈, 가늠구멍(*backsight*).

Kin·ästhesie [kın-ɛstezi:] [gr. -lat.] *f.* 운동 감각.

Kind [kınt] [<germ. „erzeugen", ♈engl. *kin*] *n.* -(e)s, -er, ① 자식; 아이(*child*); 아이들; 자손. ¶an ~es Statt annehmen 양자로 삼다. ② (노장(老壯)에 대하여) 유아(*baby*); 소아, 아동. ¶von ~ auf 어릴 때부터. ③ 《比》 ein ~ des Glücks 행운아; die ~er Gottes 인간, 신자 《특히 기독교의》.

Kind·bett *n.* 산욕(産褥); 분만. **~bet·terin** *f.* 산부. **~bettfieber** *n.* 산욕열(産褥熱).

Kind·chen [kíntçən] [*dim.* v. Kind] *n.* -s, - *u.* Kinderchen, 유아, 갓난애.

Kinder·arbeit *f.* (금지되어 있는) 연소자 노동. **~beihilfe** *f.* 육아 부조료. **~bett(chen)** *n.* 유아의 침대. **~be·wahr·anstalt** *f.* 탁아소(*day nursery*). **~blattern** *pl.* 두창(痘瘡)(*small-pox*). **~būch** *n.* 어린이 책.

Kinderei [kindərái] *f.* -en, 어린이다움; 어린이 장난; 사소한 일.

Kinder·ermäßigung *f.* 소아 할인. **~frau** *f.* 보모; 산파. **~fräulein** *n.* 보모(保母). **~freund** *m.* 아이를 좋아하는 사람, 무턱대고 애들을 사랑하는 사람. **~garten** *m.* 유치원(♈*kindergarten, nursery school*). **~gärtnerin** *f.* 유치원 보모.

kinderhaft [kíndərhaft] *a.* 어린이다운; 어린이 같은.

Kinder=heim *n.* 아동 복지 시설. **~=hort** *m.* 탁아소. **~jahre** *pl.* 어릴 때, 유년 시절. **~krankheit** *f.* 소아병. **~lähmung** *f.* 〖醫〗 소아 마비. **~lehre** *f.* 〖宗〗 어린이를 위한 교리 설명; 주일 학교. **~leicht** *a.* 어린애도 할 수 있는, 지극히 쉬운. **~lieb** *a.* 어린이를 좋아하는. **~lied** *n.* 동요, 자장가. **~lōs** *a.* 어린애가 없는. **~=mädchen** *n.*, **~māgd** *f.* 보모, 어린애 보는 여자. **~märchen** *n.* 동화. **~mord** *m.* 영아 살해. **~mörder** *m.*, **~mörderin** *f.* 영아 살해자. **~=narr** *m.* 무턱대고 애들을 사랑하는 사람. **~pflēgerin** *f.* (국가에서 양성한) 보모. **~pūder** *m.* 유아용 파우더. **~=raub** *m.* 어린이 유괴. **~schreck** *m.* 도깨비(*bogy-man*). **~schūhe** *pl.* 어린이 구두. ¶die ~schuhe abgelegt haben 이미 어린애는 아니다, 어른이 다 됐다. **~schūle** *f.* 유치원. **~spiel** *n.* 어린애 장난; 《比》 손쉬운 일; 사소한 일. **~stūbe** *f.* 어린이 방. **~wāgen** *m.* 유모차. **~wärterin** *f.* 애 보는 여자; 보모. **~zūlāge** *f.* 육아 수당(育兒手當)《사회 보장 제도에서》.

Kindes=alter *n.* 유년, 어릴 때. **~bei=ne** *pl.*: von ~beinen an 어릴 때부터. **~kind** *n.* 손자(*grandchild*). **~liebe** *f.* 자식의 사랑, 효행(孝行). **~nōt** *f.*, **~nōte** *pl.* 산고(産苦), 진통.

Kindheit [kínthait] *f.* ① 유년 시절(*childhood*). ② 아동《전체》. ③ 어린이다움. **kindisch** [kíndɪʃ] *a.* 어린이 같은《나쁜 의미에서》, 유치한(*childish*).

Kindlein [kíntlain] *n.* -s, -, 유아.

kindlich [kíntlɪç] *a.* ① 아이의, 자식으로서의(*infant, filial*). ② 어린이 같은(*childlike*).

Kinds=kopf *m.* 어린애 같은 사람. **~=māgd** *f.* 아이를 보는 사람.

Kind·taufe [kínttaufə] *f.* 유아 세례.

Kinematogrāph [kinematográ:f] [gr.] *m.* -en, -en, 촬영기, 영사기; 영화.

Kinētik [kiné:tɪk] [gr.] *f.* 〖物〗 동역학. **kinētisch** *a.* 운동의, 동역학상의. ¶ ~e Energie 운동 에너지.

Kinkerlitzchen [kíŋkərlɪtsçən] [fr.] *n.* -s, -, (흔히 *pl.*) 하찮은 것, 사소한 일; 잡동사니; 실없은 소리, 잠꼬대.

Kinn [kɪn] *n.* -(e)s, -e, 〖解〗 턱(頰), 아래턱(♈*chin*).

Kinn=backe *f.*, **~backen** *m.* 악골(顎骨). **~bārt** *m.* 턱수염. **~hāken** *m.* 〖拳〗 어퍼컷. **~lāde** *f.* 악골(顎骨).

Kinō [kí:no:] [Kinematograph의 短縮形] *n.* -s, -s, 영화(관)(♈*cinema*).

Kinō=theāter *n.* 영화관. **~vōrstel=lung** *f.* 상영(上映).

Kiosk [kiɔ́sk] [türk.] *m.* -(e)s, -e, (터키풍의) 정자; (길거리의) 매점《신문·일품요리 따위의》.

Kippe[1] [kípə] [nd. „Spitze", <Kipf] *f.* -n, 첨단; (동요(動搖)의) 지점(支點). ¶auf der ~ steh(e)n 《比》 위기에 처해 있다, 갈피를 못 잡고 있다. **Kippe**[2] [hebr.] *f.* -n, 동아리. ¶~ machen 함께 하다, 한통이 되다. **kippen** [kípən] 《I》 ① *i.*(s.) 뒤집히다. ② *i.*(h.) 기울다, 무너져 가다. 《II》 *t.* 기울이다, 비스듬히 하다(*overturn, tilt*).

Kirche [kírçə] [Lw. gr.] *f.* -n, ① 교회; 교회당, 성당(♈*church*). ② 예배(*devine service*).

Kirchen=älteste *m.* 《形容詞變化》 교회의 장로《신도 대표》. **~bann** *m.* 파문(破門). **~būch** *n.* 교회의 기록부《세례·혼인·사망 따위를 기록하는》. **~=diener** *m.* 교회의 잔일 보는 사람. **~gerät** *n.* 교회용 집물(什物), 제구(祭具). **~geschichte** *f.* 교회사. **~jahr** *n.* 교회 역년(曆年)《대림 첫주일부터 시작함》. **~lied** *n.* 성가(*hymn*). **~mu=sik** *f.* 교회 음악, 성악(聖樂). **~ord=nung** *f.* 전례(典禮). **~raub** *m.* 성물 절취(聖物竊取). **~räuber** *m.* 성물 절취자. **~recht** *n.* 교회법. **~schiff** *n.* 몸채, 본당(*nave*). **~seitenschiff** *n.* 측랑(側廊)(*aisle*). **~spaltung** *f.* 교회의 분열. **~staat** *m.* 교황령(敎皇領). **~steuer** *f.* 교회비《교회 유지 할당금》. **~stuhl** *m.* 교회의 (벤치 모양) 좌석(*pew*). **~tāg** *m.* 종교 회의. **~tūr** *f.* 교회의 문. **~vāter** *m.* 교부(教父). **~vōrstēher** *m.* 교회의 신도 대표.

Kirch=gang *m.* 예배 참석. **~gänger** *m.* 교회 참례인. **~hōf** *m.* 묘지(*churchyard*).

kirchlich [kírçlɪç] *a.* 교회의, 성당의; 종교상의; 성직자의; 예배상의; 종규상의.

Kirch=spiel *n.* 교구(教區)(민)(*parish*). **~sprengel** *m.* 주교구(主教區)(*diocese*). **~turm** *m.* 교회의 탑. **~weih(e)** *f.* 교회의 헌당(獻堂).

Kirmes [kírməs, -mɛs] *f.* -sen, =KIRCHWEIH(E).

kirr(e) [kír(ə)] *a.* 길든, 유순한(*tame*); 순종하는(*submissive*). ¶jn. ~ machen 아무를 따르게 하다; 회유하다. **kirren** *t.* 길들이다; 따르게 하다; 《比》 유혹하다; 〖獵〗 미끼로 꾀어 내다.

Kirsch [kɪrʃ] *m.* -es, -e, 체리 브랜디.

Kirsch=baum *m.* 벚나무. **~brannt=wein** *m.* 체리 브랜디.

Kirsche [kírʃə] [Lw. gr.] *f.* -n, 버찌(♈*cherry*).

Kirsch=holz *n.* 벚나무 재목. **~kern** *m.* 버찌의 씨. **~kūchen** *m.* 버찌가 든 과자. **~rōt** *a.* 벚꽃 빛깔의. **~=wasser** *n.* 버찌 브랜디.

Kismet [kísmet] [türk.] *n.* -s, 운명, 숙명(=Schicksal).

Kissen [kísən] [Lw. fr.] *n.* -s, -, (솜 또는 깃털 따위를 넣은) 깔개, 쿠션, 요(♈*cushion*); (Kopf~) 베개(*pillow*); (마찰을 막기 위한) 받침(*bolster*).

Kissen=bezūg, **~überzūg** *m.* 깔개[쿠션]의 커버, 베갯잇.

Kiste [kístə] [Lw. lat.] *f.* -n, 상자(♈*chest, box*), 짐궤(*packing-case*).

Kitsch [kɪtʃ] *m.* -es, (예술상의) 시시한 작품(*trash*); 가짜. **kitschig** *a.* 저급한, 저속한, 가짜의.

Kitt [kɪt] *m.* -(e)s, -e, 접합제; 시멘트(*cement*); (Glaser~) 퍼티(*putty*).

Kittel [kítəl] *m.* -s, -, 덧옷《노동자·소아용의》(*smock(-frock)*); 블라우스(*blouse*).

kitten [kɪtən] *t.* 접합제(시멘트·아교·진흙·퍼티)로 접합시키다. 「위의 새끼.」
Kitz [kɪts] *n.* -es, -e, 양·사슴·영양 따」
Kitzel [kítsəl] *m.* -s, -, ① 가려움, 간지러움; 쾌감(을 주는 사물). ② 육욕(肉慾); 갈망. **kitz(e)lig** *a.* ① 간질간질한. ②《比》까다로운; 어려운(*difficult*).
kitzeln [kítsəln]《Ⅰ》*t.* 간지럽히다(♈*tickle*).《Ⅱ》*imp.*: es kitzelt mich 간지럽다.《Ⅲ》*refl.* 은근히 기뻐하다.
Kitzler *m.* -s, -, ① 간질이는 사람. ②〖解〗음핵(陰核).
Klacks [klaks] *m.* -es, -e, ① mit e-m ~ (걸쭉한 것이) 뚝 (떨어지는 따위). ② (걸쭉한 것의) 적은 양. ¶ein ~ Kartoffelbrei 갈아 으갠 감자의 소량.
Kladde [kládə] [nd. „Schmutz"] *f.* -n, 초고(草稿); 치부책(*day-book*);〖商〗당좌장(當座帳)(*waste-book*).
klaffen [kláfən] *i.*(h.) 깨져 있다; 벌어져 있다(*yawn, gape*); (s.) 갈라지다, 벌어지다. **kläffen** [kléfən] [擬聲語] *i.*(h.) 멍멍〔깽깽〕짖어대다《개가》(*bark, yelp*);《比》딱딱거리다, 욕설하다. **Kläffer** *m.* -s, -, 짖는 개;《比》딱딱거리는 사람.
Klafter [kláftər] *f.* -n, ① (두 팔을 벌린 길이인) 발《약 6 피트》(*fathom*). ② (옛날 장작의 용적) 평(*cord*).
Klafter·holz *n.* 한 평의 장작. **~lang** *a.* 한 발 길이의.
klaftern [kláftərn]《Ⅰ》*t.* u. *i.*(h.) 양팔을 벌리다, 양팔을 벌려 재다.《Ⅱ》*t.* (장작을) 평으로 재다, 평으로 재어 쌓다《장작을》. 「의.」
Klaftertief [kláftərti:f] *a.* 한 발 깊이」
klagbar [klá:k-] *a.* 고소할 수 있는, 고소된《사건》; 고소한《사람》. ¶~ werden 고소하다, 소송을 제기하다. **Klage** [klá:gə] [<klagen] *f.* -n, ① 슬픔, 비탄(*lament(ation)*); (Toten~) 애도; 하소연, 불평, 불만(*complaint*). ②〖法〗고소(*action, suit*).
Klage·gedicht *n.* 비가, 애가. **~geschrei** *n.* 울부짖음, 애호(哀號). **~grund** *m.* 비탄의 원인; 고소 이유. **~lied** *n.* 비가, 애가. **~mauer** *f.* (예루살렘의) 통곡의 벽.
klagen [klá:gən]《Ⅰ》① *i.*(h.) 한탄하다, 비탄하다(*lament*); 탄식하다. ② 하소연하다, 불평하다(*complain*);〖法〗고소하다(*go to law*).《Ⅱ》*t.* 호소하다, 불평을 이야기하다 (*complain about*).《Ⅲ》*refl.* (結果를 나타냄) sich heiser ~ 비탄 끝에 목이 쉬다. **Klagepunkt** *m.* 비탄의 원인; 쟁점(爭點). **Kläger** *m.* -s, -, 원고(*plaintiff*); (형사 소송의) 검사. **klägerisch** *a.* 원고의.

Klage·sache *f.*〖法〗소송. **~schrift** *f.* 고소장.
kläglich [klé:klɪç] *a.* 비탄하는, 슬퍼하는; 비탄할 만한, 애도하는; 불쌍한, 딱한, 비참한.
Klamauk [klamáuk] [ndd.; 원래 擬聲語] *m.* -s,《俗》소음. ¶~ machen 〔schlagen〕법석떨다, 동맹 파업하다.
klamm [klam] [<klemmen] *a.* 좁은, 비좁은, 틈이 없는(*tight*);《比》곤궁〔궁핍〕한(*short, scarce*); 언, (추위로) 곱은, 뻿뻣해진(*numb, stiff*). **Klamm** *f.* -en, 좁은 골짜기, 계곡(*ravine*). **Klammer** [klámər] [<klemmen] *f.* -n, 꺾쇠(*cramp*); 집게; (Wäsche~) 빨래 집게(*peg*); (Papier~) 클립(*clip*);〖印〗괄호(*bracket*). ¶in ~n setzen 괄호 안에 넣다. **klammern**《Ⅰ》*t.* 꺾쇠로 묶다; 죄(어 붙이)다.《Ⅱ》*refl.* (an et., 무엇에) 들러붙다. 「-n, 기타《악기》.」
Klampfe [klámpfə] [<klemmen] *f.*」
klang [klaŋ] ☞KLINGEN(그 過去).
Klang [klaŋ] *m.* -(e)s, ⸚e [kléŋə], 소리, 울림(*sound, tone*); 음색(*timbre*).
Klang·farbe *f.* 음색. **~film** *m.*〖映〗토키(*talkie*). **~lehre** *f.*〖物〗음향학.
klanglich [kláŋlɪç] *a.* 소리의, 음향의.
klang·los *a.* 울림이 없는, 소리가 둔한. **~reich, ~voll** *a.* 잘 울리는, 낭랑한.
Klapp·bett [klápbɛt] *n.* 접는 침대. **~brücke** *f.* 도개교(跳開橋).
Klappe [klápə] [擬聲語] *f.* -n, ① (Fliege~) 파리채(*flap*); (탁) 접어 넘기는 것; 드는 뚜껑 (*lid*), 내리닫이 (*trap-door*);〖樂〗키(*key*); 음전(音栓)(*stop*);〖工〗밸브(*valve*);《俗》입(*mouth*). ② 침대(*bed*).
klappen [klápən]《Ⅰ》① *i.*(h.) 덜커덩〔쾅·찰싹·탁〕하고 소리가 나다. ②《比》꼭 들어맞다; 꽉 끼이다.《Ⅱ》*t.* 덜커덩〔쾅·찰싹〕하고 소리나게 하다.
Klappen·fehler *m.*〖醫〗판막 장애. **~ventil** *n.*〖工〗클랙판(瓣).
Klapper [klápər] *f.* -n, 딸랑딸랑 울리는 도구; (새·짐승을 쫓는) 딸랑이; (Kinder~) 딸랑이《장난감》.
Klapper·bein *n.* 해골; 죽음. **~dünn, ~dürr** *a.* 바싹 마른, 피골이 상접한.
Klapperei [klapəráɪ] *f.* -en, 덜컹덜컹〔달랑달랑〕울림, 한담(閑談). **klapp(e)rig** *a.* 달랑달랑 울리는; 덜컹덜컹 하는; 부서지기 쉬운; 노쇠한, 병약한.
Klapperkasten [klápərkatən] *m.*《俗》싸구려 피아노, 털터리 (자동차).
klappern [klápərn] [klappen의 強意語] *i.*(h.) ① 딸랑딸랑〔짤랑짤랑·덜커덩덜커덩〕소리가 나다(*clatter, rattle*). ② 재잘거리다; 피로(披露)하다, 광고하다.
Klapper·schlange *f.*〖動〗방울뱀; 수다장이 여인; 타이피스트양. **~storch** *m.* 황새(*stork*).
Klapp·fenster *n.* 회전창. **~horn** *n.* 밸브 달린 호른. **~kamera** *f.* 스프링 카메라. **~kragen** *m.* 밖으로 젖히는 깃. **~messer** *n.* 접칼. **~sitz** *m.* 접의자. **~stuhl** *m.* 접의자. **~tisch** *m.* 접는 테이블. **~tür** *f.* 내리닫이.
Klaps [klaps] *m.* -es [-səs], -e [-sə] u. ⸚e [klépsə], ① 찰싹하고 (가볍게) 때림, 손바닥으로 때림(♈*clap, smack, slap*). ②《俗》광기(狂氣). ¶e-n ~ haben 머리가 좀 이상하다, 정신이 돌아 있다.
klapsen [klápsən] *t.* 찰싹 때리다.
klar [kla:r] [Lw. lat.] *a.* ① 낭랑한《소리·울림이》; 맑은, 밝은(♈*clear*); 밝은 색의; 투명한(*limpid*); 깨끗한; 명석한, 명료한, 명백한(*evident*). ② 정리된, 처리된, 거침없는; 준비된(*ready*). ¶~ Schiff! (전투) 준비.「수의) 정수 설비.」
Klar·anlage [klé:r-anla:gə] *f.* -n, (하」
klar·äugig [klá:r-ɔygɪç] *a.* 눈이 맑은; 형안(炯眼)의.

Kläre [klέ:rə] *f.* –n, 《詩》 청징(淸澄); 광휘; 《方》 전분.

klaren [klá:rən] *t.* 〖海〗 준비하다, (장소를) 치우다, 정리하다.

klären [klέ:rən] [<klar] 《Ⅰ》 *t.* 맑게 하다, 깨끗하게 하다(♈*clear*); 여과하다; 정제〔순화〕하다(♈*purify*); 《比》 해명하다(♈*clarify*). 《Ⅱ》 *refl.* 맑아지다; (하늘이) 개다; 《比》 명백해지다.

Klārheit [klá:rhait] *f.* –en, 명징(明澄), 청징(淸澄), 청량(淸亮); 《比》 명백, 명석.

klarieren [klarí:rən] [lat., <klar] *t.* 세관에서 선박의 출항 수속을 마치다; 분명히 하다.

Klarinette [klarinέtə] [it., <klar] *f.* –n, 클라리넷.

klār≈lēgen *t.* 설명하다, 밝히다; 해결하다. ∼|**machen** *t.* ① 설명하다. ② 〖海〗 출범〔전투〕 준비를 하다.

Klārmittel [klέ:rmɪtəl] *n.* 청징제(淸澄劑).

klār≈sēhen* [klá:rze:ən] *i.*(h.) 똑똑히 알다. ∼|**stellen** *t.* 밝히다, 설명〔해결〕하다. ∼**text** *m.* 암호 해독용 텍스트.

Klasse [klásə] [lat. *classis*] *f.* –n, ① 부류, 부문, 종속(種屬); 〖動·植〗 강(綱)(♈*class*). ② 계급, 등급(*rank*). ③ (Schul∼) 학급, 반, 클라스; 교실.

Klassen≈älteste [klásənεltestə] *m.* u. *f.* (形容詞變化)(학급의) 반장. ∼**arbeit** *f.* 교실의 과제. ∼**bewußt** *a.* 계급 의식이 있는. ∼**būch** *n.* 반의 출석부. ∼≈**gēgensatz** *m.* 계급적 대립. ∼**haß** *m.* 계급적 증오. ∼**kampf** *m.* 계급 투쟁. ∼**lehrer** *m.* 담임 교사. ∼**lot≈terie** *f.* 등급이 있는 복권. ∼**zimmer** *n.* 교실.

Klassifikatiōn [klasifikatsĭó:n] [lat.] *f.* –en, 분류. **klassifizieren** [klasifitsí:rən] *t.* 등급으로 나누다, 분류하다(♈*classify*).

Klassik [klásɪk] [lat. „die erste Klasse"] *f.* (어떤 예술 양식의) 최고 단계; 고전 (양식), 고전기(古典期); 고전주의. **Klassiker** [klásɪkər, –si–] *m.* –s, –, ① 일류의 예술가, 명인; 고전 작가. ② 고전, 명저(名著). **klassisch** [klásɪʃ] *a.* 일류의; 고전적인(♈*classic(al)*). **Klas≈sizismus** *m.* –, 고전주의.

klatsch! [klatʃ] [擬聲語] *int.* 찰싹, 쾅, 탁. **Klatsch** *m.* –es, –e, 찰싹〔탁〕하는 소리; 채찍 소리; 재잘거림, 수다 떪; (남의) 소문 얘기. **Klatschbäse** *f.* 수다장이 여자. **Klatsche** [klátʃə] *f.* –n, ① (Fliegen∼) 파리채(*flyflap*). ② 수다 떪, 수다장이(*gossip*). **klatschen** [klátʃən] 《Ⅰ》 *i.*(h.) ① 찰싹〔휙·탁〕하고 소리 내다(*clap*). ② 재잘거리다, 험구하다(*chatter, babble*). 《Ⅱ》 *t.* ① 철썩 때리다〔치다〕. ② 지껄이다; 고자질하다. **Klatscher, Klätscher** *m.* –s, –, 박수치는 사람; 수다장이. **Klatsche≈rei, Klätscherei** *f.* –en, 수다, 요설. **klatschhaft, klatschig** *a.* 수다스러운; 험담을 좋아하는.

Klatsch≈maul *n.* 재잘거림, 수다스러움. ∼**mohn** *m.* 〖植〗 개양귀비, 우미인초(虞美人草). ∼**naß** *a.* 흠뻑 젖은. ∼**rōse** *f.* =∼MOHN. ∼**sucht** *f.* 수다스러운 버릇. ∼**süchtig** *a.* 수다스러운. ∼**weib** *n.* 《俗》 수다장이 여자.

klauben [kláubən] [♈klieben] *t.* u. *i.* (h.) 집(어 내)다, 잡아 뜯다, 뽑다(*pick*). ¶ Worte ∼ 자구를 꼬치꼬치 캐다.

Klaue [kláuə] *f.* –n, ① 갈고리 발톱(♈*claw, talon*); 갈고리 발톱이 있는 (앞)다리(*paw*); (반추 동물의) 발굽(*hoof*). ② 〖工〗 클러치; 《俗》 악필. **klauen** 《Ⅰ》 *t.* ① 손〔발〕톱으로 긁다. ② 서투르게 쓰다. ③ 《俗》 훔치다(*pilfer*). 《Ⅱ》 *i.*(h.) 아장아장 걷다.

Klauen≈fett *n.* 제유(蹄油); 《俗》 갈채를 받기 위한 강렬한 연기. ∼**hammer** *m.* 못뽑이 장도리. ∼**seuche** *f.* (소·양 따위의) 부제증(腐蹄症).

Klause [kláuzə] [Lw. lat. <*claudere* „verschließen"] *f.* –n, ① 좁은 길. ② 은신처; 은수사(隱修士)의 방, 암실(庵室)(*cell, hermitage*). **Klausel** [–zəl] [lat. *eig.* „Schlußsatz"] *f.* –n, (부차적인) 규정, 조항, 약관(約款)(♈*clause, stipulation*). **Klausner** [kláusnər] *m.* –s, –, 은자(隱者), 은수사(隱修士)(*hermit*). **Klausūr** [klauzú:r] *f.* –en, 들어박힘, 은둔 생활《수도자의》; 가두어 두기, 감독《수험자의》; 시험 답안.

Klaviatūr [klavĭatú:r, (schw.) klafĭ–] [lat. *clāvis* „Schlüssel"] *f.* –en, 〖樂〗 건반(*keyboard, keys*). **Klavier** [klaví:r, (schw.) –fí:r] [fr.] *n.* –s, –e, 피아노(*piano*). ¶ ∼ spielen 피아노를 치다.

Klavier≈auszūg *m.* 피아노 편곡 악보. ∼**begleitung** *f.* 피아노 반주. ∼**leh≈rer** *m.* 피아노 교사. ∼**schūle** *f.* 피아노과《음악 학교의》, 피아노 교습(서). ∼**spiel** *n.* 피아노를 침, 피아노 탄주. ∼**spieler** *m.* 피아니스트. ∼**stimmer** *m.* 피아노 조율사〔조율기(器)〕. ∼**stun≈de** *f.* 피아노 교습 (시간).

Klēbemittel [klé:bəmɪtəl] *n.* 접착제, 풀.

klēben [klé:bən] 《Ⅰ》 *i.*(h.) 들러붙다; 《比》 끈덕지게 버티다(*stick, adhere*). 《Ⅱ》 *t.* 접착시키다, 부착시키다(*stick, glue, paste*). **Klēber** *m.* –s, –, 접착물질, 글루텐(*gluten*); 《比》 성가신〔끈덕진〕 사람. **Klēb(e)richt, klēb(e)rig** *a.* 접착성의, 끈적끈적한(*sticky, adhesive*).

kleckern [klέkərn] *i.*(h.) 뚝뚝 떨어지다(*dribble*); 먹으며 흘리다; (주위를) 더럽히다.

kleckerweise [klέkərvaizə] [<kleckern] *adv.* 조금씩, 홀짝홀짝.

Klecks [klεks] *m.* –es, –e, (잉크 따위의) 얼룩, 오점(*blot, stain*). **klecksen** [klέksən] *t.* u. *i.*(h.) 얼룩이 지게 하다, 더럽히다; 서투르게 쓰다〔그리다〕.

Klee [kle:] *m.* –s, –arten *u.* –sorten, 〖植〗 클로버, 토끼풀(♈*clover, trefoil*).

Klee≈blatt *n.* 클로버 잎; 《比》 셋으로 이루어지는 조(組), 세 쌍, 삼인조. ∼≈**salz** *n.* 〖化〗 수산염(蓚酸塩).

Klei [klai] [nd., ♈kleben] *m.* –(e)s, 점토, (점토질의) 비옥한 흙, 이토(泥土)(♈*clay*). **kleiben** [kláibən] 《Ⅰ》 *t.* (에) 진흙을 묻히다〔바르다〕. 《Ⅱ》 *i.*(h.) 들러붙다.

Kleid [klait] *n.* –(e)s, –er, 의복, 옷, 드레스(*dress, gown*); *pl.* (몇 개의 부분

으로 한 벌을 이루는) 의복《신사복 따위》(♈*clothes, garments*). ¶《俗談》 ~er machen Leute 옷이 날개다.

kleiden [kláidən] 《Ⅰ》 *t.* ① (에) 옷을 입히다(♈*colthe, dress*); 싸다. ② 걸맞다, 어울리다(*become, suit*). ¶ das kleidet jn. gut 그것은 아무에게 잘 어울린다. 《Ⅱ》 *refl.* 옷을 입다. ¶ sich schwarz ~ 상복을 입다.

Kleider=ablāge *f.* 의상실, 옷장; 휴대품 보관소《극장 따위의》; 경의실(更衣室). **~bügel** *m.* 옷걸이. **~bürste** *f.* 옷솔. **~geschäft** *n.* 기성복 전문점. **~=handel** *m.* 옷〔헌옷〕 장사. **~macher** *m.*, **~macherin** *f.* 재단사. **~puppe** *f.* 마네킹 인형. **~schrank** *m.* 옷장, 장롱. **~ständer** *m.* 옷걸이; 《俗》 말라빠진 사람〔짐승〕.

kleidsām [kláitza:m] *a.* (옷이) 몸에 맞는, 어울리는.

Kleidung [kláiduŋ] *f.* -en, 옷 입기, 착의; 입는 법, 옷맵시; (한 벌의) 의복, 의상; 복장. **~s=stück** *n.* 낱낱의 옷《저고리·조끼·바지 따위》.

Kleie [kláiə] [♈kleben] *f.* -n, 겨, 밀기울(*bran*); 비듬.

Kleien=brōt *n.* 밀기울이 든 빵. **~=mehl** *n.* 밀가루가 섞인 밀기울(*pollard*).

kleiig[1] [kláiıç] *a.* 겨가〔밀기울이〕 섞인; 비듬이 많은.

kleiig[2] *a.* 점토(질)(粘土(質))의.

klein [klain] [*eig.* „glänzend, rein"; =engl. *clean*] 《Ⅰ》 *a.* 작은, 잔; 적은; 어린; 사소한(*little, small*); *adv.* 적게. ¶ ein ~ wenig 아주 작게, 조금 / von ~ auf 어릴 때부터 / ~ (*adv.*) beigeben (카드에서) 작은 패를 버리다, 《比》 양보하다. 《Ⅱ》《名詞的》 der (die) ~e 소년〔소녀〕 / die ~en, a) 아이들, b) 영세민 / das ~e, a) 아이, b) 작은 일, 사소한 일 / **bei** ~em 한발한발, 점차 / **im** ~en, a) 소규모로, b) 자세히, 하나하나 / **über** ein ~es 곧, 잠시 후에 / **um** ein ~es 좀; 하마터면; 곧.

Klein·asien [klainá:ziən] *n.* 소아시아.

Klein=auto *n.* 소형 자동차. **~bahn** *f.* 협궤(狹軌)〔경편〕 철도. **~bauer** *m.* 소농(小農); 소작인. **~betrieb** *m.* 소규모 경영, 소기업. **~bürger** *m.* 소시민, 프티 부르조아; 속물(俗物). **~bus** *m.* 소형 버스《6인 내지 8인승의》.

Klein=empfänger *m.* 소형 라디오 수신기. **~flūgzeug** *n.* 소형 비행기. **~geistig** *a.* 옹졸한, 편협한. **~geld** *n.* 잔돈; 거스름돈. **~gewerbe** *n.* 작은 영업. **~gläubig** *a.* 신앙이 얕은; 무기력한. **~handel** *m.* 소매업. **~=händler** *m.* 소매 상인.

Kleinheit [kláinhait] *f.* 작음, 미세, 미소(微少), 근소, 사소.

klein=herzig *a.* 겁많은; 확신이 없는. **~hirn** *n.* 〔解〕 소뇌(小腦). **~holz** *n.* 성냥 개비.

Kleinigkeit [kláinıçkait] *f.* -en, 작은 일; 자질구레한 일; 하찮은 물건〔일〕; 근소한 값; 장난감; 잡비. **Kleinigkeits=krämer** *m.* 사소한 일에 구애되는 사람; 유식한 체하는 사람.

klein=kalib(e)rig *a.* 소구경(小口徑)의. **~kind** *n.* 유아, 애기.

Kleinkinder=bewahr·anstalt *f.* 탁아소. **~schūle** *f.* 유치원.

Klein=krām *m.* 소매(점); 세세한 것, (*trifle, bagatelle*). **~krieg** *m.* 게릴라전; 《比》 힘만 드는 잔일. **~kunst=bühne** *f.* 카바레. **~laut** *a.* 풀이 죽은, 원기가 없는, 맥빠진(*dejected*).

kleinlich [kláinlıç] *a.* (*ant.* großzügig) 자잘한; 자질구레한, 하찮은(*petty, paltry*); 옹졸한(*mean*); 좀스러운(*pedantic*).

Klein=mālerei *f.* 세밀화(細密畫). **~=mūt** *m.* 소심, 무기력, 겁. **~mūtig** *a.* 소심한, 무기력한, 겁많은.

Kleinōd [kláino:t] [mhd. *kleine* „zierlich" (=klein), *ot* „Besitz"] *n.* -(e)s [-ts, -dəs], -e [-də] *u.* ..nōdien, [-diən], 귀중품, 보물(*treasure*); 보석, 보옥(*jewel, gem*); (비싼) 장신구.

Klein=omnibus *m.* 소형 버스《8인 내지 12인승의》. **~rentner** *m.* 적은 금리(金利)〔연금(年金)〕 생활자. **~schmied** *m.* 《方》 철물〔열쇠〕장이. **~staat** *m.* 소국(小國). **~staaterei** *f.* 소국(小國) 분립(주의). **~stadt** *f.* 소도시. **~städ=ter** *m.* 소도시인. **~städtisch** *a.* 소도시 사람다운; 고루한, 시대에 뒤진.

Kleister [kláistər] [♈kleben] *m.* -s, -, 풀(*paste*). **kleistern** *t.* 풀로 붙이다.

Klemme [klɛ́mə] [♈Klammer] *f.* -n, ① 꽉 쥐는 도구, 집게, 바이스, 클램프(*clamp*); 〔電〕 접속자(接續子)(*terminal*). ② 《比》 궁경(窮境), 빈곤(*dilemma, difficulty*). ¶ in der ~ sein 옴쭉할 수 없다, 곤경에 빠져 있다. **klemmen** [klɛ́mən] 《Ⅰ》 *t.* 죄다, 끼우다(*pinch, squeeze*); 짓누르다, 압착하다(*press close*); 《俗》 후무리다. 《Ⅱ》 *i.*(h.) 꼭 끼여 있다. ¶ die Tür klemmt 문이 잘 움직이지 않는다. **Klemmer** *m.* -s, -, (Nasen~) 코안경; 좀도둑, 소매치기.

Klempner [klɛ́mpnər] *m.* -s, -, 함석장이(*plumber*). **Klempnerei** [klɛm-] *f.* -en, 함석 일〔공장·제품〕. **klemp=nern** *i.*(h.) 함석일을 하다.

Klepper [klɛ́pər] *m.* -s, -, 《蔑》 늙어빠진 말(*nag, hack*).

Kleptomāne [klɛ̀ptomá:nə] [gr.] *m.* u.*f.* 《形容詞變化》 절도광(竊盜狂). **Kleptomanie** *f.* (병적인) 도벽(盜癖).

klerikāl [kleriká:l] [gr.] *a.* 성직자의; 가톨릭 교회의. **Klēriker** *m.* -s, -, (가톨릭의) 성직자. **Klerisei** *f.* =KLERUS; 한패거리, 도당. **Klērus** [klé:rus] *m.* -, 성직자《總稱》(♈*clergy*).

Klette [klɛ́tə] [♈Klei] *f.* -n, 가시난 열매의 겉껍데기(*bur*); (특히) 우엉(*burdock*).

Kletter·eisen [klɛ́tər-aizən] *pl.* 등반용 아이젠〔쇠갈퀴〕.

Kletterer [klɛ́tərər] *m.* -s, -, 등반자; 위로 올라가는 동식물.

klettern [klɛ́tərn] [♈kleben, Klette] *i.*(h. *u.* s.) 기어 오르다(*climb*); (식물이) 감겨 오르다.

Kletter=pflanze *f.* 반요(攀繞) 식물. **~rōse** *f.* 덩굴장미의 일종. **~stange** *f.* 〔體〕 등반 장대.

Klient [kli-ɛ́nt] [lat.] *m.* -en, -en, 〔法〕 변호〔소송〕 의뢰인(♈*client*).

kliff! [klif] [擬聲語] 멍멍《개짖는 소리》.
Klima [klí:ma] [gr. „Neigung"] *n.* -s, -s *u.* ..māte, 지대, 지방; 풍토, 기후(♈ *climate*). **Klima·anlāge** *f.* 공기 조절 설비, 에어컨디셔너. **Klimaktērium** *n.* -s, 갱년기(更年期). **Klimakūrort** *m.* 전지 요양지. **klimātisch** [klimá:tıʃ] *a.* 풍토의, 기후의. **Klimax** [klí:maks] *f.* -e, 정점; 〖修辭〗 점층법; 〖醫〗 갱년기.
Klimbim [klımbím] *m.* 〔*n.*〕 -s, 《俗》 잡동사니; 야단 법석.
klimmen(*) [klímən] *i.*(h. *u.* s.) 기어 오르다(♈ *climb*). **klimmzūg** *m.* 〖體〗 다리 걸고 오르기.
klimpern [klímpərn] *i.*(h.) u. *t.* 탕탕〔짤랑짤랑〕 소리나다〔내다〕; (기타·피아노를) 서툴게 치다〔뚱땅거리다〕(*strum*).
Klinge [klíŋə] [<klingen] *f.* -n, 날, 칼날(*blade*); 날붙이, 칼(*sword*). **Klingel** [klíŋəl] [<klingen] *f.* -n, 방울, 벨(*bell*), 초인종.
Klingel·beutel [-bɔytəl] *m.* 방울 달린 자루《긴 장대 끝에 매단 연보대(捐補袋)》. **~fahrer** *m.* 빈집털이《우선 초인종을 눌러 주인 없음을 확인함》.
klingeln [klíŋəln] 《Ⅰ》 *i.*(h.) 초인종을 울리다; 찌릉찌릉 울리다. ¶ es klingelt 초인종이 울리다. 《Ⅱ》 *t.*: jn. aus dem Schlaf ~ 종을 울려 아무를 깨우다.
Klingel·schnūr *f.*, **~zūg** *m.* 설렁줄.
klingen* [klíŋən] [擬聲語] *i.* ① (h.) 울리다, 반향하다(*ring, sound*); (mit, 을) 울리다, 울리게 하다(♈ *clink*). ¶ ~de (*p.a.*) Münze 현금. ② (s.): sein Ruf ist bis in ferne Länder geklungen 그의 명성은 먼 나라에까지 퍼졌다.
Klingklang [klíŋklaŋ] *m.* -(e)s, 찌릉찌릉 울리는 소리; 술잔이 부딪는 소리.
Klinik [klí:nık] [gr. *klínē* „Bett"] *f.* -en, 임상 강의; 부속 병원《특히 대학의》(*clinical hospital*). **klinisch** *a.* 임상(강의)의; 대학 병원의.
Klinke [klíŋkə] *f.* -n, 걸쇠(*latch*); (문의) 손잡이, 핸들(*handle*); 〖電〗 소켓. **klinken** *i.*(h.) u. *t.* 걸쇠를 누르다, 손잡이를 돌리다.
Klinker [klíŋkər] [ndl.; ♈ klingen] *m.* -s, -, 반투화(半透化) 벽돌《경질(硬質)의 고급 벽돌》(♈ *clinker, brick*).
Klinomēter [klinomé:tər] [<gr. *klinein* „beugen, neigen"] *n.* -s, -, 경사계(傾斜計).
Klinomobīl [-mobí:l] [gr. <Klinik] *n.* -s, -e, 병원 (자동)차.
klipp [klıp] [nd. <†klippen „stimmen, passen"] *a.*: ~ u. klar 아주 명백한.
Klippe [klípə] *f.* -n, 낭떠러지; 암초(岩礁)(♈ *cliff*). ¶ blinde ~ 암초(暗礁).
klippen [klípən] 《Ⅰ》 *i.*(h.) 재깍재깍 울리다. 《Ⅱ》 *t.* 톡하고 튀겨 버리다; (의) 끝을 (톡) 잘라 버리다.
Klippen·fisch *m.* 건대구. **~küste** *f.* 바위〔암초〕가 많은 해안.
klippig [klípıç] *a.* 암초가 많은.
Klips [klíps] [=Klipp] *m.* -es, -e, 클립; (미용원에서 쓰는) 머리 클립.
klirren [klírən] [擬聲語] *i.*(h.) 탁탁〔짤깍짤깍·딸깍딸깍〕 울리다, 소리나다.
Klischee [klıʃé:, kli-] [fr.] *n.* -s, -s, 〖印〗 스테레오판(版), 전기판(♈ *cliché*).
Klistier [klıstí:r] [gr. „Ausspülung"] *n.* -s, -e, 〖醫〗 관장(灌腸)(♈ *clyster, enema*). **Klistierspritze** *f.* 관장(기).
Klitsche [klítʃə] *f.* -n, 빈약한 땅〔농장(*hovel*)〕. **klitsch(e)naß** *a.* 흠뻑 젖은. **klitschig** [klítʃıç] *a.* 끈적끈적한, 점토질의(*doughy*); 설구워진 《빵》(*sodden*).
Kloake [klo-á:kə] [lat.] *f.* -n, 배수거(排水渠)(*sewer, drain*).
Klōben [kló:bən] [♈ klieben] *m.* -s, -, (Holz~) (쐐기꼴로 팬) 장작(*log*); 물건을 걸치는 굽은 못(*hook*); 활차(滑車); 경첩의 축; 무작한 사람. **klōbig** *a.* 장작〔통나무〕 같은; 《比》 (나무·돌을) 거칠게 깎은; 무작한 (*awkward, rude*).
klomm [klɔm] ☞KLIMMEM(그 過去).
Klootschießen [kló:tʃi:sən] [nd. *Kloot* =hd. Kloß „Kugel"] *n.* 빙상 투구(投球)《Eisschießen의 일종, 납을 채운 공을 던짐》.
klopfen [klɔ́pfən] *i.*(h.) u. *t.* (가볍게) 치다, 두드리다, 통통 치다(*beat, knock, rap, tap*). ¶ es klopft 문 두드리는 소리가 나다 / das Herz klopft vor Erwartung 기대에 가슴이 뛴다 / mit ~dem (*p. a.*) Herzen 가슴을 두근거리면서. **Klopfer** *m.* -s, -, 때리는〔치는〕 사람; 문 두드리는 고리〔마치〕; 〖電〗 (모르스 신호를 받는) 태퍼; 데코히어러.
Klopf·fechter *m.* 직업적 펜싱〔권투〕 선수; 《比》 논쟁 좋아하는 문사(文士). **~hengst** *m.* 거세한 말. **~stein** *m.* (구두장이의) 무릎돌.
Klöppel [klœpəl] [♈ klopfen] *m.* -s, -, 메; (종·방울의) 추(*clapper, tongue*); (레이스 편물용의) 막대 실꾸리.
Klöppel·garn *n.* 레이스실. **~kissen** *n.* 레이스 편물대.
klöppeln [klœpəln] *t.*: Spitzen ~ 레이스를 짜다.
Klöppel·spitzen *pl.* 손으로 짠 레이스《베개 모양의 받침대를 써서 만든》. **~zwirn** *m.* =~GARN.
Klöpplerin [klœplərın] *f.* -nen, 레이스 짜는 여자.
Klops [klɔps] *m.* -es, -e, 〖料〗 고기 경단〔만두〕의 일종.
Klosett [klozét] [<engl. *watercloset*] *n.* -(e)s, -e *u.* -s, (수세식) 변소.
Kloß [klo:s] *m.* -es, ⸚e [klø:sə], 덩어리; (Erd~) 흙덩어리(♈ *clod*); (고기가 든) 경단, 만두(*dumpling*).
Klōster [kló:stər] [Lw. lat. *claustrum* „abgeschlossener Ort"] *n.* -s, ⸚ [klǿ:stər], 수도원(*monastery*); (Frauen~) 수녀원(*nunnery*).
Klōster·brūder *m.* 수사(修士). **~frau** *f.* 수녀. **~fräulein** *n.* 예비 수녀. **~gang** *m.* 수도원의 복도〔회랑〕(*cloister*). **~lēben** *n.* 수도원 생활.
klōsterlich [kló:stərlıç] *a.* 수도원의; 수사(修士)의.
Klōster·schūle *f.* 수도원 부속 학교. **~zucht** *f.* 수도원의 규율.
Klotz [klɔts] [♈ Kloß] *m.* -es, ⸚e [klœtsə], 통나무; 구루터기(*block, log*); 받침, 대가(臺架); (Hack~) 도마, 모탕; 장작; 《比》 바보, 인숭무레기(*blockhead*).
Klub [klup] [engl. *club* „(*eig.*) Keule,

Stock"] *m.* -s, -s, 클럽. **Klubsessel** *m.* 안락 의자.

Klucke [klʊ́kə] *f.* -n, 알을 품고 있는 암탉(=Glucke).

Kluft[1] [klʊft] [<klieben] *f.* ⸚e[klʏ́ftə], 갈라진 금, 틈, 땅의 벌어진 틈(♈*cleft, gap*); 협곡, 심연(*chasm, gulf*).

Kluft[2] [hebr.] *f.* -en, 옷, 제복.

klūg [klu:k] *a.* 현명한, 영리한(*intelligent, clever*); 신중한(*discreet, prudent*); 약삭빠른, 교활한(*sly, cunning*). ¶ aus et.[3] ~ werden 무엇을 이해하다. **klṻgeln** *i.*(h.) 약은 체하다, 잔꾀를 부리다. **Klūgheit** *f.* 영리(함), 약음, 현명, 재지; 신중; 교활한 지략. **Klṻgler** [klý:klər] *m.* -s, -, 약은 체하는 사람, 궤변가. **klṻglich** *adv.* 현명하게(도), 영리하게(도).

Klūg⸗schnack *m.* 아는 체하는 사람. **~tūer** *m.* 약은 체하는 사람.

Klumpen [klʊ́mpən] *m.* -s, -, 덩어리(*lump*); (Erd~) 흙덩어리(*clod*); 집단, 군중. **klumpen** *i.*(h.) u. *refl.* 굳어지다, 덩어리지다. **klümp(e)rig** *a.* 덩어리 있는; 덩어리진; 끈적이는. **Klump⸗fūß** *m.* 굽은 다리, 안짱다리(♈*clubfoot*); 〖醫〗 내반족(內反足).

Klüngel [klʏ́ŋəl] *m.* -s, -, 실뭉치, 실꾸리; 《比》 얽힘, 혼란; 《蔑》 일당, 도당(*coterie*).

Klunker [klʊ́ŋkər] *f.* -n ; od. *m.* -s, -, 늘어진〔드리운〕 물건; 술(*tassel*); 《俗》 덩어리(*clod*).

Kluppe [klʊ́pə] [♈klauben] *f.* -n, 집게, 겸자(鉗子)(*pincers*); 〖工〗 나사돌리개.

Klṻver [klý:vər] [Lw. ndl.] *m.* -s, -, 〖海〗 (이물의) 삼각돛(*jib*).

Klystron [klʏ́strɔn] [gr.] *n.* -s, ..strō̱ne, 〖電〗 클라이스트론, 속도 변조관(速度變調管).

knabbern [knábərn] *i.*(h.) u. *t.* (an, 을) 갉아먹다, 쏠다(*nibble, gnaw*).

Knābe [kná:bə] *m.* -n, -n, 소년, 사내아이(*boy, lad*). **Knābenalter** *n.* 소년시대. **knābenhaft**, **~mäßig** *a.* 소년다운.

Knāben⸗kraut *n.* 〖植〗 난초과의 일종(*orchis*). **~schūle** *f.* 남자 국민학교.

knack [knak] [擬聲語] 《Ⅰ》 *int.*: ~! 툭, 끼익, 파삭《꺾이는 소리, 쪼개지는 소리, 무너지는 소리 따위》. 《Ⅱ》 **Knack** *m.* -(e)s, -e, 위의 소리. **knacken** [knákən] 《Ⅰ》 *i.*(h.) 툭〔끼익·파삭〕 소리나다〔소리나게 하다〕. 《Ⅱ》 *t.* (u. *i.*(h.)) 툭 꺾다, 딱하고 자르다, 파삭 무너뜨리다; (금고 따위를) 틀어 열다; (수수께끼를) 풀다. **Knackmandel** *f.* 껍데기 붙은 편도(扁桃).

knacks! [knaks] [擬聲語] 《Ⅰ》 *int.* 툭. 《Ⅱ》 **Knacks** *m.* -es, -e, 툭하는 소리; 부서짐; 손상(損傷).

Knackwurst [knákvʊrst] *f.* 소금에 절인 돼지 순대.

Knagge [knágə] [ndd.] *f.* -n, 재목의 「마디, 옹이.」

Knall [knal] *m.* -(e)s, -e *u.* ⸚e, 탕〔탁·쾅〕하는 소리, 총소리, 폭음; 〖工〗 폭연(爆燃). ¶ (auf) ~ u. Fall 갑자기(*suddenly, without warning*).

Knall⸗bonbon *m.* u. *n.* 크래커 봉봉 《포장(包裝)을 열 때 소리가 나는 과자》. **~büchse** *f.* 공기총. **~effekt** *m.* 무대 효과; 관중의 인기 노리기.

knallen [knálən] *i.*(h.) 폭음〔폭명(爆鳴)〕을 내다; *i.*(s.) 폭발하다. ¶ mit dem Gewehr ~ 총을 쏘다.

Knall⸗erbse *f.* (장난감) 딱총. **~gās** *n.* 폭명(爆鳴)〔산수소(酸水素)〕 가스. **~⸗rōt** *a.* 야하게 붉은.

knapp [knap] *a.* ① 좁은(*narrow*); 간격이 없는; 밀착한(*close*). ② 꼭 맞는, 꼭 끼는(*tight*); (inhaltlich ~) 간결한(*concise*). ③ 겨우〔간신히〕 되는, 빠듯한, 부자유한, 모자라는 (*scarce, scanty*). ¶ ~ (*adv.*) sitzen 꼭 끼다《옷이》 / mit ~er Not 간신히, 겨우 / jn. ~ halten 아무에게 무엇을 다랍게 주다/~ werden 부족하다.

Knappe [knápə] [Knabe와 同語] *m.* -n, -n, (기사(騎士)의) 종자(從者)(*page, esquire*); (Berg~) 갱부(*miner*).

knappen [knápən] *t.* u. *i.*(h.) 절약하다, 아끼다, (살림을) 조리차하다. ¶ mit et. ~ 무엇을 아까와하다.

Knappheit [knáphait] *f.* 좁음, (옷이) 꼭 낌; 빠듯함, 부족, 궁핍; (문체 따위의) 간결.

Knappsack [knápzak] *m.* 배낭.

Knappschaft [-ʃaft] *f.* -en, (어떤 광산의) 갱부 (일동); 갱부 조합.

Knarre [knárə] [擬聲語] *f.* -n, 딸랑이《장난감, 또는 옛 야경꾼의》(*rattle*); 《俗》 총(*rifle*). **knarren** *i.*(h.) 삐걱삐걱 소리내다, (장작이) 바작거리며 타다.

Knaster[1] [knástər] [ndl. < sp. „Rohrkorb"] *m.* -s, -, 고급 담배의 일종《원래 바구니에 넣었음》; 《俗》 싸구려 담배.

Knaster[2] *m.* -s, -, 불평가, 뚱한 사람. **knastern** *i.*(h.) 투덜거리다.

knattern [knátərn] [擬聲語] *i.*(h.) (천둥이) 우르릉거리다; (기관총 등이) 드르륵드르륵하다.

Knäuel [knɔ́yəl] *m.* od. *n.* -s, -, 실꾸리(♈*clew*); 《比》 (잡다한) 무리, 집단(*crowd, throng*).

Knauf [knauf] *m.* -(e)s, ⸚e, (지팡이·칼자루 따위의) 대가리, 마구리; (남비뚜껑 따위의) 꼭지(*knob, pommel*); 〖建〗 주두(柱頭)(*capital*).

knaupeln [knáupəln] *i.*(h) u. *t.* 씹다, 갉아먹다; 성가신〔귀찮은〕 일을 하다.

Knauser [knáuzər] *m.* -s, -, 인색한 자, 구두쇠(*stingy person*). **Knauserei** *f.* -en, 인색. **knaus(e)rig** *a.* 인색한. **knausern** *i.*(h.) 인색하게 굴다; (mit, 을) 다랍게 아끼다.

knautschen [knáutʃən] *t.* 찌부러뜨리다; 구기적거리다(*crumple, crease*); 우적우적〔소리내어〕 먹다.

Knēbel [kné:bəl] *m.* -s, -, 몽둥이; (Trag~) 목도(*packing-stick*); (Mund~) 재갈(*gag*). **Knēbelbārt** *m.* (위로 향한) 콧수염. **knēbeln** *t.* 몽둥이로〔탕개목으로〕 죄다; (에) 재갈을 물리다; 《比》 속박하다, 입을 막다.

Knecht [knɛçt] [westgerm., „Knabe, Knappe, Held"] *m.* -(e)s, -e, † 젊은이;

기사의 시종; 하인, 종, 노복(*servant*); (Stall~) 마부; (Acker~) 머슴; 《比》 노예; 〖工〗 받침. **knechten** *t.* 노예로 만들다, 예속시키다(*enslave*). **knechtisch** *a.* 하인〔노예〕 같은; 노예 근성의. **Knecht·schaft** *f.* 노복의 신분〔신세〕; 예속, 굴종. **Knechtung** *f.* –en, 노예로 함, 압제.

kneifen* [knáifən] 《Ⅰ》 *t.* 집다, 꼬집다, 끼우다(*pinch, squeeze, nip*). 《Ⅱ》 *i.*(h. *u.* s.) 의무를 회피하다; 《學》 (도전을 받고) 꽁무니빼다(*cave in*). **Kneifer** *m.* –s, –, 코안경(*pincenez*). **Kneifzange** *f.* 못뽑이, 뻰찌; 핀세트.

Kneipe [knáipə] *f.* –n, (간이) 주점, 맥주집(*pub(lic house), beer-saloon*).

kneipen[1] [knáipən] *i.*(h.) 마시다; 말술을 마시다, 통음하다.

kneipen[2(*)] [nd., =„kneifen"] 《Ⅰ》 *t.* 집다, 끼우다. ¶es kneipt mich im Bauche 배가 몹시 아프다. 《Ⅱ》 **Kneipen** *n.* –s, 복통(腹痛)(*colic*).

kneten [kné:tən] *t.* 개다, 반죽하다(♈*knead*); 〖醫〗 안마하다, 마사지하다.

Knick [knɪk] [擬聲語] *m.* –(e)s, –e, ① 쪼개진〔갈라진〕 금; 균열(龜裂), 튼금; 꾸부러진〔꺾어진〕 자리; 모퉁이. ② 《方》 (*pl.* –s,) (토지 경계의) 산울타리.

knicken [kníkən] 《Ⅰ》 *i.* ① (h.) 탁 소리나다〔소리내다〕; 쩨쩨하게 굴다. ② (s.) 탁하고 부러〔쪼개〕지다; 꺾이다, 금가다; (걸을 때) 무릎이 꺾이다. 《Ⅱ》 *t.* 탁 하고 부러뜨리다, 꺾다; 부서뜨리다; 구부러뜨리다; 접다. **Knicker** *m.* –s, –, 인색한 사람, 구두쇠 (*niggard*).

knickern *i.*(h.) 쩨쩨하게 굴다(*be stingy*); 탁탁 소리나다.

knicks! [knɪks] [擬聲語] *int.* 톡, 딱. **Knicks** *m.* –es, –e, 갈라진 틈, 금; 무릎을 구부리고 하는 절《특히 여성의》 (*curtsey, bow*). **knicksen** [kníksən] *i.*(h.) 무릎을 구부려 절하다 ((*drop a*) *curtsey*).

Knie [kni:] *n.* –s, –, 무릎(♈*knee*). ¶in die ~ sinken 털썩 주저앉다 / übers ~ brechen 아무렇게나〔황급히〕 해치우다.

Knie·band *n.* 양말 대님. **~beuge** *f.* 〖體〗 무릎을 좌우로 벌려 굽힘.

knieen [kní:ən] =KNIEN.

Knie·fall *m.* 무릎꿇기; 꿇어앉기. **~fällig** *adv.* 무릎을 꿇고. ¶jn. ~fällig bitten 아무에게 애원하다. **~gelenk** *n.* 무릎 관절. **~holz** *n.* 〖植〗 눈잣나무. **~hösen** *pl.* 반바지. **~kehle** *f.* 오금.

knien [kni:n, kní:ən] *i.*(h. *u.* s.) 무릎을 꿇(고 앉)다(♈*kneel*).

Knie·riem(en) *m.* 화공(靴工)의 무릎 가죽 피대《신을 무릎 위에 고착시키는》. **~scheibe** *f.* 슬개골(膝蓋骨). **~schützer** *m.* 무릎받이. **~tief** *a.* 무릎 깊이의, 무릎까지 닿는.

knif 《略》 =*k*ommt *n*icht *i*n *F*rage 문제가 안 된다.

kniff [knɪf] ☞ KNEIFEN《그 過去》.

Kniff [<kneifen] *m.* –(e)s, –e, ① 집기, 꼬집기, 끼우기; 집은〔꼬집은〕 자국; 접은 금, 구김살, 주름(*pinch*). ② 술책, 간계(*trick, dodge*). **kniff(e)lig** *a.* 교활〔음험〕한; 곤란한, 성가신(*intricate, difficult*). **kniffen** *t.* (에) 구김살〔주름살〕을 잡다. **kniffig** *a.* 책략이 많은, 교활한.

Knilch [knílç] *m.* –s, –e, 《俗》 (이상한) 사람, (지겨운) 녀석.

Knips·aufnahme [kníps-aufna:mə] *f.* 스냅 사진. **knipsen** [knípsən] [擬聲語] *t.* (차표를) 찰깍 찍다《개찰》; 《俗》 스냅 사진을 찍다.

Knirps [knɪrps] *m.* –es, –e, 난장이, 꼬마, 따라지(*little man, pigmy*).

knirschen [knírʃən] [擬聲語] *i.*(h.) 삐걱삐걱 소리내다, 삐걱거리다, 부드득거리다. ¶mit den Zähnen ~ 이를 갈다.

knistern [knístərn] [擬聲語] *i.*(h.) (눈·모래 따위가) 사각거리다; (불 따위가) 톡톡거리다; (비단 따위가) 와삭거리다; (종이 따위가) 빨락거리다.

Knitter [knítər] [<knittern] *m.* –s, –, 접은 금, 주름.

Knitterfrei [knítərfrai] *a.* 접은 자국〔주름〕이 없는; (눌러도) 주름이 안지는.

knittern [knítərn] [擬聲語] 《Ⅰ》 *i.*(h.) =KNISTERN. 《Ⅱ》 *t.* 짓구기다, 주름잡다. 《Ⅲ》 *refl.* 주름지다; 성나 있다.

knobeln [knó:bəln] *i.*(h.) 주사위 놀이를 하다(*throw dice*).

Knob·lauch [knó:plaux, knɔ́b–] *m.* –(e)s, 〖植〗 마늘(*garlic*).

Knöchel [knœ́çəl] [*dim.* v. Knochen] *m.* –s, –, (Finger~) 손가락 마디, 손가락 관절(♈*knuckle*); (Fuß~) 복사뼈(*ankle*); 《方》 주사위. **knöcheln** *i.*(h.) 손가락으로 튀기다; 주사위를 던지다, 도박하다.

Knochen [knɔ́xən] *m.* –s, –, 뼈(*bone*). **~artig** *a.* 뼈 같은, 뼈 모양의.

Knochen·bank *f.* 뼈 은행《이식용 생뼈의 냉장소》. **~bau** *m.* 골격. **~bruch** *m.* 골절(*fracture*). **~dürr** *a.* 피골이 상접한. **~entzündung** *f.* 골염(骨炎). **~fraß** *m.* 카리에스(*caries*). **~gerüst** *n.* 골격, 해골. **~haut** *f.* 골막. **~mann** *m.* 해골; 《詩》 사신(死神). **~mark** *f.* 〖解〗 골수(骨髓). **~mehl** *n.* 골분(骨粉). **~system** *n.* =SKELETT.

knöchern [knœ́çərn] *a.* 골질의, 뼈로 만든. **knochig** *a.* 뼈 모양의; 뼈가 있는; 뼈가 많은; 뼈대가 굵은〔나온〕.

Knockout [nɔk-áut] [engl.] *m.* –(s), –s, 〖拳〗 녹아우트; 《比》 완패.

Knödel [knǿ:dəl] [„Knötchen"] *m.* –s, –, (살코기 따위의) 경단, 만두(*dumpling*).

Knolle [knɔ́lə] *f.* –n, **Knollen** *m.* –s, –, 덩이(*lump*); 〖植〗 덩이줄기, 구근(球根); 〖醫〗 결절(結節), 혹; 《俗》 주먹코.

Knollen·frucht *f.* 구근. **~gewächs** [–gəvɛks] *n.* 구근 식물.

knollig [knɔ́lɪç] *a.* 덩이 모양의, 결절상(結節狀)의; 덩이줄기가 있는.

Knopf [knɔpf] [♈Knauf, Knobel] *m.* –(e)s, ⸚e [knœ́pfə], 단추(*button*); (문·서랍 따위의) 둥근 손잡이, 손잡이(♈*knob*); (압정(押釘) 따위의) 꼭지(*head*); (칼자루·지팡이 끝의) 마구리(*pommel*).

knöpfen [knœ́pfən] *t.* (=an~) 단추로 채우다; (의) 단추를 풀다(=ab~).

Knopfloch [knɔ́pflɔx] *n.* 단추 구멍.

Knorpel [knɔ́rpəl] *m.* -s, -, 〖解〗 연골(軟骨)(*cartilage, gristle*). **knorp(e)lig** *a.* 연골상(軟骨狀)의; 연골이 있는.

Knorren [knɔ́rən] *m.* -s, -, 융기, 혹(*bunch*); 마디, 결절(結節) (*knag, knot*); 그루터기; 통나무. **knorrig** *a.* 혹〔마디〕 같은; 혹이 있는, 울툭불툭한.

Knospe [knɔ́spə] [♈Knopf] *f.* -n, 〖植〗 (Blüten∼) 꽃봉오리, (Blatt∼, Ast∼) 싹(*bud*). **knospen** *i.*(h.) 발아하다; 《比》 싹트다. **knospig** *a.* 꽃봉오리〔싹〕 모양의; 꽃봉오리〔싹〕 있는.

Knote [knó:tə] [ndd., =„Genosse"] *m.* -n, -n, 《蔑》 장인(匠人), 계시; 속물(俗物) (*cad*).

Knoten [knó:tən] *m.* -s, -, 마디, 매듭, 결절(結節)(♈*knot*); 《比》 분규, 곤란, 장애; 〖劇〗 갈등, 플롯, 줄거리; 〖天〗 교점(交點); 〖植〗 (Frucht∼) 씨방; 〖海〗 노트. **knoten** *t.* 《또 *obj.* 없이》 매듭을 짓다, 맺다.

Knoten≈punkt *m.* 교차점. **∼stock** *m.* 마디가 많은 지팡이.

Knöterich [knǿ:tərɪç] *m.* -(e)s, -e, 〖植〗 여뀌의 종류《줄기에 마디가 많은 풀》(*knotgrass*).

knotig [knó:tɪç] *a.* 매듭〔마디〕가 많은; 결절상(結節狀)의; 《比》 비속한, 무작한.

Knuff [knʊf] *m.* -(e)s, ⸚e, 주먹(으로 때림)(*cuff, push*). **knuffen** *t.* 주먹으로 때리다, 팔꿈치로 (살짝) 찌르다.

Knülch [knʏlç] *m.* =KNILCH.

knüllen [knʏ́lən] [♈Knollen] 《方》 《Ⅰ》 *t.* 주름잡다, 구기다; 때리다. 《Ⅱ》 *i.*(h.) 만취하다.

Knüller[1] [knʏ́lər] *m.* -s, -, =KNÖCHEL.

Knüller[2] [hebr. *knellen* „schlafen"] *m.* -s, -, 《俗》 (Schlager) 히트.

knüpfen [knʏ́pfən] [<Knopf] 《Ⅰ》 *t.* 맺다, 매듭짓다(♈*knit, bind*); 《比》 (맹약 따위를) 맺다. 《Ⅱ》 *refl.* (an et., 무엇에) 매어달다; 《比》 결합하다, 연관시키다.

Knüppel [knʏ́pəl] *m.* -s, -, 몽둥이, 곤봉(*cudgel*); 둥근 막대기(*round stick*); 〖空〗 조종간; 경찰봉.

Knüppel≈brücke *f.* 통나무 다리. **∼≈damm** *m.* 통나무를 깐 길《소택지의》. **∼dick** *a.* 아주 굵은; 대량의. ¶ 《比》 ich hab's ∼dick 이제 그만. **∼≈herrschaft** *f.* 폭력 정치. **∼holz** *n.* 통나무.

K

knurren [knʊ́rən] [♈knarren] *i.*(h.) (짐승이) 으르렁거리다; 쭝덜거리다(*growl*); (배가) 쪼르륵거리다《고파서》(*grumble*).

knusp(e)rig [knʊ́sp(ə)rɪç] *a.* 알맞은 굳기로 구운, 톡톡한; 팔팔한. **knuspern** [knʊ́sp-] [擬聲語] *t.* u. *i.*(h.) 아삭아삭 씹다, 갉죽거리다.

Knute [knú:tə] [russ., *aus* d. Knoten] *f.* -n, 가죽 채찍; 《比》 압제(♈*knout*).

knutschen [knú:tʃən] *t.* 《俗》 억누르다, 끌어안다, 농탕치다, 키스하다.

Knüttel [knʏ́təl] [*eig.* „Stock mit Knoten"] *m.* -s, -, 곤봉(*cudgel, club*).

Knüttelvers *m.* 〖詩學〗 4 악센트를 갖는 운문; 평범한 시. **knütten** [knʏ́tən] *t.* u. *i.*(h.) 《方》 짜다, 뜨개질하다.

ko.. [ko:-] [kon의 別形, lat. *cum*] *prp.* "공동·집합·완전"의 뜻.

Ko·alition [ko:-alitsió:n] [lat.] *f.* -en, 연합, 동맹, 합동; 제휴, 연립.

Ko·alitions≈regierung *f.* 연립 정부. **∼partei** *f.* 각파 연합.

Kobalt [kó:balt] *n.* -(e)s, 〖化〗 코발트.

Kobalt≈blau *n.* 코발트 블루. **∼bom≈be** *f.* 코발트 폭탄.

Koben [kó:bən] *m.* -s, -, 돼지 우리(*pigsty*); 《比》 오두막.

Kober [kó:bər] *m.* -s, -, 뚜껑 달린 채롱, 등에 지는 다래끼.

Kobold [kó:bɔlt] [<Koben, „Gemach"] *m.* -(e)s, -e, 집의 정(精), 땅의 정; 요마(妖魔), 요괴(*goblin, sprite*).

Kobolz [kobɔ́lts] *m.* 오뚝이; 《다음 用法뿐임》 (e-n) ∼ schießen 공중제비하다, 재주넘다.

Koch [kɔx] [Lw. lat., <kochen] *m.* -(e)s, ⸚e [kœ́çə], 요리인(♈*cook*).

Koch≈apfel *m.* 요리(용의 끝이 뾰족한) 사과(*codling*). **∼birne** *f.* 요리용 배(梨). **∼buch** *n.* 요리 책.

kochen [kɔ́xən] [Lw. lat.] 《Ⅰ》 *t.* 삶다, 끓이다, 요리하다(♈*cook, boil*). ¶ gekochtes Obst 찐 과실. 《Ⅱ》 *i.*(h.) 삶아지다, 끓다, 푹 익다; 쪄지다. **Kocher** *m.* -s, -, 삶는〔끓이는〕 사람; 삶는〔끓이는〕 도구; (Kaffee∼) 코피 끓이는 기구.

Köcher [kœ́çər] *m.* -s, -, 화살통, 전동(♈*quiver*).

Koch≈gefäß, ∼geschirr *n.* 취사 도구. **∼herd** *m.* 취사용 화덕.

Köchin [kœ́çɪn] *f.* -nen, 여자 요리인.

Koch≈kiste *f.* 삶아 낸 것을 넣어 뜸을 들이거나 보온하기 위한 그릇. **∼kunst** *f.* 요리법. **∼löffel** *m.* 요리용 국자, 큰 숟가락. **∼maschine** *f.* 요리용 화덕, 취사용 스토브. **∼ofen** *m.* 요리용 화덕. **∼salz** *n.* 식염(食塩). **∼topf** *m.* 스튜 냄비.

Kodak [kó:dak] *m.* -s, -s, 코닥《미국제 소형 사진기》.

Köder [kǿ:dər] *m.* -s, -, 먹이(*bait*), 《比》 유혹물(*lure, decoy*). **ködern** *t.* 미끼를 달다; 《比》 미끼로 유혹하다.

Kodex [kó:dɛks] [lat.] *m.* -es, -e *u.* -, ..dizes [kó:ditsɛs], 법전(法典); 전신 약호(♈*code*). **Kodifikation** [kodifikatsió:n] *f.* -en, 법전 편찬.

Ko·edukation [ko:-edukatsió:n] [lat.] *f.* 남녀 공학.

Ko·effizient [ko:-ɛfitsiɛ́nt] [lat.] *m.* -en, -en, 〖數〗 계수(係數).

Ko·existenz [ko:-ɛksɪstɛ́nts] [lat.] *f.* -en, 공존(共存).

Kofen [kó:fən] *m.* -s, -, =KOBEN.

Koffe·in [kɔfeí:n] [<Kaffee] *n.* -s, 〖化〗 카페인(*caffeine*).

Koffer [kɔ́fər] [Lw. fr. *coffre*, <gr. *kóphinos* „Korb"] *m.* -s, -, 여행 가방; 상자; (Reise∼) 트렁크(*trunk*); (Hand∼) 슈트 케이스(*suit-case*). **Koffergram≈mophon** *n.* 휴대용 축음기.

Kognak [kɔ́njak] [fr.] *m.* -s, -e *u.* -s, 코냑.

Kognat [kɔgná:t] [lat.] *m.* -en, -en, (*ant.* Agnat) 외가 쪽 친척, 외척.

Kohärenz [ko:hɛrɛ́nts] [lat. „Zusammenhang"] *f.* 응집력(凝集力). **Kohä·sion** *f.* (분자 사이의) 응집력.

Kohl[1] [ko:l] [hebr.] *m.* -(e)s, 허튼 소리, 넌센스(*nonsense*).

Kohl[2] [Lw. lat.] *m.* -(e)s, -e, 〖植〗 캐비지, 양배추(*cabbage*).

Kohle [kó:lə] *f.* -n, 숯(♈*coal*); (Stein~) 석탄; (Holz~) 목탄(*charcoal*). ¶ (wie) auf (glühenden) ~n sitzen 괴로운 입장에 있다, 안달복달하다. **~hyd·rāt** *n.* 〖化〗 탄수화물, 함수 탄소.

kohlen[1] [ko:lən] *i.*(h.) 허튼 소리를 지껄이다.

kohlen[2] *i.*(h.) 그을음을 내다; 숯이 되다; 〖海〗 석탄을 싣다《배에》.

Kohlen·arbeiter *m.* 탄갱부(夫). **~·becken** *n.* 화로. **~bergwerk** *n.* 탄갱. **~brenner** *m.* 숯장이. **~dioxȳd** *n.* 2산화 탄소. **~eimer** *m.* (실내용) 석탄 그릇. **~fāden** *m.* 〖電〗 탄소선(線), 탄소 섬조(纖條). **~fāden·lampe** *f.* 탄소선 램프. **~feld** *n.* 탄전(炭田). **~grūbe** *f.* 탄갱. **~grūs** *m.* (석)탄가루. **~meiler** *m.* (숯 가마의) 탄재(炭材)의 퇴적. **~oxȳd** *n.* 1산화 탄소. **~papier** *n.* = KOHLEPAPIER. **~sauer** *a.* 탄산의. **~säure** *f.* 탄산. **~schiff** *n.* 석탄선. **~stoff** *m.* 〖化〗 탄소(*carbon*). **~wāgen** *m.* 탄차. **~wasser·stoff** *m.* 탄화 수소.

Kohlepapier [kó:ləpapi:r] *n.* 카본지.

Köhler [kǿ:lər] *m.* -s, -, 숯장이. **Köhlerglaube** *m.* 맹목적인 신앙.

Kohle·verflüssigung *f.* 석탄 액화. **~zeichnung** *f.* 목탄화(畫).

Kohl·garten *m.* 양배추밭. **~kopf** *m.* 양배추(의 알속).

Kohl·meise *f.* 〖鳥〗 박새. **~rābe** *m.* (유럽산) 까마귀의 일종. **~rāben·schwarz** *a.* 《比》 칠흑의.

Kohlrābi [ko:lrá:bi] [lat. -it.] *m.* -(s), -(s), 〖植〗 ① (Ober~) 구경(球莖)양배추. ② **Kohlrūbe** *f.* 〖植〗 평지의 일종.

Kohlweißling [kó:lvaislɪŋ] *m.* 〖蟲〗 흰나비《유럽산》(*cabbage butterfly*).

Kō·itus [kó:itus] [lat. „Zusammenkunft"] *m.* -, -(se), 성교(♈*coition*).

Kōje [kó:jə] *f.* -n, 〖海〗 선원실(*berth*).

Kōka [kó:ka] [indian.] *f.* -(s), 코카《남미 원산의 관목》. **Kokaịn** [kokaí:n] *n.* -s, 〖化〗 코카인《마취제》.

Kokarde [kokárdə] [fr., *coq* „Hahn"] *f.* -n, 꽃 모양의 모표(♈*cockade*).

kokett [kokét] [fr. <*coq* „Hahn"] *a.* 미태(媚態)를 짓는, 아양을 떠는(♈*coquettish*). **Koketterie** *f.* -n, 미태, 교태. **kokettieren** *i.*(h.) 미태를 짓다(*flirt*); (mit, 에게) 교태부리다.

Kokon [kokɔ̃:] [fr.] *m.* -s, -s, 고치(♈*cocoon*).

Kōkos [kó:kɔs] [sp.] *f.* -, 〖植〗 (코코)야자나무(의 과실).

Kōkos·baum *m.* 야자수. **~fett** *n.* 야자 수지(樹脂). **~läufer** *m.* 야자 껍질 섬유로 만든 긴 깔개. **~matte** *f.* 야자 껍질 섬유로 만든 매트. **~nuß** *f.* 야자 열매(♈*coconut*).

Kōks [ko:ks] [engl. *cokes*(*pl.*)] *m.* -es, -e, 코크스, 골탄(骨炭). **~ōfen** *m.* 코크스 가마.

kol.. [kɔl-] [lat.] = KON- 《그 1 앞의 꼴》.

Kolben [kɔ́lbən] *m.* -s, -, (둥그런 자루의) 불거진 끝〔대가리〕; 곤봉(*club*); (당구의) 큐; (총의) 개머리(*butt*); 인두; (Maschinen~) 피스톤(*piston*); 〖化〗 (삶고 끓이는 데 쓰는) 플라스크(*flask*); 〖植〗 수상화(穗狀花); (옥수수의) 속(*cob*).

Kolben·hūb *m.* 피스톤의 운동〔개폐〕. **~ring** *m.* 피스톤링. **~stange** *f.* 피스톤 간(桿).

kolbig [kɔ́lbɪç] *a.* 곤봉 모양의.

Koleo·ptēren [koleopté:rən, -ɔp-] [gr. *koleós* „Scheide", *pterón* „Flügel"] *pl.* 〖蟲〗 초시류(鞘翅類), 투구벌레.

Kōlibri [kó:libri:] [sp. -ndl.] *m.* -s, -s, 〖鳥〗 벌새(*humming-bird*).

Kolik [kó:lɪk, kolí:k] [gr.] *f.* -en, 산통(疝痛)(♈*colic*).

Kolk·rābe [kɔ́lk-] ["까악까악 우는 것", 前半: 擬聲語] *m.* 〖鳥〗 (유럽 산) 까마귀의 일종.

Kollatiōn [kɔlatsió:n] [lat. „Zusammen-tragen"] *f.* -en, 대조 조사, 비교, 교합(校合); 간식(間食). **kollationieren** [-tsĭo-] *t.* 대조하다, 비교〔교합〕하다.

Kollēg [kɔlé:k] [lat., <Kollegium] *n.* -s, -s *u.* ..gĭen, ① = KOLLEGIUM. ② (대학의) 강의((*course of*) *lecture*(*s*)).

Kollēge [kɔlé:gə] *m.* -n, -n, 동료(♈*colleague*); 동직자, 동업자. **Kollēg·heft** *n.* 강의 노트. **kollegiāl** [kɔlegĭá:l] *a.* 동료의〔다운〕; 친밀한.

Kollēgium [kɔlé:gĭum] *n.* -s, ..gĭen 동직자 전체, 직원 일동; 교수단〔진〕.

Kollekte [kɔléktə] [lat. „zusammengelesen"] *f.* -n, 〖宗〗 헌금(獻金)(을 모음), 갹금(醵金)(♈*collection*); 집도문(集禱文)(♈*collect*). **Kollektiōn** *f.* -en, 수집(품), 발췌; 상품 견본집; 복권 판매.

kollektīv [-tí:f] [lat.] *a.* 공동의, 집단적인, 총체의; 포괄적인. **Kollektivis·mus** *m.* -, 〖哲〗 집합주의; 〖經〗 집산(集産)주의.

Koller[1] [kɔ́lər] [fr. <lat. *collum* „Hals"] *n.* -s, -, (여성복의) 칼라; (17세기의) 짧은 자켓, 저고리《소매 없는》.

Koller[2] [kɔ́lər] [Lw. gr., ☞Cholera] *m.* -s, -, (말의) 뇌병, 훈도병(暈倒病)(*staggers*); 광포, 격노(*rage, wrath*).

kollern [kɔ́lərn] [♈Kaul, Kugel] *i.*(h.) 구르다; (칠면조가) 꾸륵꾸륵 울다.

kollidieren [kɔlidí:rən] [lat. „zusammen-stoßen"] *i.*(h.) 충돌하다(♈*collide*).

Kollimatiōn [kɔlimatsĭó:n] [<lat. *colliniare* „in gerader Linie (*linea*) richten"] *f.* 시준 정정(視準整正); 시준, 조준. **Kollimatiōnsfehler** *m.* 시준 오차. **Kollimātor** [-má:tɔr] *m.* -s, -en, [tó:rən], 시준기.

Kollisiōn [kɔlizĭó:n] *f.* -en, 충돌, 알력, 모순.

Kollōdium [kɔló:dĭum] [*Kw.*, <gr. *kólla* „Leim"] *n.* -s, 〖化〗 콜로디온(♈*collodion*). **Kolloịd** [kɔloí:t] *n.* -(e)s, -e, 교질(膠質), 콜로이드.

Köln [kœln] [*aus* lat. *Kolonie*] *n.* 쾰른《독일 라인 강변의 도시》. **kölnisch** [kœ́lnɪʃ] *a.* 쾰른 시(市)의. **Kölnisch·wasser** [-vasər] *n.* 오드콜로뉴《향수의 일종》.

K

koloniạl [kolonǐá:l] *a.* 식민의; 식민지의; 식민지산(産)의.

Koloniạl·politik *f.* 식민 정책. **~·wāren** *pl.* 식민지의 산물; 식료 잡화(*groceries*). **~wāren·händler** *m.* 식료 잡화상(*grocer*).

Koloniẹ [koloní:] [lat.] *f.* ..nīen, 식민지, 속령(屬領), 보호령; 식민 도시; (도시의) 교외; 이민(단); 해외 거류민(단); 〖生·醫〗 군락(群落) (생태), 군체(群體). **kolonisiẹren** *t.* (에) 식민(植民)하다. **Kolonịst** [kolonist] *m.* -en, -en, 식민자, 이민, 개척자.

Kolọnne [kolɔ́nə] [fr. „Säule"] *f.* -n, 〖印〗 난(欄), 단(段)(♈*column*); 《俗》 무리, 집단(*gang*).

Kolophọn [kolofó:n] [gr.] *m.* -s, -e, 정상; 말미; (중세의 사본이나 초기 활판의) 간기(刊記).

Kolophọnium [kolofó:nǐum] [gr.] *n.* -s, 콜로포늄《바이올린 등에 칠하는 소아시아 Kolophon 산의 정제 수지》.

Koloratụr [koloratú:r] [lat. *color* „Farbe"] *f.* -en, 채색(彩色); 〖樂〗 장식음(音). **kolorịeren** *t.* 착색〔채색〕하다; 〖樂〗 장식하다《전음으로》. **Kolorịt** *n.* -(e)s, -e, 채색, 착색; 색채 효과; 〖樂〗 음색(音色).

Kolọß [kolɔ́s, kɔl-] [gr. -lat.] *m.* ..sses, ..sse, 거상(巨像)(♈*colossus*). **kolossạl(isch)** [kolɔsá:l(ɪʃ)] *a.* 거대한; 대단한; *adv.* 엄청나게(*enormously*).

Kolossẹum [kolɔsé:um] [lat.] *n.* -s, 고대 로마의 원형 대연기장.

Kọlpingfamilie [kɔ́lpɪŋ-] *f.* 콜핑 일가《가톨릭파의 장인 조합, 창시자 A. Kolping(1813—65)의 이름에서》.

Kolportage [kɔlpɔrtá:ʒə] [fr.] *f.* -n, 행상(行商)《특히 서적의》; **Kolportage·romān** *m.* 통속 소설. **kolportịeren** *t.* 행상하다(*hawk*); (소문을) 퍼뜨리(고다니)다(*spread*).

Kọlter[1] [kɔ́ltər] [Lw. lat.] *m.* -s, -, od. *f.* -n, 이불.

Kọlter[2] [lat.] *n.* -s, -, 보습.

Kolụmne [kolúmnə] [lat. „Säule"] *f.* -n, 〖印〗 (세로의) 난(欄), 단(段); 〖建〗 기둥, 원주(♈*column*). **Kolụmnentitel** *m.* 난〔단〕의 제목〔표제〕. **Kolumnịst** [kolumnist] [<kolumne] *m.* -en, -en, 칼럼 담당자《신문 등의 상시 특약 기고자》.

kom.. [kɔm-] [lat.] =KON.. 《그 p, b, m 앞에서의 형태》.

Kombattạnt [kɔmbatánt] [lat. fr.] *m.* -en, -en, 전투원, 전우.

Kombinatiọn [kɔmbinatsǐó:n] 《Ⅰ》 [lat.] *f.* -en, 결합, 연합, 배합; 추측; 타산; 〖數〗 조합; 〖鑛〗 (결정의) 집형(集形). 《Ⅱ》 [(또) -né:ʃən] [engl.] *f.* -en (영어식 발음시엔 -s), (의복의) 콤비네이션.

kombinịeren [kɔmbiní:rən] [lat. *con-* „zusammen", *bīnī* „je zwei"] *t.* 결합〔연결〕하다, 종합〔합병〕하다(♈*combine*).

Kombụ̈se [kɔmbý:zə] [Lw. ndl.] *f.* -n, (배 안의) 주방(廚房)(*cook's room*).

Komẹt [komé:t] [gr. „Haartragender (Stern)", *kómē* „Haar"] *m.* -en, -en, 〖天〗 혜성(♈*comet*).

Komfọrt [kɔmfɔ́rt] [engl. <lat. *confortāre* „stärken"] *m.* -(e)s, 쾌적; 마음 편함, 안이, 편리.

Kōmik [kó:mɪk] [gr.] *f.* 익살, 우스꽝스러움; 희극; 해학 문학. **Kōmiker** *m.* -s, -, 익살꾼, 희극 작가, 희극 배우(*comedian*). **kōmisch** [kó:mɪʃ] *a.* 익살스러운, 우스꽝스러운, 희극적인(♈*comic(al)*); 기묘한; 야릇한(*queer, strange*).

Komitẹe [komité:] [lat.] *n.* -s, -s, 위원(회)(♈*committee*).

Kọmma [kɔ́ma] [gr. „Einschnitt"] *n.* -s, -s *u.* -ta, 〖文〗 코머, 구점(句點).

Kommandạnt [kɔmandánt] [lat. -fr.] *m.* -en, -en, 사령관. **Kommandan·tụr** *f.* -en, 사령관 관저; 사령부.

Kommandeur [-dǿ:r] [fr.] *m.* -s, -e, 사령관, 대장. **kommandịeren** [kɔmandí:rən] *i.*(h.) u. *t.* 지휘하다, 명령하다 (♈*command, order*).

Kommandịtgesellschaft *f.* 합자 회사.

Kommạndō [kɔmándo(:)] [it. „ich befehle"] *n.* -s, -s, 명령(권); 사령부(♈*command*); 분견(分遣)(대), 파견(대)(*detachment*).

Kommạndō·brücke *f.* (함상의) 사령교(橋). **~gerāt** *n.* 고사포의 포탄 조준 계산기. **~stāb** *m.* 지휘봉〔권〕. **~·turm** *m.* 사령탑(塔).

kọmmen* [kɔ́mən] *i.*(s.) ① 오다, 도착하다(♈*come, arrive, get (to)*); 생기다, 출현하다, 일어나다, …이 되다. ¶~ lassen 오게 하다, 불러오다, 주문하다, 오게 내버려 두다. ② 《사람을 나타내는 3格과 함께》 jm. grob ~ 아무에게 무례한 짓을 하다 / ihm kam der Gedanke 그 생각이 그에게 떠올랐다. ③ 《副詞와 함께》 zu spät ~ 지각하다 / abhanden ~ 잃다 / frei ~ 면하다. ④ 《過去分詞와 함께》 gefahren ~ (차 또는 배로) 오다 / gegangen ~ 걸어오다 / gelaufen ~ 달려오다. ⑤ 《前置詞와 함께》 **an** den Tag 〔ans Licht〕 ~ 세상에 알려지다, 드러나다 / **auf** et.[4] ~ 무엇에 생각이 미치다; 무엇에 언급하다 / **aus** der Fassung ~ 당황하다 / **außer** Atem ~ 숨을 헐떡이다 / **hinter** et.[4] ~ 무엇을 발견하다, 무엇의 비밀을 간파하다 / **in** Betracht〔Frage〕 ~ 고려하게 되어지다, 문제되다 / **nach** Hause ~ 귀가〔귀국〕하다 / **um** et. ~ 무엇을 잃다 / **von** Kräften ~ 쇠약해지다 / das kommt davon 그것이 원인이다 / **zu** et.[3] ~ 무엇에 도달하다, 무엇을 얻다〔성취하다〕.

Kommentạr [kɔmɛntá:r] [lat.] *m.* 〔*n.*〕 -s, -e, 주석, 해설(서)(♈*commentary*). **kommentịeren** *t.* 주석〔해설〕하다(♈*comment (on)*).

Kommẹrs [kɔmɛ́rs] [<lat.] *m.* -es, -e, (대학생의) 연회(*drinking-bout*). **Kommẹrsbūch** *n.* 대학생 가곡집《연회용》.

Kommẹrz [kɔmɛ́rts] [lat.] *m.* -es, 상업, 무역. **Kommẹrzienrāt** [kɔmɛ́rtsǐən-] 상업 고문《전에 대실업가에게 주어진 칭호》.

Kommilitọne [kɔmilitó:nə] [lat. „Mitsoldat", 전우] *m.* -n, -n, (대학의) 학우, 동창.

Kommis [kɔmí:] [fr. "위탁을 받은 자"

<kommittieren] *m.* -[-mí:s], -[-mí:s], 점원(店員), 사무원.
Kommissar [kɔmɪsá:r] [lat.] *m.* -s, -e, (정부에서 특별 임명한) 위원; (소련의) 인민 위원; 경감; 〖軍〗 병참 장교. **kom·missarisch** *a.* 임시의(*provisional*); *adv.* 임시로, 비공식 수속으로.
Kommiß·brot [-mís-] *n.* 군용빵. **~·hengst** *m.* 〖軍〗《俗》 잔소리 심한 상관.
Kommission [kɔ̀mɪsĭó:n] [fr.] *f.* -en, 위임, 위탁; 위원《전부》, 위원회; 〖商〗 위탁 영업, 중개; 수수료. **Kommis·sionar** [-sĭonɛ́:r] *m.* -s, -e, 위원, 대리인; 도매상, 위탁 판매인; (여관의) 심부름꾼.
Kommissions·buch *n.* 주문 메모장. **~geschäft** *n.* 중개 행위, 위탁 판매; 도매 영업.
kommittieren [kɔmɪtí:rən] [lat. „zusammen-senden"] *t.* 위탁〔위임〕하다.
kommod [kɔmó:t] [lat. -fr.] *a.* 편리〔안락〕한; 무시근한. **Kommode** [kɔmó:də] *f.* -n, 장롱(*chest of drawers*).
kommun [kɔmú:n] [lat. „gemeinsam"] *a.* 공동의; 공통의(♈*common*). **kom·munal** *a.* 자치 단체의, 시읍면의; 시의, 시정(市政)에 관한. **Kommunal·beamte** *m.* 《形容詞變化》 시읍면의 관리, 공무원. **Kommunalisierung** *f.* -en, 공유〔공영〕화.
Kommune 《Ⅰ》 [komú:nə] [lat.] *f.* -n, 자치 단체, 시읍면; (중세의) 자치 도시. 《Ⅱ》 [komú:nə, -mý:nə] [lat. -fr.] *f.* ① (Pariser) ~ 파리 코뮌. ② 《蔑》 공산당(원 패거리).
Kommunikant [kɔmunikánt] [lat. < kommun] *m.* -en, -en, 〖가톨릭〗 영성체(領聖體)하는 사람. **Kommunion** [-nĭó:n] *f.* -en, 〖가톨릭〗 영성체.
Kommunique [kɔmyniké:] [fr.] *n.* -s, -s, 코뮤니케.
Kommunismus [kɔmunísmus] [lat. <kommun] *m.* -, 공산주의. **Kom·munist** *m.* -en, -en, 공산주의자. **kommunistisch** *a.* 공산주의(자)의.
kommunizieren [kɔmunitsí:rən] [lat.] 《Ⅰ》 *t.* 통신〔보고〕하다; 〖宗〗 (에게) 성찬을 베풀다. 《Ⅱ》 *i.*(h.) 연락〔교통〕하고 있다; 〖宗〗 성찬에 참여하다.
Kommutativgesetz [kɔmutatí:fgəzɛts] *n.* 〖數〗 교환 법칙.
Kommutator [kɔmutá:tɔr] [lat.] *m.* -s, ..tatoren, 〖電〗 전환기, 정류자(整流子); 〖化〗 교환자.
Komödiant [komødĭánt] *m.* -en, -en, 희극 배우; 배우; 《比》 위선자. **Komö·die** [komǿ:dĭə] [gr.] *f.* -n, 희극(♈*comedy*); 《一般的》 웃음거리, 극(劇)(*play*); 《比》 익살, 소극(笑劇)(*farce*).
Komödienhaus *n.* 극장.
Kompagnie [kɔmpaní:] [fr.] *f.* = KOMPANIE 《그 옛꼴》. **Kompagnon** [kɔmpanjɔ̃́:, kɔ̃p-] *m.* -s, -s, 〖商〗 조합원, (회)사원; 협력자, 합작자.
Kompanie [kɔmpaní:, (상점 이름에서는 보통) kɔ́mpani:] [fr. „Brotgenossenschaft", "식사 친구"; *panis* „Brot"] *f.* ..nien, 〖軍〗 중대; 〖商〗 회사, 상회. ¶ Meier u. ~ 마이어 상회.
Kompanie·chef, ~führer *m.* 중대장. **~geschäft** *n.* 회사 조직의 상점.
Komparatistik [kɔmparatístɪk] [lat. <komparieren] *f.* 비교적 방법; 비교 문학 (연구).
Komparativ [kɔ́mparati:f, kɔm-tí:f] *m.* -s, -e [-və], 〖文〗 비교급.
Kompaß [kɔ́mpas] [it. „Mitschritt", "같은 걸음, 측보(測步)"] *m.* ..sses, ..sse, 나침반, 콤파스.
Kompaß·häus·chen [-sç-] *n.* 나침함(羅針函). **~nadel** *f.* 나침(羅針).
komplett [kɔmplɛ́t] [fr. „voll-gefüllt"] *a.* 완전한; 전부의, 하나도 빠지지 않은; 다 갖추어진; *adv.* 완전히. **komplet·tieren** *t.* 완전하게 하다, 보충하다.
komplex [kɔmplɛ́ks] [lat.] *a.* 복합한; 복잡한. **Komplex** *m.* -es, -e, 복합(체); 〖心〗 콤플렉스.
Komplikation [kɔ̀mplikatsĭó:n] [lat.] *f.* -en, 착종(錯綜); 〖醫〗 병발증.
Kompliment [kɔmplimɛ́nt] [fr. "충족시킴, 다함"] *n.* -(e)s, -e, 예(禮)(를 다하기), 절, 목례(目禮), 인사; (*pl.*) 겉치레 인사. ¶ jm. ein ~ machen 아무에게 목례하다 / jm. ~e machen 아무의 비위를 맞추다. **komplimentieren** *t.* (에게) 인사〔절〕하다, 간살부리다.
komplizieren [kɔmplitsí:rən] [lat. „zusammenfalten"] *t.* 복잡하게 하다(♈*complicate*). **kompliziert** *p. a.* 착종(錯綜)한, 뒤섞인, 번거로운.
Komplott [kɔmplɔ́t] [fr. „Zusammenknäuelung"] *n.* -(e)s, -e, 음모(♈*plot*).
komplottieren *i.*(h.) (떼를 지어) 음모를 꾀하다.
komponieren [kɔmponí:rən] [„zusammensetzen"] *t.* 합성〔복합〕하다; 꾸미다; 구도〔구상〕하다; 〖樂〗 작곡하다. **Kom·ponist** *m.* -en, -en, 작곡가(♈*composer*). **Komposition** [-tsĭ-] *f.* -en, 복합, 합성; 조성(組成); 〖畫〗 구도; 〖樂〗 작곡. **Kompositum** *n.* -s, ..ta, *u.* ..siten 〖文〗 복합어, 합성어. **Kompost** *m.* -es, -e, 〖農〗 혼합 비료.
Kompott [kɔmpɔ́t] [lat. -fr.] *n.* -(e)s, -e, 설탕절임한 과실, 잼(*sauce*).
Kompression [kɔmprɛsĭó:n] *f.* -en, 압착, 압축; 농축.
Kompressions·maschine *f.* 〖工〗 압착기. **~pumpe** *f.* 〖工〗 압착〔압축〕 펌프. **~verband** *m.* (지혈을 위한) 압박 붕대.

komprimieren [kɔmprimí:rən] [lat. „zusammen-drücken"] *t.* 압축〔압착〕하다(♈*compress*); (가스를) 응축시키다.
Kompromiß [kɔmpromís] [lat.] *m.* od. *n.* ..sses, ..sse, 타협, 화해; 중간 해결. **kompromittieren** [-mití:rən] 《Ⅰ》 *t.* 타협하여 처리하다, 화해(和解)하다; (말썽 많은 일에) 끌고 들어가다(jn.); 위태롭게 하다(♈*compromise*). 《Ⅱ》 *refl.* 타협〔화해〕하다.
Komtesse [kɔmtɛ́sə, kɔ̃t-] [fr. <Comte „Graf"] *f.* -n, 백작의 따님.
kon.. [kɔn-] [lat. *con-* (*cum*의 變形)] *prp.* 함께, 합(合), 동(同), 공(共), 전(全)의 뜻 《ge-와 같이 의미를 강하게 하는 경우도 있음》.

Kondensation [kɔndɛnzatsĭó:n] [lat.] *f.* -en, 응축, 응결. **Kondensator** *m.* -s, ..satoren [-tó:rən], 응축기; 축전기, 콘덴서. **kondensieren** [kɔndɛnzí:rən] [lat. „zusammendichten"] *t.* 응결〔응축·축합(縮合)〕하다(♀*condense*). **Kondens·milch** [kɔndɛ́ns-] *f.* 콘덴스 밀크. **Kondensor** *m.* -s, ..soren, 집광(集光) 렌즈. **Kondens·streifen** *m.* 비행(기)운; 《俗》 mit ～ =sehr schnell.

Kondition [kɔnditsĭó:n] [lat. *condere* „zusammengeben"] *f.* -en, 조건. **konditional** [-tsĭoná:l] *a.* 조건부의. **Konditionalsatz** *m.* 〖文〗 조건문(條件文). **konditionieren** *i.*(h.) 고용되어 있다, 봉직하고 있다.

Konditor [kɔndí:tɔr] [lat., *condīre* „würzen"] *m.* -s, ..toren, (정식으로 수업한) 과자 제조인(*confectioner*). **Konditorei** *f.* -en, 과자 제조(업), 과자집; 다과점.

Kondolenz [kɔndolɛ́nts] [lat.] *f.* -en, 「조위(弔慰).」

Kondom [kɔndó:m, kɔ̃dɔ̃:] *m.* 〔*n.*〕 -s, -s, 콘돔.

Konduktometrie [konduktometrí:] *f.* 〖化〗 전도율(電導率) 측정.

Konfekt [kɔnfɛ́kt] [lat. „Zubereitetes"] *n.* -(e)s, -e, 과자《대개 초콜렛제의》, 캔디.

Konfektion [kɔnfɛktsĭó:n] *f.* -en, 기성복(既成服). **Konfektionär** *m.* -s, -e, 기성복점; 위의 점원.

Konferenz [kɔnferɛ́nts] *f.* -en, 회의; 회합(♀*conference*); (특히) 교원(敎員) 회의, 교수회. **konferieren** [kɔnferí:rən] [lat. „zusammentragen", mitteilen] *i.*(h.) 협의〔상의〕하다(♀*confer*).

Konfession [kɔnfɛsĭó:n] [lat. *confiteor*, „bekennen"] *f.* -en, 고백; 〖宗〗 참회(고백); 신앙 고백, 신조; 종파; 교회. **konfessionell** *a.* 신앙상의. **konfessionslos** *a.* 종파 관계가 없는, 무종파(無宗派)의.

Konfident [kɔnfidɛ́nt] [lat.] *m.* -en, -en, 친구. **konfidentiell** [-tsĭɛ́l] *a.* 신뢰하고 있는.

Konfirmand [kɔnfɪrmánt] *m.* -en, -en, 〖가톨릭〗 견진 성사를 받은〔받는〕 소년. **Konfirmation** [-tsĭó:n] *f.* -en, 견진 성사. **konfirmieren** [-mí:rən] [lat. „bestätigen"] *t.* 〖가톨릭〗 (에게) 견진 성사를 베풀다(♀*confirm*).

K

Konfiskation [kɔnfɪskatsĭó:n] [lat.] *f.* -en, 몰수, 압류. **konfiszieren** [kɔnfɪstsí:rən] [lat. „zusammen" in den „Fiskus" bringen] *t.* 몰수〔압류〕하다(♀*confiscate*).

Konfitüre [kɔnfitý:rə, 또 kɔ̃fi-] [fr. „Mit-eingemachtes"] *f.* -n, 사탕절임 과일; 당과(糖果).

Konflikt [kɔnflíkt] [lat. „Zusammenstoß"] *m.* -(e)s, -e, 충돌, 갈등, 분규.

Konföderation [kɔnfødəratsĭó:n] [lat.] *f.* -en, 연맹, 동맹; 연방. **konföderieren** *refl.* 동맹〔연합〕하다.

Konfrontation [kɔnfrɔntatsĭó:n] [lat.] *f.* -en, 〖法〗 대질(對質). **konfrontieren** [lat. „die Stirnen zusammenstellen", *frons* „Stirn"] *t.* 대질시키다.

konfus [kɔnfú:s] [lat. „zusammengegossen"] *a.* 혼란한, 당혹한, 당황한 (♀*confused, muddled*). **Konfusion** [-zĭó:n] *f.* -en, 혼란; 당혹.

kongenital [kɔngenitá:l] *a.* 선천적인.

Kongreß [kɔngrɛ́s] [lat. „Zusammenkunft"] *m.* ..sses, ..sse, (대표자의) 회의; (미국의) 의회.

kongruent [kɔngru-ɛ́nt] *a.* 일치〔상응〕하는. **Kongruenz** [-ts] *f.* -en, 일치, 상응. **kongruieren** [kɔngru-] [lat. „zusammen-fallen", -treffen] *i.*(h.) 일치〔상응〕하다(*coincide, agree*).

König [kǿ:nɪç] [ahd. *kuning* „Edelgeborener", *kun*-은 lat. *gen*-과 같이 생산을 나타냄] *m.* -(e)s, -e, 왕, 국왕(♀*king*); 《比》 왕자(王者). **Königin** [kǿ:nigɪn] *f.* -nen, 왕비; (군주로서의) 여왕(*queen*).

königlich [kǿ:nɪklɪç] *a.* 왕인; 왕의, 왕실의; 《比》 왕자다운; 당당한, 성대한, 다대한.

Königreich [kǿ:nɪkraiç] *n.* 왕국.

Königs·kerze *f.* 〖植〗 현삼과(玄蔘科)의 일종(*mullein*). **～krone** *f.* 왕관. **～mord** *m.* 국왕 시역(弑逆). **～mörder** *m.* 국왕 시역자. **～rose** *f.* 〖植〗 작약. **～schloß** *n.* 왕궁. **～sitz** *m.* 왕성(王城). **～sohn** *m.* 왕자. **～thron** *m.* 왕좌, 옥좌. **～wasser** *n.* 〖化〗 왕수(王水). **～würde** *f.* 왕위; 왕의 위엄.

Königtum [kǿ:nɪçtu:m] *n.* -(e)s, ..tümer, 왕위, 왕권; 왕국(♀*kingdom*).

konisch [kó:nɪʃ] [gr. <Konus] *a.* 원뿔 모양의.

Konjugation [kɔnjugatsĭó:n] *f.* -en, 연결, 접합; 〖文〗 동사(의 동류) 변화. **konjugieren** [kɔnjugí:rən] [lat. „zusamme"] *t.* 연접〔연결·결합〕하다(♀*conjugate*); 〖文〗 변화시키다《동사를》.

Konjunktion [kɔnjʊŋktsĭó:n] [lat.] *f.* -en, 〖文〗 접속사. **Konjunktiv** [kɔ́njʊŋkti:f, kɔn-tí:f] *m.* -es, -e, 〖文〗 접속법(法), 가능법(可能法). **Konjunktivitis** *f.* 〖醫〗 결막염. **Konjunktur** *f.* -en, 돌아가는 형편, 시세(時勢); 〖商〗 상황(商況), 경기; 경기 변동; (Hoch～) 호황, 호경기.

konkav [kɔnká:f] [lat. „ganz hohl"] *a.* 요면(凹面)의, 오목한.

Konkordat [kɔnkɔrdá:t] *n.* -(e)s, -e, 약정; (특히) 교황과 국가간의 조약.

konkret [kɔnkré:t] [lat. „zusammengewachsen", "한 모양을 이룬"] *a.* 구상〔구체〕적인(♀*concrete*). **konkretisieren** [-tizí:rən] *t.* 구체화〔구상화〕하다.

Konkubinat [kɔnkubiná:t] *n.* -(e)s, -e, 첩의 신분; 축첩(蓄妾). **Konkubine** [lat. „Beischläferin"] *f.* -n, 첩.

Konkurrent [kɔnkurɛ́nt] *m.* -en, -en, 경쟁자. **Konkurrenz** *f.* -en, 경쟁. **konkurrieren** [kɔnkurí:rən] [lat. „mitlaufen"] *i.*(h.) 경쟁하다, 경합하다(*compete*). **Konkurs** [kɔnkʊ́rs] [lat. „Zusammenlauf"] *m.* -es, -e, 지불 불능, 파산(*bankruptcy, failure*).

Konkurs·erklärung *f.* 파산 선고. **～masse** *f.* 파산 재단(財團). **～verfahren** *n.* 파산 절차. **～verwalter** *m.*

파산 관재인(破產管財人).

können* [kœ́nən] [♈kennen, Kunst: "능력을 가지다"] 《I》 *t.* 《獨立動詞》 할 줄 알다(♈*can*). ¶er kann Russisch 그는 노어(露語)를 할 줄 안다. 《II》 《話法의 助動詞; 完了分詞는 können》 능력이 있다; 할 수 있다; …일 수 있다, …일 지도 모르다. ¶ich konnte nicht **anders** (tun) als ihn bezahlen 나는 그에게 지불하지 않을 수 없었다 / **dafür** (büßen) ~ 그 일에 대한 책임이 있다 / nicht **umhin** ~ …을 하지 않을 수 없다.

Konnex [kɔnέks] *m.* -es, -e, 연결, 연락. **Konnexion** [-sĭó:n] *f.* -en, (흔히 *pl.*) 관계, 연고.

Konnossement [kɔnɔsəmέnt] [it. -fr.] *n.* -(e)s, -e, 〖商·海〗 선하 증권(船荷證券)(*bill of lading*).

konnte [kɔ́ntə], **könnte** [kœ́ntə] ☞ KÖNNEN 《그 直說法 및 接續法過去》.

Konsens [kɔnzέns] *m.* -es, -e, 동의, 승낙, 허가.

konsequent [kɔnzekvέnt] [lat. *sequi* „folgen"] *a.* (folgerichtig) 결과로서 필연적인; 시종 일관한, 논리적으로 꼭 들어맞는, 철저한; 절조 있는(*consistent*). **Konseqvenz** *f.* -en, ① 귀결; 필연의 결과, 결론. ¶die ~(en) aus et. ziehen 무엇에서 결론을 끌어 내다. ② 시종 일관, 철저한 논리성; 절조(節操).

konservativ [kɔnzεrvatí:f, -zər-] *a.* 유지하는; 〖醫〗 보존적; 수구(守舊)의, 보수적. **Konservatorium** [-vató:rĭum] *n.* -s, ..rĭen, 음악 학교. **Konserve** [-və] *f.* -n, 통조림.

Konserven=büchse, **~dose** *f.* (통조림) 깡통. **~industrie** *f.* 통조림 공업.

konservieren [kɔnzεrví:rən] [lat. „zusammenhalten"] *t.* 보존〔유지〕하다; 저장하다(♈*conserve, preserve*); 통조림으로 하다(*tin, can*).

konsignieren [kɔnzɪgní:rən] [lat. „mitzeichnen", "표하다, 봉인(封印)하다"] *t.* 위탁하다; (상품을) 탁송(託送)하다(♈*consign*).

Konsistent [kɔnzɪstέnt] *a.* 긴밀한, 견고〔견실〕한.

Konsistorium [kɔnzɪstó:rĭum] [lat. *consistere* „zusammen-treten"] *n.* -s, ..rĭen, 〖가톨릭〗 (교황이 출석하는) 추기경 회의; 〖新敎〗 종교국(宗敎局).

konsolidieren [kɔnzolidí:rən] [lat. „befestigen"] *t.* 굳게 하다; 견고〔공고〕히 하다.

Konsonant [kɔnzonánt] [lat. „Mitlauter"] *m.* -en, -en, 〖文〗 자음. **konsonantisch** *a.* 자음의. **Konsonanz** *f.* -en, 〖樂〗 화음; (의견·취미 등의) 일치.

Konsorte [kɔnzɔ́rtə] [lat. *consors*, „teilhaft"] *m.* -n, -n, (흔히 *pl.*) 동료; 〖商〗 사원(社員), 조합원(*associates*); 〖法〗 공범자, 방조자(*accomplices*); 《俗》 놈들, 그 패들. **Konsortium** [-tsĭum] *n.* -s, ..tĭen, 〖商〗 (기업) 조합; 차관단(借款團); 부부(관계); 《俗》 동료.

konstant [kɔnstánt] *a.* 불변의; 확고한.

konstatieren [kɔnstatí:rən] [lat. *constat* „es steht fest"] *t.* 확인하다, 확언하다(*confirm, state*); 〖醫〗 진단하다.

konstituieren [kɔnstituí:rən] [lat. < statuieren, kon-은 강조] *t.* 확립〔구성·조성〕하다, (헌법을) 제정하다(♈*constitute*); *refl.* 성립〔제정·구성·조성〕되다. **Konstitution** [-tsĭó:n] *f.* -en, (국가의) 헌법; (회의) 헌장; 제정; 구성, 구조; 〖醫〗 체질. **konstitutionell** *a.* 입헌적인; 〖醫〗 체질상의; 본질적인, 타고난.

konstruieren [kɔnstruí:rən] [lat. „zusammenschichten"] *t.* 조립하다, 구성〔조직·건조〕하다(♈*construct*). **Konstrukteur** [-tø̜:r] [fr.] *m.* -s, -e, 설계자, 디자이너. **Konstruktion** [-tsĭó:n] [lat.] *f.* -en, 조립(組立), 구성(構成), 건조.

Konsul [kɔ́nzul] [lat.] *m.* -s, -n, 집정관(執政官); 〖外交〗 영사. **Konsulat** [kɔnzulá:t] *n.* -(e)s, -e, 집정관의 직(職); 영사의 직; 영사관.

Konsulent [kɔnzulέnt] [lat.] *m.* -en, -en, 법률 고문; 변호사. **konsultieren** *t.* (에게) 의논하다; (의사의) 진찰을 받다(♈*consult*).

Konsum [kɔnzú:m] ① *m.* -s, 소비, 수요. ② [때로 kɔ́nzum] *m.* -s, -e, 《俗》 소비 조합. **Konsument** [kɔnzumέnt] *m.* -en, -en, 소비자. **konsumieren** [lat. „zusammenverbrauchen"] *t.* 소비하다; 소모하다《체력을》(♈*consume*).

Konsumtion *f.* -en, 소비, 소모.

Konsumtionssteuer *f.* 소비세.

Kontakt [kɔntákt] [lat. „mit-berührt"] *m.* -(e)s, -e, 접촉.

kontakt=arm *a.* 남과의 접촉이 드문, 잘 틀어 박히는. **~armut** *f.* 남과의 접촉이 드묾.

Kontakter [kɔntáktər] [lat.] *m.* -s, -, 접촉자; 연락원.

Kontakt=schnur *f.* 〖電〗 가요선(可撓線). **~stöpsel** *m.* 접속선(接續線). **~=wirkung** *f.* 〖物·化〗 접촉 작용.

kontant [kɔntánt] *a.* 지불 능력이 있는; 현금의; *adv.* 현금으로.

konter.. [kɔ́ntər-] [fr. „kontra"] 《合成用語》 "대(對)·반(反)"의 뜻.

Konter=admiral *m.* 해군 소장; 함대 사령관. **~bande** *f.* 밀수(품); 전시 금제품.

Konterfei [kɔ́ntərfai, kɔn-fái] [fr. *contrefait* „nach-gemacht"] *n.* -s, -e *u.* -s, 모사(模寫)(물), 초상.

Konter=revolution *f.* 반혁명. **~tanz** *m.* 대무(對舞)《두 조로 나뉘어 추는 사교 댄스》.

Kontinent [kɔntinέnt, kɔ́ntinεnt] [lat. „Zusammenhaltendes", Festes] *m.* -(e)s, -e, (Festland) 대륙; (Erdteil)주(洲). **kontinental** *a.* 대륙의, 대륙적인.

Kontingent [kɔntɪŋgέnt] [lat. „betreffend"] *n.* -(e)s, -e, (해당되는) 몫, 할당, 배당(액); 분담액; 〖商〗 수입 할당제.

kontingentieren *t.* 위의 액(額)을 정하다.

kontinuieren [kɔntinu-í:rən] *t.* 계속하다. **kontinuierlich** *a.* 연속적인, 끊임없는. **Kontinuität** [kɔntinu-] [lat. „Zusammenhalt"] *f.* 연속(성); (논리적으로) 빈틈 없음, 밀접한 연관.

Konto [kɔ́nto(:)] [it. <lat. *com-putārs* „zusammenrechnen"] *n.* -s, ..ten *u.*

K

-s *u.* ..ti [-ti:], 〖商〗계산, (대차의) 정산(*account*). ¶auf ~ geben 〔nehmen〕 외상으로 팔다〔사다〕 / auf ~ zahlen 계약금을 치르다.

Konto·auszug *m.* 계산서의 발췌, 계산서. **~buch** *n.* 회계(장)부. **~inhaber** *m.* 은행 거래인.

Kontokorrent [kɔntokɔrέnt] [it. „laufende Rechnung"] *n.* -(e)s, -e, 당좌 계정, 상호(相互) 계산(*current account*).

Kontor [kɔntó:r] [fr. *comptoir*, <Konto] *n.* -s, -e, 〖商〗카운터, 회계실, 사무실; 국외 대리점(*office*). **Kontorist** *m.* -en, -en, 경리계원; 점원(店員).

kontra [kɔ́ntra] [lat. *contra* „gegen, wider"] *adv.* 에 대하여, 반대하여, 향하여.

Kontra·baß *m.* 〖樂〗콘트라 베이스. **~buch** *n.* 대차 대조부.

Kontrakt [kɔntrákt] [lat. „zusammengezogen"] *m.* -(e)s, -e, 약속, 계약, 약정.

Kontrakt·bruch *m.* 계약 위반, 파약. **~brüchig** *a.* 계약 위반의. ¶~brüchig werden 계약에 어긋나다.

Kontraktion [kɔntraktsĭó:n] *f.* -en, 수축.

kontraktlich [kɔntráktlıç] *a.* 계약상의, 계약에 따르는; *adv.* 계약에 따라.

Kontrapunkt [kɔ́ntrapuŋkt] *m.* 〖樂〗대위법(對位法).

Kontrast [kɔntrást] [lat. *contrastare* „entgegen-stehen"] *m.* -es, -e, 대조, 대비(對比). **kontrastieren** 《I》 *t.* 대비〔대조〕하다. 《II》 *i.*(h.) (mit, 와) 대조를 이루다.

Kontrollblatt [kɔntrɔ́lblat] *n.* 〖商〗원부(原簿).

Kontrolle [kɔntrɔ́lə] [fr. *contrôle* (*contrerôle*) "대조부(對照簿)"] *f.* -n, 감사; 회계 감사; 통어, 관제, 지배, 조종(♈*control*). **Kontrolleur** [-lø:r] *m.* -s, -e, 감독관; (회계) 검사관; 〖商〗감사역. **kontrollieren** *t.* 감독하다; 감사〔검사〕하다(♈*control*).

Kontroll·kasse *f.* 금전 등록기(登錄器). **~uhr** *f.* 시간 기록 시계, 타임레코더. **~versammlung** *f.* 〖軍〗간열(簡閱) 점호 (소집).

Kontur [kɔntú:r] [fr. =Tour] *f.* -en, (흔히 *pl.*) 외곽(선), 윤곽(♈*contour*).

Konus [kó:nus] [gr.] *m.* -, ..ni *u.* ..nen *u.* ..nusse, 원뿔; 깔때기.

Konvektion [kɔnvεktsĭó:n] [lat.] *f.* -en, 〖物〗대류(對流), 환류. **konvektiv** [-tí:f] [<Konvektion] *a.* 전달성의; 대류(對流)적인. **Konvektor** [-vέktɔr] *m.* -s, ..toren, 난방(暖房) 대류기.

Konvention [kɔnvεntsĭó:n] *f.* -en, 협정, 협상, 협약; 인습, 습관. **Konventionalstrafe** *f.* 계약 불이행의 벌, 위약금(金). **konventionell** [-tsĭonέl] *a.* 계약에 의한, 계약상의; 인습적인; 형식적인.

konvergieren [kɔnvergí:rən] [lat. „sich zusammenneigen"] *i.*(h.) 한 점에 모이다; 수렴하다(♈*converge*).

Konversation [kɔnvεrzatsĭó:n] [lat. -fr.] *f.* -en, 회화.

Konversationslexikon [-lεksikɔn] *n.* 백과 사전(*encyclopedia*).

konversieren [kɔnvεrzí:rən] [lat.] *i.*(h.) 회화〔담화〕하다.

Konvertit [kɔnvεrtí:t] [lat. „Verwandelter"] *m.* -en, -en, 〖宗〗개종자, 개심자(♈*convert*).

konvex [kɔnvέks] [lat. „zusammengezogen", -gebogen] *a.* 철면(凸面)의, 가운데가 불룩한.

konzedieren [kɔntsedí:rən] [lat.] *t.* 허용〔승인〕하다.

Konzentration [kɔntsεntratsĭó:n] [lat. -fr.] *f.* -en, 집중; 중앙 집권. **Konzentrationslager** *n.* 정치범〔포로〕수용소, (나치스의) 강제 수용소. **konzentrieren** [kɔntsεntrí:rən] [lat. < Zentrum] 《I》 *t.* 집중하다(♈*concentrate*); 〖化〗농축하다. 《II》 *refl.* 집중하다; (auf et., 무엇에) 주의력을 집중하다. **konzentrisch** *a.* 동심(同心)의 (원); 집중적인.

Konzept [kɔntsέpt] [lat., <konzipieren] *n.* -(e)s, -e, 초안, 복안((*rough*) *draft*); 초고(*sketch*). ¶aus dem ~(e) kommen 당황하다. **Konzeption** *f.* -en, 구상, 초안; 〖醫〗임신. **Konzeptpapier** *n.* 초고지(草稿紙).

Konzern [kɔntsέrn] [engl., <lat. *concernere*] *m.* -s, -e, 기업 연합, 콘체른.

Konzert [kɔntsέrt] [it. „Wettstreit (der Stimmen)"] *n.* -(e)s, -e, 〖樂〗콘체르트, 협주곡; 음악회, 콘서트. **Konzertflügel** *m.* (연주회용) 그랜드 피아노. **konzertieren** [kɔntsεrtí:rən] *i.*(h.) 음악회를 열다. **Konzert·stück** *n.* 협주곡(목), 콘체르트.

Konzession [kɔntsεsĭó:n] [lat.] *f.* -en, 양보, 허용; (영업의) 허가, 인가, 면허. **konzessionieren** *t.* (에게) 면허〔특허〕를 주다(jm.); 허가〔인가·면허〕하다.

Konzil [kɔntsí:l] [lat., „Zusammenrufung", 소집한 회의] *n.* -s, -e *u.* ..lien [-lĭən], 〖가톨릭〗공의회(公議會)(*church council*). **konziliant** *a.* 유화〔화해〕적인.

konzipieren [kɔntsipí:rən] [lat. „zusammentassen"] *t.* (시문(詩文)을) 구상하다; (문서를) 기초하다; *i.*(h.) 임신하다.

Ko·optation [ko:ɔptatsĭó:n] *f.* -en, 보궐 선거. **ko·optieren** *t.* 보궐 선거하다.

Ko·ordinate [ko:ɔrdiná:tə] *f.* -n, 〖數〗좌표. **~n·achse** *f.* 좌표축.

Kopaiva·balsam [kopaí:va-] *m.* 코파이바 발삼(약용 수지). **~baum** *n.* 코파이바나무(남미산 콩과 식물).

Köper [kǿ:pər] [lat. -nd.] *m.* -s, -, 능직(綾織)(물)(*twill*).

Kopf [kɔpf] [Lw. lat.] *m.* -(e)s, ⸚e, ① 머리(*head*). ② 《比》 두뇌; 정신, 지혜, 재주, 지각, 의식, 의지. ¶sich[3] e-n ~ aufsetzen 우기다, 고집을 세우다 / den ~ verlieren 당황하다 / jm. den ~ waschen 아무에게 호통치다, 퉁명스럽게 말하다 / ~ **an** ~ 서로 비비대기치며, 앞서거니 뒤서거니 / **auf** s-m ~ (be)steh(e)n 고집을 세우다, 우기다 / auf den ~ gefallen sein 바보이다, 모자라다 / jm. et. auf den ~ zusagen 아무에게 우격다짐하다 / **aus** dem ~ 암기하여, 외어서 / das will mir nicht in den ~ 나는 그것이 이해되지 않는다 / jm. **über** den ~ wachsen, a) 아무보다 키가 커지다, b) 《比》 아무를 능가하다, 지지 않게 되다 / es geht **um** den ~ 그것은 생명에 관한 것이다, 목숨을 건 일이다 / jn. **vor** den ~ stoßen 아무를 모욕하다.

Kopf=arbeit [kɔ́pf-] *f.* 정신 노동. **~=bahnhof** *m.* 종착역, 터미널 스테이션. **~ball** *m.* 〖蹴〗 헤딩. **~bedeckung** *f.* 두건, 모자. **~binde** *f.* 머리띠.

köpfen [kœ́pfən] *t.* (사람의) 머리를 자르다, 참수(斬首)하다(*behead*); 우듬지를 치다(*poll, lop*); 〖蹴〗 헤딩하다.

Kopf=ende *n.* (침대의) 두부(頭部). **~=geld** *n.* 인두세(人頭稅). **~haar** *n.* 머리털. **~hänger** *m.* 《比》 소심한 사람; 거짓 신자. **~hängerisch** *a.* 의기 소침한. **~haut** *f.* 두피(頭皮). **~hörer** *m.* 이어폰(*earphone*).

köpfig [kœ́pfıç] *a.* 고집이 센.

Kopf=kissen *n.* 베개(*pillow*). **~länge** *f.* 머리의 길이. **~los** *a.* 머리 없는; 《比》 지혜 없는, 우둔한. **~nicken** *n.* 끄덕거림, 수긍(首肯). **~nuß** *f.* 《俗》 머리를 때림. **~putz** *m.* 머리(털) 장식. **~rechnen** *n.* 암산. **~salat** *m.* 〖植〗 통상치. **~scheu** *a.* 놀라기 잘하는 《말 따위》; 《比》 겁 많은. **~schmerz** *m.* 두통. **~schütteln** *n.* 머리를 옆으로 흔듦 《의혹·불만·부인(否認)의 표정》. **~=sprung** *m.* 곤두박질; 다이빙. **~stand** *m.* 물구나무서기. **~station** *f.* 종착역. **~stein·pflaster** *n.* 거친 돌에 의한 포장(舖裝). **~steuer** *f.* 인두세(人頭稅). **~stimme** *f.* 가성(假聲). **~=tuch** *n.* (여성용) 두건. **~über** *adv.* 곤두박이로; 《比》 다급하게, 허겁지겁. **~wäsche** *f.* 머리 씻기, 세발(洗髮). **~weh** *n.* 두통. **~zahl** *f.* 머릿수, 사람수. **~zerbrechen** *n.* 노심 초사.

Kopie [kopí:] [lat. -fr.] *f.* ..pien [kopí:ən], ① 베낌, 사본, 등본; 복사, 모사 (♈*copy*). ② 《比》 모방; 〖寫〗 양화(陽畫). **kopieren** [kopí:rən] *t.* ① 베끼다, 복사〔등사〕하다. ② 〖寫〗 인화하다. **Ko=pist** *m.* -en, -en, 베끼는 사람, 필생.

Koppel [kɔ́pəl] [Lw. fr., <lat. *cōpula* „Band"] *f.* -n, 〖軍〗 띠, 검대(劍帶) (*belt*); (사냥개들을 한 줄에 잡아매는) 목고리(*couple, leash*); 울로 둘러친 땅《원래는 일련의 소가 하루에 가는 땅》(*enclosure*); (울짱을 둘러친) 목장. **koppeln** [kɔ́pəln] *t.* 한 줄에 잡아매다; 〖電〗 연결하다. **Koppelung** *f.* -en, 한 줄에 잡아매기; 연결.

kopulieren [kopulí:rən] [lat.] *t.* 연결하다; 접합하다; 결혼시키다(*unite, marry*).

kor [ko:r] ☞KIESEN, KÜREN(그 過去).

kor.. [kɔr-] [lat.] =KON- 《r로 시작하는 말 앞에 올 경우》.

Koralle [korálə] [gr.] *f.* -n, 〖動〗 산호충(♈*coral*). **korallen** *a.* 산호질의, 산호제의; 산호 같은.

Korallen=bank *f.* 산호초. **~fischer** *m.* 산호 채취자. **~insel** *f.* 산호섬. **~riff** *n.* 산호초.

Koran [korá:n, kó:ran] [ar. „Lesung"] *m.* -s, -e, 코란《회교의 경전(經典)》.

Korb [kɔrp] [Lw. lat.] *m.* -(e)s [-ps, -bəs], ⸗e [kœ́rbə], ① 바구니, 광주리, 바스켓(*basket, hamper*); (Säbel~) 광주리모양의 칼코등이(*hilt*). ¶der (beste) Hahn im ~e sein 모든 사람의 총아(寵兒)이다. ② 《比》 거절. ¶e-n ~ bekommen 〔geben〕 퇴자를 맞다〔놓다〕, 구혼을 거절당하다〔거절하다〕.

Korb=ball *m.* 농구. **~blüt(l)er** *m.* 〖植〗 엉거시과.

Körbchen [kœ́rpçən] *n.* -s, -, 작은 바구니.

Korb=flasche *f.* 바구니로 포장한 병. **~möbel** *n.* 등제(籐製)의 가구. **~=weide** *f.* 〖植〗 내버들, 꽃버들.

Kordel [kɔ́rdəl] [Lw. fr.] *f.* -n, 줄, (노)끈.

Kordillere [kɔrdılјé:rə] [sp.] *f.* -n, 연산(連山), 산맥; 〖地〗 die ~n (남북 아메리카의) 서부 해안 산맥.

Kordon [kɔrdɔ̃:, (öst.) -dó:n] [fr.] *m.* -s, -s *u.* -e, (끈) 끈; (훈장의) 수(綬); 경계선, 보초선(♈*cordon*).

Korea [koré:a] [lat. *Kaoli*, fr. *Corée* "고려"] *n.* -s, 한국. **Korea·konflikt** *m.* 한국 동란. **Koreaner** *m.* -s, -, 한국 사람. **koreanisch** *a.* 한국(사람·말)의.

Korinth [korínt] [gr.] *n.* -s, 고대 그리스의 도시명. **Korinthe** *f.* -n, 씨가 없는 작은 건포도. **Korinther** *m.* -s, -, 코린트 사람. **korinthisch** *a.* 코린트의, 〖建〗 코린트(식)의.

Kork [kɔrk] [Lw. sp.] *m.* -(e)s, -e, 코르크(나무의 껍질)(♈*cork*); 코르크 마개.

kork=artig *a.* 코르크 질(質)의. **~=baum** *m.*, **~eiche** *f.* 코르크 나무.

korken [kɔ́rkən] 《Ⅰ》 *t.* (에) 코르크 마개를 하다. 《Ⅱ》 *a.* 코르크의. **~zieher** *m.* 마개뽑이.

Kork=pfrof(en), **~stöpsel** *m.* 코르크로 만든 마개. **~sohle** *f.* (구두의) 코르크 창. **~zieher** *m.* 마개뽑이.

Kormophyt [kɔrmofý:t] [gr. *kormos* „Stamm", phyesthai „wachsen"] *m.* -en, -en, 경엽(莖葉) 식물.

Kormus [kɔ́rmus] [lat. <gr. *kormos* „Stamm"] *m.* -, 경엽 식물체.

Korn [kɔrn] 《Ⅰ》 *n.* -(e)s, ⸗er [kœ́rnər] *u.* (곡식 종류를 나타낼 때:) -e, ① (Samen~) 곡물, 종자, 낟알 (♈*corn*); 알맹이(모양의 것)(♈*grain*); 소맥, 호밀. ② (화폐의) 품위(品位)(*standard*). ③ 〖軍〗 가늠쇠(*sight*). ¶aufs ~ nehmen (을) 겨누다. 《Ⅱ》 *m.* -(e)s, -, 《俗》 화주(火酒).

Korn=ähre *f.* 곡물〔보리〕이삭. **~bau** *m.* 곡물〔보리〕 경작. **~blume** *f.* 〖植〗 수레국화. **~branntwein** *m.* 위스키.

Körnchen [kœ́rnçən] *n.* -s, -, 작은 (낟)알. ¶《比》 nicht ein ~ 조금도 …않다〔없다〕.

Kornelle [kɔrnélə] [lat.] *f.* -n, 〔**Kor=nelkirsche** *f.*〕 〖植〗 서양산 수유나무(의 열매)(♈*cornel*).

körnen [kœ́rnən] *t.* 〖工〗 입상(粒狀)으로 하다; (에) 눈금을 붙이다; (가죽을) 오톨도톨하게 하다.

Korn=händler *m.* 곡물 상인. **~haus** *n.* 곡창(穀倉).

körnig [kœrnɪç] *a.* 알맹이 모양의; (표면이) 오톨도톨한.

Korn=jahr *n.* 풍년. **~kammer** *f.* 곡창. **~reich** *a.* 곡식이 풍부한. **~rōse** *f.* 〖植〗 선옹초(仙翁草). **~schwinge** *f.* 키. **~sieb** *n.* 곡식(을 치는 굵은) 체. **~speicher** *m.* 곡창. **~wurm** *m.* 〖蟲〗 곡식좀나방(*weevil*).

Korōna [koró:na] [lat. „Kranz"] *f.* ..nen, 〖天〗 코로나; 〖電〗 코로나 방전.

Koronārgefäß [-ná:r-] [<Korona] *n.* 관상(冠狀) 동맥.

Kōr·ordnung [kǿ:r-ortnuŋ] *f.* 종축(種畜)에 관한 규정, 씨말 검사법.

Kōrper [kœrpər] [Lw. lat. *corpus*] *m.* -s, -, ① 몸(둥이), 신체, 구간(軀幹)(*body*). ② 물체; 인체; (fester ~) 고체; (액체의) 농도. ③ 단체.

Kōrper=bau *m.* 체격. **~behindert** *a.* 신체에 결함이 있는. **~beschaffen=heit** *f.* 체질, 체격.

Kōrperchen [kœrpərçən] *n.* -s, -, 작은 신체, 단구(短軀); 작은 물체, 분자, 미물(微物).

Kōrper=fülle *f.* 비만, 비대. **~grōße** *f.* 신장. **~kraft** *f.* 체력.

kōrperlich [kœrpərlɪç] *a.* 몸의; 유체(有體)의, 구체적인; 형질적〔물질적〕인; 육체상의. **Kōrperlichkeit** *f.* -en, 위임; 육체성(性), 물체성. 「무형의.」

kōrperlōs [-lo:s] *a.* 신체〔형체〕 없는,

Kōrper=māß *n.* 용량, 용적, 되의 양(量). **~messung** *f.* 용적 측량. **~=pflēge** *f.* 체육. **~pūder** *m.* 뿌리는 가루(땀띠약 따위의).

Kōrperschaft [kœrpərʃaft] *f.* -en, 단체, 회사; 〖法〗 법인체, 사단(社團).

Kōrper=schūlung *f.* 신체의 단련. **~=teil** *m.*, **~teilchen** *n.* 신체의 일부분, 지체. **~verletzung** *f.* 〖法〗 신체상해(傷害). **~wärme** *f.* 체온. **~welt** *f.* 물질계.

Korporāl [kɔrporá:l] [fr.] *m.* -s, -e, 〖軍〗 분대장; 하사. **Korporālschaft** *f.* -en, 〖軍〗 분대.

Korporatiōn [kɔ́rporatsĭó:n] [lat.] *f.* -en, 단체, 조합, 사단(법인)(=Körperschaft).

Korps [ko:r] [fr. *aus* lat. *corpus* „Körper"] *n.* -[ko:rs], -[ko:rs], ① 〖軍〗 (Armee~) 군단, 군. ② (Offizier~) 장교단; 학생단(귀족적인 학생 조합의 일종). **Korps·student** [kó:r-] *m.* 학생 조합에 가입한 대학생.

korpulent [kɔrpulέnt] [lat. <*korpus* „Körper"] *a.* 비만한. **Korpulenz** [-ts] *f.* 비만.

Korpus [kɔ́rpus] [lat.] 《I》 *m.* od. *n.* -, ..pusse (..pora), =KÖRPER. 《II》 *f.* 〖印〗 10포인트 활자. **Korpuskel** [kɔrpúskəl] *n.* -s, -n, 〖物〗 입자. **Korpus=kulārstrahlen** [-kulá:r-] *pl.* 입자선(粒子線).

korrekt [kɔrέkt] [lat., <korrigieren] *a.* 올바른; 정식의; 정확한; 꼼꼼한. **Korrekt·heit** *f.* -en, 위임.

Korrektiōn [kɔrεktsĭó:n] [lat.] *f.* -en, 개량, 정정; 조정; 감화 (교육). **~s=an=stalt** *f.* 감화원.

Korrektor [kɔrέktɔr] *m.* -s, ..tōren [tó:rən], 〖印〗 교정자. **Korrektūr** [kɔrεktú:r] *f.* -en, 정정; 교정(矯正), 개선; 〖印〗 교정(校正).

Korrektūr=bōgen *m.* 교정쇄(校正刷). **~fahne** *f.* 게라쇄, 봉조 교정쇄.

Korrespondent [kɔrespɔndέnt] [lat.] *m.* -en, -en, 〖商〗 통신계; 거래처; (신문사의) 외국 통신원. **Korrespondent=reeder** *m.* 선박 관리인(많은 선주의 선박을 맡아 행하는 선박업의 대표자).

Korrespondenz *f.* -en, 편지 왕래; 교환 문서; (신문사의) 통신 (기사); 대응, 상응; 적합. **korrespondieren** [kɔrεspɔndí:rən] [lat. „wiederantworten"] *i.* (h.) 통신하다, 편지 왕래하다; 상응〔일치〕하다(♈*correspond*).

Korridōr [kɔ́rido:r] [it. „Laufgang", <lat. *currere* „laufen"] *m.* -s, -e, 〖建〗 복도; 통로; 〖地〗 회랑 (지대).

korrigieren [kɔrigí:rən] [lat., <regieren; kor- (*con*-)은 强調] *t.* 바르게 하다, 고치다(♈*correct*); 〖印〗 교정하다.

Korrosiōn [kɔrozĭó:n] [lat.] *f.* -en, 부식; 〖地〗 용식(溶蝕).

korrumpieren [kɔrumpí:rən] [lat.] *t.* 훼손하다, 부패시키다; 증회〔매수〕하다.

korrupt [kɔrúpt] *a.* 부패〔타락〕한; 매수된.

Korsār [kɔrzá:r] [it. „Läufer"] *m.* -en, -en, 해적(선)(♈*corsair*).

Korse [kɔ́rzə] *m.* -n, -n, 코르시카 사람.

Korsett [kɔrzέt] [fr., <lat. *corpus* „Körper"] *n.* -(e)s, -e, 코르셋. **Kor=settstange** *f.* 코르셋의 살대〔뼈〕.

Korsika [kɔ́rzika] 코르시카. **korsisch** *a.* 코르시카 섬〔어·풍〕의.

Korsō [kɔ́rzo:] [it.] *m.* -s, (öst.: -), -s, 꽃으로 장식한 마차 행렬; 기수 없는 경마; (경)마장.

Kosak [kozák, (russ.) kʌ-] [russ.] *m.* -en, -en, 코작 기병(騎兵).

kōscher [kó:ʃər] [hebr.] *a.* 청정한(유대교의 전법에 맞는), 청결한; 정상적인; 의심할 바 없는, 신용할 수 있는.

K.-o.-Schlāg [ka:ó:-] *m.* 《略》 =*K*nock-*o*utschlag 녹아우트; 《比》 철저한 대타격.

kōsen [kó:zən] [Lw. lat.] *i.* (h.) ① 스스럼 없이 이야기하다. ② (애인끼리) 속삭이다; (od. *t.*) 애무하다(*caress, fondle*).

Kōse=nāme(n) [kó:zə-] *m.* 애칭(*pet name*). **~wort** *n.* (*pl.* ..wörter) 애무의 말.

Kōsinus [kó:zinus] [lat.] *m.* -, - u. ..nusse, 〖數〗 코사인(略: *cos*).

Kosmētik [kɔsmé:tɪk] [gr. =Kosmos] *f.* -en, 미용(술), 화장(법). **kosmē=tisch** *a.* 위의.

kosmisch [kɔ́smɪʃ] *a.* 우주의; 질서〔조화〕있는. **kosmopolit** [-polí:t] [„Weltbürger"] *m.* -en, -en, 세계 시민, 세계주의자. **Kosmos** [kɔ́smɔs] [gr. „(Welt-)ordnung"] *m.* -, (질서 있는) 세계.

Kost [kɔst] [Lw. lat., <kosten²] *f.* ① 비용†; 생산비, 코스트. ② 음식물, 식료품, 식이(食餌)(*food, victuals, diet*); 식사. ③ 급식, 하숙(*board*). ¶ freie ~ haben 무료로 얻어 먹고 있다 / in (die)

~ nehmen 하숙시키다, (아이를) 맡아서 기르다 / in (die) ~ geben 하숙시키다, (아이를) 남에게 맡겨 기르다.

kostbār [kɔ́stba:r] *a.* 고가의(*costly*); 귀중한(*precious*). **Kostbārkeit** *f.* -en, 위임; (*pl.*) 귀중품.

kosten[1] [kɔ́stən] [♈kiesen, küren] *t.* 맛보다, 시식〔시음〕하다, 조금 먹다; 《比》 향락〔경험〕하다(*taste, try*).

kosten[2] [kɔ́stən] [Lw. lat. *con-stāre* (*stāre* „stehen"), *con-*은 强調] *i.*(h.) u. *t.* (…의) 값이다, 비용이 들다(♈*cost*); 요하다(*require*). ¶es kostet mich〔mir〕 viel Geld 그것은 나에게 비싸다, 그것은 돈이 많이 든다 / es kostet viel Überwindung 그것은 비상한 극기를 요한다.

Kosten [kɔ́stən] [*eig. pl.* <Kost] *pl.* 가치, 비용(♈*cost, charges*); 《比》 부담, 희생. ¶**auf** m-e ~, a) 비용을 내가 치르고, b) 나를 이용하여, 나에게 손해를 끼치고 / auf s-e ~ kommen 비용을 되돌려 받다〔되찾다〕.

Kosten⸗anschlāg *m.* 비용의 견적. **~frei** *a.* 무료의, 비용 면제의. **~⸗günstig** *a.* 값이 괜찮은, 싼. **~lōs** =~FREI. **~pflichtig** *a.* 유료의; 소송 비용 지불의 의무가 있는. **~preis** *m.* 원가, 도매 가격. **~punkt** *m.* 비용(*expenses*).

Kost⸗frau *f.* 하숙집의 주부. **~frei** *a.* 무료로 먹여 주는. **~gänger** *m.* 매일 식사하러 오는 사람, 하숙인. **~⸗geld** *n.* 식비; 수당. **~happen** *m.* 한 입(의 음식물). **~haus** *n.* 하숙집, 기숙사.

köstlich [kœ́stlıç] *a.* ① 고가(高價)〔귀중〕한(*precious, valuable*). ② 훌륭한, 절묘한, 멋진(*delicious*). **Köstlichkeit** *f.* -en, 위임; (*pl.*) 위의 사물.

Kost⸗prōbe *f.* 시식(試食)할 음식. **~⸗spielig** [ʃpi:lıç] [後半: mhd. *spildec* „verschwenderisch"] *a.* 돈이 드는(*expensive*).

Kostüm [kɔstý:m] [fr. „Brauch"] *n.* -s, -e, 풍속(♈*custom*); 복장, 옷차림(♈*costume, dress*); 코스튬《웃옷과 스커트로 된 여성복의 일종》. **Kostümfest** *n.* 가장 무도회. **Kostümprōbe** *f.* 〖劇〗 (의상을 갖추고 하는) 정식 연습.

Kostver·ächter [kɔ́stfɛr-ɛçtər] *m.* 편식하는〔식성이 까다로운〕 사람. ¶kein ~ sein 무엇이나 먹다, 호색(好色)하다.

kp 《略》=*K*ilo*p*ond.

Kōt[1] [ko:t] [*eig.* „Böses"] *m.* -(e)s, ① 진흙, 오물(*mud, dirt*). ② 똥, 오줌똥(*excrements*).

Kōt[2] [ko:t] [ndd.] *n.* -(e)s, -e, 오막살이; 제염소의 이익 배당.

kōtblech [kó:tblɛç] *n.* (자동차의) 흙받기.

Kotelett [kotəlét, kɔt–] [fr. „Rippchen"] *n.* -(e)s, -e, 〖料〗 갈빗대 고기, 커틀렛(♈*cutlet*); (갈비뼈가 든) 두꺼운 육편(*chop*).

Kōter [kǿ:tər] *m.* -s, -, 잡종의 개, 똥개, 무는 버릇이 있는 개(*cur*).

Kōterie [ko:tərí:] [fr.] *f.* ..rīen, 도당(徒黨); 《蔑》 도배.

Kōtflügel [kó:tflʏ:gəl] *m.* =KOTBLECH.

kōtig [kó:tıç] *a.* 진흙투성이의, 수렁을 이룬; 더러운.

kotzen [kɔ́tsən] [擬聲語] *i.*(h.) u. *refl.* 《俗》 먹은 것을 게우다, 토하다(*vomit*).

Krabbe [krábə] [♈Krebs] *f.* -n, 〖動〗 게(♈*crab*); 십각류(十脚類); 《戲》 개구장이. **krabbeln** [krábəln] 《I》 *t.* (-북북) 긁다(♈*grabble*). ¶es krabbelt mich 가렵다, 근질근질하다. 《II》 *i.*(h.) 발버둥치다, 꿈틀거리가; (s.) u. *refl.* 기어 돌아다니다.

krach! [krax] [擬聲語] *int.*: ~! 댕그렁, 뚝뚝, 북, 우지끈, 탁, 딱, 쿵. **Krach** *m.* -(e)s, -e, 위의 소리; 《俗》 소동, 다툼. ¶mit Ach u. ~ 겨우, 간신히. **krachen** [kráxən] *i.*(h.) 탁〔탕·쾅·짝·우지끈〕 소리가 나다, 와르릉 꽝하고 울리다(♈*crack*); (s.) 뚝 부러지다, 우지끈 부서지다〔깨어지다〕. **Krachmandel** *f.* 《方》 껍데기가 붙어 있는 편도(扁桃).

krächzen [krɛ́çtsən] *i.*(h.) 까악까악 울다《까마귀 등이》; 목쉰 소리로 말하다.

Kracke [krákə] *f.* -n, 노마(駑馬), 쓸모 없는 말(*jade*).

Krād [kra:t] *n.* -(e)s, ⸚er *u.* -s, 《略》 =*Kr*aftr*ad* 오토바이.

Kraft [kraft] 《I》 [=engl. *craft* „Fertigkeit"] *f.* ⸚e [kréftə], ① (실제로 일하는) 힘, 세력(*power, force*); 강함(*strenght*); 〖工〗 (원)동력; (*pl.*) 체력, 심력(心力), 의지력, 정력(*vigour, energy*). ¶**nach** Kräften 힘 닿는 대로. ② 효력, 작용, 효과(*efficacy*). ¶**außer** ~ setzen 무효로 하다, (법률 따위를) 폐지하다 / **in** ~ treten 효력을 발생하다. ③ (일하는) 인원; (Arbeits~) 일꾼; (Geschäfts~) 직원. ¶gelernte Kräfte (*pl.*) 숙련공. ④ (=~wagen) 자동차.

kraft [in Kraft, bei Kraft 따위의 in, bei를 생략한 것] *prp.* 《2格支配》 …의 힘에 의하여. ¶~ m-s Amtes 나의 직권에 의하여.

Kraft⸗anlāge *f.* 발전소. **~anstren⸗gung** *f.* 노력, 분려(奮勵). **~aufwand** *m.* 힘의 소비, 수고. **~ausdruck** *m.* 힘찬 말〔표현〕, 호언(豪言). **~brühe** *f.* 육즙(肉汁)《수프의 일종》. **~drosch⸗ke** *f.* 택시. **~fahrer** *m.* 자동차 운전사. **~fahrsport** *m.* 자동차 경주. **~fahrversicherung** *f.* 자동차 재해보험. **~fahrzeug** *n.* 자동차. **~feld** *n.* 〖物〗 힘의 장(場).

kräftig [kréftıç] *a.* ① 강력한(*strong, powerful*); 힘 있는, 유효한; 강장(强壯)한(*robust*). ② 자양이 풍부한(*substantial, nourishing*). **kräftigen** *t.* 힘을 북돋우다, 강하게 하다(*strengthen*).

Kraft⸗lastwāgen *m.* 화물 자동차. **~lōs** *a.* 힘 없는, 무력한; 무효의. **~⸗lōsigkeit** *f.* 무력함, 무기력; 무효. **~messer** *m.* 동력계(計). **~prōbe** *f.* 힘의 시험, 힘 겨루기. **~rād** *n.* 오토바이. **~stoff** *m.* 연료; 휘발유. **~⸗verkehr** *m.* 자동차 교통. **~voll** *a.* 힘이 가득찬; 원기 왕성한, 강장(强壯)한. **~wāgen** *m.* 자동차(*motorcar*). **~⸗wāgenführer** *m.* 자동차 운전사. **~werk** *n.* 발전소.

Krāgen [krá:gən] *m.* -s, -, ① 목(♈

K

crag). ② 옷깃, 칼라(*collar*). **∼knopf** *m.* 칼라 단추. **∼spiegel** *m.* 칼라에 붙이는 휘장.

Kragstein [krá:kʃtain] [„Kragenstein"] *m.* 〖建〗 (돌출한) 석조 초엽(石造草葉).

Krähe [krɛ́:ə] [<krähen] *f.* -n, 〖鳥〗 까마귀(♈*crow*). **krähen** [擬聲語] *i.*(h.) (닭이) 울다(♈*crow*).

Krähen·fūß *m.* 눈가의 주름살; 서투른 필적. **∼nest** *n.* 까마귀 둥지; 〖海〗 마스트의 망대; 〖空〗 폭격기의 후미 상부 총좌(銃座).

Krähwinkel [krɛ́:vɪŋkəl] *n.* -s, (소도시 근성이 지배하는) 시골 도시.

Krakeel [kraké:l] [ndl., <lat. *queri* „klagen"] *m.* -(e)s, -e, 《俗》 싸움, 말다툼, 소동(♈*quarrel, brawl*). **kra·keelen** *i.*(h.) 싸우다, 욕설을 퍼붓다. **Krakeeler** *m.* -s, -, 위를 하는 사람.

Krākelfūß [krá:kəlfu:s] *m.* 서투른 글씨, 악필; 진서(珍書). **krākeln** [krá:kəln] *i.*(h.) 서투른 글씨를 쓰다.

Kralle [kralə] *f.* -n, 발톱, 며느리발톱 《특히 맹금·맹수의》(*claw, talon*). **kral·len** *t.* 할퀴다.

Krām [kra:m] *m.* -(e)s, ¨e, 소매업; 소매(점)(*retail*(*-trade*)); 소매품, 잡화, 방물(*small wares*); 《俗》 잡동사니, 일용 잡화(*lumber*).

Krambambuli [krambámbulí:] *m.* -(s), -(s), 《學》 향기가 좋은 화주(火酒)의 이름; 술.

Krāmbūde [krá:mbu:də] *f.* 소매점.

krāmen [krá:mən] *i.*(h.) 장사하다, 가게를 벌이다; (herun∼) 휘젓다; (mit, 을) 자랑삼아 보이다. **Krāmer** [krɛ́:mər] *m.* -s, -, 소(매)상인.

Krāmer·geist *m.*, **∼seele** *f.* 소(매)상인 기질(의 사람), 장사꾼 근성(의 사람).

Krām·haus *n.* 잡화점. **∼lāden** *m.* 소매점.

Krammet [krámət] *m.* -(e)s, 〖植〗 노간주나무. **Krammets·vōgel** *m.* 〖鳥〗 티티새의 일종《노간주나무의 열매를 즐겨 먹음》.

Krampe [krámpə] [nd.; ♈Krampf] *f.* -n, U자 모양의 갈고랑이, 걸쇠, 꺾쇠(♈*cramp*(*-iron*), *staple, tie*).

Krämpel [krɛ́mpəl] *m.* -s, 《俗》 잡동사니.

Krampf [krampf] [♈krumm] *m.* -(e)s, ¨e, 〖醫〗 경련(♈*cramp, spasm*).

Krampf·āder *f.* 정맥류(靜脈瘤). **∼·ärtig** *a.* 경련성의.

krampfen [krámpfən] *refl.* 급히 수축하다; 경련을 일으키다. **krampfhaft** *a.* 경련을 일으킨; 경련성의; 경련적인. **krampflösend** *p.a.* 진경(鎭痙)성의. ¶ ∼e Mittel (*pl.*) 진경제.

Krāmwāren [krá:mva:rən] *pl.* 박물, 잡화.

Krān [kra:n] [Krunich "학(鶴)"의 古形] *m.* -(e)s *u.* -en, -e *u.* ¨e, 기중기, 크레인(♈*crane*).

Krānich [krá:nɪç] [<Kran] *m.* -(e)s, -e, 〖鳥〗 두루미(♈*crane*).

krank [kraŋk] [♈krumm; "굽은"] 《Ⅰ》 *a.* 병든, 앓는(*sick, ill*). ¶ sich ∼ essen 과식하여 병 나다. 《Ⅱ》 **Kranke** *m.* u. *f.* 《形容詞變化》 병자, 환자.

kränkeln *i.*(h.) 병약하다. **kranken** *i.*(h.) 앓고 있다; (an, 을) 앓다, 괴로와하다. **kränken** [krɛ́ŋkən] *t.* 괴롭히다, 해치다; (의) 마음을 상하게 하다, 노하게 하다, 모욕하다(*offend, injure*).

Kranken·auto(mobīl) *n.* 침대 자동차, 구급차. **∼bett** *n.* 병상. **∼geld** *n.* 질병 수당. **∼haus** *n.* 병원(*hospital*). **∼kasse** *f.* 구호 금고(金庫), 질병 조합; 건강 보험. **∼kost** *f.* 환자용 음식. **∼lāger** *n.* 병상. **∼liste** *f.* 환자 명부. **∼pflēge** *f.* 간병(看病), 간호. **∼saal** *m.* 큰 병실. **∼schein** *m.* 진단서. **∼schwester** *f.* 간호원. **∼stū·be** *f.* 병실. **∼stuhl** *m.* 환자용 이동 의자. **∼trāge** *f.* 담가, 들것. **∼ver·sicherung** *f.* 질병〔건강〕 보험. **∼wā·gen** *m.* 환자 운반차. **∼wärter** *m.* 간호인; 간호병. **∼wärterin** *f.* 간호원.

krankhaft [kráŋkhaft] *a.* 병든, 병적인, 비정상의.

Krankheit [kráŋkhait] *f.* -en, 병, 질병, 불쾌(*illness, malady, disease*).

Krankheits·errēger *m.* 병인(病因), 병원체. **∼halber** *adv.* 병 때문에. **∼hērd** *m.* 병원지《유행병의 발원지》. **∼lehre** *f.* 병리학.

kränklich [krɛ́ŋklɪç] *a.* 앓기 잘하는, 허약한(*sickly*).

Kränkung [krɛ́ŋkuŋ] *f.* -en, 해침; 마음을 상하게 함, 노하게 함; 모욕, 무례, 부정.

Kranz [krants] *m.* -es, ¨e, ① 화환, 엽환(葉環)(*wreath*). ② (고리처럼 엮은) 관(*crown*); 꽃줄(*garland*); (사람들의) 서클. **Kränzchen** [krɛ́ntsçən] *n.* -s, -, 작은 화환〔화관〕; 모임, 파티《특히 여성들의》. **kränzen** *t.* 화환으로 꾸미다.

Kranz·gefäß *n.* (koronargefäß) 관상동맥. **∼gesims** *n.* 〖建〗 (옛 박공의) 추녀돌림띠. **∼jungfer** *f.* 신부의 들러리. **∼spende** *f.* 헌화(獻花)《장례식의 화환》.

Krapfen [krápfən] *m.* -s, -, 기름에 튀긴 일종의 과자(*fritter*).

Krapp [krap] *m.* -(e)s, 꼭두서니(의 뿌리)(*madder*). **Krapp·farbstoff** *m.* 알리자린《홍색 염료》.

kraß [kras] [Lw. lat. *crassus* „dick, stark, grob"] *a.* 심한, 현저한, 지독한 (*gross, crass*).

Krāter [krá:tər] [gr.] *m.* -s, -, 분화구(♈*crater*).

Kratz·bürste *f.* 금속제 솔; 《比》 고집 센〔심술궂은·무뚝뚝한〕 사람. **∼bürstig** *a.* 《比》 고집 센, 심술궂은, 무뚝뚝한.

Kratze [krátsə] *f.* -n, 긁는〔빗는〕 기구; 깎는 기구; (양털) 빗, 갈퀴. **Krätze**[1] [krɛ́tsə] [<kratzen] *f.* -n, 〖醫〗 옴(*itch, scab*); (금속의) 깎은 부스러기.

Krätze[2] *f.* -n, 《方》 (südd.) 지는 광주리, 지게.

kratzen [krátsən] 《Ⅰ》 *t.* 긁다, 깎다(*scratch*); 〖紡〗 괴깔을 일으키다; (양털을) 빗다(*scrape*). 《Ⅱ》 *refl.* 긁다.

Kratzfūß [krátsfu:s] *m.* 바른 발을 뒤로 끌어 빼고 하는 절.

krätzig [krɛ́tsɪç] *a.* 옴에 걸린.

kraueln [kráuəln] *t.* 살짝 긁다, (긁듯이) 쓰다듬다.

Kraul [kraul] [engl. *crawl* „kriechen"] *n.* –(s), 〖競〗 크롤 (영법).

kraus [kraus] *a.* 곱슬곱슬한, 주름잡힌 (*curly, crinkled*). ¶~e Wellen 잔물결 / die Stirn ~ ziehen 이마를 찌푸리다. **Krause** [kráuzə] *f.* –n, 곱슬곱슬함; 주름; 주름잡힌 옷깃, 옷깃 장식.

kräuseln [krɔ́yzəln] [<kraus] 《I》 *t.* 곱슬곱슬하게 하다, 물결 일게 하다 (*curl, crisp*), (옷감에) 주름을 잡다 (*plait*). 《II》 *refl.* 곱슬곱슬하게 되다; 잔 물결이 일다; 주름이 잡히다.

kraus≈haarig *a.* 고수머리의. **~kohl** *m.* 〖植〗 오그랑캐비지. **~kopf** *m.* 고수머리(의 사람). **~köpfig** *a.* 고수머리의.

Kraut [kraut] *n.* –(e)s, ⸗er, ① 잎; 잎이 주가 되는 식물(*herb*). ② 채소, 야채. ③ 풀, 초본(草本); (Un~) 잡초; (Heil~) 약초. ④ 양배추, 캐비지(*cabbage*). ¶ ins ~ schießen, a) 잎만이 무성하다《열매는 적고》, b) 만연하다, 자라나다.

Kräuter≈buch *n.* 초본서(草本書), 식물지(誌). **~käse** *m.* 약념들이 치즈. **~kenner** *m.* 약초를 잘 아는 사람. **~kunde** *f.* 식물학. **~tee** *m.* 약초 차(茶), 약초를 달인 약.

Krautjunker *m.* 시골 귀족; 대지주《특히 엘베 강 동쪽의》.

Krawall [kravál] [lat.] *m.* –s, –e, 소규모의 폭동, (일시적인) 반란(*riot, uproar*); 《俗》 소동; 분규.

Krawatte [kravátə] [fr.] *f.* –n, 깃의 장식, 넥타이(*tie*).

Krawatten≈macher *m.* 《俗》 고리 대금업자. **~nädel** *f.* 넥타이핀.

Kreation [kreatsió:n] [lat.] *f.* –en, 창조. **Kreatur** [kreatú:r] [lat. „Geschöpf"] *f.* –en, ① 피조물, 생물(♈*creature*); (특히) (신에 대한) 인간. ② 부하; 앞잡이.

Krebs [kre:ps] *m.* –es, –e, ① 〖動〗 게 (*crab*); (특히) 가재(*crawfish*); (*pl.*) 갑각류(甲殼類). ② 〖醫·植〗 암(癌), 암종(癌腫)(*cancer*).

krebs≈artig *a.* 〖動〗 갑각류의; 가재류의; 〖醫〗 암종성(癌腫性)의. **~bildung** *f.* 〖醫〗 암종 형성.

krebsen [kré:psən] *i.*(h.) 가재를 잡다.

Krebs≈gang *m.* 후퇴. **~schäden** *m.* 암(癌); 《比》 뿌리 깊은 폐해(弊害). **~schere** *f.* 게의 집게(발). **~suppe** *f.* 가재 수프.

Kredenz [kredénts] [lat.] *f.* –en, =~TISCH. **kredenzen** [lat. „beglaubigen"] *t.* (독이 있나 없나) 시식을 해보다, (음식을) 권하다. 「상차리는 대.

Kredenz≈teller *m.* 쟁반. **~tisch** *m.*

Kredit [kredí:t] [lat. „Anvertrautes"] *m.* –(e)s, –e, ① 대변(貸邊). ② 신용(♈*credit*), 명망(名望). ③ 〖商〗 신용 대부, 크레딧; 외상. ¶auf ~ 외상으로.

Kredit≈brief *m.* 신용장. **~fähig** *a.* 신용 능력이 있는.

kreditieren [krediti:rən] *t.* 대변에 기입하다; 신용 대부하다, 외상으로 팔다.

Kreide [kráidə] [Lw. lat. (*terra*) *crēta* „gesiebte (Erde)"] *f.* –n, 백악(白堊), 호분(胡粉); 분필, 백묵(*chalk*).

kreide≈haltig *a.* 백악을 함유한. **~stift** *m.* 백묵; 크레용. **~weiß** *a.* 백악같이 흰; 창백한. 「양의; 백악을 칠한.

kreidig [kráidıç] *a.* 백악질의; 백악 모

Kreis [krais] [*eig.* „Einritzung"; ♈ kritzeln] *m.* –es, –e, ① 〖數〗 원; 《一般的》 원형, 권(圈), 바퀴, 고리(*circle*). ¶im. ~e herum 둥글게, 빙 둘러서 / e-n ~ ziehen 원을 그리다 / sich im ~e bewegen 돌다, 주행(周行)〔순환〕하다 / sich im ~e drehen 회전하다. ② 〖論〗 순환 논법; 〖天〗 궤도(*orbit*). ③ (생활·활동의) 영역(*sphere*); 교우권(交友圈), 서클. ④ 행정권《군(郡), 주(州), 관구》(*district*).

Kreis≈abschnitt *m.* 〖數〗 활꼴(*segment*). **~ausschnitt** *m.* 〖數〗 부채꼴 (*sector*). **~bahn** *f.* 〖鐵〗 환상선(環狀線); 〖天〗 궤도. **~bogen** *m.* 〖數〗 원호(圓弧)(*arc*); 〖建〗 반원형 돔.

Kreischen(*) [kráiʃən] [擬聲語] *i.*(h.) ① 새된 소리를 내다, 날카로운 소리를 지르다(*shriek, scream*); 빽빽 소리나다, 삐걱거리다. ② 《比》 야하고 짙다, (빛깔이) 눈부시다. **kreischend** *p.a.* 날카로운; 삐걱거리는; 야하고 짙은.

Kreisel [kráizəl] *m.* –s, –, 팽이(*top*); 회전의(回轉儀) (*gyroscope*). **Kreisel≈pumpe** *f.* 원심(遠心) 펌프.

kreisen [kráizən] [<Kreis] *i.*(h. *u.* s.) 돌다, 빙 돌다(*circle*); 주행(周行)〔순환〕하다(*circulate*); 회전〔선회〕하다(*revolve*); 원을 그리다.

Kreis≈fläche *f.* 원의 면적. **~förmig** *a.* 원형의. **~gericht** *n.* 지방 재판소. **~lauf** *m.* 회전, 순환(*circulation*). **~linie** *f.* 원둘레. **~rund** *a.* 원형의. **~säge** *f.* 둥근 톱, 선회(旋回) 톱. **~schere** *f.* 원형 가위《양철이나 두꺼운 종이를 써는》.

kreißen [kráisən] [♈kreischen, *eig.* „(vor Schmerz) schreien"] *i.*(h.) 심한 고통으로 괴로와하다; (특히) 진통중에 있다 (*be in labour*).

Kreis≈stadt *f.* 지방청의 소재지. **~umfang** *m.* 주위; 〖數〗 원둘레.

Krem [kre:m] [fr. „Sahne"] 《I》 *f.* –s, 〔俗: *m.* –s, –e,〕, 크림. 《II》 *n.* –, 크림빛.

Krematorium [kremató:rĭum] [lat.] *n.* –s, ..rĭen, 화장터.

Krem·eis [kré:m-ais] *n.* 아이스크림.

Kreml [kré:məl, russ.: Krjɛml] [russ.] *m.* –s, 크렘린 궁전; 《俗》 소련 정부.

Krempe [krémpə] [♈krumm] *f.* –n, 꺾어 젖혀진 것; (특히) (모자의) 테, 차양(*brim, flap*). **Krempel**[1] [krémpəl] [*eig.* „Gekrümmtes, Häkchen"] *f.* –n, 소모기(梳毛機). 「넝마(*rubbish*).

Krempel[2] [krémpəl] *m.* –s, 잡동사니,

krempe(l)n [krémpə(l)n] *t.* ① (양털을) 빗다. ② (모자 테·바지 단 등을) 젖히다.

Kremser [krémzər] *m,* –s, –, (지붕이 있는) 유람 합승 마차.

Kreole [kreó:lə] [fr. –sp.] *m.* –n, –n, : weißer ~ 중남미 혹은 일반적으로 식민지의 순수 유럽 백인의 자손 / schwarzer ~ 미국 태생의 흑인. 「오소트.

Kreosot [kreozó:t] [gr.] *n.* –(e)s, 크레

krepieren [krepí:rən] [lat.] *i.*(s.) 작렬(炸裂)하다(*burst*); 죽다; 뒈지다.
Krepp [krɛp] [fr. *crêpe*, <lat. *crispus* „kraus"] *m.* -s, -e *u.* -s, 크레이프《잔주름이 지게 짠 비단의 일종》(♈*crape*).
Krepp·flōr *m.* 검은 크레이프의 상장(喪章). **~gummī** *m.* 크레이프 고무《표면을 주름지게 한 생고무의 엷은 판》(*crepe rubber*). **~sohle** *f.* 크레이프 고무의 구두창.
Kresse [krɛ́sə] *f.* -n, 〖植〗(잎에 신맛이 있는) 화란냉이《샐러드용》(♈*cress*).
Kreszenz [krɛs-tsɛ́nts] [lat.] *f.* -en, 《方》성장; (특히 포도주의) 생산고, 산지.
Krēthi und Plēthi [kré:ti unt plé:ti] [hebr. „Kreter und Philister"] *pl.* 《俗》중우(衆愚), 어중이떠중이.
Kretzel [krɛ́tsəl] *n.* =GRÄTZEL.
kreuchst [krɔyçst] (du ~), **kreucht** (er ~)† ☞ KRIECHST, KRIECHT.
Kreuz [krɔyts] [Lw. lat. *crux*] *n.* -es, -e *u.* (詩) -er, ① 열십자, 십자형(♈*cross*). ¶über ~ legen 교차하다. ② 십자가(♈*crucifix*). ¶ans ~ schlagen 십자가에 매어 달다; 《比》(을) 괴롭히다 / ein ~ schlagen 십자를 긋다 / **zu ~e kriechen** 회오〔공순·굴복〕의 뜻을 표하다. ③ 십자(의 표장). ¶das Rote ~ 적십자 / das Eiserne ~ 철십자(鐵十字) 훈장. ④ 〖카드〗 클럽; 〖樂〗올림표(♯); 〖解〗(척추 말단의 십자형) 천골(부); 엉덩이, 허리.
Kreuz·abnahme *f* 십자가에서 예수를 내림《그림 제목 따위》. **~band** *n.* 십자형의 띠. ¶unter ~band verschicken 십자형의 띠로 묶어 보내다. **~bein** *n.* 천골(薦骨) (*sacrum*). **~brāv** [-f] *a.* 《俗》아주 정직한.
kreuzen [krɔ́ytsən] [<Kreuz] 《Ⅰ》 *t.* ① 교차시키다, 서로 맞추어 끼다. ② 횡단하다《길·진로를》; 《比》막다, 방해하다. ③ 교잡(交雜)하다, 잡종을 만들다(♈*cross*). 《Ⅱ》 *i.*(h.) 〖海〗바람을 거슬러 Z자 형으로 침로를 바꾸며 나아가다; 순항(巡航)〔순양〕하다(*cruise*). **Kreuzer** [krɔ́ytsər] *m.* -s, -, 《Ⅰ》 [<kreuzen] 순양함. 《Ⅱ》 [<Kreuz] 옛 이탈리아 및 독일의 소(小)화폐의 이름.
Kreuz·erhōhung [krɔ́yts-ɛrhø:uŋ] *f.* 〖가톨릭〗성 십자가 선양 축일.
Kreuzes·tōd *m.* 십자가상의 죽음. **~zeichen** *n.* (손으로 긋는) 십자 표시.
Kreuz·fahrer *m.* 십자군 참가자. **~fahrt** *f.* 십자군(의 원정); 순양(巡洋), 순항(巡航). **~feuer** *n.* 〖軍〗십자 포화(十字砲火). **~fidēl** *a.* 아주 명랑한, 까부는. **~gang** *m.* 십자가 행렬; 십자로; (교회·수도원의 안뜰을 둘러 싸는) 회랑(回廊). **~gewölbe** *n.* 〖建〗십자형 돔.
kreuzigen [krɔ́ytsɪgən] *t.* 십자가에 달다, 책형(磔刑)에 처하다(*crucify*). ¶《比》sein Fleisch ~ 육체를 괴롭히다, 육욕을 억제하다. **Kreuzigung** *f.* -en, 책형(磔刑); 금욕, 고행.
Kreuz·kraut *n.* 〖植〗개쑥갓무리. **~lahm** *a.* 허리를 쓰지 못하는. **~otter** *f.* 〖動〗(등에) 십자(형의 무늬가 있는) 살무사. **~ritter** *m.* 십자군의 기사(騎士). **~schmerzen** *pl.* 요통(腰痛). **~schnābel** *m.* 〖鳥〗잣새. **~spinne** *f.* 〖動〗십자(무늬 있는) 거미. **~sprung** *m.* 뛰어 오른 사이에 발뒤꿈치를 몇번이고 마주치는 동작. **~stich** *m.* 크로스 스티치; 〖醫〗십자형 천자(穿刺).
Kreuzung [krɔ́ytsuŋ] *f.* -en, 교차; 교차점; 〖數〗교점(交點); 〖動·植〗교잡(交雜).
kreuz·unglücklich *a.* 극히 불행한. **~vergnügt** [-gný:kt] *p. a.* 대만족의.
Kreuz·verhōr *n.* 〖法〗반대 신문. **~wēg** *m.* 십자로, 네거리. **~weise** *adv.* 십자형으로, 열십자로. **~wort·rǟtsel** *n.* 가로 세로 말 만들기 놀이, 크로스 워드 퍼즐. **~wurz** *f.* =~KRAUT. **~zeichen** *n.* =KREUZESZEICHEN. **~zūg** *m.* 십자군.
kribb(e)lig [kríb(ə)lɪç] *a.* 성마른. **kribbeln** [kríbəln] [=krabbeln, 그 別形] *i.*(h.) (벌레가) 기어다니다; 준동하다. ¶es kribbelt mir in der Nase 콧속이 근질근질하다.
Kribskrabs [krípskraps] *m.* od. *n.* -, 잡동사니; 헛소리; 혼란, 잡담.
Kricket [kríkət] [engl.] *n.* -s, -s, **Kriketspiel** *n.* 크리켓.
kriechen* [krí:çən] *i.*(h. *u.* s.) 기다, 포복하다, 파행(爬行)하다(♈*creep, crawl*); 《比》썰썰 기다, 아부하다(*cringe*).
Kriecher [krí:çər] *m.* -s, -, 《比》아첨하는 사람, 비굴한 사람. **Kriecherei** *f.* -en, 아부, 추종, 비굴. **kriecherisch** *a.* 아첨하는, 추종하는, 비굴한.
Kriechtier *n.* 〖動〗파충류(*reptile*).
Krieg [kri:k] [*eig.* „Anstrengung"] *m.* -(e)s, -e, ① 긴장 관계, 불화, 싸움. ② (특히) (국가 사이의) 전쟁(*war*). ¶innerer ~ 내란 / im ~ 전시(戰時)에 / ~ führen, (mit, 와) 교전(交戰)하다.
kriegen 《Ⅰ》 *i.*(h.) 전쟁하다; 싸우다. 《Ⅱ》 *t.* 획득하다, (뜻밖에) 얻다, 손에 넣다, 받다(*get, catch, obtain*). ¶Durst ~ 목이 마르다 / ein Kind ~ 아이가 생기다. **Krieger** [krí:gər] *m.* -s, -, 전사(戰士); 군인.
Krieger·bund *m.* 재향(在鄕) 군인회. **~denkmāl** *n.* 전몰자 기념비.
kriegerisch [krí:gərɪʃ] *a.* ① [<Krieg] 군사상의; 군사적인. ② [<Krieger] 군인의; 호전적인; 전투력이 있는; 전투에 익숙한.
Kriegerkamerād·schaft [-kamə-ra:t-] *f.* 재향 군인회.
Kriegertūm [-tu:m] *n.* -(e)s, 군인의 신분〔계급〕; 군인 정신, 상무(尙武).
Kriegerverein [krí:gərfɛr-ain] *m.* = KRIEGERBUND.
krieg·führend *a.* 교전중인. **~führung** *f.* 작전, 용병(用兵).
Kriegs·akademie *f.* 육군 대학교(大學校). **~bericht·erstatter** *m.* 종군 기자. **~beschädigte** *m.* u. *f.* 《形容詞變化》전상자(戰傷者), 상이 군인. **~dienst** *m.* 군무, 병역; 전시 근무. **~dienstverweigerung** *f.* 병역 기피. **~erklärung** *f.* 선전 (포고). **~fall** *m.* 전쟁의 경우; 전시. **~flotte** *f.* 함대. **~fuß** *m.* 전시 정원(定員)〔편성〕. ¶auf (dem) ~fuß steh(e)n 《比》(mit,

와) 싸우고 있다. ~**gefangene** *m.* u. *f.* 《形容詞變化》 포로. ~**gericht** *n.* (고등) 군법 회의. ~**gewinnler** *m.* 전시 (부당) 이득자, 전쟁(으로 인한) 벼락부자. ~**glück** *n.* 전승, 전운. ~**hāfen** *m.* 군항. ~**handwerk** *n.* 군직(軍職). ~**herr** *m.* 대원수(大元帥)《나라의 원수(元首)가 겸함》. ~**hetzer** *m.* 전쟁 도발자, 주전론자. ~**kamerād** *m.* 전우. ~**kasse** *f.* 군대 금고, 군자금. ~=**knecht** *m.* 병졸; 잡병(雜兵). ~**ko=sten** *pl.* 전비(戰費). ~**kunst** *f.* 전술. ~**list** *f.* 군략(軍略). ~**lustig** *a.* 호전적인. ~**macht** *f.* 병력. ~**mann** *m.* 전사(戰士). ~**mannschaft** *f.* 군복무하는 사람; 병졸. ~**minister** *m.* 육군 장관. ~**ministērium** *n.* 육군성. ~**rāt** *m.* 군사 회의(원); 육군성 참사관. ~**recht** *n.* 전시 법규. ~**schau=platz** *m.* 전장, 교전 구역. ~**schiff** *n.* 군함. ~**schuld** *f.* 전쟁 책임. ~=**schūle** *f.* 사관 학교. ~**stärke** *f.* 전력, 전시 정원. ~**steuer** *f.* 전시세(稅). ~**teilnehmer** *m.* 참전자. ~**treiber** *m.* =~HETZER. ~**versehrte** *m.* 《形容詞變化》 전상자, 상이 군인. ~**volk** *n.* 군대, 군세(軍勢). ~**vōrrāt** *m.* 예비 군수품. ~**wēsen** *n.* 군사(軍事), 군정(軍政). ~**wirt·schaft** *f.* 전쟁 경제. ~**witwe** *f.* 전쟁 미망인. ~**zucht** *f.* 군기(軍紀). ~**zūg** *m.* 출정, 원정. ~**zūstand** *m.* 교전 상태. ~**zweck** *m.* 전쟁 목적.

Krim [krɪm] *f.* 크리미아 반도(*the Crimea*).

kriminal [kriminá:l] [lat.] *a.* 범죄의, 범죄에 관한; 형사상의. **Kriminal·an=klāge** *f.* 형사 소송.

Kriminalist [kriminalíst] [lat.] *m.* -en, -en, 형법학자; 형사 재판관.

Kriminal=polizei *f.* 형사〔사법〕경찰. ~**polizist** *m.* 형사. ~**romān** *m.* 범죄〔탐정·추리〕소설.

kriminell [kriminέl] [fr. „kriminal"] *a.* 형사〔형법〕상의; 불법의, 유죄의; 중죄의.

Krimpen(*) [krímpən] 《方》 《Ⅰ》 *t.* (천을) 물에 담가 줄게 하다. 《Ⅱ》 *i.*(s.) u. *refl.* 줄다. 《Ⅲ》 *i.*(h.) (풍향이) 바뀌다.

Krim·stecher [krímʃtɛçər] *m.* -s, -, 〖軍〗 망원경.

Kringel [krɪŋəl] *m.* -s, -, 바퀴, 고리, 호(弧)(*ring, circle*); 롤빵.

Krippe [krípə] *f.* -n, 구유(♈*crib, manger*); 탁아소(*crèche*).

Krippen=beißer, ~**setzer** *m.* 구유를 물어 뜯는 버릇이 있는 말.

Krips [krɪps] *m.* -es, -e, 목(덜미).

krisch [krɪʃ] ☞KREISCHEN《그 過去》.

Krise [krí:zə] [gr. „Entscheidung"] *f.* -n, (안위(安危)의) 분기점, 위기, 고비; 〖醫〗 분리(分利); 〖經〗 공황(♈*crisis*).

Kristall [krɪstál] [gr. „Eis"] *m.* -s, -e, 수정; 결정(結晶)(♈*crystal*).

kristall=ähnlich, ~**ārtig** *a.* 수정과 같은; 결정된. ~**bildung** *f.* 결정 형성, 결정화.

kristallen [krɪstálən] *a.* 수정으로 만든; (수정처럼) 투명한.

kristallisieren [krɪstalizí:rən] *t.* 결정(結晶)시키다.

kristall=klār *a.* 수정같이 투명한. ~=**zähler** *m.* 결정(結晶) 계수기.

Kritik [krití:k] [gr.] *f.* -en, 판단, 비판(♈*criticism*); 비평, 평론(*review*). ¶ unter aller ~ 형편 없는, 말도 안 되는.

Kritiker [krí:tɪkər, -ti-] *m.* -s, -, 비평가; 평론가. **kritiklōs** *a.* 무비판적인. **kritisch** *a.* ① 비판의, 비판적인; 비판력이 있는. ② 분기점의, 위기의, 위험한; 〖物〗 임계(臨界)의. **kriti=sieren** *t.* 비판〔비평〕하다; (abfällig~) 혹평하다, 흠뜯다.

Krittelei [krɪtəlái] *f.* -en, 혹평, 흠뜯기. **Kritt(e)ler** *m.* -s, -, 험구장이, 혹평가. **kritteln** [krítəln] [nd. *gritteln*; Kritik에 관련되어 訛傳됨] *i.*(h.) 흠잡다, 혹평하다.

Kritzelei [krɪtsəlái] *f.* -en, 휼려 씀, 난필. **kritzeln** [krítsəln] [<kratzen] *i.*(h.) 긁적거리다; 휘갈겨〔서투르게〕 쓰다.

kroch [krɔx] ☞KRIECHEN 《그 過去》.

Krocket [krɔ́kət, krɔkέt] [engl., ♈Kricket] *n.* -s, -s, 〔~**spiel** *n.*〕 크리켓. **krockieren** *i.*(h.) 크리켓을 하다.

Kroki [krokí:] [fr.] *n.* -s, -s, 겨냥도.

krokieren *t.* (의) 겨냥도를 그리다.

Krokodil [krokodí:l, -díl] [gr. „Steinwurm"] *n.* -s, -e, 〖動〗 악어.

Krōkus [kró:kʊs] [gr.] *m.* -, - *u.* -se, 〖植〗 사프란 속(屬).

Krolle [krɔ́lə] *f.* -n, 《方》 곱슬머리.

Krōn=anwalt *m.* 검찰관. ~**bewerber** *m.* 왕위를 노리는 자. ~**blatt** *n.* 꽃지 꽃잎《색깔이 가장 선명한 제일 위의 꽃잎》.

Krōne [kró:nə] [Lw. lat.] *f.* -n, 관(♈*crown*); 제관, 왕관, 영관(榮冠), 월계관. ¶ das setzt allem die ~ auf 그것은 모든 것의 극치이다, 그것으로 만사는 완성된다. ② (Blumen~) 화환(花環), 화관(花冠); (Blüten~) 〖植〗 꽃부리; (Samen~) 관모(冠毛); (Baum~) 수두(樹頭), 수관(樹冠). ③ 파도머리, 물마루, 흰물결; 나뭇가지 끝 등걸이, 샹들리에; (Zahn~) 치관(齒冠). ④ 크로네《금화 이름, 또는 화폐 단위》. **krōnen** [krø:nən] *t.*: in: (에) 관을 씌우다, 대관(戴冠)하다(♈*crown*). ¶ ein gekrönter Dichter 계관 시인.

Krōn=erbe *m.* 왕세자, 왕위 계승자. ~**gūt** *n.* 왕실의 땅〔영지〕. ~**leuch=ter** *m.* 왕관형 촉대, 샹들리에. ~=**prinz** *m.* (황)태자. ~**prinzessin** *f.* (황)태자비.

Krōnung [krø:nʊŋ] *f.* -en, 대관식(*coronation*); 월계관 수여(식), 수상(授賞)(식); 《比》 절정, 압권(壓卷).

Krōnungs=feier(lichkeit) *f.* 즉위〔대관〕식. ~**mahl** *n.* 대관식 향연.

Krōnzeuge [kró:ntsɔygə] *m.* 공범 증인(*King's evidence*). ¶ 자, 폐인.

Kröpel [krø:pəl] *m.* -s, -, 《方》 불구

Kropf [krɔpf] *m.* -(e)s, ⸗e, 〖鳥〗 멀떠구니(♈*crop*); 〖醫〗 갑상선종(*goitre*).

Kropfgans *m.* 〖鳥〗 펠리컨. **kropfig** *a.* 갑상선종에 걸린. **Kropftaube** *f.*

〖鳥〗 (특별히 가슴을 부풀리는) 비둘기의 일종.

Kroppzeug [krɔ́p-] *n.* -(e)s, 《俗·集》 아이들, 꼬마들.

Krösus [krǿ:zus] ① *m.* -, Lydien의 최후의 왕《부유하기로 유명함》. ② 《比》 *m.* -, -se, 대부호.

Krotalin [krotalí:n] [gr. -lat. *crotalum* „klapper"] *n.* -s, (Klapperschlangengift) 크로탈린《방울뱀의 독》.

Kröte [krǿ:tə] *f.* -n, 〖動〗 두꺼비(*toad*); 《比》 꼬마, 개구장이.

Krötentest [krǿ:təntɛst] *m.* 두꺼비 테스트《임신 유무 조사에서, 그 부인의 오줌이나 혈청을 두꺼비에 주사하면, 임신의 경우 몇시간 후 그 두꺼비의 오줌 속에서 성충이 검출됨》.

Krücke [krýkə] *f.* -n, 협장, 목다리(♈ *crutch*). **Krück(en)stock** *m.* 정자(丁字) 지팡이.

Krug[1] [kru:k] *m.* -(e)s, ⸚e, 선술집 (*inn, public house*).

Krug[2] *m.* -(e)s, ⸚e, (손잡이가 있는) 항아리, 단지, 컵, 조끼(*pitcher, jug, mug*).

Krügelchen [krý:gəlçən] *n.* -s, -, = KRUG[2].

Krüger [krý:gər] [<Krug[2]] *m.* -s, -, 선술집 주인.

Kruke [krú:kə] *f.* -n, 질로 만든 병[항아리].

Krume [krú:mə] *f.* -n, ① (푸석푸석 부스러진) 찌끼, (특히) 빵 부스러기(♈ *crumb*). ② 빵 안쪽의 부드러운 부분 (*ant.* Kruste). ③ 〖農〗 (Acker~) 부식토, 비옥한 땅(*mould*). **krüm(e)lig** *a.* 부스러지기 쉬운, 찌끼의. **krümeln** [krý:məln] 《Ⅰ》 *t.* 부수다, 가루로 만들다. 《Ⅱ》 *i.*(h.) u. *refl.* 부서지다, 가루가 되다.

krumm [krum] *a.* 굽은, 만곡한, 곡선상의(*crooked, curved*); 비틀린, 휜(*wry*). **krummbeinig** *a.* 다리가 굽은. **krümmen** [krýmən] 《Ⅰ》 *t.* 굽게 하다, 만곡시키다, 구부리다, 휘게 하다, 비틀다. 《Ⅱ》 *refl.* 굽다, 만곡하다; 구부러지다; 비틀리다. ¶ sich ~ u. winden 몸을 뒤틀며 허우적거리다.

Krumm⸗holz *n.* 곡목(曲木), 굽은 재목, 만재(彎材); 〖植〗 눈잣나무. **~linig** *a.* 곡선의. **~nāsig** *a.* 코가 구부러진. **~sābel** *m.* 만도(彎刀). **~stāb** *m.* (자루가 굽은) 주교의 지팡이; 《比》 교권(教權).

Krümmung [krýmuŋ] *f.* -en, 만곡, 굴곡; 휨; 곡선, 만곡물, 만곡부, 모퉁이(길); 에움길.

Krumpfen [krúmpfən] [<krumm] *i.*(h.) (습기로 인해) 줄다《직물이》.

Kruppe [krúpə] [fr. <d. Kropf] *f.* -n, 말의 허리[엉덩이](♈ *croup*).

Krüppel [krýpəl] *m.* -s, -, ① 불구자, 병신(♈ *cripple*). ② 불완전한 것, 흠 있는 것. **krüppelhaft, krüpp(e)lig** *a.* 불구의, 기형의.

Kruste [krústə] [Lw. lat.] *f.* -n, 껍질, 껍데기, 외피(♈ *crust*); 빵껍질; (Schmutz~) 때; 마른 진탕; 물때; 〖地〗 지각(地殼); 〖醫〗 딱지, 비듬(*scurf*). **Krustentier** *n.* 〖動〗 갑각류(甲殼類). **krustig** *a.* 외각[외피] 있는, 등딱지가 붙은.

Kruzifix [krutsifíks, krú:tsifɪks] [lat. „der ans Kreuz geheftete (Christus)"] *n.* -es, -e, 십자가 위의 그리스도 상.

Krypta [krýpta] [gr. „verborgen"] *f.* ..ten, 지하 성당; 〖解〗 음와(陰窩).

Kubba [kúba] [pers. -arab.] *f.* ..bben, 〖建〗 (kuppel) 반구(半球) 천정 (있는 무덤).

Kübel [ký:bəl] [Lw. lat.] *m.* -s, -, (대형의) 통, 큰 대야(*bucket, pail, tub*).

Kubieren [kubí:rən] [lat.] *t.* 〖數〗 세제곱하다; 체적[용적]을 구하다.

Kubīk⸗inhalt *m.* 입방체의 용적, 체적. **~māß** *n.* 용량, 입체적(立體積). **~wurzel** *f.* 〖數〗 세제곱근(根). **~zahl** *f.* 세제곱[입방]수.

kūbisch [kú:bɪʃ] [lat.: <Kubus] *a.* 〖數〗 입방체[입방형]의; 세제곱의. ¶ ~e Gleichung 3차 방정식. **Kubismus** [ku-] *m.* -, 〖畫〗 입체파.

Kūbus [kú:bus] [lat. „Würfel"] *m.* -, - *u.* ..ben, 〖數〗 입방(체); 세제곱.

Küche [kýçə] [Lw. lat.] *f.* -n, ① 부엌, 주방(♈ *kitchen*). ② 요리법; 요리, 음식. ¶ kalte ~ 냉육 요리.

Kuchen [kú:xən] [Küche, kochen 과는 異系] *m.* -s, -, 과자(♈ *cake*); 떡.

Kuchen⸗bäcker *m.* 과자 제조자. **~blech** *n.* 과자 굽는 금속판. **~form** *f.* 과자의 모양; 과자형(菓子型).

Küchen⸗gerāt, **~geschirr** *n.* 부엌[취사] 도구. **~gewächs** *n.* 야채. **~hērd** *m.* 요리용 화덕. **~latein** *n.* (중세 후기의) 변칙 라틴어《수도원 또는 대학의》. **~meister** *m.* 주방장. **~schrank** *m.* 식기 찬장, 식료품 찬장. **~zettel** *m.* 메뉴.

Küchlein[1] [kýç-] *n.* -s, -, 작은 부엌, 소(小)취사장.

Küchlein[2] [ký:ç-] *n.* -s, -, (각종의) 작은 과자 이름.

Küchlein[3] [ký:ç-] [*dim.* v. Küken] *n.* -s, -, 가금(家禽)《특히 닭》의 새끼(♈ *chicken*).

Kuckuck [kúkuk] [擬聲語 kuckuck!] *m.* -(e)s, -e, 〖鳥〗 ① 뻐꾸기(♈ *cuckoo*); 뻐꾸기 속(屬)의 조류(鳥類). ② 《比》 = TEUFEL. ¶ zum ~! 망할 것, 경칠 것.

Kufe[1] [kú:fə] *f.* -n, (Schlitten~) 썰매의 활목(滑木).

Kufe[2] [kú:fə] [Lw. lat.] *f.* -n, 큰 통 (*vat, tub*). **Küfer** [ký:fər] *m.* -s, -, 통장이(♈ *cooper*); 술창고지기.

Kugel [kú:gəl] [=engl. *cudgel* „Kolben"] *f.* -n, ① 공(*ball*); 〖數〗 구(球); (Erd~) 지구(*globe*); (Himmels~) 천구(天球)(*sphere*). ② 〖軍〗 탄환(*bullet*).

Kügelchen [ký:gəlçən] *n.* -s, -, (작은) 공.

Kugel⸗fang *m.* 공받이《장난감의 일종》; 사적호(射的壕)(*butt*). **~fest** *a.* 방탄(防彈)의. **~form** *f.* 구형, 구상(球狀). **~förmig** *a.* 구형의. **~gelenk** *n.* 〖工〗 구와(球窩) 연결 장치.

kug(e)lig [kú:g(ə)lɪç] *a.* 구형의, 공 모양의; 구면(球面)의.

Kugellāger [kú:gəlla:gər] *n.* 〖工〗 볼 베어링.

kugeln [kú:gəln] 《Ⅰ》 *t.* 공 모양으로 만들다, 둥글게 하다; 굴리다. 《Ⅱ》 *i.*(s.) 구르다; (h.) (흑백의) 공으로 투표하다;

K

공굴리기〔던지기〕를 하다. 《Ⅲ》 *refl.* 둥글게 되다; 구르다; (vor Lachen:) 대굴대굴 구르며 웃다.

kugel≈rund *a.* 공처럼 둥근; 통통하게 살찐. **~schreiber** *m.* 볼펜(*ballpoint (pen)*). **~stoßen** *n.* 〖競〗 투포환.

Kuh [ku:] *f.* ⁻e, ① 암소(♈*cow*). ¶ melkende ~ 젖소. ② 《比》 바보, 숙맥. ¶ blinde ~ 까막잡기《술래잡기의 일종》.

Kuh≈atter *f.* 우두(牛痘). **~blume** *f.* 금매화속(屬)(*marsh marigold*). **~fladen** *m.* 암소의 똥. **~fleisch** *n.* 쇠고기, 비프. **~handel** *f.* 암소의 매매; 《比》 독직 행위; (정치적) 부정 거래〔타협〕. **~haus** *n.* 외양간. **~haut** *f.* 암소 가죽. ¶ 《比》 das geht auf k-e ~haut 그것은 터무니 없는 일이다.

kühl [ky:l] [♈kalt] *a.* ① 서늘한, 냉랭한, 으슬으슬 추운 (♈*cool*); 시원한 (*fresh*). ② 《比》 냉정〔냉담〕한; 둔감한.

Kühl≈anläge *f.* 냉각 장치; 냉동 설비. **~bottich** *m.* 〖工〗 냉각기.

Kühle [ký:lə] *f.* 서늘함, 냉기; 시원함, 청량; 《比》 냉정, 냉담; 둔감.

kühlen [ký:lən] 《Ⅰ》 *t.* 서늘하게 하다; 식히다, 시원하게 하다(♈*cool*). 《Ⅱ》 *i.* (h.) u. *refl.* 서늘해지다, 식다; 《比》 납량(納凉)하다; 냉정해지다, 기분을 가라앉히다. **Kühler** *m.* -s, -, 냉각기, 방열기(放熱器)(*radiator*). **Kühlerfigur** *f.* (자동차 보니트 선단의) 마스콧.

Kühl≈haus *n.* 냉동실. **~mittel** *n.* 〖醫〗 해열제. **~ofen** *m.* 냉각로(爐). **~raum** *m.* 냉각실, 냉장실, 빙실(氷室). **~schrank** *m.* 냉장고. **~trank** *m.* 청량 음료.

Kühlung [ký:luŋ] *f.* -en, 냉각; 서늘하게 함; 냉각물; 청량제.

Kuh≈milch *f.* 우유. **~mist** *m.* 쇠똥.

kühn [ky:n] [=engl. keen] *a.* 대담한, 용감한, 과감한, 단호한(*bold, daring*). **Kühnheit** [ký:nhait] *f.* -en, 위임, 위의 언행. **kühnlich** *adv.* 대담〔용감〕하게; 배짱 좋게.

Kuhstall [kú:ʃtal] *m.* 외양간.

Kujon [kujó:n] [lat. -fr.] *m.* -s, -e, 악한, 불량배. **kujonieren** *t.* 못살게 굴다; 못된놈 취급하다.

Küken [ký:kən] *n.* -s, -, 병아리(♈*chicken*).

kulant [kulánt] [fr. „fließend"] *a.* 〖商〗 눈치 빠른; 민속한. **Kulanz** [-ts] *f.* 〖商〗 민속, 눈치 빠름.

Kuli [kú:li] [chin.] *m.* -s, -s, 쿨리《중국의》.

Kulisse [kulísə] [fr. *couler* „fließen, rinnen"] *f.* -n, 〖劇〗 무대의 측면 장치〔배경〕(*movable scene, wing*). ¶ hinter den ~n 무대 뒤에서; 《比》 비밀리에.

Kulissen≈mäler *m.* 무대 배경 화가. **~schieber** *m.* (극장의) 도구 담당.

Kuller [kúlər] *f.* -n, (Kugel) 구슬. **Kuller·augen** *pl.* 《俗》 크게 뜬 눈.

Kulmination [kulminatsió:n] [lat.] *f.* -en, 〖天〗 남중(南中); 《比》 극도, 극치(極致). **Kulminationspunkt** *m.* 〖天〗 자오선 통과점; 《比》 정점, 극치.

Kult [kult] [lat. =Kultus] *m.* -(e)s, -e, 예배; 《比》 숭배, 헌신, 맹신.

kultivieren [kultiví:rən] [lat. <Kultus „Pflege"] 《Ⅰ》 *t.* ① 가꾸다, (기량을) 닦다(♈*cultivate*); 경작〔개간〕하다; (식물을) 재배하다. ② 유지〔보존〕하다; 보육(保育)하다. ③ (학술을) 보호 장려하다; 교육〔교화〕하다, 수양시키다, 수양하다; 예의를 가르치다; 교양을 배양하다. 《Ⅱ》 **kultiviert** *p.a.* 교양있는, 교화〔세련〕된(♈*cultured*).

Kult·stätte [kúltʃtɛtə] *f.* 예배하는 곳, 영지(靈地).

Kultur [kultú:r] *f.* -en, ① 가꾸기(♈*cultivation*); 경작, 재배, 배양, 사육, 양식(養殖); ② 문화, 개화, 문명; 교양(♈*culture*). **kulturell** [kulturɛ́l] [fr.] *a.* 문화상의, 문화적인; 문화로 이끄는.

Kultur≈film *m.* 문화〔교육〕 영화. **~folger** *m.* 즐겨 인가 근처에 사는 동물. **~mensch** *m.* 문화인.

Kultus [kúltus] [lat. „Pflege", "돌보기"] *m.* -, ..te, ① 제사, 경신(敬神), 예배(♈*cult, worship*); 숭배, 귀의. ② 문정(文政), 문교, 교화(*education*). **~minister** *m.* 문교부 장관. **~ministerium** *n.* 문교부(文敎部).

Kümmel [kýməl] [Lw. lat.] *m.* -s, -, 〖植〗 회향(回香)풀의 일종, 캐러웨이(*caraway*); 위의 씨; (그 씨가 든) 퀴멜주(酒)(♈*kümmel*).

Kummer [kúmər] [Lw. lat.] *m.* -s, ① 슬픔, 마음이 울적함, 우수(*grief, sorrow*). ② 노고, 빈궁(*care, trouble*). ¶ jm. ~ machen 아무를 슬프게 하다, 걱정시키다, 고생시키다 / sich³ ~ machen 걱정하다, 고생하다. **kümmerlich** [kýmərlıç] *a.* ① 가난에 시달리는, 곤궁한(*poor*); 근소한(*scanty*). ② 《比》 빈약한, 가련한, 누추한(*miserable, wretched*). **Kümmerling** *m.* -s, -e, 발육이 나쁜 동물〔아이〕.

kümmern [kýmərn] 《Ⅰ》 *t.* ① 슬프게 하다, 걱정시키다, 괴롭히다 (*grieve, afflict*); ② (흔히 否定 또는 疑問에 있어서) 관련시키다(*concern*). ¶ das kümmert mich nicht, a) 그까짓 일은 아무렇지도 않다, b) 그것은 나와는 아무 상관도 없다. 《Ⅱ》 *refl.* (um, 에) 마음을 쓰다(*care (for), mind*). **Kümmernis** [kýmərnıs] *f.* -se, 비애, 우수; 슬픔, 걱정거리. **kummervoll** *a.* 슬픈, 우수에 잠긴.

Kummet [kúmət] *n.* -s, -e, =KUMT (그 別形).

Kumpan [kumpá:n] [Lw. lat.; *eig.* „Brotgenosse", <lat. *cum* „mit", *panis* „Brot"] *m.* -s, -e, 동료; 친구; 술친구(♈*companion*).

Kumt [kumt] [Lw. sl.] *n.* -(e)s, -e, (마소의) 목사리(*horse collar*).

Kumulation [kumulatsió:n] [lat.] 퇴적(堆積), 누적, 축적.

kund [kunt] [♈kennen, ♈können, *eig.* „bekannt, gekannt"] *a.* 알려진, 기지(旣知)의 (*known*); ☞ ~|geben; ~|machen; ~|tun. **kundbar** *a.* 알려진, 기지(旣知)의; 주지(周知)의. **kündbar** [kýntba:r] [<künden] *a.* 통지할 수 있는; 〖法〗 해약 고지권(解約告知權)이 있는. **Kunde** [kúndə] [<kund] 《Ⅰ》 *m.* -n, -n, ("아는 사람"의 뜻:) 단골, 고객(*customer*); 거래인; 〖醫〗 환자; (변호사의) 의뢰인. 《Ⅱ》 *f.* -n, ①

지식(*knowledge*); 학(學) (Deutsch∼ 독일(어)학; Stern∼ 성학(星學)); 학술서, 교과서. ② 알림, 통지(*information*). ¶∼ nehmen, (von, 을) 알(게 되)다.

künden [kýndən] *t.* (ver∼) 알리다, 통지〔고시(告示)〕하다.

Kunden⸗fang *m.* 손님 끌기, 유객(誘客). **∼sprāche** [Kunde "부랑인"] *f.* (도적의) 은어(隱語).

kund|gēben* [kúntge:bən] *t.* 알리다, 통지하다; 표명〔발표·성명〕하다. **Kund⸗gēbung** *f.* -en, 표명, 성명, 발표; 시위(示威).

kundig [kúndıç] [<kund] *a.* (e-s Dinges, 무엇을) 잘 아는, (에)정통(精通)한.

kündigen [kýndıgən] 《Ⅰ》 *i.*(h.) (auf∼) 해약을 예고하다. 《Ⅱ》 *t.* (자금 등의) 회수를 예고하다. **Kündigung** *f.* -en, 〖法〗 해약 고지(告知).

kund|machen [kúntmaxən] *t.* =KUNTGEBEN. **Kundmachung** *f.* -en, 《方》 고지, 고시(告示); (법률의) 공포.

Kund·schaft [kúnt-ʃaft] [<Kunde] *f.* -en, ① 보고, 정보, 첩보; 〖軍〗 정찰. ② 단골임, 거래 관계; 고객, 환자; 의뢰인. **kund·schaften** *i.*(h.) u. *t.* 탐색하다, 정보를 모으다; 〖軍〗 정찰하다.

kund⸗|tūn* [kúnttu:n] *t.* 알리다, 표명하다. **∼|wērden*** *i.*(s.) (널리) 알려지다, 공포되다.

künftig [kýnftıç] [*eig.* „was kommt", <kommen] *a.* (다가)올, 장차의, 미래의(*future*); 다음의(*next*). **∼hin** *adv.* 금후에는, 장차에는.

Kunkel [kúŋkəl] [Lw. lat.] *f.* -n, 실패(*distaff*).

Kunst [kunst] [*eig.* "지능, 재주", <können] *f.* ⸚e, ① 기능(技能), 인위, 인공, 기술, 솜씨, 수완, 재간(*skill*); (흔히 *pl.*) 술책, 계략, 음모(*trick*). ② 예술, 문예, 미술(*art*).

Kunst⸗akademie *f.* 예술〔미술〕대학. **∼ausdruck** *m.* 술어, 전문어. **∼⸗ausstellung** *f.* 미술 전람회. **∼butter** *f.* 인조 버터, 마가린. **∼druck⸗papier** *n.* 아트(인쇄)지. **∼dünger** *m.* 인조〔화학〕비료.

Künstelei [kynstəlái] *f.* -en, 인공, 인위(人爲), 부자연(*mannerism*); 허식, 뽐냄(*affection*). **künsteln** 《Ⅰ》 *i.*(h.) 세공(細工)하다, 공들여 제작하다(*refine*); 《比》 인위적으로 만들다. 《Ⅱ》 **gekünstelt** *p.a.* 인위적으로 만든, 부자연한.

Kunst⸗erzeugnis *n.* 예술품. **∼fāser** *f.* 인조〔화학〕섬유. **∼fertig** *a.* 기술이 숙련된, 묘한. **∼fertigkeit** *f.* 숙련, 교묘함, 수완. **∼fleiß** *m.* 기술〔예술〕상의 열의. **∼flūg** *m.* 곡기(曲技)〔고등·특수〕 비행. **∼freund** *m.* 미술 애호〔보호·장려〕자. **∼gärtner** *m.* 원예가, 조원가(造園家). **∼gärtnerei** *f.* 원예, 조원(造園). **∼gerecht** *a.* 기술〔미술〕의 법칙에 맞는, 올바른 기교의, 정식의. **∼geschichte** *f.* 미술사. **∼⸗geschmack** *m.* 예술의 취미. **∼ge⸗triebe** *n.* 기계, 기관(機關); 급수〔배수〕 장치. **∼geübt** *a.* 수완 있는, 숙련된. **∼gewerbe** *n.* 공예(미술). **∼glied** *n.* 의족(義足) **∼griff** *m.* 기교, 요령(*knack*); 책략, 궤계(詭計), 꾀(*artifice*, *trick*). **∼halle** *f.* 미술관. **∼hand⸗lung** *f.* 미술〔골동품〕점. **∼hārz** *n.*, **∼hārzstoffe** *pl.* 인조〔합성〕수지(樹脂). **∼kenner** *m.* 미술에 정통한 사람. **∼kniff** *m.* 술책. **∼laufen** *n.* 피겨스케이팅. **∼lēder** *n.* 인조 가죽.

Künstler [kýnstlər] *m.* -s, -, 예술가; 미술가; 배우; 가수; 음악가(*artist*). **Künstlerin** *f.* -nen, 여류 예〔미〕술가; 여배우. **künstlerisch** *a.* 예술〔미술〕적인; 예술가풍의; 미적인(*artistic*).

künstlich [kýnstlıç] *a.* 기교적인, 교묘한, 정교한; 인공적인; 인조의, 모조의; 부자연한(*artificial*).

Kunst⸗liebhāber *m.* 예술 애호자. **∼⸗lōs** *a.* 기교 없는; 소박한; 자연적인; 비예술〔비미술〕적인. **∼māler** *m.* 화가. **∼māßig** *a.* 기술〔미술·기교〕적인. **∼⸗pause** *f.* 〖劇〗 (배우들이 기교적으로) 일부러 침묵하고 있는 동안; 《反》 (연설 도중의) 말문이 막힘. **∼reich** *a.* 교묘한, 정교한. **∼reiter** *m.* 곡마사(師), 마술가(馬術家). **∼richter** *m.* 미술 비평가. **∼sammlung** *f.* 미술품의 수집; 소장된 미술품; 미술관. **∼schlosser** *m.* 금속 세공사. **∼seide** *f.* 인(조)견(사), 레용. **∼sprāche** *f.* 인위적으로 만든 언어《에스페란토 등》. **∼sprin⸗gen** *n.* 〖水泳〗 다이빙. **∼stickerei** *f.* 자수(刺繡). **∼stoff** *m.* 인조〔합성〕물질《인견(人絹), 합성 수지, 합성 섬유 따위의 총칭》(*plastics*). **∼stopferei** *f.* 짜깁기. **∼strāße** *f.* 큰길; 포장도로 **∼⸗stück** *n.* 재주, 곡예, 연예. **∼tisch⸗ler** *m.* 고급 소목장이. **∼trieb** *m.* 예술적 본능〔충동〕. **∼verein** *m.* 예술〔미술〕 협회. **∼voll** *a.* 예술적인; 교묘한; 정교한. **∼welt** *f.* 예술〔미술〕계. **∼werk** *n.* 예술품, 미술품, 작품. **∼⸗wissenschaft** *f.* 예술 과학, 미학. **∼wolle** *f.* 인조 양털. **∼wort** *n.* 신조어(新造語). **∼zeit·schrift** *f.* 미술〔예술〕 잡지. **∼zweig** *m.* 예술 부문.

kunterbunt [kúntərbunt] [kontrapunkt „vielstimmig"의 訛傳, bunt에 연관됨] *a.* 《俗》 얼룩덜룩한, 잡색의(*pell-mell*); 뒤죽박죽인, 난잡한; *adv.* 난잡하게.

Kūpe [ký:pə] [nd., =Kufe] *f.* -n, 염색용 통, 큰 통.

Kupfer [kúpfər] [Lw. lat.] *n.* -s, -, 〖鑛〗 구리, 동(銅)(♀*copper*); (∼geld) 동전, 동화(銅貨).

Kupfer⸗bergwerk *n.* 동갱(銅坑). **∼⸗blech** *n.* 판동(板銅). **∼draht** *m.* 동선(銅線), 구리 철사. **∼druck** *m.* 〖印〗 동판술. **∼farben** *a.* 구릿빛의, 적갈색의. **∼geld** *n.* 동화(銅貨). **∼gerät**, **∼geschirr** *n.* 구리 그릇. **∼haltig** *a.* 구리를 함유한. **∼haut** *f.* 〖海〗 동판 피복(銅板被覆).

kupferig [kúpfərıç] *a.* 구리와 같은; 구리빛의, 구리를 함유한.

Kupfer⸗kies *m.* 황동광(黃銅鑛). **∼⸗lichtdruck** *m.* 사진 요판(凹版)(술), 그라비야. **∼münze** *f.* 동화(銅貨).

kupfern [kúpfərn] 《Ⅰ》 *a.* 구리로 만든. 《Ⅱ》 *t.* 구리로 싸다, (에) 구리를 입히다.

Kupfer⸗platte *f.* 동판. **∼schmied**

m. 동(銅)세공사, 동공(銅工). **～stecher** *m.* 동판 조각사. **～stich** *m.* 동판(화); 동판 조각술. **～vitriōl** *n.* 황산동, 담반(膽礬). **～wāre** *f.* 동제품.

Kuppe [kúpə] [♈Kopf] *f.* -n, 둥근 끝; (산의) 둥근 봉우리; (못 따위의) 둥근 대가리; 《比》 정상, 절정.

Kuppel [kúpəl] [Lw. it., <lat. *cūpa* „Becher"] *f.* -n, 〖建〗 원개(圓蓋), 둥근 지붕(♈*cupola, dome*).

Kuppelei [kupəlái] *f.* -en, (남녀간의) 중매; (직업적인) 매음 중개, 뚜장이질.

kuppeln [kúpəln] [<Koppel] *t.* ① 접합〔결합·연결〕하다. ② 〔또 *i.*(h.)〕 남녀를 중매들다, 매파 느릇하다. **Kuppelpelz** *m.* 《俗·蔑》 중매장이〔뚜장이〕의 구전. ¶sich³ e-n ～ verdienen 뚜장이질〔중매〕하다. **Kuppelstange** *f.* 〖工〗 연결봉(棒). **Kuppelung** *f.* -en, 〖化〗 카플링(♈*coupling*); 〖鐵〗 연동기(聯動機)(*clutch*).

Kuppler [kúplər] *m.* -s, -, **Kupplerin** *f.* -nen, 중매인, 뚜장이, 여자 포주.

Kūr¹ [ku:r] [lat. *cūra* „Sorge"] *f.* -en, 건강에 유의함, 보양, 요양, 진료(♈*cure, treatment*). ¶e-e ～ gebrauchen 치료를 받다; 광천(鑛泉)을 복용하다.

Kūr² [ku:r] [küren] *f.* -en, 선거; 선거권; 선제후(選帝侯)의 지위〔영토〕.

kurābel [kurá:bəl] *a.* 치료할 수 있는, 낫는. 「새너토리엄.」

Kūr·anstalt [kú:ranʃtalt] *f.* 요양소,

kurant [kuránt] [lat. „laufend"] *a.* 유통되는, (화폐가) 통용되는. **Kurant** *n.* -(e)s, -e, 통화(♈*currency*).

Kūraß [ký:ras] [Lw. fr. <*cuir* „Leder"] *m.* ..sses, ..sse, 〖軍〗 흉갑(胸甲)(♈*cuirass*). **Kürassier** [kyrasí:r] *m.* -s, -e, 갑기병(甲騎兵), 중기병(重騎兵).

Kuratēl [kuraté:l] [lat., *cūra* „Sorge"] *f.* -en, 〖法〗 재산 관리, 후견. **Kurātor** [kurá:tɔr] *m.* -s, ..ratōren, 관리인; 〖法〗 후견인, (재산)관리인. **Kuratōrium** *n.* -s, ..rīen, 관리〔감사〕국(局).

Kurbel [kúrbəl] [Lw. fr. <lat. *curvus* „gekrümmt"] *f.* -n, 〖工〗 크랭크, (굽은 자루의) 핸들(*crank, winch*).

Kurbel·achse *f.* 크랭크 축(軸). **～kasten** *m.* 《戲》 영화 촬영기.

kurbeln [kúrbəln] 《I》 *i.*(h.) 크랭크를 돌리다. 《II》 *t.* (영화를) 촬영하다.

Kurbel·stange *f.* 연결 막대기. **～welle** *f.* 크랭크 축(軸).

Kürbis [kýrbɪs] [Lw. lat.] *m.* -ses, -se, 〖植〗 호리병박; 호박(*pumpkin*).

kūren [ký:rən] *t.* 《詩》 선택하다(♈*choose*); 선거하다(*elect*).

Kūrfürst [kú:rfyrst] *m.* 〖史〗 선제후. **Kūrfürstentūm** *n.* 선제후국.

Kūr·gast *m.* 요양〔탕치(湯治)〕객. **～haus** *n.* 요양소, 온천 여관.

Kuriāl·stil [kuriá:lʃti:l] *m.* 관청식 문장, 공문체. **Kūrie** [kú:rĭə] [lat.] *f.* -n, 로마 교황청.

Kurier [kurí:r] [fr. „Läufer"] *m.* -s, -e, 급사(急使)(*express*); 파발군, (외교 문서의) 쿠리에(♈*courier*). 「(♈*cure*).」

kurieren [kurí:rən] [lat.] *t.* 치료하다

Kurierzūg [kurí:rtsu:k] *m.* 급행 열차.

kuriōs [kurĭó:s] [lat., <Kur¹] *a.* ("마음을 쓰다"의 뜻:) 호기심이 강한; 호기심을 일으키는, 진기한(♈*curious*). **Kuriosität** [kurĭozité:t] *f.* -en, 진기한 것; 골동품. 「명부.」

Kūrliste [kú:rlɪstə] *f.* 요양〔탕치〕객의

Kūrmacher [kú:rmaxər] *m.* 호색가.

Kūr·ort [kú:r-ort] *m.* 요양지, 탕치장(湯治場). 「팔이 의사.」

Kūrpfuscher [kú:rpfuʃər] *m.* 《蔑》 돌

Kurrende [kuréndə] [lat.] *f.* -n, (교회의) 소년〔청년〕 합창단.

kurrent [kurént] [lat.] *a.* 달리는(=LAUFEND); 유통〔통용〕되는. **～schrift** *f.* 필기〔초서〕체, 이탤릭 자체.

Kurs [kurs] [lat. *cursus* „Lauf"] *m.* -es, -e, ① 코스, 경로, 진로(♈*course*). ② 〖商〗 유통, 통용(*currency*); (Börsen～)(거래소) 시세. ¶außer ～ setzen 유통을 정지시키다.

Kūr·saal [kú:rza:l] *m.* 요양소의 집회실; (요양지·온천장의) 요양실.

Kurs·bericht *m.* 시세〔상황(商況)〕보고. **～blatt** *n.* 시세표. **～būch** *n.* (기차·기선·버스·항공편 등의) 시간표.

Kūrschatten [kú:rʃatən] *m.* 《俗》 요양지에서의 바람둥이 상대.

Kürschner [kýrʃnər] *m.* -s, -, 모피 제조인(*furrier*).

kursieren [kurzí:rən] *i.*(h.) (화폐가) 유통하다(*circulate*); (소문이) 퍼져 있다(*be afloat or abroad*).

kursīv [kurzí:f] [„(schräg)laufend"] *a.* 〖印〗 이탤릭체(體)의. **Kursīvschrift** *f.* 사체(斜體), 이탤릭체. **Kurs·sturz** *m.* 시세 폭락.

Kursus [kúrzus] [lat. „Lauf"] *m.* -, ..se, 교과 과정(教科課程)(♈*course*).

Kurs·wērt [kúrsve:rt] *m.* 시가(市價). **～zettel** *m.* 시세표.

Kūrturnen [ký:rturnən] *n.* 자유 체조.

Kurve [kúrvə, -fə] [lat. *curvus* „gekrümmt"] *f.* -n, 곡선, 커브(♈*curve*); 만곡(彎曲)(*bend*). **kurvenreich** *a.* 커브가 많은. **kurvisch** *a.* 만곡된, 곡선상의.

kurz [kurts] [Lw. lat. *curtus* „geschnitten"] 《I》 ① *a.* 짧은(*short, brief*); 간략한(*concise*). ¶～e Waren, a) (털실로 만든) 잡화류, b) 철물 / ～er Hand 〔～erhand *adv.*〕 어렵잖게, 재빨리, 간단히, 즉석에서. ② 《名詞化, 단: 小文字》 des kürzeren 간단히 / den kürzeren ziehen 나쁜 제비《원뜻: 짧은 줄기》를 뽑다, 《比》 불리한 입장에 빠지다, 손해보다 / binnen 〔in〕 ～em 멀지 않아 / seit ～em 근래, 요즘 / vor ～em 좀 전에. ③ 《動詞와 함께, 대개 *adv.*》 ～ abweisen 간단히 거절하다〔떨어버리다〕 / bei 〔in〕 et.³ zu ～ kommen 무엇에 실패하다, 손해를 보다 / um es ～ zu machen 간단히 말하면, 요컨대. 《II》 *adv.* 짧게; 간단히; 쉬, 곧, 멀지 않아; 불시에; 갑자기. ¶～ angebunden 붙임성 없는, 무뚝뚝한 / ～ u. gut 간단히, 요컨대 / ～ u. bündig 간략하게, 간결하게 / **über** ～ oder lang 조만간에. **kurz·ab** *adv.* 당장에, 다짜고짜, 매정하게.

K

Kurz=arbeit *f.* 조업(操業) 단축. **~=ätmig** *a.* 숨이 찬; 천식(喘息)의.

Kürze [kýrtsə] *f.* 짧음, 짧기, 짧고 작음; 짧은 시간, 단기(短期); 간략, 간결. **Kürzel** *n.* -s, -, 〖速記〗 단일한 기호로 표시된 말, 약부(略符). **kürzen** [kýrtsən] *t.* 짧게 하다; 자르다, 잘라내다; 간단하게 하다, 생략하다; 〖數〗 약분(約分)하다.

kurz=fristig *a.* 단기(短期)의. **~ge=faßt** *a.* 요약한. **~geschichte** *f.* 짧은 이야기, 콩트.

Kurz|halten* [kúrtshaltən] *t.*: jn. ~ 아무에게 대하여 바싹 줄이다, 속박하다.

kurzköpfig [kúrtskœpfɪç] *a.* 〖解〗 단두(短頭)의.

kurzlebig [-le:bɪç] *a.* 단명한.

kürzlich [kýrtslɪç] *adv.* 요사이, 최근에 (*lately, recently*).

Kurz=schluß *m.* 〖電〗 단락(短絡). ¶ 《比》 ~ haben 〔an ~ leiden〕 참을 수 없다, 초조해 하다. **~schrift** *f.* 속기(速記)(술). **~sichtig** *a.* 근시안의; 《比》 선견지명이 없는. **~sichtigkeit** *f.* 근시안, 근시. **~silbig** *a.* 《比》 말수가 적은. **~strecke** *f.* 단거리. **~streckenläufer** *m.* 단거리 경주자 (*sprinter*). **~|treten*** *i.*(h.) 걸음 속도를 짧게 하다; 《比》 삼가는 듯이 하다.

kurz·um [kúrts-úm, kurts-úm, -tsúm] *adv.* 요약하면, 요컨대.

Kürzung [kýrtsuŋ] *f.* -en, 짧게 하기, 단축, 생략; 〖數〗 약분(約分); (임금 따위의) 인하; (지출의) 절약; 〔**~s=zeichen** *n.*〕 단축 기호.

Kurzwaren [kúrtsva:rən] *pl.* (실·단추 따위의) 방물. **~händler** *m.* 잡화상.

Kurz=weil *f.* 심심풀이, 오락, 장난. **~weilig** *a.* 심심풀이의, 재미 있는, 위안이 되는. **~wellen** *pl.* 〖電〗 단파. **~wort** *n.* (전신 등의) 약호, 암호.

Kurzzeit=messer *m.* 단시간계(短時間計). **~wecker** *m.* 단시간에 맞추는 울림 시계.

kusch! [kuʃ] [fr. *couche* „leg dich!"] *int.*: ~ (dich)! 앉아, 조용히 해《개에게 명령하는 말》.

kuscheln [kúʃəln] *t.* 밀착시키다, 딱 들어맞게 하다.

kuschen [kúʃən] *i.*(h.) u. *refl.* (개가) 엎드리다, 조용히 하다; 《比》 유순하다.

Kuschite [kuʃí:tə] *m.* -n, -n, (동아프리카의) Kusch 《Nubien "누비아"의 옛 이름》족 사람. **kuschitisch** *a.* 쿠시(족)의.

Kuß [kus] *m.* ..sses, ¨sse, 키스 (♈*kiss*).

küssen [kýsən] *t.* 키스하다(♈*kiss*).

Kußhand [kúshant] *f.* 던지는 키스.

Küste [kýstə] [Lw. lat. *costa* „Seite"] *f.* -n, 해변가; (Meeres~) 해안(♈*coast, shore*).

Küsten=fahrer *m.* 연안(沿岸) 항행선. **~fahrt** *f.* 연안 항행. **~handel** *m.* 연안 무역. **~land** *n.* 연안지(地); 연해국. **~provinz** *f.* 연안 지방. **~strich** *m.* 연해지, 해안 지방. **~wache** *f.* 해안 경비(대).

Küster [kýstər] [Lw. lat.] *m.* -s, -, (교회의) 사찰; (절의) 불목하니(*sexton, verger*).

Kutschbock [kútʃbɔk] *m.* 마부석(席).

Kutsche [kútʃə] [ung.] *f.* -n, 역마(♈*coach, carriage*).

Kutschengestell [-gəʃtɛl] *n.* 마차의 차체〔골격〕.

Kutscher [kútʃər] *m.* -s, -, 마부; 마차집.

Kutscher=bock, ~sitz *m.* =KUTSCHBOCK.

kutschieren [kutʃí:rən] *i.*(h.) 마차를 부리다〔몰다, 타고 가다〕.

Kutschpferd [kútʃpfe:rt] *n.* 마차 끄는 말.

Kutte [kútə] [Lw. fr.; ♈engl. *coat*] *f.* -n, 수도복의 일종(*cowl*).

Kuttel [kútəl] *f.* -n, 〔**~fleck** *m.*〕(흔히 *pl.*) 내장(*entrails*); 〖料〗 곱창(*tripes*).

Kutter [kútər] [Lw. engl. *cutter* "(물을) 자르는 것"] *m.* -s, -, 커터《돛이 하나인 쾌속선, 군함에 딸린 보트》.

Kuvert [kuvért, -vé:r] [fr. „Umhüllung"] *n.* -(e)s [-vért(ə)s], -e [-vértə]; od. *n.* -s [-vé:rs], -s [-vé:rs], 봉투(*envelope*); 싸개, 덮개(*wrapper*); 식탁보(*cover*); 1인분의 식사. **kuvertieren** [kuvertí:rən] *t.* (편지를) 봉투에 넣다.

Kux [kuks] [Lw. tschech.] *m.* -es, -e, 광산주(鑛山株)(*mining share*).

Kyklop *m.* =ZYKLOP.

Kyniker *m.* =ZYNIKER.

KZ 《略》=*K*onzentrationslager 강제 수용소. **Kzler** [ká:tsɛtlər] *m.* -s, -, 포로 수용소 《KZ》에 수용된 포로.

L

Lab [la:p] [*eig.* „Brühe"] *n.* -e [lá:bə], (송아지 위액(胃液) 중의) 응유 효소(凝乳酵素), 리넷(*rennet*); 〔**~magen** *m.*〕 송아지의 추위(皺胃)《제 4 위》.

Labarum [lá:barum] [lat.] *n.* -, ..ren *od.* -s, 후기 로마 제국 군기(軍旗), 그리스어 Χριστός(Christ)의 머리 글자 XR 를 맞추어 기치로 했음.

labb(e)rig [láb(ə)rɪç] *a.* 물기 있는, 질척한(음식) (*soft*); 김빠진, 맛 없는(*insipid*).

labbern [lábərn] *t.* u. *i.*(h.) ① 입술을 쩍쩍거리다; 핥다; 쭉쭉 빨다〔키스하다〕. ② 재잘거리다. ③ 〖海〗 (돛이) 느슨해지다.

Labe [lá:bə] *f.* -n, 상쾌하게 하는 것.

laben [lá:bən] *t.* 상쾌하게 하다, (음료로) 원기를 돋우다(*refresh*); 위로하다(*enjoy*); *refl.* 상쾌하게 되다, 원기를 회복하다, 활기띠다, 을 즐기다.

Labe=trank *m.* 각성제 《술·물》; 청량음료. **~trunk** *m.* 청량 음료《1회분의》.

labil [labí:l] [lat.] *a.* 불안정한(*unstable*); 불확실한, 변하기 쉬운.

Laborant [laboránt] [lat. „Arbeitender"] *m.* -en, -en, 이화학 연구소원; 이화학 조수; 실험 조수. **Laboratorium** [laborató:rĭum] *n.* -s, ..rĭen, (이화학) 실험실; 조제실; 연구실.

Labsal [lá:pza:l] [<laben] *n.* -(e)s, -e, 상쾌하게 하는 것, 원기를 돋우는 음식, 청량 음료(*refreshment*); 《比》 위안(*comfort*).

Labung [lá:buŋ] *f.* -en, ① 원기를 회복함, 기분을 상쾌하게 함. ② =LABSAL.

Labyrinth [labyrínt] [gr.] *n.* -(e)s,

-e, 미궁(迷宮); 미로(迷路); 《比》 혼란.
Lache[1] [láxə] [lat. *lacus* „See“ (이로부터 engl. *lake*)] *f.* -n, 큰 웅덩이, 늪, 습지(*pool, puddle*).
Lache[2] [<lachen] *f.* -n, 웃음, 웃음 소리(♈*laugh(ter)*).
lächeln [léçəln] [lachen의 縮小 및 反復形] *i.*(h.) 미소짓다, 싱긋〔싱글벙글〕웃다(*smile*); (höhnisch ∼) 냉소하다(*sneer*).
lachen [láxən] [擬聲語] 《Ⅰ》 *i.*(h.) ① 웃다(♈*laugh*). ② 조소하다. ¶ jm. ins Gesicht ∼ 아무를 맞대 놓고 조소하다. 《Ⅱ》 **Lachen** *n.* -s, 웃음(♈*laughter*).
lächerlich [léçərlıç] *a.* 웃고 싶은, 우스운; 웃을 만한(♈*laughable, ridiculous*). ¶ ∼ machen 웃음 거리로 만들다, 조롱하다(*ridicule*). **Lächerlichkeit** *f.* ① 우스움; 우스꽝스러움. ② *pl.* -en, 우스운 사물〔언행〕.
lachhaft [láxhaft] *a.* 우스꽝스러운, 우스운.
Lachkrampf [láxkrampf] *m.* 〖醫〗 경련〔히스테리〕성 웃음.
Lach=lust *f.* 웃고 싶은 충동, 웃는 버릇. ∼**lustig** *a.* 웃고 싶어하는, 웃기 잘하는.
Lachs [laks] *m.* -es, -e, 〖魚〗 (대서양산의) 연어(*salmon*).
Lachs=fang *m.* 연어잡이; 연어잡이 때. ∼**farben** *a.* 연어빛의, 연홍색의. ∼=**forelle** *f.* 〖魚〗 (서양산의) 송어(*salmon trout*). ∼**schinken** *m.* 훈제(燻製)한 돼지 등살.
Lack [lak] [ind. -it.] *m.* -(e)s, -e, ① 락《셀락 개각충(介殼蟲)이 찌른 상처에서 흘러 나오는 수지(樹脂)》(♈*lac*); (위로부터 만든) 래커(*lacquer*), 와니스(*varnish*); (japanischer ∼) 옻칠. ② 〖植〗 계란풀(*wallflower*).
Lack=farbe *f.* 래커 색, 칠색; 레이크안료(顏料). ∼**firnis** *m.* 와니스.
lackieren [lakí:rən] *t.* (에) 래커를〔칠을〕 칠하다. ¶ lackierte Waren 옻칠한 물건, 칠그릇. **Lackierer** *m.* -s, -, 칠공(漆工), 페인트장이. **Lacklēder** *n.* 래커 가죽, 칠피.
Lackmus [lákmus] [ndl. <Lack *u.* Mus] *n.* -, 리트머스《청색 염료》(*litmus*).
Lackschuh [lákʃu:] *m.* 에나멜(가죽) 구두.
Lāde [lá:də] [<laden[1]] *f.* -n, 상자, 궤, 함(*box*); 장(*chest*); (Tisch∼, Schub∼) 서랍(*drawer*); (Geld∼) 돈궤.
Lāde=baum *m.* 〖工〗 데릭(*derrick*). ∼**fähigkeit** *f.* 적재력. ∼**geschirr** *n.* 적하 용구. ∼**hemmung** *f.* (총의) 제동 장치. ∼**linie** *f.*, ∼**marke** *f.* 〖海〗 만재(滿載) 흘수선. ∼**maschine** *f.* 적재기(積載機).
Lāden [lá:dən] [<Latte] *m.* -s, - *u.* ¨ [lɛ́:dən], ① (Fenster∼) 덧문(*shutter*). ② (Kauf∼) 가게, 점포(*shop, store*).
lāden[1]* [lá:dən] *t.* ① (짐을) 싣다(♈*lade, load*). ¶ ins Schiff ∼ 배에 짐을 싣다 / aus dem Schiff ∼ 배에서 짐을 부리다. ② 〖軍〗 (탄약을) 장전하다(♈*load*), 전지(電池)에) 충전하다(*charge*).
lāden[2(*)] [lá:dən] *t.* ① (ein∼) 초대하다, 청하다(*invite*). ② 〖法〗 (vor∼) 소환하다(*summon*).
Lāden=besitzer *m.* 가게 주인. ∼**dieb** *m.* 가게 좀도둑. ∼**diener** *m.* 점원. ∼**fenster** *n.* 진열창, 쇼윈도. ∼=**hüter** *m.* 《戲》 팔리지 않고 진열창만 지키는 물건, 팔다 남은 것. ∼**inhāber** *m.* 가게 주인. ∼**kasse** *f.* (계산대의) 현금 서랍. ∼**mädchen** *n.* 여점원. ∼**preis** *m.* 정가, 소매 가격. ∼**schild** *n.* 상점 간판. ∼**schluß** *m.* 폐점(閉店)《보통 오후 7시》. ∼**schwengel** *m.* 《蔑》 점원. ∼**tisch** *m.* 판매대, 카운터.
Lāde=platz *m.* 하역장(荷役場); 선창, 부두. ∼**rampe** *f.* 〖海〗 적하(積荷) 부두; 〖鐵〗 적하 플랫폼. ∼**raum** *m.* 배의 밑창, 선복(船腹). ∼**schein** *m.* 〖海〗 적하 증권, 송장(送狀). ∼**stock** *m.* 〖軍〗 꽂을대.
lädst [lɛ:tst] (du ∼) ☞ LADEN 《그 現在》.
Lādung[1] [lá:duŋ] *f.* -en, 짐을 실음, 적재(량); 선적(船積), 적하(積荷); 〖軍〗 장전(裝塡); 장약《1회의》; 〖電〗 충전(량); 하전(荷電).
Lādung[2] [lá:duŋ] *f.* -en, (Ein∼) 초대; 〖法〗 (Vor∼) 소환, 호출.
Lady [lé:di] [engl.] *f.* -s *u.* ..dies [di:s], 귀족 부인; (귀)부인.
Lafette [lafɛ́tə] [fr.] *f.* -n, 〖軍〗 포가(砲架)(*gun carriage*).
Laffe [láfə] [♈Lippe, *eig.* "입술이 아래로 처진 멍청이"] *m.* -n, -n, 멍청이, 풋나기; 멋장이(*fop, puppy*).
lāg [la:k] ☞ LIEGEN 《그 過去》.
Lāge [lá:gə] [<liegen] *f.* -n, ① 위치, 장소(*position, situation, site*). ② 《比》 상태, 형세, 사정(*state, condition*). ¶ in die ∼ kommen, et. zu tun 무엇을 하지 않을 수 없는 형편이 되다, 무엇을 할 수 있게 되다. ③ (열을 짓거나 겹친 물건의 전체:) 줄, 열(*tier*); 층, 겹(♈*layer, stratum*). ④ 〖樂〗 음의 위치〔높이〕(*pitch*); 음역(音域) (*compass*). ⑤일제 사격. ¶ volle ∼ 편현 제발(偏舷齊發).
Lāger [lá:gər] [<liegen] *n.* -s, - *u.* ¨, ① 잠자리, 침대(*couch, bed*); (짐승의) 집, 굴. ② 〖軍〗 병영, 야영 숙영지(*camp, encampment*); 합숙 생활. ③ (가로 놓여 있는 것:) 침전물, 찌꺼기; 광상(鑛床), 층(♈*layer, stratum*). ④ (물건을 눕혀〔놓아〕두는 곳:) (술통의) 대, 받침, 베어링(*bearing*). ⑤ (Waren∼) 창고(*storehouse, warehous*); 재고품(*stock, store*). ¶ auf (dem) ∼ haben 저장〔장만〕해 놓고 있다.
Lāger=aufnahme *f.* 재고품 조사. ∼=**aufsēher** *m.* 창고지기. ∼**bestand** *m.* 재고품, 스톡. ∼**bier** *n.* 라거 맥주《탱크나 통에 저장중 발효 완료한》. ∼**būch** *n.* 재고품 대장. ∼**feuer** *n.* 캠프의 모닥불. ∼**gebühr** *f.*, ∼**geld** *n.* 〖商〗 보관료, 창고료. ∼**haus** *n.* 창고. ∼**hütte** *f.* 숙영 막사, 가옥(假屋). ∼**miete** *f.* =∼GEBÜHR.
lāgern [lá:gərn] [<liegen] 《Ⅰ》 *i.*(h. *u.* s.) ① 누워〔가로놓여〕 있다; 쉬다; (들짐승이) 깃들고 있다; 〖軍〗 진을 치다, 야영하다. ② 〖商〗 창고에 들어 있다, 스토크되어 있다; (포도주 따위가) 저장되어 있다《익히기 위하여》. 《Ⅱ》 *t.* 눕히다, 가로 놓다; (가축을) 울에 넣다; 〖軍〗 야영시키다; 〖商〗 창고에 넣다, 저장하다, (술·과일을) 발효시키다. 《Ⅲ》

refl. (가로) 눕다; 〖軍〗 설영(設營)하다.
Lager=platz *m.* 저장소; 〖軍〗 숙영지. **~=schein** *m.* 창고 증권. **~statt, ~stät=te** *f.* 휴식처; (배·열차의) 침대, 야영지.
Lagerung [lá:gərʊŋ] *f.* -en, ① 가로누움; 휴식; ② 야영; 포진. ③ 입고, 저장.
Lager=vorrat *m.* 재고품, 스톡. **~wa=che** *f.* 숙영 위병(宿營衛兵).
Lagune [lagú:nə] [it. *aus* lat. *lacuna* „Lache, Weiher"] *f.* -n, 해안호, 초호(礁湖)(♈*lagoon*).
lahm [la:m] *a.* ① (팔 다리가) 마비된, 운동 불능의, 절름거리는, 절름발이의 (♈*lame*). ② 무력한, 약한; 느슨한; 빈약한, 무가치한. **lahmen** [lá:mən] *i.*(h.) 마비되어 있다; (말이) 절름거리다. **läh=men** [lɛ́:mən] *t.* 마비시키다; 절름발이로 만들다; 무력하게 만들다. **Lahmheit** *f.* 불수(不隨), 마비; 절룩거림. **lahm|=legen** *t.* 《比》 마비시키다《예컨대 교통을》. **Lähmung** *f.* -en, 마비(시킴), 절름발이(로 만듦); 〖醫〗 중풍.
Laib [laip] *m.* -(e)s, [-ps, -bəs], -e [-bə], (빵·치즈 등의) 온 덩어리(♈*loaf*).
Laich [laiç] *m.* -(e)s, -e, (물고기·개구리 따위의) 알(*spawn*). **laichen** *i.*(h.) 산란(産卵)하다.
Laie [láiə] [lat. <gr. *laós* „Volk"] *m.* -n, -n, ① (세)속인, 평신도(♈*layman*). ② 문외한, 생무지(*amateur*); 무학자.
Laien=brüder *m.* 수도사, 평수도사. **~haft** *a.* 속인(俗人)의〔과 같은〕, 문외한의〔과 같은〕, 전문 지식이 없는.
Laienschaft [láiənʃaft] *f.* -en, ① 《總稱》 (세)속인; 생무지. ② (*pl.* 없음) 속인〔비전문가〕임, 그 신분.
Lakai [lakái] [türk. -fr.] *m.* -en, -en, (제복을 입은) 사령(使令), 하인(♈*lackey, footman*).
Lake [lá:kə] [nd. „Lache"] *f.* -n, (생선·고기의 절이용) 소금물(*brine, pickle*).
Laken [lá:kən] *n.* 〔*m.*〕 -s, -, (Bett~) 시트(*sheet*); 테이블 보 (Toten~), 수의(壽衣) (*shroud*); 〖海〗 돛.
lakonisch [lakó:nɪʃ] *a.* 라코니아(사람)의; 《比》 과묵한, 간결한(♈*laconic*).
Lakritze [lakrítsə] [gr. „süße Wurzel"] *f.* -n, 〖植〗 감초(♈*licorice*).
lallen [lálən] [擬聲語] *i.*(h.) u. *t.* 라라라하며 곡을 부르다; 혀짤배기 소리를 하다, 더듬거리며 말하다(*stammer*).
Lama [lá:ma:] [tibetisch] *m.* -(s), -s, 라마승. **Lamaismus** *m.* -, 라마교.
Lambertsnuß [lámbɛrts-] [*eig.* „lombardische Nuß"] *f.* 〖植〗 롬바르디아 개암(*filbert*).
Lamelle [lamɛ́lə] [lat.] *f.* -n, 얇은 금속판; 박(箔); 〖植〗 균습(菌褶)(*gill*). **La=mellenkupplung** *f.* 〖工〗 다판식(多板式) 커플링.
Lamentation [lamɛntatsĭó:n] [lat.] *f.* -n, 비탄, 애수; 비가, 애가. **lamen=tieren** *i.*(h.) 비탄하다, 슬프게 울다.
Lamm [lam] *n.* -(e)s, ⸚er, 새끼양(♈*lamb*). **Lammbraten** *m.* 새끼양의 불고기. **Lämmchen** [lɛ́mçən] *n.* -s, - *u.* Lämmerchen, 새끼양; *pl*, 뭉게구름.
lammen *i.*(h.) (양이) 새끼를 낳다.
lämmer=gei·er *m.* 〖鳥〗 수염수리. **~=wolke** *f.* 조개구름; 뭉게구름.
Lamm=fell *n.* 새끼양의 가죽. **~=fromm** *a.* 새끼양처럼 온순한. 〔CHEN.〕
Lämmlein [lɛ́mlain] *n.* -s, -, ＝LÄMM-
Lampe [lámpə] [Lw. lat. -fr.] *f.* -n, 남포, 등불(♈*lamp*); (Gas~) 가스등; (elektrische ~) 전등; 〖劇〗 각광(脚光).
Lampen=docht *m.* 남포의 심지. **~fie=ber** *n.* 무대에서의 겁, 관중 공포증. **~=schirm** *m.* 남포의 갓. **~zylinder** *m.* 남포의 등피.
Lampion [lãpĭɔ̃:, lamp-, (öst.) lam-pjó:n] [fr.] *m.* 〔*n.*〕 -s, -s, (종이로 만든) 제등(*Chinese lantern*).
Lamprete [lampré:tə] [lat.] *f.* -n, 〖魚〗 칠성장어(♈*lamprey*).
Land [lant] *n.* -(e)s [-ts, -des], ⸚er *u.* (詩:) -e, ① 뭍, 육지(♈*land*). ¶ **ans** ~ bringen 〔setzen〕 상륙시키다, 양륙하다 / **zu** ~e 육로로. ② 토지, 경작지(♈*land, soil, ground*); 평지; 소유지. ③ 시골, 촌, 지방(*country*). ¶ **aufs** ~ gehen 시골로 가다 / auf dem ~e wohnen 〔leben〕 시골에서 살다. ④ 나라, 국토; (지배자의) 영토(♈*land, country, territory*); 방(邦), 주(州)(♈*land, state*). ¶ außer ~es sein 국외에 있다.
Land=adel *m.* 시골 귀족, 대지주. **~=arbeiter** *m.* 농부; 머슴. **~arzt** *m.* 지방〔시골〕 의사.
Landauer [lándauər] *m.* -s, -, 란다우식 마차《포장을 앞뒤로 접을 수 있는 4인승 마차, Pfalz 주 Landau 시의 이름에서》(♈*landau*).
land·aus [lant-áus] *adv.* 국외로. ¶ ~, landein 나라에서 나라로, 도처를, 두루.
Land=bau *m.* 농업(*agriculture*). **~=bauer** *m.* 농부. **~besitz** *m.* 토지 소유; 소유지. **~besitzer** *m.* 지주. **~=briefträger** *m.* 시골 우편 집배원.
Lände [lɛ́ndə] [<landen] *f.* -n, 〖海〗 상륙처, 하역장, 부두.
Land=edelmann *m.* 시골 귀족〔신사〕; 대지주. **~einwärts** *adv.* (바다에서) 내륙으로.
landen [lándən] 《Ⅰ》 *i.*(s. *u.* h.) 상륙하다; 〖空〗 착륙하다; (결국 …에) 빠지다. 《Ⅱ》 *t.* 상륙시키다; 양륙시키다; ☞ LANDUNG.
Land·enge [lánt-ɛŋə] *f.* 지협(地峽).
Landeplatz [lándəplats] *m.* 부두, 선창(*quay*). 〔경작지, 터, 소유지.〕
Länderei [lɛndərái] *f.* -en, (흔히 *pl.*)
Land·erziehungsheim [lánt-ɛrtsi:uŋs-haim] *n.* 기숙사 있는 농촌의 교육 기관.
Landes=angehörigkeit *f.* 국적(國籍)이 있음, 국민임. **~aufnahme** *f.* 토지 측량. **~brauch** *m.* 나라 풍습, 국풍. **~erzeugnis** *n.* 국산품. **~farben** *pl.* 국기(國旗)의 빛깔; 국기. **~flüch=tig** *a.* (국외) 망명의. **~fürst** *m.* 국왕, 군주. **~gemeinde** *f.* (스위스의) 주회(州會). **~gericht** *n.* (나라 또는 주(州)) 대법원, 대심원. **~geschichte** *f.* 주사(州史)《Sachen 주의 역사 따위》. **~herr** *m.* 국왕(*sovereign*). **~herr=lich** *a.* 국왕〔군주〕의. **~hoheit** *f.* 국가 주권. **~kind** *n.* 그 고장 사람, 토착인〔민〕. **~kirche** *f.* (독립한) 지방

교회. **~ōbrigkeit** *f.* 정부, 당국. **~ordnung** *f.* 주의 법규. **~regierung** *f.* 주〔지방〕 정부. **~sprāche** *f.* 국어. **~tracht** *f.* 나라 고유의 복장. **~trauer** *f.* 국상(國喪). **~üblich** *a.* 국풍의; 민간에서 행해지는. **~väter** *m.* 국부(國父), 국왕. **~verrāt** *m.* 반역(죄), 국사범. **~verräter** *m.* 반역자, 국사범인. **~verteidigung** *f.* 국방(國防). **~verweisung** *f.* 국외 추방, 유형. **~verwēser** *m.* 섭정. **~verwisen** *a.* 국외로 추방된. **~währung** *f.* 그 나라의 표준 화폐.

Land-festung *f.* 국내 요새. **~flucht** *f.* (농민의) 농촌 이탈, 이농; 망명; 탈옥. **~flüchtig** *a.* 위의. ¶ ~flüchtig werden 고향을 버리다. **~frauenschūle** *f.* (1내지 2년 과정의) 여자 농업 학교. **~friede(n)** *m.* 국내의 평화《소요 금지령》. **~geistliche** *m.* 《形容詞變化》 시골 목사. **~gemeinde** *f.* 마을 조합. **~gericht** *n.* 지방 법원. **~gewinnung** *f.* 매립(埋立), 매축(埋築). **~grāf** *m.* 〖史〗 방백(方伯), 주(州) 지사. **~gūt** *n.* 장원(莊園), 농장《대지주·영주의》. **~haus** *n.* (시골의) 별장. **~heer** *n.* 육군(陸軍). **~junker** *m.* 시골 지주, 촌양반. **~karte** *f.* 지도(*map*). **~kirche** *f.* 시골 교회. **~kreis** *m.* 지방 관구, 군(郡). **~kundig** *a.* 국내에 널리 알려진, 소문난. **~kutsche** *f.* 시골의 정기 마차《보기: 우편마차》. **~läufig** *a.* 국내에서 행해지는, 재래(在來)의. **~lēben** *n.* 전원〔농촌〕 생활.

Ländler [lέntlər] [„ländlicher Tanz"] *m.* -s, -, 《öst》 3/4 또는 3/8 박자의 느린 왈츠.

Landleute [lántlɔytə] *pl.* =LANDMANN.

ländlich [lέntlıç] *a.* 시골〔농촌〕의(*rural*); 시골풍의(*countrylike*); 소박한.

Land-macht *f.* 대륙의 강국; 지상군. **~mädchen** *n.* 시골 처녀. **~mann** *m.* (*pl.* ~leute) 시골 사람; 농민. **~messer** *m.* 토지 측량원. **~messung** *f.* 토지 측량. **~partie** *f.* 시골로의 소풍, 들놀이. **~pfarrer** *m.* 시골 목사. **~pflēger** *m.* 주지사. **~plāge** *f.* 나라의 재난. **~pomeranze** *f.* 소박하고 건강한 촌 처녀, 마을 미녀. **~rāt** *m.* 지방 관구(~kreis)의 장, 군수. **~ratte** *f.* 〖動〗 쥐《보통의 쥐》; 《比》 육상 생활자《해원(海員)의 용어》. **~recht** *n.* 주법(州法), 국법. **~rēgen** *m.* 장마. **~reise** *f.* 육상 여행. **~richter** *m.* 지방 법원 판사. **~rücken** *m.* 산등성이, 분수령.

Land-schaft [lánt-ʃaft] *f.* -en, ① 지방, 주(*province, district*); 국회, 주회. ② 도시 근교; 교외의 주민. ③ 풍경, 조망(*landscape*). **land-schaftlich** *a.* 지방의, 시골의; 국회〔주회〕의; 풍경의.

Land-schūlheim *n.* 시골 학교. **~see** *m.* 호수(*lake*). **~sitz** *m.* 시골에 있는 귀족의 저택.

Lands-knecht [lánts-] *m.* 용병(傭兵)《흔히 천한 자의 대표로 불림》; 《一般的》 용병. **~mann** *m.* (*pl.* ~leute), **~männin** *f.* 동국인, 동향인(同鄕人) ((*fellow-*)*countryman*). **~mannschaft** *f.* 동국인임; 동향회《옛날의 학생 조합》.

Land-spitze *f.* 갑(岬), 곶. **~stadt** *f.* 지방 도시. **~stand** *m.* (*pl.* ~stände) (옛날 각 계급 대표로 된) 국회(의원). **~strāße** *f.* 국도(國道)(*highway*), 가도; 차도; 육로. **~streicher** *m.* 방랑자, 부랑인. **~streicherei** *f.* 방랑 (생활). **~strich** *m.* 지대, 지방; 풍토. **~sturm** *m.* 국민군《전시 총동원에 의한》. **~tāg** *m.* 지방〔주〕 의회; (옛) 국회. **~truppen** *pl.* 육군.

Landung [lánduŋ] *f.* -en, 상륙; 양륙(揚陸); 〖空〗 착륙, 착함(着艦)(♈*landing*).

Landungs-brücke *f.* 잔교(棧橋). **~platz** *m.* 상륙지; 양육지(♈*landing place*); 부두(*pier*); 착륙지.

Land-verschickung *f.* 시골로의 소개(疏開). **~vōgt** *m.* 주(州) 지사; 〖史〗 태수(太守). **~volk** *n.* 시골 사람들, 농민. **~wärts** *adv.* 육지 쪽으로. **~wēg** *m.* 육로. **~wehr** *f.* 국방; 국경 수비대. **~wein** *m.* 국산 포도주. **~wind** *m.* 육풍(陸風). **~wirt** *m.* 농가의 주인, 농부. **~wirtschaft** *f.* 농업(*agriculture, farming*); 농장. **~wirt-schaftlich** *a.* 농업의. **~wirtschaftskammer** *f.* 농업 회의소. **~zunge** *f.* =~SPITZE.

lang [laŋ] [*eig.* „gedehnt", *vgl.* erlangen, gelangen] 《Ⅰ》 *a.* ① 《空間的》 긴 (♈*long*); 키가 큰(*tall*). ¶ die ~e Welle (무전의) 장파 / ~e Finger machen 도둑질하다 / auf die ~e Bank schieben 질질 오래 끌다 / sich des ~en u. breiten reden 장황하게 말을 늘어 놓다. ② 《時間的》 긴, 오랜 ¶ den lieben, ~en Tag 종일 / vor ~en Jahren 여러 해 전의. 《Ⅱ》 *adv.* 길게; 오래(=lange). ¶ drei Meilen ~ 3마일 길이로 / einen Tag lang 하루 사이〔동안〕 / ~ lebe der König! 국왕 폐하 만세 / über kurz oder ~ 조만간.

lang-armig *a.* 팔이 긴. **~ātmig** *a.* 숨이 긴; 《比》 장황한 《이야기가》. **~beinig** *a.* 다리가 긴.

lange [láŋə] *adv.* ① 《時間的》 (=lange Zeit) 오래, 오랫동안, 장구히(♈*long, a long time*). ¶ es ist schon ~ her, daß 〔seit〕 …은 오래 전의 일이다 / ~ machen (mit, 을 하는데) 느릿느릿하게 하다, 늑장부리다. ② 《文意의 强調》 den muß man nicht erst ~ fragen 아무 것도 그에게 물어볼 필요는 없다. ③ so ~ ich lebe 내가 살아 있는 동안은 / so ~, bis..., …하기까지. ④ (nicht와 함께) 좀처럼 …않다. ¶ nicht so groß 도저히 그만큼 크지 않은.

Länge [lέŋə] *f.* -n, ① 《空間的》 길이, 길, 세로(길이)(♈*length*); 경도(*longitude*); 키(*tallness*). ¶ zwanzig Fuß **in die** 〔**in der**〕 ~ haben 길이가 20피트이다 / der ~ nach 세로 / er fiel der ~ nach hin 그는 선채로 넘어졌다. ② 《時間的》 시간, 기간(*duration*); 장시간, 장기. ¶ auf die ~ 오래 계속되면, 장기에 걸쳐, 장기 예정으로 / in die ~ ziehen 연기하다; 오래 끌다. ③ 장황, 용장(冗長). ¶ ~n haben 장황한 데가 있다.

langen [láŋən] [<lang] 《Ⅰ》 *i.*(h.) ① 손이 닿다, 자라다(*reach*); 손을 뻗치다; (nach, 을) 잡으려 하다(*reach* (*for*)). ② 충분하다, 족하다(*suffice*); 자라게 하다; (mit, 으로) 임시 변통하다, 마치다. ③ (시간이) 길어지다. 《Ⅱ》 *t.* ① 잡다, 끄집어 내다. ② 내주다, 건네다. ¶jm. e-e (Ohrfeige) ～ 아무의 따귀를 갈기다. **längen** [léŋən] *t.* 길게 하다, 펴다 (*lengthen*).

Längen·grād *m.* 〖地〗 경도(經度). **～·maß** *n.* 척도(尺度)(기(器)).

länger [léŋər] 《Ⅰ》 *a.* 보다 긴, 매우 긴 (♈*longer*). ¶seit ～er Zeit 꽤 오래 전부터. 《Ⅱ》 *adv.* 보다[더욱] 길게. ¶je ～, je lieber 길면 길수록 좋다.

Langeweile [láŋəvailə, laŋəváilə] *f.* =LANGWEILE.

Lang·finger *m.* 도둑; 소매치기. **～·fristig** *a.* (어음 따위) 장기의. **～holz** *n.* 긴 재목, 도리. **～hēr** [laŋhé:r] *adv.* 전에, 이전에; 멀리서부터. **～hin** [laŋhín] *adv.* 아득히, 멀리. **～jährig** *a.* 다년의. **～köpfig** *a.* 머리가 긴. **～·lēbig** *a.* 장수(長壽)의. **～lēbigkeit** *f.* 장수.

lang|lēgen [láŋle:gən] *refl.* 길게 뻗다, 눕다.

länglich [léŋlɪç] *a.* 조금 긴, 길쭉한 (*longish*); 가늘고 긴, 장방형의(*oblong*). **～rund** *a.* 타원형의.

Langlochziegel [láŋlɔxtsi:gəl] *m.* (längsgelochter ziegel) 세로 구멍을 뚫은 기와.

lang|machen [láŋmaxən] *refl.* 길게 뻗다, 눕다.

Lang·mūt *f.* 참을성 있음; 관용, 관대. **～mūtig** *a.* 참을성 있는; 관대한. **～·mūtigkeit** *f.* =～MUT.

Langobarde [laŋgobárdə] *m.* -n, -n, 랑고바르드인 《게르만 민족의 한 종족》.

längs [lɛŋs] 《Ⅰ》 *prp.* 《3·2格 支配》 (=entlang)을 따라서(♈*along*). 《Ⅱ》 *adv.* 세로. **Längs·achse** *f.* 종축(縱軸).

langsām [láŋza:m] [ahd. *lang-seimi* „lange säumend"] *a.* (동작이) 느린, 더딘, 찬찬한(*slow, tardy*). **Langsām·keit** *f.* 느림, 완만.

Lang·schädel *m.* 장두(長頭). **～schiff** *n.* (교회의) 중당, 내진(內陣)《장방형의》. **～schläfer** *m.* 잠꾸러기. **～sichtig** *a.* 원시안(遠視眼)의; 〖商〗 장기(長期)의.

Längs·richtung [léŋs-] *f.* 세로 방향. **～schnitt** *m.* 종단(면·도).

längst [lɛŋst] 《Ⅰ》 *a.* 가장 긴(♈*longest*). ¶aufs ～e 매우 길게. 《Ⅱ》 *adv.* 오래 전부터, 오래 전에, 벌써, 일찌기(*long ago*). ¶～ nicht 좀처럼 그렇지 않다.

längstens [léŋstəns] *adv.* 길어도; 늦어도(*at the latest*).

L

Lang·strecke *f.*, **～streckenlaut** *m.* 장거리 경주 《1500미터 이상》; 장거리 보트 레이스 《13～10 킬로》.

Langweile [láŋvailə] [lange Weile 의 結合語] *f.* 지리함, 무료, 심심함(*tediousness, boredom*). ¶aus ～ 지리해서, 심심한 나머지. **langweilen** *t.* 싫증나게 하다, 물리게 하다; *refl.* 물리다, 약비나다. **langweilig** *a.* 지리한; 장황한.

Langwelle [láŋvɛlə] *f.* 〖電〗 장파(長波).

langwierig [láŋvi:rɪç] *a.* (lange währ-end) 오랜; 장황한, 지리한.

Lanke [láŋkə] [♈Gelenk] *f.* -n, 허리, 옆구리; 서혜부.

Lanze [lántsə] [Lw. fr.] *f.* -n, 창(槍) (♈*lance, spear*). ¶e-e ～ einlegen (für, 을 위하여) 싸우다, (의) 편을 들다.

Lanzette [lantsétə] [fr. *dim.* v. Lanze] *f.* -n, 〖醫〗 란세트, 유엽도(柳葉刀), 피침(披針)(♈*lance*). **～n·förmig** *a.* 〖植〗 피침형의 《잎》.

Lappālie [lapá:lɪ̆ə] [Lappen 을 익살맞게 라틴꼴로 한 말] *f.* -n, 하찮은 일, 자질구레한 일(*trifle*).

Läppchen [lépçən] [*dim.* v. Lappen] *n.* -s, -, 천[넝마] 조각; (Ohr～) 귓불.

Lappe [lápə] *m.* -n, -n, 라플란드 사람.

Lappen [lápən] *m.* -s, -, 늘어진[처진] 헝겊(*flap*); 천 조각(*patch*); 넝마(*rag*); (Wisch～) 걸레(*duster*); 〖解〗 엽(葉); 〖植〗 열편(裂片)(*lobe*). **lappen** *i.*(h.) 축 처지다; (개가) 핥다. **läppern** [lépərn] 《Ⅰ》 *refl.* 조금씩 모이다. ¶es läppert sich (so zusammen) 티끌 모아 태산. 《Ⅱ》 *t.* 조금씩 핥다. **Läpper·schulden** *pl.* 조금씩 깔린 빚. **lappig** *a.* 축 처진, 느슨한; 너덕너덕 기운; 〖植〗 열편(裂片)이 있는.

läppisch [lépɪʃ] [<Laffe] *a.* 어리석은, 바보 같은(*silly, foolish*); 유치한(*childish*).

Lappland [láplant] *n.* 라플란드《유럽의 북쪽 끝 지방》.

Lärche [lérçə] [Lw. lat.] *f.* -n, 〖植〗 (유럽) 낙엽송(♈*larch*).

Lärm [lɛrm] [Lw. fr. *alarme* „Alarm"] *m.* -(e)s, 경보(♈*alarm*); 소동(*noise, row*). ¶blinder ～ 헛소동. **Lärmbe·kämpfung** *f.* 소음 방지. **lärmen** [lérmən] *i.*(h.) 떠들다; 싸우다; **～d** (*p. a.*) 소란스러운.

Lärm·glocke *f.* 경종. **～macher** *m.* 소란떠는 사람; 경보자.

Larve [lárfə] [Lw. lat. *larva* „Gespenst"] *f.* -n, ① 요괴(妖怪), 도깨비; 가면(假面)(*mask*). ② 〖蟲〗 유충(幼蟲) (♈*larva*). ③ 얼굴, 용모; (특히) 미모; 미모의 여인.

Lāryngeāl [la:rʏŋgeá:l] [gr.] *a.* 후두(喉頭)의. **Lāryngītis** *f.* 〖醫〗 후두염.

lās [la:s] ☞LESEN 《그 過去》.

Lasche [láʃə] *f.* -n, (호주머니의) 덮개 (*flap*); 〖裁縫〗 밑, 섶(*gore*); 구두의 (끈 아래의) 혀; 〖工〗 두개의 부분을 접합하는 철판; (특히 선로의) 접합판.

Laser [lé:zər] [=engl. *l*ight *a*mplification by *s*timulated *e*mission of *r*adiation, „Lichtverstärkung durch angeregte Emission von Strahlung"] *m.* -(s), -, 레이저. **Laserstrahlen** *pl.* 레이저 광선.

laß[1] [las] [*eig.* „abgespannt, müde"] *a.* 녹초가 된; 축 늘어진[처진], 느슨한.

laß[2]! ☞LASSEN 《그 單數 命令形》.

lassen* [lásən] [*eig.* „abgespannt machen"] 《Ⅰ》 *t.* ("늦추어 두다"의 뜻:) ① 내버려 두다, 남겨 두다, 그대로 두다 (*let alone*); (떠나는 것을) 가게 버려 두다(*leave off*). ¶die Tür offen ～ 문

을 열어 두다. ② 내놓다, 주다, 팔다, 양도하다(*leave, let have*). ¶das Leben ~ 신명을 바치다 / sich³ zeit ~ 서둘지 않다. ③ 그만두다, 하지 않다, 멈추다(*omit*). ¶laß das Weinen! 울지 말라. ④ 《前置詞와 함께》 **aus** der Acht ~ 무시하다 / alles **beim** alten ~ 모두 옛 그대로 두다 / jn. **in** Rube ~ 아무를 방임하다 / jn. **von** sich ~ 아무를 파면하다. 《Ⅱ》 《助動詞: *p.p.* lassen》 ① (..함을) 허용하다, (…하게) 하다(♈*let, allow, grant*). ¶es läßt sich denken 그것은 상상할 수가 있다, 있을 법한 일이다 / dieser Wein läßt sich trinken 이 포도주는 꽤 마실 만하다. ② (명령해서) 시키다, (자진해서) 하게 하다, 어떤 일을) 일어나게 하다(♈*let, make, cause*). ¶laß hören! (나로 하여금 듣게 하라:) 어서 들어 보자, 말해 보렴 / ~ Sie von sich hören! 가끔 소식을 전해 주시오. ③ ~ Sie sich³ das gesagt sein! 그것을 잊지 마시도록 / das hätte ich mir nicht träumen ~ 그런 일은 꿈에도 생각 못하였다. ④ 그리다, 상상하다. ¶laß ihn nur erst so alt sein wie du bist 그가 너와 동년배라고 가정하면. 《Ⅲ》 *i.*(h.) 중지하다, 포기하다; 보이다, 어울리다. 《Ⅳ》 **Lassen** *n.* 중지함, 하지 않음. ¶sein Tun und ~ 그의 일체의 행동.

lässig [lɛ́sɪç] [<laß] *a.* 되는 대로 버려두는, 흘게늦은(*negligent*); 태만한(*lazy, indolent*); 만사 귀찮은 듯한; 맥이 없는 (*weary*). **Lässigkeit** *f.* -en, 위임.

Lasso [láso] [sp.] *m.* u. *n.* -s, -s, 던지는 올가미(목적물에 걸어서 잡는).

läßt [lɛst] (du ~, er ~) ☞LASSEN (그 現在).

Last [last] [<laden] *f.* -en, 짐(♈*load*); 화물; 무게, 중량(물), 무거운 짐; 〖物·工〗 하중(荷重); 《重量單位》 라스트(♈*last*); 《*pl*》 부담, 부과, 책임; 부채. ¶《比》 jm. zur ~ fallen 아무의 짐〔부담〕이 되다 / jm. et. zur ~ schreiben 무엇을 아무 앞으로 달다 / zu ~en des Käufers (운임 따위를) 매수인(買受人) 부담으로.

Last·auto [lást-auto] *n.* -s, -s, 화물자동차.

lasten [lástən] [<Last] 《Ⅰ》 *i.*(h.) 무게가 있다; 무겁게 누르다. 《Ⅱ》 *t.* (배·차 따위에) 짐을 싣다; 번거롭게 하다.

Lasten=aufzug *m.* 화물 엘리베이터. **~ausgleich** *m.* 부담 조정《특히 전후의》. **~frei** *a.* 부담없는, 면세의. **~=gleiter, ~segler** *m.* 짐나르는 글라이더.

Laster[1] [lástər] *m.* -s, -, =LAST-KRAFTWAGEN.

Laster[2] [lástər] [*eig.* „Fehler"] *n.* -s, -, 악덕, 죄악(*vice*); 파렴치한(漢); 창녀.

Lästerer [lɛ́stərər] *m.* -s, -, 비방자, 중상자; (Gottes~) 독신자(瀆神者).

lasterhaft [lástərhaft] *a.* 악덕의; 품행이 나쁜, 방탕한. **Lasterhaftigkeit** *f.* 위임.

Laster=höhle *f.* 죄악의 소굴. **~leben** *n.* 패덕(悖德)의 생활.

lästerlich [lɛ́stərlɪç] *a.* 비방적인, 모독적인; 치욕적인; 독신(瀆神)적인.

Läster=maul *n.*, **~zunge** *f.* 《俗》 비방하는 사람, 중상자.

lästern [lɛ́stərn] [<Laster; *eig.* „tadeln, schmähen"] 《Ⅰ》 *i.*(h.) 더럽게 욕질하다, 비방하다(*slander*). 《Ⅱ》 모독하다 《신, 신앙을》(*blaspheme*).

Läster=rede *f.* 욕, 중상. **~sucht** *f.* 욕〔비방〕하는 버릇. 「tes~) 신성 모독.

Lästerung [lɛ́stərʊŋ] *f.* -en, 비방; (Got-

Last=flugzeug *n.* 하물 수송(비행)기. **~fuhrwerk** *n.* 짐(마)차, 트럭. **~=gebühr** *f.*, **~geld** *n.* (선박의) 톤세(稅).

lastig [lástɪç] *a.* 무게가 있는; 짐을 실을 수 있는, 적재량이 있는.

lästig [lɛ́stɪç] [<Last] *a.* 부담이 되는 (*burdensome*); 성가신, 귀찮은(*troublesome, annoying*). ¶jm. ~ fallen 아무에게 폐를 끼치다, 아무를 귀찮게 하다. **Lästigkeit** *f.* -en, 부담, 폐, 고역.

Last=kahn *m.* 삼판선(三板船), 짐배. **~kraftwagen** *m.* 화물 자동차. **~=pferd** *n.* 짐 나르는 말. **~schiff** *n.* 화물선. **~schrift** *f.* 〖商〗 차변(借邊) (기입). **~tier** *n.* 짐을 나르는 짐승. **~träger** *m.* 짐꾼. **~wagen** *m.* = ~FUHRWERK. **~zug** *m.* 화물 열차.

Lasur [lazúːr] [pers. -mlat.] 《Ⅰ》 *m.* -s, -e, 〖鑛〗 유리(瑠璃) 《남동광(藍銅鑛)》(*lapis lazuli*). 《Ⅱ》 *f.* -en, 유리색〔야청빛〕의 물감.

lasur=blau, ~farben *a.* 유리색의. **~=stein** *m.* =LASUR Ⅰ.

Latein [latáin] [lat.] *n.* -s, 라틴말(♈*Latin*). **lateinisch** *a.* 라틴(어)의; *adv.* (=auf ~) 라틴어로.

Laterne [latɛ́rnə] [Lw. lat.] *f.* -n, 각등(角燈), 랜턴(♈*lantern*); 가로등(*lamp*).

Laternen=anzünder *m.* (가로등의) 점등부(點燈夫). **~pfahl** *m.* 가로등 기둥.

Latifundium [latifúndium] [lat.] *n.* -s, ..dien, 고대 로마의 큰 영지; 대소유지, 사유지.

latinisieren [latinizíːrən] [lat. -fr.] *t.* 라틴(어)화하다, 고대 로마풍으로 하다.

Latitüde [latitýːdə] [lat. -fr] *f.* -n, ① 〖地〗 위도. ② 구역; 넓이, 범위; 자유《행동, 사상 등의》; 《比》 관용.

Latrine [latríːnə] [lat. „Waschort"] *f.* -n, 변소; 똥통.

Latsche [láːtʃə] *f.* -n, 《俗》 뒷창이 닳아 해진 신; 실내화, 슬리퍼; 《比》 칠칠치 못한 여자.

latschen [láːtʃən] *i.*(h.) 다리를 질질 끌면서 걷다, 건들건들 걷다. **latschig** *a.* 다리를 끄는; 흘게 늦은.

Latte [látə] [♈Laden] *f.* -n, 〖建〗 욋가지, 작은 막대기《지붕, 울 따위에 쓰는 엷고 긴 목재》(♈*lath, batten*).

Latten=rost *m.* 〖軍〗 (침수(浸水)된 위에 건넨) 널빤지. **~verschlag** *m.* 욋가지로 간막이 한 벽. **~werk** *n.* 격자세공. **~zaun** *m.* 외로 된 울타리.

Lattich [látɪç] [Lw. lat.] *m.* -(e)s, -e, 〖植〗 상치(♈*lettuce*).

Latwerge [latvɛ́rgə] [gr. -lat.] *f.* -n, 〖醫〗 연약(煉藥)(*electuary*).

Latz [lats] [Lw. fr.] *m.* -es, ¨e 끈; 주머니의 덮개(*flap*); 앞치마(*pinafore*); 턱받이(*bib*).

lau 〔~warm〕 *a.* 미지근한(*lukewarm*,

tepid); 《比》 미온적인, 열의가 없는; 〖商〗 불경기의, 활기 없는.

Laub [laup] [=engl. *leaf*] *n.* -(e)s. 《集合的; *pl.* 쓰지 않음》 나뭇잎 (♈*leaves, foliage*); (카드의) 스페이드.

laub·ähnlich *a.* 잎비슷한, 잎모양의. **~baum** *m.* 활엽수(闊葉樹). **~dach** *n.* 새〔보릿짚〕 따위로 인 지붕.

Laube [láubə] [ahd. *louba* „Dach"] *f.* -n, 〖建〗 (지붕이 있는) 복도, 현관 (*porch*); 수목 사이의 길(*arcade, bower*); (Garten~) (덩굴 따위가 덮인) 정자, 정각(*arbour*).

Laub·fall *m.* 낙엽. **~frosch** *m.* 〖動〗 청개구리. **~gewinde** *n.* 〖建〗 나뭇잎 장식. **~holz** *n.* 활엽수. **~hütte** *f.* 나뭇잎으로 지붕을 인 오두막집. **~hüttenfest** *n.* (유태교의) 초막절(草幕節) 《추수 감사절을 겸함》. **~säge** *f.* 실톱. **~säge·arbeit** *f.* 〖建〗 격자(格子) 세공. **~sänger** *m.* 〖鳥〗 굴뚝새류. **~wald** *m.* 활엽수림.

laubig [láubıç] *a.* 잎이 있는, 잎이 많은.

Lauch [laux] *m.* -(e)s, -e, 〖植〗 부추속 (♈*leek*).

Lauer [láuər] *f.* 매복, 잠복. ¶auf der ~ liegen〔sein〕 매복해 있다, 숨어서 노리다. **lauern** [láuərn] *i.*(h.) 매복하다, (숨어서) (auf jn. 〔et.〕, 아무를〔무엇을〕) 노리다(♈*lurk, lie in wait*).

Lauf [lauf] [<laufen] *m.* -(e)s, ⸚e, ① 달음질, 달림, 질주; (Wett~) 경주. ¶im vollen ~ 전속력으로. ② 흐름; 진행, 운행; 운전; 항행. ③ 진행법; 진로; 방향; 《比》 (일·때의) 경과; (태양·달 등의) 운행, 궤도. ¶freien ~ lassen (e-m Dinge, 일을) 방임하다, 될 대로 내버려 두다, (jm., 아무의) 뜻에 맡기다, 제멋대로 방임하다 / im ~e des Monats 이 달 안으로. ④ (개나 사냥 짐승의) 다리. ⑤ (Gewehr~) 총열, 포신 (砲身).

Lauf·bahn *f.* 주로(走路), 경주장, 경마장; 《比》 생애(生涯), 경력. **~band** *n.* (유아의 보행 연습용) 걸음마줄. **~brett** *n.* 〖海〗 발판; 〖鐵〗 디딤판. **~brücke** *f.* 인도교; 좁다란 널다리. **~bursch(e)** *m.* 심부름하는 아이, 사환.

laufen* [láufən] [=engl. *leap*, „hüpfen"] 《Ⅰ》 *i.*(s. *u.* h.) ① (생물, 특히 사람이) 달리다, 닫다(*run*). ★ rennen 보다 뜻이 약함. ¶sie Kamen gelaufen 그들은 뛰어왔다. ② 《俗·方》 걷다(*go*); (무생물이) 달리다, 나아가다, 움직이다 (*move*); 진행〔운전〕하다; 운행〔항행〕하다; 경과하다(*pass*); (어떤 시기에) 접어들다; 계속하다; (어느 기간 중) 유효하다. ¶der prozeß läuft 소송중이다. ③ 흐르다(*flow*); 새다(*leak*); 듣다, 흘러 내리다. ¶Farben ~ 색이 날다 / die Kerze läuft 촛농이 흐르다. ④ 〖獵〗 *i.*(h.) 발정하다, 암내내다. 《Ⅱ》 *refl.* ① 《結果를 나타내는 말과 더불어》 sich⁴ müde ~ 달려서 지치다. ② 《非人稱》 es läuft sich hier schlecht 여기는 뛰기 나쁘다. 《Ⅲ》 **laufend** *p.a.* ① 달리는; 움직이는, 움직일 수 있는. ¶~es Band (일관 작업의) 컨베이어. ② 계속하는, 오늘날까지의; 일상의, 현재의(*current, present*). ¶~en Monats 이 달에 / ~e Nummer (잡지 따위의) a) 금월호, 금주호, b) 연속 번호 / auf dem ~en sein, a) 시세〔사정〕에 정통하다, b) 현재까지의 할 일은 모두 해 두었다, 〖商〗 장부 기입이 모두 되어 있다.

Läufer [lɔ́yfər] *m.* -s, -, ① 달리는 사람, 주자(走者)(*runner*); 〖蹴〗 하프백; 전령(*messenger*); (체스의) 비쇼프. ② 〖機〗 회전부(回轉部), 활주부(滑走部); 좁고 긴 융단, 거친 모전(毛氈)《술술 펼쳐지는》. ③ 〖樂〗 급조 연속음; 경과구(經過句).

Lauferei [laufərái] *f.* (공연히·분주히) 뛰어다니기; 《比》 헛수고.

Lauf·feuer *n.* 야화(野火); 〖軍〗 총포의 연속 사격《일익(一翼)에서부터 시작하는》. **~graben** *m.* 참호, 교통호.

läufig [lɔ́yfıç] *a.* 암내내는, 교미할 때가 된 《암캐가》; 《方》 숙달〔유창〕한.

Lauf·junge *m.* =~BURSCHE. **~karren** *m.* 〖坑〗 광차(鑛車). **~kran** *m.* 이동 기중기. **~kunde** *m.*, **~kundschaft** *f.* 일시〔우연〕의 고객, 어쩌다가 들른 손. **~masche** *f.* (뜨개것의) 코. **~paß** *m.* 해고장(解雇狀). **~planke** *f.* 〖海〗 배다리《배에서 부두로 건너는》. **~rad** *n.* (기관차의) 회전륜(回轉輪). **~schiene** *f.* 레일. **~schritt** *m.* 〖軍〗 구보.

Läufsteg [lɔ́yfʃteːk] *m.* 좁은 널빤지〔철판〕의 다리.

Lauf·zeit *f.* 교미기《암캐의》; 〖商〗 어음 유효 기간. **~zettel** *m.* 우송 첨부장; 회장(回章).

Lauge [láugə] *f.* -n, 잿물; 알칼리액(♈*lye*). **laugen** *t.* 잿물에 담그다.

laugen·haltig *a.* 알칼리를 함유하는. **~salz** *n.* 알칼리 염(塩), 소다.

Lauheit [láuhait] *f.* -en, **Lauigkeit** [láuıç-] *f.* 미지근함, 미온; 무관심, 냉담(冷淡).

Laune [láune] [Lw. lat. *lūna* „Mond"] *f.* -n, 기분(*mood*); (gute ~)신; 변덕 (*whim, caprice*); 울화, 언짢음. ¶guter ~ sein 기분이 매우 좋다.

launenhaft [láunənhaft] *a.* 기분이 자주 변하는, 변덕 부리는(*capricious*). **launig** *a.* 기분이 좋은; 명랑한, 농담을 잘하는, 재담을 잘하는(*witty, humorous*). **launisch** *a.* 기분이 언짢은, 괴팍스러운(*peevish*); =LAUNENHAFT.

Laus [laus] *f.* ⸚e [lɔ́yze], 〖蟲〗 이(♈*louse*).

lauschen [láuʃən] *i.*(h.) (jm, 아무의 말을) 열심히 듣다, (에게) 귀를 기울이다 (♈*listen*). ¶auf et. ~ 무엇에 주의하다, 무엇을 몰래 듣다, 엿듣다. **Lauscher** *m.* -s, -, 엿듣는 사람, 스파이. **lauschig** *a.* 사람 눈에 띄지 않는, 아늑한 《장소가》(*snug, cosy*).

Lause·bub(e), **~junge** *m.* 《俗》 더러운 아이; 개구장이, 건방진 놈.

lausen [láuzən] *t.* (의) 이를 잡다.

lausig [láuzıç] *a.* 이투성이의; 《比》 좀스러운, 비루한.

Lausitz [láuzıts] *f.* 〖地〗 독일의 Elbe 강과 Bober 강 사이에 위치하는 지방(♈*Lusatia*).

Laut [laut] [<laut] *m.* -(e)s, -e, 소리, 목소리, 음향(*sound*). ¶~ von sich

geben (목)소리를 내다 / ～ geben (사냥개가) 짖다. **laut**[1] [laut] [♈lauschen, -t는 원래 過去分詞의 語尾, *eig.* "들리는, 들린"] 《Ⅰ》 *a.* 잘 들리는; 소리가 큰, 큰 소리의(♈*loud*); 떠들썩한; 《比》 알려진, 공공연한. ¶～ werden 널리 알려지다. 《Ⅱ》 *adv.* 들리도록, 소리 높이(*loudly, aloud*). **laut**[2] *prp.* …에 의하면, 따라서, 의 대로. ¶《2格》 ～ (des) Befels 명령〔분부〕대로 / 《3格》 ～ Briefen 편지에 의하면. **lautbār** *a.* 들리는; 알려진; 공공연한.

Laut⸗archiv [-arçi:f] *n.* (여러 나라 말·방언의) 녹음〔음반〕 집성(集成). **～be⸗zeichnung** *t.* 〖文〗 표음법; 발음 부호.

Laute [láutə] [ar.] *f.* -n, 라우테《일종의 현악기》(♈*lute*).

lauten [láutən] [<laut] *i.*(h.) (종·악기 등이) 울리다(*sound*); (문장에) …라고 써 있다, 가로되 …라고 하다(*say, run*). ¶〖法〗 das Urteil lautet Tod 선고는 사형이다.

läuten [lɔ́ytən] 《Ⅰ》 [„lauten machen"] *t.* (종을) 울리다(*ring, peal*); (zu Grabe ～) 장송의 종을 울리다(*toll, knell*). 《Ⅱ》 *i.*(h.) (종·벨이) 울리다, 소리나다; 종을 울리다《사람이》. ¶《比》 et. ～ hören 무엇〔소문〕을 우연히 듣다.

Lauten⸗schläger, ～spieler *m.* 라우테 탄주자(彈奏者).

lauter [láutər] [*eig.* „gewashen"] *a.* 《Ⅰ》 순수한, 잡것이 없는(*pure, genuine*); 맑은(*clear*). 《Ⅱ》 《語尾變化 없음》 *adv.* 오직 …뿐인, 전혀, 온통(*mere, nothing but, downright*). ¶es ist ～ Gold 그것은 온통 금이다, 순금이다 / es sind ～ Lügen 그것은 새빨간 거짓말이다. **Lauterkeit** *f.* -en, 순수; 무구(無垢), 청징(淸澄); 투명, 순진. **läu⸗tern** [lɔ́ytərn] [<lauter] 《Ⅰ》 *t.* 순수하게 하다(*purify*); 정화〔순화〕하다(*clarify, purge*); 정제(精製)〔정류(精溜)·정련(精鍊)〕하다(*refine*). 《Ⅱ》 *refl.* 순수하게 되다. **Läuterung** [lɔ́ytəruŋ] *f.* -en, 정화, 순화; 정제, 정류; 정련.

Läut(e)werk [lɔ́yt(ə)vɛrk] *n.* (전자기(電磁氣)) 음향 장치; 〖鐵〗 경보기.

Lautgesetz [láutgəzɛts] *n.* 음운 법칙.

lautieren [lautí:rən] [<Laut] *t.* u. *i.*(h.) 〖文〗 음절을 나누어서 읽다.

Lautlehre [láutle:rə] *f.* 음성학, 발음학(*phonetics*).

lautlich [láutlıç] *a.* 음성(학)상의, 발음상의.

laut⸗lōs *a.* 무성의; 침묵한, 벙어리의; 멍하니 있는. **～lōsigkeit** *f.* 무성; 침묵. **～mālend** *a.* 의성〔의음〕의.

Laut⸗mālerei *f.* 의성(擬聲), 의음(擬音). **～physiologie** *f.* 음성 생리학. **～rēdend** *p.a.* 큰 소리로 말하는, 악쓰는. **～schrift** *f.* 음표 문자. **～spre⸗cher** *m.* 확성기, 라우드스피커. **～⸗stärke** *f.* 소리의 강도, 음량(音量). **～stärke·rēgler** *m.* (라디오의) 음량 조절기. **～systēm** *n.* 발음법. **～tāfel** *f.* 성음표, 발음표. **～verschiebung** *f.* 〖文〗 (인도·게르만 어계의) 자음 추이(보기: got. *fadar* —nhd. Vater). **～verstärker** *m.* 음량 증폭기. **～⸗wandel** *m.* 〖文〗 (시대에 따르는) 음의 변화. **～zeichen** *n.* 음표, 발음 기호.

lauwarm [láuvarm] *a.* 미지근한.

Lāva [lá:va] [it. „Überfließendes, -flutendes"] *f.* ..ven [-vən], 〖地〗 용암(熔岩). **～strōm** *m.* 용암류(流).

Lavendel [lavɛ́ndəl] [it. „Badekraut"] *m.* -s, -, 〖植〗 라벤델(♈*lavender*).

lavieren[1] [laví:rən] [fr. -ndl.; ♈Luv] *i.*(h.*u.* s.) 〖海〗 바람을 비스듬히 받으며 나아가다; 《比》 신중한 태도를 취하다.

lavieren[2] [laví:rən] [<lat. *lavare* „waschen"] *i.*(h.) 〖畫〗 (색을) 바림하다; (색을) 씻어 지우다.

Lawine [laví:nə] [lat. *lābi* „herabgleiten"] *f.* -n, 눈사태(*avalanche*).

lax [laks] [lat. *laxus* „schlaff, locker"] *a.* 느슨한(♈*lax, loose*); 흘게늦은, 방종한(*licentious*). **laxieren** *i.*(h.) 설사하다. **Laxiermittel** *n.* 완하제(緩下劑).

Layout [le:áut, lé:-] [engl. „Auslage"] *n.* -s, -s, (백화점의) 진열; (대범한) 구도; 〖印〗 레이아우트. **Layouter** *m.* -s, -, 구도가.

Lazarett [latsarɛ́t] [it.] *n.* -(e)s, -e, 병원(*hospital*); 〖軍〗 위수(衛戍) 병원.

Lazarett⸗schiff *n.* 병원선. **～zūg** *m.* 병원 열차.

Lazerte [latsɛ́rtə] [lat.] *f* -n, 〖動〗 도마뱀; 창녀.

lēb.., Lēb.. [=Leben] =LEBLOS USW.

Lēbe⸗dāme *f.* 사교 부인, 유한 마담. **～hōch** [le:bəhó:x] *n.* -s, -(s), 만세소리, 건강을 축복하는 말. **～mann** *m.* 쾌락주의자, 방탕아.

lēben [lé:bən] [♈Leib, bleiben] 《Ⅰ》 *i.* (h.) ① 살아 있다, 생존하다(♈*live, be alive, exist*). ② 살아가다(*subsist*); 생활하다, 지내다; (von, 을 먹고) 살다. ③ (어디에) 거주하다(♈*live, dwell, stay*); 서식하다. ④ 활동하고 있다; (언제까지나) 살아 있다; (추억·명예 따위가) 사라지지 않다. ¶es lebe der König! 국왕 폐하 만세 / jn. hoch ～ lassen 아무의 만세를 부르다, 아무를 위하여 축배를 들다; ☞LEBEND. 《Ⅱ》 *refl.* sich satt ～ 인생에 싫증이 나다, 삶에 지치다 / 《非人稱》 hier lebt es sich gut 여기는 살기 좋다. 《Ⅲ》 **Lēben** [lé:bən] [leben의 명사화] *n.* -s, 삶(*life*); 거주, 서식(棲息); 생명, 목숨, 생애; 일생; 인생; 생활, 살림살이, 생계; 생명, 활동(*activity*); 활기; 생명(의 실상), (살아 있는) 그대로의 모습; 자연, 생애; 전기, 이력; 생명이 있는 것. ¶sein ～ lassen 목숨을 잃다 / **am** ～ sein 생존하고 있다, 살아 있다 / **auf** ～ und Tod, a) 생사를 걸고, b) 영원히 / **für** mein ～ 내 목숨을 걸고라도, 맹세코 / ins ～ rufen 일으키다, 창립〔창조〕하다 / nach dem ～ malen 사생하다 / **ums** ～ kommen (비명(非命)에) 죽다 / jn. ums ～ bringen 아무를 죽이다 / es ist ～ in diesem Bilde 이 그림은 생동감이 있다 / das ～ der Bienen 꿀벌의 생태 / sich durchs ～ schlagen 세파와 싸우다. 《Ⅳ》 **lēbend** *p. a.* 살아 있는, 현존하는(♈*living, alive*). ¶～e Hecke 산울타리 / ～e Bilder 활인화(活人畫) / ～e Sprachen 현대어.

lebendig [lebɛ́ndıç] *a.* (lebend) ① 살아

있는, 생존하고 있는; 생명이 있는. ¶ ~ tot 산송장 같은. ②《比》생기 있는, 활기 있는(*lively, vivacious, vivid*). ¶ ~er Brunnen 물이 솟아나는 샘 / ~e Bühne 야외 무대. **Lebendigkeit** *f.* 활기(있음).

Lebens≈abend *m.* 만년(晩年). **~abriß** *m.* 생애의 스케치. **~alter** *n.* 연령. **~anschauung** *f.* 인생관. **~art** *f.* 생활 태도〔양식〕, 행실; (gute *od.* feine ~ art) 예의 범절. **~aufgabe** *f.* 필생의 사업. **~bedingung** *f.* 생활 조건. **~bedürfnisse** *pl.* 생활상 (불가결)의 욕구; 생활 필수품. **~bejahend** *a.* 낙천적인. **~beschreibung** *f.* 전기(傳記)(*life, biography*). **~dauer** *f.* 생존기, 수명; 〖理〗(방사성 물질의) 수명. **~elixier** *n.* ①〖醫〗활력제. ② 생명수; 화주. **~ende** *n.* 임종. **~faden** *m.* 명맥, 수명. **~fähig** *a.* 생활력 있는; 생존〔생육〕할 수 있는《태아, 초생아》. **~fahrt** *f.* 인생 항로. **~form** *f.* 생활 형식; 생의 형식. **~frage** *f.* 인생 문제; 사활〔중대〕문제. **~fremd** *a.* 실생활과 먼, 물정을 모르는. **~freude** *f.* 생의 기쁨. **~froh** *a.* 생을 즐기는, 행복한. **~gefahr** *f.* 생명의 위험. **~gefährlich** *a.* 생명에 관계되는. **~gefährte** *m.*, **~gefährtin** *f.* 생애의 반려(伴侶). **~gefühl** *n.* 생활 감정. **~geister** *pl.* 생명력, 정기. **~genuß** *m.* ① 인생의 향락. ② *pl.* 기호품. **~groß** *a.* 실물과 같은 크기의. **~größe** *f.* 실물크기, 등신(等身)(*life-size*). **~haltung** *f.* 생활 표준. **~klugheit** *f.* 처세하는 재간, 속된 꾀. **~kraft** *f.* 생활력, 원기, 활기, 정력. **~kräftig** *a.* 생활력〔원기〕있는; 활발한. **~kunde** *f.* 생물학. **~lage** *f.* 생활 상태, 처지. **~lang, ~länglich** *a.* 필생의. **~lauf** *m.* 경력, 이력(*life, career*). **~licht** *n.*《詩》생명의 등불; 생명. ¶ jm. das ~licht ausblasen 아무의 목숨을 빼앗다. **~lust** *f.* 인생의 쾌락. **~lustig** *a.* 생을 즐기는, 유쾌한. **~mai** *m.* 청춘. **~mittel** *pl.* 식료(품). **~mittelkarte** *f.* 식료(배급)표. **~müd(e)** *a.* 생활에 지친, 염세적인. **~mut** *m.* 원기, 활기. **~nerven** *pl.* 자율 신경. **~notdurft** *f.* 생활 필수품. **~philosophie** *f.* ① 인생 철학. ②〖哲〗생(生)의 철학. **~prinzip** *n.* 생활 원리. **~prozeß** *m.* 생활 현상. **~raum** *m.* 생활권; 환경. **~reform** *f.* 생활 개선. **~regel** *f.* 생의 규범; 격언, 금언. **~retter** *m.* 인명 구조자; 산소 호흡기. **~stellun** *f.* 사회적 지위. **~strafe** *f.* 사형. **~treu** *a.* 꼭 닮은. **~trieb** *m.* 생의 충동. **~überdrüssig** *a.* 삶에 지친, 세상에 염증을 느끼는. **~unterhalt** *m.* 생활비. **~versicherung** *f.* 생명 보험. **~versorgung** *f.* 식료 공급. **~wahr** *a.* 실물 그대로의, 박진(迫眞)의. **~wandel** *m.* 행실, 품행(*life, conduct*). **~weise** *f.* 생활 방식; 습관. **~wichtig** *a.* 생활상 중요한; 치명적인, 중대한. **~zeichen** *n.* 생의 징후(徵候), 살고 있는 표지. **~zeit** *f.* 생애; 종신. ¶ auf ~zeit. 생애, 한평생. **~ziel** *n.*, **~zweck** *m.* 생애의 목표.

Leber [lé:bər] *f.* -n, 〖解〗간장(肝臟)(♈*liver*); 《比》격정(激情)의 근원《특히 분노의》.

Leber≈blümchen *n.*, **~blume** *f.* 〖植〗노루귀(*liverwort*). **~fleck** *m.* 〖醫〗기미, 죽은깨(*mole*). **~knödel** *m.* 간(肝) 경단, 간 소시지. ¶《俗》gekränkte ~ (*pl.*) spielen (까닭도 없이) 기분이 상해 있다, 뾰루퉁해 있다. **~krank** *a.* 간장병의. **~krankheit** *f.* 간장병. **~stein** *m.* 간결석. **~tran** *m.* 간유(肝油)《특히 대구의》. **~wurst** *f.* (돼지의) 간장 순대.

Lebe≈welt *f.* 세상 사람, 사회인; 향락의 세계. **~wesen** *n.* 생물. **~wohl** [le:bəvó:l, lé:bəvó:l] *n.* 작별 인사, 고별.

lebhaft [lé:phaft] [<Leben] *a.* 생기 있는; 활발한(*lively, vivacious*); 은성한; 격렬한. **Lebhaftigkeit** *f.* 위임.

Lebkuchen [lé:p–] *m.* 꿀이〔후추가〕든 과자.

leb≈los [lé:p–] *a.* 생명이 없는; 죽은 (듯한). **~tag** *m.* 생애. ¶ mein ~tag 내 생애 동안에, 평생에. **~zeiten** *pl.* 생존시.

lechzen [léçtsən] *i.*(h.) 마르다(*be thirsty*); 《比》(nach, 을) 갈망하다. ¶ er lechzte nach Blut und Rache 그는 피에 주리고 복수에 불탔다. **leck** [lɛk] 《Ⅰ》*a.* 《方》(물이) 새는(♈*leaky*). 《Ⅱ》**Leck** *n.* 〔*m.*〕-(e)s, -e, 새는 곳, 새는 구멍(♈*leak*).

lecken[1] [lékən] *i.*(h. *u.* s.) 새다(♈*leak*); 방울져 떨어지다; (촛농이) 흘러 내리다.

lecken[2] [lékən] [♈engl. *leg* „Bein"] *i.*(h.) (발로) 차다. ¶〖聖〗wider den Stachel ~ 당랑지부(螳螂之斧).

lecken[3] [lékən] *t.* 핥다(♈*lick*).

Lecker [lékər] *m.* -s, -, 핥는 사람; 미식가(美食家). **lecker** [lékər] *a.* 맛있는; 맛있는 음식을 밝히는(*delicate, dainty*). **Leckerbissen** *m.* 맛있는 것; 미미(美味); 좋아하는 것. **Leckerei** *f.* -en, 미식을 좋아함; 미미(美味); 단것, 과자.

leckerhaft [lékərhaft] *a.* 미식을 좋아하는. **Leckerhaftigkeit** *f.* -en, 식도락, 미식을 좋아함.

Lecker≈maul, ~mäulchen *n.*, **~zunge** *f.* 미식가, 식도락가.

Leder [lé:dər] *n.* -s, -, (무두질한) 가죽(♈*leather*).

Leder≈band *m.* 가죽 장정의 책. **~bereiter** *m.* 가죽을 무두질하는 사람. **~farbig** *a.* 가죽 빛깔의. **~handel** *m.* 피혁상(皮革商). **~händler** *m.* 피혁 상인. **~hand·schuh** *m.* 가죽 장갑. **~hosen** *pl.* 가죽 바지. **~industrie** *f.* 피혁 공업.

ledern[1] [lé:dərn] *a.* 혁제(革製)의; 가죽 같은, 질긴; 《比》우둔한, 무기력한, 지리한(*dull, tedious*). **ledern**[2] *t.* (가죽을) 무두질하다; 《俗》때리다, 갈기다.

Lederol [lederó:l] *n.* -s, 레데롤《고무를 씌운 무명천, 비옷 감》.

Leder≈riemen *m.* 가죽 끈, 피대(皮帶); (면도칼을 가는) 가죽 띠. **~waren** *pl.* 가죽 제품. **~zeug** *n.* 〖軍〗혁구(革具).

lēdig [léːdɪç] [*eig.* „frei Muße habend"] *a.* ① (e-s Dinges, 무엇이) 면제되어 있는(*free* (*from*)). ② 빈(*empty, vacant*). ③ 미혼의, 독신의(*unmarried, single*). ¶ ~e Kinder 사생아.

Lēdigen⸗heim [léːdɪgən–] *n.* 독신료(獨身寮). **~steure** *f.* 독신세(獨身稅).

Lēdigkeit [léːdɪçkait] *f.* -en, 독신, 미혼. **lēdiglich** [léːdɪklɪç] *adv.* 단순히, 다만(*only, solely*).

Lee [leː] *f.* 〖海〗 (배의) 바람 불어가는 쪽(♀*lee*); 바람길 쪽《뱃전》(*lee-side*).

leer [leːr] *a.* 공허한, 빈(*empty, void, blank, vacant*). ¶ ~(*adv.*) laufen (기계가) 헛돌다, (자본·인력이) 허비되다(*run idle*) / ~e Ausflucht 뻔한 핑계 / mit ~en Händen 빈 손으로《얻은 것 없이, 또는 돈 한푼 없이》. ~ **an** Freuden 기쁨이 없는 / ~ **von** Menschen 사람이 없는.

Leere [léːrə] *f.* -n, 공허, 빈 자리; 진공(眞空)(*vacuum*); 《比》 (내용·사상의) 공허, 무의미. **leeren** [léːrən] *t.* 비우다; *refl.* 비다.

Leer⸗lauf *m.* 공전(空轉); 허비. **~laufen*** *i.*(s.) 새다《통 따위가》. **~stēhend** *p.a.* 비어 있는; 휑뎅그렁한.

Leerung [léːrʊŋ] *f.* -en, 비움.

Lefze [léftsə] [♀Lippe] *f.* -n, 입술(♀*lip*); (특히) ~n (*pl.*), (개 따위의) 처진 입술.

legāl [legáːl] [lat. *lex* „Gesetz"] *a.* 법률상의, 합법적인, 적법한. **legalisieren** [legalizíːrən] *t.* 법률상 유효하게 하다; 합법적이라고 인정하다, 확인〔인증〕하다. **Legalitāt** *f.* 합법〔적법〕성.

Legāt [legáːt] [lat. <legieren] *n.* -(e)s, -e, 유증(遺贈)(♀*legacy*).

Lēge⸗bohrer [léːgə–] *m.*, **~röhre** *f.* (곤충의) 산란관. 「고 있는 암탉.」

Lēg(e)⸗henne *f.*, **~huhn** *n.* 알을 낳

lēgen [léːgən] [„liegen machen"] 《Ⅰ》 *t.* 놓다, 눕히다, 두다(♀*lay*); 부설하다; 심다《콩 따위를》. 《Ⅱ》 *refl.* 눕다, 엎드리다; 가라앉다, 자다《비바람이》(*cease, abate*); 몸을 두다, 자리를 차지하다. ¶ sich **auf** et.[4] ~ 무엇에 전념하다, 종사하다(*apply oneself to*) / sich **gegen** et. ~ 무엇에 반대〔저항〕하다.

Legende [legéndə] [lat. (*pl.*) „die zu Lesenden"] *f.* -n, 〖宗〗 성전(聖傳); 《一般的》 종교 전설(♀*legend*).

leger [leʒɛ́ːr] [lat. -fr.] *a.* 가벼운, 산뜻한, 자유로운.

legieren [legíːrən] [lat. *ligare* „binden"] *t.* 합금하다(*alloy*); (수프를) 진하게 하다《계란이나 가루를 타서》(*thicken*). **Legierung** *f.* -en, 합금(함).

Legiōn [legióːn] [lat. *legere* „sammeln"] *f.* -en, 군단, 부대; 의용병단, 용병단(傭兵團); (Fremden~) (식민지의) 외인 부대.

lēgislatīv [leːgɪslatíːf] [lat.] *a.* 입법(상)의. **Lēgislatūr** [-túːr] *f.* -en, 입법(부). **legitīm** [legitíːm] [lat. *lex* „Gesetz"] *a.* 합법적인, 적법의; 정당한; 적출(嫡出)의(♀*legitimate*). **Legitimatiōn** [-tsǐ-] *f.* -en, 정당하다고 함, 공인, 확인; 사생아의 인지; 신분 증명(서).

legitimieren [legitimíːrən] *t.* 합법〔적법〕으로 인정하다; 증명〔인증〕하다; (사생아를) 준정(準正)으로 하다; *refl.* 신분을 증명하다. **Legitimitāt** *f.* -en, 합법, 정당; 적출(嫡出); 정통《군주의》.

Lēhen [léːən] [<leihen; =engl. *loan*] *n.* -s, -, (중세의 봉건 군주가 신하에게 준) 봉토(封土)(*fief, feudal tenure*).

Leh(e)n(s)⸗besitzer *m.* 영주. **~dienst** *m.* (봉토에 따르는) 신하의 의무. **~gūt** *n.* 채읍(采邑), 봉토. **~herr** *m.* 봉건 군주. **~mann** *m.* (*pl.* ¨er, ..leute) 봉건 신하. **~wēsen** *n.* 봉건 제도 (*feudalism*). **~zins** *m.* 채읍료(采邑料), 면역조(免役租)《봉건 시대 채읍 보유자가 부역을 면하기 위하여 영주에게 바쳤음》.

Lehm [leːm] *m.* -(e)s, -e, (모래가 섞인) 찰흙《벽돌 원료》(♀*loam, clay*).

Lehmann [léːman] *m.* -s, 독일의 가문명. ¶ ~s Kutscher 아무나.

Lehm⸗bōden *m.* 점토질의 토지. **~grūbe** *f.* 점토 채취갱(採取坑). **~hütte** *f.* 점토벽의 오두막집.

lehmig [leːmɪç] *a.* 점토(질)의.

Lehm⸗therapie *f.* 점토(粘土) 요법. **~ziegel** *m.* (햇볕에 말리는) 점토 기와.

Lehn [leːn] *n.* -(e)s, -, =LEHEN.

Lehnbank [léːnbaŋk] *f.* (*pl.* ¨e) 등을 기댈 수 있는 벤치.

Lehne [léːnə] [<lehnen] *f.* -n, 완만한 비탈〔고개〕(*slope*); (걸상 따위의) 팔걸이; (의자 따위의) 등; (계단의) 난간.

lehnen [léːnən] 《Ⅰ》 *i.*(h.) 기울어져 있다; 기대어 있다, 비스듬히 세워져 있다 (♀*lean*). 《Ⅱ》 *t.* 기대어 놓다, 비스듬히 세우다(*lean*). 《Ⅲ》 *refl.* 기대다; 팔을 괴다; 《比》 (을) 근거로 하다; (über et, 무엇의 위에) 몸을 굽히다.

Lehn⸗recht [léːnrɛçt] *n.* 봉건법(封建法). **~satz** *m.* 〖數·哲〗 보조 정리(定理).

Lehn⸗sessel, **~stuhl** *m.* 안락 의자.

Lehn⸗ūbersetzung *f.* 축어역(逐語譯). **~wort** *n.* (*pl.* ¨er) 차용어(借用語).

Lehr [leːr] *n.* -(e)s, -e, 모형, 측량기, 계량기.

Lehr⸗amt [léːr–] [前半은 <lehren *u.* Lehre] *n.* 교직. **~anstalt** *f.* 교육 기관; 학교. **~ārt** *f.* 교수법, 교육 방법. **~berūf** *m.* 교직. **~bōgen** *m.* 〖建〗 홍예틀, 홍가(虹架). **~brief** *m.* 수업 증서(修業證書)《도제에게 주는》. =LEHRLING. **~būch** *n.* 교과서. **~bursch(e)** *m.* 견습생, 도제. **~dichtung** *f.* 교훈 문학.

Lehre [léːrə] [<lehren; =engl. *lore* „Kenntnis"] *f.* -n, ① 가르침(*instruction*); 교훈(*moral*). ② 교설, 학설, 설 (*doctrine*); (Glaubens~) 교의(*dogma*). ③ 견습 (기간), 연기 도제 수업(年期徒弟修業) (*apprenticeship*). ¶ in die ~ gehen 도제 수업에 들어가다. ④ 〖工〗 (기계의 부분을 재는) 게이지, 자, 본, 형(型)(*ga(u)ge*).

lehren [léːrən] *t.* 가르치다(*teach, instruct*). ¶ jn. ~ 아무를 가르치다 / jn. et. ~ 아무에게 무엇을 가르치다 / (準助動詞) jn. lesen ~ 아무에게 읽기를 가르치다.

Lehrer [lé:rər] *m.* -s, -, 교사(*teacher*); 스승(*master*). ~**bildungs·anstalt** *t.* 교육 대학.

Lehrerin [lé:rərɪn] *f.* -nen, 여교사. ~**nen·seminar** *n.* 여자 교육 대학.

Lehrerkollegium [-kɔle:giʊm] *n.* 교직원《전부》, 교사진.

Lehrer·seminar(ium) *n.* 교육 대학. ~**stand** *m.* 교직. ~**verein** *m.* 교원 조합.

Lehr·fach *n.* 교직; 교과, 학과. ~**fähig** *a.* 가르칠 수 있는, 교사 자격이 있는. ~**film** *m.* 교육 영화. ~**gang** *m.* 교과 과정(*course*). ~**gebäude** *n.* 학교 건물; (철학·교육·과학 등의) 체계(*system*), 학설. ~**geld** *n.* 수업료. ¶ ~geld (be)zahlen 수업료를 지불하다; 《比》 쓴 경험을 맛보다.

lehrhaft [lé:rhaft] *a.* 교훈적인(*didactic*).

Lehr·herr *m.* (도제의) 스승; 교사; 지도자. ~**jahre** *pl.* 견습[수업] 연한; 도제[수업] 시대. ~**junge** *m.* 도제, 계시. ~**körper** *m.* (전) 교직원; (대학의) 교수진. ~**kraft** *f.* 교수 능력; (*pl.*) 교직원 전체, 교수진.

Lehrling [lé:rlɪŋ] *m.* -(e)s, -e, 도제, 제자(*apprentice*).

Lehr·mädchen *n.* 견습 소녀; 견습 여점원. ~**meister** *m.* 교사; 스승. ~**mittel** *pl.* 교수 기구, 교수 수단. ~**plan** *m.* 교안, 학과 과정(표). ~**reich** *a.* 교훈적인, 유익한(*instructive*). ~**saal** *m.* 교실, 교장(教場). ~**satz** *m.* 〖哲·數〗 명제, 정리; 〖宗〗 교의(教義), 학설(의 조목) (*dogma*); 〖論·數〗 정리 (*theorem*). ~**spruch** *m.* 금언, 격언. ~**stand** *m.* 교직 (계급). ~**stelle** *f.* 교직; 교사의 자리. ~**stuhl** *m.* (대학의) 강좌. ~**stunde** *f.* 교수 (시간), 수업, 강의. ~**verhältnis** *n.* 도제 (와 스승과의) 관계. ¶ in e-m ~verhältnis stehen 견습중이다. ~**vertrag** *m.* 도제 수업 계약. ~**werkstätten** *pl.* 실습장. ~**zeit** *f.* =~JAHRE. ~**zwang** *m.* ① 의무 교육. ②〖宗〗 강제적인 교의 준봉(教義遵奉).

Leib [laip] [♈leben] *m.* -(e)s, -er, ① 생명, 신명(♈*life*) (=beileibe). ② 몸, 신체, 육체(*body*); 일신, 개인 (*person*). ③ 체구; 몸통, 허리; 배(*belly, womb*); (Mutter~) 자궁, 모태. ¶ es geht mir **an** den ~ 내 목숨이 위태롭다 / diese Rolle ist ihm (wie) **auf** den ~ geschrieben 이 역은 그에게 안성마춤이다 / **mit** ~ und Seele bei et.³ sein 무엇에 전심 전력을 기울이고 있다 / 〖가톨릭〗 der ~ des Herrn 성체(聖體) / drei Schritte **vom** ~e! 가까이 오지 말라 / bleib mir damit vom ~e 그러한 일은 싫다 / jm. **zu** ~e geh(e)n 아무를 공격하다, 에게 육박하다 / gut bei ~e sein 살쪄 있다 / gesegneten ~es sein 임신중이다.

Leib.. 몸의; 몸통의; (왕후의) 신변의; 자기가 좋아하는.

Leib·arzt *m.* 시의(侍醫). ~**binde** *f.* 배에 두르는 보온대, 복대.

Leibchen [láipçən] [*dim.* v. Leib] *n.* -s, -, 작은 몸집; 코르셋, 보디스(*bodice*).

Leib·dichter *m.* 좋아하는 시인, 애독하는 작가. ~**diener** *m.* (신변의 잔심부름하는) 종, 부하.

leib·eigen [laip-áigən, láip-ai-] *a.* 예속하는. ~**eigene** *m.* u. *f.* 《形容詞變化》 노예, 농노. ~**eigenschaft** *f.* 노예[농노]의 신분.

leiben [láibən] *i.*(h.): wie er leibt und lebt 그 사람과 똑 같은.

Leibes·beschaffenheit *f.* 체질. ~**erbe** *m.* 친자(親子) 상속인. ~**erziehung** *f.* 체육. ~**frucht** *f.* 태아(*fetus*). ~**größe** *f.* 신장, 체격. ~**kraft** *f.* 체력. ¶ aus ~kräften 힘껏, 열심히. ~**nahrung** *f.* 음식.

Leib·essen [láip-ɛsən] *n.* 좋아하는 음식.

Leibes·strafe *f.* 체형(體刑); 사형. ~**übung** *f.* 체육. ~**verstopfung** 〖醫〗 변비(便秘).

Leib·farbe *f.* 좋아하는 빛깔. ~**frone** *f.* 부역(賦役). ~**garde** *f.* 친위대(親衛隊), 친위병.

leibhaft [láiphaft], **leibhaftig** [laiphá́ftɪç, 稀: láiphaf-] *a.* ① 육체를 갖춘 (*embodied*). ② 육체화한, 현화(現化)한, 권화(權化)인, 화신인(*incarnate*). ③ 현실의; 바로 그대로의(*real, true*).

leibig [láibɪç] *a.* 《方》 살찐, 굵은, 폭이 있는.

leiblich [láiplɪç] *a.* ① 육체상의, 몸의; 육친의, 친《부모·형제·아들 딸 따위》. ② 구체적인.

Leib·rente *f.* 종신 연금(年金). ~**rock** *m.* 연미복(燕尾服). ~**schmerzen** *pl.* 복통(腹痛). ~**schneiden** *n.* 산통(疝痛)(*colic*). ~**speise** *f.* 좋아하는 음식. ~**wache** *f.* 친위병. ~**wäsche** *f.* 속옷. ~**weh** *n.* =~SCHMERZEN. ~**zoll**† *m.* 인두세(人頭稅).

Leica [láika] [Leitz-camera의 略] *f.* -s, 라이카《독일의 고급 소형 사진기 상표》.

Leichdorn [láiç-] *m.* 티눈, 계안창(*corn*).

Leiche [láiçə] [*eig.* „Körper, Leib"] *f.* -n, ① 송장, 시체(*dead body, corpse*). ② 《方》 장례식(*funeral*).

Leichen·begängnis *n.* 장례식, 장의. ~**beschauer** *m.* 검시관(檢屍官). ~**besorger** *m.* 장의사. ~**bitter** *m.* 부고장을 돌리는 사람. ~**bittermiene** *f.* 《比》 슬픈 얼굴. ~**blaß** *a.* 송장처럼 창백한. ~**frau** *f.* 염장이. ~**geruch** *m.* 시취(屍臭). ~**halle** *f.* 시체실; 관을 두는 곳《성당의》. ~**haus** *n.* 시체 공시소(公示所). ~**hemd** *n.* 수의(襚衣). ~**predigt** *f.* 장례식의 설교. ~**rede** *f.* 조사(弔辭). ~**schändung** *f.* 시체 능욕. ~**schau** *f.* 검시. ~**starre** *f.* 시체 경직(硬直). ~**stein** *m.* 묘비(墓碑). ~**träger** *m.* 관을 메는 사람, 상두꾼. ~**tuch** *n.* 시체를 덮는 보; 수의. ~**verbrennung** *f.* 화장(火葬). ~**wagen** *m.* 영구차. ~**zug** *m.* 장례 행렬.

Leichnam [láiçna:m] [ahd. *lih-hamo* „Körper-hülle"] *m.* -(e)s, -e, 시체, 송장(*corpse*).

leicht [laiçt] 《I》 *a.* ① 가벼운(♈*light*), 순한(*mild*); 경미한(*slight*). ② 경쾌한, 홀가분한; 쉬운, 용이한(*easy*). ③ 경솔한, 경박한, 바람난(*frivolous, careless*).

《Ⅱ》 *adv.* ① 가볍게; 홀가분하게; 가벼운 마음으로; 용이하게, 힘들이지 않고. ② 걸핏〔자칫〕하면, 곧잘. ¶er erkältet sich ~ 그는 곧잘 감기에 걸린다.

Leicht≈athlētik *f.* 트랙필드 경기. **~≈blūtig** *a.* 쾌활한, 명랑한(*sanguine*).

leichten [láiçtən] [<leicht] *t.* (배의) 짐의 일부를 부리다.

Leichter [láiçtər] *m.* -s, -, 짐을 싣거나 부리는 데에 쓰는 바닥이 편평한 배, 거룻배(♈*lighter*).

leicht|fallen* [láiçtfalən] *i.*(h): jm ~ 아무에게 있어서 쉽다.

leicht≈faßlich *a.* 이해하기 쉬운, 평이한. **~fertig** [„leicht zur Fahrt, 움직이기 쉬운"] *a.* 경솔한, 경박한(*thoughtless, frivolous*). **~fertigkeit** *f.* 위의 일. **~flüssig** *a.* 용해(溶解)하기 쉬운; 낮은 온도에 녹는. **~fūß** *m.* 《比》 경솔〔경망〕한 사람. **~fūßig** *a.* 발이 가벼운; 《比》 경솔한. **~gewicht** *n.* 〖拳〗 라이트급. **~gläubig** *a.* 쉽사리 믿어버리는, 속기 쉬운. **~gläubigkit** *f.* 경신(輕信). **~gūt** *n.* 〖海〗 경화물.

leicht≈herzig *a.* 쾌활한; 경솔한. **~≈hịn** [laiçthín, láiçthın] *adv.* 손쉽게, 간단히(*lightly*).

Leichtigkeit [láiçtıç-] *f.* 가벼움; 경쾌, 날쌤; 경편(輕便); 용이, 평이.

leichtlēbig [láiçtle:bıç] *a.* 낙천적인; 되어가는 대로의.

Leicht≈matrōse *m.* 견습 선원. **~≈metall** *n.* 경금속. **~schnellzūg** *m.* 경금속제의 급행 열차. **~sinn** *m.* 경솔, 몰지각. **~sinnig** *a.* 경솔한, 몰지각한. **~verderblich** *a.* 파손〔부패〕하기 쉬운. **~verwundete** *m.* u. *f.* (形容詞變化) 경상자.

Leid [lait] [leid의 名詞化] *n.*-(e)s [-ts, -dəs], -e [-də], ① 슬픔, 비통(*sorrow, grief, affliction*). ② 해, 손해, 불법, 부정, 비위(非違)(*hurt, harm, injury*). ¶jm. et. zu ~e tun 아무에게 무슨 해를 가하다 / jm. ein ~ antun 아무를 해치다, 괴롭히다 / sich³ ein ~ (an)tun, a) 자기 몸을 해치다, b) 자살하다. ③ 상(喪), 거상(居喪)(*mourning*); 상복(喪服). ¶ ~ tragen, (um, 의) 복을 입다.

leid [lait] [=engl. *loath*] *a.* 싫은. ¶es ist mir ~ 나는 그것을 슬퍼한다, 유감으로 생각한다, 후회한다 / das tut mir ~ a) 그것은 유감스러운 일이다, b) 유감된 일이지만 / er tut mir ~ 나는 그를 애석히 여긴다, 애도한다.

Leideform [láidə-] *f.* 〖文〗 수동태(*passive voice*).

leiden* [láidən] [♈leiten, *eig.* „gehen, fahren„] 《Ⅰ》 *t.* ① 참다, (에) 견디다, 배겨내다(*endure, bear, stand*). ¶nicht ~ können 〔mögen〕 싫어하다. ② 입다, 당하다, (에) 시달리다(*suffer*). ¶Hunger ~ 주림에 시달리다. ③ (하는 대로) 맡겨 두다, 내버려 두다(*tolerate*); 허용하다(*permit*). 《Ⅱ》 *i.*(h.) 괴로움을 받다; 괴로와 하다, 고생하다; 해를 입다. ¶er leidet **an** der Gicht 그는 통풍(痛風)을 앓고 있다 / er litt **unter** ihrer Bosheit 그는 그녀의 심술엔 손들었다. 《Ⅲ》 **Lei≈den** [iáidən] [leiden의 名詞化] *n.* -s, -, 참음, 허용함; 수난, 고난(*suffering*); 괴로움, 고뇌, 비통(*pain, affliction*); 병고(病苦)(*complaint*). ¶das ~ Christi 그리스도의 수난(*the Passion of Our Lord*). 《Ⅳ》 **leidend** *p.a.* 괴로와 하는, 시달리는; 병으로 고생하는; 수동의, 피동적인.

Leidener [láidənər] *a.* 라이덴《네델란드의 도시 이름》의. ¶~ Flasche 라이덴 병(甁)《축전기(蓄電器)의 일종》.

Leidenschaft [láidənʃaft] [<Leiden] *f.* -en, 격정, 열정, 정열, 정욕, 기욕(嗜欲); 번뇌(煩惱); 성벽(性癖)(*passion*).

leidenschaftlich *a.* 열정적인(*passionate*); 열렬한(*ardent*); 격렬한(*vehement*). ¶er fischt ~ (*adv.*) gern 그는 낚시질을 몹시 좋아한다. **leidenschaftslōs** *a.* 감정에 동하지 않는, 정욕에 사로잡히지 않는; 무감동한, 냉정한.

Leidens≈gefährte *m.* 고난을 같이 하는 사람, 동우지사(同憂之士). **~≈geschichte** *f.* (그리스도의) 수난사. **~≈kelch** *m.* 고배(苦杯). **~woche** *f.* =KARWOCHE.

leider [láidər] [leid의 比較級] *adv.* u. *int.* 슬프게도, 유감스럽게도, 불행히도(*alas! unfortunately, I am sorry..*).

leidig [láidıç] [<leid] *a.* 싫은, 불쾌한, 귀찮은(*disagreeable, nasty*).

Leidkarte [láitkartə] *f.* 《俗》 사망 신고〔통지〕.

leidlich [láitlıç] [<leiden] 《Ⅰ》 *a.* 견딜 수 있는, 배겨낼 수 있는(*tolerable*); 어지간한, 무던한(*middling*). 《Ⅱ》 *adv.* 그럭저럭, 제법, 어지간히.

Leidtrāgende [láittra:gəndə] *m.* u. *f.* (形容詞變化) 상제.

leid≈voll *a.* 슬픈, 비통한. **~wēsen** *n.* -s, : (便紙:) zu meinem (größten) ~wesen 유감 (천만)이오나.

Leier [láiər] [gr. Lyra의 독일어로 변한 꼴] *f.* -n, (그리스의) 칠현금(七絃琴).

Leier≈kasten *m.* (독일 중세의) 핸들이 달린 상자 모양의 풍금, 손잡이로 돌려서 타는 오르간. ¶ 《比》 es ist immer die alte ~kasten 언제나 똑같은 이야기다, 구태 의연하다. **~(kasten)mann** *m.* 위를 타는 사람.

leiern [láiərn] *i.*(h.) u. *t.* 칠현금을 타다, 라이어 손풍금을 타다; 《比》 단조롭게 노래하다〔읊다·말하다〕; 한 말을 되풀이하다(*drawl (out)*).

Leigzūg [láik-] *m.* 《略》 =*lei*chter *G*üter*zug* 경화물 열차.

Leih≈bibliothēk, ~bücherei *f.* 대출도서관; 대출 서점. 「《俗》 전당포.」

Leihe [láiə] *f.* -n, 〖法〗 사용 대차.

leihen* [láiən] *t.*: jm. et.: 빌려〔세〕주다(♈*lend*); (관계가 바뀌어) et. von jm: 빌리다; 세내다(*borrow*). **Leiher** *m.* -s, -, 대주(貸主); 차주(借主).

Leih≈haus *n.* (공설) 전당포. **~schein** *m.* 전당표; 대출증《서적의》. **~weise** *adv.* 빌려 주어서; 대차에 의하여. ¶ ~weise geben 〔nehmen〕 빌리다〔빌다〕.

Leim [laim] [♈Lehm] *m.* -(e)s, -e, ① 아교, 갖풀(*glue, size*). ¶aus dem ~ gehen (아교가 벗겨져서) 떨어지다; 《比》 산산조각이 나다/~ sieden 꾸무럭〔꾸물〕

거리다. ② (Vogel~) 끈끈이(*bird-lime*). ¶ jm. auf den ~ gehen 아무에게 걸려들다, 아무에게 속다. **leimen** [láimən] *t.* 아교로 붙이다, (에) 아교를 칠하다; 아교액(液)에 적시다; 끈끈이로 잡다《새를》; 《比》 속임수를 쓰다, 속이다.

Leimfarbe [láimfarbə] *f.* 수성(水性) 페인트《아교액으로 녹인 도료》.

leimig [láimıç] *a.* 아교질의; 아교 같은.

Leim=rūte *f.* 〚獵〛 끈끈이를 바른 가지. **~tiegel** *m.* 아교 남비.

Lein [lain] *m.* -(e)s, -e, 〚植〛 아마(亞麻)(*flax*); =LEINEN.

..lein [-lain] *suf.* 《後綴》 축소 명사를 만듦《특히 obd.》.

Leindotter *n.* 〚植〛 =DOTTER.

Leine [láinə] [<Lein] *f.* -n, 밧줄, 노끈《특히 아마의》(♈*line, cord*); 로프(*rope*); (개 따위의) 고삐줄(*leash*). **leinen** [láinən] 《Ⅰ》 *a.* 아마의, 아마로 만든. 《Ⅱ》 **Leinen** [láinən] [<Lein] *n.* -s, -, 아마포, 린넬(♈*linen*).

Leinen=band *m.* 클로드 장정(의 책). **~schūhe** *pl.* 아마포로 만든 신. **~zeug** *n.* 아마포; 그 제품.

Leinewēber [láinəve:bər] *m.* 아마포를 짜는 사람.

Lein=kūchen *m.* 아마인유(亞麻仁油) 찌꺼기. **~öl** [-ø:l] *n.* 아마인유. **~pfād** [-pfa:t] *m.* (강의 기슭을 따라) 배를 끄는 길. **~sāmen** *m.* 아마의 종자, 아마인. **~tūch** *n.* 아마포.

Leinwand [láinvant] [mhd. *līn-wāt* „Leinenkleid", 後半을 Gewand에 관련시켜 轉訛] *f.* 아마포(*linen(cloth)*); (Maler~) 화포(畫布), 캔버스(*canvas*); (Film~) 스크린(*screen*). ¶ in ~ gebunden 클로드 장정의.

Lein=wēber *m.* =LEINENWEBER. **~zeug** *n.* =LEINENZEUG.

leise [láizə] [♈lind] 《Ⅰ》 *a.* 그윽한, 고요한(*soft, gentle*); 희미한 (소리), 낮은 (목소리)(*low*). 《Ⅱ》 *adv.* 그윽하게, 살며시; 소리를 낮추어서. ¶ ~ auftreten a) 발소리를 내지 않다, b) 《比》 신중히 하다, c) 좀스럽게 굴다, 비굴하다 / ~ hören 귀가 밝다 / ~ schlafen 잠귀가 밝다, 잠이 얕다.

Leisetrēter [láizətre:tər] *m.* -s, -, 《比》 소심한 사람; 비굴한 사람.

Leiste [láistə] *f.* -n, 가장자리(♈*list*); 〚建〛 평연(平緣), 소란(小欄)테, 살(*ledge, fillet*); 〚印〛 곡선 무늬, 커트(*border*); 〚解〛 서혜(부)(鼠蹊(部))(*groin*).

Leisten [láistən] [♈leisten, *eig.* „Fußspur"] *m.* -s, -, 구둣골(♈*last*). ¶ 《比》 alles über einen ~ schlagen 천편 일률적으로 취급하다.

leisten [láistən] [♈Leisten, *eig.* „(der Spur) nachfolgen"] *t.* (명령·의무 따위에) 따르다, (일을) 하다, 행하다, 다하다(*do, fulfil, perform*). ¶ jm. Gesellschaft ~ 아무의 상대를 해주다 / sich³ et. ~ 무엇을 섭취하다; 어떤 즐거움을 향수하다 / das kann ich mir nicht ~ 그런 일은〔사치는〕 할 수가 없다 / Folge ~ 응하다, 따르다 / Hilfe ~ 돕다.

Leisten=bruch [láistənbrux] *m.* 서혜 헤르니어. **~drūse** *f.* 서혜선. **~gēgend** *f.* 서혜부.

Leistung [láistuŋ] *f.* -en, 행함; 행위, 실행; 〚法〛 이행(履行); (특히) 지불, 급여; (하는 또는 이룩된) 일, 작업; 성과; 업적; 〚工〛 출력, 공률(工率).

leistungs=fähig [-fɛ:ıç] *a.* 능력〔재간·기량〕이 있는; 〚工〛 출력이 큰. **~fähigkeit** *f.* 능력, 재간, 기량; 〚工〛 출력도(度), 공률. **~lohn** *m.* 작업(에 응하는) 임금. **~schild** *n.* (전기에 다는) 성능 표시. **~soll** *n.* 표준 작업 책임, 노르마.

Leit=artikel *m.* 사설, 논설《신문의》. **~artikelschreiber**, **~artikler** *m.* -s, -, 사설〔논설〕 기자. **~band** *n.* 유아의 거름마 (배우는) 줄.

leiten [láitən] [*eig.* „gehen lassen", ♈leiden] 《Ⅰ》 *t.* ① 이끌다, 선도〔지도〕하다(♈*lead, conduct, guide*). ② 관리〔지배·주재〕하다(*manage, direct*); 〚物〛 전도(傳導)하다. 《Ⅱ》 **leitend** *p.a.* 지도적인; 전도성의. **Leiter**¹ [láitər] *m.* -s, -, 이끄는 사람《선도자, 지도자, 주도자》; 수령, 두목; 관리자, 지배인, 우두머리, 〚物〛 (양)도체.

Leiter² [♈lehnen] *f.* -n, 사닥다리(♈*ladder*).

Leiter=sprosse *f.* 사닥다리의 발판. **~wāgen** *m.* 양쪽에 사닥다리 모양의 틀이 달린 마차.

Leit=fāden *m.* 〚神〛 인도(引導)의 끈《Ariadne가 애인 Theseus를 미궁에서 이끌어 낸》; 《比》 입문서(*manual*). **~fähigkeit** *f.* 〚物〛 전도율, 콘덕턴스. **~gedanke** *m.* 중심 사상; 키 노트. **~hammel** *m.* 양떼를 이끄는 수양《목에 방울을 달고 있는》; 《比》 괴수, 두목(*leader*). **~motiv** [-moti:f] *n.* 주요〔중심〕 동기; 〚樂〛 주도 악곡. **~pflanze** *f.* = BODENANZEIGER. **~riemen** *m.*, **~seil** *n.* 고삐. **~stern** *m.* 인도(引導)의 별; 《比》 목표, 이상, 희망. **~tier** *n.* 선도(先導)하는 짐승〔개〕.

Leitung [láituŋ] *f.* -en, 이끎, 지도, 선도; 관리, 지배; 전도; 송전(送電); 유도, 전동(傳動); 급수(給水); 도선(導線); 도관(導管).

Leitungs=draht *m.* 도선(導線), 전선. **~fähigkeit** *f.* 〚物〛 전도율. **~gewēbe** *n.* 〚生〛 (자극의) 전도(傳導) 조직《신경 세포 따위》; 〚植〛 (영양분의) 전달〔배분〕 조직. **~rohr** *n.* 도관《수도 따위의》. **~schnūr** *f.* 도선(導線), 전선. **~vermögen** *n.* 전도력. **~wasser** *n.* 수도물.

Leitwerk [láitvɛrk] *n.* 〚空〛 미타(尾舵).

Lektiōn [lɛktsió:n] [lat. *legere* „lesen"] *f.* -en, (Vorlesung) 강의, 수업, 과업(*lesson*); 《比》 훈계, 책망(*scolding*).

Lektor [lέktor] [„Vorleser"] *m.* -s, ..tōren [-tó:rən], 대학의 근대어·음악·속기술 따위의 강사; 원고 심사원《출판사의》. **Lektūre** [lɛktý:rə] [fr.] *f.* -n, 독서(*reading*); 읽을거리(*books*).

Lemming [lέmıŋ] [norwegisch] *m.* -s, -e, 북극산의 쥐의 일종.

Lende [lέndə] *f.* -n, 허리(*loins*).

Lenden=brāten *m.* 〚料〛 (소의) 허릿살《구운 것》. **~lahm** *a.* 허리를 펴지 못하는, 요부 위약(萎弱)의, 허리를 삔. **~schurz** *m.* 허리에 두르는 옷, (열대

인의) 요포(腰布). **~stück** *n.* =~BRATEN. **~weh** *n.* 요통.

Lenkballon [lέŋkbalo:n, -lɔ̃:] *m.* 조종식 기구(氣球).

lenkbār [lέŋkba:r] *a.* 지도할 수 있는; 조종할 수 있는; 부릴 수 있는; 온순한.

lenken [lέŋkən] [<Lanke „Hüfte"; *eig.* „biegen"] 《Ⅰ》 *t.* 돌리다, 향하게 하다(*turn, direct*); 조종하다(*steer, drive*); 지휘〔지도〕하다(*direct, guide*); 운영〔지배〕하다(*rule*); 관리하다(*manage*). 《Ⅱ》 *refl.* 향하다, 돌다; (길이) 굽어지다.

Lenker *m.* -s, -, 통어자(統御者), 운영자, 지배자; 조종자, 운전사. **Lenk·rād** [-ra:t] *n.* 조종 핸들. **lenksām** [lέŋkza:m] *a.* 부리기 쉬운, 유순한. **Lenksāmkeit** *f.* 위임. **Lenkstange** *f.* 핸들. **Lenkung** *f.* -en, 조종, 지도, 운영, 관리, 지배, 제어.

Lenz [lεnts] [=eng. *lent*] *m.* -es, -e, 《詩》 봄, 양춘(陽春)(*spring*).

leōnisch [leó:nɪʃ] *a.* (스페인의) León 시의. ¶~e waren 금은사를 섞은 견직물.

Leopard [reopárt] [gr. -lat. „Löwenpanther"] *m.* -en, -en, 〖動〗 표범.

Lēpra [lé:pra] [gr.] *f.* 〖醫〗 나병(癩病)(♀*leprosy*). **Leprōse** *m.* u. *f.* 《形容詞變化》 나병 환자.

Lerche [lέrçə] *f.* -n, 〖鳥〗 종달새((*skylark*).

Lernbegierig [lέrnbəgi:rɪç] *a.* 향학심에 불타는.

lernen [lέrnən] [*eig.* „gehen"; ♀lehren] 《Ⅰ》 *t.* 배우다, 학습하다, 습득(習得)하다(♀*learn, study*). ¶auswendig ~ 암기하다 / kennen ~ (과) 알게 되다. 《Ⅱ》 **gelernt** *p. a.* 배운; 수업(修業)한.

Lernmittel [lέrnmɪtəl] *n.* 교과용품《교과서, 노트 등》.

Lēs·ārt [lé:s-a:rt] *f.* 이본(異本) 사이의 글귀의 이동(異同), 이해(異解) (*reading, version*).

lēsbār [lé:sba:r] *a.* 읽을 수 있는, 독해할 수 있는; 읽어볼 만한.

Lēse [lé:zə] *f.* -n, 과실의 채집; (특히) 포도의 수확; 선택(한 것)(Blumen~, 사화집(詞華集)).

Lēse·būch *n.* 독본. **~gerät** *n.* 독해기(讀解器)《마이크로필름 영사기》. **~halle** *f.* 열람실《도서관의》. **~kränzchen** [-krεntsçən] *n.* 독서회. **~lustig** *a.* 독서를 좋아하는.

lēsen* [lé:zən] 《Ⅰ》 *t.* ① 읽다(read). ¶《比》 Messe ~ 미사드리다. ② 주워모으다(*glean, gather*); 뽑아〔가려〕내다(*pick*). ¶ Ähren ~ 이삭을 줍다. 《Ⅱ》 *i.*(h.) 읽을 수 있다, 독서하다(*read*); 알아채다; 강의하다(*lecture*). ¶ zwischen den Zeilen ~ 언외지의(言外之意)를 알아내다. 《Ⅲ》 *refl.* 《結果를 나타내서》 sich müde ~ 읽다가 지치다. 《Ⅳ》 **gelēsen** *p. a.* 잘 읽히는.

lēsenswērt [lé:zənsve:rt] *a.* 읽을 가치가 있는.

Lēse·prōbe *f.* 배우에게 대사 읽어주기, 프롬프팅. **~pult** *n.* 독서대; 〖宗〗 낭독대.

Lēser [lé:zər] *m.* -s, -, **~in** *f.* -nen, 채집자, 포도 수확자; 읽는 사람; 독자, 독서가. **Lēse·ratte** *f.* 독서광(讀書狂).

lēserlich *a.* 읽기 쉬운, 읽을 수 있는 《필적》(*readable, legible*).

Lēse·saal *m.* 독서실, 열람실. **~stunde** *f.* 독서의 수업(시간). **~welt** *f.* 독서계. **~zeichen** *n.* 서표(書標), 책장꽂이. **~zimmer** *n.* 독서실(室).

Lēsung [lé:zuŋ] *f.* -en, 읽음; 〖議會〗 독회(讀會).

Letten [lέtən] *m.* -s, -, 도토(陶土) ((*potter's*) *clay*); 찰흙(*loam*).

Letter [lέtər] [Lw. lat. *littera* „Buchstabe"] *f.* -n, 문자; 활자(♀*letter, type*).

Lettner [lέtnər] [Lw. lat. „Lesepult"] *m.* -s, -, 〖宗〗 교회내의 대강론대(大講論臺).

letzen [lέtsən] 《Ⅰ》 *t.* (에게) 음식물을 주어 기운을 돋우다(*refresh*); 기쁘게 하다, 즐겁게 하다(*enjoy*). 《Ⅱ》 *refl.* 원기를 돋우다.

letzt [lεtst] 《Ⅰ》 *a.* 최후의, 최종의(♀*last*); 맨 끝의, 마지막의; 가장 뒤떨어진, 궁극의, 종극적인(*final, extreme*); 최근의(*latest*). ¶~e Nacht 지난밤. 《Ⅱ》 **Letzt** *f.*: auf die ~ 마침내 / zu guter ~ 궁극에는, 필경은, 결국은.

letztens [lέtstəns] *adv.* 최후에; 요즈음, 일전에.

letzter [lέtstər] *a.* 《letzt 의 比較級》 후자의(*the latter*).

letzt·erwähnt, ~genannt *a.* 방금 말한, 전기의. **~hin** [lεtsthín, lέtsthɪn] *adv.* 최근에, 요즈음. **~lēbende** *m.* u. *f.* 《形容詞變化》 생존〔잔존〕자.

letztwillig [lέtstvɪlɪç] *a.* 유언에 의한; *adv.* 유언에 의하여.

Leu [lɔy] [Lw. lat. *leo* „Löwe"] *m.* -en, -en, 사자(♀*lion*).

Leucht·bāke *f.* (해안의) 조명 표지. **~bombe** *f.* 조명탄. **~dichte** *f.* 〖理〗 휘도(輝度).

Leuchte [lɔ́yçtə] [leuchten] *f.* -n, 빛, 등불, 등화(♀*light, lamp*); 《比》 광명(*luminary, star*). **leuchten** [lɔ́yçtən] [<Licht] *i.*(h.) 빛나다, 빛을 내다, 반짝이다(*shine, beam, glimmer*); 비추다(♀*light*). ¶jm. ~ 아무에게 등불을 비춰주다. **leuchtend** *p. a.* 빛나는, 빛을 내는, 반짝이는; 밝은; 《比》 명백한, 현저한.

Leuchter [lɔ́yçtər] *m.* -s, -, 등불; (특히) 촛대, (*candlestick*).

Leucht·farbe *f.* 발광 도료. **~feuer** *n.* 신호불, 신호등; 등대불. **~gās** *n.* (등불뿐만 아니라 취사에도 쓰는 보통의) 배관(配管) 가스. **~gerät** *n.* 조명구, 발광 기구. **~kāfer** *m.* 〖蟲〗 개똥벌레. **~kraft** *f.* 〖物〗 광도, 조도. **~kūgel** *f.* (꽃불 따위의) 광구(光球), 불똥; 〖軍〗 발광탄, 조명탄. **~mittel** *n.* 발광체. **~pistōle** *f.* 조명〔신호〕 피스톨. **~rakēte** *f.* 〖軍〗 조명 화전(照明火箭). **~schild** *n.* 투시도. **~schirm** *m.* 형광판; (브라운관 등의) 영상막. **~signāl** *n.* 발광 신호, 〖電〗 발광관(發光管). **~spūr** *f.* 예광탄. **~stoff** *m.* 발광체. **~turm** *m.* 등대. **~uhr** *f.* 야광 시계. **~ziffern** *pl.* 야광 문자《시계 따위의》.

leugnen [lɔ́ygnən, lɔ́yk-] [♀lügen; *eig.* "아니라고 하다"] *t.* 부정〔부인〕하다(*deny, disavow*). **Leugner** *m.* -s, -, 부정〔부인〕하는 사람.

Leukämie [lɔykɛmí:] *f.* ..mien, 〖醫〗 출혈성 백혈병. **Leukzyte** [-tsý:tə] *f.* -n, (흔히 *pl.*) 〖醫〗 백혈구. **Leukozy=thämie** *f.* 백혈병.

Leumund [lɔ́ymunt] [ahd. *liumunt* „Ruf, Gerücht" (*-munt* 는 派生綴)] *m.* -(e)s, (품행에 관한) 평판, (이러쿵저러쿵하는) 세평(世評)(*reputation*). **~s=zeugnis** *n.* 품행 증명서.

Leute [lɔ́ytə] *pl.* ① 사람들, 세상 사람들(*people, men, persons*). ¶ unter die ~ kommen 세상에 알려지다〔누설되다〕. ② 《흔히 所有代名詞와 더불어》 부하, 하인, 친척, 가족, 동지. **~schinder** *m.* 고리 대금업자, 흡혈귀.

Leutnant [lɔ́ytnant] [fr. *lieutenant* „Stell-vertreter, *eig.* 대장(대위) 대리"] *m.* -s, -e *u.* -s, (Ober~) 중위; (Unter~) 소위. ¶ ~ zur See 해군 중〔소〕위.

leut=sēlig [lɔ́ytze:lıç] [*eig.* „den Leuten freundlich"] *a.* 붙임성 있는, 서근서근한(*affable*). **~sēligkeit** *f.* 위임.

Levante [levántə] [it. „Sonnenaufgang", <lat *levāre* „aufheben"] *f.* 〖地〗 ① 근동 지방《특히 터키》. ② 소(小)아시아·시리아·이집트의 해안 지방.

Levīt [leví:t] [hebr.] *m.* -en, -en, ① *pl.* 〖聖〗 레위의 자손; 레위족(族)《제사를 관장함》. ¶ 《比》 jm. die ~en lesen 아무를 꾸짖다, 〔책망·비난〕하다. ② 〖가톨릭〗 부제(副祭).

Levkoie [lɛfkɔ́yə], **Levkōje** [lefkó:jə] [gr. *leukó-ion* „Weiß-veilchen"] *f.* -n, 〖植〗 아라세이도《꽃이 희고 향기가 제비꽃 비슷함》(*stock*).

lexikāl(isch) [lɛksiká:l(ıʃ)] *a.* 사전의; 사전체의; 사전에 의한. **Lexikogrāph** [lɛksikográ:f] *m.* -en, -en, 사전 편찬자. **Lexikon** [lɛ́ksikɔn] [gr. *léxis* „Wort"] *n.* -s, ..ka *u.* ..ken, 사전(辭典); 백과 사전, 사전(事典).

lg 《略》 =*Log*arithmus (auf der Basis 10).

Liaison [li-ezɔ̃́:] *f. pl.* -s, 결합; 연성(連聲).

Libelle [libɛ́lə] [lat. „kleine Waage"] *f.* -n, 〖工〗 수준기(水準器)(*water-level*); 〖蟲〗 잠자리《날개를 수평으로 해서 날기 때문에》(*dragon-fly*).

liberāl [liberá:l, libə-] [lat. *liber* „frei"] *a.* 자유로운, 너그러운, 마음이 관대한, 편견이 없는; 자유주의의. **Liberalis=mus** [liberalísmus, libə-] *m.* -, 자유주의. **liberalistisch** *a.* 자유주의적인.

..lich [-lıç] [=Leiche „Gestalt"; =engl. *-ly*] *suf.* 형용사·부사를 만드는 후철(後綴). ① 《名詞에 附加되어서》 성질; 소유; 유래; 관계; 구비; 반복; 수단·방법을 나타냄. ② 《形容詞에 附加되어》 경향·접근을 나타내는 부사를 만듦. ③ 《動詞에 附加되어》 능동적 가능; 수동적 가능을 나타냄.

licht [lıçt] [♈leuchten] *a.* 밝은, 빛나는 (♈*light, shining, bright*); 희끄무레한, 연한(♈*light*); 투명한, 엷은(*thin*); 성긴 (*sparse*). ¶ bei ~em Tage 백주에 / ~e Augenblicke 제정신이 든 순간 / ~er Wald 수목이 성긴 (탁 트인) 숲 / im ~en gemessen 안치수로. **Licht** [< licht] *n.* -(e)s, 《Ⅰ》 (*pl.* -er) 불, 불빛, 밝기, 광명(♈*light*); (Tages~) 낮; 〖畫〗 가장 밝은 부분; 〖獵〗 (사슴 따위의) 눈. ¶ ~ anmachen 등불을 켜다 / ans ~ bringen 공표〔발표〕하다 / bei ~e 대낮에 / hinters ~ führen 기만하다, 속이다. 《Ⅱ》 (*pl.* -e *od.* -er) 등불; 초(*candle*).

Licht=anlāge *f.* 등화〔조명〕 설비. **~=bād** *n.* 일광욕. **~behandlung** *f.* 광선 요법. **~bild** *n.* 사진(*photo*), 천연색 사진. **~bildervōrtrāg** *m.* 환등을 사용한 강의. **~bildkunst** *f.* 사진술. **~bildner** [-bild-] *m.* 사진사. **~blau** *a.* 엷은 청색의. **~blick** *m.* 구름 사이로 새어 나오는 햇빛; 《比》 희망의 빛. **~blond** *a.* 엷은 브론드색의. **~bōgen** *m.* 호광(弧光), 전호(電弧). **~braun** *a.* 엷은 갈색의. **~bündel** [-byndəl] *m.* 〖物〗 광속(光束). **~dämpfer** *m.* 소등기(消燈器). **~druck** *m.* 〖印〗 콜로타이프, 사진판. **~echt** *a.* 광선에 바래지 않는, 내광(耐光)의. **~empfind=lich** *a.* 감광(感光) 작용이 있는. **~emp=findung** *f.* 감광 작용.

lichten[1] [lıçtən] [*eig.* „licht(=hell) machen"] 《Ⅰ》 *t.* 트이게 하다, 성기게 하다(*clear, thin*); (숲을) 쳐 트이게 하다. 《Ⅱ》 *refl.* 트이게 되다, 성깃하게 되다.

lichten[2] [*eig.* „leicht machen„ <leicht] *t.* 〖海〗 (배의) 짐을 가볍게 하다, 짐을 부리다(♈*lighten*); 닻을 올리다(*weigh*).

Lichter[1] [lıçtər] *m.* -s, -, 거룻배.

Lichter[2] *pl.* v. LICHT. **Lichterglanz** *m.* 빛의 반짝임.

Lichterbaum [lıçtərbaum] *m.* 크리스마스트리.

lichterloh [lıçtərló:, 또 lıçtərlo:] (mit lichter Lohe) *a.* 활활 타오르는.

Licht=filter *m.* 〔*n.*〕 〖寫〗 필터. **~ge=schwindigkeit** *f.* 〖物〗 광속도(光速度). **~gestalt** *f.* 빛나는 모습; 천사. **~=gießer** *m.* 양초 제조인. **~hōf** *m.* 채광(採光)을〔환기를〕 위한 작은 안뜰. **~=hūpe** *f.* (자동차의) 헤드라이트에 의한 앞지르기 신호. **~hütchen** [-hy:tʃən] *n.* 소등기(消燈器)《램프의》. **~jahr** *n.* 〖天〗 광년(光年). **~kēgel** *m.* 〖物〗 광원추(光圓錐). **~lehre** *f.* 〖物〗 광학(光學). **~leitung** *f.* 〖電〗 조명 회선(照明回線). **~maschine** *f.* (열차·자동차 등의) 전등용 발전기. **~messer** *m.* 광도계(光度計). **~papier** *n.* 감광지. **~pause** *f.* 청사진. **~quant** *n.* 〖物〗 광(양)자. **~quelle** *f.* 광원(光源). **~reklāme** *f.* 조명 광고, 네온 광고. **~schacht** [-ʃaxt] *m.* 채광갱(採光坑). **~schein** *m.* 광휘(光輝). **~schēre** [-ʃe:rə] *f.* 초의 심지를 자르는 가위. **~scheu** *a.* 빛을 싫어하는; 《比》 비(非) 개화주의의 **~=schirm** *m.* 차광기(遮光器); 램프의 갓. **~seite** *f.* 밝은 면; 《比》 (어떤 사람의) 좋은 면. **~sinn** *m.* (눈의) 광각(光覺). **~spiel** *n.* 영화. **~spiel·haus** *n.* 영화관. **~stärke** *f.* 광도(光度). **~=strahl** *m.* 광선.

Lichtung [lıçtuŋ] *f.* -en, 숲을 쳐서 트이게 함, 숲 속의 빈터.

licht=voll [lıçtfɔl] *a.* 밝은, 환한; 《比》 명석한, 명쾌한. **~wechsel** [-vɛksəl] *m.* (천체의) 광도 변이.

Lid [li:t] *n.* –(e)s, –er, (Augen∼) 눈꺼풀((*eye-*)*lid*).

lieb [li:p] *a.* ① 사랑하는(*dear, beloved*). ¶ (mein) ∼er Freund! 여보게, 친구여 / der ∼e Gott 하느님 / 《거의 형식적으로》 ums ∼e Brot arbeiten 입에 풀칠하기 위하여 일하다 / den ∼en langen Tag 종일토록. ② 귀여운(*charming, sweet*); 마음에 드는(*agreeable*); 친절한(*good*). **Lieb** *n.* –s, 애인, 연인.

Lieb=äugelei *f.* 추파. **∼äugeln** [lí:pɔygəln] *i.*(h.) (mit, 에게) 추파를 던지다, (을) 탐내다.

Liebchen [lí:pçən] *n.* –s, –, 귀여운 사람, 애인(♀*love; sweetheart*).

Liebe [lí:bə] [<lieb] *f.* –n, 사랑(♀*love*); 애정(*affection*); 자애(慈愛); 자비; 박애(*charity*); 연애, 사랑; 호의, 친절. ¶ tun Sie mir die ∼ 〔tun Sie es mir zu liebe〕 und kommen Sie mit 부디 함께 와〔가〕 주십시오.

Liebe=diener *m.* 아첨하는 사람. **∼=dienerei** *f.* 아첨. **∼|dienern** *i.*(h.) 아첨하다.

Liebelei [li:bəlái] *f.* –en, 남녀가 서로 희롱함. **liebeln** [lí:bəln] *i.*(h.) 남녀가 희롱하다.

lieben [lí:bən] [<lieb] 《I》 *t.* 사랑하다. 사모하다(♀*love*); 좋아하다(*be fond of, like*). 《II》 *refl.* 자기를 아끼다, 사리를 꾀하다. 《III》 **liebend** *p.a.* 사랑하는, 사모하는. 《IV》 **geliebt** *p.a.* 친애하는; 가장 사랑하는. ¶der 〔die〕 ∼e 애인(*lover, sweetheart*), 정부(*mistress*).

liebens=wert *a.* 사랑해야 하는, 사랑할 만한. **∼würdig** [lí:bənsvʏrdɪç] *a.* 사랑할 만한, 귀여운(*loving*); 붙임성 있는(*amiable*). **∼würdigerweise** *adv.* 상냥하게; 친절하게도. **∼würdigkeit** *f.* 애교; 친절; 상냥함.

lieber [lí:bər] 《I》 *a.* 《lieb의 比較級》 보다 귀여운, 보다 존중하는; 보다 좋은〔탐탁스러운〕. 《II》 *adv.* 《gern의 比較級》 ① 보다 좋아하여; 차라리(*rather, sooner*). ¶ich hätte ∼ nicht kommen sollen 차라리 오지 않았으면 좋았을 뻔했다.

Liebes=abenteuer [lí:bəsa:bəntɔyər] *n.* 정사(情事). **∼angelegenheit** *f.* 연애 사건. **∼antrag** *m.* 구애. **∼blick** *m.* 추파. **∼brief** *m.* 연애 편지. **∼dienst** *m.* 친절, 돌봄, 자선 봉사. **∼erklärung** *f.* 사랑의 고백. **∼gabe** *f.* 사랑의 선물; 회사, 의연(義捐); 위문. **∼geschichte** *f.* 연애 이야기〔소설〕. **∼geständnis** *n.* 사랑의 고백. **∼glück** *n.* 사랑의 행복. **∼handel** *m.* 연애 사건, 정사. **∼heirat** *f.* 연애 결혼. **∼kind** *n.* 사생아. **∼knoten** *m.* 약혼. **∼mühe** *f.*: es ist verlorene ∼mühe 그 일은 헛수고다, 소용없다. **∼=not** *f.* 사랑의 괴로움. **∼paar** *n.* 서로 사랑하는 남녀. **∼rausch** *m.* 사랑의 도취. **∼verhältnis** *n.* 연애 관계; 정사(情事). **∼werbung** *f.* 구애, 구혼. **∼werk** *n.* 자선 사업. **∼zeichen** *n.* 사랑의 표시(인 선물).

liebevoll [lí:bəfɔl] *a.* 애정이 깊은, 인정 많은.

lieb=|gewinnen* *t.* (이) 마음에 들다. **∼|haben*** *t.* 사랑하다, 좋아하다.

Liebhaber [lí:pha:bər] *m.* –s, –, 애인(*lover*); 〖劇〗 애인역, 미남자 역으로 출연하는 배우; 애호가, 아마추어(*amateur*).

Liebhaberei *f.* –en, 애호, 취미; 특기, 십팔번; 버릇; 여기(餘技).

Liebhaber=konzert *n.* 아마추어 음악회. **∼preis** *m.* 〖商〗 (상식 밖의) 터무니 없는 값《수집가나 애호가가 특히 탐을 낸 물건을 살 때의》. **∼rolle** *f.* 〖劇〗 정부(情夫) 역. **∼theater** *n.* 소인극(素人劇)(의 일단).

liebkosen [lí:pko:zən] *t.* 애무하다, 귀여워하다(*caress, fondle*). **Liebkosung** [–zuŋ] *f.* –en. 애무(愛撫).

lieblich [lí:plɪç] *a.* 사랑스러운(♀*lovely*); 마음에 드는, 좋은(*delightful, charming*). **Lieblichkeit** *f.* –en, 위의 일.

Liebling [lí:plɪŋ] *m.* –s, –e, 마음에 드는 사람, 총아, 인기 있는 사람(*darling, favourite, pet*).

Lieblings=arbeit *f.* 가장 좋아하는 일. **∼beschäftigung** *f.* 좋은 일. **∼buch** *n.* 애독서. **∼dichter** *m.* 애독하는 작가. **∼essen,** **∼gericht** *n.* 좋아하는 음식. **∼laster** *n.* 상습적인 나쁜 짓. **∼platz** *m.* 좋아하는 곳.

lieb=los [前半은 =Liebe] *a.* 애정이 없는, 쌀쌀한. **∼reich** *a.* 애정이 깊은; 친절한. **∼reiz** *m.* 사랑스러움, 귀여움, 애교, 매력. **∼reizend** [–raitsənt] *a.* 귀여운, 애교 있는, 매혹적인.

Liebschaft [lí:pʃaft] *f.* –en, 연애 관계, 정사(*love-affair*).

liebst [lí:pst] 《I》 *a.* 《lieb의 最高級》 가장 사랑하는, 가장 좋아하는. 《II》 *adv.* 《gern의 最上級》: am ∼en 가장 좋게〔즐겨〕. **Liebste** *m.* u. *f.* 《形容詞變化》 애인; 총아.

Lied [li:t] *n.* –(e)s, –er, 노래, 가요(*song*); (geistliches ∼) 찬미가(*hymn*); 〖樂〗 가곡, 리트(*air, tune*).

Lieder=abend [前半은 *pl.* v. Lide] *m.* 음악의 밤《야간 소곡 연주회》. **∼buch** *n.* 노래 책. **∼dichter** *n.* 가인(歌人); 서정 시인. **∼dichtung** *f.* 가요 문학; 서정시. **∼kranz** *m.* 가요집(歌謠集).

liederlich [lí:dərlɪç] [♀Lotter] *a.* 단정하지 못한, 칠칠하지 못한(*loose*); 주착없는(*slovenly*); 품행이 좋지 못한, 방탕한(*dissolute*). **Liederlichkeit** *f.* –en, 위의 일.

Lieder=sammlung *f.* 가요집. **∼tafel** *f.* 노래회《특히 남자의》, 합창단.

lief [li:f], **liefe** [lí:fə] ☞LAUFEN 《그 過去》.

Lieferant [li:fəránt] *m.* –en, –en, 공급인, 조달자, 지정 상인; 인수인(引受人), 청부인. **lieferbar** *a.* 인도〔공급〕할 수 있는. **Lieferfrist** *f.* 납품〔인도〕 기일. **liefern** [lí:fərn] [Lw. lat. *liberáre* befreien"; 놓아 주다, 보내다] *t.* ① 넘기다, 인도(引渡)하다(*deliver, hand over*). ¶ Ware ins Haus ∼ 물건을 집까지 배달하다. ② 공급하다, 납품하다(*furnish, supply*); 《一般的》 제공하다(*give*). ¶in Heften ∼ 분책(分冊) 발행하다 / jm. e–e Schlacht ∼ 아무와 한판 싸우다 / er ist geliefert 그는 이젠 끝장이다.

Liefer·schein *m.* 영수증. **~termin** *m.* =LIEFERUNGSTERMIN.

Lieferung [lí:fərʊŋ] *f.* -en, 인도(*delivery*); 공급, 조달(*supply*); 납품, 공급품; 분책(分冊)(*part*).

Lieferungs·angebot *n.* 〖經〗입찰. **~·bedingungen** *pl.* 공급〔매도〕 조건. **~frist** *f.* 납품〔인도〕 기한. **~ge·schäft** *n.* 공급 행위. **~kauf** *m.* 정기 공급 매매. **~termin** *m.* 인도〔공급〕 기일. **~weise** *adv.* 일부분씩; 분책으로. **~werk** *n.* 연속 간행물(*serial*).

Liefer·wagen *m.* 배달차. **~zeit** *f.* 납품 기일.

Liege·geld *n.* 체선료(滯船料)《하역(荷役) 지체의 댓가로서 화주가 상선측에 지불하는》. **~kur** *f.* 정와(靜臥) 요법, 대기(大氣) 안정 요법.

liegen* [lí:gən] 《Ⅰ》 *i.* (h.; obd.: s.) ① (상하 좌우의 방향을 막론하고:) 누워 있다, 가로 놓여 있다(♀*lie, rest*); (어떤 위치 „Lage„에) 있다, 존재하다, 위치하다(*be situated*); (어떤 상태 또는 사정에) 놓여 있다; 〖軍〗 주둔하다, 숙영하다; 《一般的》 있다, 존재하다(*be*). ¶es liegt **an** ihm 그의 마음에 달려 있다, 그의 탓〔책임·잘못〕이다 / so viel (als) an mir liegt 나로서는, 나자신에 관한 한. ② (s.) 《非人稱》 es liegt mir viel 〔wenig, nichts〕 daran 그것은 내게는 중대한 일이다〔별로 대단치 않다, 전혀 중대하지 않다〕/ es (=die Schuld) liegt an mir 책임은 내게 있다. ③ 《分離動詞로 보아도 됨》 ~(|)bleiben 누운 채로 있다, 그대로 있다, 움직이지 않고 있다/ ~(|)lassen 눕혀 놓다, 그대로 두다, 내버려 두다. 《Ⅱ》 *refl.* 《結果를 나타내어》 sich wund ~ 욕창(褥瘡)이 생기다. 《Ⅲ》 **liegend** *p. a.* 누워〔넘어져〕 있는; 몸져 누운.

Liegenbleiben [lí:gənblaibən] *n.* -s, 중지, 정지.

Liegenlassen [lí:gənlasən] *n.* -s, 방치, 무시; 중지.

Liegenschaft [lí:gənʃaft] *f.* -en, 부동산, 토지.

Liege·stuhl [lí:gəʃtu:l] *m.* 갑판 의자, 침의자(寢椅子). **~tag** *m.* 《方》 휴일; (*pl.*) 〖海〗 체선(滯船) 날수.

lieh [li:] ☞LEIHEN 《그 過去》.

lies! [li:s] ☞LESEN 《그 單數 命令形》.

liesest [lí:zəst] (du ~, er ~) ☞LESEN 《그 現在》.

ließ [li:s] ☞LASSEN 《그 過去》.

liest [li:st] (du ~, er ~) ☞LESEN 《그 直說法 現在》.

Lift [lɪft] [engl. „Aufzug"] *m.* -(e)s, -e *u.* -s, 엘리베이터.

Liga [lí:ga] [it., sp. „Bund, Bündnis"] *f.* ..gen *u.* -s, 동맹, 연합(♀*league*); 〖競〗 리그《최상위급》.

Liguster [ligʊ́stər] [lat.] *m.* -s, -, 〖植〗 쥐똥나무류(*privet*).

li·ieren [li-í:rən] *t.* 결합하다, 연합시키다.

Likör [likǿ:r] [fr. <lat. *liquor* „Flüssigkeit"] *m.* -s, -e, 리큐르(♀*liqueur*); 샴페인에 넣는 조미료〔향료〕(*cordial*).

lila [lí:la] 《Ⅰ》 *a.* 《不變化》 연보라색의, 담자색(淡紫色)의, 등꽃빛의. **Lila(k)** [ar. „Frieder"] *m.* -s, -s, 〖植〗 라일락, 꽃개회나무(♀*lilac*).

Lilie [lí:lĭə] [Lw. ägyp. -lat.] *f.* -n, 〖植〗 나리, 백합(百合)(♀*lily*).

Liliput [lí:lipʊt] *n.* -s, 소인국(小人國)《Swift의 소설 "걸리버 여행기" 중의》. **Liliputaner** [liliputá:nər] *m.* -s, -, 소인국의 주민; 난장이.

Limonade [limoná:də] [fr.] *f.* -n, 레몬수, 레모네이드.

lind(e) [lɪnt, líndə] [*eig.* „biegsam"] *a.* 부드러운, 잔잔한, 순한(*soft, mild, gentle*).

Linde [líndə] [♀lind, 나무 껍질이 연하고 부드러운 까닭으로] *f.* -n, 〖植〗 보리수(♀*linden, lime-tree*).

Linden·allee *f.* 보리수 길. **~baum** *m.* 보리수. **~blüte** *f.* 보리수의 꽃.

lindern [líndərn] [<lind] 《Ⅰ》 *t.* 완화(緩和)하다, 부드럽게 하다(*soften, mitigate*); 진정시키다(*sooth*). 《Ⅱ》 **lin·dernd** *p. a.* 완화된; 경감하는; 진정된.

Linderung [líndərʊŋ] *f.* -en, 완화, 진정, 경감; 위안; 진통; 〖法〗 감형(減刑).

Linderungsmittel *n.* 진경제(鎭痙劑), 진통제, 완화약(緩和藥).

Lind·wurm [línt-] [前半: ♀lind, *eig.* "꿈틀거리는 벌레"] *m.* (전설의) 용(龍), 비룡(*dragon*).

Lineal [lineá:l] [lat., <Linie, *eig.* "선을 긋는 기구"] *n.* -s, -e, 자(*ruler*).

Linearbeschleuniger [lineá:rbəʃlɔy-nɪgər] *m.* 〖物〗 (입자(粒子)의) 선형(線型) 가속기.

Linge [lɛ̃:ʒ] [fr. „wäsche"] 《schw.》 *f.* (호텔에서 다루는) 세탁물, 속옷류.

lingual [lɪŋ-guá:l] [lat.] *a.* 혀의. **Lin·guist** [lɪŋ-guíst] *m.* -en, -en, 어학자; 비교 언어학자. **Linguistik** [lɪŋ-guís-tɪk] *f.* 어학; 비교 언어학. **linguistisch** *a.* 어학의, 비교 언어학의.

Linie [lí:nĭə] [lat.] *f.* -n, ① 선(♀*line*). ¶e-e gerade 〔krumme〕 ~ 직선〔곡선〕/ ~n ziehen 선을 긋다. ② (얼굴의) 금, 줄; 상(相); 계통(系統)(*lineage*). ③ 〖軍〗 전선(戰線), 전투 대열, 횡대(橫隊). ¶in erster ~, a) 제일선에 있어서, b) 맨 처음, 우선.

Linien·blatt *n.* 받침 괘지(罫紙). **~·bus** *m.* 노선 버스. **~fahrt** *f.* 정기항(로의 항)행. **~führung** *f.* 윤곽(선). **~papier** *n.* 괘지. **~richter** *m.* (구기의) 선심. **~schiff** *n.* 전투함(艦), 주력함. **~system** *n.* 〖樂〗 보표. **~treu** [-trɔy] *a.* (당의) 정치 노선에 충실한. **~truppen** *pl.* 상비병.

lin(i)ieren [lin(i)í:rən] *t.* 선을〔괘(罫)를〕 긋다. **Lin(i)ierung** *f.* -en, 선을 그음; 선, 괘.

link [lɪŋk] [*eig.* „gelähmt, ermattet"; ☞linkish] 《Ⅰ》 *a.* 왼쪽의; 좌측의, 왼편의(*left-hand*). ¶die ~e Seite, a) 좌측, 왼편, b) 이면, 뒷면, 안쪽《천 따위의》, c) 이면, 뒷면《화폐의》. ¶Ehe zur ~en Hand 아주 신분이 낮은 여자와의 결혼. 《Ⅱ》 **Linke** *f.* 《形容詞變化》 ① 왼손; 좌측. ② 야당(석); 급진당.

linker·hand, ~seits *adv.* 왼편에, 왼쪽에.

Link·hand *f.*, **~händer** *m.* 왼손잡이. **~händig** [-hɛndɪç] *a.* 왼손잡이의.

L

linkisch [líŋkɪʃ] *a.* 왼손잡이의; 서투른, 손재주 없는(*awkward*).
links [lɪŋks] [원래 link의 2格] 《Ⅰ》 *adv.* ① 왼편에, 좌측에; 이면에. ② 왼손잡이로; 서투르게; 잘못하여; 야당측에, 좌익측에. 《Ⅱ》 *prp.* (2格支配) (의) 왼쪽에, 원편에. ¶~ des Weges 길 왼편에.
Links·außen [lɪŋks-áusən] *m.* 〖蹴〗 레프트 윙.
links·händig *a.* =LINKHÄNDIG. **~hēr** *adv.* 왼쪽에서. **~herum** *adv.* 왼쪽으로 돌아서. **~radikāl** *a.* 극좌(極左)의. **~um** *adv.* 왼쪽으로. ¶~um! *od.* ~um kehrt! 좌향 좌.
Linnen [línən] *n.* -s, -, =LEINEN.
Linōle·um [linó:leum] [*aus* lat. *linum* „Lein", *oleum* „Öl"] *n.* -s, 리놀륨.
Linse [línzə] *f.* -n, ① 〖植〗 불콩(*lentil*). ② 〖物〗 렌즈(♈*lens*); 〖解〗 수정체.
Lipāse [lɪpá:zə] *f.* -n, 〖生·化〗 리파제, 분해 효소. **Lipoid** [lipoí:t] *n.* -s, -e, 〖化〗 리포이드.
Lippe [lípə] *f.* -n, 입술(♈*lip*).
Lippen·laut *m.* 〖文〗 순음(脣音). **~stift** *m.* 립스틱.
liquid [likví:t] [lat.] *a.* 유동성의, 액상(液狀)의, 현금으로 바꿀 수 있는; 지급 능력이 있는. **Liquidation** [-tsǐó:n] *f.* -en, ① 액화. ② 청산, 파산 정리; (부채의) 변제. **liquidieren** [likvidí:rən] [lat. *liquidus* „flüssig"] *t.* ① 액화(液化)하다. ② 《比》 청산하다, (파산의) 정리를 하다(*wind up*); (분쟁을) 해결하다(*settle*).
lispeln [líspəln] [擬聲語] *t.* u. *i.*(h.) ① 속삭이다(*whisper*). ② 이 사이에 혀를 끼어서 발음하다《s를 영어의 th처럼》(♈*lisp*).
List [lɪst] [♈lehren, lernen] *f.* -en, 지략, 책략, 권모 술수(*cunning, artfulness*); 궤계(*trick*).
Liste [lístə] [it. *lista*, <d. Leiste] *f.* -n, 표, 목록(*inventory*), 명단(♈*list*).
listig [lístɪç] *a.* 교활한, 노회한.
Litanei [litanái] [gr. „das Beten"] *f.* -en, ① 〖가톨릭〗 연도(連禱)(♈*litany*). ② 《比》 단조로운 또는 지루한 이야기, 푸념.
Litauen [lí:tauən, lít-] *n.* 소련방의 한 나라. **Litauer** *m.* -s, -, 리투아니아 사람. **litauisch** *a.* 리투아니아 (사람·말)의.
Liter [lí:tər] [gr. -fr.] *n.* 〔俗: m.〕 -s, -, 리터《액량의 단위》(♈*litre*).
literārisch [lɪtərá:rɪʃ, li-] [lat. *litera* „Buchstabe"] *a.* 문필의, 저작상의; 학술의; 문학(상)의, 문단의. **Literāt** *m.* -en, -en, 저술가, 문사. **Literatūr** [-tú:r] *f.* -en, 문헌; (die schöne ~) 문학, 문예.
Literatūrgeschichte [-gəʃɪçtə] *f.* 문학사.
literweise [lí:tərvaizə] *adv.* 리터 단위로.
Litfaßsäule [lítfas-] *f.* (노상의) 광고탑(廣告塔).
Lithogrāph [litográ:f] [gr. Steinzeichner"] *m.* -en, -en, 석판 화가. **Litho·graphie** *f.* ..phīen, 석판 인쇄(술·물). **lithogrāphisch** *a.* 석판의, 석판 인쇄의.

Litorāle [litorá:lə] [lat. *litus* „Küste"] *n.* -s, -s, 연해 지방.
litt [lɪt] ☞LEIDEN 《그 過去》.
Liturgie [liturgí:] [gr.] *f.* ..gīen, 〖宗〗 전례(典禮). **liturgisch** *a.* 전례의.
Litze [lítsə] [lat.] *f.* -n, 끈 노끈, 비비 꼬아 땋은 끈, 레이스(*cord, braid, lace*); 〖電〗 삭선(索線)(*flex*).
Live-Sendung [láiv-] [engl. *live* „lebend"] *f.* 생방송.
Livree [livré:] [fr. *liverer* „liefern"] *f.* ..ēen, 하인에게 입히는 옷, (하인의) 제복(♈*livery*).
Lizentiāt [litsɛntsǐá:t] [lat.] *m.* -en, -en, 학위의 이름《강의가 허락되는》, 석사(碩士). **Lizenz** [litsénts] [lat. „Erlaubnis"] *f.* -en, 허가; 면허, 인가, 특허(♈*licence*); (시인의) 자유.
l.J. 《略》 =*l*aufenden *J*ahres 금년.
Lōb [lo:p] [♈lieb, ♈erlauben, ♈glauben, *eig.* "마음에 든다고 함, 좋다고 함"] *n.* -(e)s, 칭찬, 찬사(*praise, commendation*); 좋은 성적, 좋은 점수《학교의》. ¶Gott[3] sei ~ 고마와라 / bei jm. ein gutes ~ haben 아무에게 호평을 받다. **lōben** [ló:bən] *t.* 칭찬하다, 찬양하다(*praise, commend*).
lōbens·wērt, **~würdig** *a.* 칭찬할 만한, 칭찬해야 할.
Lōbes·erhēbung [ló:bəs-ɛrhé:bʊŋ] *f.* 찬양, 찬미(*high praise*).
Lōb·gesang [ló:p-] *m.* 찬송가, 찬가. **~hūdelei** *f.* 아부, 아첨. **~hūd(e)ler** *m.* 아부〔아첨〕하는 사람.
lōblich [lǿ:plɪç] *a.* 칭찬〔존경〕할 만한.
Lōb·lied *n.* 송가, 찬송가. **~preisen**[(*)] *t.* 칭찬〔찬미〕하다. **~rēde** *f.* 찬사, 추천사. **~rēdner** *m.* 찬사를 말하는 사람. **~singen*** *i.*(h.) (jm., 아무를) 찬미하여 노래하다. **~spruch** [-ʃprux] *m.* 찬사, 송사(頌辭)(*eulogy*).
Loch [lɔx] *n.* -(e)s, ⸚er, ① 구멍(*hole, gap*); 빈곳; 동굴. ② 《俗》 감옥(*prison*).
Loch·eisen [lɔ́x-aizən] *n.* 천공기(穿孔器).
lochen [lɔ́xən] [<Loch] *t.* (에) 구멍을 뚫다; 관통하다. ¶ 〖鐵〗 Fahrkarten ~ 개찰하다. **Locher** *m.* -s, -, 천공기, 펀치, 개찰 펀치. **lōch(e)rig** [lœ́ç(ə)rɪç] *a.* 구멍 투성이인; 구멍이 있는.
Loch·kartenmaschine *f.* 천공 카드 통계기. **~maschine** *f.* 천공기. **~säge** *f.* 실톱. **~streifen** *m.* 천공 테이프《오토메이션의》.
Locke [lɔ́kə] *f.* -n, 곱슬곱슬한 머리털(♈*lock, curl*); (숱이 많은) 머리털.
locken[1] [lɔ́kən] *t.* (머리를) 지지다(*curl*); *refl.* 곱슬곱슬해지다.
locken[2] *t.* 꾀다, 꾀어 내다(*decoy, bait*); 《比》 유혹하다, 선동하다(*allure, attract, entice*).
Lockenkopf [-kɔpf] *m.* 고수머리(인사람).
locker [lɔ́kər] *a.* ① 느슨한(*loose*); 촘촘하지 않은, 폭신한(*spongy*). ② 칠칠하지 못한, 흐리멍덩한, 흘게늦은(*lax, dissolute*). ¶er läßt nicht ~ 그는 완고하다 / nicht ~ lassen 늦추지 않다, 양보〔용서〕하지 않다. **Lockerheit** *f.* 위의 일; (*pl.* -en,) 방종한 행동, 도락(道樂).

lockern [lɔ́kərn] 《Ⅰ》 *t.* 늦추다; 흔들리게 하다; 부드럽게 하다; 《比》 풍기를 어지럽히다. 《Ⅱ》 *i.*(s.) u. *refl.* 느슨해지다, 흔들리다; 부드러워지다.

lockicht [lɔ́kɪçt], **lockig** [lɔ́kɪç] *a.* 고수머리의, 털이 곱슬곱슬한(*curly*).

Lock=mittel *n.* 미끼; 유혹물. **∼pfei=fe** *f.* 〖獵〗 호적(呼笛). **∼ruf** *m.* 후림새가 우는 소리; 감언(甘言). **∼speise** *f.* =∼MITTEL. **∼spitzel** *m.* 첩자, 앞잡이(*agent, provocateur*).

Lockung [lɔ́kuŋ] *f.* -en, 굄, 유혹(물). **Lockvögel** *m.* 〖獵〗 후림새.

Lode [ló:də] *f.* -n, 묘목; 새싹.

Loden [ló:dən] *m.* -s, -, 거친 모직물; (*pl.*) 《俗》 머리털; 옷. **Lodenmantel** *m.* 거친 털로 만든 망토.

lodern [ló:dərn] [♈lode] *i.*(h.) (활활) 불타오르다; 《比》 달아오르다, 흥분하다.

Löffel [lœ́fəl] *m.* -s, -, ① 숟가락(*spoon*); 국자(*ladle*). ② 〖獵〗 (토끼의) 귀; 《戲》 (사람의) 귀.

Löffel=bagger *m.* 큰 삽을 갖춘 준설기(浚渫機). **∼ente** *f.* 〖鳥〗 흰빰검둥오리. **∼förmig** *a.* 숟가락 모양의.

löffeln[1] [lœ́fəln] *t.* u. *i.*(h.) 숟가락으로 뜨다[먹다]; 식사하다; 삽으로 퍼내다.

löffeln[2] [♈Laffe] *i.*(h.) (여자에게) 알랑거리다, 농탕치다.

Löffel=voll *m.* 가득히 한 술. **∼weise** *adv.* 숟가락으로; 한 술씩.

Log [lɔk] [engl.] *n.* -s, -e, 〖海〗 측정의(測程儀), 속력계(♈*log*).

lōg [lo:k] ☞LÜGEN 《그 過去》.

Log·arithmus [logarɪ́tmus] [gr. „Verhältnis-zahl"] *m.* -, ..men, 〖數〗 로그.

Logbūch [lɔ́kbu:x] *n.* 항해 일지.

Loge [ló:ʒə] [fr.] *f.* -n, 〖劇〗 간막이한 관람석(*box*); 프리메이슨단(團); 그 회관(♈*lodge*).

Logen=brūder [ló:ʒən-] *m.* 프리메이슨 단원. **∼schließer**, **∼wärter** *m.* 〖劇〗 관람석 안내인《간막이 좌석의 문을 여닫는》.

loggen [lɔ́gən] *i.*(h.) (측정의로) 배의 속력을 재다.

Logierbesūch [loʒí:rbəzu:x] *m.* 숙박인.

logieren [loʒí:rən] 《Ⅰ》 *i.*(h.) 묵다, 숙박하다(♈*lodge, stay*). 《Ⅱ》 *t.* 묵게 하다, 하숙시키다. **Logierzimmer** [loʒí:r-] *n.* (여관·하숙의) 객실(客室).

Lōgik [ló:gɪk] *f.* 논리; 논리학; 논리(적 일관), 필연성. **Lōgiker** *m.* -s, -, 논리학자, 논리가; 논리적인 사상가.

Logis [loʒí:] *n.* -[loʒí:(s)], -[loʒí:s], 거처, 방; 하숙, 여인숙, 셋방(♈*lodgings*).

lōgisch [ló:gɪʃ] *a.* 논리학상의; 논리적인. **Logistik** [logístɪk] *f.* 〖哲〗 수학[기호] 논리학, 논리 계산.

Logopädie [logopɛdí:] [gr. *pais* „Kind"] *f.* 언어(장애자에 대한) 교육.

Logos [lɔ́gɔs] [gr. „Wort"] *m.* -, 《稀》 ..goi [lɔ́gɔy], 말; 이치, 사리(事理), 논리; 이성, 오성(悟性), 로고스; 사상.

loh [lo:] [♈Lohe²] *a.* (불·불꽃 따위가) 활활 타오르는, 밝은.

Lohbrühe [ló:bry:ə] *f.* 무두질용 수피액(樹皮液), 유피액(鞣皮液). **Lōhe**[1] [ló:ə] *f.* -n, (Gerber∼) 무두질에 쓰이는 나무껍질 가루《보통 떡갈나무》 (*tan(ning-bark)*).

Lōhe[2] [ló:ə] [♈Licht] *f.* -n, 불꽃, 화염(*blaze, flame*).

lōhen[1] [ló:ən] *t.* 수피액에 찌다[담그다]; 무두질하다(*tan*).

lōhen[2] *i.*(h. *u.* s.) 활활 타오르다.

Lohfarbe [ló:farbə] *f.* 황갈색, 적갈색.

Lohfeuer [ló:fɔyər] *n.* 타오르는 불, 열화.

lohgār [ló:ga:r] *a.* 수피액으로 무두질한.

Loh=gerber *m.* 유피공. **∼gerberei** *f.* 유피업, 무두질; 유피 공장.

Lohn [lo:n] *m.* -(e)s, ⸗e, ① 보답, 보수(*reward*). ② (흔히 *n.*) 임금, 급료(*wages, pay*). ③ bei jm. in ∼ u. Brot steh(e)n 아무에게 고용되어 있다.

Lohn=arbeit *f.* 임금 노동, 삯일. **∼=arbeiter** *m.* 품팔이꾼. **∼būch** *n.* 임금 대장. **∼diener** *m.* 임시 고용인.

lohnen [ló:nən] 《Ⅰ》 *t.* (에게) 보답하다(*reward*); (에게) 임금을 지불하다(*pay*). 《Ⅱ》 *i.*(h.) u. *refl.* ① 《物件·行爲를 主語로 하여》 이익이 되다. ② 《非人稱; 2格의 目的語와 더불어》 es lohnt (sich) der Mühe² 그것은 힘써 볼 만한 일이다. 《Ⅲ》 **lohnend** *p.a.* 보람있는, 이득이 있는, 유익한. **löhnen** [lø:nən] *t.* (jn., 에게) 노임[봉급]을 주다.

Lohn=erhöhung [-erhø:uŋ] *f.* 임금 인상. **∼herr** *m.* 고용주. **∼kampf** *m.* 임금 투쟁. **∼kürzung** *f.* 임금 인하. **∼steuer** *f.* 근로 소득세. **∼tāg** *m.* 임금 지급일. **∼tūte** [-ty:tə] *t.* 봉급봉투.

Löhnung [lø:nuŋ] *f.* -en, 노임(의 지불); 급료.

Lok [lɔk] *f.* -s, 기관차 《Lokomotive의 短縮形》.

lokāl [loká:l] [lat. *locus* „Ort"] 《Ⅰ》 *a.* 장소에 관한; 한 지방의, 지방적인, 국부적인. 《Ⅱ》 **Lokāl** *n.* -(e)s, -e, ① 장소, 위치; 지방. ② (어떤 목적을 위해 설비한 장소:) (Wein∼) 술집; (Bier∼) 비어홀; (Tanz∼) 댄스홀; (Geschäfts∼) 상점, 사무소; (Klub∼) 회관.

Lokāl=bahn *f.* 교외 철도; 지방선, 지선. **∼bēben** *n.* 국지 지진; (관측) 지점의 지진. **∼blatt** *n.* 지방 신문. **∼=farbe** *f.* (문학상의) 지방[향토]색.

lokalisieren [lokalizí:rən] *t.* (의) 장소를 정하다, 국지화하다.

Lokāl=miete *f.* 사무실 임대료, 가겟세. **∼nāchricht** [-na:xrɪçt] *f.* 지방기사. **∼patriotismus** *m.* (배타적인) 애향심. **∼stück** *n.* 향토극(鄕土劇). **∼zūg** *m.* 〖鐵〗 교외선[지선] 열차.

Lokomobīle [lokomobí:lə] [lat. „von Ort bewegliche (Kraftmaschine)"] *f.* -n, 이동 증기 기관; 자동 추진차. **Lo=komotīve** [lokomotí:və, -fə] *f.* -n, 기관차.

Lokomotīv=führer [-tí:f-] *m.* 기관수. **∼schuppen** *m.* 기관차 차고.

Lokōwāren [lóko:va:rən] [<lat. *locus* „Ort"] *pl.* 〖商〗 재고품, 현품, 현물.

Lombardei [lɔmbardái] *f.*: die ∼ 롬바르디아《북부 이탈리아 평원 지방》. **lom=bardieren** *t.* 전당잡히다.

Lorbeer [lɔ́rbe:r, 稀 ló:r-] [Lw. lat.

L

laurus, 이것에 Beere를 덧붙인 말] *m.* -s, -en, 〖植〗 월계수(그 잎은 식용)(*laurel, bay*); 월계관; 《比》 영예.

Lorbeer⸗baum *m.* 월계수. **∼blatt** *n.* 월계수의 잎. **∼kranz** *m.* 월계관. **∼⸗zweig** *m.* 월계수의 가지.

Lore [ló:rə] [engl.] *f.* -n, 무개(無蓋) 화차(♈*lorry, truck*); 《一般的》 덮개 없는 짐수레.

Lore·lei [ló:rəlai, lo:rəlái] [*eig.* „Lauer-fels"] *f.* 로렐라이(라인강 우편의 암산, 이곳에 나타나는 전설의 요녀(妖女)).

Lorgnette [lɔrnjέtə] [fr. *lorgner* „heimlich betrachten"] *f.* -n, 자루달린 안경.

Lori [ló:ri:] [engl.] *f.* -s, =LORE.

Los [lo:s] *n.* -es, -e, ① 몫, 배당(♈*lot*). ② 복권(*lottery ticket*). ¶das Große ∼ ziehen 복권의 일등에 당첨되다; 《比》 큰 행운을 만나다, 횡재하다. ③ 운명을 점침; 운, 운명(*fate, destiny*). ¶das ∼ ist geffallen 주사위는 던져졌다, 벌린 춤이다.

los [lo:s] [verlieren, Verlust의 語幹과 同系] 《Ⅰ》 *a.* 풀어 놓은, 떨어진, 벗어난(♈*loose, free, rid*); 풀어진, 풀어헤친(머리카락); 탈주한(사람). ¶was ist ∼? 무슨 일이 생겼나, 웬일인가 / mit ihm ist et. ∼ 그는 좀 이상해졌다 / et.[4] ∼ sein 무엇을 벗어나[면(免)하고] 있다 / mein Geld bin ich ∼ 나는 돈을 다 써 버렸다. 《Ⅱ》 *adv.* (分離되다의 뜻에서 突進의 기세를 나타냄) ∼! 앞으로, 공격, 시작(*go! go on! begin!*) / auf et. ∼ 무엇을 향하여.

los.. [ló:s–] [=los] (動詞의 分離前綴) 분리·해방, 목표·방향, 앞으로 나아감, 출현·개시 등의 뜻을 가짐. 보기: los|brechen, brach los, losgebrochen.

..los [–lo:s] [=los; =engl. *-less*] (무엇이 "떨어져 있음"을, 즉 그것의 결핍·결여를 나타냄) 보기: inhalts∼ 내용이 없는; freud∼ 즐거움이 없는.

los|arbeiten [ló:sarbaitən] 《Ⅰ》 *i.*(h.) 일하기 시작하다, (을) 목표로 노력하다. 《Ⅱ》 *t.* 애써서 떼다[풀다]. 《Ⅲ》 *refl.* 애써서 벗어나다, 뿌리쳐 몸을 떼어내다.

lösbar [lǿ:sba:r] [<lösen] *a.* 풀 수 있는, 해결 가능한; 녹기 쉬운.

los⸗|binden* *t.* 풀다, 늦추다. **∼|bit⸗ten*** *t.* (jn., 의) 석방을 빌다. **∼|bre⸗chen*** [–brɛçən] 《Ⅰ》 *t.* 꺾어[부수어·쪼개어] 떼내다. 《Ⅱ》 *i.*(s.) 찢겨 떨어지다; 갑자기 떨어지다; 돌발하다; 급히 가버리다; 웃음을 터뜨리다. **∼brennen*** *t.* 발사하다. **∼|bringen*** *t.* 떼어 놓다, 제거하다. **∼|bröckeln** [brœkəln] *t.* 부수어서 떼내다; *i.*(s.) 부서져 떨어지다.

losch [lɔʃ] ☞ LÖSCHEN[1] (그 過去).

löschbar [lœ́ʃba:r] *a.* 끌 수 있는; 해갈(解渴)할 수 있는. **Löschblatt** *n.* 압지(壓紙).

löschen[1(*)] [lœ́ʃən] *t.* ① (불을)끄다(*extinguish, quench*); 소화(消和)하다(석회를)(*slake*); (갈증을) 풀다; (열정을) 가라앉히다(*quench*). ② (글씨를) 지우다; 《比》 (빚을) 탕감하다(*cancel, liquidate*).

löschen[2] [*eig.* „los machen", <los] *t.* 〖海〗 (화물을) 양륙하다(*unload*).

Löscher [lœ́ʃər] *m.* -s, -, 소방사(消防士); 소화기; 압지(*blotter*).

Lösch⸗kohle *f.* 뜬숯. **∼mittel** *n.* 소방 기구. **∼papier** *n.* 압지(壓紙).

Löschplatz [lœ́ʃplats] 〖海〗 양륙장[항], (선박) 도착항.

los|drücken [ló:sdrʏkən] *t.* 눌러서 떼어내다. ¶ein Gewehr ∼ 총을 쏘다.

lose [ló:zə] [=los] *a.* ① 늘어진, 느슨한(♈*loose, slack*); 풀린; 풀어진; 흩어진(포장하지 않고). ② 칠칠치 못한, 홀게 늦은(*dissolute*); 버릇없는. ③ 하찮은, 열등한, 조악(粗惡)한.

Lösegeld [lǿ:zəgɛlt] *n.* 속전(贖錢), 몸값.

losen [ló:zən] [<los] *i.*(h.) 제비뽑다; *t.* 추첨으로 얻다.

lösen [lǿ:zən] [<lose, los] 《Ⅰ》 *t.* ① 늦추다, 풀다; 떼다(♈*loose*). ② 해소[해제]하다; 풀다. ③ 해답[해결]하다. ④ 얻다, 입수하다; 되사다, 속바치다, 되찾다(*redeem*). ¶sein Wort ∼ 약속을 이행하다 / ein Billett ∼ 표를 사다 / Geld aus et.[3] ∼ 무엇을 팔아서 돈을 얻다. 《Ⅱ》 *refl.* 느슨해지다; 풀리다; 떨어지다; 〖化〗 용해되다.

los⸗|fahren [ló:s–]* *i.*(s.) (를) 향하여 돌진하다; 갑자기 떨어지다. **∼|geben*** *t.* 해방[석방]하다. **∼|geh(e)n*** *i.*(s.) ① 떼어지다, 떨어지다, 빠지다. ② 발사되다. ③ 시작되다; 일어나다. ④ (auf jn., 아무를 향하여) 돌진하다, 습격하다. **∼|⸗haken** *t.* (를) 고리에서 벗기다.

Loskauf [ló:skauf] *m.* 되찾기; 저당물 찾기; 몸값 주고 빼냄; 돈주고 병역을 면함.

los⸗|kaufen *t.* 되사다, 대가를 내고 되찾다, 돈을 주고 빼내다, 속바치다; *refl.* 속전을 주고 면하다. **∼|ketten** *t.* 사슬에서 풀어주다, 자유를 주다. **∼|⸗kommen*** *i.*(s.) 떨어지다; 면하다, 벗어나다; 풀리다. **∼|koppeln** *t.* 〖獵〗 가죽끈을 풀어서 놓아주다(개 따위를). **∼|lassen*** 《Ⅰ》 *t.* ① 떼어놓다, 늦추다. ② 마음대로 하게 하다, 해방[석방]하다; (감정을) 토로하다; (편지를) 발송하다. ¶e-e Rede ∼lassen 연설을 하다. 《Ⅱ》 *i.*(h.) 느슨하여지다, 따로 떨어지다. **∼|laufen*** *i.*(s.) 뛰기 시작하다. **∼|legen** *i.*(h.) ① (mit et., 을) 착수하다, 시작하다. ② 언쟁하다, 욕을 하다.

löslich [lǿ:slɪç] *a.* 풀리는, 녹기 쉬운; 〖化〗 가용성(可溶性)의. **Löslichkeit** *f.* 용해도.

los⸗|lösen *t.* 느슨하게 하다, 떼내다, 풀다. **∼|machen** 《Ⅰ》 *t.* ① 느슨히 하다; 떼어 놓다. ② 풀어 놓다, 놓아 주다; 방면하다. 《Ⅱ》 *refl.* 면하다, 벗어나다. **∼|platzen** *i.*(s.) 파열[폭발]하다; 《比》 울음[웃음]을 터뜨리다. **∼|reißen*** 《Ⅰ》 *t.* 잡아떼다, 뜯어내다. 《Ⅱ》 *i.*(s.) (꺾이어) 떼어지다, 떨어지다. 《Ⅲ》 *refl.* 몸을 뿌리치다. **∼|sägen** *refl.* (von, 과) 절교[절연]하다, 버리다, 단념[포기]하다. **∼|schießen*** [–ʃi:sən] 《Ⅰ》 *t.* 발사하다, 쏘다(화살 등을). 《Ⅱ》 *i.* ① (h.) 발화하다, 발하다. ② (s.) (auf et. [jn.], 을 향하여) 돌진하다, 부딪치다. **∼|schla⸗gen*** 《Ⅰ》 *t.* 쳐서 떼다, 두들겨 떼다; (상품을) 헐값에 팔아 치우다. 《Ⅱ》 *i.*(h.)

〖軍〗 공격을 개시하다. ~|**schnallen** *t.* 죔쇠를 풀다. ~|**sprechen*** [-ʃprɛçən] *t.* (von, 을) 면하다, 면제하다; 자유를 주다, 방면〔해방〕하다. ~|**sprengen** *t.* 폭파하다, 폭발시켜서 떼다. ~|**stürmen** *i.*(s.) 돌진하다, 쇄도하다; 습격하다. ~|**stürzen** *i.*(s.) (auf jn., 아무를 향하여) 돌진하다. ~|**trennen** *t.* 떼다, 분리하다.

Lōsung[1] [ló:zʊŋ] [↑lösen] *f.* -en, ① (짐승의) 똥. ② 〖商〗 수입, 소득.

Lōsung[2] [↑lauschen] *f.* -en, 〖軍〗 암호 (*password*), 《比》 표어, 슬로건. ¶ 《俗談》 Geld ist die ~ 돈이면 귀신도 부린다.

Lōsung[3] *f.* -en, 추첨.

Lȫsung [lǿ:zʊŋ] [<lösen] *f.* -en, 늦춤, 분리, 이탈; 이완; 〖化〗 용해, 용액; 〖數〗 해답; 〖劇〗 대단원.

Lȫsungsmittel [-mɪtəl] *n.* 〖化〗 용매 (*solvent*).

lōs|wērden* *t.* 벗어나다, 면하다. ~|**winden*** *t.* 비틀어 떼다; 《比》 구출하다. ~|**ziehen*** 《Ⅰ》 *t.* 떼어 놓다. 《Ⅱ》 *i.* ① (h.) (gegen, 을 향하여) 욕지거리하다. ② (s.) (auf et.[4] 〔jn.〕, 을 향하여) 나아가다.

Lōt [lo:t] [mhd. „Blei"] *n.* -(e)s, -e, ① 〖海〗 측연(測鉛)(↑*lead*); 〖工〗 연추(鉛錘) (*plummet*); 〖數〗 수직선(*perpendicular*). ② (Lötmittel) 땜납, 백랍(白鑞)(*solder*). ③ 로트《무게의 단위》.

lōten [ló:tən] *t.* u. *i.*(h.) 〖海〗 측연으로 수심을 재다; 〖工〗 연추(鉛錘)로 수직선을 정하다.

lȫten [lǿ:tən] [<Lot] *t.* 〖工〗 땜질하다 (*solder*). **Lȫter** *m.* -s, -, 땜질하는 사람, 땜장이.

Lȫt-kolben *m.* 땜질 기구; 납땜 인두; 《戲》 주독코. ~**lampe** *f.* 땜질용 램프. ~**ōfen** *m.* 납땜 화로《인두를 달구는》.

Lōtos [ló:tɔs] [gr.] *m.*, ~**blūme** *f.* 〖植〗 연꽃.

lōtrecht [ló:trɛçt] *a.* 수직의, 수직선의.

Lȫtrohr [lǿ:tro:r] *n.* 〖工·醫·化〗 취관 (吹管).

Lōtse [ló:tsə] *m.* -n, -n, 〖海〗 도선사 (導船士), 수로 안내인(*pilot*). **lōtsen** *t.* (배의) 수로를 안내하다; 《比》 끌어당기다.

Lotter [lɔ́tər] [↑liederlich] *m.* -s, -, 《稀》 게으름뱅이, 멍청이, 무뢰한, 건달.

Lotter-bett *n.* 《戲》 휴식용 긴 걸상, 소파. ~**būbe** *m.* =LOTTER.

Lotterie [lɔtərí:] [ndl., <d. Los] *f.* ..rīen, 복권, 제비뽑기(↑*lottery*).

Lotterie-gewinn *m.* 복권의 당첨. ~**kollekte** *f.* 복권 판매점. ~**lōs** *n.* 복권(의 표).

L

lott(e)rig [lɔ́t(ə)rɪç] *a.* 흩게 늦은, 절제 없는, 건달의, 방탕한(*dissolute, solvenly*). **Lotterlēben** *n.* 방탕한 생활. **Lotterwirt-schaft** *f.* 방만한 경제〔살림살이〕.

Lȫwe [lǿ:və] [Lw. gr. -lat.] *m.* -n, -n, ① 사자(↑*lion*); 《比》 용사; 위인; 인기인. ② 〖天〗 사자자리.

Lȫwen-anteil [lǿ:vən-] *m.* 《比》 가장 큰 몫《동물 우화에서》. ~**grūbe** *f.* 사자굴. ~**haut** *f.* 사자의 모피. ¶《比》 ein Esel in der ~haut 사자 가죽을 쓴 당나귀《허세부리는 겁장이》. ~**maul** *n.* 〖植〗 금어초(金魚草). ~**schwanz** *m.* 사자꼬리; 〖植〗 =HERZGESPANN. ~**zahn** *m.* 〖植〗 민들레 (및 그와 비슷한 식물) (*dandelion*).

Lȫwin [lǿ:vɪn] *f.* -nen, 암사자(↑*lioness*); 《比》 인기가 좋은 사람 ; 스타.

loyal [loajá:l] [fr. *aus* lat. *lēgālis* „gesetzlich"] *a.* 올바른; 정당한; 호의적인; 성실한, 정직한; 충성된. **Loyalität** [loajalité:t] *f.* 성실, 충성.

LP-Platte *f.* (레코드의)엘피판. =LANGSPIEL-PLATTE.

Lūch [lu:x] [Lw. sl.] *f.* ⸗e, od. *n.* -(e)s, -e, 《方》 늪, 습지(*marsh, bog*).

Luchs [lʊks] [↑leuchten] *m.* -es, -e, ① 〖動〗 스라소니; 《比》 교활한 사람, 책략가. ② 〖天〗 삵괭이자리.

Luchs-auge *n.* 삵괭이의 눈, 교활한〔날카로운〕 눈. ~**äugig** *a.* 위의 눈을 가진.

luchsen [lʊ́ksən] 《Ⅰ》 *a.* (삵괭이처럼) 빈틈없는, 잇속에 밝은. 《Ⅱ》 *t.* 훔치다.

Lücke [lʏ́kə] [↑loch] *f.* -n, 빈틈, 간격(*opening, gap*); 갈라진 틈, 찢어진 틈, 잘라진 틈; 균열; 여백(*blank*); 《比》 결함; 유루(遺漏); 〖商〗 결손. **Lücken-büßer** [lʏ́kənby:sər] *m.* 충전물(充塡物), 메꾸는 것; 대용품. **lückenhaft** [lʏ́kənhaft] *a.* 빈틈〔탈락·결함〕이 있는; 불완전한, 구멍투성이의. **lückenlōs** *a.* 빈틈〔빠짐〕이 없는, 완전한.

lūd [lu:t], **lǖde** [lý:də] ☞ LADEN 《그 過去》.

Lūder [lú:dər] [*eig.* „Lockspeise"; ↑laden] *n.* -s, -, 〖獵〗 ① † 미끼(*bait, lure*). ② (미끼로서의) 썩은 고기(*carrion*); 《욕설》 썩은 놈, 개자식. ③ 절제없는 일, 방탕. ~**lēben** *n.* 방탕 생활.

lūdern [lú:dərn] 《Ⅰ》 *t.* 〖獵〗 (an~) 미끼로 꾀어내다. 《Ⅱ》 *i.*(h.) 《稀》 방탕하다; 게으름피우다.

Lūes [lú:ɛs] [lat.] *f.* -, 매독(梅毒).

Luffa [lʊ́fa] *f.* -s, 〖植〗 수세미외.

Luft [lʊft] *f.* ⸗e, 공기(*air*); 대기; 가스체; 공중; 숨(*breath*); 산들바람(*breeze*). ¶ freie ~ 야외의 공기, 외기(外氣) / sich[3] ~ machen 감정〔울분〕을 토하다 / **an** die ~ geh(e)n 야외에 나가다, 산보하다 / an die ~ setzen, a) 바깥 바람을 쐬게 하다, b) 《俗》 쫓아내다 / **aus** der ~ gegriffen 그것은 날조된 일이다 / **in** die ~ fliegen, a) (새가)날아 오르다, b) 《比》 폭발하다 / in die ~ knallen 마구잡이로 쏘아대다.

Luft-abwehr [-apve:r] *f.* 방공(防空). ~**akrobātick** *f.* 공중 곡예. ~**angriff** *m.* 공습. ~**aufklārung** *f.* 공중정찰. ~**aufnahme** *f.* 공중 촬영. ~**ballon** *m.* 경기구(輕氣球). ~**bild** *n.* 항공 사진. ~**blāse** *f.* 거품, 기포(氣泡). ~**bremse** *f.* 에어브레이크. ~**brücke** *f.* 공중 회랑, 공중 보급. ~**brust** *f.* 〖醫〗 (Pneumothorax) 기흉(氣胸).

Lüftchen [lʏ́ftçən] *n.* -s, -, 산들바람, 미풍.

luftdicht [lʊ́ftdɪçt] *a.* 공기〔가스〕가 통하지 않는, 기밀(氣密)의. ¶ ~ (*adv.*) verschlossen 밀폐한.

Luft-dienst *m.* 항공 (우편) 사업(事業).

~druck *m.* 기압. **~druckbremse** *f.* 에어브레이크. **~druckmesser** *m.* 기압계. **~elektrizität** *f.* 공중 전기.

lüften [lÝftən] 《Ⅰ》 *t.* ① 바람에 쐬다, (에)바람을 통하다(*air*). ② (조금) 쳐들다, 올리다(♈*lift, raise*); (가면을) 벗다; (비밀을) 폭로하다. 《Ⅱ》 *refl.* 옷을 풀어 늦추다, 편히 쉬다; 소창(消暢)하다.

Lüfter *m.* -s, -, 통풍〔환기〕 장치.

Luft=erscheinung *f.* 공중 현상, 기상. **~fahrt** *f.* 비행, 항공. **~fahrwēsen** *n.* 항공 사항. **~fahrzeug** *n.* 항공기. **~feuchtigkeit** [-fɔyçtɪç-] *f.* 습도. **~flotte** *f.* 공군. **~förmig** *a.* 기체 모양의, 가스체의. **~gebilde** *n.* 환상(*vision*). **~gekühlt** *a.* 냉방 장치를 한; 공냉식의. **~gewehr** *n.* 공기총. **~hāfen** *m.* 공항(空港). **~heizung** *f.* 열기(熱氣) 난방. **~herrschaft** *f.* 제공(制空)(권). **~hülle** *f.* (지구를 둘러싼) 대기. **~hunger** *m.* 호흡 곤란.

luftig [lúftɪç] *a.* ① 공기의; 공중에 뜬; 공중에 치솟은; 공기를 쐰; 바람이 통하는; 공기 같은, 기체의. ② 희박한; 가벼운. ③ (공기처럼) 걷잡을 수 없는, 변하기 쉬운; 경박한; 출싹이는.

Luft=kampf *m.* 공중전. **~kissen** *n.* 공기 베개. **~klappe** *f.* 기판(氣瓣), 통풍판(通風瓣). **~krank** *a.* 항공병(航空病)의. **~krankheit** *f.* 항공병. **~kreis** *m.* 대기권, 분위기(*atmosphere*); 영공. **~krieg** *m.* 공중전. **~kūr·ort** *m.* 전지(轉地) 요양지. **~landetruppen** *pl.* 공수 부대. **~leer** *a.* 공기가 없는, 진공의. **~leere** *f.* 공기가 없음; 진공(*vacuum*). **~linie** *f.* 항공 노선, 공중 직선《2점 간의 최단 거리》. ¶in der ~linie 일직선으로. **~loch** *n.* 기공(氣孔), 통풍구; 〖空〗 에어포켓. **~messer** *m.* 공기계(空氣計), 기체계. **~polster** *n.* 공기 이불. **~post** *f.* 항공 우편. **~pumpe** *f.* 공기 펌프. **~raum** *m.* 대기, 공중(*atmosphere*). **~reifen** *m.* 공기 타이어. **~reinigung** *f.* 공기 정화, 환기. **~reklāme** *f.* 공중 광고. **~rohr** *n.*, **~rōhre** *f.* 진공관; 통풍관; 기관(氣管). **~sack** *m.* 기낭(氣囊); 수직 기류, 에어 포켓. **~schacht** *m.* 〖坑〗 통기 수갱(通氣竪坑). **~schaukel** *f.* 회전 시소. **~schiff** *n.* 비행선. **~schiffahrt** [-ʃɪffa:rt] *f.* 항공. **~schiffer** *m.* 항공가. **~schloß** *n.* 공중 누각; 망상, 공상. **~schraube** *f.* 프로펠러. **~schutz** *m.* 방공(防空). **~schutzkeller** *m.* 방공호. **~spiegelung** *f.* 신기루(*mirage*). **~springer** *m.* 줄타기, 곡예사. **~sprung** *m.* 재주넘기, 텀블링. **~stōß** *m.* 돌풍(突風). **~streitkräfte** *pl.* 공군. **~strōm** *m.*, **~strōmung** *f.* 기류. **~tanken** *n.* 공중 급유. **~tüchtig** *a.* 내공〔내항(耐航)〕성이 있는, 비행에 견딜 수 있는.

Lüftung [lÝftʊŋ] *f.* -en, 바람에 쐼; 통풍, 환기(장치).

Luft=veränderung *f.* 전지(轉地)(요양). **~verflüssigung** *f.* 공기 액화. **~verkehr** *m.* 항공 교통〔수송〕. **~verkehrswēg** *m.* 항공로. **~vermessung** *f.* 항공 측량. **~verteidigung** *f.* 방공(防空). **~waffe** *f.* 공군. **~warnung** *f.* 공습 경보. **~werbung** *f.* 공중 광고. **~wettfahrt** *f.* 비행 경기. **~zeigel(stein)** *m.* 공기 건조(乾燥) 벽돌. **~zūfuhr** *f.* 공수(空輸). **~zūg** *m.* 기류; 통풍.

Lūg[1] [lu:k] [<lügen] *m.* -(e)s.: ~ u. Trug 기만(欺瞞).

Lūg[2] [♈lugen] *m.* -(e)s, -e, 구멍, 틈; 「엿보는 구멍.」

Lüge [lÝ:gə] [<Lügen] *f.* -n, 거짓말(♈*lie, falsehood*); 날조. ¶e-e grobe ~ 지독한 거짓말 / jn. ~n strafen 아무의 거짓말을 꾸짖다.

lūgen [lú:gən] *i.*(h.) 망보다, 살피다, 들여다보다, 엿보다(♈*look*).

lügen* [lÝ:gən] 《Ⅰ》 *i.*(h.) 거짓말하다(♈*lie, tell a lie*). 《Ⅱ》 *t.* ① et. ~ 어떤 거짓말을 말하다. ② 속이다, 위장하다. ¶Freundschaft ~ 우정을 가장하다.

Lügen=detektor *m.* 거짓말 탐지기. **~dichtung** *f.* 거짓 우스갯 소리. **~gewēbe** *n.* 거짓의 그물, 간책(奸策).

lügenhaft [lÝ:gənhaft] *a.* 거짓말의; 허위의; 가짜의. **Lügenhaftigkeit** *f.* 거짓말, 가짜.

Lügen=maul *n.* 거짓말장이. **~meldung** *f.* 허보(虛報). **~schmied** *m.* 거짓말장이.

Lūg·ins·land [lú:k-ɪnslant] *m.* -, -, 감시대, 망루.

Lügner [lÝ:gnər, lÝ:kn-] *m.* -s, -, **Lügnerin** *f.* -nen, 거짓말장이(♈*liar*); 사기꾼. **lügnerisch** *a.* =LÜGENHAFT.

Lūke [lú:kə] [♈Lücke, ♈Loch] *f.* -n, ① (미닫이를 갖춘) 천창(天窓), 채광창(採光窓)(*dormer-window*). ② 《方》 아래위로 밀어 여는 문, 벼락닫이, 내리닫이(*trap-door*). ③ 〖海〗 (승강구의) 뚜껑; 해치, 승강구(*hatch*).

lukratīv [lukratí:f] [lat.] *a.* 이익이 있는, 유리한.

lukullisch [lukúlɪʃ] *a.* 사치한, 열락을 탐닉하는.

lullen [lúlən] [擬聲語] 《Ⅰ》 *t.* 낮은 소리로 노래하다(♈*lull*); (in Schlaf ~) 자장가를 불러서 잠들게 하다. 《Ⅱ》 *i.*(h.) (어린애가) 오줌을 싸다.

lumbecken [lúmbɛkən] *t.* 룸벡법으로 제본하다. **Lumbeckverfahren** *n.* 룸벡법《실을 쓰지 않고 특수 접착제를 사용하는 제본법, 발명자의 이름에서》.

Lūmen [lú:mɛn] [lat.] *n.* -s, - *u.* ..mina, 빛, 광명; 《比》 우수한 두뇌, 훌륭한 학자, 탁월한 사람, 천재.

Lumineszenz [luminɛs-tsɛ́nts] *f.* -en, 〖理〗 (열을 수반치 않는) 발광, 루미네슨스.

Lümmel [lÝməl] *m.* -s, -, 무례한 놈, 버릇없는 놈, 무지렁이(*boor, lout*).

lümmelhaft *a.* 무작한, 무례한, 버릇없는, 야비한.

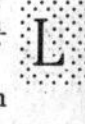

Lump [lʊmp] [Lumpen과 同語] *m.* -en 〔근자엔 또: -(e)s〕, -en 〔예전엔: -e〕, 룸펜, 부랑인; 불량배(*scamp, rascal*).

lumpen [lúmpən] 《Ⅰ》 *t.* ① 《稀》 jn. ~ 아무를 룸펜 취급하다. ② sich nicht ~ lassen 인색하지 않다, 좀스럽지 않다. 《Ⅱ》 *i.*(h.) 빈둥거리며 지내다, 방탕 생활을 하다. **Lumpen** *m.* -s, -, 누더기, 넝마(*rag*); 《比》 쓰레기, 폐물.

Lumpen=ding *n.* 쓰레기, 폐물. **~geld**

n. 푼돈. ~**gesindel** n. 천민, 건달패. ~**händler** m. 넝마 장수. ~**krām** m. 넝마 장사; 넝마, 쓰레기, 누더기. ~**lēben** n. 방탕 생활. ~**mann** m. ① =~SAMMLER. ② 허수아비. ~**papier** n. 휴지. ~**sammler** m. 쓰레기를 줍는 사람, 넝마주이. ~**zucker** [Lompenzucker의 變形] m. 길쭉한 설탕 덩어리.

Lumperei [lumpərái] f. -en, ① 하찮은 일, 변변치 않은 물건. ② 룸펜 생활, 방탕한 생활; 무질서한 경영. **lumpicht, lumpig** a. 누더기가 된, 누더기를 걸친, 거지 같은; 《比》 초라한; 보잘 것 없는; 천한, 비루한, 인색한(*stingy*).

Lūna [lú:na] [lat.] f. 〖羅神〗 달의 여신; 달.

lunār(isch) [luná:r(ɪʃ)] a. 달의, 태음의.

Lunch [lʌn(t)ʃ] [engl.] m. -, -s; od. -es, -e, 점심, 런치.

Lunge [lúŋə] f. -n, 폐, 허파. ¶ er hat es auf der ~ 그는 폐를 앓고 있다.

Lungen·brāten [lúŋən-] m. 《俗》 (비프스테이크용의) 허리살. ~**brōt·chen** [-brø:tçən] n. 《戲》 =ZIGARETTE. ~**drüse** f. 〖解〗 폐선(肺腺). ~**entzündung** f. 폐렴. ~**fisch** m. 〖魚〗 폐어(肺魚). ~**flügel** m. 폐엽(肺葉). ~**gangrān** n. 폐회저. ~**heilstätte** f. 결핵 요양소. ~**infiltratiōn** f. 폐침윤. ~**kaverne** f. 폐공동. ~**krank** a. 폐병의. ~**kranke** m. u. f. 《形容詞變化》 폐환자. ~**krankheit** f. 폐병. ~**lappen** m. =~FLÜGEL. ~**krēbs** m. 폐암. ~(**schwind**)**sucht** f. 폐병, 폐결핵. ~**tuberkulōse** f. 〖醫〗 폐결핵. ~**wurm** m. 폐에 기생하는 촌충.

Lungerer [lúŋərər] m. -s, -, 빈둥빈둥 노는 사람, 게으름뱅이. **lungern** [lúŋərn] i. (h. u. s.) 빈들빈들 놀다, 게으름 피우다; 하는 일 없이 돌아다니다 (*idle about*).

Lünse [lýnzə] f. -n, 〖工〗 바퀴를 바퀴대에 고정시키는 쐐기(*linchpin*).

Lunte [lúntə] f. -n, ①화승(火繩)(*match cord*), 도화선. ② 〖獵〗 여우〔늑대〕 꼬리; 〖紡〗 등심사(燈心絲)(*rove*).

Lūpe [lú:pə] [fr. <lat. *lupa* „Wölfin", 늑대의 눈에 비겨서] f. -n, 확대경. ¶ 《比》 et. unter die ~ nehmen 무엇을 상세히 관찰〔검토〕하다.

Lupīne [lupí:nə] [lat. *lupus* „Wolf"] f. -n, 〖植〗 (Wolfsbohne) 루핀.

Lurch [lurç] m. -(e)s, -e, 〖動〗 두꺼비 (*batrachian*); (*pl.*) 양서류.

Lust [lust] f. ⸗e, ① 즐거움, 기쁨, 재미; 쾌락, 열락(悅樂)(*pleasure, delight*); 유쾌, 오락(*mirth, fun*). ¶ ~ u. Leid 희비(喜悲), 고락. ② 애호(愛好), 기호; 욕망, 의욕(♈*lust, desire*). ¶ ~ haben, et. zu tun 무엇을 하고 싶어하다, 할 생각이 있다. ③ 육욕(肉欲), 정욕. **Lust·bārkeit** f. -en, 오락, 여흥; 유흥; 축제; 오락장, 오락 기관. **Lustbārkeits·steuer** f. 유흥세.

Lust·dirne f. 창녀, 매춘부(*prostitute*). ~**empfindung** f. 쾌감.

Lüster [lýstər] [fr. „Glanz"] m. -s, -, 광택(♈*lustre*); 샹들리에.

lüstern [lýstərn] [<Lust] a. ① 몹시 탐이 나는, 열망〔갈망〕하는(*longing, desirous, covetous*). ② 육욕적인, 음탕한, 음란한, 호색의(*indecent, lascivious*).

Lüsternheit f. ① 열망, 갈망. ② 호색, 음탕.

Lust·fahrt f. 유산(遊山), 소풍. ~**garten** m. 유원지, 공원. ~**haus** n. 별장, 원정(園亭), 정자; 창가(娼家).

lustig [lústɪç] [<Lust] a. 즐거운; 명랑한, 유쾌한, 기쁜(*gay, merry*); 재미있는, 우스운(*funny*). ¶ sich über jn. ~ machen 아무를 웃음거리로 만들다, 조롱하다 / ~! immer ~! 얼씨구 좋다.

Lustigkeit f. -en, 즐거움, 쾌활함; 오락.

Lüstling [lýstlɪŋ] [<Lust] m. -s, -e, 호색한, 탕아, 오입장이.

lust·lōs a. 즐거움이 없는; 마음이 내키지 않는; 〖商〗 경기가 없는. ~**mord** m. 치정(痴情) 살인. ~**ort** m. 유람지.

lustrieren [lustrí:rən] [lat.] t. ① 깨끗하게 하다. ② 시험하다, 검사하다.

Lust·schiff n. 유람선; 쾌속선. ~**schloß** n. 별장. ~**seuche** f. 〖醫〗 성병, 매독. ~**spiel** n. 희극(*comedy*). ~**wäldchen** n. 공원, 산책림(散策林). ~**wandeln** i. (h.) 산책〔산보〕하다.

Luther [lútər] m. Martin ~ 신교의 창시자(1483-1546). **Lutherāner** [lutərá:nər] m. -s, -, 루터교도, 신교도. **lutherānisch, lutherisch** [lútərɪʃ, luté:rɪʃ] a. 루터파의, 신교의.

lutschen [lútʃən] [擬聲語] i. (h.) u. t. (쭉쭉) 빨다, 핥다(*suck*).

Lūv [lu:f] [ndd. „Ruderseite"] f. 〖海〗 〔~**seite** f.〕 (배의) 바람머리 쪽(♈*luff*).

Lux [luks] [lat.] n. -, -, 〖物〗 룩스《조도(照度) 단위; 기호: *lx*》.

luxuriōs [luksurió:s] a. 사치한, 호화로운. **Luxus** [lúksus] m. -, 사치, 호사 (♈*luxury*).

Luxus·artikel m. 사치품. ~**ausgābe** f. 특제본, 호화판. ~**wāre** 사치품. ~**zūg** m. (1등차만으로) 특별히 꾸민 급행 열차.

Luzerne [lutsérnə] [fr.] f. -n, 〖植〗 자주개자리(♈*luceren*).

lymphātisch [lymfá:tɪʃ] [lat.] a. 〖醫〗 임파액의, 임파성의. **Lymphdrüse** f. 임파선(腺). **Lymphe** [lýmfə] [gr. "wasser"] f. -n, 〖醫〗 임파액(♈*lymph*); (넓은 뜻의) 혈청(血淸)(*serum*).

LVA 《略》 =*L*andes*v*ersicherungs*a*nstalt 사회 보험 기관.

Lynch [lɪnç, lɪntʃ] [am.] f. -en, 린치, 사형(私刑). **lynchen** [línçən, líntʃən] t. 린치하다.

Lynch·gesetz [línç-, líntʃ-] n., ~**justīz** f. 사형(법), 린치.

Lȳra [lý:ra] [gr. „Leier"] f. ..ren, 〖樂〗 리라(♈*lyre*). **Lȳrik** [lý:rɪk] f. 《稀》 -en, 서정시. **Lȳriker** m. -s, -, 서정시인. **lȳrisch** [lý:rɪʃ] a. 서정시의; 서정적인(♈*lyric(al)*).

Lysīn [lyzí:n] [gr. *lýsis* „Lösung"] n. -s, -e, (흔히 *pl.*) 〖生化〗 리진《세포 용해소, α 아미노산의 일종》.

Lysōl [lyzó:l] [gr. *lýsis* „Lösung"] n. -s, 〖化〗 리졸《소독제》.

Lyzē·um [lytsé:ʊm] [gr. -lat.] *n.* -s, ..zēen, 여자 고등 학교.

L-Zūg [él-tsu:k] *m.* 《略》 =*Luxuszug.*

M

Maar [ma:r] [<Moor] *n.* -(e)s, -e, 〖地〗 마르《분화구 주위에 쌓여서 된 작은 폭렬(爆裂) 화구》.

Maas [ma:s] *f.* 라인 강 하류의 지류 이름.

Maat [ma:t] *m.* -(e)s, -e(n), 〖海〗 동료; 선원, 뱃사람(♈*mate*); (독일의) 해군 하사관. **Maatjeshēring** [má:tjəs-] *m.* =MATJESHERING.

Mache [máxə] [<machen] *f.* ① 제조, 제작. ¶et. in die ~ nehmen 무엇의 제조에 착수하다 / 《比》 jn. in die ~ nehmen 아무에게 몸가짐을 가르치려 하다, 교화하다, 괴롭히다, 구타하다. ② 눈비움; 만든 것, 세공.

machen [máxən] [*eig.* „passend zusammenfügen"] 《Ⅰ》 *t.* ① 갖추다, 조정하다; 요리하다. ¶das Bett ~ 잠자리를 깔다 / Suppe ~ 수프를 만들다. ② 만들다, 만들어 내다(♈*make*); 제조〔제작〕하다(*manufacture*). ③ 일으키다, 생기게 하다(*cause*). ¶jm. Angst ~ 아무를 무섭게 하다 / das macht, weil.., 그 원인은 …이다. ④ 행하다, 하다(*do*). ¶was ~ Sie? a) 무엇을 하고 계십니까, b) 기분이 어떠십니까. ⑤ (어떤 역을) 연기하다(*play*). ⑥ (을) 이루다, (가) 되다, (…)이다(*do, be*). ¶das macht nichts 그것은 아무것도 아니다, 아무래도 좋다 / zwölf Pence ~ einen Schiling 12펜스는 1실링이다. 《Ⅱ》 *refl.* (…처럼) 보이다, (…한) 태도를 취하다, 행동하다; 일어나다, 행하여지다; 잘 되다. ¶sich **an** jn. (heran) ~ 아무에게 접근하다, 친해지다 / sich **auf** den weg ~ 출발하다 / er machte sich gut zu Pferde 그의 승마(乘馬) 모습은 훌륭하였다 / sich wieder ~ (환자가) 회복하다. 《Ⅲ》 *i.*(h.) 행하다, 하다; 행동하나, 행세하다. ¶mach, daß du fortkommst! 빨리 꺼져버려라〔없어져라〕. **Machenschaften** [máxənʃaftən] *pl.* 기도(企圖), 음모(*machinations*). **Macher** *m.* -s, -, 만드는 사람, 제조인, 제작인(♈*maker*). **Macherlohn** *m.* 제조비, 제작비.

Macht [maxt] [<mögen „können, stark sein"] *f.* ⸚e, ① 힘, 지배력, 권력, 세력(♈*might*); 세기(*strength*); 권능, 권세(*authority*). ¶**aus** eigner ~ 혼자 힘으로 / **mit** (aller) ~ 극력, 무슨 일이 있어도 / **über** Leben u. Tod 생살지권 / **zu** et. ~ haben 어떤 일을 할 권리를 갖다. ② (Streit≈) 병력, 군세(軍勢), 군대(*forces, army*). ③ 강국(*power*). ¶europäische Mächte 유럽 열강.

Macht≈befūgnis [-bəfu:knɪs] *f.* 〖法〗 자격, 권능, 권한. **~bereich** [-bəraiç] *m.* 〔*n.*〕 세력 범위. **~ergreifung** *f.* 권력 장악. **~hāber** *m.* 권력자, 주권자, 전제 군주, 독재자.

mächtig [méçtɪç] 《Ⅰ》 *a.* 힘 있는, 유력한, 강력한(♈*mighty, powerful*). ¶e-r Sache² ~ sein 무엇을 지배하다, 뜻대로 다루다; 에 익숙해 있다. 《Ⅱ》 *adv.* 힘차게; 《俗》 대단히(*enormously*).

Macht≈kreis *m.* 세력 범위. **≈lōs** *a.* 힘없는, 무력한. **~rēde** *f.* 엄명, 호령. **~spruch** *m.* 권위자〔주권자〕의 절대 명령, 대명(大命). **~stellung** *f.* 우세, 권세 있는〔강국의〕 지위. **≈voll** *a.* 강력한, 세력 있는, 효력 많은. **~vollkommenheit** *f.* 절대권. **~wort** *n.* ① =~SPRUCH. ② =~REDE.

Machwerk [máxvɛrk] *n.* 만든 것; 졸작.

Madame [madám] [fr. „m-e Dame"] *f.* Mesdames [mɛdám], 마님.

Mädchen [mɛ́:tçən] [*dim.* v. Maid] *n.* -s, -, ① 소녀, 처녀(*girl, lass*). ② (Dienst≈) 하녀((*maid-*)*servant*). **mädchenhaft** *a.* 처녀다운; 수줍음을 타는.

Mädchen≈handel *m.* 소녀 매매. **~nāme** *m.* 소녀의 이름; 처녀 시절의 이름; (기혼 여성의) 친정의 성. **~schūle** *f.* 여학교. **~turnen** *n.* 미용 체조. **~zimmer** *n.* 하녀방.

Māde [má:də] *f.* -n, 구더기(*maggot*).

Mādel [mɛ́:dəl] [Mädchen의 남독일어形] *n.* -s, -, 소녀.

Mādenwurm [má:dənvʊrm] *m.* 요충(蟯蟲). **mādig** [má:dɪç] *a.* 구더기투성이의; 《比》 싫은.

Madonna [madɔ́na] [it.] *f.* 성모(마리아).

Madrigāl [madrigá:l] [it.] *n.* -s, -e, 목가(牧歌).

māg [ma:k] ☞MÖGEN 《그 現在 1·3人稱 單數形》.

Magazīn [magatsí:n] [ar. -it.] *n.* -s, -e, ① 창고, 광; (Gewehr≈) 타약 창고; 탄창(♈*magazine*). ② 큰 상점(*warehouse*). ③ 잡지《오락 위주의》(♈*magazine*).

Māgd [ma:kt] [*eig.* "소녀, 처녀"] *f.* ⸚e, 하녀, 시녀, 식모(*maid-servant*).

Māgd(e)lein [mɛ́:kdəlain, mɛ́:kt-] *n.* -s, -, 소녀.

Māgen [má:gən] *m.* -s, -, 위(胃)(*stomach, ♈maw*).

Māgen≈beschwērden *pl.* 윗병. **~bitter(er)** *m.* 건위 화주(健胃火酒). **~brennen** *n.* 가슴 앓이. **~drücken** *n.* 위부 압박감. **~grūbe** *f.* 명치. **~krampf** *m.* 위경련. **~krankheit** *f.* 윗병. **~krēbs** *m.* 위암. **~mittel** *n.* 건위제. **~saft** *m.* 위액. **~säure** *f.* 위산. **~schmerz** *m.* 위통. **~senkung** *f.* 위하수. **≈stärkend** *a.* 위를 튼튼하게 하는 데 효력이 있는. **~stärkung** *f.* 건위제. **~tropfen** *pl.* 건위 적제(健胃滴劑). **~verstimmung** *f.* 위장 장애. **~wind** *m.* 방귀.

māger [má:gər] *a.* ① 수척한, 마른(♈*meagre, lean, thin*). ② 유지(乳脂)를 뽑은; 영양분 없는; 엷은, 묽은 (술); 흉년의; 비옥하지 못한, 불모(不毛)의. ③ 빈약한, 모자라는(*poor*). **Māgerkeit** *f.* 여윔, 빈약. **Māgermilch** *f.* 탈지유(脫脂乳). **māgern** *i.*(h. *u.* s.) 여위다.

Magie [magí:] [pers. -gr. -lat.] *f.* 마법, 마술, 요술(♈*magic*). **Māgier** [má:giər] *m.* -s, -, ① 마기《고대 페르시아의 사제, 별이나 꿈을 점침》. ② 요술장이, 마술사. ③ (예수 탄생시 경배한) 동방 박사. **māgisch** [má:gɪʃ] *a.* 마법〔요술〕의; 불가사의한.

Magister [magístər] [lat. „Meister"] *m.* -s, -, ① 스승, 선생. ② 학사(學士) 《옛 학위명》. ¶ ~ der freien Künste 문학사(*Master of Arts*).

Magistrat [magıstrá:t] *m.* -(e)s, -e, 시청; 시의회 (의원); 시당국.

Magma [mágma] [gr.] *n.* -s, ..men, 〖地〗 암장(岩漿).

Magnesia [magné:zĭa] [gr.] ① *f.* 〖化〗 마그네시아《산화 마그네슘》, 고토(苦土). ② 북부 그리스 동부의 반도명; 고대 소아시아의 여러 도시명.

Magnet [magné:t] [gr.] *m.* -(e)s, -e, od. *m.* -en, -en, 자석(♈*magnet*), 자철(*loadstone*). **magnetisch** [magné:tıʃ] *a.* 자석의, 자기(磁氣)의; 자력이 있는. **magnetisieren** [magnetizí:rən] *t.* 자화(磁化)하다; (동물 자기(磁氣)로써) 최면술을 쓰다. **Magnetismus** [magnetísmus] *m.* -, 자기, 자력, 자성(磁性); 최면 치료. **Magnetit** [magnetí:t, -tít] *m.* -(e)s, -e, 〖鑛〗 자철광. **Magnetophon** [magnetofó:n] *n.* -s, -e, 자기 녹음기, 테이프 레코더.

Magnet≈stein *m.* 자철광. **~ton** *m.* 자기(磁氣) 녹음(법). **~zündung** *f.* 자력 점화(磁力點火).

magnifik [manjifí:k] [lat. -fr.] *a.* 웅대한, 장려한, 굉장한. **Magnifikat** [magní:fikat] *n.* -(s), 성모 찬가.

Mahagoni [mahagó:ni:] [indian.] *n.* -s, 마호가니재(材)(♈*mahogany*).

Mahd [ma:t] [<mähen] *f.* -en, 베기, 풀베기(♈*mowing*); 벌초(*swath*). **Mähe≈maschine** *f.* 벌초기(伐草機).

mähen [mé:ən] *t.* u. *i.*(h.) (풀을) 베다(♈*mow, cut, reap*). **Mäher** [mé:ər] *m.* -s, -, 풀베는 사람; 벌초기.

Mahl [ma:l] [Mal 과 同語, *eig.* „Zeit, Zeitpunkt"] *n.* -(e)s, -e *u.* ⸗er, 식사; 음식(♈*meal*); 연회; 1회분의 음식.

mahlen⁽*⁾ [má:lən] [♈Mehl, Mühle] *t.* (곡식을) 갈다, 타다, 빻다(♈ *mill, grind*).

Mahlgang [má:l-] *m.* 연자매《물레 방아의》; 맷돌 기구.

Mahlmühle [-my:lə] *f.* 제분소.

Mahl≈stein *m.* 연자매. **~strom** *m.* 소용돌이, 조류(潮流). **~zahn** *m.* 〖解〗 어금니(*molar*).

Mahlzeit [má:ltsait] *f.* 식사《정시 또는 세 끼의, 특히 점심》; 음식물. ¶ (ich wünsche Ihnen) gesegnete ~! 《食事前後의 인사》 a) (주인측) 많이 드십시오, (손님측) 잘 먹겠읍니다, b) (주인측) 변변치 못한 식사였읍니다, (손님측) 잘 먹었읍니다.

Mahnbrief [má:nbri:f] *m.* 권고장; 독촉장.

Mähne [mé:nə] *f.* -n, (말·사자 따위의) 갈기(♈*mane*).

mahnen [má:nən] [♈meinen, Minne] *t.* (에게) 생각나게 하다(*remind*); 주의〔경고〕하다(*warn*); (에게) 독촉〔재촉〕하다(*remind (to pay), dun*). **Mahner** *m.* -s, -, 권고〔충고·경고〕자; 독촉〔최고〕자; 채권자. **Mahnruf** *m.* 경계의 고함 소리; 경고. **Mahnung** [má:nuŋ] *f.* -en, 주의; 충고, 권고, 훈계, 경고; 재촉, 독촉, 최고(催告).

Mahn≈verfahren *n.* 〖法〗 최고 절차; 지급 명령. **~wort** *n.* 충고, 경고. **~≈zettel** *m.* 〖商〗 청구서.

Mähre [mé:rə] *f.* -n, 암말; 쓸모 없이 된 말, 노마(駑馬)(♈*mare*); 《卑》 음부(淫婦).

Mai [mai] [Lw. lat. "생장의 신 Jupiter Majus 에게 바치는 달", *mājor* „größer"] *m.* -(e)s *u.* - 〔詩: -en〕, -e, 오월(♈*May*).

Mai≈baum *m.* 자작나무의 기둥, 5월주(柱)《5월제에 광장에 세우고 둘레에서 춤추는 장식 기둥》. **~blume** *f.* 〖植〗 은방울꽃.

Maid [mait] [Magd 와 同語] *f.* -en, 《詩》 처녀, 소녀(♈*maid(en)*).

Maiden [méidn] [engl. „Jungfrau"] *n.* -s, -, 〖競馬〗 처녀 말《승리말이 된 일이 없는 말》.

Mai≈feier *f.*, **~fest** 5월제(祭); 메이데이. **~glöckchen** *n.* 〖植〗 은방울꽃. **~käfer** *m.* 〖蟲〗 쌍무늬바구미. **~königin** *f.* 5월의 여왕.

Mai≈monat, **~mond** *m.* 5월.

Mais [mais] [indian.] *m.* -es, -e, 〖植〗 옥수수(♈*maize, Indian corn*).

Maische [máiʃə] [*eig.* „Mischung"] *f.* -n, 혼합즙, 맥아즙(麥芽汁)《맥주 양조용》(♈*mash*). **maischen** *t.* (엿기름을 통안에서) 찧어서 섞다; 엿기름을 발효시키다.

Mais≈feld *n.* 옥수수밭. **~kolben** *m.* 옥수수 속대. **~mehl** *n.* 옥수수가루.

Mai≈tag *m.* 메이데이. **~trank** *m.* 5월 주(酒) 《선갈퀴를 향료로 한 포도주》.

Maitresse [mɛtrésə] *f.* -n, =MÄTRESSE 《그 옛꼴》.

Majestät [majɛsté:t] [lat. „Herrlichkeit", <*magnus* „groß"] *f.* -en, ① 존엄, 장엄. ② 제왕(帝王). ¶ S-e ~ 황제 폐하. **majestätisch** *a.* 존엄한, 장엄한, 위풍 당당한.

Majestäts≈beleidigung *f.*, **~verbrechen** *n.* 〖法〗 불경죄, 대역죄.

Majonäse [majoné:zə] [fr.] *f.* -n, 〖料〗 마요네즈.

Major [majó:r] [sp. „der Größere (Höhere) (als der Hauptmann)", <lat. *mājor* „größer"] *m.* -s, -e, 육군 소령, 대대장.

Majoran [majorá:n, má:jora:n] [Lw. mlat.] *m.* -s, -e, 〖植〗 마요란《꿀풀과》(♈*marjoram*).

Majorat [majorá:t] *n.* -(e)s, -e, 장자 상속(권); 장자 상속 재산, 세습지.

Majorats≈gut *n.* 장자 상속 재산, 세습지. **~herr** *m.* 장자 상속권자.

majorenn [majorén] [„großjährig"; *mājor* „größer", *annus* „Jahr"] *a.* 성년의, 장년(壯年)의(*of (full) age*).

Majorität [majorité:t] *f.* -en, 다수.

Majoritäts≈beschluß *m.* 다수결. **~≈prinzip** *n.* 다수결 원리.

Makedonien [makedó:niən] 마케도니아《그리스 북부의 지방명》.

Makel [má:kəl] [Lw. lat.] *m.* -s, -, 오점, 얼룩(*stain, spot*); 흠, 결점(*defect*).

Mäkelei [mɛ:kəlái] *f.* -en, 흠잡기, 트집잡기; 험구. **mäkelhaft**, **mäkelig**

a. 오점〔결점〕이 있는; 비난할. **mäk(e)≈lig** *a.* 까다롭게 구는, 흠잡는, 나무라기 좋아하는. **makellos** *a.* 오점〔결점〕이 없는; 흠없는. **makeln** [má:kəln] [<nd. *maken* „machen"] *i.*(h.) 거간하다; 암거래하다; 더럽히다. **mäkeln** [mέ:kəln] [*eig.* "거간꾼(Makler)처럼 (물건에 대해) 잔소리하다"] *t.* u. *i.*(h.) 나무라다, 흠잡다, 까다롭게 굴다(*find fault with*).

Makkaroni [makaró:ni:] [it.] *pl.* 〖料〗 마카로니.

Makler [má:klər] *m.* -s, -, 거간꾼, 브로커(*broker*). **Mäkler** [mέ:klər] *m.* -s, -, ① 거간꾼. ② 헐뜯기 좋아하는 사람, 트집잡는 사람; 까다롭게 구는 사람.

Makler≈gebühr *f.* 중개료, 구전. **~≈geschäft** *n.* 중개업, 알선 행위.

Makrele [makré:lə] [Lw. fr.] *f.* -n, 〖魚〗 고등어(속)(♈*mackerel*).

Makro≈kosmos [makrokɔ́smɔs, má:krokosmɔs] [gr.] *m.* 대우주. **~mole≈kel** *f.*, **~molekül** *n.* 〖物〗 거대 분자. **~molekular·chemie** *f.* 고분자 화학.

Makrone [makró:nə] [it., ♈Makkaroni] *f.* -n, (편도(扁桃)·난백·설탕 따위를 이겨서 만든) 쿠키(♈*macaroon*).

Makrophon [makrofó:n] [gr.] *n.* -s, -e, 마이크로폰, 확성기.

Makulatur [makulatú:r] [lat. „Fleckiges", <Makel] *f.* -en, 더러운 포장지, 헌종이, 파지, 휴지(*waste paper*).

Mal[1] [ma:l] [*eig.* „Punkt"] *n.* -(e)s, -e *u.* ⁼er, ① 얼룩, 흔적(♈*mole, spot*); (Mutter~) 사마귀, 점. ② (Merk~) 기호, 표지(*mark*); 표시(*sign, token*); 경계표; 출발점〔결승점〕의 표지《선·작은 깃발 따위》(*start, goal*). ③ (Denk~) 기념비(*monument*).

Mal[2] [„Zeitpunkt"] 《Ⅰ》 *n.* -(e)s, -e, 때, 번(番), 회(回). ¶mit einem ~(e) 갑자기 / zum ersten 〔letzten〕 ~(e) 처음〔마지막〕으로. 《Ⅱ》 *adv.* 《合成用語》 "…번, …회, …배"의 뜻. ¶Zwei~ drei ist sechs, 3의 2배는 6.

Malaie [maláiə] *m.* -n, -n, **Malaiin** *f.* -nen, 말레이인.

Malaria [malá:ria] [it.] *f.* ..rien, 말라리아(열).

malen [má:lən] [<Mal[1]] 《Ⅰ》 *t.* u. *i.*(h.) ① (물감·페인트로) 칠하다(*paint*); 채색〔착색〕하다. ② 그리다; (의) 초상화를 그리다(*portray*). ③ 묘사하다(*depict*). 《Ⅱ》 *refl.* ① sich selbst ~ 자화상을 그리다. ② 나타나다, 묘사〔서술〕되다. **Maler** [má:lər] *m.* -s, -, 페인트장이(*painter*); 화가(*artist*). **Maler≈akademie** *f.* 미술 학교. **Malerei** [ma:lərái] *f.* -en, 회화(법); 채색; 묘사. **Malerfarbe** *f.* 그림 물감, 페인트. **Malerin** *f.* -nen, 여류 화가. **male≈risch** *a.* 회화의, 회화적인; 그림 같은, 그림처럼 아름다운.

Maler≈kunst *f.* 화법(畫法), 화술. **~≈pinsel** *m.* 화필. **~scheibe** *f.* 팔레트. **~schule** *f.* 미술 학교; 화파. **~≈stock** *m.* 팔받침《그림 그릴 때 팔을 받치는 나무》.

Malheur [malø̍:r] [fr.] *n.* -s, -e *u.* -s, (약간의) 불행, 재난; 기분 나쁜 일.

Malignität [malɪgnité:t] [lat.] *f.* -en, 〖醫〗 악성(惡性).

Mal≈kasten *m.* 그림 물감 넣는 통. **~kunst** *f.* 화법, 화술.

mal|nehmen* [má:lne:mən] [<Mal[2]] *t.* 〖數〗 곱하다.

malträtieren [màltretí:rən] [fr.] *t.* 학대하다.

Malve [málvə] [lat.] *f.* -n, 〖植〗 당아욱속(♈*mallow*). **malvenfarbig** *a.* 당아욱색의, 홍자색의(♈*mauve*).

Malz [malts] *n.* -es, 맥아(麥芽), 엿기름《양조용》(♈*malt*).

Malz≈bier *n.* 맥아로 만든 맥주. **~≈bonbon** *m.* 〔*n.*〕 진해(鎭咳) 봉봉. **~≈darre** *f.* 맥아 건조 가마.

malzen [máltsən], **mälzen** [mέl-] *t.* u. *i.*(h.) 맥아를 만들다, 엿기름이 되다.

Mälzer *m.* -s, -, 맥아 제조인.

Malz≈extrakt *m.* 맥아 엑스. **~schrot** *m.* 〔*n.*〕 탄 엿기름. **~zucker** *m.* 〖化〗 맥아당.

Mama [mamá:, 小兒 및 俗語: máma:] [fr. *maman*, 기원은 아기의 자연음] *f.* -s, 엄마(♈*mamma*).

Mammalien [mamá:lĭən] [lat.] *pl.* 포유(哺乳) 동물. **Mamme** *f.* -n, (여성의) 유방.

Mammut [mámu:t] [ostsibirisch] *n.* -(e)s, -s *u.* -e, 〖動〗 매머드(♈*mammoth*).

Mamsell [mamzέl] [<fr. Mademoiselle] *f.* -en, ① (시민 계급의) 아가씨(*miss*). ② 가정부 (*house-keeper*); 여점원.

man [man] [Mann과 同語] *prn.* ① 사람, 사람들, 세상 사람들(*one, men, people*). ② 누군가 (어떤 사람), 누구든지 (*one, a man*). ③ 《人稱代名詞 대신으로》 =ich, wir, du, Sie, sie. ¶~ klingle zweimal! 벨을 두 번 눌러 주기 바람 / ~ klopft 누군가 문을 두드리고 있다. ④ 《受動形의 대신으로》 ~ tanzt (=es wird getanzt) 무도회가 있다 / ~ sagt daß... (=es wird gesagt) …이라는 소문이다.

manch [manç] [♈Menge] *prn.* u. *a.* 여러, 꽤 많은(♈*many a; pl.* ♈*many, some*). ① 《語尾變化하는 경우》: ~er starke Mann 여러 힘센 사나이 / ~es Schöne 많은 아름다운 것 / ~e alte Herren 많은 노신사들. ② 《語尾變化하지 않는 경우》: ~ guter Mann 여러 선량한 남자 / ~ tapfere Männer 여러 용감한 사나이들. ③ 《名詞的으로》: ~er, ~ einer, *pl.* ~e 많은 사람들. **man≈cherlei** *a.* 《不變化》 여러 가지의.

manchmal [mánçma:l] *adv.* 여러 차례, 자주, 때때로.

Mandant [mandánt] [lat. *in manum dāre* „in die Hand geben"] *m.* -en, -en, (전권) 위임자(*client*).

Mandarine [mandarí:nə] *f.* -n, 〖植〗 만다리너《귤의 일종》.

Mandat [mandá:t] *n.* -(e)s, -e, 위임, 위탁; (위임의) 명령, 영장(令狀); 위임 통치(령)(♈*mandate*). **Mandatar** [mandatá:r] *m.* -s, -e, 수임자(受任者), 피위탁자; 전권자(♈*mandatory*).

Mandats≈gebiet *n.* 위임 통치령. **~≈macht** *f.* 위임 통치국.

Mandel[1] [mándəl] [Lw. gr. -lat.] *f.* -n, 〖植〗 편도(扁桃)(*almond*); 〖解〗 편도선(*tonsil*).

Mandel[2] [Lw. mlat.] *f.* -(n) 〔*m.* -s, -(n)〕 (북독일의 수량 단위:) 15 개《상품》.

Mandel·baum *m.* 편도나무. **~entzündung** *f.* 〖醫〗 편도선염. **~geschwulst** *f.* 〖醫〗 편도선 비대. **~kleie** *f.* 편도당.

Mandoline [mandolí:nə] [it.] *f.* -n, 〖樂〗 만돌린.

Mandrill [mandríl] [afrikanisch] *m.* -s, -e, 〖動〗 만드릴.

Mānen [má:nən] [lat.] *pl.* (조상의) 망령(♈*manes*).

Mangān [mangá:n] [nlat., Magnesia 의 變形, 겉 모양이 비슷한 데서 이름 붙임] *n.* -s, 〖化〗 망간(♈*manganese*).

Mangān·eisen *m.* 페로 망간. **~glanz** *m.* 유(硫)망간광. **~sauer** *a.* 망간산(酸)의.

Mange [máŋə], **Mangel**[1] [máŋəl] [Lw. gr.] *f.* -n, 천〔세탁물〕에 윤기를 내는 압착 롤러(♈*mangle*).

Mangel[2] [máŋəl] *m.* -s, ⸗ [méŋəl], ① 결핍(*want, deficiency*); 부족(*shortage, absence*); 궁핍 (*distress*). ② 결점, 흠 (*defect, fault*). ¶aus ~ an Geld[3] 돈에 궁하여. **mangelhaft** [máŋəlhaft] *a.* 결점〔결함〕이 있는, 불충분한. **Mangelhaftigkeit** *f.* 결함, 불충분.

Mangelkrankheit [-kraŋkhait] *f.* 영양 실조증, 비타민 결핍증.

mangeln[1] [máŋəln] *t.* 압착 롤러로 윤내다.

mangeln[2] *i.*(h.) 결핍되다 (*want, be wanting, lack*). ¶es mangelt mir an Zeit 시간 여유가 없다. **mangels** [máŋəls] *prp.* 《2格支配》 의 결핍 때문에, 이 없으므로.

mangen [máŋən] =MANGELN[1].

Mangold [máŋgɔlt] *m.* -(e)s, -e, 〖植〗 근대속(♈*mangel-wurzel beet(-root)*).

Manie [maní:] [gr.] *f.* ..nien, 마니아(♈*mania*); 〖醫〗 조광(躁狂); 열광, 심취(心醉), 광(狂).

Manier [maní:r] [fr., <lat. *manus* „Hand"] *f.* -en, ① 수법, 방식. ② 생활 양식, 범절(♈*manner*); 거동, …풍, …류(*fashion, style*). **manieriert** [maniríːrt] *a.* 짐짓 꾸민 듯한, 기교적인, 부자연스런(♈*mannered, affected*). **Manieriert·heit** *f.* -en, 짐짓 꾸밈, 허식, 기교적임; 〖醫〗 현기증(衒奇症). **manierlich** *a.* 예절을 지키는, 예의 바른; 단정한. **Manierlichkeit** *f.* 예의 범절, 예의 바름.

manifest [manifɛ́st] [lat. „handgreiflich"] *a.* 명백한. **Manifest** *n.* -es, -e, 성명서, 선언(♈*manifesto*). **Manifestation** *f.* -en, 표명, 선언; 고시. **manifestieren** *t.* 명시〔성명·선언〕하다.

Maniküre [manikýːrə] [lat. „Handpflege"] *f.* -en, 매니큐어, 미조술.

Manipulator [manipulá:-] [lat.] *m.* -s, ..toren, 매니퓰레이터《방사성 물질 등을 원격 조작하는 장치》.

manipulieren [manipuli:rən] *t.* (손으로) 다루다, 교묘히 다루다, 조종하다; 상술을 쓰다.

Manko [máŋko] [it.] *n.* -s, -s, 결여(*deficiency*); 〖商〗 결손(缺損)(*deficit*).

Mann [man] [*eig.* „Mensch"] *m.* -(e)s, ⸗er, ① 《男女의 구별 없이》 사람, 인간. ¶mit ~ u. Maus 사람 짐승할 것 없이 모두, 남김 없이 모조리. ② 《남자를 "사람"의 대표로 하여》 사람(♈*man*). ¶s-n ~ steh(e)n 남에게 뒤지지 않다 / s-n ~ stellen 전심 전력을 다 기울이다, 최선을 다하다 / **an** den ~ bringen, a) (상품을) 팔다, 팔아 넘기다, b) (딸을) 출가시키다, 여의다 / wenn Not an ~ kommt 만일의 경우에는. ③ (*ant.* Weib) 남자, 사나이. ¶ein ~, ein Wort 사내 대장부에 두 말이 없다, 일구이언은 이부지자라 / für Männer 남자용(변소). ④ (봉건 시대의) 신하, 가신(家臣)(*vassal*); 병사, 수병, 뱃사람. ⑤ (Ehe~) 남편(*husband*). ¶~ u. Frau 부처(夫妻). ⑥ 인원(*person*).

Manna [mána] [gr. *aus* hebr. *man* „Geschenk"] *f.*; od. *n.* -(s), 《Ⅰ》 《*f.* 로서만》 〖聖〗 만나《사막을 방황하던 이스라엘 사람에게 하느님이 내리신 양식》. 《Ⅱ》 〖植〗 만나.

mannbār [mánba:r] *a.* 혼인 연령에 다다른, 묘령의, 성년의《원래는 여자에만 사용했으나 지금은 청년 남녀에 다 같이 쓰임》. **Mannbārkeit** *f.* 결혼 적년(기), 사춘기. **Männchen** [mɛ́nçən] *n.* -s, - *u.* Männerchen, 작은 사람; 《比》 변변치 못한 사람; 〖動〗 수컷(*male, cock*).

Mannequin [manəkɛ̃́:, mánəkɛ̃:] [fr.] *n.* 〔*m.*〕 -s, -s, 인체〔동물〕 모형; 모델 인형; 마네킹; 《比》 쓸모 없는 인간.

Männerchen [mɛ́nərçən] [縮<Männer] *pl.* 난장이들, 작은 인형. ¶du siehst wohl die ~ 자네는 제정신이 아니군. **~haus** *n.* (미개 민족의) 미혼 청년 집회소.

Männer·chōr *m.* 〖樂〗 남성 합창(대). **~scheu** *f.* 남자를 싫어함. **~scheu** *a.* 남자를 싫어하는. **~süchtig** *a.* 남자에 미친.

Mannes·alter *n.* 남자의 한창 때, 장년. **~kraft** *f.* 남자의 힘〔생식력〕. **~schwäche** *f.* =IMPOTENZ. **~stamm** *m.* 남계(男系). **~stolz** *m.* 남자의 영예. **~wort** *n.* (*pl.* -e) 남자의 말.

mannhaft [mánhaft] *a.* 씩씩한, 남자다운. **Mannhaftigkeit** *f.* -en, 남자다움, 과감(果敢)함.

Mannheit [mánhait] *f.* 남자〔어른〕임《그 신분》; 씩씩함; 남자의 힘〔생식력〕; 성년(의 인구).

mannig·fach [manıçfax], **~faltig** *a.* 가지각색의, 많은 종류의(*manifold, various*). **~faltigkeit** *f.* 가지각색, 다종 다양(*diversity, variety*).

Männin [mɛ́nın] *f.* -nen, 여장부, 남자를 능가함.

männisch [mɛ́nıʃ] *a.* 남자 같은 (여자), 남자보다 나은.

Mannit [maní:t, -nít] [*Kw.* <Manna] *m.* -s, -e, 〖化〗 마니트《알콜당》.

männlich [mɛ́nlıç] *a.* ① 남자〔남성〕의, 수컷의(*male*). ② 남자다운, 남성적인, 씩씩한(♈*manly*); 〖文〗 남성의(*masculine*). **Männlichkeit** *f.* 남자다움, 남성적(임).

Mannsbild [-bɪlt] *n.* 사내, 《蔑》 놈.
Mannschaft [mánʃaft] *f.* -en, 《總稱》 남자들; (남자의) 단체, 대(隊), 조(組) (*men*); 〖軍〗 군대, 군인; 〖海〗 승무원 (*crew*); 〖競〗 선수단, 팀(*team*).
Mannschafts≈führer *m.* 〖競〗 주장(主將). **∼küche** *f.* 회식 《특히 육·해군에서의》. **∼geist** *m.* 단체 정신. **∼≈stūbe** *f.* 내무반(內務班).
Manns≈leute *pl.* 남자들. **∼persōn** *f.* =∼BILD. **∼toll** *a.* (여자가) 남자에 미친, 색에 미친. **∼volk** *n.* =∼LEUTE. **∼zucht** *f.* 기율, 군기(軍紀).
Mannweib [mánvaip] *n.* 여장부, 여걸 (*virago*), 남녀추니.
Manomēter [manomé:tər] [gr. "Dünn-messer"] *n.* -s, -, 압력계; 기압계; 혈압계.
Manȫver [manǿ:vər] [fr., <lat. *manus* „Hand", *opera* „Werk"] *n.* -s, -, 조종; 묘책, 책략, 방법; 기동[합대] 연습 (♈*manoeuvre*). **manövrieren** [manøvrí:rən] *i.*(h.) 책략을 쓰다; 기동 연습을 하다.
Mansarde [manzárdə] [fr.] *f.* -n, 〖建〗 2단 물매 지붕의 다락방《프랑스의 건축가 Mansart [mansá:r]의 이름에서》.
manschen [mánʃən] *i.*(h.) u. *t.* 뒤섞다 (*mix*); (물·진창 따위를) 찰박거리다[튀게 하다](*splash about*).
Manschette [manʃétə] [fr. „Ärmelchen"] *f.* -n, 커프스(*cuff*). **∼n≈knopf** *m.* 커프스[소매] 단추.
Mantel [mántəl] [lat.] *m.* -s, ¨, ① 외투, 망토(♈*mantle, cloak, gown*). ¶ den ∼ nach dem Winde hängen 세상 풍조를 좇다. ② 피봉, 덮개; 벽로 장식 벽로 선반; (용광로의) 걸벽; 측면; 피막(被膜). **Mäntelchen** [*dim.* v. Mantel] *n.* -s, -, ① 반코트, 짧은 외투. ② et.[3] ein ∼ umhängen 무엇을 수선하다, 미화하다. **Mäntelein** *n.* -s, -, =MÄNTELCHEN.
Mantel≈hänger *m.* 기회주의자. **∼≈sack** *m.* 배낭, 여행용 가방. **∼trā≈ger** *m.* =∼HÄNGER.
Mantik [mántɪk] [gr.] *f.* 예언술, 점.
Manuāl [manu-á:l] [lat., „Hand"] *n.* -s, -e, 편람, 일기, 일지; 〖商〗 당좌장.
Manufaktūr [manufaktú:r] [lat. „mit der Hand Gemachtes"] *f.* -en, 제조; 제조소, 공장.
Manufaktūr≈arbeiter *m.* 직공, 공원. **∼wāren** *pl.* 공장 제품; (특히) 섬유 제품, 직물.
Manūldruck [manú:l-] *m.* 마눌식 인쇄《옵셋 인쇄의 한 방식, 발명자 Ullmann의 이름을 거꾸로 하여》.
Manuskript [manu-skrípt] [lat. "Hand-schrift"] *n.* -(e)s, -e, 사본, (특히 인쇄할) 원고(略: Mskr.).
Mappe [mápə] [mlat.] *f.* -n, ① †지도. ② (지도의 덮개라는 뜻:) (서화의) 질(帙); 종이 끼우개, 종이 넣는 갑(*case*); 서류 가방(*portfolio*).
Mär [mɛ:r] *f.* -en, =MÄRE.
Marabut [marabú:t] [arab.] *n.* -, -, (이슬람교의) 도사, 성자; 성자의 묘.
Marasmus [marásmus] [lat.] *m.* -, 〖醫〗 소모, 쇠약(증); 노쇠.
Marchand-Tailleur [marʃãtajǿ:r] [fr. „Kaufmann" *u.* „Schneider"] *m.* -s, -s, (점포를 차린) 양복점.
Märchen [mɛ́:rçən] [*dim.* v. Märe] *n.* -s, -, 이야기(*tale, story*); 옛날 이야기, 동화(*fairy tale*).
Märchen≈būch *n.* 옛날 이야기, 동화책. **∼erzähler** *m.* 동화 작가.
märchenhaft [mɛ́:rçənhaft] *a.* 옛날 이야기 같은; 《比》 가공적인, 불가사의한 (*fabulous*).
Märchen≈sammlung *f.*, **∼schatz** *m.* 동화집. **∼welt** *f.* 동화의 세계, 동화 속의 나라.
Marder [márdər] *m.* -s, -, 〖動〗 담비 [(속)(♈*marten*).]
Māre [mɛ́:rə] [*eig.* „Berühmtheit"] *f.* -n, 소문, 풍문; 소식; 이야기(=Märchen); 전설; 《比》 허구(虛構).
Marengo [maréŋgo] [it.] *m.* -s, 마렝고 직(織)《흑백을 섞은 모직, 이탈리아의 도시 Marengo에서》.
Margarēte [margaré:tə] [gr. „die Perle"] *f.* 여자 이름. **Margarīne** [margarí:nə] [<gr. *márgaron* „Perl": 진주산(眞珠酸) 《지방산의 일종》에서 유래] *f.* -n, 마가린.
Marginālwērt [marginá:l-] [lat. margo „Rand"] *m.* 한계 가치[효용].
Marīa [marí:a] [hebr.] *f.* 여자 이름.
Mariage [mariá:ʒə] [lat. -fr.] *f.* -n, 결혼.
Marie [marí:, marí:ə, má:ri:] *f.*, **Ma≈riechen** [-rí:çən] *n.* 여자 이름.
Marīen≈bild [marí:ən-] *n.* 성모상(聖母像). **∼glās** *n.* 〖鑛〗 운모. **∼kāfer** *m.* 〖蟲〗 무당벌레(*ladybird*). **∼tāg** *m.* 〖가톨릭〗 성모 축일(*Lady day*).
Marihuana [marihuá:na] [am. -sp. 토어와 여자 이름 Maria Juana와 혼성?] 멕시코산 마약명.
Marināde [mariná:də] [fr.] *f.* -n, 마리나데《신 맛 나는 소스》.
Marīne [marí:nə] [lat., *mare* „Meer"] *f.* -n; 해사(海事); 선박(전체); 해군(력), 함대.
Marīne≈flieger *m.* 해군 비행사. **∼≈flūgzeug** *n.* 해군(비행)기. **∼mini≈ster** *m.* 해군 장관. **∼ministērium** *n.* 해군성. **∼offizier** *m.* 해군 장교. **∼soldāt** *m.* 해병, 수병. **∼stationn** *f.* 해군 기지; 통제부(統制府).
marinieren [mariní:rən] *t.* 마리나데에 담그다[절이다].
Marionette [màrĭonétə] [fr. <*Marion* „Mariechen"] *f.* -n, 꼭두각시.
Marionetten≈regierung *f.* 괴뢰 정권. **∼theater** *n.* 인형극(장).
maritīm [marití:m] *a.* 바다의, 해사의, 해운에 관한.
Mark[1] [mark] *n.* -(e)s, 수(髓), 수질(髓質)(♈*marrow*); 핵심, 본질. ¶ durch ∼ u. Bein gehen 골수에 사무치다.
Mark[2] *f.* -en, ① (Grenz∼) 경계, 국경, 변경(*boundary, border*); 국경 지방. ② 시읍면 소유지.
Mark[3] [mark] [<Marke, *eig.* "관인이 찍힌 금속 막대기"] *f.* 마르크《독일의 화폐 단위》(♈*mark*).

M

markant [markánt] [fr. <markieren] *a.* 현저한, 탁월한(♈*marked, striking*).

Marke [márkə] [Lw. fr. *marque, aus* d. Mark² „Grenze"] *f.* -n, ① 기호, 부호(♈*mark, sign*); 물표, 표(*token*); (Brief~) 우표(*stamp*). ② (Spiel~) 산가지《카드놀이 등에서 점수를 세는 작은 원판》(*counter*); 〖商〗 상표(*trademark, brand*).

marken [márkən] *t.* 표를하다, 기호를 붙이다.

Marken≈album *n.* 우표(수집)첩. **~≈artikel** *m.* =~WARE. **~frei** *a.* 자유 판매의. **~pflichtig** *a.* 배급의. **~≈schutz** *m.* 상표 보호. **~wāre** *f.* 상표 있는 상품, 특허품.

mark·erschütternd [márk-ɛrʃʏtərnt] *a.* 골수에 사무치는, 소름이 끼치는, 경악할.

Marketender [marketɛ́ndər, markə-] [it., ♈Markt] *m.* -s, -, **Marketen≈derin** *f.* -nen, (옛날의) 종군 매점 상인(*sutter*).

Marketing [má:kɪtɪŋ] [engl.] *n.* -s, 마케팅, 시장 활동.

Mark≈grāf *m.* 〖史〗 (중세의) 변경 방백(方伯). **~grāfin** *f.* 위의 부인.

markieren [markí:rən] [<Marke] *t.* (에) 표〔기호·표지〕를 붙이다(♈*mark*). ¶ markierter Feind 가설〔가상〕적(假設〔假想〕敵).

markig [márkɪç] [<Mark¹] *a.* 골이 있는, 골 모양의(♈*marrowy*); 《比》 (문장·말 등이) 힘있는 (*vigorous, pithy*).

Markise [markí:zə] [fr.] *f.* -n, ① 《= MARQUISE의 독일어형》. ② (아마포로 된) 감아올리는 차양《창안자 Marquise Pompadour의 이름에서》 (*awning, blind*).

Mark≈knochen *m.* 수골(髓骨)《요리용의》.

Markör [markǿ:r] *m.* -s, -e, 급사; (당구의) 계수원.

Mark≈scheider *m.* 광구(鑛區) 측량 기사. **~stein** *m.* 경계석(境界石).

Markstück [márkʃtʏk] *n.* 마르크화폐.

Markt [markt] [Lw. lat.] *m.* -(e)s, ⸚e, ① 저자, 시장(♈*market*). ② (Jahr~) 대목장, 큰 장(*fair*). ③ 광장. ④ 시장, 판로, 거래, 상황(商況)(*trade, business*). ¶ den ~ drücken (투매(投賣)하여) 시장을 침체시키다(*bang*) / den ~ mit billigen Waren überschwemmen 헐값으로 팔다, 덤핑하다(*dump*).

Markt≈analȳse, **~analysis** *f.* 시장 분석. **~būde** *f.* 시장의 점포, 노점.

markten [márktən] *i.*(h.) (um, 을) 깎다(*bargain, haggle*).

markt≈fähig *a.* (시장에서) 팔 수 있는. **~flecken** *m.* 장이 서는 고을, 소읍(小邑). **~gängig** *a.* 잘 팔리는. **~≈halle** *f.* 시장. **~helfer** *m.* 시장 인부《짐을 꾸리거나 나르는 사람》. **~lāge** *f.* 시황(市況). **~meister** *m.* 시장 감독관〔단속관〕. **~platz** *m.* 시장. **~≈preis** *m.* 가격. **~schreier** *m.* 큰 소리로 손님을 부르는 사람; 야바위꾼; 허풍선이(*quack*). **~schreierei** *f.* -en, 과장 광고, 사기. **~schreierisch** *a.* 위의. **~tāg** *m.* 장날. **~verkehr** *m.* 시장 거래. **~wērt** *m.* 시장 가치. **~≈zettel** *m.* 시세표.

Markung [márkuŋ] [<Mark²] *f.* -en, 경계(설정); 경계내의 토지, 시읍면의 소유지.

Markus [márkʊs] [lat.] *m.* ① 남자 이름. ② 〖新約〗 마가.

Marmel [márməl] *m.* -s, -, 〔~**stein** *m.*〕 †《詩》 =MARMOR.

Marmelāde [marmelá:də, marmə-] [gr. -port.] *f.* -n, 잼, 과실의 설탕 조림(*jam*); (Apfelsinen~) 마멀레이드(♈*marmalade*).

Marmelstein [márməlʃtain] *m.* 《詩》 대리석.

Marmor [mármɔr, 때로 -mo:r] [gr. -lat. „(glänzender) Stein"] *m.* -s, -e, 대리석(♈*marble*); 대리석 제품〔상(像)〕.

Marmor≈arbeit *f.* 대리석 세공. **~≈bruch** *m.* 대리석갱(坑).

marmoriert [marmorí:rt] *p. a.* 대리석 같은 무늬가〔결이〕 있는.

marmorn [mármɔrn] *a.* 대리석(제)의.

Marmor≈platte, **~tāfel** *f.* 대리석판(板).

marōde [maró:də] [fr.] *a.* 병든(*ill*); 지쳐버린(*weary, tired*). **Marodeur** [marodǿ:r] *m.* -s, -e, 낙오병; 약탈병《낙오의 결과》, 도둑; 부랑자(♈*marauder*).

marodieren *i.*(h.) 약탈을 일삼다(♈*maraud, pillage*).

Marokkō [marɔ́ko:] *n.* 모로코(♈*Morocco*).

Marōne [maró:nə] [it., fr.] *f.* -n, 〖植〗 밤나무(의 열매)(*edible chestnut*).

Maroquin [marokɛ̃:] [fr. <Marokko] *m.* -s, -s, 모로코 가죽《무두질한 염소 가죽》(♈*morocco*).

Marotte [marɔ́tə] [fr.] *f.* -n, 변덕; 광상(狂想)(*caprice, whim*); 취미, 도락; 장기(長技)(*hobby*).

Marquis [markí:] [fr. *aus* d. „Markgraf"] *m.* -[-kí:(s)], -[-kí:s], 후작(侯爵). **Marquise** [-kí:zə] *f.* -n, 후작 부인〔딸〕.

Mars¹ [mars] [lat.] *m.* -, 〖神〗 마르스《로마 군신》; 《比》 전쟁; 〖天〗 화성.

Mars² [Lw. lat.] *m.* -(es), -e(n) u. *f.* -e(n), 〖海〗 마스트(*top, masthead*).

Marsch¹ [marʃ] [♈Meer, ♈Moor] *f.* -en, 소택지, 간척지, (해안의) 습지(♈*marsh, fen*).

Marsch² [Lw. fr.] *m.* -es, ⸚e, ① 〖軍〗 행진, 행군, 진군(♈*march*). ② 마치, 행진곡, 진군보(譜). ¶ vorwärts ~! 앞으로 갓 / ~, ~! 뛰어 갓.

Marschall [márʃal] [*eig.* „Pferdeknecht", <Mähre *u.* Schalk] *m.* -s, ..schälle, 장관; (Hof~) 궁내 대신; (Feld~) 원수(元帥)(♈*marshal*).

Marschall(s)stāb [márʃal(s)ʃta:p] *m.* 원수장(杖)《권표(權標)》.

Marsch≈befehl *m.* 진군 명령. **~be≈reit** *a.* 행군 준비가 완료된.

Marschbōden [márʃbo:dən] *m.* 소택지, 간척지.

Marschgepäck [-gəpɛk] *n.* 완전 무장한 배낭.

Marschgeschwindigkeit [márʃgəʃ-] *f.* 행군 속도.

marschieren [marʃí:rən] *i.*(s. *u.* h.) 행진〔진군·행군〕하다(♈*march*).

marschig [márʃɪç] *a.* 소택지의, 습한.

Marschkolonne [márʃkolɔnə] *f.* 〖軍〗 행군 종대.

Marschland [márʃlant] *n.* 습지, 소택지.

marsch⸗mäßig *a.* 행군 대형의. **~⸗ordnung** *f.* 행군 서열. **~tempō** *n.* 행진 속도.

Marseillaise [marsɛjɛ́:zə] [fr.] *f.* 프랑스 국가(國歌).

Marseille [-sɛ́:jə, -sɛ́j] *n.* 프랑스의 지중해에 면한 항구 도시 이름.

Mar·stall [márʃtal] [<Mähre] *m.* -(e)s, ..ställe, (왕후(王侯)의) 외양간; 궁정의 말(전부).

Marter [mártər] [Märtyrium„ Zeuge" 의 독일어화] *f.* -n, 고문(拷問), 가책(*torment, torture*; 比: *agony, pang*).

Marter⸗bank *f.* 고문대. **~gerät** *n.* 고문 기구. **~holz** *n.* 십자가.

martern [mártərn] *t.* 고문〔가책〕하다.

Marter⸗pfahl *m.* 고문할 때 쓰는 말뚝. **~tōd** *m.* 고문사(死); 〖宗〗 순교. **~voll** *a.* 고난에 찬. **~woche** *f.* 〖가톨릭〗 성주간(聖週間).

martialisch [martsiá:lɪʃ] [lat. <Mars] *a.* 용맹스러운, 용감한, 상무(尙武)의, 호전적인(♈*martial*).

Martin [márti:n] [lat. Martinus „der Kriegerische"] *m.* 남자 이름.

Märtyrer [mɛ́rtyrər] [gr. "Zeuge"] *m.* -s, -, **Märty(re)rin** *f.* -nen, 순교자(♈*martyr*). **Märtyr(er)tūm** *n.* -(e)s, **Martȳrium** [martý:riʊm] *n.* ..rien [-riən] 순교(♈*martyrdom*); 《比》 수난.

Marxismus [marksísmus] *m.* -, 마르크스주의. **Marxist** *m.* -en, -en, 마르크스주의자.

März [mɛrts] [lat. "군신(軍神) Mars 에게 바친 달"] *m.* -(es), *u.* 《詩》 -en, -e, 삼월(三月)(♈*March*).

März⸗fliege, **~mücke** *f.* 〖蟲〗 털파리 무리.

Marzipān [màrtsipá:n] [ar. -it.] *m.* -(e)s, -e, 편도(扁桃)를 넣어서 만든 과자(♈*marchpane*).

März⸗mōnat *m.* 3월. **~revolutiōn** *f.* (1848년 독일의) 3월 혁명.

Masche [máʃə] *f.* -n, (그물·뜨개질의) 코(♈*mesh*); 그물눈(*stitch*). **maschig** [máʃɪç] *a.* 짠, 그물 모양의, 그물 눈이 있는.

Maschen⸗draht *m.* 철망. **~fest** *a.* 코가 풀리지 않는《양말 따위》; 《比》 견고한, 이의 없는. **~werk** *n.* 편물.

Maschine [maʃí:nə] [lat. -fr.] *f.* -n, 장치, 도구《연극 따위의》; 기계(♈*machine*); 증기 기관; 엔진(*engine*); 《比》 주체 의식이 없는 사람, 《俗》 뚱뚱한 여자. **maschinell** [fr.] *a.* 기계적인.

Maschinen⸗bau *m.* 기계 제조. **~⸗bauer** *m.* 기계 제조 기사. **~führer** *m.* 기계공, 운전사. **~garn** *n.* 기계 방사(紡絲). **~gewehr** *n.* 기관총(略: MG). **~haus** *n.* 기관고(庫). **~mäßig** *a.* 기계적인, 자동적인. **~meister** *m.* 기계장, 기관장; 〖劇〗 도구 담당원. **~papier** *n.* 기계로 만든 종이. **~pistōle** *f.* 자동 권총. **~schāden** *m.* 기계의 고장. **~schlosser** *m.* 기계 금속공(工).

Maschine(n)⸗schreiber *m.*, **~schreiberin** *f.* 타이피스트, 타자수. **~⸗schrift** *f.* 타이프라이터 판(版)〔문서〕.

Maschinen⸗wēbstuhl [-ve:pʃtu:l] *m.* 동력 방직기. **~wēsen** *n.* 기계 공학.

Maschinerie [maʃinəri:] [fr.] *f.* ..rien, 기계 장치; 〖劇〗 도구; 《比》 (정치적인) 기관, 기구. **Maschinist** [maʃiníst] [fr.] *m.* -en, -en, 기계 담당원; 〖鐵〗 기관수; 〖劇〗 도구 담당원.

Māser [má:zər] *f.* -n; od. *m.* -s, -, 나무 무늬, 목문(木紋); 옹이 자리; 얼룩; 자국(*speck(le), spot*). **Māserholz** *n.* 목문이 있는 재목. **māserig** *a.* 목문(木紋)이 있는; 옹이 자국이 있는. **mā⸗serkrank** *a.* 홍역에 걸린. **Māsern** *pl.* 〖醫〗 홍역, 마진(痲疹)(♈*measles*).

māsern *t.* (에) 나무 무늬를 넣다; gemasert (*p. a.*) =MASERIG.

Maske [máskə] [ar. -fr.] *f.* -n, 가면, 탈, 마스크(♈*mask*); 《比》 외관, 눈비움.

Masken⸗ball *m.*, **~fest** *n.* 가장 무도회. **~freiheit** *f.* 가장자의 무례 허용. **~zūg** *m.* 가장 행렬.

Maskerāde [-rá:də] *f.* -n, 가장; 가장무도회. **maskieren** 《Ⅰ》 *t.* (에) 가면을 씌우다; 가장시키다; 〖軍〗 엄폐〔차폐〕하다. 《Ⅱ》 *refl.* 가면을 쓰다, 가장하다.

Maskott [maskɔ́t] [fr.] *m.* -s, -s, **Maskotte** [maskɔ́tə] *f.* *pl.* -s [-kɔ́ts] *u.* -n, 행복을 가져다 주는 부적, 호부(護符); 《比》 인형.

Maskulinum [maskulí:nʊm] [lat.] *n.* -s, ..na, 〖文〗 남성; 남성 명사.

Masochismus [mazɔxísmus] *m.* -, 피학대 음란증.

maß [ma:s] ☞MESSEN (그 過去).

Maß[1] [ma:s] [<messen] *n.* -es, -e, 도(度), 량(量), 척도(♈*measure*); 치수(*size*); (Längen~) 자; (Hohl~) 말(*quart*); (Gewicht~) 저울; 〖樂〗 박자. ¶ jm. das ~ nehmen 아무의 (몸) 치수를 재다 / in hohem ~e 매우, 심히 / nach ~ 치수에 맞추어, 걸맞게 / über alle ~en 터무니 없이, 지나치게. ② 절도(節度), 중용(中庸)(*moderation*). ③ 한도(*limit*).

Maß[2] *f.* -(e), 마스《옛날 액량(液量)의 단위 이름》.

Māßabteilung [má:saptailʊŋ] *f.* (백화점이나 상점의) 마춤복부(部).

Massage [masá:ʒə] [fr., <massieren] *f.* -n, 마사지, 안마술.

Massaker [masákər, masá:kr] [fr.] *n.* -s, -, 살육, 대학살(♈*massacre*). **mas⸗sakrieren** [masakrí:rən] *t.* 살육〔학살〕하다.

Māß⸗analȳse *f.* 〖化〗 용량 분석. **~⸗anzūg** *m.* 마춤옷. **~arbeit** *f.* (의복 등을) 주문맡아 하는 일.

Mäßchen [mɛ́:sçən] *n.* -s, -, 작은 백주 컵.

Masse [másə] [Lw. lat.] *f.* -n, 덩어리; 집단, 다수, 대량(♈*mass, heap, lump*); 양, 크기(*bulk*); 자산(資産)(*assets*); (Konkurs~) 파산 재단(*estate*). ¶ in ~n kommen 큰 무리를 이루어 오다 / die ~ des Körpers 몸의 중요 부분, 몸통. ② die ~ (des Volks) 군중, 대중.

Māße [má:sə] *f.* -n, ☞MAß (그 옛 別形).

mǟße [mɛ́:sə] =MESSEN.

Māß·einheit [má:s-ainhait] *f.* 도량(度量)의 단위.
Massel [másəl] [hebr.] *m.* -s, 〖盜〗 행운.
Massen·absatz *m.* 대량 판매. **~artikel** *m.* 대량 생산품. **~aufgebōt** *n.* 〖軍〗 총동원. **~entlassung** *f.* 대량 해고. **~erzeugung**, **~fabrikatiōn** *f.* 대량 생산. **~grāb** *n.* 공동 묘지.
massenhaft [másənhaft] *a.* 대량의, 다수의; *adv.* 대량으로, 다수로; 대규모로; 〖商〗 도매로.
Massen·mord *m.* 대량 학살. **~produktiōn** *f.* 대량 생산. **~verbrauch** *m.* 대량 소비. **~versammlung** *f.* 대집회. **~weise** *adv.* 떼이〔무리〕를 이루어; 대량으로, 다수로.
Masseur [masǿ:r] *m.* -s, -e, **Masseuse** [-sǿ:zə] *f.* -n, 안마사, 마사지사.
Māß·gābe *f.* 비례, 비율. ¶ nach ~gabe s-r Arbeit 그가 한 일의 양에 따라서. **~gēbend**, **~gēblich** *a.* 표준적인; 권위 있는; 결정적인. **~|halten*** *i.*(h.) 분수〔중용·절도〕를 지키다.
massieren [masí:rən] [fr.] *t.* 안마하다, 마사지하다 (♈*massage*).
massig [másıç] *a.* 다량의, 다수의; 실속〔무게〕있는(*solid*, *heavy*).
māßig [mέ:sıç] [<Maß] *a.* ① 분수를〔중용을〕 지키는, 적당한(*moderate*). ② 소박한, 알뜰한(*frugal*); (mittel~) 광범한, 보통의(*middling*). **māßigen** *t.* 적절히 하다, 알맞게 하다; 완화하다; 제한〔억제〕하다; 줄이다, 경감하다. ¶ gemäßigte Zone 온대(溫帶).
Māßigkeit [mέ:sıçkait] *f.* 중용, 절제; 범용(凡庸).
Māßigkeits·bewēgung *f.* 금주 운동. **~verein** *m.* 금주회(禁酒會).
Māßigung [mέ:sıguŋ] *f.* -en, 완화, 제한, 경감(輕減); 절제, 억제.
massīv [masí:f] [fr., <Masse] *a.* 충실한, 실속 있는, 알뜰한, 무게 있는; 〖鑛〗 덩어리 모양의.
Māß·krūg [má:skru:k] *m.* 1 마스들이 그릇.
Māßlieb [má:sli:p] *n.* -(e)s, -e, **Māßliebchen** *n.* -s, -, 〖植〗 애기 국화.
māßlōs *a.* 제한〔한이〕 없는; 중용을 이탈한, 과도한.
Māß·nahme *f.* 표준〔규범〕을 정함; 조처(*measure*). ¶ ~nehmen〔treffen〕 조치를 취하다. **~rēgel** *f.* 조치 (*measure*); 방법, 수단(*step*). **~rēgeln** *t.* 처치〔조치·처분〕하다. **~schneiderei** *f.* 마춤옷 재봉. **~stāb** *m.* 자(*rule*); 척도 (*measure*); (지도상의) 크기의 비율(*scale*). **~stābgerecht**, **~stābgetreu** *a.* 척도〔규준〕에 맞는. **~voll** *a.* 적당한, 알맞은; 중용을 이룬; 신중한. **~werk** *n.* 〖建〗 고딕 양식의 원형 장식《주로 창의》.
Mast[1] [mast] *m.* -es, -e(n), 돛대; 전주, 안테나 탑.
Mast[2] [mast] *f.* -en, ① 살찌게 합(♈*mast*). ② 사료(*food*); 떡갈나무 열매《옛날에는 돼지 먹이》.
Mastbaum [mástbaum] *m.* 돛대, 마스트(♈*mast*).
Mastdarm *m.* 장(腸)(*rectum*).
māsten [mέstən] *t.* (가축을) 살찌우다 (*fatten*).
Mast·fleck *m.* 비료를 너무 준 토지. **~futter** *n.* 비육사료(肥肉飼料). **~hühnchen** *n.* 살찌운 병아리.
Mastig [mástiç] *a.* 살 찐, 둔한.
Mastkorb [mástkɔrp] *m.* 〖海〗 장루(檣樓).
Mast·kūr *f.* 〖醫〗 비반(肥胖) 요법. **~ochs(e)** *m.* 살찌운 황소. **~schwein** *n.* 살찌운 돼지.
Masturbatiōn [masturbatsĭó:n] [lat.] *f.* -en, 용두질.
Mastvieh [mástfi:] *n.* 살찌워 키운 가축; 《俗》 뚱보
Matadōr [matadó:r] [sp.] *m.* -s, -e; *m.* -en, -en, 투우에서의 살우자; 《比》 걸물; 수괴; 선수; (카드에서) 최고의 패.
Match [mætʃ, mεtʃ] [engl.] *m.* -es, -e, 승부, 시합. **Matchball** *m.* 매치 볼, 승리구.
Māter [má:tər] [lat. „Mutter"] *f.* -n, (활자 주조의) 자모; (활자의) 모형(母型), 자형(字型)(♈*matrix*).
Material [materĭá:l] *n.* -s, -ien, ① 재료, 원료; 자료. ② *pl.* 원료, 약품 재료, 향료. ¶ 〖鐵〗 rollendes ~ 차량.
material·gerecht [-gərεçt] *a.* 재질(材質)에 맞는. **~handlung** [-handluŋ, -hant-] *f.* 식료품점.
materialisieren [materĭalizí:rən] [< lat. Materie] *t.* 물질화〔구체화〕하다.
Materialismus [materĭalísmus] *m.* -, 물질주의, 실리주의; 유물론. **Materialist** *m.* -en, -en, 물질〔실리〕주의자; 유물론자. **materialistisch** *a.* 실리주의의; 유물론의.
Materialwāren [materĭá:lva:rən] *pl.* 원료; 생활 필수품, 일용품《특히 식료품, 향료, 약품, 염료》.
Matērie [maté:rĭə] [lat. *eig.* "물건을 생기게 하는 것", <*mater* „Mutter"] *f.* -n, ① 물질, 원질(原質), 실질(實質), 물(物), 재료; 〖哲〗 질료(質料). ② 소재, 제목(♈*matter*, *substance*, *stuff*). ③ 〖醫〗 분비물, 고름. **materiell** [-rĭέl] *a.* 물질의, 물질〔질료〕적인, 실질적인 (♈*material*); 형이하(形而下)의, 유형의; 경제상의; 물질〔실리〕주의의.
Mathematik [matematí:k, -má:tık] [gr. *máthēma* „das Gelernte"] *f.* 수학 (♈*mathematics*). **Mathemātiker** *m.* -s, -, 수학자. **mathemātisch** *a.* 수학(상)의; 수학적인, 수리적(數理的)인.
Matinee [matiné:] [fr.] *f.* ..nēen, 주간 흥행; (부인의) 아침옷.
Matjes·hēring [mátjəshe:riŋ] [ndl. „Mädchen-hering"] *m.* (알·이리를 배지 않은) 어린 청어.
Matratze [matrátsə] [ar. -fr.] *f.* -n, (침대의) 요(褥), 자리, 매트리스(♈*mattress*).
Matratzenstreu [-tsənʃtrɔy] *f.* (마구간의) 깃짚.
Mätresse [mεtrέsə] [fr. „Meisterin", Herrin] *f.* -n, 첩, 정부(♈*mistress*).
Matrikel [matrí:kəl] [lat. *mater* „Mutter"] *f.* -n, 명부, 대장(臺帳)(*roll*, *register*). **Matrize** [matrí:tsə] *f.* -n, 〖印〗 (활자의) 주형, 지형(♈*matrix*); 〖工〗 틀, 다이스형(型)(*die*). **Matrizenmechanik** *f.* 마트릭스 역학. **Matrōne** [matró:nə] [lat. *mater* „Mutter"] *f.* -n, 늙은 귀부인(♈*matron*).
Matrōse [matró:zə] [ndl.] *m.* -n, -n, 뱃사람, 마도로스(*sailor*).

Matsch[1] [matʃ] [Lw. lat.] *m.* -es, -e, 전패(全敗) 《카드 놀이에서의》(*capot*). ¶ ~ machen 전패시키다 / ~ werden 전패하다.

Matsch[2] [matʃ] *m.* -es, -e, 《俗》 물렁물렁[걸직]한 것; 진창; 수렁 (*mud, slush*). **matschig** *a.* 질척한, 진창의.

matt [mat] [ar. „er ist gestorben", 장기 용어] *a.* ① (schach~) 외통이 된(♈ *mate*). ¶ ~ setzen 외통수를 두다. ② 《比》 녹초가 된, 지칠대로 지친(*weak, feeble*); 맥이 빠진, 무딘(♈*mat, dull*); 〖商〗 불경기의; 희미한(*dim*); 흐린, 흐릿한, 어두운; 윤택 없는, 그슬린(*dead*).

Matte[1] [mátə] [Lw. lat.] *f.* -n, 돗자리, 거적, 매트(♈*mat*).

Matte[2] *f.* -n, (알프스 고지의) 목장, 초원(♈*meadow*).

Matt≈glanz *m.* 그을려 윤을 없애기. **~glas** *n.* 불투명 유리. **~gold** [-gɔlt] *n.* 그을린 금.

Matthä·us [matɛ́:ʊs] [hebr.] 남자 이름; 〖新約〗 마태.

Matt·heit [mát-hait] *f.* 피로, 곤비(困憊); 둔한 빛깔; 불경기. **matt·herzig** *a.* 무기력한, 힘없는, 겁장이인.

Mattigkeit [mátɪç-] *f.* 권태, 피로.

Matt·scheibe [mát-ʃaibə] *f.* (사진기의) 초점(焦點) 유리.

Matze [mátsə] [hebr.] *f.* -n, 〖聖〗 유월절(踰越節)의 무효(無酵)빵.

mau [mau] *a.* 《俗》 평범한; 불충분한.

Mauer [máuər] [Lw. lat.] *f.* -n, (돌·벽돌 따위로 된) 벽, 담, 성벽(*wall*).

Mauerblümchen *n.* 《俗》 (벽의 꽃:) 춤출 상대가 없는 여자[처녀].

mauern[1] [máuərn] *t.* u. *i.*(h.) 벽을 쌓다; 〖蹴〗 전원이 수비하다.

mauern[2] [hebr.] *i.*(h.) 소극적으로 승부하다, 카드 내는 것을 주저하다.

Mauer≈stein *m.* 벽돌; (벽 쌓는데 쓰이는) 모나게 깬 돌. **~werk** *n.* 벽; 벽공사, 벽돌 쌓는 일, 미장이 일. **~ziegel** *m.* 벽돌.

Mauke [máukə] *f.* -n, 〖獸醫〗 슬군(膝皸) 《말의 발에 생기는 습진》.

Maul[1] [maul] [Lw. lat. *mūlus*] *n.* -(e)s, ⸚er, =MAULTIER, MAULESEL.

Maul[2] [maul] *n.* -(e)s, ⸚er, (동물의) 입 (*mouth*); 《卑》 (사람의) 입. ¶ das ~ halten 입을 다물다, 침묵을 지키다 / böses ~ 욕설, 비방 / kein Blatt **vors** ~ nehmen 직언(直言)하다, 거리낌없이 말하다. **Maulaffe** [<Maul offen, 이 것을 Affe에 관련시킴] *m.* 《蔑》 (입을 벌리고) 멍하니 보는 사람, 얼간이. ¶ ~n feilhalten 입을 헤벌리고 보다.

Maul·beerbaum [máulbe:rbaum] [Lw. lat. *mōrum*] *m.* 〖植〗 뽕나무. **~beere** *f.* 〖植〗 뽕나무 열매, 오디.

Mäulchen [mɔ́ylçən] *n.* -s, -, 작은 입.

maulen [máulən] *i.*(h.) 입을 삐죽 내밀다, 뾰로통하다(*sulk, pout*).

Maul·esel [mául-e:zəl] *m.* 〖動〗 버새 《수말과 암나귀와의 잡종》.

maulfaul [máulfaul] *a.* 입이 무거운, 말수가 적은(*taciturn*).

Maul≈hänger *m.* 뾰로통한 사람, 입을 삐죽 내민 사람. **~held** *m.* 허풍선이. **~korb** *m.* (말 따위의) 재갈(*muzzle*). **~schelle** *f.* 뺨을 때림, 따귀를 침. **~sperre** *f.* 〖醫〗 악경련(顎痙攣), 아관 긴장(牙關緊張).

Maultier [máulti:r] *n.* 노새 《수나귀와 암말과의 잡종》.

Maul≈trommel [-trɔməl] *f.* 〖樂〗 구금(口琴) 《철제(鐵製) 말굽형의 작은 악기》. **~- und Klauenseuche** [-ʊnt klauənzɔyçə] *f.* 〖獸醫〗 구제병(口蹄病) 《소·말의 전염병》. **~voll** *n.* 한 입 가득, 한 모금(의 양). **~werk** *n.* 구변, 능변. ¶ 《俗》 ein gutes ~werk haben 구변이 좋다.

Maulwurf [máulvʊrf] [mhd. *mollwerf* „Erdwerfer"의 俗解] *m.* -(e)s, ⸚e, 〖動〗 두더지(♈*mole*). **~s≈haufen, ~s≈hügel** *m.* 두더지가 파서 헤친 흙더미.

Maure [máurə] *m.* -n, -n, 무어 사람(♈*Moor*).

Maurer [máurər] [<Mauer] *m.* -s, -, ① 벽공(壁工), 벽돌장이, 미장이(*mason, bricklayer*). ② (Frei~) 프리메이슨《공제(共濟) 비밀 결사》 회원(*freemason*).

Maurerei *f.* -en, 미장이 직(업).

Maurer≈gesell(e) *m.* 미장이. **~hand≈werk** *n.* 미장이 일. **~kelle** *f.* 흙손. **~meister** *m.* 미장이 우두머리.

Maus [maus] *f.* ⸚e, 쥐(♈*mouse*).

mauscheln [máuʃəln] *i.*(h.) 유대 사람투로 말하다; 카드 도박을 하다.

mäus·chenstill [mɔ́ysçən-] *a.* 쥐죽은 듯이 고요한, 조용한; *adv.* 조용하게.

Mause(Mäuse)·falle [máuzə(mɔ́yzə)-falə] *f.* 쥐덫; 궁지.

Mäusegift [mɔ́yzəgɪft] *n.* 쥐약.

Mause(Mäuse)·loch [-lɔx] *n.* 쥐구멍.

mausen [máuzən] 《Ⅰ》 *i.*(h.) 쥐를 잡다; *i.* (h. *u.* s.) 살금살금 걷다. 《Ⅱ》 *t.* 몰래 훔치다, 좀도둑질하다(*pilfer*).

Mauser [máuzər] *m.* -s, -, 좀도둑.

Mauserei *f.* -en, 절도(竊盜).

mausern [máuzərn] [Lw. lat. *mutāre* „ändern, wechseln"] *refl.* (새가) 털갈이하다(♈*moult*). **Mauserung** *f.* -en, 털갈이(*moulting*).

mause≈still *a.* 죽은 듯이 조용한. **~≈tot** *a.* 완전히 숨이 끊어진.

mausig [máuzɪç] *a.* 교만한, 건방진. ¶ 《俗》 sich ~ machen 젠체하다; 뻔뻔스럽게 굴다.

Maus·ohr [máus-o:r] *n.* 〖植〗 물망초.

Maut [maut] *f.* -en, 관세(關稅), 소비세, 통행세; 세관. **Maut·amt, Maut≈haus** *n.* 세관. **Mautner** *m.* -s, -, 세관리.

Maximalgewicht [maksimá:lgəvɪçt] *n.* 최대 중량.

Maxime [maksí:mə] [fr. *aus* lat. *maxima* (*regula*) „die höchste (Regel)"] *f.* -n, 원칙, 원리, 주의, 준칙, 격언(♈*maxim*).

Maximum [máksimʊm] [lat. „das Höchste"] *n.* -s, ..ma, 최고액(最高額), 최대한, 최고도, 극대(極大).

Mayonnaise [majonɛ́:zə] [fr.] *f.* -n, 마요네즈(를 친 요리).

Mazedonien [matsedó:nĭən] *n.* 마케도니아 《그리스의 주 이름》. **Mazedonier** [-nĭər] *m.* -s, -, 마케도니아 사람.

mazedonisch *a.* 마케도니아의.

Mäzen [mɛtsé:n] *m.* -s, -e, 예술의 보호자《로마 황제 Augustus의 총신이며 예술가의 보호자였던 *Maecēnās*의 이름에서》.
µbar 《略》 =*Mikrobar*.
Mechanik [meçá:nɪk] [gr.] *f.* -en, 기계학; 역학; =MECHANISMUS. **Mechaniker** *m.* -s, -, 기계학자; 기계 제작자; 기계공. **mechanisch** *a.* ① 기계의; 기계학의; 기계적인. ② *adv.* 기계적으로. **mechanisieren** *t.* 기계화하다. **Mechanisierung** *f.* -en, 기계화. **Mechanismus** *m.* -, ..men, 기구(機構), 기관; 장치; 〖哲〗 기계론.
meckern [mɛ́kərn] [擬聲語] *i.*(h.) (염소가) 음매 울다(*bleat*); 《比》 떨리는 소리를 내다, 얼빠진 웃음소리를 내다; 트집잡다, 투덜대다.
Medaille [medáljə, 稀 -dájə] [lat. -fr., „Metall (-scheibe)"] *f.* -n, 기념패, 상패, 메달(♈*medal*). ¶ die Kehrseite der ~ 《比》 사물의 이면(裏面); (흔히) 암흑면. **Medaillon** [medaljɔ̃:] *n.* -s, -s, 대형 기념패, 원형 부조(圓形浮彫)(♈*medallion*); 로켓(*locket*).
mediäval [medĭɛvá:l] *a.* 중세의, 중고의.
Medikament [medikamɛ́nt] [lat. *medicus* „Arzt"] *n.* -(e)s, -e, 약제, 약품.
Medisance [medizã́:sə] [fr.] *f.* -n, 욕설, 비난.
Meditation [meditatsĭó:n] *f.* -en, 명상, 심사, 숙고, 성찰. **meditativ** [-tí:f] [lat. meditieren] *a.* 명상적.
mediterran [mediterá:n] *a.* 지중해의.
meditieren [meditíːrən] [lat.] *i.*(h.) 명상〔심사·성찰〕하다(♈*meditate*).
Medium [mé:dĭum] [lat. „Mitte"] *n.* -s, ..dĭen, ① 중간물; 매개물; 〖物〗 매질. ② (심령술의) 영매(靈媒), 무당.
Medizin [meditsí:n] [lat. *mederi* „heilen"] *f.* ① 의학(♈*medicine*). ② (*pl.* -en) 약제, 약품(*physic*). **Mediziner** *m.* -s, -, 의사; 의학자; 의학생. **medizinieren** *i.*(h.) 복약(服藥)하다. **medizinisch** *a.* 의학(상)의, 의학적인; 의사의; 의약의; 약용의.
Meduse [medú:zə] *f.* ① (**Medusa** *f.*) 〖希神〗 뱀머리를 한 3자매 괴물의 하나. ② (*pl.* -n) 〖動〗 해파리.
Medusenhaupt [medú:zənhaupt] *n.* 메두사의 머리; 〖植〗 대극(속의 일종); 〖醫〗 해사두(海蛇頭)《복부 정맥 비대》.
Meer [me:r] *n.* -(e)s, -e, 바다, 해양(*sea*); (Welt~) 대양(*ocean*). ¶ hohes ~ 난바다, 배래 / das Stille ~ 태평양.
Meer≠busen *m.* 만(*bay, gulf*). **~enge** *f.* 해협(*straits, channel*).
Meeres≠arm *m.* 만(灣), 후미. **~boden** *m.* 해저. **~fläche** *f.* 해면. **~flut** *f.* 조수, 만조(滿潮). **~grün** *a.* 담녹색의. **~grund** *m.* 해저. **~höhe** *f.* 해발(*sea level*). **~kunde** *f.* 해양학. **~küste** *f.* 해안. **~spiegel** *m.* 해면. ¶ über dem ~spiegel 해발 / unter dem ~spiegel 해면하(海面下). **~stille** *f.* 바다의 정온. **~straße** *f.* 해협. **~strömung** *f.* 조류. **~tiefe** *f.* 해심(海深).
Meer≠fahrt *f.* 항해. **~frau** *f.* 인어. **~gott** *m.* 해신(海神). **~grün** *a.* 담녹색의. **~katze** *f.* 〖動〗 긴꼬리원숭이. **~kuh** *f.* 해우(海牛). **~leuchten** [-lɔyçtən] *n.* 해상의 인광(燐光)《편모충(鞭毛蟲) 따위에 의한》. **~mädchen** *n.* 인어. **~rettich** [Meer는 „Sumpf"의 뜻] *m.* 〖植〗 서양 고추냉이. **~schaum** *m.* 바다 거품; 〖鑛〗 해포석. **~schwein** *n.* 〖動〗 돌고래의 일종(*porpoise*). **~schweinchen** *n.* 〖動〗 기니아픽(*guinea pig*). **~ufer** *n.* 해안. **~weib** *n.* 인어. **~zwiebel** *f.* 〖植〗 해총(海葱).
Meeting [mí:tɪŋ] [engl.] *n.* -s, -s, 집회; 경기 대회; 대전(對戰).
Megahertz [megahɛ́rts] *n.* -, -, 백만 헤르츠《진동수의 단위, 기호: MHZ》.
Megäre [megɛ́:rə] [gr.] *f.* -n, 〖神〗 복수의 세 여신(Erinnyen)의 하나; 《比》 독부(毒婦), 한부(悍婦)(*termagant, vixen*).
Mehl [me:l] [<mahlen] *n.* -(e)s, -e, 《*pl.*은 種類를 나타냄》. ① 곡식 가루(♈*meal*); (특히) 밀가루(*flour*). ② 《比》 가루, 분말, 티끌.
Mehl≠brei *m.* 밀가루 죽. **~handel** *m.* 밀가루 장사. **~händler** *m.* 밀가루 장수.
mehlig [mé:lɪç] *a.* 가루 모양의; 전분질의; 가루투성이의.
Mehl≠käfer *m.* 〖蟲〗 거저리. **~kleister** *m.* 밀가루풀. **~kloß** *m.* 밀가루 경단. **~sack** *m.* 가루 포대. **~speise** *f.* 곡식 가루로 만든 음식; 푸딩. **~suppe** *f.* 밀가루 수프(죽). **~tau** *m.* =MELTAU 《그 속해(俗解)에 의한 꼴》. **~teig** [-taik] *m.* (가루) 반죽. **~wurm** *m.* 〖蟲〗 거저리의 유충.
mehr [me:r] 《Ⅰ》 *a.* u. *adv.* 보다 많은; 보다 큰; (*adv.*) 보다 많이, 한층 더(♈*more*). ¶ ~ oder weniger 다소간에, 많건 적건 / immer ~ 〔~ und ~〕 점점 더, 더욱 더(많이) / noch ~ 더욱 더 / nur ~ 《俗》 더욱 더 / umso 〔desto〕 ~ 그 만큼 더 / viel ~ 훨씬 더 / nicht ~ 이미 …아니다, 두번 다시 …않다 / er ist kein Kind ~ 그는 이미 어린애가 아니다. 《Ⅱ》 *adv.* (sehr의 比較級) 더욱, 한층 더; 차라리. 《Ⅲ》 **Mehr** *n.* -(s), 나머지, 잉여, 초과(*surplus*); 추가, 증가(*increase*); 다수(*majority*).
Mehr≠arbeit *f.* 초과〔시간외〕 노동. **~aufwand** *m.* 지출 초과. **~ausgabe** *f.* 지출 초과; (주식·지폐의) 초과 발행. **~bedarf** *m.* 수요 과잉. **~betrag** *m.* 초과액, 잉여액. **~deutig** [-dɔytɪç] *a.* 다의(多義)의, 애매〔모호〕한(*ambiguous*). **~dimensional** *a.* 고차원의. **~einnahme** *f.* 수입 초과, 증수.
mehren [mé:rən] *t.* 불리다, 늘리다(*increase*); 증대시키다(*augment*); *refl.* 증가하다, 불어나다. **Mehrer** *m.* -s, -, 증가시키는 사람, 확장자. **mehrere** [mé:rərə] (mehr의 比較級) *a.* ① 몇개의, 약간의(*several*). ② 《單數形으로》 ~es 두서넛, 여럿 / ein ~s, a) 더 상세한 내용, 그 후의 보도, b) 〖官〗 = MEHR. **mehrerlei** *a.* 《不變化》 여러 가지의, 가지가지의.
mehr≠fach, **~fältig** *a.* 수배의, 중복되는; 여러 겹의; 되풀이되는; *adv.* 되풀

이하여. ∼**farbig** *a.* 다색(多色)의. ∼**fingerigkeit** *f.* 〖病理〗 (Polydaktylie) 다지(多指)증. ∼**gebōt** *n.* (경매에서) 남보다 높은 값을 매김. ∼**gewicht** *n.* 초과 중량.

Mehrheit [méːrhait] *f.* -en, 보다 많음, 다수; (투표의) 과반수.

Mehrheits=beschluß *m.* 다수결. ∼**grundsatz** *m.*, ∼**prinzip** *n.* 다수결 원리. ∼**volk** *n.* (한 나라 안의) 다수 민족.

mehr=jährig *a.* 여러 해의, 수년의. ∼**kosten** *pl.* 초과 비용. ∼**mālig** *a.* 여러 번의. ∼**māls** *adv.* 여러 번, 수차, 번번히. ∼**seitig** *a.* 다(방)면의. ∼**silbig** *a.* 〖文〗 다철(多綴)의. ∼**stimmig** *a.* 〖樂〗 다성(多聲)의, 다음부의, 중음(重音)의. ∼**stūfe** *f.* 〖文〗 비교급 (*comparative*).

Mehrung [méːruŋ] *f.* -en, 증가, 증대.

Mehr=wērt *m.* 잉여 가치. ∼**zahl** *f.* 다수, 과반수; 〖文〗 복수(*plural*).

meiden* [máidən] [♈missen] *t.* 피하다 (*avoid*); 기피하다(*shun*). **Meidung** *f.* -en, 회피, 도피.

Meier [máiər] [Lw. lat. *mājor*„ der Größere"] *m.* -s, -, ① (중세에는 왕후·대지주의) 집사(執事), 가령(家令), 청지기. ② (지금은 농장·목장 따위의) 지배인, 관리인(*steward*); 소작인; 낙농가(酪農家). **Meierei** *f.* -en, 낙농(장); 농장. 「장(酪農場).

Meier=gūt *n.*, ∼**hōf** *m.* 농장, 낙농

Meile [máilə] [lat. *mīlia* (*passum*)„tausend (Schritt)"] *f.* -n, 마일(♈*mile*).

Meilen=stein *m.* 이정표. ∼**weit** *a.* 1마일 거리의; 수 마일 떨어진.

Meiler [máilər] [Lw. lat.] *m.* -s, -, ∼**ōfen** *m.* 숯굽는 가마.

mein[1] [main] *prn.* 《I》 (人稱代名詞 ich의 2格 meiner의 短縮形) 나의, 나에 관하여(♈*mine*). ¶vergiß ∼(er) nicht 나를 잊지 마라. 《II》 (所有代名詞인 1人稱單數) 나의(♈*my*); 내것(♈*mine*). ¶dieses Buch ist ∼ 이 책은 내 것이다 / dein Buch u. ∼es 너의 책과 나의 것(책) / der, die, das ∼e, *pl.* die ∼en 나의 것.

mein[2] [main] *a.* †그릇된; 거짓의(*false*).

Mein·eid [máin-ait] *m.* 거짓 맹세, 위증(*prejury*). **mein·eidig** *a.* 거짓 맹세의. ¶∼ werden 거짓 맹세하다.

meinen [máinən] *t.* u. *i.*(h.) ① 생각하다(*think*), (…라고) 상상[추측]하다, 여기다; …한 의견이다(*be of the opinion*). ② (의견 따위를) 말하다. ③ (…을 하려고) 생각하다; (…을) 의미하다, …한 뜻[생각]으로 말하다; (…을) 가리켜서 말하다(♈*mean, intend*). ¶wie ∼ Sie? 무어라고 말씀하셨읍니까 / es ehrlich ∼ 성의가 있다.

meinerseits [máinərzaits] *adv.* 내 쪽에서(는), 나로서는. ¶ich ∼ 나 개인[자신]으로서는. **meinesgleichen** [máinəsglaiçən, -gláiçən] *prn.* (不變化) 나 같은 사람들, 나의 동배(同輩). **meinesteils** [mái-] *adv.* 내편에서는, 나로서는.

meinet=halben [máinət-], ∼**wēgen**, um ∼**willen** *adv.* 《I》 나를 위해서, 제발 부탁이니. 《II》 나에게 상관 말고, 내 염려는 말고. ¶∼wegen mag er es tun 그가 그렇게 한다면 그리 해도 상관 없다.

meinige [máinɪgə] (der, die, das ∼) *prn.* (所有代名詞) 나의 것. ¶die ∼n (*pl.*) 나의 가족[친구·부하], 내편 사람/ das ∼, a) 내 재산[소유물], b) 나의 의무[책임].

Meinung [máinuŋ] *f.* -en, 의견, 생각 (♈*meaning, opinion, thought, intention*). ¶die öffentliche ∼ 여론, 세평 / ich bin der ∼[2], daß..., 나는 …한 의견이다 / nach m-r ∼ [m-r ∼ nach] 내 생각으로는.

Meinungs=äußerung *f.* 의견의 발표. ∼**austausch** *m.* 의견의 교환. ∼**forschung** *f.* 여론 조사. ∼**freiheit** *f.* 견해(발표)의 자유. ∼**pflēge** *f.* = PUBLIC RELATIONS. ∼**verschiedenheit** *f.* 의견의 상치. 「(*tit*, ♈*mouse*).

Meise [máizə] *f.* -n, 〖鳥〗 박새과의 새

Meißel [máisəl] [<metzen] *m.* -s, -, 끌(*chisel*). **meißeln** *t.* u. *i.*(h.) 끌로 파다[새기다], 조각하다.

meist [maist] [<mehr] (viel의 最上級) 《I》 *a.* 가장 많은, 최대수의, 최대량의; 대개의(♈*most*). 《II》 *adv.* 가장 많이, 대개, 흔히, 거의. ¶am ∼en 가장 많이.

meist=begünstigt *a.* 가장 우대받는, 최혜(最惠)의. ∼**begünstigung** *f.* 최혜국 대우. ∼**begünstigungsklausel** *f.* 최혜국 약관(最惠國約款). ∼**bietend** *a.* 최고로 호가(呼價)하는. ∼**bietende** *m.* u. *f.* (形容詞變化) 최고로 호가하는 사람, 낙찰자.

meistens [máistəns], **meistenteils** *adv.* 대개, 흔히, 십중 팔구는.

Meister [máistər] [Lw. lat., =Magister] *m.* -s, -, ① 웃사람, 장(長), 우두머리. ¶der ∼ vom Stuhl 프리메이슨 지부장(支部長). ② 주인, 지배인. ③ 스승, 교사. ④ 명인, 대가, 거장, 전문가(♈*master*). ¶(俗談) Übung macht den ∼ 명인은 수련(修練)의 소치. ⑤ 〖競〗 선수권자(*champion*). **Meister·arbeit** *f.* 걸작, 명작.

meisterhaft [-haft] *a.* 두목 [명인·스승]다운; 능란한, 뛰어난. **Meisterhand** *f.* 명수, 명인; 능숙, 교묘. **Meisterin** *f.* -nen, 여주인; 여스승; 우두머리의 아내. **meisterlich** *a.* =MEISTERHAFT. **meistern** *t.* 지배[극복·제어]하다, 마음대로 하다; 숙달[마스터]하다.

Meistersänger *m.* =∼SINGER.

Meisterschaft [máistərʃaft] *f.* (장인) 우두머리[스승]의 신분; 명인[명수]임; 교묘, 능숙, 노련, 탁월; 우승자의 지위, 선수권 (보지).

Meister=singer *m.* 공장가인(工匠歌人) (15·6세기 독일의 장인(匠人) 시가(詩歌) 조합의 시인); 명가수. ∼**spiel** *n.* 교묘한 연주. ∼**streich** *m.* 묘기, 대성공. ∼**stück** *n.* (장인의 우두머리가 되기 위하여 조합에 제출하는) 시험 작품; (比) 걸작, 명작(*masterpiece*). ∼**werk** *n.* 걸작. 「격(을 붙임).

Meistgebōt [máistgəboːt] *n.* 최고 가

M

Melamin·harz [melamí:n–] [*Kw.* melan– *u.* Amin *u.* Harz] *n.* 멜라민 수지(樹脂).

melan.., Melan.. [melan–] [gr. *melas* „schwarz"] 《合成用語》 검은, 암색의.

Melan·cholie [melaŋkolí:] [gr. „Schwarz-galligkeit"] *f.* ..lien, 우울, 침울; 〖醫〗 우울증. **Melancholiker** *m.* -s, -, 우울한 사람; 우울증 환자. **melancholisch** *a.* 우울증의, 울적한, 음산한, 침울한, 생각에 잠긴.

Melasse [melásə] [fr., <lat. *mel*„ Honig"] *f.* -n, 당밀(糖蜜)(♈*molasses*).

Melde=amt *n.* 호적 취급 관청. **~=gänger** *m.* 도보 전령. **~liste** *f.* (경기의) 참가 신청 명부.

melden [méldən] 《Ⅰ》 *t.* u. *i.*(h.) ① 알리다; 보고하다, 통지하다, 보도하다(*inform*); 신고하다(*notify*). ¶zu dem Rennen ~ 경기 참가를 신청하다. ② 도착〔내방〕을 알리다(*announce*). ¶sich ~ lassen 안내〔면회〕를 청하다. 《Ⅱ》 *refl.* 신고〔신청〕하다; 지원하다; 출두하다; 내방하다; 도착을 알리다; 지망하다.

Melde=reiter *m.* 〖軍〗 전령 기병(騎兵). **~schluß** *m.* (경기 참가의) 신청 마감. **~stelle** *f.* 화재 통보소. **~zettel** *m.* 신고 용지.

Meldung [méldʊŋ] *f.* -en, 통지, 보고, 보도; 신고; 경기 참가 신청.

melieren [melí:rən] [lat. –fr.] 《Ⅰ》 *t.* 섞다, 혼합하다. 《Ⅱ》 **meliert** *p.a.* 잡색(雜色)의, 가늘고 흰 점이 뒤섞인(옷감); (머리가) 희끗희끗한.

Melioration [melĭoratsĭó:n] [lat.] *f.* -en, (토지) 개량. **meliorieren** *t.* (토지 따위를) 개량하다.

Melismatik [melismá:tɪk] [gr. Melisma] *f.* 〖樂〗 선율 장식법.

Melisse [melísə] [gr.] *f.* -n, 〖植〗 멜리사, 향수 박하(*balm*(*-mint*)).

Melk·eimer *m.* 착유통(搾乳桶). **mel=ken**(*) [mélkən] [<Milch] *t.* (소의) 젖을 짜다(♈*milk*). **Melker** *m.* -s, -, 젖 짜는 사람. **Melkerei** *f.* -en, 착유; 젖 짜는 곳.

Melk=faß *n.*, **~kübel** *m.* 착유통(搾乳桶). **~kuh** *f.* 젖소. **~schemel** *m.* 젖짤 때 앉는 의자.

Melodie [melodí:] [gr.; *mélos* „Glied., Lied", *ōdé* „Gesang"] *f.* ..dien, 〖樂〗 선율, 곡조, 멜로디. **melodiös, melo=disch** *a.* 선율적인, 곡조가 아름다운.

Melodrama *n.* 감상적인 통속극, 멜로드라마.

Melone [məló:nə] [it. „großer Apfel", <gr. *mêlon* „Apfel"] *f.* -n, 〖植〗 멜론(♈*melon*); (Wasser~) 수박.

Meltau [mé:ltau] *m.* -(e)s, (식물을 시들게 하는) 흰곰팡이(♈*mildew*).

Membran(e) [mɛmbrá:n(ə)] [lat.] *f.* ..nen, 〖生〗 막(膜), 엷은 막(♈*membrane*); (전화기의) 진동판.

Memme [mémə] [擬聲語, m은 젖을 빠는 소리] *f.* -n, 겁장이, 소심한 사람(*coward, poltroon*). **memmenhaft** *a.* 겁많은.

Memoire [memoá:r] [fr.] *n.* -s, -s, 기억, 회상; 기록, 각서. **Memoiren** [memoá:rən] [fr. „Gedächtnisse"] *pl.* 회상록. **Memorandum** *n.* -s, ..den *u.* ..da, 비망록. **memorieren** [memorí:rən] *t.* 기억하다(♈*memorize*).

Menage [mená:ʒə] [fr., <lat. *mansio* „Haus"] *f.* -n, 가정(家政); 그릇 바구니; 양념 그릇 대(臺). **Menagerie** [menaʒərí:] [*eig.* „großer Haushalt mit Tieren"] *f.* ..rien [-rí:ən], 동물 곡예단; 동물원(♈*menagery*). **menagieren** [-ʒí:rən] *t.* 절약하다. 소중히 하다; *refl.* 절제하다.

Menge [méŋə] [♈manch] *f.* -n, ① 양, 수량(*quantity, amount*). ② 다수, 다량, 많음. ③ 무더기; 군중(*great quantity, plenty, multitude*); 〖數〗 집합. ¶ e-e ~ junge Leute 〔junger Leute〕 많은 젊은 사람들 / die (große) ~ 민중, 대중; 공중; 사회. **mengen** [méŋən] *t.* 섞다, 혼합하다, 뒤섞다(♈*mingle, mix, blend*); *refl.* 섞이다, 혼입되다; 《比》 (in et., 에) 개입〔간섭〕하다. **Mengen=lehre** *f.* 〖數〗 집합론. **Mengenrabatt** *m.* 대량 매입에 대한 할인. **Mengerei** *f.* -en, 혼합. **Mengfutter** *n.* 혼합 사료. **Mengsel** [méŋzəl] *n.* -s, -, 혼합물, 뒤범벅.

Mennig [méniç] [Lw. lat. *minium*] *m.* -(e)s, **Mennige** [-ɪgə] *f.* 연단(鉛丹)(♈*minium*).

Mensch [mɛnʃ] [ahd. *mann-isco* „männisch", <Mann] 《Ⅰ》 *m.* -en, -en, 사람, 인간(*man, person*); 인류(*human being*). 《Ⅱ》 *n.* -es, -er, 《蔑》 계집, 암컷; 천한 여자; 매춘부, 창부(♈*wench*).

Menschen=affe [ménʃən-afə] *m.* 〖動〗 유인원. **~alter** *n.* 일대(一代), 세대, 제너레이션《약 30 년》(*generation, age*). **~art** *f.* 인간의 종류; 인성(性). **~=feind** *m.* 사람을 싫어하는 사람, 염세자(*misanthrope*). **~feindlich** *a.* 사람을 싫어하는. **~fleisch** *n.* 인육(人肉). **~floh** *m.* 사람(및 개·고양이·쥐·가금 등)에 붙는 벼룩. **~fresser** *m.* 식인자(食人者)(*cannibal*). **~freund** *m.* 박애〔인도〕주의자(*philanthropist*). **~freundlich** *a.* 박애의, 인도적인. **~führung** *f.* (기업에 있어서의) 인간 지도. **~gebot** *n.* 인간의 계율. **~=gedenken** *n.*: seit ~gedenken 유사〔개벽〕 이래. **~geschlecht** *n.* 인류(*mankind*). **~handel** *m.* 인신〔노예〕 매매. **~haß** *m.* 인간을 싫어함, 염세(*misanthropy*). **~herz** *n.* 사람의 심장〔심정〕. **~kenntnis** *f.* 인심 세태의 지식. **~kind** *n.* 사람의 자식, 인간. **~kunde** *f.* 인류학. **~leben** *n.* 인생, 인명. **~leer** *a.* 사람이 없는, 황폐한. **~liebe** *f.* 인간애, 인류애. **~=los** *n.* 사람의 운명. **~material** *n.* 인력(人力), 인적 자원. **~menge** *f.* 군중. **~möglich** *a.* 인력이 미치는, 인간으로서 할 수 있는. **~opfer** *n.* 산 사람을 제물로 바침. **~rasse** *f.* 인종(人種). **~raub** *m.* 유괴. **~recht** *n.* 인권. **~scheu** [-ʃɔy] *a.* 사람을 겁내는, 교제를 싫어하는. **~schinder** *m.* 인간을 학대하는 사람. **~schlag** *m.* 인종. **~seele** *f.* 사람의 영혼; 인간.

∼sohn *m.* 〖宗〗 인자(人子)《예수의 자칭》.

Menschentum [mέnʃəntu:m] *n.* -(e)s, 「인류; 인간성.」

Menschen·verstand *m.* 인지(人智), 오성(悟性). ¶ gesunder ∼verstand 상식(常識). **∼werk** *n.* 인공, 인조물. **∼würde** *f.* 인간의 존엄.

Menschheit [mέnʃhait] *f.* ① 인류, 인간(*human race, mankind*). ② 사람다움, 사람임, 인간성.

menschlich [mέnʃlıç] *a.* ① 인간의, 인간다운, 인간적인(*human*). ② 인도적인, 인정이 있는(*humane*). **Menschlichkeit** *f.* -en, 인성(人性), 인정; 인정이 있음, 인도(*humanity*). **Menschwērdung** *f.* 〖宗〗 (신의) 인카르나치오《화신(化身)·탁신(託身)》, (그리스도의) 강생.

Menstruatiōn [mɛnstruatsĭó:n] [lat. *mensis* „Monat"] *f.* -en, 〖醫〗 (Monatsfluß) 월경; 통경(通經). **menstruieren** *i.*(h.) 월경이 있다.

Mensūr [mɛnzú:r] [lat. „Messung, Maß"] *f.* -en, (정해진) 거리(♈*measure*); (일정한 거리를 유지하고 하는) 결투(*duel*). **mensurābel** *a.* 측정할 수 있는.

mentāl [mɛntá:l] *a.* 마음의, 정신의. **Mentalitāt** [mɛntalitέ:t] [lat. *mens* „Geist"] *f.* -en, 심적(心的) 상태, 심성(心性); 성향(性向), 기질.

Menthōl [mɛntó:l] [lat.; *mentha* „Minze", *oleum* „Öl"] *n.* -s, 〖化〗 멘톨, 박하뇌(薄荷腦).

Menuett [menuέt] [lat. „Kleinschrittanz"] *n.* -(e)s, -e, 메누엣《프랑스의 우아한 무도(舞蹈)》; 메누엣 무곡(♈*minuet*).

Mergel [mέrgəl] [Lw. mlat.] *m.* -s, -, 〖地〗 이회암(泥灰岩)(♈*marl*). **Mergelbōden** *m.* 이회암질(泥灰岩質)의 토지. **Mergelgrūbe** *f.* 이회암 갱(坑). **merg(e)lig** *a.* 이회암질의. **mergeln** *t.* (에) 이회암 비료를 주다.

Meridiān [meridĭá:n] [lat., *merī*(eig. *medi-*) *diēs*, „Mit-tag"] *m.* -s, -e, 〖天〗 자오선(子午線). **meridionāl** *a.* 자오선의, 정오의.

merkantīl(isch) [mɛrkantí:l(ıʃ)] [lat.] *a.* 상인〔상업〕의. **Merkantilismus** *m.* -, **Merkantīlsystēm** *n.* 중상주의(重商主義).

merkbār [mέrkba:r] *a.* 인식〔지각〕할 수 있는; 기억할 수 있는. **Merkblatt** *n.* 메모, 적바림 종이. **Merkbūch** *n.* 비망록.

merken [mέrkən] [<Marke] 《Ⅰ》 *t.* ① 명심하다, 기억하다(♈*mark, note*). ② 인지하다, 알아채다, 지각하다(*observe, perceive*). ¶ jn. nichts ∼ lassen 아무에게 아무 내색도 하지 않다, 알아 채지 못하게 하다 / sich³ et. ∼ lassen 무엇을(딴 사람에게) 낌새 채이다, 눈치 채이다 / sich³ nichts ∼ lassen 시치미를 떼다. 《Ⅱ》 *i.*(h.): auf jn. 〔et.〕 ∼ 아무를〔무엇을〕 주의하다, 조심하다. **merklich** *a.* 인식할 수 있는; 현저한, 눈에 띄는. **Merkmāl** *n.* -e, 표, 특징, 기호, 부호, 표지; 〖醫〗 징후(徵候).

Merkūr [mɛrkú:r] [lat.] ① *m.* 〖羅神〗 상업〔도적〕의 신(=〖希神〗 Hermes). ② *m.* od. *n.* -s, 〖化〗 수은.

merk·würdig [mέrkvʏrdıç] *a.* 주목할 만한 (*remarkable*); 현저한; 기묘한 (*strange*). **∼würdigerweise** *adv.* 이상하게도, 기묘하게도. **∼würdigkeit** *f.* 주목할 만함; 기묘함; 뚜렷한 것; (*pl.* -en) 명물, 명승지(名勝地). **∼zeichen** *n.* 표지(標識); 안표(眼標), 스탬프.

Mesner [mέsnər] [Lw. mlat.] *m.* -s, -, (교회의) 잡일꾼, 사찰(*sacristan, sexton*).

Meso·lịthikum [mezolí:tikʊm] [gr. „Mittel-steinzeit"] *n.* -s, 〖考古〗 중석기 시대. **mesolịthisch** 중석기 시대의.

Meß [mɛs] [engl] *f.* Messen, 장교 집회소.

Meß·amt [mέs-amt] *n.* 〖가톨릭〗 미사.

Meßband [-bant] *n.* 두루말이 자, 권척(卷尺). **meßbār** *a.* 잴 수 있는, 가측적(可測的)인.

Meß·būch *n.* 〖가톨릭〗 *n.* 미사 경본. **∼būde** *f.* 큰 장의 노점. **∼diener** *m.* 복사(服事).

Messe[1] [mέsə] *f.* -n, =MESS.

Messe[2] [mέsə] [lat.] *f.* -n, ① 〖가톨릭〗 미사, 미사 성제. ¶ die ∼ lesen 미사를 올리다. ② (Handels∼) 큰 장, 견본시(見本市)《성당의 축제와 결부되어 생김》(*fair*). **Messe·halle** [-halə] *f.* 견본시 회장(會場).

messen* [mέsən] 《Ⅰ》 *t.* 재다(♈*measure*), 측정〔측량〕하다, (의) 치수를 재다. ¶ er mißt 5 Fuß 그의 키는 5피트다. 《Ⅱ》 *refl.* (mit, 와) 힘을 겨루다, 승패를 짓다(*try one's strength* (*with*), *compete* (*with*)). ¶ sich mit jm. ∼ können 아무와 필적하다, 못하지 않다. **Messer**[1] [mέsər] *m.* -s, -, 계량〔측량〕하는 사람; 계량기, 미터. 「스; 식칼.」

Messer[2] *n.* -s, -, 나이프(*knife*); 메

Messer·bank *f.*, **∼bänkchen** *n.* 나이프 대(臺)《식탁 위의》. **∼besteck** *n.* 한 벌의 나이프 및 포크. **∼heft** *n.* 나이프의 자루. **∼klinge** *f.* 나이프의 날. **∼rücken** *m.* 나이프의 등. **∼scheide** *f.* 나이프〔칼〕 집. **∼schmied** *m.* 도공(刀工). **∼schneide** *f.* 나이프의 날. **∼schnitt** *m.* 나이프로 벰. **∼spitze** *f.* 칼끝, 나이프의 날끝. **∼stich** *m.* 나이프로 찌름.

Meßflügel [mέsfly:gəl] *m.* 관류익(觀流翼)《수속(水速)계》.

Meß·gewand *n.* 미사복, 제의(祭衣). **∼hemd** *n.* 제의 밑에 입는 백의(白衣).

Messịas [mɛsí:as] [hebr. „der Gesalbte"] *m.* -, 구세주, 메시아, 예수(♈*Messiah*). 「쇠, 황동(黃銅)(*brass*).」

Messing [mέsıŋ] [gr. -sl.] *n.* -s, 놋

Messing·blech *n.* 놋쇠판. **∼draht** *m.* 황동 철사.

messingen [mέsıŋən], **messing(i)sch** [mέsıŋ(ı)ʃ] *a.* 놋쇠의, 황동제의.

Meß·kette *f.* 측쇄(測鎖). **∼kunde**, **∼kunst** *f.* 측량술.

Meß·opfer *n.* 미사의 제물. **∼priester** *m.* 미사 집행 사제.

Meß·rūte *f.* 측간(測桿). **∼stange** *f.*, **∼stock** *m.* 측량 장대. **∼tisch** *m.* 측

량용 책상; 평판(平板). **~tischblatt** *n.* 측량용(2만 5천분의 1) 지도. **~trupp** *m.* 측량반(測量班). 「(聖體布).

Meßtuch [méstu:x] *n.* 〖가톨릭〗 성체포

Messung [mésuŋ] *f.* -en, 측정; 측량.

Meß-wein *m.* 미사용 포도주. **~zeit** *f.* 큰 장 개최 기간.

Mestize [mɛstí:tsə] [sp.] *m.* -n, -n, (백인과 아프리카 토인의) 혼혈아.

M

Met [me:t] *m.* -(e)s, (고대 게르만 사람의) 밀주(密酒)(♈*mead*).

Metall [metál] [gr. -lat.] *n.* -s, -, 금속(♈*metal*); ¶edles ~ 귀금속. **Metallarbeiter** [-arbaitər] *m.* 금속공. **metallartig** *a.* 금속 모양의. **metallen** [metálən] *a.* 금속의. 금속성의.

Metall-ermüdung *f.* 금속의 삭음(소모 현상). **~geld** *n.* 정금(正金), 경화(硬貨). **~haltig** *a.* 금속을 함유한.

metallisch [metálıʃ] *a.* 금속을 함유하는; 금속성의; 잘 울리는, 새된.

Metall-kleber *m.* 금속 접착제. **~kunde** *f.* 금속학. 「야금(학).

Metallurgie [metalurgí:] *f.* ..gien,

Metamorphose [metamɔrfó:zə] [gr. „Umgestaltung"] *f.* -n, 〖神〗 변형, 전생(轉生); 〖動·植〗 변태, 전형; 〖化〗 변성.

Meta-pher [metáfər] [gr. „Anderswohin-tragung"] *f.* -n, 〖修〗 비유, 은유(隱喩).

Meta-physik [metafyzí:k] [gr.; *metá* „nach", *physiká* „natürliche Dinge"] *f.* 〖哲〗 형이상학(아리스토텔레스의 순정(純正) 철학에 대한 글을 후세 사람이 "Physika 의 뒤에" 둔 것에 기인). **metaphysisch** [-fý:-] *a.* 형이상(학)의.

Meteor [meteó:r] [gr. „in der Luft schwebend", *metá* „zwischen", *aēr* „Luft"] *n.* -s, -e, 〖天〗 기상, 공중(대기) 현상; (특히) 유성, 운석. **Meteorolog(e)** [mete-oroló:gə, -ló:k] *m.* ..gen, ..gen, 기상학자(관찰자); 기상대원. **Meteorologie** *f.* ..gien, 기상학. **Meteorstein** *m.* 운석(隕石).

Meter [mé:tər] [fr. *aus* gr. *métron* „Maß"] *n.* (*m.*) -s, -, 미터(♈*metre*).

Meter-Kilogramm-Sekunden-System *m.* MKS 단위계(미터 킬로그램 초를 기본 단위로 하는 단위계). 「옷감.

Meter-maß *n.* 미터자. **~waren** *pl.*

Methangas [metá:nga:s] [gr.] *n.* 〖化〗 메탄가스. **Methanol** [metanó:l] [gr. +lat.] *n.* -s, 메타놀.

Methode [metó:də] [gr. „Nachgehen, 방도"; *metá* „nach", *hodós* „Weg"] *f.* -n, 방법, 방식, 순서(♈*method*); (Lehr~) 교수법. **methodisch** *a.* 일정한 방법에 의한, 조직적인, 질서 있는. **Methodist** *m.* -en, -en, (방식에 따르는 자:) 메더디스트 파(사람).

Methyl [metý:l] [gr.] *n.* -s, 〖化〗 메틸. **~alkohol** *m.* 메틸알콜.

Metrik [mé:trik] [gr.] *f.* -en, 운율학; 시학; 〖樂〗 박절학(拍節學), 절주론(節奏論). **metrisch** *a.* 측도(測度)의, 계량(計量)의; 운율학의; 운문의; 박절의; 미터(법)의.

Metropole [metropó:lə] [gr. „Mutterstadt"] *f.* -n, 수도(首都)(♈*metropolis*).

Metrum [mé:trum] [gr. „Maß"] *n.* -s, ..tren *u.* ..tra, 척도(尺度); 〖詩學〗 운율; 〖樂〗 박자.

Mettage [metá:ʒə] [*fr. vgl.* Metteur] *f.* -n, 페이지물로 짜기, 정식 규격으로의 조판; 정식 규격으로 짜는 곳.

Mette [métə] [Lw. lat.] *f.* -n, 〖가톨릭〗 새벽 기도(♈*matins*).

Mettwurst [métvurst] [前半: =engl. *meat* „Fleisch"] *f.* 지방이 없는 돼지 고기 소시지(순대).

Metze [métsə] [*dim.* v. Mechthild, Mathilde] *f.* -n, 창부, 매음부(*prostitute*).

Metzelei [mɛtsəlái] [Lw. lat.] *f.* 도살; 살육, 학살. **metzeln** [métsəln] *t.* 도살(학살)하다(*butcher*). **Metzger** [métsgər] *m.* -s, -, 도축(업)자; 푸주한(*butcher*). **Metzgerei** [mɛtsgərái] *f.* -en, 도살; 도축업; 푸줏간.

Meuchel-mord *m.* 암살. **~mörder** *m.* 암살자, 자객. **~mörderisch** *a.* 암살에 의한, 암살의.

meucheln [mɔ́yçəln] [Lw. lat.] *t.* 암살하다(*assassinate*). **Meuchler** *m.* -s, -, 암살자. **meuchlerisch** *a.* 암살적인, 음험한. **meuchlings** [mɔ́yçlıŋs] *adv.* 암살적으로, 불시의 공격으로 (*treacherously*).

Meute [mɔ́ytə] [Lw. fr., <lat. *movēre* „bewegen"] *f.* -n, 〖獵〗 사냥개(의 무리)(*pack of hounds*). **Meuterei** *f.* -en, 폭동, 반란; 폭도, 반도. **Meuterer** *m.* -s, -, 폭도, 반란자. **meuterisch** *a.* 폭동(반란)을 일으킨. **meutern** [mɔ́ytərn] *i.*(h.) 봉기하다, 폭동을 일으키다(*mutiny, revolt*).

Mexikaner [mɛksiká:nər] *m.* -s, -, 멕시코인. **mexikanisch** *a.* 멕시코(인)의. **Mexiko** [méksiko] *n.* 멕시코.

mhd. (略) =*mittelhochdeutsch.* 중(세) 고(지) 독일어의.

MHZ (略) =*Megahertz.*

miauen [miáuən] [擬聲語] *i.*(h.) 야옹(miau!)하고 울다(♈*mew*).

mich [mıç] *prn.* (ich 의 4格) 나를(♈*me*); (~ selbst) 내 자신을(*myself*).

Micha-el [míça-ɛl, míça-e:l] [hebr. „wer ist Gott gleich?"] *m.* 〖聖〗 미가엘(천사장(天使長)의 이름); 남자 이름.

Michaeli(s) [mıçaé:li:, ..lıs] *n.* -, 미가엘 축일(9월 29일).

mied [mi:t] ☞MEIDEN (그 過去).

Mieder [mí:dər] [„Leib(chen)"] *n.* -s, -, 코르셋(*corset*); 보디스(*bodice*).

Miene [mí:nə] [Lw. fr.] *f.* -n, 표정, 안색, 안모(♈*mien, countenance*); 용모, 풍채, 외모, 생김새(*air, look*). ¶gute ~ zum bösen Spiel machen 좋지 않은 일을 당해도 불쾌한 내색을 않다 / ~ machen, et. zu tun 무엇을 할 기색을 보이다.

Mienen-spiel [mí:nənʃpi:l] *n.*, **~sprache** *f.* 표정; 무언극(無言劇); 눈짓.

Mies [mi:s] [Moos 의 別形] *n.* -es, -e, 소택지, 늪; 이끼.

mies [mi:s] [hebr.] *a.* 더러운; 나쁜, 보

잘것 없는(*bad, miserable*). **Miesmacher** *m.* -s, -, 헐뜯기 잘 하는 사람, 혹평가; 비관론자; 〖商〗 시세를 떨어뜨리는 투기꾼, 매방(賣方) 중개인.

Miesmuschel [mí:smuʃəl] *f.* 〖貝〗 홍합(*mussel*).

Miet·auto [mí:t-auto] *n.* 택시.

Miete[1] [mí:tə] [Lw. lat.] *f.* -n, 〖農〗 곡식 더미, 낟가리(*stack, shock*).

Miete[2] [mí:tə] *f.* -n, 임대차(賃貸借) (*rent, hire*); 임대〔임차〕료; 지대, 소작료; (Haus⁓) 집세. ¶ zur ~ wohnen 셋방에서 살고 있다.

mieten [mí:tən] [<Miete] *t.* 임차(賃借)하다, 빌다(*rent, hire*); 고용하다《하인 따위를》; 용선(傭船)〔차터〕하다(*charter*).

Mieter [mí:tər] *m.* -s, -, 셋집에 든 사람, 임차인; 배를 빌어 쓰는 사람. **Mieterschaft** *f.* -en, 땅을 빈〔세든〕 사람 (일동).

miet⸗frei *a.* 임대료가 없는. **⁓geld** *n.* =⁓ZINS. **⁓haus** *n.* 셋집, 아파트. **⁓herr** *m.* 임대인(賃貸人), 집 주인. **⁓kontrakt** *m.* 임대차 계약. **⁓kutsche** *f.* 세 놓는 마차. **⁓leute** *pl.* 세든 사람들《한 가옥내의》.

Mietling [mí:tlɪŋ] *m.* -s, -e, (못믿을) 머슴; 〖軍〗 용병(傭兵).

Miet·lohn *m.* =~ZINS. **~pfērd** *n.* 세 놓는 말. **~preis** *m.* 집세; 임대〔임차〕료.

Miet(s)⸗kaserne *f.* 아파트. **~kontrakt** *m.* =~VERTRAG. **~mann** (*pl.* ..leute) *m.* 세든 사람. **~recht** *n.* 차지〔소작〕권. **~truppen** *pl.* 용병대. **~verträg** *m.* 임대차 계약.

Miet⸗wāgen *m.* 임대 마차. **⁓weise** *adv.* 임대하여, 빌어서. **~wohnung** *f.* 셋집, 셋방, 아파트. **~zins** *m.* 임대료; 집세.

Miez(e) [mí:ts(ə)] *f.* -zen, 암코양이를 부르는 소리.

Migrāne [migré:nə] [gr.; *hēmi* „halb", *krānion* „Schädel"] *f.* 〖醫〗 편두통 (♈*megrim*).

Mikrōbe [mikró:bə] [gr. „kleinstes Lebewesen"] *f.* -n, 미생물; (특히) 세균(細菌). **Mikrofilm** [mí:kro-] *m.* 마이크로 필름, 축소 복사 (필름). **Mikrokosmos** [mikrokɔ́smɔs, mí:krokɔs-] [gr. „Klein-welt"] *m.* 소우주(小宇宙), 인간. **Mikromēter** *n.* 〔*m.*〕 〖物〗 측미계(測微計). **Mikrophōn** [mikrofó:n] [gr. "미음"기(微音機)] *n.* -s, -e, 확성기, 마이크로폰. **Mikroskōp** [gr. "미시"기(微視器)] *n.* -s, -e, 〖物〗 현미경. **mikroskōpisch** *a.* 현미경의; 현미경적〔미시적(微視的)〕인. **Mikrowelle** *f.* 극(極)초단파.

Milbe [mílbə] [*eig.* „Mehl (*od.* Staub) verursachendes Tier"; ♈mahlen, ♈Mehl] *f.* -n, 〖蟲〗 진드기목(目)(*mite*).

Milch [mɪlç] [♈melken] *f.* 젖, 유즙(乳汁)(♈*milk*); (Kuh⁓) 우유; (Fisch⁓)(물고기의) 이리; 〖植〗 수유(樹乳), 유액(乳液); 〖醫〗 유제(乳劑).

milch⸗ärtig *a.* 젖 모양의. **⁓bār** [-ba:r] [Milch *u.* engl. *bar*] *f.* 밀크바《흔히 문 밖으로 면한, 밀크 음료나 경식을 파는 가게》. **⁓bārt** *m.* 갓난 수염; 《比》 소년; 풋나기. **⁓brei** *m.* 젖죽, 우유가 든 죽. **⁓brōt, ⁓brōtchen** *n.* 우유 빵. **⁓brūder** *m.* 젖형제. (*foster brother*).

milchen [mílçən] *i.*(h.) 젖을 내다《가축이》. **Milcher** *m.* -s, -, =MILCHNER.

Milch⸗ferkel *n.* 젖(먹이) 돼지. **~geschäft** *n.* 우유 가게. **~gesicht** *n.* 《比》 (젖먹이의) 천진한 얼굴; 풋나기. **~glās** *n.* 우유 컵; (유아의) 포유병(哺乳瓶); 우유빛 유리.

milchig [mílçɪç] *a.* 젖과 같은; 젖이 많은; 〖魚〗 이리가 있는; 〖植〗 유액이 있는.

Milch⸗kaffee *m.* 밀크 코피. **~kalb** *n.* 젖먹이 송아지. **~kuh** *f.* 젖소. 낙 **~mädchen** *n.* 젖짜는 소녀; 우유 파는 소녀. **~mann** *m.* 우유 장수.

Milchner [mílçnər] *m.* -s, -, 〖魚〗 이리 있는 물고기, 물고기의 수컷.

Milch⸗pan(t)scher [-pantʃər, -panʃər] *m.* (우유에 물타는) 악덕 우유 장수. **~pumpe** *f.* 착유 펌프, 우유 흡출기. **~rahm** *m.* 유지(乳脂), 크림. **~saft** *m.* 유액(乳液)《위장내의》. **~säure** *f.* 〖化〗 유산(乳酸). **~säurestich** *m.* 산패(酸敗)한 포도주의 우유 맛이 남. **~schwester** *f.* 젖자매(姉妹) (*foster-sister*). **~speise** *f.* 유제(乳製) 식품. **~straße** *f.* 〖天〗 은하(銀河). **~suppe** *f.* 우유가 든 수프. **~topf** *m.* 우유 단지. **~treibend** *a.*: ~e Mittel (*pl.*) 최유제(催乳劑). **~wirtschaft** *f.* 낙농(酪農); 착유장(搾乳場); 낙농장(酪農場). **~zahn** *m.* 배냇니. **~zucker** *m.* 〖化〗 유당(乳糖)(*lactose*).

mild(e) [mɪlt, míldə] *a.* ① 부드러운, 아늑한, 온화한(♈*mild, soft*). ② 상냥한, 정다운(*kind, gentle*); 관대한(*generous, liberal*); 활수한; 자선의(*charitable*). ¶ e-e ~e Gaben 자선금, 구호물. **Milde** *f.* 온화, 온순; 관대; 친절; 활수함, 자비심, 자선. **mildern** [míldərn] *t.* 부드럽게 하다, 완화〔경감(輕減)〕하다, 진정시키다, 약하게 하다. ¶ ~de (*p. a.*) Umstände 작량 감경(酌量減輕)해야 할 정상. **Milderung** *f.* 완화; 경감(輕減), 진정; 〖化〗 중화.

mild⸗herzig *a.* 마음씨 고운, 온화한, 온후한; 자선을 베풀기 좋아하는, 자비심 많은. **~tātig** *a.* 인자한, 자비심 많은.

Milieu [miljø:] [fr. „Mitte", *aus* lat. *medius locus* „Mittel-ort"] *n.* -s, -s, 환경(*surroundings*); 배경(*backgrounds*); 〖物〗 매질(媒質).

Militār [milité:r] [fr., <lat. *mīles* „Soldat"] 《Ⅰ》 *n.* -s, 군인 (계급); 군대, 육군(♈*military, army*). 《Ⅱ》 *m.* -s, -s, 《俗》 군인《개개의》, 병사(*soldier*).

Militār⸗arzt *m.* 군의(관). **~attaché** [-ʃe:] *m.* 대〔공〕사관부 육군 무관. **~dienst** *m.* 병역, 군무(軍務).

militārisch [milité:rɪʃ] *a.* 군사(軍事)의, 군대의, 육군의; 군인식의, 군대적인; 상무적인. **Militarismus** [militarísmus] *m.* -, 군국주의, 무단 정치.

Militār⸗kapelle *f.* 군악대. **~marsch** *m.* 군대 행진곡. **~māß** *n.* 징병에 합격할 수 있는 최저 표준. **~musik** *f.* 군악(대). **⁓pflichtig** *a.* 병역 의무가

있는. **~seelsorge** *f.* 군목(軍牧). **~stützpunkt** *m.* 군사 기지. **~verein** *m.* 재향 군인회. **~wēsen** *n.* 군제(軍制), 군사(軍事).

Miliz [milí:ts] [lat. ⟂Militär] *f.* -en, 민병대.

Mill. =MIO.

Mille [mílə, míle:] [lat.] *n.* -, -, 천(千)(*thousand*) 《略:*M*》.

M

Milliarde [mılıárdə] [fr.] *f.* -n, (1000 Millionen) 10억.

Milli=gramm [lat.] *n.* 밀리〔천분의 1〕 그램. **~mēter** *n.* 밀리미터.

Million [mılıó:n] [fr. <Mille] *f.* -en, (1000 Mille) 백만. **Millionār** [mılıoné:r] *m.* -s, -e, 백만 장자; 대부호.

Million(s)tel *n.* -, -, 100만분의 1.

Millipond [mılıpɔ́nt] *n.* 천분의 1파운드《기호: mp》.

Milz [mılts] *f.* -en, 〖解〗 비장(脾臟), 지라(⟂*milt*).

Milz=brand *m.* 〖獸醫〗 비탈저(脾脫疽). **~krankheit, ~sucht** *f.* 우울증, 히포콘드리(*spleen*). **~süchtig** *a.* 우울증의(*splenetic*).

Mime [mí:mə] [gr. *mîmos* „Nachahmer"] *m.* -n, -n, 무언극 광대(⟂*mimic*); 배우, 연기자(*actor*). **mimen** 《Ⅰ》 *t.* (어떤 역을) 연기하다, (로) 분장하다. 《Ⅱ》 *i.*(h.) 연극하다, 가장하다.

Mimik [mí:mık] *f.* 미믹, 흉내; 무언극, 표정술(術); 연극술. **mimisch** *a.* 모의(模擬)의, 흉내내는; 표정의; (연)극의.

Mimōse [mimó:zə] [lat.] *f.* -n, 〖植〗 함수초(含羞草); 《比》 과민한 사람.

minder [míndər] [d는 添加音; lat. *minor* ⟂„kleiner"] *a.* 보다 적은〔작은〕; 보다 못한, 보다 낮은(*less(er), smaller*). ¶ ~e Waren 불량품.

Minder=bedarf *m.* 수요 부족. **~bemittelte** *m.* u. *f.* 《形容詞變化》 자력(資力)이 뒤지는 사람. **~betrāg** *m.* 부족액. **~einnahme** *f.* 수입(收入) 부족. **~gewicht** *n.* 중량 부족.

Minderheit [míndərhait] *f.* -en, 소수(*minority*); (nationale ~) (한 국가 안의) 소수 민족.

minder=jährig 《Ⅰ》 *a.* 미성년의. 《Ⅱ》 **~jährige** *m.* u. *f.* 《形容詞變化》 미성년자. **~jährigkeit** *f.* 미성년(*minority*).

mindern [míndərn] 《Ⅰ》 *t.* 줄이다; 저하시키다, 보다 적게 하다(*diminish, lessen, decrease*). 《Ⅱ》 *refl.* 줄다, 저하하다. **Minderung** *f.* -en, 감소, 저하(*diminution*); 할인《흠 있는 상품의》.

minder=wērtig *a.* 가치가 떨어지는, 열등한; 저능(低能)한(*inferior*); 〖商〗 값싼. **~wērtigkeitsgefühl** *n.*, **~wērtigkeitskomplex** *m.* 열등감. **~zahl** *f.* 소수.

mindest [míndəst] (minder의 最上級) *a.* 가장 적은 〔작은〕, 최저의(*least, smallest*). ¶ nicht das ~e 전혀 없는, 조금도 없는 / zum ~en =MINDESTENS.

Mindest=betrāg *m.* 최저액. **~bietende** *m.* u. *f.* 《形容詞變化》 최저 가격 입찰자.

mindestens [míndəstəns] *adv.* 적어도, 소불하(少不下); 하여간.

Mindest=lohn *m.* 최저 임금(賃金). **~māß** *n.* 최저 한도. **~preis** *m.* 최저 가격. **~wērt** *m.* 최저 가치.

Mine [mí:nə] [fr.] *f.* -n, 광산, 갱(坑); 〖軍〗 갱도(坑道)(⟂*mine*); 지뢰, 수뢰(水雷), 기뢰(⟂*mine*); 박격포탄; 연필심《봉상 흑연》(*refill*); 《比》 음모.

Minen=feld [mí:nənfɛlt] *n.* 〖海〗 기뢰 부설(敷設) 지역. **~gang** *m.* 갱도(坑道). **~lēger** *m.* 기뢰 부설함(敷設艦). **~räumer** *m.* =~SUCHER. **~sperre** *f.* 〖海〗 기뢰 봉쇄. **~sūchboot** *n.*, **~sūcher** *m.* 소해정(掃海艇). **~trichter** *m.* 수직 갱도; (지뢰·폭탄 따위의) 탄공(彈孔). **~werfer** *m.* 박격포.

Minerāl [minerá:l, minə-] [mlat. < Mine] *n.* -s, -e u. -ïen, 광물, 광석. **minerālisch** *a.* 광물의, 광물성의; 광물을 포함한.

Mineralōg(e) [mineraló:gə, -ló:k; minə-] *m.* ..gen, ..gen, 광물학자. **Mineralogie** [-logí:] *f.* 광물학. **mineralōgisch** *a.* 광물의; 광물학의.

Minerāl=quelle *f.* 광천. **~stoff** *m.* 광물질. **~stoff·theorie** *f.* 식물이 섭취하는 무기물이 유기물로 전환한다는 학설. **~stoffwechsel** *m.* 무기질 대사(代謝), 생체 속에 있는 무기 이온 대사. **~wasser** *n.* 광천, 광수, 탄산수.

Miniatūr [miniatú:r] [lat.] *f.* -en, 미니아튀르, 세밀화(細密畫); 소형의 책.

minieren [miní:rən] [fr. <Mine] *t.* (에) 갱도를 파다.

minimāl [minimá:l] *a.* 최소한도의; 극소의.

Minimāl=betrāg *m.* 최저액; 최저율. **~lohn** *m.* 최저 임금. **~satz** *m.* 최저율.

Minimum [mí:nimum] [lat.] *n.* -s, ..ma, 최소량, 최소한; 〖數〗 극소.

Minister [minístər] [lat. „Diener"] *m.* -s, -, 장관.

Ministeriāl·erlaß [-sterïá:l-] *m.* 각령(閣令).

ministeriell [-rïɛ́l] [fr.] *a.* 장관의; 부(部)의; 내각의; 정부측의.

Ministērium [minısté:rïum] *n.* -s, ..rïen [-rïən], 내각; 부(部).

Minister=präsident *m.* 국무총리. **~rāt** *m.* 각의(閣議).

Minne [mínə] [*eig.* „Gedenken"; meinen, 및 engl. *mind* ⟂„Sinn, Herz"] *f.* 《詩》 (중세 기사 시대의) 사랑, 연애(*love*); 구애(求愛), 여인에의 봉사.

Minne=(ge)sang *m.* **~lied** *n.* (중세의) 연가(戀歌).

minnen [mínən] *t.* u. *i.*(h.) 사랑〔연애〕하다; 구애하다.

Minne=sänger, ~singer *m.* 미네 가인(歌人)《중세 독일의 궁정 시인》.

minnig [mínıç], **minniglich** [mínıklıç] *a.* 사랑스러운, 애교 있는.

minorenn [minorɛ́n] *a.* 미성년의.

Minorität [minoritɛ́:t] [lat. „Minderheit"] *f.* -en, (*ant.* Majorität) 소수.

minus [mí:nus] [lat. „minder, weniger"] 《Ⅰ》 *a.* 〖數〗 보다 적은, 빼는《기호: −》. 《Ⅱ》 **Minus** *n.* -, -, 감소; 부족, 결손, 마이너스.

Minuskel [minúskəl] *f.* -n, 소문자.

Minuszeichen [mí:nustsaiçən] *n.* 마이너스 기호(−).

Minụ̄te [minúːtə] [lat. „kleiner Teil"] *f.* -n, 분《도(度) 또는 시(時)의 1/60》.
minụ̄ten=lang *a.* 일분간의; 몇 분간의; *adv.* 일분간, 몇 분간. **∼zeiger** *m.* 분침(分針), 장침《시계의》.
Mịnze [míntsə] [Lw. lat.] *f.* -n, 박하(薄荷)(♈*mint*).
Mio. 《略》 =*Mi*llion(en).
mịr [miːr] *prn.* 《ich 의 3格》 나에게 (*me, to me*); 내 자신에게(*myself*); 《關心의 3格으로서 强調的으로》 제발, 아무조록. ¶laß ∼ das bleiben! 제발 그것은 하지 말아 다오.
Mirabẹlle [mirabέlə] [fr.] *f.* -n, 〖植〗 오얏의 일종《남 프랑스 Mirabel (*Mirabeau*) 지방산》.
Mirạ̄kel [miráːkəl] [lat. „Wunder"] *n.* -s, -, 기적(♈*miracle*).
Misanthrọ̄p [mizantróːp] [gr.] *m.* -en, -en, 사람 싫어하는 사람, 염세가.
Mịsch=dünger *m.* 혼합 비료. **∼ēhe** *f.* 혼합 결혼《이교(異敎)·이민족 간의》.
mịschen [míʃən] 《Ⅰ》 *t.* 섞다, 혼합〔혼화(混和)〕하다(♈*mix, mingle*); 조합(調合)하다(*blend*); (카드를) 섞다, 떼다(*shuffle*). 《Ⅱ》 *refl.* 섞이다; (in et., 에) 개입〔간섭〕하다(*interfere* (*in*)).
Mịsch=futter *n.* 혼합 사료. **∼kultūr** [míʃkultuːr] *f.* 혼합 재배.
Mịschling [míʃlɪŋ] *m.* -s, -e, 혼혈아, 잡종.
Mịschmasch [míʃmaʃ] *m.* 뒤범벅, 혼잡.
Mịsch=rasse [míʃ-] *f.* 잡종, 혼(혈)종. **∼röhre** *f.* 〖電〗 혼합관 《초(超)헤테로다인 수신용 진공관》.
Mịschung [míʃuŋ] *f.* -en, 혼합, 혼화(混和); 〖藥〗 조합(調合); 〖化〗 화합; 〖冶〗 합금. **∼s=verhältnis** *n.* 혼합비(混合比).
Mịschwald [míʃvalt] *m.* 혼효림(混淆林).
miserạ̄bel [mizəráːbəl] [lat. „elend"] *a.* 가련한, 비정한; 보잘 것 없는; 지독한, 불운한; 파렴치한.
Mịspel [míspəl] [Lw. lat.] *f.* -n, 〖植〗 서양 모과(*medlar*); (Woll∼) 비파나무.
miß! [mɪs] ☞MESSEN 《그 命令形》.
miß.. [mís-, mɪs-] [*eig.* „verfehlt, unrecht"; ♈missen] 《名詞·動詞·形容詞의 前綴》 "결핍·착오·허위·부정" 따위의 뜻을 나타냄.
Miß [mɪs] [engl.] *f.* Misses [mísɪz, mísəs], 양, 미스.
mißachten [mɪs-áxtən, mís-axtən] *t.* 경시 〔경멸·멸시〕하다 (*disregard, slight*). **Mịßachtung** [mís-] *f.* -en, 경멸, 멸시.
Mịßbegriff [mísbəgrɪf] *m.* 오해.
mịßbehāgen [mísbəhaːgən] 《Ⅰ》 *i.*(h.) (jm., 아무의) 마음에 들지 않다, (아무에게) 불쾌하다. 《Ⅱ》 **Mịßbehāgen** *n.* -s, 불쾌, 불평; 불만. **Mịßbehāglich** *a.* 불쾌한, 불만스러운.
mịßbelieben [mísbəliːbən] 《Ⅰ》 *i.*(h.) (싫어서) 따돌림을 당하다. 《Ⅱ》 **Mịß=belieben** *n.* -s, 좋아하지 않음, 싫어함, 염기(厭忌).
mịßbilden [mísbɪldən] *t.* 잘못 만들다; …의 모양을 손상하다, 보기 싫게 만들다. **Mịßbildung** *f.* -en, 잘못 만듦, 볼품 없음; 기형(畸形).
mißbịlligen [mɪsbílɪgən, mísbɪlɪgən] *t.* 동의하지 않다, 부인하다, 찬성하지 않다(*disapprove*). **Mịßbilligung** [mís-] *f.* -en, 불찬성; 비난.
Mịßbrauch [mísbraux] *m.* -(e)s, ⸗e, 남용, 악용(*misuse, abuse*). **mißbrau=chen** [mɪsbráuxən, mís-] *t.* 남용〔악용〕하다. **mịßbräuchlich** [-brɔyçlɪç] *a.* 남용〔악용〕하는; 불법의.
mißdeuten [mɪsdɔ́ytən, mísdɔytən] *t.* 오해〔곡해〕하다. **Mịßdeutung** [mís-] *f.* -en, 오해, 곡해.
mịssen [mísən] [♈miß-] *t.* 없다, 부족하다(♈*miss*); (이) 없음을 알아차리다; (이) 없음을 서운히 여기다(*feel the want of*); (…)이 없이 지내다(*do without*).
Mịß=erfolg [mís-ɛrfɔlk, -ər-] *m.* 실패(*failure*). **∼ernte** *f.* 흉작(凶作).
mịssest [mísəst] (du ∼) ☞MESSEN 및 MISSEN 《그 現在》.
Mịsse=tāt [mísətaːt] *f.* -en, 악함, 나쁜 짓(♈*misdeed*); 범행, 범죄(♈*crime*). **∼tāter** *m.* 죄인.
mißfạllen* [mɪsfálən] 《Ⅰ》 *i.*(h.) (jm., 아무의) 마음에 들지 않다(*displease*). 《Ⅱ》 **Mịßfallen** *n.* -s, 마음에 들지 않음, 불쾌, 불만. **mịßfällig** *a.* 마음에 들지 않는, 불쾌한, 싫은; 불만스러운.
mịßfarbig [mísfarbɪç] *a.* 불쾌한〔어울리지 않는〕 색의; 빛이 바랜.
Mịßgebilde [mísgəbɪldə] *n.* 기형(畸形); 괴물.
Mịßgebūrt [mísgəbuːrt] *f.* -en, 조산(早産), 유산; 기형(아), 불구(자); 괴물.
mịßgelaunt [mísgəlaunt] *p. a.* 기분이 언짢은, 불쾌한.
Mịßgeschick [mísgəʃɪk] *n.* -(e)s, -e, 불운(不運), 불행, 재난.
Mịßgestalt [mísgəʃtalt] *f.* 기형, 꼴흉함; 기형의 것; 괴물. **mịßgestalt(et)** *p. a.* 잘못 만들어진, 볼품 없는.
mịßgestimmt [mísgəʃtɪmt] *p. a.* ☞MISSSTIMMEN.
mịßglück [mísglʏk] *n.* -(e)s, 불행, 실패. **mißglụ̈cken** [mɪsglʏ́kən] *i.*(s.) 실패하다.
mißgọ̈nnen [mɪsgœ́nən] *t.* (jm. et., 아무에게 무엇을) 주기 싫어하다, 인색하게 굴다(*grudge*); (아무가 무엇을) 얻는 것을 시기하다(*envy*).
mịßgreifen* [mísgraifən] *t.* 잘못 쥐다, 놓치다; 실패하다. **Mịßgriff** [mísgrɪf] *m.* 실책, 과실; 오류.
Mịßgunst [mísgunst] [<mißgönnen] *f.* 싫어함; 인색하게 굶, 질투함, 시기; 악의(惡意). **mịßgünstig** *a.* 멀리하는, 꺼리는, 싫어하는; 시기하는.
mißhạndeln [mɪshándəln] 《Ⅰ》 *t.* 학대하다, 괴롭히다(*ill-treat*). 《Ⅱ》 *i.*(h.) 부정 행위를 하다. **Mißhạndlung** [mɪshán-, mís-] *f.* -en, 학대; 부정 행위. ¶〖法〗 (tätliche) ∼ (불법적인) 폭행.
Mịßheirāt [míshairaːt] *f.* 어울리지 않는 결혼; 불리한 결혼.
mịßhellig [míshɛlɪç] *a.* 일치〔조화〕하지 않는; 의견을 달리하는; 사이가 나쁜. **Mịßhelligkeit** *f.* -en, 불일치; 불화, 알력.
Missiọ̄n [mɪsióːn] [lat. „Sendung"] *f.* -en, 파견; 사명(使命); 사절(使節); 〖宗〗 포교, 전도, 선교. ¶äußere 〔innere〕

M

～ 국외〔국내〕 선교. **Missionār** [mɪsĭoná:r] *m.* -s, -e, 사자(使者); 전도사, 선교사.

Mißjahr [mísja:r] *n.* 흉년(凶年).

mißkennen* [mɪskénən] *t.* 오인〔오해〕하다, 잘못 보다.

Mißklang [mísklaŋ] *m.* -(e)s, ⸚e, 불협화음(不協和音); 부조화; 《比》 불화, 불일치. **mißklingend** *p. a.* 불협화음의.

Mißkredit [mískredi:t] *m.* 불신용; 불평, 악평.

mißlaunig [míslaunɪç] *a.* 불유쾌한, 까다로운.

Mißlaut *m.* =～KLANG.

mißleiten [mɪsláitən] *t.* 그릇 인도하다, 나쁜 길로 이끌다; 유혹하다.

mißlich [míslɪç] *a.* 참이 아닌; 불확실한(*uncertain*); 의심스러운(*doubtful*); 곤란한, 다루기 어려운, 귀찮은(*difficult, critical*); 적당하지 않은, 계제가 나쁜(*unfortunate*). **Mißlichkeit** *f.* -en, 불쾌함; 당혹; 곤란한 일.

mißliebig [mísli:bɪç] *a.* 호감을 사지 못하는, 반갑잖게 여겨지는.

mißlingen* [mɪslíŋən] 《Ⅰ》 *i.*(s.) u. *imp.* 이루어지지 않다, 실패하다(*fail*). 《Ⅱ》 **Mißlingen** *n.* 실패.

Mißmūt [mísmu:t] *m.* 불쾌, 불만; 우울. **mißmūtig** *a.* 불쾌한, 불만의.

mißrāten* [mɪsrá:tən] 《Ⅰ》 *i.*(s.) (일이) 잘 되지 않다, 성공하지 않다(*fail*). ¶ ～e (*p. a.*) Kinder 버릇이 나쁜 아이들. 《Ⅱ》 *t.* 못하도록 간(諫)하다(*dissuade*).

Mißregierung [mísregi:ruŋ] *f.* 실정(失政), 악정.

Mißstand [mísʃtant] *m.* 폐해, 폐단; 곤경; 부정.

mißstimmen [mɪsʃtímən, mísʃtɪmən] 《Ⅰ》 *t.* 〚樂〛 곡조를 틀리게 내다; 불쾌하게 하다. 《Ⅱ》 **mißgestimmt** *p. a.* 불쾌한; 〚商〛 불경기의; 〚樂〛 곡조가 맞지 않는. **Mißstimmung** *f.* -en, 불쾌; 불만; 불평; 〚商〛 불경기; 불화, 불일치.

mißt [mɪst] ☞MISSEN 또는 MESSEN (그 現在形 單數 2, 3人稱).

Mißtāt [místa:t] *f.* -en, 〚法〛 범죄, 불법 행위.

Mißtōn [místo:n] *m.* -(e)s, ⸚e, 불협화음, 곡조의 빗나감; 알력, 불화. **mißtōnen** *i.*(h.) 불협화음을 내다, 곡조가 빗나가다.

mißtrauen [mɪstráuən] 《Ⅰ》 *i.*(h.) (jm., e-m Dinge, 아무를, 무엇을) 믿지 않다, 신용하지 않다. 《Ⅱ》 **Mißtrauen** [mís-] *n.* -s, 불신, 불신임.

Mißtrauens·antrāg *m.* (의회의) 불신임 동의. **～vōtum** *n.* 불신임 투표.

mißtrauish [místrauɪʃ] *a.* 신용〔신뢰〕하지 않는; 의심하는.

Mißvergnūgen [mísfergny:gən] *n.* 불쾌, 불만. **mißvergnūgt** *p. a.* 불쾌한, 불만스러운.

Mißverhältnis [mísferhɛltnɪs, -fər-] *n.* 불균형; 어울리지 않음; 부적당.

mißverständlich [-ʃtɛntlɪç] *a.* 잘못된, 틀린. **Mißverständnis** *n.* 오해.

mißverstēh(e)n* *t.* 오해하다.

Mißwachs [mísvaks] *m.* -es, 흉작.

mißweisung [mísvaizuŋ] *f.* -en, 〚物〛 (자침의) 편각(차)(偏角(差)), 방위각(角).

Mißwirt·schaft [mísvɪrt-ʃaft] *f.* 서투른〔문란한〕 살림살이〔경영〕.

Mißwuchs [-vu:ks, -vʊks] *m.* 발육 부전, 기형.

Mist[1] [mɪst] *m.* -es, -e, ① (소·말·양 따위의) 똥, 분뇨(*dung*); (그것으로 만든) 거름, 퇴비(*manure*). ② 《俗》 쓸데없는 것, 넌센스.

Mist[2] [engl.] *m.* -es, -e, 《方》 〚海〛 엷은 안개, 해무(海霧).

Mistbeet [místbe:t] *n.* 온상(溫床).

Mistel [místəl] *f.* -n, 〚植〛 겨우살이(*mistle(-toe)*).

misten [místən] 《Ⅰ》 *i.*(h.) (마소 따위가) 똥〔오줌〕을 누다. 《Ⅱ》 *t.* 거름을 주다; (aus～) (마굿간을) 소제하다.

Mist·gābel [místga:bəl] *f.* 거름치는 갈퀴. **～grūbe** *f.* 거름 구덩이, 똥통. **～haufe(n)** *m.* 똥거름 (더미), 퇴비.

mistig [místɪç] [<Mist[1]] *a.* 똥같은, 똥투성이의; 《比》 더러운.

mistig [<Mist[2]] *a.* 〚海〛 안개긴, 안개같은.

Mist·jauche [-jauxə] *f.* 〚農〛 분뇨(糞尿), 물거름. **～kāfer** *m.* 〚蟲〛 말똥구리의 일종. **～karren** *m.* 분뇨〔비료〕차. **～lache, ～pfütze** *f.* 똥〔오줌〕의 웅덩이. **～puffers** *pl.* 해안 안개의 폭명(爆鳴)(원인은 아직 불명). **～wāgen** *m.* =～KARREN.

mit [mɪt] 《Ⅰ》 *prp.* 《3格支配》 ① …와 함께〔더불어〕 (*with, along with.*) ¶ ～einander 함께, 다 같이. ② 에 관하여〔대하여〕. ¶ was ist ～ ihm? 그는 어찌 되었나. ③ 《手段·方法·材料·結合 등》을 가지고, 으로써. ¶ ～ dem Frühzug 아침 열차로 / ～ ander(e)n Worten 환언하면 / ～ nichten 결코 …않다. ④ 《相互關係》 ～ jm. sprechen 아무와 이야기하다. 《Ⅱ》 *adv.* ① 함께, 같이(*together with, along with*); (도) 또한; 동시에; 똑같이(*also, likewise*). ¶ ～ dabei sein 그 자리에 참석하고 있다, 목격하다. ② ich will ～ 함께 가자(=～gehen, ～kommen).

mit.. [mít-] *prf.* 《動詞의 分離前綴; 항상 악센트가 있음》 "공동·동반·관여·공통·동시"의 뜻. 보기: mit|kommen, kam mit, mitgekommen.

Mit·angeklāgte [mít-angəkla:ktə] *m.* u. *f.* 《形容詞變化》 〚法〛 공동 피고.

mit·arbeiten [mítarbaitən] *i.*(h.) 함께 일하다, 합작〔협동〕하다; 기고(寄稿)하다. **Mit·arbeiter** *m.* 함께 일하는 사람, 협력자; 기고가(寄稿家), 동인(同人).

Mitbesitz [mítbəzɪts] *m.* 공(동 점)유. **Mitbesitzer** *m.* 공유자, 공동 점유자.

mit|bestēh(e)n* [mítbəʃte:(ə)n] *i.*(h.) 공존(共存)하다(*co-exist*).

mit|bestimmen [mítbəʃtɪmən] *t.* u. *i.*(h.) (어떤 일의) 결정에 참여하다〔의견을 내다〕. **Mitbestimmung** *f.*, **Mitbestimmungsrecht** *n.* (경영에 대한 노동 조합의) 공동 결정권.

mitbeteiligt [mítbətailɪçt] *p. a.* (an, 에) 관여〔관계〕하는.

Mitbewerber [mítbəvɛrbər] *m.* 경쟁자; 연적(戀敵). **Mitbewerbung** *f.* 경쟁.

Mitbewohner [mítbəvo:nər] *m.* 동거인(同居人); (*pl.*) 《俗》 빈대, 이.

mit|bringen* [mítbrɪŋən] *t.* ① 가지고〔휴대하고〕 오다, 데리고 오다. ② 지참

금으로 가지고 오다. **Mitbringsel** *n.* -s, -, 《俗》 선물(여행 또는 시장에서의).

Mitbrüder [mítbru:dər] *m.* 동포; 이웃 사람; 동료, 친구.

Mitbürge [mítbʏrgə] *m.* 〖法〗 공동 보증인.

Mitbürger [-bʏrgər] *m.* 같은 시민; 동국민.

Mit·eigentümer [mít-aigənty:mər] *m.* (재산) 공유자(共有者).

miteinander [mɪt-ainándər] *adv.* 서로, 함께(*together, jointly*).

mit|empfinden* [mít-ɛmpfɪndən] *t.* 동감[공감]하다. **Mitempfinden** *n.* 동감, 공감.

Mit·erbe [mít-ɛrbə] *m.*, **Mit·erbin** *f.* 공동 상속인.

mit|essen* [mít-ɛsən] 《Ⅰ》 *i.*(h.) 함께 식사하다, 회식(會食)하다; 식탁을 함께 하다. 《Ⅱ》 *t.* (딴 것과) 함께 먹다. ¶ alles ~ 다 먹어 치우다. **Mit·esser** *m.* 회식자, 식탁을 함께 하는 사람; 기생충; 〖醫〗 여드름(*comedo*).

mit|fahren* [mítfa:rən] *i.*(s.) 동승(同乘)하다《자동차·배 따위를》.

mit|fangen* [mítfaŋən] *t.* 함께[동시에] 붙잡다.

mit|folgen [mítfɔlgən] *i.*(s.) 따라가다, 동반하다.

Mitfahrerzentrāle [mítfa:rər–] *f.* (자동차의) 동승 여행 (알선) 센터.

mit|fühlen [-fy:lən] *t.* u. *i.*(h.) 동감하다, 동정하다(*sympathize*).

Mitgābe [-ga:bə] *f.* =MITGIFT. **mit|gēben*** *t.* (쥐어) 주다; 지참금[전별금]으로서 주다.

Mitgefangene [mítgəfaŋənə] *m.* u. *f.* 《形容詞變化》 동료 포로; 동료 죄수.

Mitgefühl [-gəfy:l] *n.* 동감, 동정(*sympathy, fellow feeling*).

mit|gēh(e)n* [mítge:(ə)n] *i.*(s.) 동행하다, (에) 동반하다.

mit|genießen* [-gəni:sən] *t.* 함께 즐기다[누리다].

mitgenommen [mítgənɔmən] [mitnehmen ③] *p.a.* 《比》 지쳐버린, 맥 못추는.

Mitgeschöpf [mítgəʃœpf] *n.* -(e)s, -e, 피조물 동아리, 동포, 동류.

Mitgift [mítgɪft] [Gift „Gabe"] *f.* -en, 지참금, 혼자(婚資)(*dowry*).

Mitglied [mítgli:t] *n.* -(e)s, -er, 성원(成員); 회원, 사원, 조합원, 위원, 의원(*member*), 동아리(*fellow*). **Mitglieds·beitrāg** [-gli:tsbaitra:k] *m.* 회비. **Mitglied·schaft** [mítgli:t-ʃaft] *f.* 회원[사원·의원]의 신분[자격].

mit|halten* [míthaltən] 《Ⅰ》 *t.* 함께 가지다; 공동으로 구독(購讀)하다; (에) 참가하다. 《Ⅱ》 *i.*(h.) 참여[관여]하다.

mit|helfen* [míthɛlfən] *i.*(h.) 조력하다, 가세하다. **Mit·hilfe** [-hɪlfə] *f.* -n, 조력, 가세(加勢)(*assistance*); 협력.

mithin [mɪthín] *adv.* 따라서, 그래서 (*consequently, therefore*).

Mit·inhāber [mít-ɪnha:bər] *m.* -s, -, 공동 소유자, 동업자.

Mitkämpfer [mítkɛmpfər] *m.* 전우, 아군.

mit|kommen* [-kɔmən] *i.*(s.) 함께 오다, 따라 오다[가다].

mit|kriegen [mítkri:gən] *t.* ① (als Mitgift erhalten) 지참금을 받다. ② 이해하다. ¶ hast du das mitgekriegt? 어때, 알았나.

mit|laufen* [mítlaufən] *i.*(s.) 함께 뛰다; 일을 같이하다. **Mitläufer** [-lɔyfər] *m.* -s, -, 함께 달리는 사람; 길동무; 《比》 어중이떠중이(*hanger-on*); 〖政〗 말단 당원.

Mitlaut [-laut] *m.* 〖文〗 자음(*consonant*).

Mitleid [mítlait] *n.* -(e)s, 동정, 가엾게 여김(*sympathy*); 연민(*pity*). ¶ ~ mit jm. haben 아무를 동정하다. **Mit·leidenschaft** [-laidən–] *f.* 함께 고난을 겪음. ¶ in ~ ziehen (에게) 노고[폐·손해]를 끼치다. **mitleidig** [mítlaidɪç] *a.* 동정심 있는, 불쌍히 여기는, 자비심이 많은(*compassionate*).

mitleid(s)·lōs *a.* 동정심이 없는, 무정한, 무자비한. **~voll** *a.* 동정심 있는, 동정심이 많은, 자비로운.

mit|lernen [mítlɛrnən] *t.* 함께 배우다; 동창생이다.

mit|machen [mítmaxən] *t.* 《Ⅰ》 함께 하다, 남 하는 대로 하다; (에) 참가하다. 《Ⅱ》 *i.* ① (h.) 동료이다. ② (s.) 《俗》 함께 여행하다, 길동무가 되다.

Mitmensch [-mɛnʃ] *m.* -en, -en, 동포, 동료.

Mitnahme [mítna:mə] *f.* 가지고 감, 휴대; 데리고 감. **mit|nehmen*** [mítne:mən] *t.* ① 가지고 가다, 휴대하다; 데리고 가다, 동행시키다. ② (에) 관여하다; …하는 김에 이용하다. ¶ e-n Ort ~ (여행 중) 어떤 곳에 들르다 / e-e Stunde ~ 겸해서[하는 김에] 어떤 강의를 받다. ③ 쇠약하게 하다(*exhaust*); 학대하다, 혼을 내다 (*treat harshly*).

mitnichten [mɪtnɪçtən] *adv.* 결코 …이 아니다(*by no means*).

Mitōse [mitó:zə] [gr. mitos „Faden"] *f.* -n, 〖生〗 (세포핵의) 유사(有絲)[간접핵]분열. **mitōtisch** *a.* 유사 분열의.

mit|rechnen [mítrɛçnən] *t.* 합산[가산]하다, 산입(算入)하다.

mit|rēden [mítre:dən] *i.*(h.) 말참견하다. ¶ du hast nicht mitzureden 네가 참견할 일이 아니다.

Mitregent [-regɛnt] *m.* -en, -en, 〖政〗 공동 통치자.

mit|reisen [-raizən] *i.*(s.) 함께 여행하다, 길동무가 되다.

mit|reißen* [mítraisən] *t.* (의) 마음을 사로잡다, 감격[감동]시키다.

mit·samt [mɪtzámt] *prp.* 《3格支配》 함께, 같이, 포함하여(*together with*).

mit|schicken [mítʃɪkən] *t.* ① 함께 보내다; 동봉하다. ② 동시에 보내다.

Mit·schuld [-ʃʊlt] *f.* 공범(共犯), 연루(連累), 동죄(同罪). **mit·schuldig** *a.* 공범[동죄]의. ¶ der (die) ~e 공범자, 연루자(*accomplice*). **Mit·schuldner** *m.* -s, -, 〖法〗 공동[연대] 채무자.

Mitschüler [-ʃy:lər] *m.* 학우, 동창생 (*schoolfellow*).

mit|spielen [-ʃpi:lən] *i.*(h.) 함께 놀다, 함께 놀이를[게임을] 하다; 함께 연주하다; 《比》 협력하다. ¶ jm. übel ~ 아무를 학대하다, 괴롭히다. **Mit·spieler** *m.* 게임의 상대; 놀이 친구; 〖樂〗 반주자; 〖劇〗 공연자.

mit|sprechen* [-ʃprɛçən] *i.*(h.) ① = MITREDEN. ② (전화가) 혼선되다. ③ 《比》 같이[동시에] 문제가 되다.

Mittāg [mita:k] [<mitte Tag] *m.*

-(e)s, -e, 《Ⅰ》 정오, 대낮(♈*midday, noon*); 남, 남쪽(*south*). ¶ heute ~ 오늘 정오에 / 《比》 er steht im ~ s-s Lebens 그는 한창 나이다. 《Ⅱ》(보통: *n.* -(e)s) 점심(*lunch*). ¶ zu ~ essen 점심을 먹다. **mittägig** [mítɛ:gɪç], **mittäglich** [mítɛ:klɪç] *a.* 정오의; 남쪽의. **mittags** [míta:ks] *adv.* 정오(경)에.

Mittag(s)·brot, **~essen** *n.* 점심, 오찬.

Mittagslinie [míta:ksli:nǐə] *f.* 〖天〗 자오선(線).

Mittag(s)·mahl *n.*, **~mahlzeit** *f.* 점심, 오찬.

Mittags·pause *f.* 낮의 휴식. **~ruhe** *f.* 한낮의 정적; 낮잠.

Mittag(s)·schläfchen *n.* 낮잠. **~seite** *f.* 남쪽. **~stunde** *f.* 정오; 점심때.

Mittags·tisch *m.* =~(S)MAHL. **~zeit** *f.* =~(S)STUNDE.

mit|tanzen [míttantsən] *i.*(h.) u. *t.* (와) 함께 춤추다. **Mittänzer** *m.* -s, -, **Mittänzerin** *f.* -nen, 춤상대, 파트너.

Mittäter [míttɛ:tər] *m.* -s, -, 〖法〗 공동 정범, 종범자. **Mittäterschaft** *f.* 공동 정범.

Mitte [mítə] [<†mitte *a.* "가운데의, 절반의"] *f.* -n, 중간, 가운데, 내부(*middle, midst*); 중심(*centre*). ¶ (gegen *od.* in der) ~ März, 3월 중순(경)에 / ~ (der) Achtzig, 80세[년]의 중간쯤에 / in die ~ nehmen 협공하다 / einer aus unseren ~ 우리 패[동료]의 한 사람 / das Reich der ~ 중국 / die (goldene) ~ halten 중용을 지키다.

mit·teilbar [míttailba:r] *a.* 전할 수 있는, 분배할 수 있는; 〖醫〗 전염성의.

mit|teilen [míttailən] 《Ⅰ》 *t.* (감정을) 전하다, 전달하다(*communicate*); 보고하다(*inform*); 알리다, 고하다(*impart, notify*); 나누어 주다, 분배하다. 《Ⅱ》 *refl.* 전하여지다; (jm., 에게) 자기의 감정[사상·의견]을 전하다; 〖醫〗 전염되다. **mitteilsam** *a.* 이야기하기 좋아하는; 숨김없는, 속을 터 놓은. **Mit·teilung** [míttailʊŋ] *f.* -en, 전달; 통지, 보고. ¶ amtliche ~ 공고[포고]하다.

Mittel [mítəl] [<Mitte u. Teil] *n.* -s, -, ① 동료; 〖數〗 평균(*average*). ② 〖物〗 매질(媒質)(*medium*); 중개, 중재; 방법, 수단, 방도(*means, expedient*); 도구. ¶ sich ins ~ legen 중재하다. ③ (~ zu Heilzwecken) 약, 의약품(*remedy, medicine*). ④ (흔히 *pl.*) (Geld~) 자력(資力), 재력, 자금, 재산(*wealth, property*). ¶ bei ~n sein 재력이 있다.

mittel [mítəl] *a.* 중앙[중간]의; 평균의.

Mittel·alter *n.* -s, 중년(中年); 〖史〗 중세(*Middle Ages*). **~alterlich** *a.* 중세의, 중세풍의(*medieval*); 중년의; 《比》 낡은, 구식의.

mittelbar [mítəlba:r] *a.* 간접의(*indirect*); 방계(傍系)의; 인연이 먼.

Mittel·ding *n.* 중간물; 《比》 트기, 잡종, 혼혈아. **~ernte** *f.* 평년작(平年作). **~europa** *n.* 중앙 유럽. **~fein** *a.* 〖商〗 (물건이) 중치의. **~finger** *m.* 가운뎃손가락. **~gebäude** *n.* 중앙의 건물, 본관. **~gewicht** *n.* 〖體〗 (권투·역도 등의) 중(中)량급. **~groß** *a.* 중형(中型)의(*medium-sized*). **~größe** *f.* 중형. **~grund** *m.* ① (수로가 두 가닥으로 나뉘는) 중간 여울. ② 〖畫〗 중경(中景). ★ Vorder-, Hinter-. **~hirn** *n.* 〖解〗 중뇌(中腦). **~hochdeutsch** [-ho:xdɔytʃ] *a.* 중고[중세 고지] 독일어의 (略: mhd.). **~ländisch** *a.* 내지(內地)의; 육지에 둘러싸인. ¶ das ~ländische Meer 지중해. **~latein** *n.* 중세 라틴 말. **~läufer** *m.* (축구의) 센터하프. **~linie** *f.* 중앙선; 〖地〗 적도; 〖數〗 2등분선; 〖物〗 (자석의) 중성대(中性帶). **~los** *a.* 자력(資力)이 없는, 빈곤한. **~mann** *m.* 중류 계급[중산층]의 사람. **~mäßig** *a.* 중위[중등]의(*middling*), 보통의(*ordinary*); 평균의(*average*); 평범한, 범용(凡庸)한. **~mäßigkeit** *f.* -en, 위임. **~meer** *n.* -(e)s, 내해(內海); 지중해. **~ohr** *n.* 〖解〗 중이(中耳). **~ohr·entzündung** *f.* 중이염. **~punkt** *m.* 중심(점), 핵심(*centre*).

mittels [mítəls] *prp.* 《2格支配》 =MITTELST.

Mittelschlag [mítəlʃla:k] *m.* =MITTELSORTE.

Mittel·schmerz [mítəlʃmɛrts] *m.* (월경 주기의) 중간(복)통.

Mittelsmann [mítəlsman] *m.* (*pl.* ⸚er *u.* ..leute) 중개인; 대리인(代理人); 조정자; 〖商〗 중매인(仲買人).

Mittel·sorte [mítəlzɔrtə] *f.* 중등품, 중급품.

Mittels·person [mítəlspɛrzo:n] *f.* = MITTELSMANN.

mittelst [mítəlst] *prp.* 《2格支配》 …에 의하여, 을 수단으로 하여, 을 써서.

Mittel·stadt *f.* 중류 도시, 이류 도시. **~stand** *m.* 중간 계급. **~steinzeit** *f.* 중기 석기 시대. **~straße** *f.* 중앙 도로; 《比》 중용(中庸), 중도(中道). ¶ die goldene ~straße 중용(의 덕). **~stürmer** *m.* (축구의) 센터포워드. **~weg** *m.* =~STRASSE. **~wert** *m.* 평균치. **~wort** *n.* 〖文〗 분사(*participle*).

mitten [mítən] *adv.* (in der Mitte) 한가운데에, 중간에. ¶ ~ auf der Straße 길 한복판에 / ~ in der Nacht 한 밤중에 / ~ entzwei 똑같이 두 조각으로.

mitten·drin *adv.* 그 한가운데에(서). **~drunter** *adv.* 그 가운데 [사이]에(로). **~(hin)durch** *adv.* 한가운데를 뚫고. **~inne** *adv.* 한복판에.

Mitternacht [mítərnaxt] [<zu mitter Nacht(☞MITTE)] *f.* ⸚e, 한 밤중, 자정(♈*midnight*); 북쪽(*north*). ¶ um ~ 한밤중에, 자정에 / (때의 副詞 뒤에서는 小文字) heute ~ 오늘 밤중에. **mitternächtig** [-nɛçtɪç], **mitternächtlich** *a.* 한밤중의; 북쪽의, 북향의; *adv.* 한밤중에. **mitternachts** *adv.* 한밤중에.

Mitternacht(s)·sonne [-zɔnə] *f.* (극지의) 야밤중의 태양.

mittler [mítlər] *a.* (mittel의 比較級) 한가운데의, 중앙의(♈*middle*); 중간의, 중간쯤의, 중등(中等)의, 중형(中型)의(*average*); 평균의(♈*middle, mean*).

Mittler [mítlər] [<(ver)mitteln] *m.* -s, -, 중개자(*mediator, intercessor*); 〖商〗 중매인; 〖宗〗 예수 그리스도.

mittlerweile [mítlərvailə] *adv.* 그 동안에(*meanwhile,* (*in the*) *meantime*).
mit|tönen [-tø:nən] *i.*(h.) 동시에 울리다, 공명(共鳴)하다.
mit|trinken* [-trɪŋkən] *t.* u. *i.*(*h.*) 함께 술마시다.
Mitt·schiffs [mít-ʃɪfs] *adv.* 〖海〗 배 중앙에. ¶Ruder ~! 키를 중앙으로.
mit|tun* [míttu:n] *t.* u. *i.*(h.) 같이 하다, 일을 함께하다, 협력하다.
Mittwoch [mítvɔx] [„die Mitte der Woche"] *m.* -(e)s, -e, **Mittwoche** *f.* -n, 수요일(*Wednesday*).
mit·unter [mɪt-úntər] *adv.* 때때로, 가끔, 이따금(*sometimes*).
Mit·ursache [mít-u:rzaxə] *f.* 공동〔부수〕 원인.
mitverantwortlich [mítfɛr-antvɔrtlɪç, -fər-] *a.* 연대〔공동〕 책임이 있는(*joint liable*).
Mitverschwör(e)ne [-fɛrʃvo:r(ə)nə, -fər-] *m.* u. *f.* 《形容詞變化》 공모자, 일당, 동아리.
Mitwelt [mítvɛlt] *f.* 동시대의 사람들; 현대 (사회).
mit|wirken [mítvɪrkən] *i.*(h.) 함께 일하다, 협력〔협동〕하다; (literarisch ~) 기고(寄稿)하다; 〖劇〗 공연(共演)하다. **mitwirkend** *p.a.* 협력하는, 협동의; 공연하는. **Mitwirkung** *f.* -en, 협력, 협동; 기고; 공연.
mit|wissen* [mítvɪsən] *i.*(h.) (um, 에) 관하여 알다, (의) 사정을 알다. ¶ohne mein ~ 나에게 알리지 않고. **Mitwisser** *m.* -s, -, 관여하여 알고 있는 사람, 소식통.
mit|zahlen [-tsa:lən] *t.* 함께 지불하다, 몫을 내다. **~|zählen** [-tsɛ:lən] 《Ⅰ》 *t.* 함께 계산하다; 합산하다, 가산〔산입(算入)〕하다. 《Ⅱ》 *i.*(h.) 계산〔수〕에 들다, 산입되다. ¶er zählt unter den ersten[3] mit 그는 일류급 인물에 속한다. **~|ziehen*** 《Ⅰ》 *t.* 함께 끌다. 《Ⅱ》 *i.*(s.) 함께 나아가다〔가다〕.
mixen [míksən] *t.* 혼합하다, 섞다 《특히 술을》. **Mixer** *m.* -s, -, 바텐더; 바의 주인; 믹서. **Mixtur** [mɪkstú:r] [lat. „Gemisch"] *f.* -en, 혼합물(♈*mixture*); 〖醫〗 혼합제《물약》.
MKS-System *n.* 〖略〗 =*M*eter-*K*ilogramm *S*ekunden-System.
Mnemonik [mnemó:nɪk] [gr.] *f.* 기억술(記憶術). **mnemonisch** *a.* 기억 증진의.
Mob [mɔp] [engl.] *m.* -s, 서민; 군중; 폭도, 속물(俗物).
Möbel [mø:bəl] [fr. „Bewegliches"] *n.* -s, -, 가구, 가장 집물, 세간, 실내 장식품((*piece of*) *furniture*).
Möbel·händler *m.* 가구 상인. **~spediteur** [-ʃpeditø:r] *m.* 가구 운반인. **~speicher** *m.* 가구 창고. **~tischler** *m.* 가구 만드는 사람. **~wagen** *m.* 가구 운반차《이사할 때의》.
mobil [mobí:l] [lat. fr. „beweglich"] *a.* 움직일 수 있는; 활발한, 민첩한(*active, nimble*); 〖軍〗 동원된(♈*mobile*); 출동한(*ready to march*); 〖商〗 환금하기 쉬운. **Mobiliar** [mobiliá:r] [lat. "동산"] *n.* -s, -e, (Möbel) 가구 (*furniture*). **Mobilien** [mobí:liən] [lat.] *pl.* 동산(*movables*). **Mobilienvermögen** *n.* 동산《가재(家財) 따위》.
Mobilisation [mobilizatsĭó:n] *f.* -en, 동원.
mobilisieren [-zí:rən] *t.* 움직이게 하다; 〖軍〗 동원하다(♈*mobilize*); 〖商〗 환금(換金)하다. **Mobilisierung, Mobilmachung** *f.* 동원.
möblieren [møblí:rən] [fr. <Möbel] *t.* (에) 가구를 비치하다. ¶möbliertes (*p.a.*) Zimmer 세간이 딸린 셋방.
mochte [mɔ́xtə], **möchte** [mœ́çtə] ☞ MÖGEN 《그 直說法·接續法 過去》.
Mode [mó:də] [fr. „Modus"] *f.* -n, 유행, 풍조, (특히) 복장의 유행형(♈*mode, fashion, vogue*). ¶(an der) ~ sein 유행물이다 / aus der ~ kommen 한물가다, 유행에 뒤떨어지다.
Mode·artikel *m.* 유행품, 장신구《여자의》. **~ausdruck** *m.* 유행어. **~dame** *f.* 유행을 좇는 여자, 멋장이(여자). **~dichter** *m.* 인기 작가. **~farbe** *f.* 유행색.
Model [mó:dəl] [lat., *dim.* v. Modus] *m.* -s, -, 형(型), 모형, 주형(鑄型)(♈*module*).
Modell [modɛ́l] [fr. „Model"] *n.* -s, -e, 형(型)(♈*model, pattern, mould*); 모형; 모범; 본; 〖彫·畫〗 모델. ¶(als) ~ steh(e)n 모델이 되다. **modellieren** [modɛlí:rən] *t.* u. *i.*(h.) 본뜨다, (의) 모형〔주형(鑄型)〕을 만들다. ¶ein schön modellierter Körper 아름다운 모습.
modeln [mó:dəln] *t.* (틀에 맞추어) 만들다, 본을 뜨다; 무늬를 짜 넣다; *refl.* 변(화)하다.
Mode·narr [mó:dənar] *m.*, **~närrin** *f.* 유행을 좇는 사람〔여자〕, 멋장이.
Moden·schau *f.* 유행복 전시회, 패션 쇼. **~zeitung** *f.* 유행 소개의 신문.
Moder [mó:dər] *m.* -s, 건식(乾蝕), 부패(*decay*); 부패물, 곰팡이 (*mould, mud*); 퀴퀴한〔답답한〕 공기.
Modergeruch [mó:dərgəru:x] *m.* 곰팡 냄새, 퀴퀴한 냄새, 썩은 냄새.
moderig [mó:dərɪç] *a.* 곰팡이 모양의; 곰팡이투성이의; 곰팡이 냄새가 나는, 곰팡이 냄새의; 진흙〔흙탕〕투성이의 **modern**[1] [mó:dərn] *i.*(h.) 썩어 〔곰팡이 피어〕 있다; *i.*(s.) 부패하다, 곰팡이가 피다.
modern[2] [modɛ́rn] [fr., <lat. *modo* „neulich", *eig.* „mit Maß"] *a.* 시호(時好)의, 신유행의, 현대적인 (♈*modern; fashionable, up-to-date*); 근대의. **modernisieren** [modɛrnizí:rən] *t.* 근대화〔현대화〕하다. **Modernismus** *m.* -, 당세풍; 현대풍; 현대주의. **Modernität** *f.* -en, 현대〔당세〕풍.
Mode·schrift·steller [mó:dəʃrɪftʃtɛlər] *m.* 유행 작가.
modest [modɛ́st] [fr. „maßvoll"] *a.* 겸손한.
Mode·stoff *m.* 유행하는 옷감. **~waren** *pl.* =~ARTIKEL. **~welt** *f.* 유행계(界). **~wort** *n.* 유행어. **~zeichner** 패션 디자이너.
Modi [mó:di:] *pl.* =MODUS.
modifizieren [-tsí:-] [lat. „Modus (= Maß) machen", mäßigen] *t.* 제한〔한정〕하다; 변화〔변태·수정〕하다.
modisch [-dɪʃ] [fr. <Mode] *a.* 유행의,

현대풍의(*fashionable, stylish*). **Modist** [modíst] *m.* -en, -en, **Modistin** *f.* -nen, 유행품〔장신구〕 상인; 장신구 제작공(*milliner*).

Modul [mó:dul] [lat.] *m.* -s, -n, = MODEL; 〖數〗 가(법)군(加(法)群).

Modulation [modulatsĭó:n] *f.* -en, 전조(轉調). **modulieren** [lat. <Model] *t.* 〖電·樂〗 전조(轉調)하다.

Modus [mó:dus] [lat. „Maß"] *m.* -, ..dī, 양식, 방법, 수단(♈*mode*); 〖文〗 화법(동사의 직설법·접속법 등)(♈*mood*).

Mofette [mofétə] [lat.] *f.* -n, 〖地〗 (화산의) 탄산 분기(공) (炭酸噴氣(孔)).

mogeln [mó:gəln] [hebr.] *i.*(h.) 속임수를 쓰다(도박에서).

mögen* [mǿ:gən] [*eig.* „können"; = engl. *may*] *t.* ① (話法 助動詞로도 쓰임) 할 수 있다, (이) 가능하다(*be able*); …일지도 모르다, …일 것이다(*be possible*); ("할 수 있다"의 뜻:) 해도 좋다, 상관 없다(*be at liberty, be permitted*). ② (所願) 원하다(*wish, want*) 좋아하다. ¶ er mag krank sein 그는 앓고 있을지 모른다. ③ (讓步·認容) was ich tun mag 무엇을 하든. ④ 좋아하다 (*like*). ¶ möge er kommen! 그가 와 준다면 (올 가망이 있을 때) / möchte er doch kommen! 그가 오면 좋겠는데(올 수 없을 때) / gern ~ 좋아하다 / et. lieber ~ 무엇을 더 좋아하다 / ich mag nicht 나는 싫다 / ich möchte wohl wissen, ob… …인지 알고 싶습니다만.

möglich [mǿ:klıç] [<mögen] *a.* 가능한; 있을 수 있는, 일어날 수 있는(*possible*); 할 수 있는(*practicable*). ¶ (小文字 그대로 名詞化) alles ~e tun 여러 가지로 해 보다, 온갖 수단을 다 쓰다 / (大文字로 고쳐 名詞化) alles ~e bedenken 모든 가능한 경우를 고려하다. **möglichenfalls** *adv.* 할 수(만) 있으면. **möglicherweise** *adv.* 아마, 어쩌면, 혹시. **Möglichkeit** *f.* 가능성(*possibility*); 있을 수 있는 일; 가능한 사물; 실행할 수 있음; (*pl.*) 우연사, 만일의 경우. **möglichst** [mǿ:klıçst] (Ⅰ) *a.* 가능한 한의. (Ⅱ) *adv.* 될 수 있는 대로.

Mohammed [mó:hamɛt] [ar. „der Geprisene"] *m.* -s, 마호멧(회교의 창시자, 570–632). **Mohammedaner** *m.* -s, -, 회교도. **mohammedanisch** *a.* 회교(도)의. **Mohammedanismus** *m.* -, 회교.

Mohär [mohɛ́:r] [ar.] *m.* -s, -s *u.* -e, 모헤어 직물.

Mohn [mo:n] *m.* -(e)s, -e, 〖植〗 양귀비(*poppy*).

Mohn·blume *f.* 양귀비의 꽃. **~öl** *n.* 양귀비 기름. **~saft** *m.* (Opium)아편.

Mohr[1] [mo:r] [ar. -fr.] *m.* -(e)s, -e, 모헤어.

Mohr[2] [mo:r] [Lw. lat. *Maurus*] *m.* -en, -en, **Mohrin** *f.* -nen, 무어 사람(Mauretanien 주민)(♈*Moor*); (一般的으로:) 흑인(*negro, black*). ¶ (比) e-n ~en weiß waschen 헛수고하다.

Mohrenwäsche [mó:rənvɛʃə] *f.* (比) 헛수고, 불가능한 일.

Mohr·rübe [mó:rry:bə] *f.* -n, 〖植〗 당근(*carrot*).

Moiré [moaré:] [fr.] *m.* od. *n.* -s, -s, 물결 무늬가 있는 비단.

mokieren [mokí:rən, mɔ-] [fr.] *refl.* (über et. 을) 비웃다, 조롱하다(♈*mock; sneer* (*at*)).

Mokka [mɔ́ka] [ar.] *m.* -s, -s, (Ⅰ) 아라비아의 도시 이름. (Ⅱ) 〔~**kaffee** *m.*〕 모카코피(*Mocha* (*coffee*)).

Molar [molá:r] [lat.] *m.* -s, -en, 〖解〗 어금니.

Molargewicht [molá:r-] *n.* = MOLEKULARGEWICHT.

Molch [mɔlç] *m.* -(e)s, -e, 〖動〗 도롱뇽(*newt*).

Mole [mó:lə] [Lw. it.] *f.* -n, 방파제, 부두(♈*mole; pier*).

Molekül [moleký:l] [fr. „kleine Masse"] *n.* -s, -e, 〖物·化〗 분자(♈*molecule*). **molekular** [molekulá:r] *a.* 분자의.

Molekular·anziehung *f.* 〖物〗 분자 인력. **~bewegung** *f.* 분자 운동. **~formal** *f.* 분자식. **~gewicht** *n.* 분자량. **~kraft** *f.* 분자력. **~wärme** *f.* 분자열.

molestieren [molɛstí:rən] [lat.] *t.* 괴롭히다, 고통을 주다.

Molgewicht [mó:l-] *n.* = MOLEKULARGEWICHT.

molk [mɔlk] ☞ MELKEN (그 過去).

Molke [mɔ́lkə] [<melken] *f.* -n, 유정(乳精), 유장(乳漿)(*whey*). **Molkerei** [mɔlkərái] *f.* -en, 낙농업(酪農業), 낙농장(場)(*dairy*). **molkig** *a.* 유정 모양의; 유정을 함유한; (比) 탁한.

Moll [mɔl] [it., <lat. *mollis* „weich"] *n.* -, -, 〖樂〗 단조(*minor, flat*); (比) 우울.

mollig [mɔ́lıç] [Lw. lat. *mollis*] *a.* (方) 부드러운(*soft*); 둥그스름한, 투실투실한(*rounded*); 아늑한, 안락한(*cosy, snug*).

Molluske [mɔlúskə] [lat.] *f.* -n, (흔히 *pl.*) 〖動〗 (Weichtier) 연체 동물.

Moment [momɛ́nt] [lat. „Bewegung"] (Ⅰ) *n.* -(e)s, -e, 동인(動因), 동기, 계기, 요인, 사유(*motive*); 〖物〗 (Kraft~) 운동량(運動量), 능률, 모멘트(♈*momentum*). (Ⅱ) *m.* -(e)s, -e, 시기; 순간(♈*moment*). **momentan** [momɛntá:n] *a.* 순간〔찰나〕의; 현재의; 일시적.

Moment·aufnahme *f.* 스냅 사진 촬영. **~sauger** [-zaugər] *m.* (분뇨의) 순간 흡취기. **~verschluß** *m.* 〖寫〗 셔터.

Monade [moná:də] [gr., *monás* „Einheit"] *f.* -n, 단일(單一), 단원(單元); 〖哲〗 단자(單子).

Monarch [monárç] [gr. „Alleinherrscher"] *m.* -en, -en, 독재자; 군주.

Monarchie [monarçí:] *f.* ..chīen, 군주 정체; 군주국. **monarchisch** *a.* 군주의; 군주 정체의.

Monat [mó:nat] [Mond 와 同語] *m.* -(e)s, -e, (달력의) 달(♈*month*). **monatelang** *a.* 몇 개월간의. **monatlich** (Ⅰ) *a.* 매달의(♈*monthly*). (Ⅱ) *adv.* 다달이.

Monat(s)·fluß *m.* 월경(*menses*). **~geld** *n.* 월급; 월부금. **~karte** *f.* 월간 정기권(승차권 등). **~rose** *f.* 〖植〗 모스로즈(매달 피는). **~schrift** *f.* 월간 잡지. **~tag** *m.* (어떤) 달의 (어떤) 날. **~weise** *adv.* 매달, 다달이(*monthly*).

Mönch [mœnç] [Lw. mlat. *monicus* „Einsiedler", <gr. *mónos* „allein"] *m.* -(e)s, -e, 수(도)사(士), 은수사(隱修士) (♈*monk*; *friar*). **mönchisch** *a.* 수(도)사 같은; 은둔적인.

Mönchs≈geist [-çs-] *m.* 수(도)사 정신. **~klöster** *n.* 수도원. **~kutte** *f.* 수(도)사 등의 의복 《헐렁하고 길이가 긴》. **~lēben** *n.* 수(도)사의 생활. **~orden** *m.* 수도회(修道會).

Mönch(s)tūm [mønç(s)tu:m] *n.* -(e)s, 수(도)사 기질; 수도 생활. **Mönchswe≈sen** *n.* 수도원 제도; 수도 생활.

Mōnd [mo:nt] [♈messen, *eig* „(die Zeit) Messender"] *m.* -(e)s, -e, 달(♈*moon*); 위성, 달《지구 이외 천체의》; 《詩》 =MONAT.

mondān [mɔndɛ́:n] [fr.] *a.* 세속의, 속세적인; 사교적인. **Mondāne** *f.* -n, 시류를 좇는 여성, 사교 여성.

Mōnd≈bahn *f.* 달의 궤도. **~bein** *n.* 〖解〗 월상골(月狀骨). **~beschienen** *a.* 달빛에 비친. **~blindheit** *f.* 월맹증(月盲症) 《말의》. ⌈=MOND..⌉

Mōnden.. [mó:ndən-], **Mōnd(e)s..**

Mōnd≈finsternis *f.* 월식. **~gebirge** *n.* 〖天〗 달 속의 산(맥). **~hell** *a.* 달빛이 밝은, 달이 있는. **~hōf** *m.* 달무리. **~jahr** *n.* 태음년(太陰年). **~kalb** *n.* 〖醫〗 기태(奇胎), 태아괴(胎兒塊); 《比》 괴물. **~licht** *n.* 달빛, 월광. **~ring** *m.* 달무리; (균의 작용으로 떡갈나무의 목층(木層)에 나타나는) 달 모양의 고리. **~scheibe** *f.* 월륜(月輪). **~schein** *m.* 달빛(♈*moonshine*). **~sichel** *f.* 초승달. **~stein** *m.* 〖鑛〗 월장석(月長石). **~sucht** *f.* 〖醫〗 월야 방황증(月夜彷徨症), 몽유병(*lunacy*). **~süchtig** *a.* 위의. **~umlauf** *m.* 달의 회전. **~zir≈kel**, **~zyklus** *m.* 〖天〗 태음 순환기.

Monēten [moné:tən] [lat.] *pl.* 《俗》 금전, 돈(♈*money*).

Mongōle [mɔŋgó:lə] [„der Tapfere"] *m.* -n, -n, 몽고 사람; 황색 인종. **Mongolei** [mɔŋgolái] *f.* 몽고. **Mon≈gōlin** *f.* -nen, 몽고 여자.

moniēren [moní:rən] [lat. *monēre*; d. ♈mahnen] *t.* 독촉[재촉]하다, 경고하다 (*remind*); 견책[비난]하다 (*censure, criticize*).

Monīlia [moní:lia] [<lat. monile „Halsband"] *f.* 모닐리아《포자가 사슬꼴로 이어진 기생균》; 〔**~fäule** *f.*〕 모닐리아에 의한 (과수의) 썩는 병.

Monismus [monísmus] [gr.] *m.* -, 〖哲〗 일원론(一元論).

Moniteur [monitǿ:r] [fr. „Mahner (경고자), Ratgeber (조언자)", engl. *monitor*] *m.* -s, -e, 프랑스의 신문명.

Mōnitum [mó:nitum] [lat.] *n.* -s, ..ta, 충고, 훈계, 경고; 질[문]책.

Monochromasie [monokromazí:, mɔno-] [<monochrom] *f.* ..sīen, 〖醫〗 전색맹.

Monogamie [monogamí:] [gr.] *f.* (ant. polygamie) 일부 일처(제).

Monogenēse [-gené:zə] [gr.] *f.* 〖生〗 단성 생식(單性生殖).

Monogonie [-goní:] =MONOGENESE.

Monogramm [-grám] [gr. „ein Buchstabe"] *n.* -s, -e, (성명의 머리 글자를) 짜맞춘 문자, 화압(花押); (Künstler~) 낙관(落款). **Monographie** *f.* ..phīen, 단일 사항 또는 단일 문제에 관한 학술 논문; 〖心〗 기록(법).

Monokel [monɔ́kəl, mɔ-] [fr. *aus* gr. *mono-* u. lat. *oculus* „Auge"] *n.* -s, -, 단안경(單眼鏡)(♈*monocle*).

Monolōg [monoló:k, mɔno-] [gr. „Allein-rede"] *m.* -s, -e, 〖劇〗 독백, 혼잣말(♈*monologue*). ⌈〖醫〗 편집광(狂).⌉

Monomanie [-maní:] [gr.] *f.* ..nīen, ⌋

Monoplān [-plá:n] [gr. -lat.] *m.* -(e)s, -e, 단엽(비행)기.

Monopōl [-pó:l] [„Allein-verkauf"] *n.* -s, -e, 전매(권); 독점(♈*monopoly*). **monopolisieren** *t.* 전매[독점]하다.

monotōn [-tó:n] [„ein-tönig"] *a.* 단조로운(♈*monotonous*). **Monotonie** *f.* ..nīen, 단조(單調).

Monstranz [mɔnstránts] [lat.] *f.* -en, 〖가톨릭〗 성체 현시대(聖體顯示臺).

Monstrum [mɔ́nstrum] [lat.] *n.* -s, ..stren *u.* ..stra, 기형물(奇形物); 괴물, 요괴(妖怪); (Unmensch) 잔인한 사람, 비인간(♈*monster*).

Monsūn [mɔnzú:n] [ar.] *m.* -s, -e, 〖地〗 계절풍, 무역풍, 몬순.

Mōntāg [mó:nta:k] [„Mond-tag" 달의 여신에게 바친 날] *m.* -(e)s, -e, 월요일 (♈*Monday*). ¶ 《俗》 der blaue ~ 쉬는 월요일《종업원·직공의》.

Montage [mõtá:ʒə, mɔn-, mɔŋ-] [fr. <montieren] *f.* -n, 〖機〗 짜맞춤, 조립, 장치《기계의》; 〖寫〗 (Photo~, Film~) 몽타즈《화면 구성·편집》.

Montage≈bau *m.* 조립식 건축. **~hal≈le** *f.* 기계실.

mōntāgig [mó:ntɛ:gıç] *a.* 월요일의. **mōntāglich** *a.* 매월요일의 **mōntāgs** *adv.* 매월요일에.

montān [mɔntá:n] [lat. *mons* „Berg"] *a.* 산의; 광산의, 채광(採鑛)의(*mining*).

Montānindustrie [-industri:] *f.* 광업.

Montanismus [-nís-] *m.* -, 몬타누스교《2세기 소아시아의 예언자 Montanus의 교, 그리스도의 재림이 가까움을 논함》. **Montanist**[1] [-níst] *m.* -en, -en, 몬타누스 교도.

Montanist[2] [-níst] [<montan] *m.* -en, -en, 채광(및 야금) 전문가.

Montānuniōn [mɔntá:nuniŏ:n] *f.* 유럽 석탄 철광 연합.

Monteur [mõtǿ:r, mɔn-, mɔŋ-] [lat. -fr.] *m.* -s, -e, (기계) 조립 기사. **mon≈tieren** [mõtí:rən, mɔn-, mɔŋ-] [fr., < lat. *mons* „Berg"] *t.* 짜맞추다, 장치하다《기계를》 (*mount, fit* (*up*), *erect, assemble*); 〖海〗 승선시키다; 〖軍〗 옷[말]을 공급하다; 장비하다. **Montieren** *n.* -s, -, **Montierung** *f.* -en, 짜맞춤, 장치《기계의》; 〖軍〗 피복[말]의 급여; 위의 급여품. **Montūr** [mɔntú:r] *f.* -en, 〖軍〗 근무복, 군복, 피복.

Monument [monumént] [lat.] *n.* -(e)s, -e, 기념물; 기념비.

Moor [mo:r] [nd. ♈Meer] *n.* -(e)s, -e, (관목이 무성한 낮은) 황무지(♈*moor*),

늪, 소택지, 저습지(*bog*); 수렁(*swamp*).
Moor≈bād *n.* 〖醫〗 이토욕(泥土浴). ~≈**bōden** *m.* 소택지.
moorig [mó:rıç] *a.* 소택지의; 늪이 많은; 저습한.
Moorland [mó:rlant] *n.* 비습(卑濕)한 지방, 소택지.
Moos[1] [mo:s] [hebr.] *n.* –es, 《盜·學》 돈, 현금(*money, cash*).
Moos[2] *n.* –es, –e, 이끼(♈*moss*); 선태류(蘚苔類).
moosig [mó:zıç] *a.* 이끼가 낀; 이끼 모양의.
Moosrōse [mó:sro:zə] *f.* 〖植〗 장미의 일종.
Mop [mɔp] [engl.] *m.* –s, –(e), 자루가 달린 걸레. **mop(p)en** *t.* u. *i.*(h.) 자루 달린 걸레로 닦다, 청소하다.
Moped [mó:pet, –pe:t] [*Mo*tor u. *Ped*al] *n.* –s, –s, 모페트《모터 달린 자전거》.
Mops [mɔps] *m.* –es, ⸗e [mœ́psə], 발바리(개)처럼 찌푸린 면상을 한 작은 개(*pug*); 불평가, 노상 짜증만 내는 사람.
Mopsgesicht *n.* 찌푸린〔추한〕 얼굴.
Mopsnāse *f.* 사자코(의 사람).
Moral [morá:l] [lat. *mōs*, (2格: *mōris*) „Sitte"] *f.* –en, 도덕, 도의, 윤리; 도덕〔윤리〕학, 수신(修身); (소설·우화 따위의) 교훈. **moralisch** *a.* 도덕의; 도의를 지키는, 도덕적인; 정신적인, 내적인. **moralisieren** [moralizí:rən] *i.*(h.) 도덕을 설파하다; 도학자연하다. **Moralität** *f.* 도덕성, 도의심; 덕행.
Moral≈philosophie *f.* 도덕 철학, 윤리학. ~**predigt** *f.* 도덕〔수양〕 설교; 《俗》 격려 연설.
Moräne [moré:nə] [fr.] *f.* –n, 〖地〗 빙하에 의하여 생긴 퇴석(堆石)(♈*moraine*).
Morast [morást] [fr. –ndl.] *m.* –es, –e *u.* ..räste, 비습지, 소택지(♈*morass, bog*). **morastig** *a.* 진흙이 많은, 진흙투성이의; 소택지의, 질퍽질퍽한.
Moratorium [morató:rīum] [lat.] *n.* –s, ..nīen, 〖法〗 법률에 의한 지불 유예.
Morbid [mɔrbí:t] [lat. –fr.] *a.* 병적인, 병약한; 〖畫〗 부드러운《색조 따위》.
Morchel [mɔ́rçəl] *f.* –n, 〖植〗 그물우산버섯(*morel*).
Mord [mɔrt] [*eig.* "Tod"] *m.* –(e)s, –e, 살해, 살인(♈*murder*).
Mord≈anschlāg [mɔ́rt-anʃla:k] *m.* 살해 기도(企圖), 습격. ~**brenner** *m.* 방화 모살(謀殺) 범인. ~**brennerei** *f.* 방화 모살(謀殺).
morden [mɔ́rdən] [♈mord] *t.* 살해하다(♈*murder*); 학살하다(*slay*). **Mörder** [mœ́rdər] *m.* –s, –, **Mörderin** *f.* –nen, 살인자, 모살자(謀殺者)(♈*murderer*). **mörderisch** *a.* 살인(자)의; 흉악한; 살인적인(*murderous*). **mörderlich** *a.* 《俗》 엄청난, 굉장한(*fearful, terrible*).
Mord≈gier, ~**sucht** *f.* 살의(殺意). ~≈**gierig**, ~**süchtig** *a.* 살의가 있는.
mordiō! [mɔ́rdīo:] *int.* 사람 살려.
Mords≈kerl [mɔ́rtskérl] *m.* 굉장한 녀석, 대단한 놈. ~**mäßig** *a.* 굉장한, 대단한. ~**spektākel** *m.* 대소동.
Mord≈stahl *m.* 흉인(凶刃). ~**sucht** *f.* 살인욕(殺人欲).
mordswēnig [mɔ́rtsvé:nıç] *a.* 극히 적은.
Mordtāt [mɔ́rtta:t] *f.* 살인 행위.
Mordwīne [mɔrtví:nə] *m.* –n, –n, 모르트빈 사람《Wolga 하반의 핀란드족》.
Mōres [mó:rɛs, –re:s] [lat., *pl.* <*mos*; =Moral] *pl.* (Sitten) 풍습; 행실, 예의. ¶~ lehren 버릇〔행실〕을 가르치다.
Morgen[1] [mɔ́rgən] *m.* –s, –, ① 아침(♈*morning*). ¶guten ~! 안녕하십니까《아침 인사》/ diesen ~ 오늘 아침 / des ~s 아침에, 아침마다 / e–s ~s 어느날 아침에 / 《때의 副詞 다음에 올 때는 小文字》 heute ~ 오늘 아침. ② (Feldmaß) 옛 토지 면적의 단위《두 필의 소가 오전 중에 경작할 수 있는 넓이》(*acre*). ③ 동, 동방(*east*), 동양. **morgen** 《Ⅰ》《Morgen의 副詞的 用法》 ☞MORGEN. 《Ⅱ》《본래는 Morgen의 單數 3格; 내일 아침의 뜻에서:》 *adv.* 내일, 명일. ¶~ früh 내일 아침 / ~ abend 내일 저녁. 《Ⅲ》《名詞化하여》 **Morgen**[2] *n.* 내일(날); 미래, 장래. ¶das Heute und das ~ 오늘과 내일.
Morgen≈andacht *f.* 아침 예배〔기도〕. ~**anzūg** *m.* 보통 예복; 통상복. ~≈**ausgābe** *f.* (신문의) 조간. ~**besūch** *m.* 오전의 방문. ~**brōt** *n.* 조반, 아침밥. ~**dämmerung** *f.* 여명(黎明), 밝을 녘, 새벽.
morgendlich [mɔ́rgəntlıç] *a.* 아침의; 오전중의; 아침같은.
Morgen≈gābe *f.* 옛날 결혼 다음날 아침에 (신랑이 신부에게) 주는 선물《토지·귀중품 따위》. ~**land** *n.* 동방의 나라, 동양, 근동 제국(諸國)《동부 지중해 연안의 나라들》. ~**länder** *m.* 동양 사람, 근동 지방 사람. ~**ländisch** *a.* 동양의, 근동의. ~**luft** *f.* 아침 공기; 아침(산들)바람. ¶《比》 ~luft wittern 좋은 기회를 알아내다. ~**rock** *m.* (여자용) 화장옷. ~**rōt** *n.*, ~**rōte** *f.* 아침 놀, 서광(曙光). ~**stern** *m.* 〖天〗 샛별, 금성(金星). ~**wind** *m.* 아침 바람; 동풍. ~**zeitung** *f.* 조간 신문.
morgig [mɔ́rgıç] *a.* 다음날의, 내일의.
Morphēm [mɔrfé:m] [*kw.* <gr. *morphḗ* „Gestalt"] *n.* –s, –e, 〖文〗 형태소(形態素).
Morpium [mɔ́rfīum] [gr.] *n.* –s, 〖化〗 모르핀(♈*morphine*).
Morphologie [mɔrfologí:] [lat.] *f.* ..gīen, 〖生·地〗 형태학; 〖文〗 형태론.
morsch [mɔrʃ] [<mürbe] *a.* 썩은, 부패한(*rotten*); 무른; *adv.* 무르게.
Morse≈alphabēt [mɔ́rzə–, (engl.) mɔ́:rs–] *n.* 〔~**schrift** *f.*〕 모르스(식 전신)부호《발명가 Samuel Morse의 이름에서》. ~**apparāt** *m.* 모르스식 전신기.
Mörser [mœ́rzər] [Lw. lat.] *m.* –s, –, 절구(♈*mortar*); 유발(乳鉢); 〖軍〗 곡사포. ~**keule** *f.* 절굿 공이.
Morse·zeichen [mɔ́rzətsaiçən] *n.* 모르스 신호.
Mörtel [mœ́rtəl] [Lw. lat.] *m.* –s, –, 모르타르(♈*mortar; cement*). **mörteln** *t.* (에) 모르타르를 바르다.
Mortifikation [mɔrtifikatsió:n] [lat.] *f.* –en, 금욕, 고행; 〖法〗 무효 선언.
Mosaik [mozaí:k] [it. „Musenwerk", <gr. Muse] *f.* –en; od. *n.* –s, –e, 모자이크(♈*mosaic*).
Mosaikfußbōden [–fu:sbo:dən] *m.* 모자이크 마루.
Moschee [mɔʃé:] [ar. –it.] *f.* ..scheen, 회교 교당(♈*mosque*).

mōschen [mó:ʃən] *i.*(h.) 《俗》 낭비하다 (mit et.).

Moschus [mɔ́ʃus] [skt. „Hoden"] *m.* –, 사향(麝香)(♈*musk*).

Moschustier [-ti:r] *n.* 〖動〗 사향노루.

Mōsel [mó:zəl] [♈Meer, Moor] *f.* 〖地〗 die ~ 모젤강《라인강 지류》.

Moskau [mɔ́skau] [russ. *Moskwa*] *n.* 모스크바.

Moskīto [mɔskí:to] [sp., <lat. *musca* „Fliege"] *m.* –s, –s, 〖蟲〗 모기(♈*mosquito*).

Most [mɔst] [Lw. lat.] *m.* –es, –e, (발효중의) 과즙; (특히) 포도주(♈*must*); 《比》 청춘; 《方》 과실주(*cider*). **Mostrich** [mɔ́striç] [„Mostsenf"] *m.* –(e)s, 겨자《포도즙에 섞어 조미료로 씀》(♈*mustard*).

Motel [motɛ́l] [*Motor-Hotel*] *n.* –s, –e, 모텔《자동차 여행자의 숙박소》.

Motīv [motí:f] [lat., *movēre* „bewegen"] *n.* –s, –e, ① (Beweggrund) 동기(♈*motive*). ② (예술상의) 모티프; 주상(主想), 주제, 제재(題材), 음악의 악상, 악지(樂旨)(*motif*). **motivieren** [motiví:rən] *t.* (에) 동기를 부여하다, (의) 이유〔근거〕를 들다; 유도〔자극〕하다(♈*motivate*). **Mōtor** [mó:tɔr] [lat. „Beweger"] *m.* –s, ..tōren, 발동기, 모터; 〖電〗 전동기; 《比》 원동력, 동인.

Mōtor≈boot *n.* 모터 보트. **~haube** *f.* (자동차의) 보닛.

motōrisch [motó:rɪʃ] [lat.] *a.* 운동을 일으키는; 모터로 움직이는. **motorisieren** [motorizí:rən] *t.* (에) 모터를 장치하다; 동력화하다; 〖軍〗 기계화하다.

Mōtor≈omnibus *m.* 버스. **~pflūg** *m.* 자동 가래. **~rād** 오토바이. **~roller** *m.* 스쿠터. **~schiff** *n.* 발동기선. **~sport** *m.* 오토바이〔자동차〕 경주. **~wāgen** *m.* 자동차.

Motte [mɔ́tə] [*eig.* „Nagende"] *f.* –n, 〖蟲〗 나방(*moth*); (Kleider~) 옷좀나방, 좀.

Motten≈fraß *m.* 좀의 피해. **~pulver** *n.* 제충분(除蟲粉). **~zerfressen** *a.* 좀이 먹은.

Mottō [mɔ́to:] [it.] *n.* –s, –s, 표어, 모토, 좌우명; 제사(題詞).

moussieren [musí:rən] [fr. „schäumen"] *i.*(h.) (음료가) 거품이 일다, 끓어오르다.

Mȫwe [mǿ:və] *f.* –n, 〖鳥〗 갈매기(♈*mew*; *sea gull*).

MRA [em-ɛr-á:] [engl.] 《略》 =*Moral Re-Armament* 도덕 재무장(운동)《미국인 F. Buchman이 창시》.

Muck [muk] [<mucken] *m.* –(e)s, –e, 중얼거림, 중얼중얼. ¶nicht ~ sagen 한마디도 않다.

Mucke [múkə] [Mücke의 別形] *f.* –n, 짜증, 언짢음; 변덕, 들뜬 기분(*whim*, *caprice*).

Mücke [mʏ́kə] *f.* –n, 모기(♈*midge*; *gnat*).

Muckefuck [múkəfuk] [? <fr. *macca faux* „Ersatzkaffee"] *m.* –s, 맥아 코피, 대용 코피.

mucken [múkən] [擬聲語] 《Ⅰ》 *i.*(h.) 입 속에서 중얼거리다(*mutter*); 투덜거리다(*grumble*). 《Ⅱ》 *refl.* 몸을 (살그머니) 움직이다(*stir*); 불평을 말하다.

Mücken≈schwarm *m.* 모기 떼. **~stich** *n.* 모기가 문 자국.

Mucker [múkər] *m.* –s, –, 투덜거리는 사람; 음험한 사람, 신앙심이 두터운 체하는 사람, 위선자 (*hypocrite*, *bigot*). **Muckertūm** *n.* –(e)s, 믿음이 두터운 체함, 위선. **mucksen** [múksən] *i.*(h.) 중얼거리다; (또 *refl.*)(가만히) 몸을 움직이다.

mǖde [mý:də] [*eig.* *p. p.* <mühen] *a.* ① 지친; 피로한(*tired*, *weary*). ② 《2·4 格과 더불어》 싫증난. ¶des Lebens ~ 삶에 싫증이 난 / ich bin es 〔dessen〕 ~ 나는 그것에 지쳤다. **Mǖdigkeit** [mý:dıçkait] *f.* –en, 피로, 권태.

Muff[1] [muf] [♈Mops] *m.* –(e)(s), –e, ① (개·여우 따위의) 짖는 소리. ② 짖는 개; 《比》 투덜거리는 사람.

Muff[2] [muf] *m.* –(e)s, –e, 《方》 곰팡이; 곰팡내.

Muff[3] [muf] *m.* –(e)s, –e, (여성용) 토시, 머프《모피(毛皮)로 만든 것으로 좌우에서 손을 넣음》(♈*muff*). **Muffe** [múfə] *f.* –n, 〖工〗 (Rohr~, Ansatzstück) 끼우는 관(管)(*sleeve*, *socket*).

Muffel[1] [múfəl] [♈Mops] *m.* –s, –, (동물의) 비구부(鼻口部), 코끝《특히 염소·양 따위의》.

Muffel[2] [múfəl] [Lw. lat.] *f.* –n, 〖化〗 (용해용의) 도가니; (도자기 굽는 가마의) 그릇 넣는 간(♈*muffle*).

muff(e)lig [múf(ə)lıç] *a.* 입을 비쭉 내민, 시무룩한, 찌프린(*sulky*, *cross*). **muffeln** *i.*(h.) 투덜거리다, 시무룩해 있다.

muffen[1] [múfən] *i.*(h.) 곰팡내 나다.

muffen[2] [múfən] *i.*(h.) 투덜거리다, 중얼거리다.

muffig[1] [múfıç] *a.* 곰팡 냄새가 나는.

muffig[2] *a.* 투덜거리는, 시무룩한.

muh! [mu:] [擬聲語] *int.* 음메《소 우는 소리》.

Mǖhe [mý:ə] [<mühen] *f.* –n, 수고, 노고, 노력(*pains*, *trouble*, *labour*). ¶mit ~, a) 노력하여, b) 겨우, 간신히 / sich[3] ~ geben 애를 쓰다, 진력하다 / jm. ~ machen 아무에게 수고를 끼치다 / der ~[2] wert sein 애쓴 보람이 있다. **~lōs** *a.* 힘들지 않는; 쉬운.

mūhen [mú:ən] [擬聲語] *i.*(h.) (소가) 음매하고 울다.

mǖhen [mý:ən] 《Ⅰ》 *t.* 괴롭히다, 고생시키다, 번거롭게 하다(*trouble*). 《Ⅱ》 *refl.* (日常語로는: sich bemühen) 《詩》 고생하다, 수고하다(*take trouble or pains*).

mǖhe≈voll *a.* 노고가 많은, 성가신, 수고스러운, 귀찮은. **~waltung** *f.* 수고, 노력, 진력.

Mǖhl≈bach [mý:lbax] *m.* 물방아를 돌리는 개울. **~bursch(e)** *m.* 물방앗간〔제분소〕의 젊은〔꼬마〕 일꾼.

Mǖhle [mý:lə] [Lw. lat.] *f.* –n, ① 제분기, 절구, 맷돌; (Wasser~) 물방아. ② 물방앗간; (Wind~) 풍차(風車); 제분소, 방앗간(*mill*); 〖工〗 분쇄기, 마쇄기(磨碎機); 마쇄〔절단〕 공장. ¶Säge~, Schneide~ 제재소(製材所) / Öl~ 제유(製油) 공장 / Papier~ 제지(製紙) 공장.

Mǖhlen≈bau *m.* 물레방아 건조(建造).

M

~bauer *m.* 물레방아 목수. **~rād** *n.* 물레방아(의 바퀴).

Mühl=gang *m.* 한 짝의 맷돌, 마쇄기(磨碎機). **~grāben** *m.* 수차구(水車溝). **~knappe** *m.* =~BURSCHE. **~=rād** *n.* =MÜHLENRAD. **~staub** *m.* 제분소의 (공중에 뜨는) 가루. **~stein** *m.* 맷돌(용 돌), 가는 돌. **~teich** *m.* 물레방아용 못. **~wehr** *n.* 물레방아용 방죽.

M

Muhme [mú:mə] [*eig.* „Mutterschwester", ♈Mutter] *f.* -n, 백모, 숙모, 고모, 이모(*aunt*); 《一般的》 아주머니《나이 든 여자 친척》; 종자매(從姉妹); 조카딸.

Mühsāl [mý:za:l] *n.* -(e)s, -e; od. *f.* -e, 신고(辛苦), 고난, 곤궁; 귀찮음, 간난(艱難); 난삽(難澁)(*trouble, distress, hardship*). **mühsām** [mý:za:m] *a.* 노력하는, 애쓰는; 괴로운, 힘드는, 곤란한, 귀찮은(*troublesome, laborious*). **mühsēlig** *a.* 심히 고통스러운, 간난을 극한, 어려운(*toilsome, hard*); 비참한, 곤궁한. **Mühsēligkeit** *f.* 위임.

Mulatte [mulátə] [sp. „Maulesel"] *m.* -n, -n, 백인과 흑인의 트기(♈*mulatts*).

Mulde [mú:ldə] [Lw. lat.] *f.* -n, (통나무로 된) 타원형〔배모양〕의 통, 쟁반, 소반; 〖地〗 분지(盆地).

Mull[1] [mʊl] [ind.] *m.* 〔*n.*〕 -(e)s, -e, 무명 모슬린(*muslin*); 면사(綿絲), 가제.

Mull[2], **Müll** [mʏl] [♈mahlen, *eig.* „Gelmahlenes"] *m.* -(e)s, 먼지, 쓰레기(*dust, refuse*). **Müllabfuhr** *f.* 쓰레기 운반. **Mülleimer** *m.* 쓰레기통.

Müller [mʏ́lər] [Lw. lat. <Mühle] *m.* -s, -, 물방앗간〔제분소〕의 주인(♈*miller*). ¶wie ein ~ schlafen 세상 모르고 깊이 잠들다. **Müllerei** *f.* -en, 제분업, 방앗간, 물방아 영업.

Müll=fuhrmann *m.* 쓰레기 청소부. **~kasten** *m.* 쓰레기통. **~schlucker** *m.* 쓸어들이는 장치, 쓰레기받이. **~=verbrennung** *f.* 쓰레기 소각. **~wā=gen** *m.* 쓰레기(운반)차.

Mulm [mʊlm] [♈mahlen] *m.* -(e)s, -e, 가루처럼 부서진 것; 그러한 흙, 풍화된 암석; 썩은 나무((*dust of*) *rotten wood*). **mulmig** *a.* 푸석푸석한, 먼지 같은; 썩어 문드러진, 풍화된.

multipel [multí:pəl] [lat. „vielfältig"] *a.* 여러겹의, 복합(식)의; 〖數〗 배수(倍數)의. **Multiplikation** [-plikatsĭó:n] *f.* -en, 곱하기, 승법. **multiplizieren** [-tsí:-] *t.* 곱하다(♈*multiply*).

Mulus [mú:lʊs] [lat., „Maulesel"] *m.* -, ..lī, 《學》 (대학의) 신입생《아직 정식으로 학적에 들지 않은》.

Mumie [mú:mĭə] [ar. <pers. *mūm* „Wachs"] *f.* -n, 미라(♈*mummy*).

Mumme [mʊ́mə] [fr.] *f.* -n, 가면, 복면; 가장; 가면을 한 사람, 가장자.

Mummelgreis [mʊməlgrais] *m.* 늙은이. **mummeln** [mʊ́məln] [擬聲語] *i.*(h.) 웅얼웅얼 말하다, 중얼거리다(♈*mumble*).

Mummenschanz [mʊ́mənʃants] [fr.] *m.* -es, ..schänze, 가장 무도회; 가장 행렬.

Mummerei [mʊmərái] *f.* -en, 가장, 복면(을 씀); =MUMMENSCHANZ.

Mumpitz [mʊ́mpɪts] *m.* -es, 《俗》 바보 같은 이야기, 넌센스(*nonesense*); 속임수(*humbug*).

Mumps [mʊmps] [engl.] *m.* -, (稀: f.) 〖醫〗 유행성 이하선염, 항아리손님.

München [mýnçən] *n.* 독일 Bayern 주의 수도(♈*Munich*).

Mund[1] [mʊnt] *m.* -(e)s, ⸗er *u.* -e, ① 입(♈mouth), 입술; 《比》 혀, 이야기. ¶reinen ~ halten 침묵을 지키다 / sich[3] den ~ verbrennen 설화를 입다. ② 《前置詞와 함께》 sich[3] et. **am** ~e abdarben 음식을 조리차하여 무엇을 남기다 / nicht **auf** den ~ gefallen sein 말이 막히지 않다〔청산 유수다〕 / wie **aus** einem ~e 이구 동성으로 / aus der Hand **in** den ~ leben 하루 벌어 하루 살다, 근근히 부지하다 / **mit** offenem ~e (놀라서) 입을 딱 벌리고 / jm. **nach** dem ~e reden 아무에 맞장구 치다 / jm. **über** den ~ fahren 아무의 말을 거칠게 가로막다, (에) 대들다 / kein Blatt **vor** den ~ nehmen 까놓고 이야기하다.

Mund[2] [mʊnt] [lat. *manus* ♈„Hand"] *f.* 〖法〗 보호《지금은 합성어로 쓰임; =Vor~》.

Mund=ārt *f.* 방언, 사투리, 관용어법(*dialect*). **~ārtlich** *a.* 사투리의.

Mündel [mýndəl] *m.* u. *n.* -s, -, 피후견인, 미성년자(*ward, minor*).

mündelsicher [-zɪçər] *a.* (피후견인의 재산을 투자해도 좋을 만큼) 절대로 확실한. ¶~e Papiere 일류 증권(證券).

munden [mʊ́ndən] *i.*(h.) 입에 맞다, 맛있다; 마음에 들다, 취미에 맞다. **mün=den** *i.*(h.) u. *refl.* (입을 접하다:) (강물이) 흘러들다(*flow* (*into*)); (운하·길·관(管) 등이) …에 이르다, 달하다, 접하다(*run* (*into*)).

mund=faul *a.* 말이 적은, 과묵한. **~=fäule** *f.* 〖醫〗 아구창(鵞口瘡) 《어린이의》. **~gerecht** *a.* 입에 맞는, 맛좋은; 취미에 맞는; 말하기 쉬운. **~harmō=nika** *f.* 하모니카. **~höhle** *f.* 〖解〗 구강(口腔).

mundieren [mundí:rən] *t.* 정서(淨書)「하다.」

mündig [mýndɪç] [*eig.* "자기 보호의 능력이 있는"] *a.* 성년의(*of age*). **Mün=digkeit** *f.* 성년(*majority*).

mündlich [mýntlɪç] *a.* 구두의, 입으로의(*oral*). **Mündlichkeit** *f.* 구두 변론.

Mund=orgel *f.* 하모니카. **~pflēge** *f.* 구강 위생. **~schenk** *m.* (궁중·귀족의)헌작 시종(獻酌侍從). **~stück** *n.* (취주악기·담뱃대 등의) 입대는 곳, 부리.

mundtōt [mʊ́ntto:t] *a.* 침묵하도록 명령을 받은. ¶jn. ~ machen 아무를 찍소리 못하게 하다.

Mundtūch [mʊ́nttu:x] *n.* (*pl.* ..tücher) 냅킨.

Mündung [mýndʊŋ] *f.* -en, 접합(接合); (강물이) 흘러듦; 〖鐵〗 종점; 하구(河口); 총구, 포구.

Mund=voll *m.* 한입 가득, 한 입. **~=vōrrāt** *m.* 양식(糧食). **~wasser** *n.* 양치물. **~werk** *n.* 입; 구변, 말재간.

∼winkel *m.* 입언저리, 입가.
Munition [munitsió:n] [lat.] *f.* -en, 군수품, 탄약(♈*ammunition*).
munkeln [múŋkəln] *i.*(h.) 소근거리다(*whisper*).
Münster [mýnstər] [lat. <Mönch] *m.* od. *n.* -s, -, (수도원에서 발전한) 성당, 대성당(♈*minster*; *cathedral*).
munter [múntər] [*eig.* „strebsam“] *a.* ① 눈 뜬, 자지 않는(*awake*). ② 생기 있는, 활발한(*lively*, *agile*); 쾌활한, 즐거운(*bright*, *gay*). **Munterkeit** *f.* 위임.
Münze [mýntsə] [lat., =Moneten] *f.* -n, ① 화폐, 돈(*money*); 경화(硬貨), 주화(*coin*). ② (Denk∼, Schau∼) 기념패, 상패, 메달(*medal*). ③ 조폐국(造幣局)(♈*mint*). ¶et. für bare ∼ nehmen 무엇을 곧이 듣다. **Münz·einheit** *f.* 화폐 단위. **münzen** *t.* (화폐를) 주조하다(*coin*). ¶ 《比》 das ist auf mich gemünzt 그것은 나를 빗댄 말이었다.
Münzer *m.* -s, -, 화폐 주조자; 위폐범.
Münz=fälscher *m.* 화폐 위조자. **∼=fernsprecher** *m.* 공중 전화. **∼fuß** *m.* 화폐 품위. **∼kunde** *f.* 전화학(錢貨學). **∼recht** *n.* 화폐 주조권. **∼sorte** *f.* 화폐의 종류. **∼stempel** *m.* 화폐의 극인(極印). **∼umlauf** *m.* 화폐의 유통. **∼wēsen** *n.* 화폐 제도.
mürbe [mýrbə] [<morsch] *a.* ① 무른, 취약(脆弱)한, 푸석푸석한(*brittle*); 부드러운(*soft*, *tender*). ② (과실 따위의) 무르익은(*mellow*). ③ 《比》 연약한, 줏대〔주견〕없는(*pliable*). **Mürbe** *f.* 취약; 유연; 썩어 문드러짐.
Mürbe=kūchen *m.* 연한 반죽. **∼teig** *m.* 쇼트케이크.
Mürbheit [mýrp-], **Mürbigkeit** *f.* 취약(脆弱); 유연; 썩어 문드러짐.
Murmel [múrməl] [Marmor의 別形] *m.* -s, -, 튀김돌《어린이 장난감으로 본래는 대리석 조각》(*marble*).
murmeln [múrməln] [擬聲語] *i.*(h.) u. *t.* 중얼거리다(♈*murmur*; *mutter*), 속삭이다, 소근거리다(*whisper*). ¶der ∼de (*p. a.*) Bach 얕은 여울.
Murmeltier [múrməl-] [lat.] [前半 lat.] *n.* 〘動〙 기니아픽, 마못(♈*marmot*).
murren [múrən] [擬聲語] *i.*(h.) u. *t.* 투덜거리다(*grumble*, *mutter*). **mürrisch** [mýrɪʃ] *a.* 투덜거리는, 언짢은, 무뚝뚝한(*sullen*, *morose*).
Murr=kopf *m.* 불평가, 짜증내는 사람. **∼köpfig** *a.* 불평〔불만〕의, 언짢은.
Mūs [mu:s] [♈mästen; *eig.* „Speise“, ☞GEMÜSE] *n.* -es, -e, 죽(*pap*); 잼, 마말레이드(*jam*).
mūs·ārtig [mú:s-a:rtɪç] *a.* 죽과 같은, 걸쭉한.
Muschel [múʃəl] [Lw. lat. *musculus* „Mäuschen“] *f.* -n, 〘貝〙 조개; 조가비, (∼schale); 조개껍질(Ohr∼) 귓바퀴, 외이(外耳); (Höhr∼) (전화 수화기의) 귀에 대는 부분.
Muschel=schāle *f.* 조개껍질. **∼tiere** *pl.* 유각 연체(有殼軟體) 동물(*molluscs*). **∼werk** *n.* 패각 세공(貝殼細工).
Mūse [mú:zə] [gr.] *f.* -n, 〘希神〙 뮤즈, 미의 신. ¶die neun ∼n 예술의 아홉 여신.
Musēen [muzé:ən] *pl.* ☞MUSEUM.
Mūselman [mú:zəlman] [pers.] *m.* -en, -en, 회교도(♈*Mussulman*).
Mūsen=sohn [mú:zənzo:n] *m.* 시신(詩神)의 아들; 시인; 대학생. **∼stall** *m.* 《戯》 극장.
Musēum [muzé:um] [gr. <Muse] *n.* -s, ..sēen, (원뜻:) 미의 신의 전당; 박물관(♈*museum*).
Musīk [muzí:k] [gr. <Muse] *f.* 음악(♈*music*); 음악대(*band*); 군악대.
Musīk=ābend *m.* 음악의 밤. **∼akademie** *f.* 음악 학교.
Musikālien [muziká:lĭən] [gr.] *pl.* 악곡류(樂曲類), 악보.
musikālisch [muziká:lɪʃ] *a.* 음악의, 음악상의, 음악적인(♈*musical*).
Musikant [muzikánt] *m.* -en, -en, 음악가; 악사; 엉터리 음악가.
Musikanten=bande *f.* (순회) 악단. **∼knochen** *m.* 《俗》 악사골(樂師骨)《팔굽의 척골 끝, 척골 신경이 통하여 때리면 짜릿해지는》.
Musīk=aufführung *f.* 음악 연주. **∼=bande** *f.* 악단, 악대. **∼begleitung** *f.* 음악 반주. **∼box** *f.* 주크 복스, 자동축음기. **∼bühne** *f.* 음악당. **∼=direktor** *m.* (합창·관현악단의) 지휘자; 〘軍〙 군악 대장. **∼drāma** *n.* 악극《특히 바그너의》.
Mūsiker [mú:zɪkər, -zi-] *m.* -s, -, 음악가(*musician*); 악대원.
Musīk=fest *n.* 음악제, 대음악회. **∼=freund** *m.* 음악 애호가. **∼instrument** *n.* 악기. **∼korps** [-ko:r] *n.* 악대, 군악대. **∼kritik** *f.* 음악 평론. **∼kritiker** *m.* 음악 평론가. **∼lehrer** *m.* 음악 교사. **∼schūle** *f.* 음악 학교, 음악 교칙본. **∼stück** *n.* 악곡. **∼=stunde** *f.* 음악 연습 (시간).
Mūsikus [mú:zikus] *m.* -, ..kusse u. ..sizī [-zitsi:], =MUSIKANT; 《戯》 MUSIKER.
musizieren [muzitsí:rən] *i.*(h.) 음악을 연주하다.
Muskāt [muská:t] [lat., „Moschusduft“; ♈Moschus] *m.* -(e)s, -e, 〘植〙 〔∼blūme, ∼blūte *f.*〕 육두구의 꽃《꽃 모양의 종피(種皮)》; 〔∼nuß *f.*〕 육두구의 종자《향료·약용》. **Muskateller** [it.] *m.* -s, -, 사향(내 나는) 포도(주).
Muskel [múskəl] [lat. *musculus* „Mäuschen“] *m.* -s, -n; od. *f.* -n, 〘解〙 근(筋), 근육(♈*muscle*). **Muskelband** *n.* 인대(靭帶). **muskelig** *a.* 근육이 많은, 근육이 강한, 근력이 있는.
Muskel=kāter *m.* 과로로 인한 근육통. **∼kraft** *f.* 근력(筋力).
Muskēte [muské:tə] [sp.] *f.* -n, 머스킷 총; (그 개량된 구식) 소총(♈*musket*).
Musketier [musketí:r] *m.* -s, -e, (옛) 소총병; 보병.
Muskulatūr [muskulatú:r] *f.* -en, 《總稱》 근육, 근육 조직《전신의》; (억센) 근육. **muskulōs** [muskulǿ:s] *a.* (억센) 근육이 있는, 근골이 억센.
muß [mus] ☞MÜSSEN 《그. 現在》.
Muß [mus] [<müssen] *n.* -, 필연, 부

득이한 일, 필요, 요구(*necessity*).
Mụße [mú:sə] *f.* 여가, 짬, 한가함(*leisure*). ¶mit ~ 시간을 들여, 천천히.
Musselị̣n [musəlí:n] [fr. *u.* it.] *m.* -s, -e, 면사(紗), 모슬린(♀*muslin*).
mụ̈ssen* [mýsən] *t.* 《獨立 動詞 및 話法의 助動詞로》 ① …하지 않으면 안 되다, …하지 않을 수 없다; …에 틀림 없다, …일 수밖에 없다(♀*must, have to, be obliged to*). ¶jeder Mensch muß einmal sterben 누구나 언젠가는 죽어야 한다 / wenn es sein muß 〔müßte〕 부득이〔위급〕한 경우에는 / ich muß 나는 …하지 않으면 안 된다(*I must*) / ich müßte 나는 …하지 않으면 안 되리라(*I ought to*). ② 《本動詞를 省略하고 副詞와 함께》: ich muß fort(gehen) 나는 떠나야 한다.
mụ̈ßig [mý:sɪç] [<Muße] *a.* 《Ⅰ》 ① 짬이 있는, 한가한(*at leisure*); 할 일이 없는, 채용되지 않는(*unemployed*). ② 무용의, 소용이 없는(*superfluous*); 일하지 않는, 태만한, 나태한(*idle*); 《一般的으로 다음과 같은 모양으로 쓰임》 ¶~ geh(e)n, a) 게으름 부리다, 빈둥빈둥 놀다, b) 놀고 있다, 할 일이 없다. 《Ⅱ》 *refl.* sich e-s Dinges ~, a) 무엇을 삼가다, 억제하다, b) 에 종사하다. **Mụ̈ßiggang** *m.* 게으름 부림, 무위(無爲)(*idleness*). **Mụ̈ßiggänger** [-gɛŋər] *m.* -s, -, 게으름뱅이, 빈둥빈둥 노는 사람.
mußte [mústə], **müßte** [mýstə] ☞ MÜSSEN 《그 直說法 및 接續法過去》.
Mụster [mústər] [it. *mostra* (*aus* mlat. *mōnstra*) „was gezeigt wird"] *n.* -s, -, ① 견본, 표본, 본(*specimen, sample, pattern*). ② 도안, 무늬, 의장(意匠)(*design*). ③ 전형(典型), 본보기, 모범(*model*); 보기, 선례(先例)(*example*).
Mụster=anstalt *f.* 모범 시설; 시범 학교. **~bild** *n.* 밑그림, 도안. **~būch** *n.* 견본첩(見本帖). **~gültig** *a.* 모범적인, 표준의.
mụsterhaft [mústərhaft] *a.* 모범적인 (*exemplary, standard*); *adv.* 훌륭하게. **Mụsterhaftigkeit** *f.* 위임.
Mụster=karte *f.* 견본을 붙이는 카드; 견본첩(見本帖). **~knābe** *m.* 모범 소년. **~koffer** *m.* 견본을 넣은 트렁크. **~lāger** *n.* 〖商〗 견본 진열소; 재고품 견본. **~messe** *f.* 견본시(見本市).
mụstern [mústərn] [<Muster] *t.* ① (zeigen lassen) 검사〔조사〕하다(♀*muster; examine*); (mit dem Blicke ~) 훑어 보다(*eye*); 〖軍〗 사열하다(*review*). ② (에) 무늬를 넣다, 판을 찍다(*figure, pattern*).
Mụster=prōbe *f.* 견본. **~register** *n.* 의장(意匠) 등록부. **~rolle** *f.* 〖軍〗 검열부(簿); 병원(兵員) 명부; 〖海〗 해원(海員) 명부. **~schūle** *f.* 모범 학교; (Normalschule) 사범 학교. **~schutz** *m.* 의장 특허(意匠特許), 의장 등록. **~stück** *n.* 견본, 표본.
Mụsterung [mústəruŋ] *f.* -en, 검사, 사열.
Mụster=wēberei *f.* 의장직(意匠織), 무늬직. **~werk** *n.* 표준〔고전(古典)〕적 작품. **~zeichner** *m.* 도안〔의장〕가.

Mūt [mu:t] *m.* -(e)s, ① 마음, 기분, 심정(♀*mood*). ¶mir ist schlecht zu ~e 〔zumute〕 나는 기분이 언짢다. ② 용기(*spirit, courage*). ¶~ fassen 용기를 〔기운을〕 내다, (zu, …을 할) 결심을 하다 / jm. ~ machen 아무의 용기를 불러일으키다 / ihm sank der ~ 그는 기가 죽어 버렸다.
mutā̱bel [mutá:bəl] *a.* 바뀔 수 있는, 가변적인.
Mutatiọ̄n [mutatsió:n] [lat.] *f.* -en, 변화; 변성(變聲)《특히 소년의》; 〖生〗 돌연변이.
Mụ̄tchen [mý:tçən] [*dim.* v. Mut] *n.* -s,: sein ~ an jm. kühlen 아무에게 화풀이하다.
mụ̄ten [mú:tən] 《Ⅰ》 *t.* u. *i.*(h.) 원하다, 바라다; 청원하다. 《Ⅱ》 **gemụ̄tet** *p. a.* (…한) 기분인. ¶wohl ~ sein 기분이 좋다.
mutiẹren [mutí:rən] *i.*(h.) 돌연 변이를 하다; 변성(變聲)하다.
mụ̄tig [mú:tɪç] *a.* 용기〔원기〕 있는, 용감〔대담〕한(*courageous, brave*).
mụ̄tlōs [mú:tlo:s] *a.* 용기〔기운〕없는, 겁을 집어먹은. **Mụ̄tlōsigkeit** *f.* -en, 위임. **mụ̄tmāßen** [mú:tma:sən] [<Mutmaße† "마음으로 헤아림"] *t.* 헤아리다, 추측하다(*suppose, guess*); 가정〔가상〕하다(*presume*). **mụ̄tmāßlich** *a.* 추측할 수 있는, 추측으로의; 가상의, 가정적인. **Mụ̄tmāßung** *f.* -en, 추측.
Mụtter [mútər] *f.* 《Ⅰ》 (*pl.* ¨) 어머니(♀*mother*). 《Ⅱ》 (*pl.* -n) 〖工〗 너트(*nut*), (사개의) 구멍; 암나사.
Mụtter=auge *n.* 어머니〔자애〕의 눈. **~beschwērde** *f.* 자궁병, 히스테리. **~bōden** *m.* 향토, 고향; 자궁, 모체. **~brūder** *m.* 어머니의 남형제, 외숙. **~brust** *f.* 어머니의 젖가슴〔품〕.
Mụ̈tterchen [mýtərçən] *n.* -s, -, 엄마 《남의 일을 잘 돌보아주는 처녀에 대한 말로도 쓰임》; 할머니; 아주머니.
Mụtter=ērde *f.* =~BODEN. **~gesellschaft** *f.* 모회사(母會社), 본사(本社). **~gottes** *f.* 성모(마리아). **~haus** *n.* 《比》 생가(生家), 종가(宗家). **~kind** *n.* 인자(人子), 인간; 어머니의 귀염둥이, 응석받이. **~korn** *n.* 〖植〗 맥각(麥角) 《지혈제·자궁 수축제》. **~kūchen** *m.* 〖解〗 후산(後産), 태반. **~lamm** *n.* 새끼양(의 암컷). **~land** *n.* 조국, 모국. **~leib** *m.* 모태(母胎); 〖解〗 자궁(*womb*). ¶vom ~leibe an 날 때부터.
mụ̈tterlich [mýtərlɪç] *a.* 어머니의; 어머니다운, 어머니 같은; 모계(母系)의.
mụ̈tterlicherseits *adv.* 외가 쪽으로.
Mụtter=liebe *f.* 어머니의 사랑. **~lōs** *a.* 어머니 없는, 어머니를 여윈. **~māl** *n.* 사마귀, 모반(母斑). **~milch** *f.* 모유(母乳). **~mord** *m.* 친모 살해(*matricide*). **~pfērd** *n.* 어미〔암〕말. **~pflicht** *f.* 어머니의 의무 **~ring** *m.* 페서리. **~schāf** *n.* 암양, 어미양.
Mụtterschaft [mútərʃaft] *f.* 어머니임; 어머니의 신분; 모성(母性).
Mụtter=scheide *f.* 〖解〗 질(膣)(*vagina*). **~schiff** *n.* 모선, 모함. **~schōß** *m.* 어머니의 무릎; 《比》 자애. **~schutz** *m.* 모성(母性) 보호. **~schwein** *n.* 암퇘지, 어미 돼지. **~schwester** *f.* 어머

니의 여자 형제, 이모. **～seelenallein** [*eig.* „von jedem, auch der Mutterseele (=Mutter) verlassen"] *a.* 외로운, 홀로 있는, 사고 무친의. **～söhnchen** *n.* =～KIND. **～sprāche** *f.* 모국어; 모어(母語), 본원어(本源語). **～tāg** *m.* 어머니날. **～trompēte** *f.* 〖解〗 나팔관(管). **～witz** *m.* 타고난 지혜, 상식.

Mūtung [múːtuŋ] *f.* -en, 청원; 열망; 〖坑〗 광산 채굴 허가원.

mūtvoll [múːtfɔl] *a.* 용기있는, 용맹한, 「대담한.」

Mūtwille [múːtvilə] [*eig.* „eigener, freier Entschluß"] *m.* -ns, 방임, 방자, 경솔, 제멋대로함(*wantonness*); 장난, 지근거림(*mischief*). **mūtwillig** *a.* 방자한, 제멋대로의; 고의적인, 지근거리는. ¶e-e ～e Beleidigung 까닭없는 모욕.

Mütze [mýtsə] [Lw. pers. -lat.] *f.* -n, (차양 없는) 모자(*cap*).

Mützen≈band *n.* (*pl.* ⁼er) 테없는 모자의 리본. **～schirm** *m.* 모자의 차양.

Mykobaktērien [mykobaktéːrĭən] [gr. *mykes* „Pilz"] *pl.* 간상(桿狀)균의 종류 《결핵균·나균 등에 속하는》.

Mylonit [myloníːt] [gr. *myle* „Mühle"] *m.* -s, -e, 압쇄암(壓碎岩), 밀로나이트.

Myologie [myologíː] [gr. *myos* „Muskel"] *f.* ..gīen, 근육학(筋肉學)《해부학의 한 분과》.

Myriāde [myrĭáːdə] [gr.] *f.* -n, 1만 (♈*myriad*). ¶～n (*pl.*)《比》거만(巨萬), 무수.

Myrrhe [mýrə] [gr., <ar. *marro* „bitter sein"] *f.* -n, 몰약(沒藥)《미르테의 수지》(♈*myrrh*).

Myrte [mýrtə, mír-] [gr.] *f.* -n, 〖植〗 도금양(桃金孃)《상록 관목》, 미르테(♈*myrtle*).

mysteriōs [mysteriǿːs] [gr.] *a.* 신비한, 비밀의, 현묘(玄妙)한(*mystical*).

Mystērium [mystéːrĭum] [gr. -lat. „Geheimnis"] *n.* -s, ..rĭen, 비밀, 신비, 불가사의; 불가해; 비법, 비결; 비교(秘教), 비제(秘祭), 밀의(密議)《고대 그리스·로마의》(♈*mystery*); (중세의) 종교극. **mystifizieren** [gr. mystisch *u.* lat. *facere* „machen"] *t.* 속이다, 우롱하다(♈*mistify*). **Mystik** [mýstɪk] [gr.] *f.* 신비주의. **Mystiker** *m.* -s, -, 신비주의자, 신비가(家). **mystisch** *a.* 비밀의, 현묘한; 신비설(說)의.

Mythe [mýːtə] [gr.] *f.* -n, 신화, (영웅) 전설(♈*myth*; *fable*). **mȳthisch** *a.* 신화의; 신화적인; 가공의. **Mythologie** [myto-] [„Mythenkunde"] *f.* ..gīen, 신화《總稱》; 신화학. **mytholōgisch** *a.* 신화학의; 신화적인. **Mȳthus** [mýːtus] *m.* ..then, =MYTHE.

Myxōm [myksóːm] [gr. *myxa* „Schleim"] *n.* -s, -e, 점액종(粘液腫).

N

na! [na] [보통 na, 때로 naː, nna] *int.* ① 《재촉·焦燥》 자, 어서, 빨리. ② 《不贊成·拒否》(이거) 안돼, 싫다. ③ 《威脅》 이놈, 이봐. ④ 《躊躇》 글쎄. ⑤ 《疑心》 설마, 뭐라고. ⑥ 《決心·確認》 그렇군; 그렇긴 해; 그래. ⑦ 《驚嘆》 ～ nu! 어어, 어렵쇼, 이런, 어머나.

Nābe [náːbə] [engl.] *f.* -n, 〖工〗 바퀴 살통(♈*nave, hub*).

Nābel [náːbəl] [♈Nabe] *m.* -s, - *u.* ⁼, 〖解〗 배꼽(♈*navel*); 중심.

Nābelbruch *m.* 배꼽 헤르니아, **～≈schnūr** *f.* 〖解〗 탯줄.

nāch [naːx, 弱 nax] [♈nah; =„engl. *nigh*"] 《Ⅰ》 *prp.* 《3格支配》 ① 《靜止한 對象 "가까이로"》 으로, 의 쪽으로 (*toward, to, for*); 《目的에의 指向》을 향하여, 을 뜻하여; 《近似》에 가까운, …같은. ② 《움직여 가는 對象"에 가까이 다가가면서"》의 뒤에, 의 뒤를, 에 좇아서〔따라서〕(*after*); 《時間的》의 후에; 《階級에 있어서의 뒤》에 있어서, 의 다음으로; 《比》을 좇아서, 을 따라, …대로, 에 의거하여(*according to, by, from*); 《認識의 理由·證據; ～를 後置하여도 좋음》에 의하면. ¶～ m-r Meinung 〔m-r Meinung ～〕 내 생각으로는. 《Ⅱ》 *adv.* ① 뒤에서, 뒤따라(*after, behind*). ② 《時間的》 ～ u. ～ 차례로, 차츰 / ～ wie vor 전대로, 여느 때와 같이.

nāch.. [náːx-] [=nach II] *pref.* 《動詞의 分離前綴》 "뒤에서, 뒤좇아; 자기 뒤에서; 나중에, 뒤늦게; 따라서, 모방하여" 따위의 뜻. 보기: nach|ahmen, ahmte nach, nachgeahmt.

nāch|achten [náːx-axtən] *i.*(h.) 좇다, (를) 지키다(et.³). **Nāchachtung** [náːx-axtuŋ] *f.* -en, 준수(遵守), 의거(依據) (*observance*); 고려. ¶〖商〗 zu Ihrer ～ 참고가 되도록, 참고삼아.

nāch|äffen [náːx-ɛfən] *t. u. i.*(h.) (기계적으로) 모방하다, 흉내내다(*ape*). ¶jm. et. ～ 아무의 무엇을 흉내내다, 모범으로 삼다. **Nāchäfferei** *f.* -en, 분별없는 흉내, (맹목적인) 모방.

nāch·ahmbār [náːx-aːmbaːr] *a.* 모방할 수 있는.

nāch|ahmen [náːx-aːmən] [*eig.* „nachmessen"] 《Ⅰ》 *t.* 모방하다, 흉내내다 (*imitate, copy*); 모조하다, 위조하다 (*counterfeit, forge*). 《Ⅱ》 *i.*(h.) (jm., 아무를) 따라 하다, 본받다, 거울〔모범〕 삼다. **nāchahmenswērt** *a.* 모방할 가치가 있는; 모범으로 할 만한. **Nāch≈ahmer** *m.* -s, -, 모방자; 사숙자(私淑者). **Nāchahmung** [-aːmuŋ] *f.* -en, 흉내, 모방; 위조, 모조; 표절.

nāch|arbeiten [náːx-arbaitən] *t.* 모작〔모조〕하다; 나중에 손질하다; 뒤늦은 일을 만회하다; (나중에) 정정〔수정·개작〕하다. 「를) 닮아가다.」

nāch|ärten [-aːrtən] *i.*(s.) (jm., 아무

Nachbār [náxbaːr] [ahd. *nāh-gebūr*, "Nahe-mitwohnender"] *m.* -s *u.* -n, -n, 이웃사람(♈*neighbour*); 옆방〔옆자리〕 사람; 옆사람.

Nachbār≈dorf *n.* 이웃 마을. **～haus** *n.* 이웃집. 「여성.」

Nachbārin [náxbaːrɪn] *f.* -nen, 이웃

nachbārlich [náxbaːrlɪç] *a.* 이웃의, 근방의; 이웃끼리 정답게 지내는; 친한.

Nachbārschaft [náxbaːrʃaft] *f.* -en, 이웃 사람임; 이웃의 정의; 인근.

nạch|bekommen* [ná:xbəkɔmən] *t.* 나중에 얻다.
nạch|bessern [-bəsərn] *t.* (나중에·다시) 수정하다, 마무리하다. 「문하다.」
nạch|bestellen [-bəʃtɛlən] *t.* 추가 주
nạch|bēten [-be:tən] *t.* u. *i.*(h.): et., jm.: (의) 뒤를 따라 부르다《기도의 귀절·경문을》; 《比》 (남의 말 따위를) 맹목적으로 되풀이하다, 기계적으로 반복〔암송〕하다. 「후 승낙〔동의〕하다.」
nạch|bewilligen [ná:xbəviligən] *t.* 추
nạch|bezahlen [-bətsa:lən] *t.* 후불하다; 잔금을 지불하다; 추가 지불하다.
N
nạch|bilden [-bıldən] *t.* 베끼다, 모조〔위조〕하다. **Nạchbildung** *f.* -en, 모사(模寫)(품), 모조(품).
nạch|bleiben* [-blaibən] *i.*(s.) 뒤에 남다; 학교에 남아 있게 되다《벌로서》.
nạch|blicken [-blıkən] *i.*(h.) (jm., 아무를) (눈으로) 배웅〔전송〕하다.
nạch|bringen* [-brıŋən] *t.* 나중에 가져오다, 추송(追送)하다; (부족한 것을)보충하다; 보습(補習)시켜 따라가게 하다.
nạch|brummen [-brumən] *i.*(h.) 《俗》 (학교에서) 뒤에 남다〔남도록 일컬어지다〕. 「늦은 날짜를 적다.」
nạch|datieren [-dati:rən] *t.* 실제보다
nachdẹm [na:xdé:m] 《 I 》 *adv.* 그 다음에, 그 후에. ¶je ～ 사정에 따라서, 경우에 따라서는, 그때그때의 사정에 따라서. 《 II 》 *cj.*: je ～ (…임)에 따라, 에 비례하여; (…)의 뒤에.
nạch|denken* [ná:xdɛŋkən] 《 I 》 *i.*(h.) 심사숙고하다, 깊이 생각하다(*consider, reflect, meditate*). 《 II 》 **Nạchdenken** *n.* -s, 심사, 숙고, 명상. **nạchdenklich** *a.* 심사숙고하는, 명상적인.
Nạchdichtung [ná:xdıçtuŋ] *f.* -en, (시문(詩文)의) 모방작, 개작(改作).
nạch|drängen [-drɛŋən] 《 I 》 *t.* 뒤에서 밀다, 밀고 나아가다. 《 II 》 *i.*(h.) u. *refl.* ＝NACHDRINGEN.
nạch|dringen* [-drıŋən] *i.*(s.) (jm., e-m Dinge, 아무·무엇의) 뒤에서 돌진하다〔쫓다·추격하다〕.
Nạchdruck [ná:xdruk] *m.* -(e)s, 《 I 》 (*pl.* -e) 〖印〗 재인쇄, 번각(飜刻)(한 서적), 복제(한 책); 판권을 침해한 출판(물). 《 II 》 (*pl.* 없음) 중점(을 둠); 힘; 무게; 중요함; 강조, 어세(語勢); 〖物〗 강도(*stress, emphasis*). **nạch|drucken** *t.* (또 目的語 없이) 복제(複製)하다; (흔히) 저작권을 침해하다, 위판(僞版)하다. **nạch|drücken** *t.* u. *i.*(h.) 뒤에서 밀다, 계속해서 밀다; 재차〔다시〕 누르다. **nạchdrücklich, nạchdrucksvoll** *a.* 힘이 들어 있는, 강조한(*emphatic, express*) 견고한; 인상 깊은.
Nạch·eiferer [ná:x-aifərər] *m.* -s, -, 열심히 모방하는 사람. **nạch|eifern** *i.*(h.) (jm., 아무를) 열심히 모방하다, 경쟁하다(*emulate*). **Nạch·eiferung** *f.* -en, 열심히 본받음, 경쟁.
nạch|eilen [ná:x-ailən] *i.*(s.) 급히 (jm., 아무의) 뒤를 쫓다, (을) 추적하다.
nạch·einander [na:x-ainándər] *adv.* 잇달아, 차례차례로(*one after another*). ¶fünf Tage ～ 내처 닷새 동안.
nạch|empfinden* [ná:x-ɛmpfındən] *t.* 나중〔연후〕에 느끼다; (시·음악 따위를) 추감(追感)하다.
Nạchen [náxən] *m.* -s, -, 《詩》 작은 배, 편주(扁舟), 보트(*skiff, boat*).
Nạch·erbe [ná:x-ɛrbə] *m.* -n, -n, 〖法〗 후순위(後順位) 상속인.
Nạch·ernte [ná:x-ɛrntə] *f.* 〖農〗 추수확(追收穫); 이삭줍기.
nạch|erzählen [ná:x-ɛrtsɛ:lən] *t.*: jm. et.: (남의) 이야기를 그대로 되풀이하다; (아무의) 험담을 하다, 나쁜 소문을 되풀이하다.
nạch|essen* [-ɛsən] *i.*(h.) 남보다 뒤에 식사하다. **Nạchessen** *n.* -s, -, 식후의 과일〔과자〕, 디저트.
Nạchfahr [ná:xfa:r] *m.* -s *u.* -en, -en, 후예, 자손(*descendant*); 후계자. **nạch|fahren*** [ná:xfa:rən] 《 I 》 *i.*(s.) 차〔배〕로 뒤를 따르다. 《 II 》 *t.* 나중에 운반하다, 추송(追送)하다.
Nạchfeier [ná:xfaiər] *f.* -n, 본 축제후의 축제, 뒷잔치《특히 집안 사람끼리의》.
nạch|feilen [-failən] *t.* 〖工〗 줄질을 다시하다; 《比》 마무리하다, 수정하다.
nạch|fliegen* [-fli:gən] *i.*(s.) 날아서 뒤쫓다(jm.).
Nạchfolge [-fɔlgə] *f.* -n, 추종; 후계, 후임(이 됨). **Nạchfolgegesellschaft** *f.* 후계 회사. **nạch|folgen** [ná:xfɔlgən] *i.*(s.) 날아서 뒤쫓다, 따르다(*follow, succeed*). **Nạchfolger** *m.* -s, -, 후계자; 계승자; 후임자.
nạch|fordern [ná:xfɔrdərn] *t.* 후에 요구하다, 추가 청구하다. **Nạchforderung** *f.* -en, 사후 요구, 추가 청구; 추후 가격 인상.
nạch|forschen [ná:xfɔrʃən] *i.*(h.) (jm., e-m Dinge, 아무·무엇을) 탐색〔탐구〕하다, 조사〔음미〕하다. **Nạchforschung** *f.* -en, 연구, 탐색, 탐구; 조사, 음미.
Nạchfrāge [ná:xfra:gə] *f.* -n, 문의, 조회; 〖商〗 수요(*demand*). **nạch|frāgen** [ná:xfra:gən] *i.*(h.) 문의〔조회〕 하다 (*inquire after*).
Nạchfrühling [-fry:lıŋ] *m.* 만춘(晩春).
nạch|fühlen [-fy:lən] *t.* u. *i.*(h.) ① 나중에 느끼다. ② jm. et. ～ 아무의 기분에 동감〔동정〕하다 / das kann ich ihm ～ 그의 기분은 알 만하다.
nạch|füllen [-fʏlən] *t.* 다시 채우다; 덧붙여 채우다; 갈아 채우다.
nạch|gēben* [-ge:bən] 《 I 》 *t.* 나중에 주다; 덧붙여 주다; 추가〔보충〕하다. 《 II 》 *i.*(h.) ① 손을 늦추다; 느슨해지다(*relax*); 구부러지다; 약해지다; 무너지다; 〖商〗 (물가가) 하락하다. ② jm.: 양보하다, 거역하지 않다(*yield, give way*). ¶jm. nichts ～ 아무에게 조금도 양보하지 않다, 굴하지 않다.
nạchgebōren [-gəbo:rən] *p.a.* 뒤에 태어난; 연하의, 후배의; 유복(遺腹)의; 이혼 후에 태어난. 「징(追徵) 요금.」
Nạchgebühr [-gəby:r] *f.* -en, 〖郵〗 추
Nạchgebūrt [-gəbu:rt] *f.* 〖醫〗 후산(後産), 태반(胎盤)(*afterbirth*).
nạch|gēh(e)n* [ná:xge:(ə)n] *i.*(s.) ① 뒤에 가다, 따라가다; 좇다; 따르다. ¶e-m Wege ～ 어떤 길을 더듬어 가다 / e-m Befehle ～ 명령을 지키다 / s-n Ge-

schäften ~ 업무에 전심하다. ② (시계가) 늦게 가다. **nāchgēhends** [-ge:ənts] *adv.* 뒤로부터, 뒤에. **nāchgemacht** [-gəmaxt] *p.a.* ☞ NACHMACHEN.
nāchgerāde [na:xgərá:də, ná:xgəra:də] [<rat „Reihe"] *adv.* 결국(은), 마침내.
Nāchgeschmack [-gəʃmak] *m.* 뒷맛.
nāchgewiesenermaßen *adv.* 〖官〗 확증[명시]된 바와 같이.
nāchgiebig [-gi:bıç] [<~geben] *a.* 굽기[휘기] 쉬운; 《比》 양보적인, 순종하는, 연약한(*compliant, indulgent*).
nāch|gießen* [-gi:sən] *t.* 나중에 붓다, 부어서 채우다.
nāch|grāben* [-gra:bən] *i.*(h.) 파서 찾다, 발굴하다(et.³).
nāch|grübeln [-gry:bəln] *i.*(h.) 깊이 [곰곰] 생각하다.
Nāchhall [ná:xhal] *m.* -(e)s, -e, 반향; 여운, 잔향(殘響). **nāch|hallen** [ná:x-halən] *i.*(h.) 반향[공명(共鳴)]하다.
nāch|halten [-haltən] *i.*(h.) 지속하다, 오래가다; *t.* 나중에 하다; 보충 수업을 하다. **nāchhaltig** *a.* 지속적인(*lasting, persistent*).
nāch|hangen* [-haŋən], **nāch|hängen*** *i.*(h.) (e-m Dinge, 무엇에) 몰두하다, 몸을 맡기다.
nāchhause [na:xháuzə] *adv.* (=nach Hause) 집으로.
nāch|heilen [-hailən] *i.*(s.) 늦게 [차차] 낫다.
nāch|helfen* [-hɛlfən] *i.*(h.) (jm., 아무를) 원조[후원]하다; (학생에게) 보충 수업을 시키다; (e-m Dinge, 무엇을) 촉진시키다; 수정[보수]하다.
nāchhēr [na:xhé:r, ná:xhe:r] *adv.* 연후에, 나중에(*afterwards.*)
Nāchherbst [-hɛrpst] *m.* -es, -e, 늦가을.
nāchhērig [na:xhé:rıç] *a.* 연후의, 나중의.
Nāchhilfe [ná:xhılfə] *f.* -n, 보조, 원조; 보수; 보충 수업.
Nāchhilfe=stunde *f.* 보충수업 시간. **~unterricht** *m.* 보충 수업.
nāchhinein [-hınaın] *adv.*: im ~ 나중에, 추가 지불로.
nāch|hinken [-hıŋkən] *i.*(s. *u.* h.): jm.: 절뚝거리며 따라가다.
nāch|hōlen [-ho:lən] *t.* (밀린 일·뒤멀어진 것 따위를) 회복[만회]하다(*make up for, recover*). ¶ein Examen ~ 추가 시험을 치르다.
Nāchholbedarf [ná:xhɔlbədarf] *m.* (처음에 예측지 못했던) 추후 수요.
Nāchhūt [ná:xhu:t] *f.* -en, 〖軍〗 후위(後衛) (*rear-guard*).
nāch|jāgen [-ja:gən] *i.*(s.*u.* h.) 급히 뒤쫓다(jm.); 《比》 희구하다(et.³).
Nāchklang [ná:xklaŋ] *m.* -(e)s, ..klänge, 메아리(*resonance, echo*); 〖物〗 공명(共鳴); 《比》 여운; 여세; 회상. **nāch|klingen*** *i.*(h.) 반향[공명]하다, 여운이 있다.
Nāchkomme [ná:xkɔmə] *m.* -n, -n, 뒷사람; (특히) 자녀, 후손, 후예(*descendant*). **nāch|kommen*** [ná:xkɔmən] *i.*(s.) ① 뒤에 오다, 뒤를 따르다; 따라붙다; 《比》 비견[필적]하다. ② e-m Dinge ~ 무엇을 지키다, 이행하다; 에 따르다 / e-m Befehle ~ 명령에 복종하다 / e-m Versprechen ~ 약속을 지키다. **Nāchkommenschaft** *f.* -en, 《集合的》 자손, 후예. **Nāchkömmling** *m.* -s, -e, 자손, 후예; 후계자.
Nāchkriegs=erscheinungen [ná:x-kri:ks-] *pl.* 전후 현상. **~zeit** [ná:x-kri:ks-] *f.* (세계) 대전 후 시대, 아프레게르.
Nāchkūr [ná:xku:r] *f.* -en, 〖醫〗 후(後)요법, 병후 조리.
Nāchlaß [ná:xlas] *m.* ..lasses, ..lasse *u.* ..lässe, ① 이완, 늘어짐, 경감; 면제; 단념; (Preise~) 할인, 감가(減價). ② (사후에) 남긴 것, 유산; (literarischer ~) 유고. **nāch|lassen*** [ná:xlasən] 《I》 *t.* ① (사후에)남기다(*leave behind*); 늦추다. ② jm. et.: a) 방임[허락]하다, b) 면제[감형(減刑)]하다. ③ (vom Preise ~) 할인하다, 값을 내리다(*reduce*). 《II》 *i.*(h.) 느슨해지다, 늘어지다(*slacken*); 《比》 풀리다《추위·더위·고통 따위가》; 약해지다, 진정되다, 그치다《비·바람이》. **Nāchlassenschaft** *f.* -en, 《集合的》 유산, 유물. **nāchlässig** [ná:xlɛsıç] *a.* 등한한, 무관심한; 흘게늦은, 털털한(*negligent, careless*).

Nāchlässigkeit *f.* -en, 등한함; 흘게늦음; 위의 언행.
Nāchlaßsteuer [ná:xlasʃtɔyər] *f.* 〖法〗 상속세.
nāch|laufen* [-laufən] *i.*(s.): jm. [e-m Dinge] ~ 아무를[무엇을]뒤따라 달리다; 뒤를 좇다, 좇아가다.
nāch|lēben [-le:bən] 《I》 *i.*(h.) 보다 오래 살다, 살아남다. 《II》 **Nāchleben** *n.* 후생(後生), 후세.
nāch|lēgen [-le:gən] *t.* 부가하다, 첨가하다.
Nāchlēse [-le:zə] *f.* -n, 이삭 줍기; (Trauben~) 이삭 포도 따기; 주워 모은 이삭 [송이]; 《比》 습유(拾遺), 습득.
nāch|lēsen* [ná:xle:zən] *t.* u. *i.*(h.) 이삭을 줍다; 재(再)수확하다; 《比》 (나머지를) 주워 모으다; 따라 읽다, 다시 읽다.
nāch|liefern [-li:fərn] *t.* 〖商〗 나중[연후]에 인도하다, 추납(追納)하다; 인도(引渡)를 완료하다.
nāch|lösen [ná:xlø:zən] *t.*: e-e Fahrkarte ~, a) 나중에 표를 사다《차중 따위에서》, 목적지를 지나쳐 초과분의 표를 사다, b)(추가 요금을 지불하고) 상급의 표로 바꾸다.
nāch|machen [-maxən] 《I》 *t.* 모방하다, 흉내 내다; 모조하다; 위조하다. 《II》 **nāchgemacht** *p.a.* 모방한, 모조한; 위조[가짜]의.
nāch|mālen [-ma:lən] *t.* 모사하다, 베끼다《그림을》.
nāchmālig [-ma:lıç] *a.* 뒤의, 그 후의 (*subsequent*). **nāchmāls** *adv.* 나중에, 그 후에(*afterwards*).
nāch|messen* [-mɛsən] *i.*(h.) u. *t.* 재측량하다, 측량을 검사하다.
Nāchmittāg [ná:xmıta:k] *m.* -(e)s, -e, 오후(*afternoon*). ¶heute ~ 오늘 오후.
nāchmittāgs [-ta:ks] *adv.* 오후에.
Nāchmittāgs=dienst *m.* 오후의 예배. **~schlāf** *m.*, **~schlāfchen** *n.* 낮잠. **~stunde** *f.* 오후의 시간《수업》. **~vōrstellung** *f.* 〖劇〗 주간 흥행.
nāch|müssen* [-mysən] *i.*(h.) 따라가지 않으면 안되다.

Nāchnahme [ná:xna:mə] *f.* –n, 선불(先拂); 도착불(到着拂)(*cash on delivery*). **Nāchnahme·sendung** *f.* 대금 인환(의 소포 우편). **nāch|nehmen*** [–ne:mən] *t.* 나중에 받다; 〖商〗(비용 따위를) 선불로 받다.

nāch|ordnen [–ɔrdnən, –t–]《Ⅰ》*t.* 뒤에 정리하다, 정리하여 고치다; 차위(次位)에 두다〔놓다〕. 《Ⅱ》 **nāchgeordnet** *p.a.* 〖官〗 차〔하〕위(次〔下〕位)의, 종속된.

nāch|plappern [–plapərn] *t.* u. *i.*(h.) 기계적으로 입내내어 지껄이다.

Nāchporto [–pɔrto] *n.* –s, –s *u.* ..ti, 추불 우세(追拂郵稅), 부족 우세.

nāch|prüfen [–pry:fən] *t.* 재시험〔재검사〕하다; 음미하다.

nāch|rechnen [–rɛçnən] *t.* u. *i.*(h.) 검산〔재검사〕하다.

Nāchrēde [ná:xre:də] *f.* –n, 뒷말, 뒷이야기; 발문(跋文); (üble ～) 비방, 험담(*slander*). **nāch|rēden** [ná:xre:dən] *t.* u. *i.*(h.): jm. Übles ～ 아무를 헐뜯다〔비방하다〕.

nāch|reifen [–raɪfən] *i.*(s.) 따낸 뒤에 익다《과일이》.

nāch|reisen [–raizən] *i.*(s.) (jm., 아무를) 뒤쫓아 여행하다.

nāch|reiten* [–raitən] *i.*(s.) 말타고(jm., 아무의) 뒤를 쫓다.

nāch|rennen* [–rɛnən] *i.*(s.) (의) 뒤에서 뛰다, (을) 쫓아 뛰다(jm.).

Nāchricht [ná:xrɪçt] [†<Nachrichtung „Mitteilung zum Danachrichten"] *f.* –en, ① 지시, 통지, 알림(*advice, notice*). ② (참고가 되는) 정보(*intelligence*); 통신, 통보, 보고(*information, report, account*); 뉴스(*news*). ¶Öffentliche ～en 광고, 공고 / zur ～! 알림《광고》.

Nāchrichten·agentūr *f.* 통신사. **～amt** *n.* 정보부. **～blatt** *n.* 광고 (위주의) 신문. **～dienst** *m.* (신문의) 통신 사무; 〖軍〗 정보 근무. **～truppen** *pl.* 통신 부대.

Nāchrichter [ná:xrɪçtər] [*eig.* „Richter nach dem Richter"] *m.* –s, –, 형리(刑吏), 사형 집행인(*executioner*).

nāchrichtlich [–rɪçtlɪç] *a.* 통지〔보고〕에 의한, 통신의; *adv.* 통신으로서, 보고로.

nāch|rücken [–rʏkən] *i.*(s.): jm. 〔et. [3]〕: (을) 뒤따라 나가다, 뒤를 쫓다. ¶jm. im Amt ～ 아무의 지위를 잇다.

Nāchrūf [ná:xru:f] *m.* –(e)s, –e, 사망 고시〔기사〕, 추도사〔시〕; 사후의 명성.

Nāchruhm [ná:xru:m] *m.* –(e)s, 사후의 명성. **nāch|rühmen** *t.*: jm. et. ～ 아무의 무엇을 기리다, 칭찬하다《뒤에서 혹은 사후에》.

nāch|sāgen [–za:gən] *t.*: jm. et.: 소문내다, 뒷공론하다; 입내 내다.

Nāch·saison [–sɛzɔ̃:, –zɛ–] *f.* 한산기(閑散期).

Nāchsatz [ná:xzats] *m.* –es, ⸚e, 《Ⅰ》 [<nachsetzen] 추가, 추신(追伸) (*postscript*). 《Ⅱ》 [<nach *u.* Sats] 〖文〗 귀결문, 부문장(*conclusion*); 〖論〗 (가정 판단의) 귀결; 〖樂〗 후악절.

nāch|schauen [–ʃauən] *i.*(h.) 전송하다, 배웅하다(jm.); 확인하러 가다, 조사하여 보다, 조심하다.

nāch|schicken [–ʃɪkən] *t.*: jm. et.: 나중에 보내다; (편지 등을) 전송(轉送)하다.

nāch|schießen* [–ʃi:sən] 《Ⅰ》 *i.*(h.) u. *t.* (총을) 등뒤에서 쏘다; 후불〔추가 불입〕하다. 《Ⅱ》 *i.*(s.) 배후에서 돌진하다, 빨리 뒤쫓다; 뒤에 싹이 나다.

Nāchschlāg [ná:xʃla:k] *m.* –(e)s, ⸚e, 〖樂〗 후타음(後打音); 색인(索引). **Nāchschlāgebūch** [–ʃla:gə–] *n.* 참고서, 편람. **nāch|schlāgen*** 《Ⅰ》 *t.*: ein Buch ～ 문서를 펴놓고 찾다, 참조하다 / ein Wort ～ 어느 말을(책 따위에서) 조사하다. 《Ⅱ》 *i.*(s.): jm. ～ = NACHARTEN. **Nāchschlāgewerk** *n.* 참고서적; 사전, 백과사전.

nāch|schleichen* [–ʃlaiçən] *i.*(s.): jm.: 살금 살금 뒤밟다, 미행하다.

nāch|schleppen [–ʃlɛpən] ① *t.* 뒤로 끌다, 질질 끌고 가다. ②*refl.*: sich mühsam ～ 발을 끌며 겨우 따라 가다.

Nāchschlüssel [ná:xʃlʏsəl] *m.* –s, –, (nachgemachter Schlüssel) 맞쇠, 곁쇠(*master-key*).

nāch|schmecken [–ʃmɛkən] *i.*(h.) (의) 뒷맛이 있다.

nāch|schneiden* [–ʃnaidən] *t.* 모형대로 자르다〔새기다〕; 다시 자르다.

nāch|schreiben* [–ʃraibən] *t.* (구술하는 것을) 받아 쓰다, 필기하다.

Nāchschrift [ná:xʃrɪft] *f.* –en, 사본, 등본(*copy*); 추신, 발문(跋文)(*postscript*).

Nāchschūb [ná:xʃu:p] [<nachschieben] *m.* –(e)s, ⸚e, 뒤에서 밀어줌; 보충, 증보.

Nāchschuß [–ʃʊs] [<～schießen] *m.* ..schusses, ..schüsse, 〖商〗 추가 지불, 후불금; 〖植〗 새싹.

nāch|schütten [–ʃʏtən] *t.* 다시 붓다, 부어 보충하다.

nāch|sēhen* [ná:xze:ən] 《Ⅰ》 *i.*(h.)(jm., 아무를) 배웅하다; 보러 가다, 확인하다, 검사하다. 《Ⅱ》 *t.* 검분(檢分)하다, 조사하다; 간과(看過)하다, 잘 봐주다. 《Ⅲ》 **Nāchsēhen** *n.* –s, 《比》 das (leere) ～ haben 헛수고하다.

nāch|senden[(*)] [–zɛndən] *t.* 나중에 보내다, (편지 등을) 전송(轉送)하다.

nāch|setzen [–zɛtsən] 《Ⅰ》 *t.* 덧붙이다, 보태다; 덧붙여 걸다; 다음에 두다; 《比》 등한히 하다, 경시하다. 《Ⅱ》 *i.*(s. *u.* h.) (jm., 아무를) 추적하다.

Nāchsicht [ná:xzɪçt] [<nachsehen] *f.* 관대히 봐줌, 관용, 관대, 사면(*indulgence, forbearance*); 〖商〗 유예(猶豫). **nāchsichtig, nāchsichtsvoll** *a.* 관대한; 온화한, 동정심 있는.

Nāchsilbe [ná:xzɪlbə] *f.* –n, 〖文〗 접미어(*suffix*).

nāch|sinnen* [ná:xzɪnən] *i.*(h.) 심사숙고하다.

nāch|sitzen* [–zitsən] *i.*(h.) (벌로서 방과후에) 남게 되다.

Nāch·sommer [ná:xzɔmər] *m.* 늦여름; 《比》 노후의 사랑〔정열〕.

nāch|spähen [–ʃpɛ:ən] *i.*(h.) 몰래 정탐〔감시〕하다, 미행하다.

Nāchspeise [–ʃpaizə] *f.* –n, 식사 끝에 내는 단 요리《푸딩·젤리 따위》, 디저트.

Nāchspiel [–ʃpi:l] *n.* –(e)s, –e, 〖劇〗 에필로그, 여흥극; 〖樂〗 후주곡; 여흥곡.

nāch|spielen [–ʃpi:lən] 《Ⅰ》 *i.*(h.) 흉내내어 연기〔연주〕하다(jm.). 《Ⅱ》 *t.*: nach dem Gehör ～ (악곡을) 들어서 외어 연

주하다 / 〖카드〗 e-e Farbe ～ 상대와 같은 조의 패를 내다.

nạch|spotten [-ʃpɔtən] *i.*(h.) 뒤에서 조롱하다, 배후에서 우롱하다(jm.).

nạch|sprechen* [-ʃprɛçən] 《Ⅰ》 *i.*(h.) (jm., 아무를) 입내 내다. 《Ⅱ》 *t.* (타인의 의견을) 제것인 양 말하다, 그대로 되풀이하다.

nạch|springen* [-ʃprɪŋən] *i.*(s.) (jm., 아무를) 뒤따라 뛰다.

nạch|spüren [-ʃpy:rən] *i.*(h.): jm. 〔et.³〕: 추적〔탐색〕하다.

nächst [nɛ:çst] 《nahe 의 最上級》 (der, die, das ～e) 《Ⅰ》 ① *a.* 가장 가까운(*nearest*); (바로) 다음의 (♈*next*; *second*). ¶der ～e 〔=erste〕 beste 누구든 곁에 있는 사람 / ～er Tage 근일중에, 이윽고 / mit ～er Post 다음편에. 《Ⅱ》 *adv.* 바로 옆에, 아주 가까이. ¶**am** ～en, 가장 가까이 / **fürs** ～e 우선, 무엇보다 먼저 / **mit** ～em 최근에, 곧. 《Ⅲ》 *prp.* 《3格支配》 의 바로 곁에, 가까이(*close by*); 의 다음에(♈*next*; *to*). 《Ⅳ》 **Nạch**=**ste** 《形容詞變化》 ① *m.* u. *f.* 이웃 사람; 동포. ② *n.* (*pl.* 없음) 가장 가까운 것, 최대 관심사.

nạchstbest [nɛ́:çstbɛ́st, 또 nɛ:çstbɛ́st, nɛ́:çstbɛst] *a.* 차선(次善)의, 제 2 의. ¶der ～e 아무나 닥치는 사람. **nạ̈chst**=**dem** [nɛ:çstdé:m] *adv.* 얼마 안 되어, 이내, 곧, 잠시 후, 즉시 (*thereupon*).

nạch|stēh(e)n* [ná:xʃte:(ə)n] *i.*(h.) 뒤에〔다음에〕서다; 《比》 보다 못하다, 열등하다(jm. 〔et.³〕)(*be inferior to*).

nạch|steigen* [-ʃtaɪgən] *i.*(s.) (의) 뒤로부터 오르다〔타다〕(jm.). ¶《俗》 e-r Dame ～ 귀찮게 여성의 뒤를 쫓아다니다.

nạch|stellen [ná:xʃtɛlən] 《Ⅰ》 *t.* 뒤에 두다; 《比》 경시하다; (시계를) 늦추다. 《Ⅱ》 *i.*(h.) (jm., 아무를) 좇다, 노리다.

Nạchstellung *f.* -en, 뒤쫓음, 추구.

Nạchstenliebe [nɛ́:çstənli:bə] *f.* 이웃에 대한 사랑, 박애.

nạchstens [nɛ́:çstəns] *adv.* 쉬, 곧, 머지 않아, 이내.

Nạch·steuer [ná:xʃtɔyər] *f.* -n, 추가세(追加稅).

nạchst=**folgend** *a.* 바로 다음의, 바로 뒤를 잇는. ～**liegend** *p.a.* 바로 다음의, 인접한.

nạch|stōßen* [ná:xʃto:sən] *t.* u. *i.*(h.) 다시 치다; 〖펜싱〗 되받아 찌르다.

nạch|strēben [-ʃtre:bən] *i.*(h.): jm. ～ 아무에게 지지 않으려 애쓰다, 아무를 모범삼다 / e-m Dinge ～ 무엇을 얻으려고 노력하다, 열망〔추구〕하다.

nạch|stürmen [-ʃtʏrmən] *i.*(s.) (의) 뒤에서 돌진하다, 바쁘게 뒤를 쫓다(jm.).

nạch|stürzen [-ʃtʏrtsən] *i.*(s.) 뒤에서 추락〔돌진〕하다.

nạch|sūchen [-zu:xən] *i.*(h.) u. *t.* ① 수색하다, 찾다(*look for*). ② (um.) et.: 청원하다, 원하다(*apply for*).

Nacht [naxt] *f.* ⸚e, ① 밤(♈*night*). ¶diese ～ 〔*od.* heute ～〕, a) 오늘밤, b) 어젯밤 / 《des Tages 의 꼴을 본따서》 des ～s 밤에 / **auf** die ～밤에 / **bei** ～ u. Nebel 어둠을 틈타서 / **bis** tief in die ～ (hinein) 한밤중까지 / **über** ～ 밤새에, 하룻밤에, 《比》 잠깐새에, 불시에, 갑자기 / über ～ bleiben 하룻밤 묵다 / gute ～! a) 안녕히 주무십시오, b) 안녕히(가십시오) / **zu(r)** ～ essen 저녁을 먹다. ② 《比》 암흑, 어둠; 심연; 저승; 죄악. ¶häßlich wie die ～ 몹시 추악한.

Nacht=**anbruch** *m.* 해질녘. ～**arbeit** *f.* 밤일. ～**blind** *a.* 밤눈이 어두운. ～**blindheit** *f.* 〖醫〗 야맹증(夜盲症). ～**dienst** *m.* 야간 근무, 숙직.

Nạchteil [ná:xtail] *m.* -(e)s, -e, 손해; 손실; 불리; 단점, 결점(*disadvantage, detriment*). ¶im ～e sein 불리한 입장에 서 있다. **nạchteilig** *a.* 불리한, 손해가 되는.

nạ̈chtelang [nɛ́çtəlaŋ] *adv.* 여러날 밤을, 밤마다. **nachten** *i.*(h.) u. *imp.*: es nachtet 밤이 된다, 날이 저문다. **nächten** 《Ⅰ》 *i.*(h.) 밤을 지내다, 묵다. 《Ⅱ》 *t.* 숙박시키다.

Nacht=**essen** *n.* 저녁밥, 만찬(*supper*). ～**falter** *m.* 〖蟲〗 나방(*moth*). ～**ge**=**schirr** [-gəʃɪr] *n.* 실내용 변기, 요강. ～**gleiche** *f.* 〖天〗 주야평분(晝夜平分), 춘·추분(*equinox*). ～**hemd** *n.* 잠옷, (여성의) 밤의 속옷.

Nachtigall [náxtigal] [„Nachtsängerin" (☞GELLEN), *i.* 는 添加音] *f.* -en, 〖鳥〗 나이팅게일(♈*nightingale*).

nächtigen [nɛ́çtɪgən] *i.*(h.) u. *t.* = NÄCHTEN.

Nạch·tisch [ná:xtɪʃ] *m.* -es, -e, 디저트(*dessert*).

Nacht=**lāger** *n.* 침소, 야영(소). ～**lē**=**ben** *n.* 밤의 환락.

nächtlich [nɛ́çtlɪç] *a.* 밤(마다)의, 야간의; 어두운, 야음의, 괴괴한.

Nacht=**licht** *n.* 침실용 등화. ～**lokāl** *n.* 밤새도록 영업하는 음식점, 나이트클럽. ～**mahl** *n.* 《方》 저녁밥. ～**mahr** *m.* 꿈의 요마(妖魔); 가위(눌림), 악몽(♈*nightmare*). ～**musik** *f.* 소야곡, 세레나데. ～**mütze** *f.* 나이트캡.

nạch|tōnen [ná:xtø:nən] *t.* 〖映〗 뒤에 화면과 음을 일치시키다(☞SYNCHRONISIEREN).

Nachtquartier [náxtkvarti:r] *n.* = NACHTLAGER.

Nạch·trāb [ná:xtra:p] *m.* -(e)s, -e, 〖軍〗 후위(後衛) (*rear*(-*guard*)). ¶《比》 im ～ sein 시대에 뒤져 있다.

nạch|trachten [ná:xtraxtən] *i.*(h.) = NACHSTREBEN.

Nạchtrāg [ná:xtra:k] *m.* -(e)s, ⸚e, 추가, 증보(*supplement*); 추신(追伸) (*postscript*); (*pl.*) 부록(*addenda*). **nạch|**=**trāgen*** [ná:xtra:gən] *t.*: jm. et.: 뒤에서 가져가다; 후에 기장(記帳)하다; 추가하다; (아무가 한 어떤 일에) 원한을 품다(*bear a grudge*). **nạchträglich** [-trɛ:klɪç] 《Ⅰ》 *a.* 뒤의, 다음의, 나중의, 앞으로의; 사후(事後)의; 추가의. ¶～e Einwilligung 사후 승낙. 《Ⅱ》 *adv.* 나중에, 추가로, 뒤늦게. **Nạchtrāgs**=**etat** [-tra:ks-eta:] *m.* 추가 예산.

nạch|trēten* [ná:xtre:tən] *i.*(s.): jm.: 뒤를 따라 걷다; 《比》 (무비판적으로) 추종하다.

Nạch·trieb [-tri:p] *m.* -(e)s, -e, 〖農〗 새싹.

Nacht=**rock** *m.* =～KLEID. ～**rūhe** *f.* 밤의 휴식, 수면; 밤의 정온.

Nạch·trupp [-trup] *m.* 〖軍〗 후위 부대.

nachts [naxts] *adv.* 밤에.
Nacht⸗schatten *m.* 야음, 밤의 어둠; 【植】 가지과의 한 속《특히 까마종이속》. **∼schicht** *f.* 【坑】 야업(夜業)(시간); 야간 작업반. **∼schläfend** *a.*: 《俗》 bei ∼schlafender Zeit 모든 사람이 잠들어 있을 때, 한밤중에. **∼schwärmer** *m.* 밤놀이하는 사람; 【蟲】 박각시나비. **∼⸗seite** *f.* 《比》 암흑면; 그늘진 쪽. **∼⸗stuhl** *m.* 침실용 변기.
nachts·über [náxts-y:bər] *adv.* 밤새, 밤도와.
Nacht⸗tisch *m.* 침실용 탁자. **∼topf** *m.* =∼GESCHIRR.
nach|tun* [ná:xtu:n] *i.*(h.) u. *t.* 뒤에〔나중에〕 하다; 나중에 집어 넣다; 선례를 따르다; 흉내내다(*imitate*).
Nacht⸗wache *f.* 야경, 야간 당직; 【軍】 야간 보초. **∼wächter** *m.* 야경원, 당직원; 《俗》 얼간이, 바보.
nachtwandeln [náxtvandəln] *i.*(h. *u.* s.) 【醫】 몽유(夢遊)하다. **∼wandler** *m.* 몽유병자.
Nacht⸗zeit *f.* 야간. ¶zur ∼zeit 밤중에. **∼zeug** *n.* 잠옷; 야간용 의복; 파자마. **∼zug** *m.* 야간 열차; 밤낚시; 【軍】 야간 행군.
Nach·urlaub [ná:x-u:rlaup] *m.* -(e)s, -e, 추가 휴가; 휴가 연장.
nach|verlangen [-ferlaŋən] *t.* 추가요구〔주문〕하다.
nach|wachsen* [ná:xvaksən] *i.*(s.) 나중에 생장하다〔나다〕; (식물·치아 따위가) 갈아 나다, 재생하다, 잇달아 나다.
nach·wägen* [ná:xve:gən] *t.* 다시 저울질하다, 중량을 확인하다; 《比》 재고(再考)하다. 「표; 보궐 선거.」
Nachwahl [ná:xva:l] *f.* -en, 결선 투
Nachwehen [-ve:ən] *pl.* 【醫】 후(後) 진통; 《比》 (뒤가) 나쁜 결과; 여독(餘毒).
nach|weinen [ná:xvainən] *i.*(h.) (jm., 아무를) 그리며〔아껴서·애도하여〕울다.
Nachweis [ná:xvais] *m.* -es, -e, 보고; 지시; (존재의) 증명, 입증(立證) (*evidence, proof*); 【化】 검출; 안내(소), 소개(소)(*agency*). **nachweisbar** [ná:x-vaisba:r] *a.* 증명〔논증·지시〕할 수 있는. **nach|weisen*** [ná:xvaizən] *t.* ① 지시〔지적〕하다(*show, point out*). ② 안내〔소개〕하다; 증명하다(*establish, prove*); 【化】 검출하다. **nachweislich** *a.* 증명할 수 있는, 명확한.
Nachwelt [ná:xvɛlt] *f.* 후세, 후대(*posterity*). 「지다(jm. et.).」
nach|werfen* [-vɛrfən] *t.* 배후에서 던
Nachwinter [ná:xvɪntər] *m.* 늦겨울; 여한(餘寒), 늦추위, 되돌아온 추위.
nach|wirken [ná:xvɪrkən] *i.*(h.) 뒤늦게 작용하다, 나중에 효험이 나타나다. **Nachwirkung** *f.* -en, 나중의 작용〔효과·효험〕; 여세, 여파.
Nachwort [ná:xvɔrt] *n.* -(e)s, -e, 끝말, 후기(後記), 발문(跋文)(*epilogue*).
Nachwuchs [-vu:ks, -vuks] [<nachwachsen] *m.* -es, ⸚e, 뒤에 자라남, 다시 남, 재생; 움(돋이), 어린 나무, 새싹; 《比》 다음 세대, 후진, 청년.
nach|zahlen [ná:x-tsa:lən] *t.* u. *i.*(h.) 나중에〔뒤늦게〕 지불하다; 잔액을 지불하다, 추가 지불하다, 보태어 지불하다.
nach|zählen [ná:x-tsɛ:lən] *t.* 고쳐 세다; 검산하다. **Nachzahlung** *f.* -en, 후불(後拂), 추가〔잔액〕 지불.
nach|zeichnen [ná:x-tsaiçnən] *t.* (그림을) 모사(模寫)하다. **Nachzeichnung** *f.* -en, 모사(*copy*).
nach|ziehen* [ná:x-tsi:ən] 《Ⅰ》 *t.* 뒤로 끌다; 질질 끌다; 나중에 끌다, 다시 끌다; (nach sich ziehen) 끌어 당기다; 본따서 긋다, 대고 베끼다《선을》(*trace*). 《Ⅱ》 *i.*(s.) (jm., 아무의) 뒤를 따라 가다, 의 뒤에서 나아가다.
nach|zotteln [-tsɔtəln], **∼|zuckeln** *i.*(s.) 《俗》 (jm., 아무의) 뒤를 어슬렁어슬렁 걷다.
Nachzügler [ná:xtsy:klər] *m.* -s, -, 행렬〔대열〕에서 처진 사람, 낙오자.
Nacken [nákən] *m.* -s, -, 목덜미, 목 (♈*neck, nape*).
Nackenband [nákənbant] *n.* (말의) 경부 인대(頸部靭帶).
nackend [nákənt] *a.* 《詩》 =NACKT.
Nackenschlag [nákənʃla:k] *m.* 등을 침, 뒤에서 때림; 《比》 징벌; 재난; 손실, 손해.
nackt [nakt] [*eig.* „entblößt, *t.* 는 원래 完了分詞의 語尾] *a.* 벌거벗은, 노출된 (♈*naked*); 수염〔털〕을 깎은; 잎이 없는 (식물); 불모의, 드러내어진 (땅). ¶∼e Füße 맨발 / mit ∼em Auge 육안으로 / ∼e Tatsachen 있는 그대로(의 사실).
Nackt·heit *f.* -en, 벌거숭이, 나체; 노출; 대머리, 불모; (*pl.* -en) 벌거벗은 것, 나체화(畫)〔상(像)〕; 노골적인 묘사.
Nacktkultur [náktkultu:r] *f.* 나체(주의) 문화 (운동)(=Naturismus).
Nadel [ná:dəl] [♈nähen] *f.* -n, 바늘 (♈*needle*); (Steck∼) 핀(*pin*); 뜨개바늘; (Brust∼) 브로치; 바늘 모양의 것; 【植】 침엽(針葉); 【動】 바늘 모양의 뼈, 가시.
Nadel⸗arbeit *f.* 바느질, 재봉, 자수. **∼baum** *m.* 침엽수(*conifer*). **∼büch⸗se** *f.* 바늘 쌈지, 바늘갑. **∼eisenerz** [-aizəne:rts] *n.* 침철광(針鐵鑛)《Goethe의 광물학상의 공적을 기념하여 Goethit 라고도 함》. **∼geld** *n.* (하녀에게 주는) 팁; (처·귀부인의) 용돈. **∼holzbaum** *m.*, **∼hölzer** *pl.* 침엽수. **∼kissen** *n.* 바늘 겨레, 바늘 방석. **∼öhr** *n.* 바늘귀. **∼stich** *m.* 바늘로 찌름〔땀〕, 솔기; 《比》 (따끔따끔) 비꼬는 말(을 함), 싫은 소리. **∼wald** *m.* 침엽수림.
Nadeltonfilm [ná:dəlto:nfilm] *m.* 음반과 동시 진행의 필름.
Nadler [ná:dlər] *m.* -s, -, 바늘 제조공(*needle-maker*).
Nagel [ná:gəl] *m.* -s, ⸚, ① (Finger∼, Zehen∼) 손톱, 발톱(♈*nail*). ¶es brennt mir auf die Nägel 그것은 나에게 아주 긴급한 일이다, 사태가 급박하다. ② 못(♈*nail*); 대갈못(*tack*; 장식못: *stud*); (hölzerner ∼) 나무못, 마개(*peg*). ¶《比》 et. **an** den ∼ hängen 무엇을 그만두다 / den ∼ **auf** den kopf treffen 적중시키다; 급소를 찌르다, 요령을 얻다 / ein ∼ **zu** js. Sarge sein 아무의 수명을 줄이다, 두통거리가 되다.
Nagel⸗blume *f.* =NELKE, =FLIEDER.

∼bohrer *m.* (못구멍을 뚫는) 송곳. **∼bürste** *f.* 손톱 솔. **∼feile** *f.* 손톱 가는 줄. **∼fest** [ná:gəl-, ná:gəlfέst] *a.* 못을 쳐박은; 부동의. **∼geschwür** [-gəʃvy:r] *n.* 〖醫〗 표저(瘭疽), 생안손. **∼kuppe** *f.* 못대가리. **∼lack** *m.* 네일래커《매니큐어용》.

nageln [ná:gəln] *t.* (에) 못〔징〕을 박다, 못박아 붙이다(♈*nail*).

nagelneu [ná:gəlnɔy, ná:gəlnɔ́y] *a.* (갓 만든 못처럼) 참신한, 새로운.

Nagel·pflege *f.* 미조술(美爪術), 매니큐어(*manicure*). **∼schere** *f.* 손톱 깎이; 못 자르는 큰 가위. **∼schmied** *m.* 못 만드는 사람. **∼schmiede** *f.* 못 제조소, 못 만드는 대장간.

nagen [ná:gən] *t.* u. *i.*(h.) 깨물어 뜯다, 갉(아 먹)다(*gnaw*); 부식(腐蝕)하다(*corrode*). **Nager** *m.* -s, -, **Nage·tier** *n.* 〖動〗 설치류(齧齒類).

nah [na:] *a.* u. *adv.* =NAHE.

Näh·arbeit [nέ:-] *f.* 바느질.

Nah·aufnahme [ná:aufna:mə] *f.* 〖映〗 클로즈업.

nah(e) [ná:(ə)] [=engl. *nigh*] 《Ⅰ》 *a.* 가까운(♈*near*); (∼liegend) 근접한(*close*). 《Ⅱ》 *adv.* 가까이; 가까이에. ¶∼ daran sein 바야흐로 …하려고 하다; 《다음의 여러 보기에서 본래의 場所的意味로는 ∼를 副詞로, 比喩的인 뜻으로는 zu "너무"를 수반하는 경우를 제외하고는 分離動詞의 前綴로 봐야 됨》 ∼ geh(e)n 가까이로 〔가까이를〕가다. ★ jm. ∼geh(e)n 아무의 가슴에 사무치다, 아무를 슬프게 하다, 아무의 감정을 상하게 하다 / ∼ kommen 가까이 오다. ★ e-m Dinge ∼kommen 어떤 영역에 다다르다, 무엇을 닮다 / ∼ legen 가까이(에) 놓다. ★ (jm. et.) ∼legen (아무에게 무엇을) 설명〔알게·권〕하다 / ∼ liegen 접근해 있다. ★ ∼liegen 쉽게 알 수 있다, 일목요연하다, 명백하다. ★ ∼liegend 쉽게 알 수 있는, 명백한, 당연한 / ∼ steh(e)n 가까이에 서 있다. ★ jm. ∼steh(e)n 아무와 가까운 관계에 있다 / ∼treten 가까이로 걸어오다. ★ jm. ∼treten 아무와 가까와〔친해〕지다 / zu ∼ treten 아무의 감정을 상하게 하다.

Nähe [nέ:ə] *f.* -n, 가까움; 인접; 이웃; 절박(切迫); 친밀(親密). ¶in der ∼ 가까이에, 가까이 가서.

nahe|geh(e)n* [ná:əge:(ə)n] usw. ☞NAHE.

nahen [ná:ən] *i.*(s.) u. *refl.* 접근하다, 가까이 가다.

nähen [nέ:ən] [♈Nadel] *t.* u. *i.*(h.) 꿰매다, 철(綴)하다(*sew, stitch*); 〖醫〗 봉합(縫合)하다(*suture*); 바느질하다, 깁다.

näher [nέ:ər] [nahe의 比較級; =engl. *near* (지금은: *nearer*)] 《Ⅰ》 *a.* ① 보다 가까운. ② 《比》 더 상세한(*more detailed*). 《Ⅱ》 *adv.* 보다 가깝게; 《比》 더 상세히. 《Ⅲ》 **Nähere** [nέ:ərə] *n.* 《形容詞變化》 더 상세한 사정, 상세, 세부. ¶∼s erfahren 자세한 사정을 알다.

Näherei [nε:ərái] *f.* -en, 바느질, 재봉.

Näherin *f.* -nen, 여재봉사, 침모, 바느질하는 여자.

nähern [nέ:ərn] 《Ⅰ》 *t.* (näher bringen) 가까이 하다, 접근시키다(*bring near*). 《Ⅱ》 *i.*(s.) u. *refl.* 접근하다, 가까와지다(*approach*). **Näherung** [nέ:ərʊŋ] *f.* -en, 접근; 〖數〗 근사법(近似法) (*approximation*). **Näherungswert** *m.* 〖數〗 근사치(近似値).

nahezu [ná:ətsu:, na:ətsú:] *adv.* 거의, 대략, 거지반(*nearly, almost*).

Nähgarn [nέ:garn] *n.* 바느질 실.

Nahkampf [ná:kampf] *m.* 〖軍〗 근접전, 백병전; 〖拳〗 클린치.

Näh·kästchen [nέ:kεstçən] *n.* 반짇고리. **∼kissen** *n.* 바늘 겨레. **∼korb** *m.* 바느질 고리.

nahm [na:m] ☞NEHMEN 《그 過去》.

Näh·maschine *f.* 재봉틀(*sewing machine*). **∼nadel** *f.* 바느질 바늘.

Nah·ost [na:-óst] *m.* 근동《지중해 동부 지역》.

Nährboden [nέ:rbo:dən] *m.* 배양토, 배양기(培養基)...

nähren [nέ:rən] 《Ⅰ》 *t.* ① 기르다, 먹이다, 먹이〔모이〕를 주다(*feed, nourish*); (에) 영양분을 공급하다; 양육〔부양〕하다(*sustain*); 젖을 먹이다. ② 《比》 (마음에) 품다(*cherish*). 《Ⅱ》 *refl.* 생계를 세우다, 살아 나가다(*live, support oneself*).

nahrhaft [ná:rhaft] [nahr-는 ♈nähren] *a.* 영양분 있는, 식용이 되는(*nourishing, nutritive*); 《比》 비옥한; 이익이 되는, 벌이가 되는(*lucrative*).

Nähr·kraft *f.* 영양 가치, 자양력. **∼lösung** *f.* (식물의) 배양액. **∼präparat** *n.* 자양 식품. **∼stand** *m.* 생산 계급. **∼stoff** *m.* 자양물, 영양소.

Nahrung [ná:rʊŋ] [<nähren] *f.* -en, ① 양분, 자양물(*nourishment*); 음식물, 식료(*food*). ② 호구지책, 생계(*livelihood*). ③ 소비 재료, 연료.

Nahrungs·freiheit *f.* (일국의) 식량의 자급 자족. **∼los** *a.* 음식물〔영양분〕이 없는; 생계를 이어나갈 길이 막힌, 수입이 없는; 빈곤한, 빈약한. **∼mittel** *n.* 식품, 식료. **∼quelle** *f.* 생계의 방도. **∼sorgen** *pl.* 생활고. **∼zweig** *m.* 직업 부문; 생활 방법.

Nähseide [nέ:zaidə] *f.* -n, 명주실.

Naht [na:t] [<nähen] *f.* ⸗e, ① 깁는 법, 솔기(*seam*). ② 〖醫〗 봉합(縫合)(법) (*suture*); 〖工〗 접합된 곳(*join*).

Näh·tisch *m.* 재봉대. **∼unterricht** *m.* 재봉 수업. **∼zeug** *n.* 재봉 도구.

naiv [na-í:f] [fr., *aus* lat. *nātivus*, „angeboren"] 《Ⅰ》 *a.* 순진한, 순박한, 자연 그대로의. 《Ⅱ》 **Naive** [na-í:və] 《形容詞變化》 ① *m.* 순진한 사나이. ② *f.* 순진한 여자. **Naivität** [nai:vité:t] *f.* -en, 순진함, 천진 난만. **Naivling** [naí:f-] *m.* -s, -e, 단순한 사람, 호인.

Name(n) [ná:mə(n)] [♈nennen] *m.* ..mens, ..men, ① 이름(♈*name*); 명칭, 칭호; 명목, 명의. ② 《比》 (명예로운) 이름; 명성(*reputation*). ¶das Kind beim rechten Namen nennen 기탄 없이 말하다, 직언하다 / im Namen des Volkes 국민의 이름으로《국민에게서 위임받은 권한으로》 / in Gottes Namen, a) 신의 이름으로, b) 거리낌 없이, 멋대로 / dem Namen nach, a) 이름은…, b) 명의상, 이름뿐(인).

Namen·gebung *f.* 명명(命名). **~los** *a.* ① 이름 없는, 익명의, 무명의. ② 형용하기 어려운, 이루 말할 수 없는, 언어 도단인; *adv.* 극도로, 몹시.
namens [ná:məns] 《Ⅰ》 *adv.*: ein Mann ~ (=mit Namen) Hans 한스라는 사람. 《Ⅱ》 *prp.* 《2格支配》: ~ (=im Namen) des Staates 국가의 이름으로.
Namens·aktie *f.* 기명 증권. **~auf·ruf** *m.* 점호. **~fest** *n.*, **~tag** *m.* 〖가톨릭〗 본명 축일(本名祝日). **~vetter** *m.* 같은 이름을 가진 사람(*namesake*). **~zug** *m.* 서명《자필의》; 수결(手決) (*flowrish*).
N
namentlich [ná:məntlıç] 《Ⅰ》 *a.* 이름을 든, 기명의, 지명의, 명의상의(*nominal*). 《Ⅱ》 *adv.* 기명하여, 지명하여. 《Ⅲ》 *adv.* u. *cj.* 특히, 주로, 무엇보다 (*particularly, especially*).
namhaft [ná:mhaft] *a.* ① 이름을 든, 지명의. ¶ jn. ~ machen 아무의 이름을 말하다, 아무를 지명하다((*mention by*) *name*). ② 유명한, 저명한; 중요〔현저〕한(*considerable*).
nämlich [nέ:mlıç] 《Ⅰ》 *a.* 상술의; 같은, 동일한((*the*) *same, very*). ¶ das ~e 같은 것, 같은 일. 《Ⅱ》 *adv.* u. *cj.* 즉 (*namely*); 까닭인즉(*that is to say*).
Nanismus [nanísmus] [gr. *nânos* „zwerg"] *m.* -, ..men, 왜소, 왜생(倭生).
nannte [nántə] ☞NENNEN (그 過去).
Nanofarad [nanofará:d] [<gr. *nânos* "Zwerg"] *m.* 10억분의 1패라드. **Na·nometer** [-mé:tər] *n.* 10억분의 1미터. **Nanosomie** [-zomí:] *f.* ☞NANISMUS.
Napalm [na:palm] [am. =(aluminum salts of) *naph*tenic (and) *palm*itic (acids)] *n.* -s, 네이팜《가솔린의 젤리화제(化劑)》. **Napalmbombe** *f.* 네이팜탄《초대형 유지 소이탄》.
Napf [napf] *m.* -(e)s, ⸗e, 얕은 그릇《특히 원통형의》, 단지, 대접, 바리때 (*bowl, basin, dish*); (Seifen~) 비눗갑. **Näpfchen** [nέpfçən] *n.* -s, -, 작은 대접〔단지〕. **Napfkuchen** *m.* 일종의 카스텔라《원통형의》.
Narbe [nárbə] [*eig.* „Verengung"; ♀ engl. *narrow* „eng"] *f.* -n, ① 상처 자국, 흉터(*scar*); (~ v. Blattern) 마맛자국(*cicatrice*). ② 〖植〗 주두(柱頭)(*stigma*). ③ 가죽의 털을 제거한 뒤의 거친 가죽 면, 도톨도톨한 면(*grain*). **nar·ben** 《Ⅰ》 *t.* (에)흉터를 남기다; (가죽의) 털을 제거하다. ¶ genarbtes Leder 도톨도톨한 가죽. 《Ⅱ》 *refl.* 유착(癒着)하여 흉터가 생기다. **narbig** *a.* 흉터가 있는; 얽은 자국이 있는; (가죽이) 도톨도톨한.
Narde [nárdə] [skt. *naladā* „duftig"] *f.* -n, 〖植〗 감송(甘松)《동인도산(產) 방초(芳草)》 (*spikenard*).
Narkomanie [-maní:] [gr.] *f.* 마약 탐닉; 최면제 중독(증).
Narkose [narkó:zə] [gr. „Erstarrung"] *f.* -n, 〖醫〗 마취(♀*narcosis*). **narko·tisch** *a.* 마취성의. **narkotisieren** [-kotizí:rən] *t.* 마취시키다.
Narr [nar] [*eig.* „Verrückter"] *m.* -en, -en, ① (미친 짓·엉뚱한 짓을 하는) 바보, 멍청이, 숙맥(*fool*). ② 익살꾼, 어릿광대; (Hof~) 어릿광대역. ¶ zum ~en haben 〔halten〕 바보로 취급하다, 놀리다 / e-n ~en an jm. 〔et.[3]〕 gefressen haben 아무에게 〔무엇에〕 홀딱 반해 있다. **narren** [nárən] *t.* 바보 취급하다, 우롱하다.
Narren·haus *n.* 정신 병원. **~kappe** *f.* (궁정의 어릿광대가 쓰는) 광대 모자; (사육제의) 바보 모자. **~sicher** *a.* 《俗》 바보라도 틀릴 것 없는, 절대 안전한《기계, 장치, 방법 등》. **~spiel** *n.* 바보짓, 익살.
Narrens·possen [nárənspɔsən] *pl.* 바보짓, 못된 장난.
Narren·streich [-ʃtraiç] *m.* 쓸데없는 장난; 바보짓. **~teiding** [-taidıŋ] *m.* -s, -e, 바보짓, 야단법석. **~turm** *m.* 정신 병원.
Narretei [narətái] *f.* -en, 바보짓.
Narrheit [nárhait] *f.* -en, 어리석음, 바보, 상식 밖의 일; (*pl.*) 바보짓.
Närrin [nέrın] *f.* -nen, 바보 같은〔어리석은〕 여자.
närrisch [nέrıʃ] *a.* 어리석은, 우매한, 익살스런; 희롱거리는; 진묘한.
Narziß [nartsís] [gr.] *m.* -, 〖神〗 나르키소스《물에 비친 자기 모습에 홀려 수선화가 된 그리스 미소년의 이름》. **Nar·zisse** [-tsísə] *f.* -n, 〖植〗 수선화(♀*narcissus*). **Narzißmus** *m.* -, 자기 도취(증).
nasal [nazá:l] [lat. *nāsus* „Nase"] *a.* 코의; 〖文〗 비음(鼻音)의. **Nasallaut** [nazá:llaut] *m.* -s, -e, 비음.
naschen [náʃən] *t.* u. *i.*(h.) 조금씩 집어 먹다(*nibble*); 훔쳐 먹다, 군것질하다 (*eat secretly*). **Näscher** [nέʃər] *m.* -s, -, 슬쩍 집어 〔훔쳐〕 먹는 사람; 주접스러운 사람. **Nascherei, Näscherei** *f.* 훔쳐 먹기, 집어 먹기; 군것질; =NASCHWERK. **naschhaft** *a.* 집어〔훔쳐〕 먹기 좋아하는, 군것질을 즐기는, 주접스러운; 미식을 좋아하는.
Nasch·katze *f.* 도둑고양이; 《比》 = NÄSCHER. **~werk** *n.* 단 것, 과자류.
Nase [ná:zə] *f.* -n, 코(♀*nose*); 후각(嗅覺); 《比》 얼굴. ¶ e-e feine 〔gute〕 ~ haben 냄새를 잘 맡다, 《比》 눈치 빠르다 / e-e ~ bekommen 꾸중 듣다, 야단 맞다 / jm. die ~ drehen 아무를 우롱하다, 속이다 / jm. et. **auf** die ~ binden, a) 아무에게 비밀을 누설하다, b) 아무를 무엇으로 속이다 / auf der ~ liegen a) 엎드려 있다, b) 와병(臥病)하다 / jm. et. **unter** die ~ reiben 아무를 향해 무엇에 대한 비난〔질책〕을 퍼붓다. **näseln** [nέ:zəln] *i.*(h.) 코로 숨쉬다; 냄새맡다; 콧소리로 말하다.
Nasen·bein *n.* 코뼈. **~bluten** *n.* 코피(를 흘림). **~dusche** *f.* 콧구멍(및 인후의) 관수(灌水). **~flügel** *m.* 콧방울. **~länge** *f.* 〖競馬〗 말 머리만큼의 거리. **~laut** *m.* 비음(鼻音) 《m, n, ng》. **~loch** *n.* 콧구멍. **~plastik** *f.* 조비술(造鼻術). **~rücken** *m.* 콧마루. **~rümpfen** *n.* 콧마루를 쭝긋거림《경멸의 표시》. **~spitze** *f.* 코 끝. **~stü·ber** [<stieben „fliegen"] *m.* 코 끝을

손가락으로 튀김《타이르기 위해》. ∼**wärmer** *m.* 목도리; 《俗》 짧은 파이프.
nāseweis [ná:zəvais] [*eig.* „weise an Nase, 냄새를 잘 맡는" 원래 사냥개에 대해 말함] *a.* 건방진, 주제넘은(*pert, saucy, impertinent*). **Nāseweisheit** *f.* 건방짐, 주제넘음.
nāsführen [ná:sfy:rən] *t.* 우롱하다, 마음대로 놀리다; 속이다, 기만하다.
Nāshorn [ná:shɔrn] *n.* -s, -er, 〔動〕 무소(*rhinoceros*).
naß [nas] [♈netzen] 《Ⅰ》 *a.* 젖은, 축축한, 물기가 도는(*moist*); 〔化〕 습식(濕式)의. ¶ein nasses Jahr 강우량이 많은 해 / ein nasser Bruder 주객(酒客). 《Ⅱ》 **Naß** *n.* ..sses, 액체(*liquid*); (특히) 물, 비, 술.
Nässe [nέsə] *f.* 습기; 습윤; 습도, 수분.
nässen *t.* 젖게 하다, 축이다; *i.*(h.) 젖다; 오줌 누다.
naßforsch [násfɔrʃ] [nur in „nassem"] *a.* 《俗》 허세의. 「濕)한, 냉습한.
Naßkalt [náskalt, náskált] *a.* 한습(寒
Natiōn [natsĭó:n] [lat. „Geburt, Geschlecht"] *f.* -en, 국민, 민족; 국가.
nationāl *a.* 국민의; 국민적인; 국가의, 국립의. 「*f.* 국가(國歌).
Nationāl≈flagge *f.* 국기. ∼**hymne**
nationalisieren [-lizí:rən] *t.* 귀화시키다; 국적에 편입하다; 국유화하다.
Nationalismus [natsĭonalísmus] [lat.] *m.* -, ..men, 국가〔국수〕주의.
Nationalitāt [natsĭonalitέ:t] [lat.] *f.* ① 국적; 국민성; 국체. ② 국민, 민족; 국가.
Nationāl≈kultūr *f.* 국민 문화 ∼**lēben** *n.* 국민 생활. ∼**literatūr** *f.* 국민 문학. ∼**ökonōm** [-økono:m] *m.* 국민 경제학자. ∼**ökonomie** *f.* 국민 경제학. ∼**sozialismus** *m.* 국가 사회주의. ∼**staat** *m.* 민족 국가. ∼**wirt·schaft** *f.* 국민 경제.
NATO, Nāto [ná:to] [engl.] *f.* 《略》= *N*orth *A*tlantic *T*reaty *O*rganization (Nordatlantikpaktorganisation 북대서양 조약 기구). 「나트륨.
Nātrium [ná:trium, -ĭum] *n.* -s, 〔化〕
Nātron [ná:trɔn] [ar.] *n.* -s, 〔化〕 수산화 나트륨; 《俗》(탄산) 소다.
Natter [nátər] *f.* -n, 〔動〕 살무사(♈*adder, viper*); 《比》 음험한 사람.
Natūr [natú:r] [lat. *nātus* „geboren"] *f.* -en, ① 자연, 본연, 천성. ② 자연의 힘, 조화(造化); 본성, 소질(♈*nature*). ¶der ∼ nach 본성으로 보아 / **von** ∼ 본디, 본래, 원래 / **nach** der ∼ zeichnen 사생(寫生)하다.
Naturālien [naturá:lĭən] *pl.* 천산물(天産物); 농산물, 토산물; 박물 표본.
naturalisieren [naturalızí:rən] *t.* 귀화시키다, 국적을 부여하다.
Naturalismus [naturalísmus] *m.* -, 자연주의. **naturalistisch** *a.* 자연주의의.
Naturāl≈leistung *f.* 〔法〕 부역(賦役) 현품, 물납(物納)(*payment in kind*). ∼**wirt·schaft** *f.* 자연 경제, 물물 교환 경제.
Natūr≈anlāge *f.* 자성(資性), 소질, 천성(*disposition*). ∼**ārzt** *m.* 자연 요법의(醫). ∼**beschreibung** *f.* 박물지(誌), 박물학. ∼**bursche** *m.* (건강한) 자연아(兒). ∼**denkmāl** *n.* 천연 기념물.
Naturell [naturέl] [fr.] *n.* -s, -e, 천성; 기상, 기질.
Natūr≈ereignis *n.*, ∼**erscheinung** *f.* 자연 현상. ∼**forscher** *m.* 자연 연구자〔과학자〕. ∼**gābe** *f.* 천부(天賦), 천품. ∼**gemäß** *a.* 자연의, 자연을 따르는; 자명한, 본성에 유래하는. ∼**ge≈schichte** *f.* =∼BESCHREIBUNG. ∼**ge≈treu** *a.* 자연에 충실한, 자연 그대로의. ∼**heilkunde** *f.* 자연 요법.

Naturismus [naturísmus] [Natur] *m.* -, =NACKTKULTUR.
Natūr≈kraft *f.* 자연력; 타고난 힘. ∼**kunde** *f.* 자연 과학; 박물학. ∼**lehre** *f.* 자연 철학; (특히) 물리학.
natūrlich [natý:rlıç] 《Ⅰ》 *a.* 자연의, 본래의; 당연한; 본연의. 《Ⅱ》 *adv.* 자연히; 당연히, 물론(*of course, certainly*).
Natūrlichkeit *f.* 자연스러움; 꾸밈없음; 소박, 단순; 자연적인 것; 경험적인 사물.
Natūr≈mensch *m.* 자연인, 원시인. ∼**nahe** *a.* 자연에 가까운. ∼**nōtwen≈digkeit** *f.* (자연적) 필연. ∼**recht** *n.* 자연권; 자연법. ∼**reich** *n.* 자연계, 삼라 만상. ∼**rein** *a.* 자연 그대로 순수한, 천연의. ¶naturreiner wein (감미료가 안든) 천연 포도주. ∼**schutz·ge≈biet** *n.* 자연 보호 구역. ∼**spiel** *n.* 자연〔조화〕의 장난, 기형아. ∼**trieb** *m.* 자연 충동, 본능. ∼**volk** *n.* 원시〔미개〕 민족. ∼**voll** *a.* 지극히 자연스러운. ∼**widrig** *a.* 자연에 반(反)하는. ∼**wissenschaft** *f.* 자연 과학. ∼**wissenschaft(l)er** *m.* 자연 과학자. ∼**wüchsig** [-vy:ksıç] *a.* 자연생의, 야생의; 《比》 본연의; 있는 그대로의, 꾸밈 없는; 소박한.
Nautik [náutık] [gr.] *f.* 항해술. **nau≈tisch** *a.* 항해(술)의, 해사상(海事上)의.
Nāzi [ná:tsi] *m.* -(s), -s, 《略·蔑》 = *Na*tionalso*zi*alist 독일 민족 사회당원, 나치스 당원. **Nazismus** *m.* -, 나치즘.
Nēbel [né:bəl] *m.* -s, -, ① 안개, 운무, 아지랭이(*mist, fog, haze*). ② 〔軍〕 연막; 〔天〕 성운(星雲).
Nēbel≈bilder *pl.* 희미한〔몽롱한〕 상(像). ∼**fleck** *m.* 〔天〕 성운; 〔醫〕 각막박예(角膜薄翳).
nēbelhaft [né:bəlhaft] *a.* =NEBELIG.
Nēbelhorn [-hɔrn] *n.* 〔海〕 농무 경적(濃霧警笛).
nēb(e)lig [né:b(ə)lıç] *a.* 안개 낀, 안개가 짙은; 안개 같은; 성운(星雲) 모양의; 《比》 몽롱한.
Nēbel≈kammer *f.* 〔物〕 (윌슨의) 안개상자. ∼**krähe** *f.* 〔鳥〕 뿔가마귀. ∼**mōnd** *m.* 11월(=November).
nēbeln [né:bəln] *i.*(h.) ① es nebelt 안개가 낀다, 안개가 깊다. ② 《比》 (안개처럼) 감돌다, 낮게 떠돌다; 횡설수설하다.
Nebel≈rēgen *m.* 이슬비. ∼**schleier** *m.* 안개의 베일; 〔軍〕 연막. ∼**schwā≈den** *m.* 아지랭이, 가스; 〔坑〕 (광산의) 유독 가스.

N

Nēb(e)lung [né:b(ə)luŋ] *m.* -s, -e, (November) 11월.

nēben [né:bən] [<in eben] *prp.* 《Ⅰ》(3格支配) ① 의 곁에, 와 나란히(*near, next to, by, beside*). ②《比》와 병행해, 와 동시에, …외에. ¶ ~ anderen Dingen 그 가운데서도, 그 밖에도 있으나. 《Ⅱ》(4格支配) 의 곁으로; 《比》와 동등하게. ¶ ~ das Ziel treffen 표적을 빗나가다.

Nēben·absicht *f.* 부수적인 목적, 저의(底意). **~an** [ne:bən-án] *adv.* 나란히, 인접하여. **~anschluß** *m.* 〖電〗분로(分路); (원 전화에 대한) 연결 전화. **~arbeit** *f.* 부업. **~bei** [ne:bənbái] *adv.* 나란히, 곁〔이웃〕에; 그 밖에, 그것에 덧붙여; …하는 김에, 아울러. ¶ ~bei bemerkt 곁들여 말하지만. **~berūf** *m.* 부업. **~buhler** *m.*, **~buhlerin** *f.* 경쟁자, 적수; 연적. **~ding** *n.* =~SACHE. **~einander** [ne:bən-ainándər, né:bənain-] *adv.* 서로 나란히(*side by side*). **~einkünfte** *pl.*, **~einnahme** *f.* 부수입. **~fluß** *m.* 지류. **~frau** *f.* 작은집, 첩. **~gebäude** *n.* 〖建〗 옆채, 딴 채; 부속 건물. **~gedanke** *m.* 부수적 생각, 저의(底意), 꿍꿍이속. **~gelaß** *n.* 부속 건물. **~geleise** *n.* 〖鐵〗측선(側線), 대피선. **~geräusch** *n.* (라디오의) 잡음. **~handlung** *f.* 부수 행위; 〖劇〗 본줄거리와 다른 줄거리, 삽화(挿話). **~haus** *n.* =~GEBÄUDE; 이웃집. **~hēr** [ne:bənhé:r] *adv.* 동시에; 나란히; 그밖에; …하는 김에, 아울러. **~hin** [ne:bənhín] *adv.* 옆에; 별도로; 아울러. **~kläger** *m.* 부대(附帶) 고소인. **~linie** *f.* 평행선; 〖鐵〗 지선; (혈통상의) 방계; 〖樂〗 덧줄. **~mann** *m.* 옆 사람, 나란히 선 사람; 남첩(男妾). **~mensch** *m.* 동포. **~niere** *f.* 〖解〗 부신(副腎).

nēben|ordnen [né:bən-ɔrdnən, -ɔrt-] *t.* 나란히 세우다; 동렬〔동 위치〕에 두다.

Nēben·persōn *f.* (중요하지 않은) 부수 인물; 〖劇〗 조역, 단역. **~produkt** *n.* 부산물. **~rolle** *f.* 〖劇〗 조역, 단역. **~rücksicht** *f.* 부차적(副次的) 고려. **~sache** [né:bənzaxə] *f.* 중요하지 않은 것, 부차적인 것, 사소한 것, 지엽적인 사항. **~sächlich** [-zɛçlıç] *a.* 부수적인, 부대적인(*subordinate, incidental*); 중요하지 않은, 지엽적인(*unimportant*). **~satz** *m.* 종속문(文). **~stelle** *f.* 지소(支所). **~strāße** *f.* 뒷골목, 골목길; 샛길. **~tisch** *m.* 측탁(側卓). **~tür(e)** *f.* 옆문, 뒷문. **~umstand** *m.* 부수적인 사정; 상세, 세목. **~verdienst** *pl.* 임시〔부〕 수입. **~wēg** *m.* 옆길, 샛길, 간도(間道). **~wort** *n.* ①부차적인 말. ②〖文〗 부사. **~zimmer** *n.* 옆방, 건넛방. **~zweck** *m.* 부수 목적; 저의(底意), 꿍꿍이속.

nēbst [ne:pst] [neben 의 2格形 nebens 에 t 를 덧붙인 말] *prp.* (3格支配) …와 나란히, 와 함께, …을 포함해서; …에 부가하여, …의 밖에(*(together) with, beside*). ¶ Herr M. ~ Frau M. M씨 및 그 부인.

necken [nékən] *t.* 지분거리다, 우롱하다, 놀리다(*tease, banter*). **Neckerei** [nɛkərái] *f.* -en, 우롱, 조롱, 야유.

neckisch [nékıʃ] *a.* 야유하기 좋아하는, 입사나운(*teasing*); 익살스러운(*funny*); 명랑한; 심통 사나운.

Neffe [néfə] *m.* -n, -n, 조카(♈*nephew*).

Negatiōn [negatsió:n] [lat., <negieren] *f.* -en, 부정, 부인, 거부. **negativ** [negatí:f, négati:f] 《Ⅰ》 *a.* 부정적인, 소극적인; 반대의; 효과 없는. ¶ ~es Bild 음화(陰畫). 《Ⅱ》 **Negativ** *n.* -s, -e, (사진의) 음화, 원판 또는 필름의 영상.

Nēger [né:gər] [sp., <lat. *niger* „schwarz"] *m.* -s, -, 흑인, 니그로(♈*negro*; *black*).

Nēger·handel *m.* 흑인 노예 매매, 노예 무역. **~schiff** *n.* 노예(무역)선. **~sklāve** *m.* 흑인 노예.

negieren [negí:rən] [lat.; d. ♈nein] *t.*, (verneinen) 아니라고 답하다, 부정〔부인〕하다; 거부〔부결〕하다.

negozi·ieren [negotsi-í:rən] *t.* u. *i.*(h.) 상담(商談)을 성립시키다, 상거래하다, 어음을 양도하다; 팔다.

nehmen* [né:mən] *t.* ① 취하다(*take*), 붙잡다; 받다; 고르다, 채용하다; (zu sich ~) 섭취하다, 먹다, (약을) 복용하다; (신부 따위를) 맞이하다. ② 빼앗다, 가지고 가다; 훔치다; 〖軍〗 점령하다; 〖海〗 나포하다. ¶ jm. 〔sich³〕 das Leben ~ 아무의 목숨을 빼앗다〔자살하다〕. ③ …라고 생각〔간주·이해〕하다; …로 다루다. ¶ es mit et. ernst ~ 무엇을 중대하게 생각하다. ④《名詞와의 慣用的인 結合》 Abschied ~ 작별하다 (von jm.)/ s-n Anfang ~ 시작되다 / ein Ende ~ 끝나다, 다하다, 그치다 / Platz ~ 앉다. ⑤《形容詞 또는 副詞와 함께》 jn. fest 〔gefangen〕 ~ 아무를 체포하다. ⑥《前置詞와 함께》 et. **auf** sich⁴ ~ 무엇을 떠맡다 / jn. **beim** Worte ~ 아무의 언질을 받다 / jn. **zur** Frau ~ 아무를 아내로 맞이하다. ⑦《非人稱》 es nimmt mich **wunder** 나는 그것을 수상히 여긴다, 그것에 놀란다.

Neid [nait] [*eig.* „Kampf, Zorn, Haß"] *m.* -(e)s, 질투, 시기 (*envy*). **neiden** [-dən] *t.*: jm. (um) et. ~ 아무의 무엇을 시기하다, 부러워하다. **Neider** [nái-dər] *m.* -s, -, **Neidhammel** *m.* 질투하는 사람, 부러워하는 사람. **neidisch** [náidıʃ] *a.*: auf jn. 〔et.〕 ~ sein 아무를 〔무엇을〕 질투〔시기·선망〕하다 (*be envious, jealous (of)*).

Neige [náigə] [<neigen] *f.* -n, ① 경사, 기울기, 비탈(*slope, decline*). ¶ auf die ~ geh(e)n 기울다, 쇠퇴하다, 다하다, 끝나다. ② (술 따위의) 앙금, 침전물, 찌꺼기(*dregs, rest*). **neigen** [nái-gən] [♈nicken] 《Ⅰ》 *t.* 기울이다; 굽히다, 구부리다, 숙이다(*lower, tilt, bow*). 《Ⅱ》 *refl.* ① 허리를 굽히다, 절하다. ② 기울다, 경사지다, 비탈지다(*slope*); (zu., 을 하는) 경향〔버릇〕이 있다, (에) 마음이 쏠리다; (을) 좋아하다. ③ 가라앉다. 내려앉다(*dip*). 《Ⅲ》 *i.*(h.) (zu., 에) 기울다, 경향이 있다(*be inclined to*).

Neigung [náiguŋ] *f.* -en, ① 기울기, 경사, 비탈; (물의) 낙차; 자침(磁針)의

부각(俯角). ② (몸을) 굽힘, 절. ③ 《比》 경향, 성벽; 기호(嗜好), 취미, 애호.

Neigungs⸗ēhe *f.* 연애 결혼. ～**messer** *m.* 경사계(計). ～**winkel** *m.* 경사각, 부각(俯角).

nein [nain] [<ahd. *ni ein*, „nicht eins, 하나도 없다"] *adv.* 아니, 아니오, 그렇지 않다(♈*no*).

Nekrolōg [nekroló:k] [gr. „Totenbeschreiber"] *m.* -s, -e, 고인의 약력; 부고, 사망 고시(*obituary*); 추도사. **Nek⸗romant** *m.* -en, -en, 무당. **Nekro⸗mantie** [-mantí:] *f.* 무술(巫術). **Nek⸗rōse** *f.* -n, 〖醫〗 회사(壞死), 회저(壞疽).

Nektar [néktar] [gr.] *m.* -s, 〖希神〗 신들의 음료, 신주(神酒); 《比》 감로, 미주(美酒).

Nelke [nélkə] [nd. „Nägelchen"] *f.* -n, 〖植〗 (Gewürz～) 정향(丁香)나무(*clove*); 패랭이꽃(*pink*); (Garten～) 카네이션(*carnation*).

Nelken⸗beet *n.* 패랭이꽃밭. ～**blüte** *f.* 정향(丁香)의 꽃. ～**öl** *n.* 정향유(油). ～**zimt** *m.* (브라질산) 정향나무 껍질.

NE⸗Metall [ɛn-é:metal] *n.* 《略》 =*Ni*chteisen*metall* 비철(非鐵) 금속.

nennbār [nénba:r] *a.* 이름을 붙일 수 있는, 이름 있는; 형언할 수 있는; 저명한, 중요한. **nennen*** [nénən] [<Name] 《I》 *t.* ① (의) 이름을 말하다[들다], 가리켜 부르다. ② (에) 명명하다, …라고 이름붙이다, 부르다(♈*name*; *call, term*). ③ ein Pferd ～ 경마 참가를 신청하다, 《II》 *refl.* 이름을 대다; (…라고) 자칭하다; 사칭하다; …라고 불리우다, …이라는 이름이다. **nennenswērt** *a.* 언급할 가치가 있는, 말할 만한, 저명한, 중요한. **Nenner** [nénər] *m.* 〖數〗 분모.

Nenn⸗form *f.* 〖文〗 (Infinitiv) (동사의) 부정법. ～**geld** *n.* 경기 참가 신청금.

Nennung [nénuŋ] *f.* -en, 명명(命名); 호명, 거시(擧示), 기술, 기재(記載); 〖競〗 참가 신청(*entry*).

Nenn⸗wērt *m.* 액면 가격. ～**wort** *n.* 〖文〗 명사적 품사(名詞·代名詞 및 形容詞의 總稱).

Neofaschismus [neofaʃísmus] *m.* -, 신(新)파시즘(1945 년 이후의).

Neolōg(e) [neoló:gə, -ló:k] *m.* ..gen, ..gen, 혁신[개혁]자. **Neologie** *f.* 혁신, 경신.

Neon [né:ɔn, neó:n] [gr. *néos* „neu"] *n.* -s, 네온.

Neon⸗licht *n.* 네온사인. ～**röhre** *f.* 네온관(管).

Nepp [nɛp] [<neppen] *m.* -s, 에누리(함), 바가지씌움.

Nerv [nɛrf] [lat.] *m.* -s *u.* -en [-fən, -vən], -en, ① 힘줄. ② 신경(♈*nerve*). ¶ jm. auf die ～en fallen 아무의 신경을 건드리다.

Nerven⸗fieber [nɛrfən-, -vən-] *n.* 신경성열(병) 《히스테리, 티푸스》. ～**knōten** *m.* 신경절(節). ～**krank** *a.* 신경 질환의. ～**krankheit** *f.*, ～**leiden** *n.* 신경 질환. ～**sāge** *f.* 《俗》 신경이 쓰이는 일; 신경에 거슬리는[귀찮은] 사람. ～**schlāgfluß** *m.* 〖醫〗 졸중(卒中). ～**schmerz** *m.* 신경통. ～**schock** *m.* 신경 쇼크. ～**schwach** *a.* 신경 쇠약의, 신경질의. ～**schwäche** *f.* 신경 쇠약증, 신경질. ～**systēm** *n.* 신경 계통. ～**zelle** *f.* 신경 세포. ～**zentrum** *n.* 신경 중추.

nervig [nérfıç, -vıç] *a.* 힘줄이 센, 건장한, 강건한(*sinewy*); 굳센(*vigorous*); 《比》 강건한, 힘찬, 웅장한 (문장)(*pithy*).

nervös [nɛrvǿ:s] [fr.] *a.* 신경 쇠약의; 신경질적인, 신경 과민의(*nervous*). **Ner⸗vosität** [nɛrvozitɛ́:t] *f.* -en, 신경질, 신경 과민[쇠약].

Nerz [nɛrts] [Lw. sl.] *m.* -es, -e, 〖動〗 밍크(*mink*).

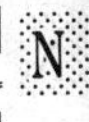

Nessel [nésəl] *f.* -n, 〖植〗 (Brenn～) 쐐기풀(♈*nettle*).

Nessel⸗ausschlāg *m.*, ～**fieber** *n.*, ～**sucht** *f.* 〖醫〗 심마진(蕁麻疹). ～**tūch** *n.* 쐐기풀의 섬유로 짠 모슬린 같은 천.

Nest [nɛst] [*eig.* „Niederlassung"] *n.* -es, -er, ① 보금자리(♈*nest*). ② 《比》 집; 소굴; 고향; 마을, 동리.

Nestel [néstəl] *f.* -n, (단추 또는 고리가 달린) 띠, 끈(*lace*). **nesteln** *t.* 끈으로 매다.

Nest⸗häkchen, ～**küchlein** *n.* (같이 부화된 새끼 중에서) 맨 나중까지 보금자리에 남는 새끼; 《比》 막내둥이, 응석받이 (*pet, baby*).

nett [nɛt] [lat. -fr., *eig.* „glänzend"] *a.* ① 말쑥한, 귀여운(♈*neat, pretty*); 산뜻한, 멋진 (*nice*). ② 애교 있는; 친절한(*kind*). **Nettigkeit** *f.* -en, 말쑥함, 귀여움, 산뜻함.

nettō [néto:] [lat. -it.] 《I》 *adv.* 〖商〗 정미(正味)로 《포장의 무게를 포함시키지 않고》 (♈*net*); 정가로. 《II》 **Netto** *n.* -s, 정미, 정가, 순량(純量), 순이익.

Netto⸗betrāg *m.* 실제액, 정미. ～**ertrāg** *m.* 순익(금), 실수(實收). ～**gewicht** *n.* 실중량(實重量). ～**preis** *m.* 실제 가격, 정가. ～**raumgehalt** *m.* (짐을 실을 수 있는) 정미 용량.

Netz [nɛts] *n.* -es, -e, ① 그물(♈*net*); 그물 모양의 것(*network*); 격자, 괘(罫)(*grid*); 〖電〗 (진공관의) 그리드(*grid*).

Netz⸗anschluß *m.* 〖電〗 선로망(線路網)의 접속. ～**ārtig** *a.* 그물 모양의. ～**augen** *pl.* 〖動〗 복안(複眼). ～**ball⸗spiel** *n.* 테니스(*lawntennis*).

netzen[1] [nétsən] [<naß] *t.* 적시다, 젖게 하다, 축축하게 하다(*wet, moisten*).

netzen[2] *t.* 그물 모양으로 짜다.

Netz⸗flügler *pl.* 〖動〗 맥시류(脈翅類). ～**förmig** *a.* 그물 모양의. ～**haut** *f.* 〖解〗 망막(網膜)(*retina*). ～**hemd** *n.* (기구(機具)의) 덮개 그물. ～**karte** *f.* ① 그물눈 지도. ② (철도의) 지역 통용 정기권. ～**schnūr** *f.* (어업용) 망사. ～**stoff** *m.* 가제질의 천《속옷용》. ～**werk** *n.* 그물 세공; 그물 모양의 조직; 〖解〗 망상(網狀) 조직. ～**zwirn** *m.* = ～SCHNUR.

neu [nɔy] 《I》 *a.* ① 새로운(♈*new*; *fresh, modern, latest*). ¶ ～ere Zeiten, a) 요즈음, 근자, b) 근세, 근대. ② 《名詞化》 etwas ～es 어떤 새로운 것; 《첫 글자를 小文字로 써서 *adv.* 로 함》 aufs ～e, *od.* von ～em 새로이, 다시, 또다시. 《II》 *adv.* (aufs neue) 새로, 다시, 요즈음, 근자, 최근에.

neu=ärtig *a.* 새로운 종류의, 신식의. **~aufläge** *f.* 신판(新版). **~backen** *a.* 갓 구워 낸 (빵); 《比》 갓 만든. **~bau** *m.* 신축(한 집). **~bearbeitung** *f.* 개정(改訂). **~bildung** *f.* 새로 만듦, 새로 만든 것; 개조, 개혁; 신조어(新造語). 〖醫〗(이상) 신생물〔종양〕. **~deutsch** *n.* 근대 독일어. **~druck** *m.* 〖印〗(책의) 신판, 증판. **~entdeckt** *a.* 신발견의. **~erbaut** *a.* 신축의.
neuerdings [nɔ́yərdɪŋs, nɔyərdɪ́ŋs], *adv.* ① 요즈음, 요사이, 근래. ② 새로이, 다시. **Neuerer** [nɔ́yərər] *m.* -s, -, 개혁자; 신기한 것을 즐기는 사람. **neuerlich** [nɔ́yərlɪç] *adv.* 요즈음, 요사이; 새로이, 다시. **neuern** [nɔ́yərn] *t.* u. *i.*(h.) 갱신〔개혁·혁신〕하다.
Neu=erscheinungen *pl.* 신간서(新刊書). **~erschienen** *a.* 신간의.
Neuerung [nɔ́yərʊŋ] *f.* -en, 갱신, 개혁, 혁신; 새로운 것, 신제도; 개정(된 것); 신조어, 유행어. **~s=süchtig** *a.* 새로운 것을 좋아하는, 혁신〔개혁〕의 열의가 있는.
Neufundlant [nɔyfʊ́ntlant] *n.* 뉴펀들랜드《캐나다 동쪽의 센트로렌스 만에 있는 섬》(♈*Newfoundland*).
neu=gebacken *a.* =~BACKEN. **~geboren** *a.* 갓난; 재생한. ¶ ~geborener 갓난 아이. **~geburt** *f.* 신생, 갱생, 〖宗〗 부활. **~geschaffen** *p.a.* 새로 만든. **~gestaltung** *f.* 신형성(新形成); 재구성(再構成). **~gier(de)** *f.* 호기심(*curiosity*). **~gierig** [nɔ́ygi:rɪç] *a.* 호기심이 있는(*curious*). 「운 것; 신제품, 신유행품.
Neuheit [nɔ́yhait] *f.* -en, 새로움; 새로
neuhochdeutsch [nɔ́yho:xdɔytʃ] *a.* 신고지 독일(어)의.
Neuigkeit [nɔ́yɪçkait] *f.* -en, 새로운 사건, 뉴스((*piece of*) *news*).
Neujahr [nɔ́yja:r, nɔyjá:r] *n.* -(e)s, -e, 새해, 신년, 설날(♈*New Year*).
Neujahrs=abend *m.* 제야(除夜), 섣달 그믐날 밤, **~fest** *n.* 신년 축제. **~geschenk** *n.* 새해 선물. **~karte** *f.* 연하장. **~tāg** *m.* 설날, 정월 초하루.
neulich [nɔ́ylɪç] 《Ⅰ》 *a.* 근자의, 요즈음의(*recent, late*). 《Ⅱ》 *adv.* 근자에, 최근에(*the other day*).
Neuling [nɔ́ylɪŋ] *m.* -s, -e, 신입자, 초심자, 신출내기(*novice, tyro*); 〖宗〗 처음 믿는 사람, 새로 귀의한 사람.
Neu=minūte *f.* Neugrad의 천분의 1. **~mōdisch** *a.* 신유행의, 신식의. **~mōnd** *m.* 초승달.
neun [nɔyn] *num.* 《單獨으로 쓰일 때는 ~e도 됨》 아홉, 9(♈*nine*).
Neun=auge [nɔ́yn-augə] *n.* 〖魚〗 칠성장어. **~eck** *n.* 〖數〗 9각형.
Neuner [nɔ́ynər] *m.* -s, -, 아홉으로 이루어진 것; 아홉의 숫자; 9인조의 한 사람. **neunerlei** [nɔynərlái, nɔ́ynər-] *a.* 아홉 가지의.
neun=fach, **~fältig** *a.* 9배의, 9겹의. **~jährig** *a.* 9년간의; 9세의. **~jährlich** *a.* 9년 마다의 **~māl** *adv.* 아홉 번, 아홉 배로.
neunt [nɔynt] *a.* (der, die, das ~e) 제 9의(♈*nineth*). **Neuntel** *n.* -s, -, 9분의 1. **neuntens** *adv.* 제 9번째에.
neun=zehn *num.* 19 (♈*nineteen*). **~zehnt** *a.* (der, die, das ~e) 제 19의.
neunzig [nɔ́yntsɪç] *num.* 90 (♈*ninety*).
neunzigst [nɔ́yntsɪçst] *a.* (der, die, das ~e) 제 90의.
Neu=ordnung *f.* 새질서. **~orientierung** *f.* 새방향〔방침〕의 결정. **~philolōg(e)** *m.* 근대어학자. **~philologie** *f.* 근대어학.
Neuralgie [nɔyralgí:] [gr. „Nervenschmerz"] *f.* ..gīen, 〖醫〗 신경통. **neuralgisch** *a.* 신경통의. **Neurasthenie** [nɔyrastení:] [gr. „Nerven-schwäche"] *f.* ..nīen, 〖醫〗 신경 쇠약증. **Neurasthēniker** *m.* -s, -, 신경 쇠약증 환자.
Neu=rēg(e)lung *f.* 재조정, 새규정, **~reiche** *m.* u. *f.* 《形容詞變化》 벼락 부자, 졸부(猝富).
Neurologie [nɔyrologí:] [gr.] *f.* ..gīen, 신경학. **Neurōse** *f.* -n, 신경증, 노이로제. **Neurōtiker** *m.* -s, -, 신경증 환자. **neurōtisch** *a.* 신경증의.
Neuseeland [nɔyzé:lant] *n.* 뉴질랜드 (♈*New Zealand*). **~sekunde** *f.* Neuminute의 천분의 1.
Neu=silber *n.* 양은 (*German silver*). **~sprāchler** *m.* 근대어학자; (특히) 영·불어 교사. **~sprāchlich** *a.* 근대어의. **~testamentlich** *a.* 신약(新約) 성서의.
neutrāl [nɔytrá:l] [lat. *ne-uter* „keines von beiden"] *a.* 중립의; 중성의(♈*neutral*, ♈*neuter*) **neutralisieren** *t.* 무효로 하다, 상쇄하다; 중립화하다; 〖化〗 중화하다. **Neutralitāt** [nɔytralitɛ́:t] *f.* -en, 국외(局外) 중립; 〖化〗 중화.
Neutron [nɔ́ytrɔn] *n.* -s, ..trōnen, 〖物〗 중성자(中性子). **Neutrum** [nɔ́ytrʊm] *n.* -s, ..tren *u.* ..tra, 〖文〗 중성(♈*neutrer*); 중성 명사.
neu=vermählt *a.* 신혼의. **~wahl** *f.* 개선(改選). **~waschen** *a.* 갓 세탁한. **~welt** *f.* 신세계, (특히) 미국.
Neu=zeit *f.* 근대, 현대(*modern times*). **~zeitlich** *a.* 근대〔현대〕의; 근대〔현대〕적인.
NF 《略》 =*N*ieder*f*requenz.
nicht [nɪçt] [<nie *u.* Wicht, 원래 名詞的 의미(engl. *nothing*의 뜻), 뒤에 副詞化했음] *adv.* 《否定》 아무것도 …아니(하)다; …않다, (이) 아니다(♈*not*). ¶ **auch** ~ 도 또한 …않다〔아니다〕/ noch ~ 아직 …않다〔아니다〕/ **durchaus** ~ 〔**gar** ~〕 전혀 〔결코〕 …않다〔아니다〕/ ~ **allein** 〔**bloß** *od.* **nur**〕.., **sondern auch** 뿐만 아니라 …도 또한 / ~ **sowohl** ... **als** 〔**vielmehr**〕 …이 아니라 오히려 / ~ **daß** ich wüßte 나는 모르겠는데요; 글쎄, 그렇지 않을텐데요 / ~ **doch**!, a) 결코 그렇지 않다; b) 《俗》 안된다, 하지 말라 / ~ **einmal**, a) [áin-] 한번만이 아니다, b) [-má:l] …조차 없다〔않다〕, 전혀 없다 / ~ **mehr**, a) 그 밖에〔그 이상〕 … 않다〔아니다〕, b) (~ länger) 이미 …않다〔아니다〕.
Nicht=achtung *f.* 부주의, 무시. **~amtlich** *a.* 공무외의, 비공식의, 사사로운. **~anderskönnen** *n.* -s, 따로

방법이 없음, 불가피. ~angriffspakt *m.* 불가침 조약. ~annahme *f.* 〖商〗 인수하지 않음, 인수 거절. ~arier *m.* 비(非)아리아 사람. ~beachtung *f.* 부주의, 무시. ~befolgung, ~beobachtung *f.* (규칙·명령 등을) 준수하지 않음, 위반. ~berufstätig *a.* 무직(업)의. ~bezahlung *f.* 미불(未拂), 부도. ~christ *m.* 비기독교인. ~duldung *f.* 비관용, 편협; 〖宗〗(타종교의) 배척.

Nichte [níçtə] [♀Neffe] *f.* -n, 조카딸, 질녀(*niece*).

Nicht·einlösung *f.* 미회수, 미납. ~eisenmetall *n.* 비철(非鐵) 금속. ~erscheinen *n.* 결석; 미간행(未刊行).

nichtig [níçtıç] [<nicht] *a.* 실질(實質)이 없는, 빈, 무(無)의, 무력한, 무가치한, 하찮은(*null, vain, idle*). **Nichtigkeit** *f.* -en, 위의 것; 무가치한 것, 하찮은 일; 〖法〗 무효.

Nichtigkeits·beschwerde *f.* 〖法〗 무효의 항고〔상소〕. ~erklärung *f.* 무효 선언; 〖法〗 원심의 파기. ~klage *f.* 무효 확인의 소송.

Nicht·leiter *m.* 〖物〗 부도〔절연〕체. ~metalle *pl.* 비금속. ~öffentlich *a.* 비공개의, 비밀의. ~raucher *m.* 흡연하지 않는 사람. ~raucher·abteil *n.* 금연 찻간. ~rostend *a.* 녹슬지 않는.

nichts [nıçts] [<nicht] 《Ⅰ》 *prn.* (*ant.* etwas). ① 무(無), 아무 것도 없음〔아님·않음〕 (*nothing, naught*). ② 《名詞的用法》 ich weiß ~ davon 나는 그것에 관해 아무 것도 모른다 / ~ and(e)res (als) (그 밖의) 다른 아무 것도 아니다, 바로 …이다 / ~ weniger als.. 전혀〔결코〕 … 아니다 / sie ist ~ weniger als klug 그녀는 결코 영리하지 않다 / das hat ~ zu sagen 그것은 문제 삼을 것이 못된다, 하찮은 것이다 / mir ~, dir ~ 아랑곳 없이, 무작정, 다짜고짜. 《Ⅱ》 *adv.* 《원래 名詞의 4格 또는 3格의 轉用》 =NICHT.: das hilft (zu) ~ 그것은 아무짝에도 소용 없다. 《Ⅲ》 **Nichts** *n.* -, 무, 전무함; 허무; 무가치(한 것), 하찮은 사람; 무의의(無意義); 시시한 것. **nichtsdestoweniger** [nıçts-dəstové:nıgər, níçts-] *cj.* u. *adv.* 그럼에도 불구하고.

Nicht·sein [níçt-zain] *n.* 무(無), 공(空), 비유(非有), 허무; 죽음.

Nichts·nuts *m.* 재주 없는 사람, 쓸모없는 사람, 건달. ~nutzig *a.* 쓸모 없는, 변변치 않은, 건달의. ~sagend *a.* 언급할 가치도 없는, 중요하지 않은, 무의미한. ~tuer *m.* 아무것도 하지 않는 사람, 게으름뱅이(*idler*). ~tun *n.* 무위, 나태, 빈둥거림. ~würdig *a.* 아무 가치 없는; (도덕적으로) 보잘것 없는, 천한, 비열한(*vile, base*). ~würdigkeit *f.* 위의 사물〔행위〕.

Nichtübereinstimmung [nıçtʏbər-ainstımuŋ] *f.* 불일치(不一致), 상치.

Nicht·wissen *n.* 알지 못함. ~zulassung *f.* 입장 거절; 허가〔승인〕하지 않음.

Nickel [níkəl] *n.* -s, 〖鑛·化〗 (Kupfer-〔~〕 니켈(기호: *Ni*).

nicken [níkən] *i.*(h.) ① 끄덕이다, 수긍하다(*nod*); 머리를 가볍게 아래위로 흔들다 《신호로》 (*wink*); (머리를 숙여) 인사〔절〕하다. ② 머리를 숙이다; 꾸벅꾸벅 졸다(*doze, nap*). **Nickerchen** *n.* -s, -, 꾸벅꾸벅 졸기.

Nicki [níki] [<Nikolaus, 인명(人名)] *m.* -s, -s, 니키《화려한 스웨터의 일종》. **Nicki·hemd** *n.* 니키샤츠.

nie [ni:] [ahd. *ni* „nicht"+*eo* „je"] *adv.* 결코 …하지 않다〔아니다〕(*never*).

nieder [ní:dər] 《Ⅰ》 *a.* 낮은, 아래의 (*low, inferior, subordinate*); 천한, 상스러운, 비열한(*base, mean*). 《Ⅱ》 *adv.* (*low, down*). ¶ auf und ~ 아래위로; 이리저리로.

nieder.. 《動詞의 分離前綴; 항상 악센트가 있음》 "아래로, 아래에"에서 "감정·상태의 악화·타도·살해·집필·취침" 등의 뜻. 보기: niederwerfen, warf nieder, niedergeworfen.

nieder·|beugen [ní:dərbɔygən] *t.* 아래로 굽히다, 구부리다; 《比》 굴복시키다; (용기를) 꺾다, 좌절시키다. ~|brechen* *i.*(s.) 꺾여 떨어지다, 깨어져〔부서져〕 떨어지다; 《比》 (기운이) 꺾이다; *t.* 꺾어 내리다, 부수어 떨어뜨리다; 헐다. ~|brennen* *t.* 깡그리 태워버리다, 불사르다; *i.*(s.) (건물이) 불타 내려앉다, 소실하다.

niederdeutsch [ní:dərdɔytʃ] *a.* 저지 독일(어)의.

Niederdruck [ní:dərdruk] *m.* (*pl.* ⸚e) 〖工〗 저압(低壓). **nieder|drücken** *t.* 눌러 내리다; 《比》 내리 누르다, 억압하다; (기운 · 용기를) 꺾다; 침울하게 하다; (물가를) 떡어뜨리다.

nieder|fahren* [ní:dərfa:rən] *i.*(s.) 타고 내려가다.

nieder|fallen* [ní:dərfalən] *i.*(s.) 떨어지다, 낙하〔침강〕하다, 넘어지다; 몰락하다.

Niederfrequenz [ní:dərfrekvɛnts] *f.* 〖電〗 저주파(低周波).

Niedergang [ní:dərgaŋ] *m.* 낙하, 강하; (별의) 입몰(入沒); 일몰(日沒); 《比》 몰락, 쇠퇴. **nieder|geh(e)n*** *i.*(s.) 강하〔낙하 · 침하〕하다, (비가) 내리다, 내려가다; (해가) 지다; (물이) 빠다, 빠지다, 감퇴하다; 《比》 몰락〔쇠퇴〕하다.

nieder·geschlagen [ní:dergəʃla:gən] *a.* 낙심한, 풀이 죽은, 침울한, 의기 소침한. ~geschlagenheit *f.* -en, 낙심, 의기 소침. ~gestimmt *a.* 불쾌한; 낙심한, 주눅든.

nieder·|halten* [ní:dərhaltən] *t.* 억누르다, 억제〔억압〕하다. ~|hängen *t.* 아래로 내려뜨리다. ~|holen *t.* (돛 따위를) 내리다, ~|kämpfen *t.* 억압〔압도〕하다, 쳐부수다.

nieder|kommen [ní:dərkɔmən] *i.*(s.) 내려오다. ¶ mit e-m Knaben ~ 사내 아이를 낳다. **Niederkunft** *f.* 분만(分娩).

Niederlage [ní:dərla:gə] [<niederlegen] *f.* ① 패배(*defeat*), 패전. ② 창고, 상품 저장소(*depot, warehouse*); 도매 상점; 지점.

Niederlande [ní:dərlandə] ["저지의 나라"] *pl.* 네덜란드 왕국. **Niederländer** *m.* -s, -, 네덜란드인. **niederländisch** *a.* 네델란드(인·어)의.

nieder|lassen* [ní:derlasən] 《Ⅰ》 *t.* 낮추다, 내리다, (막·그물 따위를) 내려놓

다. 《Ⅱ》 *refl.* ① 앉다; (새가) 내려 앉다. ② 정주(定住)하다. **Niederlassung** *f.* -en, 위를 하기; 거주(지); 식민지; 지점, 영업소.

nieder|legen [ní:derle:gən] 《Ⅰ》 *t.* ① 내려놓다, 눕히다, 놓아 두다; (아이를) 재우다. ② 사직하다; 헐다, 철거하다. ③ 넣어 두다, 저장하다; 맡기다. ¶ die Arbeit ~ 파업하다. 《Ⅱ》 *refl.* 가로눕다, 잠자리에 들다.

nieder=|machen [ní:dərmaxən] *t.* 끌어내리다; 넘어뜨리다. **~|metzeln** *t.* 도살〔학살〕하다. **~|prasseln** *i.*(s. *u.* h.) (비·싸락눈 따위가) 약간씩 내리다.

Nieder·rhein [ní:dərrain] *m.* -(e)s, 라인강 하류 지방.

nieder=|ringen* *t.* 격투하여 쓰러뜨리다; 《比》 (정열 따위를) 억제하다. **~|=säbeln** *t.* (검으로) 베어 쓰러뜨리다.

Niedersachsen [ní:derzaksən] *m.* 저지(低地) 작센.

nieder|schießen* [ní:derʃi:sən] *t.* 쏘아 넘어뜨리다, 총살하다.

Niederschlag [ní:dərʃla:k] *m.* -(e)s, ..läge, ① 쳐서 넘어뜨림; 타도; 〖拳〗 녹아우트; 쳐서 내리기. ② 침전, 침강(물) (*sediment*); 〖天〗 강수(降水) (*precipitate*); (유리 표면에 생기는) 흐림, 이슬. ③ 그만둠, 중지; 각하(却下). **nieder|=schlagen*** [ní:dərʃla:gən] *t.* ① 쳐서 넘어뜨리다; 베어〔찍어〕 쓰러뜨리다, (수목을) 벌채하다; 박살(撲殺)하다. ② auf et.: (의 위에) 내리치다, 치다. ③ 쳐서 떨어뜨리다; 내리다; (눈을) 내리깔다; (머리를) 숙이다. ④ 〖化〗 침전시키다; 《比》 타도〔진압〕하다; 중지하다, 그만두다. ⑤ 《比》 (의 용기를) 꺾다.

nieder|schmettern [ní:derʃmɛtərn] *t.* 타도하다, 두들기다, 쳐부수다.

nieder|schreiben* [ní:derʃraibən] *t.* 쓰다, 적어 놓다, 기고(起稿)하다. **Nieder=schrift** *f.* 씀, 집필, 기고(起稿); 원고, 필기.

nieder=|setzen [ní:derzɛtsən] 《Ⅰ》 *t.* 내려놓다, 아래에 놓다; 임명하다, 설치하다. 《Ⅱ》 *refl.* ① 앉다; (새가) 내려앉다. ② sich (wohnhaft) ~setzen 정주(定住)하다. **~|sinken*** *i.*(s.) 가라앉다, 침몰하다; 푹 쓰러지다. **~|stechen*** *t.* 찔러 죽이다. **~|steigen*** *i.*(s.) 내리다, 내려가다. **~|stoßen*** *t.* 찔러 쓰러뜨리다, 찔러 죽이다. **~|strecken** *t.* 때려 눕히다; 쏴 죽이다. **~|strömen** *i.*(s.) 흘러내리다. **~|stürzen** 《Ⅰ》 *t.* 던져〔밀쳐〕 쓰러뜨리다, 추락시키다. 《Ⅱ》 *i.*(s.) *refl.* u. 세게 넘어지다, 추락하다; (비가) 세차게 내리다; 펄썩 주저 앉다, 푹 고꾸라지다.

niederträchtig [ní:dərtrɛçtɪç] [<sich nieder tragen „sich nieder betragen"] *a.* 비열한, 파렴치한, 다라운, 용렬한 (*base, low, mean*). **Niederträchtig=keit** *f.* ① 비열, 비루; 악의. ② (*pl.* -en) 비열〔비루〕한 행위.

Niederung [ní:dəruŋ] *f.* -en, ① 얕은 곳, 저지(低地); 움푹한 땅; 골짜기. ② 《比》 낮은 지위; 미천한 처지.

nieder=|treten* *t.* 짓밟다. **~|trin=ken*** *t.* 삼키다.

nieder=wärts [ní:dərverts] *adv.* 아래로 (*downwards*). **~|werfen*** *t.* 《Ⅰ》 아래로 내던지다; 《比》 (반란을) 진압하다. 《Ⅱ》 *refl.* 넙죽 엎드리다; 무릎을 꿇다. **~|ziehen*** *t.* 끌어내리다; 품위를 떨어뜨리다.

niedlich [ní:tlɪç] *a.* 상냥한, 귀여운; 말쑥한, 조촐한, 우아한, 청초한(*nice, pretty, neat*). **Niedlichkeit** *f.* 귀여움, 상냥함; (*pl.* -en) 위의 물건.

Niednagel [ní:tna:gəl] *m.* 손거스러미 (*hangnail*).

niedrig [ní:drɪç] [<nieder] *a.* ① (높이·키 따위가) 낮은(*low*). ② 《比》 얕은, 하등의; 천한(*humble*); 상스러운(*mean, base*); 비열한. **Niedrigkeit** *f.* 낮음; 비열; (*pl.* -en.) 비열〔야비〕한 행위.

niemals [ní:ma:ls] *adv.* (nie) 결코 … (하지) 않다.

niemand [ní:mant] [<nie man (= Mann); d는 添加音] *prn.* 《2格 -(e)s, 3格 -(em) (۴-en), 4格 -(en)》 아무도 … (하지) 않다, 한 사람도 …(하지) 않다 (*nobody, no one*).

Niere [ní:rə] *f.* -n. 〖解〗 신장, 콩팥 (*kidney*).

Nieren=becken·entzündung *f.* 〖醫〗 신우염(腎盂炎). **~braten** *m.* 콩팥이 붙은 불고기. **~entzündung** *f.* 〖醫〗 신장염. **~fett** *n.* 콩팥 주위의 지방. **~förmig** *a.* 콩팥 모양의. **~krank** *a.* 신장병의. **~krankheit** *f.* 신장병. **~stein** *m.* 〖醫〗 신장 결석(結石).

nieseln [ní:zəln] *i.*(h.): es nieselt 부슬비〔이슬비〕가 내린다(*drizzle*).

niesen [ní:zən] 《Ⅰ》 *i.*(h.) 재채기하다 (۴*sneeze*). 《Ⅱ》 **Niesen** *n.* -s, 재채기. **Niespulver** *n.* 〖醫〗 재채기 나게 하는 가루.

Nieß=brauch [ní:sbraux] [<nießen, „genießen"] *m.* -(e)s, 〖法〗 용익(用益), 용익권(*usufruct*). **~braucher** *m.* -s, -, 용익자.

Nieswurz [ní:svurts] *f.* 〖植〗 미나리아재비과 식물.

Niet [ni:t] *m.* u. *n.* -(e)s, -e, **Niete**[1] [ní:tə] *f.* -n; 〔**~nagel** *m.*〕 〖工〗 대갈못, 리벳(*rivet*).

Niete[2] [ní:tə] [ndl. *niet*, „nichts"] *f.* -n, (제비뽑기에서) 꽝(*blank*); 《比》 실패 (*failure*).

nieten [ní:tən] *t.* 〖工〗 못을 박아 죄다, 에 리벳을 박다.

niet- und nagelfest *a.* 대갈못을 박은, 못을 쳐 고정시킨; 견고한.

nihil [nihɪl] [lat. „nichts"] *prn.* 무, 전무; 허무(虛無).

Nihilismus [nihilísmus] *m.* -, ..men, 허무주의. **Nihilist** *m.* -en, -en, 허무론자; (정치상의) 허무〔무정부〕주의자. **nihilistish** *a.* 허무주의의.

Nikotin [nikotí:n] *n.* -s, 〖化〗 니코틴.

nikotin=arm *a.* 니코틴이 적은. **~=frei** *a.* 니코틴을 함유하지 않은 **~=gehalt** *m.* 니코틴 함유량. **~haltig** *a.* 니코틴을 함유하는. **~vergiftung** *f.* 니코틴 중독.

Nil [ni:l] *m.* -(s), 나일강. **Nilpferd** *n.* 〖動〗 하마.

Nimbus [nímbus] [lat.] *m.* -, -ses, 후광(後光), 광륜(光輪)(*halo*); 《比》 위세, 위풍(*prestige*).

nimm! [nɪm] ☞NEHMEN 《그 命令形》.

nimmer [nímər] [„nie mehr"] *adv.* 결단코 …아니 (하)다(*never, no more*). ¶ nun und ~ 지금도 금후도 결코 …아니 (하)다.

nimmer-mehr [nímərme:r] [nimmer 의 强調形] *adv.* (이제는) 단연코 …아니 (하)다(♈*nevermore*). **~satt** 《I》 *a.* 물리지 않는, 만족을 못 느끼는, 욕심 많은. 《II》 **~satt** *m.* – *u.* –(e)s, –e, 대식가, 폭식가. **~wiedersehen** *n.* –s, : auf ~wiedersehen, a) (인사로서:) 마지막 작별이다. b) 영원히.

nimmst [nɪmst], **nimmt** [nɪmt] ☞ NEHMEN 《그 單數 2·3 人稱 現在》.

nippen [nípən] *t.* u. *i.*(h.) 홀짝홀짝 마시다, 조금씩 마시다(♈*nip, sip*).

Nipp·sachen [nípzaxən] [前半: Lw. fr.] *pl.* 작은 장신구, 자질구레한 장난감《인형·꽃병 따위》(*knick-knacks*).

nirgend(s) [nírgənt(s)] [♈„nie irgend"] *adv.* 어디에도 …없다, 어디에서도 …하지 않다(*nowhere*).

Nirosta [nirɔ́sta] *n.* –(e)s, 스테인리스 스틸.

Nirwana [nɪrvá:na:] [skt.] *n.* –(e)s, 〖宗〗 열반(涅槃), 입적(入寂).

Nische [ní:ʃə, níʃə] [fr.] *f.* –n, 〖建〗 니치 벽감(壁龕)《꽃병 따위를 놓는 벽의 오목한 부분》(♈*nicke*).

Niß [nɪs] *f.* Nisse, **Nisse** [nísə] *f.* –n, 서캐(♈*nit*).

nisten [nístən] [<Nest] *i.*(h.) u. *refl.* 깃들이다, 보금자리를 만들다(♈*nest*). **Nistkasten** *m.* 보금자리, 둥우리, 벌통.

Nitrat [nitrá:t] [gr.] *n.* –(e)s, –e, 〖化〗 질산염. **Nitrit** [nitrí:t, –trít] *n.* –(e)s, –e, 아(亞)질산염.

Niveau [nivó:] [fr.] *n.* –s, –s, 수평면, 수준(水準)(*level*); 《比》 표준(*standard*). **nivellieren** [nivelí:rən] *t.* 수준기(水準器)로 재다; 수평으로 하다, 같게 하다. **Nivellierwaage** *f.* 수준기.

Nix [nɪks] *m.* –es, –e, **Nixe** *f.* –n, 물의 요정, 물귀신(*water nymph*).

nizäisch [nitʃέ:ɪʃ] *a.* 니케아의. ¶ das Nizäische Glaubensbekenntnis 니케아(회의에 의한 기독교의) 신조.

nobel [nó:bəl] [lat. –fr.] *a.* 고귀한, 품격이 높은, 고매한(♈*noble*); 돈 잘쓰는, 활수한, 통이 큰(*generous*).

Nobel [nobέl, nó:bəl 은 잘못] *m.* Alfred ~ 스웨덴의 화학자(1833–96). **~preis** *m.* 노벨상.

Nobiskrug [nó:bɪs–] *m.* 이승과 저승 중간에 있는 숙소; 《盜》 주막집; 연옥(煉獄).

noch[1] [nɔx] *adv.* ① (~ immer) 아직, 아직도, 여전히(*still, yet*). ¶ ~ nicht 아직 …아니 (하)다 / ~ heute, a) 오늘도 역시, b) (*od.* heute ~) 오늘중에 / ~ gestern 바로 어제. ② (~ dazu) 그 밖에, 또한, 더욱(*besides, in addition*). ¶ ~ einmal 한 번 더, 또 한번, 거듭. ③ 《比較級과 함께》 더욱, 한층 더. ¶ ~ mehr 더 많이. ④ 《認容 文章에 있어서》 설령, 비록. ¶ sei er (auch) ~ so reich [mag er ~ so reich sein] 그가 아무리 부자일지라도.

noch[2] [nɔx] [*eig.* „auch nicht", ahd. *ne* „nicht" u. *ouch* „auch"] *cj.*: weder … ~ [nicht … ~, *od.* kein … ~] …도 아니다(*nor*) / weder gut ~ schlecht 좋지도 나쁘지도 않은. **nochmalig** *a.* 또 한 번의, 재차의(*repeated*). **nochmals** [nɔ́xma:ls] *adv.* 한 번 더, 다시(*once more, again*).

Nocke [nɔ́kə] *f.* –n, 작은 단자. **Nocken** *m.* –s, –, 〖機〗 굴대의 돌출부, 캠(*cam*). **Nockenwelle** *f.* 캠 축(軸), 편돌축(偏突軸).

Nomade [nomá:də] [gr.] *m.* –n, –n, 유목자(遊牧者); (*pl.*) 유목[유랑]민. **nomadisch** [nomá:dɪʃ] *a.* 유목의; 《比》 유랑하는. **nomadisieren** *i.*(h.) 유목하다; 유랑하다.

Nomen [nó:mεn] [lat. „Name"] *n.* –s, ..mina [–mina], 이름; 〖文〗 명사(넓은 뜻으로는 名詞·代名詞·形容詞). **Nomenklatur** [–klatú:r] *f.* –en, 전문어, 술어(집); 목록, 명부.

Nominalbetrag [nominá:lbətra:k] *m.* 〖商〗 액면 가격.

Nominativ [nó:minati:f, nominatí:f] *m.* –s, –e [–və], 〖文〗 (Nennfall) 제 1 격, 주격(主格). **nominell** [nominέl] [fr.] *a.* 이름의, 명목상의, 명의상의; 액면(額面)의; 《比》 유명 무실한.

Nonne [nɔ́nə] [ägypt.] *f.* –n, 수녀, (♈*nun*). **Nonnenkloster** *n.* 수녀원.

Nonplus·ultra [nɔnplus-últra, no:n–] [lat.] *n.* –, 최상, 정상, 극도, 극치.

Nord [nɔrt] *m.* –(e)s, –e, (Norden) 북, 북쪽(♈*north*); 북풍.

Nordamerika [nɔ́rt-ame:rika] *n.* 북아메리카.

Norden [nɔ́rdən] *m.* –s, 북(♈*north*); 북부, 북쪽 나라, 북부 지방; 북유럽; 북극성; 《주의: 다음과 같은 경우에는 –en 이 없는 꼴을 씀》 Nord und Süd 남북. **nordisch** [nɔ́rdɪʃ] *a.* 북방의; 북국의; 북유럽의. **nördlich** [nœ́rtlɪç] *a.* 북쪽의, 북방의; 북쪽에서의.

Nordlicht [nɔ́rtlɪçt] *n.* 북극광(北極光); 북쪽에서 오는 광선.

Nord-ost [nɔrt-ɔ́st] *m.* 북동(北東); 북동풍(風). **~osten** *m.* 북동. **~östlich** *a.* 북동의.

Nord-pol [nɔ́rtpo:l] *m.* 북극. **~polexpedition** *f.* 북극 탐험. **~polfahrer** *m.* 북극 탐험가.

Nordsee [nɔ́rtze:] *f.* (Deutsches Meer) 북해(北海), 독일해(海).

Nord-staaten *pl.* 북유럽 제국(諸國). **~stern** *m.* 북극성 (및 그 부근의 별) (*polar star*). **~wärts** *adv.* 북쪽으로, 북쪽에(서)(*northward*). **~west** [nɔrt-vέst] *m.* –(e)s, –e, †북서; 북서풍. **~westen** [–vέstən] *m.* –s, 북서; (*pl.* –e) 북서풍. **~westwind** *m.* 북서풍.

Nordwind [nɔ́rtvɪnt] *m.* 북풍.

Nörgelei [nœrgəlái] *f.* –en, 불평, 투덜거림; 혹평, 흠잡기, 책망. **nörgeln** [nœ́rgəln] *i.*(h.) 투덜거리다, 불평[불만]을 말하다; 책망하다(*nag, grumble*); 혹평하다, 흠잡다. **Nörgler** [–gl–] *m.* –s, –, 불평가, 흠뜯는[까다로운] 사람.

Norm [nɔrm] [lat.] *f.* –en, 기준, 표준, 규격, 규범(♈*norm; standard*); 규칙(*rule*). **normal** [nɔrmá:l] *a.* 정규의, 정상적인; 기준적인. **Normale** [nɔrmá:lə] *f.* –n, 수직선, 연직선(鉛直線).

N

Normal·gewicht *n.* 표준 형량(衡量), 그램 당량(當量). **∼höhenpunkt** *m.* 〖測〗 수준(水準) 원점《略: NH》. **∼spūr** *f.* 〖鐵〗 표준 궤간(軌間). **∼verbraucher** *m.* 표준 소비자; 《俗》 평범인. **∼zeit** *f.* 표준시.

Normandie [nɔrmandí:, nɔrmãdí:] [<Normannen] *f.* die ∼ 노르망디.

Normanne [nɔrmánə] [Nord-mann, Norweger"] *m.* -n, -n, 노르만인《중세 Skandinavian 에서 온 게르만계 민족》.

normannisch *a.* 위의; 노르망디의.

N

normen [nɔ́rmən], **normieren** [nɔrmí:rən] [<Norm] *t.* 표준에 맞추다, 규격화하다.

Norwēgen [nɔ́rve:gən] [*aus* Nordweg] *n.* -s, 노르웨이. **norwēgisch** *a.* 노르웨이(어·인)의.

Nostalgie [nɔstalgí:] [gr.] *f.* 향수(鄕愁), 홈식.

Nostrokonto [nɔ́strkonto(:)] [it.] *n.* 한 은행이 다른 은행에 가지고 있는 (대차) 계정.

Nōt [no:t] [*eig.* „Mühe, Drangsal Kampf"] *f.* ⸚e, 《Ⅰ》 ① 신고(辛苦), 간난(艱難), 곤궁, 고뇌(*difficulty, distress, trouble*); 궁핍, 결핍(↑*need, want*). ② 위급(*danger*); 필요, 불가피, 필연(*necessity*), ¶ **aus** ∼, a) 필연적으로, b) 부득이 / **mit** genauer 〔knapper〕 ∼ 겨우, 간신히, 가까스로 / **ohne** (alle) ∼ 필요도 없이, 공연히 / **von** Nöten = VONNÖTEN / **zur** ∼ 응급 조치로서, 만일의 경우에는 / ∼ haben〔leiden〕 궁하다/ s-e (liebe) ∼ mit jm. haben 아무의 일로 곤란을 받고 있다. 《Ⅱ》《形容詞的用法: not》《述語的으로만》 es tut ∼ 그것은 필요하다, 그렇게 할 필요가 있다.

Nōta [nó:ta] [lat. „Anmerkung"] *f.* -s, 메모, 기록; 각서(*memorandum*). 주문(注文)

Nōtanker [nó:taŋkər] *m.* 비상용 닻, 부표(副錨); 《比》 최후의 희망〔의지〕.

Notār [notá:r] [lat. „Schreiber"] *m.* -s, -e, 공증인(↑*notary*).

Nōt·aufnahme *f.* (동독으로부터의 탈주자에 대한 서독측의) 긴급 수용 **∼ausgang** *m.* 비상구. **∼bau** *m.* 가건물(假建物). **∼behelf** *m.* 응급 조치, 비상 수단(*makeshift*). **∼bremse** *f.* 〖鐵〗 비상 브레이크. **∼beleuchtung** *f.* (사고 시의) 긴급 점등 (신호).

Nōtdurft [nó:tdurft] *f.* 필요, 필수; 필수〔필요〕품(*necessities of life*). ¶ s-e ∼ verrichten 대〔소〕변을 보다. **nōtdürftig** 《Ⅰ》 *a.* 부족한, 궁핍〔곤궁〕한; 필요한, 필수의. 《Ⅱ》 *adv.* 불충분하게; 빈약하게; 곤궁하게; 겨우, 가까스로.

Nōtdürftigkeit *f.* 궁핍; 빈궁.

Nōte [nó:tə] [lat. *nota* „Kennzeichen"] *f.* -n, ① 〖樂〗 음표; (*pl.*) 악보, 악곡, 음악. ② (die betonte Eigenart) 가락, 특색. ¶ jn. nach ∼n verhauen 아무를 몹시 때리다. ③ 〖商〗 (Nota) 메모, 계산서, 송장(送狀); (Bank∼) 은행 어음; ④ 〖外交〗 각서, 통첩. ⑤ 주(註); (Fuß∼) 각주(脚註). ⑥ 점, 점수《학교의》 (*mark, report*).

Nōten·ausgābe *f.* 지폐〔은행권〕 발행. **∼austausch** *m.* 〖外交〗 각서 교환. **∼bank** *f.* 발권(發券)〔태환(兌換)〕 은행. **∼blatt** *n.* 악보(를 기입한 종이), 악보 용지. **∼būch** *n.* 악보책. **∼halter** *m.*, **∼schrift** *f.* 〖樂〗 가보법(記譜法). **∼pult** *n.*, **∼ständer** *m.* 보면대. **∼systēm** *n.* 〖樂〗 보표(譜表). **∼zeichen** 〖樂〗 음표(音標).

Nōt·fall *m.* 긴급〔위급〕한 경우, 비상시. **∼flagge** *f.* 〖海〗 비상 신호기(旗). **∼frist** *f.* 〖法〗 (변경을 허락치 않는) 불변〔확정〕 기간. **∼gedrungen** *a.* 부득이한; *adv.* 어쩔 수 없이, 부득이. **∼geld** *n.* 긴급 화폐; 대용 화폐. **∼gespräch** *n.* 긴급 전화. **∼hāfen** *m.* 피난항(港). **∼helfer** *m.* 재난〔곤궁〕에서 구해주는 사람, 구조자. **∼hilfe** *f.* 구호, 구급.

notieren [notí:rən] [lat. „bemerken"] *t.* 적다, 적어 두다(↑*note*); 〖商〗 증권 시세〔상품 가격〕을 결정하다(*quote, state*). ¶ notierte Preise 시세표의 가격.

nōtig [nø:tıç] *a.* 필요한, 꼭 있어야 할 (*necessary, needful*). ¶ ∼ haben 〔brauchen〕 필요로 하다(*need*). **nōtigen** *t.* 강요하다(*force*); 자꾸 권하다(*urge, compel*). ¶ jn. zu et. ∼ 아무에게 무엇을 하도록 강권하다 / sich ∼ lassen (음식을) 사양하다. **nōtigenfalls** *adv.* 부득이한 경우에는; 때로는, 혹은. **Nōtigung** [nø:tıguŋ] *f.* -en, 강요, 강청; 간청, 자꾸 권함.

Notiz [notí:ts] [lat. „Kenntnis, <notieren"] *f.* -en, 메모, 기입; 기사(記事) (↑*note*); 알아 챔, 앎, 주의(↑*notice*). ¶ ∼ nehmen (von, 에) 주의하다, (을) 알아 채다.

Notiz·block *m.* 비망 카드《떼어낼 수 있는》. **∼būch** *n.* 비망록, 잡기장.

Nōt·jahr *n.* 흉년. **∼lāge** *f.* 곤경. **∼landen** *i.* (h. *u.* s.) 〖海〗 피난 상륙하다; 〖空〗 불시착(不時着)하다. **∼landung** *f.* 피난 상륙; 불시착(륙). **∼leidend** *a.* 곤궁한, 궁핍된; 〖商〗 부도가 난. **∼leine** *f.* 〖鐵〗 비상 신호용의 줄. **∼leiter** *f.* (건물 외벽에 댄 철제) 비상 사다리. **∼lüge** *f.* 궁한 나머지의 거짓말. **∼māßnahme** *f.* 비상 조치.

notōrisch [notó:rıʃ] [lat. „allgemein bekannt"] *a.* 주지(周知)의; 인정된(*confirmed*); 저명한, 정평 있는.

Nōtpfennig [nó:tpfɛnıç] *m.* 비상〔예비〕금; (만일에 대비한) 저축.

nōtreif [nó:traif] *a.* (가뭄으로) 여물지 않고 익은.

Nōt·rūf *m.* 비상 경보. **∼schlachtung** *f.* 긴급 도살《병든 가축의 고기를 미연에 쓰기 위한》. **∼schrei** *m.* 위급의 부르짖음. **∼signāl** *n.* 비상 신호, 조난 신호. **∼sitz** *m.* 임시 좌석《자동차 뒤칸의》. **∼stand** *m.* 위기; 〖法〗 긴급〔비상〕 사태. **∼stands·arbeiten** *pl.* 긴급 구제 사업. **∼taufe** *f.* 비상 세례《특히 빈사의 미세례 영아에게 일반 교인이 행하는 세례》.

Notturno [nɔtúrno] [lat. -it.] *n.* -s, 〖樂〗 녹턴, 야상곡(夜想曲).

Nōt·verband *m.* 구급 붕대. **∼verordnung** *f.* 긴급 명령〔법률〕. **∼wehr** *f.* 긴급 피난, 정당 방위(*selfdefence*).

nōtwendig [nó:tvɛndɪç, no:tvɛ́n–] [*eig.* „was die Not wendet"] *a.* 부득이한, 불가피한, 필수의; 필연적인 (*necessary*); *adv.* 필연[필수]적으로. **Nōtwendig⸗keit** *f.* 필요, 필수; 필요한 것, 필수품; 필연(성).

Nōt⸗zeichen *n.* 긴급〔비상〕신호. **~⸗zucht** *f.* 폭행; 〖法〗 강간(*rape*). **~⸗zücht(ig)en** *t.* 폭행하다; 〖法〗 강간하다(*ravish, assault*).

Novelle [novɛ́lə] [it. „kleine Neuigkeit"] *f.* –n, (단편) 소설(*short story*).

November [novɛ́mbər] [lat. „der neunte (Monat)"] *m.* –(s), –, **11**월《고대 로마력(曆)의 아홉 번째 달》.

Novität [novité:t] [lat. „Neuheit"] *f.* –en, 새로움, 새로운 것; 산발명품; 신(유행)품; 신간 서적, 새로 만든 작품 (*novelty*). **Novize** [noví:tsə] [lat. „Neuling"] *m.* –n, –n; od. *f.* –n, 신참자, 초심자; 〖宗〗 수련 수녀(修練修女)〔수사(修士)〕(♈*novice*).

NSDAP. 《略》 =*N*ationalsozialistische *D*eutsche *A*rbeiter*p*artei 민족 사회 주의 독일 노동당, 나치스.

nū [nu:] 《俗》 *adv.* =NUN. **Nū** *m.* 〔*n.*〕 –, 순간, 찰나(刹那). ¶ im ~ 갑자기, 순식간에.

Nuance [nyɑ̃́:sə] [fr., <lat. *nūbes* „Wolke"] *f.* –n, 뉘앙스; (빛깔의) 바림, 음영, 농담(濃淡), 색조(*tinge, tint*); (미세한) 차이(*shade*); 음색. **nuancieren** [nyɑ̃sí:rən] *t.* u. *i.*(h.) (에) 뉘앙스를 붙이다(*shade off*).

Nubuk [nú:buk, nú–] *n.* –, 빌로도 가죽《소나 송아지 가죽으로 만듦》.

nüchtern [nýçtərn] *a.* 조반 전의, 공복의(*fasting*); 취하지 않은(*sober*); 술을 삼가는, 금주하는; 《比》 고지식한, 냉정한(*temperate*); 무미 건조한(*prosaic*); 김빠진, 무의미한(*dull, insipid*). **Nüch⸗ternheit** *f.* 공복(空腹), 단조.

Nucke [núkə], **Nücke** [nýkə] *f.* –n, 《俗》 변덕; 음험(한 마음). ¶《比》 s-e ~n haben 곤란함이 있다.

Nudel [nú:dəl] *f.* –n, 서양 국수, 가락국수의 일종(italienische ~ 마카로니); (Stopf~) 밀가루 단자《가금을 살찌게 하기 위하여 먹이는 경단 모양의 반죽》.

nūdeln [nú:dəln] *t.* 살찌우다《가축을》.

Nudismus [nudísmus] [<lat. *nudus* „nackt"] *m.* –, (건강 생활법으로서의) 나체주의. ★ Nacktkultur. **Nudist** *m.* –en, –en, 나체주의(신봉)자. **Nudität** [mudité:t] *f.* –en, 나체; 나체상〔화·사진〕; 노골〔외설〕적인 언행.

Null [nul] [lat.] 《Ⅰ》 *f.* –en, 영(零), 제로; 〔**~punkt** *m.*〕 영도. 《Ⅱ》 **null** *a.* 《不變化》 영의, 무의, (텅) 빈; 무효의. ¶ ~ und nichtig machen 무효로 하다, 취소하다. **mullifizieren** *t.* 무효라고 (선언)하다; 파기〔폐지〕하다. **Nullität** *f.* –en, 무(無); 무가치; 무효; 무의미.

Nulli·para [nulí:para] [lat. *nullus* „kein, nicht", *parere* „hervorbringen"] *f,* ..pāren, 분만 경험이 없는 여성.

numerieren [numə–, numərí:rən] *t.* 세다; (에) 숫자〔번호〕를 붙이다. ¶ numerierter Platz 지정석, 예약석. **nu⸗merisch** [numé:rɪʃ] *a.* 수의, 수자(數字)의, 수에 관한(*numerial*).

Numerus [nú:mərus, númə–] [lat.] *m.* –, ..rī, 수, 수자(♈*number*).

Nummer [númər] [it. *numero* „Numerus"] *f.* –n, 수, 수자; 번호, 호수(♈*number*); 〖商〗 크기의 번호, 치수(*size*); (상품의) 등급, 품질.

Nummern⸗folge *f.* 번호순. **~schei⸗be** *f.* 다이얼《전화의》. **~schild** *n.* (자동차 등의) 번호판.

Nummerstein [númərʃtain] *m.* 이정표(里程標).

Nummerwahl [númərva:l] *f.* 다이얼 「전화.」

nūn [nu:n] [<nu; ♈neu] 《Ⅰ》 *adv.* ① 지금, 이 때, 그 때(♈*now*). ¶ ~ u. nimmermehr 결코 …아니하다 / von ~ an, a) 이제부터, 차후, 장차, b) 그 때부터, 그 후. ② 이제는, 그런데 (이제는), 자 (이제는). ¶ ~ aber 그런데, 그러나 / ~ gerade, ~erst recht 자 이번에는, 바야흐로. ③ 때문에, 그런고로, ¶ du hast A gesagt, ~ mußt du auch B sagen 네가 시작을 했으니 계속해야 한다. ④ 가부간, 실제로. ¶ es ist ~ (ein)-mal nicht anders 사실이 그러하니 그건 어쩔 수 없다. ⑤ 《認容文에서》 er mag ~ kommen oder nicht 그가 오건 말건. 《Ⅱ》 *cj.* …이므로. ¶ ~ er reich ist 그는 부자이므로.

nūn⸗mehr [nú:nme:r, nu:nmé:r] *adv.* 이제(는); 차후, 이제부터는. **~mehrig** [nu:nmé:rɪç] *a.* 현재의(*present, actual*).

Nuntius [núntsĭus] [lat.] *m.* –, ..tĭen [–tsĭən] *u.* ..tiī [–tsii:], **Nūnzius** *m.* –, ..zĭen, 교황 사절(♈*nuncio*).

nūr [nu:r, 弱 nuə] [mhd. *ne-waere* „(wenn es) nicht wäre"] 《Ⅰ》 *adv.* ① 다만, …뿐(*only, but, merely*). ¶ **nicht** ~..., sondern auch..., …뿐만 아니라 …도 (또한) / ~ **noch** 이제와서는 겨우, 점점, 더욱더, 단지 …에 지나지 않다 / ich bin ärmer, ~ **daß** ich k-e Familie habe 내가 더 가난하지마는 내게는 딸린 식구가 없다《그 점만 다르다》/ wenn ~ 〔~ wenn〕 이기만 하면. ② 《재촉·命令》 자, 어서, 제발. ¶ warte ~! 자 조금만 기다려라 / ~ zu! 자 어서. ③ 《意味의 一般化》 was ~ 무엇이든지. 《Ⅱ》 **Nūr** *n.* –, 제외, 제한, 조건.

Nuß [nus] *f.* Nüsse, 〖植〗(Wal~) 호두; 밤; (Hasel~) 개암; 《一般的》 견과(堅果)(♈*nut*); 〖工〗 너트. ¶ 《比》 e-e harte ~ 어려운 문제.

Nuß⸗baum *m.* 〖植〗 호도나무. **~hā⸗her** *m.* 〖鳥〗 산갈가마귀. **~knacker** *m.* 호도까는 기구. **~schāle** *f.* 견과의 껍데기.

Nüster [ný:stər, nýs–] [♈Nase] *f.* –n; od. *n.* –s, –n, 콧구멍《특히 말의》(♈*nostril*).

Nūte [nú:tə] *f.* –n, 〖建〗 홈, 요구(凹溝)(*groove, furrow*). **nūten** *t.* (에) 홈을 파다; 홈에 끼우다〔잇다〕.

Nutz† [nuts] [♈(ge)nießen] *m.* –es, 이익, 효용. ¶ zu ~ u. Frommen (의) 이익을 위해서, 복지를 위해서. **nutz** *a.* 《方》 =NUTZE. **Nutzanwendung** *f.* 응용, 적용(適用)《교훈·진리 따위의》

((*practical*) *application*); 교훈《우화의》. **nutzbār** [nútsba:r] *a.* 유익한, 유용한; 유효한. **nutzbringend** *a.* 유익한, 유용한.

nutze [nútsə], **nütze** [nýtsə] *a.* 쓸모있는, 유익〔유용〕한(*useful*, *profitable*).

Nutz·effekt *m.* 〖工〗 =~LEISTUNG.

nutzen [nútsən], **nützen** [nýtsən] [<(ge)nießen] 《Ⅰ》 *i.*(h.) 유용〔유익〕하다(*be of use*, *be profitable*); 쓸모가 있다(*serve for*). 《Ⅱ》 *t.* 유용하게 쓰다, 이용〔사용〕하다(*make use of*, *utilize*).

Nutzen [nútsən] *m.* -s, -, 효용(*use*, *utility*); 이익, 수익(*profit*, *benefit*).

Nutz=garten *m.* 채원, 야채밭, 과수원. **~holz** *n.* 건축용 재목. **~last** *f.* 〖建〗 사용〔유효〕 하중(荷重); 〖空〗 실용 탑재량(搭載量) **~leistung** *f.* 〖工〗 실용 능률〔효율〕.

nützlich [nýtslıç] *a.* 쓸모 있는, 유용한, (*useful*); 유리한(*profitable*). **Nützlich=keit** *f.* 효용, 유용, 이익, 이용, 공리(功利).

nutz=lōs *a.* 무용의, 무익한, 불리한; 비생산적인; 소용없는. **~lōsigkeit** *f.* 무익. **~nießer** *m.* 용익자(用益者). **~=nießung** *f.* 용익(用益), 용익권.

Nutzung [nútsuŋ] *f.* -en, 〖法〗 용익(권); 수익.

Nutz=vieh [nútsfi:] *n.* 용축(用畜). **~=wild** *n.* 용수(用獸)《식용이 되는 야수》.

Nylon [náilɔn] [am.] *n.* -s, -s, ① (*pl.* 없음) 나일론. ② (**~strumpf** *m.*) 나일론 양말.

Nymphe [nýmpfə] [gr.] *f.* -n, 〖希神〗 여정(女精), 님프, 물의 요정(妖精)(♈*nymph*).

O

O, o [o:] *n.* -, -, das A und das O 처음과 끝, 전체 《O는 그리스 자모의 제일 끝자 오메가》.

ō! [o:] *int.* 《一般的으로 感情을 나타냄》 아아, 오오, 원, 이런. ¶ ~ weh! 아야, 아아 괴롭다 / ~ wie schön 오, 아름답기도 하구나 / ~ ja! 물론이지요, 그렇고 말고요.

Oāse [oá:ze] [ägypt. -gr.] *f.* -n, 오아시스(♈*oasis*).

ob[1] [ɔp] [♈oben, ober, über] *prp.* ① 《3格支配; =über》 의 위에 (*above*). ¶ ~ dem Altar 제단 위에. ② 《3·2格支配》 …때문에(*on account of*). ¶ ~ des Sieges erfreut 승리를 기뻐하여.

ob[2] [ɔp] *cj.* ①《間接疑問文에서》 …인지 어떤지, …인지 아닌지(♈*if*, *whether*). ¶ ich weiß nicht, ~ er kommen wird 그가 올는지 어떨지 모르겠다 / 《主文省略의 疑問文 등으로서》 ~ er wohl wieder kommen wird? 그가 다시 돌아오지 않을까. ② 《相反的으로》 ~ nun jetzt, ~später 조만간에. ③ 《認容文에서》 ~ ...**auch**; **~gleich**(*od.* ~... gleich); **~=wohl**(*od.* ~ ...wohl); **~schon** (*od.* ~ ... schon); **~zwar** (*od.* ~ … zwar) 비록 …일지라도. ④ **als** ~ 마치 …처럼 ¶er tut so, als ~ er müde wäre 그는 피곤한 듯한 시늉을 한다.

Ōbacht [ó:baxt] [ob[1] *u.* Acht] *f.* 《稀》 주의, 조심(*care*, *heed*). ¶ 《方》 ~! 조심해라 / ~ geben (auf et., 에) 주의하다.

Obdach [ɔ́pdax] [<ob[1]] *n.* -(e)s, 숙소, 집; 비바람을 피하는 곳, 피난처(*lodging*, *shelter*). **obdachlōs** *a.* 잠잘 곳 없는, 의지할 곳 없는.

Obduktion [ɔpduktsió:n] [lat.] *f.* -en; 〖醫〗 시체 해부, 부검(剖檢), 검시.

Ō-Beine [ó:-] *pl.* 〖醫〗 O자형 다리, 외반슬(外反膝). **Ō-beinig** *a.* 외반슬의.

ōben [ó:bən] [♈ob[1]] *adv.* 위에, 높은 곳에(*above*, *on hight*); 윗 계단에; 상층에, 윗 자리에《식탁 따위의》; 머리 위에; 하늘에, 공중에; 선두에; (책·담화 따위의) 앞 부분에; 외면〔표면〕에. ¶wie ~ gesagt 상기〔전술〕한 바와 같이 / nach ~ (hin) 위(층으)로 / von ~ (her) 위에서 / von ~ herab 《比》 거만하게, 거드럭거리며.

ōben=an [o:bən-án] *adv.* 꼭대기에, 선두에. **~auf** *adv.* 꼭대기에; 표면에; 《比》 원기 있게, 신나서. **~drauf** *adv.* 위에, **~drein** *adv.* (noch) ~drein 그 위에, 게다가, 더우기. **~erwähnt** *a.* 상기(上記)의, 전술(前述)한 (*abovementioned*). **~hin** [o:bənhín, ó:bənhın] *adv.* 겉으로; 《比》 천박하게; 얼버무려.

ōber [ó:bər] [♈über] 《Ⅰ》 *a.* 《原級 없는 比較級》 (보다) 위의, 상부의(*upper*, *higher*); 상류의, 상위〔고위〕의, 상급〔고급〕의, 상등〔고등〕의(*superior*); 《名詞化》 das ~e 한층 더 높은 것 / der ~e 상관, 장(長); 수도원장. 《Ⅱ》 **Ōber** *m.* -s, -, 급사(장) (=~kellner), 《一般的》 급사. ¶ (Herr) ~! 보이.

Ōber=arm *m.* 상박(上膊). **~ārzt** *m.* 의사장(醫師長); 군의(軍醫) 중위. **~=aufsēher** *m.* 감독장; 검사〔검열〕관. **~aufsicht** *f.* 총감독, 총관리. **~bau** *m.* (건축물의) 지상부(地上部), 지상 공사, 상부 구조; 〖鐵〗 노반(路盤). **~be=fehl** *m.* 총사령, 통감(統監). **~be=fehls·hāber** *m.* 총사령관. **~beklei=dung** *f.* 겉옷류. **~bett** *n.* 이불. **~=bewußtsein** *n.* 〖心〗 심층 의식. **~=bōden** *m.* 다락방. **~bügermeister** *m.* (대도시의) 시장. **~deck** *n.* 상(上)갑판, 주(主)갑판. **~fläche** [flέçə] *f.* 표면 (*surface*). **~flächlich** [flεçlıç] *a.* 표면의; 《比》 표면적인, 피상적인; 천박한, 소홀한(*superficial*). **~förster** *m.* 영림관(營林官), 산림관. **~gericht** *n.* 고등 법원. **~geschoß** *n.* 위층, 상층. **~gewalt** *f.* 주권, 대권(大權). **~halb** [-halp] *prp.* 《2格支配, †3格支配; unterhalb의 對》 (의) 위에, (의) 위쪽에 (*above*). **~hand** *f.* 손목; 손등; 《比》 고권(高權), 주권; 상위(上位); 우월, 우세(*superiority*). **~haupt** *n.* 머리 꼭대기; 《一般的》 꼭대기; 《比》 원수(元首), 수령, 통령, 장(長). **~haus** *n.* 상원《영국 의회의》. **~haut** *f.* 표피. **~hemd** *n.* 와이샤쓰. **~herr** *m.* 원수(元首). **~herrschaft** *f.* 주권, 통치권.

Ōberin [ó:bərın] *f.* -nen, 〖宗〗 수녀원장; 간호부장.

Ōber=ingenieur *m.* 기사장(技師長).

~irdisch *a.* 지상의. ¶ ~irdische Leitung 가공선(架空線). **~kellner** *m.* =OBER. **~kiefer** *m.* 상악(上顎). **~kirchenrat** *m.* 고등 종교 법원. **~kleidung** *f.* =~BEKLEIDUNG. **~kommando** *n.* 총사령관; 총사령부. **~körper** *m.* 상체, 웃통. **~land** *n.* 고지(高地), 산골 지방. **~länder** *m.* 고지인, 산골 사람. **~landesgericht** *n.* 고등 법원. **~leder** *n.* 구두의 윗가죽. **~lehrer** *m.* (국민 학교의) 교장; 고등 학교 정교사. **~leib** *m.* =~KÖRPER. **~leitung** *f.* 총지휘, 총관리, 총사령; 가공(架空) 전선. **~leutnant** *m.* 육군 중위. **~licht** *n.* (채광을 위한) 천창(天窓), 교창(交窓)(*skylight*). **~lippe** *f.* 윗입술. **~macht** *f.* 대권(大權). **~pfarrei** *f.* 교구 목사의 관구(管區). **~pfarrer** *m.* 목사장(牧師長), 교구 목사. **~präsident** *m.* 지방 장관, 지사. **~priester** *m.* 사제장(司祭長), 대사제. **~richter** *m.* 재판(소)장. **~satz** *m.* 〖論〗 대전제. **~schenkel** *m.* 허벅다리, 넓적다리. **~schicht** *f.* 상층. **~schlächtig** *a.* 상사식(上射式)《위에서 물을 떨어뜨려 물방아를 회전시키는》. **~schwelle** *f.* 상인방(上引枋). **~schwester** *f.* 수(首)간호원.

oberst [óːbərst] 《ober의 最上級》 《Ⅰ》 *a.* 최상의, 최고의; 정상(頂上)의; 최상위의, 최고급의. 《Ⅱ》 **Oberst** *m.* -en, -en, 육군 대령(*colonel*); 연대장.

Ober·staats·anwalt *m.* 검사장(長). **~steuermann** *m.* 〖海〗 일등 항해사. **~stimme** *f.* 〖樂〗 소프라노.

Oberstleutnant [óːbərstlɔ́ytnant] *m.* 육군 중령.

Ober·stock *m.* 위층 **~stübchen** *n.* 《縮·俗》 머리, 대가리. **~stube** *f.* 다락방. **~stufe** *f.* 위의 단계; 상급(上級)《고등 학교의》. **~tasse** *f.* 코피잔. **~teil** *m.* 상부(上部). **~tertia** *f.* (고등 학교의 위로부터 세어) 제3학년의 상급《제5학년》. **~verdeck** *n.* 상(上)갑판. **~wasser** *n.* (물방아의) 상사수(上射水). ¶ 《比》 ~wasser haben〔kommen〕 우월하다. **~welt** *f.* (*ant* Unterwelt) 현세, 사바(娑婆). **~zähne** *pl.* 윗니.

obgleich [ɔpgláiç] (*od.* ob ... gleich) *cj.* 비록 …일지라도(*(al)though*).

Ob·hut [ɔ́p-huːt] [<ob¹] *f.* 보호, 감독, 후견, 돌봄(*guard, care*). ¶ jn. in s-e ~nehmen 아무를 후견하다, 을 돌보다.

obig [óːbɪç] [ob¹, oben] *a.* 상기(上記)한, 전술한(*above(-mentioned)*).

Objekt [ɔpjɛ́kt] [lat. „das Entgegengeworfene"] *n.* -(e)s, -e, 객체(客體), 대상; 목적물; 가치있는 것; 〖文〗 목적어, 보족어. ¶ 《比》 das ist kein ~ 그것은 대수롭지 않은 일〔것〕이다. **objektiv** [ɔpjɛktíːf] *a.* 대상의, 목적물의; 객관적인. **Objektiv** *n.* -s, -e [-və], 대물(對物) 렌즈. **Objektivität** [-vi-] *f.* 객체성, 객관성; 공평함.

Oblate [ɔbláːtə, ob-, 方 ɔ́plaːtə] [lat.] *f.* -n, 〖가톨릭〗 성병(聖餠)(*host*); 웨이퍼(과자)(*wafer*); 〖醫〗 오블라트.

ob|liegen* [ɔ́pliːgən] *i.*(h.) ① 의무〔책임〕이다(*be incumbent on*). ¶ es liegt mir ob 그것은 나의 책임이다. ② e-r Sache³ ~ 무엇에 전념하다(*apply oneself to, study*). **Obliegenheit** *f.* -en, 의무, 책무(責務), 책임(*obligation, duty*).

obligat [ɔpligáːt, ob-] [lat. „verbinden"] *a.* 구속적인, 없어서는 안 될. **Obligation** [-tsĭ-] *f.* -en, 구속; 의무; 채무(증서), 사채(社債)(증서)(*bond*). **obligatorisch** *a.* 구속적인; 면치 못할; 필수의 (학과).

oblique [ɔblíːk, -líːkvə, ob-] [lat.-fr.] *a.* 경사진, 삐뚜름한, 구부러진; 《比》 부정한, (성질이) 비뚤어진, 의심스러운; 〖文〗 종속의.

Oblomow [-mɔf] [russ.] *m.* 나태한 「상가.」

oblong [ɔplɔ́ŋ, ɔb-, ob-] [lat.] *a.* 가늘고 긴; 장방형의, 구형(矩形)의. 「원장.」

Obmann [ɔ́pman] *m.* 웃사람, 의장, 위

Oboe [obóːə] [fr.] *f.* -n, =HOBOE. **Oboist** [oboíst] *m.* -en, -en, =HOBOIST.

Obolus [óːbolus] [gr.] *m.* -, - *u.* ..lusse, 고대 그리스의 작은 은〔동〕화의 이름; 소화폐; 《比》 소액의 기부.

Obrigkeit [óːbrɪç-] [<ober] *f.* -en, 당국, 관헌, 정부(*authorities, government, magistracy*). **obrigkeitlich** *a.* 정부〔관계 당국〕(으로부터)의. ¶ ~(*adv.*) genehmigen 관허〔인가〕하다.

Obsequien [ɔpzéːkviən] [lat.] *pl.* 〖가톨릭〗 성당에서의 사자 미사, 장의 미사; 장례, 장의.

Observatorium [ɔpzɛrvatóːrĭum] [lat.] *n.* -s, ..rĭen, 관측소; (특히) 천문대; 기상대, 측후소.

Obsession [ɔpzɛsĭóːn] [lat.] *f.* -en, 점령, 공위; 〖醫〗 강박 관념, 강박 상태.

ob|siegen [ɔ́pziːgən] *i.*(h.) (jm., 아무에게) 이기다(*be victorious*).

ob·skur [ɔpskúːr] [lat.] *a.* 어두운, 분명치 않은, 불선명한, 미지의; 의심스러운; 태생이 천한. **Obskurant** [ɔpskuránt] *m.* -en, -en, 비개화론자, 비계몽주의자; 반동〔보수〕주의자.

obsolet [ɔpzoléːt] [lat.] *a.* 낡은, 시대에 뒤떨어진, 진부한.

Obsorge [ɔ́pzɔrgə] *f.* 보호, 돌봄, 감독.

Obst [oːpst, 方 ɔp-] *n.* -es, (품종에 대하여:) *pl.* Obstsorten, 과일, 수분이 많은 과일(*fruit*). 「해, 장애.」

Obstakel [ɔpstáːkəl] [lat.] *n.* -s, -, 방

Obst·bau *m.* 과수 재배. **~baum** *m.* 과수.

obsten [óːpstən] *i.*(h.) 과실을 수확하다.

Obst·ernte *f.* 과일 수확. **~garten** *m.* 과수원. **~handel** *m.* 과일 장사. **~händler** *m.* 과일 장수. **~kammer** *f.* 과실 저장실. **~presse** *f.* 과일 압착기. **~saft** *m.* 과즙(果汁). **~wein** *m.* 과실주(酒). **~zucht** *f.* 과수 재배.

obszön [ɔpstsǿːn] [lat.] *a.* 더러운, 외설한(*obscene*).

Obus [óːbus] [=*O*berleitungsomni*bus*] *m.* -ses, -se, 무궤도 전차, 트롤리버스.

ob|walten [ɔ́pvaltən] *i.*(h.) 현존하다, 있다(*exist, prevail*).

obwohl [ɔpvóːl] *cj.* =OBGLEICH.

Ochs [ɔks] *m.* -en, -en, **Ochse** [ɔ́ksə]

m. -n, -n, 황소 《대개 거세한 것》 (Ψ *ox*); 《比》 바보, 멍청이. **ochsen** [ɔ́ksən] *i.*(h.) 《學》 (소처럼) 억척스럽다, 지독히 공부하다.

Ochsen=auge *n.* 황소의 눈; (채광용의) 둥근 창; 〖料〗 경단; 수란. **∼fleisch** *n.* 쇠고기. 「황소 같은; 《比》 우둔한.
ochsenhaft [ɔ́ksən-], **∼mäßig** *a.*

Ochsen=schwanz *m.* 쇠꼬리 《수프의 재료로 씀》. **∼stall** *m.* 외양간. **∼=zunge** *f.* (황)소의 혀.

ochsig [ɔ́ksɪç] ① *a.* =OCHSENHAFT. ② *adv.* 《俗》 굉장히, 대단히, 지독하게.

Ocker [ɔ́kər] [gr.] *m.* -s, -, 〖鑛〗 황토 (Ψ *ochre*). 「(頌歌), 송시.
Ode [ó:də] [gr. „Gesang"] *f.* -n, 송가

öde [ǿ:də] 《Ⅰ》 *a.* 황량[황폐]한, 적막한(*deserted, waste*); 지루한(*tedious*); 쓸쓸한, 재미 없는(*desolate*). 《Ⅱ》 **Öde** *f.* -n, 황량, 적막; 지루함, 단조; 황량한 땅. 「호흡, 숨(*breath*).
Odem [ó:dəm] [Ψ Atem] *m.* -s, 《詩》

Ödem [ødé:m] [gr.] *n.* -s, -e, 〖醫〗 부스럼, 부종(浮腫), 수종(水腫)(Ψ *edema*).

oder [ó:dər] *cj.* 《並列的接續詞》 또는, 혹은(Ψ *or*); (∼ aber) 아니면, 그렇지 않으면(*or else*). ¶ Geographie ∼ Erdkunde 지리학 또는(일명) 지지(地誌).

Odeur [odǿ:r] [lat. -fr.] *n.* -s, -s *u.* -e, 냄새, 방향; 《比》 평판, 인기; *pl.* 방향물, 향료. 「의, 악평; 냉대.
Odium [ó:dĭum] [lat.] *n.* -s, 증오, 적

Ödland [ǿ:t-] *n.* 황무지, 불모지.

Odyssee [odʏsé:] [gr.] *f.* 호머가 지은 서사시의 이름《Ithaka 왕 오뒤세우스의
Oe 《略》 =*Oersted.* 표류담(漂流譚)》.

Oersted [ǿ:rstɛt] *n.* -(s), -, 〖電〗 외르스테드 《자계 강도의 단위, 기호 : Oe: 물리학자 H. Chr. Oersted의 이름에서》.

Ofen [ó:fən] *m.* -s, ¨, 화덕, 가마, 아궁이(Ψ *oven, kiln*); (Stuben∼) 난로, 스토브(*stove*); (Hoch∼)용광로(*furnace*).

Ofen=bank *f.* 난로 곁의 의자. **∼=hocker** *m.* 집에만 붙어 있는 사람, 안방 샌님. **∼kachel** *f.* 화덕용 벽돌. **∼klappe** *f.* 난로의 화력 조절용 뚜껑, 조온(調溫) 장치. **∼loch** *n.* 아궁이. **∼rohr** *n.*, **∼röhre** *f.* 난로의 연통. **∼schaufel** *f.* 부삽. **∼schirm** *m.* (스토브 앞에 놓는) 방열(防熱)용 간막이. **∼setzer** *m.* 난로를 놓는 사람. **∼tür**(e) *f.* 난로의 문. **∼vorsetzer** *m.* 난로에 둘러 치는 울.

offen [ɔ́fən] *a.* 열린(Ψ *open*); 가리지 않은, 드러난; 빈(*vacant*); 미결정의, 미완료의; 미결제의; 공개적인, 공공연한; 공명한; 명료한; 속셈 없는, 솔직한; 정직한, 성실한. ¶ ∼ heraus 솔직이, 숨김없이 / ∼e Handelsgesellschaft 합자 회사 / ∼e Rechnung 당좌 [미결산] 계정 / auf ∼er See 난바다에. **offenbar** [ɔ́fənba:r, ɔfənbá:r] *a.* 공공연한, 주지의, 명백한(*evident, obvious, manifest*).

offenbaren [ɔfənbá:rən] *t.* 드러내다, 나타내다, 게시[표시·표명]하다; 공공연하게 하다, 공표[공개]하다; 〖宗〗 계시하다. ¶ die (ge)offenbarte [-ɔ́fənba:r-] Religion 계시 종교. **Offenbarung** [ɔfənbá:rʊŋ] *f.* -en, 개시(開示), 표시, 표명, 공표; 〖宗〗 천계(天啓), 계시. ¶ die ∼ Johannis 요한 계시록.

Offenbarungs=eid [-ait] *m.* 〖法〗 공시(公示) 선서. **∼glaube** *m.* 계시 종교.

offen|bleiben [ɔ́fənblaɪbən] *i.*(s.) 열린 채이다; 《比》 (사항이나 문제가) 미결인 채이다.

Offenheit [ɔ́fənhait] *f.* 열려 있음, 개방; 《比》 숨김 없음, 솔직; 공명 정대.

offen=herzig *a.* 숨김 없는, 솔직한; 공명 정대한. **∼kundig** *a.* 공공연한; 주지(周知)의, 현저한. **∼sichtlich** *a.* 명백한, 뚜렷한.

offensiv [ɔfɛnzí:f] [lat.] *a.* 공격적인, 공세의; 모욕적인. **Offensive** [-və] *f.* -n, 공격, 공세. ¶ die ∼ ergreifen 공세를 취하다.

Offensiv=krieg *m.* 공격전. **∼stel=lungen** *pl.* 공격 진지.

offen|steh(e)n* [ɔ́fənʃte:(ə)n] *i.*(h.) 자유롭다, 멋대로이다; 허락되어 있다. ¶ 〖商〗 ∼stehende Rechnung [미결제] 계정. ★ offen steh(e)n 열려 있다.

öffentlich [œ́fəntlɪç] [<offen; t는 添加音] *a.* 공공연한, 공개의(*open*); 공적인. 공영(公營)의, 공공의(*public*). ¶ ∼e Meinung 여론. **Öffentlichkeit** *f.* 공공연함, 공개; 공공(성); 공중, 사회; 공사(公事); 세상사.

offerieren [ɔfərí:rən] [lat. *of-ferre* „(*eig.*) entgegen-bringen"] *t.* 제공하다, 신청하다(Ψ *offer*). **Offerte** [ɔfɛ́rtə] *f.* -n, 제공, 신청(Ψ *offer*). 「무, 관직.
Offiz [ɔfí:ts] [lat.] *n.* -es, -e, 직무, 근

Offizial [ɔfitsiá:l] *m.* -s, -e, 관리, 공무원, 임원, 직원; 〖가톨릭〗 주교구 재판소의 수석 판사.

Offizial=delikt, **∼vergehen** *n.* (사법권이 발동할) 공적 범죄.

offiziell [ɔfitsĭɛ́l] [fr.] *a.* 관직상의, 공무상의, 관(官)의, 공적인, 공식의, 공인의(Ψ *official*). **Offizier** [-tsí:r] [*eig.* „Beamter, Bedienter"] *m.* -s, -e, 장교, 사관(Ψ *officer*).

Offiziers=bursche *m.* 당번병. **∼ka=sino** *n.* 장교 집회소. 「쇄소; 실험실.
Offizin [ɔfitsí:n] [lat.] *f.* -en, 약국; 인

offiziös [ɔfitsĭǿ:s] *a.* 반관적(半官的)인.

öffnen [œ́fnən] [<offen] 《Ⅰ》 *t.* 열다(Ψ *open*); 풀다《보따리 따위를》; 털어놓다《심중을》; 공개[개방]하다; 〖醫〗 절개[해부]하다(*dissect*). 《Ⅱ》 *refl.* 열리다(Ψ *open*). **Öffnung** [œ́fnʊŋ] *f.* -en, 열기; 열린[트인] 장소; 어귀, 문; 입구; 틈; 구멍; 빈 터《숲속의》; 〖醫〗 절개; 해부; (Leibes∼) 변통(便通).

Öffnungs=laut *m.* 모음. **∼mittel** *n.* 완하제(緩下劑). **∼zeit** *f.* (회의 등의) 개기(開期).

Offset=druck [ɔ́fsɛt-] [engl.] *m.* (*pl.* -e) 〖印〗 오프세트 인쇄. **∼presse** *f.* 오프세트 인쇄기.

oft [ɔft] *adv.* 때때로, 자주(Ψ *often*).

öfters [œ́ftərs] *adv.* 때때로, 자주, 왕왕. **oftmalig** *a.* 여러 차례의. **oft=mals** *adv.* 여러 번. 「부, 숙부(*uncle*).
O·heim [ó:haim] *m.* -(e)s, -e, 《詩》 백

Ohm [o:m] *m.* -(e)s, -e, † =OHEIM.

ohne [ó:nə] [Ψ un-] 《Ⅰ》 *prp.* 《4格支

配〔《方》2 格支配〕》 없이, 가 없어서(는), 을 가지지 않고, 을 빼놓고(*without*). ¶sei nur ~ Sorge! 걱정말라 / 《學》 er ist ~ 그는 무일푼이다 / 《종종 뒤에 오는 名詞를 省略》 sie ist nicht ~ (Schönheit) 그녀는 그다지 나쁘지 않다. 《Ⅱ》 *cj.*: ~ daß …한 일이 없이.

ohne≈dēm [o:nədé:m, ó:nəde:m], **~≈dies** [o:nədí:s, ó:nədi:s], **~hin** [o:nəhín, ó:nəhın] *adv.* 그렇지 않아도, 원래, 본디; 어느 편이든 간에, 여하튼.

Ohn≈macht [ó:nmaxt] [abd. *ā-maht* „Unmacht"의 前半을 ohne와 혼동하여 訛轉됨] *f.* -en, 무력; 〖醫〗 허탈; 〔**~s≈anfall** *m.*〕 기절, 실신, 졸도(*swoon, fainting-fit*). ¶in ~macht fallen 기절하다. **~mächtig** [ó:nmɛçtıç] *a.* 무력한; 기절〔졸도·실신〕한.

Ohr [o:r] *n.* -(e)s, -en, 귀(♈*ear*). ¶ ein gutes 〔feines〕 ~ haben, a) 귀가 밝다, b) 음악을 알다 / die ~en steif halten 굴복하지 않다, 고집부리며 안든다 / ganz ~ sein 주의 깊게 듣다 / bis über die ~en 온통, 완전히 / es (faust)-dick hinter den ~en haben 보기와 달리 교활한 놈이다 / jm. **in** den ~en liegen 아무에게 귀에 못이 박이도록 말하다, 귀찮게 굴다〔조르다〕 / **übers** ~ hauen a) 아무의 따귀를 갈기다, b) 아무를 속여 돈을 편취하다.

Öhr [ø:r] [<Ohr] *n.* -(e)s, -e, 바늘 구멍, 바늘귀(*eye of needle*).

Ohren≈ärzt *m.* 이과의(耳科醫). **~≈beichte** *f.* 비밀 고해《남모르게 고해 신부에게 속삭임》. **~betäubend** *a.* 귀가 먹게 하는. **~bläser** *m.* 고자질하는 사람, 밀고자, 중상자. **~bläserei** *f.* 고자질, 밀고. **~brausen, ~klin≈gen** *n.* 이명(耳鳴). **~leiden** *n.* 귀앓이. **~sausen** *n.* 이명(耳鳴). **~schmalz** *n.* 귀에지, 귓밥. **~schmaus** *m.* 귀의 향락; (특히) 감미로운 음악. **~schüt≈zer** *m.* 귀가리개. **~zerreißend** *a.* 귀청이 떨어질 듯한. **~zeuge** *m.* 들은 바를 말하는 증인(證人).

Ohr≈eule *f.* 〖鳥〗 수리부엉이. **~feige** [後半은 ndl. *veeg* „Streich"] *f.* 빰 치기, 따귀 때림(*box on the ear*). **~fei≈gen** *t.* 빰을 치다, (의) 따귀를 갈기다. **~gehänge** *n.* 귀고리. **~läpp≈chen** [-lɛpçən] *n.* 귓불. **~löffel** *m.* 귀이개. **~muschel** [-mυʃəl] *f.* 귓바퀴. **~ring** *m.* 귀고리. **~wurm** *m.* 〖蟲〗 집게벌레《귓속으로 기어 들어간다는 미신이 있음》.

Okkasiōn [ɔkazĭó:n] [lat.] *f.* -en, 기회, 유인; 〖商〗 싼 물건의 구입〔제공〕. **Okkasionalismus** *m.* -, 〖哲〗 기회원인론. **okkasionell** [-zĭonɛ́l] *a.* 우연한, 때때로의, 임시의.

okkult [ɔkύlt] [lat. „verborgen"] *a.* 감추어진; 비밀의, 유현(幽玄)한, 신비한. **Okkultismus** *m.* -, 신비학《최면술·천리안 따위의》; 심령론.

Okkupant [okupánt] [lat.] *m.* -en, -en, 점령자, 침해자. **Okkupatiōn** [ɔkupatsĭó:n] *f.* -en, 선점(先占); 〖軍〗 (군사) 점령; 종사; 일. **okkupieren** *t.* 점취(占取)하다, 선점하다; 〖軍〗 점령하다; 몰수하다.

Ökonōm [økonó:m] [gr. „Hausverwalter"] *m.* -en, -en, 가정(家政)〔가계〕를 맡아 보는 사람, 집사(執事)(*housekeeper*); 관리자, 경영자(*manager*); 농업가(*farmer*). **Ökonomie** [ø(:)konomí:] *f.* 가정; 관리; 농업; 검약; 경제; 경제학. **öknōmisch** *a.* 가정(家政)상의; 관리상의; 농업상의; 경제상의; 경제적인; 검소한.

Okta·ēder [ɔktaé:dər] [gr. „Achtflach"] *n.* -s, -, 〖經〗 정팔면체.

Oktāv [ɔktá:f] [lat. „das achte"] *n.* -s, -e [-və], 8절판. **~band** *m.* (*pl.* …bände) 8절판의 책.

Oktāve [-və] [it.] *f.* -n, 제8음; (특히) 8음정, 옥타브.

Oktett [ɔktɛ́t] [it.] *n.* -(e)s, -e, 8중주곡, 8중창곡.

Oktōber [októ:bər] [lat. „der Achte" 고대 로마력에서는 3월이 제1월이었음] *m.* -(s), -, **10월**.

Oktroi [ɔktroá] [lat.] *m.* u. *n.* -s, -s, 승낙, 허가; 시세(市稅). **oktroyieren** [ɔktroají:rən] *t.* 승낙하다, 허가하다, 수여〔부여〕하다.

Okulār [oku-] [lat. *oculus* „Auge"] *n.* -s, -e, 접안 렌즈(*eye-piece*). **okulie≈ren** [okulí:rən] *t.* 아접(芽接)하다, 접목하다(*graft*).

ökumēnisch [økumé:nıʃ] [gr.] *a.* 전세계의.

Okzident [ɔ́ktsidɛnt, ɔktsidɛ́nt] [lat. „Sonnenuntergang"; Orient의 對] *m.* -(e)s, 서(西), 서쪽; 서양(♈*occident*).

Öl [ø:l] [Lw. lat.] *n.* -(e)s, -e, (Oliven-~) 올리브 유(油); 《一般的》 기름(♈*oil*).

Öl≈baum *m.* 〖植〗 올리브〔감람〕나무. **~≈berg** [-bɛrk] *m.* 감람 나무가 난 산; (특히) 감람산《Jerusalem의 동쪽에 있음, 예수의 수난과 승천의 땅》. **~bild** *n.* =~GEMÄLDE. **~blatt** *n.* 올리브의 잎. **~druck** *m.* 오일 인화법(印畫法), 유화 모양으로 착색하는 석판술; 그 그림.

ölen [ǿ:lən] *t.* (에) 기름을 치다〔바르다〕 주유하다, 기름에 담그다.

Öl≈farbe *f.* 유채료(油彩料); 오일 페인트. **~fläschchen** *n.* 기름병. **~gemälde** *n.* 유화(油畫). **~heizung** *f.* 석유 난방.

Olibanum [olí:banum, olibá:num] [arab.] *n.* -s, 유향.

Olifant [ó:lifant, olifánt] [altfr. „Elefant"] *m.* -(e)s, -e, (중세의) 상아 피리.

ölig [ǿ:lıç] *a.* 기름과 같은; 유질(油質)의 기름을 함유한, 기름기가 있는

Oligarchie [oligarçí:] [gr.] *f.* ..chīen, 과두 정치(체). **oligarchisch** *a.* 위의.

Oligopōl *n.* -s, -e, 〖經〗 소수 독점.

Oligozān [-tsɛ́:n] [gr.-lat.] *n.* -s, 〖地〗 점신세(漸新世) 《지질시대 제3기 중기의 1구분》.

Olive [olí:ve] [lat.] *f.* -n, 〖植〗 올리브(열매·나무).

Oliven≈baum *m.* =ÖLBAUM. **~ernte** *f.* 올리브의 수확. **~farbe** *f.* 올리브색. **~öl** *n.* 올리브유.

Öl≈kanne *f.* 기름 치개, 주유기(注油器). **~kūchen** *m.* 기름에 튀긴 과자. **~mālerei** *f.* 유화(油畫). **~papier** *n.* 유지(油紙). **~schlägerei** *f.* 착유(搾油).

Ölung [ǿ:luŋ] *f.* -en, 도유(塗油), 주유,

침유(浸油). ¶ 〖宗〗 die Letzte ~ 병자의 성사(聖事).

Olymp [olýmp] [gr.] *m.* -s, 〖地·神〗올림퍼스 산(♈*Oymlpus*). **olympisch** [olýmpɪʃ] *a.* 《Ⅰ》 올림퍼스 산(山)의; 《比》 신들의, 신적인; 천상의. 《Ⅱ》 [<Olympia (고대 그리스의 도시, 이곳의 Zeus 신을 제사하던 신전 앞에서 4년 마다 국민적 대경기가 행하여졌음)] 올림피아의. ¶ ~ Spiele 올림피아 경기 《옛 그리스의》; 국제 올림픽 경기.

Ölzweig [ǿ:ltsvaik] *m.* 감람나무 가지 《평화의 상징》.

Ōmen [ó:men] [lat.] *n.* -s, Ōmina, 전조(前兆); (böses ~) 흉조. **ominös** [ominǿ:s] *a.* 전조의; (흔히) 흉조를 드러내는, 불길한.

Omnibus [ɔ́mnibus] [lat. „für alle", <*omnis* „jeder"] *m.* -ses, -se, 합승 마차[자동차], 버스.

Onanie [onaní:] [hebr.] *f.* 수음. **onanieren** *i.*(h.) 위를 하다.

Ondit [ɔ̃dí:] [fr.] *n.* -,-s, 소문, 풍문.

ondulieren [ɔndulí:rən] [fr. *onde* (lat. *unda*) „Welle"] *t.* 웨이브지게 하다, 퍼머넨트웨이브로 하다.

Onestep [wʌ́nstɛp, wɔ́n-] [engl.] *m.* -s,-s, 원스텝《4분의 2박자의 경쾌한 사교 댄스》.

Onkel [ɔ́ŋkəl] [fr.] *m.* -s, -[俗: -s], ① 숙부, 백부(♈*uncle*). ② 《俗》 (이웃의) 아저씨, 호인(好人).

Onkel·ehe [-e:ə] *f.* (망부의 연금을 잃지 않으려고 아이들과 함께 둘째 남편과 결혼 생활을 영위하는) 내연 관계.

Ontologie [ɔntologí:] [gr.] *f.* 〖哲〗존재론; 본체론.

opāk [opá:k] [lat.] *a.* 불투명한.

Opāl [opá:l] [gr.] *m.* -s, -e, 〖鑛〗단백석(蛋白石). **opalisieren** *i.*(h.) 단백광(光)[유광(乳光)]을 내다.

Ōper [ó:pər] [it. *opera* „Werk Kunstwerk"] *f.* -n, 오페라, 가극(장).

Operateur [-tǿ:r] [fr.] *m.* -s, -e, 수술자(手術者). 외과의(外科醫); 〖映〗카메라맨. **Operation** [-tsí-] [lat.] *f.* -en 조작, 작업; 〖數〗운산(運算), 연산(演算); 〖軍〗작전; 〖醫〗수술.

Operations·bāsis *f.* 작전 기지. **~plān** *m.* 작전 계획. **~saal** *m.* 〖醫〗수술실. **~tisch** *m.* 수술대.

operativ [operatí:f, opə-] [lat.] *a.* 〖醫〗수술상의; 작업상의; 〖軍〗작전상의.

Operette [opərɛ́tə] *f.* -n, 소가극(小歌劇), 희가극.

operieren [operí:rən, opə-] [lat. „an et.³ arbeiten", <*opus* „Werk"] 《Ⅰ》 *i.* (h.) 조작[작업]하다, 〖軍〗작전을 짜다; 《Ⅱ》 *t.* 〖醫〗(에) 수술을 하다. ¶ sich ~ lassen 수술을 받다.

Ōpern·dichter *m.* 오페라 작가. **~gläs** *n.*, **~gucker** *m.* 오페라 글라스. **~haus** *n.* 오파라 하우스, 가극장. **~sänger** *m.* **~sängerin** *f.* 오페라 가수. **~text** *m.* 오페라 대본. **~zettel** *m.* 오페라의 프로그램.

Opfer [ɔ́pfər] [Lw. lat.] *n.* -s, -, ① (신에의) 제물, 공물(供物), 희생, 산 제물(♈*offering, sacrifice*). ② 《比》 희생자; 수난자; 순교자.

Opfer·altār *m.* 제단(祭壇). **~flamme** *f.* 제물을 태우는 불길. **~freudig** *a.* 기꺼이 몸을 바치는. **~gābe** *f.* 제물, 희생. **~kasten** *m.* 자선함(函), 기부함, 연보통. **~lamm** *n.* 희생의 양(羊); 《比》 희생자; 그리스도.

opfern [ɔ́pfərn] 《Ⅰ》 *t.* (신께) 바치다, 봉헌하다, 희생으로 바치다(*offer up, sacrifice*). 《Ⅱ》 *i.*(h.) 희생을 바치다; 몸을 맡기다, 바치다. 《Ⅲ》 *refl.* 몸을 바치다.

Opfer·priester *m.* 희생을 바치는 사제(司祭). **~stock** *m.* =~KASTEN. **~tier** *n.* 산 제물(로 바치는 짐승). **~tōd** *m.* 헌신, 순사(殉死), 순교.

Opferung [ɔ́pfəruŋ] *f.* -en, 희생(을 바침); 제물(을 바침).

opferwillig [ɔ́pfərvɪlɪç] *a.* 희생을 돌보지 않는, 헌신적인.

Ophthalmiatrik [ɔftalmiá:trɪk] [gr.] *f.* 〖醫〗안과학. **Ophthalmie** *f.* ..mien, 안염.

Opiat [opiá:t] *n.* -(e)s, -e, 아편제(劑), 마취제《아편이 든》. **Ōpium** [ó:pĭum] [gr. *opós* „Saft"] *n.* -s, 아편.

Ōpium·esser, **~raucher** *m.* 아편 흡음자. **~tinktūr** *f.* 〖藥〗아편 정기.

opponieren [ɔponí:rən] [lat. „entgegen-setzen, -stellen] 《Ⅰ》 *i.*(h.) u. *refl.* 반대[항변·논박]하다(♈*oppose*). 《Ⅱ》 *t.* 반대하다, 논박하다.

opportūn [ɔpɔrtú:n] [lat.] *a.* 기회가 좋은; 마침 좋은 때의, 때를 만난.

Opposition [-tsĭ-] *f.* -en, ① 반대; 항론. ② (정부의) 반대당, 야당.

Optik [ɔ́ptɪk] [gr. „Seh(kunst)"] *f.* 〖物〗광학. **Optiker** [-ɪkər] *m.* -s, -, 광학 기계 제조인, 안경점.

Optimismus [ɔptimísmus] [lat. <Optimum „das Beste"] *m.* -, 〖哲〗낙천관(樂天觀); 낙천주의. **Optimist** *m.* -en, -en, 낙천론자; 낙천가. **optimistisch** *a.* 낙천론의; 낙천주의의, 낙관적인.

Option [ɔptsió:n] [lat.] *f.* -en, 선택, 취사; 선택권; 〖法〗국적 선택(권).

optisch [ɔ́ptɪʃ] *a.* 시각(視覺)상의, 눈의; 시각적인; 빛의, 광학의.

opulent [opulɛ́nt] [lat.] *a.* 부유한; 풍부한; 사치스러운; 호사한; 화려한.

Ōpus, *opus* [ó:pus] [lat., „werk"] *n.* -, 작품, 예술품; 〖樂〗음악 작품, 악곡 《略: *op*》. ¶ ~ 1 작품 제1번.

Orākel [orá:kəl] [lat.] *n.* -s, -, 신탁(神託), 탁선(託宣)(♈*oracle*). **orākelhaft**, **orākelmäßig** *a.* 신탁과 같은; 《比》 신비한, 심오한, 수수께끼 같은.

orākeln *i.*(h.) 신탁을 내리다, 탁선(託宣)하다. **Orākelspruch** *m.* 신탁, 탁선.

orāl [orá:l] [lat. *as*, „Mund"] *a.* 구두(口頭)의.

Orange [orã́:ʒə, oráŋʒə] [fr. (*or* „Gold" 에 관련시킴) *aus* pers.] *f.* -n, 감귤류(柑橘類), 밀감, 오렌지. **orangefarbig** [orã́:ʒəfarbɪç, oráŋʒə-] *a.* 오렌지 빛깔의. **Orangenbaum** [orã́:ʒən-, oráŋʒən-] *m.* 오렌지나무.

Orang-Ūtan(g) [ò:raŋ-ú:tan, -taŋ] [mal.; *ōrang* „Mensch", *hūtan*

„wild“] *m.* -s, -s *u.* -e, 〖動〗 오랑우탄, 성성(猩猩)이(♈*orang-outang*).

Oratōrium [orató:rĭum] [lat.] *n.* -s, ..rĭen, 〖樂〗 오라토리오, 성악극(聖樂劇). (*oratorio*).

Orchester [ɔrkɛ́stər, -çɛ́s-] [gr.] *n*, -s, -, 〖樂〗 오케스트라 (연주석); 관현악단; 관현악. **orchestrieren** [ɔrkɛs-, -çɛs-] *t.* 관현악으로 편곡하다.

Orchidēe [ɔrçidé:ə] [gr. *orchis* „Hode“] *f.* -n, 〖植〗 난초과 식물《그 구근 모양이 불알과 비슷함》(♈*orchid*).

Orden [ɔ́rdən] [Lw. lat. *ordo* „Ordnung“] *m.* -s, -, ① 결사(結社), 단(團) (♈*order*); (Mönchs∼) 수도회; (Ritter∼) 기사단. ② (조합 따위의) 휘장; 훈장, 표창장(章)(*badge, decoration*).

Ordens⸗band *n.* 훈장의 수(綬). **∼brū⸗der** *m.* 결사원(結社員), 단원; 수도사. **∼burg** *f.* 기사단(騎士團)의 성(城). **∼⸗geistliche** *m.* 《形容詞變化》〖가톨릭〗 수사(修士) 신부. **∼geistlichkeit** *f.* 수도원의 성직자들《總稱》. **∼gelübde** [gəlʏpdə] *n.* 결사 가입 때의 선서. **∼⸗kleid** *n.* 수사복(修士服). **∼meister** *m.* 조합장; 기사(騎士) 단장. **∼rēgel** *f.* 수도회의 회칙. **∼ritter** *m.* 기사 단원. **∼schwester** *f.* 수녀. **∼stern** *m.* 별 모양의 훈장.

ordentlich [ɔ́rdəntlɪç] [前半: Lw. lat. *ordo* „Ordnung“, t는 添加音] 《Ⅰ》 *a.* (der Ordnung gemäß) 정식, 정규의, 정칙의(♈*orderly, regular*); 단정한; 방정한; 본격적인(*proper, good*). ¶ ∼er Professor 정교수 / in m-r Stube ist es Sehr ∼ 내 방은 잘 정돈되어 있다. 《Ⅱ》 *adv.* 참으로, 대단히(*fairly, downright*). **Ordentlichkeit** *f.* 정식〔본식·정칙〕임, 상규; 정돈되어 있음, 단정함; 품행 방정, 고지식함, 착실함.

Order [ɔ́rdər] [fr., *aus* lat. *ordo* „Ordnung“] *f.* -n, 명령, 지령(♈*order, command*); 주문; (어음의) 지정; 지시.

Order⸗būch *n.* 〖商〗 주문장. **∼forde⸗rung** *f.* 〖商〗 지시(指示) 채권. **∼hā⸗fen** *m.* 〖海〗 기항지. **∼papier** *n.* 〖商〗 지시 증권.

Ordinālzahl [ɔrdiná:ltsa:l] [前半: lat., <*ordo* „Ordnung“] *f.* (Ordnungszahl) 서수(序數). **ordinār** [ɔrdinɛ́:r] [fr.] *a.* ① 정규의, 통상의(♈*ordinary, common*). ② 평범한, 열등한; 하급의 (*mean, vulgar*). **Ordinārius** [-ná:rius] [lat.] *m.* -, ..rĭen 학급의 주임 교사; 대학의 정교수. **Ordinārpreis** *m.* (서적의) 소매 가격. **Ordinatiōn** [-tsĭ-] *f.* -en, ① 〖宗〗 서품식; 안수례(按手禮). ② 〖醫〗 처방.

ordinieren [ɔrdiní:rən] [lat. „anordnen, einrichten“] *t.* ① 〖宗〗 (에) 서품(敍品)하다(♈*ordain*). ② 〖醫〗 처방하다 《약을》(*prescribe*). ¶ sich ∼ lassen 서품되다.

ordnen [ɔ́rdnən, ɔ́rt-] [Lw.; Orden + -en] 《Ⅰ》 *t.* (순서 있게) 나란히 하다, 정리〔정돈〕하다 (*arrange, put in order*); 정렬시키다. ¶ nach Klassen ∼ 분류하다. 《Ⅱ》 *refl.* 나란히 서다, 정렬하다. **Ordnung** [ɔ́rdnuŋ, ɔ́rt-] *f.* -en, 나란히 함, 배열, 정리, 정돈(*arrangement*); 조직; 서열, 순서(♈*order*); 등급(*class*); 법규, 규칙, 조령(條令)(*regulation*); 규율(*discipline*); 질서(♈*order*); 〖動·植〗 목(目); 속(屬). ¶ in ∼ bringen 정돈〔정리·해결〕하다. **ordnungsgemäß** *a.* 순서 바른, 질서〔규율〕 있는; 합법적인.

Ordnungs⸗liebe *f.* 질서를 지킴, 착실하고 꼼꼼함. **∼liebend** *a.* 질서를 지키는, 꼼꼼한. **∼lōs** *a.* 질서가 없는, 난잡한. **∼mäßig** *a.* = ∼GEMÄSS. **∼rūf** *m.* 〖議會〗 언동을 삼가라는(의장의) 주의. **∼strāfe** *f.* 질서벌(罰)《징계·과료 등의》 (*fine*). **∼widrig** *a.* 질서 위반의; 불법의. **∼zahl** *f.* 서수; 〖化〗 원소 번호.

Ordonnanz [ɔrdɔnánts] [fr. <ordinieren] *f.* -en, 명령; 〖軍〗 근무 명령, 복무 규정(*orderly*).

Organ [ɔrgá:n] [gr.] *n.* -s, -e, ① 도구; 기관(機關). ② (신체의) 기관(器官) (♈*organ*). ③ 기관 신문〔잡지〕. ④ 소리(*voice*).

Organelle [ɔrganɛ́lə] [<Organ] *f.* -n, 〖生〗 세포 기관. **Organisatiōn** [-tsĭ-] *f.* -en, 조직, 체제(화), 편제, 기구. **organisch** *a.* ① 조직적인; 유기적인. ② 기관(器官)의. **organisieren** [ɔrganizí:rən] [<gr. Organ] *t.* 조직〔편제·편성〕하다 (♈*organize*). **Organismus** [ɔrganísmus] *m.* -, ..men, ① 조직, 편제; 기구. ② 유기체, 유기물; 생물. **Organist** [ɔrganíst] [gr. <Orgel. Organ] *m.* -en, -en, 〖樂〗 오르간 주자.

Orgasmus [ɔrgásmus] [gr.] *m.* -, ..men, 〖醫〗(성교 때의) 성적 흥분의 절정.

Orgel [ɔ́rgəl] [<gr. Organ] *f.* -n, 오르간, 풍금(♈*organ*); 파이프 오르간.

Orgel⸗balg [-balk] *m.* 파이프오르간의 바람통. **∼chōr** [-ko:r] *m.* [*n.*] (교회의) 파이프오르간 연주석.

orgeln [ɔ́rgəln] *i.*(h.) 파이프오르간을 연주하다.

Orgel⸗pfeife *f.* 오르간의 음관(音管). **∼spiel** *n.* 오르간 연주.

Orgie [ɔ́rgĭə] [gr.] *f.* -n, ① 비밀 의식(儀式), 비제(秘祭)(♈*orgy*). ② 떠들썩한 술자리, 방종(*revelry*).

Orient [ó:rĭɛnt, orĭɛ́nt] [lat. „Aufgang (der Sonne)“] *m.* -(e)s, ① 동(東). ② 동양; 근동《아라비아·시리아·터키·팔레스티나 따위》. **Orientāle** [o(:)rĭɛntá:lə] *m.* -n, -n, **Orientālin** *f.* -nen, 동양인, 근동인(近東人). **orientālisch** *a.* 동양의; 근동의.

orientieren [o(:)rĭɛntí:rən] [lat. „den Orient suchen“] 《Ⅰ》 *t.* ① 동쪽으로 돌리다《선박 따위를》; 방위〔위치〕를 정하다(♈*orient(ate)*). ② 《比》 향하게 하다, 방향을 잡게 하다; 바로잡다; (에게) 형편을 알게 하다, 교도하다. ¶ orientiert (*p. a.*) sein (in, 에) 정통하다. 《Ⅱ》 *refl.* ① 둘러보다, 방향을〔방위를〕 정하다. ② 방향을 〔방위를〕 알게 되다; (어떤 일의) 형편을 알게 되다, (무슨 일에) 통달하다 (*find one's way about*). **Orientierung** *f.* -en, ① 동쪽으로 향하게 함; 방향을〔위치를〕 정하기, 정위(定位). ② 교도, 계몽; 통달; 《比》 개관(概觀).

Orientierungs⸗sinn *m.* **∼vermōgen** *n.* 〖醫〗 국소 감각, 부위각; 〖生〗 귀소 본능, 귀가 능력《비둘기·벌 등의》.

original [originá:l] [lat. *origo* „Ursprung"] *a.* 원래〔본래〕의; 고유의, 독특한, 독창의; 원본의, 사본이 아닌. **Original** *n.* -s, -e, ① 원본; 원문; 원서; 원어; 원도; 원형. ② 괴팍한 사람, 기인(奇人). **Originalität** [o(:)riginalitέ:t] *f.* -en, ① 본원〔원초(原初)〕적임; 독창(성), 창의, 신기축(新機軸). ② 특이성, 기발, 진기.

originär [originέ:r] [lat. -fr.] *a.* 본원의, 원초적인, 근본적인. **originell** [originέl] [fr.] *a.* ① 본원적인, 근원의, 원초의. ② 특색 있는; 독특한, 독창의; 기발한, 진기한.

Orkan [ɔrká:n] [indian.] *m.* -(e)s, -e, 구풍(颶風), 태풍, 허리케인《특히 해상의》(♈*hurricane*).

O

Ornament [ɔrnamέnt] [lat.] *n.* -(e)s, -e, 장식. **ornamentieren** *t.* 장식하다. **Ornamentik** [-tık] *f.* 장식술(術).

Ornat [ɔrná:t] *m.* -(e)s, -e, †장식; 성장(盛裝), 예장(禮裝); 〖宗〗 제복(祭服), 사제의 정복(*official robes*).

Ornitholog(e) [ɔrnitoló:gə, -ló:k] [gr.] *m.* ..gen, ..gen, 조류학자. **Ornithologie** [ɔrnitologí:] *f.* 조류학(鳥類學).

Ort [ɔrt] [*eig.* „Spitze, Ende, Ecke"] 《Ⅰ》 *m.* od, *n.* -(e)s, -e, ① 첨단, 끝; 모서리; 구석. ② (화공(靴工) 따위의) 돗바늘. 《Ⅱ》 *n.* 〔*m.*〕 -(e)s, ¨er, 〖坑〗 막장. 《Ⅲ》 *m.* -(e)s, *pl.* -e od ¨er, ① 장소, 지점; 그럴 만한〔적당한〕 장소 또는 시간. ② 당국.

Örtchen [œrtçən] *n.* -s, -, [縮<Ort] 작은 마을, 숙소; 《俗》 변소.

orten [ɔ́rtən] *i.*(h.) 〖空〗 (비행기의) 현재의 위치 상태를 조사하다.

orthodox [ɔrtodɔ́ks] [gr. „rechtgläubig"] *a.* 정교(正教)를 신봉하는, 정통파의. **Orthodoxie** *f.* 정교(신봉), 정통고수. **Orthographie** [ɔrtografí:] [gr. „Recht-schreibung"] *f.* ..phien, 〖文〗 정서법(正書法). **orthographisch** *a.* 정서법의; 정서법에 맞는. **Orthopädie** [-pεdí:] [gr. „rechte Erziehung"] *f.* ..dien, 정형 외과. **orthopädisch** *a.* 정형 외과의.

örtlich [œrtlıç] *a.* 장소의, 장소에 관한; 지방적인; 〖醫〗 국부의.

Orts=angabe [ɔ́rts-anga:bə] *f.* 장소의 지시〔기재〕, 수신인명, 주소. **~behörde** *f.* 지방 관청; 시청, 읍·면 사무소.

Ort·schaft [ɔ́rt-ʃaft] *f.* -en, 작은 읍, 촌락, 역 마을.

Orts=empfang *m.* 로컬 방송 수신. **~=fest** *a.* 그 곳에 고정된. **~gedächtnis** *n.* 지역에 관한 기억(력). **~gemeinde** *f.* 자치 단체. **~gespräch** [gəʃprε:ç] *n.* 지역내〔시내〕 통화《전화의》. **~kenntnis** *f.* 어떤 지역에 관한 지식. **~kundig** *a.* 지방 사정에 정통한. **~=name** *m.* 지명(地名). **~sinn** *m.* 〖醫〗 지방〔장소·방위〕에 대한 민감성; 부위(部位) 감각. **~statut** *n.* 지방 조례.

Orts·teil [ɔ́rtstaıl] *m.* 지방, 지역.

orts·üblich [ɔ́rts-y:plıç] *a.* 그 지방의 관습인, 그 지방에서 행해지고 있는.

Orts=veränderung *f.* 이전; 〖醫〗 전지(轉地); 이행. **~verkehr** *m.* 지방〔로컬〕 교통. **~vorsteher** *m.* 읍·면장. **~zeit** *f.* 지방시(時).

Ortung [ɔ́rtuŋ] *f.* -en, 위치의 측정.

Öse [ǿ:zə] [Öhr의 옛 別形] *f.* -n, 구멍; 끳구멍; 작은 금속의 고리《시계 머리 따위의》.

Osmologie [ɔsmologí:] [gr. *osme* „Geruch"] *f.* 향료학; 후각(嗅覺)학.

Osmose [ɔsmó:zə] [gr.] *f.* -n, 〖物〗 침투.

Ösophagus [øzó:fagus] [gr. -lat.] *m.* -, ..gi, 〖解〗 식도.

Ost [ɔst, 方 o:st] 《Ⅰ》 *m.* -(e)s, 동(東), 동쪽(♈*east*); 동방의 나라. 《Ⅱ》 *m.* -(e)s, -e, 동풍.

Ost=afrika *n.* 동부 아프리카. **~asien** *n.* 동아시아, 동아(東亞). **~deutsch** *a.* 동부 독일의. **~deutschland** *n.* 동부 독일, 동독(東獨).

Osten [ɔ́stən, 方: ó:s-] *m.* -s, 동(♈*east*), 동쪽; 동양. ¶der Ferne ~ 극동 / der Nahe ~ 근동(近東).

ostentativ [ɔstεntatí:f] [lat.] *a.* 걸치레하는, 허식적인, 번지르르한(*ostentatious*).

Osteologie [ɔsteologí:] [gr.] *f.* ..gien, 〖醫〗 골학.

Oster=abend *m.* 부활제의 전야. **~ei** *n.* 〔**~eier** *pl.*〕 부활제의 달걀(또는 아이들의 선물인 달걀꼴 채색 과자). **~feier** *f.*, **~fest** *n.* 부활제(의 축연). **~hase** *m.* 부활제의 토끼(모양의 과자).

Osteria [ɔsterí:a], **Osterie** [-rí:] [it.] *f.* -rien, 여인숙; 선술집.

Osterlamm [ó:stərlam] *n.* 유대인이 유월절에 잡는 작은 양.

Oster=lied *n.* 부활절 찬가. **~messe** *f.* 부활절 미사; 부활절 장.

Ostern [ó:stərn] *n.* -; od. *pl.* 〖宗〗 ① (예수) 부활절(♈*Easter*). ② (유대인의) 유월절(*Pash(a)*).

Österreich [ǿ:stərraıç] [ahd. Ostreich] *n.* 오스트리아. **Österreicher** *m.* -s, -, **Österreicherin** *f.* -nen, 오스트리아 사람. **österreichisch** *a.* 오스트리아의. **Österreich-Ungarn** [-úŋgarn] *n.* 〖史〗 오스트리아 헝가리.

Ost=europa *n.* 동부 유럽, 동구(東歐). **~gebiete** *pl.* 동부 지역《동독》. **~=gote** *m.* 동(東)고트인 **~hilfe** *f.* 동부 지역 구원 《1930년 이래》. **~indien** *n.* 동(東)인도.

östlich [œstlıç, 方 ǿ:st-] [<Os(ten)] *a.* 동의, 동쪽의; 동쪽에서의.

Ost=macht *f.* 동방의 강국. **~nord=ost** [ɔstnɔrt-ɔ́st] *m.* ① 동북동. ② 동북동풍(風). **~preußen** *n.* 동(東)프로이센.

Ost=see *f.* 동해, 발트해(海) **~süd·ost** [ɔstzy:t-ɔ́st] *m.* ① 동남동. ② 동남동풍.

ost=wärts [ɔ́stvεrts] *adv.* 동(쪽)으로. **~wind** *m.* 동풍. **~zone** *f.* 동부 지대《독일의 소련 점령 지대》.

Oszillation [ɔstsılatsió:n] [lat.] *f.* -en, 진동. **oszillieren** *i.*(h.) 진동하다.

Otter[1] [ɔ́tər] *m.* -s, -; od. ,《稀》 *f.* -n, 〖動〗 (Fisch~) 수달(속)(♈*otter*).

Otter[2] [ɔ́tər] *f.* -n, 〖動〗 살무사(과) (♈*adder*). **~n=gezücht** *n.* 〖聖〗 살무사의 무리; 《比》 간악한 무리, 악인들.

outrieren [utríːrən] [fr.] *t.* 과장하다; (의) 도를 지나치다.

outside [áutsaɪd] [engl. „außerhalb (des Spiels)] *adv.* 〖蹴〗 구장 밖으로.

Outsider [áut-saidər] [engl.] *m.* -s, -, 문외한, 국외자, 이길 가망이 없는 선수〔경주마〕.

Ouvertüre [uvɛrtýːrə] [fr. „Eröffnung"] *f.* -n, 〖樂〗 전주곡, 서곡, 오버추어.

ovāl [ováːl] [lat. „eirund", <*ōvum* „Ei"] 《Ⅰ》 *a.* 달걀꼴의, 타원형의. 《Ⅱ》 **Ovāl** *n.* -s, -e, 달걀꼴, 타원. **Ovār** [ováːr] *n.* -(e)s, *pl.* ..rīen u. -e, 〖解·動〗 난소(卵巢); 〖植〗 자방(子房). **Ovariāl·hormōn** *n.* 난소 호르몬. **Ovārium** [ováːrĭum] *n.* -s, ...rīen, 〖解〗 난소; 〖植〗 자방.

Oxhoft [ɔ́kshɔft] [engl. *hog-head* „Schweine-kopf"] *n.* -(e)s, -e, 옛 액량(液量)의 단위 《400∼500 *l*》.

Oxȳd [ɔksýːt] [gr.] *n.* -(e)s, -e, 〖化〗 산화물. **Oxydatiōn** [-datsióːn] *f.* -en, 산화(酸化); 산화물. **oxydieren** *t.* 산화시키다; *i.*(s.) u. *refl.* 산화하다.

Ōze·ān [óːtseaːn, otseáːn] [gr.] *m.* -s, -e, (Weltmeer) 대양, 해양(♈*ocean*).

Ōze·ān≈dampfer *m.* 외항선. **∼flūg** *m.* 대양 횡단 비행.

oze·ānisch [otseáːnɪʃ] *a.* 대양의; 대양주(大洋洲)의.

Ozōn [otsóːn] [gr. „duftend"] *n.* -s, 〖化〗 오존(♈*ozone*). **ozōnhaltig** *a.* 오존을 함유한(*ozonic*).

P

p.A. 《略》 = *per Adresse* …씨방, 전교(轉交).

Paar [paːr] [Lw. lat. *par* „gleich, ähnlich"] 《Ⅰ》 *n.* -(e)s, -e, 짝, 쌍, 켤레, 벌(♈*pair*); 두사람(*couple*); (Braut∼) 약혼한〔신혼인〕 한쌍; (Ehe∼) 부부; 암수《동물의》. 《Ⅱ》 **paar**[1] *a.* 벌〔짝·켤레〕로 되어 있는(*a couple of*); 짝수의, 우수의. 《Ⅱ》 **paar**[2] [paːr] *num.* 《語尾變化하지 않음》 두서넛의, 약간의(*a few, some*). **paaren** [páːrən] 《Ⅰ》 *t.* 짝지우다; 결합시키다; 결혼시키다; 짝지어 주다《동물을》. 《Ⅱ》 *refl.* 짝이 되다; 결합하다; 한패〔부부〕가 되다; (동물이) 짝을 이루다; 흘레하다, 교미하다. 《Ⅲ》 **gepaart** *p.a.* 쌍으로 된, 두 개씩의; 〖動·植〗 쌍생의, 대생의. **paarig** *a.* 짝을 지운; 한 쌍의, 한 벌의, 한 짝의; 짝수의. **paarmāl** *adv.*: ein ∼ 두세번(*several times*). **Paarung** *f.* -en, 짝〔쌍〕을 지움; 배합, 결합; 배우, 결혼; 교미. **Paarungszeit** *f.* 교미기(交尾期). **paarweise** *adv.* 한 쌍씩, 한 벌씩, 두 개씩, 두 사람씩.

Pacht [paxt] [Lw. lat.] *f.* -en; od. *m.* -(e)s, -e, 임대차(賃貸借)(계약)(*lease*); 보유(保有)(권)(*tenure*); 차용; 소작지, 차지(借地)(*tenancy*). ¶in ∼ haben 소작하고 있다. **Pachtbrief** *m.* 임대차 증서. **pachten** [páxtən] *t.* 임차하다; 소작하다(*lease, rent*); 《比》 독점하다.

Pachter, Pächter [pɛ́çtər] *m.* -s, -, 차지인, 소작인(*tenant, leaseholder*).

Pacht≈geld *n.* 임차료(賃借料), 소작료. **∼grundstück** *n.* 소작지, 차지(借地). **∼gūt** *n.* 임차지, 소작 농지. **∼haus** *n.* 셋집. **∼hōf** *m.* 소작 농지. **∼kontrakt** *m.* = ∼VERTRAG. **∼schilling** *m.*, **∼summe** *f.* = ∼GELD.

Pachtung [páxtʊŋ] *f.* -en, ① 임대차, 소작. ② 차지, 소작지.

Pacht≈verträg *m.* 임대차 계약, 소작 계약. **∼weise** *adv.* 임대차에 의하여, 임차하여. **∼zeit** *f.* 임대차 기간. **∼zins** *m.* 소작료.

Pack [pak] 《Ⅰ》 [ndl.] *m.* od. *n.* -(e)s, -e *u.* ¨e, 꾸러미, 짐짝(♈*pack, packet, parcel*); 짐, 고리짝(*baggage*); 포대(*bale*); 다발(*bundle*). ¶mit Sack u. ∼ 세간을 다 꾸려서. 《Ⅱ》 *n.* -(e)s, 천민, 상놈(*rabble*).

Päckchen [pɛ́kçən] *n.* -s, -, 소포, 소화물; 우편 소포.

Pack·eis [pák-ais] *n.* 성엣장.

Packen [pákən] *m.* -s, -, = PACK Ⅰ.

packen [pákən] [<Pack] 《Ⅰ》 *t.* ① 싸다, 묶다, 꾸리다, 포장하다(*pack up*); (in Ballen ∼) 꾸러미로 하다. ② 움켜쥐다, 붙잡다(*seize, grasp*); 《比》 (병이) 덮치다, 일어나다《정욕이》; 감동〔감명〕시키다. ¶mit den Zähnen ∼ 물다. 《Ⅱ》 *refl.* 《俗》 급히 떠나다, 내빼다(*be off*). ¶pack dich (zum Teufel)! 꺼져라. 《Ⅲ》 **packend** *p.a.* 움켜쥐는, 붙잡는; 《比》 감동시키는, 마음깊이 사무치는. **Packer** *m.* -s, -, 짐꾸리는〔포장하는〕 사람; 짐 부리는 인부; 화물차의 차장. **Packerei** *f.* -en, 짐꾸리기, 포장.

Pack≈ēsel *m.* 짐을 나르는 당나귀; 할일이 태산 같은 사람. **∼hōf** *m.* 짐 꾸리는 곳; 보세(保稅) 창고. **∼kammer** *f.* 포장실; 〖鐵〗 수화물 취급소. **∼leinwand** *f.* 포장용 마포. **∼nādel** *f.* 포창용 큰 바늘. **∼papier** *n.* 포장지(紙). **∼pferd** *n.* 짐 나르는 말, 복마. **∼raum** *m.* 포장실; 〖海〗 선창. **∼riemen** *m.* 짐 묶는 가죽끈. **∼sattel** *m.* 길마, 짐 싣는 안장. **∼träger** *m.* 화물 운반인, 포터. **∼tūch** *n.* 포장용 천.

Packung [pákʊŋ] *f.* -en, ① 짐꾸리기, 포장《그 동작 및 방법》; 꾸린 짐. ② 채워 넣음; 쌓아 넣기; 충전(充塡)(물). ③ 〖醫〗 포전법(包纒法). ¶feuchte ∼ 물수건 찜질.

Pack≈wāgen *m.* 짐(마)차; 〖鐵〗 화차. **∼zeug** *n.* 포장 도구〔재료〕.

Päd·agōg(e) [pɛdagóːgə, -ːk] [gr. „Knaben-führer"] *m.* ..gen, ..gen, 교육가; 교육학자. **Pädagōgik** [-góːgɪk] *f.* 교육학. **pädagōgisch** *a.* 교육(학)의; 교육가의.

Paddel [pádəl] [engl. *paddle*] *f.* -n; od. *m.* -s, -, 파덜《노걸이 없는 짧은 노, 양끝에 물갈퀴가 있음》. **Paddelboot** *n.* 파덜(로 젓는 마상이 모양의 경기용) 보트. **paddeln** *i.*(h.) 파덜로 젓다, 파덜 보트를 젓다.

Päderastie [pɛdərastíː] [gr.] *f.* 남색, 계간.

Pädogenēse [pɛdogenéːzə], **Pädogenesis** [-géːnezɪs] [gr. *pais*, 2格: *paidos*, „Kind"] *f.* 〖動〗 유생(幼生) 생식.

paff! [paf] [擬聲語] *int.* 탕, 빵,, 빽. ¶ ganz ~ sein 어이없어 하다, 어리둥절해 하다. **paffen** *i.*(h.) u. *t.*: paff! 하는 소리를 내다《총포 따위가》; 《俗》(담배를) 뻑뻑 피우다.

Page [pá:ʒə] [fr. „Edelknabe"] *m.* -n, -n, ① 시동(侍童). ② 급사.

Pagenkopf [pá:ʒən-] *m.* 단발 머리.

Pagina [pá:gina] [lat.] *f. pl.* -s, 페이지; 〖印〗 농브르.

Pagode [pagó:də] [mal. -fr.] *f.* -n, 파고다, 탑, 보탑(寶塔)(♈ *pagoda*).

pah! [pa:] *int.* 피이《경멸·거절》.

Paidibett [páidi-] [gr. *pais*, 2格: *paidos*, „Kind"] *n.* 유아용 이동 침대.

Pair [pɛ:r] [fr., <lat. *pares* „die Gleichen"] *m.* -s, -s, 상류 귀족《프랑스·영국의》(♈ *peer*). **Pairsschub** [pé:rs-] *m.* 여당의 상원 의원을 다수 임명하는 일《반대당을 누르기 위하여》. **Pairswürde** *f.* 귀족의 품계(品階).

Pak [pak] *f.* -(s), 《略》 = *P*anzerab-wehr*k*anone 대전차포.

Paket [paké:t] [fr., *aus* d. Pack(en)] *n.* -(e)s, -e, 소화물, 소포《대개 우편 소포》(♈ *packet*, *parcel*).

Paket⸗annahme *f.* 소포 접수처. **~⸗boot** *n.* 우편선, 정기선. **~karte** *f.* 소포〔소화물〕 꼬리표. **~post** *f.* 소포 우편. **~sendung** *f.* 소포 우편물.

Pakt [pakt] [lat.] *m.* -(e)s, -e(n), 협정, 계약(♈ *pact*, *agreement*). **paktieren** [paktí:rən] *t.* u. *i.*(h.) 협정하다, 계약을 맺다; 타협〔용인〕하다.

Paläographie [palɛograffí:] *f.* ..phien, 고문서학. **Paläolithikum** [-lí:tikum, -lít-] *n.* -s, 구석기 시대. **Paläontologie** [pàlɛɔntologí:] *f.* ..gien, 고생물학.

Palast [palást] [lat. -fr.] *m.* -es, läste, 왕궁, 궁전; (호화로운) 저택(♈ *palace*).

Palästina [palɛstí:na] *n.* 팔레스티나《서남 아시아의 땅 이름》.

palatal [palatá:l] [lat.] *a.* 구개(口蓋)의, 구강의. **Palatal** *n.* -s, -e, **Palatallaut** *m.* 〖文〗 경구개음(硬口蓋音)《e, i 앞의 g, k, ch 따위》.

Paletot [páləto:, palətó:] [fr.] *m.* -s [-to:s], -s [-to:s], (주로 신사용) 외투, 오버코트.

Palette [palétə] [it. „Schaufel"] *f.* -n, 〖畫〗 팔레트, 조색판(調色板).

Palisade [palizá:də] [fr. <lat. *pālus* „Pfahl"] *f.* -n, 〖軍〗 바리케이드.

Pallasch [pálaʃ] [türk. -ungar.] *m.* -(e)s, -e, (옛 기병용의) 날이 곧은 칼.

Palmarum [palmá:rum] [lat.] *n.* -s, = PALMSONNTAG.

Palme [pálmə] [Lw. lat. *palma* „Hand"] *f.* -n, 〖植〗 종려과의 식물; 야자, 종려(*palm*).

Palmen⸗hain *m.* 종려의 숲. **~haus** *n.* 종려 따위 열대 식물 재배 온실. **~zweig** *m.* = PALMZWEIG.

Palm⸗haus *n.* = PALMENHAUS. **~⸗kätzchen** *n.* 갯버들. **~mehl** *n.* 사고(*sago*). **~öl** *n.* 종려 기름. **~sonntag** [palmzɔ́nta:k, pálmzɔn-] *m.* 〖가톨릭〗 성지(聖枝) 주일. **~wedel** *m.* 종려 잎. **~zweig** *m.* 종려 가지《성지 주일에 쓰임》.

Palpation [palpatsĭó:n] [lat.] *f.* -en, 〖醫〗 촉진(觸診).

Paludismus [paludísmus] [lat.] *m.* -, 〖醫〗 말라리아.

Pamphlet [pamflé:t] [fr. -engl.] *n.* -(e)s, -e, 판플렛.

Pan [pa:n] [gr.] *m.* -s, 〖希神〗 (염소의 뿔과 발을 가진) 숲 및 목축의 신.

Paneel [pané:l] [ndl.] *n.* -s, -e, 〖建〗 (문의) 평판(平板)(♈ *panel*); 벽판(壁板), 머름(*wainscot*). **paneelieren** *t.* (에) 평판〔머름·벽판〕을 짜 넣다.

Pangermanismus [pa(:)ngɛrma-] *m.* -, 범(汎)게르만주의.

Panier [paní:r] [fr., ♈ Banner] *n.* -s, -e, 군기(軍旗), 정기(旌旗)(♈ *banner*, *standard*).

panieren [paní:rən] [fr.. <lat. *pānis* „Brot"] *t.* (에) 달걀 노른자와 빵가루를 입히다.

Panik [pá:nɪk] [gr. <Pan] *f.* -en, 공황(~ischer Schrecken); 〖經〗 공황, 패닉.

Panislamismus [-mísmus] *m.* -, 범이슬람주의.

Panne [pánə] [fr.] *f.* -n, (교통) 사고(*accident*); 고장(*breakdown*, *puncture*).

Panorama [panorá:ma] [gr. *horân*, „schen"] *n.* -s, ...men, 파노라마, 전경.

panschen [pánʃən] *t.* u. *i.*(h.) (술·우유 등에) 섞음질하다; 위조〔변조〕하다; 찰싹 때리다; (물을) 철벅철벅 튀기다.

Panslawismus [pa(:)nslavísmus] *m.* -, 범(汎)슬라브주의.

Panther [pántər] [skt. -gr.] *m.* s, -, 〖動〗 표범.

Panther⸗pilz [pántər-], **~schwamm** *m.* 〖植〗 광대버섯 무리의 독버섯.

Pantine [pantí:nə] [fr.] *f.* -n, 나막신(*clog*, *patten*).

Pantoffel [pantɔ́fəl] [it.] *m.* -s, -n, 《稀 -》 슬리퍼(*slipper*). ¶ 《比》 unter dem ~ steh(e)n 내주장이다.

Pantoffel⸗held *m.* 공처가. **~holz** *n.* 코르크재(材). **~regiment** *n.* 엄처시하. **~tierchen** *n.* 〖蟲〗 짚신벌레.

Pantolette [pantolétə] [Pantoffel *u.* Sandalette] *f.* -n, (여름용) 뒤축 없는 가벼운 여성화.

Panto·mime [pantomí:mə] [gr. „alles nachahmend"] *f.* -n, ① 몸짓, 손짓. ② 무언극(無言劇).

pantschen [pántʃən] = PANSCHEN.

Panzer [pántsər] [Lw. it.] *m.* -s, -, 갑옷(*coat of mail*); 철갑, 장갑(裝甲)(*cuirass*); (~schiff) 장갑함(*armour*); (~wagen) 장갑차(*tank*).

Panzer⸗abwehrkanone *f.* 대전차포. **~flotte** *f.* 장갑 함대. **~handschuh** *m.* 호완(護腕). **~hemd** *n.* (쇠사슬로 된) 갑옷. **~kampfwagen** *m.* 전차. **~kraftwagen** *m.* 장갑 자동차. **~⸗krebse** [-kre:psə] *pl.* 〖動〗 왕새우과. **~kreuzer** *m.* 장갑 순양함.

panzern [pántsərn] 《Ⅰ》 *t.* (에) 갑옷을 입히다; 장갑하다; 무장시키다. 《Ⅱ》 *refl.* 갑옷을 입다; 무장하다. 《Ⅲ》 **gepanzert** *p.a.* 갑옷을 입은, 무장〔장갑〕한.

Panzer=platte *f.* 철갑, 장갑판. **~ring** *m.* 사슬 갑옷. **~rock** *m.* 그물 갑옷. **~schiff** *n.* 철갑선. **~schrank** *m.* 강철제 금고. **~tier** *n.* 〖動〗 아르마딜로속(屬); 천산갑속. **~turm** *m.* 〖海〗 장갑 포탑(砲塔).

Panzerung [pántsərʊŋ] *f.* -en, 장갑.

Panzer=wāgen *m.* 장갑차; 전차. **~=zūg** *m.* 장갑 열차.

Papā [papá:, pápa:] [fr.] *m.* -s, -s, 《小兒》 아빠, 빠빠; 교부(敎父), 교황.

Papagei [-gái] [ar. -fr.] *m.* -en, *u.* -(e)s, -e(n), 〖鳥〗 앵무새(*parrot*).

papāl [papá:l] [lat.] *a.* 교황의.

Papier [papí:*r*] [fr., <gr. Papyrus] *n.* -s, -e, ① 종이(♈ *paper*). ¶ zu ~ bringen 쓰다, 기고(起稿)하다. ② 원고; 문서, 서류; 기록; 유가 증권; 어음; 채권; 주(株); 지폐.

Papier=blūme *f.* 조화(造花). **~bōgen** *m.* 전지(全紙). **~deutsch** *n.* 지상(紙上) 독일어《딱딱하고 아취 없는 독일어》. **~drache** *m.* 연(鳶).

papieren [papí:rən] *a.* 종이의, 종이 같은; 종이로 만든.

Papier=fabrik *f.* 제지 공장. **~fab=rikatiōn** *f.* 종이 생산. **~form** *f.* 지형(紙型). **~geld** *n.* 지폐. **~händ=ler** *m.* 종이 장수; 문방구상. **~hand=lung** *f.* 지물포, 문방구점. **~korb** *m.* 휴지통. **~macher, ~müller** *m.* 제지업자. **~rolle** *f.* 두루마리. **~=schnitzel** *m.* 〔*n.*〕 종잇 조각. **~wäh=rung** *f.* 지폐 본위(제). **~wickel** *m.* (머리 마는) 컬페이퍼.

Papismus [papísmus] [lat. *pāpa* „Papst"] *m.* -, 교황 주의〔정치〕. **Pa=pist** [papíst] *m.* -en, -en, 천주교도.

Papp [pap] *m.* -(e)s, -e, 《小兒》 빵으로 쑨 죽(♈ *pap*); 풀(*paste*).

Papp=arbeit *f.* 판지 세공. **~band** *m.* (*pl.* ..bände) 판지철(綴); 판지 표지의 책. **~deckel** *m.* 판지 표지.

Pappe [pápə] [<Papp] *f.* -n, 판지, 마분지, 두꺼운 종이(*pasteboard*).

Pappel [pápəl] [Lw. mlat.] *f.* -n, **Pappelbaum** *m.* 〖植〗 포플라, 미류나무(♈ *poplar*).

pappen [pápən] [<Pappe] 《Ⅰ》 *a.* 두꺼운 종이로 된. 《Ⅱ》 *t.* u. *i.*(h.) ① (어린애에게) 죽을 먹이다; 죽을 먹다. ② 풀로 붙이다, 풀로 붙이는 일을 하다.

Pappen=blūme *f.* 〖植〗 민들레. **~=deckel** *m.* =PAPPDECKEL. **~stiel** *m.* 민들레의 줄기; 《比》 하찮은 것, 시시한 일(*trifle*).

pappig [pápɪç] *a.* 죽〔풀〕 같은, 끈적끈적한.

Papp=kasten *m.*, **~schachtel** [ʃax-təl] *f.* 두꺼운 종이 상자.

Paprika [pá(:)prika] [ung.] *m.* -s, -s, 〖植〗 고추.

Pāpst [pa:pst] [lat. *pāpa* „Vater"] *m.* -es, ⸚e, 교황(♈ *pope*). **pāpstlich** *a.* 교황의(*papal*). **Pāpsttūm** *n.* -(e)s, ① 교황 정치, 교황권, 교황의 직위(*papacy*). ② 가톨릭교, 천주교. **Pāpstwür=de** *f.* 교황의 직위.

Papȳrus [papý:rus] [gr.] *m.* -, ..rī, 〖植〗 파피루스; 파피루스 종이〔문서〕.

Parābel [pará:bəl] [gr. „Danebengeworfenes"] *f.* -n, ① 비유, 우화(♈ *parable*). ② 〖數〗 포물선(♈ *parabola*).

Parāde [pará:də] [fr., <lat. *parāre* „bereiten"] *f.* -n, ① 열병식, 사열식. ② 《比》 장관(壯觀), 성장(盛裝), 과시. ¶ ~ machen 성장하다, (mit, 을) 자랑하다. ③ (상대편의 공격을) 받아 넘김〔제침〕《펜싱, 권투 따위에서》(♈ *parry*).

Parāde=anzūg *m.* 열병식의 복장, 정장, 예복. **~aufstellung** *f.* 열병식. **~bett** *n.* 장식한 침대; (귀인의) 관대(棺臺). **~marsch** *m.* 분열 행진. **~pfērd** *n.* 의장마(儀仗馬); 《比》 구경거리. ¶ sein ~pferd reiten 멋진 장면을 보이다, 스탠드플레이를 하다. **~platz** *m.* 사열 식장. **~schritt** *m.* 분열 행진의 보조(步調). **~uniform** *f.* 〖軍〗 정장(正裝).

paradieren [paradí:rən] *i.*(h.) ① 분열 행진하다. ② (mit, 을) 자랑〔과시〕하다.

Paradies [paradí:s] [pers. -gr.] *n.* -es [-zəs], -e [-zə], 〖聖〗 낙원, 에덴 동산(♈ *paradies*). **Paradiesapfel** *m.* 〖植〗 토마토; 바나나. **paradiesisch** *a.* 천국의, 낙원 같은; 극락의. **Paradies=vōgel** *m.* 〖鳥〗 극락조, 풍조(風鳥).

paradox [paradɔ́ks] [gr. „gegen die (allgemeine) Meinung"] *a.* 역설적인, 배리의, 모순된(♈ *paradoxical*).

Paragrāph [paragá:f] [gr. „danebenhingeschriebenes (Zeichen)"] *m.* -en, -en, ① 패러그래프, 단락표(段落標)(§) (♈ *paragraph*). ② 단락, 절. ③ 관(款), 항, 개조(箇條)(*section*).

parallēl [paralé:l] [gr. „nebeneinander (herlaufend)"] *a.* 〖數〗 평행의; 《比》 상사(相似)의. **Parallēle** [-lé:lə] *f.* -n, 〖數〗 평행선; 《比》 대비, 비교.

Parallēl=kreis *m.* 〖地〗 위도권(緯度圈); 평행권(平行圈). **~laufend** *a.* 평행하는. **~linie** *f.* 평행선. **~schaltung** *f.* 〖電〗 병렬 접속. **~stelle** *f.* (서적 중의) 유사한 곳.

Paralȳse [paralý:zə] *f.* -n, 〖醫〗 마비(*paralysis*). **paralysieren** [paralyzí:rən] [gr. „v. der Seite lösen"] *t.* 마비시키다(♈ *paralise*). **paralȳtisch** *a.* 마비된.

Paranoi·a [pəranɔ́y-a] [gr.] *f.* 〖醫〗 편집(偏執)병〔광〕.

Pāranuß [pá:ra-] *f.* 〖植〗 부라질 너트《Para 는 지명; 기름은 식용》.

Paraphrāse [parafrá:zə] [gr.] *f.* -n, 패러프레이즈, 석의(釋義), 의역.

Paraplū, **Parapluie** [paraplý:] [fr.] *m.* u. *n.* -s, -s, 우산.

Parasīt [parazí:t] [gr. „Neben-〔Mit-〕esser"] *m.* -en, -en, 식객; 기생 생물. **parasītisch** *a.* 기식하는; 기생하는.

parāt [pará:t] [lat.] *a.* 준비가 된.

Paratȳphus [paratý:fus] [gr. -lat.] *m.* -, 〖醫〗 파라티푸스.

par avion [paravjɔ̃:] [fr. „durch Luftpost"] 항공편《우편물 표시》.

Pārchen [pé:rçən] [*dim.* v. Paar] *n.* -s, -, 한쌍〔한 짝〕의 것; 작은〔사랑스러운〕 두 사람《부부》; (Liebes~) 서로 사랑하는 남녀.

Parcours [parkú:r] [fr. „durchpaufende

Strecke"] *m.* -[-kú:r(s)], -[-kú:rs], (말의 장애물 경주에서의) 주로(走路).

Pardel [párdəl], **Parder** [gr.] *m.* -s, -, =PANTHER.

Pardon [pardɔ̃́:, -dɔ́ŋ] *m.* -s, ① 용서. ② [-dó:n] 사죄(赦罪), 대사; 〖軍〗 조명(助命).

Parenthese [parɛnté:zə] [gr. „Daneben-hineinin-gestelltes"] *f.* -n, ① 삽입문, 삽입구. ② 괄호(*parenthesis*).

par force [parfɔ́rs] [fr. „mit Gewalt] *adv.* 우격으로, 강제적으로.

Parforce=hund [parfɔ́rs-] *m.* 사냥개. **~jāgd** [-ja:kt] *f.* 몰이사냥.

Parfüm [parfý:m] *n.* -s, -e, 방향(芳香); 향료; 향수. **Parfümerie** [parfyməri:] *f.* ..rien, 향료 제조, 향료 판매소. **Parfümfläschchen** [-flɛʃçən] *n.* 향수병. **parfümieren** [parfymí:rən] [fr., *eig.* „durch-räuchern"] *t.* (에) 향내가 나게 하다, 향수를 뿌리다(♀*perfume, scent*). *refl*; (몸·옷 등에) 향수를 뿌리다.

pari [pá:ri:] [it. *aus* lat. *par* „gleich"] *adv.* 〖商〗 액면 가격으로, 평가(平價)로 (*at par*).

parieren [parí:rən] [lat.] 《Ⅰ》 *i.*(h.) 복종하다(*obey*). 《Ⅱ》 *t.* u. *i.*(h.) ① (공격을) 막다, 받아 넘기다, 제치다(♀*parry*). ② 세우다, 서다; (말을) 정지시키다. 《Ⅲ》 *t.* u. *i.*(h.) (내기에) 걸다.

Paris [parí:s, (fr.) parí] *n.* 파리.

paritätisch [paritɛ́:tɪʃ] *a.* 동등의, 평등의; 동권의. **Pāriwērt** *m.* 액면 가격, 평가.

Park [park] [fr. „umzäunter Raum"] *m.* -(e)s, -e 〔-s〕, ① 공원, 유원지(♀*park*). ② (Fuhr~) 차고; 주차장. **Park=anlāgen** *pl.* 공원(시설), 유원지; 정원. **parken** [párkən] *t.* u. *i.*(h.) 주차(駐車)하다(♀*park*).

Parkett [parkɛ́t] [fr. *parquet* „Gärtchen", *dim* v. Park] *n.* -(e)s, -e, 〖建〗 쪽매널 마루(♀*parquetry*); 〖劇〗일층 관람석《상등석》(*stalls*). **parkettieren** [parkɛtí:rən] *t.* 〖建〗 (에) 쪽매널 마루를 깔다.

Park=platz *m.* 자동차 주차장. **~uhr** *f.* 주차(때 요금을 투입하는 자동) 시계. **~verbōt** *m.* 주차 금지.

Parlament [parlamɛ́nt] [fr. „Besprechung"] *n.* -(e)s, -e, 국회, 의회(♀*parliament*). **Parlamentär** *m.* -s, -e, 담판자, 교섭 사절; 군사(軍使). **Parla=mentārīer** [-tá:rīər] *m.* -s, -, 국회의원. **parlamentārisch** *a.* 의회의, 국회의. **parlamentieren** *i.*(h.) 담판〔교섭·상의〕하다(♀*parley*).

Parlaments=beschluß *m.* 의회의 결의, 의결. **~gebäude, ~haus** *n.* 국회 의사당. **~mitglied** *n.* 국회 의원. **~sitzung** *f.* 의회의 회의〔회기〕.

Parnaß [parnás] *m.* ..sses, 〖希神〗 파르나소스 산(山); 《比》 문단(文壇).

Parnassien [parnasjɛ̃́] [fr. <Parnaß] *m.* -s, -s, (19세기 후반의) 프랑스 고답파 시인.

Parodie [parodí:] [gr. „Nebengesang"] *f.* ..dīen, 《詩》 파로디, 희시(戱詩)(♀*parody*). **parodieren** *t.* 비꼬아 흉내내다, 놀리다(♀*parody*)

Parole [paró:lə] [fr. „Wort"] *f.* -n, ① 암호(暗號)(♀*parole, password*); 《比》 표어(標語)(*slogan*). ② 맹세, 서약.

Paroxysmus [parɔksýsmus] [gr. -lat.] *m.* -, ..men, 〖醫〗 발작, 경련.

Parrizida [paritsí:də] [lat.] *m.* -s, -s, 부친 살해, 육친 살해.

Part [part] [fr. *aus* lat. *pars* „Teil"] *m.* 〔*n*〕. -(e)s, -e, 부분(♀*part*); 몫, 배당(*share*).

Partei [partái] [Lw. mlat. *partita* „Abspaltung"] *f.* -en, ① 당(黨), 파(♀*party*); (politische ~) 정당(*faction*); 편, 팀. ② 〖法〗 (소송) 당사자, 상대방. ¶ für〔gegen〕 jn. ~ nehmen 〔ergreifen〕 아무의 편〔반대편〕을 들다.

Partei=blatt *n.* 당(黨)기관지. **~būch** *n.* 당원 명부. **~eifrig** *a.* 당파심이 강한. **~führer** *m.* 당수. **~gänger** *m.* 정당인; 당원. **~geist** *m.* 당의 지도 이념; 당파심. **~genoß, ~genosse** *m.* 당원. **~hauft** *n.* =~FÜHRER. **~=herrschaft** *f.* 정당 정치.

parteiisch [partáiɪʃ] *a.* 당파심이 있는, 당파적인; 불공평한, 편파적인. =PARTEIISCH.

parteilich [partáilɪç] *a.* 당파의; =PARTEIISCH.

parteilōs [partáilo:s] *a.* 당파에 속하지 않은; 무소속의; 불편 부당의, 중립의.

Partei=mann *m.* 정당인. **~mitglied** *n.* 당원. **~nahme** *f.* 편듦, 가담. **~=programm** *n.* 당의 강령, 정강. **~=regierung** *f.* 정당 정치. **~sucht** *f.* (열렬한) 당파심. **~tāg** *m.* 당대회.

Parteiung [partáiuŋ] *f.* -en, 당파로 갈라짐〔가름〕; 불화; 당, 파, 폐.

Parterre [partɛ́r(ə), -tɛ́:r] [fr. *par terre* „auf der Erde"] *n.* -s, -s, 최하층, 일층(*groundfloor*); 〖劇〗 (이층 바로 밑) 좌석(*pit*); 화단.

Partie [partí:] [fr.] *f.* ..tīen, ① 부분, 부; 곳(♀*par*). ② 동아리, 일행; 한 자리의 손님, (경기 따위의) 조(組), 놀이의 한패〔상대〕(♀*party*); (상품의) 한 몫, 한 건. ③ (Land~) 야유회, 들놀이회, (Spiel~) (놀음의) 한판(*game*). ④ (Heirats~) 결혼, 배필, 배우자(*match*). ⑤ 〖樂〗 분보(分譜), 성부(聲部)(♀*part*).

Partikel [partí:kəl] [lat. „Teilchen"] *f.* -n, ① 소부분; 조각; 〖物〗 미립자(微粒子). ② 〖文〗 불변화사(♀*particle*).

partikulār, partikulār [partiku-] *a.* 개개〔단독〕의, 개별적인; 특수한. **Par=tikulārfriede** *m.* 단독 강화. **Parti=kularismus** [partikularísmus] *m.* -, 연방〔각주〕 분립주의, 지방 분권주의. **Partikularist** *m.* -en, -en, 분립주의자. **partikularistisch** *a.* 분립주의의; 《比》 옹졸한.

Partisan [partizá:n] [fr. -it. „Parteigänger"] *m.* -s, -e(n), 별동대원(別動隊員), 유격병, 빨치산.

Partitūr [partitú:r] [lat. -it „Einteilung"] *f.* -en, 〖樂〗 총보(總譜)(*score*).

Partizip [-tsí:p] [lat.] *n.* -s, ..pīen 〖文〗분사(分詞)(♀*participle*). **Partizi=patiōn** [-patsió:n] [lat.] *f.* -en, 관여, 참가.

Partner [pártnər] [engl., <lat. *pars*

„Teil"] *m.* -s, -, 동아리; 상대; 반려(伴侶); 한편인 사람《유희 따위의》; 〖商〗 사원, 조합원. **Partnerschaft** *f.* -en, 파트너십《공동, 협력, 제휴》.

Parze [pártsə] [lat.] *f.* -n, 〖羅神〗 운명의 여신《≒〖希神〗 Moira》.

Parzelle [partsélə] [fr., <lat. *pars* „Teil"] *f.* -n, 한 구획의 토지, 분할지(♈*parcel, lot*). **parzellieren** *t.* 분할〔분양〕하다《토지를》.

Pasch [paʃ] [Lw. fr.] *m.* -(e)s, -e *u.* ⸚e, 파시《세 주사위 모두 또는 둘이 같은 점이 나오기》.

Pascha [páʃa] [pers. -türk.] *m.* -s, -s, 터키 또는 이집트의 고관 및 군인에 대한 경칭《고유 명사 뒤에 연결함》. ¶ Kemal ~ 케말 파샤.

paschen [páʃən] [fr. *passer* „(die Landesgrenze) überschreiten"] *t.* 밀수하다, 밀매매하다(*smuggle*). **Pascher** *m.* -s, -, 밀수꾼, 밀매매자.

Paspel [páspəl] *f.* -n, od. *m.* -s, -, (옷 특히 제복 따위의) 깃 가장자리 장식.

Pasquill [paskvíl] [it.] *n.* -s, -e, (익명(匿名)의) 비방문, 풍자시〔문〕(*squib, lampoon*).

Paß [pas] *m.* Passes, Pässe, ① 통행증, 신분 증명서, 여권(*passport*). ② 통로, 애로(隘路), 샛길(♈*pass*); 고갯길(*passage*). ③ (말의) 같은 쪽 앞뒷발을 동시에 앞으로 내미는 걸음 법(♈*pace, amble*). **Passage** [pasá:ʒə] *f.* -n, ① 통행, 통과; 도항; 통로, 복도; 항로, 수로. ② 장구(章句), 구, 절. **Passagier** [pasaʒí:r] [fr.] *m.* -s, -e, 여객, 승객(♈*passenger*).

Passagier=dampfer [pasaʒí:r-] *m.* 여객선. ~**flūgzeug** [-flu:ktsɔyk] *n.* 여객(비행)기. ~**geld** *n.* 여객 운임. ~=**gepäck**, ~**gūt** *n.* 여객 수화물. ~=**liste** *f.* 여객 명부. ~**schiff** *n.* 여객선. ~**stūbe** *f.* (승차·승선을 위한) 대합실.

Passah [pása:] [hebr. „Verschonung"] *n.* -s, ~**fest** *n.* 〖宗〗 유월절(踰越節) (*Passover*); =OSTERN.

Paß·amt [pás-amt] *n.* 여권 교부처.

Passant [pasánt] [fr. „Vorübergehender"] *m.* -en, -en, 통행인; 여행자(*passerby*).

Passāt [pasá:t] [ndl. <lat. *passus* „Schritt"] *m.* -(e)s, -e, ~**wind** *m.* 무역풍.

passen [pásən] [Lw. fr. *passer* „gehen, vorbei-, vorübergehen", <lat. *passus* „Schritt"] 《Ⅰ》 *i.*(h.) ① 꼭 맞다, 적합하다, 알맞다, 어울리다(*fit, suit*). ② (auf jn. 〔et.〕, 아무를〔무엇을〕) 기다리다, 잠복해서 기다리다, 엿보다; (에) 주의하다, 조심하다. ③ (놀음·놀이에서) 자기의 차례를 거르다, 패스하다(♈*pass*). 《Ⅱ》 *refl.* 알맞다, 어울리다, 걸맞다(*be becoming, be seemly*). 《Ⅲ》 *t.*: et. an 〔auf〕 et.[4] ~ 무엇을 무엇에 맞추다, 맞게 하다, 걸맞게 하다. 《Ⅳ》 **passend** *p. a.* 적합한, (알)맞은; 안성마춤인.

Passepartout [paspartú:] [fr. „gehe überall"] *m.* od. *n.* -s, -s (öst.: *n.* -(s), -s), 결쇠(*masterkey*); 정기권(券).

passierbār [pasí:rba:r] *a.* 통행〔통과〕할 수 있는. **passieren** [pasí:rən] [fr. *passer* „gehen"; passen 과 同語] 《Ⅰ》 *t.* u. *i.* 통과〔통행〕하다(♈*pass*). 《Ⅱ》 *i.* (s.) ① 지나다, 지장 없다. ② 생기다, 일어나다(*come to pass, happen*). ③ für et. ~ 무엇으로 통하다.

Passier=schein, ~**zettel** *m.* 통행증, 여권; (상품의) 수입 허가증.

Passiōn [pasió:n] [lat., <*pati* „leiden"] *f.* -en, ① 고난; 〖宗〗 그리스도의 수난. ② (Leidenschaft) 격정, 정열; 열중, 버릇, 번뇌, 도락(道樂). **Passionāl** [pasioná:l], **Passionār** [-ná:r] [lat.] *n.* -s, -e, 《比》 성인 순교자 수난 이야기《그 성인의 축일에 독송됨》. **passio=niert** [pasioní:rt] *p. a.* 열광〔감격·열중〕한; 정열적인.

passiv [pási:f, pasí:f] [lat., <*pati* „leiden"] *a.* ① (leidend) 피동의, 수동적인; 소극적인, 퇴영적인. ② 〖商〗 부채(負債)가 되는, 결손(缺損)의. **Passiv** *n.* -s, -e, 〖文〗 수동태. **Passiva** [pasí:va], **Passiven** *pl.* 부채. **Passiv=handel** *m.* 수입 무역. **passivieren** [-ví:rən] *t.* 〖商〗 (장부의 대변 항목을) 차변으로 옮기다.

Passivum [pasí:vum] *n.* -s, ..va, =PASSIV.

Paß=karte *f.* 여권; 〖海〗 수로도(水路圖), 해도. ~**kontrolle** *f.* 여권 검사.

paßlich [páslıç] *a.* 꼭 알맞은, 적절〔적합〕한.

Paß=wart *m.* 통행 감시인, 문지기. ~**wēsen** *n.* 여권 제도〔사무〕. ~**wort** *n.* (*pl.* -e) 변말. ~**zwang** *m.* 여권 휴대 및 제시 의무.

Paste [pástə] [it. „Teig"] *f.* -n, 풀, 반죽(♈*paste*).

Pastell [pastél] 《Ⅰ》 *m.* -(e)s, -e, 〖畫〗 파스텔. 《Ⅱ》 *n.* -(e)s, -e, 파스텔화.

Pastell=farben *pl.* 파스텔. ~**māle=rei** *f.* 파스텔화(법). ~**stift** *m.* 파스텔.

Pastēte [pasté:tə] [mlat., <lat. *pasta* „Teig"] *f.* -n, 반죽하여 구운 과자(♈*pastry*); 파이(*pie*).

Pastor [pástɔr, pastó:r] [lat. „Hirt"] *m.* -s, -en [-tó:rən], (가톨릭의) 주임 신부; (신교의) 목사. **Pastōrentochter** [pastó:rən-] *f.* 목사 딸. ¶ unter uns Pastorentöchtern 우리만으로, 은밀히.

Pastorin *f.* -nen, 목사의 아내.

Pāte [pá:tə] [<lat. *pater* (*spirituālis*) „(geistlicher) Vater"] 《Ⅰ》 *m.* -n, -n, 세례 입회인; 대부(代父)(*godfather*). 《Ⅱ》 *f.* -n, 대모(*godmother*).

Pāten=geschenk *n.* (대부·대모로부터의) 세례 선물. ~**kind** *n.* (대부·대모에 대한) 대자(代子).

Pātenstelle [pá:tənʃtɛlə] *f.* 대부〔대모〕의 역할〔지위〕. ¶ ~ vertreten 대부〔대모〕가 되다.

Patent [patént] [mlat. (*littera*) *patens* „Frei(-brief)"] *n.* -(e)s, -e, 면허장; (특히) 특허(장·권)(♈*patent*); (장교 임명) 사령(*commission*).

Patent=amt *n.* 특허청. ~**anwalt** *m.* 변리사(辨理士). ~**brief** *m.* 특허장. ~**gesetz** *n.* 특허법.

patentfähig [paténtfɛːɪç] *a.* 특허를 얻을 수 있는《발명품 따위》.
patentieren [patɛntíːrən] *t.* 특허하다.
Patent·inhaber *m.* 특허권 소유자. **~nadel** *f.* 안전핀. **~recht** *n.* 특허권. **~schutz** *m.* 특허권 보호. **~sucher** *m.* 특허 출원인. **~träger** *m.* 특허권 소유자. **~verletzung** *f.* 특허권 침해.
Pater [páːtər] [lat. „Vater"] *m.* -s, - *u.* ..tres [-treːs, -trɛs], 아버지; (특히) 신부(神父). **Paternoster** [paːtərnɔ́stər] [„Vater-unser"] *n.* -s, -, 〖宗〗 주기도문(“하늘에 계신 우리 아버지”라는 말로 시작되는).
Paternoster·aufzug *m.* 〖工〗 윤쇄식(輪鎖式) 자동 엘리베이터. **~werk** *n.* 사슬 펌프; 윤쇄식 준설기(浚渫機).
pathetisch [patéːtɪʃ] [gr. „leidend", <Pathos] *a.* 장중한, 비장한; 격앙(激昂)한(♈ *pathetic*).
Pathologie [patologíː] [gr. *páthos* „Leiden"] *f.* 병리학(病理學). **pathologisch** *a.* 병리학의; 병적인.
Pathos [páːtɔs] [gr. „Leiden"] *n.* -, (Leidenschaft) 격정, 열정; 비창(悲愴); 장중(莊重).
Patient [patsiɛ́nt] [lat., <*pati* „leiden"] *m.* -en, -en, **Patientin** *f.* -nen, 병자, 환자.
Patin [páːtɪn] *f.* -nen, 〖宗〗 대모(代母).
Patri·arch [patriárç] [gr. „Erz-vater", *vgl.* archi-] *m.* -en, -en, 가장(家長), 족장(族長). **patriarchalisch** *a.* 가장의, 가장 같은; 존경할; 조상의 습관[방식]대로의. 「세습의; 봉건의.」
patrimonial [patrimoniáːl] [lat.] *a.*
Patriot [patrióːt] [gr. -fr.] *m.* -en, -en, 애국자. **patriotisch** *a.* 애국[우국]의. **Patriotismus** *m.* -, 애국심.
Patrizier [patríːtsiər] [<lat. *patrēs* „Väter"] *m.* -s, -, 문벌가, 귀족(♈ *patrician*).
Patron [patróːn] [lat., <*pater* „Vater"] *m.* -s, -e, 비호자(庇護者), 후원자; 패트런; 〖宗〗 수호 성인(守護聖人); 《俗》 녀석, 놈. **Patronat** [patronáːt] *n.* -(e)s, -e, 보호[비호·후원]자의 지위[직·권한](*patronage*).
Patrone [patróːnə] [fr.] *f.* -n, 〖軍〗 탄약통, 탄피(*cartridge*); 〖工〗 형(型), 형판(型板)(*pattern*). 「창 케이스.」
Patronentasche [patróːnəntaʃə] *f.* 탄
Patrouille [patrúljə, -trúːjə] [fr.] *f.* -n, 순찰, 정찰; 순찰[정찰] 부대(♈ *patrol*). **patrouillieren** [patrʊljíːrən] *i.*(h. *u.* s.) 척후[정찰·순찰]하다.
patsch! [patʃ] 《I》 [擬聲語] *int.* 찰싹, 철벅. 《II》 **Patsch** *m.* -es, -e, 찰싹[철벅]하는 소리; 빰을 침; 따귀를 갈김.
Patsche [pátʃə] [Patsch의 別形] *f.* -n, 찰싹하는 소리; 손; (철벅철벅하는) 진창, 진흙. ¶ in der ~ sein [stecken] 궁지에 빠지다. **patschen** 《I》 *i.*(h.) 찰싹[철벅·철벙]하고 소리나다; (h. *u.* s.) 철벅철벅 걷다. 《II》 *t.* 탁[찰싹] 치다.
Patsch·hand *f.*, **~händchen** *n.* (어린 아이의) 손. **~naß** [pátʃnás] *a.* 흠뻑 젖은.
patzen [pátsən] *t.* u. *i.*(h.) 《俗》 결날리다; 서투르다. **patzig** *a.* 거만한, 건방진(*insolent, pert*).
Pauke [páukə] *f.* -n, (Kessel~) 팀파니(*kettle-drum*); 고실(鼓室)《귀의》(*tympanum*); 《比》 꾸지람(*lecture, rebuke*).
pauken [páukən] 《I》 ① *i.*(h.) 팀파니를 치다; (또: *refl.*) 결투하다. 《II》 *t.* (팀파니를) 치다; 《俗》 (학생의 머리 속에) 주입하다《선생이》(*swot, cram*).
Pauken·schlag *m.* 팀파니의 소리. **~wirbel** *m.* 팀파니의 연타(連打).
Pauker [páukər] *m.* -s, -, 팀파니 연주자; 《俗》 주입식 교사. **Paukerei** *f.* -en, 《俗》 결투; 싸움.
Paul(us) [pául(ʊs)] [gr. „der Kleine"] *m.* 바울《남자 이름》.
Paus·backe [páusbakə] *f.* -n, 살이 두둑한 빰. **~bäckig** *a.* 빰의 살이 두둑한, 빰이 토실토실한.
Pauschale [pauʃáːlə, -leː] *n.* -s, ..lien, **Pauschalquantum** *n.* 전액(全額); 전배상액.
Pauschalreise [pauʃáːlraizə] *f.* (비용을) 일괄(하는) 여행《단체의 쿠퐁권 여행 따위》.
Pauschalsumme *f.* =PAUSCHALE.
Pause[1] [páuzə] [gr. -lat. -fr.] *f.* -n, 중단(中斷), 휴지(休止), 정지(♈ *pause, stop*); 휴게, 막간(幕間)(*interval, break*); 〖樂〗 휴지(休止)(*interval, rest*).
Pause[2] [páuzə] [lat. -fr.] *f.* -n, 투사(透寫), 깔고 베낌(*tracing, traced design*).
pausen[1] [páuzən], **pausieren** *i.*(h.) 휴지[정지]하다; 중간에 쉬다, 휴식하다.
pausen[2] *t.* 깔고 베끼다, 투사하다.
Pauspapier [páuspapiːr] *n.* 깔고 베끼는 종이, 투사지, 묵지(墨紙).
Pavian [páːviaːn] [ndl., <fr. *babine* „Maul"] *m.* -s, -e, 〖動〗 비비(狒狒)(♈ *baboon*).
Pavillon [pavɪljɔ̃ː, pávɪljɔ̃ː] [fr.] *m.* -s, -s, 천막, 가옥(假屋); 정자(亭子); 원형 음악당.
Pazifismus [patsifísmʊs] [lat.] *m.* -, 평화주의. **Pazifist** *m.* -en, -en, 평화주의자.
Pech [pɛç] [Lw. lat.] *n.* -(e)s, (種類를 나타낼 때) -e, ① 피치, 역청(瀝青)(♈ *pitch*); (Schuster~) 수지랍(樹脂臘)《구두를 깁는 실에 칠함》(*wax*). ② 《俗》 곤경, 불운. ¶ 《比》 tief im ~ sitzen 심한 곤경에 빠져 있다 / ~ haben 운이 사납다, 혼나다.
pech·artig *a.* 피치 모양의. **~draht** *m.* 수지랍(樹脂臘)을 칠한 구두 깁는 실. **~finster** *a.* 캄캄한. 「인; 점착성의.」
pechig [pɛ́çɪç] *a.* 역청질의; 역청투성이
Pech·kohle *f.* 〖鑛〗 역청탄(瀝青炭), 유연탄. **~nelke** *f.* 〖植〗 벌레잡이패랭이꽃 무리. **~pflaster** *n.* 〖醫〗 송지경고(松脂硬膏). **~schwarz** *a.* 시꺼먼, 칠흑의. **~vogel** *m.* 불행한 사람, 불운아. 「-s, -e, 페달, 발판.」
Pedal [pedáːl] [lat., <*pēs* „Fuß"] *n.*
Pedant [pedánt] [fr. *u.* it., *eig.* „Hofmeister"] *m.* -en, -en, 꼼꼼장이, 옹졸한 사람; 고루한 사람. **Pedanterie**

[pedantərí:] *f.* ..rien, 조그마한 일에 잔소리함, 좀스러움, 옹졸함; 고루. **pedantisch** *a.* 조그마한 일에 잔소리하는, 옹졸한; 고루한.

Pedell [pedέl] [mlat. *aus* d. Büttel] *m.* -s *u.* -en, -e, 정리(廷吏)(♀*beadle*); (대학의) 수위(*proctor's man*).

Pegel [pé:gəl] [Lw. lat.] *m.* -s, -, 수위계(水位計)(*water gauge*). **pegeln** *t.* u. *i.*(h.) 수심을 재다. **Pegelstand** *m.* 수위(水位).

peilen [páilən] [<Pegel] *t.* (측연(測鉛)으로) 수위[수심(水深)]을 재다(*sound*); (나침의 또는 방향 탐지기로) 방위를 측정하다. **Peilfunk** *m.* 방향 표시 전파, 빔. **Peilung** [páiluŋ] *f.* -en, 수위[수심]의 측정; 방향 탐지, 방위 측정.

Pein [pain] [Lw. lat. *poena* „Strafe"] *f.* 고문(*torture*); 고통(*pain*); 고뇌, 오뇌(*agony*). **peinigen** *t.* 괴롭히다, 들볶다. **Peiniger** *m.* -s, -, 괴롭히는 사람; 고문자. **Peinigung** *f.* -en, 괴롭힘, 고문, 학대. **peinlich** *a.* 괴로운, 통절한(*painful*); (~ genau) 지나치게 면밀한[꼼꼼한] (*precise, scrupulous*); 〖法〗 형사상(刑事上)의(*capital*). **Peinlichkeit** *f.* -en, 위임; 지나치게 면밀[꼼꼼]함.

Peitsche [páitʃə] [Lw. tschech.] *f.* -n, 채찍, 회초리(*whip, scourge, lash*). **peitschen** [páitʃən] *t.* 채찍질하다 (*whip, flog*); 《比》 편달하다, 몰아대다.

Peitschen-hieb [-hi:p] *m.* 채찍질; 《比》 편달(鞭撻). **~schnur** *f.* 채찍의 끈. **~stiel, ~stock** *m.* 채찍의 자루. **~wurm** *m.* 편충(鞭蟲).

pekuniär [pekuniέ:r] [fr.] *a.* 금전(상)의, 재정상의(♀*pecuniary*).

Pelerine [pelərí:nə] [fr.] *f.* -n, (여성용의) 케이프(*cape*); (털가죽의) 소매 없는 망토(*tippet*).

Pelikan [pé:lika:n, peliká:n] [gr.-lat.] *m.* -s, -e, 〖鳥〗 펠리컨.

Pelle [pέlə] [Lw. lat.] *f.* -n, (벗길 수 있는) 엷은 껍질《특히 감자 또는 소시지의》(♀*peel, skin*). **pellen** *t.* u. *i.*(h.) (의) 껍질을 벗기다. **Pellkartoffel** *f.* 껍질째 삶은 감자.

Pelz [pεlts] [Lw. lat.] *m.* -es, -e, 털가죽《동물의》(♀*pelt, fur*); 털가죽으로 된 옷; (특히) 모피 외투[목도리]; 《俗》 (사람의) 피부. ¶jm. auf den ~ rücken 아무에게 육박하다, 아무에게 대들다. **pelzen** [pέltsən] 《I》 *t.* (의) 모피를 벗기다. 《II》 *a.* 모피(제)의.

Pelz-futter *n.* (의복의) 모피 안. **~händler** [-hεndlər, -hεntl-] *m.* 모피 장수. **~handschuh** *m.* 모피 장갑. **~kragen** *m.* 모피의 깃[목도리]. **~mantel** *m.* 모피 외투. **~waren** *pl.*, **~werk** *n.* 모피 제품(류).

Pendel [péndəl] [mlat. „Herabhangendes"] *n.* (*m.*) -s, -, 〖物〗 진자(振子)(♀*pendulum*). **pendeln** [péndəln] *i.*(h.) (진자처럼) 진동하다(*swing, oscillate*); 오락가락하다; (mit, 을) 흔들흔들 움직이다; 《俗》 빈들거리다.

Pendel-schwingung *f.* 진자 운동. **~uhr** *f.* 추시계. **~verkehr** *m.* 〖鐵〗 (단선) 내왕 운전. **~zug** *m.* 내왕 운전을 하는 열차. 「다니는 노무자.」

Pendler [péndlər] *m.* -s, -, 통근차로

Penicillin, Penizillin [penitsılí:n] [lat.] *n.* -s, -e, 〖藥〗 페니실린.

Pennal [pεná:l] [lat., <*penna* „Feder"] *n.* -s, -e, 고등 학교. **Pennäler** *m.* -s, -, 고등 학생.

Pennbrüder [pénbru:dər] *m.* 부랑자(浮浪者), 뜨내기(*tramp*). **Penne** [pénə] *f.* -n, 《俗》 주막, 도둑의 소굴인 여인숙. **pennen** *i.*(h.) (주막·도둑의 소굴인 여인숙에) 묵다.

Pension [pãzió:n, pãsió:n, pεnzĭ-, 稀 pãsĭɔ̃:] [fr.] *f.* -en, ① 연금; 유가족 부조료. ② 하숙비, 식비(*boarding*). ③ 하숙집, 기숙사; (여자) 기숙 학교. **Pensionär** [pãzĭonέ:r, pãsĭ-, pεnzĭ-] *m.* -s, -e, ① 연금 수령자. ② 하숙인; 기숙 학교 학생. **Pensionat** [pãzĭoná:t, pãsĭ-, pεnzĭ-] *n.* -(e)s, -e, 기숙 학교. **pensionieren** [pãzĭoní:rən, pãsĭ-, pεnzĭ-] *t.* (에게) 연금을 주어 퇴직시키다. ¶sich ~ lassen 연금을 받고 퇴직하다.

Pensum [pénzum] [lat.] *n.* -s, ..sen *od.* ..sa, 과업(課業)(*lesson*); 과제, 숙제(*task*), 일과; 벌과(罰課).

Pentagramm [pεntagrám] [gr. "Fünf-(winkel)-zeichen"] *n.* -s, -e, 오망성형(五芒星形)《마귀를 물리치는 부호, 프리메이슨 비밀 결사(結社)의 마크》(☆).

per [pεr] [lat., it.] *prp.* 《4格支配》 ① 《方法·手段》에 의하여. ¶ ~ Adresse (des) Herrn *N.* 모씨댁, 편《편지의 표기》/ ~ Post 우편으로. ② …마다, 에 대해 (=je). ¶zweimal ~ Jahr 매년 두 번.

perennierend [pεrεní:rənt, perε-] [lat., *per* „durch", *annus* „Jahr"] *a.* 〖植〗 사철을 통해 사는, 다년생의.

perfekt [pεrfékt] [lat. „durch und durchgemacht"] 《I》 *a.* 완전한. 《II》 **Perfekt** [pérfεkt, pεrfékt] *n.* -(e)s, -e, **Perfektum** *n.* -s, ..ta, 〖文〗 완료; (특히) 현재 완료.

perforieren [pεrforí:rən] [lat. „durchbohren"] *t.* 구멍을 뚫다(♀*perforate*).

Pergament [pεrgamént] [lat.] *n.* -(e)s, -e, 혁지(革紙); (특히) 양피지(羊皮紙)《고대의 산지(產地) Pergamon의 이름에서》; (양피지에 쓰여진) 사본(寫本), 고문서(古文書). **Pergamentpapier** *n.* 모조 양피지, 황산지(黃酸紙).

perhorreszieren [pὲrhɔrεs-tsí:rən] *t.* 두려워하다, 싫어하다; 〖法〗 기피하다.

Periastron [peri-ástrɔn], **Periastrum** [gr.] *n.* -s, ..tren, 〖天〗 근성점(近星點). **Perigäum** [-gέ:um] *n.* -s, ..gäen, 〖天〗 근지(近地)점《특히 달의》. **Perihel** [-hé:l] *n.* -s, -e, 〖天〗 근일점(近日點).

Peri-ode [perió:də, perĭó:-] [gr. „Herum-weg"] *f.* -n, 주기(♀*period*); (역사상의) 시기, 시대(*era*); 〖生理〗 월경(♀*periods*); 〖樂〗 완전 악장(完全樂章). **periodisch** [perió:dıʃ, perĭó:-] *a.* 순환적인; 주기적인. ¶~er Dezimalbruch 순환 소수 / ~ (*adv.*) vorkommen 주기적으로 나타나다.

Peripherie [periferí:] [gr. „Herumtragen"] *f.* ..rien, 주위, 주변; 변두리; 〖數〗 원주. **Peripheriewinkel** *m.* 원주각. **peripherisch** *a.* 주위의, 원주(상)의; 《比》 외면적인, 말초적인.

perl·artig [pérl–] *a.* 진주와 같은. **∼asche** *f.* 진주회(眞珠灰) 《조제(粗製) 탄산칼리》.

Perle [pérlə] [lat. *pirula* "kleine Birne"] *f.* -n, 진주(*♈ pearl*); (Glas∼) 유리알(*bead*). **perlen** [pérlən] *i.*(h.)(진주 같은) 거품을 내다(*effervesce*); 진주처럼 빛나다(*sparkle*).

Perlen·auster *f.* 진주조개. **∼fischer** *m.* 진주 채취자. **∼kette** *f.* 진주 사슬〔목걸이〕. **∼schmuck** *m.* 진주 장식. **∼schnur** *f.* 진주를 꿴 끈, 진주목걸이.

Perl·graupen *pl.* 진주알처럼 곱게 찧은 보리. **∼huhn** *n.* 〖鳥〗 호로호로새 《서아프리카산》(*guinea fowl*). **∼mutter** [보통 perlmútər] *f.* 진주모(母)《이매패류(二枚貝類) 조가비의 최내층(最內層)》. **∼mutter·wolke** *f.* 진주모 구름 《주위가 무지개색인 구름》. **∼schrift** *f.* 〖印〗 5포인트 활자.

perlustrieren [pɛrlustrí:rən] *t.* 정밀 검사하다, 상세하게 조사하다.

per·manent [pɛrmanént] [lat. „hindurch-bleibend"] *a.* 지속〔영속〕하는, 항구적인, 불변의. **Permanenz** *f.* 영속, 지속, 항구, 불변.

Permission [pɛrmɪsió:n] *f.* -en, 허가.

Permutation [pɛrmutatsió:n] [lat.] *f.* -en, 〖數〗 순열.

perniziös [pɛrnitsiǿ:s] [lat.] *a.* 유해한; 〖醫〗 악성의.

per·orieren [pɛr-orí:rən] *i.*(h.) 연설하다; 열변을 토하다, 사자후(獅子吼)하다.

Perpendikel [pɛ̀rpɛndí:kəl] [lat. *pendere* „hängen"] *m.* od. *n.* -s, -, 수직선 (*♈ perpendicular* (*line*)); (시계의) 추 (*pendulum*); 측연(測鉛). **perpendikulär, perpendikular** *a.* 수직의.

Perser [pérzər] *m.* -s, -, **Perserin** *f.* -nen, 페르시아인. **Persien** [pérzīən] *n.* 페르시아《지금의 이란》. **persisch** *a.* 페르시아의.

persiflieren [pɛrziflí:rən] *t.* 조롱하다, 빗대어 빈정대다.

Persil [pɛrzí:l] [=*Per*borat *u. Sil*ikat] *n.* -s, 베르질《세제(洗劑)의 이름》.

Person [-zó:n] [lat., *eig.* „Maske"] *f.* -en, 〖劇〗인물, 역(役); 신분, 신원, 인품; 《一般的》 인격(적 존재), 사람, 인간; 개인, 인물, 자신; 〖文〗 인칭(人稱). ¶ m–e geringe ∼ 불초(不肖) / in (eigener) ∼ 스스로, 몸소 /klein von ∼ 몸집이 작은. **personal** [pɛrzoná:l] 《Ⅰ》 *a.* 사람의; 신분의. 《Ⅱ》 **Personal** *n.* -s, -e, 《總稱》 인원, 직원, 종업원, 단원, 하인(*♈ personnel, staff*).

Personal·ab·bau *m.* 인원 정리. **∼abteilung** *f.* 인사과. **∼akten** *pl.* 이력 서류. **∼ausweis** *m.* 신분 증명서. **∼beschreibung** *f.* 인상서(人相書). **∼frage** *f.* 신상에 관한 질문; 인사 문제.

Personalien [pɛrzoná:līən] *pl.* 인품, 행상(行狀), 이력(서); 인신 공격.

Personalpronomen [pɛrzoná:lprono:mən, –mɛn] *n.* 인칭 대명사.

Personen·aufzug *m.* 사람을 나르는 승강기, 엘리베이터. **∼dampfer** *m.* 여객선(船). **∼firma** *f.* 회사명에 인명을 붙인 상사. **∼kraftwagen** *m.* 승용 자동차(略: Pkw.). **∼name** *m.* 인명(人名). **∼stand** *m.* 신분. **∼tarif** *m.* 여객 운임. **∼verzeichnis** *n.* (배 따위의) 승객 명부; 〖劇〗등장 인물표. **∼wagen** *m.* 승용마차, 역마차; 〖鐵〗 객차(客車). **∼zug** *m.* 여객 열차; 보통(여객) 열차.

personifizieren [pɛrzonifitsí:rən] [lat. „zur Person machen"] *t.* 인격화하다, 의인화(擬人化)하다; 체현(體現)하다; (의) 화신〔권화〕이다(*♈ personify*).

persönlich [pɛrzǿ:nlɪç] [<Person] *a.* 사람의, 일신상의, 자신의(*♈ personal*); 개인의(*individual*); 〖文〗 인칭의. ¶ ∼ (*adv.*) kennen 개인적으로〔직접〕 알고 있다 / ∼ werden 개인적 비평〔인신공격〕에 이르다. **Persönlichkeit** *f.* -en, 인격, 개성, 인품; 사람, 인물.

Perspektive [pɛr-spɛktí:və] [lat., < *perspicere* „durch-sehen"] *f.* -n, (풍경을) 내다봄, 조망, 전망; 〖畫〗 원근법; 《比》 가망, 희망. **perspektivisch** *a.* 원경의; 원근법의; 원근의 구별이 있는; 장래를 내다본.

persuadieren [pɛrzuadí:rən] *t.* 설득하다; 권유하다; 믿게 하다.

Perücke [perýkə] [fr., <lat. *pilus* „Harr"] *f.* -n, 가발(*wig*).

per·vers [pɛrvérs] [lat., ver-kehrt"] *a.* 도착(倒錯)된; 반자연(反自然)의; 성적(性的) 도착증의. **Perversität** *f.* -en, 도착; 빙퉁그러짐; 사악; (성적) 도착.

Perzeption [pɛrtsɛptsió:n] *f.* -en, 〖哲〗 지각(知覺); 〖法〗 수득(收得). **perzipieren** *t.* 지각하다; 영수〔수득〕하다.

Pessimismus [pɛsimísmus] [<lat. *pessimus* „schlechtest"] *m.* -, 염세관(厭世觀); 비관, 염세. **Pessimist** *m.* -en, -en, 염세주의자, 비관론자. **pessimistisch** *a.* 염세관의; 비관적인.

Pest [pɛst] [lat.] *f.* -en, 역병(疫病). 페스트, 흑사병 (*♈ pestilence, plague*); 《比》 지겨운 것; 해독(害毒)(*nuisance*). **pestartig** *a.* 페스트〔역병〕 같은.

Pestbeule [péstbɔylə] *f.* 페스트선종(腺腫); 《比》 해독.

Pestilenz [pɛstiléntś] [lat.] *f.* -en, = PEST. **pestilenzialisch** *a.* 페스트성(性)의, 역병성의.

pest·krank *a.* 페스트에 걸린. **∼luft** *f.* 페스트 병독을 품은 공기; 독기.

Petent [petént] *m.* -en, -en, 청원자, 신청인.

Peter [pé:tər] [gr. „der Fels"] *m.* 남자 이름. **Peter·silie** [pe:tərzí:līə] [lat. „Steineppich"] *f.* -en, 〖植〗 약미나리, 파슬리(*♈ parsley*).

Petition [petitsió:n] [lat. „Bitte"] *f.* -en, 청원(請願)(서). **petitionieren** *i.*(h.) 청원하다, 청원서를 제출하다.

Petitum *n.* s, ..ta, 청원, 신청.

Petrefakt [petrefákt] *n.* -(e)s, -e(n), 〖地〗 화석.

Petrole·um [petró:leum] [<gr. *pétros* „Stein" *u.* lat. *oleum* „Öl"] *n.* -s, 석유.

Petrole·um≈äther *m.* 석유 에테르. **~kocher** *m.* 석유 풍로. **~ofen** *m.* 석유 난로. **~quelle** *f.* (석)유정.

Petrus [pé:trus] [gr. „Fels"] *m.* ..trī 〔*od.* des ~〕 남자 이름.

Petschaft [pétʃaft] [tschech.] *n.* -(e)s, -e, 인(印), 인장; 봉인(*seal, signet*).

Petz [pɛts] [Bär의 愛稱形] *m.* -es, -e, 곰. ¶ Freund 〔Meister〕 ~ 곰아저씨《동물 우화(寓話)에서의 곰의 이름》. **Petze**[1] [pétsə] *f.* -n, 암콤.

Petze[2] [pétsə] [짖는 소리의 擬聲語] *f.* -n, ① 암캐; 《比》 음녀(淫女). ② 고자질하는 여자, 배신녀. **petzen** *i.*(h.) 고자질하다, 밀고하다.

pexieren [pɛksí:rən] [<lat. *peccare* „sich vergehen"] *t.* (과오를) 범하다.

Pfad [pfa:t] *m.* -(e)s, [-ts, -dəs], -e [-də], 좁은 길(♈*path*).

Pfad≈finder *m.* 개척자, 선구자; 소년단원, 보이스카우트. **~los** *a.* 길이 없는; 통행 불능의.

Pfaffe [pfáfə] [<gr. *pápās* „niederer Geistlicher"] *m.* -n, -n, 《蔑》 성직자.

Pfaffentum [pfáfəntu:m] *n.* -(e)s, 《集合的》 성직자들; 성직자풍.

pfäffisch [pféfɪʃ] *a.* 성직자티가 나는; 성직자풍의.

Pfahl [pfa:l] [Lw. lat.] *m.* -(e)s, ⸚e, (아래 끝이 뾰족한) 말뚝(♈*pale*); 막대기, 장대(♈*pole*); (Bau~) 기둥(*pile*); (Baum~)지주(支柱)(*prop, post*).

Pfahl≈bau *m.* 말뚝 박는 공사; 호상(湖上) 가옥《말뚝 위에 지음》. **~bauer** *m.* 호상 가옥에 사는 사람.

pfählen [pfé:lən] *t.* (에)말뚝을 박다; 말뚝으로 둘러치다, (에)받침대를 대다.

Pfahl≈werk *n.* 말뚝 공사; 〖軍〗 책새(柵塞). **~wurzel** *f.* 〖植〗 주근(主根), 직근(直根). **~zaun** *m.* 말뚝 담장〔울타리〕(*paling*).

Pfalz [pfalts] [Lw. lat. *palātium* „Palast"] *f.* -en, ① 왕성, 궁성《중세 독일의》. ② 궁중 백령(宮中伯領)《황제로부터 하사된》. ③ die ~ 란인 지방에 있는 주 이름.

Pfalz≈graf *m.* 궁중 백작(宮中伯爵). **~gräfin** *f.* 궁중 백작 부인.

Pfand [pfant] *n.* -(e)s [-ts, -dəs], ⸚er, 전당(물), 저당, 담보(*pawn, pledge, security*); (벌금 놀이의) 벌금(*forfeit*). **pfandbar** *a.* 〖法〗 압류할 수 있는.

Pfand≈brief [pfántbri:f] *m.* 저당 증권; 전당표. **~bürge** *m.* 인질.

pfänden [pféndən] *t.* 전당〔담보〕 받다 (*seize*); 압류하다(*distrain upon*). **pfän≈derspiel** *n.* 벌금 놀이.

Pfand≈gläubiger *m.* 저당권자. **~(leih)haus** *n.* 전당포. **~leiher** *m.* 전당포 영업자. **~recht** *n.* 저당권. **~schein** *m.* 저당증권, 전당표(票). **~schuldner** *m.* 담보 제공자.

Pfändung [pféndʊŋ] *f.* -en, 압류. **~s≈befehl** *m.* 압류 명령.

Pfand≈vertrag *m.* 저당 계약. **~weise** *adv.* 저당으로서.

Pfanne [pfánə] [Lw. lat.] *f.* -n, 남비《운두가 낮은 남비, 넓적한 남비, 프라이팬》(♈*pan*); 〖解〗 비구(髀臼), 관절와(窩)(*socket*). 「업자.」

Pfänner [pfénər] *m.* -s, -, 제염(製塩)

Pfannkuchen [pfánku:xən] *m.* 계란과자; 오믈렛; (잼 따위를 넣은) 튀김 과자. ¶ Berliner ~ 도넛.

Pfarr≈amt [pfár-amt] *n.* 목사〔주임 신부〕 직(職)〔직무〕. **~bezirk** *m.* 목사 관구, 성당구. **~buch** *n.* 교구(敎區) 기록. **~dorf** *n.* 한 교구를 이루는 마을.

Pfarre [pfárə] *f.* -n, **Pfarrei** [pfaráɪ] *f.* -en, 목사〔주임 신부〕의 직(職)〔지위〕; 목사관(館), 사제관; 목사〔주임 신부〕의 관구(管區), 성당구(聖堂區). **Pfarrer** [pfárər] *m.* -s, -, (프로테스탄트의) 목사《Pastor 라고도 함》; (가톨릭의) 주임 신부.

Pfarr≈gemeinde *f.* 목사의 관구, 성당구. **~gut** *n.* 성직령 경작지, 성당구 재산. **~haus** *n.* 목사관, 사제관. **~herr** *m.* 성직자, 목사. **~kind** *n.* 성당 구민(區民), 신자. **~kirche** *f.* 성당구의 성당. **~stelle** *f.* 목사〔주임 사제〕의 지위 또는 직.

Pfau [pfau] [Lw. lat.] *m.* -(e)s, -en, 〖鳥〗 공작(의 수컷)(*peacock*).

Pfauen≈auge [pfáuən-augə] *n.* 〖蟲〗 공작나비《공작새의 꼬리깃에 있는 것과 같은 무늬가 있는》. **~rad** *n.* 펼친 공작의 꼬리〔깃〕.

Pfauhenne [pfáuhɛnə] *f.* 공작의 암컷.

Pfeffer [pféfər] [<lat.] *m.* -s, -, 후추(♈*pepper*).

Pfeffer≈baum *m.* 〖植〗 후추나무. **~büchse** [-bʏksə] *f.* 후추 (담는) 그릇. **~gurke** *f.* 후추에 절인 오이.

pfefferig [pféfərɪç] *a.* 후추와 같은, 매운, 따가운.

Pfeffer≈kuchen *m.* 후추가 든 과자. **~land** *n.* 후추밭; 《比》 먼 곳.

Pfeffer≈minz [pfɛfərmínts] 《Ⅰ》 *m.* -es, -e, 페퍼민트《술》. 《Ⅱ》 *n.* -es, -e, 박하 드롭. **~minze** [pfɛfərmíntsə] *f.* 〖植〗 박하(♈*peppermint*).

Pfefferminz≈plätzchen [-plɛtsçən] *n.* 박하 드롭스. **~nuß** *f.* 후추를 넣은 작고 둥근 과자.

pfeffern [pféfərn] *t.* (에) 후추를 치다; 《比》 호되게 몰아치다〔때리다〕.

Pfeife [pfáifə] [lat. Lw.] *f.* -n, 피리, 휘파람, 호각(*whistle*); (Quer~) 플루트 (♈*fife*); (Tabaks~) 파이프, 담뱃대(♈*pipe*); 통(筒), 관(管)(*tube*). **pfeifen*** [pfáifən] 《Ⅰ》 *i.*(h.) 피리를 불다; 휘파람을 불다; 가래 끓는 소리를 내다; 짹짹거리다《새나 짐승이》; 삑삑 소리나다《확성기가》; 휙휙 불다《바람이》. ¶ 《比》 auf et. ~ 무엇을 무시하다, 문제삼지 않다. 《Ⅱ》 *t.* 피리로〔휘파람으로〕 불다.

Pfeifen≈deckel *m.* 담배통의 뚜껑. **~kopf** *m.* 담배통. **~rohr** *n.* 담배 설대. **~spitze** *f.* 담배 물부리.

Pfeif≈ente *f.* 〖鳥〗 홍머리오리《우는 소리가 피리소리 비슷함》. **~konzert** *n.* (극장·경기장에서) 불만의 관객이 휘파람을 불어 떠듦.

Pfeifer [pfáifər] *m.* -s, -, 피리를〔휘

파람을] 부는 사람; 플루트 연주자.

Pfeil [pfail] [Lw. lat.] *m.* -(e)s, -, 화살(*arrow, dart*).

Pfeiler [pfáilər] [Lw. lat.] *m.* -s, -, 기둥; 지주(支柱)(♈*pillar*); (Brücken∼) 교각(橋脚)(*pier*).

pfeil·g(e)rade *a.* 화살처럼 곧은. **∼geschwind** *a.* 화살처럼 빠른. **∼gift** *n.* 독화살에 바르는 독. **∼schnell** *a.* 화살처럼 빠른. **∼schütze** *m.* 궁수(弓手). **∼spitze** *f.* 화살촉.

Pfennig [pfénıç] *m.* -(e)s, [-çs, -gəs], -e [-gə] (가격을 나타낼 때는: -), 독일 소화폐의 이름(100분의 1마르크) (♈*penny*). ¶ nicht einen ∼ wert sein 한 푼의 값어치도 없다.

Pfennig·absatz [-apzats] *m.* (여성화의) 높은 하이힐. **∼fuchser** [-fuksər] *m.* -s, -, 구두쇠.

Pferch [pferç] [Lw. lat.] *m.* -(e)s, -e, 울짱, 울타리(가축을 가둘); 울짱을 둘러친 곳(*pen, fold*). **pferchen** *t.* 울짱 속에 넣다(가축을); (比) 좁은 곳에 밀어 넣다.

Pferd [pfe:rt] [Lw. kelt. -lat.] *n.* -(e)s, -e, 말(*horse*); (Schwing∼) 목마(木馬); (Stecken∼) 죽마(竹馬). ¶ das ∼ **beim** Schwanze aufzäumen 일을 거꾸로 하다 / **vom** ∼ auf den Esel kommen 하락하다, 영낙하다 / **zu** ∼e 말을 타고.

Pferde·arbeit [pfé:rdə-] *f.* (比) 고역. **∼arznei** *f.* 말에 먹이는 약. **∼bahn** *f.* 마차 철도. **∼bremse** *f.* 〖蟲〗 말등에; 말파리. **∼decke** *f.* 마의(馬衣), 안장 덮개. **∼dressur** *f.* 말의 조교(調敎). **∼fleisch** *n.* 말고기. **∼futter** *n.* 말먹이. **∼geschirr** *n.* 마구(馬具). **∼haar** *n.* 말털. **∼handel** *m.* 말의 매매. **∼händler** *m.* 말장수. **∼huf** *m.* 말굽. **∼knecht** *m.* 마부. **∼koppel** *f.* 말의 목장. **∼kraft** *f.* 마력(*horsepower*). **∼länge** *f.* 말의 신장(身長). **∼leine** *f.* 고삐. **∼mähne** *f.* 말갈기. **∼mist** *m.* 말의 분뇨. **∼rennbahn** *f.* 경마장. **∼rennen** *n.* 경마(競馬). **∼schwanz** *m.* 말꼬리; (比) 드리운 머리(의 소녀); 〖植〗 쇠뜨기, 속새. **∼schwemme** *f.* 말 씻는 곳. **∼stall** *m.* 마구간. **∼stärke** *f.* =∼KRAFT. **∼striegel** *m.* [*f.*] 말 빗[솔]. **∼tränke** *f.* 말 물 먹이는 [씻는] 곳. **∼verleiher,** **∼vermieter** *m.* 말을 세놓는 사람. **∼wechsel** *m.* 말의 갈아타기, 갈아타기 위한 말. **∼zucht** *f.* 육마(育馬). **∼züchter** *m.* 말을 사육하는 사람.

Pfiff [pfıf] *m.* -(e)s, -e, 피리[휘파람], 피리[휘파람] 소리(*whistle*); (比) 책략, 간계(奸計)(*trick*).

pfiff [pfıf] ☞PFEIFEN (그 過去).

Pfifferling [pfífərlıŋ] [<Pfeffer] *m.* -s, -e, 〖植〗 살구버섯; (比) 무가치한 것. ¶ (比) keinen ∼ wert sein 한푼의 값어치도 없다.

pfiffig [pfífıç] *a.* 교활한, 약빠른(*sly, cunning*). **Pfiffigkeit** *f.* -en, 교활; 교활한 행위. **Pfiffikus** [pfífikus] *m.* -, -se, 교활한 사람, 능청스러운 사람.

Pfingsten [pfíŋstən] [gr. „der fünfzigste Tag (nach Ostern)"] *n.* -s, -; od. *f.* -, 〖宗〗 [∼**fest** *n.*] 오순절(五旬節), 성신 강림 축일(*Whitsuntide*).

Pfingst·montag *m.* 성신 강림 주일 후의 첫 월요일. **∼rose** *f.* 〖植〗 작약(*peony*). **∼sonntag** *m.* 성신 강림 주일의 일요일(제 1 일).

Pfirsich [pfírzıç] [Lw. lat. „persischer (Apfel)"] *m.* -(e)s, -e, 〖植〗 복숭아(나무) (♈*peach*).

Pfirsich·baum *m.* 복숭아 나무. **∼blüte** *f.* 복숭아 꽃. **∼bowle** *f.* 도실주(桃實酒). **∼kern** *m.* 복숭아 씨.

Pflänzchen [pfléntsçən] [<Pflanze] *n.* -s, -, 작은 식물(植物).

Pflanze [pflántsə] [Lw. lat. *planta* „Setzling"] *f.* -n, 식물, 초목(♈*plant*).

pflanzen [pflántsən] *t.* 심다(♈*plant*); 재배[경작]하다; (比) 세우다, 장치하다, 수립하다.

Pflanzen·beet *n.* 묘상(苗床). **∼butter** *f.* 식물성 버터. **∼faser** *f.* 식물섬유(纖維). **∼feet** *n.* 식물성 지방. **∼fressend** *a.* 초식하는. **∼fresser** *m.* 초식 동물. **∼garten** *m.* 식물원. **∼grün** *n.* 〖化〗 엽록소. **∼kenner** *m.* 식물학자. **∼kost** *f.* 식물성 식품, 채식. **∼kunde** *f.* 식물학(*botany*). **∼leben** *n.* 식물의 생활; 무위 도식하는 생활(식물과 같은). **∼reich** *n.* 식물계(界). **∼saft** *m.* 식물의 즙. **∼sammlung** *f.* 식물 채집; 식물 표본집. **∼schutzmittel** *n.* 농약. **∼stoff** *m.* 식물질. **∼tier** *n.* 〖動〗 식충류(植蟲類), 강장 동물(腔腸動物). **∼welt** *f.* 식물계, 초목. **∼zucht** *f.* 식물 재배.

Pflanzer [pflántsər] *m.* -s, -, 심는 사람; 재배자, 경작자; (해외에의) 이주자, 식민; 농장 소유자(열대 식민지의).

Pflanz·garten *m.* 묘포(苗圃), 종묘원(種苗園). **∼reis** *n.* 묘목, 어린 나무 가지, 접지(接枝) 묘목. **∼schule** *f.* 양수원(養樹園); (比) 양성소. **∼stätte** *f.* 재배지; (比) 양성소. **∼stock** *m.* 파종봉(묘종을 심거나 씨를 뿌리는 연장).

Pflanzung [pflántsuŋ] *f.* -en, 파종, 재배; 재배지; 농원(식민지의).

Pflaster [pflástər] [Lw. gr. -lat.] *n.* -s, -, 〖醫〗 고약(♈*plaster*); 포석(舖石), 포도, 포장(*pavement*).

pflastern [pflástərn] *t.* (에) 고약[미점(美點)]을 붙이다(♈*plaster*); (에) 포석을 깔다, 포장하다(*pave*).

Pflaster·ramme *f.* 포장용의 망치. **∼stein** *m.* 포석. **∼treter** *m.* 길거리를 어슬렁거리는 사람.

Pflasterung [pflástəruŋ] *f.* -en, 고약을 붙임[바름]; 포장, 포도.

Pflaume [pfláumə] [Lw. lat.] *f.* -n, 〖植〗 자두(♈*plum*).

Pflaumen·baum *m.* 자두나무. **∼kern** *m.* 자두 씨. **∼mus** *n.* 자두 잼.

Pflege [pflé:gə] [<pflegen] *f.* -n, 맡아봄, 돌봄, 손질함(*care, attention*); 양육, 부양(*rearing*); 간호(*nursing*); 배양, 장려(*cultivation*); 종사(예술 또는 학문 연구에); 관리, 감독(*administration*).

Pflege·eltern *pl.* 양부모. **∼heim** *n.* 양육원. **∼kind** *n.* 양자.

pflēgen(*) [pflé:gən] [*eig.* die „Verantwortung übernehmen"] 《Ⅰ》 《弱變化》 ① *t.* 맡(아 보)다, 돌보다, 손질하다, 손보다(*take care of*); 양육〔부양〕하다, 보호〔구호·간호〕하다(*nurse, tend, foster*); 배양〔장려〕하다(*cultivate*). ② *t.* u. *i.*(h.) 《2格支配; 또 强變化》 (맡아서) 행하다, 일삼다, 전념하다, 몰두하다, 종사하다; 영위하다; 계속하다; 관리하다, 주관하다(*administer*). ¶ Rat(s) ∼, (mit, 와) 의논〔상의〕하다. 《Ⅱ》 *i.*(h.) 《弱變化; zu를 수반하는 不定形과 함께》 (…하는 것이) 버릇이 되어 있다, 늘 …하다(*be used to, be wont*). 《Ⅲ》 *refl.* 《弱變化》 몸을 돌보다(*take care of oneself*).

Pflēger *m.* –s, –, **Pflēgerin** *f.* –nen, 돌보는 사람; 교육자, 부양자; 간호인; 간호원; 보호자, 장려자《예술·학문의》, 후견인; 관리자.

pflēge=sohn *m.* 양자. **∼tochter** *f.* 양녀. **∼vāter** *m.* 양아버지.

pflēglich [pflé:klıç] *a.* 세심한, 정성들인(*careful*). **Pflēgling** [pflé:klıŋ] *m.* –s, –e, 피보호자; 수양 아이; 피후견인.

Pflēgschaft [pflé:kʃaft] *f.* –en, 〘法〙 ① 보호, 관리, 후견. ② (금치산자 따위의) 재산 관리.

Pflicht[1] [pflıçt] [<pflegen] *f.* –en, 의무, 책무, 책임, 본분(*duty, obligation*).

Pflicht[2] [<lat. *plecta* „Flechtwerk"] *f.* –en, 〘海〙 앞갑판.

Pflicht=bruch *m.* 의무 위반; 불신, 불충. **∼eifer** *m.* 의무에 충실함, 직무 열심. **∼erfüllung** *f.* 의무의 이행. **∼fach** *n.* 필수 과목. **∼gefühl** *n.* 의무감, 책임감. **∼gemāß** *a.* 의무에 따른, 의무상의, 당연한. **∼leistung** *f.* 의무의 이행; 충성 서약; 납세. **∼=schuldig** *a.* 의무가 있는, 당연히 부담해야 할; 의무상의. **∼teil** *m.* od. *n.* 〘法〙 유류분(遺留分). **∼treu** *a.* 의무에 충실한, 본분을 지키는. **∼verges=sen** *a.* 의무를 망각한; 직무 태만의. **∼widrig** *a.* 의무에 위반되는, 본분을 지키지 않는.

Pflock [pflɔk] *m.* –(e)s, ⸚e [pflœ́kə], 나무〔대나무〕못, 나무 마개(♀*plug, peg*). **pflöcken** *t.* (에) 나무못을 박다(*peg*).

pflōg [plo:k] ☞PFLEGEN 《그 過去》.

pflücken [pflʏ́kən] [Lw. lat.] *t.* (과일·꽃 따위를) 따다, 꺾다(♀*pluck*); (새의) 털을 뜯다.

Pflūg [pflu:k] *m.* –(e)s, [–ks, –gəs], ⸚e [pflý:gə], 쟁기(♀*plough*); 《一般的》 쟁기 모양의 도구. **Pflūg·eisen** 쟁기(끝에 붙인) 날. **pflūgen** [pflý:gən] *t.* u. *i.*(h.) ① (쟁기로) 갈다; 파헤치다(♀*plough*). ② (또 *refl.*) 헤치고 나아가다.

Pflūger *m.* –s, –, 쟁기로 가는 사람, 농경자.

Pflūg=schār *f.* 쟁기의 보습. **∼sterz** *m.* 쟁기의 자루.

Pfört·chen [pfœ́rtçən] [*dim.* v. Pforte] *n.* –s, –, 작은 문. **Pforte** [pfɔ́rtə] [Lw. lat.] *f.* –n, ① 입구; 대문(*gate*); 문(*door*). ② 〘海〙 현문(舷門)(*port-hole*); (군함의) 포문. ③ die (Hohe) ∼, a) 터키 왕궁《콘스탄티노플의》, b) 터키 정부 (1918년까지의). **Pförtner** [pfœ́rtnər] *m.* –s, –, 문지기(♀*porter*); 〘解〙 (Magen∼) 유문(幽門)(*pylorus*).

Pfosten [pfɔ́stən] [Lw. lat.] *m.* –s, –, 기둥, 지주, 말뚝(♀*post*); (입구 양쪽의) 문설주, 선단(*jamb*).

Pfōte [pfó:tə] *f.* –n, (동물의) 발, (특히) 앞발(♀*paw*); 《俗》 (사람의) 손; 발.

Pfriem [pfri:m] [*eig.* „Spitzes"] *m.* –(e)s, –e, 큰 바늘, 송곳《구두장이의》(*awl, bodkin*).

Pfropf [pfrɔpf] *m.* –(e)s, –e *u.* ⸚e, **Pfropfen** [pfrɔ́pfən] *m.* –s, –, 마개(*plug, stopper*); 코르크 마개(*cork*); 〘軍〙 포전(砲栓), 총전(銃栓)(*wad*).

pfropfen [pfrɔ́pfən] [Lw. lat. *propāgāre* „verbreiten"] *t.* 접붙이다, 접수〔접지〕하다(*graft*); (에) 마개를 하다(*cork*); 채우다(*stuff, cram*). ¶ gepfropft (*adv.*) voll 꽉 찬, 입추의 여지없는.

Pfropfenzieher [pfrɔ́pfəntsi:ər] *m.* 마개뽑이.

Pfropf=messer *n.* 접지용(接枝用) 칼, 원예용 칼. **∼reis** *n.* 접수(接穗), 접지.

Pfründe [pfrʏ́ndə] [Lw. lat.] *f.* –n, 〘宗〙 성직록(聖職祿)(♀*prebend*); 녹을 받는 성직; 《一般的》 불로 소득《양로원의 종신 부양 따위》. **Pfründner** [pfrʏ́ndnər] *m.* –s, –, 수록 성직자(受祿聖職者).

Pfuhl [pfu:l] *m.* –(e)s, –e, 웅덩이(♀*pool*); (흙탕물) 늪, 수렁(*puddle*).

Pfühl [pfy:l] [Lw. lat.] *m.* 〔*n.*〕 –(e)s, –e, 《詩》 베개; 깔개, 방석(♀*pillow*); 《比》 잠자리; 안락 의자.

pfui! [pfui, pfui] *int.* [싫음, 불쾌, 경멸 따위를 나타내며 침뱉는 擬聲語] 싫다! 제기! 피! 퉤! 망할(♀*fie! for shame!*).

Pfund [pfunt] [Lw. lat.] *n.* –(e)s, [–ts, –dəs], –e [–də], 파운드(♀*pound*); (∼ Sterling) 파운드《영국 화폐》; 《比》 재능(*talent*). **pfündig** *a.* 1 파운드 무게의; 무거운. **..pfündig** [–pfʏndıç] *a.* 《合成用語》 보기: sechs∼ 6 파운드의. **pfund=weise** *adv.* 파운드씩 (달아서).

Pfusch·arbeit [pfúʃ–] *f.* 서투른 일.

pfuschen [pfúʃən] *i.*(h.) 솜씨 서툴다, 실수하다; 소홀하게 일을 하다(*bungle, botch*); (in et.[3·4] 어떤(서툰) 일에 손대다(*meddle with*). **Pfuscher** *m.* –s, –, 서투른 사람. **Pfuscherei** *f.* –en, 졸렬, 서투름; 서투른 일. **pfuscher=haft** *a.* 졸렬한, 서투른, 솜씨 없는.

Pfütze [pfʏ́tsə] [Lw. lat.] *f.* –n, 웅덩이(*slough*), 흙탕물의 작은 늪(*puddle*).

Ph 《略》 =*Phon.*

ph. 《略》 =*Phot.*

Phālanx [fá:laŋks] [gr.] *f.* Phalangen, ① 〘軍〙 (고대 마케도니아의) 밀접 방진(密接方陣); 《比》 일치 단결한 저항. ② 〘解〙 지골(指骨·趾骨).

Phānerogāme [fà:nerogá:mə] [gr.] *f.* –n, 〘植〙(*ant.* Kryptogame) 현화(顯花) 식물.

Phänomēn [fɛnomé:n] [gr.] *n.* –s, –e, 현상(♀*phenomenon*); 일어난 일, 사건; 드문 현상, 기적. **phänomenāl** *a.* 현상적인; 희유의, 놀라운.

Phantasie [fantazí:] [gr. „das Sicht-

P

barmachen"] *f.* ..si̱en, 상상(력)(*imagination*); 표상(력); 공상, 몽상(*fancy*); 환영, 환각; 〖樂〗 환상곡(♈ *fantasia*).
phantasi̱eren [fantazí:rən] *i.*(h.) u. *t.* 상상하다; 공상하다; 〖醫〗 헛소리하다 (*rave, be delirious*); 〖樂〗 즉흥적으로 연주하다.
Phanta̱sma [fantásma] [gr. ♈ phantasie] *n.* –s, ..men, 환영, 곡두; 유령; 환상(幻想).
Phanta̱st [fantást] *m.* –en, –en, 공상가, 몽상가. **phanta̱stisch** *a.* 공상적 [몽상적]인; 가공의; 기발한.
Phanto̱m [fantó:m] [gr. –fr.] *n.* –s, –e, 허깨비, 환상, 환영.
Phari·sä̱·er [farizé:ər] [hebr.] *m.* –s, –, 바리새인《예수 당시의 유태교의 한 파》; 《比》 위신자, 위선자. **pharisä̱isch** *a.* 바리새인의; 《比》 위신의, 위선의.
Pharmaze̱ut [farmatsɔ́yt] [gr.] *m.* –en, –en, 약제사, 약종상(♈ *pharmac(eut)ist*).
Pharmazi̱e *f.* ..zi̱en [–tsí:ən] 조제학(調製學), 제약학(♈ *pharmacy*).
P
Pha̱se [fá:zə] [fr., *aus* gr. *phásis* „Erscheinung"] *f.* –n, 상(相), 위상(位相), 형상; 변상(變相), 변화.
Pheno̱l [fenó:l] [gr. „leuchtendes Öl"] *n.* –s, 〖化〗 페놀, 석탄산.
Phenẙl [feny̋:l] [gr. *phainein* „zeigen", *hyle* „Stoff"] *n.* –s, 〖化〗 페닐기,
Philanthro̱p [filantró:p] [gr. „Menschen-freund", <*ánthrōpos* „Mensch"] *m.* –en, –en, 박애주의자. **philanthro̱pisch** *a.* 박애의.
Philateli̱e [filatelí:] *f.* 우표 연구.
Philharmoni̱e [fılharmoní:, fi:l–] *f.* ..ni̱en. ① 음악 애호. ② 음악당; 필하모니《관현악단 또는 그 음악당 명칭》.
Phi̱lipp [fí:lıp] [gr. „Pferdefreund"; *phílos* „Freund", *híppos* „Pferd"] *m.* 남자 이름. **Philippi̱nen** [filıpí:nən] [sp.] *pl.* 필리핀 제도(諸島) 《스페인 왕 Philipp 2세 때에 발견》.
Phili̱ster [filístər] [hebr.] *m.* –s, –, 블레셋 사람《유태인에 인접하여 종종 이를 위협했음》; 《學》 대학생이 아닌 사람《보통 사람, 서민, 속인》; 속물, 고루한 사람. **phili̱sterhaft** *a.* 속물 근성의, 고루한. **Phili̱stertu̱m** *n.* –(e)s, 속물근성, 편협, 고루. **philiströ̱s** *a.* = PHILISTERHAFT.
Philolo̱g(e) [filoló:gə, –ló:k] [gr. „Freund der Sprache(n)" (*lógos* „Wort")] *m.* ..gen, ..gen, 언어학자, 문헌학자; 어학 교사[학생](♈ *philologist*). **Philologi̱e** *f.* 언어학; 문헌학. **philolo̱gisch** *a.* 언어(학)의, 문헌학의.
Philoso̱ph [filozó:f] [gr. „Weisheitsfreund" (*sophíā* „Weisheit")] *m.* –en, –en, 철학자, 철인(♈ *philosopher*). **Philosophi̱e** *f.* ..phi̱nen, 철학, 처세술. **philosophi̱eren** *i.*(h.) 철학하다; 철학적으로 생각하다[논하다]. **philoso̱phisch** *a.* 철학의, 철학적인.
Phimo̱se [fimó:zə], **Phimo̱sis** [gr.] *f.* ..sen, 〖醫〗 포경(包莖).
Phio̱le [fió:lə] [gr.] *f.* –n, 목이 긴 병(瓶), 프라스코(♈ *phial*).
Phle̱gma [flέgma, –kma] [gr.] *n.* –s, 〖醫〗 점액질(粘液質)(♈ *phlegm*); 《比》 둔중(鈍重); 냉담. **Phlegma̱tiker** *m.* –s, –, 점액질의 사람; 《比》 둔중한 사람, 냉담한 사람. **phlegma̱tisch** *a.* 점액질의; 《比》 둔중한, 냉담한.
Phobi̱e [fobí:] [gr.] *f.* ..bi̱en, 〖醫〗 공포증.
Phō̱n [fo:n] [gr. *phōnē* „stimme, Laut"] *n.* –s, –s, 〖物〗 폰《소리 강도의 단위》. **Phone̱tik** [foné:tık] *f.* (Lautlehre) 음성학, 발음[음운]학. **phone̱tisch** *a.* 음성(학)의; 소리의, 발음의.
Phöni̱zi̱en [føní:tsiən] [gr.] *n.* –s, 페니키아《고대 시리아의 해안국》. **Phöni̱zi̱er** [–tsiər] *m.* –s, –, **Phöni̱zi̱erin** *f.* –nen, 페니키아인. **phöni̱zisch** *a.* 페니키아(인·어)의.
Phonogra̱ph [fonográ:f] [gr. „Lautbeschreiber"] *m.* –en, –en, 축음기; 녹음기. **Phonologi̱e** [fonologí:] [gr. *phone* „Laut, Ton" *u.* -logie „ Lehre"] *f.* 음운론, 음성학.
Phosge̱n [fɔsgé:n] [gr. „Licht-erzeuger"] *n.* –s, 〖化〗 포스겐《독가스의 일종》. **Phospha̱t** [fɔsfá:t] *n.* –(e)s, –e, 〖化〗 인산염(塩). **Pho̱sphor** [fɔ́sfɔr] [gr. „Licht-träger"] *m.* –s, 〖化〗 인(燐). **phosphoreszi̱eren** *i.*(h.) 인광을 발하다.
Pho̱t [fó:t] [gr. *phôs* (變化語幹) *phot*- „Licht"] *n.* –s, –s, 〖物〗 포트《광량 단위: 10,000 Lux》.
Pho̱to [fó:to] *n.* –s, –s, 《俗》 = PHOTOGRAPHIE. **Photoappara̱t** *m.* 사진기.
Photogra̱ph [fo(:)tográ:f] [gr. „Lichtzeichner"] *m.* –en, –en, 사진사(♈ *photographer*). **Photographi̱e** *f.* ..phi̱en, 사진(술). **photographi̱eren** *t.* (의) 사진을 찍다, 촬영하다. ¶ sich ∼ lassen 사진을 찍게 하다.
Photogravü̱re [fo(:)togravý:rə] [gr.] *f.* –n, 사진판. **Photome̱ter** *n.* 〔*m.*〕 〖物〗 광력계, 광도계. **photomontage** [–tá:ʒə] *f.* 사진 몽타즈. **Pho̱ton** [fó:tɔn, fotó:n] *n.* –s, ..to̱nen, 〖物〗 광자(光子).
Pho̱tozelle *f.* 〖物〗 광전지, 광전관(光電管).
Phra̱se [frá:zə] [gr.] *f.* –n, 숙어, 관용구; 상투어; 군말. **Phra̱sendrescher** *m.* = PHRASENMACHER. **phra̱senhaft** *a.* 빈말의, 췌언(贅言)의; 공허한. **Phra̱senmacher** *m.* 공론가(空論家), 미사여구를 늘어 놓는 사람.
Phthi̱sis [ftí:zis] [gr.] *f.* ..sen, 〖醫〗 (폐)결핵.
Physi̱k [fyzí:k] [gr. *phýsis*] *f.* 물리학. **physika̱lisch** [fyziká:lıʃ] *a.* 자연의, 형이하(形而下)의; 물리학(상)의; 물리학적인. ¶ ∼e Therapie 물리 요법. **Phy̱siker** [fý:zıkər] *m.* –s, –, 물리학자.
Physiognomi̱e [fy(:)zio–] [gr.; *phýsis* „Natur", *gnṓmōn* „Kenner, Beurteiler"] *f.* ..mi̱en, 인상(人相), 용모; 외모. **Physiogno̱mik** *f.* 관상학.
Physiokrati̱smus [fy(:)ziokratísmus] [gr.] *m.* –, 중농주의.
Physiolo̱g(e) [fy(:)zioló:gə, –ló:k] [gr. *phýsis*] *m.* ..gen, ..gen, 생리학자. **Physiologi̱e** *f.* ..gi̱en, 생리학. **physiolo̱gisch** *a.* 생리학(상)의, 생리상의,

생리적인. **Physis** [fýːzɪs] [gr. „Natur"] *f.* 자연; 물체; 육체. **physisch** *a.* 자연의; 물리적인; 물체적인; 육체〔관능〕적인; 물질적인, 형이하(形而下)의.

Pianist [pianíst] *m.* –en, –en, 피아니스트. *piano* [piáːno] [it.] *adv.* 〖樂〗 부드럽게. **Piano, Pianoforte** [painofɔ́rtə, –teː] [*piano* „schwach", *forte* „stark"] *n.* –s, –s, 피아노《현대의》.

Picaro [píkaro] [sp.] *m.* –s, –s, 악한.

picheln [píçəln] *t.* u. *i.* (h.) 《俗》 (독한 술을) 꿀꺽꿀꺽 마시다(*tipple*).

pichen [píçən] [<Pech] *t.* (에) 피치〔역청〕을 바르다, 초를 채우다.

Picke [píkə] *f.* –n, 곡괭이(*pickaxe*). **Pickel** [<Picke] *m.* –s, –, 곡괭이; (특히) (Eis∼), 얼음을 찍는 도끼(*ice-axe*), (등산용) 피켈; 〖醫〗 작은 종양(腫瘍), 여드름(*pimple*).

Pickel·haube [píkəl–] *f.* 꼭지에 뾰족한 쇠붙이를 붙인 가죽 투구. **∼hēring** *m.* 광대, 익살꾼《옛날 영국 극단의》.

pick(e)lig [pík(ə)lɪç] *a.* 여드름투성이의.

picken [píkən] *t.* (부리로) 쪼다, 찌르다(♈*peck*); 곡괭이로 파다〔부수다〕(♈*pick*).

Pick(e)nick [pík(ə)nɪk] [fr. *piquenique*] *n.* –s, –e *u.* –s, 피크닉, 소풍(♈*picnic*).

piekfein [píːkfain, fíːkfáin] [ndl.] *a.* 특상의, 뛰어나게 좋은.

piepe [píːpə] *a.* 《ndd.》 《俗》 (=gleichgültig): das ist (ganz 〔mir〕) ∼ 그런 건 아무래도 좋아.

piep·egāl [piːp-egáːl] *a.* =PIEPE.

piepen [píːpən] [擬聲語] *i.* (h.) 삐악삐악 울다; 찍찍 울다《쥐가》(♈*peep, squeak*).

Piepen [화폐의 독수리(=Piepmatez) 표시에서?] *pl.* 《俗》 (Geld) 돈.

Pietāt [pietéːt] [lat. Frömmigkeit"] *f.* –en, 독신(篤信), 경건(♈*piety*); 《一般的》 (사람에 대한) 존경. **pietātlōs** *a.* 경건〔외경〕심이 없는; 불효의. **pietātvoll** *a.* 독실한, 경건한. **Pietismus** [pietísmʊs] *m.* –, 경건주의. **Pietist** *m.* –en, –en, 경건한 사람; 경건주의자. **pietistisch** *a.* 경건한; 경건주의의.

piff! [pɪf] [擬聲語] *int.* 팡팡, 탕탕《총성》.

Pigment [pɪgmέnt] [lat.] *n.* –(e)s, –e, 〖生〗 색소; 〖物〗 안료, 염료.

Pik [piːk] [fr. *pique* „Spieß"] 《Ⅰ》 *m.* –s, –e *u.* –s, (창처럼 뾰족한) 산정, 산꼭대기. 《Ⅱ》 *n.* –s, –s, (카드의 창을 표로 한) 스페이드. 《Ⅲ》 *m.* –s, 원한; 울분.

pikaresk [pikarέsk] [sp.] *a.* 피카로 (=Picaro) 풍의. ¶ ∼er Roman 악한 소설.

pikant [pikánt] [fr. „stechend"] *a.* 자극성의(향기·맛); 매운; 알알한(♈*piquant*); 《比》 신랄한(*spicy*). **Pikanterie** [pikantəríː] *f.* ..rīen, 매운 것, 알알하게 쏘는 것; 재치 있는 말〔이야기〕; 기행(奇行); 결말질, 비꼼.

Pike [píːkə] [fr. *pique* „Spieß"] *f.* –n, 창(♈*pike*). ¶ von der ∼ auf dienen 졸병에서 입신하다, 비천한 몸이 출세하다. **Pikee** [pikéː] [fr. „gestochen, gesteppt"] *m.* –s, –s, 피케, (가는 누비처럼) 높낮이 무늬가 있는 무명천(♈*piqué*). **Pikett** [pikέt] [fr. „Pfählchen", 뾰족한 말뚝] *n.* –(e)s, –e, 푯대, (측량용) 표말; †〖軍〗 전초 중대(♈*picket*); 두 사람이 하는 일종의 카드 놀이.

Pikkolo [píkolo] [it. „der Kleine"] *m.* –s, –s, 사환, 급사(*boy waiter*); 〖樂〗 피콜로.

Pikrīnsäure [pikríːnzɔyrə] [<gr. *pikrós* „bitter"] *f.* 〖化〗 피크린산(酸).

Pilger [pílgər] [Lw. it.] *m.* –s, –, 순례자(巡禮者)(♈*pilgrim*); 《比》 나그네, 길손. **Pilgerfahrt** *f.* 순례, 참예(參詣); 편답. **pilgern** [pílgərn] *i.* (s. *u.* h.) 성지에 순례하다, 참예하다; 편답하다, 여행하다. **Pilgerschaft** *f.* –en, 순례, 편로(遍路), 편답(*pilgrimage*).

Pille [pílə] [lat. „Kügelchen"] *f.* –n, 〖醫〗 환약, 정제, 알약(♈*pill*).

Pilōt [pilóːt] [fr.] *m.* –en, –en, 〖海〗 파일럿, 도선사(導船士); 타수(舵手); 〖空〗 조종사.

Pilz [pɪlts] [Lw. lat.] *m.* –es, –e, 〖植〗 버섯(*mushroom*); 곰팡이(*fungus*).

Pimpelei [pɪmpəlái] [元來는 擬聲語] *f.* –en, 우는 소리를 함, 수탄(愁歎); 유약(柔弱), 병약(病弱). **pimp(e)lig** [pímp(ə)lɪç] *a.* 우는소리를 하는; 계집애 같은. **pimpeln** [pímpəln] *i.* (h.) 우는소리를 하다, 탄식하다(*whine, complain*); 병약하다.

Pinasse [pinásə] [fr. –ndl.] *f.* –n, 〖海〗 경(輕)보트, (특히) 함재(艦載)의 중형(中型) 보트(♈*pinnace*).

Pinguīn [pɪŋguíːn] [fr., <lat. *pinguis* „fett"] *m.* –s, –e, 〖鳥〗 펭귄.

Pinie [píːniə] [lat.] *f.* –n, 〖植〗 삿갓솔《남유럽산》(*stone pine*).

Pinke [píŋkə] [hebr.], **Pinkepinke** *f.* –n, 《俗》 돈(*money*); 지갑; 대장간.

pinkeln [píŋkəln] *i.* (h.) 《俗》 오줌누다.

pinken [píŋkən] *i.* (h.) 땅땅 울리다; 망치로 치다; 단련하다.

Pinne [pínə] [Lw. lat.] *f.* –n, 압정, 핀(♈*pin*); 나무못; (나침반의) 추축(*pivot*); 〖海〗 (Ruder∼) 키의 손잡이(*tiller*).

Pinscher [pínʃər] [<engl. *pinch* „kneifen"] *m.* –s, –, 옛 독일종(種)의 개 이름(*German terrier*).

Pinsel[1] [pínzəl] [Lw. lat. „Schwänzchen" *dim.* v. Penis] *m.* –s, –, 귀얄, 브러시(*brush*); 붓, 모필, 화필(♈*pencil, paintbrush*); (사슴 따위의) 자지.

Pinsel[2] [pínzəl] [*eig.* Pinn(en)-säule "나무못의 자루"] *m.* –s, –, (Finfalts∼) 《比》 바보; 멍텅구리.

Pinselführung [–fyːrʊŋ] *f.* 화필 놀리는 법, 운필(運筆), 필법.

pinseln[1] [pínzəln] *t.* 붓으로 칠하다〔그리다〕; 《蔑》 서투른 그림을 그리다, 마구 붓을 놀리다.

pinseln[2] *i.* (h.) 어리석은〔얼빠진〕 짓을 하다; 《方》 삐쭉삐쭉 울다.

Pinsel·strich [pínzəlʃtrɪç] *m.* 〖畫〗 일필(一筆)(합), 터치, 가필(加筆).

Pinselzüngler [–tsʏŋlər] *m.* 〖鳥〗 혀끝이 브러시 모양인 잉꼬의 일종《오스트레일리아 지역에 서식》.

Pint [páint] [engl.] *n.* –s, –s, 파인트《액량 단위, =0.5*l*》.

Pinzette [–tsɛ́tə] [fr. *pincer* „kneifen"] *f.* –n, 핀세트(*tweezer(s)*).
Pionier [pioní:r] [fr. „Fußgänger" < lat. *pes* „Fuß"] *m.* –s, –e, 〖軍〗 공병; 《比》 개척자, 선구자(♈ *pioneer*). **∼truppen** *pl.* 공병대.
Pipa [pí:pa] [chin.] *f.* ..pen, 비파(琵琶).
Pips [pɪps] [Lw. lat] *m.* –es [–səs], 핍스(조류(鳥類)의 호흡기 카타르·혓병)(♈ *pip*); 숙환(宿患), 지병, 고질.
Pirat [pirá:t] [gr. –lat.] *m.* –en, –en, 해적(♈ *pirate*).
Pirol [piró:l] [울음 소리의 擬聲語] *m.* –s, –e *u.* –s, 〖鳥〗 꾀꼬리(*oriole*).
Pirsch [pɪrʃ] [Lw. fr.] *f.* (사슴의) 몰이 사냥(*deerstalking*). **pirschen** *i.*(h.) u. *t.* (사냥개로) 몰이 사냥을 하다.
Pisse [písə] *f.* –n, 《卑》 오줌, 소변(♈ *piss*). **pissen** [písən] [fr. *pisser* „harnen", 擬聲語] *i.*(h.) 오줌누다(*make water*). **Pissoir** [pɪsoá:r] [fr.] *n.* –s, –e *u.* –s, 소변소《남자용》(*lavatory*).
Pistazie [pɪstá:tsĭə] [pers. –lat.] *f.* –n, 유향수속(乳香樹屬)《지중해 지방산, 옻나무과》; 그 열매(♈ *pistachio*).
Piste [pístə] [lat.] *f.* –n, (발)자국; 〖空〗 활주로; (경마·경륜의) 코스; (스키의) 활주로.
Pistill [pɪstíl] [lat.] *n.* –s, –e, 막자; 절굿 공이.
Pistole [pɪstó:lə] [Lw. tschech.] *f.* –n, 권총, 피스톨(♈ *pistol*).
Pithekanthropus [pitekántropus, pitek-án–] [gr.] *m.* –, ..pī *u.* –, (자바) 원인(猿人).
pittoresk [pɪtorɛ́sk] [lat. –it.] *a.* 그림같이 아름다운.
Placke [plákə] *f.* –n, **Placken** [plákən] *m.* –s, –, ① 오점, 얼룩. ② 덧댐, 붙여 기움. ③ 평면. **placken**[1] *t.* ① 에 바대를 대다, 덧대다; (광고 따위를) 붙이다. ② 다져〔칠하여〕 굳히다.
placken[2] [plákən] 《plagen 의 强意語》 *t.* 몹시 괴롭히다(*harass*); 혹사〔학대〕하다(*maltreat*); *refl.* (mit, 으로) 고생하다(*drudge*). **Plackerei** [plak–] *f.* –en, 학대, 가렴 주구; 노고, 신산(辛酸).
plädieren [plɛdí:rən] [fr.] *i.*(h.) 〖法〗 (법정에서) 변론하다; (흔히) 변호를 맡다(♈ *plead*).
Plage [plá:gə] [Lw. lat., *eig.* „Schlag"] *f.* –n, ① 재앙, 괴로움(♈ *plague*). ② 번뇌(煩惱)(의 씨)(*nuisance*). **Plage∙geist** *m.* 악귀(惡鬼); 학대하는 자; (Kind) 성가신 아이. **plagen** [plá:gən] *t.* 《I》 괴롭히다, 못살게 굴다, 학대하다(♈ *plague, torment*). 《II》 *refl.* 고생하다, 피로와하다. ¶sich mit jm. ∼ 아무의 일로 수고하다.
Plagiat [plagĭá:t] [fr.] *n.* –(e)s, –e, 표절(剽竊)(♈ *plagiarism*). **Plagiator** *m.* –s, ..atoren, 표절자(剽竊者)(♈ *plagiarist*). **plagiieren** [plagií:rən] *t.* 표절하다(♈ *plagiarize*).
Plaid [ple:t, ple:d, plɛ:t] [engl.] *m.* od. *n.* –s, –s, 격자 무늬의 숄; 여행 모포(毛布).
Plakat [plaká:t] [fr.] *n.* –(e)s, –e, 방문(榜文), 게시(♈ *placard*); 광고, 포스터(*poster*), 삐라. **Plakat∙säule** *f.* 광고 기둥.
Plan[1] [pla:n] [fr. „Grundriß", <lat. *planta* „Fußsohle"] *m.* –(e)s, ¨e [plɛ́:nə], ① 설계도, 지도. ② 계획, 의도, 복안; 스케줄(♈ *plan, design, project*).
Plan[2] [pla:n] [lat. –fr. Ebene, Fläche"] *m.* –(e)s, ¨e, 평지(平地), 평야(♈ *plain*); 초원(*lawn*); 유원지; 운동장; (Kampf∼) 투기장(鬪技場); 경기장; (Tanz∼) 무도장; 지면; 면. ¶auf den ∼ treten 등장〔출현〕하다 / der vordere ∼ 전면(前面), 전경(前景). **plan** *a.* 펀펀한, 평탄한(♈ *plain, level*); 《比》 명백한; 간단한.
Plane [plá:nə] *f.* –n, (차 따위의) 즈크포장(*tilt, awning*).
planen [plá:nən] *t.* u. *i.*(h.) 설계하다; 계획〔입안·획책〕하다.
Planeschmied [plɛ́:nəʃmi:t] *m.* 계획자, 입안자.
Planet [plané:t] [gr.] *m.* –en, –en, 〖天〗 혹성(惑星). **planetarisch** [planetá:rɪʃ] *a.* 혹성 같은, 헤매는. **Planetarium** *n.* –s, ..rĭen, 〖天〗 플라네타륨, 천상의(天象儀)(*orrery*).
planieren [planí:rən] [lat. <plan] *t.* 펀펀하게 하다(♈ *planish*); 고르다(♈ *plane, level*); 매끈하게 하다(*smooth*); 〖製本〗 (종이에) 갓풀을 칠하다(*size*).
Planier∙raupe [planí:r-raupə] *f.* 불도저.
Planimetrie [planimetrí:] [lat., = Plan[1]] *f.* ..trĭen, 평면〔면적〕측량; 〖數〗 평면 기하학.
Planke [pláŋkə] [Lw. lat.] *f.* –n, 두꺼운 판자(♈ *plank, board*).
Plänkelei [plɛŋkəlái] *f.* –en, 〖軍〗 산병전, 전초전. **plänkeln** [plɛ́ŋkəln] *i.*(h.) 산병전(戰)〔전초전〕을 하다(*skirmish*).
Plankton [pláŋktɔn] [gr.] *n.* –s, 〖生〗 플랑크톤, 부유 생물.
plan∙los *a.* 무계획한. **∼macher** *m.* 기획자. **∼mäßig** *a.* 계획에 의한, 방침대로의; *adv.* 계획대로.
plan∙parallel [plá:nparale:l] *a.* 〖物〗 평행 평면의.
planschen [plánʃən] [擬聲語] *i.*(h.) 철벙철벙 소리내다.
Plantage [plantá:ʒə] [fr. „Pflanzung"] *f.* –n, 식민 농장(植民農場)《특히 열대 지방의》(♈ *plantation*).
plan(t)schen [plán(t)ʃən] *i.*(h.) = PLANSCHEN.
Planung [plá:nʊŋ] *f.* –en, ① 계획함. ② 평면(화), 평지.
planvoll [plá:nfɔl] *a.* 계획〔조직〕적인.
Planwagen [plá:nva:gən] *m.* 포장 마차.
Planwirt∙schaft [plá:nvɪrt-ʃaft] *f.* 계획〔통제〕 경제.
Plapperei [plapərái] *f.* –en, 종알거림, 요설.
Plapper∙hans *m.*, **∼maul** *n.* 요설가.
plappern [plápərn] [원래는 擬聲語] *i.*(h.) 재잘거리다(*babble*). **Plapper∙tasche** *f.* 수다장이(여자).
plärren [plɛ́rən] [擬聲語] *i.*(h.) u. *t.* 울부짖다; (소·양 따위가) 울다(♈ *blare*); 엉엉 울다(*blubber*).
Pläsier [plɛzí:r] [lat. –fr.] *n.* –s, –e, 오락, 즐거움, 위안.
Plasma [plásma] [gr. *plássein* „bilden"] *n.* –s, ..men, 〖生〗 원형〔성형〕

질; 〖醫〗 혈장(血漿). **Plastide** [plastí:-də] *f.* -n, 〖生〗 색소[유색]체. **Plastik** [plástik] *f.* -en, ① 조소(彫塑), 조형미술; 조각품. ② 〖醫〗 정형[성형]술.
Plastikbombe *f.* 플라스틱 폭탄.
plastisch [plástɪʃ] *a.* 조소[조형]적인; 〖醫〗 정형적(♈ *plastic*). ¶ ~e Chirurgie 정형 외과.
Platane [platá:nə] [gr. <*platýs* „breit"] *f.* -n, 〖植〗 플라타너스.
Plateau [plató:] [lat. -fr.] *n.* -s, -s, 쟁반; 고원(高原), 고지.
Platin [platí:n, plá:ti:n] [sp. *plata* „Silber"의 縮小形] *n.* -s, 〖化〗 플래티나, 백금(♈ *platinum*).
platinblond [-blɔnt] *a.* 백금색을 띤 블론드의.
Platitüde [platitý:də] [fr.] *f.* -en, 평범; 진부(한 말); 천박.
plätschern [plétʃərn] [擬聲語] *i.*(h.) 철벙철벙 소리나다[내다](*splash*).
platt [plat] [fr. *aus* gr. *platýs* „flach"] 《Ⅰ》 *a.* ① 펀펀한, 평탄한, 낮은(*flat*). ② 《比》 천박한, 저속한. ③ 순전한. 《Ⅱ》 *adv.* 전혀, 단호히. ¶ das ~e Gegenteil 정반대 / e-e ~e Lüge 새빨간 거짓말 / jm. ~ (*adv.*) heraussagen 노골적으로 이야기하다.
Plätt·brett [plét-] *n.* 다리미판. **~bügel** *m.* = ~EISEN.
plattdeutsch [plátdɔytʃ] *a.* 저지 독일(어)의.
Platte[1] [plátə] *f.* -n, ① 판판한 것; 널빤지; 연판(延板), 금속판; 타일; 박(箔), 양철판(♈ *plate, sheet*); 포석(鋪石). ② 접시; 쟁반; 요리의 한 접시. ¶ kalte ~ 찬 고기(요리의 한 접시). ③ (Grammophon~) 레코드(*disc, record*); 대머리(*bald head*); 《比》 불모(不毛)의 땅; 숲속의 빈터.
Platte[2] [hebr.] *f.* 《俗》 die ~ putzen 도망하다, 뺑소니치다.
Plätt·eisen [plét-aizən] *n.* 다리미, 아이론.
platten [plátən] *t.* 판판하게 하다, 고르다; 납작하게 하다; (판을) 늘이다. **plätten** *t.* ① = PLATTEN. ② 다리미질하다.
Plattenjockey [plátəndʒɔki] *m.* = DISKJOCKEY.
platterdings [plátərdɪŋs, platərdíŋs] *adv.* 전혀, 절대로, 어쨌든.
Plätterin [plétərɪn] *f.* -nen, 다리미질하는 여자; 세탁부.
Platt·fisch *m.* 〖魚〗 넙치속(屬). **~form** *f.* 슬래브 지붕, 옥상 테라스; 연단, 교단; 《比》 강령(綱領), 주의.
Platt·fuß *m.* 발바닥; 편평족(扁平足)(인 사람). **~fuß·einlage** *f.* 편평족 용 아인라게《신의 안창》.
Platt·heit [pláthait] *f.* -en, 판판함(*flatness*); 《比》 평범, 천박(*platitude*); 진부한 말; 상투어.
plattieren [platí:rən] *t.* (에) 도금하다(♈ *plate*).
Plättisch [plétɪʃ] *m.* 다리미판.
Plätt·stahl [plétʃta:l] *m.* 다리미에 넣는 가열용 철봉.
Plätt·tisch = PLÄTTISCH. **~wäche** *f.* 다리미질할 세탁물.
Platz [plats] [fr., *eig.* „platte Stelle"] *m.* -es, ⸚e, 장소(♈ *place*); 빈 터, 여지(*room, space*); 어떤 장소, 지점(*spot*); 부지(敷地); 좌석(*seat*); 지위. ¶ ~ greifen 뿌리를 박다; 일어나다, 생기다 / jm. ~ machen 아무에게 자리를[길을] 비켜주다 / sich[3] ~ machen 비집고 들어가다 / ~ da! 비켜 / ~ nehmen (의자에) 앉다 / **am** ~ sein 마땅한 자리에 있다 / **auf** dem ~e 당장에, 즉석에서. ② 광장; (Markt~) 시장; (Sport~) 경기장, 그라운드. ③ (Kampf~) 전장(戰場). ¶ auf dem ~e bleiben 전사(戰死)하다. **Platz·angst** [pláts-aŋst] *f.* 〖醫〗 임장(臨場) [군집] 공포증(*agoraphobia*).
Platzanweiserin [-anvaizərɪn] *f.* (극장의 여자) 안내인(*usherette*). **Plätzchen** [plétsçən] *n.* -s, -, 작은 장소; 납작한 과자.
platzen [plátsən] [擬聲語] *i.*(h. *u.* s.)(탁하고) 쪼개지다, 터지다(*crash*); 파열[폭렬(爆裂)]하다(*burst, explode*); 빵꾸나다《자전거 따위가》; 돌발하다.
Platz·karte *f.* 좌석권. **~kommandant** *m.* 〖軍〗 위수(衛戍) 사령관. **~mangel** *m.* 장소 부족.
Platzpatrone [-patro:nə] *f.* 〖軍〗 공포(空包)《의제(擬製) 탄약통》.
platzraubend [-raubənt] *a.* 자리를 차지하는.
Platzregen [-re:gən] *m.* 억수, 소나기.
Plauderei [plaudərái] *f.* -en, 수다; 잡담, 쓸데없는 얘기; 만필(漫筆). **Plauderer** *m.* -s, -, 수다장이; 만담가; 만필가. **plauderhaft** *a.* 요설의; 잡담[만담]을 좋아하는.
plaudern [pláudərn] [원래는 擬聲語] *i.*(h.) 재잘거리다(*chatter, prate*); 잡담하다(*gossip*).
Plauder·tasche *f.* 수다떠는 여자, 수다장이. **~ton** *m.* 만담조.
plausibel [plauzí:bəl] [fr., <lat. *plaudere* „Beifall klatschen"] *a.* 찬성[납득]할 수 있는, 그럴 듯한.
plauz! [plauts] *int.* 쿵, 쾅《떨어지는 소리》. **plauzen** [pláutsən] *i.*(s.) 쿵 떨어지다, 쾅 넘어지다.
Playboy [pléɪbɔɪ] [engl.] *m.* -s, -s, 플레이보이.
Plebejer [plebé:jər] *m.* -s, -, (고대 로마의) 평민(♈ *plebeian*); 《比》 천한 인간.
plebejisch [plebé:jɪʃ] *a.* 서민의, 평민적인; 《比》 미천한(*plebeian*). **Plebiszit** [plebistsí:t] *n.* -(e)s, -e, 국민[일반] 투표. **Plebs** [plɛps] [lat.] *f.* 민중; 서민, 평민.
Pleisto·zän [plaisto-tsé:n] [gr. *pleistos* „am meisten", *kainos* „neu"] *n.* -s, 〖地〗 최신세, 홍적세.
Pleite [pláitə] [hebr. „Flucht"] *f.* -n, 파산(*bankruptcy*); 실망; 환멸.
Plenar·sitzung [plená:rzɪtsʊŋ] *f.* 전원회의; (주주) 총회.
Plenum [plé:nʊm] [lat. *plēnus*, „voll"] *n.* -s, 총회.
pleomorch [pleomɔ́rç] [gr. *morphḗ* „Gestalt"] *a.* 다형(태)의. **Pleomorphismus** [-fís-] *m.* -, ..men, 다형(현상), 이형, 이상(異像).
Pleuelstange [plɔ́yəlstaŋə] *f.* 〖機〗 연결봉(棒)(*connecting rod*).
Pleura [plɔ́yra:] [gr.] *f.* 〖解〗 늑막, 흉막. **Pleuresie** [plɔyrezí:] *f.* ..sien, 늑막[흉막]염(炎).
Pliozän [pliotsé:n] [gr.] *n.* -s, 〖地〗 선신세(鮮新世)《제 3 기의 최신층(最新層)》.

Plissẹe [plɪsé:] [fr. „gefältelt"] *n.* -s, -s, 눌러 잡은 주름, 주름 장식. **plis⸗sịeren** *t.* (에) 주름을 잡다《눌러서》.

Plọmbe [plɔ́mbə] [fr., <lat. *plumbum* „Blei"] *f.* -n, 납으로 하는 봉인(*lead seal*); (충치의) 충전물(充塡物)(*stopping*). **plombịeren** *t.* (에) 납으로 봉인을 하다; (이를) 봉박다.

Plọ̈tze [plœ́tsə] [Lw. sl.] *f.* -n, 〖魚〗 구리빛황어(*roach*).

plọ̈tzlich [plœ́tslɪç] [擬聲語, <Plotz † "쿵 떨어지는 소리"] 《Ⅰ》 *a.* 돌연한, 뜻밖의(*sudden*). 《Ⅱ》 *adv.* 갑자기, 돌연(*suddenly*). **Plọ̈tzlichkeit** *f.* -en, 위임; 돌연한 일, 돌발 사건.

Plṻderhōsen [plú:dərho:zən] *pl.* 헐거운 즈봉《세일러 팬츠 따위》.

Plumeau [plymó:] [fr., <lat. *plūma* „Feder"] *n.* -s, -s, (작은) 깃털 이불.

plump [plʊmp] [擬聲語] 《Ⅰ》 *a.* 둔중한, 지둔한(*heavy, bulky*); 맵시없는(*shapeless*); 서투른, 무뚝뚝한(*clumsy*). 《Ⅱ》 **Plump** *m.* -es, -e, 쾅〔쿵〕하고 떨어지는 소리. **Plụmpheit** *f.* -en, 굼뜸; 서투름; 무뚝뚝함; 세련되지 못했음, 버릇없음; 위의 언행(言行). **plumps!** [plʊmps] *int.* 쿵, 쾅, 풍덩. **plump⸗(s)en** [plʊ́mpsən] *i.*(s.) 쾅〔풍덩〕하고 떨어지다.

Plụnder [plʊ́ndər] [*eig.* „Gerät"] *m.* -s, 잡동사니, 헌옷; 쓰레기(*trash*).

Plụ̈nd(e)rer [plʏ́nd(ə)rər] *m.* -s, -, 약탈자; (특히) 약탈병.

Plụnder⸗kammer *f.* 헛방. **～mann** *m.* 넝마장수, 고물상. **～markt** *m.* 헌옷〔고물〕 시장.

plụ̈ndern [plʏ́ndərn] [<Plunder, *eig.* „das Gerät wegnehmen"] *t.* 약탈〔겁탈〕하다(♈ *plunder, pillage*). **Plụ̈nde⸗rung** *f.* -en, 겁탈, 강탈; (literarische ～) 표절.

Plurāl [prú:ra:l, plurá:l] [lat. <*plus* „mehr"] *m.* -s, -e, 〖文〗 복수. **plus** [plʊs] [lat. „mehr"] *adv.* 더하여, 플러스(기호: +); 〖數〗 플러스, 더하기; 〖物〗 정(正), 플러스《영 이상의 값을 표시》.

Plṻsch [ply:ʃ] [fr., <lat *pilus* „Haar"] *m.* -es, -e, 플러시《긴 털이 있는 빌로도의 일종》(♈ *plush*).

Plụsmacher [plʊ́smaxər] *m.* 장부를 속여 흑자를 만드는 사람; 재정적 음모가; 이득 추구자.

Plụspōl [plʊ́spo:l] *m.* 〖電〗 양극(陽極).

Plusquamperfekt [plʊ́s-kvam-pɛrfɛ-kt, plus-kvam-pɛrfɛ́kt] [lat.; *plus* „mehr", *quam* „als", *perfectum* „das Vollendete"] *n.* -(e)s, -e, 〖文〗 대과거(大過去), 과거 완료.

Plụszeichen [plʊ́stsaiçən] *n.* 플러스 기호.

Pneumātik [pnɔymá:tɪk] [gr. <*pneuma* „Hauch, Atem"] 《Ⅰ》 *f.* -en, 기(체역)학. 《Ⅱ》 *m.* -s, -s; od. (öst.) *f.* -en, 공기 타이어. **pneumātisch** *a.* 공기의, 호흡의; 공기 압력〔압착 공기〕에 의한. ¶ pneumatische Bremse 공기 제동기(制動機).

Pōbel [pǿ:bəl] [<fr. *peuple* „Volk"; ♈ engl. *people*] *m.* -s, 상사람, 천민; 하층 사회; 서민. **pōbelhaft** *a.* 상사람 같은; 비속한, 천한(*vulgar*).

Pōbel⸗herrschaft *f.* 천민 정치. **～⸗sprache** *f.* 쌍소리, 변말. **～wort** *n.* 비속어(卑俗語).

pọchen [pɔ́xən] [擬聲語] 《Ⅰ》 *i.*(h.) ① (톡톡) 두드리다(*knock*); (탕탕)치다(*rap*). ② (auf et., 을) 자랑하다, 뻐기다; 자부하다(*boast (of)*). 《Ⅲ》 *t.* 두드리다; 쳐서 부수다(*stamp, pound, crush*).

pochieren [pɔʃí:rən] [fr. *oeufs pochés* „verlorene Eier"] *f.*: 〖料〗 Eier ～ (끓는 물에) 달걀을 깨어 넣다.

Pọch⸗mehl [pɔ́x–] *n.* 쇄광(碎鑛). **～⸗spiel** *n.* 포커 놀이(♈ *poker*). **～werk** *n.* 쇄광기(碎鑛機)〔쇄광장(場)〕.

Pọcke [pɔ́kə] *f.* -n, 〖醫〗 소농포(小膿疱), 두창(痘瘡), 두흔(痘痕)(♈ *pock*); (*pl.*) 천연두(*smallpox*).

Pọcken⸗impfung *f.* 종두(種痘). **～⸗narbe** *f.* 두흔, 마마 자국.

Pōdagra [pó:dagra] [gr., *pod(-pūs)* „Fuß", *ágra* „Fang"] *n.* -s, 〖醫〗 각통풍(脚痛風)(*gout*).

Pōdium [pó:dĭʊm] [lat. *aus* gr. *pódion* „Füßchen"] *n.* -s, ..dĭen [-dĭən], 〖建〗 높은 단(段), 단(壇), 교단, 무대(*platform*).

Po·ēm [poé:m] [gr. *poiein* „machen"] *n.* -s, -e, 시, 시가, 운문. **Po·esịe** [poezí:] *f.* ..sĭen, 시문(詩文), 문학(文學)(작품) (♈ *poetry*); 시, 운문(*verse*). **Po·ēt** *m.* -en, -en, 시인. **Po·ētik** *f.* -en, 시학, 시론; 문학 개론; 작시법. **po·ētisch** *a.* ① 시문의, 문학의; 시의, 운문의. ② 시적인, 시취(詩趣)가 있는 (♈ *poetic(al)*).

Poise [poá:zə] [fr.] *n.* -, -, 프와즈《점도(粘度)의 단위, 기호: P》.

Pokāl [poká:l] [gr. -it.] *m.* -s, -e, (다리가 높은) 잔(*goblet*); 〖競〗 우승배(優勝杯)(*cup*). **～spiel** *n.* 우승배 쟁탈전.

Pōkel [pǿ:kəl] m. -s, -, 〖料〗 소금 국물《절인 것의》(♈ *pickle, brine*).

Pōkel⸗fleisch *n.* 소금에 절인 고기. **～⸗hēring** *m.* 염간 청어.

pōkeln [pǿ:kəln] *t.* 소금에 절이다.

Pōker [pó:kər] [engl.; <pochen] *n.* -s, 포커. **pōkern** *i.*(h.) 포커를 하다.

pokulịeren [pokulí:rən] [<lat. *pōculum* „Becher"] *i.*(h.) 통음(痛飮)하다, 주연을 베풀어 마시다(*drink, booze*).

Pōl [po:l] [gr. „Wirbel, Achse"] *m.* -s, -e, ① 극(極)(♈ *pole, terminal*). ② 〖電〗 전극(電極).

polār [polá:r] [lat. <Pol] *a.* ① 〖天·地〗 극(極)의, 극지의. ② 〖物·電〗 자극〔전극〕의. ③ 〖數〗 대극성(對極性)의. ④ 《比》 정반대의.

Polār⸗bār *m.* 북극곰, 백곰. **～eis** *n.* 극지의 얼음. **～forschung** *f.* 극지 탐험. **～fuchs** [-fuks] *m.* 〖動〗 북극여우. **～gürtel** *m.* 극지대, 한대(寒帶). **～⸗kreis** *m.*〖地〗극권(極圈). **～licht** *n.* 극광. **～meer** *n.* 극양(極洋), 빙양(氷洋). **～stern** *m.* 북극성. **～zōne** *f.* 한대(寒帶).

Pōle [pó:lə] *m.* -n, -n, 폴란드인.

Polēmik [polé:mɪk] [gr.„Streit(-kunst)"] *f.* -en, 논란술(論難術); 논쟁(論爭). **polēmisch** *a.* 논란의; 논쟁을 즐기는. **polemisịeren** [polemizí:rən] *i.*(h.) 논

박〔공격〕하다(*carry on a controversy*).

Polen [pó:lən] [sl. „Flachland"] *n.* 폴란드.

Polflucht [pó:lfluxt] *f.*: ~ der Kontinente 대륙의 극지 도피〔이동〕《오랜 세월 동안 점차 적도에 접근하는 현상》.

Polhöhe [pó:lhǿ:ə] *f.* 〖天〗 극의 고도(高度)《위도와 일치하는》; 위도(緯度).

Police [polí:sə] [fr.] *f.* -n, 보험(保險) 증서(♈ *policy*).

Polier [polí:r] [fr. *eig.* "Sprecher"] *m.* -s, -e, 도목수(都木手)《목수·미장이 등의 두목, 도장(都匠)의 대리를 함》(*foreman*); 현장 감독. **polieren** [polí:rən] [lat.] *t.* ① 갈다, 닦다(♈ *polish*). ② 《比》 (을) 연마하다, 세련〔퇴고(推敲)〕하다. **Polierer** *m.* -s, -, 위를 하는 사람.

Poliklinik [poliklí:nɪk, pólikli-] [gr. „Stadt-klinik"] *f.* -en, (시립 또는 대학 부속의) 외래 환자 진료(소); (시립)병원, (무료) 진료소.

Polin [pó:lɪn] [<Pole] *f.* -nen, 폴란드 여자.

Polio [pó:lĭo, pól-] *f.*, **Polio·myelitis** [polĭomyelí:tɪs] [gr. *polios* „grau", *myelos* „Mark"] *f.* ..tiden, 소아마비.

Politik [polití:k] [gr. -fr.] *f.* -en, ① 국사(國事), 정치, 정체, 정략(♈ *policy*). ② 정치학, 국가학(♈ *politics*). **Politiker** *m.* -s, -, 정치가; 정치학자; 정론가; 정략가(政略家). **politisch** *a.* 정치학의, 정치상의; 정치적인, 정치상의; 정략적인. **politisieren** 《Ⅰ》 *i.*(h.) 정치를 논하다. 《Ⅱ》 *t.* 정치상의 문제로 삼다.

Politur [politú:r] [lat, <polieren] *f.* -en, 다듬음, 연마(*polish*); 《比》 세련, 예의 범절; 와니스(*varnish*).

Polizei [politsái] [*aus* gr. *politeíā* „Regierungskunst"] *f.* -en, 경찰, 경찰서(♈ *police*).

Polizei·amt *n.* 경찰서. **~art** *m.* 경찰의. **~aufsicht** *f.* 경찰의 감독. **~beamte** *m.* 《形容詞變化》 경찰관. **~diener** *m.* 순경. **~gefängnis** *n.* 유치장. **~hund** *m.* 경찰견. **~kommissār** *m.* 경감.

polizeilich [politsáilɪç] *a.* 경찰의; *adv.* 경찰에 의하여.

Polizei·schule *f.* 경찰 학교. **~spitzel** *m.* 경찰의 밀정. **~staat** *m.* 경찰 국가. **~streife** *f.* (경찰의) 순찰. **~stunde** *f.* (요리점 등의) 법정 폐점 시간. **~verordnung** *f.* 경찰령. **~wache** *f.* 경찰서, 파출소. **~widrig** [-vi:drɪç] *a.* 경찰령 위반의.

Polizist [politsíst] *m.* -en, -en, 경관, 순경(♈ *policeman*).

Polklemme [pó:lklɛmə] *f.* 〖電〗 단자(端子).

Pollopas [pɔlopás] *n.* -, 폴로파스 유리《합성 수지의 일종; 깨지지 않음》.

polnisch [pɔ́lnɪʃ] [<Polen] *a.* ① 폴란드(인·어)의. ② 《比》 ~e Wirtschaft 난맥(亂脈), 문란《옛 폴란드의 국정같이》.

Polster [pɔ́lstər] *n.* 〔*m.*〕 -s, -, ① 쿠션《의자, 침대 따위에 마련한 것; 배개; 방석 따위》(♈ *bolster, cushion*), ② 위의 속《털·솜 따위의》.

Polster·bank *f.* (*pl.* ..bänke), 쿠션 달린 긴 의자. **~möbel** *pl.* 겉을 씌운 가구.

polstern [pɔ́lstərn] *t.* (에) 쿠션을 붙이다, 속을 넣다.

Polster·sessel, ~stuhl *m.* 쿠션 달린 의자.

Polsterung [pɔ́lstərʊŋ] *f.* -en, 쿠션을 붙임; 쿠션(요, 방석).

Polter [pɔ́ltər] *m.* -s, 시끄러운 소리, 소음. **Polter·abend** [pɔ́ltər-a:bənt] *m.* 결혼식 전날밤《축객(祝客)이 병 따위를 깨뜨려 크게 떠드는 습관에서》. **Polterer** *m.* -s, -, 떠드는 사람, 야단을 치는 사람. **Poltergeist** *m.* 집안을 떠들며 다니는 요정. **poltern** [pɔ́ltərn] [擬聲語] *i.*(h.) 퉁퉁〔탕탕〕하고 소리 내다(*make a noise, rattle*); 야단치다(*bluster*). ¶ es poltert in der Kammer 이 방에는 유령이 나온다.

Poltron [pɔltrɔ̃:] [lat. -fr.] *m.* -s, -s, 비겁한 자; 겁장이.

poly.. [poly-] [gr. *polýs* „viel"] 《合成用語》 "많은·다른"의 뜻. **polychrom** [polykró:m] *a.* 다색(쇄)의. **Polydaktylie** [-daktylí:] *f.* 〖動〗 보통 이상으로 손〔발〕을 많이 지님. **Polyeder** [-é:dər] *n.* -s, -, 다면체. **Polyester** [-éstər] *m.* -s, -, 〖化〗 폴리에스테르《고분자 화합물의 일종》; = ~HARZ. **Polyesterharz** *n.* 폴리에스테르 수지. **Polygamie** [-gamí:] *f.* ..mien, 일부 다처; 〖植〗 자웅 잡성. **Polygenie** [-gení:] *f.* 여러 종류의 인자로 됨. **Polymer** [-mé:r] *n.* -s, **Polymerisat** [-merizá:t] *n.* -(e), -e, 〖化〗 중합체, 이중체(異重體). **Polynom** [-nó:m] *n.* -s, -e, 〖數〗 다항식. **Polyp** [polý:p] [gr. *polý-pūs* „Vielfuß"] ① 〖動〗 해파리; 폴립; †두족류. ② 〖醫〗 (자궁의) 용종(茸腫). ③ 《俗·戱》 순경.

Polyphonie [polyfoní:] [gr.] *f.* ..nien, 〖樂〗 다성(多聲) 음악.

Polysyndeton [polyzýndetɔn] [gr.] *n.* -s, ..ta, 〖修辭〗 접속사 반복법.

Polytechnikum [polytéçnɪkum] [gr. „vielseitige technische Anstalt"] *n.* -s, ..ken *u.* ..ka, 공예(工藝) 학교; (특히) 공과 대학.

Polyvinyl.. [polyviný:l-] [gr. *polys* „viel" *u.* Vinyl] 《合成用語》 "폴리〔중합〕 비닐"의 뜻.

Pomade[1] [pomá:də] [fr., it *pomo* „Apfel" (원래 사과에서 만들어짐)] *f.* -n, 포마드, 머릿 기름, 향유.

Pomade[2] [pomá:də] [russ.] *f.* -n, 《俗·學》 쾌적; 평정; 무관심, 냉담. ¶ das ist mir ~ 그것은 내게는 아무래도 좋아.

Pomeranze [pomərántsə, pɔ-] [lat.] *f.* -n, 〖植〗 유자(의 열매·나무)(*orange*).

Pomeranzenschale *f.* 유자 껍질.

Pommer [pɔ́mər] *m.* -n, -n, **Pommerin** *f.* -nen, 포머른 사람. **Pommer(i)sch** *n.* 포머른의. **Pommern** [pɔ́mərn] *n.* 〖地〗 포머른《북부 독일의 주(州)명》.

Pomp [pɔmp] [fr.] *m.* -(e)s, 호화 찬란, 장려(壯麗), 화려(♈ *pomp, state, splendour*).

Pompadour [pɔ̃padú:r, pɔ́mpadu:r] [fr.] *m.* -s, -e *u.* -s, 여성의 수예품을 넣는 주머니《루이 15세의 애인 퐁파두르 후작 부인의 이름에서》.

Pomp·haft [pómphaft] *a.* 화려한, 찬란한.

pompös [pompǿ:s] *a.* 화려한, 찬란한.

Pön [pø:n] [lat.] *f.* -en, 형벌; 벌금.

ponceau [pɔ̃só:] [fr.] *a.* 심홍(深紅)의.

ponieren [poní:rən] [lat.] *t.* 《學》 한턱내다.

Pönitenz [pønitɛ́nts] [lat.] *f.* -en, 참회, 회오; 속죄; 회오의 고행.

Pontifex [pɔ́ntifɛks] [lat.] *m.* -(es), -e; (öst.) *m.* -, ..tifizes, 〖가톨릭〗 주교; 교황(=Papst).

Ponton [pɔ̃tɔ̃:, pɔntɔ̃:, (öst.) pɔntó:n] [fr. <lat. *pons* „Brücke"] *m.* -s, -s, 가교(架橋)용의 철선(船)(♈ *pontoon*).

Pony [pó:ni:, pɔ́ni] [engl. „Pferdchen"] *m.* od. *n.* -s, -s *u.* ..nies [-ni:s], 작은 말《스코틀랜드산》.

Pool [pu:l] [lat. -engl.] *m.* -s, -s, 〖經〗 풀《기업자 합동의 하나》; (선박 회사의) 해운 협정; (경기의) 내기돈.

P

Pop [pɔ́p] [amer.] *n.* -, 초모던 미술(Pop-art)파의 이름《화포 위에 갖가지 물체를 배치하여 몽타지함》.

Popanz [pó:pants] [tschech.] *m.* -es, -e, 도깨비(*bugbear*); 제웅; 악마(*bogy*).

Pop-Art [pɔ́pa:rt] *f.* =POP.

Popeline [popəlí:n, pɔpl-] [fr.] *f.* -n, 포플린《피륙》(*poplin*).

Popo [popó:] [<lat. *podex*] *m.* -s, -s, 《俗》 궁둥이(*behind*).

populär [populɛ́:r] [fr., <lat. *populus* „Volk"] *a.* 민중적인, 인기 있는, 통속적인(♈ *popular*). **popularisieren** *t.* 민간에 보급시키다; 통속화하다, 대중적으로 하다. **Popularität** *f.* 인기; 통속, 대중적임.

Pore [pó:rə] [gr.] *f.* -n, 구멍; 〖醫·動·植〗 기공(氣孔), 숨구멍(♈ *pore*).

Pornographie [pɔrnografí:] [gr.] *f.* ..phi̯en, 호색〔외설〕 문학.

porös [porǿ:s] *a.* 구멍이 있는, 기공이 있는(♈ *porous*). **Porosität** [porozitɛ́:t] *f.* 다공도(多孔度); 투과성(透過性).

Porphyr [pɔ́rfyr, -fy:r] [gr. „Purpurstein"] *m.* -s, -e, 〖鑛〗 반암(斑岩)(♈ *porphyry*).

Porree [pɔ́re:, pɔré:] [fr.] *m.* -s, -s, 〖植〗 부추(*leek*).

Port [pɔrt] [lat.] *m.* -(e)s, -e, 항구(♈ *port*, *harbour*).

portabel [pɔrtá:bəl] [lat. „tragbar"] *a.* 휴대용의.

Portable [pɔ́rtabl] [engl.] 《Ⅰ》 *m.* -, -s, 포터블 라디오. 《Ⅱ》 *f.* -s, 휴대용 타이프라이터.

Portal [pɔrtá:l] [mlat., <lat. *porta* „Tür"] *n.* -s, -e, 〖建〗 주현관(主玄關), 입구(♈ *portal*).

Portefeuille [pɔrtfǿ:j] [fr. *eig.* „trag Blatt!"] *n.* -s [-fǿ:js], -s [-fǿ:js], 종이 끼우개(♈ *portfolio*); 서류 가방.

Portemonnaie [pɔrtmɔnɛ́:, -é:] [„trag Geld!"] *n.* -s, -s, 지갑, 돈지갑(*purse*).

Portepee [pɔrtepé:] [fr. „Träger des Schwertes"] *n.* -s, -s, 검의 자루에 단 금·은실의 리본(*swordknot*).

Porter [pɔ́rtər] [lat. -engl.] *m.* -s, -, 흑맥주의 하나.

Portier [pɔrtĭé:, (öst. 또) -tí:r] [fr., <lat. *porta* „Tür"] *m.* -s, -s [-tĭé:s] *u.* -e [-tí:rə], 문지기, 수위(♈ *porter*).

Portikus [pɔ́rtikus] [lat.] *m.* -, -, 〖建〗 회랑, 주랑(현관).

Portion [pɔrtsĭó:n] [lat.] *f.* -en, ① 몫, 할당(割當), 배당. ② 일인분의 음식, 한 접시의 식품; 〖軍〗 배급 식량(*ration*). ¶ zwei ~en Tee 차 2인분.

Portlandzement [pɔ́rtlanttsemɛnt] *m.* 포틀란드《영국의 반도 이름》산 시멘트《보통 시멘트》.

Porto [pɔ́rto] [it., <lat. *portāre* „tragen"] *n.* -s, -s *u.* ..ti [-ti], 우편 요금(*postage*).

Porto≈auslagen *pl.* =~KOSTEN. **~≈frei** *a.* 우편료 선납의; 무료 우편물의. **~kosten** *pl.* 우편료. **~pflichtig** *a.* 우편료를 요하는. **~satz** *m.* 우편 요금율(率).

Portrait [pɔrtrɛ́:], **Porträt** [pɔrtrɛ́:(t)] [fr. *portrait* [-trɛ́:] <lat. *pro-trahere* „hervor-ziehen, -bringen"] *n.* -(e)s, -e [-trɛ́:tə] *u.* -s [-trɛ́:s], 초상(화)(♈ *protrait*, *likeness*). **porträtieren** [-trɛtí:rən] *t.*: jn.: (의) 초상화를 그리다.

Porträt≈maler *m.* 초상화가. **~maler-rei** *f.* 초상화.

Portugal [pɔ́rtugal] [<lat. *portus Galliae* „Hafen Galliens"] *n.* 포르투갈.

Portugiese *m.* -n, -n, 포르투갈 사람.

Portulak [pɔ́rtulak] [lat.] *m.* -s, -e *u.* -s, 〖植〗 쇠비름(*purslane*).

Portwein [pɔ́rt-] [engl. *port-wine* „Wein aus Opporto"] *m.* 포트와인《포르투갈 산 붉은 포도주》.

Porzellan [pɔrtsɛlá:n] [it.] *n.* -s, -e, 도자기(♈ *porcelain*, *china*), 자기(瓷器).

porzellanen *a.* 도자기의.

Porzellan≈erde *f.* 도토(陶土), 고령토. **~service** [-sɛrvɪs] *n.* 도기 세트. **~≈ware** *f.* 도자기류.

Posament [pozamɛ́nt] [fr.] *n.* -(e)s, -en, (흔히 *pl.*) 가장자리 장식, 깃장식; 드린(장식) 끈, 레이스. **Posamentier** [pozamɛntí:r] *m.* -s, -e, 위의 제조인; 위의 상인.

Posamentier≈arbeit *f.* 장식 끈〔레이스〕 제조. **~ware** *f.* 실〔리본〕류, 레이스 품.

Posaune [pozáunə] [lat. -fr.] *f.* -n, 〖樂〗 트롬본, 큰 나팔(*trombone*). ¶ in die ~ blasen 〔stoßen〕 큰 나팔을 불다; 《比》 떠벌리다. **posaunen** *i.*(h.) u. *t.* 큰 나팔을 불다; (큰 나팔처럼) 큰 소리를 내다; 《比》 떠벌리다.

Posaunen≈bläser [pozáunənblɛ:zər] *m.* 트롬본을 부는 사람. **~ton** *m.* (*pl.* ..töne) 트롬본의 울림.

Pose[1] [pó:zə] *f.* -n, 깃촉(*quill*); 깃펜《새깃으로 만든 필기구》.

Pose[2] [fr. <*poser* „setzen, stellen"] *f.* -n, (일부러 꾸민, 특별한) 자세(姿勢), 태도, 포즈(♈ *pose*, *attitude*).

Poseur [pozǿ:r] [fr.; =pose[2]] *m.* -s, -e, 뽐내는 사람, 젠체하는 사람. **posieren** *i.*(h.) 모델이 되다(jm.), 포즈를 취하다, 뽐내다, 젠체하다.

Position [pozitsĭó:n] [lat. <*pōnere* "stezen, stellen"] *f.* -en, ① 위치, 지

위, 자세(♈ *position*). ② 〖商〗 개조(箇條), 항목(*item*); 내역(內譯).

Positiōns=lampe *f.*, **∼licht** *n.* 위치〔진로〕를 표시하는 색등(色燈), 익등(翼燈)《비행기의》; 〖海〗 현등(舷燈).

positīv [pozití:f, pó:ziti:f] [fr. „(fest) gesetzt", <lat. *pōnere* „setzen"] *a.* ① 확실한; 실제의, 기성의, 실증적인. ② 적극적인; 긍정적인; 〖數〗 양(陽)의, 플러스의; 〖電〗 양성의; 〖寫〗 양화(陽畫)의(♈ *positive*).

Positūr [pozitú:r] [lat. „Stellung", < *pōnere* „stellen"] *f.* -en, 자세, 태도, 태세(♈ *posture*). ¶ sich⁴ in ∼ setzen 자세를 취하다; 거드름피우다, 점잔빼다.

Pọsse [pɔ́sə] [fr.] *f.* -n, 해학, 농담; 익살(*drollery, jest, farce*); (*pl.*) 어리석은 짓, 어릿광대극, 소극(笑劇). ¶ ∼n reißen 익살 떨다.

Pọssen [pɔ́sən] [<Posse] *m.* -s, -, 장난, 못된 장난(*trick, mischief*). **pọs=senhaft** *a.* 익살맞은, 우스꽝스러운.

Pọssen=macher, ∼reißer *m.* 어릿광대, 익살꾼, **∼spiel** *n.* 익살극.

Possessịvpronōmen [pɔsɛsí:f-] [lat.] *n.* 〖文〗 소유 대명사.

Possibilitạ̄t [pɔsibilitɛ́:t] [lat.] *f.* -en, 가능(성).

possịerlich [pɔsí:rlɪç] *a.* 우스운, 익살맞은.

Post [pɔst] [Lw. it., *eig.* „Standort" <lat. *pōnere* „stellen"] *f.* -en, ① 역체(驛遞)(제도), 역마차; 여인숙; 역, 역참(驛站). ② (지금의) 체신, 우편 (제도), 우편물(♈ *post, mail*); 우체국(*post office*). ③ 《比》 소식, 통지(*news*). ¶ (e-n Brief) auf die 〔zur〕 ∼ geben 편지를 우송하다, 투함하다 / mit umgehender ∼ 회편(回便)으로.

Pọst=abonnement *n.* 우송에 의한 정기 구독. **∼agentūr** *f.* 우체국 지국(支局)《특히 시골의》.

postạ̄lisch [pɔstá:lɪʃ] *a.* 우편의, 우체국의(♈ *postal*).

Postamẹnt [pɔstamɛ́nt] [lat. „Gestell"] *n.* -(e)s, -e, 〖建〗 기저(基底), 주각(柱脚)《기둥·조각·동상 따위의》(*pedestal*).

Pọst=amt *n.* 우체국. **∼anweisung** *f.* 우편환(郵便換). **∼auto** *n.* 우편 자동차. **∼beamte** *m.* (形容詞變化) 우체국원. **∼beutel** *m.* 우편 가방. **∼bezirk** *m.* 우편 집배(集配) 구역. **∼bōte** *m.* 우편 집배인.

Pọst=debit *m.* 우체국 경유에 의한 신문·잡지의 판매. **∼dienst** *m.* 우편 사무. **∼direktiōn** *f.* 우체국. **∼direktor** *m.* 우체국장. **∼einlieferungs=schein** *m.* 우편물 수령증.

Pọsten [pɔ́stən] [Lw. it., <lat. *pōnere* "setzen, stellen"] *m.* -s, -, 《I》 [*eig.* „Standort", =Post] 일자리, 부서, 지위, 직책(♈ *post, situation*); 〖軍〗 보초, 초병(哨兵)(*sentry*), 경계병; 초소. ¶ (auf dem) ∼ steh(e)n 부서를 지키고 있다; 〖軍〗 보초를 서다; 《比》 경계하고 있다 / auf dem ∼ sein 《俗》 건강하다. 《II》 [*eig.* „Gesetztes, Gestelltes"] ① 개조(箇條), 항목, 내역(*entry, item*); 한 몫, 일회분(*lot, parcel*). ② 금액, 잔액(殘額)(*amount, sum*).

Pọsten=jạ̄ger *m.* 엽관 운동자. **∼kette** *f.* 보초선(步哨線).

Pọst=fach *n.* 우편(사서)함. **∼frei** *a.* 우편료 선납의, 우표가 붙어 있는. **∼gebühr** *f.* 우편 요금. **∼geheimnis** *n.* 통신〔서신(書信)〕의 비밀(을 지켜야 할 의무). **∼horn** *n.* 우편 마차의 나팔; 《比》 우편.

posthūm [pɔst(h)ú:m] *a.* =POSTUM.

postịeren [pɔstí:rən] *t.* 세우다, 두다; 부서에 앉히다; 배치하다.

Postịlle [pɔstílə] [lat.] *f.* -n, 설교집(集)《가정 예배용》(*book of homilies*); 성서의 주해.

Postilliōn [pɔstɪlió:n, pɔ́stɪlio:n] [fr. <Post] *m.* -s, -e, 《古》 우편 마차 마부.

Pọst=karte *f.* 우편 엽서(*postcard*). ¶ ∼karte mit Ansicht 그림 엽서 / ∼karte mit Antwort 왕복 엽서. **∼kutsche** [-kutʃə] *f.* 우편(郵便) 마차. **∼=lāgernd** *a.* 우체국 유치(留置)의; *adv.* 우체국 유치《편지의 표기》. **∼marke** *f.* 우표. **∼meister** *m.* (3등) 우체국장. **∼minister** *m.* 체신부 장관. **∼nāchnahme** *f.* 대금 상환 우편. ¶ gegen ∼nachnahme 대금 상환으로.

Pọsto [pɔ́sto] [lat. -it.; ♈Posten] *m.* -s, 위치, 입장; 확고한 지위. ¶ ∼ fassen 확고한 지보(地步)를 점하다, 입장을 굳히다, 태도를 정하다.

Pọst=pakēt *n.* 우편 소포. **∼reklāme** *f.* 우편 광고, 디렉트 메일. **∼schaffner** *m.* 우체국원《집배인 등》. **∼schalter** *m.* 우체국의 창구. **∼scheck** *m.* 대체환(對替換). **∼schiff** *n.* 우편선(船). **∼schließfach** *n.* 우편 사서함. **∼sekretạ̄r** *m.* 우체 국원. **∼sendung** *f.* 우편(물).

Post·skrịpt [pɔst-skrípt] [lat. „Nachschrift"] *n.* -(e)s, -e, **Post·skrịptum** *n.* -s, ..te *u.* ..ta, 추신(追伸).

Pọst=spạ̄rkasse *f.* 우편 저금(국). **∼statiōn** *f.* 역마을, 역참(驛站). **∼stempel** *m.* 우편 소인(消印).

postūm [pɔstú:m] [lat.] *a.* 아버지의 사후에 태어난; 저자의 사후 공표된 (저작 따위).

Postūr [pɔstú:r] *f.* 《schwz.》 =POSITUR.

Pọst=wāgen *m.* 〖鐵〗 우편차. **∼wendend** *adv.* 회편(回便)으로; 다음 편에. **∼wēsen** *n.* 우편 제도〔사무〕. **∼zūg** *m.* 우편 열차.

Potage [potá:ʒə] [fr.] *f.* -n, 농후(濃厚)한 수프.

Potẹnz [potɛ́nts] [lat. „Macht"] *f.* -en, ① 힘(*power*), 내재력, 잠재력; 〖醫〗 생식력, 정력(*virile power*). ② 〖數〗 멱(冪), 제곱(*square*). **potenzịeren** *t.* 힘을 북돋우다, 보양하다; 〖數〗 제곱하다.

Potpourri [pɔ́tpuri:] [fr.] *n.* -s, -s, 잡동사니, 잡채, 비빔《요리 따위》; 〖樂〗 접속곡.

Pọtt=asche [pɔ́t-aʃə] [„in Töpfen hergestelltes Laugensalz"] *f.* 〖化〗 조제(粗製) 탄산 칼륨(♈ *potash*). **∼wāl** 〖動〗 향유고래(*sperm-whale*).

potztausend! [pɔ́ts-tauzənt] [*eig.* „Gottes tausend Sakrament!"] *int.* 원, 저런; 제기랄.

Poussage [pusá:ʒə] [<poussieren] *f.* -n, 정사(情事). **poussieren** [pusí:rən] [fr. *eig.* „vorwärtstreiben"] *i.*(h.) (mit, 의) 비위를 맞추다, 사랑을 구하다(*flirt*).

power [pó:vər] [fr. Lw] *a.* 《俗》 가난한; 불쌍한, 가련한. 「머리말, 전문.」

Prä·ambel [prɛ-ámbəl] [lat.] *f.* -n,

Pracht [praxt] *f.* 《稀》 -en, 호화 찬란, 장려(壯麗)(*splendour, magnificence*).

Pracht=ausgabe *f.* 호화판(版). **~=einband** *m.* (책의) 특별 장정.

prächtig [prέçtıç] *a.* 화려한, 호화로운, 훌륭한(*magnificent, splendid*).

Pracht=kerl *m.* 멋진 남자, 쾌남아. **~liebe** *f.* 화려함을 좋아함, 사치심. **~liebend** *a.* 사치를 좋아하는. **~voll** *a.* =PRÄCHTIG. **~werk** *n.* 상등품; 특제품, 호화판. **~zimmer** *n.* 호화로운 방.

Prädestination [prɛdɛ̀stinatsió:n] [lat] *f.* -en, 〖宗〗 숙명, 정업, 명수. **prä=destinieren** *t.* 예정하다, 운명짓다. **prädestiniert** *p.a.* 예정된, 숙명적인.

P

Prädikat [prɛdiká:t] [lat. „Hervor-〔Aus-〕sage"] *n.* -(e)s, -e, 〖文〗 (Satzaussage) ① 술어(Ⓨ*predicate*). ② 칭호(*title*). ③ 평점, 성적(*mark*).

Prädisposition [prɛdıspozitsió:n] [lat.] *f.* -en, 준비; 경향; 소질, 감수성.

prädominieren [prɛdominí:rən] [lat.] *i.*(h.) 우위를 점하다, 탁월하다, 중요시되다.

Präfekt [prɛfέkt] [lat. Vor-gemachter"] *m.* -en, -en, (Vorgesetzter) 상사(上司); (고대 로마 및 현 프랑스의) 지방 장관, 지사(知事).

Präfix [prɛfíks] [lat.] *n.* -es, -e, 〖文〗 전철, 접두어(=Vorsilbe).

Prag [pra:k] [tschech. *Praha*] *n.* 체코슬로바키아의 수도 이름(Ⓨ*Prague*).

prägen [prέ:gən] *t.* ① 답인(踏印)〔각인〕하다; 각명(刻銘)하다(*stamp*); 《比》 흔적〔인상〕을 남기다(*impress (on)*). ② 주조하다(*coin*); 《比》 (신어 따위를) 만들다; (법률을) 제정하다.

Pragmatisch [pragmá:tıʃ] [gr.] *a.* 사무적인; 실제적인; 실용적인; 교훈〔계몽〕적인. **Pragmatismus** *m.* -, 실용〔실제〕주의.

prägnant [prɛgnánt] [lat. „schwanger"] *a.* 함축〔내용〕있는(*significant, suggestive*); 정확한(*exact*); 간결한(*concise*).

Prägung [prέ:guŋ] *f.* -en, 답인(踏印), 각인; 형(型); 화폐 주조; 형성.

prä·historisch [prɛhıstó:rıʃ] [lat. vor geschichtlich] *a.* 유사 이전〔태고〕의.

prahlen [prá:lən] *i.*(h.) 자랑하다; 거만하게 뽐내다(*boast, brag*); 과시(誇示)하다(*show off*). **Prahler** *m.* -s, -, 뽐내는 사람, 허풍선이. **Prahlerei** *f.* -en, 자랑, 허풍. **prahlerisch, prahl=haft** *a.* 자랑하는, 허풍떠는. **Prahl=hans** *m.* 허풍선이. **Prahlsucht** *f.* 자만, 교만.

Prahm [pra:m] *m.* -(e)s, -e *u.* ⸗e, 〖海〗 너벅선의 일종(Ⓨ*pram*).

präkardial [prekardiá:l], **präkordial** [-kɔrdiá:l] [lat.] *a.* 심장 앞에 있는, 심장부의.

Praktik [práktık] [gr. *prássein* „tun, handeln"] *f.* -en, 실지, 실행, 실습(Ⓨ*practice*); (흔히 *pl.*) 책략, 술책(*trick*). **Praktikant** [praktikánt] *m.* -en, -en, 실제가; 개업의(醫); 실습생. **Praktiker** *m.* -s, -, ① 실제〔실무·실천〕가. ② 노련가, 수완가. **Praktikus** *m.* -, ..ker *u.* -se, ① =PRAKTIKER. ② 《戱》 무엇이든 할 수 있는 사람, 만능가. **prak=tisch** [práktıʃ] *a.* ①실무에 종사하는, 실지의, 실제의, 실천적인. ¶ ~er Arzt 개업의(開業醫). ② 유용한; 실용적인. ③ 노련한; 분별 있는. **praktizieren** *i.*(h.) 실지로 종사하고 있다, 개업하고 있다(Ⓨ*practise*).

Prä·lat [prɛlá:t] [lat. Vor-gezogener"] *m.* -en, -en, 〖宗〗 고위 성직자《가톨릭의 주교, 신교의 감독 따위》.

präliminar [prɛliminá:r] [lat.] *a.* 예비의, 임시의, 잠정적인. **Präliminare** *n.* -s, ..rien, (흔히: *pl.*) 예비, 준비; 예비 회의; 가조약. **Präliminarfriede** *m.* 가(假)평화 조약.

Praline [pralí:nə] [fr. *praliné*] *f.* -n, 속을 넣은 초콜렛 봉봉.

prall [pral] *a.* 팽팽한(*tight*); 탄력이 있는(*taut*); 토실토실한《근육 따위가》(*plump*). ¶ in der ~en Sonne 볕을 쨍쨍 받으며. **Prall** *m.* -(e)s, -e, 반발, 되튀김, 되튐(*rebound*); 충돌(*collision*). **prallen** [prálən] *i.*(s.) ① 충돌하다(*dash (against)*). ② von et.[3]: 되튕겨지다, 되튀다(*rebound*); (zurück~) 반사(反射)하다; (태양이) 쨍쨍 내리쬐다. 「튕겨 남.」

Prall=kraft *f.* 탄력. **~schuß** *m.* 되

Prä·ludium [prɛlú:dıum] [lat. „Vorspiel"] *n.* -s, ..dien, 〖樂〗 전주곡, 서곡; 서언(Ⓨ*prelude*).

Prämie [prέ:mĭə] [lat.] *f.* -n, ① 프레미엄, 보수, 위약금(違約金), 보상금, 액면 초과금, 할증금(割增金)(Ⓨ*premium*). ② 상, 상품(*prize*).

Prämien=anleihe [-anlaiə] *f.* 할증금부 공채. **~geschäft** *n.* 선택 거래. **~sparen** *n.* 할증 저축《장기 저축에 대해 국가가 보상함》

prämi·ieren [prɛmií:rən] *t.* (에게) 상을 주다; 보수를 주다.

Prämisse [prɛmísə] [lat.] *f.* -n, 전제, 전치(前置); 〖論〗 전제.

prangen [práŋən] *i.*(h.) ① 화려하다. 현란(絢爛)하여 이목을 끌다(*shine, sparkle*), 멋지다. ② (mit, 를) 과시하다(*show, off*); 자랑하다(*boast*).

Pranger [práŋər] [*eig.* „Halseisen"; Ⓨnd. *prangen* „drücken"] *m.* -s, -, (죄인을) 항쇄(項鎖)하여 매놓는 기둥(*pillory*).

Pranke [práŋkə] [lat.] *f.* -n, 날짐승의 며느리발톱; (특히) 앞발《맹수의》(*clutch*).

pränumerando [prɛnumerándo:] [lat.] *adv.* 선불(先拂)로, 선금으로(*in advance*).

Präparat [prɛpará:t] *n.* -(e)s, -e, 〖化〗 제품; 〖醫〗 조제; 《一般的》 연구〔실험〕용 재료; 프레파라트《현미경의 재물(載物) 글라스》(Ⓨ*preparation*). **präpa=rieren** [prɛparí:rən] [lat. „vor-(zu)bereiten"] *t.* 준비하다, 조제(調製)하다, 〖醫〗 조제(調劑)하다(Ⓨ*prepare*).

Präponderanz [prɛpɔnderánts] [lat.] *f.* -en, 우세, 탁월; 과중. **präponderieren** *i.*(h.) 우세〔유력〕하다.

Präposition [prɛpozitsió:n] [lat. „Voran-setzung"] *f.* -en, 〖文〗 전치사 (♈*preposition*).

Prärie [prɛrí:] [fr.] *f.* ..rien [rí:ən], 풀밭, 목장; (특히) 대초원《북아메리카의》 (♈*prairie*).

Prärogativ [prɛrogatí:f] [lat.] *n.* -s, -e [..və], **Prärogative** [..tí:və] *f.* -n, 특권, 우선권; †(군주의) 대권.

Präsens [prɛ́:zɛns] [lat. „gegenwärtig" <*prae-esse* „davor-sein"] *n.* -, ..sentia *u.* senzien, 〖文〗 (동사의) 현재(형)(♈*present (tense)*). **präsentieren** *t.* ① 제출〔제시〕하다; 바치다, 내다(♈*present*). ② das Gewehr ~ 받들어총하다. **Präsentierteller** *m.* 쟁반(*tray*). ¶ auf dem ~ sitzen 뭇시선을 받고 있다.

Präsenz [prɛzɛ́nts] [lat.; ♈Präsens] *f.* 현재, 현존, 존재; 출석; 출석자; 현병력.

Präsenz·geld *n.* 일당. ~**liste** *f.* 출석부. ~**stärke** *f.* 〖軍〗 현재원. ~**zeit** *f.* 출석 시간.

Präservativ [prɛzɛrvatí:f] [lat.] *n.* -s, -e [..və], 예방약; 방부제; 〖醫〗 콘돔. **präservieren** *t.* 예방하다; 방부하다; 보존하다; 보호하다.

Präsident [prɛzidɛ́nt] [lat. „Vor-sitzender"] *m.* -en, -en, 의장(*chairmen*), 회장, 장관, 총재, 대통령(♈*president*). **präsidial** [-diá:l] *a.* 의장〔대통령〕의. **Präsidialdemokratie** *f.* 대통령에 광범위한 권한이 부여되는 민주 정치. **präsidieren** [prɛzidí:rən] *i.*(h.) 의장〔회장·장관〕이다. **Präsidium** [prɛzí:dium] *n.* -s, ..dien 상석임; 의장의 지위; 장관의 직위.

präskribieren [prɛ-skribí:rən] [lat.] ① 규정하다, 제정하다, 명령하다. ② 〖法〗 시효의 판결을 내리다. **Präskription** [..skrɪptsió:n] *f.* -en, ① 규정, 규제. ② 〖法〗 시효.

prasseln [prásəln] [♈bersten] *i.*(h. *u.* s.) 따닥따닥 울리다〔타오르다〕(*crackle*); 후두두 소리나다〔내리다〕《비가》(*patter*).

prassen [prásən] *i.*(h.) 호화롭게 지내다; 밤낮 마시고 놀며 지내다(*feast, revel*). **Prasser** *m.* -s, -, 호화롭게 지내는 사람, 낭비하는 사람. **Prasserei** *f.* -en, 호사하게 날을 보냄, 낭비.

präsumieren [prɛzumí:rən] [lat.] *t.* 예상하다, 가정하다, 추정하다; 상상하다, 공상하다.

Prätendent [prɛtɛndɛ́nt] [lat.] *m.* -en, -en, 요구하는 사람; (특히) 왕위를 노리는 사람(♈*pretender*).

Präteritum [prɛté:ritum, -tɛ́r-] [lat. „vergangene (Zeit)"] *n.* -s, ..ta, 〖文〗 과거(형)(*past tense*).

Prävalenz [prɛvalɛ́nts] [lat.] *f.* 우세, 유력, 보급. **prävalieren** 《Ⅰ》 *i.*(h.) 우세〔유력〕하다; 보급되어 있다. 《Ⅱ》 *refl.* 〖商〗 (손실 등을) 회복하다, (경비 등을) 선불로 받다.

Prävenire [prɛvení:rə, -re:] [lat.] *n.* -(s), : jm. das ~ spielen 아무를 앞지르다. **präventiv** [-tí:f] *a.* 예방의. **Präventiv·impfung** [-tí:f-impfuŋ] *f.* 예방 접종. **Präventivkrieg** *m.* 예방 전쟁.

Praxis [práksɪs] [gr. „Tätigkeit, Handlung"] *f.* ..xen, 실행, 실지, 실제, (실지) 응용(*practice*); 실습(*exercise*).

Prä·zedens [prɛtsé:dɛns] [lat. *prae-cēdere* „vorher-gehen"] *f.* ..zedenzien, **Präzedenzfall** *m.* 〖法〗 선례, 판례.

Präzeptor [prɛtsɛ́ptɔr] [lat.] *m.* -s, ..toren, 선생, 교사; 가정 교사; 교육자.

präzis(e) [prɛtsí:s, -tsí:zə] [lat.] *a.* 정밀한, 엄밀한(♈*precise*); 정확한(*punctual*). **Präzision** [prɛtsizió:n] *f.* -en, 정밀, 엄밀; 정확.

Präzisions·instrument *n.* 정밀 기계. ~**uhr** *f.* 정밀 시계. ~**waffe** *f.* 정교한 무기.

predigen [pré:dɪgən] [Lw. lat.] *i.*(h.) u. *t.* 설교하다(♈*preach*). **Prediger** *m.* -s, -, 설교자; 목사. **Predigt** [pré:dɪçt] *f.* -en, 설교(*sermon*); 강론(*lecture*).

P

Preis [prais] [Lw. fr.] *m.* -es [-zəs], -e [-zə], ① 값, 가격; 요금(♈*price, cost, rate*). ¶ um jeden ~ 값은 상관하지 않고; 어떠한 희생을 치르더라도 / um k-n ~ 결코 …하지 않다. ② 보수(*reward*); 상(♈*prize*). ③ 칭찬(♈*praise*); 영광, 명성(*glory*). ④ 정화(精華), 빼어난 것, 백미(白眉), 지보(至寶).

Preis·abbau [páis-apbau] *m.* 가격 인하. ~**angabe** *f.* 가격 표시. ~**aufgabe** *f.* 현상 문제. ~**ausschreiben** [-ausʃraibən] *n,* ~**ausschreibung** *f.* 현상. ~**bewerber** *m.* 현상 응모자. ~**bildung** *f.* 물가〔가격〕 형성. ~**bremse** *f.* 값오름에 대한 브레이크〔억지력〕.

Preisel·beere [práizəlbe:rə] [前半: Lw. tschech.] *f.* 〖植〗 월귤나무(*cranberry*).

preisen* [práizən] [<Preis] *t.* 칭찬〔찬양〕하다, 기리다(♈*praise, glorify*).

Preis·erhöhung *f.* 가격〔물가〕의 등귀. ~**ermäßigung** *f.* 감가, 할인. ~**frage** *f.* 현상 문제.

Preisgabe [práis-] *f.* 포기, 단념; 무심코 누설함《비밀 따위를》. **preis|geben*** *t.* 포기하다(*give up, abandon*); 에 맡기다; 누설하다; *refl.* 몸을 맡기다; 몸을 더럽히다. ¶ sich dem Gelächter ~ 웃음거리가 되다. **Preisgebung** *f.* 포기, 단념; 몸을 허락함.

preisgekrönt *p.a.* 상을 받은. ¶ ~er Dichter 계관 시인(桂冠詩人).

Preis·kurant [-kurant] *m.* 가격표. ~**lage** *f.* 가격 등급, 가격 범위. ~**liste** *f.* 물가표. ~**notierung** *f.* (국제적인) 시세 결정. ~**politik** *f.* 물가 정책. ~**richter** *m.* 현상 심사원《콩쿠르 따위의》. ~**schießen** *n.* 현상 사격. ~**schild** *n.* (*pl.* -er) 정찰. ~**schrift** *f.* 현상 당선 논문. ~**schwankung** *f.* 물가 변동.

Preißelbeere [práisəl-] *f.* =PREISELBEERE.

Preis·steigerung *f.* 물가 등귀. ~**sturz** *m.* 가격의 폭락. ~**träger** *m.* 수상자(受賞者). ~**treiber** *m.* 값을〔시세를〕 부채질하는 사람《시장·증권 거래

소 등에서). ~wert, ~würdig *a.* ① 칭찬할 만한. ② 알맞은 값의, 염가의. ~würdigkeit *f.* 알맞은 값임; 염가.
prekär [preké:r] [lat.] *a.* 불안한, 불확실한, 의심스러운, 위험한; 곤란한, 용이하지 않은.
prellen [prélən] [„prallen machen"] 《I》 *t.* ① 부딪치게 하다; 되튀겨지게 하다; 튀겨올리다(*toss*). ② 속이다, 사기하다(*cheat, swindle*). 《II》 *i.*(h. *u.* s.) 부딪치다; 되튕겨지다. **Preller** *m.* -s, -. 사기꾼; 무전 취식자(無錢取食者). **Prellerei** *f.* -en, 사기, 기만; 무전취식.
Premiere [prəmĭé:rə, pre-] [fr. „erste (Nacht)"] *f.* -n, 초연(初演).
preß [prɛs] [♀pressen] *a.* 밀착한, 긴밀한; 《比》 절박한.
Presse [prɛ́sə] [Lw. mlat. *pressa* „Zwang, Druck"] *f.* -n, ① 압착기(壓搾機); 인쇄기(♀*press*). ¶ unter der ~ 인쇄중. ② 신문, 신문지, 신문업계, 저널리즘. **pressen** [prɛ́sən] *t.* ① 누르다, 짓누르다(♀*press*), 압축[압착]하다(*compress*); 으깨다, 짜다, 죄다(*squeeze*); 인쇄하다. ② 《比》 압박[억압]하다(*oppress*); 강요[강제]하다(*urge*). **Presser** [prɛ́sər] *m.* -s, -, 압착공; 짜는 사람; 압착용 지레.
Pressetribüne [prɛ́sətriby:nə] *f.* (의회 등의) 기자석.
Presseur [prɛsǿ:r] [fr. „Drücker„] *m.* -s, -s, (요판 인쇄기의) 압지 롤러.
Preß·freiheit [prés-] *f.* 출판·언론의 자유. ~gesetz *n.* 신문 조례; 출판법. ~hēfe *f.* 압착 효모(酵母).
pressieren [prɛsí:rən] [lat.] 《I》 *t.* 몰다, 독촉[재촉]하다. ¶ pressiert (*p. a.*) sein 서두르고 있다. 《II》 *i.*(h.) 절박하다. **Pression** *f.* -en, 압박, 강제.
Preß·kohle *f.* 연탄. ~luft *f.* 압착공기. ~ordnung [-ɔrdnuŋ, -ɔrt-] *f.* 출판 조례. ~stoffe *pl.* 플라스틱《경질의》.
Pressung [prɛ́suŋ] *f.* -en, 압축, 압박, 압착.
Preß·vergehen *n.* 출판법 위반. ~vergoldung *f.* 〖製本〗 금박 누르기. ~zwang *m.* 출판 자유의 제한.
Prestige [prɛstí:ʒə] [fr.] *n.* -s (öst.: -), 명성, 신망; 세력; 위신.
Preußen [prɔ́ysən] *n.* -s, 프로이센《1945년까지 독일의 주 이름》(♀*Prussia*).
prickeln [príkəln] 《I》 *t.* u. *i.*(h.) 따끔하게 찌르다, 알알하다(♀*prickle, itch*). 《II》 **prickelnd** *p. a.* 찌르는 듯한; 신랄한.
Priem [pri:m] [Lw. ndl. „Pflaume"] *m.* -(e)s, -e, **Prieme** *f.* -n, 한입에 들어갈 분량의 씹는 담배(*quid of tobacco*). **priemen** *t.* u. *i.*(h.) 씹는 담배를 씹다.
pries [pri:s] ☞PREISEN (그 過去).
Priester [prí:stər] [Lw. gr. -lat.] *m.* -s, -, 성직자; (가톨릭의) 사제(司祭), 목사(♀*priest*). **Priester·amt** *n.* 성직자의 직. **Priesterherrschaft** *f.* 성직자 정치. **Priesterin** *f.* -nen, 여자 성직자. **priesterlich** *a.* 사제의; 성직자 같은. **Priesterrock** *m.* 신부복(神父服). **Priesterweihe** *f.* 사제 서품식(敍品式).
Prima [prí:ma] [lat. „die erste (Klasse)"] *f.* ..men, (독일 고등 학교의) 제 1급 학년, 최고 학년. **prima** [prí:ma] *a.* 첫째의, 제일급의, 최우수의(♀*prime*).
Primadonna [pri:madɔ́na] [it.] *f.* ..nnen, 오페라의 주연 여가수. **Primaner** [primá:nər] *m.* -s, -, (독일 고등 학교의) 제 1급 학년의 학생. **Prima·qualität** *f.* 최고품.
primär [primɛ́:r] *a.* 최초의; 원시의; 근본적인.
Prima·sprit [prí:maʃpri:t, -ɪt] *m.* 고순도(高純度) 알콜.
Primat [primá:t] *m.* od. *n.* -(e)s, -e, ① 우위, 최고위. ② (교황의) 수장권(首長權). ③ 적자권(嫡子權)(♀*primacy*).
Primel [prí:məl] ["(봄의) 제 1 의 (꽃)"] *f.* -n, 〖植〗 앵초속(屬)(*primrose*).
primitiv [primití:f] [lat. „Erster"] *a.* 원시의, 원시적인, 미개의, 야만의; 순박한, 단순한.
Primus [prí:mus] [lat. „der erste"] *m.* -, ..mi [-mi:] *u.* -se, 수석 학생《남자》(*head boy*).
Primzahl [prí:mtsa:l] *f.* 〖數〗 소수(素數)(*primenumber*).
Prinz [prɪnts] [fr. *prince,* "제 1 위의 사람"] *m.* -en, -en, 왕자, 공자; 왕족《남자의》. **Prinzessin** [prɪntsɛ́sɪn] *f.* -nen, 왕녀, 공주; 왕자비. **Prinzgemahl** *m.* 여왕의 부군.
Prinzip [prɪntsí:p] [lat. „Anfang"] *n.* -s, -e *u.* -ien [-ĭən], 원리, 원칙; 주의(♀*principle*); 근본; (*pl.*) 초보, 강요(*rudiments*). **Prinzipal** [prɪntsipá:l] [lat. „der Erste"] *m.* -s, -e, 상점 주인, 사장; 고용주; 지배인; 교장(*chief, head, boss*). **prinzipiell** [prɪntsipĭɛ́l] *a.* 원리상의, 원칙적인, 주의상의; *adv.* 원리상, 주의상.
Prinzipien·frage *f.* 원칙상의 문제. ~reiter *m.* 주의를 고집하는 사람; 독단가. ~streit *m.* 주의상의 논쟁.
prinzlich [príntslɪç] *a.* 왕자[공자]의; 귀공자와 같은; 화려한, 당당한.
Prior [prí:ɔr] [lat. „der Obere"] *m.* -s, Prioren, 우두머리; (베네딕트회의) 수도원장 또는 부원장; (도미니코회의) 관구장. **Priorin** [prió:rɪn, prí:orɪn] *f.* -nen, 여자 수도회 회장[부회장], 수도원장[부원장]. **Priorität** [prioritɛ́:t] *f.* -en, 우선; 우선권(♀*priority*); (*pl.*) 우선주(株).
Prioritäts·aktien *pl.* 〖商〗 우선주. ~anleihe *f.* 우선 공채. ~anspruch *m.* 우선 청구권. ~streit *m.* 우선권 다툼.
Prise [prí:zə] [fr. „das Genommene"] *f.* -n, ① 〖海〗 나포[포획]물(♀*prize*). ② (코담배의) 한줌(*pinch*).
Prison [prizɔ̃:] [fr.] *f.* *pl.* -s, od *n.* -s, -s, 《俗》 감옥, 교도소.
Prisma [prísma] [gr. „Zersägtes"] *n.* -s, ..men, 〖數〗 각기둥; 〖物〗 프리즘(♀*prism*).
Pritsche [prítʃə] [♀Brett] *f.* -n, 나무 망치, 배트《크리켓의》; 목침대.
privat [privá:t] [lat.] *a.* 사사로운, 사인의, 사유의; 사립의; 개인의.

Privat·angelegenheit *f.* 사사(私事), 사용(私用). **~bahn** *f.* 사설 철도. **~besitz** *m.* 사유. **~dozent** [-dotsɛnt] *m.* 무급(無給)의 대학 강사. **~durck** *m.* 개인 간행 (문서). **~eigentum** *n.* 사유 재산. **~haus** *n.* 사택(私宅).

Privatier† [privatǐé:] [lat. <privat] *m.* -s, -s, **Privatiere** [-tǐɛ́:rə] *f.* -n, 무직자; 연금 생활자. **privatim** [privá:tɪm] *adv.* 사적으로; 비밀로. **privativ** *a.* 부정적인; 배타[독점]적인.

Privat·klinik *f.* 사설 병원. **~leben** *n.* 사생활. **~lehrer** *m.* 가정 교사. **~mann** *m.* 사인(私人), 연금 생활자. **~person** *f.* 사인(私人). **~recht** *n.* 〖法〗 사법(私法). **~schule** *f.* 사립 학교. **~stunde** *f.*, **~unterricht** *m.* 개인 교수. **~vertrag** *m.* 개인 계약. **~wirtschaft** *f.* 개인 경영 (사업). **~wohnung** *f.* 사택(私宅).

Privi·leg [privilé:k] [lat. „Sonderrecht"] *n.* -s, ..gien, 특권; 특허, 면허; 특허장(♈*privilege*). **privilegieren** [privilegí:rən] 《Ⅰ》 *t.* (에게) 특권을 주다; 특허하다. **privilegiert** *p.a.* 《Ⅱ》 특권을[특허를] 가진.

pro [pro:] [lat. „vor, hervor"; „für"] *prp.* 《4格支配》을 위하여; (zu) 마다, 매(每)…; (statt) 대신에. **Pro** *n.* -, : das ~ u. (das) Kontra 찬반, 가부.

probabel [probá:bəl] *a.* 있음직한, 그럴듯한, 확실시되는.

probat [probá:t] [lat. „erprobt"] *a.* 시험을[검사를] 마친; 보증된, 확실한; 우수한(♈*proved, good*).

Probe [pró:bə] [lat. <probieren] *f.* -n, ① 시험, 시련, 실험, 검사, 음미, 검산, 시금(試金), 분석(分析)(♈*proof, trial, test*). 〖劇〗 시연(試演)(*rehearsal*). ¶ jn. [et.] auf die ~ stellen 아무를[무엇을] 시험하다. ② 실제, 사실임, 증거(♈*proof*). ③ 간색(看色), 견본(見本)(*sample, specimen*).

Probe·abzug [-aptsu:k] *m.* 〖印〗 교정쇄(校正刷). **~arbeit** *f.* 견본, 시작품(試作品). **~blatt** *n.*, **~bogen** *m.* 전지(全紙) 한 장의 시험 인쇄. **~druck** *m.* =~ABZUG. **~fahrt** *f.* 시운전; 시승(試乘). **~flug** *m.* 시험 비행. **~haltig** *a.* 시험에 합격한; 표준대로의; 진정한. **~jahr** *n.* 수습(修習) 기간.

proben [pró:bən] *t.* 시험[음미] 하다, 〖劇〗 시연하다(*rehearse*).

Probe·nummer *f.* (신문·잡지의) 견본. **~predigt** [-pre:dɪçt] *f.* 시험 설교《목사 지망자의》. **~stück** *n.* 견본, 시험 재료, 시작품(試作品). **~weise** *adv.* 시험삼아, 시험적으로; 수습으로서. **~zeit** *f.* 수습 기간, 시험기.

probieren [probí:rən] [lat. „als gut erkennen" (*probus* „gut, brav")] *t.* 해보다, 시험[검사·음미]하다(*try, test*); 맛을 보다, 시식[시음]하다(*taste*); 〖化〗 정량 분석하다. **Probierer** *m.* -s, -, 시험자, 검사인.

Probier·glas [probí:rgla:s] *n.* 시험관. **~nadel** *f.* 시금침(試金針). **~stein** *m.* 시금석(石)(*touchstone*). **~stube** *f.* (조그마한) 술집, 바.

Pro·blem [problé:m] [gr. „Vor-geworfenes", vorgelegte (Streitfrage)] *n.* -s, -e, 문제. **problematisch** *a.* 문제의; 미해결의.

Pro·dukt [prodúkt] [lat. „Hervor-gebrachtes"] *n.* -(e)s, -e, (생)산물, 제품; 작품(♈*product(ion)*); 물산, 수확(♈*produce, yield*). ② 〖數〗 곱(♈*product*). ③ 결과, 효과, 업적, 사업.

Produkten·börse [prodúktən-] *f.* 농산물 거래소. **~handel** *m.* 물산 거래; 원료상(商), 농산물상. **~markt** *m.* 농산물 시장.

Produktion [produktsió:n] *f.* -en, ① 생산, 산출; 제조, 제작; 창조, 창작; 〖劇〗 연출, 상연; 〖樂〗 연주. ② 생산물; 수확, 수익; 생산고; 작품.

Produktions·beschränkung, ~einschränkung *f.* 생산 제한. **~kosten** *pl.* 생산비, 제작비. **~kraft** *f.* 생산력. **~leiter** *m.* 〖映〗 프로듀서. **~mittel** *n.* 생산 수단.

produktiv [produktí:f] *a.* 생산적인; 창작적인, 창조적인; 다산(多産)의; 수익[수확]이 있는. **Produktivität** [-tivité:t] *f.* 생산적임, 생산력, 다산(多産), 수익이 있음. **Produzent** [produtsέnt] *m.* -en, -en, 생산자; 제작자, 제조자; (어음·증명서 등의) 제시자, 제출자. **produzieren** [produtsí:rən] [lat. „vorführen, hervor-bringen"] *t.* 생산[산출·제조·제작]하다; 〖法·商〗 제시[제출]하다; 〖劇〗 연출하다, 상연하다; 〖樂〗 연주하다(♈*produce*).

profan [profá:n] [lat.] *a.* 세속의, 범속(凡俗)한(♈*profane*). **Profanation** *f.* -en, 독성(瀆聖); 속화; 남용. **profanieren** *t.* 신성을 더럽히다; 남용하다; 세속화[범속화]하다.

Profession [profɛsió:n] [lat. „öffentliche Erklärung [Bekenntnis]"] *f.* -en, 직업, 본직; 생업(生業). ¶ von ~ 전문의, 본직인. **Professional** *m.* -s, -e, 직업적인 운동 선수. **professionell** *a.* 직업적인. **Professor** [„der (e-n gelehrten Beruf) öffentlich bekennt"] *m.* -s, ..ssoren, 대학 교수. **Professur** *f.* -en, 교수의 직[지위] (*professorship*); 강좌.

Profil [profí:l] [fr.] *n.* -s, -e, 프로필; 단면, 측면, 옆얼굴(의 그림)(♈*profile*).

Profit [profí:t] [lat.] *m.* -(e)s, -e, 이익, 수익, 이윤, 벌이. **profitabel** *a.* 이익이 되는, 벌이가 되는, 이득이 있는. **profitieren** *i.*(h.) 이득(利得)을 얻다, 벌다.

Pro·gnose [prognó:zə] [gr. „Vorher-wissen"] *f.* -n, 예보《날씨 따위의》(*forecast*); 〖醫〗 예후(豫後)(♈*prognosis*). **prognostizieren** *t.* 예언[예지]하다; (의사가) 예후 판정을 하다; (날씨의) 예보를 하다.

Pro·gramm [prográm] [gr. „öffentliche Schrift", schriftliche Bekanntmachung] *n.* -s, -e, ① 프로그램, 공고, 식순, 차례, 계획. ② 정강, 강령 ③ (Schul~) 학보(學報). **programmieren** [-mí:rən] *t.* (라디오·TV의) 프로그램을 편성하다; 전자 계산기의 프로그램을 만들다. **Programmierer** [-mí:rər] *m.*

-s, -, 프로그래머. **Programm·steue=rung** [-ʃtɔyərʊŋ] *f.* (펀치 카드 등에서 오토메이션으로 미리 정한) 프로그램 조작. **Programmusik** 《分綴: Programm-musik》 *f.* 〖樂〗 표제 음악.

Progression [progrɛsĭó:n] *f.* -en, 진보, 전진; 향상; 순서; 〖數〗 급수. **pro=gressiv** [-sí:f] *a.* 진보하는, 진보적인; 누진적인; 단계적인.

prohibieren [prohibí:rən] *t.* 방해하다; 저지하다; 금지하다. **Pro·hibition** [prohibitsĭó:n] [lat. „Vor-(*d.h.* Fern-, Ab-)haltung"] *f.* -en, 저지, 금지. **prohibitiv** [-tí:f] *a.* 금지하는, 저지〔방해〕하는.

Prohibitiv=maßregel *f.* 예방책. **∼=system** *n.* 무역 금지제. **∼zoll** *m.* 보호 관세(關稅).

Projekt [projέkt] [lat. „Vor-(*d.h.* Hin-)geworfenes"] *n.* -(e)s, -e, 계획, 기도. **projektieren** [-tí:rən] *t.* 계획〔기도〕하다. **Projektion** [-tsĭó:n] *f.* -en, 투사(投射); 영사(映寫).

P

Projektions=apparat *m.*, **∼gerät** *n.* 영사 장치. **∼lampe** *f.* (영사 장치의) 투영 램프. **∼shirm** [-ʃɪrm] *m.* 영사막, 스크린.

Projektor [projέktɔr] *m.* -s, ..toren, 투사〔투광〕기; 영사기; 탐조등. **proji=zieren** [projitsí:rən] [lat. „vor-(*d. h.* hin-)werfen"] *t.* 투사〔투영〕하다; (의) 투영도(投影圖)를 그리다; 영사하다.

Proklamation [proklamatsĭó:n] *f.* -en, 포고, (정치상의) 성명. **proklamieren** [proklamí:rən] [lat. „hervor-(=öffentlich) rufen"] *t.* 포고〔공포〕하다, 성명을 내다(♈*proclaim*).

Prokura [prokú:ra] [it. *aus* lat. *pro cura* „für Sorge"] *f.* ..ren, 대리, 대행 (♈*procuration*, ♈*proxy*). **Prokurist** *m.* -en, -en, 업무 대리인, 지배인.

Prolet [prolé:t] *m.* -en, -en, =PROLETARIER 《그 省略形》; 《蔑》 천한 사람 (*cad*). **Proletariat** *n.* -(e)s, -e, 무산계급, 프롤레타리아트. **Proletarier** [-letá:rĭər] [lat.] *m.* -s, -, 무산자, 프롤레타리아. **proletarisch** *a.* 무산자(계급)의.

Pro·log [proló:k] [gr. „Vor-rede"] *m.* -(e)s, -e, [-gə], 머리말, 개회〔개식〕사; 서언, 서시; 서곡(♈*prologue*).

Prolongation [prolɔŋgatsĭó:n] [<prolongieren] *f.* -en, 연장, 연기; (어음 따위의) 개서. **prolongieren** [-lɔŋgí:rən] [lat.; „verlängern"] *t.* 연장〔연기〕하다 (♈*prolong*).

Promenade [proməná:də] [fr.] *f.* -n, 산보(길); 유원지. **promenieren** *i.*(s.) 산보하다.

Promesse [promέsə] *f.* -n, 〖經〗 예약; 채무 증서; 약속 어음; 주권(株劵).

Promotion [promotsĭó:n] [lat.] *f.* -en, 승진; 독토르 학위의 수여; 대학 졸업. **promovieren** [-ví:rən] [lat. „vorwärts bewegen"] 《Ⅰ》 *t.* 승진시키다(♈*promote*); (에게) 독토르 학위를 주다. 《Ⅱ》 *i.*(h.) 독토르 학위를 받다, 대학을 졸업하다. 「활한; 즉석의.

prompt [prɔmpt] [lat.] *a.* 신속한, 민」

Promulgation [promulgatsĭó:n] *f.* -en, 공포(公布). **promulgieren** *t.* (법령을) 공포하다.

Pro·nomen [pronó:mən, -mεn] [lat. „Für-wort" (*nōmen* „Name")] *n.* -s. -*u.* ..mina, 〖文〗 대명사(♈*pronoun*).

Propaganda [propagánda(:)] [lat.] *f.* 선전; 홍포(弘布), 보급; 유세; 광고; 〖宗〗 전도, 포교.

propagieren [propagí:rən] [lat. „weiter schlagen", fortpflanzen] *t.* 널리 펴다, 전파〔보급〕하다; 선전하다(♈*propagate*). 「스.

Propan·gas [propá:ngas] *n.* 프로판가

Propeller [propέlər] [engl. <lat. *prōpellere* "vorwärts-stoßen"] *m.* -s, -, 프로펠러.

Propeller=antrieb *m.* 프로펠러 추진. **∼flügel** *m.* 프로펠러의 날개. **∼=schlitten** *m.* (모터를 단) 프로펠러 썰매. **∼turbine** *f.* 프로펠러(를 단) 터빈, 터보프롭《생략: Turboprop》.

Prophet [profé:t] *m.* -en, -en, 예언자. **Prophetie** *f.* ..tien, 예언. **pro=phetisch** *a.* 예언(자)의, 예언(자)적인. **pro·phezeien** [profetsáiən] [gr. „vor-her-sagen"] *t.* 예언하다(♈*prophesy*). **Prophezeiung** *f.* -en, 예언.

proponieren [proponí:rən] *t.* 제출하다; 제의하다; 신청하다.

Proportion [propɔrtsĭó:n] [lat., *prō* „für, entsprechend", *portio* „Teil"] *f.* -en, 균형, 균제; 비율; 〖數〗 비례. **proportional** [-tsĭoná:l] *a.* 균형이 잡힌; 〖數〗 비례의. **proportioniert** *p. a.* 균형이 잡힌. 「의, 제안, 신청.

Proposition [propozitsĭó:n] *f.* -en, 제」

Propst [pro:pst, 方 prɔpst] *m.* -es, [Lw. lat. *prae-positus* „Vor-gesetzter"] 〖가톨릭〗 대성당의 주임 신부(♈*provost*), (신교의) 감독 목사.

Prosa [pró:za] [lat.] *f.* ..sen, 산문(♈*prose*). **Prosaiker** [prozá:ɪkər] *m.* -s, -, 산문가. **prosaisch** *a.* 산문의; 《比》 산문적인. **Prosaist** *m.* -en, -en, 산문가.

Proselyt [prozelý:t] [gr.] *m.* -en, -en, 〖宗〗 개종자; 《比》 변절자, 전향자.

pros(i)t! [pró:zɪt, pro:st] [lat. „es nütze!"] *int.* 《학생 등의 축배 용어》 건강을 축복하네(*your health!*).

Prospekt [prospέkt] [lat.] *m.* -(e)s, -e, ① (눈앞의) 경치, 조망(眺望)(♈*prospect*), 전경(도), (건물 따위의) 외면(도). ② (장래의) 전망, 앞날의 형세. ③ 취지서, 설명서; 요강.

prosperieren [prɔsperí:rən] *i.*(h.) 번영하다, 성공하다. **Prosperität** *f.* 행복, 번영.

prost! [pro:st] *int.* 《俗》 =PROS(I)T!

prostituieren [prɔstituí:rən, pro-] [lat. *pro-stituere* „vor-(=öffentlich) stellen"] 《Ⅰ》 *t.* ① (남 앞에) 드러내다. ② 더럽히다. 《Ⅱ》 *refl.* 몸을 더럽히다; 매음하다. 《Ⅲ》 **Prostituierte** *f.* 《形容詞變化》 매춘부. **Prostitution** *f.* ① 몸을 더럽힘. ② 매음 (제도).

Proszenium [pros-tsé:nĭum] [gr. -lat. =pro *u.* Szene] *n.* -s, ..nien [-nĭən],

〖劇〗 무대의 앞쪽, 앞무대. **~s≈loge** [-lo:ʒə] *f.* 〖劇〗 무대 앞 양쪽에 있는 관람석, 귀빈석.

Prote·in [proteí:n] [gr. +lat.] *n.* -s, ┌-e, 〖化〗 단백질.┐

Protektion [protɛktsĭó:n] [lat.; *vgl.* protegieren] *f.* -en, 보호, 비호, 후원. **Protektionssystem** *n.* 보호 무역제. **Protektor** [protέktɔr] *m.* -s, -en [..tɛktó:rən], 보호자, 패트런, 후원자. **Protektorat** [-torá:t] *n.* -(e)s, -e, ① 보호 (관계), 보호자의 직(♈*protectorate*). ② 보호령, 보호국.

Protest [protέst] [lat.] *m.* -es, -e, ① 항의(抗議), 이의(異議) (신청). ¶ ~ erheben 항의를 제기하다. ② (어음의) 인수거절. ¶zu ~ geh(e)n (어음의) 인수를 거절당하다. **Protestant** [protɛstánt] *m.* -en, -en, ① 항의하는 사람. ② 〖宗〗 프로테스탄트, 신교도. **protestantisch** *a.* 프로테스탄트의. **Protestantismus** *m.* -, ① 프로테스탄티즘, 신교. ② 프로테스탄트《總稱》. **protestieren** [protɛstí:rən] 《I》 *i.*(h.) 항의하다, 이의를 제기하다. 《II》 *t.* 〖商〗 (어음의) 인수를 〔지불을〕 거절하다.

Protokoll [protokɔ́l] [gr.] *n.* -s, -e, 기록(*record*); (법원의) 조서(♈*protocol*); 의사록(*minutes*); 기록부(*register*); 의정서; 외교 문서. **Protokollant** *m.* -en, -en, =PROTOKOLLFÜHRER. **protokollarisch** *a.* 기록대로의, 조서에 의한. **Protokollbuch** *n.* 〖商〗 장부. **Protokollführer** *m.* 기록계; 조서 작성자. **protokollieren** [protokɔlí:rən] *t.* u. *i.*(h.) 기록을 꾸미다; 의정서〔조서〕를 작성하다; 등록하다.

Protz [prɔts] *m.* -en, -en, 자랑꾼, 허풍선이(*snob, swell*).

Protze [prɔ́tsə] [it.] *f.* -n, 포차(砲車) (*limber*). **protzen** [prɔ́tsən] *i.*(h.) (mit, 을) 자랑하다. **protzig** *a.* 뻐기는, 오만한; 졸부 근성의.

Protzkasten [prɔ́tskastən] *m.* (포차 ┌의) 탄약 상자.┐

Proverb [-vέrp] *n.* -s, -en, **Proverbium** *n.* -s, ..bĭen, 속담, 격언.

Proviant [provĭánt] [it.] *m.* -(e)s, -e, 양식, 식품(*provisions*).

proviantieren [provĭantí:rən] *t.* (에) 양식을 공급하다.

Proviant≈kolonne *f.* (식량 보급) 수송대(輸送隊). **~wagen** *m.* 식량 보급차.

Providentiell [providɛntsĭέl] [lat.] *a.* 천명의, 섭리에 의한. **Providenz** [providέnts] *f.* -en, 섭리.

Provinz [provínts] [lat.] *f.* -en, ① 성(省), 주(州). ② 지방, 시골(♈*province*). **provinzial** *a.* 성〔주〕의; 지방의; 사투리의.

provinziell [provɪntsĭέl] *a.* ① 성〔주〕의; 지방〔시골〕의. ② 시골 같은. **Provinzler** [províntslər] *m.* -s, -, 지방인, 《蔑》 시골뜨기.

Provision [provizĭó:n] [lat. „Fürsorge„ <*pro-vidēre* „vor-sehen"] *f.* -en, 수수료, 구전(*commission, brokerage*); 이익 배당. **Provisor** [prov í:zɔr] *m.* -s, -en, ① 지배인, 관리인. ② 약국 주임(*dispenser*). **provisorisch** *a.* 미리 앞을 내다본, 앞일에 대비한; 일시적인, 잠정적인, 임시의(♈*provisional*).

Provokateur [provokatǿ:r] [lat. -fr.] *m.* -s, -e, 선동자. **Pro·vokation** *f.* -en, 유발, 선동; 도전. **pro·vozieren** [lat., „hervor-rufen"] 《I》 *t.* ① jn. zu et. ~ 아무를 선동〔교사〕하여 무엇을 시키다. ② 유발하다; (에게) 도전하다(♈*provoke*). 《II》 *i.*(h.): auf et.[4] ~ 무엇을 증거로 내세우다.

Pro·zedere [protsé:dərə] *n.* -(s), 절차; 취급법, 처치. **prozedieren** *i.*(h.) 처치하다; 절차를 밟다; 〖法〗 소송을 제기하다. **Pro·zedur** [lat. „Vorgehung"] *f.* -en, 순서; 절차(♈*procedure*).

Pro·zent [protsέnt] [lat. „fürs Hundert"] *n.* 〔schw. *m.*〕 -(e)s, -e, 퍼센트(♈*per cent*), 백분율; (*pl.*) 이율, 이식. **Prozent·satz** *m.* 백분비, 백분율, 퍼센티지(*percentage*). **prozentual** [protsɛntuá:l] *a.* 백분율의; *adv.* 백분율로.

Pro·zeß [protsέs] [lat. „Vor-gang"] *m.* ..zesses, ..zesse, ① 진행, 과정, 경과(♈*process*); 절차, 조치(♈*proceeding*). ② 〖法〗 소송(*lawsuit*), 심리. ¶im ~ liegen 소송중이다.

Prozeß≈akten *pl.* 소송 기록. **~fähig** *a.* 소송 능력이 있는. **~führer** *m.* 소송 당사자.

prozessieren [protsɛsí:rən] *i.*(h.) (mit jm., 아무를 상대하여) 소송을 제기하다.

Pro·zession [protsɛsĭó:n] [lat. „Vorschreiten"] *f.* -en, (행렬 따위의) 행진; 행렬(*procession*).

Prozeß≈kosten *pl.* 소송 비용. **~ordnung** *f.* 소송 규칙. **~sucht** *f.* 소송을 잘 걺.

Prozeß≈verfahren *n.* 소송 절차. **~≈wesen** *n.* 소송 사항〔제도〕.

prüde [prý:də] [fr.] *a.* 점잔빼는; 시치미를 떼는(♈*prudish*).

Prüderie [pry:dərí:] *f.* ..rien, 점잔뺌, 시치미를 뗌(♈*prudery*).

prüfen [prý:fən] [< lat. *probare* „proben"] 《I》 *t.* 검사〔심사·검열·음미〕하다(*test*); 시험하다(*examine*); 시련을 주다《신이》. 《II》 **geprüft** *p.a.* 시험〔시련〕을 거친; 신용할 수 있는. **Prüfer** *m.* -s, -, 검사자, 심사원; 시험관(*examiner*). **Prüfglas** *n.* (*pl.* ¨er) 〖化〗 시험관. **Prüfling** *m.* -s, -e, 수험자(*examinee*). **Prüfstand** *m.* 검사대《엔진의》. **Prüfstein** *m.* 시금석; 《比》 비판의 표준. **Prüfung** [prý:fuŋ] *f.* -en, ① 검사, 심사, 시험(*trial, examination*). ② 시도; 시련, 유혹(*temptation*).

Prüfungs≈arbeit *f.* 시험 문제〔답안〕. **~ausschuß** *m.*, **~kommission** *f.* 시험〔심사〕 위원회. **~ordnung** *f.* 시험〔심사〕 규정. **~tag** *m.* 시험일. **~≈zeugnis** [-tsɔyknɪs] *n.* 시험 성적표; 합격 증명서.

Prügel [prý:gəl] *m.* -s, -, ① 막대기, 곤봉, 매(*cudgel, stick*). ② *pl.* 구타, 매질(*thrashing*). **Prügelei** *f.* -en, 구타; 드잡이, 격투(*beating, fight*). **Prügeljunge, Prügelknabe** *m.* 왕자와 같이 왕궁에서 자라면서 왕자 대신 벌

P

을 받는 소년; 《比》 남의 죄를 대신 지는 사람. **prügeln** [prý:gəln] 《Ⅰ》 *t.* 몽둥이로 때리다; 강타〔구타〕하다. 《Ⅱ》 *refl.* 드잡이하다, 서로 치고 받다.

Prunk [pruŋk] [<prangen] *m.* -(e)s, 화려, 사치, 호사(*pomp, splendour*); (화려한) 장식, 장식물. **Prunkbett** *n.* 장식 침대. **prunken** [prúŋkən] 《Ⅰ》 *i.* (h.) 화려하다, 남의 눈을 끌다; (mit, 을) 자랑스럽게 내보이다, 과시하다. 《Ⅱ》 **prunkend** *p. a.* =PRUNKHAFT.

Prunk⸗gemach *n.* 화려한 방; 식장. ～**gewand** *n.* 성장(盛裝), 예장.

prunkhaft [prúŋkhaft] *a.* 화려한, 호사한.

Prunk⸗liebe *f.* 화려〔호화〕함을 좋아함. ～**lōs** *a.* 화려〔호화〕하지 않은; 검소한. ～**rēde** *f.* 미사 여구를 나열한 연설, 식사(式辭). ～**voll** *a.* =PRUNKHAFT.

Psalm [psalm] [gr.] *m.* -s, -en, 찬미가(歌). **Psalmist** [psalmíst] *m.* -en, -en, 찬송가의 작가; 찬송가를 부르는 사람. **Psalter** [psáltər] *m.* -s, -, 〔聖〕 시편.

Pseudonym [psɔydoný:m] [gr.; *pseúdos* „Lüge", *ónoma* „Name"] *n.* -s, -e, 가명, 필명, 아호(雅號).

Psychiater [psy:çĭá:tər, -çi-] [gr., *psyché* „Seele", *iātrós* „Arzt"] *m.* -s, -, 정신병의(醫). **Psychiatrie** *f.* 정신병학. **psychiatrisch** *a.* 정신병학의. **psychisch** [psý:çɪʃ] [gr.] *a.* 마음의, 영혼의; 정신의.

Psycho·analyse [psy(:)ço-analý:zə] [gr. „Seelen-zergliederung"] *f.* 정신 분석(학). **Psychodiagnostik** [-diagnɔ́stɪk] [gr.] *f.* 정신 진단(법). **Psychographie** [-grafí:] [gr. „Seelen-schreibung"] *f.* 〔心〕 사이코그래피, 정신 묘사. **Psycholog(e)** [psy(:)çoló:gə, -ló:k] [gr. „Seelen-forscher"] *m.* ..gen, ..gen, 심리학자. **Psychologie** *f.* 심리학. **psychologisch** *a.* 심리학의, 심리(학)적인. **Psychopathie** *f.* 정신병. **Psychopathologie** *f.* 정신 병리학. **Psychosomatik** [-zomá:tik] [gr. *soma* „Körper"] *f.* 정신 신체 의학《심신 상관 원리에 의함》.

Pūbertät [pu:bɛrtɛ́:t] [lat. „Mannbarkeit"] *f.* 성적 성숙, 춘정 발동(기), 사춘기(♈ *puberty*).

Pubeszenz [pubɛstsɛ́nts] [lat.] *f.* 사춘기, 적령.

Public Relations [pʌ́blɪk rɪléɪʃənz] [engl. „öffentliche Beziehungen"] *pl.* 홍보(弘報).

publik [publí:k] *a.* 공공의, 공개적인, 주지의. **Publikation** *f.* -en, 발표, 공포, 출판(물), 간행(물). **Pūblikum** [pú:blikum] [lat.] *n.* -s, 공중, 세상 사람, 청중, 관객, 독자(♈ *public*). **publizieren** [-tsí:-] *t.* 공개하다, 공고〔공표·공포·공시〕하다, 출판〔간행〕하다 (♈ *publish*). **Publizistik** *f.* 저널리즘.

Pudding [púdɪŋ] [engl.] *m.* -s, -e *u.* -s, 〔料〕 푸딩. **Puddingpulver** *n.* 푸딩(을 만드는) 가루.

Pūdel [pú:dəl] *m.* -s, -, ① 복슬개(♈ *poodle*). ② 《比》 실책, 실수(*blunder*).

Pūdel⸗mütze *f.* (긴 털의) 모피(毛皮) 모자. ～**naß** *a.* 함빡 젖은.

Pūder [pú:dər] [fr.] *m.* -s, -, 모발분(毛髮粉)《옛날의 화장품》; 분(♈ *powder*). **pūdern** [pú:dərn] *t.* u. *refl.* (머리에) 분을 뿌리다, (얼굴에) 분을 바르다.

Pūder⸗quast *m.*, ～**quaste** [-kvastə] *f.* 분첩. ～**zucker** *m.* 가루사탕.

puff! [puf] [擬聲語] *int.* 딱, 탕, 빵, 치익. **Puff** 《Ⅰ》 *m.* -(e)s, -e *u.* ⸗e, ① 위의 소리; 폭음(爆音); 철썩 때림. ②(불룩하게) 부푼 것, 부풂《의복·소매 따위의》. 《Ⅱ》 *n.* 〔*m.*〕 -(e)s, =～SPIEL.

Puff⸗ärmel *pl.* (심 따위를 넣어서) 불룩한 소매. ～**bohne** *f.* 잠두.

puffen [púfən] 《Ⅰ》 *i.* (h.) ① 딱〔탕·빵〕하고 소리나다〔내다〕; 땅하고 발사하다. ② 불룩하게 부풀다. 《Ⅱ》 *t.* ① 딱하고 치다; 쑤시다, 밀다. ② 불룩 부풀게 하다; 불룩하게 되도록 심을 넣다《옷 따위에》. **Puffer** *m.* -s, -, 탁〔탕〕치는 사람; 그렇게 하기, 따귀치기; 〔鐵〕 완충기(緩衝機)(♈ *buffer*).

Puffer⸗batterie *f.* 완충 축전기. ～**staat** *m.* 완충국.

Puff⸗otter *f.* 남아프리카산의 큰 독사. ～**reis** *m.* 고압으로 쪄 부풀린 쌀. ～**spiel** *n.* 일종의 서양 주사위놀이.

pūlen [pú:lən] *t.* u. *i.* (h.) (손가락으로) 집다, 뜯다; (송곳 따위로) 구멍을 뚫다; 갉다.

Puls [puls] [lat. „Schlag"] *m.* -es [-zəs], -e [-zə], 〔醫〕 맥박, 맥(♈ *pulse*).

Puls⸗āder *f.* 〔解〕 동맥. **pulsieren** [lat. „schlagen"] *i.* (h.) 맥박이 뛰다; 《比》 맥동하다, 고동치다, 약동하다.

Puls⸗schlāg *m.* 맥박. ～**wärmer** *m.* 토시. ～**welle** *f.* 맥파(脈波).

Pult [pult] [Lw. lat.; ♈engl. *pulpit* „Kanzel"] *n.* -(e)s, -e, (비스듬한) 책상(*desk*), 사무용 책상; 〔樂〕 보면대(譜面台); 〔宗〕 설교단; 강단.

Pulver [púlfər, -vər] [Lw. lat.] *n.* -s, -, 가루, 분말(*powder*); 〔醫〕 가루약; (Schieß～) 화약.

Pulver⸗dampf *m.* 포연(砲煙). ～**faß** *n.* 화약통. ～**form** *f.* 분말 상태. ～**haus** *n.* 화약고.

pulv(e)rig [púlf(ə)rɪç, -və-] *a.* 분말로 된; 분말을 포함한; 화약의. **pulverisieren** [pulfəri-, pulferi-] *t.* 가루로 만들다; 분쇄하다.

Pulver⸗mīne *f.* 지뢰. ～**schnee** *m.* 가루눈. ～**turm** *m.* (탑상(塔狀)) 화약고.

Pump[1] [pump] [擬聲語] *m.* -(e)s, -e, 낙하〔타격〕 등의 둔중한 소리.

Pump[2] [<pumpen] *m.* -(e)s, -e, 《學》 빚, 외상(*credit*). ¶auf ～ 외상으로.

Pumpe [púmpə] [Lw. fr.] *f.* -n, 펌프(♈ *pump*).

pumpelig [púmpəlɪç] [nordd.] *a.* 굼뜬, 서투른; (옷이) 어울리지 않는.

Pumpelrōse [púmpəlro:zə] *f.* 〔植〕 작약(芍藥).

pumpen [púmpən] *t.* ① (물을) 펌프로 푸다. ② 《學》 빌다, 외상으로 사다; 돈을 꾸다.

Pumpen⸗heimer *m.* -s, 《戲》 물. ～**rohr** *n.*, ～**röhre** *f.* 펌프관(管).

~**schwengel** *m.* 펌프의 자루. ~**werk** *n.* 펌프 장치.
Pumpernickel [púmpərnıkəl] *m.* 땅딸보; 《比》 거친 호밀 가루로 만든 흑빵.
Punkt [puŋkt] [Lw. lat. *punctum* „Stich (찌른 자국)"] *m.* -(e)s, -e, ① 점(♈*point*); 작은 반점(*dot*); 지점(*spot, place*); 〖文〗 구두점(句讀點), 종지부(*full stop, period*). ② (문제가 되어 있는) 점, 논점(*matter, subject*). ③ 항목, 조항, 개조(*item*). ④ (시간상의) 점, 순간. ¶ ~ 10 Uhr 정각 10시 / auf dem ~ steh(e)n, et. zu tun 막 무엇을 하려고 하다. **Punktation** [puŋktatsió:n] *f.* -en, 〖法〗 계약안; 잠정 협약. **Pünktchen** [pýŋktçən] *n.* -s, -, 작은 점; 미소; 미량. **punkten, punktieren** *t.* (에) 점을 찍다(♈*point, dot*); 〖文〗 구두점을 찍다(♈*punctuate*); 〖醫〗 침을 놓다, 천자(穿刺)하다(*tap*).
Punktion [puŋktsió:n] [lat.] *f.* -en, =PUNKTUR. **pünktlich** [pýŋktlıç] *a.* 시간을 엄수하는, 정확한, 꼼꼼한, 면밀한; *adv.* 정확하게, 어김없이. **Pünktlichkeit** *f.* -en, 정확함, 꼼꼼〔면밀〕함.
Punkt=linie *f.* 점선. ~**roller** *m.* 마사지용 롤러. ~**schrift** *f.* 점자 (인쇄물). ~**sicher** *a.* 지극히 정확한. ~**sieg** *m.* (권투의) 판정승.
Punktum [púŋktum] [=Punkt] *n.* -s, ..ta, 〖文〗 구두점, 종지부(*full stop*); 《比》 결말, 종결(*end*). ¶ (und damit) ~! 그것으로 끝이다, 그뿐이다. **Punktur** [puŋktú:r] *f.* -en, 〖醫〗 천자(穿刺).
Punsch [punʃ] [engl. *punch*] *m.* -es, -e *u.* ⸗e, 펀치《럼주(酒)·설탕·레몬·차·물로 만듦》.
Punze [púntsə] [it.] *f.* -n, **Punzen** *m.* -s, -, 펀치(♈*punch*); 각인기(刻印器)(*graving*). **punzen, punzieren** *t.* 펀치로 꿰뚫다, 찍다; 타인〔각인〕하다, 검인(檢印)을 찍다.
Pup [pu:p] [원래는 擬聲語] *m.* -(e)s, -e, 《卑》 방귀. **pupen** *i.*(h.) 방귀 뀌다.
Pupill [pupíl] *m.* -en, -en, 연소자(年少者); 〖法〗 피후견인, 고아. **Pupille** [pupílə] [lat., *dim.* v. Puppe] *f.* -n, 동공(瞳孔), 눈동자(♈*pupil*).
Puppe [púpə] [Lw. lat. *pūpa* „Mädchen"] *f.* -n, ① 인형(♈*puppet, doll*); 《比》 꼭두각시, 괴뢰. ② 〖動〗 번데기(*chrysalis*).
Puppen=gesicht *n.* 예쁘나 표정 없는 얼굴; 그런 사람. ~**kram** *m.* 장난감. ~**spiel** *n.* 인형극. ~**stube** *f.* 인형의 집.
pur [pu:r] [lat.] 《Ⅰ》 *a.* 맑은, 순수한(♈*pure*); 순전한(*sheer*). 《Ⅱ》 *adv.* (=nur) 다만.
Purganz [purgánts] *f.* -en, **Purgativ** [purgatí:f] *n.* -s, -e, 〖醫〗 하제(下劑). **purgieren** 《Ⅰ》 *t.* 깨끗이 하다; 〖醫〗 하제(下劑)를 쓰다(♈*purge*). 《Ⅱ》 *i.*(h.) 하제를 복용하다. 「*f.* 하제 환약.」
Purgier=mittel *n.* 〖醫〗 하제. ~**pille**
Puritaner [puritá:nər] *m.* -s, -, **Puritanerin** *f.* -nen, 〖宗〗 청교도, 퓨리턴; 《比》 엄격한 사람. **puritanisch** *a.* 청교도적인; 엄격한.
Purpur [púrpur] [lat.] *m.* -s, 보랏빛(♈*purple*); 진홍색, 심홍색(*crimson*).
purpur=farben, ~**farbig** *a.* 보랏빛의; 심홍색의, 진홍색의.
Purzelbaum [púrtsəlbaum] *m.* 땅재주, 공중 제비. **purzeln** [púrtsəln] *i.*(s.) 곤두박이다, 쿵 넘어지다(*tumble*).
Puste [pú:stə] [ndd. <pusten] *f.* 《俗·方》 호흡, 숨(*breath*); 《比》 힘, 돈.
Pustel [pústəl] [Lw. lat.] *f.* -n, 〖醫〗 농진(膿疹), 농포(膿疱)(♈*pustule*).
pusten [pú:stən] 《Ⅰ》 *i.*(h.) 《方》 호흡하다, 헐떡이다. 《Ⅱ》 *t.* 불다.
Pute [pú:tə] [擬聲語] *f.* -n, 《方》 칠면조의 암컷. **Puter** [pú:tər] *m.* -s, -, **Puterhahn** *m.* 칠면조의 수컷. **puterrot** *a.* (칠면조의 아랫볏처럼) 새빨간.
Putput [putpút] *n.* -s, -, 구구《닭 부르는 소리》; 《小兒》 꼬꼬.
Putsch [putʃ] [*eig.* „Stoß"] *m.* -es, -e, 소요(騷擾), 폭동(*riot*). **putschen** *i.*(h.) 폭동을 일으키다. **Putschist** *m.* -en, -en, 소요자, 폭동자.
Putz [puts] [lat.?] *m.* -es, -e, ① 장식(품)(*ornaments, trimming*); (장식이 있는) 좋은 옷, 나들이옷(*dress*). ② 〖建〗 수장(修粧)칠, 회반죽칠(*roughcast*).
Putz·arbeit [púts-] *f.* 장신구(裝身具), 방물.
putzen [pútsən] 《Ⅰ》 *t.* ① 깨끗이 하다, 간추리다(*trim*); 청소하다; (구두를) 닦다(*clean*); 갈다, 윤내다(*wipe, polish*); 초의 심지를 자르다(*snuff*); (코를) 풀다(*wipe*). ② 장식하다, 치레하다(*adorn, dress up*); 수장칠하다, (에) 회반죽을 칠하다(*roughcast, finish*); (눈에 띄게) 광내다. 《Ⅱ》 *refl.* 치장하다, 맵시내다. 《Ⅲ》 **geputzt** *p.a.* 맵시낸, 차려입은, 화려한.
Putz=geschäft *n.* (여성용) 방물상, 장신구점(店). ~**händler** [-dlər, -tlər] *m.* 장신구 상인.
putzig [pútsıç] [<mhd. *butze* „Kobold"] *a.* 익살스러운, 우스꽝스러운, 괴상한(*funny, queer*).
Putz=kästchen [-kɛstçən] *n.* 화장품 상자. ~**laden** *m.* =~GESCHÄFT. ~**lappen** *m.* 청소용 걸레, 마른 걸레. ~**leiste** *f.* 장식한 테두리《창문의》. ~**macherin** *f.* (여성용) 장신구〔방물〕 제조 여공. ~**pulver** *n.* 마분(磨粉)《광내기 위한》. ~**sucht** *f.* 의상 도락(衣裳道樂), 화사한 취미, 멋 부리기. ~**süchtig** *a.* 위의. ~**teufel** *n.* 《俗》 몹시 정갈함을 좋아함; 결벽한 여성. ~**waren** *pl.* 장식품, 화장품. ~**wolle** *f.* 기계 손질용 허접스레기 털. ~**zeug** *n.* 청소 도구, 연마 도구.
Py·ämie [py:ɛmí:] [gr.] *f.* ..mien, 〖醫〗 농혈증(膿血症). 「난장이, 피그미.」
Pygmäe [pygmɛ́:ə] [gr.] *m.* -n, -n,
Pyjama [pidʒá:ma, pyjá:ma] [hindostan. -engl.] *n.* u. *m.* -s, -s, 파자마, 잠옷. 「비만형의.」
pyknisch [pýknıʃ] [gr.] *a.* 땅딸막한,
Pyramide [pyramí:də] [ägypt. -gr.] *f.* -n, 피라밋, 뾰족탑(塔); 〖軍〗(Gewehr~) 걸어총; 〖數〗 각뿔. **pyramidenförmig** [pyramí:dən-] *a.* 피라밋 형의.

P

Pyrenäen [pyrené:ən, pyrə–] *pl.* 피레네 산맥.

Pyrit [pyrí:t, –rít] *m.* –(e)s, –e, 〖鑛〗 황철광(黃鐵鑛). **Pyromanie** *f.* 〖醫〗 방화광(放火狂).

Pyrrhus·sieg [pýruszi:k] *m.* 《比》 큰 희생을 치르고 얻은 유명 무실한 승리 《Eparus 왕 Pyrrhus가 로마를 격파한 때와 같이》.

Pythāgoras [pytá:goras] *m.* 피타고라스《기원전 6세기의 그리스 철학자》. **pythagoreīsch** [–ré:ɪʃ] *a.* 피타고라스 파(派)의.

pȳthisch [pý:tɪʃ] *a.* 애매한, 풀기 어려운.

Q

Q-Fieber [kú:–] [engl.] *n.* Q열《티푸스 비슷한 열병》.

Quabbe [kvábə] *f.* –n, **Quabbel** [kvábəl] *m.* –s, –, 물렁물렁한 덩어리, 비계〔지방〕 덩어리, 젤리. **quabb(e)lig** *a.* 흐물흐물한, 질척질척한(*flabby*); 살진. **quabbeln** *i.*(h.) 물렁거리다, 흐물흐물〔걸쭉〕하다(*wobble, shake*).

Quackelei [kvakəlái] *f.* –en, (쓸데없이) 수다 떪. **quackeln** [kvákəln] [擬聲語] *i.*(h.) 수다 떨다; 투덜거리다.

Quacksalber [kvákzalbər] [„wer s–e Salben quakend preist"] *m.* –s, –, 돌팔이 의사(♀*quack*). **Quacksalberei** *f.* –en, 엉터리 치료〔약〕; 과장 광고(誇張廣告). **quacksalbern** *i.*(h.) 엉터리 치료를 하다; 가짜 약을 팔다; 허풍 떨다.

Quāder [kvá:dər] [lat.] *m.* –s, –; od. *f.* –n, 〔**∼stein** *m.*〕 (네모진) 마름돌 (*square stone*); 각석(角石)(*ashlar*).

Quadrant [kvadránt] [lat.] *m.* –en, –en, 〖數〗 4분원(分圓), 상한(象限); 〖天〗 사분의(四分儀). **Quadrāt** [kvadrá:t] [lat.] *n.* –(e)s, –e, 〖數〗 ① 4각형, 네모꼴(*square*); (특히) 정방형. ② 제곱, 평방; 2차(방정식). **quadrātisch** *a.* 정방형의; 제곱의; 2차의.

Quadratūr [kvadratú:r] *f.* –en, 4각으로 함; 〖數〗 구적법(求積法). ¶die ∼ des Zirkele 〔Kreises〕 불가능한 일.

Quadrātwurzel [kvadrá:tvurtsəl] *f.* 〖數〗 제곱근.

quadrieren [kvadrí:rən] *t.* 〖數〗 정방형으로 하다; 제곱하다.

Quai [kɛ:, ke:] [fr.] *m.* –s, –s, 부두 (=Kai).

quāken [kvá:kən] [擬聲語] *i.*(h.) 개굴개굴〔꽥꽥〕 울다(개구리: *croak*; 집오리: ♀*quack*). **quǟken** [kvɛ́:kən] *i.*(h.) 꽥꽥거리다(*squeak*).

Quǟker [kvɛ́:kər] [engl. *quaker* „Zitterer"] *m.* –s, –, 〖宗〗 퀘이커 교도.

Quāl [kva:l] *f.* –en, 고통, 고뇌(*pain, pang*); 가책(*torture*). **quǟlen** [kvɛ́:lən] 《Ⅰ》 *t.* 괴롭히다; 고민하게 하다(*vex, worry*); 가책을 받게 하다(*torment*). 《Ⅱ》 *refl.* 괴로와하다, 고민하다; 애쓰다. **Quǟler** *m.* –s, –, 고통을 주는 사람; 성가신 놈. **Quǟlerei** *f.* –en, 몹시 고통을 줌; 학대; 성가심; 고역. **Quǟlgeist** [kvɛ́:lgaist] *m.* =QUÄLER.

qualifizieren [kvalifitsí:rən] [lat.; *quālis* „wie beschaffen", *facere* „machen"] 《Ⅰ》 *t.* (의) 성질을 나타내다, 형용하다; 자격〔권한·권능·적성〕을 부여〔증명〕하다. 《Ⅱ》 *refl.*: sich für et. ∼ 무엇에 대한 자격〔권한·적성〕을 가지다. 《Ⅲ》 **qualifiziert** *p. a.* 자격〔권한〕이 있는, 능력있는. ¶ein ∼es Verbrechen 〖法〗 가중죄(加重罪). **Qualitāt** [kvalitɛ́:t] [„Beschaffenheit"] *f.* –en, 성질; 자격; 질(質), 품질, 품종. **qualitatīv** [–tatí:f] *a.* 성질의; 성질〔품질〕상의; 질적인; 정성적(定性的)인. ¶〖化〗 ∼e Analyse 정성 분석(定性分析).

Qualitāts=arbeit *f.* 정교한 세공품. **∼wāre** *f.* 우량품.

Qualle [kválə] *f.* –n, 〖動〗 해파리(*jelly-fish*).

Qualm [kvalm] *m.* –(e)s, –e, 자욱한 연기〔김〕((*thick*) *smoke*). **qualmen** *i.*(h.) 짙은 연기가 일다; 《俗》 담배 연기를 뻐끔뻐끔 내뿜다. **qualmig** *a.* 연기가 가득한〔자욱한〕.

quālvoll [kvá:lfɔl] *a.* 고통〔고뇌〕에 찬.

Quant [kvant] [lat.] *n.* –s, –en, 〖物〗 양자(量子). **quanteln** [kvántəln] *i.*(h.) (원자 에너지를 그 일어나는) 양자로 재다.

Quanten=biologie *f.* 양자 생물학(量子生物學). **∼mechānik** *f.* 〖物〗 양자역학. **∼physīk** *f.* 양자 물리학. **∼theorie** *f.* 양자론. **∼zahl** *f.* 양자수.

Quantitāt [kvantitɛ́:t] [lat. *quantus* „Wie groß"] *f.* –en, 양, 분량, 수(량), 액(額). **quantitatīv** *a.* 양의, 분량상의, 양적인; 정량적(定量的)인. **Quantum** [kvántum] *n.* –s, ..ten *u.* ..ta, 양(量), 액(額); 〖物〗 양자(量子).

Quappe [kvápə] *f.* –n, 〖魚〗 대구과의 민물고기; (Kaul∼) 올챙이(*tadpole*).

Quarantäne [karãtɛ́:nə, karant–] [fr. „(Zeit) v. vierzig (Tagen)"] *f.* –n, (원래 40일간 행해진) 검역(檢疫)(기간), 격리 기간; 검역 정선(停船)(기간).

Quark [kvark] [Lw. poln.] *m.* –(e)s, –e *u.* ¨e, 응유(凝乳)(*curd*); 《俗》 진흙; 오물; 쓸데없는 일〔물건〕.

Quarre [kvárə] [<quarren] *f.* –n, 앙앙우는 아이; 바가지 긁는 여자. **quarren** [kvárən] [擬聲語] *i.*(h.) 꽥꽥거리다; 앙앙 울다; 《比》 시끄럽게 불평을 늘어 놓다.

Quart [kvart] [lat.] *n.* –(e)s, –e, 4분의 1; 〖印〗 4절판(의 종이·책).

Quarta [kvárta] [lat.] *f.* ..ten, (위로부터 세어) 제4급《고등 학교의》.

Quartāl [kvartá:l] *n*, –s, –e, 4분의 1년, 3개월, 4분기.

Quartāl(s)·abschluß [–(s)apʃlus] *m.* 〖商〗 3개월마다의 결산(決算). **Quartālschrift** *f.* 계간 잡지(季刊雜誌).

Quartǟr [kvartɛ́:r] [lat.] *n.* –s, 〖地〗 제4기《인류가 생겨난 시대》.

Quart=band *m.* (*pl.* ..bände) 4절판의 책. **∼blatt** *n.* 4절판의 종이.

Quartett [kvartét] [lat. –it.] *n.* –(e)s, –e, 〖樂〗 4중주곡, 4중창곡; 4중창〔4중주〕단.

Quartier [kvartí:r] [Lw. fr., *eig.* „(Stadt)viertel"] *n.* –s, –e, 지구(地區),

…가(街); 숙소(宿所); 주거, 집; 하숙; 〖軍〗 막사, 숙영(宿營). **quartieren** *t.* 숙박시키다; (=ein~) 〖軍〗 숙영(宿營)시키다.

Quartier≈macher *m.* 〖軍〗 막사 설치병〔대〕. **~meister** *m.* 〖軍〗 급양〔보급〕계장.

Quarz [kva:rts, kvarts] *m.* -es, -e, 〖鑛〗 석영(石英)(♈*quartz*).

Quarz≈filter *m.* 〖電〗 석영 여광기(濾光器). **~glas** *n.* 석영 유리. **~lampe** *f.* 〖醫〗 석영등(石英燈). **~uhr** *f.* 수정시계(水晶時計).

quasen [kvá:zən] *i.*(h.) 미식(美食)하다; 사치〔낭비〕하다.

quasi [kvá:zi:] [lat.] *adv.* 이를테면, 마치, 겉보기에는. **quasi..** 《合成用語》 "가(假), 준(準), 유사(類似)"의 뜻.

Quasi≈gelehrte *m.* u. *f.* 《形容詞變化》 사이비 학자. **~kontrakt** *m.* 〖法〗 가계약.

quasseln [kvázəln, -səln] *i.*(h.) u. *t.* 쓸데없이 지껄이다. **Quassel·strippe** *f.* -n, 전화(기·선); 수다스러운 사람.

Quast [kvast] *m.* -es, -e, 《I》 술; 솔, 붓, 화필(*brush*); 대〔자루〕걸래. 《II》 **Quaste** *f.* -n, =QUAST.

Quatember [kvatɛ́mbər] [lat. *quattuor, tempora* „vier Zeiten"] *m.* -s, -, 〖宗〗 〔**~fasten** *pl.*〕 4 계 재일(齋日)《그 철의 맨 처음 보속(補贖) 및 단식일》.

Quatsch [kvatʃ] *m.* -es, -e, 《俗》 되잖은 이야기〔일〕. **quatschen** *i.*(h.) u. *t.* 《俗》 시시하게 지껄이다; 수다떨다. **quatschig** *a.* 어리석은; 시시한; 따분한, 무료한. **Quatschkopf** *m.* 허튼 소리를 하는 남자.

Quecke [kvɛ́kə] [„lebendige (Pflanze)"] *f.* -n, 〖植〗 개명《잡초》(*couch grass*).

Quecksilber [kvɛ́kzılbər] [„lebendiges (*d. h.* bewegliches) Silber"] *n.* -s, 수은(水銀)(♈*quicksilver, mercury*).

Quecksilber≈kur *f.* 〖醫〗 수은 요법. **~legierung** *f.* 〖化〗 아말감. **~salbe** *f.* 수은 연고. **~säule** *f.* 수은주. **~vergiftung** *f.* 수은 중독.

Quell [kvɛl] [=Quelle] *m.* -(e)s, -e, 《詩》 =QUELLE ①. **Quelle** [kvɛ́lə] [<quellen] *f.* -n, ① 샘, 원천(*spring, source*); 우물; 분천, 분수; 샘물, 맑은 물(*fountain*). ② 출처; 원전(原典), 문헌. ¶geschichtliche ~n 사료(史料) / aus guter 〔sicherer〕 ~ 확실한 소식통에서. **quellen**(*) [kvɛ́lən] 《I》 *i.*(s.) ① 부풀다(*swell*); (물에 젖어서) 붇다. ② 솟아나다, 내뿜다, 분출하다(*spring, well up, gush*); 흘러 나오다(*flow*); 《比》 생기다, 일어나다, 유래하다(*issue*). 《II》 [„aufschwellen machen"] *t.* 《보통 弱變化》 (콩 따위를) 불리다(*soak, cause to swell*); 솟아〔끓어〕오르게 하다.

Quellen≈forschung *f.* 원전(原典)〔사료(史料)〕의 연구. **~mäßig** *a.* 문헌에 근거한, 전거가 있는.

Quellfest·ausrüstung [kvɛ́lfest-] *f.* (섬유품을) 붇지 않게 하는 끝 공정.

Quell≈gebiet *n.* 수원지. **~nymphe** *f.* 샘의 요정. **~wasser** *n.* 샘물. **~wolke** *f.* 뭉게구름.

Quendel [kvɛ́ndəl] [Lw. gr. -lat.] *m.* -s, -, 〖植〗 꿀풀과의 식물(*wild thyme*).

Quengelei [kvɛŋəlái] *f.* -en, 잔소리, 불평, 불만; 우는 소리. **quengeln** [kvɛ́ŋəln] *i.*(h.) 잔소리 하다; 투덜대다.

Quengler *m.* -s, -, 위를 하는 사람.

Quent [kvɛnt] [Lw. lat. *quintinus* „Fünftel"] *n.* -(e)s, -e, 옛 독일의 중량 단위 (=1/4 *Lot*=1.66g). **Quentchen** *n.* -s, -,: ein ~ 아주 조금.

quer [kve:r] 《I》 *a.* 가로의, 가로 지른(*cross, transverse*); 비스듬한(*oblique*); 대각선 모양의, 어긋매낀. 《II》 *adv.* 가로(*across*); 비스듬히, 어긋맞게, 어긋나게(*obliquely*). ¶kreuz u. ~ 사면 팔방으로, 여기저기에, 지향 없이 / 《比》 das kam mir ~ 그것은 내 뜻에 어긋났다.

Quer≈achse [-aksə] *f.* 횡축(橫軸); 가로대. **~axt** [-akst] *f.* 양뿔 곡괭이; 양날도끼 **~balken** *m.* 〖建〗 가로들보.

Quere [kvé:rə] [<quer] *f.* 가로, 비스듬함, 어긋남, 어긋맞음. ¶in die ~ 가로, 비스듬히, 교차해서 / jm. in die ~ kommen 아무의 길을 가로막다, 계획을 방해하다.

queren [kvé:rən] *t.* 건너다, 횡단하다.

querfeld·ein [kve:rfɛlt-áin] *adv.* 들을 가로 질러. **Querfeld·einlauf** *m.* 단교 경주(斷郊競走), 크로스컨트리 경주.

Quer≈flöte *f.* 횡적(橫笛), 플루트. **~gasse** *f.* 교차로; 골목. **~hieb** *m.* 가로 베인 상처. **~holz** *n.* 횡목. **~kopf** *m.* 성질이 비뚤어진〔괴팍스러운〕 사람; 대갈 못. **~linie** *f.* 가로줄, 사선; 대각선. **~pfeife** *f.* 저, 횡적(橫笛). **~pfeifer** *m.* 저를 부는 사람. **~ruder** *n.* 〖空〗 보조익. **~sack** *m.* 전대, 바랑. **~schiff** *n.* (십자형 교회당의) 익당(翼堂); 〖建〗 수랑(袖廊). **~schnitt** *m.* 횡단면; 《比》 (어떤) 시대상의 축도(縮圖). **~schwelle** *f.* 〖鐵〗 침목(枕木). **~straße** *f.* 교차로; 골목. **~strich** *m.* 횡선, 빗금, 교차선; 《比》 (계획 등의) 좌절, 실패. ¶e-n ~strich machen 《比》 (durch, 로) (남의 일을) 훼방놓다. **~treiberei** *f.* 방해; 선동, 음모. **~über** *adv.* 가로질러.

Querulant [kverulánt] *m.* -en, -en, 툭하면 소송하는 사람; 불평가, 불만이 많은 사람. **querulieren** [kverulí:rən] [lat.] *i.*(h.) 소송을 좋아하다(♈*be querulous*); 노상 투덜거리다(*grumble*).

Querverbindung [kvé:rfɛrbındʊŋ] *f.* 횡적인 결합〔연결〕; 〖建〗 가로지른 연결재(材).

quetschen [kvɛ́tʃən] *t.* ① 죱히다, 죄다(*squeeze, pinch*); 으깨다, 짓부수다(*crush*). ② 〖醫〗 (에게) 좌상(挫傷)〔타박상〕을 입히다(*bruise*).

Quetschung [kvɛ́tʃʊŋ] *f.* -en, 으깸, 압착; 〖醫〗 좌상(挫傷), 압상.

Quetsch·wunde [kvɛ́tʃvʊndə] *f.* 좌상(挫傷), 압상(壓傷).

quick [kvık] [queck, keck 와 同語; = engl. *quick*] *a.* 활발한, 경쾌한, 신속한(*lively, brisk*). **Quickborn** *m.* 《詩》 되젊어지는 샘.

Quidam [kví:dam] [lat.] *m.* -, 모인(某人), 아무개.

quieksen [kví:ksən] [擬聲語] *i.*(h.) 꿱꿱〔낑낑·꿀꿀〕거리다(♈*squeak*).

Quietismus [kvietísmus] [lat. =engl. *quiet* „ruhig"] *m.* –, 정숙(靜寂)주의; 〖宗〗 정관파(靜觀派) 신비주의.

quietschen [kví:tʃən] *i.*(h.) =QUIEKSEN.

quillst [kvɪlst] (du ∼), **quillt** (er ∼) ☞QUELLEN 《그 現在》.

quinkelieren [kvɪŋkəlí:rən] [lat. "in Quinten singen"] *i.*(h.) 가냘픈〔떨리는〕 소리로 노래하다; 핑계대다.

Quinta [kvínta] [lat.] *f.* ..ten, (위로부터) 제 5 급《고등 학교의》. **Quintaner** *m.* –s, –, 제 5 급 학생. **Quinte** [kvíntə] *f.* –n, 〖樂〗 5 도, 제 5 음정. **Quint=essenz** [kvínt-εsεnts, –tesε–] [lat. „der 5 Stoff", 고래의 4 Elemente 에 첨가해 부름] *f.* –en, 정(精), 엑스(♈ *quintessence*); 정화; 정수(精髓) (*pith*).

Quintett [kvɪntέt] [it.] *n.* –(e)s, –e, 〖樂〗 5 중주곡, 5 중창곡; 5 중주자.

Quirl [kvɪrl] [♈quer] *m.* –(e)s, –e, 교반봉(攪拌棒), 막자(*twirling stick*); 〖植〗 윤생(輪生)(*whorl*). **quirlen** [kvírlən] *t.* 휘젓다; *i.*(h. *u.* s.) 선회하다.

Quisquilien [kvɪskví:lĭən] [lat.] *pl.* 쓰레기; 잡동사니; 하찮은 물건〔일〕.

quitt [kvɪt] [Lw. lat.] *a.* 자유로운, (책임 등을) 면한(*free, rid*); 마친(♈*quits, even*); (mit, 와) 대차(貸借)가 없는. ¶ wir sind ∼ (miteinander) 우리 사이는 이제 모두 청산됐다, 절교이다.

Quitte [kvítə, (öst. 또)kítə] *f.* –n, 〖植〗 마르멜로(의 나무 및 열매)(*quince*).

Quitten=apfel *m.* 마르멜로의 열매. **∼=gelb** *a.* 마르멜로 색의, 등색(橙色)의.

quittieren [kvɪtí:rən] [fr. <quitt] *t.* 내버리다, 그만두다(♈*quit, abandon*); 멈추다; 〖商〗 (계산서에) 영수증을 쓰다 (*receipt*). **Quittung** [kvítʊŋ] *f.* –en, 〖商〗 영수, 영수증(*receipt*, ♈(*ac*)*quittance*).

quoll [kvɔl] ☞QUELLEN 《그 過去》.

Quote [kvó:tə] [lat. *quotus* „der wievielte?"] *f.* –n, 부분; (특히) 할당, 배당 (♈*quota, share*). **Quotient** [kvotsĭέnt] [lat. *quotiēns* „wie oft?"] *m.* –en, –en, 〖數〗 몫. **quotieren** [kvotí:rən] *t.* 〖商〗 평가하다, 가격을〔시세를〕 정하다.

R

Rabatt [rabát] [it.] *m.* –(e)s, –e, 〖商〗 감가(減價), 할인, 리베이트(♈*rebate, discount*).

Rabatte [rabátə] [fr.] *f.* –n, (옷의) 걷어 젖힌 부분(*facing*); 화단《도로 연변 따위의》(*bed, border*).

rabattieren [rabatí:rən] [lat. –it.] *t.* 할인하다, 깎다《값을》. **Rabattmarke** *f.* 〖商〗 할인권.

Rabbi [rábi:] [hebr.] *m.* –(s), –s, 랍비, 스승《유태의 율법학자·목사들에 대한 존칭》. **Rabbiner** [rabí:nər] *m.* –s, –, 유태의 율법학자《동시에 설교자·목사》. **rabbinisch** *a.* 랍비의.

Rabe [rá:bə] [새소리의 擬聲語] *m.* –n, –n, 〖鳥〗 까마귀(속(屬)의 새)(♈*raven*). ¶ein weißer ∼ 《比》 진기한 물건〔것〕.

Raben=aas [rá:bən-a:s] *n.* (까마귀가 먹는 짐승의) 썩은 고기(*carrion*); 《俗》 불량배. **∼eltern** *pl.* 《比》 무정한 부모《까마귀가 새끼를 둥지 밖에 버리는 데서》. **∼mutter** *f.* 《比》 무정한 어머니. **∼schwarz** *a.* 까마귀처럼 검은, 칠흑의. **∼stein** *m.* 형장(刑場), 교수대《썩은 고기를 먹으러 까마귀들이 즐겨 모임》. **∼väter** *m.* 《比》 무정한 아버지.

rabiat [rabĭá:t] [lat.] *a.* 미쳐 날뛰는, 광포한(*raving, furious*). **Rabies** [rá:biεs] [lat. „Wut"] *f.* 광견병, 공수병.

Rabulist [rabulíst] [lat.] *m.* –en, –en, 엉터리 변호사〔법률가〕(*pettifogger*); 말많은 사람.

Rache [ráxə] [<rächen] *f.* 복수, 보복 (*revenge, vengeance*). ¶∼ nehmen (an, 에) 복수하다.

Rache=durst *m.* =RACHGIER. **∼geist** *m.* 복수심; 복수의 망령.

Rachen [ráxən] *m.* –s, –, 인후, 인두(咽頭), 구강(*throat*); (짐승의) 크게 벌린 입(*jaws*); 《比》 심연, 구렁텅이(*abyss*).

rächen[(*)] [rέçən] [*eig.* „verfolgen"] 《Ⅰ》 *t.* (에) 복수하다, 보복〔앙갚음〕하다, 벌하다(*revenge, avenge*). 《Ⅱ》 *refl.* (an jm. für et., 아무에게 무엇의) 복수를 하다; (흔히 事物을 主語로) 보복이 돌아오다, 벌받다.

Rachen=bräune [ráxənbrɔynə] *f.* 〖醫〗 인두염, 디프테리마. **∼höhle** *f.* 인두강(咽頭腔). **∼katarrh** *m.* 〖醫〗 인후카타르. **∼putzer** *m.* 〖戱〗 신 포도주; 쓴 브랜디; 《一般的》 나쁜 술.

Rächer [rέçər] *m.* –s, –, 복수자; 징벌자. **rächerisch** *a.* 복수적인.

Rach=gier *f.* 복수심. **∼gierig** *a.* 복수심에 불타는, 집념이 강한.

Rachitis [raxí:tɪs] [gr.] *f.* 〖醫〗 곱사등, 척추 만곡(脊椎彎曲); 구루병(佝僂病) (♈*rickets*).

Rach=sucht *f.* =∼GIER. **∼süchtig** *a.* =∼GIERIG.

Racker [rákər] [*eig.* „Abdecker"] *m.* –s, –, 《戱》 놈, 개구장이; 《蔑》 악한, 건달(*rascal, rogue*); 말괄량이(*minx*).

Racket[1] [rǽkət, ..ɪt] [engl.] *n.* –s, –s, =RAKETT.

Racket[2] [rǽkət] [am.] *n.* –s, –s, (조직적인) 공갈배.

Rad [ra:t, 方: rat] *n.* –(e)s, ⸗er [rέ:dər], ① 바퀴, 수레바퀴(*wheel*). ¶ 《比》 das fünfte ∼ am Wagen sein 무용지물이다. ② (Fahr∼) 자전거(*bicycle*); (Spinn∼) 물레; (Treib∼) 동륜(動輪).

Rad·achse *f.* 굴대.

Radar [rá:dar, radá:r] [engl.] *n.* 〔*m.*〕 –s, –s, =*Ra*dio *d*etection *a*nd *r*anging, 레이다, 전파 탐지기. **∼gerät** *n.* 레이다 세트.

Radau [radáu] [擬聲語] *m.* –s, 《俗》 야단법석(*noise*); 난폭, 행패(*row*).

Rad=ball [rá:tbal] *m.*, **∼ballspiel** *n.* 자전거 공놀이《자전거 바퀴로 가죽공을 치는 놀이》. **∼bohrer** *m.* (수레 만들 때 쓰는) 나사 송곳.

Radau·brüder [radáubru:dər] *m.* 난폭자(*rowdy*). ¶ ∼ machen 떠들어대다.

Rad·dampfer [rá:tdampfər] *m.* 외륜선(外輪船).

Rade [rá:də] *f.* –n, 〖植〗 선옹초(*cockle*).

radebrechen [rá:dəbrεçən] [<Rad] *t.*

《非分離》 환형(轘刑)에 처하다; *i.*(h.) 말을 더듬다, 서투르게 말하다《외국어를》.

Rāde≈hacke, ～haue [<roden] *f.* 개간용 곡괭이.

rādeln [rá:dəln] *i.*(h. *u.* s.) ☞RADFAHREN.

Rādelsführer [rɛ́:dəlsfy:rər] [Rädel *n.* "작은 서클", <Rad] *m.* 장본인, 주모자, 괴수.

rādern [rɛ́:dərn] [<Rad] *t.* 환형(轘刑)에 처하다. ¶ 《比》 wie gerädert sein 녹초가 되게 지치다.

Rāderwerk [rɛ́:dərvɛrk] *n.* 〖工〗 톱니바퀴〔시계〕 장치.

rād|fahren* [ra:tfa:rən] *i.*(h. *u.* s.) 자전거를 타고가다. **Rādfahrer** *m.* 자전거 타는 사람.

Rād≈fahrerbahn *f.* 자전거 도로, 자전거 경주로. **～fahr·sport** *m.* 자전거 경주. **～fahrwēg** *m.* ＝～FAHRERBAHN. **～felge** *f.* 바퀴테. **～gestell** *n.* 차대(車臺).

Rādi [rá:di:] [lat.; <Radies] *m.* –s, –, 《方》 무우.

radiāl [radiá:l] [lat.] *a.* 방사선 모양의; 〖解〗 요골(橈骨)의.

Radiāl≈traßen *pl.* 방사상(放射狀)의 가로. **～systēm** *n.* (가로·운하 등의) 방사식〔형〕.

radiạnt [radiánt] [lat.] *a.* (빛을) 방사하는, 복사(輻射)하는. **Radiātor** *m.* –s, ..tōren, 방열기, 라디에이터.

radiẹren [radí:rən] [lat.] *t.* 깎다, 삭제하다; (고무 따위로) 문질러 지우다(*erase, rub out*); (동판에) 에칭을 하다(*etch*).

Radier≈gummi *m.* 〔*n.*〕 고무 지우개. **～kunst** *f.* 에칭. **～messer** *n.* 깎는 칼. **～nādel** *f.* 에칭 바늘; 드라이포인트용 조각침(針).

Radiẹrung [radí:rʊŋ] *f.* –en, 깎아 냄, 문질러 지움; 에칭.

Radiẹs [radí:s] [lat.] –es, –e, **Radies≈chen** [radí:sçən] [*dim.* v. lat. *rādix* „Wurzel"] *n.* –s, –, 무우(♈*radish*).

radikāl [radiká:l] [lat.; ♈Radies] 《Ⅰ》 *a.* 기초의, 근저의, 근본의; 철저한, 극단인, 과격한; 무분별한; 본래의, 뿌리깊은. 《Ⅱ》 **Radikāle** *m.* u. *f.* 《形容詞變化》 급진당원, 과격파. **Radikalis≈mus** *m.* –, ..men, 급진주의, 과격론.

Radikāl≈kūr *f.* 근치〔원인〕 요법; 《比》 과감한 개혁, 단호한 조처. **～wort** *n.* (*pl.* ..wörter) 〖文〗 어근자(語根字).

Rādio [rá:dĭo] [lat. <Radius] ① *n.* –s, –s, 라디오, 무선 방송. ② *m.* –s, –s, 《方》 무선 전신기.

rādio≈aktīv [ra:dĭo-aktí:f] *a.* 방사성의; 방사능이 있는. **～apparāt** *m.* 무선 전신기, 라디오 수신기. **～astronomie** *f.* 전파 천문학. **～gerät** *n.* 라디오 세트.

Rādiolārie [–lá:rĭə] [lat.] *f.* –n, 〖蟲〗 방산충(放散蟲). **Rādiologie** *f.* 〖物〗 방사학. **Rādiomēter** *n.* 〔m.〕 〖物〗 라디오미터, 복사계(輻射計). **Rādiome≈teorologie** [ra:dĭomete-orologí:] *f.* 라디오(존데로 공중 상태를 탐측하는) 기상학.

Rādio≈röhre *f.* 라디오 진공관. **～son≈de** *f.* 라디오존데. **～steuerung** *f.* 무선 조종.

Rādio≈telegraphie *f.* 무선 전신. **～therapie** *f.* 〖醫〗 방사선 요법.

Rādiowellen [rá:dĭovɛlən] *pl.* 전파, 전자파(電磁波).

Rādium [rá:dĭum] [lat.] *n.* –s, 〖化〗 라듐. **～heilverfahren** *n.* 〖醫〗 라듐 요법.

Rādius [rá:dĭus] [lat.] *m.* –, ..dĭen, 광선, 방사선, 복사선(輻射線); 〖數〗 (원의) 반지름.

Rād≈kasten *m.* 〖機〗 외륜 덮개. **～kranz** *m.* ＝～FELGE. **～last** *f.* 차륜(이 레일에 미치는) 압력. **～macher** *m.* 수레 만드는 목수. **～nābe** *f.* (수레의) 바퀴통. **～reif(en)** *m.* 바퀴 쇠테, 타이어. **～rennen** *n.* 자전거 경주. **～satz** *m.* 굴대 달린 한 짝의 수레 바퀴. **～schaufel** *f.* 〖工·海〗 물갈퀴판《기선 따위의》. **～schiene** *f.* 바퀴 쇠테. **～schuh** *m.* 브레이크. **～speiche** *f.* (수레바퀴의) 살, 스포크. **～sport** *m.* 자전거 경기《곡예를 포함하는》. **～spūr** *f.* 바큇자국. **～stand** *m.* 〖鐵〗 바퀴 사이의 간격, 윤축 거리(輪軸距離). **～welle** *f.* 차축(車軸). **～zahn** *m.* 톱니바퀴의 이.

raffen [ráfən] *t.* 낚아 채다(*snatch away*); 긁어 모으다; (소매 따위를) 걷어 올리다(*gather up*).

Raffgier [ráfgi:r] *f.* 약탈〔강탈〕욕.

Raffināde [rafiná:də] [fr.] *f.* –n, (조당(粗糖)의) 정제, 정제당(精製糖). **raffi≈nieren** [rafiní:rən] [fr. <*fin* „fein"] *t.* 정제〔정련〕하다(♈*refine*); **raffiniert** *p. a.* 정제〔정련〕된; 《比》 (지나치게) 세련된, 교활한(*crafty, sly*).

Raffke [ráfkə] [<raffen] *m.* –(s), –s, 《俗》 (전쟁통의) 벼락부자. **Raffzahn** [ráftsa:n] *m.* (사람의) 앞니; (동물의) 송곳니, 엄니.

Rage [rá:ʒə] [lat. –fr.] *f.* 분노, 분격, 광포; 흥분.

rāgen [rá:gən] *i.*(h.) (hervor～) 돌출하다; 높이 솟다(*tower* (*up*)); 《比》 빼어나다, 걸출하다.

Raglan [rǽglən, rákla:n, rá:glan] [engl.] *m.* –s, –s, 라글란형 외투.

Rāhe [rá:ə] [<ragen] *f.* –n, 〖海〗 활대(*yard*).

Rahm [ra:m] [*eig.* „dünne Haut"] *m.* –(e)s, 유지(乳脂), 크림(*cream*).

Rahmen [rá:mən] *m.* –s, –, 테두리, 틀, 테, 문얼굴(*frame, casement*); (구두창의) 대다리(*welt*); 《比》 테두리《범위, 주위, 환경; 총괄적 규정》. **rahmen**[1] [rá:-mən] *t.* 테〔틀〕에 끼우다, (에) 테두리를 달다.

rahmen[2] 《Ⅰ》 *t.* (의) 크림을 떠내다. 《Ⅱ》 *i.*(h.) (우유가) 크림이 되다.

Rahmen≈antenne *f.* 루프식 안테나. **～heer** *n.* 현역〔상비〕군. **～sucher** *m.* 〖寫〗 탐물경(探物鏡).

rahmig [rá:mɪç] [<Rahm] *a.* 크림을 함유한, 크림질〔상〕의.

Rahm≈käse *m.* 크림치즈. **～löffel** *m.* 크림 뜨는 숟가락. **～schnee** *m.* 거품이 인 크림.

rahn [rá:n] *a.* 《方》 가냘픈, 너무 야윈; 텁텁한 맛의 《포도주》. **Rahngesch≈mack** *m.* (포도주) 맛에 짜릿함이 없음.

Raillerie [ra:jərí:] [lat. –fr.] *f.* ..rīen, 농담, 해학; 조롱, 조소, 야유, 빈정댐.

Rain [rain] *m.* -(e)s, -e, 두둑(*ridge*); 두렁, 둑(*balk*); (산림의) 가장자리.

Raison [rezɔ̃:] =RĀSON. ***raison d'être*** [rezɔ̃:dɛ́:tr] *f.* 존재 이유.

Rakel [rá:kəl] [nd.] *f.* -n, 소제기(搔除器)《凹판 인쇄에서 여분의 잉크를 제거하는 스틸판》.

rākeln [ré:kəln] *refl.* 보기 흉하게 수족을 뻗다, 버릇 없이 드러눕다.

Rākeltiefdruck [rá:kəlti:fdruk] *m.* 여분의 잉크를 Rakel로 긁어내는 식의 요판 인쇄.

Rakēte [raké:tə] [it.] *f.* -n, ① 꽃불; 화전(火箭). ② 로켓, 분사식 엔진(♈ *rocket*).

Rakēten≈antrieb *m.* 로켓〔분사식〕 추진. **∼flūgzeug** *n.* 로켓 비행기. **∼start** *m.* 로켓 발진. **∼waffen** *pl.* 로켓 병기. **∼wāgen** *m.* 〖軍〗 분사식 로케트 자동차.

Rakett [rakét] [engl. *racket*] *n.* -(e)s, -e *u.* -s, 라켓.

Ralle [rálə] [Lw. fr.] *f.* -n, 〖鳥〗 (흰눈썹) 뜸부기(과)(*water-rail*).

Ramm·arbeit [rám-] [前半<Ramme] *f.* 〖工〗 말뚝박기 공사. **Rammaschine** 《分綴: Ramm-maschine》 *f.* -n, 〖工〗 말뚝 박는 기계.

Ramm≈bär, ∼block *m.* (말뚝박는) 메; 달구.

Ramme [rámə] *f.* -n, 〖工〗 (내리) 달구, 달굿대, 말뚝 박는 메(♈ *rammer, pile driver*). **rammeln** [ráməln] 《Ⅰ》 *t.* = RAMMEN. 《Ⅱ》 *i.*(h.) ① 교미하다, 발정하다(*buck*). ② *réfl.* 드잡이하다. 《Ⅲ》 **gerammelt** *p. a.*: 《俗》 ∼ (*adv.*) voll 가득 채워진. **rammen** *t.* (말뚝을) 박다, 쳐서 넣다(♈ *ram*); 〖海〗 (을) 충각(衝角)으로 들이받다. **Rammler** [rámlər] *m.* -s, -, 수놈, 수컷; (특히) (집) 토끼의 수컷.

Rampe [rámpə] [fr.] *f.* -n, 비탈길(♈ *ramp*); (현관 앞의) 비탈진 주차장(*drive*); 〖劇〗 무대의 가장 자리《막(幕)과 각광(脚光)의 사이》. **∼n≈licht** *n.* (*pl.* -er) 푸트라이트, 각광.

ramponieren [ramponí:rən] [it.] 《Ⅰ》 *t.* 파손〔손상〕하다(*damage*). 《Ⅱ》 **ramponiert** *p. a.* 심하게 손상〔파손〕된.

Ramsch [ramʃ] [Lw. fr.] *m.* -es, -e, 〖商〗 (각종 상품의) 팔다 남은 것, 떨이, 투매품(*job goods, refuse*). ¶im ∼ verkaufen 몰몰아 떨이로 팔다.

'ran [ran] *adv.* 《俗·略》 =HERAN, 이쪽으로.

Rand [rant] *m.* -(e)s [-ts, -dəs], ⸚er [réndər], 가장지리, 변두리(*border, edge, brim*); 틀, 테(*rim*); 여백《서류·책장 등의》(*margin*). ¶bis an den ∼ voll 찰찰 넘게 / am ∼e des Grabes 빈사 상태에 있다 / zu ∼e kommen (mit, 을) 마치다, 성취하다.

Randāl [randá:l] [<ringen] *m.* -s, -e, 《學》 소란, 난폭. **randalieren** *i.*(h.) 떠들다, 소란을 피우다.

Randbemerkung [rántbəmɛrkuŋ] *f.* 난외(欄外)의 주석, 방주(傍註).

rändeln, rändern *t.* (의 가장자리에) 톱니 자국을 내다(*knurl*), (에) 둘레 장식을 대다; 가장자리를 깔쭉깔쭉하게 하다.

Rand≈gebiet *n.* 변경(邊境); 변두리, 교외. **∼glosse** *f.* =∼BEMERKUNG. **∼leiste** *f.* 〖建〗 평고대(平高臺). **∼staat** *m.* 주변 국가; 위성국. **∼stein** *m.* 연석(緣石)《인도와 차도 사이의》(*kerb*).

Ranft [ranft] [<Rand] *m.* -(e)s, ⸚e, 빵 껍질; 지각(地殼).

rang [raŋ] ☞RINGEN (그 過去).

Rang [raŋ] [fr. *aus* ahd. *hring* „Ring"] *m.* -(e)s, ⸚e, ① 열(列). ¶der erste ∼ 맨 앞줄. ② 《比》 서열, 순위(*row*); 계급, 위계(位階), 지위(*degree, rank*); 등급(*rate, class*); 〖劇〗 관람석의 층계. ¶erster 〔zweiter〕 ∼ 2〔3〕 층석 / ersten ∼es 제 일류의; 《다음 보기는 Rank와 혼동된 것임》 jm. den ∼ ablaufen 아무를 능가하다〔앞서다〕《원뜻: Rank "에움길"을 질러 아무에 앞서다》.

Rang·abzeichen [ráŋ-aptsaiçən] *n.* 계급장.

Range [ráŋə] *f.* -n; od. *m.* -n, -n, 《蔑》 개구장이, 왈가닥(*romp*); 깡패.

Rang·erhöhung *f.* 승급, 승진, 진급.

Rangierbahnhōf [rãʒí:r-, raŋʃí:r-] *m.* 〖鐵〗 조차장(操車場); 열차 편성역(驛).

rangieren [rãʒí:rən, raŋʃí:-] [fr. <Rang] 《Ⅰ》 *t.* (등급·순위에 따라) 배열〔정렬〕하다; 〖鐵〗 (열차를) 편성〔조차(操車)〕하다. 《Ⅱ》 *i.*(h.) (mit, 의) 지위〔계급〕에 있다.

Rangier≈gleis *n.* 〖鐵〗 측선(側線), 조차용 선로. **∼maschine** *f.* 〖鐵〗 조차용 기관차.

Rang≈liste *f.* 현역 장교 명부. **∼ordnung** *f.* 순위, 서열, 계급. **∼streit** *m.* 계급〔순위〕 다툼. **∼stūfe** *f.* 계급, 서열. **∼sucht** *f.* 계급욕, 명예심.

rank [raŋk] [<renken, recken] *a.* 《方》 날씬한, 유연한(*slender*). ¶ ∼ (und schlank) 갸름한, 껑충한.

Ranke [ráŋkə] [<Rank] *f.* -n, 〖植〗 덩굴, 섬복지(纖匐枝) (*runner*); (Wickel∼) 덩굴손(*tendril*).

Ränke [réŋkə] [<Rank *m.* "굴곡"] *pl.* 책략, 모략, 간계(*intrigues*).

ranken [ráŋkən] *i.*(h.) u. *refl.* 〖植〗 덩굴을 내다, (덩굴로) 감겨 붙다.

Ränke≈schmied *m.* 음모가. **∼voll** *a.* 음모에 가득찬, 교활한.

Rankūne [raŋký:nə, rãk-] [lat. -fr.] *f.* -n, 원한; 복수심, 집념.

rann [ran] ☞RINNEN (그 過去).

rannte [rántə] ☞RENNEN (그 過去).

Ranunkel [ranúŋkəl] *f.* -n, 〖植〗 미나리아재비(과)(♈ *ranunculus*).

Ränzel [réntsəl] [*dim.* <Ranzen] *n.* -s, -, 작은 배낭. **Ranzen** [rántsən] *m.* -s, -, 배낭(*knapsack*); (Schul∼) 란도셀(*satchel*). ¶jm. eins auf den ∼ geben 아무를 때리다 / sich³ den ∼ vollschlagen 배불리 먹다.

ranzen [rántsən] *i.*(h.) 《方》 ① 교미하다. ② 떠들어대다; 미친듯이 춤추다.

ranzig [rántsɪç] [fr.] *a.* 썩은; 고약한 냄새가 나는《버터 따위》(♈ *rancid*).

Ranziōn [rantsió:n] [lat. -fr.] *f.* -en, 속전(贖錢), 몸값.

Ranz·zeit [ránts-] *f.* 교미기.

rapīd(e) [rapí:t, -də] [lat.] *a.* 재빠른, 신속한.

Rapier [rapí:r] [fr.] *n.* -s, -e, (Stoß-

~) 찌르는 쌍날 검(♈rapier); 펜싱용의 가늘고 긴 검(劍)(*foil*).

Rappe [rápə] [Rabe의 別形] *m.* -n, -n, (까마귀처럼 검은) 가라말. ¶ Schusters ~ 구두 / auf Schusters ~n reiten 도보로 여행하다.

Rappel [rápəl] *m.* -s, -, 《俗》 (울화 등의) 발작, 발광. ¶ e-n ~ haben 머리가 돌다. **rapp(e)lig** *a.* 미친, 발광한(*crazy*).

Rappel=kopf *m.* 미치광이. **~köpfig, ~köpfisch** *a.* =RAPPELIG.

rappeln [rápəln] 《I》 *i.*(h.) 덜커덩거리다(*rattle*); 《俗》 머리가 돌다, 실성해 있다. 《II》 *refl.* 정신차리다, 긴장하다.

Rapport [rapórt] [fr.] *m.* -(e)s, -e, (직물의) 무늬 반복; 관계, 관련; 〖軍〗 보고(♈*report*). **rapportieren** *t.* 보고하다; 〖軍〗 복명하다; 〖商〗 이월하다.

rappsen [rápsən] [♈raffen] *t.* 치다, 때리다; 거머잡다, 잡아 채다.

Raps [raps] [lat., ♈Rübe] *m.* -es, -e, 〖植〗 평지(*rapeseed*). **~öl** *n.* 평지(씨앗) 기름.

Rapunzel [rapúntsəl] [lat.] *m.*〔*n.*〕 -s, -; od. *f.* -n, 〖植〗 샐러드용 상치《마터리과(科)》(*lamb's lettuce*).

Rapusche [rapú:ʃə] *f.* -n, 《方》, **Rapuse** [rapú:zə] [tschech. Lw.] *f.* -n, ① =WIRRWARR. ② 강탈; 수확물; 방기(放棄); 상실, 분실; 유기물.

rar [ra:r] [lat.] *a.* 《俗》 드문, 휘귀한(♈*rare, scarce*); 귀하고 비싼, 손에 넣기 어려운(*at a premium*); 상등의, 값비싼. **Rarität** *f.* -en, 위임; 진품(珍品); 골동품.

Raritäten=kasten *m.* 요지경. **~sammler** *m.* 골동품 수집가.

Ras [ra:s] [ar.] *m.* -, -(e), 수령; 군사령관; 지사; 총독.

rasch [raʃ] *a.* 신속한, 재빠른(*quick, swift*); 성급한, 활발〔경솔〕한(♈*rash, hasty*); 즉석의(*prompt*); 격렬한.

Raschelmashine [ráʃəlmaʃi:nə] *f.* 연쇄식 편물 기계.

rascheln [ráʃəln] *i.* ① (h.) (낙엽 따위가) 바스락거리다(*rustle*). ② (s.) 바스락거리며 움직이다〔걷다〕. ⌈속; 경솔; 성급.⌉

Raschheit [ráʃhait] *f.* -en, 신속, 민

rasen [rá:zən] 《I》 *i.*(h.) 미쳐 날뛰다, 발광하다(*rage*); 헛소리하다(*rave*); *i.*(s.) (미친 듯이) 내달리다, 돌진하다(*rush*). 《II》 **rasend** *p.a.* u. *adv.* ① 광기의, 광란의. ¶ in ~er Eile 매우 급하게 / ~ machen 미치게 하다. ② 《俗》 대단히, 심히.

Rasen [rá:zən] *m.* -s, -, 잔디풀(*turf, sward*); (잔디밭에서 떠낸) 뗏장(*sod*); 잔디밭(*lawn*).

Rasen=bank *f.* 잔디 의자. **~eisenstein** *m.* 〖鑛〗 소철광(沼鐵鑛). **~platz** *m.* 잔디밭. **~sprenger** *m.* 잔디밭 살수기. **~walze** *f.* 땅 고르는 롤러.

Raser [rá:zər] *m.* -s, -, 《俗》 (자동차·자전거 등의) 폭주족(暴族走). **Raserei** [ra:zərái] *f.* -en, 광기, 실성; 광포(한 행위); 폭주, 질주. ⌈전) 면도기.⌉

Rasier·apparat [razí:r-apara:t] *m.* (안

rasieren [razí:rən] [fr.] *t.* ① (수염을) 깎다(*shave*). ¶ sich ~ lassen (이발관 따위에서) 수염을 깎다. ② 〖軍〗 파괴하다(♈*raze*).

Rasier=klinge *f.* (안전) 면도날. **~messer** *n.* 면도칼. **~pinsel** *m.* 면도솔. **~seife** *f.* 면도 비누. **~zeug** *n.* 면도 기구.

Räson [rɛzɔ̃:] [lat. fr.] *f.* 이성(理性), 오성(悟性); 이유, 논거. **Räsoneur** [rɛzonǿ:r] *m.* -s, -e, 다변가, 잘난체〔아는체〕하는 사람; 불평가. **räsonieren** *i.*(h.) 큰 소리로 떠들다; 욕지거리하다; 약은체하다; 그럴싸하게 꾸며대다.

Raspel [ráspəl] *f.* -n, (이가 굵은) 줄(鑢)(♈*rasp*); 채칼(*grating-iron*). **raspeln** *t.* (줄로) 쓸다; (채칼로) 치다.

raß [rá:s], **räß** [rɛ́:s] *a.* 《方, obd.》 얼얼한, 짙은《맛》. ¶ e-e räße Frau 입이 건 여자.

Rasse [rásə] [fr.] *f.* -n, 종족; (Menschen~) 인종, 민족(♈*race*); (동물의) 씨, 품종(*breed*); (reine〔gute *od.* gesunde〕 ~) 순종. ¶ das liegt in der ~ 그것은 혈통〔유전〕이다.

rasse=betont *a.* 종(족)에 중점을 둔, 종(족)을 강조하는. **~bewußt** *a.* 종족〔민족〕 의식이 강한 **~hund** *m.* 순종의 개.

Rassel [rásəl] *f.* -n, 딸랑이《장난감》(♈*rattle*). **rasseln** [rásəln] [擬聲語] *i.*(h.) 딸랑딸랑〔딸가닥딸가닥〕 소리나다(♈*rattle, clank*); (mit, 을) 절렁거리다; *i.*(s.) 딸랑〔딸가닥거리며〕 가다〔오다〕. ¶《學》 durch Examen ~ 시험에 낙제하다.

Rassen=frage [rásən-] *f.* 인종 문제. **~kampf** *m.* 인종(간의) 투쟁. **~kreuzung** *f.* 잡종(雜種), 혼혈(混血). **~mischung** *f.* 인종의 섞임.

rassig [rásıç] *a.* 순종의, 순혈의. ¶《比》 ein ~es Auto 훌륭한 자동차. **rassisch** *a.* 종족의, 민족(학상)의.

Rast [rast] *f.* -en, 휴식, 휴게(♈*rest, repose*). ⌈*rest*).⌉

rasten [rástən] *i.*(h.) 쉬다, 휴식하다(♈

Raster [rástər] [Lw. lat.] *m.* -s, -, 〖印·寫〗 망판용(網版用) 스크린, 여광기(濾光器)(*screen*).

Rast=haus *n.*, **~hop** *m.* (자동차 도로변의) 식당. **~los** *a.* 휴식 없는, 부단한; 꾸준한; 침착하지 못한. **~stunde** *f.* 휴식 시간. **~tag** *m.* 휴일.

Rat [ra:t] [ahd. *rat* „Mittel, Vorrat an Nahrungsmitteln; Fürsorge"] *m.* -(e)s, ⸗e [rɛ́:tə], ① † 저장, 준비; = VORRAT, GERÄT. ② ("준비"。:) 배려(配慮); 수단, 방법, 방책(*means, expedient*). ¶ ~ schaffen, (für, 을 위한) 방책을 강구하다 / 《俗談》 kommt Zeit, kommt ~ 때가 오면 좋은 수가 생긴다, 때를 기다려라. ③ (*pl.* Ratschläge) ("수단·방법"을 제시하는) 조언, 충고, 권고, 의견, 헌책(獻策), 제의, 제안(*advice*). ¶ jn. zu ~e ziehen 아무의 조언을 구하다, 에게 상담하다. ④ ("수단·방법"을 찾기 위한) 평의(評議), 상담(*counsel, consultation*); 숙려(熟慮) (*deliberation*). ¶ ein Wörterbuch zu ~e ziehen 사전을 찾다. ⑤ ("상담"을 위한) 평의회, 회의(*council, assembly*); (Staats~) 추밀원(樞密院); (Bundes~) 연방 의회; (Stadt~) 시의회

R

(市議會); (Arbeiter∼) 노동자 위원회《소련 따위의》. ⑥ ("상담"하는 사람:) 평의원, 의원, 고문(관); (Arbeiter∼) 노동자 위원회원《소련 따위의》; (Stadt∼) 시의원. ¶der Herr Geheime ∼ 추밀 고문관《칭호》/ Frau ∼ 평의원〔고문관〕부인.

rät [rɛ:t] (er ∼) ☞RATEN《그 現在》.

Rāte [rá:tə] [lat. *rata* (*pars*) „berechneter (Teil)"] *f.* -n, 할(割), 율(率), 비율, 레이트(♈*rate*); 분할액, 부불(賦拂) (*installment*).

Rāte·bund [ré:tə-] [<Rat] *m.* 소비에트 연방. ∼**kongreß** *m.* 소비에트 연방 회의.

rāten(*) [rá:tən] [*eig.* „auf et. bedacht sein"; ♈Rat; =engl. *read* „raten, lesen"] *t.* u. *i.*(h.) ① 추측하다(*guess, conjecture*); (수수께끼를) 풀다. ② (jm., 아무에게) 충고〔조언〕하다, 권하다(*advise, counsel*). ¶sich³ von jm. ∼ lassen 아무의 충고를 받아들이다 / es ist zu ∼, *od.* es ist geraten 그것은 권할 만한 일이다, 상책이다 / sich³ nicht mehr zu ∼ und 〔noch〕 zu helfen wissen 어찌 할 바를 모르다.

Rāten·betrāg *m.* 〖商〗 할부금(割賦金). ∼**weise** *adv.* 분할하여, 부불(賦拂)로. ∼**zahlung** *f.* 분할불.

Rāte·regierung *f.* 소비에트 정부. ∼**republik** *f.* 소비에트 공화국. ∼**staat** *m.* (*pl.* -en) 연방국. ∼**systēm** *n.*, ∼**verfassung** *f.* 소비에트 체제.

Rāt·gēber *m.* 충고자; 상담역, 고문. ∼**haus** *n.* 시청; 《俗》 변소.

Ratifikation [ratifikatsió:n] [lat., ♈Ration] *f.* -en, 추인(追認), 인가; 비준《국회에 의한 조약 등의》. **ratifizieren** *t.* 위를 하다(♈*ratify*).

Rātin [ré:tɪn] *f.* -nen, 《칭호》 고문관 부인.

Ratio [rá:tsio:] [lat.] *f.* 계산; 이성, 지성; 조리(條理). **Ration** [ratsió:n] *f.* -en, 배급〔분배·할당〕량(♈*ration, allowance*). **rational** [ratsioná:l] *a.* 합리적인, 이치에 맞는, 이성적인, 현명한. **rationalisieren** *t.* 합리화하다《산업 따위를》. **Rationalismus** *m.* -, 〖哲〗 이성론, 합리주의. **rationell** [ratsionél] [fr.] *a.* 이성적인; 합리적〔합목적적·경제적〕인.

rātlich [ré:tlɪç] [<Rat] *a.* 권할 만한 (*advisable*); 유익한, 유리한(*useful*); 상책인(*expedient*).

ratlōs [rá:tlo:s] *a.* 조언〔충고〕하는 사람 없는; 어찌할 바를 모르는(*perplexed*).

rat·sām [rá:tza:m] [<raten] *a.* =RÄTLICH.

Rāts·bōte [rá:tsbo:tə] *m.* 시청의 사환.

Rat·schlāg *m.* 충고, 권고, 조언(*advice*); 협의, 상담 (*counsel*). ∼**schlāgen** *i.*(h.) 평의〔상담〕하다 (*deliberate, consult*). ∼**schluß** *m.* 결의(決意).

Rāts·diener [rá:ts-] *m.* =RATSBOTE.

Rätsel [ré:tsəl] [<raten] *n.* -s, -, 수수께끼(♈*riddle*); 퀴즈, 퍼즐. **rätselhaft** *a.* 수수께끼 같은; 불가사의한, 신비한.

Rāts·herr *m.* 시의원; (시민 중의) 명문인 사람, 문벌 좋은 사람. ∼**keller** *m.* 시청의 지하 식당. ∼**schreiber** *m.* 시청 서기. ∼**stūbe** *f.* 회의실.

rätst [rɛ:tst] (du ∼) ☞RATEN《그 現在》.

Rāts·tāg *m.* (시참사) 회의일. ∼**versammlung** *f.* 집회, 회의《시참사회 등의》. ∼**verwandte** *m.* 《形容詞變化》 시의원. ∼**zimmer** *n.* 회의실.

Ratte [ráta] *f.* -n, 〖動〗 쥐(♈*rat*); (Haus∼) 집쥐, (Wander∼) 시궁쥐.

Ratten·falle [rátən-] *f.* 쥐덫. ∼**fänger** *m.* 쥐 잡는 사람; 《比》 유혹하는 사람. ∼**gift**, ∼**pulver** *n.* 쥐약.

rattern [rátərn] [<rasseln] *i.*(h.) 딸가닥거리다(♈*rattle*).

Raub [raup] [<rauben] *m.* -(e)s, (稀: *pl.* -e), ① 빼앗음, 강탈, 약탈, 겁탈 (♈*robbery, rapine*); 〖法〗 강도(죄); (맹수의) 습격; (Straßen∼) 노상 강도(질); (Kinder∼, Weiber∼) 유괴. ② 약탈〔노획〕물(*prey*). ¶auf ∼ ausgehen 약탈하러 나가다, 먹이를 찾아 나가다《짐승이》.

Raub·anfall *m.* 습격. ∼**bau** *m.* 〖坑〗 남굴(濫掘); 〖農〗 남작(濫作); 《比》 남용, 낭비. ¶∼bau treiben 남굴〔남작〕하다.

rauben [ráubən] *t.* 빼앗다(♈*rob, deprive of*); 약탈〔강탈〕하다(*plunder*); 유괴하다(*kidnap*). **Räuber** [rɔ́ybər] *m.* -s, -, 빼앗는 사람, 강탈자(♈*robber*); 도적(盜賊) (*thief*); 〖法〗 강도(범); (Straßen∼) 노상 강도(*highwayman*); (See∼) 해적(*pirate*). **Räuberbande** *f.* 도적의 무리, 군도(群盜). **Räuberei** *f.* -en, 약탈〔강탈〕 행위, (노상) 강도(질).

Räuber·geschichte *f.* 도적 이야기; 《比》 황당무계한 이야기, 거짓말. ∼**hauptmann** *m.* 도적의 괴수. ∼**höhle** *f.* 도적의 소굴, 산채(山寨).

räuberisch [rɔ́ybərɪʃ] *a.* 강도와 같은, 약탈적인.

Räuber·pistōle *f.* 《比》 (드릴에 찬) 도적 이야기. ∼**romān** *m.* (18 세기에 유행한) 의적(義賊) 소설.

Raub·fisch *m.* 육식어(魚). ∼**gier** *f.* 약탈욕. ∼**gierig** *a.* 약탈을 즐기는. ∼**krieg** *m.* 침략 전쟁. ∼**mord** *m.* 살인 강도. ∼**mörder** *m.* 살인 강도범. ∼**ritter** *m.* (약탈을 일삼던) 도적 기사 (騎士). ∼**schiff** *n.* 해적선. ∼**staat** *m.* 도적의 나라《옛 중앙 독일의 작은 나라 같은》. ∼**sucht** *f.* =∼GIER. ∼**süchtig** *a.* =∼gierig. ∼**tier** *n.* 육식 동물, 맹수(猛獸)(*beast of prey*). ∼**vōgel** *m.* 육식조(鳥), 맹금(猛禽) (*bird of prey*). ∼**zūg** *m.* 약탈 행각, 침략.

Rauch [raux] *m.* -(e)s, 연기(*smoke, fume*); 김, 증기, 안개; 《比》 공허(한 것).

rauch [raux] [♈rauh] *a.* 털이 있는, 털이 많은.

Rauch·altār *m.* 향단(香壇). ∼**bād** *n.* 훈증(燻蒸). ∼**bombe** *f.* 발연탄, 연막탄.

rauchen [ráuxən] [<Rauch] 《Ⅰ》 *i.*(h.) 연기를 내다, 그을다(*smoke*); 김이 나다. 《Ⅱ》 *t.* u. *i.*(h.) 흡연하다(*smoke*). **Raucher** *m.* -s, -, 담배 피우는 사람 (*smoker*). **Raucher·abteil** *n.* 〔*m.*〕 흡연실《객차의》.

Räucher·faß [rɔ́yçər-] *n.* 〖宗〗 매다는 향로. ∼**fleisch** *n.* 훈제육(燻製肉). ∼**hēring** *m.* 훈제 청어.

Räucher·kammer *f.* 훈증실, 훈제실.

~kerze *f.* 향기 나는 양초.
räuchern [rɔ́yçərn] [<Rauch] *t.* u. *i.* (h.) 훈증(燻蒸)하다; 훈제하다《고기 따위를》; (에) 향을 피우다.
Räucherpulver [rɔ́yçərpulvər] *n.* 가루「향(香).」
Räucherung [rɔ́yçəruŋ] *f.* -en, 훈증; 훈제(燻製); 분향(焚香).
Räucher=wāren *pl.* 훈제품(燻製品). **~werk** *n.* 훈향류(薰香類).
Rauch=fahne [ráux-] *f.* 깃발(이 펄럭이듯 나는) 연기. **~fang** *m.* 연통, (램프의) 등피, 굴뚝.
Rauch=handel [<rauch] *m.* 모피장사. **~händler** *m.* 모피 상인.
rauchig [ráuçıç] [<Rauch] *a.* 연기가 자욱한, 매운.
Rauch=kammer [ráux-] *f.* (기관의) 연기실; 건조실; 훈제실. **~lōs** *a.* 연기 없는. **~schirm** *m.* 〖軍〗 연막. **~=schrift** *f.* (비행기 광고의) 공중 글씨. **~schwach** *a.* 연기가 적은. ¶ ~schwaches Pulver 무연 화약. **~tabak** *m.* (*ant.* Schnupftabak) (피우는) 담배. **~verbōt** *n.* 흡연 금지. **~vergif=tung** *f.* 연기 중독. **~verzehrer** *m.* 소연(消煙) 장치.
Rauch=wāren [<rauch] *pl.* 모피 제품. **~wārenhändler** *m.* 모피 상인.
Rauch=wolke *f.* 연운(煙雲). **~zim=mer** *n.* 흡연실.
Räude [rɔ́ydə] *f.* -n, (가축의) 비루(개의: *mange*, 말의: *scab*, 양의: *rubbers*).
räudig *a.* 비루 먹은, 딱지가 있는.
'rauf [rauf] *adv.* 《俗》 =HERAUF.
Rauf=bold [ráufbɔlt] *m.* -(e)s, -e, **~=dēgen** *m.* 싸움장이, 난폭자.
Raufe [ráufə] *f.* -n, (마굿간의) 사료〔마초〕 시렁. **raufen** [ráufən] 《Ⅰ》 *t.* 잡아뽑다, 쥐어 뜯다(*pull out, pluck*); (아마 따위를) 훑다. ¶ jn. ~ 아무의 머리털을 끄어 당기다 / sich³ die Haare ~ 머리를 쥐어 뜯다《절망하여》. 《Ⅱ》 *i.* (h.) u. *refl.* (mit jm., 아무와) 드잡이하다.
Rauferei *f.* -en, 드잡이, 싸움.
Rauf=lust *f.* =~SUCHT. **~messer** *n.* 양털 깎는 작은 칼. **~sucht** *f.* 싸움을 좋아함.
rauh [rau] [♈rauch] *a.* ① 거친(♈ *rough*); 거칠거칠한, 껄껄한, 평평하지 않은, 울퉁불퉁한(*uneven*). ② 황량한, 험악한, 험한《날씨가》. ③ 목쉰(*hoarse, harsh*). ④ 《比》 무례한, 난폭한, 무작한. **rauhbeinig** [ráubainıç] *a.* 무례한, 무작한(*caddish*).
Rauheit [ráuhait] *f.* -en, 거침; 껄껄함; (날씨의) 험악; 목이 쉼; 《比》 조포(粗暴), 무작함; 위의 언행. **rauhen** [ráuən] *t.* 거칠게 하다; 껄껄하게 하다, (천 따위에) 보풀을 일으키다.
Rauh=fūß [ráu-] *m.* 깃털 있는 발《새의》. **~haarig** *a.* (개가) 털이 빳빳한.
Rauhigkeit [ráuıçkait] *f.* -en, =RAUHEIT.
Rauh=reif *m.* 수빙(樹氷), 상고대. **~=zeit** *f.* 〖動〗 탈모기(期), 털갈이철.
Raum [raum] *m.* -(e)s, ⸚e, ① 공간, 장소(*space, place*); (Zwischen~) 틈새, 여백; =~INHALT. ② 실(室), 간, 방(♈ *room*); (Schiffs~) 선창(*hold*); 《比》 (Spiel~) 활동 범위, 여지; 기회. ¶ ~ geben (e-r Sache, 무엇에) (활동의) 여지〔기회〕를 주다, 무엇을 허락하다.
Raum=akustik *f.* 실내 음향 효과(학). **~anker** *m.* 예비 닻. **~bild** *n.* 입체상(像). **~bildmessung** *f.* 공중 사진 측량.
räumen [rɔ́ymən] [<Raum] *t.* ① (장소에서) 치우다, 제거하다, 옮기다(*remove*). ¶ aus dem Wege ~ 없애다, 죽이다. ② 청소하다, 치우다, 정돈하다(*clear away, clean*). ③ 비우다(*make room, evacuate*); 명도(明渡)하다, (에서) 물러나다(*leave, quit*). **Räumer** *m.* -s, -, 치우는 사람; 청소부; 청소기.
Raum=fahrt *f.* -en, 우주 비행. **~flūg** *m.* 우주 비행. **~gefühl** *n.* 공간 감각.
räumig [rɔ́ymıç] *a.* 《方》 =GERÄUMIG.
Raum=inhalt *m.* 체적; 용적(*volume, capacity*). **~klīma** *n.* 실내 기상〔온도·습도〕. **~kunst** *f.* 공간 예술, 실내 장치(술). **~kurve** *f.* 입체 커브《다(多)평면에 걸친 커브》. **~lādung** *f.* 공간 하전(荷電). **~lehre** *f.* 기하학; 물리학.
räumlich [rɔ́ymlıç] *a.* 공간의, 장소의; 공간적인. **Räumlichkeit** *f.* -en, 공간; 장소; 방, 실.
Raum=mangel *m.* 장소〔스페이스〕의 부족. **~māß** *n.* 용적, 용량. **~mēter** *n.* 〔*m.*〕 입방 미터. **~pflēgerin** *f.* 여자 청소부. **~pilōt** *m.* 우주 비행사. **~raffer** *m.* 망원 렌즈. **~schiff** *n.* 우주선(船). **~sinn** *m.* 공간 감각.
Räumte [rɔ́ymtə] *f.* -n, 〖海〗 선창; 《方》 대양, 공해(公海).
Raumtōnwirkung [ráumto:nvırkuŋ] *f.* 입체 음향 효과.
Räumung [rɔ́ymuŋ] *f.* -en, 제거, 치우기; 청소, 준설; 일소(一掃), 비우기; 퇴거, 이사, 명도. **~s=(aus)verkauf** *m.* 떨이로 팔기, 투매.
raunen [ráunən] *i.* (h.) u. *t.* 중얼거리다, 속삭이다(*whisper*).
Raupe [ráupə] *f.* -n, ① 〖蟲〗 유충(幼蟲), 모충(毛蟲), 애벌레(*caterpillar*). ② 모충 모양의 것; 술 장식《군복·견장 따위의》. ③ 변덕. ④ 무한 궤도, 캐터필러.
Raupen=fahrzeug [ráupən-] *n.* 무한궤도차《전차(戰車) 따위》. **~frāß** *m.* 모충에 의한 피해. **~kette** *f.* 무한 궤도, 캐터필러. **~schlepper** *m.* 무한궤도식 트랙터. **~wāgen** *m.* 무한 궤도차.
'raus [raus] *adv.* 《俗》 =HERAUS. ¶ ~! 나와; 내놓아라.
Rausch [rauʃ] [<rauschen] *m.* -es, ⸚e, 취함(*intoxication*); 《比》 도취(陶醉), 황홀함; 열광, 흥분, 사랑의 도취. ¶ e-n ~ haben 거나하다. **rauschen** [ráuʃən] *i.* (s.) 쏴쏴〔줄줄〕 소리 내며 지나다〔흐르다, 내리다, 불다〕(♈ *rush*); *i.* (h.) 줄줄〔살랑살랑, 바스락바스락〕 소리 내다《나뭇잎이: *rustle*, 물결이: *roar*》.
Rausch=gift [<Rausch] *n.* 마취제. **~=gold** *n.* 화란금(和蘭金), 금박(*tinsel*).
räuspern [rɔ́yspərn] [擬聲語] *i.* (h.) u. *refl.* 헛기침하다(*clear one's throat*).
Raus=schmeißer [ráus-] *m.* 《俗》 (음식

점에서) 소란 피우는 자를 집어 내는 사람; 무도(舞蹈)의 끝. **~schmiß** *m.* 《俗》 축출, 집어내기.

Raute [ráutə] [Lw. lat.] *f.* -n, 〖數〗 마름모꼴, 능형(菱形), 사방형(斜方形) (*rhomb*); 능형의 물건; 능형 금강석; 〖植〗 헨루다《운향과(芸香科)의 다년초》(*rue*).

Rayé [rɛjé:] [fr. „gestreift"] *m.* -(s), -s, 줄무늬의 직물.

Razzia [rátsĭa] [ar. -fr.] *f.* -s *u.* ..zzĭen, 약탈 행각, 겁략, 겁탈; (경찰의) 단속, 검거(檢擧).

Rbl. 《略》 =*Rubel.*

Reagenzglās [re-agénts-] *n.* 시험관. **reagieren** [re-agí:rən] [lat. „rückwirken"] *i.* (h.) 반작용하다; 반응하다(♈*react*). **Reaktion** [re-aktsĭó:n] *f.* -en, 〖化〗 반응, 반작용; 반동; 보수주의. **reaktionār** [-tsĭonɛ́:r] 《Ⅰ》 *a.* 반응하는; 반동적인. 《Ⅱ》 **Reaktionār** *m.* -s, -e, 반동〔보수〕주의자.

Reaktions-motōr *m.*, **~triebwerk** *n.* 반동 모터.

Reaktor [reáktɔr] [lat.] *m.* -s, ..tōren, 「원자로.」

real [reá:l] [lat. <*rēs* „Sache"] *a.* 물적인, 물질의(*material*); 현실〔실재〕의, 사실상의(♈*real*).

Real-einkommen *n.* 실수입. **~enzyklopädie** *f.* 백과 사전.

Realien [reá:lĭən] [lat.] *pl.* 실재하는 것, 실물; 사실; (실물에 의한 지식:) 실과(實科). **realisieren** *t.* 실현하다(♈*realize*); 〖商〗 현금으로 바꾸다. **Realismus** [realísmus] *m.* -, 실재론, 사실주의; 사실파; 현실주의. **realistisch** *a.* 실재론의; 사실주의의; 사실적인; 실리〔현실〕주의의. **Realitāt** [realitɛ́:t] *f.* -en, 현실(성), 사실(성).

Real-kenntnisse *pl.* 실과(實科), 이과 및 역사의 지식. **~lexikon** *n.* 백과 사전. **~recht** *n.* 〖法〗 물권(법). **~schūle** *f.* 실과(實科) 학교.

Rēbe [ré:bə] *f.* -n, 덩굴(손), (포도의) 덩굴; 포도나무(*vine*).

Rebell [rebél] [lat.] *m.* -en, -en, 모반자, 반도(叛徒), 폭도(♈*rebel*). **rebellieren** [rebɛlí:rən] *i.* (h.) 모반〔반역〕하다 (♈*rebel*, *revolt*). **rebellisch** [rebɛ́lɪʃ] *a.* 모반한, 반역의.

Rēben-blūt [re:bən-] *n.* 《詩》 포도주〔즙〕. **~geländer** *n.* 포도 시렁. **~hūgel** *m.* 포도의 산(山). **~saft** *m.* 포도즙; 포도주. **~stock** *m.* 포도나무.

Reb-huhn [réphu:n, 方: ré:p-] [前半: nd. *rap* „schnell"] *n.* 〖鳥〗 자고(鷓鴣) (*partridge*).

Rechen [réçən] *m.* -s, -, 갈퀴, 레이「크(♈*rake*).」

Rechen-aufgābe [前半: <rechnen] *f.* 계산 문제. **~automāt** *m.* 자동 계산기《전자 계산기》. **~būch** *n.* 산수책. **~fehler** *m.* 계산 착오, 오산. **~gerāt** *n.* 계산기. **~künstler** *m.* 산술가. **~maschīne** *f.* 계산기.

Rechenschaft [réçənʃaft] [<rechnen] *f.* 변명, 답변, 보고, 설명(*account*). ¶jn. zur ~ ziehen 아무에게 해명을 요구하다 / ~ geben 〔ablegen〕 변명〔설명〕하다. **~s-bericht** *m.* 변명서, 보고서; 전말서.

Rechen-schieber [réçənʃi:bər] *m.* 계산자. **~stift** *m.* 석필(石筆). **~tāfel** *f.* 석판(石板); 흑판; 주판; 구구표.

rechnen [réçnən] 《Ⅰ》 *t.* u. *i.* (h.) ① 계산하다, 셈하다, 세다, 산술(算術)하다(♈*reckon*, *count*, *calculate*). ¶**aus** dem Kopf ~, **im** Kopf ~ 암산하다 / **mit** et. ~ 무엇을 계산에 넣다, 고려하다, 기대하다 / **zu** et. 〔**unter** et.⁴〕 ~ 무엇에 산입(算入)하다 / ich rechne ihn zu den gebildeten Menschen 나는 그를 교양 있는 사람으로 생각한다. ② 어림하다, 평가하다; 개산〔고려〕하다. ¶**auf** jn. 〔et.〕 ~ 아무를〔무엇을〕 힘으로 믿다, 의지하다 / jn. **für** 〔als〕 verloren ~ 아무를 글렀다고 생각하다〔단념하다〕, 죽은 것으로 간주하다. 《Ⅱ》 **Rechnen** *n.* -s, 위를 하기; 산술. **Rechner** *m.* -s, -, 계산자; 산술가; 회계원. **Rechnung** [réçnʊŋ] *f.* -en, 계산, 계정(計定)(*calculation*, *account*); 어림잡음; 《比》 예기, 추량(推量); 계산 문제; 게산서(*bill*). ¶ e-m Dinge ~ tragen 무엇을 고려〔참작〕하다 / **auf** m-e ~ (u. Gefahr) 나의 비용〔부담〕으로, 《比》 나의 책임으로 / auf s-e ~ kommen 그의 예측대로 되다 / s-e ~ **bei** et. finden 무엇으로 벌충하다, 만족하다 / et. **in** ~ ziehen 무엇을 고려하다.

Rechnungs-abschluß *m.* 결산, 정산. **~ārt** *f.* 계산법. **~belēg** *m.* (계산의 증빙 서류:) 영수증. **~fehler** *m.* 계산 착오. **~führer** *m.* 회계원; 〖軍〗 경리계. **~jahr** *n.* 회계 연도. **~prüfung** *f.* 계산 검사; 회계 검사. **~wēsen** *n.* 회계 (제도), 출납 (사무).

recht [rɛçt] [*eig.* „gerade aufgerichtet", -t는 원래 過去分詞의 後綴] 《Ⅰ》 *a.* 〔*adv.*〕 ① 곧은; 올바른(♈*right*, *just*); 정당한; 합법의; 공정한, 공평한; 정의의; 적당한, 적절한; 알맞은, 어울리는(*proper*); 버젓한, 훌륭한; 진정한, 참된(*genuine*). ¶ es ist mir ~ 그만하면 됐다, 좋다. ② 오른쪽의, 오른편의(*right hand*)(=Rechte); 겉의, 표면의. ③ ich kann ihm nichts ~ machen 나는 아무리 해도 그를 만족시킬 수 없다. 《Ⅱ》 *adv.* 올바르게, 정말로, 참되게, 정확히; 아주, 대단히(*very*). ¶ ~ gut 썩 좋은, 흠 없는《gut 와 sehr gut 의 중간 정도》 / erst ~ 더욱, 한층 / das 〔es〕 geschieht ihm ~ (*adv.*) 그가 그런 꼴을 당하는 것은 당연하다. 《Ⅲ》 《=Recht, 名詞로서의 어감이 약해져서 小文字로 씀》 er hat ~ 그의 말〔생각·행동〕은 올바르다, 지당하다 /jm. ~ geben 아무 말〔행동〕을 옳다 고 하다. **Recht** [rɛçt] [*eig.* „was recht ist"] *n.* -(e)s, -e, ① 옳음, 정당; 정의 (♈*right*). ¶mit (Fug u.) ~ 정당하게. =RECHT Ⅲ. ② (정당함:) 권리, 권한, 권능(♈*right*). ③ (정당한 것:) 법, 법률, 법규(*law*, *justice*); 판결. ¶die ~e studieren 법률을 연구하다 / von ~s wegen 법률상, 정당하게. **Rechte** [réçtə] *f.* 《形容詞變化》 오른쪽; 우익, 보수당; 〖競〗 라이트.

Recht-eck *n.* 〖數〗 구형(矩形), 직사각형. **~eckig** *a.* 직사각형의.

rechten [réçtən] [<Recht] *i.* (h.) 소송을

제기하다(*go to law, plead*); 논쟁하다(*dispute*).

rechter·hand, ~seits *adv.* 오른쪽에[으로].

rechtfertigen [réçtfɛrtɪgən] [<recht] *t.* 정당함을 인정하다, 변명하다(*justify*); 〖宗〗 의롭다고 하다. **Rechtfertigung** *f.* –en, 정당함을 인정하기; 변명; 〖宗〗 의롭다고 함.

rechtgläubig [réçtglɔybɪç] *a.* 정교(正敎)의, 정통 신앙의(*orthodox*). **Recht·gläubigkeit** *f.* –en, 정교(신봉)(*Orthodoxy*).

Recht·haber *m.* 언제나 자기 말이 옳다고 주장하는 사람, 독선가. **~haberei** [reçtha:bəráɪ] *f.* 언제나 자기 말만 옳다고 함, 독선. **~haberisch** *a.* 항상 자기 말을 옳다고 하는, 자기 주장을 고집하는, 독선적인. **~händig** *a.* 오른손의, 오른손잡이인.

rechtlich [réçtlɪç] *a.* 법의, 법률상의, 합법적인; (~ denkend) 올바른, 정직한(*honest*).

recht·los *a.* 위법의, 불법의; 권리가 없는; 법률의 보호를 받지 못하는. **~mäßig** *a.* 법에 맞는, 합법의, 적법의, 정당한.

rechts [rɛçts] [v. Recht] *adv.* od. *prp.* 《2格支配》 오른 쪽[편]에[으로].

Rechts·anspruch [前半: <Recht] *m.* 권리의 요구[주장]; 법률상의 청구권. **~anwalt** *m.* 변호사. **~auskunfts·stelle** *f.* 법률 상담소. **~außen(stürmer)** *m.* 우익수(右翼手)《축구 따위의》. **~beistand** *m.* 법률 고문; 변호사. **~beugung** *f.* 법을 왜곡함.

recht·schaffen [réçt-ʃafən] [=„recht-geschaffen"] *a.* ① 상당한, 충분한. ② 올바른, 정직한, 성실한 (*righteous, upright, honest*). **Recht·schaffenheit** *f.* –en, 공정(公正), 정직, 성실.

Rechtschreibung [-ʃraibʊŋ] *f.* 정서법(正書法)(*orthography*).

rechts·erfahren *a.* 법률에 밝은[정통한]. **~fähig** *a.* 법률상의 권능을 갖는.

Rechts·fall [réçtsfal] *m.* 법률[소송] 사건. **~frage** *f.* 법률 문제. **~gang** *m.* 소송 절차. **~gelehrsamkeit** *f.* 법률학(의 지식). **~gelehrt** *a.* 법률학에 정통한. **~gelehrte** *m.* u. *f.* 《形容詞變化》 법률학자. **~grund** *m.* 법률상의 근거. **~gültig** *a.* 법률상 유효한. **~gültigkeit** *f.* 법률상 효력. **~handel** *m.* 소송.

Rechts·händer *m.* 오른손잡이. **~her** *adv.* 오른쪽으로부터.

Rechts·hilfe [-hɪlfə] *f.* 법률상의 공조(共助); 권리 보조(補助).

rechts·hin [réçtshɪn] *adv.* 오른쪽으로.

Rechts·kraft *f.* 법률의 효력[확정력]. **~kräftig** *a.* 법률상 유효한. **~kunde** *f.* 법률학. **~kundig** *a.* 법률학에 정통한. **~lehre** *f.* 법학. **~lehrer** *m.* 법률학 교수. **~mittel** *n.* 법률상의 수단; 항고(抗告), 항소(抗訴). **~nachfolge** *f.* 권리 계승. **~person** *f.* 법인. **~pflege** *f.* 사법; 재판. **~positivismus** *m.* (현행법을 절대시하는) 법실증주의.

Recht·sprechung [réçt-ʃprɛçʊŋ] *f.* –en, 판결, 재판.

Rechts·regel *f.* 법률상의 규칙. **~sache** *f.* =~STREIT; 법률 문제, 사법 사건.

recht(s)seitig [réçt(s)zaitɪç] *a.* 오른 쪽의.

Rechts·sprache *f.* 법률 용어. **~sprichwort** *n.* 법언(法諺). **~spruch** *m.* 판결. **~staat** *m.* 법치국, 입헌국. **~streit** *m.* 소송. **~titel** *m.* 권리 명의(名義). **~ungültig** *a.* 법률상 무효의. **~verbindlichkeit** *f.* 법률상의 구속력. **~verdreher** *m.* 법률[법규] 곡해자. **~verfahren** *n.* 소송 절차. **~verfassung** *f.* 법제(法制).

Rechts·verkehr [réçtsfɛrke:r, –fər–] *m.* 우측 통행.

Rechts·verletzung *f.* 법률 위반. **~weg** *m.* 법률상의 수단, 소송의 방법. ¶den ~weg beschreiten 법률에 호소하다. **~widrig** *a.* 위법의, 불법의. **~wissenschaft** *f.* 법학. **~wohltat** *f.* 법률상의 은전(恩典). **~zuständigkeit** *f.* 권능, 직권.

recht·wink(e)lig *a.* 〖數〗 직각의. **~zeitig** *a.* 시기에 알맞은.

Reck [rɛk] [<recken] *n.* –(e)s, –e, 〖體〗 평행봉(*horizontal bar*), 철봉.

Recke [rékə] *m.* –n, –n, 용사(*hero*).

recken [rékən] *t.* 뻗다(*stretch*); 두드려 늘이다[펴다](*extend*).

Reckstange [rékʃtaŋə] *f.* 철봉《체조 기구》.

Redakteur [redaktǿ:r] [fr. <redigieren] *m.* –s, –e, (신문 잡지의) 편집자(*editor*); (Chef~) 편집장, 주필. **Redaktion** [-tsió:n] *f.* –en, 편집; 편집국(원 일동). **redaktionell** [-tsionél] *a.* 편집상의; 편집국의.

Rede [ré:də] *f.* –n, ① 말함, 말; 이야기; 담화, 회화(*discourse, conversation*); 변론(*discourse*). ¶in ~ steh(e)n 문제가 되어 있다 / jm. in die ~ fallen 아무의 말을 가로막다 / davon ist k–e ~ 그것은 문제 밖이다. ② 연설, 강연(*speech*); 식사(式辭), 인사말(*oration*). ¶e–e ~ halten 연설하다. ③ 변명, 답변. ¶jm. ~ u. Antwort steh(e)n 아무에게 변명[해명]하다. ④ 소문(*rumour, account*). ⑤ 말씨, 구변, 언어(*language*); 〖文〗 화법. ¶gebundene ~ 운문(韻文) / ungebundene ~ 산문(散文) / direkte [indirekte] ~ 직접[간접] 화법.

Rede·fluß *m.* 유창한 말, 능변. **~freiheit** *f.* 언론의 자유. **~gewandt** *a.* 능변인(*eloquent*). **~kunst** *f.* 웅변술, 수사술(修辭術).

reden [ré:dən] [<Rede] *t.* u. *i.*(h.) 말하다, 이야기하다, 담화하다. (무엇을) 논하다, 연설하다(*speak, talk*); (mit, 와) 이야기하다(*discourse*). ¶ **in** den Wind ~ 이야기한 보람이 없다 / **mit** sich selbst ~ 혼잣말하다 / er läßt mit sich ~ 그와는 이야기가 통한다 / jm. **nach** dem Munde ~ 아무의 마음에 들도록 말하다, 맞장구치다. **Redens·art** [ré:dəns-a:rt] *f.* 말씨, 어법(*expression, phrase*); 숙어(*idiom*); 성구(成句)(*saying*). ¶mit leeren ~en abspeisen 얼렁뚱땅하여[빈말로] 쫓아 보내다. **Rederei** *f.* –en, 요설, 수다, 상투어.

Rede·teil *m.* 〖文〗 품사(*part of speech*).

~weise f. 말씨, 어법(語法). ~wen=dung f. 말의 표현, 어법; 관용구.
redigieren [redigí:rən] [lat. „zusammenbringen"] t. 편집하다(edit).
redlich [ré:tlıç] [<Rede] a. 독실한, 정직한(upright, honest). Redlichkeit f. -en, 위임.
Redner [ré:dnər, -tn-] [<reden] m. -s, -, 연설가, 변사(speaker); 식사(式辭)를〔인사말을〕하는 사람(orator).
Redner=bühne f. 연단(platform). ~=gabe f. 변재(辯才).
rednerisch [ré:dnərıʃ] a. 연설(가)의; 「연설조(調)의.」
Redner=kunst [ré:dnərkunst] f. 웅변술. ~talent n. =~GABE.
red·selig [ré:tze:lıç] a. 요설(饒舌)의, 수다스러운(talkative). Red·seligkeit f. 요설, 다변.
Reduktion [reduktsió:n] [lat.] f. -en, ① 경감, 저하; 변형; 제한. ②〘數〙환산; 〘化·冶〙환원. ③〘植·物〙(기관의) 퇴화.
Reduktions=faktor m. 환산율. ~=mittel n. 환원제. ~tabelle f. 환산표. ~teilung f. (생식 세포의) 감수분열.
reduzieren [redutsí:rən] [lat. „zurückführen"] t. 원래대로 환원하다(♈reduce); 축소〔삭감〕하다(cut); 변형하다; 제한하다. ②〘數〙환산하다;〘化·冶〙환원하다.
Reede [ré:də] f. -n, 〘海〙(항외(港外)의) 정박처(碇泊處)(roadstead). Reeder m. -s, -, 선주(船主). Reederei f. -en, 선박업; 선박 회사; 의장(艤裝).
re·ell [reέl] [fr. „real"] a. 실재의, 현실의(♈real); 확실한, 신용 있는 (solid, respectable); 실질적인, 공정한(fair).
Reep [re:p] n. -(e)s, -e, 〘海〙밧줄, 로프(♈rope).
Referat [referá:t] [lat.] n. -(e), -e, 보고 (강연); 비평《신간 서적의》. Refe=rendar [referendá:r] [„Berichterstatter"] m. -s, -e, 사법관 시보(junior barrister). Referent m. -en, -en, 보고자(reporter); 비평자《신간서의》; 전문가(expert). Referenz f. -en, 참조; 〘商〙조회, 문의(♈reference). referie=ren [lat. „zurück-bringen", berichten] t. u. i.(h.) 보고하다(report); 비평하다《신간 서적을》.
Reff¹ [rεf] n. -(e)s, -e, 등에 메는 바「구니(dosser).」
Reff² n. -(e)s, -e, 〘海〙축범부(縮帆部) (♈reef). reffen t. 축범하다.
Re·flation [reflatsió:n] [lat. re- „wieder", flare „blasen, blähen"] f. -en, (Deflation 뒤의) 통화 재팽창, 통화의 복귀 (정책).
Reflektant [reflεktánt] m. -en, -en, 신청인; 〘商〙구매 신청인, 살 사람. re=flektieren [reflεktí:rən] [lat. „zurückbiegen"] 《Ⅰ》 t. 반사하다《광선을》(♈reflect). 《Ⅱ》 i.(h.) 숙려〔반성〕하다(♈reflect); (auf et., 무엇에) 눈독 들이다; 〘商〙매기(買氣)가 있다. Reflex [refléks] m. -es, -e, 반사(反射). Reflexbewe=gung f. (근육의) 반사 운동. Re=flexion f. -en, 반사, 반영(♈reflex); 영상(♈reflexion); 《比》반성, 명상, 숙고. reflexiv [-f] a. 반사〔반응〕하는(♈reflexive); 〘文〙재귀적인. Reflexiv=pronomen n. 〘文〙재귀대명사.
Reform [refɔ́rm] f. -en, 개조, 개혁, 혁신, 개량. Reformation [refɔrmatsió:n] f. -en, 개조, 개혁, 혁신, 개량. 종교 개혁. Reformator m. -s, ..matoren 개혁자, 혁신자; 종교 개혁자.
re·formieren [refɔrmí:rən] [lat. „wieder-, um-formen"] 《Ⅰ》 t. 개조〔개혁·혁신·개량〕하다. 《Ⅱ》 Reformierte m. u. f. 《形容詞變化》 개혁파의 신자.
Reform=kleidung f. (위생적인) 개량복. ~kost f. 개량 식품《비타민·미네랄이 많은 자연 식품》.
Refrain [refrέ:] [fr., <lat. refringere, „zurück-brechen"] m. -s, -s, 후렴, 반복구.
Refraktion [refraktsió:n] [lat.] f. -en, 〘物〙(광선의) 굴절. Refraktor [refráktɔr] m. -s, .. toren 굴절 망원경.
Refrigerator [refrigərá:tɔr] [lat.] m. -s, ..toren, 냉각기, 제빙기.
refüsieren [rəfyzí:rən] [lat. -fr.] t. 거절〔거부〕하다, 사절하다《지불 따위를》.
Regal¹ [regá:l] [it., <d. Riege „Reihe"] n. -s, -e, 서가(書架)(shelf); 선반(stack).
Regal², ~e [lat. „königliches(Recht)"] n. -s, ..lien, (흔히 pl.) 왕권.
Regatta [regáta] [it. „(Gondel)reihe" <Regal¹] f. ..tten, 보트 경조(競漕).
rege [ré:gə] [<regen] a. 활기 있는, 활발한, 생기 있는 (active, brisk); 강한; 신속한. ¶~ machen 움직이게 하다, 환기〔고무·자극〕하다.
Regel [ré:gəl] [lat.] f. -n, ① 규칙, 상례(常例) (♈ rule); 원칙, 주의, 규범 (regulation); 일반적인 것. ¶in der ~ 보통, 일반적으로. ② 월경(menses).
regel=los a. 불규칙한. ~losigkeit f. -en, 불규칙. ~mäßig a. 규칙적인, 질서 있는; 정규의, 통상의(regular).
regeln [ré:gəln] 《Ⅰ》 t. 규제하다, 규칙을 세우다(regulate); (싸움을) 조정하다 (settle). 《Ⅱ》 refl. 규율을 지키다, 규칙적인 생활을 하다. regelrecht a. 정규의, 정식의, 본식의(regular). Reg(e)=lung f. -en, 규제, 규정; 조정(調停).
regelwidrig a. 반칙의; 변칙의, 부정규의; 비정상의. Regelzwang m. 규칙의 속박.
regen [ré:gən] [„ragen machen"] 《Ⅰ》 t. 일으키다, 활동시키다(stir); 움직이다 (move); 자극〔고무〕하다, 왕성하게 하다. 《Ⅱ》 refl. 움직이다, 활동하다; 활기 띠다, 왕성해지다; 《比》 나타나다; 일어나다, 생기다.
Regen [ré:gən] m. -s, -, 비(♈rain). ¶aus dem 〔vom〕 ~ in die Traufe kommen 《比》 노루 피하니 범이 온다. ~bogen [-bo:gən] m. 무지개(♈rainbow).
Regenbogen=farben pl. 무지개 빛; 일곱 빛, 분광색(分光色). ~haut f. 〘解〙홍채막(虹彩膜)(iris). ~schüssel=chen n. (B.C. 1, 2 세기에 켈트인 및 게르만인이 쓰던) 접시꼴 소형 금화.
Regen=dach n. 차양, 달개 지붕, 처마. ~dicht a. 비가 새지 않는, 내수(耐水)의, 방수의.

Regeneration [re-genəratsĭó:n] [lat.] *f.* -en, 재생, 부활; 갱신; 수복(修復). **Regen·fall** *m.* 강우. **~guß** *m.* 호우(豪雨). **~haut** *f.* 내수 유포제(耐水油布製)의 레인코트. **~mantel** *m.* 비옷, 레인코트. **~menge** *f.* 강우량. **~messer** *m.* 우량계. **~pfeifer** *m.* 〖鳥〗 물떼새. **~schauer** *m.* 소나기, 지나가는 비. **~schirm** *m.* 우산(*umbrella*).

Regent [regént] [lat. „Herrscher"<regieren] *m.* -en, -en, 지배자, 통치자, 군주; 섭정(자).

Regentag [ré:gənta:k] *m.* 비 오는 날.

Regent·schaft [regént-ʃaft] *f.* -en, 통치; 섭정(정치); 섭정의 지위(♈*regency*).

Regen·wasser *n.* 빗물. **~wetter** *n.* 우천. **~wind** *m.* 비바람. **~wolke** *f.* 비구름. **~wurm** *m.* 〖動〗 지렁이(*earthworm*). **~zeit** *f.* 우기(雨期).

Regie [reʒí:] [fr. <regieren] *f.* ..gien [-ʒí:ən], 국영, 관영(*state monopoly*); 〖映·劇〗 연출(*management, production*).

regieren [regí:rən] [lat.-fr.] 《Ⅰ》 *i.*(h.) 지배〔통치〕하다(♈*reign*). 《Ⅱ》 *t.* 통치〔지배〕하다(♈*rule, govern*); 〖文〗 (격을) 지배하다; (말을) 몰다(*manage*). **Regierung** [regí:ruŋ] *f.* -en, 지배, 통치, 정치, 정부(*government*); 통치 기간, 치세(治世)(♈*reign*).

Regierungs·antritt *m.* 즉위(卽位). **~beamte** *m.* 《形容詞變化》 공무원, 관리. **~bezirk** *m.* 행정 구역, 도, 주. **~blatt** *n.* 정부 기관지; 관보(官報). **~form** *f.* 정체(政體). **~freundlich** *a.* 정부측의. **~gebäude** *n.* 관청. **~koalition** *f.* 연립 정부. **~zeit** *f.* 치세(治世).

Regime [reʒí:m] [fr. <regieren] *n.* -(s), -(s), 정체(政體)(♈*régime*). **Regiment** [regimént] [lat. „Herrschaft"] *n.* -(e)s, ① (*pl.* -e) 지배, 통치(*government*). ② (*pl.* -er) 〖軍〗 연대(♈*regiment*).

Regiments·arzt *m.* 연대 소속 군의관. **~musik** *f.* 연대 군악대. **~tambour** [-tambu:r] *m.* 연대 고수(鼓手). **~unkosten** *pl.*: 《俗》 auf ~unkosten leben 관비로 지내다.

Region [regĭó:n] [lat. "Richtung"] *f.* -en, 지방, 지역; 구역; (공기의) 층(層).

Regisseur [reʒɪsǿ:r] [fr. <Regie] *m.* -s, -e, 무대〔영화〕 감독.

Register [regístər] [lat. <*re-gerere* „zurück-(ein) tragen"] *n.* -s, -, 목록, 표(表), 명부(♈*register*); 등록부, 등기부(*record*); 색인(*index*); 〖印〗 표리 양면 인쇄에서 행(行)·난(欄) 따위의 부합; 〖樂〗 (오르간의) 음전(音栓)(♈*register, stop*).

Register·mark *f.* 등록 마크. **~tonne** *f.* 〖海〗 등록 톤수(數).

Registrator [regɪstrá:tɔr] *m.* -s, ..ratoren, 기록계(원); 자동 기록기. **Registratur** *f.* -en, 등록, 등기, 기록; 자동 기록; 등록부; 등기소. **Registrier·apparat** [regɪstrí:r-] *m.* 자동 기록기.

registrieren [regɪstrí:rən] [lat. „in ein Register eintragen"] *t.* 기록〔등기·등록〕하다(♈*register*); 자동적으로 기록하다(*record*). **Registrierkasse** *f.* 금전 출납기(器), 금전 등록기.

reglementarisch [reglemɛntá:rɪʃ, -glə-] *a.* 근무 규칙에 따른, 규정대로의. **reglementieren** *t.* 규칙에 따라 단속하다, 규제하다. **reglementwidrig** *a.* 근무 규칙을 어긴, 규정 위반의.

regnen [ré:gnən, -kn-] [<Regen] 《Ⅰ》 *i.*(h.) *imp.*: es regnet 비가 오다(*it rains*). 《Ⅱ》 *t.* 《比》 비오게 하다, 빗발처럼 내리게 하다. **regnerisch** *a.* 비의; 비가 많은; 우천의.

Regreß [regrés] [lat. „Zurück-schreiten"] *m.* ..sses, ..sse, 〖法〗 상환(청구)(*recourse*); 손해 배상 청구(권). **regressiv** *a.* 복귀하는; 역행하는; 반동적인.

Regreß·nehmer *m.* 〖法〗 상환 청구자. **~pflicht** *f.* 상환 의무. **~pflichtig** *a.* 상환 의무가 있는.

regsam [ré:kza:m] [<regen] *a.* 활기 있는, 활동적인(*active*); 활발한, 민활한(*quick*). **Regsamkeit** *f.* 위임.

regulär [regulɛ́:r] [lat. <Regel] *a.* 정규의, 정식의(♈*regular*); 규칙적인; 정당한; 통상의. **regulieren** *t.* 규칙을 세우다(♈*regulate*); 규제하다; 조절〔조정〕하다(*adjust*).

Regung [ré:guŋ] [<regen] *f.* -en, 움직임, 활동(*motion*); 자극(*impulse*); (Gefühls~) 감동, 흥분(*emotion*). **~s·los** *a.* 움직이지 않는; 활기 없는.

Reh [re:] *n.* -(e)s, -e, 〖動〗 노루(♈*roe*; 암노루: *doe*).

re·habilitieren [rehabilití:rən] [lat. re- *u.* habilitieren] *t.* 회복시키다; (의) 명예를 회복시키다, 복권(復權)시키다.

Reh·blatt *n.* 노루의 어깨 살. **~bock** *m.* 노루의 수컷. **~farben** *a.* 노루 빛깔의. **~fell** *n.*, **~haut** *f.* 노루 가죽. **~kalb** *n.* 노루 새끼. **~keule** *f.* 노루의 다리와 허리 부분 고기. **~ziemer** *m.* 노루의 허리 부분 고기.

Reibe [ráibə] *f.* -n, 강판, 채판; 《方》 곡선. **Reib·eisen** *n.* =REIBE. **Reibe·laut** *m.* 〖文〗 마찰음(sch, s, z 따위).

reiben* [ráibən] 《Ⅰ》 *t.* 마찰하다, 문지르다, 비비다(*rub*); 문질러 으깨다(*grate*); 가루를 내다 (*pulverize*); (채료(彩料)를) 갈다(*grind*). ¶wund ~ 찰과상(擦過傷)을 내다. 《Ⅱ》 *refl.* (자기의) 몸을 비비다; 《比》 (an jm., 에게) 화풀이하다, 싸움을 걸다. **Reiber** *m.* -s, -, 비비는〔문지르는〕 사람; 채료(彩料)를 가는 사람. **Reiberei** *f.* -en, 비비기, 문지르기; 《比》 알력을 일으킴, 도전(*provocation*). **Reibung** [ráibuŋ] *f.* -en, 비비기, 문지르기, 갈기; 가루로 만들기; 도찰(塗擦); 마멸, 연마; 마찰(*friction*); 《比》 알력.

Reibungs·fläche *f.* 마찰면(面). **~los** *a.* 마찰이 없는.

Reibzunge [ráiptsuŋə] *f.* (연체 동물의) 치설(齒舌).

Reich [raiç] [♈reich] *n.* -(e)s, -e, ① 영토, 나라(*empire*); (Kaiser~) 제국; 왕국(*kingdom*). ② 범위, 영역, 계(界)(*kingdom, realm*).

reich [raiç] [*eig.* „mächtig"; ♈Reich, -rich] *a.* 풍부한, 많은(♈*rich*); 엄청난, 돈 많은, 부유한(*wealthy*). ¶~ u. arm 부자나 가난한 자나 다, 누구든지.

R

reich·begābt *a.* 타고난 자질이 풍부한, **~begütert** *a.* 부자의, 부유한.

reichen [ráiçən] [<recken] 《Ⅰ》 *i.*(h.) 달하다, 미치다, 닿다(♈*reach, extend*); 족하다, 충분하다(*suffice*). 《Ⅱ》 *t.* …에 닿다; 내밀다(♈*reach*); 건네다(*hand, pass*); 주다(*give, present*). ¶ jm. die Hand ~ 아무에게 악수를 청하다, 결혼을 청하다〔수락하다〕/ sich³ et ~ 무엇에 손을 내밀다, 을 잡다, 가지고 〔쥐고〕 오다.

reichhaltig [ráiçhaltıç] *a.* 내용이 충실한, 풍부한.

reichlich [ráiçlıç] *a.* 많은, 풍부한, 술한(*plentiful, copious*). ¶ ~ (*adv.*) 100 Mark 넉넉히 백 마르크.

Reichs·ādler *m.* 독일 제국 시대의 문장인 독수리. **~apfel** *m.* 독일 황제의 권표(權標)였던 지구의(地球儀). **~auto·bahn** *f.* (독일) 국영 자동차 도로. **~·bank** *f.* 국립 은행. **~bürger** *m.* 국민. **~deutsche** *m.* u. *f.* 《形容詞變化》 (독일 국내에 거주하며 국적을 가진) 독일 국민. **~farben** *pl.* 국기. **~·gebiet** *n.* (독일의) 국가 영토《1937 년 12 월 31 일의》. **~gericht** *n.* 독일 대심원(大審院)《1875-1945, 라이프치히 소재》. **~heer** *n.* 구 독일 제국 군대. **~idee** *f.* (독일의) 국가 이념《유럽의 질서 세력으로서의》. **~kanzlei** *f.* 내각 사무처. **~kanzler** *m.* 독일 재상, 수상. **~·kleinōdien** *pl.* 구 독일 제국 황제의 권표, 옥새. **~kursbūch** *n.* 국영 철도 열차 시간표. **~mark** *f.* 마르크화(貨)《1924-1948 까지의》. **~post** *f.* 독일 국영 우편. **~stadt** *f.* 구 독일 제국 직속 도시, 자유시. **~tāg** *m.* 국회. **~·tāgs·abgeordnete** *m.* u. *f.* 《形容詞變化》 국회 의원. **~unmittelbār** *a.* 구 독일 황제 또는 제국 직속의. **~wap·pen** *n.* 나라〔제국〕의 문장(紋章). **~·wehr** *f.* 국방군《특히 1 차 대전 후 베르사이유 조약에 바탕한 독일 국군》.

Reichtūm [ráiçtu:m] *m.* -(e)s, ⸗er, 많음(*richness*); 풍부, 풍성(*abundance*); 부유, 부(富)(*riches, wealth*).

Reichweite [ráiçvaitə] *f.* 도달(到達) 거리, 유효 범위.

Reif[1] [raif] *m.* -(e)s, -e, 서리, 서리가 내리는 계절(*hoarfrost*).

Reif[2] [raif] *m.* -(e)s, -e, 고리, 머리띠, (통 따위의) 테, 굴렁쇠(*hoop, ring*); (차의) 윤철(輪鐵), 타이어(*tire, tyre*).

reif [raif] *a.* 익은, 성숙한, 여문(♈*ripe, mature*).

Reife [ráifə] *f.* 성숙; 완성; 대학 입학 자격《고등 학교 졸업》.

Reifen [ráifən] *m.* -s, -, ＝REIF².

reifen[1] [ráifən] 《Ⅰ》 *i.*(s.) 익다, 성숙하다(♈*ripen, mature*); 〖醫〗 화농하다 (*come to a head*). 《Ⅱ》 *t.* 익히다, 성숙시키다.

reifen[2] *i.*(h.) *imp.*: es reift 서리가 내리다.

reifen[3] *t.* (에) 테를 메우다, (에) 바퀴를 끼우다.

Reifen·panne *f.*, **~schäden** *m.* (타이어의) 빵꾸.

Reife·prüfung *f.* 고등 학교 졸업 시험. **~zeit** *f.* 성숙기. **~zeugnis** [-tsɔyknıs] *n.* 고등 학교 졸업장.

reiflich [ráiflıç] *a.* 충분한, 철저한(*mature*). ¶ ~ (*adv.*) überlegen 숙고하다.

Reif·rock *m.* 속버팀으로 벌어진 스커트. **~spiel** *n.* 굴렁쇠 굴리기.

Reigen [ráigən] *m.* -s, -, 윤무(*round dance*); 윤무곡; 《지금은 보통》 가무(歌舞); 윤무하는 사람들; 원형의 열. ¶ den ~ eröffnen 《比》 일을 개시하다. **~tanz** *m.* 윤무.

Reihe [ráiə] [<reihen] *f.* -n, 열, 줄(♈*row*); 선(*line*); 〖軍〗 대열, 전열(戰列)(*file*); 계열, 일련(一連)(*range*); 연속, 시리즈(*series*); 순번(*succession*); 〖數〗 급수. ¶ (in der) ~ steh(e)n 일렬로 서다 / in Reih' und Glied 대오를 짜서, 줄지어 / die ~ ist an mir, 〔*od.* ich bin an der ~〕 내 차례다.

reihen [ráiən] [*eig.* „durchstechen"] *t.* (진주 등을 실에) 꿰다(*string*); 가지런히 하다, 나란히 하다(*range, rank*).

Reihen·folge *f.* 순서; 순번. **~tanz** *m.* 윤무(輪舞). **~weise** *adv.* 열을 지어, 나란히; 차례차례, 순서대로.

Reiher [ráiər] [擬聲語] *m.* -s, -, 〖鳥〗 왜가리속(*heron*).

Reiher·busch *m.* 왜가리의 깃으로 된 장식. **~fēder** *f.* 왜가리의 깃.

reih·um [rai-úm] *adv.* 차례로, 교대로.

Reim [raim] [fr., <gr. -lat. *rhythmus*] *m.* -(e)s, -e, 운(韻), (특히) 각운(脚韻) (♈*rhyme*); 《比》 시구(詩句), 시(詩). **reimen** [ráimən] 《Ⅰ》 *i.*(h.) u. *refl.* (mit, 와) 운이 맞다, 압운하다(♈*rhyme*); 《比》 (보통 *refl.*) 일치〔조화〕하다(*agree* (*with*)); 《蔑》 (엉터리) 시를 짓다. 《Ⅱ》 *t.* 운을 맞추다, 압운하다; 《比》 일치시키다, 앞뒤〔조리〕를 맞추다(*tally*).

Reim(e)schmied *m.* 엉터리 시인.

Reim·kunst *f.* 압운법(押韻法); 작시법. **~lōs** *a.* 무운(無韻)의. **~paar** *n.* 대운(對韻)(을 갖는 2 행의 시행(詩行)).

rein [rain] [*eig.* „gesiebt, gesichtet"] 《Ⅰ》 *a.* ① 순수한, 티 없는(*pure*); 깨끗한, 청결한(*clean, fair*); 맑은, 투명한(*clear*); 무구〔순결〕한(*innocent*); 〖商〗 정미(正味)의(*net*); 순전한, 유일한, 전적인. ¶ ~e Wahrheit 전적인 진리〔진실〕. ② 《小文字로 쓴 채 中性名詞化》 ins ~e bringen 정리〔처리〕하다; 결말을 짓다. 《Ⅱ》 *adv.* 맑게, 깨끗이, 순수하게; 완전히; 전혀(*quite*). ¶ ~ unmöglich 전혀 불가능한.

Rein·element [ráinelemɛnt, -elə-] *n.* 순(純) 원소《1 분자의 원소》. **~gewinn** *m.* 순익(純益).

Reinheit [ráinhait] *f.* 청결, 깨끗하고 맑음; 순수, 결백, 무구(無垢); 순결.

reinigen [ráinıgən] *t.* 깨끗하게 하다, 청결하게 하다; 정화〔순화〕하다; 〖鑛〗 정련하다(*refine*). **Reinigung** *f.* -en, 청결하게 하기, 정화, 클리닝; 순화; 〖鑛〗 정련; (monatliche ~) 월경(*menses*).

Reinigungsbeamte [ráinıguŋsbəamtə] *m.* 《形容詞變化》 도로 청소원.

Reinkultūr [ráinkʊltu:r] *f.* (균의) 순수 배양. ¶ in ~ 《比》 진정한, 진짜의.

reinlich [ráinlıç] *a.* ① 깨끗한 것을 좋아하는. ¶ äußerst ~ 결벽한. ② 청결한, 깨끗한(♈*cleanly*); 깨끔한(*neat*).

Rein·machefrau *f.* 청소〔잡역〕부(婦).

~rassig *a.* 순종의, 순혈(純血)의. **~schrift** *f.* 정서(淨書), 완성된 원고.

Reis[1] [rais] [gr. -it. *aus* ind.] *m.* -es, (品種을 表示할 때:) -e, 〖植〗 벼, 쌀(♈ *rice*).

Reis[2] [rais] *n.* -es, -er, 잔 가지, 어린 가지(*twig, sprig*); (Pfropf~) 접목(接木), 꺾꽂이 나무(*scion*).

Reis·acker *m.* 논. **~bau** *m.* 벼농사. **~bund** *m.*, **~bündel** *n.* 물거리〔장작〕의 다발.

Reise [ráizə] [<reisen] *f.* -n, 길떠남, 여행(*journey, voyage, passage*); 소풍.

Reise·apothēke *f.* 휴대용 약갑. **~begleiter** *m.* 길동무. **~beschreibung** *f.* 여행기, 기행(紀行). **~būch** *n.* 여행 안내. **~bürō** *n.* 여행 안내소. **~decke** *f.* 여행용 모포. **~fertig** *a.* 여행 준비가 다 된. **~führer** *m.* 여행 안내자〔안내서〕, 가이드. **~gefährte** *m.*, **~gefährtin** *f.* (여행의) 동행자, 길동무. **~geld** *n.* 여비. **~gepäck** *n.* 수화물. **~gesellschaft** *f.* 여행단, 일행(一行). **~koffer** *m.* 여행 가방, 트렁크. **~kosten** *pl.* 여비. **~krankheit** *f.* 여행병(배멀미 등). **~lust** *f.* 여행의 즐거움; 여행벽(癖). **~lustig** *a.* 여행을 즐기는.

reisen [ráizən] [*eig.* „steigen, sich erheben"; =engl. *rise* „aufstehen"] 《Ⅰ》 *i.* (s. *u.* h.) 여행을 떠나다, 여행하다(*travel, journey*); 여행중에 있다. ¶ **aufs** Land ~ 시골에 가다 / auf et. ~ 무엇 때문에〔을 구실로〕 여행하다; 무엇을 이용하다, (에) 편승하다. 《Ⅱ》 **Reisende** *m.* u. *f.* 《形容詞變化》 여행자, 나그네, 여객(*traveller, passenger*); 〖商〗 (Handlungs~) 출장 점원.

Reise·paß *m.* 여권, 패스포트. **~plān** *m.* 여행 계획. **~route** *f.* 여행 코스. **~scheck** *m.* 여행자 수표. **~tasche** *f.* 여행(용) 가방. **~ziel** *n.* 여행 목적지, 행선지.

Reisholz [ráishɔlts] *n.* =REISIG.

reisig† [ráizɪç] 《Ⅰ》 *a.* 출동 준비를 한, 무장을 갖춘; 말을 탄. 《Ⅱ》 **Reisige**† *m.* 《形容詞變化》 기사(騎士); 전사(戰士).

Reisig [ráizɪç] [*coll.* v. Reis[2]] *n.* -s, 물거리, 섶나무; 덤불, 총림(叢林)(*brushwood*).

Reisig·bēsen *m.* 싸리비. **~bündel** *n.* 물거리의 다발.

Reiß·aus [rais-áus, ráis-aus] [<„reiß aus!"] *m.* u. *n.* -, : 《俗》 ~ nehmen 탈주〔도망〕하다.

Reiß·blei *n.* 연필; 〖鑛〗 흑연, 석묵(石墨). **~brett** *n.* 제도판. **~dreieck** *n.* 삼각자.

reißen* [ráisən] [♈ritzen, reizen; = engl. *write* „(Runen einritzen) schreiben"] 《Ⅰ》 *t.* ① 할퀴다; 잡아 찢다, 찢다(*tear*). ¶ in Stücke ~ 발기발기 찢다. ② 잡아채다; 잡아당기다(*drag, pull, tug*). ¶ **an** sich[4] ~ 잡아채다, 잡아당기다, 《比》 강탈〔독점〕하다. ③ 도면을 그리다, 제도하다, 그리다. ¶ Possen ~ 어릿광대짓을 하다. 《Ⅱ》 *i.* (s.) 찢어지다, 잘라지다, 갈라지다(*burst, split*). ¶ es reißt mir 〔mich〕 in allen Gliedern 온몸이 마디마디 쑤신다. 《Ⅲ》 *refl.* 몸을 빼어 내다, 뿌리치고 빠져 나오다. ¶ sich 〔einander〕 ~ (um, 을 차지하려고) 다투다. 《Ⅳ》 **Reißen** *n.* -s, -, 잡아찢음, 잡아당김; 〖醫〗 격통(激痛), 관절통(痛). 《Ⅴ》 **reißend** *p.a.* 육식의, 생식의(*ravenous*); (아파서) 찢어지는 듯한(*acute, violent*); 급격한, 급속한 (*rapid*). ¶ ein ~er Absatz 날개돋친 듯이 팔림 / ~e Ströme 급류(急流).

Reiß·fēder *f.* 제도용 펜, (제도용) 오구(烏口). **~festigkeit** *f.* 찢어지지 않음, 강인함. **~kohle** *f.* 목탄필(木炭筆). **~nāgel** *m.* 제도용 핀. **~schiene** *f.* 제도용자, T형 자. **~stift** *m.* 줄긋는 철필; 연필. **~verschluß** *m.* 지퍼. **~zeug** *n.* 제도용 기구. **~zirkel** *m.* 제도용 콤파스. **~zwecke** *f.* 압정(押釘); 제도용 핀.

Reis·stroh [ráisʃtro:] *n.* 볏짚.

Reit·anzūg [ráit–] *m.* 승마복. **~bahn** *f.* 마장(馬場). **~decke** *f.* (말의 등을 덮는) 언치; 안장 덮개.

reiten* [ráitən] [*eig.* „sich fortbewegen"; ♈engl. *road*] *i.* (h. *u.* s.) u. *t.* (말을) 타다, 말을 타고 가다(♈*ride*). **Reiter** [ráitər] *m.* -s, -, 말을 타는 사람; 곡마사(曲馬師); 기병.

Reiterei [raitərái] *f.* -en, 마술; 〖軍〗 《總稱》 기병.

Reiterin [ráitərɪn] *f.* -nen, 말 타는 여자; 여자 곡마사.

Reiter·kunst *f.* 마술. **~pfērd** *n.* 기병마, 군마. **~regiment** *n.* 기병 연대.

Reitersmann [ráitərsman] *m.* (*pl.* ¨er) =REITER.

Reiter·standbild *n.*, **~statu·e** *f.* 기마상(騎馬像). **~wache** *f.* 기마 초병(哨兵).

Reit·gerte *f.* =~PEITSCHE. **~gurt** *m.* 말의 배띠. **~hōse** *f.* 승마용 바지. **~knecht** *m.* 마부. **~kunst** *f.* 마술. **~peitsche** *f.* 승마용 채찍. **~pfērd** *n.* 승마용 말. **~schūle** *f.* 승마 학교, 마술 연습소. **~sport** *m.* 승마 스포츠 (마술, 경마, 곡마). **~stiefel** *m.* 승마용 장화. **~turnier** *n.* 마상 토너먼트. **~wēg** *m.* 기마(騎馬) 도로, **~zeug** *n.* 승마 장구(裝具), 기병 장비.

Reiz [raits] [<reisen] *m.* -es, -e, 자극 (*stimulus*); (Gereiztheit) 흥분, 신경질 (*irritation*); 《比》 매혹, 매력(*attraction, charm*). **reizbār** *a.* (자극에) 예민한 (*sensible*); 신경질의, 성 잘 내는(*irritable*). **reizen** [ráitsən] [*eig.* „reißen machen"] 《Ⅰ》 *t.* 자극하다, 격려하다, 부추기다(*stimulate, stir up*); 유혹하다, 매혹하다(*attract, charm*); 흥분하게 하다, 성나게 하다(*excite, irritate*). 《Ⅱ》 **reizend** *p.a.* 자극적인; 매력〔매혹〕적인.

Reiz·klima *n.* 사나운 날씨. **~körper** *m.* 〖醫〗 자극체(體). **~lōs** *a.* 매력이 없는. **~mittel** *n.* 자극물; 흥분제; 자극; 유인(誘因).

reizsām [ráitsza:m] *a.* 민감한.

Reizung [ráitsuŋ] *f.* -en, 자극; 도발; 유혹; 매력; 애교. **reizvoll** *a.* 자극적인; 매혹재인, 매력 있는.

Reklamatiōn [reklamatsió:n] *f.* -en, 반환 청구; 항의, 이의(異議); 소원(訴願). **Reklāme** [reklá:mə] [fr., <lat.

re-clāmāre, „entgegen-schreien"] *f.* –n, 선전(*propaganda*); 광고(*advertisement*).

Reklame-abteilung *f.* 선전부. **∼artikel** *m.* 광고용 상품. **∼film** *m.* 광고 영화. **∼preis** *m.* 선전(을 위해 내린) 가격. **∼säule** *f.* 광고탑. **∼zeichner** *m.* 광고 도안가.

re·klamieren [reklamí:rən] 《Ⅰ》 [lat. „entgegen-rufen"] *i.*(h.) 항의하다, 이의를 제기하다. 《Ⅱ》 [„zurück-rufen"] *t.* (의) 반환을 청구하다.

re·kognoszieren [rekɔgnɔstsí:rən] [lat, „wieder-erkennen"] *t.* 승인[인증]하다 (*reconnoitre*).

rekonstruieren [rekɔnstruí:rən] *t.* 재건[부흥]하다, 개조하다. **Rekonstruktion** *f.* –en, 재건, 복구, 부흥, 개조.

Re·konvaleszent [rekɔnvalɛs-tsɛ́nt] [lat. „Wieder-gesundwerdender"] *m.* –en, –en, 병세 회복기의 사람.

Rekord [rekɔ́rt] [engl., <lat. *re-cordāre* „wieder ins Herz [Gedächtnis] bringen"] *m.* –(e)s, –e, 최고 기록, 레코드(♈*record*). ¶e–n ∼ aufstellen 기록을 수립하다.

Rekord-halter *m.* 기록 보유자. **∼lauf** *m.* 신기록을 세운 경주. **∼zeit** *f.* 기록 시간, 타임.

Re·krut [rekrú:t] [fr. „Wieder-[Nach-] wuchs"] *m.* –en, –en, 신병(新兵)(♈*recruit*). **rekrutieren** [rekrutí:rən] 《Ⅰ》 *t.* u. *i.*(h.) (신병을) 징모하다. 《Ⅱ》 *refl.* (신병으로) 보충되다.

Rektor [rɛ́ktɔr] [lat. „Leiter"] *m.* –s, ..toren, (상급 학교의) 교장(*headmaster*); (대학의) 학장, 총장(*chancellor*). **Rektorat** [rɛktorá:t] *n.* –(e)s, –e, 위의 직위[관사(官舍)].

Rektoskop [rɛktɔskó:p] [lat. +gr.] *n.* –s, –e, 〖醫〗 직장경(直腸鏡). **Rektum** [rɛ́ktum] *n.* –s, ..ta, 〖解〗 직장.

relativ [relatí:f] [lat. „zurückbringend"] *a.* 관계하는, 상관적인; 상대적인, 비교적인. **Relativität** [relativitɛ́:t] *f.* –en, 상관성; 상대적임, 상대적 관계, 상대성.

Relativitäts-prinzip *n.* 〖物〗 상대성 원리. **∼theorie** *f.* 〖物〗 상대성 이론.

Relief [reliɛ́f] [fr.] *n.* –s, –s *u.* –e, 부조(浮彫), 양각(陽刻).

Religion [religió:n] [lat. „Andacht" *re-legere* „(wieder lesen:) genau überdenken"] *f.* –en, 종교; 신앙심.

Religions-bekenntnis *n.* 신앙 고백. **∼freiheit** *f.* 신앙의 자유. **∼geschichte** *f.* 종교사. **∼gesellschaft** *f.* 종교 단체. **∼lehre** *f.* 종교학; 신학. **∼stifter** *m.* 교조(教祖).

religiös [religiǿ:s] *a.* 종교상의; 종교적인, 신앙이 깊은; 경건한. **Religiosität** *f.* 신앙이 깊음, 종교심, 경건.

Reling [ré:lɪŋ] [ndl.] *f.* –e(n) *u.* –s; od. *n.* –s, –e, (선박의) 난간(♈*rail(ing)*).

Reliquie [relí:kviə] [lat. „Zurückgelassenes"] *f.* –n, 유물; 〖가톨릭〗 성유물(聖遺物)《성도의 유골·기념물 따위》(♈*relic*). **Reliquin-schrein** *m.* 성유물함(聖遺物函).

remedieren [remedí:rən] *t.* 치료하다; 교정(矯正)하다.

remilitarisieren [remilitarizí:rən] [lat.] *t.* u. *i.*(h.) 재군비(再軍備)하다.

Remilitarisierung [–zí:ruŋ] *f.* 재군비(함).

Remise [remí:zə] *f.* –n, 차고(車庫), 마차 두는 곳(*coach-house*).

Remission [remɪsió:n] [lat.] *f.* –en, 〖商〗 반송(返送). **Remittent** *m.* –en, –en, 반송자 어음 수취인. **re·mittieren** [–tí:rən] [lat. „zurück-schicken"] *t.* 반송하다(*return*); 송금(送金)하다(♈*remit*).

Remonte [remɔ́ntə, –mɔ̃:tə] [fr.] *f.* –n, 〖軍〗 마필(馬匹) 보급.

Remoulade [remulá:də] [fr.] *f.* –n, [∼sauce, ∼soße *f.*] 샐러드 크림《양념이 든 소스의 일종》.

Re·naissance [rənɛsɑ̃́:s] [fr. „Wiedergeburt"] *f.* 갱생; 〖史〗 문예 부흥, 르네상스.

Renaissance-arbeit [rənɛsɑ̃́:s–] *f.* 르네상스 작품. **∼kunst** *f.* 르네상스 예술. **∼stil** *m.* 르네상스 양식.

Re·negat [renegá:t] [lat. „Wieder-verleugner"] *m.* –en, –en, 〖宗〗 배교자(背教者)(♈*renegade*); 변절자.

re·nitent [renitɛ́nt] [lat. „sich entgegen-stemmend"] *a.* 반항적인, 고집이 센(*refractory*).

renken [rɛ́ŋkən] [♈ringen, Ranke; = engl. *wrench*] *t.* 비틀다, 감다, 굽히다 (*turn, twist*).

Renn-arbeit [rɛ́n–] *f.* 연철로(鍊鐵爐) 작업; 그에 의한 강철 생산. **∼bahn** *f.* 경마장; 경주장; 《比》 인생 행로. **∼boot** *n.* 경조정(競漕艇).

rennen* [rɛ́nən] [„rinnen machen"] 《Ⅰ》 *i.*(h. *u.* s.) 질주하다; 달리다(♈*run*). ¶(um die Wette) ∼ 경주하다((*run a*) *race*). 《Ⅱ》 **Rennen** *n.* –s, –, 질주; (Wett∼) 경주, 러닝; (Pferde∼) 경마. ¶totes ∼ 무승부 경주《동시 골인의》.

Renn-fahrer *m.* 자전거[자동차] 경주자. **∼fahrt** *f.* 자동차 경주. **∼jacht** *f.* 경조용 요트. **∼maschine** *f.* 경주용 자전거. **∼pferd** *n.* 경마용 말. **∼platz** *m.* =∼BAHN. **∼saison** *f.* 경마 철. **∼schuhe** *pl.* 스파이크화. **∼sport** *m.* 경주, 경마, 경조(競漕). **∼stahl** *m.* 연철(鍊鐵)《노(爐)의 작업으로 얻은 강철》. **∼stall** *m.* 경마용 말의 마굿간.

Renntier [rɛ́nti:r] [Renn 은 schwed. Ren] *n.* 〖動〗 순록(馴鹿)(♈*reindeer*).

Rennwagen [rɛ́nva:gən] *m.* 경주용 마차[자동차].

re·nommieren [renɔmí:rən] [fr. „wieder-nennen"] 《Ⅰ》 *i.*(h.) 큰소리[호언]하다; 허풍떨다 (*swagger, boast*). 《Ⅱ》 **renommiert** *p.a.* 유명한, 명망있는. **Renommist** *m.* –en, –en, 허풍선이, 호언 장담하는 사람.

re·novieren [renoví:rən] [fr. „wieder neu machen", erneuern] *t.* 갱신[개선]하다; 수리하다.

rentabel [rɛntá:bəl] *a.* 이자가 생기는; 수익[이익]이 있는. **Rentabilität** [rɛntabilitɛ́:t] *f.* –en, 위입. **Rent·amt** [rɛ́nt-amt] *n.* 회계[출납]국《지주·영주·군주 따위의》. **Rente** [rɛ́ntə] [fr.] *f.*

-n, 수익(收益)(*income, revenue*); 이자, 집세, 지대(地代), 소작료(♀*rent*); (Leib∼) (종신) 연금(*pension, annuity*).

Rentier [rɛntĭé:, rãtjé:] *m.* -s, -s, = RENTNER. **rentieren** [rɛntí:rən] *i.*(h.) u. *refl.* 이자가[수익이] 생기다, 벌이가 되다. **Rentner** [réntnər] *m.* -s, -, 이자[연금] 생활자. **Rentnerheim** *n.* 양로원.

Reorganisation [re-ɔrganizatsĭó:n] *f.* -en, 재조직, 재편성; 개혁, 개조. **re·organisieren** [re-ɔrganizí:rən] [lat. „wieder organisieren"] *t.* 재조직[재편성]하다.

reparabel [reparáːbəl] [lat. <reparieren] *a.* 수선[수리]할 수 있는, 보상[회복]할 수 있는.

Reparation [reparatĭó:n] *f.* -en, 복구, 「수리; 배상.」

Reparations·ausschuß *m.* 배상 위원회. ∼**pflichtig** *a.* 배상 의무가 있는. ∼**zahlung** *f.* 배상 지급.

Reparatur [reparatú:r] *f.* -en, 복구; 수리, 수선. ¶in ∼ sein 수리중이다.

Reparatur·anstalt *f.* 수리(修理) 시설. ∼**bedürftig** *a.* 수리해야 할. ∼**werkstatt** [-vɛrkʃtat] *f.* 수리 공장.

re·parieren [reparí:rən] [lat. „wiederherstellen"] *t.* 복구[부흥]하다; 수선[수리]하다(♀*repair*).

repartieren [repartí:rən] [lat. -fr.] *t.* 할당하다; 배당[분배]하다. **Repartition** [repartitsĭó:n] [lat.] *f.* -en, 할당, 분배, 배당.

Repertoire [repɛrtoá:r] [lat. -fr.] *n.* -s, -s, 목록, 표(表); 〖劇〗 연출 목록, 레퍼터리.

repetieren [repetí:rən] [lat. „wiederholen"; *re-* „wieder", *petere* „erstreben"] *t.* 되풀이하다, 복습하다(♀*repeat*).

Repetier·gewehr *n.* 연발총. ∼**uhr** *f.* 명종(鳴鐘) 회중 시계.

Replik [replí:k] [lat.] *f.* -en, 답변(♀*reply*); 〖法〗 (원고의) 재항변(再抗辯)(♀*replica*).

Report [repɔ́rt] [fr. <*re-porter* „zurück-tragen"] *m.* -(e)s, -e, 보고, 레포트; 〖商〗 [∼**prämie** *f.*] 이연 거래(移延去來), 이연 일변(日邊), 거래 유예금 (*contango*). **Reportage** [rəpɔrtá:ʒə] [fr.] *f.* -n, (사실) 보도, 르포르타즈. **Reporter** [repɔ́rtər] [engl.] *m.* -s, -, (신문의) 통신원, 레포터.

Repräsentant [reprɛzɛntánt] *m.* -en, -en, 대표자. **repräsentativ** [-f] *a.* 대표의.

repräsentieren [reprɛzɛntí:rən] [lat., =re- *u.* präsentieren] *t.* 대표하다; 표시하다, 표현하다.

Repressalie [reprɛsá:lĭə] [fr., <lat. *re-premere* „zurück-drängen"] *f.* -n, 억제[저지] 수단(♀*reprisals*).

reprivatisieren [reprivatizí:rən] [lat. „wieder privat machen"] *t.* (국영 기업을) 다시 민영화하다.

Re·produktion [reprodʊktsĭó:n] [lat. „Wieder-hervorbringung] *f.* -en, ① 재생, 재현. ② 복사, 모사(模寫). **repro·duzieren** *t.* 재생하다, 다시 제조하다; 복사[복제·모사]하다(♀*reproduce*).

Reptil [rɛptí:l] [lat. „Kriechendes"] *n.* -s, -(e) *u.* -ĭen, 〖動〗 파충류(爬蟲類) (♀*reptile*).

Republik [republí:k] [fr., <lat. *rēs publica* „Sache der Öffentlichkeit", Gemeinwesen] *f.* -en, 공화국, 민주정체(♀*republic*). **Republikaner** *m.* -s, -, 공화국민; 공화주의자, 공화당원. **republikanisch** *a.* 공화국의, 공화 정체의; 공화주의의, 공화당의.

Republikflucht [republí:kfluxt] *f.* 동독에서의 탈출.

Repuls [repúls] [lat.] *m.* -es, -e, 거절, 각하; 거절의 대답. **Repulsion** [-zĭó:n] *f.* -en, 반발; 혐오; 거절.

Reputation [reputatsĭó:n] [lat.] *f.* -en, 평판, 명성, 성명, 명망, 위신. **reputierlich** [-tí:rlɪç] *a.* 세평이 좋은, 명성이 높은; 존경할 만한.

re·quirieren [rekvirí:rən] [lat. „wieder-suchen"] *t.* 청구[요청]하다(♀*requisition*). **Requisiten** *pl.* 필수물; 〖劇〗 소품(*properties*).

Reseda [rezé:da] [lat. „heile (die Krankheiten)"!] *f.* -s *u.* ..den, **Resede** *f.* -n, 〖植〗 레세다, 목서초(木犀草)(옛날 진통제로 썼음)(*mignonette*).

Reserve [rezérvə] *f.* -n, ① 저장, 예비. ② 사양, 조심성.

Reserve·anker *m.* 예비 닻. ∼**dienst** *m.* 예비역. ∼**rad** *n.* 예비 바퀴. ∼**teile** *pl.* 예비(부분)품. ∼**truppen** *pl.* 예비 부대. ∼**zimmer** *n.* 예비실, 내객용 침실.

re·servieren [rezɛrví:rən] [lat. „zurück-bewahren"] 《Ⅰ》 *t.* (예비로, 예약으로) 남겨 놓다; 보존[저장]하다; 보류하다(♀*reserve*). 《Ⅱ》 **reserviert** *p.a.* 남겨 놓은; 보류된; 예약된《자리》; 삼가는, 사양하는, 터놓지 않는.

Residenz [rezidénts] [lat. „Wohnsitz"] *f.* -en, (군주·고위 성직자의) 거주지, 거성(居城), 수도(首部)(♀*residence*). **re·sidieren** [rezidí:rən] [lat.; *re-*(여기서는 强意), *sedere* „sitzen"] *i.*(h.) 거주하다《특히 군주 따위가》; 주재(駐在)하다《공사 따위가》(♀*reside*).

Resignation [rezɪgnatsĭó:n] [lat.] *f.* -en, 단념, 포기(拋棄), 체념. **re·sig·nieren** [-ní:rən] [lat. „zurück-zeichnen (다른 장부에 써서 옮기다)", 轉義하여 "버리다"] 《Ⅰ》 *i.*(h.) (auf et., 을) 단념하다, 체념하다(♀*resign*). 《Ⅱ》 **resig·niert** *p.a.* 단념한, 체념한; 각오한; 패기 없는.

Résistance [rezistã́:s] [fr. =Resistenz] *f.* (제 2차 대전중의) 레지스탕스.

Re·sistenz [rezɪsténts] [lat. *re-sistere* „wider-stehen"] *f.* -en, 저항(력); 내구(력); 경도(硬度).

Reskript [reskrɪ́pt] [lat.] *n.* -(e)s, -e, 훈령, 칙령, 교칙서; 〖가톨릭〗 (교황 등의) 답서(答書), 재결서.

resolut [rezolú:t] [lat.] *a.* 결연[단호]「한, 과감한.」

Resonanz [rezonánts] [lat. <*re-sonāre* „zurück-tönen"] *f.* -en, 반향, 공명(共鳴)(♀*resonance*). ∼**boden** *m.* 〖音〗 울림판, 공명판.

Resopal [rezopá:l] *n.* -s, 레조팔《탁상

이나 벽에 바르는 경질지(硬質紙)의 상품 명》.

resorbieren [rezɔrbí:rən] [lat.] *t.* (다시) 흡수하다. **Resorption** [-tsió:n] *f.* -en, (재)흡수; 〖地〗 용식(溶蝕).

Respekt [respékt, rɛs-, -ʃpékt] [lat. „das Zurück-sehen"] *m.* -(e)s, -e, 경의, 존경(♀*respect*); 외경(畏敬)(*awe*). **respektābel** [respɛktá:bəl] *a.* 존경할 만한, 명망 있는. **respektieren** *t.* 존경〔경외〕하다.

respekt·lōs *a.* 존경하지 않는, 실례의. **~s·persōn** *f.* 존경받는 사람; 명사. **~voll** *a.* 공손한, 은근한, 정중한. **~widrig** *a.* 존경심이 없는, 무례한.

Respiration [rɛspiratsió:n] [lat.] *f.* 호흡(작용).

Respiro [rɛspí:ro] [it. <respirieren] *m.* -s, (지불) 유예 (기간). **Respirotāg** *m.* 유예일.

Ressentiment [rɛsãtimã́:] [lat. -fr.] *n.* -s [-mã́:s], -s [-mã́:s], 숨은 원한〔증오〕; 질투〔복수〕심.

Ressort [rɛsó:r] [fr.] *n.* -s, -s, 소관(所管) 사항, 부문, 분야(*department*).

Ressource [rɛsúrsə] [lat. -fr.] *f.* -n, ① 수단, 방책, 술; 본전, 자〔재〕원. ② 휴양 (방법), 오락; 오락회, 클럽.

Rest [rɛst] [it., <restieren] *m.* -es, -(e)r *u.* 《方》 (öst., schwz.) -en, ① 나머지, 잔여(殘餘)(♀*rest, remainder, remnant*). ② jm. den ~ geben 아무에게 최후의 일격을 가하다. **Restant** [rɛstánt] [lat., <restieren] *m.* -en, -en, 체납자. **Rest·auflāge** [rést-aufla:gə] *f.* 재고판(在庫版).

Restaurant [rɛstorã́:] [lat. <restieren] *n.* -s [-rã́:s], -s [-rã́:s], 요리〔음식〕점, 레스토랑. **Restauration** *f.* -en, ① [rɛstauratsió:n] 회복; 수복, 수리. ② [rɛsto-] 음식점, 레스토랑(♀*restaurant*). **restaurieren** [rɛstaurí:rən] [fr. „wieder-herstellen"] *t.* 회복하다; 수복〔수리〕하다(*repair*).

Restbestand [réstbəʃtant] *m.* 〖商〗 잔액(殘額).

restieren [rɛstí:rən] [lat. „zurückbleiben"] *i.*(h.) 남다, 처고 남다, 밀리다(*remain*); 〖商〗 미제(未濟)이다.

restituieren [re-stituí:rən, rɛsti-] [lat.] *t.* 회복〔복구〕하다; 배상하다, 보충하다; 복위〔복직〕시키다.

restlich [réstlıç] *a.* 나머지의, 남은.

rest·lōs *a.* 나머지가 없는, 전부의; *adv.* 전혀. **~posten** *m.* 잔액.

Restriktion [re-strıktsió:n] [lat.] *f.* -en, 제한, 보류. **restringieren** *t.* 제한하다, 수축시키다.

Rest·stickstoff *m.* 〖生化〗 (신진 대사 결과 혈액 속에 화합물 형태로 남는) 잔여 질소. **~strahlen** *pl.* 〖物〗 (결정판(結晶板) 사이에 반사를 반복한 뒤의) 잔류선(殘留線).

Rest·summe [rɛst-zumə] *f.* 잔액, 잔금.

Resultāt [rezultá:t] [lat.] *n.* -(e)s, -e, 결과(♀*result*); 〖競〗 스코어(*score*); 〖數〗 답(答).

retablieren [retablí:rən] [fr.] *t.* 재흥〔부흥〕하다, 복위〔복직〕시키다.

Retirāde [retirá:də] [lat. -fr.] *f.* -n, 퇴각. **retirieren** [fr. „zurück-ziehen"] *i.*(s.) u. *refl.* 물러나다, 퇴각하다(♀*retire, retreat*).

Retorte [retɔ́rtə] [lat.] *f.* -n, 〖化〗 증류기, 레토르트(♀*retort*).

retten [rétən] [*eig.* „entreißen, befreien"; =engl. *rid.*] 《Ⅰ》 *t.* 구하다, 구조하다(*save, rescue*). 《Ⅱ》 *refl.* 살아나다, 모면하다; 피난하다. **Retter** [rétər] *m.* -s, -, 구조자; 구세주.

Rettich [rétıç] [Lw. alt. *radix* „Wurzel"] *m.* -(e)s, -e, 〖植〗 무우의 일종((*black, white*) *radish*).

Rettung [rétuŋ] *f.* -en, 구조; 구호; 구명, 피난.

Rettungs·anker *m.* 예비닻. **~bōje** *f.* 구명대(袋). **~boot** *n.* 구명정(艇). **~dienst** *m.* (조직적인) 구조 활동; 구조대. **~gürtel** *m.* 구명대(帶). **~leiter** *f.* 구명용 사다리. **~lōs** *a.* 구할 길 없는, 구조 가망이 없는. **~medaille** [-medaljə] *f.* 인명 구조 상패(賞牌). **~mittel** *n.* 구조 수단. **~ring** *m.* =~GÜRTEL. **~station**, **~stelle** *f.* 구호소. **~wāgen** *m.* 구급차. **~wēsen** *n.* 수난 구조 조직; 구제 사업.

Retusche [retúʃə, -tú:-] *f.* -n, (사진·그림 따위의) 수정(修正). **retuschieren** [retuʃí:rən] [fr. „wieder-berühren"] *t.* 수정하다(♀*retouch*).

Reue [rɔ́yə] [*eig.* „Schmerz, Trauer"] *f.* 회한, 후회(*repentance*). **reuen** [rɔ́yən] [=engl. *rue* „klagen"] *t.* u. *i.*(h.): es reut mich 나는 후회한다(*I repent (of) it, I regret it*). **reuevoll** *a.* 회오를 금치 못하는. **Reugeld** *n.* 위약금. **reuig** *a.*, **reumütig** *a.* 후회〔회오〕하는.

Reunion [fr.] *f.* ① [re-unió:n] (*pl.* ..en) 재합동, 합병; (*pl.*) 루이 14세의 재병합. ② [reynjɔ̃́:] (*pl.* -s) 사교 클럽, 집회; 사교 무도회《특히 온천장 등의》.

Reus(ch)e [rɔ́yzə, -ʃə] [<Rohr] *f.* -n, 어살(*wicker-trap*).

re·ussieren [re-ʏsí:rən], **re·üssieren** [re-ʏsí:-] [fr.] *i.*(h.) 성공하다, 번창하다.

reuten [rɔ́ytən] [roden의 南獨逸形] *t.* 뿌리째 뽑다(*root out*), 개간하다.

Revanche [revã́:ʃə] *f.* -n [-ʃən], 보복, 복수. **revanchieren** [revãʃí:rən] [fr. „zurück-rächen"] *refl.* 복수하다(♀*revenge*); (좋은 뜻:) (의) 답례를 보내다(*return*).

revidieren [revidí:rən] [lat. „wieder-durchsehen"] *t.* 재검사하다, 교정하다(♀*revise*); 〖商〗 감사(監査)하다(*audit*).

Revier [reví:r] [fr. *rivère* „Fluß, Ufer; Ufergebiet"] *n.* -s, -e, ① 구역, 지구(*district, quarter*). ② 영내(營內) 병실(*sick-bay*).

Revier·förster *m.* 산림 감시인. **~kranke** *m.* (形容詞變化) 〖軍〗 경증자(輕症者).

Review [rıvjú:] [engl.] *f. pl.* -s, 개관, 전망; (잡지의 표제로서의:) 평론 (잡지).

Revirement [revirəmã́:, rə-] [gr. -fr.] *n.* -s, -s, 선회; 변경; 갱질《특히 외교관의》; 〖商〗 청산《양도·변제 등에 의한 부채자와 채권자와의 사이의》.

Revision [revizĭó:n] *f.* -en, 검사, 교정(校正); (장부의) 감사; 〖法〗 재심(의 상소, 상고).

Revisions⸗bogen *m.* 교정쇄(刷). **∼⸗gericht** *n.* 상고 법원.

Revisor [reví:zɔr] *m.* -s, ..visoren, 검사하는 사람, 검사관; 감사역.

Revokation [revokatsĭó:n] [lat.] *f.* -en, 취소, 철회.

Revolte [revɔ́ltə] [fr. „Zurück- 〔Um-〕 wälzung"] *f.* -n, 반란, 폭동(*revolt*). **revoltieren** *i.*(h.) u. *refl.* 반란〔폭동〕을 일으키다. **Revolution** [revolutsĭó:n] *f.* -en. 혁명. **revolutionär** [-tsĭonέ:r] *a.* 혁명의, 혁명적인. **Revolutionär** *m.* -s, -e, 혁명가. **revolutionieren** *t.* 전복하다, (에) 혁명〔반란〕을 일으키다.

Revolver [revɔ́lvər] [engl.] *m.* -s, -, 선회식 (연발) 피스톨.

Revue [rəvý:] [fr. <*re-voir* „wiedersehen"] *f.* -n [-vý:ən], ① 검열 〖軍〗 열병. ② 평론(♈*review*); 〖劇〗 레뷔(♈*revue, musical show*).

Rezensent [retsɛnzέnt] [lat.] *m.* -en, -en, (서적·예술의) 비평가, 평론가. **re⸗zensieren** [retsɛnzí:rən] [lat. „wiederholt-beurteilen"] *t.* 비평〔평론〕하다(*review, criticize*). **Rezension** [retsɛnzió:n] *f.* -en, 비평, 평론.

Rezept [retsέpt] [lat.] *n.* -(e)s, -e, 〖醫〗 처방(*prescription*); (Koch∼) 조리법(♈*recipe*).

reziprok [retsipró:k] [lat.] *a.* 상호의, 상관적인(♈*reciprocal*); 호혜(互惠)의.

Rezitation [retsitatsĭó:n] [lat.] *f.* -en, 낭송, 낭독. **Rezitator** *m.* -s, ..toren, 낭송자, 낭독자. **rezitieren** [retsití:rən] [lat. "wieder zitieren"] *t.* 낭송(朗誦)〔낭독〕하다(♈*recite*).

Rhabarber [rabárbər] [gr. -lat.] *m.* -s, -, 〖植〗 대황(大黃)(♈*rhubarb*).

Rhapsodie [rapsodí:, -pz-] [gr.] *f.* ..dien, (고대 그리스의) 낭송(朗誦) 서사시; 자유시; 광시(狂詩); 〖樂〗 (민요조의) 광상곡.

Rhein [rain] [klt. „Strom"; ♈rinnen] *m.* -(e)s, : der ∼ 라인강. 「라인주의.」

rheinisch [ráinɪʃ] *a.* 라인강(변)의;

Rheinland [ráinlant] *n.* 라인(강 연안의) 주(州). 「인자.」

Rhesusfaktor [ré:zus-] *m.* 〖醫〗 Rh

Rhetorik [retó:rɪk] [gr.] *f.* 웅변술; 수사학(♈*rhetoric*). **rhetorisch** *a.* 수사학의; 수사적인(♈*rhetorical*).

Rheuma [rɔ́yma] [gr. „Fließendes, Fluß"] *n.* -s, ("몸 속에 흐르는 독소"의 뜻:) 류머티즘. **rheumatisch** *a.* 류머티즘성(性)의. **Rheumatismus** *m.* -, ..men, 류머티즘.

Rh-Faktor *m.* =RHESUSFAKTOR.

Rhinozeros [rinó:tsərɔs] [gr. „Nashorn"] *n.* - *u.* -ses, -se, 〖動〗 무소.

rhythmisch [rýtmɪʃ] *a.* 율동적인, 리드미칼한, 리듬이 있는. **Rhythmus** [rýtmus] [gr. "fließende Bewegung"] *m.* -, ..men, 리듬, 율동(律動) (♈*rhythm*); 각(脚) 또는 행(行)의 율, 격조(格調); 〖醫〗 주기.

Riboflavin [riboflaví:n] [<Ribose *u.* lat. flavus „gelb"] *n.* -s, 〖生化學〗 리보플라빈《비타민 B_2》.

Ribose [ribó:zə] [*Kw.* <Arabin (아라비아 고무의 성분)] *f.* 〖化〗 리보스《당(糖)의 일종, 핵산의 주요 성분》.

Richelieu [riʃəlĭǿ:, rí-] [fr.] *n.* -s, -s, 리셜리외 자수《삼베에 놓은 흰 자수》.

Richt⸗bake *f.* 항로 지시 표지. **∼bal⸗ken** *m.* (다리의) 가름도리. **∼baum** *m.* 상량식 때 박공을 장식하는 나무. **∼beil** *n.* 목 베는 도끼. **∼blei** *n.* 측연(測鉛). **∼block** *m.* 단두대. **∼büh⸗ne** *f.* =SCHAFOTT.

Richte [ríçtə] *f.* 똑바른〔올바른〕 방향, 직선, 최단로(最短路); 올바른 상태〔위치〕. ¶in die ∼ gehen 똑바로〔최단거리를〕 나아가다 / in die ∼ bringen 위치를 〔방향을〕 바로잡다.

richten [ríçtən] [<recht] 《Ⅰ》 *t.* ① 똑바로 하다(*set straight*); 세우다, 일으키다(*raise, erect*); 가지런히 하다(*dress*); 정돈하다(*put in order*); 적합시키다, 조정〔조절〕하다(*adjust, regulate*); 조리하다《음식을》(*prepare*). ② 향하게 하다(*direct, turn*); 던지다, 건네다《질문 따위를》(*address*); 조준하다(*aim*). ③ 〖法〗 심판하다(*judge*); (hin∼) 처형하다(*execute*). ¶den Kopf in die Höhe ∼ 머리를 치켜들다. 《Ⅱ》 *refl.* 향하다; 정렬하다; (nach, 에) 따르다, 좇다, 순응하다, 준하다. **Richter** [ríçtər] *m.* -s, -, ① 재판관, 판사. ② 판정자, 심판자(*judge*). **richterlich** *a.* 재판관의, 판사의; 법원의, 사법의.

Richter⸗spruch *m.* 판결. **∼stuhl** *m.* 판사석; 법원, 법정.

Richt⸗fall *m.* 〖文〗 지배격 《어느 말이 통상 요구하는 격》. **∼fest** *n.* 상량식.

richtig [ríçtɪç] [<recht] 《Ⅰ》 *a.* 바른(♈*right, correct*); 올바른, 정당한(*just*); 정확한(*accurate, exact*); 가지런한(*in order*). ¶(ja) ∼! 정말 그렇다. 《Ⅱ》 *adv.* ① 바르게, 정상적으로; 확실히, 정확히, 정당히; 정식으로. ② 바로, 물론; 실제로; 정말로, 과연.

Richtig⸗(be)finden *n.* 입증, 실증. **∼⸗gehend** *a.* 정확한 (시계); 정말인, 진짜의; 정당한.

Richtigkeit [ríçtɪçkait] *f.* -en, 올바름, 옳음, 정당, 정확, 진실, 적절함, 사실임.

richtig⸗|stellen [-ʃtɛlən] *t.* 바로잡다, 고치다. ★richtig stellen 바른〔적당한〕 장소에 두다. **∼stellung** *f.* 정정, 정돈.

Richt⸗kanonier *m.* (대포의) 조준수(照準手). **∼linien** *pl.* 방향선; 《比》 기준, 원리, 강령(서), 방침(서). **∼maß** *n.* 표준 척도; 계량기. **∼platz** *m.* 형장(刑場). **∼preis** *m.* 기준 가격. **∼scheit** *n.* 수준(水準) 장치가 달린 긴 자. **∼⸗schnur** *f.* 측선《측연의 줄》; 먹줄; 《比》 방침, 원칙, 표준. **∼schwert** *n.* 처형도(處刑刀). **∼spruch** *m.* ① 상량식 때의 축하시. ② =RICHTERSPRUCH. **∼statt, ∼stätte** *f.* 처형장. **∼strahler** *m.* (일방(一方) 전파를 보내는) 단파 송신기. **∼strecke** *f.* 곧은 수평 갱도.

Richtung [ríçtuŋ] *f.* -en, ① 바르게

함, 바로잡음; 향하게 함. ② 〖軍〗 정렬(*dressing*); 방향(*direction*); 《比》 경향, 추세(*tendency*).

Richt≈waage [ríçtva:gə] *f.* 수준기(水準器). **~wēg** *m.* 지름길.

Ricke [ríkə] [<Reh] *f.* -n, 〖動〗 느렁이, 암노루(*doe*).

rieb [ri:p] ☞REIBEN 《그 過去》.

riechen* [rí:çən] [<Rauch] 《Ⅰ》 *i.*(h.) ① 냄새를 맡다(*smell*); 《比》 기미를 알아채다(*foresee*). ② (냄새를) 풍기다, 향기를 풍기다, 냄새나다(*smell*). 《Ⅱ》 *t.* (냄새를) 맡다(*smell*). **Riecher** *m.* -s, -, 냄새 잘 맡는 사람; 《俗》 코; 후각.

Riech≈fläschchen [rí:çflɛʃçən] *n.* 각성제(覺醒劑) 향료병. **~salz** *n.* 향염(香塩)《탄산 암모늄, 각성제》.

Ried [ri:t] *n.* -(e)s, -e, 〖植〗 갈대(♀*reed*); (갈대가 난) 늪, 습지(*marsh*).

Riedgrās *n.* 〖植〗 사초속(屬).

rief [ri:f] ☞RUFEN 《그 過去》.

Riefe [rí:fə] *f.* -n, 〖建·工〗 홈, 줄진 홈(*flute*). **riefe(l)n** [rí:fə(l)n] *t.* (에) 홈〔줄진 홈〕을 파다.

Riege [rí:gə] [<Reihe] *f.* -n, 〖體〗 조(組), 대(隊), 리그(*section*).

Riegel [rí:gəl] *m.* -s, -, ① 빗장(*bolt*); ¶den ~ vorschieben 빗장을 지르다. ② 횡목, 도리((*cross-*)*bar*). ③ ~ Seife 막대 모양의 비누. **riegeln** *t.* (에) 빗장을 지르다.

Riemen[1] [rí:mən] [lat.] *m.* -s, -, 노(櫓), 상앗대(*oar*).

Riemen[2] [rí:mən] *m.* -s, -, 가죽끈(*strap*); (Treib~) 피대, 벨트(*belt*). **~≈scheibe** *f.* 벨트차(車).

Riemer [rí:mər] *m.* -s, -, 가죽끈 제조자, 마구장(馬具匠).

Ries [ri:s] [ar. -lat.] *n.* -es, -e, 연(連), 권(卷)《지량(紙量)의 단위, 20 첩(帖) 또는 대판(大判) 500 또는 1000 매》(*ream* (*of paper*)).

Riese [rí:zə] *m.* -n, -n, 큰 남자, 거인(*giant*).

Riesel≈anläge [rí:zəl-] *f.* 관개 시설. **~≈feld** *n.* 관개 경작지.

rieseln [rí:zəln] 《Ⅰ》 *i.*(h. *u.* s.) 줄줄 흐르다(*ripple*); 듣다《물방울이》(*trickle*); (가랑비가) 보슬보슬 내리다(*drizzle*). 《Ⅱ》 *t.* (전답에) 관개(灌漑)하다.

Riesen≈arbeit *f.* 대〔난〕사업. **~bau** *m.* (*pl.* ..ten) 대건축. **~geschlecht** *n.* 거인족. **~groß** *a.* 거대한.

riesenhaft [rí:zənhaft] *a.* 거인 같은, 거대한(*gigantic*).

Riesen≈kraft *f.* 거인의 힘, 큰 힘. **~≈schlange** *f.* 이무기, 왕뱀. **~schritt** *m.* 거인의 거름. ¶mit ~schritten 보폭이 넓은 걸음새로; 《比》 신속하게. **~≈schwung** *m.* 〖體〗 대차륜《기계 체조의》. **~stark** *a.* 큰 힘의. **~stärke** *f.* 거대한 힘.

riesig [rí:zɪç] *a.* =RIESENHAFT; 《俗》 엄청난, 대단한(*colossal*). **Riesin** *f.* -nen, 여자 거인.

Riesling [rí:slɪŋ] *m.* -s, -e, 포도의 상등 품종, 또 그것으로 만든 포도주.

Riester [rí:stər] *m.* -s, -, 구두 수선용 가죽(*patch*).

riet [ri:t] ☞RATEN 《그 過去》.

Riff [rɪf] *n.* -(e)s, -e, 암초, 사주(沙洲).

Riffel [rífəl] *f.* -n, 삼 훑는 빗(♀*ripple*). **riffeln** *t.* (삼을) 훑다.

rigid [rigí:t] [lat.] *a.* 굳은, 경직한; 완고한; 엄격한.

rigōlen [rigó:lən] [fr. „Furchen ziehen"] *t.* 심경(深耕)하다.

Rille [rílə] [*dim.* <Rinne] *f.* -n, 도랑, 홈(♀*rill, small groove*).

Rimesse [rimέsə] [it., <remittieren] *f.* -n, (환어음으로의) 송금(♀*remittance*).

Rind [rɪnt] *n.* -(e)s, -er, 〖動〗 (Kuh, Stier u. Ochs) 소(*neat, ox, cow*); 《蔑》 바보, 아둔패기.

Rinde [ríndə] [♀Rand, Ranft] *f.* -n, ① 껍질, 껍데기(♀*rind, crust*). ② 나무 껍질(*bark*).

Rinder≈brāten *m.* 쇠고기 불고기. **~≈stall** *m.* 외양간.

Rindfleisch [ríntflaiʃ] *n.* 쇠고기.

rindig [ríndɪç] *a.* 걸껍질이 있는; 나무껍데기〔보굿〕처럼 금이 간.

Rinds≈brāten *m.* =RINDERBRATEN. **~≈haut** *f.* 쇠가죽. **~keule** *f.* 소의 넓적다리. **~lēder** *n.* 쇠가죽. **~zunge** *f.* 소의 혀, 쇠서.

Rind≈stück *n.* 비프 스테이크. **~vieh** *n.* 《集合的》 우류(牛類).

Ring [rɪŋ] *m.* -(e)s, -e, ① 고리, 환(環)(♀*ring, link*); 〖天〗 테; 무리(*rings, halo*); 원, 권(圈)(*circle*); 원형 경기장, 링. ② 동료, 집단; 〖商〗 기업 합동(*pool, trust*).

ring≈ārtig *a.* 고리 모양의. **~bahn** *f.* 순환 철도.

Ringel [ríŋəl] [*dim.* <Ring] *m.* -s, -, 작은 고리〔반지〕; 작은 원; 고리 모양으로 만 것; 롤빵; 고수머리 털(*curl*). **Rin≈gelblūme** *f.* 〖植〗 금잔화(*marigold*).

Ringelgans [ríŋəlgans] *f.* 흑기러기.

ringeln [ríŋəln] 《Ⅰ》 *t.* 고리〔반지〕 모양으로 하다; 말다, 곱슬곱슬하게 하다(*curl*). 《Ⅱ》 *refl.* (고리처럼) 동그랗게 되다; 말리다; 곱슬곱슬해지다《머리털이》, 지져지다, 꼬불꼬불해지다.

Ringel≈natter *f.* 율모기. **~tanz** *m.* 윤무(輪舞). **~taube** *f.* 산비둘기의 일종《목덜미가 짙은 자색임》.

ringen* [ríŋən] [♀renken, Ranke] 《Ⅰ》 *t.* 비틀다, 비틀어 짜다(♀*wring*). ¶jm. et. aus der Hand ~ 아무의 손에서 무엇을 억지로 빼앗다. 《Ⅱ》 *i.*(h.) 싸움하다, 격투하다(*struggle*); 씨름하다(*wrestle*); 《比》 분투〔노력〕하다(*strive* (*after*)).

Ringer *m.* -s, -, 격투하는 사람; 레슬러.

Ring≈finger *m.* 약손가락《가락지를 끼는》. **~förmig** *a.* 고리〔반지〕 모양의; 원형의.

Ring≈kampf *m.* 레슬링. **~kämpfer** *m.* =RINGER. **~mauer** *f.* 시(市)를 두른 벽. **~richter** *m.* 레슬링 심판.

rings [rɪŋs] [원래 *gen.* <Ring] *adv.* 둘레에, 주위에, …을 둘러 싸고, 빙 둘러(*around*).

Ring·sendung [ríŋzɛnduŋ] *f.* 중계 방송.

rings·um [rɪŋs-úm, ríŋs-úm], **rings≈umhēr** [rɪŋs-umhé:r] *adv.* =RINGS; 환상(環狀)으로.

Rịnne [rínə] [<rinnen] *f.* -n, 도랑, 수로, 도관(導管)(*channel*) 홈, 요선(凹線)(*groove*); (Dach∼) (빗물받이) 홈통(*gutter*). **rịnnen*** [rínən] [*eig.* „laufen"] *i.* (s. *u.* h.) (천천히) 흐르다(♈*run, flow*); 새다, 스며 나오다(♈*run, leak*); 듣다(*trickle*). **Rịnnsāl** [rínza:l] *n.* -(e)s, -e, 수류(水流); 시내; 수로, 하상(河床).
Rịnnstein *m.* 수채; 하수구.
Rịppe [rípə] *f.* -n, 〖解〗 갈빗대, 늑골(♈*rib*); 〖建〗 뼈대, 공륵(拱肋)(*groin*). **rịppen** *t.* (에) 늑골〔늑재·홈·강선(腔線)〕을 붙이다.
Rịppen·brāten *m.* 갈비 고기(*chop*). **∼fell** *n.* 〖解〗 늑막. **∼fell·entzün·dung** *f.* 〖醫〗 늑막염.
Rịppe(n)·speer [rípə(n)ʃpe:r] *m.* 소금에 절인 돼지 갈비 고기.
Rịppen·stōß *m.* 옆구리를 (팔굽으로) 찌르기. **∼stück** *n.* 갈비 고기.
Rips [rɪps] [<engl. *ribs* (*pl.*) „Rippen"] *m.* -es, -e, 홈줄진 피륙(♈*rep*).
risch [rɪʃ] [rasch 의 별형] *a.* 재빠른; 민첩한; 원기 있는; 똑바른.
Rịsikō [rí:ziko:] [it. „Gefahr"] *n.* -s, -s, *u.* ..ken, 위험(♈*risk*); 모험((*ad*)-*venture*).
Risi·pịsi [rizipí:zi], (öst) **Risi·bịsi** [it. *riso* „Reis", *piselli* „Erbsen"] *n.* -(s), -, 리지비지(Venezia 의 그린피스를 넣은 밥 요리).
riskạnt [rɪskánt] [fr.] *a.* 위험한, 모험적인. **riskịeren** *t.* (목숨을) 걸다(♈*risk*).
Riskọnto [ri-skɔ́nto] [lat. -it.] *m.* -s, ..tí, 복권. **Riskọntro** *n.* -s, ..tri, 〖商〗 할인; 재화(在貨) 증명서, 재고 대장; 어음장.
Rịspe [ríspə] *f.* -n, 〖植〗 원추화서(圓錐花序)(*panicle*).
riß [rɪs] ☞REISSEN (그 過去).
Riß [rɪs] [<reißen] *m.* ..sses, ..sse, ① (잡아) 찢음, 찢어짐, 열개(裂開)(*tear, rent*); 찢어진 〔터진·갈라진〕 자리(*cleft*); 균열, 금(*crack*); (比) 분열, 불화(*schism, disunion*). ② 제도(製圖) (*draught*); (Grund∼) 설계도, 겨냥도(*plan, sketch*). **rịssig** [rísɪç] *a.* 찢어진〔갈라진〕 자리가 있는, 금이 간.
Rịßwunde [rísvʊndə] *f.* 열상(裂傷).
Rist [rɪst] *m.* -es, -e, (손발의) 등; 손목(♈*wrist*); 발목(*instep*).
ristornịeren [rɪstɔrní:rən] [it. „zurükwenden"] *t.* 되돌리다; 되지불하다. **Ri·stọrno** [rɪstɔ́rno] *m.* od. *n.* -s, -s, 반환; 되지불함.
Rịten [rí:tən] *pl.* =RITUS.
ritt [rɪt] ☞REITEN (그 過去). **Ritt** [rɪt] [<reiten] *m.* -(e)s, -e, 말타기, 기행(騎行)(♈*ride, riding*).
Rịtter [rítər] [*eig.* „Reiter"; <reiten] *m.* -s, -, 기사(*Knight*). ¶zum ∼ schlagen 기사의 지위를 주다, (에) 도례(刀禮)를 베풀다 / arme ∼(*pl.*) 버터에 튀긴 빵 또는 비스켓.
Rịtter·gūt *n.* 기사령(騎士領). **∼lēhen** *n.* 기사의 봉토.
rịtterlich [rítərlɪç] *a.* 기사 (계급)의; 기사다운; 용감한, 의협심 있는, 뜻이 높은, 여성에게 정중한. 「*m.* 기사 소설.」
Rịtter·orden *m.* 기사단(團). **∼romān**
Rịtterschaft [rítərʃaft] *f.* -en, 기사임, 기사의 신분; 기사의 기질, 기사도; 기사 계급.
Rịtterschlāg [rítərʃla:k] *m.* 도례(刀禮) (기사의 지위 수여식으로 꿇어앉은 사람의 어깨를 칼로 침).
Rịtter·sitz *m.* 기사〔장원 영주〕의 저택. **∼sporn** *m.* 기사의 박차; 〖植〗 참제비고깔(*larkspur*).
Rịttertūm [rítərtu:m] *n.* -(e)s, 기사제도; 기사도, 기사의 기질; 기사 시대.
Rịtter·wēsen *n.* 기사 제도. **∼würde** *f.* 기사의 지위. **∼zeit** *f.* 기사 시대, 중세. **∼zūg** *m.* 기사의 원정. 「앉아.」
rịttlings [rítlɪŋs] *adv.* 말 타듯이, 걸터
Rịttmeister [rítmaistər] *m.* 기병 대위.
Rituạl [rituá:l] [lat.] *n.* -s, -e *u.* ..lĭen, 의식, 제식; 예전(禮典). **rituẹl** [rituél] *a.* 의식의, 의례의. **Rịtus** [rí:tʊs] *m.* -, ..ten, 의식, 예전, 의례(♈*rite*).
Ritz [rɪts] [<ritzen] *m.* -es, -e, **Rịtze** [rítsə] *f.* -n, (가늘게) 찢어진〔갈라진〕 틈(*fissure*); 균열(*crack*); (튼)금, 틈(*chap*); 할퀸 상처(*scratch*). **rịtzen** [rítsən] [<reißen] *t.* (에) 찢어진〔갈라진〕 틈을 내다, 균열시키다, 금가게〔트게〕하다(*cut, carve*); (에) 생채기를 내다, 할퀴다(*scratch*); 스쳐 벗기다(*graze*). **rịtzig** [rítsɪç] *a.* 갈라진〔찢어진〕 틈이 있는, 균열 있는; 금 간, 생채기 난.
Rivạl [rivá:l] [fr.] *m.* -s, -e; u. *m.* -en, -en, **Rivạle** *m.* -n, -n, **Rivạlin** *f.* -nen, 경쟁자, 적수. **rivalisịeren** [rivalizí:rən] *i.* (h.) (mit, 와) 경쟁하다, 겨루다. **Rivalitạ̈t** *f.* -en, 경쟁, 겨룸.
Rịzinus [rí:tsinʊs] [lat.] *m.* -, - *u.* -se, 〖植〗 아주까리, 피마자. **∼ōl** *n.* 피마자유(油)(*castor-oil*).
r. -k. (öst) (略) =röm. -kath. (römisch-katholisch).
Roastbeef [ró:stbi:f] [engl.] *n.* -s, -s, 〖料〗 로스트비프, 구운 쇠고기.
Rọbbe [rɔ́bə] [nd. Rubbe; <Raupe] *f.* -n, 〖動〗 기각류(鰭脚類)(물개 따위); 바다표범(*seal*).
Rọbben·fang *m.* 바다표범 사냥. **∼·fänger** *m.* 바다표범을 잡는 사람. **∼fell** *n.* 바다표범의 모피.
Rọ̄be [ró:bə] [germ -fr.] *f.* -n (법관 따위의) 가운; (의례용의) 여성복, 야회복(夜會服).
Rọ̄bert [ró:bɛrt] [Rup-recht „der Ruhmglänzende"의 프랑스어화한 꼴] *m.* 남자 이름.
Robọ̄ter [robó:tər, rɔ́bɔtər] [<sl. Robot *f.* „Fronarbeit"] *m.* -s, -, 로보트 (원뜻은 "부역〔고역〕에 종사하는 인부").
robust [robúst] [lat., <*rōbur* „Steineiche"] *a.* 힘센, 완강한.
roch [rɔx] ☞RIECHEN (그 過去).
Roche [rɔ́xə] *m.* -ns, -n, =ROCHEN.
rọ̈cheln [rœ́çəln] [擬聲語] *i.* (h.) (임종 때에) 목을 골그렁거리다, 숨쉴 때 그르렁거리다(*rattle* (*in one's throat*)).
Rọchen [rɔ́xən] *m.* -s, -, 〖魚〗 가오리(속) (*ray*); 로치(♈*roach*).

R

rochieren [rɔxí:rən, -ʃí:-] [fr.] *i.*(h.) (서양 장기에서) 궁과 차의 위치를 바꾸다; 《比》 자리를 자주 옮기다.
Rock [rɔk] [*eig.* „Gesponnenes"] *m.* -(e)s, ⸚e, (남자용) 웃옷(*coat*); (Frauen~) 스커트(*skirt*).
Rock and Roll [rɔ́kn ró:l] [am. „wiegen und rollen"] *m.* ---, 로큰롤.
Rocken [rɔ́kən] [*eig.* „Spinnendes", = Rock] *m.* -s, -, 실톳대(*distaff*).
Rock 'n' Roll = ROCK AND ROLL.
Rocks [rɔks] [engl. „Felsen"] *pl.* 로크 《딱딱한 설탕과자》.
Rock⸗schōß *m.* 웃옷의 자락; 스커트의 앞 부분. **~tasche** *f.* 웃옷 주머니.
Rōdel [ró:dəl] *f.* -n; od. *m.* -s, -, 〔**~schlitten** *m.*〕 (스포츠용) 썰매, 터보건(*bobsleigh, toboggan*). **Rōdelbahn** *f.* 썰맷길. **rōdeln** [ró:dəln] *i.*(h. *u.* s.) 썰매를 타다.
rōden [ró:dən] [reuten과 同語] *t.* u. *i.*(h.) 뿌리를 뽑다(*root out*); (산림 따위를) 개간하다(*clear*). **Rōdung** *f.* -en, 개간, 개간지.
Rōgen [ró:gən] *m.* -s, -, 어란(魚卵)(의 덩어리)(♈*roe, spawn*). **Rōg(e)ner** *m.* -s, -, (산란 직전의) 물고기의 암컷.
Roggen [rɔ́gən] *m.* -s, -, 〘植〙 호밀(♈*rye*).
Roggen⸗brōt *n.* 호밀로 만든 흑(黑)빵. **~mehl** *n.* 호밀 가루.
roh [ro:] *a.* ① 날〔생〕것의(♈*raw*); 가공하지 않은(*unwrought*). ② 《比》 거친(*rough*); 조야한, 난폭한(*coarse, brutal*); 조잡한, 생경한(*rude*). ③ 〘商〙 총체의(*gross*). ¶in ~en Bogen 흩어진 채의, 철(綴)하지 않은.
Roh⸗bau *m.* 날림으로 지은 건물. **~⸗bilanz** *f.* 〘簿記〙 시산표(試算表). **~⸗einnahme** *f.* 총수입(總收入). **~eisen** *n.* 생철(生鐵), 선철(銑鐵).
Rōheit [ró:hait] [roh *u.* -heit] *f.* -en, 날것〔생것〕임, 가공하지 않은 상태; 《比》 조야, 야만; 위의 언행. 「수익(總收益).
Roh⸗erträg [ró:ɛrtra:k, -ərt-] *m.* 총
Roh⸗ērz *n.* 원광(原鑛). **~erzeugnisse** *pl.* 반제품(半製品). **~gewicht** *n.* 총중량《용기 포함》. **~kost** *f.* 날음식. **~köstler** *m.* 생식하는 사람. **~mate⸗riāl** *n.* 원료.
Rohr [ro:r] *n.* -(e)s, -e, 〘植〙 ① 갈대(*reed*); (~palme) 등나무(지팡이)(*cane*). ② (Röhre) 통(筒), 관, 파이프(*tube, pipe*); 총신(銃身), 포신(砲身)(*barrel*).
Rohr⸗ammer *m.* 〘鳥〙 검은머리쑥새. **~blatt** *n.* (목관 악기의) 혀. **~dom⸗mel** *f.* 〘鳥〙 알락해오라기(*bittern*).
Rȫhre [rǿ:rə] [<Rohr] *f.* -n, 관(管), 파이프(*tube, pipe*); 통(筒)(*shaft*); 진공관(*valve*).
rȫhren[1] [rǿ:rən] [擬聲語] *i.*(h.) (사슴이 교미기에) 울다(♈*roar*). 「管)하다.
rȫhren[2] *t.* (에) 관〔통〕을 달다; 배관(配
Rȫhren⸗apparāt *m.* 진공관식 수신기. **~förmig** *a.* 관상(管狀)의, 통 모양의. **~knochen** *pl.* 〘解〙 관상골(管狀骨). **~lampe** *f.* 관상 전구《형광등 따위》.
Rohrflȫte [ró:rflø:tə] *f.* 〘樂〙 (오르간의) 순관(脣管).
Rȫhricht [rǿ:rɪçt] [*coll.* v. Rohr] *n.* -s, -e, 갈대 숲〔밭〕.
Rohr⸗lēger *m.* 배관공(配管工). **~lei⸗tung** *f.* 도관(導管); 관(管) 모양의 암거(暗渠). **~post** *f.* (압착 공기에 의한) 기송(氣送) 우편. **~spatz** *m.* = ~AMMER. ¶wie ein ~spatz schimpfen 마구 욕지거리를 하다. **~stock** *m.* 등나무 지팡이; 등나무 채찍《학생 징벌용》. **~stuhl** *m.* 등의자. **~zucker** *m.* 자당(蔗糖), 막설탕.
Roh⸗seide *f.* 〘商〙 생사(生絲). **~stoff** [-ʃtɔf] *m.* 원료; (*pl.*) 반제품. **~stoff⸗räge** 《分綴: stoff-frage》 *f.* 원료 문제. **~stoffmärkte** *pl.* 원료 시장. **~⸗stoffwirt·schaft** *f.* 원료 경제.
Rokokō [rɔ́koko:, rokɔ́ko:, (öst.) roko-kó:] [fr., <*rocaille* „Muschel-, Grottenwerk"] *n.* -s, 로코코 양식《18 세기 프랑스의 화려한 미술 양식》(♈*rococo*).
Rollāden [rɔ́lla:dən] 《分綴: Roll-laden》 *m.* -s, - *u.* Rollläden, 말아 올리는 덧문, 블라인드.
Roll⸗bahn [rɔ́lba:n] usw. ☞ROLLEN.
Rȫllchen [rœ́lçən] [*dim.* v. Rolle] *n.* -s, -, 커프스, (와이샤쓰의) 소맷부리(*cuffs*).
Rolle [rɔ́lə] [Lw. fr. *rôle* „Rädchen"] *f.* -n, ① 롤러, 굴림대(*roller*); 각륜(脚輪)(*caster*); (도르래의) 바퀴(*pulley*); (Wäsche~) 세탁 롤러, 광택기(*mangle*). ② 만 것; 감은 것(♈*roll*); (Akten~) (문서 등의) 두루마리; 명부; 목록; 〘電〙 코일; 〘劇〙 ("대사를 쓴 두루마리"의 뜻:) 역(役), 역할(*charactery, part*). ¶aus der ~ fallen 소임〔본분〕을 망각하다 / e-e große ~ spielen 큰 역할을 맡아 하다, 중요한 역할을 하다. **rollen** [rɔ́lən] [Lw. fr. *rouler*] 《Ⅰ》 *i.*(h. *u.* s.) 구르다; 회전하다; 〘海〙 (배가) 롤링〔옆질〕하다, (바다가) 놀치다; (우뢰 등이) 우르릉〔꽈르릉〕 울리다(♈*roll*). 《Ⅱ》 *t.* ① 굴리다, 회전시키다(♈*roll*); 수레로 나르다(*wheel*). ② (에) 롤러를 굴리다, (광택기로) 윤을 내다(*mangle*). ③ 말다(♈*roll*). 《Ⅲ》 *refl.* 구르다; 회전하다; 말리다(*roll up, curl*). ¶das Haar rollt sich 고수머리가 되다.
Rollen⸗bahn *f.* 활주로; 자동차 도로. **~besetzung** *f.* 배역 할당. **~bett** *n.* 회전〔이동〕 침대《환자의》. **~lāger** *n.* 롤러 축받침. **~tabak** *m.* 여송연.
Roller [rɔ́lər] *m.* -s, -, ① 〘海〙 놀. ② (어린이가 타고 노는) 스케이트.
Roll⸗feld *n.* 〘空〙 활주로. **~film** *m.* (사진의) 두루마리 필름. **~geschäft** *n.* 운송〔운수〕업. **~kommando** *n.* (군인·경찰의) 오토바이대. **~materiāl** *n.* 〘鐵〙 차량(車輛). **~mops** *m.* 초에 절여 둘둘 만 청어. **~rād** *n.* 손수레, 트럭(*truck*). **~schuh** *m.* 롤러스케이트. **~stuhl** *m.* 바퀴 단린 (안락) 의자. **~⸗tisch** *m.* 바퀴 달린 테이블. **~treppe** *f.* 에스컬레이터(*escalator*). **~wāgen** *m.* 손수레, 트럭(*truck*); 유모차. **~⸗wäsche** *f.* 세탁 롤러에 걸었을 뿐 아직 다리지 않은 세탁물.
Rōm [ro:m] [it. *Roma*] *n.* 로마.
Romān [romá:n] [fr. *eig.* „das in der

romanischen (*d.h.* nicht in der lateinischen) Sprache Geschriebene"] *m.* -s, -e, (산문의) 장편 소설(*novel*)《독일에서는: *ant.* Novelle "단편 소설"》; 이야기 (*romance*); 《比》 꾸민 이야기, 허구(虛構) (*fiction*). **roman·artig** *a.* 소설적인. **Romancier** [romãsié:] *m.* -s, -s, 소설가. **Romandichter** *m.* 소설가.

romanhaft [romá:nhaft] *a.* 소설 같은, 황당무계한, 거짓말 같은.

Romanik [romá:nɪk] [at.] *f.* 로마네스크 예술 양식. **romanisch** [romá:nɪʃ] *a.* 로만 민족의; 로만어 계통의(♈*romance*). ¶ ~e Sprachen 로만어《라틴어에서 전화한 이탈리아어·스페인어·프랑스어·포르투갈어 따위》. **Romanist** [romanɪ́st] *m.* -en, -en, 로마법학자, 로마어학자, 로마문학자.

Roman=schreiber, **~schrift·steller** *m.* 장편 소설가, 작가.

Romantik [romántɪk] [lat., <Roman, 원래는 프랑스 중세 이야기의 전기성(傳奇性)을 가리켰음] *f.* 로만틱, 낭만주의 (♈*romanticism*). **Romantiker** *m.* -s, -, 낭만주의〔낭만파〕의 시인; 낭만적인 사람; 공상가, 몽상가. **romantisch** *a.* 낭만주의의; 낭만적인; 공상적〔몽상적〕인.

Romanze [romántsə] [it., <Roman] *f.* -n, (민요조의) 설화시, 담시(譚詩)《Ballade와 유사한 형식, 기원은 스페인》; 〖樂〗 화상곡(華想曲), 로만스《감상적인 사랑의 노래》.

Römer [rǿ:mər] *m.* -s, -, **Römin** *f.* -nen, 로마 시민(♈*Roman*). **römisch** *a.* 로마의(♈*Roman*). **römisch-katho=lisch** *a.* 로마 가톨릭의.

Ronde [rɔ́ndə, rɔ̃:də] [lat. -fr.] *f.* -n, 순회, 순라(巡邏), 순시. **Rondo** [rɔ́ndo] *n.* -s, -s, 〖樂〗 론도, 회선곡(回旋曲).

röntgen [rœ́ntgən, 보통 -çən] [독일 물리학자의 이름에서] *t.* X레이로 검사하다〔사진 찍다〕(*X-ray*).

Röntgen=aufnahme *f.* X레이 사진 (촬영). **~augen** *pl.* 《俗》 ~augen machen 쏘아보다. **~behandlung** *f.* 뢴트겐 치료; =~VERFAHREN. **~bild** *n.* X레이 사진. **~strahlen** *pl.* 뢴트겐선(線), X레이. **~untersuchung** *f.* 뢴트겐(에 의한) 검사. **~verfahren** *n.* 뢴트겐선 요법.

rosa [ró:za] [lat., <*rosa* „Rose"] *a.* (不變化) 장미색의, 담홍색의(*rosecoloured, pink*).

Rose [ró:zə] [Lw. lat. *rosa*] *f.* -n, (*dim.* Rös·chen, Röslein *n.* -s, -) 〖植〗 ① 장미(♈*rose*). ② 〖醫〗 단독(丹毒)(*erysipelas*).

Rosen=blatt *n.* 장미꽃 잎. **~kohl** *m.* 〖植〗 양배추의 일종. **~kranz** *m.* 장미의 화환; 로자리오, 묵주(*rosary*). **~=montag** [*eig.*„Rasen-(=rasender)Montag"] *m.* 〖宗〗 사육제 전 월요일《허물없이 떠드는 날》. **~mund** *m.* 장미 같은 (붉고 예쁜) 입. **~öl** *n.* 장미 기름《잎에서 채취함》. **~rot** *a.* 장미색의, 장미처럼 붉은. **~rot** *n.* 장미색. **~=stock**, **~strauch** *m.* 장미나무. **~=wasser** *n.* 장미잎으로 만든 향수. **~=zeit** *f.* 《比》 청춘 시절. **~züchter** *m.* 장미 재배자.

Rosette [rozɛ́tə] [fr. „Röschen"] *f.* -n, 〖建〗 장미 모양의 장식 무늬; 장미 모양의 창문; 로제트 보석.

rosig [ró:zɪç] [<Rose] *a.* 장미 같은; 장미색의. ¶ alles in ~em Licht sehen 모든 것을 낙관하다.

Rosine [rozí:nə] [fr. *raisin* „Weinbeere"] *f.* -n, 건포도(♈*raisin*).

Röslein [rǿ:slain] *n.* -s, -, ☞ROSE.

Rosmarin [rɔsmarí:n] [lat.] *m.* -s, 〖植〗 로즈메리《방향이 있는 상록 관목》(♈*rosemary*).

Roß [rɔs] *n.* ..sses, ..sse 〔Rösser〕, (승용)말, 군마(♈*horse*); 《俗》 바보.

Roß·apfel [rɔ́s-apfəl] *m.* 말똥.

Rössel [rœ́səl] [*dim.* v. Roß] *n.* -s, -, (서양 장기의) 마(馬)(*knight*). **~sprung** *m.* (서양 장기) 나이트의 행마법(行馬法); 수수께끼의 일종.

rossen [rɔ́sən] [<Roß] *i.*(h.) (암말이) 발정하다.

Roß=haar *n.* 말총, (말의) 갈기. **~haut** *f.* 말가죽. **~kamm** *m.* 말빗; 《蔑》 =~TÄUSCHER. **~kastanie** *f.* 〖植〗 마로니에. **~markt** *m.* 말시장(市場). **~=schweif** *m.* 말꼬리. **~täuscher** *m.* 말장수, 마도위.

Rost[1] [rɔst] [♈rot] *m.* -es, 녹(♈*rust*). ¶ edler ~ 고동청(古銅青), 녹청(綠青)《낡은 청동기 따위에 끼는》.

Rost[2] [rɔst, ro:st] [♈Rohr?] *m.* -es, -e, 쇠살대, 화상(火床) (*grate*); (Brat~) 석쇠(*gridiron, grill*).

Rostbraten [rɔ́stbra:tən] *m.* 불고기.

Röste [rœ́stə, rǿ:stə] *f.* -n, ① 〖冶〗 배소(焙燒)(♈*roasting*). ② (삼 따위를) 물에 담금; 정마소(精麻所).

Röst·eisen [rœ́st-aizən] *n.* 빵 굽는 석쇠.

rosten [rɔ́stən] *i.*(s. *u.* h.) 녹슬다(♈*rust*); 〖化〗 산화(酸化)하다(*oxidize*).

rösten [rœ́stən, rǿ:stən] *t.* ① (석쇠로) 굽다(*grill, broil,* 빵을: *toast*); 프라이로 하다(*fry*); 볶다, 지지다(*parch, burn*). ② 〖冶〗 배소(焙燒)하다《광석을》(♈*roast*). ③ (삼 따위를) 물에 담그다(♈*ret*).

Röster[1] [rǿ:stər] *m.* -s, -, 《öst.》 잼.

Röster[2] *m.* -s, -, 굽는〔볶는〕 기구《보기: Brotröster 토스터》. **Rösterei** [-rái] *f.* -en, 건조소, 배소소(焙燒所).

Rost=fleck(en) *m.* 녹의 얼룩. **~frei** *a.* 녹슬지 않는.

Rostgabel [rɔ́stga:bəl] *f.* 빵 굽는 포크.

rostig [rɔ́stɪç] *a.* 녹슨.

Röst·ofen [rœ́sto:fən] *m.* 배소로, 반사로(反射爐).

Rostpfanne [-pfanə] *f.* 프라이팬.

rot [ro:t] *a.* 붉은; 혈색이 좋은; (흥분·수치로) 얼굴이 붉어진; 사회주의의, (정치적으로) 적화된. ¶ ~es Gold 순금 / ~e Meister 교도관 / das ~e Meer 홍해 / ~ werden 붉어지다; 얼굴을 붉히다. **Rot** *n.* -s, 적색; 적색 염료〔도료〕, 연지, 루즈.

Rota·print [rotaprɪ́nt] [lat. *rotare* „rotieren", engl. *print* „durcken"] *f.* -e, 로타프린트《오프셋 인쇄에 쓰는 Rotationsmachine의 일종의 상품명》.

Rotarier [rotá:rɪər] *m.* -s, -, 로터리 클럽 회원. **Rotary Club** [ró:tari klʊp, (engl.) róutərı klʌb] [<engl. rotary „rotierend, abwechselnd"] *m.* – –, – –, 로터리 클럽.

rōt≈bäckig *a.* 홍안(紅顔)의, (뺨의) 혈색이 좋은. **∼bärt** *m.* 붉은 수염(의 사람). **∼bärtig** *a.* 붉은 수염의. **∼blond** *a.* 적갈색의, 고동색의. **∼braun** *a.* 적갈색의; 밤색의. **∼būche** *f.* 〖植〗 서양너도밤나무. **∼dorn** *m.* 〖植〗 서양붉은산사나무.

Rōte [rǿ:tə] *f.* 붉은 색; 불그레한 빛; 주색(朱色); 홍색; 살색; 난안(赧顔)(*blush*).

Rōte-Kreuz-Lotterie [–krɔ́yts–] *f.* 적십자(를 위한) 복권.

Rōtel [rǿ:təl] *m.* –s, –, 〖鑛〗 대자석(代赭石)(♈*ruddle*); 빨간 연필〔분필〕. **Rō≈teln** [rǿ:təln] *pl.* 〖醫〗 장미진(薔薇疹), 홍진(紅疹), 풍진(風疹)(*German measles*).

rōten [rǿ:tən] *t.* 붉게 하다; 붉게 물들이다; *refl.* 붉어지다, 붉게 물들다.

rōt≈fleckig *a.* 붉은 반점이 있는. **∼≈fuchs** *m.* 자류마(紫騮馬). **∼gār** *a.* 수피액으로 무두질한. **∼gerber** *m.* 무두장이. **∼gießer** *m.* 놋쇠 세공장이. **∼≈glūhend** *a.* 빨갛게 단. **∼harrig** *a.* 붉은 털의. **∼haut** *f.* 동색인(銅色人), 아메리카 인디언.

rotieren [rotí:rən] [lat. „im Kreise herumdrehen", <*rota* „Rad"] *i.*(h.) 회전〔선회〕하다(♈*rotate*).

Rōt≈käppchen *n.* 빨간 모자《Grimm 동화의 소녀 이름》. **∼kehlchen** [–ke:l-çən] *n.* 〖鳥〗 에리타쿠스 속; 작은부리울새(*robin* (*redbreast*)). **∼kohl** *m.* 〖植〗 레드 캐비지. **∼kreuzschwester** *f.* 적십자〔야전 병원〕 간호원. **∼kupfer≈ērz** *n.* 적동광(赤銅鑛). **∼lauf** *m.* 〖醫〗 단독(丹毒); 돼지 단독.

rōtlich [rǿ:tlıç] *a.* 붉은 빛 도는, 불그레한(*reddish*). **∼braun** *a.* 적갈색의.

Rōtlicht [rǿ:tlıçt] *n.* 적색 광선.

Rōtlicht≈behandlung *f.* 적색 광선 치료. **∼bestrahlung** *f.* 적색 광선 조사(照射). **∼lampe** *f.* 적색 광선(전등).

Rōt≈schwänzchen *n.* 〖鳥〗 작은부리울새. **∼stift** *m.* 빨간 연필, 빨간 초크. **∼tanne** *f.* 〖植〗 붉은잎전나무.

Rotte [rɔ́tə] [Lw. fr.] *f.* –n, 무리, 도당, 단(團)(*band, troop, gang*); 〖軍〗 분대, 오(伍)(*file*). **rotten** *t.* 모으다; 근절하다; *refl.* 모이다; 도당을 짓다.

Rotten≈feuer *n.* 〖軍〗 각오(各伍) 발사. **∼führer, ∼meister** *m.* 도당의 우두머리; 〖軍〗 하사; 십장. **∼weise** *adv.* 떼를 지어, 작당하여; 〖軍〗 대오마다.

Rōtwein [ro:tvain] *m.* 붉은 포도주.

Rōt·welsch [ró:tvɛlʃ] [Rot „Bettler" *u.* welsch „unverständlich"] *n.* –(es), (부랑인이 쓰는) 은어(隱語), 변말, 암호(*thieves' slang*).

Rōtwild [ró:tvılt] *n.* 《總稱》 사슴(Hirsch, Rehe, Elche); (특히) 수사슴.

Rotz [rɔts] *m.* –es, –e, 콧물(*mucus*); 〖醫〗 마비저(馬鼻疽)(*glanders*). **Rotz≈būbe** *m.* 《卑》 코흘리개; 《比》 건방진 놈, 풋나기.

rotzen [rɔ́tsən] *i.*(h.) 콧물을 흘리다; 코풀다; 《卑》 넋두리하다. **rotzig** [rɔ́tsıç] *a.* 코 흘리는; (말이) 마비저에 걸린.

Rotz≈junge *m.* =∼bube. **∼lappen** *m.* 《卑》 손수건. **∼näs·chen** *n.* 《卑》 (콧물나는) 더러운 코.

Rouleau [ruló:] [fr.] *n.* –s, –s, 말아 올리는 커튼, 블라인드(*roller-blind*).

Route [rú:tə] [fr., <lat. *rupta* (*via*) „gebrochene (Straße)"] *f.* –n, 루트, 길; 노선; 여정; 항로. **routiniert** [ru-tiní:rt] *p.a.* 경험을 쌓은, 노련한.

Rowdy [ráudi:] [engl.] *m.* –s, –s, 방랑자, 뜨내기; 무뢰한.

Rubber[1] [rʌ́bər] [engl. „Reiber"] *m.* –s, 고무지우개; 《一般的》(탄성) 고무.

Rubber[2] [rʌ́bər] [engl. 기원?] *m.* –s, –, 〖카드〗 (브리지의) 삼판 승부.

Rūbe [rý:bə] *f.* –n, (weiße ∼) 순무(*turnip*). ¶gelbe ∼ 당근(*carrot*) / rote ∼ 사탕무우(*beetroot*).

Rūbel [rú:bəl] [russ.] *m.* –s, –, 루블《러시아의 화폐》(♈*rouble*).

Rūbenzucker [rý:bəntsʊkər] *m.* 사탕무우로 만든 설탕.

(')**rūber** *adv.* 《俗》=HERÜBER, HINÜBER.

Rubīn [rubí:n] [lat. „Rotstein"] *m.* –s, –e, 〖鑛〗 홍옥, 루비(♈*ruby*).

Rūb·öl [rý:p-ø:l] *n.* 평지 기름.

Rubrīk [rubrí:k] [lat. *eig.* „rot gemalte Überschrift"] *f.* –en, 표제, 제목(♈*rubric, heading, title*); 장(章), 절(節); 난(欄)(*column*). **rubrizieren** [rubrıtsí:rən] *t.* (에) 표제를 붙이다; 장·절·난으로 나누다.

Rūbsāme(n) [rý:pza:mə, –mən] *m.* 〖植〗 평지씨.

Rūbsen [rý:psən] [<Rübe] *m.* –s, –, 〖植〗 평지.

ruchbār [rú:xba:r, rúx–] [<Gerücht] *a.* 잘 알려진, 주지의(*notorious*). ¶∼ werden 세상에 알려지다.

ruchlōs [rú:xlo:s] [*eig.* „sorglos"; = engl. *reckless*] *a.* 방자한, 방탕한(*profligate*); 사악한(*wicked*); 신을 믿지 않는〔모독하는〕(*impious*).

Ruck [rʊk] *m.* –(e)s, –e, 홱 당기기〔밀기·찌르기〕(*jerk, jolt*); 충격(*shock*). ¶《比》 sich[3] e–n ∼ geben (마침내) 결심하다.

Rück [rʏk] *n.* –(e)s, –e, 막대기; 시렁.

Rück.., rück.. [rʏk–] [<Rücken] 《I》 =ZURÜCK-, 보기: Rückgabe. 《II》 = RÜCKEN-, 보기: Rückgrat.

Rück≈anspruch [前半: <zurück] *m.* 〖法〗 반소(反訴). **∼antwort** *f.* 회답. ¶Postkarte mit ∼antwort 왕복 엽서. **∼äußerung** *f.* 답변. **∼berūfung** *f.* 소환(召還). **∼bezūglich** [–bətsý:k-lıç] *a.* 〖文〗 재귀적인. **∼bildung** *f.* 〖動·植〗 (기관의) 퇴화; 〖醫〗 퇴축(退縮). **∼blick** *m.* 뒤돌아 봄; 회고. **∼bürge** *m.* 〖法〗 상환 보증인.

rūcken [rýkən] [<Ruck] 《I》 *t.* 밀다, 움직이다, 옮기다, 밀치다(*push, move*). 《II》 *i.* ① (h.) (an *od.* mit, 을) 움직이다, 옮기다, 밀치다. ② (s.) 움직이다, 옮아 가다(*move away, go along*). ¶näher ∼ 접근하다, 다가가다〔오다〕 / ins Feld ∼ 출전하다.

Rücken [rýkən] *m.* –s, –, 등, 잔등이(*back*); 〖軍〗 배후(背後)(*rear*); (Berg∼ *usw.*) (산)마루(♈*ridge*). ¶jm. den ∼

kehren 아무에게 등을 돌리다 / **auf** dem ~ liegen 드러눕다; 지쳐 있다 / ~ **gegen** ~ 등을 맞대고 / **hinterm** ~ 몰래, 음흉하게 / dem Feinde **in** den ~ fallen 적의 배후〔허〕를 찌르다.

Rücken·deckung *f.* 〖軍〗 배면(背面) 엄호. **~flosse** *f.* 등지느러미. **~flūg** *m.* 배면 비행. **~lehne** *f.* (의자 따위의) 등받이. **~mark** *n.* 척수(脊髓). **~marks·leidende** *m.* u. *f.* (形容詞變化) 척추병 환자. **~schmerz** *m.* 〖醫〗 등의 통증. **~schwimmen** *n.* 배영(背泳). **~stück** *n.* 등심. **~weh** *n.* = ~SCHMERZ. **~wirbel** *m.* 척추골.

Rück·erinnerung *f.* 추억, 회상. **~|erstatten** *t.* 반환하다; 상환하다. **~erstattung** *f.* 반환; 상환. **~fahr·karte** *f.* 왕복 승차권. **~fahrt** *f.* 귀로(歸路); 귀항(歸航). **~fall** *m.* 되돌려 보냄; (병의) 재발(*relapse*); 〖法〗 재범(再犯), 누범(累犯). **~fällig** *a.* 재발의; 누범(累犯)의. **~fracht** *f.* 반송 화물. **~frāge** *f.* 되물음, 반문(反問); 재심문. **~gābe** *f.* 〖法〗 반환. **~gang** *m.* 귀환; 후퇴; 역행; (주가의) 하락(下落). **~gängig** *a.* 후퇴하는; 역행하는; 〖商〗 하락하는. ¶ ~gängig machen 취소〔해소〕하다. **~grāt** [前半: <Rücken] *n.* 척추(脊椎), 척주(脊柱), 척골(*backbone, spine*). **~halt**[1] *m.* 받침, 지주, 뒷받침; 원군(援軍). **~halt**[2] [前半: <zurück] *m.* 사양, 삼가함. **~haltlōs** *a.* 거리낌없는, 솔직한(*frank, open*). **~kauf** *m.* 〖商〗 환매(還買). **~kehr** *f.* 귀환(*return*). **~|koppeln** *i.* (h.) 〖電〗 반결합(反結合)하다, 피드백하다. **~kopp(e)lung** *f.* 반결합, 피드백. **~kunft** *f.* = ~KEHR. **~lāge** *f.* 예비〔준비〕금. **~lauf** *m.* 역행; 《比》 회귀(回歸), 순환; (총포 발사 때의) 반동(*recoil*). **~läufig** *a.* 거꾸로 뛰는, 역행하는; 〖醫〗 회귀성의. **~lieferung** *f.* 〖商〗 반환. **~licht** *n.* (자동차 등의) 깜빡이.

rücklings [rýklɪŋs] *adv.* 뒤로, 뒤쪽으로; 뒤에서; 거꾸로.

Rück·marsch *m.* 〖軍〗 퇴각. **~prall** *m.* 되튀김; (소리의) 반향; 《比》 반동. **~reise** *f.* 귀로(歸路); 귀항(歸航).

Rucksack [rúkzak] [„Rückensack"] *m.* 배낭, 룩작.

Rück·schein *m.* 반사(反射); 〖商〗 수령(증). **~schlāg** [-ʃla:k] *m.* 되침, 반격; 되튐; 〖動·植〗 격세(隔世) 유전; 퇴화. **~schreiben** *n.* 답장. **~schritt** *m.* 후퇴, 역행; 《比》 반동. **~schrittlich** *a.* 반동적인, 반동파의. **~seite** [前半: < Rücken] *f.* 안; 이면; 후면.

Rücksicht [rýkzɪçt] [<zurück] *f.* -en, 고려, 참작(*respect, regard*). ¶ ~ nehmen, (auf et., 을) 고려하다 / ohne ~ auf die Kosten 비용을 고려하지 않고. **rücksichtlich** *prp.* 에 관하여, 을 고려하여. **rücksichtslōs** *a.* 고려〔참작〕하지 않는; *adv.* 고려〔참작〕하지 않고, 무턱대고, 가차없이. **rücksichtsvoll** *a.* 고려〔참작〕하는, 분별 있는, 사려 깊은.

Rück·sitz [rýkzɪts] [前半: <Rücken] *m.* 뒷좌석. **~spiel** [-ʃpi:l] [前半: < zurück] *n.* 복수전(*return match*). **~sprāche** [-ʃpra:xə] *f.* 상담, 상의(商議), 타합(*consultation, discussion*). ¶ ~sprache nehmen (mit, 와) 상담〔의논〕하다. **~stand** [-ʃtant] *m.* 지체(됨); 잔여; 미불(未拂); 〖化〗 찌꺼기. **~ständig** [-ʃtɛndɪç] *a.* 뒤진; 잔여의; 미불의 (돈); 〖化〗 찌꺼기의; 《比》 시세에 뒤떨어진; 진부한. **~stellung** *f.* 〖簿記〗 (장차의 지출을 위한) 보류(금). **~stōß** [-ʃto:s] *m.* 반동, 거절; 반도(反跳); (총쏠 때의) 반동. **~strahler** [-ʃtra:lər] *m.* (자동차 따위의) 후미등. **~tritt** *m.* 후퇴(*retreat*); 퇴직; 중지, 해제. **~tritt·bremse** *f.* (자전거의) 후퇴 브레이크. **~versichern** [-fɛrzɪçərn] *refl.* 재보험(再保險)에 들다. **~versicherung** *f.* 재보험. **~wand** *f.* 후벽(後壁). **~wär·tig** [-vɛrtɪç] *a.* 후방의, 배후〔뒷면〕의. **~wärts** *adv.* 뒤〔배후〕로(*back(-wards)*); 뒤에서, 이면에(*behind*). **~wärts·gang** *m.* 〖工〗 역동(逆動); (자동차의) 후퇴 장치. **~wärts|gēhen*** *i.*(s.) 내리막이 되다, 악화되다. **~wechsel** [-vɛksəl] *m.* 〖商〗 역(逆)어음. **~wēg** *m.* 귀로.

ruckweise [rúkvaizə] *adv.* 충격적으로, 움찔움찔; 간헐적으로; 《比》 기분에 따라.

rück·wirkend *a.* 반동〔반응〕적인; 소급력을 가지는. ¶ 〖法〗 ~wirkende Kraft 소급력. **~wirkung** *f.* 반동; 반작용; 〖法〗 소급효(效). **~|zahlen** *t.* u. *i.*(h.) 반제〔상환〕하다. **~zahlung** *f.* 반제, 상환. **~zieher** *m.* 취소, 철회; 사과, 핑계. **~zoll** *m.* 환불금《수입품 재수출시의》. **~zūg** *m.* 〖軍〗 후퇴; 퇴각. **~zūgsgebiet** *n.* (문명으로부터의) 후퇴 지역.

Rüde [rý:də] *m.* -n, -n, 사냥개; 〖獵〗 수컷《개·여우·이리의》.

rüde [rý:də] [fr. *aus* lat. *rudis* „roh"] *a.* 거친; 버릇 없는.

Rudel [rú:dəl] [♀ Rotte] *n.* -s, -, 짐승의 떼(*flock, herd, troop*); 《比》 (사람의) 무리, 패거리, 단(團), 대(隊)(*crowd*).

Ruder [rú:dər] *n.* -s, -, 키(♀*rudder, helm*); 《俗》 노(*oar*). ¶ ans ~ kommen 권력을 장악하다, 정권을 잡다.

Ruder·bank *f.* 노잡이의 좌석. **~blatt** *n.* 노깃. **~barke** *f.*, **~boot** *n.* 노로 젓는 배; 경조용(競漕用) 보트.

Rud(e)rer [rú:d(ə)rər] *m.* -s, -, 사공, 노잡이.

Ruder·klampe *f.* 노받이, 노걸이. **~knecht** *m.* 노 젓는 사람, 노잡이.

rudern [rú:dərn] *i.*(h. *u.* s.) 노를 젓다 (♀*row*); 물을 헤치다, 헤엄치다.

Ruder·schiff *n.* 노 젓는 배, 갤리선(船)(*galley*). **~stange** *f.* 노(櫓).

Rūf [ru:f] [<rufen] *m.* -(e)s, -e, 외침, 외치는 소리(*cry*); (새의) 우는 소리; 부름, 부르는 소리(*call*); 권유; 초빙; 소문(*rumour*); 세평(世評), 평판; 명성(*reputation, repute*). ¶ in gutem ~e steh(e)n, (bei jm., 에게) 평판이 좋다.

rūfen* [rú:fən] 《I》 *i.*(s.) 외치다(*cry, shout*); 부르다(*call*); (동물이) 울다. 《II》 *t.* 부르다, (을) 불러내다. ¶ den Arzt ~ lassen 의사를 부르러 보내다 / er

R

kam wie gerufen 그는 때마침 왔다 / jm. et. ins Gedächtnis ~ 아무에게 무엇을 생각나게 하다〔주의시키다·재촉하다〕.

Rüffel [rýfəl] *m.* -s, -, 질책, 비난(*reprimand*). **rüffeln** *t.* 질책〔비난〕하다.

Rufname(n) *m.* 통명, 통칭(通稱). **~nummer** *f.* 전화 번호. **~weite** *f.* 부르면 소리가 미치는 거리. ¶in ~weite 소리가 들리는 곳에서. **~zeichen** *n.* (방송국의) 콜사인; 〖文〗 감탄 부호.

Rüge [rý:gə] *f.* -n, 비난, 질책; 징계; 문책, 견책(*reprimand, censure*). **rügen** *t.* 비난〔질책〕하다.

Ruhe [rú:ə] [♈Rast] *f.* ① 쉼, 휴지(*rest*); 고요함, 정적(*calm*); 안심, 침착, 편안(*peace, tranquility*); 휴식, 휴양(*repose*); 은퇴(*retirement*). ② 《動詞와 함께》 ~ halten! 닥쳐, 가만 있어 / laß mir ~ 귀찮게 말하지 말라. ③ 《前置詞와 함께》 **in** aller ~ 아주 조용히, 태연히 / jn. in ~ lassen 아무를 방해하지 않다, 에게 상관하지 않다 / **ohne** ~ u. Rast 쉬임없이, 끊임없이 / **zur** ~ geh(e)n 취침하다; 죽다 / sich zur ~ setzen 퇴직〔은퇴〕하다.

Ruhebett *n.* 침대. **~gehalt** *n.* 연금(年金)(*pension*). **~geld** *n.* 퇴직(보험)금. **~los** *a.* 쉬지 않는; 불안한; 안절부절 못하는.

ruhen [rú:ən] [<Ruhe] *i.*(h.) ① 그치다, 휴지〔정지〕하다(*stand still*); 쉬다, 휴게하다, 휴양〔휴식〕하다(*rest, repose*); 자다(*sleep*). ¶hier ruht (in Gott) N. N. 아무아무의 묘(墓) / ~ lassen 중지하다. ② 머무르다. ¶auf et.[3] ~ 무엇 위에 머무르다, 무엇을 토대로 하고 있다, 《比》 무엇에 의거하다 / die Brücke ruht auf Pfeilern 다리가〔교량이〕 기둥 위에 얹혀 있다.

Ruheplatz *m.* 쉬는 곳; 〖建〗 층계참. **~punkt** *m.* 휴지점; 쉬는 곳. **~sessel** [-zɛsəl] *m.* 안락(安樂) 의자. **~stand** [-ʃtant] *m.* 은퇴〔퇴직·연금〕 생활. **~stätte** [-ʃtɛtə] *f.* 휴식처. **~stellung** [-ʃtɛluŋ] *f.* 휴전 상태. **~störer** [-ʃtø:rər] *m.* 평화〔안녕〕의 교란자. **~störung** [-ʃtø:ruŋ] *f.* 동란, 소동; 싸움, 말다툼. **~tag** [-ta:k] *m.* 휴일. **~zeit** *f.* 휴식 시간.

ruhig [rú:ıç] [<Ruhe] *a.* 쉬는, 고요한 (*calm, quiet, tranquil*); 침착한, 냉정한, 태연한(*composed*); 평안한, 안온〔평온〕한; 평화로운(*peaceful*). ¶~ werden (사람이) 냉정하여지다, 침착하여지다, (바람이) 자다; (파도가) 가라앉다 / ~ (*adv.*) schlafen 편안히 잠을 자다.

Ruhm [ru:m] *m.* -(e)s, 명성, 명예, 평판(*fame, glory, renown*). ¶sich[3] et. zum ~e machen 무엇을 과시〔자랑〕하다.

ruhmbedeckt *a.* 명예를 지닌, 명성을 떨친. **~(be)gier(de)** *f.* 명예욕, 공명심. **~(be)gierig** *a.* 명예욕〔공명심〕이 있는.

rühmen [rý:mən] 《Ⅰ》 *t.* 기리다, 칭찬〔칭송·추장(推奬)〕하다(*praise, extol*). 《Ⅱ》 *refl.* (mit, 을) 자랑〔과시〕하다.

rühmlich [rý:mlıç] *a.* 칭송〔찬양〕할 만한(*laudable*); 영광의, 명예로운(*glorious*).

Ruhmliebe *f.* 명예심. **Rühmling** *m.* -s, -e, 허풍선이.

ruhmlos [rú:mlo:s] *a.* 불명예스러운; 명성 없는. **~redig** *a.* 자랑하는, 우쭐거리는. **~reich** *a.* =~VOLL. **~sucht** *f.* 명예욕, 공명심. **~voll** [-fɔl] *a.* 영광스러운; 명성 있는, 고명한. **~würdig** *a.* 칭찬할 만한.

Ruhr [ru:r] [<rühren „bewegen"] *f.* -en, 〖醫〗 이질(*dysentery*).

rührbar [rý:rba:r] *a.* 움직일 수 있는; 감동하기 쉬운, 다감한.

Rührei [rý:r-ai] *n.* 〖料〗 (토스트 위에 얹는) 푼 계란.

rühren [rý:rən] [*eig.* „bewegen"] 《Ⅰ》 *t.* 움직이다(*stir, move*); 휘젓다(*mix*); (에) 들어맞다; (에) 부딪다, 치다(*touch, beat*), 통기다; 《比》 (의 마음을) 건드리다, 감동시키다(*touch, move*). 《Ⅱ》 *i.*(h.) (an et.[3], 무엇에) 손대다, (을) 흔들어 움직이다; (an et.[4], 무엇에) 언급하다; (von, 에서) 유래하다, (에서) 일어나다. 《Ⅲ》 *refl.* 움직이다. **rührend** [-rənt] *p.a.* 감동적인, 가련한(*touching*).

Rührfaß [rý:rfas] *n.* 교반기(攪拌器).

rührig [rý:rıç] *a.* 활발한(*nimble*); 활동적인(*active*); 분주한(*busy*).

rührselig [rý:rze:lıç] *a.* 느끼기 쉬운, 감상적인(*sentimental*).

Rührstück [rý:rʃtʏk] *n.* 감상적인 극, 멜로드라마.

Rührung [rý:ruŋ] *f.* -en, ① 움직임, (북을) 침; (거문고 따위를) 뜯음; 교반. ② 감동(*emotion, feeling*); 동정.

Ruin [ru-í:n] [lat.] *m.* -s, 붕괴, 몰락, 쇠망(♈*ruin, downfall, decay*). **Ruine** [ru-í:nə] fr. [*aus* Ruin] *f.* -n, 폐허(♈*ruin*). **ruinieren** [ru-iní:rən] *t.* 파괴하다, 멸하다; 황폐하게 하다(♈*ruin, destroy*).

Rülps [rʏlps] [擬聲語] *m.* -es, -e, 트림(*belch*); 버릇없는 놈. **rülpsen** [-psən] *i.*(h.) 《俗》 트림하다. **Rülpser** [-psər] *m.* -s, -, 트림(하는 사람); 버릇없는 사람.

Rum [rum] [ind. -engl.] *m.* -s, -s *u.* -e, 럼주(酒).

'rum [rum] 《俗》 =HERUM.

Rumäne [rumé:nə] [lat. <Roma] *m.* -n, -n, 루마니아인. **Rumänien** [-niən] *n.* 루마니아. **Rumänin** [-nın] *f.* -nen, =RUMÄNE 《여성》. **rumänisch** *a.* 루마니아(사람·말)의.

Rummel[1] [rúməl] [Lw. fr. *ronfle* (일종의 카드놀이)] *m.* -s, -,: den ~ verstehen 능통하다, 빈틈없다.

Rummel[2] [rúməl] *m.* -s, -, ① 떠들썩함, 야단 법석(*row, uproar*). ② 광장; 시장. ③ 잡동사니, 고물(*lumber*).

Rumor [rumó:r] [lat.] *m.* -s, 떠들썩함; 붐빔, 혼란. **rumoren** [rumó:rən] [lat.] *i.*(h.) 떠들다, 시끄러운 소리를 내다(*make a row*).

Rumpelkammer [rúmpəlkamər] *f.* 헛간, 허섭스레기 두는 곳(*lumber-room*).

rumpeln [rúmpəln] *i.*(h.) 덜커덕 소리를 내다(♈*rumble, lumber*).

Rumpf [rumpf] [*eig.* „Baumstumpf"] *m.* -(e)s, ⸚e, 구간(軀幹), 몸(통)(*trunk, body*); 선체(船體)(*hull*); (비행기의) 기체

(*fuselage*); (제분기의) 깔때기《곡물을 주입하는》. **Rumpfbeuge** *f.* 〖體〗 몸통 굽히기.
rümpfen [rʏ́mpfən] *t.* (찌푸려서) 주름살지게 하다. ¶die Nase ~ 코를 찡그리다《경멸·불만 등의 표정》.
Rum⸗topf [rúmtɔpf] *m.* (과일을) 럼주에 담그는 단지. **~verschnitt** [-fɛrʃnɪt, -fər-] *m.* (알콜이나 물을 탄) 가짜 럼주.
rund [runt] [Lw. fr. *rond*] 《I》 *a.* ① 둥근, 원형의; 공 모양의, 구형의(♈ *round*). ② 완전한, 갖추어진. ③ 단호한, 명백한. 《II》 *adv.* ① 분명히, 단호히. ¶~ (*adv.*) abschlagen 딱 잘라서〔단호히〕 거절하다 / ~ (*adv.*) heraus sagen 솔직이 말하다. ② ~ um et. herum 무엇의 주위를 돌아. ③ 약, 대략. ¶~ viertausend Mark 약 4천 마르크.
Rund⸗bau *m.* 〖建〗 원형 건축(물). **~⸗blick** *m.* 전망, 전경(*panorama*). **~⸗bōgen** *m.* 〖建〗 원형 아치.
Runde [rúndə] *f.* -n, ① 원; 고리; 원진(圓陣); 단란; (무도하는 사람의) 윤무; 둘러앉은 술자리. ¶zehn Meilen in die 〔der〕 ~ 주위 10마일. ② 〖競〗 한바퀴 돌기, 한판; 〖拳〗 라운드; (육상 경기의) 트랙의 일주; (카드의) 한판 승부. ③ 순회, 순찰. ¶die ~ machen 한 바퀴 돌다〔순회하다〕.
runden [rúndən], **ründen** [rʏ́n-] 《I》 *t.* 둥글게 하다; 마무리하다, 완성하다. 《II》 *refl.* 둥글게 되다; 완성되다.
Rund⸗erlaß [rúnt-ɛrlas] *m.* 회람(回覽), 회문(回文). **~fahrt** *f.* 두루 구경함; 주유(周遊), 유람. **~fahrkarte** *f.* 유람 차표. **~flūg** *m.* 주유 비행. **~frā⸗ge** *f.* 한 차례 돌아다니며 물어봄, 조회(照會).
Rundfunk [rúntfuŋk] *m.* -(e)s, -e, 무선 방송, 라디오(*broadcasting, wireless, radio*). **Rundfunk·ansäger** *m.* (라디오) 아나운서. **rundfunken** *t.* u. *i.*(h.) (라디오로) 방송하다.
Rundfunk⸗frequenz *f.* 방송 주파수. **~gerät** *n.* 라디오의 수신기. **~hōrer** *m.* 라디오 청취자. **~sender** *m.* 라디오 송신기. **~statiōn, ~stelle** *f.* 방송국. **~teilnehmer** *m.* 라디오 가입자.
Rund⸗gang [rúnt-] *m.* ① 순회, 순찰; 〖天〗 회전, 자전. ② 회랑; 순회로. **~⸗gebäude** *n.* (둥근 지붕이 있는) 원형 건축. **~gemälde** [-gəmɛ:ldə] *n.* 파노라마. **~gesang** *m.* 〖樂〗 윤창(곡).
rund⸗heraus [runthɛráus, rúnt-áus] *adv.* 솔직이. **~herum** [runthɛrúm, rúnt-úm] *adv.* 주위에, 빙 둘러.
Rund·kopf *m.* 둥근 머리(의 사람); (1642-49년 영국의) 의회파 사람《머리를 짧게 깎은 데서》. **~lauf** *m.* 회전 그네.
rundlich [rúntlɪç] *a.* 둥그스름한(*roundish*).
Rund⸗reise *f.* 주유(周遊), 유람. **~sä⸗ge** *f.* 둥근 톱. **~schau** *f.* 둘러보기, 전망; (신문·잡지명:) 평론(*review*). **~⸗schreiben** =~ERLAß. **~schrift** *f.* 둥글고 굵은 글씨체《일종의 장식 글씨체》. **~tanz** *m.* 윤무. **~um** [runt·úm, rúnt·um] *adv.* 둘레〔주위〕에, 빙 둘러.
Rundung [rúnduŋ], **Ründung** [rʏ́n-] *f.* -en, 둥글게 함; 마무리; 둥긂, 둥그스름함; 원숙(圓熟).
rund⸗weg [rúntvɛk, runtvɛ́k] *adv.* 딱 잘라서, 솔직이. **~wurm** *m.* 회충.
Rune [rú:nə] [*eig.* „Geheimnis"] *f.* -n, 룬 문자《고대 독일 문자》(♈ *rune, runic letter*).
Runkel [rúŋkəl] *f.* -n, **~rübe** *f.* 〖植〗 사탕무우, 첨채(甜菜)(*beet*(*-root*)).
'runter [rúntər] *adv.* 《俗》 =HERUNTER.
Runzel [rúntsəl] *f.* -n, 주름; (얼굴의) 주름살(♈ *wrinkle*). **runz(e)lig** *a.* 주름살 있는, 주름살 많은. **runzeln** *t.* (에) 주름살을 짓다; *refl.* 주름살이 지다.
Rüpel [rý:pəl] [*dim.* v. Ruprecht] *m.* -s, -, 우악스러운 사람, 버릇없는 젊은이(*lout*). **Rüpelei** *f.* -en, 버릇 없음; 우락부락함. **rüpelhaft** *a.* 버릇 없는, 우악스러운.
rupfen [rúpfən] [raufen 의 强意語] *t.* 쥐어 뜯다, 잡아 뽑다, 잡아〔낚아〕채다, 뽑다(*pluck, pull, pick*).
ruppig [rúpɪç] *a.* 털을 뜯어낸 것 같은, 남루한(*shabby*); 해진, 초라한(*ragged*), 무작한, 버릇 없는(*rude*).
Ruprecht [rú:prɛçt] [„der Ruhmglänzende"] *m.* 남자 이름. ¶Knecht ~산타클로스.
rural [rurá:l] [lat.] *a.* 시골풍의; 농부「같은〔다운〕.
Ruß [ru:s, 方: rus] [*eig.* „Oberes"] *m.* -es, 그을음, 매연(煤煙)(*soot*).
Rußbrand [rú:s-] *m.* (보리의) 흑수병.
Russe [rúsə] *m.* -n, -n, 러시아 사람.
Rüssel [rʏ́səl] *m.* -s, -, 긴 코(코끼리의: *trunk*, 돼지의: *snout*); (곤충의) 부리(*proboscis*).
rußen [rú:sən] 《I》 *i.*(h.) 그을음을 내다; (램프 따위가) 그을다. 《II》 *t.* 그을려 시커멓게 하다. **rußig** *a.* 그을은, 그을려 시커먼; 흑수병에 걸린.
Russin [rúsɪn] *f.* -nen, 러시아 여자,
russisch [rúsɪʃ] *a.* 러시아 (사람·말)의.
Rußland [rúslant] *n.* 러시아.
Rüst⸗balken, ~baum [rʏ́st-] *m.* 비계의 지주(支柱).
rüsten [rʏ́stən] [*eig.* „schmücken"] 《I》 *t.* 준비〔채비〕하다, 장비하다(*prepare, fit out*); 무장시키다. 《II》 *refl.* 준비를 하다; 군비를 갖추다. 《III》 *i.*(h.) ① 전시 체제를 펴다, 동원하다. ② 비계를 걸치다(*scaffold*).
Rüster [rý:stər, 方: rʏ́stər] *f.* -n, 〖植〗「느릅나무(*elm*).
Rüst⸗haus *n.* =~KAMMER. **~holz** *n.* (비계의) 지주(支柱).
rüstig [rʏ́stɪç] *a.* 강건한, 정정한 (노인)(*strong, robust*); 활발한, 활기 있는, 원기 있는(*active, vigorous*).
Rüst·kammer *f.* 병기고. **~stange** *f.* 비계의 통나무.
Rüstung [rʏ́stuŋ] *f.* -en, ① 준비, 채비. ② 기물(器物); 용구; 〖海〗 삭구(索具). ③ 장비; 무장, 갑옷, 투구《특히 중세 기사의》; 비계.
Rüstungs⸗ausgābe *f.* 군비비(軍備費). **~beschränkung** *f.* 군비 축소. **~⸗fabrik** *f.* 병기 공장. **~industrie** *f.* 군수 공업. **~werk** *n.* =~FABRIK.
Rüstzeug [rʏ́sttsɔyk] *n.* 무기 ;도구, 기

구; 비계; 《比》(zu, 을 위한) 요건《예비 수단 또는 지식 따위》.

Rute [rú:tə] *f.* -n, 가는 나뭇가지 또는 막대기; 회초리, 채찍《특히 몇 개의 가지를 한데 묶은 것》(♈*rod, twig*); 옛 길이의 단위《=3.77 m》; 〖獵〗꼬리《개·이리·여우 따위의》(*brush*); 자지(*penis*).

Ruten=bündel [rú:tənbʏndəl] *n.* 작은 나뭇가지의 묶음《옛 로마의 집정관의 권표(權標)》. **~gänger** *m.* 마술 지팡이를 가지고 수맥(水脈)〔광맥〕을 찾아다니는 사람.

Rutsch [rutʃ] *m.* -es, -e, 미끄러짐; 땅이 무너짐, 사태(*landslip*). **Rutsch=bahn** *f.* 미끄럼 타는 곳; 활주로; 미끄럼대(臺). **rutschen** [rútʃən] *i.* (h. *u.* s.) 미끄러지다, (흙이) 무너져 떨어지다(*slide, glide, slip*); 〖空〗옆으로 활공하다. **rutschig** *a.* 줄줄 미끄러지는.

rütteln [rʏ́təln] 《Ⅰ》 *t.* 흔들다, 진동시키다, 흔들어 움직이다(*shake, jolt, jog*); (곡식을) 체로 치다. 《Ⅱ》 *i.* (h.) 흔들리다; (an et.³, 무엇을) 흔들다.

S

SA. [ɛs-á:] 《略》 =*S*turm*a*bteilung der NSDAP 나치스 돌격대.

Saal [za:l] *m.* -(e)s, Säle, 넓은 방, 홀(*large room, hall*); 강당.

Saat [za:t] [<säen] *f.* -en, ① 파종(播種)(*sowing*). ② 씨, 종자《특히 곡식의》(♈*seed*). ③ 싹, 모, 모종, 묘상(苗床); 작황, 수확(전의) 곡식(*standing crops*).

S **Saat=feld** *n.* 씨를 뿌려 놓은 전답, 경지. **~gut** *n.* 씨앗 곡식. **~kartof=feln** [-kartɔfəln] *pl.* 종자용 감자. **~=korn** *n.* =~GUT. **~krähe** *f.* 〖鳥〗 떼까마귀 아속(亞屬)《유럽 산의》. **~=wechsel** [-vɛksəl] *m.* 〖農〗윤작, 윤재(輪栽). **~zeit** *f.* 파종기(播種期).

Sabbat [zábat] [hebr. „Ruhetag"] *m.* -(e)s, -e, 안식일《유태교에서는: 토요일, 기독교에서는: 일요일》(*Sabbath*); 《詩》 일요일.

sabbern [zábərn] *i.* (h.) u. *t.* u. *refl.* 침을 흘리다(*slaver*); 《比》재잘재잘 지껄이다; 빨다; 키스하다. **Sabbertuch** *n.* (*pl.* ..tücher) 턱받기.

Säbel [zé:bəl] [Lw. sl.] *m.* -s, -, 사벨, 군도(軍刀)(♈*sabre, sword*); (Krummer ~) 휜 칼.

Säbel=bein *n.* 〖醫〗외반슬(外反膝). **~=herrschaft** *f.* 무단 정치(武斷政治), 군국주의. **~hieb** [-hi:p] *m.* 참격(斬擊); 사벨로 베인 상처〔자국〕. **~klinge** *f.* 사벨의 날. **~korb** [-kɔrp] *m.* 사벨의 손잡이 덮개.

säbeln [zé:bəln] *t.* 사벨로 베다〔치다〕; 《俗》무딘 칼로 베다, 서투르게 베다《빵 따위를》.

Sabotage [sabotá:ʒə, za-] [fr.] *f.* -n, 사보타지, 태업. **sabotieren** *i.* (h.) 사보타지를 하다.

Sa(c)charin [zaxarí:n] [gr. „Zucker" *aus* ind.] *n.* 〖化〗사카린.

Sachalin [zaxalí:n, záxalin] *n.* 사할린.

Sach=angabe [záx-anga:bə] *f.* 자초지종의 진술. **~anlagen** *pl.* (경영체의) 물적(物的) 시설, 가동 자산《토지·공장·기계 등》. **~bearbeiter** *m.* 전문가; 보고자. **~dienlich** *a.* 유용한; 당면한 일에 도움이 되는, 적절한.

Sache [záxə] [*eig.* „Streit"] *f.* -n, (계쟁·소송) 사건(*case*); (관여하는) 일, 본분(*cause*); 《一般的》사건, 요건(*matter, affair*); (Tat~) 사항, 사실(*fact*); 문제, 경우, 요점(*circumstance, subject*); 물건, 사물, 물(物)(*thing*); (*pl.*) 킬로 속도; (흔히 *pl.*) 물품, 소지품(*goods*). ¶ 100 ~n drauf haben 시속 100킬로로 달리다 / gemeinsame ~ machen, (mit, 와) 일을 함께 하다 / es ist etwas **an** der ~ 그것은 어느 정도 근거가 있다 / **bei** der ~ bleiben 주제(主題)를 이탈치 않다 / der ~ **nach** 사실상, 실제로 / **zur** ~! 본제로 돌아가라, 탈선하지 말라; 〖議會〗간단간단하게 / s-e sieben ~n 그의 소지품 일체.

Sach=erklärung [záx-ɛrklɛ:ruŋ] *f.* 사상(事象)의 설명, 사실의 해석. **~fremd** *a.* 이 사항에 관계 없는. **~gemäß** *a.* =~DIENLICH. **~katalog** [-katalo:k] *m.* 사항 목록. **~kenner** *m.* 전문가, 정통자; 감정가. **~kenntnis, ~kunde** *f.* 그 사항의 지식, 조예, 전문적인 지식. **~kundig** *a.* 전문적 지식이 있는, 조예가 깊은. **~lage** *f.* 사태(事態)(*state of affairs*). **~leistung** *f.* 현물 지급.

sachlich [záxlɪç] *a.* 사물에 관한, 물(物)의, 물건의; 사상(事象)의; 사실적인, 즉물적인, 객관적인(*objective*); 실질적인, 실용적인; 본질적인; *adv.* 요령 있게, 적절히. **sächlich** [zɛ́çlɪç] *a.* 〖文〗중성의(*neuter*). **Sachlichkeit** *f.* -en, 물적(物的)임, 사물성(性); 사실적임, 객관성; 실질적임, 실용성; 요령이 있음; 즉물(卽物)주의.

Sach=lieferung *f.* 현물 급부(給付). **~register** [-regɪstər] *n.* 내용 목록, 사항 색인. **~schaden** *m.* 물적 손해.

Sachse [záksə] *m.* -n, -n, 작센 사람. **Sachsen** *n.* -s, 작센. **Sächsin** [zɛ́ksɪn] *f.* -nen, 작센 여인. **sächsisch** *a.* 작센(방언)의.

sacht [zaxt] [nd.; =hd. sanft] 《Ⅰ》 *a.* 조용한, 평온한, 부드러운(♈*soft, gentle*); 완만한, 느린(*slow*). 《Ⅱ》〔~e〕 *adv.* 조용히, 가만히; 천천히.

Sach=verhalt *m.* 사태(事態); 사실(*facts (of the case)*). **~verständig** 《Ⅰ》 *a.* =~KUNDIG. 《Ⅱ》 **~verständige** *m.* u. *f.* 《形容詞變化》전문가, 정통한 자; 감정인. **~walter** *m.* -s, -, 변호사, 법률 고문; 《一般的》대리인; 변명자. **~waltung** *f.* (일의) 지배, 관장. **~=wert** *m.* 물건의 가치; 진가(眞價); (*pl.*) (채권·증권 따위에 대한) 유가물. **~wort** *n.* (*pl.* ..wörter) 〖文〗보통 명사. **~=wörterbuch** *n.* 백과 사전(*encyclopedia*), 사전(事典).

Sack [zak] *m.* -(e)s, ⸗e [zɛ́kə], ① 주머니, 자루, 포대(♈*sack, bag*); 《方》호주머니(*pocket*); 지갑. ② 《前置詞와 함께》 die Katze **im** ~ kaufen 물건을 음미하지 않고 사다 / **mit** ~ u. Pack 소유

물 일체를 휴대하고. ③ 헐렁한 옷; 〖聖〗 (굵은) 베옷. ④ 막다른 골목.

Säckel [zékəl] *m.* -s, -, 지갑; 돈통, 금고. **Säckelmeister** *m.* 현금 출납원.

säckeln *t.* 자루에 쑤셔 넣다.

sacken [zákən] 《Ⅰ》 *t.* 주머니에 넣다; 포장하다. 《Ⅱ》 *i.*(s.) 〖海〗 가라앉다, 침몰하다(*sink*, ♈*sack*).

Sack=garn *n.* 굵은 베실, 즈크실. **~=gasse** *f.* 막다른 골목(*blind alley*); 《比》 막다름, 궁지(*impasse*). **~hüpfen** [-hʏpfən] *n.* 색 레이스, 주머니 경주 《두 발을 주머니에 넣고 뜀》. **~lein=wand** *f.* (포대를 만드는) 올이 굵은 삼베, 즈크. **~niere** *f.* 〖醫〗 신우 비대(腎盂肥大). **~pfeife** *f.* =DUDELSACK. **~tūch** *n.* 주머니 감 삼베, 즈크; 《方》 손수건.

Sadduzäer [zadutsé:ər] [hebr.] *m.* -s, -, (흔히 *pl.*) 〖聖〗 사두개인《예수 시대의 유태교의 한 파》.

Sadismus [zadismus] *m.* -, 학대 음란증. **Sadist** *m.* -en, -en, 위의 사람.

Sä=mann [zé:ə-] *m.* 씨를 뿌리는 사람. **~maschine** *f.* 파종기(機).

säen [zé:ən] [♈Saat, Same] *t.* u. *i.*(h.) 씨를 뿌리다, 파종하다(♈*sow*).

Sä(e)=tūch [zé:(ə)-] *n.* 씨(를 넣는) 주머니. **~zeit** *f.* 파종기(期).

Saffian [záfia(:)n] [pers. -sl.] *m.* -s, **~lēder** *n.* 모로코 가죽(*morocco*).

Safran [záfra(:)n] [ar.] *m.* -s, -e, 〖植〗 사프란(♈*saffran*); 사프란 색. **safran=farben** *a.* 사프란 색의.

Saft [zaft] *m.* -(e)s, ⸚e [zéftə], ① 액(液), 체액(體液), 장액(漿液)(♈*sap*); (과실·야채 따위의) 액즙(*juice*). ② 《比》 활력; 활기. ¶weder ~ noch Kraft haben 활기가 없다.

Saft=fasten *n.* 과일즙(만을 섭취하는) 요법. **~grūn** *n.* 식물성 녹색 염료. **~kūr** *f.* =~FASTEN.

saftig [záftıç] *a.* 수액(樹液)이 많은; 즙이 많은; 《比》 윤기 있는 (색); 음란한, 외설한.

saft=lōs *a.* 액즙(液汁)이 없는; 《比》 맥이 빠진, 시시한(*insipid*). **~pflanze** *f.* 다즙(多汁) 식물. **~reich** *a.* 액즙이 많은. **~tāg** *m.* 과일즙(만을 섭취하는) 날. **~voll** *a.* 액즙으로 찬.

Saga [zá:ga, sága] [원뜻 „Sage"] *f.* -s, 아이슬란드의 고담(古譚)〔전설〕.

Sāge [zá:gə] [ahd. *sage*, <sagen] *f.* -n, 전설, 구비(口碑)(♈*saga*, *legend*); (Götter~) 신화(*myth*); 소문, 풍설(*rumour*). ¶es geht die ~, daß..., …이라는 풍문이 돌고 있다.

Säge [zé:gə] *f.* -n, 톱(♈*saw*).

Säge=blatt *n.* 톱날. **~bock** *m.* 톱질 모탕. **~fisch** *m.* 〖魚〗 톱상어(과). **~=maschine** *f.* 기계톱. **~mehl** *n.* 톱밥. **~mühle** *f.* 제재소.

sāgen [zá:gən] *t.* u. *i.*(h.) ① 말하다(♈*say*, *speak*, *tell*). ¶sozu~ 말하자면 / et. ~ hören 무엇을 전문(傳聞)하다, 소문에 듣다 / ~ lassen, a) 전언(傳言)하다, b) 말을 (뒤에) 남기다 / sich³ et. gesagt sein lassen 무엇을 승낙하다, 감수하다, 무엇에 따르다 / laß es dir gesagt sein! 너에게 분명히 말했다《잘 외어 둬라, 명심하라》. ② 의미하다(*mean*, *signify*). ¶das will soviel ~ 그것은 이러한 뜻이다. ③ 뜻을 지니다, 중요하다. ¶das hat nichts zu ~, a) 그것은 대수로운 일이 아니다, 보잘것 없는 일이다, b) 천만의 말씀이오. ④ wie **gesagt** 전술한 대로 / (so) gesagt, (so) getan 말하자 마자 해 치웠다, 말한 대로 행해졌다. 「*saw*); 《俗》 코골다.」

sägen [zɛ́:gən] *i.*(h.) u. *t.* 톱질하다(♈

sāgenhaft [za:gənhaft] *a.* 전설적인, 신화풍의; 황당무계한.

Säge=spāne *pl.* 톱밥. **~werk** *n.* 제재소(製材所). **~zeit** *f.* 신화 시대, 유사 이전.

Sāgō [zá:go:] [malai.] *m.* -s, 사고야자, 사고야자에서 채취한 녹말.

sah [za:] ☞SEHEN(그 過去).

Sahne [zá:nə] *f.* 크림, 유지(乳脂)(*cream*). **sahnen** *t.* ① die Milch ~ 우유에서 크림을 제거하다. ② (에) 크림을 치다.

Saison [sɛzɔ̃:, sɛzɔ́ŋ] [fr., <lat. *satio* „Saatzeit"] *f.* -s, 계절(♈*season*).

Saison=arbeiter [sɛzɔ̃:-, -zɔ́ŋ-] *m.* 계절 노동자. **~ausverkauf** *m.* 계절말의 염가 매출. **~bedingt** *a.* 계절에 의한.

Saite [záitə] [*eig.* „Strick"; ♈Seil] *f.* -n, 〖樂〗 현(絃)(*string*, *chord*).

Saiten=bezūg *m.* 한 조(組)의 현. **~=instrument** *n.* 현악기. **~spiel** *n.* 현악(기).

Sakko [záko, (öst.) sakó:] [it. „Sack"] *m.* 〔*n.*〕 -s, -s, **~anzūg** *m.* 자루 모양의 짧은 남자용 상의(*lounge jacket*).

sakrāl [zakrá:l] *a.* 예배〔종교〕상의; 〖解〗 선골(仙骨)의. **Sakrālbau** *m.* 종교상의 건물《교회 등》. **Sakrament** [zakramént] [lat. <*sacer* „heilig"] *n.* -(e)s, -e, 〖宗〗 성사(聖事); 성찬, 성찬의 전례. **sakramentlich** *a.* 성사의, 성찬전례의. **sakrieren** *t.* 신성〔정결〕케 하다. **Sakristān** [zakrıstá:n] [lat. <*sacer* „heilig"] *m.* -s, -e, 성구(聖具) 보관인; (교회의) 사찰. **Sakristei** *f.* -en, 성구실(聖具室), 제의실(祭衣室)(*vestry*).

säkulār [zɛkulá:r] [lat.] *a.* 세기(世紀)의; 세속적인. **Säkulārfeier** *f.* 백년(기념)제. **säkularisieren** *t.* 세속화하다, (교회 재산 따위를) 국유화하다.

Salamander [zalamándər] [pers.] *m.* -s, -, 〖動〗 도롱뇽과의 일종.

Salāmi [zalá:mi] [it. „Salzwurst"] *f.* -(s), 〔**~wurst** *f.*〕 이탈리아산 소시지의 일종(♈*salame*). **Salāmitaktik** 《俗》 (정치 목적을 위한) 점진적인 전술.

Salāt [zalá:t] [it. „gesalzene (Speise)"] *m.* -(e)s, -e, 〖料〗 샐러드(♈*salad*); 〖植〗 (grüner ~) 샐러드용의 각종 식물, (특히) 상치(*lettuce*). **Salātschüssel** [-ʃʏsəl] *f.* 샐러드 접시.

Salbāder [zalbá:dər] *m.* -s, -, 돌팔이 의사; 실떡거리는 사람(*twaddler*). **sal=bādern** *i.*(h.) 엉터리 치료를 하다; 실떡거리다.

Sāl·band [zá:lbant] [*eig.* Selb-ende

S

„eigener Rand“] *n.* -(e)s, ⸚er, 식서(飾緖)(*selvage* (eig. „*self-edge*“)).
Salbe [zálbə] *f.* -n, 연고, 고약(♈*salve, ointment*); (몸에 바르는) 향유, 향고(香膏); 《比》 심통(心痛)을 더는 것, 위안.
Salbei [zálbai, zalbái] [lat. *salvia* „Heilende“] *m.* -s, -e, *od.* *f.* -en, 〖植〗 샐비어(*sage*).
salben [zálbən] *t.* (에) 향유〔연고〕를 바르다(*anoint*); 〖宗〗 성유(聖油)를 발라서 축성(祝聖)하다.
Salbung [zálbuŋ] *f.* -en, 기름을〔연고를〕 바름; 〖宗〗 (국왕·사제의) 도유(塗油). **~s·voll** *a.* 《比》 감격한 말투의; 점잔을 뺀.
saldieren [zaldí:rən] [it.] *t.* 〖商〗 결제(決濟)〔청산·결산〕하다(*balance*). **Saldo** [záldo] *m.* -s, ..den〔..di〕 *u.* -s, 〖商〗 (차감) 잔액.
Saldo·überträg, **~vorträg** [-fo:r-tra:k] *m.* 잔액 이월(移越).
Saline [zalí:nə] [lat. <*sāl* „Salz“] *f.* -n, 제염소; 염갱(塩坑)(*saltworks*).
Salizyl·säure [zalitsý:l-] [前半: <lat. *salix*, „Weide“] *f.* 〖化〗 살리실산(酸).
Salk·impfung [zálk-, (engl.) só:lk-, sɔ́:k-] *f.* 〖醫〗 소크 접종.
Salm [zalm] [Lw. lat.] *m.* -(e)s, -e, 〖魚〗 (대서양의) 연어(♈*salmon*).
Salmiak [zálmĭak, zalmĭák] [lat.] *m.* -s, 〖化〗 염화 암모늄(♈*salammoniac*). **~geist** *m.* 암모니아 수.
Salon [zalɔ̃:, zalɔ́ŋ, sa-] [fr. <ahd. *sal* „Saal, Haus“] *m.* -s, -s, 살롱, 사교실(*drawing room*); (배의) 큰 선실(♈*salon*).

Salon·löwe *m.* 사교계(界)의 인기인〔스타〕. **~wāgen** *m.* 〖鐵〗 특별 객차, 귀빈차.
Salpēter [zalpé:tər] [lat. „Salzstein“] *m.* -s, 〖化〗 질산 칼륨, 초석(♈*saltpetre, nitre*).
Salpēter·ērde *f.* 질소를 함유한 토양. **~grūbe** *f.* 초석갱(坑). **~hütte** *f.* 초석 공장.
salpēt(e)rig [zalpé:t(ə)rıç] *a.* 초석(모양)의, 초석을 함유한.
Salpētersäure [-zɔyrə] *f.* 초산.
Salūt [zalú:t] [lat. <*salūs* „Heil“] *m.* -(e)s, -e, 인사; 〖軍〗 경례, 예포(禮砲)(♈*salute*). **Salutatiōn** *f.* -en, 경례; 예포 발사. **salutieren** *t.* u. *i.*(h.) 인사〔경례〕를 하다, 예포를 발사하다. **Salūt·schuß** *m.* 예포 (발사), 축포.
Salvātor [zalvá:tɔr] [lat.] *m.* -s, ..vatōren, 구세주; 구제자.
Salve [zálvə] *f.* -n, 예포; 일제 사격; 《比》 일제히 치는 박수 갈채.
salvieren [zalví:rən] *t.* 구조〔구제〕하다.
Salz [zalts] *n.* -es, -e, 소금(♈*salt*).
Salz·āder *f.* 암염맥(岩塩脈). **~ārtig** *a.* 소금 같은, 짠; 염류의. **~bergbau** *m.* 암염(岩塩) 채취. **~bergwerk** *n.* 암염갱. **~bōden** *m.* 함염(含塩) 토양. **~brūhe** *f.* 간수(水). **~büchse** *f.* 소금 그릇〔단지〕.
salzen(*) [záltsən] 《Ⅰ》 *t.* u. *i.*(h.) 소금으로 맛을 들이다; (고기 따위를) 절이다. 《Ⅱ》 **gesalzen** *p.a.* 짠, 소금에 절인.
Salz·ērde *f.* 염분이 있는 흙. **~faß** *n.* 소금 통; =~BÜCHSE. **~fisch** *m.* 소금에 절인 생선, 자반. **~fütterung** *f.* (가축에 대한) 소금 먹이(를 줌). **~garten** *m.* 염전. **~gehalt** *m.* 함염량(含塩量), 염분. **~gurke** *f.* 소금에 절인 오이. **~haltig** *a.* 소금을 함유한, 염분이 있는.
salzig [záltsıç] *a.* 소금(물)의; 소금을 함유한; 소금 맛이 있는, 짠.
Salz·industrie *f.* 제염업(製塩業). **~lāke**, **~lauge** *f.* 간수, 소금 물. **~monopōl** *n.* 소금 전매(권). **~pfanne** *f.* 소금 가마《제염용의》. **~quelle** [-kvɛlə] *f.* 염천(塩泉). **~säure** *f.* 염산. **~siederei** *f.* 제염법; 제염소. **~sōle** *f.* 소금물; 염천. **~waage** *f.* 염분 비중계(計). **~wasser** *n.* 소금물, 해수. **~werk** *n.* 제염소. **~wirker** *m.* 제염 노동자.
SA-Mann [ɛs-á:-] *m.* (*pl.* ..männer) 나치스 돌격대원. ☞SA.
Sä·mann [zɛ́:man] *m.*, **~maschīne** *f.* =SÄEMANN, SÄEMASCHINE.
Sāme [zá:mə], **Sāmen** [zá:mən] [< säen] *m.* ..mens, ..men, 씨, 종자(*seed*); (사람·동물의) 정액, 정자(*sperm*); (Fisch~) 어란(魚卵), 이리(*spawn*).
Sāmen·behälter *m.* 〖植〗 과피(果皮). **~gang** *m.* 수정관. **~gefäß** *n.* 〖解〗 정계 맥관(精系脈管); 〖植〗 과피(果皮). **~gehäuse** *n.* 〖植〗 과피(果皮), 포(苞). **~handel** *m.* 씨앗 장사. **~händler** *m.* 씨앗 장수. **~hülle** *f.* 〖植〗 삭(蒴); 과피; 외(外)종피. **~kapsel** [-kapsəl] *f.* 〖植〗 깍지, 꼬투리. **~korn** *n.* 씨앗. **~staub** [-ʃtaup] *m.* 꽃가루. **~tier(chen)** *n.* 정충(精蟲), 정자(*spermatozoon*). **~übertrāgung** *f.* 인공 수정(受精).
Sämerei [zɛ:mərái] *f.* -en, (흔히 *pl.*) 종자류(類), 종자(*seeds*).
sāmisch [zɛ́:mıʃ] [Lw. russ., <fr. *chamois* „Gemse“] *a.* ① 유지로 무두질한, 부드럽게 한 (가죽). ② 담황색의.
Sāmisch·gerber *m.* 가죽을 유지로 무두질하는 사람. **~lēder** *n.* 유지로 무두질한 담황색의 (영양) 가죽.
Sāmling [zɛ́:mlıŋ] *m.* -s, -e, 〖植〗 실생(實生), 묘목(苗木)(*seedling*).
Sammel·band [záməl-] *m.* 총서《여러 저작물을 한 책에 엮은》. **~becken** *n.* 저수지; 물통. **~büchse** [-bʏksə] *f.* 모금(募金) 상자. **~linse** *f.* 수렴(收斂)〔볼록〕 렌즈.
sammeln [záməln] [♈-sam, samt, zusammen, ♈engl. *same*] 《Ⅰ》 *t.* 모으다(*collect, gather*); 쌓다, 축적하다(*heap up, accumulate*). 《Ⅱ》 *refl.* (물건이) 모아지다, 축적되다; (생각이) 가다듬어지다; (정신이) 집중되다; 생각을 정리하다; 정신을 집중하다; 제정신이 들다.
Sammel·nāme *m.* 〖文〗 집합 명사. **~nummer** *f.* (전화의) 대표 번호. **~platz** *m.* 집합지; 집산지.
Sammelsūrium [zaməl-zú:rĭum] *n.* -s, ..rĭen, 《方》 그러모아진 것들, 잡동사니(*medley*).
Sammel·werk *n.* ① 총서, 선집. ② 백과 전서〔사전〕. **~wort** *n.* =~NAME.

Sammet† [zámət] *m.* =SAMT.
Sammler [zámlər] *m.* -s, -, 모으는 사람, 채집자; 편찬자. **∼batterie** *f.* 축전지.
Sammlung [zámluŋ] *f.* -en, 모으기, 모이기; 모인〔모은〕것; 수집(물); (거두어진) 기부금, 의연품(義捐品); 집록(集錄), 총서(叢書); 《比》 침착함(*composure*); 정신 집중(*concentration*).
Sams·tag [záms-ta:k] [„Sabbats-tag"] *m.* -(e)s, -e, 토요일(*Saturday*).
samt [zamt] [↑sammeln, zusammen] 《I》 *adv.*: (alle)∼ 모조리, 죄다, 남김없이 / ∼ u. sonders 한 사람도 빠짐없이, 예외 없이. 《II》 *prp.* (3格支配) 와 더불어, 와 함께((*together*) *with*).
Samt [zamt] [gr.] *m.* -(e)s, -e, 〖紡〗 우단, 빌로도(*velvet*). **Samtband** *n.* 빌로도의 리본.
samten [zámtən] *a.* 빌로도(제)의; 빌로도 같은.
Samt·hand·schuh [zamthant-ʃu:] *m.* 빌로도 장갑.
samtig [zámtıç] *a.* 빌로도 같은, 부드러운.
sämtlich [zέmtlıç] [<samt] *a.* 전체의, 모든, 남김 없는(*all* (*together*)); *adv.* 전부, 모두, 통틀어.
Samuel [zá:muεl] [hebr., „Gott hat es erhört"] *m.* 남자 이름; 〖聖〗 예언자의 이름.
Sanatorium [zanató:rĭum] [lat. <*sanāre* „heilen"] *n.* -s, ..rĭen [-rĭən], (대기(大氣)) 요양소, 새너토리엄.
Sand [zant] *m.* -(e)s [-ts, -dəs], -e [-də], 모래(↑*sand*); (grober ∼) 거친 모래, 자갈(*gravel*).
Sandale [zandá:lə] [pers, -gr.] *f.* -n, 샌들. **Sandalette** [-létə] *f.* -n, 가벼운 샌들화.
Sand·bank [zánt-] *f.* 모래톱, 여울. **∼boden** *m.* 모래땅, 모래 흙.
Sandel·holz [zándəlhɔlts] [前半: skt. „glänzend"] *n.* 백단재(白檀材). ¶ rotes ∼ 자단재(紫檀材).
Sand·form *f.* 모래의 주형(鑄型). **∼gegend** *f.* 모래가 많은 지방. **∼grieß** *m.* 자갈. **∼grube** *f.* 모래 채취장. **∼hoden** *m.* 〖醫〗 고환염(睾丸炎). **∼hose** *f.* (사막의) 모래 회오리 바람, 모래 기둥. **∼hügel** *m.* 모래 언덕.
sandig [zándıç] *a.* 모래의, 모래가 많은; 모래 모양의.
Sand·kasten *m.* 모래 상자. **∼kohle** *f.* 사상(砂狀) 석탄. **∼korn** *n.* 모래알. **∼land** *n.* 모래땅. **∼mann** *m.* (밤에 어린아이의 눈에 모래를 뿌려 잠이 오게 하는) 잠의 요정, 수마(睡魔). **∼meer** *n.* 사막. **∼papier** *n.* 샌드페이퍼. **∼pflanzen** *pl.* 모래땅(에 잘 나는) 식물. **∼sack** *m.* 모래 자루. **∼schliff** *m.* 유사(流砂)로 인하여 닦여진 석면(石面). **∼stein** *m.* 사암(砂岩), 사석(砂石).
sandte [zántə] ☞SENDEN(그 過去).
Sand·torte *f.* 일종의 카스텔라(퍼석퍼석함). **∼uhr** *f.* 모래 시계. **∼weg** *m.* 모랫길; 자갈길. **∼wüste** *f.* 사막, 모래질(質)의 황무지. **∼zucker** *m.* 흑설탕.

sanforisieren [zanforizí:rən] *t.* 직물을 빨아도 줄지 않도록 가공하다.
sanft [zanft] [hd.; ☞ nd. sachte] *a.* 부드러운(↑*soft, smooth*); 평온한, 온화한(*gentle, mild*).
Sänfte [zέnftə] [*eig.* „Sanftheit"] *f.* -n, 가마; 들것(*litter*). **∼n·träger** *m.* 교군꾼; 들것을 드는 사람.
Sanft·heit [zánfthait] *f.* -en, 부드러움; 유화, 온순. **sänftigen** [zέnftıgən] *t.* (be∼) 달래다. **Sanftmut** *f.* 유화, 온순. **sanftmütig** *a.* 유화한, 상냥한.
sang [zaŋ] ☞SINGEN (그 過去).
Sang [zaŋ] [<singen] *m.* -(e)s, ⸚e, 《詩》 (Ge∼) 노래(↑*song*). **sangbar** *a.* 노래할 수 있는, 노래하기 좋은; 가락이 좋은.
Sänger [zέŋər] *m.* -s, -, **Sängerin** *f.* -nen, 노래하는 사람, 가수, 성악가(↑*singer*); (중세의) 악인(樂人); 명금(鳴禽) (*warbler*); 《比》 시인.
Sanguiniker [zaŋguí:nıkər] [lat. < *sanguis* „Blut"] *m.* -s, -, 다혈질(多血質)인 사람, 열혈한(熱血漢); 성급한 사람; 낙천가. **sanguinisch** *a.* 다혈질의, 성급한, 쾌활한.
sanieren [zaní:rən] [lat. <*sānus* „heil, gesund"] *t.* 낫게 하다; (재정·기업 따위를) 정리하다, 건전화하다; (소택지 따위를) 간척하다. **Sanierung** *f.* -en, 위를 하기; (특히) (소택지의) 간척(干拓).
sanitär [zanitέ:r] [fr. <lat. *sānāre* „heilen"] *a.* 위생(상)의, 보건의(↑*sanitary*). **Sanität** *f.* 건강 (상태). **Sanitäter** *m.* -s, -, 《俗》 위생병; 간호인.
Sanitäts·auto [zanitέ:ts-] *n.* 구급차. **∼hund** *m.* 〖軍〗 구급견(救急犬). **∼mäßig** *a.* 위생적인. **∼soldat** *m.* 위생병. **∼wache** *f.* (도시의) 응급 치료소, 구급 시설(救急施設). **∼wesen** *n.* 위생 사무〔제도〕.
sank [zaŋk] ☞SINKEN (그 過去).
Sankt [zaŋkt] [lat.] *a.* 거룩한, 성(聖) (↑*saint*).
Sanktion [zaŋktsió:n] [lat. <*sanctus* „heilig"] *f.* -en, 신성하게 하기; 재가(裁可), 비준. **sanktionieren** *t.* 재가〔비준〕하다.
sann [zan] ☞SINNEN (그 過去).
Sanskrit [zánskrıt] [skt.; 원뜻 „künstlich gebildet, vollkommen"] *n.* -(e)s, 산스크리트, 범어.
Saphir [zá:fır, zafí:r] [gr.] *m.* -s, -e, 〖鑛〗 사파이어(↑*sapphire*).
Sappe [zápə, sap] [fr.] *f.* -n, 〖軍〗 (적 쪽으로 파들어간) 공격호(壕)(↑*sap*).
sapperlot! [zapərló:t], **sapperment!** [-mέnt] [lat. -fr.] *int.* 아뿔사, 아이고 (*the dickens!*).
sappieren [zapí:rən] *t.* u. *i.*(h.) 〖軍〗 공격호를 파다.
Sarazene [zaratsé:nə] [lat.] *m.* -n, -n, 〖史〗 사라센 사람(*Saracen*).
Sardelle [zardέlə] [it.] *f.* -n, 〖魚〗 안초비《멸치속의 작은 고기》(*anchovy*). **∼n·butter** *f.* 안초비를 다진 요리.
Sardine [zardí:nə] *f.* -n, 〖魚〗 정어리〔청어〕류(*sardine*).
Sardinien [zardí:nĭən] *n.* 사르디니아 《지중해의 섬 이름》.

S

Sarg [zark] [gr.] *m.* -(e)s, ⸚e, 관(棺)(*coffin*).

Sarg·deckel *m.* 관의 뚜껑, 천개. **∼·tuch** *n.* 관을 덮는 보.

Sarkasmus [zarkásmus] [gr.] *m.* -, ..men, 기자(譏刺), 조롱, 비꼼, 빈정댐. **sarkastisch** *a.* 신랄한. **Sarko·phag** [zarkofá:k] [gr. „Fleisch-fresser" 시체가 그 안에서 썩음] *m.* -s, -e, (장식 있는) 석관(石棺)《고인의 석상(石像)을 넣는》.

saß [za:s] ☞SITZEN (그 過去).

Satan [zá:tan] [gr.] *m.* -s, -e, 사탄, 악마(의 왕). **satanisch** [zatá:nɪʃ] *a.* 사탄의, 악마 같은.

Satellit [zatɛlí:t] [lat.] *m.* -en, -en, 호종(扈從); 호위자; 친위병; 〖天〗 위성. **∼en·staat** *m.* 위성국.

Satin [zatɛ̃:, sa–] [ar. –fr.] *m.* -s, -s, 수자(繻子), 공단(♈*satin*, ♈*sateen*).

Satire [zatí:rə] [lat.] *f.* -n, 풍자 (시문).

Satiriker [zatí:rɪkər] *m.* -s, -, 풍자가; 풍자 시인. **satirisch** *a.* 풍자적인; 풍자를 좋아하는, 비꼬는.

Satisfaktion [zàtɪsfaktsió:n] *f.* -en, 만족; (특히) 결투에 의한 명예 회복 (선언).

satt [zat] *a.* 만족한, 흡족한(*satisfied*); 충분한(*satiated*, *full*); 포화(飽和)한, 짙은(*deep*, *rich*); 싫어진, 물린(*weary*, *sick* (*of*)). ¶ich bin es ∼ 나는 이제 그것에 물렸다 / ich habe es ∼ 나는 그것에 물려 있다, 그만하면 이제 충분하다《위 두 例의 es는 원래 2格, 오늘날은 4格으로 느껴짐》 / sich ∼ essen 배불리 먹다 / sich ∼ sehen, (an, 을) 싫증이 나도록 보다 / sich nicht ∼ sehen können 아무리 보아도 싫증이 나지 않다.

Satte [zátə] [♈setzen] *f.* -n, 〖方〗 (Napf, worin sich die Milch setzt) 우유 통《특히 크림을 만드는》 (*milk-pan*, *-bowl*).

Sattel [zátəl] [♈*sitzen*] *m.* -s, ⸚ [zɛ́təl], ① 안장(♈*saddle*). ¶jn. aus dem ∼ heben 아무를 말에서 찔러 떨어뜨리다《기사의 시합에서》; 《比》 아무를 이기다, 능가하다 / in allen Sätteln gerecht sein 무엇이나 할 수 있다, 만능이다. ② (자전거 따위의) 안장, 새들; 〖建〗 (기둥의 위를 잇는) (대)들보(*cross-beam*); (산등성이의) 허리(*ridge*); 〖醫〗 콧마루(*bridge*); 〖樂〗 (현악기의) 기러기발.

Sattel·baum *m.* 안장 가지. **∼decke** *f.* 안장 밑깔개. **∼fest** *a.* 안장에 턱 걸터 앉은; 《比》 위태롭지 않은, 확실한. **∼gurt** *m.* (말의) 복대(腹帶). **∼kissen** *n.* 안장의 깔개. **∼knopf** *m.* 안장 머리《안장 앞의 튀어나온 부분》.

satteln [zátəln] *t.* u. *i.*(h.) (말에) 안장을 얹다, 안장을 매다(♈*saddle*).

Sattel·pferd *n.* 안장 말《짝진 한 쌍의 말 중의 왼쪽 말, 마부가 탐》. **∼platz** *m.* (경마장의) 안장 두는 곳. **∼tasche** *f.* 안낭(鞍囊). **∼zeug** *n.* 안장 및 마구류(類).

Satt·heit [záthait] *f.* 배부름, 포식; 만족; 포화; 물림; (색의) 농후함. **sättigen** [zɛ́tɪgən] 《I》 *t.* 포식하게 하다; 만족시키다, 채우다; 〖化〗 (에) (mit, 을) 포화시키다. 《II》 **gesättigt** *p.a.* 싫증이 난; 짙은; 포화한. **Sättigung** *f.* -en, 포식, 만족; 포화. **Sättigungs·punkt** *m.* 포화점(飽和點).

Sattler [zátlər] *m.* -s, -, 마구(馬具) 만드는 사람(♈*saddler*). **Sattlerei** *f.* -en, 위의 직업〔일터·상점〕.

satt·sam [zátza:m] *a.* 싫증이 날 정도의, 충분한; *adv.* 충분히.

Satz [zats] [<sitzen, setzen] *m.* -es, ⸚e [zɛ́tsə], ① (Ansetzen (=Beginn) e-r Bewegung, *dann*: Sprung) 도약, 뛰기(*leap*, *bound*). ¶in e-m ∼e 한번 뛰어서, 단숨에. ② 〖印〗 식자(를 하기·한 것)(*composition*). ¶in ∼ geben 조판에 넘기다. ③ 〖樂〗 (Kunst, Tonstücke zu setzen) 작곡(*composition*); 악장(*phrase*). ④ (was sich gesetzt hat) 앙금, 찌꺼기, 잔재(*sediment*, *grounds*). ⑤ (Ein∼) (도박의) 건 돈(*stake*). ⑥ (was zusammengesetzt ist *od*. zusammengesetzt werden kann) (한) 벌, 세트. ¶ein ∼ Brot 한 가마솥의 빵. ⑦ (in Worte gesetzter Gedanke) 문(文), 월, 문장(*sentence*, *clause*); (Lehr∼) 주제; (Glaubens∼) 신조(信條)(*tenet*); 〖論〗 명제, 〖數〗 정리(*thesis*). ⑧ (ein Maß, das man sich gesetzt hat) 정량, 적액(適額); (어떤) 양(量); 정가(*set*, *price*); (Zins∼) 이율(*rate*).

Satz·aussage [-ausza:gə] *f.* 술어(*predicate*). **∼bau** *m.* 문장의 구조. **∼gefüge** *n.* 부결문(附結文)《주부(主副) 양문(兩文)이 결합한 것》. **∼lehre** *f.* 문장론(*syntax*). **∼spiegel** *m.* 〖印〗 공목의 일종(*face*).

Satzung [zátsuŋ] [<setzen] *f.* -en, 정관; 규정(*statute*).

satzungs·gemäß [-gəmɛ:s], **∼mäßig** *a.* 규약〔정관〕대로의〔에 따른〕; *adv.* 규약〔정관〕에 의하여〔따라서〕.

Satz·zeichen [zátstsaiçən] *n.* 구두점.

Sau [zau] *f.* ⸚e [zɔ́yə], 암퇘지(♈*sow*); (*pl.* -en) 〖獵〗 암멧돼지(*wild sow*); 《比》 돼지 (같은 사람).

sauber [záubər] [Lw. lat.] *a.* 깨끗한, 말쑥한, 청결한(*clean*, *neat*, *pretty*).

Sauberkeit *f.* 깨끗함, 청결함. **säuberlich** [zɔ́ybərlɪç] 《I》 *a.*: (fein) ∼ =SAUBER. 《II》 *adv.* 단정하게; 방정하게. **säubern** *t.* 깨끗하게〔정하게〕 하다; 청소하다; 세탁하다. **Säuberung** *f.* -en, 정화; 숙정(肅正).

Saubohne [záubo:nə] *f.* 〖植〗 잠두(蠶豆).

Sauce [zó:sə, so:s] [fr. „Salzbrühe"] *f.* -n, =SOßE. **Sauciere** [zosiɛ́:rə, sosjɛ́:r] *f.* -n, 소스 그릇《배 모양의》.

saudumm [záudúm] *a.* 《俗》 우둔한.

sauer [záuər] *a.* 신(♈*sour*); 산성(酸性)의(*acid*); 《比》 쓰라린, 괴로운(*painful*); 싫은; 시무룩한(*morose*, *surly*). ¶saure Miene 찌푸린 얼굴. **Sauer** *n.* -s, -, ① 신맛. ② 효모.

Sauer·ampfer *m.* 〖植〗 승아, 수영. **∼brunnen** *m.* 탄산천(炭酸泉)(의 물).

Sauerei [zauərái] *f.* -en, 불결; 외설적인 언행; 음담(淫談).

Sauer·grube *f.* (가축 사료를 저장하여 산화시키는) 갱(坑) 사일로. **∼kirsche** *f.* 〖植〗 서양 벚나무. **∼klee** *m.* 〖植〗

애기괭이밥. **~kohl** *m.*, **~kraut** *n.* 〖料〗 절인 양배추.

säuerlich [zɔ́yərlıç] *a.* 새큼한; 조금 산성의; 《比》 성미가 까다로운.

Sauermilch [zauərmılç] *f.* 발효유.

sauern [záuərn] *i.*(h. *u.* s.) 시어지다.

säuern [zɔ́yərn] 《Ⅰ》 *t.* 시게 하다; (반죽 따위를) 발효하게 하다(*leaven*); 〖化〗 산화(酸化)하게 하다, 산성으로 하다. 《Ⅱ》 *i.* (h. *u.* s.) 시어지다.

Sauer·stoff [-ʃtɔf] *m.* 산소(*oxygen*). **~stoffgerät** *n.* 산소 흡수기(器). **~stoffhaltig** *a.* 산소를 함유한. **~teig** *m.* 효모, 이스트. **~töpfisch** *a.* 시무룩한, 괴팍한.

Saufbrūder [záufbru:dər] *m.* ① 술친구. ② 호주가(豪酒家), 술고래.

saufen* [záufən] [=engl. *sup.* „schlürfen"] *i.*(h.) u. *t.* 마시다《특히 동물이》 (*drink*); 《俗》 (사람이) 많이 마시다, 폭음하다《술을》. **Säufer** *m.* -s, -, 술고래. **Sauferei** *f.* -en, 폭음.

Säuferwahnsinn [zɔ́yfərva:nzın] *m.* 〖醫〗 주객 섬망(酒客譫妄).

Saufgelāg(e) [záufgəla:g(ə)] *n.* (진탕 마시는) 주연.

Saufkumpān [záufkumpa:n] *m.* 《俗》 술 친구.

säufst [zɔyfst] (du~), **säuft** [-ft] (er ~) ☞SAUFEN 《그 現在 2·3人稱單數》.

saugen(*) [záugən] 《Ⅰ》 *t.* u. *i.*(h.) 빨다(♈*suck*); 흡수하다(*absorb*). ¶in sich⁴ ~ 빨아 들이다. 《Ⅱ》 *refl.* 《結果를 나타내어》 sich satt ~ 배에 가득 들이마시다. **säugen** [zɔ́ygən] [„saugen machen"] *t.* (에) 우유를 마시게 하다, 포유〔수유〕하다(♈*suckle, nurse*). **Sauger** *m.* -s, -, 빠는 사람; 젖먹이; 《比》 고리 대금업자; (펌프의) 밸브, 피스톤; (젖병의) 고무 젖꼭지(*nipple*). **Säuger** *m.* -s, -, ① 수유자(授乳者). ② = SÄUGETIER. **Säugetier** *n.* 포유 동물(*mammal*).

Saug·flasche [záukflaʃə] *f.* 젖병. **~heber** *m.* 〖物〗 사이펀(*siphon*). **~kolben** *m.* 〖工〗 흡입 피스톤.

Säugling [zɔ́yklıŋ] [<saugen] *m.* -s, -e, 젖먹이, 유아.

Säuglings·fürsorge *f.* 유아 보호. **~heim** *n.*, **~krippe** *f.* 유아원, 탁아소.

Sau·glocke *f.*: 《比》 die ~glocke(n) läuten 음담을 하다. **~glück** *n.* 《俗》 뜻밖의 큰 행운.

Saug·māgen [záukma:gən] *n.* (곤충의) 흡위(吸胃). **~pfropfen** *m.* 고무 젖꼭지. **~pumpe** *f.* 빨아 올리는 펌프. **~rohr** *n.*, **~röhre** *f.* 〖工〗 흡입관(吸入管), 흡출관. **~rüssel** *m.* (곤충의) 흡문(吸吻). **~warze** *f.* 젖꼭지.

Sau·haufen *m.* 《俗》 오합지졸, 질서없는 무리. **~hetze** *f.* 멧돼지 사냥. **~hirt** *m.* 돼지치는 사람.

säuisch [zɔ́yıʃ] *a.* 돼지 같은; 《比》 불결한; 추잡한, 음탕한(*obscene*).

Saujāgd [záuja:kt] *f.* 멧돼지 사냥.

Säule [zɔ́ylə] *f.* -n, ① 〖建〗 기둥, 원주(圓柱)(*column*); 지주(支柱)(*pillar*); 주각(柱脚), 대좌(臺座)(*post, jamb*); (Bild~) 주상(柱像). ② 〖物〗 전퇴(電堆)(*pile*).

Säulen·fūß *m.* 주각(柱脚), 기둥의 대좌. **~gang** *m.* 주랑(柱廊), 열주(列柱). **~halle** *f.* 주랑 현관. **~heilige** *m.* 《形容詞變化》 〖宗〗 주상 고행자(柱上苦行者)(*stylite*). **~knauf**, **~knopf** *m.* 주두(柱頭). **~ordnung** *f.* 기둥의 양식. **~schaft** *m.* 주신(柱身). **~werk** *n.* 열주(列柱), 주랑.

Saum[1] [zaum] *m.* -(e)s, ⸚e [zɔ́ymə], (천·의복 따위의) 가선, 옷단; 가두리(♈*seam, hem*); 가, 변두리, 변경(*edge, border*).

Saum[2] [zaum] [Lw. lat.] *m.* -(e)s, ⸚e [zɔ́ymə], (짐싣는 짐승의) 짐, 적하.

säumen[1] [zɔ́ymən] *t.* (천·의복 따위를) 감치다; 가선을 두르다; (의) 주변을 이루다.

säumen[2] [zɔ́ymən] *i.*(h.) u. *refl.* 구물거리다, 우물쭈물하다(*delay*).

Saum·ēsel [záum-e:zəl] *m.* 짐싣는 나귀.

säumig [zɔ́ymıç] *a.* 느린, 태만한; 우물쭈물하는.

Säumnis [zɔ́ymnıs] *f.* -se; od. *n.* -ses, -se, ① 지체, 천연(遷延)(*delay*). ② 방해, 장해(*obstacle*).

Saum·pfād *m.* (노새 따위) 짐싣는 짐승이 지나는 좁은 산길. **~pfērd**, **~roß** *n.* 짐싣는 말. **~sattel** *m.* 길마.

saumsēlig [záumze:lıç] *a.* =SÄUMIG.

Saumtier [záumti:r] *n.* 짐을 싣는 말, 노새.

Säure [zɔ́yrə] [<sauer] *f.* -n, ① 심, 신맛; 〖化〗 산(酸)(류)(*acid*); 떫음, 떫은 맛. ② 《比》 시무룩함, 괴팍스러움; 무뚝뚝함.

Sauregurkenzeit [zaurəgúrkəntsait] [<„sauere Gurken"] *f.* 오이를 초에 절이는 시기, 한여름; 《比》 (장사 따위의) 여름철 불황기; 정치적 한산기.

Säure·überschuß [zɔ́yrə-y:bərʃus] *m.* 산 과잉; 〖醫〗 위산 과다. **~wecker** *m.* (버터 제조용) 순수 배양 유산균.

Saurier [záuriər] [gr.] *m.* -s, -, 〖動〗 도마뱀류(♈*saurian*).

Saus [zaus] [=Sausen] *m.* -es, : in ~ und Braus leben 진탕 떠들며 놀고 지내다.

säuseln [zɔ́yzəln] [*dim.* v. sausen] 《Ⅰ》 *i.*(h.) 바스락거리다, 살랑거리다; *i.*(s.) 살랑거리며 움직이다. 《Ⅱ》 *t.* 속삭이다.

sausen [záuzən] [擬聲語] ① *i.*(h.) 쏴쏴〔쇄쇄·윙윙·웽웽〕 소리를 내다(*whistle, bluster*); 술렁거리다. ② *i*(s.) 우르릉소리를 내며 나아가다, 퓽하고 날다; 질주〔돌진〕하다(*rush, speed*). **Sausewind** *m.* 쏴쏴〔웽웽〕 소리를 내며 부는 바람, 질풍.

Sau·stall [zauʃtal] *m.* 돼지 우리; 《比》 불결한 곳. **~trōg** *m.* 돼지 밥통. **~wohl** *a.* 《學》 매우 유쾌한.

Saxophōn [zaksofó:n] *n.* -s, -e, 《樂》 색소폰.

SBB [ɛsbe:bé:] 《略》 =SCHWEIZERISCHE BUNDESBAHNEN 스위스 연방 철도.

SBZ [ɛsbe:tsέt] 《略》 =SOWJETISCHE BESATZUNGSZONE 소련 점령 지역, 동독.

Schābe [ʃá:bə] [<schaben] *f.* -n, ① 〖動〗 바퀴과의 곤충, 진디(*cockroach*). ② 〖工〗 =SCHABEISEN.

Schābefleisch [ʃá:bəflaiʃ] *n.* 얇게 깎은 고기.

S

Schạb·eisen [ʃá:p-] *n.* 〖工〗 깎는 기구, 스크레이퍼(*scraper*). 「=SCHABEISEN.」

Schạ̄bemesser [ʃá:bəmɛsər] *n.* 〖工〗

schạ̄ben [ʃá:bən] [=engl. *shave*] *t.* ① 깎다, 긁다, 벗기다(*scrape*); 할퀴다, 문지르다(*scratch*). ② 부식판으로 하다, 부각(腐刻)하다(*etch*). **Schạ̄ber** *m.* -s, -, ① 깎는 사람; 《戱》 이발사. ② 깎는 연장, 스크레이퍼.

Schạ̄bernack [ʃá:bərnak] [<schaben *u.* necken] *m.* -(e)s, -e, 대담한 〔지나친〕 장난(*hoax, practical joke*).

Schạ̄bhals [ʃa:phals] *m.* 구두쇠.

schạ̄big [ʃé:bɪç] [<schaben] *a.* 닳아 해진, 남루한(↑*shabby*); 《比》 인색한, 쩨쩨한(*mean*). 「요판(凹版).」

Schạ̄bkunst [ʃá:p-] *f.* 〖印〗 메조틴토

Schablọ̄ne [ʃabló:nə] [fr.] *f.* -n, 본《널 또는 종이의》, 모형(*model, pattern, stencil*). ¶ nach der ~ 본대로, 기계적으로.

schablọ̄nen·haft, **~mäßig** *a.* 본대로의, 기계적인, 천편 일률적인. 「모루.」

Schabọtte [ʃabɔ́tə] [fr.] *f.* -n, 〖工〗

Schabrạcke [ʃabrákə] [türk.] *f.* -n, (화려한) 마의(馬衣), 안장 덮개(*saddle-cloth*). 「나온 부스러기, 줄밥.」

Schạ̄bsel [ʃá:psəl, -zəl] *n.* -s, -, 깎여

Schach [ʃax] [pers. *schāh*, „König"] *n.* -(e)s, 체스, 서양 장기(*chess*); 궁. ¶ ~ (dem Könige)! 〔schach!〕 장군 / dem König ~ bieten 장군 부르다 / 《比》 jm. ~ bieten 아무에게 항거하다, 아무를 문제시하지 않다 / jn. in ~ halten 아무를 몰아대다, 끝까지 쫓다.

Schachbrett *n.* 장기판.

Schạcher [ʃáxər] [hebr.] *m.* -s, 행상(行商), 소규모 장사(*petty dealing, haggling*). 「ber); 도둑(*thief*).」

Schạ̈cher [ʃɛ́çər] *m.* -s, -, 강도(*rob-*

Schacherei [ʃaxərái] *f.* -en, =SCHACHER. **Schạcherer** *m.* -s, -, 행상인; 부정 상인. **schạchern** [ʃáxərn] *i.*(h.) 행상하다, 소규모 장사를 하다; (um, 의) 값을 깎다.

Schạch·feld [ʃáxfelt] *n.* 장기판의 눈. **~figūr** *f.* 장기의 말. **~förmig** *a.* 바둑판 모양의, 정자(井字) 무늬의. **~matt** [ʃáxmát, ʃaxmát] [pers. -ar. *schah mat* „der König ist tot"] *a.* ① 장군에 몰린(↑*ckeckmated*). ② 《比》 아주 지친, 녹초가 된(*knocked out*). **~partie** *f.* 장기 시합. **~spiel** [-ʃpi:l] *n.* 장기 (놀이); 관과 말(의 한 벌). **~spieler** *m.* 장기를 두는 사람.

Schacht [ʃaxt] [Schaft와 同語] *m.* -(e)s, -e *u.* ⸚e [ʃɛ́çtə], ① 깊은 구멍, 〖坑〗 수갱(竪坑)(↑*shaft, pit*). ② (용광로의) 샤프트, 화실(火室).

Schạcht·arbeiter *m.* 갱부(坑夫). **~bühne** *f.* 수갱(竪坑)의 층계참. **~einfahrt** *f.* 갱구(坑口). **~eingang** *m.* 갱구(坑口).

Schạchtel [ʃáxtəl] [Lw. it., *aus.* d. Kasten] *f.* -n, ① (엷은 널 또는 두꺼운 종이로 만든) 상자, 함(*box*). ② alte ~ 《蔑》 노처녀, 할멈.

Schạchtel·deckel *m.* 상자의 뚜껑. **~halm** [-halm] [<Schaft] *m.* 〖植〗 속새과(*shavegrass*). 「자에 꽉 채우다.」

schạchteln [ʃáxtəln] *t.* 속새로 닦다; 상

schạchten [ʃaxtən] *t.* 파내려 가다.

schạ̈chten [ʃɛ́çtən] [hebr.] *t.* (가축을) 유대교의 의식에 따라 도살하다.

Schạchzūg [ʃáxtsu:k] *m.* 장기의 말 쓰기; 《比》 교묘한 상술(商術).

Schạ̄de [ʃá:də] [=engl. *scathe*] *m.* -ns, ⸚n [ʃɛ́:dən], =SCHADEN. **schạ̄de** *a.* 《述語的으로만 쓰임》: (es ist) ~ 유감 천만이다 / sie ist zu ~ dafür 그 여자는 그것에는 과분하다. 「蓋)(*skull*).」

Schạ̈del [ʃɛ́:dəl] *m.* -s, -, 〖解〗 두개(頭

Schạ̈del·bruch *m.* 두개 골절. **~form** *f.* 두개의 형상. **~haut** *f.* 두개골막. **~lehre** *f.* 골상학(*phrenology*). **~messung** *f.* 두개 측정. **~naht** *f.* 두개골의 봉합선. **~stätte** [-ʃtɛtə] *f.* 해골이 산재(散在)하는 장소, 형장; 〖聖〗 골고다(*Golgotha*).

schạ̄den [ʃá:dən] *i.*(h.) 해치다, 상하게 하다(*injure, hurt, harm, damage*). ¶ jm. ~ 아무를 해치다 / (das) schadet nichts 그것은 상관없다 / was schadet es? 그것이 어쨌단 말인가 / das schadet ihm nichts 그 놈에게는 그것이 싸다, 그 놈 꼴 좋다. **Schạ̄den** [ʃá:dən] [=Schade] *m.* -s, ⸚ [ʃɛ́:dən], 손해, 손실(*damage, loss*); 훼손(*harm, injury, hurt*); 상해(傷害), 손상(*wound, sore*). ¶ **mit** ~ verkaufen 밑지고 팔다 / **zu** ~ kommen 손해보다.

Schạ̄den·ersatz [ʃá:dən-ɛrzats] *m.* 손해 배상, 변상.

Schạ̄den·ersatz·anspruch *m.* 손해 배상 청구권. **~klāge** *f.* 손해 배상 소송.

Schạ̄den·feuer *n.* 화재, 화난(火難). **~freude** *f.* 남의 불행을 좋아하는 고약한 마음보(*malicious joy*). **~froh** *a.* 남의 불행을 기뻐하는; 심술 궂은. **~verhütung** [-ferhy:tuŋ] *f.* 손해 방지 〔예방〕. 「입은.」

schạ̄dhaft [ʃá:thaft] *a.* 상한, 상처를

schạ̈digen [ʃɛ́:dɪgən] *t.* 상하게 하다; 해치다, (에) 손해를 주다. 「되는, 불리한.」

schạ̈dlich [ʃɛ́:tlɪç] *a.* 해로운, 손해가

Schạ̈dling [ʃɛ́:tlɪŋ] *m.* -s, -e, 해 끼치는 사람; 해로운 동식물. **~s·bekämpfung** *f.* 해로운 동식물의 박멸; (특히) 해충 구제.

schạ̄dlōs [ʃá:tlo:s] *a.* 해를 입지 않은, 손실이 없는. ¶ jn. für et. ~ halten 아무에게 무엇의 손해를 보상〔배상〕하다.

Schạ̄dlōs·haltung *f.* 손해 배상, 보상.

Schạ̄f [ʃa:f] *n.* -(e)s, -e, 〖動〗 양(↑*sheep*); (Mutter~) 암양(*ewe*); 《比》 바보, 호인, 우직한 사람.

Schạ̄f·blattern *pl.* 양두(羊痘), 수두(水痘). **~bock** *m.* 수양.

Schạ̈fchen [ʃɛ́:fçən] *n.* -s, -, ① 어린 양; 신자. ¶ sein ~ ins Trockene bringen 큰 벌이를 하다, 사복을 채우다. ② 양털 같은 흰 구름, 새털 구름. **Schạ̈·fer** [ʃɛ́:fər] *m.* -s, -, ① 양을 치는 사람, 목(양)자(*shepherd*). ② 《比》 목사.

Schạ̈ferei *f.* -en, 목양; 목양장.

Schạ̈fer·gedicht [ʃɛ́:fərgədɪçt] *n.* 목가(牧歌). **~hund** *m.* 목양견(犬)《특히 콜리, 셰퍼드종》.

Schäferin [ʃέ:fərɪn] *f.* -nen, 양치는 여인.

Schäfer·spiel [-ʃpi:l] *n.* 목인극; 전원극. **~stündchen** [-ʃtʏntçən] *n.*, **~stunde** [-ʃtʊndə] *f.* 애인끼리 만나는 시간, 즐거운 한 때.

Schaffe [ʃáfə] *f.* 《俗》 (해낸) 일, 솜씨, 된 품.

Schāf·fell [ʃá:ffɛl] *n.* 양피(羊皮).

schaffen[1]* [ʃáfən] (schuf, geschaffen) [=engl. *shape* „gestalten, bilden"] *t.* 만들어 내다, 창조〔창작〕하다(*produce, create*); **~d** (*p. a.*) 창조〔생산〕적인. ¶ die ~den 근로 계급. **geschaffen** (*p. a.*) 만들어진, 안성마춤의. ¶(wie) geschaffen sein (für, 에) 안성 마춤〔적임〕이다. **schaffen**[2] [ʃáfən] (schaffte, geschafft) [☞schaffen[1]] *t.* u. *i.*(h.) ① (일을) 하다, 일하다, 활동〔실행〕하다, 행하다, 하다(*do, make, work*). ② 《zu 및 特定한 動詞와 더불어》 jm. zu ~ **geben** 아무에게 일시키다〔성가시게 하다〕 / sich[3] zu ~ **machen** 일을 하다, 다망(多忙)하다. ③ 조달하다(*procure*); (남에게) 마련하여 주다, 공급하다(*provide*). ¶Geld ~ 돈을 조달하다 / jm. Hilfe ~ 아무를 원조하다. ④ 가져 가다, 나르다. ¶**auf** die Seite 〔**beiseite**〕 ~ 감추다, 횡령하다 / et. **aus** den Augen ~ 무엇을 안보이는 곳에 치워버리다. **Schaffen** *n.* -s, ① 창조, 창작. ② 활동, 일.

Schaffens·drang *m.* 창작욕, 창작 본능. **~freude, ~lust** *f.* 창조〔창작〕의 기쁨. **~kraft** *f.* 창조〔작〕력. **~trieb** *m.* 창작 충동.

Schaffer [ʃáfər] *m.* -s, -, ① 창조〔창작〕자. ② 〖海〗 취사반장; 급사. ③ = SCHAFFNER.

Schāf·fleisch [ʃá:fflaiʃ] *n.* 양고기.

Schaffner [ʃáfnər] *m.* -s, -, ① 관리자, 지배인(*steward, manager*). ② (기차·버스 등의) 차장(*conductor*). **Schaffnerin** *f.* -nen, ① 여자 관리자〔지배인〕; 여차장. ② 가정부.

Schāf·garbe [ʃá:f-] *f.* 〖植〗 서양 톱풀. **~hirt** *m.* 양을 치는 사람(☞*shepherd*). **~hürde** [-hʏrdə] *f.* 양우리. **~hūsten** *m.* 〖醫〗 마른 기침, 백일해(百日咳).

schāfig [ʃá:fɪç] *a.* 양 같은; 《比》 어리석은.

Schāf·käse [ʃá:fkɛ:zə] *m.* 양젖으로 만든 치즈. **~lamm** *n.* 암 새끼 양. **~lēder** *n.* 양가죽. **~milch** *f.* 양젖. **~mutter** *f.* 어미 양, 암 양.

Schafott [ʃafɔ́t] [fr.] *n.* -(e)s, -e, 사형대, 교수대(☞*scaffold*).

Schāf·pelz *m.* 양의 모피. **~schūr** *f.* 양털 깎기; 양털 깎는 철. **~seuche** *f.* 〖醫〗 양역(羊疫).

Schāfs·gesicht *n.* 양의 얼굴; 《比》 어리석은 표정; 우둔한 사람. **~kopf** *m.* 양의 머리; 《比》 우물(愚物), 바보. **~nāse** *f.* ① 양의 코; 《比》 바보. ② 사과·배의 종류.

Schāf·stall [ʃá:fʃtal] *m.* 양사(羊舍). **~stelze** [-ʃtɛltsə] *f.* 〖鳥〗 할미새의 일종.

Schaft [ʃaft] *m.* -(e)s, ¨e, (창 따위의) 자루(☞*shaft*); (기의) 대(*stick*); 손잡이(*handle, shank*); 주신(柱身), 기둥(☞*shaft*); 〖植〗 줄기, 장다리, 꽃꼭지(*stem, stalk*); 수간(樹幹)(*trunk*); 총대(*stock*); (장화의) 각부(脚部)(*leg*).

..schaft [-ʃaft] [<schaffen[1]; *eig.* „Beschaffenheit] 《女性名詞를 만드는 後綴》 "성질·상태·관계·신분·직업·장소·단체·집합"등의 뜻. 보기: Freund~ 《관계》; Kund~ 《집합》; Vater~ 《상태》; Graf~ 《장소》.

schäften [ʃέftən] *t.* (에) 자루를 붙이다; (소총에) 총대를 달다.

Schāf·trift [ʃá:ftrɪft] 목양장(牧羊場).

Schaft·stiefel [ʃáft-ʃti:fəl] *pl.* (승마용) 장화의 일종.

Schāf·weide [ʃá:fvaidə] *f.* =~TRIFT. **~wolle** *f.* 양털. **~zucht** [-tsʊxt] *f.* 양의 사육. **~züchter** [-tsʏçtər] *m.* 양의 사육자. **~zunge** *f.* 양의 혀.

Schah [ʃa:] [pers. „König"] *m.* -s, -s, (페르시아의) 왕. ☞SCHACH.

Schakal [ʃaká:l, ʃá(:)kal] [skt.] *m.* -s, -e, 〖動〗 재칼(☞*jackal*).

Schäker [ʃέ:kər] [hebr. „Lügner"] *m.* -s, -, 익살꾼(*jester*). **Schäkerei** *f.* -en, 희롱, 장난, 익살. **schäkern** *i.*(h.) 희롱하다, 장난하다(*jest, joke, dally*).

schāl [ʃa:l] [=engl. *shallow* „seicht, flach"] *a.* 천박한, 시시한, 재미가 없는 (*flat, insipid*); 김 빠진《맥주 따위》(*stale*).

Schāl [ʃa:l] [pers, -engl, *shawl*] *m.* -s, -e, 숄, 목도리, 머플러.

Schäl·blāsen [ʃέ:l-], **~blattern** *pl.* 〖醫〗 천포창(天疱瘡).

Schālbrett [ʃá:lbrɛt] *n.* 한 쪽에 수피(樹皮)가 붙은 널, 죽더께.

Schälchen [ʃέ:lçən] [*dim.* v. Schale[2]] *n.* -s, -, 작은 쟁반, 접시.

Schāle[1] [[ʃá:lə] *f.* -n, ① (호두·계란·굴 따위의) 껍데기(☞*shell*); 껍질(*peel, skin, bark*). ② 《比》 외면, 피상(*outside*).

Schāle[2] [ʃá:lə] *f.* -n, (Trink~) 술잔(*cup*); 접시, 사발, 쟁반(*dish, bowl, vessel*); 대야(*basin*); (Waage~) 저울판(*scale*).

schālen [ʃá:lən] *t.* 널로 덮다, 판장을 깔다. **schälen** [ʃέ:lən] 《Ⅰ》 *t.* (의) 껍질을 벗기다, 껍데기〔깍지〕를 떼다; 〖農〗 탈곡하다. 《Ⅱ》 *refl.* 껍질이 벗겨지다, 껍데기가 쪼개지다, 허물을 벗다.

Schālen·gehäuse *n.* 〖動·解〗 갑작(甲殼). **~kreuz** *n.* 풍력계. **~ōbst** *n.* 〖植〗 견각과《호도·밤 따위》. **~tier** *n.* 〖動〗 갑각류. **~wild** *n.* (사슴·산돼지 따위의) 우제(偶蹄) 동물.

Schālheit [ʃá:lhait] *f.* -en, 무미(無味), 김 빠짐; 《比》 활기가 없음; 천박.

Schälhengst [ʃέ:l-] *m.* 종마(種馬).

Schālholz [ʃá:lhɔlts] *n.* =SCHALBRETT.

schālig [ʃá:lɪç] *a.* 거죽〔껍질〕이 있는, 껍데기〔깍지〕가 있는.

Schalk [ʃalk] *m.* -(e)s, -e *u.* ¨e [ʃέlkə], ① 간악〔교활〕한 사람, 악한(*rogue*). ② 장난꾸러기, 익살꾼(*wag*). **schalkhaft** *a.* 간악한; 교활한; 까부는, 익살스러운. **Schalkheit** *f.* -en, ① 악업(惡業), 간악, 교활함. ② 장난, 익살.

Schalks=knecht *m.* 〖聖〗 사악 무리한 무리. **~narr** *m.* (궁정의) 어릿광대; 명랑하게 떠드는 사람.
Schall [ʃal] [♈Schelle] *m.* -(e)s, -e *u.* ⸚e [ʃɛ́lə], 소리, 음향(*sound*).
Schall=becken *n.* 〖樂〗 심벌즈. **~bō=den** *m.* (악기의) 공명판(共鳴板). **~=dämpfer** *m.* 약음기(弱音器), 소음(消音) 장치. **~dicht** *a.* 소음(消音)의. **~=dōse** *f.* 사운드 복스.
Schallehre [ʃálle:rə] 《分綴: Schall-lehre》*f.* 음향학.
schallen(*) [ʃálən] *i.*(h.) 소리가 나다, 울리다((*re*)*sound, ring*).
Schall=errēger [ʃál-ɛrre:gər] *m.* 사운드 프로듀서. **~fänger** *m.* 보청기. **~kasten, ~körper** *m.* 〖樂〗 현악기의 몸통, 공명통. **~lehre** *f.* =SCHALLEHRE. **~loch** *n.* =SCHALLOCH. **~=mauer** *f.* 음속(音速)의 벽.
Schalloch [ʃállɔx] 《分綴: Schall-loch》 *n.* 〖樂〗 울림 구멍《현악기 몸통에 있는》.
Schall=platte *f.* 음반, 레코드. **~rohr** *n.* 메가폰. **~sicher** *a.* 소리에 대해 안전한, 소음(消音)의. **~stück** *n.*, **~=trichter** *m.* 나팔(의 나팔꽃 모양의 부분). **~welle** *f.* 음파. **~wort** *n.* (*pl.* ..wörter) 의성어.
Schalmei [ʃalmái] [fr. <lat. *calamus* „Rohrpfeife"] *f.* -en, 옛 목관 악기의 일종(♈*shawm*).
Schalotte [ʃalɔ́tə] [fr.] *f.* -n, 〖植〗 골파(♈*shallot*).
schalt [ʃalt] ☞SCHELTEN (그 過去).
Schalt=brett *n.* 배전반(配電盤); (자동차·비행기의) 계기반(計器盤). **~dōse** *f.* 〖鐵〗 전철기, 〖電〗 개폐기 통.
schalten [ʃáltən] 《Ⅰ》 *i.*(h.) 조종〔지휘·지배〕하다(*rule, direct*); 처리하다; 단속하다. ¶~ und walten 멋대로 행동하다. 《Ⅱ》 *t.* (ein~) 연결〔접속〕하다(*change gears*); (의) 스위치를 넣다(*switch*). **Schalter** [ʃáltər] *m.* -s, -, ① 지배인, 관리자. ② (미닫이가 있는) 창(*sliding window*); 창구(窓口) (*counter*); 〖鐵〗 개찰구(*booking office*). ③ 〖電〗 개폐기(開閉器), 스위치(*switch*).
Schalter=beamte *m.* 《形容詞變化》 창구계원. **~dienst** *m.* 창구 근무. **~=raum** *m.* 매표소; 창구.
Schalt·hebel [ʃálthe:bəl] *m.* 조종간(桿), 변속 레버.
Schaltier [ʃá:lti:r] *n.* 〖貝〗 조개류.
Schalt=jahr [ʃált-] *n.* (Jahr, in das ein Tag eingeschaltet ist) 윤년(閏年). **~=pause** *f.* (라디오·TV의) 스위치를 넣은 다음의 사이; 《比》 좀 맥빠짐. ¶er hat ~ 그는 말을 하지 않는다. **~plān** *m.* 배선(配線) 다이어그램《가스·수도·전류의》. **~tāfel** *f.* 배전반. **~tāg** *m.* 윤일(閏日).
Schaltung [ʃáltuŋ] *f.* -en, ① 지배, 관리, 명령. ② 〖電〗 연결, 배선(配線).
Schaluppe [ʃalúpə] [fr.] *f.* -n, 〖海〗 란치; 슬루프《외돛의 작은 범선》 (♈*sloop*).
Schām [ʃa:m] *f.* ① 수치, 치욕(♈*shame*). ② 음부(*genitals*).
Schām=bein *n.* 〖解〗 치골(恥骨). **~=būg** [-bu:k] *m.* 〖解〗 서혜(鼠蹊).
schämen [ʃɛ́:mən] 《Ⅰ》 *refl.* 부끄러워하다(*be ashamed (of)*). 《Ⅱ》 *t.* 부끄럽게 만들다.
Schām=gefühl [ʃá:mgəfy:l] *n.* 수치감. **~gēgend** [-ge:gənt] *f.* 〖解〗 외음부. **~glied** [-gli:t] *n.* 음부, 생식기. **~=haar** *n.* 음모.
schāmhaft [ʃá:mhaft] *a.* 부끄러워하는, 수줍은(*bashful*); 정숙한(*modest*).
Schāmhügel [ʃá:mhy:gəl] *m.* 〖解〗 불두덩.
schämig [ʃɛ́:mıç] *a.* 부끄러워하는, 수집어하는.
Schām=lippen *pl.* 〖解〗 음순(陰唇). **~lōs** *a.* 뻔뻔스러운; 음탕한.
Schamott[1] [ʃamɔ́t] *m.* -s, 《俗》 허섭스레기, 잡동사니.
Schamott[2] [ʃamɔ́t] *m.* -s, =SCHAMOTTE.
Schamotte [ʃamɔ́tə] [fr.] *f.* 내화(耐火) 점토(*fire-clay*). **~stein** *m.* 내화 벽돌.
schampūen [ʃampú:ən], **schampu=nieren** *t.* 머리를 감다《샴푸로》.
schām=rōt *a.* 낯을 붉히는. **~rōte** [-rø:tə] *f.* 낯을 붉힘《부끄러워》. **~=teile** *pl.* 〖解〗 음부.
schandbār [ʃántba:r] *a.* 부끄러워할, 명예롭지 못한.
Schand=brief *m.* 비방문(誹謗文). **~=būbe** *m.* 《蔑》 악한, 파렴치한.
Schande [ʃándə] [<Scham] *f.* -n, ① 수치, 치욕(*shame*); 오욕(汚辱), 불명예, 면목 없음(*disgrace, infamy*). ¶jm. ~ machen 아무에게 창피 주다 / s-m Namen ~ machen 이름을 더럽히다. ② zu Schanden =ZUSCHANDEN.
schänden [ʃɛ́ndən] 《Ⅰ》 *t.* ① (의 명예를) 더럽히다, 창피를 주다(*dishonour, disgrace*); 모욕하다; 모독하다; 능욕〔강간〕하다. ② 상하게〔추하게〕하다. 《Ⅱ》 *refl.* 면목을〔명예를〕 잃다. **Schänder** *m.* -s, -, 모독자, 모욕자, 능욕자.
Schand=fleck [ʃánt-] *m.* 오점(汚點), 치욕, 오명(汚名). **~geld** *n.* ① 부정하게 얻은 돈. ② 터무니 없는 헐값. **~lēben** *n.* 수치스러운〔명예롭지 못한〕 생활.
schändlich [ʃɛ́ntlıç] *a.* 수치스러운, 불명예스러운; 비열한; 추악한. **Schänd=lichkeit** *f.* -en, 수치스러움, 불명예, 창피; 비열, 추악(한 행위).
Schand=lied [ʃántli:t] *n.* 외설스러운 노래. **~māl** *n.* (죄인의) 낙인; 오점. **~=maul** *n.* 비방(하는 자), 독설(가). **~=pfahl** *m.* 죄인에게 욕을 뵈는 기둥. **~preis** *m.* 터무니 없는 헐값. **~=schrift** *f.* ① 비방 문서. ② 외설 도서. **~tāt** *f.* 수치스러운 행위, 추행.
Schändung [ʃɛ́nduŋ] *f.* -en, 창피를 주기, 오욕; 모욕, 능욕; 모독.
schanghaien [ʃaŋháiən, ʃáŋhai-] [<Schanghei] *t.* 《俗》 (선원으로 삼기 위해) 납치하다.
Schank [ʃaŋk] [<schenken] *m.* -(e)s, ⸚e, ① 주류 소매업(*retail trade of liquor*). ② 선술집(*public house*).
Schank=gerechtigkeit *f.* 주류 소매허가. **~stätte** *f.* 선술집. **~stūbe** *f.* 선술집인 가게. **~wirt·schaft** *f.* 선술집, 바. **~zimmer** *n.* ① =~STUBE. ② 〖鐵〗식당차.
Schanz=arbeit [ʃánts-] *f.* 〖軍〗 참호 공사. **~arbeiter** *m.* 공병(工兵). **~bau** *m.* (*pl.* ..ten) 참호 작업.

Schanze[1] [ʃántsə] *f.* -n, 〖軍〗 보루(堡壘)(*bulwark, entrenchment*); (스키의) 점프대.
Schanze[2] [ʃántsə] [fr. *chance* „Fallen (der Würfel)"] *f.* -n, 도박. ¶ et. in die ~ schlagen 무엇을 걸다, 모험하다(*risk*).
schanzen [ʃántsən] *i.*(h.) 보루를 쌓다; 《比》 고생하다, 힘들여 일하다.
Schanzen≈bau *m.* =SCHANZBAU. **~≈tisch** *m.* (스키의) 점프대.
Schanz≈gräber [ʃántsgrɛ:bər] *m.* 공병. **~kleid** *n.* 〖海〗 현장(舷墻). **~korb** [-kɔrp] *m.* 돌망태《원통형의 바닥 없는 망태에 토석을 채운 것, 보루 등의 축조에 쓰임》. **~werk** *n.* 보루 및 참호. **~zeug** *n.* 〖軍〗 토공 기구(土工器具).
Schapel [ʃápəl] [lat. -fr.] *n.* 〔*m.*〕 -s, -, (중세의) 고리 모양의 머리 장식; 신부의 머리 장식; 모자.
Schaperonieren [ʃapəroní:rən] [fr.] *t.* 「보호하다.」
Schar[1] [ʃa:r] [♈scheren; *eig.* „Abteilung, Abschnitt"] *f.* -en, 〖軍〗 (부)대(*troop, band*); 무리, 떼(*flock, crowd*).
Schar[2] [<scheren] *f.* -en, (Pflug≈) 쟁기의 날(*plough-share*).
Scharade [ʃará:də] [fr.] *f.* -n, 철자(綴字) 맞추기(놀이) (♈*charade*).
scharen [ʃá:rən] *t.* 떼〔무리〕를 이루게 하다, 모으다; *refl.* 떼〔무리〕를 이루다, 모이다. **scharenweise** *adv.* 떼〔무리〕를 이루어.
scharf [ʃarf] *a.* ① 날카로운(♈*sharp*); 예리한, 첨예(尖銳)한, 뾰죽한(*pointed*). ② 맹렬한(*keen*); (맛이) 자극적인, 가성(苛性)의. ③ 명확한, 뚜렷한. ④ 《比》 예민한. ④ 급격한, 신속한. ⑤ 〖軍〗 ~ laden 실탄을 재다. **Scharfblick** *m.* 날카로운 눈씨; 《比》 형안(炯眼), 통찰력.
Schärfe [ʃɛ́rfə] *f.* -n, ① 날카로움. ② 날, 끝, 송곳; 모서리. ③ 알알한 것; 신맛, 매운 맛. ④ 《比》 격렬함, 혹독함; 예민, 명민; 신랄(辛辣), 통절; 엄격, 정확; 명확. **schärfen** [ʃɛ́rfən] 《Ⅰ》 *t.* ① 날카롭게 하다, 뾰죽하게 하다, 갈다, (의) 날을 세우다; 세게 하다, 높이다, 증가하다, 활발하게 하다, 자극하다; 예민하게 하다; 세련되게 하다; 선명하게 하다, 뚜렷하게 하다. ② 맵게 하다. 《Ⅱ》 *refl.* 날카로와지다; 세어지다; 높아지다.
scharf≈kantig [ʃárfkantɪç] *a.* 모가 날카로운. **~macher** *m.* (준엄한 조처를) 권하는 사람, 첨예 분자, 강경파(의 사람). **~richter** *m.* 처형인, 형리(刑吏)(*executioner*). **~schießen** *n.* 실탄 사격. **~schütz(e)** *m.* 사격의 명수. **~≈sichtig** *a.* 눈씨가 날카로운; 《比》 형안인, 명민(明敏)한. **~sinn** *m.* 명민, 통찰력. **~sinnig** *a.* 명민한; 통찰력이 있는. **~zahnig** *a.* 이가 날카로운.
Scharlach [ʃárlax] [pers. -lat.] *m.* -s, -e, 진홍색, 주홍색(♈*scarlet*). **schar≈lachen** *a.* 진홍색의, 주홍색의.
Scharlach≈farbe *f.* 진홍색, 주홍색. **~farben** *a.* 진홍색의, 주홍색의. **~≈fieber** *n.* 〖醫〗 성홍열(猩紅熱). **~röt** *a.* =SCHARLACHEN. **~röte** *f.* 진홍색, 주홍색 (물감).
Scharlatan [ʃárlatan, 또 ʃarlatá:n] [it.] *m.* -s, -e, 사기〔협잡〕꾼; 돌팔이 의사(*quack*).
Scharm [ʃarm] [lat. -fr.] *m.* -(e)s, 매력, 매혹; 애교, 우미. **scharmant** [ʃarmánt] *a.* 매혹적인, 애교(愛嬌)있는.
scharmieren [ʃarmí:rən] 《Ⅰ》 *t.* (의) 마음을 사로잡다, 매혹하다. 《Ⅱ》 *i.*(h.): mit jm. ~ 아무와 사랑의 불장난을 하다.
Scharmützel [ʃarmʏ́tsəl] [it. <d. schirmen] *n.* -s, -, 〖軍〗 소전투, 작은 충돌(♈*skirmish*).
Scharnier [ʃarní:r] [fr.] *n.* -s, -e, 〖建〗 돌쩌귀, 허리띠 모양의 경첩(*joint, hinge*).
Schärpe [ʃɛ́rpə] [fr.] *f.* -n, 장식용의 끈, 수(綬)(*sash*); 〖醫〗 멜빵 붕대(*sling*).
Scharpie [ʃarpí:] [fr.] *f.* ..pien, 〖醫〗 가제실; 린트천(*lint*). 「레이퍼.」
Scharre [ʃárə] *f.* -n, 깎는 연장, 스크
scharren [ʃárən] [<scheren] *i.*(h.) u. *t.* 긁다(*scratch*); 깎다, 문지르다(*scrape*); (말이 땅을) 긁다(*paw*).
Scharte [ʃártə] [<scheren] *f.* -n, 새긴 눈〔금·자국〕(*notch*); 갈라진 틈(*fissure*); (Schieß≈) 총안(銃眼), 사격 구멍(*loophole*). ¶ e-e ~ auswetzen 갈아서 빠진 날을 세우다; 《比》 과실을 보상하다.
Scharteke [ʃarté:kə] [it.] *f.* -n, ① 헌 책, 시시한 책. ② 쓰레기, 폐물(*trash*).
schartig [ʃártɪç] *a.* 새긴 금이 있는; 날이 빠진. 「(대).」
Scharwache [ʃá:r-] *f.* 순찰(대); 야경
scharwenzeln [ʃarvɛ́ntsəln] *i.*(h.) (um jn., 아무에게) 시중들다, (에게) 추종하다(*fawn (on)*). 「② 부업.」
Scharwerk [ʃá:r-] *n.* ① † 부역(賦役).
Schaschlik [ʃáʃlɪk, ʃaʃlík] [türk. (-russ.)] *m.* -s, -s, 양고기 꼬치.
schassen [ʃásən] [lat. -fr.] *t.* 추방하다, (학생을) 퇴학시키다.
Schatten [ʃátən] *m.* -s, -, ① 그늘, 응달, 어스레함(♈*shade*); 그림자, 음영(陰影)(♈*shadow*). ② 농담(濃淡), 색조(色調). ③ 〖希神〗 혼백, 망령(*phantom, spirit*).
Schatten≈bild *n.* 그림자; 그림자 그림(*silhouette*); 환상(幻像), 환영. **~dā≈sein** *n.* 공허한 존재. **~gēbend** *a.* 그림자를 드리우는, 그늘을 만드는.
schattenhaft [ʃátənhaft] *a.* 그림자 같은, 어렴풋한, 비현실적인.
Schatten≈kōnig *m.* 이름만의 왕. **~≈land** *n.* ① 그늘이 많은 땅. ② 저승. **~lōs** *a.* 그림자가 없는, 그늘이 없는. ¶ ~e Völker 태양 직하(直下)의 주민. **~riß** *m.* 그림자 그림, 실루에트(*silhouette*). **~seite** *f.* ① 그늘 쪽, 응달; 북쪽. ② 《比》 이면, 암흑면; 약점, 단점(*dark side*). **~spiel** *n.* 그림자 놀이; 환등(幻燈). **~welt** *f.* 저승; 관념(觀念)의 세계.
schattieren [ʃatí:rən] *t.* (에) 그림자를 그리다, 음영〔명암·농담(濃淡)〕의 차가 드러나게 하다(♈*shade (off), tint*).
Schattierung *f.* -en, 그림자 그리기, 명암, 음영, 농담(을 붙이기); 색조(色調).
schattig *a.* 그늘이 진, 그늘이 많은; 그늘이 되는, 어두운.

Schatulle [ʃatúlə] [it.] *f.* -n, ① 돈궤, 보석함, 귀중품 상자(*casket*). ② (왕후의) 사재(私財), 내탕금(內帑金) (*privy purse*).

Schatz [ʃats] *m.* -es, ⸚e [ʃɛ́tsə], ① 재화, 재보(*treasure*). ② 《比》 소중한 사람, 사랑스러운 사람(*darling*); 애인(*sweetheart*).

Schatz-amt *n.* 국고(國庫), 재무부. **~anweisung** *f.* 국고 증권.

schätzbar [ʃɛ́tsba:r] *a.* ① 가치가 있는; 귀중한. ② 평가할 수 있는, 양을 잴 수 있는.

Schätzchen [ʃɛ́tsçən] [*dim.* v. Schatz] *n.* -s, -, 애인, 연인(*darling, love*).

schätzen [ʃɛ́tsən] [<Schatz] *t.* ① 평가하다, 어림하다(*estimate, value*); 산정(算定)〔사정(査定)〕하다. ¶auf 100 Mark ~, 100 마르크라고 평가하다. ② (…이라고) 알다, 여기다(*consider, think*). ③ (hoch~) 가치가 있다고 인정하다, 존중하다(*esteem*). **schätzenswert** *a.* 존중할 만한, 가치가 있는, 훌륭한.

Schatz-gräber *m.* 보물을 캐는 사람. **~kammer** *f.* ① 보고(寶庫). ② 국고. **~kasten** *m.* 보물함, 돈궤. **~meister** *m.* 회계원(會計員)(*treasurer*).

Schatzung [ʃátsuŋ] *f.* -en, 과세(課稅).

Schätzung [ʃɛ́tsuŋ] *f.* -en, ① 평가, 어림, 추정, 사정. ② (Hoch~) 존경.

schätzungs-weise *adv.* 어림잡아서, 대체로, 아마. **~wert** *m.* 평가〔어림〕 가격.

Schau [ʃau] [<schauen] *f.* -en, 보기(*sight, view*); 검사, 검열(*inspection*); 열병(閱兵)(*review*); 구경거리, 전람(ᛘ *show, exhibition*). ¶zur ~ stellen, a) 진열하다, b) 자랑 삼아 보이다, 과시하다. **Schauamt** *n.* 검사소.

Schaubenhut [ʃáubənhu:t] *m.* 맥고 모자(챙이 넓은).

Schau-bild *n.* ① 전람회의 그림. ② 도표. **~brot** *n.* (유대인 성전의) 공물(供物)의 빵. **~bude** *f.* 가설 극장. **~bühne** *f.* 무대(*stage*); 극장(*theatre*). **~burg** *f.* 《方》 극장; 영화관.

Schauder [ʃáudər] *m.* -s, -, 몸을 떪, 전율(*shudder(ing)*); 소름 끼침, 공포, 두려움(*horror*).

schauder-erregend *a.* =SCHAUDERHAFT. **~geschichte** *f.* 소름끼치는 이야기, 드릴러.

schauderhaft [ʃáudərhaft] *a.* 전율적인; 소름끼치는, 무서운; 참혹한.

schaudern [ʃáudərn] [ᛘschütten] 《I》 *t.* u. *i.*(h.) ① *t.* 소름 끼치게 하다. ② *i.*(h.) 덜덜 떨다, 와들와들 떨다(ᛘ*shudder, shiver*). 《II》 *imp.* : es schaudert mich 몸이 떨리다, 전율하다.

schauderös [ʃaudərø:s], **schaudervoll** *a.* =SCHAUDERHAFT.

schauen [ʃáuən] [<sehen; =engl. *show*] *t.* u. *i.*(h.) (유심히) 보다, 쏘아보다, 주시하다, 바라보다(*see, behold, look (at), gaze (upon)*); 직관〔정관·성찰〕하다.

Schauer[1] [ʃáuər] [<schauen] *m.* -s, -, ① 구경꾼, 참관인. ② 사열관.

Schauer[2] [ʃáuər] *m.* -s, -, (Regen~) 소나기(ᛘ*shower*).

Schauer[3] *m.* -s, -, ① 벌벌 떪, 전율(*shuddering, shivering*). ②〖醫〗발작, 오한. ③ 숭고함에 위압됨, 외구(畏懼)(*awe*).

Schauer-anblick *m.*, **~bild** *n.* 무서운 광경. **~drama** *n.* 유혈극(流血劇). **~geschichte** *f.* 소름끼치는 이야기.

schauerig [ʃáuərıç], **schauerlich** [ʃáuərlıç] *a.* 소름이 끼치는, 끔찍한, 무서운, 무시무시한.

schauern [ʃáuərn] ① *i.*(h.) 소름이 끼치다, 몸이 떨리다 (=schaudern). ② *imp.* es schauert 소나기가 내리다.

Schauer-roman *m.* 전율 소설. **~tat** *f.* 폭행. **~voll** *a.* 무서운, 소름이 끼치는.

Schaufel [ʃáufəl] [<schieben] *f.* -n, ① 삽(ᛘ*shovel*), 긁어 모으는 도구(*scoop*). ② (Rad~) (물방아의) 물받이 판(*paddle*); 물갈퀴. **~förmig** *a.* 삽 모양의.

Schaufelgeweih *n.* 손바닥 모양의 사슴 뿔.

schaufeln [ʃáufəln] *t.* u. *i.*(h.) 삽으로 뜨다, 파다.

Schaufel-rad *n.* 〖海〗 (기선의) 외륜(外輪); (물방아의) 물레바퀴. **~voll** *a.* 한 삽(분)의. **~zahn** *m.* (말·사슴 따위의) 앞니.

Schau-fenster [ʃáufɛnstər] *n.* 진열창, 쇼윈도. **~bummel** *m.* 쇼윈도를 들여다보며 한가로이 걷는 걸음. **~dekoration** *f.* 쇼윈도 장식.

Schau-gepränge *n.* 화미(華美), 허식. **~gerüst** *n.* 무대; (계단식) 관람석. **~haus** *n.* 시체 공시소(신원 불명 사망자의). **~kampf** *m.* 시범 경기. **~kasten** *m.* 쇼 케이스.

Schaukel [ʃáukəl] *f.* -n, 그네(*swing*); 시소. **Schaukelbrett** *n.* 시소의 널; 그네의 앉는 판(板). **schaukeln** 《I》 *t.* 흔들다, 흔들리게 하다. 《II》 *i.*(h.) 흔들리다; 그네 뛰다, 시소 놀이를 하다. 《III》 *refl.* 몸을 흔들다; 그네 뛰다, 시소놀이를 하다.

Schaukel-pferd *n.* 흔들이 목마. **~stuhl** [-ʃtu:l] *m.* 흔들의자.

schaulustig [ʃáulustıç] *a.* 호기심이 강한, 신기한 것을 좋아하는.

Schaum [ʃaum] *m.* -(e)s, ⸚e [ʃɔ́y-], ① 거품, 포말(ᛘ*scum, foam, froth, lather*). ¶Eiweiß zu ~ schlagen 계란 흰자위를 저어서 거품 일게 하다. ② 《比》 허무, 공허. ¶~ schlagen 과장하다.

Schaum-bad [-ba:t] *n.* 발포욕(發泡浴). **~bläse** *f.* 기포(氣泡).

schäumen [ʃɔ́ymən] 《I》 *i.*(h.) 거품이 있다; (말 따위가) 거품을 내뿜다, 땀거품을 내다; 《比》 격노하다(입에서 거품을 내뿜으며). 《II》 *t.* (의) 거품을 떠내다.

schaumig [ʃáumıç], **schäumig** [ʃɔ́y-] *a.* 거품 같은; 거품투성이인.

Schaum-kelle *f.*, **~löffel** *m.* 거품을 건지는 데에 쓰이는 국자. **~schläger** *m.* ① 거품 일구는 기구. ② 《比》 허풍선이, 사기꾼. **~stoff** [-ʃtɔf] *m.* 포직(泡織)(다공질(多孔質)의 인조 섬유 직물).

Schau-münze [ʃáumʏntsə] *f.* 메달, 기념패(*medal(lion)*).

Schaumwein [ʃaumvain] *m.* 샴페인.
Schau=platz *m.* 무대; (사건 따위의) 현장. **~prozeß** *m.* (정치적으로) 보이기 위한 재판; 모의 재판.
schaurig [ʃáurıç] *a.* =SCHAUERIG.
Schauspiel [ʃáuʃpi:l] *n.* ① 광경, 구경거리(*sight, spectacle*). ② 연극, 극, 희곡, 각본(*play, drama*). **~dichter** *m.* 극작가.
Schau=spieler [ʃáuʃpi:lər] *m.* -s, -, 배우, 광대. **~spielerin** *f.* -nen, 여배우. **~spielerisch** *a.* 배우의; 연극의; 신파조의.
schauspielern [ʃáuʃpi:lərn] *i.*(h.) 연극을 하다; 《比》 속이다, 체하다.
Schauspiel=haus *n.* 극장. **~kunst** *f.* 연극술.
schau|stehen* [ʃáuʃte:ən] *i.*(h.) 《不定詞의 꼴뿐》 (광고하기 위해) 서서 물건을 보이다.
schau=|stellen *t.* 진열하다. **~steller** *m.* 흥행주(興行主); 출품자. **~stellung** *f.* 진열, 전람회. **~stück** *n.* (주목을 끄는) 진열품.
schau=|trägen* *t.* 과시하다. **~turm** *m.* 망대(望臺). **~turnen** *n.* 운동회.
Scheck [ʃɛk] [engl. *cheque*] *m.* -s, -e *u.* -s, 〖商〗 수표; 환어음. **Scheckbūch** *n.* 수표장(手票帳). 「얼룩말, 얼룩소.」
Schecke [ʃɛ́kə] [fr. „Schach"] *f.* -n,
schecken [ʃɛ́kən] *t.* 얼룩덜룩하게 하다.
scheckig *a.* 얼룩이 있는, 알록달록한.
scheel [ʃe:l] [♈schielen] *a.* 사팔뜨기의 (*squint-eyed*); 《比》 질시(嫉視)하는(*jealous*). ¶ jn. ~ (*adv.*) ansehen, a) 아무를 흘겨보다, b) 아무를 질시하다.
Scheel=auge *n.* 사팔뜨기; 질투하는 눈. **~sucht** *f.* 질투(*envy*). **~süchtig** *a.* 질투하는.
Scheffel [ʃɛ́fəl] *m.* -s, -, 셰펠《곡식을 되는 말의 이름; 곡량의 단위 이름》.
Scheffel=sack *m.* 1셰펠들이의 자루. **~weise** *adv.* 셰펠로 되서, 많이.
Scheibchen [ʃáipçən] *n.* -s, -, 소원판; 작은 조각. **Scheibe** [ʃáibə] *f.* -n, ① 원반(圓盤), 원판(圓板)(*disk*). (Schieß~) 표적(標的)(*target, disc*); (해·달의) 둥근 면(*orb*). ② (Brot~, Apfel~ *usw.*) 엷은 조각, 쪼가리(*slice*); (Honig~) 봉방(蜂房) (*comb*). (Fenster~) 창유리. ③ (Töpfer~) 녹로(*wheel*); 시계의 문자판.
Scheiben=gardīne [ʃáibən–] *f.* 유리창의 커튼. **~glās** *n.* 창유리. **~hōnig** *m.* 벌집 안의 꿀. **~kleister** *m.* 창유리를 고정하는 퍼티; 《比》 걸쭉한 것《죽, 수프》. **~schießen** *n.* 사적(射的). **~=stand** *m.* 사적장(場). **~wischer** *m.* 유리창 닦개《자동차의》.
Scheide [ʃáidə] [<scheiden] *f.* -n, ① 분계선, 경계(*boundary, limit*). ② 칼집 (♈*sheath*); 〖植〗 엽초(葉鞘); 〖動〗 시초(翅鞘); 〖解〗 (Mutter~) 질(膣)(*vagina*).
Scheide=blick *m.* 작별의 일별, 이별의 눈씨. **~brief** *m.* 고별(告別)의 편지; 〖法〗 이혼장. **~grūß** *m.* 고별의 인사. **~līnie** *f.* 분계선, 경계선. **~münze** *f.* 소화폐, 보조 화폐.
scheiden* [ʃáidən] 《Ⅰ》 *t.* ① 나누다; 분리하다, 떼어 놓다(*separate, part*); 격리하다, 갈라 놓다(*divide*); 이혼하게 하다(*divorce*). ② 〖化〗 분석하다(*analyze*); 분해하다. 《Ⅱ》 *i.*(s.) 작별하다, 떠나다, 물러나다(*part, depart*). 《Ⅲ》 *refl.* 나뉘다, 분리하다, 떨어지다; 이혼하다.
Scheidepunkt [ʃáidəpuŋkt] *m.* 분기점, 분리점.
Scheide=stunde *f.* 이별의 시간; 사기(死期). **~wand** *f.* 격벽(隔壁); 횡격막. **~wasser** *n.* 〖化〗 질산(窒酸), 왕수(王水). **~wēg** *m.* 갈림길, 기로(岐路). ¶ am ~weg steh(e)n 기로에 서다; 《比》 갈피를 못잡다.
Scheidung [ʃáiduŋ] *f.* -en, 분리; 이별, 격리; 구별; 정제; 〖化〗 분석, 분해; 〖法〗 (Ehe~) 이혼.
Scheidungs=grund *m.* 이혼의 이유. **~klāge** *f.* 이혼 소송.
Schein [ʃain] [<scheinen] *m.* -(e)s, -e, ① 빛남, 광휘, 빛(♈*shine, light, lustre*). ② 외관, 겉보기(*appearance*); 표면; 허식, 구실(*show, pretence*). ¶ dem ~e nach 겉으로 보아 / zum ~e 외관상, 겉으로는. ③ 증명서, 증권, 증서(*certificate, bill*); (Empfangs~) 영수증(*receipt*); (Bank~, Geld~) 지폐 (*banknote*). **Schein·angriff** *m.* 위장 공격.
scheinbār [ʃáinba:r] *a.* 외견상의(*apparent*); 겉 보기의, 가장의(*ostensible, pretended*).
Schein=behelf *m.* 미봉책; 발뺌. **~=bild** *n.* 환상, 허깨비. **~blūte** [-bly:tə] *f.* 겉으로만 경기가 좋아 보임.
scheinen* [ʃáinən] *i.*(h.) ① 빛나다, 번쩍이다, 비치다(♈*shine*). ② …으로 보이다〔여겨지다〕, …인 듯하다(*appear, seem, look*).
Schein=friede [ʃáinfri:də] *m.* 위장 평화. **~fromm** *a.* 위선의. **~grund** *m.* 가탁(假託), 구실; 궤변. **~handel** *m.* 가장 매매. **~heilig** *a.* 신심(信心)을 가장하는; 위선의. **~heilige** *m.* u. *f.* 《形容詞變化》 거짓 신자, 위선자. **~heiligkeit** *f.* 거짓 신앙, 위선(*hypocrisy*). **~kauf** *m.* 가장 매매, 공거래(空去來). **~krankheit** *f.* 꾀병. **~=tōd** [-to:t] *m.* 가사(假死), 기절. **~tōt** *a.* 가사한, 기절한. **~wahlen** *pl.* 위장 선거. **~wechsel** [-vɛksəl] *m.* 공수표. **~werfer** *m.* 탐조등(探照燈), 서치 라이트; (자동차 등의) 헤드 라이트; 〖劇〗 스포트 라이트.
Scheiße [ʃáisə] *f.* 《卑》 똥(*shit(-ting)*).
scheißen* [ʃáisən] *t.* u. *i.*(h.) 《卑》 똥누다(*shit*).
Scheit [ʃait] [<scheiden] *n.* -(e)s, -er, (잘게 빼갠) 장작; 나무 조각(*log*).
Scheitel [ʃáitəl] [<scheiden] *m.* -s, -, ① (Haar~) 가리마(*parting*); 가리마를 탄 머리. ② 정수리(*crown*); 머리(*apex, top*); 《比》 정점, 절정.
Scheitel=bein *n.* 〖解〗 두정골. **~kreis** *m.* 〖天〗 수직권(垂直圈).
scheiteln [ʃáitəln] *t.* (머리를) 가르다, 가리마를 타다(*part*); *refl.* 가리마가 타지다.
Scheitel=punkt *m.* 정점; 〖天〗 천정(天頂)(*vertex*). **~recht** *a.* 수직의(*verti-*

cal). **～winkel** *m.* 〖數〗 (대)정각((對)頂角).

Scheiter·haufen [ʃáitər-haufən] [前半: <Scheit] *m.* 장작의 다발, 장작 더미 《화장·화형을 위한》(*pyre, stake*).

scheitern [ʃáitərn] [*eig.* „in Scheiter, Stücke gehen"] *i.*(s.) 난파〔좌초〕하다(*be wrecked*); 《比》 좌절〔실패〕하다(*fail, miscarry*). ¶～ lassen 좌절〔실패〕하게 하다.

Scheit·holz [-hɔlts] *n.* 장작. **～recht** *a.* 직선의, 곧은; 수평의.

Schelf [ʃɛlf] [engl.] *m.* od. *n.* -s, -e, 대륙붕.

Schellack [ʃélak] [ndl. „Schalenlack"] *m.* -(e)s, -e, 셸락(♈*shellac*).

Schelle¹ [ʃélə] [<Schall] *f.* -n, ① 방울, 초인종, 벨(*bell*); 〖聖〗 울리는 꽹과리《신약 고린도 전서 XIII: 1; 입에 발린 말》. ② (Maul～) 뺨을 때리기, 따귀치기. ③ *pl.* (카드의) 다이아몬드.

Schelle² *f.* -n, (흔히 *pl.*) (Hand～) 수갑(*manacle*).

schellen [ʃélən] *i.*(h.) u. *t.* ① 벨을 울리다. ¶nach jm. ～ 벨을 울려 아무를 부르다. ② 벨〔방울〕이 울리다.

Schellen·as [ʃélən-as] *n.* (카드에서) 다이아몬드의 에이스. **～geläut(e)** *n.* 방울 소리. **～kappe** *f.* 방울 달린 모자《광대가 쓰는》. **～schlitten** *m.* 방울 달린 썰매. **～trommel** *f.* 〖樂〗 탬버린.

Schell·fisch [ʃélfɪʃ] [前半: <Schale] *m.* 〖魚〗 대구의 일종(*haddock*).

Schelm [ʃɛlm] *m.* -(e)s, -e, ① 악한, 불량배(*knave, rogue*). ② der arme ～ 불쌍한 녀석. ③ 장난꾸러기, 못된 녀석.

Schelmen·auge [ʃélmən-] *n.* 악한 같은 눈. **～lied** *n.* 천박한 노래. **～roman** *m.* 악한 소설. **～streich** *m.*, **～stück** *n.* 나쁜 짓; (못된) 장난.

Schelmerei [ʃɛlmərái] *f.* -en, 나쁜 짓; (못된) 장난. **schelmisch** [ʃélmɪʃ] *a.* 간악한; 장난하기 좋아하는.

Schelte [ʃéltə] *f.* -n, 질책, 책망. ¶《俗》 ～ bekommen 야단 맞다, 꾸지람 듣다. **schelten*** [ʃéltən] 《I》 *t.* ① 꾸짖다, 질책하다(*scold*); 비난하다. ② 욕설을 하다(*abuse*). 《II》 *i.*(h.): auf〔über〕 jn. ～ 아무를 꾸짖다, 욕하다.

Schelt·rede *f.* 독설(毒舌). **～worte** *pl.* 질책(의 말), 욕설.

Schema [ʃé:ma, (öst. 또) sçé:ma] [gr.] *n.* -s, -s *u.* ..mata, ① 형(型), 양식(樣式), 도식(圖式)(*model*). ② 계획(♈*scheme*); 개요. ③ (서식(書式)의) 용지(*schedule*). **schematisch** [ʃemá:tɪʃ] *a.* 도식적인, 도해적인; 형식적인, 기계적인. ¶e-e ～e Zeichnung 개관도(概觀圖), 일람표.

Schemel [ʃé:məl] [Lw. lat.] *m.* -s, -, ① 등 없는 낮은 걸상(*stool*). ② (Fuß～) 디딤대(*footstool*).

Schemen [ʃé:mən] [♈scheinen] *m.* -s, -, 그림자(*shadow*); 허깨비, 환상(*phantom*). **schemenhaft** *a.* 그림자〔환상〕 같은; 《比》 믿지 못할.

Schenk [ʃɛŋk] [<schenken] *m.* -en, -en, 술을 따르는 사람; 술집 주인. **Schenke** [ʃéŋkə] *f.* -n, 술집, 선술집 (*public house, inn, tavern*).

Schenkel [ʃéŋkəl] *m.* -s, -, ① 다리(*leg*); (Ober～) 허벅다리, 대퇴(大腿)(*thigh*), (Unter～) 하퇴(下腿)(♈*shank*). ② 〖工〗 (콤파스·핀셋·가위 따위의) 다리; 〖數〗 변(邊)《각의》.

Schenkel·bein *n.* 〖解〗 대퇴골. **～beuge** [-bɔygə] *f.* 서혜, 샅. **～bruch** *m.* 대퇴 골절. **～knochen** [-knɔxən] *m.* 대퇴골. **～zirkel** *m.* 콤파스.

schenken [ʃéŋkən] *t.* ① 붓다, (술을) 따르다(*pour out*); 잔으로 팔다, (술을) 소매하다. ② jm. et.: 선사하다, 증정하다, 바치다(*present (with)*); 주다(*give*); 시여(施與)하다(*bestow*); 허락하다, (소원을) 이루어 주다(*grant*); 용서하다, 면해 주다(*remit, forgive*). **Schenker** *m.* -s, -, 증여자(贈與者).

Schenk·gerechtigkeit *f.* 주류 판매 허가. **～haus** *n.* =SCHENKE.

Schenk·mädchen *n.*, **～mamsell** *f.* 술집의 여급, 작부(酌婦). **～stube** *f.* 주점, 술집. **～tisch** *m.* 술청, 바; 조리대(調理臺).

Schenkung [ʃéŋkʊŋ] *f.* -en, 증여, 진정(進呈); 기부; 선물; 기부품, 기증품.

Schenkungs·steuer *f.* 증여세. **～urkunde** *f.* 증여 증서.

Schenk·wirt *m.* 술집 주인. **～wirtschaft** *f.* 주류 소매업; 술집.

Scherbe [ʃérbə] *f.* -n, 조각, 파편, 부서진 조각(*fragment, piece*). ¶in ～n schlagen 부수다.

Schere¹ [ʃé:rə] [<scheren] *f.* -n, 가위(*scissors*, ♈*shears*); 〖動〗 집게《게·새우·전갈 따위의》(*claw*).

Schere² [♈Schäre] *f.* -n, 암초.

scheren¹⁽*⁾ [ʃé:rən] 《I》 *t.* 자르다, 베다(♈*shear, cut*); 면도질을 하다(*shave*); 《比》 괴롭히다, 못 살게 굴다, 애태우게 하다(*bother, disturb*). ¶sich ～ (und plagen) 고생하다, 애쓰다. 《II》 *i.*(s.) 〖海〗 침로(針路)를 벗어나다(♈*sheer*).

scheren²⁽*⁾ [ʃé:rən] [♈scherzen „(*eig.*) springen"] *refl.* 달려가 버리다, 달아나다(*clear or pack off*). ¶schere dich zum Henker 〔Teufel〕! 꺼져라.

scheren³⁽*⁾ [ʃé:rən] *t.* u. *refl.* (um, 으로) 애를 태우다, (을) 염려하다, 속태우다. ¶das schert 〔schiert〕 mich nichts 그것은 나와 아무 상관도 없다.

Scheren·fernrohr *n.* 잠망경, 포대경. **～schleifer** *m.* 가위를 가는 사람. **～schnitt** *m.* 가위로 오리기, 가위로 오리는 놀이.

Schererei [ʃe:rərái] *f.* -en, 《俗》 불쾌, 번거로움.

Scherflein [ʃérflain] [<Scherf, 예전의 동화(銅貨)] *n.* -s, -, 잔돈(*mite*). ¶sein ～ beitragen 소액의 기부를 하다.

Scherge [ʃérgə] [*eig.* „Scharmeister", <Schar] *m.* -n, -n, 경관; 정리(廷吏)(*beadle*); 《蔑》 옥졸(獄卒); 권력의 앞잡이(*catchpole*).

Schermesser [ʃé:rmɛsər] *n.* 면도칼(*razor*).

scherwenzeln [ʃɛrvéntsəln] =SCHARWENZELN.

Scherwolle [ʃé:rvɔlə] *f.* 깎은 양털.

Scherz [ʃɛrts] *m.* -es, -e, 농, 농담(*jest, joke*). ¶～ beiseite! 농담은 그만하고. **Scher·zeit** [ʃé:rtsait] *f.* (양의)

털 깎는 시기. **scherzen** [ʃέrtsən] [*eig.* „(lustig) springen"] *i.*(h.) 까불다, 농을 하다, 농담을 하다, 신소리를 하다 (*jest, joke*); (über jn. 〔et.〕, 아무를 〔무엇을〕) 희롱하다, 놀리다(*make fun* (*of*)). **scherzhaft** [ʃέrtshaft] *a.* 장난치는; 농의. **Scherzmacher** *m.* 농담하는 사람, 익살꾼.

scherz⸗weise *adv.* 농담으로, 농으로. **~wort** *n.* 농담, 신소리.

scheu [ʃɔy] 《Ⅰ》 *a.* 두려워하는, 겁이 많은(♈*shy, timid*); 마음이 약한, 소심한, 내성적인, 수줍어하는(*bashful*); *adv.* 머무적머무적. ¶ ~ machen 겁을 내게 하다, 위협하다. 《Ⅱ》 **Scheu** *f.* 겁, 공포; 수줍음, 수치; (ehrfürchtige ~) 거리낌, 삼감, 외구(畏懼)(*awe*). **Scheuche** [ʃɔ́yçə] [Scheu의 別形, "겁 나게 하는 것"] *f.* -n, (Vogel~) 허수아비(*scarecrow*). **scheuchen** [ʃɔ́yçən] *t.* 겁나게 하다(*scare*); (위협하여) 쫓아내다(*frighten away*). **scheuen** [ʃɔ́yən] [<scheu] 《Ⅰ》 *t.* u. *refl.* 두려워하다, 겁을 내다, 꺼리다(*fear, avoid, shun*). ¶ k-e Mühe ~ 수고를 아끼지 않다. 《Ⅱ》 *i.*(h.) (vor, 에) 놀라다《특히 말이》.

Scheuer [ʃɔ́yər] [=Scheune] *f.* -n, 광(*shed*); 곡창(穀倉)(*barn*).

Scheuer⸗bēsen *m.*, **~bürste** *f.* 청소용 비〔솔〕. **~frau** *f.* 여자 청소원. **~lappen** *m.* 걸레. **~leiste** *f.* 〖建〗 (벽 밑에 대는) 머름.

scheuern [ʃɔ́yərn] *t.* u. *i.*(h.) 청소하다 (*clean*); 문질러 닦다〔씻다〕(♈*scour, wash*); (wund ~) 스쳐 벗어지다《피부가》.

Scheuersand [ʃɔ́yərzant] *m.* 연마사(研磨砂).

Scheu⸗klappen *pl.*, **~lēder** *n.* (말의) 가죽 눈가리개.

Scheune [ʃɔ́ynə] [♈Scheuer, 단: 보다 고상한 말] *f.* -n, 광(*shed*); 곡창(穀倉) (*barn, granary*).

Scheunen⸗drescher *m.* 타작하는 사람. **~tenne** *f.* 개상(床). **~viertel** *n.* 빈민굴.

Scheusāl [ʃɔ́yza:l] [<scheuen] *n.* -(e)s, -e, 괴물, 요괴(*monster*); 버릇 없는 자.

scheußlich [ʃɔ́yslɪç] [<scheuen] *a.* 무서운, 소름이 끼치는, 섬뜩한(*hideous, horrible*). **Scheußlichkeit** *f.* -en, 소름이 끼침, 무서움; 끔찍한 소행, 잔학한 행위, 흉행.

Schī [ʃi:] [norweg.] *m.* -(s), -(e) *u.* -(er), 스키(♈*ski*). ¶ ~ laufen 스키 타다.

Schicht [ʃɪçt] *f.* -en, 층(*layer, bed, stratum*) ① 〖地〗 지층, 광층; 외피; (액체의) 막. ② 사회의 층, 계급(*class*); (Volks~) 민중, 서민. ③ 〖坑〗 1회의 취업 시간, 취업 시간을 같이 하는 갱부(*shift*); (1회의 취업 시간 사이의) 휴식, 중간 휴식(*rest*). **Schicht·arbeit** *f.* 교대시간제의 일; 할당〔날품〕일. **schichten** [ʃɪ́çtən] *t.* ① 층을 이루게 하다, 겹쳐 쌓다; 배열〔분류〕하다. ② 〖冶〗 용광로에 광석을 충전하다; 〖海〗 (뱃짐을) 싣다.

Schichtgestein [ʃɪ́çtgəʃtain] *n.* 성층암; 층상암(層狀岩).

Schicht⸗līnie *f.* (지도의) 등고선. **~⸗meister** *m.* 〖坑〗 갱부 감독, 갱부장. **~wechsel** [-vɛksəl] *m.* 취업 시간 교대. **~weise** *adv.* 층을 이루어, 층모양으로; 층마다. **~wolke** *f.* 안개 구름. ¶ federige ~wolke 햇무리 구름.

Schick [ʃɪk] 《Ⅰ》 [<schicken] *m.* -(e)s, ① 적의(適宜)〔적당〕함. ② [=fr. *chic.* „Eleganz"] 당세풍(當世風), 멋(*elegance, taste*). 《Ⅱ》 **schick** *a.* 멋진, 아치가 있는, 세련된(♈*chic, fashionable*).

schicken [ʃɪ́kən] [*eig.* „(an)ordnen, senden"; ♈(ge)schehen] 《Ⅰ》 *t.* 맞추다, 정돈하다; 안배(按排)하다; (신이) 섭리하다; 송부하다, 부치다(*send*); 보내다, 파견하다(*dispatch, direct*). ¶ nach jm. ~ 아무를 부르러 보내다. 《Ⅱ》 *refl.* ① 준비하다. ② (in et., 무엇에) 순응하다, (꼭) …한 사정이 되다, 일어나다 (*happen*). ③ (für, 에) 어울리다, 알맞다, 적합하다(*be becoming, be proper*).

schicklich [ʃɪ́klɪç] [<Schick] *a.* 적합한; 예절 바른, 점잖은(*proper, decent*). **Schicklichkeit** *f.* 적당, 상응; 예절바름, 예의 범절.

Schicksāl [ʃɪ́kza:l] [<schicken] *n.* -(e)s, -e, 기연, 운, 운명(*fate, destiny, lot*). **schicksālhaft** *a.* 운명적인, 결정적인.

Schicksāls⸗fūgung *f.* 하늘의 섭리. **~glaube** *m.* 숙명론(論). **~schlāg** [-ʃla:k] *m.* 운명의 타격, 비운, 불행. **~wechsel** [-vέksəl] *m.* 운명의 성쇠.

Schickung [ʃɪ́kuŋ] *f.* -en, (Schicksal) 운, 운명(*destiny*); 신의 뜻, 섭리(攝理) (*Providence*).

Schiebe⸗fenster [ʃí:bə-] *n.* 내리닫이 창. **~karre** *f.*, **~karren** *m.* 손수레《바퀴 하나인》.

schieben* [ʃí:bən] 《Ⅰ》 *t.* ① 밀다, 떠밀다(♈*shove, push*); 미끄러뜨리다(*slide*). ¶ beiseite ~ 옆으로 밀(어 제)치다 / Kegel ~ 구주희(九柱戲)를 하다 / et. auf jn. ~ 아무에게 무엇의 책임을 돌리다. ② 《比》 암거래하다; 밀매하다. ③ (금전 등을) 몰래 넣다, 쥐어주다. ④ 연기하다, 천연하다. ¶ er schiebt alles auf die lange Bank 그는 무엇이든 질질 끈다. 《Ⅱ》 *refl.* ① 밀려 움직이다〔옮다〕, 미끄러지다. ② 〖商〗 부정 수단으로 이득을 얻다. **Schieber** [ʃí:bər] *m.* -s, -, ① 미는 사람. ② 빗장, 서랍; 손수레; (좌우로 움직이는) 뚜껑, 문; 〖機〗 슬라이드 밸브. ③ 암상인, 부정 축재자, 밀매자.

Schiebe⸗tūr(e) *f.* 미닫이문. **~ventil** *n.* 〖機〗 슬라이드 밸브. **~wand** *f.* 이동벽, 간막이; 〖劇〗 이동식 간막이.

Schiebung [ʃí:buŋ] *f.* -en, 밀침, 추진; 암거래, 부정 이득; 간책, 음모.

schied [ʃi:t] ☞SCHEIDEN (그 過去).

schiedlich [ʃí:tlɪç] [<scheiden] *a.* 평화적인, 온화한.

Schieds⸗gericht [ʃí:ts-] *n.* 중재(仲裁) 재판소. **~richter** *m.* (중재 재판소의) 중재원(仲裁員); 〖競〗 심판원. **~richterlich** *a.* 중재(재판상)의. **~spruch** [-ʃprux] *m.* 중재 재정(裁定).

schief [ʃi:f] *a.* ① 비스듬한(*oblique, slant*); 굽은, 휜, 비틀린(*crooked, wry*);

기울어진(*sloping, inclined*). ¶e-e ~e Ebene 사면(斜面) / ein ~er Blick 사시(斜視) / ein ~es Maul ziehen 상을 찌푸리다, 부루퉁한 얼굴을 하다. ② 《比》 ~e Ansicht 그릇된 견해. **Schiefe** [ʃíːfə] *f.* 비뚤어짐; 경사, 기울어짐; 사면; 《比》 오류, 부정, 사악; 곡해.

Schiefer [ʃíːfər] *m.* -s, -, 석반(石盤), 슬레이트, 판석(板石)(*slate, schist*).

Schiefer·bruch *m.* 슬레이트 갱(坑). **~dach** *n.* 슬레이트 지붕. **~decker** *m.* 슬레이트로 지붕을 이는 사람. **~grau** *a.* 청회색의.

schief(e)rig [ʃíːf(ə)rɪç] *a.* 판석 모양의; 슬레이트로 이어진; 박락(剝落)하는.

schiefern [ʃíːfərn] 《Ⅰ》 *t.* 엷은 조각으로 쪼개다. 《Ⅱ》 *refl.* 엷은 조각으로 쪼개어지다, 조각조각 떨어지다.

Schiefer·platte *f.* 슬레이트. **~stift** [-ʃtɪft] *m.* 석필(石筆). **~tāfel** *f.* 석반(石盤); 슬레이트. **~tōn** *m.* 〖鑛〗 혈암(頁岩).

schief·gewickelt *p.a.* : 《俗》 da ist du ~gewickelt! 그야 자네가 틀렸어. **~halsig** *a.* 목이 비뚤어진. **~lachen** *refl.* 《俗》 몸을 꼬며 웃다, 크게 웃다. **~mäulig** [-mɔylɪç] *a.* 입이 비뚤어진; 《比》 얼굴을 찡그린. **~winklig** *a.* 〖數〗 사각(斜角)의.

schiel·auge *n.* 사팔눈, 사팔뜨기; 《比》 샘내는 사람. **~äugig** *a.* 사시인, 사팔뜨기인.

schielen [ʃíːlən] [<scheel] *i.*(h.) 사시(斜視)〔사팔뜨기〕이다(*squint*); (nach, 을) 곁눈으로 보다, 훌끗 보다. **Schieler** *m.* -s, -, 사팔뜨기; 곁눈으로 보는 사람; 담홍색 포도주.

schien [ʃiːn] ☞SCHEINEN(그 過去).

Schien·bein [ʃíːn-] [<Schiene *u.* Bein] *n.* 경골(脛骨)(♈*shin-bone*).

Schiene [ʃíːnə] *f.* -n, (통 따위의) 쇠테(*iron hoop*); 〖醫〗 (접골용의) 부목(副木)(*splint*); 〖鐵〗 레일(*rail*). **schienen** *t.* 〖鐵〗 (에) 레일을 부설하다; 〖醫〗 (에) 부목을 대다.

Schienen·fahrzeug [ʃíːnən-] *n.* 궤도차, 광차. **~gleich** *a.*: ~gleiche Übergang 평면 교차, 건널목. **~strang** [-ʃtraŋ] *m.* 궤도. **~strāße** [-ʃtraːsə] *f.* =~WEG. **~wēg** *m.* 궤도, 철도.

schier [ʃiːr] [<scheinen] 《方》 《Ⅰ》 *a.* 맑은, 순수한(♈*sheer, pure*). 《Ⅱ》 *adv.* 아주, 전연(*plainly, totally*); 이윽고, 거의, 하마터면(*almost*). ⌈당근(*hemlock*).⌉

Schierling [ʃíːrlɪŋ] *m.* -s, -e, 〖植〗 독⌋

schierst [ʃiːrst] (du ~), **schiert** (er ~) ☞SCHEREN(그 現在).

Schieß·ausbildung [ʃíːs-] *f.* 사격 연습. **~bahn** *f.* 사격(연습)장. **~baumwolle** *f.* 면(綿)화약. **~bedarf** *m.* 탄약. **~būde** *f.* 사격장《맞히면 경품 따위를 주는 오락용의》. **~būdenfigūr** *f.* 사격장의 인형.

schießen* [ʃíːsən] [急速한 運動을 나타냄] 《Ⅰ》 *i.*(s.) ① 돌진하다, 쏜살같이 움직이다(*rush, dart*), 질주하다; 샘솟다. ¶jm. durch 〔in〕 den Kopf ~ (어떤 생각이) 아무의 머리에 번뜩이다. ② 《比》 왕성하게 생장하다. ¶in Blätter ~ 잎이 트다 / in die Höhe ~, a) 날아〔뛰어〕 오르다, b) 무럭무럭〔쑥쑥〕 자라다. ③ ~ lassen 놓아 주다; 《比》 (돈을) 빌려 준 채 내버려 두다. 《Ⅱ》 *t.* od. *i.*(h.) ① 쏘다, 발사〔발포〕하다, 사격하다(♈*shoot, dart, fire*); 〖坑〗 폭파하다; 사살하다. ② 던지다, 방사하다. ¶Strahlen ~ 광선을 발하다. ③ Purzelbaum ~ 공중제비하다. 《Ⅲ》 **Schießen** *n.* -s, -, 질주, 돌진; 무럭무럭 자람; 쏘기; 발사; 사격; 총화(銃火); (Wett~) 사격 대회. **Schießerei** *f.* -en, 끊임 없는 사격, 난사(亂射).

Schieß·gewehr *n.* 소총, 화기. **~loch** *n.* 총안, 포문; 폭파 구멍. **~platz** *m.* 사격 연습장. **~pulver** *n.* 화약. **~scharte** *f.* 총안(銃眼), 포문(砲門). **~scheibe** *f.* 표적(*target*). **~schlitz** *m.* =~SCHARTE. **~stand** *m.* 사수(射手)의 위치; 사격장. **~ūbung** *f.* 사격 연습.

Schiff [ʃɪf] [*eig.* „Gefäß", 용기(容器)] *n.* -(e)s, -e, 배(♈*ship, vessel*); (Kriegs~) 군함; (배 모양의) 소스 그릇; 물그릇; 통; (Weber~) 북《천을 짜는》(*shuttle*); (Kirchen~) (교회당의) 본당(本堂), 본채(*nave*).

Schiffahrt [ʃíffaːrt] (分綴: Schiff-fahrt) *f.* 항해(*navigation*). **Schiffahrts·kunde** *f.* 항해술.

schiffbār [ʃífbaːr] *a.* 항해할 수 있는, 배가 지날 수 있는.

Schiff·bau *m.* 조선(造船). **~bauer** *m.* 선장(船匠); 조선 기사. **~bau·hōf** *m.* 조선소, 도크. **~bau·kunst** *f.* 조선술. **~bau·meister** *m.* 조선 기사. **~bruch** *m.* 난파, 난선; 《比》 실패, 몰락. **~brüchig** [-brʏçɪç] *a.* 조난한. **~brücke** *f.* 선교(船橋).

Schiffchen [ʃífçən] *n.* -s, -, 작은 배; 〖紡〗 북(*shuttle*).

schiffen [ʃífən] 《Ⅰ》 *i.*(h.) 항해〔항행〕하다. 《Ⅱ》 *t.* 배로 나르다. **Schiffer** [ʃífər] *m.* -s, -, 〖海〗 뱃사람; 선원; 선장.

Schiffer·klavier [ʃífər-] *n.* 《戲》 아코디언. **~knōten** *m.* 세일러 매듭《넥타이 매는 방법의 하나》. **~sprāche** *f.* 선원(船員) 용어.

Schiffs·ārzt [ʃífs-aːrtst] *m.* 선의(船醫). **~bedarf** *m.* 선박 용품. **~boot** *n.* 선재(船載) 보트. **~brücke** [-brʏkə] *f.* 브리지. **~fracht** *f.* 뱃짐. **~frachtbrief** *m.* 선하 증권. **~führer** *m.* 뱃사공, 선장. **~gelēgenheit** *f.* 선편(船便). **~herr** *m.* 선주(船主). **~hinterteil** *m.* 〔*n.*〕 고물. **~journal** *n.* 항해 일지. **~junge** *m.* 견습 선원. **~kapitān** *m.* 선장. **~körper** *m.* 선체(船體). **~kunst** *f.* 항해술. **~lādung** *f.* 뱃짐. **~lände** *f.* 양륙장, 부두. **~last** *f.* 뱃짐(의 단위). **~mākler** *m.* 선하 중개인(船荷仲介人). **~mannschaft** *f.* 배의 승무원. **~maschine** *f.* 선박의 기관. **~nāme** *m.* 선박명. **~patrōn** *m.* 선주. **~raum** *m.* 배의 창고. **~reeder** *m.* 선주. **~rumpf** *m.* 선체(船體). **~schnābel**

m. 뱃머리, 이물. **~schraube** *f.* 추진기, 스크루. **~volk** *n.* 배의 승무원. **~werft** *f.* 조선소, 도크. **~wēsen** *n.* 선박 사항; 항해업. **~zimmermann** *m.* 선장(船匠). **~zwieback** [-tsvi:bak] *m.* 선박용 비스킷《단단한 건빵》.

Schihäserl [ʃí:ha:zərl] *n.* -s, -(n), 스키 초심자; 귀여운 소녀 스키어.

Schikāne [ʃiká:nə] [fr.] *f.* -n, 방해, 성가시게 굴기(*vexation, annoyance*); 속임(수), 책략(♈*chicane*). **schikanieren** [ʃikaní:rən] *t.* 헤살놓다, 괴롭히다(*vex, annoy*).

Schilauf [ʃí:lauf] *m.* 스키 타기.

Schild [ʃɪlt] 《Ⅰ》 *m.* -(e)s, -e, 방패(♈*shield*); 방패 꼴 (문장의 바탕)(*escutcheon*); 문장(紋章). ¶im ~ führen 방패의 문장으로 삼다; 《比》은밀히 꾀하고 있다. 《Ⅱ》 *n.* -(e)s, -er, (Laden~, Geschäfts~) 간판(*signboard*); 표찰(標札), 명찰(*nameplate*); 〖商〗 상표; 등딱지, 갑각(甲殼)(*shell*).

Schildbürger [ʃɪlt-] *m.* Sachsen 주 Schilda 시의 사람; 《比》속물(俗物), 바보.

Schilddrüse [ʃɪltdry:zə] *f.* 〖解〗 갑상선.

Schildereị [ʃɪldərái] *f.* -en, 묘사, 서술; 그림. **Schild(e)rer** *m.* -s, -, 서술자; 염직공.

Schilder·haus [ʃɪldərhaus] *n.* 초사(哨舍), 보초막.

schildern [ʃɪldərn] [*eig.* „den Schild mit den Wappen bemalen"] *t.* (에) 염색을 하다; 색을 칠하다(*colour, paint*); 《比》 묘사〔서술〕하다(*describe*).

Schildersalāt [ʃɪldərzala:t] *n.* 《俗》 표지판의 샐러드《수많이 늘어선 교통 표지》.

Schilderung [ʃɪldərʊŋ] *f.* -en, 묘사, 서술(*description*); 그림(*picture*).

Schildförmig [ʃɪltfœrmɪç] *a.* 방패 모양의; 〖醫〗 갑상(甲狀)의.

Schild=**knappe** [ʃɪlt-] *m.* 방패를 들고 기사를 따르는 종. **~kröte** *f.* 〖動〗 거북(*tortoise*); 바다거북(*turtle*). **~patt** *n.* 별갑(鼈甲)(*totoiseshell*). **~wache** [*eig.* „Wachen mit Schild und Speer"] *f.* 보초(근무). ¶~ wache steh(e)n 보초서다. **~wacht** *f.* 보초 근무.

Schilf [ʃɪlf] [Lw. lat.] *n.* -(e)s, -e, 〖植〗 갈대(*reed*).

schilf=**ārtig** *a.* 갈대 같은, 갈대류의. **~dach** *n.* 갈대로 인 지붕. **~decke** *f.* =~MATTE.

schilfen [ʃɪlfən] *t.* (의) 갈대를 베다; 갈대로 지붕을 이다.

Scilfgrās [ʃɪlfgra:s] *n.* 〖植〗 사초속의 식물(*reed-grass*).

schilfig [ʃɪlfɪç] *a.* 갈대가 빽빽이 자란, 갈대 같은.

Schilf=**klinge** *f.* 양날의 칼. **~matte** *f.* 갈대자리, 삿자리. **~reich** *a.* 갈대가 무성한. **~rohr** *n.* =SCHILF.

schillern [ʃɪlərn] 《Ⅰ》 *i.*(h.) 번쩍번쩍 빛나다, (여러가지로) 변색을 하다《광선의 상태에 따라서》; 오색 영롱하게 빛나다. 《Ⅱ》 **schillerend** *p.a.* 변색을 하는, 오색 영롱하게 빛이 나는.

Schilling [ʃɪlɪŋ] [<Schild] *m.* -s, -e, 실링《독일의 옛 소화폐 이름》.

schilst [ʃɪlst] (du ~), **schilt** (er ~) ☞ SCHELTEN《그 現在》.

Schi·marathon [ʃí:maratɔn] *n.* 스키마라톤《50킬로의 스키 경주》.

Schimāre [ʃimέ:rə] [gr. -lat. -fr.] *f.* -n, 환상(幻想), 망상; 괴상(怪像)(♈*chimera*). **schimārisch** *a.* 환상〔망상〕적인, 가공의.

Schimmel [ʃɪməl] [<Schimmer] *m.* -s, -, ① 〖植〗 (~pilz) 곰팡이(*mould*). ② 백마(白馬), 회색말(*white horse*). **~**=**ärtig** *a.* 곰팡이 같은.

schimm(e)lig [ʃɪm(ə)lɪç] *a.* 곰팡이가 슨; 곰팡이 같은; 곰팡내 나는. **schimmeln** [ʃɪməln] *i.*(h. *u.* s.) 곰팡이가 슬다, 곰팡내가 나다.

Schimmelpilz [ʃɪməlpɪlts] *m.* =SCHIMMEL ①.

Schimmer [ʃɪmər] [♈scheinen] *m.* -s, -, 어렴풋한 빛, 미광(*glimmer*); 빛, 광택(*gleam, lustre*). **schimmern** *i.*(h.) 미광을 발하다, 가물거리다(*glimmer, glisten*); (별 따위가) 반짝이다(*sparkle*).

Schimpanse [ʃɪmpánzə] [afrikan.] *m.* -n, -n, 〖動〗 침팬지, 흑성성(黑猩猩)(♈*chimpanzee*).

Schimpf [ʃɪmpf] *m.* -(e)s, -e, 모욕, 능욕, 무례(*affront, insult*); 치욕, 면목없음(*disgrace*). **schimpfen** [ʃɪmpfən] *t.* u. *i.*(h.) 모욕하다, 욕설을 하다; 꾸짖다; (욕하여) …이라고 부르다; (의) 수치가 되다. **Schimpfereị** *f.* -en, 욕설, 비방. **schimpfieren** [ʃɪmpfí:rən] *t.* 모욕〔비방〕하다; 망가뜨리다. **schimp**=**flich** *a.* 수치스러운, 면목없는; 비방〔모욕〕적인, 무례한.

Schimpf=**nāme** *m.* 별명, 악명, 추명(醜名). **~wort** *n.* 모욕적 언사, 욕.

Schind [ʃɪnt] *m.* -(e)s, -e, 《方》 비듬.

Schind=**aas** [ʃɪnt-] *n.* 썩은 고기, 시육(屍肉). **~anger** *m.* 박피장(剝皮場), 죽은 동물을 버리는 구덩이.

Schindel [ʃɪndəl] [Lw. lat.] *f.* -n, 지붕널(*shingle*). **~dach** *n.* 판자로 이은 지붕.

schinden[(*)] [ʃɪndən] 《Ⅰ》 *t.* (의) 껍질을 벗기다(♈*skin*); 《比》 괴롭히다, 애먹이다(*vex, harass*); 혹사〔착취〕하다(*sweat, exploit*); 공짜로 차지하다, 공짜로 즐기다. 《Ⅱ》 *refl.* 살갗이 벗어지다, 생채기를 내다; 《比》 애써서 일하다, 노고를 하다(*drudge, slave*). **Schinder** *m.* -s, -, 박피인; 폐마 도살자; 《比》 괴롭히는 사람. **Schinderei** *f.* -en, 박피업; 박피장; 《比》 학대, 혹사(酷使); 착취; 신고(辛苦).

schindermäßig [ʃɪndərmε:sɪç] *a.* 《比》 잔혹한.

Schind=**lūder** *n.* 시육(屍肉); 《比》 창녀. ¶~ luder treiben, (mit, 을) 학대〔능욕·조롱〕하다. **~mähre** *f.* 폐마, 노마(老馬).

Schinken [ʃɪŋkən] [♈Schenkel] *m.* -s, -, 훈제(燻製)한 허벅다리 살, 햄(*ham*).

Schinken=**brötchen** [-brø:tçən] *n.* 햄샌드위치. **~knochen** *m.* 허벅다리뼈.

Schinn [ʃɪn] [<schinden] *m.* -(e)s, -e, (Kopf-)~en (*pl.*), 비듬(*dandruff*).

Schippe [ʃɪpə] *f.* -n, 삽(*shovel*); 쟁기; 쓰레받기. **schippen** *i.*(h.) u. *t.* 삽으로 뜨다, 삽질하다. **Schipper** *m.* -s, -, 삽질하는 사람; 〖軍〗 작업병, 공병.

Schirm [ʃɪrm] *m.* -(e)s, -e, 비호(庇護), 보호(*shelter, protection*); (모자의) 차양

(*peak*); 간막이, 영사막, 스크린(*screen*); (램프의) 갓(*shade*); (Regen∼) 우산(*umbrella*); (Sonnen∼) 양산(*sunshade*). **Schi̯rmdach** *n.* 까대기; 차일; 비막이. **schi̯rmen** [ʃírmən] *t.* 차폐하다, 가리다; 두둔하다, 비호하다. **Schi̯rmer** *m.* -s, -, 비호자, 보호자.

Schi̯rm⸗futterāl *n.* 우산〔양산〕주머니. **∼herr** *m.* 보호자, 패트런. **∼mütze** *f.* 차양이 있는 모자. **∼ständer** [-ʃtɛndər] *m.* 우산 세우개. **∼vōgt** [-fo:kt] *m.* =∼HERR. **∼wand** *f.* 간막이, 병풍.

Schiro̯kko [ʃirɔ́ko] [it.] *m.* -s, -s, 시로코《아프리카에서 지중해로 향하여 부는 열풍》.

schi̯rren [ʃírən] [<Geschirr] *t.* (에) 마구(馬具)를 달다.

Schisma [ʃísma, sçís-] [gr. „Trennung"] *n.* -s, ..men *u.* -ta, 〖宗〗 시스마, 분리, 분파.

schiß [ʃɪs] ☞SCHEIßEN《그 過去》.

Schizo·goni̱e [ʃɪtsogoní:] [gr. *schizein* „spalten", *gone* „Geburt"] *f.* 〖生〗 분열생식. **Schizo·phreni̱e** [sçitsofrení:, ʃi-] [gr. „Spaltungs-irresein] *f.* ..ni̱en, 〖醫〗 정신 분열증.

Schlacht [ʃlaxt] [<schlagen] *f.* -en, 전투, 싸움(*battle*). **Schla̯chtbank** [ʃlaxtbaŋk] *f.* 도살대. **schla̯chtbār** [-ba:r] *a.* 도살할 수 있는. **Schla̯chtbeil** [ʃláxtbail] *n.* 도살용의 도끼. **schla̯chten** [ʃláxtən] [<schlagen] *t.* 타살하다, 도살하다(♈*slay, kill*); 학살하다, 살육하다(♈*slaughter, butcher*).

Schlächter [ʃlέçtər] *m.* -s, -, 도축자(屠畜者); 푸주한(*butcher*). **Schlachte⸗re̱i, Schlächtere̱i** *f.* -en, 도살업; 도살장; 푸주.

Schla̯cht⸗essen *n.* 도살일(日)의 성찬(을 들기). **∼feld** *n.* 전장(戰場)(*battlefield*). **∼flieger** *m.* 전투기. **∼flotte** *f.* 전투 함대. **∼gesang** *m.* 군가. **∼⸗getümmel** [-gətʏməl] *n.* 전투의 함성; 접전(接戰), 난전(亂戰). **∼haufe(n)** *m.* 전투 부대. **∼haus** *n.*, **∼hōf** *m.* 도살장. **∼kreuzer** *m.* 전투 순양함. **∼⸗lini̯e** *f.* 전열(戰列). **∼messer** *n.* 가축을 도살하는 칼. **∼ochs** [-ɔks] *m.* 도살용 소. **∼opfer** *n.* 희생, 제물. **∼ordnung** [-ɔrdnuŋ, -ɔrt-] *f.* 전투 대형. **∼reihe** [-raiə] *f.* 전열(戰列). **∼roß** *n.* 군마(軍馬), (장교의) 승용마(乘用馬). **∼rūf** *m.* 전투의 함성, 고함. **∼schiff** *n.* 전투함. **∼vieh** [-fi:] *n.* 도살할 가축.

Schlacke[1] [ʃlákə] *f.* -n, 걸쭉한 것, 죽; 〖方〗 〔∼**darm** *m.*〕 직장(直腸).

Schla̯cke[2] [ʃlákə] [<schlagen] *f.* -n, 용암, 슬랙, 광재(鑛滓)(♈*slag, dross*); 《比》 찌꺼기. **schla̯cken** *i.*(h.) 광재가 생기다. **schla̯ckig** *a.* 광재가 많은.

Schla̯ckwurst [ʃlákvurst] *f.* 직장(直腸) 소시지.

Schlāf [ʃla:f] *m.* -(e)s, 잠, 수면(♈*sleep*); 휴식.

Schla̱f⸗anzūg *m.* 잠옷, 파자마. **∼⸗bursch(e)** *m.* 숙박인《침대만 쓰는》.

Schlä̱fchen [ʃlέ:fçən] *n.* -s, -, 선잠(*nap, doze, slumber*).

Schlä̱fe [ʃlέ:fə] *f.* -n, 〖解〗 관자놀이《잠잘 때에 베개에 대는 부분》(*temple*).

schla̱fen* [ʃlá:fən] [*eig.* „schlaff sein"] *i.*(h.) 자다, 잠들어 있다(♈*sleep, be asleep*). ¶∼ geh(e)n, sich ∼ legen 취침하다.

Schla̱fenszeit [ʃlá:fəns-tsait] *f.* 취침 시(時).

Schlä̱fer [ʃlέ:fər] *m.* -s, -, 잠을 자는 사람; (Lang∼) 잠꾸러기. **schlä̱f(e)rig** *a.* 졸리(게 하)는. **schlä̱fern** *i.*(h.) *imp.*: es schläfert mich 〔mich schläfert〕 나는 졸린다.

schlaff [ʃlaf] *a.* 느슨한, 느즈러진, 헐거운(*slack, loose, relaxed*). **Schla̯ffheit** [ʃláfhait] *f.* 이완(弛緩).

Schla̱f⸗geld [ʃlá:f-] *n.* 숙박료. **∼ge⸗mach** *n.* 침실. **∼genoß** *m.* 같은 방에 자는 사람. **∼gewand** *n.* 잠옷, 파자마. **∼haube** *f.* (여성의) 나이트캡. **∼kammer** *f.* 침실. **∼krank⸗heit** *f.* 수면병(睡眠病). **∼lied** *n.* 자장가. **∼lōs** *a.* 잠이 오지 않는, 불면(不眠)의. **∼lōsigkeit** *f.* 잠이 오지 않음; 〖醫〗 불면증. **∼mittel** *n.* 수면제(睡眠劑). **∼mütze** *f.* 침실모(帽), 나이트 캡; 《比》 잠꾸러기; 느림보. **∼pul⸗ver** *n.* 수면제《가루의》. **∼rēden** *n.* 잠꼬대. **∼rock** *m.* 나이트 가운. **∼⸗saal** [-za:l] *m.* (침대가 여럿인) 침실. **∼sack** *m.* 침낭(寢囊). **∼sessel** *m.* 안락 의자. **∼sōfa** *n.* 침대 겸용 소파. **∼stätte** [-ʃtɛtə], **∼stelle** [-ʃtɛlə] *f.* 자는 곳. **∼stūbe** [-ʃtu:bə] *f.* 침실. **∼sucht** *f.* 기면(嗜眠). **∼süchtig** [-zʏçtɪç] *a.* 기면성(嗜眠性)의. **∼trank** *m.* 최면 음료. **∼trunken** *a.* 잠을 덜 깬. **∼trunkenheit** *f.* 잠을 덜 깸. **∼wāgen** *m.* 〖鐵〗 침대차. **∼wandeln** *i.*(h.*u.* s.) 몽중 보행을 하다, 몽유(夢遊)하다. **∼wandler** [-vandlər] *m.* 몽유병자. **∼zeug** [-tsɔyk] *n.* 침구(寢具). **∼zimmer** *n.* 침실.

Schlāg [ʃla:k] [<schlagen] *m.* -(e)s [-ks, -gəs], ⸗e [ʃlέ:gə], 《I》 치기, 타격(*beat, stroke, blow*); (Huf∼) 차기(*kick*); 충격(*shock*); 전격(電擊)(*peal of thunder*); 〖生理〗 고동(鼓動)(*beat*); (종다리 따위의) 지저귐, 우는 소리(*warble*); 〖醫〗 졸도(卒倒), 까무러침(*apoplexy*); 벌채(伐採); 벌채구(區); (zuschlagen 하는 것:) (마차 따위의) 문짝; (Tauben∼) (문짝이 있는) 비둘기 집; (시계의) 땡땡 치기, 땡땡 치는 소리. ¶∼ zehn (Uhr) 정각 10 시. 《II》 (nach jm. schlagen "아무를 닮다" 따위의 schlagen의 뜻:) 유(類), 종(種), 형(型)(*race, kind, sort*).

Schla̱g⸗āder *f.* 〖解〗 동맥(*cartery*). **∼⸗anfall** *m.* 졸중(卒中)의 발작. **∼ārtig** *a.* 졸중과 같은; 돌발적인. **∼ball** *m.* 타구(打球); 공치기, 크리켓. **∼baum** *m.* 빗장《내리지르는》, 관목(關木). **∼⸗bolzen** *m.* (총의) 공이. **∼eisen** *n.* (너구리·족제비 따위를 잡는) 쇠 덫.

Schlä̱gel [ʃlέ:gəl] *m.* -s, -, =SCHLEGEL.

schla̱gen* [ʃlá:gən] 《I》 *t.* 치다, 두드리다; 두들기다, 때리다, 패다(*beat, strike*); (나무를) 찍어 쓰러뜨리다; (화폐를) 주조하다(*coin*); 《比》 (쳐서) 이기다, 지우다. ¶Schaum 〔Schnee〕 ∼ 계란을 휘저어 거품이 일게 하다 / Falten ∼

(옷 따위에) 주름이 잡히다 / Wurzeln ~ 뿌리를 박다 / e-e Brücke (über e-n Fluß) ~ (강 위에) 다리를 놓다 / ein Lager ~ 진을 치다, 설영(設營)하다 / die Augen zu Boden ~ 눈을 내리 뜨다. 《Ⅱ》 *i.* ① (h.) 치다; (말이) 차다; (작은 새가) 지저귀다, 울다. ¶**aus** der Art ~ 퇴화하다 / nach jm. ~ 아무를 닮아가다. ② (s.) 부딪치다. 《Ⅲ》 *refl.* 자기를 치다; (einander ~) 서로 치다 〔두들기다〕, 싸우다; 결투하다. ¶sich auf 〔an〕 die Brust 자기 가슴을 치다 / sich mit jm. auf Pistolen ~ 아무와 권총으로 결투하다. **Schlager** [ʃlá:gər] *m.* -s, -, 맞힌 것, 히트한 것; 히트 송. **Schläger** [ʃlɛ́:gər] *m,* -s, -, 치는 사람, 두드리는 사람; (Ball~) 공치기를 하는 사람; 치는 도구; 결투용의 검(劍); 라켓; 배트; (골프의) 채. **Schlägerei** *f.* -en, 드잡이, 싸움; 격투.

Schlag=falle [ʃlá:k-] *f.* 함정(*pitfall*). **~fertig** *a.* 언제라도 칠 용의가 있는; 빈틈없는, 신속하고 재치 있는 (답변) (*readywitted*). **~fertigkeit** *f.* (준비의) 만전(萬全), 책전(策戰)의 묘(妙); 임기응변, 재치. **~fluß** *m.* 〖醫〗 졸중(의 발작). **~holz** *n.* (크리켓의) 배트. **~in=strument** *n.* 〖樂〗 타악기. **~kraft** *f.* 충격력, 폭발력. **~licht** *n.* 〖畫〗 (대상물의 윤곽을 뚜렷이 하기 위한) 강한 빛. **~loch** *n.* (길의) 움푹 파인 곳. **~obers** *n.* 《方》 =~SAHNE. **~regen** *m.* 억수, 호우(豪雨). **~ring** *m.* 격투시 손가락에 끼는 금속제의 고리. **~=sahne** *f.* 거품을 낸 크림. **~schatten** *m.* 짙은 그늘〔그림자〕; 〖畫〗 (뚜렷하게 나타내기 위한) 투영(投影). **~seite** *f.* 〖海〗 편현(偏舷)《손상(損傷) 따위에 의한》. **~werk** *n.* (시계의) 명종(鳴鐘) 장치. **~wetter** *n.* (갱(坑) 안의) 폭발 가스. **~wort** *n.* 캐치 프레이즈. 간결한 말, 표어, 슬로건(*catchword, slogan*). **~=wort·katalog** *m.* 사항〔건명〕 목록. **~zeile** *f.* (신문 1면의) 큰 표제, 대서 특필. **~zeug** *n.* 〖樂〗 타악기.

Schlamm [ʃlam] *m.* -(e)s, 진흙, 진창 (*mud, mire*).

schlammen [ʃlámən] *i.*(h.) 진흙을 침전시키다. **schlämmen** [ʃlɛ́mən] *t.* (의) 진흙을 쳐내다, 준설하다. **schlammig** *a.* 진흙투성이인;질퍽질퍽한. **Schlämm=kreide** *f.* 정제 백악(白堊). **Schlamm=regen** [ʃlámre:gən] *m.* 먼지 비《먼지를 품은 강우》.

Schlampe [ʃlámpə] *f.* -n, 흘게늦은 여자. **schlampen** [ʃlámpən] *i.*(h.) 흘게늦다(*be slovenly*). **Schlamperei** *f.* -en, 흘게늦음, 타락. **schlampig** *a.* 축 늘어진; 흘게 늦은.

schlang [ʃlaŋ] ☞SCHLINGEN《그 過去》.

Schlange [ʃláŋə] [*eig.* „die sich Schlingende, 굽이치는 것"] *f.* -n, 〖動〗 뱀 (*snake, serpent*). ¶~ stehen (사람이) 장사진을 이루다(*queue up*). **schlän=geln** [ʃlɛ́ŋəln] *refl.* u. *i.*(h.) 몸을 서리다, 굽이쳐 나아가다, 장사진을 이루다; (불꽃 따위가) 너울거리다.

Schlangen=beschwörer [ʃláŋən-] *m.* 뱀을 부리는 사람. **~biß** *m.* 뱀에 물린 상처. **~brut** *f.* 뱀의 한배 새끼; 《比》 간교〔음흉〕한 도당, 악당. **~förmig** *a.* 뱀 꼴의, 뱀 모양의. **~fraß** *m.* 《俗》 뱀이 먹는 것《형편 없는 식사》. **~haut** *f.* 뱀의 껍질. **~linie** *f.* 사행선(蛇行線), 파상선(波狀線). **~mensch** *m.* 신체를 뱀처럼 자유 자재로 구부리는 곡예사. **~pfad** *m.* 구불구불한 길. **~stein** *m.* 〖鑛〗 사문석(蛇紋石). **~träger** *m.* 〖天〗 뱀자리. **~windung** *f.* 구불구불함, 굽이침; 사곡선(蛇曲線), 파상선. **~zunge** *f.* 뱀의 혀; 《比》 독설; 감언. **~züngig** [-tsʏŋɪç] *a.* 뱀의 혀의; 《比》 독설의; 감언(甘言)의.

schlank [ʃlaŋk] [<schlingen[1]] *a.* 나긋나긋한, 유연한; 날씬한(*slender*); 호리호리한, 화사(華奢)한(*slim*). **Schlank=heit** *f.* 날씬함; 화사함.

schlankweg [ʃlaŋkvék, ʃláŋkvék] *adv.* 시원스럽게, 단연, 딱《거절하다 따위》 (*downright*).

schlapp [ʃlap] *a.* 축 늘어진(*limp*); 《比》 느른한, 기운 없는(*fatigued*). **Schlap=pe**[1] [ʃlápə] *f.* -n, 따귀 치기; 《比》 손해(*loss*); 패배(*reverse, defeat*).

Schlappe[2] [ʃlápə] *f.* -n, 슬리퍼. **schlappen** *i.*(h.) 발을 끌며 걷다; 슬리퍼를 신고 걷다.

Schlapphut [ʃláphu:t] *m.* 차양이 넓은 소프트모(帽).

schlappig [ʃlápɪç] *a.* 축 늘어진(*slovenly*); 느슨한(*flabby*).

schlapp|machen [ʃlápmaxən] *i.*(h.) 《俗》 축 까부라지다, 의욕을 잃다.

Schlappschwanz [ʃlápʃvants] *m.* 겁장이.

Schlaraffe [ʃlaráfə] *m.* -n, -n, 게으름뱅이, 빈둥거리는 사람(*lazybones*).

Schlaraffen=land [ʃlaráfən-] *n.* 게으름뱅이의 천국, 놀고 먹는 세상. **~le=ben** *n.* 나태〔안일〕한 생활.

schlau [ʃlau] *a.* 교활한(ᵠ*sly, cunning*); 빈틈없는, 약은(*subtle*). **Schlauberger** [ʃláubɛrgər] *m.* 교활한 놈.

Schlauch [ʃlaux] *m.* -(e)s, ⸗e [ʃlɔ́yçə], 가죽 주머니(*leatherbag*); (가죽 또는 고무의) 관(管), 호스((*leather-*)*hose*).

Schlauch=boot *n.* 가죽주머니의 보트. **~wagen** *m.* 호스차《소방용》.

Schläue [ʃlɔ́yə] *f.* 교활함. **schlauer=weise** *adv.* 교활하게, 빈틈없이, 약삭빠르게. **Schlaufe** *f.* -n, =SCHLEIFE[1].

Schlauheit [ʃláuhait], **Schlauigkeit** [ʃláuɪç-] *f.* -en, 약삭빠름, 교활함.

schlecht [ʃlɛçt] [schlicht 와 同語, t 는 원래 과거 분사의 꼴; *eig.* „geebnent (=eben)"] *a.* ① 평이(平易)한, 순진한, 단순한. ¶~ u. recht 소박하고 정직한. ② (탁월한 것에 대하여) 열등한, 나쁜(*base, bad*); (moralisch ~) (도덕적으로) 악한, 불량한(*wretched*). ¶mir ist ~ 나는 불쾌하다, 기분이 나쁘다, 몸이 편치 않다 / ~ (*adv.*) hören 〔sehen〕 귀가〔눈이〕 나쁘다. **schlechterdings** [ʃlɛçtərdíŋs, ʃlɛ́çtərdɪŋs] *adv.* 단적으로, 전혀(*utterly*); 반드시, 절대적으로 (*absolutely*). **schlechtgelaunt** *a.* 부루퉁한, 기분이 언짢은. **Schlecht·heit** *f.* -en, 열등, 열악(劣惡).

schlecht·hin [ʃlɛçthín, ʃlɛ́çthín] *adv.* 그저, 단지, 다만; 즉각; 전연.

Schlẹchtigkeit [ʃlɛ́çtɪç–] *f.* -en, 열등, 열악; 열악한 언행.
schlẹcht≈machen [ʃlɛ́çtmaxən] *t.* 중상[비방]하다. ★ schlẹcht mạchen 서투르게 하다. **∼wẹg** [ʃlɛçtvɛ́k, ʃlɛ́çtvɛ́k] *adv.* 다만, 오직(*plainly, simply*). **∼≈wetter** *n.* 나쁜 날씨.
schlẹcken [ʃlɛ́kən] *i.*(h.) u. *t.* 핥다(*lick*); 맛있게 먹다; 집어[훔쳐] 먹다. **Schlẹcker** *m.* -s, -, 미식가(美食家). **Schleckerẹi** *f.* -en, 미식, 진미. **schlẹkerhaft** *a.* 미식을 좋아하는.
Schlēgel [ʃlé:gəl] [<schlagen] *m.* -s, -, 두드리는 기구; 곤봉, 망치, 메(*mallet*); (북의) 채(*drumstick*); 〖料〗 허벅다리 살《양·송아지 따위의》(*leg*). **schlēgeln** *t.* 망치로 치다.
Schlēhe [ʃlé:ə] *f.* -n, 〖植〗 인목(鱗木)(의 열매)(♈*sloe, wild plum*).
Schlēhen≈blüte *f.* 인목의 꽃. **∼dorn, ∼strauch** *m.* 〖植〗 인목(*blackthorn*).
schlẹichen* [ʃláiçən] 《Ⅰ》 *i.*(s.) u. *refl.* 기다, 파행[포복]하다(*creep*); 남몰래 가다. ¶ sich davon ∼ 살금살금 달아나다(*steal away*). 《Ⅱ》 **schlẹichend** *p. a.* 기는 (듯한); 잠복성의, 만성의(*slow*).
Schlẹicher *m.* -s, -, 숨어 다니는 사람(*sneak*), 《比》 음험한 사람, 위선자; 〖動〗 파행 동물(*crawler*).
Schlẹich≈handel [ʃláiç–] *m.* 밀수, 암거래. **∼händler** *m.* 밀무역자; 암거래인. **∼wāre** *f.* 밀수품; 암거래 물자. **∼wēg** *m.* 샛길, 뒷길; 《比》 부정 수단.
Schlẹie [ʃláiə] *f.* -n, 유럽산 잉어의 일종(*tench*).

Schlẹier [ʃláiər] *m.* -s, -, 면사포, 베일(*veil*); 연막(*smokescreen*). 「빼미속(屬).
Schlẹier·eule [ʃláiər-ɔylə] *f.* 〖鳥〗 올」
schlẹierhaft [ʃláiərhaft] *a.* 베일을 통해 보는 듯한; 몽롱한, 애매한, 모호한, 불가해한.
schlẹiern [ʃláiərn] *t.* 베일을 씌우다.
Schlẹifbank [ʃláifbaŋk] *f.* 연마대(研磨臺).
Schlẹife[1] [ʃláifə] [<schleifen[1]; *eig.* "끼어 들어 가는것"] *f.* -n, 구멍, 고리, 고(*loop, mesh*); 매듭(*knot, bow*); 넥타이, 옷깃의 장식(*cravat*); 올가미(*snare*).
Schlẹife[2] *f.* -n, 썰매(♈*sledge*); 활주로.
schlẹifen[1]* [ʃláifən] *t.* (schliff, geschliffen) 갈다, 연마하다(*grind, sharpen, whet*); (유리를) 자르다, 갈다. **schlẹi≈fen**[2] [ʃláifən] (schleifte, geschleift) [=„schleifen[1] machen, 미끄러지게 하다"] *t.* 질질 끌다(*draw, drag*); 썰매로 나르다; 부수다, 헐다(*raze, demolish*); 〖樂〗 활주(滑奏)[활창(滑唱)]하다(*slur*).
Schlẹifer [ʃláifər] *m.* -s, -, 연마공(研磨工), 가는 사람. **Schleiferẹi** *f.* -en, 연마 (공장).
Schlẹif≈lack [ʃláif–] *m.* 연마 와니스. **∼maschine** *f.* 연마기. **∼mittel** *n.* 연마제. **∼stein** [–ʃtain] *m.* 숫돌.
Schleim [ʃlaim] *m.* -(e)s, -e, 점액(粘液)(♈*slime, phlegm*); (Nasen∼) 콧물(*mucus*).
Schlẹim≈absonderung *f.* 점액 분비. **∼ārtig** *a.* 점액성의. **∼drüse** *f.* 〖解〗 점액선(腺).
schlẹimen [ʃláimən] *i.*(h.) 점액질이 되다, 진득거리다; 점액이 생기다, 가래가[콧물이] 나오다.
Schlẹim≈fieber [ʃláim–] *n.* 점액열; 가벼운 장티푸스. **∼fluß** *m.* 점액루(粘液漏). **∼haut** *f.* 〖解〗 점막.
schlẹimig [ʃláimɪç] *a.* 점액질의, 점액을 함유한.
Schlẹiße [ʃláisə] *f.* -n, 관솔을 길쭉하게 잘라낸 것《횃불용》. **schlẹißen**(*) [ʃláisən] *t.* 째다, 찢다, 쪼개다(♈*slit, split*); 벗기다, 찢어 내다(*strip*).
schlẹmmen [ʃlémən] *i.*(h.) 진탕 먹고 마시다, 미식(美食)하다(*gormandize*), 사치를 하다. **Schlẹmmer** *m.* -s, -, 미식가(美食家); 사치스러운 사람. **Schlem≈merẹi** *f.* -en, 미식, 식도락; 사치.
Schlẹnderer [ʃlɛ́ndərər] *m.* -s, -, 어슬렁어슬렁 걷는 사람; 빈둥빈둥 노는 사람. **Schlẹndergang** *m.* 한가롭게 거닒. **schlẹndern** [ʃlɛ́ndərn] [*eig.* „abgleiten"] *i.*(h. *u.* s.) 한가롭게 거닐다. (*stroll, saunter*). **Schlẹndriān** [ʃlɛ́ndria:n] *m.* -(e)s, -e, 관행(慣行); 구습, 번문 욕례(煩文縟禮), 형식주의《관청 따위의》(*routine, beaten track*).
schlẹnk(e)rich [ʃlɛ́ŋk(ə)rɪç] *m.* -s, -e, 급진동(急振動); 싹싹한 사람. **schlẹn≈kern** [ʃlɛ́ŋkərn] 《Ⅰ》 *t.* (내)던지다, 내밀다; 흔들다(*fling, toss*). 《Ⅱ》 *i.*(h.) 흔들리다, 근들근들 매달리다(*dangle*); 휘청휘청 걷다(*shamble*). ¶ mit den Armen ∼ 팔을 근들근들 흔들다.
Schlẹpp≈boot [ʃlɛ́p–] *n.* 끄는 배, 예선(曳船). **∼dampfer** *m.* 증기 예선.
Schlẹppe [–ʃlɛ́pə] *f.* -n, 질질 끌리는 긴 옷자락(*train*). **schlẹppen** [ʃlɛ́pən] [schleifen과 同語] 《Ⅰ》 *t.* 끌다, 질질 끌다; 끌고 가다(*drag, draw*); (옷자락을) 질질 끌다(*drag, trail*). 《Ⅱ》 *refl.* 발을 질질 끌며[무거운 걸음으로] 걷다; (mit, 를) 질질 끌다, (의) 무거운 짐을 지다, (으로) 고생하다. 《Ⅲ》 *i.*(h.) (옷자락이) 끌리다; 느릿느릿 움직이다; 느릿느릿 지나가다《시간이》; 오래 끌다, 연기되다; 또렷또렷하지 않다. **schlẹppend** [ʃlɛ́pənt] *p. a.* 느릿느릿한; 완만한; 장황한. **Schlẹpper** *m.* -s, -, 끄는 사람; 끄는 것《예선·트랙터 따위》.
Schlẹpp≈kleid [ʃlɛ́p–] *n.* 끌리는 긴 옷자락이 달린 의복. **∼netz** *n.* 예망(曳網). **∼sābel** *m.* 긴 칼《기병의》. **∼≈schiff** *n.* 예선(曳船). **∼schiffahrt** *f.* 예항(曳航). **∼seil, ∼tau** *n.* 끄는 (배의) 밧줄. ¶ 《比》 ins ∼seil nehmen (남을) 끌고 가다, 이끌다, 도와 주다. **∼zūg** *m.* 예선(曳船)의 열(列).
Schlēsien [ʃlé:ziən] *n.* 도이치의 한 지방 이름. **Schlēsier** *m.* -s, -, **Sch≈lēsierin** *f.* -nen, 슐레지아 사람. **schlēsisch** *a.* 슐레지아의.
Schlẹswig [ʃlé:svɪç, ʃlɛ́s–] *n.* Schleswig-Holstein 북부의 지방 및 도시이름.
Schlẹswig-Họlstein [–hɔ́lʃtain] *n.* 북부 독일의 주 이름.
Schleuder [ʃlɔ́ydər] *f.* -n, 투석용의 가죽끈, 투석기《옛날의 무기》(*sling, catapult*); (장난감) 새총; 액체 분리기; 원심기(遠心機)(*separator*).

Schleuder·artikel *m.* 싸구려의 막 파는 물건. **~ausfuhr** *f.* 덤핑.
Schleud(e)rer[1] [ʃlɔ́yd(ə)rər] *m.* -s, -, 투석기로 던지는 사람; 항공기 사출기, 캐터펄트(*catapult*).
Schleud(e)rer[2] *m.* -s, -, 날림일을 하는 사람; 투매 상인.
Schleuder·geschäft *n.* 투매. **~honig** *m.* (원심기로) 걸러낸 꿀. **~maschine** *f.* 원심 분리기; (우유의) 크림 분리기; 〖空〗 비행기 사출기, 캐터펄트.
schleudern[1] [ʃlɔ́ydərn] 《Ⅰ》 *t.* 투석기로 던지다; 《一般的》 던지다, 팽개치다, 내던지다(*throw, hurl, fling*); 《比》 (비난 등을) 던지다. 《Ⅱ》 *i.*(h.) ① mit den Armen ~ 팔을 휘두르다. ② (차의 뒷바퀴가) 옆으로 미끄러지다.
schleudern[2] [♈Schlaraffe의 前半] *i.*(h.) 날림일을 하다; 헐값으로 팔아 치우다. ¶ 《schleudern[1]과 혼합하여》 mit e-r Ware ~ 어떤 물품을 투매(投賣)하다.
Schleuder·preis *m.* 투매 가격, 헐값. **~start** *m.* 캐터펄트에 의한 이륙. **~ware** *f.* 싸구려 물건.
schleunig [ʃlɔ́ynıç] 《Ⅰ》 *a.* 신속한, 잽싼(*quick, speedy*); 조속한, 즉석의(*prompt*). 《Ⅱ》 *adv.* 즉시, 곧.
Schleuse [ʃlɔ́yzə] [Lw. fr. -ndl., *aus* lat. *(aqua) ex-clūsa*, „aus-geschlossenes (Wasser)"] *f.* -n, 수문, 갑문(閘門)(♈*sluice, lock*); 배수거(排水渠), 암거(暗渠) 《하수도의》(*drain*).
Schleusen·geld *n.* 수문 (통과)료. **~meister** *m.* 수문 관리인. **~tor** *n.* 수문. **~werk** *n.* 수문 시설.
schlich [ʃlıç] ☞SCHLEICHEN(그 過去).
Schlich [ʃlıç] [<schleichen] *m.* -(e)s, -e, 샛길(*secret way*); 《比》 술책(*trick*).
schlicht [ʃlıçt] [schlecht와 同語 別形] *a.* ① 평평한, 반들반들한(*sleek, smooth*). ② 꾸미지 않은, 소박한, 간소한, 단순한(*plain, simple*). **schlichten** [ʃlíçtən] *t.* ① 판판하게〔반들반들하게〕 하다; (에) 줄질〔대패질〕하다; (실에) 풀먹이(어 반들반들하게 하)다; (머리털, 아마 등을) 가리다. ② 《比》 조정하다《분쟁을》(*settle, make up*). **Schlichter** *m.* -s, -, 〖紡〗 정사공(整絲工); 조정자, 중재자(*arbitrator*). **Schlichtung** *f.* -en, 평활하게 함; 〖紡〗 정사(整絲); 간추림; 조정.
Schlichtungs·ausschuß *m.* 조정 위원(회).
Schlick [ʃlık] [<schleichen] *m.* -(e)s, -e, 진흙, 진창(*slime, mud*).
schlief [ʃli:f] ☞SCHLAFEN(그 過去).
Schließe [ʃlí:sə] *f.* -n, 죄는 기구(*clasp, fastening*).
schließen* [ʃlí:sən] 《Ⅰ》 *t.* ① (자물쇠·빗장 따위로) 잠그다(*lock (up)*); 닫다(*shut, close*); 넣고 잠그다, 가두어 넣다; (in Ketten ~) 사슬에 매다; 매다, 결합하다; 체결하다《동맹·조약을》(*conclude*). ② 끝마치다, 종결하다(*finish, end*); 결론을 짓다, 추론하다. ¶ **in** die Arme ~ 팔에 껴안다 / jn. **an** die Brust ~ 아무를 가슴에 껴안다 / in sich ~ 포함하다 / jn **aus** et. ~ 아무를 어떤 일에서 제외하다. 《Ⅱ》 ① *i.*(h.) (열쇠가) 잘 맞다; (문이) 꼭 닫히다. ¶ das Schloß schließt nicht 자물쇠가 채워지지 않는다. ② 종결〔완결〕하다, 끝나다; 결론짓다, 추론하다; =GESCHLOSSEN. 《Ⅲ》 *refl.* 닫히다; 끝나다, 완결되다; (상처가) 아물다; 계속되다; 추론되다. **Schließer** *m.* -s, -, 문지기; 청지기; (Gefängnis~) 간수.
Schließfach [ʃlí:sfax] *n.* 〖郵〗 사서함.
schließlich [ʃlí:slıç] 《Ⅰ》 *a.* 마지막의, 끝의(*final*). 《Ⅱ》 *adv.* 마지막으로, 끝으로, 마침내(*finally, at last*).
Schließmuskel [ʃlí:smuskəl] *m.* 괄약근(括約筋).
Schließung [ʃlí:sʊŋ] *f.* -en, ① 잠금, 닫음, 폐쇄; 종결, 완결; (조약 따위의) 체결. ② 결론, 추론.
schliff [ʃlıf] ☞ SCHLEIFEN[1](그 過去).
Schliff [ʃlıf] *m.* -(e)s, -e, 갊, 연마(研磨)(*polish*); (letzter ~) 마무리, 끝손질; 《比》 세련, 때물 벗음; 〖軍〗 단련, 맹훈련.
schlimm [ʃlım] *a.* 《狀態·事情·性質에 대하여》 불량한, 나쁜(*bad, evil*); 곤란한; 심한; 악성의; (몸이) 편찮은, 불쾌한, 앓고 있는(*ill, sick, sore*). **schlimmer** *a.* 보다 나쁜(*worse*). **schlimmst** *a.* 가장 나쁜(*worst*). **schlimmstenfalls** *adv.* 만일의 경우에는; 아무리 나쁘더라도.
Schlinge [ʃlíŋə] [<schlingen[1]] *f.* -n, ① 고, 고리(*loop*); 올가미(*knot*); 〖植〗 덩굴손; 멜빵붕대(♈*sling*). ② 올무, 덫(*snare*). ¶ sich aus der ~ ziehen 《比》 궁지를 벗어나다. **Schlingel** [ʃlíŋəl] *m.* -s, -, 무뢰한, 불량배(*rascal*); 장난꾸러기, 망나니(*naughty boy*). **schlingen**[1]* [ʃlíŋən] *t.* 휘감다, 얽어매다(*twine, twist, wind*). ¶ e-n Knoten ~ 매듭을〔고를〕 만들다 / die Arme ineinander ~ 팔짱 끼다.
schlingen[2]* *t.* u. *i.*(h.) 삼키다(*swallow*); 탐식(貪食)하다(*devour*).
schlingern [ʃlíŋərn] *i.*(h.) (배가) 옆질하다, 화치다(*roll*).
Schling·gewächs [ʃlíŋgəvɛks] *n.*, **~pflanze** *f.* 덩굴 식물《담쟁이·칡 무리》.
Schlips [ʃlıps] [Lw. engl. *slips*] *m.* -es, -e, 넥타이((*neck-*)*tie*).
schliß [ʃlıs] ☞ SCHLEIßEN(그 過去).
Schlitten [ʃlítən] *m.* -s, -, ① 썰매(♈*sled*, ♈*sledge*). ¶ 《比》 unter den ~ kommen 불행해지다, 영락〔타락〕하다. ② 〖工〗 미끄럼대판; 〖海〗 진수대.
Schlitten·bahn *f.* 썰맷길, 활로(滑路). **~fahrt** *f.* 썰매를 타고 감, 썰매로 달림. **~kufe** *f.* 썰매의 활목(滑木). **~partie** *f.* 썰매 놀이(회).
schlittern [ʃlítərn] *i.*(h. *u.* s.) 미끄름지치다, 활주하다(*slide*).
Schlitt·schuh [ʃlít-ʃu:] *m.* 스케이트 구두(*skate*). ¶ ~ laufen 스케이팅을 하다. **Schlitt·schuh·läufer** *m.* 스케이팅하는 사람.
Schlitz [ʃlıts] [<schleißen] *m.* -es, -e, 길쭉하게 갈라진 틈, 틈새(♈*slit, slash*); (자동 판매기의) 동전 구멍(*slot*).
Schlitz·auge *n.* 옆으로 길게 찢어진 눈. **schlitzen** [ʃlítsən] *t.* 가늘고 길게 베다, (에) 기다란 틈을 내다; 찢다.

S

Schlitzflügel [ʃlítsfly:gəl] *m.* (비행기의) 열개익(裂開翼).
schlohweiß [ʃló:váis, ʃlo:váis] [= schloßweiß†] *a.* 눈처럼 흰(*snow-white*).
schloß [ʃlɔs] ☞ SCHLIEßEN《그 過去》.
Schloß [ʃlɔs] [<schließen] *n.* ..sses, Schlösser, 《Ⅰ》 자물쇠(*lock*); (목걸이의) 죔쇠, 스냅(*snap*); (책 표지를 철하는) 물림쇠(*clasp*); 〖軍〗 (Gewehr~) 놀이쇠(*lock*). 《Ⅱ》 [„festes, verschlossenes (Gebäude)"] 성(*castle*); 대궐, 큰 저택(*palace*).
Schlōße [ʃló:sə] *f.* -n, 《方》 우박의 알(*hailstone*). **schlōßen** [ló:sən] *i.*(h.) *imp.*: es schloßt 우박이 내리다. **Schlō-ßenwetter** *n.* 우박이 오는 날씨.
Schlosser [ʃlɔ́sər] *m.* -s, -, 자물쇠를 만드는 사람, 철물공; 금속공; 기계(부분품의) 조립공. **Schlosserei** *f.* -en, 자물쇠 가게, 철물 가게〔장사·공장〕.
Schloß-grāben *m.* (성의) 해자(垓子). **~herr** 성주(城主). **~hōf** [ʃlɔ́sho:f] *m.* 성의 안뜰.
Schlōt [ʃlo:t] *m.* -(e)s, -e *u.* ⸚e, 연통, 굴뚝(*chimney, flue*). **Schlōtfēger** *m.* 굴뚝 청소부.
schlott(e)rig [ʃlɔ́t(ə)rɪç] *a.* 흔들흔들하는, 비틀비틀하는, 털럭거리는(*shaky*); 헐거운(*loose*); 흘게늦은, 칠칠치 못한(*slovenly*). **schlottern** [ʃlɔ́tərn] *i.*(h. *u.* s.) (옷이) 헐렁거리다; 비틀비틀 걷다, 털럭거리다, 부들부들 떨다(*shake, tremble, wobble*); 빈들빈들하다, 헐겁다(*hangloose*).
Schlucht [ʃluxt] *f.* -en *u.* 《詩》 ⸚e [ʃlýçtə], 좁은 골짜기, 산협, 협곡(*gorge*); 애로(*ravine*).
schluchzen [ʃlúxtsən] [<schlucken] 《Ⅰ》 *i.*(h.) 흐느끼다, 소리없이 울다(*sob*). 《Ⅱ》 **Schluchzen** *n.* -s, -, 흐느낌.
Schluck [ʃluk] *m.* -(e)s, -e *u.*, ⸚e, ① 한모금(의 양), 한 입(분). ② 음료; 《方》 화주(火酒). **Schluck·auf** [ʃlúk-auf] *m.* -s, 딸꾹질. **schlucken** [ʃlúkən] 《Ⅰ》 *t.* u. *i.*(h.) 들이켜다, 삼키다(*swallow, gulp*). ¶ 《比》 in sich[4] ~, a) 이득을 보다, b) 참다. 《Ⅱ》 *i.*(h.) 딸꾹질하다(*hiccup*). 《Ⅲ》 **Schlucken** ① *n.* -s, 들이켬, 삼킴. ② *m.* -s, -, 딸꾹질(*hiccup*).
Schlucker *m.* -s, -,: armer ~ 가난한 사람, 불쌍한 사람(*poor wretch*).
schlūd(e)rig [ʃlú:d(ə)rɪç] *a.* 칠칠치 못한; 소홀한. **schlūdern** *i.*(h.) 일을 걸날리다.
schlūg [ʃlu:k] ☞ SCHLAGEN《그 過去》.
Schlummer [ʃlúmər] *m.* -s, 선잠, 졸음(♈*slumber*); 《比》 무기력, 굼뜸.
Schlummerlied [ʃlúmərli:t] *n.* 자장가.
schlummern [ʃlúmərn] *i.*(h.) 졸다, 수잠자다(♈*slumber, nap*).
Schlummerrolle [ʃlúmərrɔlə] *f.* 소파용 둥근 베개.
Schlumpe [ʃlúmpə] [Schlampe의 別形] *f.* -n, 《方》 흘게늦은 여자, 칠칠치 못한 여자(*slut, slattern*). **schlumpern** *i.*(h. *u.* s.) 옷자락을 끌다; 단정치 못하게 걷다. **schlumpig** *a.* 흘게늦은, 칠칠치 못한(*slovenly*).
Schlund [ʃlunt] [<schlingen[2]] *m.* -(e)s [-ts, -dəs], ⸚e [ʃlýndə], ① 목구멍, 인후(*gullet, throat*). ② 깊은 틈〔골〕, 심연(*abyss*).
schlüpfen [ʃlýpfən] 《옛꼴 schlupfen》 *i.*(s.) 미끄러지다(♈*slip, slide*); 미끄러져 들어가다〔나오다·떨어지다〕; 살금살금 걷다. ¶in die Kleider 〔aus den Kleidern〕 ~ 옷을 훌렁 입다〔벗다〕.
Schlüpfer *m.* -s, -, (여성용) 드로스(*knickers*), (남자용) 망토(*raglan*).
schlüpf(e)rig *a.* ① 미끄러운, 미끈미끈한, 반들반들한. ② 《比》 경솔히 못 다룰(*delicate*); 위험한, 확실치 않은(*indevent*); 외설스러운(*obscene*).
Schlupfloch [ʃlúpflɔx] *n.* 도망칠 구멍, 숨을 곳; 《比》 핑계; 구실.
Schlüpfrigkeit [ʃlýpfrɪçkait] *f.* -en, 미끈거림; 불확실; (특히) 외설, 음탕; 음담(淫談).
Schlupfwinkel [ʃlúpfvɪŋkəl] *m.* 은신처, 피난처, 잠복처.
schlürfen [ʃlýrfən] [擬聲語] 《Ⅰ》 *t.* (훌쩍훌쩍) 들이마시다, (할짝할짝) 핥다(*sip, quaff*). 《Ⅱ》 *i.*(h. *u.* s.) 발을 (질질) 끌며 걷다(*shuffle (along)*).
Schluß [ʃlus] [<schließen] *m.* ..sses, Schlüsse [ʃlýsə], ① 잠금(*shutting*); 자물쇠를 채움(*closing*). ② 마감, 종결, 결말(*close, end*); 결과; 끝맺음《이야기의》. ③ 귀결, 결론, 추론(*conclusion, inference*); 결의, 결정(*resolution*). ¶ zum ~ 마지막에; 〖議會〗 ~! (토론) 종결, 타임.
Schluß-abrechnung [ʃlús-apreçnuŋ] *f.* 결산(決算). **~akt** *m.* 〖劇〗 종막(終幕); (학교) 졸업식. **~antrāg** *m.* 〖議會〗 토론 종결의 동의(動議). **~bemerkung** *f.* 결어(結語), 끝맺는 말.
Schlüssel [ʃlýsəl] [<schließen] *m.* -s, -, ① 열쇠(*code, cipher*). ② 《比》 (해결의) 열쇠, 단서, 실마리; (암호의) 풀이(*code, cipher*). ③ 〖樂〗 (Noten~) 음표기호(*clef*); 지레, 쐐기; (피아노의) 키; 나사돌리개, 스패너(*spanner*).
Schlüssel-bārt *m.* 열쇠의 혀. **~bein** *n.* 〖解〗 쇄골(鎖骨). **~blūme** *f.* 〖植〗 앵초(속). **~bund** *m.* od. *n.* 열쇠 뭉치〔다발〕. **~fertig** *a.* 완성된, 곧 들 수 있는《신축 건물이》. **~industrie** *f.* 기간 산업. **~kind** *n.* (부모의 맞벌이 등으로) 아파트 열쇠를 목에 걸고 다니는 아이.
schlüsseln [ʃlýsəln] *t.* (보통 글을) 암호로 고쳐 쓰다.
Schlüssel-loch *n.* 열쇠 구멍. **~romān** *m.* 실화 소설. **~stellung** [-ʃtɛluŋ] *f.* (전략상의) 요충지; 요직. **~wort** *n.* 암호의 풀이; 전신 부호.
Schluß-ergēbnis [ʃlús-ɛrge:pnɪs] *n.* 최후의 결과; 〖商〗 잔액, 장부끝. **~feier** *f.* (학교의) 종업식, 졸업식. **~folgerung** *f.* 결론, 단정(斷定).
schlüssig [ʃlýsɪç] [<Schluß] *a.* 결의(決意)한, 결심한(*resolved, determined*). ¶ sich[3] ~ werden 결심하다.
Schluß-licht [ʃlús-] *n.* 깜빡이《자동차 따위의》. **~notierung** *f.* 〖商〗 (거래소의) 후장(後場) 시세. **~punkt** *m.* 최후의 조항〔항목〕; 〖文〗 종지부, 구두점(句讀點). **~rechnung** *f.* 결산; 〖數〗 비례. **~reim** *m.* 〖詩學〗 미운(尾韻). **~runde** *f.* 〖競〗 최종회(回), 파이날.

∼satz *m.* 결문(結文); 〖論〗 결론; 〖樂〗 마지막 악절(樂節). **∼stein** [-ʃtain] *m.* 〖建〗 종석(宗石). **∼wort** *n.* 결어, 끝맺는 말, 발문(跋文); 요약(한 말).

Schmāch [ʃma:x] [*eig.* „Kleinheit"] *f.* 치욕, 굴욕, 모욕, 무례(*disgrace, humiliation, insult*). **Schmāchfriede(n)** *m.* 굴욕적 강화.

schmachten [ʃmáxtən] [♈Schmach, *eig.* „klein werden"] *i.*(h.) 초췌(憔悴)해지다, 여위다; 애타다, 고민하다(*languish, pine*); (nach, 을) 애타게 그리다, 동경하다(*long* (*for*), *yearn* (*after*)). ¶ ∼ lassen 애타게 하다, 뇌쇄(惱殺)하다. **schmächtig** [ʃméçtıç] [<schmachten] *a.* 야윈, 가냘픈, 홀쭉한, 연약한(*slender, slim, delicate*). **Schmächtigkeit** *f.* 가냘픔, 연약함.

Schmacht·lappen [ʃmáxt-] *m.* 《俗》 굶주려 여윈 사람; 사랑에 지친 젊은이; 감상적인 사람. **∼locke** *f.* (여성의) 애교 머리, 귀밑머리. **∼streifen** *m.* 감상적인 영화.

schmāchvoll [ʃmá:xfɔl] *a.* 창피하기 짝 없는, 극히 명예롭지 못한.

schmackhaft [ʃmákhaft] [☞Geschmack] *a.* 맛좋은, 풍미(風味)있는. **Schmackhaftigkeit** *f.* 맛남, 맛 좋음.

schmaddern [ʃmádərn] *i.*(h.) u. *t.* 더럽히다; 매대기치다; 낭비하다; 매수(買收)하다.

schmāhen [ʃmɛ́:ən] [<ahd. *smāhi* „klein, gering"] 《Ⅰ》 *t.* 모욕(侮辱)하다 (*slander, insult*). 《Ⅱ》 *t.* u. *i.*(h.): (auf) jn. ∼ 아무를 헐뜯다, 비방하다(*abuse*). **schmāhlich** [ʃmɛ́:lıç] *a.* 굴욕적인, 불명예스러운.

Schmāh·rēde [ʃmɛ́:-] *f.* 비방 연설. **∼schrift** *f.* 비방 문서. **∼sucht** *f.* 헐뜯기 좋아함. **∼süchtig** *a.* 욕 잘하는, 험구(險口)의, 입정 사나운.

Schmāhung [ʃmɛ́:uŋ] *f.* -en, 비방(의 언사). **Schmāhwort** [ʃmɛ́:vɔrt] *n.* 비방의 말, 욕.

schmāl [ʃma:l] [*eig.* „klein"; =engl. *small*] *a.* ① 좁은, 가느다란, 좁다란(*narrow*). ② 《比》 근소한, 모자라는, 빈약한(♈*small, poor*). **schmālen** [ʃmɛ́:lən] [„schmal machen"] *i.*(h.) u. *t.* 욕하다, 꾸짖다(*scold*). **schmālern** [ʃmɛ́:lərn] [„schmäle machen"] *t.* (보다) 좁게 하다, 좁히다, 줄이다(*narrow, lessen*); 작게〔적게〕하다(*diminish*); 절감〔삭감〕하다(*curtail*). ¶ jm. sein Verdienst ∼ 아무의 공적을 대단치 않게 말하다, 낮잡다. **Schmālfilm** [ʃmá:lfılm] *m.* 소형 영화《16밀리의》. **Schmālhans** [-hans] *m.* 키다리; 구두쇠. ¶ bei uns ist ∼ Küchenmeister 우리는 겨우 입에 풀칠하고 있다, 근근 득생한다. **Schmālheit** *f.* 좁음; 빠듯함, 궁핍; 소량.

Schmāl·spūr [ʃmá:lʃpu:r] *f.* 〖鐵〗 협궤(狹軌). **∼spūrbahn** *f.* 협궤 철도. **∼spūrig** [-ʃpu:rıç] *a.* 협궤의.

Schmalz [ʃmalts] [<schmelzen] *n.* -es, -e, (녹여서 만든) 굳기름(*dripping*); 돼지기름, 라드(*lard*). **schmalzen**[(*)] [ʃmáltsən] *t.* (에) 수지(獸脂)를 넣다; (을) 기름으로 요리하다. **schmalzig** *a.* 기름기투성이의, 기름진; 《比》 너무 감상적인, 센티멘털한.

Schmant [ʃmant] *m.* -(e)s, -e, 《方》 유지(乳脂), 크림; 질척한 것; 담뱃진.

schmarotzen [ʃmarɔ́tsən] *i.*(h.) (bei, 에게서) 기식(寄食)하다(*sponge* (*upon*)); 〖動·植〗 기생(寄生)하다. **Schmarotzer** [-tsər] *m.* -s, -, 기식자, 식객(*sponger*); 기생 동〔식〕물(*parasite*). **schmarotzerisch** *a.* 기식하는, 얹혀사는; 기생하는.

Schmarotzertūm [ʃmarɔ́tsərtu:m] *n.* -(e)s, 기식(하는 처지·근성); 기생.

Schmarre [ʃmárə] *f.* -n, 베인 자국, 칼자국《특히 얼굴의》(*slash, scar*).

Schmarren [ʃmárən] *m.* -s, -, 푸딩 또는 오믈렛의 일종; 《比》 하찮은〔시시한〕 것(*trash*); 졸작(拙作)(*shocker*).

schmarrig [ʃmárıç] *a.* 베인 상처〔칼자국〕 투성이의.

Schmatz [ʃmats] *m.* -es, -e *u.* ⸚e, 소리 높은 키스《열성적인, 또는 아기의》. **schmatzen** [ʃmátsən] [<schmecken] *i.*(h.) u. *t.* 쩝쩝거리며 먹다; 소리내어 키스하다.

Schmauch [ʃmaux] *m.* -(e)s, -e *u.* ⸚e, 짙은〔자욱한〕 연기; 담배 연기(♈*smoke*). **schmauchen** 《Ⅰ》 *i.*(h.) u. *t.* 자욱하게 연기나다〔내다〕. 《Ⅱ》 *t.* (몹시) 연기를 피우다, 담배 피우다.

Schmaus [ʃmaus] *m.* -es, ⸚e, 성찬(盛饌), 향연(*feast, banquet*); 《比》 즐거움, 위안. **schmausen** [ʃmáuzən] *i.*(h.) u. *t.* (성찬을) 먹다; 주연(酒宴)을 베풀다. **Schmauser** *m.* -s, -, 연락자(宴樂者). **Schmauserei** *f.* -en, 연회를 베풀기, 향연; 미식(美食).

schmecken [ʃmɛ́kən] [<Schmack[1]] 《Ⅰ》 *i.*(h.) (…한) 맛이 나다(*taste*); (gut ∼) 맛나다, 맛 좋다(*taste good*). ¶ es sich[3] (gut) ∼ lassen 맛나게 먹다, 잘 먹다 / nach et.[3] ∼ 어떤 맛이 나다. 《Ⅱ》 *t.* u. *i.*(h.) (의) 맛을 보다(*taste, relish, try*); 향락하다(*enjoy*); 《比》 경험하다, 겪다; (…의) 미각을 가지다.

Schmeichelei [ʃmaiçəlái] *f.* -en, 아양, 칭찬, 감언(甘言); 비위 맞춤, 아첨(阿諂). **schmeichelhaft** [ʃmáiçəl-] *a.* 기쁘게 하는; 칭찬을 쏟아 놓는, 아첨하는; (자존심·허영심을 만족시켜) 기분 좋은.

Schmeichelkatze *f.* 환심 사는〔아양 떠는〕 여자, 빌붙는 여자.

schmeicheln [ʃmáiçəln] 《Ⅰ》 *i.*(h.)(jm., 아무를) 기쁘게 해주다(*flatter*); (를) 칭찬하다; (의) 환심을 사다, (에게) 알랑거리다, 아첨하다(*fawn upon*). ¶ ich schmeichle mir, ihm gefallen zu haben 나는 그의 마음에 들었다고 생각한다. 《Ⅱ》 *t.*: sich geschmeichelt fühlen 기쁘게〔만족스럽게〕 생각하다, 기분이 썩 좋다 / dies Bild ist geschmeichelt 이 그림은 실물보다 낫다, 더 잘 그려졌다. 《Ⅲ》 *refl.*: sich[3] ∼, et. zu sein 무엇이라고 우쭐해 하다.

Schmeichler [ʃmáiçlər] *m.* -s, -, 기쁘게 하는〔칭찬하는〕 사람; 아첨장이. **schmeichlerisch** [-lərıʃ] *a.* 아첨하는, 칭찬을 늘어놓는.

S

schmeißen[1] [ʃmáisən] *i.*(h.) (맹수가) 똥을 누다; (파리 등이) 알슬다. **schmei·ßen**[2(*)] [=engl. *smite* „schlagen"] *t.* 던지다, 팽개치다(*throw, fling, hurl*); 쾅 닫다《문을》; (말이) 뒷발질하다. **Schmeißfliege** *f.* 〖蟲〗 쉬파리.

Schmelz [ʃmɛlts] [<schmelzen] *m.* –es, –e, 에나멜, 유약(釉藥), 잿물(*enamel*); (이빨의) 법랑질(琺瑯質); 《比》 윤(기), 광택, 파릇파릇함(*bloom*); 〖畫〗 색체의 융합. **schmelzbār** [ʃmɛ́ltsba:r] *a.* 녹일 수 있는; 가용성의. **Schmelz·butter** *f.* 용해 버터, 프라이용 버터.

schmelzen(*) [ʃmɛ́ltsən] 《Ⅰ》 《强變化》 *i.*(s.) 녹다, 용해〔융해〕하다, 흡습(吸濕) 용해하다; 액화하다(♈*melt, dissolve*). 《Ⅱ》 《弱·强變化》 *t.* 녹이다, 용해〔융해〕시키다; 액화시키다; 《比》 (감정 따위를) 부드럽게 하다, 누이다(♈*melt*, ♈*smelt, soften*). **schmelzend** *p.a.* 녹는, 녹이는; 《比》 마음을 녹이는 듯한, 황홀한《눈씨가》(*melting*); 감미로운(*sweet*).

Schmelz·farbe [ʃmɛ́lts–] *f.* 에나멜 도료(塗料). **~hütte** *f.* 용광소; 유리 공장. **~käse** *m.* (빵에 바르는) 용융(溶融) 치즈. **~kitt** *m.* 용융 퍼티《유리 등의 접합에 씀》. **~ōfen** *m.* 용광로. **~punkt** *m.* 용해점. **~sicherung** *f.* 〖電〗 가용(可熔) 안전 장치. **~tiegel** *m.* 도가니.

Schmelzung [ʃmɛ́ltsʊŋ] *f.* –en, 용해; 액화; 〖冶〗 용해 분석.

Schmēr [ʃme:r] *m.* od. *n.* –(e)s, 지방, 굳기름(*fat, grease*). **Schmērbauch** *m.* 비계가 두껍게 앉은 배, 불룩한 배; 배불뚝이.

Schmerle [ʃmɛ́rlə] *f.* –n, 〖魚〗 미꾸라지(*loach*).

Schmerz [ʃmɛrts] *m.* –es, –en, 아픔, 고통(♈*smart, pain, ache*); 걱정, 상심(*grief, sorrow*). **schmerzen** [ʃmɛ́rtsən] *i.*(h.) u. *t.* 아프다, 쑤시다, 고통을 주다, 괴롭히다. ¶es schmerzt mich, daß..., …인 것이 슬프다, 마음 아프다, …임을 나는 유감스럽게 여긴다.

Schmerzens·geld *n.* 위문금; 위자료; 배상금. **~kind** *n.* 어려움 속에 태어난 아이; 어머니에게 고통을 주고 태어난 아이; 《比》 노작(勞作). **~lāger** *n.* 병상(病床). **~mann** *m.* 〖宗〗 수난의 그리스도. **~mutter** *f.* 〖宗〗 고통의 성모《그리스도 수난 후의》.

schmerzhaft [ʃmɛ́rtshaft] *a.* 괴롭히는, 고통을 주는, 아픈《상처·수술 따위가》.

schmerzlich [ʃmɛ́rtslɪç] *a.* 괴로운; 비통한; 아픈, 쓰린.

schmerz·lōs [ʃmɛ́rtslo:s] *a.* 고통 없는, 무통(無痛)의. **~lōsigkeit** *f.* 무통, 고통 없음. **~stillend** [–ʃtɪlənt] *a.* 진통(鎭痛)의. **~voll** *a.* 고통스러운, 고뇌로 가득찬.

Schmetterling [ʃmɛ́tərlɪŋ] *m.* –s, –e, 〖蟲〗 나비(*butterfly*); 《比》 경망된 사람.

Schmetterlings·blǖt(l)er *pl.* 〖植〗 접형화(蝶形花)《보통 콩과 식물》. **~stil** [–ʃti:l, –st–] *m.* 접영법(蝶泳法).

schmettern [ʃmɛ́tərn] [擬聲語] 《Ⅰ》 *t.* 내던지다, 팽개치다, 동댕이치다(*throw down, smash*). ¶in Stücke ~ 박살내다. 《Ⅱ》 *i.* ① (s.) 굉장한 소리를 내고 떨어지다. ② (h.) 울려 퍼지다; (새가) 명랑하게 지저귀다(*warble*); (천둥이) 울리다(*thunder*); (나팔이) 낭랑하게 울리다(*blare, pear*). **Schmetterschlāg** *m.* (테니스의) 스매싱.

Schmied [ʃmi:t] *m.* –(e)s [–ts, –dəs], –e [–də], 대장질; 《一般的》 대장장이(*blacksmith*); (Huf~) 제철공(蹄鐵工). ¶der ~ s–s (eignen) Glückes 자기 행운의 개척자. **schmiedbār** [<schmieden] *a.* 불릴 수 있는, 가단성(可鍛性)의. **Schmiede** [ʃmí:də] *f.* –n, 대장간, 철공장(♈*smithy, forge*).

Schmiede·arbeit [ʃmí:də–] *f.* 대장일. **~eisen** *n.* 시우쇠, 단철(鍛鐵); 가단철(可鍛鐵). **~esse** *f.* 대장간, 용철로(鎔鐵爐). **~meister** *m.* 대장장이(의 우두머리).

schmieden [ʃmí:dən] *t.* 불리다, 단련하다(*forge*). ¶an die Ketten 〔in Eisen〕 ~ 쇠사슬에 매다 / 《比》 Verse ~ 작시(作詩)하다 / Pläne ~ 계획하다 / Ränke ~ 음모를 꾸미다.

Schmiedewāre [ʃmí:dəva:rə] *f.* 철물.

Schmiege [ʃmí:gə] *f.* –n, 만곡(彎曲); 굴곡; 사각(斜角); 〖建〗 측각기(測角器). **schmiegen** [ʃmí:gən] 《Ⅰ》 *t.* 구부리다(*bend*); (구부려) 맞추다, 꽉 붙이다. 《Ⅱ》 *refl.* ① 구부러지다, 휘다. ¶sich an jn. ~ 아무에게 몸을 바싹 붙이다, 매달리다, 달라붙다(*nestle, cling*) / sich um et. ~ 무엇에 휘감겨 붙다(*twine*). ② 《比》 따르다, 굴복하다(*submit*). ¶sich in et.[4] ~ 무엇에 순응하다. **schmiegsām** [ʃmí:kza:m] *a.* 굽히기〔휘기〕 쉬운(*pliant, pliable*); 《比》 뜻대로 되는, 순종하는(*submissive*).

Schmierage [ʃmi:rá:ʒə] [<schmieren, 프랑스식 어미 -age를 붙임] *f.* 더러운 물건, 오물.

Schmier·apparāt *m.* 급유기(給油器). **~būch** *n.* 잡기장; 〖商〗 당좌장(當座帳). **~büchse** *f.* 기름통, 기름 항아리, 급유기(器).

Schmiere[1] [ʃmí:rə] [<schmieren] *f.* –n, ① 도유(塗油), 바르는 기름(*grease*); 연고(軟膏). ② 《比》 오물(汚物). ③ 일당, 도당; 초라한 유랑 극단.

Schmiere[2] [hebr. „Wache"] *f.* 《隱語》 ~ steh(e)n 망을 보다《특히 나쁜 일의》.

schmieren [ʃmí:rən] [<Schmer] *t.* ① (기름·타르 따위를) 바르다(♈*smear, grease, butter*); 기름을 치다(*oil*). ② (에게) 뇌물을 쓰다(*bribe*). ¶das geht wie geschmiert 일이 잘 풀려가다. ③ (또는 *i.*(h.)) 뒤바르다, 더럽게 쓰다, 갈겨쓰다(*scrawl*). **Schmierer** *m.* –s, –, 마구 칠하는 사람, 갈겨쓰는 사람; 엉터리 화가; 3류 작가. **Schmiererei** [ʃmi:rərái] *f.* –en, 갈겨씀; 시원찮은 그림〔글·시〕.

Schmier·fink(e) *m.* 《俗》 더러운 사람; 악필가(惡筆家). **~fleck** *m.* 기름〔유지〕의 얼룩, 때. **~gelder** *pl.* 회뢰(賄賂), 뇌물.

schmierig [ʃmí:rɪç] *a.* 기름투성이의, 기름이 밴, 진득진득한, 끈적끈적한(*greasy*); 〖植〗 교질(膠質)의, 점액성의; 더러운(*dirty*).

Schmier=käse *m.* (빵에 바르는) 연한 치즈. **~mittel** *n.* 〖工〗 감마제(減摩劑); 〖醫〗 (바르는) 지방제. **~öl** *n.* 윤활유. **~seife** *f.* 연(軟)비누.

Schmierstēher [ʃmíːrʃteːər] *m.* 망꾼, 파수꾼.

Schmierung [ʃmíːruŋ] *f.* -en, 〖機〗 기름치기.

schmilzt [ʃmɪltst] (er~) ☞ SCHMELZEN (그 現在).

Schminkdōse [ʃmíŋkdoːzə] *f.* 화장품갑(匣); (화가의) 그림물감 상자.

Schminke [ʃmíŋkə] [gr. -lat.] *f.* -n, ① 지분(脂粉), 미안료(美顔料) (*paint*); 백분(白粉); (rote ~) 연지(*rouge*). ② 《比》 겉치레, 허식(*varnish*); 〖劇〗 메이크업(*make-up*). **schminken** [ʃmíŋkən] *t.* u. *refl.* 분바르다, 화장하다; 《比》 꾸미다, 치레하다; 〖劇〗 분장(扮裝)하다.

Schmink=mittel *n.* 화장품. **~pflästerchen** [-pflɛstərçən] *n.* 뷰티 스폿.

Schmirgel [ʃmírgəl] [Lw. it.] *m.* -s, 〖鑛〗 에머리, 금강사(金剛砂), 찬석(鑽石) (*emery*). **schmirgeln** *t.* 금강사로 닦다.

schmiß [ʃmɪs] ☞ SCHMEISSEN (그 過去).

Schmiß [ʃmɪs] *m.* ..sses, ..sse, 때림, 구타(*blow*); 찔린 상처, 베인 상처(*cut, lash*); 《比》 활기, 기세(*verve*). **schmissig** *a.* 기세〔활기〕 있는.

Schmitz [ʃmɪts] [<schmeißen] *m.* -es, -e, 때림, 구타(*blow, lash*). **Schmitze** *f.* -n, 채찍질(*whiplash*). **schmitzen** 《I》 *t.* 채찍질하다, 때리다. 《II》 *i.*(h.) 더럽히다, 부정(不淨)하게 하다.

Schmock [ʃmɔk] [sl., „Narr“] *m.* -(e)s, -e, 지조 없는 신문 기자〔문필가〕.

Schmöker [ʃmǿːkər] *m.* -s, -, 《俗》 (검댕이 묻은) 책, 헌 책; 보잘것 없는 책, 오락 서적. **schmökern** *i.*(h.) (보잘것없는) 책을 탐독하다.

schmollen [ʃmɔ́lən] *i.*(h.) 부루퉁해 하다, 성난 얼굴을 하다(*pout, be sulky*).

Schmollis [ʃmɔ́lɪs] [<nd. *smullen* „zechen“] *n.* -, -, 《學》 ~ trinken 형제결의(結義)의 술잔을 나누다.

Schmollwinkel [ʃmɔ́lvɪŋkəl] *m.* 심술난 사람이 숨는 곳; 여성의 사실, 규방.

schmolz [ʃmɔlts] ☞ SCHMELZEN[1] (그 過去).

Schmonzes [ʃmɔ́ntsəs] [Schmu 와 Schmus 의 擴張形?] *m.* -, -, 《俗》 실없은 지껄임〔소리〕.

Schmōrbrāten [ʃmóːrbraːtən] *m.* 찐 고기, 스튜. **schmōren** [ʃmóːrən] *t.* 찌다, 수튜로 하다(*stew*); *i.*(h.) 쪄지다.

Schmōr=pfanne [ʃmóːr-] *f.* 스튜 남비. **~tiegel, ~topf** *m.* (토제(土製)의) 스튜 남비.

Schmū [muː] [Lw. hebr.] *m.* -s, 속임, 부정한 이득(*unfair gain*). ¶ (e-n) ~ machen 부정한 수단으로 돈을 벌다.

Schmuck [ʃmʊk] [<schmücken] *m.* -(e)s, -e, 장신구(*jewels*) 장식품; 장식(*ornament*). **schmuck** [ʃmʊk] *a.* 아름다운, 고운, 멋진, 스마트한, 품위 있는 (*nice, smart, spruce*). **schmücken** [ʃmʏ́kən] [schmiegen의 强意語, *eig.* (ein Kleid) fest an sich schmiegen] *t.* 치장하다, 치레하다(*adorn, trim*).

Schmuck=kästchen [ʃmúk-] *n.*, **~kasten** *m.* 보석 상자. **~lōs** *a.* 장식이 없는, 꾸미지 않은, 소박한. **~sachen** [-zaxən] *pl.* 장식품, 장신구; 보석. **~stück** [-ʃtʏk] *n.* 장신구(의 한 개).

Schmückung [ʃmʏ́kuŋ] *f.* -en, 차림; 장식(품).

schmuck=voll *a.* 장식이 많은, 한껏 차린. **~wāre** *f.* 장식품; 보석류.

Schmuggel [ʃmúgəl] *m.* -s, -, 밀수, 밀무역, 밀매매, 암거래. **schmuggeln** [ʃmúgəln] *t.* u. *i.*(h.) 밀수〔밀매매〕하다, 암거래하다(♈*smuggle*). **Schmuggler** [-glər] *m.* -s, -, 밀수자, 밀무역자, 밀매매자, 암거래인.

schmunzeln [ʃmúntsəln] *i.*(h.) 킬킬〔빙긋빙긋〕 웃다(*smile contentedly*).

Schmūs [ʃmuːs] [hebr.] *m.* -es, 《俗》 재잘거림, 수다, 잡담(*empty talk*). **schmūsen** *i.*(h.) (허튼 소리를) 지껄이다(*prattle*); 발라 맞추다(*flatter*).

Schmutz [ʃmʊts] *m.* -es, 더러운 것, 때(*dirt, filth*); (Straßen~) 진창, 먼지 (*mud*); 《比》 야비한 말, 음담(*nastiness, obscenity*).

Schmutz=blech [ʃmúts-] *n.* (차의) 흙받기. **~bōgen** *m.* 〖印〗 교정쇄(刷).

schmutzen [ʃmútsən] *t.* u. *i.*(h.) 더러워지다; 더럼타다, 쉬 더러워지다; (다른 것을) 더럽히다, 때묻다. **Schmutzerei** [ʃmutsərái] *f.* -en, 더러운 일; 《比》 (돈에) 치사함, 인색함; 야비한 말, 음담.

Schmutz=fink *m.* 《俗》 더러운 녀석. **~fleck** *m.* 오점, 얼룩.

schmutzig [ʃmútsɪç] *a.* ① 더러운, 때낀, 불결한(*dirty, filthy, muddy*). ② 《比》 치사한, 비열한(*nasty*); 인색한; 음탕한, 외설스러운(*obscene*).

Schmutz=titel *m.* 〖印〗 내제(內題), 안겉장. **~wasser** *n.* (*pl.* ..wässer) 구정물.

Schnābel [ʃnáːbəl] *m.* -s, ⸚, (새의) 부리(*bill, beak*); 《俗》 입(*mouth*). **schnābeln** [ʃnɛ́ːbəln] *i.*(h.) u. *refl.* (비둘기 따위가) 부리를 맞대다, 《俗》(남녀가) 키스하다. **Schnābelschuh** *m.* (중세의) 끝이 부리 같은 신. **Schnābeltier** *n.* 〖動〗 오리너구리(과)(*duck-bill*).

Schnack [ʃnak] *m.* -(e)s, -e *u.* ⸚e, 지껄임(*chatter, gossip*). **schnacken** *i.*(h.) u. *t.* 재잘거리다. **schnackig** *a.* 우스꽝스러운, 익살맞은(*droll, queer, funny*).

Schnāke[1] [ʃnáːkə] *f.* -n, 농담, 익살.

Schnāke[2] [ʃnáːkə] *f.* -n, 〖蟲〗 모기(과) (*gnat, midge*). **Schnākenstich** *m.* 모기에 물림.

Schnalle [ʃnálə] [<schnell] *f.* -n, 멈춤쇠, 고리, 버클(*buckle*). **schnallen** [ʃnálən] *t.* 멈춤쇠로 죄다〔잠그다〕.

Schnallen=dorn [ʃnálən-] *m.* 죔쇠의 굴대. **~schuh** *m.* 버클 달린 구두〔신〕. **~zunge** *f.* =~DORN.

schnalzen [ʃnáltsən] [<schnallen] *i.*(h.): mit den Fingern ~ 손가락으로 탁 튀기다 / mit der Peitsche ~ 채찍을 쳐서 소리내다 / mit der Zunge ~ 혀를 차다.

schnapp! [ʃnap] *int.* [擬聲語] 찰깍; 덥

S

석. **schnappen** [ʃnápən] *i.*(s. *u.* h.) ① (찰칵·탁하고) 튀다〔잠기다·닫히다〕(♈ *snap*). ② (h.) (nach, 을) 덥석 물다, 날쌔게 붙잡다. ¶nach Luft ~ 헐떡거리다, 숨가빠하다. **Schnäpper** [ʃnέpər] *m.* -s, -, 〖醫〗(Blut~) 사혈기(瀉血器), 사혈침(瀉血針)(*lancet*).

Schnapp=feder [ʃnáp-] *f.* 자물쇠의 용수철. ~**hahn** *m.* 노상 강도, 산적. ~**sack** *m.* (양식 휴대용) 배낭. ~=**schloß** *n.* 용수철 자물쇠. ~**schuß** *m.* 속사(速射).

Schnaps [ʃnaps] ["조금씩 조금씩 마시는 것"<schnappen] *m.* -es, ⸚e [-psə], 화주(火酒)(*strong drink*: *brandy*, *gin*).

Schnaps=brenner *m.* 화주 양조인. ~**brüder** *m.* 《俗》 화주 상음자, 술꾼.

schnapsen [ʃnápsən] *i.*(h.) 화주를 (홀짝홀짝) 마시다.

Schnaps=flasche *f.* 화주병. ~**idee** *f.* 어리석은 착상. ~**läden** 주점. ~=**näse** *f.* 《俗》 (호주가의) 빨간 코; 딸기코인 사람. ~**trinker** *m.* 화주 상음자, 술꾼.

schnarchen [ʃnárçən] 〔擬聲語〕《Ⅰ》 *i.*(h.) (쿨쿨) 코골다(♈ *snore*). 《Ⅱ》 **Schnarchen** *n.* -s, 코골기. **Schnar=cher** *m.* -s, -, 코고는 사람. **Schnar=cherei** *f.* -en, 시끄럽게 코를 곪; 천둥 같은 코골기.

Schnarre [ʃnárə] *f.* -n, 딸그락딸그락 소리나는 장난감. **schnarren** [ʃnárən] 〔擬聲語〕 *i.*(h.) 덜컹덜컹〔삐걱삐걱·윙윙〕 소리내다(*rattle*); (벌레가) 찌륵찌륵〔윙윙〕 울다.

S **Schnarr=posten** *m.* 〖軍〗 동초(動哨), 교통초(交通哨)《기병의》. ~**werk** *n.* 〖樂〗 (오르간의) 리드계 관(管).

Schnatterei [ʃnatərái] *f.* -en, 연달아 꽥꽥 욺; 재잘거림. **schnatterhaft**, **schnatt(e)rig** *a.* 재잘대는, 잘 지껄이는. **schnattern** [ʃnátərn] 〔擬聲語〕 *i.* (h.) (거위 따위가) 꽥꽥 울다(*cackle*); (사람이) 재잘거리다(*chatter*).

schnauben(*) [ʃnáubən] *i.*(h.) u. *t.* 거칠게 숨을 쉬다(*blow*); 헐떡이다(*pant*). ¶sich ~, 〔sich³〕 die Nase ~ (킁하고) 코를 풀다 / (vor) Wut ~ 노하여 시근거리다 / Rache ~ 복수심에 불타다, 앙심을 품고 씩씩거리다. **schnaufen** [ʃnáufən] [schnauben의 別形] *i.*(h.) 거칠게〔가쁘게〕 숨쉬다 (*breathe heavily*); 헐떡이다(*pant*).

Schnauzbart [ʃnáutsba:rt] *m.* (더부룩한) 코밑 수염(*moustache*). **Schnauze** [ʃnáutsə] *f.* -n, ① (돼지 따위의) 코, 주둥이(♈ *snout*, *muzzle*); (부리 모양의) 아가리, (그릇의) 귀때(*spout*). ② 《俗》 (사람의) 입. ¶halt die ~! 주둥이 다물어, 잠자코 있어. **schnauzen** [ʃnáutsən] *t.* 《俗》 호통치다, 꾸짖다.

Schnecke [ʃnέkə] *f.* -n, ① 〖動〗 달팽이(♈ *snail*); (Nackt~, Erd~) 괄태충(括胎蟲)(*slug*). ② (귀의) 와우각(蝸牛殼) (*cochlea*); 〖建〗 이오니아식 기둥머리의 소용돌이꼴 장식(*volute*); 〖工〗 웜 기어, 환상(環狀) 나사(*worm*(*-gear*)); (Uhren~) 원추 활차(圓錐滑車) (*fusee*). ~**n=förmig** *a.* 와우상(蝸牛狀)의; 나선상의.

Schnecken=gang [ʃnέkən-] *m.* ① 달팽이 걸음, 느린 걸음. ② 나선형의 길. ~**getriebe** *n.* 웜 기어, 나선 톱니바퀴. ~**haus** *n.* 달팽이 껍데기. ~**post** *f.*: mit der ~post fahren 느릿느릿 가다. ~**tempo** *n.* 느린 템포. ~**treppe** *f.* 나선 계단. ~**windung** *f.* 나선.

Schnee [ʃne:] *m.* -s, 눈(♈ *snow*).

Schnee=ball [ʃné:-] *m.* 눈덩이; 눈싸움; 〖植〗 불두화나무. ~**ballen** *i.*(h.) 눈싸움하다. ~**fall** *m.* 강설(降雪). ~**felt** *n.* 설원(雪原). ~**flocke** *f.* 눈송이. ~**glöckchen** [-glœkçən] *n.* 〖植〗 스노드롭. ~**grenze** *f.* 설선(雪線)《만년설의 한계선》. ~**huhn** *n.* 〖鳥〗 뇌조(속)(雷鳥(屬)).

schneeig [ʃné:ıç] *a.* 눈 같은, 설백(雪白)의; 눈이 쌓인, 눈에 덮인, (눈으로) 은세계가 된.

Schnee=kette *f.* (차바퀴 따위에 씌운) 미끄럼 방지용 체인. ~**pflug** [-pflu:k] *m.* 눈가래; 제설기. ~**räumer** *m.* 제설 인부, 제설기〔차〕. ~**rutsch** *m.* 눈사태. ~**schläger** *m.* 〖料〗 달걀 교반기(攪拌器). ~**schuh** *m.* 눈신, 스노슈(♈ *snowshoe*); 스키(*ski*). ~**wächte** [-vεçtə] *f.* (벼랑 끝에) 얼어붙은 눈. ~**wehe** *f.* 바람에 몰려 쌓인 눈더미. ~**weiß** *a.* 설백(雪白)의, 순백의. ~=**wetter** *n.* 눈 오는 날씨. ~**wittchen** [ʃne:vítçən] *n.* (동화의) 백설 공주. ~=**wolke** *f.* 설운(雪雲).

Schneid [ʃnait] [<schneiden] *m.* -(e)s; *f.* 용기, 기력, 담력(*energy*, *dash*, *pluck*). **Schneide** [ʃnáidə] [<schneiden] *f.* -n, (칼 따위의) 날, 날끝(*edge*); 날 있는 물건, 날붙이(*blade*); 《比》 비꼼, 야유, 독설(毒舌).

Schneide=eisen *n.* 날붙이. ~**mühle** *f.* 제재소.

schneiden* [ʃnáidən] 《Ⅰ》 *t.* ① 자르다(*cut*; 살코기를: *carve*); 잘라내다, 썰다, 절단(切斷)하다, 깎다(머리를: *cut*; 풀을: *mow*). ② 새기다; (가축을) 거세(去勢)하다(*geld*, *castrate*). ¶in Stücke ~ 잘게 썰다 / 《比》 fein geschnittene Nase 잘 생긴 코 / Gesichter ~ 상을 찡그리다 / den Wein ~ 포도주에 물을 타다, 섞음질(하여 품질을 나쁘게) 하다 / jn. ~ 아무를 만나서 모르는 체하다(*cut one*). 《Ⅱ》 *refl.* ① (날붙이로 실수하여) 상처를 입다; 《比》 틀리다, 잘못 짐작〔가늠〕하다. ② (einander ~) 서로 엇갈리다; 〖數〗 교차(交叉)하다(*intersect*). 《Ⅲ》 **schneidend** *p.a.* 잘 드는, 예리한; 살을 에는 듯한 (바람); 귀청을 째는 듯한 (외침 소리); 번지르르한, 자극적인 (빛깔); 신랄한 (말). 《Ⅳ》 **geschnitten** *p.a.* ① 잘린, 새겨진. ② 《比》 ein fein ~es Profil 기품(氣品) 있는〔단정한〕 옆얼굴. **Schneider** [ʃnáidər] *m.* -s, -, 자르는 사람, 나무꾼; 재단사 (*tailor*).

Schneider·arbeit *f.* 재단, 바느질, 재봉. **Schneiderei** [ʃnaidərái] *f.* -en, 재단〔양재〕업; 재단〔양재·재봉〕소.

Schneider=geschäft [ʃnáidər-] *n.* (양복의) 재단〔양재〕업. ~**gesell(e)** *m.* 재단사. ~**kreide** *f.* 재봉용 초크. ~=**lohn** *m.* 바느질 삯. ~**meister** *m.* 양

복〔양재〕점의 주인, 재봉 기술자.

schneidern [ʃnáidərn] *i.*(h.) u. *t.* 재단하다, 바느질하다.

Schneide≈zahn *m.* 앞니. **∼zeug** [-tsɔyk] *n.* 칼; 절단기; 날붙이.

schneidig [ʃnáidɪç] *a.* 날이 있는, 잘 드는; 《比》 과단성 있는, 과감한, 팔팔한.

schneien [ʃnáiən] [<Schnee] *i.*(h.) 눈이 내리다(♈*snow*). ¶es schneit 눈이 온다.

Schneise [ʃnáizə] [<schneiden] *f.* -n, 《方》 (벌목하여 난) 숲속 길〔경계선〕.

schnell [ʃnɛl] [*eig.* „tapfer"] *a.* 빠른, 신속한(*quick, fast, swift*); 민첩한, 즉석의(*prompt*); 급한, 갑작스러운(*sudden*). **Schnellauf** [ʃnɛ́llauf] 《分綴: Schnell-lauf》 *m.* 질주; 경주; 스피드 스케이팅. **Schnelläufer** [-lɔyfər] *m.* -s, -, 질주자, 건각가(健脚家); 경주자.

Schnell≈bahn [ʃnɛ́l-] *f.* 고속도 철도. **∼bauweise** [-bauvaizə] *f.* 급속 건축법《양산된 부품을 조립하는 프리패브식 등의》. **∼boot** *n.* 고속정(高速艇). **∼≈dampfer** *m.* 〖海〗 쾌속 기선. **∼dreh≈stahl** *m.* 고속도강(鋼).

schnellen [ʃnɛ́lən] [<schnell] 《 I 》 *t.* 급히 던지다〔놓아주다·튀겨 날리다〕(*dart, toss, jerk*); 튀기다(*snap*); 《俗》 속임수를 쓰다(*cheat*). 《 II 》 *i.*(s.) 비약하다, 뛰어오르다, 튀다, 튀겨지다(*spring, snap*).

Schnell≈fēder *f.* 용수철(*spring*). **∼≈feuer** *n.* 속사(速射). **∼fūßig** *a.* 걸음이 빠른, 건각(健脚)의. **∼gaststätte** [-gast-ʃtɛtə] *f.* 간이 식당《손님들이 좋아하는 음식을 손수 날라다 먹는》(*cafeteria*). **∼hefter** *m.* (간이) 서류 꽂이.

Schnelligkeit [ʃnɛ́lɪç-] *f.* 빠름, 신속; 빠르기, 속도; 급함, 지급. **∼s≈rekord** *m.* 속도 기록.

Schnell≈kraft *f.* 탄력(彈力)(*elasticity*). **∼lauf** *m.* =SCHNELLAUF.

Schnellōt [ʃnɛ́llo:t] 《分綴: Schnell-lot》 *n.* 땜납(*soft solder*).

Schnell≈paket *m.* 속달 소포. **∼pho≈tographie** *f.* 스냅 사진(술). **∼post** *f.* 급행 우편 마차. **∼presse** *f.* 기계 인쇄. **∼schreiber** *m.* 속기자〔사〕. **∼schuß** *m.* 《俗》 시급을 요하는 일《급한 인쇄물의 주문 등》. **∼waage** *f.* 대저울. **∼zūg** *m.* 급행 열차.

Schnepfe [ʃnɛ́pfə] [♈Schnabel] *f.* -n, 〖鳥〗 도요새(♈*snipe*); (Wald∼) 멧도요새(*woodcock*); 《比》 매춘부, 창녀(=Dirne); 《學》 돈.

Schneppe [ʃnɛ́pə] *f.* -n, (질그릇 따위의) 주둥이, 귀때(*nozzle, spout*).

Schnepper [ʃnɛ́pər] *m.* =SCHNÄPPER.

schneuzen [ʃnɔ́ytsən] [<Schnauze] *t.* ① (sich³) die Nase ∼ 코를 풀다. ② (양초의) 심지를 자르다(*snuff*).

schnicken [ʃníkən] *i.*(h.) 바쁘게 움직이다; *t.* 바쁘게 움직이게 하다.

Schnickschnack [ʃníkʃnak] *m.* -(e)s, 허튼〔헛〕소리(*tittle-tattle*).

schniegeln [ʃní:gəln] *t.* 멋내다, 치레하다(*dress up*); 〖農〗 정지(整枝)하다, 가지를 치다. *refl.* 멋내다, 옷치장하다.

Schnippchen [ʃnípçən] *n.* -s, -, 손가락으로 튀김(*snap*). ¶jm. ein ∼ schlagen 아무에게 장난치다, (을) 우롱하다.

schnippeln *t.* u. *i.*(h.) 잘게 자르다〔썰다〕(*cut, chop up*). **schnippen** *t.* 손가락으로 튀기다(*jerk, snap*). **schnip≈pisch** [ʃnípɪʃ] [*eig.* „mit der Schnabel vorweg"] *a.* 건방진, 주제넘은, 퉁명스러운, 무뚝뚝한, 쌀쌀한(*pert, saucy,* ♈*snappish*).

schnitt [ʃnɪt] ☞ SCHNEIDEN(그 過去).

Schnitt [ʃnɪt] [<schneiden] *m.* -(e)s, -e, ① 자름; 벰, 베어〔거둬〕들임; 끊어 품《매듭 따위》; 〖醫〗 절개, 수술. ② 새긴 금, 벤 자국; 절단면. ③ 조각; 토막; 손금, 주름, 구김살. ④ (옷의) 재단법, 형(型)(*fashion, pattern*). ⑤ 《比》 꼴, 본, 형상(*form, shape*); 얼굴 모양. ¶ e-n ∼ machen 거둬들이다, 수확하다; 크게 벌다.

Schnitt≈blūmen [ʃnít-] *pl.* 꺾은 꽃《꽃꽂이에 쓰이는》. **∼bohne** *f.* 〖植〗 강남콩.

Schnitte [ʃnítə] *f.* -en, (빵 따위의) 조각, (넓적한) 조가리. **Schnitter** *m.* -s, -, **Schnitterin** *f.* -nen, 베어들이는 사람, 수확자(收穫者).

Schnitt≈fläche *f.* 절단면. **∼grün** *n.* (꽃다발에 곁들이는) 푸른 (새)가지. **∼≈handel** *m.* (피륙의) 소매, 자풀이. **∼≈lauch** *m.* 〖植〗 산파. **∼linie** *f.* 〖數〗 접선(接線); 할선(割線); 재단선. **∼mu≈ster** *n.* (옷의) 형지(型紙). **∼punkt** *m.* 〖數〗 교점(交點). **∼wāren** *pl.* 소매 상품; 포목《자풀이되는 피륙 따위》. **∼≈wunde** *f.* 벤 상처, 창상(創傷).

Schnitz [ʃnɪts] [<schnitzen] *m.* -es, -e, (얇은) 조가리, 조각, 토막(*slice, cut*).

Schnitz≈arbeit *f.* 조각(彫刻). **∼bank** *f.* (통장이·조각가 따위의) 작업대.

Schnitzel [ʃnítsəl] [*dim.* v. Schnitz] *n.* od. *m.* -s, -, 쪼가리, 동강(*chip*); 지저깨비, 톱밥, 대팻밥(*shavings*); 〖料〗 커틀렛(*cutlet*). **Schnitzelei** [ʃnɪtsəlái] *f.* -en, 조각(품). **Schnitzeljāgd** [-ja:kt] *f.* 종이 뿌리기 술레잡기《두 아이가 토끼가 되어 종이를 뿌리며 도망치면 여러 아이가 사냥개가 되어 쫓는 놀이》. **schnit≈zeln** [<schnitzen] *t.* u. *i.*(h.) 잘게 썰다; 세밀하게 (정성들여) 조각하다.

schnitzen [ʃnítsən] [<schneiden] *t.* u. *i.*(h.) 새기다, 조각하다. **Schnitzer** *m.* -s, -, 조각가; (특히) 목각가(木刻家); 조각도, 나이프; 《比》 [*eig.* „Zerschneider (des Rechten)"] 실책, 오류(誤謬)(*blunder, howler*). **Schnitzerei** [ʃnɪtsərái] *f.* -en, 목각(木刻)(품).

Schnitz≈messer *n.* 조각도(彫刻刀). **∼≈werk** *n.* 조각 작품; 목각품.

schnōb [ʃno:p] ☞ SCHNAUBEN(그 過去).

schnodd(e)rig [ʃnɔ́d(ə)rɪç] *a.* 《方》 건방진(*saucy*); 뻔뻔스러운(*insolent*).

schnȫd(e) [ʃnǿ:t, ʃnǿ:də] *a.* ① 천한, 경멸할, 비열한(*vile, base*). ② 모멸적인, 오만한, 무례한(*disdainful*). **Schnȫdig≈keit** *f.* -en, 천함, 비열함; 오만함; 위의 언행.

Schnorchel [ʃnɔ́rçəl] [♈schnarchen] *m.* -s, -, 잠수함의 배기·통풍 장치, 스노클; 《比》 코.

Schnörkel[ʃnœ́rkəl] [*eig.* „Schneckenlinie"] *m.* -s, -, ① 나선(螺旋); 〖建〗 소용돌이(*spiral ornament, scroll*). ② (글자의) 장식 곡선(*flourish*). **schnörkelhaft** *a.* 소용돌이〔당초 무늬〕의; 《比》 허식의; 짐짓 꾸민, 어색한. **schnörkeln** *t.* (에) 나선형(形)을 붙이다, 소용돌이〔당초 무늬〕로 장식하다.

schnorren[ʃnɔ́rən] [hebr.] *i.*(h.) u. *t.* 구걸하다, 동냥질하다(*cadge*). **Schnorrer** *m.* -s, -, 거지, 걸객(*cadger*).

schnüffeln [ʃnʏ́fəln] [<schnauben] *i.*(h.) u. *t.* ① 코를 킁킁거리다, 냄새 맡(으며 돌아다니)다(♈*sniff*). ② 《比》 냄새맡아 찾아내다, 낌새 채다, (nach, 을) 염탐하다(*spy*). **Schnüffler** *m.* -s, -, 위를 하는 사람〔개〕; 《比》 염탐꾼, 간첩.

schnullen [ʃnʊ́lən] *i.*(h.) 젖을 빨다. **Schnuller**[ʃnʊ́lər] *m.* -s, -, 《俗》 고무 젖꼭지(*comforter, dummy*).

Schnulze[ʃnʊ́ltsə] [*viell.* <nd. *snulten* „gefühlvoll reden"] *f.* -n, 감미로운 유행가, (연극·영화·TV의) 감상적인 (값싼) 작품.

schnupfen[ʃnʊ́pfən] [<schnauben] *t.* u. *i.*(h.) 코로 들이마시다(♈*snuff*); 코담배를 맡다(*take snuff*). **Schnupfen** [ʃnʊ́pfən] *m.* -s, -, 〖醫〗 코감기(*cold* (*in the head*)), 비(鼻)카타르(*catarrh*). **Schnupfenfieber** *n.* 비카타르열(熱), 유행성 감기.

Schnupf≈tabak [ʃnʊ́pf-] *m.* 코담배. **～tuch** *n.* 손수건, 콧수건.

Schnuppe[ʃnʊ́pə] [=„Schnupfen"] *f.* -n, ① (Licht～) (초의) 불똥(♈*snuff*). ② (Stern～) 유성(流星)(*shooting star*).

③ 《俗》 das ist mir (alles) ～ 그런 건 아무렇게 돼도 내겐 상관 없다. 「FELN.

schnuppern[ʃnʊ́pərn] *i.*(h.)=SCHNÜF-

Schnur[ʃnu:r] [*eig.* Gesponnenes"] *f.* -en *u.* ⁼e[-ný:rə], ① 끈, 오라기, 줄(*string, cord*); 레이스(*lace*); 〖電〗 전기줄, 코드(*flex*). ② 《比》 (Richt～) 기준, 표준. ¶nach der ～ 규칙 바르게, 정확하게, 깍듯이 / über die ～ hauen 지나치다, 범금(犯禁)하다.

Schnür≈band[ʃný:r-] *n.* (코르셋의) 끈; 구두끈. **～boden** *m.* 〖劇〗 (무대 천장의) 무대 장치를 매다는 곳. **～brust** *f.* 코르셋.

Schnürchen[ʃný:rçən] *n.* -s, -, 짧고 가는 (노)끈, 가는 줄〔실〕, 작은 밧줄. ¶es geht wie am ～ 《比》 그것은 정상적으로 되어가고 있다, 정확하게 진행되고 있다.

schnüren[ʃný:rən] [<Schnur] *t.* (끈·오라기를, 실·끈으로) 매다, 묶다, 동이다(*tie* (*up*)); (끈·실을 꿰어) 잡아매다(*lace*); *refl.* 코르셋으로 허리통을 죄다.

schnurgerade [ʃnú:rgəra:də, ʃnú:rgərá:də] *a.* (줄친 듯이) 똑바른.

Schnür≈leib [ʃný:rlaip] *m.*, **～leibchen**[-laipçən] *n.* 코르셋. **～loch** *n.* 끈(꿰는) 구멍. **～nadel** *f.* 끈꿰는 바늘.

Schnurr≈bart[ʃnʊ́r-] *m.* 코밑수염, 윗수염(*moustache*). **～bärtig**[-bɛ:rtɪç] *a.* 코밑〔윗〕수염이 난.

Schnurre[ʃnʊ́rə] [<schnurren] *f.* -n, ① 윙윙〔달그락달그락〕 소리내는 것(*rattle*); 윙윙거리는 팽이. ② (짐승의 으르렁거리는) 주둥이; (고양이 따위의) 수염. ③ 익살, 농담(*jest, joke*); 허튼 소리, 흰소리(*funny story*). **schnurren**[ʃnʊ́rən] [擬聲語] 《Ⅰ》 *i.*(h.) 윙윙〔덜덜·달그락달그락〕 소리나다(*hum*); (고양이가) 목을 가르랑거리다, 으르렁거리다(*purr*). 《Ⅱ》 *t.* 거짓말하다, 속이다; 훔치다(*pilfer*). **Schnurrer** *m.* -s, -, 거지, 부랑자.

schnurrig[ʃnʊ́rɪç] *a.* 우스운, 익살맞은(*droll, funny*); 기묘한, 괴상한(*queer*).

Schnurrpfeiferei [ʃnʊrpfaifərái] *f.* -en, 하찮은 물건, 싸구려; 장난, 쓸데없는 잡담, 어릿광대.

Schnür≈schuh[ʃný:r-] *m.* 편상화(編上靴). **～senkel** *m.* 편상화의 끈. **～stiefel**[-ʃti:fəl] *m.* 편상화.

schnurstracks[ʃnú:rʃtraks] *adv.* 똑바르게, 일직선으로(*directly*); 곧, 즉시(*at once*).

Schnute[ʃnú:tə] *f.* -n, (동물의) 주둥이; 《俗》 (사람의) 입; (특히) 찡그린 입.

schob[ʃo:p] ☞ SCHIEBEN (그 過去).

Schober [ʃó:bər] [*eig.* „Zusammengeschobnes"] *m.* -s, -, ① 《方》 (건초·짚·장작·이탄(泥炭) 따위의) 더미, 가리, 퇴적, 무더기(*stack, rick*). ② 위를 넣는 헛간, 광(*barn*).

Schock[1][ʃɔk] [engl. *shock*, fr. *choc*] *m.* -s, -s *u.* -e, 충격, 쇼크.

Schock[2][ʃɔk] *n.* -(e)s, -e, ① 퇴적, 더미, 가리, 무더기(*heap*). ② 《수량 단위》 60(*threescore*).

Schockbehandlung [-bəhandlʊŋ, -bəhant-] *f.* 〖醫〗 (정신 분열증에 대한) 충격〔전격〕 요법. 「을 단위로 하여.

schockweise[ʃɔ́kvaizə] *adv.* 60씩, 60

schofel[ʃó:fəl], **schof(e)lig** [hebr.] *a.* 천한, 초라한(*shabby*); 상스러운, 비열한(*mean*).

Schöffe [ʃœ́fə] [*eig.* „Schaffender, Ordnender"] *m.* -n, -n, 배심원(陪審員)(*juryman*). **～n≈gericht** *n.* 배심 재판소. 「전수(=Chauffeur).

Schofför[ʃɔfǿ:r] *m.* -s, -e, 자동차 운

schokant[ʃɔkant] *a.* 신경이 쓰이는, 화나는, 불쾌한. **schokieren** *t.* (의) 감정을 해치다, 화나게 하다, 불쾌하게 하다.

Schokolade[ʃòkolá:də] [fr. <Kakao] *f.* -n, 초콜렛(♈*chocolate*).

schokoladen≈farben *a.* 초콜렛 색의. **～tafel** *f.* 납작한 초콜렛. **～torte** *f.* 초콜렛 과자.

Scholastik [ʃolástɪk] [lat. „Schulkunst"] *f.* 스콜라 철학. **Scholastiker** *m.* -s, -, 스콜라 학자.

Scholle [ʃɔ́lə] [*eig.* Gespaltenes", ♈ Schale] *f.* -n, ① 덩어리; (Eis～) 얼음덩이(*floe*); (Erd～) 흙덩어리(*clod*). ② 《比》 토지, 땅; 향토; 〖魚〗 가자미류의 총칭《넙치·가자미 따위의》(*plaice*). **schollig** *a.* 흙덩이로 된, 흙덩어리가 많은.

schon [ʃo:n] [schön: „auf schöne Weise", 훌륭히, 완전히] *adv.* ① 완전히, 아주, 전연; 틀림없이, 꼭(*no doubt, certainly*). ② 이미, 벌써(*already*). ¶ ～ gut! 됐어, 좋다.

schön [ʃøːn] [<schauen, *eig.* "볼만한"] 《Ⅰ》 *a.* 멋진, 아름다운, 고운, 훌륭한(*fine, beautiful, handsome*). ¶die ~en Künste (*pl.*) 미술 / die ~e Literatur 문예, 문학 / es ist ~ von ihm 그가 한 일은 훌륭하다 / ~ (*adv.*) riechen 향기롭다 / ~es Wetter 맑은 날씨, 쾌청 / ~ machen (개가 뒷발로 서서) 앞발로 재주부리다. 《Ⅱ》 *adv.* 볼만하게, 아름답게; 훌륭히, 어지간히, 충분히, 빠짐없이, 극진하게, 간곡하게. ¶bitte ~ 자 어서 / (ich) danke ~! a) 참으로 고맙습니다, b) (감사합니다만) 이제 충분합니다. 《Ⅲ》 **Schöne** [ʃǿːnə] (形容詞變化) ① *f.* 아름다운 여자〔아가씨〕; 《一般的》 여자, 아가씨; 《俗》 애인; 미(美). ② *n.* 아름다운 것, 미점(美點).

schönblind [ʃǿːnblɪnt] *a.* 〖獸醫〗 흑내장의.

Schöndruck [ʃǿːndrʊk] *m.* (*pl.* –e) 〖印〗 일면 인쇄.

schonen [ʃóːnən] [<schön: „auf schöne Art (=sorgsam, behutsam) behandeln"] 《Ⅰ》 *t.* u. *i.*(h., 2格과 함께:) 소중히 하다, 아끼다, (에) 조심하다(*take care of*); 절약하다(*spare*, save). 《Ⅱ》 *refl.* 몸을 아끼다, 몸을 조심하다; 수고를 아끼다. ¶sein Geld nicht ~ 돈을 아끼지 않다. 《Ⅲ》 **schonend** *p.a.* 소중히 여기는; 인정 있는, 관대한; 절약하는, 검소한.

schönen [ʃǿːnən] *t.* (포도주를) 맑게 하다; (빛깔을) 선명하게 하다; 미화하다.

Schoner¹ [ʃóːnər] *m.* –s, –, ① 아끼는 사람, 보호자; 절약가. ② (가구 따위의) 씌우개(*antimacassar*).

Schoner² [engl. *schooner*] *m.* –s, –, 〖海〗 스쿠너선(船)《돛대가 2개 있는 종범선(縱帆船)》.

schön|färben [ʃǿːn–] *t.* 말로 걸발라 넘기다, 문식(文飾)하다. ★ schön färben, 염색하다, 무늬 염색하다. **~färber** *m.* 무늬 염색사(師), 염색장이; 《比》 말치레하는 사람. **~färberei** *f.* 무늬 염색; 염색업. ¶~färberei treiben 《比》 겉치레하다, 허울좋게 말하다. **~geist** *m.* 문예 애호가; 여류 작가. **~geistig** *a.* 문학자다운, 문학자인 체하는.

Schönheit [ʃǿːnhait] *f.* –en, ① 아름다움, 미(美). ② 미인, 가인(佳人)(*beauty*).

Schönheits·mittel *n.* 화장품(*cosmetic*). **~pflege** *f.* 미용술. **~salon** [–zalɔ̃ː, –zalɔŋ, –sa–] *m.* 미장원. **~wasser** *n.* 화장수, 미안수.

schön|machen [ʃǿːnmaçən] 《Ⅰ》 *t.* 아름답게 하다, 미화하다. 《Ⅱ》 *i.*(h.) (개가) 뒷발로 서다.

Schön·pflästerchen *n.* 뷰티 스폿《검은 비단으로 만들어 붙인》. **~|schreiben*** *t.* 미문(美文)〔문학 작품〕을 쓰다. ★ schön schreiben 예쁘게〔잘〕 쓰다. **~schreiber** *m.* 능서〔달필〕가.

Schonung [ʃóːnʊŋ] *f.* –en, 아낌, 소중히 함; 보호; 절약; 용서, 관대; 〖林〗 보호림구(保護林區).

schonungs·los *a.* 용서없는, 가차없는. **~zeit** *f.* =SCHONZEIT.

Schonzeit *f.* (짐승·물고기 따위의) 금렵기.

Schopf [ʃɔpf] *m.* –(e)s, ⸗e, ① (정수리의) 머리 숱(*tuft*); 앞 머리카락(*forelock*). ¶《比》 die Gelegenheit beim ~e fassen 기회를 포착하다. ② (새의) 볏, 관모(*crest*); (나무의) 우듬지(*top*).

Schöpfbrunnen [ʃœ́pf–] *m.* 두레우물.

Schöpf·eimer [ʃœ́pf-aimər] *m.* 두레박. **schöpfen** [ʃœ́pfən] [♈schaffen, ☞ Schöpfung] *t.* ① (schaffen²과 비슷한 뜻: „hineinschaffen, –tun", 그릇에 담다:) 푸다, 손으로 떠 내다《물 따위를》; 퍼 내다(♈*scoop*). ② 잡다; 얻다. ¶Atem ~ 숨을 쉬다 / 《比》 Mut ~ 용기를 내다 / Verdacht ~ 의심을 품다.

Schöpfer [ʃœ́pfər] *m.* –s, –, 창조자; 창시자; 조물주《신》(*creator*). **schöpferisch** *a.* 창조적인, 독창적인. **Schöpferkraft** *f.* 창조력, 독창력.

Schöpf·kelle [ʃœ́pf–] *f.* 국자. **~löffel** [–lœfəl] *m.* 국자; 스푼. **~maschine** *f.* =~WERK.

Schöpfung [ʃœ́pfʊŋ] *f.* –en, 창조(물) (*creation*).

Schöpfwerk [ʃœ́pfvɛrk] *n.* 양수기(揚水機).

Schöppe [ʃœ́pə] *m.* –n, –n, =SCHÖFFE.

Schoppen [ʃɔ́pən] [<schöpfen] *m.* –s, –, 쇼펀《액량의 단위, 약 1/4*l*》.

Schöps [ʃœps] [tschech.] *m.* –es, –e, 《方》 거세된 수양(*wether*); 《比》 멍청이, 숙맥(*simpleton*); 김빠진 맥주.

Schöpsen·braten [ʃœ́psən–] *m.* 구운 양고기. **~fleisch** *n.* 양고기(*mutton*).

schor [ʃoːr] ☞ SCHEREN¹ (그 過去).

Schorf [ʃɔrf] [<schürfen] *m.* –(e)s, –e, (상처 위에 생기는) 딱지, 가피(痂皮)(*scab*); 비듬(♈*scurf*); 〖植〗 인편(鱗片).

schorfig *a.* 딱지가 앉은; 딱지〔비듬〕투성이의.

Schornstein [ʃɔ́rnʃtain] [前半: < schüren] *m.* 굴뚝, 연통(*chimney*, 기차, 기선의: *funnel*). **~feger** *m.* 굴뚝 청소부.

schoß [ʃɔs] ☞ SCHIESSEN (그 過去).

Schoß¹ [ʃɔs] [<schießen] *m.* ..sses, ..sse, 햇가지, 새 눈, 새 싹(♈*shoot, sprig*). **Schoß²** [ʃoːs] [*eig.* „Ecke, 구석"] *m.* –es, ⸗e, ① (Rock~) (웃옷의) 자락(*tail*), 스커트(*skirt*). ② 무릎《웃옷의 자락으로 덮이는 신체의 부분》(*lap*). ③ (품는 곳의 뜻:) 내부, 품(*bosom*); 〖解〗 (Mutter~) 자궁(*womb*).

Schoß·hund [ʃóːs–] *m.*, **~hündchen** [–hʏntçən] *n.* 안는 개《여성들이 무릎에 놓고 귀여워하는 작은 개》, 발바리의 일종. **~kind** *n.* 귀여운 아기, 총아(寵兒), 응석받이 아이, 귀염둥이.

Schößling [ʃœ́slɪŋ] *m.* –s, –e, 새싹, 새가지, 싹틈; 움(돋이); 《比》 자손.

Schote¹ [ʃóːtə] [nd. „Schoß²"] *f.* –n, 〖海〗 범각삭(帆脚索)《돛의 아래쪽을 펴는 밧줄》(♈*sheet*).

Schote² [ʃóːtə] [*eig.* „Bedeckendes"] *f.* –n, 〖植〗 깍지, 껍데기; 왕겨(*husk, shell, pod*).

Schoten·erbse [ʃóːtən–] *f.* 〖植〗 완두. **~frucht** *f.* 꼬투리; 콩과 식물.

Schott [ʃɔt] [nd. „Schoß¹"] *n.* –(e)s, –e,

Schotte¹ [ʃɔ́tə] *f.* –n, 판자 간막이; 〖海〗 방수 격벽(防水隔壁)(*bulkhead*).

Schotte² [ʃɔ́tə] *m.* –n, –n, 스코틀랜드 사람.

Schotten [ʃɔ́tən] *m.* -s, -, **∼tuch** *n.* (격자무늬의) 스코치 직물.

Schottenwand [ʃɔ́tənvant] *f.* = SCHOTTE[1].

Schotter [ʃɔ́tər] [<Schutt, schütten] *m.* -s, -, 자갈, 조약돌《포도용》(*road-metal*); 〖鐵〗 자갈(*ballast*). **schottern** [ʃɔ́tərn] *t.* (에) 자갈을 깔다.

Schotterstraße [ʃɔ́tərʃtra:sə] *f.* 쇄석(碎石)으로 포장한 도로.

Schottin [ʃɔ́tın] *f.* -nen, 스코틀랜드 여자. **schottisch** *a.* 스코틀랜드(인)의. **Schottland** *n.* 스코틀랜드 (♈*Scotland*).

schraffieren [ʃrafí:rən] [it., <gr. -lat. *graphium* „Griffel"] *t.* u. *i.*(h.) (제도·동판 따위에서) 선화(線畫)를 그리다〔새기다〕(*hatch*). **Schraffierung, Schraffur** *f.* -en, 위를 하기.

schräg [ʃrɛ:k] *a.* 비스듬한, 기울어진 (*oblique, slanting*); 어긋난, 대각선의 (*diagonal*); 비탈진(*sloping*). **Schräge** [ʃrέ:gə] *f.* -n, 기울기; 경사, 물매, 구배(勾配). **schragen** [ʃrá:gən] *t.* (각재를) 비스듬히 엮다. **schrägen** [ʃrέ:gən] *t.* 기울게 하다, (에) 사각(斜角)을 짓게 하다.

Schräg≈maß [ʃrέ:k-] *n.* 사각규(斜角規). **∼schrift** *f.* 사체〔이탤릭체〕 문자. **∼über** [ʃrɛ:k-ý:bər] *adv.* 비스듬하게, 어긋나게.

schrak [ʃra:k] ☞SCHRECKEN(그 過去).

Schramme [ʃrámə] *f.* -n, 생채기 (*scratch*); 상처 자국(*scar*). **schrammen** *t.* 생채기를 내다. **schrammig** *a.* 생채기투성이인; 흉터가 있는.

Schrank [ʃraŋk] *m.* -(e)s, ⸗e, 장(欌) (*case, press*); (Bücher∼) 책장; (Kleider∼) 옷장(*wardrobe*); (Küchen∼) 찬장. **Schranke** [ʃráŋkə] *f.* -n, ① 울타리, 목책(木柵)(*barrier, rail*). ② *pl.* 울안, 둘러 싸인 곳(*fencing-in, enclosure*); (Gerichts∼) 법정(*bar*); 경기장. ¶in die ∼n fordern 도전하다. ③ 《比》 한계, 제한(*limits, bounds*). ¶in ∼n halten 제한하여 두다, 억제하다 / in (die) ∼n weisen (의) 한계를 명백하게 하다, (을) 제시하다.

schränken [ʃrέŋkən] [<schräg] *t.* ("빗나가게 하다"의 뜻:) 교차시키다, 짜 맞추다(*cross*); (톱날을) 바깥쪽으로 젖히다, 톱니를 세우다(*set*).

schranken≈los [ʃráŋkən-] *a.* 구속없는; 방종한; 끝 닿는 데가 없는, 가없는. **∼wärter** *m.* 〖鐵〗 건널목지기.

Schrank≈fach [ʃráŋk-] *n.* 서랍; 찬장의 간막이. **∼koffer** *m.* 장롱식 트렁크.

Schranze [ʃrántsə] *f.* -n, 《蔑》 (Hof∼) 아첨하는 조신(朝臣)(*toady*); 아첨꾼.

Schrapnell [ʃrapnέl] *n.* -s, -e *u.* -s, (옛날의) 유산탄(榴霰彈)《영국인 Shrapnel 대령이 발명》(♈*shrapnel*).

Schraube [ʃráubə] [Lw. lat. *scrōfa* „Sau" (돼지가 꼬리를 마는 꼴:)] *f.* -n, ① 나선(螺旋); 나사. ② 프로펠러; 스크류(♈*screw*). **schrauben**[(*)] [ʃráubən] *t.* u. *i.*(h.) 나사로 죄다, 나사를 돌리다, 나사처럼 비틀다(♈*screw, turn, twist, wind*).

Schrauben≈dampfer *m.* 스크류 추진식 기선. **∼flügel** *m.* 프로펠러의 날개. **∼flugzeug** [-flu:ktsɔyk] *n.* 헬리콥터(*helicopter*). **∼förmig** *a.* 나선형의. **∼gang** *m.*, **∼gewinde** *n.* 나선조(螺旋條). **∼linie** *f.* 나선. **∼mutter** *f.* 암나사, 너트(*nut*). **∼schlüssel** *m.* 나사 돌리개. **∼welle** *f.* 추진축(推進軸). **∼zieher** *m.* 나사 돌리개, 드라이버.

Schraub≈stock [ʃáupʃtɔk] *m.* 나사 바이스. **∼zwinge** *f.* 교착용 프레스.

Schrebergarten [ʃré:bər-] *m.* 교외의 가족 유원지《의사 Schreber가 창시》.

Schreck [ʃrɛk] *m.* -(e)s, -e, = SCHRECKEN.

Schreckbild *n.* 무서운 꼴〔광경〕; 무서운 모습, 요괴. **schrecken**[(*)] [ʃrέkən] [*eig.* „aufspringen"] 《Ⅰ》《强變化》 *i.*(s.) (=er∼) 깜짝 놀라다, 경악하다(*startle, be frightened*). 《Ⅱ》《弱變化》 *t.* 놀래다, 위협하다(*frighten, terrify*); 〖料〗 (뜨거운 것을) 갑자기 식히다.

Schrecken [ʃrέkən] *m.* -s, -, ① 놀람, 경악; 공포(*fright, terror*); 〖商〗 공황. ¶in ∼ setzen 놀라게 하다, 질리게 하다. ② 무서운 물건, 소름 끼치는 사건; 도깨비.

schreckens≈bleich *a.* 공포로 창백해진. **∼herrschaft** *f.* 공포 정치. **∼jahr** *n.* 재해가 있은 해, 흉년. **∼tat** *f.* 잔학한 행위. **∼zeit** *f.* 공포〔공황〕 시대.

schreckhaft [ʃrέkhaft] *a.* 겁 많은, 놀라기 잘하는(*fearful*). **schrecklich** [ʃrέklıç] *a.* 무서운, 두려운, 처절한 (*terrible, dreadful, horrible*); 《俗》 엄청난, 굉장한(*awful*). ¶es ist ∼ (*adv.*) kalt 지독하게 춥다. **Schrecknis** *n.* -ses, -se, 놀람, 경악, 공포; 무서운 것; 도깨비(*horror, terror*).

Schreck≈schuß [ʃrέk-] *m.* 위협 사격; 《比》 허세를 부림. **∼sekunde** *f.* 공포로 인한 방심(放心) 시간.

Schrei [ʃrai] [<schreien] *m.* -(e)s, -e, 부르짖음《소리》, 지저귀는 소리, 울음소리, 외침 소리(*cry, scream, shriek*). ¶《比》 der letzte ∼ 최신 유행.

Schreib≈art [ʃráip-] *f.* 서체. **∼bedarf** *m.* 문방구, 지필묵(紙筆墨), 편지지. **∼block** *m.* (한장씩 뜯어내는) 비망록. **∼buch** *n.* = ∼HEFT.

schreiben* [ʃráibən] [Lw. lat. *scribere* „(*eig.* 긁다:) 쓰다"] 《Ⅰ》 *t.* u. *i.*(h.) ① 쓰다(*write*); (maschine∼) 타자기로 치다. ② jm. 〔an jn.〕 ∼ 아무에게 편지를 쓰다. ③ 〖商〗 jm. et. gut 〔zugute〕 ∼ 무엇을 아무의 대변(貸邊)에 기입하다. ④ 《날짜를 나타냄》 man schrieb damals 1945, 그것은 1945년의 일이었다. 《Ⅱ》 *refl.* ① 이름을 적다; (이러이러한) 이름이다. ② sich von et.[3] her ∼ 무엇에 유래하다, 무엇에서 나오다. 《Ⅲ》

Schreiben *n.* -s, -, 씀, 적음, 습자; 쓴 것; 편지; 문서. **Schreiber** [ʃráibər] *m.* -s, -, 쓰는 사람; 필생(筆生), 사자생(寫字生); 서기, 비서; 필자, 저자, 작자. **Schreiberei** [ʃraibərái] *f.* -en, (부지런히) 씀; 서기〔필생〕임(및 그 일); 쓴 것, 쓸 것; 잡문(雜文). 「하는.

schreibfaul [ʃráip-] *a.* 글씨 쓰기 싫어

Schreib·feder [ʃráip–] *f.* 펜; 붓. **∼·fehler** *m.* (철자의) 잘못 씀. **∼heft** *n.* 필기장; 습자장. **∼krampf** *m.* 〖醫〗 서경(書痙). **∼kunst** *f.* 필법, 서법(書法). **∼mappe** *f.* 종이 끼우개, 바인더(*porifolio*). **∼maschine** *f.* 타자기(*typewriter*). **∼papier** *n.* 사생 용지, 편지지. **∼pult** *n.* (글 쓰는) 책상. **∼·stübe** [–ʃtu:bə] *f.* 사무실. **∼stunde** [–ʃtundə] *f.* 습자(수업) 시간. **∼täfel** *f.* 석판; 비망록. **∼tisch** *m.* 책상, 사자대(寫字臺). 「쓰는 법, 철자법.」

Schreibung [ʃráibuŋ] *f.* –en, 쓰는 일,

Schreib·unterläge [ʃráip–] *f.* 압지; 압지틀《책상 위에 놓는》. **∼wären** *pl.* 문방구. **∼wärenhändlung** [–hɛnd–, –hɛnt–] *m.* 문방구점. **∼zeug** *n.* 문방구 상자, 잉크 스탠드.

schreien* [ʃráiən] 《Ⅰ》 *i.*(h.) u. *t.* 외치다(*cry*); 큰 소리를 내다(*shout*); 절규하다, 비명을 올리다(*shriek, scream*); (금수가) 울부짖다; (개가) 짖다; (어린애가) 울다. 《Ⅱ》 **schreiend** *p.a.* ① 큰 소리로 부르짖는, 울부짖는; 떠들썩한. ② 《比》 ∼e Farben 요란한 빛깔. **schrei·er** *m.* –s, –, 큰 소리로 부르짖는 사람, 우는 아이; 불평가. **Schreihals** *m.* 《俗》 우는 아이; 울보.

Schrein [ʃrain] [Lw. lat. *scrinium* „Kapsel"] *m.* –(e)s, –e, 상자, 갑(*chest*); 장(*press*); (Heiligen∼) 신주를 모셔 둔 장; (Reliquien∼) 성골(聖骨)함, 성물(聖物)함(♈*shrine*). **Schreiner** [ʃráinər] *m.* –s, –, (Tischler) 소목장이(*joiner, cabinetmaker*). **schreinerei** [ʃrainərái] *f.* –en, 소목장이(의 일〔가게〕).

schreiten* [ʃráitən] *i.*(s.) ① (발을 구르며) 걷다, 보행하다, (걸어서) 나아가다(*stride, step, pace*). ② 《比》 (zu, 에) 착수하다, (을) 하다(*proceed* (*to*)).

schrie [ʃri:] ☞SCHREIEN(그 過去).

schrieb [ʃri:p] ☞SCHREIBEN(그 過去).

Schrift [ʃrɪft] [<schreiben] *f.* –en, ① 쓰는 법, 서법(*writing*); (Hand∼) 필적(*hand, penmanship*); 서체, 문자, 활자(*character, letter*). ② 쓴 것, 문서, 서류(*script, writings*); 저작물, 저서(*works*). ¶ die (Heilige) ∼ 성서.

schrift·blind [ʃrift–] *a.* ① 문맹의. ② (신경 중추 고장으로 인하여) 글을 못 쓰는. **∼deutsch** *n.* 문장 독일어. **∼füh·rer** *m.* 기록원, 서기. **∼gelehrte** *m.* 《形容詞變化》 유태의 율법학자. **∼·gießer** *m.* 활자 주조공. **∼gießerei** *f.* 활자 주조(소). **∼leiter** *m.* 편집자, 주필. **∼leitung** *f.* 편집국(원).

schriftlich [ʃrɪftlɪç] *a.* 쓰인, 서면에 의한, 문서의; *adv.* 서면으로〔문서로〕하여.

Schrift·sachverständige *m.* u. *f.* 《形容詞變化》 문서(의 진위를 감정하는) 전문가. **∼satz** *m.* 〖印〗 식자(植字); 〖法〗 (제출) 문서. **∼schneider** *m.* 활자를 인각하는 사람. **∼setzer** *m.* 식자공. **∼spräche** [–ʃpra:çə] *f.* 문(장)어. **∼steller** *m.* 문필가, 문사, 저술가. **∼stellerin** *f.* 여류 문사. **∼stel·lerei** *f.* 문필 활동; 저술. **∼stelle·risch** *a.* 문필가의, 문사의; 문학(상)의. **∼stück** [–ʃtʏk] *n.* 논문; 문서, 서류.

Schrift·tūm [ʃrífttu:m] *n.* –(e)s, 저작물, 문학 (작품); 문헌(*literature*).

Schrift·verfälschung *f.* 문서 위조(개변). **∼wechsel** [–vɛksəl] *m.* 문서 교환; 서신 교환. **∼zeichen** *n.* 문자. **∼zūg** *m.* 필적, 문자(*character*); 자획(字劃)의 장식(*flourish*).

schrill [ʃrɪl] *a.* 새된, 귀청을 찢는 듯한(♈*shrill*). **schrillen** *i.*(h.) 새된 소리를 내다, 귀청을 찢는 듯이 울리다.

Schrippe [ʃrípə] *f.* –n, 《方》 작은 흰 빵.

schritt [ʃrɪt] ☞SCHREITEN(그 過去).

Schritt [ʃrɪt] [<schreiten] *m.* –(e)s, –e, ① 걸음, 한발짝; 한걸음(의 간격)(*step, stride, pace*); 보행, 걸음걸이, 발걸음, 보조(步調)(*gait, walk*); 〖軍〗 속보; (말의) 보통 걸음. ¶ ∼ halten, (mit, 와) 보조를 맞추다 / jm. auf ∼ u. Tritt folgen 아무의 뒤를 밟다, 미행하다 / ∼ für ∼ 한걸음 한걸음, 점차적으로. ② 《比》 (내디딤:) 처리, 조처, 수단(을 취함)(*démarche*).

Schritt·macher [ʃrít–] *m.* (자전거 경주의) 선도자; 《比》 안내인. **∼weise** *adv.* 한걸음 한걸음씩, 서서히, 착실하게. **∼weite** *f.* 보폭(步幅). **∼zähler** *m.* 보측기(步測器).

schroff [ʃrɔf] *a.* ① 가파른, 깎아 세운 듯한(*steep*). ② 《比》 무작한(*rugged*); 무뚝뚝한, 뚱한(*rude, harsh*). **Schroff·heit** *f.* –en, ① 가파름; 냉엄; 《比》 뚱함, 무뚝뚝함. ② *pl.* 험상궂은 언행.

schröpfen [ʃrœ́pfən] [*eig.* „ritzen"] *t.* 〖醫〗 방혈(放血)하다, 사혈(瀉血)하다(*bleed, cup*); 《比》 jn.: (에게서) 돈을 짜〔긁어〕 내다(*fleece*).

Schrōt [ʃro:t] [<schroten] *m.* u. *n.* –(e)s, –e, ① 지저깨비(*chips*). ② 일정한 무게의 주화(용의) 원판; 화폐의 규정된 무게 〔크기〕(*standard*). ¶ 《比》 ein Mann von echtem ∼ u. Korn 강직〔성실〕한 사람. ③ 산탄(霰彈)(*small shot*). ④ 굵게 간〔탄〕 귀리〔보리〕, 조맥(粗麥)(*groats*).

Schrōt·baum [ʃró:t–] *m.* 짐《특히 통》을 굴려 나르는 통나무. **∼beutel** *m.* 〖獵〗 산탄 주머니. **∼brōt** *n.* 질이 낮은 빵, 흑(黑)빵. 「속을 절단하는 정.」

Schrōteisen [ʃró:t-aizən] *n.* 돌이나 금

schrōten⁽*⁾ [ʃró:tən] *t.* 《Ⅰ》 자르다, 거칠게 깎다(*cut, saw*); 빻아〔눌러〕 부수다(*bruise*); (곡식을) 굵게 갈다〔타다〕(*rough-grind*). 《Ⅱ》 《弱變化》 *t.* (통나무를 밑에 깔고 통 따위를) 굴려 나르다(*roll down, lower*). 「엽총.」

Schrōtflinte [ʃró:tflɪntə] *f.* 산탄총,

Schrōth·kūr [ʃró:t–] *f.* 슈로트식 요법 《창시자 Johann Schroth의 이름에서》.

Schrōt·korn [ʃró:t–] *n.* 굵게 간〔탄〕 보리; 산탄알. **∼leiter** *f.* (통) 운반용의 통나무 사다리. **∼mühle** *f.* 빻는 맷돌〔절구〕. **∼säge** *f.* 큰 톱, 내릴톱. **∼schuß** *m.* 산탄(霰彈) 사격, 산탄.

Schrott [ʃrɔt] [<Schrot] *m.* –(e)s, –e, 고철, 스크랩(*scrap*). **Schrottwērt** *m.* 고철(파쇠)값.

Schrōt·waage [ʃró:t–] *f.* 수준기(水準器). **∼winde** *f.* 자아틀.

schrubben [ʃrúbən] *t.* 박박 문지르다〔씻다〕(♈*scrub*); 거칠게 깎다(*roughplane*). **Schrubber** *m.* -s, -, (자루 달린) 수세미, 솔; 자루(달린)비(♈*scrubber*).

Schrulle [ʃrúlə] [<schrill] *f.* -n, 엉뚱한 생각, 변덕, 광상(狂想)(*fad, whim*). **schrullenhaft, schrullig** *a.* 변덕스러운.

schrumpfen [ʃrúmpfən] *i.*(s.) u. *refl.* 줄다, 수축〔위축〕하다(*shrivel, shrink*). **schrumpfig** *a.* 주름 잡힌, 주름투성이인. **schrumpfniere** *f.* 〘醫〙 위축신(萎縮腎). **Schrumpfung** *f.* -en, 수축, 위축; 〘經〙 통화 수축.

Schrunde [ʃrúndə] [<schrinden] *f.* -n, 쪼개진〔갈라진〕 틈, 균열(*crack, crevice*); 협곡, 산골짝.

Schūb [ʃu:p, 方: ʃup] [<schieben] *m.* -(e)s, ⸚e [ʃý:bə], 미는〔찌르는〕 것, 찌르기, 밀기 (♈*shove, push, thrust*); (Bäcker∼) (한번 가마솥에 넣어서 굽는) 일회분의 빵(*batch*).

Schūb⸗fach [ʃú:p–] *n.* 서랍. **∼fenster** *n.* 내리닫이. **∼karren** *m.* (손으로 미는) 일륜차(一輪車). **∼kasten** *m.*, **∼lāde** *f.* 서랍. **∼tisch** *m.* 서랍 달린 책상. **∼ventil** *n.* (미끄러지는) 통풍관(瓣). **∼weise** *adv.* ① 밀고, 밀면서. ② 한 떼씩, 조금씩. ③ 강제 퇴거로써.

schüchtern [ʃýçtərn] [♈scheu] *a.* 내성적인, 수줍은(*shy, bashful*); 겁많은(*timid*). **Schüchternheit** *f.* 위임.

schūf [ʃu:f] ☞ SCHAFFEN[1](그 過去).

Schuft [ʃuft] *m.* -(e)s, -e, 악한, 무뢰한, 불량배(*scoundrel, rascal*). **schuften** *i.*(h.) 《俗》 억척스레 일하다(*drudge, slave*). **schuftig** *a.* 불량한, 비열한.

Schuh [ʃu:] *m.* -(e)s, -e, ① 구두〔단화, 반화〕(♈*shoe*). ¶ jm. et. in die ∼e schieben 아무에게 무슨 책임을 전가하다. ② (Hemm∼) 제동기(制動機), 브레이크. ③ (길이의 단위) 피트(*foot*).

Schuh⸗anzieher [ʃú:–] *m.* 구두 주걱. **∼band** *n.* 구두끈. **∼draht** *m.* 구두 깁는 실. **∼flicker** *m.* 구두 수선장이. **∼knöpfer** *m.* 구두의 단추 끼우개. **∼krēm** *m.* 구두약. **∼macher** *m.* 구두만드는 사람, 제화공 **∼pech** [-pɛç] *n.* 구두 깁는 실에 바르는 밀초. **∼plattler** [platteln „schlagen"] *m.* 바이에른의 민중 무용《남자가 허벅다리나 구두 밑바닥을 치며 여자의 둘레를 도는》. **∼putzer** *m.* 구두닦이. **∼riemen** *m.* 구두끈. **∼schwärze** *f.* (검정) 구두약. **∼sohle** *f.* 구두창. **∼wāren** *pl.* 구두류(類). **∼werk** *n.* 신발, 구두류. **∼wichse** [-vɪksə] *f.* 구두약. **∼zeug** *n.* =∼WERK.

Schuko [ʃú:ko] *m.* -s, -s, 〘電〙 = *Schutzkontakt*.

Schuko⸗steckdōse *f.*, **∼stecker** *m.* 특수한 보호 접촉을 갖춘 소켓.

Schūl⸗arbeit [ʃú:l–] *f.* (학교의) 과업; 숙제. **∼bank** *f.* 학생용 걸상. **∼beispiel** [-baiʃpi:l] *n.* 범례, 시안(*test case*). **∼besūch** *m.* (학교의) 출석. **∼bildung** *f.* 학교 교육. **∼būch** *n.* 교과서.

Schuld [ʃult] [♈sollen] *f.* -en, 《Ⅰ》 ① (지불 의무:) 채무, 빚, 부채(*debt*); (거꾸로 말해:) 대금. ¶ ∼en machen 돈을 빌다. ② (속죄할 의무:) 죄, 나쁜 짓(*offence, guilt, crime*). ③ 까닭, 원인; 책임, 허물, 잘못, 과실(*fault, blame*). ¶ es ist s-e (eigene) ∼ 그것은 그의 잘못〔탓〕이다. 《Ⅱ》 **schuld**: jm. ∼ geben 아무에게 (in, 의) 죄를 돌리다 / ∼ haben 〔sein〕 책임이 있다.

schuld⸗bewußt [ʃúlt–] *a.* 죄를 의식한. **∼brief** *m.* 차용 증서, (사)채권. **∼būch** *n.* 〘商〙 대금(貸金) 장부; 회계부; 죄의 기록.

schulden [ʃúldən] *t.* ① jm. et.: 이행〔지불·반환〕 의무가 있다, 빚지고 있다. ¶ Dank ∼ 은혜를 입고 있다. ② et. ∼ 어떤 부정〔죄·과실〕을 범하다.

schulden⸗belastet *a.* 부채 있는. **∼frei** *a.* 부채 없는. **∼halber** *adv.* 부채 때문에. **∼last** *f.* 빚더미, 막대한 부채. **∼machen** *n.* 빚돈, 빚짐. **∼tilgung** *f.* 채무의 (완전한) 변제, 부채〔공채〕 상각.

Schuld⸗forderung [ʃúlt–] *f.* 채권. **∼frei** *a.* ① =∼LOS. ② =SCHULDENFREI. **∼gefängnis** *n.* (옛날의) 채무 금고(禁錮).

Schūl·diener [ʃú:ldi:nər] *m.* 학교의 사무원〔사환〕.

schuldig [ʃúldɪç] *a.* ① 빚을 진; 부채〔빚이〕 있는 (*indebted*); 은혜를 입은 (*obliged, owing, due*). ¶ jm. die Antwort ∼ bleiben 아무에게 대답을 않고 있다 / jm. Dank ∼ sein 아무의 은혜를 입고 있다. ② 죄가 있는, 잘못이 있는(*guilty*). **Schuldige** [ʃúldɪgə] *m.* u. *f.* 《形容詞變化》 책임자; 유죄자. **Schuldiger** *m.* - s, -, 〘聖〙 빚진 자, 채무, 은혜(가 있음). **Schuldigkeit** *f.* 의무; 책임.

Schūl·direktor [ʃú:ldirɛktɔr] *m.* 교장.

Schuld⸗klāge [ʃúlt–] *f.* 채무 관계 소송. **∼lōs** *a.* 죄 없는(*guiltless*); 천진한(*innocent*).

Schuldner [ʃúldnər] *m.* -s, -, 부채자, 채무자(*debtor*).

Schuld⸗posten *m.* 채무〔부채〕액. **∼sache** *f.* =∼KLAGE. **∼schein** *m.* 차용〔채무〕 증서. **∼verhältnis** *n.* 대차(貸借) 관계. **∼verschreibung** *f.* 채무 증서, (사(社))채권. **∼voll** *a.* 죄있는, 유죄인.

Schūle [ʃú:lə] [Lw. lat. *schola* (*eig.* „Stätte der Muße") *f.* -n, ① 학교(♈*school*); (Privat∼) 사립 학교, 숙(塾); 교사(舍), 숙사(塾舍); 수업, 과업. ¶ die Hohe ∼, =HOCHSCHULE, UNIVERSITÄT / die höhere ∼ 고등(정도의) 학교. ② 학파; 학도; 유파. ¶ ∼ machen 학파를 이루다, 학통을 만들다. ③ 조교(調敎), 조마(調馬); (말의) 보조(步調). ¶ ∼ reiten 말에 갖가지 걸음걸이를 시키다. **schūlen** [ʃú:lən] *t.* ① 가르치다, 교육하다, 훈련하다(♈*school, teach, train*); (말을) 조련하다. ② geschult (*p.a.*) 훈련을 쌓은, 숙련된. **schūl·entlassen** *a.* 졸업한. **Schüler** [ʃý:lər] *m.* -s, -, ① 학생; (대학 이하의 학교) 생도(*school-boy, pupil*). ② 제자, 문하생(*disciple*); 초심자. **Schüler·aus·tausch** [-aus-tauʃ] *m.* (외국과의) 학생 교환. **schülerhaft**

[ʃý:lərhaft] *a.* 생도다운; 《比》 초학자다운, 어린 티가 나는, 미숙한. **Schülerin** [ʃý:lərın] *f.* -nen, 여학생, 여제자. **Schülerlötse** *m.* (교통의 번잡한 곳에서) 통학생의 안내역을 하는 상급생.
Schul≈fērien [ʃú:lfe:riən] *pl.* 방학. **～flūg** *m.* 훈련 비행. **～frei** *a.* 과업〔수업〕이 없는. ¶ ～freier Tag 휴일. **～freund** *m.* 학우. **～fuchs** *m.* 《俗》 =PEDANT. **～gebrauch** *m.* 교과용. **～geld** *n.* 수업료. **～gelehrsāmkeit** *f.* 학교에서 습득되는 지식, (탁상) 공론. **～gemeinde** *f.* 사친회, P.T.A. **～≈genosse** *m.* 학우, 동창생. **～gerecht** *a.* ① 학칙에 따른; 예의〔규율〕 바른; 형식적인. ② 잘 훈련된(말). **～gesetz** *n.* 학칙. **～halter** *m.* 교장, 교주. **～≈haus** *n.* 교사(校舍). **～hōf** *m.* 교정, 운동장. **～jahr** *n.* ① 학년. ② *pl.* 학교〔학생〕 시절. **～jūgend** *f.* 국민 학교 아동. **～kamerād** *m.* 학우. **～≈kenntnisse** *pl.* 학교에서 배운 지식, 탁상 학문. **～kind** *n.* 취학 아동, 학동. **～lehrer** *m.* 교장; (一般的) 교사. **～leiter** *m.* 학교장. **～mann** *m.* 교사, 교육자. **～mappe** *f.* 학생 가방, 란도셀. **～meister** *m.* 교사, 교원. **～meistern** *i.*(h.) u. *t.* 선생 노릇을 하다; 선생처럼 꾸짖다〔교훈하다〕. **～≈pfērd** *n.* 잘 길든 말; 곡예마(馬). **～≈pflicht** *f.* 취학 의무. **～pflichtig** *a.* 취학 의무 있는; 학령에 달한. **～plān** *m.* 교안; 커리큘럼. **～rāt** *m.* ① 문교부, 교육 위원회. ② 《稱號》 장학관. **～≈reiter** *m.* 조마사(調馬師). **～sache** *f.* 학사(學事). **～sattel** *m.* 조마용 안장. **～schiff** *n.* 연습선〔함〕. **～schluß** *m.* (학교의) 종업(終業). **～schwänzer** *m.* 꾀부리고 결석하는 학생. **～speisung** *f.* 학교 급식. **～stūbe** [-ʃtu:bə] *f.* 교실, 교장(敎場). **～stunde** [-ʃtundə] *f.* 수업 시간; 수업. **～tāfel** *f.* 칠판.
Schulter [ʃúltər] *f.* -n, 어깨(♈*shoulder*).
Schulter≈bein, ～blatt *n.* 견갑골(肩胛骨). **～gehenk** *n.* 〘軍〙 견대(肩帶). **～hōhe** *f.* 어깨 높이. **～klappe** *f.* (제복의) 견장(肩章).
schultern [ʃúltərn] *t.* 어깨에 지다, 짊어지다(♈*shoulder*).
Schulter≈stück [ʃúltərʃtʏk] *n.* 견장(肩章). **～wehr** *f.* 〘軍〙 견장(肩墻).
Schult·heiß [ʃúlthais] [*eig.* „der e-e Schuld (Verpflichtung) heißt (befiehlt, anordnet)"] *m.* -en, -en, (옛) 지방관; 촌장(*village mayor*).
schul·übung [ʃú:l-y:buŋ] *f.* 학습, 수업.
Schulung [ʃú:luŋ] *f.* -en, 훈련, 가르침; (정식의) 연습; (말 따위의) 조교.
Schul≈unterricht [ʃú:l-] *m.* 학교 교육; 수업. **～vōrstēher** *m.* 교장(*headmaster*). **～weisheit** [-vaishait] *f.* ① 학교에서 습득하는 (추상적 혹은 이론적) 지식. ② 스콜라 철학. **～wēsen** *n.* 학사(學事); 학제(學制). **～wissenschaften** *pl.* 학교에서 다루는 학문《인문 과학》.
Schulze [ʃúltsə] *m.* -n, -n, =SCHULTHEIß.
Schul≈zeit [ʃú:l-] *f.* 수업 시간; 학교〔학생〕 시절. **～zeugnis** [-tsɔyknıs] *n.* 졸업 증서. **～zucht** *f.* 학교의 기율. **～≈zwang** *m.* 취학 의무.
schummerig [ʃúmərıç] *a.* 어둑한, 희미한(*dusky, dim*).
Schund [ʃunt] [„Geschundenes, Abfall"] *m.* -(e)s, 짐승 껍질을 벗길 때의 부스러기, 폐물; 《比》 쓰레기, 찌꺼기, 가짜 (물건)(*trash*).
schund [ʃunt] =SCHINDEN《그 過去》.
Schund≈literatūr [ʃúnt-] *f.* 삼류(三流) 문학. **～romān** *m.* 저속한 소설.
Schūpō [ʃú:po:] *m.* -s, -s, 《略》 *schutzpolizist* 보안 경찰관.
Schuppe [ʃúpə] [<schaben] *f.* -n, 비늘(*scale*); 비듬(*scurf*). **schuppen** [ʃúpən] 《Ⅰ》 *t.* (의) 비늘을 떼다〔제거하다〕. 《Ⅱ》 *refl.* 비늘이 떨어지다, 탈피하다.
Schuppen [ʃúpən] [<schieben; =engl. *shop* „Laden"] *m.* -s, -, 곳간, 헛간, 광(*shed*); 차고(*garage*); 격납고(*hangar*).
schüppen [ʃʏpən] *t.* 삽으로 뜨다〔파내다〕(*shovel*).
Schuppen≈flechte *f.* 〘醫〙 건선(乾癬). **～flügler** *pl.* 〘動〙 인시류(鱗翅類). **～≈panzer** [-pantsər] *m.* 〘軍〙 미늘 달린 갑옷.
schuppig [ʃúpıç] *a.* 비늘이 있는.
Schup(p)s [ʃups] *m.* -es, -e, 찌름, 찌르기.
schup(p)sen [ʃúpsən] *t.* 찌르다. 밀어 제치다.
Schūr [ʃu:r] [<scheren] *f.* -en, ① 깎음; (특히) 양털 깎기(*shearing*); (정원수 등의) 깎아 손질하기. ② (베어낸) 양털(*fleece*).
Schür·eisen [ʃý:r-aizən] *n.* 부지깽이.
schüren [ʃý:rən] *t.* ① (불을) 헤집어 일으키다(*poke*). ② 《比》 부추기다, 선동하다 《싸움 따위를》(*stir up, incite*).
schürfen [ʃʏrfən] [<scharf] *t.* u. *i.*(h.) ① 할퀴어 찢다(*scratch*). ② 〘坑〙 Erze 〔nach Erz〕 ～ 시굴(試掘)하다(*prospect* (*for*)).
schūrigeln [ʃú:ri:gəln] [*eig.* „stoßen"] *t.* 《俗》 괴롭히다, 구박하다, 학대하다 (*plague, worry, harass*).
Schurke [ʃúrkə] [*eig.* Schürer „Teufel"] *m.* -n, -n, 악한, 무뢰한, 건달 (*rogue, rascal, scoundrel*).
Schurkenstreich [ʃúrkənʃtraiç] *m.*, **Schurkerei** [ʃurkərái] *f.* -en, 나쁜 일, 불량한 행위, 파렴치 행위. **schur≈kisch** *a.* 극악한, 불량한, 파렴치한.
Schurz [ʃurts] [Lw. lat.] *m.* -es, -e, 앞치마, 에이프런(*apron*). **Schürze** [ʃʏrtse] *f.* -n, 앞치마(*apron*; 어린이용: *pinafore*); 《比》 여자.
schürzen [ʃʏrtsən] *t.* ① (auf～) (옷을) 치켜 올리다(*tuck up*). ② 매듭을 만들다, 매다(*tie*). ¶ 《比》 den Knoten ～ (연극의) 줄거리를 얽히게 하다.
Schürzen≈herrschaft *f.* 엄처 시하. **～jäger** *m.* 《俗》 여자 꽁무니를 따라다니는 남자.
Schurzfell [ʃúrtsfɛl] *n.* (구두장이 등의) 가죽 앞치마.
Schuß [ʃus] [<schießen] *m.* ..sses, Schüsse [ʃʏsə], ① 돌진, 맹진(*rapid movement, rush*). ¶ in (den) ～ kommen 돌진하다. ② 무럭무럭 자람, 맹아(萌芽)(*rapid growth*); 새싹; 햇가지(♈

shoot, sprout). ③《俗》발작(*fit*); 취기(醉氣); 아픔. ④ 발사(♀*shot*); (활로) 쏨; (총으로의) 사격; 총검; 사정(射程), 착탄 거리. ¶《比》weit vom ~ 위험을 면하여. ⑤ 근소한 분량. ¶ein ~ Brot 한 숟 분량의 빵 / ein ~ Rum 적은 양의 럼주(酒). ⑥〖紡〗씨실을 펨; 씨실(*weft*).

Schuß≈bereich *m.* 사계(射界). **≈be≈reit** *a.* 사격 준비가 된.

Schüssel [ʃʏsəl] [Lw. lat.] *f.* -n, 오목 접시, 대접, 사발(*dish, bowl*), 접시, 쟁반(*basin*).

schusselig [ʃúsəlıç] *a.* 《方》 덤벙대는, 「경솔한(*fidgety, hasty*).」

schuß≈fest [ʃús-] *a.* 총알이 뚫지 못하는, 방탄(防彈)의. **~frei** *a.* 사정(射程) 밖의, 탄알이 도달하지 않는. **~gerecht** *a.* 사정내의, 탄알이 미치는. **≈kanāl** *m.* (몸의) 탄환이 관통한 자리. **≈linīe** [-li:nīə] *f.* 〖軍〗사선(射線). **~sicher** *a.* =~FEST. **≈waffen** *pl.* 화기, 총포. **≈weite** *f.* 사정(射程). **≈winkel** *m.* 사각(射角). **≈wunde** *f.* 총상.

Schūster [ʃú:stər, 方: ʃús-] *m.* -s, -, 구두장이(*shoemaker*); 구두 수선장이(*cobbler*). ¶auf ~s Rappen 도보로. **~≈ahle** *f.* 구두장이 송곳.

Schūsterei [ʃu:stərái] *f.* -en, 제화업, 구둣방.

Schūsterkneif [ʃú:stərknaif] *m.* (구두장이의) 깎는 칼.

schūstern [ʃú:stərn] *i.*(h.) u. *t.* 구둣방을 하다; 구두 수선장이를 하다.

Schūster≈pech [-pɛç] *n.* 구두 깁는 실에 바르는 수지랍(樹脂蠟). **~pfriem** *m.* 구두장이의 돗바늘.

Schūte [ʃú:tə] *f.* -n, 평저선(平底船), 거룻배(*barge, lighter*).

Schutt [ʃut] [<schütten] *m.* -(e)s, ① 기왓조각, 파편(*rubbish*); 먼지, 쓰레기(*refuse*). ②《詩》(Bau~) 폐허.

Schutt·ablādeplatz [ʃút-apla:də-] *m.* 쓰레기 버리는 곳.

Schüttel≈frost [ʃʏtəlfrɔst] *m.* 〖醫〗한전(寒戰), 오한. **~lähmung** *f.* 〖醫〗진전(震顫) 마비.

schütteln [ʃʏtəln] [<schütten] 《I》 *t.* 흔들다, 뒤흔들다(*shake*). ¶jm. die Hand ~ 아무와 악수하다 / *imp.* es schüttelt mich 몸이 떨린다. 《II》 *refl.* 몸을 흔들다〔떨다〕(*shiver, tremble*).

schütten [ʃʏtən] *t.* u. *i.*(h.) ① (콱) 흔들어 비우다, 붓다, 따르다(*pour* (*out*)). ¶*imp.* es schüttet 비가 억수로 쏟아지다. ② 쌓아 올리다. ¶in Haufen ~ 더미를 쌓다 / e-n Damm ~ 둑을 쌓다.

schüttern [ʃʏtərn] [<schütten] 《I》 *i.*(h.) (덜덜) 떨다(*shake, tremble*); 흔들리다(*rock*). 《II》 *t.* 흔들다, 동요시키다.

Schutt≈halde [ʃút-] *f.* (용광로 곁의) 광재(鑛滓) 더미. **~haufen** *m.* 토사〔쓰레기〕의 더미. **~karren** *m.* 토사〔쓰레기〕 운반차.

Schutz [ʃuts] [<schützen] *m.* -es, 막음, 방위, 방어(*defence*); 지킴, 보호, 수호, 엄호, 경호, 비호(*protection*); 피난처(*shelter*); 방어물, 방어 장치; 〖軍〗호송병. ¶in ~ nehmen, a) 보호하다, b) 〖商〗(어음을) 인수 지불 하다 /unter dem ~e der Nacht 야음을 타고.

Schutz≈anstrich [ʃúts-] *m.* 겉칠; 〖軍〗미채(迷彩). **~befohlene** *m.* u. *f.* 《形容詞變化》 피보호자, 피후견인, 부하. **~blech** [-blɛç] *n.* 보호판; (차의) 흙받기. **~brief** *m.* 통행권. **~brille** *f.* 보호 안경. **~bündnis** [-bʏntnıs] *n.* 방위 동맹. **~dach** *n.* 처마, 차양.

Schütze[1] [ʃʏtsə] [<schießen] *m.* -n, -n, 사격수, 궁수(弓手)(♀*shot*); 사격회 회원; 〖軍〗저격병《지금의 보병》; (Feld~, Flur~) 감시인, 보초(*watchman*).

Schütze[2] [<schützen] *f.* -n, 수문(의 문짝) (*sluice board*); 〖紡〗북(*shuttle*).

schützen [ʃʏtsən] [<Schutt „Erdwall"] *t.* ① (물을) 막다; (물방앗간의) 수문을 닫다. ② 《一般的》 막다, 방어〔방위〕하다 (*defend*); 지키다, 보호〔엄호·비호〕하다 (*protect, guard, shelter*).

Schützen≈fest *n.* 사격 대회. **~feuer** *n.* 산병(散兵) 사격.

Schutz·engel [ʃúts-ɛŋəl] *m.* 수호 천「사, 수호신.」

Schützen≈grāben *m.* 산병호, 참호. **~haus** *n.* 옥내 사격장. **~kette** *f.* =~LINIE. **~kōnig** *m.* 사격 대회의 일등상 수상자. **~līnīe** [-l:nīə] *f.* 방어선(防禦線). **~regiment** *n.* 보병 연대. **~schleier** *m.* 전위 부대. **~verein** *m.* 사격 협회.

Schützer [ʃʏtsər] *m.* -s, -, 보호자, 방「어자.」

Schutz≈farbe [ʃúts-], **~färbung** *f.* 미채(迷彩); 〖動〗보호색. **~frist** *f.* 저작권〔판권〕 기한. **~gebiet** *n.* 보호령; 식민지. **~geist** *m.* 수호신. **~geleit** *n.* 호위병〔함〕. **~gott** *m.*, **~gott≈heit** *f.* 수호신. **~hāfen** *m.* 대피항. **~haft** *f.* 보호 검속〔구류〕. **~≈heilige** *m.* u. *f.* 《形容詞變化》 수호 성인. **~herr** *m.* 보호자, 후견인. **~≈herrschaft** *f.* 보호자의 지위〔직무〕, 종주권(宗主權). **~holz** *n.* (침엽수림의) 보호(를 위해 그 중간에 활엽수를) 식림(한 것). **~hütte** *f.* (등산자의) 대피막, 산막(山幕). **≈impfen** *t.* 예방 접종(接種)하다. **~impfung** *f.* 예방 접종. **~insel** *f.* (거리의) 안전 지대. **~kon≈takt** *m.* 〖電〗보호 접촉.

Schützling [ʃʏtslıŋ] *m.* -s, -e, 피보호자, 피후견인, 부하(*protégé*).

Schutz≈linīe [ʃútsli:nīə] *f.* 방어선. **≈≈lōs** *a.* 보호자 없는, 무방비의. **~mann** *m.* (*pl.* ..männer *u.* ..leute) 경관. **~≈marke** *f.* 〖商〗상표. **~mauer** *f.* 방벽. **~mittel** *n.* 방어 수단; 예방법〔약〕. **~ort** *m.* 대피소; 수용소. **~patrōn** *m.* =~HEILIGE. **~pocken·impfung** *f.* 예방 접종. **~polizei** *f.* 보안 경찰. **~≈polizist** *m.* 보안 경찰관. **~raum** *m.* (공습) 대피소. **~rēde** *f.* 변명; (변호사의) 변호; (피고의) 항변. **~stoff** *m.* 〖生·醫〗항체(抗體). **~systēm** 〖經〗보호 무역 제도. **~-und-Trutz-Bündnis** *n.* 공수(攻守) 동맹. **~verwandte** *m.* u. *f.* 《形容詞變化》 거류민. **~wache** *f.* 호위병, 경비병. **~wand** *f.* 방벽. **~wehr** *f.* 엄호물; 방책(防柵). **~zoll** *m.* 〖商〗보호 관세. **~zöllner** *m.* 보호 무역론자. **~zollsystēm** *n.* 보호 관세〔무역〕 제도.

schwabbeln [ʃvábəln] 《I》 *i.*(h.) 《比》

재잘거리다(*babble, jabber*). 《Ⅱ》 *t.* 반들반들하게 닦다.

Schwābe[1] [ʃvá:bə] *f.* -n, 〖蟲〗 바퀴과의 곤충, 진디(*cockroach*).

Schwābe[2] *m.* -n, -n, 슈바벤 사람. **schwābeln** [ʃvé:bəln] *i.*(h.) 슈바벤 사투리로 말하다. **Schwāben** *n.* 독일 남부의 지방명. **Schwābin** [ʃvé:bın] *f.* -nen, 슈바벤 여자. **schwābisch** *a.* 슈바벤 사람 (사투리)의.

schwach [ʃvax] *a.* 약한(*weak, feeble, infirm*); 엷은, 묽은; 근소한; 뒤지는. ¶ ~e Bevölkerung 희박한 인구 / ~es Bier 묽은〔싱거운〕 맥주 / das ~e Geschlecht 여성, 여인 / ~e Seite 약점 / es wurde ihr ~ 그 녀는, a) 기분이 언짢아졌다, b) 기절했다.

Schwäche [ʃvéçə] *f.* -n, ① 약함, 무력; 허약, 취약; 약점, 단점(*weak point*); 〖醫〗 음위(陰痿). ② 약점, 좋아함, 편애. ¶ e-e ~ für et. haben 무엇을 특히 좋아하다. **schwächen** [ʃvéçən] *t.* 약하게 하다, 약화시키다; 줄이다; (용액·술 따위를) 묽게 하다; (색을) 엷게 하다; 마비시키다; 무디게 하다. **Schwächezustand** *m.* 〖醫〗 음위(陰痿).

Schwachheit [ʃváxhait] *f.* -en, 약함, 무력; (인간의) 약점.

schwach⸗herzig [ʃváx-] *a.* 마음이 약한; 의지가 약한. **~kopf** *m.* 바보, 저능(아). **~köpfig** *a.* 머리가 둔한, 저능한.

schwächlich [ʃvéçlıç] *a.* 약한, 허약한. **Schwächling** *m.* -s, -e, 약한 사람, 허약자, 약골.

schwach⸗sichtig *a.* 약시(弱視)의. **~sinn** *m.* 정신 박약, 백치. **~sinnig** *a.* 위의. **~strōm** *m.* 약전류(弱電流).

Schwächung [ʃvéçuŋ] *f.* -en, 약하게 함, 허약화; 쇠약; 감소.

Schwāden[1] [ʃvá:dən] *m.* -s, -, 김, 증기; 안개(*vapor*); 〖坑〗 (갱내에 괴는) 질식〔폭발〕 가스. 「이 (속)(*swath*).」

Schwāden[2] *m.* -s, -, 〖植〗 미꾸리꽝」

Schwadrōn [ʃvadró:n] [*eig.* „viereckiger Haufen (*v.* Reitern)", <lat. *quattuor* „vier"] *f.* -en, 〖軍〗 기병 중대(♈ *squadron*). **Schwadroneur** [-nø:r] *m.* -s, -e, 《俗》 떠버리; 허풍선이. **schwa⸗dronieren** *i.*(h.) 재잘거리다, 큰소리치다, 호언하다(*talk big, swagger*).

Schwāger [ʃvá:gər] *m.* -s, ⸚, 시동생, 시숙; 처남; 형부, 매부. **Schwāgerin** [ʃvé:gərın] *f.* -nen, 시누이; 처형, 처제; 형수, 계수, 올케, 동서(*sister-in-law*). **Schwāgerschaft** *f.* -en, 형제·자매뻘의 인척〔姻戚〕 관계. **Schwāher** †[ʃvé:ər] *m.* -s, -, 장인, 시아버지 (*father-in-law*). 「*swallow*).」

Schwalbe [ʃválbə] *f.* -n, 〖鳥〗 제비(♈

Schwalben⸗nest [ʃválbən-] *n.* 제비집. **~schwanz** *m.* 제비 꽁지; 《俗》 연미복; 〖建〗 열장(이음), 열장 장부촉(*dovetail*).

Schwall [ʃval] [<schwellen] *m.* -(e)s, -e, 물이 넘침(♈ *swell*); 홍수, 큰물, 큰 파도, 고조(高潮)(*flood, deluge*). ¶ ~ von Worten 도도(滔滔)한 열변. 「過去).」

schwamm [ʃvam] ☞ SCHWIMMEN《그」

Schwamm *m.* -(e)s, ⸚e, 해면(海綿)(*sponge*); 〖植〗 버섯(류)(*mushroom, fungus*); (Haus~) 눈물버섯《목재 부식균(腐蝕菌)》; (Feuer~) 부싯깃(*German tinder*). 「푹신푹신한; 균질(菌質)의.」

schwammig [ʃvámıç] *a.* 해면(질)의,」

Schwān [ʃva:n] *m.* -(e)s 〔稀: -en,〕, ⸚e, 〔稀: -en〕, 〖鳥〗 백조(白鳥), 고니(♈ *swan*); 《比》 시인(詩人). 「過去).」

schwand [ʃvant] ☞ SCHWINDEN《그」

schwānen [ʃvá:nən] *i.*(h.) *imp.*: es schwant mir (불길한) 예감이 든다, 마음이 뒤숭숭하다.

Schwānen⸗fēder *f.* 백조의 깃털. **~gesang** *m.* (빈사의 백조가 부른다는) 백조의 노래; 《比》 최후의 작품; 절필, 최후의 노래. **~teich** *m.* 백조의 연못. **~weiß** *a.* 백조같이 흰, 새하얀. 「去).」

schwang [ʃvaŋ] ☞ SCHWINGEN《그 過」

Schwang *m.* -(e)s, 《오늘날은 다음 語法뿐》 ¶ 《比》 im ~e sein 유행하고 있다, 행하여지고 있다(*be in vogue*).

schwanger [ʃváŋər] *a.* 임신하고 있는(*pregnant*); 배태하고 있는. ¶ 《比》 mit großen Plänen ~ geh(e)n 원대한 계획을 품고 있다. **schwängern** [ʃvéŋərn] *t.* 임신시키다; 수정〔수태〕시키다; 〖化〗 포화시키다. **Schwangerschaft** [-ʃaft] *f.* -en, 임신, 수태(受胎).

Schwangerschafts⸗unterbrechung *f.* 임신 중절. **~verhūtung** *f.* 피임.

Schwank [ʃvaŋk] *m.* -(e)s, ⸚e, 장난; 농담, 익살(*jest, joke*). **schwank** [ʃvaŋk] [*eig.* „leicht zu schwingen"] *a.* 굽기〔휘기〕 쉬운, 유연한(*flexible*); 비틀〔흔들〕거리는(*wavering*); 흔들거리는, 불안정한(*unsteady*). **schwanken** [ʃváŋkən] *i.*(h.) 흔들거리다, 동요하다(*move to and fro, rock, wave*); 〖商〗 (시세 따위가) 변동하다(*fluctuate*); 《比》 동요하다, 결심을 못하다, 주저하다(*hesitate, waver*).

Schwanken *n.* -s, 동요; 변동; 〖天〗 장동(章動) (*nutation*). **schwankend** *p. a.* 동요〔변동〕하는. **Schwankung** *f.* -en, 흔들림, 동요; 변동.

Schwanz [ʃvants] [<schwanken; *eig.* „e-e wiegende bewegung"] *m.* -es, ⸚e, 꼬리(*tail*); 꼬리 모양의 것(*trail*); 《比》 끝, 말단(*end*). **schwänzeln** *i.*(h.) (개가) 꼬리를 흔들다; 《比》 추종(追從)하다, 아첨하다(*fawn (on)*). **schwänzen** [ʃvéntsən] 《Ⅰ》 *i.*(h.) 빈둥빈둥하다. 《Ⅱ》 *t.* (학교·교회 따위를) 결석하다, 빠지다; (연주자가) 음표(音標)를 생략하다; (에) 꼬리를 달다.

Schwanz⸗ende *n.* 꼬리 끝, 말단. **~fläche** *f.* 〖空〗 미익(尾翼). **~flosse** *f.* 〖魚〗 꼬리지느러미. **~riemen** *m.* 〖馬具〗 껑거리끈. **~spitz** *m.* 꼬리 끝. **~sporn** *m.* (비행기의) 미익(尾翼) 활주부. **~stern** *m.* 혜성(彗星).

schwapp! [ʃvap] *int.* 철썩(치는 소리), 찰싹《물소리》. **schwappen** *i.*(h.) 찰싹 찰싹 소리를 내다; 소리를 내며 흐르다.

Schwāre [ʃvé:rə] [=Geschwür] *f.* -n, 〖醫〗 종기, 농양(膿瘍)(*abscess, ulcer*); 《比》 재해; 화근. **schwāren**(*) [-rən] *i.*(h. *u.* s.) 곪다, 화농하다(*suppurate, fester*).

Schwarm [ʃvarm] [<schwirren] *m.* -(e)s, ⸗e, ① (Bienen~) 꿀벌의 떼(♈ *swarm*); 《一般的》 떼, 무리, 잡답(雜沓) (*crowd, throng*). ② 열중, 애호; 그 대상. ¶ ich habe e-n ~ für diese Schauspielerin; diese Schauspielerin ist mein ~ 나는 이 여배우의 팬이다. **schwärmen** [ʃvέrmən] *i.*(h. *u.* s.) ① 떼를 짓다, 몰려들다(♈ *swarm*); 〖軍〗 산개(散開)하다, 산병전을 벌리다. ② 방탕하다, 탐닉하다(*ravel, riot*); 열중〔도취·숭배〕하다(*rave, be enthusiastic*). **Schwärmer** [ʃvέrmər] *m.* -s, -, 유랑인; 방탕자, 탐닉자; 열중하는 사람, 팬; 도취자(*enthusiast, gusher*); 〖宗〗 광신자(*fanatic*); 꽃불의 일종; 〖蟲〗 박각시나방과. **Schwärmerei** *f.* -en, 쏘다님; 방탕, 탐닉; 어수선한 연회; 열중, 열광; 도취; (종교상의) 광신. **schwärmerisch** *a.* 열중하는; 공상적인, 열광적인; 광신적인.

Schwarmgeist [ʃvármgaist] *m.* (*pl.* -er) 열광(자); 〖宗〗 광신(자).

Schwarmlinie [ʃvármli:nĭə] *f.* 〖軍〗 산병선(散兵線).

schwarmweise [ʃvármvaizə] *adv.* 떼를 지어.

Schwarmzeit [ʃvármtsait] *f.* 꿀벌의 분봉 시기.

Schwarte [ʃvá:rtə, 方 ʃvár-] *f.* -n, 외피(*rind, skin*); 《俗》 (인간의) 피부; 〖醫〗 경피(硬皮), 못; 돼지 가죽을 입힌 (옛) 책; (통나무의) 죽더끼.

schwartig [ʃvá:rtɪç] *a.* 외피의, 외피가 있는.

schwarz [ʃvarts] *a.* 어두운, 짙은, 검은(*dark*); 《一般的》 검은(*black*). ¶ der ~e Erdteil 아프리카 / das ~e Brett (대학의) 게시판 / das ~e Meer 흑해 / ~ auf weiß (백지 위에 검게:) 서면으로, 인쇄하여 / alles ~ sehen 모든것을 비관하다 / ~er Markt 암시장 / der 〔die〕 ~e 흑인 / das ~e 검은것, 흑점; 눈동자; 과녁의 중심 / ins ~e treffen, a) (과녁의) 흑점에 맞히다, b) 《比》 급소를 맞히다.

Schwarz⸗arbeit *f.* 부정 노동, 비밀 작업. ~**äugig** *a.* 검은 눈을 가진. ~⸗**blau** *a.* 암청색의, 짙푸른. ~**blech** [-blɛç] *n.* 흑강판(黑鋼板). ~**braun** *a.* 흑갈색의. ~**brōt** *n.* 흑빵. ~**dorn** *m.* 〖植〗 (유럽산) 인목(鱗木). ~**drossel** *f.* 〖鳥〗 검은새《티티새·찌르레기과의 새》.

Schwärze [ʃvέrtsə] *f.* -n, 검음, 검기, 흑색; 《比》 암흑, 음울; 음험, 사악; 검정 구두약, 검은 인쇄 잉크. **schwärzen** [ʃvέrtsən] *t.* 검게 하다; 《比》 (의) 이름을 더럽히다; (의) 평판을 나쁘게 하다, 비방하다. **Schwärzer** *m.* -s, -, 검게 물들이는〔칠하는〕 사람; 밀수업자, 장물아비.

Schwarz⸗erde [ʃvárts-] *f.* 〖農〗 흑토(黑土). ~|**fahren*** *i.*(s.) u. *t.* (남의 자동차를) 허가 없이 운전하다〔타다〕. ~⸗**fahrer** *m.* 무단 운전자〔승객〕. ~**fahrt** *f.* 무단 운전(*joy-ride*) 〔승차〕. ~**fleisch** *n.* (돼지의) 훈제육(燻製肉). ~**gelb** *a.* 흑황색의. ~**handel** *m.* 암거래, 부정 거래. ~**händler** [-hɛndlər, -hɛnt-] *m.* 암거래 상인. ~**hemd** [-hɛmt] *n.* 〖史〗 흑샤쓰당원《이탈리아의》. ~**holz** *n.* 침엽수. ~**hörer** *m.* (라디오의) 도청자(盜聽者). ~**kauf** *m.* 암거래. ~⸗**künstler** *m.* 마술사, 요술사.

schwärzlich [ʃvέrtslɪç] *a.* 검정기를 띤, 거무스름한.

Schwarz⸗markt *m.* 암시장. ~**mehl** *n.* 거칠게 빻은 밀(*grits*). ~**preis** *m.* 암시세. ~**rōtgold** *a.* 흑(黑)·적(赤)·금(金) 삼색의《현 독일 국기》. ~|**schlach⸗ten** *i.*(h.) u. *t.* 밀도살하다《가축을》. ~**sēher** *m.* 비관론자(*pessimist*). ~⸗**sēherei** *f.* 비관. ~**sēherisch** *a.* 비관적인, 염세적인. ~**wald** [-valt] *m.* ① 침엽수림. ② 슈바르츠발트《"흑림산"의 뜻, 독일 서남부의 산맥명》. ~**wild** [-vɪlt] *n.* 〖動〗 멧돼지. ~**wurz(el)** *f.* 〖植〗 우엉, 쇠채속의 풀.

Schwatz [ʃvats] *m.* -es, -e, 수다; 잡담. **Schwatzbase** *f.* 말 많은 여자. **schwatzen** [ʃvátsən], 《方》 **schwät⸗zen** [ʃvέtsən] *t.* u. *i.*(h.) 지껄이다. **Schwätzer** *m.* -s, -, 떠버리. **Schwät⸗zerei** *f.* -en, 지껄임; 잡담. **schwatz⸗haft** *a.* 잘 지껄이는, 말 많은.

Schwēbe [ʃvé:bə] *f.* 부동, 부유(浮遊). ¶ in der ~ sein 떠 있다; 《比》 미결정이다.

Schwēbe⸗bahn *f.* 고가 삭도(高架索道)〔철도〕. ~**balken**, ~**baum** *m.* 〖體〗 평균대.

schwēben [ʃvé:bən] [<schweifen] *i.*(h. *u.* s.) 흔들흔들하다, 뜨다, 떠돌다(*hover, soar*); 허공에 떠 있다, 매달려 있다(*be suspended, hang*); 〖法〗 (사건이) 현안으로 되어 있다, 미결이다(*be pending*). ¶ das Name schwebt auf der Zunge 이름이 생각나면서도 입에 나오지 않는다/ in Gefahr ~ 위기에 처하다 / im Ungewissen ~ 아직 미정이다. **schwē⸗bend** *p.a.* 뜨는, 떠도는; 매달려 있는; 미해결의, 현안의. ¶ e-e ~e Brücke 조교(吊橋). **Schwēbepflanzen** [ʃvé:bə-] *pl.* 〖生〗 식물성 부유 생물, 플랑크톤. **Schwēbestange** *f.* ①=BALANCIERSTANGE. ② 〖體〗 평균대. **Schwēbe⸗tiere** *pl.* 〖生〗 동물성 부유생물, 플랑크톤. **Schwēbung** *f.* -en, 부동, 부유; 현수(懸垂); 동요; 〖物〗 파동.

Schwēde [ʃvé:də] *m.* -n, -n, ① 스웨덴 사람. ② *pl.* 안전 성냥. **Schwē⸗den** *n.* 스웨덴. **Schwēdin** [ʃvé:dɪn] *f.* -nen, 스웨덴의 여자. **schwēdisch** *a.* 스웨덴(사람·언어·산(産))의. ¶ ~ Heilgymnastik 스웨덴식 체조.

Schwēfel [ʃvé:fəl] *m.* -s, 〖化·鑛〗 유황(*sulphur*).

Schwēfel⸗äther *m.* 에틸에테르. ~⸗**bād** [-ba:t] *n.* 유황욕(浴); 유황천(泉). ~**blūmen**, ~**blūten** *pl.* 유황화(華). ~**dampf** *m.* 유황 증기. ~**eisen** *n.* 황화철. ~**farbig** *a.* 유황색의. ~⸗**gang** *m.* 유황 광맥. ~**gelb** [-gɛlp] *a.* 유황색의. ~**haltig** *a.* 유황을 함유하는. ~**hölzchen**† *n.* 성냥. ~**hütte** *f.* 유황 공장.

schwēf(e)lig [ʃvé:f(ə)lɪç] *a.* 유황질의, 유황을 함유하는. ¶ ~e Säure 아황산.

Schwēfel⸗kies *m.* 〖鑛〗 황철광. ~⸗**kohlenstoff** *m.* 이황화 탄소.

schwēfeln [ʃvé:fəln] *t.* 유황으로 처리하다; 유황으로 그을리다 〔바래다〕; 황화하다; (에) 유황을 바르다.

Schwēfel=quelle *f.* 유황천(泉). **~=sauer** *a.* 황산의. **~säure** *f.* 황산(*sulphuric acid*). **~verbindung** *f.* 〖化〗 황화물. **~wasser** *n.* 유황을 함유하는 광수(鑛水). **~wasserstoff** *m.* 황화 수소.

Schweif [ʃvaif] [<schweifen] *m.* -(e)s, -e, (짐승의) 긴 꼬리(*tail*); (살별의) 꼬리; 길게 끌리는 치맛자락(*train*). **schwei=fen** [ʃváifən] [<schweben] 《I》 *t.* 물결 모양으로 하다, 젖히다, 구부리다(*curve, slope*). 《II》 *i.*(s.) 거닐다, 헤매다(*roam about, rove, stray*).

Schweif=stern [ʃváifʃtɛrn] *m.* 살별, 혜성(*comet*). **~wēdeln** [-ve:dəln] *i.*(h.) (개가) 꼬리를 흔들다; 《比》 (vor, 에) 아첨하다, 빌붙다(*fawn (on)*).

Schweige·geld [ʃváigə-] *n.* 입막음 돈, 입씻이.

schweigen* [ʃváigən] 《I》 *i.*(h.) 잠자코 있다, 침묵하다(*be silent*). ¶ still ~ 침묵하다 / zu et.³ ~ 무엇에 대하여 한 마디도 말하지 않다. 《II》 **Schweigen** *n.* -s, 침묵, 무언(*silence*). ¶ zum ~ bringen, a) 잠자코 있게 하다, 찍소리 못하게 하다, b) (적의 포화를) 침묵시키다. **Schweigepflicht** *f.* (직업상) 비밀 엄수의 의무《변호사·공증인 등의》. **Schweiger** *m.* -s, -, 침묵하고 있는 사람, 말 없는 사람. **Schweigezōne** *f.* 사각(死角)《음향상의》. **schweigsām** [ʃváikza:m] *a.* 과묵한, 말 없는.

Schwein [ʃvain] [*eig.* „Junges der Sau", Sau에 어미 -in을 단 형태] *n.* -(e)s, -e, 〖動〗 돼지(♈*swine, pig, hog*). ¶ wildes ~ 멧돼지 / 《戲》 ~ haben 횡재하다《예전, 사격 대회에서 열등상으로 돼지를 준 데서》.

Schweine=brāten [ʃváinə-] *m.* 돼지 불고기. **~fett** *n.* 돼지 기름, 라드. **~=fleisch** *n.* 돼지 고기(*pork*). **~futter** *n.* 돼지 먹이. **~hirt(e)** *m.* 돼지를 치는 사람. **~hund** *m.* 돼지를 지키는 개; 《蔑》 더러운 놈. **~igel** *m.* 고슴도치. **~kōben** *m.* 돼지 우리. **~pōkel=fleisch** *n.* 소금에 절인 돼지 고기.

Schweinerei [ʃvainərái] *f.* ① 불결, 더러움. ② (*pl.* -en) 추잡한 언행, 음담. **schweinern** *a.* 돼지(고기)의.

Schweine=schlächter *m.* 돼지 백정. **~schmalz** *n.* 돼지 기름. **~speck** *m.* 베이컨. **~stall** *m.* 돼지 우리. **~=treiber** *m.* 돼지몰이. **~wirt·schaft** *f.* 양돈(養豚); (경영 등의) 난맥, 엉망. **~zucht** *f.* 양돈(養豚).

Schwein=igel [ʃváini:gəl] *m.* 〖動〗 고슴도치(=Igel); 《比》 더러운 놈, 비열한 사람. **~igelei** *f.* -en, 추잡한 언행, 음담. **~igeln** *i.*(h.) 음담을 하다.

schweinisch [ʃváinɪʃ] *a.* 돼지 같은; 《比》 불결한, 추잡한, 음탕한.

Schweins=borste *f.* 돼지의 강모(剛毛). **~brāten** *m.* 돼지 불고기. **~fisch** *m.* 돌고래. **~keule** *f.* 돼지의 넓적다리 고기. **~lēder** *n.* 돼지 가죽. **~lē=dern** *a.* 돼지 가죽의. **~rippchen** [-rɪpçən] *n.* 돼지 갈비.

Schweiß [ʃvais] *m.* -es, -e, 땀(♈*sweat, perspiration*); 《比》 수고(*toil*); 땀의 결정; 〖獵〗 (상처 입은 짐승의) 피.

schweiß=bedeckt *a.* 땀에 젖은. **~=befördernd** *a.* 발한성(發汗性)의.

Schweiß·blätter [ʃváis-] *pl.* 땀받이《여성복의 속옷 겨드랑이 밑에 댐; 흔히 고무제》. **~drüse** *f.* 〖解〗 한선(汗腺).

schweißen [ʃváisən] 《I》 *i.*(h.) 〖獵〗 피를 흘리다《상처 입은 짐승이》. 《II》 *t.* 〖冶〗 용접하다(*weld*). **Schweißer** *m.* -s, -, 용접공.

Schweiß=fuchs *m.* 구렁말의 일종. **~=füße** *pl.* 땀이 잘 나는 발. **~hund** *m.* 경찰견(警察犬).

schweißig [ʃváisɪç] *a.* 땀투성이인, 땀이 밴.

Schweiß=mittel *n.* 발한제(發汗劑). **~naht** *f.* 용접한 이음매. **~treibend** *a.* 땀나게 하는. **~tropfen** *m.* 땀방울. **~tūch** *n.* 땀 수건.

Schweißung [ʃváisʊŋ] *f.* -en, 〖冶〗 용접(鎔接).

Schweiz [ʃvaits] *f.* 스위스(♈*Switzerland*). **Schweizer** 《I》 *m.* -s, -, 스위스 사람(♈*Swiss*). 《II》 *a.* 스위스의(♈*Swiss*). **schweizerisch** *a.* 스위스(사람·말)의(♈*Swiss*).

schwēlen [ʃvé:lən] [♈schwül] 《I》 *i.* (h.) 그을다(*smoulder*). 《II》 뭉근 불로 굽다; 〖化〗 (저온에서) 건류(乾溜)하다.

schwelgen [ʃvélgən] *i.*(h.) 호식(好食)하다, 포식(飽食)하다(*feast, revel*); 《比》 (in, 에) 빠지다(*indulge*). **Schwelger** *m.* -s, -, 식도락가; 탐닉자. **Schwel=gerei** *f.* -en, 식도락, 일락(逸樂), 탐닉. **schwelgerisch** *a.* 식도락의, 일락에 빠지는, 탐닉한.

Schwelle [ʃvélə] *f.* -n, (집 따위의) 주추(♈*sill*); (Tür~) 문지방(♈*sill, threshold*); 〖鐵〗 침목(*sleeper*).

schwellen(*) [ʃvélən] 《I》 (强變化) *i*(s.) 부풀어 오르다(♈*swell*); 융기(隆起)하다, 높아지다; (강의) 물이 붇다; 〖醫〗 붓다; 발기(勃起)하다; (소리가) 커지다. 《II》 (弱變化) *t.* 부풀게 하다(♈*swell*); 높이다, 증대시키다; 〖樂〗 증세(增勢)하다. 《III》 **geschwollen** *p.a.* 팽창한, 부푼. **Schweller** *m.* -s, -, 〖樂〗 음량의 증감 장치. **Schwellkörper** *m.* 〖解〗 해면체(海綿體). **Schwellung** *f.* -en, 팽창, 부풂, 증대; 융기; 〖醫〗 종창(腫脹).

Schwemme [ʃvémə] *f.* -n, (가축, 특히 말을) 씻는 곳으로 넣음, 물을 먹임; 세마장(洗馬場), 물 먹이는 곳. **schwem=men** [ʃvémən] [„schwimmen machen"] *t.* (말을) 타고 씻는 곳으로 넣다, 물로 씻다(*water*); 흘려 보내다《목재를 뗏목으로 엮어서》(*float*); (강이) 기슭을 씻다, (강이 토사를) 퇴적시키다(*wash (away, up)*).

Schwemm=land [ʃvémlant] *n.* 충적지(沖積地). **~sand** *m.* 충적사(沖積砂).

Schwende [ʃvéndə] *f.* -n, 화전(火田). **schwenden** *t.* 화전을 일구다.

Schwengel [ʃvéŋəl] [<schwenken, schwingen] *m.* -s, -, 자루, 손잡이, 핸들, 지레; (Pumpen~) 펌프 자루(*handle*); (Glocken~) 종의 추(*clapper*).

schwenken [ʃvéŋkən] [„schwingen machen"] 《I》 *t.* ① 흔들다, 휘두르다

(↑*swing, wave, flourish*). ② 흔들며 씻다《컵·천 등을》(*rinse*). ③ 해고하다; 퇴교시키다. 《Ⅱ》 *i.*(h.) u. *refl.* 방향을 바꾸다(*turn*); 선회하다. **Schwenker** *m.* -s, -, 세탁부; 변절자. **Schwenkung** *f.* -en, 흔듦, 휘두름; 〖軍〗 방향 전환, 선회; 《比》 변절(變節), 전향.

schwēr [ʃveːr] *a.* ① 무게가 …인. ② 무거운(*heavy, weighty*); 《比》 막대한 《돈》; 독한《포도주》; 중한, 중대한(*grave, serious, severe*). ¶ ~es Verbechen 중죄(重罪). ③ 묵직한; 둔중한(*slow*); 답답한; 괴로운, 고난의, 쓰라린(*hard*); (~ zu tun) 쉽지 않은, 곤란한(*difficult*). ¶ ~ (*adv.*) darunter leiden 그것 때문에 몹시 피로와하다 / ~ (*adv.*) hören 귀가 멀다.

Schwēr·arbeit *f.* 중노동. **~arbeiter** *m.* 중노동자.

schwēr·ātmig *a.* 호흡 곤란의; 천식의. **~beschädigt** *p.a.* (생계 능력이 평상인의 반 이하인) 중장애의. **~bewaffnet** *a.* 〖軍〗 중장비의. **~blūtig** *a.* (성격이) 우울한.

Schwēre [ʃvéːrə] *f.* -n, 무거움; 무게, 중량; 중요성, 중대성; 중압; 답답함; (몸의) 나른함; (술의) 독함; 《比》 곤란; 고난; 〖物〗 중력.

Schwēre·nōter [ʃvéːrənøːtər, -nǿː-] [*eig.* „einer, der die Schwerenot verdient"] *m.* -s, -, 난봉꾼, 방탕아.

schwēr·erziehbār *a.* (아이가 보통 방법으로는) 교육이 곤란한. **~|fallen*** *i.*(s.) 곤란하다, 어렵다. **~fällig** *a.* 답답한; 둔중한. **~fälligkeit** *f.* 답답함; 둔중함. **~flüssig** *a.* 녹히기 힘든. **~gewicht** *n.* 〖競〗 헤비급; 자중(自重); 《比》 요점. **~|halten*** *i.*(h.) 곤란하다. **~hōrig** *a.* 귀가 먼. **~industrie** *f.* 중공업. **~kraft** *f.* 〖物〗 중력(*gravitation, gravity*). **~krank** *a.* 중병(重病)의. **~kriegsbeschādigte** *m.* u. *f.* 《形容詞變化》 중상병(重傷兵).

schwērlich [ʃvéːrlıç] *adv.* 가까스로, 거의 …않는(*hardly, scarcely*).

Schwēr·mūt *f.* 우울(*melancholy*). **~mūtig** *a.* 우울한, 서글픈. **~ōl** *n.* 중유(重油). **~punkt** *m.* 〖物〗 중심(重心). **~spāt** *m.* 〖鑛〗 중정석(重晶石).

Schwērt [ʃveːrt] *n.* -(e)s, -er, ① 검, 칼(↑*sword*); (Richt~) 처형 칼. ② 《比》 무력; 전쟁; 검객(劍客).

Schwērt·fēger *m.* 칼 벼리는〔가는〕 사람. **~fisch** *m.* 〖魚〗 황새치. **~lilīe** [-liːlĭə] *f.* 〖植〗 붓꽃속(*iris*). **~streich** *m.* 칼로 치기〔베기〕. ¶ ohne ~streich 칼에 피를 안 묻히고, 무혈로.

Schwēr·verbrecher *m.* 중죄인. **~verständlich** [-fɛrʃtɛntlıç] *a.* 이해하기 어려운. **~verwundet** *a.* 중상을 입은. **~wiegend** *a.* 무거운; 중대한.

Schwester [ʃvéstər] *f.* -n, ① 자매, 누이(↑*sister*); (Kranken~) 간호원; 보모(*nurse*). ② 수녀. **Schwesterkind** *n.* 생질(녀). **schwesterlich** *a.* 자매의, 자매다운, 자매와 같은.

Schwesternpaar [ʃvéstərnpaːr] *n.* 두 자매.

Schwester·sohn *m.* 생질. **~tochter** *f.* 생질녀.

Schwib·bōgen [ʃvípboːgən, ʃvíːp-] [*eig.* „Schwebebogen"] *m.* 〖建〗 (두 집 사이에 걸린) 아치 통로(*arch (way)*).

Schwieger·eltern [ʃvíːgər-] *pl.* 시부모 (*parents-in-law*). **~mutter** *f.* 시어머니. **~sohn** *m.* 사위. **~tochter** *f.* 며느리. **~vāter** *m.* 시아버지.

Schwiele [ʃvíːlə] [↑schwellen] *f.* -n, 〖醫〗 경피(硬皮), 굳은 살, (살의) 못(*horny skin*); (피부에 부풀어 오른) 채찍 자국(*wale*). **schwielig** *a.* 못 투성이인.

Schwiem(e)ler [ʃvíːm(ə)lər] *m.* -s, -, 모주, 주정뱅이. **schwiem(e)lig** *a.* 비틀거리는, 갈짓자 걸음의.

schwierig [ʃvíːrıç] *a.* 어려운, 곤란한 (*difficult, hard*). **Schwierigkeit** *f.* -en, 곤란(*difficulty*), 귀찮음, 항의. ¶ ~en machen 이의를 제기하다, 말썽 부리다.

schwillt [ʃvılt] (es ~) ☞ SCHWELLEN (그 現在).

Schwimm·anstalt *f.* 수영장. **~blāse** *f.* 부낭(浮囊); 〖魚〗 부레. **~dock** *n.* 부양식 도크.

schwimmen* [ʃvímən] *i.*(s. *u.* h.) ① 헤엄치다(↑*swim*); 뜨다, 떠돌다(*float*). ② 《比》 물에 잠기다, 흠뻑 젖다. ¶ der Boden schwimmt 마룻바닥이 한강이다 / im Blute ~ 피투성이가 되다 / ein ~der (*p.a.*) Blick 눈물이 글썽한〔눈물 젖은〕 눈.

Schwimmer [ʃvímər] *m.* -s, -, 헤엄치는 사람; 〖工〗 부표(浮標); 〖海·空〗 플로트, 부주(浮舟).

Schwimm·fēder, **~flosse** *f.* 〖魚〗 지느러미. **~fūß** *m.* 〖鳥〗 (물새의) 오리발. **~gürtel** *m.* 구명대(救命帶). **~haut** *f.* 〖動〗 물갈퀴(*web*). **~kampf·wāgen** *m.* 수륙 양용 전차. **~kraft** *f.* 부력(浮力). **~kunst** *f.* 수영술. **~vōgel** *m.* 유금류(游禽類). **~weste** *f.* 구명 자켓.

Schwindel [ʃvíndəl] [<schwindeln] *m.* -s, -, ① 현기, 어지러움(*giddiness*). ② 《比》 현혹, 속임수, 사기(↑*swindle, fraud, cheat*). **Schwindel·anfall** *m.* 현기의 발작. **Schwindelei** [ʃvındəlái] *f.* -en, 속임수, 사기(*swindling, cheat*).

Schwindel·firma *f.* 협잡〔사기〕 회사. **~frei** *a.* 어지러워지지 않는.

schwindelhaft [ʃvíndəlhaft] *a.* ① 사기의, 사기꾼 같은. ② 현기증이 나는.

schwind(e)lig [ʃvínd(ə)lıç] *a.* 어지러운.

Schwindel·kopf *m.* 무모한 남자, 덜렁쇠. **~manöver** *n.* 모의전.

schwindeln [ʃvíndəln] 《Ⅰ》 *i.*(h.) ① mir schwindelt 어지럽다. ② 속임수를 쓰다, 사기하다(↑*swindle, cheat*). 《Ⅱ》 **schwindelnd** *p.a.* 현기증나게 하는.

schwinden* [ʃvíndən] *i.*(s.) ① 줄다, 감소하다(*grow less, dwindle*); 시들다, 위축하다; 좁아들다; (금속 등이) 수축하다 (*shrink*). ② (ver~) 살아지다, 없어지다 (*vanish, die away*). ¶ ~ lassen 끄다, 없애다.

Schwindler [ʃvíndlər, -tlər] *m.* -s, -, 사기꾼.

Schwind·sucht [ʃvínt-] *f.* 〖醫〗 폐결핵. **~süchtig** *a.* 폐결핵의.

Schwinge [ʃvíŋə] *f.* -n, (Getreide~) 키(*winnow, fan*); (Flachs~) 삼을 치는 도리깨(*swingle*); 《詩》 (큰 새의) 날개.

schwingen(*) [ʃvíŋən] 《Ⅰ》 *t.* 《强變化》 흔들다(♈*swing*); 흔들어 움직이다, 뒤흔들다; (곡식을) 키질하다(*winnow*); (삼을) 도리깨질하다(♈*swingle*). 《Ⅱ》 《强變化》 *refl.* 몸을 흔들어 움직이다; 훌쩍 (뛰어) 오르다〔내리다〕; 몸을 잦히다, 활 모양으로 되다. ¶sich in den 〔aus dem〕 Satte ～ 훌쩍 안장에 뛰어 오르다〔안장에서 뛰어 내리다〕. 《Ⅲ》 《强變化》 *i.*(h.) 흔들어 움직이다(♈*swing*); 몸을 흔들다; 흔들리다; 진동하다(*vibrate*). 《Ⅳ》 **geschwungen** *p.a.* 흔들린; 잦혀진. **Schwingung** [ʃvíŋuŋ] *f.* -en, 흔듦; 흔들기, 동요, 진동; 전동(顫動).

Schwingungs≈achse [-aksə] *f.* (자동차의) 진동축(振動軸). **～dauer** *f.* 진동 시간〔주기〕. **～kreis** *m.* 〖電〗 진동 회로(振動回路). **～weite** *f.* 진폭(振幅). **～zahl** *f.* 진동수.

Schwippe [ʃvípə] *f.* -n, 햇가지(*switch*); 《方》 회초리(의 끝). **schwippen** 《俗》 《Ⅰ》 *i.*(h. *u.* s.) ① 철썩 소리내다. ¶mit der Gerte ～ 채찍을 철썩 소리나게 흔들다. ② (물이) 철벙 튀다. 《Ⅱ》 *t.* 채찍으로 찰싹 갈기다; (물을) 철벙 튀기다. **Schwips** [ʃvíps] *m.* -es, -e,: e-n ～ haben 얼근한 기분이다.

schwirren [ʃvírən] [♈Schwarm] *i.* ① (h.) 붕붕 소리나다, 휙휙 울리다(*whiz, whir*); 지지배배 지저귀다 《종달새가》 (*chirp*). ② (s.) 붕붕〔휙〕하고 나르다 (*buz, hum*); (소문이) 떠돌다(*fly*).

Schwitzbad [ʃvítsba:t] *n.* 한증욕(汗蒸浴).

schwitzen [ʃvítsən] [<Schweiß] 《Ⅰ》 *i.*(h. *u.* s.) 땀을 흘리다, 땀을 내다(♈*sweat, perspire*); 습기를 지니다. 《Ⅱ》 *t.* 땀나게 하다.

Schwitz≈kasten [ʃvíts-] *m.* (치료용) 한증 상자. **～kur** *f.* 발한 요법. **～mittel** *n.* 발한제(發汗劑).

schwoll [ʃvɔl] ☞SCHWELLEN(그 過去).

schwor [ʃvo:r] ☞ SCHWÄREN, SCHWÖREN(그 過去).

schwören* [ʃvǿ:rən] *t.* u. *i.*(h.) 맹세하다(♈*swear*), 선서〔서약〕하다(*take an oath*). ¶falsch ～ 거짓 맹세를 하다 / jm. Rache ～ 아무에게 복수를 (할 것을) 맹세하다 / **auf** et.⁴ ～ 무엇을 믿어 의심치 않다 / auf die Bibel ～ 성서에 손을 얹고 맹세하다 / **bei** et.³ ～ 무엇에 걸고 맹세하다 / **zur** Fahne ～ 군인이 되다.

schwül [ʃvy:l] [♈schwelen] *a.* 무더운, 후텁지근한(*sultry, close*); 《比》 답답한, 불안한. **Schwüle** *f.* -n, 무더위, 후텁지근함; 《比》 가슴이 답답함, 불안.

Schwulst [ʃvulst] [<schwellen] *m.* -(e)s, ⸗e, *od. f.* ⸗e, 종기(*swelling*); 《比》 교만; 과장, 호언 장담, 허식(*bombast*). **schwulstig, schwülstig** [ʃvýlstɪç] *a.* 부어오른; 《比》 교만한; 과장한, 떠벌리는; 지나치게 꾸미는.

schwummerig [ʃvúmərɪç] *a.* 《方》 현기증이 나는; 기분이 언짢은; 걱정되는.

Schwund [ʃvunt] [<schwinden] *m.* -(e)s, 감소, 감퇴; 소멸; 수축; 〖醫〗 소모, 위축(*atrophy*), 탈모(脫毛); 〖電〗 페이딩(*fading*).

Schwung [ʃvuŋ] [<schwingen] *m.* -(e)s, ⸗e, 흔듦, 흔들기(♈*swing*); 진동(*vibration*); 비약(*spring, bound*); 《比》 활기(*animation*); 세(勢)(*energy*); 정신의 고양(高揚), 감격, 열정(*elevation*). ¶in ～ bringen 감격〔분발〕시키다.

Schwungfeder [ʃvúŋfe:dər] *f.* 〖鳥〗 날개, 칼깃.

schwunghaft [ʃvúŋhaft] *a.* 진동하는; 활기 있는, 생동하는; 감격적〔정열적〕인.

Schwung≈kraft *f.* 〖物〗 원심력(遠心力); 《比》 활력, 기력. **～rad** *n.* 〖工〗 제동륜(制動輪), 속도 조정 바퀴. **～voll** *a.* 열정 있는, 감격적인.

Schwur [ʃvu:r] *m.* -(e)s, ⸗e, ① 맹세, 선서, 서약(*oath*). ② 저주. **schwur** ☞ SCHWÖREN(그 過去). **schwurbrüchig** *a.* 맹세를 깨뜨린, 선서 위반의.

Schwur≈gericht *n.* 배심 재판(소) (*jury*). **～zeuge** *m.* 선서 증인.

sec 《略》 ① =Sekante 〖數〗 시컨트. ② =Sekunde 초(秒).

sechs [zɛks] 《Ⅰ》 *num.* 6 《名詞的으로는 《俗》 sechse》(♈*six*). 《Ⅱ》 **Sechs** *f.* -en, 6 (의 수); 6점(♈*six*); (주사위의) 6 (의 눈) (♈*sice*).

Sechs≈eck *n.* 6각형. **～eckig** *a.* 6각형의.

sechserlei [zɛ́ksərlai] *a.* 여섯 가지의.

sechs≈fach, ～fältig *a.* 6배의, 여섯 겹의(*sixfold*). **～jährig** *a.* 여섯 살의; 6년(간)의. **～kampf** *m.* 6종 경기. **～mal** *adv.* 여섯 번, 6회; 6배로. **～malig** *a.* 여섯 번의, 6회의; 6배의. **～monatig** *a.* 6개월의, 반년의. **～monatlich** *a.* u. *adv.* 6개월마다(의). **～spännig** *a.* 여섯 말이 끄는.

sechst [zɛkst] *a.* (der, die, das ～e) 제 6의. ¶der ～e Sinn, a) 제 6감, b) 《俗》 성욕, c) 《俗》 무의미, 넌센스(=Unsinn).

sechst(e)halb [zɛkst(ə)halp] *a.* 다섯개 반의.

Sechstel [zɛ́kstəl] *n.* -s, -, 6분의 1 (*sixth*). **sechstens** [zɛ́kstəns] *adv.* 제 6으로, 여섯 번 째로(*sixthly*).

sechzehn [zɛ́çtse:n] [<sechs-zehn] *num.* 16(♈*sixteen*). **sechzehnjährig** *a.* 16세의. **sechzehnt** *a.* (der, die, das ～e) 제16의. **Sechzehntel** *n.* -s, -, 16분의 1; 〔**Sechzehntelnote** *f.*〕 〖樂〗 16분 음표(音標).

sechzig [zɛ́çtsɪç] [<sechs-zig] 《Ⅰ》 *num.* 60(♈*sixty*). 《Ⅱ》 **Sechzig** *f.* -en, 60(의 수·나이). **Sechziger** *m.* -s, -, **Sechzigerin** *f.* -nen, 60세〔60대〕의 사람. **sechzigst** (der, die, das ～e) *a.* 제60의.

sedat [zedá:t] [lat.] *a.* 조용한, 침착한(=ruhig).

Sedum [zé:dum] [lat. „Hauswurz"] *n.* -s, ..da, 〖植〗 평의비름(속의 각종 초본).

See [ze:] 《Ⅰ》 *m.* -s [ze:s, zé:əs], -n [zé:ən, ze:n], (Land～) 호(湖), 호수 (*lake*). 《Ⅱ》 *f.* -n [zé:ən, ze:n], (Meer) 바다, 해양(♈*sea*); 〖海〗 파도. ¶die hohe ～, a) 난바다, b) 높은〔거친〕 파도〔바다〕 / **an** der ～ 바닷가에 / **in** ～ geh(e)n 〔stechen〕 바다〔난바다〕로 나가다, 출범하다 / **zu** ～ 뱃길로, 배로. zur ～ gehen 선원이 되다.

See≈aal *m.* 〖魚〗 붕장어. **～adler** *m.*

〖鳥〗흰꼬리수리, 물수리. **~alpen** *pl.* 연안(沿岸) 알프스. **~bād** [-ba:t] *n.* 해수욕(장). **~bär** *m.* 〖動〗물개; 《戲》노련한 선원. **~dienst** *m.* 해상 근무. ¶ zum ~dienst tauglich, A·B급의 (선원)《숙련된 갑판원》. **~fahrer** *m.* 항해자; 선원. **~fahrt** *f.* 항해. **~fahrt(s)būch** *n.* 항해 일지. **~fest** *a.* 항해에 견디는(*seaworthy*). ¶ ~fest sein 버젓한 선원이다. **~flūg·hāfen** [-flu:k-ha:fən] *m.* 수상기(機) 기지. **~fracht·brief** *m.* 선하 증권(船荷證券). **~gang** *m.* 파도가 일어남; 물결. **~gefecht** *n.* 해전. **~gerichtshōf** *m.* 해사 재판소. **~gesetz** *n.* 해상법(海商法). **~grās** *n.* 해초; 거머리말. **~handel** *m.* 해외 무역. **~held** *m.* 바다의 영웅《노련한 선원》. **~herrschaft** *f.* 제해권(制海權). **~hund** *m.* 〖動〗바다표범. **~igel** *m.* 〖動〗섬게(목). **~kadett** *m.* 해군 소위 후보생. **~karte** *f.* 해도. **~kartze** *f.* 〖動〗오징어. **~kennung** *f.* 항로 표지. **~klār** *a.* 출범 준비가 다 된. **~kompaß** *m.* 항해용 나침반. **~krank** *a.* 뱃멀미하는. **~krankheit** *f.* 뱃멀미. **~krieg** *m.* 해전. **~kunde** *f.* 항해학. **~küste** *f.* 해변, 바닷가.

Seele [zé:lə] *f.* -n, ① 혼, 혼백, 영혼(♀*soul*); 정신, 마음(*spirit, mind, heart*); 생명(*life*). ② 《比》정신, 얼, 안목; 인간, 사람; 〖軍〗포강(砲腔)(*bore*). ¶ jm. et. **auf** die ~ binden 아무에게 무엇을 언명하다〔명심시키다〕/ jm. **aus** der ~ sprechen 아무의 말하고자 하는 바를 말하다 / **(bei)** m-r~! 맹세코, 진정으로 / das geht mir **durch** die ~ 그 일은 마음에 사무친다 / **mit** ~ 정성들여 / **von** ganzer ~ 충심으로.

Seelēben [zé:le:bən] *n.* 바다의 생활.

Seelen·amt [zé:lən-] *n.* 〖가톨릭〗위령(慰靈) 미사. **~angst** *f.* (심령의) 괴로움, 큰 불안. **~bräutigam** *m.* 《詩》그리스도. **~forscher** *m.* 심리학자. **~freund** *m.* 친우. **~froh** *a.* 진정으로 기뻐하는. **~größe** *f.* 심혼〔정신〕의 위대함. **~gūt** *a.* 본성이 선량〔친절〕한. **~heil** *n.* 영혼의 구제, 제도(濟度). **~heilkunde** *f.* 〖醫〗정신병학(精神病學). **~hirt(e)** *m.* 목사. **~lehre** *f.* 심리학. **~messe** *f.* =~AMT. **~mord** *m.* 정신적 살인. **~rūhe** *f.* 영혼의 안정, 안심 입명(立命). **~vergnūgt** [-kt] *a.* 마음에서부터 만족하고 있는〔즐거워 하고 있는〕. **~voll** *a.* 정성어린, 기백에 찬; 절실한. **~wand(e)rung** *f.* 〖宗〗윤회(輪廻).

See·leuchte *f.* 등대. **~leute** *pl.* 선원, 뱃사람.

seelisch [zé:lɪʃ] *a.* 영혼의, 정신의, 심「적인.」

See·lōwe [zé:lø:və] *m.* 〖動〗물개.

Seel·sorge *f.* 〖가톨릭〗사목(司牧). **~sorger** *m.* 목사, 사제.

See·macht *f.* 해군력; 해군국. **~mann** *m.* (*pl.* ..leute) 뱃사람, 선원. **~männisch** *a.* 뱃사람의〔같은〕; 항해상의. **~manns·garn** *n.* 《俗》~manns-garn spinnen (반 지어낸) 항해〔모험〕담을 하다, 허풍 떨다. **~manns·kirche** *f.* 선원 교회《해안 예배소》. **~manns·kunst** *f.* 선원의 기능. **~meile** *f.* 해리(海里), 마일. **~nōt** *f.* 해난. **~nōtrūf** *m.* 조난 신호(SOS).

Seenplatte [zé:ənplatə, zé:n-] *f.* 〖地〗호소(湖沼)가 많은 평탄한 지대.

See·offizier *m.* 해군 장교. **~otter** *f.* 〖動〗해다리. **~räuber** *m.* 해적. **~räuberei** *f.* 해상 약탈, 해적 행위. **~reise** *f.* 항해. **~rōse** *f.* 〖植〗수련(睡蓮). **~schāden** *m.* 해손(海損). **~schiff** *n.* 해선(海船), 항양 합선(航洋艦船). **~schlacht** *f.* 해전. **~sieg** *m.* 해전의 승리. **~soldāt** *m.* 해병, 수병. **~stadt** *f.* 해안 도시. **~streitkräfte** *pl.* 해군력. **~stück** *n.* 해양화(畫). **~tang** *m.* 〖植〗해조(海藻)의 일종. **~tauglich** [-tauklɪç] *a.* (선원이) 항해에 적격인. **~tüchtig** *a.* (배가) 항해에 견디는. **~untüchtig** *a.* (배가) 항해에 견딜 수 없는. **~verkehr** *m.* 해상 교통. **~versicherung** *f.* 해상 보험. **~volk** *n.* 해양 국민; 선원, 뱃사람. **~warte** *f.* 해양 기상대. **~wärts** *adv.* (난)바다 쪽으로. **~wasser** *n.* 바닷물. **~wēg** *m.* 해로. **~wēsen** *n.* 해사(海事). **~wolf** *m.* 〖魚〗상어; 《比》해적. **~wurf** *m.* 〖海〗투하(投荷)(하기). **~zeichen** *n.* 〖海〗항해 표지. **~zunge** *f.* 〖魚〗각시서대의 일종.

Sēgel [zé:gəl] *n.* -s, -, 돛(♀*sail*). ¶ die ~ streichen 〔einziehen〕 돛을 내리다〔말다〕《항복·경례의 표시로》/ **mit** vollen ~n 돛에 바람을 가득 안고; 《比》힘차게, 만사 순조롭게 / **unter** ~ geh(e)n 출범하다.

Sēgel·anweisung *f.* 항해 지침(서). **~boot** *n.* 돛배. **~fertig** *a.* 출범 준비를 갖춘. **~fliegen** *i.* 활공하다. ★ 不定形에서만 쓰임. **~flieger** *m.* 활공기(滑空機), 글라이더. **~flūg** *m.* 활공(비행). **~flūgzeug** [-flu:ktsɔyk] *n.* 활공기, 글라이더. **~macher** *m.* 돛 만드는〔궤매는〕사람.

sēgeln [zé:gəln] 《Ⅰ》 *i.* (s. *u.* h.) 범주(帆走)하다, (범선으로) 항행하다; 《比》(구름·새·비행선 따위가) 날다, 달리다. 《Ⅱ》 *refl.* 《결과를 나타내어》 sich fest~〔tot~〕좌초(坐礁)하다.

Sēgel·order *f.* 〖海〗출항 명령. **~schiff** *n.* 범선. **~schlitten** *m.* 빙상 요트. **~sport** *m.* 범주(帆走) 경기. **~stange** *f.* (돛의) 활대. **~tūch** *n.* 범포(帆布). **~werk** *n.* 돛에 딸린 기구. **~wind** *m.* 순풍.

Sēgen [zé:gən] [Lw. lat. *signum* „Zeichen (des Kreuzes)"] *m.* -s, -, ① 십자의 표; (십자를 긋고 하는) 기도(의 말); 주문; ② (*ant.* Fluch) 축복(*blessing, benediction*); 천혜(天惠), 천복(*grace*); 《比》번영, 성공, 풍작, 복리(*prosperity*); 행운(*good luck*).

sēgens·reich *a.* 축복 받은, 다복한. **~wunsch** *m.* 축복.

Sēgler [zé:glər, 또 zé:k-] *m.* -s, -, 범주자; 항해자; 범선; 활공기, 글라이더.

Segment [zegmént] [lat.] *n.* -(e)s, -e, 조각, 부분; 〖數〗선분(線分); (원의) 활꼴; 〖動〗환절(環節).

segnen [zé:gnən, zé:k-] 《Ⅰ》 *t.* 축복하다(*bless*). 《Ⅱ》 *refl.* 십자를 긋다. 《Ⅲ》 **gesegnet** *p.a.* 충복받은. ¶ein ~es Jahr 풍년. **Segnung** *f.* 축복; 은총.

sehen* [zé:ən] 《Ⅰ》 *t.* 보다(♈*see*); (와) 만나다; (…이라고) 보다, 생각하다; 해 보다, 시도하다. ¶das Bild ~ 그림을 보다 / sich ~ lassen 모습을 나타내다, 출석하다. 《Ⅱ》 *i.*(h.) ① 보다; (눈이) 보이다. ¶er sieht gut 〔schlecht〕 그는 시력이 좋다〔나쁘다〕. **auf** et.⁴ ~ 무엇에 주목하다〔주의를 쏟다〕 / **nach** et. ~ 무엇의 쪽을 보다, 을 찾다, 에 주의하다. ② 《命令形》 siehe (da)! 봐라, 자, 한데 말이야. ③ (…의) 눈초리를 하다; (…으로) 보이다. ¶ernst ~ 엄숙한 눈초리를 하다 / du siehst wie ein Gespenst 너는 유령처럼 보인다.

sehens·wert [zé:əns-], **~würdig** *a.* 볼 가치가 있는, 한 번 볼 만한. **~würdigkeit** *f.* 볼 가치가 있음; (*pl.* -en) 구경거리; 명승지.

Seher [zé:ər] *m.* -s, -, **Seherin** *f.* -nen, 보는 사람; (특히) 예언자(♈*seer, prophet*); 천리안(千里眼). **seherisch** *a.* 예견〔예언〕적인(*prophetic*).

Seh·feld *n.* 시야. **~kraft** *f.* 시력. **~kreis** *m.* 시계; 지평선. **~linie** *f.* 〖物〗 시축(視軸). **~linse** *f.* 〖解〗 수정체.

Sehne [zé:nə] *f.* -n, 〖解〗 건(腱)(♈*sinew*); (활의) 현(*string*); 〖數〗 현(*chord*).

sehnen [zé:nən] 《Ⅰ》 *refl.* (nach, 을) 동경하다, (을) 그리워하다, 갈망하다(*long, yearn (for)*). 《Ⅱ》 **Sehnen** *n.* 동경, 갈망.

Sehnen·entzündung *f.* 〖醫〗 건염(腱炎). **~scheide** *f.* 〖醫〗 건초 (腱鞘).

Seh·nerv [zé:nɛrf] *m.* 〖解〗 시(視)신경.

sehnig [zé:nɪç] *a.* 건이 있는, 힘줄이 많은. 「하는.」

sehnlich [zé:nlɪç] *a.* 그리워하는, 갈망

Sehnsucht [zé:nzuxt] *f.* ⸗e, 동경, 그리움, 사모(*longing*); 갈망(*ardent desire*). **sehnsüchtig** *a.* 그리워하는, 사모하는; *adv.* 동경하여. **sehnsuchtsvoll** *a.* 그리움에 찬; *adv.* 그리움에 차서; 연연하여, 기다림을 참지 못하여.

sehr [ze:r] [*eig.* „verletzt"; =engl. *sore* „wund"] *adv.* 매우, 심히, 대단히, 몹시(*very, very much*). ¶bitte ~! 천만에 말씀을.

Seh·rohr [zé:-] *n.* 망원경; 잠망경. **~schärfe** *f.* 시각 강도, 시력(視力). **~strahl** *m.* 시선. **~vermögen** *n.* 시력. **~weite** *f.* 시계, 시역(視域).

Seich [zaiç] *n.* -(e)s, 《方》 오줌; 《俗》 수다, 잔말. **seichen** *i.*(h.) 오줌누다; 쓸데없이 지껄이다.

seicht [zaiçt] *a.* (물이) 얕은; 낮은(*low, flat*); 《比》 천박한(*shallow, superficial*). **Seicht·heit, Seichtigkeit** *f.* -en, 천박(한 언행).

seid [zait] (ihr ~) ☞SEIN(그 現在).

Seide [záidə] [Lw. lat. *sēta* „Borste, Harr"] *f.* -n, 명주(*silk*); 생사, 명주실.

Seidel [záidəl] [Lw. lat.] *n.* -s, -, 용량의 단위《지금은 특히 맥주의》; (1 자이델 들이의) 조끼.

Seiden·affe [záidən-] *m.* (중남미산) 비단원숭이. **~artig** *a.* 명주 같은, 명주질의. **~atlas** *m.* 공단. **~bau** *m.* 양잠(養蠶). **~baum** *m.* 뽕나무. **~färberei** *f.* 생사(生糸) 염색. **~garn** *n.* 꼰 명주실. **~gehäuse, ~gespinst** *n.* 고치. **~gewebe** *n.* 견직물. **~glanz** *m.* 명주의 광택. **~handel** *m.* 비단 장사; 생사 매매. **~händler** *m.* 생사 상인; 비단 장수. **~papier** *n.* 엷고 투명한 종이, 박엽지(薄葉紙)《포장지 따위로 쓰이는》. **~raupe** *f.* 〖蟲〗 누에. **~spinnerei** *f.* 견방적 공장. **~spitzen** *pl.* 명주 레이스. **~stickerei** *f.* 비단 자수(刺繡). **~stoffe** *pl.* 견직물, 비단. **~waren** *pl.* 비단, 견제품. **~wurm** *m.* =~RAUPE. **~zucht** *f.* 양잠. **~züchter** *m.* 양잠하는 사람.

seidig [záidɪç] *a.* 비단 같은.

Seife [záifə] *f.* -n, 비누(♈*soap*). **seifen** [záifən] *t.* 비누질을 하다, 비누를 바르다. **seifen·artig** *a.* 비누 모양의.

Seifen·bläse *f.* 비누 거품, 비눗방울; 망상, 공중 누각. **~flocken** *pl.* 비누의 엷은 조각. **~kugel** *f.* 공 모양의 비누. **~lauge** *f.* 비눗물. **~pulver** *n.* 가루 비누. **~schaum** *m.* 비누 거품. **~sieder** *m.* 비누 제조인. **~siederei** *f.* 비누 제조 (공장). 「이의; 미끈미끈한.」

seifig [záifɪç] *a.* 비누 모양의; 비누투성

Seihe [záiə] *f.* -n, 여과 기구; (거르고 난) 찌꺼기. **seihen** [záiən] *t.* 거르다, 여과(濾過)하다(*strain, filter*). **Seiher** *m.* -s, -, 여과 용구.

Seil [zail] *n.* -(e)s, -e, 밧줄, 끈, 로프(*rope, cable*). **Seilbahn** *f.* 강삭(鋼索) 철도; 가공 삭도(架空索道). **seilen** [záilən] *i.*(h.) 밧줄을 꼬다.

Seiler [záilər] *m.* -s, -, 밧줄을 꼬는 사람. **Seilerbahn** *f.* 밧줄 제조소.

Seilerei [zailərái] *f.* -en, 밧줄 제조(업).

Seilfahrt [záilfa:rt] *f.* 〖坑〗 (갱부의) 자일(에 의한) 수송.

Seilschaft [záilʃaft] *f.* -en, 〖登山〗 한 밧줄에 결합된 일행.

Seil·schwebebahn *f.* 가공〔공중〕 삭도. **~springen** *n.* 줄넘기. **~tänzer** *m.* 줄 타는 광대. **~werk** *n.* 삭구(索具), 밧줄류.

Seim [zaim] *m.* -(e)s, -e, 꿀(*honey*); 점액(粘液)(*mucilage*). **seimicht, seimig** *a.* 꿀 모양의; 점액질의.

sein[1*] [zain] 《Ⅰ》 *i.*(s.) ① 있다, 실재하다, 존재하다, 살아 있다, 현존하다(*be, exist*). ¶ich denke, also bin ich, 나는 생각한다, 고로 나는 존재한다. ② 《繫辭로서》 …이다. ¶wie is er? 그는 어떤가 / zu Ende ist 끝이다. ③ 《接續法에서》 es sei!, es mag sei (그것으로) 괜찮겠지. ④ 《때의 助動詞로서 自動詞의 完了形을 이룸》 es sind viele Leute angekommen 많은 사람들이 도착하였다. 《Ⅱ》 **Sein** *n.* -s, 존재, 실재(*being, existence*).

sein[2] [zain] [♈sich] *prn.* 《Ⅰ》 《所有代名詞》 ① 《名詞의 付加語로서》 그의(*his*); 그것의(*its*); (어떤) 사람의(*one's*). ¶~ Vater 그의 아버지. ② 《述語的으로》 das Buch ist ~ 그 책은 그의 것이다.

S

③ 《名詞로서》 das Seine 그의 것《재산·의무 따위》. 《Ⅱ》《人稱代名詞: er의, 드물게는 또 es의 2格; 보통 ~er》 그(의 일)(*of him*), 그것(의 일)(*of it*). ¶ gedenke ~(er) 그의 일을 잊지 말라.
sẹiner≈seits [záinərzaits] *adv.* 그의 편에서; 그의 쪽에서는, 그 자신으로서는. **~zeit** *adv.* 이전에는, 당시; 후에.
seinesgleichen [záinəsglaiçən, zainəsglái-] *prn.* 그 같은 사람, 그의 동배(同輩); 그것과 동등한 것.
sẹinet≈halben [záinət-], **~wēgen**, um **~willen** *adv.* 그이 때문에.
sẹinige [záinɪgə] (der, die, das), *pl.* die -n, *prn.* 그의 것.
sẹismisch [záismɪʃ] [gr.] *a.* 지진에 관한, 지진의. **Seismogrāph** *m.* -en, -en, 지진계. **Seismologịe** *f.* 지진학. **Seismomēter** *n.* 〔*m.*〕 지진계.
seit [zait] 《Ⅰ》 *prp.* 《3格支配》 …이래, 이후, …때부터(Ψ*since*). ¶ ~ kurzem 근래, 요즈음 / ~alters 예부터. 《Ⅱ》 *cj.* =*seitdem* II.
seitạb [zait-áp] *adv.* 곁에, 옆에, 옆에서, 떨어져서.
seitdẹm [zaitdé:m] 《Ⅰ》 *adv.* 그 때부터, 그 후(*since then*). 《Ⅱ》 *cj.*: ~, 〔Ψ~daß...〕 …이래(Ψ*since*).
Sẹite [záitə] *f.* -n, ① 옆, 측면(Ψ*side*); 옆구리, 허구리(*flank*); 측(側), 부(部), 면(面)(*part*); 곳, 군데, 장소(*quarter*); 점(*point*); 쪽, 방면; (양쪽 중의) 한 쪽; (Buch~) 페이지(*page*); 편, 파, 당(*party*); 〖數〗 변(*member*). ② 《前置詞와 더불어》 ~ **an** ~ 나란히 / **auf** die ~ geh(e)n 곁으로 가다 / auf js. ~ treten 아무와 한패가 되다 / die Hände **in** die ~n gestemmt 두 손을 옆구리에 버티고서《팔을》 / **von** m-r ~ 내 편에서는, 나로서는 / von der ~ 옆에서 / jm. **zur** ~ steh(e)n 아무를 돕다, 지지하다.

Sẹiten≈abriß [záitən-aprɪs] *m.* 측면도. **~abweichung** *f.* 옆으로 빗나감. **~angriff** *m.* 측면 공격. **~anmerkung** *f.* 방주(傍註). **~ansicht** *f.* 측면도; 프로필. **~blick** *m.* 곁눈(질). **~erbe** *m.* 방계 상속인. **~flügel** *m.* 〖建〗 익부(翼部). **~gang** *m.* 옆길; 한쪽만 방이 있는 낭하. **~gebäude** *n.* 곁채, 부속 건축물. **~gewehr** *n.* 패검(佩劍); 총검. **~hieb** *m.* 옆을 침; 《比》 빈정거림, 야유. **~lähmung** *f.* 〖醫〗 반신 불수. **~lang** *a.* 여러 페이지에 달하는; *adv.* 여러 페이지에 걸쳐서. **~lehne** *f.* 난간; (의자의) 팔걸이. **~leitwerk** *n.* =~ruder. **~linịe** [-li:nĭə] *f.* 〖鐵〗 지선(支線); 〖法〗 방계; 〖競〗 사이드 라인. **~pfād** *m.* 사잇길. **~rūder** *n.* 〖空〗 (수직) 방향타.
sẹitens [záitəns] *prp.* 《2格支配》 의 곁에서, 옆에서.
Sẹiten≈schiff *n.* 〖建〗 (성당 따위의) 측랑(側廊). **~schmerz** *m.* 〖醫〗 옆구리의 통증, 흉통(胸痛). **~sprung** *m.* 옆으로 뛰기; 《比》 (일시적인) 정사(情事), 탈선. **~stechen** *n.* =~SCHMERZ. **~steuer** [-ʃtɔyər] *n.* 〖空〗 종타(縱舵), 방향 키. **~strāße** *f.* 골목, 뒷골목. **~stück** *n.* ① 측면부. ② 짝(*counterpart*); (그림의) 대폭(對幅). **~tasche** *f.* 옆으로 난 호주머니. **~tōr** *n.* 옆문. **~verwandte** *m.* u. *f.* 《形容詞變化》 방계 친족(傍系親族). **~zahl** *f.* 페이지 수(數); 페이지 번호.
seit·hēr [zait-hé:r] *adv.* 그 이후, 그 때부터(*since then*); 지금까지(*up to now*).
sẹitlich [záitlɪç] *a.* 곁의, 옆의; 분기(分岐)한.
sẹitwärts [záitvɛrts] 《Ⅰ》 *adv.* 곁에, 옆에; 옆에서. 《Ⅱ》 *prp.* 《2格支配》 …의 옆에.
sekkiẹren [zɛkí:rən] [lat.] *t.* 괴롭히다, 고통을 주다; 화나게 하다.
sekrēt [zekré:t] [lat. „abgesondert"] *a.* 비밀의; 〖醫〗 분비(分泌)하는. **Sekrēt** *n.* -(e)s, -e, ① 〖醫〗 분비물. ② 《方》 변소. **Sekretār** [zekretɛ́:r] [fr.] *m.* -s, -e, 비서. **Sekretariāt** *n.* -(e)s, -e, 비서실, 사무처; 비서의 직. **Sekretārin** *f.* -nen, 여비서. **sekretōrisch** [-tó:rɪʃ] *a.* 〖醫〗 분비(성)의.
Sekt [zɛkt] [sp. (*vino*) *seco* „Trocken(wein)"] *m.* -(e)s, -e, 스페인 및 카나리아 섬 산(産)의 백포도주; 《俗》 샴페인(*champagne*).
Sẹkte [zɛ́ktə] [lat., <*sequi* „folgen"] *f.* -n, 종파, 분파, 섹트(Ψ*sect*).
Sẹkt≈flasche *f.* 샴페인 병. **~glās** *n.* (*pl.* ⸗er) 샴페인 잔.
Sektiẹrer [zɛktí:rər] *m.* -s, -, 어떤 종파의 신도; 《比》 광신자. **Sektiōn** [zɛktsĭó:n] [lat. <sezieren] *f.* -en, ① 〖解〗 해부. ② 부, 국(局).
Sektōrengrenze [zɛktɔ́:rən-] *f.* (점령) 지역의 경계《베를린의》.
Sekụnda [zekúnda] [lat. „die zweite"] *f.* ..den, (고등 학교의 위에서부터 세어서) 제 2 학급. **Sekundạnt** [zekundánt] [lat. „Zweiter (=Gehilfe)"] *m.* -en, -en, (결투의) 입회인(Ψ*second*); (권투의) 세컨드.
Sekundār≈emissiōn [zekundɛ́:r-] *f.* (엘렉트론의) 2차 방사. **~literatūr** *f.* 2차 문헌.
Sekụnda·wechsel [zekúndavɛksəl] *m.* 〖商〗 어음 등본.
Sekụnde [zekúndə] [lat. „die zweite (Teilung)"] *f.* -n, ① 초(秒)(*second*). ② 〖樂〗 2도 음정.
sekụnden≈lang *a.* u. *adv.* 수초간(의). **~uhr** *f.* 초(침 달린) 시계. **~zeiger** *m.* 초침(秒針).
sekundiẹren [zekundí:rən] *i.*(h.) u. *t.* 입회하다; 원조〔보호〕하다(Ψ*second*).
Sekundogenitūr [zekùndogenitú:r] *f.* -en, 제 2 출생; 차남 및 그 계통의 소유(권).
Sekuritāt [zekuritɛ́:t] [lat.] *f.* -en, 안전, 보증.
selb [zɛlp] [=engl. *self*] *a.* 《前置詞 뒤의 3格뿐임》 im ~en Haus 같은 집에.
selb≈ạnder [zɛlbándər] *adv.* 자기를 넣어 둘이서(*we two*). **~dritt** [zɛ́lbdrɪt] *adv.* 자기까지 셋이서(*with two others*).
selber [zɛ́lbər] 《固定形》 *adv.* 스스로, 자신이; 《代名詞》 ich ~ 나 자신.
selbig [zɛ́lbɪç] =SELB; zu ~er 〔zur ~en〕 Stunde 바로 그 시간에.
selbst [zɛlpst] [selb의 2格 selbes에 t 를 첨가한 형태] 《Ⅰ》 *adv.* ① 《代名詞적

으로) 스스로, 몸소, 자신(이); 그것 자체(♀self). ¶er ~ 그 자신 / ich habe es ~ getan 나는 그것을 내 손으로 했다 / von ~ 자연히, 저절로. ② (…)조차, 마저(even, very). ¶~ er, od. er ~ 그(사람)까지도, 그마저 / ~ wenn 비록 …일지라도 역시. 《Ⅱ》 **Selbst** *n.* -(es), 자기, 자신; 자아.

Selbst·achtung [zélpst-axtuŋ] *f.* 자경(自敬), 자존(自尊).

selb·ständig [zélp-ʃtɛndıç] *a.* 자립하는, 독립의, 자주적인(independent). **Selbständigkeit** *f.* 자립, 독립, 자주(성)(independence).

Selbst=anklāge[zélpst-] *f.* 자책; 자수. **~anlasser** *m.* 시동기(始動機). **~anschluß** *m.* (전화의) 자동 접속. **~anschlußfernsprecher** *m.* 자동 전화. **~auslöser** *m.* (사진기의) 셀프 타이머. **~bedienung** *f.* (식당 등에서의) 셀프 서비스. **~befleckung** *f.* 수음(手淫). **~beherrschung** *f.* 자제(自制), 극기(克己). **~bestimmung** *f.* 자결(自決)(self-determination). **~bestimmungsrecht** *n.* 민족 자결권. **~betrūg** *m.* 자기 기만. **~bewußt** *a.* 자의식(自意識) 있는, 자각한. **~bewußt·sein** *n.* 자의식, 자각. **~binder** *m.* 넥타이《제 손으로 매는》. **~biographie** *f.* 자서전. **~entzündung** *f.* 자연 발화. **~erhaltung** *f.* 자기 보존. **~erkenntnis** *f.* 자기 인식, 자각. **~fahrer** *m.* 자가용 자동차를 운전하는 사람. **~gebacken** *a.* 자가제(自家製)의, 수제(手製)의 《빵》. **~gefällig** *a.* 자신 만만한, 자기 만족의(conceited, complacent). **~gefühl** *n.* 자기 감정; 자부; 득의(得意), 자기 만족. **~gerecht** *a.* 스스로 옳다고 하는, 자기 비판력이 없는. **~gesprāch** *n.* 혼잣말(soliloquy). **~gezōgen** *a.* 자생(自生)의 《식물》. **~herrlich** *a.* 자주적인; 독재적인. **~herrscher** *m.* 독재자(autocrat). **~hilfe** *f.* 자조(自助)(♀self-help); 〖法〗 자구(自救) 행위(self-defence).

selbstisch [zélpstıʃ] *a.* 자기 본위의; 이기적인.

Selbst=kosten *pl.*, **~kostenpreis** *m.* 원가(原價). **~kritīk** *f.* 자기 비판. **~lādepistōle** *f.*, **~lāder** *m.* 자동 권총. **~laut(er)** *m.* 〖文〗 모음(母音)(vowel). **~liebe** *f.* 자애(自愛). **~lōb** *n.* 자찬(自讚). **~lōs** *a.* 사(私)가 없는. **~lōsigkeit** *f.* 공평, 무사(無私). **~mord** *m.* 자살(suicide). **~mörder** *m.* 자살자. **~mörderisch** *a.* 자살의, 자살적인. **~ōler** *m.* 자동 급유기(給油機). **~quālerisch** *a.* 자학적인. **~rēdend** *a.* 설명을 요하지 않는, 자명한(evident). **~regierung** *f.* 자치(自治). **~schreiber** *m.* 자동 기록기. **~sicher** *a.* 자신이 있는. **~stūdium** *n.* 독학(獨學). **~sucht** *f.* 이기심 (selfishness, egoism). **~süchtig** *a.* 이기적인, **~tätig** *a.* 자동적인(automatic). **~überwindung** *f.* 극기(克己) (self-control). **~vergessen** *a.* 망아(忘我)의; 사심(私心)이 없는. **~verlāg** *m.* 자비 출판. **~versorger** *m.* 자급자(自給者); 《戲》 자취하는 사람. **~versorgung** *f.* 자급. **~verständlich** [-ʃténtlıç] *a.* 자명한(selfevident); *adv.* 물론(of course). **~vertrauen** *n.* 자신(自信). **~verwaltung** *f.* 자치(自治). **~zucht** *f.* 자제, 극기. **~zufrieden** *a.* 자기 만족의. **~zufriedenheit** *f.* 자기 만족. **~zündung** *f.* 자연 발화. **~zweck** *m.* 자기 목적, 목적 자체.

selchen [zɛ́lçən] *t.* 《方》 (육류를) 훈제하다; 건조하다, 불에 쬐다, 태우다. **Selcher** *m.* -s, -, 훈제품 제조인〔판매인〕. **Selcherei** *f.* -en, 훈제품(燻製品) 제조소. **Selchfleisch** *n.* 훈제육.

Selektiōn [zelɛktsió:n] *f.* -en, 선발 (= Auslese); 도태(淘汰). **Selektivitāt** [-vité:t] *f.* 분리도, 선택율(= Trennschärfe).

Selēn [zelé:n] [gr. „Mond"] *n.* -s, 〖化〗 셀레늄(♀selenium).

Selfmademan [sélfme:dmæn] [engl.] *m.* -s, ..men [-mən], 자력으로 입신 출세한 사람, 자수 성가한 사람.

sēlig [zé:lıç] [*eig.* „glücklig"; =engl. silly "경사스러운, 어리석은"] *a.* ① 지극히 행복한, 복된(happy, blessed). ② 고인이 된, (지금은) 없는, 고(故) (late). **Sēligkeit** [zé:lıçkait] *f.* -en, 지복(至福), 축복; 법열, 열락(悅樂).

sēlig=machend [zé:lıçmaxənt] *a.* 행복하게 하는; 〖宗〗 구원〔구제〕하는. **~machung** *f.* 구원, 구제(salvation). **~preisung** *f.* 행복을 찬양함 《특히 예수의 산상 보훈에 있어서의》. **~|sprechen*** [-ʃprɛçən] *t.* 성인품(聖人品)에 올리다《교황이》 (beatify). **~sprechung** *f.* -en, 〖가톨릭〗 시복(諡福)(식).

Sellerie [zɛ́ləri:] [gr. -fr.] *m.* -s, -s; *od. f.* ..rīen, 〖植〗 셀러리.

selten [zɛ́ltən] 《Ⅰ》 *adv.* 드물게, 간혹 (♀seldom, rarely). 《Ⅱ》 *a.* 드문, 좀처럼 없는(rare, scarce); 진기한(unusual). **Seltenheit** *f.* -en, 희유, 진기; 드문 일; 진기한 사물.

Selter(s)wasser [zɛ́ltər(s)vasər] *n.* 젤터수(水) 《Ems 강변의 Niederselters 산(産)의 광천수》.

selt·sām [zɛ́ltza:m] *a.* 진기한, 기묘한, 기이한(strange, singular, odd). **Seltsāmkeit** *f.* -en, 진기함, 기묘함, 기이한 일.

Semester [zeméstər] [lat. *se-mestris* „sechs-monatlich"] *n.* -s, -, 6개월, 반년; (대학의) 학기. **Semester·abschluß** *m.* 학기말. **semestrāl** [-strá:l] *a.* 6개월의, 반년의; (1)학기의.

Semikōlon [zemikó:lɔn] [lat. „Halbkolon"] *n.* -s, -s, *u.* ..la 〖文〗세미콜론(;).

semi·lunār [zeminlunáːr] [lat. *semi-* „halb", *luna* „Mond"] *a.* 반월형의.

Seminār [zeminá:r] [lat. „Pflanzstätte", <*sēmen* „Samen"] *n.* -s, -e u. ..rīen [-rīən], ① 신학교; 사범 학교. ② 세미나르, 연습. **Seminarist** *m.* -en, -en, 신학교〔사범학교〕의 학생; (대학 세미나르의) 연구생.

Semīt(e) [zemí:t(ə)] *m.* ..ten, ..ten, 셈인(人); 유태인(人). **semītisch** [zemí:tıʃ] *a.* 셈인종의; 유태인의.

Semmel [zɛ́məl] [Lw. lat.] *f.* -n, 밀가루 빵, 흰 빵(roll).

semmel·blond *a.* 엷은 블론드색의. **~mehl** *n.* 소맥분, 밀가루.
Senat [zená:t] [lat., <*senex* „Greis"] *m.* -(e)s, -e, ① (고대 로마의) 원로원(元老院). ② (중세 도시의) 장로회(長老會), 시 참사회(市參事會). ③ (미국 등의) 상원. **Senator** [zená:tɔr] *m.* -s, ..toren, 원로원〔상원〕 의원(議員).
Send·bote [zént-] *m.* 사자(使者). **~brief** *m.* 사서(使書); 회장.
Sende·anlage = SENDERANLAGE. **~bühne** *f.* 〖라디오〗 방송 무대《스타디오》. **~einrichtung** *f.* =SENDERANLAGE. **~folge** *f.* 방송프로그램.
senden(*) [zéndən] [*eig.* „gehen machen", ☞ Gesinde, Sinn] *t.* ① (사람을) 보내다, 파견하다(♈*send*). (라디오) 방송하다(*transmit, broadcast*). **Sender** [zéndər] *m.* -s, -, ① 파견자, 보내는 사람, 발송자. ② 방송 시설; 방송국.
Sender·anlage *f.* 송신〔방송〕 장치.
Sende·raum *m.* 방송실. **~spiel** *n.* 방송극. **~station, ~stelle** *f.* 방송국.
Sendling [zéntlɪŋ] *m.* -s, -e, 사자(使者). **Sendung** [zénduŋ] *f.* -en, ① 파견, 발송; 방송(*transmission*). ② 송부물(送付物), 송화(送貨); 소포. ③ 사명(*mission*), 천직.
Seneschall [zé:neʃal] [fr.] *m.* -s, -e, (중세 귀족의) 집사; 궁내장관(=Oberhofbeamter).
Senf [zɛnf] [Lw. lat.] *m.* -(e)s, -e, 〖植〗 겨자(*mustard*).
Senf·gas [zénf-] *n.* 머스터드 가스, 이페리트. **~korn** *n.* 겨자 씨. **~packung** *f.* 〖醫〗겨자 찜질. **~pflaster** *n.* 겨자 연고.

sengen [zéŋən] [*eig.* „singen machen"] *t.* ① 바작바작 태우다(*burn*). ¶ ~ u. brennen 불태워버리다. ② 굽다, 그슬리다(♈*singe, scorch*).
senil [zení:l] [lat.] *a.* 늙은, 노쇠한. **Senilität** *f.* -en, 노쇠.
Senkblei [zéŋk-] *n.* 줄 끝에 달아 수직 여부를 알아보는 추; 〖海〗 측연(測鉛).
Senke [zéŋkə] [<senken] *f.* -n, 움푹한 곳, 요지(凹地); 구덩이. **Senkel** [zéŋkəl] [<senken] *m.* -s, -, 끝에 쇠붙이를 매단 끈(*lace*). **Senkel·nadel** *f.*, **Senkel·stift** [-ʃtɪft] *m.* 끈 끝에 달린 쇠붙이.
senken [zéŋkən] [*eig.* „sinken machen"] 《Ⅰ》 *t.* 가라앉다(♈*sink*); 내리다(*lower, let down*); 〖坑〗 (수갱(竪坑)을) 파내려가다; (소리를) 낮추다; 〖園藝〗 휘묻이하다(*lay*). 《Ⅱ》 *refl.* 가라앉다. 저하하다, 낮아지다; 침전하다. **Senker** *m.* -s, -, 휘묻이(*layer*).
Senk·fuß [zéŋk-] *m.* 가벼운 편평족(扁平足). **~grube** *f.* 수채, 하수 구덩이. **~kasten** *m.* (수중(水中) 공사용의) 잠함(潛函), 케송. **~rebe** *f.* 포도나무의 휘묻이. **~recht** *a.* 수직의.
Senkung [zéŋkuŋ] *f.* -en, 침하, 침강; 저하; (지면의) 움푹한 곳.
Senkwaage [zéŋkva:gə] *f.* 부칭(浮秤).
Senn [zɛn] *m.* -(e)s, -e, 알프스 산지의 목자《여름철에 산 위에 살며 치즈를 만듦》. **Senne** [zénə] *m.* -n, -n, =SENN.
Sennhütte [zénhʏtə] *f.* 알프스 산중의 목사(牧舍).
Sensal [zɛnzá:l] [pers. -it.] *m.* -s, -e, 《方》 거간, 브로커(=Makler). **Sensarie** [zɛnzarí:] *f.* ..rien, 중개 수수료.
Sensation [zɛnzatsió:n] [fr.] *f.* -en, 감동; 센세이션. **sensationell** [zɛnzatsionél] *a.* 사람의 이목을 끄는, 센세이셔널한.
sensations·lüstern, ~lustig *a.* 자극을 구하는, 선정적인 것을 좋아하는. **~nachrichten** *pl.* 센세이셔널한 보도.
Sense [zénzə] *f.* -n, 큰 낫(♈*scythe*).
Sensen·mann [zénzən-] *m.* ① 큰 낫으로 베는 사람. ② 《比》 사신(死神). **~wurf** *m.* 큰 낫의 자루.
sensibel [zɛnzí:bəl] [lat.] *a.* 감지〔지각〕 할 수 있는; 감수성이 강한, 민감한(*sensitive*). **Sensibilität** *f.* -en, 지각력, 센스; 감수성, 민감(敏感).
Sentenz [zɛnténts] [lat. „Meinung", <*sentire* „fühlen"] *f.* -en, 격언, 금언(*aphorism, maxim*). **sentenziös** [zɛntɛntsiǿ:s] *a.* 금언조(調)의, 격언적인.
sentimental [zɛntimɛntá:l] [engl „empfindsam"] *a.* 감정적인, 다감한; 감상적인. **Sentimentalität** *f.* -en, 다감; 감상(感傷).
separat [zepará:t] [lat.] *a.* ① 분리된, 떨어진(=abgesondert). ② 《合成用語》 „단독의"의 뜻.
separieren [zeparí:rən] [lat.] 《Ⅰ》 *t.* 분리시키다; 별거시키다. 《Ⅱ》 *refl.* 분리〔분립〕하다; (부부가) 별거하다; (당에서) 탈퇴하다.
Sepsis [zépsɪs] [gr.] *f.* 〖醫〗 패혈증(敗血症).
September [zɛptémbər] [lat. „der 7. (Monat)"] *m.* -(s), -, 9월《로마력(曆)은 3월이 제 1월임》.
Sequester [zekvéstər] [lat.] 《Ⅰ》 *m.* -s, -, ① 보관자; 〖法〗 계쟁물 보관인, 압류 재산 관리인. ② 〖醫〗 부골(腐骨)〔사골(死骨)〕편(片). 《Ⅱ》 *n.* -s, -, 재산 압류.
Serail [serái, zerá͜il] [pers. "Wohnung, Palast"] 《Ⅰ》 *n.* -s, -s, (터키 황제의) 궁전; 후궁. 《Ⅱ》 *m.* -s, -s, 부드럽고 밝은 빛깔의 모포.
Serbe [zérbə] *m.* -n, -n, 세르비아인. **Serbien** *n.* 세르비아. **Serbin** [zérbɪn] *f.* -nen, 세르비아인《여자》. **serbisch** *a.* 세르비아(인·어)의.
Serenade [zerená:də] [it. -fr.] *f.* -n, 소야곡.
Sergeant [sɛrʒánt, zɛr-] [fr., <servieren („dienen")] *m.* -en, -en, 〖軍〗 중사(中士).
Serie [zé:riə] [lat.] *f.* -n, 열, 계열, 시리즈(♈*series*); 연속; 연속 간행물, 총서(叢書); (채권 따위의) 조(組), 회(回).
Serien·artikel [zé:riən-] *m.* 대량 생산품. **~fabrikation** *f.* 대량 생산. **~los** *n.* 일련 번호가 매겨진 복권. **~schaltung** *f.* 〖電〗직렬(直列) 접속. **~weise** *adv.* 연속하여, 차례로.
seriös [zeriǿ:s] [fr.] *a.* 엄숙한, 진지한.
Sermon [zɛrmó:n] [lat.] *m.* -s, -e, 담화.
Serologie [zerologí:] [lat. + gr.] *f.*

〖醫〗 혈청학(血淸學). **serös** [zerǿ:s] [lat.] *a.* 혈장의, 림프성(性)의.

Serum [zé:rum] [lat. „Flüssigkeit"] *n.* -s, ..ren *u.* ..ra, 〖醫〗 장액, 혈청.

Service [zɛrví:s, sɛr-, -vís] [fr. „Dienst"] *n.* *-u.* -s, -, 한 벌의 식기류 (♈*service*). **servieren** [zɛrví:rən, sɛr-] *i.* (h.) u. *t.* 접대하다, 서비스하다. **Serviertisch** *m.* 측탁(側卓), 사이드 테이블. **serviertochter** *f.* 《schw.》 접대하는 아가씨. **Serviette** [zɛrvĭétə, sɛr-] *f.* -n, (식탁용) 냅킨(*napkin*).

servil [zɛrví:l] [lat.] *a.* 노예 같은, 천한, 굴종적인(=sklavisch).

Servis [zɛrví:s, sɛr-] [fr.] ① *m.* 〔*n.*〕 -(es), -es [-zəs], 봉사, 서비스. ② *m.* 〔*n.*〕 -(es), -gelder, 숙사〔부양〕비; (주택〔지역〕 수당; 〖軍〗 (주택·피복 등의) 수당; 술값.

Sessel [zɛ́səl] [<sitzen] *m.* -s, -, 안락의자(*arm-chair*); (등받이 있는) 좌석《기차·마차의》 (*seat*).

seßhaft [zɛ́shaft] [前半: ♈sitzen] *a.* 거주하는; 정주하는; 〖比〗 내구성 있는.

Session [zɛsĭó:n] [lat.] *f.* -en, 회합; 회의; 공판(정); 회기.

Set [engl. *set* „setzen"] 《Ⅰ》 [zét] *n.* -(s), 활자 너비의 단위. 《Ⅱ》 [sɛ́t] *n.* 〔*m.*〕 -(s), -s, 세트, 한벌, 일습.

Setz-brett [zɛ́ts-] *n.* 〖印〗 식자판(植字板). **~ei** *n.* 〖料〗 수란(水卵).

setzen [zɛ́tsən] [*eig.* „sitzen machen"] 《Ⅰ》 *t.* 앉히다; 설치하다, 놓다(♈*set*); 〖哲〗 정립(定立)하다; 〖樂〗 작곡하다; (수목을) 심다; 〖印〗 식자하다; (경우를) 가정하다. ¶außer Kraft ~ 효력을 잃게 하다 / über den Fluß ~ 강을 건너게 하다 / unter Wasser ~ 범람하다, 물속에 가라앉히다. 《Ⅱ》 *refl.* ① 자리에 앉다, 착석하다. ② 내려서 앉다 《새가》; 앉다, 정주하다; 앙금을 침전시키다, (액체가) 맑아지다; (땅이) 꺼지다, 함몰하다. 《Ⅲ》 *i.* (h. *u.* s.) 돌진하다; 뛰다.

Setzer [zɛ́tsər] *m.* -s, -, 식자공. **Setzerei** *f.* -en, 식자실(植字室).

Setz-fehler *m.* 〖印〗 오식(誤植). **~-karpfen** *m.* 양식중인 잉어의 새끼. **~kasten** *m.* 〖印〗 활자통. **~kunst** *f.* 〖樂〗 작곡법; 〖印〗 식자술.

Setzling [zɛ́tslɪŋ] *m.* -s, -e, 꺾꽂이 (*layer, slip*).

Setz-maschine *f.* 식자기, 라이노타이프. **~reis** *n.* 꺾꽂이, 휘묻이. **~waage** *f.* 수준기(水準器). **~zeit** *f.* 〖獵〗 번식기, (물고기)의 산란기.

Seuche [zɔ́yçə] [♈siech, Sucht] *f.* -n, 전염병, 유행병(*epidemic*); 악역(惡疫) (*pestilence*). **~n-hērd** *m.* 전염병의 유행지.

seufzen [zɔ́yftsən] [<saufen, *eig.* „trinken, schlürfen"] 《Ⅰ》 *i.* (h.) 깊은 숨을 쉬다; 한숨 쉬다, 탄식하다 (*sigh*); 신음하다. 《Ⅱ》 *t.* (슬픈 소리를) 내다.

Seufzer [zɔ́yftsər] *m.* -s, -, 한숨, 탄식, 신음.

Sex [zɛ́ks, (engl.) sɛ́ks] [engl.] *m.* -es, =SEXUS; 《俗》 섹스어필. **Sex-Appeal** [sɛ́ksəpí:l] [engl.] *m.* -s, 성적 매력, 섹스어필.

Sextett [zɛks-] [lat.] *n.* -(e)s, -e, 〖樂〗 6 중주(곡), 6 중창(곡).

sexual [zɛksuá:l] [lat.] *a.* 성(性)의, 성생활의, 성적인. **Sexualhormōn** *n.* 성호르몬. **Sexualität** *f.* 남녀의 성(性); 성생활; 성욕.

sexual-organ *n.* 생식 기관. **~pä-dagōgik** *f.* 성교육. **~verbrechen** *n.* 성적 범죄.

sexuell [zɛksuɛ́l] [fr. „sexual"] *a.* 성의, 성욕의, 성적인. **Sexuologie** *f.* 성과학. **Sexus** [zɛ́ksus] *m.* -, -, 성(性).

Sezession [zetsɛsĭó:n] [lat.] *f.* -en, 분리, 탈퇴; 이반; 〖畫·建〗 분리파. **~s-krieg** *m.* (미국의) 남북전쟁(1861-65).

sezieren [zetsí:rən] [lat.] *t.* 해부하다 (*dissect*). **Seziermesser** [zetsí:rmɛsər] *n.* 해부도(刀).

sfr., 《schw.》 **sFr.** 《略》 =*S*chweizer *Fr*anken 스위스의 프랑 화폐.

shaker [ʃé:kər, (engl.) ʃéɪkə] [engl.] *m.* -s, -, (주류) 혼합기, 셰이커.

Shawl [ʃa:l, (engl.) ʃɔ:l] *m.* =SCHAL.

shocking [ʃɔ́kɪŋ] [engl.] *a.* 불쾌한, 지독하게 싫은; 놀라운; 분개할.

Show [ʃó:, (engl.) ʃóu] [engl. *show* „zeigen"] *f.* -s, 쇼, 흥행.

Sibirien [zibí:rĭən] *n.* 시베리아(♈*Siberia*).

Sibylle [zibýlə] [gr. -lat.] *f.* -n, 〖希·羅神〗 무당, 여자 예언자; 마녀.

sich [zɪç] [♈sein²] 《Ⅰ》 《再歸代名詞》 스스로(를·에게), 자신(을·에게)(*himself, herself, itslf, oneself, yourself, yourselves, themselves*). ¶das Ding **an** ~ 물(物) 자체 / an u. für ~ 그(것) 자체, 본래(*in itself*) / **bei** ~ sein 제정신이다, 집에 있다. 《Ⅱ》 《相互代名詞》 서로(*one another, each other*).

Sichel [zíçəl] [Lw. lat. <*secāre* „schneiden"] *f.* -n, (반원형의) 낫, 버들낫(♈*sickle*); (Mond~) 초생달(*crescent*).

sicher [zíçər] [Lw. lat. *sē-curus* „ohne Sorge"] 《Ⅰ》 *a.* 걱정 없는, 안심 되는 (♈*sure*); 안전한(♈*secure, safe*); 확실한 (♈*sure, certain*); 믿을 만한(*trusty*). ¶e-s Dinges ~ sein 무엇에 확신이 서 있다 /js. ~ sein, a) 아무를 신뢰(信賴)하고 있다, b) 아무를 마음대로 할 수 있다. 《Ⅱ》 *adv.* 안심하고, 안전한게; 확실히, 꼭. **sicher|gēhen*** *i.* (s.) 확인하다. ★ sicher gēh(e)n 위험 없이 안전하게 가다. **Sicherheit** [zíçərhait] *f.* -en, 안심; 확신; (태도의) 침착함; 안전; 안전 보장; 〖商〗 보증; 담보.

Sicherheits-faktor *m.* 안전율(率). **~-glās** *n.* 안전 유리. **~hāfen** *m.* 피난항(避難港). **~halber** *adv.* 안전을 위하여. **~kette** *f.* (문의) 안전 쇠사슬. **~lampe** *f.* 〖坑〗 안전등. **~leistung** *f.* 보증; 담보 제공; 보석금(保釋金) 납부. **~nādel** *f.* 안전 핀. **~pakt** *m.* 안전 보장 조약. **~pfand** *n.* 저당. **~-polizei** *f.* 보안 경찰. **~rasier-ap-parāt** *m.* 안전 면도. **~rāt** *m.* (유엔의) 안전 보장 이사회. **~schloß** *n.* 안전 자물쇠. **~systēm** *n.* 안전 보장 제도. **~ventil** *n.* 안전판(瓣). **~vōr-richtung** *f.* 안전 장치. **~wache** *f.* 〖軍〗 초병.

sicherlich [zíçərlıç] *adv.* 확실히, 꼭. **sichern** [zíçərn] 《Ⅰ》 *t.* 안전하게 하다; (에) 안전 장치를 하다. 《Ⅱ》 *refl.* 몸을 안전하게 하다, 몸을 안정시키다. **Sicherung** [zíçəruŋ] *f.* -en, 안전하게 함; 보전; 엄호; 안전 장치. **Sicherungsverwahrung** *f.* 〖法〗 예방 구금.

Sicht [zıçt] [<sehen] *f.* ① 봄, 보임(♈ *sight*); 시계(視界). ¶in ~ 시계(視界)내에. ② 〖商〗 일람(一覽), 제시. ¶auf ~ 일람한 후에, 일람하고/auf lange ~ 장기(長期)의. **sichtbar** [zíçtba:r] 《Ⅰ》 *a.* 보이는, 볼 수 있는, 가시(可視)의; 인정할 수 있는, 명백한. 《Ⅱ》 *adv.* 눈에 띄게, 뚜렷이. **Sichtbarkeit** *f.* 볼 수 있음, 가시(可視), 시도(視度). **sichtbarlich** *adv.* 눈에 띄게, 명백히, 뚜렷이.

sichten[1] [zíçtən] *t.* 〖海〗 보다, 인지(認知)하다.

sichten[2] [<Sieb] *t.* ① 체질하다, 체에 치다(♈ *sift*). ② 《比》 가려내다, 정사(精査)하다(*sort, examine*).

Sicht=vermerk *m.* 사증(査證), 검인(檢印). **~wechsel** [-vɛksəl] *m.* 일람후 정기 출급 어음. **~weite** *f.* 시계(視界).

sickern [zíkərn] [seihen 의 反復 動詞] *i.*(s. *u.* h.) 듣다, 새다(*leak, ooze*).

sie [zi:] *prn.* 《Ⅰ》 그 여자는(♈ *she*); 그 여자를(*her*); 그것은, 그것을(*it*). 《Ⅱ》 그들은 (♈ *they*), 그들을 (*them*). **Sie** 《儀禮的呼稱》 당신(들)은, 당신(들)을 (*you*).

Sieb [zi:p] [♈ sichten] *n.* -(e)s [-ps, -bəs], -e [-bə], 체; 여과기 (♈ *sieve*).

sieb·artig *a.* 체 모양의. **Sieb·bein** [zí:pbain] *n.* 〖解〗 사골(篩骨). **Siebdruck** *m.* 〖染色〗 체무늬 들이기, 그물무늬들이기. **sieben**[1] [zí:bən] *t.* 체질하다; 체에 쳐서 가르다(♈ *sift*).

sieben[2] [zí:bən] 《Ⅰ》 *num.* 일곱, 7(♈ *seven*). 《Ⅱ》 **Sieben** *f.* -(en), 7 의 수; 신성한[불길한] 수. ¶e-e böse ~ 한부(悍婦).

Sieben=eck *n.* 7 각(형). **~eckig** *a.* 7 각형의.

Siebener [zí:bənər] *m.* -s, -, ① (수의) 7. ② 7 개(인)조 중의 하나[한사람]; 예: 7 인 위원회의 위원. ③ 7 의 기호 또는 번호를 가지는 것; 예: (천 몇 백) 7 년산의 포도주, 7 연대의 병사.

sieben=fach, **~fältig** *a.* 7 배의, 일곱 겹의. **~gestirn** *n.* 〖天〗 칠요성(七曜星), 북두 칠성. **~jährig** *a.* 7 년의; 일곱 살의. **~mal** *adv.* 7 번, 7 배로. **~sachen** [-zaxən] *pl.* 휴대하고 다니는 일용품, 자질구레한 소지품. **~schläfer** *m.* 〖傳說〗 ① 박해를 피하여 굴속에 숨어 200 년 가까이 잠을 잔 7 인의 성인(聖人). ② 《比》 늦잠꾸러기(*lazybones*). ③ 〖動〗 산쥐류(類)(*dormouse*).

sieb(en)t [zí:bənt, zi:pt] (der, die, das ~e) *a.* 제 7 의(♈ *seventh*).

siebentägig [zí:bəntɛ:gıç] *a.* 7 일간의.

sieb(en)t(e)halb [zí:bənt(ə)hálp, zi:pt–] *a.* 6 개 반의.

Sieb(en)tel [zí:bəntəl, zí:pt–] *n.* -s, -, 7 분의 1. **sieb(en)tens** *adv.* 제 7 에, 7 번째에,

Sieb=macher [zí:p–] *m.* 체를 만드는 사람. **~maschine** *f.* 〖農〗 감자 수확기.

siebzehn [zí:ptse:n] *num.* 17(♈ *seventeen*). **siebzehnt** (der, die, das ~e) *a.* 제 17의. **Siebzehntel** *n.* -s, -, 17 분의 1.

siebzig [zí:ptsıç] *num.* 70(♈ *seventy*). **Siebziger** [-gər] *m.* -s, -, 70세의 사람; 70대의 사람. **siebzigst** [-çst] (der, die, das ~e) *a.* 제 70의.

siech [zi:ç] *a.* 앓고 있는, 병약한(*sickly, infirm*). **Siechbett** *n.* 병상(病床).

siechen [zí:çən] *i.*(h.) 앓고 있다; 쇠약하여 있다; 오래 앓고 있다. **Siech(en)=haus** *n.* 병원《특히 불치병자의》. **Siechtum** [zí:çtu:m] *n.* -(e)s, 오랜 질환, 병쇠(病衰).

Siede=grad [zí:dəgra:t] *m.* 비등점. **~heiß** *a.* 비등점에 이른. **~hitze** *f.* 비등열. **~kessel** *m.* 끓이는 가마솥, 보일러.

Sied(e)ler [zí:d(ə)lər, -tl–] *m.* -s, -, 이주자, 이민; 주택지의 거주자(♈ *settler*).

Siedelland *n.* 식민지. **siedeln** [zí:dəln] [♈ sitzen] *i.*(h.) 이주하다, 정주하다(♈ *settle*); *t.* 이주시키다, 식민하다; *refl.* 이주[정주]하다. **Sied(e)lung** [zí:d(ə)luŋ, -tluŋ] *f.* -en, ① 이민, 식민; 이주, 정주. ② 취락, 거주지(*settlement*).

sieden(*) [zí:dən] 《Ⅰ》 ① 끓(어 오르)다, 비등하다(♈ *seethe, boil*). ② 《比》 분격[격앙]하다. 《Ⅱ》 *t.* ① 삶다, 끓이다, 비등시키다. ② (끓여서) 제조하다《비누·소금 따위를》. ¶Salz ~ 소금을 정제하다.

Siedepunkt *m.* 비등점. **Sieder** *m.* -s, -, 끓여서 만드는 사람《비누 제조자, 제염업자》. **Siederei** *f.* ① 끓임, 끓여서 만듦. ② (*pl.* -en) (소금·설탕의) 자비 제조장(煮沸製造場).

Siede=rohr *n.* 〖工〗 비등관(管). **~trennung** *f.* 〖化〗 분(별증)류. **~warm** *a.* 비등점에 이른.

Sieg [zi:k] *m.* -(e)s [-ks, -gəs], -e [-gə], 이김, 승리(*victory*). ¶den ~ davontragen 승리를 얻다.

Siegel [zí:gəl] [lat. Lw.] *n.* -s, -, 인(印), 인장; 봉인.

Siegel·bruch *m.* 개봉. **~lack** *m.* 봉랍(封蠟).

siegeln [zí:gəln] *t.* 날인하다, 봉인하다, (에) 봉랍을 하다.

siegen [zí:gən] *i.*(h.) 이기다. **Sieger** [zí:gər] *m.* -s, -, **Siegerin** *f.* -nen, (전)승자; 우승자, 수상자.

Sieger·staat [zí:gərʃta:t] *m.* 전승국.

Sieges=aufzug [zí:gəs–] *m.* 개선 행렬. **~bogen** *m.* 개선문. **~bot·shaft** *f.* 승전보. **~denkmal** *n.* 전승 기념비. **~froh** *a.* 승전을 기뻐하는. **~gewiß** *a.* 필승을 기한. **~göttin** *f.* 승리의 여신. **~lied** *n.* 개가. **~trunken** *a.* 승리에 도취한. **~zeichen** *n.* 트로피. **~zug** *m.* 개선 행렬.

sieggekrönt [zí:kgəkrø:nt] *a.* 승리의 월계관을 쓴, 승리에 빛나는.

siegreich [zí:kraiç] *a.* 승리를 거둔; *adv.* 연승(連勝)으로, 상승의 기세로.

sieh(e)! [zí:ə, zi:] =SEHEN 《그 命令法, 장중하게 말할 때, 또 〈참조하라〉의 뜻으로는 siehe!》.

siehst [zi:st] (du ~), **sieht** [zi:t] (er ~) =SEHEN《그 現在》.

Sieke [zí:kə] [<Sie] *f.* -n, 〖獵〗 조류의 암컷.

Siel [zi:l] [<seihen] *m.* u. *n.* –(e)s, –e, (둑의) 수문(水門)(*sluice*); 배수구(溝)(*sewer, drain*).

Siele [zí:lə] [♈Seil] *f.* –n, 가슴걸이, 경혁(頸革)《마구의》(*horse-collar*). ¶ in den ~n sterben 집무[작업]중에 죽다, 순직하다.

Siemens [zí:məns] *n.* –, –, 물체의 도전율(導電率)의 단위; 전기 저항의 단위《전기 기사 Werner von ~의 이름에서; 기호: S》. **Siemens-Martin-Ofen** [zí:məns-márti:n–] *m.* 지멘스마르틴 용광로.

Signal [zɪgná:l, zi:g–, 또 zɪk–] [fr., <lat. *signum* „Zeichen"] *n.* –s, –e, 신호(♈*signal*); 〖軍〗 소집 나팔의 신호(*bugle-call*). **Signalement** [zɪgnaləmã́:, sinja–, (schwz.) zɪgnaləmént] [fr.] *n.* –s, –s, 특징; 인상서(人相書)(*description* (*of a person*)).

Signal·feuer *n.* 봉화. ~**flagge** *f.* 신호기. ~**geber** *m.* 신호수. ~**glocke** *f.* 경종(警鍾). ~**hupe** *f.* 사이렌; 호적(號笛).

signalisieren [zɪgnalizí:rən] *t.* u. *i.*(h.) 신호하다, 신호로 알리다.

Signal·lampe *f.* 신호등. ~**pfeife** *f.* 기적(汽笛). ~**scheibe** *f.* 신호판.

Signatarmacht [zɪgnatá:r–] *f.* 조인국, 조약 체결국. **Signatur** [zɪgnatú:r] *f.* –en, 조인, 서명; 기호; 상표, 레테르.

signieren [zɪgní:rən] *t.* ① (에) 조인[서명]하다(♈*sign*). ② (에) 기호를 붙이다(*mark*); (에) 상표를 달다(*brand*).

Silbe [zílbə] [Lw. gr. *syl-labḗ* „Zusammenfassung"] *f.* –n, 〖文〗 철자; 음절(♈*syllable*).

Silben·maß [zílbən–] *n.* 〖詩學〗 소리의 장단; 운율. ~**rätsel** [–rɛ:tsəl] *n.* 철자 수수께끼. ~**stecher** *m.* 글귀에 구애되는 이. ~**trennung** *f.* 〖文〗 분철(법). ~**weise** *adv.* 음절마다.

Silber [zílbər] *n.* –s, 은; 은화; 은기(銀器)(♈*silver*).

Silber·ader *f.* 은광맥. ~**arbeit** *f.* 은세공(細工). ~**arbeiter** *m.* 은장, 은장색. ~**blick** *m.* 은의 광채; 정련은(精鍊銀)의 섬광(閃光). ~**fuchs** [–fuks] *m.* 〖動〗 은호(銀狐). ~**gehalt** *m.* 은의 함유율, 은분(銀分). ~**geld** *n.* 은화(銀貨). ~**gerät**, ~**geschirr** *n.* 은제품, 은기(銀器). ~**haar** *n.* 은발. ~**haltig** *a.* 은을 함유하는. ~**hell** *a.* 은처럼 빛나는; 은방울 같은, 청아한 목소리. ~**hochzeit** *f.* 은혼식. ~**hütte** *f.* 은제련소.

Silberling [zílbərlɪŋ] *m.* –s, –e, 〖聖〗 은화(銀貨).

silbern [zílbərn] *a.* 은의; 은빛의; 은제의. ¶ die ~e Hochzeit 은혼식(銀婚式).

Silber·oxyd [zílbər-ɔksy:t] *n.* 〖化〗 산화은. ~**papier** *n.* 은종이; 은박지(銀箔紙). ~**pappel** *f.* 〖植〗 백양(白楊), 은백양. ~**plattierung** *f.* 은도금(銀鍍金). ~**reich** *a.* 은이 많은, 은분이 많은. ~**schrank** *m.* 은그릇 찬장. ~**stift** *m.* 〖畫〗 은첨필(銀尖筆). ~**stoff** *m.* 〖紡〗 은능라. ~**stufe** *f.* 은괴. ~**tresse** *f.* 은모르. ~**währung** *f.* 은본위. ~**waren** *pl.* 은제품. ~**weiß** *a.* 은백(銀白)의. ~**zeug** *n.* 은기(銀器).

Silentium [zilɛ́ntsium] [lat.] *n.* –s, ..tien, 침묵, 정숙(靜肅).

Silhouette [ziluɛ́tə, si–] [fr.] *f.* –n, (윤곽만 나타내고 내용은 생략한) 흑색 측면화(畫), 영상(影像), 그림자 그림.

Silikat [ziliká:t] [lat.] *n.* –(e)s, –e, 〖化〗 규산염(珪酸塩). **Silikon** [–kó:n] *n.* –s, –e, (흔히 *pl.*) 실리콘. **Silikose** *f.* –n, 〖醫〗 규폐병. **Silizium** [zilí:tsium] *n.* –s, 〖化〗 규소.

Silo [zí:lo:] [sp.] *m.* –s, –s, 곡물헛간, 지하곡창. **Silofutter** *n.* 사일로 사료.

Silvester [zɪlvɛ́stər] [lat. „Waldmann"] 《I》 *m.* 남자 이름. 《II》 *n.* [*m.*] –s, –, 섣달 그믐날《교황 Silvester I 의 축일에서》. ~**abend** *m.* 섣달 그믐날(의 밤).

Simili·diamant [zí:mili:–] *m.* 모조 다이아몬드. ~**stein** [lat. *similis* „ähnlich"] *m.* 모조(模造) 보석.

simpel [zímpəl] [lat. *sim-plus* „einfältig"] *a.* ① 단순한; 간단한(♈*simple*). ② 우직한. **Simpel** *m.* –s, –, 우직한 사람. **simplifizieren** *t.* 단순[간단]히 하다. **Simplizität** *f.* 단순, 우직, 검소.

Sims [zɪms] [Lw. lat. *sima*] *m.* u. *n.* –es, –e, 〖建〗 (Ge~) 추녀 돌림띠(*cornice*); (굵은) 동살(*ledge*); (벽의) 선반(*shelf*).

Simulant [zimulánt] [lat.] *m.* –en, –en, 꾀병 앓는 사람; 〖軍〗 꾀병 앓는 병사.

simulieren [lat. <*similis* „ähnlich"] *t.* u. *i.*(h.) ① 비슷하게 하다, 가장하다(*feign, sham*); 〖軍〗 꾀병을 앓다. ② 《俗》 (깊이) 생각하다.

simultan [zimultá:n] [lat.] *a.* 동시의; 공동[공통]의.

Simultan·bühne *f.* (중세 종교극의) 동시 무대《각 장면의 무대를 처음부터 줄지어 세운》. ~**dolmetscher** *m.* 동시 통역자.

sind [zɪnt] (wir ~, sie ~) = SEIN[1] (그 現在).

Sinfonie [zɪnfoní:] [it. *aus* gr. Symphonie „Zusammenklang"] *f.* ..nien, 〖樂〗 교향악, 교향곡.

Sing·akademie [zíŋ–] *f.* 〖樂〗 합창협회; 성악(聲樂) 학교.

singbar [zíŋba:r] *a.* 노래할 수 있는; 〖樂〗 노래하는 것처럼.

singen* [zíŋən] *t.* u. *i.*(h.) 노래하다(♈*sing*); (새가) 지저귀다(*warble, carol*).

Sing·kunst [zíŋ–] *f.* 가창법(歌唱法). ~**pult** *n.* 보면대(譜面臺).

Sin·grün [zín–] [前半은 „immer"의 뜻] *n.* –s, –, 〖植〗 (Immergrün) 빙카(*periwinkle*).

Sing·sang [zíŋzaŋ] *m.* 서투른 노래. ~**spiel** [–ʃpi:l] *n.* 창가극(唱歌劇); 오페레타(*operetta*). ~**spielhalle** *f.* 음악당. ~**stimme** *f.* 노래 소리; 〖樂〗 성부. ~**stück** *n.* 가곡.

Singular [zíŋgula:r, zɪŋgulá:r] [lat.] *m.* –s, –e, 〖文〗 단수.

Sing·vogel *m.* 우는[지저귀는] 새. ~**weise** *f.* 창법(唱法); 곡조, 선율.

sinken* [zíŋkən] 《I》 *i.*(s.) 가라앉다(♈*sink*); 넘어지다; 빠지다, 함몰[침몰]하다; 내리다, 하락[저락]하다(*fall, de-*

cline). ¶ den Kopf ~ lassen 머리를 숙이다 / den Mut ~ lassen 낙담하다. 《Ⅱ》 **gesunken** *p.a.* 떨어진; 타락한, 쇠미한.

Sinn [zɪn] [♈senden; „Gang, Weg"의 뜻에서; „Weg der Gedanken"] *m.* -(e)s, -e, 마음, 사념, 생각, 의견(*mind, opinion*); 감각, 감관(感官), 센스(*sense*); 느낌, 감성, 감수성(*feeling*); 이해력, 분별(*intellect*); 뜻, 의의(*meaning*). ¶ fünf ~e 오관(五官) / andern ~es werden 마음이 변하다, 변심하다 / sich³ et. **aus** dem ~(e) schlagen 무엇을 잊다 / **bei** ~en sein 제 정신이다 / jm. **durch** den ~ fahren(생각 따위가) 아무의 마음에 떠오르다 / **im** ~e haben 기억〔의도〕하고 있다 / in diesem ~e 이 뜻으로 / **ohne** ~ sein a) 의식을 잃고 있다, 열중해 있다; b) 몰이해하다, 무의미하다/**von** ~en sein 의식을 잃고〔열중하여·미쳐〕 있다.

sinn∙betörend [zínbətø:rənt] *a.* 감각을 마비시키는. **≁bild** *n.* 표상(表象), 상징(*symbol*); 비유(*allegory*). **~bildlich** *a.* 상징적인; 비유적인.

sinnen* [zínən] [*eig.* „den Gedanken nachgehen"] *i.*(h.) u. *t.* ① 깊이 생각하다, 숙려(熟慮)하다(*think, meditate, reflect, ponder*). ② 뜻하다, 기도하다, 꾀하다(*plan, plot, scheme*).

Sinnen∙genuß *m.*, **~lust** *f.* 관능적 쾌락. **~mensch** *m.* 육욕(肉慾)주의자. **~rausch** *m.* 관능적 도취. **~reiz** *m.* 관능적인 자극. **~täuschung** *f.* 착각. **~welt** *f.* 감각 세계, 현상계, 물질계.

Sinnes∙änderung [zínəs–] *f.* 변심, 심경의 변화; 〖宗〗 회심(回心). **~ārt** *f.* 마음씨, 성정(性情), 지조(志操). **~ge∙nosse** *m.* 동지. **~orgān** *n.* 감(각 기)관. **~störung** *f.* 감관 장애. **~täu∙schung** *f.* 환각; 착각. **~werkzeug** *n.* =~ORGAN.

sinn∙fällig *a.* (in den Sinn fallend) 뚜렷한, 분명한(*obvious*). **≁gedicht** *n.* 격언시(格言詩)(*epigram*). **~getreu** *a.* 원뜻에 충실한, 의미를 곡해하지 않는.

sinnhaft [zínhaft] *a.* 의미가 있는, 뜻에 알맞은. **sinnig** [zínɪç] *a.* ① 이해력이 있는. ② 곰곰이 생각하는; 재치 있는; 의미 심장한, 함축성 있는; 신중한.

sinnlich [zínlɪç] *a.* 관능의, 감각의, 감관(感官)의(*sensuous*); 감성적인, 지각할 수 있는; 구체적인, 물질적인, 형이하(形而下)의(*physical*); (grob ~) 육감적인, 육욕적인, 육체적인(*sensual*). **Sinnlich∙keit** *f.* 감각, 지각; 관능; 감성; 감각계, 현상계; 육감성, 육욕(肉慾).

sinn∙lōs *a.* ① 무감각한; 무의식의; 제정신을 잃은. ② 무의미한, 어리석은. **≁lōsigkeit** *f.* 무감각; 무의식; 신중하지 못함; 무의미. **~reich** *a.* 뜻 깊은, 의미 심장한, 함축성 있는; 재치 있는, 교묘한. **≁spruch** *m.* 처세훈(處世訓); 격언. **~verwandt** [-fɛrvant, -fər-] *a.* ① 같은 뜻의(*synonymous*). ② 뜻을 같이 하는, 동지의. **~voll** *a.* 깊이 생각한; 의미가 풍부한, 함축성 있는. **~∙widrig** [-vi:drɪç] *a.* 배리(背理)의, 말도 안 되는.

Sinolōg(e) [zinoló:gə, -ló:k] [lat. + gr.] *m.* ..gen, ..gen, 중국학자. **Sino∙logie** *f.* 중국학.

sintemāl(en)† [zíntəma:l(ən), zɪntəmá:l(ən)] [<seit der Zeit] *cj.* 그래서, 왜냐하면 …이므로(*since, whereas*).

Sinter [zíntər] *m.* -s, -, 〖鑛〗 종유석(鐘乳石); 〖冶〗 광재, 쇠부스러기.

Sintflūt [zínt-] [ahd. *sin* „immer, groß"] *f.* 대홍수; 〖聖〗 노아의 홍수.

Sinus [zí:nʊs] [lat. „Busen"] *m.* -, - *u.* -se, 〖數〗 사인(♈*sine*); 만곡, 만

Siphon [zí:fɔn] [gr. -fr.] *m.* -s, -s, 사이펀; 사이펀 병.

Sippe [zípə] *f.* -n, 친척(임); 일가 친척, 씨족(氏族)(*kin, kindred*).

Sippschaft [zípʃaft] *f.* ① =SIPPE. ② 《俗·蔑》 도당, 일당, 한패(*clique, set*).

Sirēne [ziré:nə] [gr.] *f.* -n, ① 〖希神〗 사이렌. ② 경적(警笛), 고동, 사이렌(♈*siren*); 〖海〗 무적(霧笛).

Sirup [zí:rʊp] [ar. -it.] *m.* -s, -e, 시럽(♈*syrup*); 당밀(糖蜜)(*treacle*).

sistieren [zɪstí:rən] [lat.] *t.* 〖法〗 ① (소송 따위를) 중단하다(*stop*). ② (법정에) 소환하다; 구류하다(*arrest*).

Sitte [zítə] [♈gr. *éthos* „Gewohnheit"] *f.* -n, ① 풍습, 풍속, 습관(*custom, habit, usage*). ② 예의, 예절(*manners*); 풍기, 도덕(*morals*).

Sitten∙bild [zítən-], **~gemälde** *n.* 풍속화. **~gesetz** *n.* 도덕율. **~lehre** *f.* 도덕 철학. **~lehrer** *m.* 도학자(道學者). **≁lōs** *a.* 예의를 모르는; 부도덕한; 품행이 나쁜, 방종한. **~polizei** *f.* 풍기(風紀) 경찰. **≁rein** *a.* 품행이 방종한, 정결한. **~richter** *m.* 도학(道學) 선생. **~spruch** *m.* 격언, 잠언(箴言). **~verderbnis** [-fɛrdɛrpnɪs, -fər-] *f.*, **~verfall** *m.* 풍기 퇴폐. **≁widrig** *a.* 풍속에 반하는. **~zeugnis** [-tsɔyknɪs] *n.* 선행증(善行證), 품행 증명서. **~zwang** *m.* 에티케트; 관례.

Sittich [zítɪç] [Lw. lat.] *m.* -(e)s, -e, 〖鳥〗 잉꼬(*parakeet*).

sittig [zítɪç] *a.* 행실이 바른, 품행이 방정한.

sittlich [zítlɪç] *a.* 풍속의; 도덕상의, 윤리적인(*moral*). **Sittlichkeit** *f.* 품행; 도의, 도덕; 인륜(人倫). **Sittlichkeits∙vergēhen** *n.* 비행; 〖法〗 외설죄.

sitt∙sām [zítza:m] *a.* 예의바른, 기품 있는, 얌전한, 정숙한(*modest*). **Sitt∙sām∙keit** *f.* 품행 방정, 얌전함, 정숙.

Situatiōn [zituatsió:n] *f.* -en, 위치, 지위; 국면(局面); 경우; 형세, 상황. **situ∙ieren** [zituí:rən] [lat. <*situs* „gelegen, Lage"] 《Ⅰ》 *t.* 두다《어떤 지위에》. 《Ⅱ》 **situiert** *p.a.*: gut ~ 좋은 지위에 있는, 환경이 순탄한, 유복한.

Sitz [zɪts] [<sitzen] *m.* -es, -e, ① 자리, 좌석; 의석(議席); 의자(*seat; chair*). ② 거처; (왕후·주교의) 거처하는 곳, 서울(*residence, see*), (관청의) 소재지; 《比》 중심지. ③ 앉음새; (옷이) 몸에 딱 맞음 (*fit* (*of dress*)). ④ 좌(座), 대(臺), 저부(底部), 받침.

Sitz∙bād [zítsba:t] *n.* 좌욕(坐浴), 반신욕(半身浴). **~bank** *f.* (*pl.* ¨e), 의자, 벤치, (보트의) 시트.

sitzen* [zítsən] 《Ⅰ》 *i.*(h., 稀 s.) ① 《狀

態) 앉아 있다, 착석해 있다, 참석〔열석〕하고 있다(♈*sit*); (새가) a) 앉아 있다, b) 알을 품고 있다; 보금자리에 들어 있다; (앉듯이 하고) 있다(*be (situated)*). ② 있다, 살고 있다. ¶im trocknen ~ 안전한 지위에 있다. ③ das Kleid sitzt ihr gut 이 옷은 그 여자에게 꼭 맞는다, 잘 어울린다(*fit, suit*) /〔펜싱〕der Hieb sitzt 타격이 명중〔성공〕하다. ④《前置詞와 함께》das Blatt sitzt **am** Zweig 잎은 가지에 붙어 있다/ (wie) **auf** Dornen ~ 불안하여 안절부절 못하다 / das Latein sitzt **bei** ihm 그는 라틴어를 잘한다 / **über** e-r Arbeit ~ 일에 몰두하고 있다. 《Ⅱ》 **sitzend** *p. a.* 앉아 있는; 앉아서 하는. ¶~e Berufe 좌업(坐業).

sitzen=|bleiben* *i.*(h.) 앉은 채로 있다; 낙제하다; (처녀가) 혼처가 없다. **~|lassen*** *t.* 그대로 두다; (학생을) 원급에 머무르게 하다. ¶e-e Beleidigung auf sich ~lassen 모욕을 참다.

Sitz=fleisch *n.* 볼기(의 살). ¶er hat kein ~fleisch《比》그는 잠시도 가만히 앉아 있지 못한다, 끈기가 없다. **~gelē=genheit** *f.* 좌석(의 설비). **~platz** *m.* 자리, 좌석. **~riese** *m.* 좌고(座高)가 높은 사람《다리가 짧고 허리가 길》. **~stange** *f.* (새의) 횃대. **~streik** *m.* 연좌 파업.

Sitzung [zítsuŋ] *f.* -en, 집회, 회의(장)(*meeting*); 개회, 회기, 의사(議事)(*session*).

Sitzungs=bericht *m.* 의사(議事) 보고. **~saal** *m.* 회의실, 의회장; 법정.

sizilianisch [zitsiliá:nɪʃ] *a.* 시칠랴(사람)의. **Sizilien** [zitsí:lĭən] [it. *Sicilia*] *n.* 시칠랴(섬). **Sizilier** [-lĭər] *m.* -s, -, 시칠랴 사람.

Skala [ská:la] [it. „Leiter"] *f.* ..len *u.* -s, ① 단계; 도(度)(*gradation*); 눈금, 척도(♈*scale*). ②〔樂〕음계(音階)(*gamut*).

Skalp [skalp] [engl. *scalp* „(*eig.*) Hirnschale"] *m.* -s, -e, 두개피(頭蓋皮)《아메리카 인디언이 적의 머리에서 벗기던》. **skalpieren** [skalpí:rən] *t.* (의) 머릿 가죽을 벗기다.

Skandal [skandá:l] [gr.] *m.* -s, -e, ① 괘씸한 일, 분격의 씨, 스캔들, 추문(♈*scandal*). ② 소동(*row, uproar*). **skan=dalieren** [skandalí:rən] *i.*(h.) 떠들다, 법석대다. **skandalisieren** ① *i.*(h.) = SKANDALIEREN. ② *refl.*: sich über et.⁴ ~ 무엇에 관하여 분격하다. **skandalös** *a.* 괘씸한; 소문이 나쁜, 수치스러운. **Skandalpresse** *f.* 선정적인 하급 신문.

Skandinavien [skandiná:vĭən] *n.* 스칸디나비아. **Skandinavier** *m.* -s, -, **Skandinavierin** *f.* -nen, 스칸디나비아 사람. **skandinavisch** *a.* 스칸디나비아의.

Skat [ska:t] [it.] *m.* -(e)s, -e *u.* -s, 독일 카드 놀이의 일종. ¶~ dreschen 스카트 놀이를 하다.

Skelett [skelét] [gr.] 《Ⅰ》 *n.* -(e)s, -e, 해골(♈*skeleton*); 《比》골격, 뼈대; (강연 따위의) 개요. 《Ⅱ》〔**~schrift** *f.*〕 *f.*〔印〕스켈렛《가는 자체》.

Skepsis [sképsɪs] [gr. *eig.* „Betrachtung, Untersuchung"] *f.*〔哲〕회의(懷疑)(♈*scepticism*). **Skeptiker** [-tɪkər] *m.* -s, -, 회의학파의 사람. **skeptisch** *a.* 회의적인; 회의론의.

Ski [ʃi:, ski:] [norwegisch, „Scheit"] *m.* -s, -er, 스키.

Ski=lauf *m.* 스키 활주. **~sprung** *m.* 스키 도약(跳躍).

Skizze [skítsə] [it., <gr. *schèdios* „in der Eile gemacht"] *f.* -n, 스케치, 사생도; 겨냥도, 약도; 사생문, 단편; 초안(♈*sketch*). **Skizzenbuch** *n.* 스케치북, 소품집. **skizzenhaft** *a.* 스케치풍(風)의; 대략의. **skizzieren** [skɪtsí:rən] *t.* (의) 스케치를 하다; (의) 개략을〔개요를〕 적다; 초안을 쓰다.

Sklave [sklá:fə, -və] [mhd. *s(k)lave* „(*eig.*) (kriegsgefangene) Slawe"] *m.* -n, -n, 노예(♈*slave*).

Sklaven=aufseher *m.* 노예 감독. **~=halter** *m.* 노예 소유자. **~handel** *m.* 노예 매매. **~schiff** *n.* 노예 (무역)선. **~stand** *m.* 노예의 신분.

Sklaverei [skla:fərái, -və-] *f.* -en, 노예의 신분, 예속; 노예 근성; 노예 제도. **Sklavin** *f.* -nen, 여자 노예. **sklavisch** [-fɪʃ, -vɪʃ] *a.* 노예의, 노예적인, 노예 근성의 (♈*slavish, servile*).

Skonto [skɔ́nto] [it. „Diskonto"] *m.* od. *n.* -s, -s, 할인(割引). **Skontro** *n.* -s, 상쇄, 결산.

Skorbut [skɔrbú:t] [lat.] *m.* -(e)s,〔醫〕괴혈병(壞血病)(*scurvy*).

Skorpion [skɔrpĭó:n] [gr. -lat.] *m.* -s, -e,〔動〕전갈(♈*scorpion*).

Skotom [skotó:m] [gr. *skotos* „Dunkelheit"] *n.* -s, -e, (시야의) 암점(暗點).

Skribent [skribɛ́nt] [lat.] *m.* -en, -en, ① 쓰는 사람, 저술가; 다작가(多作家). **Skriptum** [skríptum] *n.* -s, ..ta *u.* ..ten, 문장, 논문; 문서, 서류. **Skrip=tur** *f.* -en, 서류.

Skrofeln [skró:fəln] [lat.] *pl.*〔醫〕선병(腺病)(♈*scrofula*), (경)선종양((頸)腺腫瘍). **skrofulös** [skrofulǿ:s] *a.* 선병(腺病)의, 나력병(瘰癧病)의.

Skrupel [skrú:pəl] [lat.] *m.* -s, -, (의심으로 인한) 조바심, 의구(疑懼), 조마조마함, 망설임(♈*scruple*); (Gewissens~) 양심의 가책. ¶sich³ ~ machen 망설이다, 주저하다. **skrupellos** *a.* 주저하지 않는; 뻔뻔스러운, 양심이 없는. **skrupulös** [skrupulǿ:s] *a.* 좀스러운, 소심한; 세심한; 양심적인(♈*scrupulous*).

Skulptur [skulptú:r] [lat.] *f.* -en, 조각(품·술)(♈*sculpture*).

Slawe [slá:və] *m.* -n, -n, **Slawin** *f.* -nen, 슬라브 사람. **slawisch** *a.* 슬라브의.

Slipper [slípər] [engl. *slip* „(hinein)-schlüpfen"] *m.* -s, -, 슬리퍼.

Slogan [sló:gən] [engl. *aus* kelt., *eig.* „Schlachtruf"] *m.* -s, -s, 슬로건, 표어, 표방, 주장.

S.M. [ɛ́s-ɛ́m] 《略》=*Seine Majestät* 폐하.

Smaltin [smaltí:n] [<Schmalte] *n.* -(e)s, -e, 비(砒)코발트 광(鑛).

Smaragd [smarákt] [gr., *urspr.* skt.] *m.* -(e)s, -e,〔鑛〕취옥(翠玉), 에머랄

드(*emerald*). **smaragden** [-kdən] *a.* 취옥의; 취옥으로 장식한; 에메랄드 색의.

SM-Ōfen [ɛs-ɛ́m-] *m.* 《略》 =*Siemens-Martin-Ofen.*

Smōking [smóːkɪŋ] [engl. <*smoke* „schmauchen, rauchen"] *m.* -s, -s, (흡연실·사교실용의 옷:) 턱시도의 별칭 (*dinner jacket*).

sō [zoː] 《Ⅰ》 *adv.* ① 그와 같이, 그렇게, 그처럼, 그대로; 매우(♈*so, thus, in this manner*). ¶ ~ hoch 그렇게(매우) 높이 / ~ ein reicher Mann 이런 부자 / ~ ist's! 그렇지, 그렇소 / ~ einer 그러한 사람 / ~ (et)was 그런 것〔일〕 / ~ viel ist gewiß 그것만은 확실하다. ② 대략, 대체로. ¶es mochte ~ um Mitternacht sein 한밤중쯤이었을까. ③ 《感歎詞的으로》 ach ~! 아 그런가. ④ 《成句》 und ~ fort 이하 같음, 따위, 등등 / und ~ weiter 따위, 등등. / um ~ ... als, … 만큼(그만큼) 더 (um so는 um so viel의 轉形) / um ~ besser 더욱〔한층〕 더 좋다. ⑤ 《wie, als와 함께》 er ist ~ groß wie ich 그는 나만한 키다 / komm(e) ~ bald als möglich! 될 수 있는 한 빨리 오너라. ⑥ 《daß 文章을 수반하여》 ich bin ~ müde, daß ich k-n Schritt mehr gehen kann 나는 이제 지쳐서 한 걸음도 더 걸을 수 없다. 《Ⅱ》 *cj.* ① 그렇게, 그렇다면, 그러면, 그러니까 (*therefore*); 그러자, …하자, 그 때. ¶ ~ wollen wir gehen 그러면 떠나자 / bittet, ~ wird euch gegeben 구하라 그러면 얻을 것이오. ② 《daß 바로 앞에》 es regnete stark, ~ daß ich ganz naß wurde 비가 몹시 왔으므로 나는 흠뻑 젖었다. ③ 《認容文에서》 ~ sehr er sich (auch) bemüht 그가 아무리 애를 써도. ④ 이라면 (=wenn). ¶ ~ Gott will 하느님의 뜻이라면.

sobạld [zobált] *cj.* …하자마자(*as soon* (*as*)). ¶ ~ ich rufe 내가 부르자마자 / ~ er kam, (als)…, 그가 오자마자…. ★바르게는: sō bald.

Sọcke [zɔ́kə] [Lw. lat.] *f.* -n, 짧은 양말(♈*sock*). **Sọckel** [zɔ́kəl] *m.* -s, -, 〖建〗 대(臺), 대석(臺石), 받침돌, 대좌(臺座)(♈*socle, pedestal, base*).

Sọckenhalter [zɔ́kənhaltər] *m.* 양말대님.

Sōda [zóːda] [it.] *f.* od. *n.* -s, 〖化〗 소다.

sodạnn [zodán] *adv.* 그러면, 그렇다면; 그리고 나서, 다음에(*then*).

Sōdawasser [zóːdavasər] *n.* 소다수(水).

Sōd·brennen [zóːt-] [前半: <sieden] *n.* 〖醫〗 가슴앓이(*heartburn*).

Sōde [zóːdə] [<Sod] *f.* -n, 제염소(製塩所).

Sodomịe [zodomíː] [lat.] *f.* ..mīen, 남색, 비역.

so·ēben [zo-éːbən] *adv.* 방금, 지금 곧〔바로〕(*just* (*now*)).

Sōfā [zóːfaː] [ar.] *n.* -s, -s, 소파(♈*sofa, couch*). ~**schōner** *m.* 소파 커버.

sofẹrn [zofɛ́rn] [=insofern] *cj.* …하는 한(*so far as*); …이라면, …한 경우에는 (*provided that*).

soff [zɔf] ☞SAUFEN(그 過去).

Sọff [zɔf] *m.* -(e)s, 《俗》 통음(痛飮), 술에 젖음; 한 모금의 술. **Sọ̈ffer** *m.* -s, -, 음주가, 술부대.

sofọrt [zofɔ́rt] *adv.* 곧, 즉시(*at once, immediately*). **Sofọrt·hilfe** *f.* 응급 구조《특히 제 2 차 대전후의 난민을 위한》.

sofọrtig *a.* 즉각〔즉시〕의, 즉석의.

Sōg [zoːk] *m.* -(e)s, -e, 흡인(吸引), 빨아 들임; (배·비행기가 지난 뒤의) 물〔공기〕의 소용돌이, 항적(航跡).

sōg [zoːk] ☞ SAUGEN (그 過去).

sog. 《略》=*sogenannt* 소위, 이른바.

sogār [zogáːr] *adv.* 더우기, 더군다나, 게다가, 뿐만아니라, …까지도, 조차(*even*). ¶ja ~ 아니 그뿐이랴.

sōgenannt [zóːgənant] *a.* 이른바의, 소위(*so-called*); 자칭의(*would-be*).

soglẹich [zogláiç] *adv.* 곧, 즉시, 즉석에서(*directly*). ¶ (ich komme) ~! 곧 갑니다(*coming!*).

Sōhle [zóːlə] [Lw. lat.] *f.* -n, ① 발바닥(♈*sole*); 구두〔양말〕바닥. ② (골짜기·도랑·강·갱도 따위의) 밑바닥, 저부(底部), 바닥(*bottom*). **sōhlen** [zóːlən] *t.* (be~)(구두에) 창을 대다. **Sōhlenlēder** [zóːlənleːdər] *n.* (구두의) 가죽창.

Sōhn [zoːn] *m.* -(e)s, ⸗e [zǿːnə], 아들, 자식(♈*son*). **Sȫhnchen** [zǿːnçən] [*dim.* v. Sohn] *n.* -s, -, 아들놈; 아기.

Sōhnes·frau *f.* 며느리. ~**kind** *n.* 손자. ~**pflicht** *f.* 아들로서의 의무, 효도.

Sōhnschaft [zóːnʃaft] *f.* 아들〔자식〕임; 자식의 신분.

solạng(**e**) [zoláŋ(ə)] 《Ⅰ》 *cj.* …하는 한〔동안〕(*as long as*). ¶ ~ die Welt steht 세상이 존재하는 한에는. 《Ⅱ》 *adv.* …사이〔동안〕. ★ 바르게는: so lange.

Sōla·wechsel [zóːlavɛksəl] [前半: it. *sola*, „einzig"] *m.* 〖商〗 단독 어음.

Sōlbād [zóːlbaːt] *n.* 염천욕(塩泉浴)(장).

solch [zɔlç] [so+germ. ..*lîka*, „gestaltet"] *a.* 이와〔그와〕 같은, 이러한, 그러한(♈*such*). **sọlchenfalls** *adv.* 그런 경우에. **sọlcherlei** *a.* 《不變化》 그런 종류의, 그러한. **sọlchermāßen** *adv.* 그렇게, 이렇게, 이와 같이.

Sọld [zɔlt] [fr., it. *eig.* „harte (Münze)", <solid] *m.* -(e)s, -e, 급료, 봉급(*pay, wages*); 고용 관계. **Soldāt** [zɔldáːt] [it. <Sold, *eig.* "고용병"] *m.* -en, -en, 병사, 군인(♈*soldier*).

Soldāten·bett *n.* (접게 된) 군용(야전) 침대. ~**dienst** *m.* 병역. ~**eid** *m.* 병역 선서. ~**herrschaft** *f.* 무단 정치, 군벌(軍閥). ~**lēben** *n.* 군대 생활. ~**lied** *n.* 군가. ~**rock** *m.* 군복. ~⸗**schenke** *f.* 군대 매점. ~**spiel** *n.* 군인 놀이. ~**stand** *m.* 군인 신분; 군인 계급. ~**wēsen** *n.* 군사(軍事), 병사, 군제; 군대(조직).

Soldāten·volk *n.* 군대. ~**zucht** *f.* 군기(軍紀).

Soldatẹska [zɔldatɛ́ska] [it.] *f.* ..ken, 포악한 군대. **soldātisch** *a.* 군인의, 군인다운. **Sọldbūch** [zɔ́ltbuːx] *n.* 병사의 신분 증명서《2 차 대전중 독일군의》.

Sọ̈ldling [zœ́ltlɪŋ] [<Sold] *m.* -s, -e,

Sọ̈ldner [zœ́ltnər, -dn-] *m.* -s, -, 용병(傭兵).

Sōle [zóːlə] [♈Salz] *f.* -n, 소금물, 함수(鹹水). **Sōl·ei** [zóːl-ai] *n.* 소금 물에 삶은 달걀.

solenn [zolén] [lat.] *a.* 장엄한.
solid [zolí:t] [lat.] *a.* =SOLIDE. **Solidarbürgschaft** [zolidá:r–] *f.* 연대 보증. **solidarisch** [zolidá:rɪʃ] *a.* 굳게 단결〔결합〕한, 연대 책임의(*joint*); 전혀 동감인(*unanimous*). **Solidarität** *f.* –en, 연대 책임; 공동, 단결(심). **Solidarschuldner** *m.* 연대 채무자. **solid(e)** [zolí:də, –lí:t] *a.* 굳은, 견고한(♈*solid, strong*); 견실한(*sound, reliable*); 단정한(*respectable*). **Solidität** [zoliditɛ́:t] *f.* 견고, 견뢰(堅牢); 견실(堅實), 착실.
Solist [zolíst] [fr., <Solo] *m.* –en, –en, 〖樂〗 독창자, 독주자. 「독.」
Solitüde [zolitý:də, solitý:d] *f.* –n, 고
soll [zɔl] (ich ~, er ~) ☞ =SOLLEN 《그 現在》. **Soll** *n.* –(s), –(s), 〖商〗 차변(借邊)(*debit*). **Soll-Einnahme** *f.* 예정 수입.
sollen* [zɔ́lən] [♈Schuld, *eig.* „schuldig sein"] 《話法助動詞》 (마땅히) …해야 한다(♈*shall*); (예정에 의하여) …할 것이다(*be to*); (…이라는) 소문이다(*be said, they say*). ¶du sollst es sehen (너는 그것을 보아야 한다:) 너에게 그것을 보여주마 / wenn es regnen sollte 만일 비가 온다면 / er soll schon längst tot sein (사람들의 말에 의하면) 그는 벌써 죽었다고 한다 / das sollte er doch wissen 그는 그쯤은 알만한데.
Söller [zœ́lər] [Lw. lat. der Sonne (*sōl*) ausgesetzte (Terasse)] *m.* –s, –, 〖建〗 노대(露臺), 발코니(*loft, balcony*).
Sol·lux [zɔ́luks] [lat. *sol* „Sonne", *lux* „Licht"] *f.* 〖醫〗 태양등.
Solo [zó:lo] [it. *aus* lat. *sōlus* „allein"] *n.* –s, –s *u.* ..li, 〖樂〗 독창(곡), 독주(곡).
Solo·gesang *m.* 독창곡. **~stimme** *f.* 독성 성부(聲部). **~tänzer** *m.* 단독 무도자.
Solution [zolutsĭó:n] *f.* –en, 용해, 용액. **solvent** [zɔlvɛ́nt] [lat.] *a.* 〖商〗 지불 능력이 있는. **Solvenz** *f.* 지불 능력(♈*solvency*).
somit [zomít] *adv.* 이것으로, 이리하여; 따라서(*consequently*).
Sommer [zɔ́mər] *m.* –s, –, 여름(♈*summer*); 《比》 (인생의) 전성기.
Sommer·aufent·halt *m.* 피서지. **~fäden** *pl.* 공중에 떠도는 거미줄(*gossamer*). **~ferien** *pl.* 여름 휴가. **~fleck** *m.* 주근깨. **~frische** *f.* 피서지. **~frischler** *m.* 피서객(客). **~frucht** *f.*, **~getreide** *n.* 하곡(夏穀). **~haus** *n.* 피서용 별장. **~hitze** *f.* 여름 더위. 「름 같은; 여름철용의.」
sommerlich [zɔ́mərlɪç] *a.* 여름의; 여
Sommernacht [zɔ́mərnaxt] *f.* 여름밤. **~s·traum** [zɔ́mərnaxts–] *m.* 여름 밤의 꿈. 「마다.」
sommers [zɔ́mərs] *adv.* 여름에, 여름
Sommer·saat *f.* 하곡의 파종. **~seite** *f.* 남쪽. **~sonnenwende** *f.* 하지(夏至). **~sprosse** ["여름" 피부에 "생기는 것"; 後半: ♈sprießen] *f.* 주근깨(*freckle*). **~sprossig** *a.* 주근깨가 있는. **~zeit** *f.* 여름철; 서머타임. **~zeug** *n.* 여름옷.

Somnambule [zɔmnambú:lə] [lat.] *m.* u. *f.* 《形容詞變化》 몽유병자. **Somnambulismus** *m.* –, 몽유병.
sonach [zoná:x] *adv.* 따라서(*accordingly*); 그런고로(*therefore*).
Sonate [zoná:tə] [it., <lat. *sonāre* „tönen"] *f.* –n, 〖樂〗 주명곡(奏鳴曲), 소나타(♈*sonata*).
Sonde [zɔ́ndə] [fr.] *f.* –n, 〖海〗 측연(測鉛)(*plummet*); 〖醫〗 존데, 탐침(探針), 소식자(消息子)(*probe*).
sonder† [zɔ́ndər] 《Ⅰ》 *prp.* 《4格支配》 (ohne) …없이(*without*). 《Ⅱ》 *a.* =BESONDER 《이 뜻은 다음 항(項)의 複合語에 남음》.
Sonder·abdruck [–apdruk] *m.* 별쇄(別刷). **~abgabe** *f.* 특별 과세(課稅)〔할당〕. **~anspruch** *m.* 특별 청구(권). **~ausgabe** *f.* 별책(別冊); (신문의) 호외. **~ausweis** *m.* 특별 여권(旅券).
sonderbar [zɔ́ndərba:r] *a.* 이상한, 기묘한(*singular, strange*). **sonderbarerweise** *adv.* 기묘하게도, 이상하게도. **Sonderbarkeit** *f.* –en, 진기, 기묘; 진기〔기묘〕한 사물.
Sonder·beilage *f.* 부록. **~berichterstatter** *m.* (신문의) 특파원. **~bund** *m.* 분리파. **~bündler** *m.* 분리파의 사람. **~druck** *m.* 별쇄(別刷). **~friede** *m.* 단독 강화. **~gleichen** [zɔndərgláiçən] *a.* 비길 데없는. **~haus** *n.* 격리 병동. **~interesse** *n.* 특수 이익. **~klasse** *f.* (정신 박약아만의) 특별 학급; (상품 등의) 특급품. **~kosten** *pl.* 특별 지출.
sonderlich [zɔ́ndərlɪç] *a.* 특별한(*particular, special*). ¶nicht ~ (특별히) 별다름 없는. **Sonderling** [zɔ́ndərlɪŋ] *m.* –s, –e, 별난 사람; 기인(奇人). **sondern**[1] [sonder+-en] *t.* 따로하다, 가르다, 떼다(*separate, sever*).
sondern[2] [zɔ́ndərn] [원래 sonder의 복수 3格] *cj.* 그러나, 그것과는 달리, 그렇지 않고(*but*). ¶er ist nicht reich, ~ arm 그는 부자가 아니라 가난뱅이다 / nicht nur... ~ auch... …뿐만 아니라 …도 또한(*not only ...but also*). **sonders** *adv.*: samt u. ~ 남김없이, 모조리(*each and all, all together*).
Sonder·schule [–ʃu:lə] *f.* 특수 학교《농아자·정신 박약아 등의》. **~sprache** *f.* (직업·계급 등에 따른) 특수어(語).
Sonderung [zɔ́ndəruŋ] *f.* –en, 분리, 격리, 선별(選別).
Sonderzug [zɔ́ndərtsu:k] *m.* 특별 열차.
sondieren [zɔndí:rən] [fr., <Sonde] *t.* u. *i.*(h.) 〖醫〗 존데〔소식자(消息子)〕로 검사하다(*probe*); 〖海〗 측심(測深)하다(*sound, fathom*); 《比》 (아무의 의중을) 떠보다.
Sonett [zonɛ́t] [it., <lat. *sonus* „Klang, Schall"] *n.* –(e)s, –e, 〖詩學〗 소네트《독특한 운(韻)의 법칙에 의한 14행 시(詩)》(♈*sonnet*).
Sonn·abend [zɔ́n-a:bənt, zɔ́na:bənt] [„Abend vor dem Sonntag", 밤뿐 아니라 하루 전부를 지칭하게 되었음] *m.* 토요일.
Sonne [zɔ́nə] *f.* –n, 해, 태양(♈*sun*); 햇

볕, 일광(*sunshine*); 볕이 드는 곳, 양지.
sonnen [zɔ́nən] *t.* 볕에 쬐다, 햇볕에 말리다; *refl.* 양지에서 햇볕을 쬐다. ¶《比》sich in et.³ ~ 무엇을 즐기다[자랑하다](*delight* (*in*)).
Sonnen·aufgang *m.* 해돋이(*sunrise*); 해돋는 쪽, 동쪽. **~bād** *n.* 일광욕. **~bahn** *f.* 〖天〗(scheinbare ~bahn) 황도(黄道) (*ecliptic*). **~ball** *m.* 태양. **~batterie** *f.* 태양(열을 전기 에너지로 전환하는) 전지. **~blick** *m.* 햇볕; 빛나는 밝은 시선. **~blūme** *f.* 〖植〗해바라기. **~brand** *m.* 뙤약볕, 태양의 작열; (피부의) 그을음. **~dach** *n.* 차양, 차일. **~ferne** *f.* 〖天〗원일점. **~finsternis** *f.* 일식(日蝕). **~fleck** *m.* 태양의 흑점(*solar spot*). **~geflecht** *n.* 〖解〗태양 신경총(神經叢). **~gott** *m.* 〖神〗태양신. **~hitze** *f.* 태양열. **~klār** *a.* 태양처럼 밝은; *adv.* 명백히. **~kult** *m.* 태양 숭배. **~licht** *n.* 일광(日光), 햇빛(♈*sunlight*). **~nähe** *f.* 〖天〗근일점. **~rōse** *f.* =~BLUME **~schein** *m.* 일광, 햇빛(♈*sunshine*). **~schirm** *m.* 양산(*parasol*), 차일(*sunshade*). **~sēgel** *n.* =~ZELT. **~seite** *f.* 볕드는 쪽《남쪽》; 《比》(인생의) 밝은 면. **~spektrum** *n.* 〖物〗태양 스펙트럼. **~stand** *m.* 〖天〗지점(至點)《하지 또는 동지의》. **~stäubchen** [-ʃtɔyp-çən] *n.* 일광중에 보이는 먼지(*mote*). **~stich** *m.* 일사병(日射病). **~stillstand** *m.* 〖天〗지점. **~strahl** *m.* 태양 광선, 햇살. **~systēm** *n.* 태양계. **~uhr** *f.* 해시계. **~untergang** *m.* 일몰(日沒)(*sunset*). **~verbrannt** *a.* 햇볕에 그을린. **~wende** *f.* 〖天〗지점《하지, 동지》(*solstice*). **~wendig** *a.* 〖植〗향일성(向日性)의. **~zeit** *f.* 〖天〗태양시(時). **~zelt** *n.* 〖海〗(갑판위의) 차일 천막.
sonnig [zɔ́nɪç] *a.* 해가 비치는, 볕이 드는 (♈*sunny*); 《比》밝은, 명랑한 《성질 따위가》
Sonntāg [zɔ́nta:k] ["日神에게 바쳐진 날"] *m.* 일요일(♈*Sunday*) 《예수가 부활한 날로, der Tag des Herrn "主日" 이라고도 일컬음》.
sonntāgig [zɔ́ntɛ:gɪç] *a.* 일요일의; *adv.* 일요일에. **sonntāglich** [-klɪç] *a.* 일요일마다의, 매일요일의; 일요일다운; *adv.* 일요일마다; 일요일답게. **sonntags** [zɔ́nta:ks] *adv.* 일요일마다.
Sonntāgs·anzūg *m.* 일요일에 입는 나들이 옷. **~arbeit** *f.* 일요일 근무. **~ausflūgler** *m.* 주말 여행자. **~fahrkarte** *f.* 주말 할인(차)표. **~jäger** *m.* 서투른 [아마추어] 사냥꾼 《일요일에만 사냥하여 서투르다고 핑계대는》. **~kind** *n.* 일요일 [주일=SONNTAG]에 태어난 아이; 《比》행운아. **~rūhe** *f.* 일요일 [안식일]의 휴식, 일요일의 휴업. **~schūle** *f.* 주일 학교.
sonōr [zonó:r] [lat. <*sonus* „Schall"] *a.* 잘 울리는, 낭랑한(♈*sonorous*).
sonst [zɔnst] *adv.* ① 그렇지 않으면. ② 그밖에, 따로(*else, otherwise*), 그밖에는. ③ 그 이외에는(*in other respect*). ④ 다른 때에는, 지금 말고(*at other times*); 여느 때에는, 보통은(*usual*(*ly*)); 전에는, 이전에는(*formerly*). ¶ wie ~ 그전처럼, 여느때처럼, 종전대로. ⑤ 그 외에, 그 위에, 그뿐 아니라, 더우기(*moreover*). ¶ ~ et. 그 밖에 (또) 무엇 /~ jemand 그 밖에 (또) 누구. ⑥ wenn ~ 혹시 그렇지 않고… 이라면, …이라고 가정한다면.
sonstig [zɔ́nstɪç] *a.* 그 밖의; 이전[그전]의, 옛날의. **sonstwie** *adv.* 무슨 다른 방법으로. **sonstwō** *adv.* 어느 다른 곳에서. **sonstwohēr** *adv.* 어느 다른 곳으로부터. **sonstwohin** *adv.* 어디인가 다른 곳으로.
sooft [so-ɔ́ft] *cj.* …할 때마다.
Sophismus [zofísmus] *m.* -, ..men, 궤변. **Sophist** [zofíst] [gr. „Weisheitslehrer"] *m.* -en, -en, 소피스트《옛 그리스의 궤변 철학자》; 궤변가. **Sophisterei** [-tərái] *f.* -en, 궤변(을 농함).
sophistisch *a.* 궤변학파의; 궤변적인.
Soprān [zoprá:n] [it. „der obere"] *m.* -s, -e, 〖樂〗소프라노(♈*soprano*); 소프라노 가수. **~sängerin** *f.* 소프라노 가수.
Sorge [zɔ́rgə] *f.* -n, ① 근심, 걱정, 시름(♈*sorrow, grief, anxiety*). ¶ sich³ ~n machen, (um, 에 관하여) 걱정하다. ② 염려, 배려(配慮), 보살핌(*care*). ¶ ~ tragen, (für, 을) 염려하다, 돌보다, 보살피다. **sorgen** [zɔ́rgən] 《I》 *i.*(h). ① 근심하다, 심려(心慮)하다 (*fear, be anxious*). ② (für, 때문에, 을) 근심[염려·배려]하다, 돌보다(*take care of, care for, see to*). 《II》 *refl.* (um, 을) 걱정[염려]하다, 심려하다.
sorgen·frei *a.* 근심[걱정] 없는, 마음 편한. **~kind** *n.* 걱정끼치는 아이. **~last** *f.* 마음의 부담, 걱정. **~lōs** = ~FREI. **~stuhl** *m.* 안락 의자《편히 쉬어 근심을 잊게 하는》 **~voll** *a.* 시름[걱정] 많은.
Sorgfalt [zɔ́rkfalt] 꼼꼼함, 신중, 면밀, 세심(細心), 주의 (깊음)(*care*(*fulness*), *attention*). **sorgfältig** *a.* 세심한, 꼼꼼한(*careful, attentive*). **Sorgfältigkeit** *f.* =SORGFALT.
sorglich [zɔ́rklɪç] *a.* 걱정하는, 불안한(*anxious*); 꼼꼼한, 면밀한, 세심한(*careful*). **sorglōs** *a.* 걱정을 하지 않는, 편안한, 시름없는, 태평한. **sorgsām** [zɔ́rkza:m] *a.* 꼼꼼한, 주의 깊은, 신중한(*careful, particular*). **Sorgsāmkeit** *f.* 꼼꼼함, 신중.
Sorte [zɔ́rtə] [it., fr.] *f.* -n, 종류, 품종, 품질(♈*sort, kind, species*). **Sortenzettel** *m.* 품목 명세서. **sortieren** [zɔrtí:rən] *t.* 분류하다, 유별(類別)하다.
Sortiermaschine *f.* 선별기.
Sortiment [zɔrtimɛ́nt] *n.* -(e)s, -e, ① 분류한 물건(*assortment*); (한 벌 갖춘) 물품, 벌, 세트(*set*). ② 서적(書籍) 판매점.
Sortiments·būchhändler *m.* 서적 중개 판매업자.
sosō [zozó:] *adv.* 이럭저럭, 그럭저럭.
Sōße [zó:sə] [fr. =Sauce] *f.* -n, 〖料〗소스. **sōßen** *t.* (에) 소스를 치다.
sott [zɔt] ☞ SIEDEN 《그 過去》.
sou [su:] [lat. -fr.] *m.* -s, -s, 프랑스의 화폐 단위《5 상팀》.

Souffleur [suflǿ:r, zu–] [fr. „Einbläser"] *m.* -s, -e, 〖劇〗 프롬프터(*prompter*). **Souffleurkasten** *m.* 프롬프터가 들어앉는 상자. **Souffleuse** [suflǿ:zə, zu–] *f.* -n, 〖劇〗 여성 프롬프터.

Soul [zoul, sə́ul] 서울 《한국의 수도》.

Souper [supe:, zu–] [fr.] *n.* -s, -s, 만찬. **soupieren** *i.*(h.) 저녁을 먹다.

Souvenir [suvəní:r, zu–] [lat. –fr.] *n.* -s, -s, 기념(품), 선물.

souverän [suvərɛ́:n, zu–] [lat. –fr.] *a.* 지상(至上)의, 최고의, 절대의; 우월한. **Souverän** [fr.] *m.* -s, -e, 주권자, 군주(♈*sovereign*). **Souveränität** *f.* 주권.

soviel [zofí:l] 《Ⅰ》 *cj.* 하는 한에서는(*as or so far as*). 《Ⅱ》 *a.* u. *adv.* 그만큼 한, 그만큼.

soweit [zováit] 《Ⅰ》 *cj.*: ~ ich es beurteilen kann 내가 그것을 비판할 수 있는 한에서는(*as far as*). 《Ⅱ》 *adv.*: das ist ~ richtig 거기까지는 옳다. ★ soweit, daß... …만큼 멀리. **sowenig** [zové:nɪç] *cj.* 간신히 할 수 있는 한에서는(*as little as*). **sowie** [zoví:] 《Ⅰ》 *cj.* 하자마자(곧), 하니까 (곧)(*as soon as*). 《Ⅱ》 *adv.* 과 마찬가지로, 및. **sowieso** [zovizó:] *adv.* 하여간, 어쨌든지(*anyhow, in any case*).

Sowjet [sɔvjɛ́t, sɔ́vjɛt, russ. sʌvjét] [russ. „Rat, Senat"] *m.* -s, -s, 소비에트, 노농(勞農) 위원회(♈*Soviet*); 《俗》 소련 사람. **sowjetisch** [zɔvjétɪʃ] *a.* 소비에트의. **sowjetisieren** *t.* 소비에트화(化)하다. **Sowjetisierung** *f.* 소비에트화(化).

sowohl [zovó:l] *cj.* …과 마찬가지로, …도 또한 ¶ ~ als (auch) …도 …도(*as well ...as, both ...and*); 사교적인.

sozial [zotsǐá:l] [lat. <Sozius] *a.* 사회의, 사회적인(♈*social*).

Sozial∗abgaben *pl.* 사회 (보장을 위한) 세(稅). **~demokratie** *f.* 사회 민주주의, 사회 민주당. **~fürsorge** *f.* 사회 보장. **~hygiene** [–hygǐe:nə] *f.* 사회 위생(학).

sozialisieren [zotsǐalizí:rən] *t.* 사회화(社會化)하다. **Sozialisierung** *f.* -en, 사회화. **Sozialismus** [zotsǐalísmus] *m.* 사회주의. **Sozialist** *m.* -en, -en, 사회주의자. **sozialistisch** *a.* 사회주의의.

Sozial∗leistung *f.* 사회 보장. **~politik** *f.* 사회 정책. **~politisch** *a.* 사회 정책상의. **~produkt** *n.* 국민 총(總)생산고. **~psychologie** *f.* 사회 심리학. **~verfassung** *f.* 사회 제도. **~versicherung** *f.* 사회 보험, 사회 보장. **~wissenschaft** *f.* 사회 과학.

Soziologie [zotsǐologí:] *f.* ..gien, 사회학. **soziologisch** *a.* 사회학의. **Sozius** [zó:tsǐus] [lat. *socius*] *m.* –, -se, 동료, 사원(社員), 조합원(*partner*); (오토바이 등의) 동승자. **Sozius·sitz** *m.* (오토바이의) 동승자석(同乘者席).

spähen [ʃpɛ́:ən] *i.*(h.) u. *t.* 망을 보다. 몰래 엿보다, 탐정하다; 〖軍〗 정찰하다(♈*spy; scout*). **Späher** *m.* -s, –, 엿보는 사람, 탐정, 간첩; 정찰병.

Späh∗trupp *m.* 정찰대. **~wagen** *m.* (장갑) 정찰차.

Spalett [ʃpalɛ́t, sp–] *n.* -(e)s, -e, 《öst.》 쇠살문.

Spalier [ʃpalí:r] [it.] *n.* -s, -e, (과수·포도 따위의) 정지(整枝) 받침대, 격자 울타리(♈*espalier; trellis*). ¶ ~ bilden 길 양쪽에 많은 사람이 둘러서서 울타리를 이루다, 도열하다. **Spalier·obst** [ʃpalí:r-o:pst] *n.* 격자 울타리에 벋게 한 나무의 열매.

Spalt [ʃpalt] [<spalten] *m.* -(e)s, -e, 갈라진 틈, 터진 금, 틈새기; 《比》 분열, 이간, 불화. **spaltbar** *a.* 깨지기 쉬운. **Spalte** *f.* -n, =SPALT; (신문의) 난, 단(*column*). **spalten**(*) [ʃpáltən] 《Ⅰ》 *t.* 쪼개다 찢다(*split*); 가르다, 나누다(*divide*); 분할하다(*decompose*). 《Ⅱ》 *refl.* 갈라지다, 쪼개지다; 금이 가다; 분기(分岐)하다; 《比》 틈이 생기다, 불화하게 되다.

Spalt∗fläche [ʃpált–] *f.* 〖鑛〗 벽개면(劈開面). **~frucht** *f.* 〖植〗 (분)열과. **~∗holz** *n.* 토막 나무, 장작. **~lampe** *f.* 세극등(細隙燈)《눈 내부를 현미경으로 볼 때의 조명구》. **~pflanzen** *pl.* 분열 식물. **~pilz** *m.* 분열균, 박테리아.

Spaltung [ʃpáltuŋ] *f.* -en, 쪼갬, 가름; 분열; 벽개(劈開); 〖物〗 분해; 갈라진 틈〔금〕, 균열; 《比》 불화(不和). **Spalt∗zeugung** *f.* 〖動〗 분열 생식(生殖).

Span [ʃpa:n] *m.* -(e)s, ¨e, ① 쪼개진 조각(*splinter*); 나무쪽, 나무지저깨비, 대팻밥(*chip, shavings*); 나무 조각, 엷은 널빤지. ② *pl.* 《俗》 돈; 번거로움.

Spanferkel [ʃpá:nfɛrkəl] [<mhd. *spen* „Brust, Milch"] *n.* 새끼 〔젖먹이〕 돼지(*sucking pig*).

Spange [ʃpáŋə] *f.* -n, 걸쇠, 죔쇠, 버클(*clasp, buckle*); 브로치; (Arm∼) 팔찌(*bracelet*). **Spangenschuh** *m.* 죔쇠가 달린 구두(*buckled shoe, strap shoe*).

Spanien [ʃpá:nǐən] *n.* -s, 스페인(♈*Spain*). **Spanier** [–nǐər] *m.* -s, –, 스페인 사람(♈*Spaniard*). **Spaniol(e)** *m.* ..len, ..len, 15세기 스페인에서 쫓겨난 유태인의 후손. **spanisch** *a.* 스페인(사람·말)의.

spann [ʃpan] ☞ SPINNEN 《그 過去》.

Spann [ʃpan] [<spannen] *m.* -(e)s, -e, 발등(*instep*).

Spannbeton [ʃpánbetɔ̃:, -tó:n] *m.* 휜 철근 콘크리트《이를테면 교량 건축에서》.

Spanne [ʃpánə] [<spannen] *f.* -n, (Hand∼) ① 뼘《엄지 손가락과 새끼 손가락을 편 길이》(♈*span*). ② 단시간, 잠시(*stretch*); 〖商〗 원가와 매가(賣價)와의 차이(*spread, margin*).

spannen [ʃpánən] [=engl. *span*] 《Ⅰ》 *t.* ① 팽팽히 하다, 잡아 펴다, 켕기다, 당겨 죄다(♈*span, strain*); 넓히다, 뻗치다(*stretch*); (활의) 화살을 시위에 메우다(*bend*); (총의) 공이를 세우다(*cock*); (용수철을) 죄어들게 하다(*subject to tention*). ¶ **an** 〔**vor**〕 den Wagen ~ (말을) 마차에 매다. ② 《比》 긴장시키다, (의) 흥미를 돋구다. ¶ auf et. gespannt sein 무엇에 주의하고 있다, 호기심을 품고 (기다리고) 있다. 《Ⅱ》 *i.*(h.) ① (저고리 따위

가) 째다. ② 재미 있다, 흥미를 돋구다. 《Ⅲ》 *refl.* 팽팽해지다; 펴지다, 넓어지다(*arch*). **spannend** *p. a.* 긴장시키는, 흥미를 일으키는, 재미 있는.

Spanner [ʃpánər] *m.* -s, -, 팽팽히 하는 도구; 수틀, (구두의) 골; 〖工〗 나사 돌리개, 스패너.

Spann=feder *f.* 용수철. **~kraft** *f.* 장력(張力), 탄력(*elasticity*). **~kräftig** *a.* 장력이 있는; 탄력적인. **~muskel** *m.* 〖解〗 신근(伸筋). **~rahmen** *m.* 팽팽하게 하는 기구, 구두 〔모자〕의 골 (*tenter-frame*). **~riemen** *m.* 팽팽하게 한 가죽《구둣방의》. **~seil** *n.* 이음 밧줄.

Spannung [ʃpánuŋ] *f.* -en, ① 켕김; (활을) 당김; (공이를) 올려 세움. ② 긴장(*tension*); 장력(張力), 전압(*voltage*); (강열한) 흥미, (간절한) 기대; 긴장 상태《충돌 위기를 내포한 적대 관계》(*strained relations*). 「이, 폭(*span*).」

Spannweite [ʃpánvaitə] *f.* 펴짐; 넓

Spant [ʃpant] *n.* -(e)s, -en, 〖海〗 (배의) 늑재(肋材)(*rib*).

Spār=bank [ʃpá:r-] *f.* 저축 은행. **~=būch** *n.* 예금 통장. **~büchse** *f.* 저금통. **~einläge** *f.* 저축 은행의 예금.

spāren [ʃpá:rən] 《Ⅰ》 *t.* ① 절약〔검약〕하다(♀*spare*); 저축하다, 남겨놓다(*save*). ② jm. et. ~ 아무에게 무엇을 면제하다. 《Ⅱ》 *i.*(h.) 절약(검약·저축)하다. **Spārer** *m.* -s, -, 절약가; 저축자.

Spargel [ʃpárgəl] [gr. -lat.] *m.* -s, -, 〖植〗 아스파라거스(♀*asparagus*).

spārgeld [ʃpá:rgɛlt] *n.* 저금.

Spargelstecher [ʃpárgəlʃtɛçər] *m.* 아스파라거스를 캐는 기구.

Spār=hērd [ʃpá:rhe:rt] *m.* (연료 절약의) 개량 화덕〔아궁이〕. **~kasse** *f.* 저금통; 저축 은행.

spārlich [ʃpɛ́:rlɪç] [<sparen] *a.* 적은, 근소한(*scanty*); 희박한, 드문드문한(*thin, sparse*).

Spār=māßnahme *f.* 절약〔검약〕 방침. **~pfennig** [-pfɛnɪç] *m.* (영세한) 저금.

Sparren [ʃpárən] *m.* -s, -, 〖建〗 (Dach-~) 서까래(♀*spar, rafter*). ¶e-n ~ zuviel haben 미쳤다. **Sparrenwerk** *n.* 서까래 일〔짜기〕(*rafters*).

Sparring [ʃpárɪŋ, sp-] [engl. *spar* „boxen"] 《Ⅰ》 *n.* -s, 권투 연습. 《Ⅱ》 *m.* -s, -s, 권투연습용 큰 공.

spārsām [ʃpá:rza:m] [<sparen] *a.* ① 절약하는, 검약한(*thrifty*), 검소한. ②절약이 되는, 실용적인, 헐한, 경제적인 (*saving, economical*). **Spārsāmkeit** *f.* 절약, 검약; 인색. 「(신문의) 난.」

Sparte [ʃártə] [it.] *f.* -n, 부문(*branch*);

Spāß [ʃpa:s, ʃpas] [it.] *m.* -es, ⸗e, 장난, 농담, 흥, 재미, 위안(*joke, jest, fun, sport*). ¶zum ~ 농담으로 / keinen ~ versteh(e)n 농담을 모르다, 고지식하다, 샌님이다. **spāßen** [ʃpá:sən, ʃpásən] *i.*(h.) 농담하다; 장난하다. ¶damit ist nicht zu ~ 장난이 아니다. **spā=ßes·halber** [ʃpá:səshalbər] *adv.* 농담〔장난〕으로. **spāßhaft, spāßig** *a.* 농담을 좋아하는, 해학을 즐기는(*joking*); 우스운, 익살스러운 (*odd, funny*).

Spāß=macher *m.* 농담하는 사람, 해학가; 익살꾸러기. **~verderber** *m.* 흥을 깨는 사람. **~vōgel** *m.* =~MACHER.

Spāt[1] [ʃpa:t] *m.* -(e)s, -e *u.* ⸗e, 〖鑛〗 이석(泥石)(♀*spar*).

Spāt[2] *m.* -(e)s, 〖獸醫〗 (말의) 비절 내종(飛節內腫) (*spavin*).

spāt [ʃpɛ:t] *a.* u. *adv.* 늦은; 늦게(*late*). ¶wie ~ ist es? 몇시입니까 / zu ~ kommen 지각하다/das ~e Mittelalter 중세의 후기.

Spātel [ʃpá:təl] [*dim.* v. Spaten] *m.* -s, -, 주걱《약제사·화가가 쓰는》(*spatula*). **Spāten** [ʃpá:tən] *m.* -s, -, 삽, 가래 (♀*spade*).

spāter [ʃpɛ́:tər] 《spät의 比較級》 *a.* u. *adv.* 보다 늦은〔늦게〕; 보다 나중의〔나중에〕. ¶früher oder ~ 조만간에/~ mehr davon 그것에 관하여는 나중에 더 자세히 (말하자, 듣자). **spāterhin** *adv.* 후에, 나중에(*later on*). **spātestens** [ʃpɛ́:təstəns] *adv.* 늦어도(*at the latest*).

Spāt=frost *m.* 만상(晩霜), 여한(餘寒). **~herbst** [-hɛrpst] *m.* 늦가을.

Spātium [ʃpá:tsĭum, spá:tsĭum] [lat. „Raum"] *n.* -s, ..tĭen, 〖印〗 자간(字間), 스페이스(♀*space*).

Spāt=ōbst *n.* 만숙(晩熟)한 과실. **~=reif** *a.* 만숙의. **~sommer** *m.* 늦여름.

Spatz [ʃpats] [Sperling의 愛稱形] *m.* -en *u.* (öst.) -es, -en, 〖鳥〗 참새 (*sparrow*).

Spāt·zündung [ʃpɛ́:ttsʏnduŋ] *f.* (내연기관의) 점화 지연, 《比》 더디 깨달음, 머리가 둔함.

spazieren [ʃpatsí:rən] [it. <lat. *spatium* „Kaum, Bahn"] *i.*(s.) (어떤 곳을) 거닐다, 산보〔소요〕하다(*walk (about), take a walk*).

spazieren=|fahren* *i.*(s.) 뱃놀이하다; 드라이브하다. **~|führen** *t.* 산보에 데리고 나가다. **~|gēh(e)n*** *i.*(s.) 산보하다(*go for a walk*). **~|reiten*** *i.*(s.) 말타고 멀리 가다.

Spazier=fahrt [ʃpatsí:r-] *f.* 드라이브; 뱃놀이. **~gang** *m.* 산보, 소요, 산책. ¶e-n ~gang machen 산보하다(*take a walk*). **~gänger** *m.* 산책자. **~ritt** *m.* 승마 산책, 마상 소요. **~stock** [-ʃtɔk] *m.* 산보용 단장. **~wēg** *m.* 산보길.

SPD [éspe:dé:] 《略》 =*S*ozialdemokratische *P*artei *D*eutshlands 독일 사회 민주당. 「다구리(*woodpecker*).」

Specht [ʃpɛçt] *m.* -(e)s, -e, 〖鳥〗 딱

Speck [ʃpɛk] *m.* -(e)s, -e, 비계살, 지방(*fat*); 돼지의 비계살, 베이컨(*bacon*).

Speck·bauch *m.* 배불뚝이(인 사람). **~deckel** *m.* 《戱》 (군대의) 약모(略帽).

speckig [ʃpɛ́kɪç] *a.* 비계의, 비계 같은, 기름진(*fat*); 기름 낀, 지저분한(*dirty*).

Speck=schwārte *f.* 베이컨의 거죽. **~schwein** *n.* 살찐 돼지. **~seite** *f.* 비계가 많은 돼지의 옆구리 (고기); 그것의 큰 한 조각. **~stein** *m.* 〖鑛〗 활석(滑石), 납석.

spedieren [ʃpedí:rən] [it.] *t.* 발송하다, 짐을 부치다(*forward, send, dispatch*);

운송하다(*ship*). **Spediteur** [-tǿ:r] *m.* -s, -e, 운수업자. **Spedition** [-tsĭó:n] *f.* -en, 운송, 발송, 운수업. **Speditionsgeschäft** *n.* 운수업.
speditiv [ʃpedití:f] *a.* 《schw.》 = SCHNELL, RASCH.
Speech [spi:tʃ] [engl.] *m.* -es, -e(s), 연설; 인사.
Speer [ʃpe:r] *m.* -(e)s, -e, 창(♈*spear*).
speeren *t.* 창으로 찌르다. 「창.
Speerwerfen [ʃpé:rvɛrfən] *n.* 【競】 투
Speibecken [ʃpáibɛkən] *n.* 타구(唾具).
Speiche [ʃpáiçə] *f.* -n, (수레바퀴의) 살 (♈*spoke*); 【解】 요골(橈骨)(*radius*).
Speichel [ʃpáiçəl] [<speien] *m.* -s, -, 담(♈*spittle*); 타액(*saliva*). ¶ 《比》 js. ~ lecken 아무에게 아첨하다.
Speichel≈drüse *f.* 【解】 타액선(腺). **~≈fluß** *m.* 침을 흘림. **~lecker** *m.* 알랑쇠, 아첨군. **~leckerei** *f.* 아첨, 알랑댐. **~stein** *m.* 【醫】 타석(唾石).
Speicher [ʃpáiçər] [lat.] *m.* -s, -, (Korn~) 곡창(*granary*); 《一般的》 창고, 저장소(*storehouse, warehouse*). **speichern** *t.* (auf~) 창고에 저장하다.
speien* [ʃpáiən] 《I》 *i.*(h.) 침을 뱉다 (♈*spit*); (대포가) 불을 내뿜다; 구토하다 (*vomit*). 《II》 *t.* 토하다(♈*spew*).
Speigatt [ʃpáigat] *n.* 【海】 배수구(排水口). **Speinapf** *m.* 타구(唾具).
Speis [ʃpais] *m.* -es, =SPEISE. ¶ ~ u. Trank 음식물.
Speise [ʃpáizə] [<lat.] *f.* -n, 음식물, 식품(*food, meal*); 요리(*dish*); (süße ~) 과자류《디저트의》(*sweet*).
Speise≈eis *n.* 아이스크림 **~fett** *n.* 요리용 기름. **~haus** *n.* 음식점, 식당. **~kammer** *f.* 음식물 저장실. **~karte** *f.* 식단, 메뉴(*menu card*).
speisen [ʃpáizən] 《I》 *i.*(h.) 식사하다 (*eat, dine, sup*). 《II》 *t.* ① (에) (mit, 을) 공급하다《식수·석탄·전기 따위》 (*feed, supply*). ② (에게) 먹을 것을 주다, 음식을 대접하다, 식사를 하게 하다 (*feed, give to eat, board*).
Speisen≈aufzug *m.* 식품 운반용 승강기. **~folge** *f.* 메뉴, 식단.
Speise≈öl [ʃpáizə-] *n.* 샐러드 기름. **~≈röhre** *f.* 급수관, 【解】 식도(食道). **~≈saal** *m.* 식당. **~schrank** *m.* 찬장. **~wagen** *m.* 【鐵】 식당차. **~wirt** *m.* 식당 주인. **~zettel** *m.* =~KARTE. **~zimmer** *n.* 식당.
Speisung [ʃpáizuŋ] *f.* -en, 급식; 식사; 공급; 급수, 급탄, 송전.
Spektakel [ʃpɛktá:kəl] [lat.] 《I》 † *n.* -s, -, 구경거리, 광경(*show*). 《II》 *m.* od. *n.* -s, -, 떠듦, 소동, 야단 법석 (*noise, row*). **Spektakelmacher** *m.* 떠드는 사람. **spektakeln** (*p.p.* spektakelt) *i.*(h.) 떠들다, 소동을 일으키다. **Spektakelstück** *n.* 【劇】 대규모의 연극, 대활극.
Spektral·analyse [ʃpɛktrá:l-, sp-] *f.* 스펙트럼 분석. **Spektrum** [ʃpéktrum, sp-] [lat. <*specere* „spähen, sehen"] *n.* -s, ..ren *u.* ..ra, 【物】 스펙트럼.
Spekulant [ʃpekulánt] *m.* -en, -en, 투기업자, 투기꾼. **Spekulation** [-tsĭ-] *f.* -en, 심사(深思), 【哲】 관상(觀想), 사변(思辨); 【商】 투기. **spekulieren** [ʃpekulí:rən] [lat. <*specere* „spähen, sehen"] *i.*(h.) ① 심사 숙고하다, 깊이 생각하다; 【哲】 관상(觀想)〔사변(思辨)〕하다. ② 투기를 하다(♈*speculate*).
Spelt [ʃpɛlt] *m.* -(e)s, -e, =SPELZ.
Spelunke [ʃpelúŋkə] [gr. -lat. „Höhle"] *f.* -n, 초라한 집, 누옥(陋屋)(*den*), (도둑의) 소굴; 하급 술집(*low gin-shop*).
Spelz [ʃpɛlts] [<lat.] *m.* -es, -e, 【植】 스펠트〔독일〕밀(♈*spelt*). **Spelze** *f.* -n, 【植】 까끄라기(*beard*); (곡물의) 껍질 (*husk*).
Spende [ʃpéndə] *f.* -n, 보시, 희사; 선사품; 기부금; 기증품. **spenden** [ʃpéndən] [<lat. „spendieren"] *t.* 주다, 증여〔시여〕하다(*give*), 베풀다; 나누어 주다, 수여하다(*dispense*); 기부〔희사〕하다 (*contribute*). **spendieren** [ʃpɛndí:rən] [lat. *expendere* „aus-wägen", "재어서·달아서 내놓다"] *t.* (내어) 주다(*spend lavishly*); 《俗》 한턱 내다, 음식을 대접하다(*pay for, treat*).
Spengler [ʃpéŋlər] [*eig.* „Spangenmacher"] *m.* -s, -, 함석장이(*tinsmith*).
Sperber [ʃpérbər] [ahd. *sparrow-āri* „Sperlings-aar"] *m.* -s, -, 【鳥】 새매 (*sparrow-hawk*).
Sperling [ʃpérlɪŋ] [ahd. *sparo* „(*eig.*) der in den Sparren (Dachbalken) nistet", -ling은 축소의 뜻을 표시함] *m.* -s, -e, 【鳥】 참새(♈*sparrow*).
Sperma [ʃpérma, sp-] [gr.] *n.* -s, ..men 및 ..mata, 정액(精液) (=Same).
Spermafäden *m.* 정충, 정사(精絲).
Spermatozoon [-totsó:ɔn] *n.* -s, ..zoen, 정충.
sperr≈angelweit [ʃpér-aŋəlváit] *adv.* 《俗》 (돌쩌귀가 벌려질 수 있는 한도까지) 활짝 열어 젖히고. **~ballon** *m.* 조색 기구(阻塞氣球). **~baum** *m.* (통행금지의) 횡목(橫木), (항구의) 방재(防材), 부책(浮柵). **~druck** *m.* 자간·행간을 넓혀 짠 인쇄.
Sperre [ʃpérə] *f.* -n, 통행 금지, 교통차단; 봉쇄; (스트라이크에 대한 공장측의) 공장 폐쇄; (통행을 막는) 가로대, 빗장; 방재(防材). **sperren** [ʃpérən] [*eig.* „mit Sparren versehen"] 《I》 *t.* ① (의 진행·운동·왕래·교통을) 차단〔저지〕하다 (*bar, barricade, stop*); (을) 폐쇄〔봉쇄〕하다(*block up, lock*); 닫다(*shut up*). ¶ ins Gefängnis ~ 투옥〔금고〕하다. ② 펴다, 넓히다, 벌리다, 떼다(*spread asunder*); 【印】 (자간·행간을) 떼다(*space (out)*). 《II》 *refl.* 저항하다, 거역하다 (*struggle, resist*).
Sperr≈feuer [ʃpérfɔyər] *n.* 【軍】 저지(沮止) 사격. **~gebiet** *n.* 봉쇄 지역. **~gut** *n.* 부피가 큰〔자리를 많이 잡는〕 화물. **~haken** *m.* 멈춤 갈고랑이. **~≈holz** *n.* 【工】 합판, 베니어 판.
sperrig [ʃpérɪç] *a.* 넓혀진; 【商】 부피가 큰(*bulky*); 거역하는, 완강한(*unwieldy*).
Sperr≈kette *f.* 바퀴 멈추는 사슬. **~≈konto** *n.* 【商】 폐쇄 계정(閉鎖計定). **~kreis** *m.* (라디오의) 전파 흡수기. **~≈rad** *n.* 【工】 깔쭉톱니(바퀴). **~sitz**

m. 〖劇〗 맨 앞줄의 특별석. **~stunde** f. (법정) 폐점 시각. **~systēm** n. 〖經〗 봉쇄 체제; 금지 제도.

Spẹrrung [ʃpérʊŋ] f. -en, 차단, 폐쇄; 봉쇄; 빗장, 가로대; 방재(防材).

Spẹrr·vōrrichtung f. 제동 장치, 톱니바퀴 멈추개. **~wẹit** adv. =~ANGELWEIT. **~zoll** m. 금지 관세.

Spēsen [ʃpé:zən] [it.] pl. 비용, 잡비 (*charges, expenses*).

Spezerẹi [ʃpetsərái] [it., <lat. Spezies] f. -en, 〖商〗 향료, 조미료, 양념 (♈*spice*). **~händler** m. 식료 잡화상인, 건어물 장수.

spezịal [ʃpetsĭá:l] [lat.] a. =SPEZIELL (♈*special*).

Spezịal·ärzt m. 전문의(醫). **~bericht** m. 특별 보고. **~fach** n. 전문. **~fall** m. 특별한 경우, 특수한 예.

spezialisịeren [ʃpetsĭalizí:rən] t. 자세히 다루다, 상세히 기록하다; refl. (auf et., 에) 스스로를 한정하다, (을) 전문으로 하다. **Spezialitạ̈t** f. -en, 특색; 전문, 특기, 장점(長點).

speziẹll [ʃpetsĭέl] [fr. „spezial"] a. ① 특별한, 특수한; adv. 특별히. ② 상세한, 세목에 걸친, 명세(明細)한; adv. 상세하게.

spezịfisch [ʃpetsí:fɪʃ, sp-] a. 특유의, 특수한, 독특한. ¶ ~es Gewicht 비중(比重). **spezifizịeren** [ʃpetsifitsí:rən, sp-] [lat. „Arten machen"] t. 특수화하다.

Sphạ̈re [sfέ:rə] [gr. „Kugel"] f. -n, 〖數〗 구(球); 〖天〗 천구(天球); (작용 따위의) 범위, 영역(♈*sphere*). **sphạ̈risch** a. 구〔공〕 모양의, 구면(球面)의; 천구(天球)의. **Sphärologịe** [sferologí:] [gr.] f. 구면(기하·천문)학.

Sphinx [sfɪŋks] [„die Würgende"] f. -e, 〖神〗 사람 머리에 사자 몸을 한 괴물(사람에게 수수께끼를 내놓고 이를 못 풀면 죽였음).

Spịck [ʃpík] [<spicken] m. -s, -e, 《學》 커닝 카드.

Spịck·aal [ʃpík-] [前半: mhd. *spik* "그슬려 말린"] m. 훈제 뱀장어.

spịcken [ʃpíkən] [<Speck] t. (에) 베이컨을〔돼지 비계를〕 끼워 넣다(*lard*).

Spịcker [ʃpíkər] m. -s, -, 커닝하는 사람; 커닝 페이퍼.

Spịckgans [ʃpíkgans] f. 훈제한 거위.

spie [ʃpi:] ☞ SPEIEN(그 過去).

Spiẹgel [ʃpí:gəl] [Lw. lat.] m. -s, -, ① 거울(*looking-glass, mirror*); 반사경(*reflector*); 〖醫〗 검경(檢鏡)(♈*speculum*). ② 〖軍〗 금장(襟章)(*collar patch*); (배의) 고물(*stern*).

Spiẹgel·bild n. 거울에 비친 상, 영상(映像). **~blank** a. 거울처럼 반짝이는. **~ei** n. (흔히 pl. ~eier) (휘젓지 않은) 수란(水卵)(흰자위가 거울처럼 비치는), 프라이한 달걀. **~fechterẹi** f. 가짜 싸움, 모의전; 《比》 겉발림, 가장, 사기(*pretence, humbug*). **~glās** n. 거울 유리; 판유리. **~glạtt** a. 거울처럼 반들반들한. **~karpfen** m. 〖魚〗 비늘이 큰 잉어.

spiẹgeln [ʃpí:gəln] 《Ⅰ》 t. 거울에 비추다, 반영하다. 《Ⅱ》 i.(h.) 거울처럼 빛나다. 《Ⅲ》 refl. ① 거울에 비치다. ② 모습을 거울에 비추어 보다, 거울을 보다.

Spiẹgel·pfeiler m. 거울 거는 기둥. **~scheibe** f. 거울 유리. **~schrank** m. 거울 달린 장. **~schrift** f. 왼글씨(거울에 비추면 읽을 수 있는). **~telegrāph** m. 일광 반사 신호기. **~tisch** m. 창 사이 벽에 놓는 작은 테이블; 경대, 화장대.

Spiẹg(e)lung [ʃpí:g(ə)lʊŋ] f. -en, 반영; 영상; 신기루.

Spiẹker [ʃpí:kər] [♈Speiche] m. -s, -, 〖海〗 (배에 쓰이는) 큰 못, 대갈못(*peg*).

Spiel [ʃpi:l] [*eig.* „geordnete Bewegung, zugehörige Menge"] n. -(e)s, -e, ① 무리, 떼; 짝, 패, 벌. ¶ ein ~ Karten 트럼프의 한 벌. ② 놀이, 유희(*play*); 경기, 스포츠(*sport*); (Kampf~) 시합. ¶ sein ~ treiben, (mit, 을) 놀림거리로 삼다, (에 대하여) 희롱하다 / jemand 〔etwas〕 ist dabei im ~e 아무가〔무엇이〕 그것에 관여하고 있다. ③ 움직임(*motion*); (얼굴의) 표정. ④ 경기, 게임(*game*); (Gewinn:) 내기, 노름, 도박(*gambling*). ¶ auf dem ~e steh(e)n 내기에 걸려 있다; 《比》 위기에 처해 있다 / aufs ~ setzen (내기를) 걸다 / jm. das ~ verloren geben 아무에게 져주다. ⑤ 연주, 탄주; 악기. ¶ mit klingendem ~e 북이나 나팔 소리를 울리며, 군악을 연주하며. ⑥ 〖劇〗 연극, 극(*playing, acting*); 희곡, 각본.

Spiẹl·ārt f. 〖植·動〗 변종(*variety*). **~automāt** m. 자동 유희기(슬로트머신 따위). **~ball** m. 공; 볼. **~bank** f. 도박대.

Spiẹlchen [ʃpí:lçən] n. -s, -, 짧은 경기〔게임〕.

Spiẹldōse [ʃpí:ldo:zə] f. 일종의 자동 주악기, 오르골.

spiẹlen [ʃpí:lən] [<Spiel] 《Ⅰ》 i.(h.) u. t. ① 놀다, 놀이를 하다, 가지고 놀다(*play*). ② 시합을 하다, 게임을 하다; 내기〔노름〕하다, 도박하다(*gamble*). ③ 〖樂〗 연주하다, 탄주하다(*play*); 〖劇〗 상연하다(*play, act, perform*). 《Ⅱ》 **spiẹlend** p.a. 노는, 놀이하는, 장난〔희롱〕하는; 장난의; 장난삼아, 손쉽게. **Spiẹler** m. -s, -, 노는 사람, 놀이〔유희〕하는 사람; 〖樂〗 연주자; 광대, 배우; 도박꾼, 노름꾼, 투전꾼. **Spielerẹi** [ʃpi:lərái] f. -en, 놀이, 유희; 장난, 장난감.

Spiẹl·feld [ʃpí:l-] n. 경기장, 코트. **~geld** n. 내기돈, 노름돈. **~gerāt** n. =~AUTOMAT. **~gesellschaft** f. 카드 놀이의 한패. **~haus** n., **~hölle** f. 도박장. **~kamerād** m. 놀이 동무. **~karte** f. 놀이 카드. **~leiter** m. 무대 감독. **~leute** pl., **~mann** m. 악사, (군)악대원; (중세기의) 악인(樂人). **~mannschaft** f. (경기의) 팀. **~marke** f. 카드 놀이의 점수 세는 표찰. **~partie** f. 게임; (카드놀이의) 한판. **~plān** m. 〖劇〗 상연 목록. **~platz** m. 놀이터; 운동장. **~raum** m. 놀이터; 활동 여지. **~rēgel** f. 놀이 규칙. **~sachen** pl. 장난감류(類). **~schuld** f. 노름빚. **~straße** f. (어린이를 위

한) 놀잇길. **~stunde** *f.* 놀이〔유희〕 시간. **~tisch** *m.* 도박대. **~uhr** *f.* 음악 (장치를 한) 시계. **~verderber** *m.* 놀이〔유희〕의 방해자, 남의 흥을 깨는 사람. **~vereinigung** *f.* 스포츠 협회《생략: SV》. **~wāren** *pl.* 장난감류. **~=wārengeschäft** *n.* 장난감 상점. **~=zeug** *n.* 장난감(*toy*).

Spier(e) [ʃpí:rə] *f.* ..ren, 〖海〗 둥근 재목《돛대·활대 따위》(*boom*).

Spieß¹ [ʃpi:s] *m.* -es, -e, 창(*lance spear*); 《俗》〖軍〗 상사.

Spieß² [ʃpi:s] [<spitz (단 지금의 어감으로는 Spieß¹와 혼동되어 있음)] *m.* -es, -e, 불꼬챙이(♈*spit*); 꼬챙이 모양의 것; 〖獵〗 하릅 사슴의 한가닥 뿔.

Spieß=brāten *m.* 꼬치로 구운 고기. **~bürger** *m.* 창을 휴대한 옛날의 민병; 고루한 사람, 속물(俗物)(*philistine*). **~bürgerlich** *a.* 속물(俗物) 근성의, 고루한.

spießen [ʃpí:sən] *t.* 꼬챙이에 꿰다; 《一般的》 꿰뚫다, 꿰찌르다. **Spießer** *m.* -s, - =SPIESSBÜRGER.

Spieß=gesell(e) [ʃpí:s-] *m.* 나쁜 짓을 같이 하는 짝패, 공범자(*accomplice*). **~glanz** *m.* 〖鑛〗 안티모니《꼬챙이처럼 뾰족한 결정이 있음》(*antimony*). **~=hirsch** *m.* 하릅 사슴《뿔에 아직 가지가 나지 않은》.

spießig [ʃpí:sɪç] *a.* =SPIESSBÜRGERLICH.

Spießrūte [ʃpí:sru:tə] *f.* 길고 뾰족한 채찍〔매〕.

Spill [ʃpɪl] [Spindel의 別形] *n.* -(e)s, -e, 〖海〗 자아틀(*winch*), 고패, 녹로(*capstan*).

spinal [ʃpiná:l, sp-] [lat.] *a.* 극상 돌기(棘狀突起)의, 척수의. **~systēm** 척수 신경 계통.

Spināt [ʃpiná:t] [ar. -it.] *m.* -(e)s, -e, 〖植〗 시금치(♈*spinach*).

Spind [ʃpɪnt] [Lw. lat.] *m.* od. *n.* -(e)s, -e, 옷장, 장농(*wardrobe, press*).

Spindel [ʃpíndəl] [<spinnen] *f.* -n, ① 물레가락, 방추(紡錘)(♈*spindle*), 실감개대(*distaff*). ② 〖工〗 굴대축, 중심축(*shaft, axle-tree*).

Spindel=baum *m.* 〖植〗 참빗살나무류(類)의 관목. **~dünn, ~dürr** *a.* 가늘고 긴, 빼빼 마른. **~treppe** *f.* 나선(螺旋) 계단.

Spinett [ʃpinét] [it., <lat. *spina* „Dorn"] *n.* -(e)s, -e, 〖樂〗 하프시코드의 일종.

Spinne [ʃpínə] [<spinnen, *eig.* "실을 잣는 것"] *f.* -n, 〖蟲〗 거미(♈*spider*). **~feind** *a.* 원수끼리의, 철천지 원수의.

spinnen* [ʃpínən] 《Ⅰ》 *t.* (실을) 잣다, 방적(紡績)하다(♈*spin*); 드리다, 꼬다. ¶ein Gespinst ~ 거미가 집을 짓다. 《Ⅱ》 *i.*(h.) ① 잣다; (팽이가) 돌다. ② die Katze spinnt 고양이가 가르랑거리다. ③ über et.⁴ sinnen u. ~ 어떤 일을 숙고하다.

Spinnen=affe *m.* 〖動〗 거미원숭이. **~gewēbe** *n.*, **~netz** *n.*, **~wēb** *n.* -(e)s, -e, **~wēbe** *f.* -n, 거미집.

Spinner [ʃpínər] *m.* -s, -, 방적공(工). **Spinnerei** [ʃpɪnəráɪ] *f.* -en, 방적(업); 방적 공장. **Spinnerin** *f.* -nen, 방적 여공.

Spinn=fāden [ʃpín-] *m.* 거미줄. **~=maschīne** *f.* 방적 기계. **~rād** *n.* 물레. **~rocken** *m.* 물레 가락, 실감개. **~stūbe** *f.* 물레질하는 방.

spinōs [ʃpinǿ:s, sp-] [lat.] *a.* 어려운, 사귀기 힘든, 트집잡기 좋아하는; 이치에 닿지 않는 이유를 대는, 천착하는.

spintisieren [ʃpɪntizí:rən] *i.*(h.) 《俗》 골똘히 생각하다(*ponder*); 꼬치꼬치 캐다, 천착(穿鑿)하다(*subtilize*).

Spiōn [ʃpió:n] [it., fr., <d. spähen] *m.* -s, -e, 간첩, 스파이, 밀정(♈*spy*). **Spionage** [ʃpioná:ʒə] [fr.] *f.* -n, 탐정, 스파이질. **spionieren** *i.*(h.) 탐정하다, 간첩으로 활약하다.

spirāl [ʃpirá:l] [lat.] *a.* 나사꼴의, 나선상의. **Spirāle** *f.* -n, 나선(螺線)(♈*spiral*); (회중 시계의) 용수철, 태엽(*coil*).

Spirāl=fēder *f.* 용수철. **~förmig** *a.* 나선형의.

Spirans [ʃpí:rans, sp-] [lat.] *f.* ..ranten, **Spirant** [ʃpiránt, sp-] *m.* -en, -en, 〖文〗 마찰음(=Reibelaut). **spi=rantisch** *a.* 마찰음의.

Spirille [ʃpirɪ́lə, sp-] [gr. -lat.] *f.* -n, 나선상균.

Spiritismus [ʃpiritísmus, sp-] [lat., <Spiritus] *m.* -, 심령론; 강신술(降神術), 영교술(靈交術). **Spiritist** *m.* -en, -en, 강신술자, 영교술자.

spirituāl [ʃpirituá:l] [lat. <Spiritus] *a.* =SPIRITUELL. **Spiritual** 《Ⅰ》 *m.* -s *u.* -en, -en, (수녀원의) 사제. 《Ⅱ》 [(engl.) spírɪtjuəl] *n.* -s, -s, 흑인 영가.

Spiritualismus *m.* -, 〖哲〗 유심론(唯心論). **spirituell** [-tuél] *a.* 영〔정신〕적인; 총명한.

Spirituōsen [ʃpirituó:zən, sp-] *pl.* 주정 음료, 주류(酒類).

Spiritus [ʃpí:ritus, sp-] [lat. „Hauch, Geist"] 《Ⅰ》 *m.* -, -, 원기, 마음, 영혼, 정신. 《Ⅱ》 *m.* -, - *u.* ..tusse, 주정, 알콜.

Spiritus=brennerei *f.* 알콜 증류소. **~kocher** *m.* 알콜 자비기(煮沸器). **~lampe** *f.* 알콜 램프.

Spiromēter [ʃpiromé:tər, sp-] [lat. + gr.] *n.* 〔*m.*〕 -s, -, 〖醫〗 폐활량계.

Spitāl [ʃpitá:l] [lat. „Hospital"] *n.* -s, ⸚er, 양로원; 병원. **Spittel** [ʃpítəl] *n.* 〔方: *m.*〕 -s, -, =SPITAL.

spitz [ʃpɪts] *a.* ① 뾰족한(*pointed*); 예리한, 날카로운(*sharp*). ② 《比》 모난, 여윈, 빼빼 마른, 날카로운, 신랄한.

Spitz *m.* -es, -e, 스피츠《귀가 뾰족한 개, 포메라니아 개》(♈*spitz*).

Spitz=axt [ʃpíts-] *f.* 곡괭이. **~bārt** *m.* 뾰족한 수염. **~bōgen** *m.* 첨두아치《고딕식 건축의》. **~būbe** *m.* 약아빠진 놈, 사기꾼, 도둑, 악한(*rogue, thief*). **~būberei** *f.* 나쁜 짓, 흉계. **~bū=bisch** *a.* 악한의, 악당 같은; 나쁜 짓의, 흉계를 꾸미는.

Spitze [ʃpítsə] *f.* -n, 뾰족한 끝, 첨단, 첨두; (Berg~) 산꼭대기; (Baum~) 나무 꼭대기, 우듬지; (파이프의) 물부리; 첨병(尖兵); 옷단의 장식, 레이스(*lace*). ¶

jm. die ~ bieten 아무에게 저항하다 / auf die ~ treiben 극단으로 흐르다.

Spitzel [ʃpítsəl] [<Spitz "귀가 뾰족한 개"] *m.* -s, -, 개; 형사, 탐정, 간첩.

spitzen [ʃpítsən] 《Ⅰ》 *t.* 뾰족하게 하다; (귀를) 쫑긋 세우다. 《Ⅱ》 *refl.* 뾰족해지다; (auf et., 을) 열심히 기대하다. 《Ⅲ》 **gespitzt** *p.a.* 뾰족한; 《比》 신랄한.

Spitzen·arbeit *f.* 레이스 세공. **~belastung** *f.* 〖電〗 첨두 부하(尖頭負荷) (*peak load*). **~grund** *m.* 레이스 감. **~klöppel** *m.* 레이스를 짜는 실꾸릿대. **~klöpplerin** *f.* 레이스를 짜는 여공. **~leistung** *f.* 최대 능률; 최고 기록. **~lohn** *m.* 최고 임금. **~organisation** *f.* 중앙 통제 기관. **~tanz** *m.* 토 댄스(*toe dance*). **~verband** *m.* = ~ORGANISATION. **~verkehrsstunde** *f.* 러시 아워. **~vertretung** *f.* 간부. **~zähler** *m.* 〖物〗 첨단 계수관.

spitzfindig [ʃpítsfɪndɪç] [원래 spitzfündig (<Fund)] *a.* 재치 있는, 머리가 좋은(*sharp, subtle*); 사소한 일을 지나치게 따지는, 궤변을 농하는(*shrewd, cavilling*). **Spitzfindigkeit** *f.* -en, 재치 있음, 명민함; 교활함.

Spitz·hacke *f.* 곡괭이. **~hammer** *m.*, **~haue** *f.* 곡괭이 망치.

spitzig [ʃpítsɪç] *a.* ① 뾰족한, 뾰족한 끝이 있는, 날카로운. ② 《比》 찌르는 듯한(비난, 야유, 풍자 따위).

Spitz·kehre *f.* ① 〖스키〗 급회전. ② 급커브. **~marke** *f.* (신문 기사의) 표제, 제목. **~maus** *f.* 〖動〗 뾰족뒤쥐. **~nāme(n)** *m.* 별명. **~nāse** *f.* 뾰족한 코. **~pocken** *pl.* 〖醫〗 수두(水痘). **~wink(e)lig** *a.* 〖數〗 예각의. **~zahn** *m.* 송곳니.

Spleiße [ʃpláisə] *f.* -n, 깨진 조각.

spleißen(*) [ʃpláisən] [♈Splitter] 《Ⅰ》 *t.* 쪼개다, 깨다, 빠개다, 찢다(♈*split*). 《Ⅱ》 *i.*(s.) 쪼개지다, 깨지다, 갈라지다.

splendid [splɛndí:t, sp-] [lat.] *a.* ① 빛나는; 화려한, 훌륭한. ② 인색하지 않은, 희떠운.

Splint [ʃplɪnt] *m.* -(e)s, -e, 〖工〗 가로쐐기, 엇빗장(*split pin, cotter*).

spliß [ʃplɪs] ☞SPLEIßEN(그 過去).

Splitter [ʃplítər] *m.* -s, -, 조각, 파편(♈*splinter, chip*). ¶den ~ in deines Bruders Auge sehen 〖聖〗 형제의 눈속에 있는 티를 보다《남의 하찮은 결점을 들추어 내다, 마태 VII: 3-5》. **splitter·fāsernackt** *a.* 실오라기 하나 걸치지 않은, 적나나한. **splitt(e)rig** *a.* 쪼개지기 쉬운, 갈라지기 쉬운; 깨진, 찢어진, 산산조각이 난. **splittern** [ʃplítərn] *t.* 쪼개다, 가르다, 부수다; *i.*(h. *u.* s.) 쪼개어지다, 갈라지다, 찢어지다.

splitter·nackt *a.* =~FASERNACKT. **~partei** *f.* 군소 정당. **~richter** *m.* 남의 흠을 잡는 사람, 남을 헐뜯는〔비난하는〕 사람.

Spongia [ʃpɔ́ŋgĭa, sp-] [gr. -lat.] *f.* ...gĭen, 해면, 스폰지.

spontān [ʃpɔntá:n, sp-] [lat.] *a.* 저절로의, 자발적인(♈*spontaneous*).

sporādisch [ʃporá:dɪʃ, sp-] [gr. „zerstreut"] *a.* 산재하는(♈*sporadic*); 〖醫〗 특발성(特發性)의.

Spōre [ʃpó:rə] [gr. „Saat"] *f.* -n, 〖植〗 포자(胞子).

Spōren·pflanze [ʃpó:rən-] *f.* 은화 식물. **~tierchen** *n.* 포자충(胞子蟲).

Sporn [ʃpɔrn] [♈Spur "발자국"] *m.* -(e)s, Spōren, ① 박차(拍車)(♈*spur*). ② 《比》 자극(하는 것), 고무(하는 것) (*stimulus*). **spornen** [ʃpɔ́rnən] 《Ⅰ》 *t.* ① (말에) 박차를 가하다; 《比》 격려〔고무·자극〕하다. ② (에) 박차를 달다. 《Ⅱ》 **gespornt** *p.a.* 〖動〗 뒷발톱이 달린, 〖植〗 거(距)가 달린.

Sporn·rädchen *n.* 박차의 톱니바퀴. **~streichs** [-ʃtraiçs] *adv.* 전속력으로 (*at full speed*); 지급으로(*posthaste*), 급히 서둘러서; 즉시, 곧(*immediately*).

Sport [ʃpɔrt] [engl., <fr. † se disporter „sich auseinandertragen, 심심풀이하다, 파적하다"] *m.* -(e)s, -e, ① 오락, 심심풀이. ② 스포츠, 운동, 경기. ③ 〖生〗 돌연 변이.

Sport·abzeichen *n.* 스포츠 배지. **~anlāge** *f.* 스포츠 시설, 스타디움(*stadium*). **~ārt** *f.* 운동 종목. **~ārzt** *m.* 스포츠 전문의. **~dāme** *f.* 여류 체육인.

Sportel [ʃpɔ́rtəl] [lat.] *f.* -n, (흔히 *pl.*) (관청의) 수수료; 부수입.

sporteln [ʃpɔ́rtəln] *i.*(h.) 운동을〔스포츠를〕 하다.

Sport·feld *n.* 경기장. **~fest** *n.* 운동회, 경기 대회. **~freund** *m.* 스포츠맨, 스포츠 애호가. **~gerecht** *a.* 경기 규칙에 따른. **~halle** *f.* 실내 경기장, 체육관. **~kleidung** *f.* 운동복. **~klub** *m.* 스포츠 클럽. **~lehrer** *m.* 트레이너, 코치.

Sportler [ʃpɔ́rtlər] *m.* -s, -, 스포츠맨. **sportlich** *a.* 스포츠의; 스포츠맨용의.

sport·mäßig *a.* 스포츠에 알맞은, 스포츠맨다운. **~medizin** *f.* 스포츠 의학. **~mütze** *f.* 운동모. **~nāchrichten** *pl.* 스포츠 뉴스. **~platz** *m.* 운동〔경기〕장. **~preis** *m.* 체육상.

Sportsmann [ʃpɔ́rtsman] *m.* (*pl.* ..männer *u.* ..leute) 스포츠맨.

Sport·verband *m.* 경기 연맹. **~wārenhändler** *m.* 운동구점. **~welt** *f.* 스포츠계(界).

Spott [ʃpɔt] *m.* -(e)s, ① 비웃음, 조롱, 조소, 야유(*mockery, scorn, banter*); 풍자, 빈정거림(*irony*). ② 웃음거리, 놀림감(*laughing-stock*).

Spott·bild [ʃpɔ́t-] *n.* 만화, 희화(戲畫). **~billig** *a.* 터무니 없이 싼. **~drossel** *f.* 〖鳥〗 앵무새과의 새의 하나.

Spöttelei [ʃpœtəlái] *f.* -en, (가벼운) 조롱, 야유, 농. **spötteln** *i.*(h.) 놀리다, 빈정거리다.

spotten [ʃpɔ́tən] 《Ⅰ》 *i.*(h.) (über et., 을) 비웃다, 조롱하다, 놀리다, 빈정거리다(*mock, deride*); 경시하다, 무시하다. ¶das spottet aller Beschreibung 그것은 이루 다 표현할 수 없다, 필설로 다 할 수 없다. 《Ⅱ》 *t.* : jn. mit et. ~ 아무를 무엇으로 조롱하다. **Spötter** [ʃpœ́tər] *m.* -s, -, 조롱〔조소〕하는 사람; 얕보는 사람. **Spötterei** *f.* -en, 조소, 비꼼, 놀림.

Spott=gebōt [ʃpɔ́t–] *n.* 특별 염가 판매. **～gebūrt** *f.* =MIßGEBURT. **～gedicht** *n.* 풍자시. **～gelächter** *n.* 조소. **～=geld** *n.* 터무니없이 싼 값.
spöttisch [ʃpœ́tɪʃ] *a.* 조롱적인, 비웃는, 빈정대는, 비꼬는.
Spott=lied *n.* 풍자가(歌)(*lampoon*). **～=nāme(n)** *m.* 별명. **～preis** *m.* =～-GELD. **～süchtig** *a.* 조롱하기 좋아하는. **～vōgel** *m.* 〖動〗 =～DROSSEL; 《比》 조소자, 빈정대는 사람. **～weise** *adv.* 조롱하여, 비꼬아; 빈정대어.
sprāch [ʃpra:x] ☞SPRECHEN(그 過去).
Sprāche [ʃprá:xə] [<sprechen] *f.* –n, ① 말함, 말, 이야기, 담화(*speach, talk*). ¶zur ～ kommen 화제에 오르다 / heraus mit der ～! 분명히 말하라. ② 말씨, 말투, 말버릇, 어법(*diction*); 언어(*language, tongue*); (어떤 지역의) 언어, 방언(*dialect*).
Sprāch=ecke *f.* (신문·잡지의) 언어 문제난. **～eigenheit, ～eigentūm=lichkeit** *f.* 독특한 어법.
Sprāchen=frāge [ʃprá:xən–] *f.* 언어 문제. **～kunde** *f.* (언)어학. **～kundig** *a.* 어학에 능통한.
Sprāch=familīe *f.* 어족(語族). **～feh=ler** *m.* 어법상의 오류; 〖醫〗 언어 장애. **～fertig** *a.* ① 어학의 재능이 있는. ② 능변의. **～fertigkeit** *f.* 말재주. **～forscher** *m.* 언어학자. **～ge=brauch** *m.* 언어의 관용법. **～gefühl** *n.* (언)어감. **～gelehrte** *m.* u. *f.* 《形容詞變化》 언어학자. **～gewandt** *a.* 말재주 있는. **～gūt** *n.* 어휘. **～heil=kunde** *f.* 언어 교정학. **～insel** *f.* 고립된 언어권. **～kenner** *m.* 어학에 능통한 사람. **～kunde** *f.* (언)어학. **～=kundig** *a.* 어학에 능한. **～lehre** *f.* 문법; 문법책. **～lehrer** *m.* 어학 교사.
sprāchlich [ʃprá:xlɪç] *a.* 언어상의; 문법상의; 문장상의.
sprāchlōs [ʃprá:xlo:s] *a.* 말이 없는, 침묵한; 벙어리의.
Sprāch=meister *m.* 어학 교사. **～phi=losophie** *f.* 언어 철학. **～psycholo=gie** *f.* 언어 심리학. **～rēgel** *f.* 문법〔어법〕상의 규칙. **～reinigung** *f.* 국어 정화. **～richtig** *a.* 어법이 바른. **～rohr** *n.* 전성관(傳聲管), 메가폰. **～=schatz** *m.* 어휘. **～schnitzer** *m.* 《俗》 문법상의 오류. **～stōrung** *f.* 언어 장애. **～stūdium** *n.* 언어 연구. **～ta=lent** *n.* 어학의 재능. **～unterricht** *m.* 어학 강의. **～werkzeug** *n.* 언어 기관. **～wissenschaft** *f.* 언어학. **～=widrig** [–vi:drɪç] *a.* 어법에 어긋나는, 파격(破格)의.
sprang [ʃpraŋ] ☞SPRINGEN(그 過去).
Sprech=ārt [ʃpréç–] *f.* 말투, 말씨. **～=bühne** *f.* 연단. **～chōr** *m.* 〖劇〗 대화적 합창, 쉬프레히코르.
sprechen* [ʃpréçən] 《I》 *i.*(h.) 발언하다, 이야기하다, 말하다, 담화하다, 연설하다(♈*speak, talk, tell, converse*). 《II》 *t.* 말하다, 이야기하다, 입에 오르게 하다, 입밖에 내다, 주창하다; 〖法〗 선고하다(*pronounce*). ¶jn. ～ 아무와 만나 이야기하다 / nicht zu ～ sein 만나지 못하다, 면담할 수 없다. 《III》 *refl.* ① 《結果를 나타내는 말과 함께》 sich müde ～ 말을 하여 지치다. ② 《事物이 主語》 sich herum ～ (소문 따위가) 입에서 입으로 퍼지다. 《IV》 **sprechend** *p.a.* 말하는; 현저한, 확실한(증거 따위가). **Sprecher** [ʃpréçər] *m.* –s, –, 말하는 사람; 대변자(*spokesman*); 어나운서; 하원 의장(영미의).
Sprech=film *m.* 발성 영화, 토키(*talkie*). **～maschine** *f.* 축음기. **～ōper** *f.* 희가극(喜歌劇). **～stelle** *f.* 전화국(局). **～stunde** *f.* 면회 시간; 진찰 시간; 집무 시간. **～übung** *f.* 회화 연습. **～=weise** *f.* 말, 말씨(*manner of speaking*). **～werkzeug** *n.* 언어 기관(器官). **～=zimmer** *n.* 담화실, 응접실; 진찰실.
Spreite [ʃpráitə] *f.* –n, 펼쳐진 것; (책상보 따위) 덮는 천. **spreiten** [ʃpráitən] *t.* 펼치다(♈*spread*).
Spreize [ʃpráitsə] *f.* –n, 버팀목, 지주(支柱); 《俗》 궐련. **spreizen** [ʃpráitsən] [♈sprießen] 《I》 *t.* ① (팔·날개 따위를) 펼치다, 벌리다. ② (에) 받침기둥〔버팀목〕을 세우다(*prop*). 《II》 *refl.* 팔다리를 벌리다; 《比》 뽐내다. ¶sich mit et. ～ 무엇을 뽐내다. ② sich gegen et. ～ 무엇에 반항〔저항〕하다. 《III》 **ge=spreizt** *p.a.* 과장된, 거드름피우는.
Sprengel [ʃpréŋəl] *m.* –s, –, 〖宗〗 (Kirch～) 성당구(區)(*parish*); 교구(敎區)(*diocese*).
sprengen [ʃpréŋən] [„springen machen"] 《I》 *t.* ① (물·피 따위를) 튀기다, 뿌리다; 흩다, 뿜다, 끼얹다(*sprinkle*); (에) 물을 끼얹다(*water*). ② 날려 보내다, 분쇄하다, 폭파하다(*spring, burst*). 《II》 ① *i.*(s.) 질주하다, 돌진하다(*run full speed, ride*). ② *i.*(h.) 물을 뿌리다.
Spreng=geschoß *n.* 폭탄. **～granāte** *f.* 고폭탄(高爆彈). **～kapsel** *f.* 뇌관(雷管). **～karren** *m.* 살수차. **～lā=dung** *f.* 장약(裝藥); 〖軍〗 작약(炸藥). **～laut** *m.* 〖文〗 파열음. **～mittel** *n.* 폭약. **～ōl** *n.* 〖化〗 니트로글리세린. **～=pulver** *n.* 폭약, 화약. **～stoff** *m.* 화약, 폭발물.
Sprengung [ʃpréŋʊŋ] *f.* –en, 폭파; 폭발, 작열; 강제적 해산(집회 따위의); 살수(撒水).
Spreng=wāgen *m.* 살수차. **～werk** *n.* 폭약; 〖建〗 버팀목.
Sprenkel[1] [ʃpréŋkəl] [♈springen] *m.* –s, –, 새 잡는 덫(*snare*).
Sprenkel[2] [ʃpréŋkəl] *m.* –s, –, 반점, 얼룩(♈*speckle, spot*). **sprenk(e)lig** *a.* 반점이 있는, 얼룩덜룩한. **sprenkeln** [ʃpréŋkəln] *t.* (에) 반점을 붙이다, 얼룩지게 하다.
Spreu [ʃprɔy] *f.* 북더기, 왕겨(*chaff*); 《比》 쓰레기; 폐물.
sprich! [ʃprɪç], **sprichst** (du ～), **spricht** (er ～) ☞SPRECHEN (그 命令法 및 現在).
Sprich=wort [ʃprɪ́ç–] [<sprechen] *n.* 속담, 격언, 잠언(*proverb, saying*). **～=wörtlich** *a.* 속담의, 속담 같은.
sprießen* [ʃprí:sən] *i.*(s. u. h.) 싹트다, 발아하다(♈*sprout*); 발생하다; 성장하다.

S

Spriet [ʃpri:t] *n.* –(e)s, –e, 〖海〗 선수사장(船首斜檣)(♈*sprit*).

Spring⸗ball [ʃprɪŋ–] *m.* 고무공. **∼⸗brett** *n.* 뜀판, 도약판. **∼brunnen** *m.* 분수, 분천(噴泉).

springen* [ʃprɪ́ŋən] *i.*(s. *u.* h.) ① 뛰다, 뛰어 오르다, 도약(跳躍)하다(♈*spring, leap, jump*). ¶Seil ∼ 줄넘기를 하다. ② 솟아 나오다, 내뿜다(*gush*); 쏟아져〔흘러〕 나오다. ③ 트다《봉오리 따위가》; 깨지다, 파열하다, 쪼개지다, 갈라지다. ¶e–e Mine ∼ lassen 지뢰를 폭발시키다. ④ (동물이) 교미하다. **Springer** [ʃprɪ́ŋər] *m.* –s, –, ① 뛰는 사람, 도약자. ② (서양 장기의) 말《마(馬)에 해당하는》(*knight*).

Spring⸗fēder *f.* 용수철, 스프링. **∼⸗flūt** *f.* 한사리, 대조(大潮). **∼insfeld** [<ich „springe ins Feld"] *m.* –(e)s, –e, 발랄한 젊은이, 장난꾸러기, 개구장이; 말괄량이. **∼kraft** *f.* 탄력. **∼kraut** 〖植〗 봉선화. **∼quell** *m.*, **∼quelle** *f.* 분천(噴泉). **∼seil** *n.* 줄넘기하는 줄. **∼stange** *f.*, **∼stock** *m.* 장대높이뛰기용의 장대. **∼zeit** *f.* ① 교미기(交尾期). ② 사리 때.

Sprinkler [sprɪ́ŋklər] [engl.] 넓은 면적에 물뿌리는 장치, 살수기. **Sprink⸗ler·anlāge** *f.* 스프링클러 장치, 자동 소화 장치.

Sprit [ʃpri:t, ʃprɪt] [=Spiritus, 그 省略形] *m.* –(e)s, –e, 알콜; 초.

Spritz⸗arbeit [ʃprɪ́ts–] *f.* 소방 작업. **∼bād** *n.* 샤워. **∼brett** *n.* (차의) 흙받기.

Spritze [ʃprɪ́tsə] *f.* –n, ① 주입; 〖醫〗 주사; 주입기, 주사기; (Klistier∼) 관장기. ② 물딱총; (Feuer∼) 소화기, 펌프.

spritzen [ʃprɪ́tsən] [<sprießen] 《Ⅰ》 ① *i.*(s.) 분출(墳出)하다(*gush forth*); 튀어 오르다, 튀겨지다, 튀어 (무엇에) 묻다. ② *i.*(h.) (펜이) 잉크를 튀기다《무엇에 걸려서》; (소화기가) 물을 뿜어내다. 《Ⅱ》 *t.* ① 분출시키다, 뿜어내다(*squirt, spurt*); (에) 튀기다, 끼얹다(*splash, spatter*). ② 주사하다; 관장(灌腸)하다; 《俗》 훔치다.

Spritzen⸗haus *n.* 소화 펌프 창고; 소방서. **∼leute** *pl.*, **∼mann** *m.* 소방대원. **∼schlauch** *m.* 소화기의 호스.

Spritzer [ʃprɪ́tsər] *m.* –s, –, ① 물뿌리는 사람; 소방원; 주사 놓는 사람. ② 포도주에 소다수(水)를 탄 음료수.

Spritz⸗fahrt [ʃprɪ́ts–] *f.* 《學》 가까운 소풍 여행《타고 가는》. **∼flasche** *f.* 〖化〗 세병(洗甁).

spritzig [ʃprɪ́tsɪç] *a.* (포도주 따위) 얼얼한; 신나는, 기분좋은.

spritz⸗kanne *f.* 조로. **∼kūchen** *m.* 부꾸미 모양의 과자. **∼lēder** *n.* 흙받기 가죽《마차 따위의》. **∼loch** *n.* (고래의) 분수공. **∼mittel** *n.* 관장약.

sprȫde [ʃprǿ:də] *a.* ① (금속 따위가) 무른; 깨어지기 쉬운(*brittle*); 결이 거치른《피부가》; (금이 가서) 튼(*chapped*). ② 《比》 까다로운, 가까이하기 어려운, 냉담한, 쌀쌀한, 삼가는, 수줍어하는, 내성적인(*reserved, shy*); 정숙한 체하는, 점잔빼는(*prudish*). **Sprȫdigkeit** *f.* –en, 취약함; 냉담함, 내성적임.

sproß [ʃprɔs] ☞ SPRIEẞEN(그 過去).

Sproß [ʃprɔs] *m.* ..sses, ..sse, 새싹, 움; 어린 가지(♈*sprout; shoot*); 《比》 자손(*offspring*). **Sprosse** [ʃprɔ́sə] 《Ⅰ》 *m.* –n, –n, =SPROẞ. 《Ⅱ》 *f.* –n, (창살의) 가로대; (Leiter∼) 사닥다리의 디딤판; 《比》 인생의 단계; 〖獵〗 사슴의 가지뿔; 주근깨.

sprossen [ʃprɔ́sən] *i.*(h. *u.* s.) ① 싹트다, 발아하다(♈*sprout; shoot, germinate*). ②《比》 태어나다.

Sprößling [ʃprœ́slɪŋ] *m.* –s, –e, =SPROẞ.

Sprotte [ʃprɔ́tə] *f.* –n, 〖魚〗 청어의 일종(♈*sprat*).

Spruch [ʃprux] [<sprechen] *m.* –(e)s, ⸚e, ①말, 문구(*saying*). ¶Sprüche machen 큰소리하다. ②잠언; (Weisheits∼) 금언, 격언(*maxim*). ③ (Orakel∼) 신탁(神託); 〖法〗 (Urteils∼) 선고, 판결(*sentence*).

Spruch⸗būch [ʃprúxbu:x] *n.* 격언〔금언〕집. **∼dichtung** *f.* 격언시(格言詩). **∼kammer** *f.* 나치스로서의 활동 여부를 심사하는 법원.

spruchreif [ʃprúxraif] *a.* 〖法〗 선고 시기에 다다른.

Sprūdel [ʃprú:dəl] *m.* –s, –, 용출(湧出), 분출; 분천(噴泉), 온천(*bubbling source, (hot) well*).

sprūdeln [ʃprú:dəln] ① *i.*(s.) 솟아〔뿜어〕 나오다(*gush forth, bubble*). ¶er sprudelt von Witz, *od.* der Witz sprudelt von s–n Lippen 그의 입에서 익살이 마구 튀어나왔다. ② (h.) 솟아 넘치다; 비등(沸騰)하다.

sprūhen [ʃprý:ən] [<Spreu] 《Ⅰ》 *i.*(h. *u.* s.) ① 튀기다《불꽃·물방울 따위가》(*spark, sparkle*). ② *imp.* es sprüht 이슬비가 내리다(*drizzle*). 《Ⅱ》 *t.* (불꽃 따위를) 튀기다, 날리다.

Sprūh⸗feuer *n.* 불꽃을 내는 불. **∼⸗rēgen** *m.* 이슬비; 물보라.

Sprung [ʃprʊŋ] [<springen] *m.* –(e)s, ⸚e, ① 뜀, 뛰어오름, 도약(♈*spring; leap, jump*). ¶in vollem ∼e 전속력으로/mit einem ∼e 한번 뛰어서, 일약/er kann keine großen Sprünge machen 그는 대단한 수입은 없다, 그는 큰 일은 못한다. ② 갈라진 틈, 균열, 틈새기(*crack, fissure*).

Sprung⸗bein [ʃprʊ́ŋ–] *n.* 〖解〗 복사뼈, 거골(距骨). **∼brett** *n.* 뜀판, 발판. **∼fēder** *f.* 용수철, 태엽. **∼fēder⸗matratze** *f.* 스프링이 든 매트리스.

sprunghaft [ʃprʊ́ŋhaft] *a.* 비약적인, 엉뚱한(*desultory, jerky*).

Sprung⸗schanze *f.* (스키의) 점프대, 샨체. **∼tūch** *n.* 구조대(救助袋). **∼⸗turm** *m.* (수영장의) 뛰판. **∼weise** *adv.* 뛰어서; 비약적으로; 발작〔돌발〕적으로, 불규칙하게.

Spucke [ʃpʊ́kə] *f.* 《俗》 침 (*spittle, saliva*).

spucken [ʃpʊ́kən] [speien의 强意語] *t.* u. *i.*(h.) (침·피 따위를) 뱉다(♈*spit*).

Spuck⸗kasten, ∼napf *m.* 타구(唾具).

Spūk [ʃpu:k, 方: ʃpuk] *m.* –(e)s, –e, 도깨비가 나옴; 도깨비, 요괴, 유령, 귀신 (*ghost, phantom, spectre*). **spūken**

[ʃpú:kən] *i.* (h.) 뒤숭숭하다; 유령이 나오다. ¶in dem Hause spukt es 이 집에는 유령이 나온다.

Spuk≈geist *m.* 유령, 귀신, 요괴. **~≈geschichte** *f.* 귀신 이야기, 괴담(怪談).

spukhaft [ʃpú:khaft] *a.* 유령 같은, 괴상한, 무서운, 섬뜩한.

Spül·ab·ort [ʃpý:l-ap-ɔrt] *m.* 수세식 변소.

Spule [ʃpú:lə] *f.* –n, (Web~) 실패 (♈*spool; bobbin*); (Feder~) (거위의) 깃축 (*quill*); 〖電〗 코일(*coil*). **spulen** 《I》 *t.* (실을) 감다; 잣다. 《II》 *i.* (h.) 붕붕 소리가 나다《실잣는 소리》.

Spül·eimer [ʃpý:l-aimər] *m.* 구정물통.

spülen [ʃpý:lən] 《I》 *t.* ① 씻다, 헹구다, 빨다, 부시다, 세척하다(*wash, rinse*). ② die Wogen ~ das Ufer hohl 파도가 기슭을 씻어 파낸다. 《II》 *i.*(h.) 씻다, (에) 들이치다.

Spuler [ʃpú:lər] *m.* –s, –, 실 감는 직공; (재봉틀의) 북실감개.

Spüler [ʃpý:lər] *m.* –s, –, 씻는 사람; 세탁기.

Spül≈faß [ʃpý:lfas] *n.* 설겆이통, 빨래통, 헹구는 통. **~frau** *f.* 하녀.

Spülicht [ʃpý:lıçt] *n.* –(e)s, –e, 개숫물, 씻는 물, 헹구는 물.

Spülküche [ʃpý:lkʏçə] *f.* 그릇 씻는 데; 부엌; 찬장.

Spulrad [ʃpú:lra:t] *n.* 물레, 물레 바퀴.

Spül≈stein, ~tisch *m.* (부엌의) 수채. **~vorrichtung** [–rıçtuŋ] *f.* 세척 장치. **~wasser** *n.* 헹구는 물, 개숫물; 《俗》 멀건 수프〔코피〕.

Spulwurm [ʃpú:lvurm] *m.* 〖動〗 회충.

Spund [ʃpunt] [Lw. lat. *punctum* „Stich, Loch"] *m.* –(e)s, ¨e, (통 따위의) 마개 구멍, 꼭지(*bunghole, tap*). **spundbohrer** *m.* (통 따위의) 마개뽑이 (송곳). **spunden** [ʃpúndən], **spünden** [ʃpýndən] *t.* (에) 마개를 하다.

Spundloch [ʃpúntlɔx] *n.* 마개 구멍, 통 주둥이.

Spur [ʃpu:r] *f.* –en, ① (Fuß~) 발자국 (*footprint*); 바퀴 자국(*rut*); 자국(*trace*). ¶jm. auf die ~ kommen 아무의 발자국을 찾아내다; 《比》 행방을 염탐해 내다. ② 《比》 형적(形跡), 흔적, 자취(*vestige*). ③ 바퀴 자국(과 바퀴 자국)의 사이(수레의 폭); 〖鐵〗 궤도(*track*). **spüren** [ʃpý:rən] 《I》 *t.* ① (의)뒤를 밟다, 추적하다(*track*). ② (의 형적·기미·기세를) 감지하다, 알아채다(*feel, perceive*). 《II》 *i.*(h.)(nach, 을) 수색하다. **Spürer** *m.* –s, –, **Spürhund** [ʃpý:rhunt] *m.* 후각이 예민한 사냥개의 일종; 수색견(犬); 《比》 탐정, 간첩.

Spur≈kranz [ʃpú:r–] *m.* 〖鐵〗 찻바퀴의 불룩한 테두리, 플랜지(*flange*). **~los** *a.* (발)자국이 없는, 흔적이 없는. ¶~los (*adv.*) verschwunden 형적도 없이 사라지다.

Spür≈nase *f.* 예민한 코; 감각이 예민한 사람. **~sinn** *m.* 감추어진 것을 찾아내는 재간, 형안, 예민한 육감(*penetration*).

Spurt [ʃpurt, spə:t] [engl.] *m.* –s, –e u. –s, 최후의 분발, 라스트 스퍼트.

Spurweite [ʃpú:rvaitə] *f.* 〖鐵〗 궤간(軌間).

sputen [ʃpú:tən] *refl.* 급히 하다, 서두르다(♈*speed; make haste*).

Sputnik [ʃpú:tnık] [russ.] *m.* –s, –s, 스푸트니크《소련의 인공 위성》.

Sputum [ʃpú:tum, sp–] [lat.] *n.* –s, ..ta, 객담(喀痰).

Squatter [skwɔ́tər, skvá:–] [engl.] *m.* –s, –(s), 이민, 식민(植民), (권리 없이) 미개간지에 사는 사람.

St 《略》 =*St*unde.

st! [st] *int.* 쉿; 조용해, 가만 있어.

Staat [ʃta:t] [lat. *status* „Stand"] *m.* –(e)s, –en, ① 국가(♈*state*). ② 호화, 호사, 사치(*pomp, parade*); 화려한 복장, 성장(盛裝) (*finery, dress*). ¶in vollem ~ 성장하여/großen ~ machen 호화롭게 지내다.

Staaten≈geschichte [ʃtá:tən–] *f.* 정치사. **~los** *a.* 국적 없는. **~recht** *n.* 국제법.

staatlich [ʃtá:tlıç] *a.* 국가의, 국가적인; 국유의, 국립의.

Staats≈aktion [ʃtá:ts–] *f.* 국가적〔정치적〕 사건; 국가 행위. **~amt** *n.* 관직. **~angehörige** *m.* u. *f.* 《形容詞 變化》 국적 소유자, 국민. **~angehörigkeit** *f.* 국적(을 가짐). **~anwalt** *m.* 검사 (*public prosecutor*). **~archiv** *n.* 공문서 보관소. **~aufsicht** *f.* 국가 감독(권)《시·읍·면에 대한》. **~bahn** *f.* 국영 철도. **~bank** *f.* (*pl.* –en) 국립 은행. **~beamte** *m.* 《形容詞變化》 관리. **~bürger** *m.* 공민, 국민. **~diener** *m.* 국가의 공복, 관리. **~dienst** *m.* 관직. **~einkünfte** *pl.* 국가 세입(歲入). **~feiertag** *m.* 국경일. **~feind≈lich** *a.* 국가를 적으로 하는, 국가의 적인. **~flagge** *f.* 국기. **~form** *f.* 정체(政體); 국체(國體). **~gefangene** *m.* 《形容詞變化》 국사범(國事犯). **~ge≈heimnis** *n.* 국가 기밀. **~gelder** *pl.* 국고금. **~geschäfte** *pl.* 국무(國務), 정무(政務). **~gesetz** *n.* 국법. **~≈gewalt** *f.* 국(가) 권(력). **~grund≈gesetz** *n.* 헌법. **~gut** *n.* 국유지, 국가 재산. **~haushalt** *m.* 국가 경제〔재정(財政)〕. **~hoheit** *f.* 국가 주권(*sovereignty*). **~kanzler** *m.* 장관, 대신. **~kasse** *f.* 국고. **~kerl** *m.* 훌륭한 사내, 쾌남아. **~kirche** *f.* 국교. **~≈kleid** *n.* 대례복(大禮服). **~klug** *a.* 정치적 수완이 있는; 정략상의. **~klug≈heit** *f.* 정치적 수완, 정략(政略). **~≈körper** *m.* 국가《정치적 단체로서》. **~kunde** *f.* 정치학. **~kunst** *f.* 정치. **~lenker** *m.* 위정자. **~mann** *m.* 정치가. **~männisch** *a.* 정치(가)의. **~minister** *m.* 국무 장관. **~mi≈nisterium** *n.* 내각. **~oberhaupt** *n.* 원수(元首). **~ökonomie** *f.* 국가 재정. **~papiere** *pl.* 국체〔공채〕 증권; 공문서. **~prozeß** *m.* 공소(公訴). **~prüfung** *f.* 국가 시험. **~rä≈son** [–rɛzɔ̃:] *f.* 국시(國是). **~rat** *m.* 추밀원(樞密院); 추밀원 고문관. **~recht** *n.* 국법. **~schatz** *m.* 국고. **~schul≈den** *pl.* 국채(國債). **~sekretär** *m.* (독일에서는 각 성(省)의) 서기관장《장관 대리》; (미국의) 국무 장관. **~siegel** *n.* 국새(國璽). **~steuer** *f.* 국세(國稅).

~streich *m.* 쿠데타(*coup d'état*). **~umwälzung** *f.* 혁명. **~verbrechen** *n.* 국사범(國事犯). **~verfassung** *f.* 헌법(*constitution*). **~verträg** *m.* 조약. **~verwaltung** *f.* 행정. **~wēsen** *n.* 국가(의 일); 국가 제도. **~wirt·schaft** *f.* 국가 경제, 재정(학). **~wissenschaften** *pl.* 국가학. **~wohl** *n.*, **~wohlfahrt** *f.* 국가의 복지, 국리 민복(國利民福). **~zūschuß** *m.* 국고 보조.

Stāb [ʃta:p] *m.* –(e)s, ⸗e, ① 막대기, 지팡이(♈*staff*; *stick, rod*); 몽둥이; 작대기(모양의 것)(*bar*); (우산의) 살(*rib*); (주교·원수·재판관 따위의) 권표장(權標杖); 〔軍〕 사령봉(司令棒), 지휘봉. ② 사령부, 막료(幕僚)(♈*staff*). **Stābchen** [ʃtέ:pçən] *n.* –s, –, 작은 막대기〔지팡이〕.

Stāb·eisen [ʃtá:p-aizən] *n.* 막대기 모양의 쇠, 쇠막대기.

Stāb⸗hōch·sprung *m.* 〔體〕 장대높이뛰기. **~holz** *n.* 통 만드는 널판, 통의 널판으로 쓰이는 나무.

stabịl [ʃtabí:l, st–] [lat. <*stāre* „stehen"] *a.* 움직이지 않는, 안정〔고정〕된; 불변의(♈*stable*). **stabilieren, stabilisieren** *t.* 안정〔고정〕시키다. **Stabilisierung** *f.* –n, 위를 하기; 〔經〕 통화 가치의 안정. **Stabilität** *f.* 안정(성), 고정, 불변.

Stābkörper [ʃtá:pkœrpər] *m.* 〔植〕 간상균(桿狀菌); 《一般的》 박테리아.

Stāb⸗magnēt [ʃtá:p–] *m.* 막대 자석. **~reim** *m.* 〔詩學〕 두운(頭韻)(*alliteration*).

Stābs⸗ärzt *m.* 군의(軍醫) 대위. **~offizier** *m.* 영관(領官), 참모 장교.

S **Stāb·springen** [ʃtá:pʃprɪŋən] *n.* –s, 〔體〕 장대 높이뛰기.

Stābs⸗quartier *n.* 사령부, 본부(*headquarters*). **~trompēter** *m.* 일등 나팔수.

stāch [ʃta:x] ☞STECHEN (그 過去).

Stạchel [ʃtáxəl] [<stechen] *m.* –s, –n, 침, 바늘, 가시(*prick, prickle*); (장미의) 가시(*thorn*); 독침《벌레 따위의》(*sting*); (걸쇠·죔쇠의) 혀, 고리(*tongue*); (박차(拍車)의) 톱니(*point*); (운동화의) 스파이크(*spike*); 《比》 자극하는 것, 박차를 가하는 것, 박력(*spur, point*).

Stạchel⸗beere *f.* 〔植〕 구즈베리 (열매)(*gooseberry*); 《戲》 빈정거림, 야유. **~beer·strauch** *m.* 〔植〕 구즈베리 (나무). **~draht** *m.* 철조망(용 철사). **~häuter** *pl.* 극피(棘皮) 동물문(門).

stạch(e)licht [ʃtáx(ə)lɪçt], **stạch(e)lig** [–lɪç] *a.* 가시 모양의; 가시가 있는; 《比》 신랄한, 풍자적인.

stạcheln [ʃtáxəln] *t.* u. *i.*(h.) (에) 가시를 붙이다; (가시로) 찌르다, 쑤시다; 《比》 자극〔격려〕하다; 빈정거리다.

Stạchel⸗rēde *f.* 풍자, 야유, 빈정거림. **~schwein** *n.* 〔動〕 호저(豪猪).

Stādel [ʃtá:dəl] [<steh(e)n] *m.* –s, –, (딴 채로 된) 곳간, 곡물 창고.

Stāden [ʃtá:dən] [südd.] *m.* –s, –, 물가; 선창, 부두; 해안 거리.

Stādion [ʃtá:dĭɔn] [gr. (根語 *sta-* „stehen")] *n.* –s, ..dĭen, 경기장, 스타디움(♈*stadium*). **Stādium** [gr. –lat.] *n.* –s, ..dĭen, ① (발전 등의) 단계(段階), 기(期)(*phase, stage*). ② =STADION.

Stadt [ʃtat] [Statt 와 同語] *f.* ⸗e, 도시, 도회지, 읍(*town, city*).

Stadt⸗amt *n.* 시청. **~bahn** *f.* 시가 철도. **~baumeister** *m.* 시 토목〔건축〕 기사. **~bau·plānung** *f.* 도시 계획. **~beamte** *m.* 《形容詞變化》 시직원. **~bekannt** *a.* 온 시내에 알려진. **~bewohner** *m.* 시민, 도시인. **~bezirk** *m.* 시구(市區). **~bild** *n.* 시의 전경도(全景圖), 개관. **~bürger** *m.* 시민.

Stādtchen [ʃtέ:tçən, ʃtέt–] *n.* –s, –, 소도시, 지방 도시.

Stādte⸗bau *m.* 도시 계획. **~ordnung** *f.* 시제(市制).

Stādter [ʃtέ:tər, ʃtέtər] *m.* –s, –, 도시 주민, 도회인.

Stadt⸗gās [ʃtát–] *n.* 도시 가스. **~gebiet** *n.* 시의 관할 지역. **~gemeinde** *f.* 시 자치체. **~gericht** *n.* 시의 재판소. **~gesprāch** *n.* 시중의 화제. **~haus** *n.* 시청(사).

stādtisch [ʃtέ:tɪʃ] *a.* 시의, 시립의, 시유(市有)의; 도시인의, 도회지식의.

Stadt⸗kind *n.* 도시인. **~koffer** *m.* (휴대용) 소형 가방. **~kundig** *a.* 시의 사정에 밝은; 시중에서 이름난. **~ōbrigkeit** *f.* 시당국, 시청. **~ordnung** [–ɔ́rdnuŋ, –ɔ́rt–] *f.* 시조례(市條例). **~plān** *m.* 시가 지도, 도시 계획도. **~plānung** *f.* 도시 계획. **~polizei** *f.* 시경(市警). **~randsiedlung** *f.* 교외 주택지. **~recht** *n.* (중세의) 도시법; 시민〔공민〕권. **~schreiber** *m.* 시(市)서기. **~schūle** *f.* 시립 학교. **~staat** *m.* 도시 국가. **~teil** *m.* 시구(區). **~väter** *pl.* 《俗》 시의회. **~verordnete** *m.* u. *f.* 《形容詞變化》 시의원. **~verordnetenversammlung** *f.* 시의회. **~verwaltung** *f.* 시정(市政). **~viertel** [–fɪr–] *n.* 시구(市區). **~wappen** *n.* 시의 문장(紋章).

Stafẹtte [ʃtafέtə] [it.] *f.* –n, 급사(急使), 파발(擺撥)군 (*courier, express*); 역전 릴레이 주자(走者). **~n⸗lauf** *m.* 역전(驛傳) 릴레이(*relay race*).

Staffage [ʃtafá:ʒə, st–] *f.* –n, 〔畫〕 첨경(添景); 《比》 부속물(*accessories*).

Staffel [ʃtáfəl] [♈Stufe] *f.* –n, (사닥다리의)단, 층층다리(*step*); 《比》 단계, 등급(*degree*); 〔軍〕 제대(梯隊) (*echelon*); (비행기의) 편대; 〔競〕 릴레이(*relay*).

Staffelẹi [ʃtafəlái] *f.* –en, 〔畫〕 화가(畫架)(*easel*).

staffel⸗förmig *a.* 사다리꼴의; 〔軍〕 제대를 이룬. **~lauf** *m.* 릴레이 경주.

staffeln [ʃtáfəln] 《Ⅰ》 *t.* ① 사다리꼴로 하다, 층층이 높게 하다, 등급별로 하다(*graduate, scale*). ② 〔軍〕 제대를 만들게 하다. 《Ⅱ》 *i.*(s.) 사다리꼴을 이루다.

Staffel⸗tarif *m.* 등급별 임금율, 슬라이딩스케일. **~weise** *adv.* 〔軍〕 제대(梯隊)를 이루어, 제대마다.

staffieren [ʃtafí:rən] [fr., ♈Stoff] *t.* (에) 천을 대다; (에) 장식을 붙이다, 꾸미다(*garnish, dress, trim*). **Staffierung** *f.* –en, 장식 붙임; 장식; 첨경(添景).

Stāg [ʃta:k] *n.* –(e)s, –e, 〔海〕(돛대 따

위를 받치는) 지삭(支索)(♈stay).
stagione [ʃtadʒó:nə] [lat. -it] *f.* *pl.* -n *u.* ..ni, 연극 계절, 오페라시즌; 오페라 단(團).
Stagnation [ʃtagnatsió:n, st-, -kna-] [lat.] *f.* -en, 물이 굄; 침체. **stag≈nieren** [ʃtagní:rən] [lat.] *i.*(h.) 정지하다, 정체하다, 침체하다; (물이) 괴다 (*stagnate*).
stahl [ʃta:l] ☞STEHLEN (그 過去).
Stahl [ʃta:l] *m.* -(e)s, -e *u.* ⸗e, 강철 (제품)(♈*steel*); 날붙이. ¶《比》 Herz von ~ 철석같은 마음.
stahl≈artig [ʃtá:l-] *a.* 강철같은. **~≈bad** *n.* 철분이 든 광천(욕)(*chalybeate bath, spa*). **~bau** *m.* (*pl.* -ten) 철근 건축. **~bepanzert** *a.* 장갑(裝甲)한. **~beton** *m.* 철근 콘크리트.
stählen [ʃté:lən] *t.* ① 강철로 만들다; 《比》 (심신을) 단련하다(♈*steel, harden*). ② (에) 강철을 입히다, 장갑하다. **stäh≈lern** [ʃté:lərn] *a.* 강철의, 강철같은.
Stahl≈feder *f.* ① 강철 용수철. ② 강철 펜. **~haltig** *a.* 강철〔철분〕을 함유한. **~hart** *a.* 강철처럼 단단한. **~≈helm** *m.* 철모. **~kammer** *f.* 강철제 귀중품실(*strongroom*). **~möbel** *n.* 강철관(을 축으로 하는) 가구. **~rohr** *n.* 강철관. **~rohr·möbel** *n.* =STAHLMÖBEL. **~roß** *n.* 《戱》 자전거; 기관차. **~stich** *m.* 강철(판) 조각(彫刻). **~waren** *pl.* 강철 제품. **~werk** *n.* 강철 제품; 제강소.
stak [ʃta:k] ☞STECKEN (그 過去).
Staken [ʃtá:kən] *m.* -s, -, 《方》 말뚝, 막대; 〖海〗 삿대(♈*stake, pole*). **staken** 《Ⅰ》 *t.* 〖海〗 《方》 상앗대로 밀어내다 《보트를》. 《Ⅱ》 *i.*(*h. u. s.*) 성큼성큼 걷다.
Staket [ʃtaké:t] [it., <d. Staken] *n.* -(e)s, -e, **Stakete** *f.* -n, 나무 울타리, 격자 담장(*fence, railing*).
stakig [ʃtá:kɪç] [staken] *a.* 장대같은; 《比》 마르고 겁많은; (사람이) 우악한.
staksen [ʃtáksən] *i.*(h. *u.* s.) 《俗》 성큼성큼 걷다.
Stalagmit [ʃtalagmí:t, -mít, st-] [gr.] *m.* -(e)s, -e; *m.* -en, -en, 석순(石筍).
Stalakit *m.* -(e)s, -e; *m.* -en, -en, 종유석(鍾乳石).
Stalin·orgel [stá:li:n-ɔrgəl, ʃt-] *f.* 《俗》 다발식 로케트포.
Stall [ʃtal] [Stelle 의 別形] *m.* -(e)s, ⸗e, (Vieh~) 가축 우리, 외양간(♈*stall, stable*); (Pferde~) 마굿간; (Hunde~)개집; (Schweine~) 돼지 우리; 곳간; 《俗》 차고; 말오줌; 《蔑》 낡아 빠진 집.
stallen [ʃtálən] 《Ⅰ》 *t.* (가축을) 마굿간에 들이다. 《Ⅱ》 *i.*(h.) ① 우리 안에 있다. ② (말이) 오줌 누다.
Stall≈fütterung *f.* 외양간〔마굿간〕에서 기름, 사내 사양(舍內飼養). **~geld** *n.* 마굿간 차용료(*stallage*). **~junge, ~knecht** *m.* 마부. **~meister** *m.* 마부 우두머리; 마술 교관.
Stallung [ʃtáluŋ] *f.* -en, ① 가축을 우리에 넣음. ② 가축 우리, 마굿간.
Stamm [ʃtam] *m.* -(e)s, ⸗e, 〖植〗 ① 줄기, 대(♈*stem, trunk, stalk*); 수목(樹木). ② (Volks~) 종족(*race*); 부족(*tribe*); 가계(家系), 가족(*family*); 혈통(*breed*). ③ 《比》 기간(基幹), 근간 (*main body*); 〖軍〗 간부(*cadre*); 〖文〗 어간(*stock*); 단골 손님; 원금, 자본금.
Stamm≈aktie [ʃtám-] *f.* 〖商〗 구주(舊株). **~baum** *m.* 계통수(*genealogical tree*); (순종 가축의) 혈통표. **~buch** *n.* ① (한집안 사람이 제각기 서명한) 가계부(家系簿). ② (친구 등이 기념의 글귀 따위를 기입한) 기념 수첩.
stammeln [ʃtáməln] [♈stumm] *t.* u. *i.*(h.) 말을 더듬다(♈*stammer*).
Stamm·eltern [ʃtám-ɛltərn] *pl.* 선조.
stammen [ʃtámən] *i.*(*h.* u. *s.*) (von, 의) 계통을 이어받다(*originate*); (aus, 의) 출신이다(*come* (*from*)); (에서) 유래하다, 파생되어 있다(*be derived*).
Stamm≈ende *n.* 그루터기. **~erbe** *m.* 적자(嫡子).
Stammes≈geschichte [ʃtáməs-] *f.* 종족사(種族史); 〖生〗 계통 발생학. **~ver≈band** *m.* 종족 단체.
Stamm≈form *f.* 〖文〗 말의 원형(原形); *pl.* 동사의 세 기본형. **~gast** *m.* 단골손님. **~gericht** *n.* 주요 식품. **~gut** *n.* 세습 재산, 세습지. **~halter** *m.* 적자(嫡子), 적손. **~haus** *n.* 본가, 생가. **~holz** *n.* 나무의 근간(根幹).
stämmig [ʃtémɪç] *a.* ① 줄기가 굵은, 충분히 성장한. ② 《比》 늠름한, 튼튼한, 억센(*sturdy, stocky*).
Stamm≈kapital *n.* 자본금《회사 창립의》. **~kneipe** *f.* 단골 음식점. **~kun≈de** *m.* 단골 손님, 정든 손. **~land** *n.* 본국. 「이.
Stammler [ʃtámlər] *m.* -s, -, 말더듬

Stamm≈linie [-li:nĭə] *f.* ① 본선, 간선. ② 계통(도). **~lokal** *n.* 단골 음식점. **~mutter** *f.* =STAMMUTTER. **~≈personal** *f.* 기본 인원, 기간(基幹). **~≈priorität** *f.* 〖商〗 우선주(優先株). **~≈rolle** *f.* 〖軍〗 장정 명부. **~silbe** *f.* 〖文〗 어간의 철자. **~tafel** *f.* 계통도, 계보. **~tisch** *m.* 단골 손님용의 식탁 《음식점의》.
Stammutter [ʃtámutər] 《分綴: Stamm-mutter》 *f.* (어떤 집안의) 조상《여자》.
Stamm≈vater *m.* (어떤 집안의) 선조. **~verwandt** *a.* 동족의, 친족의; 동어족(同語族)의, 동계의. **~volk** *n.* 원주민. **~wort** *n.* 어간(語幹). **~würze** *f.* (맥주의) 맛의 근원(이 되는 가용성 엑센스나 주성분).
Stampf≈asphalt [ʃtámpf-asfalt] *m.* (도로 포장에 깔고 롤러로) 눌러 굳히는 아스팔트. **~beton** *m.* (도로 포장을 위한) 압축 콘크리트.
Stampfe [ʃtámpfə] *f.* -n, (찧는) 공이 (♈*stamp*); 망치, 메(*rammer*). **stamp≈fen** [-pfən] 《Ⅰ》 *t.* 찧다, 빻다(*pound*); 때리다, 치다; 짓밟다, 다지다(♈*stamp*), 잘게 부수다, 짓이기다, 으깨다. 《Ⅱ》 *i.*(h. *u.* s.) ① 밟다; (말이) 발로 땅을 후벼 파다, 땅을 차다. ② (배가) 상하로 흔들리다(*pitch*). ③ (s.) 세게 짓밟으며 걷다. **Stampfer** *m.* -s, -, 짓찧는 사람; 발버둥치는 말; 위아래로 흔들리는 배.
stand [ʃtant] ☞STEHEN (그 過去).

Stand [ʃtant] [<steh(e)n] *m.* -(e)s, ¨e, ① 서 있음, 기립, 직립. ¶~ halten 부서를 고수하다 / e-n schweren ~ haben (mit, 을 상대로) 난처한 입장에 있다 / zu ~e bringen 성취하다, 해내다. ② 입장, 위치(♈*stand*; *position*); 출발점; 〖商〗 가게, 매점. ¶der ~ des Thermometers 한난계의 시도(示度) / der ~ der Preise 물가의 고저. ③ 상태, 상황; (~ der Dinge) 사정(*condition, state*); 경우. ④ 사회에 있어서의 입장, 지위, 신분, 계급(*rank, class*); 직업; (중세의) 계급 대표(*estate*). ⑤ 현재고; 총계.

Standard [ʃtándart, st-] [engl., „Maß"] *m.* -(s), -s, 표준; 모범; 화폐의 품위; 본위《화폐 제도의 표준 가치》.

Standarte [ʃtandártə] *f.* -n, 기, 군기.

Stand⸗baum [ʃtánt-] *m.* ① 마굿간의 격판(隔板). ② 홰《새의》. **~bild** *n.* 입상(立像)(*statue*).

Ständchen [ʃtέntçən] *n.* -s, -, 소야곡, 세레나데(*serenade*); 서서 하는 이야기.

Ständer [ʃtέndər] *m.* -s, -, 대(臺), 선반, 시렁, 횃대; 기둥뿌리; 받침(대), 스탠드(*pedestal, stand*); (Schirm~) 우산꽂이〔세우개〕; 〖建〗 기둥(*pillar, post*).

Standes⸗amt [ʃtándəs-] *n.* 호적 사무소. **~beamte** *m.* 《形容詞變化》 호적 사무 관리. **~dünkel** *m.* 신분의 자랑. **~ehre** *f.* 계급〔지위〕상의 체면. **~⸗gemäß** *a.* 신분에 걸맞은. **~genosse** *m.* 같은 신분〔계급〕의 사람. **~mäßig** *a.* =~GEMÄß. **~person** *f.* 신분이 높은 사람.

Stände·staat [ʃtέndəʃta:t] *m.* 신분 국가(身分國家).

Stände⸗tag *m.*, **~versammlung** *f.* 「국회.」

stand⸗fest [ʃtánt-] *a.* 붙박이의, 고정된, 튼튼한. **~geld** *n.* 매점세, 텃세, 노점세. **~gericht** *n.* 〖軍〗 즉결 재판; 군법 회의.

standhaft [ʃtánthaft] *a.* 확고한, 의연(毅然)한(*firm, steady*); 강경한; 불변의(*constant*).

stand·halten* [ʃtánt-] *i.*(h.) 입장을 지키다, 고수〔고집〕하다. ¶jm. ~ 아무에게 저항하다.

ständig [ʃtέndıç] *a.* 고정된, 상설의; 항구적인, 불변의(*permanent*).

Stand⸗ort *m.* 입장, 소재지, 위치; 〖軍〗 위수지. **~pauke** *f.* 《俗》 질책. **~⸗platz** *m.* (차 따위의) 세우는 곳. **~⸗punkt** *m.* ① 입장(*standpoint*); 관점((*point of*) *view*); 주의. ② 〖商〗 환시세. **~quartier** *n.* 〖軍〗 주둔 사영(舍營). **~recht** *n.* ① 군법 회의. ② (진중의) 즉결 재판. **~rede** *f.* ① 옥외에서의 (간단한) 연설. ② 《比》 질책, 비난. **~uhr** *f.* (상자에 든) 큰 탁상 시계, 앉은뱅이 시계. **~versuch** *m.* 내구(성의) 검사. **~vogel** *m.* 텃새. **~⸗waage** *f.* 〖體操〗 한발로 서서 상체 수평 굽히기.

Stange [ʃtáŋə] [engl. *sting* „stechen"] *f.* -n, ① 막대기, 장대(*pole, bar, rod*), 지주(支柱); (가금(家禽)의) 홰(*perch*); (Segel~) 활대; (창의) 자루. ¶bei der ~ bleiben, a) 본 문제에서 벗어나지 않다, b) 참다 / jm. die ~ halten 아무를 보호하다, 의 편을 들다. ② 〖獵〗 사슴의 가지뿔; (여우·이리 등의) 꼬리.

Stangen⸗bohne [ʃtáŋən-] *f.* 〖植〗 덩굴강남콩. **~eisen** *n.* ① 막대 모양의 쇠. ② 쇠덫. **~pferd** *n.* 채 사이에서 끄는 (맨 뒤) 말. **~spargel** *m.* 〖料〗 (전체 그대로의) 아스파라거스.

stank [ʃtaŋk] ☞STINKEN 《그 過去》.

Stank [ʃtaŋk] *m.* -(e)s, 《方》 ① 악취. ② 《俗》 싸움. **Stänkerei** *f.* -en, 악취; 싸움, 불화. **Stänk(er)er** *m.* -s, -, ① 구린 사람〔동물〕. ② 고린 것, 구린내 나는 담배〔치즈〕; 방귀. ③ 《卑》 싸움꾼; 불화를 조성하는 사람; 밀정, 첩자.

stänkern [ʃtέŋkərn] *t.* u. *i.*(h.) ① 악취를 풍기다, 구리다. ② 냄새 맡고 다니다; 시비〔승강이〕의 씨를 뿌리다.

Stanniol [ʃtaniǒ:l, st-] [it., <*stannum* „Zinn"] *n.* -s, -e. 납지(鑞紙); 은종이(*tinfoil*). 「납지를 입힌.」

stannioliert [ʃtanioli:rt] 《öst.》 *p. a.*

Stanze[1] [ʃtántsə, st-] [it. *eig.* "건물", <lat. *stāre* „steh(e)n"] *f.* -n, 〖詩學〗 스텐자《8 행 각운(脚韻)의 시구(詩句)》.

Stanze[2] [ʃtántsə] [기원 불명, Stanze[1]와 別語] *f.* -n. 철인(鐵印)(*stamp, punch*), 펀치. **stanzen** [ʃtántsən] *t.* 철인을 찍다, 천공(穿孔)하다.

Stapel [ʃtá:pəl] [Staffel 과 同語] *m.* -s, -, ① 〖海〗 조선대, 진수대(進水臺). ¶vom 〔von〕 ~ laufen 진수하다 / ein Schiff vom ~ lassen 배를 진수시키다. ② 상품 저장소, 상품 창고(*depot*); 집산지(*emporium*), 시장; 퇴적(*pile, heap*). ③ (면·양모 따위의) 섬유의 품질〔길이〕(의 표준).

Stapel⸗faser *f.* 인조 단섬유, 스테이플 파이버. **~gut** *n.* 집산(集散) 화물. **~⸗lauf** *m.* 〖海〗 진수.

stapeln[1] [ʃtá:pəln] *t.* 퇴적〔저장〕하다; *i.*(h.) 《俗》 음식점에서 가져온 것을 먹다.

stapeln[2] *i.*(s.) 성큼성큼 걷다; 행군하다; 비럭질하다.

Stapel⸗ort, **~platz** *m.* 〖商〗 화물 집산지. **~recht** *n.* 화물 집산권, 개시권(開市權).

Stapfe [ʃtápfə] *f.* -n, **Stapfen** [ʃtápfən] *m.* -s, -, 발자국. **stapfen** *i.*(h. *u.* s.) 세게 밟으며 걷다.

Star[1] [ʃta:r] *m.* -(e)s *u.* -en, -e(n). 〖鳥〗 찌르레기(♈*starling*).

Star[2] [ʃta:r] [♈starren] *m.* -(e)s, -e. 〖醫〗 내장안(內障眼)(*cataract*). ¶jm. den ~ stechen 아무의 내장안을 천개(穿開)하다, 《比》 아무를 깨우치다.

Star[3] [sta:r, ʃt-] [engl. „Stern"] *m.* -s, -s, (연극이나 영화의) 인기 배우, 인기 있는 사람, 스타.

starb [ʃtarp] ☞STERBEN 《그 過去》.

Star(en)kasten [ʃtá:r(ən)kastən] *m.* 찌르레기의 둥우리 상자《나무에 매단》.

stark [ʃtark] [♈starr] 《Ⅰ》 *a.* ① 강한(*strong*); 단단한; 튼튼한, 굳센(*stout*). ② 비만한; 두터운. ③ 맹렬한(*violent*), 심한; 뚜렷한; 큰, 많은. ¶e-e ~e Auflage 대부수(大部數)의 판. ④ 숙달한; 유능한; 우수한. 《Ⅱ》 *adv.* 세게; 많이; 크게. ¶~ gesucht 수요가 많은 / er ist ~ in den Vierzigen 그는 40살이 훨씬 지나 있다.

Stärke [ʃtérkə] *f.* -n, ① 강함, 세기, 강도; 힘(*energy*), 강건; 세력, 권력; 아귀셈. ② 비만; 두께; 굵기, 크기; 넓이. ③ 인원수; 병력. ④ 숙달; 능력; 장점 (*strong point*); 효과. ⑤ 풀; 전분(澱粉).

Stärke⸗grād [-gra:t] *m.* 강도(强度). **~haltig** *a.* 전분을 함유하는. **~mehl** *n.* 전분 (가루).

stärken [ʃtérkən] 《Ⅰ》 *t.* ① 강하게 하다; 힘을 북돋우다. ② 세탁물에 (빳빳하게) 풀을 먹이다. 《Ⅱ》 *refl.* 세지다; 음식을 먹고 기운이 나다; 《戲》 한잔하다.

stark⸗knochig *a.* 건장한 골격의. **~⸗leibig** *a.* (비만하여) 풍채가 좋은(*corpulent*), 비만한. **~strōm** *m.* 〖電〗 강전류. **~strōmleitung** *f.* 전력선.

Stärkung [ʃtérkʊŋ] *f.* -en, ① 강하게 함, 힘을 북돋움. ② 강장제; 흥분제.

starlet(t) [stá:rlɛt, ʃt-] [engl. „Sternchen"] *n.* -s, -s, (영화 등의) 어린 스타.

starr [ʃtar] *a.* ① 딱딱한, 경직한; 고정된; 마비된. ② 움직이지 않는, 붙박이인. ③ 완고한. **starren** [ʃtárən] *i.*(h.) ① 딱딱하다, 경직하여 있다. ② auf et.[4] ~ 무엇을 응시하다. ③ 우뚝 솟다. **Starr⸗heit** *f.* -en, 경직(硬直); 노려봄, 응시; 마비; 부동; 완강.

Starr⸗kopf [ʃtar-] *m.* 완고한 사람. **~köpfig** *a.* 완고한. **~krampf** *m.* 〖醫〗 강직 경련. **~sucht** *f.* 〖醫〗 강직증(症).

Start [ʃta(:)rt, st-] [engl.] *m.* -(e)s, -e *u.* -s, 출발, 스타트; 출발점; (비행기의) 이륙. **starten** [ʃtá(:)rtən, st-] *i.*(h. *u.* s.) 출발하다; 이륙하다; 경쟁에 참가하다. **Starter** *m.* -s, -, 〖競〗 출발 신호를 하는 사람, 스타터(*starter*); 시동기《자동차의》. 「로케트.」

Start·hilfe [ʃtárthɪlfə] *f.* 이륙 보조용

Start⸗ordnung [-ɔrd-, -ɔrt-] *f.* 출발 순위. **~platz** *m.* 출발점. **~verbōt** *n.* 출장 금지. **~zeichen** *n.* 출발 신호.

Stātik [ʃtá:tɪk, st-] [gr. <*stātichós* „steh(e)n"] *f.* 〖物〗 정역학(靜力學). **Stā⸗tiker** *m.* -s, -, 정역학자.

Station [ʃtatsĭó:n] [lat. *stāre*, „steh(e)n"] *f.* -en, ① 주재지; 〖軍〗 주둔처; 머무는 곳. ② 〖宗〗 머물러 예배하는 곳 《행렬 따위가 정지하여 기도 드리는》, 처(處) (십자가의 길 14처의 하나). ③ 정류소, 역(♈*station*). ④ 부서; (병원의) 과(科)(*ward*); 관측소; 송[수]신소.

Stations⸗ārzt *m.* 과(科)의 전임 의사. **~vōrstēher** *m.* 역장. 「한.」

statiös [ʃtatsĭǿ:s] [lat.] *a.* 화려[장려]

stātisch [ʃtá:tɪʃ, st-] *a.* ① 〖物〗 정역학(靜力學)의. ② 정지(靜止)하고 있는, 정적인. ③ 계산상의.

Statist [ʃtatɪst, st-] [lat. <Status] *m.* -en, -en, 〖劇〗 단역, 엑스트러(*extra*, *supernumerary*). **Statisterie** [-stəri:] *f.* ..rīen, 단역 전원.

Statistik [ʃtatɪstɪk, st-] [lat. <Status] *f.* -en, 통계학. **Statistiker** *m.* -s, -, 통계학자. **statistisch** *a.* 통계(학)상의.

Statīv [ʃtatí:f, st-] [lat. „Gestell" < *stāre* „steh(e)n"] *n.* -s, -e [-və], (기계를 세우거나 놓는) 대(臺), 삼각(三脚)대 (*stand, tripod*).

Statt [ʃtat] [♈st(e)hen; engl. *stead*] *f.* 《雅》 (Stätte) 장소. ¶am m-r ~ 내 대신에. **statt** [ʃtat] *prp.* 《2格 또는 3格支配》 (anstatt) …의 대신에(♈*instead of*). **Stätte** [ʃtétə] *f.* -n, 있는 곳, 소재지, 장소(*abode, place*).

statt⸗|finden* [ʃtát-] *i.*(h.) 일어나다, 행해지다; 개최되다, 있다(*take place*). **~|gēben*** *i.*(h.) (소원 따위를) 들어주다. ¶e-r Bitte[3] ~geben 소원을 들어주다. **~|hāben*** *i.*(h.) =~FINDEN.

statt·haft [ʃtáthaft] *a.* (was statthaben kann) 허용될 수 있는(*admissible*); 적법한, 합법의(*legal*).

Statt·halter [ʃtáthaltər] *m.* -s, -, 대리인; 지사, 총독(*governor*).

stattlich [ʃtátlɪç] [<Statt] *a.* ① 훌륭한, 당당한(♈*stately, grand, portly*). ② 막대한, 다대한(*considerable*).

statuārisch [ʃtatuá:rɪʃ, st-] *a.* 조각술의; 입상(立像)의; 조상(彫像)의, 조상 같은. **Statu·e** [ʃtá:tŭə, -tuə, st-; 稀: statý:] [lat. <*stāre* „steh(e)n"] *f.* -n, 입상(立像), 조상(彫像).

statuieren [ʃtatuí:rən, st-] [lat. < *stāre* „steh(e)n" *t.* ① 확립[설정]하다 (*lay down*). ② 정하다, (예 따위를) 들다. ¶ein Exempel ~ 경고하는 본보기로 삼다. ③ 관용하다.

Statūr [ʃtatú:r] [lat. <*stāre* „steh(e)n"] *f.* -en, 모습, 자태, 체격, 신장(♈*stature, size*).

Stātus [ʃtá:tus, st-] [lat. <*stāre* „steh(e)n"] *m.* -, -, ① (Zustand) 상태, 사정, 상황(*state of affairs*); 신분, 지위(♈*status*). ② 〖商〗 대차 대조표(*balance sheet*). ***Status quo*** [ʃtá:tus kvó:, st-] *m.* - -, 현상.

Statūt [ʃtatú:t, st-] [lat., "Satzung"] *n.* -(e)s, -en, 정관(定款), 규정(♈*statute, regulation*). **statutārisch** *a.* 정관[법규]에 따른.

statūtenmäßig [ʃtatú:tənmɛ:sɪç] *a.* 정관에 의한, 규칙대로의.

Stau·anlāge [ʃtáuanla:gə] *f.* 댐.

Staub [ʃtaup] [♈stieben] *m.* -(e)s, (稀) -e *u.* ⸗e, 티끌, 먼지(*dust*); 먼지 모양의 것, 가루(*powder*); 〖植〗 꽃가루(*pollen*). ¶~ aufwirbeln 세상의 물의를 일으키다 / sich aus dem ~e machen 자취를 감추어 버리다, 뺑소니치다 / jn. in den ~ treten [stürzen] 아무를 지우다, 모욕주다.

Staub⸗bēsen [ʃtáup-] *m.* 먼지떨이, 총채. **~beutel** *m.* 〖植〗 꽃가루 주머니. **~blatt** *n.* 〖植〗 =~GEFÄSS.

Stäubchen [ʃtɔ́ypçən] *n.* -s, -, (낱낱의) 티; 먼지; 미진(微塵); 미분자, 원자 (*atom*). 「은 저수지, 보.」

Stau·becken [ʃtáubɛkən] *n.* 둑으로 막

stauben [ʃtáubən] *i.*(h. *u.* s.). ① *imp.*: es staubt 먼지가 일다. ② 먼지처럼 날다, 흩날리다. **stäuben** [ʃtɔ́ybən] 《Ⅰ》 *i.*(h. *u.* s.) ①=STAUBEN. ② *i.*(h.) u. *refl.* (자고새가) 사욕(沙浴)하다. 《Ⅱ》 *t.*

S

(모래 따위를) 뿌리다; (의) 먼지를 털다, 청소하다; (적을) 좇아 버리다. **Stäuber** *m.* -s, -, 먼지를 터는 사람; 먼지 터는 〔닦는〕 헝겊(걸레), 총채, 먼지떨이.

Staub·fāden *m.* 〖植〗 꽃실. **∼farben** *a.* 카키색의. **∼gefäß** *n.* 〖植〗 꽃밥, 수술(*stamen*).

staubig [ʃtáubıç] *a.* 먼지투성이의; 가루 모양의.

Staub·kamm *m.* (먼지를 빗겨내는) 참빗. **∼korn** *n.* 가루 모양의 먼지, 티끌. **∼lappen** *m.* 먼지 닦이(걸레). **∼mantel** *m.* 먼지를 막는 외투. **∼rēgen** *m.* 는개, 이슬비. **∼sauger** *m.* 흡진기(吸塵器), 진공 청소기. **∼tūch** *n.* 먼지 훔치개. **∼wēdel** *m.* 먼지떨이, 총채. **∼wirbel** *m.* 소용돌이치는 사진(砂塵). **∼wolke** *f.* (구름처럼 이는) 먼지, 사진(砂塵). **∼zucker** *m.* 설탕.

stauchen [ʃtáuxən] 《Ⅰ》 *t.* 밀치다, 두드리다(*knock*); 찍다, 찌르다, 들이치다, 틀어〔쳐〕박다(*jam*); (달군 쇠막대 따위의 끝을 쳐서) 뭉툭하게 하다, 굵게 하다 (*upset*). 《Ⅱ》 *i.*(h.) 치밀듯 흔들리다 (*jolt*); (차가) 덜컥덜컥 흔들리다.

Stau·damm [ʃtáudam] *m.* 둑, 방죽.

Staude [ʃtáudə] *f.* -n, 〖植〗 다년생 초목; 관목(灌木)(*shrub, bush*).

stauen [ʃtáuən] [♀steh(e)n] 《Ⅰ》 *t.* ("세우다, 놓다":) 채우다, 쌓다, 싣다《짐을》 (♀*stow*); („steben machen":) 괴게 하다; (둑으로) 막다《물을》(*dam up*). 《Ⅱ》 *i.*(h.) u. *refl.* (물이) 막히다; 《比》 (교통이) 막히다; (길이 막혀 군중이) 몰리다.

staunen [ʃtáunən] 《Ⅰ》 *i.*(h.) 깜짝 놀라다, 몹시 놀라다(*be astonished, amazed*). 《Ⅱ》 **Staunen** *n.* -s, 경악, 경이, 놀람. **staunenswērt** *a.* 놀랄 만한.

Staupe[1] [ʃtáupə] *f.* -n, 디스템퍼《개의 열병》(*distemper*); 〖醫〗 유행〔전염〕병.

Staupe[2] [ʃtáupə] *f.* -n, (공중 앞에서 하는) 매질, 태형(笞刑) (*flogging*).

stäupen [ʃtɔ́ypən] *t.* 태형에 처하다.

Staupunkt [ʃtáupuŋkt] *m.* 물 괴는 곳.

Stau·see [ʃtáuze:] *m.* 둑을 쌓아 만든 저수지, 보.

Stau·stūfen [-ʃtu:fən] *pl.* (방죽의) 담수단(湛水段).

Stauung [ʃtáuuŋ] *f.* -en, 〖海〗 짐싣기; 둑을 쌓아 막음, (교통의) 정체; 〖醫〗 울혈.

Stauwerk [ʃtáuvεrk] *n.* 방죽, 댐.

Stearin [ʃteari:n, st-] [gr. <*stéar* „Talg"] *n.* -s, -e, 〖化〗 스테아린.

Stearin·kerze *f.*, **∼licht** *n.* 스테아린 (양)초. **∼säure** *f.* 〖化〗 스테아린산.

Stech·apfel [ʃtέç-] *m.* 〖植〗 흰독말풀 및 그 열매《사과 모양이며 가시가 있음》. **∼bahn** *f.* (중세의) 마상 창시합장. **∼becken** *n.* (환자용) 변기(便器).

stechen* [ʃtέçən] 《Ⅰ》 *t.* (벌레 따위가) 쏘다, (뾰족한 것으로) 찌르다(*sting, prick, pierce*); 찔러 (구멍을) 뚫다(*puncture*); 찔러 죽이다《돼지 따위를》(*stick, kill*); (카드에서) 따먹다《패를》(*trump*); (옛 장을) 뜨다; 조각하다《구리·강철 따위에》(*engrave*). ¶Silben ∼ 남의 말을 캐고 따지다《헐뜯으려고》, 문구에 구애받다. 《Ⅱ》 *i.*(h.) ① 꽂다; 찌르다. ② die Sonne sticht 해가 따갑게 내리쬐다 / in die Augen ∼, a) 눈부시다, b) (jm., 아무의) 눈에 띄다, 마음을 끌다. ③ 마상창 시합을 하다; 결승전을 하다. ④ (s.) (상앗대로 물가를 밀고 떠나다:) in See ∼ 출항〔출범〕하다. **Stecher** *m.* -s, -, 찌르는 사람; 마상 창시합자; 동판 조각자; 〖工〗 착공기(鑿孔器); 작살, 고래작살; (총의) 미력 격발(微力擊發) 장치.

Stech·fliege *f.* 〖蟲〗 말파리, 등에. **∼ginster** *m.* 〖植〗 가시금작나무. **∼hēber** *m.* 사이펀; 흡액기(吸液器). **∼mücke** *f.* 〖蟲〗 모기(*gnat*). **∼palme** *f.* 〖植〗 서양 감탕나무. **∼schritt** *m.* 〖軍〗 분열 행진 보조《무릎을 높이 들어 땅을 구르며 걷는 보조》.

Steck·brief [ʃtέk-] *m.* 구속 영장, 인상서(人相書). **∼dōse** *f.* 〖電〗 소케트.

Stecken [ʃtέkən] [<stechen] *m.* -s, -, 스틱, 막대기, 지팡이(♀*stick*).

stecken(*) [ʃtέkən] [<stechen, *eig.* „machen, daß et. sticht"] 《Ⅰ》 *t.* 찌르다, 꽂다(♀*stick*); 끼워〔수셔〕 넣다; 찔러〔밀어〕 넣다; (mit Nadeln, 바늘을) 꽂다 (*pin*); (in et., 무엇 속에) 넣다(*put (in)*); (식물을) 심다(*set, plant*). ¶das Haus in Brand ∼ 집에 불을 지르다 / jn. in den Sack ∼ 아무를 능가하다, 압도하다. 《Ⅱ》 *i.*(h.) ① 찔러〔꽂혀·박혀·끼여〕 있다(♀*stick, fast*); (찔려 있듯이 하고) 있다, 박혀〔숨어〕있다, 있다(*be, remain*). ¶dahinter steckt et. 거기에는 말 못할 사정〔이유·까닭〕이 있지요 / das Kissen steckt voller Nadeln 바늘겨레에 바늘이 가득 꽂혀 있다. ② *imp.*: es steckt mir im Halse 나는 목이 아프다.

stecken·bleiben* *i.*(s.) 찔린〔꽂힌·끼인〕 채 있다; 꼼짝달싹 못하다, 말문이 막히다. **∼lassen*** *t.* 찌른〔꽂은·삽입한〕 채로 두다; 방치하다, 내버려 두다. **∼pfērd** *n.* 죽마(竹馬)(*hobby(horse)*); 《比》 도락.

Stecker [ʃtεkər] *m.* -s, -, 〖電〗 플러그(*plug*).

Steck·kissen *n.* 처네, 포대기. **∼kontakt** *m.* 〖電〗 플러그, 소케트. **∼kontaktschnūr** *f.* 〖電〗 가뇨선(可撓線)(*flex*).

Steckling [ʃtέklıŋ] *m.* -s, -e, 꺾꽂이(나무), 휘묻이, 취목(取木).

Steck·nādel *f.* 핀, 바늘못. **∼rūbe** *f.* 〖植〗 스웨덴순무. **∼schlüssel** *m.* 드라이버(의 일종).

Stēg [ʃte:k] [<steigen] *m.* -(e)s, -e, ① 작은 길《산길 따위》(*footpath*). ② (좁은)널다리(*plank*). ③ (Geigen∼) (현악기의) 줄받침, 기러기발(*bridge*). ④ (Hosen∼) 양복바지의 밑을 줄라 구두 밑에 거는 걸빵(*strap*). ⑤ 〖印〗 포르마트, 스틱, 식자가(植字架)(*stick*).

Stēg·reif [ʃté:kraif] [*eig.* „Steig-bügel"] *m.* †등자(鐙子). ¶《比》 aus dem ∼ (등자를 밟은 채:) 즉석에서, 준비도 없이(*off hand, extempore*).

Stehbierhalle [ʃté:bi:rhalə] *f.* 비어스탠드.

steh(e)n* [ʃté:(ə)n] [mhd. *stēn, stān* (지금의 h는 나중에 첨가한 자)] 《Ⅰ》 *i.*(h. *u.* s.) ① 서다, 서 있다(♀*stand*); 멈추다《시계가》; 정지하고 있다《기계가 운전을》; (어디어디에) 서〔위치하고〕 있다, 있

다, 존재하다(*be* (*situated*)); (…의 상태에) 있다(*be*); (jm., 아무에게) 어울리다, 적합하다(*suit, become*). ¶e-m Maler ~ 화가의 모델이 되다 / es steht geschrieben 쓰여 있다. ② 《前置詞와 함께》 es steht **bei** dir 그것은 네게 달려 있다 / **für** et. 〔jn.〕 ~ 무엇〔아무〕에 대하여 책임을 지다, 보증하다 / **mit** jm. gut ~ 아무와 사이가 좋다 / **über** jm. ~ 아무의 위에 서다, 보다 우수하다, 의 상사이다 / **zu** jm. ~ 아무를 편들다, 을 돕다. ③ 《動詞와 함께》 Geld bei jm. ~ haben 아무에게 돈을 맡기고 있다 / et. kommt jm. teuer zu ~ 무엇이 아무에게 값비싼 댓가를 치르게 하다, 누가 무엇으로 혼이 나다, 골탕먹다. 《Ⅱ》 **ste̱=hend** *p.a.* 서 있는; 고정된; 상비의; 상투의. ¶~en Fußes (선 채로:) 즉석에서, 곧(*on the spot, at once*) / e-e ~e Redensart 상투적인 말 / ~es Wasser 괴어 있는 물.

ste̱h(e)n=|bleiben* *i.*(s.) 멈추어 서 있다; 중지하다, (일어)선 채로 있다. ~|=**lassen*** *t.* 움직이게 하지 않다, 그대로 두다; (돈을) 맡겨 두다, 곧 지급치 않다.

Ste̱h=krägen [ʃté:–] *m.* 스탠드 칼라. **~lampe** *f.* (전등의) 스탠드. **~leiter** *f.* 접사다리《위에 판을 댄》.

ste̱hlen* [ʃté:lən] 《Ⅰ》 *t.* u. *i.*(h.) (jm. et., 아무에게서 무엇을) 훔치다(♈*steal, rob*). 《Ⅱ》 **Ste̱hlen** *n.* -s, 훔치기.

Ste̱hler *m.* -s, -, 도둑(*thief*).

Ste̱h=platz *m.* 입석(立席)《극장 따위의》. **~pult** *n.* 서서 글을 쓰는 높은 책상.

steif [ʃtaif] *a.* 딱딱한, 뻣뻣한, 굳은(♈*stiff, rigid*); 불굴의; 끈덕진; 끈끈한; 진한, 된(*thick*); (무뚝뚝하거나 너무 형식에 치우쳐) 딱딱한, 부자연스러운, 어색〔갑갑〕한(*formal*). **Steife** *f.* -n, = STEIFHEIT. **steifen** [ʃtáifən] 《Ⅰ》 *t.* 딱딱하게〔빳빳하게〕 하다; (빨래에) 풀을 먹이다; 버티다, 받치다. 《Ⅱ》 *refl.* (auf et.⁴, 을) 완강히 주장하다, 고집하다.

Steifheit [ʃtáifhait] *f.* -en, ① 굳은, 딱딱함, 빳빳함, 경직(硬直); (죽 따위의) 됨, 진함. ② 《比》 부자연스러움, 딱딱함, 거북함, 갑갑함.

Steif=leinen *n.*, **~leinwand** *f.* 버크럼《풀·아교풀 따위를 먹인 아마포》.

Steig [ʃtaik] [<steigen] *m.* -(e)s, -e, 산길, 비탈길, 언덕길, 작은 길.

Steig=bügel [ʃtáik–] *m.* 등자(鐙子)(*stirrup*). **~bügelriemen** *m.* 등자띠.

Steige [ʃtáigə] *f.* -n, 비탈길; (담·벽 따위의) 층계, 발판; (좁고 가파른) 계단.

Steig·eisen [ʃtáik–] *n.* (전봇대 따위를 오르기 위한) 발디딤쇠; (구두의) 스파이크 바닥〔창〕, 징; 등자.

steigen* [ʃtáigən] *i.*(s.) 올라가다, 오르다(*ascend, mount*); 기어 오르다(*climb*); 《一般的》 오르다, 상승하다(*rise*); (말이) 날뛰다(*prance*); 높이 오르다, 높아지다; 높게 되다, (값이) 비싸지다; (길이) 치받이가〔오르막이〕 되다; (물이) 붇다, 증수하다. ¶e-n Drachen ~ lassen 연을 날리다 / 《내려가다의 뜻을 나타낼 때는 아래로의 방향을 가리키는 말과 함께 쓰일 때뿐임》 **aus** dem Wagen ~ 차에서 내리다 / **durch** das Fenster ~ 창으로 들어가다 / **über** die Mauer ~ 담을 넘다 / **vom** Pferde ~ 말에서 내리다.

steigend *p.a.* 상승 〔등귀·증가〕하는.

Steiger *m.* -s, -, 〖坑〗 갱부장.

steigern [ʃtáigərn] [„steigen machen"] 《Ⅰ》 *t.* ① 높이다, 올리다(*raise, enhance, increase*), (경매에서) 값을 올려 부르다(*bid*). ② 〖文〗 ein Beiwort ~ 형용사의 비교급 및 최상급을 만들다. 《Ⅱ》 *refl.* 높아지다, 증가하다, 붇다. ¶sich in et. hinein ~ 에 대한 감정〔생각〕이 고조되다.

Steigerung [ʃtáigəruŋ] *f.* -en, 높임, 높아짐, 오름, 올림; 향진; 증가; 값을 올림《경매에서》; 〖文〗 비교(변화).

Steig=höhe [ʃtáik–] *f.* 〖空〗 상승 고도. **~leitung** *f.* 수직 도관(導管).

Steigung [ʃtáiguŋ] *f.* -en, 오름, 상승; 등귀; 언덕, 치받이, 경사, 비탈, 고개.

steil [ʃtail] [mhd. *steigel*, <steigen] *a.* 험준한, 가파른(*steep, precipitous*).

Steil=feuer *n.* 곡사 포화(曲射砲火). **~feuergeschütz** *n.* 곡사포. **~hang** *m.* 낭떠러지, 벼랑(*steep, precipice*).

Steilheit [ʃtáilhait] *f.* 험준함, 가파름.

Stein [ʃtain] *m.* -(e)s, -e, ① 돌(♈*stone*), 암석(*rock*); 바윗돌이 많은 산, 바위산. ¶〖聖〗 ein ~ des Anstoßes (발부리에) 거치는 돌(=분노의 씨) / es friert ~ u. Bein 돌도 뼈도 얼어붙도록 춥다 / ~ u. Bein schwören 굳게 맹세하다《제단(Stein)과 성자의 유골(Bein)에 걸고의 뜻》 / bei jm. e-n ~ im Brette haben 아무에게 호감을 주다, 호의를 얻다. ② 묘석; 기념비; 맷돌; 숫돌. ③ (서양 장기의) 말(*man*). ④ 〖醫〗 (방광 따위의) 결석(結石). ⑤ 〖植〗 (과일의) 핵(*kernel*).

Stein=ädler [ʃtáin-a:dlər, –tl–] *m.* 〖鳥〗 (바위산에 사는) 수리의 일종. **~alt** [ʃtáin-ált, ʃtain-ált] *a.* 아주 오래된 〔낡은〕, 나이가 썩 많은. **~artig** *a.* 돌같은, 석질(石質)의. **~beil** *n.* 돌도끼《태고의》. **~beschwerde** *f.* 〖醫〗 결석증. **~bock** *m.* 〖動〗 (바위산에 사는) 야생 염소의 일종; 〖天〗 a) 염소자리, 마갈궁(摩羯宮). **~bohrer** *m.* 착암기; 천석공(穿石工). **~brech** *m.* 〖植〗 범의귀《결석병(結石病)의 약이 되는》. **~bruch** *m.* 채석장. **~butt** *m.*, **~butte** *f.* 〖魚〗 (유럽산) 가자미의 일종. **~druck** *m.* 석판 인쇄(술)(*lithography*). **~eiche** *f.* 〖植〗 너도밤나무의 일종.

steinern [ʃtáinərn] *a.* 돌의, 석조의; 《比》 돌 같은; 단단한, 굳은, 무정한.

Stein=frucht *f.* 〖植〗 핵과(核果). **~=garnēle** *f.* 〖動〗 징거미의 일종. **~=garten** *m.* 암석(식물)원《알프스를 모방한》. **~gūt** *n.* -(e)s, -e, 오지 그릇, 도자기. **~hart** *a.* 돌처럼 단단한; 《比》 무정한. **~hauer** *m.* =~METZ.

steinig [ʃtáiniç] *a.* 돌의, 돌 모양의; 돌이 많은, 돌투성이인; 〖醫〗 결석(結石)(모양)의. **steinigen** *t.* (에) 돌을 던지다(♈*stone*), 돌로 때려 죽이다《옛날의 처형법》.

Stein=klopfer *m.* 돌깨는 인부(人夫).

S

~kohle *f.* 석탄(*coal*). **~mark** *n.* 〖鑛〗 석수(石髓). **~metz** *m.* -en, -en, 석수(↑*stone-mason*). **~ōbst** *n.* =~FURCHT. **~ōl** *n.* 석유(*petroleum*). **~pflaster** *n.* 포석(鋪石). **~pilz** *m.* 〖植〗 슈타인필츠《식용 버섯의 일종으로 다른 것보다 단단함》. **~reich** *a.* 《Ⅰ》 [ʃtáin-] 돌이 많은. 《Ⅱ》 [ʃtáinráiç, ʃtainráiç] 부호의, 돈 많은. **~salz** *n.* 암염(岩塩). **~schlāg** *m.* 암석(岩石) 낙하《높은 산의》. **~schmerzen** *pl.* 〖醫〗 결석통(結石痛). **~schneider** *m.* 보석 세공인. **~schnitt** *m.* 돌을 조각하기; 〖醫〗 결석 절제술(切除術). **~schrift** *f.* 비명(碑銘)(문). **~setzer** *m.* 포석공(鋪石工). **~wälzer** *m.* 〖鳥〗 꼬까물떼새. **~wand** *f.* 돌벽. **~wēg** *m.* 포석(鋪石) 도로. **~wurf** *m.* 돌던지기; 돌팔매가 이르는 거리. **~zeit** *f.* 석기 시대. **~zeug** *n.* =~GUT.

Steiß [ʃtais] *m.* -es, -e, 볼기, 엉덩이 《특히 새 따위의》(*backside, buttocks*). **Steißbein** *n.* 미저골(尾骶骨).

Stellage [ʃtɛlá:ʒə, st-] [d. +fr.; ↑stellen] *f.* -n, 받침, 대(臺), 스탠드 (*stand*); 장치, 설비

Stelldich·ein [ʃtɛ́ldɪç-ain] [fr. *rendezvous*의 독일어역] *n.* -(s), -, 회합(*meeting*); 밀회(*rendezvous*); 회합〔밀회〕 장소.

Stelle [ʃtɛ́lə] [<stellen] *f.* -n, 놓는〔두는〕 곳, 있는 곳〔자리〕; 장소(*place*), 개소(箇所)(*spot*); (책의) 귀절, 장귀(章句) (*passage*), 입장(*situation*); 지위(=직, 직업, 일)(*position, post*); 관청(*agency*). ¶**an** m-r ~ 내 대신에 / **auf** der ~ 그 자리에서, 곧, 즉시 / nicht **von** der ~ kommen 진척이 안되다 / **zur** ~ sein 그 자리에 있다, 바로 가까이 있다.

stellen [ʃtɛ́lən] [<steh(e)n: *eig.* „steh(e)n machen"] 《Ⅰ》 *t.* ① (멈춰서게 하다:) 멎게 하다; (의 운전을) 정지시키다 (*stop*). ¶ 《比》 jn. zur Rede ~ (아무를 붙들어 세워 놓고 말하게 하다:) 아무에게 답변을 요구하다. ② 세우다, 놓다, 두다, 배치하다(*put, set, lay, place*). ¶auf sich selbst gestellt 자신에게 맡겨져, 남에게 기대는 바 없이 / e-n Bürgen ~ 보증인을 세우다 / den Zeiger der Uhr ~ 〔die Uhr ~〕 시계(의 바늘)를 맞추다 / e-e Frage ~ 질문하다. 《Ⅱ》 *i.*(h.) (nach, 을) 붙잡으려고〔얻으려고〕 하다, 노리다. 《Ⅲ》 *refl.* ① (어떤 장소에) 서다, 자리잡다, 위치하다; 나란히 서다, 정렬하다; 나서다, 출두하다, 나타나다; 가다, 향하다. ¶sich zum Kampf ~ 출정하다 / sich nicht ~ können, (mit, 와) 화합이 안되다, 사이가 나쁘다. ② (…한) 사정이다; (…의) 몸짓을〔태도를〕 하다; (…인) 체하다, 가장하다(*pretend, feign*). ¶sich ängstlich ~ 걱정스런 모양을 하다.

Stellen·angebōt [ʃtɛ́lən-] *n.* 구인(求人), 지위 제공, 초빙. **~gesūch** *n.* 구직(求職). **~jāger** *m.* 취직〔엽관〕 운동자. **~lōs** *a.* 지위가 없는, 실직의. **~nāchweis** *m.*, **~vermitt(e)lung** *f.* 직업 소개. **~weise** *adv.* 곳곳에; 여기저기; 이따금씩, 가끔. **~wērt** *m.* 〖數〗 자릿수의 수치; 《比》 위치에 의한 가치.

Stell·macher [ʃtɛ́l-] [Stellle, =Gestell] *m.* 수레 목수, 차량공(車輛工). **~netz** *n.* 정치망(定置網). **~schlüssel** *m.* 조정 스패너(*adjustable spanner*). **~schraube** *f.* 조정 나사.

Stellung [ʃtɛ́luŋ] *f.* -en, 세움, 놓음, 장치함; 배치, 상태, 상황(*situation*); 입장(*position*); 자세, 태세(*posture*); 태도(*attitude*); 지위, 직(*position, place*); 〖軍〗 진지(*position, line*). ¶e-e ~ nehmen, (zu, 에 대한) 태도를〔의견을〕 정하다. **~nahme** *f.* 입장〔태도·의견〕의 결정.

Stellungs·befehl *m.* 〖軍〗 소집령. **~krieg** *m.* 〖軍〗 진지전. **~lōs** *a.* 실직하고 있는, 무직의. **~lōsigkeit** *f.* 실직, 무직. **~pflichtig** *a.* 병역〔응소〕 의무가 있는. **~wechsel** *m.* 진지〔지위〕 전환.

stell·vertrētend *a.* 대리의, 대표의. **~vertrēter** *m.* 대리인, 대표(자). **~wāgen** *m.* 좌석 (있는) 마차. **~werk** *n.* 〖鐵〗 전철(轉轍) 장치. **~winkel** *m.* 〖工〗 사각(斜角)자, 측각기(測角器).

Stelzbein [ʃtɛ́ltsbain] *n.* (나무로 만든) 의족(義足).

Stelze [ʃtɛ́ltsə] [*eig.* „was steif ist"] *f.* -n, 대말, 죽마(↑*stilt*). **stelzen** [ʃtɛ́ltsən] *i.*(h. *u.* s.) 죽마를 타고 걷다.

Stemm·eisen [ʃtɛ́m-aizən] *n.* (양면이 사각(斜角)을 이룬) 끌, 정.

stemmen [ʃtɛ́mən] [*eig.* „stehen (*od.* steif) machen"] 《Ⅰ》 *t.* (둑을 쌓아 물을) 막다(↑*stem, dam up*); 버티다, 받치다, 괴다《팔꿈치 따위로》 (*prop, support*); (hoch ~) (무거운 것을) 들어 올리다, 치켜〔떠받쳐〕 들다《몸을 버티고》. 《Ⅱ》 *refl.* (gegen, 에 대하여) 버티다, (으로) 몸을 버티다; 《比》 (에) 저항하다(*resist, oppose*).

Stempel [ʃtɛ́mpəl] [<stampfen] *m.* -s, -, (절구) 공이, 피스톤; 타인구(打印具), 스탬프(↑*stamp*), 타인(打印), 날인, 극인(極印), 상표(*brand*); 일부인(日付印); 소인(消印); 인지; 〖植〗 암술《꼴이 절굿 공이 비슷함》(*pistil*).

Stempel·gebühr *f.* 인지세. **~kissen** *n.* 스탬프의 인주. **~marke** *f.* 인지(印紙).

stempeln [ʃtɛ́mpəln] *t.* ① (에) 스탬프를〔도장을〕 찍다. ② 《俗》 ~ gehen 실업(失業) 수당을 받다, 실직되어 있다.

Stempel·schneider [ʃtɛ́mpəl-] *m.* 도장 새기는 사람. **~steuer** *f.* 인지세(印紙稅). **~uhr** *f.* 타임레코더.

Stenge [ʃtɛ́ŋə] [↑Stange] *f.* -n, 〖海〗 「톱 마스트.」

Stengel [ʃtɛ́ŋəl] [*dim.* v. Stange] *m.* -s, -, 〖植〗 줄기, 꽃꼭지(*stalk, stem*).

Stenogramm [ʃtenográm, st-] [gr. <*stenós* „eng, kurz"] *n.* -s, -e, 속기 문서. **Stenogrāph** *m.* -en, -en, 속기사. **Stenographie** *f.* ..phīen, 속기술(*shorthand*). **stenographieren** *t.* u. *i.*(h.) 속기하다. **stenogrāphisch** *a.* 속기(술)의. *adv.* 속기로. **Stenotypist** *m.* -en, -en, 속기 타자수.

Step [ʃtɛp] [engl.] *m.* -s, -s, (댄스의) 스텝; 스텝댄스.

Steppdecke [ʃtɛ́p-] *f.* 누빈 덮이불.

Steppe [ʃtέpə] [russ.] *f.* -n, 대초원《특히 러시아의》, 황야, 스텝.
steppen [ʃtέpən] [*eig.* „stechen"] *t.* 퀘매다, 누비다.
Steppen=bewohner *m.* 초원의 주민. **~wolf** [ʃtέpənvɔlp] *m.* 〖動〗 코이요테.
Stepp=naht [ʃtέp-] *f.* 누비질. **~stich** *m.* 호아 퀘맴, 박음질.
Steptanz [ʃtέp-] *m.* 스텝을 밟는 댄스, 스텝댄스《탭댄스 등》.
Stēr [ʃte:r, ste:r] [gr. -fr.] *m.* -s, -e *u.* -s, 1 입방 미터《목재의 용적 단위》.
Sterbe=bett [ʃtέrbə-] *n.* 임종의 침상. **~fall** *m.* 사망(의 건). **~gewand, ~hemd** *n.* 수의. **~jahr** *n.* 죽은 해, 기년(忌年). **~kasse** *f.* 매장비 적립(조합). **~kleid** *n.* =~GEWAND. **~liste** *f.* 사망자 명부.
sterben* [ʃtέrbən] [*eig.* „erstarren", ♈starr; =engl. *starve*] 《Ⅰ》 *i.*(s.) 죽다, 서거하다(*die, perish*); 《比》 꺼지다《불·소리가》; 사라지다《애정·추억 등이》. 《Ⅱ》 **Sterben** *n.* -s, 죽음. ¶im ~ liegen 위독하다.
sterbens=krank *a.* 위독한, 중태의. **~seele** *f.*: k-e ~seele 한 사람도 …없다. **~wort, ~wörtchen** *n.* 《俗》 er sagte kein ~wort [~wörtchen] 그는 한 마디도 하지 않았다.
Sterbe=register *n.* =~LISTE. **~sakramente** *pl.* 〖가톨릭〗 임종의 성사. **~stunde** *f.* 운명하는 시각, 임종 때. **~tāg** *m.* 사망일, 기일(忌日).
sterblich [ʃtέrplıç] *a.* 죽을, 죽어야 할 (*mortal*). **Sterblichkeit** *f.* 죽어야 함, 죽음을 면치 못함; 사망율(死亡率). **Sterblichkeits·ziffer** *f.* 사망율.
Stēreō [sté:reo:, ʃt-] [gr.] *n.* -s, -s, 스테로판(版). **stereo..** [ste(:)reo-, ʃt-] 《合成用語》 "굳은·고정된·입체의"의 뜻. **Stēreokamera** *f.* 입체 카메라. **Stereometrie** *f.* 체적 측정, 구적법. **Stereoskōp** [-ɔskó:p] *n.* -s, -e, 입체경. **stereotȳp** [-tý:p] *a.* ① 스테로판[연판]의. ② 《比》 확정된, 고정된.
sterīl [ʃterí:l, st-] [lat. „unfruchtbar"] *a.* 열매를 맺지 않는, 불임의, 비생산의; 불모의; 발아력이 없는; 〖醫〗 균이 없는. **Sterilisatiōn** [ʃterilizatsió:n, st-] *f.* -en, 위를 하기. **sterilisieren** *t.* 불임케 하다; 살균[소독]하다. **Sterilitāt** *f.* 불임(증); 불모(不毛), 불생산.
Stern [ʃtεrn] *m.* -(e)s, -e, 별(♈*star*); (Augen~)눈동자; 〖印〗 별표(*)(*asterisk*).
Stern=bild *n.* 별자리, 성좌(*constellation*). **~blūme** *f.* 별 모양의 꽃.
Sternchen [ʃtέrnçən] [*dim.* v. Stern] *n.* -s, -, 작은 별; 〖印〗 별표(*).
Stern=deuter *m.* 점성가. **~deutung** *f.* 점성술.
Sternen=banner *n.* 성조기(星條旗). **~himmel** *m.*, **~zelt** *n.* =STERNHIMMEL.
Stern=fahrt *f.* 많은 출발점에서 한 중심점으로 향하여 가는 (자동차) 경주. **~förmig** *a.* 별 꼴의, 별 모양의. **~flūg** *m.* (비행기의) 성형(星形) 경주《여러 지점에서 목표의 한 점으로 향하는》. **~gucker** *m.* 《俗》 천문학자. **~hell** *a.* 별(처럼) 밝은. **~himmel** *m.* 별이 총총한 하늘. **~kunde** *f.* 천문학. **~kundig** *a.* 천문학에 정통한. **~mōtor** *m.* 성형(星形) 발동기. **~schnuppe** *f.* 유성(流星). **~sēher** *m.* 천문학자. **~singen** *n.* 별노래 부르기《Dreikönigsfest 에 아이들이 장대끝에 별 모양을 달아 집집 문전에서 노래를 부르고 선물을 받는 풍습》. **~warte** *f.* 천문대. **~wolken** *pl.* 〖天〗 성운(星雲).
Sterz [ʃtεrts] *m.* -es, -e, 꼬리(*tail*); (Pflug~) 쟁기의 손잡이(*ploughhandle*).
stēt [ʃte:t] [<steh(e)n] *a.* 확고한, 불변의, 간단없는(*fixed, steady, constant*). **stētig** [ʃté:tıç] *a.* 간단 없는, 끊임없는. **Stētigkeit** *f.* 간단없음, 끊임없음, 변함없음; 〖數〗 연속. **stēts** [ʃte:ts] *adv.* 끊임없이, 늘, 항상(*always, constantly*).
Steuer[1] [ʃtɔ́yər] [*eig.* „Pfahl, Stütze"] *f.* -n, ① zur ~ der Wahrheit 진리를 위하여. ② 세, 조세(*tax*).
Steuer[2] [ʃtɔ́yər] [♈Steuer[1], *eig.* „Stützung, Lenkung (des Schiffes)"] *n.* -s, -, 키, 타기(舵機)(*rudder, helm*).
Steuer=amt *n.* 세무서; 세관. **~anlāge** *f.* 과세(課稅). **~anschlāg** *m.* 조세 사정(査定). **~aufkommen** *n.* (연간의) 세입, 총세(總稅)수입. 「무가 있는.」
steuerbār *a.* 과세할 수 있는; 납세 의
Steuer=beamte *m.* 《形容詞變化》 세리, 세관리. **~befreiung** *f.* 면세. **~bewilligungs·recht** *n.* 조세 승낙권.
Steuer=bord [ʃtɔ́yərbɔrt] *n.* 오른쪽 뱃전, 우현(右舷). **~bord** *adv.* 우현으로.
Steuer=einheit *f.* 조세 단위. **~einnehmer** [ʃtɔ́yər-] *m.* 징세관.
Steu(e)rer [ʃtɔ́y(ə)rər] *m.* -s, -, 납세[헌금]하는 사람; 《稀》 징수관.
Steuer=erhēbung *f.* 조세 징수, 징세(徵稅). **~erklārung** *f.* 세액 통고. **~erlaß** *m.* 납세 면제. **~erleichterung** *f.* 감세. **~frei** *a.* 면세의, 무세(無稅)의. **~freiheit** *f.* 면세, 무세. **~hinterziehung** *f.* 탈세. 「종간.」
Steuerknüppel [-knvpəl] *m.* 〖空〗 조
steuerlich [ʃtɔ́yərlıç] *a.* 조세의.
Steuer=mann [ʃtɔ́yərman] *m.* 키잡이; 운전사《칭호》. **~s=kunst** *f.* 조타술(操舵術), 항해술.
steuern [ʃtɔ́yərn] 《Ⅰ》 *t.* 지지하다; 키를 잡다; 조종하다(♈*steer, pilot*). 《Ⅱ》 *i.*(h.*u.* s.) ① 키를 잡다; 항로를 잡다, 향하다. ② (h.) 방지[제지]하다, 예방하다(et.[3]) (*check*).
Steuer=nāchlaß *m.* 조세의 경감. **~pacht** *f.* (옛) 수세권(收稅權)의 위탁. **~pflichtig** *a.* 납세 의무가 있는; 세를 내야 하는.
Steuer=rād *n.* 조종 타륜(舵輪). **~rūder** *n.* (배의) 키. 「금의 미납.」
Steuer=satz *m.* 세율. **~schuld** *f.* 세
Steu(e)rung [ʃtɔ́y(ə)ruŋ] *f.* -en, ① 조타(操舵); 조종; 조정; 배분《증기 따위의》; 조정[배분] 장치. ② 제지, 방지.
Steuer=veranlāgung *f.* 세액 결정. **~vorauszahlung** *f.* 세금 전납(前納). **~wēsen** *n.* 세제(稅制). **~zahler** *m.* 납세자. **~zūschlāg** *m.* 부가세.
Stēven [ʃté:vən] [♈Stab] *m.* -s, -, 《方》

S

(Vorder~) 선수재(船首材); (Hinter~) 선미재(船尾材)(♈*stem*).

Steward [stjú:ərt, –d] [engl.] *m.* -s, –s, 기선·여객기의 급사. **Stewardeß** [stjú:ərdɛs] *f.* ..dessen, 스튜어디스, 기선·여객기의 여자 급사.

stibitzen [ʃtibítsən] *t.* u. *i.*(h.) 《俗》 속여 빼앗다, 슬쩍 훔치다(*pilfer*).

Stich [ʃtɪç] [<stechen] *m.* –(e)s, –e, ① 찌름(*sting, prick*; 벌레가: *bite*); 〖펜싱〗 찌름(*stab, thrust*); 자상(刺傷), 찔린 상처; (Näh~) 꿰맴, 뜸, 꿰매는 법(♈*stitch*); 자통(刺痛)(♈*stitch, sharp pain*); 《比》 양심의 가책(*pang*). ② 《成句로》 ~ halten 견고하다, 오래 견디다 / im ~ lassen (위험 속에) 그대로 내버려 두다, 어쩔 수 없이 죽게 내버려 두다. ③ 기자(譏刺), 조롱(*touch, jeer*). ④ (Kupfer~, Stahl~) 조각술, 판화(*engraving*). ⑤ 〖카드〗 (Karten~) 상대의 패를 잡음(*trick*). ⑥ 색조. ¶ e–n ~ ins Grüne haben 녹색을 띠어 가고 있다. ⑦ e–n ~ haben, a) 거나하다, b) 좀 기분이 상해 있다, c) (술 따위가) 시어 가고 있다.

stich! [ʃtɪç] ☞ STECHEN (그 命令法).

Stich=blatt [ʃtíçblat] *n.* 칼코둥이; 〖카드〗 으뜸패; 《比》 (조소의) 대상. **~=dunkel** *a.* 깜깜한.

Stichel [ʃtíçəl] [<stechen] *m.* –s, –, 조각용 칼〔끌〕.

Stichelei [ʃtɪçəlái] *f.* –en, 《比》 빈정댐, 비꼼.

Stichelhaar [ʃtíçəlha:r] *m.* (개의) 강모(剛毛). **stichelhaarig** *a.* 강모의 (개).

sticheln [ʃtíçəln] [stechen의 强意語] *t.* u. *i.*(h.) 바느질하다; 《比》 빈정대다, 비꼬아 말하다.

Stichel=nāme [ʃtíçəl–] *m.* 별명. **~rē=de** *f.*, **~wort** *n.* 빗댐, 빈정댐, 비꼼.

stich=fest [ʃtíç–] *a.* 찔러도 들어가지 않는, 칼끝이 들어가지 않는. **~flam=me** *f.* (찌를 듯이) 가늘고 길게 내뿜는 화염, 열화염(熱火焰). **~haltig** *a.* 확실한, 끄떡없는.

Stichling [ʃtíçlɪŋ] *m.* –s, –e, 〖魚〗 큰가시고기.

Stich=prōbe [ʃtíçpro:bə] *f.* 찔러 꺼낸 견본《용광로의 금속, 통에서 꺼낸 포도주의 견본 따위》; 《比》 (전체의 견본으로서) 임의의 곳을 택해 하는 검사. **~=sāge** *f.* 실톱.

stichst [ʃtɪçst] (du ~), **sticht** (er ~) ☞ STECHEN (그 現在).

Stich=tāg *m.* 조사일〔거행일〕로 결정된 날. **~waffe** *f.* 찌르는 무기《창 따위》. **~wahl** *f.* 결선 투표. **~wein** [<Stich] *m.* 신 맛을 띤 포도주. **~wort** [*eig.* „hervorstechendes Wort"] *n.* (사전의) 표제어(*catch-word*); 〖劇〗 대사의 끝말《다른 배우의 대사 또는 등장의 암호가 됨》(*cue*). **~wunde** *f.* 찔린 상처, 자상.

sticken[1] [ʃtíkən] [<stecken] *i.*(s.) 《方》 (mit dem Atem stecken bleiben) 질식하다(흔히: ersticken).

sticken[2] [ʃtíkən] [<stechen] *t.* 수놓다(*embroider*). **Stickerei** [ʃtɪkərái] *f.* –en, 자수(품). **Stickerin** *f.* –nen, 수놓는 여자. **Stickgarn** *n.* 수실.

Stickgās [ʃtíkga:s] *n.* 질식 가스.

Stickhūsten [ʃtíkhu:stən] *m.* 백일해.

stickig *a.* 질식할 것 같은, 숨막히는.

Stickluft *f.* 숨막힐 듯한 공기.

Stick=muster *n.* 자수 본. **~rahmen** *m.* 자수틀.

Stick·stoff [ʃtíkʃtɔf] *m.* 질소(*nitrogen*).

stieben(*) [ʃtí:bən] [<Staub "먼지(=흩어짐)"] *i.*(s.) 흩어지다, 비산하다, 먼지처럼 날다(*fly about, disperse*).

stief.. [ʃtí:f–] [*eig.* „abgeschnitten"] 친부모와 헤어진, 계부모 슬하의 (♈*step-*) 《후에 부모에게도 전용됨》. **Stiefbrū=der** *m.* 의붓〔배다른〕 형제.

Stiefel [ʃtí:fəl] [Lw. it.] *m.* –s, –, 장화(*boot*); (Pumpen~) 펌프의 통(*barrel*).

Stiefel=anzieher *pl.* 구두 주걱; 장화의 혹. **~bürste** *f.* 구둣솔. **~knecht** *m.* 탈화구(脫靴具).

stiefeln [ʃtí:fəln] *i.*(s.*u.* h.) 성큼성큼 걷다, 활보하다.

Stiefel=putzer *m.* 구두 닦기(하는 사람). **~schaft** *m.* 장화의 목. **~wich=se** [–viksə] *f.* 구두약.

Stief=mutter *f.* 계모. **~mütterchen** *n.* 〖植〗 삼색제비꽃(*pansy*). **~mütter=lich** *a.* 계모의, 계모 같은. **~schwe=ster** *f.* 의붓〔배다른〕 자매. **~vāter** *m.* 계부(繼父).

stieg [ʃti:k] ☞ STEIGEN (그 過去).

Stiege [ʃtí:gə] *f.* –n, ① 사다리, 계단(*stairs*). ② 20(개)(*score*). ③ 새장.

Stieglitz [ʃtí:klɪts, ʃtí:gl–] [tschech.] *m.* –es, –e, 〖鳥〗 검은방울새속의 일종(*goldfinch*).

stiehl! [ʃti:l], **stiehlst** (du~), **stiehlt** (er ~) ☞ STEHLEN (그 命令法 및 現在).

Stiel [ʃti:l] *m.* –(e)s, –e, 자루, 손잡이(*stick, handle*); 〖植〗 줄기, 화경(花梗), 엽병(葉柄)(*stalk*), 잎꼭지, 잎자루

stiel=äugig [ʃtí:l–] *a.* 〖動〗 유병안(有柄眼)의. **~stich** *m.* 스템스티치《자수의 일종》.

Stier [ʃti:r] *m.* –(e)s, –e, 〖動〗 수소(*bull*; 수송아지: ♈*steer*).

stier [ʃti:r] [♈starr] *a.* 응시하는(♈*staring*). **stieren** *i.*(h.) 응시하다, 뚫어지게 (바라)보다(♈*stare*).

Stier·kampf [ʃtí:r–] *m.* 투우. **~=nackig** *a.* 《比》 완고한.

stieß [ʃti:s] ☞ STOßEN (그 過去).

Stift[1] [ʃtɪft] [<steif] *m.* –(e)s, –e, 끝이 뾰족한 작은 원기둥꼴의 기구, 첨축(尖軸)(*peg*); (Beschlag~) 대갈못(*tack*); (Zeichen~) 크레용(*crayon*); (Blei~) (색) 연필(*pencil*); 핀, 옷핀(*pin*); 《戱》 꼬마; 도제(徒弟), 사동(*apprentice*).

Stift[2] [ʃtɪft] [<stiften] *n.* –(e)s, –e(r), (종교적·자선적) 복지 시설《양로원·고아원·자선 병원 따위》(*foundation*); 수도원, 중앙 교회 평의원회. **stiften** *t.* 설립〔창립〕하다(*found, establish*); (…의 설립비로) 기부하다. ¶ e–e Ehe ~ 결혼의 중매를 하다 / Gutes ~ 선행을 하다.

stiften|gehen* [ʃtíftəŋge:ən] [前半: < hebr. *schataf* „überströmen"] *i.*(h.) 《俗》 몰래 도망하다, 뺑소니치다.

Stifter [ʃtíftər] *m.* –s, –, 창립자, 설립자; 기부자.

Stifts=dāme, ~fräulein *f.* 양로원 소속의 귀부인. **~herr** *m.* 중앙 교회 평

의원. **~hütte** *f.* 〖聖〗 장막(유대인이 방랑할 때 갖고 다니던 신전). **~kirche** *f.* 공주(共住) 성직자단 성당.

Stiftung [ʃtíftuŋ] *f.* –en, 설립, 창립; (milde ~) 자선 시설; 기부.

Stiftzahn [-tsa:n] *m.* 틀에 박은 의치(義齒).

Stigma [stígma, ʃt–] [gr.] *n.* –s, –ta *u.* ..men, ① 흉터; 낙인; 《比》 오점, 오욕. ② 〖動〗 기공(氣孔). **stigmatisieren** *t.* 낙인을 찍다; 《比》 오명을 입히다.

Stil [ʃti:l, st–] [lat. *stilus* „Stiel"] *m.* –(e)s, –e, 스타일(♀*style*); 양식, 문체.

Stil-blüte *f.* 격에 맞지 않는(우스운)말, 앞뒤가 맞지 않는 문체. **~bühne** *f.* (일체의 환상적 효과를 버린 간소한 장치의) 스타일 무대.

Stilett [ʃtilét, st–] [it., *dim.* v. Stiel] *n.* –(e)s, –e, (가는) 단검.

stilgerecht [ʃtí:lgəreçt, st–] *a.* 문체가[양식이] 올바른.

stilisieren [ʃtilizí:rən, st–] *t.* (양식에 따라) 문장을 짓다. ¶gut stilisiert 문장이 좋은, 좋은 문체의. **Stilist** [ʃtilíst, st–] *m.* –en, –en, 문장가. **Stilistik** *f.* –en, 문체론. **stilistisch** *a.* 문체론의; 문체의.

still [ʃtɪl] [♀stellen] *a.* 잔잔한(♀*still*); 정지해 있는, 부동의; 조용한, 고요한 (*calm, quiet*); 묵묵한, 소리 없는(*silent*). ¶~! 조용해, 쉬 / ~ davon! 그 말은 마 / der ~e Freitag =KARFREITAG / ein ~er Gesellschafter 익명 사원 / der ~e Ozean 태평양 / (名詞的 用法에서 나온 副詞句) im ~en 남몰래, 살짝, 슬그머니. **Stille** [ʃtílə] *f.* 고요함, 평온; 잔잔함; 〖商〗 불황, 불경기.

Stilleben [ʃtílle:bən] (分綴: Still-leben) *n.* –s, –, 〖畫〗 정물(靜物)(♀*still life*).

stillegen [ʃtílle:gən] (分綴: still-legen) *t.* 방기하다, 그만두다(*lay idle, shut down*). **Stillegung** *f.* –en, 방기.

stillen [ʃtílən] *t.* 멎게 하다(출혈을); 잠잠하게 하다; 침묵시키다; 원만히 수습하다, 진정시키다, 달래다, 무마시키다; 가라앉히다(갈증·허기증을); 만족시키다(욕망을). ¶ein Kind ~ 젖을 주다.

still|halten* [ʃtílhaltən] *i.*(h.) 꾹 참다; 은인하다; 재촉하지 않다.

Still-lēben [ʃtíl–] *n.* =STILLEBEN. **~lēgen** =STILLEGEN.

stil-lōs [ʃtí:llo:s] *a.* 양식이 없는; 부조화한; 특색 없는.

still|schweigen* [ʃtílʃvaigən] 《I》 *i.*(h.) 침묵하다; 잠잠히 있다; **~d** (*p. a.*) 침묵하고 있는, 암묵(暗默)의. 《II》 **Stillschweigen** *n.* –s, 침묵, 말이 없음; 비익(秘匿).

Still-stand *m.* 멈춰 서 있음, 정지(靜止); 정지(停止), 정체; 휴지(休止); 〖商〗 불황(不況). **~|stēh(e)n*** *i.*(h.) 휴지하고 있다, 중지되어 있다; 한산하다. ¶ ~gestanden! 〖軍〗 차려. **~stēhend** *a.* 정지[정체]한.

stillvergnügt [ʃtílfɛrgny:kt] *a.* 마음 편히 즐길 수 있는, 남몰래 만족하고 있는.

Stil-übung [ʃtí:ly:buŋ] *f.* 문장 연습, 작문. **~voll** *a.* 문체에 특색이 있는; 아치(雅致) 있는.

Stimm-abgābe [ʃtím–] *f.* 투표. **~bänder** *pl.* 성대. **~berechtigt** *a.* 투표권이 있는. **~bruch** *m.* 변성(變聲).

Stimme [ʃtímə] *f.* –n, (사람 또는 동물이 내는) 소리, 음성(*voice*); 〖樂〗 음부(音部)(*part*); 발언권; (Wahl~) 투표(*vote*); 투표권. ¶s–e ~ abgeben, a) 발언하다, 의견을 말하다, b) 투표하다.

stimmen [ʃtímən] 《I》 *i.*(h.) 가락이 맞다; (zu, 에) 어울리다, 적합하다(*accord, agree*); 투표하다(*vote*). 《II》 *t.* (악기를) 조율(調律)하다(*tune*); 《比》 (…의) 기분[느낌]이 들게 하다(*dispose, induce*). ¶schlecht gestimmt 기분이 나쁜.

Stimmen-einheit *f.* 만장 일치. **~fang** *m.* 선거 운동. **~gleichheit** *f.* 투표의 동점. **~mehrheit** *f.* 투표의 다수, 다수결. **~prüfung** *f.* 투표 검사.

Stimm-enthaltung [ʃtím-ɛnthaltuŋ] *f.* 투표의 기권.

Stimmenzählung [ʃtíməntsɛ:luŋ] *f.* 투표의 계표.

Stimmer [ʃtímər] *m.* –s, –, 〖樂〗 조율사(調律師); 투표자.

stimm-fähig [ʃtímfɛ:ɪç] *a.* 투표권이 있는; 조율할 수 있는. **~führer** *m.* 대변인, 스포크스맨. **~gābel** *f.* 〖樂〗 음차(音叉). **~gēber** *m.* 투표자.

stimmhaft [ʃtímhaft] *a.* 〖文〗 유성(有聲)의.

Stimm-lāge *f.* 음위(音位). **~lōs** *a.* 소리가 없는; 〖文〗 무성의.

Stimm-recht *n.* 투표권, 선거권. **~ritze** *f.* 〖醫〗 성문(聲門). **~tōn** *m.* 성음(聲音); 〖文〗 유성음; 모음; 〖樂〗 조율음, 표준음. **~umfang** *m.* 〖樂〗 성량, 성역.

Stimmung [ʃtímuŋ] *f.* –en, 조율(調律); 가락; 《比》 정조(情調), 기분(*mood, humour*); 〖畫〗 색조.

Stimmungs-bild *n.* 〖畫〗 기분[풍경]화, 정서가 풍부한 그림. **~mache** *f.* 인기를 얻기 위한 선전, 여론의 환기. **~umschwung** *m.* 기분의 급변. **~voll** *a.* 정서 풍부한, 정취에 넘친.

Stimm-wechsel *m.* 변성(變聲). **~zettel** *m.* 투표 용지.

Stimulans [ʃtí:mulans, st–] [lat.] *n.* –, ..lanzīen *u.* ..lantia, 자극물, 흥분제 (=Reizmittel). **Stimulation** [-latsīó:n] *f.* –en, 자극, 격려, 선동.

Stinkbombe [ʃtíŋk–] *f.* 질식 폭탄.

stinken* [ʃtíŋkən] 《I》 *i.*(h.) 냄새나다; 악취를 풍기다, 구리다(♀*stink*). 《II》 **stinkend** *p.a.* 구린. **stinkfaul** *a.* 《俗》 지독히 게으른. **stinkig** *a.* 구린.

Stink-marder *m.* 족제비류. **~tier** *n.* 〖動〗 스컹크. **~wūt** [-vu:t] *f.*: 《俗》 e-e ~wut haben 미쳐 날뛰고 있다.

Stint [ʃtɪnt] [<stinken, 악취 때문에 이렇게 일컬음] *m.* –(e)s, –e, 〖魚〗 바다빙어(*smelt* (*fish*)).

Stipendium [ʃtipéndīum] [lat.] *n.* –s, ..dīen *u.* ..dia, 장학금.

stippen [ʃtípən] *t.* (소스나 즙에) 담그다(*dip, steep*).

Stipulation [ʃtipulatsīó:n, st–] [lat.] *f.* –en, 계약, 약정, 협정. **stipulieren** *t.* 위를 하다.

stirb! [ʃtɪrp], **stirbst** (du ~), **stirbt** [ʃtɪrpt] (er ~) ☞ STERBEN(그 命令法 및 現在).

S

Stirn [ʃtɪrn] *f.* -en, 이마(*forehead, brow*); 《比》 전면, 정면. ¶jm. die ~ bieten 아무에게 맞서다.

Stirn·binde [ʃtírn-] *f.* 머리띠. **~haar** *n.* 앞머리카락. **~höhle** *f.* 〖解〗 전두동(前頭洞)《코의 측동(側洞)의 하나》. **~locke** *f.* =~HAAR. **~runzeln** *n.* 이맛살을 찌푸림, 찡그린 얼굴. **~wind** *m.* 맞바람.

stob [ʃto:p] ☞STIEBEN 《그 過去》.

Stöberhund [ʃtǿ:bərhʊnt] *m.* 사냥개.

stöbern [ʃtǿ:bərn] [<stieben, Staub] 《Ⅰ》 *i.*(h.) ① *imp.*: es stöbert 눈보라 친다, 눈개가 내린다. ② 샅샅이 찾아다니다(*search*). 《Ⅱ》 *t.* 〖獵〗 몰다, 몰아내다(*hunt*).

stochern [ʃtɔ́xərn] [♈Stock] *i.*(h.) u. *t.* 이쑤시개로 (이를) 쑤시다(*pick*); (불을) 쑤셔 일으키다(*poke, stir*).

Stock[1] [ʃtɔk] *m.* -(e)s, ⸚e, ① 줄기, 수간(樹幹), 그루, 그루터기 (♈*stock*). ¶über ~ u. Stein 저돌적으로, 곧장. ② 막대기, 지팡이, 스틱(*stick*). ③ *m.* (*n.*) -(e)s, - *u.* ~werke (가옥의) 층《지계(地階)가 있을 때 2층 이상을 가리킴》 (*story, floor*). ¶im ersten ~ wohnen 2층에 살다.

Stock[2] [ʃtɔk, st-] [engl.] *m.* -s, -s, ① 저장, 저축; 재고. ② 주식 (자본), 주권.

stock·blind [ʃtɔ́kblínt] *a.* 완전히 눈먼. **~degen** *m.* 속에 칼을 꽂은 지팡이. **~dumm** *a.* 아주 아둔한. **~dunkel** *a.* 깜깜한.

Stöckelschuh [ʃtœ́kəlʃu:] *m.* 하이힐.

stocken [ʃtɔ́kən] [*eig.* „steif wie ein Stock werden"] *i.*(h. *u.* s.) u. *refl.* ① 서다, 정지〔중단〕되다(*stop*); 괴다, 흐르지 않다(*stagnate*); (밀크 따위가) 응결〔응고〕하다; (말이) 막히다, 더듬다(*stammer*). ② *imp.*: es stockt mit der Sache (일이) 정체되다. ③ 부패〔부후(腐朽)〕하다, 곰팡나다.

Stock·engländer [ʃtɔ́k-έŋlɛndər] *m.* 순수한 영국인.

stock·finster *a.* 아주 깜깜한. **~fisch** *m.* 말린 대구; 《俗》 얼간이, 바보. **~fleck(en)** *m.* 곰팡나서 생긴 얼룩. **~fleckig** *a.* 곰팡으로 얼룩진, 곰팡난, 곰팡내 나는. **~fremd** *a.* 전연 모르는. **~heiser** *a.* 《俗》 완전히 목이 쉰.

stockig [ʃtɔ́kɪç] *a.* 썩은; 곰팡이슨; 곰팡내가 나는. ¶~e Zähne 충치.

Stock·mäkler *m.* 증권 회사. **~maß** *n.* 측량대로 잰 가축의 키. **~prügel** *pl.* 태형(笞刑). **~puppe** *f.* (꼭두각시 놀음의) 장대(끝에 단) 인형. **~rose** *f.* 〖植〗 접시꽃. **~schlag** *m.* 막대기로 침. **~schnupfen** *m.* 〖醫〗 비강 폐색성(鼻腔閉塞性) 감기; 《俗》 코멩. **~steif** *a.* 막대처럼 단단한, 아주 팽팽한. **~still** *a.* 쥐죽은 듯한. **~stumm** *a.* 묵묵한. **~taub** *a.* 찰귀머거리인.

Stockung [ʃtɔ́kʊŋ] *f.* -en, 정지, 정체; 울혈(鬱血); (말이) 막힘, 웅얼거림; 〖商〗 불황(不況).

Stock·werk [ʃtɔ́kvɛrk] *n.* (가옥의) 층. **~zahn** *m.* 〖解〗 어금니.

Stoff [ʃtɔf] [Lw. fr.] *m.* -(e)s, -e, 옷감, 피륙(*fabric*); 원료, 재료(*material*, ♈*stuff*); 물질, 실체(*matter, substance*); (Grund~, Ur~) 요소, 원소; 실질; 소재, 제재(*subject, thema*).

stofflich [ʃtɔ́flɪç] *a.* 물질의; 원료의, 재료의.

Stoff·name(n) *m.* 〖文〗 물질 명사. **~wechsel** [ʃtɔ́fvɛksəl] *m.* 〖生·化〗 신진대사.

stöhnen [ʃtǿ:nən] *i.*(h.) 끙끙거리다, 신음하다(*groan*).

Stoiker [ʃtó:ɪkər, st-] [gr.] *m.* -s, -, 스토아 철학자; 《比》 스토아식의 사람.

stoisch [ʃtó:ɪʃ, st-] *a.* 스토아파 (철학)의; 《比》 스토아식의; 사물에 동하지 않는, 극기심이 강한; 엄숙한; 금욕주의의.

Stola [ʃtó:la, st-] [gr. -lat.] *f.* ...len, 〖가톨릭〗 스톨라, 영대(領帶)《미사 제의(祭衣)의 하나》.

Stolle [ʃtɔ́lə] *f.* -n, 긴 네모꼴의 과자 이름《흔히 크리스마스 때 구움》.

Stollen [ʃtɔ́lən] [♈steh(e)n] *m.* -s, -, 기둥, 지주(支柱)(*post, prop*); (수평의) 갱도(*mine gallery*); (편자의) 바닥 징(*calk*).

stolpern [ʃtɔ́lpərn] *i.*(s.) 걸려〔걷어 채여〕 비틀거리다(*stumble*).

stolz [ʃtɔlts] 《Ⅰ》 *a.* ① 자랑스러운, 긍지가 높은(*proud*); (auf et., 을) 자랑하는. ② 오만한(*arrogant*). 《Ⅱ》 **Stolz** *m.* -es, 자랑, 긍지; 자부; 오만, 불손.

stolzieren [ʃtɔltsí:rən] *i.*(h.) 자랑하다; (s.) 의기 양양하게 걷다; 다리를 높이 들고 걷다《말이》(*strut*).

Stopf·arz(e)nei *f.* 〖藥〗 지사제(止瀉劑), 지혈제(止血劑). **~büchse** [ʃtɔ́pf-bʏksə] *f.* 충전물(充塡物) 상자.

stopfen [ʃtɔ́pfən] [Lw. lat.] 《Ⅰ》 *t.* ① (에) 채우다, 충전하다(*stuff, fill*), (의) 구멍을 막다; 깁다《양말을》(*darn*). ¶jm. den Mund ~ 아무를 말 못하게 하다 / gestopft voll 빽빽이 찬. ② 잘 먹여 살찌게 하다《거위를》. ③ (설사·출혈 등을) 멎게 하다. ¶〖軍〗 das Feuer ~ 사격을 그치다. 《Ⅱ》 *refl.* 실컷 먹다; 가득 차다; 막히다; 〖醫〗 변비하다. **Stopfer** *m.* -s, -, 채우는 〔충전하는〕 사람, 수선인. **Stopferei** [ʃtɔpfəráɪ] *f.* -en, 수선.

Stopf·garn *n.* 깁는 실, 뜨는 실. **~mittel** *n.* 지사제(止瀉劑). **~nadel** *f.* 뜨개바늘.

Stoppel [ʃtɔ́pəl] [Lw. lat.] *f.* -n, 그루터기(♈*stubble*).

Stoppel·bart *m.* 뻣뻣한 수염, 텁석나룻. **~feld** *n.* 추수 뒤의 논밭.

stopp(e)lig [ʃtɔ́p(ə)lɪç] *a.* 그루터기 같은; 그루터기 투성이의. **stoppeln** *t.* u. *i.*(h.) 이삭을 줍다; 《比》 주워〔그러〕 모으다. **Stoppelwerk** *n.* 주워 모은 것.

stoppen [ʃtɔ́pən, st-] [Lw. lat., = stopfen] *t.* 멈추다; 물을 막다; 스톱워치로 재다.

Stopplicht *n.* 미등(尾燈)《자동차의 브레이크를 걸었을 때의 깜박이》. **Stopp·uhr** *f.* 스톱워치.

Stöpsel [ʃtœ́psəl] [<Stopfen] *m.* -s, -, 코르크 마개(*cork*); 《比》 땅딸보; 〖電〗 플러그(*plug*). **stöpseln** *t.* (에) 마개를 하다.

Stör [ʃtø:r] *m.* -(e)s, -e, 〖魚〗 철갑상어(*sturgeon*).

Storax [ʃtó:raks] [gr. -lat.] *m.* -(es), -e, 〖植〗 소합향(蘇合香).

Storch [ʃtɔrç] *m.* -(e)s, ⸚e [ʃtœ́rçə] 〖鳥〗 황새(♈*stork*). **storchbeinig** *a.* 다리가 가늘고 긴. **Storchennest** *n.* 황새 둥지.
Storch⸗nest *n.* 황새 둥지. **∼schnā⸗bel** [ʃtɔ́rçʃna:bəl] *m.* 〖植〗 쥐손이속《씨방이 황새 부리 같음》; 《工》 축도기, 팬터그래프.
stören [ʃtǿ:rən] 《Ⅰ》 *i.*(h.) 움직이다(♈*stir*); 헤집어 찾다, 쑤시다(*poke, rake*). 《Ⅱ》 *t.* 어지럽히다, 교란시키다, 혼란을 일으키다(*disturb, disorder*); 성가시게 하다(*trouble*); 〖電〗 방해하다(*jam*). 《Ⅲ》 **gestört** *p. a.* 방해받은; 미친.
Störenfried [ʃtǿ:rənfri:t] *m.* -(e)s, -e, 방해자, 훼방꾼. **Störer** *m.* -s, -, 교란자, 방해자.
stornieren [ʃtɔrní:rən, st-] [it.] *t.* 주문을 취소하다, 대차(貸借)를 정정하다.
Storr [ʃtɔr] *m.* -en, -en, **Storren** *m.* -s, -, (나무) 그루터기; 치근(齒根).
störrig [ʃtœ́rıç] *a.* 완고한; 고집이 센 (*stubborn, obstinate*). **Störrigkeit** *f.* 위임. **störrisch** = STÖRRIG.
Störung [ʃtǿ:ruŋ] *f.* -en, 교란; 방해; 혼란; 미침; 〖電〗 장애, 혼신(混信). ¶ geistige ∼ 정신 착란, 발광.
Störungs⸗feuer *n.* 교란 사격. **∼theo⸗rie** *f.* 〖天〗 섭동론(攝動論). **∼ver⸗sūch** *m.* 교란〔방해〕 계획.
Story [ʃtɔ́:ri] [engl. *history* „Historie"] *f.* -s, 스토리《짧은 이야기》.
Stōß [ʃto:s] [<stoßen] *m.* -es, ⸚e, ① 찌름, 밀침(*push, thrust*); 타격; (걷어) 참, 킥; (수영의) 스트로크; 부딪침, 충돌; 돌격, 습격; (급격한) 동요; (격동을 미치게 하는) 충격, 진감(震撼)(*shock*); (총포의) 반동(反動); (연속적) 충격; (총포의) 연속 사격. ② 더미, 퇴적(堆積) (*pile, heap*). ③ 이음매, 접합부; 〖鐵〗 (레일의) 접합점.
Stōß⸗dämpfer *m.* 완충기(緩衝器), 범퍼. **∼dēgen** *m.* 찌르기를 주로 하는 가는 칼.
Stößel [ʃtǿ:səl] *m.* -s, -, 나무〔절굿〕공이; 막자; 〖工〗 철자(凸子)(*tappet*).
stōßen* [ʃtó:sən] 《Ⅰ》 *t.* 찌르다, 밀치다(*push, thrust*); (mit dem Fuße:) 차다(*kick*); 치다(*knock, strike, punch*); 찧다, 빻다(*pound*); 맞부딪치게 하다, 떼밀다; 접합시키다, 부착시키다. ¶**auf** jm ∼ 아무에 부딪다 / jn. **aus** dem Hause ∼ 아무를 (집에서) 내쫓다 / jm. den Dolch **ins** Herz ∼ 아무의 가슴에 칼을 찔러 넣다 / et. **über** den Haufen ∼ 무엇을 밀어 넘어뜨리다. 《Ⅱ》 *refl.* (an, 에) 맞부딪다, 충돌하다; (돌부리에) 채다; (an, 로) 기분 상하다(*take offence (at)*). 《Ⅲ》 *i.*(h. *u.* s.) ① (h.) 찌르다, 밀치다; 동요〔진동〕하다; (배가) 앞뒤로 흔들리다; (총포가) 반동하다. ¶**an** et.[4] ∼ 무엇에 부딪다〔인접하다〕 / **nach** jm. ∼ 아무를 찌르다〔밀치다〕 ② (s.) der Adlerstößt **an** e-e Taube 수리가 비둘기를 덮치다 / **auf** jn ∼ 아무와 만나다 / **zu** jm. [et.] ∼ 아무〔무엇〕에 합류하다.
Stōß⸗fänger *m.* (차의) 완충기. **∼ge⸗bēt** *n.* 짧은 기도《위급할 때 하는 단편적인》. **∼kante** *f.* 가장자리, 모서리. **∼keil** *m.* 〖軍〗 (공격의) 선두, 최전선. **∼kraft** *f.* 충격력, 타격력. **∼seuf⸗zer** *m.* 한숨을 쉼, 긴 한숨. **∼stange** *f.* 완충간(緩衝桿).
stößt [ʃtø:st] (du ∼, er ∼) ☞STOẞEN 「(그 現在).」
Stōß⸗trupp *m.* 돌격대. **∼truppen** *pl.* 〖軍〗 돌격 부대, 기습대. **∼verkehr** *m.* 러시아워의 교통. **∼vōgel** *m.* 〖鳥〗 맹금류. **∼wellen** *pl.* (기체나 음파의) 충격파. **∼weise** *adv.* 단속(斷續)하여; 경련적으로; 변덕스럽게. **∼wind** *m.* 돌풍(突風). **∼zahl** *f.* 충돌 회수. **∼⸗zahn** *m.* 엄니(*tusk*).
Stotterei [ʃtɔtərái] [<Stoß] *f.* -en, 말을 더듬음, 눌변(訥辯). **Stotterer** *m.* -s, -, 말더듬이. **stottern** *i.*(h.) (stoß-weise sprechen) 말을 더듬다; *t.* 더듬으며 말하다(♈*stutter, stammer*).
Stövchen [ʃtǿ:fçən], **Stövchen** [ʃtǿ:f-] [nd., *dim.* <Stube] *n.* -s, -, 발을 따뜻하게 하는 것(인 화로).
strack [ʃtrak] [„gerade, straff"] *a.* 똑바른; 결연(決然)한. **stracks** [ʃtraks] *adv.* 똑바로, 곧장(*straight, directly*); 곧, 당장(*immediately*).
Strāf⸗anstalt [ʃtrá:f-] *f.* 감옥, 교도소. **∼antrāg** *m.* 고소, 소송. **∼arbeit** *f.* (학교에서) 벌로 하는 일. **∼auf⸗schūb** *m.* (형의) 집행 유예. **∼aus⸗māß** *n.* 형(刑)의 양정(量定). **∼ausset⸗zung** *f.* 집행 유예.
strāfbār [ʃtrá:fba:r] *a.* 벌해야 할; 형벌을 받아야 할; 유죄의.
Strāf⸗befehl *m.* 처형 명령. **∼bestim⸗mung** *f.* 형벌 규정.
Strāfe [ʃtrá:fə] *f.* -n, 형, 벌, 형벌 (*punishment, penalty*); (Geld∼) 벌금, 과료(*fine*). ¶es ist bei ∼ verboten 범하면 처벌된다. **strāfen** *t.* 《Ⅰ》 벌하다, 처벌하다(*punish*); 징벌하다(*chastise*); 벌금형에 처하다(*fine*); 《比》 질책하다, 꾸짖다(*reprove*). 《Ⅱ》 *refl.* 벌받다. **strā⸗fend** *p. a.* 벌하는; 꾸짖는〔나무라는〕 것 같은 (눈초리).
Strāf⸗erlaß [ʃtrá:f-] *m.*, **∼erlassung** *f.* 형의 면제, 특사.
straff [ʃtraf] *a.* 팽팽한, 긴장한(*tight, tense*); 《比》 준엄한. ¶ ∼ (*adv.*) anziehen 팽팽하게 켕기다.
Strāf·fällig [ʃtrá:f-fɛlıç] *a.* 처벌해야 할, 처벌받아야 할.
straffen [ʃtráfən] *t.* 팽팽하게 켕기다, 바싹 죄치다. **Straffheit** [ʃtráfhait] *f.* -en, 팽팽하게 죔, 긴장; 《比》 준엄.
strāf⸗frei *a.* 형이 면제된, 무죄의. **∼⸗freiheit** *f.* 무죄, 면죄; 무죄 방면. **∼⸗gefangene** *m.* u. *f.* 《形容詞變化》 죄수(罪囚), 기결수. **∼geld** *n.* 벌금, 과료. **∼gericht** *n.* 형사 법원. **∼gesetz** *n.* 형법. **∼gesetzbūch** *n.* 형법전. **∼kammer** *f.* 형사 법원.
strāflich [ʃtrɛ́:flıç] *a.* 벌해야 할; 죄가 되는; 엄격한; 《俗》엄청난. ★ 흔히 副詞的으로 쓰임. **Strāfling** *m.* -s, -e, 유죄자, 죄수. 「죄의; *adv.* 무죄로.」
strāflōs [ʃtrá:flo:s] *a.* 형이 면죄된; 무
Strāf⸗māß *n.* 형량(刑量). **∼mandāt** *n.* 처형(處刑) 명령; 형벌. **∼mündig** *a.* 수형 연령에 달한. **∼porto** *n.* 〖郵〗

벌과금. ∼**prēdigt** *f.* 징계적인 설교; 《比》 잔소리, 견책. ∼**prozeß** *m.* 형사 소송. ∼**prozeß·ordnung** *f.* 형사 소송법. ∼**punkt** *m.* 〖競〗 벌점(罰點). ∼**raum** *m.* 〖蹴〗 페널티 에어리어. ∼**recht** *n.* 형법. ∼**rechtlich** *a.* 형법(상)의 ∼**rēde** *f.* 견책, 꾸지람, 교회(教誨). ∼**register** *n.* 전과표(前科表). ∼**richter** *m.* 형사 법원 판사. ∼**sache** *f.* 형사 (사건). ∼**senāt** *m.* 형사 소송 사건의 법관단. ∼**stōß** *m.* 〖蹴〗 페널티 킥. ∼**tāt** *f.* 범행. ∼**urteil** *n.* 유죄 판결. ∼**verfahren** *n.* 형사 소송 절차. ∼**vollzūg** *m.* 형의 집행. ∼**weise** *adv.* 벌하여, 형벌에 따라. ∼**würdig** *a.* 형벌을 받을 만한, 벌해야 할. ∼**zūschlāg** *m.* 가중 벌금.

Strahl [ʃtra:l] [*eig.* „Pfahl"] *m.* –(e)s, –en, ① 〖物·數〗 방사선(*radius*); 반경. ② 광선(*ray, beam*); (Blitz∼) 전광(電光), 번개(*flash*). ¶ 《比》 ein ∼ von Hoffnung 희망의 빛. ③ 분출물, 분수, 물기둥(=Wasser∼). **Strahl·antrieb** *m.* 제트 추진. **strahlen** 《I》 *t.* (빛·열을) 방사[복사]하다(*beam, radiate*). 《II》 *i.*(h.) 광선을 발하다(*shine*). ¶ vor Freude ∼ 환희로 빛나다.

Strahlen·behandlung [ʃtrá:lən–] *f.* 방사선 요법. ∼**biologie** *f.* 방사선(이 생물에 미치는 영향을 연구하는) 학. ∼**brechend** *a.* 〖物〗 빛을 굴절하는. ∼**brechung** *f.* 광선의 굴절. ∼**bündel** *n.* 방사선속(束), 속선(束線). ∼**krōne** *f.* 광륜(光輪), 후광(後光)(*glory, halo*). ∼**schädigung** *f.* 방사선 장애(障碍). ∼**tierchen** *n.* 〖動〗 근족류(根足類).

strahlig [ʃtrá:lıç] *a.* 방사형의; 방사성의; 광선을 발하는.

Strahl·motor *m.* 제트 엔진. ∼**ōfen** *m.* 라디에이터. ∼**triebwerk** [–tri:p-verk] *n.* 제트 추진기.

Strahlung [ʃtrá:luŋ] *f.* –en, 발광(發光); 방사, 복사(輻射); 광휘.

Strhalungs·druck *m.* 〖物〗 복사압(輻射壓). ∼**wärme** *f.* 복사열(熱).

Strähne [ʃtrɛ́:nə] *f.* –n, (삼 따위의) 꾸리, 토리, 타래(*hank, skein*); 머리카락의 다발, 털묶음(*lock*). **..strähnig** 《合成用語》 "조그마한 묶음·다발"의 뜻.

stramm [ʃtram] [<straff] *a.* ① 팽팽하게 켕겨진, 긴장한(*tight, taut*); 꽥, 꽉 죄인(*close*). ② 《比》 억센, 강건한, 강인한(*robust, strong*); 엄(격)한(*strict, severe*). **strammen** *t.* 죄다.

strampeln [ʃtrámpəln] [nd.] *i.*(h.) (mit den Füßen:) 발버둥치다; *refl.*: sich bloß ∼ 이불을 차 넘기다《어린아이가》.

Strand [ʃtrant] *m.* –(e)s [–ts, –dəs], –(e) [–də], (바닷가 또는 강가의) 백사장 (♈*strand, beach*); (특히) 해변, 해안.

Strandbād [ʃtrántba:t] *n.* 해수욕장.

stranden [ʃtrándən] *i.*(h. *u.* s.) 해안에 얹히다, 좌초(坐礁)하다(*be stranded*).

Strand·fischerei *f.* 연해 어업. ∼**gūt** *n.* (*pl.* ∼güter) 해난 구조물, 표착물. ∼**hāfer** *m.* 〖植〗 유럽산 마늘의 일종. ∼**korb** *m.* 해수욕장의 등의자. ∼**läufer** *m.* =∼PFIFER. ∼**linie** *f.* 해안선. ∼**pfeifer** *m.* 〖鳥〗 물떼새의 일종. ∼**räuber** *m.* 난선(難船) 화물 약탈자. ∼**recht** *n.* 표착물 〔난파선〕 구조법. ∼**schūhe** *pl.* 백사장에서 신는 (고무창의) 신. ∼**wächter** *m.* 해안 감시인; 난선 화물 감시인.

Strang [ʃtraŋ] [engl. *string*] *m.* –(e)s, ⸗e, 새끼, 밧줄(*rope, code*); 끄는 밧줄(*trace*); 계삭(繫索)(*halter*); 〖鐵〗 (Schienen∼) 궤도(*track*). ¶ wenn alle Stränge reißen 위급 존망의 경우에는 / am gleichen ∼ ziehen 뜻을 같이 하다, 같은 일에 종사하다 / über die Stränge schlagen 제멋대로 날뛰다《말이》; 《比》 방일하다, 과도하다 / zum ∼ veruteilen 교수형에 처하다.

strangulieren [ʃtraŋgulí:rən, st–] [lat., ♈d. Strang] *t.* 교살하다, 교수형에 처하다(♈*strangle*).

Strapāze [ʃtrapá:tsə] [it.] *f.* –n, 과로, 신고(辛苦), 간난(*hardship, fatigue*).

strapazieren *t.* 과로시키다, 혹사(酷使)하다, 줄곧 입어 해지게 하다《옷을》.

Straps [ʃtraps, st–] [engl. *strap*] *m.* –es, –e, 가죽 혁대, 양말 대님.

Strāße [ʃtrá:sə] [lat. (*via*) *strāta* „gepflaster (Weg)"] *f.* –n, ① (원래는 도시와 도시를 연결하는) 가도(*highway*); (Stadt∼, Dorf∼) 도로, 한길(*street*); 시가, …가. ¶ auf der ∼ 노상에서 / auf die ∼ setzen (집에서) 내쫓다; 해고하다. ② 수로, 항로(*waterway*); 〖地〗 (Meer∼) 해협(*strait*).

Strāßen·anzūg [ʃtrá:sən–] *m.* 외출용(조끼까지 달린) 신사복. ∼**arbeiter** *m.* 도로 공사 인부. ∼**aufsēher** *m.* 도로 감독. ∼**bahn** *f.* 시가 철도〔전차〕. ∼**bau** *m.* 도로 건설. ∼**damm** *m.* 차도. ∼**dirne** *f.* 거리의 창녀. ∼**dorf** *n.* 가도 연변의 마을. ∼**ecke** *f.* 가각(街角). ∼**fēger** *m.* 도로 청소부. ∼**gäbel(ung)** *f.* 도로의 분기점. ∼**handel** *m.* 노점상(商). ∼**händler** *m.* 노점상인. ∼**junge** *m.* 불량 소년, 방랑아. ∼**kampf** *m.* 시가전. ∼**karte** *f.* 가로 지도. ∼**kehrer** *m.* =∼FEGER. ∼**knōtenpunkt** *m.* 도로의 교차점. ∼**kōt** *m.* 거리의 오물. ∼**kreuzer** *m.* 《俗》 대형 버스. ∼**kreuzung** *f.* 네거리. ∼**lāge** *f.* 노상에서의 (자동차가 취할) 위치《주행 위치·차간 거리 등》. ∼**laterne** *f.* 가로등. ∼**mädchen** *n.* =∼DIRNE. ∼**pflaster** *n.* 페이브먼트. ∼**raub** *m.* 노상 강도질. ∼**räuber** *m.* 노상 강도. ∼**reinigung** *f.* 도로 청소. ∼**rennen** *n.* (자전거의) 도로 경주. ∼**sperrung** *f.* 통행 차단. ∼**überführung** *f.* 고가도. ∼**unterführung** *f.* 지하도. ∼**zūg** *m.* 시가〔도로〕의 모양.

Stratēg(e) [ʃtraté:gə, –té:k; st–] [gr.] *m.* ..gen, ..gen, 장군. **Strategie** *f.* ..gien, 전술, 전략. **stratēgisch** *a.* 전술의, 전략상의; 전술에 맞는.

Strato·sphäre [ʃtratosfɛ́:rə, st–] *f.* 〖天〗 성층권. ∼**n·flūg** *m.* 성층권 비행.

sträuben [ʃtrɔ́ybən] 《I》 *t.* (머리칼 따위를) 곤두세우다(*bristle* (*up*)). 《II》 *refl.* 곤두서다; 《比》 (gegen, 에 대해서) 반항〔저항〕하다(*struggle* (*against*)).

Strauch [ʃtraux] *m.* –(e)s, ⸗e(r) [ʃtrɔ́y-çə(r)], 관목, 총림(叢林), 덤불(*shrub, bush*).

strauch⸗artig *a.* 관목 모양의, 덤불 같은. **~dieb** [ʃtráuxdi:p] *m.* 노상 강도.

straucheln [ʃtráuxəln] [*eig.* „über e-n Strauch stolpeln"] *i.* (s. *u.* h.) (돌부리에) 채다; 《比》 실수하다.

Strauch⸗holz, ~werk *n.* 관목림, 총림, 덤불숲.

Strauß[1] [ʃtraus] *m.* –es, ⸗e [ʃtrɔ́ysə], 《詩》 투쟁, 싸움(*combat*).

Strauß[2] [Lw. gr. –lat.] *m.* –es [† –en], –e [† –en], 〖鳥〗 타조(♈*ostrich*).

Strauß[3] *m.* –es, ⸗e, 꽃다발(*bouquet*).

Strazze [strátsə, ʃt–] [it.] *f.* –n, 〖商〗 장부(*waste book*).

Streb [ʃtré:p] [<streben] *m.* –(e), –e, 곧은 바닥에서 파생하는 수평 굴진갱(坑).

Streb·bau [ʃtré:pbau] *m.* 곧은 바닥에서 수평으로 굴진하는 채광.

Strebe [ʃtré:bə] *f.* –n, 〖建〗 버팀목, 버팀대(*support*); 네모진 작대기, 버팀 나무(*strut*).

Strebe⸗balken *m.* 비스듬히 버티는 받침목. **~bogen** *m.* 〖建〗 부벽(扶壁), 아치. **~kraft** *f.* 신장력; 《比》 노력.

streben [ʃtré:bən] 《Ⅰ》 *i.* (h.) (nach, 을 얻으려) 애쓰다, 노력하다(♈*strive, aspire*); (gegen, 을) 거스르다. 《Ⅱ》 **Streben** *n.* –s, 지향(志向), 노력(*striving, effort*); 경향(*tendency*). **Strebepfeiler** *m.* 〖建〗 지주(支柱), 부벽(扶壁). **Streber** [ʃtré:bər] *m.* –s, –, 노력가; 야심가. **streberhaft** *a.* 야심만만한. **Strebertum** *n.* –(e)s, 야심, 성공주의. **strebsam** [ʃtré:pza:m] *a.* 노력하는, 근면한; 야심 만만한.

streckbar [ʃtrékba:r] *a.* 뻗칠 수 있는, 쳐서 펼칠 수 있는, 넓힐 수 있는; 전성(展性)이 있는. **Streckbarkeit** *f.* –en 펼 수 있음; 신전성(伸展性). **Streckbett** *n.* 〖醫〗 (정형용의) 신전상(伸展床)《신체 일부를 장시간 늘려두는 장치》.

Strecke [ʃtrékə] *f.* –n, ① 연장(延長) (*stretch, extent*); 거리(*distance*); 지역 (*tract*); (Weg~) 노정(路程); 〖數〗 직선; (Bahn~) 선로구(區), 구간(*section, line*); 선로. ② 갱도(坑道)(*galleries*). ③ (시간적인) 간격, 기간.

strecken [ʃtrékən] [<strack] 《Ⅰ》 *t.* ① (곧게) 펴다, 뻗치다(♈*stretch*). ② (zu Boden ~) 때려 눕히다; 때려 펼치다, 펴다, 넓히다(*extend*); (일을) 질질 끌다 (*go slow with*). ¶ Brot ~ 빵을 늘이다[불리다](*lengthen*) / die Waffen ~ 무기를 내던지다, 항복하다. 《Ⅱ》 *refl.* 기지개켜다; 드러눕다. ¶ im gestreckten Galopp 쏜살같이, 전속력으로.

Strecken⸗arbeiter *m.* 선로공(工). **~wärter** *m.* 선로지기, 보선공(保線工). **~weise** *adv.* 일정한 거리마다, 군데군데, 곳곳에.

Streck⸗muskel *m.* 〖解〗 신근(伸筋). **~verband** *m.* 〖醫〗 개장(開張) 붕대. **~winkel** *m.* 〖數〗 보각(補角).

Streich [ʃtraiç] [<streichen] *m.* –(e)s, –e, (표면을 스치는 정도의) 타격; 《一般的》 침, 때림(♈*stroke, blow*); 《比》 충격, 손해; 행동, 행위; (특히) 나쁜 짓 (*trick, prank*). ¶ jm. e-n ~ spielen 아무에게 장난을 하다.

streicheln [ʃtráiçəln] [<streichen] *t.* 쓰다듬다, 어루만지다(♈*stroke, caress*).

streichen* [ʃtráiçən] 《Ⅰ》 *t.* ① 쓰다듬다, 스치다, 비비다, 문지르다(*stroke*); 긋다《성냥을》(♈*strike*). ② 뒤바르다, 칠하다. ③ (에) 선을 긋다, 꺾자 놓다, 말소[삭제]하다 (*strike out*); 갈다(*strop, whet*); 털다, 닦다. ¶ die Geige ~en 바이올린을 켜다 / Ziegel ~ 벽돌을 (틀에 넣어) 만들다 / das Segel ~ 돛을 (줄줄) 내리다. 《Ⅱ》 *i.* ① (h.) 문지르다, 쓰다듬다; 산란하다《물고기가》. ② (s.) 가볍게 닿다, 스쳐 지나다(*sweep over*); 거닐다, 배회하다(*rove*).

Streich⸗feuer *n.* 〖軍〗 소사(掃射). **~garn** *n.* 소모사(梳毛絲); 새그물. **~holz, ~hölzchen** *n.* 성냥. **~instrument** *n.* 〖樂〗 현악기. **~musik** *f.* 현악. **~netz** *n.* 새그물. **~orchester** *n.* 현악기 만으로 조직한 소 오케스트라. **~quartett** *n.* 현악 4중주(곡). **~quintet** *n.* 현악 5중주(곡). **~riemen** *m.* 칼가는 가죽. **~stein** 시금석(試金石); 숫돌.

Streichung [ʃtráiçuŋ] *f.* –en, 삭제, 말소, 제명(除名).

Streich⸗vogel *m.* 철새. **~zeit** *f.* ① (철새의) 이동 시기. ② (물고기의) 산란기.

Streifband [ʃtráifbant] *n.* (*pl.* ⸗er) 포장지(끈).

Streife [ʃtráifə] *f.* –n, 순찰, (경찰의) 수색; 순찰대, 패트롤; 〖軍〗 침입, 침략.

Streifen [ʃtráifən] [<streifen] *m.* –s, –, (그은) 선, 줄, 띠(♈*stripe, streak*). ¶ ~ Landes 지대(地帶), 지협(地峽).

streifen [ʃtráifən] 《Ⅰ》 *t.* ① (에) 가볍게 닿다(*touch slightly*); 스치다, (의) 위를 스쳐 가다(*graze*). ② (auf et., 의 위에) 손을 재빠르게 움직여 닿다[끼우다·덮다]; (von et.[3], 에서) 벗기다, 벗다(*strip off*). ¶ die Ärmel in die Höhe ~ 소매를 걷(어 올리)다. 《Ⅱ》 *i.* ① (s.) 거닐다, 배회하다(*ramble, rove, stroll*); 순찰하다 (*patrol*); (auf Kundschaft ~) 정찰하다. ② (h.) das streift an Unverschämtheit 그것은 파렴치에 가깝다. 《Ⅲ》 **gestreift** *p. a.* ☞ STREIFIG.

streifenweise *adv.* 무늬가 되어, 무늬를 이루어. **Streifer** *m.* –s, –. 배회하는 사람; 방랑자; 〖軍〗 정찰병. **Streifhieb** *m.* 찰과상(傷). **streifig** [ʃtráifiç] *a.* 선이[줄무늬가] 있는, 무늬가 있는.

Streif⸗korps [–ko:r] *n.* 타격대, 유격대. **~licht** *n.* 〖畫〗 사광선(斜光線)《물체를 비추는 "한 줄의 빛"》. **~schuß** *m.* 찰과탄(擦過彈). **~wache** *f.* 정찰[순찰]병. **~wunde** *f.* 찰과상(傷). **~zug** *m.* 배회; 〖軍〗 침입; 유격(遊擊).

Streik [ʃtraik] [engl.] *m.* –(e)s, –e *u.* –s, 동맹 파업, 스트라이크.

Streik⸗brecher [ʃtráik–] *m.* 파업 방해자. **~bruch** *m.* 파업 방해 (행위).

streiken [ʃtráikən] *i.* (h.) 동맹 파업하다.

Streik⸗lohn *m.* 파업 수당. **~posten** *m.* 파업 방해자 감시인, 피킷(*picket*). **~unterstützung** *f.* 파업 수당.

Streit [ʃtrait] *m.* –(e)s, –e ① † 전투 (*combat*); 투쟁. ② 다툼, 논쟁(*quarrel,*

S

dispute); 소송, 계쟁(係爭)(*conflict*). **Streit·axt** *f.* 전부(戰斧). **streitbar** *a.* 싸울 수 있는; 전투적인.

streiten* [ʃtráitən] 《Ⅰ》 *i.*(h.) 싸우다, 투쟁하다; 다투다(*fight*); 말다툼〔논쟁〕하다(*quarrel*); 소송하다. 《Ⅱ》 *refl.* 다투다. **Streiter** *m.* -s, -, 전사(戰士), 투사; 다투기를 좋아하는 사람; 논객(論客).

Streit·fall *m.*, **∼frage** *f.* 논쟁〔소송〕문제. **∼hammel** *m.* 《比》 싸우기 좋아하는 사람. **∼handel** *m.* 싸움, 논쟁; 소송.

streitig [ʃtráitıç] *a.* 다투고 있는; 분쟁이 되고 있는, 문제의; 계쟁(係爭)중의.

Streit·kräfte *pl.* 전투력, 병력. **∼lustig** *a.* 싸움을 좋아하는. **∼punkt** *m.* 논점, 쟁점(爭點), 문제. **∼sache** *f.* 다툼, 계쟁 (사건). **∼satz** *m.* 논제(論題). **∼schrift** *f.* 항의문(抗議文). **∼sucht** *f.* 투쟁벽(癖), 싸움을 즐김. **∼süchtig** *a.* =∼LUSTIG.

streng(e) [ʃtrέŋ(ə)] [*eig.* „angespannt" <Strang; =engl. ♈*strong* „stark"] *a.* ① 엄한, 준엄한(*severe, rigorous*); 엄중한, 엄격한(*austere, strict*); 엄밀한, 정밀한(*stringent*). ② 지독한《추위 따위》(*stern*); 강한, 단호한, 날카로운, 독한《냄새 따위》(*sharp*). **Strenge** [ʃtrέŋə] *f.* 엄격, 엄중; 엄정; 엄밀; 혹독; 가열(苛烈)(함).

streng·genommen [ʃtrέŋ-] *adv.* 엄밀히 말하면. **∼gläubig** *a.* 신앙이 확고한, 정통파의(*orthodox*).

Strepto·kokkus [strεptokɔ́kus] [gr.] *m.* -, ..koken, (흔히 *pl.*) 〖醫〗 연쇄상구균(連鎖狀球菌). **∼mycin** [-mytsí:n], **∼myzin** [-mytsí:n] *n.* -s, 〖藥〗 스트렙토마이신.

Streß [strεs, ʃt-] [engl. <lat. *stringere* „straff ziehen"] *m.* ..sses, ..sse, 〖醫〗 스트레스.

Streu [ʃtrɔy] [<streuen] *f.* -en, (가축 우리의) 깔짚(*litter*); 짚으로 만든 잠자리(*bed of straw*). **Streubüchse** [ʃtrɔ́ybʏksə] *f.* 가루 따위를 뿌리는 그릇, 후춧가루병(甁).

streuen [ʃtrɔ́yən] [♈Stroh] 《Ⅰ》 *t.* 흩다, 뿌리다(♈*strew, scatter*). 《Ⅱ》 *i.*(h.) (가축에) 짚이나 나뭇잎을 깔아 주다; 〖軍〗 소사(掃射)하다.

Streu·pflicht [ʃtrɔ́y-] *f.* (결빙 때 길에 모래를) 살포할 의무. **∼puder** *m.* 뿌리는 가루. **∼sand** *m.* 뿌리는 모래《옛날 압지 대신 쓴》. **∼zucker** *m.* 흰 가루 설탕.

Strich [ʃtrıç] [<streichen] *m.* -(e)s, -e, ① 스침(*stroke*); 선을 그음; (현악기의) 활을 켬. ② 선, 괘선(罫線)(*line*); 〖文〗 대시(*dash*). ¶e-n ∼ machen, a) (unter et., 의 밑에) 선을 긋다, b) 《比》 (을) 종결하다 / (durch, 에) 꺾자 놓다, (을) 말살하다. ③ 철새의 이동; 진행, 나아감; (새의) 날기(*flight*). ④ (짐승·새·물고기의) 생식(生殖)을 위한 이동; 산란기(産卵期); 부화(孵化)한 새끼 고기. ¶auf den ∼ geh(e)n (창녀가) 거리에서 서성거리다 / jn. auf dem ∼ haben, a) 아무를 추적하다, 방해하다, b) 아무에게 원한을 품다, 적의를 가지다. ⑤ 진로, 방향; (Kompaß∼) 방위점(*point*); (재목·돌의) 결(*grain*). ¶gegen den ∼ (털의) 결을 거슬러《문지르는 따위》; 《比》 불쾌한. ⑥ (어느 구획의) 지방, 지역(*tract, region*); 지대.

strich [ʃtrıç] ☞STREICHEN《그 過去》.

Strich·ätzung [ʃtríç-εtsuŋ] *f.* 부식 동판 인쇄법.

Strich·punkt *m.* 〖文〗 세미콜론(;). **∼regen** *m.* 국부적으로 오는 비, 소나기; 가랑비. **∼vogel** *m.* 철새. **∼weise** *adv.* 이곳저곳에, 여기저기. **∼zeichnung** *f.* 선화(線畫).

Strick [ʃtrık] [<streichen] *m.* -(e)s, -e, ① (밧)줄, 새끼, 끈(*code, rope, string*); (Fall∼) 덫, 올가미(*snare*). ② 《比》 (Galgen∼) (교수형에 처할) 악한; 깡패(*rogue*); 《戲》 (kleiner ∼) 장난꾸러기, 망나니(*young rascal*).

Strick·arbeit *f.* 편물 세공. **∼beutel** *m.* 편물 주머니.

stricken [ʃtríkən] ① *t.* 뜨다; 엮다, 감다. ② *i.*(h.) 뜨개질하다(*knit*).

Stricker [ʃtríkər] *m.* -s, -s, 짜는 사람, 편물하는 사람. **Strickerei** [-rái] *f.* -en, 뜨기; 편물 세공〔도구〕. **Strickerin** *f.* -nen, 편물하는 여자.

Strick·garn *n.* 뜨개실. **∼leiter** *f.* 줄사다리. **∼maschine** *f.* 편물 기계. **∼muster** *n.* 뜨개본, 편물 교본. **∼nadel** *f.* 뜨개바늘. **∼strumpf** *m.* (손으로 뜬) 양말. **∼werk** *n.* 배의 삭구(索具). **∼zeug** *n.* 편물 도구; 편물 세공《특히 양말》.

Striegel [ʃtrí:gəl] [Lw. lat.] *m.* -s, -; od. *f.* -n, 말(을 빗기는) 솔(*currycomb*).

striegeln [ʃtrí:gəln] *t.* (말에) 솔질하다, 빗다; 윤나도록 닦다; 학대〔혹사〕하다.

Strieme [ʃtrí:mə] *f.* -n, **Striemen** *m.* -s, -, 줄, 줄무늬(*stripe, streak*); (피부의) 맷자국, 지렁이 모양으로 부풀어 오른 것(*weal, wale*). **striemig** *a.* 줄무늬가 있는.

striezen [ʃtrí:tsən] *t.* 《俗》 괴롭히다, 학대하다; 후무리다.

strikt [ʃtrıkt, st-] [lat.] *a.* 엄밀한, 엄격한; 정확한.

Strippe [ʃtrípə] *f.* -n, 매(다)는 끈(*strap, band*); 《戲》 전화선.

Striptease [strípti:z] [engl. *strip* „abstreifen", *tease* „necken"] *n.* -s, 스트립쇼.

stritt [ʃtrıt] ☞STREITEN《그 過去》.

strittig [ʃtrítıç] *a.* 《方》=STREITIG.

Stroh [ʃtro:] [<streuen] *n.* -(e)s, -e, 짚, 밀짚, 보릿짚, 맥간(麥稈)(♈*straw*); (Dach∼) 이엉(*thatch*). ¶leeres ∼ dreschen 《比》 쓸데없는 말을 지껄이다.

Stroh·arbeit *f.* 짚세공(細工). **∼dach** *n.* 짚으로 이은 지붕. **∼decke** *f.* 거적, 멍석, 짚으로 만든 덮개.

strohern [ʃtró:ərn] *a.* 짚으로 만든; 보잘 것 없는, 무미 건조한(*dull*).

Stroh·feuer [ʃtró:-] *n.* 짚불; 《比》 일시적 감격〔흥분〕. **∼halm** *m.* 지푸라기. **∼hütte** *f.* 작은 초가집. **∼kopf** *m.* 돌대가리, 멍청이, 우물(愚物). **∼mann** *m.* 짚으로 만든 인형; 《比》 허수아비; 호이스트 놀이의 빈 자리《4인이 하는

트럼프 놀이를 3인이 할 때). ~**pappe** *f.* 마분지. ~**sack** *m.* 짚을 넣은 요; 《比》 가난뱅이. ~**wisch** *m.* 짚(으로 만든) 비. ~**witwe** *f.* 《俗》 공규(空閨)를 지키는 아내(Stroh는 Bettstroh의 뜻). ~**witwer** *m.* 《俗》 아내가 부재중인 남편.

Strolch [ʃtrɔlç] *m.* -(e)s, -e, 부랑인, 뜨내기, 룸펜(*vagabond, tramp*). **strol≈chen** [ʃtrɔ́lçən] *i.*(h. *u.* s.) 방랑하다, 뜨내기〔룸펜〕 생활을 하다.

Strōm [ʃtro:m] *m.* -(e)s, ⸚e [ʃtrǿ:mə], 흐름(♀*stream, current*); 강, 하수(河水) (*(large) river*); 조류; 기류; 〖電〗 전류 (*current*); 《比》 경향, 풍조. ¶ in Strömen 폭포처럼 / ~ von Tränen 비오듯 흐르는 눈물 / ~ von Worten 현하 구변(懸河口辯). 「집전기(集電器).」

Strōm·abnehmer [ʃtró:m-] *m.* 〖電〗

strōm≈ab(wärts) *adv.* 흐름을 따라 아래로, 하류로. ~**auf(wärts)** *adv.* 흐름을 거슬러서, 상류로.

Strōmbett [ʃtró:m-] *n.* 하상(河床).

strōmen [ʃtrǿ:mən] *i.*(h. *u.* s.) (도도히) 흐르다(♀*stream, flow*); 억수로 퍼붓다 《비가》; 《比》 메지어 밀리다. **Strōmer** [ʃtró:mər] [mhd. *stromen* „strömen"] *m.* -s, -, 부랑자, 뜨내기, 룸펜(*tramp*).

Strōm≈gebiet *n.* 유역(流域). ~**kreis** *m.* 〖電〗 회로(回路)(선). ~**linie** *f.* 유선(流線). ~**linienform** *f.* 유선형. ~**messer** *m.* 전류계. ~**richter** *m.* 〖電〗 정류기(整流器). ~**schnelle** *f.* 급류, 여울. ~**spannung** *f.* 전압(電壓). ~**stärke** *f.* 전류의 강도《암페어 수》.

Strōmung [ʃtrǿ:muŋ] *f.* -en, 흐름; 유동, 수류(水流), 조류; 사조(思潮).

Strōmungslehre [ʃtǿ:muŋzle:rə] *f.* 〖物〗 유체학(流體學).

Strōm≈verbrauch *m.* 전류 소비. ≈≈**weise** *adv.* 흐름을 이루어, 도도히. ~**wender** *m.* 〖電〗 정류자(整流子).

Strōphe [ʃtró:fə] [gr.] *f.* -n, 〖詩學〗 절(節), 단(段).

strotzen [ʃtrɔ́tsən] [*eig.* „geschwollen sein"] *i.*(h.) (von, 으로) 터질 듯하다, (으로) 꽉 차 있다(*superabound* (*with*), *be full* (*of*)). **strotzend** *p.a.* 부푼, 충만한, 팽팽한; 〖醫〗 종창(腫脹)이 된.

Strūdel [ʃtrú:dəl] *m.* -s, -, 소용돌이 (*whirlpool*); 《比》 혼란, 혼잡; 소동.

Strūdelkopf *m.* 불뚱이, 성급한 사람.

strūdeln [ʃtrú:dəln] 《Ⅰ》 *i.*(h. *u.* s.) 소용돌이치다; 끓다, 거품일다; 《比》 성급하게 굴다. 《Ⅱ》 *t.* 빙글빙글 돌리다.

Struktūr [ʃtruktú:r, st-] [lat.] *f.* -en, 구조(構造), 조직. **strukturāl** [ʃtruktura:l] *a.* = STRUKTURELL. **Struktura≈lismus** [-lís-] *m.* -, ..men, 구조주의. **strukturell** [-rɛ́l] *a.* 구조〔조직〕상의.

Strūma [ʃtrú:ma] [lat.] *f.* ..men, 〖醫〗 갑상선종(甲狀腺腫).

Strumpf [ʃtrumpf] *m.* -(e)s, ⸚e, [ʃtrʏ́mpfə], 양말(*stocking, sock*); (Glüh≈) 가스맨틀. **Strumpfband** [ʃtrúmpf-bant] *n.*, **Strumpfhalter** *m.* 양말 대님, 가터.

Strumpf≈wāren *pl.* 양말류. ~**wir≈ker** *m.* 양말 제조인.

Strunk [ʃtruŋk] *m.* -(e)s, ⸚e [ʃtrʏ́ŋkə], (Baum≈) 그루터기(*stump*); 줄기(*stem*); (캐비지의 몽톡한) 줄기(*stalk*).

Strunse(l) [ʃtrúnzə(l)] *f.* -n, 암컷; 계집, 칠칠치 못한 여자.

struppig [ʃtrúpɪç] [<sträuben] *a.* 봉두난발(亂髮)의, 텁수룩한(*scrubby, rough*).

Strychnīn [ʃtrʏçní:n] [gr.] *n.* -s, 〖化〗 스트리키닌《알칼로이드의 일종》.

Stūbchen [ʃtý:pçən] [*dim.* v. Stube] *n.* -s, -, 작은 방. **Stūbe** [ʃtú:bə] [engl. *stove* „Ofen"] *f.* -n, (난방 장치한) 방; (오늘날에는 일반적으로:) (휴게)실, 방《흔히 안방, 객실 등》(*room, chamber*); (이발소 등의) 가게.

Stūben≈arrest *m.* 〖軍〗 실내 감금, 금족. ~**bursche** *m.* 한 방의 벗. ~≈**dienst** *m.* 〖軍〗 영내 근무(營內勤務). ~**fliege** *f.* 집 파리. ~**gelehrte** 《形容詞變化》 *m.* 서재 학자, 우유(迂儒). ~≈**genosse** *m.* 한방의 사람, 동료. ~≈**hocker** *m.* 구들직장. ~**mädchen** *n.* 하녀《방안 일을 맡은》. ≈**rein** *a.* 실내를 더럽히지 않는《개·고양이 따위》. ~≈**vōgel** *m.* 조롱 속의 새.

Stuck [ʃtuk] [it., <d. Stock] *m.* -(e)s, 〖建〗 스터코, 치장 벽토(♀*stucco*).

Stück [ʃtʏk] [<Stock, *eig.* „Abgehauenes"] *n.* -(e)s, -e 〔稀: -en〕, ① (전체의) 일부분(*part*); (Bruch≈) 단편, 조각, 토막, 소량(의 것)(*fragment, bit*). ¶in ~e schlagen 분쇄하다 / ~ Weges 얼마 거리의 길. ② (전체의 한 부분이라는 의미가 약해져서:) 낱개(*piece*); (글의) 대문, 군데; 한 개, 하나. ¶ ~ **für** ~ 한 개씩, 하나하나 / in einem ~e 《比》 혼연 일체가 된 / **auf** ~ arbeiten 도급 맡아 하다 / **nach** dem ~ bezahlen 일의 성과에 따라 돈을 지불하다 / ein hübsches ~ Geld 꽤 많은 돈. ③ 제작물, 작품; 미술품, 그림; (Musik≈) 곡《악곡, 가곡》; (Theater≈) 희곡, 각본, (무슨) 극. ④ (개개의) 행위, 짓, 일; 장난(*trick*). ¶**von** 〔**aus**〕 freien ~en 자발적으로. ⑤ 사건; 형편, 사정(*things*); 관계, 점(*point*). ¶**in** allen ~en 모든 점에 있어서.

Stück≈arbeit *f.* 능률에 의한 삯일, 도급으로 하는 일. ~**arbeiter** *m.* 위의 일을 하는 사람.

Stückchen [ʃtʏ́kçən] *n.* -s, -, 작은 조각, 쪼가리; 소량; 〖樂〗 소곡; 〖劇〗 짧은 희곡; 장난, 나쁜 짓. **stückeln** [ʃtʏ́kəln], **stücken** [stʏ́kən] *t.* 토막내다, 저미다; 잇(대)다, 이어붙이다.

Stuckdeche [ʃtúkdɛkə] *f.* 석고 천장.

Stückenzucker [ʃtʏ́kəntsukər] *m.* 각(角)사탕. **Stücker** *pl.* 《俗》 (ein) ~ vier 너덧 개.

Stück≈faß [ʃtʏ́k-] *n.* 큰 통《1200리터 들이의》. ~**gießer** *m.* 대포 주조자(鑄造者). ~**gūt** *n.* 낱개로 파는 물건; 하나씩 포장한 화물. ~**lohn** *m.* 능률에 따라 받는 삯. ≈**weise** *adv.* 하나씩; 조금씩; 〖商〗 소매로. ~**werk** *n.* 이어맞추기 세공, 그러 모아 놓은 것. ~**zahl** *f.* 갯수; 부수(部數).

Student [ʃtudént] [lat., <studieren] *m.* -en, -en, 대학생; 학자. **Studentin**

f. –nen, 여자 대학생. **studentisch** *a.* 대학생의; 학생 같은, 학생풍의.

Stūdie [ʃtúːdiə] [lat., <studieren] *f.* –n, 습작(*essay, sketch*). **Studien** *pl.* 《Ⅰ》=STUDIE. 《Ⅱ》=STUDIUM.

Stūdien·direktor [ʃtúːdiən–] *m.* 고등학교 교장 또는 교감에 대한 칭호. **~·freund** *m.* 대학 시절의 친구. **~gang** *m.* 수학 과정. **~halber** *adv.* 연구〔청강〕하기 위하여. **~jahre** *pl.* 수학 연한; 학생 시절. **~plān** *m.* 강의 요강, 교수 요목. **~rāt** *m.* (*pl.* ..räte) 고등〔전문〕학교 정교사《칭호》. **~reise** *f.* 연구〔수학〕 여행.

studieren [ʃtudíːrən] [lat.] 《Ⅰ》 *t.* u. *i.*(h.) 배우다, 연구하다; 대학에서 배우다, 대학생이다(♈*study*). 《Ⅱ》 **studiert** *p. a.* 부자연한, 체하는.

Studier·lampe *f.* (서재용) 전기 스탠드. **~stūbe** *f.*, **~zimmer** *n.* 서재.

Stūdiō¹ [ʃtúːdioː, st–] [lat. –it.] *n.* –s, –s, 서재; 사무실; 아트리에, 화실; 스튜디오, 방송실. **Stūdiō**² *m.* –s, –s, (대)학생. **Stūdium** [ʃtúːdium] *n.* –s, ..dien, 연구, 공부.

Stūfe [ʃtúːfə] *f.* –n, ① 발판, 계단(♈*step*); 사닥다리의 가로장(*rung*); 《比》 단계(*stage*); (정)도, 등급; 위계, 계급(*grade, rank*); 색조(色調), 뉘앙스. ② 〖坑〗 계단형으로 파낸 데; (파낸) 광석 덩어리(*specimen*). **stūfen** *t.* (에) 계단을 만들다, 등급을 매기다. **stūfen·artig** [ʃtúːfən-aːrtɪç] *a.* 계단 모양의.

Stūfen·bahn *f.* 에스컬레이터. **~folge** *f.*, **~gang** *m.* 단계, 순서. **~jahr** *n.* 〖醫〗 갱년기(更年期). **~leiter** *f.* 층층다리; 《比》 단계(*scale*); 〖樂〗 음계(音階). **~weise** 《Ⅰ》 *adv.* 단계를 이루어, 차례차례로, 점차로(*by degrees, gradually*). 《Ⅱ》 *a.* 단계를 이룬.

Stuhl [ʃtuːl] [*eig.* „Gestelltes", <stellen] *m.* –(e)s, ⸚e, 걸상(♈*stool*); 자리, 좌석(*seat*); 의자(*chair*); (der Päpstliche ~) 교황의 자리(*See*). ② (Nacht~) 침실용 변기; 변소; 통변(通便); (Web~) 베틀, 직조기(織造機)(*loom*). ¶ 《俗談》 sich zwischen zwei Stühle setzen 토끼 두마리 잡으려다 하나도 못 잡는다.

Stuhl·bein [ʃtúːl–] *n.* 의자의 다리. **~gang** *m.* 변소에 감; 통변(通便). **~gestell** *n.* 틀, 프레임(*frame*). **~kappe** *f.* 의자 커버. **~lehne** *f.* 의자 등받이. **~verhaltung** *f.* 변비. **~zwang** *m.* 〖醫〗 이급 후중(裡急後重).

Stuka [ʃtúka] [=*Sturzkampfflugzeug*] *n.* –s, –s, 급강하 폭격기.

Stulle [ʃtúlə] *f.* –n, 《方》 버터빵; (belegte ~) 샌드위치.

Stulp [ʃtulp] *f.* –n, 뒤집어 젖힌 데(보기: 모자 테: *brim, cock* / 장화의 접은 목: *top* / 샤쓰의 소맷부리(*cuff*). **stülpen** [ʃtʏ́lpən] *t.* 씌우다(*put on, clap on*); (에) 씌우다, 뚜껑을 하다; 젖히다, 뒤집다(*turn up, cock*).

Stulp(en)stiefel [ʃtúlp(ən)ʃtiːfəl] *m.* 위쪽이 젖혀져 있는 장화.

stumm [ʃtum] *a.* 《Ⅰ》 잠자코 있는, 무언의(*speechless*); 〖文〗 발음되지 않는, 무성의(*silent*); 〖醫〗 벙어리의(*dumb, mute*). 《Ⅱ》 **Stumme** *m.* u. *f.* 《形容詞變化》 벙어리.

Stummel [ʃtúməl] *m.* –s, –, 그루터기, 끄트러기(*stump*); (Zigaretten~) 꽁초; (사기로 된) 짧은 파이프(*cutty*).

Stummheit [ʃtúmhait] *f.* 벙어리; 침묵; 〖文〗 무성(無聲).

Stümper [ʃtʏ́mpər] *m.* –s, –, 서투른 사람, 하수. **Stümperei** [ʃtʏm–] *f.* –en, 졸렬, 서투름, 서투른 제작품. **stümperhaft** *a.* 졸렬한, 서투른. **stümpern** [ʃtʏ́mpərn] *i.*(h.) 서투르다, 어설프다; *t.* 서투르게 만들다(*bungle*).

Stumpf [ʃtumpf] [♈stumpf] *m.* –(e)s, ⸚e, 동강, 끄트러기; 그루터기(♈*stump*). ¶ mit ~ und Stiel ausrotten 근절하다.

stumpf [ʃtumpf] *a.* 무딘, 잘 들지 않는(*blunt*); 뾰족하지 않은(*obtuse*); 절두형(截頭形)의(*truncated*); 《比》 둔한, 지둔(遲鈍)한(*dull*); 둔감한, 무감각의(*apathetic*). **Stumpfbock** *m.* 《俗》 재미 없는 사람.

Stumpfheit [ʃtúmpfhait] *f.* –en, 무딤; 《比》 우둔함, 둔감; 무감각, 무관심.

Stumpf·nāse [ʃtúmpf–] *f.* 납작코, 주먹코. **~nāsig** *a.* 위의. **~sinn** *m.* 지둔, 둔감; 백치. **~sinnig** *a.* 위의; 하찮을 것 없는, 지리한(*dull*). **~wink(e)lig** *a.* 둔각(鈍角)의.

Stunde [ʃtúndə] [♈steh(e)n] *f.* –n, (feststehender Zeitpunkt) (어느) 때, 시각(*time*), 시기, 기(*period*); (하루를 24 시간으로 나눌 때의) 1시간(*hour*); (Weg~) 1시간의 노정《약 십리》(*league*); (Lehr~) (시간제로 하는) 수업, 과업(*lesson*).

stunden [ʃtúndən] *t.*: jm. e–e Zahlung ~ 아무에게 어떤 지불을 연기해 주다.

Stunden·geld *n.* 수업료. **~glās** *n.* 모래 시계. **~lang** *a.* 한 시간의; 몇 시간의; *adv.* 몇 시간(이나). **~plān** *m.* 시간표, 시간 배정표. **~weise** *adv.* 시간으로 나누어서; 매 시간. **~zeiger** *m.* (시계의) 시침(時針).

stündlich [ʃtʏ́ntlɪç] *a.* 1시간마다의, 매시의; *adv.* 시간마다. 「예, 납부 연기.」

Stundung [ʃtúnduŋ] *f.* –en, 지불 유

Stunk [ʃtuŋk] [<stinken] *m.* –s, 《俗》 늘 싸우기〔다투기〕; 거짓말; 비방, 중상.

Stuntman [stʌ́ntmən] [engl. 〔am.〕 원래 학생 용어로서 "특별히 연습한 자, 묘기를 익힌 자"] *m.* –(s), ..men, (영화의 위험한 장면에서 배우의) 대역을 하는 자《곡예사 등》.

stupid(e) [ʃtupíːt, –də 또 st–] [lat.] *a.* 어리석은; 편협한, 고루한.

stupsen [ʃtúpsən] *t.* 슬쩍 찌르다〔밀다〕(*nudge*). **Stupsnāse** *f.* 벽장코.

stūr [ʃtuːr] [♈starr] *a.* 《方》 완고한, 고집 센(*stubborn, obstinate*).

Sturm [ʃturm] [*eig.* "소동, 날뜀", <stören] *m.* –(e)s, ⸚e, ① 폭풍, 폭풍우(♈*storm, tempest*); 〖海〗 물결이 높음. ② 소동, 동란(*tumult*); 비상 신호, 경보; 돌진, 돌격, 강습(強襲)(♈*storm, assault*). ¶ der ~ in Wasserglas 공연한 대소동 / ~ blassen 돌격 나팔을 불다 / im ~ nehmen 돌격해서 탈취하다. ③ 격정, 열광, 흥분, 현기증; 찌무룩함.

Sturm≈angriff [ʃtúrm–] *m.* 돌격. **∼≈boot** *n.* 적전(敵前) 상륙용 주정(舟艇).
stürmen [ʃtýrmən] 《Ⅰ》 *i.*(h.) ① 폭풍이 불다(♈*storm*); 미쳐 날뛰다(*rage*). ② (s.) 돌진하다(*rush*). 《Ⅱ》 *t.* (에) 공습하다, (을) 강습하다(♈*storm, force*); 강습하여 공략하다. **Stürmer** *m.* –s, –, 돌진자, 습격자; 돌격병; 〖蹴〗 포워드(*forward*).
Sturm≈flūt *f.* (폭풍에 의한) 해일(海溢), 해소. **∼gewehr** *n.* 돌격총(보병의 기관총). **∼glocke** *f.* 경종.
stürmisch [ʃtýrmɪʃ] *a.* 폭풍우의; 폭풍 같은; 《比》, 미쳐 날뛰는, 광포한.
Sturm≈lauf *m.*, **∼laufen** *n.* 〖軍〗 돌격 전진. **∼leiter** *f.* 공성(攻城)〔소방〕용 사닥다리. **∼riemen** *m.* (모자의) 턱끈 (폭풍에 대비하는). **∼schritt** *m.* 돌격의 보조(步調). **∼trupp** *m.* 돌격대. **∼vōgel** *m.* 폭풍우를 알리는 새(보기: Albatros). **∼wind** *m.* 폭풍. **∼wolke** *f.* 폭풍운(暴風雲).
Sturz [ʃturts] [<stürzen] *m.* –es, ⁼e [ʃtýrtsə], 전복, 추락, 낙하(*sudden fall*); 낭떠러지; 〖商〗 폭락, 부진(*slump*); 와해(*crash*); 몰락, 실각(*overthrow*).
Sturz≈acker *m.* 새로 갈아 엎은 밭. **∼bach** *m.* 급류. **∼bād** *n.* 샤워. **∼≈becher** *m.* 마셔 비우는 잔(깔때기 모양의 잔으로 탁상에 세울 수 없어 속의 술을 다 마시고 엎어 놓게 됨, 16세기에 유행). **∼bomber** *m.* 급강하 폭격기.
stürzen [ʃtýrtsən] [*eig.* „umstülpen"] 《Ⅰ》 *t.* ① 뒤엎다, 엎어 놓다, 기울게 하다(*turn over, tilt*); 기울어 뜨리다, 전복〔실각〕시키다(*overthrow*). ② (속의 것을) 비우다; 쭉 들이켜다(*drink off*). ③ 씌우다(*put on*); 밀어 떨어뜨리다〔넣다〕 (*hurl* (*down or into*)). 《Ⅱ》 *i.*(s.) 추락하다, 넘어지다(*fall, tumble*); 급강하하다(*dive*); 서두르다, 급히 가버리다(*rush, run*). 《Ⅲ》 *refl.* 몸을 던지다; 뛰어들다. ¶sich ins Wasser ∼ 투신 자살하다 / sich ins Elend ∼ 몰락하다, 빈궁에 떨어지다.
Sturz≈flūg [ʃtúrts–] *m.* (비행기의) 급강하. **∼helm** *m.* 항공모(航空帽)(비행사·경륜(競輪)선수 등이 쓰는). **∼kampf≈flieger** *m.*, **∼kampfflūgzeug** *n.* 급강하 폭격기. **∼karren** *m.* 방하차(放下車), 덤프 카. **∼see** *f.* 갑판을 뒤덮치는 파도. **∼wellen** *pl.* =∼SEE.
Stūte [ʃtúːtə] *f.* –n, 암말(*mare*); 《卑》 계집(년). **Stūtenfohlen, Stūtenfül≈len** *n.* 암망아지; 《俗》 말괄량이, 왈가닥.
Stützbalken [ʃtýts–] *m.* 받침 들보.
Stutzbārt [ʃtútsbaːrt] *m.* 짧게 깎은 수염.
Stütze [ʃtýtsə] [<stützen] *f.* –n, 버팀목(*support, stay, prop*); 《比》 의지할 것; 지팡이, 기둥; 원조. ¶die ∼ der Hausfrau 가정부, 하녀.
stutzen[1] [ʃtútsən] [<stoßen] 《Ⅰ》 *t.* 짜르다, 베(내)다, 깎다, 가위질하다, (짧게) 깎다(*cut short*); 모양을 다듬다, 치장하다. 《Ⅱ》 *i.*(h.) (무엇에 마주친 듯이) 갑자기 멈춰서다(*stop short*); 깜짝 놀라다; (놀라서) 멈칫하다(*be startled*); 귀를 쫑긋 세우다.
stützen [ʃtýtsən] [♈stoßen] 《Ⅰ》 *t.* 버티다, 지지하다(*prop, stay, support*); 《比》 격려하다, 원조하다, 편들다. 《Ⅱ》 *refl.* (auf et., 에) 기대다, 의지하다, 근거로 하다, (을) 믿다.
Stutzer [ʃtútsər] *m.* –s, –, 멋장이(*dandy, fop*).
stutzig [ʃtútsɪç] *a.* 깜짝 놀란, 당황한, 허둥대는. ¶∼ machen 깜짝 놀라게 하다 / ∼ werden 깜짝 놀라다.
Stütz≈mauer *f.* 〖建〗 부벽(扶壁), 옹벽(擁壁). **∼pfeiler** *m.* 지주(支柱). **∼≈punkt** *m.* 지점(支點); 중요 지점; (함대의) 근거지.
Stutz≈schwanz *m.* 짧게 자른 꼬리; 꼬리를 짧게 자른 말. **∼uhr** *f.* 탁상 시계.
StVO 《略》 =*St*raßen*v*erkehrs*o*rdnung 도로 교통 법규.
Styx [stʏks, ʃt–] *m.* 〖希神〗 삼도(三途)내.
Suada [zuáːda, sváː–] [lat.] *f.* ..den, 설득력, 능변(能辯), 웅변.
sub·altern [zup-altέrn] [lat. "다른 사람(*alter*) 밑의(*sub*)"] *a.* 하위의, 부하의, 예속하는; 비굴한. **∼beamte** *m.* 《形容詞變化》 하급〔말단〕 공무원.
Subjekt [zup-jέkt] [lat. „Unter-geworfenes", *d. h.* Untergelegtes, Grundlage] *n.* –(e)s, –e, 주체; 〖文〗 주어; 〖哲〗 주관; 인간; 《俗》 놈, 녀석. **subjek≈tiv** [–jɛktíːf] *a.* 주체의, 주관의, 주관적인. **Subjektivitāt** [zup-jɛktivitέːt] *f.* 〖哲〗 주관성.
subkutān [zupkutáːn] [lat.] *a.* 〖醫〗 피하(皮下)의.
sublīm [zubliːm] [lat.] *a.* 숭고한, 장려한; 미묘〔섬세〕한. **Sublimāt** [zubli–, zup–] *n.* –(e)s, –e, 〖化〗 승화물; 승홍(昇汞). **sublimieren** *t.* 높이다; 순화(醇化)하다; 〖化〗 승화시키다.
submarīn [zupmaríːn] [lat.] *a.* 해저(海底)의.
submiß [zupmís] [lat.] *a.* 공순한; 굴종적인. **Submission** [–sióːn] *f.* –en, 공순, 복종, 굴종; 청부, 입찰.
Sub·ordination [zup-ɔrdinatsióːn] [lat.] 밑에 둠; 종속, 복종.
Subsistenz [zupzɪsténts] [lat.] *f.* –en, 존속, 존립, 지속; 생계(生計).
Subskribent [zupskribέnt] [lat.] *m.* –en, –en, (Unterzeichner) 서명인; 주문〔신청·예약〕자. **subskribieren** *i.*(h.) 서명하다; (auf et., 을) 신청〔예약〕하다.
Subskription [zupskrɪptsióːn] *f.* –en, 서명; 신청, 예약.
substantiell [zupstantsiέl] *a.* 실체적인, 실재하는; 물질의; 실질적인; 자양분이 되는. **Substantiv** [zúp–tːf, zupstantíːf] *n.* –s, –e, 〖文〗 명사.
Substanz [zupstánts] [lat. „Drunterstehen", Grundlage] *f.* –en, 〖哲〗 실체, 실재; 물질. 〖商〗 실(實) 자본; 〖法〗 원물(元物).
Substrāt [zupstráːt] [lat. „Druntergebreitetes"] *n.* –(e)s, –e, 기초; 〖哲〗 기체(基體); 〖化〗 기질(基質); 〖生〗 배양기(培養基).
subtīl [zuptíːl] [lat.] *a.* 섬세〔미묘·교묘〕한; 교활한.
subtrahieren [–trahíːrən] [lat. „unten wegziehen"] *t.* 빼다, 감하다 (♈*sub-*

tract). **Subtraktion** *f.* -en, 뺄셈, 감법.

Subvention [zupventsĭó:n] [lat., *subvenire* „von unten hinkommen", zu Hilfe kommen] *f.* -en, 보조금(*subsidy*). **subventionieren** *t.* (에게) 보조금을 주다.

Suche [zú:xə] *f.* -n, 수색, 탐색; 추적. ¶auf die ~ geh(e)n, (nach, 을) 탐색〔수색〕하러 가다.

suchen [zú:xən] *t.* u. *i.*(h.) 찾다, 구하다(♈*seek, search*). ¶das Weite ~ 도망하다 / was hast du hier zu ~? 너는 여기에 무슨 일이 있느냐 / s-e Ehre in et.³ ~ 무엇을 명예로 삼다 / et. **an** jm. ~ 아무에게 무엇을 청하다 / Trost **bei** jm. ~ 아무에게서 위안을 찾다. **Sucher** [zú:xər] *m.* -s, -, 찾는 사람, 구하는 사람; (사진기의) 파인더; (자동차의) 헤드라이트.

Sucht [zuxt] [<siech] *f.* ⸗e, ① 병, (무슨) 증(症)(*sickness, disease*). ¶fallende ~ 간질. ② (…에 대한) 병적 기호, …광(狂) (*passion, mania, rage*). ¶~ nach Ruhm 명예욕. **süchtig** [zýçtɪç] *a.* 《方》 질병의; 전염성의; 정열적인.

Sud [zu:t] [<sieden] *m.* -(e)s, -e, 끓임(*boiling*); 달여 낸 즙(*decoction*).

Süd [zy:t] 《Ⅰ》 *m.* -(e)s, 남(쪽) (=~EN). 《Ⅱ》 *m.* -(e)s, -e, 남풍(南風).

Süd⸗afrika *n.* 남아프리카. **~amerika** *n.* 남아메리카.

Sudan [zudá:n, su-, zú:dan] [ar. „Land der Schwarzen"] *n.* 수단《아프리카의 한 나라 이름》.

Sudelei [zu:dəlái] *f.* -en, 더럽힘; 서툰 일; 서툰 그림; 난필. **Sud(e)ler** *m.* -s, -, 서투른 일을 하는 사람; 엉터리 화가, 악필가. **Sudelkoch** *m.*, **Sudelköchin** *f.* 서투른 요리인. **sudeln** [zú:dəln] [*eig.* „schlecht kochen", <sieden] *i.*(h.) u. *t.* 서투르게 일하다(*do in a dirty way*); 지저분하게 쓰다〔그리다〕, 갈겨 쓰다.

Süden [zý:dən] *m.* -s, 남(南), 남쪽.

Sudeten [zudé:tən] *pl.* Schlesien 과 Böhmen 간의 산맥 이름. **~deutsche** *m.* u. *f.* 《形容詞變化》 체코슬로바키아의 독일계 주민.

Süd⸗früchte [zý:t-] *pl.* 남국산의 〔열대〕 과실. **~länder** *m.* 남국인.

südlich [zý:tlɪç] *a.* 남쪽의; 남방〔남부·남국〕의; *adv.* 남(방)으로.

Süd⸗ost [zy:t-] *m.* 남동(풍). **~osten** *m.* 남동. **~östlich** *a.* 남동의, 동남의.

Süd⸗pol *m.* 남극. **~see** *f.* 남태평양, 남양. **~wärts** *adv.* 남(방)으로.

Süd⸗wester [zy:tvéstər] *m.* 서남 아프리카의 독일인 이민; 폭풍우 때 쓰는 모자.

Südwind [zý:tvɪnt] *m.* 남풍.

Suff [zuf] [<saufen] *m.* -(e)s, 《俗》 음주(벽). **Süffel** *m.* -s, -, 《俗》 주정뱅이, 술고래. **süffeln** *t.* 말술을 마시다. *i.*(h.) 술을 즐기다. **süffig** [zýfɪç] *a.* (술·맥주가 마시기) 좋은, 맛좋은.

suggerieren [zugerí:rən] [lat.] *t.* 암시하다; (최면술에서) 암시를 주다(♈*suggest*). **suggestiv** *a.* 암시적인. **Suggestivfrage** *f.* 암시적 질문; 유도 신문.

Suhle [zú:lə] *f.* -n, 웅덩이, 오미, 진창(*muddy pool*); 불결한 여자.

Sühne [zý:nə] *f.* -n, 화해 (=VERSÖHNEN); 보상; 속바침, 속죄(*expiation, atonement*). **sühnen** [zý:nən] *t.* 보상하다; 속바치다, (의) 속죄를 하다.

Sühnetermin [-tɛrmi:n] *m.* 화해 기한《소송을 피하기 위한》.

Sühn·opfer [zý:n-ɔpfər] *n.* 〖宗〗 속죄의 희생, 산 제물. **Sühnung** *f.* -en, =SÜHNE.

Sujet [syʒé:, -ʒɛ́:] [lat. -fr.] *n.* -s, -s, ① 제목; 주제; 제재(題材). ② 《蔑》 사람, 놈.

Sulfat [zulfá:t] [lat.] *n.* -(e)s, -e, 〖化〗 황산염.

Sultan [zúlta:n] [ar. „Herrscher"] *m.* -s, -e, 설탄, 회교국 군주. **Sultanin** [zúltanɪn] *f.* -nen, 설탄의 비(妃).

Sultanine [zultaní:nə] *f.* -n, 일종의 건포도《터키의 스미르나 지방산》.

Sülze [zýltsə] [♈Salz] *f.* -n, 소금물(*brine*); 젤리속에 든 고기(*brawn*). **sülzen** *i.*(h.) 젤리 속에 (고기를) 넣다.

summarisch [zumá:rɪʃ] *a.* 총괄적인, 대략의, 개요의(♈*summary*). **Summe** [zúmə] [lat.] *f.* -n, 총액, 총계(♈*sum, total*); 〖數〗 화(和); 액, 합계(*amount*).

summen [zúmən] [擬聲語] 《Ⅰ》 *i.*(h.) 윙윙거리다《벌 따위가》; 이명(耳鳴)이 나다. 《Ⅱ》 *t.* 흥얼거리다《노래 따위를》. **Summer** *m.* -s, -, 윙윙거리는 것; 버저(*buzzer*).

summieren [zumí:rən] 《Ⅰ》 *t.* 총계하다, 합계하다. 《Ⅱ》 *refl.* 총계 얼마얼마가 되다, 어떤 액수〔총액〕에 달하다.

Summum bonum [zúmum bó:num, - bónum] [lat. „höchstes Gut"] *n.* -, -, 지고〔최고〕선.

Sumpf [zumpf] *m.* -(e)s, ⸗e, 늪, 소택, 습지(♈*swamp, marsh, bog*); 웅덩이(♈*sump*).

Sumpf⸗blüte [zúmpf-] *f.* 늪의 꽃; 《比》 퇴폐 현상, 악의 꽃. **~boden** *m.* 늪지대, 진흙땅. **~dotterblume** *f.* = DOTTERBLUME.

sumpfen [zúmpfən] *i.*(h.) 비습(卑濕)하다; 《學》 방종한 생활을 하다.

Sumpf⸗erz 〖鑛〗 소철광(沼鐵鑛). **~fieber** *n.* 〖醫〗 말라리아열(熱)(*malaria*). **~gegend** *f.* 소택 지방. **~huhn** *n.* 〖鳥〗 흰눈썹뜸부기.

sumpfig [zúmpfɪç] *a.* 소택지의, 저습(低濕)한.

Sumpf⸗land *n.* 소택지. **~vogel** 〖鳥〗 섭금(涉禽). **~wasser** *n.* 웅덩이 물.

Sums [zums] *m.* -es, 윙윙거리는 소리; 《俗》 법석; 실없는 소리(*empty talk*).

Sund [zunt] *m.* -(e)s, -e, 해협, 물목(♈*sound, strait(s)*)《특히 스웨덴과 덴마크 사이의》.

Sünde [zýndə] *f.* -n, (도덕적·종교적 의미의) 죄(♈*sin*); 위반, 과실; 부정.

Sünden⸗bock *m.* 〖聖〗 속죄를 위한 수염소《인간의 죄를 대신 지워서 놓아 보내는》. **~erlaß** *m.* 사면, 면죄. **~fall** *m.* 인류의 타락《아담과 이브의》. **~los** *a.* 죄없는. **~schuld** *f.* 죄과, 죄.

Sünder [zýndər] *m.* -s, -, 죄인.
Sündflut [zýntflu:t] [前半: Sünde에 관련시켜 轉訛] *f.* =SINTFLUT.
sündhaft [zýnthaft] *a.* ① 죄 많은. ② 《俗》 ~ (*adv.*) teuer 지독하게 비싼. **sündig** [zýndıç] *a.* 죄 많은; 죄에 빠지기 쉬운. **sündigen** *i.*(h.) 죄를 범하다; 잘못을 저지르다《이를테면 문법상의》.
super.. [zu:pər-, zu:pεr-] [lat.] =ÜBER.
superfein [zú:pərfain] *a.* 극상의, 아주 뛰어난.
Superhet [zú:pərhεt] [<Superheterodyne] *m.* -s, -s, 〖電〗 초헤테로다인 수신 장치, 수퍼.
Super·intendent [zu:pər-ıntεndέnt, zú:p-dεnt] [lat.] *m.* (신교의) 지방 감독.
superklug [zú:pεrklu:k] *a.* 너무 똑똑한, 건방진, 중뿔난(*overwise, pert*).
Superlativ [zú:pεrlati:f, zu:pεrlatí:f] [lat. „darüber-getragen"] *m.* -s, -e [-və], 〖文〗 최상급. 「-e, 과산화물.
Super·oxyd [zú:pər-ɔksy:t] *n.* -(e)s,
Superstition [zu:pərstitsió:n] [lat.] *f.* 미신.
Suppe [zúpə] [♈saufen] *f.* -n, 수프, 국(♈*soup*); 육즙(肉汁).
Suppen·grün [zúpən-] *n.* 야채, 푸성귀. **~huhn** *n.* 요리에 쓸 수 밖에 없는 늙은 닭; 《俗》 노파. **~kräuter** *pl.* 수프용 야채. **~löffel** *m.* 수프 숟가락, 국자. **~schüssel** *f.* 수프 그릇. **~teller** *m.* 수프 접시. **~terrine** *f.* = ~SCHÜSSEL. **~würfel** *m.* 고형(固形) 수프《주사위 꼴로 된》. **~würze** *f.* ① =~GRÜN. ② 건조 분말 야채.
Supplement [zuplemέnt] [lat.] *n.* -(e)s, -e, 보충, 보유, 증보. **supplieren** *t.* 보충하다; 대리하다; 보유〔증보〕하다.
surren [zúrən] *i.*(h.) [擬聲語] 윙윙거리다, 윙윙 울리다(*hum*).
Surrogat [zurogá:t] [lat.] *n.* -(e)s, -e, 대용물, 대용품(*substitute*). **Surrogation** [-gatsió:n] *f.* -en, 대용(함); 〖法〗 대위(代位)(함).
suspendieren [zuspεndí:rən] [lat.] *t.* 매달다, 드리우다; 중지〔정지·휴지〕하다; 미해결인 채로 두다; (회의 따위를) 연기하다; (에게) 휴직〔정직〕을 명하다 (♈*suspend*). **Suspensorium** *n.* -s, ..rien, 〖醫〗 제거(提擧) 띠〔붕대〕.
süß [zy:s] *a.* ① 맛 있는, 맛 좋은; 단(♈*sweet*). ② 《比》 감미로운, 상쾌한; 사랑스러운; 달콤한. **Süße** [zý:sə] *f.* 달콤함; 감미, 즐거움. **süßen** *t.* 달게 하다.
Süßholz [zý:shɔlts] *n.* 〖植〗 감초. ¶~ raspeln 들 맞추다.
Süßigkeit [zý:sıçkait] *f.* -en, 닮, 단맛; 감미; 단 것; 감언, 따리. **süßlich** [zý:slıç] *a.* 단 맛이 있는, 달짝지근한 (*sweetish*); 간살스러운《말 따위》 (*mawkish, weakly sentimental*).
Süß·speise [zý:s-] *f.* 디저트《푸딩·크림 따위》. **~stoff** *m.* 인공 감미료. **~wasser** *n.* 담수(淡水). **~wein** *m.* 맛이 단 포도주《특히 남국산》.
SV 《略》 =*Sportverein od. Spielvereinigung* 스포츠 협회.
Swing [svıŋ, sv-] [engl. „Schwingen, Rhythmus"] ① (댄스의) 율동; 율동조의 댄스. ② 진폭; 〖商〗 크레디트의 폭. **swingen** *i.*(h.) 스윙을 추다. **Swing·fox** *m.* -es, -e, =SWING 1.
Symbiose [zymbió:zə] [gr. *syn*, „zusammen", *biosis* „Lebensweise"] *f.* 〖生〗 (종류가 다른 동물의) 공생(共生).
Symbol [zymbó:l] [gr. „Zusammengeworfenes", "대비되는 것"] *n.* -s, -e, 상징, 심벌; 〖化·數〗 기호. **Symbolik** *f.* 상징적 표현; 상징의 해의(解義). **symbolisch** [zymbó:lıʃ] *a.* 상징의, 상징적인.
Symmetrie [zymetrí:] [gr. „Gleich-, Eben-maß"] *f.* ..trien, 균제, 상칭(相稱), 좌우 동체, 조화. **Symmetrie·achse** *f.* 대칭축. **symmetrisch** [zymé:trıʃ] *a.* 균제〔조화〕가 잡힌, 상칭적(相稱的)인.
Sympathie [zympatí:] [gr. „Mitempfindung"] *f.* ..thien, 공감, 동정; 호의. **sympathisch** *a.* 공감적인; 호감이 가는, 기분이 좋은; 〖醫〗 교감 신경성의, 감응성(感應性)의. **sympathisieren** *i.* (h.) (mit, 와) 공감하다, 동감〔동정〕하다.
Symphonie [zymfoní:] [gr. „Zusammen-klang"] *f.* ..nien, 〖樂〗 교향악.
Symptom [zymptó:m] [gr. „Zusammen-fallen"] *n.* -s, -e, 〖醫〗 (병의) 징후, 증세. **symptomatisch** *a.* 징후의, 증세의.
Synagoge [zynagó:gə, zy-] [gr.] *f.* -n, 유태인의 회당.
synchron [zynkró:n] [gr. „gleich-zeitig"] *a.* 동시의; 평행하는. **synchronisieren** [zynkroni-] *t.* 동시에 하다; (에) 동시성을 가지게 하다; 〖映〗 영상과 발성을, 또 원어와 역어를 시간적으로 일치시키다. **Synchrotron** [zykrotró:n] *n.* -s, -e, 〖物〗 싱크로트론《전자 따위를 가속하는 원자 물리학용 장치》. **Synchrozyklotron** *n.* 〖物〗 싱크로사이클로트론《사이클로트론을 개량한 이온 가속 장치》.
Syndikat [zyndiká:t] *n.* -(e)s, -e, (법률 고문의) 직; 협회, 회; 〖經〗 신디케이트(♈*syndicate*). **Syndikus** [zýndikus] [gr. "법률"(*dikē*)에 관한 일에 "협"(*syn*-)력하는 사람] *m.* -, ..diken *u.* ..dizi, 법률 고문(♈*syndic*).
Synkope [sýŋkope:, zyŋkó:pə] [gr. „Zusammenschlag"] *f.* ..kopen, 〖樂〗 절분법(切分法). **synkopieren** *t.* 〖樂〗 절분하다.
Synode [zynó:də, zy-] [gr. „Zusammen-kunft (*hodós* „Weg")] *f.* -n, 종교 회의.
synonym [zynoný:m, zy-] [gr. „gleichnamig"] *a.* 동의의(同意義)의, 동의(同意)의.
synoptisch [zynɔ́ptıʃ] [gr.] *a.* ① 개괄적; 대조적. ② die ~en Evangelien 공관(共觀) 복음서.
syntaktisch [zyntáktıʃ] *a.* 문장론의; 문장상의. **Syntax** [zýntaks] [gr. „Zusammen-ordnung"] *f.* -en, 〖文〗 문장론.
Synthese [zynté:zə] [gr. "동치(同置)"] *f.* -n, 종합, 통합; 조립; 〖化〗 합성.

synthētisch *a.* 종합적인; 〖化〗 합성적인.
Sy̱philis [zý:filıs] [gr.] *f.* 〖醫〗 매독. **syphilịtisch** *a.* 매독의, 매독에 걸린.
Sy̱rien [zý:rĭən] *n.* -s, 시리아(*Syria*). **Sy̱r(i)er** [-rıər] *m.* -s, -, 시리아 사람. **sy̱risch** *a.* 시리아의.
Systēm [zysté:m] [gr. "함께(*syn*)" 놓여진 것 (語根 *sta-* „stellen")] *n.* -s, -e, 시스템, 조직, 체제, 계열; 〖化·地〗 계; 체계《학문의》; 분류《동식물 등의》. **systemātisch** [zystemá:tıʃ] *a.* 조직〔계통〕적인. **systematisiẹren** *t.* 계통 세우다, 체계짓다, 조직화하다; 분류하다.
Szenārium [stsená:rĭum] [gr. -lat.] *n.* -s, ..rien, 〖劇〗 대본, 시나리오. **Szē·ne** [stsé:nə] [gr.] *f.* -n, 무대, 장면, 장(場), 경(景), 신(♈*scene*). ¶in ~ setzen 무대에 올리다, 상연하다. **Sze·neriẹ** [stsenəri:] *f.* ..rien, 무대 장치; 풍경(화). **szēnisch** [stsé:nıʃ] *a.* 무대의; 장면의; 무대에 적합한〔상연할 수 있는〕.
Szẹpter [stsέptər] *m.* 〔*n.*〕 -s, -, = ZEPTER《그 옛 꼴》.
Szy̱the [stsý:tə] *m.* -n, -n, 스키타이인.

T

Tabak [tábak, tá:b-, tabák] [indian, -sp.] *m.* -(e)s, (품종을 나타낼 때는:) -e, 담배(♈*tobacco*).
Tabak·bau [tá:bakbau, tabák-] *m.* 담배 재배. **~fabrik** *f.* 담배 공장. **~·händler** *m.* 담배 장수. **~qualm** *m.* 담배 연기. **~raucher** *m.* 흡연가.
Tabak(s)·beutel [tá:bak(s)bɔytəl, tábak(s)-] *m.* 담배 쌈지〔주머니〕. **~dōse** [-do:zə] *f.* 코담배통.
tabellārisch [tabεlá:rıʃ] *a.* 표(表)로 나타낸, 개괄적인. **Tabẹlle** [tabέlə] [lat. „Täfelchen"] *f.* -n, 표, 목록(♈*table, index*).
tabelliẹren [tabεlí:rən] *t.* 〖콤퓨터〗(펀치) 카드로 읽어내다. **Tabelliẹrma·schine** *f.* (펀치) 카드 판독기.
Tabernākel [tabεrná:kəl] [lat. „Zelt"] *n.* u. *m.* -s, -, ① 〖聖〗 장막. ② 〖가톨릭〗 (성체를 넣는) 성궤(聖櫃).
Tablẹtt [tablέt] [fr. „Täfelchen"] *n.* -(e)s, -e, 쟁반(*tray*; 금속의: *salver*). **Tablẹtte** *f.* -n, 작은 탁자; (나무 따위) 조각; 판(板)(♈*tablet*); 정제(*tabloid*).
Tabu [tá:bu:, ta:bú:] [polynesisch] *n.* -(e)s, -s, 터부, 금기.
Tachomēter [taxomé:tər] [gr.] *n.* 〔*m.*〕 -s, -, 회전 속도계.
Täcks [tεks], 《öst》 **Tacks** [engl. tacks] *m.* -es, -e, (구두창의) 징.
Tādel [tá:dəl] *m.* -s, -, 결점, 흠(*fault*); 비난(*blame*); 꾸지람, 질책(*reproof*); 혹평; (학교의) 낙제점(*bad mark*). **tādel·frei** *a.* 비난할 데가 없는, 흠이 없는. **tādelhaft** *a.* 결점이 있는, 비난 받을 만한. **tādellōs** *a.* 결점이 없는, 흠 잡을 데가 없는. **tādeln** *t.* u. *i.*(h.) 비난하다, 나무라다, 책망하다(*blame, find fault with, reprove*).
tādelns·wērt [tá:dəlnsve:rt], **~wür·dig** [-vyrdıç] *a.* 비난받을 만한.
Tādel·sucht *f.* 트집을 잘 잡음, 잔소리하기 좋아함. **~süchtig** *a.* 잔소리하기 좋아하는, 트집 잘 잡는.
Tādler [tá:dlər] [<tadeln] *m.* -s, -, 비난자, 견책자, 혹평가.
Tāfel [tá:fəl] [lat. *tabula* „Brett"] *f.* -n, ① 얇은 널, 판자(♈*table, board*); (Schokoladen~) 납작한 초콜렛; (Wand~) 칠판. ② (Übersichts~) 표, 목록. ③ 식탁, 식사(♈*table*). ¶die ~ aufheben 식사〔연회〕를 마치다.
Tāfel·aufsatz *m.* 식탁 장식대(臺)《과자나 과일을 놓기 위한》. **~berg** *m.* 정상이 평평한 산. **~besteck** *n.* 한 벌의 식기. **~butter** *f.* 식탁 버터.
Tāfelchen [tέ:fəlçən] *n.* -s, -, 작은 판자, 얇은 널빤지; 〖藥〗 정제(錠劑).
tāfel·förmig *a.* 판자 모양의. **~gel·der** *pl.* 접대비, 교제비. **~geschirr** *n.* 식기. **~glās** *n.* 판유리. **~land** *n.* 고원, 대지.
tāfeln [tá:fəln] *i.*(h.) 식사를 하다; 잔치를 베풀다. **tāfeln** [tέ:-] *t.* (에) 판자를 대다.
Tāfel·ōbst *n.* 식후의 과일. **~runde** *f.* (Artus 왕의) 원탁의 기사; 《比》 식탁 친구《요리점 단골의 한패》. **~silber** *n.* 납작한 은. **~tūch** *n.* 식탁보.
Tāf(e)lung [tέ:f(ə)luŋ] *f.* -en, 판자를 〔머름을〕 댐; 마루〔벽〕 널, 머름.
Tāfel·werk *n.* 벽널, 머름. **~zeug** *n.* 식탁보.
Tạffet [táfət], **Taft** [taft] [pers. -fr.] *m.* -(e)s, -e, 호박단(琥珀緞).
Tāg [ta:k, 方: tak, ta(:)x] [*eig.* „Glänzendes"] *m.* -(e)s [-ks, -gəs], -e [-gə], ① 밝음; 낮, 대낮(♈*day, daytime*). ¶ **an** den ~ kommen 밝혀지다, 드러나다, 널리 알려지다 / an den ~ bringen 드러내다, 폭로하다 / am ~e liegen 뚜렷하다. ② 《낮과 밤을 통한 시간》 날(♈*day*). ¶e-s ~es, a) 《過去》 어느날, b) 《未來》 장차, 언젠가 / alle ~e 매일 / ~ **für** ~ 날마다, 매일 / **in** den ~ hinein 되는 대로, 아무렇게나 / heute **über** acht ~e 일주일(당일까지 쳐서 8일) 후에 / **von** ~ **zu** ~ 나날이, 매일 / m-e ~e 나의 일생 동안 / der Held des ~es 시대의 인물. ③ (일정한) 날, 기일; 기간, 개회기; 회의; 의회.
Tāg·arbeit [tá:k-arbait] *f.* 주간 노동〔작업〕; 〖坑〗 갱외(坑外) 작업.
tāg·aus [ta:k-áus] *adv.* 날마다, 매일.
Tāg·bau *m.* 〖坑〗 노천굴(露天掘). **~·blatt** *n.* 일간 신문; 조간.
Tāge·arbeit [tá:gə-] *f.* = TAGARBEIT. **~būch** *n.* 일기, 일지(日誌). **~dieb** [-di:p] *m.* 게으름뱅이. **~falter** *m.* 나비(*butterfly*). **~gelder** *pl.* 일당(日當), 일급(日給).
tāg·ein [ta:k-áin] *adv.* = TAGAUS.
tāgelang [tá:gəlaŋ] *adv.* 며칠이나, 수일간.
Tāge·lohn *m.* 일당, 일급. **~löhner** *m.* 날품팔이꾼.
tāgen [tá:gən] *i.*(h.) ① der Morgen 〔es〕 tagt 날이 샌다, 밝아진다(♈*dawn*). ② 회의를 하다〔열다〕(*meet, sit*).

Tāge·reise [tá:gəraizə] *f.* 낮의 여행; 하루의 여행〔여정〕.

Tāges·anbruch [tá:gəs–] *m.* 새벽, 동트기, 여명. **∼befehl** *m.* 〖軍〗 일일 명령, 일반 명령. **∼bericht** *m.* 일보(日報). **∼dienst** *m.* 일직. **∼einnahme** *f.* 일수(日收). **∼frāgen** *pl.* 시사 문제. **∼gesprāch** *n.* 중심 화제, 토픽. **∼kurs** *m.* 그날그날의 시세. **∼licht** *n.* 햇빛, 일광. **∼ordnung** [–ɔrd–, –ɔrt–] *f.* 의사 일정(日程). **∼politik** *f.* 시국. **∼preis** *m.* 〖商〗 싯가. **∼presse** *f.* 일간 신문. **∼zeit** *f.* 하루의 시간. **∼zeitung** *f.* =Tagblatt.

tāge·weise *adv.* 그날그날, 매일; 날삯으로, 일급으로. **∼werk** *n.* 하루의 일; 하루의 표준 노동량, 노르마.

tāghell [tá:khɛl, tá:khέl] *a.* 낮과 같이 밝은; 아주 명백한.

tāglich [tέ:klıç] *a.* 나날의, 매일의; 일상의; *adv.* 날마다, 매일; 일상. ¶ ∼es Geld 당좌 차입금(借入金).

Tāglohn [tá:klo:n] *m.* =TAGELOHN.

tāgs [ta:ks] *adv.* ① ∼ darauf 〔zuvor〕 그 이튿날〔전날〕. ② 낮에; 하룻 동안.

tāgs·ūber [tá:ks-y:bər, ta:ks-ý:bər] *adv.* 주간에, 낮에, 하룻 동안. **Tāg·und·nachtgleiche** *f.* 〖天〗 주야 평분《춘분, 추분》(*equinox*).

Tāgung [tá:guŋ] *f.* –en, 개회; 회의.

Taifūn [taifú:n] [chin.] *m.* –s, –e, 태풍(♈*typhoon*).

Taille [táljə, táijə] [fr. „Einschnitt"] *f.* –n, 허리, 요부(腰部)(*waist*); (여성의) 보디스(*bodice*).

Tākel [tá:kəl] *n.* –s, –, 〖海〗 삭구(索具)(♈*tackle*). **Takelage** [takəlá:ʒə] *f.* –n, (범선의) 삭구《전체》. **tākeln** *t.* (배에) 삭구(索具)를 장비하다. **Tāk(e)lung** *f.* –en, 〖海〗 ① 삭구 장비. ② 삭구《전체》. **Tākelwerk** *n.*, =TAKELUNG ②.

Takt [takt] [lat. „Berührung"] *m.* –(e)s, –e, ① 〖樂〗 박자(*measure, time*); 〖工〗 피스톤의 행정(行程). ¶ den ∼ schlagen 박자를 짚다 / ∼ halten 박자를 맞추다 / aus dem ∼e 박자가 틀린 / im ∼e 보조를 맞추어. ② 《比》 묘기(를 부림), 재치, 꾀(♈*tact*).

taktfest [táktfɛst] *a.* 박자가 정확한; 《比》 믿음직한, 확실한.

taktieren [taktí:rən] *i.*(h.) 〖樂〗 박자를 짚다.

Taktik [táktık] [gr. "배치법"] *f.* –en, 〖軍〗 용병술, 전술. **Taktiker** *m.* –s, –, 전술가. **taktisch** *a.* 전술의; 《比》 기략이 뛰어난. ¶ ∼es Zeichen 정식(定式) 기호.

takt·lōs *a.* 요령 부득의, 약삭빠르지 못한, 서투른. **∼māßig** *a.* 박자에 맞는; 《比》 적당한, 적절한. **∼messer** *m.* 〖樂〗 박절기, 메트로놈. **∼nōte** *f.* 〖樂〗 온음표. **∼pause** *f.* 〖樂〗 온쉼표. **∼stock** *m.* 〖樂〗 지휘봉. **∼strāße** *f.* (일관 작업의) 박절(拍節) 공정《콘베이어가 일정 시간 정지하고 다음으로 나감》. **∼strich** *m.* 〖樂〗 (악보의 마디를 나누는) 세로줄(*bar*). **∼voll** *a.* 재치 있는, 요령 좋은, 약삭빠른, 능란한.

Tāl [ta:l] *n.* –(e)s, ⸗er [tέ:lər], 골짜기, 계곡, 산의 평지(♈*dale, valley*).

tāl·ab(wärts) *adv.* 골짜기 아래 쪽으로; 흐름을 따라.

Talār [talá:r] [lat.] *m.* –s, –e, (법관·변호사·성직자 등이 입는) 길고 헐거운 겉옷, 가운.

tāl·aufwärts [ta:láufvɛrts] *adv.* 골짜기를 올라가.

Talent [talέnt] [gr. –lat.] *n.* –(e)s, –e, 재능; 재능 있는 사람. **talentiert** *a.* =TALENTVOLL.

talent·lōs [talέnt–] *a.* 재능이 없는, 평범한. **∼voll** *a.* 재능 있는, 민완의.

Tāler [tá:lər] [<Tal; =engl. *dollar*] *m.* –s, –, 탈레르《옛 은화 이름: 약 3 마르크》; 《俗》 돈.

Tālfahrt [tá:lfa:rt] *f.* 골짜기로 내려가기; 하항(下航).

Talg [talk] *m.* –(e)s, –e, 경지(硬脂)(♈*tallow*), 수지(獸脂)《특히 소·양의》(*suet*).

Talgdrūse [tálkdry:zə] *f.* 〖解〗 피지선(皮脂腺).

talgig [tálgıç] *a.* 경지 모양의; 지방을 바른; 지방이 많은. **Talglicht** [tálklıçt] *n.* 수지로 만든 양초.

Tālisman [tá:lısman] [ar. –pers.] *m.* –s, –e, 부적.

Talje [táljə] [it.] *f.* –n, 〖海〗 작은 도르래(*tackle*).

Talk [talk] [ar.] *m.* –(e)s, –e, 〖鑛〗 활석(滑石)(♈*talc*). **Talk·ērde** [tálk-e:r-də] *f.* 마그네시아 고토(苦土)(*magnesia*).

Tālkessel [tá:lkɛsəl] *m.* 산골짝.

Talmūd [tálmu:t, talmú:t] [hebr.] *m.* –(e)s, 탈무드, 유대교의 율법.

Tāl·mulde *f.* 분지(盆地). **∼sohle** *f.* 골짜기의 밑바닥. **∼sperre** *f.* 골짜기를 막아서 낸 둑.

Tambour [támbu:r] [fr.] *m.* –s, –e, 〖軍〗 고수(鼓手)(*drummer*). **Tambour·majōr** *m.* 고수강(鼓手長).

Tamburin [tamburí:n, támburi:n] *n.* –s, –s *u.* –e, 방울이 달린 작은 북.

Tand [tant] [lat. *tantum* „so viel"] *m.* –(e)s, 무가치한 것, 보잘것없는 것, 잡동사니(*trifles*); 장난감(*toys*); 헛소리(*nonsense*). **Tändelei** [tɛndəlái] *f.* –en, 희롱, 장난; 농탕. **Tänd(e)ler** *m.* –s, –, 희롱하는 사람; 농탕치는 사람; 빈둥거리는 사람. **tändeln** [tέndəln] *i.*(h.): mit et.: 만지작거리며 장난하다(*trifle*); mit jm.: 희롱하다, 농탕치다(*flirt*).

Tang [taŋ] [dän.] *m.* –(e)s, –e, 〖植〗 바닷말(*seaweed*).

Tangente [taŋgέntə] [lat.] *f.* –n, 〖數〗 접선(接線).

Tank [taŋk] [engl.] *m.* –(e)s, –e *u.* –s, 큰 통, 탱크《물·기름 따위의》; 전차, 장갑차. **Tank·abwehrkanōne** [táŋk–] *f.* 대전차포. **Tankdampfer** *m.* =TANKSCHIFF. **tanken** [táŋkən] *t.* u. *i.*(h.) 급유하다.

Tank·schiff *n.* 유조선(油槽船). **∼stelle** *f.* 저유소(貯油所); 주유소, 가솔린 스탠드. **∼wāgen** *m.* 유조차(油槽車). **∼wart** *m.* 급유원(員).

Tanne [tánə] *f.* –n, 〖植〗 (유럽산) 전나무 (*fir (tree)*). **tannen** *a.* 전나무 재목으로 만들어진.

Tannen·apfel [tánən–] *m.* =∼ZAPFEN. **∼baum** *m.* 전나무. **∼holz** *n.* 전나무재(材). **∼nādel** *f.* 전나무 잎. **∼wald** *m.* 전나무 숲.

Tann(en)zapfen [tán(ən)tsapfən] *m.* 전나무 열매.

Tannin [taní:n] [<Tanne] *n.* -s, **∼säure** *f.* 〖化〗 타닌산.

Tante [tántə] [fr. *ma-t-ante* „m-e Tante" (중간 *t*는 음조 때문에 들어감)] *f.* -n, 숙모, 백모(♈*aunt*); 《一般的》 아주머니.

Tantieme [tãtiɛ́:mə] [fr. „der sovielte Teil, 얼마만큼의 할당"] *f.* -n, 이익의 배당; (저자의) 인세(印稅).

Tanz [tants] *m.* -(e)s, ⸚e, 춤, 무도, 무용, 무도회(♈*dance*).

Tanz∙anzug [tánts-] *m.* 무도복. **∼böden** *m.*, **∼diele** *f.* 무도장, 댄스홀.

tänzeln [tɛ́ntsəln] *i.*(h. *u.* s.) 종종걸음으로[경쾌하게] 걷다; (말이) 경쾌한 걸음으로 걷다. **tanzen** [tántsən] *i.*(h.) u. *t.* 춤추다, 댄스하다(♈*dance*). **Tänzer** *m.* -s, -, **Tänzerin** *f.* -nen, 무도자; 무용가, 댄서.

Tanz∙fest *n.* 무도회. **∼gefährte** *m.*, **∼gefährtin** *f.* 무도의 상대, 파트너. **∼kunst** *f.* 무도술. **∼lust** *f.* 춤을 좋아함. **∼lustig** *a.* 춤을 좋아하는. **∼schuh** *m.* 무도화(靴).

tap(e)rig [tá:p(ə)rɪç] *a.* ① 늙어 빠진. ② 서툰, 솜씨 나쁜.

Tapet [tapé:t] [lat.; Toppich 와 同語] *n.* -(e)s, -e, (Teppich) 융단; 테이블보. ¶et. aufs ∼ bringen 의제로 하다; 화제로 하다, (의) 이야기를 꺼내다.

Tapete [tapé:tə] *f.* -n, 벽지(*wallpaper*); (거는) 융단; 휘장(*drapery*, 자수(刺繡)가 든: *tapestry*). **Tapetenborte**, **Tapetenkante** *f.* 도배지의 가장자리.

Tapetentür(e) *f.* 휘장을[벽지를] 쳐서 문이 아닌 것처럼 보이게 한 문(*jibdoor*). **tapezieren** *t.* (에) 벽지를 바르다. **Tapezierer** *m.* -s, -, 벽지공(工); 실내 장식가; 가구공; 표구사.

T **tapfer** [tápfər] *a.* 씩씩한, 용감한(*brave*, *gallant*). **Tapferkeit** *f.* -en, 용기.

Tapisserie [tapɪsəríː] [fr. <*tapis*. „Teppich"] *f.* ..rien, (수를 놓은) 휘장.

Tapisseriewaren *pl.* 자수품(刺繡品).

tappen [tápən] *i.*(h. *u.* s.) 위태롭게 걷다; (손으로 또는 발로) 더듬다, 모색하다(*grope (about)*). **täppisch** [tɛ́pɪʃ] *a.* 서투른; 졸렬한(*awkward*, *clumsy*); 굼뜬.

tapprig [táprɪç] *a.* =TAP(E)RIG.

Tara [tá:ra] [ar. -it.] *f.* ..ren(-s), 〖商〗 상품의 용기[포장]의 무게(♈*tara*).

Tarantel [tarántəl] [it.] *f.* -n, 〖動〗 독거미의 일종《이탈리아 Taranto 근처에 살기 때문에》(♈*tarantula*).

tarieren [tarí:rən] *t.* (의) 포장 무게를 달다, 포장 무게를 빼다(♈*tare*).

Tarif [tarí:f] [ar. -fr.] *m.* -s, -e, 정가표; 요금표; 임금율(표).

Tarif∙lohn *m.* 임금. **∼mäßig** *a.* 요금표에 따르는, 임금율에 의한. **∼vertrag** *m.* 관세 조약; 노동 협약.

tarnen [tárnən] *t.* 숨기다(*hide*); 〖軍〗 위장하다(♈*camouflage*), (에) 미채(迷彩)를 칠하다. **Tarnkappe** *f.* 〖傳說〗 몸 감추는 마법의 외투. **Tarnung** [tárnʊŋ] *f.* -en, 차폐; 위장, 카무플라즈, 미채.

Tasche [táʃə] [Lw. it. *tasca* „Beutel"] *f.* -n, 호주머니, 포켓(*pocket*); 주머니, 가방(*bag*, *pouch*); (Geld∼) 돈지갑(*purse*). ¶jm. auf der ∼ liegen 아무의 부양을 받고 있다, 신세를 지고 있다.

Taschen∙ausgabe *f.* 포켓판(版). **∼buch** *n.* 수진본, 수첩; 연감. **∼dieb** *m.* 소매치기(*pickpocket*). **∼format** *n.* 포켓형. **∼geld** *n.* 용돈. **∼krebs** [-kre:ps] *m.* 〖動〗 게무리《단미십각류(短尾十脚類)》. **∼lampe**, **∼laterne** *f.* 회중 전등. **∼messer** *n.* 주머니칼. **∼spieler** *m.* 요술장이(*juggler*). **∼spielerei** *f.* 요술. **∼tuch** *n.* 손수건. **∼uhr** *f.* 회중 시계(*watch*). **∼wörterbuch** *n.* 포켓 사전.

Taschner [táʃnər] *m.* -s, -, 주머니를 만드는 사람; 트렁크[가방] 제조인.

Täßchen [tɛ́sçən] [*dim.* v. Tasse] *n.* -s, -, 작은 차잔.

Tasse [tásə] [pers. -fr.] *f.* -n, (Ober-∼) 차잔(*cup*). **∼n∙kopf** *m.* =TASSE.

Tastatur [tastatú:r] *f.* -en, (피아노·타이프라이터 따위의) 건반, 키보드(*keyboard*).

tastbar [tástba:r] *a.* 만져 알 수 있는.

Taste [tástə] [it., <tasten] *f.* -n, 〖樂〗 건(鍵), 키(*key*); 〖電〗 전건(電鍵). **tasten** [tástən] [lat.] *t.* u. *i.*(h.) (손으로) 만지다(*touch*, *feel*); (손으로) 더듬다, 찾다(*grope*). **Tastensinn** *m.* 촉각. **Taster** [tástər] *m.* -s, -, 식자기(植字器)의 키; 식자공; 촉각 기관; 촉모(觸毛), 촉수(觸鬚)(*feeler*); 〖工〗 측경기(測徑器).

tat [ta:t] ☞ TUN (그 過去).

Tat [ta:t] [<tun] *f.* -en, 행위, 행동, 실행(♈*deed*, *action*, *act*); 사업; 업적(*work*, *fact*). ¶in der ∼ 참으로, 실제로(♈*indeed*).

Tatar [tatá:r] *m.* -en, -en, 타타르 사람(♈*Tartar*). **Tatarei** [-rái] *f.* 〖史〗 타타르 국. **tatarisch** *a.* 타타르 (사람)의; 《比》 야만적인.

Tat∙bestand [tá:tbəʃtant] *m.* 사실, 정황(情況); 〖法〗 법률 요건. **∼beweis** *m.* 사실적 증거.

Taten∙drang [tá:tən-], **∼durst** *m.* 활동욕, 사업욕; 공명심. **∼los** *a.* 활동하지 않는(*inactive*), 나태한. **∼reich**, **∼voll** *a.* 활동적인, 사업욕이 많은.

Täter [tɛ́:tər] *m.* -s, -, 실행자(♈*doer*); 당사자; 범인. **Täterschaft** *f.* 범인임, 정범(正犯).

Tat∙form [tá:tfɔrm] *f.* 〖文〗 능동태(*active voice*). **∼handlung** *f.* 실행; 범행; 폭행.

tätig [tɛ́:tɪç] *a.* 일하는, 활동하는, 활동적인(*active*). ¶als Arzt ∼ sein 의사를 직업으로 하고 있다. **tätigen** *t.* (에) 종사하다, (을) 하다; 완성하다; 〖商〗 계약하다. **Tätigkeit** [tɛ́:tɪçkait] *f.* -en, 일하기, 활동. ¶außer ∼ setzen 활동을 중지시키다, (기계의) 운전을 중지하다, (관리를) 휴직시키다.

Tätigkeits∙drang *m.* 활동[행동]욕. **∼wort** *n.* 〖文〗 동사(*verb*).

Tat∙kraft [tá:t-] *f.* 실행력, 활동력; 정력(*energy*). **∼kräftig** *a.* 실행력[활동력]이 있는; 힘찬, 늠름한.

tätlich [tɛ́:tlɪç] *a.* 행위(상)의; 현행의; 폭

행의(*violent*). ¶gegen jn. ~ werden 아무에게 폭행을 가하다. **Tätlichkeit** *f.* -en, 폭행.

tätowieren [tɛtoví:rən] [<tahit. *tatau* „Zeichen"] *t.* u. *refl.* 문신(文身)하다 (♈*tattoo*). **Tätowierung** *f.* -en, 문신.

Tatsache [tá:tzaxə] *f.* -n, 사실(*matter of fact*). **tatsächlich** *a.* 사실의; *adv.* 사실상, 실제로.

tätscheln [tɛ́(:)tʃəln] *t.* 가볍게 두드리다; 어루만지다, 애무하다(*stroke, caress*).

tatschen [tá(:)tʃən] *i.*(h.) 더듬거리며 이야기하다. 「(*paw, claw*).

Tatze [tátsə] *f.* -n, (동물의) 손, 앞발

Tau[1] [tau] *n.* -(e)s, -e, 〖海〗 밧줄, 닻줄 (*rope, cable*).

Tau[2] *m.* -(e)s, -e, 이슬(♈*dew*).

taub [taup] [♈dumm] *a.* ① 무감각한(*numb*); 귀머거리의(*deaf*). ¶~en Ohren predigen 말귀에 염불하다 / der (die) ~e 귀머거리. ② 알맹이가 없는, 빈 / ~e Blüte 열매를 맺지 않는 꽃 / ~e Eier 무정란(無精卵) / ~e Nuß 알맹이가 없는 호도.

Taube [táubə] [擬聲語] *f.* -n, 〖鳥〗 비둘기(♈*dove, pigeon*).

Tauben≈auge *n.* 유화〔온순〕한 눈. **~≈falke** *m.* 〖鳥〗 저광수리. **~haus** *n.* 비둘기장. **~schießen** *n.* 비둘기쏘기; 클레이 사격. **~schlāg** *m.* 비둘기장. **~zucht** *f.* 비둘기 사육.

Tauber [táubər], **Täuber** [tɔ́ybər] *m.* -s, -, **Tauberich**, **Täuberich** *m.* -(e), -e, 수피둘기.

Taubheit [táuphait] *f.* 무감각, 마비; 귀머거리; 알맹이가 없음, 공허.

Taubnessel [taupnɛsəl] [„Nessel, die nicht brennt"] *f.* 〖植〗 광대수염(*dead-nettle*).

taub·stumm [táupʃtum] *a.* 농아(聾啞)의. **Taubstumme** *m.* u. *f.* 《形容詞變化》 농아자. **Taubstummenanstalt** *f.* 농아 학교.

Tauchboot [táuxbo:t] *n.* 잠수함.

tauchen [táuxən] 《Ⅰ》 *t.* 물 속에 가라앉히다, 잠수시키다(♈*duck, dip, steep*). 《Ⅱ》 *i.*(h. *u.* s.) u. *refl.* (in et., 속으로) 잠기다, 잠수하다; (물 속에) 가라앉다; 모습을 감추다; (aus, 에서) 빠져 나오다, 떠오르다. **Taucher** *m.* -s, -, 잠수부.

Taucher≈anzūg *m.* 잠수복. **~boot** *n.* 잠수함. **~glocke** *f.* 종 모양의 잠수기(器). **~krankheit** *f.* 〖醫〗 잠수〔잠함(潛函)〕병. 「(潛水球).

Tauchkūgel *f.* (심해 조사용) 잠수구

tauen [táuən] *i.*(h. *u.* s.) 녹다(♈*thaw, melt*). ¶es taut 얼음〔눈〕이 녹다.

Tauf≈akt [tauf-] [前半: <Taufe *od.* taufen] *m.* 세례식. **~becken** *n.* 세례반(盤). **~būch** *n.* 세례 명부.

Taufe [táufə] *f.* -n, 세례(*baptism*); 세례반(盤). ¶ein Kind aus der ~ heben 어린아이의 세례에 입회하다, 대부〔대모〕가 되다. **taufen** [táufən] [♈tief, *eig.* „tief machen"] *t.* 물에 (깊이) 담그다, (에게) 세례를 베풀다(*baptize*). **Täufer** [tɔ́yfər] *m.* -s, -, 세례를 주는 사람.

taufeucht [táufɔyçt] *a.* 이슬에 젖은.

Tauf≈handlung [táufhand-, -hant-] *f.* =~AKT. **~kind** *n.* 세례를 받는 아이. **~kirche** *f.* (초기 기독교의) 세례당.

Täufling [tɔ́yflɪŋ] *m.* -s, -e, 세례를 받는 사람.

Tauf≈nāme *m.* 세례명, 크리스찬 네임. **~pāte** *m.*, **~pātin** *f.* =~ZEUGE, ~ZEUGIN.

tau·frisch [táufriʃ] *a.* 이슬에 젖은; 극히 신선한.

Tauf≈schein *m.* 세례 증서. **~stein** *m.* 세례반(盤). **~wasser** *n.* 세례수. **~zeuge** *m.* 〔**~zeugin** *f.*〕 세례 입회인, 대부〔대모〕(=Pate, Patin). **~≈zeugnis** *n.* =~SCHEIN.

taugen [táugən] [♈tüchtig, Tugend] *i.*(h.) 적합하다(*be good for*); 쓰이다(*be of use, do*). ¶es taugt (zu) nichts 그것은 아무 쓸모도 없다. **Taugenichts** [táugənɪçts] [*eig.* „ich tauge nichts"] *m.* - *u.* -es, -e, 쓸모없는 사람, 게으름뱅이, 빈들빈들 노는 사람(*good-for-nothing*). **tauglich** [táuklɪç] *a.* 쓸모 있는, 유용한; (zu, 에) 적당한.

tauig [táuɪç] *a.* 이슬이 내린, 이슬에 젖은(♈*dewy*).

Taumel [táuməl] [<taumeln] *m.* -s, 비틀거림; 현기증; 거나하게 취함, 명정(酩酊); 도취. **taum(e)lig** *a.* 비틀거리는; 현기증을 일으키는. **taumeln** [táuməln] [<tummeln] *i.*(h. *u.* s.) 비틀거리다(*reel, stagger*); 현기증이 일다 (*be giddy*); 《比》 취하여〔도취되어〕 있다.

Taupunkt [táupuŋkt] *m.* 〖物〗 이슬점.

Tausch [tauʃ] [<tauschen] *m.* -es, -e, 교환(*exchange*); 〖商〗 교역(*barter*), 무역. **tauschen** [táuʃən] [<täuschen] *t.* 교환하다(*exchange*); 교역하다(*barter*).

täuschen [tɔ́yʃən] [*eig.* „lügen"] 《Ⅰ》 *t.* 속이다. 기만하다(*deceive, delude*). ¶in s-n Hoffnungen getäuscht werden 기대에 어그러지다 / ~de (*p.a.*) Ähnlichkeit 아주 흡사함. 《Ⅱ》 *refl.* 속다; 착각하다. **Tausch·handel** *m.* 무역, 교역; 물물 교환, 바터. ★ 흔히 Tausch 를 씀.

Tauschier·arbeit [tauʃí:r-] *f.* 상감(象嵌) 세공. **tauschieren** *t.* (금속에) 상감하다. **Tauschierung** *f.* -en, 상감 세공. 「환 수단, 통화(通貨).

Tauschmittel [táuʃmɪtəl] *n.* 〖商〗 교

Täuschung [tɔ́yʃuŋ] *f.* -en, 기만, 사기; 속음, 기대에 어그러짐(*disappointment*); 착각(*illusion*). **Täuschungsversūch** *m.* 사기 미수.

tausch≈weise *adv.* 교환〔교역〕에 의하여. **~wērt** *m.* 교환 가치. **~wirt≈schaft** *f.* 교환 경제.

tausend [táuzənt] *num.* 《Ⅰ》 천(千)(의) (*thousand*); 《比》 다수의, 많은. 《Ⅱ》 **Tausend** *n.* -(e)s, -e, 천. ¶zu ~en 천 단위로.

Tausender [táuzəndər] *m.* -s, -, 천 자리의 수자; 1000; 1000이라는 수자.

tausenderlei *a.* 천 가지의; 가지각색의.

tausend≈fach, **~fältig** *a.* 천배의, 천겹의; *adv.* 천배로. **~fūß(l)er** *m.* 〖動〗 다족류(多足類). **~jährig** *a.* 천년의.

¶das ∼jährige Reich 천년 왕국《그리스도가 다시 출현하여 천년 동안 이 세상을 다스린다는 설》. **∼künstler** *m.* 다재 다능한 사람; 마술사, 요술장이. **∼māl** *adv.* 천번, 천곱. **∼sa(s)sa** [táuzəntsasa(:)] [sasa!는 개를 부추기는 소리, 그것을 강조하여 tausend sa! sa!] *m.* -s, -(s), 《俗》 지독한 자식, 개 같은 놈(*devil of a fellow*). **∼schōn** *n.* -s, -e, **∼schōnchen** [tausend는 Schön을 강조함; =sehr] *n.* 〖植〗 데이지(*daisy*).

tausendst [táuzəntst] (der ∼e) *a.* 천째의, 천번째의. **tausendstel** 《I》 *a.* 천분의 일의. 《II》 **Tausendstel** [-tstəl] [das „tausendste Teil"] *n.* -s, -, 천분의 일. **Tausend-und-eine Nacht** *f.* 천일 야화, 아라비안나이트. **tausendweise** *adv.* 천 단위로 셀 만큼, (수) 천씩.

Tau·tropfen [táutrɔpfən] *m.* 이슬 방울.

Tauwerk [táuvɛrk] *n.* 삭구(索具).

Tau·wetter *n.* 얼음이 녹는 날씨. **∼wind** *m.* 얼음을 녹이는 바람, 훈훈한 바람, 봄바람.

Tauziehen [táutsi:ən] *n.* 줄다리기.

Taxameter [taksamé:tər] [lat. Taxe *u.* gr. -meter] *n.* 〔*m.*〕 -s, -, 요금 자동 표시기, 택시미터; 〔**∼droschke** *f.*〕 (택시미터가 달린) 택시.

Taxation [taksatsió:n] *f.* -en, 사정(査定), 평가. **Taxator** [taksá:tɔr] *m.* -s, ..toren, 사정인, 평가자. **Taxe** [táksə] *f.* -n, 평가, 사정(査定); 공정 가격, 요금(*rate, taxi*).

Taxi [táksi:] *n.* (schw. *m.*) -(s), -(s), 택시. **taxieren** [taksí:rən] *t.* 사정〔평가〕하다(*estimate*); (의) 가격〔요금〕을 정하다(♀*tax, rate*). **Taxierer** *m.* = TAXATOR. **Taxierung** *f.* 사정; 평가.

Taxifahrer [táksi:fa:rər] *m.* 택시 운전사.

Taxonomie [taksonomí:] [gr. *taxis* „Anordnung", *nemein* „verteilen"] *f.* 분류; 분류법〔학〕.

Taxus [táxsus] [lat.] *m.* -, -, 〖植〗 주목(朱木)(*yew*).

Team·work [tí:mwə:k] [engl. *team* „Mannschaft", *work* „Arbeit"] *n.* -s, 팀워크.

Technik [téçnɪk] [gr. „Kunstfertigkeit"] *f.* -en, 기술; 수법(手法); 기교; 공예, 공업, 공학. **Techniker** *m.* -s, -, 기술자, 공예가, 기사(技師), 공학자, 공학도(工學徒); 전문가. **Technikum** *n.* -s, ..ken 〔..ka〕, 공업(전문) 학교.

technisch [téçnɪʃ] *a.* 기술의; 공업상의; 전문의(♀*technical*). **Technologie** [-logí:] [gr. „Kunst-lehre"] *f.* 기술학, 테크놀로지.

Teckel [tékəl] *m.* -s, -, = DACHSHUND 「(그 愛稱形).」

Tedeum [tedé:um] [lat. *te deum* (*laudāmus*) „dich, Gott, (loben wir)"] *n.* -s, -s, 〖가톨릭〗 성 암브로시오의 사은 찬미, 테데움.

TEE [te:e:é:] 《略》 = *Trans-Europ-Express* 유럽 횡단 (국제) 급행 열차.

Tee [te:] [chin. "茶"의 음역(音譯)] *m.* -s, -, 차(♀*tea*).

Tee·blatt [té:-] *n.* 찻잎. **∼brett** *n.* 차쟁반. **∼büchse** [-bʏksə] *f.* 차를 넣는 작은 통. **∼händler** [-hɛnd-, -hɛnt-] *m.* 차 장수. **∼kanne** *f.* 차주전자, 차병, 차관(茶罐). **∼löffel** *m.* 찻숟가락. **∼maschīne** *f.* 차끓이개. **∼mütze** *f.* 차주전자 덮는 보온(保溫) 커버.

Teen [ti:n] [<engl.] *m.* -s, -s, 10대 (13세에서 19세까지)의 소년〔소녀〕; 졸때기.

Teer [te:r] *m.* -(e)s, -e, 타르(♀*tar*).

teeren [té:rən] *t.* (에) 타르를 바르다.

Teer·farben *pl.* 타르 물감, 아닐린 색소. **∼farbenstoffe** *pl.* 타르 물감.

teerig [té:rɪç] *a.* 타르를 바른; 타르 성분이 든; 끈적끈적하는.

Tee·rōse [té:ro:zə] *f.* 〖植〗 (차 냄새를 풍기는) 장미의 일종.

Teer·pappe [té:rpapə] *f.* 타르 종이《지붕을 이는 데 쓰는》. **∼seife** *f.* 타르 비누. **∼tonne** *f.* 타르 통.

Tee·sieb [té:zi:p] *n.* 차 거르는 체. **∼strauch** *m.* 차나무. **∼tisch** *m.* 차탁자. **∼wāgen** *m.* 바퀴 달린 차탁자.

Teich [taiç] *m.* -(e)s, -e, 연못, 저수조(槽), 물탱크; 양어지(池).

Teig [taik] *m.* -(e)s [-ks, -gəs], -e [-gə], 가루 반죽 (♀*daugh*); 《一般的》 끈적끈적한 죽(*paste*). **teigig** [táigɪç] *a.* 반죽 같은, 물렁물렁한; 너무 익은, 썩어 가는.

Teig·mulde [táik-] *f.* 반죽(하는) 통. **∼rolle** *f.* 밀방망이. **∼wāren** *pl.* 면류(麵類).

Teil [tail] [=engl. *deal*] *m.* 〔*n.*〕 -(e)s, -e, ① 부분(*part*); 구분, 구획(*section, division*); (저작 따위의) 부(部), 편(篇), 권(*tome, volume*); 당, 파(*party*). ② 몫, 할당(*portion, share*). ¶**an** et.³ ∼ haben 무슨 일에 관여〔참가〕하다 / sich³ **bei** et. sein ∼ denken 무슨 일에 대하여 자신의 의견을 갖다 / ich **für** mein(en) ∼ 나로서는 / **zum** ∼ 일부는, 어느 부분은. **teilbār** [táilba:r] *a.* 나눌 수 있는; 〖數〗 나누어지는. **Teilbārkeit** *f.* 나뉨, 가분성(可分性). **Teilbeträg** [-bətra:k] *m.* 분액(分額). **Teilchen** [táilçən] *n.* -s, -, 소부분, 극소량; 미립자(微粒子); 원자; 분자. **teilen** [táilən] [<Teil] 《I》 *t.* 나누다, 가르다(*divide*); (mit, 와) 나누다. ¶wir ∼ die Ansicht 우리들은 의견을 같이한다. 《II》 *refl.* 나누어지다, 갈라지다, 분기(分岐)하다. ¶geteilter Meinung² sein 의견을 달리하다. **Teiler** *m.* -s, -, 나누는 사람(*divider*); 분배자; 관여자; 〖數〗 제수(除數)(*devisor*).

teil|hāben* [táilha:bən] *i.* (h.) (an, 의) 몫을 차지하다; (에) 관여〔참가〕하다. **teilhābend** *p.a.* 관여하는. **Teilhāber** *m.* -s, 관여자; 〖商〗 사원, 조합원; 주주(株主). **Teilhāberschaft** *f.* 관여〔관계〕자임; 공동, 협력; 조합.

teilhaft(ig) [táilhaft(ɪç)] *a.*: e-s Dinges ∼ sein 무엇의 몫을 함께 하고 있다, 무엇에 관여〔관계〕하고 있다.

Teilkreis [táilkrais] *m.* (톱니 바퀴의) 접촉점.

Teilnahme [táilna:mə] *f.* ① 관여, 관계; 협력; 〖法〗 공범. ② 관심(*interest*); 동정(*sympathy*); **teilnahmslōs** *a.* 동

정심이 없는, 인정이 없는; 무관심한, 냉담한. **teilnahms·voll** *a.* 인정이 많은. **teil|nehmen*** *i.*(h.) (an, 에) 협력하다, 관여〔참가〕하다, 동정〔공감〕하다. **teilnehmend** *p.a.* 관여〔관계〕하고 있는; 관심을 가지는; 동정하는. **Teilnehmer** *m.* -s, -, 관여자, 참가자; 〖法〗 공범(共犯); 〖電話〗 가입자.

teils [tails] [원래 Teil 의 2 格] *adv.* 일부는, 부분적으로, 반(半)은.

Teil·strecke [táilʃtrɛkə] *f.* (교통 기관의) 선로 구간(區間).

Teilung [táiluŋ] *f.* -en, 구분, 분리; 나눔; 〖數〗 나눗셈; 〖動·植〗 분열.

Teilungs=klāge *f.* 분리 소송. **∼masse** *f.* (파산시 채권자에게) 분할(해야)할 재산. **∼zahl** *f.* 〖數〗 피제수(被除數). **∼zeichen** *n.* 〖文〗 하이픈.

teilweise [táilvaizə] 《Ⅰ》 *adv.* 부분적으로, 일부는; 얼마쯤; 나누어서. 《Ⅱ》 *a.* 《不變化》 부분적인, 일부분의, 나눈.

Teil=zahl *f.* 〖數〗 몫. **∼zahlung** *f.* 분할불, 할부(割賦)(금).

Teint [tɛ̃:] [fr., <*tingere* „färben"] *m.* -s, -s, 안색(顏色), 혈색, 용태(容態) (*complexion*).

T-Eisen [té:-] *n.* 〖工〗 T자형의 쇠.

Telefunken [telefúŋkən] *pl.* 무선 전신; (회사명:) 무선 전신 회사.

Telegramm [telegrám] [gr. „Fernschrift"] *n.* -s, -e, 전보.

Telegrāph [telegrá:f] [gr. „Fernschreiber"] *m.* -en, -en, 전신기.

Telegrāphen=amt [telegrá:fən-] *n.* 전신국. **∼bōte** *m.* 전보 배달원. **∼draht** *m.* 전신선. **∼schlüssel** *m.* 전신 부호. **∼stange** *f.* 전주. **∼wēsen** *n.* 전신 제도.

Telegraphie [telegrafí:] *f.* ..phīen, 전신(술). **telegraphieren** [-grafí:rən] *i.*(h.) u. *t.* 타전하다, 전보를 치다. **telegrāphisch** [-grá:fɪʃ] *a.* 전신(술)의; 전신에 의한; *adv.* 전신으로. **Telegraphist** [-grafíst] *m.* -en, -en, **Telegraphistin** *f.* -nen, 전신 기사.

Tele·pathie [telepatí:] [gr. „Fernempfindung"] *f.* ..thīen, 원격(遠隔) 정신 작용, 정신 감응, 텔레파디.

Tele·phōn [telefó:n] [gr.; *tēle* „fern", *phōnē* „Stimme"] *n.* -s, -e, 전화(기). **∼anschluß** *m.* 전화 접속.

Telephōn=būch *n.* 전화 번호부. **∼fräulein** *n.* 전화 교환양. **∼gespräch** *n.* 전화, 통화. **∼hörer** *m.* 전화 수화기.

telephonieren [telefoní:rən] *i.*(h.) u. *t.* 전화를 걸다, 전화하다. **telephōnisch** [-fó:nɪʃ] *a.* 전화의; *adv.* 전화로. **Telephonist** [-foníst] *m.* -en, -en, **Telephonistin** *f.* -nen, 전화 교환수. **Telephōnzelle** [-fó:ntsɛlə] *f.* 전화실; 공중 전화. **Telephōnzentrāle** *f.* 전화 교환실. **Telephotographie** *f.* 사진 전송.

Teleskōp [teleskó:p] [gr. „Fernblicker"] *n.* -s, -e, 망원경.

Telex [télɛks] [engl. *tele*printer „Fernschreiber" *u.* *ex*change „Austausch"] *n.* -, 텔렉스.

Teller [tɛ́lər] [Lw. it.] *m.* -s, -, 접시; (접시의) 밑받침; 쟁반(*plate*).

Teller=brett *n.* 접시장, 접시걸이. **∼eisen** *n.* (맹수잡이용) 쇠덫. **∼förmig** *a.* 접시 모양의, 쟁반 같은. **∼mütze** *f.* 편평한 모자. **∼tūch** *n.* 냅킨.

Tempel [tɛ́mpəl] [lat.] *m.* -s, -, 신전(神殿), 성당, 사원(♈*temple*).

Tempelherr *m.* 성전 기사 수도회《1119년 Jerusalem 에 창설》 수도사.

Tempera [tɛ́mpəra] [it. „Gemisch"] *f.* -s, 템페라《그림 물감의 일종》; (템페라를 사용하여 그린) 무대 배경 그림.

Temperament [tɛmpəramɛ́nt] *n.* -(e)s, -e, 기질(氣質), 성미; 체질(♈*temperament*).

temperament=lōs *a.* 활기〔원기〕 없는. **∼voll** *a.* 활기찬.

Temperatūr [tɛmpəratú:r] [lat.] *f.* -en, ① 온도. ② 〖樂〗 조율(調律).

Temperenzler [tɛmpərɛ́ntslər] *m.* -s, -, 절제가(節制家), 금주가.

temperieren [tɛmpərí:rən] [lat. „gehörig einteilen, mischen"] *t.* 부드럽게 하다, 조절하다(♈*temper*); 〖樂〗 조율하다.

Tempō [tɛ́mpo:] [it. <lat. *tempus* „Zeitabschnitt"] *n.* -s, -s *u.* ..pī, (어떤 일정한) 때(*time*); 완급(緩急), 속도(*speed, pace*); 〖樂〗 박자(*measure*).

temporal *a.* 시간적인; 〖文〗 때의; 세속적인. **temporār** *a.* 한때의, 임시의, 잠정적인. **Tempus** [tɛ́mpus] *n.* -, ..pora, 때; 기간; 〖文〗 시칭(*tense*).

Tendenz [tɛndɛ́nts] [fr. *eig.* „Spannung, Streben"] *f.* -en, ① 뜻, 의향. ② 경향; 추세(♈*tendency*). **tendenziōs** *a.* 경향적인, 고의(故意)의.

Tendenzromān [tɛndɛ́nts-] *m.* 경향 「소설.

Tender [tɛ́ndər] [engl. *tender* (*attender* 의 생략)] *m.* -s, -, 부속선, 잡역선; 〖鐵〗 탄수차(炭水車).

Tenne [tɛ́nə] *f.* -n, (곡물 곳간의) 다진 바닥, 탈곡장(*threshing floor*).

Tennis [tɛ́nɪs] [engl., <fr. *tenez!* „nehmt!"] *n.* -, (론)테니스.

Tennis=platz *m.* 테니스 코트, 정구장. **∼schläger** *m.* 테니스 라케트. **∼spiel** *n.* 테니스.

Tēnor[1] [té:nɔr] [lat. „Inhalt" <*tenēre* „halten"] *m.* -s, 내용, 취지《문서 따위의》; 〖法〗 (판결) 주문(主文). **Tenōr**[2] [tenó:r] [it.] *m.* -s, -e *u.* ..nöre [-nø:rə], 〖樂〗 (Hauptstimme, die die Melodie hält) 테너, 차중음(次中音); 테너 가수. **Tenorist** [tenoríst] *m.* -en, -en, 테너 가수.

Tensiōn [tɛnzĭó:n] *f.* -en, 장력(張力), 압력《가스 등의》. **Tensor** *m.* -s, ..sōren, 〖數〗 텐소르; 〖解〗 장근(張筋).

Teppich [tɛ́pɪç] [lat. *tapētum* (Tapet) 의 옛 同化語] *m.* -s, -e, 모전(毛氈), 양탄자《지금은 보통 바닥에 까는 것》.

Termīn [tɛrmí:n] [lat. *terminus* „Grenze, Ende"] *m.* -s, -e, 기한, 기일(♈*term*); 지불일; 〖法〗 소환; (재판의) 개정일(開廷日).

Termīn=geschäft, ∼handel *n.* 〖商〗 「정기 거래.

terminieren [tɛrminí:rən] *t.* 마치게 하다; 제한하다. **termīnlich** *a.* 말단의,

종점의; 정기(定期)의. **Terminologie** [tèrminologí:] [lat. *terminus* u. gr. -logie] *f.* ..gien [-gí:ən], 전문 용어, 술어. **terminweise** *adv.* 기한을 정하여, 기일마다.

Termite [tɛrmí:tə] [lat.] *f.* -n, 〖蟲〗 흰개미(*white ant*).

Terpentin [tɛrpɛntí:n] [lat.] *m.* u. *n.* -(e)s, 테르펜틴, 송진(♈*turpentine*). ～**öl** *n.* 테레빈유(油).

Terrain [tɛrɛ́:] [fr. <lat. *terra* „Erde"] *n.* -s, -s, 땅, 토지(*ground*); 〖軍〗 지형; 〖地〗 층, (지질) 계통.

Terramyzin [tɛramytsí:n] [lat. -gr.] *n.* -s, 〖藥〗 테라마이신《항생제》.

Terrasse [tɛrásə] [fr. <lat. *terra* „Erde"] *f.* -n, 대지(臺地), 단구(段丘); 발코니, 테라스(♈*terrace*).

terrestrisch [tɛréstrɪʃ] *a.* 지구의, 지상의; 현세의; 육서(陸棲)의.

Terrine [tɛrí:nə] [fr. <lat. *terra* „Erde"] *f.* -n, (사기 뚜껑이 달린) 수프 접시(♈*tureen*).

territorial [tɛritoriá:l] *a.* 영토[영역]의, 지방적인.

Territorial≈gewalt *f.* 영지권. ～**gewässer** *pl.* 영해(領海).

Territorialität [tɛritoialĭalitɛ́:t] *f.* 속지성(屬地性); 영토권. **Territorium** [tɛritó:rĭum] [lat. <*terra* "Erde"] *n.* -s, ..rien [-rĭən], 영토, 속지(屬地)(♈*territory*).

Terror [tέrɔr] [lat.] *m.* -s, 공포(♈*terror*); 공포 정치, 테러(리즘). **terrorisieren** [tɛrorizí:rən] *t.* 위협하다; 공포 정치를 하다.

Tertia [tέrtsĭa] [lat. „dritte (Klasse)"] *f.* ..tien [-tsĭən], 제 3 학급《Gymnasium 의 학급을 위로부터 세어서》. **Tertianer** [-tsĭá:nər] *m.* -s, -, 제 3 학급생.

Terz [tɛrts] *f.* -en, 《Ⅰ》[lat. *tertia*] 〖펜싱〗 제 3 의 찌름《왼편에서 오른편으로》(*tierce*). 《Ⅱ》 [it.] 〖樂〗 (기음(基音)으로부터) 제 3 도(度)(*third*). **Terzerol** [tɛrtsəró:l] *n.* -s, -e, 회중 권총.

Terzett [tɛrtsέt] *n.* -(e)s, -e, 〖樂〗 3 중창(곡).

Tesching [tέʃɪŋ, tɛʃɛ́:] *n.* -s, -s, 일종의 소구경 공기총.

Test [tɛst] [lat. -engl.] *m.* -(e)s, -e *u.* -s, 시험, 검사; 〖心〗 지능〔적성·자격〕 검사.

Testament [tɛstamέnt] *n.* -(e)s, -e, ① 유언, 유언장(*last will*). ¶ sein ～ machen 유언을 하다. ② 〖宗〗 (신과 사람과의) 계약. ¶ Altes 〔Neues〕 ～ 구약〔신약〕 성서. **testamentarisch** [-mɛntá:rɪʃ] *a.* 유언(장)의; 유언에 의한; *adv.* 유언으로. **Testamentsvollstrecker** *m.* 유언 집행인.

Testator [tɛstá:tɔr] [lat.] *m.* -s, ..tatoren, 유언자. **testen** [tέstən] *t.* 시험하다. **testieren** [tɛstí:rən] 《Ⅰ》 *t.* 증명하다(♈*testify*). 《Ⅱ》 *i.*(h.) 유언하다(*make a will*).

Tetra·pode [tetrapó:də] [gr. „Vier-füßer"] *m.* -n, -n, 네발 짐승.

teuer [tɔ́yər] *a.* ① 소중한, 귀중한. ② 친애하는(♈*dear*), 값비싼(*expensive*). ¶ wie ～ ist es? 값이 얼마냐. **Teuerung** [tɔ́yərʊŋ] *f.* -en, 고가; 물가 등귀; 기근; 물자 결핍.

Teufel [tɔ́yfəl] [<gr.] *m.* -s, -, 악마(♈*devil*). ¶ geh' zum ～! 썩 물러가라 / bist du des ～s? 너 미쳤니 / armer ～ 가엾은 녀석.

Teufels≈arbeit *f.* 아주 어려운 일. ～**banner** *m.* 악마를 쫓아내는 사람. ～**dreck** *m.* 〖藥·植〗 아위. ～**kerl** *m.* 못된 녀석; 깜찍한 녀석. ～**lärm** *m.* 큰 소동. ～**werk** *n.* 악마의 소행.

teuflisch [tɔ́yflɪʃ] *a.* 악마의, 악마 같은; 흉악한, 간악한.

Text [tɛkst] [lat. „Gewebe"] *m.* -es, -e, 문구; 〖法〗 조문, 주문(主文); (저작의) 본문, 원문; (설교의 주제가 되는) 성경 귀절. ¶ jm. den ～ lesen 아무를 엄하게 훈계하다.

Text≈abbildung *f.* 본문 중의 삽화. ～**ausgabe** *f.* 주해(註解)가 없는 본문만의 책. ～**buch** [tέkstbu:x] *n.* 가사본(歌詞本); 대본(臺本).

textil [tɛkstí:l] *a.* 직물의, 방직 공업의. **Textilien** [tɛsktí:lĭən] *pl.* 직물류(類), 섬유 공업품.

Textil≈industrie *f.* 섬유〔방직〕 공업. ～**waren** *pl.* 직물류(織物類), 섬유제품.

textlich [tέkstlɪç] *a.* 본문의, 원문의.

Textur [tɛkstú:r] *f.* -en, 직물(織物); 구조, 조직; 〖鑛〗 석리(石理).

Thallo·phyt [talofý:t] [gr. *thalles* „Sproß", *phyein* „erzeugen, entstehen"] *m.* -en, -en, 엽상(葉狀)(체를 갖는) 식물.

Theater [teá:tər] [gr. -fr.] *n.* -s, -, 극장; 무대; 연극.

Theater≈agent *m.* 예능인 알선업자. ～**besuch** *m.* 관극(觀劇). ～**billett** *n.* 연극 관람권. ～**coup** [-ku:] *m.* 무대에서의 뜻밖에 일어난 일, 장면의 급변. ～**dichter** *m.* 극단 전속 작가, 극작가. ～**effekt** *m.* 무대 효과. ～**kasse** *f.* 극장의 매표소. ～**maler** *m.* (무대) 배경 화가. ～**stück** *n.* 각본, 극. ～**vorstellung** *f.* 상연, 연출. ～**zettel** *m.* 연극 프로그램.

theatralisch [teatrá:lɪʃ] *a.* 연극의; 무대〔상연〕에 적합한.

The·ismus [teísmus] [gr. -lat.] *m.* -, 유신론; 일신론. **The·ist** [teíst] *m.* -en, -en, 유신론자; 일신론자.

Theke [té:kə] [Lw. gr.; 根語 *the-* „stellen, legen"] *f.* -n, (가게의) 계산대, 카운터; 술집의 술상.

Thema [té:ma] [gr. „Gesetztes"; 根語 *the-* „stellen, legen"] *n.* -s, ..men *u.* ..mata, 테마, 제목, 주제(♈*theme*, *subject*, *topic*).

Themse [tέmzə] *f.* (영국의) 템즈 강.

Theo·dor [té:odo:r] [gr. „Gottesgeschenk"] *m.* 남자 이름.

Theokratie [teokratí:] [gr.] *f.* ..tien, 신정(神政) (정체), 제정(祭政) 일치.

Theolog(e) [teoló:g(ə), -ló:k] [gr. „Gottesgelehrte(r)"] *m.* ..gen, ..gen, 신학자; 신학생. **Theologie** *f.* ..gien, 신학. **theologisch** *a.* 신학의; 종교의, 목사의. **Theophanie** *f.* ..nien, 신의 현현(顯現).

Theorem [theoré:m] [gr. „Geschautes"] *n.* -s, -e, 〖數〗 정리; 정률(定律). **Theoretiker**[-tɪkər] *m.* -s, -, 이론가; 공론가. **theoretisch** *a.* 이론의, 이론적인; 공론의. **Theorie** [teorí:] [gr. „das Beschauen"] *f.* ..rien, 이론, 학리; 학설, 설(♈*theory*).

Theosophie [teozofí:] *f.* ..phien, 신지학(神知學), 접신교(接神敎).

Therapeutik [terapɔ́ytik] [gr.] *f.* -en, 치료학[법]. **Therapie** [terapí:] [gr. „Dienst, Pflege"] *f.* ..pien, 치료(학), 요법(療法).

Therme [térmə] [gr. <*thermós* „warm"] *f.* -n, 온천.

thermofixieren [tɛrmofɪksí:rən] [gr. *thermos* „warm, heiß"] *t.* (섬유 따위를) 가열하여 (다음 열에 변형을 받지 않게) 고정시키다. **Thermometer** [-mé:tər] *n.* 〔*m.*〕 -s, -, 한란계, 온도계. **thermonuklear** [-nukleá:r] [lat. *nucleus* „(Nuß)kern"] *a.* 고온에 의한 원자핵 융합 반응의. ¶ ~e Reaktion 열〔원자〕핵 반응 / ~e Bombe 수소 폭탄. **Thermoplast** *m.* -(e)s, -e, 〖化〗 가열 가소물(可塑物). **Thermosflasche** [térmɔs-] *f.* 보온병.

These [té:zə] [gr. „Satz"] *f.* -n, 〖哲〗 정립(定立), 명제, 논제(♈*thesis*); 주장; 강령.

Thomaner [tomá:nər] *m.* -s, -, (라이프치히의) Thomas (음악) 학교 소년 합창단(**Thomanerchor**) 단원.

Thomas [tó:mas] [hebr.] *m.* 남자 이름.

Thomas≈schlacke *f.* 토마스 광재(鑛滓). **~stahl** *m.* 토마스강(鋼).

thorakal [toraká:l] [gr. <Thorax] *a.* 가슴〔흉부〕의. **Thorakoplastik** *f.* -en, 흉부 성형술. **Thorakotomie** *f.* ..mien, 흉부 절개.

Thrombose [trɔmbó:zə] [gr.] *f.* -n, 〖醫〗 혈전증(血栓症).

Thron [tro:n] [gr. „Sitz, Stuhl"] *m.* -(e)s, -e, 옥좌(♈*throne*); 《比》 주권, 통치권. ¶ den ~ besteigen 즉위하다.

Thron≈besteigung *f.* 즉위. **~bewerber** *m.* 왕위 요구〔열망〕자.

thronen [tró:nən] *i.*(h.) 왕위에 올라 있다; 《比》 군림〔통치〕하고 있다.

Thron≈erbe *m.* 왕위 계승자. **~folge** *f.* 왕위 계승. **~folger** *m.* 왕위 계승자. **~himmel** *m.* 천개(天蓋)(*canopy*). **~räuber** *m.* 왕위 찬탈자. **~rede** *f.* 개원식의 칙어(勅語). **~saal** *m.* 옥좌가 있는 방; 알현실. **~sessel** *m.* 왕좌. **~wechsel** *m.* 왕위 경질.

Thunfisch [tú:n-] *m.* 〖魚〗 다랑어(♈*tunny*).

Thüringen [tý:rɪŋən] *n.* -s, 튀링겐《독일의 주 이름》. **Thüringer** *m.* -s, -, **Thüringerin** *f.* -nen, 튀링겐 사람. **thüringisch** *a.* 튀링겐의.

Thymian [tý:mĭa:n] [gr.] *m.* -s, -e, 〖植〗 백리향(♈*thyme*).

Tiara [tiá:ra], **Tiare** [pers. -lat.] *f.* ..ren, ① (옛) 페르시아왕의 모자. ② (로마 교황의) 3중 보관(三重寶冠), 교황관《사제(司祭)·사목(司牧)·교도(敎導)의 3권을 나타냄》.

Tick [tɪk] [fr.] *m.* -(e)s, -e *u.* -s, ① 광란, 광상; 변덕; 기벽; 자만, 자부. ② 《俗》 원한.

ticken [tíkən] [擬聲語] *i.*(h.) 똑딱똑딱 소리 나다(♈*tick*). **Ticktack** *n.* -(e)s, -s, 똑딱똑딱《시계 소리》.

tief [ti:f] [<taufen] 《I》 *a.* ① 깊은(♈*deep*). ¶ in ~er Nacht 심야에, 깊은 밤중에. ② 아래쪽의, 낮은(*low*). ¶ ~ nach Süden 멀리 남쪽에(*ant.* hoch nach Norden, "멀리 북쪽에"). ③ 짙은 《색》; 〖樂〗 낮은. ¶ ~er stimmen 음조(音調)를 낮추다 / ~es Rot 진홍색. 《II》 **Tief** *n.* -(e)s, -s *u.* -e, 저기압 지대(地帶).

Tief≈angriff *m.* 〖空〗 저공(低空) 공격. **~äugig** *a.* 눈이 움푹 들어간. **~bahn** *f.* 지하 철도. **~bau** *m.* 도로〔수도·수리(水利)·제방〕 공사. **~blau** *a.* 짙은 남색의. **~blick** *m.* 통찰력, 혜안(*insight*). **~bohrung** *f.* 〖坑〗 심부 천공(深部穿孔) 〔보링〕. **~denkend** *a.* 사상이 심오한. **~druck** *m.* 저기압; 요판(凹版) 인쇄.

Tiefe [tí:fə] *f.* -n, 깊음; 깊이; 깊숙함; 〖海〗 흘수(吃水); 〖軍〗 열수(列數); 깊은 곳, 바닥. **Tief·ebene** *f.* 저지(低地).

Tiefen≈messung *f.* 측심(測深). **~psychologie** *f.* 심층 심리학.

Tief≈flug *m.* 저공 비행. **~gang** *m.* (배의) 흘수(吃水)(*draught*). **~gebeugt** *a.* 《比》 의기 소침한. **~greifend** *a.* 근본적인, 철저한. **~gründig** *a.* 바닥이 깊은; 심원한. **~land** *n.* 저지(低地). **~länder** *m.* 저지인. **~liegend** *a.* 낮은, 깊은 곳의; 움푹한《눈》. **~schlag** *m.* 〖拳〗 벨트 아래를 치기《반칙》. **~schürfend** *a.* 남김없는, 철저한. **~see** *f.* 심해(深海). **~sinn** *m.* 심사(深思); 통찰력; 우울. **~sinnig** *a.* 심사 숙고하는; 심오한; 우울한. **~stand** *m.* 저위(低位); 《比》 침체, 저조. **~|ziehen*** *t.* (양철을) 우그리다.

Tiegel [tí:gəl] [Lw. lat.] *m.* -s, -, (긴 손잡이가 달린) 요리 남비, 스튜 남비 ((*sauce*)*pan*); (Schmelz~) 도가니(*melting pot, crucible*).

Tier [ti:r] [*eig.* „Lebendes", =engl. *deer*] *n.* -(e)s, -e, 동물(*animal*); (들)짐승(*beast, brute*); (Haus~) 가축. ¶ 《戲》 großes ~ 위인, 유력한 인물.

Tier≈art [tí:r-] *f.* 동물의 종류. **~arzneikunde** *f.* 수의학(獸醫學). **~arzt** *m.* 수의(獸醫). **~bändiger** *m.* 맹수를 부리는 사람. **~garten** *m.* 동물원.

Tierheit [tí:rhait] *f.* -en, 동물성; 야비, 잔인. **tierisch** [tí:rɪʃ] *a.* 동물의; 짐승의; 동물질의; 동물〔야수〕적인.

Tier≈kreis *m.* 〖天〗 수대(獸帶), 황도 12궁(*zodiac*). **~kunde, ~lehre** *f.* 동물학. **~quälerei** *f.* 동물 학대. **~reich** *n.* 동물계. **~schau** *f.* 가축 전람회. **~schutzverein** *m.* 동물 애호 협회. **~welt** *f.* 동물계. **~wesen** *n.* 동물; 동물성.

Tiger [tí:gər] [pers. -lat.] *m.* -s, -, 범(♈*tiger*).

Tiger≈fell *n.* 호피. **~hund** *m.* 호반(虎斑)이 있는 개.

Tigerin [tí:gərɪn] *f.* -nen, 암펌.

Tiger≈jagd *f.* 범사냥. **~katze** *f.* (남미산) 삵괭이. **~lilie** *f.* 참나리.

tigern [tí:gərn] *t.* (에) 범의 무늬를 넣다. **getigert** *p.a.* 범 무늬가 있는.

tilgbar [tílkba:r] *a.* 지울 수 있는; 〖商〗 상환할 수 있는. **tilgen** [tílgən] [Lw. lat.] *t.* 지우다, 말살하다(*extinguish, efface*); 전멸시키다, 근절하다(*annul, cancel*); (부채를) 완제(完濟)〔상환〕하다 (*pay, redeem*). **Tilgung** [tílguŋ] *f.* -en, 말소, 말살; 근절; 상환.

Tilgungs≈fonds [-fɔ̃:] *m.*, **～kasse** *f.* 상환 자금.

Timber [tímbeɾ] [gr. -fr.] *m.* -s, -, **Timbre** [tɛ̃:bɾ] *m.* od. *n.* -s, -s [-brəs], ① 〖樂〗 음색, 음질《특히 목소리의》. ② 스탬프.

Timokratie [timokratí:] [gr.] *f.* ..tien, 금력 정치(金力政治).

Tingeltangel [tíŋəltaŋəl] [擬聲語] *m.* od. *n.* -s, -, 저속한 음악; 그것을 연주하는 술집.

Tinktur [tiŋktú:r] [lat. „Färbemittel"] *f.* -en, ① 〖醫〗 팅크《알콜 용액》. ② 염색(染色), 색조(色調).

Tinte [tíntə] [Lw. lat. *tincta* (*aqua*) „gefärbtes (Wasser)"] *f.* -n, 잉크(*ink*). ¶ 《比》 in der ～ sitzen 곤경에 빠져 있다.

Tinten≈faß [tíntən-] *n.* 잉크병. **～fisch** *m.* 〖動〗 두족류(頭足類)《오징어류》(*cuttlefish*). **～fleck, ～klecks** *m.* 잉크 얼룩. **～stift** *m.* 색연필.

Tippelbrüder [típəl-] [<tippeln] *m.* 《俗》 떠돌이 장인(匠人); 도보 여행자, 부랑인. **tippeln** [típəln] *i.*(s.) 터벅터벅 걷다(*tramp*). **tippen** [típən] *t.* u. *i.*(h.) 가볍게 건드리다, 치다(*touch lightly, tap*); 타이프로 치다(*type*).

Tipp≈fräulein *n.* 《戲》 (여자) 타이피스트. **～fehler** *m.* 《俗》 (타이프라이터의) 잘못 침. **～zettel** *m.* (이름이나 번호를 박은) 추첨권.

Tirade [tirá:də] [it. -fr.] *f.* -n, 다변, 장광설; 〖劇〗 긴 대사.

Tirailleur [tira(l)jø:r] [lat. -fr.] *m.* -s, -e, 〖軍〗 산병(散兵). **tiraillieren** [tira(l)jí:rən] *i.*(h.) 산개하다.

Tirol [tiró:l] *n.* 티롤. **Tiroler** *m.* -s, -, **Tirolerin** *f.* -nen, 티롤 사람. **tirol(er)isch** *a.* 티롤 (사람)의.

Tisch [tɪʃ] [Lw. gr. -lat. *discus* „Wurfscheibe, Schlüssel"] *m.* -es, -e, ① (둥근 테이블 판의 뜻:) 테이블, 탁자, 책상(*table*); (Arbeit～) 작업대. ¶ der grüne ～ 녹색의 보를 친 관청의 책상. ② (Eß～) 식탁; 식사(*dinner, supper*). ¶ bei ～(e) 식사 중에 / **nach** ～(e) 식후에.

Tisch≈apparat [tɪʃ-] *m.* 탁상 전화기. **～blatt** *n.* 책상 널빤지. **～dame** *f.* 식탁에서 남자의 오른편에 앉는 부인. **～decke** *f.* 식탁보, 테이블 클로드. **～gänger** *m.* 하숙인. **～gast** *m.* 초대객. **～gebet** *n.* 식사전〔후〕의 기도. **～gedeck** *n.* 식탁보, 상보. **～genosse** *m.* 식탁 친구. **～gerät, ～geschirr** *n.* 식탁 용구(用具). **～gesellschaft** *f.* 회식; 그 초대객 일동. **～gespräch** *n.* 식사중의 담화. **～gestell** *n.* (책)상 다리. **～herr** *m.* 식탁에서 여성의 왼편에 앉는 남자. **～karte** *f.* 식탁 좌석을 기명한 표. **～klopfen** *n.* 〖心靈術〗 신령의 힘에 의해서 책상이 달가닥거림. **～lampe** *f.* 탁상등(燈), 전기 스탠드.

Tischler [tíʃlər] [<Tisch] *m.* -s, -, 소목장이(*joiner*); (Kunst～) 가구장이 (*cabinetmaker*). **Tischlerei** [tɪʃləráɪ] *f.* -en, 소목장이〔가구장이〕의 업〔일터〕. **tischlern** *t.* u. *i.*(h.) 가구 세공을 하다, 소목〔가구〕업을 하다. **Tischler≈platte** *f.* 가구 제조용 합판《베니어판》.

Tisch≈platte *f.* 책상 널빤지. **～rede** *f.* 테이블 스피치. **～rücken** *n.* (심령술에 의한) 탁자 회전. **～tennis** *n.* 탁구, 핑퐁. **～tuch** *n.* 탁자보, 상보. **～zeit** *f.* 식사 시간. **～zeug** *n.* 탁상보, 식기.

Titan(e) [titá:n(ə)] [gr.] *m.* ..nen, ..nen, **Titanin** *f.* -nen, 거인. **titanisch** *a.* 거인의, 거인과 같은; 거대한.

Titel [tí:təl, títəl] [Lw. lat.] *m.* -s, -, ① 칭호, 학위, (선수의) 타이틀, 표호(標號), 표제(♈*title*). ② 〖法〗 (법령 따위의) 항(項), 관(款), 장(章); 권원(權原), 요구권(*claim*).

Titel≈bild *n.* 속표지 앞의 그림. **～blatt** *n.* (서적의) 속 표지. **～halter** *m.* 선수권 보유자. **～kampf** *m.* 타이틀 쟁탈전. **～sucht** *f.* 칭호를 몹시 탐냄. **～süchtig** *a.* 칭호를 탐내는.

Titer [tí:tər] [lat. -fr.] *m.* -s, -, ① 증서, 증권, 문서. ② 〖化〗 적정량(滴定量); 화폐의 금·은의 표준량.

Titular [titulá:r] [lat.] *m.* -s, -e, 칭호 소유자. **titular** [titulá:r] *a.* 칭호의, 제명의, 명의(만)의. **Titulatur** *f.* -en, 칭호(를 부여함, 로 부름). **titulieren** *t.* 칭호로 부르다, (에게) 칭호를 주다.

TNT 《略》 = *Tri*nitro*to*luol 트리니트로톨루엔《폭약》.

Toast [to:st] [engl.] *m.* -es, -e *u.* -s, ① 구운 빵, 토스트. ② (옛날 축배의 인사말을 하는 사람이 앞에 놓인 구운 빵을 술잔에 넣어 마신 데서:) 축배를 듦; 건배(乾盃)의 축사. **toasten** [tó:stən] *i.*(h.) (auf jn., 아무의 건강을 축복해서) 술잔을 들다.

toben [tó:bən] [*eig.* „betäubt sein"] *i.*(h.) 미친 듯이 날뛰다, 광란하다(*rage, bluster*); (어린이가) 사납게 굴다, 떠들다 (*ramp, rag*).

Tob≈sucht [tó:pzuxt] *f.* 〖醫〗 조광(躁狂), 광포. **～süchtig** [-zʏçtɪç] *a.* 광포한, 조광(躁狂)의.

Tocharer [toxá:rər] *m.* -s, -s, 토카라인《중앙 아시아인, 기원 천년경 절멸》.

Tochter [tɔ́xtər] *f.* ⁼, 딸(♈*daughter*).

Tochter≈gesellschaft *f.* 〖商〗 지점(支店). **～kind** *n.* 딸의 아이, 외손.

töchterlich [tœ́çtərlɪç] *a.* 딸의; 딸다운, 딸 같은. **Töchterschule** *f.* 여학교; (Höhere ～) 여자 고등 학교.

Tochter≈sohn *m.* 딸의 아들, 외손자. **～sprache** *f.* 〖言語〗 (Muttersprache의 대(對):) 분화어(分化語)《예를 들면 라틴어에 대한 프랑스어·스페인어 따위》. **～stadt** *f.* 식민 도시; 주택 도시《대도시 주변의》.

Tod [to:t] [♈tot] *m.* -(e)s, (稀: *pl.* -e), 죽음(♈*death*); (擬人化하여:) 사신(死神). ¶ du bist des ～es! 너의 목숨은 없다.

Todes≈angst [tó:dəs-] *f.* 죽음의 불안;

죽을 지경의 공포. **~anzeige** *f.* 사망 공고; 사망 신고. **~fall** *m.* (어떤 사람의) 죽음, 사망. **~furcht** *f.* 죽음의 공포. **~gefahr** *f.* 생명의 위험. **~kampf** *m.* 단말마(斷末魔)의 고통. **~kandidāt** *m.* 죽음이 가까운[여명이 없는] 사람. **~nōt** *f.* 생명의 위험. **~schweiß** *m.* 임종의 식은 땀. **~stōß** *m.* 치명적인 타격; 최후의 일격(을 가하기). **~strāfe** *f.* 사형. **~streich** *m.* 치명적인 타격. **~tāg** *m.* 사망일, 기일(忌日). **~urteil** *n.* 사형 선고. **~vermūtung** *f.* 사망 추정. **~wunde** *f.* 치명상.

Tōd·feind [tóːt-] *m.* 불구 대천의 원수. **~krank** *a.* 죽을 병이 든, 위독한.

tödlich [tǿːtlıç] *a.* 죽음의; 죽을; 치명적인; 살인적인; 죽을 지경인 (=sehr). ¶ ~ (*adv.*) hassen 몹시 미워하다. **Tōd·lichkeit** *f.* 치명적임.

tōd·mūde *a.* 기진맥진한, 지칠대로 지친. **~reif** *a.* 목숨이 다한, 명맥이 없는. **~sicher** *a.* 틀림없는, 확실한. **~sünde** *f.* 〖宗〗 영겁의 벌을 받아야 할 큰 죄. **~wund** *a.* 치명상을 입은.

Tōhūwabōhū [tòːhuːvabóːhuː] [hebr., „wüst 또는 leer"] *n.* –(s), –s (öst. u.: –), 혼돈, 혼란.

Toilette [toalɛ́tə] [fr.] *f.* –n, ① 화장대; 화장, 치장(♈*toilet*); 옷치레(*dress*). ② 화장실, 세면소, 변소(*lavatory*).

Toiletten·papier [toalɛ́tən-] *n.* 휴지. **~zimmer** *n.* 화장실.

Tokogonie [tokogoníː] [gr.] *f.* ..nien, 〖生〗 유성 생식, 유친(有親) 발생. **To·kologie** *f.* 〖醫〗 산과학(產科學).

tolerant [toleránt] [lat. „duldsam"] *a.* 관대한, 너그러운. **Toleranz** [-ts] *f.* 관대(寬大); (특히 이설(異說)이나 이교등에 대한) 관용. **Toleranzdōsis** *f.* (방사능의) 허용량. **tolerieren** *t.* 너그럽게 다루다; 관용하다.

toll [tɔl] [=engl. *dull* „dumm"] 《I》 *a.* ① 제정신이 아닌(*mad, insane*); 미친(*frantic, raving, wild*). ② 광기어린, 어리석은, 얼빠진(*extravagant, wanton*). ¶ das ist doch zu ~ 하지만 그건 너무하다. 《II》 **Tolle** *m.* u. *f.* (形容詞變化) 광인, 광란자.

tollen [tɔ́lən] *i.* (h.) 날뛰다, 떠들다.

Toll·haus [tɔ́l-] *n.* 정신 병원. **~häus·ler** *m.* 위의 입원 환자, 광인.

Tollheit [tɔ́lhait] *f.* –en, 광기(狂氣), 전광(癲狂); 미친 짓.

Toll·kirsche *f.* 〖植〗 벨라돈나《가지과의 유독 식물》. **~kopf** *m.* 미친 머리; 미친 사람. **~kühn** *a.* 만용의, 앞뒤를 돌보지 않는, 우악살스러운(*foolhardy, rash*). **~kühnheit** *f.* 위의 일. **~wūt** *f.* 미쳐 날뜀; 광견병, 공수병.

Tolpatsch [tɔ́lpatʃ] [ung. *talpas* „Fußsoldat"] *m.* –es, –e, (cf. Tölpel과 혼동하여) 투박한 사람, 야인(*clumsy fellow, booby*).

Tölpel [tœ́lpəl] [*eig.* „Dorfbewohner", <nd. *dorp* „Dorf"] *m.* –s, –, 투미한[투박한] 사람(*awkward fellow, booby*); 멍청이, 얼간이(*blockhead*). **Tölpelei** *f.* –en, 야비, 투미함. **tölpelhaft,** **tölpisch** *a.* 야비한, 투미한; 우둔한.

Tōlubalsam [tóːlu-] *m.* 톨루 방향 수지(樹脂)《남미산 콩과의 톨루나무에서 냄》.

Tomāte [tomáːtə] [mexik. „Gewächs"] *f.* –n, 〖植〗 토마토(♈*tomato*).

Tombak [tɔ́mbak] [mal. –ndl.] *m.* –s, 네덜란드 황동(黃銅)《구리와 아연의 합금》.

Tombola [tɔ́mbola] [it.] *f.* –s *u.* ..len, 제비, 추첨.

Tōn[1] [toːn] *m.* –(e)s, –e, 점토(粘土)(*clay*); 오지그릇.

Tōn[2] [gr. –lat., *eig.* "Spannkraft"] *m.* –(e)s, ⸚e, ① 소리, 음향《특히 음악적인》(*sound*); 음색, 음조(*key*); 곡조(♈*tone, tune, melody*). ② 〖文〗 악센트(*accent*); 어조(語調), 어세(語勢). ③ (태도·행위의) 경향, 품격, 기품(♈*tone, fashion*); 〖畫〗 색조(色調), 음영(陰影)(*colour, shade, tint*).

Tōn·abnehmer [tóːn-] *m.* (축음기의) 픽업(*pickup*). **~angēbend** *a.* 음을 선도(先導)하는; 《比》 지도적인. **~ārt** *f.* 음조(音調), 곡조, 가락.

tōn·ārtig [tóːn-aːrtıç] *a.* 점토질의.

Tōn·band *n.* 테이프레코더; 〖映〗 (필름의) 녹음대(帶). **~band·aufnahme** *f.* 테이프레코더에 녹음함. **~bandgerāt** *n.* 테이프레코더. **~dichter** *m.* 작곡가. **~dichtung** *f.* 악곡, 작곡.

tōnen [tǿːnən] 《I》 *i.* (h.) 울리다, 소리내다; 《俗》 말하다. ¶ groß ~ 허풍치다. 《II》 *t.* 울리다; (의) 색조를 조정하다.

Tōn·erde [tóːn-eːrdə] *f.* 반토(礬土). **tō·nern** [tǿːnərn] *a.* 점토제의, 도기의.

Tōn·fall *m.* 음의 억양. **~film** *m.* 발성 영화, 토키(*sound film, talkie*). **~·fixierbād** [-fıksiːrbaːt] *n.* 〖寫〗 조색법(調色法).

Tōn·gefāß *n.* 질그릇, 도기. **~grūbe** *f.* 점토갱(坑).

Tōnhōhe [tóːnhǿːə] *f.* 음의 높이.

Tōnika [tóːnika] [it. <Ton[2]] *f.* ..ken, (어떤 음계의) 제 1 음, 기음(基音), 주조음(主調音).

Tōn·ingenieur [-ınʒeniǿːr] *m.* (녹음실의) 음향(효과) 기사. **~kunst** *f.* 음악. **~künstler** *m.* 음악가. **~lāge** *f.* 음의 높이, 피치. **~leiter** *f.* 음계(*scale*). **~lōs** *a.* 무음(無音)의, 울리지 않는; 악센트가 없는. **~mālerei** *f.* 의음(擬音), 의성; 〖樂〗 음화(音畫). **~māß** *n.* 〖樂〗 박자. **~messung** *f.* 음의 측정; 운율학(韻律學). **~nāchahmung** *f.* 의성(음).

Tonnage [tɔnáːʒə] [fr.] *f.* –n, (선박의) 톤수. **Tonne** [tɔ́nə] [Lw. kelt.] *f.* –n, ① 큰통(♈*tun, cask, barrel*); 《比》 뚱보. ② 톤《중량 단위》(=1000 *kg*).

Tonnen·gehalt [tɔ́nən-] *m.* 〖海〗 톤수, 적재량. **~geld** *n.* 톤세(稅). **~ge·wölbe** *n.* 〖建〗 통 모양의 궁륭(穹窿). **~weise** *adv.* 통에 담아; 톤으로.

Tōn·setzer *m.* 작곡가(*composer*). **~·silbe** *f.* 악센트가 있는 음절. **~stūfe** *f.* 음도, 음계단.

Tonsūr [tɔnzúːr] [lat.] *f.* –en, 〖宗〗 삭발(한 머리).

Tōn·umfang [tóːn-umfaŋ] *m.* 〖樂〗 음역. **Tōnung** [tǿːnuŋ] *f.* –en, 울림; 울리게 함; 발성법; 색조, 채색.

Tōnwāren [tó:nva:rən] *pl.* 도자기류(類).

Tōn⸗weise *f.* 〖樂〗 곡조, 선율. **∼⸗werkzeug** *n.* 악기. **∼zeichen** *n.* 〖樂〗 음표(音標); 〖文〗 강음부(强音符).

Topās [topá:s] [gr.] *m.* -es, -e, 〖鑛〗 황옥(黃玉)(♈*topaz*).

Topf [tɔpf] *m.* -(e)s, ⸗e, 깊은 냄비, 단지(*pot*); 화분. ¶alles in einen ∼ werfen 천편 일률로 다루다. **Topfblūme** *f.* 분재화(盆栽花).

Tōpfer [tœ́pfər] *m.* -s, -, 도공(陶工)(*potter*). **∼arbeit** *f.* 제도(製陶); 도기.

Töpferei [tœpfərái] *f.* -en, 제도업(製陶業); 도기 공장; 《總稱》 도자기.

Töpfer⸗geschirr *n.* =∼WARE. **∼gla⸗sūr** *f.* 와니스.

tōpfern [tœ́pfərn] 《Ⅰ》 *i.*(h.) u. *t.* 도기를 만들다. 《Ⅱ》 *a.* 점토로 만든.

Tōpfer⸗scheibe *f.* (제도용(製陶用)) 녹로. **∼wāre** *f.*, **∼zeug** *n.* 도기.

Topf⸗gucker [tɔ́pf-] *m.* 부엌일에 참견하는 남자, 좀생원. **∼lecker** *m.* 탐식가(貪食家). **∼pflanze** *f.* 분재(盆栽).

Tōpik [tó:pɪk] [gr.] *f.* ① 〖論〗 토피카, 총론, 총체론, 전제론(개연적인 명제로부터 결론으로 유도하는 방법). ② 〖修辭〗 위상론(位相論). ③ 〖醫〗 위치 관계, 국소 해부학.

Topogrāph [topográ:f] [gr.] *m.* -en, -en, 지지(地誌) 편자; 지형 측량자. **Topographie** *f.* ..phīen, ① 지지, 지형학. ② 〖醫〗 국소 기재학(局所記載學).

Tōpos [tó:pɔs] [gr. „Gemeinplatz"] *m.* -, ..poi [-pɔy], 토포스(틀에 박힌 표현, 상투어).

Topp [tɔp] *m.* -s, -e, 〖海〗 (마스트의) 꼭대기(♈*top, head*).

topp! [tɔp] *int.* 좋아, 그만하면 됐어, 알았어(*done!, agreed!*).

Topp⸗flagge *f.* 상장기(上檣旗). **∼la⸗terne** *f.*, **∼licht** *n.* 상장등(上檣燈). **∼mast** *m.* 으뜸돛대, 톱마스트. **∼⸗reep** *n.* 옆으로 친 밧줄, (돛대의) 용총줄, 켕김밧줄. **∼sēgel** *n.* 으뜸돛.

Tōr[1] [to:r] *m.* -en, -en, 바보, 멍청이(*fool*).

Tōr[2] [=engl. *door*, =Tür] *n.* -(e)s, -e, ① 문, 입구(*gate*). ¶vor das ∼ gehen 교외에 산책가다. ② 〖蹴〗 골문; 골(*goal*).

Tōr·einfahrt [tó:r-ainfa:rt] *f.* 문(에서 안채로 통하는) 길, 마차 입구.

Torf [tɔrf] [*eig.* „Rasen"] *m.* -(e)s, 이탄(泥炭)(♈*turf, peat*).

torf⸗ārtig [tɔ́rf-a:rtɪç] *a.* 이탄 모양의. **∼bōden** *m.* 이탄지(地). **∼grūbe** *f.* 이탄갱(坑).

Tōrflügel [tó:rfly:gəl] *m.* 문짝.

Torf⸗moor *n.* 이탄지. **∼stecher** *m.* 이탄 채굴 인부. **∼stich** [-ʃtɪç] *m.* 이탄 채굴(장).

Tōrheit [tó:rhait] *f.* -en, 어리석음; (*pl.*) 어리석은 짓.

Tōrhüter [tó:rhy:tər] *m.* 수위, 문지기; 골키퍼.

tōricht [tǿ:rɪçt] *a.* 어리석은, 멍청한(*foolish, silly*). **Tōrin** [tǿ:rɪn] *f.* -nen, 어리석은 여자.

torkeln [tɔ́rkəln] *i.*(h. *u.* s.) 비틀거리다, 비틀비틀 걷다(*reel, stagger*).

Tornister [tɔrnístər] [Lw. sl.] *m.* -s, -, 〖軍〗 배낭(背囊)(*pack, knapsack*).

torpedieren [tɔrpedí:rən] *t.* 수뢰를 발사하다. **Torpēdo** [tɔrpé:do] [lat.] *m.* -s, -s, 수뢰(水雷), 어뢰, 공뢰(空雷).

Torpēdo⸗boot *n.* 수뢰정(艇). **∼boot(s)⸗zerstörer** *m.* 수뢰 구축함. **∼flūg⸗zeug** [-flu:ktsɔik] *n.* 뇌격기(雷擊機). **∼netz** *n.* 수뢰 방어망.

Tōr⸗schluß *m.* 폐문(閉門). **∼schluß⸗panik** *f.* 폐쇄 공포(노처녀의 이상 성욕 앙진). **∼schütze** *m.* 〖競〗 채점자, 스코어 담당원.

Torso [tɔ́rzo] [it. „Baumstumpf"] *m.* -s, -s *u.* ..si, 토르소(동체(胴體)의 조상(彫像)); 《比》 미완성 (조각) 작품.

Tōrstōß [tó:rʃto:s] *m.* 〖蹴〗 골킥.

Tort [tɔrt] [lat. -fr.] *m.* -(e)s, 모욕; 훼손. ¶jm. e-n ∼ antun 아무에게 손해를 끼치다, (아무)를 모욕하다.

Torte [tɔ́rtə] [Lw. it.] *f.* -n, 데커레이션케이크, 쇼트케이크, 파이(♈*tart*).

Tortūr [tɔrtú:r] [lat.] *f.* -en, 비틂, 고문(♈*torture*).

Tōr⸗wache *f.* 〖軍〗 위병. **∼wart** *m.* 문지기; 〖蹴〗 골키퍼. **∼wēg** *m.* 대문에서 안채로 통하는 차도.

tōsen [tó:zən] *i.*(h.) (바람·파도가) 노호하다, 사납게 울부짖다(*roar*); 미친 듯이 날뛰다(*rage, storm*).

tōt [to:t] [♈Tod, 원래 過去分詞形 (-t는 그 語尾)] *a.* 죽은(♈*dead*; 세상을 떠난: *deceased*); 죽은 것 같은, 생기가 없는(*dull*). ¶〖法〗 die ∼e Hand 양도 불능 동산을 가진 법인《교회 등》/〖工〗 ∼er Punkt (크랭크의) 사점(死點) / ∼es Rennen 승부가 안 나는 경주 /〖軍〗 ∼er Winkel 사각(死角)《사격할 수 없는 각도》/〖商〗 e-e ∼e Zeit 침체기.

totāl [totá:l] [lat.] *a.* 전체의, 전부의; *adv.* 전적으로, 전부, 완전히.

Totāl⸗ansicht *f.* 전경(全景). **∼betrāg** *m.* 총액. **∼eindruck** *m.* 전체적 인상. **∼finsternis** *f.* 〖天〗 개기(일)식.

Totalisātor [to(:)talizá:tɔr] *m.* -s, ..tō⸗ren, (건 돈의) 전액 표시기(表示器)《경마·축구의》. **totalitār** *a.* 전체〔총체〕적인.

Totāl⸗reflexiōn *f.* 〖理〗 전반사(全反射). **∼schāden** *m.* 완전 손해《교통 사고에 있어서의 자동차, 화재로 소실한 가옥 등의》. **∼summe** *f.* 총액.

tōt|arbeiten [tó:t-] *refl.* 죽도록 일하다.

tōten [tǿ:tən] [<tot] *t.* 죽이다(*kill*); 파괴하다. ¶das Fleisch ∼ 금욕하다(*mortify*).

Tōten⸗acker [tó:tən-] *m.* 《雅》 묘지. **∼amt** *n.* =∼MESSE. **∼bahre** *f.* 관대(棺臺). **∼bett** *n.* 임종의 자리. **∼⸗blaß** [tó:tənblás, -blas], **∼bleich** [tó:tənbláiç, -blaiç] *a.* 죽은 사람처럼 창백한. **∼būch** *n.* 귀록(鬼錄), 작고자〔전사자〕 명부. **∼feier** *f.* 장례식; 제사. **∼geläut(e)** *n.* 조종(弔鐘)(의 소리). **∼⸗gerippe** *n.* 해골(骸骨)(*skeleton*). **∼⸗glocke** *f.* 조종. **∼gräber** *m.* 무덤을 파는 사람. **∼gruft** *f.* 묘혈(墓穴), 지

하 납골소. **~hemd** *n.* 수의(壽衣). **~kopf** *m.* 해골 바가지, 촉루(髑髏). **~liste** *f.* 사망자 명부; 사망표. **~maske** *f.* 데드 마스크. **~messe** *f.* 망자(亡者)를 위한 미사. **~reich** *n.* 저승, 황천. **~schädel** *m.* 해골. **~schau** *f.* 검시(檢屍). **~schein** *m.* 사망 증명서. **~starre** *f.* 〖醫〗 사후 경직(硬直). **~still** *a.* 죽은 듯이 고요한, 괴괴한. **~stille** *f.* 죽음 같은 정적. **~tanz** *m.* 죽음의 무도《죽음의 위력을 해골의 춤 따위에 비유해서 표현한 그림 따위》. **~uhr** *f.* 〖蟲〗 살짝수염벌레.

Töter [tǿ:tər] *m.* -s, -, 살해자.

tot=|fahren* *t.* 역살(轢殺)하다. **~geboren** *a.* 사산(死産)의. **~|hetzen** *t.* 혹사(酷使)하다. **~holz** *n.* 사재(死材)《선체의 흘수선 밑부분》. **~|lachen** *refl.* 포복 절도하다. **~|schießen*** *t.* 쏘아 죽이다.

Tot=schlag *m.* 타살(打殺); 살인; 〖法〗 고살(故殺). **~|schlagen*** *t.* 때려 죽이다; 《比》(시간·돈을) 낭비하다. **~schläger** *m.* (때려) 죽이는 사람, 살해자. **~|schweigen*** *t.* 묵살하다. **~sicher** *a.* 《俗》 절대로 안전한, 아주 확실한. **~|stellen** *refl.* 죽은 체하다. **~|treten*** *t.* 밟아 죽이다. 「〖法〗 살인죄.」

Tötung [tǿ:tuŋ] *f.* -en, 살해, 살인;

Tour [tu:r] [fr. <lat. *turnus*] *f.* -en, 회전, 순회, 한차례 돌기, 한바퀴 돌기 (⚘*tour, turn*); 〖펜싱〗 한판 승부; (한 차례 두루 도는) 여행, 주유(周遊)(*trip, excursion*).

Touren=wagen [tú:rən-] *m.* 유람차. **~zahl** *f.* 회전수. **~zähler** *m.* 〖工〗 회전 (속도) 표시기(表示器).

Tourismus [turísmus] [fr. -engl. < Tour] *m.* -, 관광 여행; 여행 안내(업).

Tourist [turíst] [engl.] *m.* -en, -en, 주유 여행자, 만유객, 관광객.

Toxoid [tɔksoí:t] [gr.] *n.* -(e)s, -e, 톡소이드《항원성(抗原性) 독소를 항원성을 잃지 않는 상태로 무독화한 것》.

Trab [tra:p] [<traben] *m.* -(e)s, (말의) 속보(速步)(*trot*). ¶im ~e 속보로 / 《比》 jn. auf den ~ bringen 아무를 몰아대다, 분기케 하다, 훈계하다.

Trabant [trabánt] [tschech.] *m.* -en, -en, 친위병(親衛兵); 〖天〗 위성(*satellite*); 《比》 위성국; 《俗》 급사, 사환. **~en=städte** *pl.* 위성 도시(衛星都市).

traben [trá:bən] *i.*(h. *u.* s.) (말이) 속보(速步)로 달리다; (기수가) 속보로 달리게 하다, 《卑》 사람이 뛰어가다, 서두르다.

Trabrennen [tra:brenən] *n.* (말의) 속보 경주.

Trachee [traxé:ə] [gr.] *f.* -n, 〖解〗 기관(氣管). **Trache·itis** [-xeí:tɪs] *f.* 〖醫〗 기관염. **Tracheotomie** [tràxeotomí:] *f.* ..mien, 기관 절개(술). 「트라호마.」

Trachom [traxó:m] [gr.] *n.* -s, -e,

Tracht [traxt] [<tragen] *f.* -en, ① 한 짐, 짐, (배의) 적재 화물(*load*). ¶e-e ~ Schläge 호되게 때림〔얻어맞음〕. ② 복장; 옷, 의상(*costume, fashion*).

trachten [tráxtən] [Lw. lat. *tractāre* „in Gedanken ziehen", <*trahere* „ziehen"] 《Ⅰ》 *i.*(h.) (nach, 을) 뜻하다, 노력하다(*seek, strive*). ¶jm. nach dem Leben ~ 아무의 목숨을 노리다. 《Ⅱ》 **Trachten** *n.* -s, 뜻, 지망, 노력(*endeavour, effort*).

Trachten=fest *n.* 민족 의상제. **~kunde** *f.* 복장학.

trächtig [tréçtɪç] [<Tracht] *a.* 임신한, (짐승이) 새끼를 밴(*big with young, pregnant*). **Trächtigkeit** *f.* (동물의) 임신(기(期)). 「-s, 상표.」

Trademark [tré:dma:rk] [engl.] *f.*

Tradition [traditsĭó:n] [lat.] *f.* -en, 전설, 구비(口碑), 전통; 인습, 관습. **traditionell** [-tsĭonέl] *a.* 구전(口傳)의, 전설적인; 전통적인.

traf [tra:f] ☞ TREFFEN 《그 過去》.

Trafik [trafík, -í:k] [ar. -it.] *m.* -s, -s, 가게; (특히) 담배 가게.

Trag=altar [trá:k-] *m.* 옮길 수 있는 제단(祭壇). **~bahre** *f.* 들것, 승교(乘轎); 가마. **~balken** *m.* 〖建〗 도리, 대들보. **~band** *n.* 멜빵, 즈봉 멜빵; 메는 붕대.

tragbar [trá:kba:r] *a.* 질〔지탱할·나를〕 수 있는; (옷이) 아직 입을 수 있는; 열매를 맺는; (암소 따위가) 새끼를 낳는; (땅이) 비옥한, 생산적인. 「르는) 멜대.」

Trage [trá:gə] *f.* -n, 목도; 들것, (짐 나

träge [trέ:gə] *a.* 활발하지 못한, 완만한 (*inert, slow*); 태만한, 게으른(*lazy, idle*); 〖商〗 불경기의, 부진한; 〖物〗 타성〔관성〕이 있는.

tragen* [trá:gən] [engl. *draw* „ziehen"] 《Ⅰ》 *t.* ① 나르다, 운반하다(*carry, convey*). ② 지다, 지니다(*bear*); 지탱하다(*sustain*). ③ 몸에 지니고 있다 (*have*); (옷을) 입고 있다(*wear*), (신을) 신고 있다, (모자를) 쓰고 있다, (가락지를) 끼고 있다. (안경을) 쓰고 있다, (훈장을) 달고 있다, (수염을) 기르고 있다. ④ 마음 속에 품다〔간직하다〕; (씌워지다:) 참다, 견디다(*endure, suffer*). ¶ Bedenken ~ 의심을 품다; 주저하다. ⑤ 열매 맺다, 생산하다. ¶ein Kind (unter dem Herzen) ~ 임신중이다, 새끼를 배고 있다 / Früchte ~ 열매를 맺다. 《Ⅱ》 *i.*(h.) (소리·총이 …까지) 울리다, 들리다; (가축이) 새끼를 배고 있다; (나무가) 열매를 맺다; (땅이) 수익을 올리다. 《Ⅲ》 *refl.* (mit, 을) 가지고 다니다, 나르다, 품고〔지니고〕 다니다. ¶sich mit Plänen ~ 어떤 계획을 품다 / sich aufrecht ~ 몸을 꼿꼿이 하다 / sich sauber ~ 깔끔한 옷차림을 하다. 《Ⅳ》 **getragen** *p.a.*: ~e Kleider 해진 옷, 헌 옷.

Träger [trέ:gər] *m.* -s, -, 나르는 사람, 운반인; (Gepäck~) 수하물 운반인; (Brief~) 배달부; 소지자, 지참인; 짊어질 사람, 짐꾼; 대(臺), 판; 목도, 들것; 〖建〗 대들보, 도리.

Träger=lohn *m.* 운반료, 운임. **~welle** *f.* 〖電〗 반송파(搬送波).

trag=fähig [trá:k-] *a.* 부담력〔적재력〕이 있는; 생산력이 있는. **~fähigkeit** *f.* 적재력, 부담력; 생산력. **~fläche** *f.* 〖空〗 주익면(主翼面).

Trägheit [trέ:khait] *f.* 태만, 게으름; 〖物〗 타성, 관성(慣性). 「蓋).」

Traghimmel [trá:khɪməl] *m.* 천개(天

T

Trāgik [trá:gɪk] *f.* 비극술(術); 비극적임. **Trāgiker** *m.* -s, -, 비극 시인; 비극 배우. **Tragikomō̆die** [tragɪkomǿ:-dǐə, trá:gikomø:dǐə] *f.* -n, 희비극(喜悲劇). **trāgisch** [trá:gɪʃ] *a.* 비극의; 비극적인.

Trāg·korb [trá:k-] *m.* 등바구니. **∼·kraft** *f.* 부담력; 적재력.

Tragō̆de [tragǿ:də] [gr.] *m.* -n, -n, 비극 배우. **Tragō̆die** [tragǿ:dǐə] [gr.] *f.* -n, 비극(悲劇)(♈*tragedy*). **Tragō̆din** [tragǿ:dɪn] *f.* -nen, 비극 여배우.

Trāg·riemen *m.* 멜빵, 질빵, 가죽 손잡이. **∼sattel** *m.* 길마. **∼schrauber** *m.* 〖空〗 오토자이로, 헬리콥터. **∼ses·sel** *m.* 가마, 승여(乘輿). **∼tier** *n.* 짐 나르는 짐승, 복마. **∼weite** *f.* 〖物〗 도달 거리; 〖軍〗 사정(射程); 《比》 효과, 영향(의 미치는 범위)(*consequence*), 중요성, 의의(*importance*).

Trainer [tré:nər, tré:-] [lat. –engl.] *m.* -s, -, 운동 연습 지도자, 트레이너; (경마의) 조교사(調教師). **trainieren** [trɛní:rən, tre-] [fr. <lat. *trahere* „ziehen"] *t.* 훈련하다(♈*train, coach*). **Training** [tré:nɪŋ, tré:-] [engl.] *n.* -s, -s, 훈련, 연습. **Tainings·anzūg** *m.* 운동복, 연습복.

Trajẹkt [trajékt] [lat. *trā* (=*trans*). *jicere* „hinüber-werfen"] *m.* u. *n.* -(e)s, -e, 건넘, 도항(渡航), 도하; 〖鐵〗 〔∼**schiff** *n.*〕 열차를 건네주는 배.

Trakt [trakt] [lat.] *m.* -(e)s, -e, 연장, 거리; 지역, 지대; 가로(街路). **Traktāt** [traktá:t] *m.* u. *n.* -(e)s, -e, ① 절충, 교섭, (국가간의) 조약(♈*treaty*). ② (특히 종교상의) 논문(♈*treatise*); (종교상의) 팜플렛(♈*tract*). **traktịeren** [trak-tí:rən] [lat. „herumziehen", behan-deln] *t.* 취급하다《흔히 나쁘게》(♈*treat*); 접대〔향응〕하다; (mit jm, 아무와) 교섭〔절충〕하다. **Trạktor** [tráktɔr] [lat. <*trahere* „ziehen"] *m.* -s, ..tọren, 견인차, 트랙터. **Traktorist** [-torɪst] *m.* -en, -en, 《方》《obd.》 트랙터 운전사.

trạllern [trélərn] *t.* u. *i.*(h.) 라라라로 (노래의 곡조만) 부르다(*hum*).

Trām [tra:m] [lat. Lw.] *m.* -(e)s, -e *u.* ⸚e, 각재(角材), 들보.

Trạmpel [trámpəl] *m.* u. *n.* -s, -, od. *f.* -n, 《方》 솜씨 없고 둔한 사람〔여자〕. **trạmpeln** [trámpəln] *i.*(h.) ① (발을) 구르다. ② 무거운 걸음 걸이로 걷다, 터벅터벅 걷다(♈*trample*). **Trạm·peltier** [Dromedar를 俗解한 말] *n.* 〖動〗 쌍봉낙타.

trạmpen [trámpən, trǽm-] *i.*(h.) 유랑〔방랑〕하다; 《俗》 히치하이크하다.

Trān [tra:n] [ndd.; ♈Träne] *m.* -(e)s, -e, 경유(鯨油), 어유(魚油)(♈*train oil*).

Trance [tra:ns, trã:s] [lat. –engl.] *f.* -n, **∼zūstand** *m.* 최면〔실신〕상태《영매(靈媒)가 영혼과 교통하는 상태》; 《比》 몽환경, 황홀; 혼수 상태.

Tranchierbesteck [trãʃí:r-, tranʃí:r-] *n.* 식사용 고기 써는 나이프와 포크. **tranchieren** [trãʃí:rən, tran-] [fr.] *t.* 베다, 썰다, 잘라 놓다(*carve, cut up*). **Tranchiermesser** *n.* (식탁용) 고기 써는 큰 칼.

Trāne [tré:nə] [♈Tran, 원래 복수형] *f.* -n, ① 눈물(*tear*). ¶bittere ∼n weinen 하염없이 울다. ② 《俗》 물방울, 이슬. **trānen** *i.*(h.) 눈물이 흐르다. ¶《比》 das Faß tränt 통이 샌다.

Trānen·drūse *f.* 누선(涙腺). **∼fluß** *m.* ① 〖醫〗 유루증(流涙症). ② 낙루(落涙). **∼gang** *m.* 〖解〗 누관(涙管). **∼·gās** *n.* 최루(催涙) 가스. **∼leer, ∼lōs** *a.* 눈물이 없는, 눈물을 흘리지 않는. **∼reich** *a.* 눈물이 많은, 잘 우는. **∼·sack** *m.* 〖解〗 누낭(涙囊). **∼schwēr** *a.* 눈물 어린. **∼strōm** *m.* 한없이 흐르는 눈물.

trānig [trá:nɪç] *a.* 어유가 풍부한; 어유의 냄새가〔맛이〕 나는; 《比》 맥빠진.

trānig [tré:nɪç] *a.* 눈물어린, 눈물짓는.

trank [traŋk] ☞ TRINKEIN 《그 過去》.

Trank [traŋk] [<trinken] *m.* -(e)s, ⸚e, ① 마실 것, 음료(수) (*drink, beverage*). ② (Heil∼) 물약, 탕약(*potion*).

Trānke [tréŋkə] [<tränken] *f.* -n, ① (가축의) 물 먹이는 곳, (들짐승의) 물먹는 곳. ②돼지 사료. **trānken** [tréŋ-kən] [„trinken machen"] *t.* ① 마시게 하다(*drink*); (식물에) 물을 주다(*water*). ② (액체에) 담그다, 적시다; (mit, 을) 스며들게 하다.

Trạnk·opfer [tráŋk-] *n.* 〖宗〗 제주(祭酒). **∼steuer** *f.* 주세(酒稅).

trans.. [trans-] [lat. „(nach) jenseits"] *prf.* 저편으로, 건너편으로, 횡단하여, 꿰뚫어, 지나서.

Trans·aktiọn [trans-aktsió:n] [lat.] *f.* -en, 취급, 처리; 거래; 상담(商談); 조정, 화해; 〖法〗 협약, 협정.

trans·atlạntisch [trans-atlántɪʃ] *a.* 대서양 저편의, 대서양 횡단의.

Trans-Eurọp-Expreß [trans-ɔyró:p-ɛksprɛs] *m.* 유럽 횡단 (국제) 급행 열차 《略: TEE》.

Transfẹr [transfér, -fé:r] [engl.] *m.* -(s), 전이(轉移); 〖商〗 대체. **transfe·rịeren** [transferí:rən] [lat. „über-tragen"] *t.* 전이(轉移)하다. 〖商〗 대체(對替)하다. **Transfẹ̄r·strāße** [transfé:r-] *f.* 전이(轉移) 공정《모두 오토메이션화한 생산 공정》.

Transformatiọn [transfɔrmatsió:n] [lat.] *f.* -en, 변형; 〖數〗 (좌표의) 변환(變換). **Transformatiọnsgramma·tik** *f.* 변형 문법. **Transformā̱tor** [lat.] *m.* -s, ..tọren, 〖電〗 변압기. **Transformā̱torhaus** *n.* 〖電〗 변전소. **transformịeren** *t.* 변형하다; 〖電〗 변압하다; 〖數〗 변환하다.

Transfusiọn [-fuzió:n] [lat.] *f.* -en, 〔〖醫〗 수혈.〕

Transgressiọn [-grɛsió:n] [lat.] *f.* -en, 제한 무시, 위반, 반칙.

Transistor [tranzístɔr, tránzɪstɔr] [engl.] *m.* -s, ..tọren, 트랜지스터.

Transit [tranzí:t, -zít, tránzɪt] [it.] *m.* -(e)s, -e, 〖商〗 통과; (화물의) 반송(搬送).

Transit·gūter [tranzí:t-, -zít-, trán-zɪt-] *pl.* 〖商〗 통과 화물. **∼handel** *m.* 통과 무역(貿易).

transitiv [tránziti:f, tranzití:f] [lat.

auf ein Objekt „übergehend", zielend] *a.* 〖文〗 타동의. **Transitiv, Transitivum** 〖文〗 타동사(他動詞).

Transit-verbot *n.* 통과〔통항〕 금지. **~verkehr** *m.* 통과 무역〔운송(運送)〕.

Translokation [translokatsĭó:n] *f.* –en, 전치(轉置), 이동, 전위(轉位); 〖生〗 전좌(轉座). **trans·lozieren** [–lotsí:rən] [lat. „hinüber-stellen, -legen"] *t.* (의) 장소를 옮기다, 이동하다.

Trans·mission [transmɪsĭó:n] [lat, „Über-sendung"] *f.* –en, 〖工〗 연동(連動), 전동(傳動) (장치).

Trans·ozean-dampfer [trans-ó:tse-a:n–] *m.* 대양 횡단 기선. **~flugzeug** *n.* 대양 횡단 비행기.

trans·parent [trans-parɛ́nt] [lat. „hinüber-(*d. h.* durch-) scheinend"] *a.* 비쳐 보이는; 투명한. **Transparent** *n.* –(e)s, –e, 투시화(透視畫). **Transparent-papier** *n.* 투사지, 복사〔등사〕지.

trans·pirieren [transpi–] [lat. „über hin-(*d. h.* aus-)atmen" (*tran=trans*)] *i.*(h.) 증발하다; 발한하다(♈*transpire*).

trans·ponieren [trans-poní:rən] [lat. „über-setzen"] *t.* 〖樂〗 이조(移調)하다 (♈*transpose*).

Trans·port [trans-pórt] [fr.] *m.* –(e)s, –e, ① 운송, 수송. ② 〖商〗 이월(移越). **Transporteur** [transpɔrtø:r] [fr.] *m.* –s, –e, ① 수송자; 운송업자. ② 〖數〗 분도기, 측각기. **trans·portieren** [–portí:rən] [lat. „hinüber-bringen"] *t.* ① 수송〔운송〕하다; 옮기다. ② 〖商〗 이월(移越)하다.

Trans·port-kosten *pl.* 운임. **~mittel** *n.* 운수〔수송〕 기관. **~schiff** *n.* 수송선.

trans·sonisch [–zó:nɪʃ] [<lat. *sonus* „Klang, Schall"] *a.* 음속에 가까운, 천(遷) 음속의.

Trans·uran [trans-urá:n] [lat. +gr.] *n.* –s, –e, (흔히 *pl.*) 〖化〗 초우라늄 원소.

transversal [–verzá:l] [lat.] *a.* 횡단하는, 가로의, 비스듬한; 〖植〗 횡일성(橫一性)의.

Trapez [trapé:ts] [gr. „Tischchen"] *n.* –es, –e, 〖數〗 사다리꼴(♈*trapezium*); 〖體〗 (두 손으로 매달리는) 그네식 철봉 (♈*trapeze*), 트라피즈.

trapez-förmig *a.* 사다리꼴의. **~künstler** *m.* 트라피즈 타는 곡예사.

Trappe [tráppə] [Lw. sl.] *f.* –n; od. *m.* –n, –n, 〖鳥〗 능에(*bustard*).

trappeln [trápəln] [<trappen] *i.*(h. *u.* s.) 종종걸음으로 빨리 걷다(*patter, toddle*); (말이) 속보로 뛰다(*trot*).

Traps [traps] [engl., *pl.* <*trap.* „Falle"] *m.* –(es), –e, (하수의) 방취(防臭) 장치.

Trassant [trasánt] *m.* –en, –en, 어음 발행인. **Trassat** [trasá:t] *m.* –en, –en, 어음 지불인. **trassieren**[1] [trasí:rən] [<lat. *trahere* „ziehen"] *t.* 노선 표시를 하다; 설계도〔약도〕를 그리다(♈*trace, mark out*). **trassieren**[2] [it.] *i.*(h.) u. *t.* 〖商〗 (auf jn., 아무 앞으로) 어음을 발행하다(*draw*).

trat [tra:t] ☞ TRETEN (그 過去).

Tratsch [tra:tʃ] *m.* –es, 《俗》 수다장이.

tratschen [trá:tʃən, trátʃən], **trätschen** [trɛ́:tʃən] *i.*(h.) u. *t.* 수다떨다.

Tratte [trátə] [it. „gezogen" <trassieren] *f.* –n, 〖商〗 환어음《발행된》(*draft*).

Trattoria [tratorí:a], **Trattorie** [–rí:] [lat. –it.] *f.* ..rien, 요리집, 음식점.

Trau·altar [tráu–] *m.* 혼례 제단.

Traube [tráubə] *f.* –n, (Wein~) 포도(의 송이) (*bunch of grapes, cluster*); 〖植〗 총상 화서(總狀花序).

Träubel [trɔ́ybəl] *n.* –s, –, 송이(모양의 꽃이 피는) 히아신드(비슷한 꽃).

Traubenhyazinthe [tráubənhyatsɪntə] *f.* 〖植〗 =TRÄUBEL.

Trauben-blut *n.* 포도즙, 포도 주스. **~gott** *m.* 〖希神〗 주신(酒神), 바커스. **~lese** *f.* 포도따기. **~zucker** *m.* 포도당.

traubig [tráubɪç] *a.* 포도(송이) 모양의; 「포도가 열린.」

trauen [tráuən] [♈treu, ♈Trost] 《Ⅰ》 *i.*(h.) 믿다, 신뢰〔신용〕하다(*trust, confide in*). 《Ⅱ》 *t.* 맡기다; 시집보내다, (남녀를) 결혼시키다(*marry*). ¶ sie haben sich in der Kirche ~ lassen 그들은 교회에서 결혼했다. 《Ⅲ》 *refl.*: sich[4(3)] ~ (감히 …할) 용기가 있다, (…할) 자신이 있다.

Trauer [tráuər] *f.* –n, ① 슬픔, 비애(*sorrow, grief*). ② 상(喪), 복상(服喪) 기간, 상기(喪期), 기중(忌中); 상복.

Trauer-anzeige *f.* 부고; 사망 신고. **~bot·schaft** *f.* 부고, 비보. **~fahne** *f.* 조기(弔旗). **~fall** *m.* 상사(喪事). **~flor** *m.* 흑사(黑紗)의 상장(喪章). **~geleit** *n.* 장례 행렬. **~gesang** *m.* 조가(弔歌). **~haus** *n.* 초상집, 상가. **~kleid** *n.*, **~kleidung** *f.* 상복(喪服). **~mantel** *m.* 〖蟲〗 들신선나비. **~marsch** *m.* 〖樂〗 장송(葬送)(행진)곡.

trauern [tráuərn] *i.*(h.) ① 슬퍼하다, 비탄하다. ② 상중에 있다, 거상을 입다.

Trauer-nachricht, ~post *f.* =~BOTSCHAFT. **~rand** *m.* 검은 테두리《부고장의》. **~rede** *f.* 조사(弔辭). **~spiel** *n.* 비극(*tragedy*). **~voll** *a.* 슬픔에 찬. **~weide** *f.* 수양버들. **~zeit** *f.* 상기, 복중(服中). **~zug** *m.* 장례 행렬.

Traufe [tráufə] [<triefen] *f.* –n, ① 낙수물. ② (처마의) 낙수 홈통, 차양, 처마(*gutter(s), eaves*). ¶ 《俗談》 aus dem Regen in die ~ kommen 조약돌을 피하니 수마석을 만난다. **träufeln** [trɔ́yfəln] 《Ⅰ》 *t.* 듣게 하다, 방울져 떨어지게 하다(♈*drop*). 《Ⅱ》 *i.*(h. *u.* s.) (방울져) 떨어지다, 듣다(♈*drip*).

Trauf-faß *n.* 빗물 받는 통. **~rinne** *f.* 낙수 홈통.

traulich [tráulɪç] [<trauen] *a.* 흉허물없는, 정다운, 친밀한(*intimate, homely*).

Traum [traum] *m.* –(e)s, ¨e, 꿈(♈*dream*); 몽상, 공상; 환상.

Trauma [tráuma] [gr., „Wunde"] *n.* –s, 〖醫〗 외상(外傷); 쇼크, 충격, 심적인 타격〔동요〕.

Traum-bild [tráumbɪlt] *n.* 꿈 속의 모습, 환영(*vision*). **~deuter** *m.* 해몽하는 사람. **~deutung** *f.* 해몽.

träumen [trɔ́ymən] *i.*(h.) u. *t.* u. *imp.* 꿈꾸다, 꿈에 보다(♀*dream*). **Träumer** [trɔ́ymər] *m.* -s, -, 꿈꾸는 사람; 몽상가. **Träumerei** *f.* -en, 꿈꿈, 몽상(夢想); 〖醫〗 주몽(晝夢). **träumerisch** *a.* 꿈의, 꿈꾸는 (듯한), 몽환적인.

Traum=gebilde *n.*, **~gesicht** *n.* (*pl.* -e), **~gestalt** *f.* 환상.

traumhaft [tráumhaft] *a.* 꿈과 같은, 몽환(夢幻)적인(*dreamlike*).

Traum=land *n.* 꿈나라. **~lēben** *n.* 취생 몽사(醉生夢死). **~spiel** *n.* 환상, 환영. **~verlōren** *a.* 몽상에 잠긴. **~=welt** *f.* 꿈의 세계, 공상 세계.

Trau·rēde [tráure:də] *f.* (목사의) 결혼 설교.

traurig [tráurıç] [<Trauer] *a.* 슬픈, 슬퍼하는, 비통한(*sad, sorrowful*); 애처로운, 비참한(*dismal*). **Traurigkeit** *f.* -en, 슬퍼함; 비애, 애수.

Trau=ring *m.* 결혼 반지. **~schein** *m.* 결혼 증명서; 결혼 허가증.

traut [traut] *a.* 사랑하는, 애지중지하는. (*dear, beloved*); 친밀한, 거리낌 없는.

Trauung [tráuuŋ] *f.* -en, 결혼(식)(*marriage, wedding*).

Trauzeuge [tráutsɔygə] *m.* 결혼 입회인(立會人).

traversieren [travɛrzí:rən] *t.* 가로지르다, 횡단하다; 〖登山〗 트래버스하다, 옆으로 이동하다.

Treatment [trí:tmənt] [engl. „Behandlung"] *n.* -s, -s, (영화의) 줄거리《Drehbuch "시나리오"의 전 단계》.

Trēber [tré:bər] [<trübe] *pl.* 재강, 찌끼.

Trecker [trɛ́kər] *m.* -s, -, 견인차(牽引車), 트랙터(*tractor*).

Treff [trɛf] [<treffen] *m.* -(e)s, -e, ① (딱하고) 침. ② 명중.

treffen* [trɛ́fən] 《Ⅰ》 *t.* u. *i.*(h.) ① (에) 맞히다《쳐·때려·쏘아·던져서》; (에) 맞다; 적중〔명중〕하다, (mit der Hand:) 때리다(*strike, hit*). ¶das Los traf ihn 그가 당첨되었다 / die rechte Zeit ~ 마침 좋은 때에 오다 / 〖樂〗 e-n Ton ~ 바른 가락을 내다. ② (에) 부딪치다, 마주치다《우연히》; (와) 만나다《약속하여》. ¶auf den Feind ~ 적과 조우하다. ③ 하다, 행하다. ¶mit jm. Abkommen ~ 아무와 협정을 맺다 / Maßregeln ~ 방책을 강구하다 / Vorsorge ~ 미리미리 배려하다. 《Ⅱ》 *refl.* ① 일어나다, 발생하다. ¶es trifft sich, daß ..., …한 일이 생기다. ② 만나다. 《Ⅲ》 **treffend** *p.a.* 맞는, 적당한, 적절한. 《Ⅳ》 **Treffen** *n.* -s, -, 맞힘, 맞음; 명중, 적중; 〖樂〗 정확; 〖軍〗 조우전(遭遇戰); (Schlacht 와 Gefecht 의 중간 규모의) 전투; 전열(戰列). **Treffer** *m.* -s, -, 맞히는 사람, 들어 맞는 것《명중탄, 히트, 무대에서의 큰 성공 따위》(*hit*), 당첨(*prize*).

trefflich [trɛ́flıç] *a.* 훌륭한, 우수한, 뛰어난, 빼어난(*excellent, capital, exquisite*). **Trefflichkeit** *f.* -en, 탁월, 우수.

Treff=punkt [trɛ́f-] *m.* 집합〔회합〕 지점; 〖軍〗 착탄점(着彈點). **~sicher** *a.* 틀림 없이 맞는; 《比》 적확한.

Treib=apparāt [tráip-] *m.* 추진 장치, 프로펠러. **~beet** *n.* 〖農〗 온상(溫床). **~eis** *n.* 유빙(流氷), 성엣장.

treiben* [tráibən] 《Ⅰ》 *t.* ① 쫓다, 몰다(♀*drive*); 재촉하다, 몰아세우다; 추진하다, 움직이게 하다(*put in motion, propel, move*). ¶〖獵〗 das Wild ~ 짐승을 몰이하다 / jn. **aus** dem Besitz e-s Dinges ~ 아무에게서 무엇의 소유권을 빼앗다 / jn. **in** die Enge ~ 아무를 궁지에 몰아넣다 / jn. **zu** et. ~ 아무를 격려하여 무엇을 시키다. ② 《非人稱》 es treibt mich fort 나는 가만히 있을 수가 없다. ③ 하다, 행하다, 경영하다(*carry on, practice, engage in*). ¶Ackerbau 〔Fischerei〕 ~ 농업〔어업〕에 종사하다 / großen Aufwand ~ 사치하다. ④ 〖工〗 정련하다. ⑤ 〖醫〗 나오게 하다, 촉구하다. ¶diese Arznei treibt den Schweiß 이 약은 땀이 나오게 한다. 《Ⅱ》 *i.*(h. *u.* s.) ① (휘몰려) 움직이다; 떠돌다, 흘러가다(♀*drive, float*). ¶〖海〗 vor Anker ~ 닻을 끌고 표류하다. ② 자라나다, 생장하다, 싹트다(*shoot forth*). 《Ⅲ》 *refl.* 바삐 움직이다, 바삐 뛰어다니다. 《Ⅳ》 **Treiben** *n.* -s, -. ① 몰기, 구축. ② (*pl.* -) 몰이 사냥. ③ 발아; 활동, 분주; 다망; 소동; 시가지의 교통, 번잡; 영위. **Treiber** [tráibər] *m.* -s, -, 모는〔쫓는〕 사람; 〖獵〗 몰이꾼.

Treib=gās [tráip-] *n.* 연료 가스. **~=haus** *n.* 온실. **~hauspflanze** *f.* 온실 재배 식물. **~holz** *n.* 유목(流木). **~=jāgd** [-ja:kt] *f.* 몰이 사냥. **~kasten** *m.* 온상(溫床). **~kraft** *f.* 추진력, 원동력. **~mittel** *n.* 추진체(推進體)《대포·로케트 기관의》. **~rieman** *m.* 〖工〗 벨트. **~sand** *m.* 유사(流砂). **~stoff** *m.* 발동(發動) 재료《중유·휘발유 따위》.

treideln [tráidəln] [Lw. lat.] *t.* (배를) 끌다(*tow*).

Treidel=pfād, **~steig**, **~wēg** *m.* (강가에 연한) 배끄는 길.

Trēma [tré:ma] [gr.] *n.* -s, -s *u.* ..mata, 〖文〗 분음 부호(分音符號).

Tremulant [tremulánt] [lat.] *m.* -en, -en, 〖樂〗 전음(顫音). **tremulieren** [tremulí:rən] [<Tremolo] *i.*(h.) 떠는 소리로 노래하다, 전음으로 연주하다.

Trend [trɛnt] [engl.] *m.* -s, -s, (통계학적으로 본) 경향《특히 경기·시황의》, 추세.

trennbār [trɛ́nba:r] *a.* 나눌 수 있는.

trennen [trɛ́nən] 《Ⅰ》 *t.* 가르다, 떼어내다, 끊다, 나누다, 떨어지게 하다(*separate, part, divide*); 이혼시키다. 《Ⅱ》 *refl.* 떨어지다, (와) 헤어지다; 이혼〔별거〕하다.

trennscharf [trɛ́nʃarf] *a.* (라디오가) 선택도가 좋은, 명료하게 들리는. **Trenn=schärfe** [trɛ́nʃɛrfə] *f.* 〖電〗 (파장의) 선택도(選擇度)(*selectivity*).

Trennung [trɛ́nuŋ] *f.* -en, 분리; 이탈; 해산; 이별, 이혼.

Trennungs=punkte *pl.* = TREMA. **~=schmerz** *m.* 이별의 슬픔. **~stunde** *f.* 이별의 시간〔시기〕. **~zeichen** *n.* 하이픈(*hyphen*).

Trense [trɛ́nzə] *f.* -n, 끈; (특히) 말의 귀밑 부분의 굴레(*snaffle*).

trepp·ab [trɛp-áp] *adv.* 계단을 내려가서, 아래층으로. **~auf** *adv.* 계단을 올라가서, 위층으로.

Treppe [trέpə] [↑trampeln] *f.* -n, 계단, 층계로 된 승강구(*staircase, stairs*); (Roll~) 에스컬레이터, 자동 계단. ¶ drei ~n hoch wohnen 4층〔3층〕에 살다.

Treppen·absatz [trέpən–] *m.* 층계참(站). **~geländer** *n.* 계단의 난간. **~haus** *n.* (건물의) 계단부(部). **~läufer** *m.* 계단의 깔개. **~schritt** *m.* (스키의) 계단 오르기〔내리기〕《경사를 오르내릴 때의》. **~witz** *m.* 뒷맛이 나쁜 사건; 때늦은 지혜《방을 나와 계단에서 문득 생각나는》.

Tresor [trezó:r] [lat. -fr.] *m.* -s, -e, 보물; 금고(*safe*); 국고. **~schein** *m.* 국고 증권.

Tresse [trέsə] [fr.] *f.* -n, 끈목, 모르(*braid*).

Trester [trέstər] *pl.* 맥주 양조 및 포도 압착 때에 생기는 찌끼; 잔재(殘滓).

treten* [tré:tən] 《Ⅰ》 ① *i.*(h.) 디디다, 밟다(↑*tread*); (발로 디디며) 걷다(*walk*). ¶ jm. auf den Fuß ~ 아무의 발을 밟다. ② *i.*(s.) 걷다, 나아가다, 가다(*step, walk, go*); (밟고) 들어서다, 오다, 가다. ¶ jm. zu nahe ~ 아무를 모욕하다〔상처를 입히다〕/ **auf** die Seite ~ 비켜서다 / **in** js. Fußstapfen [spur] ~ 아무의 뒤를 좇다, 아무를 모방하다 / **über** die Ufer ~ 물이 기슭에 넘치다 / **vor** jn. ~ 아무의 앞에 나가다, 선보이다. 《Ⅱ》 *t.* 밟다(↑*tread, walk upon*), 짓밟다, 유린하다. ¶ den Takt ~ 발장단을 치다 / jn. mit Füßen ~ 아무를 걷어차다〔학대하다〕/ et. in den Staub ~ 무엇을 짓밟다.

Tret·mühle [tré:tmy:lə] *f.*, **~rad** *n.* 디딤바퀴《죄수에게 벌로서 밟게 했음》; 단조로운 일.

treu [trɔy] [<trauen] *a.* 신의가 있는 (↑*true, faithful*); 충실한, 성실한(*loyal*); 정확한(*accurate*).

Treu·brecher [trɔ́y–] *m.* 신용할 수 없는 사람. **~bruch** *m.* 불실, 불신; 불충(不忠), 반역. **~brüchig** *a.* 불실한, 불충의.

Treue [trɔ́yə] *f.* 충실, 성실, 신의, 충성 (*fidelity, faithfulness, truth, loyality*); 정확(*accuracy*).

treu·ergeben, ~gesinnt *a.* 충실한. **~händer** *m.* -s, -, 유언 집행인; 수탁자(受託者)(*trustee*); 관리자(*executor*). **~handgesellschaft** *f.* 신탁 회사. **~herzig** *a.* 성실한, 착한, 순진한.

treulich [trɔ́ylɪç] *adv.* 성실〔정직〕하게 (↑*truly*). **treulos** *a.* 불성실한, 신의가 없는.

Triangel [trí:aŋəl] [lat.] *m.* -s, -, 3각(형); 〖樂〗 트라이앵글. **Triangulation** [-latsĭó:n] *f.* -en, 3각 측량(술). **triangulieren** *t.* 3각형으로 하다〔나누다〕.

Tribun [tribú:n] [lat.] *m.* -s *u.* -en, -e(n), 호민관(護民官)《옛 로마의》. **Tribunal** [tribuná:l] *n.* -s, -e, (고대 로마의) 법관석; 법정, 법원. **Tribune** [tribý:nə] [fr. *aus* Tribunal] *f.* -n, 높은 단(壇), (Redner~) 연단(*platform*); (Zuschauer~) 높게 만든 관람석, 관중석(의 관중)(*stand*).

Tribut [tribú:t] [lat.] *m.* -(e)s, -e, 공물(貢物); 공세(貢稅); 기부. **~pflichtig** *a.* 공세 의무가 있는.

Trichine [trɪçí:nə] [*aus.* gr. *thrix* „Haar"] *f.* -n, 〖蟲〗 선모충(旋毛蟲) (↑*trichina*).

trichinen·krank [trɪçí:nən–] *a.* 선모충병의. **~schau** *f.* (도살한 돼지의) 선모충 검사.

trichinös [trɪçinǿ:s] [gr.] *a.* 선모충병의, 선모충병에 걸린. **Trichinose** [-çinó:zə] *f.* 선모충병.

Trichom [trɪçó:m] [gr.] *n.* -(e)s, -e, (식물 거죽의) 잔 털, 모용(毛茸).

Trichter [tríçtər] [Lw. lat.] *m.* -s, -, ① 깔때기(*funnel*); (Mühl~) (곡식을 담을 때 쓰는) 큰 깔때기, 호퍼(*hopper*). ② 깔때기 모양의 것《축음기·취주 악기의 나팔(*horn*), 분화구, 강어귀 따위》.

trichtern *t.* 깔때기로 붓다.

Trick [trɪk] [engl.] *m.* -s, -e *u.* -s, 장난; 계략, 술책, 트릭. **Trickfilm** *m.* 트릭 영화.

trieb [tri:p] ☞TREIBEN《그 過去》.

Trieb [tri:p] [<treiben] *m.* -(e)s, -e, ① (가축) 몰기. ② 동력, 추진력; (기계의) 운전. ③ 충동(*impulse*); 본능, 천성(*instinct*); 욕정, 기호, 사랑(*inclination*). ④ 생장력; 발아력; (어린) 싹, 어린 가지 (*sprout, young shoot*).

Triebfeder [trí:pfe:dər] *f.* 용수철, 스프링, 태엽; 《比》 동기(動機).

triebhaft [trí:phaft] *a.* 충동적인, 본능적인, 격렬한.

Trieb·kraft [trí:p–] *f.* (원)동력; 추진력; 〖植〗 발아력, 생장력. **~leben** *n.* 본능적 생활, 성생활. **~rad** *n.* 〖機〗 동륜(動輪). **~sand** *m.* 〖地〗 표사(漂砂). **~wagen** *m.* 〖鐵〗 동차(動車). **~werk** *n.* 〖機〗 연동 장치, 톱니바퀴(장치).

Trief·auge [trí:f–] *n.* 〖醫〗 누루안(淚漏眼), 농루안(膿淚眼). **~äugig** *a.* 위의.

triefen[(*)] [trí:fən] [↑Tropfen, ↑träufeln] ① *i.* (s. *u.* h.) 듣다, 뚝뚝 듣다 (*drop, drip, trickle*). ② (h.) 흠뻑 젖어 있다. ¶ s-e Augen ~ *od.* die Augen ~ ihm 그의 눈은 진물러 있다 / die Blumen ~ vom Tau 꽃에서 이슬이 떨어진다, 꽃이 이슬에 함빡 젖어 있다.

triefnaß [trí:fnás] *a.* 물방울이 떨어질 만큼 젖은, 흠뻑 젖은.

triff! [trɪf], **triffst, trifft** ☞TREFFEN 《그 命令法 및 現在》.

Trift [trɪft] [<treiben] *f.* -en, ① 가축을 몰고 가는 통로; 목장(*pasture*). ② 뗏목을 띄우기(*floating*); 표류물.

triften [tríftən] *t.* (재목·뗏목 따위를) 떠내려 보내다. **triftig**[1] *a.* ① 〖海〗 흐르는, 떠 있는. ② 활동적인, 열심인. ③ 〖植〗 성장이 왕성한, 결실이 좋은.

triftig[2] [tríftɪç] [<treffen] *a.* 적확한, 적절한, 유력한《근거·증거 따위》(*weighty, cogent, valid*). **Triftigkeit** *f.* 적확함, 확실함.

Trigger [trígər] [↑trecken] *m.* -s, -, 〖電〗 트리거.

T

Trigonometrie [trigonometrí:] [gr. < *tri-gōnon* „Drei-eck"] *f.* 〖數〗 삼각법. **trigonomētrisch** *a.* 삼각법의.

Trikolōre [trikoló:rə] [fr. „drei Farbe"] *f.* –n, 삼색기《특히 프랑스 국기》(♈*tricolour*).

Trikot [trikó:, tríko:] [fr.] *m.* u. *n.* –s, –s, 트리코《몸에 착 붙는 신축성 있는 소모(梳毛) 직물》; 트리코복, 살색의 내의. **Trikotage** [trikotá:ʒə] *f.* –n, 트리코《뜨개질한 천 또는 내의》.

Triller [trílər] [Lw. lat.] *m.* –s, –, 떨리는 목소리(♈*trill, shake*), 〖樂〗 전음(*quaver*); (새의) 지저귐. **trillern** *t.* u. *i.*(h.) 떨리는 소리를 내다; 전음으로 노래하다; 지저귀다(*warble*).

Trilogie [trilogí:] *f.* ..gīen 삼부작〔곡〕.

Trinitāt [trinitɛ́:t] [„Dreizahl"] *f.* 〖宗〗 삼위 일체(♈*Trinity*). **Trinitātisfest** *n.* 성신 강림 대축일 후 첫째 일요일.

trinkbār [tríŋkba:r] *a.* 마실 수 있는, 마실 만한.

Trink=becher *m.* 술잔. **~brüder** *m.* 술친구.

trinken* [tríŋkən] 《Ⅰ》 *t.* u. *i.*(h.) u. *refl.* ① 마시다(♈*drink*); 술을 마시다(♈*drink, tipple*). ¶auf js. Gesundheit ~ 아무의 건강을 위하여 축배를 들다, 건배하다. ② 빨아들이다. 《Ⅱ》 **Trinken** *n.* –s, 마심; 음주.

Trinker [tríŋkər] *m.* –s, –, 마시는 사람; 술꾼(*drunkard*). **~heil·stätte** *f.* 알콜 중독 환자 치료소.

Trink=gelāge *n.* 주연(酒宴). **~geld** *n.* 팁. **~glās** *n.* 물 마시는 컵; 술잔. **~lied** *n.* 주연에서의 노래. **~spruch** *m.* 축배사(祝杯辭). **~stūde** *f.* 술집, 바; (정거장의) 구내 식당. **~wasser** *n.* 음료수.

Trio [trí:o] [it. <lat. *tri-*(=*trēs*) „drei"] *n.* –s, –s, 트리오: 〖樂〗 삼중주〔곡〕; 3인조. **Triōde** *f.* –n, 〖電〗 3극 진공관. **Triōle** [trió:lə] *f.* –n, 〖樂〗 셋잇단 음표.

Trip [trɪp] [engl.] *m.* –s, –s, 소풍, 소여행.

tri·ploid [triploí:t] [lat. „drei-fältig"] *a.* 〖生〗 (염색체가) 3배수인.

trippeln [trípəln] [<trappeln] *i.*(h. *u.* s.) 종종걸음으로 걷다(♈*trip*).

Tripper [trípər] [<triefen] *m.* –s, –, 임질(淋疾)(*gonorrhoea*).

Triptik [tríptɪk] *n.* =TRIPTYK 《그 독일어화한 꼴》.

Trīptyk [tríptɪk] [gr. –fr.] *n.* –s, –s, 자동차 등의 국경 통과 허가증.

trist [trɪst] [lat. –fr.] *a.* 슬픈, 비참한; 음울한; 황량한.

Tritium [trí:tsĭʊm] [gr.] *n.* –s, 〖化〗 트리튬, 3중 수소《수소 동위체의 하나》.

Triton [trí:tɔn] *n.* –s, tritōne(n), 트리톤, 3중자.

tritt(!) [trɪt] ☞TRETEN 《그 命令法 및 現在》.

Tritt [trɪt] [<treten] *m.* –(e)s, –e, ① 발을 디딤(♈*tread(ing)*); 걸음; 내디딤, 걸음걸이, 보조(*step*); 발자국(*footprint*). ¶~ halten 발을 맞추다. ② 걷어차기(*kick*). ③ 디딤판, 페달, 발판.

Tritt·brett [trítbrɛt] *n.* 발판, 페달; 디딤널. **~leiter** *f.* 계단, 사닥다리.

trittst [trɪtst] ☞TRETEN 《그 現在》.

Triumph [triúmf] [gr. –lat.] *m.* –(e)s, –e, 개선(식); 전승, 승리, 축승(祝勝); 이겨서 의기 등등함. **Triumphbōgen** *m.* 개선문. **triumphieren** [triʊmfí:rən] *i.*(h.) 개선식을 올리다; 개선하다; 이기다; 이겨서 의기 양양하다.

Triumph=marsch *m.* 개선 행진. **~=zūg** *m.* 개선 행렬.

Triumvirāt [triʊmvirá:t] *n.* –(e)s, –e, (고대 로마의) 3두 정치.

triviāl [trivĭá:l] [lat.] *a.* 평범한; 천박한; 일상적인; 비속한. **Trivialitāt** *f.* –en, 속악, 평범.

Triviāl·literatūr [–lɪtəratú:r, –li–] *f.* 통속〔대중〕 문학.

trocken [trɔ́kən] *a.* 마른(♈*dry*); 메마른, 건조한(*arid*); 마른 채로의, 건조에 의한, 건식(乾式)의; 《比》 무미 건조한, 무뚝뚝한, 몰취미한, 멋〔꾸밈〕없는(*boring, dull*). ¶das Trockne 마른 곳, 뭍 / im trocknen sein 비를 맞지 않는 곳에 있다, 안전하다, 편안한 신세다 / auf dem trocknen sitzen 배가 좌초해 있다; 옴쭉 못하다, 난처하게 되어 있다.

Trocken=bagger *m.* 굴착기(掘鑿機). **~=batterie** *f.* 건전지. **~destillatiōn** *f.* 〖化〗 건류. **~dock** *n.* 건식 도크. **~ei** *n.* 건조 계란. **~eis** *n.* 드라이 아이스. **~element** *n.* 건전지. **~fleisch** *n.* 말린 고기, 포(脯). **~fütterung** *f.* 건조 사료에 의한 사양(飼養). **~gebiet** *n.* 건조 지역. **~gemūse** *n.* 건조 야채. **~gleichrichter** *m.* 〖電〗 건식 정류기.

Trockenheit [trɔ́kənhait] *f.* –en, 건조(상태); 한발; 《比》 무미 건조; 무뚝뚝함; 몰취미.

Trocken=kammer *f.* 건조실. **~lē=gen** *t.* ① 말리다, 간척(干拓)〔배수〕하다. ② (젖먹이의) 기저귀를 갈다. ③ (에) 금주령을 시행하다. **~lēgung** *f.* ① 위를 하기. ② 미국의 금주령. **~=milch** *f.* 분유(粉乳). **~ōbst** *n.* 말린 과일. **~wäsche** *f.* 드라이클리닝. **~=zeit** *f.* (*ant.* Regenzeit) 건조기.

trocknen [trɔ́knən] [<trocken] 《Ⅰ》 *t.* (널어) 말리다; (물기를) 훔치다; 배수(排水)하다. 《Ⅱ》 *i.*(s.) 마르다.

Troddel [trɔ́dəl] [*eig.* „Saum"] *f.* –n, 술《장식용의》(*tassel*).

Trōdel [trǿ:dəl] *m.* –s, 고물장사; 고물(古物)(*second-hand goods*); 넝마; 잡동사니(*lumber*). **Trōdelbūde** *f.* 고물전, 넝마전. **Trōdelei** [trø:dəlái] *f.* –en, ① 꾸물거림. ② 넝마(장사).

Trōdel=fritze *m.* 《俗》 아둔패기. **~=krām** *m.* 고물, 넝마. **~mann** *m.* 고물장수. **~markt** *m.* 헌옷〔넝마〕 시장, 고물 시장.

trōdeln [trǿ:dəln] *i.*(h.) ① 고물〔넝마〕 장사를 하다. ② 쓸데없이 시간을 허비(虛費)하다, 늑장부리다(*dawdle, loiter*).

Trōdler [trǿ:dlər, –tl–] *m.* –s, –, 고물〔헌옷〕 장수; 굼뜬 사람, 굼벵이.

troff [trɔf] ☞TRIEFEN 《그 過去》.

trōg [tro:k] ☞TRÜGEN 《그 過去》.

Trōg [tro:k] *m.* –(e)s, ⸗e, (장방형의) 통, 반죽통(♈*trough*).

Tro·glodȳt [troglodý:t] [gr.] *m.* –en, –en, 혈거인(穴居人); 동혈(洞穴) 속에 살던 고대 이디오피아 종족의 이름.

Trōja [tró:ja] *n.* –s, 〖史〗 소아시아의 옛 도시 이름(♈*Troy*). **Trojāner** *m.* –s, –, 트로이 사람.

trollen [trɔ́lən] 《Ⅰ》 *i.*(s.) 종종 걸음으로 달리다(*toddle along*). 《Ⅱ》 *refl.* 급히 사라지다, 도망치다.

Trommel [trɔ́məl] *f.* –n, ① 북(♈*drum*). ② (Kaffee∼) 코피를 볶는 기구(*roaster*).

Trommel⸗fell *n.* 북의 가죽; 〖解〗 고막. **∼feuer** *n.* 〖軍〗 연속 속사. **∼⸗höhle** *f.* 〖解〗 고실(鼓室). **∼klang** *m.* 북의 울림.

trommeln [trɔ́məln] 《Ⅰ》 *i.*(h.) 북을 치다; (북을 치듯이) 때리다, 둥둥 치다. ¶mit den Füßen ∼ 발을 구르다《기쁘거나 초조하여》. 《Ⅱ》 *t.* 북으로 연주하다.

Trommel⸗schlāg *m.* 북치기. **∼schlā⸗ger** *m.* 고수(鼓手). **∼schlēgel**, **∼⸗stock** *m.* 북채. **∼wirbel** *m.* 북의 빠른 연타.

Trommler [trɔ́mlər] *m.* –s, –, 고수(鼓手).

Trompēte [trɔmpé:tə] [fr.] *f.* –n, 나팔, 트럼펫(♈*trumpet*). **trompēten** 《Ⅰ》 *i.*(h.) 나팔을 불다; 나팔처럼 울리다; (코끼리 따위가) 코로 나팔 같은 소리를 내다. 《Ⅱ》 *t.*: e–n Marsch ∼ 진군 나팔을 불다.

Trompēten⸗blume *f.* 〖植〗 봉선화속(屬)의 일종. **∼schall** *m.* 나팔 소리. **∼stōß** *m.* 나팔을 한 번 불기.

Trompēter [trɔmpé:tər] *m.* –s, –, 나팔수. **∼korps** [–ko:r] *n.* 나팔대(隊).

Trōpen [tró:pən] [gr. „Wendekreise"] *pl.* 열대(熱帶)(♈*tropics*).

Trōpen⸗fieber *n.* 〖醫〗 열대열(熱帶熱). **∼gēgend** *f.* 열대 지방. **∼helm** *m.* 열대 모자. **∼pflanze** *f.* 열대 식물.

Tropf [trɔpf] [Tropfen의 別形] *m.* –(e)s, ⸚e, 얼간이, 멍청이, 바보(*simpleton, ninny*). **tropfbār** *a.* 적하(滴下)할 수 있는, 액상(液狀)의, 유동성의(*liquid, fluid*). **Tröpfchen** [trœ́pfçən] [*dim.* v. Tropfen] *n.* –s, –, 작은 물방울(*droplet*). **Tröpfchenmodell** [–modɛl] *n.* (원자핵의 형태를 나타내는) 점적(點滴)(꼴의) 모형. **tröpfeln** 《Ⅰ》 *i.*(h. *u.* s.) 똑똑 떨어지다, 듣다. 《Ⅱ》 *t.* 방울져 떨어지게 하다.

Tropfen [trɔ́pfən] [<triefen] *m.* –s, –, 방울, 물방울(♈*drop*). **tropfen** [trɔ́pfən] 《Ⅰ》 *i.*(h. *u.* s.) 똑똑 방울져 떨어지다, 똑똑 듣다. (물방울이) 듣다, 방울져 떨어지다(♈*drop, drip, trickle*). ¶es tropft 물방울이 떨어지다, 비가 오다. 《Ⅱ》 *t.* 똑똑 떨어뜨리다, 듣게 하다.

Tropfen⸗auto *n.* 유선형 자동차. **∼⸗form** *f.* 유선형. **∼weise** *adv.* 한방울씩, 조금씩, 찔끔찔끔. **∼zähler** *m.* 적량계(滴量計).

Tropf⸗flasche *f.* 적하병(滴下瓶). **∼⸗naß** *a.* (물방울이 떨어질 정도로) 흠뻑 젖은. **∼stein** *m.* 종유석(鍾乳石), 석순(石筍). **∼steinhöhle** *f.* 종유석동(鍾乳石洞).

Trophǟe [trofɛ́:ə] [gr.] *f.* –n, 전승 기념품; 전리품; (경기의) 트로피, 상패(♈*trophy*).

Tropho·biōse [trofobió:zə] [gr. *trophos* „Ernährer", *biosis* „Lebensweise"] *f.* –n, 〖生〗 영양 공생.

Trōpikluft [tró:pɪk–] *f.* 열대로부터의 (따뜻한) 공기.

Trōpikvōgel [tró:pɪk–] *pl.* 열대조(熱帶鳥). **trōpisch** [tró:pɪʃ] *a.* 열대의; 열대적인. **Tropismus** [tropísmus] *m.* –, ..men, 〖生〗 굴곡 운동, 향성(向性).

Tropopause [tropopáuzə, tró:po–] [gr.] *f.* 권계면(圈界面).

Troposphāre [troposfɛ́:rə, tróposfɛ:rə] [gr.] *f.* 〖氣象〗 대류권(對流圈).

Troß[1] [trɔs] [Lw. fr.] *m.* ..sses, ..sse, ① 병참(兵站), 군수품; 병참 부대(*baggage*); 종군 비전투원《상인·인부·군인 가족 등》. ② 《比》 수행원(*followers*); 귀찮은 것; 천민; 도당(*gang*).

Troß[2] [trɔs] *f.* ..ssen, **Trosse** [trɔ́sə] [fr.] *f.* –n, 〖海〗 굵은 밧줄, 강삭(鋼索)(*cable, hawser*).

Troß⸗junge [trɔ́s–], **∼knecht** *m.* 병참병. **∼wāgen** *m.* 병참〔보급〕 차량.

Trōst [tro:st] [♈trauen; =engl. *trust* „Vertrauen"] *m.* –es, 기분, 위로, 위안(*consolation, solace*). **trōstbedürftig** *a.* 위안을 필요로 하는. **trōsten** [trǿ:stən] 《Ⅰ》 *t.* 위로〔위안〕하다, 고무하다. 《Ⅱ》 *refl.*: sich über et.[4] ∼ 무엇에 관하여 스스로 위안하다 / sich über e–n Verlust ∼ 어떤 손실을 단념하다 / sich e–s Dinges ∼ 무엇으로 만족하다, 무엇을 신뢰하다. **Trōster** [trǿ:stər] *m.* –s, –, 위로하는 사람; 위로가 되는 것.

trōstlich *a.* 위로하는; 위안이 되는.

trōstlōs *a.* 울적한; 따분한.

Trōst⸗preis [tró:st–] *m.* 애석상(愛惜賞), 등외상. **∼reich** *a.* 의지가 되는, 위안이 많은, 위안이 되는.

Trōstung [trǿ:stʊŋ] *f.* –en, 위로(가 되는 것), 위안으로 삼는 것.

Trott [trɔt] [it. <d. treten] *m.* –(e)s, –e, 총총걸음; (말의) 속보(速步), 트롯(♈*trot*); 《比》 천편 일률, 구태 의연.

Trottel [trɔ́təl] *m.* –s, –, 《俗》 바보, 백치(*fool, idiot*).

trottelig [trɔ́təlɪç] *a.* 늙어 빠진, 흐릿한.

trotteln [trɔ́təln] [<trotten] *i.*(s. *u.* h.) 종종걸음으로 뛰다. **trotten** *i.*(h. *u.* s.) 속보로 걷다.

Trottoir [trɔtoá:r] [fr. <d. treten] *n.* –s, –e, 보도(步道), 인도(*pavement*).

Trotz [trɔts] [*eig.* „heftiger Tritt"] *m.* –es, 반항(심)(♈*defiance*); 고집, 오기(*obstinacy*). ¶jm. zum ∼(e) 아무에게 반항해서, 아무를 무시하고, 아무에 대한 오기에서 / jm. ∼ bieten 아무에게 반항〔도전〕하다, 아무를 멸시하다. **trotz** [<„ich biete Trotz"] *prp.* 《원래 3格支配, 요즘은 흔히 2格支配》 (에) 반항해서, 지지않고, (에도) 불구하고(*in spite of, notwithstanding*). **trotzdēm** [trɔ́tsde:m, trɔtsdé:m] 《Ⅰ》 *adv.* 그럼에도 불구하고. 《Ⅱ》 *cj.* (임)에도 불구하고, …이기는 하지만.

trotzen [trɔ́tsən] *i.*(h.) (jm., 에게) 반항하다, (을) 무시하다, 얕보다, (에) 지지 않다; (mit, 에 대하여) 고집을 부리다, 떼쓰다, 토라지다. **trotzig** *a.* 반항적인, 무시하는; 고집센, 두려워하지 않는.

Trotz·kopf [trɔ́ts–] *m.* ① 완고; 반항심. ② 고집장이, 떼장이. **∼köpfig** *a.* 고집을 부리는, 떼쓰는, 토라진.

trüb(e) [try:p, trý:bə] *a.* 탁한(*muddy, turbid*); 흐린(*cloudy*); 분명하지 않은, 광택이 없는, 우중충한(*dim, dum*); 암담한, 음울한, 슬픈(*gloomy, sad*).

Trūbel [trú:bəl] [fr.] *m.* –s, –, 트러블, 불상사, 분란(紛亂), 성가신 일, 혼란(♈*trouble*).

trüben [trý:bən] 《Ⅰ》 *t.* 탁하게 하다, 흐리게 하다; 어둡게 하다; 음울[우울]하게 하다. 《Ⅱ》 *refl.* 탁해지다, 흐려지다, 몽롱해지다. **Trübglās** [trý:pgla:s] *n.* 흐린 유리. **Trübheit** [trý:phait] *f.* 탁함, 흐림, 혼탁; 음울. **Trübling** *m.* –s, –e, 음울한 사람; = PESSIMIST. **Trübsāl** [trý:pza:l] *f.* –e; od. *n.* –(e)s, –e, 비애, 슬픔, 근심(*affliction, distress*). ¶ ∼ blasen 슬픔에 잠겨 있다, 풀이 죽어 있다. **trübselig** [trý:pze:lɪç] *a.* 침울[우울]한(*sad*); 고뇌의, 애처로운(*woeful*). **Trübsinn** *m.* 우수, 우울. **trübsinnig** *a.* 음울[우울]한. **Trübung** *f.* –en, 흐리게 함; 침전물.

trudeln [trú:dəln] *i.*(s.) ① 구르다(*roll*). ② 〖空〗 나선형 강하를 하다(*spin*).

Trüffel [trʏ́fəl] [it.] *f.* –n, 〖植〗 괴균(塊菌)《유럽의 송로(松露) 모양의 버섯》(♈*truffle*).

Trūg [tru:k] [<trügen] *m.* –(e)s, 사기, 기만(*deception, fraud*); 속임(*delusion*). **Trūgbild** *n.* 환상, 환영(*phantom*).

trūg [tru:k] ☞TRAGEN 《그 過去》.

trūgen* [trý:gən] *t.* u. *i.*(h.) 속이다, 기만하다, 미혹하다(*deceive, be deceitful, mislead*). **trūgerisch** [trý:gərɪʃ] *a.* 남을 속이는, 사기의; 남을 홀리는, 허위의; 믿을 바가 못되는.

Trūg·schluß [trú:k–] *m.* 궤변, 곡론. **∼werk** *n.* 사기 (행위).

Trūhe [trú:ə] *f.* –n, (뚜껑이 달린) 궤, 트렁크(*chest, trunk*).

Trulle [trúlə] [♈Troll] *f.* –n, 《俗》 매춘부; 《蔑》 계집년, 화냥년.

Trümmer [trʏ́mər] *pl.* 파편, 부서진 조각(*fragments*); 폐허(*ruins*).

trümmer·ārtig *a.* 폐허 같은. **Trümmerfeld** *n.* 폐허. **trümmerhaft** *a.* 폐허와 같은.

trümmern [trʏ́mərn] *i.*(s.) u. *t.* 분쇄하다, 붕괴[파멸]하다. **Trümmerstätte** *f.* 폐허.

Trumpf [trumpf] [fr. *triomphe* „Triumph"] *m.* –(e)s, ⸚e, (카드의) 으뜸패(♈*trump*). ¶Sport ist ∼ 스포츠 만능 시대이다. **trumpfen** *i.*(h.) u. *t.* 으뜸패를 내다; 《比》 매도(罵倒)하다.

Trunk [truŋk] [<trinken] *m.* –(e)s, ⸚e, ① (음료의) 한 모금, 한 입(♈*drink*); (1회분의) 음료(*draught*). ② 음주(*drinking*); 음주벽, 상습(常習) 음주(*drunkenness*). **trunken** [trúŋkən] [*p. p.* <trinken] *a.* 취한(♈*drunk, intoxicated*; 比: *elated*). **Trunkenbold** [–bɔlt] [後半: <bald „kühn, stark"] *m.* –(e)s, –e, 술꾼, 대주가(*drunkard*). **Trunkenheit** *f.* 취기; 《比》 심취(心醉), 도취, 열중.

Trunk·sucht [trúŋk–] *f.* 음주벽, 애주(愛酒). **∼süchtig** *a.* 술을 즐기는.

Trupp [trup] [fr.] *m.* –s, –s [–e], 떼, 무리(♈*troop, band, gang*); 《蔑》 한패, 떼거리. **Truppe** [trúpə] [fr. = Trupp] *f.* –n, 〖軍〗 부대; 대(隊)(♈*troop, body*); (*pl.*) 군대(軍隊); 〖劇〗 (순회 극단의) 일단(♈*troupe, company*).

Truppen·aushēbung [trúpən–] *f.* 징병. **∼bewēgungen** *pl.* 기동 훈련. **∼führer** *m.* 군대 지휘관. **∼gattung** *f.* 병과(兵科). **∼körper** *m.* 병단(兵團). **∼offizier** *m.* 연대 장교. **∼schau** *f.* 〖軍〗 검열, 열병. **∼teil** *m.* 부대. **∼übung** *f.* 군대 훈련. **∼übungsplatz** *m.* 연병장. **∼verschiebung** *f.* 군대 이동.

Trupp·führer *m.* 반장. **∼weise** *adv.* 떼를 지어, 대오(隊伍)를 지어; 부대마다.

Trust [trust, trʌ–] [engl., ♈trauen] *m.* –es, –e *u.* –s, 〖經〗 기업 합동, 트러스트.

Trūt·hahn [trú:t–] [前半: 병아리 부르는 소리 trut!] *m.* 〖鳥〗 칠면조(의 수컷)(*turkey(-cock)*). **∼henne** *f.* 칠면조(의 암컷)(*turkey-hen*).

Trutz [truts] [= Trotz] *m.* –es, : Schutz- und-∼-Bündnis 공수 동맹. **Trutzwaffen** *pl.* 공격 병기.

Tscheche [tʃéçə] *m.* –n, –n, **Tschechin** [tʃéçɪn] *f.* –nen, 체코 사람(♈*Czech*). **tschechisch** *a.* 체코의(♈*Czech*).

Tūba [tú:ba] [lat.] *f.* ..ben, ① 〖樂〗 튜바. ② 〖解〗 이관(耳管), 난관(卵管). **Tūbe** [tú:bə] [<tuba] *f.* –n, 관(管), 튜브(♈*tube*).

Tuberkel [tubérkəl] [lat.] *f.* –n; od. *m.* –s, –, 결핵(♈*tubercle*). **Tuberkelbazillus** *m.* 결핵균. **Tuberkulīnreaktiōn** [tubɛrkulí:nreaktsio:n] *f.* 투베르쿨린 반응. **tuberkulōs** [tubɛrkulǿ:s] *a.* 결핵성의; 결핵병의. **Tuberkulōse** [–ló:zə] *f.* –n, 결핵병, 폐결핵.

Tūch [tu:x] *n.* –(e)s, 《Ⅰ》 (*pl.* –e) 천(*cloth*); 옷감(*fabric, material*); (∼e, *pl.*) 피륙. 《Ⅱ》 (*pl.* Tücher) (Hals∼) 목도리; (Kopf∼) 두건; (Umschlage∼) 숄; (Taschen∼) 손수건.

Tūch·ārt [tú:x–] *f.* 천의 종류. **∼ārtig** *a.* 천 모양의. **∼fabrik** *f.* 직물 공장, 방직 공장. **∼fühlung** *f.* (옆 사람의 소매가 닿을 정도로) 좁은 간격. **∼handel** *m.* 옷감 장사; 나사상(羅紗商). **∼macher** *m.* (모)직물 직공; 직물업자. **∼nādel** *f.* 브로치, (숄의) 안전 핀; 빨래 집게. **∼rahmen** *m.* 천을 펴는 틀. **∼schēre** *f.* 재단 가위.

tüchtig [tʏ́çtɪç] [<taugen] 《Ⅰ》 *a.* ① 쓸모 있는, 유용한(*fit, able*); 수완 있는, 유능한(*capable, efficient*). ② 튼실한, 센, 튼튼한(*good, sound*); 호된(*hard, thorough*). 《Ⅱ》 *adv.* 호되게, 세차게(*hard, thoroughly*). **Tüchtigkeit** *f.* 유용, 유위, 유능; 숙련; 적합함; 숙달; 우수; 셈, 심함; 튼튼함.

Tūch·wāren *pl.* 천, 피륙, 나사류. **∼wēber** *m.* 천[피륙] 짜는 직공.

Tücke [tʏ́kə] *f.* –n, 악의, 음험(陰險)(*malice*); 간계(奸計), 술책(術策)(*trick*).

tückisch *a.* 악의 있는, 심술궂은, 음험한; (병이) 악성의; 밉살스러운.

Tuff [tʊf] [Lw. it.] *m.* -s, -e, **Tuff=stein** *m.* 응회암(凝灰岩)(♈*tuff*).

Tüftelei [tʏftəlái] *f.* -en, 사소한 일(에 구애됨). **tüfteln** [tʏ́ftəln] *i.*(h.) u. *t.* 자질구레한 일에 신경을 쓰다, 사소한 일에 구애되다(*subtilize*).

Tugend [tú:gənt] [<taugen] *f.* -en, 덕(*virtue*); 숙덕(淑德), 정결《특히 처녀의》. **tugendhaft** *a.* 덕이 있는, 품행 방정한; 《蔑》 덕있는 체하는.

Tugend=held *m.* 도덕적 영웅; 도덕가인 체하는 사람. **~lehre** *f.* 도덕론. **~pfad** *m.* 덕행의 길. **~reich** *a.* 덕이 높은, 유덕한. **~richter** *m.* 도학자, 도학 선생. **~wandel** *m.* 품행 방정.

Tüll [tʏl] [fr.] *m.* -s, -e, 망사(網紗)(♈*tulle*).

Tülle [tʏ́lə] [♈engl. *dell* „Tal"] *f.* -n, (물건을 끼워 넣는) 구멍; (촛대의) 초꽂이; (램프의) 심금 꽂는 데; (삽·괭이 따위 자루의) 삽입구; 〖電〗 소켓(*socket*), (사기병의) 주둥이(*spout*).

Tulpe [túlpə] [pers. -it. Turban 과 同語] *f.* -n, 〖植〗 튤립(♈*tulip*).

Tulpen=beet [túlpən-] *n.* 튤립의 화단. **~züchter** *m.* 튤립 재배자. **~zwie=bel** *f.* 튤립의 구경(球莖).

tummeln [túməln] [♈taumeln] 《I》 *t.* 빙빙 돌리다; 이리저리 몰아 대다, 계속해서 부리다; (말을) 타고 돌아다니다. 《II》 *refl.* 돌다; 뛰어 돌아다니다(*bustle about*); 서두르다(*make haste*). **Tummel=platz** *m.* 운동장; 연습장; 투기장(鬪技場); 전장(戰場); 《比》 (활동의) 무대.

Tümpel [tʏ́mpəl] *m.* -s, -, 웅덩이; 연못(*pool*).

Tumult [tumúlt] [lat.] *m.* -(e)s, -e, 잡답(雜沓), 혼란; 폭동, 소요(騷擾)(♈*tumult*, *riot*, *uproar*). **tumultuarisch** *a.* 떠드는, 시끄러운; 불안한, 폭동을 일으킨. **tumultuieren** *i.*(h.) 떠들다; 폭동을 일으키다.

tun* [tu:n] 《I》 *t.* [*i.*(h.)] ① 하다, 행하다(♈*do*). ¶das tut ihm nichts, a) 그것은 조금도 그에게 폐가 되지 않는다, b) 그것은 그와는 하등의 상관이 없다 / das tut's 그것으로 됐어 《충분해》/ das tut's nicht 그건 틀렸어 / das tut nichts 아무 것도 아니오 / das tut viel 그건 매우 중요하다 / was tut's? 그것이 어떻단 말인가. ② 《zu를 수반하여》 was hast du hier zu ~? 너는 여기 무슨 볼 일이 있느냐 / es mit sehr darum zu ~ 그것은 나에게 큰 관심사이다, 중요한 일이다. ③ 놓다, 주다, 건네다. ¶et. aus dem [in den] Sack ~ 무엇을 주머니에서 끄집어 내다[에 넣다]. 《II》 *i.*(h.) 하다, 행하다; 체하다; 작용하다, 효력 있다. ¶jm. genug ~ 아무를 만족시키다 / das tut nicht gut 그것은 좋지 않다 / es tut mir leid 유감이다, 안됐다. 《III》 **Tun** *n.* -s, 소행, 행위, 행동.

Tünche [tʏ́nçə] [Lw. lat. *tunica* „Kleid, Hülle"] *f.* -n, (석회 따위에 의한 벽의) 새벽칠; (weiße ~) 백색 도료(*white-wash*); 《比》 겉[외모]뿐인 것(*varnish*).

tünchen *t.* (에) 겉칠하다, 새벽하다. **Tüncher** *m.* -s, -, 새벽칠하는 사람, 미장이.

Tunichtgut [tú:nıçtgu:t] *m.* - *u.* -(e)s, -(e), 무능자, 쓸모 없는 사람, 식충이, 건달(*ne'er-do-well*, *good-for-nothing*).

Tunika [tú:nika] [lat.] *f.* ..ken, 튜닉《옛날 로마인의 흰 양털 속옷》.

Tunke [túŋkə] *f.* -n, 침액(浸液); 고깃국, 소스. **tunken** [túŋkən] *t.* (의 끝을) 담그다, 절이다.

tunlich [tú:nlıç] *a.* 할 수 있는, 가능한.

Tunnel [túnəl, (südd, schweiz. 에서 때로) tunέl] [engl. <fr. *tun* „Tonne"] *m.* -s, -(e), 터널, 굴.

Tunnel=effekt *m.* 〖物〗 (양자론에서의) 터널 효과. **~ofen** *m.* 터널로(爐).

Tupf [tupf] *m.* -(e)s, *pl.* -e, *u.* -en, 반점; 점. **Tüpfel** [tʏ́pfəl] *m.* u. *n.* -s, -, **Tüpf(el)chen** *n.* -s, -, 작은 점; 작은 얼룩(*dot*, *spot*). **tüpfeln** *t.* (에) 점을 찍다, 반점을 붙이다. **Tupfen** [túpfən] *m.* -s, -, 점; 반점(*dot*, *spot*). **tupfen** *t.* 가볍게 두드리다, (에) 점을 찍다, 반점을 붙이다.

Tür [ty:r] *f.* -en, 문(♈*door*); 문짝; 입구, 출입문, 대문. ¶vor der ~ 집 앞에, 문밖에 / mit der ~ ins Haus fallen (불쾌한 말을) 불쑥[경솔히] 입밖에 내다 / vor der ~ steh(e)n 다가와 있다, 가까이에 있다. **Tür·angel** *f.* 문의 경첩.

Turban [túrban] [pers. -it.] *m.* -s, -e [-ba:nə], (회교도가 머리에 감는) 터반(♈*turban*).

Turbine [turbí:nə] [fr. *aus* lat. *turbo* „Kreisel"] *f.* -n, 〖工〗 터빈.

Turbinen=anlage *f.* 터빈 설비. **~=dampfer** *m.* 터빈선(船).

Turbo=dynamo [túrbo-] *m.* 터빈 발전기. **~kompressor** *m.* 터빈 압축기. **~prop** [túrbo-prɔ́p] *n.* -s, -s, 터빈식 분사 추진 엔진에 프로펠러를 짜맞춘 것, =PROPELLERTURBINE.

turbulent [turbulέnt] [lat.] *a.* 불안한; 소란한; 격렬한, 광포한.

Turf [turf] [engl.] *m.* -s, 경마(장).

Tür=fenster [tʏ́:r-] *n.* 문의 창. **~flü=gel** *m.* 문짝. **~füllung** *f.* 문의 판자. **~griff** *m.* 문의 손잡이. **~hüter** *m.* 문지기; 수위.

Türke [tʏ́rkə] *m.* -n, -n, 터키 사람. **Türkei** [tʏrkái] *f.*: die ~ 터키(♈*Turkey*).

Türkin [tʏ́rkın] *f.* -nen, 터키 여인. **Türkis** [tʏrkí:s] [fr. „der Trükische"] *m.* -es, -e, 〖鑛〗 터키옥(玉), 남(藍)보석(♈*turquoise*). **türkisch** *a.* 터키(사람·말)의.

Tür=klinke *f.* (문의) 걸쇠; 문의 핸들. **~klopfer** *m.* (현관 문의) 노커.

Turm [turm] [Lw. gr. -lat.] *m.* -(e)s, ⸗e, 탑(♈*tower*); (Kirch~) 첨탑(*steeple*); (Glocken~) 종루(鍾樓)(*belfry*); 포탑(*turret*); (서양 장기의) 카슬《차(車)에 해당》(*castle*, *lock*).

Turmbau [túrmbau] *m.* (*pl.* -ten) 탑 건축. **Türmchen** [tʏ́rmçən] *n.* -s, -, 작은 탑, 소루(小樓); 첨각(尖閣).

türmen [tʏ́rmən] 《I》 *t.* (탑처럼) 높이

솟게 하다, 높이 쌓다(*pile up, heap*). 《Ⅱ》 *i.*(s.) 《俗》 도주하다, 도망하다. 《Ⅲ》 *refl.* 높이 솟다, 쌓이다. **Türmer** [týrmər] *m.* -s, -, 탑지기; (높은 탑 위의) 화재 감시인.

Turm⸗falk(e) [túrm-] *m.* 〖鳥〗 황조롱이. ~**geschütz** *n.* 포탑포(砲塔砲). ~⸗**hōch** *a.* 탑처럼 높은, 높이 솟은. ~⸗**schwalbe** *f.*, ~**sēgler** 〖鳥〗 칼새속의 일종(유럽산). ~**spitze** *f.* 탑의 첨단. ~**springen** *n.* 하이 다이빙. ~**uhr** *f.* 시계탑의 시계. ~**wächter**, ~**wart** *m.* =TÜRMER.

Turn⸗anstalt [turn-] *f.* 체육관. ~**an⸗zūg** *m.* 체육복.

turnen [túrnən] *i.*(h.) 체조하다(*practise gymnastics*). **Turner** *m.* -s, -, 체조하는 사람, 체조가(*gymnast*). **turne⸗risch** *a.* 체조〔체육〕의. **Turnerschaft** *f.* -en, 체육 협회.

Turn⸗fest *n.* 체육〔체조〕 대회. ~**gerät** *n.* 체조 기구. ~**halle** *f.* 체육관. ~⸗**hōsen** *pl.* 체조용 즈봉.

Turnier [turní:r] [Lw. -fr.] *n.* -s, -e, ① (중세 기사의) 마상 시합, 무술 경기. ② 운동 경기; 시합, 토너먼트, 경기(♈*tournament*). **turnieren** *i.*(h.) ① 무를 겨루다, 경기회를 열다; 경기에 임하다. ② 〖카드〗 패를 뒤집다. **Turnierplatz** *m.* 무술 경기장; 경기장.

Turn⸗kunst *f.* 체조술(術). ~**lehrer**, ~**meister** *m.* 체조 교사. ~**platz** *m.* 운동장. ~**schuh** *m.* 운동화. ~**übung** *f.* 체조 연습.

Tür⸗pfosten [tý:r-] *m.* 문설주, 문기둥. ~**schwelle** *f.* 문지방. ~**spalt** *m.* 조금 열린 문틈. ~**stēher** *m.* 수위, 문지기. ~**sturz** *m.* 〖建〗 문미(門楣).

Turteltaube [túrtəl-] [前半: Lw. lat. 울음소리의 擬聲語] *f.* -n, 〖鳥〗 호도애(♈*turtle-dove*).

Tusch [tuʃ] [sl.] *m.* -es, -e *u.* -s, (만세 소리나 경례의 반주로서의) 나팔 취주(*flourisch*).

Tusche [túʃə] *f.* -n, 먹(*India(n)ink*).

tuscheln [túʃəln] *i.*(h.) u. *t.* 《俗》 속삭이다, 귓속말을 하다(*whisper*).

tuschen [túʃən] [fr. *toucher* „berühren (engl. *touch*)"] *t.* u. *i.*(h.) 먹으로 그리다.

Tuschfarbe [túʃfarbə] *f.* 수채화 물감, 채료.

Tusch⸗kasten [túʃ-] *m.* 벼룻집; 수채화구 상자. ~**mālerei** *f.* 묵화. ~**pin⸗sel** *m.* 화필. ~**zeichnung** *f.* 수채화; 묵화.

Tüte [tý:tə] *f.* -n, 삼각 봉지, 종이 봉지(*paper-bag*).

tuten [tú:tən] *t.* u. *i.*(h.), 뿔피리를 불다(♈*toot*); 경적을 울리다(*honk*).

Tut⸗horn [tú:thɔrn] *n.* ..hörner, 뿔피리, 사이렌.

Tüttel [týtəl] *m.* u. *n.* -s, -, **Tüttel⸗chen** *n.* -s, -, 작은 점, 점(*dot*); 《比》 극소량(量)(*jot*).

Twen [tvén] [engl. <*twenty* „zwanzig"] *m.* -(s), -s, 20대(의 남녀).

T-winkel [té:vɪŋkəl] *m.* T자.

Twist [tvɪst] [engl. „Geflecht"] *m.* -(e)s, -e, 면사(綿絲).

Typ [ty:p] [gr. *týpos* „Schlag, Gepräge"] *m.* -s, -e(n), =TYPUS. **Type** [tý:pə] [=Typ] *f.* -n, 〖印〗 자형(字型), 활자, 타이프.

typhös [tyfǿ:s] *a.* 티푸스성의. **Typhus** [tý:fus] [gr. „Dunst"] *m.* -, 〖醫〗 티푸스(♈*typhoid, fever*).

typisch [tý:pɪʃ] *a.* 유형적인, 전형적인. **typisieren** *t.* 유형화하다; 형대로 만들다, 규격대로 만들다. **Typisierung** *f.* -en, 규격화. **Typographie** [typografí:] *f.* ..phīen, (활판) 인쇄술. **Typo⸗logie** *f.* ..gīen, 형(型)의 학(學), 유형학. **Typus** *m.* -, ..pen, 형(型), 타이프(♈*type*); 유형; 전형.

Tyrann [tyrán] [gr. „Herr; Gewaltherrscher"] *m.* -en, -en, 전제자(專制者), 참주(僭主)《고대 그리스의》; 《一般的》 폭군, 압제자(♈*tyrant*). **Tyrannei** [tyranái] *f.* -en, 전제 정치, 폭정, 압제(♈*tyranny*).

Tyrannen⸗herrschaft *f.* 전제 정치; 참주 정치. ~**mord** *m.* 전제자 살해.

tyrannisch [tyránɪʃ] *a.* 압제적인, 포악한, 전횡(專橫)의. **tyrannisieren** *t.* 전제 정치를 하다, 압제하다, 폭정을 하다.

Tz [té:tsɛt, te:tsέt] *n.* -es : bis zum 〔ins〕 ~ 끝까지, 완전히, 재삼 재사.

U

U, u [u:] *n.* -, -, : jm. ein X für ein U vormachen 아무를 속이다.

u. 《略》 =*und*.

u.a. 《略》 =*u*nter *a*nder(e)m 〔ander(e)n〕 그중에서도, 특히.

u.ä.m. 《略》 =*u*nd *ä*hnliche *m*ehr 기타 이것과 유사한 것, 이하 앞과 같음.

u.a.m. 《略》 =*u*nd *a*ndere(s) *m*ehr 기타, 등등.

übel [ý:bəl] [*eig.* „über das Rechte hinausgehend"; ♈über] 《Ⅰ》 *a.* 〔*adv.*〕 나쁜(♈*evil, wrong, bad*); 악의가 있는; (상태·형편이) 좋지 않은(*bad*); (기분이) 나쁜, 불쾌한(*ill*). ¶~ daran sein 곤란을 당하고 있다, 궁하다, 불우하다 / das ist nicht ~ 그건 나쁘지 않다 / mir ist ~, 나는 a) 기분이 나쁘다, b) 메스껍다, 욕지기난다 / er singt nicht ~ (*adv.*) 그의 노래는 서투르진 않다. 《Ⅱ》 **Übel** *n.* -s, -, 해, 악; 화(♈*evil*); 병, 불쾌(*malady, complaint*).

Übel⸗befinden *n.* 불쾌(*indisposition*). ~**gelaunt** *a.* 기분이 언짢은. ~**ge⸗sinnt** *a.* 악의〔적의〕 있는.

Übelkeit [ý:bəlkait] *f.* -en, 기분이 나쁨, 메스꺼움.

übel⸗launig *a.* 언짢은. ~|**nehmen*** *t.* 나쁘게 받아들이다, 악의로 해석하다. ~**nehm(er)isch** *a.* 나쁘게 받아들이는 버릇이 있는, 감정을 해치기 쉬운. ~⸗**stand** *m.* 나쁜〔불량한〕 상태; 형편이 나쁨; 폐해. ~**tat** *f.* 악행, 비행. ~**tä⸗ter** *m.* 악행자, 범인. ~**wollen** *n.* 악의(*ill-will, malevolence*). ~**wollend** *a.* 악의를 품은(*malevolent*).

üben [ý:bən] 《Ⅰ》 *t.* 행하다, 영위하다, 실행하다(*practise*); 수련하다, 연습하다

(*exercise*); 연습시키다, 훈련하다(*train*). ¶Geduld ~ 인내하다 / Rache ~, (an, 에) 복수하다. 《Ⅱ》 *refl.* u. *i.*(h.) 연습하다. 《Ⅲ》 **geübt** [-pt] *p.a.* 연마한; 숙련[숙달]한.

über [ý:bər] [♈auf, ober] 《Ⅰ》 *prp.* ① 《3格支配: 상부에 있어서의 停止 또는 상부의 일정한 장소 내에서의 運動을 나타냄》 (의) 위에(서)(♈*over*); 《4格支配: 위쪽의 일정한 장소에로의 方向을 나타냄》 (…의) 위(쪽)으로. ② 《3格支配: 從事의 뜻》 er ist ~ der Arbeit eingeschlafen 그는 일을 하면서 잠들어 버렸다. ③ 《時間的인 뜻》 heute ~ acht Tage 내주일의 오늘 / ~ kurz oder lang 조만간. ④ 《4格支配》 (…에) 관하여(*about*, *concerning*). 《Ⅱ》 *adv.*: ~ u. ~ 전혀, 모조리 / 〖軍〗 Gewehr ~! 어깨총 / den Sommer ~ 여름 내내 / den Tag ~ 온종일.

über.. [<über Ⅱ] 《Ⅰ》 [ý:bər-] 분리 동사의 전철《前置詞 über의 空間的인 의미에 해당하고 항상 악센트가 있음》 위(쪽)에, 상부에; 위를, 넘어서; 보기: über|setzen 저편으로 건네다(변화: ich setzte über; übergesetzt; überzusetzen). 《Ⅱ》 [y(:)bər-] 비분리동사의 전철《前置詞 über의 比喩的·精神的인 의미에 해당하고 악센트는 語幹에 있음》 위로, 위쪽으로; 위를(지나서)(=über—hin); 넘어서《대수롭지 않게 보아넘기다의 뜻이 있음》; 보기: übersetzen [y:bərzέtsən] 번역하다(변화: ich übersetzt; übersetzt; zu übersetzen).

über·all [y:bər-ál, y:bərál, ý:-al] [„sich über alles erstreckend"] *adv.* 도처에, 어디서나(*everywhere, all over, throughout*). ¶~ wo 어디에서나.

überaltert [y:bər-áltərt] *p.a.* 연장자가 다수를 점하는; 낡은. **Über·alterung** [ý:bər-altəruŋ] *f.* (구성 인원 등의) 노년층 과잉, 노화.

Überangebot [ý:bər-angəbo:t] *n.* (an, 의) 공급 과잉, 생산 과잉.

überanstrengen [y:bər-ánʃtrɛŋən] *t.* 과로시키다. **Überanstrengung** *f.* -en, 과로(過勞).

überantworten [y:bər-ántvɔrtən] *t.* 인도(引渡)하다(*deliver up*). **Überantwortung** *f.* -en, 인도(引渡).

über|arbeiten [ý:bər-arbaitən] *i.*(h.) 규정 시간외의 일을 하다. **überarbeiten** [-árbaitən] 《Ⅰ》 *t.* 과도하게 긴장시키다, 과로시키다, 너무 일을 시키다. 《Ⅱ》 *refl.* 과로하다. **Überarbeitung** *f.* -en, 수정(修正); 과로, 고단함.

überaus [y:bər-áus, ý:-aus] *adv.* 엄청나게, 극도로, 대단히, 몹시(*extremely, exceedingly*).

Überbau [ý:bərbau] *m.* -(e)s, -e *u.* -ten, 〖建〗 (부지(敷地) 경계선을 넘은) 위층의 튀어나온 부분; 상부 구조, 상층 건축; 부지의 경계를 넘은 건축(물). **über|bauen** *t.* u. *i.*(h.) (위층을 아래층의 부지선보다) 튀어나오게 건축하다, 부지 경계를 넘어서 건축하다. **überbauen** [y:bərbáuən] *t.* (의) 위에 건물을 짓다; (에) 위층을 덧세우다.

Überbein [ý:bərbain] *n.* 〖醫〗 골종(骨腫); 골질 췌생(骨質贅生)《말의》.

über|belichten [ý:bərbəlıçtən] *t.* 〖寫〗 너무 노출하다.

Überbett [ý:bərbɛt] *n.* 이불.

Überbevölkerung [ý:bərbəfœlkəruŋ] *f.* 인구 과잉.

über|bewerten [ý:bərbəve:rtən] *t.* 과대 평가하다.

über·bieten* [y:bərbí:tən] *t.*: jn.: (보다) 더 비싼 값을 부르다; 《比》 (을) 능가하다. **~blättern** *t.* 책장을 넘길 때 못보고 넘기다《어떤 귀절을》.

über|bleiben* [ý:bərblaibən] *i.*(s.) 남다. **Überbleibsel** [-psəl] *n.* -s, -, 나머지, 잔여.

Überblick [ý:bərblık] *m.* -(e)s, -e, (über et., 의 위를) 내다봄, 전망(展望)(*survey, view*); 개관, 개요(*outline, summary*). **überblicken** [y:bərblíkən] *t.* (위를) 내다보다, 전망하다; 통관(通觀)하다, 개관하다.

Überborsäure [ý:bərbo:rzɔyrə] *f.* 〖化〗 과붕산.

Überbrettl [ý:bərbretl] *n.* -s, -, 카바레(*cabaret*).

überbringen* [y:bərbríŋən] *t.* (가지고 가서) 넘겨주다, 수교(手交)하다(*deliver, bring*). **Überbringer** *m.* -s, -, 지참인, 전달자. **Überbringung** *f.* -en, 지참, 전달.

überbrücken [y:bərbrýkən] *t.* (에) 다리를 놓다; 《比》 조정[조절·중개]하다, 화해시키다. **Überbrückungs·kredit** [y:bərbrýkuŋs-] *m.* 금융 경색(梗塞) 완화를 위한 단기 신용 대부.

überbürden [y:bərbýrdən] *t.* (의 위에) 짐을 지나치게 싣다; 《比》 (에) 부담을 너무 지우다. **Überbürdung** *f.* -en, 짐을 너무 실음; 과중한 부담; 부담의 과중.

Überchlorsäure [ý:bərklo:r-] *f.* 〖化〗 과염소산(過塩素酸).

überdachen [y:bərdáxən] *t.* (의 위에) 지붕을 하다. **Überdachung** *f.* -en, 지붕을 씌움; 지붕.

überdauern [y:bərdáuərn] *t.*: jn.: 아무보다 오래 살다(*survive*); et.: (무엇보다) 오래 계속하다, 오래 가다(*outlast*).

Überdecke [ý:bərdɛkə] *f.* -n, 덮개; 겉싸개; 이불.

überdecken [y:bərdékən] *t.* (무엇을) 덮다, 씌우다.

überdenken* [y:bərdéŋkən] *t.* 숙고하다, 곰곰이 생각하다(*think over*).

überdies [y:bərdí:s] *adv.* 그 외에, 그 위에, 이뿐만 아니라, 더우기(*besides, moreover*).

Überdrang [ý:bərdraŋ] *m.* 대혼잡.

überdrehen [y:bərdré:ən] *t.* 너무 감다[돌리다]《시계를》.

Überdruck [ý:bərdruk] *m.* 과중 압력; 전사, 복사; 재쇄(再刷); 초과 인쇄(물). **über|drucken** *t.* 다시 인쇄하다; 인쇄를 더 많이하다, 더 박다. **Überdruck·kabine** *f.* (비행기의) 과중 기압실. **Überdruckturbine** *f.* 반동 터빈.

Überdruß [ý:bərdrus] [<verdrießen] *m.* ..drusses, 싫증, 넌더리; 권태(*disgust, satiety*). **überdrüssig** [ý:bərdrʏsıç] *a.* 싫증난, 지친, 물린(*tired of, weary of*).

Übereifer [ý:bər-aifər] *m.* -s, 지나친 열심. **übereif(e)rig** *a.* 지나치게 열심인, 대단히 열심인.

übereignen [y:bər-áignən, -kn-] *t.* 〖法〗 양도하다, 위부(委付)하다.

übereilen [y:bər-áilən] 《Ⅰ》 *t.* 너무 서둘러서 하다, 경솔히 하다. 《Ⅱ》 *refl.* 너무 서두르다〔조급하게 굴다〕. 《Ⅲ》 **übereilt** *p.a.* 너무 서두른; 조급한; 경솔한. **Übereilung** *f.* -en, 급히 서두름, 성급, 조급; 경솔.

überein [y:bər-áin] 《über 는 前置詞, ein 은 數詞》 *adv.* 일치하여, 부합하여.

übereinander [y:bər-ainándər] *adv.* 서로 포개져, 차곡차곡, 겹치어.

überein-|kommen* [y:bər-áinkɔmən] 《Ⅰ》 *i.*(s.) 일치하다(*agree*); 합의하다, 절충〔타협〕하다(*come to terms*). 《Ⅱ》 **∼kommen** *n.*, **∼kunft** *f.* 일치, 부합; 합의, 타협(*agreement*); 약정, 협정(*contract*). **∼|stimmen** [y:bər-áinʃtɪmən] 《Ⅰ》 *i.*(h.) 동조(同調)〔조화·일치·동의·동감〕하다(*agree, coincide, correspond*). 《Ⅱ》 **∼stimmend** *p.a.* 일치〔조화〕하는. **∼stimmung** *f.* -en, 동조, 조화, 일치. **∼|treffen*** *i.*(s.) 일치〔합치〕하다.

überernährt [ý:bərɛrnɛ:rt] *a.* 영양 과다인.

über|essen* [-ɛsən] *refl.* 과식하다.

über|fahren* [ý:bərfa:rən] *i.*(s.) (배 또는 차로) 건너다, 넘다. **überfahren*** [y:bərfá:rən] *t.* 비비다, 문지르다, 스치다; 차로 치우다.

Überfahrt [ý:bərfa:rt] *f.* -en, 건너〔넘어〕감; 도항(渡航).

Überfall [ý:bərfal] *m.* 습격(*raid*); 기습(*surprise attack*). **überfallen*** [y:bərfálən] *i.*(s.) 습격〔기습〕하다; 《比》 갑자기 방문하다, 놀라게 하다. **überfällig** [ý:bərfɛlɪç] *a.* 〖商〗 기한이 지난《어음 따위》; 〖海·空〗 연착(延着)의.

Überfallkommandō [ý:bərfalkɔmando:] *n.* 기동 타격대《경찰》.

überfein [ý:bərfain] *a.* 너무 정교한; 정묘한; 극상(極上)의. **überfeinern** *t.* 너무 정교하게 하다.

über|fliegen* [y:bərflí:gən] *t.* 날아 넘다; (책을) 대충 훑어보다.

über|fließen* [ý:bərfli:sən] *i.*(s.) 넘쳐흐르다, 범람하다. ¶ 《比》 von et. ∼ 무엇이 넘쳐흐를 만큼 가득하다.

überflügeln [y:bərflý:gəln] *t.* 날아 앞지르다; 《比》 능가하다(*surpass*); 〖軍〗 좌우편에 군사를 펴서 적을 포위하다.

Überfluß [ý:bərflus] [<über|fließen] *m.* 충일(充溢). ¶ ∼ haben, (an, 을) 남아 돌아갈 만큼 많이 가지고 있다 / zum ∼ 남아 돌아갈 만큼, 여분으로; 덤으로. **überflüssig** [ý:bər-] *a.* 남아 돌아갈 만큼의, 무척 많은(*abundant*); 과잉의.

überfluten [y:bərflú:tən] *t.* 범람하다. **Überflutung** *f.* 범람; 홍수.

überfordern [y:bərfɔ́rdərn] *t.* u. *i.*(h.) (에) 과대한 요구를 하다.

Überfracht [ý:bərfraxt] *f.* -en, (화물의) 초과량; 초과 운임.

überfremden [y:bərfrɛ́mdən] *t.* (이국민 또는 이민족적 요소·외국 세력·외자(外資)가) 너무 들어오다.

über|führen [ý:bərfy:rən] *t.* 저 편으로 인도하다〔건네다〕; (어떤 장소로) 나르다, 옮기다; (어떤 상태로) 옮겨 놓다〔바꾸다〕. **überführen** [y:bərfý:rən] *t.* ① 저쪽으로 운반하다. ② 꼼짝 못할 증거(證據)를 들이대다, 확인〔납득〕시키다(*convince, convict*). ¶ jn. von s-m Verbrechen 〔†s-s Verbrechens〕 ∼ 아무에게 범행을 자백시키다. **Überführung** *f.* -en, 이송; 증거에 의한 입증; 확인, 자백; 고가교(高架橋), 육교(陸橋).

Überfülle [ý:bərfʏlə] *f.* 충일, 충만; 과다(過多). **überfüllen** [y:bərfʏ́lən] *t.* 너무 채우다〔넣다〕, 채워 넣다. **Überfüllung** *f.* -en, 너무 넣음〔채움〕; 과식.

überfüttern [y:bərfʏ́tərn] *t.* (에) 먹이를 너무 주다.

Übergābe [ý:bərga:bə] [<übergeben] *f.* -n, 인도(*delivery*); 항복(*surrender*).

Übergang [ý:bərgaŋ] [<über|gehen] *m.* -(e)s, ⸚e, 저편으로 감〔건너감〕; 이행, 변화, 과도(過渡); 통과점, 교차점, 건널목; 과도기.

Übergangs-bestimmung *f.* 〖法〗 경과 규정. **∼zeit** *f.* 과도 시대. **∼zūstand** *m.* 과도적 상태.

übergār [ý:bərga:r] *a.* 너무 삶아진〔구워진〕; 〖冶〗 정련 과도의.

übergēben* [y:bərgé:bən] 《Ⅰ》 *t.* 넘겨주다, 인도(引渡)하다, 맡기다(*hand over, deliver up*); 포기〔단념〕하다(*give up*). ¶ e-e Festung ∼ 항복하고 성을 넘겨주다. 《Ⅱ》 *refl.* 항복하다(*surrender*); 게우다(*vomit*). ¶ sich ∼ wollen 메스껍다, 느글거리다.

Über-gebōt [ý:bərgəbo:t] *n.* (남보다 비싼 값《특히 경매의》. **∼gebühr** *f.* 〖郵〗 초과 수수료.

über|gēh(e)n* [ý:bərge:(ə)n] *i.*(s.) ① 저편으로 가다; 옮아가다, 이행하다; (으로) 변하다. ¶ in Fäulnis ∼ 썩기 시작하다 / ineinander ∼ (빛깔이) 서로 번지다《구별할 수 없게 되다》. ② die Augen gingen ihm über 그는 눈물을 흘렸다. **übergēh(e)n*** [y:bərgé:(ə)n] *t.* (을) 훑어 보다, 통람(通覽)하다; 간과하다(*overlook, omit*). **Übergēhung** *f.* -en, 간과, 무시; 묵과(默過).

übergenūg [ý:bərgənu:k] *adv.* 과분하게; 충분히.

Übergewicht [ý:bərgəvɪçt] *n.* 초과 중량; 과중; (한쪽이 더 무겁기 때문에) 균형을 잃음; 《比》 (한쪽편의) 우세, 우위(優位)(*preponderance*). ¶ das ∼ bekommen 균형을 잃다.

überglasen [y:bərglá:zən] *t.* (에) 유리를 끼우다, 유리를 입히다; (에) 잿물을 바르다.

überglücklich [ý:bərglʏklɪç] *a.* 굉장히〔더할나위 없이〕 행복한.

übergolden [y:bərgɔ́ldən] *t.* (에) 금을 입히다, 도금(鍍金)하다.

über|greifen* [ý:bərgraifən] *i.*(h.) (auf et., 의 위를) 덮다, (의 위에) 덮쳐지다; (에) 간섭하다, (을) 침해하다. **Übergriff** [ý:bərgrɪf] *m.* -(e)s, -e, 간섭, 침해.

Überhandnahme [y:bərhántna:mə] *f.* 성해짐, 유행, 만연; 증대. **überhand|nehmen*** *i.*(h.) 성해지다, 증대하다(*in-*

crease); 유포(流布)〔만연〕하다(*spread*).

Überhang [ý:bərhaŋ] *m.* 위에 늘어짐〔드리워짐·돌출함〕; 돌출한 암석; 〖建〗 돌출한 위층〔창문·방〕; 커튼, 막. **über|hangen*** *i.*(h.) (위에) 드리워지다; 돌출하고〔쑥 내밀고〕 있다. **über|hängen** *t.* (어깨에) 걸치다.

überhäufen [y:bərhɔ́yfən] *t.* (의 위에) 포개어 쌓다. ¶ mit Arbeit überhäuft 일을 잔뜩 걸머지고, 일에 파묻혀.

überhaupt [y:bərháupt] [*eig.* „über das Haupt hin" 머리수(=개수)를 초월하여, 하나 하나 세지 않고] *adv.* 대개, 일반적으로, 통틀어(*in general, generally*). ¶ ~ nicht 전연 …않다 / Bewußtsein ~ 의식 일반《칸트 철학의》.

überheben* [y:bərhé:bən] 《Ⅰ》 *t.* (에게) (e-s Dinges, 무엇을) 면하게 하다(*exempt (from)*). 《Ⅱ》 *refl.* 자유롭게 되다; 무거운 것을 올리다가 다치다; 자만하다, 자부하다(*be conceited*); (e-s Dinges, 무엇에서) 해방되다. **überheblich** [y:bərhé:plıç] *a.* 거만한, 거드름부리는; 불손한. **Überheblichkeit** *f.* -en, 자부, 불손; 오만.

überhitzen [y:bərhítsən] *t.* 너무 뜨겁게 하다.

über|holen [ý:bərho:lən] *t.* 저편으로 넘기다〔건네다·보내다〕. **überholen** *t.* 추월(追越)하다(*overtake*); 《比》 능가하다(*surpass*); 검사하다; (검사하여) 개량〔수리〕하다(♈*overhaul*). **überholt** [-hó:lt] *p.a.* 낡은.

überhören [y:bərhǿ:rən] *t.* ① 복송(復誦)시키다(*hear (lesson)*). ② 설듣다, 귀넘어듣다(*not to hear, miss*); (일부러) 귀담아 듣지 않다(*ignore*).

Überhöung [y:bərhǿ:uŋ] *f.* -en, 한층 더 높게 함《도로 또는 주로(走路)·둑의 모퉁이 바깥쪽을 안쪽보다도》; 높은 둑.

überirdisch [ý:bər-ırdıʃ] *a.* 이 세상을 초월한, 천국의; 속세(俗世)를 떠난; 초자연의; 숭엄〔거룩〕한.

überjährig [ý:bər-jɛ:rıç] *a.* ① 나이를 너무 먹은; 노후한. ② 한 살을 넘긴.

überkandidelt [ý:bərkandidɛlt] *p. a.* 상도(常道)를 벗어난, 좀 머리가 돈.

über|kippen [ý:bərkıpən] *t.* 기울이다; *i.*(s.) 기울다(*tilt over*).

über|kleben [ý:bərkle:bən] *t.* (의 위에) (mit, 을) 붙이다, 첨부하다.

Überkleid [y:bərklait] *n.* 겉옷, 외투.

überklug [ý:bərklu:k] *a.* 너무 똑똑한, 영리한 체하는, 건방진.

über|kochen [ý:bərkɔxən] *i.*(s.) 끓어 넘치다.

überkommen* [y:bərkɔ́mən] 《Ⅰ》 *i.*(s.) (아무에게) 주어지다, 전하여지다(*to be transmitted*). 《Ⅱ》 *t.* 얻다, 손에 넣다(*get, receive*); 전하여지다; 덮치다, 엄습하다(*seize*). ¶ ~e (*p. a.*) Sitten 관습.

über|kopieren [ý:bərkopi:rən] *t.* 〖寫〗 지나치게 굽다.

überkriegen [ý:bərkri:gən] *t.* 《俗》 e-e Sache ~ 무엇이 싫어지다, 무엇에 진력나다.

überkühlt [y:bərký:lt] *a.* 너무 차가와진.

Überkultur [ý:bərkultu:r] *f.* 과도한 문화.

Überkurzwelle [y:bərkúrts-] *f.* 〖電〗 초단파.

überladen* [y:bərlá:dən] 《Ⅰ》 *t.* (에) (mit, 을) 너무 싣다; 《比》 과중한 짐을〔부담을〕 지우다. ¶ sich³ den Magen ~ 너무 먹다. 《Ⅱ》 *p. a.* 너무 장식한, 야한. **Überladung** *f.* -en, 과중한 부담, 너무 실음; 너무 치레함〔꾸밈〕.

Überland≈flug [ý:bərlant-, y:bərlánt-] *m.* 대륙 횡단〔도시 연락〕 비행. **~≈kraftwerk** *n.*, **~zentrale** *f.* 중앙〔원거리〕 발전소.

überlassen* [y:bərlásən] 《Ⅰ》 *t.* 넘겨주다, 인도(引渡)하다, 양도하다, 맡기다(*leave, give up, cede*). 《Ⅱ》 *refl.* 몸을 바치다, 맡기다, 탐닉하다. **Überlassung** *f.* -en, 〖法〗 인도; 위기(委棄), 유기.

Überlast [ý:bərlast] *f.* -en, 과중한 짐; 《比》 과중한 부담, 폐. **überlasten** *t.* (에) 짐을 너무 싣다; 《比》 (에게) 너무 부담을 지우다〔폐를 끼치다〕.

über|laufen* [ý:bərlaufən] *i.*(s.) ①〖軍〗 탈주하다(*desert*). ② 넘쳐 흐르다(*run or flow over*). **überlaufen*** *t.* ① jn.: (아무가 있는 곳에) 밀어 닥치다. ¶ ~ (*p. p.*) sein, (von, 에게) 밀어 닥침을 당하다. ② (의 위를) 뒤덮다, (에) 넘치다. ¶ es überlief mich kalt 나는 오싹 한기가 들었다. **Überläufer** *m.* -s, -, 투항자; 변절자; 개종자(改宗者).

überlaut [ý:bərlaut] *a.* 소리가 너무 큰, 몹시 시끄러운.

überleben [y:bərlé:bən] *t.* 보다도 오래 살다, 살아 남다(*outlive, survive*). **überlebt** *p. a.* 노후한, 시대에 뒤떨어진. **Überlebende** *m.* u. *f.* 《形容詞變化》 잔존자; 유족.

über|legen [ý:bərle:gən] *t.* 위에 놓다, 얹다; (고약을) 바르다; 《俗》 때리다. **überlegen**[1] [y:bərlé:gən] *t.* 《比》 숙고하다(*reflect upon, consider*). ¶ sich anders ~ 다시 생각하다, 생각을 고치다. **überlegt** [-lé:kt] *p. a.* 숙고한, 신중한.

überlegen[2] *p. a.* (jm., 아무보다도)(an, 에 있어서) 뛰어난(*superior*). **Überlegenheit** *f.* 능가; 우월, 탁월.

Überlegung [y:bərlé:guŋ] *f.* -en, 숙고, 숙려.

über|leiten [ý:bərlaitən] *t.* 저편으로 인도하다〔건네다〕. ¶ Blut ~ 수혈하다.

überlesen* [y:bərlé:zən] *t.* 통독하다, 죽 훑어 읽다; 빠뜨리고 읽다.

überliefern [y:bərlí:fərn] *t.* 넘겨주다, 맡기다(*deliver, hand down*); 전하다(*transmit*). **überliefert** *p.a.* 전래(傳來)의. **Überlieferung** *f.* -en, 인도(引渡); 전함, 전달; 전승(傳承); 전통(*tradition*); 전설. ¶ mündliche ~ 구비(口碑).

überlisten [y:bərlístən] *t.*: jn.: (에게) 책략으로 이기다, 책략에 넘어가게 하다.

überm [ý:bərm] 《略·俗》 = *über* dem.

übermachen [y:bərmáxən] *t.* 송부〔송달〕하다; 유증(遺贈)하다.

Übermacht [ý:bərmaxt] *f.* 우세, 강력.

übermächtig *a.* 우세한, 압도적인.

übermalen [y:bərmá:lən] *t.* (의) 위에 칠하다.

übermangansauer [ý:bərmaŋga:nzauər] *a.* 〖化〗 과(過)망간산(酸)의.

U

übermannen [y:bərmánən] *t.* (mit überlegener Mannschaft besiegen) (우세한 힘으로) 이기다, 지우다, 압도하다(*overcome, overpower*).

Übermāß[ý:bərma:s][<↑über|messen] *n.* -es, -e, 과량(過量), 과도(過度)(*excess*). ¶ im ~ 과도히, 매우. **übermäßig** *a.* 무수한; 과도한(*excessive, immoderate*); *adv.* 과도히.

Übermensch [ý:bərmɛnʃ] *m.* -en, -en, 초인(超人)(*superman*). **übermenschlich** *a.* 초인적인(*superhuman*).

Übermikroskōp [ý:bərmi(:)krɔsko:p] *n.* 초현미경《전자 현미경의 하나》.

übermitteln [y:bərmítəln] *t.* (중개하여) 송달〔전달〕하다(*transmit*); (지식을) 전수하다(*impart*). **Übermitt(e)lung** *f.* 송달, 전달.

übermodern [ý:bərmodɛrn] *a.* 초근대적인.

übermorgen [ý:bərmɔrgən] *adv.* 모레.

übermüden [y:bərmý:dən] *t.* 너무 피로하게 하다(*overtire*). **übermüdet** *p.a.* 기진 맥진한. **Übermüdung** *f.* -en, 과로(過勞).

Übermūt [ý:bərmu:t] *m.* (übertriebenes Selbstgefühl) 불손, 오만(*insolence*); 명랑히 떠듦, 야단 법석(*sportiveness*); 방자(放恣)(*wantonness*). **übermütig** *a.* 교만한; 방자한; 대단히 명랑한.

übernachten [y:bərnáxtən] [<über Nacht] *i.*(h.) 밤을 지내다, 묵다. **übernächtig** [ý:bərnɛçtıç] *a.* 밤새한, 잠이 부족한, 잠부족으로 피곤한.

Übernahme [ý:bərna:mə] [<übernehmen] *f.* -n, 인수(引受); 인계; 청부.

übernationāl [ý:bər-] *a.* 초국가적인.

übernatürlich [ý:bərnaty:r-] *a.* 초자연적인.

übernehmen* [y:bərné:mən] 《I》 *t.* ① (의 위를) 엄습하다《감정 따위가》. ② 넘겨받다, 인수하다(*take*; 일을; *undertake*; 역할을: *enter on*); 지다《책임 따위를》(*take charge of*). ③ 전용(轉用)〔차용〕하다. ④ 지나치게 부리다, 지치게 하다《말을》. 《II》 *refl.*: sich im Essen 〔beim Arbeiten〕 ~ 과식하다〔일을 지나치게 하다〕.

über|ordnen [ý:bər-ordnən, -tnən] *t.* 상위(上位)에 놓다.

Über·organisatiōn [-ɔrganizatsĭo:n] *f.* ① 과도한 조직화. ② 각 기관·단체가 공동의 목적을 위해 연대하는 일.

über=partei·isch *a.* 초당파적인, 중립적인. **~pflanze** *f.* 〖植〗 착생(着生) 식물.

Überphosphorsäure [ý:bərfɔsfɔrzɔy-rə] *f.* 〖化〗 과인산.

Überproduktiōn [ý:bərproduktsĭo:n] *f.* -en, 생산 과잉.

überprüfen [y:bərprý:fən] *t.* 재검사하다. **Überprüfung** *f.* -en, 검사.

über|quellen* [ý:bərkvɛlən] *i.*(s.) 솟아 넘치다.

überquēr [y:bərkvé:r] *adv.* 가로, 비스듬히; 가로〔건너〕질러.

überragen [y:bərrá:gən] *t.* (의) 위에 치솟다; 《比》 (을) 능가하다(*surpass*).

überraschen [y:bərráʃən] [<rasch] *t.* 불시에 덮치다, 기습하다, 깜짝 놀라게 하다(*surprise, startle*). **Überraschung** *f.* -en, 기습.

überrechnen [y:bərréçnən] *t.* 셈해 어림잡다, 개산하다; (계산을) 대충보다, 조사하다.

überreden [y:bərré:dən] *t.* 설복하다, 설득하다, (zu, 을 하도록) 권유하다(*persuade (into)*). **Überredung** [y:bərré:duŋ] *f.* -en, 설득, 권유.

Überredungs=gābe *f.*, **~kraft** *f.* 설득하는 힘. **~kunst** *f.* 설득술.

überreich [ý:bərraiç] *a.* 숱한, 극히 풍부한, 남아 돌아갈 정도의; 큰 부자인.

überreichen [y:bərráiçən] *t.* 넘겨주다, 수교하다; 내놓다; 제출하다.

überreichlich [ý:bərraiçlıç] *a.* 극히 풍부한〔많은〕.

Überreichung [ý:bərraiçuŋ] *f.* -en, 넘겨줌; 제출.

überreif [ý:bərraif] *a.* 너무 익은《과실 따위》; 난숙한《문화 따위》.

überreiten* [y:bərráitən] *t.* 말굽 밑에 쓰러뜨리다; 말타고 앞지르다; (말을) 타서 지치게 하다.

überreizen [y:bərráitsən] *t.* 지나치게 자극하다. **überreizt** *p.a.* 자극이 지나친; 신경 과민의, 흥분한.

überrennen* [y:bərrénən] *t.* 달려서 밀어 넘어 뜨리다; 달려서 앞지르다; 뛰어 (한계를) 넘다.

Überrest [ý:bərrɛst] *m.* -es, -e, 잔여; 폐허.

Überrock [ý:bərrɔk] *m.* 외투; 가벼운 외투, 톱 코트, 망토; 프록 코트.

überrollen [y:bərrɔ́lən] *f.* (적을, 적진을) 분쇄하다, 유린하다.

überrumpeln [y:bərrúmpəln] *t.* 습격하다; 기습하여 빼앗다. **Überrump(e)lung** *f.* -en, 습격, 기습에 의한 점령.

übers [ý:bərs] 《俗·略》 =*über* das.

übersäen [y:bərzɛ́:ən] *t.* (에) 씨를 뿌리다; (mit, 을) 온통 뿌리다.

übersättigen [y:bərzétıgən] *t.* 포만시키다, 싫증나게 하다(*surfeit*); 〖化〗 과포화(過飽和)시키다.

Überschallgeschwindigkeit [ý:bər-ʃal-] *f.* 〖物〗 초음속.

überschatten [y:bərʃátən] *t.* 그늘지게 하다, 음폐하다; 《比》 (의) 빛을 빼앗다, 무색케 하다.

überschätzen [y:bərʃétsən] *t.* 너무 중히 여기다, 지나치게 평가하다.

überschauen [y:bərʃáuən] *t.* (의 위를) 내다 보다; 개관하다.

über|schäumen [y:bərʃɔymən] *i.*(h.) 거품내며 흘러 넘치다.

Überschicht [ý:bərʃıçt] *f.* 〖坑〗 시간외 노동.

über|schießen* [ý:bərʃi:sən] *i.*(s.) 넘치다; 초과하다. **überschießen*** 《I》 *t.* (das Ziel ~) 표적을 넘겨 쏘다, 빗 넘다. ¶ ~de Summe 초과액. 《II》 *refl.* 재주넘다.

Überschlāg [ý:bərʃla:k] *m.* 견적, 어림, 개산(*estimate, rough calculation*); 〖體〗 재주넘기. **über|schlāgen*** 《I》 *t.* 겹치다; (다리를) 포개다(*cross*). 《II》 *i.*(s.) 저편으로 훌쩍 뛰다, 뛰어 건너다; 전도하다, 고꾸라지다(*tumble over*). **überschlāgen*** 《I》 *t.* 대강 어림잡다, 개산하다(*calculate roughly*); 뛰어 넘다, 생략하다(*skip*). 《II》 *refl.* 뒤집히다(*turn over*); 〖空〗 재주넘기를 하다(*loop the loop*); 목청이 변하다, 목이 쉬다(*break*).

《Ⅲ》 *p.a.* 미지근한(*lukewarm*). **über≈schläglich** *adv.* 대강, 대략, 약.

überschmieren [y:bərʃmí:rən] *t.* (기름 따위를) 위에 칠하다.

über|schnappen [ý:bərʃnapən] *i.*(s.) 찰깍하고 벗어지다《자물쇠 따위가》; 목소리가 변하다; 《比》 실성하다, 미치다.

überschneiden* [y:bərʃnáidən] 《Ⅰ》 *t.* 교차(交叉)시키다, 끼워 잇다; 《Ⅱ》 *refl.* 교차하다; 교착(交錯)하다.

über|schreiben* [ý:bərʃraibən] *t.* (의) 위에 (덧) 쓰다; 전사(轉寫)하다. **über≈schreiben*** *t.* (에) 표제를 붙이다; 써 보내다; 양도(위탁)하다.

überschreien* [y:bərʃráiən] 《Ⅰ》 *t.* 보다 크게 외치다, 소리를 크게 질러 (…의) 소리를 안 들리게 하다. 《Ⅱ》 *refl.* 소리를 질러 목이 쉬다.

über|schreiten* [ý:bərʃraitən] *i.*(s.) 저편으로 건너가다. **überschreiten*** [y:bərʃráitən] *t.* 걸어서(밟고) 넘다; 넘어서다, 넘어가다; 초과하다(*exceed*). ¶ 《比》 alles Maß ~ 상도(常道)를 벗어나다, 방종하다 / das Gesetz ~ 법(률)을 범하다.

Überschrift [ý:bərʃrɪft] [<überschreiben] *f.* -en, 표제《논문·시 따위의》(*title, heading*); 수신인명.

Überschuh [ý:bərʃu:] *m.* 오버 슈즈, 덧신.

überschuldet [y:bərʃúldət] *p.a.* (mit Schulden überladen) 큰 빚을 걸머진.

Überschuß [ý:bərʃus] [<überschießen] *m.* ..schusses, ..schüsse, 잉여; 과잉. **überschüssig** *a.* 나머지의, 과잉의(*surplus*).

über|schütten [ý:bərʃʏtən] *t.* 부어서 넘치게 하다. **überschütten** [y:bərʃʏ́tən] *t.* (에) (mit, 을) 붓다, 뿌리다. ¶ jn. mit Vorwürfen ~ 아무에게 비난을 퍼붓다.

Überschwang [ý:bərʃvaŋ] [<↑überschwingen] *m.* -(e)s, 과다, 과잉(過剩), 충일(充溢)(*exuberance*).

überschwemmen [y:bərʃvémən] *t.* (의 위에) 범창하다, 범람하다. ¶der Markt ist mit dieser Ware überschwemmt 시장에는 이 상품이 범람해 있다. **Über≈schwemmung** *f.* -en, 범람, 홍수.

überschwenglich [ý:bərʃvɛŋlɪç, y:bərʃvéŋlɪç] *a.* 과도한, 지나친, 엄청난(*exuberant*).

überschwer [ý:bərʃve:r] *a.* 과중한, 중량 과잉의.

über|schwimmen* [ý:bərʃvɪ–] *i.*(s.) 저편으로 헤엄쳐 건너다; 흘러서 퍼지다.

Übersee [ý:bərze:] *f.* 해외의 여러 나라. ¶nach ~ 해외로.

Übersee≈dampfer *m.* 외국행 기선. **~handel** *m.* 해외 무역.

überseeisch [ý:bərze:ɪʃ] *a.* 해외(로부터)의, 해외로 가는.

Übersee≈kābel *n.* 해저 전선. **~pa≈pier** *n.* 아주 얇은 편지(紙)지. **~tele≈gramm** *n.* 해저 전신. **~verkehr** *m.* 해외 교통.

über|sēgeln [ý:bərze:gəln] *i.*(s.) 저편으로 범주(帆走)하다. **übersēgeln** [y:bərzé:gəln] *t.* 범주(帆走)중 충돌하여 침몰시키다《다른 배를》.

überséhen* [y:bərzé:ən] *t.* 내다보다, 조망[전망]하다(*survey*); 알게 되다(*see, realize*); 못보고 빠뜨리다(*overlook*); 묵인하다, 너그럽게 보다(*make allowance for*).

über|sein* [ý:bərzain] *i.*(s.) 남아 있다.

über|senden* [ý:bərzɛndən] *t.* 저편으로 보내다. **übersenden*** [y:bərzéndən] *t.* 송부[송달]하다. **Übersender** *m.* -s, -, 송부자; 송금자. **Übersendung** *f.* -en, 송달, 송부; 송금.

übersetzbār [y:bərzétsba:r] *a.* 번역할 수 있는. **über|setzen** [ý:bərzɛtsən] 《Ⅰ》 *i.*(s.) 저편으로 건너다《배 따위로》. 《Ⅱ》 *t.* 저편 강변으로 건네다[나르다].

übersetzen [y:bərzétsən] *t.* 번역하다(*translate*), 통역하다; (값을) 지나치게 많이 매기다, 과대한 대가를 치르게 하다. **Übersetzer** *m.* -s, -, 번역자. **Übersetzung** *f.* -en, 번역(한 것).

Übersicht [ý:bərzɪçt] [<über|sehen] *f.* 내다봄, 조망, 전망(*view, survey*); 개관, 개요(*summary*). **übersichtlich** *a.* 내다볼 수 있는, 개관할 수 있는; 일목 요연한; 개괄적인. **übersichtlichkeit** *f.* 전망할 수 있음.

Übersichts≈karte *f.* 약도, 지형도. **~plān** *m.* 일반 계획. **~tāfel** *f.* 일람표.

über|siedeln [ý:bərzi:dəln] *i.*(s.) 이주(移住)하다. **Übersied(e)lung** *f.* -en, 이주; 이민.

übersilbern [y:bərzílbərn] *t.* 은(銀)을 입히다, 은도금하다.

übersinnlich [ý:bərzɪnlɪç] *a.* 초감각적인; 형이상(形而上)의, 초자연적인.

überspannen [y:bərʃpánən] 《Ⅰ》 *t.* (의 위에)(mit, 을) 치다, 펴다, (다리를) 놓다; 너무 팽팽히 켕기다; 너무 긴장시키다(*overstrain*); 《比》 도(度)를 지나치다, 극단에 흐르다(*exaggerate*). 《Ⅱ》 **über≈spannt** *p.a.* 너무 팽팽한, 지나치게 긴장한; 과장(誇張)된; 과대한, 터무니 없는《요구·생각 따위》. **Überspannt·heit** *f.* -en, 과장; 과도한 긴장; 극단, 지나침. **Überspannung** *f.* -en, 과도한 긴장; 과장, 상궤(常軌)를 벗어남, 과전압(過電壓).

überspielen [y:bərʃpí:lən] *t.* (어떤 곡을) 끝까지 다 연주하다; 경기(競技)에서 지우다《상대방을》. **überspielt** *p.a.* (게임에서) 기진 맥진해진.

überspitzen [y:bərʃpítsən] *t.* 너무 뾰족하게 하다; 《比》 과장하다. **überspitzt** *p.a.* 극단에 흐른, 과장한, 묘한(*too subtle*).

über|springen* [ý:bərsprɪŋən] *i.*(s.) 뛰어 넘다. **überspringen*** *t.* 뛰어 넘다; 거르다, 빠뜨리다, 생략하다(*skip*).

über|sprūdeln [ý:bərʃpru:dəln] *i.*(h. u. s.) 솟아 넘치다, 거품을 내며 넘치다.

überstechen* [y:bərʃtéçən] *t.*: jn.: (의) 패를 위패[으뜸패]로 지우다.

über|stēh(e)n* [ý:bərʃte:(ə)n] *i.*(h.) (의) 위에 서다[있다]; 돌출하다, 솟아 있다. **überstēh(e)n*** [y:bərʃté:(ə)n] *t.* 견디어 내다, 이겨내다(*endure, go through*). ¶er hat es überstanden, a) 그는 그것을 견디어 내었다, 이겨냈다, b) 그는 죽었다.

über|steigen* [ý:bərʃtaigən] *i.*(s.) 저편

U

으로] 넘어가다; (물이) 넘치다. **über⸗steigen*** *t.* 꼭대기까지 오르다; 올라가 넘다, 저쪽으로 넘어가다; 《比》(을) 이겨내다, 극복하다, 헤쳐 나가다; (한계·제한을) 넘다. **übersteigern** [y:bərʃtáigərn] *t.*: jn. ~ (경매에서) 아무보다 비싼 값을 매기다.

Übersterblichkeit [y:bərʃtɛrplɪçkait] *f.* 과도한[예상 이상의] 사망율.

überstimmen [y:bərʃtímən] *t.*: jn.: (에게) 투표수로 이기다.

überstrahlen [y:bərʃtrá:lən] *t.* (의 위를) 두루 비추다; 보다 세게 비추다; 《比》(으로 하여금) 무안하게 하다, (을) 능가하다.

überstreichen* [y:bərʃtráiçən] *t.* (의) 위에 (mit, 을) 바르다.

über|streifen* [ý:bərʃtraifən] *t.* (외투 따위를) 위로부터 걸치다[입다].

überstreuen [y:bərʃtrɔ́yən] *t.*: mit et. ~(에) 무엇을 끼얹다.

über|strömen [ý:bərʃtrø:mən] *i.*(h. *u.* s.) 넘치다, 넘쳐 흐르다. **überströmen** *t.* (에) 범람하다.

über|stülpen [ý:bərʃtʏlpən] *t.* (에) 푹 씌우다.

Überstunde [ý:bərʃtundə] *f.* 시간외 근무[작업]; 오버 타임. ¶e-e ~ machen 한 시간의 시간외 근무를 하다.

Überstunden⸗arbeit *f.* 시간외 근무. **~zūschlāg** *m.* 시간외 근무 수당.

über|stürzen [ý:bərʃtʏrtsən] *t.* 급히 뚜껑을 덮다; *i.*(s.) 넘어지다; 돌진하다. **überstürzen** [y:bərʃtʏ́rtsən] *t.* (에) (mit, 을) 덮다; 급히 서둘러 하다; *refl.* 넘어지다; 급히 서둘다; 당황해서 하다. **überstürzt** *p.a.* 급히 서두르는, 황급한, 덤비는(*precipitate*). **Überstür⸗zung** *f.* -en, 급히 서둚, 당황함, 경솔함, 갈팡질팡 덤빔.

übertäuben [y:bərtɔ́ybən] *t.* 귀머거리로 만들다, 들리지 않게 하다; 침묵시키다; (의 소리를) 없애다.

überteuern [y:bərtɔ́yərn] *t.*: jn.: (에게) 엄청난 값을 요구하다.

übertölpeln [y:bərtœ́lpəln] *t.* 속이다, 기만하다, 사기하다.

übertönen [y:bərtǿ:nən] *t.* 보다 높이 울리다; (보다 큰 소리로) 지우다, 들리지 않게 하다.

Übertrāg [ý:bərtra:k] *m.* -(e)s, ⸚e, 이월(移越); 이월 금액. **übertrāgbār** *a.* 양도할 수 있는; 번역할 수 있는; 〖醫〗전염성의(*contageous*). **übertrāgen*** [y:bərtrá:gən] 《Ⅰ》 *t.* 옮기다, 이송하다(*transfer*); 양도하다; 위임하다, 맡기다; 〖商〗이월(移越)하다; 전용(轉用)하다; 옮기다《병을》, 전염(傳染)시키다; 번역하다(*translate*); (라디오) 중계하다(*transmit, relay*). 《Ⅱ》 *p.a.* 비유적인, 전용된. ¶e-e ~e Bedeutung 전의(轉義), 비유적인 의미. **Übertrāgung** *f.* -en, 양도, 위임, 맡김; 이월; 전용; 전의(轉義); 전염; 번역; 중계.

übertreffen* [y:bərtrɛ́fən] *t.*: jn.: (보다) 낫다, 능가하다(*excel, surpass*).

über|treiben* [ý:bərtraibən] *t.* 저편으로 쫓다; 몰아 세우다. **übertreiben*** [y:bərtráibən] *t.* 과도하다, 지나치(게)다(*overdo*); 과장하다(*exaggerate*). **Übertreibung** *f.* -en, 도를 지나침; 과장.

über|treten* [ý:bərtre:tən] *i.*(s.) 한계를 넘다, 밟고 넘다. ¶der Fluß war übergetreten 강이 범람하다 / zum Katholizismus ~ 가톨릭으로 개종(改宗)하다. **übertreten*** [y:bərtré:tən] *t.* 밟고 넘다; 《比》(을) 범하다, (에) 위반하다(*transgress, trespass*). **Übertreter** *m.* -s, -, 위반자; 반칙자. **Übertre⸗tung** *f.* -en, 위반; 반칙; 〖法〗경범죄.

übertrieben [y:bərtrí:bən] *a.* 과도한, 과장된, 터무니 없는.

Übertritt [ý:bərtrɪt] [<über|treten] *m.* -(e)s, -e, 옮김; 개종(改宗).

übertrumpfen [y:bərtrúmpfən] *t.*: jn.: 보다 높은 패로 먹다; 《比》(에게) 이기다, 능가하다(*outdo*).

übertünchen [y:bərtʏ́nçən] *t.* (에) 석회[백색] 도료를 칠하다; 《比》겉모양을 꾸미다; 진실을 호도(糊塗)하다.

über|versichern [ý:bərfɛrzɪçərn] *t.* (에) 너무 높은 보험을 걸다; *refl.* 초과 보험을걸다. **Überversicherung** *f.* (부정한) 초과 보험(을 겖).

über·übermorgen [ý:bər-y:bərmɔrgən] *adv.* 글피.

übervölkert [y:bərfœ́lkərt] *p.a.* 인구 과잉의. **Übervölkerung** *f.* -en, 인구 과잉(*overpopulation*).

übervoll [ý:bərfɔl] *a.* 너무 가득찬; 초만원의; 너무 많은.

übervorteilen [y:bərfɔ́rtailən] *t.*: jn.: 속이다, 사기하다(*take in, defraud*).

überwachen [y:bərváxən] *t.* (아무를) 감시[감독]하다.

über|wachsen* [ý:bərvaksən] *i.*(s.) 벋어 나오다; 불거져나오다. **überwach⸗sen*** [y:bərváksən] *t.* 성장[무성]하여 뒤덮다[가리다]. ¶mit Efeu überwach-sen (*p.p.*) 댕댕이덩굴로 뒤덮인.

Überwachung [y:bərváxuŋ] *f.* -en, 감시, 감독.

überwältigen [y:bərvɛ́ltɪgən] *t.* 압도[극복]하다, 이기다, 정복하다(*overpower, overcome*). **überwältigent** *p.a.* 압도적인. **Überwältigung** *f.* -en, 압도, 극복.

Überwēg [ý:bərve:k] *m.* 교차점.

überweisen* [y:bərváizən] *t.* 교부하다; 양도하다, 맡기다; 〖議會〗부의하다(*devolve*); 〖商〗(어음 등에) 배서하다, 대체(對替)하다(*assign, transfer*). **Überwei⸗sung** *f.* -en, 위탁; 부탁; 〖商〗배서, 대체.

Überwelt [ý:bərvɛlt] *f.* 내세, 천국. **überweltlich** *a.* 내세의, 초현세적인, 천국의.

überwendlich [y:bərvɛ́ntlɪç] *a.* 공그르는, 사뜨는. ¶~e Naht 공그름 바느질.

über|werfen* [ý:bərvɛrfən] *t.* (외투를) 걸치다. **überwerfen*** *t.* 빈틈없이 칠하다; 팽개쳐 쓰러뜨리다; *refl.* 넘어지다; (mit ~) 싸우다(*fall out (with)*).

über|wiegen* [ý:bərvi:gən] *i.*(h.) 규정 이상의 무게가 있다. **überwiegen*** [y:bərví:gən] 《Ⅰ》 *t.* 무게가 더 나가다; 《比》능가하다(*outweigh*). 《Ⅱ》 *i.*(h.) 보

다 낫다, 우세하다(*preponderate*). 《Ⅲ》 **überwiegend** [y:bərví:gənt] *p.a.* 우세한, 압도적인, 주요한; *adv.* 주로(*chiefly, mainly*).

überwinden* [y:bərvíndən] [後半: winden 이 아니고 ♈gewinnen] *t.* (에) 이기다, (을) 극복하다(*overcome, conquer*); *refl.* 극기〔자제〕하다. **Überwinder** *m.* -s, -, 정복〔극복〕자, 승리자(*conqueror*). **überwindlich** [-tl-] *a.* 극복할 수 있는. **Überwindung** *f.* -en, 정복, 극복(*conquest*); (Selbstüberwindung) 극기, 자제(*self-command*).

überwintern [y:bərvíntərn] 《Ⅰ》 *t.* 월동시키다《동식물에게》. 《Ⅱ》 *i.*(h.) 월동하다; 동면하다.

überwölben [y:bərvœ́lbən] *t.* (의 위에) 둥근 천장을〔아치를〕 만들다, (을) 둥근 지붕으로 덮다. 「가리다.」

überwölken [y:bərvœ́lkən] *t.* 구름으로

über|wūchern [ý:bərvu:xərn] *i.*(s.) 무성하다, 만연하다; 〖醫〗 비대하다, 지나치게 증식하다. **überwuchern** [y:bərvú:xərn] *t.* (의 위에) 우거지다, (을) 우거져서 뒤덮다; 무성하여 (…을) 압도하다.

Überwurf [ý:bərvurf] [<über|werfen] *m.* -(e)s, ⸗e, 걸에 걸치는 옷; 망토.

Überzahl [ý:bərtsa:l] *f.* 초과수, 잉여(剩餘)(수); 수가 보다 많음, (비교적) 다수; 우세. **überzählen** [y:bərtsέ:lən] *t.* 통산(通算)〔개산〕하다. **überzählig** *a.* 초과한, 과잉의; 정원외의.

überzeichnen [y:bərtsáiçnən] *t.* (주식의 모집액을) 초과하여 신청하다. **Überzeichnung** *f.* -en, 응모〔신청〕 초과.

überzeugen [y:bərtsɔ́ygən] [„mit Zeugen überführen", 증인에 의하여 죄를 자인케 하다] *t.*: jn.: (에게) (von, 을) 설득하다, 납득〔확신〕시키다(*convince (of)*). **überzeugend** *p.a.* 납득이 가는, 틀림없는. **Überzeugung** *f.* -en, 설득; 확신, 신념(*conviction, belief*). ¶der ~ sein 확신하고 있다. **Überzeugungskraft** *f.* 설득력. **Überzeugungstāter** *m.*

über|ziehen* [ý:bərtsi:ən] *t.* (위에) 씌우다, 입히다; 쓰다, 입다. **überziehen*** [y:bərtsí:ən] 《Ⅰ》 *t.* ① (mit, 로) 덮다, 씌우다. ¶ein Land mit Krieg ~ 어떤 나라를 전운(戰雲)으로 뒤덮다, (에) 침입하다. ② 〖商〗 예금고(預金高) 이상으로 찾아내다. 《Ⅱ》 *refl.* 덮이다, 싸이다. **Überzieher** [-tsi:ər] *m.* -s, -, 외투. **Überziehhōsen** *pl.* 덧바지.

überzuckern [y:bərtsúkərn] *t.* (의 위에) 설탕을 입히다.

Überzūg [ý:bərtsu:k] [<über|ziehen] *m.* -(e)s, ⸗e, 겉옷; 겉싸개, 커버; 시츠; 겉껍데기; 겉발림《과자 따위의》.

überzwerch [y:bərtsvέrç] 《Ⅰ》 *a.* 비스듬한; 불유쾌한; 적대적인. 《Ⅱ》 *adv.* 가로, 비스듬히(*across, athwart*).

üblich [ý:plıç] [<üben] *a.* 세간에서 행하여지는, 보통의, 관행(慣行)의(*usual, customary*). **Üblichkeit** *f.* 위임.

U-Boot [ú:bo:t] *n.* =UNTERSEEBOOT 잠수함.

übrig [ý:brıç] [über *u.* -ig] *a.* ① 초과한, 남은, 나머지의, 여분의((*left*) *over, remaining*); 그 밖의, 다른(*other*). ¶~ haben 남겨놓고 있다 / ich habe nichts für ihn ~ 나는 그를 좋아하지 않는다. ② 《名詞化》 ein ~es tun 쓸데없는 짓을 하다 / die ~en 그밖의 사람들 / im ~en =ÜBRIGENS. **übrig|bleiben*** *i.*(s.) 남겨져 있다, 남아 있다. **übrigens** [ý:brıgəns] *adv.* 그 밖의 점에서는(*as for the rest*); 그 위에, 그 밖에, 더우기; 그것은 그렇다고 치고, 하여간(*after all*); 덧붙여, 그런데(*by the way*). **übrig|lassen*** *t.* 남기다, 남겨 두다.

Übung [ý:buŋ] [<üben] *f.* -en, ① 행하여짐, 관용(慣用)(*use*). ¶aus der ~ kommen 쇠퇴되다. ② 실습, 연습(*exercise, practice*); 〖軍〗 훈련, 교련(*drill*); 연습 문제, 예제; 〖樂〗 연습곡.

Übungs⸗aufgābe *f.* 연습 문제. **~halber** *adv.* 연습하기 위해, 연습으로. **~flūgzeug** *n.* 연습기. **~marsch** *m.* 행군 훈련. **~munitiōn** *f.* 훈련용 공포탄. **~platz** *m.* 연병장. **~stück** *n.* 연습 문제, 작문; 〖樂〗 연습곡. **~zimmer** *n.* 연습실.

Ufer [ú:fər] *n.* -s, -, 강변, 물가(*shore, bank*); 바닷가, 해변(*coast*). ¶am ~ 강변에.

Ufer⸗damm *m.* 제방; 안벽(岸壁), 부두. **~lōs** *a.* 물가가 없는; 《比》 가없는, 끝없는. **~schutzbauten** *pl.* 호안(護岸) 공사, 제방.

Uhr [u:r] [Lw. lat. *hōra* „Stunde"] *f.* ① 시각(♈*hour*). ¶wieviel ~ ist es? 지금 몇 시입니까 / um zwei ~ 2 시에. ② (*pl.* -en) 시계(Turm~: *clock*; Taschen~: *watch*; Wand~: *timepiece*). ¶nach m-r ~ 나의 시계로는.

Uhr⸗fēder *f.* 시계 태엽. **~gehäuse** *n.* 시계 케이스. **~gewicht** *n.* 시계추. **~glās** *n.* 시계 유리. **~kette** *f.* 시계줄. **~macher** *m.* 시계 제조인. **~stand** *m.* 어느 시계가 가리키는 (빠르거나 늦은) 시각《바른 시각과의 오차》. **~werk** *n.* 시계의 기계; 시계 장치, 태엽 장치《장난감 따위의》. **~zeiger** *m.* 시계 바늘.

Ū-hū [ú:hu:] [擬聲語] *m.* -s, -s, 〖鳥〗 수리부엉이(*eagleowl*).

UKW 《略》 =*U*ltra*k*urz*w*elle 초단파.

Ulān [ulá:n] [türk. -poln.] *m.* -en, -en, 창기병(槍騎兵)(♈*uhlan, lancer*).

Ulk [ulk] *m.* -(e)s, -e, 《方·學》 장난, 익살(*fun, lark*). **ulken** *i.*(h.) 장난하다, 익살떨다. **ulkig** *a.* 우스운, 익살맞은, 까부는.

Ulkus [úlkus] [lat.] *n.* -, Ulzera, 〖醫〗 궤양, 종기.

Ulme [úlmə] [lat.] *f.* -n, 〖植〗 느릅나무(*elm*(*-tree*)).

Ultimātum [ultimá:tum] [lat. „Letztes"] *n.* -s, ..ten *u.* -s, 최후 통첩. **Ultimo** [último] *m.* -s, -s, 월말(月末), 그믐날.

ultra.. [últra(:)-, ultra-] [lat. „darüber hinaus, jenseits"] *pref.* „저쪽의; 초(超), 과격, 급진"의 뜻. **Ultrā** *m.* 급진론자, 과격파. **Ultrakurzwelle** *f.*

초단파(超短波). **ultramarīn** *a.* 검푸른. **Ultramikroskōp** *n.* 한외(限外) 현미경. **ultramontān** [„jenseit der Gebirge"] *a.* 알프스 남쪽의; 로마 교황당(黨)의. **ultrarōt** *a.* 적외선의. **Ultraschall** *m.* 초음파. **Ultrastrahlung** *f.* 우주선(宇宙線). **ultraviolett** *a.* 자외선의.

ulzerieren [ʊltsərí:rən] *i.*(h.) 궤양을 형성하다, 곪다.

um [ʊm] 《Ⅰ》 *prp.* 《4格支配》 ① (의) 둘레를, 주위에, (을) 돌아(*around, round*) 《um … herum 의 꼴도 씀》. ② 《時間》 경(頃) 《시계의 시간을 가리킬 때는 정확한 시각》. ¶ ~ 6 Uhr, 6시에. ③ (ungefähr um) 대략(*about*). ④ 《"무엇의 주위를 돌다"의 뜻에서 "무엇을 얻으려고 노력하다"의 뜻으로 됨》 …때문에, 한 까닭에; 을 위하여; 에 대하여, 에 관하여 (*about*). ¶ wie steht es ~ ihn? 그는 형편이 어떻습니까 / es handelt sich ~ et. 무엇이 문제다〔중요하다〕 / ~ ...willen (을) 위하여 / ~ js. willen 아무를 위하여. ⑤ 《"回轉"에서 轉化하여 "轉換, 交換"을 나타냄》 ~ Lohn arbeiten 삯일하다 / ~ bares Geld kaufen 현금으로 사다 / das täte ich ~ alles in der Welt nicht 그런 일은 절대로 하지 않는다 / ~ jeden Preis 어떠한 대가를 치르더라도, 기어이. ⑥ 《…의 周圍에서 벗어나 그 事物에 이르지 못함을, 즉 損失·喪失을 나타냄》 ~ et. kommen 무엇을 잃다 / jn. ~ et. bringen 아무로 하여금 무엇을 잃게 하다, 아무에게서 무엇을 빼앗다. ⑦ 《差異를 나타내어》 만큼, 정도. ¶ ~ die Hälfte 절반만큼 / ~ so besser! 더욱 더 좋다, 훌륭하다. ⑧ 《"轉換, 交換"의 뜻에서 轉化하여 "交代"를 나타냄》 einen Tag ~ den anderen 격일로 / einer ~ den anderen 번갈아, 차례차례로. 《Ⅱ》 *cj.*: ~ ... zu …하기 위하여, 하려고; 《"뜻밖에 일어난 事實"을 나타내는 글에서》 er kehrte zurück, ~ in der Heimat zu sterben 그는 돌아와 고향에서 죽었다. 《Ⅲ》 *adv.*: links ~! 좌향 좌 / rechts ~! 우향 우 / ~ u. ~, a) 사방에, b) 사방에서, 도처에서, c) 철두철미, 아주, 완전히.

um.. 《Ⅰ》 [úm-, ʊm-] *pref.* 《分離動詞의 前綴; 항상 악센트를 가짐》 "둘레에, 둘러 싸고, 여기저기; 우회; 선회; 방향 전환; 이동, 변경; 상실; 시간 경과"의 뜻. 보기: um|steh(e)n [úmʃte:(ə)n]: ich stand um; umgestanden; umzusteh(e)n. 《Ⅱ》 [ʊm-] 《非分離前綴; 악센트를 갖지 않음》 "둘레에, 둘러 싸고, 돌아서, 우회하여"의 뜻. 보기: umzeunen [ʊmtsɔ́ynən]: umzeunte; umzeunt; zu umzeunen.

um|ackern [úm-akərn] *t.* 갈아 뒤집다 《토지를》. **umackern** *t.* (의) 주위를 갈다.

um|adressieren [úm-adrɛsi:rən] *t.* (의) 수신인명(名)을 변경하다.

um|ändern [úm-ɛndərn] *t.* 변경하다, 바꾸다. **Umänderung** *f.* -en, 변경, 개정.

um|arbeiten [úm-arbaitən] *t.* 다시하다, 고치다, 개작(改作)하다. **Umarbeitung** *f.* -en, 개작, 개조.

umarmen [ʊm-ármən] *t.* 얼싸안다, 포옹하다(*embrace, hug*). **Umarmung** [ʊm-ármʊŋ] *f.* -en, 포옹.

Umbau [úmbau] *m.* -(e)s, -e *u.* ..ten, 개축(改築); 개조; 〚化〛 변성(變成); (*pl.*) 개축 건물. **um|bauen** [úmbauən] *t.* 개축〔개조〕하다. **umbauen** *t.* (의) 주위에 건축하다, (을) 건물로 에워싸다.

um|behalten* [úmbəhaltən] *t.* 입은 채로 있다.

um|betten [úmbɛtən] *t.* 다른 침대로 옮기다《환자 등을》.

um|biegen* [úmbi:gən] *t.* (꺾어) 구부리다〔굽히다〕, 휘게 하다.

um|bilden [úmbɪldən] *t.* 변형〔개조·개량〕하다. **Umbildung** *f.* -en, 변형, 개조; 개량.

um|binden* [úmbɪndən] *t.* 감아 붙이다; 고쳐 매다〔철(綴)하다〕. **umbinden*** *t.* (의) 둘레에 (mit, 을) 감다.

um|blāsen* [úmbla:zən] *t.* 불어 넘어뜨리다. **umblāsen*** *t.* (의) 주위에 불어대다.

um|blättern [úmblɛtərn] *t.* u. *i.*(h.): ein Buch ~, od. in e-m Buche ~ 책의 페이지를 넘기다.

um|blicken [úmblɪkən] *i.*(h.) u. *refl.* 휘둘러보다.

um|brechen* [úmbrɛçən] *t.* 꺾어 넘어뜨리다; 접어 젖히다; 파헤치다, 갈아 젖히다《논·밭을》. **umbrechen*** *t.* 〚印〛 식자(植字)한 낱말 또는 줄을 바꾸어 짜다; 위를 하여 페이지로 짜다.

um|bringen* [úmbrɪŋən] *t.* 죽이다(*kill, slay*); 《比》 파괴하다; *refl.* 자살하다.

Umbruch [úmbrux] *m.* -(e)s, ⸚e, 《Ⅰ》 [<um|brechen] (근본적인) 변혁(*radical change*). 《Ⅱ》 [<umbrechen] 〚印〛 낱말 또는 줄의 바꿔짜기; 페이지로 짜기.

um|būchen [úmbu:xən] *t.* 〚商〛 고쳐 적다〔쓰다〕. **Umbūchung** *f.* 고쳐 쓰기; 전기(轉記).

um|dämmen [úmdɛmən] *t.* 둑을 옮기다. **umdämmen** *t.* 둑으로 둘러 싸다.

um|decken [úmdɛkən] *t.*: den Tisch ~ 〚簿記〛 전기(轉記)하다, 상보(床褓)를 갈아치다 / ein Dach ~ 지붕을 갈아 이다.

um|deuten [úmdɔytən] *t.* (의) 해석을 고치다, 새로운 해석을 붙이다.

um|drēhen [úmdre:ən] 《Ⅰ》 *t.* 돌리다, 회전시키다; 비틀다; 거꾸로 향하게 하다. 《Ⅱ》 *refl.* 돌다, 회전하다; 거꾸로 향하다; 돌아보다. **Umdrēhung** [ʊmdré:ʊŋ, úmdre:-] *f.* 위를 하기; 〚天〛 자전(自轉).

Umdrēhungs⸗achse *f.* 회전축. **~⸗geschwindigkeit** *f.* 회전 속도. **~⸗zahl** *f.* 회전수.

Umdruck [úmdrʊk] *m.* -(e)s, -e, 개판(改版); (석판 인쇄의) 복각(複刻). **um|drucken** *t.* 개판〔복각〕하다.

um|fahren* [úmfa:rən] 《Ⅰ》 길을 돌아서 가다; (여기저기) 타고 돌다. 《Ⅱ》 *t.* 수레로 치어 넘어뜨리다. **umfahren** [ʊmfá:-] *t.* (의 주위를) 타고 돌아다니다; 〚海〛 (을) 주항(周航)하다.

Umfall [úmfal] *m.* -(e)s, ⸚e, 전도(轉倒), 전복; 급변, 표변. **um|fallen*** [úmfalən] *i.*(s.) 엎어지다, 전도〔전복〕하다; 쓰러져 죽다《동물이》; 《比》 표변(豹變)하다.

Umfang [úmfaŋ] *m.* -(e)s, ⸚e, ① 주위(*circumference*); 주변. ② 부피; 굵기; 크기(*size*); 폭, 넓이; 〖哲〗 외연(*extent*). ③ 《比》 범위(*compass*). ④ 용량, 용적; 〖樂〗 음량(*volume*). **umfangen*** [umfáŋən] *t.* 안다, 얼싸안다(*embrace*); 〖軍〗 포위하다(*surround*). **umfänglich** [úmfɛŋlıç] *a.* 범위가 넓은, 광대한; 부푼, 굵은; 뚱뚱한. **umfangreich** *a.* 광범위한; 권(卷)수가 많은, 호한(浩瀚)한 《책》; 굵은, 음량이 있는.

um|färben [úmfɛrbən] *t.* 고쳐 물들이다, 다시 물들이다.

um|fassen [úmfasən] *t.* (보석을) 바꾸어 박다. **umfassen** [umfásən] 《Ⅰ》 *t.* 껴안다(*embrace*); 쥐다; (에워)싸다; 포위하다《적을》(*outflank*); 《比》 포괄〔포함〕하다(*comprise*). 《Ⅱ》 **umfassend** *p.a.* 포괄적인, 광범위한 (*comprehensive*). **Umfassung** *f.* 포옹; 포괄; 포위. **Umfassungs·angriff** *m.* 포위 공격.

um|flechten* [úmflɛçtən] *t.* 고쳐 짜다, 다른 모양으로 짜다. **umflechten*** *t.* 싸서 짜다.

umflōren [umflóːrən] *t.* 베일을 치다; 망사로 싸다. **umflōrt** [umflóːrt] *p.a.* 흐리멍덩한, 몽롱한.

um|formen [úmfɔrmən] *t.* 변형하다, 변하게 하다; 〖電〗 변압(變壓)하다(*convert*). **Umformer** *m.* -s, -, 변압기. **Umformer·anlāge** *f.* 변압 시설. **Umformung** *f.* -en, 변형, 개조; 변압.

Umfrāge [úmfraːgə] *f.* 차례로 〔돌아가며〕 질문함. **um|frāgen** *i.*(h.) 차례로 질문하다. 「아 채우다.」

um|füllen [úmfʏlən] *t.* 옮겨 붓다, 갈

Umgang [úmgaŋ] *m.* -es, ⸚e, 《Ⅰ》 [<um|geh(e)n] 돌아다님; 행렬(*procession*); 교제(*intercourse*); 교우, 지인(知人)(*acquaintance*). 《Ⅱ》 [<umgeh(e)n] 순회. **umgänglich** [úmgɛŋlıç] *a.* 사교적인; 붙임성 있는; 상냥한.

Umgangs·formen *pl.* 사교의 법식, 예식, 범절, 에티켓. **∼sprāche** *f.* 일상어, 회화 용어, 구어(口語).

umgarnen [umgárnən] *t.* 그물을 씌우다; 《比》 올가미에 걸(리게 하)다(*ensnare*).

umgaukeln [umgáukəln] *t.* (의) 주위를 날아〔돌아〕다니다; 《比》 속여 넘기다.

umgēben* [umgéːbən] *t.* 둘러〔에워〕 싸다, 위요하다(*surround*). **Umgēbung** [umgéːbuŋ] *f.* -en, 주위(*environs, surroundings*); 주위(의 사람들), 측근.

Umgēgend [úmgeːgənt] *f.* -en, 주위, 부근, 근방, 인근(*environs, neighbourhood*); 근교(近郊)(*vicinity*).

um|gēh(e)n* [úmgeː(ə)n] *i.*(s.) ① 의 둘레를 걷다, (걸어) 돌아다니다; 순회하다; (유령이) 배회하다. ¶es geht ein Gerücht um, daß... …라는 소문이 떠돌고 있다. ② (mit, 와) 교제〔관계〕하다; (을) (…하게) 다루다; (에) 종사하다. ③ 우회하다; 회전〔선회〕하다; 역행하다, 되돌아오다. **umgēh(e)n*** [umgéː(ə)n] *t.* (을) 돌다, 순회하다; 우회하다; 《比》 피하다, 회피하다. **umgēhend** [-nt] *p.a.* 되돌아오는. ¶ ∼ (*p.p.*) antworten 즉시 회답하다. **Umgēhung** [umgéːuŋ] *f.* -en, 순회; 우회; 《比》 회피.

Umgēhungs·bewēgung *f.* 우회 운동. **∼straße** *f.* 자동차용 우회로.

umgekehrt [úmgəkeːrt] *p.a.* ☞ UMKEHREN.

um|gestalten [úmgəʃtaltən] *t.* 변형〔변모〕하다; 개조〔개혁〕하다.

um|gießen* [úmgiːsən] *t.* (물을) 사방에 붓다; 옮겨 붓다; 다시〔고쳐〕 주조하다.

um|gliedern [úmgliːdərn] *t.* 고쳐 짜다. **Umgliederung** *f.* -en, 개조(改組).

um|grāben* [úmgraːbən] *t.* 파 넘어뜨리다; 파 뒤집다〔일구다〕.

umgrenzen [umgréntsən] *t.* (에) 경계를 짓다〔두르다〕, (을) 에워싸다; 《比》 (을) 한정하다, 제한하다.

um|greifen* [úmgraifən] *i.*(h.) 넓어지다, 퍼지다; 만연하다. **umgreifen*** *t.* 싸다, 포함하다.

um|gruppieren [úmgrupiːrən] *t.* 다시 편성(編成)하다, 고쳐 짜다.

um|gürten [úmgʏrtən] *t.* 띠 삼아 두르다; (몸의 둘레에) 차다. **umgürten** *t.* (에) 띠를 두르다; 《比》 (둘러)싸다.

um|hāben* [úmhaːbən] *t.* 걸치고〔입고·띠고〕 있다.

um|hacken [úmhakən] *t.* 파 눕히다; 쟁기로 파 엎다; (낫으로) 베어 내다.

umhalsen [umhálzən] *t.* (의) 목을 얼싸안다, 포옹하다(*embrace, hug*).

Umhang [úmhaŋ] *m.* -(e)s, ..hänge, 막(幕), 커튼; 어깨걸이, 숄; 케이프. **um|hängen** *t.* 어깨에 걸치다. **umhängen** *t.* (의) 주위에 걸다, (에) 걸쳐 두르다; 걸쳐 싸다.

Umhäng(e)·tasche [úmhɛŋ(ə)-] *f.* 어깨에 메는 가방. **∼tūch** *n.* 숄, 목도리.

um|hauen* [úmhauən] *t.* 베어 넘기다.

umhēr [umhéːr] *adv.* (의) 둘레에, 빙 둘러서, 돌아서(*(a)round, about*). ¶die Gegend ∼ 근방의 땅, 근처.

umhēr·|blicken [umhéːr-] *i.*(h.) 빙둘러보다, 두리번거리다. **∼|fahren*** *i.*(s.) 여기 저기 돌아다니다〔드라이브하다〕. **∼|gēh(e)n*** *i.*(s.) 돌아다니다, 배회하다. **∼|kriechen*** *i.*(s.) 기어 돌아다니다. **∼|liegen*** *i.*(h.) 근처에 있다. **∼|streifen** *i.*(h. *u.* s.) 돌아다니다, 방황하다, 방랑〔유랑〕하다. **∼|ziehen*** *i.*(s.) 유랑하다.

umhin† [umhín] [=um (etwas) hin] *adv.* 회피하여. ¶ 《지금은 다음의 熟語로만 씀》 nicht ∼ können, et. zu tun 무엇을 하지 않을 수 없다(*cannot help (doing), must (do)*).

um|hōren [úmhøːrən] *refl.*: sich nach et. ∼ 무엇을 듣고자 돌아다니다, 여기저기 조회〔문의〕하다.

umhüllen [umhʏ́lən] *t.* 싸다, 씌우다(*envelop, wrap*). **Umhüllung** *f.* -en, 쌈; 덮어 씌움, 피복(被覆); 베일; 〖工〗 케이스.

Umkehr [úmkeːr] *f.* 귀환; 〖物〗 반전(反轉); 《比》 개심(改心)(*conversion*). **um|kehren** [úmkeːrən] 《Ⅰ》 *i.*(s.) 돌아서다, (되)돌아가다, 되돌아 오다; 반전(反轉)하다; 《比》 본심으로 돌아가다, 개심하다. 《Ⅱ》 *t.* 되돌리다, 거꾸로 하다; 엎다, 전도(轉倒)시키다(*turn upside down*); 뒤집다(*turn inside out*); 《比》 와해

U

시키다; (전류를) 역류시키다(*reverse*); 전회(轉回)하다(*invert*). 《Ⅲ》 **umgekehrt** *p.a.* 거꾸로의, 반대의; 뒤쪽의, 배면(背面)의; *adv.* 거꾸로, 반대로.

Umkehrung [úmke:ruŋ] *f.* -en, 거꾸로 함, 뒤집음; 〖工〗 반전; 〖樂〗 전회.

um|kippen [úmkɪpən] 《Ⅰ》 *t.* 뒤집다, 전복시키다. 《Ⅱ》 *i.*(s.) 뒤집히다, 전복하다; 《比》 신념을 버리다.

umklammern [umklámərn] *t.* (에) 달라붙다, 휘감기다, 매달리다; 〖拳〗 (에) 클린치하다; 《比》 (에) 집착하다.

um|klappen [úmklapən] 《Ⅰ》 *t.* 팡 닫다; 접(어 젖히)다. 《Ⅱ》 *i.*(s.) 《俗》 넘어지다, 졸도하다; 기력을 잃다; 양보하다, 체념하다.

um|kleiden [úmklaidən] *t.* (에게) (옷을) 갈아 입히다; *refl.* 옷을 갈아 입다. **umkleiden** *t.* 덮다, 싸다, (에) 입히다. **Umkleide·raum** *m.*, **Umkleide-zimmer** *n.* 경의실(更衣室), 화장실.

um|kommen* [úmkɔmən] [*eig.* „um das Leben kommen", =um-] *i.*(s.) 생명을 잃다, 죽다(*perish, die*); 못쓰게 되다(*spoil, waste, be lost*).

Umkreis [úmkrais] *m.* -es, -e, 주위, 주변(*circle, circuit, circumference*); 〖數〗 원주; 외접원. ¶im ~ von 2 Meilen 주위 2마일 이내. **umkreisen** *t.* (의) 주위를 돌다, 회전하다; 싸다, 포위하다.

um|krempe(l)n [úmkrɛmpə(l)n] *t.* 접어 젖히다; 싹 바꾸다; 상을 다시 차리다.

um|lāden* [úmla:dən] *t.* (짐을) 갈아 싣다.

Umlāge [úmla:gə] [<umlegen] *f.* -en, 과세(課稅), 부과(*assessment*); 할당액, 세액(稅額)(*rates*).

umlāgern [umlá:gərn] *t.* 에워싸다; 포위[공위(攻圍)]하다; 《比》 따라 다니다, 괴롭히다. 「노리다.」

umlauern [umláuərn] *t.* (의 주위를)

Umlauf [úmlauf] *m.* -(e)s, ..läufe, 회전, 선회; 회람을 돌림; 회람; 〖天〗 운행; (피의) 순환; (화폐 따위의) 유통; 유포 《소문 따위의》. ¶in ~ setzen 유통시키다; 유포하다; 유행시키다. **um|laufen*** [úmlaufən] 《Ⅰ》 *i.*(s.) 돌다; (천체가) 운행하다; 유통하다, (소문이) 유포하다; (피가) 순환하다. 《Ⅱ》 *t.* 달려가 밀어 넘어뜨리다. **umlaufen*** *t.* (의) 주위를 달리다; 둘러 싸다.

Umlauf(s)-kapitāl *n.* 유동 자본. **~-mittel** *n.* 유통 수단, 통화(通貨). **~-zeit** *n.* 〖天〗 주기(周期); 통용[유효] 기간.

Umlaut [úmlaut] *m.* -(e)s, -e, 〖文〗 변모음; 변음. **um|lauten** *i.*(h.) 변(모)음하다. 「*m.* 접은 깃.」

Umlēg(e)krāgen [úmle:g(ə)kra:gən]

um|lēgen [úmle:gən] 《Ⅰ》 *t.* ① 감아 붙이다; 휘감다. ② 굽히다, 접다. ③ 눕히다, 넘어뜨리다; 《比》 죽이다. ④ 바꾸어 놓다, 옮기다; 변경하다; (전화를) 중계하다. ⑤ 할당[배분]하다. 《Ⅱ》 *refl.* ① 넘어지다, 엎드리다. ② 장소[위치]를 바꾸다, 방향을 바꾸다. **umlēgen** *t.* (의) 주위에 (mit, 을) 놓다, 에워싸다.

um|leiten [úmlaitən] *t.* 다른 쪽으로 이끌다; 우회시키다. **umleitung** [úmlaituŋ] *f.* -en, 우회시킴, 우회로.

um|lenken [úmlɛŋkən] 《Ⅰ》 *t.* 다른 방향으로 향하게 하다, (의) 방향을 바꾸다. 《Ⅱ》 *i.*(h. *u.* s.) 딴 곳을 향하다, 방향을 바꾸다; 《比》 변심하다, 마음이 달라지다.

um|lernen [úmlɛrnən] *t.* 다시 배우다; 공부 방식을 바꾸다. 「의.」

umliegend [úmli:gənt] *a.* 부근[주위]

ummauern [ummáuərn] *t.* (에) 벽을 두르다, (을) 울타리로 둘러싸다.

um|mōdeln [úmmo:dəln] *t.* (의) 형(型)을 고치다, 개소(改塑)[개주(改鑄)·개조]하다.

umnachtet [umnáxtət] *p.a.* 어둠으로 싸인; 《比》 정신 착란의. **Umnachtung** *f.* -en, 정신 착란, 광기(*derangement*).

umnēbeln [umné:bəln] *t.* 안개로 싸다.

um|nehmen* [úmne:mən] *t.* 걸치다, (망토를) 입다. 「싸다.」

um|packen [úmpakən] *t.* 고쳐[다시]

um|pflanzen [úmpflantsən] *t.* 옮겨 심다, 이식하다. **umpflanzen** [umpflán-] *t.* (의) 주위에 (mit, 을) 심다, 수목으로 두르다.

um|pflastern [úmpflastərn] *t.* (의) 포석(鋪石)[자갈]을 다시 깔다.

um|pflūgen [úmpfly:gən] *t.* 갈아 엎다.

um|prägen [úmprɛ:gən] *t.* (화폐를) 개주(改鑄)하다.

um|quartieren [úmkvarti:rən] *t.* (군대를) 전영(轉營)시키다.

um|rahmen [úmra:mən] *t.* 다른 틀에 끼우다, 액자를 갈아 끼우다. **umrahmen** [umrá:mən] *t.* 테로 두르다, 틀에 끼우다.

umranden [umrándən] *t.* (에) 가장자리를 붙이다, (의) 가장자리를 꾸미다.

umranken [umráŋkən] *t.* (에) 휘감기다, 얽히다《덩굴 따위가》; (mit, 으로) 휘감기게 하다. 「하다; 환전(換錢)하다.」

um|rechnen [úmrɛçnən] *t.* 〖商〗 환산

Umrechnungs-kurs [úmrɛçnuŋs-] *m.* 환시세(換時勢). **~tabelle** *f.* 환시세표.

umreisen [umráizən] *t.* 일주[주유]하다.

um|reißen* [úmraisən] *t.* 끌어[치어·밀쳐] 넘어 뜨리다; 헐다, 부수다; 불어 넘어 뜨리다; 갈아 젖히다. **umreißen*** [umrái-] *t.* (의) 윤곽을 그리다(*outline*).

um|reiten* [úmraitən] *t.* 말굽으로 치어 쓰러뜨리다. **umreiten*** [umrái-] *t.* 말을 타고 돌다[순회하다]《어떤 땅을》.

um|rennen* [úmrɛnən] *t.* 달려가서 밀쳐 쓰러뜨리다. **umrennen*** *t.* (의) 둘레를 뛰어 돌아 다니다.

umringen* [umrɪ́ŋən] [*eig.* „rings umgeben"] *t.* 둘러싸다, 에워싸다; 〖軍〗 포위하다(*surround*).

Umriß [úmrɪs] [<umreißen] *m.* ..risses, ..risse, 윤곽, 개관(*outline, contour*); 약도, 스케치(*sketch*).

um|rühren [úmry:rən] *t.* 휘젓다, 교반(攪拌)하다. 「冠詞).」

ums [ums] 《略》 =*um* das 《das는 定

um|satteln [úmzatəln] 《Ⅰ》 *t.* (말의) 안장을 갈아 놓다. 《Ⅱ》 *i.*(h.) 다른 말[안장]에 갈아 타다; 《比》 전업(轉業)[전직]하다; 변절하다; 《學》 전과(轉科)하다.

Umsatz [úmzats][<um|setzen] *m.* –es, ⸗e, 〖商〗 매매, 매상(*sales, turnover*). ¶ großer ~, kleiner Nutzen 박리 다매.

Umsatz⸗betrāg *m.* 매상고, 거래액. **~kapitāl** *n.* 유통 자본. **~steuer** *f.* 매상세(稅).

umsäumen [umzɔ́ymən] *t.* (에) 식서(飾緖)를 달다, (을) 감치다.

um|schaffen* [úmʃafən] *t.* 다시 만들다, 개조〔개작〕하다.

um|schalten [úmʃaltən] *t.* u. *i.*(h.) (전류를) 전환하다. **Umschalter** *m.* –s, –, 전환 개폐기, 스위치. **Umschaltung** *f.* –en, 〖電〗 전환, 개폐.

Umschau [úmʃau] *f.* 둘러 봄(*looking round*); 회고; 전망(*review*). ¶ ~ halten 둘러 보다. **um|schauen** [úmʃauən] *i.*(h.) u. *refl.* 둘러 보다; 회고하다.

um|schaufeln [úmʃaufəln] *t.* 삽으로 파엎다〔파일구다〕.

umschichtig [úmʃɪçtɪç] *a.* u. *adv.* ① 층(層)을 이룬; 층을 이루어. ② 교대의; 교대로.

um|schiffen *t.* (짐을) 다른 배에 싣다. **umschiffen** [umʃífən] *t.* 주항(周航)하다; 배로 우회하다.

Umschlāg [úmʃla:k] *m.* –(e)s, ⸗e, ① 싸개, 커버; (책의) 포장지(*wrapper*); (Brief-~) 봉투(*envelope*). ② 찜질(*compress, poultice*). ③ 접은 부분(소맷부리의: *cuff*; 즈봉의: *turnup*). ④ 〖商〗 옮겨 싣기. ⑤ 《比》 변동, 급변(*sudden change, turn*). **um|schlāgen*** 《Ⅰ》 *t.* (의) 주위에 대다, 싸다, 두르다, 감다; (깃 따위를) 접어 젖히다; (책장을) 넘기다; 〖商〗 옮겨 싣다. 《Ⅱ》 *i.*(s.) 넘어지다, 뒤집히다, 전복하다(*fall or tilt over*); 급변하다(*change suddenly*); 바뀌다; (변하여) 나빠지다(*degenerate*); 목소리가 변하다(*break*).

Umschlāg(e)⸗papier *n.* 포장지. **~⸗tūch** *n.* 보(褓); 목도리, 숄.

Umschlāg(s)·hāfen [úmʃla:k(s)ha:fən] *m.* (화물을) 옮겨 싣는 항구.

um|schleichen* [úmʃlaiçən] *i.*(h.) 몰래 돌아 다니다. **umschleichen*** *t.* (의) 주위를 몰래 다니다; (에) 몰래 다가서다.

umschleiern [umʃláiərn] *t.* 베일로 가리다.

umschließen* [umʃlí:sən] *t.* 두르다, 둘러싸다(*surround*); 싸다, 품다(*enclose*); 포옹하다(*embrace*); 쥐다(*clasp*); 〖軍〗 포위하다(*besiege*).

umschlingen* [umʃlíŋən] *t.* (을) 휘감다; (에) 얽히게 하다; (을) 얼싸안다.

um|schmeißen* [úmʃmaisən] *t.* ① 《俗》 =UMWERFEN. ② 《比》 die Pläne ~ 계획을 바꾸다/〖軍〗 die Richtung ~ 방향을 바꾸다.

um|schmelzen[(*)] [úmʃmɛltsən] *t.* 다시 녹이다; 개주(改鑄)하다; 《比》 개조(改造)하다.

um|schnallen [úmʃnalən] *t.* (죔쇠를 걸어) 띠다, (칼을) 차다.

um|schreiben* [úmʃraibən] *t.* 새로 쓰다, 고쳐 쓰다; 옮겨 쓰다. **umschreiben*** [umʃrái-] *t.* (쉽게) 바꿔 쓰다〔말하다〕(*paraphrase*); 《比》 국한하다(*circumscribe*). **Umschreibung** *f.* –en, 바꿔 쓰기; 〖商〗 대체(對替). **Umschrift** [úmʃrɪft] *f.* –en, (화폐·메달의) 주변의 문자; 바꿔 쓰기, 정서(淨書).

um|schūlen [úmʃu:lən] *t.* 전학(轉學)시키다; 재교육하다《직업 따위를》. **Um⸗schūlung** [úmʃu:luŋ] *f.* –en, 전학; (직업 따위의) 재교육.

um|schütteln [úmʃʏtəln] *t.* 흔들어 섞다.

um|schütten [úmʃʏtən] *t.* 뒤엎어 쏟다, 뒤집다; 옮겨 붓다.

umschwärmen [umʃvérmən] *t.* (의) 주위에 군집(群集)하다; 《比》 열렬히 숭배하다.

umschwēben [umʃvé:bən] *t.* (의) 주위에 뜨다.

Umschweif [úmʃvaif] *m.* –(e)s, –e, 우회로(迂廻路), 에움길, 커브; 《比》 용장(冗長), 빙 둘러대는 언동. ¶ ohne ~e 솔직이.

um|schwenken [úmʃvɛŋkən] *i.*(h.) 선회하다; 《比》 전업(轉業)〔변절〕하다.

Umschwung [úmʃvuŋ] [<um|schwingen] *m.* –(e)s, ⸗e, 회전, 선회; 《比》 급전(急轉), 격변(*sudden change*).

umsēgeln [umze:gəln] *t.* (을) 배로 우회하다, 회항(回航)하다.

um|sēhen* [úmze:ən] *refl.* ① 둘러 보다; 전망하다; (nach, 을) 찾다. ② 보며 돌아다니다, 구경하다. ③ 뒤돌아 보다, 회고하다.

umseitig [úmzaitɪç] *a.* 반대쪽의, 이면의, 뒷페이지의.

um|setzen [úmzetsən] 《Ⅰ》 *t.* 바꾸어 놓다, 옮기다(*transpose*); (나무를) 이식하다; 〖樂〗 이조(移調)하다; (in et., 으로) 바꾸다, 변화시키다; (상품을) 팔(아 돈으로 하)다(*sell, realize*). 《Ⅱ》 *refl.* 변화하다; (풍향·날씨가) 급변하다.

Umsichgreifen [úmzɪçgraifən] *n.* –s, 유행; 보급; 만연, 유포, 전파(*spread(ing)*).

Umsicht [úmzɪçt] [<um|sehen] *f.* (휘) 둘러 봄; 《比》 원려(遠慮), 신중(*circumspection, prudence*). **umsichtig** *a.* 신중한, 조심성 있는, 사려 깊은.

um|siedeln [úmzi:dəln] *i.*(h.) (집단적으로) 이주하다; *t.* 이주시키다.

Umsieden [úmzi:dən] *n.* –s, 증류.

um|sinken* [úmzɪŋkən] *i.*(s.) 무너지다, 쓰러지다, 고꾸라지다.

umsonst [umzɔ́nst] *adv.* ① 헛되이, 무익하게(*for nothing, in vain*); 공짜로, 무료로, 거저(*gratis, gratuitously*). ¶ ~ ist nur der Tod 죽는 것만이 공짜다《그밖의 것에는 돈이 든다》. ② 이유〔까닭〕 없이, 공연스레(*without a reason*).

Umspann·anlāge [úmspananla:gə] *f.* 변전소(變電所).

um|spannen [úmʃpanən] *t.* 다시〔고쳐〕 치다〔펴다〕; (마차의) 말을 바꾸다; (전류를) 변압하다. **umspannen** *t.* (의) 주위에 치다〔펴다〕, (을) 빙 둘러치다; 포괄하다. **Umspanner** [úmʃpanər] *m.* –s, –, 변압기. **Umspannung** *f.* –en, 변압.

um|springen* [úmʃprɪŋən] *i.*(s.) (바람 따위가) 갑자기 변하다; 《比》 마음이 변하다; (mit, 을) 취급하다, 다루다.

um|spülen [úmʃpy:lən] *t.* (파도가) 씻어 허물다. **umspülen** *t.* (의) 주변을 씻다.

Umstand [úmʃtant] [<umstehen] *m.* -(e)s, ⸚e, ① (주위의) 사정, 상태, 상황, 형편(*circumstance*). ¶mildernde ~ 참작해야 할 정상. ② *pl.* 사정, 경우《특히 자산(資産)상의》; (nähere Umstände) 상세한 내용, 세목. ¶**in** andern Umständen sein 임신하고 있다 / **unter** Umständen 사정〔형편〕에 따라서는 / unter allen Umständen 어떠한 사정이 있더라도, 어떻게 하든 / unter k-n Umständen 어떤 일이 있더라도, 결코 …하지 않다. ③ *pl.* 번거로움, 귀찮은 일〔절차·격식〕. ¶machen Sie k-e Umstände 염려 마시고, 사양치 마시고 / **ohne** Umstände 간단하게, 대수롭지 않게, 사양않고, 기탄 없이. **umständlich** *a.* u. *adv.* ① 상세한, 자세한; 상세하게. ② 귀찮은, 번잡한; 격식차리는, 까다로운. **Umständlichkeit** *f.* -en, 상세, 자세; 번잡; 형식적임, 허례.

Umstands-bestimmung [úmʃtants-] *f.* 〖文〗 상황(狀況)〔규정〕어 《부사 및 부사구》. **~brot**, **~brötchen** *n.* 샌드위치. **~halber** *adv.* 부득이한 사정으로, 사정에 의하여; 형편상. **~kleid** *n.* 임부(妊婦)의 옷. **~krämer** *m.* 《俗》 형식〔격식〕만 차리는 사람; 우유 부단한 사람. **~wort** *n.* (*pl.* ..wörter) 〖文〗 상황어, 부사(*adverb*).

umsteh(e)n* [umʃté:(ə)n] *t.* (의) 둘레에 서다, (을) 둘러싸다. **umstehend** [úmʃte:ənt] *p. a.* ① 둘러 선. ¶die ~en 둘러선 사람들, 방관자들. ② 뒷면에 있는. ¶~e Seite 뒷면, 다음 페이지 / wie ~ 뒷면〔다음 페이지〕에서 말하는 바와 같이.

Umsteig(e)-bahnhof [úmʃtaigə-] *m.* 〖鐵〗 갈아타는 역. **~billett** *n.*, **~(fahr)karte** *f.* 갈아타는 차표.

um|steigen* [úmʃtaigən] *i.*(s.) 〖鐵〗 갈아타다(*change*).

um|stellen [úmʃtεlən] 《Ⅰ》 *t.* 바꾸어 놓다; (의 장소·위치를) 전환하다; 〖文〗 (의) 어순을 전도〔도치〕하다; (auf et., 으로) 바꾸다, 환산하다; 현금화하다. 《Ⅱ》 *refl.* 장소〔위치〕를 바꾸다; 《比》 입장을〔태도를〕 바꾸다; (변화에) 순응하다. **umstellen** *t.* (의) 주위에 놓다; 둘러싸다, 포위하다. **Umstellung** *f.* -en, 포위; 바꿔놓음.

Umsteuerung [úmʃtɔyərʊŋ] *f.* -en, 〖工〗 역동(逆動) 장치.

um|stimmen [úmʃtɪmən] *t.* 〖樂〗 변조(變調)하다; 《比》 (의) 생각〔의향·의견〕을 바꾸게 하다.

um|stoßen* [úmʃto:sən] *t.* 밀어〔밀쳐〕 넘어뜨리다; 《比》 무효로 하다, 폐기〔파기〕하다(*annual, invalidate, abolish*).

umstricken [umʃtríkən] *t.* 짜서 싸다; 《比》 농락하다, 현혹하다.

umstritten [umʃtrítən] [<†umstreiten] *a.* 논쟁된, 이론(異論)이 있는(*controversial*).

um|stülpen [úmʃtʏlpən] *t.* 접다, 걷어 올리다《소매 따위를》; 뒤엎다.

Umsturz [úmʃtʊrts] *m.* -es, ⸚e, 전복(*overthrow*); 와해(瓦解)(*ruin*); 혁명(*revolution*). **um|stürzen** [-ʃtʏrtsən] 《Ⅰ》 *i.*(s.) 넘어지다, 와해〔전복〕되다. 《Ⅱ》 *t.* 전도〔전복〕시키다; 《比》 혁명을 일으키다. **Umstürzler** [úmʃtʏrtslər] *m.* -s, -, 혁명가. **umstülzlerisch** *a.* 혁명적인.

um|taufen [úmtaufən] *t.* 〖宗〗 다시 세례를 베풀다; 《比》 개명(改名)〔개칭〕하다.

Umtausch [úmtauʃ] *m.* -es, -e, 교환; 〖商〗 무역, 교역(*exchange*). **um|tauschen** [úmtauʃən] *t.* 교환〔교역〕하다.

um|treiben* [úmtraibən] *t.* 쫓아다니다, 타고 돌아다니다. **Umtrieb** [úmtri:p] *m.* -(e)s, -e, ① 쫓아다님, 타고 다님. ② 순환, 회전. ③ *pl.* 책동, 음모(*machinations, intrigues*). ④ 〖林〗 윤벌기(輪伐期).

um|tun* [úmtu:n] 《Ⅰ》 *t.* 몸에 걸치다, 입다. 《Ⅱ》 *refl.* (nach, 을 얻고자) 노력하다, 찾다.

um|wälzen [úmvεltsən] 《Ⅰ》 *t.* 굴리다; 전복하다; 《比》 (혁명에 의하여) 변혁하다. 《Ⅱ》 *refl.* 굴르다, 회전하다. **Umwälzung** [úmvεltsʊŋ] *f.* -en, 회전; 전복; 《比》 혁명(*revolution*).

um|wandeln [úmvandəln] 《Ⅰ》 *i.*(s.) 여기저기 걸어다니다, 헤매다. 《Ⅱ》 *t.* 변하다, 변형하다; 〖文〗 변화시키다. **Umwand(e)lung** [úmvand(ə)lʊŋ, -tl-] *f.* -en, 변화, 변환, 전환; 천이(遷移).

Umwand(e)lungs-lehre *f.* 진화론(進化論). **~prozeß** *m.* 변태〔변형〕 과정.

um|wechseln [úmvεksəln] *t.* 교환하다; 교체〔교대〕하다; 환전(換錢)하다.

Umweg [úmwe:k] *m.* 우회로(迂廻路). ¶auf ~en 에움길로.

Umwelt [úmvεlt] *f.* 주위의 세계, 환경(*environment*).

um|wenden⁽*⁾ [úmvεndən] 《Ⅰ》 *t.* 반대 쪽으로 향하게 하다, 방향을 바꾸다; 뒤집다; 돌리다; (책장을) 넘기다. 《Ⅱ》 *refl.* 반대 방향으로 향하다, 뒤돌아보다; 역전(逆轉)하다. 《Ⅲ》 *i.*(s. *u.* h.) 되돌아오다, 돌아가다.

umwerben* [umvérbən] *t.* (에게) 구혼하다. ¶viel umworben 혼담이 많은, 구혼자가 많은.

um|werfen* [úmvεrfən] 《Ⅰ》 *t.* ① 걸치다, 서둘러 입다. ② 던져 넘어뜨리다, (차 따위를) 전복시키다; 파헤치다; 《比》 감동시키다. 《Ⅱ》 *refl.* (일기가) 급변하다.

um|werten [úmve:rtən] *t.* (의) 평가를 새로 하다, 가치를 변환시키다. **Umwertung** [úmve:rtʊŋ] *f.* -en, 평가의 변경〔전도〕.

umwickeln [umvíkəln] *t.* (의 주위에) (mit, 을) 휘감다, (을) 싸다.

umwinden* [umvíndən] *t.* (에)(mit, 을) 휘감다.

Umwohner [úmvo:nər] *m.* -s, -, 근처 사람들, 부근의 주민(*neighbours*).

umwölken [umvœ́lkən] *t.* 흐리게 하다.

Um|wühlen [úmvy:lən] *t.* 파엎다, 뒤집다.

umzäunen [umtsɔ́ynən] *t.* (에) 울타리를 두르다, (을) 에워싸다. **Umzäunung** [umtsɔ́ynʊŋ] *f.* -en, 담을 두름(*enclosure*); 울타리 (*hedge, fence*).

um|ziehen* [úmtsi:ən] 《Ⅰ》 *t.* (에게) 옷을 갈아 입히다. 《Ⅱ》 *refl.* 갈아 입다. 《Ⅲ》 *i.*(s.) 이사하다, 이전하다; (주인을) 바꾸어 살다《하인 따위가》. **umziehen***

《Ⅰ》*t.* (mit, 을)(의) 주위로 끌다, (로) 끌고 다니다, 두르다, (을) 에워싸다. 《Ⅱ》*refl.* (하늘이) 흐려지다.
umzingeln [umtsíŋəln] *t.* 포위하다, 에워싸다.
Umzug [úmtsu:k] [<um|ziehen] *m.* ① 행진, 행렬; 데모. ② 이사, 이전; (주인을) 바꾸어 삶《하인이》.
umzugs-halber *adv.* 이사 때문에. ~**kosten** *pl.* 이사 비용.
umzüngeln [umtsýŋəln] *t.* (불길이) 훨훨 타오르며 에워싸다.
un.. [ún-, un-] [ahd. *ni* 가 弱化되어 생긴 前綴; 이 *ni* 는 nicht, nein 에 포함됨]. ① 부정, 결핍, 반대, 열악, 불량 (♈*un-*). 보기: Unbehagen, unähnlich. ② 대단함, 막대함. 보기: Unmenge, unzählig.
unabänderlich [un-ap-éndərlɪç, ún-ap-ɛndərlɪç] *a.* 바꿀 수 없는, 변경할 수 없는, 영원 불역(不易)의.
unabdingbar [un-apdíŋba:r, ún-apdɪŋ-] *a.* 절대적으로 통용되는, 어길 수 없는《규칙·법칙 따위가》; (값을) 깎을 수 없는.
unabhängig [ún-aphɛ̀ŋɪç] *a.* 예속되지 않는, 자주적인, 독립된(*independent*). **Unabhängigkeit** *f.* -en, 자주, 독립.
unabkömmlich [ún-apkœmlɪç] *a.* 없어서 안될, 불가결한(*indispensable*).
unablässig [un-aplésɪç, ún-aplɛsɪç] *a.* 끊임 없는, 부단한(*incessant, unremitting*).
unabsehbar [un-apzé:ba:r, ún-apze:-ba:r] 내다볼 수 없는, 예상할 수 없는; 광대한, 무한대의.
unabsetzbar[un-apzétsba:r,ún-apzɛts-] *a.* 파면할 수 없는《공무원 따위》; 〖商〗 팔리지 않는, 판로가 없는.
unabsichtlich [ún-apzɪçtlɪç] *a.* 고의가 아닌; 우연의.
unabweisbar [un-apváis-, ún-apvais-], **unabweislich** *a.* 거부할 수 없는, 불응할 수 없는, 불가피한; 명령적인.
unabwendbar [un-apvéntba:r, ún-ap-vɛntba:r] *a.* 불가피한, 면하기 어려운.
unacht-sam [ún-axtza:m] *a.* 부주의한; 소홀한, 경솔한. **Unacht-samkeit** *f.* -en, 부주의(한 언행).
unähnlich [ún-ɛ:nlɪç] *a.* 닮지 않은. **Unähnlichkeit** *f.* -en, 위임.
unanfechtbar [un-anféçtba:r, ún-an-fɛçt-] *a.* 논박할 수 없는, 논쟁의 여지가 없는; 확실한 (근거가 있는).
unangebracht [ún-angəbraxt] *a.* 어울리지 않는(*out of place*); 부적당한(*unsuitable*).
unangefochten [ún-angəfɔxtən] *a.* 논난되지 않는, 다툴 여지가 없는.
unangekleidet [ún-angəklaidət] *a.* 옷을 안 입은, 벌거벗은.
unangemessen [ún-angəmɛsən] *a.* 부적당한, 어울리지 않는; 격에 맞지 않는, 예의에 벗어난.
unangenehm [ún-angəne:m] *a.* 불쾌한, 싫은(*unpleasant, disagreeable*).
unangerührt [ún-angəry:rt] *a.* 건드려지지 않은, 더럽혀지지 않은.
unangesehen [ún-angəze:ən] *prp.* (2格 또는 4格支配) (을) 고려하지 않고, (에) 개의치 않고(*regardless of, notwithstanding*).
unangreifbar [un-angráifba:r, ún-an-graifba:r] *a.* 공격할 수 없는; 썩지 않는.
unannehmbar [un-anné:mba:r, ún-an-ne:m-] *a.* 채택하기 어려운; 승인할 수 없는. **Unannehmlichkeit** [ún-anne:m-lɪçkait] [<unangenehm] *f.* -en, 불쾌(한 일); 성가심, 귀찮음.
unansehnlich [ún-anzè:nlɪç] *a.* 눈에 잘 띄지 않는, 수수한, 초라한; 하찮은.
unanständig [ún-anʃtɛndɪç] *a.* 예의 바르지 못한, 버릇없는; 야비한, 음탕한. **Unanständigkeit** *f.* -en, 위임.
unanstößig [ún-anʃtø:sɪç] *a.* 비위를 거슬리지 않는, 감정을 덧들이지 않는.
unantastbar [un-antástba:r, ún-an-tast-] *a.* 건드릴 수 없는; 불가침의.
unappetitlich [ún-apəti:tlɪç, -ape-] *a.* 식욕을 돋구지 않는, 맛없어 보이는, 토할 것 같은; 싫증나는.
Unart [ún-a:rt] 《Ⅰ》*f.* -en, 버릇 없음, 행실이 좋지 못함, 나쁜 버릇(*bad conduct*); 장난(*naughtiness, rudeness*). 《Ⅱ》*m.* -(e)s, -e, 《俗》 행실이 나쁜 아이, 장난꾸러기, 악동. **unartig** [ún-a:rtɪç] *a.* 뱀뱀이가 없는, 행실이 나쁜(*ill-bred*); 버릇 없는, 장난이 심한(*naughty, rude*). **Unartigkeit** *f.* -en, 위임; 위의 언행.
unartikuliert [ún-artikuli:rt] *a.* 〖文〗 음절〔발음〕이 분명하지 않은.
unästhetisch [ún-ɛste:tɪʃ] *a.* 미적(美的)이 아닌; 몰취미한.
unauffindbar [un-auffíntba:r, únauf-fɪntba:r] *a.* 찾아내기 어려운.
unaufgefordert [ún-aufgəfɔrdərt] *a.* 요구되지 않은; *adv.* 자발적으로.
unaufhalt-sam [un-aufháltza:m, ún-aufhaltza:m] *a.* 제지〔제어〕하기 어려운.
unaufhörlich [un-aufhǿ:rlɪç, ún-auf-hø:rlɪç] *a.* 끊임 없는, 쉴새 없는(*endless, incessant*); *adv.* 끊임 없이, 줄곧.
unauflösbar [un-auflǿ:sba:r, ún-auf-lø:s-], **unauflöslich** *a.* 풀기 어려운; 해석〔해결〕하기 어려운.
unaufmerksam [ún-aufmɛrkza:m] *a.* 부주의한. **Unaufmerksamkeit** *f.* -en, 부주의.
unaufrichtig [ún-aufrɪçtɪç] *a.* 정직하지 않은, 불성실한. **Unaufrichtigkeit** *f.* 부정직, 불성실.
unaufschiebbar [un-aufʃí:pba:r, ún-aufʃi:pba:r] *a.* 연기〔유예〕할 수 없는, 절박한, 초미(焦眉)의.
unausbleiblich [un-ausbláiplɪç, ún-aus-blaiplɪç] *a.* 필지(必至)의, 필연의, 불가피한.
unausführbar[un-ausfý:rba:r, ún-aus-fy:r-] *a.* 실행하기 어려운.
unausgesetzt [ún-ausgəzɛtst] *a.* 끊임없는, 쉴새 없는.
unausgiebig [ún-ausgi:bɪç] *a.* 수익〔수확〕이 적은, 생산적이 아닌.
unauslöschlich [un-auslœ́ʃlɪç, únaus-lœʃlɪç] *a.* 끌〔지울〕 수 없는; 가라앉히기 어려운《갈증 따위》.
unausrottbar [un-ausrɔ́tba:r, ún-] *a.* 근절〔절멸〕하기 어려운.

unaussprechlich [un-ausʃpréçlıç, ún-ausʃpreçlıç] *a.* (말로서) 표현〔형용〕하기 어려운, 발음하기 어려운.

unausstehlich [un-ausʃté:lıç, ún-aus-ʃte:-] *a.* 참기〔견디기〕 어려운.

unaustilgbār [un-austilkba:r, ún-aus-tılk-] *a.* 근절할 수 없는.

unausweichlich [un-ausváiçlıç, ún-aus-vaiçlıç] *a.* 피하기 어려운.

Unband [únbant] *m.* -(e)s, -e *u.* ¨-e, 《俗》 (다루기 어려운) 장난꾸러기; 말괄량이. **unbändig** [únbɛndıç, únbɛ́n-] 《Ⅰ》 *a.* (nicht zu bändigen) 제어하기 어려운, 감당하기 어려운(*indomitable, unruly*); 《俗》 터무니 없는, 엄청난(*excessive*). 《Ⅱ》 *adv.* 《俗》 터무니없이.

unbār [únba:r] *a.* 현금이 아닌, 현금으로 지불되지 않는.

unbarmherzig [únbarmhɛrtsıç] *a.* 무자비한. **Unbarmherzigkeit** *f.* 무자비함.

unbārtig [únbɛ:rtıç] *a.* 수염이 없는.

unbeabsichtigt [únbə-ap-, unbə-áp] *a.* 고의가 아닌.

unbeachtet [únbə-axtət, unbə-á-] *a.* 돌봐지지 않는. ¶ ~ lassen 돌보지 않다, 등한시하다.

unbeanstandet [únbə-an-, unbə-án-] *a.* 이의〔반대〕가 없는.

unbeantwortet [únbə-antvɔrtət, unbə-ánt-] *a.* 대답이 없는; 해결되지 않는.

unbebaut [únbəbaut] *a.* 미개간의; 건물이 없는.

unbedacht [únbədaxt] [<bedenken] *a.* 지각 없는(*inconsiderate*); 무분별한, 경솔한(*rash*). **Unbedacht·heit** *f.* -en, 지각 없음; 경솔. **unbedacht·sām** *a.* =UNBEDACHT.

unbedenklich [unbədɛ́ŋklıç, únbə-dɛŋk-] *a.* 고려할 필요가 없는, 주저할 필요가 없는; *adv.* 주저치 않고.

unbedeutend [únbədɔytənt] *a.* 별로 의의가 없는, 중요하지 않은, 시시한; 작은, 약한.

unbedingt [únbədıŋt, unbədíŋt] *a.* 무조건의(*unconditional*); 무제약의, 절대적인(*absolute*); *adv.* 무조건, 절대적으로, 반드시.

unbefähigt [únbəfɛ:ıçt] *a.* 무능한; 자격 없는.

unbefahrbār [unbəfá:rba:r, ún-bə-fa:r-] *a.* 차가 다닐 수 없는; 배가 다닐 수 없는, 항행하기 어려운.

unbefangen [únbəfaŋən] *a.* 얽매이지 않는(*impartial*); 편견이 없는(*unprejudiced*); 천진 난만한, 자연스러운(*simple, natural*). **Unbefangenheit** *f.* -en, 공평, 솔직; 천진 난만.

unbefleckt [únbəflɛkt, unbəflɛ́kt] *a.* 더럽혀지지 않는, 깨끗한; 무구(無垢)한.

unbefriedigend [únbəfri:dıgənt] *a.* 불만족한, 불충분한. **unbefriedigt** [-dıçt] *a.* 만족하지 않는, 불만의.

unbefūgt [únbəfu:kt] *a.* 권능〔자격〕이 없는. ¶ ~en ist der Eintritt untersagt 일없는 사람은 들어오지 마시오.

unbegābt [únbəga:pt] *a.* 재능이 없는.

unbegēben [únbəge:bən] *a.* 〖商〗 팔리지 않은; 《俗》 미혼의.

unbegreiflich [unbəgráiflıç, únbəgraif-] *a.* 이해할 수 없는, 불가해한. **Unbegreiflichkeit** *f.* -en, 이해할 수 없음.

unbegrenzt [únbəgrɛntst, unbəgrɛ́ntst] *a.* 무제한의, 무한(無限)한 (*boundless, unlimited*).

unbegründet [únbəgrʏndət] *a.* 근거〔이유〕가 없는(*unfounded*).

Unbehāgen [únbəha:gən] *n.* -s, 불(유)쾌; 불안. **unbehāglich** [-ha:klıç] *a.* 불(유)쾌한; 불안한.

unbehauen [únbəhauən] *a.* 베(이)지 않은, 깎(이)지 않은.

unbehelligt [únbəhɛlıçt, unbəhɛ́-] *a.* 성가심을 당하지 않는, 방해를 받지 않는 (*unmolested*).

unbehilflich [únbəhılflıç] *a.* =UNBEHOLFEN.

unbehindert [únbəhındərt] *a.* 방해받지 않는.

unbeholfen [únbəhɔlfən] *a.* 재치없는, 투미한, 서투른(*awkward, clumsy*).

unbe·irrbār [únbə-ırba:r, unbə-ír-] *a.* 미혹〔당황〕시킬 수 없는, 움직이지 않는.

unbe·irrt *a.* 미혹〔당황〕하지 않는, 주저하지 않는.

unbekannt [únbəkant] *a.* 알려지지 않은(*unknown*); 미지의, 안면이 없는(*unacquainted*). ¶ ich bin hier ~, a) 나는 이 곳이 낯설다, b) 나는 여기서는 전혀 알려져 있지 않다, 이 곳에는 아는 사람이 없다.

unbekehrbār [unbəké:rba:r, únbəke:-] *a.* 개종시키기 어려운. **unbekehrbārt** *a.* 개종하지 않은.

unbekleidet [únbəklaidət] *a.* 옷을 입지 않은, 벌거숭이의.

unbekümmert [únbəkʏmərt, unbəkʏ́-] *a.* 무관심한, 냉담한(*unconcerned*).

unbelēbt [únbəle:pt] *a.* 생명이 없는; 비정(非情)의; 활기 없는; 인적이 드문《거리》.

unbelēsen [únbəle:zən] *a.* 독서하지 않는, 무학(無學)의.

unbeliebt [únbəli:pt] *a.* 좋게 여겨지지 않은; 인기가 없는.

unbelohnt [únbəlo:nt] *a.* 무보수의.

unbemerkt [únbəmɛrkt] *a.* 남의 눈에 뜨이지 않는, 눈치채이지 않는.

unbemittelt [únbəmıtəlt] *a.* 자산이 없는, 무자력의.

unbenannt [únbənant] *a.* 이름이 없는, 무명의. ¶ e-e ~e Zahl 〖數〗 불명수(不名數).

unbenommen [únbənɔmən, unbənɔ́mən] *a.* 금지되지 않은, 허가된, 자유인 (*permitted, free* (*to do*)).

unbenutzt [únbənutst] *a.* 이용〔사용〕되지 않는.

unbequēm [únbəkve:m] *a.* 쾌적하지 않은, 불유쾌한(*uncomfortable*); 불편한(*inconvenient*). ¶ e-e ~e Frage 곤란한 질문 / ein ~er Mensch 곤란한〔귀찮은, 싫은〕 사람. **Unbequēmlichkeit** *f.* -en 사정이 좋지 않은 일, 불편스런 일.

unberechenbār [unbərɛ́çənba:r, únbə-rɛç-] *a.* 셀 수 없는, 막대한.

unberechtigt [únbərɛçtıçt] *a.* 권리가 없는; 부당한; 근거 없는.

unberücksichtigt [únbərʏkzıçtıçt] *a.* 고려에 들어가지 않는. ¶ et. ~ lassen 무엇을 고려에 넣지 않다, 무시하다.

unberūfen [únbəru:fən, unbərú:-] *a.* 불리지 않은, 초대되지 않은; 《比》 사명〔천직〕이 없는; 직권이 없는; 주착 없는. ¶ ~ (und unbeschrien)! 하나님 맙소사(*may no evil ensue!*, *touch wood!*).

unberühmt [únbəry:mt] *a.* 유명하지 않은; 이름이 알려지지 않은, 숨은.

unberührbār [únbəry:rba:r] *a.* 건드릴 수 없는. **unberührt** *a.* 손대지 않은, 손댈 수 없는. ¶ ~er Boden 처녀지.

unbeschādet [únbəʃa:dət, unbəʃá:-] *prp.* 《2格支配》 을 해치지 않고, 방해하지 않고. **unbeschādigt** [-ʃɛ:dɪçt] *a.* 손해〔피해〕없는, 무사한.

unbeschaffen [únbəʃafən] *a.* 《方》 병신인, 허약한.

unbeschäftigt [úmbəʃɛftɪçt] *a.* 일이〔용무가〕 없는; 무직의.

unbescheiden [únbəʃaidən] *a.* 불손한, 염치 없는; 터무니없는 (요구 따위).

unbescholten [úmbəʃɔltən] *a.* 비난할 여지가 없는, 결점이 없는.

unbeschränkt [únbəʃrɛŋkt, unbəʃrɛ́ŋkt] *a.* 무제한의(*unlimited*); 독립된; 독재적인, 절대적인(*absolute*).

unbeschreiblich [unbəʃráiplɪç, únbəʃraip-] *a.* 이루 다 말할 수 없는, 형용키 어려운(*indescribable*). **unbeschrieben** *a.* 쓰여져 있지 않은.

unbeschwērt [únbəʃve:rt] *a.* 시달림받지 않는; 경쾌한, (양심이) 편안한.

unbeseelt [únbəze:lt] *a.* 영혼〔인정〕이 없는; 생기 없는.

unbesēhen [únbəze:ən, unbəzé:ən] 《Ⅰ》 *a.* 음미되지 않은. 《Ⅱ》 *adv.* ① ~(s), 조사하지 않고. ② 《方》 돌연히. 《Ⅲ》 *prp.* 《2格支配》: ~ des Schadens 손해를 조사하지 않고.

unbesetzt [únbəzɛtst] *a.* 점령되지 않은, 자리가 비어 있는, 공석(空席)의(*unoccupied*, *vacant*). ¶ ~e Zeit 한가한 시간.

unbesiegbār [unbəzí:k-, únbəzi:k-] *a.* 이겨내기 어려운, 격파하기 어려운, 무적(無敵)의(*invincible*).

unbesoldet [únbəzɔldət] *a.* 무급(無給)의.

unbesonnen [únbəzɔnən] *a.* 생각 없는(*thoughtless*). **Unbesonnenheit** *f.* -en, 무분별.

unbesorgt [únbəzɔrkt, unbəzɔ́rkt] *a.* ① 걱정하지 않는, 안심하고 있는, 태평한. ② 수행되지 않은, (용무 따위) 다하지 못한.

Unbestand [únbəʃtant] *m.* -(e)s, 불안정, 변하기 쉬움; 무상(無常). **unbeständig** *a.* 위의. **Unbeständigkeit** *f.* -en, = UNBESTAND.

unbestätigt [únbəʃtɛ:tɪçt, unbəʃtɛ́:-] *a.* 확인되지 않은, 불확정한.

unbestechlich [unbəʃtɛ́ç-, únbəʃtɛç-] *a.* 매수되지 않는, 청렴한(*uncorruptible*).

unbestellbār [unbəʃtɛ́l-, únbəʃtɛl-] *a.* 배달 불능의 (우편).

unbestimmbār [unbəʃtím-, ún-] *a.* 정할 수 없는, 애매한. **unbestimmt** [únbəʃtɪmt] *a.* 정해지지 않은, 확실치 않은, 애매한, 똑똑하지 않은.

unbestrāft [únbəʃtra:ft] *a.* 벌받지 않은.

unbestreitbār [unbəʃtráitba:r, únbəʃtrait-] *a.* 다툴 수 없는, 논의의 여지가 없는, 확실한, 명백한. **unbestritten** [únbəʃtrɪtən, unbəʃtrítən] *a.* 다툴 수 없는, 의심할 여지가 없는.

unbeteiligt [únbətailɪçt, unbətái-] *a.* 관여〔참가〕하지 않는; 관계가 없는; 중립의.

unbetōnt [únbəto:nt] *a.* 《文》 악센트가 없는.

unbeträchtlich [únbətrɛçtlɪç, unbətrɛ́çt-] *a.* 그다지 많지 않은; 보잘것없는, 하찮은.

unbetrēten [únbətre:tən] *a.* 인적 미답(人跡未踏)의(*untrodden*).

unbeugsām [únbɔykza:m, unbɔ́yk-] *a.* 구부리기 어려운, 휘어지지 않는, 불굴의; 완고한.

unbewacht [únbəvaxt] *a.* 지키지 않는, 망보지 않는, 마음을 늦춘.

unbewaffnet [únbəvafnət] *a.* 무장하지 않은; 장비하지 않은. ¶ mit ~em Auge 육안으로.

unbewandert [únbəvandərt] *a.* (in, 에) 정통하지 않은, 미숙한.

unbewēglich [únbəve:klɪç, unbəvé:k-] *a.* 움직이지 않는, 부동의. ¶ ~es Habe 부동산. **Unbewēglichkeit** *f.* -en, 부동.

unbeweibt [únbəvaipt] *a.* 아내가 없는, 독신의.

unbeweint [únbəvaint] *a.* 울어 줄 사람이 없는, 슬퍼하는 사람이 없는.

unbeweisbār [unbəváis-, únbəvais-] *a.* 증명할 수 없는.

unbewohnbār [unbəvó:nba:r, únbəvo:n-] *a.* 살기에 적당치 않은, 거주할 수 없는. **unbewohnt** [únbəvo:nt] *a.* 사람이 살지 않는; 황폐한.

unbewußt [únbəvust, unbəvúst] *a.* 알려지지 않은; 무의식의(*unconscious*); 뜻대로 안 되는(*involuntary*).

unbezahlbār [unbətsá:lba:r, únbə-] *a.* 돈으로 살 수 없는; 《比》 매우 비싼. **unbezahlt** *a.* 지불되지〔하지〕 않은; 미불(未拂)의; 부도의.

unbezähmbār [unbətsɛ́:mba:r, únbətsɛ:m-] *a.* 길들이기 어려운; 《比》 다루기 어려운; 광포한.

unbezeichnet [únbətsaiçnət] *a.* 표〔기호〕가 없는.

unbezeugt [únbətsɔykt] *a.* 증명〔증인〕이 없는.

unbezwingbār [unbətsvíŋ-, únbətsvɪŋ-] *a.* 정복〔공략〕하기 어려운.

unbiegsām [únbi:kza:m] *a.* 구부러지지 않는, 불굴의; 강경한.

Unbilde [únbɪldə] *f.* -n, = UNBILL.

unbild·sām [únbɪltza:m] *a.* 형성하기 어려운; 교육하기 어려운; 고집 센.

Unbildung [únbɪlduŋ] *f.* 무교육, 무교양.

Unbill [únbɪl] *f.* (*pl.* ..bilden) 불공정, 불법(*wrong*, *injustice*); (날씨의) 불순(*inclemency*). **unbillig** *a.* 불공정한, 불법의, 부당한(*unfair*, *unjust*). **Unbilligkeit** *f.* -en, 불법, 불공정.

unblūtig [únblu:tɪç] *a.* 피를 흘리지 않는; 무혈의《혁명 따위》.

unbōtmāßig [únbo:tmɛ:sɪç] *a.* 복종하지 않는(*insubordinate*), 반역적인.

unbrauchbār [únbrauxba:r] *a.* 쓸모 없는; 적격이 아닌.

unbūßfertig [únbu:sfɛrtɪç] *a.* 회오〔개전〕하지 않은.

unchristlich [únkrɪst-] *a.* 비(非)기독교도적인.

und [ʊnt] *cj.* 《並列》 와, 과, 및 (♈*and*); 그리고, 그 밖의, 그래서; 《對立》 그런데. ¶ ~ doch 그런데도 /~ zwar 더우기, 그 위에, 단 / ~ wenn 비록 …일지라도.

Undank [ʊ́ndaŋk] *m.* -(e)s, 배은(背恩) (*ingratitude*). **undankbār** *a.* ① 은혜를 모르는, 은혜를 저버린(*ungrateful*); 보람 없는. ② 달갑지 않은, 할 보람이 없는, (일 따위가) 벌이가 안 되는(*thankless*).

undatiert [ʊ́ndati:rt] *a* 날짜가 적히지 않은.

undeklinierbār [ʊ́ndeklini:rba:r, ʊndeklinɪ́:r-] *a.* 〖文〗 변화하지 않는, 불변화의.

undenkbār [보통 ʊndɛ́ŋk-] *a.* 생각할 수 없는; 이해할 수 없는; 불가능한. **un≈denklich** *a.* 기억에 없는. ¶ seit ~er Zeit 태고적부터.

undeutlich [ʊ́ndɔytlɪç] *a.* 뚜렷하지 않은, 애매한; 난해(難解)한.

undeutsch [ʊ́ndɔytʃ] *a.* 비(非)독일적인.

undicht [ʊ́ndɪçt] *a.* 촘촘하지 않은; (물·공기가) 새는(*leaky*).

undienlich [ʊ́ndi:nlɪç] *a.* 쓸모 없는.

Unding [ʊ́ndɪŋ] *n.* -(e)s, -e, 《보통 不定冠詞와 함께》 실재하지 않는 것, 불가능한 것; 불합리한〔무의미한〕 것. ¶ es ist ein ~ ... (…은) 어처구니 없는 일이다.

undiszipliniert [ʊ́ndɪstsiplini:rt] *a.* 규율이 없는.

Undulation [undulatsió:n] [lat.] *f.* -en, 파동. **~s≈theorie** *f.* 〖物〗 파동설.

unduld·sām [ʊ́ndʊltza:m] *a.* 너그럽지 않은, 준엄한(*intolerant*). **Unduld·sām≈keit** *f.* -en, 너그럽지 않음, 불관용(不寬容).

undurchdringlich [ʊndʊrçdrɪ́ŋlɪç, ʊ́ndʊrçdrɪŋ-] *a.* 꿰뚫기〔침투하기〕 어려운; 《比》 헤아리기 어려운.

undurchführbār [ʊ́ndʊrçfy:r-, ʊndʊrçfý:r-] *a.* 실행〔실시〕하기 어려운.

undurchlässig [ʊ́ndʊrçlɛsɪç] *a.* (물·빛 따위를) 통하게 하지 않는, 새지 않는.

undurchsichtig [ʊ́ndʊrçzɪçtɪç] *a.* 불투명한; 흐린, 탁한. **Undurchsichtig≈keit** *f.* 불투명.

unēben [ʊ́n-e:bən] *a.* 판판하지 않은(♈*uneven*); 울퉁불퉁한, 높낮이가〔기복이〕 있는; 《比》 부적당한. ¶ nicht ~ 나쁘지 않은, 보통이 아닌(*not bad*). **Unēben≈heit** *f.* -en, 판판〔평탄〕하지 않음, 울퉁불퉁함.

unēbenbürtig [ʊ́n-e:-] *a.* 지체가 낮은; 《比》 동등하지 않은, 열등한(*inferior*).

unecht [ʊ́n-ɛçt] *a.* 진짜가 아닌; 가짜의; 모조〔위조〕의; 〖數〗 가(假)의 (~er Bruch, 가분수); 서출의, 사생의.

unēdel [ʊ́n-e:dəl] *a.* 귀하지 않은. ¶ ~ Metalle 비(卑) 금속.

unēhelich [ʊ́n-e:əlɪç] *a.* 서출(庶出)의 (자식); 내연의 (부부).

Unehre [ʊ́n-e:rə] *f.* 불명예, 치욕. **un≈ehrenhaft** *a.* 불명예스러운. **unehr≈erbietig** [ʊ́n-e:rɛrbi:tɪç] *a.* 불경(不敬)한, 실례되는, 무례한. **unehrlich** [ʊ́n-e:rlɪç] *a.* 부정직한, 불성실한, 파렴치한.

uneigennützig [ʊ́n-aigən-] *a.* 사욕이 없는; 무사(無私)한.

uneigentlich [ʊ́n-aigəntlɪç] *a.* ① 본래의 것이 아닌; 고유한 것이 아닌; 문자 그대로가 아닌(*not literal*). ② 전의(轉義)의, 비유적인(*figurative*).

uneinbringlich [ʊn-ainbrɪ́ŋlɪç, ʊ́nain-brɪŋ-] *a.* 회복하기 어려운; 보충〔보상〕하기 어려운.

uneingedenk [ʊ́n-aingədɛŋk] *a.* 《2格과 함께 述語的으로만 쓰임》 (e-s Dinges, 무엇을) 마음에 간직하지 않은, 잊은.

uneingelōst [ʊ́n-aingə-lø:st] *a.* 미상환의, 미회수의; 실행〔이행〕되지 않은.

uneingeschränkt [ʊ́n-aingəʃrɛŋkt, ʊn-aingəʃrɛ́ŋkt] *a.* 무제한의; 구속 없는.

uneingeweiht [ʊ́n-aingəvait] *a.* 비법(秘法)을 전수(傳授)받지 못한; 내정〔소식〕에 정통하지 않은. ¶ der 〔die〕 ~e 국외자, 문외한.

uneinig [ʊ́n-ainɪç] *a.* 일치하지 않는; 불화의. ¶ mit sich selber ~ 결심이 서지 않는. **Uneinigkeit** *f.* -en, 불일치; 의견의 상치; 불화.

uneinlōsbār [ʊn-ainlǿ:sba:r, ʊ́n-] *a.* 〖經〗 정금으로 바꿀 수 없는, 불환의. ¶ ~es Papiergeld 불환 지폐.

uneinnehmbār [ʊn-ainné:mba:r, ʊ́n-ainne:mba:r] *a.* 공략〔점령〕하기 어려운, 난공 불락의.

uneins [ʊ́n-ains] *a.* 《不變化; 항상 sein 과 함께》 =UNEINIG.

uneinträglich [ʊ́n-aintrɛ:klɪç] *a.* 수익이 없는; 이익이 없는.

unempfänglich [ʊ́n-ɛmpfɛŋlɪç] *a.* 감수성이 없는.

unempfindlich [ʊ́n-ɛmpfɪntlɪç] *a.* 무감각한, 무관심한. **Unempfindlichkeit** *f.* -en, 위임.

unendlich [흔히 ʊn-ɛ́ntlɪç] *a.* 끝 없는, 무한한, 무궁한(*infinite, endless*). ¶ bis ins ~e 한 없이, 끝 없이. **Unendlich≈keit** *f.* -en, 무한, 무궁.

unenglisch [ʊ́n-ɛŋlɪʃ] *a.* 비영국적인.

unentbehrlich [ʊn-ɛntbé:rlɪç, ʊ́n-ɛnt-be:r-] *a.* 없어서는 안 될, 불가결한, 필수의(*indispensable*).

unentgeltlich [ʊn-ɛntgɛ́ltlɪç, ʊ́n-ɛnt-gɛlt-] *a.* 무상의, 무료의, 공짜의; *adv.* 무상으로, 공짜로.

unent·halt·sām [ʊ́n-ɛnthaltza:m] *a.* 절제 없는, 방종한.

unentrinnbār [ʊn-ɛntrɪ́nba:r, ʊ́n-ɛnt-rɪn-] *a.* 빠져 나갈 수〔벗어날 수〕 없는.

unent·schieden [ʊ́n-ɛnt-ʃi:dən] *a.* 결정하지 않은; 결심이 안 된, 승부가 결정되지 않은. ¶ ~es Spiel 무승부 시합, 드론 게임.

unent·schlossen [ʊ́n-ɛnt-ʃlɔsən] *a.* 결심이 안 된, 결단을 못 내린, 망설이는. **unent·schlossenheit** *f.* -en, 불결단(不決斷).

unent·schuldbār [ʊn-ɛnt-ʃʊ́ltba:r, ʊ́n-ɛnt-ʃʊltba:r] *a.* 용서할 수 없는.

unentwēgt [ʊ́n-ɛntve:kt, ʊn-ɛntvé:kt] [<entwegen †„vom Wege, Standpunkt abbringen"] *a.* 확고한, 의연(毅然)한, 불요 불굴(不撓不屈)의(*unswerving, steady*).

unentwickelt [ʊ́n-ɛntvɪkəlt] *a.* 미발달의, 발육 부전의.

unentwirrbār [ʊn-ɛntvɪ́rba:r, ʊ́n-ɛnt-vɪr-] *a.* 풀 수 없는《엉클어진 것 따위》; 수습하기 어려운.

U

unent·zifferbār [un-ɛnttsífərba:r, ún-ɛnttsıfərba:r] *a.* 판독〔해석〕하기 어려운.

unentzündbār [unɛnttsýntba:r, únɛnt-tsʏntba:r] *a.* 불이 붙지 않는, 불가연성(不可燃性)의.

unerachtet [ún-ɛr-axtət, un-ɛr-áx-] *prp.* 《2格支配》 † =UNGEACHTET.

unerbittlich [un-ɛrbítlıç, ún-ɛrbıtlıç] *a.* (nicht zu erbitten) (남의) 부탁을 용납치 않는; 가차 없는, 준엄한.

unerfahren [ún-ɛrfa:rən] *a.* 경험 없는, 미숙한.

unerfindlich [un-ɛrfíntlıç, ún-ɛrfıntlıç] *a.* 발견하기 어려운; 불가해(不可解)한.

unerforschlich [un-ɛrfɔ́rʃlıç, ún-ɛrfɔrʃlıç] *a.* 탐구〔구명〕하기 어려운. **unerforscht** [ún-] *a.* 탐구되지 않는; 숨은.

unerfreulich [ún-ɛrfrɔylıç] *a.* 재미 없는, 불유쾌한.

unerfüllbār [un-ɛrfýlba:r, únɛrfʏlba:r] *a.* 성취〔실현·이행〕하기 어려운.

unergiebig [ún-ɛrgi:bıç] *a.* 수확이 없는, 불모의.

unergründlich [un-ɛrgrýntlıç, ún-ɛr-grʏnt-] *a.* 헤아릴 수 없는, 깊이를 알 수 없는.

unerhēblich [ún-ɛrhe:plıç] *a.* 보잘것 없는, 사소한(*irrelevant, trifling*).

unerhört [ún-ɛrhø:rt, (특히 Ⅰ②, Ⅱ) un-ɛrhǿ:rt, ún-ɛrhǿ:rt] 《Ⅰ》 *a.* ① 청허(聽許)되지 않는. ② 들어보지 못한, 미증유의(*unheard of*). 《Ⅱ》 *adv.* 굉장히.

unerkannt [ún-ɛrkant] *a.* 인정되지 않은, 알려지지 않은; *adv.* 남모르게, 암행으로. **unerkennbār** [un-ɛrkénba:r, ún-ɛrkɛnba:r] *a.* 식별〔인식〕할 수 없는.

unerkenntlich *a.* 감사하지 않는, 망은(忘恩)의, 은혜를 저버리는.

unerklärbār [un-ɛrklɛ́:r-, ún-ɛrklɛ:r-], **unerklärlich** *a.* 설명할 수 없는, 수수께끼 같은.

unerläßlich [un-ɛrlɛ́slıç, ún-ɛrlɛslıç] *a.* 면제하기 어려운; 없어서는 안되는, 불가결의.

unerlaubt [ún-ɛrlaupt] *a.* 허가되지 않은, 금지된.

unerlēdigt [ún-ɛrle:dıçt] *a.* 미필의, 미결의.

unermeßlich [un-ɛrmɛ́slıç, ún-ɛrmɛslıç] *a.* 헤아릴〔잴〕 수 없는.

unermūdlich [un-ɛrmý:tlıç, ún-ɛrmy:tlıç] *a.* 지치지 않는, 꾸준히 노력하는; 근면한.

uneröffnet [ún-ɛr-œfnət, -ər-] *a.* 열리지 않는.

unerörtert [ún-ɛr-œrtərt, -ər-] *a.* 토의하지 않은, 미결의.

unerprōbt [ún-ɛrpro:pt] *a.* 시험받지 않은; 시련을 겪지 않은.

unerquicklich [ún-ɛrkvıklıç] *a.* 불유쾌한, 재미 없는.

unerreichbār [un-ɛrráiçba:r, ún-ɛrraiçba:r] *a.* 도달하기 어려운; 미치기 어려운; 얻기 어려운. **unerreicht** [ún-ɛrraiçt, un-ɛrráiçt] *a.* 도달되지 않는, 미치지 않는.

unersättlich [un-ɛrzɛ́tlıç, ún-ɛrzɛtlıç] *a.* 만족할〔물릴〕줄 모르는, 탐욕스러운.

unerschaffen [ún-ɛrʃafən] *a.* 창조되지 않은.

unerschlossen [ún-ɛrʃlɔsən] *a.* 밝혀지지 않은, 해명되지 않은; 미개척의.

unerschöpflich [un-ɛrʃœ́pflıç, ún-ɛrʃœpflıç] *a.* 다함이 없는, 무진장한(*inexhaustible*).

unerschrocken [ún-ɛrʃrɔkən] *a.* 두려워하지 않는, 대담한.

unerschütterlich [un-ɛrʃýtərlıç, ún-ɛrʃʏtərlıç] *a.* 흔들리지 않는, 의연한.

unerschwinglich [un-ɛrʃvíŋlıç, ún-ɛrʃvıŋlıç] *a.* 조달할 수 없는, 자력이 미치지 않는.

unersetzbār, unersetzlich [un-ɛrzɛ́ts-, ún-ɛrzɛts-] *a.* 대용〔보충〕할 수 없는; 보상할 수 없는《손실 따위》.

unersprießlich [un-ɛrʃprí:s-, ún-ɛrʃpri:s-] *a.* 소득 없는, 무익한.

unersteigbār [un-ɛrʃtáik-, ún-ɛrʃtaik-] *a.* 오를 수 없는, 꼭대기에 닿을 수 없는.

unerträglich [un-ɛrtrɛ́:klıç, ún-ɛrtrɛ:klıç] *a.* 견디기 어려운, 참을 수 없는(*intolerable, unbearable*).

unerwachsen [ún-ɛrvaksən] *a.* 성장하지 않은, 미성년의.

unerwähnt [ún-ɛrvɛ:nt] *a.* 진술하지 않는, 언급되지 않는.

unerwartet [ún-ɛrvartət, un-ɛrvártət] *a.* 예기치 않은, 불의의, 뜻밖의.

unerweichlich [un-ɛrváiçlıç, ún-] *a.* ① 유연하게 하기 힘든; 강인한. ② 《比》 =UNERBITTLICH.

unerweislich [un-ɛrváislıç, ún-ɛrvaislıç] *a.* 실증〔증명〕할 수 없는.

unerwidert [ún-ɛrvi:dərt] *a.* 대답이 없는, 받을 수 없는, 응답이 없는《사랑 따위》.

unerwiesen [ún-ɛrvi:zən] *a.* 실증〔증명〕 안된.

unerwünscht [ún-ɛrvʏnʃt] *a.* 원하지 않은, 탐탁하지 않은; 형편이 좋지 않은.

unerzōgen [ún-ɛrtso:gən] *a.* 교육받지 못한, 버릇 없는, 밤뱀이가 없는.

UNESCO [unésko] [engl. *U*nited *N*ations *E*ducational, *S*cientific and *C*ultural *O*rganization의 약칭] *f.* 유네스코, 국제 연합 교육 과학 문화 기구.

unfähig [únfɛ:ıç] *a.* 능력〔자격〕이 없는. **Unfähigkeit** *f.* -en, 위임.

Unfall [únfal] *m.* -(e)s, ⸚e, 불운, 사고, 재난(*accident*).

Unfall·statiōn *f.* 구호소. ～**verhūtung** *f.* 사고 방지, 상해 예방. ～**versicherung** *f.* 상해 보험, 재해 보험.

unfaßbār, unfaßlich [unfás-] *a.* 포착할 수 없는, 불가해한.

unfehlbār [unfé:lba:r] *a.* 과오〔실수〕 없는; 틀림 없는; *adv.* 틀림 없이, 꼭. **Unfehlbārkeit** *f.* -en, 과실이 없음; 〖가톨릭〗 (교황의) 무류성(無謬性).

unfein [únfain] *a.* 품위 없는; 메부수수한, 무례한.

unfern [únfɛrn] 《Ⅰ》 *a.* 멀지 않은. 《Ⅱ》 *adv.* 멀지 않은 곳에, 가까이에. 《Ⅲ》 *prp.* 《2·3格支配》 ～ des Dorfes 마을에서 멀지 않은 곳에.

unfertig [únfɛrtıç] *a.* 끝나지 않은, 다되지 않은.

Unflāt [únfla:t] *m.* -(e)s, 불결한 물건, 불결한 사람; 《比》 음담. **unflātig** [únflɛ:tıç, unflɛ́:tıç] *a.* 불결한. **Unflātigkeit** *f.* -en, 위임; 위의 언행.

Unfleiß [únflais] *m.* -es, 부지런하지 않음; 태만. **unfleißig** *a.* 위의.

unfolgsām [únfɔlkza:m] *a.* 순종하지 않는, 방자한.

Unform [únfɔrm] *f.* -en, 기형(畸形), 불구(不具), 모양이 흉함. **unförmig** *a.* 기형의, 모양이 흉한. **unförmlich** *a.* ① =UNFÖRMIG. ② 형식이 갖추어지지 않은; 격식을 차리지 않은.

unfrāglich [unfra:klıç] *a.* 틀림 없는.

unfrankiert [únfraŋki:rt] *a.* 우편 요금 미납의.

unfrei [únfrai] *a.* 자유롭지 않은.

unfreigēbig [únfraige:bıç] *a.* 아끼는, 인색한.

unfreiwillig [únfraivılıç] *a.* 자유 의사가 아닌; 불수의적(不隨意的)인; 〖生理〗 반사적인.

unfreundlich [únfrɔyntlıç] *a.* 불친절한, 정의(情誼)가 두텁지 못한; 쌀쌀한; 불쾌한, 음울한 (날씨). **Unfreundlichkeit** *f.* 위임; 위의 언행.

Unfriede(n) [únfri:də, -dən] *m.* ..dens, 불화, 알력. **unfriedlich** *a.* 다투기 좋아하는, 싸움 잘하는.

unfroh [únfro:] *a.* 즐겁지 않은.

unfruchtbār [únfruxtba:r] *a.* 열매를 맺지 않는, 불임(不妊)의, 불모(不毛)의; 이익이 없는, 무효의. **unfruchtbārkeit** *f.* 위임. **Unfruchtbārmachung** *f.* -en, 〖醫〗 피임.

Unfūg [únfu:k] *m.* -(e)s, 불법(不法), 행패, 난폭(*disorder, wrong, mischief*).

unfügsām [únfy:kza:m] *a.* 복종하지 않는, 고집이 센.

unfühlbār [únfy:lba:r] *a.* 감촉할 수 없는, 감지(感知)하기 어려운.

ungalant [úngalant] *a.* (여성에 대하여) 정중하지 않은, 예절 없는.

ungangbār [úngaŋba:r, ungáŋ-] *a.* 통행할 수 없는 (길); 통용하지 않는 《화폐 따위》; 쓰이지 않는, 없어진《말 따위》; 안 팔리는.

ungār [únga:r] *a.* 선, 반숙의.

Ungar [úŋgar] *m.* -n, -n, **Ungarin** *f.* -nen, 헝가리 사람. **ungarisch** [úŋgarıʃ] *a.* 헝가리의. **Ungarn** [úŋgarn] [at. <*Hunni* „die Hunnen"] *n.*, 헝가리.

ungastlich [úngastlıç] *a.* 손님 접대가 좋지 않은, 무뚝뚝한.

ungeachtet [úngə-axtət, ungəáxtət] 《Ⅰ》 *a.* 존경되지 않은. 《Ⅱ》 *prp.* 《2格(드물게 3格)支配》 …에도 불구하고(*in spite of, notwithstanding*).

ungeahndet [úngə-a:ndət, ungəá:n-] *a.* 벌받지 않는, 처벌을 면한.

ungeahnt [úngə-a:nt, ungəá:nt] *a.* 예감하지 못한, 예상 외의, 뜻밖의.

ungebahnt [úngəba:nt] *a.* 길이 없는, 인적 미답(人跡未踏)의.

ungebārdig [úngəbɛ:rdıç] *a.* 행실이 나쁜, 우악스러운.

ungebēten [úngəbe:tən] *a.* 청원되지 않은, 요청되지 않은; 초대받지 않은.

ungebildet [úngəbıldət] *a.* 교육 받지 못한, 교양이 없는; 미개한.

ungebleicht [úngəblaiçt] *a.* 표백되지 않은.

ungebōren [úngəbo:rən] *a.* 아직 태어나지 않은.

ungebräuchlich [úngəbrɔyçlıç] *a.* 쓰이지 않는, 불필요한. **ungebraucht** [-xt] *a.* 아직 사용되지 않은.

ungebrochen [úngəbrɔxən] *a.* 깨지지 않는; 《比》 낙담하지 않는; 〖物〗 굴절하지 않는《광선 따위》.

Ungebühr [úngəby:r] *f.* 부정, 불법(*impropriety*); 버릇 없음, 무례(*indecency*); 〖法〗 경범죄. **ungebührlich** *a.* 부정〔불법〕한; 버릇 없는.

ungebunden [úngəbundən] *a.* 매어 있지 않은; 《比》 속박〔구속〕되지 않은, 자유로운; 방종한; 제본하지 않은; 〖詩學〗 무운(無韻)의. ¶ ~e Rede 산문. **Ungebundenheit** *f.* 불구속; 방종.

ungedeckt [úngədɛkt] *a.* 덮이지 않은; 상보를 깔지 않은, 식사 준비가 되지 않은 (식탁); 무담보의, 부도난 (수표).

ungedient [úngədi:nt] *a.* 〖軍〗 군에 복무하지 않은.

Ungeduld [úngədult] *f.* 참지 못함, 성급함, 초조(*impatience*). **ungeduldig** *a.* 성마른, 성급한, 안달하는.

unge·eignet [úngə-aignət] *a.* (zu, 에) 부적당한, 적임이 아닌.

ungefähr [úngəfɛ:r, ungəfɛ́:r] 《Ⅰ》 *a.* 우연한(*accidental*); 대략의(*approximate*). 《Ⅱ》 *adv.* 대략, 거의, 약(*about, nearly*). ¶ von ~ 우연히, 불시에(*by chance*). **Ungefähr** *n.* -s, 우연(한 사건)(*accident, change*).

ungefährdet [úngəfɛ:rdət] *a.* 위험이 따르지 않는, 안전한. **ungefährlich** *a.* 위험이 없는.

ungefällig [úngəfɛlıç] *a.* 호의가 없는; 불친절한, 무뚝뚝한. **Ungefälligkeit** *f.* -en, 위임.

ungefärbt [úngəfɛrpt] *a.* 물들이지 않은; 《比》 꾸밈 없는.

ungefrāgt [úngəfra:kt] *a.* 질문받지 않은; 요청되지 않은.

ungefüge [úngəfy:gə] *a.* 모양이 흉한 (*misshapen, clumsy*). **ungefügig** *a.* 고분고분하지 않은, 완고한.

ungefüttert [úngəfʏtərt] *a.* 안을 대지 않은 (의복).

ungegerbt [úngəgɛrpt] *a.* 무두질을 하지 않은 (가죽).

ungegliedert [úngəgli:dərt] *a.* 관절이 없는; 〖文〗 음절이 없는, (소리가) 분명치 않은; 《比》 조직되지 않은.

ungegründet [úngəgrʏndət] *a.* 기초〔근거〕가 없는; 상상〔가정〕의.

ungehalten [úngəhaltən] *a.* 받쳐지지 않은; 지켜지지 않은; 《比》 언짢은, 화난. ¶ auf jn. über 〔um〕 et.[4] ~ sein 아무에 대하여 무엇을 화내고 있다.

ungeheilt [úngəhailt] *a.* 불치의, 낫지 않는.

ungeheißen [úngəhaisən] *a.* 분부〔명령〕받지 않은; 자발적인, 임의의; *adv.* 임의로, 마음대로(*of one's own accord*).

ungehemmt [úngəhɛmt] *a.* 방해〔저지〕되지 않은; *adv.* 방해되지 않고, 자유로이.

ungeheuchelt [úngəhɔyçəlt] *a.* 거짓없는, 정직한.

ungeheuer [úngəhɔyər, ungəhɔ́y-] 《Ⅰ》 *a.* 엄청난, 거대한, 대단한(*monstrous, enormous, colossal, huge*). 《Ⅱ》 *adv.* 엄청나게, 대단히(*awfully, exceedingly*).

Ungeheuer *n.* -s, -, 거대한 것, 괴물

(*monster*). **ungeheuerlich** [úngəhɔy-ərlıç, ungəhɔ́y–] *a.* 거대한, 괴물 같은 (*monstrous*). **Ungeheuerlichkeit** *f.* –en, 거대, 기괴(奇怪); 기괴한 사물, 흉행(兇行).

ungehindert [úngəhındərt] *a.* 방해되지 않은.

ungehōbelt [úngəho:bəlt, ungəhó:bəlt] *a.* 대패질을 하지 않은; 《比》 세련되지 않은, 본데 없는, 조야한.

ungehofft [úngəhɔft] *a.* 바라지 않은, 뜻하지 않은.

ungehōrig [úngəhø:rıç] *a.* 부적당한; 부당한, 무례한.

ungehōrsām [úngəho:rza:m] 《Ⅰ》 *a.* 순종하지 않는; 〖軍〗 명령 불복종의. 《Ⅱ》 **Ungehōrsām** *m.* –(e)s, 불순종; 〖軍〗 항명(抗命).

ungeistig [úngaistıç] *a.* 정신적이 아닌.

ungekämmt [úngəkɛmt] *a.* 빗질하지 않은.

ungekannt [úngəkant] *a.* 알려져 있지 않은.

ungekocht [úngəkɔxt] *a.* 삶지 않은, 요리하지 않은, 날것인.

ungekünstelt [úngəkʏnstəlt] *a.* 인위적이 아닌, 자연 (그대로)의.

ungekürzt [úngəkʏrtst] *a.* 생략〔단축〕되지 않은.

ungelāden [úngəla:dən] *a.* (총알을) 재지 않은; 짐을 싣지 않은.

ungelēgen [úngəle:gən] 《Ⅰ》 *a.* 형편이 좋지 않은, 계제 나쁜(*inconvenient, inopportune*). 《Ⅱ》 *adv.* 계제 나쁘게. **Ungelēgenheit** *f.* 불편; 형편이 좋지 않음; 거추장스러움, 성가심(*trouble*).

ungelehrig [úngəle:rıç] *a.* 가르치기 힘드는, 잘 깨치지 못하는. **ungelehrt** [úngəle:rt] *a.* 교육을 받지 않은, 배움이 없는.

ungelenk(ig) [úngəlɛŋk(ıç)] *a.* 나긋나긋하지 않은, 딱딱한.

ungelernt [úngəlɛrnt] *a.* 수업(修業)을 쌓지 않은, (노동자가) 미숙련의.

ungelöscht [úngəlœʃt] *a.* 지워지지 않은. ¶ ～er Kalk 생석회.

Ungemach [úngəma(:)x] *n.* –(e)s, –e, 마땅치 않음, 불쾌, 성가심, 어려움.

ungemein [úngəmain] 《Ⅰ》 *a.* 보통이 아닌, 대단한(*uncommon*); 드문, 진기한 (*rare*); 비범한, 비상한(*extraordinary*). 《Ⅱ》 [ungəmáin] *adv.* 대단히, 엄청나게.

ungemessen [úngəmɛsən, ungəmés–] *a.* 잴 수 없는; 헤아릴 수 없는(*boundless, unlimited*).

ungemischt [úngəmıʃt] *a.* 섞이지 않은, 순수한.

ungemünzt [úngəmʏntst] *a.* 화폐로 주조되지 않은, 지금(地金)인 채로의.

ungemütlich [úngəmy:tlıç] *a.* 기분이 좋지 않은, 불쾌한; 상냥하지 못한.

ungenannt [úngənant] *a.* 무명의, 익명의. ¶ ein ～er 무명씨.

ungenau [úngənau] *a.* 부정확한, 정밀하지 않은. **Ungenauigkeit** *f.* 부정확, 부정밀(不精密); 틀림, 잘못.

ungeneigt [úngənaikt] *a.* 마음이 내키지 않는(*disinclined*); (jm., 아무를) 좋아하지 않는(*averse*).

ungeniert [únʒeni:rt, unʒenı́:rt] *a.* 거리낌 없는, 어려워함이 없는.

ungenießbār [úngəni:sba:r, ungəní:s–] *a.* 먹을〔마실〕 수 없는; 《比》 무미 건조한, 보잘 것 없는 (작품).

ungenūgend [úngəny:gənt] *a.* 불충분한; 모자라는; 불가(不可)한, 낙제점의. **ungenūgsām** [úngəny:kza:m] *a.* 만족할 줄을 모르는, 탐욕한. **Ungenūgsāmkeit** *f.* 욕심 많음, 탐욕.

ungeordnet [úngəɔrdnət, –ɔrt–] *a.* 무질서한, 난잡한.

ungepflēgt [úngəpfle:kt] *a.* 돌봐지지〔간호되지〕 않은; 손보지 않은.

ungeprūft [úngəpry:ft] *a.* 실험〔검사〕되지 않은.

ungeputzt [úngəputst] *a.* 소제되지〔닦아지지〕 않은.

ungerächt [úngərɛçt] *a.* 복수 당하지 않는, 벌 받지 않는.

ungerād(e) [úngəra:d(ə)] *a.* 곧지 않은, 〖數〗 기수(奇數)의.

ungerāten [úngəra:tən] *a.* 잘 되지 않은, 실패한, 잘못된.

ungerechnet [úngərɛçnət] *a.* 계산되지 않은; *adv.* 계산에 넣지 않고; (…은) 제쳐 놓고.

ungerecht [úngərɛçt] *a.* 불공정한, 불법의. **ungerechtfertigt** [úngərɛçt-fɛrtıçt] *a.* 시인되지 않은, 부당한. **Ungerechtigkeit** *f.* –en, 위임.

ungereimt [úngəraimt] *a.* 〖詩學〗 운을 밟지 않은; 《比》 불합리한, 배리(背理)의. ¶ ～es Zeug reden 허튼 소리를 하다, 되잖은 소리를 하다.

ungern [úngɛrn] *adv.* 좋아하지 않고, 마지 못해서(*unwillingly*). ¶ gern oder ～ 싫든 좋든.

ungerūfen [úngəru:fən] *a.* 불리지 않는; *adv.* 불리지 않고.

ungerupft [úngərupft] *a.* 털을 쥐어 뜯(기)지 않은. ¶ 《比》 ～ davonkommen 무사히 빠져 나오다.

ungesāgt [úngəza:kt] *a.* 말하지 않은, 언급하지 않은.

ungesalzen [úngəzaltsən] *a.* 소금을 넣지 않은, 소금에 절이지 않은; 《比》 무미 건조한.

ungesättigt [úngəzɛtıçt] *a.* 물리지 않는; 〖化〗 포화(飽和)하지 않는.

ungesäumt [úngəzɔymt, ungəzɔ́ymt] *a.* (ohne zu säumen) 주저하지 않는, 재빠른; *adv.* 주저하지 않고, 재빨리, 즉석에서.

ungeschēhen [úngəʃe:ən] *a.* 일어나지 않은; 행하여지지 않은.

ungeschichtlich [úngəʃıçtlıç] *a.* 역사적이 아닌, 역사적 근거가 없는.

Ungeschick [úngəʃık] *n.* –(e)s, 불행, 불운; 〔～**lichkeit** *f.*〕 서투름, 졸렬. **ungeschickt** [úngəʃıkt] *a.* 서투른, 졸렬한, 미숙한.

ungeschlacht [úngəʃlaxt] *a.* 모양이 흉한, 조야한(*uncouch, clumsy*).

ungeschliffen [úngəʃlıfən] *a.* (보석 등) 갈지〔닦지〕 않은; 《比》 무작한, 버릇 없는.

ungeschmälert [úngəʃmɛ:lərt] *a.* 감소〔축소〕되지 않은, 온전한. ¶ sein Gehalt ～ bekommen 봉급이 전액 지급되다.

ungeschmeidig [úngəʃmaidıç] *a.* 굽히기 어려운, 부드럽지 못한; 《比》 순종하지 않는.

ungeschminkt [úngəʃmıŋkt, ungə-ʃmíŋkt] *a.* 화장하지 않은; 《比》 꾸미지 않은, 있는 그대로의.

ungeschōren [úngəʃo:rən, ungəʃó:–] *a.*

U

자르지〔깎지〕 않은, 면도질하지 않은; 괴로움을 받지 않은. ¶ laß mich ~! 내 상관은 말라.

ungeschrieben [úngəʃri:bən] *a.* 쓰이지 않은. ¶ ein ~es Gesetz 불문율(不文律).

ungeschūlt [úngəʃu:lt] *a.* 정식으로 수업(修業)하지 않은, 단련되지 않은.

ungeschwächt [úngəʃvɛçt] *a.* 약화되지 않은; 줄지 않은.

ungesēhen [úngəze:ən] *a.* 보(이)지 않은; *adv.* 보지 않고.

ungesellig [úngəzɛlɪç] *a.* 비사교적인.

ungesetzlich [úngəzɛtslɪç] *a.* 위법의, 불법의. **Ungesetzlichkeit** *f.* -en, 위법, 불법.

ungesittet [úngəzɪtət] *a.* 교양이 없는; 버릇 없는, 조야한; 미개한.

ungestalt [úngəʃtalt] *a.* 기형의, 불구의. **ungestaltet** *a.* 모양이 추한, 볼품 없는.

ungestempelt [úngəʃtɛmpəlt] *a.* 소인(消印)이 찍히지 않은.

ungestillt [úngəʃtɪlt] *a.* 진정되지 않은, 그치지 않은《피 따위》; (욕망이) 채워지지 않은; (갈증이) 풀리지 않은.

ungestȫrt [úngəʃtø:rt] *a.* 방해되지 않은; 끊임 없는; 안정된.

ungestrāft [úngəʃtra:ft] *a.* 벌받지 않은; *adv.* 벌받지 않고.

ungestǖm [úngəʃty:m] 《Ⅰ》 *a.* 소란한, 광포한(*impetuous, violent*); 성급한(*rash*), 격심한. 《Ⅱ》 **Ungestǖm** *m.* u. *n.* -(e)s, 격렬, 맹렬; 광포; 성급.

ungesūcht [úngəzu:xt] *a.* 구하여지지 않은; 《比》 천연스러운, 꾸밈이 없는, 자연스러운.

ungesund [úngəzunt] *a.* 건강을 해치는, 몸에 해로운; 《比》 불건전한.

ungetān [úngəta:n] *a.* 행하여지지 않은, 하지 않은.

ungeteilt [úngətailt] *a.* 나눌 수 없는; 단일의; 온전한; 일치한(*unanimous*).

ungetreu [úngətrɔy] *a.* 불충실한; 성실하지 않은; 반역의.

ungetrǖbt [úngətry:pt] *a.* 흐려지지 않은, 탁하지 않은, 맑은.

Ungetǖm [úngəty:m] *n.* -(e)s, -e, 괴물, 요괴(*monster*).

ungeǖbt [úngəy:pt] *a.* 연습하지 않은, 미숙한; 〖軍〗 미훈련의《신병 따위》.

ungewandt [úngəvant] *a.* 서투른; 미숙한.

ungewaschen [úngəvaʃən] *a.* 씻지 않은, 더러운 채로의.

ungewiß [úngəvɪs] *a.* 불확실한, 일정하지 않은(*uncertain*); 결심이 서지 않은. ¶ im ungewissen sein 불확실하다, 애매하다 / im ungewissen lassen 확실히 밝히지 않다. **Ungewißheit** *f.* 불확실; 불안.

Ungewitter [úngəvɪtər] *n.* 폭풍우; 《比》 격노(激怒).

ungewöhnlich [úngəvø:nlɪç] *a.* 보통이 아닌, 비상한, 이상한, 비범한; 희유의; 신기한. **ungewohnt** *a.* ① 《附加語的으로》 보통이 아닌, 드문. ② 《述語的으로》 e-s Dinges ~ sein 무엇에 익숙하지 않다.

ungezählt [úngətsɛ:lt] *a.* 셀 수 없는; 무수한; *adv.* 세지 않고, 대충.

ungezähmt [úngətsɛ:mt] *a.* 길들지 않은; 《比》 억제할 수 없는, 방자한.

Ungeziefer [úngətsi:fər] *n.* -s, -, 유해한 작은 동물, 독충, 해충《빈대·좀벌레 따위》(*vermin*).

ungeziemend [úngətsi:mənt] *a.* 부적당한, 어울리지 않는; 버릇 없는, 뻔뻔한.

ungeziert [úngətsi:rt] *a.* 젠 체하지 않는.

ungezōgen [úngətso:gən] *a.* 본데 없는, 버릇 없는; 막된. **Ungezōgenheit** *f.* -en, 위임.

ungezǖgelt [úngətsy:gəlt] *a.* 고삐 없는; 《比》 구속을 받지 않는, 방종한.

ungezwungen [úngətsvuŋən] 《Ⅰ》 *a.* 강제〔강요〕되지 않은; 무리가 없는; 자연스러운, 꾸밈 없는. 《Ⅱ》 *adv.* 강제되지 않고, 임의로, 자발적으로. **Ungezwungenheit** *f.* -en, 위임.

Unglaube(n) [únglaubə, -bən] *m.* ..bens, 불신(不信); 신을 믿지 않음, 무신앙, 무종교. **ungläubig** [únglɔybɪç] *a.* 믿지 않는; 신을 믿지 않는, 무신앙의. **unglaublich** [ungláuplɪç, únglaup-, ún-gláup-] *a.* 믿지 못할(*incredible*); 엉터리인.

unglaubwürdig [únglaupvʏrdɪç] *a.* 믿을 만한 가치가 없는, 믿을 수 없는.

ungleich [únglaiç] 《Ⅰ》 *a.* 같지 않은; 불균형의; 어울리지 않는; 불순한 (날씨); 평탄하지 않은. 《Ⅱ》 *adv.* 비교도 되지 않을 정도로; 《形容詞의 比較級과 함께》 훨씬((*by*) *far*). ¶ sie ist ~ schöner als ihre Schwester 그 여자는 언니〔동생〕보다 훨씬 아름답다.

ungleich·ārtig [únglaiç-a:rtɪç] *a.* 다른 종류의, 모양이 다른, 이질(異質)의.

ungleichflǖgler [únglaiçfly:klər] *pl.* 〖蟲〗 이시류(異翅類).

ungleichförmig [únglaiçfœrmɪç] *a.* 모양이 같지 않은, 한결같지 않은, 고르지 않은.

Ungleichheit [únglaiçhait] *f.* -en, ① 같지 않음, 부동, 고르지 않음; 불균형, 어울리지 않음; 평탄하지 않음. ② 요철(凹凸); 차이, 이동(異同).

ungleichmäßig [únglaiçmɛ:sɪç] *a.* 한결같지 않은, 고르지 않은, 불균제(不均齊)의.

ungleichseitig [únglaiçzaitɪç] *a.* 〖數〗 부등변의. **ungleichstoffig** *a.* 이질(異質)의. **Ungleichung** *f.* -en, 〖數〗 부등식.

ungleichzeitig [únglaiçtsaitɪç] *a.* 동시가 아닌.

Unglimpf [únglɪmpf] *m.* -(e)s, -e, 부정, 불법, 부당(*wrong, injustice*); 가혹, 모짊(*harshness*); 능욕(凌辱), 폭행(*insult*). **unglimpflich** *a.* 위의.

Unglück [únglʏk] *n.* -(e)s, † -e, 불행(*misfortune*); 불운(*bad luck*); 화(禍), 흉사(凶事), 재난(*calamity, accident, disaster*). **unglückbringend** *a.* 불행을 가져오는, 화(禍)가 되는, 불길한. **unglücklich** [únglʏklɪç] *a.* 불행〔불운〕한(♀*unlucky*); 실패한; (불행·불운을) 슬퍼하는(*unhappy*). ¶ ~e Liebe 실연. **unglücklicherweise** *adv.* 불행하게도, 운수 사납게도.

Unglücksbōte [únglʏksbo:tə] *m.* 흉보(凶報)를 전하는 사자(使者).

unglückselig [úŋglʏkze:lɪç] *a.* 불행한(*unhappy*); 비참한, 가련한(*disatrous, calamitous*).

Unglücks⸗fall *m.* 불행(한 사건), 재난, 화. **∼gefährte**, **∼genoß**, **∼genosse** *m.* 불행을 함께 하는 사람, 역경의 친구. **∼jahr** *n.* 불행〔불운〕한 해, 흉년. **∼kind** *n.*, **∼mensch** *m.* 불운한 사람, 불운아(不運兒). **∼rabe** *m.* 흉조를 알리는〔불길한〕 까마귀. **∼stern** *m.* 흉조를 알리는〔불길한〕 별. **∼vogel** *m.* 흉조를 알리는 새.

Ungnade [úngna:də] *f.* 총애를 잃음; 언짢음, 못마땅한 기분. ¶in ∼ fallen (bei, 의) 눈 밖에 나다. **ungnädig** *a.* 호의가 없는, 무자비한; 언짢은, 못마땅히 여기는.

Ungrund [úngrʊnt] *m.* -(e)s, 근거 없음; 허위, 허구. **ungründlich** *a.* 근본적이 아닌; 피상적인.

ungültig [úngʏltɪç] *a.* 무효의, 통용되지 않는. ¶∼ machen 무효로 하다, 파기하다. **Ungültigkeit** *f.* 무효; 실효.

Ungültigkeits·erklärung *f.* 〖法〗 무효 선언, 파기.

Ungunst [úngʊnst] *f.* 불친절, 총애를 잃(고 있)음, 인기〔인망〕 없음; 계제가 나쁨, 불리. ¶∼ des Wetters 나쁜 날씨. **ungünstig** *a.* 호의 없는; 형편이 좋지 않은, 달갑지 않은, 걱정스러운.

ungut [úngu:t] *a.* 좋지 않은. ¶für ∼ nehmen 나쁘게 여기다, (…때문에) 감정을 상하다 / nichts für ∼! 부디 언짢게 생각하지 마시기를. **ungütig** *a.* 호의 없는, 불친절한.

unhaltbar [únhaltba:r, unhált–] *a.* 오래 견디지〔가지〕 않는, 질기지 못한; 지탱할 수 없는; (이유가) 근거 없는, 박약한; (약속이) 이행될 수 없는.

unhandlich [únhantlɪç] *a.* 다루기 어려운, 불편한.

unharmonisch [únharmo:nɪʃ] *a.* 〖樂〗 비(非)화성적인, 불협화의.

Unheil [únhail] *n.* -(e)s, 화(禍), 재난; 불행. **unheilbar** [únhailba:r, unhái–] *a.* 난치의, 불치의. **unheilbringend** *a.* 화를 초래하는, 유해한.

unheilig [únhailɪç] *a.* 신성하지 못한; 세속적인; 신앙이 없는. **unheilsam** [únhail–, unhái–] *a.* 불건전한, 해로운, 비위생적인(♈*unwholesome*).

unheil⸗schwanger *a.* 화를 내포한. **∼stifter** *m.* 화를 가져오는 사람, 해가 되는 사람. **∼voll** *a.* 화로 가득찬, 파멸적인, 유해한.

unheimlich [únhaimlɪç, únháim–] *a.* 섬뜩한, 무시무시한, 엄청난; *adv.* 엄청나게(*awfully*).

unheizbar [únhaitsba:r, unháits–] *a.* 데우기 어려운; 난방 장치가 없는.

unhöflich [únhø:flɪç] *a.* 공손하지 않은, 무뚝뚝한.

unhold [únhɔlt] 《Ⅰ》 *a.* 우아하지 않은; 볼품 없는; 호의 없는; 무뚝뚝한. 《Ⅱ》 **Unhold** *m.* -(e)s, -e, 악마, 요괴; 괴물, 추물.

unhörbar [únhø:rba:r, unhǿ:r–] *a.* 들리지 않는.

unhygienisch [únhygie:nɪʃ] *a.* 비위생적인.

Uni [úni, ú:ni] *f.* -s, 〖學〗 =*Uni*versität.

uni [yní:, ýni:] *a.* 《不變化》 일치한, 단일의; 일색인. **unieren** [uní:rən] *t.* 합병하다, 연합하다. **Unifikation** *f.* -en, 단일화, 통일; 합병, 연합. **unifizieren** *t.* 단일화하다, 통일〔통합〕하다.

Uniform [unifɔ́rm, ú(:)nifɔrm] [lat. "하나의 형(形)"] *f.* -en, 제복; 〖軍〗 군복. **uniformieren** *t.* 획일화하다, 통일하다; (에게) 제복〔군복〕을 입히다; *refl.* 제복〔군복〕을 입다. **uniformiert** *p.a.* 한 모양으로 된, 획일〔통일〕된; 제복〔군복〕을 입은.

Unikum [ú:nikum] [lat.] *n.* -s, -s, *u.* ..ka, 유일 무이한 것, 둘도 없는 것, 진품(珍品), 기인(奇人)(♈*unique*).

Union [unió:n] [lat.] *f.* -en, 연방, 합동; 연맹; 연합.

unipolar [unipolá:r] *a.* 〖電〗 단극(單極)의.

universal [univɛrzá:l, –vər–] [lat., < Universum] *a.* 우주의, 세계의; 일반〔보편〕적인.

Universal⸗erbe *m.* 일반〔포괄〕 상속인. **∼mittel** *n.* 만병 통치약.

Universität [univɛrzité:t, –vər–] [lat. „Gesamtheit (<Wissenschaften)"; ☞ UNIVERSUM] *f.* -en, (종합) 대학(♈*university*). ¶auf der ∼ sein 대학에 재학중이다.

Universitäts⸗freund *m.* 대학 동창생. **∼professor** *m.* 대학 교수. **∼wesen** *n.* 대학 교육〔제도〕.

Universum [univɛ́rzum] [lat. *eig.* „in eins Gekehrtes, Gewendetes"] *n.* -s, 우주; 세계; 천지 만물, 삼라 만상(♈*universe*).

Unke [úŋkə] *f.* -n, 〖動〗 (오렌지색의 얼룩이 진) 두꺼비(*toad*). **unken** *t. u. i.* (h.) 두꺼비가 울다; 《比》 불길(한 일)을 알리다.

unkenntlich [únkɛntlɪç, unkɛ́nt–] *a.* 분간할 수 없는, 식별하기 어려운. ¶∼ machen 카무플라즈하다. **Unkenntnis** [únkɛntnɪs] *f.* 부지(不知); 생소함, 낯섦(*ignorance*).

unkeusch [únkɔyʃ] *a.* 순결하지 않은. **Unkeuschheit** *f.* 부정(不貞), 음란.

unkindlich [únkɪntlɪç] *a.* 아이답지 않은, 조숙한; 불효의.

unklar [únkla:r] *a.* 맑지 않은; 명백〔분명〕하지 않은, 애매한; 몽롱한. ¶im ∼en lassen (über et., 의 진상을) 흐지부지 해두다. **Unklarheit** *f.* 불분명, 불명료.

unklug [únklu:k] *a.* 똑똑치 못한, 어리석은; 미친. **Unklugheit** *f.* 어리석음.

unkontrollierbar [únkɔntrɔli:rba:r, -lí:rba:r] *a.* 감독하기 어려운, 관리〔단속〕할 수 없는.

unkörperlich [únkœrpərlɪç] *a.* 형체〔신체〕가 없는; 비물질적인; 정신적인.

Unkosten [únkɔstən] *pl.* (쓸데없는) 비용, 출비(出費); 잡비(*costs, expenses*).

Unkraut [únkraut] *n.* -es, ⸗er, 잡초(雜草)(*weed(s)*); 《比》 무능자.

unkultiviert [únkultivi:rt] *a.* 미개의, 야만적인; 교양이 없는.

unkündbar [únkʏntba:r, unkʏ́nt–] *a.*

U

〖法〗 해약(예고)권이 없는; (지위가) 안정된; 종신의 《연금 따위》.

unkundig [únkundıç] *a.* (e-s Dinges, 무엇을) 모르는, (에) 밝지 않은.

unlängst [únlɛŋst] *adv.* 얼마 전, 최근에(*not long ago, recently*).

unlauter [únlautər] *a.* 불순한; 부정한.

unleidlich [únlaitlıc, unláit–] *a.* 견디기〔참기〕 어려운; 불쾌한.

unlenksām [únlɛŋkza:m, unlɛ́ŋk–] *a.* 이끌기〔다루기·제어하기〕 어려운.

unlēsbār [únle:sba:r, unlé:s–], **unlēserlich** [únle:zərlıç, unlé:z–] *a.* 읽기 힘든, (좀처럼) 읽을 수 없는.

unleugbār [unlɔ́ykba:r] *a.* 부정〔부인〕할 수 없는; 명백한.

unlieb [únli:p] *a.* 달갑지〔좋지〕 않은, 불쾌한. **unliebenswürdig** [únli:bəns–] *a.* 애교가 없는, 불친절한. **unliebsām** [únli:pza:m] *a.* =UNLIEB.

unlin(i)iert [únlin(i)i:rt] *a.* 선〔줄〕이 그어져 있지 않은.

unlōgisch [únlo:gıʃ] *a.* 비논리적인, 이치에 맞지 않는.

unlȫsbār [únlø:sba:r, unlǿ:s–] *a.* 풀 수 없는《문제·수수께끼 따위》. **unlȫslich** [únlø:slıç, unlǿ:s–] *a.* 용해하지 않는.

Unlust [únlust] *f.* 불쾌; 내키지 않음. ¶∼ zum Essen 식욕 부진 / 〖商〗 ∼ zum Kaufen 거래 불황. **unlustig** *a.* 내키지 않는, 불쾌한.

unmanierlich [únmani:rlıç] *a.* 버릇 없는, 무례한.

unmännlich [únmɛnlıç] *a.* 사내답지 않은, 겁많은.

Unmāß [únma:s] *n.* –es, 다량, 무수. **Unmasse** [únmasə] *f.* –n, 무수, 다량.

unmāßgēblich [únma:sge:plıç, unma:sgé:p–] *a.* 표준이 안 되는. **unmāßig** [únmɛ:sıç] *a.* 절도가 없는; 과도한; 엄청난. **Unmāßigkeit** *f.* 무절제, 방탕.

Unmenge [únmɛŋə] *f.* 무수, 무한량.

Unmensch [únmɛnʃ] *m.* –en, –en, 사람답지 않은 사람, 몰인정〔잔혹〕한 사람, 비인간(非人間). **unmenschlich** [únmɛnʃlıç] *a.* ① 사람답지 않은, 몰인정한. ② [unmɛ́nʃ–] 초인(간)적인, 비상한.

unmerklich [unmɛ́rk–, únmɛrk–] *a.* 알아 차리기 어려운, 눈에 띄지 않는.

unmethōdisch [únmeto:dıʃ] *a.* (일정한) 방법〔방식〕에 따르지 않은, 질서 없는.

unmittelbār [únmıtəlba:r] *a.* 간접이 아닌, 직접의(*direct*); 즉시〔즉각〕의(*immediate*).

unmöbliert [únmøbli:rt] *a.* (방에) 가구가 딸려 있지 않은.

unmodern [únmodɛrn] *a.* 유행에 뒤진, 고풍스런.

unmȫglich [únmø:klıç, unmǿ:klıç] *a.* 불가능한(*impossible*). **Unmȫglichkeit** *f.* 불가능.

unmorālisch [únmora:lıʃ] *a.* 부도덕한, 도의에 어긋난.

unmotiviert [únmotivi:rt] *a.* (별) 동기도 없는, 까닭 없는.

unmündig [únmʏndıç] *a.* 미성년의(*under age, minor*). **Unmündigkeit** *f.* 미성년(*minority*).

unmusikālisch [únmuzika:lıʃ] *a.* 비음악적인; 음악으로서 졸렬한, 음악을 모르는, 음악에 취미가 없는.

Unmūt [únmu:t] *m.* –(e)s, 불만, 언짢음. **unmūtig** *a.* 언짢은.

unnāch·ahmlich [únna:x-a:mlıç, unna:x-á:mlıç] *a.* 모방하기 어려운, 흉내낼 수 없는; 견줄〔비할〕 데 없는.

unnāchgiebig [únna:xgi:bıç] *a.* 양보하지 않는, 굽히지 않는.

unnāchsichtig [únna:xzıçtıç] *a.* 관대하지 않은.

unnahbār [unná:ba:r, únna:–] *a.* 가까이하기 어려운; 《比》 서먹서먹한, 뚱한.

Unnatūr [únnatu:r] *f.* 부자연; 자연(의 법칙)에 반함. **unnatūrlich** *a.* 부자연한; 자연의 법칙에 반한; 일부러 〔짐짓〕 꾸민. **Unnatūrlichkeit** *f.* =UNNATUR.

unnenbār [unnénba:r, únnɛn–] *a.* 형언하기 어려운.

unnotiert [únnoti:rt] *a.* 공적으로 등기되지 않은; 〖商〗 상장(上場)되지 않은.

unnȫtig [únnø:tıç, unnǿ:tıç] *a.* 불필요한(*unnecessary, needless*).

unnütz [únnʏts] *a.* 쓸모 없는, 무익한; 하찮은, 행실 나쁜, 얌전치 못한 (아이) (*naughty*); *adv.* 쓸데없이, 무익하게.

UNO, Uno [ú:no] *f.* 《略》 =*U*nited *N*ations *O*rganization 국제 연합.

unordentlich [ún-ɔrdəntlıç] *a.* 질서 없는, 난잡한, 단정치 못한, 너절한. **Unordnung** *f.* –en, 무질서, 난잡.

unorgānisch [ún-ɔrga:nıʃ] *a.* 유기적 조직이 결여된; 무기적(無機的)인.

unpaar [únpa:r] *a.* 〖數〗 홀수〔기수〕의 (*not even*); 짝을 이루지 않은, 외짝의 (*odd*).

unpartei·isch [únpartaiıʃ] 《Ⅰ》 *a.* 비당파적인; 공평한; 중립의, 편견 없는. 《Ⅱ》 **Unpartei·ische** *m.* 《形容詞變化》 심판원, 레퍼리. **Unparteilichkeit** *f.* 공평(함), 중립.

unpaß [únpas] 《Ⅰ》 *a.* 불쾌한, 기분이 좋지 않은. 《Ⅱ》 *adv.* 서투르게; 엉뚱한 때에. **unpassend** [únpasənt] *a.* 부적당한; 어울리지 않는; 무례한, 예절이 없는; 적당한 때가 아닌.

unpäßlich [únpɛslıç] *a.* 건강하지 못한; 불쾌한. **Unpäßlichkeit** *f.* 미양(微恙).

unpatriōtisch [únpatrio:tıʃ] *a.* 애국심 없는, 비애국적인.

unpersȫnlich [únpɛrzø:nlıç] *a.* 비인격적인, 비개성적인; 〖文〗 비인칭의.

unpolitisch [únpoli:tıʃ] *a.* 비정치적인; 졸책(拙策)인.

unpopulār [únpopulɛ:r] *a.* 비통속적인, 인기 없는, 인망이 없는.

unpraktisch [únpraktıʃ] *a.* 비실제적인; 비실용적인.

unproportioniert [únpropɔrtsĭoni:rt] *a.* 균제(均齊)하지 못한, 불균형의.

unpünktlich [únpʏŋktlıç] *a.* 꼼꼼하지 못한, 시간을 지키지 않는(*unpunctual*).

Unrast [únrast] *f.* 쉬지 않음; 침착지 못함; 수선스러운 아이.

Unrāt [únra:t] *m.* –(e)s, 쓸데없는 물건, 폐물, 쓰레기(*rubbish, refuse*); 오물.

unrātlich [únrɛ:tlıç], **unrāt·sām** *a.* 득책이 아닌, 불리한; 견디기 곤란한.

unrecht [únrɛçt] 《Ⅰ》 *a.* 부정한, 옳지 않은, 부당한; 잘못된; 부적당한, 부적합한. ¶an den ∼en kommen, a) 사람을 잘못 찾아들다, b) 당할 수 없는 상대와 맞닥뜨리다. 《Ⅱ》 **Unrecht** *n.* –(e)s, 부정, 부당; 부당한 행위; 오류, 과실; 불

공평; 《다음 成句에는 小文字로 씀》 ~ bekommen 잘못으로 인정받다; 지다《소송 따위에서》/ jm. ~ geben 아무를 잘못이라고 하다 / ~ haben 옳지 않다.
unrechtmäßig *a.* 불법의, 위법의; 서출(庶出)의.
unredlich [únre:tlıç] *a.* 부정직한, 불성실한. **Unredlichkeit** *f.* 부정직, 불성실.
unre·ell [únreɛl] *a.* 사실이 아닌; 〖商〗 신용할 수 없는, 부정직한(*not honest*).
unregelmäßig [únre:gəlmɛ:sıç] *a.* 불규칙한; 반칙의, 부정한. ¶ 〖文〗 ~es Zeitwort 불규칙 동사. **Unregelmä·ßigkeit** *f.* 불규칙, 반칙, 부정.
unreif [únraif] *a.* 익지 않은, 미숙한; 미발달의. **Unreife** *f.* 미숙.
unrein [únrain] *a.* 맑지 않은; 불순한, 불결한; 《比》 외설스런. ¶ das (geschriebene) ∼e 초고(草稿), 초안 / ins ~e schreiben 초잡다. **unreinlich** *a.* 불결한.
unrentabel [únrenta:bəl] *a.* 이익이 없는, 수입이 안 되는.
unrettbar [únrɛtba:r, unrɛ́t–] *a.* 구(제)할 수 없는. ¶ ~ verloren sein 아주 절망적이다.
unrichtig [únrıçtıç] *a.* 옳지 않은; 고르지 않은, 부정확한. **Unrichtigkeit** *f.* -en, 부정(不正)함; (*pl.*) 오류, 과실.
unritterlich [únrıtərlıç] *a.* 기사답지 않은; 스포츠맨답지 않은.
Unruh [únru:] *f.* -en, (시계의) 평형륜(平衡輪). **Unruhe** [únru:ə] *f.* -n, ① (*pl.* 없음) 불안, 동요; 위구(危懼). ② 치안 방해; (*pl.*) 불온(不穩), 소요(騷擾).
Unruh(e)stifter *m.* 치안 방해자, 반란자, 폭도. **unruhig** *a.* 불안한, 침착지 못한; 동요하는; 걱정〔위구〕하는; 불온한; 소란한. ¶ ~e See 거친 바다.
unrühmlich [únry:mlıç] *a.* 불명예스러운, 수치스러운, 창피한.
uns [uns] 《代名詞 wir 의 3·4格》 우리들에게(*of us*); 우리들을(♀*us*); 우리들 자신에게〔자신을〕((*to*) *ourselves*).
unsachlich [únzaxlıç] *a.* 사실과 부합하지 않는, 비현실적인, 객관성 없는.
unsagbar [보통 unzá:kba:r], **unsäg·lich** [보통 unzɛ́:klıç] *a.* 이루 말할 수 없는, 형용하기 어려운; 대단한.
unsanft [únzanft] *a.* 평온하지 않은; (행동·성질이) 거친; 무작한.
unsauber [únzaubər] *a.* 불결한; 부정(不淨)한; 《比》 비열〔음험〕한; 불순한.
unschädlich [únʃɛ:tlıç, unʃɛ́:t–] *a.* 해롭지 않은; 악의 없는. ¶ ~ machen, a) 해가 없게 하다, b) 치우다, 제거하다.
unschärfe [únʃɛrfə] *f.* 판연(判然)하지 않음, 불명확.
unschätzbar *a.* 《Ⅰ》 [únʃɛtsba:r] 평가할 것도 없는, 무가치한. 《Ⅱ》 [unʃɛ́ts–] 평가할 수 없는, 대단히 비싼〔귀중한〕.
unscheinbar [únʃainba:r, unʃáin–] *a.* 눈에 띄지 않는; 수수한; 빈약한.
unschicklich [únʃıklıç] *a.* 어울리지 않는, 부적당한; 꼴불견인; 무례한.
Unschlitt [únʃlıt] *n.* -(e)s, -e, 기름, 수지(獸脂)《소·양 따위의》(*tallow*).
unschlüssig [únʃlʏsıç] *a.* 결심이 서지 않는, 우유 부단한, 결단을 못 내리는.
Unschlüssigkeit *f.* 우유 부단.
unschmackhaft [únʃmakhaft] *a.* 맛 없는, 풍미가 없는.
unschmelzbar [únʃmɛltsba:r, unʃmɛ́lts–] *a.* 녹히기 어려운.
unschön [únʃø:n] *a.* 아름답지 않은, 추한.
Unschuld [únʃult] *f.* 죄 없음, 순진(*innocence*); 순결(*chastity*). **unschuldig** [únʃuldıç] *a.* 죄 없는, 순진한(*innocent*); 순결한(*chaste*); 무해한(*harmless*).
unschwer [únʃve:r] *a.* 어렵지 않은.
Unsegen [únze:gən] *m.* -s, 불운, 실패; 저주, 천벌.
unselbständig [únzɛlpʃtɛndıç] *a.* 독립〔자립〕할 수 없는(*dependent* (*or others*)).
Unselbständigkeit *f.* 비독립(非獨立).
unselig [únze:lıç] *a.* 불행한, 불운한; 운명〔숙명〕적인; 불길한; 꺼려야 할.
unser [únzər] [♀uns] *prn.* 《Ⅰ》《人稱代名詞의 1人稱複數 2格》 우리들(의 일) (*of us*). ¶ es ist ~ aller Wunsch 그것은 우리 모두의 희망이다. 《Ⅱ》《所有代名詞의 1人稱複數》 ① 《名詞의 附加語로서》 우리들의(♀*our*). ¶ ∼e Liebe Frau 성모 마리아. ② 《述語的으로》 dies Haus ist ~ 이 집은 우리의 것이다. ③ 《名詞的으로》 (a) die Unser(e)n〔Unsren〕 우리 편, 우리 가족 / das Uns(e)re 우리의 물건〔재산〕, 우리가 해야할 일〔의무〕. (b) **uns(e)rer** *m.*, **uns(e)re** *f.*, **uns(e)res** *n.*, **uns(e)re** *pl.* 우리의 것.
unser·einer, **~eins** *prn.* 우리 중의 한 사람, 우리와 같은 사람.
unser(er)seits [únzərzaits, –zərər–] *adv.* 우리 쪽에서, 우리 자신에게 있어서는. **unser(e)sgleichen** [únzər(ə)s-glaiçən, un–glái–] *prn.* 우리와 같은 사람, 우리의 동배.
unsert·halben [únzərt–], **~wegen**, um **~willen** *adv.* 우리를 위하여.
unsicher [únzıçər] *a.* 불확실한; 불안전한; 의심스러운, 안심할 수 없는, 불안한, 동요하고 있는, 위태로운; 위험한.
unsichtbar [únzıçtba:r] *a.* 보이지 않는 (*invisible*). ¶ sich ~ machen 자취를 감추다, 《俗》 물러가다.
Unsinn [únzın] *m.* -(e)s, 무의미, 배리(背理), 넌센스, 엉터리 없는 일, 농담(*nonsense*). **unsinnig** *a.* 무의미한, 어리석은, 싱거운; *adv.* 엄청나게, 어처구니없이. **unsinnlich** *a.* 관능적이 아닌, 정신적인.
Unsitte [únzıtə] *f.* -n, 악습, 폐풍.
unsittlich *a.* 부도덕한, 패륜〔불륜〕의 (*immoral*). **Unsittlichkeit** *f.* 부도덕.
unsolid(e) [únzoli:t, -li:də] *a.* 견고하지 않은; 신용할 수 없는; 불성실한; 단정치 못한.
unsozial [únzotsia:l] *a.* 비사회적〔비사교적〕인.
unsportlich [únʃpɔrtlıç] *a.* 운동 정신에 위배(違背)되는.
unstatt·haft [únʃtathaft] *a.* 허용되지 않는; 금지된; 금제(禁制)의; 불법의.
unsterblich [unʃtɛ́rplıç, únʃtɛrp–] *a.* 불사(不死)의, 불멸의, 불후(不朽)의(*immortal*). **Unsterblichkeit** *f.* 불사, 불멸, 불후.
Unstern [únʃtɛrn] *m.* -(e)s, -e, 불운, 불행(*misfortune*).

unstet [únʃte:t], **unstetig** *a.* 부정(不定)의, 침착하지 않은; 변하기 쉬운. **Unstetigkeit** *f.* 침착하지 않음; 변하기 쉬움.

unstillbar [unʃtílba:r, únʃtıl-] *a.* 가라앉히기〔진정시키기〕 어려운; (피 따위) 멎게 하기 어려운.

unstimmig [únʃtımıç] *a.* 조화하지 않는, 모순된. **Unstimmigkeit** *f.* 부조화, 불일치; 이의; 오류.

unsträflich [unʃtrɛ́:flıç, únʃtrɛ:f-] *a.* 벌할 수 없는; 흠잡을 데 없는, 청렴한.

unstreitig [unʃtráitıç, únʃtrai-] *a.* 논쟁의 여지가 없는; 의심할 나위 없는, 확실한. 「속죄할 수 없는.」

unsühnbar [unzý:nba:r, únzy:n-] *a.*

Unsumme [únzumə] *f.* -n, 거액(巨額).

unsymmetrisch [únzyme:trıʃ] *a.* 불균형의, 불균제의.

unsympathisch [únzympa:tıʃ] *a.* 공감하지 않는; 마음에 안드는. ¶er ist mir ~ 그는 내 성미에 맞지 않는다.

unsystematisch [únzystema:tıʃ] *a.* 비체계적인, 비조직적인, 무계획한.

untadelig [untá:dəlıç, únta:d-] *a.* 나무랄 데 없는, 흠잡을 데 없는.

Untat [únta:t] *f.* -en, ① 비행; 범행. ★ Missetat 보다 뜻이 셈. ② 오점, 결점, 흠. **untätig** [úntɛ:tıç] *a.* 아무 일도 하지 않는; 무위(無爲)의, 활발하지 않은. **Untätigkeit** *f.* 무위, 나태.

untauglich [úntauklıç] *a.* 쓸모 없는; 부적격한, 적합치 않은.

unteilbar [untáilba:r, úntail-] *a.* 불가분의; 〖數〗 나눌 수 없는.

unten [úntən] [♈unter¹] *adv.* 아래에, 밑에; 아래에서; 아래층에(서). ¶siehe ~! 아래를 보라, 다음을 보라《책에서》/ von oben bis ~ 위에서 아래까지, 온통.

unter¹ [úntər] [♈unten] 《位置를 나타낼 때는 3格, 運動의 方向을 나타낼 때는 4格을 支配하는 前置詞; *ant.* über) 《I》 *prp.* 《3格支配》 ① 《場所》 (의) 밑에; 아래에(♈*under*). ¶~ freiem Himmel 넓은 하늘 밑에서. ② 《從屬》 ~ der Aufsicht des Staates stehen 국가의 감독을 받고 있다. ③ 《어떤 程度의 이하임을 나타냄》 ~ einer Stunde 1시간 이내에. ④ 《어떤 動作에 수반하는 상태·원인·조건》 ~ fremden Namen 타인의 명의로 / ~ diesen Umständen 이런 사정하에. ⑤ 《分類》 was verstehen Sie ~ diesem Ausdruck? 당신은 이 표현을 어떻게 보십니까. 《II》 *prp.* 《4格支配》 ① 《運動의 方向》 밑으로, 아래로(♈*under*). ¶~ den Tisch legen 책상 밑에 두다. ② 《從屬狀態에의 移行》 ~ s-n Befehl mag ich nicht treten 나는 그의 지시를 듣고 싶지 않다. ③ 《어느 程度 이하에의 移行》 ~ den Preis kann ich nicht gehen 값을 더 깍아 드릴 수는 없읍니다. 《III》 *adv.* 아래〔밑〕에; 가라앉아서. 《IV》 *a.* 밑〔아래〕의, 아래 쪽〔하부〕의; 하급〔하층〕의. **unter..¹** 《I》 《分離動詞의 前綴, 항상 악센트가 있음》 "밑에, 밑으로, 아래 쪽〔하부〕에〔으로〕"의 뜻. 보기: unter|sinken, es sinkt unter, untergesunken, unterzusinken. 《II》 《非分離動詞의 前綴, 흔히 比喩的 意味, 악센트를 갖지 않음》 "밑에, 밑으로"의 뜻. 보기: unterzeichnen, unterzeichnete, unterzeichnet, zu unterzeichnen.

unter² [úntər] [*eig.* „zwischen"; ♈in, ein-] 《位置를 나타낼 때는 3格, 運動의 方向을 나타낼 때는 4格을 支配하는 前置詞》 《I》 *prp.* 《3格支配》 ① 《둘 사이의 介在; 현재는 ziwschen을 씀》 (의) 사이에(*between, among*). ¶~ uns gesagt! 우리 끼리의 이야기지만. ② 《여럿 속의 介在·混在》 (a) (의) 속에 (섞이어), (의) 사이에. ¶~ ander(e)m 특히, (b) 《主語가 ~ 다음 말에 포함돼 있는 경우》 der Älteste ~ ihnen 그들 중의 최연장자. ③ 《同時》 의 동안〔사이〕에, 중(中)에(*during*). ¶~ dem Lesen 독서중에 / ~ Tränen 눈물을 흘리며. 《II》 *prp.* 《4格支配》 ① 《混入·介入》 Wasser ~ den Wein tun 포도주에 물을 타다. ② 《所屬》 er gehört ~ die Klassiker 그는 고전 작가의 한 사람이다. **unter..²** 《I》 《分離動詞의 前綴, 항상 악센트를 가짐》 "사이에〔로〕, 중(中)에〔으로〕"의 뜻. 보기: unter|laufen, ich laufe unter, untergelaufen, unterzulaufen. 《II》 《非分離 動詞의 前綴, 악센트를 갖지 않음》 "흔히 遮斷·中止·保護·扶助" 등의 뜻을 內包함. 보기: unterbrechen, unterbrach, unterbrochen.

Unter≈abteilung *f.* 소구분(小區分), 세분(細分), 세목(細目)(*subdivision*). **~arm** *m.* 전박(前膊). **~art** *f.* 아종(亞種). **~arzt** *m.* 의사의 조수; 군의관 후보.

Unterbau [úntərbau] *m.* (*pl.* -ten) 기초〔지하〕 공사; 하부 구조. **unter|≈bauen** *t.* (의 하부에) 기초 공사를 하다.

Unter≈beamte *m.* 《形容詞變化》 하급 관리. **~befehlshaber** *m.* 부사령관. **~bein** *n.* 아랫다리, 정강이. **~bein≈kleider** *pl.* 속바지, 팬츠.

unterbelichten [úntərbəlıçtən] *t.* 〖寫〗 불충분하게 노출하다.

Unterbett [úntərbɛt] *n.* 매트리스, 요.

unterbewerten [-bəve:rtən] *t.* 과소 평가하다.

unterbewußt [-bəvust] *a.* 〖心〗 의식하(意識下)의, 잠재 의식적인. **Unterbe≈wußtsein** *n.* -s, 잠재 의식.

unterbieten* [untərbí:tən] *t.* (값을) 싸게 매기다; 염가로 제공하다.

Unterbilanz [úntərbilants] *f.* -en, 〖商〗 결손(*deficit*).

unterbinden* [-bíndən] *t.* (의) 아래를 묶다; 〖醫〗 (을) 결찰(結紮)하다; 《比》 (의) 힘을 죽이다, (을) 저지하다.

unter|bleiben* [-blaibən] *i.*(s.) 아래〔밑에〕 남다. **unterbleiben*** *i.*(s.) 중지되다; 멎다; 일어나지 않고 있다, 행해지지 않고 있다.

unterbrechen* [untərbréçən] *t.* 중단하다, 방해〔차단〕하다(*interrupt*). **Unter≈brechung** *f.* -en, 중단. ¶mit ~en 단속적으로.

unter|breiten [úntərbraitən] *t.* 아래에 펴다. **unterbreiten** [untərbáitən] *t.* 제시〔제출〕하다, 열람하도록 내놓다.

U

unter|bringen* [úntərbrɪŋən] *t.* ① 넣다, 들이다(*stow*); 숙박시키다(*lodge*); 감추다(*shelter*). ② 투자하다《돈을》; 정리〔보관·처분·매각〕하다《상품을》. ③ 취직시키다; (딸을) 시집 보내다. 「板).

Unterdeck [–dɛk] *n.* 〖海〗 하갑판(下甲

unterderhand [untərderhánt] *adv.* 남몰래, 살짝(*secretly*).

unterdes [untərdés], **unterdessen** [untərdésən] *adv.* 그 사이에, 그 동안에(*meanwhile, in the meantime*).

unterdominante [úntərdɔmɪnantə] *f.* 〖樂〗 하속음(下屬音)《각 음계의 제 4 음》.

unterfamilie [úntərfami:lĭə] *f.* 〖生〗 아과(亞科)《Familie '과' 와 Gattung '속' 의 중간》.

unter|drücken [úntərdrʏkən] *t.* 밑으로 밀어 붙이다. **unterdrücken** *t.* ① 억압〔억제〕하다; (폭동 따위를) 미연에 방지하다, 진압하다; (정욕 따위를) 억제하다(*oppress, restrain*); 〖法〗 은폐하다. **Unterdrücker** *m.* –s, –, 억압자; 압제자. **Unterdrückung** *f.* –en, 억압; 압제; 〖法〗 은폐.

untereinander [untər-ainándər] *adv.* 상호간에, 서로서로; 서로 섞이어.

unterernährt [úntər-ɛrnɛ:rt] *a.* 영양 불량의. **Unterernährung** *f.* 영양 불량.

unterfangen* [untərfáŋən] 《Ⅰ》 *refl.* 감행하다, 기도하다(*dare, undertake*). 《Ⅱ》 **Unterfangen** *n.* –s, –, 감행, 모험; 기도(企圖).

unter|fassen [úntərfasən] *t.* 밑에서 받치다; *refl.* 팔을 서로 끼고 걷다.

unterfertigen [untərfértɪgən] *t.* 〖商〗 서명(署名)하다. **Unterfertigte** [–fértɪçtə] *m.* u. *f.* 《形容詞變化》 서명자.

Unterflurmotor [–flú:r–] *m.* 상하(床下) 모터.

unter|führen [úntərfy:rən] *t.*: e–e Straße ～ 길을 다른 것《길·철도 등의》 밑으로 내다. **unterführen** *t.*: die Straße wird unterführt 길 밑은 터널로 되어 있다. **Unterführung** [untərfý:ruŋ] *f.* 〖工〗 저로(低路) 교차; 〖鐵〗 입체 교차; 육교 밑의 지하도 또는 철도(*subway*). 「(*lining*).

Unterfutter [úntərfutər] *n.* (옷의) 안

Untergang [úntərgaŋ] [<unter|geh(e)n] *m.* –(e)s, ⸚e, ① 가라앉음, 침몰(*setting, going down sinking*). ¶ der ～ der Sonne 일몰. ② 《比》 몰락, 파멸, 멸망(*fall, ruin*).

Untergattung [–gatuŋ] *f.* 〖生〗 아속(亞屬); 아종(亞種).

unter|geben* [úntərge:bən] *t.* (의) 밑에 까는 것《이불·깔개 등》을 주다; 숙박시키다, 기숙사에 넣다. **untergeben*** [untərgé:bən] 《Ⅰ》 *t.* 맡기다, 종속시키다. 《Ⅱ》 **untergeben** *p.a.* (jm, 아무의) 부하인(*subordinate*). 《Ⅲ》 **Untergebene** *m.* u. *f.* 《形容詞變化》 부하.

unter|geh(e)n* [úntərge:(ə)n] *i.*(s.) (태양 따위가) 지다, 가라앉다, 침몰하다(*go down, sink, set*); 《比》 몰락〔파멸·멸망〕하다(*perish*).

untergeordnet [úntərgə-ɔrdnət] *p.a.*: jm.: 종속하는, 하위(下位)의, 제 2 차의.

Unter≈geschoß *n.* 지계(地階)《1 층 또는 지하실과 1 층 사이》. **～gestell** *n.* 밑의 대; 차대(車臺); 〖建〗 하부 구조. **～≈gewicht** *n.* 표준 이하의 중량.

Unterglasurfarben [untərglazú:r–] *pl.* 도기에 유약을 바르기 전에 칠하는 색.

unter|graben* [úntərgra:bən] *t.* (비료 따위를) 파고 밑에 묻다. **untergraben** [untərgrá:bən] (의) 밑을 파서 뒤집다; 《比》 전복하다, 파괴하다; (성망·위신 따위를) 실추하다. **Untergrabung** *f.* 《比》 전복, 파괴.

Untergrund [úntərgrunt] *m.* 지하, 지층; 〖農〗 심토(心土); 〖畫〗 바탕(칠).

Untergrund≈bahn *f.* 지하 철도. **～≈bewegung** *f.* 지하〔저항〕 운동. 「끼다.

unter|haken [–ha:kən] *t.* (와) 팔짱을

unterhalb [úntərhalp] *prp.* 《2 格支配》 u. *adv.* (의) 하부에, 아래쪽에(*below*).

Unterhalt [úntərhalt] [<unterhalten] *m.* –(e)s, 받침; 생계(의 유지) (*livelihood*); 〖法〗 부양(료)(*alimony*). **unter|≈halten*** [úntərhaltən] *t.* 밑에서 받치다, 밑에 대다. **unterhalten*** 《Ⅰ》 *t.* ① 지지하다, 받치다. ② 부양하다(*support*); 유지〔보지〕하다(*keep up*). ③ 대접하다, 즐겁게 하여 주다, 위로하다, (와) 상대하다, (와) 담소하다(*entertain*). 《Ⅱ》 *refl.* (mit et.[3], 무엇으로) 즐기다, 위안받다(*amuse, divert*); (mit jm., 아무와) (기분 좋게) 이야기하다(*converse (with)*). **unterhaltend** *p.a.* 위로가 되는, 재미 있는, 유쾌한. **unterhalt·sam** *a.* 즐거운, 유쾌한; 재미있는.

Unterhalts≈beitrag *m.* 생활비의 부조. **～kosten** *pl.* 부양〔생활〕비. **～≈pflicht** *f.* 〖法〗 부양 의무.

Unterhaltung [untərháltuŋ] *f.* –en, 유지, 보지; 지지, 부양(*maintenance, support*); 즐거움, 위안(*entertainment*); (유쾌한) 담소(*conversation*).

Unterhaltungs≈literatur *f.* 오락 문학. **～musik** *f.* 오락 음악, 경음악. **～roman** *m.* 오락〔통속〕 소설.

unterhandeln [untərhándəln] [unter-[2]] *i.*(h.) (상호간에) 상의〔담판·교섭〕하다(*negotiate, confer*). **Unterhändler** [úntərhɛn–, untərhɛ́n–] *m.* –s, –, 상의자, 담판자; 교섭원; 〖商〗 중개인, 부로커; 대리인. **Unterhandlung** *f.* –en, 상의, 담판, 교섭(*negotiation*).

Unter≈haus *n.* ① 아래층. ② 하원. **～hemd** *n.* 속샤쓰, 속옷.

unterhöhlen [untərhǿ:lən] *t.* (의) 밑을 파다, (의) 밑을 도려내다; 《比》 전복하다.

Unter≈holz *n.* 〖林〗 교목 아래에 나는 소관목이나 잡초《복층림(復層林)의 최하층》. **～hose** *f.* 팬츠, 속바지. **～ir≈disch** *a.* 지하의, 땅 속의. **～jacke** [–jakə] *f.* 자켓, 조끼.

unterjochen [untər-jɔ́xən] *t.* 억누르다, 예속시키다. **Unterjocher** *m.* 압제자. **Unterjochung** *f.* –en, 억압, 압제.

Unter≈kanal *m.* 방수로(放水路). **～≈kiefer** *m.* 아래턱. **～kleid** *n.* (여성의) 속옷《슬립·페치코트 등》; 바지. **～≈kleidung** *f.* 내의류(內衣類).

unter|kommen [–kɔmən] 《Ⅰ》 *i.*(s.) 피

난하다; 숙소를 찾아들다, 묵다; (bei, 에) 취직하다. 《Ⅱ》 **Unterkommen** *n.* –s, –, 피난처; 숙소; 취직〔처〕.

Unterkörper [úntərkœrpər] *m.* 신체의 하부, 하체.

Unterkunft [úntərkunft] *f.* ..künfte, 「=UNTERKOMMEN.」

Unterlāge [úntərla:gə] [<unterlegen] *f.* –n, ① (밑) 받침; 기초, 토대; 대(臺); 지주(支柱), 지점(支點). ② 《比》 근거, 수단; 증거, 논거.

Unter=land *n.* 저지(低地). **∼länder** *m.* –s, –, 저지의 주민.

Unterlaß [úntərlas] *m.* 《다음 成句로만 쓰임》 ohne ∼ 쉴새 없이, 끊임 없이.

unterlassen* [untərlásən] [unter-²] *t.* 중지하다(*leave off*); 그만두다, 내버려두다(*omit, neglect*). **Unterlassung** [–lásuŋ] *f.* –en, 중지; 하지 않음, 불이행, 태만. **Unterlassungs·sünde** *f.* 〖宗〗 태만의 죄.

Unterlauf [úntərlauf] *m.* (하천의) 하류.

unter|laufen* [unter-²] *i.* (s.) 뛰어들어가다; 《比》 (mit unterlaufen) (부지중에) 휩쓸려 들어가다. **unterlaufen** *i.* (s.) (의) 내부에 젖어 들다. ¶ mit Blut ∼ (*p.a.*) 피하 출혈(出血)을 하고 있다, 눈에 핏발이 서다.

Unterlēder [úntərle:dər] *n.* (구두의) 밑창, 안가죽.

unter|lēgen [úntərle:gən] *t.* 밑에 두다 〔깔다·넣다〕. ¶ e–r Melodie e–n neuen Text ∼ 어떤 곡조에 새로운 가사를 붙이다 / e–r Stelle e–n falschen Sinn ∼ 문장 중의 어느 대목에 틀린 뜻을 부가하다.

unterlēgen [untərlé:gən] [*p. p.* <unterliegen] *a.* 보다 못한(*inferior* (*to*)). **Unterlēgenheit** *f.* 무력, 열세(劣勢).

Unter=leib [úntər–] *m.* 하복부, 배. **∼leibchen** *n.* 코르셋. **∼leibstȳphus** *m.* 장티프스. **∼leutnant** *m.* 〖軍〗 육군 소위.

unter|liegen* [úntərli:gən] *i.* (h.) 아래에 누워〔놓여〕있다; 토대〔기초〕가 되어 있다. **unterliegen*** *i.* (s.) ① (jm., 아무에게) 지다(*be overcome, succumb*). ¶ das unterliegt k–m Zweifel 그것은 의심할 나위가 없다. ② (h.) es unterliegt k–m Zweifel 그것은 의문의 여지가 없다.

Unterlippe [úntərlɪpə] *f.* 아랫입술.

unterm [úntərm] =*unter* dem 《dem은 定冠詞》.

untermālen [untərmá:lən] *t.* (그림의) 밑칠을 하다, 기본색을 칠하다.

untermauern [untərmáuərn] *t.* (의) 하부(下部)에 기벽(基壁)을 만들다.

unter|mengen [úntərmɛŋən] *t.* 섞어 넣다. **untermengen** *t.* (에) (mit, 을) 뒤섞다.

Untermensch [úntərmɛnʃ] *m.* 《戱》 열등〔하급〕 인간; 짐승 같은 인간.

Untermiete [–mi:tə] *f.* 전대차(轉貸借); 전차(轉借)한 주거〔집〕. ¶ in ∼ wohnen 남이 빌린 집에서 살다. **Untermieter** *m.* –s, –, 전차인(轉借人); 남이 빌린 집에 얹혀사는 사람.

unterminieren [untərminí:rən] *t.* (의) 밑에 갱도를 파다; 《比》 위태롭게 하다 《지위 따위를》(♈*undermine*).

untermischen [untərmíʃən] *t.* =∼MENGEN.

unternehmen* [–né:mən] [unter-²] 《Ⅰ》 *t.* 인수하다; 떠맡다, 꾀하다(*undertake, attempt*). 《Ⅱ》 **Unternehmen** *n.* –s, –, 기도(企圖); 기업. 《Ⅲ》 **unternehmend** *p.a.* 기업심이 왕성한, 진취적인. **Unternehmer** *m.* –s, –, 기업가; 〖建〗 청부인; 고용주. **Unternehmertum** *n.* –s, 기업가임; 기업가들. **Unternehmung** *f.* –en, 꾀함; 기도; 기업; 청부(사업).

Unternehmungs=geist *m.*, **∼lust** *f.* 기업심, (사업을 결행하는) 용기, 담력. **∼lustig** *a.* 사업욕이 있는.

Unteroffizier [úntər-ɔfitsi:r] *m.* 〖軍〗 「하사관.」

unter|ordnen [–ɔrdnən, –ɔrt–] 《Ⅰ》 *t.* 아랫자리에 두다, 종속시키다(*subordinate*); ☞UNTERGEORDNET. 《Ⅱ》 *refl.* 아무에 종속되다. **Unterordnung** *f.* –en, 하위에 있음, 종속, 예속, 복종; 하위(下位). ¶ 〖軍〗 Vergehen gegen die ∼ 항명죄(抗命罪).

Unter=pfand *n.* 저당, 담보(*pledge*); 《比》 보증. **∼pfarrer** *m.* 부목사. **∼pflasterbahn** *f.* (대도시의) 가로밑 철도《일부 가로 밑을 달리는 지하철》. **∼prīma** *f.* (김나지움의) 제 1 학년의 하급.

unterrēden [untərré:dən] [unter-²] *refl.* (mit, 와) 서로 이야기하다, 상담〔회담〕하다(*converse, confer*). **Unterrēdung** *f.* –en, 상의, 회담; 〖軍〗 담판.

Unterricht [úntərrɪçt] *m.* –(e)s, –e, 교수, 수업(*lessons, instruction*). **unterrichten** [untərríçtən] [unter-²] 《Ⅰ》 *t.* (에) (in et.³, 무엇을) 가르치다, 교수(教授)하다(*teach, instruct*); (에) (von, 의 일을; über et., 에 관하여) 통지〔보고〕하다(*inform*). 《Ⅱ》 *refl.* sich von et. 〔über et.⁴〕 ∼ 어떤 일을 알다.

Unterrichts=briefe *pl.* 통신 강의록. **∼fach** *n.* 교과 과목, 학과. **∼ministērium** *n.* 문교부. **∼stunde** *f.* 수업 시간. **∼wēsen** *n.* 교육 제도, 학제.

Unterrock [–rɔk] *m.* 페티코트, 스커트 《여자의 상징》.

unters [úntərs] =*unter* das 《das는 定冠詞》.

untersāgen [untərzá:gən] [unter-²] *t.* 금(지)하다(*prohibit, forbid*).

Untersatz [úntərzats] [<untersetzen] *m.* –es, ⸚e, 받침, 지주(支柱), 대(臺), 시렁; 〖建〗 주춧돌; 받침 접시.

unterschätzen [untərʃétsən] *t.* 과소 평가하다; 경시하다, 깔보다, 얕잡다.

unterscheidbār [untərʃáitba:r] *a.* 구별할 수 있는, 분간할 수 있는. **unterscheiden*** [untərʃáidən] [unter-²] 《Ⅰ》 *t.* 구별하다(*distinguish*); 분간하다, 판별〔식별〕하다(*discriminate*). 《Ⅱ》 *refl.* (von, 와) 구별되다, 상위(相違)하다(*differ*). 《Ⅲ》 **unterscheidend** *p. a.* 구별하는, 차별을 나타내는. **Unterscheidung** [–ʃáiduŋ] *f.* –en, 분간, 구별, 식별, 판별.

Unterscheidungs=gābe, **∼kraft** *f.* 판별〔식별〕력. **∼merkmāl** *n.* 식별 목표, 특성, 특색. **∼reaktiōn** *f.* 식별 반응.

U

Unter·schenkel *m.* 〖解〗 정강이. ～**schicht** *f.* 하층; 〖建〗 기층(基層).

unter|schieben* [úntərʃi:bən] 《Ⅰ》 *t.* ① 밀어내리다; 밑으로 밀어 넣다. ② 《比》 슬쩍 바꿔치다(*substitute*). ③ 넘겨씌우다, 전가하다, 무고하다(*impute*). ④ (문서 등을) 위조하다. 《Ⅱ》 **unter·geschōben** *p.a.* 바꿔치기한, 위조의.

Unterschied [úntərʃi:t] [<unterscheiden] *m.* -(e)s, -e, 구별, 차별(*distinction*); 상위, 차(差) (*difference*). ¶ohne ～ 차별 없이. **unterschieden** *a.* 구별[차별]이 있는; †여러 가지의, 가지가지의. **unterschiedlich** *a.* 여러 가지의, 가지각색의. **unterschiedslōs** *a.* 무차별의; *adv.* 차별 없이.

unterschlächtig [úntərʃlɛçtıç] *a.* (물레방아가) 하사식(下射式)인(*undershot*).

unter|schlāgen* [úntərʃla:gən] *t.*: die Arme ～ 팔짱을 끼다 / jm. ein Bein ～ 아무의 다리를 걸어 넘어뜨리다; 《比》 비겁한 수법을 쓰다. **unterschlāgen*** [untərʃlá:gən] [unter-²] *t.* 횡령[착복]하다(*embezzle*); 가로채다(*intercept*); 감추다, 은폐하다(*suppress*). **Unterschlā·gung** *f.* -en, 횡령, 착복; 은폐.

Unterschleif [úntərʃlaif] *m.* -(e)s, -e, 사취(詐取); 횡령, 착복; 밀수.

Unterschlupf [-ʃlupf] *m.* -(e)s, ⸚e, 은신처, 피난처; 숙소.

unterschneiden* [untərʃnáidən] *t.* (의) 아래를 잘라내다, 절단하다.

unterschreiben* [untərʃráibən] *t.* (에) 서명하다(*subscribe, sign*). ⌈(*signature*).⌉

Unterschrift [úntərʃrıft] *f.* -en, 서명

Unterschriftenmappe [-mapə] *f.* 서명 용지를 넣은 종이 끼우개.

Unterschrift·stempel [-ʃtɛmpəl] *m.* (자필의 사인 대신) 짜맞춘 글자에 표시를 한 것.

Unterseeboot [úntərze:bo:t] *n.* 잠항정(潜航艇), 잠수함(略: U-Boot). **untersee·isch** [úntərze:ıʃ] *a.* 해저의, 해중의. ¶～es Kabel 해저 전선. **Unter·seekābel** *n.* 해저 전선.

Unter·seite *f.* 아래쪽, 하변, 하면. ～**sekunda** *f.* (위에서 세어) 제 2 학년의 학급(고등 학교의).

unter|setzen [-zɛtsən] *t.* 밑에 두다[놓다]. **untersetzen** *t.* 《Ⅰ》 밑에서 받치다, (의) 밑받침이 되다; 혼합하다(*intermix*). 《Ⅱ》 **untersetzt** *p.a.* 굵고 짧은, 땅딸막한(*thick-set, dumpy*). **Un·tersetzer** *m.* -s, -, 받침, 대(臺); 쟁반, 받침.

untersiegeln [untərzí:gəln] *t.* (의 밑에) 날인[조인]하다; (에) 봉인하다.

unter|sinken* [úntərzıŋkən] *i.*(s.) 가라앉다, 침몰하다.

unterst [úntərst] (unter 의 最上級) *a.* 최하의, 최저의(*undermost, lowest*).

Unterstaats·sekretär [úntərʃta:tszekretɛ́:r, un-ʃtá:-] *m.* 차관(次官).

Unterstadt [úntərʃtat] *f.* 상가(商街).

Unterstand [-ʃtant] *m.* -(e), ..stände, ① 《方》 피난처, 숙박소. ② 〖軍〗 엄폐호; (지하) 방공호.

unter|stecken [-ʃtɛkən] 《Ⅰ》 *t.* 밑에 놓다[넣다, 끼우다]. 《Ⅱ》 *refl.* 숨어 버리다, 피난하다.

unter|stēh(e)n* [-ʃte:(ə)n] *i.* (s. u. h.) 밑에 서다(나무·지붕 따위의); 비를 피하다. **unterstēh(e)n*** [untərʃté:(ə)n] 《Ⅰ》 *i.* (h.) 밑에 서 있다; (jm., 아무에게) 종속[예속]해 있다. 《Ⅱ》 [unter-²] *refl.* 감히 하다. ¶sich zu viel ～ 외람된 짓을 하다.

unter|stellen [-ʃtɛlən] *t.* 밑에 두다; (뚜껑·지붕 따위의 밑에) (거두어) 넣다, 들이다. **unterstellen** 《Ⅰ》 *t.* (jm., 아무의) 밑에 두다, 부하로 삼다, (에) 종속[복종]시키다. ¶ 《比》 jm. et. ～ 무엇을 아무에게 돌리다[전가시키다], 무고(誣告)하다. 《Ⅱ》 *refl.* 종속[예속]되다, 복종하다(*impute*). **Unterstellung** *f.* -en, 전가, 무고.

unterstreichen* [untərʃtráiçən] *t.* (의) 밑에 줄을 긋다; 《比》 역설[강조]하다.

Unter·strömung [úntərʃtrø:muŋ] *f.* 저류(底流); 《比》 (사상의) 암류(暗流); 지하운동.

unter|stützen [untərʃtʏ́tsən] *t.* 받침으로서 밑에 놓다, (에) 지주로 괴다(*prop up*); 《比》 지지하다, 부조[원조·보조]하다(*support, aid*). **Unterstützung** *f.* -en, 지주로 굄; 지주(支柱); 《比》 지지, 원조, 부조; 보조금.

Unterstützungs·anstalt *f.* 양육원; 보호시설. ～**bedürftig** *a.* 원조[보조]가 필요한, 가난한. ～**empfänger** *m.* 도움[보조금]을 받고 있는 사람.

untersuchen [untərzú:xən] [unter-²] *t.* 조사[연구·검사]하다(*explore, search or inquire into*); 〖醫〗 진찰하다(*examine*); 〖化〗 분석하다. **Untersuchung** *f.* -en, 조사, 연구; 검사, 진찰; 〖法〗 심리(審理); 〖化〗 분석.

Untersuchungs·akten *pl.* 조사 서류; 〖法〗 심리 서류, 소송기록. ～**ausschuß** *m.* 조사[심사] 위원(회). ～**gefangene** *m.* u. *f.* 《形容詞變化》 〖法〗 피의자, 미결수(未決囚). ～**gefängnis** *n.* 구치소, 미결감. ～**haft** *f.* 미결 구류. ～**richter** *m.* 예심 판사.

Untertāgevergäsung [-tá:gəfɛrga:zuŋ] *f.* 지하(의 석탄갱에서 직접 행하는) 가스 채취.

Untertaille [-taljə] *f.* 소매 없는 여자 내의, 카미졸(=Kamizol).

untertān [úntərta:n] 《Ⅰ》 *a.* (지금은 述語로만 쓰임) ～ sein (jm., 아무의) 신하이다(*be subject*). 《Ⅱ》 **Untertān** *m.* -en *u.* -s, -en, 신하(臣下); 국민.

untertänig *a.* =UNTERTAN; 고분고분한, 공손한(*submissive*); 겸손한(*humble*). **Untertänigkeit** *f.* 예속; 공손, 비굴. ⌈접시, 쟁반.⌉

Untertasse [úntərtasə] *f.* -en, 받침

unter|tauchen [úntərtauxən] 《Ⅰ》 *t.* (물속에) 잠기게 하다. 《Ⅱ》 *i.*(h. *u.* s.) (물속에) 잠기다, 《比》 (인파 등에) 묻혀 버리다.

Unterteil [úntərtail] *m.* [*n.*] -(e)s, -e, 하부, 바닥 (부분).

Unter·temperatūr *f.* (정상 이하인) 낮은 체온. ～**tertia** *f.* (위에서부터 세어) 제 3 학년 학급(고등 학교의). ～**ti·tel** *m.* 부표제(副標題), 서브타이틀(*sub-*

title). ~**tōn** *m.* (*pl.* ..töne) 〖物·樂〗 배음(陪音), 저음; 딸린 음.

unter|vermieten [–fɛrmi:tən, –fər–] *t.* 전대(轉貸)하다 (*sublet*). **Untervermieter** *m.* 전대자.

unterwärts† [úntərvɛrts] [unter- = herunter] *adv.* 아래 쪽으로. 「쓰.

Unterwäsche [úntərvɛʃə] *f.* 속옷, 샤

unterwaschen* [untərváʃən] *t.* (의) 밑을 씻다, 씻어 파내다, 땅 밑을 (물이) 깎아내다.

Unterwasser [úntərvasər] *n.* 지하수; 물의 깊은 데.

Unterwasser-behandlung *f.* 수중 치료(=~massage). ~**bombe** *f.* 심해 폭뢰(深海爆雷). ~**fahrt** *f.* 잠항(潛航). ~**kamera** *f.* 수중 카메라. ~**kanāl** *m.* =UNTERKANAL. ~**massāge** *f.* 수중 마사지《물속에서 손이나 방사수(放射水)로 행하는 마사지》.

unterwēgs [untərvé:ks] [<unter²] *adv.* 도중〔가는 길〕에(*on the way*).

unterweisen* [untərváizən] [unter-²] *t.* (unterrichten) (에) (in, 을) 가르치다, 지도하다(*teach, instruct*). **Unterweisung** *f.* 가르침, 지도.

Unterwelt [úntərvɛlt] *f.* ① 〖神〗 하계(下界), 저승; 지옥. ② 이승, 현세(現世). ③ (대도시 등의) 암흑가, 악의 세계.

unter|werfen* [úntərvɛrfən] *t.* (의) 아래로 던지다. **unterwerfen** 《Ⅰ》 *t.* 굴복〔복종·예속〕시키다(*subject, subdue*). ¶ e–r Prüfung³ ~ (에게) 시험을 치르게 하다. 《Ⅱ》 *refl.* 굴복〔복종·예속〕하다(*submit*); ☞UNTERWORFEN. **Unterwerfung** *f.* –en, 굴복, 복종.

Unterwerk [úntərvɛrk] *n.* ① 〖樂〗 (풍금의) 하부 건반. ② 〖電〗 변전소.

unterwērten [untərvé:rtən] *t.* 가격 이하로 평가하다; 낮게 어림하다. 「속옷.

Unterweste [úntərvɛstə] *f.* 소매 없는

unterwinden* [untərvíndən] *refl.* : sich e–s Dinges ~ 무엇을 떠맡다, 피하다. 감히 하다.

unterworfen [untərvɔ́rfən] [*p.p.*< unterwerfen] *a.* 복종〔예속〕하고 있는. ¶ Krankheiten³ ~ sein 병에 걸려 있다.

unterwühlen [untərvý:lən] *t.* (의) 밑을 파다, 파서 움푹하게 하다; 《比》 전복〔파괴〕하다.

unterwürfig [untərvʏ́rfɪç, úntərvʏr–] [<unterwerfen] *a.* 굴복하는; 굴종적인, 비굴한; 고분고분한. **Unterwürfigkeit** *f.* 굴복, 복종; 비하, 비굴.

unterzeichnen [untərtsáiçnən] *t.* u. *refl.* 서명하다(*sign*); 비준하다《조약을》(*ratify*). **Unterzeichner, Unterzeichnete** *m.* u. *f.* 《形容詞變化》 서명자. **Unterzeichnung** *f.* –en, 서명; (조약의) 조인, 비준(批准).

Unterzeug [úntərtsɔyk] *n.* 속옷.

unter|ziehen* [úntərtsi:ən] *t.* 밑에 끌어 넣다, 집어 넣다; 밑에 깔다; 속에 입다. **unterziehen*** [untərtsí:ən] 《Ⅰ》 *t.* (지배에) 맡기다(*subject to*). ¶ jn. e–r Prüfung³ ~ 아무에게 시험을 치르게 하다. 《Ⅱ》 *refl.* sich et.³ ~, a) 어떤 일을 떠맡다. b) (검사·시험 등을) 받다.

untief [únti:f] *a.* 깊지 않은, 얕은. **Untiefe** *f.* –en, ① (*pl.* 없음) 깊지 않음, 얕음. ② 얕은 곳, 여울. ③ 밑을 알 수 없는 깊이; 심연.

Untier [únti:r] *n.* 괴수(怪獸); 괴물.

untilgbār [untílkba:r, úntɪlk–] *a.* 지울 수 없는, 근절할 수 없는《병·악 따위》; 〖商〗 갚기 힘든, 상환 불능의.

unträgbār [untrá:kba:r, úntra:k–] *a.* (무거워) 나르기〔받치기·짊어지기〕 어려운; (옷이) 입을 수 없는.

untrennbār [untrɛ́nba:r, úntrɛn–] *a.* 〖文〗 비분리의(*inseparable*).

untreu [úntrɔy] *a.* 성의가 없는; 반역적인. **Untreue** *f.* 불성실, 불의, 불신.

untrō̈stlich [untrǿ:stlɪç, úntrø:st–] *a.* 위안이 되지 않는; 쓸쓸한, 울적한, 난감한.

untrǖglich [untrý:klɪç, úntry:k–] *a.* 잘못이 없는, 틀리지 않는; 확실한.

untüchtig [úntʏçtɪç] *a.* 쓸모 없는; 부적당한; 무능한; 〖軍〗 불합격의.

Untūgend [úntu:gənt] *f.* 부덕(不德), 악덕; 악습; (도덕적인) 결함.

untū(n)lich [úntu:(n)lɪç] *a.* 하기 어려운, 실행 불가능한, 경솔한.

unǖberlēgt [ún-y:bərle:kt] *a.* 생각이 모자란, 무분별한.

unǖbersehbār [un-y:bərzé:ba:r, ún-y:bərze:–] *a.* 내다볼 수 없는, 끝이 없는; 헤아릴 수 없는, 막대한.

unǖbersetzbār [un-y:bərzɛ́tsba:r, ún-y:bərzɛts–] *a.* 번역 불가능한.

unǖbersteigbār [un-y:bərʃtáikba:r, ún-y:bərʃtaik–] *a.* 넘기 어려운.

unǖberträgbār [un-y:bərtrá:kba:r, ún-y:bərtra:k–] *a.* 옮기기 어려운; 양도〔매도〕할 수 없는; 〖醫〗 전염성이 아닌.

unǖbertrefflich [un-y:bərtrɛ́flɪç, ún-y:bərtrɛflɪç] *a.* 능가하기 어려운, 월등한, 비할 데 없는. **unǖbertroffen** [ún-y:bərtrɔfən, un-y:bərtrɔ́–] *a.* 능가할 수 없는, 무적의.

unǖberwindlich [un-y:bərvíntlɪç, ún-y:bərvɪnt–] *a.* 극복하기 어려운; 난공불락(難攻不落)의.

unumgänglich [un-umgɛ́ŋlɪç, ún-umgɛŋ–] *a.* 피할〔모면할〕 수 없는, 필수의.

unumschränkt [un-umʃrɛ́nkt, ún-umʃrɛŋkt] *a.* 무제한의; 전제〔절대〕적인.

unumstō̈ßlich [un-umʃtǿ:slɪç, ún-umʃtø:s–] *a.* 뒤엎을 수 없는; 다툴 여지가 없는; 취소할 수 없는.

unumwunden [un-umvúndən, ún-umvundən] *a.* 숨기지 않는, 솔직한; 버릇없는; *adv.* 터놓고, 솔직이.

ununterbrochen [un-untərbrɔ́xən, ún-untər–] *a.* 중단되지 않는, 끊임 없는.

ununterscheidbār [un-untərʃáitba:r, ún-untərʃait–] *a.* 구별하기 어려운.

unveränderlich [unfɛr-ɛ́ndərlɪç, únfɛr-ɛn–] *a.* 변하지 않는, 불역(不易)의. **unverändert** [únfɛr-ɛndərt, unfɛr-ɛ́ndərt] *a.* 변하지 않은, 먼저 그대로의.

unverantwortlich [únfɛr-ant–] *a.* ① 무책임한(*irresponsible*). ② [unfɛr-ánt–] 변명할 수 없는, 용서할 수 없는(*inexcusable*).

unverarbeitet [únfɛr-arbaitət, unfɛr-ár–] *a.* 가공되지 않은, 천연 그대로의(*raw*);

《比》 생경(生硬)한《사상 따위가》.
unveräußerlich [unfɛr-ɔ́y-, únfɛr-ɔy-] *a.* 매각〔양도〕할 수 없는.
unverbesserlich [unfɛrbésərlıç, únfɛr-bɛs-] *a.* (사람이) 개선〔교정·시정〕하기 힘든; 고칠 수 없는《물건이》.
unverbindlich [únfɛrbıntlıç, unfɛrbínt-lıç] *a.* 구속력이 없는; 남의 말을 안듣는, 불친절한.
unverblümt [únfɛrbly:mt, unfɛrblý:mt] *a.* (말을) 꾸미지 않은, 꾸밈이 없는; 솔직한; *adv.* 터놓고.
unverbrennbar [unfɛrbrénba:r, únfɛr-brɛn-] *a.* 불연질(不燃質)의, 내화성(耐火性)의.
unverbrüchlich [unfɛrbrýçlıç, únfɛr-brʏç-] *a.* 부수기〔깨기·범하기〕 어려운 (*inviolable*).
unverbürgt [únfɛrbʏrkt] *a.* 보증〔확인〕되지 않은.
unverdächtig [únfɛrdɛçtıç] *a.* 혐의를 받지 않는, 의심되지 않는.
unverdaulich [unfɛrdáulıç, únfɛrdau-] *a.* 소화하기 어려운, 잘 소화되지 않는; 《比》 생경(生硬)한. **unverdaut** *a.* 소화되지 않은.
unverdient [únfɛrdi:nt] *a.* 받을 자격이 없는, 부당한(*undeserved*).
unverdienter⸗maßen, **∼weise** *adv.* 부당하게(도), 까닭없이.
unverdorben [únfɛrdɔrbən] *a.* 손상〔부패〕되지 않은; 《比》 타락하지 않은, 청렴결백한.
unverdrossen [únfɛrdrɔsən, unfɛrdrɔ́-sən] *a.* 끈기 있는, 꾸준한; *adv.* 꾸준히.
unverehelicht [únfɛr-e:əlıçt] *a.* 미혼의, 독신의; (특히) 올드미스의.
unvereidigt [únfɛr-aidıçt] *a.* 선서하지 않은.
unvereinbar [unfɛr-áinba:r, únfɛr-ain-ba:r] *a.* 일치〔양립〕하지 않는, 모순된.
unverfälscht [únfɛrfɛlʃt, unfɛrfélʃt] *a.* 위조되지 않은, 진짜의; 《比》 순진한.
unverfänglich [únfɛrfɛŋlıç, unfɛrféŋ-] *a.* 위험하지 않은, 해가 없는, 악의가 없는, 무해한.
unverfroren[1] [únfɛrfro:rən] *a.* 얼어 죽지 않는, 얼지 않는, 추위를 모르는.
unverfroren[2] [únfɛrfro:rən, unfɛrfró:-rən] *a.* 태연한, 뻔뻔스러운; 대담한.
unvergänglich [únfɛrgɛŋlıç, unfɛrgéŋ-] *a.* 불멸의, 불후의; 영원한.
unvergeßlich [únfɛrgɛslıç, unfɛrgés-] *a.* 잊히지 않는, 잊을 수 없는.
unvergleichbar, **unvergleichlich** [unfɛrgláiç-, únfɛrgláiç-] *a.* 비교하기 어려운, 비길데 없는; 뛰어난.
unvergolten [únfɛrgɔltən] *a.* 보답〔보복〕되지 않는; 무보수의.
unverhältnismäßig [únfɛrhɛlt-, un-fɛrhɛ́lt-] *a.* 균형이 잡히지 않는; 과도한; *adv.* 과도히, 엄청나게.
unverheiratet [únfɛrhaira:tət] *a.* 결혼하지 않은, 독신의.
unverhofft [únfɛrhɔft, unfɛrhɔ́ft] *a.* 예기〔기대〕하지 않은, 뜻밖의.
unverhohlen [únfɛrho:lən, unfɛrhó:lən] *a.* 숨기지 않은, 노골적인; *adv.* 숨기지 않고, 노골적으로.
unverkäuflich [únfɛrkɔyflıç, unfɛrkɔ́yf-lıç] *a.* 팔 수 없는, 팔 것이 아닌. **un⸗verkauft** [únfɛrkauft] *a.* 아직 팔리지 않은; 팔아 치우지 않은.
unverkennbar [unfɛrkénba:r, únfɛr-kɛn-] *a.* 오인할 여지가 없는, 명백한.
unverkürzt [únfɛrkʏrtst] *a.* 단축되지 않은; 《比》 완전한.
unverletzbar, **unverletzlich** [unfɛr-léts-, únfɛrlɛts-] *a.* 다칠 수 없는, 범하기 어려운. **unverletzt** [únfɛrlɛtst, un-létst] *a.* 다치지 않은; 상처가 없는.
unverlierbar [unfɛrlí:rba:r, únfɛrli:r-] *a.* 잃어 버릴 리가 없는, 없어지지 않는.
unverloren [únfɛrlo:rən, unfɛrló:rən] *a.* 잃어버리지 않은.
unvermählt [únfɛrmɛ:lt] *a.* 미혼의, 독신의.
unvermeidlich [unfɛrmáitlıç, ún-máit-lıç] *a.* 피할 수 없는, 면하기 어려운.
unvermerkt [únfɛrmɛrkt] *a.* 남에게 눈치를 채이지 않은; *adv.* 남에게 들키지 않고, 살그머니.
unvermindert [únfɛrmındərt] *a.* 감소되지 않은, 줄지 않은.
unvermischt [únfɛrmıʃt] *a.* 잡것이 섞이지 않은, 순수한.
unvermittelt [únfɛrmıtəlt, unfɛrmítəlt] *a.* 중개〔매개〕가 없는, 직접의(*immediate*); *adv.* 돌연히, 갑자기.
Unvermögen [únfɛrmø:gən] *n.* -s, 무력, 불능(*incapacity*); 〖醫〗 음위(陰萎)(*impotence*). **unvermögend** *a.* ① 《zu를 수반하는 不定形과 함께》 …할 수 없는, …할 힘이 없는. ② 무력한, 불능의. ③ 〖醫〗 음위의. ④ 무자산(無資産)의.
unvermutet [únfɛrmu:tət, unfɛrmú:tət] *a.* 생각지도 않던, 뜻밖의.
unvernehmbar, **unvernehmlich** [ún-fɛrne:m-, unfɛrné:m-] *a.* 알아 들을 수 없는; 뜻 모를.
Unvernunft [únfɛrnunft] *f.* 불합리, 부조리, 이치에 닿지 않음; 어리석음. **unvernünftig** *a.* 이성이 없는; 도리를 벗어난; 이치에 닿지 않는.
unveröffentlicht [únfɛr-œfənt-, unfɛr-œ́fənt-] *a.* 미간행의.
unverrichtet [únfɛrrıçtət] *a.* 성취하지 못한; (흔히 다음 用法뿐임) ∼er Sache 〔Dinge〕 목적을 이루지 못하고, 빈손으로.
unverrückt [únfɛrrʏkt, unfɛrrýkt] *a.* 움직이지 않는; 정착〔고정〕된. ¶∼ ansehen 찬찬히 들여다보다.
unverschämt [únfɛrʃɛ:mt] *a.* 부끄러움을 모르는, 파렴치한. **Unverschämt⸗heit** *f.* -en, 파렴치한 것.
unverschuldet [únfɛrʃuldət, unfɛrʃúl-dət] *a.* ① 책임이〔죄가〕 없는; 부당한 《벌 따위》. ② 부채가〔부담이〕 없는.
unverschuldeter⸗maßen, **∼weise** *adv.* 죄없이, 까닭없이, 부당하게.
unversehens [únfɛrze:əns, unfɛrzé:əns] *adv.* 뜻밖에(도).
unversehrt [únfɛrze:rt, unfɛrzé:rt] *a.* 손상이 없는; 무사한, 온전한.
unversiegbar, **unversieglich** [únfɛr-zi:k-, unfɛrzí:k-] *a.* 고갈(枯渴)하지 않는, 다함이 없는; 영속하는.
unversöhnlich [únfɛrzø:n-, unfɛrzǿ:n-] *a.* 화해하기 어려운. ¶ein ∼er Feind 불공대천의 원수.
unversorgt [únfɛrzɔrkt] *a.* 살림이 마련

되어 있지 않은, 부모에게 업혀 사는.
Unverstand [únfɛrʃtant] *m.* -(e)s, 무지각, 무지, 어리석음. **unverständig** *a.* 이해력이 무딘, 무지한, 어리석은.
unverständlich [-ʃtɛntlıç] *a.* 이해하기 어려운, 분명하지 않은.
unversucht [únfɛrzu:xt, unfɛrzú:xt] *a.* 시도(試圖)되지 않은. ¶nichts ~ lassen 갖은 수단을 다 써보다.
unvertilgbar [unfɛrtílk-, únfɛrtılk-] *a.* 지우기[말살하기] 어려운.
unverträglich[únfɛrtrɛ:klıç,unfɛrtré:klıç] *a.* 화해[조화]하지 않는; 남과 의좋게 지내지 못하는, 붙임성이 없는. **Unverträglichkeit** *f.* -en, 비사교적임.
unverwandt [únfɛrvant, unfɛrvánt]*a.* ① 혈연이 아닌. ② 딴 곳으로 쏠리지 않은; *adv.* 한눈팔지 않고, 찬찬히.
unverwehrt [únfɛrve:rt, unfɛrvé:rt]*a.* 금지되지 않은. ¶es ist Ihnen ~ zu..., …하시는 것은 당신의 자유입니다.
unverweilt [únfɛrvailt, unfɛrváilt] *adv.* 주저[유예]하지 않고; 곧.
unverwelklich[unfɛrvélk-, únfɛrvɛlk-] *a.* 시들지 않는; 상록의.
unverweslich [unfɛrvé:s-, únfɛrve:s-] *a.* 썩지 않는, 부패하지 않는.
unverwundbar [unfɛrvúntba:r, únfɛrvuntba:r] *a.* 다치지 않는, 불사신의.
unverwüstlich [únfɛrvy:st-, unfɛrvý:st-] *a.* 파괴하기 어려운; 오래 가는; (比) 굳센. ¶ein ~er Humor 한결같은 유머.
unverzagt [únfɛrtsa:kt] *a.* 겁내지 않는, 굳굳한, 용맹한.
unverzeihlich [unfɛrtsái-, únfɛrtsailıç] *a.* 용서하기 어려운, 용서할 수 없는.
unverzinslich [unfɛrtsíns-, únfɛrtsıns-] *a.* 무이자(無利子)의.
unverzollt [únfɛrtsɔlt] *a.* 무관세의; 보세 창고에 들어 있는.
unverzüglich [unfɛrtsý:klıç, ún-] *a.* 즉각의; *adv.* 즉각, 곧.
unvollendet [únfɔlɛndət, unfɔlén-] *a.* 미완성의.
unvollkommen [únfɔlkɔmən] *a.* **Unvollkommenheit** *f.* -en, 불완전.
unvollständig [únfɔlʃtɛndıç] *a.* 불완전한, 불충분한, 모자라는. **Unvollständigkeit** *f.* -en, 불완전.
unvorbereitet [únfo:rbəraitət] *a.* 준비가 없는, 당장의; *adv.* 준비 없이, 즉석에서.
unvordenklich [únfo:rdɛŋklıç, unfo:rdéŋk-] *a.* 기억되지 않는, (다음 用法뿐) seit ~en Zeiten 아득한 옛날부터.
unvorhergesehen [únfo:rhe:rgəze:ən] *a.* 예측[예견]할 수 없었던, 뜻밖의.
unvorsätzlich [únfo:rzɛtslıç] *a.* 고의가 아닌, 계획적이 아닌.
unvorsichtig [únfo:rzıçtıç] *a.* 신중하지 않은, 부주의한, 경솔한. **Unvorsichtigkeit** *f.* -en, 무분별, 경솔, 부주의.
unvorteilhaft [únfɔrtailhaft] *a.* 불리한, 이익이 없는; 어울리지 않는 (옷).
unwägbar [únve:kba:r, unvé:kba:r] *a.* 저울질할[잴]수 없는.
unwahr [únva:r] *a.* 진실하지 않은; 성실하지 않은. **unwahrhaft(ig)** *a.* 성실하지 않은. **Unwahrheit** *f.* -en, 진실치 않음, 불성실, 부정직.
unwahrscheinlich [únva:rʃainlıç] *a.* 정말 같지 않은, 있음직하지 않은. **Unwahrscheinlichkeit** *f.* -en, 정말 같지 않은 일.
unwandelbar [únvandəlba:r, unvándəl-] *a.* 변화시킬 수 없는; 불변의, 변치 않는.
unwegsam [únve:kza:m] *a.* 길이 통하지 않는, 통행할 수 없는.
unweiblich [únvaiplıç] *a.* 여자답지 않은.
unweigerlich [unváigərlıç, únváigər-] 《I》 *a.* 거역할 수 없는; 필연적인. 《II》 *adv.* 무조건으로, 절대적으로.
unweise [únvaizə] *a.* 현명하지 않은.
unweit [únvait] 《I》 *adv.* 멀지 않은. 《II》 *prp.* (2格支配): ~ des Hauses 집에서 멀지 않은 곳에.
unwert [únve:rt] *a.* (흔히 2格의 名詞와 함께) 가치 없는; 값어치가 없는.
Unwert *m.* -(e)s, -e, 무가치(한 물건).
Unwesen [únve:zən] *n.* -s, -, 형체가 없는 것; 괴물; 폭행, 행패. ¶sein ~ treiben 행패를 부리다. **unwesentlich** *a.* 실체가 없는; 비본질적인; 주요(主要)[중요]하지 않은, 제이의적(第二義的)인.
Unwetter [únvɛtər] *n.* -s, -, 사나운 날씨, 폭풍우.
unwichtig [únvıçtıç] *a.* 중요치 않은. **Unwichtigkeit** *f.* -en, 중요치 않음.
unwiderlegbar, unwiderleglich [únvi:dərle:k-, unvi:dərlé:k-] *a.* 논박할 수 없는, 부정하기 어려운.
unwiderruflich [únvi:dərru:flıç, unvi:dərrú:f-] *a.* 취소할 수 없는.
unwidersprechlich [únvi:dərʃprɛçlıç, unvi:dərʃpréç-] *a.* 부인 반대할 수 없는, 항변의 여지가 없는.
unwiderstehlich [únvi:dərʃte:lıç, unvi:dərʃté:lıç] *a.* 저항[반항]하기 어려운.
unwiederbringlich [únvi:dərbrıŋlıç, unvi:dərbríŋ-] *a.* 만회[회복]할 수 없는.
Unwille(n) [únvılə, -vılən] *m.* ..llens, 짜증, 분개, 불만, 화남(*indignation, anger*). **unwillig** *a.* 언짢은, 화낸, 내키지 않은.
unwillkommen [únvılkɔmən] *a.* 환영받지 못하는, 달갑지 않은.
unwillkürlich [únvılky:rlıç, unvılký:rlıç] 《I》 *a.* 고의가 아닌; 본의 아닌(*involuntary*). 《II》 *adv.* 자기도 모르게, 부지중에, 저절로.
unwirklich [únvırklıç] *a.* 사실이 아닌, 비현실적인. **unwirksam** *a.* 효력[효험]이 없는, 무효의. **Unwirksamkeit** *f.* -en, 무효.
unwirsch [únvırʃ] *a.* 기분이 언짢은, 시무룩한(*cross, morose*).
unwirtlich [únvırtlıç] *a.* 손님 대접이 좋지 않은, 쌀쌀한; 살기에 적당치 않은; 황폐한.
unwirt·schaftlich [únvırt-ʃaftlıç] *a.* 비경제적인.
unwissend [únvısənt] *a.* 무지(無知)한 (*ignorant*). **Unwissenheit** *f.* 무지 (*ignorance*). **unwissenschaftlich** *a.* 비과학적인. **unwissentlich** 《I》 *a.* 모르는. 《II》 *adv.* (그런 줄은) 알지 못하고, 본의 아니게.
unwohl [únvo:l] *a.* 불쾌한, 편찮은. **Unwohlsein** *n.* (기분이) 언짢음, 잔병.

U

unwohnlich [únvo:nlıç] *a.* 살기에 적당치 않은, 살 수 없는(집 따위).

unwürdig [únvʏrdıç] *a.* (흔히 2格의 名詞·代名詞와 함께) 품위(위엄이) 없는; 체면이 깎이는; (e-s Dinges, 무엇의) 값어치가 없는. **Unwürdigkeit** *f.* -en, 위임.

Unzahl [úntsa:l] *f.* 무수(無數)(*enormous or endless number*). **unzählbar** [untsɛ́:l-], **unzählig** *a.* 셀 수 없는, 무수한.

unzähmbar [untsɛ́:m-, úntsɛ:m-] *a.* 길들일 수 없는; 제어하기 어려운.

unzart [úntsa:rt] *a.* 섬세(상냥)하지 못한, 동정심이 없는, 델리킷하지 못한; 조야한.

Unze [úntsə] [lat. *uncia* „Einheit"] *f.* -n, 온스(☞*ounce*).

Unzeit [úntsait] *f.* -en, (형편이) 좋지 않을 때. ¶zur ~ 좋지 않은 때에, 시의(時宜)를 얻지 못하고. **unzeitgemäß** *a.* 현시대적이 아닌, 비근대적인; =UNZEITIG. **unzeitig** *a.* 때 아닌, 불시의; 시기(제철이) 아닌; 반시대적인; 시기 상조의; 덜 익은(과실 따위).

unzerbrechlich [úntsɛrbrɛçlıç, untsɛrbrɛ́ç-] *a.* 부수기(으스러뜨리기) 힘드는.

unzerlegbar [úntsɛrle:kba:r, untsɛrlé:k-] *a.* 분해할 수 없는; 〖化〗 분석할 수 없는(단체(單體)의).

unzerreißbar [úntsɛrrais-, untsɛrráis-] *a.* 찢어지지 않는.

unzerstörbar [úntsɛrʃtø:r-, untsɛrʃtǿ:r-] *a.* 파괴할 수 없는, 불멸(不滅)의.

unzertrennlich [úntsɛrtrɛn-, untsɛrtrɛ́n-] *a.* 분리할 수 없는.

Unzeug [úntsɔyk] *n.* -(e)s, 잡동사니; 쓰레기; 무가치한 것.

unziemend, unziemlich [úntsi:m-] *a.* 부적당한, 어울리지 않는, 예법에 어긋나는.

unzivilisiert [úntsivilizi:rt] *a.* 미개한, 야만의.

Unzucht [úntsuxt] *f.* 무례; (특히) 난봉, 음탕(*unchastity*); 매음(*prostitution*). **unzüchtig** [-tsʏçtıç] *a.* 음탕한(*unchaste, obscene*). **Unzücht(l)er** *m.* -s, -, 방탕자, 간음자.

unzufrieden [úntsufri:dən] *a.* 불만인, 불평하는. ¶die ~en 불평 분자. **Unzufriedenheit** *f.* -en, 불만, 불평; 〖法〗 불복(不服).

unzugänglich [úntsu:gɛŋlıç] *a.* 다가서기(다다르기) 어려운(*inaccessible*); 《比》 친하기 힘든; 배수되지 않는.

unzulänglich [úntsu:lɛŋlıç] *a.* 불충분한, 부족한(*insufficient, inadequate*). **Unzulänglichkeit** *f.* -en, 불충분, 부족.

unzulässig [úntsu:lɛsıç] *a.* 허용할 수 없는; 금지된.

unzurechnungsfähig [úntsu:rɛçnuŋ-] *a.* 책임 능력이 없는; 《比》 저능한, 백치의; 정신 이상의.

unzureichend [úntsu:raiçənt] *a.* 불충분(不充分)한.

unzusammenhängend [úntsuzamənhɛŋənt] *a.* 연관(통일)이 없는, 지리 멸렬된.

unzuständig [úntsu:ʃtɛ̀ndıç] *a.* (에) 소속하지 않은; 〖法〗 기능(직권)이 없는.

unzuträglich [úntsu:trɛ:klıç] *a.* 이익이 없는, (건강에) 해로운.

unzutreffend [úntsu:trɛfənt] *a.* 적절하지 않은, 딱 들어 맞지 않는.

unzuverlässig [úntsu:fɛrlɛsıç] *a.* 믿을 수 없는, 의지가 안되는. **Unzuverlässigkeit** *f.* -en, 불확실.

unzweckmäßig [úntsvɛkmɛ:sıç] *a.* 목적에 맞지 않는; 합당하지 않은, 득책(得策)이 아닌. **Unzweckmäßigkeit** *f.* -en, 부적당; 불편.

unzweideutig [úntsvaidɔytıç] *a.* 두 가지 뜻이 없는, 모호하지 않은, 명백한.

unzweifelhaft [untsvái-, úntsvai-] *a.* 의심스럽지 않은; 명백한.

üppig [ʏ́pıç] *a.* 무성한, 울창한(*luxuriant*); 성대한, 풍부한; 풍만한; 호화로운, 사치스러운(*luxurious*); 거만한, 뻔뻔스러운; 음탕한, 음란한(*wanton*). **Üppigkeit** *f.* -en, 번창; 풍부; 호화; 음탕.

Ur [u:r] [Lw. lat. *ūrus*] *m.* -(e)s, -e, 〖動〗 들소.

ur.. 《항상, 악센트가 있는 前綴》 "발생, 기원, 근원; 조상; 진정, 순수" 따위를 의미함; 《악센트를 잃은 것은 er- 로 됨》.

Ur·abstimmung [ú:r-apʃtimuŋ] *f.* -en, ① 직접 투표. ② 《方》 서면에 의한 질문(단체내에 있어서의).

Ur·ahn [ú:r-a:n] *m.* 증조부; 선조. **Urahne** *f.* 증조모; 조비(祖妣).

ur·alt [ú:r-alt, u:r-ált] *a.* 대단히 오랜; 태고(太古)의, 먼 옛날의.

Urämie [urɛmí:] [gr.] *f.* 〖醫〗 요독증.

Uran [urá:n] [gr.] *n.* -s, 〖化〗 우라늄.

Ur·anfang [ú:r-anfaŋ] *m.* -(e)s, ⸗e, 발단, 원시; 태초; 연원(淵源). **ur·anfänglich** *a.* 시초(연원)의.

Uran·glimmer *m.* 우라늄(을 포함하는) 운모(상의 광석). **~haltig** *a.* 우라늄을 함유하는

Ur·aufführung [ú:r-auffy:ruŋ] *f.* -en, 초연(初演), 개봉.

urban [urbá:n] [lat.] *a.* 도시의, 도회적인, 세련된, 우아한.

urbar [ú:rba:r] [mhd. *urbor* „Ertrag"] *a.* 수익을 가져오는; 경작한; 경작할 수 있는. ¶~ machen 개간(간척·경작)하다.

Urbewohner [ú:rbəvo:nər] *pl.* 원주민.

Urbild [ú:rbılt] *n.* -(e)s, -er, 원상(原像), 원형, 전형(典型).

Ur·christentum [ú:rkrıstəntu:m] *n.* -s, 원시 기독교. **urchristlich** *a.* 원시 기독교의.

ur·eigen [ú:r-aigən, u:r-áigən] *a.* 고유의, 본연의, 본래의.

Ur·einwohner [ú:r-ainvo:nər] *m.* 원주민, 토박이.

Ur·eltern [ú:r-ɛltərn] *pl.* 선조.

Ur·enkel [ú:r-ɛŋkəl] *m.*, **Urenkelin** *f.* 증손.

Ureter [uré:tər] [gr.] *m.* -s, Ureteren, 〖解〗 수뇨관. **Urethra** [uré:tra] *f.* ..thren, 〖醫〗 요도.

Urform [ú:rfɔrm] *f.* 원형(原形).

urgent [urgɛ́nt] [lat.] *a.* 절박한, 긴급한, 연기할 수 없는.

Urgeschichte [ú:rgəʃıçtə] *f.* 태고사(史).

Urgroßmutter [ú:rgro:smutər] *f.* 증조

모. **Ūrgroßvāter** *m.* 증조부.
Ūrgrund [ú:rgrunt] *m.* 근원; 근본 원인, 궁극적 이유.
Ūrhēber [ú:rhe:bər] *m.* -s, -, **Ūrhē-berin** *f.* -nen, [<erheben] 발기자, 창시자, 저작자(*originator, author*). **Ūrhēberrecht** *n.* 저작권.
Ūr·insekten [ú:r-ınzεktən] *pl.* 원시 곤충(=무시류(無翅類)).
Urīn [urí:n] [lat.] *m.* -s, -e, 오줌, 소변. **uriniēren** *i.*(h.) 오줌누다.
Ūrkunde [ú:rkundə] [<erkennen] *f.* -n, 전거(典據); 증서, 증권, 면허장, 문서(*document, deed*).
Ūrkunden·beweis [ú:rkundən-] *m.* 문서에 의한 증명. **~būch** *n.* 기록(부). **~fälscher** *m.* 문서 위조자. **~fäl-schung** *f.* 문서 위조. **~sammlung** *f.* (고)문서 수집; 기록.
ūrkundlich [ú:rkuntlıç] *a.* 문서의, 문서〔기록〕에 의한; *adv.* 문서에 의하여.
Ūrlaub [ú:rlaup] [<erlauben] *m.* -(e)s [-ps, -bəs], -e [-bə], 허가; (아랫 사람이 웃사람에게서) 허락을 얻고 떠남; 하직(*leave*); 〔軍〕 귀휴(歸休)(*furlough*); 휴가(*holidays*). **Ūrlauber** *m.* -s, -, 귀휴병. **Ūrlaubschein** *m.* 휴가증.
Ūrmensch [ú:rmεnʃ] *m.* 원시인; 원인(原人).
Urne [úrnə] [lat.] *f.* -n, (오지·쇠붙이로 만든) 항아리, 단지(♈*urn*); (Aschen-~) 유골을 넣는 단지; 투표함.
Urnen·hain *m.*, **~halle**, **~kammer** *f.* 유골 안치소, 납골당.
Ūr·ochs [ú:r-ɔks] *m.* =AUEROCHS.
urogenitāl [urogenitá:l] [lat., Urin *u.* Genitalien] *a.* 비뇨 생식기의.
ūrplötzlich [ú:rplœtslıç, ú:rplœ́ts-] *a.* 아주 갑작스런; *adv.* 아주 갑작스레.
Ūrquell [ú:rkvεl] *m.* 원천; 《比》 근원.
Ūrsache [ú:rzaxə] *f.* -n, 원인(*cause*); 동기(*motive*); 이유, 구실(*reason*). **ūr-sächlich** [ú:rzεçlıç] *a.* 원인의, 원인이 되는; 인과적인.
Ūrschrift [ú:rʃrıft] *f.* 원본(原本), 원문(原文), 텍스트.
Ūrsprāche [ú:rʃpra:xə] *f.* 원시어; 원어《번역어에 대한》.
Ūrsprung [ú:rʃpruŋ] [<erspringen] *m.* -(e)s, ⸚e, 원천(*source*); 《比》 기원, 본원, 출처(*origin, beginning*). **ūrsprüng-lich** [u:rʃprý́ŋlıç, ú:rʃprʏŋ-] *a.* 본원의, 원시의; 본래의; *adv.* 원래, 처음에, 본래. **Ūrsprünglichkeit** *f.* -en, 본원성, 원시성; 독창(성).
Ūrsprungs·gebiet *n.* 원산지(地). **~land** *n.* 원산지〔국〕; (원료) 생산국. **~nāchweis** *m.* 원산지 증명.
Ūrstand [ú:rʃtant] *m.* -(e)s, ..stände, 원시 상태; (원죄를 범하기 전의 인류의) 이상 상태.
Ūrstoff [ú:rʃtɔf] *m.* -(e)s, -e, 〔化〕 원소; (과학사(史)상의) 원소; 〔哲·物〕 원자(原子)(*Atom*).
Ūr-Teil, **Ūrteil**[1] [ú:rtail] *m.* -(e)s, -e, 원소; (특히) 원자.
Urteil[2] [úrtail, schweiz.: ú:r-] ["나눔" <erteilen] *n.* -(e)s, -e, 재판(*judgment, decision*); 〔法〕 판결; 평결(評決)《배심원 따위의》; 판정《심판원 따위의》; 판단, 의견, 설(*opinion*). **urteilen** *i.*(h.) 판단하다; 의견을 말하다, 판결〔평결·판정〕하다.
Urteils·eröffnung *f.* 〔法〕 판결의 공고. **~fāhig** *a.* 판단력이 있는. **~kraft** *f.* 판단력. **~lōs** *a.* 판단력이 없는. **~spruch** *m.* 판결; 선고; 평결; 판정. **~vermögen** *n.* =~KRAFT. **~vollstreckung** *f.* 판결의 집행.
Ūrtext [ú:rtεkst] *m.* -es, -e, 원문, 본문, 원서.
Ūrtier [ú:rti:r] *n.* -(e)s, -e, 원생 동물(*protozoon*).
ūrtümlich [ú:rty:mlıç] *a.* ① 본원〔근원·원시·본성〕적인, 본연의. ② 민족 고유의.
Ūr·ūrgrōß·eltern [ú:r-u:r-] *pl.* 고조(高祖)(부모).
Ūrvolk [ú:rfɔlk] *n.* 원시 민족; 원주민.
Ūrwahl [ú:rva:l] *f.* 제 1 차 선거《먼저 선거인을 선거하는 것》.
Ūrwald [ú:rvalt] *m.* 원시림; 원생림.
Ūrwelt [ú:rvεlt] *f.* 원시 세계; 태고 세계. **ūrweltlich** *a.* 원시 시대의, 태고의.
Ūrwēsen [ú:rve:zən] *n.* 원생물; 본질.
ūrwüchsig [ú:rvy:ksıç, -vʏk-] *a.* 원생의, 자연생의, 본연의(*original, natural*); 야생적인(*rough, blunt*).
Ūrzeit [ú:rtsait] *f.* 원시 시대, 태고(太古).
Ūrzeugung [ú:rtsɔygʊŋ] *f.* 자연〔우연〕발생.
Ūrzūstand [ú:rtsu:ʃtant] *m.* 원시 상태.
Usance [yzã́:sə] [fr.] *f.* -n, 관례; (특히) 상관습(商慣習), 유전스(*usance*).
usf. 《略》 =*u*nd *s*o *f*ort 기타, 등등.
Ūso [ú:zo] [it.] *m.* -s, -s, 관례; (특히) 상관습; (상관습상의) 어음 지급 기한 (*usance*). **~wechsel** *m.* 〔商〕 관습상의 지급 기한부 어음.
Usurpātor [uzurpá:tɔr] *m.* -s, ..tōren, 찬탈자(♈*usurper*). **usurpiēren** [uzur-pí:rən] [lat.] *t.* 찬탈〔횡령〕하다(♈*usurp*).
Ūsus [ú:zus] [lat.] *m.* 관용; 관습.
usw., **u.s.w.** 《略》 =*u*nd *s*o *w*eiter 기타, 등등.
Uten·sīlien [utenzí:liən] [lat.] *pl.* 용구; 가구, 집기(♈*utensils*).
Ūterus [ú:tərus, -te-] [lat.] *m.* -, ..ri, 〔解〕 자궁 (=Gebärmutter).
Utilitārier [utilitá:rıər] [lat.] *m.* -s, -, 공리〔실리〕주의자.
Utōpia [utó:pıa] [gr.] *n.* -s, =UTOPIEN. **Utopie** [utopí:] [gr.] *f.* ..pīen [-pí:ən], (유토피아적) 몽상, 공상; 유토피아적(세계 개조) 계획. **Utōpien** *n.* -s, 유토피아. **utōpisch** [utó:pıʃ] *a.* 유토피아의; 공상적인, 몽상적인.
UV-Lampe [u:fáu-] [*u*ltra-*v*iolett] *f.* (인공) 태양등.
ūzen [ú:tsən] ["Uz (Ulrich의 애칭형), 취급하다"의 뜻] *t.* 《俗·方》 야유〔조롱〕하다, 놀리다(*banter, tease*).

V

v. 《略》 =*v*on, *v*om.
vāg [va:k] [lat.] *a.* 막연한, 애매한(♈*vague*). **Vagabund** [vagabúnt] [lat.]

m. -en, -en, 부랑인, 파락호, 뜨내기. **vagabundieren** [-bundí:rən] *i.*(h.*u.*s.) 유랑[방랑]하다.

Vagina [vagí:na] *f.* ..nen, 〖解〗 질(膣).

Vagus [vá:gus] *m.* -, 〖解〗 미주 신경(迷走神經).

vakant [vakánt] [lat.] *a.* 빈, 빈자리의, 공석의, 결원의. **Vakanz** [-ts] *f.* -en, 공백, 빈자리(♈*vacancy*); 휴가(*vacation, holidays*). **Vaku·um** [vá:ku-um] *n.* -s, ..kua, 빈틈; 〖物〗 진공.

Vakuum·bremse *f.* 진공 제동기. **~·entladung** *f.* 〖電〗 진공 방전. **~rei·niger** *m.* 진공 소제기. **~röhre** *f.* 〖電〗 진공관.

vakzinieren [vaktsiní:rən] *t.* (에게) 와친 주사를[예방 접종을] 하다.

Valet [valét, -lé:t] [lat. „lebet wohl!"] *n.* -s, -s, 작별(의 인사).

Validation [validatsió:n] [lat.] *f.* -en, 유효하게 함, 합법화. **validieren** *t.* 유효하게 하다, 합법화하다.

Valuta [valú:ta] [it.] *f.* ..ten, 가치, 가격(♈*value*); 화폐 본위(*standard*); 시세(*currency*); 환 시세(*rate*).

Valvation [valvatsió:n] [lat.] *f.* -en, (외국 화폐의) 가치 평가, 가격 결정.

Vampir [vámpi:r, vampí:r] [serb.] *m.* -s, -e, 〖傳說〗 흡혈귀; 〖動〗 흡혈박쥐.

Vandale [vandá:lə] *m.* -n, -n, 〖史〗 반달인(人); 《比》 파괴를 좋아하는 사람, 예술 파괴자. **vandalisch** *a.* 반달인의, 야만의. **Vandalismus** *m.* -, ..men, 예술 파괴, 야만 행위, 파괴욕.

Vanille [vaníljə, -nílə] [sp.] *f.* 〖植〗 바닐라《열대산 난초과 식물》.

VAR 《略》 = *V*ereinigte *A*rabische *R*epublik 아랍 연합.

var. [vár] [lat. *varietas* „Abart"] 《略》 = *Var*ietät 동식물의 변종.

Variante [variántə] *f.* -n, 변체; 변이. **Variation** [-riatsió:n] *f.* -en, 변동, 변화; 변이. **Varietät** [-rieté:t, -riə-] *f.* -en, 다종, 다양; 변종. **Varieté** [-rieté:, -riə-] [fr.] *n.* -s, -s, (잡다한 것을 상연하는) 보드빌 극장, 바리에테. **variieren** [varií:rən] [lat.] *t.* 변화시키다, 바꾸다(♈*vary*).

Vasall [vazál] [klt. -fr.] *m.* -en, -en, (봉건 군주에 대한) 신하(♈*vassal*).

Vasallen·staat [vazálənʃta:t] *m.* 속국. **~treue** *f.* 충성.

Vase [vá:zə] [lat. -fr.] *f.* -n, 꽃병, 병(♈*vase*).

Vaselin [vazelí:n, -zə-] *n.* -s, **Vase·line** *f.* [d. Wasser, gr. *élaion* „Öl" 및 -in(e) (後綴)로 만듦] 〖化〗 와셀린.

Vater [fá:tər] *m.* -s, ⸚, ① 아버지(♈*father*); (가축의) 아비(*sire*). ② *pl.* 조상, 선조. **Väterchen** [fé:tə çən] *n.* -s, -, (*dim.*) 아빠; 아저씨《애칭》.

Vater·folge *f.* 부계(父系). **~haus** *n.* 아버지의 집, 생가(生家); 고향. **~·herz** *n.* 아버지의 사랑. **~land** *n.* 조국, 본국. **~ländisch** *a.* 조국의, 고국의; 애국의. **~landsfreund** *m.* 애국자. **~landsliebe** *f.* 애국심. **~·landsliebend** *a.* 애국의. **~lands·verräter** *m.* 매국노.

väterlich [fé:tərliç] *a.* 아버지의; 아버지다운; 아버지편의; *adv.* 아버지답게. **~er·seits** *adv.* 아버지 편[쪽]에서는.

Vater·liebe *f.* 아버지의 사랑. **~los** *a.* 아버지가 없는. **~mord** *m.* 친부 살해(*patricide*). **~mörder** *m.* 부친 살해범; 《俗》 고풍의 높은 칼라. **~name** *m.* 아버지의 이름, 가명(家名), 성. **~·pflicht** *f.* 아버지의 의무. **~recht** *n.* 아버지의 권리, 부권(父權).

Vatersbrüder [fá:tərsbru:dər] *m.* 아버지의 형제, 큰아버지·작은아버지. **Va·terschaft** [fá:tərʃaft] *f.* 아버지임, 부친의 신분, 부자 관계. **Vaters·schwe·ster** [-ʃvɛstər] *f.* 아버지의 자매, 고모.

Vater·stadt *f.* 고향의 거리. **~stelle** *f.* 아버지의 지위. **~teil** *n.* 아버지의 유산. **~unser** [fa:tər-únzər] *n.* -s, -, 주기도문《마태 Ⅵ : 9-13》.

Vatikan [vatiká:n] *m.* -s, (로마의) 바티칸 언덕《그 위에 교황청이 있음》; 로마 교황청.

Vegetabilien [vegetabí:liən] *pl.* 식물성 식료품. **vegetabilisch** *a.* 식물성의. **Vegetarier** [-riər] *m.* -s, -, 채식(주의)자. **vegetarisch** *a.* 식물(성)의; 채식의. **Vegetation** [-tsi-] *f.* -en, (어떤 지역의) 식물(계), 초목; 〖醫〗 식물적 생장[형성]; 비대성 증식. **vegetieren** [vegetí:rən] [lat. „beleben"] *i.*(h.) (식물이·식물처럼) 생장하다; 《比》 무위 도식하다; 겨우 살아가다.

Ve·hikel [vehí:kəl] [lat.] *n.* -s, -, 차량, 차(♈*vehicle*).

Veilchen [fáilçən] [前半: Lw. lat. *viola*] *n.* -s, -, 〖植〗 제비꽃(♈*violet*).

veilchen·blau *a.* 보랏빛의. **~duft** *m.* 제비꽃의 향기. **~strauß** *m.* 제비꽃의 다발.

Veits·tanz [fáits-] *m.* 무도병(舞蹈病)《중세에는 이것을 고치기 위해서 성(聖) 파이트에게 기도했음》.

Velin [velí:n, velɛ̃:] [fr.] *n.* -s, -s [-lɛ́:s] *od.* -e [-lí:nə], 부드러운 양피지(羊皮紙); [**~papier**] *n.* 모조 양피지.

Velours [vəlú:r, ve-] [lat. -fr.] *m.* - [-lú:r(s)], -[-lú:r(s)], 벨로아《펠트를 기모(起毛)한 모자용 천》; 빌로도.

Veloursleder [vəlú:r-, ve-] *n.* 빌로도(처럼 마무리한) 가죽.

Vene [vé:nə] [lat.] *f.* -n, 〖解〗 정맥(♈*vein*).

Venedig [vené:diç] [it. *Venezia*] *n.* 베네치아《베니스》.

Venen·entzündung [vé:nən-ɛnttsyn-duŋ] *f.* 정맥염(靜脈炎).

venerisch [vené:riʃ] [fr. <Venus] *a.* 〖醫〗 성병의. ¶ ~e Krankheit 화류병.

Venezia [venɛ́:tsia] *n.* 이탈리아의 도시명(= Venedig). **Venezianer** *m.* -s, -, **Venezianerin** *f.* -nen, 베니스 사람. **venezianisch** *a.* 베니스의.

Venezianischrot *n.* 베니스 빨강《거무스름한 등적색》.

venös [venø:s] [lat. <Vene] *a.* 정맥의.

Ventil [vɛntí:l] [lat. <*ventus* „Wind"] *n.* -s, -e, 통풍판(瓣), 판(瓣), 밸브, 피스톤(*valve*). **Ventilation** *f.* -en, 통풍, 통기, 환기. **Ventilator** *m.* -s, ..latoren, 환기 장치; (Tischventilator)

선풍기. **ventilieren** *t.* (에) 바람을 통하다, 환기하다(*ventilate*); 《比》 숙고〔음미〕하다. **Ventīlkolben** *m.* 피스톤 밸브.

Vēnus [vé:nus] [lat.] *f.* 〖羅神〗 비너스「《미와 사랑의 여신》.」

ver.. [fɛr-, fər-] *prp.* 《非分離動詞의 前綴로 악센트가 없고, 그 複合動詞는 過去分詞에 있어서 ge..를 붙이지 않음》 "대리·통과·저지·장소의 이동·반대 방향 및 뜻·착오·소멸·파손·제거"의 뜻을 나타냄.

verabfolgen [fɛr-ápfɔlgən, fər-] *t.* (에게) 넘겨주다, 교부하다(*deliver, hand over*). ¶ jm. et. ~ lassen 아무에게 무엇을 얻게 하다.

verabrēden [fɛr-ápre:dən, fər-] 《Ⅰ》 *t.* 상의(商議)하다, 협정하다, 약정하다. 《Ⅱ》 *refl.* (mit jm., 아무와) 합의하다. **Verabrēdung** *f.* -en, 협정, 합의, 약정.

verabreichen [fɛr-ápraiçən, fər-] *t.* 넘겨주다, 내주다, 주다. ¶ 《戱》 jm. eins ~ 아무에게 한대 먹이다. **Verabreichung** *f.* -en, 수교, 교부, 제공.

verabsäumen [fɛr-ápzɔymən, fər-] *t.* 태만히 하다, 게을리 하다(*neglect*).

verabscheuen [fɛr-ápʃɔyən, fər-] *t.* 미워하다, 싫어하다, 꺼리다; 구토증이 나다. **verabscheuenswērt** *a.* 싫은, 가증스러운(*detestable*). **Verabscheuung** *f.* -en, 증오, 혐오.

verabschieden [fɛr-ápʃi:dən, fər-] 《Ⅰ》 *t.* (를) 면직시키다, 파면하다; (의안을) 통과시키다. 《Ⅱ》 *refl.* (von, 에게) 하직을 고하다, 작별을 고하다, 하직하다. **Verabschiedung** *f.* -en, 파면.

verachten [fɛr-áxtən, fər-] *t.* 경멸하다, 업신여기다(*despise*); 깔보다, 멸시하다(*scorn*). **Verächter** *m.* -s, -, 경멸하는 사람, 업신여기는 사람. **verächtlich** [-éçtlıç] *a.* 경시하는, 깔보는; 경멸하는, 업신여기는. **Verachtung** *f.* -en, 경멸, 업신여김.

verallgemeinern [fɛr-algəmáinərn, -ál-gəmain-, fər-] *t.* u. *i.*(h.) 일반화하다, 보편화하다. **Verallgemeinerung** *f.* -en, 일반화; 〖哲〗 개괄(槪括).

veralten [fɛr-áltən, fər-] 《Ⅰ》 *i.*(s.) 낡다, 쇠퇴하다(*become obsolete*). 《Ⅱ》 **veraltet** *p.a.* 낡은, 쇠퇴한, 못쓰게 된.

Veranda [veránda] [ind. -engl.] *f.* ..den, 〖建〗 베란다.

veränderlich [fɛr-éndərlıç, fər-] *a.* 변하는, 변하기 쉬운; 〖數〗 가변(可變)의. **verändern** [fɛr-éndərn, fər-] 《Ⅰ》 *t.* (anders machen) 바꾸다, 달리하다(*change, alter, vary*). 《Ⅱ》 *refl.* 변하다. **Veränderung** *f.* -en, 변함; 변화, 변개(變改), 변경, 변형, 변질.

verängstigt [fɛr-éŋstıçt, fər-] *p.a.* 겁에 질린.

verankern [fɛr-áŋkərn, fər-] *t.* (배를) 닻으로 고정시키다; (기구(氣球) 따위를) 계류(繫留)하다; 꺾쇠로 고정시키다.

veranlāgen [fɛr-ánla:gən, fər-] 《Ⅰ》 *t.* (세액을) 사정하다. 《Ⅱ》 **veranlāgt** [-kt] *p.a.* 재능있는, 천분있는. **Veranlāgung** *f.* -en, (세액의) 사정; 재능, 소질.

veranlassen [fɛr-ánlasən, fər-] *t.* 야기하다, (에게) 기연을〔계기를〕 주다, 유발하다(*occasion, cause*). ¶ jn. zu et. ~ 아무를 부추겨 무엇을 시키다, 무엇에로 유인하다(*induce to (do)*). **Veranlassung** *f.* -en, 유인, 기연, 계기, 기회; 권유, 발기(發起).

veranschaulichen [fɛr-ánʃaulıçən, fər-] *t.* 구체적으로 설명하다, 실례〔삽화·도해〕로 나타내다(*illustrate*).

veranschlāgen [fɛr-ánʃla:gən, fər-] *t.* 어림하다(*estimate*); 평가하다(*value*); 사정하다(*assess*).

veranstalten [fɛr-ánʃtaltən, fər-] *t.* (의) 준비를 하다, 마련하다; 개최하다(*arrange, contrive, manage*). **Veranstalter** *m.* -s, -, 발기인, 주최자; (연회 등의) 호스트. **Veranstaltung** *f.* -en, 준비, 채비; 개최, 거행.

verantworten [fɛr-ántvɔrtən, fər-] 《Ⅰ》 *t.* ("대신 대답하다"의 뜻:) (의) 책임을 지다, 떠맡다, 변명하다(*answer for, account for, defend*). 《Ⅱ》 *refl.* (für, 의) 책임을 지다; 변명하다(*justify oneself*). **verantwortlich** [-ántvɔrtlıç] *a.* 답변할 의무가 있는, 책임이 있는. **Verantwortlichkeit** *f.* 답변 혹은 변명의 의무(가 있음); 책임(이 있음). **Verantwortung** *f.* -en, 책임(을 떠맡음); 답변, 변명. ¶ jn. zur ~ ziehen 아무의 해명을 요구하다, 을 기소하다.

verantwortungs⸗bewußt *a.* 책임을 느끼는. **~freudig** *a.* 기꺼이 책임을 떠맡는. **~lōs** *a.* 책임이 없는. **~voll** *a.* 책임이 있는(*responsible*).

verarbeiten [fɛr-árbaitən, fər-] *t.* (제작에) 소비하다; 가공하다; 소화하다; 《比》 소화〔음미〕하다. ¶ verarbeitende Industrie 가공업. **Verarbeitung** *f.* -en, 가공; 소화, 다이제스트.

verargen [fɛr-árgən, fər-] *t.*: jm. et. ~ 아무의 무엇《언행 따위》을 나쁘게 보다, 원망하다.

verärgern [fɛr-érgərn, fər-] *t.* 화나게 하다, (의) 비위를 건드리다. **verärgert** [fɛr-érgərt] *p.a.* 성낸, 짜증낸.

verarmen [fɛr-ármən, fər-] *i.*(s.) 가난하게 되다, 영락하다. **verarmt** *p.a.* 영락한. **Verarmung** *f.* -en, 빈곤화.

veraschen [fɛr-áʃən, fər-] *t.* 〖化〗 재로 하다, 하소(煆燒)하다《플라티나의 엷은 판에 끼워 불꽃을 일으키지 않고 태움, 물건의 성분을 검사하기 위해》.

verästeln [fɛr-éstəln, fər-] *t.* 가지를 내게 하다; *refl.* 가지를 내다, 분지(分枝)하다.

verauktionieren [fɛr-auktsĭoní:rən, fər-] *t.* 경매하다.

verausgāben [fɛr-áusga:bən, fər-] *t.* 지출하다, 소비〔소모〕하다; *refl.* 돈을 다 쓰다; 《比》 정력을 모두 소비해 버리다.

veräußerlich [fɛr-ɔ́ysərlıç, fər-] *a.* 양도〔매각〕할 수 있는. **veräußern** [fɛr-ɔ́ysərn, fər-] *t.* 내어 놓다; 양도하다, 매각하다, 처분하다. **Veräußerung** *f.* -en, 양도, 매각.

Verb [vɛrp] [lat. „Wort"] *n.* -s, -en, 〖文〗 동사.

verbāl [vɛrbá:l] *a.* 말에 의한, 구두의; 「〖文〗 동사의.」

verbalhornen [fɛrbálhɔrnən, fər-] *t.*

개량하려다가 도리어 개악하다.

Verband [fɛrbánt, fər-] [<verbinden] *m.* -(e)s, ⸚e, 결합; 단결; 연합, 조합, 단체(*union, society*); 〖醫〗 붕대(*bandage*).

Verband⸗kasten *m.* 붕대 재료〔용구〕 상자. **~mitglied** *n.* 협회원, 조합원. **~päckchen** *n.* (휴대용) 붕대 꾸러미. **~platz** *m.* 구호소. **~stoff** *m.*, **~⸗zeug** *n.* 붕대 재료.

verbannen [fɛrbánən, fər-] *t.* 《I》 (국외로) 추방하다, 축출하다(*banish, exile*). 《II》 **Verbannte** *m.* u. *f.* (形容詞變化) 피추방자, 망명자. **Verbannung** *f.* -en, 추방, 방축.

verbarrikadieren [fɛrbarikadí:rən, fər-] *t.* 〖軍〗 (에) 바리케이드를 쌓다, (을) 차단하다.

verbauen [fɛrbáuən, fər-] *t.* 건물로 막다; 건축에 소비하다; 잘못 세우다, 졸렬하게 짓다.

verbauern [fɛrbáuərn, fər-] *i.*(s.) 농군이 되다, 촌스럽게 되다.

verbeamten [fɛrbəámtən, fər-] *t.* 《俗》 관리를 하다.

verbeißen* [fɛrbáisən, fər-] 《I》 *t.* ① 이를 악물고 참다. 《II》 *refl.* (개 따위가) 물고 놓지 않다. ¶ 《比》 sich in et.[4] ~ 무엇에 열중하다.

verbergen* [fɛrbέrgən, fər-] 《I》 *t.* 숨기다, 감추다(*conceal, hide*); *refl.* 숨다. 《II》 **verborgen** *p.a.* 숨은; 비밀의.

Verbesserer [fɛrbέsərər, fər-] *m.* -s, -, 개량〔개혁〕자, 수정자, 정정자. **verbes⸗serlich** *a.* 개량할 수 있는, 수정〔정정〕이 되는. **verbessern** [fɛrbέsərn, fər-] *t.* 개혁〔개량〕하다(*improve*); 정정〔교정〕하다(*correct*). **Verbesserung** *f.* -en, 개량, 개정; 수정, 정정; 개혁.

Verbesserungs⸗antrag *m.* 수정안. **~fähig** *a.* 개정할 수 있는.

verbeugen [fɛrbɔ́ygən, fər-] *refl.* 몸을 굽히다, 절을 하다(*bow*). **Verbeugung** *f.* -en, 절, 인사.

verbeulen [fɛrbɔ́ylən, fər-] *t.* 눌러 찌그러뜨리다. **verbeult** *p.a.* 눌러 찌그러진.

verbiegen* [fɛrbí:gən, fər-] *t.* 잘못 구부리다, 뒤틀리다, 휘다.

verbieten* [fɛrbí:tən, fər-] *t.* 금하다, 금지하다(*forbid*).

verbilden [fɛrbíldən, fər-] *t.* (의) 모양을 망그러뜨리다, (을) 잘못 만들다; (을) 잘못된 교육으로 그르치다.

verbildlichen [fɛrbíltlıçən, fər-] *t.* 그림으로〔비유로〕 나타내다, 표상화하다.

verbilligen [fɛrbílıgən, fər-] *t.* 헐하게〔싸게〕 하다.

verbinden* [fɛrbíndən, fər-] 《I》 *t.* ① 묶어서〔매어서〕 막다, (동여서) 가리다; (상처에) 붕대를 감다. ② 결합하다; 연락〔관련〕시키다; 결혼시키다; 화합시키다; 《比》 jn.: (에게) (zu, 의) 의무를 지우다. 《II》 *refl.* (zu, 의) 의무를 지다, (을) 떠맡다. 《III》 **verbunden** *p.a.* ① 결합한. ② 의무가 있는; 감사의 의무가 있는. ¶ ich bin Ihnen sehr ~ 모두 염려지덕입니다, 정말 고맙습니다. **ver⸗bindlich** [fɛrbíntlıç, fər-] *a.* 구속력이 있는; 의무를 지우는, 의무를 진, 의무가 있는; (zum Danke verbindend) 고마운, 친절한, 정중한. ¶ sich ~ machen 의무를 지다 / ~en Dank! 참으로 고맙습니다. **Verbindlichkeit** *f.* -en, 의무, 책무; 구속(력); 친절, 공손; 아첨(의 말). **Verbindung** [fɛrbínduŋ, fər-] *f.* -en, 묶어 막음, 붕대; 결합, 연락, 결혼; 〖化〗 화합(물); 조합, 결사, 단체. ¶ in ~ treten, (mit, 와) 연락하다, 거래를 트다.

Verbindungs⸗bahn *f.* 〖鐵〗 연락선. **~gang** *m.* 연락로, 통로; 연락 복도. **~gewicht** *n.* 〖化〗 화합량. **~graben** *m.* 〖軍〗 교통호(壕). **~linie** *f.* 연락선, 교통선. **~offizier** *m.* 연락 장교. **~schnur** *f.* 〖電〗 연결 코드. **~⸗strich** *m.* 하이픈. **~stück** *n.* 〖建〗 계재(繫材). **~weg** *m.* 교통로. **~wort** *n.* 〖文〗 계사(繫辭); 접속사.

Verbiß [fɛrbís, fər-] [<verbeißen] *m.* ..sses, ..sse, 야수에게 씹혀 뜯긴 새싹이나 어린 가지.

verbissen [fɛrbísən, fər-] [<verbeißen] *p.a.* ("물고 늘어지는 (사냥개)"의 뜻:) 상대하기 벅찬; 언짢아하는.

verbitten* [fɛrbítən, fər-] *t.*: sich[3] et. von jm. ~ 아무에게 무엇을 사절하다 / ich verbitte ... (은) 원치 않습니다.

verbittern [fɛrbítərn, fər-] *t.* 쓰게 하다; 《比》 (사람을) 화나게 하다. **Verbit⸗terung** *f.* -en, 기분 나쁨, 화남.

verblassen [fɛrblásən, fər-] *i.*(s.) 퇴색하다, 색이 바래다; 《比》 (기억 따위가) 희미해지다.

Verbleib [fɛrbláip, fər-] *m.* -(e)s, 체재, 체류; 소재(所在)(*whereabouts*). **ver⸗bleiben*** *i.*(s.) 남다, 머무르다; (bei, 을) 고집하다.

verbleichen(*) [fɛrbláiçən, fər-] *i.*(s.) (색이) 바래다; 《比》 des Todes ~ 죽다.

verblenden [fɛrblέndən, fər-] *t.* ① 은폐하다; 피복(被覆)하다, 화장하다. ② 눈멀게하다; 현혹〔기만〕하다(*delude*). **Ver⸗blendung** *f.* -en, 기만.

verblichen [fɛrblíçən, fər-] [<verbleichen] *p.a.* 퇴색한; 《詩》 죽은.

verblüffen [fɛrblʏ́fən, fər-] *t.* 어이없게 하다, 아연케 하다(*stupefy*).

verblühen [fɛrblʏ́:ən, fər-] *i.*(s.u.h.) 개화기가〔꽃철이〕 끝나다; (s.) 시들다, 이울다; 《比》 수척해지다; 《俗》 도망치다.

verblümt [fɛrblʏ́:mt, fər-] *p.a.* 완곡한, 비유적인, 우의(寓意)적인; *adv.* 비유적으로.

verbluten [fɛrblú:tən, fər-] *i.*(s.) u. *refl.* 출혈하여 죽다.

verbocken [fɛrbɔ́kən, fər-] [<Bock „Fehler"] *t.* 《俗》 서투르게 하다, 실수하다.

verbogen [fɛrbó:gən, fər-] [*p.p.* <verbiegen] *a.* 굽은, 구부러진, 휜.

verbohren [fɛrbó:rən, fər-] *refl.* (in et.[4], 무엇에) 집착하다. **verbohrt** *p.a.* 집착한, 완미(頑迷)한.

verborgen[1] [fɛrbɔ́rgən, fər-] *t.* 빌려주다; 외상으로 팔다.

verborgen[2] [*p.p.* <verbergen] *a.* 숨겨진, 숨은, 잠재한. **Verborgenheit** *f.* -en, 숨어 있음, 잠재함; 은둔.

Verbot [fɛrbó:t, fər-] [<verbieten] *n.* -(e)s, -e, 금지, 금압(禁壓), 금제, 금령

(*prohibition*). **verbōten** *p. a.* ☞ VERBIETEN.

verbrāmen [fɛrbrέ:mən, fər–] *t.* (에) 가장자리 장식을 하다.

Verbrauch [fɛrbráux, fər–] *m.* –(e)s, (an, 의) 소비, 소모. **verbrauchen** [fɛrbráuxən, fər–] *t.* 사용하다, 소비〔소모〕하다(*use, consume, spend*); 써서 낡게 하다, 소모하다(*wear out*). **Verbraucher** *m.* –s, –, 소비자.

Verbrauchs=artikel, ~gēgenstand *m.* 소모품. **~genossenschaft** *f.* 소비 조합. **~güter** *pl.* 소비재. **~steuer** *f.* 소비세.

verbrechen* [fɛrbrέçən, fər–] 《Ⅰ》 *t.* 《不定代名詞를 目的語로 하여, 現在形을 쓰지 않음》 범하다(*commit*). 《Ⅱ》 **Verbrechen** *n.* –s, –, 범죄, 죄, 비행(*crime, misdeed*). **Verbrecher** *m.* –s, –, 범죄자, 범인.

Verbrecher=album *n.* 범죄인 사진첩. **~gesicht** *n.* 범죄인의 인상.

Verbrecherin [fɛrbrέçərin, fər–] *f.* –nen, 여자 범인. **verbrecherisch** [fɛrbrέçərɪʃ, fər–] *a.* 범죄(자)의.

Verbrecher=kolonie *f.* 유형지(流刑地). **~laufbahn** *f.* 범죄자의 경력〔생애〕.

verbreiten [fɛrbráitən, fər–] 《Ⅰ》 *t.* 넓히다(*spread*); 퍼뜨리다, 보급하다(*diffuse*); 유포하다(*noise abroad*). 《Ⅱ》 *refl.* 넓어지다, 퍼지다, 유포되다; (über et., 에 관해) 자세히 말하다(*enlarge* (*upon*)).

verbreitern [fɛrbráitərn, fər–] *t.* (도로 따위의) 폭을 넓게 하다, 넓히다(♈ *broaden, widen*). **Verbreiterung** *f.* –en, (도로 따위의) 확장.

Verbreitung [–bráituŋ] *f.* –en, 넓힘, 퍼뜨림; 유포, 홍포, 보급; 분포; 만연.

verbrennbār [fɛrbrέnba:r, fər–] *a.* 연소할 수 있는, 가연성의. **verbrennen*** [fɛrbrέnən, fər–] 《Ⅰ》 *i.*(s.) 소실하다, 재가 되다; 타죽다; 〖化〗연소하다; 햇볕에 그을다. 《Ⅱ》 *t.* 굽는〔태우는〕데 소비하다; 태우다; 〖化〗 연소시키다. ¶ von der Sonne verbrannt 햇볕에 탄. **Verbrennung** *f.* –en, 태움, 소각; (Leichen~) 화장(火葬)(*cremation*); 화형(火刑); 연소, 화상.

Verbrennungs=halle *f.* 화장터, 쓰레기 소각장. **~(kraft)maschīne** *f.*, **~mōtor** [fɛrbrέnuŋsmo:tər, fər–] *m.* 내연 기관. **~ōfen** *m.* 소각로(爐). **~=raum** *m.* (개솔린 기관의) 연소실.

verbriefen [fɛrbrí:fən, fər–] *t.* (에) 문서를 붙이다, 문서로 확인하다.

verbringen* [fɛrbrínən, fər–] *t.* 소비하다, 보내다《시간을》(*spend, pass*).

verbrüdern [fɛrbrý:dərn, fər–] *refl.* (mit, 와) 형제처럼 사귀다, 친교를 맺다(*fraternize*). **Verbrüderung** *f.* –en, 형제처럼 사귐; 친목.

verbrühen [fɛrbrý:ən, fər–] *t.* 끓는 물에 데(게 하)다(*scald*). **Verbrühung** *f.* –en, 끓는 물에 덴 상처.

verbuchen [fɛrbú:xən, fər–] *t.* 〖商〗 기장(記帳)하다. 「(*wanton*).」

verbuhlt [fɛrbú:lt, fər–] *p. a.* 음탕한

verbummeln [fɛrbúməln, fər–] *t.* (시간을) 허비하다; 소홀히 하다, 게을리 하다. **verbummelt** *p. a.* 흘게늦은.

Verbund [fɛrbúnt] [<verbinden] *m.* –(e)s, 연결; (철근과 콘크리트의) 결합; 복합.

verbunden [fɛrbundən, fər–] ☞ VERBINDEN 《그 過去分詞》.

verbünden [fɛrbýndən, fər–] [<Bund] 《Ⅰ》 *t.* 동맹〔연합〕시키다(*ally, associate*); *refl.* 동맹〔연합〕하다. 《Ⅱ》 **Verbündete** *m.* u. *f.* 《形容詞變化》 동맹자, 연합국, 동맹국.

Verbundenheit [fɛrbúndənhait] *f.* –en, 결합, 연계(連繫), 연합.

Verbund=guß *m.* (여러 가지 금속·합금을) 복합(시키는) 구조. **~maschīne** *f.* –en, 복합기(複合機); 증기 기관; 복합 피스톤 압착기; 복권(複卷) 발전기. **~mōtor** *m.* (비행기의) 복합 모터. **~=triebwerk** *n.* 복합 (모터를 갖춘) 연동기.

verbürgen [fɛrbýrgən, fər–] 《Ⅰ》 *t.*: et.: 보증하다(*guarantee, answer for*). 《Ⅱ》 *refl.* (für jn., 아무의) 보증을 서다(*answer or vouch for*).

verbüßen [fɛrbý:sən, fər–] *t.* 벌을 받다, 처형되다; 배상〔보상〕하다.

verchrōmen [fɛrkró:mən, fər–] *t.* 크롬으로 도금하다. **verchrōmt** *p. a.* 크롬으로 도금된.

Verdacht [fɛrdáxt, fər–] [<verdenken] *m.* –(e)s, (稀: –e), 의혹, 혐의(*suspicion*). ¶ jn. im ~ haben 아무에게 혐의를 두고 있다. **verdächtig** [–dέçtɪç] *a.* 혐의가 있는, 의심스러운. **verdächtigen** *t.* (에게) 혐의를 두다; 중상〔무고〕하다.

Verdächtigung [fɛrdέçtɪguŋ] *f.* –en, 혐의를 둠 (*insinuation*); 무고 (*false charge*).

Verdachts=grund *m.* 혐의의 근거. **~=moment** *n.* 용의 사실. **~persōn** *f.* 용의자.

verdammen [fɛrdámən, fər–] 《Ⅰ》 *t.* 유죄 판결을 내리다(*condemn*); 벌을 내리다(♈ *damn*). 《Ⅱ》 **verdammt** *p. a.* 벌받은, 괘씸한. ¶ ~! 빌어 먹을, 제기랄, 오라질.

verdammenswērt [fɛrdáməns–, fər–] *a.* 벌해야 할, 저주받아야 할, 지겨운.

verdammlich [fɛrdámlɪç, fər–] *a.* = VERDAMMENSWERT. **Verdammnis** *f.* 〖宗〗 영겁의 벌, 지옥에 떨어짐. **Verdammung** *f.* –en, 유죄 선고, 영겁의 벌을 내림; 저주.

verdampfen [fɛrdámpfən, fər–] 《Ⅰ》 *t.* 증발시키다(*evaporate*). 《Ⅱ》 *i.*(s.) 증발하다. **Verdampfer** *m.* –s, 증발기.

Verdampfung *f.* –en, 기화, 증발.

verdanken [fɛrdáŋkən, fər–] *t.* (jm. et., 무엇에 관해서 아무의) 덕을 입고 있다, 무엇은 아무의 덕이다(*owe* (*something to someone*)). 「《그 過去》.」

verdarb [fɛrdárp, fər–] ☞ VERDERBEN

verdattert [fɛrdátərt, fər–] *p. a.* 《俗》 아연한, 당황한(*staggered*).

verdauen [fɛrdáuən, fər–] *t.* 소화하다(*digest*); 《比》 이해하다. **verdaulich** *a.* 소화시킬 수 있는; (leicht ~) 소화하기 쉬운. **Verdaulichkeit** *f.* 위임,

소화성(性). **Verdauung** [fɛrdáuuŋ, fər-] *f.* -en, 소화(*digestion*).

Verdauungs≈beschwerden *pl.* 소화 불량(*indigestion*). **~geschäft** *n.* 소화 기능〔작용〕. **~mittel** *n.* 소화제. **~≈organ** *n.* 소화 기관. **~schwäche** *f.* 소화 불량. **~störung** *f.* 소화 장애.

Verdeck [fɛrdɛ́k, fər-] *n.* -(e)s, -e, 덮개; 뚜껑; 차의 지붕, 포장; (배의) 갑판(♀*deck*). **verdecken** *t.* 가리다, 덮다, 씌우다, (에) 뚜껑을 하다; 숨기다, 은폐〔차폐〕하다.

verdenken* [fɛrdɛ́ŋkən, fər-] *t.* (jm. et., 아무의 무엇을) 나쁘게 보다, 곡해(曲解)하다.

Verderb [fɛrdɛ́rp, fər-] *m.* -(e)s, 파멸(*ruin*). **verderben**(*) [fɛrdɛ́rbən, fər-] 《Ⅰ》 *i.*(s.) 못쓰게 되다, 상하다, 망그러지다, 썩다(*spoil, be spoiled*); 망하다, 죽다(*perish*). 《Ⅱ》 *t.* 멸하다, 결딴내다, 나쁘게 하다, 상하게 하다, 해치다. ¶es mit jm. ~ 아무의 비위를 상하게 하다, 아무와 티격나다. 《Ⅲ》 **Verderben** *n.* -s, 나쁘게 됨, 못쓰게 됨, 부패, 파멸, 멸망. ¶ins ~ stürzen 파멸시키다, 멸하다. 《Ⅳ》**verderbt** *p. a.* 타락한, 패덕(悖德)의. 《Ⅴ》 **verdorben** *p. a.* 나쁘게 된, 결딴난, 부패〔타락·파멸〕한. **Ver≈derber** *m.* -s, -, 파괴자, 손상자. **verderblich** *a.* 상하기 쉬운; 파멸의 근원이 되는, 유해한. **Verderblich≈keit** *f.* 위험. **Verderbnis** *f.* -se, 악화, 부패, 타락; 타락의 근원, 유해물. **verderbt** *p. a.* ☞ VERDERBEN Ⅱ. **Verderbt·heit** *f.* -en, 도덕적 타락, 패덕(悖德).

verdeutlichen [fɛrdɔ́ytlıçən, fər-] *t.* 명료하게 하다, 설명하다.

verdeutschen [fɛrdɔ́ytʃən, fər-] *t.* 독일화하다; 독일말로 번역하다.

verdichten [fɛrdíçtən, fər-] *t.* 짙게〔빽빽하게〕하다, 응축(凝縮)〔압축〕하다(*condense*); *refl.* 응축하다, 빽빽하게 되다. **Verdichtung** *f.* -en, 응축, 농축(濃縮); 〖化〗 축합(縮合), 압축.

verdicken [fɛrdíkən, fər-] *t.* 진하게 하다, 응결〔경화〕시키다; 바싹 조리다; *refl.* 진하게 되다, 응결하다.

verdienen [fɛrdí:nən, fər-] 《Ⅰ》 *t.* (봉사에 의해 혹은 일을 하여) 얻다, 벌다(*earn, gain*); …만 하다, (에) 상당하다(*merit, deserve*). ¶er verdient Lob 그는 칭찬할 만하다. 《Ⅱ》 *refl.* (um, 에 대해) 공을 세우다, (을 위해) 공헌하다. 《Ⅲ》 **verdient** [fɛrdí:nt, fər-] *p. a.* 공로로 얻은; 그럴만한, 공로 있는. **Ver≈dienst** 《Ⅰ》 *m.* -es, -e, 벌이, 수익(*earnings, gain, profit*). 《Ⅱ》 *n.* -es, -e, 가치(*merit*); 공(功); (배우 등의) 기능, 명기(名技).

Verdienst≈adel *m.* 훈공(에 의하여 얻은) 귀족. **~ausfall** *m.* 사업의 정지에 의한 수입의 결손. **~kreuz** *n.* 공로 십자 훈장; (미국·영국군의) 수훈 십자장.

verdienstlich [fɛrdí:nstlıç, fər-] *a.* 수익이 있는, 이익이 되는; 공이 있는, 공적이 되는.

Verdienst≈spanne *f.* 판매 수익, 이문, 마진. **~voll** *a.* 공적이 많은.

verdienter≈maßen [fɛrdí:ntərma:sən, fər-], **~weise** *adv.* 공로에 따라, 알맞게, 마땅히.

Verdikt [vɛrdíkt] [lat. „Wahrspruch“] *n.* -(e)s, -e, 관정, 평결(評決)《특히 배심원의》.

verdingen(*) [fɛrdíŋən, fər-] *t.* 임대(賃貸)하다; (jm. et., 의 밑에) 고용살이 시키다; *refl.* 고용되다, 고용살이하다. **verdinglichen** [-díŋlıçən] *t.* 구성화하다, 구체적으로 하다.

verdirbst [fɛrdírpst, fər-] (du ~), **ver≈dirbt** (er ~) ☞ VERDERBEN(그 現在).

verdolmetschen [fɛrdɔ́lmɛtʃən, fər-] *t.* 통역〔통변〕하다(*interpret*).

verdoppeln [fɛrdɔ́pəln, fər-] 《Ⅰ》 *t.* 배(倍)로 하다, 배가하다(♀*double*). 《Ⅱ》 *refl.* 배가 되다. **Verdopp(e)lung** *f.* -en, 배가; 중복.

verdorben [fɛrdɔ́rbən, fər-] *p. a.* ☞ VERDERBEN. **Verdorbenheit** *f.* -en, 파멸; 부패(*corruption*); 타락(*depravity*).

verdorren [fɛrdɔ́rən, fər-] *i.*(s.) 메마르다, 시들다, 썩다.

verdrahten [fɛrdrá:tən, fər-] *t.* (에) 가선(架線)하다. **Verdrahtung** *f.* -en, 가선(架線) 공사; (공사용) 전선.

verdrängen [fɛrdrɛ́ŋən, fər-] *t.* 밀어제치다, 배제〔구축〕하다 (*push away, displace*); 〖心〗 억압하다(*inhibit*). **Ver≈drängung** *f.* -en, 배제, 구축; 〖化〗 치환(置換); 〖心〗 억압.

verdrehen [fɛrdré:ən, fər-] 《Ⅰ》 *t.* 비틀다, 비비꼬다, 비틀어 틀다(*twist*); (눈을) 부리부리 굴리다, 부릅뜨다; 억지로 끌어 붙이다, 견강 부회하다; (법을) 굽히다. 《Ⅱ》 **verdreht** *p. a.* 비비 꼬인, 뒤틀린; 탈구(脫臼)한; 《比》 미친; 이치에 어그러진, 배리(背理)의, 당치 않은. **Verdrehung** *f.* -en, 뒤틂, 구부러뜨림, 구부림; (사실·진리 등의) 왜곡, 견강 부회.

verdreifachen [fɛrdráifaxən, fər-] *t.* 삼배〔삼중〕으로 하다; *refl.* 삼배〔삼중〕이 되다.

verdreschen* [fɛrdrɛ́ʃən, fər-] *t.* 《俗》 늘씬하게 후려패다.

verdrießen* [fɛrdrí:sən, fər-] 《Ⅰ》 *t.* (의) 마음을 압박하다, 불유쾌하게〔언짢게〕 하다(*vex*). ¶sich⁴⁽³⁾ et. nicht ~ lassen 무엇을 꺼리지 않다 / sich keine Mühe ~ lassen 수고를 아끼지 않다. 《Ⅱ》 **verdrossen** *p. a.* 싫은, 마음이 내키지 않는; *adv.* 싫으면서도. **Verdros≈senheit** *f.* 싫음; 불쾌, 언짢음. **ver≈drießlich** *a.* 불쾌한, 화가 난; 아니꼬운, 역정나는. **Verdrießlichkeit** *f.* -en, 위임; 위의 사물.

verdroß [fɛrdrɔ́s, fər-] ☞ VERDRIEßEN(그 過去).

verdrucken [fɛrdrúkən, fər-] *t.* 잘못 인쇄하다, 오식(誤植)하다.

Verdruß [fɛrdrús, fər-] [<verdrießen] *m.* ..sses, ..sse, 불쾌, 언짢음(*displeasure*); 노함; 불쾌한〔화나는·역정나는〕 일, 번루(煩累), 번거로움, 귀찮음(*annoyance*). ¶jm. et. zum ~ tun 아무를 성내게 하기 위해 무엇을 하다.

verduften [fɛrdúftən, fər-] *i.*(s.) 발산(發散)〔증발〕하다; 《俗》 사라지다, 슬쩍 도망치다.

verdummen [fɛrdúmən, fər–] *t.* 우둔〔무지〕하게 하다; *i.*(s.) 어리석게 되다.

verdunkeln [fɛrdúŋkəln, fər–] *t.* 어둡게 하다, 흐리게 하다; (색을) 진하게 하다; 〖天〗 식(蝕)하다(*eclipse*); 《比》 모호〔불명〕하게 하다. **Verdunk(e)lung** *f.* –en, 어둡게 함; 모호하게 함; 〖電〗 암전(暗轉); 〖天〗 식(蝕); 〖軍〗 소등(消燈), 등화 관제.

Verdunk(e)lungs-gefahr *f.* 〖法〗 증거 인멸의 우려. **∼übung** *f.* 등화 관제 훈련.

verdünnen [fɛrdýnən, fər–] 《Ⅰ》 *t.* 엷게〔묽게·가늘게〕 하다. 《Ⅱ》 *refl.* 엷게〔묽게·가늘게〕 되다. **Verdünnung** *f.* –en, 엷게 하기, 희박화, 희석(도).

verdunsten [fɛrdúnstən, fər–] *i.*(s.) 증발하다(*evaporate*). **Verdunstung** *f.* –en, 증발, 발산.

verdursten [fɛrdúrstən, fər–] *i.*(s.) 목말라 죽다.

verdusseln [fɛrdúsəln, fər–] *t.* 《俗》 깜박 잊다. ¶e–e Verabredung ∼ 약속을 깜박 잊다.

verdüstern [fɛrdý:stərn, fər–] *t.* 어둡게 하다, 음울하게 하다; *refl.* 어두워지다, 음울하게 되다.

verdutzen [fɛrdútsən, fər–] *t.* 어처구니없게〔어안이 벙벙하게〕 하다, 멍하게 하다.

verebben [fɛr-ébən, fər–] *i.*(s.) (조수·물 따위가) 끌고 가다; 《比》 부진해지다, (차차) 쇠퇴하다.

veredeln [fɛr-é:dəln, fər–] *t.* 귀〔고상〕하게 하다, 순화〔세련·정련·정제〕하다; 〖園藝〗 (접붙여) 개량하다. **Vered(e)lung** *f.* –en, 향상, 세련, 교화, 개량, 정제(精製). **Vered(e)lungs-industrie** *f.* 정제(精製) 공업.

vereh(e)lichen [fɛr-é:(ə)lıçən, fər–] 《Ⅰ》 *t.* 결혼시키다. 《Ⅱ》 *refl.* 결혼하다.

verehren [fɛr-é:rən, fər–] *t.* ① 존경하다(*respect, revere*); 숭경〔숭배·예배〕하다(*worship, adore*); 사모하다. ¶verehrter Herr! 근계(謹啓)《편지의 머리말》. ② jm. et.: 증정〔진정(進呈)〕하다(*present*). **Verehrer** *m.* –s, –, 존경자, 숭배자, 예배자; 신봉자; 사모자.

Verehrung [fɛr-é:ruŋ, fər–] *f.* –en, 존경, 경모(敬慕); 사모.

verehrungs-wert, **∼würdig** *a.* 존경할 만한. ¶an den verehrungswürdigen Bürgermeister von... …시장님 귀하.

vereid(ig)en [fɛr-áid(ıg)ən, fər–] *t.* 선서시키다. **Vereid(ig)ung** *f.* –en, 선서하기, 선서시키기.

Verein [fɛr-áin, fər–] [<vereinen] *m.* –(e)s, –e, ① 결합. ¶im ∼ mit 와 협력하여, 와 공저(共著)로. ② 조합, 결사, 협회, 클럽(*union, association, society, club*). **vereinbar** [fɛr-áinba:r, fər–] [<vereinen] *a.* 결합할 수 있는; 일치하는, 양립〔조화〕하는.

vereinbaren [fɛr-áinba:rən, fər–] [<einbar†] *t.* 일치시키다; (mit, 와) 합의〔협정〕하다. **Vereinbarung** *f.* –en, 일치, 협정; 합의.

vereinen [fɛr-áinən, fər–] *t.* 《雅》 = VEREINIGEN. ¶die Vereinten Nationen 국제 연합.

vereinfachen [fɛr-áinfaxən, fər–] *t.* 간단히 하다, 간소화〔단순화〕하다(*simplify*). **Vereinfachung** *f.* –en, 간소화〔단순화〕하기.

vereinheitlichen [fɛr-áinhaitlıçən, fər–] *t.* 단일로 하다, 통일(화)하다. **Vereinheitlichung** *f.* –en, 단일화, 통일.

vereinigen [fɛr-áinıgən, fər–] 《Ⅰ》 *t.* 하나로 하다, 합일〔결합·합병〕하다(*unite, join, combine*); 연합〔협력〕시키다(*ally*); 일치〔조화〕시키다(*reconcile*). ¶die Vereinigten Staaten (von Amerika) (아메리카) 합중국 / das Vereinigten Europa 유럽 연합. 《Ⅱ》 *refl.* 하나로 돌아가다, 일치〔합동·결합·집합·집중〕하다; (jm., 아무와) 협정하다. **Vereinigung** *f.* –en, 합일, 합병, 결합, 동맹, 연합; 집합; 합류; 협정; 화합; 협회, 회, 회사, 단체, 클럽.

vereinnahmen [fɛr-áinna:mən, fər–] *t.* (돈을) 영수하다, 수금(收金)하다.

vereinsamen [fɛr-áinza:mən, fər–] *t.* 고립시키다, 고독하게 하다(*isolate*); *i.*(s.) u. *refl.* 고립하다, 고독하게 되다; 한거(閑居)하다.

Vereins-gebiet *n.* 독일 관세 동맹 가입 영역. **∼haus** *n.* 클럽, 회관. **∼kasse** *f.* 단체〔조합·협회〕의 기금. **∼meier** *m.* 협회〔조합〕 일에 열심인 사람, 클럽광. **∼mitglied** *n.* 회원, 조합원. **∼-und versammlungsrecht** *n.* 결사 집회의 자유〔권리〕. **∼wesen** *n.* 결사·조합(의 제도·운동).

vereinzeln [fɛr-áinstəln, fər–] 《Ⅰ》 *t.* 따로따로 하다; 떼어 놓다. 《Ⅱ》 **vereinzelt** *p. a.* 따로따로의, 개개의(*single*). ¶∼ (*adv.*) auftretend 특발성(特發性)의 (*sporadic*).

vereisen [fɛr-áizən, fər–] *i.*(s.) 결빙(結氷)〔동결〕하다. **Vereisung** *f.* –en, 결빙, 동결.

vereiteln [fɛr-áitəln, fər–] *t.* 무효로 하다, 좌절〔실패〕케 하다. **Vereit(e)lung** *f.* –en, 무효로 함; 좌절, 실패.

vereitern [fɛr-áitərn, fər–] *i.*(s.) u. *refl.* 화농(化膿)하다.

verekeln [fɛr-é:kəln, fər–] *t.* 싫증나게 하다, 구역질나게 하다.

verelenden [fɛr-é:lɛndən, fər–] *i.*(s.) 빈곤화하다. **Verelendung** *f.* –en, 빈곤화(*pauperization*).

verenden [fɛr-ɛ́ndən, fər–] *i.*(s.) 〖獵〗 죽다《야수가》.

verenge(r)n [fɛr-ɛ́ŋərn, –ən, fər–] 《Ⅰ》 *t.* 좁히다; 수축시키다. 《Ⅱ》 *refl.* 좁아지다.

vererben [fɛr-ɛ́rbən, fər–] 《Ⅰ》 *t.* (유산으로서) 남기다, 전하다(*leave*); 유전(遺傳)하다(*transmit*). 《Ⅱ》 *refl.* 전해지다 (*be hereditary*). **Vererbung** [fɛr-ɛ́rbuŋ, fər–] *f.* –en, 전함, 전해짐; 유전.

Vererbungs-gesetz *n.* 유전 법칙. **∼theorie** *f.* 유전학설.

vererzen [–é:rtsən, –ɛ́r–] *i.*(s.) u. *refl.* 광화(鑛化)하다; *t.* 광화시키다.

verewigen [fɛr-é:vıgən, fər–] 《Ⅰ》 *t.* 영구화하다, 불후(不朽)하게 하다. 《Ⅱ》 **verewigt** [–é:vıçt] *p. a.* 불후의; 죽은. ¶der 〔die〕 ∼e 고인(故人).

verfahren* [fɛrfáːrən, fər–] 《Ⅰ》 *t.* (길을) 차로 파괴하다; 《比》 엉망진창으로 만들다(*muddle*). 《Ⅱ》 *i.* (s. *u.* h.) 행동하다, (…하게) 처신하다, 처치하다, (…한) 처우를[방법을] 취하다, 취급하다, 다루다(*proceed, act, behave*). 《Ⅲ》 *refl.* 차를 몰다가 길을 잃다; 《比》 궁지에 빠지다. 《Ⅳ》 **Verfahren** *n.* -s, -, (…하는) 투, 취급, 처리, 처치; 방법, 방식; 절차. ¶ das ∼ einleiten, (gegen, 에 대해) 법률상의 절차를 밟다.

Verfall [fɛrfál, fər–] [<verfallen] *m.* -(e)s, 멸망, 쇠미(衰微), 붕괴(*decay, decline, ruin*); 기한 경과, 만기(*expiration*); (권리의) 상실, 실효(失效)(*forfeiture*). **verfallen*** [fɛrfálən, fər–] 《Ⅰ》 *i.*(s.) ① 멸망[쇠미]하다; 썩다, 붕괴하다. ② (in et.[4], 에) 빠지다; (병에) 걸리다. ③ (auf et.[4], 에) 생각이 미치다; 〖商〗 (fällig werden, sein) 만기가 되다(*become due*); 기한이 지나다(*expire*). 《Ⅱ》 **verfallen** *p.a.* ① 쇠미한, 퇴폐한, 썩은; 실효의; 만기의. ② 〖商〗 만기의; 〖法〗 실효한; 귀속한. ¶ ∼es Pfand 유전물(流典物) / ∼e Güter 몰수 재산.

Verfall≈erklärung *f.* 몰수. **∼frist** *f.* 〖商〗 (어음의) 지급 기한, 만기. **∼≈klausel** *f.* 지급 조건. **∼recht** *n.* 〖法〗 몰수권.

Verfalls≈erscheinung *f.* 쇠미의 증후. **∼zeit** *f.* 〖商〗 (어음 따위의) 지급 기한, 만기(일).

Verfall≈tag *m.* 만기일, 지급 기일. **∼≈zeit** *f.* 지급 기한.

verfälschen [fɛrfɛ́lʃən, fər–] *t.* 위조[변조]하다(*falsify*); (포도주에) 다른 것을 섞다(*adulterate*). **Verfälscher** *m.* -s, -, 위조[개찬(改竄)]자. **Verfälschung** *f.* -en, 위조, 변조.

verfangen* [fɛrfáŋən, fər–] 《Ⅰ》 *i.*(h.) 효과가 있다, (bei jm., 아무에게) 쓸모 있다(*tell* (*on*)). 《Ⅱ》 *refl.* 붙잡히다, 휩쓸리다; 엉클어지다《그물이》. **verfäng≈lich** *a.* 위험한(*risky*); 방심할 수 없는(*captious, insidious*).

verfärben [fɛrfɛ́rbən, fər–] *refl.* 퇴색[변색]하다; 안색이 변하다, 창백해지다.

verfassen [fɛrfásən, fər–] *t.* 작성[기초]하다(*compose, draw up*); 쓰다, 저작하다(*write*). **Verfasser** *m.* -s, -, 기초자; 저자. **Verfassung** *f.* -en, (문서의) 작성; 저작; (심신의) 상태(*state, condition*); (Gemüts∼) 기분(*disposition*); 체질; 체제, 제도; 헌법(*constitution*).

Verfassungs≈anfänger *m.* 헌법 (옹호)주의자, 헌법학자. **∼bruch** *m.* 헌법 위반, 위헌. **∼eid** *m.* 헌법상의 선서. **∼entwurf** [fɛrfásuŋs–, fər–] *m.* 헌법 초안. **∼mäßig** *a.* 헌법에 의한, 입헌적인. **∼tag** *m.* 헌법 발포 기념일. **∼treu** *a.* 헌법에 충실한. **∼urkunde** *f.* 헌법. **∼widrig** *a.* 헌법 위반의.

verfaulen [fɛrfáulən, fər–] *i.*(s.) 부패하다, 썩다.

verfechten* [fɛrfɛ́çtən, fər–] *t.* (fechtend verteidigen) (을) 위해 싸우다, 방위하다, 옹호[변호]하다(*defend, fight for*). **Verfechter** *m.* -s, -, 옹호자, 변호자, 주장자.

verfehlen [fɛrféːlən, fər–] 《Ⅰ》 *t.* 그르치다, 빗나가게 하다, 잘못하다. 《Ⅱ》 **verfehlt** *p.a.* 틀린, 실패한, 부적당한. **Verfehlung** *f.* -en, 과오; 〖法〗 위반.

verfeinden [fɛrfáindən, fər–] *t.* 대적하게 하다(jn., mit jm.); *refl.* (mit, 에게) 적대하다, (을) 적으로 하다.

verfeinern [fɛrfáinərn, fər–] *t.* 정제[정련·순화·세련]하다; 개량[교화]하다.

verfemen [fɛrféːmən, fər–] *t.* 법률의 보호 밖에 두다; 추방하다, 배척하다; (와) 절교하다.

verfertigen [fɛrfɛ́rtɪgən, fər–] *t.* 만들(어 내)다, 제조[조제·제작]하다(*make, manufacture*). **Verfertiger** *m.* -s, -, 작성자, 제작자, 조제자. **Verferti≈gung** *f.* -en, 작성, 제작, 조제.

Verfettung [fɛrfɛ́tuŋ, fər–] *f.* -en, 지방화(脂肪化); 지방 과다(過多), 비만.

verfeuern [fɛrfɔ́yərn, fər–] *t.* 연료에 쓰다, 불태우다, 때다.

verfilmen [fɛrfílmən, fər–] *t.* 영화화하다.

verfilzen [fɛrfíltsən, fər–] *t.* 펠트로 만들다; (털 따위를) 엉클어뜨리다. **verfil≈zent** *p.a.* 엉클어진.

verfinstern [fɛrfínstərn, fər–] *t.* 어둡게 하다, 암흑화하다; 〖天〗 식(蝕)하다. **Verfinsterung** *f.* -en, 암흑화; 〖天〗 식(蝕).

verfitzen [–fítsən] *t.* 엉클어뜨리다.

verflachen [–fláxən] *i.*(s.) u. *refl.* 평평하게 되다, 얕아지다; 《比》 천박해지다.

verflechten* [–flɛ́çtən] *t.* 떠[짜]맞추다; 《比》 휩쓸려들게 하다, 연루[관련]시키다(*implicate, involve*).

verfliegen* [–flíːgən] *i.*(s.) 날아가 버리다; 《比》 달아나 버리다; (시간이) 빨리 지나다; 발산[휘발]하다; 사라지다.

verfließen* [fɛrflíːsən, fər–] 《Ⅰ》 *i.*(s.) 흘러가 버리다; 써다, 삐다《조수가》; (시간이) 경과하다. ¶ (ineinander) ∼ 융합[혼합]하다《색이》. 《Ⅱ》 **verflossen** *p.a.* 지나간(*past*); 지난, 전의(*late*).

verfluchen [fɛrflúːxən, fər–] 《Ⅰ》 *t.* 저주하다(*curse*). 《Ⅱ》 **verflucht** *p.a.* 저주받은; 지긋지긋한; 《俗》 터무니없는; *adv.* 턱없이, 굉장히. ¶ ∼! 빌어먹을, 아뿔싸, 에헤.

verflüchtigen [fɛrflʏ́çtɪgən, fər–] 《Ⅰ》 *t.* 발산[휘발]시키다. 《Ⅱ》 *refl.* 발산[휘발]하다.

Verfluchung [fɛrflúːxuŋ, fər–] *f.* -en, 저주; 〖宗〗 파문.

verflüssigen [–flʏ́sɪgən] 《Ⅰ》 *t.* 녹이다; 액화하다. 《Ⅱ》 *refl.* 녹다.

Verfolg [fɛrfɔ́lk, fər–] *m.* -(e)s, 경과, 진행(*course, process*). **verfolgen** *t.* 뒤쫓다, 추적[추구]하다(*follow, pursue*); 〖軍〗 추격하다, 박해하다(*persecute*); 〖法〗 소추하다(*prosecute*); (어떤 진로 또는 흔적을) 따라가다, 더듬어 가다(*continue*). **Verfolger** *m.* -s, -, 추적자, 추구자; 박해자. **Verfolgung** *f.* -en, 추적, 추구; 추격(追擊); 박해; 수행, 속행(續行); 〖法〗 소추. **Verfolgungswahn(sinn)** *m.* 추적[박해] 망상.

verformen [fɛrfɔ́rmən, fər–] *t.* ① (의) 형태를 바꾸다, 변형하다; (의) 모양을 손상하다. ② ＝FORMEN.

V

verfrachten [fɛrfráxtən, fər–] *t.* 임대(賃貸)하다《배를》; 운송(運送)하다《물품을》(*freight*); (의) 운임을 물다.
verfremden [fɛrfrémdən, fər–] *t.* 서먹서먹해지다, 사이가 멀어지다. **Verfremdung** *f.* –en, 서먹서먹해짐, 환멸(을 느낌), 실망; 소외.
verfressen* [fɛrfrésən, fər–]《I》*t.* (마소가 또는 마소처럼)먹어치우다. ¶ sein Vermögen ～ 재산을 탕진하다. 《II》*refl.* 과식하다; 식상하다. 《III》**verfressen** *p.a.* 《俗》폭식하는, 걸걸하는.
verfrüht [fɛrfrý:t, fər–] *p. a.* 너무 이른, 상조(尙早)의(*premature*).
verfügbar [fɛrfý:kba:r, fər–] *a.* 자유로 처리할 수 있는, 자기 마음대로 되는.
verfügen [fɛrfý:gən, fər–]《I》*t.* 지시하다, 지정〔지령·규정·제정〕하다(*order, enact*). 《II》*i.*(h.) (über jn. 〔et.〕, 를) 처리하다, 마음대로 하다(*dispose (of)*). ¶ zu ～ haben (über jn. 〔et.〕, 가) 자유로 되다, (을) 마음대로 처리할 수 있다. **Verfügung** *f.* –en, 지령, 규정; 법령; 처리, 처치, 처분. ¶ zur ～ stellen 자유로 처리하게 하다, 자유에 맡기다, 쓰게 하다, 이용하게 하다.
verführen [fɛrfý:rən, fər–] *t.* 그릇된 길로 인도하다, 유혹하다(*seduce*); 매수하다(*corrupt*). **Verführer** *m.* –s, –, 유혹자. **verführerisch** *a.* 유혹적인, 매혹적인. **Verführung** *f.* –en, 유혹; (증인 등의) 매수.
verfumfeien [fɛrfúmfaiən, fər–] *t.* 《俗》① 헛되이 써 버리다《시간·돈을》. ② 못쓰게 만들다.
verfüttern [–fýtərn] *t.* 사료로 쓰다.
vergaffen [–gáfən] *refl.* (in jn. 〔et.〕, 에게) 반하다.
vergällen [fɛrgélən, fər–] [<Galle] *t.* 쓰게 하다(*embitter*); 싫어지게 하다; (알콜에) 딴 것을 타서 음료로 적당치 않게 하다(*denature*).
vergaloppieren [fɛrgalɔpí:rən, fər–] *refl.* 《俗》서둘러 일을 망치다, 엉뚱한 잘못을 저지르다.
vergammeln [–gáməln]《俗》《I》*i.*(s.) 망쳐지다. ¶ er ist völlig vergammelt 녀석은 이제 틀렸어. 《II》*t.* 헤푸게 쓰다, 낭비하다.

vergangen [fɛrgáŋən, fər–] [<vergehen] *p. a.* 지나간, 과거의(*gone, past*). ¶ im ～ Jahre 지난 해. **Vergangenheit** *f.* –en, 기왕(旣往), 과거, 옛날.
vergänglich [fɛrgéŋlıç, fər–] *a.* 지나가 버리기 쉬운, 덧없는(*passing, perishable*). **Vergänglichkeit** *f.* –en, 덧없음, 무상(無常).
vergasen [–gá:zən] *t.* u. *refl.* 가스로 채우다; 가스로 소독하다; 가스로 변하게 하다, 기(체)화하다. **Vergaser** *m.* –s, –, 기화기(氣化器), 가스 발생로(爐).
Vergasermotor *m.* 가솔린 모터.
vergaß [fɛrgá:s, fər–] ☞ VERGESSEN 《그 過去》.
vergeben* [fɛrgé:bən, fər–]《I》*t.* ① (카드를) 잘못 나누다. ② 주다, 수여하다(*give away, confer (on)*). ¶ e–n Auftrag ～ 주문하다. ③ (권리를) 양도하다, 포기하다(*cede*). ¶ sich³ et. ～ 자기의 품위〔권리〕를 해치다. ④ 용서하다(♀*forgive, pardon*). 《II》**vergeben** *p. a.* (=vergeblich) 헛된. **vergebens** *adv.* 무익하게, 헛되이(*in vain*). **vergeblich** *a.* 무익한, 헛된, 쓸데없는; *adv.* =VERGEBENS. **Vergebung** *f.* –en, 줌, 수여; 용서; 〖宗〗사면, 사죄.
vergegenständlichen [fɛrgé:gən–, fər–] *t.* 대상화하다, 구상화하다.
vergegenwärtigen [fɛrgé:gənvɛrt–, fɛrge:gənvért–, fər–] *t.* 눈앞에 나타내다. ¶ sich³ et. ～ 무엇을 마음속에 그리다, 생각해 내다(*picture to oneself, realize*).
vergeh(e)n* [fɛrgé:ən, fər–]《I》*i.*(s.) 지나가다, (시간이) 경과하다(*pass away*); 사라지다(*disappear*); 망하다; 약해지다, 쇠하다; 멎다; 죽다. 《II》*refl.* 그르게 되다, 그릇된 짓을 하다(*commit an offence, trespass*); (gegen, 을) 범하다; 능욕하다. 《III》**Vergehen** *n.* –s, –, 경과, 소실; 위반.
vergeistigen [–gáistigən] *t.* 정신적으로 하다, 영화(靈化)하다.
vergelten* [fɛrgéltən, fər–] *t.* 갚다, 보답하다(*repay, return, reward*), 보복하다(*retaliate*). ¶ vergelt's Gott! 대단히 고맙습니다《그 일에 신의 보답이 있기를》. **Vergeltung** *f.* –en, 갚음, 보답; 앙갚음, 보복; 인과 응보.
Vergeltungs∙angriff *m.* 보복 공격. **～feuer** *n.* 보복 사격. **～maßnahmen, ～maßregeln** *pl.* 보복 처치〔수단〕. **～recht** *n.* 보복권.
vergessen* [fɛrgésən, fər–] [engl. *forget*]《I》*t.* 잊다, 망각하다. 《II》**vergessen** *p. a.* 잊혀진. **Vergessenheit** *f.* –en, 망각(*oblivion*). **vergeßlich** *a.* 잘 잊는. **Vergeßlichkeit** *f.* –en, 건망.
vergeuden [fɛrgɔ́ydən, fər–] *t.* 낭비하다; 탕진하다. **Vergeuder** *m.* –s, –, 낭비자, 탕진자. **Vergeudung** *f.* –en, 낭비, 탕진.
vergewaltigen [–váltıgən] *t.* (에) 폭력을 가하다; (부녀자에게) 폭행하다.
vergewerkschaften [fɛrgəvérk–, fər–] *t.* (어떤 조합에) 소속시키다.
vergewissern [fɛrgəvísərn, fər–]《I》*t.* ① 확실히 하다, 확인하다. ② jn. e–s Dinges ～ 아무에게 무엇을 보증하다, 확신시키다. 《II》*refl.*: sich e–s Dinges ～ 무엇을 확인하다.
vergießen* [fɛrgí:sən, fər–] *t.* 잘못 붓다〔쏟다〕; 흘리다《눈물을》.
vergiften [fɛrgíftən, fər–] *t.* ① (에) 독을 넣다, 독화(毒化)하다 ② jn.: 독살하다. **vergiftend** *p.a.* 독성의. **Vergiftung** *f.* –en, 독을 넣음; 독살; 중독.
Vergiftungs∙erscheinung *f.* 〖醫〗중독 증후. **～fall** *m.* 중독증례(例). **～wahn** *m.* 피독 망상.
vergilbt [–gilpt] [<gelb] *p. a.* 노랗게 변한.
vergiß! [fɛrgís, fər–], **vergissest** (du ～), **vergißt** (du, er ～) ☞ VERGESSEN 《그 命令法 및 現在》.
Vergißmeinnicht [–mainnıçt] *n.* –(e)s, –(e), 〖植〗물망초(♀*forget-me-not*).
vergittern [–gitərn] *t.* 격자(格子)로 두르다, (에) 격자를 둘러치다.

verglasen [-glá:zən] *t.* u. *refl.* 유리화하다. **verglast** *p. a.* 응시하는 (눈).

Vergleich [fɛrgláiç, fər-] *m.* -(e)s, -e, ① 비교, 대비. ¶im ~ zu …에 비하여. ② 조정, 화해, 타협; 협정. **vergleich≈bar** *a.* 비교할 수 있는. **vergleichen*** [fɛrgláiçən, fər-] *t.* ① 고르(게 하)다, 판판하게 하다; 《比》 화해시키다, 조정하다(*settle, reconcile*). ¶sich mit jm. über et.[4] ~ 아무와 무엇에 대해 화해〔협조〕하다. ② 대비〔비교〕하다(*compare*).

Vergleichs≈punkt *m.* 계약〔협정〕조목. **~versuch** *m.* 화해〔조정〕의 시도. **~vorschlag** *m.* 조정의 제안. **~≈weise** *adv.* 화해〔협정〕에 의해.

Vergleichung [-gláiçuŋ] *f.* -en, ① 균등화. ② 비교, 대조; 교합. ¶e-e ~ anstellen 비교하다. ③ 조정, 화해; 화의.

Vergleichungs≈grad *m.* 〚文〛 비교의 계급《원급·비교급·최고급》. **~methode** *f.* 비교 연구법. **~punkt** *m.* 비교점; 계약 조항. **~weise** *adv.* 비교해서 (말하면).

vergletschern [fɛrglétʃərn, fər-] *i.*(s.) 빙하화하다; *t.* 빙하로 덮다〔침식하다〕. **vergletschert** [-glétʃərt] *p. a.* 빙하를 형성하는.

verglimmen(*) [fɛrglímən, fər-] *i.*(s.) u. *refl.* (차츰) 꺼져 가다《숯불 따위가》.

vergnügen [fɛrgný:gən, fər-] [<genug] 《I》 *t.* 만족시키다, 즐겁게 하다(*amuse*). 《II》 *refl.* (an, 으로) 즐기다, 위안을 삼다, 흥겨워하다(*enjoy, take pleasure*). 《III》 **Vergnügen** *n.* -s, -, 만족; 즐거움, 위안. 《IV》 **vergnügt** [-kt] *p. a.* 만족한, 즐거워하는; (über et.[4], 을) 기뻐하는. **Vergnügung** *f.* -en, 오락, 즐거움.

Vergnügungs≈ort [fɛrgný:guŋs-, fər-] *m.* 오락장. **~reise** *f.* 만유(漫遊), 유력(遊歷). **~reisende** *m.* u. *f.* 《形容詞變化》 유력자(遊歷者). **~steuer** *f.* 오락세, 유흥세. **~sucht** *f.* 오락 추구. **~süchtig** *a.* 오락을 즐기는, 쾌락주의의.

vergolden [-gɔ́ldən] *t.* (에) 금을 입히다, 금도금을 하다(*gild*). **Vergolder** *m.* -s, -, 금도금사. **Vergoldung** *f.* -en, 도금.

vergönnen [-gœ́nən] *t.* 허락하다(*allow, not to grudge*).

vergotten [-gɔ́tən] *t.* 신화(神化)하다 (*deify*). **vergöttern** [-gœ́tərn] *t.* 신화(神化)하다; 《比》 (신처럼) 존숭(尊崇)〔경앙(景仰)〕하다(*idolize*). **Vergötterung** *f.* -en, 존숭, 경앙.

vergraben* [fɛrgrá:bən, fər-] *t.* 묻어 감추다, 매장하다; 〚軍〛 참호 속에 숨기다. 「픔에 야윈.

vergrämt [-grέ:mt] [<Gram] *p. a.* 슬

vergreifen* [-gráifən] 《I》 *refl.* ① 잘못 잡다; 《一般的》 잘못하다, 실패하다(*mistake*). ② (an, 을) 범하다, (에) 폭력〔폭행〕을 가하다(*touch, strike (at), violate*). 《II》 **vergriffen** *p. a.* 매진된, 절판된.

Vergreisung [fɛrgráizuŋ, fər-] *f.* 노쇠; (출산 감소와 평균 수명의 연장에 의한 민족의) 노화 현상.

vergröbern [-grǿ:bərn] *t.* 조잡하게 하다; *refl.* 조잡해지다.

vergrößern [-grǿ:sərn] *t.* (보다) 크게 하다, 확대하다, 잡아늘이다(*enlarge, magnify*). **Vergröß(e)rung** [-grǿ:səruŋ] *f.* -en, 증대; 확대; 과장; 〚理〛 배율(倍率).

Vergröß(e)rungs≈apparat *m.* 〚寫〛 확대기. **~glas** *n.* 확대경. **~kraft** *f.* 배율. **~linse** *f.* 확대 렌즈, 볼록렌즈.

Vergünstigung [-gýnstɪguŋ] *f.* -en, 허가(*permission*); 특전, 우대(*privilege*); 〚商〛 특가.

vergüten [-gý:tən] *t.* 갚다, 보상하다 (*compensate*); 상환하다(*reimburse*). **Ver≈gütung** *f.* -en, 보상; 상환.

verhaften [-háftən] *t.* 체포하다, 구금하다(*arrest, imprison*). **Verhaftung** *f.* -en, 체포, 구인(拘引).

Verhaft(ung)s≈befehl *m.* 체포령. ¶e-n ~befehl gegen jn. erlassen 아무에 대하여 체포령을 발하다. **~brief** *m.* 체포 영장. 「입다.

verhageln [-há:gəln] *i.*(s.) 우박의 해를

verhallen [-hálən] *i.*(s.) (울림이) 사라져 가다, 울림이 그치다.

verhalten* [-háltən] 《I》 *t.* 억누르다, 억제하다(*keep back, retain*). ¶den Atem ~ 숨을 죽이다. 《II》 *refl.* (어떤) 태도를 취하다, 행동하다(*behave, conduct*); (어떤) 사정에 있다, 상태이다(*remain, be stand*); (zu, 와) (wie, 처럼) 비례하다(*be in proportion to*). ¶A verhält sich zu B wie C zu D, A와 B와의 비는 C와 D와의 비와 같다 / sich umgekehrt ~, (zu, 에) 반비례하다. 《III》 **Verhalten** *n.* -s, 제지, 억제; 거동, 태도; 작용. 《IV》 **verhalten** *p.a.* 억눌린; 말없는. ¶mit ~em Atem 숨을 죽이고.

Verhaltensforschung [fɛrháltənsfɔrʃuŋ, fər-] *f.* (동물의) 생태 연구(＝Ethologie 생태학).

Verhältnis [fɛrhέltnɪs, fər-] *n.* -ses, -se, ① 균형; 〚數〛 비, 비례(*proportion, rate*). ② 관계, 사이(*relation*); (Liebes~) (연애의) 관계(*love-affair*); (관계하는) 상대. ③ (흔히 *pl.*) 상태, 상황, 사정, 경우(*condition, circumstance*); 신분, 신상.

Verhältnis≈gleichung *f.* 비례. **~≈mäßig** *a.* 균형이 잡힌, 비례하는; *adv.* 비례하여; 비교적. **~wahl** *f.* 비례 선거. **~widrig** *a.* 균형이 잡히지 않은. **~wort** *n.* 〚文〛 전치사. **~zahl** *f.* (통계) 비례수.

Verhaltungs≈befehl [fɛrháltuŋsbəfe:l, fər-] *m.* 명령, 지시. **~maßregel** *f.* 훈령(訓令).

verhandeln [-hándəln] 《I》 *t.* 장사하다, 팔다(*sell*); 토의하다(*discuss*). 《II》 *i.*(h.) 상의〔담판〕하다(*negotiate, treat*); (gerichtlich ~) 심리하다(*try*). **Ver≈handlung** [-dl-, -tl-] *f.* -en, 상의, 토의, 담판; 의사(議事); 〚法〛 변론, 심리.

Verhandlungs≈bericht *m.* 의사(議事)〔심리〕 보고. **~buch** *n.* 의사록. **~saal** *m.* 의사당, 심리실, 공판정.

verhängen [fɛrhέŋən, fər-] *t.* ① 걸쳐 덮다, 덮어 감추다(*cover*). ② 말의 고삐

V

를 늦추다. ¶ mit verhängten Zügeln 전속력으로, 쏜살같이. ③ 맡기다, 허락하다; (벌이나 형을) 주다, 내리다(*inflict, impose*). ¶ wie es Gott verhängt 신의 심판대로. **Verhängnis** *n.* –ses, –se, (신이 내리는) 운명, 신의(神意), 숙명, 천명(*fate, destiny*); (특히) 악운, 화(*disaster*). **verhängnisvoll** *a.* 숙명적인(*fatal, fateful*); 화가 되는, 불운한, 불길한(*disastrous*).

verhärmt [fɛrhɛ́rmt, fər–] *a.* 슬픔으로 여윈.

verharren [–hárən] *i.*(h. u. s.) (언제까지나) 머무르다(*remain*); (bei, 을) 고집하다(*persist (in)*).

verharschen [–hárʃən] *i.*(s.) 딱지가 앉다, 유착(癒着)하다《상처가》; 결빙(結氷)하다.

verhärten [–hɛ́rtən] *t.* 단단하게 하다, 경화(硬化)시키다; *refl.* 경화하다. **Verhärtung** *f.* –en, 단단하게 함; 경화; 냉혹(하게 됨); 〖醫〗 변비.

verhaspeln [–háspəln] *refl.* 얽히다; 혀가 꼬부라지다, 말이 갈피를 잡을 수 없게 되다.

verhaßt [–hást] *a.* 미움받은(*hated*); 가증할, 염오를 받는(*hateful, odious*); 《俗》 싫은.

verhätscheln [–hɛ́:tʃəln] *t.* 어하다《어린아이를》.

Verhau [–háu] *m.* –(e)s, –e, 녹채(鹿砦) (*abat(t)is*).

verhauen* [–háuən] 《Ⅰ》 *t.* ① 끊다, (가지를) 자르다, (나무를) 베다. ② 《俗》 녹초가 되게 두들기다(*thrash*). ③ 다 베다; 《俗》 (재산을) 탕진하다. ④ 잘못 베다. 《Ⅱ》 *refl.*: 《比》 큰 실수를 저지르다(*blunder*).

verheben* [fɛrhé:bən, fər–] *refl.* 무거운 물건을 들어올리다가 팔을 삐다.

verheeren [–hé:rən] [„mit Heeresmacht verderben"] *t.* 유린하다, 황폐케 하다 (*devastate, lay waste*). **verheerend** *p.a.* 파괴적인, 유해한, 무서운; 지독한, 터무니없는. **Verheerung** *f.* –en, 유린, 겁략(劫掠), 파괴; 황폐.

verhehlen(*) [–hé:lən] *t.* 감추다, 은폐하다(*conceal*).

verheilen [–háilən] *i.*(s.) u. *refl.* (상처가) 아물다, 낫다.

verheimlichen [–háimlıçən] *t.* 비밀로 하다, 숨기다.

verheiraten [–háira:tən] *t.* (mit jm. *od.* an jn., 아무와) 결혼시키다(*marry*); *refl.* 결혼하다(*marry, get married*). **Verheiratung** *f.* –en, 결혼(*marriage*).

verheißen* [–háisən] *t.* (줄 것을) 약속하다(*promise*). **Verheißung** [–háisuŋ] *f.* –en, (줄) 약속. **verheißungsvoll** *a.* 유망한, 가망이 있는.

verheizen [–háitsən] *t.* (종이·나무·석탄 따위를) 화로에서 태우다; 《俗》 군대를 무익하게 투입하다; (술을) 마시다.

verhelfen* [fɛrhɛ́lfən, fər–] *i.*(h.) (jm., 아무를) 도와 (zu, 를) 얻게 하다.

verherrlichen [–hɛ́rlıçən] *t.* (의) 영광을 찬양하다, 찬미하다(*glorify*). **Verherrlichung** *f.* –en, 찬미(*glorification*).

verhetzen [–hɛ́tsən] *t.* 부추기다, 사주하다(*instigate*).

verhexen [–hɛ́ksən] *t.* 마술에 걸리게 하다, 둔갑하게 하다(*bewitch*).

verhimmeln [–hímәln] *t.* 신으로 섬기다; 《比》 찬탄〔갈앙(渴仰)〕하다.

verhindern [–híndərn] *t.* 저지〔방해〕하다; (an, 을 함을) 훼방놓다. **verhindert** *p.a.* 지장이 있는. **Verhinderung** *f.* –en, 막음, 방해; 저지; 지장.

verhohlen [fɛrhó:lən, fər–] [*p.p.* < verhehlen] *a.* 숨겨진.

verhöhnen [–hǿ:nən–] *t.* 조롱하다, 모욕하다, 놀리다. **Verhöhnung** *f.* –en, 조롱, 야유.

Verhör [–hǿ:r] *n.* –(e)s, –e, 〖法〗 신문(訊問), 심문. **verhören** [fɛrhǿ:rən, fər–] 《Ⅰ》 *t.* 〖法〗 심문하다. 《Ⅱ》 *refl.* 잘못 듣다.

verhüllen [–hýlən] *t.* 덮다, 싸다, 싸서 감추다. **Verhüllung** *f.* –en, 쌈, 덮음; 덮개, 피복(被覆).

verhundertfachen [–húndərtfaxən] *t.* 백배로 하다.

verhungern [–húŋərn] 《Ⅰ》 *i.*(s.) 아사하다. 《Ⅱ》 **verhungert** *p.a.* 주려 여윈, 비참한. **Verhungerung** *f.* –en, 아사(餓死).

verhunzen [–húntsən] [„wie e–n Hund behandeln"] *t.* 《俗》 (솜씨가 없어) 망치다(*spoil, bungle*).

verhüten [–hý:tən] *t.* 방지〔예방〕하다 (*prevent*). ¶ das verhüte Gott! 그런 것은 질색이다. **Verhütung** *f.* –en, 방지, 예방.

Verhütungs≈maßregel *f.* 예방 조처〔책〕. **～mittel** *n.* 예방법〔책〕; 〖醫〗 예방약.

verhutzeln [fɛrhútsəln, fər–] *i.*(s.) 주름지다, 시들다, 오므라들다. **verhutzelt** *p.a.* 오그라든, 시든.

verirren [–írən] *refl.* 《比》 길을 잃다; **verirrt** *p.a.* 길잃은. **Verirrung** *f.* –en, 길잃음; 《比》 탈선, 실책, 과실.

Verismus [verísmus] [it.] *m.* –, (예술상의) 진실주의, (특히 이탈리아의) 자연주의.

verjagen [fɛr-já:gən, fər–] *t.* 쫓아내다, 내쫓다; 〖軍〗 패주케 하다.

verjähren [fɛr-jɛ́:rən, fər–] 《Ⅰ》 *i.*(s.) 시효에 걸리(어 소멸하)다; 낡아지다, 시대에 뒤지다. 《Ⅱ》 **verjährt** *p.a.* ① 연공을 쌓은; 낡은; 시효에 걸린(*prescriptive*). **Verjährung** *f.* –en, 〖法〗 시효(*prescription, limitation*).

verjubeln [–jú:bəln] *t.* 환락으로 보내다 《시간을》; 방탕으로 다 써버리다《돈을》.

verjuden [fɛr-jú:dən, –fər–] *i.*(s.) 유대(인)화하다.

verjüngen [–jýŋən] 《Ⅰ》 *t.* 되젊어지게 하다(*rejuvenate*); 갱신하다(*renew*); 〖工〗 축도〔축소〕하다; 뾰족하게 하다, (끄트머리 쪽을 점점) 가늘게 하다(*taper*). 《Ⅱ》 *refl.* 회춘하다; 갱신되다; 뾰족하게 되다, 가늘어지다. ¶ im verjüngten Maßstabe 축척으로. **Verjüngung** *f.* –en, 회춘; 갱신; 축소; 끝을 가늘게 함.

Verjüngungs≈kur *f.* 회춘법. **～maß≈stab** *m.* 축척(縮尺).

verkadmen [–kátmən] *t.* (금속에) 카드뮴박(箔)을 입히다.

verkalken [-kálkən] *i.*(s.) u. *refl.* 석회화하다; 경화하다. **Verkalkung** *f.* -en, 석회질화; 〖化〗 하소(煆燒); 〖醫〗 (동맥) 경화.

verkanten [-kántən] *t.* (가늠쇠를) 비스듬히 (하고) 겨누다. **Verkantung** *f.* -en, (공중 사진의) 흔들림.

verkappen [fɛrkápən, fər-] 《Ⅰ》 *t.* 덮다, 숨기다; 복면〔가장〕시키다. 《Ⅱ》 **verkappt** *p.a.* 복면을 한; 익명의.

verkapseln [fɛrkápsəln, fər-] *refl.* 피막(被膜)으로 〔포낭(包囊)·각지로〕 싸이다; 《比》 들어박히다.

verkätert [fɛrkɛ́:tərt, fər-] [<Kater] *a.* 《俗》 숙취(宿醉)의.

Verkauf [fɛrkáuf, fər-] *m.* -(e)s, ¨e, 팖, 판매. **verkaufen** [-káufən] *t.* 팔다(*sell*). ¶ zu ~ sein 매물(賣物)이다, 팔리다; *refl.* 팔리다. **Verkäufer** [fɛrkɔ́yfər, fər-] *m.* -s, -, **Verkäuferin** *f.* -nen, 파는 사람; 점원, 판매자. **verkäuflich** *a.* 팔 수 있는; 팔리는; (leicht ~) 팔 수 있는, 잘 팔리는; 돈으로 마음대로 되는, 매수할 수 있는.

Verkaufs-abteilung *f.* 판매부. **~bedingung** *f.* 판매 조건. **~preis** *m.* 파는 값. **~stand** *m.* 매점. **~vermittler** *m.* 거간꾼, 중개인.

Verkehr [fɛrké:r, fər-] *m.* -(e)s, 《稀》 -e, 교통, 운수(*traffic*); 교제(*intercourse*); (geschlechtlicher ~) 성교; 거래(관계), 상업(*commerce, trade*). **verkehren** [-ke:rən] 《Ⅰ》 *t.* 역(逆)으로 하다, 전도하다(*turn, reverse*); 사도(邪道)로 이끌다. 《Ⅱ》 *refl.* 역으로 되다, 바뀌다, (in, et., 로) 변하다. 《Ⅲ》 *i.*(h.) 왕래하다, 출입하다; 교통하다(*run, be operated*); 교역하다, 거래하다(*trade, deal*); 교제하다(*associate*); 성교하다(*have intercourse*).

Verkehrs-āder *f.* 교통의 대동맥〔요로〕. **~ampel** *f.* 교통 신호등《가로의》. **~amt** *n.* 교통국. **~andrang** *m.* 교통의 번잡. **~flūgzeug** *n.* 정기 항공기(機). **~insel** *f.* 안전 지대《시가의》. **~knōtenpunkt** *m.* 교차점. **~lampe** *f.* =~AMPEL. **~minister** *m.* 교통부 장관. **~mittel** *n.* 교통 기관. **~rēg(e)lung** *f.* 교통 규정. **~schild** *n.* 교통 표지의 푯말. **~schutzmann** *m.* 교통 순경. **~schwach** *a.* 교통량이 적은. **~sicherheit** *f.* 교통 안전. **~stark** *a.* 교통량이 많은. ¶ ~starke Zeit 러시아워. **~stockung** *f.* 교통 두절. **~störung** *f.* 교통〔운수〕의 장애; 〖鐵〗 불통. **~straße** *f.* 교통로. **~turm** *m.* 교통 신호탑. **~unfalle** *m.* 교통 사고. **~unterricht** *m.* (경찰이 행하는) 교통 교육. **~wēsen** *n.* 교통 사항〔제도〕; 운수 사항. **~widrig** *a.* 교통 위반의. **~zeichen** *n.* 교통 표지.

verkehrt [-ké:rt] *p.a.* 거꾸로 된, 역의, 뒤바뀐, 반대의, 뒤집힌; 《比》 전도된, 도착(倒錯)된; 심술궂은, 괴팍한. **Verkehrt·heit** *f.* -en, 전도, 도착; 위의 행위.

verkennen* [fɛrkɛ́nən] *t.* 잘못 보다, 「오인〔오해〕하다.

verketten [fɛrkɛ́tən, fər-] *t.* 쇠사슬처럼 잇다, 연결하다. **Verkettung** *f.* -en, 연결; 연쇄(連鎖).

verketzern [fɛrkɛ́tsərn, fər-] *t.* 이단자라고 부르다; 《比》 (에) 오명을 씌우다, 중상하다.

verkitten [fɛrkítən, fər-] *t.* 시멘트로 「접합하다.

verklāgen [-klá:gən] *t.* 《Ⅰ》 고소〔고발〕하다. 《Ⅱ》 **Verklāgte** *m.* u. *f.* 《形容詞變化》 피고.

verklāren [-klɛ́:rən] 《Ⅰ》 *t.* 광명으로 채우다. 《Ⅱ》 **verklārt** *p.a.* 광명에 찬, 빛나는; 〖聖〗 변용(變容)한《죽기 전의 그리스도의 용모》. **Verklārung** *f.* -en, 광명으로 채움; 그리스도의 변용.

verklatschen [fɛrklátʃən, fər-] *t.* ① 뒤에서 비방하다. ② die Zeit ~ 허튼 소리로〔잡담으로〕 시간을 보내다.

verklausulieren [-klauzulí:rən] [<Klausel] *t.* (에) 단서를 붙이다, 단서로 제한〔보류〕하다.

verklēben [fɛrkle:bən, fər-] *t.* 붙여〔발라〕 틀어막다〔메우다〕; (에) (mit, 을) 붙이다.

verkleiden [-kláidən] *t.* ① 분장하여 감추다, (에) 변장〔가장〕시키다(*disguise, mask, camouflage*). ¶ sich ~ 변장〔가장〕하다. ② 〖建〗 (의 표면에) 대다, 입히다(*line, revet*). **Verkleidung** *f.* -en, 변장, 가장; 〖劇〗 분장; 〖建〗 (널판 따위를 표면에) 댐, 판자를 붙임.

verkleinern [fɛrkláinərn, fər-] *t.* 작게 하다, 축소하다; 〖數〗 약분하다; 깔보다, 얕보다. **Verkleinerung** *f.* -en, 위를 함; 〖文〗 축소.

Verkleinerungs-form *f.* 〖文〗 축소형. **~glās** *n.* 〖物〗 요(凹)면경. **~wort** *n.* 〖文〗 축소사(縮小詞)(*diminutive*).

verkleistern [fɛrkláistərn, fər-] *t.* 풀로 발라 막다, 풀칠하다; 《比》 호도(糊塗)하다.

verklingen* [fɛrklíŋən, fər-] *i.*(s.) 울림이 멎다, (소리가) 사라지다; 《比》 (기억 따위가) 희미해지다, 소멸하다.

verknallen [-knálən] 《Ⅰ》 *t.*: sein Pulver ~ 화약을 다 쓰다, 탄알을 다 쏘다. 《Ⅱ》 *refl.* 《俗》 (in jn., 아무에게) 반하다. 《Ⅲ》 *i.*(s.) 폭발하다, 폭발하여 없어지다.

verknappen [-knápən] *i.*(s.) 부족하다, 달리다. **Verknappung** *f.* 결핍, 불황(不況), 달림.

verkneifen* [-knáifən] *t.* ① 꼬집다; (얼굴을) 찡그리다; (입을) 삐죽이다. ② 《俗》 sich³ et. ~ 무엇을 억누르다, 억제하다, 참다, 단념하다.

verknöchern [fɛrknœ́çərn, fər-] *i.*(s.) 뼈로 화하다; 《比》 (심정이) 외고집으로 되다, 괴팍해지다.

verknorpeln [fɛrknɔ́rpəln, fər-] *i.*(s.) u. *refl.* 연골화(軟骨化)하다.

verknōten [-knó:tən] *t.* 매듭지게 하다, (의) 매듭을 만들다.

verknüpfen [-knýpfən] *t.* (얽어) 매다(*knot, tie*), 잇대어 붙이다, 연결〔연계·결합·연락〕하다(*connect, combine, unite*). **Verknüpfung** *f.* -en, 결합, 연결, 연계, 연락.

verkohlen [-kó:lən] [<Kohle] 《Ⅰ》 *t.* ① 숯이 되게 하다; 숯이 되게 굽다. ② 〖化〗 탄소와 화합하다. 《Ⅱ》 *i.*(s.) 숯이

되다, 탄화(炭化)하다. **Verkohlung** *f.* -en, 탄화.
verkommen* [-kɔ́mən] 《Ⅰ》 *i.*(s.) 쇠하다, 영락하다; (물건이) 썩다(*come down in the world*). 《Ⅱ》 **verkommen** *p.a.* 영락한, 타락[부패]한. **Verkommenheit** *f.* -en, 영락, 타락.
verkorken [-kɔ́rkən] *t.* 코르크로 막다, (에) 마개를 하다.
verkörpern [-kœ́rpərn] *t.* (에) 형체를 주다, 구체화하다(*embody*); (의) 화신이다, 권화(權化)로 되다; (을) 대표하다; (어떤 역을) 하다《배우가》. **Verkörperung** *f.* -en, 위를 하기; 화신, 권화.
verköstigen [fɛrkœ́stɪgən, fər-] *t.*: jn.: 급식하다, 하숙시키다.
verkrachen [-kráxən] 《Ⅰ》 *i.*(s.) 파멸하다; 파산하다. 《Ⅱ》 *refl.* (mit, 와) 결렬하다, 다투다.
verkraften [-kráftən] *t.* 기계화하다, 전화(電化)하다; 자동차를 개통시키다; 〖軍〗 기계화하다.
verkrampfen [fɛrkrámpfən, fər-] 《Ⅰ》 *t.* (에) 경련을 일으키게 하다. 《Ⅱ》 **verkrampft** *p.a.* 경련으로 뻣뻣해진; 《比》 부자연한《문체 따위》.
verkriechen* [fɛrkríːçən, fər-] *refl.* 기어들어가 숨다; (in et., 의 속으로) 기어들어가다, 숨어 버리다.
verkrümeln [fɛrkrýːməln, fər-] 《Ⅰ》 *t.* 잘게 부수어 흩다; 《比》 낭비하다. 《Ⅱ》 *refl.* 조금씩 없어지다; 뿔뿔이 떠나가다; 슬쩍 달아나다.
verkrümmen [-krʏ́mən] *t.* 굽히다; *i.*(s.) u. *refl.* 굽다. **verkrümmt** *p.a.* 굽은; 기형의. **Verkrümmung** *f.* -en, 만곡(彎曲).
verkrüppeln [-krʏ́pəln] 《Ⅰ》 *t.* 불구로 하다; 지지러지게 하다. 《Ⅱ》 *i.*(s.) 불구가 되다; 발육하지 않다, 위축하다. 《Ⅲ》 **verkrüppelt** *p.a.* 불구의; 발육 부전의.
verkrustet [-krústət] *p.a.* 딱지가 앉은.
verkühlen [fɛrkýːlən, fər-] 《Ⅰ》 *i.*(s.) 식다. 《Ⅱ》 *refl.* 《俗》 감기들다.
verkümmern [fɛrkʏ́mərn, fər-] 《Ⅰ》 *t.* 해치다(*spoil*); (권리를) 침해하다(*curtail*). 《Ⅱ》 *i.*(s.) 슬픔으로 여위다(*pine away*); 위축하다, 움츠러지다(*become stunted*). 《Ⅲ》 **verkümmert** *p.a.* 위축한, 움츠러진. **Verkümmerung** *f.* 해침; 침해; 위축.
verkünd(ig)en [-kʏ́nd(ɪg)ən] *t.* 알리다, 고하다; 공고[공포]하다. **Verkünd(ig)er** *m.* -s, -, 고지자(告知者), 공포자, 포고자; 예고자. **Verkünd(ig)ung** *f.* -en, 고지; 공포; (Vorher∼) 예고; 〖宗〗 Mariä ∼ 성모 영보《대천사 Gabriel이 그리스도의 수태를 Maria에게 알림과 그 축일》.
verkupfern [fɛrkúfərn, fər-] *t.* (에) 구리를 입히다, 구리 도금을 하다.
verkuppeln [fɛrkúpəln, fər-] 《Ⅰ》 *t.* 잇대어 붙이다, 연결하다(*couple*); 짝지우다, 중매들다; 뚜장이질하다(*pimp*). 《Ⅱ》 *refl.* (mit jm., 아무와) 야합하다.
verkürzen [-kʏ́rtsən] *t.* 짧게 하다, 줄이다, 감소하다(*shorten, cut*); 단축하다, 생략하다(*abbreviate, abridge*). ¶ jm. die Zeit ∼ 아무에게 시간 가는 줄 모르게 하다, 아무를 흥겹게 하다. **Verkürzung** *f.* -en, 단축, 삭감, 생략.
verlachen [-láxən] *t.* 조소[냉소]하다; 웃으며 보내다《시간을》.
verlacken [-lákən] *t.* (에) 래커를 칠하다.
verladen* [fɛrláːdən, fər-] *t.* (에) 싣다, 적재하다. **Verlader** *m.* -s, -, (상인과 운수업자 사이의) 적하인(積荷人). **Verladung** *f.* -en, 적재; 적하(積荷).
Verladungs·kosten *pl.* 적하료; 〖海〗 선적료. ∼**platz** *m.* 적하장; 〖海〗 선적장. ∼**schein** *m.* 선하 증권; 화물 인환권.
Verlag [fɛrláːk, fər-] [<verlegen[1]] *m.* -(e)s, -e, 출판(*publishing*); 출판물, 출판사. ¶in ∼ nehmen 출판하다. **Verläge** *pl.* 출비(出費), 영업 자금.
verlagern [fɛrláːgərn, fər-] *t.* 잘못 놓다; 틀린 위치에 두다, (의) 위치를 바꾸다, 옮기다.
Verlags·anstalt *f.* 출판사. ∼**artikel** *m.* 출판물. ∼**(buch)handel** *m.* 출판업. ∼**(buch)händler** *m.* 출판업자. ∼**(buch)handlung** *f.* 출판사. ∼**recht** *n.* 판권. ∼**werk** *n.* 출판물.
verlangen [-láŋən] [<lang] 《Ⅰ》 *i.*(h.) (nach, 을) 그리워하다, 열망하다 (*long for, crave for, desire*). 《Ⅱ》 *t.* ① 요구[청구]하다(*demand, claim*). ② 필요로 하다, 요하다(*require*). 《Ⅲ》 **Verlangen** *n.* -s, -, 원망(願望), 욕망; 요구, 청구. ¶auf js. ∼ 아무의 청구에 의해.
verlängern [-lɛ́ŋərn] 《Ⅰ》 *t.* ① 늘이다; 길게 하다, 연장하다; 연기하다. ② (수프 등을) 묽게 하다. 《Ⅱ》 *refl.* 길어지다, 늘어지다, 연기되다. **Verlängerung** *f.* -en, 연장, 신장(伸長); 연기; 연장부(延長部), 연결재(連結材); 돌기부(突起部).
verlangsamen [-láŋzaːmən] *t.* 늦추다, 완만하게 하다; *refl.* 늦어지다, 완만해지다.
verlangtermaßen [fɛrláŋtərmaːsən, fər-] *adv.* 청구[요망]대로.
verläppern [-lɛpərn] *t.* 찔끔찔끔 써 버리다《돈을》; *refl.* 조금씩 없어지다.
verlarven [fɛrlárfən, fər-] *t.* 가면을 씌우다; *refl.* 가면을 쓰다, 변장하다.
Verlaß [fɛrlás, fər-] *m.* ..lasses, ①신용. ¶es ist kein ∼ auf ihn 그는 신용이 안 된다. ② 유산. **verlassen*** [-lásən] 《Ⅰ》 *t.* (을) 떠나다, 버려두다(*leave*); 버리다, 그만두다(*abandon, forsake*). 《Ⅱ》 *refl.* (auf jn. [et.], 아무를[무엇을]) 믿다, 의지하다(*rely or depend (upon)*). 《Ⅲ》 **verlassen** *p.a.* 버림받은, 의지할 곳 없는, 황량한(*forsaken, lonely*). **Verlassenheit** *f.* -en, 의지할 곳 없음, 고독; 황량. **verlässig, verläßlich** [-lɛ́slɪç] *a.* 의지가 되는, 신용할 수 있는.
verlästern [fɛrlɛ́stərn, fər-] *t.* 중상하다, 비방하다.
Verlaub [fɛrláup, fər-] *m.* -(e)s, : mit ∼ 실례지만(*by your leave*).
Verlauf [fɛrláuf, fər-] *m.* -(e)s, ..läufe, 경과; 나아감, 진전; (일의) 되어감, 진행. **verlaufen*** [-láufən] 《Ⅰ》 *t.* ① 뛰면서 (시간을) 보내다. ② 달려서[걸어

서〕고치다《두통·소화 불량·울적함 따위를》. 《Ⅱ》*i.*(s.) ①(시간이) 지나다, 경과하다(*expire*). ②(일이) (어떤) 과정을 더듬다, (..으로) 되어 가다(*come, go off*). ③(길 따위가) 뻗어 있다, 계속하다. 《Ⅲ》*refl.* 길을 잃다(*go astray*); (군중이) 흐터지다. 《Ⅳ》**verlaufend** *p. a.* 길잃은(*stray, lost*). ¶ein ~er Hund 집잃은 개.

verlautbaren [fɛrláutba:rən, fər-] 《Ⅰ》*t.* 공고〔고시〕하다. 《Ⅱ》*i.*(h.) = VERLAUTEN. **verlauten** *i.*(h.) (비밀 따위가) 새다, 널리 알려지다. ¶et. ~ lassen 누설하다, 입 밖에 내다 / *imp.* es verlautet, daß... …이라는 소문이다.

verleben [-lé:bən] *t.* 지내다, 보내다(*pass, spend*). **verlebt** [-pt] *p. a.* 쇠약한, 소모한, 기진맥진한; 노쇠한; 사망한, 과거의.

verlegen[1] [fɛrlé:gən, fər-] 《Ⅰ》*t.* ①(길을) 가로막다. ② 잘못 놓다. ③ 옮기다; 연기하다(*put off*). ④ 두다, 붙박아 놓다; 부설(敷設)하다(*lay*). ⑤ 출자하다, (의) 비용을 내다; 출판〔발행〕하다(*publish*). 《Ⅱ》*refl.* (auf et.⁴, 에) 전념하다, 몰두하다(*take to*).

verlegen[2] [-lé:gən] [<†verliegen] *a.* 오래 두어 질이 상한, 싱싱하지 않은, 김이 빠진; 《比》당혹〔당황〕한(*embarrassed, confused*). ¶um Geld ~ sein 돈에 쪼들리고 있다. **Verlegenheit** *f.* -en, 당혹, 곤혹(困惑), 당황; 곤란. ¶jn. in ~ bringen 아무를 곤혹케 하다.

Verleger [fɛrlé:gər, fər-] *m.* -s, -, 출판자, 발행자. **Verlegung** *f.* -en, 잘못 놓음; 옮김; 연기; 출판, 발행.

verleiblichen [fɛrláiplɪçən, fər-] *f.* 구체화하다, 구현하다.

verleiden [fɛrláidən, fər-] *t.*: jm. et.: 싫어하도록 하다, 싫증나게 하다.

verleihen* [-láiən] *t.* 빌려 주다 (*lend* (*out*)); 주다, 수여하다(*bestow, confer, grant*). **Verleiher** *m.* -s, -, 빌려 주는 사람; 수여자. **Verleihung** [-láiuŋ] *f.* -en, 빌려줌, 대출, 임대; 수여, 부여.

verleiten [-láitən] *t.* (zu, 을 하도록) 꾀다 (*induce*); 유혹하다(*seduce*). **Verleiter** *m.* -s, -, 유혹자. **Verleitung** *f.* -en, 유혹.

verlernen [fɛrlérnən, fər-] *t.* ①(배워 익힌 것을) 잊다. ② Zeit ~ 학습으로 시간을 보내다. ③(어떤 습관을) 그만두다.

verlesen* [fɛrlé:zən, fər-] 《Ⅰ》*t.* 소리를 내어 읽다; 점호하다. 《Ⅱ》*refl.* 잘못 읽다. 《Ⅲ》**verlesen** *p. a.* ①《方》선고가 내려진. ② 독서광인.

verletzbar [-léts-] *a.* = VERLETZLICH.

verletzen [-létsən] 《Ⅰ》*t.* 해치다, 상하게 하다(*hurt, injure*); (법을) 범하다, 침해하다(*violate*); (의) 감정을 해하다(*offend*). 《Ⅱ》**verletzend** *p. a.* (사람의) 감정을 상하게 하는, 모욕적인, 예의에 벗어난. **verletzlich** *a.* 상하기 쉬운; 감정을 상하기 쉬운, 섬세한. **Verletzung** [-létsuŋ] *f.* -en, 상해, 부상; 훼손.

verleugnen [-lɔ́ygnən, -lɔ́ykn-] 《Ⅰ》*t.* ① 부인하다. ②(의) 승인을 거부하다; (아이를) 인지하지 않다, 없다고 하다. 《Ⅱ》. *refl.* ① sich (selbst) ~ 자제〔극기〕하다. ② sich vor jm. ~ lassen 아무에 대하여 집에 있으면서 없다고 하다. **Verleugnung** *f.* -en, 부인(否認)(*denial*), 거절; 포기, 중지.

verleumden [fɛrlɔ́ymdən, fər-] *t.* 비방〔중상〕하다(*calumniate, slander*). **Verleumder** *m.* -s, -, 비방자, 중상자. **verleumderisch** *a.* 비방하는, 중상적인. **Verleumdung** *f.* -en, 비방, 중상, 명예 훼손.

verlieben [fɛrlí:bən, fər-] 《Ⅰ》*refl.* (in jn. 〔et.〕, 아무〔무엇〕에) 반하다. 《Ⅱ》**verliebt** *p. a.* 연모하는; 반한; 잘 반하는. 《Ⅲ》**Verliebte** *m.* u. *f.* 《形容詞變化》연인, 애인. **Verliebt·heit** *f.* -en, 사랑하고 있음, 반하기 쉬움, 다정.

verlierbar [-lí:rba:r] *a.* 잃기 쉬운.

verlieren* [fɛrlí:rən, fər-] [<los, lösen] 《Ⅰ》*t.* 잃다, 분실하다(♈*lose*); 지다. ¶viel **an** Ansehen ~ 세상의 신용이 몹시 떨어지다 / jn. **aus** den Augen ~ 아무의 모습을 놓치다 / viel **bei** jm. ~ 아무의 신용을 크게 잃다. 《Ⅱ》*i.*(h.) 손해보다, 잃다; 지다. ¶an Farbe ~ 색이 바래다. 《Ⅲ》*refl.* 없어지다; (아픔이) 누그러지다; (빛이) 바래다; 흩어지다《군중이》; 길을 잃다, 헤매다. ¶sich im Gedränge ~ 군중 속에 휩쓸리다.

Verlies [fɛrlí:s, fər-], **Verließ** *n.* -es, -e, 지하의 감옥, 토굴(*dungeon*).

verloben [fɛrló:bən, fər-] [<Lob, geloben] *t.* (mit, 와) 약혼시키다(*betroth* (*to*)); *refl.* (mit jm., 아무와) 약혼하다. **Verlobte** *m.* u. *f.* 《形容詞變化》약혼자(der: *fiancé*; die: *fiancée*). **Verlobung** [-ló:buŋ] *f.* -en, 약혼, 정혼(定婚).

Verlobungs·feier *f.*, **~fest** *n.* 약혼식. **~karte** *f.* 약혼식의 초대장. **~ring** *m.* 약혼 반지.

verlocken [-lɔ́kən] *t.* 나쁜 길로 꾀다, 유혹하다; 끌어 넣다(*allure, entice, seduce*). **verlockend** *p. a.* 유혹적인, 꼬드기는(*tempting*). **Verlockung** *f.* -en, 유혹, 꼬드김, 꾐.

verlogen [fɛrló:gən, fər-] *p. a.* 거짓말장이의, 거짓의(*mendacious*). **Verlogenheit** *f.* -en, 허위.

verlohnen [-ló:nən] *i.*(h.) 보답하다, 갚음이 되다. ¶es verlohnt die 〔sich der〕 Mühe 그것은 수고한 보람이 있다, 이득이 있다(*it is worthwhile*).

verlor, verlöre ☞ VERLIEREN 《그 過去》.

verloren [fɛrló:rən, fər-] *p. a.* 잃은(*lost*); 버림받은(♈*forlorn*); 무익한; 진; 절망의. ¶~ geben, a) 없는 것으로 단념하다, b) 진 것으로 하다 / ~e Schlacht 패전(敗戰) / ~er Sohn〖聖〗탕자《누가복음 XV:11 이하》. **verloren|geh(e)n*** *i.*(s.) 없어지다, 사라지다, 분실되다.

verlöschen⁽*⁾ [-lœ́ʃən] 《Ⅰ》《弱變化》*t.* 끄다; (글씨 따위를) 지우다, 말살하다(*extinguish*). 《Ⅱ》《强變化》*i.*(s.) 꺼지다(*go out*).

verlosen [fɛrló:zən, fər-] *t.* 추첨으로 결정〔분배〕하다. **Verlosung** *f.* -en, 추첨; 복권 판매.

verlöten [fɛrlø:tən, fər-] *t.* 백랍(白鑞)으로 때우다〔막다〕.
verlottern [-lɔ́tərn] 《I》 *i.*(s.) 신세 망치다, 타락〔영락〕하다; 망쳐지다. 《II》 **verlottert** *p. a.* 타락한; 망쳐진.
verlumpen [fɛrlúmpən, fər-] *i.*(s.) 망하다, 영락〔타락〕하다; (옷이) 넝마가 되다.
Verlust [fɛrlúst, fər-] [<verlieren] *m.* -es, -e, 상실, 손실, 손해(*loss*); 〖軍〗 패배, 사상(死傷); 누출《가스 따위의》. **∼bringend** *a.* 손해를 끼치는, 불리하게 되는.
verlustig [-lústıç] *a.* 《2格支配》: e-s Dinges ∼ geh(e)n 무엇을 잃다.
vermachen [-máxən] *t.* 유언하여 주다, 유증(遺贈)하다(*bequeath*). **Vermächtnis** [-mɛ́çtnıs] *n.* -ses, -se, 유언(장); 유증; 유산(*legacy, bequest*).
vermahlen* [-má:lən] *t.* (밀 따위를) 빻아 가루로 만들다, 빻다.
vermählen [fɛrmɛ́:lən, fər-] [後半: ♈ Gemahl] *t.* 결혼시키다(*marry*); *refl.* (mit, 와) 결혼하다(*marry, get married* (*to*)). ¶der 〔die〕 Vermählte 기혼자. **Vermählung** *f.* -en, 결혼.
vermahnen [-ma:nən] *t.* 엄하게 훈계하다, 경고하다(*admonish*).
vermaledeien [fɛrmaledáiən, fər-] *t.* 저주하다(*curse*).
vermarken [-márkən] *t.* (에) 표지를 세우다, 측량하다.
vermassen [-másən] 《I》 *t.* 대중화〔조야화〕하다. 《II》 *i.*(s.) 집단 속에 빠지다, 대중화하다.
vermauern [-máuərn] *t.* 벽으로 두르다; 벽 안으로 밀어 넣다, 벽에 발라 넣다. ¶jn. (lebendig) ∼ 아무를 유폐하다.
vermehrbar [fɛrmé:rba:r, fər-] *a.* 증가할 수 있는. **vermehren** [-mé:rən] [<mehr] *t.* 늘리다, 붙게 하다(*augment, increase*); 증가하다(*multiple*); *refl.* 늘다, 붇다. **Vermehrung** *f.* -en, 증가, 증대; 증식, 번식.
vermeidbār [fɛrmáitba:r, fər-] *a.* 피할 수 있는. **vermeiden*** [-máidən] *t.* 피하다(*avoid*); 꺼리다(*shun*). **vermeidlich** [-máitlıç] *a.* 피할 수 있는.
vermeil [vɛrmɛ́:j, -méi] [lat. -fr.] *a.* 주홍빛의. **Vermeil** *n.* -s, 도금한 은(銀).
vermeinen [-máinən] *t.* 생각하다, 믿다, 상상하다. **vermeintlich** [-máintlıç] *a.* 상상의, 추정된; 허위의, 자칭의, 흔히 이르는. ¶∼er Freund 자칭 친구.
vermelden [fɛrmɛ́ldən, fər-] *t.* 통지〔통고〕하다, 피로(披露)하다.
vermengen [-mɛ́ŋən] *t.* 섞다; 혼동하다, 범벅을 만들다.
vermenschlichen [-mɛ́nʃlıçən] *t.* 인간화하다, 의인(擬人)화하다; 인간답게 하다, 교화하다.
Vermerk [fɛrmɛ́rk, fər-] *m.* -(e)s, -e, 메모(*note*); 기입, 기재(*entry*). **vermerken** *t.* 알아차리다, (을) 깨닫다(*remark*); 기입하다, 적어 두다, 메모하다(*note down, enter*). ¶et. gut 〔übel〕 ∼ 무엇을 선의〔악의〕로 해석하다.

vermeßbār [fɛrmɛ́sba:r, fər-] *a.* 측량할 수 있는. **vermessen*** 《I》 *t.* 재다(*measure*); 측량하다(*survey*). 《II》 *refl.* 잘못 재다, 오측(誤測)하다; 주제넘은 짓을 하다, 외람된 일을 하다; (e-s Dinges, 무엇을) 감히 하다, 자부하다. 《III》 **vermessen** *p. a.* 분수에 넘은, 주제넘은, 불손한, 대담한. **Vermessenheit** *f.* 주제넘음, 대담함. *pl.* 주제넘은 행위, 대담한 짓. **Vermessung** *f.* -en, 측량.
Vermessungs≈ingenieur *m.* 측량 기사. **∼kunde** *f.* 측지학(測地學).
vermickert [-míkərt] *a.* 《俗》 초라한, 가련한.
vermietbār [fɛrmí:ba:r, fər-] *a.* 빌려줄 수 있는. **vermieten** [-mí:tən] *t.* 빌려 주다, 세놓다(*let* (*out*), *hire* (*out*)). **Vermieter** *m.* -s, -, 대주(貸主), 임대인; 가주, 지주, 선주(船主). **Vermietung** *f.* -en, 빌려 줌, 임대.
vermindern [-míndərn] *t.* 감하다, 감소하다(*diminish*); 약하게 하다; (물가를) 내리다; *refl.* 줄다, 약해지다, 완화되다, 가라앉다, 내리다. **Verminderung** *f.* -en, 감소; 하락《물가의》.
vermischen [-míʃən] *t.* 섞다(*mix, mingle*); 합금하다; (동물을) 교배(交配)하다; *refl.* 섞이다; 교합〔교접〕하다. **vermischt** *p. a.* 혼합된; 잡다한 (*miscellaneous*). **Vermischung** *f.* -en, 혼합(물); 합금.
vermissen [-mísən] 《I》 *t.* (이) 없음을 깨닫다(♈*miss*); (이) 없음을 한탄하다, (이) 있으면 좋겠다고 생각하다(*regret*). 《II》 **vermißt** *p. a.* 분실한, 행방 불명된. 《III》 **Vermißte** *m.* u. *f* 《形容詞變化》 〖軍〗 행방 불명자.
vermitteln [-mítəln] *t.* 중개〔매개〕하다(*mediate*); (중간에서) 알선하다(*negotiate*); 중재〔조정〕하다(*arrange*). **vermittels(t)** [-mítəls(t)] *prp.* 《2格支配》. =MITTELS. **Vermitt(e)lung** *f.* -en, 중개, 매개, 주선, 알선; 조정.
Vermittler [fɛrmítlər, fər-] *m.* -s, -, 중개자; 중재자; 〖商〗 중매인(仲買人), 거간꾼; (Heirats∼) 중매인.
vermöbeln [fɛrmǿ:bəln, fər-] *t.* (에) 가구를 비치하다; 《俗》 헐값에 팔아치우다, 돈으로 바꾸다; 낭비하다. 「過去).
vermocht [-mɔ́xt] ☞ VERMÖGEN 《그
vermodern [-mó:dərn] *i.*(s.) 곰팡나서 썩다, 썩어 문드러지다.
vermöge [fɛrmǿ:gə, fər-] *prp.* 《2格支配》 의 힘으로, 에 의해서(*by, in virtue of*). **vermögen*** [-mǿ:gən] [mögen 의 원뜻] 《I》 *t.* 힘이 있다. 할 수 있다, 가능하다(*be able, have the power*); (über[4], 의 위에) 세력을 갖다; (사람을 움직여) (zu, 을) 시키다(*induce*). 《II》 **Vermögen** [-mǿ:gən] *n.* -s, -, 능력, 힘; 자력(資力), 자산, 재산, 부. 《III》 **vermögend** *p. a.* 힘이 있는, 능력〔세력·자력(資力)〕이 있는. ¶ein Mann von ∼ 재산가.
Vermögens≈abgābe *f.* 자본 과세(資本課稅). **∼abschätzung, ∼aufnahme** *f.* 재산 평가. **∼konten** *pl.* 자산 평가, 재산 평가 (계정). **∼lāge** *f.* 자산 상태. **∼lōs** *a.* 재산이 없는. **∼steuer**

f. 고정 자산세(資產稅). ～**wērt** *m.* 재산 가치.

vermorscht [-mɔ́rʃt] *p.a.* 썩어 문드러진.

vermottet [-mɔ́tət] *p.a.* 좀이 먹은.

vermummen [-múmən] *t.* (에) 복면〔가장〕시키다(*mask, disguise*); *refl.* 복면〔가장〕하다. **Vermummung** *f.* -en, 복면, 가장; 가장 무도회.

vermuten [fɛrmú:tən, fər-] *t.* 추측하다, 추정〔상상〕하다; 예기(豫期)하다(*suppose, presume, suspect*). **vermutlich** [fɛrmú:tlıç, fər-] *a.* 추측할 수 있는; 추정에 의한; 진실인 듯한; *adv.* 추측컨대, 짐작컨대, 아마(*probably, I suppose*). **Vermutung** [-mú:tuŋ] *f.* -en, 추측; 억측; 상상.

vernachlässigen [fɛrná:xlɛsıgən, fər-] *t.* 등한히 하다, 게을리하다(*neglect*); 소홀히 다루다, 경시하다(*slight*). **Vernachlässigung** *f.* -en, 내버려둠, 소홀, 경시, 무시; 태만.

vernageln [fɛrná:gəln, fər-] 《I》 *t.* 못질을 하다; (에) 못을 박다. 《II》 **vernagelt** *p.a.* 못박은, 꼼짝 못하게 된.

vernähen [-nέ:ən] *t.* 바느질에 쓰다《실을》; 꿰매 붙이다.

vernarben [fɛrnárbən, fər-] *i.*(s.) u. *refl.* 〔醫〕반흔(瘢痕)이 생기다, 유착(癒着)하다.

vernarren [-nárən] *refl.* (in jn. 〔et.〕, 에) 홀딱 반하다; **vernarrt** *p.a.* 반해 버린; 탐닉한.

vernaschen [-náʃən] 《I》 *t.* 식도락에 쓰다《돈을》. 《II》 **vernascht** *p.a.* 식도락의.

vernebeln [-né:bəln] *t.* 안개로 가리다, 〔軍〕연막으로 뒤덮다.

vernehmen* [-né:mən] 《I》 *t.* 지각하다, 인지하다(*perceive*); (특히) 들어서 알다. 소문으로 듣다, 듣다(*hear, understand*); 〔法〕신문(訊問)〔심문〕하다(*interrogate*). 《II》 *refl.* (mit jm., 와) 협조하다; (aus, et., 을) 이해하다. 《III》 **Vernehmen** *n.* -s, ① 앎, 지각, 식별; 소식, 들음, 소문. ¶dem ～ nach 들은 바에 의하면. ②상호간의 이해, 의사의 소통. **vernehmlich** *a.* 들리는, 알아듣기 쉬운, 뚜렷한. **Vernehmung** *f.* -en, 〔法〕신문, 심문.

verneigen [-náigən] *refl.* 허리를 굽히다, 머리를 숙이다, 절을 하다(*bow, curtsy*). **Verneigung** *f.* -en, 절, 인사.

verneinen [fɛrnáinən, fər-] *t.* 아니라고 대답하다, 부정〔부인〕하다(*answer in the negative, deny, disavow*). **verneinend** *p.a.* 부정적인, 부인하는. **Verneinung** *f.* -en, 부정, 부인(*negation*).

Verneinungs·fall *m.* im ～falle 아니라고 대답한 경우에는. ～**satz** *m.* 〔文〕부정문. ～**wort** *n.* 〔文〕부정사.

vernichten [fɛrníçtən, fər-] *t.* 없애다, 멸하다, 절멸하다(*annihilate, destroy*); 〔軍〕섬멸하다; 무효로 하다, 파기〔폐기〕하다 (*undo, annual*). **Vernichtung** *f.* -en, 파괴; 파기; 섬멸.

vernickeln [fɛrníkəln] *t.* (에) 니켈을 입히다, 니켈 도금을 하다.

vernieten [-ní:tən] *t.* 대갈못〔리벳〕으로 고정시키다.

Vernunft [fɛrnúnft, fər-] [<vernehmen] *f.* 지각력, 이해력, 도리(*reason, sense, discernment*); 〔哲〕이성. ¶gesunde ～ 상식 / zur ～ bringen 본심으로 돌아가게 하다 / ～ annehmen 도리를 듣고 분별하다, 이치에 따르다. ～**begābt** *a.* 이성이 있는, 도리를 아는.

Vernünftelei [fɛrnʏnftəlái, fər-] *f.* -en, 궤변(을 농함), 억지(를 씀). **vernünfteln** *i.*(h.) 억지쓰다, 궤변을 농하다.

vernunft·gemäß *a.* 합리적인, 지당한. ～**glaube(n)** *m.* 합리주의. ～**heirāt** *f.* 타산적인 결혼.

vernünftig [fɛrnʏ́nftıç, fər-] *a.* 도리를 아는, 분별 있는; 도리에 맞는; 이성적인. **vernünftigerweise** *adv.* 도리상, 당연히; 합리적으로.

Vernunft·lehre *f.* 논리학; 변증법. ～**lōs** *a.* 이성이 없는; 도리에 어긋난, 불합리한. ～**religiōn** *f.* 이성(에 신앙을 조화시킨) 종교. ～**schluß** *m.* 추리, 추론. ～**wēsen** *n.* 이성적 동물, 인간. ～**widrig** *a.* 배리(背理)의, 불합리한.

veröden [fɛr-ǿ:dən, fər-] *t.* 황폐하게 하다; *i.*(s.) 황폐해지다. **Verödung** *f.* -en, 황폐; (시장 등의) 침체.

veröffentlichen [fɛr-œ́fəntlıçən, fər-] *t.* 널리 알리다, 공고〔공포〕하다; 간행〔발행〕하다(*publish*). **Veröffentlichung** [-lıçuŋ] *f.* -en, 공고, 공포; 간행.

verordnen [fɛr-ɔ́rdnən, fər-; -ɔ́rtnən] *t.* 규정하다; 지령하다; 〔醫〕(약을) 처방하다; (요법을) 명하다. **Verordnete** *m.* u. *f.* 《形容詞變化》위원; 시의원(市議員); 국회 의원. **Verordnung** *f.* -en, ① 규정; 명령, 지령. ② 처방. **Verordnungsblatt** *n.* 관보(官報).

verpachten [-páxtən] *t.* 임대하다(*lease*); 소작시키다(*farm out*). **Verpachter, Verpächter** *m.* -s, -, 임대자; 지주(地主). **Verpachtung** *f.* -en, 임대.

verpacken [-pákən] *t.* 포장하다; 짐을 꾸리다. **Verpackung** *f.* -en, 포장; 포장 재료.

verpassen [-pásən] *t.* ① (기차·기회를) 놓치다; 지나치게 하다. ② (제복 등을) 분배하다. ¶《俗》jm. eine ～ 아무의 따귀를 때리다.

verpesten [fɛrpέstən, fər-] *t.* (페스트의) 병독으로 충만하게 하다; 악취로 가득 채우다.

verpetzen [-pέtsən] *t.* 《學》고자질하다.

verpfählen [-pfέ:lən] *t.* 말뚝으로 둘러싸다, (에) 울짱을 엮다. **Verpfählung** *f.* -en, 말뚝을 둘러침, 말뚝 공사; 울짱.

verpfänden [-pfέndən] *t.* 저당하다, 저당잡히다(*pawn, pledge, mortgage*). ¶《比》sein Wort ～ 언질을 주다. **Verpfändung** *f.* -en, 저당함; 저당 설정.

verpflanzen [-pflántsən] *t.* 이식(移植)하다. **Verpflanzung** *f.* -en, 이식.

verpflēgen [-pflé:gən] *t.* (을) 돌봐 주다(*care for*); 간호하다(*nurse*); 식사를 공급하다, 급양하다(*feed, board, provide for*). **Verpflēgung** *f.* -en, 돌봄, 양호(養護), 간호; 양식의 급여, 급식; 〔軍〕급양, 군량.

Verpflēgungs·amt [fɛrpflé:guŋs-, fər-] *n.* 〔軍〕병참부. ～**kosten** *pl.* 급양비; 이혼〔별거〕수당.

verpflichten [fɛrpflíçtən, fər-] 《Ⅰ》 *t.* (zu, 의) 의무를 지우다, 어쩔 수 없이 하게 하다, …하도록 강제하다(*oblige, bind, engage*). ¶zu Dank ~ (에게) 은의(恩義)를 베풀다. 《Ⅱ》 *refl.* (zu, 의) 의무를 지다, 약속하다. 《Ⅲ》 **verpflichtend** *p. a.* 의무를 지우는. 《Ⅳ》 **verpflichtet** *p. a.* 의무가 있는. **Verpflichtung** *f.* -en, 의무(를 지우기·지기); 책무; 채무.

verpfuschen [-pfúʃən] *t.* 서투른 짓을 하다, 실수하다, 망그러뜨리다.

verpichen [fɛrpíçən, fər-] *t.* ① (에) 역청(瀝青)을 바르다. ② 《比》 auf et.⁴ verpicht sein 무엇을 열망하고 있다, 에 집착하고 있다.

verpimpeln [fɛrpímpəln, fər-] *t.* 약골로 만들다, 응석받이로 기르다.

verplappern [-plápərn], **verplaudern** [-pláudərn] *t.* 잡담으로 시간을 보내다; *refl.* 얼결에 비밀을 누설하다.

verplempern [fɛrplémpərn, fər-] *t.* 낭비하다; *refl.* 하찮은 일에 (돈·시간·노력 등을) 낭비하다; 정신 나간 짓을 하다.

verpönen [fɛrpǿːnən, fər-] [lat.] *t.* (벌칙으로) 엄금하다. **verpönt** [<lat. *poena* „Strafe"] *p. a.* 벌칙으로 금지된, 터부의(*tabooed*).

verprassen [-prásən] *t.* 탕진[낭비]하다.

verproviantieren [-proviantíːrən, fər-] *t.* (에게) 양식을 공급하다(*provision*); 〖軍〗 군량을 지급하다; *refl.* 식량을 준비[구입]하다.

verprozessieren [-protesíːrən] *t.* (재산을) 소송에 날리다[탕진하다].

verprügeln [-prýːgəln] *t.* 마구 때리다.

verpuffen [-púfən] 《Ⅰ》 *i.*(s.) 폭발하다, 튀다; 《比》 소멸[소실]하다. 《Ⅱ》 *t.* 폭발시키다, 튀기다; 《比》 탕진하다.

verpulvern [-púlfərn, -vərn] *t.* 가루로 하다; 《比》 마구 쓰다, 낭비하다.

verpumpen [-púmpən] *t.* 《俗》 빌려 주다; 〖商〗 신용 대출하다.

verpuppen [-púpən] *refl.* 〖動〗 고치[번데기]로 변하다; 《比》 변태[변화]하다, 들어박히다.

verpusten [-púːstən] *refl.* u. *i.*(h.) 《俗》 숨을 쉬다; 한숨 돌리다; 소생하다.

verputzen [-pútsən] *t.* 회를 바르다, 겉칠을 하다; (돈·시간을) 사치에 쓰다; 《俗》 낭비[탕진]하다; 먹어치우다. **Verputzer** *m.* -s, -, 미장이 조수.

verqualmen [-kválmən] *i.*(s.) 연기로 화하다; *t.* 연기로 만들다; 《俗》 끽연으로 소비하다《돈 따위를》.

verquellen⁽*⁾ [fɛrkvélən, fər-] (强變化) *i.*(s.) ① 솟아 나와 흘러가 버리다. ② 습기로 팽창하다; (문이) 뻑뻑해지다. **verquollen** *p. a.* 부기가 있는, (젖어) 부푼.

verquicken [-kvíkən] [<Quecksilber] *t.* 〖化〗 아말감화하다; 혼화(混和)하다. *refl.* 아말감화되다; 혼화되다. **Verquickung** *f.* -en, 아말감; 《比》 혼화(混和), 결합, 화합(化合).

verramme(l)n [fɛrrámə(l)n, fər-] *t.* 폐색[차단]하다.

verrannt [-ránt] *p. a.* =verrennen.

Verrat [fɛrráːt, fər-] [<verraten] *m.* -(e)s, 배신, 배반(*treachery, treason*).

verraten* [-ráːtən] [*eig.* „durch (falschen) Rat irreführen"] 《Ⅰ》 *t.* ① 모반(謀反)하다, (를) 배신[배반]하다(*betray*). ¶jn. an den Feind ~ 아무를 적에게 팔다. ② (비밀 따위를) 누설하다; 드러내다, 나타내다. ¶jm. et. ~ 아무에게 무엇(의 비밀)을 누설하다. 《Ⅱ》 *refl.* ① 자기의 비밀을 누설하다. ② 분명해지다, 드러나다. **Verräter** [-réːtər] *m.* -s, -, 배반[반역]자. **Verräterei** *f.* -en, 배신, 배반. **verräterisch** *a.* 배신의, 배반의; 비밀을 누설하는.

verrauchen [-ráuxən] 《Ⅰ》 *t.* 다 피워 버리다《담배를》; 끽연에 소비하다《시간·돈을》. 《Ⅱ》 *i.*(s.) 연기가 되다; 《比》 소멸하다.

verräuchern [fɛrrɔ́yçərn, fər-] *t.* (향을) 다 태우다; (를) 연기로 그을리다, 연기로 자욱하게 하다. **verräuchert** *p. a.* 연기로 가득찬, 자욱한.

verrechnen [-réçnən] 《Ⅰ》 *t.* 계산하다; 청산하다. 《Ⅱ》 *refl.* 오산하다; 《比》 기대에 어긋나다. **Verrechnung** *f.* -en, 계산, 청산; 오산.

Verrechnungs·scheck [fɛrréçnuŋs-, fər-] *m.* 횡선 수표. **~stelle** *f.* 어음 교환소.

verrecken [fɛrrékən, fər-] *i.*(s.) (die Glieder starr ausreckend verenden) (짐승이) 폐사(斃死)하다; 《俗》 죽다, 뻗다.

verreden [fɛrréːdən] 《Ⅰ》 *t.*: et. ~ 무엇을 않겠다고 맹세하다 / jn. ~ 아무를 중상[비방]하다. 《Ⅱ》 *refl.* u. *i.*(h.) 잘못 말하다; 얼떨결에 비밀을 누설하다.

verregnen [-réːgnən, -kn-] *t.* 비로 망치다, 비 때문에 망치다.

verreiben* [fɛrráibən, fər-] *t.* 갈아서 으깨다, 빻다. **Verreibung** *f.* -en, (가루를) 빻음, 제분; 연마; 〖藥〗 가루약.

verreisen [-ráizən] 《Ⅰ》 *i.*(s.) 여행을 떠나다. 《Ⅱ》 *t.* 여행에 소비하다《돈·시간을》.

verreißen* [-ráisən] *t.* 호되게 야단치다, 내리까다; 잡아[찢어] 떼다.

verrenken [-réŋkən] *t.* (의) 관절을 삐다, 탈구(脫臼)시키다(*dislocate, sprain*). **Verrenkung** *f.* -en, 탈구.

verrennen* [-rénən] 《Ⅰ》 *t.*: jm. den Weg ~ 달려가 아무의 통로를 차단하다. 《Ⅱ》 *refl.* 달려서 길을 잃다; 《比》 고집하다. 《Ⅲ》 **verrannt** *p. a.* 응고한, 굳어 버린; 완미(頑迷)한, 옹고집의(*obstinate*).

verrichten [-ríçtən] *t.* (격식대로) 하다, 행하다, 이행하다(*do, perform*). **Verrichtung** *f.* -en, 수행, 성취, 이행, 일; 행사; 직분; 작용, 기능; 《兒》 용가, 쉬.

verriegeln [-ríːgəln] *t.* 빗장을 질러 막다; 《比》 폐쇄[차단]하다.

verringern [fɛrríŋərn, fər-] 《Ⅰ》 *t.* (geringer machen) 감하다; (화폐 가치 등을) 저하시키다. 《Ⅱ》 *refl.* 줄다, (값어치·속도 따위가) 떨어지다. **Verringerung** *f.* -en, 감소, 삭감, 감량.

verrinnen* [-rínən] *i.*(s.) 흘러가 버리다; (시간이) 지나가다.

V

verrohen [fɛrró:ən, fər-] *i.*(s.) 야만화하다; *t.* 잔인하게 하다, 야만화하다.
verrosten [-róstən] *i.*(s.) 녹슬다, 썩다(*rust*). **verrostet** (*p. a.*) 녹슨, 썩은.
verrotten [fɛrrɔ́tən, fər-] *i.*(s.) 썩다.
verrucht [fɛrrú:xt, fər-] *a.* 극악한, 무도(無道)한(*villainous, infamous*). **Ver·rucht·heit** *f.* -en, 극악, 흉악; 악행.
verrücken [fɛrrʏ́kən, fər-]《Ⅰ》*t.* 움직이다, 옮기다(*displace*); 흩다(*derange*);《比》(상태·기능 따위를) 뒤틀리게 하다, 혼란하게 하다.《Ⅱ》**verrückt** [-rʏ́kt] *p. a.* 위치가 바뀐;《比》미친, 머리가 돈(*crazy, mad*).《Ⅲ》**Verrückte** *m.* u. *f.*《形容詞變化》미치광이. **Verrückt·heit** *f.* -en, 정신 착란, 광기; 미친짓.
Verruf [fɛrrú:f, fər-] *m.* -(e)s, -e, 나쁜 소문(*discredit*); 동맹 절교, 배척(*boycott*). ¶in ~ kommen 소문이 나빠지다, 배척당하다. **verrufen***《Ⅰ》*t.* 악평하다, 비방하다; 배척하다, 보이콧하다.《Ⅱ》**verrufen** *p. a.* 소문이 나쁜, 배척된.
Vers [fɛrs, fe:rs; öst.: vɛrs] [lat.] *m.* -es [-zəs], -e [-zə], 시구(詩句), (시의) 절(節); (*pl.*) 시, 운문.
versachlichen [-záxlɪçən] *t.* 물적(物的)으로 하다, 실질[실용]적으로 하다; 정체를 드러내다.
versagen [-zá:gən] *t.* ① 거절하다, 불허하다(*deny, refuse*). ② (타인에게) 약속하다, 선약하다(*engage*). ¶sie ist versagt (춤 따위) 그녀에게는 선약이 있다. ③《目的語 없이》마음대로 안 되다, 듣지 않다(*fail*); (소리가) 잘 안 나오다; (총·성냥이) 발화하지 않다. **Versager** *m.* -s, -, 불발탄; 맞지 않는 것, 잘 되지 않는 것; 실패, (추첨의) 꽝, 허탕; 기대에 어긋난 사람. **Versagung** *f.* -en, 거절; (총의) 불발.
versalzen[(*)] [-záltsən] *t.* (에) 소금을 너무 넣다, 너무 짜게 하다.
versammeln [-záməln] *t.* 모으다, 집합시키다(*assemble*); 불러 모으다, 소집하다(*convoke, convene*); *refl.* 모이다, 회합하다(*assemble, meet*). **Versammlung** *f.* -en, 모음; 집합, 회합(*assembly, meeting*); 청중. **Versammlungsfrei·heit** *f.* 집회의 자유. **Versammlungs·raum** *m.* (대)회장.
Versand [fɛrzánt, fər-] [<versenden] *m.* -(e)s, -e, 발송; (~ ins Ausland) 수출.
Versand·artikel *m.* 수출품. **~bereit** *a.* 발송[수출] 준비를 갖춘. **~bier** *n.* 수출용 맥주.
versanden [-zándən] *i.*(s.) u. *refl.* 모래에 파묻히다; (항구·강 따위가) 모래로 얕아지다;《比》정체(停滯)하다.
versand·fertig *a.* =~BEREIT. **~ge·schäft** *n.* 수출업; 운송업; 통신 판매업. **~kosten, ~spesen** *pl.* 운임. **~station** *f.* 발송역.
versatil [vɛrzatí:l] [lat. *versare* „drehen"] *a.* ① 침착하지 못한; 변덕스러운. ② 융통성 있는, 다재 다능한.
Versatz [fɛrzáts, fər-] [<versetzen] *m.* -es, 저당 잡히기; 담보, 저당(물).
Versatz·amt *n.* 공설 전당포. **~stück** *n.* ① 저당물. ② *pl.*【劇】이동 배경.

versauern [fɛrzáuərn, fər-] *i.*(s.) 시어지다;《比》우둔해지다, 멍청해지다. **versäuern** *t.* 시게 하다;《比》괴롭게 하다.
versaufen* [fɛrzáufən, fər-]《Ⅰ》*t.* 폭음하여 낭비하다《돈·시간을》.《Ⅱ》*i.*(s.) 익사(溺死)하다.《Ⅲ》**versoffen** *p. a.* 모주꾼의, 술고래의.
versäumen [-zɔ́ymən] *t.* ① (기회 따위를) 놓치다, 잃다, 실수하다(*miss, omit*). ¶den Zug ~ 기차를 놓치다. ② 게을리하다(*neglect*); 잊다; 결석하다. ¶das Versäumte nachholen 게을리한 [뒤떨어진] 것을 만회하다; *refl.* 지각하다.
Versäumnis *f.* -se; od. *n.* -ses, -se, 지체, 지각; 태만; 결석. **Versäu·mung** *f.* -en, 기회를 놓침; 소홀히 함, 태만.
Vers·bau [fɛ́rsbau] *m.* 시구(詩句)의 구조, 격조(格調), 운율 형식.
verschachern [fɛrʃáxərn, fər-] *t.* 흥정해서 팔다, 에누리하여 팔다.
verschaffen [-ʃáfən] *t.* ① 조달하다(*procure*); 얻게 하(여 주)다, 공급하다, 주선하다, 돌보다(*provide*). ② sich[3] et. ~ 무엇을 얻다, 입수하다, 조달하다(*obtain, get, procure oneself*).
verschalen[1] [fɛrʃá:lən, fər-] *t.* 널빤지를 대다. **Verschalung** *f.* -en, 널빤지를 댐.
verschalen[2] [schal werden] *i.* (s.) (술 따위의) 김이 빠지다; 생기가 없어지다.
verschallen[1(*)] [-ʃálən] *i.*(s.) (울림이) 사라지다, 조용해지다. **verschallen**[2*]《Ⅰ》*i.*(s.) 잊혀지다; 소식을 끊다.《Ⅱ》**verschollen** *p. a.* 잊혀진; 행방 불명의.《Ⅲ》**Verschollene** *m.* u. *f.*《形容詞變化》행방 불명자;〔法〕실종자.
verschämt [fɛrʃɛ́:mt, fər-] *a.* 수줍어하는, 부끄럼타는(*bashful*); 겁많은, 암띤. **Verschämt·heit** *f.* -en, 위임.
verschandeln [fɛrʃándəln, fər-] *t.*《俗》(의) 모양을 망그러뜨리다, 추하게 하다, (의) 미관을 해치다.
verschanzen [-ʃántsən] *t.*【軍】보루(堡壘)를 둘러 쌓다; *refl.* 보루를 쌓고 지키다.
verschärfen [-ʃɛ́rfən] *t.* 날카롭게 하다; 강화하다; 엄격하게 하다; 높이다; 증가하다. ¶die Strafe ~ 벌을 한층 무겁게 하다.

verscharren [-ʃárən] *t.* 묻다, (에) 흙을 덮다; 매장하다.
verscheiden* [-ʃáidən]《Ⅰ》*i.*(s.) 죽다, 숨을 거두다(*die, decease*).《Ⅱ》**Ver·scheiden** *n.* -s, 서거, 사망.
verschenken [-ʃɛ́ŋkən] *t.* 선물하다, 주다; 소매하다《술을》.
verscherzen [-ʃɛ́rtsən] *t.* (시간을) 헛되이 보내다; (경솔해서) 잃다, 놓치다.
verscheuchen [-ʃɔ́yçən] *t.* (을러서) 몰아 내다, 좇아 버리다;《比》(걱정·의심 등을) 씻어 버리다.
verschicken [-ʃíkən] *t.*【商】발송[송부]하다; 파견하다; † 추방하다, 귀양보내다.
Verschieb(e)·bahnhof [fɛrʃí:p-, -ʃí:bə; fər-] *m.*【鐵】조차장(操車場). **~·gleis** *n.* 측선(側線).

verschieben* [-ʃíːbən] 《Ⅰ》 *t.* (밀어) 위치를 바꾸다; 변위(變位)하다; (열차를) 측선에 바꿔 넣다; 몰래 팔다; 연기하다. 《Ⅱ》 *refl.* 전이(轉移) [변위]하다, 옮겨지다; 바뀌다.

Verschiebungs·elektron [fɛrʃíːbʊŋs-, fər-] *n.* 〖物〗 변위 전자. **～gesetz** *n.* 변위 법칙. **～strōm** *m.* 변위 전류.

verschieden[1] [fɛrʃíːdən, fər-] [<ver-scheiden] *p.a.* 서거[사망]한.

verschieden[2] [<†verscheiden „(sich) unterscheiden"] 딴, 다른(*different*); 여러 가지의, 갖가지의(*various, several, diverse*). **verschieden·artig** *a.* 갖가지의. **verschiedenfarbig** *a.* 가지각색의. **Verschiedenheit** *f.* -en, 상위함; 상위; 차이, 차별. **verschied(ent)·lich** *a.* 딴, 다른; *adv.* 여러 가지로; 수차, 자주.

verschießen* [fɛrʃíːsən, fər-] 《Ⅰ》 *t.* 함부로 쏘다, 난사(亂射)하다. 《Ⅱ》 *refl.* (in jn., 에게) 홀딱 반하다. 《Ⅲ》 *i.*(s.) (색이) 바래다; (광택(光澤)이) 없어지다.

verschiffen [-ʃífən] *t.* 배로 운송하다.

Verschiffungs·agent *m.* 해운업자; 선박 대리점. **～hāfen** *m.* 적화항(積貨港). **～spēsen** *pl.* 운임.

verschilfen [-ʃílfən] *i.*(s.) 갈대로 뒤덮이다.

verschimmeln [-ʃíməln] *i.*(s.) 곰팡슬다, 곰팡나다.

verschlacken [-ʃlákən] *i.*(s.) u. *refl.* 광재(鑛滓)[쇠찌끼]가 되다.

verschlāfen* [-ʃláːfən] 《Ⅰ》 *t.* 늦잠 자서 잃다[놓치다·잊다·게을리하다]. ¶die Zeit ～ 늦잠 자서 지각하다. 《Ⅱ》 *refl.* 잠으로 시간을 보내다. 《Ⅲ》 **verschlā·fen** *p.a.* 졸린; 졸린 듯한, 잠에 취한.

Verschlāg [fɛrʃláːk, fər-] *m.* -(e)s, ⸚e, 간막이, 격벽(隔壁); 간막이한 방.

verschlāgen* [fɛrʃláːgən, fər-] 《Ⅰ》 *t.* ① 쳐서 막다. ¶mit Nägeln ～ 못질하다 / mit Brettern ～ 판자로 막아 버리다 / jm. den Atem ～ 아무의 숨을 못쉬게 하다. ② 쳐서 망그러뜨리다; 망치다, 그르치다. ③ 잘못 치다《공 따위를》. ¶es verschlägt nichts 그것은 대수로운 일이 아니다, 아무래도 좋은 일이다. ④ 밀어[불어] 떠내려가게 하다. 《Ⅱ》 *i.* ① (h.) kein Mittel verschlägt bei ihm 그에게는 어떤 약도 듣지 않는다. ② (s.) 느긋해지다. ¶～ lassen 미지근하게 하다. 《Ⅲ》 **verschlāgen** *p.a.* 미지근한 (*lukewarm*); 교활한, 약은(*sly, cunning, craft*). **Verschlāgenheit** *f.* 교활, 노회(老獪).

verschlammen [fɛrʃlámən, fər-] *i.* (s.) (강 따위가) 진흙으로 막히다, 진흙에 파묻히다. **verschlämmen** *t.* 진흙으로 막다.

verschlampen [fɛrʃlámpən, fər-] *t.* 《俗》 영락하게 하다, 타락시키다.

verschlechtern [fɛrʃléçtərn, fər-] *t.* 악화시키다, 나쁘게 하다; 상하게 하다; *refl.* 나쁘게 되다, 악화하다. **Ver·schlechterung** *f.* -en, 악화, 개악; 손상; 타락.

verschleiern [fɛrʃláiərn, fər-] *t.* (에) 베일을 씌우다; 《比》 감추다, 은폐하다; 얼버무리다, 속이다; 〖軍〗 위장하다.

verschleifen* [fɛrʃláifən, fər-] *t.* (녹 따위를) 닦아 없애다; 닦다《거울 따위를》; 갈다《칼을》.

verschleimen [fɛrʃláimən, fər-] 《Ⅰ》 *t.* 〖醫〗 점액[담]으로 막다; *refl.* 점액[담]으로 막히다. 《Ⅱ》 *i.*(s.) 점액[담]이 차다.

Verschleimung *f.* -en, 〖醫〗 점액성 카타르; 감기.

Verschleiß [fɛrʃláis, fər-] *m.* -es, -e, 오래 입어 낡게 함; 소모, 파손; 소매(小賣). **verschleißen**(*) 《Ⅰ》 *t.* 소매하다; 오래 입어 해어뜨리다. 《Ⅱ》 *i.*(s.) u. *refl.* (너덜너덜) 닳아 해지다.

verschlemmen [-ʃlémən] *t.* (돈·시간을) 먹고 마시는 데[환락]에 낭비하다.

verschleppen [fɛrʃlépən, fər-] *t.* ① 질질 끌고 가다, 가져[날라]가다. ② 오래도록 끌다(*delay, protract*).

verschleudern [-ʃlɔ́ydərn] *t.* ① 〖商〗 투매[덤핑]하다. ② 낭비[탕진]하다.

verschließbār [fɛrʃlíːsbaːr, fər-] *a.* 폐쇄할 수 있는, 자물쇠가 달린.

verschließen* [fɛrʃlíːsən, fər-] 《Ⅰ》 *t.* ① 닫다(*shut*), 폐쇄하다, (에) 자물쇠를 채우다(*lock*). ② (자물쇠를 채워) 간직하다; 가두다. 《Ⅱ》 *refl.*: sich et.[3] ～ 무엇에 대하여 눈을 감다, 에 유의하지 않다.

verschlimmen [-ʃlímən], **verschlim·mern** *t.* 악화시키다; 타락시키다; *i.*(s.) u. *refl.* 나빠지다, 악화하다; 타락하다.

verschlingen[1]* [-ʃlíŋən] *t.* 삼키다, 꿀떡 삼켜 버리다(*swallow*); 게걸스럽게 먹다(*devour*). ¶ein Buch ～ 책에 몰두하다.

verschlingen[2]* [-ʃlíŋən] 《Ⅰ》 *t.* 짜[얽어] 맞추다(*interlace*); 얽히게 하다(*twist*); (손을) 깍지끼다(*cross*); *refl.* 뒤엉키다, 얽히다; 《比》 뒤섞이다. 《Ⅱ》 **verschlun·gen** *p.a.* 뒤엉킨, 얽힌.

verschlossen [-ʃlɔ́sən] [<verschließen] *a.* ① 폐쇄된; 〖醫〗 폐색(閉塞)한; (탁) 터놓지 않은, 어색하고 서먹한(*reserved*). ② 과묵한, 말 없는(*taciturn*). **Verschlos·senheit** *f.* 폐쇄, 폐색; 비사교적임; 과묵, 말이 없음.

verschlucken [fɛrʃlúkən, fər-] 《Ⅰ》 *t.* 삼키다, 꿀떡 넘기다; 빨아들이다. 《Ⅱ》 *refl.* 잘못 삼키다, 사래들리다.

Verschluß [fɛrʃlús, fər-] [*v.* verschlie-ßen] *m.* ① 자물쇠를 채움, 폐쇄; 폐색. ② 자물쇠; (사진기의) 셔터; (편지의) 봉랍(封蠟). ¶unter ～ haben 자물쇠를 채워서 안전하게 보관하고 있다.

Verschluß·apparāt *m.* 폐쇄기, 셔터. **～kappe** *f.* (만년필의) 캡. **～laut** *m.* 〖文〗 폐색음《p, b, t, d, k, g》.

verschmachten [fɛrʃmáxtən, fər-] *i.*(s.) 노심 초사(勞心焦思)로 몸이 파리해지다; 번민하다, 초췌하다, 쇠약하다(*languish, pine away*).

verschmāhen [fɛrʃméːən, fər-] *t.* 얕보다, 업신여기다(*disdain, scorn*); 물리치다. ¶die Verschmähte 실연한 여자.

verschmausen [fɛrʃmáuzən] *t.* (시간·재산 등을) 술잔치에 써버리다.

verschmelzen(*) [fɛrʃméltsən, fər-] 《Ⅰ》 (強變化) *i.*(s.) ① 녹다(*melt*), 액화하다. ② 융합하다; 《比》 결합하다. 《Ⅱ》 (弱·強變化) *t.* (금속을) 용해하다; 《比》 융

합〔결합〕시키다. 《Ⅲ》 *refl.* (mit et., 무엇과) 혼합〔융합〕하다.

verschmerzen [fɛrʃmɛ́rtsən, fər-] *t.* (의) 슬픔〔괴로움〕을 잊다, 단념하다(*console oneself*), 을 견디어 내다(*get over*).

verschmieren [fɛrʃmí:rən, fər-] *t.* 칠하여 막다, 온통 칠하다; 〖化〗(에) 봉니(封泥)를 칠하다.

verschmitzt [fɛrʃmítst, fər-] *a.* 약은, 교활한(*sly, cunning, craft*).

verschmutzen [-ʃmútsən] *t.* 더럽히다, 더럽혀 망치다; *i.*(s.) 더러워지다, 더러워져 망치다; **verschmutzt** *p.a.* 더럽혀진.

verschnappen [fɛrʃnápən, fər-] *refl.* 《俗》 무심코 입밖에 내다, 실언하다.

verschnauben(*) [fɛrʃnáubən, fər-], **verschnaufen** *i.*(h. *u.* s.) u. *refl.* 숨을 돌리다, 잠시 쉬다.

verschneiden* [-ʃnáidən] 《Ⅰ》 *t.* 잘라서 가지런히 하다, 다 잘라 버리다; 잘라서 줄이다; 베어 내다; 불까다, 거세하다(*castrate*); (포도주를) 조합하다《하급품에 상급품을》(*blend*). 《Ⅱ》 **verschnitten** *p.a.* 거세된.

verschneien [-ʃnáiən] 《Ⅰ》 *i.*(s.) 눈에 묻히다〔덮히다〕. 《Ⅱ》 **verschneit** *p.a.* 눈에 묻힌.

Verschnitt [fɛrʃnít, fər-] *m.* -(e)s, -e, 섞음질한 포도주〔화주(火酒)〕(*blend*).

verschnörkeln [-ʃnœ́rkəln] *t.* 당초(唐草) 무늬로 꾸미다; 《比》 허식하다.

verschnupfen [-ʃnúpfən] 《Ⅰ》 *t.* ① 코담배를 다 말다. ② 《比》 비위를 거스르다; (의) 감정을 해치다. 《Ⅱ》 **verschnupft** *p.a.* ① 비위 상한, 화난. ② 코감기에 걸린.

verschnüren [-ʃný:rən] *t.* ① (싸서) 묶다. ② (의 가장자리에) 끈을 달다, 레이스로 장식하다.

verschollen [fɛrʃɔ́lən, fər-] [<verschallen] *p.a.* 소식〔행방〕 불명의, 실종중인(*not heard of*); 잊혀진, 인멸한(*long past, forgotten*). **Verschollenheit** *f.* 행방불명; 〖法〗 실종.

verschonen [-ʃó:nən] *t.* ① 소중히 하다; 용서하다. ② jn. mit et.³ ~ 아무에게 무엇을 면하게 하다, 면제하다.

verschönen [fɛrʃǿ:nən, fər-] *t.* 아름답게 하다, 미화하다; *refl.* 아름답게 되다.
verschönern [-ʃǿ:nərn, fər-] *t.* 한층 아름답게 하다, 장식하다; *refl.* 한층 아름답게 되다. **Verschönerung** [-ʃǿ:nəruŋ] *f.* -en, 미화, 장식, 수식, 미용.

Verschönerungs·künstler *m.* 미용사. **~mittel** *n.* 화장품. **~rät** *m.* 《戱》 이발사, 미용사.

Verschonung [-ʃó:nuŋ] *f.* -en, 용서, 관용; 면제.

verschossen [-ʃɔ́sən] [<verschießen] *p.a.* 퇴색한; 《俗》 (in jn., 아무에게) 반한, 빠진.

verschränken [-ʃrɛ́ŋkən] *t.* 교차시키다, 짜맞추다, 엇걸다(*cross, fold*).

verschreiben* [-ʃráibən] 《Ⅰ》 *t.* ① 쓰기에 소비하다《종이·시간을》. ② 잘못 쓰다. ③ 써서 보내다; 서면으로 불러오다, 가져오게 하다. ④ 약의 처방전을 주다. ⑤ 〖法〗 양도하다《증서에 의하여》. 《Ⅱ》 *refl.* 틀리게 쓰다; (문서로) 보증인이 되다. **Verschreibung** *f.* -en, 틀리게 씀; 주문; 처방; 양도 증서.

verschreien* [-ʃráiən] *t.* 《Ⅰ》 큰 소리로 욕을 퍼붓다; 악평하다. 《Ⅱ》 **verschrie(e)n** *p.a.* 평판이 나쁜.

verschroben [fɛrʃró:bən, fər-] [<verschrauben] *p.a.* 비뚤린, 비꼬인; 《比》 괴팍한, 성격이 비뚤어진(*queer, odd*).

verschrotten [-ʃrɔ́tən] *t.* (고철을) 부서뜨리다, 조각내다, 해체하다(*scrap*).

verschrumpfen [fɛrʃrúmpfən, fər-] 《Ⅰ》 *i.*(s.) 줄다; 주름이 지다. 《Ⅱ》 *t.* 줄어들게 하다, 주름지게 하다.

verschüchtern [-ʃýçtərn] *t.* 위협하다, 공갈하다. **verschüchtert** *p.a.* 외축된.

verschulden [fɛrʃúldən, fər-] 《Ⅰ》 *t.* (의 죄를) 범하다; 벌을 자초하다. ¶ et. an jm. Verschuldet haben 아무에 대한 죄 때문에 어떤 벌을 받다. 《Ⅱ》 *refl.* (부채·채무를) 지다; 죄를 범하다. 《Ⅲ》 **Verschulden** *n.* -s, 허물, 과실(*fault*). 《Ⅳ》 **verschuldet** *p.a.* 죄가 있는; 부채가 있는. **Verschuldung** *f.* -en, 과실, 죄과; 부채.

verschütten [fɛrʃýtən, fər-] *t.* ① (토사(土沙)로) 막다, 묻다. ¶ verschüttet werden 묻히다. ② 잘못 붓다; 엎지르다. ¶ 《比》 es bei jm. ~ 아무의 미움을 사다, 아무의 기분을 상하게 하다.

verschwägern [-ʃvɛ́:gərn] *t.* 인척으로 삼다; *refl.* (mit, 와) 인척 관계를 맺다.
verschwägert *p.a.* 인척간의, 친척인.

verschwatzen [-ʃvátzən], **verschwätzen** 《Ⅰ》 *t.* 지껄이며〔노닥거리며〕 보내다《시간을》; 무심코 지껄이다. 《Ⅱ》 *refl.* 실언하다; 잡담으로 여가를 보내다.

verschweigen* [-ʃváigən] 《Ⅰ》 *t.* 비밀로 하다, 말하지 않다, 숨기다. 《Ⅱ》 **verschwiegen** *p.a.* 비밀을 지키는; 과묵한.

verschwelgen [-ʃvɛ́lgən] *t.* 진탕 먹어 없애다, 탕진하다.

verschwellen(*) [fərʃvɛ́lən] 《Ⅰ》 (强變化) *i.*(s.) 부풀다; 〖醫〗 종창(腫脹)하다. 《Ⅱ》 (弱變化) *t.* 부풀게 하다.

verschwenden [fɛrʃvɛ́ndən, fər-] [=„verschwinden machen"] *t.* 낭비〔허비〕하다(*waste, lavish, squander*). ¶ s-e Mühe ~ 헛수고하다. **Verschwender** *m.* -s, -, 낭비자. **verschwenderisch** *a.* 낭비하는; 사치한. **Verschwendung** *f.* -en, 낭비; 사치.

Verschwendungs·sucht *f.* 낭비벽, 사치. **~süchtig** *a.* 낭비벽의, 사치한.

verschwiegen [fɛrʃví:gən, fər-] [<verschweigen] *p.a.* 침묵하는; 과묵한; 조용한. **Verschwiegenheit** *f.* 비밀을 지킴, 은폐; 과묵.

verschwiemelt [fɛrʃví:məlt, fər-] [<Schwiemel] *a.* (밤새워 마셔 눈이나 얼굴이) 부석부석한. ¶ ~ aussehen 술이 덜 깬 얼굴이군.

verschwimmen* [-ʃvímən] *i.*(s.) ① 녹아 없어지다, 용해〔융해〕하다. ② 희미해지다, 몽롱해지다; 바래다, 흐려지다.

verschwinden* [-ʃvíndən] *i.*(s.) 사라지다, 소실〔소멸〕되다; 실종되다(*disappear, vanish*). **Verschwindepunkt** *m.* 〖畫〗 소실점.

verschwistert [fɛrʃvístərt, fər-] [<

Geschwister] *p. a.* 형제의 의를 맺은, 친한.

verschwitzen [fɛrʃvítsən, fər–] *t.* (감기 따위를) 땀을 빼고 몰아내다, 《俗》 잊다; **verschwitzt** *p. a.*, 땀으로 흠뻑 젖은; 잊혀진(*forgotten*).

verschwommen [fɛrʃvɔ́mən, fər–] [<verschwimmen] *p. a.* 희미한, (윤곽이) 명료치 않은.

verschwōren* [–ʃvǿ:rən] 《Ⅰ》 *t.* ① 맹세코 그만두다, 그만둘 것을 맹세하다. ② 저주하다. 《Ⅱ》 *refl.* (sich schwörend verbinden) 결탁하다, 작당〔공모〕하다(*conspire, plot*). 《Ⅲ》 **verschwōren** *p. a.* 결탁한, 작당한. **Verschwōr(e)ne** *m.* u. *f.* 《形容詞變化》 =VERSCHWÖRER. **Verschwōrer** *m.* –s, –, 공모자, 모반자. **Verschwōrung** *f.* –en, 선서; 결탁, 모반(*conspiracy, plot*).

versēhen* [–zé:ən] 《Ⅰ》 *t.* ① 간과하다, 놓치다. ② et. ～ 과실을 범하다 / es bei jm. ～ 아무의 미움을 사다, 아무의 기분을 상하게 하다. ③ 뒤를 보살피다, 돌보다; 관장하다, 행하다(*perform*). ④ jn. mit et. ～ 아무에게 무엇을 공급하다, 주다(*supply*) / et. mit et. ～ 무엇에 무엇을 갖추다, 준비하다(*provide*). ⑤ 〖가톨릭〗 jn. ～ 아무에게 병자의 성사를 베풀다. 《Ⅱ》 *refl.* 잘못을 저지르다, 실수하다(*make a mistake*); (mit, 을) 갖추다, 준비하다, 마련하다; (e–s Dinges, 무엇을) 기대〔예기〕하다(*expect*). 《Ⅲ》 **Versēhen** *n.* –s, –, 잘못 봄; 과실, 실책. ¶aus ～ (=**versēhentlich** *adv.*) 잘못하여.

versēhren [–zé:rən] [<sehr] *t.* 상하게 하다, 해치다. **Versēhrte** *m.* u. *f.* 《形容詞變化》 신체 장애자; 상이병(傷痍兵). **Versēhrtengeld** *n.* 상이병 연금. **Versēhrt·heit** *f.* –en, (부상에 의한) 신체 장애; 상이.

verseifen [fɛrzáifən, fər–] *i.* (h. *u.* s.) 〖化〗 비누화(化)하다.

versenden(*) [fɛrzɛ́ndən, fər–] *t.* 보내다; 발송하다; 수송하다; 수출하다. **Versendung** *f.* –en, 발송; 수송; 수출.

versengen [–zɛ́ŋən] *t.* 그을리다, 태우다; *refl.* u. *i.* (s.) 타다, 그을다.

versenken [fɛrzɛ́ŋkən, fər–] *t.* 가라앉히다; 푹 집어넣다; 깊이 때려 박다(못 따위를); *refl.* 가라앉다; (in et., 에) 탐닉하다, 몰두하다. **Versenkung** *f.* –en, 침몰, 침하(沈下); 〖劇〗 함정으로 가장된 문 또는 뚜껑(*trap door*).

versessen [–zɛ́sən] [<versitzen] *p. a.* (auf et., 에) 열중〔골똘〕한. **Versessenheit** *f.* 열중, 심취.

versetzen [–zɛ́tsən] 《Ⅰ》 *t.* ① 전당 잡히다, 저당에 넣다(*pawn*). ② 바꾸어 놓다, 옮기다(*displace*); 이식(移植)하다; 전치(轉置)하다; 전입시키다; 진급시키다(학생을). ③ (mit e–m Zusatz vermischen) (에) 섞음질하다. ④ jm. e–n Streich 〔Stoß〕 ～ 아무에게 입격을 가하다. 《Ⅱ》 *refl.* 옮(겨지)다; 위치를 바꾸다. ¶versetze sich in m–e Lage! 내 입장이 되어 보게. 《Ⅲ》 *t.* u. *i.* (h.) 답변하다, 대답하다(*reply, rejoin*). **Versetzung** *f.* –en, ① 옮김, 전치, 전위; 전환; (학생의) 진급; (관리의) 전임. ② 혼합; 합금.

Versetzungs·exāmen *n.* 진급 시험. **～nummer** *f.* 합격점. **～prǖfung** *f.* 진급 시험. **～zeichen** *n.* 〖樂〗 임시기호(*accidental*).

verseuchen [fɛrzɔ́yçən, fər–] *t.* 전염병에 감염시키다; (어떤 장소를) 병독으로 오염시키다; *i.* (s.) 감염하다. **Verseuchung** *f.* –en, 전염, 감염.

Vers·fūß [fɛ́rsfu:s] *m.* 운각(韻脚).

versichern [–zíçərn] 《Ⅰ》 *t.* ① 보증하다; 보험에 걸다(*insure*). ② jn. e–s Dinges ～ 아무에게 무엇을 확신시키다, 확언하다, 보증하다(*assure, assert, aver*). ¶seien Sie dessen versichert! 그것은 보증합니다, 틀림 없읍니다. 《Ⅱ》 *refl.* ① sich gegen Tod ～ 생명 보험에 가입하다. ② sich e–s Dinges ～ 무엇을 확인하다. 《Ⅲ》 **Versicherte** *m.* u. *f.* 《形容詞變化》 피보험자. **Versicherung** [–zíçəruŋ] *f.* –en, 확언, 책임짐; 보증; 보험.

Versicherungs·agent *m.* 보험 대리점. **～anstalt** *f.* 보험 회사. **～beitāg** *m.* 보험 사기. **～beitrāg** *m.*, **～gebühr** *f.* 보험료. **～fachmann** *m.* 보험 대리업자. **～gesellschaft** *f.* 보험 회사. **～nehmer** *m.* 보험 계약자. **～police** *f.* 보험 증서. **～prāmie** *f.* 보험료. **～schein** *m.* 보험 증서. **～vertrēter** *m.* 보험 외무원. **～wērt** *m.* 보험가액. **～wēsen** *m.* 보험 제도.

versickern [fɛrzíkərn, fər–] *i.* (s.) 새다, 새어 없어지다.

versieben [fɛrzí:bən, fər–] [<Sieb] *t.* 《俗》 깜박(놓고) 잊다; (verderben) 망쳐 버리다.

versiechen [–zí:çən] *i.* (s.) 병들다; 앓아 쇠약해지다.

versiegeln [–zí:gəln] *t.* 봉인(封印)하다, 봉하다; 〖法〗 압류하다. **Versieg(e)lung** *f.* –en, 봉(인), 밀봉.

versiegen [fɛrzí:gən, fər–] *i.* (s.) 마르다, 바짝 마르다; 고갈하다.

versilbern [fɛrzílbərn, fər–] *t.* ① (에) 은을 입히다, 은도금하다. ② 《俗》 돈으로 바꾸다, 매각하다.

versinken* [–zíŋkən] 《Ⅰ》 *i.* (s.) 가라앉다, 침몰하다; 《比》 멸망하다; 몰두하다. 《Ⅱ》 **versunken** *p.a.* 가라앉은; 《比》 몰두한; 영락한; 타락한.

versinnbild(lich)en [–zínbıldən, –zínbılt(lıç)ən] *t.* 상징화하다, 비유로 나타내다. **versinnlichen** 《Ⅰ》 *t.* ① 지각(知覺)할 수 있게 하다; 구상화하다; 실물〔실례·도해〕로 알기 쉽게 하다. ② 육감적〔관능적〕으로 하다. 《Ⅱ》 *i.* (s.) u. *refl.* 육감적〔관능적〕으로 되다.

versippen [fɛrzípən, fər–] *t.* 인척으로 삼다; *i.* (s.) 인척이 되다. **versippt** *p. a.* 인척〔친척〕의.

versklāven [fɛrsklá:fən, –vən; fər–] *t.* 노예로 만들다; *i.* (s.) 노예가 되다. **Versklāvung** *f.* –en, 노예화.

Vers·kunst *f.* 시작법(詩作法). **～macher** *m.* (엉터리) 시인. **～māß** *n.* 운율(韻律).

versoffen [fɛrzɔ́fən, fər–] [<versaufen] *p. a.* 주정뱅이의(*drunk(en)*).

versohlen [–zó:lən] *t.* (구두에) 밑창을 대다.

versöhnen [fɛrzǿ:nən, fər–] [<Sühne]

《Ⅰ》 *t.* 달래다(*appease*); (mit, 와) 잘 화해시키다 (*reconcile*); 속죄(贖罪)하다. 《Ⅱ》 *refl.* (mit jm., 아무와) 화해하다. **Versöhner** *m.* -s, -, 화해자, 조정자. **versöhnlich** *a.* 유화〔화해〕적인, 온건한. **Versöhnung** [-zǿ:nʊŋ] *f.* -en, 유화, 화해, 조정; 〖宗〗 속죄.

Versöhnungs=opfer *n.* 속죄의 제물. **∼politik** *f.* 유화 정책. **∼tag** *m.* 〖宗〗 (유대인의) 속죄의 날.

versonnen [fɛrzɔ́nən, fər-] [<versinnen] *p. a.* 명상〔공상〕에 잠긴, 몽상적인.

versorgen [-zɔ́rgən] *t.* ① jn. mit et. ∼ 아무에게 무엇을 공급하다, 돌봐 주다, 가지게 하다(*provide, supply*). ② jn. ∼ 아무의 생계를 유지할 수 있도록 해주다(*settle*), 에게 취직을 주선하다. ③ et. ∼ 무엇을 배려하다, 를 돌보다. **Versorger** *m.* -s, -, 공급자; 부양자. **Versorgung** [-zɔ́rgʊŋ] *f.* -en, ① 공급; 의식(衣食)을 돌봄, 부양, 급양. ② 생계; 의식; 직(職), 지위.

Versorgungs=anspruch *m.* 부양 요구권. **∼anstalt** *f.* 양로원. **∼be=rechtigt** *a.* 부양받을 자격이 있는. **∼betrieb** *m.* (수도·교통 등) 공공 사업 부문.

verspannen [-ʃpánən] *t.* (에) 철사를〔줄을〕 치다, 버팀줄〔지주(支柱)〕로 받치다.

versparen [fɛrʃpá:rən, fər-] *t.* ① 절약하다. ② 연기〔유예〕하다.

verspäten [fɛrʃpɛ́:tən, fər-] *t.* 늦게 하다, 지체시키다(*delay*); *refl.* 늦어지다, 지각하다(*be* (*too*) *late*); 〖鐵〗 연착하다. **verspätet** *p. a.* 늦은(*belated, late*); *adv.* 늦어서, 늦게. **Verspätung** *f.* -en, 지체; 지각; 연착.

verspeisen [-ʃpáizən] *t.* 다 먹어 치우다; 남김 없이 먹다.

verspekulieren [-ʃpekulí:rən, -spe-] *t.* 투기(投機)로 잃다; *refl.* 투기로 재산을 날리다.

versperren [-ʃpɛ́rən] *t.* 폐쇄〔봉쇄·폐색·차단〕하다.

verspielen [-ʃpí:lən] *t.* 도박으로 보내다《시간을》; 도박으로 잃다; *i.*(h.) 도박에 지다; 《比》 실패하다. ¶ (es) bei jm. ∼ 아무의 미움을 사다.

verspotten [-ʃpɔ́tən] *t.* 조롱〔조소〕하다, 놀리다. **Verspottung** *f.* -en, 조롱, 조소.

versprechen* [fɛrʃprɛ́çən, fər-] 《Ⅰ》 *t.* ① 약속하다(*promise*). ② 장래를 약속하다, 기대하게 하다, 유망하다, 가망이 있다. ③ sich^3 von jm. 〔et.^{3}〕 viel ∼ 아무에게〔무엇에〕 큰 기대를 걸다. 《Ⅱ》 *refl.* ① 잘못 말하다. ② (mit, 와) 약혼하다. 《Ⅲ》 **Versprechen** *n.* -s, -, ① 잘못 말함. ② 약속. **Versprechung** *f.* -en, 약속.

versprengen [-ʃprɛ́ŋən] 《Ⅰ》 *t.* 흩다; 〖軍〗 쫓아 흩어 버리다; 궤멸시키다. ¶ versprengte Truppen 궤멸된 부대. 《Ⅱ》 **Versprengte** *m.* 《形容詞變化》 (소속 부대에서 떨어져 헤매는) 낙오병.

verspringen* [-ʃprɪ́ŋən] *t.*: sich^3 den Fuß ∼ 뛰어서 발을 삐다; *refl.* 뛰어다녀 길을 잃다.

verspritzen [-ʃprɪ́tsən] *t.* 튀기어 흩다.

verspüren [-ʃpý:rən] *t.* 느끼다, 알아채다(*feel, perceive*).

verstaatlichen [fɛrʃtá:tlɪçən, fər-] *t.* 국립〔국유·국영〕으로 하다. **verstaat=licht** *p. a.* 국유〔국영〕화된 **Verstaat=lichung** *f.* -en, 국유화, 국영화.

verstädtern [fɛrʃtɛ́:tərn, -ʃtɛ́t-; fər-] *t.* u. *i.*(s.) 도시화하다. **Verstädte=rung** *f.* -en, 도시화, 인구의 도시 집중. **verstadtlichen** *t.* 시립〔시유·시영〕으로 하다.

Verstand [fɛrʃtánt, fər-] [<versteh(e)n] *m.* -(e)s [-dəs, -də], 이해력(*understanding*); 분별, 지능(*intellect, judgement*); 〖哲〗 오성; 바른 정신(*sense*). ¶ gesunder ∼ 상식 / **bei** ∼e bleiben 제정신이다 / **mit** ∼ reden 분별있게 말하다 / **von** ∼ kommen 제정신을 잃다 / **zu** ∼(e) kommen 철이 들다.

Verstandes=kraft *f.* 지력(智力). **∼=mäßig** *a.* 지적인, 합리적인; 지력의. **∼mensch** *m.* 지적 인간; 합리주의자; 실리주의자, 냉정한 사람. **∼schärfe** *f.* 명민(明敏), 총명.

verständig [fɛrʃtɛ́ndɪç, fər-] *a.* 이해력〔분별〕이 있는, 이해가 빠른, 총명한. **verständigen** *t.* jn.: (에게) (von, 을) 알게 하다, 알리다, 를 가르치다; *refl.* (mit, 와) 서로 양해하다, 의사를 소통하다. **Verständigung** *f.* -en, 알게 함, 양해, 의사의 소통. **verständlich** [fɛrʃtɛ́ntlɪç, fər-] *a.* 이해 할 수 있는, 알기 쉬운. **Verstädlichkeit** *f.* 이해할 수 있음; 명료함. **Verständnis** [-ʃtɛ́ntnɪs] *n.* -ses, -se, 이해(력) (*understanding*).

verständnis=innig *a.* 깊이 이해하고 있는, 의미 심장한. **∼los** *a.* 이해가 없는, 몰이해한. **∼voll** *a.* 이해력이 있는, 총명한.

verstärken [-ʃtɛ́rkən] *t.* 강하게 하다; 증강〔보강·강화〕하다; 진하게 하다《색·산도(酸度) 따위를》; *refl.* 세지다, 증대하다. **Verstärker** *m.* -s, -, 〖電〗 〔**Verstärkerröhre** *f.*〕 증폭관(增幅管). **Verstärkung** *f.* -en, 강하게 함; 증강; 보강물; 증원군(增援軍).

verstatten [-ʃtátən] *t.* 허가하다, 승락하다(*permit, allow*).

verstauben [-ʃtáubən] *i.*(s.) 먼지투성이가 되다, 먼지처럼 흩어지다. **verstäu=ben** 《Ⅰ》 *t.* 먼지처럼 흩날리게 하다. 《Ⅱ》 *i.*(s.) 먼지처럼 흩날리다. 《Ⅲ》 *refl.* 먼지투성이가 되다, 먼지에 묻히다.

verstauchen [fɛrʃtáuxən, fər-] *t.* 삐다, 접질리(게 하)다, 탈구(脫臼)시키다. **Ver=stauchung** *f.* -en, 삠, 염좌(捻挫), 부전 탈구(不全脫臼).

verstauen [-ʃtáuən] *t.* (차곡차곡) 넣다; 채워 넣다.

Versteck [fɛrʃtɛ́k, fər-] *n.* -(e)s, -e, 숨김, 숨음; 숨은 곳. ¶ ∼ spielen 숨바꼭질하다. **verstecken** [-ʃtɛ́kən] 《Ⅰ》 *t.* 숨기다(*hide, conceal*). 《Ⅱ》 *refl.* 숨다. 《Ⅲ》 **versteckt** *p. a.* 숨은, 숨겨진; 은밀한; 음험한. **Verstecken** *n.* -s, **Versteckenspielen** *n.* 숨바꼭질. **Versteckt·heit** *f.* 비밀; 음험, 교활.

versteh(e)n* [-ʃté:(ə)n] [*wohl eig.* „vor et.^{3} stehen (um es genau zu erkennen)"]《Ⅰ》*t.* 이해하다, 알다, 깨닫다(*understand, comprehend*); 터득하고 있다, 알고 있다, (에) 정통〔숙달〕하고 있다(*know*); 해석하다, 의미하다. ¶was versteht man unter diesem Ausdrucke? 이 말은 무슨 의미냐. 《Ⅱ》*refl.* ① (auf et., 에) 정통〔숙달〕하고 있다. ② (zu, 을) 승낙〔동의〕하다. ③ (mit, 와) (내밀의) 양해가 있다, 합의〔결탁〕하고 있다. ④ das versteht sich (von selbst) 그것은 자명한 것이다, 당연한 일이다.

versteifen [-ʃtáifən]《Ⅰ》*t.* ① 뻣뻣하게 하다, 굳어지게 하다; 완강하게 하다. ② 지주(支柱)로 버티다. 《Ⅱ》*i.*(s.) 굳어지다, 딱딱해지다. 《Ⅲ》*refl.* 경화(硬化)하다; (auf et., 을) 완강히 주장하다.

versteigen* [-ʃtáigən] *refl.* 너무 올라가다, 산에서 길을 잃다; 《比》 우쭐해지다, 극단에 흐르다.

versteigern [-ʃtáigərn] *t.* 경매하다. **Versteigerung** *f.* -en, 경매(*auction*).

versteinern [fɛrʃtáinərn, fər-] *t.* 돌이 되게 하다(*petrify*); *i.*(s.) u. *refl.* 돌이 되다, 화석(化石)이 되다. **Versteinerung** *f.* -en, 돌이 되게 함, 석화; 화석. **Versteinerungskunde** *f.* 화석학.

verstellbar [fɛrʃtɛ́lba:r, fər-] *a.* 움직일 수 있는, 옮길 수 있는. **verstellen** [-ʃtɛ́lən]《Ⅰ》*t.* ① (물건을 놓아) 막다, 차단하다. ② 잘못 놓다. ③ 옮겨 놓다, 움직이다, 옮기다; 〖工〗 조절하다. ④ (의 모양을) 바꾸다, 속이다. 《Ⅱ》*refl.* 속이다, 가장하다, 짐짓 …인 체하다(*sham, feign*); 시치미떼다. 《Ⅲ》**verstellt** *p.a.* 거짓의, 속이는, 변장의. **Verstellung** *f.* -en, 전치(轉置), 이동; 조절; 위장, 거짓.

versteppen [-ʃtɛ́pən] *i.*(s.) 서서히 초원(草原)이 되다.

versterben* [fɛrʃtɛ́rbən, fər-] *i.*(s.) 죽다.

versteuern [-ʃtɔ́yərn] *t.* et.: (의) 세를 납부하다. **Versteu(e)rung** *f.* -en, 납세.

verstieben* [-ʃtí:bən] *i.*(s.) (먼지처럼) 흩날리다.

verstiegen [fɛrʃtí:gən, fər-] [<versteigen] *p.a.* 도도한, 우쭐한, 야릇한(*high-flown, eccentric*).

verstimmen [-ʃtímən]《Ⅰ》*t.* (악기의) 가락을 틀리게 하다; 《比》 (의) 비위를 거스르다(*put, cut of humour*). 《Ⅱ》*refl.* 가락이 맞지 않다; 《比》 비위가 상하다. 《Ⅲ》**verstimmt** *p.a.* 가락이 맞지 않는; 《比》 비위가 상한, 기분이 언짢은; 〖商〗 불경기의.

verstockt [-ʃtɔ́kt] *p.a.* 고집 불통의, 완미(頑迷)한, 고집센(*hardened, obdurate*). **Verstockt·heit** *f.* 외고집, 완미(頑迷).

verstohlen [fɛrʃtó:lən, fər-] [<verstehlen] *p.a.* 남의 눈을 피하는, 비밀의(*stealthy, secret*).

verstopfen [-ʃtɔ́pfən] *t.* (에) 마개를 하다, 막다, (에) (mit, 을) 메우다, 채우다; 〖醫〗 변비에 걸리게 하다(*constipate*). **Verstopfung** *f.* -en, 마개를 함, 막음; 폐색; 〖醫〗 변비.

verstorben [fɛrʃtɔ́rbən, fər-] [<versterben] *p.a.* 죽은. **Verstorbene** *m.* u. *f.* 《形容詞變化》 고인(故人).

verstören [-ʃtø̍:rən] *t.* 방해하다; 혹란(惑亂)시키다, (의) 정신을 뒤집어 놓다, 당황하게 하다. **verstört** *p.a.* 심란한, 당황한(*distracted, scared*). **Verstörtheit** *f.* 당혹, 혹란, 광란.

Verstoß [fɛrʃtó:s, fər-] *m.* -es, ⸚e, 저촉, 위반(*offence, blunder*). **verstoßen*** 《Ⅰ》*i.*(h.) (gegen, 을) 위반하다, 어긋난 짓을 하다, 을 범하다(*offend*). 《Ⅱ》*t.* 밀쳐 내다, 물리치다; 이혼하다《마누라와》; 의절(義絶)하다《자식과》. **Verstoßung** *f.* -en, 배척, 배제, 제명, 이혼; 위반, 과실.

verstreben [-ʃtré:bən] [<Strebe] *t.* 지주(支柱)로 받치다. **Verstrebung** *f.* -en, 〖建〗 지주, 보강재.

verstreichen* [-ʃtráiçən]《Ⅰ》*i.*(s.) 경과하다《시간이》. 《Ⅱ》*t.* 발라 막다, 발라 뭉개다, 뒤바르다.

verstreuen [-ʃtrɔ́yən] *t.* 흩뿌리다(*scatter, disperse*). **verstreut** *p.a.* 개개의, 점재하는.

verstricken [-ʃtríkən]《Ⅰ》*t.* (실을) 뜨게질로 다 쓰다; (시간을) 뜨게질로 보내다; (그물에) 말아 들이다(*entangle*); 《比》 유혹하다, 함정에 빠뜨리다(*ensnare*). 《Ⅱ》*refl.* 끌려〔걸려〕들다, 유혹 당하다.

verstudieren [fɛrʃtudí:rən, fər-] *t.* (재산·시간을) 학문〔연구〕에 쓰다; 과도한 공부로 (몸을) 망치다.

verstümmeln [fɛrʃtýməln, fər-] *t.* 절단하다; 《比》 훼손하다, 불구로 만들다.

verstummen [fɛrʃtúmən, fər-] *i.*(s.) 벙어리가 되다; (갑자기) 침묵하다, 입을 다물다.

Versuch [fɛrzú:x, fər-] *m.* -(e)s, -e, 시도, 해봄(*attempt, trial*); 시험; (학술상의) 실험(*experiment*); 〖法〗 미수(범); 시론(試論), 시작(試作). **versuchen** [-zú:xən] *t.* 시험하다, 해보다(*attempt, try*); 실험하다; 맛보다(*taste*); 꼬드기다; 부추기다; 유혹하다(*tempt*). ¶es mit jm. 〔et.[3]〕 ~ 아무를〔무엇을〕 시험하다. **Versucher** *m.* -s, -, 유혹자; 〖聖〗 악마. **Versucherin** *f.* -en, 유혹하는 여자.

Versuchs⸗anstalt *f.* 실험소. **~ballon** *m.* 풍향 기구(風向氣球); 《比》 탐색, 타진. **~kaninchen** *n.* 〖醫〗 실험용 집토끼. **~reihe** *f.* 일련의 실험. **~⸗weise** *adv.* 시험삼아, 시험적으로.

Versuchung [fɛrzú:xuŋ, fər-] *f.* -en, 유혹.

versumpfen [-zúmpfən] *i.*(s.) ① 늪이 되다, 비습(卑濕)해지다. ② 《比·俗》 탐닉〔타락·방탕〕하다.

versündigen [-zýndɪgən] *refl.* 죄를 범하다; 위반하다; (an, 을) 범하다. **Versündigung** *f.* -en, 죄(罪)(를 범함). **Versündigungswahn** *m.* 〖醫〗 죄업망상.

versunken [fɛrzúŋkən, fər-] [<versinken] *p.a.* 가라 앉은; 《比》 쇠미〔타락〕한.

versüßen [fɛrzý:sən, fər-] *t.* 달게 하다; 《比》 감미롭게 하다.

vertagen [-ta:gən] *t.* (회를) 연기하다(*adjourn*); 정회(停會)하다 (*prorogue*). **Vertagung** *f.* -en, 연기; 정회.

vertändeln [-téndəln] *t.* 낭비하다《시간·돈을》.

vertanzen [-tántsən] *t.* (시간을) 댄스로 소비하다.

vertauschen [-táuʃən] *t.* ① 바꾸다, 바꿔치다(*change*); (gegen et., 무엇과) 교환하다(*exchange*); 〖商〗 교역하다. ¶ Berlin mit München ~ 베를린에서 뮌헨으로 옮기다. ② 혼동하다.

vertausendfachen [-táuzəntfaxən] *t.* 천배로 하다.

verteidigen [fɛrtáidɪgən, fər-] *t.* ① 방어[방위]하다(*defend*). ② (법정에서) 변호[변명]하다. **Verteidiger** *m.* -s, -, 방어자; (축구의) 후위; 변호인. **Verteidigung** [-táidɪguŋ] *f.* -en, 방어, 방위; 옹호; 변호, 변명.

Verteidigungs≈beitrāg *m.* 방위 부담. **~krieg** *m.* 방위전. **~rēde** *f.* 변호 연설; 변명. **~schrift** *f.* 변명서; 〖法〗 답변서. **~stellung** *f.* 방어 진지. **~≈weise** *adv.* 수세로, 방어적으로. **~≈zūstand** *m.* 방어 상태.

verteilen [-táilən] 《Ⅰ》 *t.* 가르다, 분배하다, 나누다(*distribute*); 할당하다. 《Ⅱ》 *refl.* 분배되다; 분산하다(*dispers*); 배치되다. **Verteiler** *m.* -s, -, 분배자; 소매인; 배전기. **Verteilung** *f.* -en, 분배, 할당; 배치; 분산.

Verteilungs·schlüssel [-ʃlʏsəl] *m.* 분배율.

verteuern [fɛrtɔyərn, fər-] *t.* (의 값)을) 올리다.

verteufelt [fɛrtɔ́yfəlt, fər-] *p.a.* 악마 같은; 대단한, 엄청난; *adv.* 대단히, 엄청나게.

vertiefen [-tí:fən] *t.* 깊게 하다; *refl.* (in et., 무엇에) 골똘[몰두]하다. ¶ in Gedanken vertieft 깊이 생각에 잠겨. **Vertiefung** *f.* -en, 깊게 함, 우묵하게 함; 오목한 데; 저지(低地); 홈; 열중, 몰두(*absorption*).

vertiert [fɛrtí:rt, fər-] *p.a.* 동물화한, 짐승 같은.

vertikāl [vɛrtiká:l] [lat.] *a.* 수직의. **Vertikāle** *f.* -n, 《흔히 形容詞變化에 따름》 수직선; 〖物〗 연직(鉛直).

Vertikāl·ēbene *f.* 수직면, 직립면(直立面). **~galvanomēter** *n.* [*m.*] 〖電〗 전류 속도계.

Vertikālismus [vɛrtika:lísmus] *m.* -, 수직주의《수평보다 수직선을 중시하는 예술상의 경향, 고딕식 건축 등에서》.

Vertikō [vértiko:] *m.* -s, -, 장식 (있는) 장(欌).

vertilgen [fɛrtílgən, fər-] *t.* ① 근절하다, 뿌리뽑다, 말살하다(*extirpate, exterminate*). ② 다 먹어[마셔] 버리다(*make away with*). **Vertilger** *m.* -s, -, 위를 하는 사람. **Vertilgung** *f.* -en, 근절, 섬멸. **Vertilgungskampf** *m.* 섬멸전.

vertōbacken [fɛrtó:bakən, fər-] *t.* 《方》 때리다; 바보 취급하다, 망서리게 하다.

vertōnen [fɛrtó:nən, fər-] *t.* 작곡하다(*compose*).

vertrackt [fɛrtrákt, fər-] *p.a.* 비틀어진; 《比》 곤란한, 어려운, 까다로운(*confounded, difficult*).

Verträg [fɛrtrá:k, fər-] *m.* -(e)s, ⸗e, 협정, 계약(*agreement, contract*); 조약(*treaty*). **verträgen*** [-trá:gən] 《Ⅰ》 *t.* ① 운반해 가다. ② (ertragen) (에) 견디다; (음식물을) 삭이다, 소화하다. 《Ⅱ》 *refl.* ① (mit, 와) 화동(和同)하다, 사이가 좋다(*agree (with), get on well (together)*). ② (사물이) 조화하다, 일치하다(*be compatible (with)*). **verträglich** [-trá:klɪç] *a.* 계약에 의한, 계약상의; *adv.* 계약에 의하여. **verträglich** [-tré:klɪç] *a.* 남과 잘 어울리는, 융화적인; 잘 어울리는. **Verträglichkeit** *f.* 온화[친숙]한 사람; 조화, 모순이 없음.

Verträgs≈abschluß *m.* 계약[조약] 체결, **~artikel** *m.* 계약 조항. **~bruch** *m.* 계약 위반.

Verträg·schließende [-ʃli:səndə] *m.* u. *f.* 《形容詞變化》 계약자.

verträgs≈māßig *a.* 계약[조약]에 의한, 계약[조약]상의; *adv.* 계약[조약]에 의하여. **~spieler** *m.* (대(大)리거의) 계약 선수. **~widrig** *a.* 조약[계약] 위반의. **~zoll** *m.* 협정 관세.

vertrauen [fɛrtráuən, fər-] 《Ⅰ》 *t.* 맡기다, 위임하다(*entrust*); 털어 놓다(*confide*). 《Ⅱ》 *i.*(h.): jm. [et.³] ~ 아무를[무엇을] 신뢰하다(*trust*). 《Ⅲ》 **Vertrauen** *n.* -s, 신뢰(*trust*); 확신(*confidence*).

Vertrauens≈bruch *m.* 배임(背任). **~≈mann** *m.* 신뢰할 수 있는 사람, 막역한 친구; 중개[조정]자. **~sēlig** *a.* 사람을 너무 신용하는, 호인인. **~voll** *a.* 깊이 신임하는; *adv.* 꼭 믿고. **~vōtum** *n.* 신임 투표. **~würdig** *a.* 신뢰할 만한, 믿을 만한.

vertrauern [-tráuərn] *t.* 비탄 속에 지내다; *refl.* 슬픔으로 몸이 여위다.

vertraulich [fɛrtráulɪç, fər-] *a.* ① 친숙한, 친한; 정다운. ② 마음을 터놓은, 내밀(內密)한. **Vertraulichkeit** *f.* -en, 친밀; 허물 없음; 친밀한 언행.

verträumen [-trɔ́ymən] *t.* 《Ⅰ》 (시간을) 꿈꾸며 보내다; 《Ⅱ》 **verträumt** *p.a.* 꿈꾸는 (듯한).

vertraut [fɛrtráut, fər-] [<vertrauen] 《Ⅰ》 *p.a.* ① (mit jm., 아무와) 친한, 친밀한. ② (mit et.³, 무엇에) 능통한, (에) 정통한. 《Ⅱ》 **Vertraute** *m.* u. *f.* 《形容詞變化》 (믿을 수 있는) 친구[사람]. **Vertraut·heit** *f.* -en, 친밀, 친교; 숙지, 정통함.

vertreiben* [-tráibən] *t.* 몰아 내다, 쫓아 버리다(*drive away*); 방축[구축]하다(*expel, banish*). ¶ jn. aus s-m Besitztum ~ 아무의 소유를 빼앗다 / sich³ die Zeit ~ 심심풀이하다. **Vertreibung** *f.* -en, 방축, 구축.

vertrētbār [fɛrtré:tba:r, fər-] *a.* 대리[대표]할 수 있는; 〖法〗 대체할 수 있는.

vertrēten* [-tré:tən] *t.* ① 대리하다, 대표하다(*represent*); 변호하다(*answer for, defend*); (어떤 의견을) 대표[주장]하다. ② jm. den Weg ~ 아무의 길을 차단하다. ③ sich³ den Fuß ~ 발을 접질리다. **Vertrēter** *m.* -s, -, 대리인, 대표자; 대변자. **Vertrētung** *f.* -en, 대표(*representation*); 대리(*agency*); 대리점.

vertrētungs·weise *adv.* 대리로서, 대표하여.

Vertrieb [fɛrtrí:p, fər-] [<vertreiben] *m.* -(e)s, -e, 매각, 판매; 매상(賣上).

Vertriebene *m.* u. *f.* 《形容詞變化》 피추방자; 유랑자, 난민.
Vertriebs=gesellschaft *f.* 판매 회사. **～recht** *n.* 판권(版權).
vertrimmen [-trímən] *t.* 《俗》 (호되게) 때리다.
vertrinken* [-tríŋkən] *t.* (돈·시간을) 술로 써버리다. ¶ s-n Verstand ～ 술 마시고 이성을 잃다.
vertrocknen [-tróknən] *i.*(s.) 바싹 말라 버리다; 시들어〔말라〕죽다.
vertrödeln [-trø:dəln] *t.* (mit, 으로) 허비〔낭비〕하다《시간을》.
vertrösten [-trø:stən] *t.* (auf et.⁴, 무엇의) 희망을 갖게 하다, 위로하다, 달래다. **Vertröstung** *f.* -en, (헛된) 위로, 희망. 「치가 되다.」
vertrotteln [fɛrtrɔ́təln, fər-] *i.*(s.) 백」
vertrusten [fɛrtrústən, fər-; -trʌ́stən] *t.* 〖商〗 트러스트로 하다, 기업 활동을 하다.
Vertuer [fɛrtú:ər, fər-] *m.* -s, -, 낭비〔방탕〕자. **vertun*** *t.* 낭비〔탕진〕하다; *refl.* 가다, 나아가다; 종사하다.
vertusche(l)n [-tʊ́ʃə(l)n] *t.* 무마시키다, 쓱싹해버리다, 우물쭈물 넘기다, 내밀(內密)로 하다; 커트〔삭제〕하다.
verübeln [fɛrý:bəln, fər-] *t.* (jm. 아무의 무엇을) 나쁘게 여기다.
verüben [-ý:bən] *t.* (나쁜 일을) 하다, 범하다(*commit, perpetrate*). **Verüber** *m.* -s, -, 범행자, 범인. **Verübung** *f.* -en, 범행.
verulken [fɛrúlkən, fər-] *t.* 놀리다, 희롱하다(*make fun of*).
verunehren [fɛr-ʊ́n-e:rən, fər-] *t.* (의) 명예를 더럽히다, 욕보이다.
veruneinigen [fɛr-ʊ́n-ainɪgən, fər-] *t.* 불화하게 하다, 이간하다; *refl.* 사이가 틀어지다, 다투다.
verunglimpfen [fɛr-ʊ́nglɪmpfən, fər-] *t.* (의) 명예를 훼손하다, 비방〔모욕〕하다.
verunglücken [fɛr-ʊ́nglʏkən, fər-] *i.*(s.) 조난하다; 실수하다, 실패하다.
verunreinigen [fɛr-ʊ́nrainɪgən, fər-] *t.* 더럽게 하다, 더럽히다. **Verunreinigung** *f.* -en, 더럽힘; 오염; 협잡물.
verunstalten [fɛr-ʊ́nʃtaltən, fər-] [< ungestalt] *t.* (의) 모양을 손상시키다, 추하게 하다.

veruntreuen [fɛr-ʊ́ntrɔyən, fər-] *t.* 횡령〔착복〕하다(*embezzle*).
verursachen [fɛr-ú:rzaxən, fər-] *t.* 야기하다, 초래하다, 일으키다(*cause, give rise to*). **Verursacher** *m.* -s, -, 장본인, 교사자(敎唆者), 선동자; 원동력.
verurteilen [fɛr-ʊ́rtailən, fər-] *t.* (에게) 유죄 판결을 내리다(*condemn, sentence*). **Verurteilung** *f.* -en, 유죄 선고; 사형 선고.
Verve [vɛ́rvə] [lat. -fr.] *f.* 감격, 열광; 영감(=Begeisterung); 활기.
vervielfachen [fɛrfí:lfaxən, fər-] *t.* 몇 배로 하다; 〖數〗 곱하다(*multiply*).
vervielfältigen [fɛrfí:lfɛltɪgən, fər-] *t.* 몇 배로 하다; 복제〔복사〕하다(*copy, reproduce*). **Vervielfältigung** *f.* -en, 〖數〗 곱셈; 복사, 복제.
vervollkommnen [fɛrfɔ́lkɔmnən, fər-] *t.* 완성하다(*perfect*); (완전히 하기 위하여) 개량하다(*improve*); *refl.* 완성되다, 개량되다.
vervollständigen [fɛrfɔ́lʃtɛndɪgən, fər-] *t.* 완전하게 하다(*complete*). **Vervollständigung** *f.* -en, 완성, 보충.
verwachsen* [-váksən] 《Ⅰ》 *i.*(s.) 공생(共生)하다(*grow together*); 아물다, 유착하다(*heal up, close*). 《Ⅱ》 **verwachsen** *p.a.* 공생한, 유착한; 기형의, 불구의(*deformed*). **Verwachsung** *f.* -en, 공생; 유착; 기형(이 됨).
verwahren [fɛrvá:rən, fər-] 《Ⅰ》 *t.* 간직하다, 지키다, 보호〔보관〕하다(*keep, guard*). 《Ⅱ》 *refl.* 몸을 지키다; (gegen, 에 대하여) 항의하다(*protest*). **Verwahrer** *m.* -s, -, 보관자; 보유자.
verwahrlosen [fɛrvá:rlo:zən, fər-] [† wahr-los „acht-los"] *t.* (의) 주의를 게을리〔소홀히〕하다, 아무렇게나 하다(*neglect*). ¶ verwahrloster (*p.a.*) Garten 황폐한 뜰. **Verwahrlosung** *f.* -en, 부주의, 방임.
Verwahrsam [fɛrvá:rza:m, fər-] [< verwahren] *m.* -s, -e, ① 구치, 구금. ② 보관. **Verwahrung** *f.* -en, ① 보유, 보관. ② 금고, 구치. ③ 항의, 이의. ¶ ～ gegen et. einlegen 무엇에 항의하다, 이의를 말하다.
Verwahrungs=mittel *n.* ① 방부제, 예방약. ② 〖法〗 항의(서). **～ort** *m.* 보관소, 저장소, 창고. **～theorie** *f.* 〖法〗 감금설《매춘부의 형벌에 있어서의》.
verwaisen [fɛrváizən, fər-] 《Ⅰ》 *i.*(s.) 고아가 되다; 《比》 버림받다. 《Ⅱ》 **verwaist** *p.a.* 고아가 된; 고립한.
verwalken [-válkən] *t.* 《俗》 개패듯하다.
verwalten [-váltən] *t.* 주재〔지배·관리〕하다(*administer, manage*); (관직을) 맡아 보다. **Verwalter** *m.* -s, -, 관리인, 지배인; 사무장. **Verwaltung** *f.* -en, 주재, 관리, 관할; 〖軍〗 경리; (Staats～) 행정; 행정 관청.
Verwaltungs=abteilung *f.* 행정부. **～beamte** *m.* u. *f.* 《形容詞變化》 행정관. **～behörde** *f.* 관청, 관가. **～dienst** *m.* 문관 근무. **～gericht** *n.* 행정 재판소. **～kosten** *pl.* 관리비; 행정비. **～maßnahme** *f.* 행정 조처. **～stelle** *f.* 행정부. **～wesen** *n.* 행정 조직. **～zweig** *m.* 행정 부문.
verwandeln [-vándəln] 《Ⅰ》 *t.* 변하게 하다, 변화시키다, 바꾸다(*change, transform*); (형(刑))을 바꾸다〔감하다〕(*commute*). 《Ⅱ》 *refl.* 바뀌다, 변하다. **Verwandlung** *f.* -en, 변화.
Verwandlungs=künstler *m.* 〖劇〗 연극중 급변장(急變裝)하는 배우. **～zene** *f.* 〖劇〗 관객의 눈 앞에서 인물이 다른 인물로 변화하는 장면.
verwandt [fɛrvánt, fər-] [*eig.* „zugewandt", <verwenden] 《Ⅰ》 *p.a.* = VERWENDEN. 《Ⅱ》 ① 친척의(*related*); 인척 관계인(*allied*). ② 유사한, 동류의, 동질의(*kindred, cognate*); 〖化〗 친화성이 있는. **Verwandte** *m.* u. *f.* 《形容詞變化》 친척되는 사람.

Verwandten≈ēhe *f.* 근친 결혼. **~≈kreis** *m.* 친족. **~mord** *m.* 친척 살인.
Verwandt·schaft [fɛrvánt-, fər-] *f.* -en, ① 친척(임), 친척 관계; 친족 (일동). ② 같은 계통, 유사; 동질, 친화성; 〖化〗 친화력(*affinity*). **verwandt·schaftlich** *a.* 친척의, 혈연상의; 유사한; 동류의, 동질의; 〖化〗 친화력이 있는.
Verwandt·schafts≈grād *m.* 친등(親等), 촌수. **~kraft** *f.* 〖化〗 친화력, 화합력. **~tāfel** *f.* 〖化〗 화합력표.
verwanzt [-vántst] *p. a.* 벌레가 낀.
verwarnen [-várnən] *t.* 훈계하다; 간지(諫止)하다; 질책하다. **Verwarnung** *f.* -en, 훈계; 간지; 질책.
verwaschen* [-váʃən] 《Ⅰ》 *t.* (비누 따위를) 빨래에 써 버리다; 씻어 내다, 빨다. 《Ⅱ》 **verwaschen** *p. a.* 빨아서 바랜; 퇴색한.
verwässern [-vésərn] *t.* 물을 타서 묽게 하다, 물기가 있게 하다; 《比》 무미〔무력〕하게 하다, 약하게 하다. 「어짜다.
verwēben(*) [-vé:bən] *t.* 짜 넣다, 섞」
verwechseln [fɛrvéksəln, fər-] *t.* 잘못 생각하다, 혼동하다(*mistake for, confound*). **Verwechs(e)lung** *f.* -en, 혼동; 착오.
verwēgen [fɛrvé:gən, fər-] [<verwägen] *p. a.* 과감한, 대담한(*bold, daring*); 뱃심 좋은(*audacious*). **Verwēgenheit** *f.* -en, 무모함, 대담함.
verwēhen [-vé:ən] *t.* 불어서 휩쓸다〔흩다·날리다·흩려 보내다〕; *i.*(s.) 흩날리다, 비산하다.
verwehren [-vé:rən] *t.*: jm. et.: 거절하다(*refuse, prohibit*); 방해하다(*hinder, prevent*).
verweichlichen [fɛrváiçlıçən, fər-] *t.* 유약하게 하다. ¶ein verweichlichter (*p. a.*) Mensch 허약한 〔유약한〕 사람. *refl.* 무력해지다.
verweigern [-váigərn] *t.*: jm. et.: 거절하다, 사절하다(*deny, refuse*). **Ver≈weigerung** *f.* -en, 거절.
verweilen [fɛrváilən, fər-] *i.*(s.) ① 머무르다(*stop, stay*); (bei jm., 아무의 집에) 체재하다(*tarry*). ② (bei et.[3], 무엇에 대하여) 장광설을 늘어 놓다, 시간을 끌다(*dwell on*). 「부은.
verweint [-váint] *p. a.* (눈이) 울어서」
Verweis [fɛrváis, fər-] *m.* -es, -e, 비난, 질책, 징계(*reprimand, reproof*).
verweisen* [-váizən] *t.* 《Ⅰ》 나무라다, 비난〔견책〕하다(*reprimand*). 《Ⅱ》 ① (에 가도록) 지시하다(*refer*); (an jn. 〔et.〕, 에게〔으로〕) 가도록 명하다. ¶den Leser auf e-e frühere Stelle ~ 독자에게 전술한 곳을 참조하라고 지시하다. ② 추방하다, 퇴학시키다(*banish, expel*). ¶des Landes ~ 국외로 추방하다. **Ver≈weisung** *f.* -en, 지시, 참조; 위탁; 추방, 귀양; 퇴교. 「울다.
verwelken [fɛrvélkən] *i.*(s.) 시들다, 이」
verwelschen [fɛrvélʃən] *t.* 외국화하다 《보통 이탈리아·프랑스화》.
verweltlichen [-véltlıçən] *t.* 세속적으로 하다; 환속(還俗)시키다; 속용(俗用)에 제공하다.
Verwendbār [-véntba:r] *a.* 쓸모 있는, 쓸〔이용할〕 수 있는; 적당한, 어울리는.
verwenden(*) [-véndən] 《Ⅰ》 *t.* ① (눈을) 향하게 하다; 돌리다. ② 쓰다, 사용하다(*apply, employ, use*). 《Ⅱ》 *refl.* ① 돌리다, 향하다. ② 주선하다; 알선하다.
Verwendung *f.* -en, 돌림, 사용; 용도; 투자; 알선, 주선.
verwerfen* [-vérfən] 《Ⅰ》 *t.* ① 던져 흩뜨리다; 잘못 던지다. ② 《比》 물리치다(*reject*); 폐기하다(*quash*). 《Ⅱ》 *refl.* 잘못 던지다; (목재가) 휘다(*warp*); 〖地〗 단층이 생기다((*show a*) *fault*). **verwerf≈lich** *a.* 배척〔타기〕해야 할. **Verwer≈fung** *f.* -en, 물리침, 거부; 〖法〗 기각; 〖地〗 단층(斷層).
verwērten [fɛrvé:rtən, fər-] *t.* ① 사용하다, 쓸모 있게 하다, 이용하다(*turn to account, utilize*). ② 환가(換價)하다(*realize*). **Verwērtung** *f.* -en, 이용; 환가.
verwēsen[1] [fɛrvé:zən, fər-] *i.*(s.) 부패하다(*rot, putrefy*); 썩어 없어지다, 분해되다(*decompose*).
verwēsen[2] [-vé:zən] *t.* 대행하다; 주재〔관리〕하다(*administer, manage*). **Ver≈wēser** *m.* -s, -, 대리자; 관리자; (Reichs~) 섭정.
verwēslich [fɛrvé:slıç, fər-] *a.* 썩어 분해하는, 썩기 쉬운. **Verwēsung**[1] *f.* -en, 썩어 없어짐, 부패, 분해.
Verwēsung[2] [fɛrvé:zuŋ, fər-] *f.* -en, 대리; 지배, 관리; 섭정.
Verwēsungs·prozeß [-protsɛs] *m.* 부패〔분해〕 과정.
verwetten [fɛrvétən, fər-] *t.* (시간·돈을) 도박에 소비하다; (돈을) 도박에서 잃다; (노름에) 걸다.
verwettert [fɛrvétərt, fər-] *a.* 저주받은; 지긋지긋한, 화가 치미는, 비바람을 맞은.
verwichen [-víçən] [<verweichen] *p. a.* 지나간(*past, former*). ¶~es Jahr 작년, 객년.
verwichsen [-víksən] *t.* 《俗》 ① 개패듯 하다. ② 낭비하다, 다 쓰다.
verwickeln [-víkəln] 《Ⅰ》 *t.* 엉클어지게 하다(*entangle*); 분규가 생기게 하다(*complicate*); 휩쓸어 넣다, 끌고 들어가다(*involve*). 《Ⅱ》 **verwickelt** *p. a.* 분규가 생긴, 복잡한, 뒤얽힌. **Verwick(e)≈lung** *f.* -en, 엉클어짐, 분규, 착종; 갈등.
Verwiesene [fɛrví:zənə, fər-] [<verweisen] *m.* u. *f.* (形容詞變化) (피)추방자.
verwildern [-víldərn] *i.*(s.) 거칠게 되다, 야만스럽게 되다; 야생화하다《동물이》; 메부수수하게 되다, 거칠어지다《사람·풍속 등이》; (밭 따위가) 황폐되다.
verwinden[1]* [fɛrvíndən, fər-] [„den Schmerz überwinden"] *t.* (을) 이겨 내다, 견디다, 체념하다(*get over to, recover from*).
verwinden[2]* *t.* 서로 얽히게 하다, 비틀다(*twist*). **Verwindung**[1] *f.* -en, 비틂; 비틀림; 〖空〗 날개의 비틀림.
Verwindung[2] [-vínduŋ] *f.* -en, (고통 따위를) 견딤, (손해 따위를) 체념함, 잊음; 극복; 감수.
verwirken [-vírkən] *t.* ① (명예·목숨 등을) 잃다《벌로》; (겨우 얻은 것을) 수

V

포화하다(*forfeit*). ② (형벌을) 초래하다, 당하다(*incur*).

verwirklichen [fɛrvírklıçən, fər–] *t.* 현실화하다, 실현〔실행〕하다(*realize, put into practice*); *refl.* 실현되다(*come true*). **Verwirklichung** *f.* –en, 실현, 실행.

Verwirkung [fɛrvírkuŋ, fər–] *f.* –en, (권리·명성 따위의) 상실; 처벌.

verwirren(*) [–vírən] 《Ⅰ》 *t.* 엉클다(*entangle*); 당황케 하다, 낭패시키다(*confound, perplex*). 《Ⅱ》 **verwirrt** *p.a.* 엉클어진, 어지러운, 착란〔당황〕한, 어리둥절한. **Verwirrung** *f.* –en, 분규; 착란, 당황.

verwischen [–víʃən] *t.* 지워〔닦아·씻어〕 없애다; 《比》 말살하다; 〚畫〛 찰필(擦筆)로 비비다, 바림하다.

verwittern [–vítərn] 《Ⅰ》 *i.*(s.) 비바람에 맞(아 상하)다; 풍화하다(*weather*); 《Ⅱ》 **verwittert** *p.a.* 비바람에 맞힌(*weather-beaten*).

verwitwet [fɛrvítvət, fər–] *p.a.* 과부〔홀아비〕가 된. ¶ e–e ~e Dame 미망인.

verwōgen [–vó:gən] *p.a.* ＝VERWEGEN.

verwöhnen [fɛrvǿ:nən, fər–] 《Ⅰ》 *t.* 악습에 물들게 하다, 사치에 빠지게 하다; 응석부리게 하다, 유약하게 하다(*spoil, coddle, pamper*). 《Ⅱ》 **verwöhnt** *p.a.* 응석을 부리는, 사치에 젖은. **Verwöhnung** *f.* –en, 악습에 젖게 함; 사치에 젖게 함; 어함.

verworfen [–vɔ́rfən] [<verwerfen] *p.a.* 배척된; 〚宗〛 영겁의 벌을 받은, 제도(濟度)하기 어려운, 타락한(*depraved*). **Verworfenheit** *f.* 배덕, 사악.

verworren [fɛrvɔ́rən, fər–] [<verwirren] *p.a.* 혼란된, 난잡한(*confused*). **Verworrenheit** *f.* 분규, 난잡.

verwundbār [fɛrvúntba:r, fər–] *a.* 다치게 할 수 있는; 《比》 감정을 상하기 쉬운. **verwunden** [–vúndən] *t.* 다치게 하다(*wound*); (의) 감정을 해치다(*hurt*).

verwunderlich [fɛrvúndərlıç, fər–] *a.* 놀랄 만한, 괴이한, 불가사이한. **verwundern** *t.* 놀래다, 이상히 여기게 만들다(*astonish*); *refl.* 놀라다, 의심하다(*wonder, be astonished*). **Verwunderung** *f.* –en, 놀람, 의아(疑訝).

verwundet [fɛrvúndət, fər–] *a.* 다친, 부상한. **Verwundete** *m.* u. *f.* (形容詞變化) 부상자, 부상병, 상이 군인. **Verwundung** *f.* –en, 상해; 부상.

verwunschen [fɛrvúnʃən, fər–] *p.a.* 마법에 걸린(*haunted*).

verwünschen(*) [–výnʃən] 《Ⅰ》 *t.* 해를 입도록 기원하다, 저주하다(*curse, wish ill to*); 마법에 걸다(*bewitch*). 《Ⅱ》 **verwünscht** *p.a.* 저주받은; 지긋지긋한, 괘씸한. **Verwünschung** *f.* –en, 저주(의 말).

verwursteln [fɛrvúrstəln, fər–] *t.* 《俗》 너저분하게 하다; 못쓰게 하다, 실수하다.

verwurzeln [–vúrtsəln] *i.*(s.) 뿌리 박다, 뿌리를 번다.

verwūsten [–vý:stən] *t.* 황폐하게 하다, 파괴〔약탈〕하다(*lay waste, devastate*). ¶ ein verwüstets Gesicht 까칠한 얼굴. **Verwūstung** *f.* –en, 황폐케 함; 겁탈; 피해.

verzāgen [–tsá:gən] 《Ⅰ》 *i.*(s.) 기가 꺾이다, 풀이 죽다(*despond*); (an, 에) 절망하다(*despair*). 《Ⅱ》 **verzāgt** [–tsá:kt] *p.a.* 기가 죽은, 절망한. **Verzāgt·heit** *f.* 기가 죽음, 무기력.

verzählen [–tsé:lən] *refl.* 잘못 세다.

verzahnen [–tsá:nən] *t.* (바퀴에) 톱니자국을 내다; (도리 따위에) 들쭉날쭉한 눈을 새기다. **Verzahnung** *f.* –en, 톱니 자국을 냄; 톱니바퀴 (장치).

verzapfen [–tsápfən] *t.* 《Ⅰ》 [<zapfen] 달아 팔다, 소매하다《맥주 등을》. 《Ⅱ》 [<Zapfen] 〚建〛 사개로 접합하다.

verzärteln [–tsé:rtəln] 《Ⅰ》 *t.* 어하여 그르치다; 제멋대로 하게 하다. 《Ⅱ》 **verzärtelt** *p.a.* 응석받이로 자란.

verzaubern [–tsáubərn] *t.* 마법에 걸다; 홀리게 하다.

verzehnfachen [–tsé:nfaxən] *t.* 10배로 하다; *refl.* 10배로 되다.

verzehren [fɛrtsé:rən, fər–] 《Ⅰ》 *t.* ① 먹다, 삼키다(*eat (up)*). ② 《一般的》 다하게 하다, 소비〔소모〕하다(*consume*). 《Ⅱ》 *refl.* 다하다, 없어지다; 여위다, 쇠약하다. **Verzehrer** *m.* –s, –, 소비자. **Verzehrung** *f.* –en, 소비, 소모(*consumption*).

verzeichnen [–tsáiçnən] 《Ⅰ》 *t.* ① 잘못 그리다. ② 적어두다(*note down*); 기록하다(*record*); (의) 표(表)를〔목록을〕 만들다(*register*). 《Ⅱ》 *refl.* 잘못 그리다. **Verzeichnis** *n.* –ses, –se, 표, 목록(*list, catalogue, register, inventory*); 색인(*index*).

verzeihen* [–tsáiən] *t.* 용서하다, 사하다, 관대히 봐 주다(*forgive, pardon*). ¶ ~ Sie! 실례합니다(*excuse me!*). **verzeihlich** *a.* 용서할 수 있는, 사할 만한. **Verzeihung** *f.* –en, 사함, 용서. ¶ (ich bitte um) ~! 실례합니다, 미안합니다(*I beg your pardon!*).

verzerren [–tsérən] *t.* 뒤틀다, 찌그러뜨리다(*distort*); 찡그리다. ¶ ein verzerrtes Gesicht 찡그린 얼굴. **Verzerrung** *f.* –en, 찌그러뜨림; 찡그린 얼굴(을 함), 빈축; 찌그러진 상(像); 희화(戲畫).

verzetteln[1] [fɛrtsétəln, fər–] *t.* 흩다(*scatter*); (하찮은 일에 조금씩) 낭비하다(*squander*); *refl.* 하찮은 일로 힘을 소모하다.

verzetteln[2] [<Zettel] *t.* 표로 하다, (의) 목록을 만들다.

Verzicht [fɛrtsíçt, fər–] [<verzeihen] *m.* –(e)s, –e, 단념, 체념(*renunciation, resignation*). ¶ auf et.^{4} ~ leisten 무엇을 포기〔단념·기권〕하다. **verzichten** *i.*(h.) (auf et.^{4}, 무엇을) 단념〔포기·체념〕하다(*renounce, resign*).

verzieh [fɛrtsí:, fər–] ☞ VERZEIHEN (그 過去). **verziehen**[1] ☞ VERZEIHEN (그 過去分詞 및 過去複數形).

verziehen[2*] [–tsí:ən] 《Ⅰ》 *t.* 뒤틀다, 찌그리다(*distort*); 찡그리다; (schlecht erziehen) 응석받이로 기르다(*spoil*). 《Ⅱ》 *refl.* ① 뒤틀리다, 찌그러지다; (나무가) 휘다(*warp*). ② 가버리다, 퇴거하다, 물러가다, 없어지다(*disappear, vanish*); (구름이) 흩어지다(*disperse*).

verzieren [–tsí:rən] *t.* 꾸미다, 치레하다

(*adorn, decorate*). **Verzierung** *f.* -en, 장식; 미화; 〖樂〗 장식음.

verzimmern [fɛrtsímərn, fər-] [☞ Zimmer] *t.* 〖坑〗 갱목으로 버티다, (에) 널을 치다.

verzinken [-tsíŋkən] *t.* (에) 아연을 입히다; 《比》 신고하다, 고자질하다, 밀고하다.

verzinnen [-tsínən] *t.* (에) 주석을 입히다. ¶verzinntes Eisenblech 주석을 입힌 생철.

verzinsen [-tsínzən] 《Ⅰ》 *t.* (의) 이자를 치르다. 《Ⅱ》 *refl.* 이자를 낳다. **verzinslich** *a.* 이자를 낳는, 이자가 붙는; *adv.* 이자를 붙여서. **Verzinsung** *f.* -en, 이자를 지불함〔낳음〕.

verzögern [-tsǿ:gərn] *t.* 지체〔지연〕시키다 (*retard*); 연기 〔유예〕하다(*delay*); *refl.* 지체 〔지연〕하다; 연기되다. **Verzögerung** *f.* -en, 천연, 지체, 연기, 유예.

verzollbār [fɛrtsɔ́lba:r, fər-] *a.* 관세를 물어야 할. **verzollen** *t.* (의) 관세를 물다. **verzollt** *p. a.* 관세가 붙은. **Verzollung** *f.* -en, 관세 납부, 통관 절차.

verzücken [-tsÝkən] *t.* 기뻐서 어찌할 줄 모르게 하다, 황홀(恍惚)하게 만들다 (*enrapture*).

verzuckern [-tsúkərn] *t.* (에) 설탕을 치다, 당의(糖衣)를 입히다; 설탕에 절이다, 당화(糖化)하다.

verzückt [-tsÝkt] [<verzücken] *a.* 기뻐 어찌할 줄 모르는, 황홀해 하는, 도취된(*enraptured, in ecstasy*).

Verzuckung [-tsúkuŋ] *f.* -en, 〖醫〗 경련.

Verzug [fɛrtsú:k, fər-] [<verziehen] *m.* -(e)s, 오래 끎, 지연, 지체(*delay*). ¶ohne ～ 주저치 않고, 즉각 / es ist Gefahr im ～(e), a) 지체하면 위험하다, b) 《俗》 위험이 박두해 있다.

Verzugs≈aktien *pl.* 후배주(後配株). **～zinsen** *pl.* 연체 이자.

verzweifeln [-tsváifəln] [<zwei, 마음이 "두 갈래로 갈팡질팡하다, 불안하다"의 뜻:] 《Ⅰ》 *i.* (h. *u.* s.) (an, 에) 절망하다 (*despair (of)*); 자포 자기하다. 《Ⅱ》 **verzweifelt** *p. a.* 절망적인, 가망이 없는(*desperate*); 절망한, 자포 자기한, 필사적인(*in despair*). **Verzweifellung** *f.* -en, 절망; 자포 자기.

verzweigen [-tsváigən] *refl.* 가지를 내다; 분지(分枝)〔분기(分岐)·분파(分派)〕하다. **Verzweigung** *f.* -en, 분지, 분기, 분파; 〖鐵〗 지선. **Verzweigungs≈punkt** *m.* 분기점.

verzwickt [fɛrtsvíkt, fər-] *p. a.* 복잡한, 귀찮은(*intricate, complicated*); 이상야릇한(*queer, odd*).

Vesper [féspər, 稀: vés-] [lat.] *f.* -n, 저녁 때; 〖宗〗 (성무 일과(聖務日課)의) 만과(晩課). **Vesperbrōt** *n.* 오후의 간식, 새참.

vespern [féspərn, 稀: vés-] *i.* (h.) 오후의 간식을 먹다. **Vesperzeit** *f.* 저녁, 밤; 만과의 시각.

Vestālin [vɛstá:lɪn] [lat.] *f.* -nen, 화덕(불)의 여신(*Vesta*)에게 시중드는 여자; 순결한 처녀.

Vestibūl [vɛstibý:l] [lat.] *n.* -s, -e, 현관(玄關), 입구(♈*vestibule, porch*).

Veterān [veterá:n] [lat. <*vetus* „alt"] *m.* -en, -en, 노병(老兵), 고참자, 베테랑.

Veterinār [veterinɛ́:r] [lat.] *m.* -s, -e, **Veterinār·ārzt** *m.* 수의(獸醫).

Vetō [vé(:)to:] [lat. „ich verbiete"] *n.* -s, -, 거부(권). ¶ein ～ gegen et. einlegen 무엇《제안·의안 따위》을 거부〔부인〕하다.

Vettel [fétəl] [Lw. lat. *vetula* „altes Weib"] *f.* -n, (더러운 소리를 지껄이는) 노파; 탕녀.

Vetter [fétər] *m.* -s (*u.* (öst.) -n), -n, 종형제(*cousin*); 먼 친척.

Vetter(n)schaft [fétər(n)ʃaft] *f.* 사촌 사이; 사촌들(總稱). **Vetter(n)strāße** *f.*: die ～ ziehen 친척을 차례로 돌며 신세지다. **Vetternwirt·schaft** *f.* 친척 편중, 친족(親族) 등용, 규벌(閨閥).

vexatōrisch [vɛksató:rɪʃ] [lat.] 번거러운, 귀찮은, 성가신.

Vexier≈becher [vɛksí:r-] *m.* (요술장이의) 이중 바닥의 잔. **～bild** *n.* 그림 맞추기.

vexieren [vɛksí:rən] [lat.] *t.* 괴롭히다, 귀찮게 굴다(♈*vex*); 희롱하다, 놀리다 (*tease*).

Vexier≈schloß *n.* 부호를 맞추어 여는 자물쇠. **～spiegel** *m.* 요술 거울.

vgl. 《略》 =*vergl*eich(e)! 참조〔비교〕하라.

Viadukt [viadúkt] [lat. „Weg-leitung"] *m.* -(e)s, -e, 고가교(高架橋), 육교.

Vibrātor [vibrá:tɔr] [lat.] *m.* -s, ..tō-ren, 바이브레이터《진동기, 진동 장치, 진동자, 진동 롤러》. **vibrieren** [vibrí:-rən] [lat.] *i.* (h.) 진동하다(♈*vibrate*).

Video.. [ví:deo-] 《合成用語》 "텔레비전 영상 송수(送受)(용)의, 텔레비전의"의 뜻. **Vidi** [lat.] *n.* -(s), -(s), 증명, 인증(=Beglaubigung).

Viecherei [fi:çərái] *f.* -en, 《方, obd.》 짐승 같은 짓, 야비(한 일); 터무니 없는 수고.

Vieh [fi:] *n.* -(e)s, ① 가축(*cattle*). ② 《一般的》 금수, 짐승(*beast*); 《比》 짐승 같은 놈.

Vieh≈ārzt *m.* 수의(獸醫). **～ausstellung** *f.* 가축 품평회. **～bestand** *m.* 가축의 현재 두수. **～bremse** *f.* 〖蟲〗 쇠파리, 등에. **～dieb** *m.* 가축 도둑. **～futter** *n.* 가축 사료. **～halter** *m.* 가축 사육자. **～handel** *m.* 가축 매매. **～händler** *m.* 가축 상인. **～hōf** *m.* 가축 사육장; 도살장.

viehisch [fí:ɪʃ] *a.* 금수〔짐승〕같은, 잔인한.

Vieh≈knecht [fí:-] *m.* 가축을 돌보는 하인. **～māgd** [-ma:kt] *f.* 가축을 돌보는 하녀. **～markt** *m.* 가축 시장. **～salz** *n.* 가축용 식염. **～seuche** *f.* 수역(獸疫). **～stall** *m.* 가축 우리《마굿간·외양간 따위》. **～stand** *m.* (농장에 있는) 가축의 현재 마릿수. **～trift** *f.* 방목권; 방목지. **～weide** *f.* 목장, 방목지. **～wirt·schaft** *f.* 축산업. **～zeug** *n.* 《俗》 (작은) 가축; 짐승. **～zucht** *f.* 축산, 목축. **～züchter** *m.* 축산가.

V

viel [fi:l] [♀voll] 《I》 *a.* u. *prn.* ①《附加語的》 많은, 다수의. ¶ ~(e) Freunde 많은 친구 / mit ~(em) Eifer 대단히 열심히. ②《名詞的》 ~e sagen 많은 사람들이 말하다 / in ~em 많은 점에서 / es kamen ihrer ~e 그들은 여럿이 왔다. ③《副詞的》 많이; 크게, 누차. ¶ wir haben ~ gelacht 우리들은 줄곧 웃었다. 《II》 **Viel** *n.* – s, 다수, 다량.

viel·artig [fí:l–] *a.* 여러 가지〔종류〕의. **~bändig** *a.* (책 따위) 분량이 많은. **~besprochen** *a.* 널리 사람의 입에 오르내리는. **~besucht** *a.* 흥청거리는, 번창한. **~borster** *m.* 다모충(多毛虫)《갯지렁이 따위》. **~deutig** *a.* 의미가 많은, 다의한; 애매한. **~eck** *n.* 다각형(*polygon*). **~eckig** *a.* 모가 많은; 〖數〗 다각형의. **~ehe** *f.* 일부 다처(一夫多妻); 일처 다부.

vielerlei [fí:lərlai, –lái] *a.* 《不變化》 다종 다양한, 여러 가지의(*of many kinds, diverse*).

vieler·orts [fí:lər-ɔrts] *adv.* 여기저기.

viel·fach 《I》 *a.* 여러 겹의, 여러 배의; 누차의; 여러 가지의, 다종의. 《II》 *adv.* 왕왕. **~fach·gerät** *n.* 다용도 농구. **~fältig** *a.* 여러 겹의; 다양한. **~fältigkeit** *f.* 다양(성), 잡다, 풍부. **~flach** *n.* 다면체.

Vielfraß [fí:lfra:s] *m.* –es, –e, 《戲》 대식가(*glutton*).

viel·gebraucht *a.* 많이 쓰이는〔쓰인〕. **~geliebt** *a.* 많은 사람으로부터 사랑받는〔사랑받은〕. **~genannt** *a.* 유명한. **~gereist** *a.* 여행 경험이 풍부한. **~gestaltig** *a.* 여러 가지 모양의. **~götterei** *f.* 다신교(*polytheism*).

Vielheit [fí:lhait] *f.* –en, 많음, 다수, 다량.

Viel·herrschaft *f.* 다두(多頭) 정치. **~jährig** *a.* 다년(多年)의. **~köpfig** *a.* 다두(多頭)의; 많은 사람의.

vielleicht [filáiçt] *adv.* 아마, 혹시(*perhaps*); 혹은, 어쩌면(*maybe*).

Vielliebchen [fi:llí:pçən] *n.* 애인, 연인《여자》(*darling*); 합생한 열매 또는 핵이 두 개 있는 과실《두 사람의 애인끼리라고 봄》; 위의 과실을 두 사람이 먹고 다음 만났을 때 먼저 인사하는 쪽이 상대방으로부터 선물을 받는 놀이; 위의 선물(*philippine*).

viel·mālig *a.* 여러 번의. **~māl(s)** *adv.* 여러 번, 빈번히. **~mehr** [–mé:r] *adv.* 오히려(*rather*); 도리어, …이기는 커녕, 반대로(*on the contrary*). **~sägend** *a.* 의미 심장한, 암시적인. **~schreiber** *m.* 많이 쓰는 사람; 다작가(多作家). **~seitig** *a.* 다방면(에서)의; 〖數〗 다변〔다각〕형의. ¶ ~seitig er Betrieb 다각경영. **~seitigkeit** *f.* 다방면; 다재, 박식. **~silbig** *a.* 〖文〗 다음절의. **~sprāchig** *a.* 다국어(多國語)의; 수개 국어를 말하는. **~stimmig** *a.* 〖樂〗 다성음(多聲音)의. **~umfassend** *a.* 광범한, 포괄적인. **~verheißend**, **~versprechend** *a.* 전도 유망한. **~weiberei** *f.* 일부 다처(*polygamy*). **~wissend** *a.* 박식한. **~wisser** *m.* 박식가, 박물 군자; (특히) 데아는 사람.

vier [fi:r] 《I》 *num.* ① 4(♀*four*). ¶ es 〔wir〕 sind unser ~(e) 우리들은 모두 4명이다 / unter ~ Augen 단 둘이서. ② 《다음에 말이 따르지 않는 代名詞的用法: ~e》 auf allen ~en 기어서. 《II》 **Vier** *f.* –en, 4(의 수).

vier·beinig [fí:r–] *a.* 4각(脚)의, 네 발의. **~blätterig** *a.* 네 잎의, 네 꽃잎의. **~dimensionāl** *a.* 4차원의; 〖比〗 영적인. **~eck** *n.* 〖數〗 4각형. **~eckig** *a.* 4각형의.

Vierer [fí:rər] *m.* –s, –, 4의 수(자); 4인승 보트(♀*four*).

viererlei [fí:rərlai] *a.* 4종의, 네 가지의.

vier·fach, **~fältig** *a.* 4배의, 네 겹의. ¶ das ~fache 4배〔겹〕. **~farben·druck** *m.* 4색 인쇄. **~füßig** *a.* 네발의; 〖詩學〗 4각(脚)의. **~füß(l)er** *m.* 네발 짐승. **~gespann** *n.* 네 마리가 한 조로 된 말; 네 마리의 말이 끄는 마차. **~händig** *a.* ① 네손의. ② 〖樂〗 ein ~händiges Stück 네손 탄주〔2인 연탄〕용 악곡. **~horn·antilōpe** *f.* (두쌍의 뿌리가 있는) 네 뿔 영양. **~jährig** *a.* 4년의, 네 살의. **~mächtepakt** [–mɛ́çtə–] *m.* (1933년의 독·이·불·영) 4국 동맹. **~māl** *adv.* 네 번, 4회. **~mālig** *a.* 네 번의, 4회의. **~rād·bremse** *f.* (자동차의) 4륜 제동기. **~rād(e)rig** *a.* 4륜의. **~schrötig** [*eig.* „viereckig gehauen", <Schrot] *a.* 모난, 건장한(*square-built, thickset*). **~seitig** *a.* 4변의; 〖數〗 4변형의. **~silbig** *a.* 〖文〗 4음절의. **~sitzer** *m.* 4인승의 차. **~sitzig** *a.* 4인승의. **~spänner** *m.* 4두 마차. **~spännig** *a.* 네 필의 말이 끄는. **~stimmig** *a.* 〖樂〗 4성(聲)의, 4음부의. **~stöckig** *a.* 5층의《한국식으로 세어》. **~stündlich** *a.* 네 시간 마다의.

viert [fi:rt] *a.* (der, die, das ~e) 제4의(♀*fourth*). ¶ der ~e Stand, a) 제4계급《노동자 계급》, b) 신문계(新聞界).

Viertakt·mōtor [fí:rtaktmo:tər, –mo-to:r] *m.* 4행정 내연 기관.

vierteilen [fí:rtailən] *t.* 4분하다.

Viertel [fírtəl, 稀 fí:rtəl] [<viert *u.* Teil] *n.* –s, –, 4분의 1 (*fourth part*); 1시간의 4분의 1, 15분(*quarter*). ¶ ein ~ (auf) fünf 4시 15분.

Viertel·hundert *n.* 25. **~jahr** *n.* 3개월. **~jährig** *a.* 3개월의, 3개월 계속되는. **~jährlich** *a.* 3개월마다의, 계절마다의; *adv.* 3개월마다, 계절마다. **~jahrs·schrift** *f.* 계간 출판물, 쿼털리(quarterly).

vierteln [fírtəln] *t.* 4분하다.

Viertel·nōte *f.* 〖樂〗 4분 음표. **~pause** *f.* 〖樂〗 4분 쉼표. **~pfund** *n.* 4분의 1 파운드. **~stunde** *f.* 15분. ¶ drei ~stunden 45분. **~stündig** *a.* 15분간의. **~stündlich** *a.* 15분마다의. **~takt** *m.* 〖樂〗 4분의 1박자.

viertens [fí:rtəns, 때로 fír–] [<viert] *adv.* 네째〔네 번째〕로.

Vierung [fí:ruŋ] [<vieren] *f.* –en, 네모 반듯하게 함; 사각형; 방형; 〖建〗 방형의 공간.

Viervierteltakt [fi:rfírtəltakt] *m.* 〖樂〗 4분의 4박자.

vierzehn [fírtse:n, 稀 fí:r-] *num.* 14의(♈*fourteen*). ¶～ Tage, 14일, 2주간. **vierzehnt** *a.* (der, die, das ～te) 제 14(의). **Vierzehntel** [vierzehnt *u.* Teil] *n.* -s, -, 14 분의 1.

Vierzeiler [fí:rtsailər] *m.* 〚詩學〛 4 행시; 4 행의 절.

vierzig [fírtsıç, 稀 fí:r-] *num.* 40(의) (♈*forty*). **Vierziger** [-tsıgər] *m.* -s, -, 40 대〔40 세〕의 사람. **vierzigst** *a.* (der, die, das ～e) 제 40 의.

Vi·etnam [vi-étnam] *n.* -s, 베트남. **vi·etnamese** *m.* u. *f.* 《形容詞變化》 베트남 사람. **vi·etnamesisch**, **vi·etnamisch** *a.* 베트남(사람·말)의.

vigilant [vigilánt] *a.* 주의 깊은; 교활한.

Vikar [viká:r] [lat. <*vice* „an Stelle“] *m.* -s, -e, (교황·대감독·감독 따위의) 대리; 부감독, 주교 대리.

Viktoria [vıktó:rĭa] *f.* 승리.

Viktualien [vıktuá:lĭən, 俗 fık-] [lat.] *pl.* 식료품.

Villa [víla] [lat.] *f.* ..len [-lən], 별장, 별저.

Villenkolonie [vílənkoloni:] *f.* 별장지.

Vinyl-chlorid [vinýːl-] *n.* 염화 비닐. ～**harz** *n.* 비닐 수지(樹脂).

Viola [vió:la] [it. *aus* lat. *viola* „Veilchen“] *f.* ..len *u.* -s, 〚樂〛 비올라.

Viole [vió:lə] [lat. *viola*] *f.* -n, 〚植〛 제비꽃.

violett [violét] [fr.] *a.* 제비꽃 색의, 보라빛의; (dunkel～) 자색의.

Violine [violí:nə] [it. *dim.* v. Viola] *f.* -n, (Geige) 바이올린(♈*violin*). **Violinist** [violiníst] *m.* -en, -en, 바이올리니스트.

Violin-kasten [violí:n-] *m.* 바이올린 케이스. ～**saite** *f.* 바이올린의 현. ～**schlüssel** *m.* 사 음자리표, 높은음자리표. ～**schule** *f.* 바이올린 교칙본.

Violon [violɔ̃:] [fr. „große Viola“, -on 은 확장을 나타냄] *n.* -s, -s, 바이올린; 첼로. **Violoncello** [violɔntʃélo] [it. *dim.* v. Violone] *n.* -s, -s *u.* ..lli [-li], 〚樂〛 첼로.

Viper [ví:pər] [lat.] *f.* -n, 〚動〛 살무사(와 비슷한 독사).

viril [virí:l] *a.* 남성의, 남자다운.

virtuell [vırtuél] [lat. -fr.] *a.* 잠재적인, 임시의.

virtuos [vırtuó:s] [it. <lat. *virtūs* „Tüchtigkeit“] *a.* 역량 있는, 유능한; 노련한(*masterly*). **Virtuos(e)** [vırtuó:s, -tuó:zə] *m.* ..sen, ..sen, **Virtuosin** *f.* -nen, 거장, 대가; 노련가, 명수《특히 음악의》(♈*virtuoso*). **Virtuosität** *f.* 노련; 명인〔명수〕임.

virulent [virulént] *a.* 유독한; 전염성의. **Virulenz** *f.* 독성; 전염성. **Virus** *n.* od. *m.* -, ..ren, 비루스.

Visier [vizí:r, fi-] [fr. <lat. *vidēre* „sehen“] *n.* -s, -e, (투구의) 협갑(頰甲) 《눈이 있는 데가 뚫려 있어 내다볼 수 있게 된 데서》 (♈*visor*); (총의) 가늠자, 가늠쇠(*sight*). **Visier·einrichtung** *f.* 조준 장치. **visieren** [vizí:rən, 俗 fi-] [fr.] 《Ⅰ》 *t.* 검사하다; (여권을) 사증하다(♈*visa*); 검량(檢量)하다(*gauge*). 《Ⅱ》 *i.*(h.) (nach, 을) 겨누다(*aim*).

Visier-korn *n.* 가늠쇠. ～**linie** *f.* 조준선.

Vision [vizĭó:n] [lat. <*vidēre* „sehen“] *f.* -en, 환상(幻像), 환영. **visionär** [vizĭoné:r] *a.* 환영을 보는; 환상적인.

Visitation [vizitatsĭó:n, 俗 fi-] *f.* -en, (가택) 수색, 검사; 시찰, 검열.

Visite [vizí:tə, 俗 fi-] [fr.] *f.* -n, 위문, 방문(♈*visit*); 〚醫〛 회진(回診). ¶ jm. (e-e) ～ machen 아무를 방문하다.

Visiten-karte *f.* 명함. ～**tag** *m.* 방문〔면회〕일.

visitieren [vizití:rən] [lat. <*vidēre* „sehen“] *t.* 시찰〔조사〕하다(*search, inspect*).

Viskose [vıskó:zə] [lat.] *f.* 비스코스《인견·셀로판 따위의 원료가 되는 셀룰로즈》.

Vista [vísta] *f.* (어음의) 제시.

Vistra [vístra] [lat.] *f.* 비스트라《비스코스스프, 인조 섬유의 하나》.

visuell [vizu-él] [lat. -fr.] *a.* 사물을 보는, 보기 위한, 시력의. **Visum** [ví:zum] [lat. „das Gesehne“] *n.* -s, ..sa *u.* ..sen, (여권의) 사증(♈*visa*).

vital [vitá:l] *a.* 생명의; (생)활력이 있는; 사활에 관한, 중요한. **Vitalität** *f.* 생명력, (생)활력, 활기; 평균 수명. **Vitamin** [vitamí:n] [lat. <*vita* „Leben“] *n.* -s, -e, 비타민.

vitamin-arm *a.* 비타민이 부족한. ～**reich** *a.* 비타민이 풍부한. ～**mangel** *m.* 비타민 결핍(缺乏).

vitiös [vitsĭǿ:s] [lat. -fr.] 결점〔결함〕이 있는; 패덕의.

Vitrine [vitrí:nə] [fr.] *f.* -n, 유리제(製) 진열장.

Vitriol [vitrió:l, 俗 fi-] *m.* od. *n.* -s, -e, 〚化〛 황산염. ～**öl** *n.* 황산.

vivat! [ví:vat, 俗 fi:f-] [lat. „er lebe!“] *int.* 만세(*hurrah!*). **Vivat** *n.* -s, -s, 만세(의 소리)(*cheer*).

Vize.. [fí:tsə-, ví:tsə-] [lat. *vice* “an Stelle”] 《合成用語》 “대리의, 부(副)의, 하위의”의 뜻.

Vize-admiral *m.* 해군 중장. ～**kanzler** *m.* 부총리, 부수상. ～**könig** *m.* 부왕(副王). ～**präsident** *m.* 부통령; 부의장. ～**statt·halter** *m.* 부총독.

vizinal [vitsiná:l] *a.* 이웃의, 인접한, 인근의.

Vlies, **Vließ** [fli:s] *n.* -es, -e, 양의 모피(♈*fleece*).

v.M. 《略》 =*v*origen *M*onats 지난 달.

VN 《略》 =*V*ereinte *N*ationen 국민 연합.

Vogel [fó:gəl] *m.* -s, ⸗, 새, 날짐승(*bird*). ¶《比》 den ～ abschießen 잘 하다, 공을 세우다.

Vogel-bauer *n* 새장; 새어리. ～**beerbaum** *m.* 〚植〛 마가목. ～**beere** *f.* 〚植〛 마가목(의 열매). ～**deuter** *m.* 새 점장이. ～**dunst** *m.* 산탄(霰彈). ～**fang** *m.* 새잡이. ～**fänger** *m.* 새 잡는 사람. ～**flinte** *f.* 새총. ～**frei** *a.* 법률의 보호 밖에 놓인, 추방된. ～**fuß** *m.* 콩과의 목초. ～**futter** *n.* 새의 모이. ～**garn** *n.* 새그물; 올가미. ～**gezwitscher** *n.* 새의 지저귐. ～**händler** [-hεnd-, -hεnt-] *m.* 새장수. ～**haus** *n.* 새어리. ～**hecke** *f.* 부화(孵化)용 새장. ～**herd** *m.* 후림새를 놓는

장소. ~**käfig** *m.* 새장. ~**kirsche** *f.* 야생의 서양 앵두. ~**kunde** *f.* 조류(鳥類)학(*ornithology*). ~**leim** *m.* 새 잡는 끈끈이. ~**liebhaber** *m.* 애금가(愛禽家). ~**miere** *f.* 〖植〗 별꽃. ~**nest** *n.* 새둥지. ~**netz** *n.* 새그물. ~**perspektive** *f.* 조감도. ~**pfeife** *f.* 새(를 부르는) 피리. ~**schau** *f.* =~PERSPEKTIVE. ~**scheuche** *f.* 허수아비(*scarecrow*). ~**schutz** *m.* 조류 보호. ~**stange** *f.* 홰. ~**stellen** *n.* 새잡이. ~**steller** *m.* 새를 잡는 사람. ~**-Strauß-Politik** *f.* 《蔑》 미봉책, 고식 정책. ~**strich** *m.* 철새의 이동. ~**warte** *f.* 조류 《특히 철새의》 연구소. ~**zucht** *f.* 양금(養禽). ~**zug** *m.* (철)새의 이동.

Vogt [fo:kt] [Lw. lat. <Advokat] *m.* -(e)s, ⸗e [fǿ:ktə], ① (옛날의 상·하급의 여러) 관리, 보호관, 대관(代官)(*governor, bailiff*). ② (Guts~) 집사, 관리인.

Vogue [vó:gə] [it. -fr.] *f.* 운동, 이동, 진행; 인기, 유행. 「(♈*vocable, word*).」

Vokabel [voká:bəl] [lat.] *f.* -n, 단어

Vokabel⸗buch *n.* 단어집. ~**heft** *n.* 단어장. ~**lernen** *n.* 단어의 습득. ~**schatz** *m.* 단어집.

vokal [voká:l] [lat. <*vox* „Stimme"] 《Ⅰ》 *a.* 소리의, 음성의. 《Ⅱ》 **Vokal** *m.* -s, -e, 〖文〗 모음(*vowel*). **vokal(isch)** *a.* 모음(母音)의.

Vokal⸗musik *f.* 성악(聲樂). ~**stück** *n.* 성악곡.

Vokativ [vó:kati:f, vokatí:f] [lat.] *m.* -s, -e [-tí:və], 〖文〗 호격(呼格).

Volant [volã́:, vɔ-] [fr. „fliegend"] *m.* -s, -s, (여성복의) 레이스 또는 끈목의 가장자리 장식; (자동차의) 핸들.

Volk [fɔlk] [=engl. *folk* "Leute"] *n.* -(e)s, ⸗er [fœ́lkər], ① 군세(軍勢), 군대(*troops*). ② 민족, 국민(*nation*); 인민, 민중, 군중, 사람들(*people*). ③ (Schiffs~) 선원(*crew*); (Bienen~) 떼(*swarm*). **Völkchen** [fœ́lkçən] *n.* -s, -, 패거리, 녀석들. ¶mein ~ 우리집 애들.

Völker⸗bund [fœ́lkər-] [前半: *pl.* < Volk] *m.* 국제 연맹(*League of Nations*). ~**friede(n)** *m.* 국제 평화. ~**krieg** *m.* 국제 전쟁. ~**kunde** *f.* 인종학(*ethnology*). ~**recht** *n.* 국제법. ~**rechtlich** *a.* 국제법상의. 「족; 종족.」

Völkerschaft [fœ́lkərʃaft] *f.* -en, 민

Völker⸗stamm *m.* 인종. ~**straße** *f.* 국제 도로. ~**wanderung** *f.* 〖史〗 민족 이동.

völkisch [fœ́lkɪʃ] *a.* 민족(주의)적인, 민족 고유의, 국수적인. **volkleer** *a.* 사는 사람이 없는, 무인(無人)의. **volklich** *a.* 민족의, 국민의; 민족에 고유한. **volkreich** *a.* 인구가 많은.

Volks⸗abstimmung [fɔ́lks-] *f.* 국민투표(*plebiscite*). ~**aktie** *f.* 서민(에게 보급되는 소액) 주(권). ~**aufstand** *m.* 인민의 폭동, 내란. ~**begehren** *n.* 인민 청원, 국민 발의(發議). ~**beschluß** *m.* 국민 결의. ~**bibliothek** *f.* 민중 도서관, 서민 문고. ~**charakter** *m.* 국민〔민족〕성. ~**deutsche** *m.* u. *f.* 《形容詞變化》 (국외에 사는) 독일 종족의 사람. ~**dichte** *f.* 인구 밀도. ~**dichter** *m.* 민중 시인. ~**eigen** *a.* 민족〔국민〕 고유의. ~**eigentum** *n.* 국민 소유, 공공물. ~**einkommen** *n.* 국민 소득. ~**empfänger** *m.* 대중용의 (값싼) 라디오 수신기. ~**entscheid** *m.* 국민 투표. ~**epos** *n.* 국민〔민중〕 서사시. ~**fest** *n.* 민간의 축제; 국민적 축제. ~**gemeinschaft** *f.* 민족〔국민〕 공동체. ~**genosse** *m.* 동포. ~**glaube(n)** *m.* 민간 신앙. ~**gruppe** *f.* 타국에 거주하는 자국민; 소수 민족. ~**gunst** *f.* 인망. ~**haufe(n)** *m.* 군중. ~**herrschaft** *f.* 민주 정치(*democracy*). ~**hochschule** *f.* 시민 대학, 성인 강좌. ~**hymne** *f.* 국가(國歌). ~**justiz** *f.* 사형(私刑), 린치. ~**insel** *f.* (다른 언어권(圈) 속에) 고립한 언어권. ~**küche** *f.* 공중 〔간이〕 식당; 빈민 급식소. ~**kunde** *f.* 민속학(*folklore*). ~**kunst** *f.* 대중 예술. ~**lied** *n.* 민요. ~**menge** *f.* 민중, 군중. ~**mund** *m.* 민중의 입〔말〕. ¶im ~mund 남의 입에 오르내리는, 회자(膾炙)되는. ~**nah** *a.* 대중에 친근한. ~**redner** *m.* 대중에 인기 있는 연설가. ~**sage** *f.* 민간 전승(傳承)(*national legend*). ~**schrift·steller** *m.* 대중 〔통속〕 작가. ~**schule** *f.* 국민 학교, 소(小)학교. ~**schullehrer** *m.* 국민 학교 교사. ~**sitte** *f.* 민속, 국풍(國風). ~**souveränität** *f.* 주권 재민. ~**sprache** *f.* 속어. ~**staat** *m.* 공화국. ~**stamm** *m.* 인종, 민족. ~**stimme** *f.* 민중의 소리, 여론. ~**tracht** *f.* 민족 고유 〔지방 특유〕의 복장.

Volks·tum [fɔ́lkstu:m] *n.* -(e)s, 민족성, 국민성(*nationality*). **volkstümlich** [fɔ́lksty:mlɪç] *a.* 민족적인, 국민적인(*national*); 대중적인, 통속의; (대중에) 인기 있는(*popular*).

Volks⸗verband *m.* 국민적 단결. ~**verbunden** *a.* 국민적으로 결합한. ~**vermögen** *n.* 국부(國富). ~**verräter** *m.* 매국노. ~**versammlung** *f.* 국민 의회. ~**vertreter** *m.* 국민의 대표, 국회 의원. ~**vertretung** *f.* 국민 대표; 국회. ~**wagen** *m.* 폭스바겐, 국민차. ~**wahl** *f.* 국민(에 의한 직접) 선거. ~**weise** *f.* =~LIED. ~**wirt** *m.* (국민) 경제학자. ~**wirtschaft** *f.* (국민) 경제(經濟). ~**wirtschaftslehre** *f.* (국민) 경제학. ~**wohlfahrt** *f.* 국민의 복지, 후생. ~**wohlstand** *m.* 국민의 높은 생활 수준, 번영. ~**zahl** *f.* 인구. ~**zählung** *f.* 국세 조사(國勢調査).

voll [fɔl] [♈füllen, ♈viel] *a.* ① 가득 찬, 꽉 찬(♈*full, filled*); 통통한, 투실투실한, 팽창한; 충만한; 완전한, 충분한, 흠이 없는(*complete, entire, whole*). ¶~e Wahrheit 있는 그대로의 진실 / es schlägt ~ 시계가 시(時)를 친다《30분이 아니고》/ **aus** ~em Herzen 진심으로 / **im** ~en Lauf 전속력으로 / **mit** ~em Rechte 아주 정당하게 / Münzen für ~ nehmen 돈을 액면〔정가〕대로 받다 /

～ (*adv.*) und ganz 전적으로, 전연《述語에 있어서나, 또 名詞 뒤의 附加語에서는 固定形 ～er ("…로 찬", ⚲*full of*) 도 쓰임》/ ～(er) Angst 불안에 가득 차서. ② 《2格 또는 von과 더불어》 der Saal ist ～ neugieriger 〔von neugierigen〕 Menschen 회당은 호기심에 찬 사람들로 꽉 차 있다.

voll.. 《動詞의 前綴》《Ⅰ》《分離前綴로서는 항상 악센트를 가짐》 보기: voll|bringen [fɔ́lbrɪŋən], brachte voll, vollgebracht. 《Ⅱ》《非分離前綴로서는 악센트가 없음》 보기: vollbringen [fɔlbrɪ́ŋən], vollbrachte, vollbracht.

voll·auf [fɔl-áuf, fɔ́l-auf] *adv.* 남아 돌아갈 만큼, 대단히 많이, 풍부하게(*plentifully, abundantly*).

Voll₌bād [fɔ́l–] *n.* 전신욕(全身浴). **～₌bahn** *f.* 〖鐵〗 간선, 본선. **～bārt** *m.* (턱·뺨의) 온 얼굴에 난 수염. **～bauer** *m.* 자작농《1 Hufe의 토지를 소유하는》. **～beschäftigung** *f.* 완전 고용. **～₌besitz** *m.* 완전 소유. **～bild** *n.* 1페이지 크기의 그림. **≁blūtig** *a.* 순혈종의; 〖醫〗 다혈(질)의. **～blūtpfērd** *n.* (말의) 순혈종(純血種).

voll|bringen* [fɔ́lbrɪŋən] *t.* 가득 채우다. **vollbringen*** [fɔlbrɪ́ŋən] *t.* 종료〔완성·관철〕하다 (*accomplish, achieve, perform*); 실행〔수행〕하다(*carry out*). **Vollbringung** *f.* –en, 실행; 완성.

voll₌brüstig *a.* 가슴이 떡 벌어진. **≁₌bürger** *m.* 완전(한 시민권을 가진) 시민. **～bürtig** *a.* 양친이 같은, 같은 부모의. **≁dampf** *m.* (보일러의) 전증기압(全蒸氣壓). ¶ mit ≁dampf 《比》 전속력으로.

Volldruck·höhe [fɔ́ldrukhøːə] *f.* 아직 정상 기압이 지배하는 비행 고도.

volleibig [fɔ́laibɪç] 《分綴 : voll-leibig》 *a.* 뚱뚱한, 비만한.

vollenden [fɔléndən, fɔl-ɛ́n–] *t.* 끝내다, 완료하다(*finish*); 완성하다(*complete*). **Vollender** *m.* –s, –, 완성자, 성취자. **vollendet** *p.a.* 완성된, 완전한. ¶ ein vollendeter Bösewicht 딱지 붙은 악인. **vollends** [fɔ́lɛnts, –lənts] *adv.* 충분히, 완전히, 아주, 전혀, 철두 철미(*entirely, wholly*); 그 위에, 게다가, 더욱, 결국(*at last*). **Vollendung** *f.* –en, 완결; 완료; 마무름, 성취; 노련(老練).

voller [fɔ́lər] *a.* 《Ⅰ》 《voll의 別形》 = VOLL. 《Ⅱ》 《voll의 比較級》 더 가득찬.

Völlerei [fœlərái] *f.* –en, 폭식(暴食), 폭음, 술에 빠짐.

vollführen [fɔlfýːrən] *t.* 완료〔수행·실시·실현〕하다(*execute*). **Vollführung** *f.* –en, 완성, 완료; 실행.

Voll₌gās *n.* 가스 완전 충전(充塡). ¶ mit ～gas 모터의 절기판을 활짝 열고, 전 속력으로. **～gefühl** *n.* 완전한 지각〔감정〕. **～genuß** *m.* 완전한 향락. **≁gepfropft** *a.* 꽉 찬, 충만한. **～₌gewicht** *n.* 〖商〗 전중량. **≁|gießen*** *t.* 가득 붓다. **≁gültig** *a.* 완전한 가치를 가지는, 확실한 근거〔이유〕가 있는. **～gummīreifen** *m.* (속이 찬) 타이어.

völlig [fœ́lɪç] [<voll] *a.* 충분한, 완전〔온전〕한(*full, entire, complete, thorough*); *adv.* 충분히; 아주, 전연(*quite*).

volljährig [fɔ́ljɛːrɪç] *a.* 성년의, 정년(丁年)의. **Volljährigkeit** *f.* 성년, 정년.

vollkommen [fɔlkɔ́mən, fɔ́lkɔmən] [*p.p.* <†vollkommen] *a.* 완전한, 온전(穩全)한(*perfect*); *adv.* 완전히, 아주. **Vollkommenheit** *f.* –en, 완전(함).

Vollkorn [fɔ́lkɔrn] *n.* (기울을 빼지 않은) 막밀.

Voll₌kornbrōt *n.* 막밀가루로 만든 빵. **～kraft** *f.* 전력(全力); 혈기 왕성.

voll|machen [fɔ́lmaxən] *t.* 가득 채우다; 충분〔완전〕히 하다.

Vollmacht [fɔ́lmaxt] *f.* –en, 전권; 대리권; 위임; (～(s)₌**brief** *m.*) 위임장.

Voll₌matrōse *m.* 숙달한 선원; 이등 수병. **～milch** *f.* 전유(全乳). **～mōnd** *m.* 만월, 보름달. **～nāme** *m.* 성명《가문 및 본인 이름과》. **～reife** *f.* 완숙. **～reifen** *m.* 속이 찬 타이어. **～₌salz** *n.* 〖樂〗 완전 식염. **≁|schenken** *t.* 가득히 붓다. **≁schlank** *a.* 알맞게 살찌고 날씬한. **≁|schreiben*** *t.*: ein Blatt ～ 지면 가득히 쓰다. **～sitzung** *f.* 총회. **～spänner** *m.* =～BAUER. **～spūr** *f.* 〖鐵〗 광궤(廣軌), 표준 궤간(軌間)(*broad gauge*). **≁spūrig** *a.* 광궤(廣軌)의.

vollständig [fɔ́lʃtɛndɪç] [<voller Stand] *a.* 충분한, 완비된, 온전한(*complete*); *adv.* 충분히, 완전히, 아주(*perfectly, quite*). ¶ ～e Finsternis 칠흑같은 어둠, 〖天〗 개기식(皆旣蝕). **Voll₌ständigkeit** *f.* 완비, 완전.

vollstimmig [fɔ́lʃtɪmɪç] *a.* 〖樂〗 전성음(全聲音)을 갖춘, 완전한 화성의.

vollstrecken [fɔlʃtrɛ́kən] *t.* 〖法〗 집행하다(*execute, carry out*). **Vollstrecker** *m.* –s, –, 집행자. **Vollstreckung** *f.* –en, 집행. **Vollstreckungsbefehl** *m.* 집행 명령.

voll₌tönend [fɔ́ltøːnənt] *a.* 충분히 울리는, 낭랑한, 가락이 높은(*sonorous*).

Volltreffer [fɔ́ltrefər] *m.* 〖軍〗 완전 명중탄, 직격탄(直擊彈).

Voll₌versammlung *f.* 총회. **≁wēr₌tig** *a.* (화폐 등이) 완전한 가치가〔표준 가격이〕 있는. **≁wichtig** *a.* 무게에 부족이 없는; 《比》 중요〔중대〕한. **≁zäh₌lig** *a.* 전수(全數)의; 전원이 다 있는.

Vollzeit·schūle [fɔ́ltsait-ʃuːlə] *f.* 전일제(全日制) 학교《주평균 30 수업시간의》.

vollziehen* [foltsíːən] *t.* 실행〔실현〕하다, 집행하다, 행하다(*execute*); *refl.* 일어나다, 생기다; 완성〔실현〕되다. **voll₌ziehend** *p. a.* 집행하는. ¶ ～e Gewalt 행정권. **Vollziehung** *f.* –en, 거행, 실행, 집행. **Vollzūg** [fɔltsúːk] *m.* –(e)s, =VOLLZIEHUNG.

Volontär [volɔntɛ́ːr, –lɔ̃t–] [fr.] *m.* –s, –e, 지원〔의용〕병; 〖商〗 무급 견습공.

Volt [vɔlt] *n.* – *u.* –(e)s, –, 〖電〗 볼트《이탈리아의 물리학자 Volta의 이름에서》.

volta [vɔ́lta] [it. „Wendung, mal"] *adv.*: 〖樂〗 prima 〔seconda〕 ～ 제1〔2〕회.

Volta·element [vɔ́lta-elemɛnt, –elə–] *n.* 볼타(식) 전지.

V

voltaisch [vɔ́lta·ɪʃ] *a.* 볼타식의; 평류전기(平流電氣)의. **Volt·ampere** [vɔlt-ampɛ́:r] *f.* 〖電〗 볼트암페어.

Volte [vɔ́ltə] [fr. *volūtus* „gedreht"] *f.* -n, 〖펜싱〗 찌름을 피하는 민첩한 동작(♈*volt*). **voltigieren** [vɔltiʒí:rən] *i.*(h.) (손을 짚고) 뛰어 오르다; 말 타고 재주부리다.

Voltmēter [vɔ́ltme:tər, vɔltmé:t-] *n.* 〔*m.*〕〖電〗 전압계, 볼트미터.

Volt·sekunde [vɔ́ltzekundə] *f.* 볼트초 《자기(磁氣) 흐름의 단위, 기호: Vs》.

Volumetrie [volumetrí:] *f.* 용량 측정(법).

Volūmen [volú:mɛn, -mən] [lat. < *volvere* „wälzen, rollen"] *n.* -s, - *u.* ..mina, 권, 책(♈*volume*); 용적, 체적(♈*volume, bulk, capacity*). **Volūmgewicht** *n.* 비중(比重). **voluminōs** *a.* 권수가 많은, 호한(浩瀚)한; 용적이 큰, 부푼.

Voluntarismus [voluntarísmus] [lat.] *m.* -, ..men, 〖哲·心〗 주의설(主意說), 주의주의.

voluptuōs [voluptuǿ:s] [lat.] *a.* 음란한, 음탕한; 쾌감을 주는.

Volūte [volú:tə] [lat.] *f.* -n, 〖建〗 (이오니아식 주두(柱頭)의) 소용돌이 장식.

vom [fɔm] = *von* de*m*《dem 은 定冠詞》.

von [fɔn] *prp.* 《3格支配》 ① 《出發點》 …에서, …으로 부터(*from*). ¶ ~ Paris kommen 파리에서 오다. ② 《原因》 …에 의하여, …으로. ¶ naß vom Tau 이슬에 젖어. ③ 《材料·內容을 나타냄》 …으로 된, …으로, …의, …에 의한(*of, by*). ¶ der Tisch ist ~ Holz 이 테이블은 목제이다. ④ 《數量》 ein Weg ~ 10 Kilometern, 10킬로미터의 길. ⑤ 《性質》 ein Mann ~ Stande 지체 있는 사람. ⑥ …에 대하여〔관하여〕. ¶ er erzählt oft ~ s-n Reisen 그는 여행담을 자주 한다. ⑦ 《限定·規定》 …에 대하여(서는). ¶ sie ist klein ~ Gestalt 그녀는 몸집이 작다.

voneinander [fɔn-ainándər] [einer von den 〔dem〕 andern] *adv.* 서로(떨어져서), 갈라져서; 분리되어.

vonnōten [fɔnnǿ:tən] [<Not] *a.* 필요한. =NÖTIG. ¶ ~ sein〔†tun〕 필요하다. ★ 附加語的으로는 안 쓰임.

vonstatten [fɔnʃtátən] [<Statt] *adv.*: ~ geh(e)n 나아가다, 진척되다, 번성해지다(*progress*).

vōr [fo:r, 弱 foə] [♈für] 《Ⅰ》 *prp.* 《3格支配》 ① 앞에(*before, in front of*). ② (앞에 있는 어떤 사람 또는 어떤 물건) 에 대하여〔대한〕(*against, from*). ③ 을 당하여, 때문에, 한 나머지(*of with*). ¶ ~ Freude 기쁜 나머지 / ~ Hunger sterben 굶어 죽다 / ~ allem 우선, 무엇보다도 / ~ drei Tagen 3일 전에(*three days ago*). ④ 《4格支配》 앞으로. ¶ ~ sich hinsprechen 아무에게 들으라고 하는 것도 아닌《앞을 향하여》 말을 하다, 혼잣말하다 / ~ sich geh(e)n 진행하다, 일어나다《사건이》. 《Ⅱ》 †*adv.* 앞으로; 《時間》 전에. ¶ nach wie ~ 〔~ wie nach〕 여전히, 변함 없이.

vōr.. [fó:r-] [=VOR Ⅱ] 《分離動詞의 前綴; 항상 악센트가 있음》 보기: vor|sitzen [fó:rzɪtsən], ich sitze 〔saß〕 vor, vorgesessen, vorzusitzen.

vōr·ab [fo:r-áp] ["먼저 꺼내어"] †*adv.* 특히, 무엇보다도(*above all*); 우선, 첫째로(*first of all*).

Vōr·ābend [fó:r-a:bənt] *m.* (축일 따위의) 전야, 전일(*eve*); 《比》 (중대 사건 등이 있을) 직전, 찰나.

vōr|ahnen [fó:r-a:nən] *t.* 예감〔예각(豫覺)〕하는. **Vōr·ahnung** *f.* 예감, 육감.

voran [foràn] *adv.* ① 앞에, 앞서서, 선두에(*before, at the head, in front*). ② 앞으로, 전방으로(*on, onwards*).

voran=|gēh(e)n* *i.*(s.) 앞서 가다; 솔선하다. ¶ jm. ~gehen 아무의 앞에 서다. **~|kommen*** *i.*(s.) 앞서 오다; 《比》 진보하다. **~|laufen*** *i.*(s.) 앞서 뛰다, 앞서 달리다.

Vōr·anschlāg [fó:r-anʃla:k] *m.* 예산, 견적.

voran|stellen [foránʃtɛlən] *t.* 앞〔첫머리〕에 두다; 《比》 최초에 언급하다; 우선권을 주다.

Vōr·anzeige [fó:r-antsaigə] *f.* 예고, 예보.

Vōr·arbeit [fó:r-arbait] *f.* -en, 앞서 하는 일, 준비 공작. **vōr|arbeiten** *i.*(h.) 준비 공작을 하다. **Vōrarbeiter** *m.* -s, -, 십장(什長), 직공장(職工長)(*foreman*).

vorauf [foráuf, 稀 fo:r-áuf] ["앞쪽에서 위쪽으로"] *adv.* 앞에, 앞서서.

voraus [foráus] *adv.* 앞에 (나가서); 앞서서. ¶ anderen[3] ~ 남보다 뛰어나 / im ~ 먼저, 미리.

Voraus·abteilung [foráus-aptailʊŋ] *f.* 〖軍〗 전위 부대.

voraus=|bedingen(*) *t.* 예약하다; 미리 조건을 정하다. **~|bestellen** *t.* 예약〔주문〕하다. **~|bezahlen** *t.* 선불하다. **~|gēh(e)n*** *i.*(s.) 앞서 가다, 선행하다. **~|hāben*** *t.*: et. vor jm. 〔jm. et.〕 ~haben 아무보다도 무엇에 있어 뛰어나다. **~korrektor** *m.* (출판사의) 원고 교정원. **~nahme** *f.* 먼저 취함. **~|=nehmen*** *t.* 먼저 취하다; 미리 갖추다. **~sāge** *f.* 예언, 예보. **~|sāgen** *t.* 앞서 말하다; 예언하다, 예보〔예측〕하다. **~sāgung** *f.* 예언; 예보, 예측. **~=schauend** *p.a.* 예견(豫見)하는. **~|=sēhen*** *t.* 예견〔예측〕하다. **~|setzen** *t.* 전제〔가정〕하다(*presuppose*). **~setzung** *f.* -en, 전제 (조건), 가정. ¶ unter der ~setzung, daß... …의 가정하에. **~setzungslōs** *a.* 전제가 없는. **~sicht** *f.* 선견지명, 통찰; 가망, 기대(♈*foresight*). **~sichtlich** *a.* 예견〔예측〕할 수 있는; 가망이 있는; *adv.* 예견되는 바와 같이; 아마. **~truppe** *f.* 선발(先發) 부대. **~zahlung** *f.* 선불(先拂).

Vōrbau [fó:rbau] *m.* -(e)s, -ten, (건물의) 돌출부; 현관; 차를 대는 곳; 내어 민 창, 출창(出窓). **vōr|bauen** 《Ⅰ》 *t.* (다른 건물의) 앞에 건축하다; (일부가) 돌출하게 건축하다. 《Ⅱ》 *i.*(h.) (e-m Dinge, 무엇을) 미리 예방하다(*take precautions against*).

Vōrbedacht [fó:rbədaxt] *m.* -(e)s, 사전 고려. ¶ mit ~ 일부러, 고의로.

vorbedacht *p.a.* 미리 숙고된. **vor|bedenken*** *t.* 미리 숙고[계획]하다. ¶ein vorbedachter Mord 모살(謀殺).

vor|bedeuten [fó:rbədɔytən] *t.* (의) 전조를 나타내다. **Vorbedeutung** *f.* -en, 예시, 전조, 징후(*foreboding, omen*).

Vorbehalt [fó:rbəhalt] *m.* -(e)s, -e, 〖法〗 유보; 제한(*reservation, proviso*).

vor|behalten* *t.*: jm. et., ~ 아무를 위하여 무엇을 남겨두다, 〖法〗 유보하다 (*reserve*). **vorbehältlich** *prp.* (2格支配): ~ e-s Dinges 무엇을 유보[조건으로] 하여.

vorbei [fɔrbái, fo:r-] *adv.* ① 곁을 지나서, 통과하여(*by*). ② 《時間》 지나서. ¶an [neben, *od.* vor] et.³ ~ 무엇의 곁을 지나서. ③ 끝나서(*past, over*). ¶es ist mit ihm ~ 그는 이제 끝장이다[가망 없다].

vorbei=geh(e)n* *i.*(s.) 걸어서 지나다 [통과하다]; 빗나가다, 어긋나다. ¶im ~gehen, a) 지나는 길에, b) 하는 김에. **~|lassen*** *t.* 통과시키다, 앞서게 하다; 놓치다《기회를》(*let slip*). **~=marsch** *m.* 전면 통과; 분열식, 분열 행진. **~|marschieren** *i.*(s.) 행진하여 통과하다; 분열식을 하다. **~|reden** *i.*(h.): aneinander ~reden 지나는 길에 서로 말을 걸다. **~|schießen*** *i.*(h.) 잘못 쏘다, 명중하지 않다.

Vorbemerkung [fó:rbəmɛrkuŋ] *f.* -en, 머리말, 서문, 일러두기.

vorbenannt [fó:rbənant] *a.* 전술(前述)한, 위에 적은.

vor|bereiten [fó:rbəraitən] 《Ⅰ》 *t.* 채비[준비]하다 (*prepare*). ¶~der (*p.a.*) Unterricht 준비[예비] 교육. 《Ⅱ》 *refl.*: sich auf et.⁴ ~, sich zu et. ~ 무엇에의 준비[각오]를 하다. **Vorbereitung** *f.* -en, 준비, 채비; 각오.

vor|besprechen* [fó:rbəʃprɛçən] *t.* 미리 서로 이야기하다, 예비 회담을 하다. **Vorbesprechung** *f.* -en, 예비 협상[토의].

vorbestraft [fó:rbəʃtra:ft] 《Ⅰ》 *a.* 〖法〗 전과가 있는(*previously convicted*). 《Ⅱ》 **Vorbestrafte** *m.* u. *f.* 《形容詞變化》 전과자.

vor|bestellen [fó:rbəʃtɛlən] *t.* 미리 신청하다, 예약 주문하다. **Vorbestellung** *f.* -en, 예약.

vor|beten [fó:rbe:tən] *t.* u. *i.*(h.) 큰 소리로 기도를 선창하다.

vor|beugen [fó:rbɔygən] 《Ⅰ》 *t.* 앞으로 구부리다; *refl.* 앞으로 굽다, 몸을 구부리다. 《Ⅱ》 *i.*(h.) (e-m Dinge, 무엇을) 예방하다(*prevent, obviate*). **vorbeugend** *a.* 예방의. **Vorbeugung** *f.* -en, 예방.

Vorbeugungs=maßregel *f.* 예방책. **~mittel** *n.* 예방약[법].

Vorbild [fó:rbılt] *n.* -(e)s, -er, ① 징후, 징조. ② 모범, 본보기, 전형(*example, model, standard*); 원형(*original*).

vor|bilden [fó:rbıldən] *t.* (에게) 예비 교육을 실시하다. **vorbildlich** [-bıltlıç] *a.* 모범적인, 전형적인; 이상적인. **Vorbildung** *f.* -en, 예비 교육, 소양(素養).

vor|binden* [fó:rbındən] *t.* 앞에 붙들어 매다.

vor|blasen* [fó:rbla:zən] *t.* 불어 보이다, (의) 취주법을 가르치다.

Vorblatt [fó:rblat] *n.* 〖植〗 포(苞), 화포(花苞).

Vorbote [fó:rbo:tə] *m.* -n, -n, 미리 알리는 것[사람]; 선구(자); 《比》 전조, 징후, 조짐.

Vorbreitungs=dienst [fó:rbraituŋs-] *m.* (사법관 시보의) 실습 근무. **~=handlung** *f.* (범죄의) 예비 행위.

vor|bringen* [fó:rbrıŋən] [vor=her-vor] *t.* ① 끌어 내다; 꺼내다, 끄집어 내다, 내어 놓다; (말을) 꺼내다, 발언하다; 제출하다; 제의하다; 인용하다.

vor|buch·stabieren [fó:rbu:xʃtabi:rən] *t.* (jm. et., 아무에게 무엇을) 한자 한자 읽어 들려 주다.

vor Christi Geburt 서력 기원전《略: v. Chr. G.》 **vor Christo** [**Christus**] 서력 기원전《略: v. Chr.》.

Vordach [fó:rdax] *n.* -(e)s, ..dächer, (앞으로 튀어 나온) 지붕, 처마, 차양, 달개 지붕.

vor|datieren [fó:rdati:rən] *t.* (에) 실제보다 이전의 날짜를 기입하다(*antedate*).

vordem [fo:rdé:m, fó:rde:m] *adv.* 이전에, 일찌기(*formerly*).

vorder [fɔ́rdər] [<vor; -der 는 원래 比較級의 後綴] *a.* 전방의, 전면의(*fore, front*). ¶die ~en 조상, 선조(先祖).

Vorder=achse [fɔ́rdər-] *f.* 전축(前軸). **~ansicht** *f.* 전경(前景), 정면도. **~=arm** *m.* 팔뚝. **~asien** *n.* 〖地〗 서남아시아, 근동《터키에서 이란까지》. **~=bein** *n.* 앞다리. **~deck** *n.* 이물 갑판. **~front** *f.* 〖建〗 앞, 정면. **~fuß** *m.* 앞발; 발의 맨 앞 부분. **~gebäude** *n.* 전방의 건물; 건물의 앞쪽. **~glied** *n.* 전지(前肢), 전각(前脚); 〖軍〗 전열. **~=grund** *m.* 전경(前景). ¶im ~grund steh(e)n 전경에 나와 있다; 《比》 눈에 띄게 나타나 있다, 중요시되고 있다. **~=hand** *f.* 팔뚝.

vorderhand [fo:rdərhánt] *adv.* 우선, 당분간.

Vorder=haupt [fɔ́rdər-] *n.* 전두(前頭), 이마(*forehead*). **~haus** *n.* 집의 앞쪽; 앞채. **~indien** *n.* 〖地〗 전(前)인도 《인도의 반도부》. **~lader** *m.* (옛날의) 전장총(前裝銃). **~lastig** *a.* 이물에 짐을 너무 실은. **~mann** *m.* 앞의 사람; 전열병(前列兵); 상위의 사람. **~pferd** *n.* (4두 마차의) 선도하는 말. **~rad** *n.* 앞바퀴. **~satz** *m.* 〖文〗 앞문장; 〖論〗 전제. **~seite** *f.* 정면, 전면; 표면《화폐 따위의》. **~sitz** *m.* 앞 좌석.

vorderst [fɔ́rdərst] 《vorder 의 最上級》 *a.* 최전방의(*foremost*); 최초의(*first*).

Vorder=steven *m.* 이물. **~stube** *f.* 앞쪽의 방. **~teil** *m.* od. *n.* 전부(前部); 이물; 기수(機首). **~tür(e)** *f.* 앞문, 정면 현관. **~zahn** *m.* 앞니.

vor|drängen [fó:rdrɛŋən] *t.* 앞으로 밀다[몰아대다]; *refl.* 앞으로 밀고 나아가다; 《比》 주제넘게 굴다. **vor|dringen*** *i.*(s.) 전진하다, 밀고 나아가다; 밀어 닥치다. **vordringlich** *a.* 급한, 긴급[절박]한(*pressing, urgent*); 건방진.

Vōrdruck [fó:rdruk] *m.* -(e)s, -e, (Formular의 역(譯):) 서식 용지; 〖印〗 견본쇄(*form*).

vōr·ehelich [fó:r-e:əlıç] *a.* 결혼 전의.

vōr·eilen [fo:r-ailən] 《vor는 時間的인 뜻》 *i.*(s.) 급히 나아가다; 앞서 서둘러 가다. **vōr·eilig** [fo:r-ailıç] *a.* 너무 이른, 성급한, 경솔한.

vōr·eingenommen [fó:r-aingənɔmən] *a.* 선입견에 사로잡힌, 편파적인(*prejudiced, biassed*).

Vōr·eltern [fó:r-ɛltərn] *pl.* 선조(*forefathers, ancestors*).

vōr|empfinden* [fó:r-ɛmpfındən] *t.* 예감〔예각(豫覺)〕하다; 뼈저리게 느끼다. **Vōrempfindung** *f.* -en, 예감.

vōr|ent·halten* [fó:r-ɛnthaltən] *t.* (당연히 주어야 할 것을) 넘겨 주지 않다, 보류〔억류〕하다(*keep back, withhold*). **Vōr·ent·haltung** *f.* -en, 불법 억류〔유치·구류〕.

Vōr·erbschaft [fó:r-ɛrpʃaft] *f.* 선위(先位) 상속(인이 받는) 재산.

vōr·erinnern [fó:r-ɛrınərn, -ɛr-ın-] *t.* 미리 경고〔주의〕하다, 예고하다.

vōr·ērst [fó:r-e:rst, fo:r-é:rst] [†fürerst, „für erste"] *adv.* 최초로, 무엇보다도 먼저(*first of all*); 우선, 당분간(*for the present*).

vōr·erwähnt [fó:r-ɛrvɛ:nt] *a.* 전술한.

Vōrfahr [fó:rfa:r] *m.* -en 〔†-s〕, -en, 선조, 조상(*ancestor*). **vōr|fahren*** *i.*(s.) ① (bei, 의 집 앞에) 차를 탄 채 가다, 차를 대다. ¶ ~ lassen (차를) 현관에 돌려 대게 하다, 차를 부르다. ② (jm., 아무를) 차로 앞지르다. **Vōr·fahrts·recht** *n.* (자동차의) 추월권.

Vōrfall [fó:rfal] *m.* -(e)s, ⸗e, (뜻밖에) 일어난 일, (돌발) 사건(*occurrence, incident, event*); 〖醫〗 탈출, 이탈(弛脫). **vōr|fallen*** *i.*(s.) (불의의 일이) 일어나다(*occur, happen*); 〖醫〗 탈출〔이탈〕하다(*prolapse*).

Vōrfechter [fó:rfɛçtər] *m.* -s, -, 검도(劍道) 사범; 챔피언, 투사.

Vōrfeier [fó:rfaiər] *f.* 전야제(前夜祭), 축제일의 전날밤.

vōr|finden* [fó:rfındən] *t.* (앞에서) 발견하다.

vōr|fordern [fó:rfɔrdərn] *t.* 〖法〗 소환하다.

Vōrfrāge [fó:rfra:gə] *f.* -n, 예비적 문제; 선결 문제.

Vōrfreude [-frɔydə] *f.* -n, 미리 기뻐함.

Vōrfriede [fó:rfri:də] *m.* 잠정적인 화평, 임시 강화.

Vōrfrühling [-fry:lıŋ] *m.* -(e)s, -e, 조춘(早春), 이른 봄.

Vōrführdāme [fó:rfy:rda:mə] *f.* 마네킨걸(*mannequin girl*).

vōr|führen [fó:rfy:rən] *t.* 앞(쪽)으로 이끌다; 소환하다; 구인(拘引)하다; 끌어 내다《말을》; 전람시키다《사물을》; 상연〔상영〕하다. **Vōrführer** *m.* -s, -, 영사기사(映寫技師). **Vōrführung** *f.* -en, 상연, 상영; 〖法〗 구인(拘引).

Vōrführungs⸗befehl *m.* 〖法〗 구속 영장. **~raum** *m.* 진열장.

Vōrgābe [fó:rga:bə] [<vorgeben] *f.* -n, 〖競〗 열세자에게 주는 특전, 핸디캡.

Vōrgābe⸗rennen, ~spiel *n.* 핸디캡이 붙은 경주.

Vōrgang [fó:rgaŋ] [<vorgeh(e)n] *m.* -(e)s, ⸗e, 선행(先行); 상위(上位), 우선권; 선례(先例), 전례(前例)(*precedent*); (사건의) 경과(*process*); 사건(*occurrence, event*). **Vōrgänger** [-gɛŋər] *m.* -s, -, 선행자, 선배; 전임자(*predecessor*).

Vōrgarten [fó:rgartən] *m.* -s, ..gärten, 앞뜰.

vōr|gaukeln [fó:rgaukəln] *t.* (jm. et., 아무에게 무엇의) 요술을 부려 보이다, (아무 앞에서 무엇을) 속이다.

vōr|gēben* [fó:rge:bən] 《I》 *t.* ① 〖競〗 (e-n Vorsprung gewähren) 핸디캡을 주다(*give odds*). ② 내놓다, 구실로 삼다, 핑계대다(*pretend, allege*). 《II》 **Vōr⸗gēben** *n.* -s, 핑계, 구실, 사칭(詐稱).

Vōrgebirge [fó:rgəbırgə] *n.* 산맥 기슭의 구릉맥(丘陵脈)(*promontory*); 갑(岬), 곶(*cape*).

vōrgēblich [fó:rge:plıç] *a.* 자칭하는, 소위, 겉으로의.

vōrgefaßt [fó:rgəfast] *a.* 선입관이 된(*preconceived*). ¶ ~e Meinung 편견.

Vōrgefühl [fó:rgəfy:l] *n.* -(e)s, -e, 예감, 육감(*presentiment*).

vōr|gēh(e)n* [fó:rge:(ə)n] 《I》 *i.*(s.) ① (제 시간보다) 빨리 가다《시계가》. ② 먼저 가다; (jm., e-m Dinge, 아무·무엇보다) 선행하다, (의) 선위(先位)에 있다. ③ 전진하다; (gegen *od.* auf, 로) 향하다; (mit, 으로) …하게 행동하다, (을) (…로) 다루다, (에) (…한) 처치를 하다(*proceed*). ④ 일어나다, 생기다(*occur*). 《II》 **Vōrgēhen** *n.* -s, 전진; 조치, 행동.

Vōrgelēge [fó:rgəle:gə] *n.* -s, -, 〖機〗 (vorgeschaltete Welle *od.* Rädertrieb) 회전축 장치, 톱니바퀴 장치.

Vōrgericht [fó:rgərıçt] *n.* -(e)s, -e, 첫번째의 음식물, 제일 먼저 나오는 요리.

vōrgerückt *a.* ☞ VORRÜCKEN.

Vōrgeschichte [fó:rgəʃıçtə] *f.* -n, ① 유사 이전(*prehistory*), 선사 시대, 태고사. ② 과거사, 경력. ③ 〖劇·映〗 본줄기 이전의 이야기. **vōrgeschichtlich** *a.* 유사 이전의, 선사 시대의.

Vōrgeschmack [fó:rgəʃmak] *m.* -(e)s, ..schmäcke, 미리 맛봄, 시식; 《比》 예감, 예각(豫覺).

vōrgeschōben [fó:rgəʃo:bən] *a.* 〖軍〗 전진한.

Vōrgesetzte [fó:rgəzɛtstə] *m.* u. *f.* 《形容詞變化》 윗사람, 상관, 장관; 〖商〗 가게 주인.

vōrgestern [fó:rgɛstərn] *adv.* 그저께(*the day before yesterday*). ¶ ~ abend 그저께 밤. **vōrgestrig** *a.* 그저께의.

vōr|greifen* [fó:rgraifən] *i.*(h.) 먼저 잡다, 선취하다(*anticipate, forestall*); (jm., 아무를) 앞지르다, 선수 쓰다; (e-r Frage, 문제를) 앞질러 손대다〔해결하다〕; (js. Absichten, 아무의 의도를) 미리 알고 처리하다.

vōr|hāben* [fó:rha:bən] 《I》 *t.* ① 앞에 걸치고 있다《앞치마 따위를》. ② (에) 한눈팔다, 종사하다(*be busy with*). ③ 꾀하다, 기도하다(*plan, intend*). 《II》 **Vōr⸗hāben** *n.* -s, -, 기도(*plan, scheme*);

의도, 뜻(*intention*); 목적(*purpose*).
Vo̱rhalle [-halə] *f.* 현관; (의회의) 대기실; (호텔의) 로비, 휴게실.
vo̱r|halten* [fó:rhaltən] 《Ⅰ》 *t.* 앞에 가지고 있다; 앞에 내놓다《손에 쥐어서》; 내밀다; 《比》 (jm. et., 어떤 일로 아무에게) 힐문[항의·충고]하다, (을) 질책하다(*reproach*). 《Ⅱ》 *i.*(h.) 견디다; 오래 가다, 지속하다(*last*). **Vo̱rhaltung** *f.* -en, 힐문; 비난, 질책. ¶ jm. ~en machen 아무를 질책하다.
Vo̱rhand [fó:rhant] *f.* 팔뚝; (카드놀이의) 선수; 〖商〗 선매권(先買權). **vor·ha̱nden** [fo:rhándən] [„vor dem Händen"] *a.* 수중에 있는; 마침 가지고 있는(*at hand, on hand*); 지금 있는, 현존의. **Vorha̱ndensein** *n.* -s, 현유(現有), 현존, 존재(*presence, existence*). **Vo̱r·handschlag** *m.* 〖테니스〗 포어핸드스트로크, 정타(正打).
Vo̱rhang [fó:rhaŋ] *m.* -(e)s, ⸚e, 커튼, 휘장; 〖劇〗 막(幕). ¶ der eiserner ~, a) 방화 철막(鐵幕)《무대의 방화용》, b) 철의 장막. **vo̱r|hängen** [-hɛŋən] *t.* 앞에 걸다[드리우다]. **Vo̱rhäng(e)schloß** *n.* 맹꽁이 자물쇠(*padlock*).
Vo̱rhaut [fó:rhaut] *f.* 〖解〗 (음경의) 포피(包皮).
Vo̱rhemd [fó:rhɛmt] *n.* -(e)s, -en, 샤쓰의 가슴받이; 가슴 장식이 있는 샤쓰《여성》.
vorhe̱r [fo:rhé:r, fó:rhe:r] *adv.* 앞에, 미리(*before(hand), previously*).
vorhe̱r·|berechnen [fo:rhé:r-] *t.* 미리 계산하다, 예산하다. ~**|bestimmen** *t.* 예정하다; 〖宗〗 운명을 미리 정하다. ~**·bestimmung** *f.* 예정; 숙명, 정업(定業) (*predestination*).
vorhe̱r|ge̱h(e)n* [forhé:rge:(ə)n] 《Ⅰ》 *i.*(s.) 선행하다, 앞서다. 《Ⅱ》 **vorhe̱r·ge̱hend** *p.a.* 선행의, 전의; 전술한.
vorhe̱rig [fo:rhé:rıç, fó:rhe:r-] *a.* 앞의, 먼저의, 기왕의, 전부터의; 이전의, 옛날의.
vo̱r|herrschen [fó:rhɛrʃən] *i.*(h.) 우세하다, 유력하다, 널리 행하여지고 있다(*predominate, prevail*). **vo̱rherrschend** *a.* 우세한, 유력한; 주된.
Vorhe̱r·sa̱ge *f.* 예언. ~**|sa̱gen** *t.* 미리 말하다; 예언하다. ~**|se̱hen*** *t.* 선견[예견]하다. ~**|wissen*** *t.* 예지하다.
vorhin [fo:rhín, fó:rhın] *adv.* 이전에(*before*); 조금 전에, 아까(*a little while ago*).
Vo̱rho̱f [fó:rho:f] *m.* -(e)s, ..höfe, 앞뜰; 현관.
Vo̱rhu̱t [fó:rhu:t] *f.* -en, 〖農〗 방목(放牧) 우선권; 〖軍〗 전위(*vanguard*).
vo̱rig [fó:rıç] [<vor] *a.* 이전의, 앞의. ¶ ~en Monats 지난 달에 / die ~en 〖劇〗 앞장면의 사람들.
Vo̱rjahr [vó:rja:r] *n.* -(e)s, -e, 전년. **vo̱rjährig** *a.* 작년의, 지난 해의.
Vo̱rkämpfer [fó:rkɛmpfər] *m.* -s, -, 선두에 서서 싸우는 사람; 챔피언, 선구자.
vo̱r|kauen [fó:rkauən] *t.* (아이에게) 씹어 먹이다; 《比》 자세히 들려[일러]주다.
Vo̱rkauf [fó:rkauf] *m.* -(e)s, ⸚e, 선매(先買)(권), 매점(買占). **vo̱r|kaufen** *t.* 매점하다. **Vo̱rkäufer** *m.* -s, -, 매점자. **Vo̱rkaufrecht** *n.* 선매권.
vo̱r|kehren [fó:rke:rən] *t.* (속이 겉으로 나오게) 뒤집다. **Vo̱rkehrung** [fó:rke:ruŋ] *f.* -en, 대비, 예방 수단(*precaution*). ¶ gegen et. ~en treffen 무엇에 대해 예방 수단을 강구하다, 준비하다.
Vo̱rkenntnis [fó:rkɛntnıs] *f.* ..nisse, (흔히 *pl.*) 예비 지식; 소양. ¶ ~se haben, (in, 의) 소양이 있다(*be grounded in the elements (of)*).
vo̱r|kommen* [fó:rkɔmən] 《Ⅰ》 *i.*(s.) (jm., e-m Dinge, 아무·무엇보다) ① 앞서 오다[나오다]. ② 산출(産出)되다, 일어나다, 생기다(*occur, happen*). ③ (의) 앞에 나타나다; (bei, 을) 방문하다, (의) 면회를[알현을] 허락받다. ④ 〖商〗 제시되다《어음이》. ⑤ 심리되다《법정에서》; 토의되다《회의에서》. ⑥ 여겨지다, 생각되다(*appear, seem*). 《Ⅱ》 **Vo̱rkommen** *n.* -s, 현존, 현재(*existence*); 생김(*occurrence*); 천연산물(天然産物), (특히) (광물의) 산출(*deposit*). **Vo̱rkommnis** [fó:rkɔmnıs] *n.* -ses, -se, 사건(*occurrence, event*).
Vo̱rkost [fó:rkɔst] *f.* 〖料〗 앞서 나오는 요리, 전채(前菜).
vo̱r|kra̱gen [fó:rkra:gən] *i.*(h.) 돌출하다, 쑥 내밀다; *t.* 돌출케 하다, 내달다.
Vo̱rkriegszeit [fó:rkri:kstsait] *f.* 세계 대전 전(前)(의 시대).
vo̱r|la̱den(*) [fó:rla:dən] *t.* 〖法〗 호출하다, 소환하다(*summon*). **Vo̱rla̱dung** *f.* -en, 소환. **Vo̱rla̱dungs·schreiben** *n.* 소환장, 영장.
Vo̱rla̱ge [fó:rla:gə] [<vorlegen] *f.* -n, ① 본, 본보기(*pattern*). ② (서화(書畫)의) 본(*copy*). ③ 의안, 법률안(*bill*).
vo̱r|la̱gern [fó:rla:gərn] *refl.* (e-m Dinge, 무엇의) 전방에 연장되어 있다.
vo̱rlängst [fó:rlɛŋst] *adv.* 오래 전에, 먼 옛날에.
vo̱r|lassen* [fó:rlasən] *t.* ① 앞서 가게 하다; 선발시키다《경주 따위에서》. ② 앞에 오는 것을 허락하다, 면접[알현]을 허락하다.
Vo̱rlauf [fó:rlauf] *m.* -(e)s, ..läufe, 예선 경주. **Vo̱rläufer** *m.* -s, -, 앞서 달리는 사람, 선주자; 《比》 선구자; 징조, 전조; 〖醫〗 전구증(前驅症). **vo̱rläufig** *a.* 미리 하는; 당장의, 잠정적인; *adv.* 미리; 우선, 당장; 임시로.

vo̱rlaut [fó:rlaut] [원래 수렵 용어, 개가 너무 일찍 짖음] *a.* 젠 체하는, 건방진(*forward, pert*).
Vo̱rle̱ben [fó:rle:bən] *n.* 전(前) 생애, 경력.
Vo̱rle̱ge·besteck *n.* 식탁용 식기《나이프·포크 따위》. ~**ga̱bel** *f.* 고기 자르는 포크. ~**messer** *n.* 식탁용 고기썰이 나이프.
vo̱r|le̱gen [fó:rle:gən] 《Ⅰ》 *t.* ① 앞에 두다《말을 마차에 메우거나, 문에 자물쇠를 거는 등》. ② jm. et.: 보게 하다, 제시하다(*exhibit, show*); (문제를) 제시하다; (음식물을) 제공하다. 《Ⅱ》 *refl.* ① (앞에서) 길을 막다. ② 앞으로 숙이다. 《Ⅲ》 *i.*(h.) 포식하다. **Vo̱rle̱ger** *m.* -s, -, 문 또는 침대 옆에 까는 양탄자《구두 따위를 닦는》(*rug*). **Vo̱rle̱ge·schloß** *n.* 맹꽁이 자물쇠.
Vo̱rleistung [fó:rlaistuŋ] *f.* 사전 이행

《결과를 예기하고 미리 다함》. ¶ politische ~ 사전의 정치적 양보《상대방의 호양(互讓)을 기하고서의》.
vo̱r|le̅sen* [fó:rle:zən] *t.* 읽어 들려 주다, 낭독하다. **Vo̱rleser** *m.* -s, -, 읽어 들려 주는 사람, 낭독자. **Vo̱rle̅sung** *f.* -en, 낭독, 읽어 들려 줌(*reading*); 강의(*lecture*).
vo̱rletzt [fó:rlɛtst] *a.* 끝에서 둘째번의 「(*last but one*).」
vo̱r|leuchten [fó:rlɔyçtən] *i.*(h.) (jm., 아무의) 앞을 (등불로) 비추다; 《比》 귀감이 되다; 두드러지게 빛나다.
Vo̱rliebe [fó:rli:bə] [vor 는 우선의 뜻] *f.* 특히 좋아함, 편애, (특별한) 총애, (특히) 아낌(*predilection, preference*).
vo̱rlie̱b|nehmen* [-li:pne:mən] [*eig.* „etwas für Liebes ansehen"] *i.*(h.) (mit, 로) 만족하다, (으로) 참다, 만족해 하다.
vo̱r|liegen* [fó:rli:gən] 《Ⅰ》 *i.*(h.) 앞에 가로 놓여 있다; 앞에 있다; (거기에) 있다; 제출되어 있다. 《Ⅱ》 **vo̱rliegend** *p. a.* 당면한, 현재의(*present, in hand, in question*).
vo̱r|lü̅gen* [fó:rly:gən] *t.*: jm. et.: 거짓말하다. 「冠詞).」
vo̱rm [fo:rm] =*vor* de*m* (dem 은 定
vo̱r|machen [fó:rmaxən] *t.*: jm. et.: 해 보이다, 방법을 가르치다; 요술을 써서 내어 보이다, 속여 넘기다.
Vo̱rmacht [fó:rmaxt] *f.* 우위(*predominance*), 지배적 세력, 패권. **~stellung** *f.* 우세한〔지배적〕 지위, 지도권.
vo̱r=mälig [fó:rma:lɪç] *a.* 이전의. **vo̱r=māls** *adv.* 이전에《略: vorm》. 「진.」
Vo̱rmarsch [fó:rmarʃ] *m.* -es, ¨-e, 전
vo̱r|merken [fó:rmɛrkən] *t.* (미리) 기입하다. ¶ sich ~ lassen 기장(記帳)하게 하다, 유보(留保)〔예약〕해 두다.
Vo̱rmerkung *f.* -en, 기입(장); 〖商〗 가등기; (관람석·선실 등의) 예약 신청.
Vo̱rmittāg [fó:rmɪta:k] *m.* 오전(*forenoon, morning*). **vo̱rmittāgig** *a.* 오전의. **vo̱rmittāgs** *adv.* 오전에.
Vo̱rmund [fó:rmʊnt] [<mhd. *munt* „Schutz"] *m.* -(e)s, -e *u.* ¨-er, 〖法〗 후견인(*guardian*). **Vo̱rmundschaft** *f.* -en, 후견.
vorn [fɔrn] [<vor] *adv.* 앞에, 전방〔전면·겉면〕에, 전면〔겉면〕에서; 앞서서, 선두에; 최초에, 처음에. ¶ ~ heraus wohnen 집의 바깥 쪽〔전면〕에 살다 / nach ~ 앞 쪽으로 / von ~, a) 앞에서, b) 처음부터.
Vo̱rnahme [fó:rna:mə] [<vornehmen] *f.* -n, 착수함, 착수; 기도.
Vo̱rnāme(n) [fó:rna:mə, ..mən] *m.* ..mens, ..men, (성 앞의) 이름; 세례명《예를 들면 Friedrich Schiller 의 Friedrich》.
vo̱rnehm [fó:rne:m] [*eig.* „sich aus der Menge hervornehmend"] *a.* ① (무리보다) 탁월한(*distinguished*). ② 신분이 높은, 고귀한(*of high rank, high class*); 고상한, 기품이 있는(*noble*). ¶ ~ tun 상류 인사 티를 내다, 점잔 빼다 / die ~en 상류 사회, 귀족 계급.
vo̱r|nehmen* [fó:rne:mən] *t.* ① 앞에 가지다. ¶ e-e Schürze ~ 앞치마를 걸치다. ② 앞으로 오게 하다, 불러 내다; 《俗》 훈계〔질책〕하다(*reprimand*). ③(을) 시작〔착수〕하다(*undertake, set about*); / 행하다. ¶ Veränderungen ~ 변경하다 sich³ et. ~ 무엇을 꾀하다(*design, intend*); 결심하다(*resolve*).
Vo̱rnehmheit [fó:rne:mhait] *f.* -en, 고귀; 고상, 기품, 점잔. **vo̱rnehmlich** [fó:rne:m-, 종종 fo:rné:m-] *adv.* 유달리, 특히, 무엇보다도; 주로, 전적으로.
vo̱rnehmst *a.* ("특별한":) 주요한, 중요한(*principal, main, chief*).
vo̱r|neigen [fó:rnaigən] *i.*(h.) u. *refl.* 앞으로 기울이다, 굽히다; 절하다.
vorn(e)=ü̱ber *adv.* 전방으로. **~ü̱ber=gebeugt** *a.* 앞(쪽)으로 기운. **~weg** *adv.* 미리, 처음에; 앞질러. ¶ mit dem Mundwerk ~weg 입찬, 건방진.
vorn=herei̱n [fɔrnhɛráin] *adv.*: von〔im〕 ~herein, a) 앞〔겉〕에서(안으로), b) 처음부터; 선천적으로. **~hinei̱n** *adv.* 앞〔겉〕으로부터(안으로). **~ü̱ber** =VORNEÜBER. **~weg** =VORNEWEG.
Vo̱r·ort [fó:r-ɔrt] *m.* -(e)s, -e, (도시 전면(前面)의 땅:) 교외(의 소도시)(*suburb*).
Vo̱r·ort(s)=bahn *f.* (시내와 연결되는) 교외 철도. **~verkehr** *m.* 교외와의 교통. **~zū̱g** *m.* 교외 열차.
Vo̱rplatz [fó:rplats] *m.* -s, ¨-e, 앞뜰; 현관; 층계참. 「전초(前哨)(*outpost*).」
Vo̱rposten [fó:rpɔstən] *m.* -s, -, 〖軍〗
Vo̱rposten=boot *n.* 초계정(艇). **~ge=fecht** *n.* 전초전(前哨戰). **~stellung** *f.* 전초 진지.
Vo̱rprü̅fung [fó:rpry:fʊŋ] *f.* 예비 시험; 예비 조사〔검사〕. 「솟다, 탁월하다.」
vo̱r|rāgen [fó:rra:gən] *i.*(h.) 돌출하다,
Vo̱rrang [fó:rraŋ] *m.* -(e)s, 상위, 선위, 우월(*precedence, pre-eminence*). ¶ den ~ haben, (vor, 보다도) 상위에 있다. **~stellung** *f.* 우(월한 지)위.
Vo̱rrāt [fó:rra:t] ["미리 배려한 것" ☞ RAT] *m.* -(e)s, ¨-e, 준비(물), 저장(품) (*provision, stock, store*); 〖商〗 재고품, 구입품. **vo̱rrätig** [fó:rrɛ:tɪç] *a.* 준비한, 저장한, 가지고 있는. ¶ nicht (mehr) ~ 품절된.
Vo̱rrāts=haus *n.* 창고. **~kammer** *f.* 저장실. **~schrank** *m.* 식료품(을 넣는) 찬장. **~wāgen** *m.* 〖鐵〗 탄수차(炭水車); 〖軍〗 예비품차. 「산해 보이다.」
vo̱r|rechnen [fó:rrɛçnən] *t.*: jm. et.: 계
Vo̱rrecht [fó:rrɛçt] *n.* -(e)s, -e, 우선권; 특권, 특전(*prerogative, privilege*).
Vo̱rrēde [fó:rre:də] *f.* -n, 서언, 머리말(*preface*). **vo̱r|rēden** *t.*: jm. et.: 그럴 듯하게 말하다, 곧이듣게 하다.
Vo̱rrēdner [-re:dnər] *m.* -s, -, 앞서〔먼저〕 말하는 사람.
vo̱rreif [fó:rraɪf] *a.* (시기 또는 다른 것보다) 빨리 익은; 조숙한, 자깝스러운.
vo̱r|reiten* [-raitən] *i.*(s.) 말을 타고 선두에 서다, 앞서 달리다. **Vo̱rreiter** *m.* -s, -, 말타고 선두에 서는 사람, 선구자; (마차의) 앞줄 왼편 말의 기수〔마부〕.
vo̱r|richten [fó:rrɪçtən] *t.* 미리 정리하다, 준비〔마련〕하다. **Vo̱rrichtung** [fó:rrɪçtʊŋ] *f.* -en, 정비(*preparation*); 장치, 설비, 장구(裝具)(*contrivance, device, appliance*).

vo̱r|rücken [fó:rrʏkən] 《I》 *t.* 앞으로 밀다; (나아)가게 하다《시계를》. 《II》 *i.*(s.) 전진〔진출〕하다(*advance*). 《III》 **Vo̱rrücken** *n.* -s, 전진, 진출(*advance*); 진척, 진행(*progress*). 「소환하다.」

vo̱r|rūfen* [fó:rru:fən] *t.* 불러내다; 〔法〕

Vo̱rrunde [fó:rrʊndə] *f.* 〔競〕 (제 1 차) 예선.

vo̱rs [fo:rs] = *vor* das 《das는 定冠詞》.

Vo̱rsaal [fó:rza:l] *m.* -(e)s, ..̈e, 방 앞의 넓은 복도; 현관방, 홀; 대기〔대합〕실.

vo̱r|sāgen [fó:rza:gən] *t.* ① 말해 들려주다, 말하다, 구수(口授)하다. ② jm. et. ~ 아무에게 무엇을 귀띔하다, 무엇의 말하는 법을 가르치다.

Vo̱rsaison [fó:rsɛzɔ̃:] *f.* 계절초(初).

Vo̱rsänger [fó:rzɛŋər] *m.* 〔樂〕 합창 지휘자.

Vo̱rsatz [fó:rzats] [< vorsetzen] *m.* -es, ..̈e, 기도, 의도, 뜻, 목적(*design, purpose*); 〔法〕 고의, 범의(犯意). ¶ mit ~ 고의로, 일부러. **vo̱rsätzlich** [fó:rzɛtslɪç] *a.* 고의의, 예비 음모의(*intentional, deliberate*). **Vo̱rsatzpapier** *n.* 〔印〕 면지(面紙).

Vo̱rsatzlinse [fó:rsatslɪnzə] *f.* 〔寫〕 앞에 다는 렌즈. 「예고편.」

Vo̱rschau [fó:rʃau] *f.* 예견; 〔映〕 시사;

Vo̱rschein [fó:rʃain] *m.* -(e)s, 출현. ¶ zum ~ bringen 출현시키다, 나타내다(*produce*) / zum ~ kommen 출현하다, 나타나다(*appear*). 「다; 선발시키다.」

vo̱r|schicken [fó:rʃɪkən] *t.* 미리 보내

vo̱r|schieben* [fó:rʃi:bən] *t.* ① 앞(쪽)으로 밀치다; 〔軍〕 전진시키다. ② 《比》 et. ~ 무엇을 구실로 삼다(*plead, pretend*) / jn. ~ 아무를 간판으로 내세우다/ e-e vorgeschobene Person 명의뿐인 사람, 괴뢰, 로봇.

vo̱r|schießen* [fó:rʃi:sən] *i.*(h.) 선불〔선대(先貸)〕하다(*advance*). 「이물.」

Vo̱rschiff [fó:rʃɪf] *n.* -(e)s, -e, (배의)

Vo̱rschlāg [fó:rʃla:k] *m.* -(e)s, ..̈e, ① 〔樂〕 전타음(前打音), 앞꾸밈음. ② 신청(*offer*); 제의, 제안(*proposal, proposition*); 〔議會〕 동의(動議). **vo̱r|schlāgen*** [fó:rʃla:gən] *t.* 제의〔신청〕하다(*propose, suggest, offer*); (의) 동의를 제출하다(*move*).

Vo̱rschlāgs-liste *f.* 피(被)추천자〔후보자〕 명부; 〔軍〕 임관〔진급〕 상신부. ~**-recht** *n.* 〔法〕 추거〔추천〕권.

Vo̱rschlußrunde [fó:rʃlʊsrʊndə] *f.* 〔競〕 준결승전(*semifinal*).

Vo̱rschmack [fó:rʃmak] *m.* 미리 맛봄, 시식(試食); 《比》 예감.

Vo̱rschneide-brett *n.* 빵을 써는 대. ~**messer** *n.* 고기 써는 (큰) 칼.

vo̱r|schneiden* [fó:rʃnaidən] *t.* (zerschneidend vorlegen) 잘라서(손님에게) 분배하다《식탁에서》.

vo̱rschnell [fó:rʃnɛl] *a.* 성급한(*rash*).

vo̱r|schreiben* [fó:rʃraibən] *t.* 《I》 써서 보이다; 지시〔지령·처방〕하다(*prescribe, order*). 《II》 **vo̱rgeschrieben** *p. a.* 규정(대로)의.

vo̱r|schreiten* [fó:rʃraitən] *i.*(s.) 걸어 나아가다; 《比》 진보〔진척〕하다; (jm., 아무의) 앞으로 걸어나오다, (을) 추월하다.

Vo̱rschrift [fó:rʃrɪft] *f.* -en, ① 습자책(*copy*). ② 지시, 지휘(*direction*); 〔醫〕 처방(*prescription*); 규정(*regulation*), 훈령(*instruction*).

vo̱rschrifts-gemäß, ~**mäßig** *a.* 규정대로의, 정규의; *adv.* 규정대로. ~**-widrig** *a.* 규정에 반하는, 반칙의.

Vo̱rschūb [fó:rʃu:p] [< vorschieben] *m.* -(e)s, ..̈e, (앞으로 밀어냄:) 《比》 조력, 가세(加勢), 후원(*aid, help*). ¶ jm. 〔e-m Dinge〕 ~ leisten 아무를 후원하다, 무엇을 촉진〔조성〕하다.

Vo̱rschuh [fó:rʃu:] *m.* -(e)s, -e, (구두의) 갑피(甲皮). **vo̱r|schūhen** *t.* (구두에) 새 갑피를 대다. 「입문, 초급 과정.」

Vo̱rschūle [fó:rʃu:lə] *f.* 예비 학교; 《比》

Vo̱rschuß [fó:rʃʊs] [< vorschießen] *m.* ..schusses, ..schüsse, 선불(금), 입체(금)((*payment in*) *advance*).

Vo̱rschuß-kasse *f.* 대부 금고. ~**-mehl** *n.* 최상급의 밀가루. ~**pflicht** [-pflɪçt] *f.* (소송 비용 따위의) 선납(先納) 의무. ~**weise** *adv.* 선불로, 선금으로. ~**zahlung** *f.* 선불, 선금; 입체.

vo̱r|schützen [fó:rʃʏtsən] *t.* (앞으로 내밀어 몸을 방어하다:) 방패로 삼다, (말을) 들고 나서다, 구실로 삼다(*pretend, plead*). ¶ e-e Krankheit ~ 병을 빙자하다, 꾀병을 앓다.

vo̱r|schwärmen [fó:rʃvɛrmən] *t.* 《俗》 jm 〔et., von et.[3]〕 ~ 아무를 향해〔무엇에 대해〕 열광하여 말하다.

vo̱r|schwēben [fó:rʃve:bən] *i.*(h.) (jm., 아무의) 눈 앞에 아른거리다. ¶ das schwebt mir (deutlich) vor 그것은 내 마음에 (역력히) 떠 오른다.

vo̱r|schwindeln [fó:rʃvɪndəln] *t.*: jm. et.: 거짓말을 하여 정말로 믿게 하다.

vo̱r|sēhen* [fór:ze:ən] 《I》 *t.* 미리보다, 예견하다; 미리 생각하다, 미리 갖추다(*provide* (*for*)). 《II》 *refl.* 조심하다(*take care*); (mit, 을) 준비하다, 갖추어두다. **Vo̱rsēhung** [fó:ze:ʊŋ] *f.* -en, 사전의 배려; 〔宗〕 천의(天意), (신의) 섭리(*providence*).

vo̱r|setzen [fó:rzɛtsən] *t.* 앞 쪽에 놓다; 앞에 두다; 위에〔상위에〕 놓다; 제공하다《음식물에 대해서도 말함》. ¶ sich[3] et. (als Absicht) ~ 무엇을 계획하다, 꾀하다(*intend*), 결의하다(*resolve*).

Vo̱rsicht [fó:rzɪçt] [< vorsehen] *f.* -en, 주의, 조심(*caution*); 신중(*prudence*). **vo̱rsichtig** *a.* 조심스러운, 주의 깊은; 신중한. **vo̱rsichts-halber** *adv.* 조심하기 위하여; 신중을 기하기 위해. **Vo̱r-sichts(māß)rēgel** *f.* 예방책.

Vo̱rsilbe [fó:rzɪlbə] *f.* 〔文〕 전철(*prefix*).

vo̱r|singen* [fó:rzɪŋən] 《I》 *t.* 노래하여 들려주다, 노래하는 방법을 가르치다. 《II》 *i.*(h.) 처음에 노래 부르다, 선창하다(*lead*).

vo̱rsintflūtlich [fó:rzɪntflu:tlɪç] *a.* 노아의 대홍수 이전의; 《比》 태고의; 시대에 뒤진.

Vo̱rsitz [fó:rzɪts] *m.* -es, 좌상 자리, 의장의 직. ¶ den ~ führen〔haben〕 좌상〔의장〕이다. **vo̱r|sitzen*** 《I》 *i.*(h.) (jm., 아무의) 상석〔상위〕에 있다; 좌상〔의장〕을 하다. 《II》 **Vo̱rsitzende** *m.*

V

u. *f.* 《形容詞變化》 = VORSITZER. **Vōr⸗sitzer** *m.* -s, -, 좌상, 의장. 「여름.

Vōrsommer [fó:rzɔmər] *m.* -s, -, 초」

Vōrsorge [fó:rzɔrgə] *f.* -n, 사전의 배려, 조심, 주의, 준비. ¶ ~ treffen 준비하다. **vōr|sorgen** *i.* (h.) 미리 배려하다, 준비를 해 두다. **vōrsorglich** *a.* 주의 깊은; *adv.* 주의해서, 신중을 기하기 위하여.

Vōrspann [fó:rʃpan] *m.* -(e)s, -e, ① 교대할〔앞에서 끄는〕 말을 맴. ② 앞에서 끄는 〔교대할〕 말. ¶ 《比》 jm. ~ leisten 아무에게 가세하다. **vōr|spannen** *t.* 앞〔앞 쪽〕에 매다.

vōrspann⸗film *m.* 〖映〗 예고편. **~⸗pfērd** *n.* = VORSPANN ②. 「菜).

Vōrspeise [fó:rʃpaizə] *f.* 〖料〗 전채(前」

vōr|spiegeln [fó:rʃpi:gəln] 《Ⅰ》 *t.* (거울로 보이다:) 그럴싸하게 보이게 하다, 헛된 희망을 품게 하다, 속여서 보이다 (*deceive, delude*). 《Ⅱ》 **vōrgespiegelt** *p.a.* 속아버린, 허위의. **Vōrspieg(e)⸗lung** *f.* -en, 현혹, 허구(虛構).

Vōrspiel [fó:rʃpi:l] *n.* -(e)s, -e, 〖劇〗 서막(*introductory piece*); 〖樂〗 서곡(*prelude*), 전주곡(*overture*). **vōr|spielen** *i.* (h.) u. *t.*: jm. (et.) ~ 아무에게(무엇을) 연주해 보이다.

vōr|sprechen* [fó:rʃprɛçən] 《Ⅰ》 *t.*: jm. et. ~ 아무에게 무엇의 말하는 법을 해 보이다. 《Ⅱ》 *i.* (h.) (bei, 에게) 들르다 (*call on*).

vōr|springen* [fó:rʃprɪŋən] *i.* (s.) 뛰어 나오다; 〖建〗 튀어 나오다, 돌출하다. **vōrspringend** *a.* 돌출한(*projecting, prominent*). ¶ ~er Winkel 〖軍〗 철각(凸角).

Vōrspruch [fó:rʃprux] *m.* -(e)s, ..sprüche, 머리말(=Prolog); 서막, 서곡.

Vōrsprung [fó:rʃpruŋ] *m.* -(e)s, ⸗e, ① 뛰어 앞으로 나옴; 뛰어 나간 거리; 《比》 우위, 우월(*advantage*). ¶ den ~ gewinnen, (vor, 의) 앞으로 나가다; 《比》 아무보다 우월하다. ② 돌출부, 내닫기(*projection*).

Vōrstadt [fó:rʃtat] *f.* ⸗e, 교외(*suburb*).

Vōrstädter [fó:rʃtɛ:tər, 또 -ʃtɛt-] *m.* -s, -, 교외 거주자. **vōrstädtisch** *a.* 교외의.

Vōrstand [fó:rʃtant] [<vorsteh(e)n] *m.* -(e)s, ⸗e, *coll.* 고위층, 간부, 수뇌부. **~s⸗mitglied** *n.* 간부〔이사·중역〕의 한 사람.

vōr|stechen* [fó:rʃtɛçən] 《Ⅰ》 *i.* (h.) 돌출하고 있다; 《比》 두드러지다, 현저하다. 《Ⅱ》 *t.* (에) 미리 구멍을 뚫다.

vōr|stecken [fó:rʃtɛkən] *t.* 앞에 끼우다〔꽂다·달다〕; 앞으로 내밀다〔빼다〕《머리 따위를》.

Vōrsteck⸗lätzchen *n.* (어린아이) 턱받기. **~nādel** *f.* (가슴에 꽂는) 브로치.

vōr|steh(e)n* [fó:rʃte:ən] *i.* (h. *u.* s.) 튀어 나와 있다; (et.³, 무엇의) 우두머리이다, (무엇을) 지배하다, 맡아 보다, 관리하다(*administer, manage, direct*). **vōrstēhend** *p.a.* 전술한. **Vōrstēher** *m.* -s, -, 우두머리, 지배인, 관리인; 교장. **Vōrstēherdrüse** *f.* 〖解〗 전립선(前立腺). **Vōrstēhhund** *m.* -(e)s, -e, 〖獵〗 포인터, 세터.

vōrstellbār [fó:rʃtɛlba:r] *a.* ① 소개할 수 있는. ② 상상〔생각〕할 수 있는.

vōr|stellen [fó:rʃtɛlən] *t.* ① 앞에 세우다〔두다〕; 타이르다, 훈계하다(*remonstrate*); 항의하다(*protest*). ¶ sich³ et. ~ 무엇을 회상하다, 마음에 그리다, 상상하다(*imagine, fancy*); 〖哲〗 표상(表象)하다. ② 소개하다(*present, introduce*). ③ 앞으로 보내다(*put on*). ④ (의) 역(할)을 하다, (으로) 분장하다(*represent*).

vōrstellig *a.*: 〖官〗 ~ werden (어떤 관청에) 청원서를 제출하다. **Vōrstel⸗lung** [fó:rʃtɛluŋ] *f.* -en, 소개, 인사시킴(*introduction*); 훈계, 간함, 비난(*remonstrance*); 표상, 관념(*idea, conception*); 〖劇〗 연출, 상연, 공연(*performance*).

Vōrstellungs⸗gruppe *f.* 〖心〗 콤플렉스. **~vermögen** *n.* 표상 능력, 상상력.

Vōrstōß [fó:rʃto:s] *m.* -es, ⸗e, 돌격, 돌진, 공격. **vōr|stōßen*** *i.* (s.) 돌진〔돌격·공격〕하다. 「과(前科).

Vōrstrāfe [fó:rʃtra:fə] *f.* -n, 〖法〗 전」

vōr|strecken [fó:rʃtrɛkən] *t.* 앞으로 내뻗다, 앞으로 내밀다; (돈을) 입체하다 (*advance*). 「초적〕 연구.

Vōrstūdien [fó:rʃtu:diən] *pl.* 예비〔기」

Vōrstūfe [fó:rʃtu:fə] *f.* -n, 제1〔전(前)〕 단계; 《比》 초보, 입문. 「하다.

vōr|stürmen [fó:rʃtʏrmən] *i.* (s.) 돌진」

vōr|tanzen [fó:rtantsən] 《Ⅰ》 *t.* u. *i.* (h.) 춤추어 보이다, 춤을 가르치다. 《Ⅱ》 *i.* (h.) 앞에 서서 춤추다, 춤을 리드하다.

Vōrtänzer *m.* -s, -, 춤을 리드하는 사람.

vōr|täuschen [fó:rtɔyʃən] *t.* ☞ VORSPIEGELN.

Vọrteil [fɔ́rtail] [*eig.* „Teil, den man voraus empfängt"] *m.* -(e)s, -e, 이익, 이득(*profit, gain*); 장점(*advantage*). ¶ **auf** s-n ~ sehen 〔bedacht sein〕 사리(私利)를 꾀하다 / **im** ~ vor jm. sein 아무보다 유리한 입장에 있다. **vọrteil⸗haft** *a.* 유리한. ¶ ~ aussehen 호감이 가는 용모이다. 「전위; 《比》 선구.

Vōrtrāb [fó:rtra:p] *m.* -(e)s, -e, 〖軍〗」

Vōrtrāg [fó:rtra:k] *m.* -(e)s, ⸗e, ① 구진(具陳), 진술, 보고(*report*); 강연, 강의(*lecture*); 이야기(*discourse*). ② 〖樂〗 연주(*execution*); 이야기의 투, 강연하는 투(*delivery, elocution*); 〖商〗 이월(移越).

vōr|trāgen* [fó:rtra:gən] *t.* ① 앞으로 나르다; (앞에) 내놓다; 고하다, 말하다, 보고하다; (사람의 앞에서) 낭독하다; 〖樂〗 연주하다, 노래하다. ② 〖商〗 이월하다.

vōr|tragieren [fo:rtragí:rən] *t.* 《戲》 비극 배우식으로 말하다〔연기하다〕.

Vōrtrāgs⸗ābend *m.* 밤의 강연〔연주〕회. **~kunst** *f.* 낭독〔강연〕술. **~⸗künstler** *m.* 낭독〔연주〕가.

vōrtrẹfflich [fo:rtrɛ́flɪç] [†vortreffen, „übertreffen", vor 는 우선·우월을 나타냄] *a.* 뛰어난, 탁월한, 훌륭한(*excellent, capital*). **Vōrtrẹfflichkeit** *f.* 우월, 탁월.

vōr|trēten* [fó:rtre:tən] *i.* (s.) 앞으로 나가다, 걸어 나가다; 돌출하다; 《比》 두드러지다.

vo̲r|trinken* [fó:rtrinkən] *t.* (*obj.* 없이도 사용함:) 먼저 마시다; (의) 건강을 축하하여 마시다, 건배하다.
Vo̲rtritt [fó:rtrɪt] *m.* -(e)s, 선행(*precedence*). ¶ jm. den ~ lassen 아무를 앞세우다, 에게 상위를 양보하다.
Vo̲rtrupp [fó:rtrup] *m.* -s, -s 〔-e〕, 〖軍〗 전위의 소부대.
vo̲r|tu̲n* [fó:rtu:n] 《Ⅰ》 *t.* ① 미리하다; 조급하게 하다. ② 앞에 놓다, 앞에 달다. ③ 사람 앞에서 해 보이다, 하는 법을 교시하다. ④ es jm. an 〔in〕 et.[3] ~ 아무에게 무슨 일로 앞서다. 《Ⅱ》 *refl.* ① 뛰어나다. ② 앞으로 나가다, 주제 넘게 나서다.
vorü̲ber [forý:bər] [„vor et.[3] über“, “앞을 지나서”] *adv.* 통과해서(*past, by*); (시간이) 지나서, 경과하여; 끝나서; 사라져서(*gone, over*).
vorü̲ber=|ge̲h(e)n* *i.*(s.) 지나가버리다, 통과하다. **~ge̲h(e)nd** *p. a.* ① 통과하는. ¶die ~en 통행인. ② (곧 지나가버리는:) 일시의, 덧없는; 임시의, 당분간의. **~|können*** *i.*(h.) 통과할 수 있다. **~|reiten*** *i.*(s.) 기마로 통과하다. **~|=ziehen*** *i.*(s.) 통과하다. 「연습, 예습.」
Vo̲rü̲bung [fó:r-y:buŋ] *f.* 준비〔예행〕
Vo̲runtersu̲chung [fó:r-untərzu:xuŋ] *f.* -en, 〖法〗 예심.
Vo̲rurteil [fó:r-ùrtail, fó:r-urtàil] *n.* 선입견, 오해, 편견(*prejudice, bias*).
vo̲rurteils=frei, ~lo̲s *a.* 선입견〔편견〕 없는. **~voll** *a.* 편견이 많은; 비뚤어진.
Vo̲rvä̲ter [fó:rfɛ:tər] *pl.* 조상.
Vo̲rvergangenheit [-fɛrgaŋənhait] *f.* -en, 〖文〗 대과거, 과거 완료. 「〖法〗 예심.」
Vo̲rverhö̲r [fó:rfɛrhø:r] *n.* -(e)s, -e,
Vo̲rverkauf [-fɛrkauf] *m.* -(e)s, ..käufe, 예매; 예약 발행.
vo̲r|verle̲gen [fó:rfɛrle:gən] *t.* 앞선 날짜로 하다(*antedate*). ¶ 〖軍〗 das Feuer ~ 사정(射程)을 연장하다.
vo̲rvo̲rgestern [fó:rfo:rgɛstərn] *adv.* 그그저께. 「(*last but one*).」
vo̲rvo̲rig [fó:rfo:rɪç] *a.* 전전(前前)의
Vo̲rwahl [fó:rva:l] *f.* -en, 예선; (결선(決選) 투표 전의) 본 선거.
vo̲r|walten [fó:rvaltən] *i.*(h.) 지배하다, 우위를 점하다, 우세〔유력〕하다(*prevail*).
Vo̲rwand [fó:rvant] [<vorwenden] *m.* -(e)s, ⸚e, 핑계, 구실(*pretext, excuse*).
Vo̲rwarnung [fó:rvarnuŋ] *f.* -en, (공습의) 경계 경보.
vọrwärts [fó:rvɛrts, fɔ́r-] *adv.* 앞으로, 전방으로(♀*forward(s), onward(s), on*). ¶~! 앞으로 가, 앞으로.
vọrwärts=|ge̲h(e)n* *i.*(s.) 진보〔진척〕하다; 출세하다. ★ vọrwärts gẹhen 전진하다. **~|kommen*** *i.*(s.) 《比》 나아가다; (mit, 을) 진척시키다, 개선하다. **~|treiben*** *t.* (프로펠러로) 추진하다.
vo̲rwẹg [fo:rvɛ́k] *adv.* 앞에, 앞서서, 미리(*beforehead*). **~|nehmen*** *t.* 선취하다; 앞지르다, 먼저 행하다〔말하다〕.
vo̲r|weisen* [fó:rvaizən] *t.* 보여주다, 제시하다(*show, produce*).
Vo̲rwelt [fó:rvɛlt] *f.* 전(前) 세계, 태고; 전대(前代), 왕시(往時); 조상.
vo̲r|werfen* [fó:rvɛrfən] *t.* 앞에〔앞으로〕 던지다. ¶《比》(Vorwürfe machen) jm. et. ~ 아무에게 (그가 한) 무엇을 〔어떤 행위를〕 들이대다, 비난하다, 질책하다(*reproach (with)*).
Vo̲rwerk [fó:rvɛrk] *n.* -es, -e, 〖農〗 (본농장(本農場)에 대한) 분(分)농장.
vo̲r|wiegen* [fó:rvi:gən] *i.*(h.) 《比》 비중이 크다, 우세하다 (*preponderate*).
vo̲rwiegend *p. a.* 비중이 큰, 우세한, 주요한(*preponderant*); *adv.* 주로, 대체로(*for the most part*). 「겨울.」
Vo̲rwinter [fó:rvɪntər] *m.* -s, -, 초
Vo̲rwissen [fó:rvɪsən] *n.* -s, 예지(豫知).
Vo̲rwitz [fó:rvɪtz] *m.* -es, -e, (vorschnelle Neugier) (점잖치 못한) 호기심; 주제넘음, 참견. **vo̲rwitzig** *a.* 주제넘은, 참견하는(*forward, pert*).
Vo̲rwoche [fó:rvɔxə] *f.* -n, 전주(前週).
Vo̲rwort [fó:rvɔrt] *n.* -(e)s, (*pl.* -e) 머리말; (*pl.* ⸚er) 〖文〗 전치사.
Vo̲rwuchs [fó:rvuks] *m.* (산림을 벌채하고 식목할 때에 일부 남기는) 잔류림.
Vo̲rwurf [fó:rvurf] [<vorwerfen] *m.* -(e)s, ⸚e, 비난, 힐책(*reproach*); (예술상의) 주제, 제재(題材)(*subject*).
vo̲rwurfs=frei *a.* 비난의 여지가 없는, 나무랄데 없는. **~voll** *a.* 비난에 찬, 나무라는(듯 한). 「어 보이다.」
vo̲r|zählen [fó:rtsɛ:lən] *t.*: jm. et.: 세
Vo̲rzeichen [fó:rtsaiçən] *n.* -s, -, 전조, 징후(*omen*); 〖數〗 (숫자 앞의) 부호, 기호(*sign*); 〖樂〗 (음부) 기호, 조호(調號)(*signature*). **vo̲r|zeichnen** [fó:rtsaiçnən] *t.* (의 약도를) 그려 뵈다, 그리는 법을 가르치다, 밑그림을 그려주다; 《比》 지시〔규정〕하다. **Vo̲rzeich=nung** [fó:rtsaiçnuŋ] *f.* -en, 그림의 본보기를 그려 보임; 그림의 본보기.
vo̲r|zeigen [fó:rtsaigən] *t.* 내놓아 보이다, 제시하다. **Vo̲rzeigung** *f.* -en, 제시, 내보임; 제출.
Vo̲rzeit [fó:rtsait] *f.* 전(前)시대; 태고.
vo̲rzẹiten [fo:rtsáitən] *adv.* 이전에, 옛날에, 일찌기. **vo̲rzeitig** [fó:rtsaitɪç] *a.* 시기 상조인, 너무 이른.
vo̲r|ziehen* [fó:rtsi:ən] *t.* ① 끌어내다; 앞으로 끌다. ② 먼저 끌어 갖다, (더 좋다고) 택하다(*prefer*). ¶den Reichtum der Ehre[3] ~ 명예보다 재산을 취하다 〔택하다·즐기다〕.
Vo̲rzimmer [fó:rtsɪmər] *n.* -s, -, 곁방, 큰 방으로 통하는 작은 방, 입구의 방.
Vo̲rzu̲g [fó:rtsu:k] [<vorziehen] *m.* -(e)s, ⸚e, 우선권을 줌, (다른 것보다 좋다고 해서) 택함(*preference*); 우선, 선위(先位)(*priority*); 우수(한 점), 장점, 미점(*excellence*); 이점, 이익(*advantage*).
vo̲rzü̲glich [fo:rtsý:klɪç, fó:rtsy:k-] *a.* 탁월한(*preferable, excellent, superior*); *adv.* 주로, 특히(*especially*). **Vo̲r=zü̲glichkeit** *f.* -en, 위임; 장점, 미점.
Vo̲rzu̲gs=aktien *pl.* 우선주(優先株). **~bedingung** *f.* 특별 조건. **~be=handlung** *f.* 특별 취급, 우대. **~preis** *m.* 특가. **~rabatt** *m.* 특별 할인. **~=recht** *n.* 우선권, 특권. **~weise** *adv.* 특히, 뛰어 나게. **~zoll** *m.* 특혜 관세.
voti̲eren [votí:rən] [lat. <Votum] 《Ⅰ》

V

t. 투표에 의하여 결정하다. 《Ⅱ》 *i.*(h.): für jn. ~ 아무에게 투표하다.

votiv [votí:f] [lat.] *a.* 봉납한, 서원(誓願)의, 기서(祈誓)에 의한.

Votiv⸗bild *n.* 〖宗〗 봉납화(奉納畫). ~⸗**tāfel** *f.* 봉납 현판(懸板)〔액자〕.

Vōtum [vó:tum] [lat.] *n.* -s, ..ten *u.* ..ta, 찬성(의 투표)(*suffrage*); 투표(♈ *vote*).

vulgār [vulgɛ́:r] [lat. <*vulgus* „der große Haufe"] *a.* 민간의, 통속의(♈*vulgar*).

Vulkān [vulká:n] [lat. „der Strahlende"] 《Ⅰ》 *m.* 〖羅神〗 불〔대장일〕의 신. 《Ⅱ》 *m.* -s, -e, 화산(♈*volcano*).

Vulkān⸗fiber *f.* 경화(硬化) 고무. ~⸗**glās** *n.* 경질 유리.

vulkānisch [vulká:nıʃ] *a.* 화산의; 화산 작용에 의한. **vulkanisieren** *t.* (고무를) 유황과 화합하다, 황화(黃化)〔경화〕하다.

Vulva [vúlva] [lat.] *f.* ..ven, 〖解〗 외음, 음문. **Vulvītis** [lat. +gr.] *f.* 〖醫〗 외음염.

V-Waffen [fáuvafən] [V=Vergeltung] *pl.* (2차 대전시 독일의) 보복 병기.

W

Waage [vá:gə] *f.* -n, ① 저울(*scales*). ② 《比》 평형, 균형(*balance*); (Wasser~) 수준기(水準器). ¶die ~ halten (jm., 아무와) 균형을 유지하다, (에) 필적하다〔못하지 않다〕. ③ 〖天〗 천칭(天秤)자리; 천칭궁(宮). ④ 〖體〗 수평《평행봉에서 몸을 수평으로 지탱하기》.

Waag(e)balken [-balkən] *m.* 저울대.

Waag(e)geld [vá:gəgɛlt, vá:k-] *n.* 계량(計量) 요금.

Waage⸗haus *n.* 계량소. ~**meister** *m.* 검량관(檢量官).

waag(e)⸗recht [vá:gərɛçt, vá:k-] 《Ⅰ》 *a.* (균형잡힌 저울판처럼) 수평의. 《Ⅱ》 ~**rechte** *f.* 《形容詞變化》 수평선.

Waagschāle [vá:kʃa:lə] *f.* 천칭의 저울판(*scale*).

Wābe [vá:bə] [<weben. *eig.* „Gewebe"] *f.* -n, 벌집, 봉와(蜂窩)(*honeycomb*).

wach [vax] [<wachen] *a.* 깨어 있는, 자지 않고 있는(♈*aware*). ¶~ werden 깨다. **wachboot** *n.* 초계정(哨戒艇). **wachdienst** *m.* 수위〔초계(哨戒)〕 근무. **Wache** [váxə] *f.* -n, ① 파수(把守), 감시(*watch, guard*); 간호; (Toten~) 밤새움. ¶auf ~ sein 위병 근무를 하다 / ~ steh(e)n 보초 서다 / auf ~ ziehen 상번을 서다. ② (Wächter) 지키는 사람, 파수꾼, 수위; 보초, 위병《總稱 및 各稱》. ¶die ~ ablösen 위병을 교대시키다 / ~ 'raus! 보초 나오라! ③ 망보는 곳; (Polizei~) 파출소; 〖軍〗 초소. **wachen** [váxən] *i.*(h.) 깨어〔자지 않고·일어나〕 있다(*be* ♈*awake*); (bei jm., 아무와 함께) 자지 않고 일어나 있다(*sit up*); (über et., 을) 지키다, 주의하다((*keep*) ♈*watch*).

wach⸗hābend [váxha:bənt] *a.* 당번〔당직〕의. ~|**halten*** [váxhaltən] *t.* 《比》 생생하게 보전하다《추억을, 애증을, 관심을》. ~**mannschaft** [-manʃaft] *f.* 망보는 사람《總稱》; 위병대.

Wacholder [vaxɔ́ldər] *m.* -s, -, 〖植〗 노간주나무, 두송(杜松)(*juniper*).

Wacholder⸗branntwein, ~**schnaps** *m.* 두송주(酒), 진. ~**spiritus** *m.* 두송 알콜. ~**strauch** *m.* 두송나무.

wach⸗|rūfen* [váxru:fən] *t.* 불러 깨우다, 환기하다. ~|**rütteln** *t.* 흔들어 일으키다.

Wachs [vaks] *n.* -es, -e, 밀(♈*wax*); 밀랍(密蠟). ~**abdruck** *m.* 납형(蠟型).

wach·sām [váxza:m] [<wachen] *a.* 조심하는, 방심하지 않는, 감시〔경계〕하는 (*watchful, vigilant*). **Wach·sāmkeit** *f.* 위임.

Wachs⸗bild [váks-] *n.*, ~**figūr** *f.* 밀로 만든 상(像), 납(蠟) 인형.

wachsen[1]* [váksən] *i.*(s.) 증대〔성장〕하다(♈*wax, increase*); 발생하다, 생기다 (♈*wax, grow*); (달이) 차다, (물이) 붇다, (일이) 진척하다. ¶sie ist ihm ans Herz gewachsen 그는 그 여자를 마음 깊이 사랑하고 있다 / jm. gewachsen sein 아무와 비등(할 만큼 성장)하다, 맞겨누다, 못지않다 / e-m Dinge gewachsen sein 무엇을 배겨 내다.

wachsen[2] *t.* (에) 밀을 칠하다, 바르다《마루·눈신 따위에》. **wächsern** [vɛ́ksərn] *a.* 밀의, 밀로 만든, 밀처럼 누런〔창백한〕.

Wachs⸗figūrenkabinett *n.* 납세공품 진열장. ~**gelb** [-gɛlp] *a.* 밀 같은 황색의. ~**kerze** *f.* 양초. ~**leinwand** *f.* 납포(蠟布), 유포(油布). ~**licht** *n.* 양초. ~**mālerei** *f.* 납화(蠟畫). ~**stock** *m.* 나선상의 긴 양초. ~**tūch** *n.* 납포(蠟布), 유포(油布); 방수포.

Wachstūm [vákstu:m] *n.* -(e)s, 생장, 발생(*growth*); 증대(增大)(*increase*); 성장한 것; (농)작물; 식물. ~**s⸗faktōren** *pl.* 발육 요소《비타민 따위》.

Wacht [vaxt] [<wachen] *f.* -en, = WACHE.

Wachtdienst [váxtdi:nst] *m.* 수위〔경위〕 근무.

Wächte [vɛ́çtə] *f.* -n, 바람에 불려 쌓인 눈, 벼랑 끝에 얼어 붙은 눈.

Wachtel [váxtəl] *f.* -n, 〖鳥〗 메추라기(*quail*).

Wachtelhund [-hunt] *m.* (메추라기 사냥에 쓰는) 사냥개; (특히) 스파니엘(*spaniel*)《스페인 산의 사냥개의 일종》.

Wächter [vɛ́çtər] [<Wacht] *m.* -s, -, 지키는 사람, 수위, 파수꾼; 〖軍〗 보초, 초병.

Wacht⸗feuer [váxt-] *n.* 망보는 데 피우는 횃불, 요화(燎火). ~**hābend** *a.* 당번〔당직〕의. ~**mannschaft** *f.* 위병대, 감시인《總稱》. ~**meister** *m.* (기병 및 포병) 상사; 경관. ~**posten** *m.* 초소. ~**schiff** *n.* 감시선, 순라선. ~**stūbe** *f.* 위병실. ~**turm** *m.* 망루, 감시탑.

Wachzūstand [váxtsu:ʃtant] *m.* 각성(覺醒) 상태; 의식.

wack(e)lig [vák(ə)lıç] *a.* 흔들리는, 건들거리는, 비틀거리는.

Wackelkontakt [vákəlkɔntakt] *m.*

〖電〗 동요(動搖) 접촉《나쁜 접촉》.

wạckeln [vákəln] *i.*(h.) 흔들리다, 흔들흔들하다(*shake, rock*); (이빨이) 흔들리다(*loose*); (mit, 을) 흔들흔들〔건들건들〕하게 하다(♈*wax*); 비틀거리다(*reel*); 비틀거리면서 걷다(*totter*).

wạcker [vákər] [♈wach, wecken] *a.* 활기 있는, 씩씩한; 야무진, 기특한, 장한(*brave, gallant*); *adv.* 호되게, 톡톡히(*soundly, heartily*).

Wāde [vá:də] *f.* -n, 〖解〗 장딴지(*calf*).

Wạffe [váfə] *f.* -n, 무기, 병기(♈*weapon, arm*). ¶die ∼n strecken 항복하다 / unter (den) ∼n steh(e)n 무장하고 있다 / zu den ∼n greifen 무기를 들고 일어서다.

Wạffel [váfəl] *f.* -n, 웨이퍼(♈*waffle*, ♈*wafer*). **∼eisen** *n.* 웨이퍼 굽는 틀.

Wạffel=pikee, ∼stoff *m.* 웨이퍼 무늬의 천.

Wạffen=brüder [vafən-] *m.* 전우. **∼=dienst** *m.* 병역, 군무. **∼fähig** *a.* 무기를 잡을 수 있는. **∼gang** *m.* 전투; 결투. **∼gattung** *f.* 병종, 병과. **∼=gewalt** *f.* 무력, 병력. **∼glück** *n.* 무운. **∼kunde** *f.* 병기학《무기의 역사적 연구》. **∼platz** *m.* 병기 창고; 요새. **∼rock** *m.* (옛날) 갑옷 위에 걸쳐 입는 옷의 일종, 군복의 웃옷. **∼rūhe** *f.* 전투 중지, 휴전. **∼schein** *m.* 무기 휴대 허가증. **∼schmied** *m.* 병기〔도검〕의 제조자. **∼schmiede** *f.* 병기 공장. **∼schmuggel** *m.* 무기 밀수. **∼-SS** *f.* [SS=Schutz-staffel] (제 2 차 대전 당시 나치스 독일의) 전투 친위대. **∼=stillstand** *m.* 휴전. **∼tāt** *f.* 무공(武功). **∼übung** *f.* 훈련. 「(*arm*).」

wạffnen [váfnən] *t.* (에) 무장시키다

Wāgbār [vɛ́:kba:r] *a.* 달 수 있는, 무게 있는. 「꼴).」

Wāge [vá:gə] *f.* -n, =WAAGE 《그 옛

Wāg(e)=hals *m.* 목숨을 아끼지 않는 사람, 무모한 사람. **∼halsig** *a.* 목숨을 아끼지 않는, 무모한.

Wāgemūt [vá:gəmu:t] *m.* 모험심.

Wāgen [vá:gən] *m.* -s, -, ① 수레, 차(♈*wag(g)on, carriage, coach, cart, van*); (Kraft-∼) 화물 자동차(*car*). ② 〖天〗 der (Große) ∼ 큰곰자리.

wāgen [vá:gən] [*eig* „es auf die Waage setzen"] 《Ⅰ》 *t.* 걸다(*venture, risk*); 감행하다, 감히 하다(*dare*). ¶es mit jm. ∼ 아무와 자웅을 겨루다〔대결하다〕. 《Ⅱ》 *refl.* 과감하게 (an et., 에) 덤벼들다〔공격하다〕. 《Ⅲ》 **gewāgt** *p.a.* 모험적인, 과감한, 대담한.

wāgen(*) [vɛ́:gən] [wiegen을 Waage에 연관시켜 만듦] *t.* (무게를) 달다(♈*weigh*); 《比》 곰곰이 생각하다, 숙고하다(*ponder, consider*).

Wāgen=abteil *n.* 〖鐵〗 차실(車室), 객차의 간막이된 좌석(*compartment*). **∼=bauer** *m.* 차량 제조인, 달구지 목수. **∼decke** *f.* 차를 덮는 덮개, 포장. **∼führer** *m.* 마부. **∼hēber** *m.* =∼WINDE. **∼kilometer** *n.* 〖鐵〗 차량의 주파(走破) 킬로. **∼meister** *m.* 〖鐵〗 수하물 계장. **∼park** *m.* 차창(車廠); 차량(의 전부). **∼pfērd** *n.* 마차 끄는 말. **∼plāne** *f.* =∼DECKE. **∼=schlāg** *m.* 마차의 문. **∼schmiere** *f.* (차의) 윤활유. **∼schuppen** *m.* 주차장, 차고. **∼standgeld** *n.* 화물 차량 대기료《짐을 싣거나 부리는》. **∼tritt** *m.* 차의 승강구 계단. **∼winde** *f.* 재크《기중기의 한 가지》. **∼zūg** *m.* 열차, 차량 종렬.

Wāg(e)stück [vá:gəʃtʏk, vá:k-] *n.* 대담한 짓, 희한한 재주.

Waggon [vagɔ̃́:, -gɔ́ŋ; -gó:n] [engl. *wag(g)on*, „Wagen"] *m.* -s, -s *u.* (독일어식 발음일 때) -e, 〖鐵〗 차량; 화물차. 「-s, -, 달구지 목수.」

Wāgner [vá:gnər] [Wagen *u.* -er] *m.*

Wāgnis [vá:knɪs] *n.* -ses, -se, 감행, 대담한 짓, 모험(*venture, risk*).

Wahl [va:l] [♈wollen, ♈wohl: 좋다고 택함] *f.* -en, 고름, 선택, 선발(*choice, selection*); 양자 택일(*alternative*); 선거(*election*). ¶s-e ∼ treffen 선택하다.

Wahl=abstimmung *f.* 투표. **∼auf=rūf** *m.* 선거 연설, 정견 발표. **∼aus=schreiben** *n.* 선거 고시.

wählbār [vɛ́:lba:r] *a.* 고를 수 있는; 피선거권이 있는.

Wahl=behörde [va:l-] *f.* 선거 관리국. **∼berechtigt** *a.* 선거권이 있는. **∼=beteiligung** *f.* 선거에 참가하기. **∼=bezirk** *m.* 선거구. **∼eltern** *pl.* 《方》 양부모.

wählen [vɛ́:lən] [<Wahl; *eig.* "좋다고 택하다"] 《Ⅰ》 *t.* 고르다; 선택하다(*choose, select*); 선거하다(*elect*); 다이얼을 돌려 전화를 걸다. 《Ⅱ》 **gewählt** *p.a.*, 선택된, 상류의, 품위 있는. **Wähler** [vɛ́:lər] *m.* -s, -, 선택자, 선거자; 다이얼《자동 전화의》. **Wählerbetrieb** *m.* 다이얼식(式). **Wahl·ergēbnis** *n.* 선거의 결과. **wählerisch** [vɛ́:lərɪʃ] *a.* 심히(좋고 나쁜 것을) 가리는(*dainty, fastidious*), 까다로운(*particular*). **Wählerschaft** *f.* -en, 선거권, 선거인《總稱》.

Wahl=fach *n.* 선택과, 수의과(隨意科). **∼fähig** *a.* 선거권〔피선거권〕이 있는. **∼frei** *a.* 선택의 자유가 있는, 수의의. **∼handlung** *f.* 선거 행위. **∼heimāt** *f.* (출생지가 아닌, 선택한) 제 2 의 고향. **∼kampf** *m.* 선거전. **∼kreis** *m.* 선거구. **∼kūgel** *f.* 투표구(球). **∼liste** *f.* 선거인 명부. **∼lokāl** *n.* 선거장. **∼lōs** *a.* 무선택의, 맹목적인. **∼mann** *m.* (간접 선거에 있어서의) 선거 위원; 선거인. **∼ordnung** *f.* 선거 규정〔법규〕. **∼ort** *m.* 선거장, 투표장. **∼pro=gramm** *n.* 선거 후보자의 정견〔강령〕. **∼recht** *n.* 선거권, 피선거권. ¶allgemeines ∼recht 보통 선거권. **∼rēde** *f.* 선거 연설. **∼schūle** *f.* 선택 학교(*ant.* Pflichtscule). **∼spruch** [*eig.* „erwählter Spruch"] *m.* (표방하는) 표어, (받드는) 격언(*slogan, motto, device*). **∼statistik** *f.* 선거(의 결과) 통계. **∼stimme** *f.* 투표(*vote*). **∼unfähig** *a.* 선거권〔피선거권〕이 없는. **∼urne** *f.* 투표함. **∼versammlung** *f.* 선거 회합. **∼verwandt·schaft** *f.* 〖化〗 친화력(*affinity*). **∼vorschlāg** *m.* 선거 입후보자를 내세움. **∼zelle** *f.* 투표 용

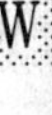

지 기입실. **∼zettel** *m.* 투표용지. **∼zeuge** *m.* 선거 참관인.

wahn [vá:n] [ahd. *wana;* ♈Wahn과는 異系] *a.* 《方》 빈, 결(缺)한《대개 合成用語로 쓰임》.

Wahn [va:n] *m.* –(e)s, 사념(思念)†; 망상(妄想), 착각, 잘못된 생각(*false opinion, delusion*); 광기(狂氣), 정신 착란(*frenzy, madness*). **Wahnbild** *n.* 환상, 환영. **wähnen** [vέ:nən] *t.* u. *i.*(h.) 생각하다, 공상하다, 잘못 생각하다(*think, believe, fancy*).

Wahn=glaube [vá:nglaubə] *m.* 망신(妄信), 미신(迷信). **∼idee** *f.* 망상, 공상, 착각.

Wahn=sinn *m.* 정신 착란, 광기(狂氣)(*madness, frenzy*). **∼sinnig** *a.* 정신 착란의, 광기(狂氣)의, 망상증의; *adv.* =SEHR. **∼witz** *m.* 불합리, 황당 무계; =∼SINN. **∼witzig** *a.* 불합리한, 황당 무계한; =∼SINNIG.

wahr [va:r] [♈Wesen] *a.* 참된, 진실한(*true*); 성실한; 정말인, 진짜인(*real*); 고유의, 본래의(*proper*). ¶nicht ∼? 그렇지 않은가, 그렇지, 안 그래 / so ∼ mir Gott helfe! 맹세코, 확실한.

wahr.. [♈warnen, =engl. *a-ware*의 後半] "주의(注意)"의 뜻.

wahren [vá:rən] *t.* 주의〔조심〕하다(*watch over, take care of*); 지키다, 유지하다(*preserve, maintain*). ¶den Schein ∼ 체면을 유지하다.

währen [vέ:rən] [♈Wesen, (ich) war] *i.*(h.) 존속하다, 계속하다(*last, continue*).

während [vέ:rənt] 《Ⅰ》 *prp.* 《2格支配》(…이 계속하는) 동안에(*during*). 《Ⅱ》 *cj.* (∼ daß) (…의) 동안에, 중에(*while, whilst*); …인데 한편(*whereas*).

während=dem, ∼des, ∼dessen *adv.* 그 사이에, 그렇게 하는 동안에.

wahrhaft [vá:rhaft] 《Ⅰ》 *a.* 진실한, 정말인, 성실한, 정직한. 《Ⅱ》 *adv.* 참으로, 정말로, 진실로. **wahrhaftig** [va:rháftɪç, (I) 또 vá:rhaf–] 《Ⅰ》 *a.* 참다운, 정말인. 《Ⅱ》 *adv.* 참으로, 정말로. ¶∼! 실로, 과연, 확실히.

Wahrheit [vá:rhait] *f.* –en, 참, 진실, 진리(*truth*). ¶in ∼ 실제로 / die ∼ sagen 진실을 이야기하다, 사실대로 털어 놓다.

wahrheits=getreu *a.* 진실한; 사실대로의. **∼liebend** *a.* 진리를 사랑하는. **∼sinn** *m.* 진리(에 대한) 사랑. **∼sucher** *m.* 진리 탐구자. **∼widrig** *a.* 진리〔사실〕에 반한.

wahrlich [vá:rlɪç, 종종 vár–] *adv.* 실로, 정말로, 확실히(*truely, verily*).

wahr=nehmbar [vá:rne:mba:r] *a.* 인지할 수 있는, 지각할 수 있는. **∼nehmen*** *t.* 유의하다, 인지하다, 지각하다(*perceive*); 놓치지 않다(*make use of*). **∼nehmung** *f.* 주의, 유의, 알아차림, 인지; 지각. **∼nehmungsvermögen** *n.* 지각력.

Wahr=sägekunst [vá:rza:gəkunst] *f.* 점; 예언. **∼sägen** [vá:rza:gən] [=wahr] 《Ⅰ》 *i.*(h.) u. *t.* ("진실을 알리다":) 예언하다(*prophesy, predict*), 점치다(*tell fortune*). **∼säger** *m.* –s, –, 점장이; 예언자. **∼sägerei** [va:rza:gərái] *f.* –en, 점; 예언.

wahr=scheinlich [va:rʃáinlɪç, 또 vá:rʃain–] *a.* 진실인 듯한, 있을 법한, 개연적인(*probable, likely*); 〖數〗 확률적인, 공산적(公算的)인; *adv.* 아마도. **∼scheinlichkeit** *f.* 진실인 듯함; 〖哲〗 개연성; 〖數〗 확률. ¶aller ∼scheinlichkeit nach 아마도, 십중 팔구는.

Wahrscheinlichkeits=funktion *f.* 확률함수. **∼rechnung** *f.* 〖數〗 확률〔공산(公算)〕론.

Wahrspruch [vá:rʃprux] *m.* (배심원의) 평결(評決)(*verdict*).

Wahrung [vá:ruŋ] *f.* –en, 주의, 조심; 보호; 유지.

Währung [vέ:ruŋ] [*eig.* „Gewährleistung"] *f.* –en, 화폐 본위(*standard*); 통화(*currency*).

Währungs=block [vέ:ruŋsblɔk] *m.* 통화 블록. **∼einheit** *f.* 〖經〗 화폐 단위. **∼frage** *f.* 화폐 본위 문제. **∼reform** *f.* 통화 개혁. **∼verfall** *m.* 화폐 가치 폭락, 인프레이션.

Wahrzeichen [vá:rtsaiçən] *n.* 표적, 기호; 특징, 상징.

Waid [vait] *m.* –(e)s, –e, 〖植〗 (Färber∼) 대청(大靑)(♈*woad*).

Waise [váizə] *f.* –n, 고아(*orphan*).

Waisen=haus [váizənhaus] *n.* 고아원. **∼kind** *n.* (=Waise) 고아. **∼knabe** *m.* 남자 고아. **∼mädchen** *n.* 여자 고아. **∼pfleger** *m.* 고아원장. **∼rat** *m.* 후견 재판소(의 의원). **∼vater** *m.* 고아원장.

Wal[1] [vá:l] *m.* –(e)s, –e, 〖動〗 고래 (흔히: ∼fisch)(♈*whale*).

Wal[2]† [„Schlachtfeld"] *f.* u. *n.* –(e)s, 〖詩〗 싸움터, 전장(戰場).

Wald [valt] [♈wild; *eig.* „Wildnis"] *m.* –(e)s, ⸗er, 숲, 삼림(♈*wood, forest*); 삼림 지대(*woodland*), 임야.

Wald=baum [vált–] *m.* 숲의 나무. **∼blöße** *f.* 숲 속의 빈 땅〔공지〕. **∼blume** *f.* 숲의 꽃. **∼brand** *m.* 산불.

Wäldchen [vέltçən] *n.* –s, –, 작은 숲; 수풀, 총림(叢林).

Wald=erdbeere *f.* 〖植〗 양딸기. **∼gegend** *f.* 삼림 지대. **∼horn** *n.* 호각《취주 악기의 한 종류》. **∼hüter** *m.* 삼림 감시인, 산지기.

waldig [váldɪç] *a.* 삼림이 있는, 숲의.

Wald=land *n.* 삼림 지대, 임야. **∼lichtung** *f.* =∼BLÖSSE. **∼meister** *m.* 〖植〗 선갈퀴. **∼rebe** *f.* 〖植〗 사위질빵. **∼recht** *n.* 삼림법. **∼reich** *a.* 삼림이 많은. **∼saum** *m.* 숲의 끝. **∼schneise** *f.* 숲 속의 트인 장소. **∼schnepfe** *f.* 〖鳥〗 누른도요. **∼steppe** *f.* 삼림 초원《삼림에서 스텝으로 이행하는 곳》.

Waldung [válduŋ] *f.* –en, 삼림지; 삼림; 삼림 재산.

Wald=weide *f.* 임간 목초지. **∼wiese** *f.* 숲 속의 목장〔초원〕. **∼wirt·schaft** *f.* 산림 경영.

Walfisch [válfɪʃ] *m.* 〖動〗 (Wal) 고래.

Walfisch=fahrer *m.* 포경선; 포경선의 어부. **∼fang** *m.* 포경, 고래잡이. **∼fänger, ∼jäger** *m.* 포경자(者). **∼tran** *m.* 고래 기름.

Walke [válkə] *f.* –n, 마전함; 마전하는

기계; 피륙 표백 공장. **walken** [válkən] [*eig.* „rohen"] *t.* (피륙을) 마전하다 (*full*). **Walker** *m.* -s, -, (피륙을) 마전하는 사람, 마전장이.

Walk·ërde *f.* 표토(漂土), 백토. **~·mühle** *f.* 피륙 표백 공장. **~müller** *m.* =WALKER.

Walküre [valký:rə, vá(:)lky:rə] *f.* -n, 〖神〗 전쟁의 여신《Odin신의 명을 받고서 전사자의 영혼을 가려내어(„küren") Walhall로 인도함》.

Wall [val] [Lw. lat. *vallum*; ♈engl. *walt*] *m.* -(e)s, ⸚e, 〖軍〗 누벽(壘壁) (*rampart*); 둑, 방축, 제방, 안벽(岸壁) (*dike, bank*).

Wallach [válax] *m.* -(e)s, -e, *u.* -en, -e(n), 거세한 말(*gelding*).

wallen[1] [válən] *i.*(h. *u.* s.) 방랑〔유랑〕하다, 떠돌다, 헤매다(*wander*, ♈*walk*); 여행하다(*travel*); 순례 여행을 하다(*go on a pilgrimage*).

wallen[2] [válən] *i.*(h. *u.* s.) 거품이 일다 (*bubble*); 물결치다(*wave*); 끓어 오르다, 비등하다, 끓다(*boil*); 나불거리다, 나부끼다(*flutter*).

wall·fahren [válfa:rən] *i.*(s.) 순례하다, 성지를 예방하다. **~fahrer** *m.* 순례자. **~fahrt** *f.* 성지 참배, 순례. **~fahr·ten** *i.*(s.) =~FAHREN. **~fahrts·kir·che** *f.* 영지에 있는 교회. **~fahrts·ort** *m.* 순례지.

Wallgrāben [válgra:bən] *m.* 〖軍〗 업「보(掩堡).」

Wallung [váluŋ] *f.* -en, 물결침, 파동; 비등, 거품이 읾; 〖醫〗 충혈, 울혈(鬱血); 《比》 격동, 격앙. ¶in ~ geraten 격앙하다.

Walnuß [válnus] *f.* 〖植〗 호도(♈*walnut*).

Walpurgis·nacht [valpúrgɪsnaxt] *f.* 발푸르기스 축제일의 전날밤《이날 밤에 마녀들이 Harz 산의 Blocksberg 에 모인다고 전하여짐》.

Walroß [válrɔs] *n.* 〖動〗 해마(海馬)(♈*walrus*).

Walstatt [vá(:)lʃtat] *f.* ..stätten, 《詩》 전장.

walten [váltən] 《Ⅰ》 *i.*(h.) u. *t.* 세력을 가지다, 지배하다(*govern, rule*); 처리〔관리〕하다(*manage*). 《Ⅱ》 **Walten** *n.* -s, 지배, 관리, 주재; (신의) 섭리.

Walze [váltsə] *f.* -n, 롤러(*roller*), (윤전기의) 롤러(*roll, barrel*); 원통, 원주 (*cylinder*); 기통(氣筒). **walzen** [vál-tsən] 《Ⅰ》 *t.* 롤러〔압연기〕로 밀다, 밀방망이로 눌러 밀다《반죽을》. 《Ⅱ》 *i.*(h.) 구르다; 왈츠를 추다. **wälzen** [vɛ́ltsən] [„walzen machen"] 《Ⅰ》 *t.* 굴리다《돌, 목재 따위를》(*roll*). ¶die Schuld auf jn. ~ 책임을〔죄를〕 아무에게 전가하다 / die Schuld von sich ~ (죄·책임을 면하려고) 변명〔해명〕을 하다. 《Ⅱ》 *refl.* 뒹굴다, 굴러 돌아다니다.

Walzen·druck *m.* 〖印〗 윤전기 인쇄. **~förmig** *a.* 원통형의.

Walzer [váltsər] *m.* -s, -, 왈츠(♈*waltz*); 왈츠곡.

Walzwerk [váltsvɛrk] *n.* 압연(壓延) 공장; 압연기(壓延機).

Wamme [vámə], **Wampe** [vámpə] *f.* -n, (비만한) 배(*belly*); (소 따위의) 홍수(胸垂), 목 밑에 처진 살.

Wams [vams] *n.* 〔*m.*〕 -es, ⸚er〔⸚e〕, 자켓(*jacket*).

wand [vant] ☞ WINDEN《그 過去》.

Wand [vant] *f.* ⸚e [vɛ́ndə], (실내의) 벽 (*wall*); (Scheide~) 격벽, 간막이(*partition*); (spanische~) 병풍(*folding screen*); (Berg~) 절벽; 〖解〗 벽《위벽, 장벽 따위》(*coat*). ¶jn. an die ~ drücken 아무를 궁지에 몰아넣다.

Wandāle [vandá:lə] [<wandeln] *m.* -n, -n, 《固》 반달 사람《게르만 민족의 한 족속》. **wandālisch** *a.* 반달인의; 《比》 광포한, 파괴적인《반달인이 5 세기에 로마를 유린한 데서》. **Wandalis·mus** *m.* -, 광포, 파괴광(狂).

Wandbekleidung [vántbəklaiduŋ] *f.* 벽지, 벽판장, 굽도리널.

Wandel [vándəl] [<wandeln] *m.* -s, ① 변화, 변경, 변개(變改)(*change, mutation*). ② 처세, 생활, 몸가짐(*way of life*). ③ 교역, 교통(*traffic*). ¶Handel u. ~ 상업. **wandelbār** *a.* 변화할 수 있는, 변하기 쉬운, 덧없는, 무상한 (*perishable*).

Wandel·gang *m.*, **~halle** *f.* 〖劇〗 유보실(遊步室); 휴게실《의사당 따위의》. **~lōs** *a.* 불변의. **~mōnat**, **~mōnd** *m.* 4월.

wandeln [vándəln] [wandern의 同語別形] 《Ⅰ》 *t.* (ver~, um~) 변화시키다 (*change*). 《Ⅱ》 *i.*(s.) u *refl.* (in et., 으로) 변화하다. 《Ⅲ》 *i.* ① (s.) 헤매다(*go, walk*); (lust~) 산보〔소요〕하다; 엄숙히〔조용히〕 걷다. ② (h.) 처세하다(*live*). ③ (h.): handeln u. ~ 상업을 영위하다. **Wandelstern** *m.* 〖天〗 혹성(惑星). **Wand(e)lung** [vánd(ə)luŋ, -tl-] *f.* -en, 변화; 변형; 〖法〗 매매 계약의 해제.

Wander·bühne [vándər-] *f.* 이동 극단. **~bursch(e)** *m.* 뜨내기 장인(匠人). **~dūne** *f.* 이동 사구(砂丘).

Wand(e)rer [vánd(ə)rər] *m.* -s, -, 나그네, 편답자, 순례자.

Wander·falk(e) *m.* 〖鳥〗 매. **~ge·werbe** *n.* 행상(行商). **~heuschrecke** *f.* 〖蟲〗 비황(飛蝗), 누리, 황충이. **~·lēben** *n.* 방랑 생활, 표박(漂泊). **~·lehrer** *m.* 순회 목사. **~lust** *f.* 여행벽(癖). **~lustig** *a.* 여행을 좋아하는.

wandern [vándərn] [wandeln의 同語別形] *i.*(s. *u.* h.) (먼 길을) 걷다, 편답하다 (♈*wander*); (걸어서) 여행하다, 편력하다(*travel*); 옮아가다, 이주〔이동·이행(移行)〕하다(*migrate*).

Wander·niere *f.* 〖醫〗 유주신(遊走腎). **~prēdiger** *m.* 순회 설교사. **~preis** *m.* 이동상(移動賞)《경기 때마다 우승자에게 인계되는》. **~ratte** *f.* 〖動〗 시궁쥐.

Wanderschaft [vándərʃaft] *f.* 여행; (특히 장인(匠人)·학생·예술가의) 편답.

Wandersmann *m.* =WAND(E)RER.

Wander·stāb [-ʃta:p] *m.* 여행 지팡이. ¶den ~stab ergreifen 여행을 떠나다. **~trieb** *m.* 방랑벽; 〖動〗 (철새 따위의) 이동 본능.

Wand(e)rung [vánd(ə)ruŋ] *f.* -en, 걸음; 소풍; 도보 여행, 편답, 여행; (Aus~) 이주.

Wand·fernsprecher [vánt-] *m.* 벽에

다는 전화기. ~**fest** *a.* 벽에 고정된. ~**gemālde** *n.* 벽화. ~**kalender** *m.* 벽에 거는 달력. ~**karte** *f.* 괘도(掛圖). ~**leuchter** *m.* 벽에 장치한 촛대; 가스등의 등받이 나무. ~**mālerei** *f.* 벽화. ~**pfeiler** *m.* 벽 기둥. ~**schal·ter** *m.* 벽에 단 스위치. ~**schirm** *m.* 간막이; 병풍(*folding screen*). ~**schrank** *m.* 벽장. ~**spiegel** *m.* 벽에 장치한 체경. ~**tāfel** *f.* 흑판《학교 따위의》.

wandte [vántə] ☞ WENDEN 《그 過去》.

Wand·teller *m.* 벽에 건 장식 접시. ~**teppich** *m.* 벽걸이 융단. ~**uhr** *f.* 벽시계. ~**zeitung** *f.* 벽신문.

Wange [váŋə] *f.* –n, 《詩》 뺨(*cheek*).

..**wangig** [-vaŋıç] *a.* 《合成用語》 보기: rot~ 붉은 뺨의.

Wankel·mōtor [váŋkəl–] *m.* 방켈식(회전 피스톤) 엔진《발명자 Felix Wankel의 이름에서》. ~**mūt** *m.* 변덕, 무정견(*fickleness, inconstancy*). ~**mūtig** *a.* 변덕스런, 무정견한.

wanken [váŋkən] *i.*(h. *u.* s.) 동요하다, 흔들흔들하다, 비틀거리다(*totter, stagger*); 《比》 흔들리다(*waver*).

wann [van] [원래 wenn 과 同語] *adv.* 언제, 어느 때(♈*when*). ¶bis ~ 언제까지 / seit ~? 언제부터 / dann u. ~ 때때로, 가끔.

Wanne [vánə] [Lw. lat.] *f.* –n, 키(*winnowing fan*); (모양이 키 비슷한 타원형의) 통, (양)자배기(*tub*); (Bade~) 목욕통(*bath*).

Wannenbād [vánənba:t] *n.* 목욕통에서 하는 목욕.

Wanst [vanst] *m.* –es, ¨–e, (동물의) 배; 《比·俗》 (사람의) 배; (특히) 불룩한 배(*belly, paunch*); 위의 사람.

Want [vant] [♈winden] *f.* –en, 〖海〗 지삭(支索)《마스트의》(*shroud*).

Wanze [vántsə] [<Wandlaus] *f.* –n, 〖蟲〗 빈대(*bug*).

wanzig [vántsıç] *a.* 빈대가 붙은.

Wappen [vápən] [Waffe의 別形] *n.* –s, –, (방패꼴의) 문장(紋章)((*coat of*) *arms*).

Wappen·bild *n.* 무늬(의 모양), 무늬 그림. ~**būch** *n.* 문감(紋鑑). ~**kōnig** *m.* 문장관(紋章官). ~**kunde** *f.* 문장학(紋章學)(*heraldry*). ~**schild** *n.* od. *m.* 문장을 그린 방패(*escutcheon*). ~**tier** *n.* 문장의 동물.

wappnen [vápnən] *t.* 무장시키다; 준비시키다.

wār [va:r] (ich ~, er ~) ☞ SEIN 《그 過去》(*were,* ♈*was*).

warb [varp] ☞ WERBEN 《그 過去》.

ward [vart] ☞ WERDEN 《그 過去; 단 *pl.* 은 없음》.

Wāre [vá:rə] [♈wahren, *eig.* „das Aufbewahrte"] *f.* –n, 상품, 화물(♈*ware, commodity, article*).

wāre [vέ:rə] ☞ SEIN 《그 接續法過去》.

Wāren·absatz [vá:rən–] *m.* 상품의 판매. ~**artikel** *m.* 상품. ~**aufzūg** *m.* 화물 승강기. ~**ausfuhr** *f.* 상품 수출. ~**austausch** *m.* 상품의 교역. ~**automāt** *m.* 자동 판매기. ~**ballen** *m.* 고리짝. ~**bestand** *m.* 현물, 재고품. ~**einfuhr** *f.* (상품의) 수입. ~**einsender** *m.* 화주(貨主). ~**haus** *n.* 백화점(*department store(s)*). ~**kenntnis** *f.* 상품의 지식, 상품학. ~**lāger** *n.* 재고품, 스톡; 상품 창고; 소매 상점. ~**mākler** *m.* 브로커. ~**marke** *f.* 상표. ~**niederlāge** *f.* 상품 창고. ~**prōbe** *f.* 상품 견본. ~**rechnung** *f.* 송장(送狀)(*invoice*). ~**stempel** *m.* 상표. ~**steuer** *f.* 물품세. ~**umsatz** *m.* 상거래. ~**verzeichnis** *n.* 상품 목록. ~**vōrrāt** *m.* 재고품, 스톡. ~**zeichen** *n.* 상표.

warf [varf] ☞ WERFEN 《그 過去》.

warm [varm] *a.* 따뜻한(♈*warm*); 더운(*hot*); 《比》 열심인, 열중한; 간절한, 충심으로의. ¶mir ist ~ 나는 따뜻하다.

Warm·bād *n.* 온수욕(溫水浴), 온천. ~**bier** *n.* 더운 맥주《끓인 맥주에 사탕과 향료를 섞은 음료》. ~**blūter** *m.* –s, –, 〖動〗 온혈 동물. ~**blūtig** *a.* 〖動〗 온혈의; 《比》 열혈(熱血)의. ~**brunnen** *m.* 온천.

Wärme [vέrmə] *f.* 따뜻함, 온기(溫氣), 온난(♈*warmth*); 〖物〗 열(*heat*); 온도; 〖醫〗 체온; 《比》 열의; 열정; 온정; 정(情).

Wärme·abgābe *f.* 열의 발산. ~**apparāt** *m.* 난로. ~**äquivalent** *n.* 〖物〗 열당량(熱當量). ~**aufnahme** *f.* 열의 흡수. ~**austausch** *m.* 열교환. ~**bearbeitung** *f.* 열처리. ~**einheit** *f.* 열량 단위, 칼로리. ~**energie** *f.* 열에너지. ~**grād** *m.* 온도, 열도. ~**haltig** *a.* 열을 보유하는. ~**isolierend** *a.* 열을 절연하는. ~**kapazität** *f.* 열용량 ~**kraftlehre** *f.* 열역학. ~**kraftmaschine** *f.* 열기관. ~**lehre** *f.* 열학. ~**leiter** *m.* 열도체. ~**leitung** *f.* 열전도. ~**māß** *n.* 온도. ~**mauer** *f.* 열의 벽《항공 기재가 용해하는 초음속》. ~**menge** *f.* 열량. ~**messer** *m.* 열량계; 검온기; 한난계.

wärmen [vέrmən] *t.* 따뜻하게 하다, 데우다; *refl.* 따뜻해지다.

Wärme·rēgler *m.* 온도 조절기. ~**schutz** *m.* 보온. ~**spektrum** *n.* 열선(熱線) 스펙트럼. ~**strahl** *m.* 열선. ~**strahlung** *f.* 열복사(熱輻射). ~**stauung** *f.* 열울적(熱鬱積), 울열(鬱熱). ~**übergang** *m.* 열전달. ~**verlust** *m.* 열의 손실.

Warmfestigkeit [vármfestıçkait] *f.* 내열성.

Wärmflasche [vέrmflaʃə] *f.* 탕파(湯婆).

Wärm·halter *m.* 보온기. ~**haus** *n.* 온실. ~**herzig** *a.* 온정 있는.

Wärmkissen [vέrmkısən] *n.* 전기 방석.

Warm·laufen *n.* (기계가) 운전의 결과 뜨거워짐. ~**luft** *f.* 열기. ~**luft·heizung** *f.* 열기 난방. ~**luftmesser** *m.* 열기계.

Wärm·ōfen *m.* 난로. ~**pfanne** *f.* 탕파(湯婆).

Warmwasser·heizung [varmvásər–] *f.* 스팀 난방 장치. ~**speicher** *m.* 물데우는 장치. ~**versorgung** *f.* 온수공급.

warnen [várnən] [♈wahren, warten, *eig.* „aufmerksam machen"] *t.* (에) 경고하다(♈*warn, caution*); 예고[예보]하다. ¶die Uhr warnt 시계가 종을 치기 직전에 찌르륵 소리를 내다.

Warn≈farbe *f.* 〖動〗 경계색. **∼licht** *n.* (건널목의) 경계등. **∼rūf** *m.* 경보.
Warnung [várnuŋ] *f.* -en, 주의, 경고, 충고; 경계.
Warnungs≈anzeige *f.* 경고. **∼farbe** *f.* (동물의) 경계색. **∼rūf** *m.* 경계하여 외치는 소리, 경보. **∼signāl** *n.* 경보. **∼tāfel** *f.* 경보판(板), 게시판(揭示板).
Warschau [várʃau] *n.* 폴란드의 수도 「(Ƴ *Warsaw*).」
wārst [va:rst] (du ∼), **wārt** [va:rt] (ihr ∼) ☞ SEIN (그 過去).
Wart [vart] [<warten] *m.* -s, -e, 지키는 사람; (오늘날은 흔히 合成用語) 보기: Kassen∼, Tor∼.
Warte [vártə] [<warten] *f.* -n, 파수막, 망루, 관측소(*watch-tower, look-out*); (Stern∼) 천문대.
Warte≈frau *f.* 지키는 여자; 유모, 아이 보는 여자; 간호원. **∼geld** *n.* 무보직(無補職)〔대기〕 수당〔급료〕, 반급(半給).
warten [vártən] [Ƴwahren, warnen, *eig.* „schauen, spähen"] (Ⅰ) *i.*(h.) 기다리다(Ƴ*wait, stay*); (auf jn., 을) 기다리다, (에) 기대를 걸다. ¶**auf** sich ∼ lassen 사람을 기다리게 하다, 지참(遲參)하다 / **mit** et. ∼ 무엇을 (하는 것을) 기다리다, 지체하다, 연기하다. (Ⅱ) *t.* u. *i.*(h.) 돌보다, 간호하다(Ƴ*wait (on), attend (on)*). ¶ein Kind ∼ 어린애를 보다(*nurse*). **Wärter** [vértər] *m.* -s, -, **Wärterin** *f.* -nen, 감시인, 지키는 사람; (Bahn∼) 선로〔건널목〕지기; (Kranken∼) 간호인; 사환.
Warte≈saal *m.* 대기실; 〖鐵〗 대합실. **∼zimmer** *n.* 대합실(병원·은행 따위의).
..wärtig [-vɛrtɪç] [<-wärts] *a.* (合成用語) "…쪽의" 의 뜻. 보기: aus∼ 외국의, gegen∼ 현재의.
..wärts [-vɛrts] [Ƴwerden, *eig.* „gewendet, gerichtet nach"] *adv.* (合成用語) "…쪽으로, …을 향하여(Ƴ*-wards*)" 의 뜻. 보기: auf∼ 위쪽으로; west∼ 서쪽으로. 「킴; 주의; 돌봄; 간호.」
Wartung [vártuŋ] *f.* -en, 파수봄, 지
warum [va(:)rúm] [Ƴwer, was, wenn] *adv.* u. *cj.* 무엇 때문에, 왜(Ƴ*why*); 무슨 이유로(*wherefor*).
Warze [vá(:)rtsə] *f.* -n, 사마귀(Ƴ*wart*); (Brust∼) 젖꼭지(*nipple*).
warzig [vártsɪç] *a.* 사마귀가 있는.
was [vas] (wer에 대하여 中性) *prn.* ① (疑問代名詞) 무엇(Ƴ*what*). ¶∼ ist das 그건 무엇이냐 / (wieviel) ∼ kostet das? 그건 얼마냐 / ∼ **für** (ein(er), eine, e(es)) 어떤(*what (a), what sort of*) / (感歎) auch ∼! 뭐야 (시시해), 됐어. ② (關係代名詞) alles, ∼ ich weiß 내가 알고 있는 모든 것 / (普遍化的·認容的) er sage, ∼ er woll 그가 무어라 하든 / (앞 文章의 내용을 받아) ich bat ihn die Tür zuzumachen, ∼er auch tat 나는 그에게 문을 닫아 달라고 하여, 그는 실제로 그렇게 했다 / ∼ mich betrifft 나에 관해서는, 나로서는. ③ (不定代名詞; = etwas) 무언가. ¶∼ Neues 무언가 새로운 것.

Wasch.. ☞ WASCHEN.
Wasch≈anstalt [váʃ-] *f.* 세탁소. **∼≈apparāt**, **∼automāt** *m.* (자동) 세탁기. **∼bär** *m.* 〖動〗 완웅(浣熊)(북아메리카산의 작은 곰). **∼becken** *n.* 손씻는 그릇, 세수 대야. **∼blau** *n.* 세탁용의 푸른 착색제(빨래를 더 깨끗이 보이게 하기 위한). **∼butte**, **∼bütte** *f.* 세탁통.
Wäsche [vɛ́ʃə] [<waschen] *f.* -n, 씻음, 세탁, 세척; 세탁물(홑이불·책상보 따위); (Leib∼) 속옷, 내의. ¶wir haben heute ∼ 오늘 빨래를 한다 / in die ∼ geben 세탁을 맡기다 / schmutzige ∼ 더러운 빨랫감; (比) 치사스런 사건〔싸움〕.
wasch·echt [váʃ-ɛçt] *a.* 빨 수 있는, 빨아도 바래지 않는; (比·戱) 진짜인, 토박이의(*real*).
Wäsche≈geschäft [vɛ́ʃə-] *n.* 내의용 아마 제품 상점. **∼klammer** *f.* 빨래 집게. **∼korb** *m.* 빨랫 바구니. **∼leine** *f.* 빨랫줄. **∼mange(l)** *f.* 빨래의 주름을 펴는 기계.
waschen* [váʃən] [ƳWasser] *t.* u. *refl.* u. *i.*(h.) 씻다(Ƴ*wash*); 세탁〔세척〕하다; 〖坑〗 세광하다. ¶sich ∼ 몸을 씻다. **Wäsher** [vɛ́ʃər] *m.* -s, -, 씻는 사람, 세탁장이. **Wäscherei** [vɛʃərái] *f.* -en, 세탁; 세탁소; 세광장. **Wä≈scherin** *f.* -nen, 세탁부(婦); (俗) 수다스러운 여자.
Wäsche≈rolle *f.* 빨래의 주름을 펴는 기계. **∼schleuder** *m.* 세탁기의 원심분리 건조기. **∼schrank** *m.* 세탁물〔속옷〕 따위를 넣는 장. **∼stampfer** *m.* 빨랫 방망이. **∼(trocken)ständer** *m.* 빨래 너는 장대.
Wasch≈faß *n.* 빨래통. **∼frau** *f.* 세탁부(婦). **∼geld** *n.* 세탁 요금. **∼ge≈schirr** *n.* 세탁 도구, 세면 도구. **∼≈gold** *n.* 〖坑〗 사금. **∼haus** *n.* 세탁소(洗濯所). **∼kessel** *m.* 빨래 (삶는) 솥. **∼korb** *m.* 빨랫 바구니. **∼küche** *f.* 세탁장. **∼lappen** *m.* 행주; 목욕수건; (比) 겁장이, 실행력 없는 인간. **∼lēder** *n.* 빨 수 있는 무두질한 가죽. **∼leine** *f.* 빨랫줄. **∼maschine** *f.* (자동) 세탁기. **∼mittel** *n.* 세제, 세척제. **∼raum** *m.* 세면소. **∼samt** *m.* 세탁할 수 있는 (무명 또는 스프의) 우단. **∼schüssel** *f.* =∼BECKEN. **∼≈schwamm** *m.* 목욕용 해면. **∼seife** *f.* 세탁〔화장〕 비누. **∼tāg** *m.* 세탁일. **∼tisch** *m.*, **∼toilette** *f.* 세면대. **∼trōg** *m.* 세탁통.

Waschung [váʃuŋ] *f.* -en, 씻음; 세탁; 〖宗〗 세신(洗身); 〖醫〗 세척(洗滌).
Wasch≈wanne *f.* 빨래통. **∼wasser** *n.* 씻는 물. **∼zettel** *m.* 세탁물 품목표; (신문 따위의) 출판자의 내용 광고. **∼zūber** *m.* 빨래통.
Wasen [vá:zən] [Rasen과 同語] *m.* -s, -, 잔디밭, 초원(*turf, grass*).
Wasser [vásər] *n.* -s, -, ① 물(Ƴ*water*); 하천; 호수, 늪; 해양; 오줌; 눈물; 땀; 침. ¶zu ∼ werden 물이 되다; (比) 수포로 돌아가다 / zu ∼ 수로(水路)로, 해로(海路)로 / er ist mit allen ∼n gewaschen 그는 약아 빠진 놈이다, 핑장

한 놈이다 / sein ~ lassen 오줌 누다 / das ~ läuft ihm im Munde zusammen (몹시 탐나서) 침을 흘리다. ② 윤, 광택《다이아몬드·진주 따위의》. ¶ Diamanten von reinstem ~ 광택이 아주 순수한 다이아몬드.

Wasser∘āder *f.* 수맥(水脈); 〖解〗 림프관(管). **~anläge** *f.* 급수 시설, 수도. **~arm** *a.* 물이 부족한; 물〔습기〕 없는. **~armūt** *f.* 물 부족. **~ball** *m.* 수구(水球), 워터 폴로. **~bau** *m.* 치수(治水) 공사; 호안(護岸) 공사. **~bau∘kunst** *f.* 치수학, 하천 공학. **~be∘hälter** *m.* 저수지; 물통. **~bläse** *f.* 거품. **~blau** *a.* 물빛의. **~blei** *n.* 〖鑛〗 휘수연광(輝水鉛鑛); 흑연. **~bombe** *f.* 폭뢰(爆雷)(*depth charge*). **~bruch** *m.* 〖醫〗 음낭 수종(陰囊水腫).

Wässerchen [vέsərçən] *n.* -s, -, 세류(細流), 개울(*brook, rivulet*); 소류지, 작은 호수. ¶《比》 kein ~ trüben können 아주 착하디 착한.

Wasser∘dampf *m.* 수증기, 김. **~∘dicht** *a.* 방수의, 물에 견디는, 내수(耐水)의. **~dichte, ~dichtigkeit** *f.* 방수; 물에 견딤. **~druck** *m.* 〖物〗 수압. **~drucklehre** *f.* 유체 역학. **~dunst** *m.* 수증기. **~eimer** *m.* 물통, 두레박. **~fahrräd** *n.* 수상 자전거. **~∘fahrt** *f.* 뱃놀이; 조정(漕艇). **~fahr∘zeug** *n.* 선박. **~fall** *m.* 물의 낙하; 폭포. **~farbe** *f.* 물빛; 수채화용 (그림) 물감. **~farbig** *a.* 수채화의. **~faß** *n.* 물통. **~fläche** *f.* 수면. **~flasche** *f.* 물병, 물통. **~flūgzeug** [-flu:k-tsɔyk] *n.* 수상 비행기. **~flūt** *f.* 홍수, 범람. **~fracht** *f.* 수운 화물(水運貨物); 수상 운수. **~frei** *a.* 물을 함유하지 않은; 〖化〗 무수(無水)의. **~gang** *m.* 수로; 운하. **~gās** *n.* 〖化〗 수성 가스. **~gefahr** *f.* 수해의 위험. **~∘gefälle** *n.* (물의) 낙차. **~geflügel** *n.* 〖鳥〗 물새무리. **~gehalt** *m.* 물의 함유량, 수분. **~gewächs** *n.* 수서(水棲) 식물. **~gläs** *n.* 컵; 〖化〗 물유리. **~gräben** *m.* 배수거(排水渠); 해자. **~hahn** *m.* 수도전(水道栓). **~haltig** *a.* 물을 함유하는, 함수의. **~hēbe∘maschīne** *f.* 양수기. **~heilkunde** *f.* 물 치료법. **~heizung** *f.* 스팀 난방 (장치). **~hōse** *f.* 물기둥《모양을 Hose (양말)에 비유함》. **~huhn** *n.* 〖鳥〗 (유럽산) 물닭.

wässerig [vέsərıç], **wäßrig** [vέsrıç] *a.* 물의, 물로 된, 수질(水質)의; 물 같은, 묽은, 장액질(漿液質)의 (피). ¶ jm. den Mund ~ machen 아무로 하여금 (nach, 에) 침을 질질 흘리게 하다.

Wasser∘jungfer *f.* 〖神〗 물의 정(精); 〖蟲〗 잠자리(*dragonfly*). **~kalorimē∘ter** *n.* 〔*m.*〕 물열량계. **~kanne** *f.* 물주전자, 물병; 물뿌리개. **~kante** *f.* 연안 지방《특히 북부 독일의》. **~kasten** *m.* 물통. **~kessel** *m.* 주전자; 보일러. **~klosett** *n.* 수세식 변소. **~∘kopf** *m.* 〖醫〗 뇌수종(腦水腫) (환자). **~kraft** *f.* 수력. **~kraft·anläge** *f.*, **~kraft·haus** *n.* 수력 발전소. **~∘kraftlehre** *f.* 수역학. **~kresse** *f.* 〖植〗 네덜란드갓냉이(*watercress*). **~krūg** *m.* 물병. **~kunst** *f.* 수력(水力) 장치; 분수; 인공 폭포. **~kūr** *f.* 〖醫〗 물치료법. **~landfahrzeug** [-lánt-] *n.* 수륙 양용차. **~landflūgzeug** *n.* 수륙 양용 (비행)기. **~landung** *f.* 〖空〗 착수(着水). **~lauf** *m.* 수로; 수류. **~∘leitung** *f.* 수도 (설비); 수관(水管). **~∘leitungsröhre** *f.* 수도관. **~lilie** *f.* 〖植〗 개연꽃; 수련(睡蓮). **~linie** *f.* 흘수선(吃水線). **~linse** *f.* 〖植〗 개구리밥. **~mangel** *m.* 물 부족, 갈수(渴水). **~mann** *m.* 〖天〗 보병궁(寶甁宮)《십이궁(宮)의 제십일 궁(宮)》; 물병자리. **~mantel** *m.* 〖工〗 워터 자켓《과열 방지용》. **~melōne** *f.* 〖植〗 수박. **~∘messer** *m.* 수량계. **~mühle** *f.* 물레방아. **~müller** *m.* 제분소, 물방앗간.

wässern [vέsərn] 《Ⅰ》 *t.* (=be~) 관개(灌漑)하다; (=ein~) 물에 담그다〔적시다〕; (술 따위에) 물을 타다. 《Ⅱ》 *i.*(h.) 물을 내다. ¶ ihm ~ die Augen 그의 눈에서 눈물이 나오다.

Wasser∘napf *m.* 물사발. **~nōt** *f.* 물부족, 물기근, 한발(旱魃). **~nuß** *f.* 〖植〗 마름. **~nymphe** *f.* 〖神〗 물의 정(精). **~pflanze** *f.* 수서 식물, 수초(水草). **~pfütze** *f.* 물웅덩이. **~∘pocken** *pl.* 〖醫〗 수두. **~quelle** *f.* 샘, 수원. **~ratte** *f.* 〖動〗 수서(水鼠). **~recht** *n.* 하천법; 수리(水利)법. **~∘reich** *a.* 물이 많은. **~reis** *n.* 〖植〗 벼. **~rinne** *f.* 처마의 홈(통). **~röhre** *f.* 수(도)관. **~rübe** *f.* 〖植〗 순무의 한 가지. **~schacht** *m.* 〖坑〗 배수갱(坑). **~schäden** *m.* 수해(水害). **~scheide** *f.* 〖地〗 분수계(界), 분수선. **~scheu** *a.* 물을 겁내는; 공수병의. **~scheu** *f.* 〖醫〗 공수병(恐水病).

Wassers·nōt [vásərsno:t] *f.* 수해, 수난, 홍수.

Wasser∘speier *m.* 〖建〗 (고딕 건축에서 마귀 따위의 모습을 본뜬) 홈통 주둥이. **~spiegel** *m.* (거울 같은) 수면. **~sport** *m.* 수상 경기. **~spritze** *f.* 소화기의 노즐. **~spūlung** *f.* 세척. **~stand** *m.* 수위(水位), 물높이. **~∘stands·messer** *m.* 수위계(水位計), 수고계(水高計). **~stiefel** *pl.* 방수 장화, 고무 장화.

Wasserstoff [vásərʃtɔf] *m.* 〖化〗 수소(水素).

Wasserstoff∘bombe *f.* 수소 폭탄. **~∘sūper·oxȳd** *n.* 과산화 수소. **~ver∘bindung** *f.* 수소화물.

Wasser∘strahl *m.* 물기둥, 분수. **~∘sträße** *f.* 수로; 운하. **~streifig** *a.* 설구워진. **~strōm** *m.* 유수; 급류, 여울. **~strūdel** *m.* 소용돌이. **~sucht** *f.* 〖醫〗 수종(水腫). **~süchtig** *a.* 수종의. **~suppe** *f.* 묽은 수프. **~tier** *n.* 수서 동물. **~tōr** *n.* 수문. **~trä∘ger** *m.* 물 나르는 사람. **~transport** *m.* 수운(水運). **~trōg** *m.* (가축의) 물통. **~tropfen** *m.* 물방울. **~turbīne** *f.* 수력 터빈. **~turm** *m.* 저수〔급수〕탑. **~uhr** *f.* 물시계.

Wässerung [vέsəruŋ] [<wässern] *f.* -en, 관개; 물에 담금, 물을 부음.

Wasser∘verdrängung *f.* 배수(량).

~versorgung *f.* 급수(給水). **~vōgel** *m.* 물새. **~waage** *f.* 수준기(水準器); 〖物〗 비중계. **~wēg** *m.* 수로. **~wehr** *n.* 〖工〗 봇둑; 제방. **~werk** *n.* 급수소. **~wirbel** *m.* 소용돌이, 와류(渦流). **~zeichen** *n.* (종이 안에서) 내비쳐 보이는 상표.

Wäßrung [vɛ́sruŋ] *f.* –en, =WÄSSERUNG.

wāten [vá:tən] *i.*(s.*u.* h.) (물을) 걸어서 건너다(♈*wade*).

Wātsche [vá:tʃə, vátʃə] *f.* –n, 빰치기.

wātscheln [vá(:)tʃəln] [♈wackeln] *i.*(s. *u.* h.) 비틀비틀〔아장아장〕 걷다(*waddle*).

Watt[1] [vat] *n.* –s, –, 〖電〗 와트《전력 단위, James ~ 의 이름에서》.

Watt[2] [vat] *n.* –(e)s, –e(n), (북해의) 썰물 때 수면에 나타나는 사주(砂洲)(*banks of sand, flast*).

Watte [vátə] *f.* –n, (옷·이불 따위의) 속솜; 〖醫〗 탈지면 (♈*wad(-ding), cotton wool*). **~bausch** *m.* 솜 넣은 베개; 〖醫〗 탐폰.

Wattenmeer [vátənme:r] *n.* 사주(砂洲)가 있는 바다.

wattieren [vatí:rən] *t.* (에) 솜을 두다, 솜을 넣다(♈*wad*).

Watt=messer *m.*, **~mēter** *n.* 〔*m.*〕 〖電〗 전력계. **~stunde** *f.* 와트시(時).

Wau [vau] *m.* –(e)s, –e, 〖植〗 목서초(木犀草)(♈*weld*).

Wēbe [vé:bə] *f.* –n, 짬; 짜는 법; 피륙(♈*web*); 거미집.

Wēbe=kante *f.* 식서(飾緖). **~kunst** *f.* 직기술(織機術).

wēben(*) [vé:bən] 《Ⅰ》 *t.* 짜다(♈*weave*); 거미줄을 치다. 《Ⅱ》 *i.*(h.) (이리저리) 움직이다, 활동하다(*float, move, be active*). ¶ alles lebt und webt an ihr 그녀는 발랄하다. **Wēber** [vé:bər] *m.* –s, –, 짜는 사람, 직조공(♈*weaver*).

Wēber=baum [vé:bər–] *m.* (베틀의) 도투마리(*beam*). **~blatt** *n.* 바디(*reed*).

Wēberei [ve:bərái] *f.* –en, 짬, 길삼; 피륙; 방직 공장.

Wēber=einschlāg, ~einträg *m.* (피륙의) 씨실(*woof*). **~knecht** *m.* 직조공; 〖蟲〗 좌두충. **~schiffchen** *n.* (베틀의) 북(*shuttle*). **~tritt** *m.* (베틀의) 디딤널. **~wāren** *pl.* 직물. **~zettel** *m.* (피륙의) 날실(*warp*).

Wēb=stuhl [vé:p–] *m.* 베틀, 직기(織機). **~wāren** *pl.* 피륙, 직물, 천.

Wechsel[1] [vɛ́ksəl] *m.* –s, –, ① 변화(*change*); 변동, 변이(變移) (*rotation, fluctuation*); 교체, 순환(*alternation, turn*); (관리 따위의) 경질. ② 전변(轉變), 성쇄(*vicissitude*). ③ 교환, 〖商〗 환(換)(*exchange*), 어음(*bill*).

Wechsel[2] [vɛ́ksəl] [♈Weg] *m.* –s, –, 〖獵〗 야수의 통로.

Wechsel=agent *m.* 어음 중매인, 어음 중개업자. **~agio** [–a:dʒo, –a:ʒio] *n.* 어음 할인율. **~akzept** *n.* 어음 인수(引受). **~balg** *m.* 악마가 바꿔 놓은 못생긴 아이; 기형아; 장난꾸러기. **~bank** *f.* 할인 은행. **~begriff** *m.* 상관 개념. **~bestand** *m.* 유가 증권 보유고. **~beziehung** *f.* 상호 관계(*correlation*). **~brief** *m.* 어음, 환. **~diskont** *m.* 어음 할인. **~fähig** *a.* 〖商〗 어음 발행의 능력〔권리〕 있는. **~fall** *m.* ① 양자 택일의 경우. ② (흔히 *pl.* **~fälle**) 인생의 화복, 영고 성쇠. **~fälscher** *m.* 어음 위조자. **~fälschung** *f.* 어음 위조. **~fieber** *n.* 간헐열, 말라리아. **~folge** *f.* 교대, 교체. **~frist** *f.* 어음의 지급 기한. **~gēber** *m.* 어음 발행인. **~geld** *n.* 은행 화폐; (통화의) 환금 차액〔수수료〕; (환금 또는 거스름돈으로 쓰는) 소액 화폐, 잔돈. **~gesang** *m.* 〖樂〗 대창(對唱). **~geschäft** *n.* 어음 거래; 환금업; 어음 거래소, 환금 취급소. **~gespräch** *n.* 대화, 문답(*dialogue*). **~getriebe** *n.* 변속(變速) 장치. **~handel** *m.* 어음 거래. **~inhāber** *m.* 어음 소지인. **~jahre** *pl.* (여성의) 갱년기. **~kurs** *m.* 환 시세. **~mākler** *m.* =~AGENT.

wechseln [vɛ́ksəln] 《Ⅰ》 *t.* ① 변경하다, 고치다, 바꾸다(*alternate, change*). ② 주고 받다; 교환하다, 환금하다(*exchange*). 《Ⅱ》 *i.*(h.) ① 변하다, (달이) 영허(盈虛)하다. ② 교대하다(*alternate*). ③ (mit et.[3], 무엇과) 바꾸다.

Wechsel=nehmer *m.* 어음 인수인. **~ordnung** *f.* 어음법. **~platz** *m.* 어음 지급지. **~provisiōn** *f.* 어음 중매 수수료. **~reaktiōn** *f.* 〖化〗 교반응. **~rechnung** *f.* 어음〔환〕 계정. **~recht** *n.* 어음법. **~rēde** *f.* 회화, 대화, 토론. **~reiter** *m.* 부도 어음 사용자. **~reiterei** *f.* 부도 어음 사용. **~schalter** *m.* 교대 스위치. **~seitig** *a.* 상호의, 서로의(*mutual, reciprocal*). **~seitigkeit** *f.* 상호〔교호〕적임, 상호 관계(*reciprocity*). **~sendung** *f.* 어음 송부. **~spiel** *n.* 변동, 동요. **~streit** *f.* 토론. **~strōm** *m.* 〖電〗 교류. **~stūbe** *f.* 어음 거래소; 환전 취급소. **~tierchen** *n.* 〖動〗 아메바. **~verhältnis** *n.* 상호 관계; 〖數〗 반비례. **~verjährung** *f.* 어음 시효. **~verkehr** *m.* 어음 유통. **~voll** *a.* 변화가 많은; 다사 다난한. **~weise** *adv.* 교호로, 교대로; 차례로. **~winkel** *pl.* 〖數〗 착각(錯角). **~wirkung** *f.* 상호 작용. **~wirt·schaft** *f.* 〖農〗 윤작(輪作). **~zahn** *m.* 〖解〗 젖니.

Wechsler [vɛ́kslər] *m.* –s, –, 환전상.

Weck [vɛk] *m.* –(e)s, –e, **Wecke** *f.* –n, **Wecken** [vɛ́kən] *m.* –s, –, (쐐기 모양의) 고급 빵(*roll*).

wecken [vɛ́kən] [♈wach] 《Ⅰ》 *t.* 깨우다, 환기하다(♈*wake(n), awake*). 《Ⅱ》 **Wecken** *n.* 〖軍〗 기상 나팔. **Wecker** *m.* –s, –, 자명종; 전령.

Weck=rūf *m.* 〖軍〗 기상 신호. **~uhr** *f.* 자명종.

Wēdel [vé:dəl] *m.* –s, –, 총채(*fan*); (Staub~)먼지떨이(*feather-duster*); 〖獵〗 (여우 등의) 탐스런 꼬리(*brush*); 〖植〗 (고사리 따위의) 잎. **wēdeln** [vé:dəln] 《Ⅰ》 *i.*(h.) 총채를 흔들다; 부채질하다; (mit, 을) 흔들다. ¶ mit dem Schwanze ~ 꼬리를 흔들다. 《Ⅱ》 *t.* (먼지 따위를) 털다.

wēder [vé:dər] [ahd. *ni-wedar* „keins v. beiden"] *cj.*: ~ ...**noch** …도 …도 아니다, 이것도 저것도 …아니다(♈*neither ...nor*).

Wēg [ve:k] [♈bewegen, Wagen] *m.* -(e)s[-gəs, -ks], -e[-gə], ① 길(♈*way, road*); 작은 길(*path*); 가로(*street*); 진로, 행로; 과정, 행정(行程); 여로, 여정; 《比》 생애(의 경로), 경력. ¶hier geht kein ~! 이곳 통행 금함. ② 《目的語로서》 es hat (damit) gute ~e, a) 그것은 아직 멀었다, 전도 요원하다, b) 서두를 것 없다. ③ 《2格으로서》 wohin des ~es? 어디로 가는가 / s-s ~es 〔s-r ~e〕 geh(e)n 오로지 자기의 길을(딴 생각 않고) 가다. ④ 《前置詞와 함께》 **am** ~e 길을 따라, 길가에 / **auf** dem ~e 도중에, 중도에 / **aus** dem ~ räumen, a) 치우다, 제거하다, b) 죽이다 / jm. et. **in** den ~ legen 아무를 무엇으로 방해하다 / jm. nicht **über** den ~ trauen 아무를 무조건 신용치 않다 / **vom** (rechten) ~e abkommen 〔abweichen〕 길을 잃다〔잘못 들다〕 / **zu** ~e 〔zuwege〕 bringen 성취시키다. ⑤ 《比》 방법, 절차; 수단. ¶auf diesem ~e 이 방법으로, 이리하여.

weg [vɛk] [mhd. *enwec*, „auf den Weg"] *adv.* 《Ⅰ》 가 버리고, 떠나서, 떨어져(♈*away*); 저리로, 저편으로(*beyond*); 없어져; 부재(不在)로; 끝나, 마쳐서(*gone, lost*). ¶wir wollen ~ 갑시다 / ganz ~ sein 기뻐 어쩔줄 모르다, 열중해 있다. 《Ⅱ》 *int.*: ~ da! 저리가, 물러가, 꺼져라 / Hände ~! 손을 들여놓아라.

weg.. [vɛ́k-] 《分離動詞의 前綴, 항상 악센트가 있음》 "떠남·제거"의 뜻. 보기: weg|kommen [vɛ́kkɔmən]; ich komme weg, weggekommen; wegzukommen; komm weg!.

weg|arbeiten [vɛ́k-arbaitən] *t.* 일하여〔힘들여서〕 해치우다; 완성하다.

Wēgbahner [vé:kba:nər] *m.* 길을 트는 사람; 《比》 개척자, 선구자. **wēgbār** *a.* 통행할 수 있는.

weg⸗|begēben* *refl.* 떠나다, 가다, 멀어져 가다, 출발하다. **~|bekommen*** *t.* ① 외어 버리다, 요령을 터득하다. ② 치우다, 제거하다. ③ eins ~bekommen 얻어맞다.

Wēgbereiter [vé:kbəraitər] *m.* =WEGBAHNER.

weg⸗|blāsen* *t.* 불어서 없애다〔끄다〕. **~|bleiben*** *i.*(s.) 떨어져〔멀리〕 있다, 오지 않다; 빠져〔누락되어〕 있다. **~|⸗blicken** *i.*(h.) 한눈팔다, 흘끗 보다. **~|brennen*** *t.* 태워 없애다, 사르다; *t.*(s.) 소실(燒失)하다. **~|bringen*** *t.* 운반해 가다, 가져가 버리다; 떼어 내다, 제거하다; 데려가 버리다(jn.). **~|dür⸗fen*** *i.*(h.) 떠나는 것이 허락되어 있다.

Wēgebau [vé:gəbau] *m.* 도로 공사.

Wēg(e)⸗enge [vé:k-, vé:gə-] *f.* 애로. **~gābel** *f.* 길의 분기(分岐). **~geld** *n.* 통행세.

weg|eilen [vɛ́k-ailən] *i.*(s.) 급히 떠나다.

Wēge⸗lāg(e)rer [vé:gə-] *m.* 노상 강도. **~lägern** *i.*(h.) 노상 강도질을 하다. **~messer** *m.* 마일미터.

wēgen [vé:gən] [mhd. *von wegen* „von ...Wegen", von ...seiten] *prp.* 《2〔《方·俗》은 3〕格支配; 종종 目的語 뒤에도 놓임》 ① …때문에, …로 말미암아〔인해〕 (*because of, on account of, for* (*the sake of*), *on behalf of*). ¶~ schlechten Wetters 날씨가 나쁘기 때문에 / der Armen ~ 가난한 자를 위하여. ② 《von 과 함께》의 쪽에서, 의 이름으로, 에 관하여, …때문에. ¶von Rechts ~ 법률상, 정당하게 / von s-s Herrn ~ 그의 주인 이름으로.

Wēgerich [vé:gərɪç] ["길의 주인공", -rich는 남자 이름에 따름] *m.* -(e)s, -e, 〖植〗 질경이속(屬)(*plantain*).

Wēgescheide [vé:gəʃaidə] 기로(岐路); 네거리.

weg⸗|essen* [vɛ́k-] *t.* (모조리) 먹어 버리다. **~|fahren*** *i.* ① (s.) (배 또는 차로) 떠나가다. ② (h.) mit der Hand über et. ~fahren 손으로 무엇의 위를 쓰다듬다. **~fall** *m.* -(e)s, 탈락; 생략(*omission*); 정지, 중지(*cessation*); 폐지(*abolition*). ¶in ~fall kommen 정지되다, 멈추다. **~|fallen*** *i.*(s.) 떨어져 나가다; 탈락하다; 생략되다; 정지되다, 폐지〔금지〕되다. **~|fangen*** *t.* (붙)잡아 가 버리다. **~|fischen** *t.* 고기를 잡다〔낚다〕; 《比》 잡아 채다, 빼앗다. **~|⸗führen** *t.* 데리고 가 버리다; 운반해 가다. **~gang** [vɛ́k-] *m.* -(e)s, 퇴거(退去), 출발. **~|gēben*** *t.* 주어 버리다, 포기하다; 넘겨 주다. **~|gēh(e)n*** *i.*(s.) 가 버리다, 떠나가다; 팔려 가다, (상품이) 팔리다. ¶über et. ~gehen 무엇을 스쳐 넘어가다; 《比》 얕잡다, 대수롭지 않게 여기다.

Wēggenosse [vé:kgənɔsə] *m.* 길동무, 동행자.

weg⸗|hāben* 《俗》 *t.* 얻어〔받아〕 가지고 있다; 《比》 배우고〔터득하고〕 있다. **~|⸗haschen** *t.* 빼앗아 가다, 잡아채다. **~|hōbeln** *t.* 대패로 깎아내다. **~|hō⸗len** *t.* 가지고〔데리고〕 가(버리)다. **~|⸗hüpfen** *i.*(s.) (깡충깡충) 뛰어가다. **~|jāgen** *t.* 쫓아내다, 추방하다. **~|⸗kāpern** *t.* 빼앗아가다, 가로채다; (배를) 나포하다. **~|kehren** *t.* 쓸어내(버리)다; 내쫓다. **~|kommen*** *i.*(s.) 떠나(가)다, 헤어지다, 나가다; 도피하다, 벗어나다; 없어지다; 놔두어 분실되다. ¶gut bei et. ~kommen 무엇을 잘해 넘기다 / schlecht ~kommen 무엇을 그르치다, 실패하다. **~|können*** *i.*(h.) 떠날〔헤어질〕 수 있다. **~|kriegen** *t.* = ~|BEKOMMEN; =~|BRINGEN.

weg⸗|lassen* [vɛ́klasən] *t.* 가게하다; 석방하다; 생략하다(*omit*); 빼다, 빠뜨리다(*drop*). **~lassung** *f.* -en, 생략; 탈루(脫漏). **~|laufen*** *i.*(s.) 뛰어〔급히〕 가 버리다; 달아나다. **~|lēgen** *t.* 제거하다, 치우다.

wēglōs [vé:klo:s] *a.* 길이 없는; 다닐 수 없는.

weg|machen [vɛ́kmaxən] 《Ⅰ》 *t.* 떼다, 옮기다, 제거하다. ¶《俗》 einen ~, a) 선잠자다, b) 갈짓자 걸음을 걷다, c) 경례하다, d) 수감중이다, e) 독무대(獨舞臺)이다. 《Ⅱ》 *refl.* 《俗》 떠나가다, 퇴거〔도망〕하다.

wēgmüd(e) [vé:kmy:d(ə)] *a.* 여행에 지친; 인생에 싫증난; 염세적인.

weg|müssen* [vɛ́k-] *i.*(h.) 떠나야만 하다.

Wegnahme [vɛ́kna:mə] *f.* -n, 제거; 탈취(奪取); 〖法〗 압류; 〖軍〗 약취(略取); 〖海〗 나포. **weg⸗|nehmen*** *t.* 떼어내다, 제거하다; 탈취하다; 〖法〗 압류하다;

〖軍〗 약탈하다; 〖海〗 포획〔나포〕하다.

weg=|radieren *t.* 긁어 지우다, 삭제〔말살〕하다. ～|**raffen** *t.* 잡아 채다, 빼앗아 가다. ～|**räumen** *t.* 제거하다, 치우다; 죽이다. ～|**reisen** *i.*(s.) 떠나다, 출발하다. ～|**reißen*** *t.* 잡아채다, 찢다; (집 따위를) 헐어 버리다. ～|**reiten*** *i.*(s.) 말타고 가 버리다. ～|**rollen** *t.* 굴러가 버리다. ～|**rücken** *t.* 밀어 제치다, 옆으로 물리다; *i.*(s.) 철퇴〔퇴거〕하다. ～|**rudern** *i.*(s.) 저어 가다; *t.* 저어 멀어지게 하다. ～|**sägen** *t.* (톱으로) 켜 버리다.

wegsam [vé:kza:m] [<Weg] *a.* 통행할 수 있는.

weg|schaffen [vékʃafən] *t.* 옮기다, 날라가 버리다, 치우다; 제거하다; 〖數〗 소거(消去)하다.

Wegscheide [vé:kʃaidə] *f.* 기로, 갈림「길, 네거리.」

weg=|schenken [vék-] *t.* 주어 버리다, 선사하다. ～|**scheren**(*) *t.* 잘라내다, (수염을) 깎아 버리다; *refl.* 떠나가다. (피해) 달아나다. ～|**scheuchen** *t.* 을러서 쫓아 버리다. ～|**schicken** *t.* 보내다; (편지를) 내다; 파견하다; 해고하다. ～|**schleppen** *t.* 끌고 가 버리다. ～|=**schließen*** *t.* 넣고 자물쇠를 채우다, 가둬 버리다. ～|**schnappen** *t.* 덥석 물어 떼다. ～|**schneiden*** *t.* 잘라 내다; 〖醫〗 절단하다. ～|**schwemmen** *t.* 씻어 버리다〔내다〕. ～|**sehen*** *i.*(h.) 옆을 보다; 외면하다. ¶über et.[4] ～sehen 무엇을 간과(看過)하다; 무시(無視)하다. ～|**sehnen** *refl.* 자꾸 떠나고 싶어지다. ～|**sein*** *i.*(s.) 《두 말로 쓰는 일이 많음: **weg sein**》 있지 않다. ¶über et.[4] weg sein 무엇을 초월〔졸업〕하고 있다. ～|**senden**(*) *t.* 보내다, 발송하다; 파견하다. ～|**setzen** 《Ⅰ》 *t.* 떼어 놓다, 옮기다, 제거하다; 멀리하다. 《Ⅱ》 *refl.* 떨어져 앉다; (über et.[4], 을) 구애하지 않다, 무시하다. 《Ⅲ》 *i.*(s.): über et.[4]: 뛰어 넘다. ～|**spülen** *t.* 씻어 버리다, 흘려 버리다. ～|**stehlen*** *t.* 훔쳐 가 버리다; *refl.* 슬쩍 도망하다. ～|**stellen** *t.* 곁에 놓다, 옮겨 놓다, 치우다. ～|=**sterben*** *i.*(s.) 사망하다, 죽다.

Wegstunde [vé:kstundə] *f.* 1시간의 노정〔거리〕.

weg=|taumeln *i.*(s.) 비틀거리며 물러가다. ～|**tragen*** *t.* 싣고 가 버리다. ～|=**treten*** *i.*(s.) (걸어) 가 버리다; 헛디디다; 〖軍〗 대열을 해산하다. ～|**trinken*** *t.* 마셔 버리다. ～|**tun*** *t.* 옆으로 밀어 놓다, 옮기다; 치우다; 제거하다; 버리다; 해고하다.

Wegwarte [vé:kvartə] [„die am Wege Wartende"] *f.* 〖植〗 치커리(*chicory*).

weg=|waschen* [vékvaʃən] *t.* 씻어 버리다〔내다〕. ～|**weisen*** *t.* (에게) 퇴거를 명하다; 몰아내다; 해고하다.

Wegweiser [vé:kvaizər] *m.* ① 길 안내(인). ② 이정표(里程標), 길잡이; 《比》 지침; 여행 안내서.

weg=|wenden(*) [vékvɛndən] 외면하다. ～|**werfen*** 《Ⅰ》 *t.* 던져 버리다, 방기(放棄)하다; 《比》 배척하다, 물리치다. 《Ⅱ》 *refl.* 위신을〔품위를〕 떨어뜨리다. 《Ⅲ》 ～**werfend** *p.a.* 모멸적인. ～=**werfbare** *f.* 일회용(一回用) 상품《종이컵 따위》. ～|**wischen** *t.* 닦아 내다〔버리다〕. ～|**wünschen** *t.* 없기를〔가 버리기를〕 바라다.

Weg=zehrung [vé:ktse:ruŋ] *f.* 여행용 식량; 노자(路資). ～**zeichen** *n.* 이정표.

weg=|ziehen* [véktsi:ən] 《Ⅰ》 *t.* 당겨〔끌어〕가다, 빼내다, 떼어 내다. 《Ⅱ》 *i.*(s.) 떠나(가)다, 출발〔퇴거〕하다; 옮기다; (철새가) 천동(遷動)하다. ～**zug** *m.* 출발; 퇴거; 이사; 이주; 철새가 떠남.

weh [ve:] 《Ⅰ》 *int.* ① ～! (아아) 아프다, (아아) 슬프다. ② (에게) 재앙이 있을진저; (에게) 화가 있으라(♀*woe*). ¶～ ihm! a) 그에게 화가 있도다, b) 그에게 화 있을진저. 《Ⅱ》 *a.* 쓰라린, 괴로운(*sore*). ¶jm. ～(e) tun 아무에게 고통을 주다 / der Kopf tut mir ～ 나는 머리가 아프다. 《Ⅲ》 **Weh** *n.* -(e)s, -e, ① 고통〔비탄〕의 외치는 소리, 비명. ② 쓰라림, 고통; 비통; 비탄, 비명; 화, 불행. **wehe** [vé:ə] =WEH. **Wehen** *pl.* 〖醫〗 출산의 고통, 진통.

wehen [vé:ən] [♀Wied] *i.*(h.) (바람이) 불다(*blow*); (바람에) 불리다, 나부끼다, 휘날리다(*flutter, wave*). ¶es weht 바람이 분다 / ～ lassen 휘날리다.

Weh=frau [vé:-] *f.* -en, 《俗》 조산원, 산파. ～**geschrei** *n.* 비명, 애읍(哀泣). ～**klage** *f.* 비탄, 수탄(愁歎). ～=**klagen** *i.*(h.) 비탄〔애읍·통곡〕하다.

weh·leidig [vé:laidıç] *a.* 불쌍한; 우는 소리 잘하는.

Wehmut [vé:mu:t] *f.* 비애, 애수, 애상(哀傷), 우수. **wehmütig** *a.* 가련한, 슬픈.

Wehmutter [vé:mutər] *f.* 조산원, 산「파.」

Wehr[1] [ve:r] [<wehren] 《Ⅰ》 *f.* -en, ① 방어(*defence*). ¶sich zur ～ setzen 〔stellen〕 방어〔저항〕하다. ② 방구(防具), 무기《특히 검》(*weapon*). ③ 방위대; 국방군. 《Ⅱ》 **Wehr**[2] *n.* -(e)s, -e, 제방; 방파제; 둑, 방죽(♀*weir, dam, dike*).

Wehr=beitrag *m.* 방위 성금. ～=**bezirk** *m.* 군관구(軍管區).

wehren [vé:rən] 《Ⅰ》 *t.* u. *i.*(h.) 방지〔저지〕하다(*stop, check, suppress, prevent*). 《Ⅱ》 *refl.* (gegen, 을) 막다, (에) 저항하다. ¶sich s-r Haut 〔s-s Lebens, Leibes〕 ～ 죽을 힘을 다하여 저항하다.

Wehrersat·behörde *f.* 병원(兵員) 보충국. ～**wesen** *n.* 병원 보충 (사무).

wehr=fähig *a.* 병역 능력〔의무〕 있는. ¶im ～fähig en Alter 징병 적령의. ～**gehänge**, ～**gehenk** *n.* 〖軍〗 견대(肩帶), 검대(劍帶). ～**gesetz** *n.* 징병령; 병역법.

wehrhaft [vé:rhaft] *a.* 무기를 들〔병역을 감당할〕 수 있는, 전투력이 있는, 강력한. ¶～ machen, a) 무장시키다, b) 계엄령을 펴다.

Wehr=kraft *f.* 국방력, 방위군. ～**los** *a.* 방어력 없는; 무기 없는. ¶～los machen 무장 해제하다. ～**macht** *f.* 방어력; 국방군. ～**ordnung** *f.* 징병령. ～**paß** *m.* 군인 수첩. ～**pflicht** *f.* 병역 의무. ～**pflichtig** *a.* 병역 의무 있는; 징병 적령의. ～**recht** *n.* 국

W

방법. ~**sold** *m.* 군인 급료. ~**stand** *m.* 군인 계급, 군대. ~**wirt·schaft** *f.* 국방 경제, 군대 경리. ~**wissenschaft** *f.* 국방학.

Weib [vaip] *n.* -(e)s, -er, ① (성숙한) 여인(*woman*); 《總稱》 여성; 유부녀, 처, 아내(♀*wife*). ② 《蔑》 여편네, 마누라. **Weibchen** [váipçən] *n.* -s, - *u.* Weiberchen, 작은〔귀여운〕 여자; 애처(愛妻)《애칭으로》; (동물의) 암컷(*female*).

Weiber·arbeit [váibər-] *f.* 부녀 노동. ~**ārt** *f.* 여성풍(風). ~**feind** *m.* 여성 혐오(의 남자). ~**freund** *m.* 호색군.

weiberhaft [váibərhaft] *a.* 여자같은, 여성적인; 계집애 같은.

Weiber·herrschaft *f.* 여인 천하, 내주장(*petticoat government*). ~**rock** *m.* 여자의 저고리; 페티코트. ~**scheu** *a.* 여자를 두려워 하는; 여자를 싫어하는. ~**volk** *n.* 《總稱》 여자들, 여편네들.

weibisch [váibɪʃ] *a.* 여자 같은(*womanish*); 나약한. **weiblich** [váiplɪç] *a.* 여자의, 여성의; 〔動·植〕 암컷의(*female*); 여자다운, 여성적인(*womanly*); 〔文〕 여성의. **Weiblichkeit** *f.* 여자임; 여자다움; 여자 같음; 《總稱》 여자들, 여성. **Weibs·bild** [váips-] *n.* 《蔑》 계집, 년, 암컷.

Weibs·leute [váips-] *pl.* 아낙네들, 여자들. ~**persōn** *f.* =~BILD. ~**volk** *n.* =~LEUTE.

weich [vaiç] [<weichen¹] *a.* ① 휘기 쉬운, 연한, 부드러운(*soft*); 연약한, 약한(♀*weak*). ¶ ~es Ei 반숙한 계란. ② 《比》 유약〔연약〕한; 유화한; 정에 무른, 상냥한(*tender*). ¶ mir wurde ganz ~ ums Herz 나는 깊이 감동되었다.

Weichbild [váiçbɪlt] [前半: =lat. *vīcus* „Ort"; 後半: ♀billig; „Recht"의 뜻] *n.* -(e)s, -er, 시(市)의 권한이 미치는 지역; 시의 영역(*precincts, municipal area*).

Weiche¹ [váiçə] *f.* -n, ① 부드러움; 유연(함); 《比》 유약; 연약; 온유. ② 〔解〕 옆구리(*side, flank*).

Weiche² [váiçə] *f.* -n, 〔鐵〕 전철기(轉轍器); 전철(*points, switch*). ¶ ~n (um)stellen 전철하다. **weichen¹*** [váiçən] 《Ⅰ》 *i.*(s.) ① 길을 비켜 주다; 《比》 양보〔굴복〕하다, 좇다(*yield, give way*). ② (von, 에서) 물러나다, 피하다(*quit, abandon*); 〔軍〕 퇴각하다, 밀리다. ¶ jm. **an** 〔**in**〕 et.³ ~ 어느 점에서 아무만 못하다, 꿀리다 / **von** jn. (ab)~ 아무에게서 손을 떼다, 저버리다 / **vor** jm. ~ 아무에 양보〔굴복〕하다. ③ 〔商〕 (시세가) 하락하다. 《Ⅱ》 **Weichen** *n.* -s,: zum ~ bringen 물러나게 하다, 퇴각시키다.

weichen² [váiçən] *t.* 연하게 하다; *i.*(s.) 연하게 되다; 《比》 유약〔연약〕하게 되다.

Weichen·signāl *n.* 전철 신호. ~·**steller**, ~**wärter** *m.* 전철수(轉轍手).

Weichheit [váiçhait] *f.* -en, ① 연함, 부드러움; 《比》 유약; 연약; 온유. ② 위의 언행(言行).

weichherzig [váiçhɛrtsɪç] *a.* 마음씨가 고운, 다정 다감한(*tenderhearted*).

weichlich [váiçlɪç] *a.* 약간 연한; 흐물흐물한; 《比》 유약한, 허약한; 섬약(纖弱)한. **Weichlichkeit** *f.* -en, 위임; 위의 언행. **Weichling** *m.* -s, -e, 유약한 사람, 나약한 남자; 호색가.

Weichsel¹ [váiksəl] [lat. <*Vistula*] *f.* 바이크셀 강《독일 동부의 강》.

Weichsel² [váiksəl] *f.* -n, 〔植〕 유럽산 벚나무; 그 열매.

Weichselzopf [váiksəltsɔpf] *m.* [„Hexen-zopf"; 前半은 "요마(妖魔)"의 뜻으로, 원래 poln., Weichsel¹ 강변에 많으므로] 〔醫〕 규발병(糾髮病)《*elf-lock*, 요정의 짓이라는 상상에서》.

Weich·teile [váiç-] *pl.* (몸의) 유연부(柔軟部). ~**tier** *n.* 〔動〕 연체(軟體) 동물(*mollusc*).

Weide¹ [váidə] *f.* -n, 〔植〕 수양버들(*willow*); (Korb~) 꽃버들(*osier*).

Weide² *f.* -n, † 사냥; 목장(*pasture*). **Weideland** *n.* 목장지(牧場地), 방목지.

weiden¹ [váidən] *a.* 버들의, 버들로 만든.

weiden² 《Ⅰ》 *i.*(h.) (가축이) 목장의 풀을 먹다(*graze*). 《Ⅱ》 *t.* 목장으로 몰다; 방목하다; 《比》 즐겁게 하다. 《Ⅲ》 *refl.* (an, 을) 즐기다(*feast one's eyes* (*on*)).

Weiden·geflecht *n.* 버들 가지 세공(細工). ~**korb** *m.* 고리 광주리. ~**rūte** *f.* 버들 가지; 그 회초리.

weidlich [váitlɪç] [*eig.* „jagdgemäß"] *adv.* 크게(*greatly*); 확고하게; 실컷(*thoroughly*).

Weid·mann [váit-] *m.* 사냥꾼《본직으로 삼는》. ~**männisch** *a.* 사냥꾼의; 사냥꾼 같은; 사냥〔수렵〕의. ~**manns·sprāche** *f.* 사냥 용어, 수렵 용어. ~·**messer** *n.* 사냥칼. ~**werk** *n.* 사냥; 사냥꾼의 직(職).

Weife [váifə] *f.* -n, 도투마리, 물레(*reel*). **weifen** *t.* 물레에 감다(*reel, wind*).

weigern [váigərn] *refl.* 거절하다, 원치 않다(*refuse, decline*). **Weigerung** *f.* -en, 거절(*refusal*).

Weih [vai] *m.* -(e)s, -e, 〔鳥〕 소리개의 일종(*kite*).

weih.. [vái-] [*eig.* „heilig": ♀weihen] 《合成用語》 "성스러운, 신성한"의 뜻.

Weih·altār *m.* 제단(祭壇). ~**becken** *n.* 성수반(聖水盤). ~**bischof** *m.* 보좌주교. ~**brōt** *n.* 〔가톨릭〕 성병(聖餠).

Weihe [váiə] *f.* -n, ① 신성하게 함, 축성식(祝聖式); 봉납(식), 봉헌(식); 성직(聖職) 수여(식); 서품(敍品)(식). ② 《比》 신성; 신력(神力), 영력(靈力); 장중(莊重), 영감(靈感)(*solemn mood*).

weihen [váiən] [*eig.* „heiligen"] *t.* ① 신성하게 하다, 축성(祝聖)하다(*consecrate*); 봉납〔봉헌〕하다(*inaugurate*); 성직에 임명하다, 서품(敍品)하다(*ordain*). ② 바치다(*devote, dedicate*).

Weiher [váiər] [Lw. lat. <*vīvus* „lebend"] *m.* -s, -, (인공의) 못(*pond*); (주로) 양어지(養魚池)(*fishpond*).

weihevoll [váiəfɔl] *a.* 엄숙한, 장중한; 영감에 찬.

Weih·gābe [váiga:bə] *f.* 공물(供物), 봉헌물(奉獻物), 제물. ~**kessel** *m.* 성수반(聖水盤).

Weihnachten [váinaxtən] [„geweihte Nacht", <weih-] *pl.* 크리스마스(*Christ-*

mas). **weihnachtlich** *a.* 크리스마스의; 크리스마스다운.

Weihnachts=ābend [váinaxts-] *m.* 크리스마스 이브〔전야〕. **~baum** *m.* 크리스마스 트리. **~beschērung** *f.* 크리스마스 선물(의 수여). **~karte** *f.* 크리스마스 카드. **~lied** *n.* 크리스마스 송가. **~mann** *m.* 산타클로스(*Santa Claus*).

Weihrauch [váiraux] *m.* 방향, 향연(香煙)(*incense*). **~faß** *n.* 향로(香爐).

Weih=wasser *n.* 〘가톨릭〙 성수(聖水). **~wēdel** *m.* 성수 관수기(聖水灌水器).

weil [vail] [<Weile] *cj.* …때문에, …이므로(*because, since*).

weiland [váilant] [*eig.* „zu Zeiten", <Weile] *adv.* 이전에, 옛날에; *a.* 고(故), 고인이 된.

Weile [váilə] [*eig.* „Zeit, Stunde"] *f.* ① (어떤 일정한) 시간, 겨를(♈*while*). ② 틈, 여가(*leisure*). ¶ 《俗談》 eile mit ~ 급하거든 천천히 하라. **Weilchen** *n.* -s, -, 잠시 (동안), 잠깐. ¶ warte ein ~! 잠깐 기다려. **weilen** [váilən] *i.*(h.) (얼마 동안) 머무르다; 체재하다(*stay, tarry*); 우물쭈물하다, 망설이다(*linger*).

Weiler [váilər] [lat. <Villa] *m.* -s, -, (개개의) 농가; 동리; 부락, 작은 마을(*hamlet*).

Wein [vain] [lat. <*vīnum*] *m.* -(e)s, -e, ① 포도주, 《一般的》 술(♈*wine*). ¶ Brot u. ~ 성찬(聖餐) / Wasser predigen u. ~ trinken 술꾼의 금주 설교. ② 포도 송이; 포도나무(♈*vine*). ¶ wilder ~ 산포도, 머루.

Wein=bau *m.* 포도 재배. **~bauer** *m.* -s u. -n, -n, 포도 재배자. **~=beere** *f.* 포도 열매〔알〕. **~berg** *m.* (산허리의) 포도원. **~berg(s)schnecke** *f.* 〘動〙 식용 달팽이. **~blatt** *n.* 포도잎.

weinen [váinən] [<weh!] *i.*(h.) 울다(*weep, cry*). ¶ vor Freude ~ 기쁨의 눈물을 흘리다 / um jn. ~ 아무를 애도하여 울다. **weinerlich** [váinərlıç] *a.* 잘 우는, 우지인; 울상을 한; 눈물을 자아내는, 가련한.

Wein=ernte [váin-] *f.* 포도의 수확. **~=essig** *m.* 포도로 만든 초. **~faß** *n.* 포도주 통; 《比》 술고래. **~flasche** *f.* 포도주 병. **~garten** *m.* 포도원. **~=gärtner** *m.* 포도 재배자. **~gēgend** *f.* 포도(주) 생산지. **~geist** *m.* 주정(酒精), 알콜(*spirit of wine, alcohol*). **~glās** *n.* 포도주 잔. **~handel** *m.* 포도주 장사. **~händler** [-hɛndlər, -hɛntl-] *m.* 포도주 상인. **~handlung** [-handl-, -hantl-] *f.* 포도주 가게; 술집. **~haus** *n.* 포도주 가게; 술집. **~=hēfe** *f.* 포도주 재강〔찌꺼기〕. **~keller** *m.* 포도주를 저장하는 땅광; (지하실에 있는) 포도주점. **~kenner** *m.* 포도주 감식가.

Weinkrampf [váinkrampf] *m.* 흐느껴 욺; 〘醫〙 (히스테리성의) 체읍(啼泣) 경련.

Wein=kūfer *m.* 포도주 통을 만드는 사람. **~lāger** *n.* 포도주 창고; 저장한 포도주. **~land** *n.* 포도주 생산지. **~=laub** *n.* 포도의 군엽(群葉). **~lēse** *f.* 포도따기. **~lēser** *m.*, **~lēserin** *f.* 포도따는 사람. **~most** *m.* 포도즙(汁). **~presse** *f.* 포도 압착기. **~=prōbe** *f.* 포도주 시음(試飮); 포도주 견본. **~ranke** *f.* 포도 덩굴. **~rēbe** *f.* 〘植〙 포도속(屬); 포도나무의 줄기. **~=reich** *a.* 포도(주)가 많은. **~reisende** *m.* u. *f.* 《形容詞變化》 포도주 출장 판매원. **~säure** *f.* 포도주의 신 맛; 〘化〙 주석산(酒石酸). **~schank** *m.* 포도주점. **~schenk** *m.* 포도주점 주인. **~=stein** *m.* 〘化〙 주석(酒石). **~stock** *m.* 포도(나무·줄기). **~stūbe** *f.* 포도주 가게. **~traube** *f.* 포도 송이. **~=zeche** *f.* 포도주값. **~zoll** *m.* 포두주 관세.

weis(e)! [váis, -zə] ☞ WEISEN《그 命令形》.

weis [váis] [*eig.* „wissend (=sehend)", <wissen] *a.* =~MACHEN, =~SAGEN. **weise** [váizə] *a.* 지혜가 있는, 현명한(♈*wise*). **Weise**[1] [váizə] *m.* u. *f.* 《形容詞變化》 현자(賢者), 현인.

Weise[2] [váizə] [♈wissen (*eig.* „sehen") weise, *eig.* „Aussehen"] *f.* -n, 태도, 방법, 하는 법 (*manner, way, method*); 버릇, 습관(*fashion*); 〘文〙 화법; 〘樂〙 (Sing~) 가락, 곡조(*melody, tune*); 곡, 노래(*song, air*). ¶ Art u. ~ 방법, 방식, 양식 / **auf** diese ~ 이 방법으로, 이렇게 하여 / **in** der ~, daß... …라는 식으로 / jeder **nach** s-r ~ 각인 각색으로, 각자 제멋대로.

weisen* [váizən] [<weise; „wissend machen"] 《Ⅰ》 *t.*: jn.: (에게) 가르치다; 훈계하다, 설유하다; jm. et.: 이르다, 가리키다, 지시하다(*show, point out*); (에게) (어떤 곳에 가라고) 명령하다, 어떤 곳으로 안내하다(*direct*). ¶ jn. **an** jn. ~ 아무를 어떤 사람에게(부탁·호소하러) 가도록 이르다〔명령하다〕 / jn. **auf** et. ~ 아무에게 무엇을 주의하도록 이르다〔명령하다〕 / jn. **aus** der Schule ~ 아무를 학교에서 내쫓다 / jn. nach et. ~ 아무를 어떤 쪽으로 향하게 하다 / et. **von** sich ~ 무엇을 물리치다, 거절하다. 《Ⅱ》 *i.*(h.) (auf et., 을) 가리키다, 지적하다. 《Ⅲ》 **gewiesen** *p.a.* 정해진, 일정한; 바른, 지당한. **Weiser** [váizər] *m.* -s, -, 지시자, 교시자(敎示者); 안내자; (시계의) 지침(指針).

Weis·heit [váishait] *f.* -en, ① 지혜(가 있음), 슬기로움, 예지(*wisdom*); 현명(*prudence*). ② 교훈; 격언; 진리.

weislich [váislıç] *a.* 슬기로운, 현명한; *adv.* 슬기롭게, 현명하게(도).

weis|machen [váismaxən] [„wissend machen"] *t.*: jm. et. ~ 아무에게 무엇을 곧이듣게 하다, 아무를 속여서 무엇을(참말로) 믿게 하다.

weiß[1] [vais] (ich ~, er ~) ☞ WISSEN《그 現在》.

weiß[2] [vais] [*eig.* „glänzend"] *a.* 희게 빛나는(*blank*); 흰, 무색의; 깨끗한; 순결한; 결백한(♈*white*). ¶ ein ~er Rabe 흰 까마귀; 《比》 아주 드문 것〔사실〕/ das ~e Haus 백악관 / die ~e Fahne aufziehen 백기를 걸다《항복 등의 표시로》.

weissāgen [váisza:gən] [<mhd. *wîs-*

sage „Seber" (<wissen); 이를 weis 와 sagen 에 관련시켜 訛轉함] *t.* u. *i.*(h.): jm. et.: 예언하다(*prophesy*); 예시하다, 전조를 보이다(*predict*). **Weissāger** *m.* -s, -, **Weissāgerin** *f.* -nen, 예언자, 점장이. **Weissāgung** *f.* -en, 예언; 예시, 예보.

Weiß·bäckerei [váis–] *f.* 흰 빵 파는 집, 빵 과자점. **~bier** *n.* 흰 맥주(베를린 명물). **~blech** *n.* 생철(판). **~blūtigkeit** *f.* 백혈병. **~brōt** *n.* 흰 빵. **~būche** *f.* 〖植〗소나무속의 일종. **~dorn** *m.* 〖植〗=HAGEDORN.

Weiße [váisə] 《Ⅰ》 *f.* 흼, 백색; 흰 맥주(베를린산의). 《Ⅱ》 der 〔die〕 ~, die ~n 백인 (=WEIB²). **weißeln** *t.* 조금 하얗게 하다, 희미하게 희게 칠하다. **weißen** *t.* 희게 하다, 희게 칠하다; (에) 흰 페인트를 칠하다.

Weiß·fisch *m.* 〖魚〗(유럽산) 대구. **~fluß** *m.* 〖醫〗(여자의) 백대하(白帶下). **~gerber** *m.* 가죽을 희게 하는 무두장이. **~glühend** *a.* 백열(白熱)의. **~glūt** *f.* 백열(白熱). **~kohl** *m.* 흰 양배추. **~kraut** *n.* =~KOHL.

weißlich [váislıç] *a.* 조금 흰, 희끄무레한, 표백한.

Weiß·mehl *n.* 밀가루. **~metall** *n.* 〖冶〗땜납. **~näherei** *f.* 흰것〔무지(無地)〕의 바느질(거리).

weißt [vaist] (du ~) ☞ WISSEN(그 現在).

Weiß·tanne *f.* 〖植〗독일 가문비나무. **~wāren** *pl.* 흰 린네르·캘리코류(類); 내의류. **~wein** *m.* 흰 포도주. **~wurst** *f.* (Bayern 산(産)) 흰 소시지. **~zeug** *n.* 흰 린네르, 흰 캘리코, 무지의 천.

Weisung [váizuŋ] *f.* -en, 지시, 교시, 지령, 훈령, 명령; 훈계; 환어음, 수표.

weit [vait] 《Ⅰ》 *a.* 넓은(♈*wide, large*); 먼, 요원한(*far off, distant*). 《Ⅱ》《動詞的》 es ~ bringen 진보〔숙달·성공〕하다 / ~ gehen, a) 멀리 가다, b) 극단에 흐르다 / ~ kommen 나아가다, 진척되다. 《Ⅲ》《名詞的》 das ~e 먼 곳 / das ~e suchen 도주하다 / 《小文字》 **bei** ~em 훨씬, 월등하게 / **von** ~em 멀리에서, 먼 눈으로는. 《Ⅳ》 **weitab** *adv.* 멀리, 아득하게, 매우, 훨씬.

weit·aus [váit-aus, vait-áus] *adv.* 멀리, 아득히. **~bekannt** *a.* 널리 알려진. **~blickend** *a.* 선견지명이 있는.

Weite [váitə] 《Ⅰ》 (das ~) =WEIT. 《Ⅱ》 *f.* -n, ① 넓음, 넓이, 너르기, 면적; 넓은 곳; 직경, 구경, 폭원(幅員); 《比》 여지. ② 멂, 멀기; 간격, 거리; 먼 곳. ¶ ~ des Weges 이수(里數), 노정(路程) / in die ~ ziehen 멀리 가다, 멀리 여행하다. **weiten** [váitən] *t.* 넓게 하다, 넓히다; *refl.* 넓어지다, 퍼지다.

weiter [váitər] (weit의 比較級) 《Ⅰ》 *a.* 더 넓은; 더 먼, 더 떨어진; 더 앞의, 더 나아간, 그 밖의, 그 이상의. 《Ⅱ》《名詞的》 das ~e 그 앞〔뒤·밖〕의 일, 나머지 일, 자세한 사연; 《小文字》 **bis auf** ~es 뒤미처 기별이 있을 때까지, 당분간, 우선 / **ohne** ~es 즉각, 당장에, 척척, 아무렇게나 / des ~en 또, 더욱, 그 다음; 그 뒤, 장차. 《Ⅲ》 *adv.* 더욱 멀리, 보다 아득히; 더욱 계속하여, 여전히; 더우기, 또, 그 밖에. ¶ und so ~ 따위, 등등《略: usw.》.

weiter·|befördern *t.* (더 앞으로) 운반〔수송〕하다. **~|bestēh(e)n*** *i.*(h.) (더욱 더) 존속하다. **~|empfehlen*** *t.* 타에 추천하다. ¶ bitte ~ Sie mich weiter! 잘 말씀해 주십시오. **~fort** [vái-tərfɔrt, vaitərfɔ́rt] *adv.* 더 앞으로, 잇달아. **~|führen** *t.* 속행〔계속〕하다. **~|gēh(e)n*** *i.*(s.) 앞으로 나아가다; 진전〔발전〕하다. **~hin** [váitərhın, vait-ərhín] *adv.* 더 앞으로; 더욱 더, 그 후. **~|kommen*** *i.*(s.) 전진〔진행·진척〕하다. **~|leiten** *t.* =~|BEFÖRDERN. **~|lēsen*** *t.* u. *i.*(h.) 앞으로 읽어 나가다, 계속해서 읽어 나가다. **~marsch** *m.* 행군〔진군〕계속.

weitern [váitərn] *t.* 퍼뜨리다; *refl.* 퍼지다.

Weiterreise [váitərraizə] *f.* 여행의 계속.

weitersāgen [váitərza:gən] *t.* 계속해서 그 다음을 말하다; 말로 전하다.

Weiterung [váitəruŋ] *f.* -en, (흔히: *pl.*) 군 절차, 번거로운 형식; 얽힘, 분규(紛糾); 성가심.

weit·gēhend [váit–] *a.* 넓은; 멀리까지 미치는; 지나친, 과도한. **~hēr** [váit-he:r, vaithé:r] *adv.* 멀리에서. **~hērgeholt** *a.* 멀리에서 가져온; 《比》 인연이 먼, 견강 부회의. **~herzig** *a.* 마음이 넓은, 관대한. **~hin** [váithin, vait-hín] *adv.* 멀리(로), (그때까지) 오랫 동안. **~läuf(t)ig** *a.* 넓은 (*spacious, large*); 멀리 떨어진; 혈연이 먼(*distant*); 《比》 장황한, 상세한(*lengthy, detailed*); *adv.* 상세하게, 자세히. **~läuf(t)igkeit** *f.* -en, 넓음, 광대; 상세, 위곡(委曲); 장황; 번쇄(煩瑣), 번거로움. **~maschig** *a.* (그물·편물 따위의) 눈이 성긴. **~schweifig** *a.* 광대한; 《比》 지리한, 우원(迂遠)한, 장황한. **~schweifigkeit** *f.* 위임. **~sichtig** *a.* 〖醫〗원시의; 먼 눈이 밝은; 《比》 선견지명이 있는. **~sichtigkeit** *f.* 〖醫〗원시(遠視); 《比》 선견지명(이 있음). **~sprung** *m.* 〖體〗넓이뛰기. **~verbreitet** *a.* (널리) 퍼진, 보급된.

Weizen [váitsən] [♈weiß; (가루빛이 흼)] *m.* -s, 밀(♈*wheat, corn*).

Weizen·bau *m.* 밀 재배. **~brōt** *n.* 밀가루빵, 흰빵. **~mehl** *n.* 밀가루.

welch [vɛlç] [we-: ♈wie, -lch =-lich (<Leiche „Leib, Gestalt")] *prn.* 《Ⅰ》 《疑問》 어느, 어떤(♈*which*); 《感嘆》 얼마나 …한(*what*); 《名詞的》 어느(사람·것) (♈*which, what*). 《Ⅱ》 《不定》 몇, 얼마(큼), 약간(*some, any*). ¶ ~ auch immer 누구이건, 무엇이든, 하여튼 / irgend(-) ~e 누구인가 어떤 (사람), 무엇인가 어떤 (것). 《Ⅲ》 《關係》 (♈*which, who, that*). ¶ der Mann, ~er es behauptet 그것을 주장하는 남자 / der Soldat, ~en ich sah 내가 본 병사. **welcher·ārt** *adv.* 어떤 (방)식으로, 어떻게. **welchergestalt** *adv.* 어떤 형태〔방식으〕로. **welcherlei** [vɛ́lçərlai, vɛl-çərlái] *a.* 《無變化》 어떤 종류의, 여하한, 어떠한.

welk [vɛlk] *a.* 시든, 이운(*withered, flabby*). **welken** [vɛ́lkən] *i.*(s.) 시들다, 이울다(*wither, fade*).

Well=baum [vɛ́l–] *m.* 윤축(輪軸)《물레방아 등의》. ~**blech** *n.* 주름잡힌 함석판.

Welle [vɛ́lə] [*eig.* „Wallendes"] *f.* –n, ① 파도, 물결(*wave, billow*); 〖物〗 파동; (토지의) 기복. ¶ ~n schlagen 물결을 일게 하다; 〖物〗 파동치다. ② 〖工〗 회전축, 굴대(*shaft, spindle*). ③ 나무 다발(*bundle*). **wellen** [vɛ́lən] *t.* 물결 모양으로 하다. ¶ gewellte Haare 퍼머넨트한〔웨이브진〕 머리 카락.

Wellen=bād *n.* 해수욕. ~**bereich** *m.* 〔*n.*〕 (라디오의) 전파 전달 구역. ~**bewē=gung** *f.* 파동(*undulation*). ~**brecher** *m.* 방파제. ~**förmig** *a.* 물결 모양의, 파상의, 기복이 있는 (토지). ~**länge** *f.* 〖電〗 파장(波長). ~**linie** *f.* 파상선; 〖印〗 파선괘(波線罫). ~**messer** *m.* 〖電〗 파장계(計). ~**reiten** *n.* 파도타기《수상 스포츠의 일종》. ~**schlāg** *m.* 물결침; 파동. ~**sittich** *m.* 〖鳥〗 앵무새의 일종. ~**theorie** *f.* (빛의) 파동설.

Wellfleisch [vɛ́lflaiʃ] [<wällen, *eig.* „Wällfleisch"] *n.* 갓 삶은 신선한 돼지 고기.

wellig [vɛ́lıç] *a.* 물결치는, 물결 모양의; 기복이 있는 《구릉지》.

Well=pappe [vɛ́lpapə] *f.* (한쪽에) 파형(波形)(의 기복이 있는) 판지(板紙). ~=**rād** *n.* 축륜(軸輪). ~**sand** *m.* 〖海〗 유사(流砂). ~**zapfen** *m.* 〖工〗 선반축(旋盤軸), 선회 지축(旋回支軸). 「*whelp*).

Welpe [vɛ́lpə] *m.* –n, –n, 강아지(♈

welsch [vɛlʃ] *a.* 외국(인)의, 남유럽(사람)의; (특히) 프랑스(인)의; 이탈리아(사람)의.

Welsch=huhn *n.* 칠면조. ~**korn** *n.* 강냉이. ~**land** *n.* 프랑스; 이탈리아. ~**nuß** *f.* 호도.

Welschtūm [vɛ́lʃtu:m] *n.* –(e)s, 이탈리아 또는 프랑스식〔방법·제도〕.

Welt [vɛlt] [ahd. *wër-alt*, eig. „Menschen-alter"] *f.* –en, 인간의 세대 †; 인간 세계, 세상 사람(들)(*mankind*); 세인(世人), 세상; 세간(世間), 이승, 인생(*life*); 속세; 세계(♈*world*); 만유, 우주(*universe*). ¶ auf der ~ sein 이 세상에 있다, 살아 있다 / jn. aus der ~ schaffen 아무를 처치하다, 죽이다 / zur ~ bringen 낳다 / zur ~ kommen 태어나다 / die gelehrte ~ 학자 사회, 학계 / 《딴 말의 의미를 강조하여》 was in aller ~ 도대체 무엇이〔을〕.

Welt=all [vɛ́lt–] *n.* 우주, 만유(*universe*). ~**alter** *n.* 시대. ~**anschauung** *f.* 세계관. ~**ball** *m.* 지구(*globe*). ~**be=kannt** *a.* 천하 주지의; 세상에 알려진. ~**berühmt** *a.* 천하에 이름난, 세계적 명성이 있는. ~**bild** *n.* 세계상(像). ~**bummler** *m.* 세계 만유자(漫遊者)(*globe-trotter*). ~**bürger** *m.* 세계인〔민〕, 세계주의자(*citizen of the world, cosmopolitan*). ~**dāme** *f.* 사교적인 여성; 유행을 좇는 여자. ~**eis** *n.* 세계 빙하, 대빙하《지구의 형성에 큰 영향을 주었던》. 「세상 끝.

Welt·ende [vɛ́ltɛndə] *n.* 세계의 끝; 이

Welten=lehre *f.* 우주론. ~**meer** *n.* 끝없는 우주.

welt·entrückt *a.* 속세를 떠난. ~=**ereignis** *n.* 세계의 사건; 세계적 사건. ~**erschütternd** *a.* 세계를 뒤흔드는. ~**fremd** *a.* 세상 일에 소원(疎遠)한, 세상과 동떨어진. ~**friede(n)** *m.* 세계 평화. ~**friedensrāt** *m.* 세계 평화 회의. ~**gebäude** *n.* 우주. ~**gē=gend** *f.* 방위(方位). ~**geistliche** *m.* 《形容詞變化》 재속(在俗) 신부《수도회에 속하는 신부와 구별하여》. ~**gericht** *n.* 세계의 심판; 〖宗〗 최후의 심판, 공(公)심판. ~**geschichte** *f.* 세계사. ~**gewandt** *a.* 세상살이에 능숙한. ~**handel** *m.* 세계 무역. ~**händel** *pl.* 세계적인(정치적·사회적) 사건〔분쟁〕. ~**herrschaft** *f.* 세계 지배〔제패〕. ~**kenntnis** *f.* 세계〔인생〕의 지식, 세상 물정. ~**kind** *n.* 현세주의자, 세속적인 사람(*worldling*). ~**klūg** *a.* 처세에 능란한. ~**klūgheit** *f.* 세상살이에 약삭빠름, 처세에 능란함; 처세술. ~**körper** *m.* 천체. ~**krieg** [–kri:k] *m.* 세계 대전. ~**kūgel** *f.* 지구(*globe*). ~**kunde** *f.* 세상에 관한 지식; 우주지(誌)(*cosmology*). ~**kundig** *a.* 세상사〔세상 물정〕에 밝은. ~**lāge** *f.* 세상의 형세, 국제 정세. ~**lauf** *m.* 세상의 움직임, 세습(世習). ~**lehre** *f.* 우주론.

weltlich [vɛ́ltlıç] *a.* 세계의; 세상의; 현세의; 세속적인, 속세의. ¶ ~ machen (교회 또는 수도원의 재산을) 국유화하다. **Weltlichkeit** *f.* –en, 위임; 속인의 신분; 세상일, 속사. **Weltlichmachung** *f.* (교회 재산의) 국유화. **Weltling** [vɛ́ltlıŋ] *m.* –s, –e, 속인, 현세주의자.

Welt=literatūr *f.* 세계 문학. ~**lust** *f.* 속세의 쾌락. ~**macht** *f.* 세계(적) 지배권; 세계적 강국. ~**macht·politik** *f.* 제국주의 (정책), 패권(覇權) (정책). ~**mann** *m.* 사교가; 현세주의자, 속된 사람. ~**männisch** *a.* 세속적인; 사교적인. ~**markt** *m.* 세계 시장. ~**meer** *n.* 대양(*ocean*). ~**meister** *m.* 세계 선수권 보유자. ~**meisterschaft** *f.* 세계 선수권. ~**mūde** *a.* 염세적인. ~=**politik** *f.* 세계 정책. ~**postverein** *m.* 만국 우편 연합. ~**priester** *m.* =LAIENPRIESTER. ~**raum** *m.* 공간(*space*); 우주(*universe*). ~**raumfahrt** *f.* 우주 여행. ~**rekord** *m.* 세계 기록. ~**rūf** *m.* 세계적 명성. ~**schmerz** *m.* 세계고(苦)《감상적 염세 감정》. ~=**schöpfer** *m.* 조물주, 조화. ~**sinn** *m.* 속심(俗心). ~**sprāche** *f.* 세계적 언어《영어 따위》; 국제어《에스페란토 따위》. ~**stadt** *f.* 세계적 대도시(*metropolis*). ~**teil** *m.* 대륙(*part of the world*). ~**umsēgelung** *f.* 세계 주항(周航). ~**umspannend** *a.* 세계를 포괄하는. ~**untergang** *m.* 세계의 몰락〔멸망〕. ~**verlōren** *a.* 세상에서 잊힌; 세상을 버린. ~**weise** *m.* 철인(*philosopher*). ~**weisheit** *f.* =PHILOSOPHIE. ~**wende** *f.* 세계(사)의 전환점. ~=**wirt·schaft** *f.* 세계 경제. ~**wunder** *n.* 세계의 불가사의. ~**zeit** *f.* 만국 표준시; 시대.

wēm [ve:m] 《wer의 第 3 格》 *prn.* 아무에게(⚲ *whom*). ¶ mit ~ 아무와. **Wēm=fall** *m.* 〖文〗 여격(與格), 제 3 격(*dative case*). **wēn** [ve:n] 《wer의 第 4 格》 *prn.* 누구를(⚲ *whom*). ¶ für ~? 누구를 위해서냐, 누구의 대신이냐.

Wẹnde [vέndə] [<wenden] *f.* -n, 회전, 전환(*turn*(*ing*)); 전환기(期)〔점〕; 굴곡, 만곡; 변화.

Wẹndehals [vέndəhals] [<„(ich) wende (den) Hals"] *m.* 〖鳥〗 개미잡이《긴목을 마음대로 돌리는 새》.

Wẹndekreis [vέndəkrais] *m.* 〖天·地〗 회귀선.

Wẹndel [vέndəl] [„sich Wendendes"] *f.* 나(선형)선. **Wẹndeltreppe** *f.* 〖建〗 나선형 계단.

Wẹndemaschīne [vέndəmaʃi:nə] *f.* 회전기, 뒤집는 기기(器機).

wẹnden(*) [vέndən] [„winden machen"] 《Ⅰ》 *t.* (어느 방향으로) 향하게 하다; (의) 방향을 바꾸다, 돌리다, 회전시키다; 뒤집다(*turn* (*round*)). ¶ (bitte) ~! 뒷면을 보라 / an et. ~ 무엇에 돌리다 〔쓰다〕《돈·시간·힘 따위를》. 《Ⅱ》 *refl.* 방향이 바뀌다; 방향 전환하다, 회전하다; 바뀌다, 변화하다. ¶ sich an jn. ~ 아무에게 (mit, 무슨 일로) 원조를 청하다, 의뢰하다, 조회하다(*apply, address oneself to*). 《Ⅲ》 *i.*(h.): ein gewendeter (*p.a.*) Rock 뒤집은 저고리 / ein gewandter (*p.a.*) Mann 노련〔능란〕한 사람. **Wẹndepunkt** [vέndəpuŋkt] *m.* 전환점; 분기점; 위기; 〖天〗 회귀점, 지점(至點)《하지점, 동지점》. **wẹndig** [vέndıç] *a.* 돌리기 쉬운, 탄력이 있는; 조종하기 쉬운《자동차 따위》; 조교(調敎)하기 쉬운 (말); 《比》 민첩한(*nimble*); 다재(多才)한(*versatile*). **..wendig** *a.* 《合成用語》 보기: aus~, in~.

Wẹndung [vέnduŋ] *f.* -en, 회전, 방향전환; 전회(轉回)점; 분기점; 위기(*crisis*); 〖文〗 표현(법), 어법(語法).

Wēnfall [ve:nfal] *m.* 〖文〗 대격(對格), 제 4 격(*accusative case*).

wēnig [vé:nıç] [⚲weinen; *eig.* „beweinenswert, 가엾을 정도의"] 《Ⅰ》 *a.* 적은, 근소한(*little*). ¶ ~e (*pl.*) 약간의(것) ((*a*) *few*) / ~e Leute 얼마 되지 않는〔소수의〕 사람 / ein ~ 조금, 얼마, 약간 (*a little*). 《Ⅱ》 *adv.* ① nicht ~ 적지 않게 / zu ~ gekocht 설익은, 반숙한. ② 《ein ~는 肯定的, ~는 否定的인 뜻을 나타냄》 ich habe ein ~ Geld 나는

돈이 조금 있다 / ich habe ~ Geld 나는 돈을 (거의) 가지고 있지 않다. ③ (eben) so ~ als 〔wie〕..., …도 없고 …도 없다, …도 않고 …도 않다. ④ es fehlte ~ (daran), so wäre ich ertrunken 나는 하마터면 익사할 뻔하였다.

Wēnigborster [vé:nıçbɔrstər] *pl.* 〖動〗 빈모류(貧毛類)《지렁이 따위》. **wē=niger** [vé:nıgər] 《weing의 比較級》 *a.* 보다 적은〔근소한〕(*less, fewer*); *adv.* 더 적게. ¶ mehr oder ~ 많건 적건, 다소간에. **Wēnigkeit** *f.* -en, 근소(함), 적음; 근소(한 것), 조금. **wēnigst** [-çst] 《wenig의 最上級》 *a.* 가장 적은 (*least, fewest*). ¶ am ~en 가장 적게 (*least*) / zum ~en (=~ens) 적어도, 최소한(*at* (*the*) *least*).

wenn [vɛn] [wann과 同語] *cj.* …일 때에 (⚲ *when*); 만일〔혹시〕 …일 경우에는, 만약 …이라면(*if*). ¶ als 〔wie〕 ~ 마치 …처럼 / ~ nicht heute, so doch morgen 오늘이 아니면 적어도 내일 / ~ er schon 〔gleich〕 nicht viel gelernt hat 그는 대단한 학문은 하지 않았지만 / ~ er auch König ist 그는 왕이긴 하지만 《~ auch는 事實 이외의 假定에도 쓰임》 / auch ~ 만일 …이라면 《假定뿐임》 / außer ~ …이 아니라면 / selbst ~ 비록 …일지라도.

wēr [ve:r] *prn.* 《Ⅰ》 《疑問》 누구, 어느 사람(⚲ *who*). ¶ ~ (auch) immer 설령 누구일지라도. 《Ⅱ》 《關係》 ~ (=derjenige, welcher) das tut 그것을 하는 사람은.

Wẹrbe=abteilung [vέrbə-] *f.* 선전부. **~berāter** *m.* 광고 카운셀러. **~blatt** *n.* 포스터, 광고. **~film** *m.* 선전〔광고〕용 영화. **~funk** *m.* 전파(에 의한) 광고. **~kosten** *pl.* =WERBUNGSKOSTEN. **~leiter** *m.* 선전 부장. **~liste** *f.* 징모인 명록.

wẹrben* [vέrbən] [⚲ Wirbel, *eig.* „sich drehen, tätig sein"] 《Ⅰ》 *i.*(h.)† 생업을 영위하다(=Gewerbe); (…을 얻으려고) 힘쓰다, 애쓰다; (für, 을 위하여) 운동하다, (의) 선전을 하다(*make propaganda for*), (…을 위하여) 중매를 서다; (um, 을 얻으려고) 운동〔노력〕하다, (을) 구하다(*sue for*), (에게) 구혼하다. ¶ um Stimmen ~ 선거 운동을 하다, 득표 공작을 하다. 《Ⅱ》 *t.* 권유〔모집〕하다; (zum Kriegsdienste, 병사로) 징모(徵募)하다(*recruit*). 《Ⅲ》 **Wẹrben** *n.* =WERBUNG.

Wẹrbepreis [vέrbəprais] *m.* 선전(을 위한 싼) 가격.

Wẹrber [vέrbər] *m.* -s, -, 구혼자; 혼담 신청인; 운동자, 선전자; 권유자, 모집자.

Wẹrbetrommel [vέrbətrɔməl] *f.* 징모(徵募)하기 위하여 치는 북. ¶ die ~ rühren 〖軍〗 (북치며) 모병하고 다니다, 〖商〗 크게 선전을 하다.

Wẹrbung [vέrbuŋ] *f.* -en, 구애; 청혼; 운동, 선전; 권유; 〖軍〗 징모. **~s=kos=ten** *pl.* 선전〔광고〕비.

Wērdā [vé:rda:] [<wer ist da?] *n.* -(s), -s, **~rūf** *m.*, **~rūfen** *n.* (보초 등의) 수하(誰何)(의 소리). 「정); 성장.

Wērdegang [vé:rdəgaŋ] *m.* 발전(의 과

wērden* [vé:rdən, 方: vέr-] [*eig.* „sich wenden", ⚲-wärts] 《Ⅰ》 *i.*(s.) ① 《獨立動詞》 나다, 생기다, 되다, 일어나다 (*come to pass, happen*); 생성〔생장〕하다 (*grow*). ¶ 〖聖〗 es werde Licht! 빛이 있으라. ② (뜻대로) 되다. ¶ die Sache wird 일이 잘되다 / was soll damit ~? 그건 어떻게 될 것인가. ③ 《3 格과 더불어》 mir wird et. 내게 무엇이 주어지다 / er wird uns zur Last 그는 우리들에게 짐이 된다. ④ 《前置詞와 더불어》 **aus** Kindern ~ Leute 아이는 멀지않아 어른이 된다 / aus ihm wird etwas 그는 상당한 인물이 된다 / (**zu**) et. ~ 무엇이 되다, 변하다 / zum Gespött ~ 웃음거

리가 되다. ⑤ 《단순한 繫辭로서》 …이 되다(*become, get*). ¶er wird Arzt ~ 그는 의사가 될 것이다, 의사를 지망하고 있다 / alt ~ 늙다, 나이를 먹다 / es wird kalt 추워진다 / andern Sinnes ~ 생각이 달라지다. 《Ⅱ》 ① 《未來助動詞》 …일 것이다(*shall, will*). ¶ich werde es ihm gleich sagen 곧 그에게 그것을 말하겠소 / 《現在의 뜻으로 쓰여 想像·蓋然을 나타냄》 er wird wohl krank gewesen sein 그는 아마 앓고 있었을 것이다. ② 《würde의 形으로》 ich würde kommen wenn ich Zeit hätte 틈이 있으면 가겠는데. 《Ⅲ》 《다른 動詞의 過去分詞와 더불어 受動形이 됨, 그때 ~의 過去分詞는 worden》 ich werde bestraft 나는 벌 받는다 / sie ist gelobt worden 그 여자는 칭찬받았다. 《Ⅳ》 **Werden** *n.* -s, 생성. ¶im ~ sein 생성중이다. 《Ⅴ》 **werdend** *p.a.* 생성중의, 생성되어 가고 있는.

Werder [vέrdər] *m.* -s, -, (하천·호수 가운데의) 작은 섬, 하주(河洲).

Werdezeit [vé:rdətsait] *f.* 발생〔성장·발전〕기.

Werfall [vé:rfal] *m.* 〚文〛 주격, 제 1 격(*nominative case*).

werfen* [vέrfən] 《Ⅰ》 *t.* 던지다(*throw, fling, cast*); (적을) 무찌르다. ¶Blasen ~ 거품을 일으키다 / über den Haufen ~ 거꾸러뜨리다, 붕괴시키다 / von sich ~ 팽개치다; (빛을) 내다 / durcheinander ~ 뒤섞다 / Junge ~ 새끼를 낳다 / jm. Steine **an** den Kopf ~ 아무의 머리에 돌을 던지다 / ein Auge **auf** et.[4] 무엇을 잠깐보다 / et. **hinter** die Bank 무엇을 아무 쓸모없다고 버리다 / **über** den Haufen ~ 타도하다, 전복〔궤멸〕시키다 / **zu** Boden ~ 집어 던지다. 《Ⅱ》 *refl.* 몸을 내던지다, 달려들다; 휘다, 굽다, 뒤틀어지다《나무가》(*warp*). ¶sich aufs Knie ~ (무릎을) 꿇다 / sich auf ein Studium ~ 연구에 몰두하다 / sich in die Brust ~ 가슴을 내밀고 거만한 태도를 취하다.

Werft [vεrft] [*eig.* „Arbeitsplatz", < werben] *f.* -en, 조선소, 선거(船渠), 도크(♈*wharf, dockyard*).

Werg [vεrk] *n.* -(e)s, 거친 삼, 삼부스러기(*tow*); 〚海〛 뱃밥(*oakum*).

Werk [vεrk] [<wirken] *n.* -(e)s, -e, ① 일함(♈*work*); 활동, 일(*act, action*); 공작, 세공; 제작(*production*); 소행, 행위(*deed*). ¶ans ~ geh(e)n 일에 착수하다 / im ~e sein (착착) 진행되고 있다, 진척되고 있다 / ins ~ setzen 실행에 옮기다, 실현하다 / zu ~e geh(e)n 일에 착수하다, 행동에 옮기다. ② 제작물, 작품; 세공품; 창작; (Buch~) 저작. ③ 공사(한 것), 건축물; 구축물, 기구, 장치(*mechanism*); 기관, 기계; (Uhr~) 시계 장치; 〚軍〛 보루, 축성(築城); (만들어진) 물건; 사물. ④ 제작소, 공작소, 공장(*works*).

Werk⸗arbeit *f.* 수공일, 공작〔工作〕, 공작품, 공예품. **~bank** *f.* (*pl.* ⸗e) 작업대(作業臺). **~bücherei** *f.* 공장 문고〔도서관〕. **~bund** *m.* 미술 공예 협회, (특히) 독일 공예가 연맹.

werken [vέrkən] *i.*(h.) 일하다; 일하는 척하다.

Werker [vέrkər] *m.* -s, -, 일하는 사람; 노동자. **Werkertum** *n.* -(e)s, 노동자풍, 노동자 기질; 노동자 단체.

Werk⸗führer [vέrk-] *m.* 직공장(長) (*foreman*). **~fürsorge** *f.* 공장 종업원 (및 그 가족)을 위한 배려《후생 시설》. **~heilige** *m.* u. *f.* 《形容詞變化》 위성자. 위선자, 위신자(僞信者). **~holz** *n.* 건축용 재목(*timber*). **~leute** *pl.* 직공, 노무자. **~meister** *m.* 직공장(長). **~schutz** *m.* 공장 경비(警備). **~spionage** [-ʒə] *f.* 공장 스파이. **~⸗statt, ~stätte** *f.* 작업장. **~statt⸗wagen** *m.* 수리중인 차. **~stein** *m.* (건축) 석재(石材). **~stoff** *m.* 제작〔공장〕 재료. **~student** *m.* 아르바이트 학생. **~tag** *m.* 작업일(日), 평일《휴일에 대한》. **~tags** *adv.* 작업일에, 평일에, 평상시에. **~tätig** *a.* 일하고 있는; 활동적인. ¶~tätige Bevölkerung 근로계급. **~tisch** *m.* 작업대(臺), 공작대. **~zeug** *n.* 도구; 공구(工具)《한 벌》; 〚醫〛 기관(器官). **~zeugmaschine** *f.* 공작 기계.

Wermut [vé:rmu:t] *m.* -(e)s, 〚植〛 쓴쑥, 약쑥(♈*wormwood*); 약쑥술(♈*vermouth*).

wert [ve:rt, 方: vert] [♈Würde] *a.* …의 가치가 있는(♈*worth*); 소중한, 귀중한 (*worthy*); (나의) 경애하는, 친애하는 (*dear*). ¶hundert Mark[4] ~ 값이 100 마르크인 / das ist aller Achtung[2] ~ 그것은 모든 존경을 받을 만한 가치가 있다.

Wert [ve:rt] [wert의 名詞化] *m.* -(e)s, -e, 가치(♈*worth, value*); 가격. ¶~ auf et. legen 무엇에 가치를 두다.

Wert⸗angabe [vé:rt-] *f.* 가격 표시. **~beständig** *a.* 가격이 고정된, 고정 가치의. **~brief** *m.* 가격 표기 우편.

werten [vé:rtən] [<wert *u.* Wert] *t.* (의) 가치를 인정하다; 평가하다.

Wertgegenstand [vé:rtge:gənʃtant] *m.* 유가물(有價物).

Wertigkeit [vé:rtıçkait] *f.* 〚化〛 원자가(*valence*).

Wert⸗lehre *f.* 〚哲〛 가치론. **~los** *a.* 가치가 없는, 하찮은. **~losigkeit** *f.* 무가치.

Wert⸗messer [vé:rtmεsər] *m.* 가치 표준. **~paket** *n.* 가격 표기 소포. **~⸗papier** *n.* 유가 증권. **~sachen** *pl.* 유가물. **~schätzen** *t.* 평가하다; 존중하다. **~schätzung** *f.* -en, 평가; 존중. **~sendung** *f.* 가격 표기 우편물. **~setzung** *f.* 가치 부여, 새로운 평가. **~steigerung** *f.* 가치 향상. **~system** *n.* 가치 체계.

Wertung [vé:rtuŋ] *f.* -en, 가치를 인정함; 평가.

Wert⸗urteil *n.* 가치 판단. **~voll** *a.* 가치가 많은, 귀중한. **~zeichen** *n.* 지폐; 인지(印紙); 우표. **~zuwachs** [-tsu:vaks] *m.* 가치 증대. **~zuwachs⸗steuer** *f.* 증가세(增價稅).

Werwolf [vé:rvɔlf] [„Mann-wolf", = Welt] *m.* 〚神〛 이리로 둔갑한 사람 (♈*werewolf*).

wes [vεs] [wer의 第 2 格] † 《俗》 =WESSEN.

Wesen [vé:zən] [wesen „sein"의 名詞化] *n.* -s, -, 있음, 존재(*being*); 실재; 실체, 본질, 본성(*essence, substance*); 인품

(*character*); 태도; 거동(*airs, manners*); 행위; 야단스러운 거동, 북새, 소동(*ado, fuss*); (존재하는) 사물; 생물, 피조물 (*creature*); (각 부분이 유기적으로 결합되어 생긴) 조직, 제도(*system, organization*). ¶ viel ~s von et.³ machen 어떤 일로 법석을 떨다.

Wẹ̄senheit [vé:zənhait] *f.* –en, 실재; 실체, 실질, 본질.

wẹ̄senlōs [vé:zənlo:s] *a.* 실재하지 않는, 실체가 없는, 가상의.

Wẹ̄sens·einheit *f.* 〖宗〗 삼위 일체(三位一體). **~gleich** *a.* 본질을 같이하는, 동질의. **~zūg** *m.* 본질적 특성.

wẹ̄sentlich [vé:zəntlıç] *a.* 실체가 있는 (*real, material*); 본질적인 (*essential, substantial*); 중요한(*important*). **Wẹ̄sentlichkeit** *f.* –en, 위임; 주요한 사물, 요점.

Wẹsfall [vésfal] *m.* 〖文〗 제 2 격, 소유격 (=Genitiv).

weshalb [vɛshálp, véshalp] *adv.* 무엇 때문에(*why*); 그 때문에(*wherefore*).

Wẹspe [véspə] *f.* –n, 〖蟲〗 말벌속(♈ *wasp*).

Wẹspen·nest [véspən–] *n.* 말벌집. **~stich** *m.* 말벌에 쏘인 상처.

wẹssen [vésən] 《wer의 2格》 아무의(♈ *whose*); 《was의 2格》 무엇의(*of what*).

Wẹst [vɛst] *m.* –(e)s, 서쪽(=Westen); 《雅》 서풍.

Wẹst·alli·ierten *pl.* 서구 연합 제국. **~deutschland** *n.* 서부 독일.

Wẹste [véstə] [lat. –fr.] *f.* –n, 조끼 (*waistcoat*, ♈ *vest*).

Wẹsten [véstən] *m.* –s, 서쪽(♈ *west*); 서방; 서부; 서쪽 나라, 서양.

Wẹstentasche [véstəntaʃə] *f.* 조끼 주머니.

Wẹstern [véstərn] *m.* –(s), –, 서부극.

Wẹst·eurōpa [vést–] *n.* 서유럽.

Westfā̤len [vɛstfá:lən] *n.* 옛 Preußen 서북의 주.

Wẹstgōten [véstgo:tən] *pl.* 〖史〗 서부 고트 사람.

West·ịndīen [vɛst-índīən] *n.* 서인도 제도《중앙아메리카 제도의 이름》. **west·ịndisch** [vɛst-índıʃ] *a.* 서인도의.

wẹstlich [véstlıç] *a.* 서쪽의; 서쪽으로(부터)의; *adv.* 서쪽으로.

Wẹst·mächte [véstmɛçtə] *pl.* 서방 열강 《특히 영국과 프랑스》. **~wärts** *adv.* 서쪽으로. **~wind** *m.* 서풍.

wett [vɛt] [<Wette] 《述語的으로만 쓰임》 *a.* 평등〔대등·균등〕한. ¶ ~ sein 대차(貸借) 관계가 없다, 대등하다.

Wẹtt·bewerb [vét–] *m.* 경쟁(*competition*). ¶ unlauterer ~bewerb 부정 경업(競業). **~bewerber** *m.* 경쟁자.

Wẹtte [vétə] *f.* –n, ① 내기(*bet*). ¶ e-e ~ eingeh(e)n 내기하다 / was gilt die ~? 무엇을 〔얼마를〕 걸겠나. ② 경쟁. ¶ um die ~ (내기하여:) 다투워, 경쟁하여 / um die ~ laufen 〔schwimmen〕 경주〔경영(競泳)〕하다.

Wẹtt·eifer *m.* 경쟁; 경쟁심. **~eifern** *i.*(h.) (mit, 와) 경쟁하다, 겨루다. **~fahrt** *f.* 자동차 경주; 경륜; 경조(競漕).

wẹtten [vétən] *i.*(h.) u. *t.* 내기하다, 걸다(*bet, wager*). ¶ **~der** 내기 거는 사람.

Wẹtter[1] *m.* –s, –, 내기거는 사람.

Wẹtter[2] [vétər] *n.* –s, –, 날씨, 기상(♈ *weather*); 폭풍(우)(*storm*); 뇌우(雷雨); 번개; 〖坑〗 (Gruben~) 갱내(坑內)의 공기. ¶ böse ~ (*pl.*) 갱내의 탄산 가스.

Wẹtter·bericht *m.* 기상 통보. **~dach** *n.* 챙, 처마. **~dienst** *m.* 기상대(근무). **~fahne** *f.* 풍신기(風信旗); 《比》 줏대 없는 사람(*vane*). **~fest** *a.* 비바람에 견디는. **~glās** *n.* 청우계(*barometer*). **~hahn** *m.* =~FAHNE. **~karte** *f.* 기상도. **~kunde** *f.* 기상학(*meteorology*). **~lāge** *f.* 기상 상황. **~leuchten** *i.*(h.) 번갯불이 번쩍이다, (멀리서) 번개가 치다.

wẹttern [vétərn] *i.*(h.) ① 《非人稱》 es wettert 폭풍우가 온다. ② 《比》 (auf, gegen, 을) 저주하다, 욕하다, 호통치다.

Wẹtter·prophēt *m.* 일기 예보자. **~schacht** *m.* 〖坑〗 통풍갱(通風坑). **~schāden** *m.* 폭풍우의 피해. **~seite** *f.* 비바람을 많이 받는 쪽《대개 서·북쪽》. **~umschlāg** *m.* 일기의 급변. **~vōrhērsāge** *f.* 일기 예보. **~warte** *f.* 기상대, 측후소. **~wechsel** [–vɛksəl] *m.* 날씨의 변화. **~wendisch** *a.* 날씨처럼 변하기 쉬운, 주견이 없는. **~wolke** *f.* 뇌운(雷雲). **~zeichen** *n.* 뇌우의 전조; 기상 기호.

Wẹtt·flūg *m.* 비행 경쟁. **~gesang** *m.* 노래 시합. **~kampf** *m.* 토너먼트; (무술) 시합; 경쟁, 대항. **~kämpfer** *m.* 시합자, 투기자(鬪技者). **~lauf** *m.* 경주. **~|laufen*** *i.*(s.) 경주하다. **~läufer** *m.* 경주자. **~|machen** *t.* 청산〔결산〕하다. **~rennen** *n.* 경주. **~rūdern** *n.* 경조(競漕). **~rüsten** *n.* 군비 경쟁. **~spiel** *n.* 경기. **~streit** *m.* 경쟁, 대항; 경기. **~turnen** *i.*(h.) ☞ WETTURNEN.

wẹtturnen [vétturnən] 《分綴: wett-turnen》 *i.*(h.) 체조 경기를 하다.

wẹtzen [vétsən] *t.* 갈다《날붙이를》.

Wẹtz·stein [vétsʃtain] *m.* 숫돌.

Whisky [víski:, wískı] [engl.] *m.* –s, –s, 위스키.

wich [vıç] (ich ~, er ~) ☞ WEICHEN[1] 《그 過去》.

wịchel [ví:çəl] *f.* –n, 능수버들.

Wichs [vıks] [<wichsen] *m.* –es, –e, 학생 단체의 예장(禮裝); 성장(盛裝).

Wịchs·bürste [víksbʏrstə] *f.* 구둣솔.

Wịchse [víksə] *f.* –n, 닦는 왁스; 구두약; 《俗》 구타. ¶ ~ kriegen 얻어맞다.

wịchsen [víksən] [<Wachs] *t.* 왁스를 바르다《마루·실 따위에》; (에) 구두약을 칠하다; 《俗》 때리다.

Wicht [vıçt] *m.* –(e)s, –e, 생물, 인간, 녀석(♈ *wight, creature*). ¶ armer ~ 불쌍한 녀석.

Wịchtelmännchen [víçtəlmɛnçən] *n.* 난장이, 작은 요괴.

wịchtig [víçtıç] [<Gewicht] *a.* 무거운; 《比》 중요한(♈ *weighty, important*). ¶ ~ tun 〔sich ~ machen〕 젠체하다, 점잔빼다. **Wịchtigkeit** *f.* –en, 중대함, 중요함; 중대한 사물.

Wịcke [víkə] [Lw. lat.] *f.* –n, 〖植〗 야생의 완두속(♈ *vetch*); (*pl.*) 살갈퀴(속).

Wịckel [víkəl] *m.* –s, –〔*f.* –n〕, (돌돌) 만〔감은〕것; 두루마리; 기저귀, 포대기; 컬페이퍼(*curlpaper*); (Haar~) 낭자, 쪽, 틀어 올린 머리. ¶ jn. beim ~

kriegen 아무의 머리채를 (움켜)잡다, 《比》아무를 문책하다.

Wickel≈band *n.* 배내옷〔기저귀〕의 끈. **∼gamaschen** *pl.* 각반(脚絆), 행전. **∼kind** *n.* 갓난애, 애기.

wickeln[víkəln] 《Ⅰ》 *t.* 말다, 감다, (감)싸다, 휩싸다. 《Ⅱ》 *refl.* 감기다, 감겨 들어가다. ¶sich aus et.[3] (heraus) ∼ 무엇에서 몸을 빼내다, 무엇을 모면하다.

Widder[vídər] *m.* –s, –, ①〖動〗수양《거세하지 않은》(*ram*). ②〖天〗백양궁(白羊宮)(*Aries*).

wider [víːdər] [원래 wieder와 同語] *prp.* 《4格支配》…에 대하여, 반(反)하여, 거슬러서(*against, contrary to*).

wider.. [víːdər–, viːdər–] 《Ⅰ》《非分離動詞의 前綴; 악센트가 없음》 보기: widerrufen [viːdərrúːfən], ich widerrufe, widerrief, habe widerrufen. 《Ⅱ》《分離動詞의 前綴; 악센트가 있음》 보기: wider|scheinen[víːdərʃainən], es schien wider, hat widergeschienen.

wieder|beschaffen [víːderbəʃafən] *t.* 재차 손에 넣을 것을 기도하다, 재조달하다. **Wiederbeschaffung** *f.*, –en, 재입수, 재조달.

Widerdruck [víːdərdruk] *m.* ⸗e 반대〔압력; 반동.〕

widerfahren* [viːdərfáːrən] *i.*(s.): jm. ∼ 아무에게 일어나다, 아무가 무엇을 당하다, 아무에게 주어지다 / jm. Gerechtigkeit ∼ lassen 아무를 공정하게 다루다.

wider≈gesetzlich [víːdər–] *a.* 법률 위반의, 위법의. **∼haarig** *a.* 머리털의 방향과 반대의; 《比》반항적인, 빙퉁그러진, 심술궂은. **∼hāken** *m.* 미늘《낚시의》, 닻가지《닻의》, 갈고랑이. **∼hall** *m.* –(e)s, –e, 되울림, 반향, 메아리(*echo*). **∼|hallen** *i.*(h.) 반향(反響)하다, 메아리치다(*echo*).

Widerhalt [víːdərhalt] *m.* –(e)s, 받침; 굄목, 버팀목, 지주(支柱). **wider|halten*** *t.* 받치다, 지탱하다; 저항하다.

widerhaltig *a.* 받침이 되는; 실질적인; 견실〔확실〕한.

Wider≈klāge *f.* 〖法〗반소(反訴). **∼|klingen*** *i.*(h.) 메아리치다. **∼lāger** *n.* –s, –, 〖建〗홍예받이, 홍예받침대.

widerlēgbār [viːdərléːkbaːr] *a.* 반박〔부정〕할 수 있는. **widerlēgen** [viːdərléːgən] *t.* 반박〔논박〕하다(*refute, disprove*). **Widerlēgung** [–léːguŋ] *f.* –en, 반박, 부정.

widerlich [víːdərlıç] *a.* 마음에 거슬리는, 비위가 상하는, 싫은(*repulsive, repugnant, disgusting*).

wider≈natürlich *a.* 자연에 반하는, 부자연한. **∼part** *m.* 상대방, 적; 반대당; 반대, 저항.

widerrāten* [viːdərráːtən] *t.* (jm. et., 충고하여 아무의 무엇을) 그치게 하다, 설득하여 단념하게 하다(*dissuade from*).

widerrechtlich [víːdərrɛçtlıç] *a.* 위법의. ¶sich ∼ (*adv.*) aneignen 횡령하다.

Widerrēde [víːdərreːdə] *f.* 반대론, 이〔의(異議).〕

Widerrist [víːdərrıst] *m.* 충각 관절(衝角關節)《네발 짐승의 견골간(肩骨間)의 융기(隆起)》.

Widerrūf [víːdərruːf] *m.* 반대 명령, 취소, 철회; 폐기; 파기. **widerrūfen*** [viːdərrúːfən] *t.* 취소하다, 철회하다; 폐지하다《법률을》; 파기하다《판결을》. **widerrūflich** [viːdərrúːflıç, víːdərruːf–] *a.* 취소할 수 있는.

Wider≈sacher [víːdərzaxər] [後半: ♈ Sache] *m.* –s, –, (싸움의) 상대방, 적대자, 적(*adversary*). **∼schall** *m.* –(e)s, –e, 메아리, 반향. **∼|schallen**(*) *i.*(h.) 메아리치다. **∼schein** *m.* –(e)s, –e, 반사, 반조, 반영 (*reflection*). **∼|scheinen*** *i.*(h.) 반사〔반영〕하다.

widersetzen [viːdərzɛ́tsən] *refl.* 반대〔반항〕하다, 거역하다(*resist, oppose*). **widersetzlich** [viːdərzɛ́tslıç, víːdərzɛts–] *a.* 반항적인, 다루기 어려운. **Widersetzlichkeit** *f.* 반항적임, 제어하기 힘듦. **Widersetzung** *f.* 반대, 반항.

Widersinn [víːdərzın] *m.* –(e)s, 무의미, 불합리, 배리(背理)(*nonsense, absurdity*). **widersinnig** *a.* 불합리한, 이치에 어긋난, 엉터리없는.

widerspenstig [víːdərʃpɛnstıç] [mhd. (*wider*)*span* „Streit"] *a.* 반항적인, 어기대는; 고집이 센(*refractory, obstinate*). **Widerspenstigkeit** *f.* –en, 반항적임, 고집이 셈.

wider≈|spiegeln [víːdərʃpiːgəln] *t.* 반사〔반영〕시키다(*reflect*); *refl.* 비치다《거울 따위에》. **∼spieg(e)lung** *f.* –en, 반사, 반영. **∼spiel** *n.* 대항.

widersprechen* [viːdərʃprɛ́çən] 《Ⅰ》 *i.*(h.) 항변하다, 반대하다(*oppose*); 모순되다(*contradict*). ¶sich[3] selbst ∼ 자가당착하다. 《Ⅱ》 **widersprechend** *p. a.* 모순되는. **Widersprecher** *m.* –s, –, 반대론자, 항변자. **Widerspruch** [víːdərʃprux] *m.* –(e)s, ⸗e, ① 반대, 항변, 이의(異議). ② 충돌; 모순, 당착.

Widerspruchs≈geist *m.* 반항심(이 있는 사람). **∼klāge** *f.* 〖法〗이의(異議)의 제소.

widerspruch(s)lōs [víːdərʃprux(s)–] *a.* 모순이 없는, 반대가 없는. **wider≈spruch(s)voll** *a.* 모순투성이인.

Widerstand [víːdərʃtant] *m.* –(e)s, ⸗e, 저항, 반대(*resistance, opposition*). ¶e–m Dinge ∼ leisten 무엇에 저항하다.

widerstands≈fähig *a.* 저항력이 있는. **∼fähigkeit** *f.* 저항력(이 있음), 저항도. **∼kraft** *f.* 저항력. **∼lōs** *a.* 저항력이 없는, 무저항의. **∼moment** *n.* 〖物〗저항율.

widerstēh(e)n* [viːdərʃtéː(ə)n] *i.*(h.) ① 저항하다(*resist*), 굴하지 않다, 양보하지 않다. ② et. widersteht mir 무엇이 나의 성격에 안 맞는다.

wider|strahlen [víːdərʃtraːlən] *t.* u. *i.*(h.) 반사하다.

widerstrēben [viːdərʃtréːbən] 《Ⅰ》 *i.*(h.) ① 반항하다, 거역하다. ② et. widerstrebt mir 나는 무엇을 싫어한다, 무엇이 질색이다. 《Ⅱ》 **Widerstrēben** *n.* –s, ① 반항, 저항. ② 싫음, 비위에 거슬림. ¶mit ∼ 싫은 것을 억지로, 마지못해.

Widerstreit [víːdərʃtrait] *m.* –(e)s, 저항, 항쟁; 충돌, 모순. **widerstreiten*** *i.*(h.) (e–m Dinge, 무엇과) 항쟁하다, (에) 반대하다(*conflict with*); 거스르다, (와) 모순되다(*be contrary to*).

widerwärtig [víːdərvɛrtɪç] *a.* 싫은, 불쾌한(*disgusting, unpleasant*). **Widerwärtigkeit** *f.* –en, 불쾌함; 불쾌한 사물; 번거로움, 재액(災厄), 곤란.

Widerwille [víːdərvɪlə] *m.* ..ens, ..en, 싫음, 꺼려짐, 마음이 내키지 않음(*antipathy, aversion, disgust*). **widerwillig** *a.* 싫은, 꺼려지는, 마음이 내키지 않는; *adv.* 마지못해, 억지로.

widmen [vítmən, –dm–] 《Ⅰ》 *t.* 바치다(*devote*), 헌정〔헌제(獻題)〕하다《서적을》(*dedicate*). 《Ⅱ》 *refl.*: sich et.³ ～ 무엇에 몸을 바치다, 몰두하다. **Widmung** [–muŋ] *f.* –en, 봉헌; 바침; 헌정; 헌제.

Widmungs·exemplār *n.* 증정본(贈呈本). **～gedicht** *n.* 헌시(獻詩).

widrig [víːdrɪç] [＜wider] *a.* ① 거꾸로의, 반대의; 거역하는, 배반한(*contrary, adverse*); 부적당한, 불리한; 적의(敵意) 있는(*inimical*). ② (widerlich) 싫은, 불쾌한(*disgusting*). **widrigenfalls** *adv.* u. *cj.* 반대인 경우에는; 그렇지 않으면, 불연이면(*otherwise*). **Widrigkeit** *f.* –en, 반대임, 역(逆); 싫음, 혐기(嫌忌); 불리한 사정, 불운.

wie [viː] [♈wann, wer, wo] 《Ⅰ》 *adv.* ① 《疑問》 어떻게 (하여) (♈*how*). ¶ ～, bitte? 뭐라고 말씀하셨읍니까 / ～ denkst du darüber? 자네는 그것에 대하여 어떻게 생각하나. ② 《感嘆》 얼마나, 참. ¶ ～ schön ist sie 〔sie ist〕! 저 여자는 참 미인인데. 《Ⅱ》 *cj.* …처럼, …과 같이(*as, like*). ¶ ebenso ～ …와 똑같이 / eins ist so gut ～ das andere 갑이나 을이나 똑같다, 어느 쪽이나 매한가지다 / ～ dem auch sei 그것이〔그가〕 어떻든간에 / ～ wenn, a) …때처럼, b) …처럼.

Wiebel [víːbəl] *m.* –s, –, 〖蟲〗 바구미.

Wiedehopf [víːdəhɔpf] *m.* –(e)s, –e, 〖鳥〗 후투티(*hoopoe*).

wieder [víːdər] [wider와 同語] *adv.* ① 다시, 또 한 번, 재차(*again*); 새로이, 새롭게(*anew, afresh*); 되돌려(*back*). ② 보답〔갚음〕으로서(*in return*). ③ (게다가) 또한, 다른 한편으로는. ¶ es war mir lieb u. doch ～ unangenehm 그것은 나에게 반갑기도 한 반면 불유쾌하기도 하였다.

W **wieder..** [víːdər–, viːdər–] [＜wieder] 《Ⅰ》 《zurück "되돌려서"의 뜻의 前綴, 악센트가 있음》 보기: wieder|bringen, ich bringe wieder, habe wiedergebracht; wiederzubringen. ★ nochmals, erneut "다시"의 뜻인 때는 원칙적으로 複合動詞의 前綴로 하지 않고 독립된 副詞로 침: wieder bringen "다시〔새로〕 가져오다". 《Ⅱ》 《다른 分離動詞의 앞에 놓인 前綴로서는 악센트가 없음》 보기: wiederauffinden, ich finde wieder auf, wiederaufgefunden; wiederaufzufinden.

Wiederabdruck [víːdər-apdruk, viːdər-áp–] *m.* (*pl.* –e) 〖印〗 재인쇄; 재판, 번각(翻刻).

wieder|ab|gēben* [viːdər-ápgeːbən, víːdər-ap–] *t.* 돌려주다, 반환하다.

wieder|ab|trēten* [viːdər-áptreːtən] *t.* (영토 따위를) 반환하다.

Wieder·anfang [viːdər-ánfaŋ] *m.* 재개(시).

wieder|an|gēh(e)n* [viːdər-ángeːən] *i.*(s.) 다시 시작하다.

wieder|an|stellen [viːdər-ánʃtɛlən] *t.* 재임명하다, 복직시키다.

wieder|an|trēten* [viːdər-ántreːtən] *t.* 재차 여정(旅程)에 오르다.

wieder|an|zünden [viːdər-ántsʏndən] *t.* 다시 점화하다.

Wieder·aufbau [viːdər-áufbau, víːdər-auf–] *m.* 재건(*reconstruction*). **wieder|auf|bauen** [viː–áuf–, víː–auf–] *t.* 재건하다, 부흥시키다.

wieder|auf|erstēh(e)n* [viːdər-áuf-ɛrʃteː(ə)n] *i.*(s.) 소생하다, 부활하다.

wieder|auf|finden* [viːdər-áuf–] *t.* (분실물을) 찾아내다, 발견하다.

wieder|auf|hēben* [–áufheːbən] *t.* 폐지하다, 다시 취소하다.

wieder|auf|kommen* [–áufkɔmən] *i.*(s.) 재기〔회복〕하다.

wieder|auf|lēben [–áufleːbən] *i.*(s.) 부활〔소생〕하다; 재흥(再興)하다.

Wieder·aufnahme [viːdər-áufnaːmə] *f.* 재개시, 재개; 재입회〔재입당〕의 허가. **wieder|auf|nēhmen*** *t.* 재개하다(*resume*).

wieder|auf|richten [–áufrɪçtən] *t.* 재건하다; 격려하다.

Wieder·aufrüstung [–áufrʏstuŋ] *f.* 재군비, 재무장.

wieder|auf|stēh(e)n* [–áufʃteːən] *i.*(s.) 다시 일어서다; 완쾌하다.

wieder|aus|grāben* [–áusgraːbən] *t.* 다시 파다.

wieder|beginnen* [víːdərbəgɪnən] *t.* 다시 시작하다.

wieder|bekommen* [víːdər–] *t.* 돌려받다, 도로 찾다, 되찾다.

wieder|belēben [víːdərbəleːbən] *t.* 소생〔부활〕시키다(*revive*); 〖化〗 환원시키다. **Wiederbelēbung** *f.* 소생; 부활.

Wiederbewaffnung [víːdərbəvafnuŋ] *f.* 재군비.

wieder|bezahlen [víːdərbətsaːlən] *t.* 갚다, 상환하다, 반제하다.

wieder|bringen* [víːdər–] *t.* 되돌려주다, 반환하다; 데리고〔가지고〕 돌아가다.

wieder|ein|bringen* [viːdər-áin–, víːdər-ain–] *t.* (부족분을) 보충하다, (손실을) 보상하다.

wieder|ein|fallen* [viːdər-áinfalən] *i.*(s.) 다시 생각나다, 기억에 되살아나다.

wieder|ein|führen [viːdər-áinfyːrən] *t.* 재채용〔제정·실시〕하다; 재수입하다.

wieder|ein|nehmen* [viːdər–] *t.* 다시 점령하다, 탈환하다.

wieder|ein|setzen [viːdər–] *t.* 원 지위에 취임시키다, 복귀〔복직·복위〕시키다.

wieder|erhalten* [víːdər–] *t.* 돌려받다, 되찾다.

wieder|erkennen* [víːdər–] *t.* 재인식하다; 식별하다(*recognize*).

wieder·|erlangen [víːdər–] *t.* 되찾다, 회복하다. **～|erōbern** *t.* 재점령〔탈환〕

하다. ～|**ersetzen**, ～|**erstatten** *t.* 상환〔배상〕하다. ～|**erwählen** *t.* 재선하다. ～|**erzählen** *t.* 말로 전하다, 말을 퍼뜨리다. ～|**erzeugen** *t.* 재생하다, 재생산하다, 재현하다. ～|**finden*** *t.* (잃어버린 것을) 찾아내다; 재발견하다. ～|**fordern** *t.* (의) 반환을 요구하다. ～|**füllen** *t.* 다시 채우다.

Wiedergābe [ví:dərga:bə] *f.* -n, ① 반환, 반려(返戾). ② 재현, 묘사, 번역; 상연; 상영; 복제(複製).

wieder=|gebären* [ví:dərgəbe:rən] *t.* 다시 태어나게 하다. ～|**gēben*** *t.* ① 돌려주다, 반환하다. ② 재현하다; 베끼다, 번역하다; 복제하다. 「생, 재생.」

Wiedergebūrt [ví:dərgəbu:rt] *f.* 갱

wieder=|genēsen* [ví:dər-] *i.*(s.) 쾌유하다, 회복하다. ～**genēsung** *f.* 쾌유, 회복. 「다; 〖軍〗 탈환하다.」

wieder|gewinnen* [ví:dər-] *t.* 되찾

wieder|gūt|machen *t.* (손실을) 물어주다, 배상〔보상〕하다; 회복〔복구〕시키다. **Wiedergūtmachung** *f.* 배상, 보상.

wieder|hāben* [ví:dər-] *t.* 되찾아 가지고 있다, (이미) 돌려 받아 가지고 있다.

Wiederhall [ví:dərhal] *m.* 메아리. **wieder|hallen** *i.*(h.) 메아리치다.

wieder|hēr|stellen [vi:dər-] *t.* 원상으로 복귀시키다, 수복(修復)하다, 만회하다; (환자를) 회복시키다. **Wiederhēr=stellung** *f.* -en, 원상 복귀, 복구, 만회; 회복.

Wiederhērstellungs=mittel [vi:dər-hé:rʃtɛluŋs-] *n.* 강장제. ～**zeichen** *n.* 〖樂〗 제자리표.

wieder|hōlen [ví:dərho:lən] *t.* 되찾다, 도로 찾다(*fetch or bring back*). **wie=derhōlen** [vi:dərhó:lən] 《Ⅰ》 *t.* 되풀이하다, 반복하다(*repeat*). 《Ⅱ》 *refl.* 되풀이되다. 《Ⅲ》 **wiederhōlt** *p.a.* 되풀이된, 반복된, 여러 번의; *adv.* 〔**wie=derhōlentlich**〕 되풀이하여. **Wieder=hōlung** *f.* -en, 되풀이, 반복.

Wiederhōlungs=fall *m.*: im ～falle 되풀이된 경우에는. ～**zeichen** *n.* 〖樂〗 반복 기호.

Wieder=hōren [ví:dərhø:rən] *n.* -s, : auf ～hören! 안녕히 계십시오《전화나 라디오 방송이 끝날 때의 인사》. ～|**impfen** *t.* 두 번째 접종을 하다.

wieder|käuen [ví:dərkɔyən] *t.* u. *i.*(h.) 다시 씹다, 되씹다, 새기다, 반추하다(*ruminate*). **Wiederkäuer** *m.* -s, -, (같은 일을) 되풀이하는 사람; 〖動〗 반추아목(反芻亞目).

Wiederkauf [ví:dərkauf] *m.* 되사들임, 환매(還買). **wieder|kaufen** *t.* 되사다, 환매하다.

Wiederkehr [ví:dərke:r] *f.* -en, (되) 돌아옴, 귀환(*return*); 회귀(回歸), 순환, 반복, 재발(再發). **wieder|kehren** *i.*(s.) 돌아오다, 귀환하다(*return*); 반복하다; 회귀하다(*come round*). ¶ 〖數〗 ～de Reihe 순환 급수.

wieder|kommen* [ví:dər-] *i.*(s.) 돌아오다, 복귀하다, 다시 오다, 재발되다, 회귀하다. **Wiederkunft** [ví:dərkunft] *f.* 귀래(歸來), 재래; 회귀.

wieder|machen [ví:dərmaxən] *t.* 개조하다; 수선〔수복〕하다.

Wiedernahme [ví:dərna:mə] *f.* 되찾음, 탈환. **wieder|nehmen*** *t.* 되찾다; 탈환하다.

wieder=|rūfen* [ví:dərru:fən] *t.* 불러들이다, 소환하다. ～|**sāgen** *t.* 말로 전하다, (이야기를) 퍼뜨리다, (타인에게) 말하다. ～|**schaffen*** *t.* 고쳐 만들다, 개조하다. ～**schein** *m.* 반사, 반영. ～|**schicken** *t.* 되돌려 보내다, 반송하다.

wieder|sēh(e)n* [ví:dərze:ən] 《Ⅰ》 *t.* 다시 만나다(*see or meet again*). 《Ⅱ》 **Wiedersēh(e)n** *n.* -s, 재회(再會). ¶ auf ～! 또 만납시다, 안녕.

Wiedertaufe [ví:dərtaufə] *f.* -n, 〖宗〗 재세례. **wieder|taufen** *t.* 다시 세례를 베풀다, 재세례를 하다. **Wiedertäufer** *m.* -s, -, 재세례파(派)(*anabaptist*).

wieder|tūn* [ví:dərtu:n] *t.* 다시〔거듭〕하다.

wiederum [ví:dərum] *adv.* 다시, 또다시, 다시금(*again*); 또다른 한편으로는.

wieder|vereinigen [ví:dərfɛr-ainɪgən] *t.* 재결합시키다(*reunite*); 화해시키다. **Wiedervereinigung** *f.* 재결합; 화해.

wieder|vergelten* [ví:dərfɛrgɛltən] *t.* 앙갚음〔보복〕하다; 갚다. **Wiederver=geltung** *f.* -en, 앙갚음, 보복; 보수.

wieder|verheirāten [ví:dərfɛrhaira:-tən] *t.* 재혼시키다; *refl.* 재혼하다.

Wiederverkauf [ví:dərfɛrkauf] *m.* -(e)s, ⸚e, 전매(轉賣); 소매. **wieder|=verkaufen** *t.* 전매하다; 소매하다.

wieder=|vermieten [ví:dərfɛrmi:tən] *t.* 다시 빌리다; 전대(轉貸)하다. ～|**ver=söhnen** *t.* 달래다, 화해시키다.

Wiederwahl [ví:dərva:l] *f.* 재선(再選). **wieder|wählen** *t.* 재선〔개선〕하다.

wieder=|zū|stellen [vi:dərtsú:ʃtɛlən] *t.* 되돌려보내다, 반환하다.

Wiege [ví:gə] [♈bewegen, wägen] *f.* -n, 요람(搖籃)(*cradle*); 《比》 발상지, 기원; 발단.

Wiege=brett *n.* 도마. ～**messer** *n.* (양끝에 손잡이가 달린 활꼴의) 식칼; 조각도(彫刻刀).

wiegen[1] [ví:gən] 《Ⅰ》 *t.* ① 흔들다, 어르다. ② (살코기 따위를) 썰다, 저미다. 《Ⅱ》 *refl.* ① 몸을 흔들다. ② sich in Hoffnungen ～ 희망에 설레다.

wiegen[2]* [ví:gən] [wägen의 別形] 《Ⅰ》 *i.*(h.) 무게가 …이다(♈*weigh*). 《Ⅱ》 *t.* (wägen) (의 무게를) 달다(♈*weigh*).

Wiegen=fest *n.* 생일 (잔치). ～**kind** *n.* 요람 속에 든 젖먹이, 갓난아이. ～=**lied** *n.* 자장가(*lullaby*).

wiehern [ví:ərn] [擬聲語] *i.*(h.) (말이) 울다(*neigh*); 《比》 큰소리로 웃다《사람이》.

Wien [vi:n] *n.* -s, 빈《오스트리아의 수도》. **Wiener** 《Ⅰ》 *m.* -s, -, 〔**Wie=nerin** *f.* -nen〕 빈의 사람. 《Ⅱ》 *a.* 빈의. **wienerisch** [ví:nərɪʃ] *a.* 빈의.

wies [vi:s] ☞ WEISEN 《그 過去》.

Wiese [ví:zə] *f.* -n, (습하고 비옥한) 초원; 풀 베는 곳, 목초지(*meadow*). ¶ auf

der grünen ~ 푸른 들에서. 「(*weasel*).」
Wiesel [víːzəl] *n.* -s, -, 〖動〗 족제비

Wiesen=bau [víːzən-] *m.* 목초의 재배. **~feld** *n.* 초원. **~grās** *n.* 목초. **~grund** *m.* 목초지. **~land** *n.* (목)초지. **~plān** *m.* 잔디. **~quelle** *f.* 초지〔목장〕에서 흐르는 샘. **~tāl** *n.* 푸르른 계곡. **~teppich** *m.* 융단을 깐 것 같은 (목)초지. 「하여.」

wiesō [viːzóː] *adv.* 왜, 어째서; 어떻게

wieviel [viːfíːl, víːfiːl] *a.* u. *adv.* 얼마만큼, 얼마쯤(*how much; how many*); 몇 명의. **wieviel(s)t** *a.* : der (die, das) ~e ? 몇 번째인가 / den ~en haben wir heute ? 오늘은 며칠이냐. 「고 해도.」

wiewohl [viːvóːl] *cj.* …일지라도, …라

wild [vɪlt] *a.* ① 저절로 자란, 야생의(♈ *wild*); 자연 그대로의, 황량한, 개간하지 않은(*uncultivated*); 야만의, 미개한(*savage*). ¶ ~er Wein 들포도, 머루. ② 제멋대로의, 방자한, 규율이 없는(*unruly*); 난폭한; 거친, 사나운, 우악스러운; 격렬한(*rude, fierce*); 격노한, 광란의. ③ ~e Ehe 야합, 내연 관계 / 〖醫〗 ~es Fleisch 군살. **Wild** [vɪlt] *n.* -(e)s, 야수; (식용이 되는) 사냥 짐승(*game*); 사냥 짐승의 살코기(*venison*).

Wild=bach [vílt-] *m.* (산의) 급류. **~bād** *n.* 온천 목욕. **~bahn** *f.* 수렵구, 사냥터. **~brāten** *m.* 사냥 짐승의 불고기. **~bret** [víltbrɛt] *n.* -s, 사냥 짐승(의 암컷); 먹지 못하는 짐승(의 고기). **~dieb** *m.* 밀렵자(密獵者). **~dieben** *i.*(h.) 밀렵하다. **~dieberei** *f.* 밀렵(密獵).

Wilde [víldə] 《Ⅰ》 *m.* u. *f.* (形容詞變化) 야만인, 미개인. 《Ⅱ》 *f.* ①=WILDHEIT. ②=WILDNIS. **Wilderei** *f.* -en, 밀렵. **wildern** [víldərn] *i.*(h.) ① 밀렵하다(*poach*). ② 야생(화)하다.

Wild=ēsel [vílt-] *m.* 야생의 당나귀. **~fang** *m.* ① 사냥 짐승의 포획, 포획된 야수〔야조(野鳥)〕. ② 《比》 장난꾸러기, 말괄량이. **~fremd** [víltfrémt] *a.* 생면 부지의, 아주 생소한, 기분 나쁜. **~gans** *f.* 〖鳥〗 기러기. **~gehēge** [víltgəheːgə] *n.* 사냥터; 동물원.

Wildheit [vílthait] *f.* -en, ① 야생; 야만, 미개; 난폭; 황폐. ② 난폭한 언행.

Wild=heu *n.* 높은 산의 초지에서 채취한 건초. **~heuer** *m.* 산등성이에서 풀을 베는 사람. **~hüter** [-hyːtər] *m.* 수렵장을 지키는 사람. **~katze** *f.* 〖動〗 삵괭이. **~lēbend** *a.* 거친〔방종한〕 생활을 하는. **~lēder** *n.* 사냥한 짐승의 가죽《특히 사슴, 양, 영양의》.

Wildling [víltlɪŋ] *m.* -s, -e, ① 야수. ② (접붙일 수 있는) 야생 수목. ③ 사생아(私生兒).

Wildnis [víltnɪs] *f.* ..se, ① 황야, 황무지(*wilderness*); 사막(*desert*). ② 무질서, 난맥.

Wild=ōbst [vílt-oːpst] *n.* 야생의 과실. **~park** *m.* 사냥터, 동물원. **~sau** *f.* 멧돼지의 암컷. **~schāden** *m.* 야수의 해(害). **~schütz** *m.* 밀렵자(密獵者). **~schwein** *n.* 멧돼지. **~spūr** *f.* 사냥 짐승의 발자국. **~stand** *m.* 사냥 짐승의 생식처. **~wachsend** *a.* 야생의. **~wasser** *n.* 급류. **~west(en)** *m.* 미개한 서부 지역《특히 미국의》. **~westfilm** *m.* (미국의) 서부극 영화.

Wilhelm [vílhɛlm] [Wille *u.* Helm: „williger Schützer"] *m.* 남자 이름.

will [vɪl] (ich ~, er ~) ☞ WOLLEN (그 現在).

Wille [vílə] [<wollen] *m.* -ns, -n, 의지, 의향; 욕구; 〖法〗 의사(♈ *will*). ¶ guter ~ 호의, 선의 / der letzte ~ 유언 / **aus** freiem ~n 자유 의사로, 자발적으로 / beim besten ~n 아무리 바라도〔생각해도〕 / **mit** ~n, a) 고의로, 일부러, b) 자발적으로 / **wider** ~n 본의는 아닌데, 마지못해 / jm. **zu** ~n sein 아무의 뜻을 따르다, 아무의 말을 고분고분 듣다. **Willen** [vílən] *m.* -s, -, =WILLE. **willen** [vílən]: um…~ *prp.* (2格支配)(Wille의 본뜻이 약해져서 단지 動作의 根據를 나타냄) um Gottes ~ 제발, 아무쪼록. **willenlōs** *a.* 무의지의; 우유 부단한.

Willens=akt *m.* 의지 행위. **~änd(e)=rung** *f.* 의지의 변경, 변심. **~äuße=rung** *f.* 의사 표시. **~bestimmung** *f.* 의지 결정. **~erklärung** *f.* 의사 표시. **~freiheit** *f.* 의지의 자유. **~=kraft** *f.* 의지력. **~meinung** *f.* 의지, 욕구, 의향. **~schwäche** *f.* 의지 박약. **~stärke** *f.* 의지의 강함, 의지력.

willentlich [vílәntlɪç] *a.* 고의의, 자발적인; *adv.* 고의로, 일부러(*intentionally, wilfully*). **willfahren** [vɪlfáː-, vílfaː-] [fahren은 "가다"의 뜻] *i.*(h.): jm. in et.[3] ~ 아무의 뜻을 따르다(*comply with*)/ der Bitte js. ~ 아무의 소원을 들어주다(*gratify, grant*). **willfährig** [vílfɛːrɪç, vɪlfɛ́ːr-] *a.* 기꺼이 (jm., 아무의) 뜻을 따르는; 고분고분한; 호의 있는, 친절한. **Willfährigkeit** *f.* 고분고분함, 친절함. **Willfahrung** *f.* -en, 기꺼이 남의 뜻을 따름; 응낙, (청원의) 청허.

willig [vílɪç] [<Wille] *a.* (zu, 을 할) 뜻이 〔의사가〕 있는; 기꺼이 〔자진하여〕 …하는(♈ *willing, ready*); 친절한. **wil=ligen** *i.*(h.) (in et., 무엇에) 동의하다, (을) 응낙하다(*consent, agree to*). **Wil=ligkeit** *f.* 기꺼히 함; 열심.

willkommen [vɪlkɔ́mən] [„dem Willen entsprechend gekommen"] 《Ⅰ》 *a.* 환영받는, 환대받는(♈ *welcome*); 마음에 드는, 흡족한(*acceptable, opportune*). ¶ jn. ~ heißen 아무에게 환영의 인사를 하다, 아무를 환영하다. 《Ⅱ》 **Willkom=men** *m.* u. *n.* -s, -, 환영(의 말), 환대(♈ *welcome*).

Willkomm(s)=grüß *m.* 환영의 인사. **~trunk** *m.* 환영의 주연〔건배〕.

Willkür [vílkyːr] [„freie Willenswahl"] *f.* 임의, 수의(隨意)(*pleasure, choice*); 자유 재량, 전단(專斷)(*despotism*); 자의(恣意), 방자(放恣)(*caprice*). ¶ nach ~ 수의로, 마음대로.

Willkūr=akt *m.*, **~handlung** *f.* 임의 행위, 방자한 행동. **~herrschaft** *f.* 독재〔전제〕 정치. **~herrscher** *m.* 독재〔전제〕 군주, 폭군.

willkūrlich [vílkyːrlɪç, vɪlkýːrlɪç] *a.*

제 마음대로 하는, 멋대로의(*arbitrary*); 전제적인(*despotic, absolute*). **Willkür·lichkeit** *f.* -en, 수의; 횡포; 전제적임.

wimmeln [vímәln] *i.*(h. *u.* s.) 우글거리다, 준동(蠢動)하다(*swarm*); 밀집하다, 군집하다(*be crowded*). ¶die Straße wimmelt von Menschen 거리에 사람들이 우글거리고 있다.

wimmern [vímәrn] *i* (h.) 흐느끼다; 신음하다(*whimper, moan*).

Wimpel [vímpәl] *m.* -s, -, 삼각형의 작고 기다란 기(旗)《돛대 꼭대기에 다는》(*pennant*); 〖空〗 풍향 지시기(*streamer*).

Wimper [vímpәr] *f.* -n, 속눈썹(*eyelash*).

Wind [vɪnt] [*eig.* „Wehendes", <wehen] *m.* -(e)s [-ts, -dәs], -e [-dә], ① 바람(♈*wind*); 기류. ② (Bauch~) 장(腸) 내에 생기는 가스; 방귀. ③ 《比》 공허; 무가치한 것; 기만. ¶《比》 ~ machen 허풍떨다(*swagger*) / in den ~ schlagen 개의(介意)치 않다, 귀넘어 듣다 / den Mantel nach dem ~e hängen 세상의 풍조를 따르다 / ~ von et.³ bekommen (kriegen) 무엇을 냄새맡다[낌새채다]《원래 수렵에서 씀》.

Wind·ball *m.* 풍선. **~beutel** *m.* ① 공기 주머니. ② 허풍선이. ③ 슈크림. **~beutelei** *f.* 허풍, 거짓말; 경솔(*hot air*). **~blattern** *pl.* 풍두(風痘), 수두(水痘). **~blume** *f.* 〖植〗 아네모네. **~bruch** *m.* 풍해; 바람에 부러진 나무. **~büchse** *f.* 공기총. **~druck** *m.* 풍압(風壓).

Winde [víndә] [<winden] *f.* -n, ① 〖植〗 메꽃과(科)(*bindweed*). ② (Garn~) 실감개, 도투마리, 실패(*reel*); 캡스턴, 윈치, 자아틀(*windlass, winch*); 기중기.

Wind·ei [vínt-ai] *n.* 무정난(無精卵); 작은 알; 껍데기가 연한 알.

Windel [víndәl] [<winden] *f.* -n, 기저귀, 포대기, 강보(襁褓)(*baby's napkin*).

Windelkind *n.* 젖먹이, 영아.

windeln [víndәln] *t.* 포대기에 싸다.

winden* [víndәn] 《Ⅰ》 *t.* ① 감다(♈*wind*); 휘감다; 돌리다, 회전시키다; (화환을) 엮다(*bind*). ② 비틀어 떼다(*wrest*). ③ (자아틀·기중기로) 감아 올리다(*hoist*). 《Ⅱ》 *refl.* ① (휘)감기다, 비틀려 꼬이다, 칭칭 감기다; 돌다. ② 굽히다; 몸을 비틀다, 꿈틀거리다. ③ 꾸불꾸불 나아가다, 굽이치다(*meander*).

Windes·eile [víndәs-áilә] *f.* 풍속; 바람처럼 빠른 속도.

Wind·fahne *f.* 풍신기(風信旗), 풍향계. **~fang** *m.* 통풍 장치, 바람 구멍. **~geschwindigkeit** *f.* 풍속. **~häfer** *m.* 〖植〗 야생의 메귀리. **~harfe** *f.* =ÄOLSHARFE. **~hauch** *m.* 미풍. **~hōse** *f.* 회오리바람; 물기둥, (사막의) 모래기둥(*windspout*). **~hund** *m.* 그레이하운드.

windig [víndɪç] *a.* ① 바람이 부는; 바람받이의(♈*windy*). ② 《比》 거짓말장이의, 경박한(*shallow*); 믿을 수 없는, 불확실한(*shaky*).

Wind·jacke *f.* 비바람 불 때 입는 자켓. **~kanāl** *m.* 〖空〗 풍동(風洞). **~klappe** *f.* 공기판(瓣). **~kraftwerk** *n.* 풍력 기관. **~macher** *m.* 부채; 선풍기. **~messer** *m.* 〖物〗 풍력계(風力計); 풍속계. **~mühle** *f.* 풍차(♈*windmill*). **~mühl(en)flügel** *m.* 풍차의 날개. **~mühl(en)flugzeug** *n.* 헬리콥터. **~pocken** *pl.* 〖醫〗 수두(水痘), 풍진(風疹). **~rös·chen** *n.* 〖植〗 아네모네(속). **~rōse** *f.* ① 아네모네. ② 나침패(牌)《나침반의 지침면》.

Windsbraut [víntsbraut] *f.* 회오리바람, 돌풍(*whirlwind, hurricane*).

Wind·schāden [vínt-] *m.* 풍해(風害). **~schief** *a.* 바람으로 굽은[휜]. **~schirm** *m.* 바람막이; 병풍, 간막이. **~schnell** *a.* 바람처럼 빠른. **~schutz·scheibe** *f.* 바람막이 유리《자동차 따위의》. **~seite** *f.* 바람이 부는 쪽, 바람 머리. **~spiel** *n.* 그레이하운드. **~stärke** *f.* 바람의 강도, 풍력. **~stärke·tabelle** *f.* 풍력 계급. **~still** *a.* 바람이 없는, 잔잔한. **~stille** *f.* 무풍, 잔잔함. **~stōß** *m.* 한바탕 부는 바람, 돌풍(*gust of wind*). **~strich** *m.* 방위선《나침반의》. **~strōm** *m.*, **~strömung** *f.* 기류. **~sturm** *m.* 폭풍, 구풍(颶風).

Windung [víndʊŋ] *f.* -en, 선회(旋回), 비틀어짐; 굽이침, 굴곡; 〖植〗 전요(纏繞); (뱀의) 서림; 〖工〗 나선(螺旋).

wind·wärts *adv.* 바람 머리로. **~wēhe** *f.* 눈보라로 쌓인 눈더미. **~zūg** *m.* 기류; 〖坑〗 통풍공(孔), 통풍기(機).

Wink [vɪŋk] [<winken] *m.* -(e)s, -e, 신호, 눈짓, 손짓(♈*wink*); 점두(點頭)(*nod*); 《比》 암시, 주의(*hint, tip*).

Winkel [víŋkәl] *m.* -s, -, ① 모퉁이(*corner*); 〖數〗 각(*angle*); 각도. ¶ein rechter ~ 직각 / spitzer (stumpfer) ~ 예[둔]각 / toter ~ 사각(死角). ② 구석진 곳, 구석(*corner, nook*); 두메, 벽촌; 벽지; 고요한[아늑한] 곳; 은신처. ③ 〖軍〗 (갈매기표) 수장(袖章)(*chevron*).

Winkel·advokāt *m.* 무면허 변호사, 엉터리 변호사. **~beschleunigung** *f.* 〖物〗 각(角)가속도. **~blatt**, **~blätt·chen** *n.* 지방 신문. **~ēhe** *f.* 간통; 내연(의 관계). **~eisen** *n.* 〖工〗 곱자; 거멀장, 거멀못, 꺾쇠. **~gasse** *f.* 변두리 거리, 뒷골목, 빈민가[굴]; 막다른 골목. **~hāken** *m.* 곡척(曲尺), 곱자; 〖印〗 식자가(植字架).

wink(e)licht, **wink(e)lig** [víŋk(ә)lɪç] *a.* 모서리진, 각을 이룬; 《比》 굴곡한.

Winkel·kneipe *f.* 무허가 술집. **~lineāl** *n.* 직각자. **~linie** *f.* 〖數〗 대각선. **~māß** *n.* 곡척(曲尺), 곱자. **~messer** *m.* 〖數〗 분도기, 각도기. **~meßkunst**, **~messung** *f.* 측각법(測角法).

winkelrecht [víŋkәlrɛçt] *a.* 직각의, 수직의.

Winkel·schenke *f.* 무허가 술집. **~schreiber(ling)**, **~schrift·steller** *m.* 삼류 작가. **~schūle** *f.* 사숙(私塾). **~spiel** *n.* 술래잡기. **~zūg** *m.* 핑계, 구실; 책략. **~zūgig** *a.* 발뺌을 잘하는; 계략에 능한.

winken [víŋkәn] 《Ⅰ》 *i.*(h.) 신호하다《손 또는 눈으로》(♈*wink, make a sign*); 눈짓하다, 손짓으로 알리다; 고개를 끄덕이

다(*nod*); 〖軍〗 수기(手旗) 시호를 보내다; 《比》 암시하다, 주의〔경고〕하다; 손짓으로 부르다(*invite*). 《Ⅱ》 *t.* (의) 신호를 하다. **Winker** *m.* -s, -, 신호하는 사람; 〖軍·海〗 수기 신호수; 방향 지시기 《자동차 등의》.

winseln [vínzəln] [擬聲語] *i.*(h.) 찔찔 울다(*whine*); (개가) 낑낑거리다(*whimper*).

Winter [víntər] *m.* -s, -, 겨울(철)(♈ *winter*); 《比》 나이, …세(=Jahr).

Winter·abend *m.* 겨울 밤. **~anzug** *m.* 동복(冬服). **~bestellung** *f.* 가을 카리. **~frische** *f.* 피한지. **~frucht** *f.* 가을에 심는 곡식. **~garten** *m.* 온실; 겨울의 정원. **~getreide** *n.* =~FRUCHT. **~hilfe** *f.*, **~hilfswerk** *n.* (나치스 시대의) 동계 빈민 구제 (사업). **~kleidung** *f.* 동복, 겨울 채비. **~kurgast** *m.* 피한객(避寒客). **~kurort** *m.* 피한지. **~land·schaft** *f.* 겨울 경치.

winterlich [víntərlıç] *a.* 겨울의, 겨울같은, 겨울다운.

Winter·luft *f.* 겨울 바람, 찬바람. **~märchen** *n.* 겨울 밤의 옛날 이야기. **~morgen** *m.* 겨울 아침.

wintern [víntərn] 《Ⅰ》 *i.*(h.): es wintert 겨울이 되다. 《Ⅱ》 *t.* 월동(越冬)시키다.

Winter·nacht *f.* 겨울밤. **~punkt** *m.* 〖天〗 동지점. **~saat** *f.* (가을에 심는) 겨울 곡식. **~schlaf** *m.* 〖動〗 동면 (*hiberration*). **~schlußverkauf** *m.* 겨울철 옷〔옷감〕의 떨이 판매. **~sonnenwende** *f.* 동지. **~sport** *m.* 동계 스포츠.

winters·über [víntərs-ý:bər] *adv.* 겨우내.

Winzer [víntsər] [<lat. *zinum* „Wein"] *m.* -s, -, **Winzerin** *f.* -nen, 포도 재배자; 포도 따는 사람.

winzig [víntsıç] [♈wenig] *a.* 극히 적은, 근소한; 사소한, 매우 작은(*tiny, diminutive*).

Wipfel [vípfəl] *m.* -s, -, 우듬지(*tree-top*); 꼭대기, 정상.

Wippe [vípə] *f.* -n, 널, 시소(*seesaw*). **wippen** [vípən] 《Ⅰ》 *i.*(h.) u. *refl.* ① 흔들리다, 진동하다; 널뛰다, 시소를 타다. ② 퍼덕거리다, 날개치다《새가》. 《Ⅱ》 *t.* 흔들다, 진동시키다. **Wipper** *m.* -s, -, 화폐 가장자리를 깎아내는 사람; 화폐 변조자.

wir [vi:r] *prn.* ① 우리(들)(♈*we*). ¶ ~ alle 우리 모두 / ~ beide 우리 두 사람. ② Wir 짐(朕)《군주의 자칭》.

wirb! [virp] ☞ WERBEN (그 命令形).

Wirbel [vírbəl] [*eig.* „Wendung, Drehung"; ♈werben] *m.* -s, -, ① 소용돌이(♈*whirl*); (Rauch~) 소용돌이꼴로 피어 오르는 연기(*wreath, curl*); 회오리바람. ② 현기(*dizziness*). ③ (Kopf~) 정수리(*crown*); (Haar~) 가마《머리의》. ¶ vom ~ bis zur Zehe 머리 끝에서 발끝까지. ④ (Rücken~) 등골뼈, 척추(*vertebra*). ⑤ 나사, 나사쇠《창의》(*button*); (Violin~) 줄감개(*peg*). ⑥ (Trommel~) 스쳐 치기, 연타(連打)《북의》(*roll*); (새의) 연달아 지저귐.

Wirbel·bein *n.* 〖解〗 등뼈, 척추골. **~bewegung** *f.* 선회 운동; 〖物〗 소용돌이 운동. **~entzündung** *f.* 척추염.

wirbelhaft, **wirb(e)licht**, **wirb(e)lig** [vírb(ə)lıç] *a.* ① 소용돌이 치는, 선회(旋回)하는. ② 《比》 현기증을 일으키는, 어지러운, 맹렬한; 술에 취한.

Wirbel·knochen [vírbəl-] *m.* 등골뼈. **~los** *a.* 무척추의. ¶die ~losen (*pl.*) 무척추 동물.

wirbeln [vírbəln] 《Ⅰ》 *i.*(h. *u.* s.) u. *refl.* 선회(旋回)하다; 소용돌이치다; (머리가) 어질어질하다, 현기증이 나다. 《Ⅱ》 *i.*(h.) u. *t.* 회전시키다; (북을) 빨리 연타하다, 스쳐 치다.

Wirbel·säule *f.* 척주. **~sturm** *m.* 대선풍. **~sucht** *f.* 〖醫〗 현기증. **~tier** *n.* 척추 동물. **~wind** *m.* 선풍, 회오리바람.

wirbst [vırpst] (du ~), **wirbt** [vırpt] (er ~) ☞ WERBEN (그 現在).

wird [vırt] (er ~) ☞ WERDEN (그 現在).

wirf! [vırf], **wirfst** [vırfst] (du ~), **wirft** (er ~) ☞ WERFEN (그 命令形 및 現在).

wirken [vírkən] [<Werk] 《Ⅰ》 *i.*(h.) ① 일하다, 활동〔행동〕하다(*act*). ② 작용을 미치다, 작용하다(*operate*); 영향을 미치다, 세력이 있다(*affect, influence*); 효험〔효과〕가 있다, 듣다(*tell*); 인상을 주다. ③ 《前置詞와 함께》 **an** e-r Schule ~ 어느 학교에 근무하고 있다 / **auf** jn. ~ 아무에게 영향을 미치다 / **für** jn. ~ 아무를 위해 힘쓰다 / **gegen** jn. ~ 아무에 반대〔대항〕하다. 《Ⅱ》 *t.* ① 행하다, 실행하다(*work*); 이룩하다, 성취하다; (영향·효과·결과를) 미치다(*effect*). ② 짜다, 엮다(*weave*). ③ (가루를) 반죽하다(*knead*). 《Ⅲ》 **Wirken** *n.* -s, 일함, 일, 활동; 노력; 작용, 영향.

wirklich [vírklıç] 《Ⅰ》 *a.* 현실의, 실제의, 진정한(*actual, real, true*). 《Ⅱ》 *adv.* 실제로, 참으로, 정말로(*actually, really, indeed*). **Wirklichkeit** *f.* -en, 현실, 실제, 실물(*actuality, reality*).

wirksam [vírkza:m] *a.* 일하는, 작용하는, 효과〔효험〕 있는(*effective, efficacious*). **Wirksamkeit** *f.* -en, 활동; 작용, 효과, 효험.

Wirkstoff [vírkʃtɔf] *m.* 작용 물질(作用物質)《효소·비타민·호르몬 등의 총칭》.

Wirkung [vírkuŋ] *f.* -en, 활동; 작용, 영향; 세력, 힘; 효과, 효험, 결과; 인상.

Wirkungs·bereich = ~KREIS. **~form** *f.* 〖哲〗 작용 형식. **~grad** *m.* 〖物〗 효율. **~größe** *f.* 〖物〗 작용량. **~kreis** *m.* 활동〔세력〕 범위, 영역; 〖軍〗 효력권, 유효 사정(射程). **~los** *a.* 작용〔영향·효험〕 없는, 무효의. **~voll** *a.* 작용〔영향〕이 큰, 충분한 효력이 있는.

Wirkwaren [vírkva:rən] *pl.* 직물류, 메리야스류; 양말류.

wirr [vır] *a.* 뒤죽박죽인, 헝클어진, 얽힌; 혼란한(*confused*); 정신 착란의. **wirren** [vírən] [♈engl. *war* „Krieg"] 《Ⅰ》 *t.* 흩뜨리다, 엉클다, 혼란을〔분규를〕 일으키다. 《Ⅱ》 *refl.* 엉클어지다, 혼란해지다.

Wirr·garn [vír-] *n.* 엉클어진 실. **~haar** *n.* 흐트러진 머리, 산발(散髮). **~kopf** *m.* ① (머리털이) 흐트러진 머리, 쑥대강이(인 사람). ② 정신 착란자.

Wirrnis [vírnıs] *f.* -se, **Wirrsal**

[vírza:l] *n.* -(e)s, -e, 어지러움, 뒤엉킴, 혼란, 분규(*chaos, confusion*).

Wirrung [víruŋ] *f.* -en, 어지러움, (뒤)얽힘, 혼란. 「혼란, 분규.

Wirrwarr [vírvar] *m.* -s, 뒤죽박죽,

Wirsing [vírzıŋ] [Lw. lat., <*viridis* „grün"] *m.* -s, -e, **~kohl** *m.* 〖植〗 오그라기양배추. 「現在).

wirst [vırst] (du ~) ☞ WERDEN (그

Wirt [vırt] *m.* -(e)s, -e, ① 주인(*host, landlord*). ② (여관·요리집 따위의) 주인(*innkeeper*). ③ 가구주, 가장. ¶ ein guter ~ 살림꾼, 절약가. **wirtbār** *a.* 손님을 후대하는; 살기에 좋은.

Wirtel [vírtəl] *m.* -s, -, ① 〖植〗 윤생체(輪生體), 환생체(環生體). ② 〖工〗 속도 조절 바퀴, 정속륜(整速輪).

Wirtin [vírtın] *f.* -nen, (음식점 따위의) 마담; 주부; 여주인. 「=WIRTBAR.

wirtlich [vírtlıç] *a.* 검소한, 알뜰한;

Wirt·schaft [vírt-ʃaft] [<Wirt] *f.* -en, ① 살림살이, 가정(家政), 가사(*housekeeping*); 가계; 살림, 가정(*household*). ② 관리, 경영; 경제(*economy*); (Volks≈) (국민) 경제. ③ (Gast≈) 접객업; 음식점, 식당(*inn, public house*). **wirt·schaften** [vírt-ʃaftən] *i.*(h.) ① 살림살이하다, 살림을 맡아 하다. ② 관리〔경영〕하다. ③ (여관·음식점 따위를) 경영하다. ④ 《俗》 (arg ~) 행패부리다(*rummage about*). **Wirt·schafter** *m.* -s, -, 가사를 처리하는 사람; 관리자, 지배인, 매니저. **Wirt·schafterin** *f.* -nen, 주부; 가정부. **wirt·schaftlich** *a.* ① 살림살이의, 가정(家政)의. ② 살림을 잘하는, 알뜰살뜰한. ③ 경제적인(*profitable*); 절약적인(*thrifty*). **Wirt·schaftlichkeit** *f.* 경제성(性); 경제, 절약; 살림을 잘함.

Wirt·schafts=abkommen *n.* 경제 협정. **~berāter** *m.* 경제 고문. **~būch** *n.* 가계부(家計簿). **~demokratie** *f.* 경제 민주주의. **~gebäude** *n.* 관리 사무소; 관리자의 주거; 농사(農舍). **~=geld** *n.* 가계비(家計費). **~geogra=phie** *f.* 경제 지리학. **~gruppe** *f.* 트러스트. **~jahr** *n.* 회계 연도. **~=konferenz** *f.* 경제 회의. **~krieg** *m.* 경제전. **~krīse**, **~krīsis** *f.* 경제적 위기, 공황. **~lehre** *f.* 경제학. **~plān** *m.* 경제 계획. **~politīk** *f.* 경제 정책. **~psychologie** *f.* 경제 심리학. **~räume** *pl.* 경영 공간.

Wirts=frau *f.* (여관·음식점 등의) 마담. **~haus** *n.* 음식점; 비어홀; 여관. **~=leute** *pl.* 주인 부부; 바깥주인과 안주인. **~pflanze** *f.* 〖植〗 숙주(宿主). **~=stūbe** *f.* 음식점의 객실, 식당; 여관의 객실.

Wisch [vıʃ] *m.* -es, -e, ① (Stroh≈) 짚(으로 만든) 비(♈*wisp*); 행주, 걸레(*rag*). ② 휴지(*scrap of paper*). **wi=schen** [víʃən] 《I》 *t.* 닦다, 훔치다(*wipe*); 문지르다(*rub*). 《II》 *i.*(s.) 훌쩍 떠나다〔도망하다〕. **Wischer** *m.* -s, -, 닦는 사람; 닦는 도구; (자동차의) 창닦개; 〖畫〗 찰필(擦筆); 《俗》 꾸지람, 야단맞음(*wigging, rebuff*).

Wischgold [víʃgɔlt] *n.* 금박(金箔).

Wischiwaschi [vıʃiváʃi:] [擬聲語] *n.* -s, 수다; 실없는 말; 농지거리.

Wisch=lappen *m.*, **~tūch** *n.* 행주; 걸레. 「소(♈*bison*).

Wisent [ví:zɛnt] *m.* -(e)s, -e, 〖動〗 들

Wismūt [vísmu:t] *n.* u. *m.* -(e)s, 〖鑛·化〗 창연(蒼鉛), 비스머드(♈*bismuth*). **~oxȳd** *n.* 산화 창연.

wispeln [víspəln], **wispern** [víspərn] [擬聲語] *i.*(h.) u. *t.* 소곤거리다, 속삭이다(♈*whisper*). ¶ ~der Wind 산들바람.

Wiß=begier(de) [vís-] *f.* 지식욕; 호기심. **≈begierig** *a.* 지식욕이 있는; 호기심이 있는.

wissen* [vísən] [*eig.* „gesehen, erkannt haben"] 《I》 *t.* u. *i.*(h.) 알다, 알고 있다(*know*). ¶ er will alles immer besser ~ 그는 무엇이든 아는 체한다 / weißt du was? (공손하게: wissen Sie was?) (무엇인 줄 아십니까:) 자, 들어보세요, 그런데 말이지요《새 사실을 말하기 시작할 때 하는 말》 / jn. et. ~ lassen, *od.* jm. et. zu ~ tun 아무에게 무엇을 알리다 / ich möchte wohl ~, ob... …일지 어떨지는 문제이다 / jm. (für et.) Dank ~ 아무에게 (무엇을) 감사하고 있다 / **um** et. ~ 무엇(의 사정)을 잘 알고 있다 / nicht daß ich wüßte 그렇지는 않으리라고 생각하는데 / wer weiß, *od.* weiß Gott, (누가 알랴, 하느님이 아신다:) 정말, 참으로 / er kommt Gott weiß woher 그는 알지 못하는 곳에서 온다 / ~, et. zu tun 무엇을 (하는 방법을) 알고 있다, 할 줄 안다. **Wissen** *n.* -s, ① 앎, 알고 있음(*learning*). ¶ mit ~ u. Willen 의식적으로, 고의로 / ohne mein ~ 나에게 알리지 않고 / m-s ~s ist es so 내가 아는 바로는 그렇습니다. ② 지식, 견문, 학식(*knowledge*).

Wissenschaft [vísənʃaft] *f.* -en, ① 학(學), 학술, 학문(*learning*); 과학(*science*); 자연 과학. ② 지식, 학식(*knowledge*). **Wissenschaft(l)er** [-ʃaft(l)ər] *m.* -s, -, 학자; 과학자; 자연 과학자. **wissenschaftlich** *a.* 학술(상)의, 과학(상)의; 학술적인, 과학적인. **Wissen=schaftsrāt** *m.* 학술 회의.

Wissens=drang [vísəns-] *m.* 지식욕. **~durst** *m.* 지식에 대한 갈망, 지식욕. **~gebiet** *n.* 학문의 영역, 전문. **~=trieb** *m.* 지식욕. **≈wērt**, **≈würdig** *a.* 알〔배울〕 가치가 있는; 중요한, 주목할 만한. **~zweig** *m.* 학문의 부문, 전문(專門).

wissentlich [vísəntlıç] *a.* 알고 있는, 의식적인, 일부러 하는, 고의의; *adv.* 알고서, 의식적으로, 고의로.

Witfrau [vítfrau] *f.* =WITWE.

wittern [vítərn] [<Wetter] 《I》 *t.* u. *i.*(h.) (냄새를) 맡다, 맡아내다(*scent, smell (out)*); 《比》 낌새채다(*perceive*), 의심을 두다(*suspect*). 《II》 *i.*(h.) ① es wittert 뇌우가 있다. ② es wittert so u. so …한 날씨다. **Witterung** [vítəruŋ] *f.* -en, ① 날씨, 일기(*weather*). ② 〖獵〗 후각, 취기(*scent*). ¶ ~ von et. bekommen 무엇을 낌새채다.

Witterungs=kunde *f.* 기상학(氣象學). **~umschlāg** *m.* 날씨의 급변.

∼verhältnisse *pl.* 기상 상태. **∼=wechsel** [-vɛksəl] *m.* 날씨의 변화.

Wittum [vítuːm] [<Witwe] *n.* -(e)s, ⸗er, 과부가 받는 유산.「어미(♈*widow*).」

Witwe [vítvə] *f.* -n, 과부, 미망인, 홀

Witwen=gehalt [vítvən-] *n.*, **∼geld** *n.* 과부 부조금. **∼jahr** *n.* 과부의 1년간의 복상 기간. **∼kasse** *f.* 과부 부조 기금. **∼stand** *m.* 과부임; 과부의 신분. **∼trauer** *f.* 과부의 상복(喪服).

Witwer [vítvər] *m.* -s, -, 홀아비. **∼=stand** *m.* 홀아비임; 홀아비의 신분.

Witz [vɪts] [*eig.* „wissen, Verstand", ♈wissen] *m.* -es, -e, ① 재치, 기지(♈*wit*). ② (흔히 *pl.*) 재치 있는 말, 경구(警句)(*witticism*); 익살, 농담(*joke, jest*). ¶∼e machen 〔reißen〕 익살부리다.

Witz=blatt [víts-] *n.* 해학 신문(諧謔新聞), 만화 잡지. **∼bold** *m.* -(e)s, -e, 익살꾼.

Witzelei [vɪtsəlái] *f.* -en, 객적은 익살(을 떪); 빈정댐. **witzeln** [vítsəln] *i.*(h.) 부자연한 익살을 부리다; (über jn., 아무를) 빈정거리다, 놀리다(*poke fun (at)*). **witzig** [vítsɪç] *a.* 재치 있는(♈*witty*); 우스꽝스러운, 익살스러운(*joking*); 기발한(*smart*). ¶ein ∼er Einfall 묘안(妙案). **witzigen** *t.* 영리하게 하다; 《지금은 다음 用法뿐》 gewitzigt werden (경험에 의해서) 지혜가 생기다, 약아지다.

witz=sprühend [vítsʃpryːənt] *a.* 재치가 넘치는, 기지가 번득이는. **∼wort** *n.* 재치 있는 말, 경구(警句).

wo [voː] [♈was, wann, wer, wie] 《Ⅰ》 *adv.* 《疑問副詞》 어디, 어디에, 어딘가(♈*where*). ¶der Ort, von ∼ ich kam 내가 떠나온 곳 / ∼ auch (immer) 〔∼ nur〕 어디든지 간에. 《Ⅱ》 *cj.* (=im Fall, daß) 만약 …이라면. ¶∼ nicht, a) 비록 …아니라 할지라도(*if not*), b) 그렇지 않으면(*unless*).

wo.. =wo: 《代名詞 대신으로 前置詞 앞에 붙임》 womit, wodurch《母音 앞에서는 r 음이 들어감; worin, worauf》.

woanders [voːándərs] *adv.* 어딘가 딴 곳에서. ¶ich werde ihn ∼ suchen 그를 어딘가 딴 데서 찾자.

wobei [voːbái] *adv.* ① 《疑問副詞》 의 부근〔곁〕에; 한 때〔경우〕에. ② 《關係副詞》 그 근처〔부근〕에, 그 곁에; 그 때에.

Woche [vɔ́xə] [♈Wechsel] *f.* -n, ① 주(週)(♈*week*); 근무일, 평일(平日)《Sonntag 이외의 6일간》. ¶heute in einer ∼ 1주일 후의 오늘. ② (*pl.*), 산욕(産褥)《산부는 산후 6주일간 산욕에 누워 있는 데서》. ¶in den ∼n liegen 산욕에 있다 / in die ∼n kommen 산욕에 들다, 해산하다.

Wochen=bett [vɔ́xən] *n.* 산욕 **∼=blatt** *n.* 주보(週報); 주간지. **∼end(e)** *n.* 주말 (휴가). **∼fieber** *n.* 산욕열. **∼=geld** *n.* 주급; 해산 수당. **∼lang** *a.* 수(數)주간의; *adv.* 몇 주일간이나. **∼=lohn** *m.* 주급. **∼markt** *m.* (매)주 (한 번·여러 번 서는) 시장. **∼pflegerin** *f.* 해산바라지하는 사람. **∼schau** *f.* (신문의) 주간 기사; (영화의) 주간 뉴스. **∼stube** *f.* 산실(産室). **∼tag** *m.* (일요일 이외의) 평일, 근무일. **∼tags** *adv.* 평일에, 근무일에.

wöchentlich [vœ́çəntlɪç] *a.* 매주의, 1주일마다의; *adv.* 매주에.

wochen=weise *adv.* 매주, 주마다. **∼=zettel** *m.* 주보; 주간 행사표.

Wöchnerin [vœ́çnərɪn] *f.* -nen, 산부(産婦). ¶Hospital für ∼nen 산부인과 병원. **Wöchnerinnenheim** *n.* (극빈자를 위한) 임부(妊婦) 수용소.

Wodka [vɔ́tka] [russ.] *f.* 보트카《러시아의 화주》.

wodurch [voːdúrç] *adv.* ① 《疑問副詞》 어디를 지나서; 무엇을 통해서, 무엇에 의하여, 어떤 방법으로. ② 《關係副詞》 그것을 지나서; 그것에 의하여. **wofern** [voːfɛ́rn] *cj.* …하는 한, …이라면(*provided that*). **wofür** [voːfýːr] *adv.* ① 《疑問副詞》 무엇을 위하여; 무엇에 대하여; 무엇으로서. ¶∼ sind Sie? 어느 쪽에 찬성이오. ② 《關係副詞》 그것을 위하여, 그것 때문에. ¶er ist nicht das, ∼ er gelten will 그 사람은 겉보기와 다르다.

「過去」.

wog [voːk] ☞ WÄGEN, WIEGEN 《그

Woge [vóːgə] [*eig.* „Bewegtes"] *f.* -n, 큰 물결, 놀, 파도(*wave, billow*).

wogegen [voːgéːgən] *adv.* ① 《疑問副詞》 무엇에 대하여〔반대하여〕; 무엇 대신에. ② 《關係副詞》 그것에 대하여; 그것에 반(대)하여.

wogen [vóːgən] *i.* ① (h.) 물결치다, 파도가 일다, 파동치다. ¶der Kampf wogt 싸움이 한창이다. ② (s.) 물결치며 나아가다; 인파를 이루다.

Wogen=prall [vóːgən-] *m.* (바위에) 부딪쳐 튀는 파도. **∼schlag** *m.* 밀려드는 파도.「파상(波狀)의.」

wogig [vóːgɪç] *a.* 물결치는, 파동치는;

woher [voːhéːr] *adv.* ① 《疑問副詞》 어디에서(부터)(*whence, from where*). ¶∼ weißt du das? 어디서 그것을 들었나. ② 《關係副詞》 거기서(부터). ¶er geht wieder (da)hin, ∼ er gekommen ist 그는 그가 온 곳으로 되돌아간다.

wohin [voːhín] *adv.* ① 《疑問副詞》 어디로(*where, whither*); (irgend∼) 어디론지. ② 《關係副詞》 그쪽으로. ¶der Ort, ∼ ich ziehe 내가 가는 곳. **wo=hinaus** [voːhɪnáus] *adv.* 《疑問副詞》 어느 쪽〔방향〕으로. ¶∼ soll das führen? 이 일은 어찌 될 것인가.

wohl [voːl] [*eig.* „nach Wünsch", ♈wollen, wählen] 《Ⅰ》 *a.* 좋은; 기분 좋은; 건강한, 별고 없는(♈*well*). 《Ⅱ》 *adv.* ① 잘, 좋게; 기분 좋게; 다행히; 충분히. ¶das tut mir ∼ 그것은 내 마음에 든다 / leben Sie ∼!, 안녕히 계십시오〔가십시오〕 / ∼ bekomm's (Ihnen)! (그것이 당신의 건강에 알맞기를:) 자 많이 잡수십시오 / ja ∼! *od.* ja ∼! 그렇고 말고요, 물론이지요, 예 / ∼ dem, der..., …인 사람은 행복하다, …하는 자는 복이 있나니. ② 분명히·확실히·물론(…이긴 하지만, 그러나). ¶er ist ∼ reich, aber..., 그는 부자임에는 틀림없지마는, (그러나) …. ③ 틀림없이, 꼭; 필경, 아마(*I presume, I suppose*). ④ 약, 대략. ¶sie wird ∼ krank sein 그 여자는 아마

않고 있을 것이다. 《III》 **Wohl** *n.* -(e)s, 행복, 복지(*welfare, well-being*); 번영(*prosperity*); 건강(*health*). ¶ auf Ihr ~! 건강을 축하합니다《축배를 들 때》.

wohlan [vo:lán, vo:l-án] *int.*: ~! 자아 힘차게 / ~ (es sei) denn! 좋아, 됐어.

wohl-anständig [vó:l-anʃtendıç] *a.* 예의 바른; 단정한; 크게 존경할 만한. **~auf** [vo:l-áuf, vo:láuf] 《I》 *adv.* 무사히, 몸 성히. 《II》 *int.*: ~auf! 자아, 힘차게. **~bedacht** *a.* 심사 숙고한, 신중한. **~befinden** *n.* 건재(健在), 무사; 건강(*good health*). **~begründet** *a.* 근거〔이유〕가 확실한. **~behāgen** *n.* -s, 쾌감; 유쾌, 만족((*feeling of*) *comfort*). **~behalten** *a.* 잘 보존된; 상한 데가 없는; 병 없는, 무사한(*safe and sound*). **~bekannt** *a.* 잘 알려진, 유명한. **~beleibt** *a.* 살찐, 통통한. **~beschaffen** *a.* 형편이 좋은. **~bestallt** *a.* 《戱》 훌륭한 지위에 있는. **~betāgt** *a.* 고령의, 연만한. **~erfahren** *a.* 노련한. **~ergēh(e)n** *n.* -s, 무사, 안녕, 행복(*well-being, prosperity*). **~erzōgen** *a.* 잘 자란, 행실이 바른. **~fahrt** *f.* (공공의) 복지, 안녕(*welfare*).

Wohlfahrts-einrichtungen [vó:l-fa:rts-] *pl.* 후생〔복지〕시설. **~pflēge** *f.* 사회(복지)사업. **~staat** *m.* 복지 국가.

wohl-feil [vó:lfail] [„leicht käuflich"] *a.* 저렴한, (값이) 싼(*cheap*). **~feilheit** *f.* 저렴, 염가. **~geartet** *a.* 성품이 좋은, 예의 바른, 행실이 좋은. **~gebōren** *a.* (존칭:) 고귀한 태생의, 지체 높은. ¶ Ew. (=Euer) ~geboren! 각하; 귀하, 당신(=Sie). **~gefallen** *n.* 마음에 듦, 만족. **~gefällig** *a.* 마음에 드는, 유쾌한(*agreeable*). **~gefühl** *n.* 쾌감. **~gelitten** *a.* 호감을 산; 인기가 있는. **~gelungen** *a.* 잘된, 성공한. **~gemeint** *a.* 호의〔친절〕에서의, 우호적인. **~gemūt** *a.* 명랑한; 기분이 좋은; 쾌활한; 낙천적인. **~genährt** *a.* 영양이 좋은; 살찐. **~geneigt** *a.* 호의 있는, 친절한. **~gerāten** *a.* 잘된, 성공한; 예의〔행실〕 바른. **~geruch** *m.* 방향(芳香), 향기. **~geschmack** *m.* 좋은 맛, 미미(美味). **~gesinnt** *a.* 성품이 좋은; 호의 있는. **~gestalt** *f.* 아름다운 자태〔모습〕. **~gestaltet** *a.* 자태가 아름다운, 모양이 고운. **~hābend** *a.* 부유한, 유복한(*well-to-do, wealthy*). **~hābenheit** *f.* 부유, 유복.

wohlig [vó:lıç] *a.* 유쾌한, 쾌적한; 즐거운; 행복한.

Wohl-klang, ~laut *m.* 쾌(조)음, 아름다운 곡조〔가락〕. **~klingend, ~lautend** *a.* 쾌음의, 아름다운 가락의. **~lēben** *n.* -s, 부유한 생활, 영화(榮華). **~lōblich** [-lǿ:plıç] *a.* 칭찬〔존경〕할 만한《전에 관청에 대한 경어로 썼음》. **~meinend** *a.* 선의의, 호의 있는. **~rēdend** *a.* 능변의, 구변이 좋은. **~riechend** *a.* 좋은 냄새가 나는, 향기로운. **~schmeckend** *a.* 맛좋은, 미미(美味)의. **~sein** [vó:lzain] *n.* -s, 건강; 행복. **~stand** *m.* 복지, 안녕; 번영; 유복(裕福). **~tāt** [vó:lta:t] *f.* -en, 선행, 착한 일, 친절(한 행위), 자선, 은혜(*kindness, benefit*). **~tāter** *m.*, **~tāterin** *f.* 선행자, 자선가; 은인. **~tātig** *a.* 선행을 하는, 자선을 좋아하는; 고마운; 이로운, 유익한; 위생에 좋은. **~tātigkeit** *f.* 선행; 자선; 희사(喜捨), 시여(施與); 은혜, 고마운 일, 이로운 일.

Wohltātigkeits-anstalt [vó:ltε:tıç-kaits-] *f.* 자선 시설. **~basār** *m.* 자선시, 바자.

wohl-tūend *a.* 즐거운, 기분 좋은, 쾌적한. **~|tūn*** *i.* (h.) 선행을 하다; 자선을 베풀다, 친절을 다하다; 건강에 좋다; 쾌감을 주다, 기쁘게 하다. **~unterrichtet** *a.* 정통한, 잘 아는. **~verdient** *a.* 상응(相應)한, 당연한. **~verhalten** *n.* 훌륭한 행실, 품행 방정. **~verstanden** *a.* 잘 이해한, 납득한. **~weislich** *adv.* 아주 현명〔신중〕하게. **~|wollen*** [vó:lvɔlən] *i.* (h.) (jm, 아무에게) 호의를 가지다, 행복하기를 원하다(*wish* (*someone*) *well*). **~wollen** *n.* -s, 호의, 친절, 애고. **~wollend** *a.* 호의 있는, 친절한.

wohnbār [vɔ́:nba:r] *a.* 살 수 있는, 거주에 적당한.

wohnen [vó:nən] *i.* (h.) 거주하다, 살다(*live, dwell, reside*). ¶ zur Miete ~ 세들어 있다.

Wohngebaüde [vó:ngəbɔydə] *n.* = WOHNHAUS.

wohnhaft [vɔ́:nhaft] *a.* 거주하는, 정주하는.

Wohn-haus [vó:n-] *n.* 주택; 저택. **~heim** *m.* 독신자의 주거, 숙사.

wohnlich [vó:nlıç] *a.* 살 만한, 살 수 있는; 살기 좋은, 편한.

Wohn-ort *m.* 주소, 거주지, 사는 곳. **~politīk** *f.* 주택 정책. **~raum** *m.* 거실(居室). **~shiff** *n.* 주거로 쓰이는 배. **~sitz** *m.* 주소, 주택; 임지(任地)《공무원의》. **~stätte** *f.* =~ORT. **~stūbe** *f.* 거실(居室).

Wohnung [vó:nuŋ] *f.* -en, ① 주소, 거소. ② 주택; 플래트식 주택, 아파트.

Wohnungs-einrichtung *f.* 주택 설비, 세간. **~frāge** *f.* 주택 문제. **~geldzūschuß** *m.* (관리 등의) 주택 수당. **~mangel** *m.* 주택난(住宅難). **~miete** *f.* 집세, 방세. **~nāchweis** *m.* 복덕방. **~nōt** *f.* 주택난. **~wechsel** [-vεksəl] *m.* 전거(轉居), 이사. **~zwangswirtschaft** *f.* 주택 통제(統制).

Wohn-viertel *n.* 주택〔거주〕 구역. **~wāgen** *m.* 가옥(으로 이용되는) 차. **~zimmer** *n.* =~STUBE.

wölben [vœ́lbən] 《I》 *t.* 〖建〗 활 모양〔아치형〕으로 만들다(*vault*); 만곡시키다, 휘게 하다; (에) 둥근 천장을 대다, (에) 홍예를 대다; *refl.* 아치〔반원꼴〕로 되다; 굽다, 휘다. 《II》 **gewölbt** *p. a.* 활모양〔아치형〕의. **Wölbung** [vœ́lbuŋ] *f.* -en, 궁형(弓形), 홍예형; 반곡, 휨; 궁륭.

Wolf [vɔlf] *m.* -(e)s, ⸚e [vœ́lfə], 〖動〗 이리, 늑대(♀*wolf*); 〖醫〗 낭창(狼瘡); 피부 찰상(擦傷), 살 쓸림; (이리가 다른 동물을 갈기갈기 찢어 죽이듯이 물건을 찢는 기계:) 타면기(打綿機); 제지용 구해기(叩解機); 세절기(細切機)《푸줏간의》.

Wölfin [vœ́lfın] *f.* -nen, 이리의 암컷.

wölfisch *a.* 이리 같은(♀*wolfish*).
Wolfram [vɔ́lfram] *n.* -s, 〖鑛〗 볼프람《텅스텐광》.
Wolfs≈eisen [vɔ́lfs-] *n.*, **~falle** *f.* 〖獵〗 이리잡이 덫〔올가미〕. **~grube** *f.* 〖獵〗 이리잡이 함정; 〖軍〗 함정. **~≈hund** *m.* 알사티안(개)《독일계 셰퍼드》. **~hunger** *m.* 병적 허기(虛飢), 탐식병(貪食病). **~milch** *f.* 〖植〗 대극(*spurge*). **~pelz** *m.* 이리의 모피.
Wölkchen [vœ́lkçən] *n.* -s, –, 작은 구름, 조각 구름. **Wolke** [vɔ́lkə] *f.* -n, 구름(*cloud*). ¶ 《比》 wie aus den ~n gefallen 깜짝 놀라서, 어리둥절하여.
wölken [vœ́lkən] *t.* 구름으로 뒤덮다, 어둡게 하다.
Wolken≈bruch *m.* 갑작스런 호우(豪雨), 억수 같은 소나기. **~himmel** *m.* 흐린 하늘. **~kratzer** *m.* 마천루(*skyscraper*). **~los** *a.* 구름 없는. **~wand** *f.* 구름의 층, 층운(層雲). **~zug** *m.* 구름이 오고감, 흘러가는 구름.
wolkig [vɔ́lkıç] *a.* 구름이 낀; 흐린; 구름 같은.
Woll≈arbeit [vɔ́l-] *f.* 소모(梳毛) 가공. **~arbeiter** *m.* 양털〔모직물〕 직공. **~≈decke** *f.* 모포.
Wolle [vɔ́lə] *f.* -n, 양털(♀*wool*); (기타 짐승의) 털; 털실; 모직물. ¶ 《比》 ~ lassen müssen (털을 깎인 양처럼) 되게 혼나다 / in der ~ gefärbt 털을 물들인《천으로 짜기 전에》; 《比》 진짜의, 틀림없는 / in der ~ sitzen 안락하게 살다. **wollen**[1] [vɔ́lən] *a.* 양털의; 모제의; 모직의; (양)털 같은.
wollen[2]* [vɔ́lən] 《Ⅰ》 《本動詞》 *i.*(h.) u. *t.* 하고자 하다, 바라다(♀*will*, *be willing*, *want*, *desire*); 원하다(*wish*). 《Ⅱ》 《話法助動詞》 (이 경우 *p.p.*는 gewollt가 아니고 wollen: ich habe singen wollen 나는 노래 부르려고 했다:): wir ~ gehen 자 갑시다(*let us go*) / ich will es nicht gesehen haben, a) 나는 그것을 못 본 것으로 하자, b) 나는 그것을 아무에게도 보이고 싶지 않다 / er will es selbst gesehen haben 그는 그것을 제 눈으로 봤다고 한다 / gib das Geld, wem du willst (=geben willst) 네가 주고 싶은 사람에게 그 돈을 주렴 / das will bedacht sein 그것은 숙고를 요한다 / das Holz will nicht brennen 이 나무는 타(려고 하)지 않는다 / dem sei, wie ihm wolle 그가 어떻든간에 / es will Nacht werden 날이 저물려 한다《해가 막 지려고 "하고자 한다"》 / jm. wohl 〔übel〕 ~ 아무에게 호의를 갖다〔악의를 품다〕. 《Ⅲ》 **Wollen** *n.* -s, 의욕, 지망, 지향(志向), 의도(意圖). 《Ⅳ》 **ge≈wollt** *p.a.* 원하던, 바라던. ¶die ~e Tat 고의적 행위.

Wollen≈atlas *m.* 모직 공단. **~fabrik** *f.* 양모〔모직물〕 공장. **~garn** *n.* 털실. **~gewebe** *n.* 모직물. **~handel** *m.* 양털 장사. **~stoff** *m.* 모직물. **~zeug** *n.* =WOLLZEUG.
Woll≈färber *m.* 염모업자(染毛業者). **~gras** *n.* 〖植〗 황새풀속(屬). **~hand≈lung** [-hand-, -nt-] *f.* 양모업, 양모상(인). **~hemd** *n.* 모직 샤쓰.
wollig [vɔ́lıç] *a.* 솜털이 있는; 〖植〗 융모(絨毛) 있는; 양털 같은.
Woll≈industrie *f.* 양모 공업. **~käm≈mer** *m.* 소모공(梳毛工). **~kopf** *m.* 머리털이 양털 같은 머리(의 사람). **~≈markt** *m.* 양모 시장. **~sack** *m.* 양털 자루; (영국의) 상원 의장〔대법관〕 자리. **~schur** *f.* 양털깎기. **~spinner** *m.* 모사(毛絲) 방적공(工). **~spinnerei** *f.* 양털 방적 (공장). **~stickerei** *f.* 털실 자수. **~stoff** *m.* 모직물. **~tapete** *f.* 나사지(羅紗紙)《벽지용》.
Wollust [vɔ́lust, vɔ́llust] [<wohl u. Lust] *f.* ..lüste, † 환희, 환락(*delight*); 육욕, 색정, 호색, 음탕(*voluptuousness*, *lust*). **wollüstig** *a.* 육욕적인; 육욕을 밝히는, 색을 좋아하는. **Wollüstling** [vɔ́lʏstlıŋ] *m.* -s, -e, 색을 밝히는 사람, 호색가, 엽색가, 색골.
Woll≈ware *f.* 모직물. **~wäsche** *f.* 털샤쓰류(類); 양모 세탁. **~zeug** *n.* 모직물. **~züchter** *m.* 목양(牧羊)업자.
womit [vo:mít] *adv.* 무엇으로(써), 무엇에 의하여; 그것으로(써). **womöglich** [-mǿ:klıç] *adv.* 혹시, 아마(*possibly*). ★ wo möglich [vó:mǿ:klıç], 할 수만 있다면(*if possible*). **wonach** *adv.* 무엇 쪽으로; 무엇 뒤(에)로; 그쪽에(로); 그 뒤(에)로; 그것에 따라서.
Wonne [vɔ́nə] *f.* -n, 큰 환희, 광희(狂喜), 희열, 황홀(*bliss*, *rupture*, *ecstasy*); 기쁨(의 원인).
Wonne≈monat [vɔ́nə-], **~mond** [前半: ahd. *winne* „Wiese"를 Wonne에 연관시켜 轉訛] *m.* (Mai) 5월. **~trun≈ken** *a.* 기쁨에 도취된, 기뻐서 어쩔 줄 모르는.
wonnig [vɔ́nıç] *a.* 《雅》 기쁜, 즐거운; 좋은, 훌륭한.
woran [vo:rán] *adv.* 무엇에 있어서, 무엇 쪽으로, 무엇에 의하여; 그것에(있어서); 그 쪽으로. **worauf** *adv.* 무엇의 위에〔위에서·위로〕; 그 위에(로); 그 위에서, 거기에서. **woraus** *adv.* 무엇(의 안)에서부터, 어디서(부터); 그것에서부터.
Worcester≈soße [vústərzo:sə] *f.* (영국의) 우스터(시 원산의)소스《한국에서 흔히 소스라고 하는 것》.
worden [vɔ́rdən] ☞ WERDEN 《그 受動形에서의 過去分詞》.
worein [vo:ráin] *adv.* 무엇의 안으로; 그 안으로, 그것에.
Worfel [vɔ́rfəl] [<werfen] *f.* -n, 키(*winnowing-shovel*). **worfeln** [vɔ́rfəln] *t.* 키질하다(*winnow*, *fan*). **Worfma≈schine** [vɔ́rfmaʃi:nə] *f.* 풍구. **Worf≈schaufel** *f.* 키.
worin [vo:rín] *adv.* 무엇의 속에, 무엇에 있어서; 그 안에(로).
Wort [vɔrt] *n.* -(e)s, ① (*pl.* ⸚er [vœ́rtər]) 낱말(♀*word*); 단어; 품사(*part of speech*). ¶von ~ zu ~ 한마디 한마디. ② (*pl.* -e) (2개 이상의 낱말로 어떤 사상을 표현하는 경우:) 말, 언어, 어귀, 문구, 문장; 표현(*term*, *saying*, *expression*). ¶das ~ führen, a) 대표로서 말하다; 대변자이다, b) 의장(議長)이다 / **aufs** ~ 말 그대로. **bei** diesen ~en 이렇게 말하면서 / ~ **für** ~ 한마디 한마디, 축어적으로 / **mit** andern ~en 환언하면 / nicht **zu** ~e kommen 발언하지 않

다 / das ~ ergreifen 발언하다 / das ~ haben 발언〔연설〕중이다. ③ 맹세, 언질, 약속(의 말)(*pledge, promise*). ¶ (sein) ~ halten 〔brechen〕 약속을 지키다〔어기다〕 / jn. beim ~(e) nehmen 아무의 언질을 구실로 삼다 / 《俗談》 ein Mann, ein ~ 장부 일언 중천금.

Wort=ableiter *m.* 어원학자(語源學者). **~ableitung** *f.* 말의 파생; 어원학. **~arm** *a.* 어휘가 빈약한, 말수가 적은. **~armūt** *f.* 어휘의 빈약, 말수가 적음. **~ārt** *f.* 〖文〗 품사. **~aufwand** *m.* 다변(多辯), 요설(饒舌). **~biegung** *f.* 〖文〗 말의 변화. **~bildung** *f.* 말의 형성〔구성〕. **~bruch** *m.* 파약(破約), 위약, 식언. **~brüchig** *a.* 파약하는; 신의가 없는. ¶ ~brüchig werden 식언하다.

Wörtchen [vœrtçən] *n.* -s, -, 짧은〔몇 마디〕 말; 〖文〗 불변화사(不變化詞).

Wort(e)macher [vɔ́rt(ə)maxər] *m.* -s, -, 요설가(饒舌家), 떠버리, 허풍선이.

Wörterbūch [vœ́rtərbu:x] *n.* 사전(*dictionary*); 어휘; 용어 색인.

Wort=folge [vɔ́rt-] *f.* 어순(語順), 배어법. **~fūgung** *f.* 말의 결합, 구문(構文); 문장론(*syntax*). **~führer** *m.* 대변인, 스포크스맨. **~gefecht** *n.* 쟁론; 토론. **~geklingel** *n.* 아름답게 들리는 말, 미사여구(麗句). **~gepränge** *n.* 과장된 말, 화려한 언사. **~getreu** *a.* 문구에 충실한, 축어적인. **~karg** *a.* 말이 적은, 과묵한; 간결한. **~klasse** *f.* 〖文〗 품사. **~klauber** *m.* 문자에 까다로운 사람, 글귀에 매이는 사람. **~klauberei** *f.* 자의(字義)를 꼬치꼬치 캐고 따짐. **~kunde** *f.* 어원(語源)(학). **~laut** *m.* 문구, 문면(文面); 원문, 텍스트.

wörtlich [vœ́rtlıç] *a.* 말 그대로의, 글자 그대로의; 말의; 구두의.

wortlōs [vɔ́rtlo:s] *a.* 말 없는, 무언의; *adv.* 말 없이.

Wort=macher *m.* 《俗》 실없장이, 수다꾼, 수다장이; 떠버리. **~reich** *a.* 말이 풍부한; 어휘가 풍부한; 말이 많은, 수다스런. **~schatz** *m.* 어휘(*vocabulary*). **~schwall** *m.* 장광설, 군소리. **~sinn** *m.* 어의(語義). **~spiel** *n.* 말(을 가지고 하는) 놀이; 신소리, 익살. **~stellung** *f.* 말의 위치, 배어(配語). **~streit** *m.* 설전(舌戰), 논쟁. **~ver=drēhung** *f.* 말의 곡해, 견강 부회. **~wechsel** [-vɛksəl] *m.* 말다툼, 논쟁, 언쟁. **~wörtlich** *a.* (Wort für Wort) 축어적(逐語的)인.

wōrüber [vo:rý:bər] *adv.* 무엇의 위에, 무엇을 넘어서; 무엇에 대하여, 그(것) 위에, 그것을 넘어서; 그것에 관하여.

wōrum [vo:rúm] *adv.* 무엇을 돌아서; 무엇을 위하여; 그것을 돌아서, 그 주위에; 그것을 위하여. **wōrunter** [vo:rúntər] *adv.* ① 무엇의 밑에; 그(것의) 밑에. ② 무엇의 속〔안〕에; 그것의 속〔안〕에. **wōselbst** [vo:zélpst] *adv.* (바로) 거기에.

wōvon [vo:fɔ́n] *adv.* 무엇으로부터, 무엇에 대하여〔의하여〕; 그것으로부터, 그것에 대하여〔의하여〕. **wōvōr** [vo:fó:r] *adv.* 무엇 앞에, 무엇에 대하여; 그것 앞에, 그것에 대하여. **wōzū** [vo:tsú:] *adv.* 무엇 (쪽)에, 무엇 때문에; 무엇인가에, 무엇인가를 위해; 그것 쪽으로; 그것 때문에; 그 위에 더욱.

wrack [vrak] [ndd.] *a.* 쓸모없는; 〖海〗 손상〔파손〕된. ¶ ~ werden 난파하다; 《比》 영락하다, 거덜나다. **Wrack** [vrak] *n.* -(e)s, -e *u.* -s, 폐선(廢船), 노후선(ⓨ*wreck*).

wrang [vraŋ] ☞ WRINGEN(그 過去).

Wrāsen [vrá:zən] *m.* -s, -, 《方》 [nd.] =BRODEM; RASEN.

wringen* [vríŋən] *t.* (세탁물을) 짜다(ⓨ*wring*). **Wringmaschīne** *f.* (세탁기 등의) 탈수기.

W. S. g. u. ! 《略》 =*W*enden *S*ie *g*efälligst *u*m! 이면(裏面)을 보시오.

Wucher [vú:xər, 稀 vúx-] *m.* -s, 고리(高利); 폭리(*usury*). **Wūcherer** [-rər] *m.* -s, -, 고리 대금업자, 간상(奸商).

Wūcher=geschäft *n.* 고리 대금업. **~=gesetz** *n.* 폭리〔고리〕 단속법. **~ge=winn** *m.* 고리, 폭리.

Wūcherhandel [vú:xərhandəl, 稀 vúx-] *m.* 고리 대금업. **wūch(e)risch** *a.* 고리〔폭리〕를 취하는. **Wūchermiete** *f.* 터무니없는 집세〔지대, 소작료〕. **wūchern** [vú:xərn, 稀 vúx-] *i.*(h.) 무성하게 자라다, 우거지다(*grow exuberantly*); 《比》 만연하다; 고리〔폭리〕를 취하다. ¶ mit s-m Pfunde ~ 재능을 활용하다.

Wūcher=pflanze *f.* ① 번성하는 식물. ② 기생 식물. **~preis** *m.* 터무니없는 값. **~stier** *m.* 《方》 종우(種牛).

Wūchertūm [vú:xərtu:m] *n.* -(e)s, 고리 대금 근성. **Wūch(e)rung** *f.* -en, 〖醫〗 증식, 비대; 군살; 나무의 혹. **Wūcherzinsen** *pl.* 고리(高利).

wuchs [vu:ks, vuks] ☞ WACHSEN (그 直說法過去).

Wuchs [vu:ks, vuks] *m.* -es, ⸚e [vý ksə], ① 생장, 자라남(*growth*). ② 신장, 키. ③ 몸집; 자태(*shape, figure, form*). **Wuchs·stoff** *m.* 〖醫〗 발육소(發育素).

Wucht [vuxt] [ⓨwiegen, Gewicht] *f.* -en, ① 무게(ⓨ*weight*). ② 중압(重壓), 무거운 것; 《俗》 무거운 짐, 부담. **wuch=ten** 《Ⅰ》 *i.*(h.) 누르고 있다; 《俗》 무거운 짐이 되다. 《Ⅱ》 *t.* 지레로 움직이다〔들어올리다〕. **wuchtig** *a.* 무거운, 육중한.

Wūhl·arbeit [vý:l-arbait] *f.* 교란 공작.

wūhlen [vý:lən] 《Ⅰ》 *i.*(h.) *u.* *t.* 파엎다, 파헤치다, 헤집다, 파뒤지다, 에다(*dig, burrow, root*); 〖政〗 교란〔선동·사주〕하다(*agitate*). ¶ im Gelde ~ (돈 속에 손을 넣고 만지작거리다:) 큰 부자이다. **Wühler** *m.* -s, -, 교란자, 선동자. **Wühlerei** [vy:lərái] *f.* -en, 《比》 (정치적) 교란, 선동.

Wulst [vulst] [ⓨwölben] *m.* -es, ⸚e; od. *f.* ⸚e, 부풂; 속을 넣은 것(*pad*); 둥글게 한 것, 만 것(*roll*). **wülstig** *a.* 둥글게 부푼; (속을 넣어서) 불룩하게 한; 툭 불거진 (입술).

wund [vunt] *a.* 다친, 스쳐 벗겨진(ⓨ*wounded, sore*). ¶ ~er Punkt 약점, 급소.

Wund-arz(e)neikunst [vúnt-] *f.* 외과 의술. **～ärzt** *m.* 외과 의사(*surgeon*). **～ärztlich** *a.* 외과적(外科的)인. **～brand** *m.* 〖醫〗 병원 회저(病院壞疽).

Wunde [vúndə] *f.* -n, 상처, 부상(♈*wound*); 《比》 약점.

Wunder [vúndər] *n.* -s, -, 놀라움, 경악(♈*wonder*); 기적(*miracle*); 《比》 경이(驚異)(적인 것) (*marvel*). ¶sein blaues ～ an et.³ haben 무엇에 놀라(파랗게 질리)다, 이상히 여기다 / ～ tun 기적을 행하다 / es nimmt jn. wunder (소문자), daß... 아무가 …에 놀라다, 이상히 여기다 / er bildet sich ～ was drauf ein 그는 그 일을 대단히 자만하고 있다. **wunderbār** [vúndərba:r] 《Ⅰ》 *a.* 놀라운, 불가사의한 (*wonderful*); 경이적인 (*marvellous*); 기적적인 (*miraculous*). 《Ⅱ》 〔～er·weise〕 *adv.* 놀랄 만하게, 이상하게, 기묘하게; 매우.

Wunder-bau *n.* 굉장한 건물. **～bild** *n.* 〖宗〗 기적을 행하는〔영험 있는〕 상(像)〔그림〕. **～ding** *n.* 놀랄 만한 것, 불가사의(한 것). **～doktor** *m.* 놀랄이 의사. **～geschichte** *f.* 〖宗〗 기적사(奇蹟史); 기담, 괴담. **～glaube** *m.* 기적을 행하는 신앙. **～herrlich** *a.* 대단히 훌륭한. **～horn** *n.* 마적(魔笛). **～hübsch** *a.* 대단히 아름다운. **～kind** *n.* 신동(神童). **～kraft** *f.* 영력(靈力), 신통력(神通力). **～land** *n.* 불가사의한 나라, 선경(仙境).

wunderlich [vúndərlıç] *a.* 기이한, 기묘한(*strange, odd*); 별난, 변덕스러운 (*whimsical*). **Wunderlichkeit** *f.* -en, 위임.

Wunder-mann *m.* (*pl.* ⸚er) 이상한 남자; 기적을 행하는 사람. **～mittel** *n.* 영약(靈藥); 만병 통치약.

wundern [vúndərn] 《Ⅰ》 *t.* u. *i.*(h.) (非人稱) es wundert mich 그것은 나를 놀라게 한다, 그것 참 이상하다. 《Ⅱ》 *refl.* 놀라다, 이상하게 여기다(♈*wonder*).

wundersām [vúndərza:m] *a.* ＝WUNDERBAR.

wunderschön [vúndərʃø:n] *a.* 말할 수 없이〔대단히〕 아름다운.

Wunder-spiegel *m.* 마법의 거울. **～sucht** *f.* 기적광(奇蹟狂). **～tāt** *f.* 기적; 놀라운 행위. **～tāter** *m.* 기적을 행하는 사람; 마술사. **～tātig** *a.* 기적을 행하는; 기적적인. **～tier** *n.* 괴수(怪獸). **～voll** *a.* 놀라운, 불가사의한, 경이적인. **～werk** *n.* 불가사의한 작품; 기적. **～zeichen** *n.* (불길·중대한) 징조, 전조(前兆).

Wund-fieber *n.* 창상열(創傷熱). **～gelaufen** *a.* 달려서 발을 다친. **～māl** *n.* 상흔(傷痕); ～male (*pl.*) 〖宗〗 성흔(聖痕). **～pflaster** *n.* 반창고. **～salbe** *f.* 창상 연고(創傷軟膏). **～schorf** *m.* 부스럼 딱지. **～starrkrampf** *m.* 〖醫〗 창상성(創傷性) 파상풍.

Wūne [vú:nə] *f.* -n, (고기를 잡기 위해) 얼음에 뚫은 구멍.

Wunsch [vunʃ] *m.* -es, ⸚e [výnʃə], 소원, 원, 소망(♈*wish*); 희망, 희구(*desire*); (Glück～) 축하(의 말). ¶auf js. ～ 아무의 소원에 의하여 / nach js. ～ 아무의 소원대로. **Wunschbild** [vúnʃbılt] *n.* 지상 목표; 이상. **Wunschdenken** *n.* 희망적 사고《희망적 관측에 의한 현실 비판》.

Wünschelrūte [výnʃəlru:tə] *f.* 마술 지팡이; 점지팡이(*divining rod*).

wünschen [výnʃən] *t.* 원하다, 바라다 (♈*wish, want, desire*). ¶jm. Glück ～ 아무의 행운을 빌다, 아무를 축하하다(*congratulate*).

wünschens-wērt, ～würdig *a.* 소망되는, 바람직한.

Wunsch-konzert *n.* 희망 음악회. **～traum** *m.* 소원이 이루어지는 꿈. **～zettel** *m.* 소망표《크리스마스나 생일 따위에 받고 싶은 것을 적어 놓은》.

wurde [vúrdə] (ich, er ～) ☞ WERDEN 《그 過去》.

Würde [výrdə] [＜wert] *f.* -n, ① 가치 (♈*worth*). ② 품위(品位), 품격, 위엄, 존엄(*dignity*). ③ 체면, 면목(*honour*); 지위《관위·학위 따위의》 (*title, degree*). ¶in Amt u. ～n 고위 현직(顯職)에 있는. **würdelōs** *a.* 품격〔품위〕가 없는, 위엄이 없는; 상스러운. **Würdenträger** *m.* 높은 지위에 있는 사람; 학위를 가진 사람. **würdevoll** *a.* 품위가〔위엄이〕 있는; 점잔빼는. **würdig** [výrdıç] *a.* (의) 가치가 있는, …할 만한 (*worthy of, deserving of*); 품위〔위엄〕이 있는, 존경할 만한. ¶er ist dessen nicht ～ 그는 그만한 가치가 없다. **würdigen** [výrdıgən] *t.* (의) 가치가 있다고 하다, (의) 가치를 인정하다; 평가하다. ¶jn. e-s Dinges ～ 아무를 무엇의 가치가 있다고 인정하다. **Würdigkeit** *f.* 가치가 있음; 가치; 품위, 위엄. **Würdigung** [-dıguŋ] *f.* -en, 가치를 인정함, 평가.

Wurf [vurf] [＜werfen] *m.* -(e)s, ⸚e, 던짐, 투척; 던지는 법(*throw, cast*); (던지는) 힘, 기운; 던진 것; 필치, 필촉(筆觸); 초안; 밑그림, 스케치, 데생; (동물이) 새끼 낳기; 한배 새끼(*litter*); 옷이 걸쳐진 모습; (의복의) 주름잡힌 모양; 주름; 〖物〗 방사체(放射體). ¶zum ～ ausholen 던지려고 손을 휘둘러 올리다.

Wurf-bahn [vúrf-] *f.* 포물선. **～bild** *n.* 투영(投影), 영상(映像). **～blei** *n.* 〖海〗 측연(測鉛).

Würfel [výrfəl] [＜Wurf] *m.* -s, -, (던지는 것:) (Spiel～) ① 주사위(*die*). ¶《比》 der ～ ist gefallen 주사위는 던져졌다, 벌린 춤이다. ② 〖數〗 입방체; 세제곱(*cube*).

Würfel-becher *m.* 주사위통. **～bein** *n.* (발목의) 입방골(立方骨). **～būde** *f.* 주사위로 노름하는 집 《시장 따위에서》. **～form** *f.* 입방형, 정육면체. **～förmig** *a.* 위의.

würf(e)lig [výrf(ə)lıç] *a.* 주사위 모양의; 입방형이; 바둑판무늬의(*chequered*).

würfeln [výrfəln] 《Ⅰ》 *i.*(h.) 주사위놀이하다, 주사위로 도박하다. 《Ⅱ》 *t.* 네모로〔정방형으로〕 자르다; 바둑판무늬로 하다. 《Ⅲ》 **gewürfelt** *p.a.* 네모난; 바둑판무늬의; 《方》 노련한, 교활한.

Würfel-spiel *n.* 주사위놀이, 도박. **～spieler** *m.* 주사위놀이하는 사람. **～zucker** *m.* 각(角)설탕.

Wurf-geschoß [vúrfgəʃɔs] *n.* 투척 무

기, 투척탄(投擲彈). **~linie** *f.* 〖物〗 포물선; 탄도(彈道). **~netz** *n.* 투망(投網). **~schaufel** *f.* (곡식 따위를 까부는) 키. **~scheibe** *f.* (투척용의) 원반. **~sendung** *f.* (특정 대상을 지목하여 대량으로 인쇄된) 선전용 우편물. **~speer** *m.* 투창(投槍). **~weite** *f.* 투척 거리; 사정(射程).

Würgel [výrgəl] *m.* -s, -, ① 《俗》 우지〔울남·울녀〕; 치사한 사람. ② 《方》 솔.

würgen [výrgən] 《Ⅰ》 *t.*: jn. ~ (의) 목을 조르다(*throttle*); (er~) 교살하다, (의) 숨통을 끊어 버리다(*strangle, choke*). 《Ⅱ》 *i.*(h.) u. *refl.* 목이 메어 고통받다, 메스껍다; 토하려고 애쓰다(*retch*). **Würg·engel** *m.* 〖聖〗 죽음의 천사. **Würger** *m.* -s, -, 교살자; 학살자; 〖鳥〗 때까치. **würgerish** *a.* 목을 죄는 듯한; 살인적인, 잔인한.

Wurm [vurm] *m.* -(e)s, ⸚er, ① 벌레, 연충(蠕蟲), 모충(毛蟲)(♈*worm*); 구더기. ② 〖獸醫〗 (Pferde~) 마비저(馬鼻疽); 《比》 (구더기처럼) 하찮은〔가엾은〕 인간. ¶ein armer ~ 어린 아이. ③ †(*pl.* ⸚e) 용; 뱀. ④ 〖解〗 충양 돌기(蟲樣突起).

wurm·abtreibend [vúrmaptraibənt] *a.* 〖醫〗 구충(驅蟲)의 (효험 있는). ¶~es Mittel 구충제. **~ärtig** *a.* 벌레 모양의, 벌레와 같은.

wurmen [vúrmən] *i.*(h.) 벌레에 먹히다; 좀먹히다. ¶das wurmt mir 〔*t.*: mich〕 (그것이) 화난다.

Wurm·farn *m.* 〖植〗 서양도깨비쇠고비(고사리과). **~förmig** *a.* 벌레 모양의; 구더기 같은. **~fort·satz** *m.* 〖解〗 충수(蟲垂), 충양(蟲樣) 돌기 (*appendix*). **~fraß** *m.* 벌레 먹은 곳, 충해(蟲害). **~fräßig** *a.* 벌레가 먹은.

wurmig [vúrmıç] *a.* 벌레〔구더기〕 투성이의; 벌레 먹은; 《比》 화가 난, 기분이 상한.

wurm·krank *a.* 기생충병에 걸린. **~·loch** *n.* 벌레(가 파먹은) 구멍《목재의》. **~mehl** *n.* (벌레 구멍에서 나오는) 벌레똥. **~mittel** *n.* 구충제. **~stichig** *a.* 벌레 구멍이 있는, 벌레 먹은; 《比》 부패〔타락〕한.

wurrlen [vúrlən] *i.*(h.) (비행기 엔진 소리가) 커졌다 작아졌다 하다.

Wurst [vurst] *f.* ⸚e, 순대, 소시지 (*sausage*). ¶《比》 ~ wider ~ 가는 말에 오는 말, 오는 정에 가는 정 / mir ist alles ~ 어떻게 되든 마찬가지다.

Wurst·blatt *n.* 《蔑》 하찮은 소(小)신문. **~darm** *m.* 순대용의 창자.

wursteln [vúrstəln] *i.*(h.) 소시지〔순대〕를 만들다; 《俗》 꾸물거리며 일하다; 멍하니 지내다.

Wurst·fett [vúrst-] *n.* 소시지용 지방. **~haut** *f.* 순대〔소시지〕용 껍질. **~·handler** *m.* 돼지 백장. **~horn** *n.* 순대〔소시지〕 제조기.

wurstig [vúrstıç] *a.* 《俗》 아무래도 좋은, 무관심한. **Wurstigkeit** *f.* 《俗》 아무래도 좋음, 무관심, 냉담.

Wurst·kessel *m.* 소시지 제조용 솥. ¶im ~ kessel sitzen 어려운 처지에 있다. **~küche** *f.* 순대〔소시지〕 요리.

Wurst·lippe *f.* 두꺼운 입술(의 사람). **~maul** *n.* 《俗》 두꺼운 입술의 입, 입술이 두꺼운 사람.

Württemberg [výrtəmbɛrk] *n.* 독일의 주(州) 이름. **Württemberger** [-gər] 《Ⅰ》 *m.* -s, -, 위의 사람. 《Ⅱ》 *a.* (=**württembergisch**) 위의.

Wurz [vurts] *f.* -en, 《方》 ① 뿌리. ② 식물; 풀(=Kraut). ★ 지금은 합성 용어로만 쓰임.

Würzduft [výrtsduft] *m.* 방향(芳香), 풍미. **Würze** [<Wurz] *f.* -n, 양념(*seasoning, flavour*); (Bier~) (발효전의) 맥아즙(麥芽汁)(♈*wort*); 양념을 침; 《比》 흥미를 돋구는 것, 매력(*zest*).

Wurzel [vúrtsəl] *f.* -n, ① 뿌리(*root*); 《比》 근본; 근원(根源). ¶~ schlagen 〔fassen〕 뿌리박다 / mit der ~ ausrotten 뿌리채 뽑다. ② 〖數〗 근(根); 〖文〗 어근(語根).

wurzel·artig *a.* 근상의, 뿌리 모양의. **~behandlung** *f.* 〖醫〗 치은(齒齦)의 치료. **~blatt** *n.* 〖植〗 근생엽(根生葉).

Würzelchen [výrtsəlçən] [<Wurzel] *n.* -s, -, 작은 뿌리, 어린 뿌리.

Wurzel·fäser *f.* 근섬유(根纖維); 섬유근(根). **~fäule** *f.* (병균에 의한) 뿌리의 부식. **~gewächs** *n.* 근채류(根菜類). **~hals** *m.* 뿌리목(뿌리에서 줄기로 이행하는 곳); 〖解〗 치은(齒齦)의 상부. **~keim** *m.* 근아(根芽), 유근(幼根). **~knollen** *m.* 〖植〗 괴근(塊根). **~lōs** *a.* 뿌리 없는; 《比》 근저(根柢)가 없는.

wurzeln [vúrtsəln] 《Ⅰ》 *i.*(h. *u.* s.) 뿌리박다, 뿌리를 박고 있다. ¶in et.[3] ~ 무엇에 근저〔기초〕를 두다, 기인하다. 《Ⅱ》 *refl.*: sich fest ~ 깊이 뿌리박고 있다.

Wurzel·schößling, ~sprößling *m.* 〖植〗 흡지(吸枝), 흡근(吸根). **~werk** *n.* (수목의)(엉킨) 뿌리. **~wort** *n.* 〖文〗 근어(根語). **~zahl** *f.* 〖數〗 근수(根數). **~zeichen** *n.* 〖數〗 근호(根號), 루트(√‾).

würzen [výrtsən] *t.* (에) 양념을〔향료를〕 치다; 《比》 (에) 흥미를〔매력을〕 더하다. 「《比》 재미있는.

würzig [výrtsıç] *a.* 양념이 든; 향긋한;

würz·lōs *a.* 양념을 치지 않은, 향미〔풍미〕가 없는; 《比》 바람빠진, 단조로운. **~stoff** *m.* 양념, 향료.

wūsch [vu:ʃ] (ich, er ~) ☞ WASCHEN (그 過去). 「(그 過去).

wußte [vústə] (ich, er ~) ☞ WISSEN

Wūst [vu:st] [<wüst] *m.* -es, -e, 허섭스레기, 쓰레기, 잡동사니; 혼돈; 난잡한 것(*confused mass, chaos*).

wǖst [vy:st] *a.* 황폐한, 황량(荒凉)한(♈*waste, deserte(d), desolate*); 어수선한, 난잡한(*wild, confused*); 방종한, 방탕한(*dissolute*); 속된, 조야한, 덜렁덜렁한(*rude*). **Wǖste** [vý:stə] *f.* -n, 황량함; 황무지, 황야; (Sand~) 사막; (Wasser~) 큰 바다, 망망 대해. **wǖsten** *i.*(h.) (mit, 을) 낭비하다; 방종한 생활을 하다. **Wǖstenei** [vy:stənái] *f.* -en, 황량한 지방; 황야, 광야(曠野). **Wǖstling** [-lıŋ] *m.* -s, -e, 방탕한 사람, 난봉꾼, 도락자(道樂者).

Wūt [vu:t] *f.* (병적인) 격정, 열광, …광

(狂), …벽(癖)(*fury*); 분노(*rage*); 광포, 광기(狂氣)(*madness*); (Hunds∼) 광견병. ¶in ∼ geraten 격노하다.

Wut·anfall *m.* 분노의 발작; 발광. ∼**ausbruch** *m.* 분노의 격발.

wüten [vý:tən] 《I》 *i.*(h.) 황폐해지다; 미친 듯 날뛰다; 광란(狂亂)하다; 분노하다; 맹위를 떨치다; 창궐하다. 《II》 **wütend** *p.a.* 미쳐 날뛰는, 광포한; 분노하는; 광신적인; 광적(狂的)인. **wut·entbrannt** [vú:t-ɛntbrant] *a.* 분노한.

Wüterich [vý:tərıç] *m.* -(e)s, -e, 사나운 사람; 폭군, 난폭한 사람. **wütig** [vý:tıç] *a.* = WÜTEND. **wutschäumend**, **wut·schnaubend** *a.* 격노한.

Wwe. 《略》 = *Witwe* 미망인, 과부.

X

X,x [ıks] *n.* -, -, ① 《比》 jm. ein X für ein U machen 아무를 속이다, 기만하다(본뜻: V 대신에 〈그 두 선을 아래로 연장하여〉 X를 만들다; 5를 10으로 하다, 로마 수자 X=10, U=V=5). ② 〖數〗 y, z 와 함께 미지의 수를〔양을〕 표시하는 기호. ¶Herr ∼ 아무개, 모씨(某氏).

X-Achse [íks-aksə] *f.* -n, 〖數〗 X축(軸).

Xanthippe [ksantípə, -pe:] [gr.] *f.* 그리스 철학자 소크라테스의 부인 이름; 《俗》 바가지 긁는 여자, 악처(惡妻).

X-Beine [íks-bainə] ["X형의 다리"] *pl.* 〖醫〗 내반슬(內反膝), 밭장다리. **X-beinig** [íks-] *a.* 위의. **x-beliebig** [íks-bəli:bıç] *a.* 임의(任意)의(*any, whoever, whatever*).

Xenie [ksé:nĭə] [gr.] *f.* -n, (Gastgeschenk) 선물《손님으로부터 또는 손님에의》; 《比》 풍자시, 격언적 단시《특히 로마 시인 Martial 의》.

Xeres·wein [çé:rɛs-, (sp.) xeré:θ-] *m.* -(e)s, (남스페인산 백포도주) 히에레스, 셰리주(酒)(♀*sherry*).

x-mal [íksma:l] *a.* 몇 번의; *adv.* 《俗》 몇 번이고, 몇 배로. ¶ich habe es ihm ∼ gesagt 나는 그에게 몇번이고 …이야기를 했다. **X-Strahlen** [íksʃtra:lən] *pl.* X광선, 뢴트겐선.

Xylograph [ksylográ:f] [gr.] *m.* -en, -en, 목판 조각가. **Xylographie** *f.* ..phien, 목판 조각(술). **xylographisch** *a.* 목판 조각술의, 목판의. **Xylophon** [ksylofó:n] *n.* -s, -e, 목금(木琴), 실로폰.

Y

X

Y,y [ýpsilɔn, 稀 ʏpsí:lɔn] *n.* -, -, 〖數〗 x, z 와 함께 미지의 수를〔양을〕 표시하는 기호.

Y-Achse [ýpsilɔn-aksə] *f.* -n, 〖數〗 Y축(軸).

Yacht [jaxt] *f.* = JACHT.

Yankee [jɛ́ŋki:, (engl.) jǽŋkı] [engl.] *m.* -s, -s, 《蔑》 양키, 미국인.

Yperit [ʏperí:t] *n.* -(e)s, 〖化〗 (Senfgas) 이페릿《독가스의 일종》.

Ypsilon [ýpsilɔn, 稀 ʏpsí:lɔn] [gr. *ŷpsīlón* „spitzes U"] *n.* -(s), -s, 그리스 자모 Υ, υ《독일어 자모의 Y, y 에 해당함》.

Ysop [í:zɔp] [hebr. -lat.] *m.* -s, -e, 〖植〗 히솝《옛날 약용으로 쓴 박하의 일종》(♀*hyssop*).

Ytterbium [ʏtɛ́rbĭum] *n.* -s, 〖化〗 이테르븀《원소의 하나》. **Ytter·erde** [ýtər-e:rdə] *f.* 〖化〗 산화 이트륨. **Yttrium** [ýtrium] *n.* -s, 이트륨《원소의 하나》.

Z

Z,z [tsɛt] *n.* -, -, 독일 자모(字母)의 마지막 글자. ¶von A bis Z 《比》 처음부터 끝까지.

z. 《略》 = ZU; ZUM; ZUR.

Zacke [tsákə] *f.* -n, **Zacken** *m.* -s, -, 첨두, 첨단(*peak, point*); 모서리; (벽의) 못, 말뚝; (Eis∼) 고드름; (톱, 빗 따위의) 이, 톱니꼴(*cog, tooth*); 〖植〗 둔거치 구조(鈍鋸齒構造)(*crenature*); (포크 따위의) 가랑이 끝(*prong*). **zacken** 《I》 (에) 첨두〔모서리〕를 만들다, 톱니 모양으로 만들다. 《II》 *refl.* 톱니꼴로 되다. 《III》 **gezackt** *p.a.* ☞ ZACKIG.

zackig [tsákıç] *a.* 첨두〔모서리〕가 있는, 들쭉날쭉한, 톱니꼴의, 가지 달린.

zagen [tsá:gən] [<zag] *i.*(h.) 겁을 먹다, 움찔〔주춤〕하다, 두려워하다(*quail*), 소심하다(*be timid*). **zaghaft** [tsá:khaft] *a.* 겁먹은, 소심한, 내성적(內省的)인 (*timid, fainthearted*). **Zaghaftigkeit** *f.* 주저, 소심, 내성적임.

zäh [tsɛ:] 〔† **zähe**〕 *a.* 강인한, 끈질긴 (♀*tough*); 쉽사리 끊기지 않는; 질긴; 진한 (포도주); 《比》 끈기 있는; 완강한 (*obstinate*). **zähflüssig** *a.* 〖工〗 끈적끈적한, 점착성의. **Zähigkeit** [tsɛ́:ıçkait] *f.* 강인, 질김; 끈적끈적함, 점착〔점액〕성; 집요, 불요 불굴.

Zahl [tsa:l] *f.* -en, ① 수(*number*). ¶e-e gerade 〔ungerade〕 ∼ 짝〔홀〕수 / geringer **an** ∼ 수가 더 적은 / **ohne** ∼ 무수한, 무수히. ② 수자(數字)(*figure, cipher*). ③ 〖文〗 수(사).

Zahl·amt [tsá:l-amt] *n.* 회계국, 출납국.

Zähl·apparat [tsɛ́:l-] *m.* 계량기; 〖醫〗 혈구(血球) 계산기.

zahlbar [tsá:lba:r] *a.* (어느 특정 기일에) 지불해야 할. ¶∼ bei 〔auf〕 Sicht 일람 출급의.

zählbar [tsɛ́:lba:r] *a.* 헤아릴 수 있는.

Zahlbrett [tsá:lbrɛt] *n.* 계산대, 카운터.

zählebig [tsɛ́:le:bıç] *a.* 생명력이 강인한, 쉽사리 죽지 않는.

zahlen [tsá:lən] [<Zahl] *t.* u. *i.*(h.) ① 계산하다; (be∼) 치르다, 지불하다(*pay*).

zählen [tsɛ́:lən] [<Zahl] 《I》 *t.* u. *i.*(h.) ① 세다; 셈하다, 계산하다 (*number, count*); † 열거하다(♀*tell*). ¶genau gezählt 정확히 센다면 / s-e Tage sind gezählt 그는 죽을 날이 멀지 않았다. ② zu et.³ 〔unter et.⁴〕 ∼ 무슨 수에 넣다, 무슨 축에 넣다. ③ (…의) 수에 이르다. ¶er zählt 30 Jahre 그는 서른살이다. 《II》 *i.*(h.) ① 수〔셈〕에 넣다; 중요하다. ② auf jn. 〔et.〕 ∼ 아무에게〔무엇에〕 기대를 걸다.

Zahlen=folge *f.* 〖數〗 수열. ~**lotterie** *f.*, ~**lotto** *n.* 번호(에 의한) 제비. ~=**mäßig** *a.* 수에 의한, 수자(상)의. ~**mensch** *m.* 셈에 밝은 사람, 실리주의자. ~**verhältnis** *n.* 비례.

Zahler [tsá:lər] *m.* -s, -, 지불인.

Zähler [tsɛ́:lər] *m.* -s, -, 세는 사람, 계산원; 점수 세는 사람《당구 따위의》(*counter*); 〖數〗 분자(*numerator*); 계량기, 미터(*meter*).

Zahlkarte [tsá:lkartə] *f.* 〖郵〗 우편환 송금 의뢰서 용지.

Zählkarte [tsɛ́:lkartə] *f.* 국세 조사표.

Zahl=kellner *m.* 출납계의 사환 우두머리. ~**lōs** *a.* 무수한. ~**meister** *m.* 출납계; 〖軍〗 재정관. ~**reich** *a.* 다수의, 대단히 많은. 「계수관.」

Zählrohr [tsɛ́:lro:r] *n.* (방사능 측정)

Zahl=stelle *f.* 지불 장소; (은행 따위의) 지불 창구. ~**tāg** *m.* 지불일; 급료일. ~**tisch** 〔**Zähltisch**〕 *m.* 카운터.

Zahlung [tsá:luŋ] *f.* -en, 지불; 지불금. ¶ e-e ~ leisten 지불하다.

Zählung [tsɛ́:luŋ] *f.* -en, 셈하기, 계산; 열거; (Volks~) 국세 조사.

Zahlungs=anweisung *f.* 지급 명령서. ~**aufforderung** *f.* 지불 청구. ~**aufschūb** *m.* 지불 연기. ~**einstellung** *f.* 지불 정지. ~**fāhig** *a.* 지불 능력이 있는. ~**fāhigkeit** *f.* 지불 능력. ~**frist** *f.* 지불 기한〔유예〕. ~**mittel** *n.* 지불 수단; 〖商〗 통화. ~**ort** *m.* 지불지. ~**unfāhig** *a.* 지불 능력이 없는; 파산한(*insolvent*). ~**unfāhigkeit** *f.* 지불 무능력; 파산. ~**vermōgen** *n.* 지불 능력.

Zahl=wort [tsá:lvɔrt] *n.* (*pl.* ..wörter) 〖文〗 수사(*numeral*). ~**zeichen** *n.* 수자(數字).

zahm [tsa:m] *a.* (짐승이) 사람에게 길든〔따르는〕(♈*tame, domestic*); 《比》 온순한, 순종하는(*tractable*); (식물이) 배양된. **zähmbār** [tsɛ́:mba:r] *a.* 길들일 수 있는. **zähmen** [tsɛ́:mən] *t.* 길들이다《동물을》(♈*tame*); 재주를 가르치다, 조교(調教)하다; 《比》 (감정 따위를) 제어〔억제〕하다; *refl.* 자제하다. **Zahmheit** *f.* -en, 길들여짐; 온순. **Zähmung** *f.* -en, 길들임, 순치(馴致); 훈련; 제어; 억제.

Zahn [tsa:n] *m.* -(e)s, ⸚e, 〖生〗 이, 치아(♈*tooth*). ¶ künstliche 〔falsche〕 Zähne 틀니 / Zähne bekommen (어린 아이에게) 이가 나다. / **mit** den Zähnen knirschen (분해서) 이를 갈다.

Zahn=ärzt [tsá:n-a:rtst] *m.*, ~**ārztin** [-ɛ:rtstɪn] *f.* 치과 의사. ~**ārztlich** *a.* 치과 의사의. ~**behandlung** *f.* 이의 치료. ~**bein** *n.* 〖解〗 치골질(質). ~**brecher** *m.* 이를 뽑는 사람; 엉터리 치과 의사. ~**bürste** *f.* 칫솔; 《比》 콧수염.

Zähnefletschen [tsɛ́:nəflɛtʃən] *i.*(h.) 반항할 기세를 보이다. ★ die Zähne fletschen 이를 드러내다.

Zähne=klappern [tsɛ́:nə-] *n.* 이를 딱딱 부딪침. ~**knirschen** *n.* 이를 갊, 절치.

zähne(l)n [tsɛ́:nə(l)n] 《Ⅰ》 *t.* (에) 톱니 자국을 내다(*notch, indent*). 《Ⅱ》 **gezähnelt** *p.a.* 〖植〗 (잎이) 세치상(細齒狀)의.

Zahn=ersatz *m.* 틀니, 의치. ~**fäule** *f.* 충치. ~**fistel** *f.* 〖醫〗 치루(齒瘻). ~**fleisch** *n.* 잇몸. ~**füllung** *f.* 전치(塡齒), 이를 때움. ~**geschwür** *n.* 치아 궤양. ~**heilkunde** *f.* 치과 의학. ~**höhle** *f.* 치강(齒腔); 충치의 공동(空洞). 「많은.」

zahnig [tsá:nɪç] *a.* 이가 있는, 치아가

Zahn=kette *f.* 사슬톱니. ~**krankheit** *f.* 치아 질병. ~**krōne** *f.* 치관(齒冠). ~**laut** *m.* 〖文〗 치음(s, sch, tsch, tz). ~**lōs** *a.* 이가 없는; 이가 빠진. ~**lücke** *f.* 이가 빠진 자리. ~**mittel** *n.* 이의 약. ~**nerv** [-nɛrf] *m.* 치조(齒槽) 신경. ~**paste** *f.* 치약. ~**pflēge** *f.* 치아 위생. ~**pulver** *n.* 가루 치약. ~**rād** *n.* 톱니바퀴. ~**rādbahn** *f.* 아프트식 철도. ~**reihe** *f.* 치열(齒列). ~**schmerz** *m.*, ~**schmerzen** *pl.* 치통. ~**stein** *m.* 〖醫〗 치석(齒石). ~**stocher** *m.* 이쑤시개. ~**techniker** *m.* 치과의; 치과 기공. ~**weh** *n.* 치통. ~**werk** *n.* 〖工〗 치(齒)세공. ~**wurzel** *f.* 치근(齒根). ~**zange** *f.* 이 빼는 집게.

Zähre [tsɛ́:rə] *f.* -n, 《詩》 눈물(♈*tear*).

Zain [tsain] *m.* -(e)s, -e, 금속봉(棒). 금의 연봉(延棒)(*bar, ingot*).

Zander [tsándər] *m.* -s, -, 〖魚〗 가시고기의 일종(*perch*).

Zange [tsáŋə] *f.* -n, 집게(♈*tongs*); 핀세트(*pincers*); 족집게(*tweezers*); (Feue~) 부집게; (Geburts~) 분만 겸자.

Zank [tsaŋk] [<zanken] *m.* -(e)s, ⸚e, 싸움, 말다툼(*quarrel, dispute*). **Zankapfel** *m.* 〖希神〗 불화(不和)의 여신 Eris의 황금 사과; 《比》 싸움의 근원, 다툼의 원인. **zanken** [tsáŋkən] 《Ⅰ》 *i.*(h.) u. *refl.* 다투다, 싸우다(*quarrel*). 《Ⅱ》 *t.* 욕설을 하다(*scold*). **Zänker** *m.* -s, -, 다투는 사람; 쌈〔욕〕장이. **Zänkerei** [tsɛŋkərái] *f.* -en, 늘 다툼; 욕설, 질책. **Zänkerin** *f.* -nen, 잔소리가 많은 여인. **zänkisch** *a.* 싸움 좋아하는.

Zank=lust *f.* =~SUCHT. ~**lustig** *a.* =~SÜCHTIG. ~**sucht** *f.* 호전적임. ~**süchtig** *a.* 싸움을 좋아하는. ~**teufel** *m.* 싸움 좋아하는 사람.

Zäpfchen [tsɛ́pfçən] [*dim.* v. Zapfen] *n.* -s, -, 작은 마개; 〖解〗 목젖, 현옹수(懸壅垂)(*uvula*). **Zapfen** [tsápfən] *m.* -s, -, 마개(*plug*); (Faß~) (통의) 마개(*bung, tap*); 나무 못(*peg, pin*); 굴대, (Dreh~) 축(軸)(*pivot*); (Verbindungs~) 장부(*tenon*); (Eis~) 고드름; (Tannen~) 전나무 솔방울(*cone*). **zapfen** *t.* (술 따위) 마개를 뽑아 따르다.

Zapfen=bier *n.* 생맥주. ~**bohrer** *m.* (통의) 마개뽑이 송곳. ~**lāger** *n.* 〖工〗 축받이, 축받이대. ~**loch** *n.* (통의) 마개 구멍; 〖工〗 장붓 구멍. ~**streich** *m.* 〖軍〗 귀영 신호〔나팔〕(*tattoo*).

Zapfer [tsápfər] *m.* -s, -, 마개 뽑는 〔술 따르는〕 사람; 《方》 술집 주인.

Zapfstelle [tsápfʃtɛlə] *f.* 급유〔주유〕소, 가솔린스탠드.

Zappelei [tsapəlái] *f.* -en, 끊임없이 몸을 움직임, 안절부절 못함. **Zapp(e)ler** *m.* -s, -, 침착하지 못한 사람. **zap⸗p(e)lig** [tsáp(ə)lıç] *a.* 끊임없이 수족을 움직이는; 안절부절 못하는, 침착하지 못한. **Zappelmann** *m.* 꼭두각시. **zap⸗peln** [tsápəln] *i.*(h.) (손발을) 버둥거리다; 안절부절 못하다(*fidget, struggle*). ¶《比》 jn. ~ lassen 아무를 기다리게 하다, 안달하게 하다.

Zār [tsa:r] [russ. „Kaiser"] *m.* -en 〔-s〕, -en〔-e〕, 구(舊) 러시아·세르비아 등지의 황제(*czar*).

Zarge [tsárgə] *f.* -n, 테, 가장자리(*rim, edge*); 틀, 동체(*frame, case*).

Zārin [tsá:rın] *f.* -nen, 구(舊) 러시아 황후.

zārt [tsa:rt] [*eig.* „lieb, fein, schön", ♈zehren] *a.* 나약한, 상하기 쉬운, 나약한, 화사한(*delicate*); 《比》 상냥한, 섬세한, 감수성이 예민한(*tender*); 부드러운, (모양, 빛깔, 음 등이) 온화한(*soft*).

zārtbesaitet [tsá:rtbəzáitət] *a.* 예민한, 민감한.

zārt⸗fühlend [tsá:rt–] *a.* (마음이) 상냥한, 마음씨가 고운. **~gefühl** *n.* 상냥한〔섬세한〕 감정, 델리커시.

Zārt·heit [tsá:rthait] *f.* -en, 상냥함. 상냥한 언행; 섬세, 화사; 예민함.

zārtlich [tsέ:rtlıç] *a.* (마음이) 상냥한(*tender*); 인정이 많은(*fond*). ¶ ~ (*adv.*) tun 귀여워 죽겠다는 시늉을 하다, 반한 시늉을 하다. **Zārtlichkeit** *f.* -en, 상냥함, 인정이 많음; 위의 언행. **Zārt⸗ling** [tsέ:rtlıŋ] *m.* -s, -e, ① 응석받이로 자란 사람, 유약한 남자(*milksop*). ② 묘목(苗木).

Zāsel [tsá:zəl] *f.* -n, 〖植〗 유제(柔荑)화(서).

zāserig [tsá:zərıç] *a.* 섬유질의. **zāsern** [tsá:zərn] *t.* 섬유로 분해하다; *i.*(h.) u. *refl.* 섬유로 나뉘다.

Zäsūr [tsεzú:r] [lat. „Schnitt"] *f.* -en, 〖詩學〗 정독(停讀); 〖樂〗 (악절의) 중간 휴지(休止).

Zauber [tsáubər] *m.* -s, -, 주문(呪文); 요술, 마법(*magic*); 《比》 매력, 고혹(蠱惑)(*enchantment, spell, charm*).

Zauber⸗bild *n.* 부적; 《比》 매력 있는 사람. **~blick** *m.* 매혹적인 눈매. **~⸗buch** *n.* 마술서(書).

Zauberei [tsaubərái] *f.* -en, 마법, 요술; 《比》 매력. **Zaub(e)rer** [tsáub(ə)rər] *m.* -s, -, 마술사, 요술장이.

Zauber⸗flöte *f.* 마술 피리. **~formel** *f.* 주문.

zauberhaft [tsáubərhaft] *a.* =ZAUBERISCH. **Zauberin** *f.* -nen, 여자 마술사; 마녀. **zaub(e)risch** [tsáub(ə)rıʃ] *a.* 마법의; 불가사의한; 매력 있는; 요염한.

Zauber⸗kasten *m.* 요술 상자. **~kraft** *f.* 마력(魔力), 신통력. **~kräftig** *a.* 마력이 있는. **~kunst** *f.* 마술, 요술, 기술(奇術). **~künstler** *m.* 마술사, 요술장이. **~land** *n.* 마술〔요술〕의 나라. **~laterne†** *f.* 환등. **~lehrling** *m.* 마술사의 제자. **~märchen** *n.* 요술장이가〔요정이〕 나오는 동화.

zaubern [tsáubərn] 《Ⅰ》 *i.*(h.) 마술을 부리다; 《比》 매혹하다; 홀리다. 《Ⅱ》 *t.* 마술로 나오게 하다; 마술에 걸다.

Zauber⸗posse *f.* 무언극. **~rute** *f.* =~STAB. **~spiegel** *m.* 마술 거울. **~spruch** *m.* 주문. **~stāb** *m.* 마술 지팡이. **~stück(chen)** *n.* 요술, 기술(奇術). **~trank** *m.* 마법의 물약; 미약(媚藥). **~wort** *n.* 주문.

zaudern [tsáudərn] 《Ⅰ》 *i.*(h.) 주저하다, 우물쭈물하다(*hesitate, tarry*). 《Ⅱ》 **Zaudern** *n.* -s, 주저, 우유 부단. **Zaud(e)rer** *m.* -s, -, 주저〔우물쭈물〕하는 사람, 우유 부단한 사람.

Zaum [tsaum] *m.* -(e)s, ⸚e, 굴레《두부(頭部)의 마구(馬具) 전부》(*bridle*); 고삐(*rein*). ¶im ~(e) halten 말고삐를 당기다; 《比》 제어하다. **zäumen** [tsɔ́ymən] *t.* (말에) 고삐를 채우다, 재갈을 물리다; 《比》 억제〔제어〕하다. **Zaumzeug** *n.* (말의) 굴레.

Zaun [tsaun] [engl. *town* „Stadt"] *m.* -(e)s, ⸚e, 울타리, 담장(*hedge, fence*). ¶ein lebend(ig)er ~ 산울타리 / e-n Streit vom ~e brechen 시비를 걸다. **zäunen** [tsɔ́ynən] *t.* (에) 담을 둘러치다.

Zaun⸗gast *m.* (울타리 밖의) 공짜 구경꾼. **~könig** *m.* 〖鳥〗 굴뚝새(*wren*). **~pfahl** *m.* 울타리의 말뚝. ¶mit dem ~pfahl winken 노골적으로 나타내다. **~rōse** *f.* 들장미의 일종《산울타리로 쓰임》. **~schlüpfer** *m.* =~KÖNIG.

zausen [tsáuzən] *t.* 잡아뜯다, 잡아당기다(♈*tous(l)e, pull*).

Zēbra [tsé:bra] [afrikan] *n.* -s, -s, 〖動〗 얼룩말.

Zēbraholz [tsé:brahɔlts] *n.*, **Zebrāno** [tsebrá:no] [<zebra] *m.* -s, -s, 무늬목《장식적인 무늬가 있는 목재, 가구 제조용》.

Zēbra·streifen [tsé:braʃtraifən] *m.* (길에 백색 또는 황색으로 칠한) 횡단 보도.

Zechbrūder [tsέçbru:dər] *m.* 술친구; 주객, 술꾼.

Zeche [tsέçə] *f.* -n, ① 연회의 회비; 음식대(*reckoning, bill, score*); 회식, 연회, 음식. ¶die ~ bezahlen 대금을 치르다, 《比》 비용을 부담하다, 책임을 떠맡다. ② 갱부 집회소; 광산 사무소; 광산, 갱(坑)(*mine*). **zechen** [tsέçən] *t.* u. *i.*(h.) (추렴하여) 연회를 열다; 진탕 (술)마시다. **Zecher** [tsέçər] *m.* -s, -s, 술꾼, 주객, 술고래. **zechfrei** *a.* 회비가〔술값이〕 안 드는.

Zech⸗gelāge [tsέçgəla:gə] *n.* (회비를 분담하는) 연회, 주연. **~gesellschaft** *f.* 연회(의 참석자 일동). **~preller** *m.* 무전 취식자. **~prellerei** *f.* 무전 취식. **~stein** *m.* 〖鑛〗 백운석(白雲石).

Zecke [tsέkə] *f.* -n, 〖動〗 진드기(♈*tick*).

Zedent [tsedέnt] *m.* -en, -en, 〖法〗 양도인; 〖商〗 배서인.

Zēder [tsé:dər] [gr. -lat.] *f.* -n, 〖植〗 히말라야 삼나무(♈*cedar*).

zediēren [tsedí:rən] [lat.] *t.* 양도하다(♈*cede, transfer*).

Zeh [tse:] *m.* -(e)s, -en, 《稀》 =ZEHE.

Zēhe [tsé:ə] *f.* -n, 발가락(♈*toe*).

Zēhen⸗gänger [tsé:əngεŋər] *m.* 〖動〗 지행류(趾行類)《개·고양이 따위》. **~spitze** *f.* 발끝, 발가락 끝.

zēhent, **Zēhent** [tsé:ənt] =ZEHNT, ZEHNT.

zehn [tse:n] 《Ⅰ》 *num.* 〖數〗 열, 10(♈ *ten*). 《Ⅱ》 **Zehn** *f.* –en, 10(의 수).

Zehn≈eck *n.* 10 각형, 10 변형. **∼eckig** *a.* 10 각의. **∼einhalb** *a.* 10 개 반의.

Zehner [tsé:nər] *m.* –s, –, 10(의 수); 10 자리(의 수). **zehnerlei** *a.* 《不變化》 10 종의.

zehn≈fach, ∼fältig *a.* 10 배의, 10 겹의. **∼jährig** *a.* 10 년의, 열 살의. **∼≈jährlich** *a.* u. *adv.* 10 년마다(의). **∼kampf** *m.* 10 종 경기. **∼māl** *adv.* 10 회, 열 번. **∼mālig** *a.* 10 회의, 열 번의. **∼markstück** *n.* 10 마르크 금화(金貨). **∼pfennig·stück** *n.* 10 페니히의 화폐. **∼pfündig** *a.* 10 파운드의. **∼stündig** *a.* 10 시간의.

zehnt [tse:nt] 《Ⅰ》 (der, die, das ∼e, *pl.* die ∼en) *num.* (서수(序數)) 제 10 의, 열 번째의(♈*tenth*). ¶der ∼e 열 번째의 사나이. 《Ⅱ》 **Zehnt** *m.* =ZEHNTE.

zehn≈tāgig [tsé:ntɛ:gɪç] *a.* 10 일간의. **∼tāglich** *a.* 10 일마다의. **∼tausend** *num.* 1 만.

Zehnte [tsé:ntə] *m.* –n, –n, 십일조.

Zehntel [tsé:ntəl] [=das 〔der〕 „zehnte Teil"] *n.* –s, –, 10 분의 1. **zehntens** [tsé:ntəns] *adv.* 제 10 으로, 열 번째로 (*tenthly*).

zehnt≈pflichtig [tsé:ntpflɪçtɪç] *a.* 십일조를 바칠 의무가 있는. **∼rechnung** *f.* 10 진법.

zehren [tsé:rən] 《Ⅰ》 *i.*(h.) 먹다, 먹어치우다; 《比》 다하다, 줄이다(*waste*); 소비〔소모〕하다 (*consume*); 여위게 하다 (*make thin*); 먹고 지내다, 생활하다, 지내다(*live*); (von, 을) 먹고 살아가다. ¶an et.[3] ∼ 무엇을 먹다, 소비〔소모〕하다 /die Seeluft zehrt 바닷 바람은, a) 몸을 여위게 한다, b) 식욕을 돋군다. 《Ⅱ》 *refl.* 좀먹다. 《Ⅲ》 **zehrend** *p. a.* 〖醫〗 소모성(消耗性)의. **Zehrung** *f.* –en, 먹어치움; 식비(食費); 식량, 도시락; 소비, 소모; 폐로(肺癆), 폐결핵. ¶die letzte ∼ 임종시의 영성체(領聖體).

Zeichen [tsáiçən] [♈zeigen] *n.* –s, –, ① 표지(♈*token*), 부호, 기호(*sign*); 신호(*signal*); (Merk∼) 표, 상표, 휘장 (*mark*); 낙인(*stamp*); 징조, 징후(*symptom*); 증거(*proof*); 전조(*omen*). ¶zum ∼, daß.. …의 증거로서. ② 간판, 직업. ¶er ist s-s ∼s (ein) Bäcker 그는 직업이 빵구이다. ③ 별자리.

Zeichen≈brett [前半: <zeichnen] *n.* 제도판(板). **∼būch** *n.* 스케치북. **∼≈deuter** *m.* 점장이. **∼deuterei, ∼≈deutung** *f.* 점술, 점. **∼erklärung** *f.* 기호풀이《지도 따위의》. **∼fēder** *f.* 제도용 펜. **∼kreide** *f.* 크레용. **∼kunst** *f.* 도화법, 제도법. **∼lehrer** *m.* 제도 교사. **∼papier** *n.* 제도용지, 도화지. **∼saal** *m.* 제도실, 아틀리에. **∼schrift** *f.* 상형 문자. **∼setzung** *f.* 〖文〗 구두법. **∼sprāche** *f.* 기호(법), 신호(법). **∼stift** *m.* 제도용의 초크, 연필. **∼stunde** *f.* 제도 시간〔과정(課程)〕. **∼tinte** *f.* 표를 하는 잉크. **∼vōrlāge** *f.* 제도〔도화〕 교본.

zeichnen [tsáiçnən] [<Zeichen] 《Ⅰ》 *t.* u. *i.*(h.) ① (에) 표를 하다, 기호를 넣다 (*mark, sign*); 《比》 (에) 낙인을 찍다. ② 선화(線畫)로 그리다, 스케치하다, 소묘하다(*sketch*); 도안을 그리다(*draw*). ③ 서명하다(*subscribe*); 〖商〗 (공채·주식에) 응모하다. 《Ⅱ》 *refl.* 두드러져 보이다. 《Ⅲ》 **gezeichnet** *p. a.*: schön ∼ (나비 따위가) 예쁜 반점〔얼룩〕이 있는.

Zeichner [tsáiçnər] *m.* –s, –, 소묘가(素描家); 도안가, 제도가; 서명인; (공채) 응모자. **Zeichnung** [tsáiçnʊŋ] *f.* –en, 제도; 도안, 의장(意匠); 소묘, 스케치; 서명; 응모.

Zeidel≈bār [tsáidəl–] *m.* 〖動〗 완웅(浣熊). **∼meister** *m.* =ZEIDLER.

Zeidler [tsáidlər] *m.* –s, –, 양봉가.

Zeigefinger [tsáigəfɪŋər] *m.* 집게손가락.

zeigen [tsáigən] [♈Zeichen; =engl. *teach*] 《Ⅰ》 *t.* 나타내다, 보이다, 지시하다(*show, point out*); (의 실적을) 나타내다, 증명하다(*prove*). 《Ⅱ》 *refl.* 모습을 보이다, 나타나다; 명백하게 되다, (…임을) 스스로 나타내다〔증명하다〕. 《Ⅲ》 *i.*(h.) (auf et., 를) 가리키다. **Zeiger** [tsáigər] *m.* –s, –, 가리키는 사람; 표시기; (Uhr∼) 지침, (시계의) 침; 집게손가락; 〖數〗 지수.

Zeigestock [tsáigəʃtɔk] *m.* 교편.

zeihen* [tsáiən] [♈zeigen; *eig.* „anzeigen"] *t.* (남의 잘못을 지적하다:) 꾸짖다, 책하다(*accuse* (*of*), *charge* (*with*)). ¶jn. e-s Verbrechens ∼ 아무의 죄를 들먹이다, 아무에게 죄를 돌리다.

Zeile [tsáilə] *f.* –n, 행(*line*); 열, 줄 (*row*). ¶jm. ein paar ∼n schreiben 아무에게 한마디 써 보내다 / in ∼n pflanzen 줄 지어 심다.

Zeilen≈bau [tsáilən–] *m.* 집을 줄지어 지음, 늘어선 집. **∼gußmaschine** *f.* 〖印〗 자동 식자기, 라이노타이프. **∼länge** *f.* 행의 길이. **∼schreiber, ∼schin≈der** *m.* 엉터리 작가〔기자〕. **∼weise** *adv.* 줄을 이루어; 한 줄씩, 줄마다.

Zeisig [tsáizɪç] *m.* –(e)s, –e, ① 〖鳥〗 (Erlen∼) 검은방울새(*siskin*). ② 《比》 ein lockerer ∼ 칠칠치 못한 녀석, 방탕자. **∼grün** *a.* 당닭색의, 황녹색의.

Zeit [tsait] [engl. *tide* „Flutzeit", ♈*time* „Zeit"] 《Ⅰ》 *f.* –en, ① 때, 시간 (*time*); 시대, 시기(*age, period, era*); 기간, 기일(*term, date*); 시대, 시세(時世); 틈, 여가; (호)시기(*season*); 기회, 경우, 무렵; 시각, 시《시계의》(*daytime, hour*); 〖文〗 시제(*tense*); 〖宗〗 (무상한) 현세, 뜬세상; 〖海〗 조석(潮汐)(♈*tide*). ¶die gute alte ∼ 즐거웠던 옛 시절 / harte ∼ 고난의 시대 / ihre ∼ ist gekommen 그녀의 산달〔임종〕이 왔다 / ich habe (k-e) ∼ 나는 틈이 있다〔없다〕. ② 《前置詞와 함께》 es ist **an** der ∼ zu handeln 지금이야말로 할 때다 / **auf** einige ∼ 잠시동안, 한때 / auf ∼ 외상으로 / **außer** der ∼ 시의를 얻지 못한, 제철이 아닌 / **bei** ∼ =BEIZEITEN / **für** alle ∼en 영원히 / **mit** der ∼ 때와 함께, 점점, 결국 / **unter** der ∼ 그 동안에 / **von** ∼ zu ∼ 때때로, 가끔 / **zu** ∼en 때때로, 가끔 / zu m-r ∼, a) 내가 거기 있었을 때, 나의 젊은 시절에, b) 나의 한창때에.

《Ⅱ》 **zeit** *prp.* (2格支配): ～ m-s Lebens 나의 일생 동안.

Zeit=abschnitt [tsáit-] *m.* 시기, 시대. **～abstand** *m.* 시간의 변천. **～alter** *n.* 시대, 세대(*age*). **～angābe** *f.* 날짜, 연월일(*date*). **～ansāge** *f.* (라디오의) 시보(時報), (전화로의) 시간 통보. **～aufnahme** *f.* 시간 촬영(사진). **～=aufwand** *m.* 시간 소비〔낭비〕. **～=begēbenheit** *f.* 시사(時事). **～be=rechnung, bestimmung** *f.* 연대 산정; 연대학. **～bombe** *f.* 시한 폭탄. **～dauer** *f.* 시간, 기간. **～einheit** *f.* 〖物〗 시간의 단위; 초(秒). **～einteilung** *f.* 시간의 구분.

Zeitenfolge [tsáitənfɔlgə] *f.* 〖文〗 시제의 일치.

Zeit=folge *f.* 연대의 순서; 〖文〗 시제의 일치. **～form** *f.* 〖文〗 시제(*tense*). **～frāge** *f.* 시사 문제. **～funk** *m.* 라디오의 시사 해설. **～geist** *m.* 시대 정신. **～gemāß** *a.* 시류(時流)에 알맞은, 현대식의, 유행의. **～genosse** *m.*, **～=genossin** *f.* 동시대인(*contemporary*). **～genössisch** *a.* 동시대의. **～ge=schäft** *n.* 〖商〗 정기 거래(去來). **～ge=schichte** *f.* 현대사. **～geschmack** *m.* 현대 취미. **～hēr** *adv.* 그때 이후; 지금까지.

zeitig [tsáitıç] *a.* 익은(*ripe, mature*); 때에 알맞은, 시기에 적합한(*timely*); 시간에 늦지 않은; 이른(*early*); *adv.* 늦지 않게, 이르게. **zeitigen** *t.* 익게 하다; 《比》 (계획을) 완성하다; *i.*(h. *u.* s.) 익다.

Zeit=karte *f.* 정기권. **～kunde** *f.* 연대학. **～lang** *f.* 《다음 語法으로만》 e-e ～lang 일정한 시간 동안, 한동안. **～lauf** *m.* 때의 흐름; 시대; 〔～läuf(t)e *pl.*〕 시세, 시국. **～lēbens** *adv.* 일생 동안, 평생.

zeitlich [tsáitlıç] *a.* 때의; 현세의; 일시의; 세속의. ¶das ～e segnen 세상을 떠나다. **Zeitlichkeit** *f.* 현세(의 일); 덧없음.

Zeit=lohn *m.* 시간급(時間給). **～lōs** *a.* 시간이 없는; 시간을 초월한. **～lūpe** *f.* 〖映〗 고속도 촬영(기). **～māß** *n.* 시간을 측정하는 표준; 〖樂〗 박자. **～messer** *m.* 〖物〗 크로노미터; 〖樂〗 메트로놈. **～messung** *f.* 시간 측정; 〖樂〗 박자. **～nehmer** *m.* 〖競〗 시간 기록원, 타임키퍼. **～ordnung** *f.* 연대순. **～pacht** *f.* 정기 임대차(賃貸借). **～punkt** *m.* 시각; 순간, 시기; 시대. **～raffer** *m.* 〖映〗 저속도 촬영(기). **～raubend** *a.* 시간이 걸리는, 지루한. **～raum** *m.* 시간((*space of*) *time*); 시기, 시대(*period*). **～rechnung** *f.* 연대학(*chronology*); 기원(紀元), 연호(年號)(*era*). **～schrift** *f.* (일간 이외의) 정기 간행물(*periodical, journal*); 잡지(*magazine*). **～romān** *m.* 현대 소설. **～spanne** *f.* (단)시간. **～=strōm** *m.*, **～strōmung** *f.* 시대 사조. **～tāfel** *f.* 연대표. **～umstände** *pl.* 정세, 세태, 시국.

Zeitung [tsáituŋ] [<Zeit] *f.* -en, 신문((*news*)*paper*); 관보(*gazette*).

Zeitungs=abonnement *n.* 신문 예약 구독. **～anzeige** *f.* 신문 광고. **～ar=tikel** *m.* 신문 기사. **～aus·schnitt** *m.* (신문) 스크랩. **～aus·schnittbürō** *n.* 신문을 오려내는 곳《특정 테마에 대한 신문의 스크랩을 스폰서에게 공급하는 사업소》. **～beilāge** *f.* 신문의 부록. **～blatt** *n.* 신문(지). **～ente** *f.* 신문의 오보(誤報). **～expeditiōn** *f.* 신문사. **～junge** *m.* 신문 판매원. **～kiosk** *m.* 가두의 신문 매점. **～lēser** *m.* 신문의 독자. **～mann** *m.* (*pl.* ..männer) 신문 기자; 신문 배달원. **～nāchricht** *f.* 신문의 보도. **～notiz** *f.* 신문의 작은 기사, 단평. **～papier** *n.* 신문 용지; 헌 신문지. **～redakteur** [-redaktø:r] *m.* 신문 편집인. **～schreiber** *m.* 신문 기자. **～sprāche** *f.* 신문 용어. **～verkäufer** *m.* 신문팔이. **～=wēsen** *n.* 신문(업); 저널리즘. **～wis=senschaft** *f.* 신문학.

Zeit=verlust *m.* 시간의 손실. **～ver=schwendung** *f.* 시간의 허비. **～ver=treib** *m.* -(e)s, -e, 오락, 심심풀이. **～vertreibend** *a.* 재미 있는, 즐거운. **～waage** *f.* 험시기(驗時器)《시계 상태를 검사하는 전기 기구》. **～wechsel** *m.* 시대의 변천. **～weilig** *a.* 당분간의, 임시의. **～weise** *adv.* 때때로, 가끔, 한때; 당분간, 임시로. **～weiser** *m.* 달력, 캘린더. **～wort** *n.* 〖文〗 동사(*verb*). **～zeichen** *n.* 라디오의 시보(時報). **～zünder** *m.* 〖軍〗 시한 신관(時限信管).

Zelle [tsέlə] [lat.] *f.* -n, 작은 방, 골방, 복스(*box, booth*); 감방; (Bade～) 욕실(*cabin*); (벌의) 밀방; 세포(♈*cell*); 전지. **～n=förmig** *a.* 세포 모양의.

Zellen=gefängnis *n.* 독방제 교도소. **～gewēbe** *n.* ＝ZELLGEWEBE. **～lehre** *f.* 세포학. **～systēm** *n.* 독방 제도.

Zell=gewēbe *n.* 〖生〗 세포 조직. **～glās** *n.* 셀로판. **～horn** *n.* ＝ZELLULOID.

zellig [tsέlıç] *a.* 세포로 된, 세포질의. **Zellkern** *m.* (세포내의) 원형질, 세포핵. **Zellmembrān** *f.* 세포막. **Zello=phān** *n.* -s, 셀로판. **Zellstoff** [前半: <Zellulose] *m.* ＝ZELLULOSE; 펄프《인견·제지의 원료》. **Zellteilung** *f.* 〖生〗 세포 분열.

zellulār [tsεlulá:r] *a.* 세포로 이루어지는, 세포의.

Zellulo·īd [tsεluloí:t] [„Zellähnliches"] *n.* -(e)s, 셀룰로이드. **Zellulōse** [tsεluló:zə] *f.* -n, 셀룰로즈. **Zellwolle** *f.* 인조 섬유.

Zelōt [tseló:t] [gr.] *m.* -en, -en, 열광자, 광신자(♈*zealot*). **zelōtisch** *a.* 열광적인, 광신적인.

Zelt [tsεlt] *n.* -(e)s, -e, 천막, 텐트(*tent*); 큰 천막(*pavilion*).

Zelt=bahn [tsέlt-] *f.* 천막용 삼베. **～=bett** *n.* 닫집이 있는 침대. **～dach** *n.* 천막의 지붕. **～decke** *f.* (차일·방우·방풍용의) 가리개, 포장; (갑판상의) 천막.

Zelter [tsέltər] *m.* -s, -, (같은 쪽의 양 발을 동시에 옮기며 느린 걸음으로 달리는) 말; 여성용의 작은 말.

Zelt=lāger *n.* 〖軍〗 막영(幕營). **～lē=ben** *n.* 천막 생활. **～leinwand** *f.* 천막의 삼베. **～pflock** *m.* 천막용 말뚝. **～stange** *f.*, **～stock** *m.* 천막용 기둥. **～stoff** *m.* 천막용 천.

Zement [tsemɛ́nt] [lat.] *m.* u. *n.* -(e)s, -e, 시멘트(♈*cement*). **zementieren** [tsementíːrən] *t.* 시멘트로 접합하다, (에) 시멘트를 바르다; 삼탄법(滲炭法)으로 제강하다. **Zement·stahl** *m.* 삼탄강(滲炭鋼).

Zenit [tseníːt] [ar.] *m.* u. *n.* -(e)s, 〖天〗 천정(天頂)(♈*zenith*); 《比》 정점(*vertical point*).

zensieren [tsɛnzíːrən] [lat.] *t.* 평가〔비판·검사·검열〕하다(♈*censor*); 채점하다(*give marks*). **Zensor** [tsɛ́nzɔr] *m.* -s, ..soren, 검열관; 감찰관. **Zensur** [tsɛnzúːr] *f.* -en, 평가; 비판; 검열(*censorship*); 평점, 성적(*marks*); 성적부(*report*).

Zentimeter [tsɛntiméːtər] *n.* 〔*m.*〕 센티미터(♈*centimetre*).

Zentner [tsɛ́ntnər] [lat.] *m.* -s, -, 100 파운드《독일에서는 50*kg*》.

Zentner·last *f.* 100 파운드의 짐; 《比》 무거운 짐. **~schwer** *a.* 파운드 무게의; 《比》 매우 무거운.

zentral [tsɛntráːl] [lat. <Zentrum] *a.* 중앙(에서)의, 중심(에서)의.

Zentrale [tsɛntráːlə] *f.* -n, 중심점; 중앙국; 본국, 본사; 본점, 중앙 정거장; 〖電〗 발전소; 중앙 교환국.

Zentralheizung [tsɛntráːlhaitsuŋ] *f.* 중앙 난방 설비.

Zentralisation [tsɛntralizatsi̯óːn] [gr.-lat.] *f.* -en, 집중, 〖政〗 중앙 집권. **zentralisieren** [tsɛntralizíːrən] *t.* 중심에 모으다; 〖政〗 중앙 집권제로 하다. **Zentralisierung** *f.* =Zentralisation. **Zentralismus** *m.* -, 중앙 집권제〔주의〕.

Zentralkomitee [tsɛntráːlkomiteː] *n.* 「중앙 위원회.」

zentrifugal [tsɛntrifugáːl] [lat. „von Mittelpunkt wegfliehend"] *a.* 〖物〗 원심적(遠心的)인. **Zentrifuge** [-fúːgə] *f.* -n, 원심 분리기.

zentripetal [tsɛntripetáːl] [„den Mittelpunkt erstrebend"] *a.* 〖物〗 구심적인.

Zentrum [tsɛ́ntrum] [gr.] *n.* -s, ..tren, 중심《특히 원·구(球)의》; 중앙, 중심지(♈*centre*); 〖軍〗 중견(中堅).

Zephir [tséːfɪr] [gr.] *m.* -s, -e, 부드러운 남서풍(♈*zephyr*).

Zeppelin [tsɛ́pəliːn, tsɛpəlíːn] *m.* -s, -e, 체펠린 비행선《발명자의 이름에서》.

Zepter [tsɛ́ptər] [gr.] *m.* 〔*n.*〕 -s, 왕홀(王笏); 왕권; 《比》 주권.

zer.. [tsɛr-, tsər-] [♈*zwei*] 《動詞의 非分離前綴. 항상 악센트가 없음》 "분리·해소·분해·분산·파열·파손·소멸" 등을 뜻함; 보기: zerlegen, zerlegte, zerlegt.

zerbeißen* [tsɛrbáisən, tsər-] *t.* 물어 찢다〔부수다〕.

zerbersten* [-bɛ́rstən] *i.*(s.) 파열하다, 터져 째지다. 「찢다〔깨뜨리다〕.」

zerblasen* [tsɛrbláːzən, tsər-] *t.* 불어

zerbrechen* [tsɛrbrɛ́çən, tsər-] 《Ⅰ》 *t.* 깨뜨리다, 찢다, 부수다, 못쓰게 하다. ¶sich³ den Kopf ~ 머리를 썩히다, 노심 초사하다. 《Ⅱ》 *i.*(s.) 깨어지다, 부서지다, 찢어지다, 갈라지다, 못쓰게 되다. **zerbrechlich** *a.* 깨지기〔부서지기〕 쉬운. **Zerbrechlichkeit** *f.* 취약함.

zerbröckeln [-brœ́kəln] 《Ⅰ》 *t.* 조각내다, 분쇄하다. 《Ⅱ》 *i.*(s.) u. *refl.* 잘게 부서지다, 허물어지다.

zerdrücken [-drʏ́kən] *t.* 눌러 부수다, 으깨다; 구기다《옷 따위를》.

Zeremonie [tseremoníː, -móːni̯ə] [lat.] *f.* ..nien [-níːən, -móːni̯ən], 의식, 예식(♈*ceremony*); 격식을 차림. **zeremoniell** [-moni̯ɛ́l] *a.* 의식적인; 격식에 맞는. **Zeremonienmeister** *m.* 의전관(儀典官). **zeremoniös** [-ǿːs] *a.* 격식을 차린, 딱딱한, 형식적인.

zerfahren* [tsɛrfáːrən, tsər-] 《Ⅰ》 *t.* 차로 파손시키다《도로를》; 타서 헌 차로 만들다. 《Ⅱ》 *i.*(s.) 흩어지다. 《Ⅲ》 *p.a.* 부서진, 산란한; 질서 없는, 산만한, 방심한.

Zerfall [tsɛrfál, tsər-] *m.* -(e)s, 붕괴. **zerfallen*** [tsɛrfálən, tsər-] 《Ⅰ》 *i.*(s.) 부서져 떨어지다; 붕괴〔궤멸〕하다; (흩어져) 갈라지다(*be divided*); (mit, 와) 결렬하다, 사이가 나쁘게 되다. 《Ⅱ》 *a.* 부서진, 흩어진; 방심한.

zerfetzen [-fɛ́tsən] *t.* 갈기갈기 찢다, 토막내다.

zerfleischen [-fláiʃən] *t.* (의) 살을 찢다; 갈기갈기 잡아 찢다, 괴롭히다.

zerfließen* [-flíːsən] *i.*(s.) 녹아 없어지다; 〖化〗 흡습 용해하다.

zerfressen* [-frɛ́sən] *t.* 물어 뜯다; 썩히다, 침식〔부식〕하다. 「다.」

zerfurchen [-fúrçən] *t.* (에) 도랑을 파

zergeh(e)n* [-geː(ə)n] *i.*(s.) 녹다, 풀리다; 살아지다.

zergliedern [-glíːdərn] *t.* 분석〔해체〕하다; 〖醫〗 해부하다. **Zergliederung** *f.* 해체, 해부; 분석. 「다〕.」

zerhacken [-hákən] *t.* 잘게 자르다〔썰

zerhauen* [-hauən] *t.* 썰다, 잘게 토막내다; 단칼에 두동강 내다.

zerkauen [-káuən] *t.* 깨물다, (입 안에 넣어) 씹다.

zerkleinern [-kláinərn] *t.* 잘게〔작게〕 하다, 부수다; 가루로 하다.

zerklüften [-klʏ́ftən] 《Ⅰ》 *t.* 찢다, 째다; 분열시키다. 《Ⅱ》 **zerklüftet** *p.a.* 쪼개진, 갈라진, 틈이 많은.

zerknacken, zerknicken [-kníkən] *t.* (딱) 부러뜨리다, 부수다.

zerknirschen [tsɛrknírʃən, tsər-] *t.* 분쇄하다, 찧어 부수다. **zerknirscht** *p.a.* 《比》 깊이 뉘우치고 있는. **Zerknirschung** *f.* 회한(悔恨).

zerknittern, zerknüllen [-knʏ́lən] *t.* (옷을) 구기다, (종이를) 뭉치다.

zerkochen [-kɔ́xən] 《Ⅰ》 *t.* 흐물흐물하도록 삶다. 《Ⅱ》 *i.*(s.) 삶아 뭉개지다, 삶아져 흐물흐물해지다. 「〔째다〕.」

zerkratzen [-krátsən] *t.* 할퀴어 찢다

zerlassen* [-lásən] *t.* 녹이다, 용해하다.

zerlaufen* [tsɛrláufən, tsər-] *i.*(h. *u.* s.) 녹아 없어지다, 용해되다.

zerlegen [tsɛrléːgən, tsər-] *t.* 나누다; 해체하다; 〖醫〗 해부하다; 〖數〗 분해하다; 〖化〗 분석하다. **Zerlegung** *f.* 분석.

zerlesen* [-léːzən] *t.* (책 따위를) 읽어서 헐게 하다. ¶ein ~es (*p.a.*) Buch 읽어서 낡아진 책. 「하다.」

zerlöchern [-lœ́çərn] *t.* 구멍 투성이로

zerlumpt [tsɛrlúmpt, tsər-] *a.* 누더기

갈은, 누더기를 두른《거지 등이》.

zermahlen* [-má:lən] *t.* 갈아〔찧어〕 부수다.

zermalmen [tsɛrmálmən, tsər-] [前半: ↑mahlen] *t.* 찧어 부수다, 으깨다, 분쇄하다(*bruise, crush*).

zermartern [-mártərn] *t.* 고문하다; 괴롭히다, 고통을 주다.

zermürben [tsɛrmýrbən, tsər-]《Ⅰ》*t.* 연하게 하다; 부스러뜨리다; 《比》지치게 하다, 괴롭히다. 《Ⅱ》**zermürbt** [-pt] *p.a.* 바스러진; 《比》지쳐버린.

zernagen [-ná:gən] *t.* 깨물다, 물어 찢다; 썩히다.

zernieren [tsɛrní:rən, tsər-] [fr. <Zirkel] *t.* 〖軍〗(둥글게) 포위하다, 공위(攻圍)〔봉쇄〕하다(*besiege, blockade*).

Zero [zé:ro] [ar. -fr.] *f.* -s; *n.* -s, -s, 영, 제로.

zerpflücken [-pflýkən] *t.* 잡아 뜯다〔찢다〕.

zerplatzen [-plátsən]《Ⅱ》*i.*(s.) 파열하다; (갈기갈기) 찢어지다; (포탄이) 작열하다. 《Ⅱ》*t.* 파열시키다, 찢다; 폭파시키다.

zerquetschen [-kvɛ́tʃən] *t.* 으깨다, 찧어 부수다.

Zerrbild [tsɛ́rbılt] [<zerren] *n.* 일그러뜨린 모습(*distortion*); 만화, 풍자화(*caricature*).

zerreiben* [tsɛrráibən, tsər-] *t.* (곡물 따위를) 갈아 부수다, 빻다.

zerreißbar [-ráisba:r] *a.* 잡아 찢을 수 있는; 찢어지기 쉬운.

zerreißen* [tsɛrráisən, tsərr-]《Ⅰ》*t.* 잡아 찢다(*tear*); 잡아 떼다, 갈기갈기 찢다, 절단하다. 《Ⅱ》*i.*(s.) 갈기갈기 찢어지다, 잘리다; 파손되다. 《Ⅲ》*refl.*: ich kann mich nicht ~ 한꺼번에 두가지는 못한다. 《Ⅳ》**zerrissen** *p.a.* 갈기갈기 찢긴, 너덜너덜한; 《比》상심한; 히스테릭한; 염세적인. **Zerreißung** [-ráisuŋ] *f.* -en, 잡아 찢음, 찢어짐.

zerren [tsɛ́rən] *t.* u. *i.*(h.) 잡아 끌다, 끌어 당기다; 질질 끌다.

zerrinnen* [tsɛrrínən, tsərr-] *i.*(h.) (눈 따위가) 녹아서 없어지다; 《比》소실(消失)하다.

zerrissen [tsɛrrísən, tsərr-] [<zerreißen] *p.a.* =ZERREIẞEN.

zerrupfen [-rúpfən] *t.* =ZERPFLÜCKEN.

zerrütten [tsɛrrýtən, tsərr-] *t.* (흔들어) 어지럽히다, (정신을) 착란시키다, 교란하다. **Zerrüttung** *f.* -en, 혼란, 착란.

zersägen [-zɛ́:gən] *t.* 톱으로 잘게 썰다.

zerschellen [-ʃɛ́lən] [*eig.* „schallend zerspringen"]《Ⅰ》*t.* 산산이 부수다, 박살내다. 《Ⅱ》*i.*(s.) 산산이 부서지다〔조각나다〕.

zerschießen* [-ʃí:sən] *t.* 쏘아 부수다〔구멍투성이로 만들다〕; *i.*(s.) 순식간〔별안간〕에 허물어지다.

zerschlagen* [tsɛrʃlá:gən, tsər-]《Ⅰ》*t.* 쳐부수다, 두들겨 망그러뜨리다; jn.: 때려 눕히다. 《Ⅱ》*refl.* 으스러지다, 좌절되다, 헛되이 되다. 《Ⅱ》*p.a.* 부서진, 분쇄된; 《比》지쳐버린, 기가 꺾인.

zerschleißen^(*) [-ʃláisən] *t.* 갈기갈기 찢다; 《比》(써서) 너덜너덜하게 만들다.

zerschmelzen^(*) [-ʃmɛ́ltsən]《Ⅰ》*t.* 녹여 없애다. 《Ⅱ》*i.*(s.) 녹아 없어지다.

zerschmettern [-ʃmɛ́tərn]《Ⅰ》*t.* 쳐부수다, 분쇄하다. 《Ⅱ》*i.*(s.) 부서지다.

zerschneiden* [-ʃnáidən] *t.* 잘게 끊다, 저미다. ¶《比》jm. das Herz ~ 아무의 가슴이 찢어지게 아프도록 만들다.

zersetzen [tsɛrzɛ́tsən, tsər-] *t.* 〖化〗분해하다(*decompose*); 해체하다(*disintegrate*). **zersetzend** *p.a.* 해체적인. **Zersetzung** *f.* 분해; 해체, 붕괴.

zerspalten^(*) [-ʃpáltən]《Ⅰ》*t.* (잘게) 쪼개다, 찢다. 《Ⅱ》*i.*(s.) (잘게) 갈라지다, 쪼개지다, 찢어지다.

zersplittern [tsɛrʃplítərn, tsər-]《Ⅰ》*t.* (갈기갈기) 찢다, 잘게 토막 내다; (정력·시간·재산을) 낭비하다. 《Ⅱ》*i.*(s.) (갈기갈기) 찢어지다, 산산 조각이 나다. 《Ⅲ》*refl.* 정력을 분산시키다.

zersprengen [-ʃprɛ́ŋən] *t.* (산산이) 폭파시키다; 분쇄하다; (군중을) 쫓아 버리다; (적을) 궤멸시키다.

zerspringen* [-ʃpríŋən] *i.*(s.) (산산이) 흩어지다, 파멸하다; (컵이) 깨지다; (현(弦)이) 툭 끊어지다.

zerstampfen [-ʃtámpfən] *t.* 밟아 으깨다, 짓밟다, 빻아 부수다.

zerstäuben [tsɛrʃtɔ́ybən, tsər-]《Ⅰ》*t.* 먼지〔가루〕가 되게 하다, 흩어지게 하다; 안개 모양으로 만들다. 《Ⅱ》*i.*(s.) 먼지 모양으로 되다, 가루가 되다. **Zerstäuber** *m.* -s, -, 분무기(噴霧器).

zerstechen* [-ʃtɛ́çən] *t.* 찔러 터뜨리다; 마구 찌르다.

zerstieben^(*) [-ʃtí:bən] *i.*(s.) 먼지처럼〔먼지가 되어〕 날아 흩어지다.

zerstörbar [tsɛrʃtǿ:rba:r, tsər-] *a.* 파괴할 수 있는. **zerstören** [tsɛrʃtǿ:rən, tsər-] *t.* 파괴하다(*destroy*); 쳐 부수다, 헐다(*demolish*); 멸망시키다, 헛되게 하다(*ruin*). **Zerstörer** *m.* -s, -, 파괴자. **Zerstörung** [-ʃtǿ:ruŋ] *f.* -en, 파괴.

zerstoßen* [-ʃtó:sən] *t.* 부딪쳐 깨뜨리다〔부수다〕; 빻아 부수다, 빻다.

zerstrahlen [tsɛrʃtrá:lən, tsər-] *t.* 방사(放射)에 의해 해체하다.

zerstreuen [tsɛrʃtrɔ́yən, tsər-]《Ⅰ》*t.* 뿌리다, 흩다. ¶jn. ~, a) 아무의 마음을 딴 데에 쏠리게 하다, b) 아무를 즐겁게 하다. 《Ⅱ》*refl.* 흩어지다, 분산하다; 기분 전환을 하다, 즐기다. 《Ⅲ》**zerstreut** *p.a.* 흩어진, 분산한; 〖軍〗분산〔산개〕한; 《比》방심한, 흐리멍덩한(*absent-minded*). **Zerstreut·heit** *f.* 방심, 흐리멍덩, 부주의. **Zerstreuung** *f.* 흩어지기, 분산; 〖軍〗분산, 산개; 《比》방심; 기분 전환, 오락.

zerstückeln [-ʃtýkəln] *t.* 잘게 하다, 작게 가르다.

zerteilen [tsɛrtáilən, tsər-] *t.* 분할하다; 분산시키다. **Zerteilung** *f.* 분할, 분산.

zertieren [tsɛrtí:rən] [lat.] *i.*(h.) 경쟁하다; (특히) (학교에서) 석차를 다투다.

Zertifikat [tsɛrtifiká:t] [lat.] *n.* -(e)s, -e, (관청의) 증명서; 원산지 증명서.

zertrennen [tsɛrtrɛ́nən] *t.* (옷의 솔기 따위를) 풀다.

zertreten* [tsɛrtré:tən] *t.* 밟아 부수다;

밟아 못쓰게 하다《잔디 따위를》; 《比》 유린하다.

zertrümmern [tsɛrtrʏ́mərn, tsər–] *t.* (완전히) 파괴〔분쇄〕하다. **Zertrümmerung** *f.* 파괴.

Zervelatwurst [tsɛrvəlá:t–, sɛr–] [*eig.* „Hirnwurst", it. *cervello* „Hirn"] *f.* 직장(直腸) 소시지(♀*saveloy*). 「뒤집다.」

zerwühlen [–vý:lən] *t.* 교란하다; 파」

Zerwürfnis [tsɛrvʏ́rf–, tsər–] [<zerwerfen] *n.* ..ses, ..se, 불화, 반목.

zerzausen [tsɛrtsáuzən, tsər–] *t.* 헤집어〔쥐어〕 뜯다; 짓구기다, 마구 구기다.

zeter! [tsé:tər] 《Ⅰ》 *int.* 사람 살려. 《Ⅱ》 **Zeter** *n.* –s, 도움을 구하는 고함. ¶ ~ u. Mord schreien 사람 죽인다고 고함지르다. **Zetergeschrei** *n.* 도와 달라는 외침. **zetern** [tsé:tərn] *i.*(h.) 사람 살리라고 고함치다.

Zettel[1] [tsɛ́təl] [Lw. lat.] *m.* –s, –, 종이 조각((*scrap or slip of*) *paper*); 카드, 권(券), 표(*billet*); 메모(*note*); (Anhänge~) 벽보; (Anschlag~) 삐라, 포스터; (Theater~) 프로그램(*play-bill*). 「실.」

Zettel[2] *m.* –s, –, 〖紡〗 (Weber~) 날」

Zettel=anklēber *m.* 삐라 붙이는 사람. **~bank**† *f.* 발권(發券) 은행. **~kasten** *m.* 카드식 정리 상자. **~katalōg** *m.* 카드식 목록. 「數命令形).」

zeuch! [tsɔyç] †《詩》 ☞ZIEHEN (그 單」

Zeug [tsɔyk] [<ziehen; =engl. *toy* „Spielzeug"] *n.* –(e)s, –e, ① 공구(*tools*); 도구, 기구(*implements, utensils*). ② (만들어 내는 것, 만들어진 것:) 원료, 재료(*matter, material*); 옷감, 직물(*cloth*). ③ 〖軍〗 병기, 총포; 물건, 물질(*stuff*). ④ 일, 것(*things*). ⑤ 《蔑》 (schlechtes ~) 하찮은 물건〔일〕, 잡동사니; 부질 없는 소리, 잔말. ¶dummes ~! 어리석은 것이다, 쓸데없다.

Zeug=amt *n.* 〖軍〗 병기창. **~druck** *m.* (*pl.* –e) 날염(捺染); 프린트지(地).

Zeuge [tsɔ́ygə] [♀ziehen] *m.* –n, –n, **Zeugin** *f.* –nen, 증인, 목격자(*witness*).

zeugen[1] [tsɔ́ygən] *t.* (을) 낳다, 자식을 낳다《오늘날은 대부분 부친에 대해서만 쓰며, 모친이 낳는 것은 gebären 이라 한다》(*beget*).

zeugen[2] *i.*(h.) (증인으로서) 증언하다 (*witness*); (von, 에 관하여) 증명하다, 입증하다(*testify*). ¶gegen jn. ~ 아무에게 불리한 증언을 하다.

Zeugen=aussāge *f.* 증인의 진술, 증언. **~eid** *m.* 증인 선서. **~gebühr** *f.* 증인의 일당(日當). **~vernehmung** *f.* 증인 신문.

Zeug=fabrik *f.* 직물(織物) 공장. **~=haus** *n.* 〖軍〗 병기고, 병기창. **~=meister** *m.* 〖軍〗 병기창장.

Zeugnis [tsɔ́yknɪs] *n.* –es, –se, 증명(*testimony, evidence*); 증언(*deposition*); 증명서; (Schul~) 성적표(*report*).

Zeug=schmied *m.* 공구(工具) 대장일, 대장장이. **~schūhe** *pl.* 즈크신.

Zeugung [tsɔ́ygʊŋ] *f.* –en, 낳는 것, 생식; 생산. **~s=fāhig** [–fɛ:ɪç] *a.* 생식력〔생산력〕이 있는.

Zeugungs=glied *n.* 생식기, 남근(男根). **~kraft** *f.* 생식력. **~organe**, **~teile** *pl.* 생식기. **~unfähig** *a.* 생식력이 없는, 음위(陰萎)의; 불임증의.

Zeus [tsɔys] [gr.] *m.* –, 〖希神〗 제우스.

Zibet [tsí:bɛt] [afrikan. –ar.] *m.* –s, 사향(麝香)(♀*civet*).

Zichōrie [tsiçó:rɪə, tsɪç–; –kó:–] [gr. -lat.] *f.* –n, 〖植〗 치커리(♀*chichory*).

Zicke [tsíkə] [<Ziege] *f.* –n, **Zicklein** *n.* –s, –, 염소 새끼(*kid*).

Zickzack [tsíktsak] *m.* –(e)s, –e, 지그자그, Z 자형(♀*zigzag*). ¶im ~ 지그자그 형으로.

Zickzackkurs [–kurs] *m.* 지그자그의 침로〔진로〕; 《比》 늘 바뀌는 방식.

Zider [tsí:dər] [fr.] *m.* –s, 과실주(果實酒); (특히) 사과술.

Ziege [tsí:gə] *f.* –n, 〖動〗 염소(*goat*); (특히) 암염소(*she-goat*).

Ziegel [tsí:gəl] [Lw. lat.] *m.* –s, –, 기와; (Mauer~) 벽돌(*brick*).

Ziegel=brenner *m.* 벽돌 굽는 사람. **~brennerei** *f.* 벽돌 공장. **~dach** *n.* 기와 지붕. 「가마〔공장〕.」

Ziegelei [tsi:gəlái] *f.* –en, 벽돌 굽는」

Ziegel=ērde *f.* 벽돌 굽는 흙. **~farbe** *f.* 벽돌색. **~förmig** *a.* 벽돌 모양의. **~ōfen** *m.* 벽돌 굽는 가마. **~rōt** *a.* 벽돌처럼 붉은, 벽돌색의. **~stein** [–ʃtain] *m.* 벽돌.

Ziegen=bārt [tsí:gən–] *m.* 염소의 수염; 《俗》 (사람의) 염소 수염(*goatee*). **~bock** *m.* 수 염소(*he-goat*); 《蔑》 재봉사 **~=böckchen** *n.* =ZICKLEIN. **~fell** *n.* 염소 가죽. **~haar** *n.* 염소 털. **~hirt** *m.* 염소지기. **~kāse** *m.* 염소젖의 치즈. **~lēder** *n.* 염소 가죽. **~milch** *f.* 염소 젖. **~pēter** *m.* 〖醫〗 유행성 이하선염(耳下腺炎), 멍청이상(相)《남자 이름 Peter 는 "멍청이, 바보"의 뜻, 이 병에 걸린 환자의 얼굴이 염소같이 멍청하게 보이므로》(*mumps*).

zieh [tsi:] 《Ⅰ》 ☞ ZEIHEN (그 過去). 《Ⅱ》 ~(e)! ☞ ZIEHEN (그 單數命令形).

Ziehbank [tsí:baŋk] *f.* 철사 제조대(臺).

ziebār [tsí:ba:r] *a.* 잡아 늘일 수 있는, 연성(延性)이 있는. **Ziebärkeit** *f.* 연성(延性), 연도(延度).

Zieh=brücke *f.* 도개교(跳開橋). **~=brunnen** *m.* 두레우물. **~klinge** *f.*, **~messer** *n.* 켜는 날붙이《손잡이가 둘 달린 목공구》.

ziehen* [tsí:ən] 《Ⅰ》 *t.* ① 끌다, 질질 끌다, 당기다(*draw, pull, haul, tug*); 흡수하다; 꺼내다, 뽑다. ¶Atem ~ 숨을 쉬다 / den Beutel ~ 지갑을 꺼내다, 《比》 지불하다 / den Degen ~ 칼을 뽑다 / ein Los ~ 제비를 뽑다 / Wasser ~ 물을 흡수하다. ② (선·도면을) 긋다, 그리다(*draw*); (에) 줄을 긋다. ③ 잡아 늘여서 만들다. ¶den Draht ~ 철사를 만들다. ④ (아이를) 양육하다; 기르다《짐승을》; 배양하다《균 등을》. ¶**ans** Land ~ (배 따위를) 뭍에 끌어올리다 / **auf** sich[4] ~ 끌다 / **aus** et. Nutzen ~ 무엇에서 이득을 보다, 이용하다 / **nach** sich ~ 초래하다. / jn. **zu** sich ~ 아무를 끌어들이다. 《Ⅱ》 *refl.* ① (끌리듯이) 나아가다, 움직이다, 가다; 진군하다.

Z

② (끌리듯이) 뻗(어 있)다; 자라다; 미치다, 이르다. ¶ sich **aus** Verlegenheit ~ 곤경을 벗어나다 / sich **durch** das ganze Buch ~ (어떤 사상이) 책 전체에 일관되어 있다 / sich **in** Länge ~ 오래 끌다. 《Ⅲ》 *i.* ① (s.) 나아가다; 가다; 여행하다; 옮기다, 이사하다; (철새가) 이동하다; (고용인 따위가) 바뀌다. ¶ Wolken ~ 구름이 가다 / über Meer ~ 바다를 건너다 / in die Stadt ~ 거리로 옮기다 / aus e-m Dienst ~ 고용살이를 그만 두다. ② (h.) (an, 을) 잡아 당기다, 끌다. 《Ⅳ》 **Ziehen** *n.* -s, -, ① 끎, 끌어당김, 견인(牽引); 양육. ② 인기, 히트; 통풍(通風); 〖醫〗 온 삭신이 쑤심. ③ 여행; 옮김, 이사.

Zieh⸗geld *n.* 양육비. **~harmōnika** *f.* 〖樂〗 손풍금, 아코디언. **~kind** *n.* 양자; 수양 아이. **~mutter** *f.* 양어머니. **~tāg** *m.* 이삿날.

Ziehung [tsíːuŋ] *f.* -en, 끌기; 추첨.

Ziehungs⸗liste *f.* 당첨표. **~tāg** *m.* 추첨일.

Ziel [tsiːl] *n.* -(e)s, -e, ① 목표(*mark, aim*); 목적지(*destination*); 목적(*object*); 〖文〗 (타동사의) 보족어; 표적, 과녁(*target, butt*); 결승점(*winning post*). ¶ sich³ ein hohes ~ setzen 큰 목표를 정하다, 대망을 품다. ② 종점, 종국, 끝(*end*); 한계, 제한(*term*). ¶ js. Ehrgeize³ ein ~ setzen 아무의 야망을 견제하다. ③ 〖商〗 지불 기한; 지불일.

Ziel⸗band [tsíːl-] *n.* 결승점의 테이프. **~bewußt** *a.* 목표를 잃지 않는, 목적을 향하여 나아가는.

zielen [tsíːlən] *i.* (h.) 목표로 삼다, 지향하다, 노리다((*take*) *aim*); *t.* 《方》 노력하여 얻다, 이룩하다.

Ziel⸗fernrohr *n.* 조준 망원경. **~gerāde** *f.* 〖競〗 홈스트레치. **~lōs** *a.* 정처 없는. **~punkt** *m.* 목표; 정곡(正鵠). **~scheibe** *f.* 표적; 《比》 (조소 등의) 대상. ¶ die ~scheibe des Spottes 웃음거리, 놀림감. **~schiff** *n.* (사격이나 폭격의) 표적선. **~setzung** *f.* 목표의 설정. **~sicher** *a.* 목표를 그르치지 않는, 표적을 빗나지 않는.

ziemen [tsíːmən] *i.* (h.) u. *refl.* 《非人稱》 es ziemt jm. 그것은 아무에게 적당하다, 어울리다(*become, be suitable, suit*).

Ziemer [tsíːmər] *m.* -s, -, (잡은 사냥감의) 등고기.

ziemlich [tsíːmlıç] 《Ⅰ》 *a.* 적당한, 어울리는(*fit, suitable*); 상당한, 어지간한, 꽤 많은(*tolerable, fair, good*). 《Ⅱ》 *adv.* 상당히, 어지간히, 꽤 많이(*tolerably, rather, pretty, fairly*). ¶ ~ gut 꽤 좋은 / so ~ 거의.

ziepen [tsíːpən] 《Ⅰ》 *i.* (h.) 삐악삐악 울다, 찌익찌익 울다《쥐가》. 《Ⅱ》 *t.* 잡아 당기다《특히 머리를》.

Z

Zier [tsiːr] *f.* = ZIERDE. **Zier⸗affe** [tsíːr-afə] *m.* 멋장이. **Zierāt** [tsíːraːt] *m.* -(e)s, -e, 장식물〔구〕. **Zierde** [tsíːrdə] (-de는 後綴) *f.* -n, 장식, 치레(*ornament*); 《比》 명예, 긍지(*honour*).

zieren [tsíːrən] 《Ⅰ》 *t.* 장식하다(*ornament, adorn, decorate*); (의) 자랑이〔명예가〕 되다. 《Ⅱ》 *i.* (h.) 장식이 되다. 《Ⅲ》 *refl.* 몸을 치장하다; 모양 내다; 점잔〔얌전〕빼다(*be affected, be prudish*). 《Ⅲ》 **geziert** [gətsíːrt] *p.a.* ① mit et. ~ 무엇으로 장식한. ② 부자연스러운, 갈잖은. 「잔〕빼는 언행.

Ziererei [tsiːrərái] *f.* -en, 거드름〔점

Zier⸗fisch [tsíːr-] *m.* 관상용 물고기. **~garten** *m.* 유원지, 화원. **~leiste** *f.* 〖建〗 장식 쇠시리; 〖印〗 책장의 네 귀를 흐리게 한 장식.

zierlich [tsíːrlıç] *a.* 우아한, 고상한(*elegant, neat*); 멋진, 요염한, 사랑스러운(*dainty, nice*). **Zierlichkeit** *f.* -en, 멋진 것, 우아, 고상, 아름다움.

Zier⸗pflanze *f.* 관상 식물. **~puppe** *f.* 《戲·蔑》 모양내는〔새침데기〕 여자. **~strauch** *m.* 관상용 관목.

Ziffer [tsífər] [ar. -fr.] *f.* -n, 숫자(*figure*); 부호, 암호(♈*cipher*). **Ziffer⸗blatt** *n.* 숫자판, 다이얼; 문자판《시계의》. **ziffer(n)mäßig** *a.* 숫자 대로의; 숫자상의; *adv.* 숫자 대로.

Zigarette [tsigarétə] [fr. *dim.* v. Zigarre] *f.* -n, 궐련(♈*cigarette*).

Zigaretten⸗etui [tsigarétən-etviː, -etyiː] *n.* 궐련갑. **~raucher** *m.* 흡연자. **~spitze** *f.* 궐련 파이프. **~tasche** *f.* 시거레트 케이스.

Zigarre [tsigárə] [sp., <lat. Zikade] *f.* -n, 시가, 여송연(♈*cigar*).

Zigarren⸗(ab)schneider [tsigárən-] *m.* 시가의 꼭지를 끊는 기구. **~deck⸗blatt** *n.* 시가의 겉을 마는 잎. **~etui** [-etviː, -etyiː] *n.* 시가 케이스. **~⸗kiste** *f.* 시가 넣는 상자. **~spitze** *f.* 시가용 파이프. **~stummel** *m.* 시가 꽁초. **~tasche** *f.* 시가 케이스.

Zigeuner [tsigɔ́ynər] *m.* -s, -, 집시(*Gipsy*). **zigeunerhaft** *a.* 집시와 같은, 방랑〔유랑〕하는; 칠칠치 못한.

Zigeuner⸗kapelle *f.* 집시의 악대. **~⸗lēben** *n.* 집시의 생활; 유랑 생활. **~⸗mädchen** *n.* 집시 소녀. **~sprāche** *f.* 집시의 언어. 「미(♈*cicada*).

Zikāde [tsikáːdə] [lat.] *f.* -n, 〖蟲〗 매

Zimbel [tsímbəl] [gr.-lat.] *f.* -n, 〖樂〗 심벌즈(♈*cymbal*).

Zimmer [tsímər] [*eig.* „Bauholz"; engl. *timber* „Bauholz"] *n.* -s, -, 방(*room, chamber, apartment*).

Zimmer⸗antenne *f.* 실내 안테나. **~⸗arbeit** *f.* 목수 일. **~axt** [-akst] *f.*, **~beil** *n.* (목수의) 자귀. **~decke** *f.* 천정. **~dekoratiōn** *f.* 실내 장식.

Zimmer·einrichtung [tsímər-ainrıçtuŋ] *f.* 실내 설비《가구 따위의》.

Zimmer⸗flucht *f.* 줄지어 나란한 방들. **~gesell(e)** *m.* 목수. **~gymnastik** [-gymnastık] *f.* 실내 체조. **~hand⸗werk** *n.* 목수 일. **~herr** *m.* 세든 사람. **~hōf** *m.* 목수의 일터. **~holz** *n.* 건축 재목. **~kellner** *m.* (호텔의) 객실 보이. **~mann** *m.* (*pl.* ..leute, 稀: ..männer) 목수(*carpenter*). **~meister** *m.* 목수의 우두머리, 도편수. **~miete** *f.* 방세.

zimmern [tsímərn] [<Zimmer „Bauholz„] *t.* u. *i.* (h.) 나무로 짜다; 목수일을 하다, 짓다, 만들다.

Zimmer=pflanze *f.* 관상〔장식〕식물. **～platz** *m.* =～HOF. **～theater** *n.* 실내 극장《근대 실내극의 한 양식》.
Zimmerung [tsímǝruŋ] *f.* -en, ① 목수 일, 목공품. ②〖坑〗널대기; 동바리.
Zimmer=vermieter *m.* 하숙〔아파트〕의 주인. **～werk** *n.* =～ARBEIT. **～=werk·statt** *f.* 목수의 일터.
Zimmet † [tsímǝt] *m.* -(e)s, -e, = ZIMT.
zimperlich [tsímpǝrlıç] *a.* ① 까다로운, 꼼꼼한, 근엄한. ② 얌전빼는(*prim, prudish*); 점잔빼는(*affected*).
Zimt [tsımt] [mal. -lat.] *m.* -(e)s, -e, 육계(肉桂), 계피(♈*cinnamon*).
Zink [tsıŋk] [<Zinke(n) 용광로 속에 첨두 모양으로 침전하는 데서 유래] *n.* -(e)s, 〖化〗아연(♈*zinc*).
Zink=ätzung *f.* 아연판 조각술. **～=blech** *n.* 아연판. **～blume, blüte** *f.* 〖化〗아연화(華). **～dach** *n.* 양철 지붕.
Zinke [tsíŋkǝ] [♈Zahn] *f.* -n, **Zinken** [tsíŋkǝn] *m.* -s, -, ① 첨두상(尖頭狀)의 것, 모서리(*prong*); 뾰족한 끝《포크, 갈퀴 따위의》; 톱니 모양의 들쭉날쭉(*tooth*);〖工〗장부촉(이음)(*dovetail*). ②《戱》긴 코;〖樂〗코넷. **zinker** [<zinken] *m.* -s, -, 《隱語》형사.
Zink=erz *n.*〖鑛〗아연광(亞鉛鑛). **～=gelb** *n.*〖化〗아연황(黃). **～hoch=ätzung** *f.*〖印〗아연철판(亞鉛凸版).
zinkig [tsíŋkıç] *a.* 끝이 들쭉날쭉한, 끝이 갈라진.
Zink·legierung [tsíŋklegi:ruŋ] *f.* 아연합금.
Zinkographie [tsıŋkografí:] *f.* ..phien, 아연판술.
Zink=platte *f.*〖印〗아연판, 사진 철판(凸板). **～salbe** *f.* 아연화 연고. **～=weiß** *n.* 아연화.
Zinn [tsın] *n.* -(e)s,〖鑛〗주석(♈*tin*).
Zinn=asche [tsín-] *f.* 산화 주석. **～=bergwerk** *n.* 주석 광산.
Zinne [tsínǝ] [♈Zahn] *f.* -n, (옛 성의) 소첨탑(小尖塔)(*pinnacle*); (Mauer～) (성벽 상부의) 톱니형 흉벽(胸壁)(*battlement*).
zinnern [tsínǝrn] *a.* 주석(제)의.
Zinn=figur *f.* 주석 인형. **～folie** *f.* 납지(鑞紙). **～gerät**, **～geschirr** *n.* 주석 그릇. **～gießer** *m.* 주석 기구 제조공. **～lōt** *n.* 땜납.
Zinnober [tsınó:bǝr] [pers. -gr.] *m.* -s, -,〖鑛〗진사(辰砂)(♈*cinnabar*);〖畫〗주(朱)(*vermilion*).
Zinnober=rot *n.* 주홍(색). **～rot** *a.* 주홍색의.
Zinn=soldat *m.* 주석 병정《장난감의》. **～stufe** *f.* 주석광괴. **～ware** *f.* 주석 제품.
Zins [tsıns] [lat.] *m.* -es, -en, *u.* -e, ① (*pl.* -e) 조세《봉건 시대의》(*tribute*); 임대차료, 지대, 소작료, 집세(*rent*). ② (*pl.* -en) 이자, 이식(利息)(*(rate of) interest*). ¶ ～en abwerfen 이자를 낳다.
zinsbar *a.* 지대〔집세·이자〕를 납부해야 하는; 이자가 붙는.
zins=bauer [tsíns-] *m.* 소작인. **～bogen** *m.* 이표(利票).
zinsen [tsínzǝn] [<Zins] *t.* 《때로 *obj.* 없이》이자〔대차료〕를 지급하다〔취하다〕.
Zinsenkonto *n.* 이자 계산. **Zinses=zins** [tsínzǝstsıns] *m.* -es, -en, 복리(*compound interest*).
Zins=frau *f.* 여자 농노. **～frei** *a.* 무세의, 무임의, 무이자의. **～fuß** *m.* 이율. **～gut** *n.* 소작지. **～herr** *m.* 지주, 가주. **～mann** *m.* 농노. **～pflich=tig** *a.* 지대〔집세·이자〕납부의 의무가 있는. **～rechnung** *f.* 이자 계산. **～=satz** *m.* 이율. **～schein** *m.* 이표(利票). **～tabelle** *f.* 이자 계산표.
Zionismus [tsionísmus] *m.* -, 시오니즘, 시온주의. **Zionist** *m.* -en, -en, 시온주의자. **zionistisch** *a.* 시온주의의.
Zipfel [tsípfǝl] *m.* -s, -, 첨단, 꼭대기(♈*tip*); 모서리, 귀《손수건 따위의》; 자락《옷의》. **zipf(e)lig** *a.* 끝이 뾰족한, 뾰족한 데〔귀·모서리〕가 있는;〖植〗톱니꼴의. **Zipfelmütze** *f.* 뾰족 모자; 나이트 캡.
Zipolle [tsipɔ́lǝ] [lat. -it.] *f.* -n, 《方》양파.
Zipperlein [tsípǝrlain] *n.* -s, (발의) 통풍(痛風)(*gout*).
Zippverschluß [tsípfɛrʃlus] [<engl. *zip fastener*] *m.* 《öst》척, 지퍼.
Zirbel=drüse [tsírbǝl-] *f.*〖解〗송과선(松果腺). **～kiefer** *f.*〖植〗소나무과의 한 속(屬).
zirka [tsírka] [lat. *circā* „ringsum"] *adv.* 대강, 대략(*about*).
Zirkel [tsírkǝl] [lat. "Kreischen", < Zirkus"] *m.* -s, -, ① 원(圓), 권(圈), 고리(♈*circle*). ② 서클, 동아리, 모임. ③ 회전, 순회, 순환. ④〖工〗콤퍼스 (*(a pair of) compasses*). **zirkeln** [tsírkǝln] *t.* 콤퍼스로 재다.
zirkel=rund *a.* 원형의. **～schluß** *m.* 〖論〗순환 논증(법).
Zirkular [tsırkulá:r] *n.* -s, -e, 회람, 회문(回文). **Zirkulation** [-tsió:n] *f.* -en, (혈액의) 순환; (화폐의) 유통. **zir=kulieren** [-lí:rǝn] [lat. <Zirkel] *i.* (h.) 순환하다; 유통〔유포〕하다(♈*circulate*).
Zirkum·flex [tsırkumflɛ́ks] [„um-gebogen"] *m.* -es, -e,〖文〗장음부《∧, ⌒, —》.
Zirkus [tsírkus] [lat. „Kreis"] *m.* -, -se, 곡마단, 서커스(♈*circus*). **～reiter** *m.* 곡마사(曲馬師).
zirpen [tsírpǝn] *i.* (h.) (벌레가) 찌륵찌륵 울다, (작은 새가) 짹짹 지저귀다(♈*chirp*).
Zirrus [tsírus] [lat.] *m.* -, - *u.* Zirren, 〖氣象〗새털구름.
zischeln [tsíʃǝln] [<zischen] *i.* (h.) u. *t.* 속삭이다, 소곤거리다(*whisper*). **zi=schen** [tsíʃǝn] [擬聲語] 《Ⅰ》*i.* ① (h.) 쉿 소리를 내다〔울리다〕; 부글부글 소리가 나다《끓어서》. ② (s.) 칙칙소리를 내며 나아가다. 《Ⅱ》*t.* (auszischen) 쉬이쉬이하며 야유하다. **Zischlaut** *m.* 〖文〗마찰음, 치음.
ziselieren [tsizelí:rǝn] [fr.] *t.* (금속에) 조각하다, 상감(象嵌)하다(♈*chase*); 《比》조탁(彫琢)하다.
Zistag [tsístak] *m.* -(e)s, -e, 화요일.
Zisterne [tsıstɛ́rnǝ] *f.* -n, 물통, 빗물받이; 저수지, 웅덩이(♈*cistern*).

Zitadelle [tsitadélə] [it. "Stadtfestung"] *f.* -n, 내성, 아성(牙城), 요새 안의 독립된 작은 보루(♈*citadel*).

Zitat [tsitá:t] [lat. <zitieren] *n.* -(e)s, -e, 인용구, 인용문(*quotation*); 관용구(*passage*).

Zitaten≈lexikon *n.*, **~schatz** *m.* 인용구 사전.

Zitation [tsitatsió:n] [lat.] *f.* -en, 「《法》 소환.」

Zither [tsítər] [gr. -lat.] *f.* -n, 《樂》 치터, 키타라《거문고와 비슷한 고대 그리스의 악기》.

zitieren [tsití:rən] [lat.] *t.* ① 불러 내다(*call up*); 소환하다(*summon*). ② 인용하다(*quote*, ♈*cite*).

Zitronat [tsitroná:t] [<Zitrone] *n.* -(e)s, -e, 레몬 껍질의 사탕절임. **Zitrone** [tsitró:nə] [it.] *f.* -n, 《植》 레몬《과실 및 나무》(♈*citron*, *lemon*).

Zitronen≈baum *m.* 《植》 레몬나무. **~falter** *m.* 《蟲》 노랑나비. **~gelb** *a.* 레몬 빛의. **~limonade** *f.* 레몬수. **~presse** *f.* 레몬 압착기. **~saft** *m.* 레몬즙. **~schale** *f.* 레몬 껍질. **~wasser** *n.* 레몬수.

Zitter≈aal [tsítər-a:l] *m.* 《魚》 전기뱀장어《남미산》. **~espe** *f.* =~PAPPEL.

zitt(e)rig [tsítərɪç] *a.* 떠는, 덜덜 떠는.

zittern [tsítərn] *i.* (h.) 떨다, 전율하다; 진동하다.

Zitter≈pappel *f.* 《植》 미류나무, 은백양. **~roche(n)** *m.* 《魚》 전기메기.

Zitz [tsɪts] [ind.] *m.* -es, -e, 〔~**kattun** *m.*〕 채색한 서양목, 캘리코(♈*chintz*, *printed calico*).

Zitze [tsítsə] *f.* -n, 젖꼭지(♈*teat*, *nipple*).

zivil [tsiví:l] [fr. <lat. *civis* „Bürger"] *a.* ① 시민의; 일반인의, 서민의; 민사의; 문관의. ② 《比》 대중적인, 값싼, 염가의(*reasonable*). **Zivil** *n.* -s, ① 시민 계급, 일반인. ② 평복, 사복. ¶in ~ geh(e)n 평복을 입고 있다.

Zivil≈anzug *m.* 평복. **~beamte** *m.* 《形容詞變化》 문관. **~bevölkerung** *f.* (일반) 시민. **~ehe** *f.* 법률상의 결혼.

Zivilisation [tsivilizatsió:n] [lat. < zivil] *f.* -en, 문명, 개화; 문화(Kultur)의 말기《창조력을 잃은 단계》. **zivilisatorisch** [-tó:rɪʃ] *a.* 문명〔개화〕의, 문명으로 이끄는. **zivilisieren** *t.* 문명으로 이끌다, 개화시키다; 교화하다. **Zivilist** [tsivilíst] *m.* -en, -en, 시민, 서민.

Zivil≈kleidung [tsiví:l-] *f.* 평복; 사복. **~luftfahrt** *f.* 민간 항공. **~prozeß** *m.* 민사 소송. **~stand** *m.* 시민 계급.

ZK 《略》=*Zentralkomitee* 중앙 위원회.

Zobel [tsó:bəl] [russ.] *m.* -s, -, 《動》 검은담비《시베리아 산》(♈*sable*).

Zobel≈fell *n.* 검은담비의 모피. **~pelz** *m.* 검은담비의 모피(옷).

Zofe [tsó:fə] *f.* -n, 시녀, 몸종(*lady's maid*).

zog [tso:k], **zöge** [tsǿ:gə] ☞ ZIEHEN 「《그 過去》.」

Zögerer [tsǿ:gərər] *m.* -s, -, 우물쭈물하는 사람, 주저하는 사람. **zögern** [tsǿ:gərn] [<ziehen] 《Ⅰ》 *i.* (h.) 우물쭈물하다, 주저하다(*hesitate*); 지연〔지체〕하다(*tarry*). 《Ⅱ》 **Zögern** *n.* -s, 주저, 지체. **Zögerung** *f.* -en, 주저, 우물쭈물하기; 지연.

Zögling [tsǿ:klɪŋ] [<(er)ziehen] *m.* -s, -e, 학생(*pupil*); 가르친 학생, 제자(*charge*).

Zölibat [tsøliba:t] [lat.] *m.* u. *n.* -(e)s, 독신(♈*celibacy*).

Zoll[1] [tsɔl] *m.* -(e)s, -, 인치(*inch*).

Zoll[2] [gr. -lat.] *m.* -(e)s, ⸚e, ① 세관, 관세; 통과세, 통행세, 다리세(♈*toll*); 《一般的》 (조)세(*custom*, *duty*).

Zoll≈abfertigung [tsɔ́l-] *f.* 통관 (절차). **~amt** *n.* 세관. **~angabe** *f.* 관세 신고(서). **~aufschlag** *m.* 부가 관세.

zollbar [tsɔ́lba:r] *a.* =ZOLLPFLICHTIG.

Zoll≈beamte *m.* 《形容詞變化》 세관원. **~behörde** *f.* 세관. **~einnehmer** *m.* 세관원.

zollen [tsɔ́lən] *t.* u. *i.* (h.) ① (관세를) 물다, 치르다(*pay*, *give*). ② 《比》 Achtung 〔Beifall〕 ~ 경의〔찬의〕를 표하다.

Zoll≈ermäßigung *f.* 관세 인하. **~frei** *a.* 관세 면제의. **~gebühr** *f.* 통관 수수료. **~freiheit** *f.* 관세 면제. **~gesetz** *n.* 관세법. **~grenze** *f.* 관세 국경. **~haus** *n.* 세관; 보세 창고.

Zollinie [tsɔ́li:nĭə] 《分綴: Zoll-linie》 *f.* 관세선《국경의》. **Zollkrieg** [tsɔ́lkri:k] *m.* 관세전(關稅戰).

Zöllner [tsœ́lnər] *m.* -s, -, 세관원.

Zoll≈pflicht *f.* 관세 납부의 의무. **~pflichtig** *a.* 관세 의무가 있는, 관세가 붙는. **~politik** *f.* 관세 정책. **~revision** *f.* 세관의 여객 수화물 검사. **~schein** *m.* 세관 검사증, 통관 허가증. **~schiff** *n.* 세관선(稅關船). **~speicher** *m.* 보세 창고.

Zoll≈stab [tsɔ́lʃta:p], **~stock** *m.* 인치 자.

Zoll≈tarif *m.* 관세율. **~union** *f.*, **~verband**, **~verein** *m.* 관세 동맹. **~vergünstigungen** *pl.* 《經》 특혜《관세상의》. **~verschluß** *m.* 보세 입고(保稅入庫).

zollweise [tsɔ́lvaizə] *adv.* 인치로, 1 인치마다.

Zollwesen [tsɔ́lve:zən] *n.* 세관 제도; 세관 사무.

Zone [tsó:nə] [gr. -lat.] *f.* -n, 대(帶)(♈*zone*); 《地》 지대. ¶die gemäßigte 〔kalte〕 ~ 온대〔한대〕.

Zoo [tso:, tsó:o:] [<zoologischer Garten] *m.* -(s), -s, 동물원《특히 베를린의》.

Zo·olog(e) [tso:oló:k, -ló:gə] [gr.] *m.* ..gen, ..gen, 동물학자. **Zo·ologie** [„Tierkunde"] *f.* ..gien, 동물학. **zoologisch** [tso:oló:gɪʃ] *a.* 동물학(상)의. ¶der ~e Garten 동물원.

Zopf [tsɔpf] [*eig.* „spitzes Ende"; = engl. *top* „Gipfel, Spitze"] *m.* -(e)s, ⸚e, ① (옛날 남자의) 변발(*pig-tail*); (여성의) 땋은 머리, 트레머리, (소녀의) 땋아 늘인 머리(*plait* (*of hair*), *tress*). ② 《比》 구폐(舊弊), 관료적 형식, 번거롭고 까다로운 형식〔절차〕. **Zopfband** *n.* 변발〔땋아 늘인 머리〕의 댕기. **zopfig** *a.* 《比》 구폐의, 고루한, 딱딱한, 관청식의.

Zopf≈stil [tsɔ́pfʃti:l, -st-] *m.* 《美術》 초프 양식《1760~80 년경의 독일 예술 양식》. **~zeit** *f.* (18 세기의) 변발 시대.

Zorn [tsɔrn] [*eig.* „Zerrissenheit,

Zwist", ♈zerren] *m.* -(e)s, 화, 노여움, 분노, 화냄(*anger, wrath, rage*).

Zọrn=ausbruch [tsɔ́rn-] *m.* 분노의 폭발, 화냄. **~entbrannt**, **~glühend** *a.* 노여움에 찬.

zọrnig [tsɔ́rnɪç] *a.* 성 낸; 노여움의; 화를 잘 내는, 성마른.

zọrn=mütig *a.* 성 잘 내는, 성마른. **~=schnaubend** *a.* 노여움에 찬. **~wütig** *a.* 격노한, 화가 나서 미친 듯한.

Zōte [tsó:tə] *f.* -n, 음탕한 이야기, 음담(*obscenity, smutty joke*). **zōten** *i.*(h.) 음담을 하다. **zōtenhaft**, **zōtig** [tsó:tɪç] *a.* 음탕한, 음란한, 외설한. **Zōten=reißer** *m.* 음담가. **Zōtenreißerei** *f.* 음담(을 함).

Zọtte [tsɔ́tə], **Zọttel** [tsɔ́təl] *f.* -n, 늘어진 털, 털의 다발(*tuft*); 텁수룩한 털(*tangle*); 융모(絨毛).

zọttig [tsɔ́tɪç] *a.* 늘어진 털이 있는; 북슬북슬한 털이 있는; 텁수룩한; 융모가 있는.

Ztschr. 《略》 =*Zeitschrift* 잡지.

zū [tsu:, 弱 tsu] 《Ⅰ》 *prp.* (3格支配) ① 《所在》 ~ Hamburg 함부르크에(서) / die Universität ~ Berlin 베를린 대학 / hier ~ Lande 당지에서 / ~ Wasser u. ~ Lande 수륙으로. ② 《方法》 ~ Schiff 〔Wagen〕 배〔차〕로 / ~ Lande 〔Wasser〕 육로〔수로〕로 / ~ Fuß 걸어서 / ~ deutsch 독일어로. ③ 《附加·所屬·結合》 Brot zum Fleisch essen 고기를 먹으며 가끔 빵을 먹는다 / zum Klavier singen 피아노에 맞추어 노래하다. ④ 《接近·方向》 ich gehe ~ ihm 나는 그의 집〔곁〕으로 간다 / ~ Bett gehen 자리에 들다 / von Haus ~ Haus 집에서 집으로, 집집마다. ⑤ 《態度·關係》 Lust 〔Neigung〕 ~ et. haben 어떤 것을 좋아한다. ⑥ 《時刻》 ~ dieser Zeit 요즈음 / zur Zeit 목하 《略: z. Z., z. Z. t.》. ⑦ 《比例·比率》 3 verhält sich ~ 5 wie 6 ~ 10, 3과 5의 비는 6과 10의 비와 같다 / zur Hälfte 절반. ⑧ 《數詞 앞에》 ~ zweien 〔zweit〕 둘이서, 둘씩. 《Ⅱ》 *adv.* ① ab u. ~, a) 이리저리, b) 때때로, 가끔. ② 닫혀(*shut, closed*). ¶die Tür ist ~ 문이 닫혀 있다. ③ 의 쪽으로(*towards*). ¶auf jn. ~ 아무의 쪽으로 향하여, 아무에게 향하여 / immer ~! *od.* nur ~! 앞으로, 나아가라, 계속하라, 힘내라. ④ (all~) 너무나(♈*too*).

zū.. [tsú:-] 《分離動詞의 前綴: 언제나 악센트를 둠》. "폐쇄·운동의 방향·행위의 목표·첨가·부가·운동의 계속·촉진·수여·귀속" 등의 뜻을 나타냄. 보기: zu|führen [tsú:fy:rən], ich führe 〔führte〕 zu, habe zugeführt; zuzuführen; führe zu!

zu·aller=ērst [tsu-alər-é:rst] *adv.* 제일 먼저, 제일로, 최초에. **~lẹtzt** *adv.* 최후에.

zū|bauen [tsú:bauən] *t.* 세워서 막다.

Zūbehör [tsú:bəhø:r] *n.* 〔*m*〕. -(e)s, -e 〔schw.: -den〕, 부속물(*appurtenances*); 〔**~teile** *pl.*〕 부속품(*accessories*).

zū|bekommen* [tsú:bəkɔmən] *t.* 첨가하여 받다, (그것과) 함께 얻다.

Zūber [tsú:bər] [ahd. *zu-bar* „Zweiträger (Gefäß mit zwei Griffen)"] *m.* -s, -, (손잡이가 둘 달린) 통(♈*tub*).

zū|bereiten [tsú:bəraitən] *t.* 정리〔정돈〕하다(*adjust, dress*); 조제(調製)〔조합(調合)〕하다, 조리하다, 마련하다(*prepare*). **Zūbereiter** *m.* -s, -, 정리〔정돈·조제·조리〕하는 사람. **Zūbereitung** *f.* -en, 준비; 조제, 조합, 조리.

zū|billigen [tsú:bɪlɪgən] *t.* 승인〔허용〕하다.

zū|binden* [tsú:bɪndən] *t.* 묶어서 봉하다, 동이다, 조르다, 잡아매다, 묶다.

zū|blāsen* [tsú:bla:zən] 《Ⅰ》 *i.*(h.) 계속 불다. 《Ⅱ》 *t.* 불어 넣다, 속삭이다(*whisper, suggest to*).

zū|bleiben* [tsú:blaibən] *i.*(s.) 닫힌 채로 있다.

zū|bringen* [tsú:brɪŋən] *t.* ① 가지고 오다, 지참하다. ② (시간을) 보내다(*pass, spend*). **Zūbringer** *m.* -s, -, 지참인.

Zūbringer=dienst [tsú:brɪŋər-] *m.* 자동차 연락 서비스. **~līnie** *f.* (철도의) 지선.

Zūbūße [tsú:bu:sə] *f.* -n, 출자, 납입(納入)(*contribution*).

zū|buttern [tsú:butərn] *t.*: 《俗》 Geld ~ 돈을 기부하다, 납입하다.

Zucht [tsuxt] [<ziehen] *f.* ¨e *u.* -en, ① (Vieh~) 사육(飼育), 양식(養殖)(*breeding*); (Pflanzen~) 재배(*cultivation*); 사육〔양식〕한 동물; 종(種) (*breed, brood, race*). ② (자녀를) 키움, 교육(*education*); 버릇 드림, 기율; 풍기(*discipline*); 징역(*chastisement*); 몸가짐〔버릇〕이 좋음, 예절바름(*good manners, propriety*); 정숙(貞淑), 정결(貞潔)(*modesty, chastity*).

Zucht=būch *n.* (말의) 혈통 대장. **~=bulle** *m.* 씨황소.

züchten [tsʏ́çtən] *t.* 사육〔양식〕하다; 재배하다. **Züchter** *m.* -s, -, 사육자, 양식자; 재배자.

Zucht=haus *n.* 강제 노역장, 《比》 징역. **~häusler** *m.* 징역수. **~haus=strāfe** *f.* 징역형(刑). **~hengst** *m.* 종마(種馬).

züchtig [tsʏ́çtɪç] [<Zucht] *a.* 몸가짐이 좋은; 정숙한, 정결한, 단정한(*chaste, modest*). **züchtigen** [tsʏ́çtɪgən] *t.* 징계하다(*chastise, correct, punish*); 벌주다(*flog*). **Züchtigkeit** *f.* 예의바름, 정숙, 정결, 단정. **Züchtigung** [-tiguŋ] *f.* -en, 징계, 처벌.

zuchtlōs [tsúxtlo:s] *a.* 버릇이 없는, 제멋대로의, 방자한. **Zuchtlōsigkeit** *f.* 규율이 없음, 방자.

Zucht=mittel *n.* 교정책(矯正策). **~=pfērd** *n.* 종마(種馬). **~rūte** *f.* 징계용의 채찍; 《比》 징벌(수단). **~stier** *m.* 씨황소. **~stūte** *f.* 씨암말.

Züchtung [tsʏ́çtuŋ] *f.* -en, 사육, 양식; 재배.

Zucht=vieh [tsúxtfi:] *n.* 종축(種畜). **~=wahl** *f.* 자연 도태(*natural selection*).

zucken [tsúkən] [ziehen 의 强意語; *eig.* "schnell ziehen"] 《Ⅰ》 *i.*(h.) 급격하게 움직이다(*jerk*); 경련하다(*move convulsively*); 실룩실룩하다(*palpitate*). 《Ⅱ》 *t.* 급격히 움직이다; 경련적으로 실룩실룩 움직이다. **zücken** [tsʏ́kən] [zucken 의 同語 別形] *t.* 급히 당기다, 뽑다(*draw*).

Zucker [tsúkər] [Lw. skt. -lat.] *m.* -s, -, 설탕(♈*sugar*); 〖化〗 당(분).

Zucker·apfel *m.* 〖植〗 번려지(蕃荔枝). **∼ärtig** *a.* 설탕 같은. **∼bäcker**† *m.* 과자 제조자. **∼bäckerei** *f.* 제과점. **∼büchse** [-býksə], **∼dōse** *f.* 설탕 항아리. **∼erbse** [-ɛrpsə] *f.* 〖植〗 사향 완두. **∼fabrik** *f.* 제당소. **∼guß** *m.* 당의(糖衣), 사탕 발림. **∼haltig** *a.* 설탕을 포함하는; 당분이 있는. **∼hūt** *m.* (긴 모자형의) 막대 설탕.

zuck(e)rig [tsúk(ə)rıç] *a.* 설탕의; 설탕을 포함한; 당분을 생기게 하는, 당화적(糖化的)인; 설탕 같은, 당성(糖性)의.

Zucker·kind *n.* 사랑하는 자식, 장중옥(掌中玉). **∼krank** *a.* 당뇨병의. **∼kranke** *m.* u. *f.* 《形容詞變化》 〖醫〗 당뇨병 환자. **∼krankheit** *f.* 당뇨병. **∼melōne** *f.* 〖植〗 참외〔멜론〕류(類).

zuckern [tsúkərn] 《Ⅰ》 *a.* 설탕의, 설탕으로 만든. 《Ⅱ》 *t.* 설탕으로 달게 하다, (에) 사탕을 치다.

Zucker·papier *n.* 설탕 포장지. **∼plätzchen** [-plɛtsçən] *n.* 드롭스. **∼rohr** *n.* 사탕수수. **∼rūbe** *f.* 사탕무우. **∼schāle** *f.* 설탕 단지. **∼sieder** *m.* 제당업자. **∼sūß** [-zý:s] *a.* 설탕처럼 단. **∼wasser** *n.* 설탕물. **∼werk** *n.* 설탕 과자류. **∼worte** *pl.* 알랑거리는 말, 기쁘게 하는 말. **∼zange** *f.* 각설탕 집게.

Zuckung [tsúkuŋ] *f.* -en, 급격히 움직임; 경련; 몸을 실룩실룩 움직임; 〖醫〗 연축(攣縮).

zū|dämmen [tsú:dɛmən] *t.* 제방을 쌓아 막다; 막다.

zū|decken [tsú:dɛkən] *t.* (에) 뚜껑을 하다, 덮다, (덮어) 가리다.

zudēm [tsudé:m] *adv.* 여기에 또, 그 위에, 또한(*besides, moreover*).

zū|denken* [tsú:dɛŋkən] *t.*: jm. et. ∼ 아무에게 무엇을 주려고 생각하다 / das war mir zugedacht 그것은 나를 두고 한 것이었다.

zū|diktieren [tsú:dıkti:rən] *t.* (벌 따위를) 선고하다.

Zūdrang [tsú:draŋ] [<zudringen] *m.* -(e)s, 밀어 닥침(*rush, run*); 밀어 닥친〔몰려드는〕 군중.

zū|drēhen [tsú:dre:ən] *t.* (돌려서) 향하게 하다; 돌려서 닫다, 비틀어서 채우다.

zūdringlich [tsú:drıŋlıç] *a.* 주제 넘은, 집요한(*obtrusive, importunate*).

zū|drücken [tsú:drʏkən] *t.* 밀어서 닫다, 밀어 막다. ¶ein Auge ∼ (bei, 에게) 눈감아 주다, (를) 관대하게 보아 주다.

zū|eignen [tsú:-aignən, -aikn-] *t.* (zu eigen machen): jm. et. ∼ 무엇을 아무의 것으로 하다, 아무에게 무엇을 주다; (저서를) 바치다, 헌제(獻題)하다/sich[3] et. (unrechtmäßig) ∼ 무엇을 횡령하다.

Zūeignung [tsú:-aignuŋ, -aikn-] *f.* -en, (저서의) 증정, 헌사; 횡령.

zū|eilen [tsú:-ailən] *i.*(s.) 서둘러서 가다, 달려가다.

zueinander [tsu-ainándər] *adv.* 서로 (향하여), 마주 보고.

zū|erkennen* [tsú:-ɛrkɛnən] *t.* (*ant.* aberkennen) 결정〔판결〕에 의하여 부여하다, 승인하다. ¶jm. e-n Preis ∼ 심사한 결과 아무에게 상을 주다. **Zūerkennung** *f.* -en, (어떤 것을 주거나 돌려주어야 한다는) 판정, 판결, 선고; 인정.

zuērst [tsu-é:rst] *adv.* 최초로; 맨 먼저, 제일로((*at*) *first, firstly*). ¶gleich ∼ 우선 무엇보다도, 특히(*above all, especially*).

zū|fahren* [tsú:fa:rən] 《Ⅰ》 *i.*(h.*u.*s.) ① (으로 향하여) 차를 몰다, 배를 보내다. ② (auf jn. 〔et.〕, 으로 향하여) 돌진하다, 달려 들다. ③ 무턱대고 나아가다, 경솔하게 굴다. 《Ⅱ》 *t.* (차를) 몰다. **Zūfahrt** *f.* -en, (현관 앞의) 주차장, 마찻길.

Zūfall [tsú:fal] [*eig.* „was jm. zufällt"] *m.* -(e)s, ⸚e, 우연(한 일); 운. (*chance, accident*). ¶durch ∼ 우연히.

zū|fallen* [tsú:falən] *i.*(s.) ① (auf jn., 의 쪽으로) 쓰러지다. ② (떨어져서) 닫히다, 갑자기〔저절로〕 닫히다. ③ jm. ∼ (우연히, 이유없이) 아무에게 주어지다, 의 것이 되다. **zūfällig** [tsú:fɛlıç] 《Ⅰ》 *a.* 우연한. 《Ⅱ》 *adv.* 〔**zufälligerweise**〕 우연히. **Zūfälligkeit** *f.* -en, 우연한 일; 사고; 부수(附隨) 사항, 중요하지 않은 것.

zū|falten [tsú:faltən] *t.* (편지 따위를) 접어 쌓다.

zū|fassen [tsú:fasən] *i.*(h.) 잡다, 움켜쥐다; 《比》 돕다, 가세하다.

zū|fertigen [tsú:fertıgən] *t.* 〖商〗 보내다, 발송〔송부〕하다(jm. et.).

zū|flechten* [tsú:flɛçtən] *t.* 엮어서 막다, 엮어서 맞추다.

zū|flicken [tsú:flıkən] *t.* 기워 막다, 에 조각을 대어 깁다.

zū|fliegen* [tsú:fli:gən] *i.*(s.) ① 날아 오다〔가다〕. ② (문이) 갑자기 (탕 하고) 닫히다.

zū|fliehen* [tsú:fli:ən] *i.*(s.) 쪽으로 도망하다, 로 향하여 도망가다.

zū|fließen* [tsú:fli:sən] *i.*(s.)(향하여) 흐르다, 흘러 들다; 《比》 jm. et. ∼ lassen 아무에게 무엇을 주다.

Zūflucht [tsú:fluxt] [<zufliehen] *f.* -en, 도피, 피난(처) (*refuge, shelter*); 《比》 의지(가 되는 것)(*recourse*).

Zūfluchts·hāfen *m.* 피난항. **∼ort** *m.* 피난처, 은신처; 구호소.

Zūfluß [tsú:flus] [<zufließen] *m.* ..flusses, ..flüsse, ① 어떤 방향으로 흐름; 유입, 주입(注入); 〖醫〗 충혈. ② 유입물(流入物); 지류(支流). ¶∼ von Waren 입하(入荷).

zū|flüstern [tsú:flʏstərn] *t.* 속삭이다, 귓속말하다.

zufolge [tsufɔ́lgə] *prp.* 《名詞 앞에서는 2格, 뒤에서는 3格 支配》 …에 따라서, …에 의하면 (*according to, in consequence of*). ¶dem Befehle ∼, *od.* ∼ des Befehls 명령에 따라서 / der Zeitung[3] ∼ 신문에 의하면.

zufrieden [tsufrí:dən] *a.* ① 《副詞的》 안온하게, 마음 놓고. ¶jn. ∼ lassen 아무를 방해하지 않다, 아무를 내버려 두다. ② 만족한(*content*(*ed*), *satisfied*). ¶mit et. ∼ sein 무엇에 만족하고 있다. **Zufriedenheit** *f.* 만족. **zufrieden|lassen*** *t.*: jn ∼ 아무를 방해하지 않다 / mit et[3] ∼ 무엇을 내버려 두다, 에 상관 않다. **zufrieden|stellen*** *t.* 만족시키다; **zufriedenstellend** *p.a.* 만족한, 더할나위 없는, 충분한.

zu̲|frieren* [tsú:fri:rən] *i.*(s.) 빙결하다. **zu̲|fügen** [tsú:fy:gən] *t.* 부가〔첨가〕하다; (해를) 가하다.

Zu̲fuhr [tsú:fu:r] *f.* -en, 수입(輸入); 수송; 공급; 수입 화물, 공급물. **zu̲|führen** *t.* ① 이끌어 오다, 데리고 가다. ② 수송〔공급〕하다; (가스·수도를) 끌다. **Zu̲führer** *m.* -s, -, 공급 장치. **Zu̲führung** *f.* 수송, 공급; 배전(配電).

zu̲|füllen [tsú:fylən] *t.* 부어(넣어) 채우다, 채워서 가득히 하다.

Zu̲g [tsu:k] [<ziehen] *m.* -(e)s, ⸚e, 《Ⅰ》 《ziehen 의 他動詞的 意味에 따라》 ① 끎, (잡아)당김, 견인(牽引)(*drawing, pull*); 끄는 장치《피스톤, 도르래, 페달, 줄 따위》; (함께 수레를 끄는) 한짝(의 마소)(*team*); (장기의) 말을 씀, 수를 씀; 수 쓸 차례. ② 마심, (단숨에) 들이킴〔마심〕(*draught*); (Atem∼) 숨. ¶in e-m ∼e 단숨에; 단번에; 내리 계속해서, 연속해서. ③ (Wind∼, Luft∼) 통풍(通風) (*draught, current*); 공기〔연기·가스〕의 통로. ④ 끌림; 끄는 힘; 성향, 버릇, 본능(*impulse*). ⑤ (그어진) 선; (총신·포신 속의) 강선(腔綫)(*groove*);(Feder∼) 붓을 옮김, 필치, 필적(*stroke*); 상(相); 용모, 얼굴 모습(*feature, trait*); (Charakter∼) 성격, 특징(*characteristic*). 《Ⅱ》 《ziehen 의 自動詞的 意味에 따라》 ① 진행, 행진(*passage, march*); 행군, 출정; 전쟁; 건너서 옮아감; (새의) 천사(遷徙); 행렬(*procession*); 대오(*troop column*). ¶im ∼e sein 진행중〔운전중〕이다, 잘 되어가고 있다, 궤도에 올라 있다. ② 기차(의 열), 열차(*train*); 무리(*flight, flock*); 산맥, 산줄기(*range, chain*).

Zu̲gabe [tsú:ga:bə] [<zugeben] *f.* -n, 첨가물; 부록; 덤.

Zu̲gang [tsú:gaŋ] [<zugehen] *m.* -(e)s, ⸚e, ① 가기; 접근; 출입. ② 통로, 입구, 문앞. **zu̲gänglich** [tsú:gɛŋlıç] *a.* 갈 수 있는, 접근할 수 있는(*accessible*); 친해질 수 있는; 얻기 쉬운.

Zu̲g⸗artikel [tsú:k-] *m.* 잘 팔리는 상품; 유행품. **∼aufent·halt** *m.* 기차의 정거. **∼brücke** *f.* 도개교(跳開橋).

zu̲|gēben* [tsú:ge:bən] *t.* ① 승인〔용인〕하다(*admit, allow, concede*); 자백〔고백〕하다(*confess, avow*). ② 부가〔첨가〕하다(*give into the bargain, add*); 주다(*give*).

zugēgen [tsugé:gən] *adv.* (마침) 한자리에 있어서, 출석하여(*present*).

zu̲|gēh(e)n* [tsú:ge:(ə)n] *i.*(s.) ① 향하여 가다, 가까이 가다. ② 되어 가다, 일어나다, 생기다(*come about, happen*). ③ 닫히다, 채워지다; 막히다. ④ ∼ lassen 보내다.

zu̲|gehōren [tsú:gəhø:rən] *i.*(h.) ①(jm., 아무에게) 속하다, (의) 소유물의 하나이다(*belong to*). ② (zu et.³, 무엇에) 소속하다, (의) 일부이다(*appertain to*). **zu̲gehōrig** [tsú:gəhø:rıç] *a.* 속하는; 소유되는, 일부를 이루는. **Zu̲gehōrigkeit** *f.* 소속, 소유, 부속.

zu̲geknöpft [tsú:gəknœpft] *p. a.* ☞ ZUKNÖPFEN.

Zu̲gel [tsý:gəl] [<ziehen, Zug] *m.* -s, -, 고삐(*rein, bridle*); 《比》 속박, 억제. ¶im ∼ halten 고삐를 죄어 두다 / jm. die ∼ schießen 아무의 마음 내키는 대로 시키다.

Zu̲gel⸗hand *f.* 고삐를 잡는 손, 기수(騎手)의 왼손. **∼lōs** *a.* 고삐가 없는; 《比》 구속이 없는, 방자한. **∼lōsigkeit** *f.* 고삐가 없음; 구속이 없음.

zu̲geln [tsý:gəln] *t.* 고삐로 어거하다《말을》; 《比》 제어〔구속·억제〕하다.

Zu̲·gemüse [tsú:gəmy:zə] *n.* -s, -, 고기에 곁들이는 야채, 곁들임, (음식의) 배합.

zu̲genäht [tsú:gənɛ:t] *p. a.* ① 기워서 막힌. ¶verflucht u. ∼! 고얀지고. ② 《比》 붙임성이 없는; 단작스러운.

zu̲genannt [tsú:gənant] *p. a.* 별칭의, 별명〔이명〕이 있는(*surnamed*).

Zu̲g·entgleisung [tsú:k-ɛntglaizuŋ] *f.* 열차의 탈선.

zu̲|gesellen [tsú:gəzɛlən] *t.* 동료로 삼다, 내편으로 하다; *refl.* (jm., 아무의) 한패가 되다, 아무에게 편들다; 가담하다.

zu̲gesichert [tsú:gəzıçərt] *p. a.* 확약된, 약속을 필한.

zu̲gestanden [tsú:gəʃtandən] [<zugestehen] *p. a.* 승인된; 《絕對的用法》 ∼, daß.. 라고 인정하더라도. **zu̲gestandenermāßen** [-dənərmá:sən] *adv.* 승인된 바와 같이, 확실히, 명백하게(*admittedly*). **Zu̲geständnis** [tsú:gəʃtɛntnıs] *n.* -ses, -se, 승인, 용인, 양보(*concession*). **zu̲|gestēhen*** [tsú:gəʃte:ən] *t.* ① 자백〔고백〕하다(*confess*). ② 승인〔용인〕하다, 양보하다(*concede, admit*).

zu̲getān [tsú:gəta:n] [<zutun] *p. a.* (jm. 아무에게) 애착을 〔호의를〕 가진.

Zu̲g⸗führer *m.* 〖鐵〗 차장; 〖軍〗 소대장. **∼funk** *m.* 열차내의 전신〔전화〕.

zu̲|gießen* [tsú:gi:sən] *t.* 부어 채우다; 부어 막다; *i.*(h.) 계속 〔끊임없이〕 붓다.

zu̲gig [tsú:gıç] [<Zug] *a.* 통풍이 잘 되는; 외풍이 들어오는(*draughty*).

Zu̲g⸗kraft *f.* 〖機〗 견인력; 장력(張力); 《比》 인력, 인기. **∼kräftig** *a.* 견인력〔장력〕이 있는; 《比》 인기 있는.

zugleich [tsugláiç] *adv.* 동시에(*at the same time*); 함께, 더불어, 같이 (*at a time, together*).

Zu̲g⸗leine *f.* (잡아)끄는 밧줄. **∼loch** *n.* 통풍구(口). **∼luft** *f.* 샛바람. **∼maschine** *f.* 견인차, 트랙터. **∼mittel** *n.* 흡인〔유인〕 수단; 손님을 끄는 수단. **∼netz** *n.* 예망(曳網). **∼ochs(e)** [-ɔks(ə)] *m.* 수레를 끄는 소, 농우. **∼personāl** *n.* 열차 승무원. **∼pfērd** *n.* 수레를 끄는 말. **∼pflaster** *n.* 〖醫〗 발포고(發泡膏).

zu̲|grāben* [tsú:gra:bən] *t.* 파묻다, 매장하다.

zu̲|greifen* [tsú:graifən] *i.*(h.) 쥐려고 하다, (얼른 무엇에) 손을 내밀다; 잠간 도와주다.

zu̲griffszeit [tsú:grıfs-tsait] *f.* (콤퓨터의) 액세스 타임, 호출 시간.

zugru̲nde [tsugrúndə] 〔**zu Grunde**〕 *adv.*: ∼ geh(e)n (배가) 침몰하다; 《比》 몰락〔파멸〕하다(*perish*) / ∼ richten 파멸시키다, 파괴하다(*ruin, destroy*) / ∼ liegen (e-m Dinge, 무엇의) 기초가 되어 있다(*underlie*).

Zug=schnur *f.* (장막 따위의) 당김줄. **∼seil** *n.* 끄는 밧줄. **∼stiefel** *m.* 목이 긴 고무 구두. **∼strang** *m.* =∼SCHNUR. **∼stück** *n.* 크게 성공한 흥행물. **∼tier** *n.* 수레 끄는 짐승.

zugute [tsugú:tə] *adv.* (아무의) 도움이 되도록(*to someone's good or benefit*). ¶ jm. et. ∼ halten 아무의 무엇을 관용하다, 용서하다(*pardon*) / ∼ kommen 도움이 되다 / jm. et. ∼ kommen lassen 아무에게 어떤 이익을 주다 / sich³ auf et. ∼ tun 무엇을 자랑〔자만〕하다.

zuguterletzt [tsugu:tərlétst] *adv.* 최후로, 마지막으로.

Zug=verkehr *m.* 철도 교통. **∼versuch** *m.* (직물을 잡아당겨서 하는) 강도 검사. **∼vieh** *n.* =∼TIER. **∼vogel** *m.* 철새. **∼vorrichtung** *f.* (커튼 따위의) 개폐 장치. **∼weise** *adv.* 줄을〔떼를〕 지어; 〖軍〗 소대를 이루어, 소대마다. **∼wind** *m.* 샛바람. **∼winde** *f.* 자아틀.

zu|haben* [tsú:ha:bən] *t.* (상의의) 단추를 채우고 있다; (문을) 닫고 있다; (가게를) 드리고 있다.

zu|halten* [tsú:haltən] 《Ⅰ》 *i.*(h.) (mit, 와) 결탁하다; 밀통〔간통〕하다. 《Ⅱ》 *t.* 닫아 두다. ¶ jm. den Mund ∼ 아무의 입을 막다〔봉하다〕. **Zuhälter** *m.* –s, –, 뚜장이(*pimp*).

zuhanden [tsuhándən] *adv.* 수중에 가지고, 준비하여(*at hand, ready*).

zu|hängen [tsú:hɛŋən] *t.* 장막으로 감추다, 포장으로 가리다.

zu|hauen* [tsú:hauən] 《Ⅰ》 *i.*(h.) (auf jn., 에) 칼부림을 하다, 치며 덤벼들다. 《Ⅱ》 *t.* 잘라서 다듬다.

zuhauf [tsuháuf] *adv.* 한떼가 되어, 무리를 이루어, 함께(*together*).

Zuhause [tsuháuzə] *n.* –, 나의 집, 고향.

zu|heften [tsú:hɛftən] *t.* 깁다.

zu|heilen [tsú:hailən] *i.*(s.) (상처가) 아물어 붙다, 아물다.

Zuhilfenahme [tsuhílfəna:mə] *f.*: mit ∼ von.. …의 도움을 얻어서.

zuhinterst [tsuhíntərst] *adv.* 제일 나중에, 맨 마지막에.

zuhöchst [tsuhǿ:çst] *adv.* 훨씬 위에, 꼭대기에; 매우.

zu|hören [tsú:hø:rən] *i.*(h.) 귀를 기울여 듣다(*listen to*); 방청하다(*attend*). **Zuhörer** [tsú:hø:rər] *m.* –s, –, 경청자; 방청자; 청강자. **Zuhörerschaft** *f.* –en, 《總稱》 청중.

zu|jauchzen [tsú:jauxtsən], **zu|jubeln** [tsú:ju:bəln] *i.*(h.) (에게) 박수갈채를 보내다.

zu|kehren [tsú:ke:rən] 《Ⅰ》 *t.* (jm., 아무의 쪽으로) 향하게 하다, 돌리다. 《Ⅱ》 *refl.*: sich jm. ∼ 아무 쪽을 향하다.

zu|kitten [tsú:kɪtən] *t.* 시멘트〔퍼티〕로 막다.

zu|klappen [tsú:klapən] 《Ⅰ》 *t.* 찰카닥〔꽝〕하고 닫다〔잠그다〕. 《Ⅱ》 *i.*(s.) 찰카닥〔꽝〕하고 닫히다〔잠겨지다〕.

zu|klatschen [tsú:klatʃən] *i.*(h.) u. *t.* (그쪽으로) 박수 (갈채)하다.

zu|kleben [tsú:kle:bən] *t.* ① 발라서 막다. ② 〔**zu|kleistern**〕 풀칠하여 봉하다.

zu|klinken [tsú:klɪŋkən] *t.* 고리를 걸어서 잠그다.

zu|knallen [tsú:knalən] 《俗》 《Ⅰ》 *t.* 탕하고 닫다; (문을) 탕탕 두드리다. 《Ⅱ》 *i.*(h.) (문이나 창이) 탕하고 닫히다.

zu|knöpfen [tsú:knœpfən] 《Ⅰ》 *t.* 단추를 채우다. 《Ⅱ》 **zugeknöpft** *p.a.* 서먹서먹〔데면데면〕한. ¶ 《比》 er ist sehr ∼, a) 그는 아주 말수가 적은〔뚱한〕 사람이다, b) 인색하다.

zu|knüpfen [tsú:knʏpfən] *t.* (끈 따위를) 매어서 죄다.

zu|kommen* [tsú:kɔmən] *i.*(s.) ① (auf jn, 의 쪽으로) 오다, (에) 접근하다. ② jm. ∼, a) 아무에게로 송부되다, 아무의 손에 들어오다, b) 마땅히 아무에게 귀속하여야 한다, 돌아가야 한다 / jm. et. ∼ lassen 아무에게 무엇을 보내다, 건네다, 넘기다, 주다 / es kommt jm. zu 그것은 아무에게 어울린다.

zu|korken [tsú:kɔrkən] *t.* (에) 코르크 마개를 하다.

Zukost [tsú:kɔst] *f.* 곁들이는 음식, 부식물; 반찬; (고기에 곁들이는) 야채; 잼.

Zukriegen [tsú:kri:gən] *f.*: e–e Tür ∼ 문을 겨우 닫다.

Zukunft [tsú:kʊnft] [<zukommen] *f.* 미래, 장래(*future*); 〖文〗 미래(형). **zukünftig** [tsú:kʏnftɪç, 종종 tsukʏ́nf–] *a.* 미래의, 장래의(*to come, future*). ¶ ihr ∼er 그 여자의 미래의 남편 / s–e ∼e 그의 미래의 아내.

Zukunfts=bild *n.* 미래의 상(像). **∼freudig** *a.* 낙천적인. **∼hoffnung** *f.* 장래의 희망〔기대〕. **∼plan** *m.* (흔히 *pl.*) 장래의 계획. **∼reich** *a.* =∼VOLL. **∼staat** *m.* 미래의 국가. **∼voll** *a.* 전도 유망한.

zu|lächeln [tsú:lɛçəln] *i.*(h.) u. *t.* (향하여) 미소하다.

Zulage [tsú:la:gə] [<zulegen] *f.* –n, (Gehalts∼) 증봉(增俸), 가봉(加俸), 특별 수당.

zulande [tsulándə] *adv.*: bei uns ∼ 우리 나라〔당지〕에서는.

zu|langen [tsú:laŋən] 《Ⅰ》 *i.*(h.) ① (무엇을 잡으려고) 손을 뻗다. ② 족하다, 충분하다(*suffice*). 《Ⅱ》 *t.* 수교(手交)하다, 교부하다. **zulänglich** [tsú:lɛŋlɪç] *a.* 자라는, 넉넉한, 충분한(*sufficient*). **Zulänglichkeit** *f.* –en, 자람, 넉넉함, 충분.

zu|lassen* [tsú:lasən] *t.* 들어감을 허락하다, 들여 보내다(*admit*); 허용하다(*allow*); 닫아 두다, 채운〔닫힌〕 채로 두다.

zulässig [tsú:lɛsɪç] *a.* 허용할 수 있는, 지장 없는. **Zulässigkeit** *f.* 허용할 수 있음, 지장 없음. **Zulassung** [–lasʊŋ] *f.* –en, (들어가는) 허가; 승인.

Zulassungs=gesuch *n.* 입장〔입회〕원; 허가원. **∼prüfung** *f.* 입학 시험. **∼schein** *m.* 입장권, 허가증, 패스. **∼stelle** [–ʃtɛlə] *f.* 허가를 주는 관청.

Zulauf [tsú:lauf] *m.* –(e)s, 뛰어 옴, 밀려옴, 달려와 모임; 쇄도; 사람의 무리.

zu|laufen* [tsú:laufən] *i.*(s.) ① 뛰어오다, 달려와 모이다. ② spitz ∼ 끝이 뾰족하다.

zu|legen [tsú:le:gən] *t.* 첨가하다, 덧붙이다, 늘리다; 주다. ¶ sich³ et. ∼ 무엇을 손에 넣다, 얻다.

zulẹid(e) [tsuláidə, –láit] *adv.*: jm. et. ～ tun 아무에게 무슨 해를 끼치다, 아무를 무엇으로 괴롭히다(*wrong, hurt*).

zụ|leiten [tsú:laitən] *t.* (어떤 쪽으로) 이끌다, 이끌어 가다〔오다〕; (물을) 끌다. **Zụleitung** *f.* –en, 안내, 향도(嚮導); (전선·수도 등을) 끎.

Zụleitungs·draht *m.* 도선(導線). **～·rohr** *n.* 도관(導管).

zulẹtzt [tsulέtst] *adv.* 끝으로, 마지막으로((*at*) *last*); 결국(*finally, ultimately*).

zuliẹb(e) [tsulí:bə, –lí:p] *adv.*: jm. et. ～ 아무를 기쁘게 하기 위하여 / dem ～ 그것 때문에.

zụ|löten [tsú:lø:tən] *t.* 땜질하다.

zum [tsum, tsʊm] 《略》 =*zu* de*m* (dem 은 定冠詞); ～ erstenmal 최초로, 처음으로 / ～ Teil 일부분(은).

zụ|machen [tsú:maxən] *t.* 닫다, 잠그다 (*shut up, close*); (편지를) 접다, 봉하다; (구멍을) 막다; (상의에) 단추를 채우다.

zumā̤l [tsumá:l] 《Ⅰ》 *adv.* 그 중에서도, 특히(*especially, particularly*); 동시에; 현재, 목하. 《Ⅱ》 *cj.*: ～ (da) … 특히 …이므로(*the more so as*).

zụ|mauern [tsú:mauərn] *t.* 벽〔으〕로 막다〔두르다〕.

zumẹist [tsumáist] *adv.* 대부분, 대개는(*mostly*).

zụ|messen* [tsú:mεsən] *t.* 배당〔분배〕하다; 할당하다.

zumịndest [tsumíndəst] *adv.* 적어도.

zumụte [tsumú:tə] 〔zu **Mụte**〕 *adv.* … 하는 기분〔심정〕인. ¶mir ist wohl ～ 나는 기분이 좋다(*I feel well*). **zụ|mūten** [tsú:mu:tən] *t.* (jm. et., 아무에게 무엇을) 기대하다, (부당한 일을) 요구〔강요〕하다(*expect, exact*). ¶sich³ zu viel ～ 격에 맞지 않는 일을 하려고 하다. **Zụmūtung** [tsú:mu:tʊŋ] *f.* –en, (부당한) 기대, 요구.

zunā̤chst [tsunέ:çst] 《Ⅰ》 *adv.* 처음에 (*at first*); 최초(에)는; 우선 첫째로(*first of all, chiefly*). 《Ⅱ》 *prp.* (3〔†2〕格支配) (의) 바로 곁에. ¶mir ～ 나의 바로 다음에, 나의 옆에(*next to me*).

zụ|nageln [tsú:na:gəln] *t.* 못박다, 막다.

zụ|nähen [tsú:nε:ən] *t.* 깁다; 기워서 막다.

Zụnahme [tsú:na:mə] [<zunehmen] *f.* –n, 증가, 증대(*increase, augmentation*), 증식(增殖), 성장(*growth*).

Zụnāme(n) [tsú:na:mə, –mən] *m.* 별명, 이명(*surname*); 가족명, 성(*family name*).

Zụnd·apparāt [tsýnt-apara:t] *m.* 점화장치; 〖軍〗 공이. **zụndbār** *a.* 점화할 수 있는, 가연성의.

zụnden [tsýndən] 《Ⅰ》 *t.* 불을 붙이다, 피우다(*kindle*); 《比》 피워 일구다(*ignite*). 《Ⅱ》 *i.*(h.) 불이 붙다, 불타다(*catch fire*); 《比》 달다, (불)타오르다(*ignite*). **Zụnder** [tsýndər] *m.* –s, –, 발화물, 도화선; 〖軍〗 신관, 점화약. **Zụnder** [tsúndər] [<zünden] *m.* –s, 부싯깃(♀*tinder*).

Zụnd·holz, **～hölzchen** *n.* 성냥. **～·hūtchen** [–hy:tçən] *n.* 뇌관. **～kerze** *f.* 점화전(點火栓). **～loch** *n.* 〖軍〗 화문(火門) 《구식 총의》. **～nādel** *f.* 격침(擊針). **～nādelgewehr** *n.* 격침 발사총. **～schnūr** *f.* 화승(火繩). **～schwamm** *m.* 부싯깃. **～stoff** *m.* 연료; 《比》 흥분〔불만〕의 씨.

Zụndung [tsýndʊŋ] *f.* –en, 점화(장치).

zụ|nehmen* [tsú:ne:mən] 《Ⅰ》 *i.*(h.) 증가〔증대·성장〕하다(*increase, grow*). ¶an Kräften ～ 힘이 세어지다 / an Jahren ～ 나이를 먹다. 《Ⅱ》 *t.* 첨가〔부가〕하다. 《Ⅲ》 **Zụnehmen** *n.* –s, 증가, 증대; 성장. 《Ⅳ》 **zụnehmend** *p.a.* 증대〔증가〕하는. ¶～e Geschwindigkeit 가속도 / der ～e Mond 상현의 달 / es wird ～ (*adv.*) kälter 차츰 추워지다.

zụ|neigen [tsú:naigən] 《Ⅰ》 *t.* (e-m Dinge 무엇 쪽으로) 기울이다. 《Ⅱ》 *i.*(h.) u. *refl.* (그 쪽으로) 기울어지다. ¶sich jm. ～ 아무가 좋아지다 / sich dem Ende ～ 종말에 접어들다. **Zụneigung** [tsú:naigʊŋ] *f.* –en, 애착, 호의, 애정. ¶～ zu jm. hegen 아무를 좋아하고 있다.

Zunft [tsʊnft] *f.* ⸚e, 조합(*corporation*); 동업 조합, 길드(*guild*); 《比》 동료, 사회; 패, 당파, 파벌, 파(*tribe*).

zụnftig [tsýnftıç] *a.* 조합에 가입하고 있는; 《俗》 본직의, 전문의, 본격적인 (*expert, competent*).

Zunge [tsúŋə] *f.* –n, 혀(♀*tongue*); 《比》 구변, 말솜씨, 언변(*speech*); 언어; 국어 (*language*); 〖魚〗 넙치의 일종(*sole*). ¶e-e böse ～ haben 입이 사납다 / das Herz auf der ～ haben 터놓고〔거리낌 없이〕 말하다 / es schwebt mir **auf** der ～ 그것이 혀끝까지 나왔으나 말할 수 없다. **zụngeln** [tsýŋəln] *i.*(h.) 혀를 날름거리다〔내밀다〕《뱀 등이》; 흐늘거리며 타오르다《불꽃이》.

Zungen·drescher [tsúŋəndrεʃər] *m.* 수다장이; 따지기 좋아하는 사람. **～fehler** *m.* 설화(舌禍), 실언(失言). **～fertig** *a.* 능변의, 수다스러운. **～förmig** *a.* 혀 모양의. **～held** *m.* 허풍선이. **～krēbs** *m.* 〖醫〗 설암(舌癌). **～laut** *m.* 〖文〗 설음(舌音). **～spitze** *f.* 혀끝. **～zäpfchen** *n.* 〖解〗 회염 연골(會厭軟骨).

zunịchte [tsʊníçtə] *adv.*: ～ machen, a) 없애다, 파괴하다, 멸(滅)하다, b) 무효로 하다, 수포로 돌아가게 하다.

zụ|nicken [tsú:nıkən] *i.*(h.) (jm., 아무에게) 가볍게 고개를 숙이다〔끄덕이다〕.

zunụtze [tsunútsə] *adv.*: sich³ et. ～ machen 무엇을 이용(利用)하다(*turn to account*).

zuọberst [tsu-ó:bərst] *adv.* 제일 위에, 꼭대기에(*uppermost*).

zụ|ordnen [tsú:-ɔrdnən, –ɔrt–] 《Ⅰ》 *t.* 덧붙이다, 붙이다; 병렬(並列)시키다. 《Ⅱ》 **zụgeordnet** *p.a.* 동맹한, 짝; 병렬적인, 동격의.

zụ|packen [tsú:pakən] *i.*(h.) 움켜 잡다, 움켜 잡으러 들다.

zupfen [tsúpfən] *t.* 뜯다, 집어서 잡아당기다(*pull, tug, pluck*); (집어서) 고르다, 풀다. **Zụpfgeige** *f.* 《俗》 기타.

zụ|pfropfen [tsú:pfrɔpfən] *t.* 마개로 막다.

zur [tsu:r, 또 tsur] 《略》 =ZU DER (der 는 定冠詞); ～ Zeit 현시(現時), 지금.

zụ|rāten* [tsú:ra:tən] 《Ⅰ》 *i.*(h.) 권하다, 권고〔충고〕하다. 《Ⅱ》 **Zụrāten** *n.* –s, 권고, 충고.

zụ|raunen [tsú:raunən] *t.* (향하여) 속삭이다.

zụ|rechnen [tsú:rεçnən] *t.* 더하다, 가

산하다, 셈에 넣다. ¶ jm. et. ~, a) 무엇을 아무의 셈에 넣다, b) (공죄(功罪) 등을) 아무에게 돌리다(*attribute, impute to*). **Zūrechnung** [tsú:reçnuŋ] *f.* -en, 가산; (공죄 등을) 돌림, 지움.

zurẹcht [tsuréçt] *adv.* 바르게, 정당하게, 옳게(*aright, in order*); 적소에; 적당한 무렵에.

zurẹcht∗|bringen* *t.* 바로잡다, 정돈〔정리·조정〕하다. ~|**finden*** *i.*(h.)u. *refl.* 정도(正道)를 찾아 내다; 《比》 형편〔사정〕에 통하다. ~|**helfen*** *i.*(h.): jm. ~helfen 아무를 도와 바른 길로 돌아가게 하다. ~|**kommen*** *i.*(s.) 알맞은 때에 오다, (늦지 않고) 꼭 맞다; (mit, 을) 잘 해 내다, (에) 성공하다. ¶ mit et.[3] schlecht ~kommen 무엇에 실패하다. ~|**lēgen** *t.* 바로 놓다, 정돈하다. ¶ 《比》 sich[3] et. ~legen 무엇을 잘 (생각해서) 처리하다. ~|**machen** 《Ⅰ》 *t.* 바로 하다; 정돈〔채비〕하다; 조리하다; 치장하다, 꾸미다; 생각해 내다. 《Ⅱ》 *refl.* (채비를) 차리다, 준비하다, 갖추다; 화장하다. ~|**rücken** *t.* 바른 위치로 옮기다〔되돌리다〕. ~|**setzen** *t.* 바르게 놓다, 바로 하다. ¶ 《比》 jm. den Kopf ~setzen 아무를 제정신으로 돌아가게하다. ~|**weisen*** *t.* (에게) 정도(正道)를 가르치다; 교훈〔훈계〕하다, 꾸짖다. ~|**zimmern** *t.* 조립하다; 만들다.

Zūrede [tsú:re:də] *f.* -n, 권고, 설득, 간함. **zū|rēden** [-re:dən] 《Ⅰ》 *i.*(h.): jm.: 설득하다, 권고하다, 격려하다(*persuade, exhort, urge*). 《Ⅱ》 **Zūrēden** *n.* -s, 권고, 설득; 위로, 고무(鼓舞).

zū|reichen [tsú:raiçən] 《Ⅰ》 *t.* 건네다, 넘기다, 내놓다(*reach, hand*). 《Ⅱ》 *i.*(h.) 자라다, 넉넉하다, 충분하다(*suffice*).

zū|reiten* [tsú:raitən] 《Ⅰ》 *i.*(s.) (auf jn., 아무를 향하여) 말을 몰다. 《Ⅱ》 *t.* (말을) 타서 길들이다, 조교(調教)하다.

Zürich [tsý:rıç, schw.: tsýr-] *n.* 스위스의 주 및 도시 이름.

zū|richten [tsú:rıçtən] *t.* 조정하다, 정돈〔조제〕하다, 마무르다(*dress*); 조리하다; 채비〔준비〕하다(*prepare*). ¶ 《比》 übel ~ 혼내주다. **Zūrichter** *m.* -s, -, 조정자, 마무리〔완성〕공; 준비계. **zū∗richtung** *f.* -en, 조제, 마무리; 채비, 준비.

zū|riegeln [tsú:ri:gəln] *t.* 빗장으로 잠그다, (에) 빗장을 지르다.

zürnen [tsýrnən] [<Zorn] *i.*(h.) 노하(고 있)다, 성내(고 있)다(*be angry*).

zurụ̈ck [tsurýk] [„nach dem Rücken hin"] *adv.* (등) 뒤로, 배후로, 후방으로 (*backward(s), behind*); 제자리로, 되돌아가서; 돌아가서(*back*); 뒤 떨어져서, 뒤늦게(*in arrears*).

zurụ̈ck.. 《動詞의 分離前綴: 항상 악센트가 있음》 보기: zurück|kommen, kam zurück, zurückgekommen.

zurụ̈ck∗|bēben *i.*(s.) 뒷걸음질치다, (vor, 에 대하여) 겁내다. ~|**begēben*** *refl.* 돌아가다〔오다〕, 귀환하다. ~|∗**behalten*** *t.* 잡아 두다, 억류〔유치〕하다. ~|**bekommen*** *t.* 되돌려 받다, 되찾다. ~|**berūfen*** *t.* 불러들이다, 소환하다. ~|**bezahlen** *t.* 되돌려주다. ~**bezụ̈glich** *a.* 〖文〗 재귀적(再歸的)인. ~|**bleiben*** *i.*(s.) 뒤에 남다; 뒤떨어지다; 《比》 낙오〔낙제〕하다; 미치지 못하다, 못하다. ~|**blicken** *i.*(h.) 뒤를 보다, 뒤돌아보다, 회고하다. ~|**brin∗gen*** *t.* 도로 가지고 가다; 도로 날라서〔데리고〕 오다; (발전·발육을) 저지하다. ~|**datieren** *t.* 날짜를 (실제보다) 앞으로 하다, 이전의 날짜로 하다. ~|**den∗ken*** *i.*(h.) 추상하다, 회상하다. ~|∗**drängen** *t.* 도로 밀어(보)내다; 격퇴하다; 《比》 (눈물을) 참다. ~|**drēhen** *t.* 되틀다; 〖機〗 역전시키다.

zū|rücken [tsú:rʏkən] *i.*(s.) 다가서다, 가까이 가다〔오다〕.

zurụ̈ck∗|erbitten* *t.* (의) 반환을 청구하다. ~|**erōbern** *t.* 탈환하다, 도로 빼앗다. ~|**erstatten** *t.* 도로 갚다, 배상〔변상〕하다. ~|**fahren*** 《Ⅰ》 *i.*(s.) 타고 돌아오다, (탈것으로) 돌아오다; 핵 물러서다; 뒷걸음질치다. 《Ⅱ》 *t.* (탈것으로) 도로 보내다〔나르다〕. ~|**fallen*** *i.*(s.) 도로 떨어지다; 뒤로 넘어지다; (원상태로) 되돌아가다; 되튀다, 반사(反射)하다; 귀속하다. ~|**fēdern** *i.*(s.) 되튀다. ~|**finden*** *i.*(h.) u. *refl.* 돌아가는 길을 알다, 귀로를 알아내다. ~|**fliegen*** *i.*(s.) 날아 돌아가다. ~|**fliehen*** *i.*(s.) 도망쳐 오다, 도주하다. ~|**fließen*** *i.*(s.) 역류하다, (조수가)써다. ~|**fordern** *t.* (의) 반환을 청구하다.

zurụ̈ck|führen [tsurýkfy:rən] *t.* 도로 데려가다; 송환하다; 반송하다; (auf et., 에) 환원하다, 거슬러 올라가다, (의 원인으로) 돌리다.

Zurụ̈ckgabe [tsurýkga:bə] *f.* 반환; 되갚음; 복구, 회복. **zurụ̈ck|gēben*** *t.* 돌려주다, 갚다.

zurụ̈ck|gēh(e)n* [tsurýkge:(ə)n] *i.*(s.) 돌아가다, 돌아오다; 후퇴하다, 물러나다; 쇠퇴하다, 나쁘게 되다; (상담 따위가) 실패로 끝나다; 파혼이 되다. ¶ auf die Quelle ~ 원인으로 소급하다.

zurụ̈ckgezōgen [tsurýkgətso:gən] [<zurück|ziehen] *p.a.* 물러난, 은퇴한; 은거하는. **Zurụ̈ckgezōgenheit** *f.* 은퇴; 은거; 고독(한 생활).

zurụ̈ck∗|greifen* *i.*(h.): auf et.[4] ~greifen 돌아 서서〔손을 돌려서〕 무엇을 움켜잡다; 《比》 되돌아와 무엇에 의거하다. ~|**hāben*** *t.* 되돌려 받고 있다.

zurụ̈ck|halten* 《Ⅰ》 *t.* 잡아두다, 만류하다; 《比》 억제하다, 삼가다; 방해하다. 《Ⅱ》 *i.*(h.) (mit, 을) 삼가다, 나타내지 않다, 감추어 두다. 《Ⅲ》 **zurụ̈ckhal∗tend** *p.a.* 삼가는(*reserved*); 주의깊은; 서먹서먹한. **Zurụ̈ckhaltung** *f.* -en, 억류, 유치; 제지, 억제; 삼가기; 사양; 〖醫〗 (분비의) 폐지(閉止).

zurụ̈ck∗|hōlen *t.* 다시 데려오다; 가지고 돌아오다; 되찾다. ~|**kaufen** *t.* 환매(還買)하다. ~|**kehren** *i.*(s.) 돌아 오다〔가다〕(*come back, return*). ~|**kom∗men*** *i.*(s.) 돌아가다, 되돌아 오다(*come back, return*); 원상태로 돌아 가다, 되돌아 가다; 쇠퇴하다; 불황(不況)에 빠지다. ~**kunft** [<~kommen] *f.* 돌아감, 돌아옴, 귀환, 귀착.

zurụ̈ck|lassen* [tsurýklasən] *t.* 뒤에

남기다, 놓고 잊고오다; 〖競〗 앞지르다; 뒤에 남게 해주다. ～|lēgen [tsurʏ́kle:gən] t. 뒤에 두다, 배후로 보내다; 제쳐 놓다; 남겨 두다; 《比》 폐기하다; (돈을) 저축하다; (어떤 과정을) 지나다(cover); (때를) 보내다. ¶e-n langen Weg ～ legen 긴 여행을 하다. ～|lehnen t. 뒤로 기대게 하다. ～|marschieren i.(s.) 후퇴하다. ～|mōgen* i.(h.) 돌아가고 싶어하다.

Zurücknahme [-na:mə] f. 되찾음, 회수; 《比》 철회, 파기. **zurück|nehmen*** t. 되찾다, 회수하다; 취소[철회]하다.

zurück=|prallen [tsurʏ́kpralən] i.(s.) 되튀기다; 반향[반사]하다. ～|**reisen** i. (s.) 여행에서 돌아오다, 귀로에 있다. ～|**rūfen*** t. 도로 불러들이다, 소환하다. ～|**sāgen** t. 회답하다. ¶～sagen lassen 회답을 보내다. ～|**schallen**(*) i.(h. u. s.) 메아리치다. ～|**schauen** i.(h.) 돌아다 보다; 회상하다. ～|**scheu=chen** t. 위협하여 물러서게 하다[좇아버리다]. ～|**schlāgen*** t. 되치다; 격퇴하다; 반사하다; 뒤로 튀기다, 되튀기다. ～|**schrecken*** i.(s.) (놀라·무서워) 흠칫 물러서다, (vor, 에 직면하여) 뒷걸음치다. ～|**sehnen** refl. 돌아가고 싶어 하다.

zurück|setzen [tsurʏ́kzɛtsən] t. 뒤에 두다, 물러 가게 하다; 《比》 jn.: 업신여기다, 경시[냉대]하다(*slight, neglect*); 뒤떨어지게 하다; (먼저의 자리로) 돌리다, 복귀시키다. **Zurücksetzung** f. 경멸, 냉대.

zurück=|springen* [tsurʏ́kʃprɪŋən] i. (s.) 뛰어 되돌아 오다, 되튀다, 반도(反跳)하다; 〖建〗 요각(凹角)을 이루다. ～|=**stēh(e)n*** i.(h. u. s.) 뒤에 서있다; 물러서 있다. ¶hinter jm. ～stehen 아무만 못하다(*be inferior to someone*).

zurück|stellen [-ʃtelən] t. 뒤에 세우다, 물러나게 하다, 되돌려 보내다; (시계) 바늘을 늦추다; 뒤에 남겨 두다, 재쳐 놓다; 보류하다; (신병의) 징집을 연기하다. **Zurückstellung** f. -en, 위임; 〖軍〗 징집 연기.

zurück|stōßen* [tsurʏ́kʃto:sən] t. 되찌르다; 되차다; 《比》 반발하다, 배척하다, 거절하다.

zurück|strahlen [tsurʏ́kʃtra:lən] i.(s.) u. t. 〖物〗 반사하다. **Zurückstrah=lung** f. -en, 반사.

zurück=|trēten* [tsurʏ́ktre:tən] i.(s.) 뒷걸음질하다, 물러나다; (von, 에서) 물러가다, (를) 철회하다, 포기하다. ～|**ver=setzen** t. 원상태로 돌아 가게 하다, 복구하다; (학생을) 유급(留級)시키다. ¶ sich in e-e frühere [vergangene] Zeit ～versetzen 과거의 어떤 시절에 되돌아가서 생각해보다, 지난 시절을 추상하다. ～|**verweisen*** t. 환부(還付)하다, 반송하다. ～|**weichen*** i.(s.) 물러나다; 〖軍〗 퇴각하다; 《比》 양보하다(*yield*).

zurück|weisen* [tsurʏ́kvaizən] t. ①뒤로 돌아가도록 명령하다[가르치다]. ¶ jn. auf e-e Stelle ～weisen 아무에게 (책 속의) 앞의 어떤 곳을 참조하게 하다. ② 물러나게 하다(*repel*); 물리치다, 거절[각하]하다, 기피(忌避)하다(*refuse*).

zurück|werfen* [tsurʏ́kvɛrfən] t. 뒤로 던지다[튀기다], 젖히다; 되던지다; 격퇴하다; 〖物〗 반사하다; 반향하다. **Zu=rückwerfung** [-vɛrfuŋ] f. -en, 위를 하기; 〖軍〗 격퇴; 〖物〗 반사; 반향.

zurück=|wirken [-vɪrkən] i.(h.) (auf et., 에) 반작용을 미치다, 반응하다. ～|=**zahlen** t. 도로 지불하다, 도로 갚다, 상환하다.

zurück|ziehen* [-tsi:ən] 《Ⅰ》 t. 뒤로 물러나(게 하)다; 철퇴시키다; 철회하다. 《Ⅱ》 refl. 물러나다, 움츠리다. 《Ⅲ》 i. (s.) 되돌아 서다, 돌아가다, 돌아오다.

Zūrūf [tsú:ru:f] m. -(e)s, -e, 부름; 갈채, 환호. **zū|rūfen*** t. u. i.(h.) 말을 건네다. ¶jm. Beifall ～ 아무를 향하여 갈채하다.

zū|rüsten [tsú:rʏstən] t. 준비[채비·장비]하다; 〖軍〗 무장시키다. **Zūrüstung** f. -en, 준비, 장비; 무장.

zur Zeit [tsur tsáit] [od. **zurzeit**] 지금 이때, 목하(目下)(*for the time being*).

Zūsāge [tsú:za:gə] f. -n, 동의, 승낙(*assent*); 확언, 약속(*promise*). **zū|sā=gen** 《Ⅰ》 t. 확언하다, 약속하다(*promise*). 《Ⅱ》 i.(h.) 승낙[수락]하다; (jm., 아무의) 비위에 맞다, 마음에 들다.

zusammen [tsuzámən] [後半: ♈sammeln, samt] adv. 모아서, 합쳐서(*together*); 통틀어서(*altogether, in a body*); 함께, 같이((*con*)*jointly*).

zusammen.. 《動詞의 分離前綴, 항상 악센트를 둠》 "총괄·공동·와해·붕괴" 등의 뜻. 보기: zusammen|binden, band zusammen, zusammengebunden.

zusammen|addieren [tsuzámən-] t. 합산[합계]하다.

Zusammen·arbeit [tsuzámən-] f. -en, 공동 작업. **zusammen|arbei=ten** 《Ⅰ》 i.(h.) 공동으로 작업하다. 《Ⅱ》 t. 공동으로 만들다, 결합시키다.

zusammen=|ballen 《Ⅰ》 t. 뭉쳐서 공으로[덩어리로]하다, 둥글게 뭉치다; (주먹을) 불끈 쥐다. 《Ⅱ》 refl. 모여서 공으로[덩어리로] 되다, 둥글게 뭉치다; 굳은 덩어리를 이루다. ～|**beißen*** t.: die Zähne ～beißen 이를 악물다. ～|=**berūfen*** t. 불러 모으다, 소집하다. ～**berūfung** f. 소집. ～|**binden*** t. 한데 묶다, 다발로 하다, 묶다. ～|=**bleiben*** i.(s.) 함께 남다; 떨어지지 않다. ～|**brechen*** 《Ⅰ》 t. 부수다, 붕괴시키다; 꺾어 접다. 《Ⅱ》 i.(s.) 부서지다, 붕괴[와해]하다. ～|**bringen*** t. 함께하다, 모으다; (돈을) 모으다.

Zusammenbruch [-brux] [<zusammenbrechen] m. -(e)s, ⸚e, 붕괴, 와해(*callapse, breakdown*); 《比》 파산.

zusammen|drängen [-drɛŋən] 《Ⅰ》 t. 잔뜩 모으다, 꽉 채우다; 〖軍〗 집중시키다; 《比》 압축[응축]하다. 《Ⅱ》 refl. 잡답(雜踏)하다, 떼지다, 밀집하다. 《Ⅲ》 **zusammengedrängt** p.a. 밀집한, 압축[응축]된; 집중한; 긴밀한; 간결한.

zusammen=|drücken [-drʏkən] t. 압축[압착]하다. ～|**fahren*** i.(s.) 충돌하다; 움츠러 들다, 외축하다. ～|**fal=len*** i.(s.) 동시에 떨어지다; 같은 곳에 떨어지다; 《比》 일치하다(*coincide*); 무너

Z

지다, 와해하다(*callapse*); 수축하다; 시들다(*decay*). ～|**falten** *t.* 포개다, 접다.

zusammen|fassen [tsuzámənfasən] *t.* 《比》 총괄하다, 추리다(*sum up*); (kurz ～fassen) 요약하다, 간추리다(*summarise*). ¶ um es kurz zusammenzufassen 그것을 요약하면. **Zusammenfassung** *f.* 총괄; 요약, 적요.

zusammen|fließen* [-fli:sən] *i.*(s.) 흘러 모이다, 합류하다. **Zusammenfluß** *m.* ..flusses, ..flüsse, 합류.

zusammen|fügen [-fy:gən] *t.* 짜 맞추다, 접합〔연결〕하다.

zusammen⸗|führen *t.* 모으다, 회합〔합동〕시키다. ～|**geh(e)n*** *i.*(s.) 《比》 일치하다; 제휴하다; 꼭 들어 맞다; (문이) 꼭 닫히다.

zusammen|gehören [-gəhø:rən] *i.*(h.) 함께 하나의 전체를 이루다; 쌍〔짝〕을 이루다. **zusammengehörig** *a.* 함께 있는; 같은 짝의, (한) 벌을 이루는, 쌍의. **Zusammengehörigkeits·gefühl** *n.* 공속(共屬) 감정.

zusammen⸗|geraten* [-gəra:tən] *i.*(s.) (mit, 와) 충돌하다, 서로 움켜 잡다. ～**gesetzt** *p.a.* 짜맞추어진(*complex*); 혼성의(*composed*); 〖文〗 합성의 (*compound*) 〖植〗 집합의(*composite*); ～**gewürfelt** *p.a.* 뒤섞인, 뒤범벅인(*motley*).

Zusammenhalt [tsuzámən-] *m.* -(e)s, 결합(*consistence*); 〖物〗 응집(력) (*cohesion*); 《比》 단결, 일치(*union*). **zusammen|halten*** 《I》 *t.* 함께 하고 있다; 추려서 두다. 《II》 *i.*(h.) 결합하여 있다; 〖物〗 응집하다(*cohere*); 《比》 일치 단결하고 있다.

Zusammenhang [tsuzámənhaŋ] *m.* -(e)s, ⸚e, 이어짐, 연계(連繫), 통일성, 관계(*connection, coherence*); 맥락(脈絡), 연관(*context*). **zusammen|hängen*** [-hɛŋən] 《I》 *t.* 《弱變化》 함께(하여) 걸다; 관련〔관계〕시키다. 《II》 《强變化》 *i.*(h.) 이어져 있다, 연계가 있다, 관계하다(*be connected*). **zusammen|hängend** *p.a.* 이어짐〔연락·연관〕이 있는. **zusammenhang(s)los** *a.* 이어짐〔맥락·연관〕이 없는.

zusammen⸗|hauen* [tsuzámənhauən] *t.* 잘게 자르다, 저미다. ～|**heften** *t.* 기워〔철하여〕 맞추다. ～**klang** [<zusammenklingen] *m.* -(e)s, 〖樂〗 화음, 협화음(*accord, harmony*). ～|**klappen** 《I》 *t.* 접어 맞추다, (칼 따위를) 접다. 《II》 *i.*(h.) 왈칵 무너지다, 약해지다 (*break down*). ～|**klingen*** *i.*(h.) 화음을 내다. ¶ mit den Gläsern ～klingen 술잔을 부딪치다. ～|**kommen*** *i.*(s.) 모이다, 회합하다.

Zusammenkunft [tsuzámənkunft] *f.* 회합; 집회; 회의.

zusammen|läppern [-lɛpərn] *refl.* 영세한 갹출《기부·갹금 따위》로 이루어지다.

Zusammenlauf [tsuzámən-] *m.* -(e)s, ..läufe, 달려와서 모임(*concourse*); 떼거리, 군중. **zusammen|laufen*** *i.*(s.) 달려와 모이다; 떼지어 모이다; 만나다 (*meet*); (옷감이) 줄다(*shrink*); (우유가) 응고하다(*curdle*).

zusammen|leben [-le:bən] 《I》 *i.*(h.) 동거하다; 공동 생활을 하다; 동서(同棲)하다. 《II》 **Zusammenleben** *n.* -s, 동거; 공동 생활, 사회 생활; 동서

zusammen|legen [-le:gən] *t.* 함께 두다; 한 묶음으로 하다; (돈을) 갹출(醵出)하다; 접어 개키다.

zusammen|nehmen* [-ne:mən] 《I》 *t.* 함께 하다, 정리하다; (옷 끝을) 치켜 올리다, 접어 올리다; 《比》 총괄하다. 《II》 *refl.* 생각을 정리하다; 마음을 가다듬다, 정신을 차리다.

zusammen⸗|packen *t.* 함께(하여) 짐을 꾸리다. ～|**passen** 《I》 *t.* 맞추다; 갖추다. 《II》 *i.*(h.) 서로 맞다, 갖추어지다. ～|**pferchen** *t.* 같은 우리 안에 넣다; 《比》 꽉채우다《사람들을》. ～|**raffen** *t.* 잡아채다, 긁어 모으다; (옷을) 치켜 올리다. ¶ s-e Kräfte 〔sich〕 ～raffen 전력을 기울이다. ～|**rechnen** *t.* 합산〔총계〕하다. ～|**reimen** 《I》 *t.* 〖詩學〗 압운(押韻)하다; 《比》 일치〔부합〕시키다, 앞뒤를 맞추다. 《II》 *refl.* 전력을 집중하다.

zusammen|rotten [-rɔtən] *refl.* 도당을 짜다, 폭동을 일으키다. **Zusammenrottung** *f.* -en, 도당을 지음; 도당, 폭도.

zusammen⸗|rücken [-rʏkən] 《I》 *t.* 접근시키다. 《II》 *i.*(s.) 서로 접근하다, (자리를) 좁히다. ～|**schau(d)ern** *i.*(s.) 몸서리치다, 두려워하다. ～|**schießen*** *t.* (돈을) 모으다, 갹출〔출자〕하다; 사격하여 파괴하다, 격파하다.

zusammen|schlagen* [-ʃla:gən] 《I》 *i.*(s.) 맞부딪치다, 충돌하다; (문이) 탕하고 닫히다. 《II》 *t.* 마주치다; 합하게 하다, 하나로 하다; 합병하다; 총계하다《비용을》; (종이·옷감 따위를) 접다; 짜맞추다; 때려〔두드려〕 다지다; 두드려 부수다, 때려 부수다; 때려 눕히다.

zusammen|schließen* [-ʃli:sən] *t.* 연접(連接)하다, 밀접시키다, 서로 잇다; *refl.* 밀접〔밀집〕하다; 결합〔연합〕하다. **Zusammenschluß** *m.* ..schlusses, ..schlüsse, 연접, 밀집, 연합.

zusammen⸗|schmelzen(*) [tsuzámənʃmɛltsən] 《I》 《强變化》 *i.*(s.) 녹아서 없어지다. 《II》 《强·弱變化》 *t.* 녹이다; (쇠붙이를) 용해하다. ～|**schnüren** *t.* 끈으로 동여 매다; 《比》 (가슴을) 조이다《고뇌·근심 따위가》. ～|**schreiben*** *t.* 적어 모으다, 편찬하다; 한 마디로 쓰다, 합성하다. ～|**schrumpfen** *i.*(s.) 오그라 들다; 주름이 잡히다. ～|**schweißen** *t.* 〖工〗 (쇠를) 단접(鍛接)하다, 용접하다.

zusammen|setzen [-zɛtsən] 《I》 *t.* 함께 두다; 조립하다; 합성〔복합〕하다(*compose, compound*); 〖化〗 화합시키다. ¶ die Gewehre ～ 걸어총하다. 《II》 *refl.* 함께 앉다; (aus, 로) 이루어지다. 《III》 **zusammengesetzt** *p.a.* 합성(合成)의, 복합의. **Zusammensetzung** *f.* -en, 조성(물)(組成(物)); 합성(물); 화합(물); 복합(어), 합성어.

zusammen⸗|sinken* [tsuzámən-] *i.*(s.) 쓰러지다; 붕괴하다. ～**spiel** *n.* -(e)s, -e, 합동 유희〔경기·극·연주〕; 팀 워크. ～**stauchen** *t.* 쿡 찌르다; 《俗》 훌닦다,

Z

곰짝 못하게 하다. ∼|**stecken** 《I》 *t.* 함께 쑤셔 넣다; 갈라서 나누다. 《II》 *i.*(h.) 결탁하다. ∼|**stēh(e)n*** *i.*(h.) 단결하고 있다, 동료이다.

zusammen|stellen [-ʃtɛlən] *t.* 정리하다, (종류에 따라) 가지런히 놓다, 모으다, 분류[정돈·편찬·편성]하다; 대조[비교]하다. **Zusammenstellung** *f.* -en, 집성, 조립, 분류, 정돈, 편성, 편찬; 대조, 비교.

zusammen=|stimmen *i.*(h.) 〖樂〗 화성이 되다; 《比》 (mit, 와) 조화[일치]하다. ∼|**stoppeln** *t.* 이삭을 주워모으다; 《比》 써서 모으다《모아서 적당하게 편찬하다》.

Zusammenstoß [tsuzámənʃto:s] *m.* -es, ¨e, 충돌(*collision, clash*); 〖軍〗 회전, 조우(遭遇)(*encounter*). **zusammen|stōßen*** 《I》 *t.* 충돌시키다, 접합시키다; 찔러 넘어뜨리다[무너뜨리다]. 《II》 *i.*(s. *u.* h.) 충돌하다; 접하다; 인접하다.

zusammen|strömen [tsuzámən-] *i.*(s.) 합류하다; (사람들이) 군집하다.

zusammen|stürzen [-ʃtʏrtsən] *i.*(s.) 무너지다, 붕괴[도괴]하다.

zusammen=|sūchen *t.* 찾아 모으다, 주어 모으다. ∼|**trāgen*** *t.* 운반하여 모으다; 모으다; 편집하다.

zusammen|treffen* [-trɛfən] 《I》 *i.*(s.) 조우[해후]하다; 동시에 일어나다, 병발하다(*coincide*); (zu, 에) 협동[협력]하다; (mit, 와) 부합[일치]하다. 《II》 **Zusammentreffen** *n.* -s, 조우; 조우전(遭遇戰), 회전; 병발; 동시에 일어남.

zusammen|trēten* [-tre:tən] *i.*(s.) 서로 만나다, 모이다; 공동[협력]하다; 〖軍〗 보조를 맞추다. **Zusammentritt** *m.* -(e)s, 회합; 합동, 모임의 결성.

zusammen=|tūn* [tsuzámən-] *refl.* 협동[연합]하다; 조합을 만들다. ∼|**werfen*** *t.* ① 던져서 합치다, 함께 던져 넣다. ¶ in e-n Haufen ∼werfen 던져서 쌓아 올리다. ② (던져서) 뒤섞이게 하다, 혼합시키다. ∼|**wickeln** *t.* 하나로 감다, 감아서 하나로 하다. ∼=**wirken** *n.* -s, 함께 일합, 함께 작용함; 공동 작업. ∼**wirken** *i.*(h.) 함께 일하다, 협력하다). ∼|**zählen** *t.* 합계하다, 합산하다.

zusammen|ziehen* [tsuzámən-] 《I》 *t.* (한점·한곳으로) (끌어) 모으다; 집결하다; 집중하다; 〖數〗 보태다, 합산하다; (끌어) 죄다(*contract*); (에) 주름을 잡다, 주름살지게 하다; 당겨 죄다; 〖醫〗 수렴(收斂)하다(*astringe*); 단축[생략]하다. 《II》 *refl.* 모이다, 집합하다; 집중하다; 줄어들다; 죄어지다; 비좁게 되다. **Zusammenziehung** *f.* -en, 수축; 단축, 생략; 집중; 비좁음, 수렴, 괄약(括約).

zusamt† [tsuzámt] 《I》 *prp.* 《3格支配》 과 함께, 과 같이. 《II》 *adv.* 《稀》 = ZUSAMMEN.

Zūsatz [tsú:zats] [<zusetzen] *m.* -es, ¨e, 첨가, 부가, 추가(물); 추신(追伸); 부록, 보유(補遺); 혼합(물), 가미; 〖數〗 계(系).

Zūsatz=antrāg *m.* 〖議會〗 수정안 (동의). ∼**bestimmung** *f.* 추가 규정, 부칙. ∼**budget** [-bʏdʒe:, -bʌdʒɪt] *n.* 〖法〗 추가 예산(안). 「보유]의.

zūsätzlich [tsú:zɛtslɪç] *a.* 부가[추가·

zuschanden [tsuʃándən] *adv.* 부서져서, 망가져서, 못쓰게 되어서; 망해서. ¶ ∼ gehen 실패하다; 못쓰게 되다, 망하다 / ∼ machen, a) jn.: 멸망시키다, (의) 체면을 잃게 하다, b) et.: 망가뜨리다, 못 쓰게 하다.

zū|schanzen [tsú:ʃantsən] *t.* 《俗》 돌보아 주다, 알선하다. 「서 (구멍을) 막다.

zū|scharren [tsú:ʃarən] *t.* 흙을 긁어

zū|schauen [tsú:ʃauən] *i.*(h.) (그 쪽을) 보고 있다, 방관하다. **Zūschauer** [tsú:ʃauər] *m.* -s, -, 목격자; 구경꾼, 방관자(*spectator, onlooker*); 〖劇〗 관객. **Zūschauer-raum** *m.* 관람석.

zū|schicken [tsú:ʃɪkən] *t.* 보내 주다, 부쳐 보내다.

zū|schieben* [tsú:ʃi:bən] *t.* ① 밀어 내다. ¶ jm. die Schuld ∼ 아무에게 책임을 전가하다[돌리다]. ② 밀어서 닫다; (빗장을) 꽂다.

zū|schießen* [tsú:ʃi:sən] *t.* 쏘다; 덧붙이다, 보태다; (돈을) 채우다, 추가 지불하다; 기부[제공]하다.

Zūschlāg [tsú:ʃla:k] *m.* -(e)s, ¨e, (경매의) 낙찰; 부가, 추가; 증액, 할증(割增), 부가 요금. **zū|schlāgen*** [tsú:ʃla:gən] 《I》 *t.* (탕·탁하고) 닫다, 잠그다; (망치를 두드려 신호하여) 낙찰하다. 《II》 *i.*(s.) (탕 하고 문이) 닫히다[잠기다].

Zūschlāg(s)=gebühr *f.* 할증 요금, 초과 임금. ∼**karte** *f.* 초과 운임표. ∼=**pflichtig** *a.* 할증 의무가 있는. ∼**porto** *n.* 초과 우편 요금, 부족세. ∼**steuer** *f.* 부가세.

zū|schließen* [tsú:ʃli:sən] *t.* 자물쇠로 잠그다, (에) 자물쇠를 걸다; 폐쇄하다.

zū|schmeißen* [tsú:ʃmaisən] *t.* 《俗》 탕하고 닫다《문을》.

zū|schmieren [tsú:ʃmi:rən] *t.* 칠하여 막다; 칠하여 메우다. 「다[멈추다].

zū|schnallen [tsú:ʃnalən] *t.* 죔쇠로 죄

zū|schnappen [tsú:ʃnapən] 《I》 *i.*(h.) u. *t.* (nach, 에) 덥석 물어 덮치다. 《II》 *i.*(s.) 찰각하고 채워지다, 탕 하고 걸리다《자물쇠·칼·문 따위가》.

zū|schneiden* [tsú:ʃnaidən] *t.* 잘라 주다; 마르다, 잘라 가지런히 하다. **Zūschneider** *m.* -s, -, 재단사.

Zūschnitt [tsú:ʃnɪt] *m.* -(e)s, -e, 재단법, 본(*cut*); 《比》 체제, 양식, 풍.

zū|schnūren [tsú:ʃny:rən] *t.* 끈으로 죄다; (의) 끈을 죄다. ¶ es schnürte mir das Herz zu 나는 심장이 꽉 죄는 듯이 느꼈다.

zū|schrauben⁽*⁾ [tsú:ʃraubən] *t.* 나사로 죄다; (의) 나사를 죄다.

zū|schreiben* [tsú:ʃraibən] 《I》 *t.* (저서를) 기증하다; 헌제(獻題)하다(*dedicate*); (어떤 금액을)(jm., 아무의) 대변(貸邊)에 기입하다(*credit*); (jm. et., 무엇을 아무에게) 돌리다, 지우다(*attribute, impute* (*to*)). 《II》 *i.*(h.) 서면으로 승낙하다.

zū|schreien* [tsú:ʃraiən] *i.*(h.) 불러 대다, (향하여) 외치다.

zū|schreiten* [tsú:ʃraitən] *i.*(s.) (그 쪽으로) 걸어가다, 걸어서 다가가다; (향하여) 걸음을 옮기다.

Zu̲schrift [tsú:ʃrɪft] [<zuschreiben] *f.* -en, 편지, 서한; 통첩; 헌제(獻題).

zuschu̲lden [tsuʃúldən] *adv.*: sich³ et. ~ kommen lassen 어떤 비난을 받다, 무슨 죄를 짓다.

Zu̲schuß [tsú:ʃus] [<zuschießen] *m.* ..sses, ..schüsse, 가봉(加俸), 증봉, 수당; 보조금; 추가 지불금.

Zu̲schuß≈bōgen *m.* 〖印〗 증쇄 용지. **~≈steuer** *f.* 〖法〗 부가세. **~wirt≈schaft** *f.* (자립할 수 없는) 보조 경제.

zu̲|schūstern [tsú:ʃu:stərn] *t.* 《俗》 추가하다; 기부하다. ¶jm. et. ~ 아무에게 무엇을 주선하다. 「다; 담아 채우다.

zu̲|schütten [tsú:ʃytən] *t.* 부어 채우

zu̲|schwō̃ren* [tsú:ʃvø:rən] *t.* (주기를·하기를·완수하기를) 맹세하다.

zu̲|sēhen* [tsú:ze:ən] *i.*(h.) 보다; 방관하다; 목격하다; 보러 가다, 보고 오다; 《比》 형세를 관망하다, 때를 기다리다, 주저하다; 보아 주다, 근심하다, 돌보다 (*take care*); 해보다, 시도하다. **zu̲sē≈hends** [tsú:ze:ənts] *adv.* 보고 있는 동안에, 순식간에; 눈에 띄게, 명백하게.

zu̲|senden^(*) [tsú:zɛndən] *t.* 보내다, 파견하다.

zu̲|setzen [tsú:zɛtsən] 《Ⅰ》 *i.*(h.) (jm., 아무에게) 조르다, (를) 괴롭히다. 《Ⅱ》 *t.* 덧붙이다, 더하다(*add*); (도박에서 잃은 몫을) 덧붙여 걸다, 도박으로 잃다; 《一般的》 잃다(*lose*); 막다, 닫다(*stop* (*up*)).

zu̲|sichern [tsú:zɪçərn] *t.* 확언〔확약〕하다; 보증(保證)하다. **Zu̲sicherung** *f.* -en, 확언, 확약(*promise*); 보증(*assurance*).

zu̲|siegeln [tsú:zi:gəln] *t.* 봉함(封緘)하다, (에) 봉인을 하다. 「막다, 차단하다.

zu̲|sperren [tsú:ʃpɛrən] *t.* 봉쇄하다,

zu̲|spielen [tsú:ʃpi:lən] *t.* (공을) 건네다, 돌리다, 패스하다; 슬쩍 건네다, 슬쩍 쥐어 주다.

zu̲|spitzen [tsú:ʃpɪtsən] 《Ⅰ》 *t.* 뾰죽하게 하다, 날카롭게 하다; 첨예화〔극단화〕하다. 《Ⅱ》 *refl.* 뾰죽하여지다, 날카롭게 되다; 첨예화하다; 절박하게 되다.

zu̲|sprechen* [tsú:ʃprɛçən] 《Ⅰ》 *t.*: jm. Mut ~ 아무를 격려하다, 아무의 기분을 돋구다(*encourage*) / jm. Trost ~ 아무를 위로하다(*comfort*) / 〖法〗 jm. et. ~ 아무에게 무엇을 주어야 한다고 판결하다. 《Ⅱ》 *i.*(h.) der Flasche fleißig ~ 한껏 마시다 / e-r Speise gehörig ~ 무엇을 부지런히 먹다. **Zu̲sprechung** *f.* -en, 위로〔격려〕의 (말).

zu̲|springen* [tsú:ʃprɪŋən] *i.*(s.) ① (그 쪽으로) 뛰어 가다, 뛰어 덤비다. ② (자물쇠가) 찰칵하고 잠기다.

Zu̲spruch [tsú:ʃprux] [<zusprechen] *m.* -(e)s, ⸗e, 말을 건넴; 위로, 기분을 돋구는 말; (집에) 들러 봄; 방문; 밀어 닥침, 인기, 호평. ¶guten ~ haben 손님이 많다, 번창하다.

Zu̲stand [tsú:ʃtant] [<zustehen] *m.* -(e)s, ⸗e, 상태, 상황(*state*); 정세, 사정, 용태(*condition*); 경우, 신상(*situation*). ¶im guten ~e 좋은 상태에 있는, 순조로운. **zusta̲nde** [tsuʃtándə] *adv.*: ~ bringen 해내다, 성취하다 / ~ kommen 이루어지다, 성취되다, 성립하다.

zu̲ständig [tsú:ʃtɛndɪç] [<zustehen] *a.* (jm., 아무에게) 속하는(*belonging*); 관할권〔권한〕이 돌아가는(*competent*, *authorized*); 담당하는. ¶~e Behörde 담당〔주무〕 관청. **Zu̲ständigkeit** *f.* 권한, 관할권.

zusta̲tten [tsuʃtátən] [<ahd. *stata* „Gelegenheit"] *adv.*: ~ kommen (jm., 아무에게) 계제가 좋다, 도움이 되다 (*prove useful*).

zu̲|stecken [tsú:ʃtɛkən] *t.* 슬쩍 쥐어 주다; 시침 바늘로 꽂아 여미다, 꽂아 합치다.

zu̲|stēh(e)n* [tsú:ʃte:(ə)n] *i.*(h.) (jm., 에게) 귀속하다, (의) 권한에 속하다; (에) 편들다. 「〔배달〕하다.

zu̲|stellen [tsú:ʃtɛlən] *t.* 건네다, 송달

Zu̲stellgebühr [tsú:ʃtɛlgəby:r] *f.* 《schw.》=ZUSTELLUNGSGEBÜHR. 「배달.

Zu̲stellung [tú:ʃtɛluŋ] *f.* -en, 송달,

Zu̲stellungs≈gebühr *f.* 배달〔송달〕료. **~ūrkunde** *f.* 송달〔배달〕장(狀).

zu̲|stimmen [tsú:ʃtɪmən] *i.*(h.) 동의〔찬성〕하다(*agree*, *consent*). **Zu̲stimmung** [tsú:ʃtɪmuŋ] *f.* -en, 동의, 찬성.

zu̲|stopfen [tsú:ʃtɔpfən] *t.* 막다《속을 채워서·기워서》.

zu̲|stöpseln [-ʃtœpsəln] *t.* (에) 마개를 하다; 콜크 마개를 하다.

zu|stōßen* [tsú:ʃto:sən] 《Ⅰ》 *t.* 밀어서〔떠밀어서·차서〕 닫다; 밀어 제치다. 《Ⅱ》 *i.* ① (h.) 와락 대들다. ② (s.): jm. stößt et. zu 무엇이 아무의 신상에 일어나다, 아무가 무슨 일을 당하다.

zu̲|strēben [-ʃtrɛ:bən] *i.*(h.): e-m Ziele ~ 어떤 목표를 향하여 노력하다.

zu̲|strō̃men [tsú:ʃtrø:mən] *i.*(s.) 도도히 흘러 들다; (군중이) 쇄도하다.

zu̲|stürzen [tsú:ʃtʏrtsən] *i.*(s.) (auf jn., 을 향하여) 돌진하다, (을) 습격하다.

zu̲|stutzen [tsú:ʃtutsən] *t.* (나무를) 손질하다; 《一般的》 손질을 하다, 정리하다, 장식하다.

zutā̲ge [tsutá:gə] *adv.*: 〖坑〗 ~ fördern 채굴하다; 《比》 밝은 곳에 드러내다, 폭로하다 / 〖坑〗 ~ liegen 노출되어 있다; 《比》 명백하게 되어 있다.

Zu̲tāt [tsú:ta:t] [<zutun] *f.* -en, 부가물, 부속물《의복 따위의》; 〖料〗 음식의 구색, 곁들임, 고명.

zute̲il [tsutáil] [<Teil] *adv.*: ~ werden (jm., 아무에게) 주어지다(*fall to one's share*) / ~ werden lassen (jm. et., 아무에게 무엇을) 주다〔허락하다〕(*allot to*).

zu̲|teilen [tsú:tailən] *t.* 나누어 주다, 분배〔배당〕하다; 배속하다; 할당하다; 주다, 수여하다. **Zu̲teilung** *f.* -en, 분배, 배당; 배속; 할당. 「이.

zuti̲efst [tsutí:fst] *adv.* 가장 깊이, 깊

zu̲|trāgen* [tsú:tra:gən] 《Ⅰ》 *t.* 들고 가다, 날라 오다, 가져오다; (가만히) 이르다(*inform*). 《Ⅱ》 *refl.* 발생하다, 일어나다, 생기다(*come to pass*, *occur*). **Zu̲≈träger** *m.* -s, -, **Zu̲trägerin** *f.* -nen, 내통자, 밀고자, 수다장이. **zu̲≈träglich** [tsú:trɛ:klɪç] *a.* 실리가〔수익이〕 있는, 효과가 큰(*advantageous*, *useful*); 건강〔몸〕에 좋은(*wholesome*).

zu̲|trauen [tsú:trauən] 《Ⅰ》 *t.*: jm. et.

Z

～ 아무가 무엇을 한다〔할 수 있다〕고 믿다, 신뢰하다. 《Ⅱ》 **Zu̲trauen** *n.* -s, 신용, 신뢰. **zu̲traulich** [tsú:traulıç] *a.* 신용〔신뢰〕하는; (사람을) 따르는; 정다운. **Zu̲traulichkeit** *f.* -en, 신용, 신뢰, 정다움.

zu̲|treffen* [tsú:trɛfən] 《Ⅰ》 *i.*(h.) 맞다, 적중하다. 《Ⅱ》 **zu̲treffend** *p.a.* 적절한, 정확한; 해당하는.

zu̲|trinken* [tsú:trıŋkən] *i.*(h.) (Gesundheit) ～ 아무의 건강을 위해 축배하다, 건배하다.

Zu̲tritt [tsú:trıt] [<zutreten] *m.* -(e)s, 들어감, 입장(의 허가); 입궐(入闕)(허가).

zu̲tschen [tsútʃən] *t.* u. *i.*(h. *u.* s.) 빨다, 핥다.

zu̲|tūn* [tsú:tu:n] 《Ⅰ》 *t.* 덧붙이다, 보태다(*add*); 잠그다, 닫다(*shut, close*). 《Ⅱ》 **Zu̲tūn** *n.* -s, 협력, 조력. **zu̲tū(n)lich** [tsú:tu:(n)lıç] *a.* 돌보기를 좋아하는, 친절한; 정답게 구는.

zuu̲nterst [tsu-úntərst] *adv.* 가장 아래에, 훨씬 아래에.

zu̲verlässig [tsú:fɛrlɛsıç, -fər-] *a.* 신뢰할 수 있는, 의지가 되는(*trustworthy, reliable*); 확실한(*certain, sure*); *adv.* 확실히. **Zu̲verlässigkeit** *f.* 신뢰, 의지; 확실.

Zu̲versicht [tsú:fɛrzıçt, -fər-] *f.* 기대, 신뢰, 확신(*confidence*). **zu̲versichtlich** *a.* 확신하는(*confident*). **Zu̲versichtlichkeit** *f.* 확신, 신뢰.

zuvi̲el [tsufí:l] *a.* 너무 많은(*too much*).

zuvo̲r [tsufó:r] *adv.* 앞에, 먼저; 미리, 벌써부터. **zuvo̲rderst** [tsufœ́rdərst] *adv.* 제일 먼저, 맨 먼저.

zuvo̲r|kommen* [tsufó:rkɔmən] 《Ⅰ》 *i.*(s.) ① (jm., 아무보다) 먼저 오다; (의) 앞을 질러가다. ② js. Wünschen ～ 아무가 소원을 말하기 전에 이루어 주다. 《Ⅱ》 **zuvo̲rkommend** *p.a.* 앞질러 가는; 눈치 빠른; 친절한. **Zuvo̲rkommenheit** *f.* -en, 눈치빠름; 친절, 상냥함.

zuvo̲r|tūn* [tsufó:rtu:n] *t.* ① (jm., 아무보다도) 먼저하다. ② es jm. in 〔an〕 et.³ ～ 무엇에서 아무보다 뛰어나다.

Zu̲wachs [tsú:vaks] *m.* -es, 증가, 증대, 증식(增殖); 생육, 생장. **zu̲|wachsen*** *i.*(s.) ①생장하여〔열매를 맺어〕(jm., 아무)의 것이 되다; 《比》《一般的》 아무의 것이되다. ② 생장하여 증대하다〔불나어다〕; 《比》늘다, 불어나다.

Zu̲wahl [tsú:va:l] *f.* 보궐 선거, 신회원 선거.

zu̲|wandern [tsú:vandərn] *i.*(s.) (e-m Orte, 어떤 장소에) 이주(移住)하다.

zu̲|warten [tsú:vartən] *i.*(h.) (상황·시기를) 꾸준히 기다리다.

zuwe̲ge [tsuvé:gə] *adv.*: ～ bringen 실행〔성취·조달〕하다.

zuwe̲ilen [tsuváilən] *adv.* 때때로, 가끔(*sometimes*).

zu̲|weisen* [tsú:vaizən] *t.* 지정하다, 할당하다, 배당하다; 가게 하다, 보내다.

zu̲|wenden⁽*⁾ [tsú:vɛndən] 《Ⅰ》 *t.* (아무·무엇의 쪽으로) 향하게 하다; 주다, 얻게 하(여 주)다. 《Ⅱ》 *refl.* (그 쪽으로) 향하다. ¶ 《比》 sich der Wissenschaft ～ 학문에 종사하다.

zuwe̲nig [tsuvé:nıç] *a.* 불충분한. ★ zu̲ wenig 전혀 모자라는, 너무 적은.

zu̲|werfen* [tsú:vɛrfən] *t.* 던지다, 던져주다; 탕〔탁·털커덕〕하고 닫다; (도랑 따위에) 흙을 퍼넣어 메우다.

zuwi̲der [tsuví:dər] 《Ⅰ》 《3格과 함께》 *a.* 거역하는, 배반하는; 불리한; 마음에 들지 않는, 불쾌한. ¶ ～ sein (무엇에) 거슬리다, (아무에게 있어서) 싫다, 역겹다. 《Ⅱ》 *adv.* 《前置詞적으로》 (에) 거슬려, 반하여; 《分離動詞의 前綴로서》 보기: ～handeln, ～laufen.

zuwi̲der=|handeln 《Ⅰ》 *i.*(h.) (무엇에) 위반하다, 배반하다. 《Ⅱ》 **～handelnde** *m.* u. *f.* 《形容詞變化》 위반〔배반〕자. **～=handlung** [-handl-, -hantl-] *f.* -en, 위반(행위), 배반(행위). **～|laufen*** *i.*(s.) 반대 방향으로 달리다, 역행하다; 《比》 배반하다, 신호하다.

zu̲|winken [tsú:vıŋkən] *i.*(h.) 눈짓하다, 신호하다.

zu̲|zahlen [tsú:tsa:lən] *t.* 치르다, 추가지불하다. **zu̲|zählen** [-tsɛ:lən] *t.* 세어서 주다; 셈에 넣다, 가산하다.

zuze̲iten [tsutsáitən] *adv.* 때때로, 가끔(*at times*).

zu̲|ziehen* [tsú:tsi:ən] 《Ⅰ》 *t.* 잡아 당기다, 끌어 넣다; 초대하다; (의사를) 부르다. ¶ sich³ e-e Krankheit 〔e-e Erkältung〕 ～ 병〔감기〕에 걸리다. 《Ⅱ》 *i.*(s.) (으로) 가다; 〖軍〗 (으로) 진군하다; 이주하다; (고용인이) 더부살이하다. **Zu̲ziehung** [tsú:tsi:uŋ] *f.* -en, 내원(來援), 원조; 끌어들임; 초대; 조력. **Zu̲zūg** [tsú:tsu:k] *m.* -(e)s, ⸚e, 내원; 원군(援軍); 이주(에 의한 인구 증가); 더부살이. **zu̲zu̲glich** [tsú:tsy:klıç] *prp.* 《2格 支配》을 가산하여.

zwa̲cken [tsvákən] *t.* 꼬집다, 쥐어 당기다, 집다(*pinch*).

zwang [tsvaŋ] ☞ZWINGEN. 《그 過去》.

Zwang [tsvaŋ] [<zwingen] *m.* -(e)s, 강제, 강박(*compulsion*); 구속(*constraint*); 폭력(*force*); 〖醫〗 후중(後重)(*tenesmus*). ¶ sich³ ～ antun 자제(自制)하다.

zwä̲ngen [tsvέŋən] *t.* 무리하게 밀다〔누르다〕; 무리하게 강요하다.

zwa̲nglōs [tsváŋlo:s] *a.* 강제되지 않는, 속박이 없는; 갑갑하지 않은, 사양하지 않는, 마음 편한.

Zwa̲ngs=anleihe [tsváŋs-] *f.* 강제 공채(公債). **～arbeit** *f.* 강제 노동. **～=erscheinungen** *pl.* 강박 현상《환자 자신도 사실이 아님을 아는 관념이 불가항력적으로 일어나는 정신병》. **～erziehung** *f.* 강제〔감화〕교육. **～jacke** *f.* (광인 구속용의) 가죽 조끼. **～kurs** *m.* (지폐의) 강제 통용. **～lāge** *f.* 핍박 상태; 강제 상태. **～läufig** *a.* 강제적인; 필연적인, 불가피한. **～māßnahme**, **～māßrēgel** *f.* 강제 처분. **～mittel** *n.* 강제 수단, 강제 처분. **～vergleich** *m.* 강제 화해《파산 때의》. **～verkauf** *m.* 강제 매도. **～versteigerung** *f.* 강제 경매. **～vollstreckung** *f.* 강제 집행. **～vōrstellung** *f.* 〖醫〗 강박 관념. **～weise** *adv.* 강제적으로. **～wirtschaft** *f.* (비상시의) 통제 경제.

zwa̲nzig [tsvántsıç] [*eig.* „zwei Zehner" (=zwei *u.* zehn)] *num.* 20 (♈*twenty*).

Zwa̲nziger [tsvántsıgər] *m.* -s, -, **～=in** *f.* -nen, 20세 〔20대〕의 사람; (어

편 세기의) 20년대에 태어난 사람.

zwanzig·fach, **~fältig** *a.* 20배의, 스무 겹의. **~jährig** *a.* 20년(간)의, 20세의.

zwanzigst [tsvántsıçst] (der, die, das ~e) *a.* 제 20의, 스무 번째의. **Zwanzigstel** [„das (der) zwanzigste Teil"] *n.* -s, -, 20분의 1. **zwanzigstens** *adv.* 스무 번째로.

zwar [tsva:r] [mhd. *ze wāre* „in Wahrheit" (*ze*는 zu)] *adv.* 참으로 (*indeed, truly*); 과연(…이지만)《aber, doch, allein을 뒤에 수반함》. ¶und ~ (그리고 실제로:) 즉, 자세히 말하자면 / er kam ~, doch war's zu spät 그는 오기는 왔으나 너무 늦었다.

Zweck [tsvɛk] [<Zwecke] *m.* -(e)s, -e, 목적(*aim, end, purpose*). ¶zu dem ~ 그 목적을 위하여 / das hat k-n ~ 그것은 무의미하다.

zweck·bau [tsvɛ́k-] *m.* 〖建〗 실용(에 주안을 둔) 건축물. **~dienlich** *a.* 목적에 맞는, 유용한, 유효한.

Zwecke [tsvɛ́kə] [↑Zweig] *f.* -n, 나무못(*peg*); (구두의) 징(*hobnail*); 제도용 핀(*tag*). **zwecken** *t.* 나무못을 박다; *i.*(h.) 지향하다, 목적으로 하다.

zweck·entfremdet [tsvɛ́k-] *a.* 처음 목적에서 벗어난. **~haft** [tsvɛ́khaft] *a.* =~MÄßIG. **~lōs** [tsvɛ́klo:s] *a.* 목적이 없는, 무용한, 쓸데 없는, 무의미한. **~mäßig** *a.* 목적에 알맞은(*suitable*); 유용한, 효과적인; 계제가 좋은(*expedient*). **~mäßigkeit** *f.* 유용; 유효; 합목적성.

zwecks [tsvɛks] [元來 Zweck의 2格] *prp.* 《2格支配》…의 목적으로, …을 위하여.

Zweck·spāren [tsvɛ́kʃpa:rən] *n.* 어떤 「목적을 위한 저금.」

Zweck·verband *m.* 목적 사회《사람들이 공통 목적을 위해 조직한 단체》. **~voll** *a.* =~MÄßIG. **~widrig** *a.* 목적에 맞지 않는; 부적당한, 불편한.

zwei [tsvai] 《I》 *num.* 2, 둘(의)(↑*two*). ¶zu ~en 두 개씩, 두 사람씩, 한 쌍씩. 《II》 **Zwei** *f.* -en, 2(의 수); 2의 숫자; 카드의 2; 주사위의 2 (의 눈).

zwei·beinig [tsvái-] *a.* 두 다리의. **~decker** *m.* 복엽 비행기. **~deutig** *a.* 두 가지 뜻이 있는, 모호한(*ambiguous, equivocal*); 표리가 있는, 믿을 수 없는; 미심쩍은, 음탕한(*smutty, obscene*). **~deutigkeit** *f.* 위의 일〔언행〕. **~ei·ig** *a.* 〖醫〗 이란성(二卵性)의.

zweierlei [tsváiərlai] *a.* 두 가지의, 2 「종의.」

zwei·fach [tsváifax], **~fältig** *a.* 2배의, 이중의. **~farbig** *a.* 두 색의.

Zweifel [tsváifəl] [*eig.* „zweispältige Stimmung", <zwei *u.* -falt] *m.* -s, -, 의심, 의혹, 우유 부단(*doubt, uncertainty*). ¶über et.⁴ im〔in〕 ~ sein, a) 무엇을 의심하고 있다, b) 무엇을 망설이다 / ohne ~ 의심할 것 없이.

zweifelhaft [tsváifəlhaft] *a.* 의심쩍은(*doubtful, dubious*); 망설이는, 갈피를 못잡는. ¶et. ~ lassen 어떤 일을 미결로 그냥 두다.

zweifellōs [tsváifəllo:s] *a.* 의심할 것 없는; 의심하지 않는, 망설이지 않는; *adv.* 의심할 것 없이.

zweifeln [tsváifəln] *i.*(h.) (an, 을) 의심하다, 수상히 여기다; 헷갈리다, 망설이다, 머뭇거리다.

Zweifels·fall [tsváifəls-] *m.* 의심스러운 경우. **~ohne** [tsvaifəls-ó:nə] *adv.* 의심 없이; 확실히.

Zweifel·sucht *f.* 〖醫〗 의혹증(症). **~süchtig** *a.* 의심 많은, 회의적인.

Zweifler [tsváiflər] *m.* -s, -, 의심하는 사람; 회의가(懷疑家). **zweiflerisch** *a.* 의심 많은, 회의적인.

Zweig [tsvaik] [*eig.* „Gabelung", ↑zwei] *m.* -(e)s, -e, 가지《Ast에서 갈라진 작은 가지》(↑*twig, branch, bough*); 《比》 분파, 분가, 지맥(支脈); 지류; 지점; 〖鐵〗 지선.

Zweig·anstalt [tsváik-] *f.* 지사, 지국; 분교; 지서. **~ārtig** *a.* 가지와 같은. **~bahn** *f.* 〖鐵〗 지선. **~bank** *f.* (*pl.* -en) 은행 지점.

zweigestrichen [tsváigəʃtrıçən] *a.* 〖樂〗 겹세로줄의.

zweigleisig [tsváiglaizıç] *a.* 〖鐵〗 복선의.

Zweig·niederlassung *f.* 지점, 지사(支社). **~stelle** *f.* 〖郵〗 지국.

zwei·händig *a.* 손이 둘 있는; 〖樂〗 양손으로 치는. **~jährig** *a.* 2년의, 두 살의; 〖植〗 2년생의. **~jährlich** *a.* 2년마다의. **~kampf** *m.* 격투, 드잡이; 결투. **~māl** *adv.* 두 번, 2회(*twice*); 2배로. **~mālig** *a.* 두 번의 반복한. **~master** *m.* 쌍돛의 배. **~mastig** *a.* 쌍돛대의. **~motōrig** *a.* 〖空〗 쌍발형의. **~pfündig** *a.* 2파운드의; **~rād** *n.* 2륜차; 자전거. **~rād(e)rig** *a.* 2륜의. **~reihig** *a.* 두 줄의, 2열 단추의. **~rōhren·empfänger** *m.*, **~röhrengerät** *n.* 2구식의 (라디오) 수신기. **~schlāf(e)rig**, **~schlāfig** *a.* 두 사람이 자는. ¶~schläferiges Bett 더블 베드. **~schneidig** *a.* 쌍날의; 《比》 쌍방〔적군과 아군〕에 위험한. **~seitig** *a.* 양면이 있는, 2변의. **~silbig** *a.* 〖文〗 2음절의. **~sitzer** *m.* 2인승의 차《자전거, 자동차》; 복좌(비행)기. **~spänner** *m.* 쌍두마차; 말 두필을 부리는 농부. **~spännig** *a.* 두 마리가 끄는. **~sprāchig** *a.* 2개 국어(사용)의. **~stimmig** *a.* 〖樂〗 2성의, 2부의. **~stöckig** *a.* (집이) 3층으로 된. **~stündig** *a.* 두시간의. **~stündlich** [-ʃtʏntlıç] *a.* 두시간마다의.

zweit [tsvait] (der, die, das ~e) *a.* ① 《序數》 제 2의, 두 번째의(*second, next*). ② **am** ~en Januar, 1월 2일에 / **aus** ~er Hand, a) 중고(中古)의, b) 남의 손을 거친, 간접의 / **zu** ~, a) 둘씩, 두사람씩, b) 제 2인자로서 / *adv.*: wir sind **zu** ~ 우리는 (일행이) 둘이다.

zwei·tägig *a.* 이틀의; 생후 이틀이 되는. **~taktmōtor** *m.* 〖機〗 이행정(二行程) 발동기.

zweit·ältest [tsváit-] *a.* 두 번째로 연장인. ¶der ~ Sohn 차남.

zweit·best *a.* 2등의, 제 2위의. **~druck** *m.* 재판(再版).

zweiteilig [tsváitailıç] *a.* 두 부분으로 나누인〔된〕; (옷이) 투피스의.

Zweitel [tsváitəl] *n.* -s, -, 2분의 1의; 〖樂〗 2분의 1(박자). **zweitens** [tsváitəns] *adv.* 둘째로, 다음으로.

zweit·klassig *a.* 제 2 급[등·류]의. **~·letzt** *a.* 끝에서 두 번째의.

Zweiviertel·nōte [tsvaifíːrtəl–] *f.* 〖樂〗 4분의 2음표. **~takt** *m.* 〖樂〗 4분의 2박자.

Zwei·weiberei *f.* 일부 이처; 〖法〗 중혼(重婚)(죄). **~wērtig** *a.* 〖化〗 이가(二價)의. **~zeiler** *m.* -s, -, 〖詩學〗 이행시(二行詩). **~zöllig** *a.* 2인치의. **~·züngig** *a.* 일구 이언하는, 불성실한.

zwerch† [tsvɛrç] [quer 의 別形] *a.* [*adv.*] 《지금은 보통 合成的으로 쓰임》 가로(의), 비스듬한[히](♈*athwart, across*).

Zwerchfell [tsvɛ́rçfɛl] *n.* 횡격막(橫隔膜).

Zwerg [tsvɛrk] *m.* -(e)s, -e, 난장이 [(♈*dwarf*).]

zwerg(en)haft [tsvɛ́rkhaft, -gən-] *a.* 난장이 같은, 왜소한. **Zwerg(en)·wuchs** [tsvɛ́rkvu(ː)ks, -gən-] *m.* 왜소(矮小) 발육, 발육 불완전.

Zwergin [tsvɛ́rgɪn] *f.* -nen, 난장이.

Zwetsch(g)e [tsvɛ́tʃ(g)ə] *f.* -n, 〖植〗 서양자두(*plum*).

Zwickel [tsvíkəl] *m.* -s, -, 쐐기(*wedge*); (의복의)무, 섶(*gore, gusset*); (양말의) 자수 장식(*clock*).

zwicken [tsvíkən] [*eig.* „mit Zwecken befestigen"] *t.* 꼬집다, 집다(*pinch, nip*); 《俗》 집적거리다, 괴롭히다. **Zwicker** [tsvíkər] *m.* -s, -, 코안경(*pince-nez*).

Zwick·mühle [tsvík–] *f.* ① Mühle 놀이에 있어서 필승의 말 놓는 법. ② 어느 쪽이 되든 이로운 경우; 달레머, 궁지. ¶in der ~mühle sein 진퇴 양난이다, 궁지에 빠지다. **~zange** *f.* 핀셋, 못뽑이, 족집게.

zwie.. [tsviː–] [<zwei] *prp.* „2"의 뜻.

Zwieback [tsvíːbak] [fr. *biscuit* "두번 구이"의 번역] *m.* -(e)s, ⸚e *u.* -e, 비스킷, 크래커.

Zwiebel [tsvíːbəl] [Lw. lat.] *f.* -n, 〖植〗 양파(*onion*); 구경(球莖), 구근.

zwiebel·ärtig *a.* 양파류의; 구근[구경] 모양의. **~gewächs** [-gəvɛks] *n.* 구경 식물.

zwiebeln [tsvíːbəln] *t.* (에) 양파로 맛을 곁들이다; (양파가 눈을 자극하여 눈물을 나게 하므로) 괴롭히다, 혹사[착취]하다.

zwie·fach [tsvíː–], **~fältig** *a.* = ZWEIFACH, ZWEIFÄLTIG. **~gespräch** *n.* 문답, 대화, 대담(*dialoge, colloquy, talk*). **~laut** *m.* 〖文〗 복모음. **~licht** *n.* 여명, 황혼(♈*twilight*).

Zwiesel [tsvíːzəl] [♈Zweig, ♈zwei] *f.* -n; od. *m.* -s, -, 가랑이진 가지; 분지(分枝), 분기(分岐)(*forked branch*).

Zwie·spalt [tsvíːʃpalt] *m.* 분열, 불화, 알력(*dissension*). **zwiespältig** *a.* 분열한; 불화한.

Zwie·sprāche *f.* = Zwiegespräch. **~·streit** *m.* 토론, 토의. **~streiten*** *i.* (h.) 토론[토의]하다.

Zwietracht [tsvíːtraxt] *f.* 불화, 불일치, 다툼(*discord, dissension*). **zwie·trächtig** *a.* 사이가 나쁜(*discordant*).

Zwil(li)ch [tsvíl(ɪ)ç] [<zwei *u.* lat. *līcium* „Faden"] *m.* -(e)s, -e, 두 가닥으로 꼰 실로 짠 질긴 삼베(*tickling*).

Zwilling [tsvílɪŋ] [<zwei] *m.* -s, -e, 쌍동이(의 한 쪽)(♈*twin*). **Zwillings·achse** *f.* 〖鑛〗 쌍정축(雙晶軸). **~brū·der** *m.* 쌍동이 형제(의 한 쪽). **~ge·schwister** *pl.* 쌍동이, 쌍생아. **~·paar** *n.* 쌍동이(둘 다).

Zwinge [tsvíŋə] *f.* -n, 죄는 도구, 바이스(*clamp*); 쇠테(*ferrule*).

zwingen* [tsvíŋən] 《I》 *t.* 강요하다, 강제하다(*compel, force*); (be~) 복종시키다, 극복[정복]하다; 해내다, 해치우다. 《II》 *refl.* 자제하다; 무리를 하다. 《III》 **zwingend** *p. a.* 강제적인; 어찌할 수 없는, 불가항력인; 움직일 수 없는, 이론(異論)의 여지가 없는. **Zwin·ger** [tsvíŋər] *m.* -s, -, 중세(中世)의 성(城), 안벽과 바깥벽의 중간 지대《침입한 적을 이곳에 압박 „zwingen"하여 쓰러뜨린》(*outer courtyard*); 성곽; 성탑(*tower*); 맹수의 우리; 곰 또는 개를 키우는 울; 맹수를 싸우게 하는 장소.

zwing·herr [tsvíŋ–] *m.* 폭군(*despot, tyrant*). **~herrschaft** *f.* 압제 정치, 폭정, 학정(虐政).

zwinke(r)n [tsvíŋkə(r)n] *i.* (h.) (mit, 을) 깜박거리게 하다, 좋긋거리다(♈*twinkle*). ¶mit den Augen ~ 눈을 깜박거리다.

zwirbeln [tsvírbəln] *i.* (h.) 빙글빙글 돌다; *t.* 빙글빙글 돌리다, 비비틀다.

Zwirn [tsvɪrn] [*eig.* „zweisträngiger Faden"; ♈Zweist] *m.* -(e)s, -e, 꼰 실(*thread, yarn*). **Zwirnband** *n.* 드린 실의 끈, 테이프. **zwirnen** 《I》 *a.* 꼰 실의, 꼰 실로 만든. 《II》 *t.* (실을) 꼬다(♈*twine, twist*).

Zwirnmaschine [tsvírn–] *f.* 실 꼬는 [기계.]

Zwirns·fāden [tsvírnsfaːdən] *m.* (삼으로) 꼰 실.

Zwirnspitze [-ʃpɪtsə] *f.* 꼰 실로 만 [든 레이스.]

zwischen [tsvíʃən] [♈zwei] *prp.* 《3格 支配》 의 사이에서, 의 사이에 (있어서); 《4格 支配》 의 사이로(*between, betwixt*).

Zwischen·akt *m.* 〖劇〗 막간. **~aus·landsverkehr** *m.* 〖商〗 통과[중계] 무역. **~bemerkung** *f.* 여담. **~deck** *n.* 중(中)갑판. **~decks·passagier** [-ʒiːr] *m.* 3등 선객. **~durch** [tsvɪʃən-dúrç] *adv.* 《空間的》 사이를 지나서, 가운데를 뚫고 지나서; 《時間的》 이따금, 때때로, 때로는.

Zwischen·essen *n.* = ~GERICHT. **~·fall** *m.* 돌발 사건(*incident*); 에피소드(*episode*). **~frucht(an)bau** *m.* 〖農〗 간작(間作). **~futter** *n.* (의복의) 심, 심이 되는 천. **~gericht** *n.* 사잇요리《주요리의 사이에 나오는》. **~glied** *n.* 잇달린 쇠사슬의 고리, 연결 링크; 중간 항목. **~handel** *m.* 중매업, 중개업; 운수업. **~händler** [-hɛndl-, -ntl-] *m.* 중매인(仲買人), 중개인.

zwischen·inne [tsvɪʃən-ínə] *adv.* 《俗》 (두 사람의) 중간에, 한가운데에.

Zwischen·landung *f.* 중간 착륙. ¶ Flug ohne ~landung 무착륙 비행. **~·liegend** *a.* 중간에 있는, 개재하는. **~·linie** [-liːnĭə] *f.* 중간선. **~lösung** *f.* 중간적[잠정적] 해결. **~mahlzeit** *f.*

간식, 간단한 점심. ~**mauer** *f.* 간막이 벽; 방화벽. ~**pause** *f.* 중간 휴식. ~**raum** *m.* 중간의 공간, 빈터; 간격, 거리; (시간적) 사이, 동안. ~**rēde** *f.* 말참견; 이야기의 원줄기에서 빗나감. ~**regierung** *f.*, ~**reich** *n.* (원수(元首)의) 궐위기(闕位期). ~**rūf** *m.* 남의 담화 중간에 지르는 소리. ~**runde** *f.* 〖競〗 중간 라운드. ~**spiel** *n.* 막간극; 간주(곡); 《比》 삽화. ~**staatlich** *a.* 국제적인(*international*). ~**station** *f.* 〖鐵〗 중간역. ~**stock** *m.* 중(中) 2층. ~**stück** *n.* 중간 부분. ~**stūfig** *a.* 중간 단계의; 매개〔과도〕적인. ~**stunde** *f.* 중간 시간; 휴식 시간. ~**träger** *m.*, ~**trägerin** *f.* 중개〔매개〕인; 밀고자(*talebearer*). ~**trägerei** *f.* 고자질, 밀고 ~**vōrhang** *m.* 〖劇〗 막간용으로 드리우는 중간막. ~**wand** [-vant] *f.* =~MAUER. ~**wirt** *m.* 〖動〗 중간 숙주(宿主). ~**zeit** *f.* 중간〔휴식〕 시간. ¶in der ~zeit 그 동안에, 그럭저럭하는 사이에.

Zwist [tsvɪst] [*eig.* „Entzweiung", < zwei] *m.* -es, -e, 분열, 불화, 다툼(*dissension, discord, quarrel*). **zwistig** *a.* 분열한, 불화한, 다투는. **Zwistigkeit** *f.* -en, =ZWIST.

zwitschern [tsvítʃərn] [擬聲語] *i.*(h.) 지저귀다《특히 제비가》(♈*twitter, chirp*).

Zwitter [tsvítər] [<zwei] *m.* -s, -, 양성체(兩性體); 양성 동물; 남녀추니(*hermaphrodite*); 장웅동주(雌雄同株)(*hybrid*); 혼종, 잡종, 혼혈아(*mangrel*).

Zwitterbildung [tsvítərbɪldʊŋ] *f.* 자웅 동체, 양성을 갖춘 것; 잡종 형성.

zwitterhaft [tsvítərhaft] *a.* 남녀 양성의, 자웅 동체의, 반음양의; 잡종의, 간성(間性)의.

zwitzern [tsvítsərn] [<zwinkern] *i.*(h.) 깜박거리다, 반짝반짝 빛나다; 깜작거리다.

zwō [tsvo:] † *num.* =ZWEI.

zwölf [tsvœlf] [ahd. *zwe-lif* „(über zehn) zwei übrig"] 《I》 *num.* 12(의)(♈*twelve*). 《II》 **Zwölf** *f.* -en, 12(의 수).

Zwölfeck [tsvœ́lfɛk] *n.* 〖數〗 12 각.

zwölferlei [tsvœ́lfərlai] *a.* 12 종의, 열두 가지의.

zwölf·fach [tsvœ́lf-] *a.* 열 두겹의; 12 배의. ~**fingerdarm** *m.* 〖解〗 십이지장(*duodenum*). ~**flach** *n.* 〖數〗 12 면체. ~**jährig** *a.* 12 년의; 열 두 살의. ~**māl** *adv.* 열 두 번; 열 두 배로. ~**mālig** *a.* 12 회의. ~**seitig** *a.* 12 면의; 12 변의. ~**stündig** *a.* 12 시간의.

zwölft [tsvœlft] (der, die, das, ~e) *num.* 제 12(의), 열 두 번째(의).

zwölftägig [tsvœ́lftɛ:gɪç] *a.* 12 일(간)의; 생후 12일의.

Zwölftel [tsvœ́lftəl] [=der (†das) zwölfte Teil] *n.* -s, -, 12 분의 1.

zwölftens [tsvœ́lftəns] *adv.* 열 두 번째로.

Zyān [tsyá:n] [gr. <*kŷanos* „dunkelblau"] *n.* -s, 〖化〗 시안. **Zyāne** [tsyá:nə] *f.* -n, 〖植〗 수레국화(*cornflower*).

Zyankāli, Zyankālium *n.* -s, 〖化〗 시안화 칼륨, 청산칼리.

zyklisch [tsý:klɪʃ, tsýk-] [gr.] *a.* 원형의; 고리(모양)의; 주기〔회귀〕적인.

Zyklōn [tsykló:n] [gr. <Zyklus] *m.* -s, -e, 회오리 바람, 대선풍(大旋風)(♈*cyclone*). **Zyklōp** [tsykló:p] [gr. „rundäugig"; =Zyklus, Optik] *m.* -en, -en, 〖希神〗 (오뒤세이아 중에 나오는) 외눈의 거인. **zyklōpisch** *a.* Zyklop 같은, 거대한. **Zyklotrōn** [tsyklotró:n, tsý klotro:n] *n.* -s, -e 〖物〗 사이클로트론, 원자 파괴기. **Zyklus** [tsý:klus, tsýk-] [gr.] *m.* -s, ..klen 원, 권(圈); 환(環), 사이클(♈*cycle*); 연속 강의(*course, set*); 〖天〗 순환기, 주기(周期).

Zylinder [tsylíndər, tsi-] [gr.] *m.* -s, -, 원통(圓筒), 실린더(♈*cylinder*); 〔~glocke *f.*〕 원통형의 유리 그릇(*glassjar*); (Lampen~) 등피(*chimney*); 〖數〗 원기둥; 《俗》 실크햇(*silk hat, top hat*).

zylindrisch [tsylíndrɪʃ, tsi-] *a.* 원통 모양의; 원기둥 모양의.

Zȳma [tsý:ma] [gr.] *n.* -s, -ta, 효모(酵母). **Zymologie** [tsymologí:] [gr.] *f.* 발효학(發酵學).

Zȳniker [tsý:nɪkər] [gr.] *m.* -s, -, 견유학파(犬儒學派)의 사람(♈*Cynic*). **zȳnisch** [tsý:nɪʃ] [„hündisch"] *a.* 견유학파의; 《比》 예절을 무시하는; 냉소적인, 경멸적인(♈*cynical*). **Zynismus** [tsynísmus] *m.* -, ..men, 견유주의; 《比》 예절 무시, 신랄한 조소, 냉소.

Zȳpern [tsý:pərn] [gr.] *pl.* 키프러스. **zȳprisch** [tsý:prɪʃ] *a.* 키프러스의.

Zypresse [tsyprésə] [gr. -lat.] *f.* -n, 〖植〗 실측백나무(♈*cypress*).

Zyste [tsýstə] [gr. „Blase"] *f.* -n, 〖醫〗 낭종(囊腫). **Zystitis** [tsɪstí:tɪs] *f.* 〖醫〗 방광염.

Zytologie [tsytologí:] [gr. *kýtos*, „Zelle"] *f.* 〖生〗 세포학. **Zytoplasma** [tsytoplásma] *n.* -s, ..men, 세포 원형질.

附 錄

發 音 表

分 綴 法

文 法 一 覽 表

強變化·不規則動詞表

發 音 表

(I) 독 일 어

a	1) 長 音	a:	아아	Tat (ta:t)
	2) 短 音	a	아	dann (dan)
aa	長 音	a:	아아	Sall (za:l)
ah	長 音	a:	아아	Kahn (ka:n)
ai	複 母 音	ai	아이	Mai (mai)
au	複 母 音	au	아우	Haus (haus)
ay	複 母 音	ai	아이	Haydn (haidn)
ä	1) 長 開 音	ɛ:	에에	Bär (bɛ:r)
	2) 短 開 音	ɛ	에	färben (fɛ́rbən)
äh	長 開 音	ɛ:	에에	Mähre (mɛ́:rə)
äu	複 母 音	ɔy	오이	Häuser (hɔ́yzər)
b	1)	b	ㅂ	eben (é:bən), bei (bai)
	2) 末尾音에서	p	ㅍ	ob (ɔp)
	3) 子音 앞	p	프	liebt (li:pt)
bb		b	ㅂ	babbeln (bábəln)
c	1) 前舌母音(i, e, ä, ö, eu) 앞	ts	ㅊ	Cäcilie (tsɛtsí:lĭə)
	2) 後舌母音 (a, o, u, au) 앞	k	ㅋ	Calvin (kalví:n)
ch	1) 前舌母音 및 子音 뒤	ç	히	ich(ıç), euch(ɔyç), Milch(milç)
	2) 後舌母音 뒤	x	하, 호, 흐	ach (ax), suchen (zú:xən)
	3) 前舌母音 앞	ç	히	Chemie (çemí:)
	4) 後舌母音 및 子音 앞	k	ㅋ	Chor (ko:r), Christ (krıst)
chs		ks	크ㅅ	wachsen (váksən)
ck		k	ㅋ	Rock (rɔk)
d	1)	d	ㄷ	Dank (daŋk), Ode (o:də)
	2) 末尾音에서	t	ㅌ	Land (lant)
	3) 子音 앞	t	ㅌ	Mädchen (mɛ́:tçən)
dd		d	ㄷ	Troddel (trɔ́dəl)
ds		ts	ㅊ	Walds (valts)
dt		t	ㅌ	sandte (zántə)
e	1) 長 閉 音	e:	에에	reden (ré:dən)
	2) 短 開 音	ɛ	에	Herr (hɛr)
	3) 弱 音 語 尾	ə	어	Gabe (gá:bə), ölen (ǿ:lən)
ee	長 閉 音	e:	에에	Beet (be:t)
eh	長 閉 音	e:	에에	Ehe (e:ə)
ei	複 母 音	ai	아이	ein (ain)
eu	複 母 音	ɔy	오이	heute (hɔ́ytə)
ey	複 母 音	ai	아이	Heyse (háizə)
f		f	ㅍ	Fabel (fá:bəl)
ff		f	ㅍ	Affe (áfə)
g	1)	g	ㄱ	Gold (gɔlt), Lage (lá:gə)
	2) 末尾音에서	k	ㅋ	Weg (ve:k)
	3) 子音 앞	k	ㅋ	legt (le:kt)
	4) 語尾 -ig에서	ç	흐	König (kǿ:nıç)

gg		g	ㄱ	Flagge (flágə)
h	1)	h	ㅎ	Hand (hant), Behuf (bəhú:f)
	2) 同一綴字內에서 母音 다음에 올 때	無聲으로 앞의母音을長音으로함	ㅎ	Huhn (hu:n), gehen (gé:ən)
i	1) 長 閉 音	i:	이이	Bibel (bí:bəl)
	2) 短 開 音	ɪ	이	bin (bɪn)
ie	1) 長 閉 音	i:	이이	Liebe (lí:bə)
	2) 短 開 音	ɪ	이	Viertel (fírtəl)
	3) 外 來 語	i+e	이에	Patient (patsiέnt)
ier	1) 强音이 있을 때	i:r	이이르	vier (fi:r)
	2) 强音이 없을 때	ĭər	이어르	Spanier (ʃpá:nĭər)
j		j	유	ja (ja:)
k		k	ㅋ	Kind (kɪnt), Ekel (é:kəl)
l		l	ㄹ	leben (lé:bən)
ll		l	ㄹ	fallen (fálən)
m		m	ㅁ	nehmen (né:mən)
mm		m	ㅁ	Amme (ámə)
n		n	ㄴ	nein (nain), in (ɪn)
ng		ŋ	ㅇ	Finger (fíŋər)
nk		ŋk	ㅇㅋ	sinken (zíŋkən)
nn		n	ㄴ	inne (ínə), denn (dɛn)
o	1) 長 閉 音	o:	오오	Brot (bro:t)
	2) 短 開 音	ɔ	오	Gott (gɔt)
oe	1) 長 閉 音	ø:	외에	Goethe (gǿ:tə)
	2) 外 來 語	o+e	오에	Poet (poé:t), Aloe (á:loe:)
oh	長 閉 音	o:	오오	lohnen (ló:nən)
oo	長 閉 音	o:	오오	Boot (bo:t)
ö	1) 長 閉 音	ø:	외에	Öl (ø:l)
	2) 短 開 音	œ	외	können (kœ́nən)
öh	長 閉 音	ø	외에	Höhle(hǿ:lə)
p		p	ㅍ	Plan (pla:n), Oper (ó:pər)
pf		pf	프ㅍ	Pferd (pfe:rt)
ph		f	ㅍ	Philosoph (filozó:f)
qu		kv	크ㅂ	Quelle (kvέlə)
r		r	ㄹ	Rat (ra:t), dort (dɔrt)
rh		r	ㄹ	Rhein (rain)
rr		r	ㄹ	harren (hárən)
er	語 尾	ər	어르	Vater (fá:tər)
s	1) 母音 앞	z	ㅈ	Sand (zant), Rose (ró:zə)
	2) p, t 이외의 子音 앞에서, 또는 子音앞의 中間音에서, 또는 l, m, n, r이외의 子音 뒤에서, 또는 末尾音에서	s	ㅅ	Szene (stsé:nə) Knospe (knɔ́spə) Erbse (έrpsə) wechseln (vέksəln) Maus (maus)
sch		ʃ	슈	schön (ʃø:n)
sp		ʃp	슈ㅍ	sprechen (ʃprέçən)
ss		s	ㅅ	Tasse (tásə)
ß		s	ㅅ	heißen (háisən)
st		ʃt	슈ㅌ	Stein (ʃtáin)

t th ti ts tsch tt tz	 外　來　語	t t tsĭ ts tʃ t ts	ㅌ ㅌ 치 ㅊ ㅊ ㅌ ㅊ	Takt (takt), Tinte (tíntə) Thema (té:ma) Nation (natsĭó:n) Rätsel (rɛ́:tsəl) klatschen (klátʃən) Bitte (bítə) Katze (kátsə)
u uh ui ü üh	1) 長　閉　音 2) 短　開　音 長　閉　音 複　母　音 1) 長　閉　音 2) 短　開　音 長　閉　音	u: ʊ u: ui y: ʏ y:	우우 우 우우 우이 위이 위 위이	Ruf (ru:f) Mutter (mʊ́tər) Ruhe (rú:ə) pfui (pfui) üben (ý:bən) Hütte (hʏ́tə) kühn (ky:n)
v	1) 2) 外來語의 末尾 에서* 3) 外來語의頭音및 中間音에서	f f v	ㅍ ㅍ ㅂ	Volk (fɔlk), Frevel (fré:fəl) Dativ (dá:ti:f), brav (bra:f) Vokal(voká:l), Dative(dá:ti:və)
w		v	ㅂ	Wind (vɪnt)
x		ks	ㅋㅅ	Axt (akst), Xenie (ksé:nĭə)
y	希語系母音 1) 長　閉　音 2) 短　開　音 其　他 1) 2) 希語系, 例外 3) 4) 子音으로서	 y: ʏ i: i ɪ j	 위이 위 이이 이 이 유	 Typ (ty:p) Satyr (zá:tʏr) Ysop (í:zɔp) Zylinder (tsilíndər) Kyffhäuser (kífhɔyzər) Yard (ja:rt), York (jɔrk)
z zz		ts ts	ㅊ ㅊ	Ziel (tsi:l), Tanz (tants) Skizze (skítsə)

【注】 * 단, 그 다음에 모음이 오면 v(ㅂ)가 된다 ; brave (brá:və).

(Ⅱ) 外　來　語

ae ai ain am an au äu	1) 네덜란드系 2) 1) 프랑스系 2) 同 프랑스系(鼻音) 同　(鼻音) 同　(鼻音) 1) 2) 프랑스系 3) 同	a: a+e ɛ: ɛ ɛ̃: ã: ã: a+u o: o ä+u	아아 아에 에에 에 에엥 아앙 아앙 아우 오오 오 에우	Maeterlinck (má:tərlɪŋk) Michael (míçaɛl) Palais (palɛ́:) Renaissance (rənɛsá:s) Sainte (sɛ̃:t) Chambre (ʃã́:br(ə)r) Nuance (nyã́:sə) Menelaus (menelá:us) Sauce (zó:sə) Restaurant (rɛstorã́:) Jubiläum (jubilɛ́:um)
c ch	1) 이탈리아系 2) 프랑스계 同	tʃ s ʃ	ㅊ ㅅ 슈	Cello (tʃɛ́lo) Police (polí:sə) Chef (ʃɛ́f), Chance (ʃã́:sə)

é	1) 프 랑 스 系	e:	에에	Coupé (kupé:)
eau	同	o:	오오	Bureau (byró:)
em	同 (鼻音)	ã:	아앙	Ensemble (ãsã́:bəl)
en	同 (鼻音)	ã:	아앙	Department (departəmã́:)
eu	1)	e+u	에우	Museum (muzé:um)
	2) 프 랑 스 系	ø:	외에	Amateur (amatǿ:r)
	3) 同	œ	외	Fauteuil (fotœ́:j)
g	1) 프 랑 스 系	ʒ	쥬	Genie (zení:)
	2) 英 系	dʒ	쥬	Gin (dʒɪn)
gn	프 · 이 系	nj	뉴	Kognak (kɔ́njak)
gu	프 랑 스 系	g	ㄱ	Guillotine (gɪljotí:nə)
ier	프 랑 스 系	ĭe:	이에에	Bankier (baŋkĭé:)
il	同	i	이	Detail (detái)
ill	同	lj	류	Medaille (medáljə)
in	同 (鼻音)	ɛ̃:	에엥	Dessin (dɛsɛ̃́:)
j	프 랑 스 系	ʒ	쥬	Journal (ʒurná:l)
ll	프 랑 스 系	lj	류	Billard (bíljart)
ment	프랑스系(鼻音)	mã:	마앙	Gouvernement (gu:vɛrnəmã́:)
oi	1) 프 랑 스 系	oa:	오아아	Memoire (memoá:r)
	2) 同	oa	오아	Toilette (toalɛ́tə)
ou	1) 同	u:	우우	Cour (ku:r)
	2) 同	u	우	Cousine (kuzí:nə)
qu	프 랑 스 系	k	ㅋ	Marquis (markí:)
u	프 랑 스 系	ʏ	위	Budget (bʏdʒé:)
ue	同	y:	위이	Revue (rəvý:)
z	1) 프 랑 스 系	s	ㅅ	bronzen (brɔ̃́:sən)
	2) 同	z	ㅈ	Gaze (gá:zə)

附記 : 英語에 특유한 音標文字

æ	hat (hæt)	θ	thing (θɪŋ)
ʌ	hut (hʌt)	w	wall (wɔ:l)

(Ⅲ) 音標文字의 補助記號

1) - 複合語의 中間母音앞에 喉頭閉塞音(Kehlkopfverschlußlaut)이 있는 경우에 이 記號를 붙여서 先行子音과 연결되지 않음을 明示한다. : überall(y:bər-ál). 子音 앞에도 音의 分離를 나타내기 위하여 이 記號를 쓰고 있다 : Subjekt (zup-jɛ́kt).
2) : 先行母音이 長音임을 나타낸다 : Aal (a:l).
3) ˘ 音이 거의 한 分綴도 이루지 못할만한 短音을 나타낸다 : Lilie (lí:lĭə).
4) ˜ 母音의 鼻音化를 나타낸다 : Chance (ʃã́:sə).
5) ʼ 악센트를 나타내며 그에 해당하는 音節의 母音 위에 붙인다 : Natur (natú:r).

分 綴 法

낱말을 필요에 따라 2行으로 나눌 경우에는 일반적으로 音綴(Sprechsilbe)을 단위로 하여 행한다. 그러므로 單綴語는 나눌 수가 없다. 多綴語를 나눔에 있어서는 그 낱말을 완만히 발음할 때에 자연히 나누어지는 그 어느 쪽을 따라서 행하면 된다: Freun-des-treue, Über-lie-fe-rung, Wörter-ver-zeich-nis. 그러나 한 字母로 이루어진 綴字는 나누지 않는 것이 좋다. 分綴에 있어서는 또한 다음의 細則이 있다.

(Ⅰ) 單一語의 分綴

(1) 複母音, 重母音은 나눌 수 없다. 단, 그 이외의 並列한 두 개의 母音은
   a) 제 1 母音에 强音이 있는 경우: Muse-um.
   b) 같은 字母로서 각각으로 발음될 경우: lini-ieren, Individu-um.
   c) 少綴音이므로 母音을 나누지 않고서는 分綴이 불가능한 경우: Oze-an.
   d) 一見 複母音인 것 같으면서 각각으로 발음될 경우: Kaperna-um, Zellulo-id.

따위에 있어서는 分綴이 허용되지만, 일반적으로는 母音 상호간의 分綴은 되도록 피하는 것이 좋다.

(2) 두 母音 사이에 있는 한 개의 子音은 다음 行으로 온다: tre-ten, nä-hen, ge-hen.

(3) 複子音 중 **ch, ph, sch, ß, st, th** 는 그 어느 것이나 한 子音으로 간주되므로 나눌 수 없다: Bü-cher, Pro-phet, rau-schen, grü-ßen, La-ster, ka-tholisch.

(4) 앞의 **st**는 언제나 나눌 수 없다: ko-sten, sech-ste. 단, ästhetisch와 같이 s와 th가 결합된 경우에 한하여 äs-thetisch로 된다.

(5) 둘 이상의 子音의 경우에는 마지막 한 子音만이 다음 行으로 온다: An-ker, emp-finden, Fin-ger, Knos-pe, krat-zen, küs-sen, Rit-ter, Städ-te, Verwand-te, wach-sen.

단, ck를 나눌 때에는 k-k로 고쳐 쓸 수 있으나, 본서에서는 가급적 이를 피하였다: Brücke→Brük-ke; 또 tsch는: klat-schen처럼 나눌 수 있다.

【註 1】 외래어 중 b, p, d, t, g, k가 l 또는 r와 결합한 複子音은 한 子音으로 간주하므로 다음 行으로 온다: Pu-blikum, Me-trum, Hy-drant, elek-trisch.

【註 2】 gn는 한 字音으로 본다: Ko-gnak, Ma-gnet, Si-gnal. g가 발음되지 않는 Kompagnie에서만 Kompag-nie로 된다.

(Ⅱ) 複合語의 分綴

(6) 複合語는 되도록 낱말의 구성 요소인 單一語를 단위로 하여 나누지만, 그 밖의 곳에서 分綴할 필요가 있을 때는 前述한 單一語의 규칙을 적용한다: Diens-tag, Tür-an-gel, Vor-aus-set-zung.

이 구성 요소에 의한 分綴法이 일반적인 발음에 의한 分綴法에 반하는 경우가 생기더라도 이쪽이 중시된다: Fried-rich, hier-auf, hin-aus, war-um, be-obachten.

【註 1】 複合語인 **外來語**에도 그 규칙이 적용된다: Atmo-sphäre, Inter-esse, Mikro-skop. 또 구성요소가 불분명할 경우에는 單一語인 경우의 규칙을 적용한다.

【註 2】 複合語인 地名에도 같은 규칙이 적용된다: Frieden-au, Schwarz-ach (Friede-nau, Schwar-zach는 잘못).

(7) 前綴은 單一語로서 다룬다. 後綴에 있어서는 子音으로써 시작하는 -chen, -lein, -heit, -keit, -ling, -nis 따위는 單一語로서 다루지만, 母音으로 시작되는 -at, -el, -er, -ig, -in, -isch, -ung 따위는 基本語의 末尾子音과 결합한다: Kind-chen, kin-disch, heim-lich, Hei-mat.

(8) 單一語를 合成한 결과 한 개의 母音 앞에 同一子音이 세 개 겹치면, 그 子音 중 하나를 제거한다는 正書法이 있다. 이 같은 複合語를 分綴함에 있어서는 제거된 子音 하나를 보충해야 한다: Bettuch→Bett-tuch, Schiffahrt→Schiff-fahrt. 단, Mittag→Mit-tag (Mitt-tag는 잘못).

文 法 一 覽 表

§1. 十 品 詞

A. 語形變化를 하는 것 :

1. 冠　詞 (Artikel)
2. 名　詞 (Substantiv)
3. 代名詞 (Pronomen)
4. 形容詞 (Adjektiv)
5. 數　詞 (Numerale)

} 名詞的品詞 (Nomen)

6. 動　詞 (Verb)

B. 語形變化를 하지 않는 것 :

7. 副　詞 (Adverb)
8. 前置詞 (Präposition)
9. 接續詞 (Konjunktion)
10. 間投詞 (Interjektion)

} 不變化詞 (Partikel)

語形變化(Flexion) 중 名詞的品詞의 變化를 Deklination, 動詞의 變化를 Konjugation이라고 한다. 前者는 性·數·格의 구별을, 後者는 數·人稱·時稱·法·態의 구별을 나타낸다.

§2. 冠詞·指示代名詞·所有代名詞의 變化

			定冠詞	指示代名詞	不定代名詞	所有代名詞
單數	男性	N.	der	dieser[1]	ein	mein[2]
		G.	des	dieses	eines	meines
		D.	dem	diesem	einem	meinem
		A.	den	diesen	einen	meinen
	女性	N.	die	diese	eine	meine
		G.	der	dieser	einer	meiner
		D.	der	dieser	einer	meiner
		A.	die	diese	eine	meine
	中性	N.	das	dieses	ein	mein
		G.	des	dieses	eines	meines
		D.	dem	diesem	einem	meinem
		A.	das	dieses	ein	mein
複數	各性共通	N.	die	diese	(keine)	meine
		G.	der	dieser	(keiner)	meiner
		D.	den	diesen	(keinen)	meinen
		A.	die	diese	(keine)	meine

1) 같은 變化를 하는 것 : jener, jeder, solcher, welcher.
2) 같은 變化를 하는 것 : dein, sein, ihr, unser, euer, Ihr, kein.

§3. 指示·關係·疑問·不定代名詞의 變化

			指示代名詞	關係代名詞	疑問代名詞	不定代名詞
單	男	N.	der	der 〔welcher〕	wer	man (einer)
		G.	dessen[1]	dessen	wessen	eines
		D.	dem	dem 〔welchem〕	wem	einem
	性	A.	den	den 〔welchen〕	wen	einen
	女	N.	die	die 〔welche〕		
		G.	deren[1]	deren		
		D.	der	der 〔welcher〕		
	性	A.	die	die 〔welche〕		
	中	N.	das	das 〔welches〕	was	
數		G.	dessen[1]	dessen	(wessen)	
		D.	dem	dem 〔welchem〕	......[3]	
	性	A.	das	das 〔welches〕	was	
複	各	N.	die	die 〔welche〕		
	性	G.	deren[1], derer[2]	deren		
	共	D.	denen[1]	denen〔welchen〕		
數	通	A.	die	die 〔welche〕		

1) 形容詞的用法의 경우에는 dessen은 des, deren은 der, denen은 den이 된다.
2) 關係代名詞의 先行詞로서만 쓰인다.
3) wo(前置詞가 母音으로 시작할 때에는: wor)+前置詞의 꼴이 된다.

§4. 人稱代名詞의 變化

		一人稱	二人稱		三人稱		
			親稱	敬稱	男性	女性	中性
單	N.	ich	du	Sie	er	sie	es
	G.	meiner	deiner	Ihrer	seiner	ihrer	seiner
	D.	mir	dir	Ihnen	ihm	ihr	ihm
數	A.	mich	dich	Sie	ihn	sie	es
複	N.	wir	ihr	Sie		sie	
	G.	unser	euer	Ihrer		ihrer	
	D.	uns	euch	Ihnen		ihnen	
數	A.	uns	euch	Sie		sie	

§5. 名詞의 變化

			强	變	化	弱變化	混合變化
複數 만드는 법			第一式: 單複同型	第二式: -e를 붙임	第三式: -er를 붙임[1]	-(e)n을 붙임[2]	
A 類(變音 않음)	單數	N.	der Onkel	der Tag	das Kind	die Frau	der Staat
		G.	des Onkels	des Tages	des Kindes	der Frau	des Staates
		D.	dem Onkel	dem Tage	dem Kinde	der Frau	dem Staate
		A.	den Onkel	den Tag	das Kind	die Frau	den Staat
	複數	N.	die Onkel	die Tage	die Kinder	die Frauen	die Staaten
		G.	der Onkel	der Tage	der Kinder	der Frauen	der Staaten
		D.	den Onkeln	den Tagen	den Kindern	den Frauen	den Staaten
		A.	die Onkel	die Tage	die Kinder	die Frauen	die Staaten
B 類(强變化는 變音함)	單數	N.	der Vater	die Hand	der Mann	der Knabe	das Auge
		G.	des Vaters	der Hand	des Mannes	des Knaben	des Auges
		D.	dem Vater	der Hand	dem Manne	dem Knaben	dem Auge
		A.	den Vater	die Hand	den Mann	den Knaben	das Auge
	複數	N.	die Väter	die Hände	die Männer	die Knaben	die Augen
		G.	der Väter	der Hände	der Männer	der Knaben	der Augen
		D.	den Vätern	den Händen	den Männern	den Knaben	den Augen
		A.	die Väter	die Hände	die Männer	die Knaben	die Augen

1) 幹母音 a, o, u, au는 變音한다.
2) 變音하지 않는다.

§6. 形容詞의 變化

A. 格 變 化

			强變化	弱變化	混合變化
單數	男性	N.	guter Tee	der gute Freund	ein kleiner Stuhl
		G.	guten[1] Tees	des guten Freundes	eines kleinen Stuhles
		D.	gutem Tee	dem guten Freunde	einem kleinen Stuhle
		A.	guten Tee	den guten Freund	einen kleinen Stuhl
	女性	N.	rohe Seide	die liebe Tochter	eine rote Rose
		G.	roher Seide	der lieben Tochter	einer roten Rose
		D.	roher Seide	der lieben Tochter	einer roten Rose
		A.	rohe Seide	die liebe Tochter	eine rote Rose
	中性	N.	kaltes Bier	das große Haus	ein kleines Buch
		G.	kalten Biers	des großen Hauses	eines kleinen Buches
		D.	kaltem Bier	dem großen Hause	einem kleinen Buche
		A.	kaltes Bier	das große Haus	ein Kleines Buch
複數	各性共通	N.	schöne Frauen	die guten Freunde	meine alten Eltern
		G.	schöner Frauen	der guten Freunde	meiner alten Eltern
		D.	schönen Frauen	den guten Freunden	meinen alten Eltern
		A.	schöne Frauen	die guten Freunde	meine alten Eltern

1) 名詞의 第二格이 -(en)으로 끝날 경우에는 gutes가 된다.

B. 比 較 變 化

1. 規 則 變 化

原 級	比 較 級[1]	最 上 級[1]
～	～er	～(e)st
tief	tiefer	tiefst
weise	weiser	weisest
edel	ed(e)ler	edelst
alt	älter	ältest
kurz	kürzer	kürzest
neu	neuer	neu(e)st

2. 不 規 則 變 化

原 級	比 級 級	最 上 級
groß	größer	größt
hoch	höher	höchst
nah(e)	näher	nächst
gut	besser	best
viel	mehr	meist
wenig	{weniger minder	wenigst mindest

1) 幹母音이 a, o, u인 單綴形容詞는 대부분 變音한다.

§7. 數 詞

基 數	序 數	分 數
	der, die, das	ein
1 eins	1. erste	
2 zwei	2. zweite	½ halb
3 drei	3. dritte	⅓ drittel
4 vier	4. vierte	¼ viertel
5 fünf		
6 sechs		
7 sieben		
8 acht	(8. ach)	(⅛ ach)
9 neun		
10 zehn		
11 elf	-te	-tel
12 zwölf		
13 dreizehn		
14 vierzehn		
15 fünfzehn		
16 sechzehn		
17 siebzehn		
18 achtzehn		
19 neunzehn		
20 zwanzig	20. zwanzigste	1/20 zwanzigstel
21 einundzwanzig		
32 zweiunddreißig		
43 dreiundvierzig		
54 vierundfünfzig		
65 fünfundsechzig		
76 sechsundsiebzig	-ste	-stel
87 siebenundachtzig		
98 achtundneunzig		
100 hundert		
1000 tausend		

101 hunderteins　　384 dreihundertvierundachtzig

1002 tausendzwei　　2518 zweitausend fünfhundertachtzehn

46329 sechsundvierzigtausend dreihundertneunundzwanzig

年號 : im Jahre 1961 (neunzehnhunderteinundsechzig)

§ 8. 動詞의 變化

A. 基本的인 여러 形態

		haben	sein	werden	lieben	fahren
現在	ich	habe	bin	werde	liebe	fahre
	du	hast	bist	wirst	liebst	fährst
	er, sie, es	hat	ist	wird	liebt	fährt
	wir	haben	sind	werden	lieben	fahren
	ihr	habt	seid	werdet	liebt	fahrt
	sie (Sie)	haben	sind	werden	lieben	fahren
接續法現在	ich	habe	sei	werde	liebe	fahre
	du	habest	sei(e)st	werdest	liebest	fahrest
	er, sie, es	habe	sei	werde	liebe	fahre
	wir	haben	seien	werden	lieben	fahren
	ihr	habet	seiet	werdet	liebet	fahret
	sie (Sie)	haben	seien	werden	lieben	fahren
過去	ich	hatte	war	wurde	liebte	fuhr
	du	hattest	warst	wurdest	liebtest	fuhrst
	er, sie, es	hatte	war	wurde	liebte	fuhr
	wir	hatten	waren	wurden	liebten	fuhren
	ihr	hattet	war(e)t	wurdet	liebtet	fuhrt
	sie (Sie)	hatten	waren	wurden	liebten	fuhren
接續法過去	ich	hätte	wäre	würde	liebte	führe
	du	hättest	wärest	würdest	liebtest	führest
	er, sie, es	hätte	wäre	würde	liebte	führe
	wir	hätten	wären	würden	liebten	führen
	ihr	hättet	wäret	würdet	liebtet	führet
	sie (Sie)	hätten	wären	würden	liebten	führen
現在完了	ich	habe	bin	bin	habe	bin
	du	hast	bist	bist	hast	bist
	er, sie, es	hat } gehabt	ist } gewesen	ist } geworden	hat } geliebt	ist } gefahren
	wir	haben	sind	sind	haben	sind
	ihr	habt	seid	seid	habt	seid
	sie (Sie)	haben	sind	sind	haben	sind
接續法現在完了	ich	habe	sei	sei	habe	sei
	du	habest	sei(e)st	sei(e)st	habest	sei(e)st
	er, sie, es	habe } gehabt	sei } gewesen	sei } geworden	habe } geliebt	sei } gefahren
	wir	haben	seien	seien	haben	seien
	ihr	habet	seiet	seiet	habet	seiet
	sie (Sie)	haben	seien	seien	haben	seien
過去完了	ich	hatte	war	war	hatte	war
	du	hattest	warst	warst	hattest	warst
	er, sie, es	hatte } gehabt	war } gewesen	war } geworden	hatte } geliebt	war } gefahren
	wir	hatten	waren	waren	hatten	waren
	ihr	hattet	war(e)t	war(e)t	hattet	war(e)t
	sie (Sie)	hatten	waren	waren	hatten	waren
接續法過去完了	ich	hätte	wäre	wäre	hätte	wäre
	du	hättest	wär(e)st	wär(e)st	hättest	wärest
	er, sie, es	hätte } gehabt	wäre } gewesen	wäre } geworden	hätte } geliebt	wäre } gefahren
	wir	hätten	wären	wären	hätten	wären
	ihr	hättet	wäret	wäret	hättet	wäret
	sie (Sie)	hätten	wären	wären	hätten	wären

		haben		sein		werden		lieben		fahren	
未來	ich	werde	haben	werde	sein	werde	werden	werde	lieben	werde	fahren
	du	wirst		wirst		wirst		wirst		wirst	
	er, sie, es	wird		wird		wird		wird		wird	
	wir	werden		werden		werden		werden		werden	
	ihr	werdet		werdet		werdet		werdet		werdet	
	sie (Sie)	werden		werden		werden		werden		werden	
第一條件法	ich	würde	haben	würde	sein	würde	werden	würde	lieben	würde	fahren
	du	würdest		würdest		würdest		würdest		würdest	
	er, sie, es	würde		würde		würde		würde		würde	
	wir	würden		würden		würden		würden		würden	
	ihr	würdet		würdet		würdet		würdet		würdet	
	sie (Sie)	würden		würden		würden		würden		würden	
未來完了	ich	werde	gehabt haben	werde	gewesen sein	werde	geworden sein	werde	geliebt haben	werde	gefahren sein
	du	wirst		wirst		wirst		wirst		wirst	
	er, sie, es	wird		wird		wird		wird		wird	
	wir	werden		werden		werden		werden		werden	
	ihr	werdet		werdet		werdet		werdet		werdet	
	sie(Sie)	werden		werden		werden		werden		werden	
第二條件法	ich	würde	gehabt haben	würde	gewesen sein	würde	geworden sein	würde	geliebt haben	würde	gefahren sein
	du	würdest		würdest		würdest		würdest		würdest	
	er, sie, es	würde		würde		würde		würde		würde	
	wir	würden		würden		würden		würden		würden	
	ihr	würdet		würdet		würdet		würdet		würdet	
	sie (Sie)	würden		würden		würden		würden		würden	
現在分詞		habend		seiend		werdend		liebend		fahrend	
過去分詞		gehabt		gewesen		geworden *pass.* worden		geliebt		gefahren	
命令法		habe! *pl.* habt!		sei! *pl.* seid!		werd(e)! *pl.* werdet!		liebe! *pl.* liebt!		fahr(e)! *pl.* fahrt!	
不定形		haben		sein		werden		lieben		fahren	
過去不定形		gehabt haben		gewesen sein		geworden sein		geliebt haben		gefahren sein	

B. 受動과 能動

		受動	能動
直說法	現在	er wird geliebt	er liebt
	過去	er wurde geliebt	er liebte
	現在完了	er ist geliebt worden	er hat geliebt
	過去完了	er war geliebt worden	er hatte geliebt
	未來	er wird geliebt werden	er wird lieben
	未來完了	er wird geliebt worden sein	er wird geliebt haben
接續法	現在	er werde geliebt	er liebe
	過去	er würde geliebt	er liebte
	現在完了	er sei geliebt worden	er habe geliebt
	過去完了	er wäre geliebt worden	er hätte geliebt
	未來	er werde geliebt werden	er werde lieben
	第一條件法	er würde geliebt werden	er würde lieben
	未來完了	er werde geliebt worden sein	er werde geliebt haben
	第二條件法	er würde geliebt worden sein	er würde geliebt haben

C. 話法의 助動詞

			話法의 助動詞						例外
不定形			können	müssen	wollen	sollen	dürfen	mögen	wissen
現在變化	單數	1. ich	kann	muß	will	soll	darf	mag	weiß
		2. du	kannst	mußt	willst	sollst	darfst	magst	weißt
		3. er	kann	muß	will	soll	darf	mag	weiß
	複數	1. wir	können	müssen	wollen	sollen	dürfen	mögen	wissen
		2. ihr	könnt	müßt	wollt	sollt	dürft	mögt	wißt
		3. sie	können	müssen	wollen	sollen	dürfen	mögen	wissen
過去			konnte	mußte	wollte	sollte	durfte	mochte	wußte
過去分詞			gekonnt	gemußt	gewollt	gesollt	gedurft	gemocht	gewußt

§9. 副　　詞

장소	(a) **wo?**: hier, dort, da, draußen, oben, vorn, links, drüben, überall (b) **wohin?**: dahin, vorwärts, hinauf, herab (c) **woher?**: daher, dorther, von dannen
때	(a) **wann?**: jetzt, dann, damals, schon, neulich, bald, abends, heute, gestern, zuletzt (b) **wie lange?**: bisher, seitdem, immer, einstweilen, inzwischen, lange, zeitlebens (c) **wie oft?**: oft, häufig, selten, manchmal, niemals, wieder, täglich, einmal
方法	(a) 樣態를 나타냄 : glücklicherweise, rücklings, wohl, gern, umsonst, zusammen (b) 程度를 나타냄 : so, ganz, sehr, recht, genug, ziemlich, beinahe, nur, zu (c) 肯定否定 · 確定의 정도를 나타냄 : ja, nein, nicht, sicherlich, vielleicht, kaum, keineswegs
原因	**warum? wozu?**: deinethalben, deswegen, deshalb, daher, darum, davon, dazu

【注】1. 대다수의 형용사는 형태 그대로 副詞的으로도 쓰일 수 있다. 그 比較變化는 形容詞의 경우와 같은 꼴이다. (단 最上級은 : am ～sten)

Er schreibt schön—schöner—am schönsten.

2. 본래의 副詞로서 比較變化를 할 수 있는 것은 다음의 몇 가지에 불과하다.

gern—lieber—am liebsten　　wohl—besser—am besten

bald—eher—am ehesten　　oft—öfter—am öftesten

§10. 前　置　詞

1. 二格支配	während, wegen, halber, trotz, statt, deisseits, jenseits, oberhalb, unterhalb, außerhalb, innerhalb, um—willen
2. 三格支配	aus, außer, bei, mit, nach, nächst, seit, von, zu, entgegen, gegenüber, gemäß, zuwider
3. 四格支配	durch, für, ohne, um, gegen, wider, bis, entlang
4. 三格 · 四格支配	an, auf, hinter, in, neben, über, unter, vor, zwischen

§11. 接 續 詞

A. 對結的接續詞

(a) 並置的： **und**, auch, überdies, dann, sowohl—als auch, weder—noch, nicht nur—sondern auch, teils—teils, bald—bald
(b) 相反的： **aber**, **allein**, doch, dennoch, jedoch, indessen, sonst, **sondern**, **oder**, entweder—oder
(c) 原因的： **denn**, also, so, folglich, daher, darum, deshalb, deswegen

【注】이상에서 고딕體 낱말은 語順에 하등의 영향도 주지 않지만, 그밖의 것이 文頭에 오면 定動詞의 倒置를 가져오는 것이 보통이다.

B. 從屬的接續詞

(a) 內容을 나타낸다： daß; (疑問) ob
(b) 때： als, wenn, während, solange, sooft, sobald, nachdem, seit(dem), ehe, bevor, bis
(c) 方法： indem; ohne daß, (an)statt daß
(d) 比較： wie, als; als ob, als wenn, wie wenn
(e) 比例： je—desto 〔um so〕; je nachdem
(f) 結果： daß, so daß, so—daß; zu—als daß
(g) 原因： weil, da
(h) 目的： damit, daß, auf daß
(i) 條件： wenn; (制限) (in)sofern, (in)soweit
(j) 認容： obgleich 〔ob —gleich〕, obwohl 〔ob—wohl〕, trotzdem, wenn auch

【注】從屬的接續詞는 副文章을 이끄는 것으로서, 定動詞는 後置된다.

§12. 間 投 詞

喜悅・苦痛・驚愕・嫌惡 등을 나타냄	ah! ei! o! heisa! juchhe !—au! ach! weh! oh! o weh! —oho! aha! —hu! pfui!
注意를 환기시킴	he! heda! ho! hallo! holla! hurra! pst! st!
擬 聲 語	puff! brr! patsch! plump! bauz! ticktack!

強變化・不規則動詞表

【注】 1. 複合動詞나 派生動詞로서 그 基根語가 이 表 안에 있는 것은 대체로 생략하였다. 따라서 이를테면 anfangen은 fangen에, erfinden은 finden에 대하여 보기 바란다.
2. 〔 〕 안은 別形을, ( ) 안은 생략할 수 있음을 나타낸다.
3. 命令形은 第二人稱 單數꼴만을 보였고, 그것이 기재되어 있지 않은 것은 사용치 않음을 뜻한다.
4. 不定形에 있어서 *표를 한 것은 뜻·用法에 따라 弱變化도 된다.

不 定 形	直說法 現在	直說法 過去	接續法 過去	過去分詞	命令法
backen (빵을) 굽다	*du* bäckst *er* bäckt	**buk** **〔backte〕**	büke 〔backte〕	**gebacken**	back(e)!
befehlen 명하다	*du* befiehlst *er* befiehlt	**befahl**	beföhle 〔befähle〕	**befohlen**	befiehl!
befleißen 힘쓰다(再)	*du* befleiß(es)t *er* befleißt	**befliß**	beflisse	**beflissen**	befleiß(e)!
beginnen 시작하다	*du* beginnst *er* beginnt	**begann**	begönne 〔begänne〕	**begonnen**	beginn(e)!
beißen 물다	*du* beiß(es)t *er* beißt	**biß**	bisse	**gebissen**	beiß(e)!
bergen 감추다	*du* birgst *er* birgt	**barg**	bärge 〔bürge〕	**geborgen**	birg!
bersten 파열하다	*du* birst 〔berstest〕 *er* birst	**barst** **〔borst** od. **berstete〕**	bärste 〔börste〕	**geborsten**	birst!
bewegen* 권유하다	*du* bewegst *er* bewegt	**bewog**	bewöge	**bewogen**	beweg(e)!
biegen 굽히다	*du* biegst *er* biegt	**bog**	böge	**gebogen**	bieg(e)!
bieten 제공하다	*du* bietest *er* bietet	**bot**	böte	**geboten**	biet(e)!
binden 맺다	*du* bindest *er* bindet	**band**	bände	**gebunden**	bind(e)!
bitten 청하다	*du* bittest *er* bittet	**bat**	bäte	**gebeten**	bitt(e)!
blasen 불다	*du* bläs(es)t *er* bläst	**blies**	bliese	**geblasen**	blas(e)!
bleiben 머무르다	*du* bleibst *er* bleibt	**blieb**	bliebe	**geblieben**	bleib(e)!
bleichen* 색이 바래다	*du* bleichst *er* bleicht	**blich**	bliche	**geblichen**	bleich(e)!
braten (고기를) 굽다	*du* brätst *er* brät	**briet**	briete	**gebraten**	brat(e)!
brechen 깨(어지)다	*du* brichst *er* bricht	**brach**	bräche	**gebrochen**	brich!
brennen 불붙다	*du* brennst *er* brennt	**brannte**	brennte	**gebrannt**	brenn(e)!
bringen 초래하다	*du* bringst *er* bringt	**brachte**	brächte	**gebracht**	bring(e)!
denken 생각하다	*du* denkst *er* denkt	**dachte**	dächte	**gedacht**	denk(e)!
dingen 고용하다	*du* dingst *er* dingt	**dang** **〔dingte〕**	dingte 〔dünge *od.* dänge〕	**gedungen** **(gedingt)**	ding(e)!
dreschen 타작하다	*du* drisch(e)st *er* drischt	**drosch** **〔drasch〕**	drösche 〔dräsche〕	**gedroschen**	drisch!
dringen 밀고 나가다	*du* dringst *er* dringt	**drang**	dränge	**gedrungen**	dring(e)!
dünken 생각되다	*ich* dünke mich *es* dünkt 〔deucht〕 mich	**dünkte** **〔deuchte〕**	dünkte 〔deuchte〕	**gedünkt** **〔gedeucht〕**	

不定形	直說法		接續法	過去分詞	命令法
	現在	過去	過去		
dürfen 허락되다	*ich* darf *du* darfst *er* darf	**durfte**	dürfte	**gedurft**	
empfangen 받다	*du* empfängst *er* empfängt	**empfing**	empfinge	**empfangen**	empfang-(e)!
empfehlen 추천하다	*du* empfiehlst *er* empfiehlt	**empfahl**	empföhle 〔empfähle〕	**empfohlen**	empfiehl!
empfinden 느끼다	*du* empfind(e)st *er* empfindet	**empfand**	empfände	**empfunden**	empfind(e)!
erbleichen* 죽다	*du* erbleichst *er* erbleicht	**erblich**	erbliche	**erblichen**	erbleiche!
erkiesen 가려내다	*du* erkies(es)t *er* erkiest	**erkor** **〔erkieste〕**	erköre 〔erkieste〕	**erkoren** **〔erkiest〕**	erkies(e)!
erlöschen 꺼지다	*du* erlisch(e)st *er* erlischt	**erlosch**	erlösche	**erloschen**	erlisch!
erschallen 울리다	*du* erschallst *er* erschallt	**erscholl** **〔erschallte〕**	erschölle 〔erschallte〕	**erschollen**	erschall(e)!
erschrecken* 경악하다	*du* erschrickst *er* erschrickt	**erschrak**	erschräke	**erschro-cken**	erschrick!
erwägen 고려하다	*du* erwägst *er* erwägt	**erwog**	erwöge	**erwogen**	erwäg(e)!
essen 먹다	*du* ißt (issest) *er* ißt	**aß**	äße	**gegessen**	iß!
fahren 탈것으로 가다	*du* fährst *er* fährt	**fuhr**	führe	**gefahren**	fahr(e)!
fallen 떨어지다	*du* fällst *er* fällt	**fiel**	fiele	**gefallen**	fall(e)!
fangen 체포하다	*du* fängst *er* fängt	**fing**	finge	**gefangen**	fang(e)!
fechten 싸우다	*du* fichtst *er* ficht	**focht**	föchte	**gefochten**	ficht!
finden 발견하다	*du* find(e)st *er* findet	**fand**	fände	**gefunden**	find(e)!
flechten 짜다	*du* flichtst *er* flicht	**flocht**	flöchte	**geflochten**	flicht!
fliegen 날다	*du* fliegst *er* fliegt	**flog**	flöge	**geflogen**	flieg(e)!
fliehen 도망치다	*du* fliehst *er* flieht	**floh**	flöhe	**geflohen**	flieh(e)!
fließen 흐르다	*du* fließ(es)t *er* fließt	**floß**	flösse	**geflossen**	fließ(e)!
fragen 묻다	*du* fragst〔frägst〕 *er* fragt〔frägt〕	**fragte** **〔frug〕**	fragte 〔früge〕	**gefragt**	frag(e)!
fressen 탐식하다	*du* frißt〔frissest〕 *er* frißt	**fraß**	fräße	**gefressen**	friß!
frieren 얼다	*du* frierst *er* friert	**fror**	fröre	**gefroren**	frier(e)!
gären 발효하다	*du* gärst *er* gärt	**gor** **〔gärte〕**	göre 〔gärte〕	**gegoren** **〔gegärt〕**	gär(e)!
gebären 낳다	*du* gebierst *er* gebiert	**gebar**	gebäre	**geboren**	gebier!
geben 주다	*du* gibst *er* gibt	**gab**	gäbe	**gegeben**	gib!
gedeihen 번영하다	*du* gedeihst *er* gedeiht	**gedieh**	gediehe	**gediehen**	gedeih(e)!
geh(e)n 가다	*du* gehst *er* geht	**ging**	ginge	**gegangen**	geh(e)!
gelingen 성공하다	*es* gelingt mir	**gelang**	gelänge	**gelungen**	geling(e)!
gelten 가치있다	*du* giltst *er* gilt	**galt**	gälte 〔gölte〕	**gegolten**	gilt!
genesen 낫다	*du* genes(es)t *er* genest	**genas**	genäse	**genesen**	genese!
genießen 향락하다	*du* genieß(es)t *er* genießt	**genoß**	genösse	**genossen**	genieß(e)!

不定形	直說法		接續法	過去分詞	命令法
	現在	過去	過去		
geschehen	*es* geschieht	**geschah**	geschähe	**geschehen**	
일어나다					
gewinnen	*du* gewinnst	**gewann**	gewänne	**gewonnen**	gewinn(e)!
얻다	*er* gewinnt		〔gewönne〕		
gießen	*du* gieß(es)t	**goß**	gösse	**gegossen**	gieß(e)!
붓다	*er* gießt				
gleichen*	*du* gleichst	**glich**	gliche	**geglichen**	gleich(e)!
같다	*er* gleicht				
gleißen	*du* gleiß(es)t	**gleißte**	gleißte	**gegleißt**	gleiß(e)!
빛나다	*er* gleißt	**〔gliß〕**	〔glisse〕	**〔geglissen〕**	
gleiten	*du* gleit(e)st	**glitt**	glitte	**geglitten**	gleit(e)!
미끄어지다	*er* gleitet	**〔gleitete〕**	〔gleitete〕	**〔gegleitet〕**	
glimmen	*du* glimmst	**glomm**	glömme	**geglommen**	glimm(e)!
희미하게 빛	*er* glimmt	**〔glimmte〕**	〔glimmte〕	**〔geglimmt〕**	
graben ⌊나다	*du* gräbst	**grub**	grübe	**gegraben**	grab(e)!
파다	*er* gräbt				
greifen	*du* greifst	**griff**	griffe	**gegriffen**	greif(e)!
잡다	*er* greift				
haben	*du* hast	**hatte**	hätte	**gehabt**	hab(e)!
갖고있다	*er* hat				
halten	*du* hältst	**hielt**	hielte	**gehalten**	halt(e)!
보존하다	*er* hält				
hängen*,han-	*du* hängst	**hing**	hinge	**gehangen**	hang(e)!
gen 걸려 있	*er* hängt				
hauen ⌊다	*du* haust	**hieb**	hiebe	**gehauen**	hau(e)!
자르다	*er* haut	**〔haute〕**			
heben	*du* hebst	**hob**	höbe	**gehoben**	heb(e)!
들어올리다	*er* hebt	**〔hub〕**	〔hübe〕		
heißen*	*du* heiß(es)t	**hieß**	hieße	**geheißen**	heiß(e)!
불리다	*er* heißt				
helfen	*du* hilfst	**half**	hülfe	**geholfen**	hilf!
돕다	*er* hilft				
keifen	*du* keifst	**keifte**	keifte	**gekeift**	keif(e)!
매도하다	*er* keift	**〔kiff〕**	〔kiffe〕	**〔gekiffen〕**	
kennen	*du* kennst	**kannte**	kennte	**gekannt**	kenn(e)!
알다	*er* kennt				
kiesen*	*du* kies(es)t	**kor**	köre	**gekoren**	kies(e)!
고르다	*er* kiest				
klieben	*du* kliebst	**klob**	klöbe	**gekloben**	klieb(e)!
쪼개다	*er* kliebt	**〔kliebte〕**	〔kliebte〕	**〔gekliebt〕**	
klimmen	*du* klimmst	**klomm**	klömme	**geklommen**	klimm(e)!
기어오르다	*er* klimmt	**〔klimmte〕**	〔klimmte〕	**〔geklimmt〕**	
klingen	*du* klingst	**klang**	klänge	**geklungen**	kling(e)!
울리다	*er* klingt				
kneifen	*du* kneif(e)st	**kniff**	kniffe	**gekniffen**	kneif(e)!
꼬집다	*er* kneift				
kneipen*	*du* kneipst	**kneipte**	kneipte	**gekneipt**	kneip(e)!
꼬집다	*er* kneipt	**〔knipp〕**	〔knippe〕	**〔geknippen〕**	
kommen	*du* kommst	**kam**	käme	**gekommen**	komm(e)!
오다	(kömmst)				
	er kommt				
	〔kömmt〕				
können	*ich* kann	**konnte**	könnte	**gekonnt**	
할 수 있다	*du* kannst				
	er kann				
kreischen	*du* kreisch(e)st	**kreischte**	kreischte	**gekreischt**	kreisch(e)!
외치다	*er* kreischt	**〔krisch〕**	〔krische〕	**〔gekrischen〕**	
kriechen	*du* kriechst	**kroch**	kröche	**gekrochen**	kriech(e)!
기다	*er* kriecht				
küren	*du* kürst	**kor**	köre	**gekoren**	kür(e)!
고르다	*er* kürt	**〔kürte〕**	〔kürte〕		
laden	*du* lädst	**lud**	lüde	**geladen**	lad(e)!
쌓다	*er* lädt				
laden	*du* ladest〔lädst〕	**lud**	lüde	**geladen**	lad(e)!
초대하다	*er* ladet〔lädt〕	**〔ladete〕**	〔ladete〕		

不定形	直說法 現在	直說法 過去	接續法 過去	過去分詞	命令法
lassen 시키다	*du* läßt〔lässest〕 *er* läßt	**ließ**	ließe	**gelassen**	laß!
laufen 달리다	*du* läufst *er* läuft	**lief**	liefe	**gelaufen**	lauf(e)!
leiden 고민하다	*du* leid(e)st *er* leidet	**litt**	litte	**gelitten**	leid(e)!
leihen 빌려주다	*du* leihst *er* leiht	**lieh**	liehe	**geliehen**	leih(e)!
lesen 읽다	*du* lies(es)t *er* liest	**las**	läse	**gelesen**	lies!
liegen 가로눕다	*du* liegst *er* liegt	**lag**	läge	**gelegen**	lieg(e)!
löschen* 꺼지다	*du* lisch(e)st *er* lischt	**losch**	lösche	**geloschen**	lisch!
lügen 거짓말하다	*du* lügst *er* lügt	**log**	löge	**gelogen**	lüg(e)!
mahlen 빻다	*du* mahlst *er* mahlt	**mahlte**	mahlte	**gemahlen**	mahl(e)!
meiden 피하다	*du* meidest *er* meidet	**mied**	miede	**gemieden**	meid(e)!
melken 젖짜다	*du* milkst 〔melkst〕 *er* milkt〔melkt〕	**molk** **(melkte)**	mölke 〔melkte〕	**gemolken** **〔gemelkt〕**	melk(e)!
messen 측량하다	*du* mißt〔missest〕 *er* mißt	**maß**	mäße	**gemessen**	miß!
mißlingen 실패하다	*es* mißlingt mir	**mißlang**	mißlänge	**mißlungen**	
mögen 좋아하다	*ich* mag *du* magst *er* mag	**mochte**	möchte	**gemocht**	
müssen 해야하다	*ich* muß *du* mußt *er* muß	**mußte**	müßte	**gemußt**	
nehmen 취하다	*du* nimmst *er* nimmt	**nahm**	nähme	**genommen**	nimm!
nennen 이름짓다	*du* nennst *er* nennt	**nannte**	nennte	**genannt**	nenn(e)!
pfeifen 피리불다	*du* pfeifst *er* pfeift	**pfiff**	pfiffe	**gepfiffen**	pfeif(e)!
pflegen* 관계하다	*du* pflegst *er* pflegt	**pflog**	pflöge	**gepflogen**	pfleg(e)!
preisen 기리다	*du* preis(es)t *er* preist	**pries**	priese	**gepriesen**	preis(e)!
quellen* 솟다	*du* quillst *er* quillt	**quoll**	quölle	**gequollen**	quill!
rächen 보복하다	*du* rächst *er* rächt	**rächte**	rächte	**gerächt** **〔gerochen〕**	räch(e)!
raten 조언하다	*du* rätst *er* rät	**riet**	riete	**geraten**	rat(e)!
reiben 마찰하다	*du* reibst *er* reibt	**rieb**	riebe	**gerieben**	reib(e)!
reißen 찢다	*du* reiß(es)t *er* reißt	**riß**	risse	**gerissen**	reiß(e)!
reiten 말타다	*du* reit(e)st *er* reitet	**ritt**	ritte	**geritten**	reit(e)!
rennen 달리다	*du* rennst *er* rennt	**rannte**	rennte	**gerannt**	renn(e)!
riechen 냄새피우다	*du* riechst *er* riecht	**roch**	röche	**gerochen**	riech(e)!
ringen 격투하다	*du* ringst *er* ringt	**rang**	ränge	**gerungen**	ring(e)!
rinnen 흐르다	*du* rinnst *er* rinnt	**rann**	ränne	**geronnen**	rinn(e)!
rufen 부르다	*du* rufst *er* ruft	**rief**	riefe	**gerufen**	ruf(e)!

不定形	直說法 現在	直說法 過去	接續法 過去	過去分詞	命令法
salzen 소금에절이다	*du* salz(es)t *er* salzt	**salzte**	salzte	**gesalzen** **〔gesalzt〕**	salz(e)!
saufen 물 마시다	*du* säufst *er* säuft	**soff**	söffe	**gesoffen**	sauf(e)!
saugen 빨다	*du* saugst *er* saugt	**sog** **〔saugte〕**	söge 〔saugte〕	**gesogen** **〔gesaugt〕**	saug(e)!
schaffen* 창조하다	*du* schaffst *er* schafft	**schuf**	schüfe	**geschaffen**	schaff(e)!
schallen 울리다	*du* schallst *er* schallt	**schallte** **〔scholl〕**	schallte 〔schölle〕	**geschallt** **〔geschol-len〕**	schall(e)!
scheiden 나누다	*du* scheidest *er* scheidet	**schied**	schiede	**geschieden**	scheid(e)!
scheinen 빛나다	*du* scheinst *er* scheint	**schien**	schiene	**geschienen**	schein(e)!
scheißen 변보다	*du* scheiß(es)t *er* scheißt	**schiß**	schisse	**geschissen**	scheiß(e)!
schelten 꾸짖다	*du* schiltst *er* schilt	**schalt**	schölte 〔schälte〕	**gescholten**	schilt!
scheren 수염 깎다	*du* schierst 〔scherst〕 *er* schiert 〔schert〕	**schor** **〔scherte〕**	schöre 〔scherte〕	**geschoren** **〔geschert〕**	schier! 〔scher(e)!〕
schieben 밀다	*du* schiebst *er* schiebt	**schob**	schöbe	**geschoben**	schieb(e)!
schießen 쏘다	*du* schieß(es)t *er* schießt	**schoß**	schösse	**geschossen**	schieß(e)!
schinden 가죽 벗기다	*du* schindest *er* schindet	**schund** **〔schand〕**	schünde	**geschunden**	schind(e)!
schlafen 잠자다	*du* schläfst *er* schläft	**schlief**	schliefe	**geschlafen**	schlaf(e)!
schlagen 치다	*du* schlägst *er* schlägt	**schlug**	schlüge	**geschlagen**	schlag(e)!
schleichen 살금살금걷다	*du* scleichst *er* schleicht	**schlich**	schliche	**geschlichen**	schleich(e)!
schleifen* 닦다	*du* schleifst *er* schleift	**schliff**	schliffe	**geschliffen**	schleif(e)!
schleißen 찢다	*du* schleiß(es)t *er* schleißt	**schliß** **〔schleißte〕**	schlisse 〔schleißte〕	**geschlissen** **〔ge-schleißt〕**	schleiß(e)!
schliefen 미끄러져가다	*du* schliefst *er* schlieft	**schloff**	schlöffe	**geschloffen**	schlief(e)!
schließen 닫다	*du* schließ(es)t *er* schließt	**schloß**	schlösse	**geschlossen**	schließ(e)!
schlingen 삼키다, 짜다	*du* schlingst *er* schlingt	**schlang**	schlänge	**geschlun-gen**	schling(e)!
schmeißen 던지다	*du* schmeiß(es)t *er* schmeißt	**schmiß**	schmisse	**geschmis-sen**	schmeiß(e)!
schmelzen* 녹다	*du* schmilz(es)t *er* schmilzt	**schmolz**	schmölze	**geschmol-zen**	schmilz!
schnauben 콧숨쉬다	*du* schnaubst *er* schnaubt	**schnaubte** **〔schnob〕**	schnaubte 〔schnöbe〕	**geschnaubt** **〔geschno-ben〕**	schaub(e)!
schneiden 끊다	*du* schneidest *er* schneidet	**schnitt**	schnitte	**geschnit-ten**	schneid(e)!
schrauben 비틀다	*du* schraubst *er* schraubt	**schraubte** **〔schrob〕**	schraubte 〔schröbe〕	**geschraubt** **〔geschro-ben〕**	schraub(e)!
schrecken* 놀라다	*du* schrickst *er* schrickt	**schrak**	schräke	**ersch-rocken〔ge-schrocken〕**	schrick!
schreiben 쓰다	*du* schreibst *er* schreibt	**schrieb**	schriebe	**geschrie-ben**	schreib(e)!
schreien 외치다	*du* schreist *er* schreit	**schrie**	schriee	**ge-schrie(e)n**	schrei(e)!

不定形	直說法 現在	直說法 過去	接續法 過去	過去分詞	命令法
schreiten 걷다	*du* schreitest *er* schreitet	**schritt**	schritte	**geschritten**	schreit(e)!
schrinden 쪼개지다	*du* schrindest *er* schrindet	**schrund**	schründe	**geschrun- den**	schrind(e)!
schroten* 토막치다	*du* schrot(e)st *er* schrotet	**schrotete**	schrotete	**geschroten**	schrot(e)!
schwären 곪다	*es* schwärt 〔schwiert〕	**schwor**	schwöre	**geschwo- ren**	schwier! 〔schwär(e)!〕
schweigen* 침묵하다	*du* schweigst *er* schweigt	**schwieg**	schwiege	**geschwie- gen**	schweig(e)!
schwellen* 부풀다	*du* schwillst *er* schwillt	**schwoll**	schwölle	**geschwol- len**	schwill!
schwimmen 헤엄치다	*du* schwimmst *er* schwimmt	**schwamm**	schwömme 〔schwämme〕	**geschwom- men**	schwim- m(e)!
schwinden 꺼지다	*du* schwindest *er* schwindet	**schwand**	schwände	**geschwun- den**	schwind(e)!
schwingen 흔들다	*du* schwingst *er* schwingt	**schwang**	schwänge	**geschwun- gen**	schwing(e)!
schwören 서약하다	*du* schwörst *er* schwört	**schwur** 〔**schwor**〕	schwüre	**geschwo- ren**	schwör(e)!
sehen 보다	*du* siehst *er* sieht	**sah**	sähe	**gesehen**	sieh(e)!
sein 이다, 있다	*ich* bin *du* bist *er* ist *wir* sind *ihr* seid *sie* sind	**war**	wäre	**gewesen**	sei!
senden 보내다	*du* sendest *er* sendet	**sandte** 〔**sendete**〕	sendete	**gesandt** 〔**gesendet**〕	send(e)!
sieden 끓(이)다	*du* siedest *er* siedet	**sott** 〔**siedete**〕	sötte 〔siedete〕	**gesotten**	sied(e)!
singen 노래하다	*du* singst *er* singt	**sang**	sänge	**gesungen**	sing(e)!
sinken 가라앉다	*du* sinkst *er* sinkt	**sank**	sänke	**gesunken**	sink(e)!
sinnen 생각하다	*du* sinnst *er* sinnt	**sann**	sänne 〔sönne〕	**gesonnen**	sinn(e)!
sitzen 앉아 있다	*du* sitz(es)t *er* sitzt	**saß**	säße	**gesessen**	sitz(e)!
sollen 해야 하다	*ich* soll *du* sollst *er* soll	**sollte**	sollte	**gesollt**	
spalten 쪼개다	*du* shalt(e)st *er* spaltet	**spaltete**	spaltete	**gespalten** 〔**gespaltet**〕	spalt(e)!
speien 토하다	*du* spei(e)st *er* speit	**spie**	spiee	**gespie(e)n**	spei(e)!
spinnen 잣다	*du* sninnst *er* spinnt	**spann**	spönne 〔spänne〕	**gesponnen**	spinn(e)!
spleißen 찢다	*du* spleiß(es)t *er* spleißt	**spliß** 〔**spleißte**〕	splisse 〔spleißte〕	**gesplissen** 〔**gespleißt**〕	spleiß(e)!
sprechen 말하다	*du* sprichst *er* spricht	**sprach**	späche	**gesprochen**	sprich!
sprießen 싹을 내다	*du* sprieß(es)t *er* sprießt	**sproß**	sprösse	**gesprossen**	sprieß(e)!
springen 뛰다	*du* springst *er* springt	**sprang**	spränge	**gesprungen**	spring(e)!
stechen 찌르다	*du* stichst *er* sticht	**stach**	stäche	**gestochen**	stich!
stecken* 꽂혀 있다	*du* steckst 〔stickst〕 *er* steckt 〔stickt〕	**stak** 〔**steckte**〕	stäke 〔steckte〕	**gesteckt**	steck(e)! 〔stick!〕
steh(e)n 서 있다	*du* stehst *er* steht	**stand** 〔**stund**〕	stände 〔stünde〕	**gestanden**	steh(e)!

不定形	直說法		接續法	過去分詞	命令法
	現在	過去	過去		
stehlen 훔치다	*du* stiehlst *er* stiehlt	**stahl**	stöhle 〔stähle〕	**gestohlen**	stiehl!
steigen 오르다	*du* steigst *er* steigt	**stieg**	stiege	**gestiegen**	steig(e)!
sterben 죽다	*du* stirbst *er* stirbt	**starb**	stürbe	**gestorben**	stirb!
stieben 흩어지다	*du* stiebst *er* stiebt	**stob** 〔**stiebte**〕	stöbe 〔stiebte〕	**gestoben** 〔**gestiebt**〕	stieb(e)!
stinken 악취나다	*du* stinkst *er* stinkt	**stank**	stänke	**gestunken**	stink(e)!
stoßen 찌르다	*du* stöß(es)t *er* stößt	**stieß**	stieße	**gestoßen**	stoß(e)!
streichen 쓰다듬다	*du* streichst *er* streicht	**strich**	striche	**gestrichen**	streich(e)!
streiten 투쟁하다	*du* streitest *er* streitet	**stritt**	stritte	**gestritten**	streit(e)!
tragen 나르다	*du* trägst *er* trägt	**trug**	trüge	**getrangen**	trag(e)!
treffen 맞히다	*du* triffst er trifft	**traf**	träfe	**getroffen**	triff!
treiben 몰다	*du* treibst *er* treibt	**trieb**	triebe	**getrieben**	trieb(e)!
treten 밟다	*du* trittst *er* tritt	**trat**	träte	**getreten**	tritt!
triefen 듣다, 떨어지다	*du* triefst *er* trieft	**troff** 〔**triefte**〕	tröffe 〔triefte〕	**getrieft** 〔**getroffen**〕	trief(e)!
trinken 마시다	*du* trinkst *er* trinkt	**trank**	tränke	**getrunken**	trink(e)!
trügen 속이다	*du* trügst *er* trügt	**trog**	tröge	**getrogen**	trüg(e)!
tun 하다	*ich* tue *du* tust *er* tut *wir* tun	**tat**	täte	**getan**	tu(e)!
verbleichen 빛이 바래다	*du* verbleichst *er* verbleicht	**verblich**	verbliche	**verblichen**	verblei- ch(e)!
verderben* 망하다	*du* verdirbst *er* verdirbt	**verdarb**	verdürbe	**verdorben**	verdirb!
verdrießen 화나게 하다	*du* verdrieß(es)t *er* verdrießt	**verdroß**	verdrösse	**verdrossen**	verdrieß(e)!
vergessen 잊다	*du* vergißt 〔vergissest〕 *er* vergißt	**vergaß**	vergäße	**vergessen**	vergiß!
verhehlen 숨기다	*du* verhehlst *er* verhehlt	**verhehlte**	verhehlte	**verhehlt** 〔**verhohlen**〕	verhehl(e)!
verlieren 잃다	*du* verlierst *er* verliert	**verlor**	verlöre	**verloren**	verlier(e)!
verwirren 혼란케 하다	*du* verwirrst *er* verwirrt	**verwirrte**	verwirrte	**verwirrt** 〔**verworren**〕	verwirr(e)!
wachsen 자라다	*du* wächs(es)t *er* wächst	**wuchs**	wüchse	**gewachsen**	wachs(e)!
wägen (무게를)달다	*du* wägst *er* wägt	**wog** 〔**wägte**〕	wöge 〔wägte〕	**gewogen** 〔**gewägt**〕	wäg(e)!
waschen 씻다	*du* wäsch(e)st *er* wäscht	**wusch**	wüsche	**gewaschen**	wasch(e)!
weben 짜다	*du* webst *er* webt	**webte** 〔**wob**〕	webte 〔wöbe〕	**gewebt** 〔**gewoben**〕	web(e)!
weichen* 대피하다	*du* weich(e)st *er* weicht	**wich**	wiche	**gewichen**	weich(e)!
weisen 가리키다	*du* weis(es)t *er* weist	**wies**	wiese	**gewiesen**	weis(e)!
wenden 돌리다	*du* wendest *er* wendet	**wandte** 〔**wendete**〕	wendete	**gewandt** 〔**gewendet**〕	wend(e)!
werben 구하다	*du* wirbst *er* wirbt	**warb**	würbe	**geworben**	wirb!

不定形	直說法 現在	直說法 過去	接續法 過去	過去分詞	命令法
werden 되다	*du* wirst *er* wird	**wurde** 〔**ward**〕	würde	**geworden** 〔**worden**〕	werd(e)!
werfen 던지다	*du* wirfst *er* wirft	**warf**	würfe	**geworfen**	wirf!
wiegen* 무게를 달다	*du* wiegst *er* wiegt	**wog**	wöge	**gewogen**	wieg(e)!
winden 감다	*du* windest *er* windet	**wand**	wände	**gewunden**	wind(e)!
wissen 알다	*ich* weiß *du* weißt *er* weiß *ihr* wißt	**wußte**	wüßte	**gewußt**	wisse!
wollen 원하다	*ich* will *du* willst *er* will	**wollte**	wollte	**gewollt**	wolle!
wringen 짜다	*du* wringst *er* wringt	**wrang**	wränge	**gewrungen**	wring(e)!
zeihen 나무라다	*du* zeihst *er* zeiht	**zieh**	ziehe	**geziehen**	zeih(e)!
ziehen 당기다	*du* ziehst *er* zieht	**zog**	zöge	**gezogen**	zieh(e)!
zwingen 강제하다	*du* zwingst *er* zwingt	**zwang**	zwänge	**gezwungen**	zwing(e)!

❖ 민중서림의 사전 ❖

사전	판형	면수
국어대사전	4×6배판	4,784면
엣센스 국어사전	4×6판	2,856면
엣센스 영한사전	4×6판	2,936면
엣센스 한영사전	4×6판	2,704면
엣센스 영영한사전	4×6판	2,048면
엣센스 일한사전	4×6판	2,848면
엣센스 한일사전	4×6판	2,136면
엣센스 독한사전	4×6판	2,784면
엣센스 한독사전	4×6판	2,104면
엣센스 불한사전	4×6판	2,208면
엣센스 中韓辭典	4×6판	3,344면
엣센스 스페인어사전	4×6판	1,816면
엣센스 한서사전	4×6판	2,776면
엣센스 국어사전[가죽]	4×6판	2,856면
엣센스 영한사전[가죽]	4×6판	2,936면
엣센스 한영사전[가죽]	4×6판	2,704면
엣센스 국어사전[특장판]	국판	3,080면
엣센스 영한사전[특장판]	국판	3,272면
엣센스 한영사전[특장판]	국판	3,032면
엣센스 일한사전[특장판]	국판	3,328면
엣센스 한일사전[특장판]	국판	2,552면
엣센스 中國語 辭典[특장판]	국판	3,344면
신일한사전[예해]	4×6판	1,154면
신한일사전[예해]	4×6판	1,168면
엣센스 실용일한사전	4×6판	1,864면
엣센스 日本語漢字읽기사전	4×6판	2,080면
일본外來語·カタカナ語사전	4×6판	1,536면
포켓영한사전	3×6판	976면
포켓한영사전	3×6판	928면
포켓영한·한영사전	3×6판	1,904면
포켓한서사전	3×6판	1,096면
포켓스페인어사전	3×6판	1,184면
엣센스 신일한소사전[포켓판]	3×6판	1,056면
엣센스 신한일소사전[포켓판]	3×6판	1,120면
엣센스 일한·한일사전[포켓판]	3×6판	2,176면
엣센스 新韓中소사전[포켓판]	3×6판	416면
엣센스 韓中활용사전	3×6판	1,184면
신영한소사전	3×5판	976면
신한영소사전	3×5판	928면
핸디영한사전	3×5판	976면
핸디한영사전	3×5판	928면
핸디영한·한영사전	3×5판	1,904면
신일한소사전	3×5판	1,056면
신한일소사전	3×5판	1,120면
일한·한일사전	3×5판	2,176면
신독한소사전	3×5판	720면
신한독소사전	3×5판	544면
독한·한독사전	3×5판	1,264면
신불한소사전	3×5판	832면
한독사전	신국판	2,104면
漢韓大字典	국판	2,528면
漢韓大字典	크라운판	2,528면
민중 活用玉篇	3×6판	832면
最新弘字玉篇	4×6판	960면
단위어사전	신국판	872면
엣센스 한자사전	4×6판	2,448면
엣센스 기초한자사전	4×6판	608면
엣센스 실용한자사전	3×6판	1,380면
민중실용국어사전	4×6판	1,832면
초등학교 으뜸국어사전	3×6판	1,072면
초등학교 민중새국어사전	3×6판	1,024면
영어사용법사전	국판	1,752면
엣센스 칼리지영한사전	4×6판	2,072면
엣센스 실용영한사전	4×6판	1,888면
엣센스 실용한영사전	4×6판	1,936면
엣센스 영어숙어사전	국판	1,440면
엣센스 실용영어회화사전	국판	1,400면
엣센스 생활영어회화	국판	720면
엣센스 실용포르투갈어회화사전	4×6판	884면
엣센스 여행7개국어회화	4×6판	576면
엣센스 실용일본어회화사전	4×6판	1,240면
엣센스 현대중국어회화사전	국판	1,270면
고교영어 단어 숙어 문법 총정리	3×6판	1,176면
엣센스 수능영어사전	4×6판	960면
엣센스 어린이영어사전	국판	544면
엣센스 초등영어사전	크라운판	488면
엣센스 초등한자사전	크라운판	424면
엣센스 중학수학풀이사전	4×6배판	712면
엣센스 중학영한사전	4×6판	1,088면
러한전문용어사전	4×6판	760면

머 리 말

이 사전은 민중서림의 소사전(小辭典) 시리즈의 하나인 「신독한 사전」의 자매편(姉妹篇)으로서 편집된 책이다. 일찌기 우리는 1970년에 「신독한 소사전」에 150여 면의 분량으로 된 「한독편」을 덧붙여 내놓음으로써 한독 사전에 대한 일시 응변의 시급한 수요(需要)를 충당케 하였거니와, 그것은 어디까지나 일시적이고 부차적(副次的)인 구실밖에 하지 못한다는 것을 익히 알고, 하루 속히 본격적인 모습을 갖춘 한독 사전의 편찬을 이룩하기를 목표 삼아 왔었다.

본디, 우리 편집진은 1964년에 「신독한 소사전」을 엮어 낸 다음 곧이어 한독 소사전의 편찬을 기획하여 실지로 3만여 매의 카드 원고를 작성까지 하였으나, 독한 사전과도 달라 워낙 어려운 작업인데다가 인력면(人力面)의 변동도 겹쳐서 중단(中斷)된 채로 묵혀져 있었던 것이다.

그 뒤 10여 년의 세월(歲月)이 흘러 「신독한 소사전」의 전면 개정판(改訂版)을 꾸미게 된 것을 계기(契機)로 하여, 이때까지 부록(附錄)의 성격을 벗어나지 못하였던 「한독편」을 따로 독립시켜 제대로의 알맹이를 지닌 별개로의 사전으로 키워 보기로 작정하였다.

막상 묵은 카드 뭉치를 풀어 정리(整理)를 하려니, 오랜 시일의 경과와 그에 따른 독일어 및 국어의 언어 현실(現實)의 변모로 많은 부분을 버리고 모든 원고를 새로 쓰다시피 하였다. 우리는 초심자(初心者)는 물론이요, 상당한 정도의 학력 수준에 오른 이에게도 요긴하게 쓰일 수 있는 간편하고 실용적(實用的)인 사전을 만들기로 안표(眼標)를 잡아서, 차근차근 작업을 진행하여 나갔다.

비록 판형(版型)은 작다고 하나, 상당한 수의 우리 말 표제 어휘를 망라하였으며, 독일어의 대역(對譯)도 현대 독일의 자연스럽고 일반적인 일상 용어를 주로 하여 실용성에 역점을 두었다.

물론 이 사전에 불비한 점, 바로잡아야 할 곳이 많을 줄 짐작하지만, 요만한 부피의 휴대용 한독 사전으로서는 하나의 길잡이 노릇을 능히 해 낼 수 있을 것으로 본다.

힘에 부치는 과업을 끝마치면서, 애용자 여러분의 기탄없는 교시(教示)와 편달을 빌어 마지 않는다. 완벽한 사전이 하루 아침에 이루어질 수 없고 이용자 여러분의 끊임없는 채찍질에 의해서만 한발 한발 알찬 결실로 다가서게 된다는 것을 우리는 오랜 경험을 통해서 잘 알고 있음으로써이다.

1982 년 2 월

민중서림 편집국

1988년 1월 문교부에서 고시한 '한글 맞춤법'과 '표준어 규정' 및 1990년 9월 문화부에서 고시한 '표준어 모음'에 의거하여 표제어와 주석 내용을 재정비하였음을 알려 드립니다.

1994 년 2 월

민중서림 편집국

일 러 두 기

A 표 제 어

(1) **자체** 모든 표제어는 고딕체로 표기하였고, 그것이 한자어인 경우에는 이를 표제어 다음에 ( ) 속에 명조체로 표기하였다.

보기 : 어린이; 성공(成功)

(2) **배열** a) 모든 표제어는 가나다순으로 배열하였다

b) 동음 이의어는 우리말·한자어·외래어·접미어 등의 순으로 하되, 한자어끼리는 자획수순으로 하였다.

보기 : 아, 아(亞), 아(阿), 아-(亞)

c) 표제어 중 글자와 음이 같은 것은 그 각각의 오른편 위에 숫자 1, 2, 3 등을 붙여 구분하여 실었다.

(3) **된발음의 한자어** 관용상 된발음이 나는 한자어라도 이는 모두 원음대로 표기하였다.

보기 : 외과(外科), 초점(焦點)

(4) **접두어·접미어** 표제어 중 접두어·접미어는 각기 그 앞뒤에 「-」를 붙였다.

보기 : 초-(超), -쯤

(5) **표제어의 병기** 표제어의 배열상 지장이 없는 한 동의어이거나 준말일 경우에는 이를 병기하였다.

보기 : 겉껍데기, 겉껍질

(6) **한자어와 우리말의 합성어** 표제어 중 한자어와 우리말의 합성어는 우리말에 해당되는 부분을 「—」로 표시하여 ( ) 안의 한자 앞뒤에 넣었다.

보기 : 약손가락(藥—), 앞차(—車)

(7) **「하다」「의」 등** 표제어를 어간으로 하여 「하다」「의」「적」「히」 등이 붙어서 널리 쓰이는 경우에는 지면상(紙面上) 표제어 다음이나 또는 역어 다음에 표제어 상당 부분을 ～로 하여 이에 하다, 의, 적 등을 보이고 역어를 실었다.

보기 : 애호(愛護) ～하다, 기불(旣拂) ～의, 다변(多邊) ～적

B 본 문

(1) **뜻구분** 한 표제어가 두 가지 이상의 뜻을 지니고 있을 경우에는 ①②③으로 구분하여 이에 《 》으로 그 개개의 뜻을 우리말로 나타내었으되, 간단한 것에는 《 》만으로 구분하였다.

보기 : 약과(藥果) ① 《과줄》…… ② 《쉬움》……

야물다《씨 따위가》……《일 따위가》……

(2) **역어**(譯語)(독일어)

a) **명사** ① 원칙적으로 관사를 붙이지 않고, 독한 사전에 준하여 성(性), 단수 2격(여성 명사에는 생략), 복수 1격을 보여 주었다.

보기 : Dakaporuf *m.* -(e)s, -e; Schürze *f.* -n.

단, 수식어가 붙는 역어에서는 대체로 관사를 보여 주었다.

보기 : das lodernde Feuer, -s, -.

② 변화형에서 원형 전체를 표시할 때에는 -, 그 일부에서 철자가 바뀔 때에는 변하지 않는 부분을 ..로 표시하였다.

보기 : Vorderfuß *m.* -es, ⸚e; Kokosnuß *f.* ..nüsse*s*, ..nüsse.

③ 형용사·분사를 명사화한 것은 정관사(원칙적으로 der)를 붙이고, 단수 2격과 복수 1격을 보였으며, 낱말 오른쪽 위에 *표를 하였다.
보기 : der Alte*, -n, -n; der Wilde*, -n, -n.

④ 동사의 부정형을 명사화한 것은 정관사 das를 붙이고, 단수 2격을 보였으며, 낱말 오른편 위에 *표를 붙였다.
보기 : das Überreichen*, -s; das Sparen*, -.

⑤ 복수형으로만 쓰는 명사에는 (*pl.*)을 표시하였다.
보기 : Eltern (*pl.*)

⑥ 한 표제어 속에서 같은 역어가 다시 나올 때에는 원칙적으로 뒤 낱말에는 성·단수 2격·복수 1격을 안 보였다.

⑦ 명사 자체의 격을 표시할 필요가 있을 때에는 그 왼쪽 위에 이를 숫자로 표시하였다.
보기 : sein [4]Herz an *jn.*; [3]Frieden (regiert) sein.

b) **형용사** 표제어가 형용사인 역어에는 뒤에 (sein)을 붙였다.
보기 : 야릇하다 fremdartig (sein)

c) **대명사·수사** 어형 변화하는 대명사·수사에는 오른쪽 위에 *표를 붙였다.

d) **동사** ① 불규칙 변화를 하는 동사에는 그 오른쪽 위에 *표를 붙이고, 규칙·불규칙 두 가지 변화를 하는 동사에는 (*)표를 붙였다.
보기 : e-e Arznei (ein|)nehmen*, senden(*).

② 분리 동사에는 사이에 |를 넣었다.
보기 : aus|lassen*; ab|kürzen

③ 타동사로서 그것이 취하는 보족어의 격을 표시하기 위해서는 그 동사의 오른쪽 위에 숫자를 붙였다.
보기 : verkürzen[4]
또 격지배가 일정치 않을 때에는 번호 사이에「·」를 넣어 병기하거나 ( ) 속에 보여 주었다.
보기 : trotz[2·3]; [4]sich erinnern[(2)] 《*an*[4]》

④ 두가지 보족어를 동시에 취하는 경우에는 [34] 혹은 [44]로 병기하였다.
보기 : übertragen[34]
단 두 보족어 중 하나가 사람일 경우에는 아래와 같이 하였다.
보기 : danken 《*jm. für*[4]》; berauben 《*jn.* [2]*et.*》 또는 *jn.* berauben[2]

e) **전치사** 전치사에는 그것의 격지배를 오른쪽 위에 숫자로 표시하였다.
보기 : Vorliebe haben 《*für*[4]; *zu*[3]》.

(3) 예문

a) **용례** 표제어에 따라 적절한 용례를 ¶표로 시작하여 넣었다.

b) **복합어** 복합어는 역어·용례 다음에 ‖표로 넣되 복합어에 따르는 용례는 그 어역 뒤에 ( )로 보였다. 이때 복합어 중 표제어에 해당되는 부분은 ～로 나타내었다.
보기 : 활동(活動) Wirksamkeit 〔Tätigkeit〕 *f.* -en. ‖ ～력 Aktivität *f.* -en (～력 있는 aktiv; energisch).

c) **외자의 복합어** 외자로 된 복합어는 그 항에 용례를 넣거나 따로 표제어로 수록하였다.

d) **복합어의 순서** 복합어의 순서는「표제어＋명사」「명사＋표제어」「명사＋표제어＋명사」의 순으로 하였다.
보기 : 개발(開發) 《개간》 Urbarmachung *f.* -en. ‖ ～ 도상국 Entwicklungsland *n.* -(e)s, ⸗er/ 저～국 das unentwikelte land.

C 기 호

～ 표제어를 대신한다.

보기 : 열람(閱覽)……. ～하다……. ‖～실…….

¶ 용례가 시작됨을 가리킨다.

‖ 복합어가 시작됨을 가리킨다.

( ) 생략될 수 있음을 나타낸다.

보기 : (ver)kürzen =verkürzen, kürzen.
dasselbe (wie oben) =dasselbe wie oben, dasselbe.

《 》 표제어의 뜻을 구분한다.

《 》 a) 문법상·어법상의 관계를 보이기 위해 전치사·보족어 따위를 기입할 때 쓴다.

b) 우리말 설명어에도 쓴다.

보기 : 열풍(熱風) Siroko *m.* -s, -s 《지중해의》.
연착륙(軟着陸) ～하다 weich landen 《*auf*³》.

c) 속어·소아어·비어 등을 표시할 때 쓴다.

보기 : 원기(元氣) 《俗》 Mumm *m.* -s.
할머니 《小兒》 Oma *f.* -s.

〔 〕 대체될 수 있음을 나타낸다.

보기 : 열녀(烈女) die heldenhafte 〔tapfere〕 Frau, -en.
=die heldenhafte Frau, -en.
=die tapfere Frau, -en.

〖 〗 문법적인 설명을 보여줄 때 쓴다.

【 】 전문 용어임을 나타낼 때 쓴다.

‥ 활용꼴에서 변화하지 않는 부분을 나타낸다.

보기 : Praktikum *n.* -s, ..ken.

a) 활용꼴에서 표제어 전체를 대신한다.

보기 : Anwesenheit *f.* -en.

b) 역어에서 생략한 부분을 가리킨다.

보기 : Wärme·bearbeitung 〔-behandlung〕
=Wärmebearbeitung; Wärmebehandlung

분리 동사의 분리되는 곳을 표시한다.

보기 : ein|teilen; auf|bewahren

용례나 복합어가 둘 이상일 때 그 사이를 구분한다.

보기 : 양심(良心)……. ¶～의 가책 Gewissensangst *f.* / ～의 가책을 받다 ein böses Gewissen haben.
약혼(約婚)……. ‖～ 반지 Verlobungsring *m.* -(e)s, -e / ～자 der 〔die〕 Verlobte*, -n, -n.

★ 보충 설명을 할 때 표시하였다.

☞ 참조 표시.

= 동의어 표시.

e-e	eine	*m.*	Maskulinum 남성명사
e-m	einem	*n.*	Neutrum 중성명사
e-n	einen	od〔*od.*〕	oder
e-r	einer	*pl.*	Plural 복수명사
e-s	eines	s-e	seine
et.	etwas	s-m	seinem
f.	Femininum 여성명사	s-n	seinen
jm.	jemandem	s-r	seiner
jn.	jemanden	s-s	seines
js.	jemandes	u.〔*u.*〕	und
k-e	keine	*usw.*	und so weiter
k-s	keines		

〔가톨릭〕	가톨릭教	〔獵〕	狩獵
〔坑〕	鑛山	〔映〕	映畫
〔建〕	建築	〔醫〕	醫學
〔經〕	經濟	〔理〕	理學
〔競〕	競技	〔印〕	印刷
〔空〕	空軍	〔電〕	電氣
〔工〕	工學	〔政〕	政治
〔鑛〕	鑛物	〔鳥〕	鳥類
〔軍〕	軍事	〔宗〕	宗教
〔機〕	機械	〔證〕	證券
〔農〕	農業	〔地〕	地質・地理
〔動〕	動物	〔天〕	天文
〔文〕	文法	〔哲〕	哲學
〔物〕	物理	〔體〕	體育・體操
〔美〕	美術	〔蹴〕	蹴球
〔法〕	法律	〔蟲〕	昆蟲
〔簿〕	簿記	〔貝〕	貝類
〔史〕	歷史	〔漢醫〕	漢醫學
〔寫〕	寫眞	〔解〕	解剖
〔商〕	商業	〔海〕	航海・造船
〔生〕	生物	〔化〕	化學
〔聖〕	聖書	〔畫〕	繪畫
〔數〕	數學	《古》	古語
〔植〕	植物	《方》	方言
〔神〕	神話	《比》	比喩
〔野〕	野球	《俗》	俗語
〔藥〕	藥劑	《小兒》	小兒語
〔魚〕	魚類	《詩》	詩語

KOREANISCH-DEUTSCHES WÖRTERBUCH

ㄱ

가 《가장자리》 Rand *m.* -(e)s, ¨er; Saum *m.* -(e)s, ¨e; 《옆》 Seite *f.* -n. ¶ 길가에 am Wege; an der Straße.

가-(假) vorläufig; zeitweilig; temporär; provisorisch; 《가짜》 falsch; scheinbar. ¶ 가계약 ein provisorischer Vertrag, -(e)s, ¨e / 가출옥 die vorläufige Entlassung, -en.

-가(家) 《사람》 Meister *m.* -s, -; Fachmann *m.* -s, ..leute; Spezialist *m.* -en, -en; 《집안》 Familie *f.* -n.

-가(街) …-straße *f.* -n; 《略》 …-str.

-가(歌) 《…노래》 Lied *n.* -(e)s, -er; Gesang *m.* -(e)s, ¨e.

가가호호(家家戶戶) 〖副詞的〗 von Haus zu Haus; von Tür zu Tür; vor jedem Hause.

가감(加減) 〖數〗 Addition u. Subtraktion; 《증감》 die Zu- u. Abnahme; 《조절》 Reg(e)lung 〔Regulation〕 *f.* -en; 《고려》 Berücksichtigung *f.* -en.

가건물(假建物) das provisorische Gebäude, -s, -.

가게 Laden *m.* -s, ¨; Geschäft *n.* -(e)s, -e; Bude *f.* -n. ¶저 ～는 7시에 닫는다 Das Geschäft schließt um 7 Uhr. ‖구멍～ Kramladen.

가격(價格) Preis *m.* -es, -e; Wert *m.* -(e)s, -e. ¶～이 오르다〔내리다〕 im Preis steigen* 〔sinken*〕. ‖시장 ～ Marktpreis *m.*

가결(可決) Bewilligung *f.* -en. ～하다 bewilligen^{4}; an|nehmen*^{4}. ¶～(이) 되다 durch|gehen*; angenommen werden.

가경(佳境) 《경치 좋은》 die schöne Landschaft, -en; 《이야기의》 der fesselnde Teil, -(e)s, -e 《der Erzählung》.

가계(家系) Geschlecht *n.* -(e)s, -er; Stamm *m.* -(e)s, ¨e.

가계(家計) Haushalt *m.* -(e)s; Hauswirtschaft *f.* -en. ‖～부 Haushaltungsbuch *n.* -(e)s, ¨er.

가계약(假契約) ☞ 가-(假).

가곡(歌曲) Gesang *m.* -(e)s, ¨e; Lied *n.* -(e)s, -er; 《곡조》 Weise *f.* -n. ‖～집 Liederbuch *n.* -(e)s, ¨er.

가공(加工) ～하다 be〔ver〕arbeiten^{4}. ‖～품 Manufakturwaren (*pl.*).

가공(架空) ～의 erdichtet; eingebildet; imaginär. ¶～의 인물 die imaginäre 〔erdichtete〕 Person, -en.

가관(可觀) Anblick *m.* -(e)s, -e 《경치》. ¶그녀의 넘어진 꼴이란 ～이었다 Es lohnte sich zu sehen, wie sie fiel.

가교(架橋) Brückenbau *m.* -(e)s, -ten.

가교(假橋) Not〔Behelfs〕brücke *f.* -n.

가구(家口) Haushalt *m.* -(e)s, -e. ‖～주 Haushaltungsvorstand *m.* -(e)s, ¨e; Familienhaupt *n.* -(e)s, ¨er.

가구(家具) Hausgerät *n.* -(e)s, -e; Möbel *n.* -s, -.

가권(家眷) die ganze Familie, -n; Sippe *f.* -n; die Seinigen* (*pl.*).

가규(家規) Hausordnung *f.* -en; Familienbrauch *m.* -s, ¨e 《가풍》.

가극(歌劇) Oper *f.* -n.

가금(家禽) Geflügel〔Federvieh〕 *n.* -s.

가급적(可及的) möglichst. ¶～ 빨리 so schnell wie möglich.

가까스로 mit genauer 〔knapper〕 Not; kaum; knapp; mühsam.

가까워지다 ① 《거리·동안》 ^{4}sich nähern^{3}; (^{4}sich) nahen^{3}. ¶시험 때가 가까워졌다 Das Examen ist nahe 〔steht vor der Tür〕. ② 《교분》 (näher) bekannt werden (*mit*^{3}).

가깝다 ① 《시간적》 kurz〔nächst; baldig〕 (sein). ¶가까운 장래에 in der nächsten Zukunft. ② 《공간적》 nahe 〔kurz 《길따위》〕 (sein); nahe dabei (sein) 《접근》. ¶우체국까지는 어느 길이 제일 가까우냐 Welches ist der kürzeste Weg nach der Post? ③ 《관계》 nahe〔eng; vertraut; intim〕 (sein). ¶가까운 친척이다 mit *jm.* eng verwandt sein. ④ 《근사》 ähnlich (sein); 《거의》 fast 〔beinahe〕 …sein. ¶60세에 ～ nahe an die Sechzig sein.

가꾸다 ① 《식물 따위를》 ziehen*^{4}; besorgen^{4}; pflegen$^{(*)4}$; putzen^{4}. ¶꽃을 ～ Blumen ziehen* 〔kultivieren〕. ② 《꾸미다》 schmücken^{4}; (ver)zieren^{4}. ¶외모를 ～ ^{4}sich zieren.

가끔 ① 《이따금》 gelegentlich; zuweilen; ab und zu. ② 《종종》 oft; öfters; häufig.

가나오나 wo man auch hinkommt; wohin man auch geht; wo auch immer.

가난 Armut *f.* ～하다 arm 〔dürftig〕 (sein). ‖～뱅이 der Arme*, -n, -n.

가내(家內) Familie *f.* -n. ‖～공업(工業) Hausindustrie *f.* -n.

가냘프다 schlank 〔fein; zart; schwach; dünn〕 (sein).

가누다 beherrschen^{4}; im Zaum halten*^{4}.

가느다랗다 dünn 〔schlank; schmal; fein〕 (sein).

가느스름하다 ziemlich dünn (sein).

가는귀먹다 etwas schwerhörig sein.

가늘다 fein 〔dünn; schmal〕 (sein). ¶가는 베 feines Leinen, -s, - / 가는 허리 die schmale Hüfte, -n.

가늠 ① 《겨냥》 das Zielen*, -s; Visierung *f.* -en. ② 《어림》 Mutmaßung *f.* -en; Vermutung *f.* -en. ‖ ~쇠 (Visier-)korn *n.* -(e)s, ⸗er / ~자 Visier *n.* -s, -e.

가능(可能) Möglichkeit *f.* -en. ~하다 möglich (sein); können*. ¶ ~한 한 빨리 möglichst schnell. ‖ ~성 Möglichkeit *f.* -en (전혀 ~성이 없다 ganz 〔völlig〕 unmöglich sein).

가다 ① 《향하여》 gehen*; ^{4}sich begeben*; kommen*; 《타고》 fahren*. ② 《죽다》 sterben*; hin|scheiden*. ③ 《맛이》 (an Geschmack) verlieren*. ④ 《전깃불 따위가》 aus|gehen*; (er)löschen*. ¶ 전깃불이 갔다 Das Licht ging aus. ⑤ 《시간이》 vergehen*; verfließen*. ¶ 또 한 해가 갔다 Es ist wieder ein Jahr vergangen. ⑥ 《소요됨》 brauchen^{4}; kosten^{4}; erfordern^{4}. ¶ 손이 많이 가야 한다 Es erfordert viel Mühe. ⑦ 《값이》 kosten; wert^{4} sein. ¶ 천원 이상 ~ über tausend *Won* kosten. ⑧ 《지탱》 (^{4}sich) halten*; dauern; ^{4}sich tragen*. ¶ 그 옷은 오래 간다 Der Anzug trägt sich lange. ⑨ 《짐작 등이》 kommen* 《*auf*^{4}》. ¶ 전혀 짐작이 안 간다 Ich habe ja k-e Ahnung. ⑩ 《등급》 stehen*. ¶ 첫째 ~ obenan stehen*.

가다가 《이따금》 ab u. zu; hin u. wieder; von Zeit zu Zeit.

가다듬다 ordnen^{4}; an|spannen^{4}; beruhigen^{4}.

가닥 Strähne *f.* -n; Strang *m.* -(e)s, ⸗e.

가담(加擔) ~하다 bei|stehen* 《*jm.*》; für *jn.* Partei nehmen*; teil|nehmen* 《*an*^{3}》; ^{4}sich beteiligen 《*an*^{3}; *bei*^{3}》.

가당찮다(可當—) ungerecht 〔unbillig; unvernünftig〕 (sein); 《엄청난》 übermäßig (sein).

가댁질 das Haschen*, -s.

가도(家道) 《도덕》 Haustugend *f.* -en.

가도(街道) Landstraße *f.* -n.

가동(稼動) Betrieb *m.* -(e)s. ‖ ~률 der Prozentsatz der in Betrieb befindlichen Maschinen.

가동성(可動性) Beweglichkeit 〔Beweglichkeit〕 *f.* -en.

가두(街頭) Straße *f.* -n. ¶ ~에서 auf der Straße. ‖ ~ 녹음 Straßenaufnahme *f.* -n / ~모금 Straßensammlung *f.* -en / ~ 연설(演說) Straßenrede *f.* -n; Wahlrede 《선거의》.

가두다 ein|sperren^{4}; ein|schließen*^{4}.

가두리 Rand *m.* -(e)s, ⸗er; 《천·옷 따위의》 Saum *m.* -(e)s, ⸗e.

가드레일 Schutzreling *f.* -e〔-s〕; Schutzgeländer *n.* -s, -.

가득 voll; gefüllt; übervoll.

가득하다 voll 《*von*^{3}》 (sein); erfüllt 《*mit*^{3}; *von*^{3}》 (sein); angefüllt 《*mit*^{3}》 (sein).

가뜩이나 überdies; obendrein; außerdem; dazu noch. ¶ ~ 곤란한데 und was noch schlimmer ist.

가뜬하다 leicht (sein); ^{4}sich erleichtert fühlen.

가라사대 《der Heilige, der Weise》 sagt, daß....

가라앉다 ① 《밑으로》 (ver)sinken*; unter|gehen*; ^{4}sich senken; ^{4}sich ab|setzen. ② 《마음·기운이》 ruhig 〔still〕 werden; ^{4}sich beruhigen. ③ 《부기 따위가》 zurück|gehen*.

가라앉히다 (ver)senken^{4}, unter ^{4}Wasser setzen^{4}; stillen^{4}; beruhigen^{4}; unterdrücken^{4}.

가락¹ 《물레의》 Spindel *f.* -n; 《기름한》 Stäbchen *n.* -s, -.

가락² 《음조》 Ton *m.* -(e)s, ⸗e; Melodie *f.* -n; Rhythmus *m.* -, ..men.

가락국수 (koreanische) Nudel, -n.

가락지 Ring 〔Fingerreif〕 *m.* -(e)s, -e.

가랑눈 feiner Schnee, -s, -.

가랑비 der feine Regen, -s, -.

가랑이 Verzweigung *f.* -en; Gabel *f.* -n. ¶ ~를 벌리다 die Beine spreizen.

가랑잎 《마른 잎》 das dürre 〔verwelkte〕 Blatt, -(e)s, ⸗er.

가래¹ 《농구》 Spaten *m.* -s, -.

가래² 《담》 Schleim *m.* -(e)s, -e.

가래다 《판별》 unterscheiden*^{4} 《*von*^{3}》. ¶ 시비를 ~ Recht von Unrecht unterscheiden*.

가래침 Speichel *m.* -s, -; Spucke *f.* -n. ¶ ~을 뱉다 speien*; spucken.

가량(假量) 《쯤》 ungefähr; etwa.

가련하다(可憐—) erbärmlich 〔armselig; kläglich; jämmerlich〕 (sein).

가렴주구(苛斂誅求) Erpressung *f.* -en; Beitreibung *f.* -en.

가렵다 jucken; kribbeln; kitzeln. ¶ 등이 ~ es juckt mich am Rücken.

가령(假令) ¶ ~ …이라면 wenn; (voraus)gesetzt, daß.... / ~ …일지라도 wenn auch; auch wenn; obgleich.

가로 《폭》 Breite 〔Quere〕 *f.* -n; 〖副詞的〗 quer. ‖ ~닫이 Schiebetür(e) *f.* ..ren.

가로(街路) Straße *f.* -n; Gasse *f.* -n. ‖ ~등 Straßenlaterne *f.* -n / ~수 Straßenbaum *m.* -(e)s, ⸗e / ~수길 Allee *f.* -n; Baumgang *m.* -(e)s, ⸗e.

가로막다 (be)hindern^{4}; hemmen^{4}; unterbrechen*^{4}; stören^{4}; sperren^{4}.

가로맡다 übernehmen*^{4}; auf ^{4}sich nehmen*^{4}. ¶ 책임을 ~ die Verantwortung übernehmen* 《*für*^{4}》.

가로세로 ① 〖名詞的〗 (die) Länge u. (die) Breite. ② 〖副詞的〗 der Länge u. Breite nach.

가로지르다 kreuzen^{4}; überqueren^{4}. ¶ 길을 ~ quer über die Straße gehen*.

가로채다 *jm.* weg|nehmen*^{4}; unterschlagen*^{4} 《횡령》.

가료(加療) die ärztliche Behandlung, -en.

가루 《분말》 Pulver *n.* -s, -; 《곡식의》 Mehl *n.* -(e)s, -e; 《꽃·금의》 Staub *m.* -(e)s, -e. ¶ ~로 만들다 pulverisieren^{4}; mahlen^{4}; zerreiben*^{4}. ‖ ~ 비누 Seifenpulver *n.* -s, - / ~약 Pulver *n.* -s, -.

가르다 ① 《분할》 (ab|)teilen^{4} 《*in*^{4}》. ② 《분배》 verteilen^{4} 《*unter*^{3}》. ③ 《구분》 ein|teilen^{4} 《*in*^{4}》. ¶ 반으로 ~ in gleiche Teile teilen^{4}.

가르마 Haarscheitel *m.* -s, -. ¶ ~를 타다 die Haare scheiteln.

가르치다 lehren 《*jn.* ^{4}*et.*》; unterrichten 《*jn. in*^{3}》; unterweisen* 《*jn. in*^{3}》; 《지시》 weisen*^{34}; zeigen^{34}.

가르침 Lehre *f.* -n; Doktrin *f.* -en;

Unterricht *m.* -(e)s, -e.
가리¹ 《더미》 Miete *f.* -n; Schober *m.* -s, -. ¶ ~를 가리다 mieten; schobern.
가리² ☞ 갈비².
가리개 《곡병》 der zweiflügelige Wandschirm, -(e)s, -e.
가리다¹ ① 《선택》 (aus|)wählen⁴; aus|(er)lesen*⁴. ¶ 수단 방법을 가리지 않다 in Mitteln gewissenlos sein. ② 《분별》 unterscheiden* 《⁴*et. von*³》. ¶ 장소도 가리지 않고 ohne ⁴Rücksicht auf die Umgebung〔Stelle〕. ③ 《셈을》 (be)zahlen⁴; begleichen*⁴. ¶ 빚을 ~ e-e Schuld bezahlen.
가리다² 《막다》 (ver)decken⁴; verhüllen⁴; (be)schützen⁴; verschleiern⁴.
가리키다 zeigen³⁴ 《*auf*⁴; *nach*³》; hin|weisen* 《*auf*⁴》. ¶ 방향을 ~ die Richtung zeigen.
가마¹ 《탈 것》 Tragsessel *m.* -s, -; Palankin *m.* -s, -e〔-s〕; Sänfte *f.* -n.
가마² ① 《솥》 der (große) Kessel, -s, -. ② 《벽돌 등을 굽는》 (Brenn)ofen *m.* -s, ¨.
가마³, 가마니 Strohsack *m.* -(e)s, ¨e. ‖ 쌀~ der Reissack (aus Stroh).
가마리 Zielscheibe *f.* -n; Gegenstand *m.* -(e)s, ¨e. ‖ 걱정 ~ der Gegenstand der Sorge / 웃음 ~ die Zielscheibe des Gelächters.
가마우지 〖鳥〗 Kormoran *m.* -s, -e.
가만두다 auf ³sich beruhen lassen*⁴; ⁴*et.* so〔gut〕sein lassen*. ¶ 그대로 가만 두어라 Laß es so sein, wie es ist.
가만있다 《부동》 ⁴sich nicht bewegen.
가만히 《조용히》 sanft; sacht; leise; leicht; 《몰래》 heimlich; unbemerkt.
가망(可望) Aussicht *f.* -en; Hoffnung *f.* -en. ¶ ~있는 aussichtsvoll / ~없는 hoffnungslos.
가맣다 《검다》 schwarz〔dunkel〕(sein).
가매장(假埋葬) das einstweilige Begräbnis, -ses, -se. ~하다 einstweilig begraben* 《*jn.*》.
가맹(加盟) Anschluß *m.* ..sses, ..schlüsse; Beitritt *m.* -(e)s, -e. ~하다 ⁴sich an|schließen*⁽³⁾; bei|treten*³. ‖ ~ 단체 der beigetretene Verein, -(e)s, -e.
가면(假面) Maske *f.* -n. ¶ ~을 벗다 die Maske von ³sich werfen* / ~을 벗기다 entlarven⁴; *jm.* die Maske vom Gesicht reißen*. ‖ ~극 Maskenspiel *n.* -(e)s, -e.
가면허(假免許) die provisorische Erlaubnis, -se.
가명(家名) die Ehre〔der Ruf〕der Familie; Familienname *m.* -ns, -n 《성씨》.
가명(假名) Deckname *m.* -ns, -n; der angenommene Name. ¶ ~으로 unter falschem Namen; anonym.
가무(歌舞) das Singen* u. Tanzen*. ‖ ~ 음곡 Singen* u. Tanzen* mit Musik; Lustbarkeit *f.* -en.
가문(家門) Familie *f.* -n; Geburt *f.* -en; Herkunft *f.* ¨e. ¶ ~이 좋은 von (hoher) Geburt.
가문비 〖植〗 Rottanne *f.* -n; Fichte *f.* -n.
가물거리다 《불빛이》 flackern; flimmern; 《희미하다》 unklar sein; schimmern.
가물(음) Dürre *f.* -n; Trockenheit *f.* ¶ 가물에 콩나기 sehr selten sein.
가뭇하다 schwärzlich〔dunkel〕(sein).
가미(加味) 《맛의》 das Würzen*, -s; 《부가》 Hinzusetzung *f.* -en; 《혼합》 (Ver-)mischung *f.* -en.
가발(假髮) Perücke *f.* -n. ¶ ~을 쓰다 e-e Perücke tragen*.
가방 《손에 드는》 (Schul)mappe *f.* -n; (Akten)tasche *f.* -n; 《여행용》 (Reise-)koffer *m.* -s, -; 《등에 메는》 (Schul-)ranzen *m.* -s, -.
가변(可變) Veränderlichkeit *f.* -en. ‖ ~ 자본 das variable Kapital, -s, -e〔-ien〕.
가볍다 ① 《무게》 leicht〔luftig〕(sein). ② 《간편·경쾌》 leicht〔einfach〕(sein). ¶ 가벼운 기분으로 mit leichtem Herzen. ③ 《경미》 leicht〔unbedeutend〕(sein). ¶ 가벼운 벌 die leichte Strafe, -n. ④ 《경박》 leicht〔frivol〕(sein). ¶ 입이 ~ e-e lose Zunge haben.
가보(家寶) Erbstück *n.* -(e)s, -e; Haus-〔Familien〕schatz *m.* -es, ¨e.
가봉(加俸) Gehaltszulage *f.* -n; Zuschuß *m.* ..schusses, ..schüsse.
가봉(假縫) das Heften*, -s; Anprobe *f.* -n. ~하다 heften⁴.
가부(可否) recht oder unrecht; Ja oder Nein; das Für und Wider.
가분수(假分數) 〖數〗 der unechte Bruch, -(e)s, ¨e.
가불(假拂) Vorschuß *m.* ..sses, ..schüsse. ~하다 e-n Vorschuß leisten.
가뿐하다 ⁴sich erleichtert〔erfrischt; erquickt〕fühlen.
가쁘다 《숨이》 schwer〔kurz〕atmen; den Atem verlieren*.
가사(家事) häusliche Angelegenheiten (*pl.*); Familienangelegenheiten (*pl.*).
가사(假死) 《상태》 Scheintod *m.* -(e)s, 《드물게》 -e.
가사(歌詞) Text *m.* -es, -e.
가산(加算) ~하다 zu|zählen³⁴. ‖ ~세 die hinzugerechnete Steuer, -n.
가산(家産) Eigentum *n.* -(e)s, ¨er; das ererbte Vermögen, -s.
가상(假想) ~하다 an|nehmen*⁴; voraus|setzen⁴. ¶ ~의 angenommen; fiktiv. ‖ ~적 der angenommene Feind, -(e)s, -e.
가새표(一標) ☞ 가위표.
가석방(假釋放) die provisorische Frei-〔Ent〕lassung, -en.
가선(架線) Drähte (*pl.*); Drahtleitung *f.* -en. ‖ ~공 Leitungsmann *m.* -(e)s, ¨er.
가설(架設) Bau *m.* -(e)s. ~하다 bauen⁴; legen⁴; errichten⁴.
가설(假說) Hypothese *f.* -n; Annahme *f.* -n. ¶ ~적인 hypothetisch.
가설하다(假設一) provisorisch bauen⁴〔errichten⁴〕.
가성(假聲) e-e verstellte Stimme, -n; 〖樂〗 Fistelstimme *f.* -n.
가성소다(苛性一) die kaustische Soda.
가세(家勢) die pekuniäre Lage e-r Familie. ¶ ~가 넉넉하다 es gut haben; warm sitzen*.
가세하다(加勢一) helfen*³; bei|stehen*³.
가소롭다(可笑一) lächerlich〔albern; ab-

geschmackt] (sein).
가소성(可塑性) ～의 plastisch. ‖ ～ 물질 plastische Materialien (*pl.*).
가속도(加速度) Beschleunigung *f.* -en.
가솔린 Benzin *n.* -s; Gasolin *n.* -s.
가수(歌手) Sänger *m.* -s, -; (여자) Sängerin *f.* -nen.
가수금(假受金) das provisorisch bezahlt erhaltene Geld, -(e)s, -er.
가수분해(加水分解) 〖化〗 Hydrolyse *f.* -n.
가수요(假需要) Spekulationskauf *m.* -s, ⸚e.
가스 Gas *n.* -es, -e. ‖ ～등 Gaslicht *n.* -(e)s, -er; Gaslaterne *f.* -n / ～ 중독 Gasvergiftung *f.* -en / 천연 ～ Naturgas.
가슴 Brust *f.* ⸚e; Busen *m.* -s, -; (마음) Herz *n.* -ens, -en. ¶ ～ 아픈 herzbrechend; schmerzlich / ～을 두근거리며 mit klopfendem Herzen / ～이 후련해지다 ³sich Luft machen. ‖ ～둘레 Brustumfang *m.* -(e)s, ⸚e (～둘레를 재다 den Brustumfang messen*) / ～앓이 Sodbrennen *n.* -s / ～ 지느러미 Brustflosse *f.* -n.
가시¹ Dorn *m.* -(e)s, -en [⸚er]; Stachel *m.* -s, -; (물고기의) Gräte *f.* -n. ‖ ～나무 울타리 Dornenhecke *f.* -n / ～덤불 Dornbusch *m.* -es, ⸚e / ～밭길 Dornenpfad *m.* -(e)s, -e.
가시² (구더기) Made *f.* -n.
가시광선(可視光線) sichtbare Strahlen (*pl.*).
가시다 (부시다) (aus|)spülen⁴; (auf|-)waschen*⁴; (고통 따위가) vorüber [vorbei] sein; nach|lassen*.
가식(假飾) Heuchelei [Gleisnerei] *f.* -en. ～하다 heucheln. ¶ ～적 heuchlerisch; gleisnerisch.
가십 Klatsch *m.* -es; -e; Geschwätz [Gerücht] *n.* -(e)s, -e; Nachrede *f.* -n.
가약(佳約) (만날 언약) Stelldichein *n.* -s, - (der Liebenden); (혼약) Ehegelübde *n.* -s, -.
가업(家業) *js.* Geschäft *n.* -(e)s, -e [Gewerbe *n.* -s, -]. ¶ ～을 잇다 das Gewerbe des Vaters [des Hauses] weiter|führen.
가없는 endlos; unaufhörlich.
가연성(可燃性) Brenn[Entzünd]barkeit *f.*
가열(加熱) Erhitzung *f.* -en. ～하다 erhitzen⁴.
가엾다 erbärmlich [arm(selig); bedauerlich] (sein).
가오리 〖魚〗 Rochen *m.* -s, -; Roche *m.* -ns, -n.
가옥(家屋) Haus *n.* -es, ⸚er; Gebäude *n.* -s, -. ‖ ～ 대장 Hausbuch *n.* -(e)s, ⸚er / ～세 Gebäude[Haus]steuer *f.* -n.
가외(加外) ‖ ～ 수입 Nebeneinkünfte (*pl.*) / ～지출 zusätzliche Ausgabe, -n.
가요(歌謠) Gesang *m.* -(e)s, ⸚e; Lied *n.* -(e)s, -er; (유행가) Schlager *m.* -s, -.
가용성(可溶性) Löslichkeit *f.*; Auflösbarkeit *f.*
가운(家運) Schicksal [Glück u. Verfall] e-r ²Familie.
가운 Robe *f.* -n; Talar *m.* -(e)s, -e.
가운데 ① (복판) Mitte *f.* -n; Zentrum *n.* -s, ..tren. ② (중에) in³; zwischen³; unter³; von³. ‖ 가운뎃손가락 Mittelfinger *m.* -s, -.
가위 Schere *f.* -n.
가위눌리다 Alpdrücken haben; e-n schweren [furchtbaren] Traum haben.
가위표(—標) Kreuz *n.* -es, -e (×). ¶ ～를 하다 an|kreuzen⁴.
가을 Herbst *m.* -(e)s, -e. ～하다 (추수) ernten⁴; ein|ernten⁴. ‖ ～ 걷이 Herbsternte *f.* -n / ～ 바람 Herbstwind *m.* -(e)s, -e.
가이거뮐러계수관(—計數管) Geiger-Müller-Zähler *m.* -s, -.
가이드 (안내자) Fremden [Bären] führer *m.* -s, -. ‖ ～북 (여행의) Reiseführer *m.* -s, -.
가인(佳人) schöne Frau, -en; schönes Mädchen, -s, -. ‖ ～ 박명 Glück u. Schönheit vertragen sich selten.
가일층(加一層) noch mehr; (um so) mehr. ¶ ～ 노력하다 ⁴sich noch mehr an|strengen.
가입(加入) Beitritt *m.* -(e)s, -e; Anschluß *m.* ..schlusses, ..schlüsse. ～하다 bei|treten*³; ⁴sich an|schließen*; ⁴sich gesellen; ⁴sich beteiligen (*an*³); subskribieren; abonnieren. ‖ ～자 Mitglied *n.* -(e)s, -er; (전화의) Teilnehmer *m.* -s, -.
가자미 〖魚〗 Scholle *f.* -n.
가작(佳作) Meister[Glanz]stück *n.* -(e)s, -e; die glänzende Leistung, -en.
가장(家長) Hausherr *m.* -n, -en.
가장(假裝) ① (변장) Verkleidung [Vermummung] *f.* -en. ～하다 ⁴sich verkleiden; ⁴sich vermummen. ② (거짓) Verstellung [Vorspiegelung] *f.* -en. ～하다 ⁴sich (ver)stellen; vor|geben⁴*. ‖ ～ 무도회 Maskenball *m.* -(e)s, ⸚e; Maskerade *f.* -n / ～ 행렬 Maskenzug *m.* -(e)s, ⸚e.
가장 (제일) best; höchst; äußerst; am meisten. ¶ ～ 좋다 [나쁘다] am besten [schlechtesten] sein.
가장자리 Rand *m.* -(e)s, ⸚er; Saum *m.* -(e)s, ⸚e; Kante *f.* -n.
가재 〖動〗 Flußkrebs *m.* -es, -e.
가재(家財) Hab u. Gut; Eigentum *n.* -(e)s, ⸚er.
가절(佳節) (명절) der hocherfreuliche Festtag, -(e)s, -e; (때) die schöne Jahreszeit, -en. ‖ 양춘 ～ die schöne Frühlingszeit, -en.
가정(家政) Haushalt *m.* -(e)s, -e; Haushaltung *f.* -en. ‖ ～부 Haushälterin *f.* ..rinnen.
가정(家庭) Familie *f.* -n; Haus *n.* -es, ⸚er; Heim *n.* -(e)s, -e. ¶ ～적인 häuslich. ‖ ～ 교사 Hauslehrer *m.* -s, -; Privatlehrer *m.* / ～ 교육 Hauserziehung *f.* -en / ～ 법원 das Gericht für Familienangelegenheit.
가정(假定) Voraussetzung *f.* -en; Annahme *f.* -n; Hypothese *f.* -n. ～하다 voraus|setzen; an|nehmen*. ¶ …이라고 ～한다면 vorausgesetzt [angenommen], daß....
가제 Gaze *f.* -n.
가져가다 mit|nehmen*⁴; mit|tragen*⁴.
가져오다 (mit|)bringen*⁴; (herbei|)holen⁴.
가조인(假調印) die vorläufige Unterschrift, -en. ～하다 vorläufig unterschreiben*⁴.

가족(家族) Familie *f.* –n; 《일원》 Familienmitglied *n.* –(e)s, –er. ‖~ 수당 Familienzuschuß *m.* ..sses, ..schüsse / ~ 회의 Familienrat *m.* –(e)s.

가죽 Leder *n.* –s, –; Fell *n.* –(e)s, –e; Haut *f.* ⸚e; Pelz *n.* –es, –e. ‖~ 장갑 Leder〔Glacé〕handschuh *m.* –(e)s, –e / ~ 제품 Lederware *f.* –n.

가중(加重) 《형량 따위의》 Aggravation 〔Erschwerung〕 *f.* –en. ~하다 aggravieren⁴; erschweren⁴.

가증스럽다(可憎—) gehässig 〔hassenswert; abscheulich〕 (sein).

가지¹ 《나무의》 Ast *m.* –es, ⸚e; Zweig *m.* –(e)s, –e. ¶~를 꺾다 e–n Zweig (ab|)brechen*.

가지² 〖植〗 Eierpflanze *f.* –n; 《열매》 Eierapfel *m.* –s, ⸚.

가지³ 《종류》 Art *f.* –en; Sorte *f.* –n.

가지가지 verschieden(artig); allerlei 〖不變化〗; mannigfaltig.

가지다 ① 《손에》 (in der Hand) haben⁴; nehmen*⁴; halten*⁴. ¶가지고 다니다 tragen*⁴. ② 《소유》 haben⁴; besitzen*⁴. ¶가게를 갖고 있다 e–n Laden besitzen*. ③ 《품다》 hegen⁴; haben⁴. ¶희망을 ~ Hoffnung hegen. ④ 《임신》 schwanger werden 〔sein〕.

가지런하다 gleichmäßig 〔regelmäßig〕 (sein).

가짜 Fälschung *f.* –en; 《모조품》 Imitation *f.* –en. ~의 falsch; gefälscht; nachgemacht; vorgeblich. ¶~ 돈 das falsche Geld, –(e)s, –er.

가차없는, 가차없이(假借—) nachsichts〔schonungs〕los. ¶가차없이 처벌하다 ohne ⁴Nachsicht (be)strafen 《*jn.*》.

가책(呵責) Folter *f.* –n; Marter *f.* –n. ¶양심의 ~ Gewissensbisse (*pl.*).

가처분(假處分) die provisorische Maßregel, –n.

가청(可聽) 〖形用詞的〗 hörbar; vernehmbar. ‖~ 거리 Hörweite *f.* –n.

가축(家畜) Haustier *n.* –s, –e; Vieh *n.* –s, –e. ‖~ 병원 Tierklinik *f.* –en.

가출(家出) ~하다 s–m Heim entfliehen*; durch|brennen*. ‖~인 Durchbrenner *m.* –s, –; 《소년》 der ausgerissene Junge, –n, –n.

가치(價値) Wert *m.* –es, –e; Geltung *f.* –en; Preis *m.* –es, –e; Würde *f.* ¶~있는 wertvoll; kostbar / ~없는 wertlos; nichtswürdig. ‖이용 ~ Nutzwert *m.* / 희소 ~ Seltenheitswert *m.*

가칭(假稱) die provisorische〔temporäre〕 Bezeichnung, –en.

가택(家宅) ‖~ 수색 Haussuchung *f.* –en / ~ 침입 Hausfriedensbruch *m.* –(e)s, ⸚e.

가톨릭교(—敎) Katholizismus *m.* –. ‖~도 Katholik *m.* –en, –en.

가파르다 steil 〔schroff; jäh〕 (sein).

가풍(家風) Familienbrauch *m.* –s, ⸚e; Familientradition *f.* –en.

가필(加筆) Bearbeitung *f.*; Verbesserung *f.*

가하다(可—) gut 〔richtig; recht〕 (sein).

가하다(加—) 《가산》 addieren; 《부가》 hinzu|fügen; 《증가》 vermehren⁴; 《주다》 geben*³⁴.

가학(加虐) ~적 sadistisch.

가해(加害) ~하다 *jm.* ein Leid〔Schaden; Böses〕 zu|fügen. ‖~자 Beschädiger *m.* –s, –; Angreifer *m.* –s, –; 《살해자》 Mörder *m.* –s, –.

가호(加護) der Schutz 〔die Hilfe〕 der Götter 〔des Buddha〕. ¶신의 ~에 의해 durch die Gnade der Götter.

가혹하다(苛酷—) grausam 〔streng; unbarmherzig; scharf; hart; bitter〕 (sein).

가훈(家訓) Haus·gesetz *n.* –es, –e 〔–ordnung *f.* –en〕.

가히(可—) (sehr) gut (können); wohl (können). ¶~ 짐작할 수 있다 Sehr gut kann ich es mir vorstellen.

각(角) Winkel *m.* –s, –. ‖직〔둔, 예〕각 der rechte 〔stumpfe, spitze〕 Winkel.

각각(各各) jeder*; beziehungsweise; respektive; einzeln.

각계(各界) alle 〔verschiedene〕 Gebiete (*pl.*).

각고(刻苦) die harte Arbeit, –en; der unermüdliche Fleiß, –es.

각광(脚光) Rampe *f.* –n; Rampenlichter (*pl.*).

각국(各國) jedes Land, –(e)s; jeder Staat, –(e)s; alle Länder (*pl.*) 《만국》.

각기(各其) (ein) jeder*; jedermann, –s.

각기(脚氣) Beriberi *f.*

각도(角度) Winkel *m.* –s, –. ‖~기 Winkelmesser *m.* –s, –.

각등(角燈) die viereckige Handlaterne, –n.

각료(閣僚) Minister *m.* –s, –; Kabinettsmitglied *n.* –(e)s, –er. ‖~ 회의 Kabinettssitzung *f.* –en.

각막(角膜) Hornhaut *f.* ⸚e. ‖~염 Hornhautentzündung *f.* –en.

각박하다(刻薄—) hart 〔streng; schwer〕 (sein).

각반(脚絆) Gamasche *f.* –n.

각별(各別) ~하다 besonder 〔außerordentlich; speziell〕 (sein). ¶~히 besonders; insbesondere.

각본(脚本) Theaterstück *n.* –(e)s, –e; Schauspiel *n.* –s, –e; 《영화의》 Drehbuch *n.* –(e)s, ⸚er. ‖~가 Schauspieldichter *m.* –s, –; Filmschriftsteller *m.* –s, –.

각부(各部) jeder Teil, –(e)s 《부분》; jede Abteilung 《각 부서》; 《정부의》 jedes Ministerium, –s.

각사탕(角砂糖) Würfelzucker *m.* –s.

각색(各色) 《종류》 jede Art 〔Sorte〕; alle 〔die verschiedenen〕 Arten 〔Sorten〕 (*pl.*); 《빛깔》 jede Farbe.

각색(脚色) Dramatisierung *f.* –en. ~하다 dramatisieren⁴; für die Bühne 〔den Film〕 bearbeiten⁴.

각서(覺書) Note *f.* –n; Memorandum *n.* –s, ..den.

각선미(脚線美) die Schönheit der Beinlinien.

각섬석(角閃石) 〖鑛〗 Hornblende *f.*; Amphibol *m.* –s.

각성(覺醒) ~하다 auf|wachen 《*von*³ 잠에서》; erwachen 《*aus*³; *von*³》. ¶~시키다 auf|rütteln⁴ 《*aus*³》; erwecken⁴ 《*von*³》.

각시 《색시》 Braut *f.* ⸚e; 《인형》 Puppe *f.* –n. ‖~놀음 Puppenspiel *n.* –(e)s.

각오(覺悟) Bereitschaft *f.* –en; Entschlossenheit *f.* ~하다 ⁴sich entschließen* 《*zu*³》; ⁴sich gefaßt machen 《*auf*⁴》.

각운(脚韻) Reim *m.* –s, –e.

각의(閣議) Ministerrat *m.* –(e)s, ⸚e; Mi-

ㄱ

nisterkonferenz *f.* –en; Kabinettssitzung *f.* –en.

각자(各自) jeder*; jedermann, –s.

각재(角材) Kantholz *n.* –es, ⸚er; Balken *m.* –s, –.

각적(角笛) Horn *n.* –(e)s, ⸚er.

각종(各種) ～의 allerlei; vielerlei; von allerlei Arten. ‖ ～ 음료 alle Arten Getränke.

각주(脚註) Fußnote *f.* –n.

각지(各地) jeder Ort, –(e)s; jede Gegend. ¶ ～에서 allerorten; an allen Orten u. Enden.

각질(角質) Hornsubstanz *f.* –en; Hornmasse *f.* –n.

각축(角逐) Konkurrenz *f.* –en; Wetteifer *m.* –s. ‖ ～장 der Kampfplatz des Wettbewerbs / ～전 Wettkampf *m.* –(e)s, ⸚e.

각층(各層) jede Schicht; jeder Stock, –(e)s 《집의》. ¶ 각계 ～의 사람들 Leute (*pl.*) aus allen Ständen.

각파(各派) jede Partei 〔Fraktion〕; jede Sekte 《종파》; jede Schule 《유파, 학파》.

각하(却下) Zurückweisung *f.* –en; Abweisung *f.* –en. ～하다 zurück|weisen*[4]; ab|weisen*[4].

각하(閣下) Exzellenz *f.* –en; 《호칭》 Eure Exzellenz.

간 《짠맛·짠 정도》 Salzgeschmack *m.* –(e)s, ⸚e; 《조미》 das Salzen*, –s.

간(肝) Leber *f.* –n. ‖ 간염 〖醫〗 Leberentzündung *f.* –en.

간간이(間間—) 《가끔》 ab u. zu; 《듬성듬성》 hie(r) u. da.

간격(間隔) (Zwischen)raum *m.* –(e)s, ⸚e; Abstand *m.* –(e)s, ⸚e.

간결(簡潔) ～하다 kurz 〔kurz u. bündig; knapp〕 (sein).

간경변(肝硬變) 〖醫〗 Leberzirrhose *f.* –n.

간계(奸計) Ränke (*pl.*); List *f.* –en.

간곡(懇曲) ～하다 höflich 〔freundlich; herzlich; ernstlich〕 (sein).

간과(看過) ～하다 übersehen*[4]; übergehen*[4].

간교(奸巧) ～하다 listig 〔schlau; verschlagen〕 (sein).

간구(懇求) e–e inständige Bitte, –n. ～하다 *jn.* dringend〔inständig〕 bitten*.

간난(艱難) Mühe u. Not; Quälerei *f.* –en; Bedrängnis *f.* ..nisse; Mühsal *n.* –(e)s, –e. ¶ ～을 극복하다 Mühsal besiegen.

간단(間斷) ¶ ～없이 ununterbrochen; ohne Pause; unaufhörlich.

간단(簡單) ～하다 einfach 〔schlicht; kurz; leicht〕 (sein). ¶ ～히 말하면 kurzum; kurz und gut; um es kurz zu sagen.

간담(肝膽) Leber u. Gallenblase 《간과 담》; 《속마음》 *js.* innerstes Herz, –ens. ¶ ～이 서늘해지다 erschrecken*《*über*[4]》.

간담(懇談) (vertrauliche) Unterhaltung *f.* –en. ‖ ～회 die zwanglose Aussprache, –n.

간드러지다 《모양·태도가》 gefallsüchtig 〔kokett〕 (sein); 《음성·노래 따위가》 einschmeichelnd (sein).

간략(簡略) ～하다 kurz 〔knapp〕 (sein).

간만(干滿) Ebbe und Flut; Gezeiten (*pl.*). ¶ ～의 차 der (Höhen)unterschied zwischen [3]Ebbe u. Flut.

간망(懇望) das Anliegen 〔Ansuchen〕* –s. ～하다 inständig〔dringend〕 bitten*[4] 《*um*[4]》.

간명(簡明) ～하다 kurz u. klar 〔deutlich〕 (sein).

간병(看病) Krankenpflege *f.* –n.

간부(姦夫) Ehebrecher *m.* –s, –.

간부(姦婦) Ehebrecherin *f.* –nen.

간부(幹部) Vorstand *m.* –(e)s, ⸚e; Direktion *f.* –en. ‖ ～ 후보생 Kadett *m.* –en, –en.

간사(奸邪) ～하다 listig 〔schlau; verschlagen (sein).

간사(幹事) Geschäftsführer *m.* –s, –. ‖ ～장 Chefsekretär [ʃɛf..] *m.* –s, –e.

간살부리다 schmeicheln《*jm.*》; lobhudeln 《*jm.*〔*jn.*〕》; fuchsschwänzeln《bei *jm.*》.

간상균(桿狀菌) Stäbchenbakterie *f.* –n.

간석지(干潟地) Flutland *n.* –(e)s, ⸚er.

간선(幹線) Hauptlinie *f.* –n; Stammlinie.

간섭(干涉) Einmischung *f.* –en; das Dazwischentreten*, –s. ～하다 ein|greifen* 《*in*[4]》; [4]sich ein|mischen 《*in*[4]》; dazwischen|treten*. ‖ 무력 ～ die bewaffnete Einmischung, –en.

간소(簡素) ～하다 einfach 〔schlicht (sein). ¶ ～화하다 vereinfachen[4]. ‖ 행정 ～화 die Vereinfachung der Amtsgeschäfte.

간수하다 (auf|)bewahren[4]; erhalten*[4]; auf|heben*[4]; unter|bringen*[4].

간식(間食) Imbiß *m.* ..bisses, ..bisse. ¶ ～을 먹다 e–n Imbiß nehmen*.

간신(奸臣) der verräterische 〔listige〕 Untertan, –s〔–en〕, –en.

간신히(艱辛—) kaum; mit knapper Not; nur mit Mühe (u. Not). ¶ ～ 도망치다 mit genauer Not davon|laufen*.

간악(奸惡) ～하다 schlecht 〔bösartig〕 (sein).

간암(肝癌) Leberkrebs *m.* –es, –e.

간언(諫言) Zurechtweisung *f.* –en. ～하다 zurecht|weisen*[4].

간염(肝炎) 〖醫〗 Leberentzündung *f.* –en; Hepatitis *f.* ..titiden.

간유(肝油) Lebertran *m.* –(e)s, –e.

간음(姦淫) Ehebruch *m.* –(e)s, ⸚e. ～하다 die Ehe brechen*.

간이(簡易) Einfachheit *f.* ～하다 einfach 〔leicht; schlicht〕(sein). ¶ ～화하다 vereinfachen[4]. ‖ ～ 식당 Imbißhalle *f.* –n / ～ 재판 Schnellverfahren *n.* –s.

간장(—醬) Sojasauce [..zo:sə] *f.* –n.

간장(肝臟) Leber *f.* –n. ‖ ～염 Leberentzündung *f.* –en.

간절(懇切) ～하다 dringend 〔innig; heftig; herzlich; heiß〕 (sein). ¶ ～히 빌다 herzlich 〔innig〕 wünschen[4].

간접(間接) ¶ ～적인 indirekt; mittelbar. ‖ ～선거 die indirekte Wahl, –en / ～세〔화법〕 die indirekte Steuer〔Rede〕.

간조(干潮) Ebbe *f.* –n.

간주(看做) ～하다 an|sehen*[4]《*für*〔*als*〕[4]》; betrachten[4] 《*für* 〔*als*〕[4]》; halten*[4] 《*für*[4]》.

간주곡(間奏曲) Zwischenspiel *n.* –(e)s, –e.

간지(干支) die zwölf Zeichen (*pl.*) des Tierkreises; Sternzeichen *n.* –s, –.

간지럽다 es kitzelt (mich). ¶간지러운 kitzlig; kitzelnd.
간직하다 auf|bewahren⁴; auf|heben*⁴; unter|bringen*⁴. ¶마음에 ～ in ³sich verschlossen halten*⁴.
간질(癎疾) Epilepsie *f.* ‖ ～병자 Epileptiker *m.* -s, -.
간질이다 *jn.* kitzeln.
간척(干拓) Trockenlegung 〔Entwässerung〕 *f.* -en. ‖ ～ 사업 Trockenlegungs 〔Entwässerungs〕 unternehmen *n.* -s / ～지 Polder *m.* -s, -.
간첩(間諜) der (heimliche) Kundschafter, -s, -. ‖ 무장 ～ der bewaffnete Kundschafter.
간청(懇請) die dringende Bitte, -n; das dringende Ersuchen, -s. ～하다 dringend bitten* 〔ersuchen〕 《*jn.* *um*⁴.》.
간추리다 kurz (zusammen|)fassen⁴.
간통(姦通) Ehebruch *m.* -(e)s, ⸚e. ～하다 die Ehe brechen*. ‖ ～죄(罪) Ehebruch *m.*
간투사(間投詞) 〖文〗 Interjektion *f.* -en; Ausrufewort *n.* -(e)s, ⸚er.
간파(看破) ～하다 durchsehen*⁴; durchschauen⁴; ein|dringen* 《*in*⁴》.
간판(看板) Schild *n.* -(e)s, -er; Aushängeschild *n.* -(e)s, -er; Reklameschild.
간편(簡便) ～하다 handlich 〔praktisch u. einfach; bequem〕 (sein).
간하다 salzen; mit ³Salz würzen⁴.
간하다(諫—) (er)mahnen 《*jn.* *zu*³》; raten* 《*jm.*》; e-n Rat geben* 《*jm.*》.
간행(刊行) Herausgabe *f.*; Veröffentlichung *f.* -en. ～하다 heraus|geben*⁴; veröffentlichen⁴. ‖ ～물 Verlagswerk *n.* -(e)s, -e; Verlagsartikel *m.* -s, - (정기 ～물 Zeitschrift *f.* -en).
간헐(間歇) ～적 mit Unterbrechungen 〔Pausen〕; unterbrechend. ‖ ～천 Geysir 〔Geiser〕 *m.* -s, -.
간호(看護) (Kranken)pflege *f.* -n; Wartung *f.* -en. ～하다 pflegen⁽*⁾ 〔warten〕 《*jn.*》. ‖ ～사 Kranken·pflegerin *f.* -nen 〔-schwester *f.* -n〕 / ～ 학교 Schwesternschule *f.* -n; die Vorbereitungsschule der Krankenpflegerinnen.
간혹(間或) (이따금) gelegentlich; zuweilen; von Zeit zu Zeit; (띄엄띄엄) spärlich; schütter.
갇히다 eingeschlossen〔eingesperrt〕 werden. ¶눈속에 ～ eingeschneit werden.
갈겨쓰다 (hin|)kritzeln⁽⁴⁾; (hin|)schmieren⁽⁴⁾; hastig u. schlecht schreiben*⁽⁴⁾; sudeln⁽⁴⁾.
갈고랑이 Haken *m.* -s, -.
갈기 Mähne *f.* -n.
갈기갈기 ¶～ 찢다 in Stücke (zer)reißen*⁴.
갈기다 schlagen* 《*jn.*》; prügeln 《*jn.*》; hauen* 《*jn.*》.
갈다¹ (바꿈) (ver)ändern⁴; wechseln⁴; (갱신) erneuern⁴. ¶갈아 입다 ⁴sich um|kleiden; ⁴sich um|ziehen* / 갈아 타다 um|steigen*.
갈다² (칼을) schleifen*⁴; schärfen⁴; wetzen⁴ (숫돌에); ab|ziehen*⁴ (가죽숫돌에); (가루로) zerreiben*⁴; zermahlen*⁴; (옥을) polieren⁴; glätten⁴.
갈다³ (밭을) bebauen⁴; bestellen⁴.
갈대 〖植〗 Schilf *n.* -(e)s, -e; Rohr *n.* -(e)s, -e.
갈등(葛藤) Verwicklung *f.* -en; Konflikt *m.* -(e)s, -e; Zwist *m.* -es, -e.
갈라놓다 《이간시키다》 entfremden⁴; (voneinander) ab|bringen*⁴; abtrünnig machen⁴ 《*von*³》.
갈라서다 brechen* 《mit *jm.*》; 《부부가》 ⁴sich trennen 〔separieren〕.
갈라지다 ① 《물체 등이》 bersten; (auf|-) springen*. ② 《분기》 ab|zweigen. ③ 《분열》 ⁴sich spalten⁽*⁾ 〔teilen〕; auseinander|gehen*.
갈래 Gabel *f.* -n; Zweig *m.* -(e)s, -e; Sekte *f.* -n.
갈리다 《분열》 ⁴sich teilen 〔spalten⁽*⁾〕; 《분기》 ⁴sich gabeln; (⁴sich) ab|zweigen.
갈림길 Scheideweg *m.* -(e)s, -e.
갈마들다 ersetzen 《*jn.*》.
갈망(渴望) Durst *m.* -es. ～하다 〖*nach*³ 와 함께〗 dürsten; dursten; ⁴sich sehnen; verlangen.
갈매기 〖鳥〗 Möwe *f.* -n.
갈보 Hure *f.* -n; Freudenmädchen *n.* -s, -; die Prostituierte*, -n, -n. ‖ ～집 Bordell *n.* -s, -e.
갈비¹ Rippe *f.* -n. ¶갈빗대가 부러지다 ³sich e-e Rippe brechen*.
갈비² die Rippe des Rindes. ‖ ～구이 Rippenbraten *m.* -s, -.
갈색(褐色) Braun *n.* -s. ～의 braun; blond.
갈수(渴水) Dürre *f.* ‖ ～기 Trocken·zeit *f.* -en 〔-periode *f.* -n〕.
갈수록 mit der Zeit; allmählich; nach u. nach. ¶～ 태산이다 immer schlechter werden.
갈아들이다 wechseln⁴; an die Stelle 《²*et.*》 bringen*⁴; ersetzen⁴ 《*durch*⁴》.
갈아입다 ⁴sich um|kleiden 〔um|ziehen*; anders kleiden〕.
갈아타다 um|steigen* 《*in*⁴》; wechseln⁴ 《말을》.
갈증(渴症) Durst *m.* -es.
갈채(喝采) Beifall(sruf) *m.* -(e)s. ～하다 *jm.* Beifall spenden 〔zollen〕. ¶～를 받다 Beifall finden*. ‖ 박수 ～ das Beifallklatschen*, -s.
갈치 〖魚〗 Degenfisch *m.* -es, -e.
갈퀴 Harke *f.* -n; (Bambus)rechen *m.* -s, -.
갈탄(褐炭) Braunkohle *f.* -n.
갈파(喝破) ～하다 gründlich erklären⁴; klar|stellen⁴; proklamieren⁴.
갈팡질팡하다 verlegen sein; hilflos 〔ratlos〕 sein.
갈피 ¶～를 못잡다 verwirrt werden; aus der Fassung kommen*; in ⁴Verlegenheit 〔⁴Verwirrung〕 geraten*.
갉죽거리다 an ³*et.* knuppern 〔knuspern〕.
감¹ (재료) Stoff *m.* -(e)s, -e; Material *n.* -s, -ien; Tuch *n.* -(e)s, -e (옷감); Rohstoff *m.* -(e)s, -e (원료); (적임자) die rechte Person, -en. ¶놀림감이 되다 die Zielscheibe 〔der Gegenstand〕 des Spottes werden.
감² 〖植〗 Kakifeige *f.* -n; Persimone *f.* -n.
감가(減價) ‖ ～ 상각 Abschreibung *f.* -en.
감각(感覺) Sinn *m.* -(e)s, -e; Empfindung *f.* -en; Gefühl *n.* -(e)s, -e ¶～적인 sinnlich. ‖ ～ 기관 Sinnesorgan *n.* -s, -e / ～ 기능 Sinnesfunktion *f.* -en / ～ 신경 Empfindungsnerv *m.* -s, -en.

감감하다 (소식이) von ^{3}sich nichts hören lassen*.

감개(感慨) Bewegung *f.* –en; Rührung *f.* ¶～ 무량하다 tief gerührt sein.

감격(感激) Begeisterung *f.* –en. ～하다 ^{4}sich begeistern; tief gerührt werden. ¶～케하다 *jn.* begeistern; ergreifen*^{4}.

감관(感官) Sinn *m.* –(e)s, –e; Sinnesorgan *n.* –s, –e.

감광(感光) Lichtempfindung *f.* –en. ¶～시키다 belichten^{4}. ‖～계 Empfindlichkeitsmesser *m.* –s, – / ～지 das lichtempfindliche Papier, –s / ～필름 Rohfilm *m.* –s, –e.

감군(減軍) die Verminderung der Truppen. ～하다 die Truppenzahl 〔das Heer〕 vermindern.

감금(監禁) Einsperrung *f.* –en; Gefangennahme *f.* –n; Haft *f.* ～하다 ein|sperren 《*jn.*》; gefangen|nehmen*《*jn.*》. ‖불법 ～ die gesetzwidrige Einsperrung, –en.

감기(感氣) Erkältung *f.* –en; 《코감기》 Schnupfen *m.* –s, –; 《유행성》 Grippe *f.* –n. ¶～들다 ^{4}sich erkälten; Schnupfen bekommen*. ‖～약 Arznei gegen 〔für〕 ^{4}Erkältung.

감기다 (눈이) von ^{3}selbst schließen*; ^{4}sich schließen*.

감내(堪耐) ～하다 erdulden^{4}; geduldig; ertragen*^{4}; aus|halten*^{4}.

감다¹ (눈을) zu|machen^{4}; schließen*^{4}.

감다² (실 따위를) winden*^{4}; wickeln^{4}; 《축 따위에》 (auf|)rollen^{4}. ¶감아 올리다 auf|winden*^{4}; auf|rollen^{4}.

감다³ (씻다) ^{3}sich ^{4}*et.* waschen*; baden. ¶멱을 ～ (^{4}sich) baden / 머리를 ～ ^{3}sich das Haar waschen*.

감당(堪當) ～하다 aus|halten*^{4}; gewachsen sein; behaupten^{4}.

감도(感度) Empfindlichkeit *f.* –en; Sensibilität *f.* ¶～가 좋다 〔나쁘다〕 empfindlich 〔unempfindlich〕 sein.

감독(監督) (단속) Aufsicht *f.* –en; Obhut *f.*; Überwachung *f.* –en; 《경기의》 Kontrolle *f.* –n; 《무대·영화의》 Regie *f.* ..gien; 《감독자》 der Aufsichtführende*, –n, –n; Aufseher *m.* –s, –; Kontrolleur *m.* –s, –e 〔–s〕; Regisseur *m.* –s, –e 《영화의》; Bischof *m.* –s, ⸗e 《신교의》. ～하다 beaufsichtigen^{4}; die Aufsicht führen; überwachen^{4}; kontrollieren^{4}.

감돌다 (물굽이 등이) biegen^{4} 《*um*^{4}》; 《분위기가》 hängen; herrschen.

감동(感動) Rührung 〔Bewegung; Begeisterung〕 *f.* –en. ～하다 ergriffen sein 《*von*^{3}》; sehr beeindruckt sein 《*von*^{3}》; begeistert sein 《*von*^{3}》. ¶～적인 rührend; ergreifend / ～시키다 bewegen 《*jn.*》; (be)rühren 《*jn.*》; begeistern 《*jn.*》.

감등(減等) ～하다 milderen^{4}; linderen^{4}; ermäßigen.

감람나무(橄欖—) 〖植〗 Öl〔Oliven〕baum *m.* –(e)s, ⸗e.

감량(減量) Mengen〔Gewichts〕verlust *m.* –es, –.

감리교(監理教) Methodismus *m.* ‖～도 Methodist *m.* –en, –en.

감마선(γ線) Gammastrahlen (*pl.*).

감면(減免) 《세금의》 Steuer·erleichterung u. –erlaß; 《형벌의》 Straf·minderung u. –erlaß.

감명(感銘) (tiefe) Eindruck, –(e)s, ⸗e. ～하다 (tief) beeindruckt werden. ¶～깊은 eindrucksvoll.

감미(甘味) der süße Geschmack, –(e)s, ⸗e; Süßigkeit *f.* ¶～롭다 honigsüß sein.

감방(監房) Zell *f.* –n.

감별(鑑別) Unterscheidung *f.* –en. ～하다 unterscheiden*^{4} 《*von*^{3}》. ‖～법 Differenzierung *f.* –en; Unterscheidungsmittel *n.* –s, –.

감복(感服) ～하다 bewundern^{4}; begeistert an|erkennen*^{4}.

감봉(減俸) Gehaltsabzug *m.* –(e)s, ⸗e. ～하다 *jm.* das Gehalt kürzen.

감사(感謝) Dank *m.* –(e)s; Dankbarkeit *f.* –en. ～하다 danken 《*jm. für*^{4}》; zu^{3} Dank verpflichtet 〔verbunden〕 sein 《*jm.*》; dankbar sein 《*jm. für*^{4}》. ‖～장 Dankbrief *m.* –(e)s, –e; Dankschreiben *n.* –s, –.

감사(監査) Aufsicht *f.* –en; Inspektion *f.* –en. ‖～관 Aufseher *m.* –s, –; Inspektor *m.* –s, –en / ～원 Rechnungskammer *f.*

감사(監事) Aufsichtsrat *m.* –(e)s, ⸗e.

감산(減産) der Rückgang der Produktion; Produktionsverminderung *f.* –en.

감상(感想) Eindrücke (*pl.*).

감상(感傷) Sentimentalität *f.* –en; Empfindsamkeit *f.* –en. ¶～적인 sentimental; empfindsam.

감상(鑑賞) Genuß *m.* ..nusses, ..nüsse; Würdigung *f.* –en. ～하다 genießen*^{4}; würdigen^{4}. ‖～력 das Vermögen des Genießens; Geschmack *m.* –(e)s, ⸗e.

감색(紺色) Dunkelblau *n.* –s. ¶～의 dunkelblau.

감성(感性) Sinnlichkeit *f.* ¶～적인 sinnlich.

감세(減稅) Steuerermäßigung *f.* –en. ～하다 die Steueren herab|setzen 〔mildern; ermäßigen〕.

감소(減少) Verminderung *f.* –en, Abnahme *f.* ～하다 ^{4}sich vermindern; ^{4}sich verringern; ab|nehmen*.

감속(減速) Verlangsamung *f.* ～하다 die Geschwindigkeit vermindern; verlangsamen^{4}.

감수(甘受) Ergebung *f.* –en. ～하다 hin|nehmen*^{4}; ^{3}sich ^{4}*et.* gefallen lassen^{4}*.

감수(減收) der verringerte Ertrag, –(e)s, ⸗e; die verminderte Ausbeute, –n.

감수(減壽) ～하다 die Lebensdauer wird *jm.* verkürzt.

감수(監修) Leitung *f.*–en. ～하다 leiten. ¶N박사 ～ unter der Leitung von Dr. N.

감수분열(減數分裂) 〖生〗 Meiose *f.* –n; die Reduktionsteilung der Zellen.

감수성(感受性) Empfänglichkeit *f.* –en; Sensibilität *f.* –en. ¶～이 강한 empfänglich; sensibel.

감시(監視) Aufsicht *f.* –en; Be〔Über〕wachung *f.* –en; Wache *f.* –n. ～하다 beaufsichtigen^{4}; be〔über〕wachen^{4}. ¶엄중히 ～하다 streng überwachen. ‖～선 Wachtschiff *n.* –(e)s, –e / ～인 Aufseher 〔Wächter〕 *m.* –s, –.

감식(鑑識) Urteil *n.* -(e)s, -e; Erkennung *f.* -en. ~하다 erkennen*^{4}; urteilen《*über*^{4}》. ‖ ~력〔안〕 das kritische Talent, -(e)s, -e; ein Auge 《*für*^{4}》.

감실(龕室) Tabernakel *n.*〔*m.*〕 -s, -.

감싸다 《남을》 (be)schützen^{4}; (be)schirmen^{4}; decken^{4}.

감안(勘案) ~하다 berücksichtigen^{4}; auf ^{4}*et.* Rücksicht nehmen*.

감액(減額) Abzug 〔Abschlag〕 *m.* -(e)s, ⸚e. ~하다 e-e Summe ab|ziehen* 《*von*^{3}》.

감언(甘言) die schönen 〔süßen〕 Worte (*pl.*); Schmeichelei *f.* -en. ¶ ~(이설)에 넘어가다 ^{4}sich beschwatzen lassen*.

감염(感染) Ansteckung *f.* -en. ~하다〔되다〕 angesteckt 〔infiziert〕 werden 〖사람이 主語〗; (^{4}sich) an|stecken 〖病이 主語〗; ansteckend sein.

감옥(監獄) Gefängnis *n.* ..nisses, ..nisse; Zuchthaus *n.* -es, ⸚er.

감원(減員) Personalieneinschränkung *f.* -en. ~하다 das Personal vermindern.

감읍(感泣) ~하다 vor ^{3}Rührung Tränen vergießen^{4}; tief gerührt in ein heftiges Weinen aus|brechen*.

감응(感應) Wirkung *f.* -en; Effekt *m.* -(e)s, -e; 〖理〗 Induktion *f.* -en. ~하다 *js.* Gebet erhören 《신불이》.

감자 Kartoffel *f.* -n.

감전(感電) der elektrische Schlag, -(e)s, ⸚e. ~되다 e-n (elektrischen) Schlag bekommen* 〔erhalten*〕.

감점(減點) Abzählung 〔Abziehung〕 e-s Punktes 〔der Punkte (*pl.*)〕.

감정(感情) Gefühl *n.* -(e)s, -e; Empfindung *f.* -en; 《격정》 Leidenschaft *f.* -en. ¶ …의 ~을 해치다 *jn.* kränken.

감정(鑑定) Begutachtung *f.* -en. ~하다 begutachten^{4}. ‖ ~인 Gutachter *m.* -s, -.

감지(感知) ~하다 wahr|nehmen*^{4}; spüren^{4}.

감쪽같이 glatt; direkt; geradezu; ohne weiteres. ¶ ~ 속다 glatt betrogen werden; e-n bösen Hereinfall erleben.

감찰(監察) Aufsicht *f.* -en; 《사람》 Aufseher *m.* -s, -; Inspektor *m.* -s, -en.

감찰(鑑札) Erlaubnisschein *m.* -(e)s, -e. ‖ 영업 ~ Handelserlaubnis *f.*

감초(甘草) Süßholz *n.* -es, ⸚er; Lakritze *f.* -n.

감촉(感觸) (Tast)gefühl *n.* -(e)s, -e.

감추다 《숨기다》 verstecken^{4}; verbergen*^{4}; verhehlen*^{4}; 《비밀로 하다》 verheimlichen^{4}; geheim|halten*^{4}《vor *jm.*》.

감축(減縮) Verminderung *f.* -en. ~하다 verkleinern^{4}; vermindern^{4}; verringern^{4}.

감치다 《꿰매다》 ein|säumen^{4}; ein|fassen^{4}.

감탄(感嘆) Bewunderung *f.* -en. ~하다 bewundern^{4}. ‖ ~문 Ausrufungssatz *m.* -(e)s, ⸚e / ~ 부호 Ausrufungszeichen *n.* -s, - / ~사 Ausrufungswort *n.* -(e)s, ⸚er; Interjektion *f.* -en.

감퇴(減退) Abnahme *f.* -n. ~하다 ab|nehmen*; zurück|gehen*.

감투 die aus Roßhaar geflochtene Kopfbedeckung, -en; 《비유》 Amt *n.* -(e)s, ⸚er; Staatsstellung *f.* -en. ¶ ~ 쓰다 ein Amt an|treten*. ‖ ~싸움 die Streit um die Staatsstellung.

감투(敢鬪) ~하다 tapfer 〔entschlossen; mutig〕 kämpfen. ‖ ~상 Preis für mutigen Kampf / ~ 정신 Kampfgeist *m.* -(e)s.

감하다(減—) subtrahieren^{4}; ab|ziehen*^{4}.

감행(敢行) ~하다 wagen^{4}; ^{4}sich erdreisten.

감형(減刑) Strafmilderung *f.* -en. ~하다 e-e Strafe mildern.

감홍(甘汞) 〖化〗 Kalomel *n.* -s; Quecksilberchlorür *n.* -s, -e.

감화(感化) Einfluß *m.* ..flusses, ..flüsse; Einwirkung *f.* -en. ~하다 beeinflussen^{4}; auf *jn.* ein|wirken. ‖ ~원 Besserungs〔Korrektions〕anstalt *f.* -en.

감화(鹹化) =비누화.

감회(感懷) 《느낌》 die tiefe Gemütsbewegung, -en; Affekt *m.* -s, -e; 《회상》 die sentimentalische Erinnerung, -en.

감흥(感興) Lust *f.* 《*zu*^{3}》; Interesse *n.* -s, -n 《*an*^{3}; *für*^{4}》.

감히(敢—) kühn; verwegen. ¶ ~ …하다 wagen; ^{3}sich erlauben^{4}.

갑(甲) ① 《십간의》 der erste der 10 Himmelsstämme. ② 《성적》 Eins *f.* -en; „1".

갑(岬) Kap *n.* -s, -s; Landspitze *f.* -n.

갑각(甲殼) Rückenschild *n.* -(e)s, -er; Schale *f.* -n; Kruste *f.* -n. ‖ ~류 〖動〗 Krustentiere (*pl.*).

갑갑하다 ① 《답답하다》 eng; beengt; knapp; 《마음이》 gehmmt (sein). ② 《지루하다》 ^{4}sich langweilen.

갑론을박(甲論乙駁) ~하다 für u. wider argumentieren.

갑문(閘門) Schleuse *f.* -n; Schleusentor *n.* -(e)s, -e.

갑상선(甲狀腺) Schilddrüse *f.* -n; Thyreoidea *f.* ..iden. ‖ ~염 Schilddrüsenentzündung *f.* -en / ~ 호르몬 Schilddrüsenhormon *n.* -s, -e.

갑옷(甲—) Harnisch *m.* -es, -e; Panzer *m.* -s, -.

갑자기 plötzlich; auf einmal; unerwartet. ¶ ~ 죽다 plötzlich sterben*.

갑작스럽다 plötzlich; unerwartet (sein).

갑판(甲板) (Ver)deck *n.* -(e)s, -e 〔-s〕.

값 Preis *m.* -es, -e; Wert *m.* -(e)s, -e. ¶ 값이 비싸다〔싸다〕 der Preis ist hoch 〔niedrig〕 / 값이 오르다〔내리다〕 im Preise steigen* 〔sinken*〕.

값싼 billig; wohlfeil; wertlos.

값지다 wertvoll 〔kostbar〕 (sein). ¶ 값진 선물 das kostbare Geschenk, -(e)s, -e.

갓 《방금》 eben; frisch. ¶ 갓 난 neu geboren; eben geboren / 갓 구운 빵 das frische 〔frisch gebackene〕 Brot / 갓 낳은 달걀 das frische 〔neugelegte〕 Ei.

갓난아이 Säugling *m.* -s, -e; Baby *n.* -s, -s.

강(江) Strom *m.* -(e)s, ⸚e; Fluß *m.* ..sses, ..üsse. ‖ 강둑 Fluß·damm *m.* -(e)s, ⸚ 〔-deich *m.* -(e)s, -e〕 / 강바닥 Flußbett *n.* -(e)s, -en.

강가(江—) Flußufer *n.* -s, -; Böschung *f.* -en. ¶ 그 집은 ~에 있었다 Das Haus lag an e-m Fluß.

강간(强姦) Notzucht *f.*; Befleckung *f.* -en; Entjungferung *f.* -en 《처녀 강간》. ～하다 notzüchtigen^{4}; beflecken^{4}.

강건(强健) ～하다 stark u. gesund; kräftig u. fest; männlich (sein).

강경(强硬) ～하다 beharrlich 〔hartnäckig; standhaft; 《용서없는》 durchgreifend; unnachsichtlich (sein). ‖ ～파 die grundsatztreue Partei, -en.

강구(講究) ～하다 erforschen^{4}; überlegen^{4}; untersuchen^{4}.

강권(强權) die Macht der Autorität; Einfluß *m.* ..sses, ..üsse; 《법적인》 die gesetzliche Autorität. ¶ ～을 발동하다 e-e Gewaltmaßnahme ergreifen*.

강단(講壇) Katheder *n.* -s, -; Rednerbühne *f.* -n; 《교회의》 Kanzel *f.* -n.

강당(講堂) Aula *f.* -s; Hörsaal *m.* -(e)s, ..säle.

강대(强大) ～하다 großmächtig; gewaltig (sein). ‖ ～국(國) Großmacht *f.* ⸚e; der mächtige Staat, -(e)s, -en.

강도(强度) Mächtigkeit *f.*; Intensität *f.* -en; Härte *f.* -n. ‖ ～ 현미경 das scharfe Mikroskop, -s, -e.

강도(强盜) Räuber 〔Einbrecher〕 *m.* -s, -. ‖ ～질 Raub *m.* -(e)s; Räuberei 〔Raubtat〕 *f.* -en / 무장 ～ bewaffneter Räuber, -s, -.

강독(講讀) das Lesen*, -s. ～하다 lesen*.

강동거리다 leicht springen; hüpfen.

강등(降等) Degradierung *f.* -en. ～하다 degradieren.

강력(强力) ～하다 mächtig 〔stark; kräftig; gewaltig〕 (sein). ‖ ～범 Gewaltdelikt *n.* -es, -e.

강렬(强烈) ～하다 heftig; 《빛이》 grell; 《술이》 feurig (sein).

강령(綱領) Leitgedanke(n) *m.* ..kens, ..ken; Hauptpunkt *m.* -(e)s, -e; 《정당의》 Programm *n.* -s, -e.

강론(講論) Exposition 〔Diskussion〕 *f.* -en; 《교리의》 Predigt *f.* -en. ～하다 exponieren; predigen^{4}; lehren^{4}.

강림(降臨) ～하다 vom Himmel herunterkommen*.

강매(强賣) Hausierer *m.* -s, -. ～하다 *jm.* e-e Ware auf|drängen 〔auf|zwingen*〕.

강모(剛毛) Borste *f.* -n; steifes 〔storkes〕 Haar, -(e)s, -e.

강박관념(强迫觀念) Verfolgungswahn *m.* -(e)s. ¶ ～에 사로잡히다 in e-m Verfolgungswahn befangen sein.

강변화(强變化) 〘文〙 〘動詞〙 die starke Konjugation; 〘名詞〙 die starke Deklination. ‖ ～동사 ein stark dekliniertes Verb, -s, -en.

강사(講師) Vorleser *m.* -s, -; 《대학》 Dozent *m.* -en, -en; Lektor *m.* -s, -en.

강샘 die unvernünftige Eifersucht. ～하다 stark eifersüchtig sein 〔werden〕.

강설(降雪) Schneefall *m.* -(e)s, ⸚e. ‖ ～량 die Menge des Schneefall(e)s.

강습(講習) Unterrichts〔Lehr〕kursus *m.* -, ..kurse. ¶ ～을 받다 an e-m Kursus teil|nehmen*. ‖ ～소 Ausbildungs〔Trainings〕anstalt *f.* -en.

강심제(强心劑) das herzstärkende Mittel, -s, -.

강아지 Hündchen *n.* -s, -.

강압(强壓) ～적 bedrückend; zwanghaft. ‖ ～수단 Zwangsmittel *n.* -s, -.

강연(講演) Vortrag *m.* -(e)s, ⸚e; Rede *f.* -n. ～하다 e-n Vortrag halten*. ‖ ～회 Vortragsversammlung *f.* -en; 《밤의》 Vortragsabend *m.* -s, -e.

강요(强要) Erpressung *f.* -en. ～하다 ein|treiben*^{4}; erpressen^{4} 《(von) *jm.*》; zu|muten^{34}; erzwingen*^{4} 《*von*^{3}》.

강우(降雨) Regenfall *m.* -(e)s, ⸚e. ‖ ～량 Regenmenge *f.* -n.

강의(講義) Vorlesung *f.* -en. ～하다 e-e Vorlesung halten*.

강인(强靭) ～하다 zäh 〔sehnig〕 (sein).

강자(强者) der Starke*, -n, -n.

강장동물(腔腸動物) Hohltiere (*pl.*).

강장제(强壯劑) Stärkungsmittel *n.* -s, -.

강적(强敵) der gefährliche Feind, -(e)s, -e; der scharfe 〔gefährliche〕 Gegner, -s, -.

강점(强點) Stärke *f.*

강제(强制) Zwang *m.* -(e)s; Nötigung *f.* ～하다 (er)zwingen*^{4}; nötigen*^{4}. ¶ ～적인 zwingend; gezwungen / ～로 zwangsweise; mit Zwang 〔Gewalt〕. ‖ ～ 노동 Zwangsarbeit *f.* -en / ～ 집행 Zwangsvollstreckung *f.* -en / ～ 착륙 e-e erzwungene Landung, -en.

강조(强調) Betonung *f.* -en. ～하다 betonen^{4}.

강좌(講座) Lehrstuhl *m.* -(e)s, ⸚e. ‖ 공개 ～ öffentliche Vorlesung, -en.

강직(强直) ～하다 erstarrt 〔steif〕 (sein). ‖ 사후 ～ Leichenstarre 〔Todesstarre〕 *f.*

강직(剛直) ～하다 unbeugsam (sein).

강진(强震) das starke Erdbeben, -s, -.

강짜 Eifersucht *f.*; Neid *m.* -(e)s. ¶ ～ 부리다 eifersüchtig sein 《*auf*^{4}》.

강철(鋼鐵) Stahl *m.* -(e)s, ⸚e〔-e〕. ‖ ～제품 Stahlware *f.* -n.

강추위 die bittere 〔schneidende〕 Kälte.

강타(强打) der starke Schlag, -(e)s, ⸚e. ～하다 stark 〔heftig〕 schlagen*^{4}. ‖ ～자 der gefährliche Schläger, -s, -.

강탈(强奪) ～하다 berauben 《*jn.* ^{2}*et.*》; plündern 《*jn.*》.

강토(疆土) Gebiet *n.* -(e)s, -e; Domäne *f.* -n.

강평(講評) Kritik *f.* -en. ～하다 kritisieren^{4}; besprechen*^{4}.

강풍(强風) der starke 〔heftige〕 Wind, -(e)s, -e.

강하(降下) Abstieg *m.* -(e)s, -e; das Fallen* 〔Absteigen*〕 -s. ～하다 (her-) ab|steigen*; fallen*.

강하다(强—) stark 〔kräftig; mächtig; gewaltig〕 (sein).

강행(强行) Erzwingung *f.* -en. ～하다 erzwingen*^{4}.

강행군(强行軍) Gewaltmarsch *m.* -es, ⸚e.

강호(强豪) Veteran *m.* -en, -en.

강화(强化) Verstärkung *f.* -en. ～하다 verstärken^{4}. ‖ ～ 식품 besonders nahrhafte Lebensmittel (*pl.*).

강화(講和) Friedensschluß *m.* ..schlusses, ..schlüsse; 《화해》 Versöhnung *f.* -en. ～하다 Frieden schließen* 〔machen〕 《*mit*^{3}》. ‖ ～ 회의 Friedenskonferenz *f.* -en / 단독 ~ Sonderfrieden *m.* -s, -.

강회(剛灰) gebrannter Kalk, -(e)s, -e.

갖가지 verschieden(artig); vermischt; mannigfach. ¶~ 이유로 aus verschiedenen ³Gründen.

갖다주다 bringen*. ¶맥주 한 병 갖다 주시오 Bringen Sie bitte uns Bier.

갖은 (모든) aller*; allerlei; jeder*; (빠짐없는) vollkommen; ganz. ‖~ 양념 das Gewürz aller Art.

갖추다 vor|bereiten (*auf*⁴; *zu*³); ein|richten⁴; haben⁴; besitzen*⁴.

같다 ① (동일) derselbe* [gleich] (sein). ② (동등) gleich³ [ähnlich³] (sein). ③ (보기에) aus|sehen* (*wie*). ④ (마찬가지) so gut wie ... sein. ¶죽은거나 [새것이나] ~ so gut wie tot [neu] sein. ⑤ (종류) ¶ …같은 (ein*) solch*; solch (ein*); wie / 나같은 사람 solch einer* wie ich. ⑥ (추측) (er)scheinen* ... zu +Inf.; aus|sehen*, als ob [wenn]. ¶비가 올 것 ~ Es scheint regnen zu wollen. ⑦ (가정) ¶나 같으면 wenn ich Sie [es] wäre. ⑧ (공통) gemein(-sam). ¶같은 마을 사람 die Person aus demselben Dorf.

같이 ① (같게) wie; ähnlich; in derselben Weise. ¶형~ 해라 Tu(e) wie dein Bruder tust. ② (공평히) gleich; ebenso... wie...; unparteiisch. ¶똑~ 나누다 ⁴*et* gleich verteilen. ③ (처럼) wie...; zufolge³; gemäß³. ¶평상시와 ~ wie gewöhnlich [immer]. ④ (함께) mit; zusammen (mit). ¶~ 살다 zusammen|leben.

갚다 ① (반환) zurück|geben*⁴; (돈을) zurück|zahlen⁴. ② (보답) vergelten*⁴. ¶은혜를 원수로 ~ Wohltat mit Undank vergelten*.

개 Hund *m.* -(e)s, -e. ¶~집 Hundehütte *f.* -n.

개(個) Stück *n.* -(e)s, -e. ¶비누 1 ~ ein Stück Seife / 사과 3 ~ drei Äpfel.

개가(改嫁) Wiederverheiratung *f.* -en; die zweite Ehe, -n. ~하다 ⁴sich wieder verheiraten.

개가(凱歌) Siegeslied *n.* -(e)s, -er; Triumphgesang *m.* -(e)s, ⸚e. ¶~를 올리다 ein dreifaches Sieg Heil rufen*.

개각(改閣) Kabinettsumbildung *f.* -en; die Umbildung des Kabinetts.

개간(開墾) Rodung [Urbarmachung] *f.*; Anbau *m.* -s. ~하다 roden⁴; urbar machen⁴; an|bauen⁴.

개강(開講) ~하다 die Vorlesung an|fangen*.

개개(個個) ~의 einzeln; gesondert; getrennt.

개고기 (고기) Hundefleisch *n.* -es; (막된 놈) der gemeine Mensch, -en, -en.

개관(開館) Eröffnung *f.* -en. ~하다 eröffnen⁴; eröffnet werden.

개관(概觀) Übersicht *f.* -en; Umriß *m.* ..risses, ..risse. ~하다 überblicken⁴; übersehen*⁴.

개괄(概括) ~하다 zusammen|fassen⁴ [-|stellen⁴].

개교(開校) Eröffnung e-r Schule. ~하다 e-e Schule eröffnen. ‖~ (기념)일 der Eröffnungstag e-r Schule.

개구리 Frosch *m.* -es, ⸚e.

개구쟁이 ein unartiges Kind, -(e)s, -er; Bengel *m.* -s, -.

개국(開國) ① (건국) Reichs[Staats]-gründung *f.* -en. ② (국교를 엶) die Öffnung e-s Landes zum Verkehr mit dem Ausland.

개그 Gag [gæg] *m.* -(s), -s.

개근(皆勤) ~하다 regelmäßig teil|nehmen* (*an*³). ‖~상 der Preis für die vollständige Teilnahme.

개기(皆既) ‖~일[월]식 die totale Sonnen[Mond]finsternis, ..nisse.

개나리 〖植〗 Forsythie *f.* -n.

개념(概念) Begriff *m.* -(e)s, -e. ¶ ~적인 begrifflich.

개다¹ (날씨가) ⁴sich auf|klären; (비·눈이) auf|hören (zu regnen; zu schneien); (안개가) ⁴sich verteilen.

개다² (접어서) zusammen|falten⁴; zusammen|legen⁴.

개다³ (물에) kneten⁴; mit Wasser weich machen⁴. ¶풀을 ~ den Kleister mit Wasser weich machen.

개떡 Reiskleienkuchen *m.* -s, -.

개떡같다 töricht [abgeschmackt] (sein). ¶개떡 같은 놈 abgeschmackter Kerl, -(e)s, -e.

개똥벌레 〖蟲〗 Glühwürmchen *n.* -s, -; Leuchtkäfer *m.* -s, -.

개략(概略) Umriß *m.* ..sses, ..sse. ¶~적인[의] auszüglich.

개량(改良) (Ver)besserung *f.* -en. ~하다 (ver)bessern⁴. ‖~종 veredelte Rasse, -n / ~형 Reformmodell *n.* -s, -e.

개론(概論) Einleitung *f.* -en (*in*⁴).

개막(開幕) der Anfang [Beginn] der ²Aufführung. ~하다 den Vorhang auf|ziehen*; (比) eröffnen⁴. ¶오후 6시 ~ (게시) Beginn um 18 Uhr.

개머리(판) (Gewehr)kolben *m.* -s, -.

개명(改名) ~하다 den Namen (ver)ändern.

개문(開門) ‖~ 발차 die Abfahrt bei offenen Türen.

개미 Ameise *f.* -n.

개발(開發) (개간) Urbarmachung *f.* -en; (계발) Entwicklung *f.* -en. ~하다 urbar machen⁴; roden⁴. ‖~ 도상국 Entwicklungsland *n.* -(e)s, ⸚er / ~ 원조 Entwicklungshilfe *f.* -n / 경제 ~ die ökonomische Entwicklung, -en / 저~국 das unentwickelte Land, -(e)s, ⸚er.

개방(開放) ~하다 offen lassen*⁴; vor die Öffentlichkeit bringen*⁴. ¶~적인 (성품이) offenherzig. ‖ (문호) ~주의 [정책] die Politik der offenen Tür.

개벽(開闢) ¶천지 ~ 이래 seit der Weltschöpfung.

개변(改變) (Ver)änderung *f.* -en. ~하다 (ver)ändern⁴.

개별(個別) ~적(으로) einzeln; persönlich.

개복(開腹) ‖~ 수술 Bauchschnitt *m.* -(e)s, -e.

개봉(開封) (편지의) das Erbrechen*, -s; (영화의) Uraufführung *f.* -en. ~하다 (e-n Brief) erbrechen*. ¶ ~되다 (영화가) uraufgeführt werden. ‖~ 영

화 der uraufgeführte Film, -s, -e.
개비 ein Stück Spaltholz. ¶ 성냥 한 ~ ein Streichholz *n.* -es, ⸚er.
개비(改備) Umarbeitung *f.* -en. ~하다 um|arbeiten[4].
개산(概算) Überschlag *m.* -(e)s, ⸚e; die ungefähre Schätzung 〔Berechnung〕 -en. ¶ 비용 ~은 다음과 같다 Die annähernde Berechnung der Unkosten ergab wie folgt.
개살구 die wilde Aprikose, -n.
개서(改書) Umschreibung *f.* -en. ~하다 um|schreiben*[4] (*auf*[4]).
개선(改善) (Ver)besserung *f.* -en. ~하다 (ver)bessern[4]; besser machen[4]. ‖ ~책 Reformmaßnahmen (*pl.*).
개선(改選) Neuwahl *f.* -en. ~하다 (von neuem) wählen[4].
개선(凱旋) Triumph *m.* -(e)s, -e. ~하다 triumphieren. ‖ ~문 Triumphbogen *m.* -s, -.
개설(開設) Begründung *f.* -en. ~하다 begründen[4]. ¶ 신용장을 ~하다 e-n Kreditbrief bestätigen.
개성(個性) Individualität *f.* -en; Persönlichkeit *f.* -en. ¶ ~이 강한 사람 der Mensch von starkem individuellem Gepräge.
개소(個所·箇所) Stelle *f.* -n; Ort *m.* -(e)s, ⸚er. ¶ 3 ~에서 동시에 불길이 올랐다 Der Brand ist zu gleicher Zeit an drei Stellen ausgebrochen.
개소리 Unsinn *m.* -(e)s. ¶ ~ 마라 Mach k-n Unsinn!
개수(改修) Ausbesserung *f.* -en. ~하다 aus|bessern[4].
개수(概數) die ungefähre Zahl, -en.
개시(開始) Anfang *m.* -(e)s, ⸚e; Beginn *m.* -(e)s. ~하다 an|fangen*[4]; beginnen[4]*. ¶ 영업을 ~하다 ein Geschäft beginnen*.
개신(改新) (Er)neuerung *f.* -en. ~하다 (er)neuern[4].
개심(改心) Besserung *f.* -en. ~하다 [4]sich bessern; e-n neuen Lebenswandel beginnen*.
개악(改惡) Verschlechterung *f.* -en. ~하다 verschlimmern[4]; (교각 살우) verschlimmbessern[4].
개암 〔植〕 Haselnuß *f.* ..nüsse.
개업(開業) ~하다 ein Geschäft eröffnen; (변호사, 의사가) praktizieren. ‖ ~의(醫) praktizierender Arzt, -es, ⸚e.
개역(改易) (Ver)änderung *f.* -en.
개역(改譯) die zweite Übersetzung, -en.
개연성(蓋然性) Wahrscheinlichkeit *f.* -en.
개요(概要) Um〔Ab〕riß *m.* ..risses, ..risse.
개운하다 [4]sich wohl fühlen; [4]sich aufgeheitert fühlen.
개울 Bach *m.* -(e)s, ⸚e; Flüßchen *n.* -s, -.
개의(介意) ~하다 [4]sich bekümmern (*um*[4]).
개인(個人) Individuum *n.* -s, ..en; Person *f.* -en. ¶ ~적인 individuell; persönlich; privat. ‖ ~ 교수 Privatunterricht *m.* -(e)s, -e / ~주의 Individualismus *m.* -.
개입(介入) das Dazwischentreten*, -s. ~하다 dazwischen|treten* 〔-|kommen*〕.

개작(改作) Be〔Um〕arbeitung *f.* -en. ~하다 bearbeiten[4]; um|arbeiten[4].
개장(開場) Eröffnung *f.* -en. ~하다 (er-)öffnen[4].
개재(介在) ~하다 dazwischen|liegen*.
개전(改悛) Reue *f.*; Besserung *f.* -en.
개전(開戰) ~하다 Krieg an|fangen*[4] (*mit*[3]); die Feindseligkeiten eröffnen (*gegen*[4]).
개점(開店) Geschäftseröffnung *f.* -en. ~하다 e-n Laden 〔ein Geschäft〕 eröffnen. ‖ ~ 휴업 Geschäft ohne [4]Geschäft.
개정(改正) Verbesserung *f.* -en; Revision *f.* -en. ~하다 verbessern[4]; revidieren[4]. ‖ ~안 Verbesserungsantrag *m.* -(e)s, ⸚e.
개정(改訂) Revision 〔Bearbeitung〕 *f.* -en. ~하다 revidieren[4]. ‖ ~판 revidierte 〔neu bearbeitete〕 Ausgabe, -n.
개정(開廷) Eröffnung des Gerichts. ~하다 Gerichtssitzung eröffnen.
개제(改題) ~하다 den Titel ändern.
개조(改造) Neugestaltung 〔Umgestaltung〕 *f.* -en. ~하다 neu gestalten[4]; um|gestalten[4].
개종(改宗) Bekehrung *f.* -en. ~하다 [4]sich bekehren (*zu*[3]); über|treten* (von [3]*et.* zu [3]*et.*).
개죽음 der unnütze Tod, -(e)s, (稀) -e. ~하다 [4]sich vergebens 〔umsonst〕 opfern.
개중(個中) von ihnen 〔denen〕. ¶ ~에는 unter (ihnen); von (ihnen).
개진(開陳) ~하다 aus|sagen[4] 〔-|sprechen*[4]〕; äußern[4]. ¶ 의견을 ~하다 s-e Meinung aus|sprechen* 〔äußern〕.
개집 Hundehütte *f.* -n.
개차반 der niedrige Kerl, -(e)s, -e.
개착(開鑿) Durchstich *m.* -(e)s, -e. ~하다 durch|stechen*[4].
개찬(改竄) ~하다 (ver)fälschen[4].
개찰(改札) die Prüfung der Fahrkarte. ~하다 die Fahrkarte prüfen; Fahrkarten knipsen 〔lochen〕. ‖ ~구 Sperre *f.* -n.
개척(開拓) Rodung *f.* -en; Anbau *m.* -s. ~하다 roden[4]; an|bauen[4]; aus|beuten[4]. ‖ ~자 Anbauer *m.* -s, -; Bahnbrecher *m.* -s, -; Pionier *m.* -s, -e.
개천(開川) Bächlein *n.* -s, -.
개천절(開天節) Jahrestag der Gründung Koreas (3. 10. 2333 v. Chr.).
개체(個體) Individuum *n.* -s, ..duen.
개최(開催) ~하다 halten*[4]; veranstalten[4]. ¶ 회의는 ~ 중이다 Die Versammlung ist im Gange. ‖ ~일 Eröffnungstag *m.* -s, -e.
개축(改築) Umbau *m.* -s. ~하다 um|bauen[4]. ‖ ~ 공사 Umbau *m.* -s.
개칠(改漆) ~하다 (칠을) wieder lackieren.
개칭(改稱) die Änderung des Namens. ~하다 den Namen ändern.
개키다 falten[4]; falzen[4]; zusammen|klappen[4] 〔-|legen[4]〕.
개탄(慨嘆) ~하다 beklagen[4]; jammern (*über*[4]).
개통(開通) ~하다 eröffnet werden; (불

통선이) wieder eröffnet werden. ‖ ~식 Eröffnungsfeier *f.* -n; die feierliche Eröffnung 《e-r Eisenbahn》.
개판 《俗》 Verwirrung *f.* -en.
개판(改版) Neudruck *m.* -(e)s, -e. ~하다 neu drucken[4].
개펄 Sumpfland *n.* -(e)s, ⸚er.
개편(改編) ① 《저작물의》 Revision *f.* -en; 《조직의》 Umorganisierung *f.* -en. ~하다 《저작물을》 revidieren[4]; umändern[4]; 《조직을》 um|organisieren[4]; neu organisieren[4].
개평 Gewinnanteil *m.* -s, -e (für die Zuschauer).
개폐(改廢) Reorganisation *f.* -en; Umgestaltung *f.* -en. ~하다 reorganisieren[4]; um|gestalten[4].
개폐(開閉) das Auf- u. Zumachen*, -s. ‖ ~장치 Verschluß *m.* ..lusses, ..lüsse.
개표(開票) ~하다 den Stimmzettel öffnen; die Stimmen zählen.
개학(開學) Schulanfang *m.* -s. ~하다 die Schule beginnt.
개항(開港) Öffnung e-s Hafens. ~하다 e-n Hafen dem Außenhandel öffnen.
개헌(改憲) Verfassungsänderung *f.* -en. ~하다 die Verfassung ändern.
개혁(改革) Umgestaltung *f.* -en; Reform (-ation) *f.* -en. ~하다 um|gestalten[4]; reformieren[4]; um|bilden[4]; (er)neuern[4]. ‖ 사회 ~ Sozialreform *f.* -en.
개화(開化) Aufgeklärtheit *f.*; Zivilisation *f.* -en; 《문화》 Kultur *f.* ~하다 aufgeklärt 〔zivilisiert〕 sein 〔werden〕.
개화(開花) das Aufblühen*, -s; Effloreszenz *f.* -en. ~하다 auf|blühen. ‖ ~기 Blütezeit *f.* -en.
개황(槪況) die allgemeine (Sach)lage, -n.
개회(開會) ~하다 e-e Versammlung eröffnen. ‖ ~사 Eröffnungsrede *f.* -n / ~식 Eröffnungsfeier *f.* -n.
객(客) =손님.
객관(客觀) Objektivität *f.* ¶ ~적인 objektiv; sachlich / ~적으로 판단하다 objektiv betrachten[4]. ‖ ~성 Objektivität.
객기(客氣) der blinde Mut, -(e)s.
객담(客談) Plauderei *f.* -en.
객사(客死) ~하다 im fremden Lande 〔auf der Reise〕 sterben*.
객석(客席) Sitz *m.* -es, -e 《für den Gast》; Gaststube *f.* -n.
객선(客船) Passagier·schiff *n.* -(e)s, -e 〔-boot *n.* -es, -e〕.
객소리(客—) dummes 〔sinnloses〕 Gerede, -s.
객스럽다(客—) nutzlos zu sein scheinen*.
객식구(客食口) Schmarotzer *m.* -s, -.
객실(客室) Gast·zimmer *n.* -s, - 〔-stube *f.* -n〕.
객원(客員) Ehrenmitglied *n.* -(e)s, -er. ‖ ~교수 Gastprofessor *m.* -s, -en.
객지(客地) der fremde Ort, -(e)s, -e 〔⸚er〕; das fremde Land, -es, ⸚er; Fremde *f.*
객쩍다(客—) unwichtig 〔unbedeutend〕 (sein).
객차(客車) Personenwagen *m.* -s, -.
객체(客體) Objekt *n.* -es, -e.
객혈(喀血) Blutspucken *n.* -s; Hämoptoe *f.* ~하다 Blut spucken 〔husten〕.

갯마을 Fischerdorf *n.* -(e)s, ⸚er.
갯바람 Meeres〔See〕brise *f.* -n.
갯지렁이 〖動〗 Pier *m.* -(e)s, -e.
갱 Gangster *m.* -s, -; 《강도단》 Gang *m.* -s, -s.
갱(坑) 《갱내》 Grube *f.* -n; 《갱도》 Minengang *m.* -(e)s, ⸚e.
갱년기(更年期) Wechseljahre (*pl.*); das gefährliche Alter, -s, -. ‖ ~장애 die Beschwerden des gefährlichen Alters.
갱도(坑道) Minengang *m.* -(e)s, ⸚e.
갱목(坑木) Grubenpfeiler *m.* -s, -.
갱부(坑夫) Bergmann *m.* -(e)s, ..leute; Grubenarbeiter *m.* -s, -.
갱생(更生) Wieder〔Neu〕geburt *f.* -en. ~하다 e-e Wiedergeburt erleben; ein neues Leben an|fangen*.
갱소년(更少年) ~하다 [4]sich verjüngen.
갱신(更新) Erneuerung *f.* -en. ~하다 erneuern[4].
갱신못하다 《꼼짝 못함》 [4]sich gar nicht regen können* 《vor Müdigkeit》.
갱지(更紙) das rauhe Papier, -s, -e.
갱충쩍다, 갱충맞다 liederlich〔unordentlich; schlaff〕 (sein).
갸륵하다 wacker 〔brav; lobenswert〕 (sein).
갸름하다 schmal u. lang 〔länglich u. rund〕 (sein).
갸웃거리다 unruhig umher|blicken. ¶ 고개를 ~ [3]sich an den Kopf fassen.
갸자 der Tragekasten für Speisen.
갹출(醵出) ~하다 bei|tragen*; *jm.* das Geld dar|bieten*.
거간(居間) 《행위》 Maklergeschäft *n.* -(e)s, -e; 《사람》 Makler 〔Zwischenhändler〕 *m.* -s, -.
거구(巨軀) die große Figur, -en.
거국(擧國) ¶ ~일치하여 mit dem Einsatz der ganzen Nation.
거금(巨金) e-e große Geldsumme; viel Geld.
거기 《장소》 da; dort; jener Ort, -es, -e; 《범위》 so weit. ¶ ~서 von dort 〔da〕 / ~까지는 좋았으나 so weit ist es gut, aber....
거꾸러지다 《엎어지다》 hin|fallen*; 《죽다》 sterben*. ¶ 앞으로 ~ nach vorn(e) hin|fallen*.
거꾸로 《곤두박질로》 kopf·über 〔-unter〕; 《역으로》 umgekehrt; verkehrt; gegensätzlich; 《오히려》 im Gegenteil. ¶ ~ 세우다 [4]*et.* auf den Kopf stellen / ~ 떨어지다 kopfüber fallen* / 그림이 ~ 걸려 있다 Das Bild hängt verkehrt.
-거나 ob... ob nicht. ¶ 그가 알~ 말~ ob er weiß, ob nicht.
거나하다 feuchtfröhlich 〔beschwipst; angeheitert〕 (sein).
거느리다 begleitet sein 《von *jm.*》; mit [3]sich nehmen* 《*jn.*》; 《이끌다》 führen[4].
-거늘 obwohl; während; wenn auch.
거닐다 schlendern; wandeln; spazieren|gehen*.
거대(巨大) ~하다 kolossal 〔übergroß; ungeheuer; gigantisch; riesengroß〕 (sein).
거덜나다 ruiniert sein; bankrott werden; pleite gehen*.
거동(擧動) das Betragen* 〔Benehmen*; Verhalten*〕 -s. ¶ ~이 수상하다 [4]sich verdächtig benehmen*.

ㄱ

거두(巨頭) Haupt *n.* –(e)s, ⸗er; Führer *m.* –s, –. ‖ 3 ~ 회담 das (Zusammen)treffen der drei Großen.

거두다 ① 《모으다》 sammeln^{4}; ein|sammeln^{4}. ② 《성과를》 gewinnen*^{4}; erwerben*^{4}. ¶ 승리를 ~ e-n Sieg gewinnen* 〔erringen*〕. ③ 《수확하다》 ernten^{4}. ④ 《돌보다》 pflegen^{4}. ⑤ 《끝내다》 auf|hören; zu Ende bringen*^{4}. ¶ 눈물을 ~ die Tränen unterdrücken. ⑥ 《숨을》 den letzten Atem aus|hauchen.

거드럭거리다 ^{4}sich auf|blähen; ^{4}sich spreizen.

거드름피우다 (^{4}sich) wichtig tun*; ^{3}sich ein Ansehen geben*.

거들다 *jm.* helfen*; *jm.* behilflich sein. ¶ 일을 ~ *jm.* bei der Arbeit helfen*.

거들떠보다 *jn.* e-s Blicks würdigen; e-n Blick werfen*. ¶ 거들떠보지도 않다 *jn.* k-s Blicks würdigen.

거듭 wieder(um); nochmals; noch einmal; wiederholt. ~하다 wiederholen^{4}; repetieren^{4}; noch einmal tun*^{4}.

거뜬하다 leicht 〔einfach; ohne Mühe〕 (sein).

거래(去來) Geschäft *n.* –(e)s, –e; Handel *m.* –s, ⸗e. ~하다 handeln; Geschäft machen. ‖ ~소 Börse *f.* –n / ~처 Geschäftsfreund *m.* –(e)s, –e / 부정 ~ Schwarzhandel / 신용 ~ der Handel auf Kredit.

거론(擧論) ~하다 ^{4}*et.* als Subjekt 〔Thema〕 e-r Diskussion auf|nehmen*.

거룩하다 heilig〔göttlich; hehr; feierlich〕 (sein).

거룻배 Leichter 〔Lichter〕 *m.* –s, –.

거류(居留) Aufenthalt *m.* –(e)s, –e. ~하다 wohnen 《*in*^{3}》; ^{4}sich auf|halten* 《*in*^{3}; *bei*^{3}》. ‖ ~민 der Ansässige*, –n, –n.

거르다^{1} 《여과》 (durch|)seihen^{4}; filtrieren^{4}.

거르다^{2} 《생략》 aus|lassen*^{4}; überspringen*^{4}; überschlagen^{4}*. ¶ 하루 〔이틀〕 걸러 jeden zweiten〔dritten〕 Tag; alle zwei 〔drei〕 Tage.

거름 Mist *m.* –es, –e; Dünger *m.* –s, –. ¶ ~을 주다 düngen^{4}.

거리^{1} 《길》 Straße *f.* –n; Weg *m.* –(e)s, –e. ‖ 네~ Kreuzweg *m.* –(e)s, –e.

거리^{2} 《재료》 Material *n.* –s, –ien; Stoff *m.* –(e)s, –e; 《대상》 Gegenstand *m.* –(e)s, ⸗e. ‖ 웃음 ~ der Gegenstand des Gelächters / 이야깃 ~ Gesprächsstoff.

거리(距離) Strecke *f.* –n; Abstand *m.* –(e)s, ⸗e; Entfernung *f.* –en; Zwischenraum *m.* –(e)s, ⸗e. ¶ ~가 2 마일이다 zwei Meilen entfernt sein 《*von*^{3}》. ‖ ~계 〖寫〗 Entfernungsmesser *m.* –s, – / 장〔단〕~ die lange 〔kurze〕 Strecke.

거리끼다 《마음에》 ^{4}sich genieren 《*vor*^{3}》; ^{4}sich befangen fühlen 《*vor*^{3}》. ¶ 거리낌 없이 ohne Umstände; unbefangen; frei.

거만(巨萬) ~의 Milliarden von^{3}...; e-e Unmasse von^{3}....

거만(倨慢) Hochmut *m.* –(e)s; Übermut *m.* –(e)s. ~하다 hochmütig 〔übermütig; anmaßend; stolz〕 (sein). ¶ ~한 태도를 보이다 ^{4}sich groß machen.

거머리 Blutegel *m.* –s, –.

거머삼키다 ganz hinunter|schlucken^{4}; verschlucken^{4}.

거머잡다 ergreifen*^{4}; greifen* 《*nach*^{3}》.

거멓다 dunkel 〔schwarz〕 (sein).

거목(巨木) ein großer Baum, –(e)s, ⸗e.

거무스름하다 schwärzlich (sein).

거문고 〖樂器〗 koreanische Harfe mit sechs Saiten.

거물(巨物) Größe *f.* –n; die führende Persönlichkeit, –en. ¶ 정계의 ~ der Löwe der politischen Welt.

거미 Spinne *f.* –n. ‖ ~줄 Spinnenfaden *m.* –s, ⸗ / ~집 Spinnengewebe *n.* –s, –.

거병(擧兵) ~하다 Soldaten 〔Truppen〕 aus|heben*.

거부(巨富) der steinreiche Mensch, –en, –en; Millionär *m.* –s, –e; Billionär *m.* –s, –e; Krösus *m.* –, ..susse.

거부(拒否) Ablehnung 〔Verweigerung; Ableugnung〕 *f.* –en. ~하다 ab|lehnen^{4}; ab|leugnen^{4}; verweigern^{34}. ‖ ~권 Veto *n.* –s, –s / ~ 반응 Abwehrreaktion *f.* –en.

거북 Schildkröte *f.* –n.

거북하다 unbequem 〔unangenehm; unhandlich; schwierig; unwohl; nicht wohl〕 (sein). ¶ 거북한 자리 ein unbequemer Sitz 〔Platz〕.

거사(擧事) ~하다 ^{4}sich erheben* 《*gegen*^{4}》; ^{4}sich empören 《*gegen*^{4}》; 《반란》 auf|stehen*.

거상(巨商) der reiche Kaufmann, –(e)s, ..leute.

거석(巨石) der große Stein, –(e)s, –e. ‖ ~ 문화 Megalithkultur *f.* –en.

거세(去勢) Verschneidung 〔Kastration〕 *f.* –en; 《比》 Entmannung *f.* –en. ~하다 verschneiden*^{4} kastrieren^{4}; entmannen^{4}.

거세다 wild 〔ungestüm; heftig〕 (sein). ¶ 거센 물결 gewaltige Wellen (*pl.*).

거소(居所) (Wohn)sitz *m.* –es, –e; Wohnort *m.* –(e)s, –e.

거수(擧手) ~하다 die Hand hoch|heben*. ‖ ~ 가결 die Abstimmung durch Handhochheben / ~ 경례 der militärische Gruß, –es, ⸗e.

거스르다 ① 《뜻·비위를》 ^{4}sich widersetzen^{3}; ^{4}sich auf|lehnen 《*gegen*^{4}》; nicht gehorchen^{3}. ¶ 어버이의 말씀을 ~ s-r Eltern nicht gehorchen. ② 《돈을》 den Überschuß heraus|geben*.

거스름돈 Wechsel〔Klein〕geld *n.* –(e)s, –er; Rest *m.* –es, –e.

거슬러올라가다 《과거로》 zurück|gehen*; 《강을》 den Strom hinauf|gehen*.

거슬리다 widersprechen*^{3}; ab|weichen* 《*von*^{3}》; zuwider^{3} sein.

거슴츠레하다 schläfrig 〔trübe〕 (sein). ¶ 거슴츠레한 눈 schläfrige Augen (*pl.*).

거시적(巨視的) ¶ ~인〔으로〕 makroskopisch.

거실(居室) Gemach *n.* –(e)s, ⸗er; Wohnzimmer *n.* –s, –.

거액(巨額) die große 〔ungeheure〕 Summe, –n.

거역(拒逆) ~하다 nicht gehorchen^{3}; ^{4}sich widersetzen^{3}; ^{4}sich *gegen*^{4} auf|lehnen 〔sträuben〕; widersprechen*^{3}.

¶ …에 ~하여 gegen[4]; wider[4]; zuwider[3].
거울 Spiegel *m.* -s, -; 《귀감》 Vorbild *n.* -es, -er. ¶ ~삼다 *jn.* zum Vorbild machen.
거웃 《음모》 Schamhaare (*pl.*); Pubes *f.* ..bis.
거위[1] Gans *f.* ⸚e.
거위[2] =회충.
거의 beinah(e); fast; bald; ungefähr. ¶ ~ …않는 kaum; schwerlich; wenig.
거인(巨人) Riese *m.* -n, -n; Gigant *m.* -en, -en.
거장(巨匠) der (große) Meister, -s, -.
거저 unentgeltlich; (kosten)frei; umsonst.
거저먹기 ¶ 그런 것은 ~다 Das ist ein Kinderspiel.
거적 die grobe 〔rauhe〕 Strohmatte, -n. ‖ ~때기 ein Stück Strohmatte.
거절(拒絶) Ablehnung 〔Abweisung; Verweigerung〕 *f.* -en. ~하다 ab|lehnen[4]; ab|weisen*[4]; verweigern[34]; versagen[4]. ¶ 요구를 ~하다 die Forderung zurück|weisen*.
거점(據點) Stützpunkt *m.* -(e)s, -e.
거족(巨族) die große 〔mächtige〕 Familie, -n.
거족(擧族) ~적 das ganze Volk betreffend.
거주(居住) ~하다 wohnen; [4]sich nieder|lassen*. ‖ ~자 Bewohner 〔Einwohner〕 *m.* -s, - / ~지 Wohnort 〔Wohnsitz〕 *m.* -es, -e.
거죽 das Äußere*, -n; Oberfläche *f.* -n; die äußere Erscheinung, -en.
거중조정(居中調停) Vermittlung *f.* -en; Dazwischenkunft *f.* ⸚e. ~하다 vermitteln 《*zwischen*[3]》.
거지 Bettler *m.* -s, -. ¶ ~가 되다 an den Bettelstab kommen*.
거짓 Lüge *f.* -n; Falschheit *f.* -en; Betrug *m.* -(e)s; Verstellung *f.* -en. ~의 falsch; verstellt; lügenhaft; unwahr.
거짓말 Lüge *f.* -n; Unwahrheit *f.* -en. ~하다 lügen*; die Unwahrheit sagen. ‖ ~쟁이 Lügner *m.* -s, -; Lügenschmied *m.* -(e)s, -e.
거찰(巨刹) der große buddhistische Tempel, -s, -.
거창(巨創) ~하다 großartig 〔in großem Maßstab〕 (sein).
거처(居處) Wohnung *f.* -en; Wohnsitz *m.* -es, -e; Aufenthalt *m.* -(e)s, -e. ¶ ~를 정하다 s-n Wohnsitz auf|schlagen* 〔nehmen*〕.
거추장스럽다 lästig 〔beschwerlich; hinderlich〕 (sein).
거취(去就) Einstellung *f.* -en; das Für u. Wider*; das Verhalten*, -s. ¶ ~를 결정하다 Farbe bekennen*.
거치(据置) ~하다 ungetilgt 〔nicht eingelöst〕 lassen*[4]; stehen lassen*[4]. ¶ ~의 ungetilgt. ‖ ~ 기한 der Termin der Festlegung von Ersparnissen.
거치다 berühren[4]; (hin)durch|gehen*; vorbei|gehen*; vorüber|gehen*. ¶ 하와이를 거쳐 via 〔über〕 Hawaii.
거치적거리다 zur Last fallen*[3]; *jm.* lästig sein.
거칠다 grob 〔roh; rauh; wild; heftig; großmaschig〕 (sein). ¶ 거친 말 rauhes Wort, -es, ⸚er 〔-e〕.
거침없이 fließend; leicht; ohne Stockung; frei; ohne Bedenken.
거탄(巨彈) 《폭탄》 die riesige Bombe, -n; 《比》 Sensation *f.* -en.
거포(巨砲) das schwere Geschütz, -es, -e.
거푸 wieder; wiederholt; wieder u. wieder.
거푸집 Form *f.* -en; Gieß〔Guß〕form.
거품 Schaum *m.* -(e)s, ⸚e; Blase *f.* -n. ¶ ~이 이는 schaumig; schäumend. ‖ 비누 ~ Seifenschaum *m.* -(e)s, ⸚e.
거하다 《산이》 steil 〔jäh; stattlich〕 (sein); 《초목이》 dicht (sein).
거한(巨漢) Riese *m.* -n, -n.
거행(擧行) ~하다 (ab|)halten*[4]; veranstalten[4]; begehen*[4]; feiern[4]. ¶ 식을 ~하다 e-e Feier halten*.
걱정 Angst *f.* ⸚e; Sorge *f.* -n; Besorgnis *f.* ..nisse; Kummer *m.* -s. ~하다 [4]sich ängstigen 《*um*[4]》; [3]sich Sorge machen 《*um*[4]; *wegen*[2]》; besorgt sein 《*um*[4]》. ¶ ~ 없는 sorgenlos; kummerfrei / 근심 ~ Angst u. Sorge. ‖ ~거리 der Gegenstand der Sorge.
걱정스럽다 gefährlich 〔heikel; ängstlich〕 (sein). ¶ 걱정스러운 얼굴로 mit e-m besorgten Ausdruck.
건(件) Angelegenheit *f.* -en; Sache *f.* -n; Frage *f.* -n. ¶ 도난 건수 die Diebstahlfälle (*pl.*).
건(腱) Sehne 〔Flechse〕 *f.* -n.
건-(乾) Trocken-; getrocknet. ‖ 건포도 Rosine *f.* -n.
건강(健康) Gesundheit *f.* -en; das Wohlbefinden*, -s. ~하다 gesund 〔wohl〕 (sein). ¶ ~에 좋은 (der Gesundheit) zuträglich; bekömmlich; gesund; heilsam. ‖ ~상태 Gesundheitszustand *m.* -(e)s, ⸚e; das Befinden*, -s / ~증명서 Gesundheitspaß *m.* ..passes, ..pässe / ~진단 die Untersuchung des Gesundheitszustands.
건국(建國) Staatsbegründung *f.* -en. ‖ ~일 der Gründungstag des Reiches.
건너 die entgegengesetzte Seite, -n. ¶ 강 ~쪽에 jenseits des Flusses.
건너가다 kreuzen[4]; über|schreiten*.
건너다 überschreiten*[4]; hinüber|gehen* 〔-|fahren*〕 《*über*[4]》; 《도섭》 durchwaten[4]. ¶ 강을 ~ über den Fluß fahren*.
건너뛰다 《건너편으로》 überspringen*[4]; 《거르다》 überschlagen*[4].
건너편 die andere 〔gegenüberliegende〕 Seite, -n. ¶ ~에 gegenüber[3]; jenseits[2]; über[3].
건넌방 (一房) das Zimmer gerade gegenüber.
건널목 《철도의》 Bahnübergang *m.* -(e)s, ⸚e. ‖ ~지기 Bahnwärter *m.* -s, -.
건네다 ① 《말을》 *jn.* an|reden 〔-|sprechen*〕. ② 《남의 손에》 ab|liefern[4]; ein|händigen[4]; übergeben*[4]; überreichen[4]; über|setzen[4].
건달(乾達) Wüstling *m.* -s, -e. ‖ ~패 Pöbel *m.* -s.
-건대 wenn; wie; gemäß[3]; nach[3]. ¶ 보건대 dem Anschein nach / 듣건대 wie ich höre.
건더기 Suppeneinlage *f.* -n; 《내용》 Inhalt *m.* -es, -e.
건드레하다 etwas betrunken (sein).

ㄱ

건드리다 an|rühren[4]; berühren[4]; rühren[4] (*an*[4]); (be)tasten[4].

건들거리다 《바람이》 leicht wehen; 《사람이》 faulenzen; 《물체가》 schwanken.

건립(建立) ～하다 erbauen[4]; errichten[4]. ¶～ 중이다 im Bau sein. ‖～기금 Stiftungsfonds *m.* -, -.

건망증(健忘症) Vergeßlichkeit *f.* -en; Amnesie *f.* -n. ¶～이 심하다 vergeßlich sein.

건물(建物) Gebäude *n.* -s, -; Bau *m.* -(e)s, -ten. ‖목조 ～ das hölzerne Haus, -es, ¨er / 석조 ～ Steinhaus.

건반(鍵盤) Tastatur 〔Klaviatur〕 *f.* -en. ‖～악기 Tastinstrument *n.* -(e)s, -e.

건밤새다 e-e schlaflose Nacht haben 〔verbringen*〕.

건방지다 naseweis 〔vorlaut; anmaßend; schnippisch〕 (sein). ¶건방진 태도 Unverschämtheit *f.* -en.

건빵(乾—) Zwieback *m.* -s, ¨e; Keks *m.* 〔*n.*〕 -(es), -(e); Biskuit *m.* 〔*n.*〕 -(e)s, -e.

건사하다 《간수》 bewahren[4]; verwahren[4].

건설(建設) Bau *m.* -(e)s; Errichtung 〔Gründung〕 *f.* -en. ～하다 (er)bauen[4]; errichten[4]; gründen[4]. ¶～적인 aufbauend; schöpferisch. ‖～공사 (Auf)bauarbeit *f.* -en / ～비 Baukosten (*pl.*) / ～자 Erbauer 〔Gründer〕 *m.* -s, -.

건성 ¶～으로 abwesend; zerstreut / ～으로 듣다 *jm.* zerstreut zu|hören.

건성(乾性) Trockenheit *f.* ‖～늑막염 die trockene Pleuritis, ..tiden.

건수(件數) die Zahl der Fälle. ¶도난 ～ die Diebstahlfälle (*pl.*).

건실(健實) ～하다 gesund 〔solid; sicher〕 (sein).

건아(健兒) der frische Junge, -n, -n.

건어물(乾魚物) getrocknete Fische (*pl.*).

건위(健胃) ‖～제 Magenmittel *n.* -s, -.

건의(建議) Antrag 〔Vorschlag〕 *m.* -(e)s, ¨e. ～하다 beantragen[4]; den Antrag stellen; vor|schlagen*[34]. ‖～안(案) Antragsentwurf *m.* -(e)s, ¨e.

건장(健壯) ～하다 kerngesund 〔gesundheitstrotzend; kraftstrotzend〕 (sein).

건재(健在) ～하다 gesund sein; 《현존》 bestehen*.

건전(健全) ～하다 gesund 〔wohl〕 (sein). ¶～한 사고방식 die gesunde Ansicht, -en.

건전지(乾電池) Trockenbatterie *f.* -n; Trockenelement *n.* -(e)s, -e.

건조(建造) Bau *m.* -(e)s; Errichtung -en. ～하다 (er)bauen[4]; errichten[4].

건조(乾燥) Dürre *f.* -n; Trockenheit *f.* -en. ～하다 dürr 〔trocken〕 (sein). ‖～기 Trockenapparat *m.* -(e)s, -e / ～실(室) Trockenboden *m.* -s, ¨; Trockenkammer *f.* -n.

건지다 ① 《물에서》 heraus|ziehen*[4] (aus dem Wasser). ② 《구명》 aus [3]*et.* heraus|helfen*[3]. ¶가까스로 목숨을 ～ dem Tode ums Haar entgehen*. ③ 《손해를》 [4]sich entschädigen (*für*[4]).

건초(乾草) Heu *n.* -(e)s.

건축(建築) Bau *m.* -(e)s, -e; Architektur *f.* -en. ～하다 (er)bauen[4]; auf|bauen[4]. ‖～가 Architekt *m.* -en, -en; Baumeister *m.* -s, - / ～비 Baukosten (*pl.*) / ～양식 Bauart *f.* -en / ～업 Baugewerbe *n.* -s, - / ～용지 Baustelle *f.* -n / ～재료 Baustoff *m.* -(e)s, -e.

건투(健鬪) der gute 〔tapfere〕 Kampf, -(e)s, ¨e. ～하다 gut 〔brav; tapfer〕 kämpfen; [4]sich gut schlagen* (*mit*[3]).

건판(乾板) Trockenplatte *f.* -n.

건평(建坪) der Flächeninhalt des Gebäudes.

건폐율(建蔽率) Bebauungsrate *f.* -n.

건포도(乾葡萄) Rosine *f.* -n.

걷다[1] 《보행》 (zu Fuß) gehen*; schreiten*. ¶걸어서 zu Fuß / 거리를 ～ auf der Straße gehen*.

걷다[2] ① 《걷어 올림》 auf|ziehen*[4]; 《소매 등을》 auf|streifen[4]; um|schlagen*[4]. ¶소매를 ～ die Ärmel auf|schlagen*. ② 《치움》 ab|nehmen*[4]; ab|decken[4].

걷어치우다 auf〔weg〕|räumen[4]; 《일을》 auf|hören (*mit*[3]); unterbrechen*[4].

걸다 ① 《매달다》 hängen[4] (*an*[4]; *auf*[4]; *über*[4]); auf|hängen[4] (*an*[3·4]; *auf*[4]). ② 《돈을》 be〔ein|〕zahlen[4]. ③ 《목숨을》 riskieren[4]; aufs Spiel setzen[4]. ④ 《말을》 an|reden[4]; an|sprechen[4]. ⑤ 《시비를》 heraus|fordern (*jn.*); *jm.* Spitze bieten*. ⑥ 《연애를》 e-r Dame den Hof machen. ⑦ 《전화를》 (telephonisch) an|rufen*[4]. ⑧ 《재판을》 e-e Sache vor Gericht bringen*. ⑨ 《희망을》 die Hoffnung setzen (*auf*[4]). ⑩ 《잠그다》 verschließen*[4]. ⑪ 《작동시키다》 in Bewegung setzen[4].

걸러뛰다 überspringen*[4]; überschlagen*[4].

걸레 Wisch〔Scheuer〕lappen *m.* -s, -. ¶～질하다 (mit dem Wischlappen) ab|wischen[4].

걸리다 ① 《매달림》 hängen 〔hangen*〕 (*an*[3]). ② 《돈·목숨이》 eingezahlt sein (als Bürgschaft); auf dem Spiele stehen*. ③ 《전화가 통함》 telephonisch erreichen können*; 《걸려옴》 angerufen werden. ④ 《술책·함정에》 gefangen sein; geraten sein (in e-r Falle); [4]sich (in der Falle) fangen*. ⑤ 《방해받다》 gestockt sein; hängen bleiben* (*an*[3]). ¶나무 뿌리에 걸려 넘어지다 über e-e Baumwurzel stolpern und fallen*. ⑥ 《잡히다》 gefangen sein. ¶고기가 그물에 걸렸다 Ein Fisch ist ins Netz gefangen. ⑦ 《법에》 verstoßen* (*gegen*[4]); [4]sich vergehen*. ⑧ 《병에》 bekommen*[4]; (von e-r Krankheit) befallen werden. ⑨ 《시간이》 in [4]Anspruch nehmen*[4]; dauern. ⑩ 《마음에》 *jn.* beunruhigen; *jm.* Sorge machen.

걸맞다 im Gleichgewicht (sein); zusammen|passen.

걸물(傑物) die Persönlichkeit von Format; der große Geist, -(e)s, -er. ¶그는 상당한 ～이다 Er ist ein ganzer Kerl.

걸상(一床) Stuhl *m.* -(e)s, ¨e; Bank *f.* ¨e.

걸쇠 (Tür)klinke *f.* -n.

걸스카우트 Pfadfinderin *f.* -nen.

걸식(乞食) Bettelei *f.* -en. ～하다 betteln.

걸음 Gang *m.* -(e)s, ¨e; Schritt 〔Tritt〕 *m.* -(e)s, -e.

걸작(傑作) Meisterwerk 〔Meisterstück〕 *n.* -(e)s, -e.

걸쭉하다 dick(flüssig) 〔zäh〕 (sein).
걸출(傑出) ～하다 hervorragend (sein).
걸치다 ① 《미치다》 ⁴sich erstrecken 《über⁴》. ② 《놓다》 legen⁴; lehnen⁴. ③ 《입다》 an|ziehen*⁴. ¶ 누더기를 걸치고 있다 Er ist im Lumpen gekleidet.
걸핏하면 leicht; zu oft. ¶～ …하다 zu ³et. geneigt sein.
검(劍) Schwert n. –(e)s, –er; Degen 〔Säbel〕 m. –s, –.
검객(劍客) Fechter m. –s, –.
검거(檢擧) Verhaftung f. –en. ～하다 verhaften⁴; fest|nehmen*⁴. ‖ 일제 ～ Massenverhaftung f. –en; Razzia f. –s 〔..zzien〕.
검뇨(檢尿) Harnuntersuchung f. –en.
검다 schwarz 〔dunkel〕 (sein).
검댕 Ruß m. –es. ¶～이 끼다 rußig werden.
검도(劍道) Fechtkunst f. ¨e.
검둥이 《낯이 검은 사람》 e–e Person mit dunkler Gesichtsfarbe; 《흑인》 Neger m. –s, –.
검문(檢問) Kontrolle f. –n. ～하다 kontrollieren⁴. ‖ ～소 Kontrollstelle f. –n.
검버섯 die dunkle Haut alter Leute.
검변(檢便) Stuhluntersuchung f. –en.
검사(檢事) Staatsanwalt m. –(e)s, ¨e.
검사(檢査) Prüfung 〔Untersuchung〕 f. –en. ～하다 prüfen⁴; untersuchen⁴; examinieren⁴. ‖ 신체 ～ die körperliche Untersuchung, –en.
검산(檢算) Nachrechnung f. –en. ～하다 nach|rechnen⁴.
검색(檢索) Durchsuchung f. –en; das Nachschlagen*, –s.
검소(儉素) ～하다 schlicht 〔einfach; sparsam〕 (sein).
검술(劍術) Fechtkunst f. ¨e.
검시(檢屍) Leichenschau f. –en. ～하다 die Leiche beschauen. ‖ ～관 Leichenbeschauer m. –s, –.
검안(檢眼) die Untersuchung der Augen; Ophthalmoskopie f.
검약(儉約) Sparsamkeit f.; Wirtschaftlichkeit f. ～하다 sparen⁴; sparsam um|gehen* 《mit³》; ⁴et. zu Rate halten*.
검역(檢疫) Quarantäne f. –n. ～하다 die Quarantäne halten*. ‖ ～소 Quarantäneanstalt f. –en.
검열(檢閱) Zensur 〔Besichtigung〕 f. –en. ～하다 zensieren⁴; besichtigen⁴. ‖ ～관 Zensor m. –s, –en.
검은자위 das Schwarze* des Auges; Augenstern m. –(e)s, –e.
검인(檢印) Stempel m. –s, –; das Stempeln*, –s. ¶～을 찍다 stempeln⁴; den Stempel setzen.
검정(檢定) die amtliche Genehmigung, –en. ～하다 amtlich genehmigen⁴. ‖ ～ 시험 die amtliche Prüfung, –en.
검증(檢證) Bestätigung f. –en; Feststellung f. –en. ～하다 bestätigen⁴; fest|stellen⁴.
검지(一指) ＝집게손가락.
검진(檢診) die ärztliche Untersuchung, –en. ～하다 ärztlich untersuchen⁴.
검찰(檢察) ‖ ～관 Staatsanwalt m. –(e)s, ¨e / ～청 Staatsanwaltschaft f. –en / ～ 총장 Generalstaatsanwalt.
검출(檢出) ～하다 entdecken⁴; identifizieren⁴. ‖ ～ 한도 Erfassungsgrenze f. –n.
검침(檢針) Meterkontrolle f. –n.
검토(檢討) Erforschung 〔Untersuchung; Überprüfung〕 f. –en. ～하다 erforschen⁴; untersuchen⁴; überprüfen⁴.
검표(檢票) Fahrkartenkontrolle f. –n. ～하다 die Fahrkarte kontrollieren. ‖ ～원 Fahrkartenkontrolleur m. –s, –e.
겁(怯) Furcht f.; Angst f. ¨e; Feigheit 〔Befürchtung〕 f. –en. ¶겁나다 ängstlich werden / 겁내다 ⁴sich ängstigen 《vor³》; ⁴sich fürchten 《vor³》 / 겁많은 furchtsam; feig(herzig); scheu; kleinmütig. ‖ 겁쟁이 Feigling m. –s, –e; Memme f. –n.
겁탈(劫奪) 《약탈》 Plünderung f. –en; 《강간》 Vergewaltigung f. –en. ～하다 plündern⁴; 《여자를》 vergewaltigen⁴.
것 《물건·사람》 Ding n. –(e)s, –e; Mann m. –(e)s, ¨er; 《한 것》 das, was man getan hat. ¶이〔그〕것 dieses 〔das〕 Ding.
겉 Oberfläche f. –n; das Äußere*, –n; Außenseite f. –n; die rechte Seite, –n; Anschein m. –(e)s, –e; das Aussehen*, –s. ¶겉으로는 äußerlich; dem Anschein nach; anscheinend.
겉놀다 ① 《못 따위가》 aus|gleiten*; ⁴sich nicht fest|klammern. ② 《사람이》 ⁴sich schwer an|schließen*.
겉늙다 alt für sein Alter aus|sehen*.
겉돌다 《바퀴가》 leer laufen*; 《사람이》 schwer Anschluß finden*.
겉모양(一貌樣) das Äußere*, –n; 《외모》 das Aussehen*, –s.
겉보리 die ungehülste Gerste.
겉봉(一封) 《봉투》 Umschlag m. –s, ¨e; 《주소》 Anschrift f. –en.
겉장 《첫장》 die erste Seite, –n; 《표지》 (Buch)deckel m. –s, –.
게 Krabbe f. –n; Krebs m. –es, –e. ‖ 게딱지 das Schild des Krebses.
게걸스럽다 gierig (sein). ¶게걸스레 먹다 gierig essen*⁴.
게릴라 Guerilla f. –s 〔..llen〕; 《대원》 Partisan m. –s 〔–en〕, –en. ‖ ～전 Guerillakrieg m. –(e)s, –e.
게시(揭示) Anschlag m. –(e)s, ¨e; Anzeige f. –n; Bekanntmachung f. –en. ～하다 an|zeigen⁴; bekannt|machen⁴. ‖ ～판 Anschlagbrett n. –es, –er.
게양(揭揚) ～하다 auf|ziehen*⁴; hissen⁴.
게우다 ⁴sich erbrechen*; aus|brechen*⁴.
게으르다 träge 〔faul; müßig; nachlässig; unfleißig〕 (sein). ¶일을 게을리하다 s–e Arbeit 〔Geschäfte〕 vernachlässigen.
게으름 Faulheit f. –en; Müßiggang m. –(e)s. ¶～ 부리다 faulenzen; müßig gehen*. ‖ ～뱅이 Faulpelz m. –es, –e; Faulenzer 〔Müßiggänger〕 m. –s, –.
게임 Spiel n. –s, –e. ‖ ～세트 Ein Satz!
게재(揭載) Veröffentlichung f. –en. ～하다 veröffentlichen⁴; ein|rücken⁴.
게트림하다 hochmütig rülpsen.
겨 Kleie f. –n.
겨냥 Ziel n. –(e)s, –e. ～하다 zielen 《auf⁴; nach³》; richten 《gegen⁴》.
겨누다 zielen 《auf⁴; nach³》; aufs Korn nehmen*⁴.

겨드랑이 Achselhöhle 〔Achselgrube〕 f. -n.
겨레 《종족》 Rasse f. -n; 《민족》 Volk n. -(e)s, ¨er; 《한 자손》 Familie f. -n.
겨루다 wetteifern 《mit^3; um^4》; konkurrieren 《mit^3; um^4》; ^{4}sich mit jm. messen* 《an^3》.
겨를 Zeit f. -en; Muße f.
겨우 mit Mühe; kaum; knapp; nur; bloß; erst. ¶~ 도망치다 mit knapper Not entkommen*.
겨우내 den ganzen Winter.
겨우살이 ① 《옷》 Wintersachen (pl.). ② =월동.
겨울 Winter m. -s, -. ‖ ~ 방학 Winterferien (pl.).
겨자 Senf m. -(e)s. ‖ ~씨 Senfkorn n. -(e)s, ¨er.
격(格) 〖文〗 Fall m. -(e)s, ¨e; Kasus m. -, -.
격감(激減) die starke Abnahme, -n; die bemerkenswerte Verminderung, -en. ~하다 stark 〔rasch〕 ab|nehmen*; erheblich sinken*.
격납고(格納庫) Flugzeugschuppen m. -s, -; (Flugzeug)halle f. -n; 《차고》 Schuppen m. -s, -.
격년(隔年) alle zwei Jahre; jedes zweite Jahr.
격노(激怒) Wut f.; Grimm m. -(e)s. ~하다 wütend 〔grimmig〕 werden; in Wut 〔Grimm〕 geraten*.
격돌(激突) Anstoß m. -es, ¨e; der kräftige Stoß, -es, ¨e. ~하다 heftig zusammen|stoßen 《mit^3》; heftig kollidieren 《mit^3》.
격동(激動) ~하다 ^{4}sich heftig bewegen. ¶~시키다 erschüttern^4.
격려(激勵) Aufmunterung 〔Anregung〕 f. -en. ~하다 auf|muntern^4; an|spornen^4; an|regen^4. ‖ ~사 Anregungsrede f. -n.
격렬(激烈) ~하다 heftig 〔stark; ungestüm; scharf; leidenschaftlich〕 (sein).
격론(激論) der heftige (Wort)streit, -(e)s, -e. ~하다 hitzig debattieren 《mit jm. über ^{4}et.》.
격류(激流) der reißende Strom, -(e)s, ¨e; 《산의》 Gießbach m. -(e)s, ¨e; 《여울》 Stromschnelle f. -n.
격리(隔離) Absonderung 〔Isolierung〕 f. -en. ~하다 ab|sondern^4; isolieren^4.
격막(隔膜) Scheidewand f. ¨e; Diaphragma n. -s, ..men.
격멸(擊滅) Vernichtung f. -en; Ausrottung f. -en. ~하다 vernichten^4; aus|rotten^4.
격무(激務) die harte Arbeit, -en. ¶~에 쫓기다 mit Arbeit(en) überladen sein.
격문(檄文) Pronunziamiento n. -s, -s; Kundgebung f. -en. ¶~을 내다 e-e Kundgebung heraus|geben*.
격변(激變) der plötzliche Wechsel, -s, -; Umwälzung f. -en. ~하다 um|schlagen*; heftig wechseln.
격분(激忿) =격노.
격세(隔世) das andere Zeitalter, -s, -. ¶~지감이 있다 Es ist, als ob Generationen dazwischenlägen. ‖ ~ 유전 Atavismus m. -, ..men.
격식(格式) Form f. -en; Umstände (pl.). ¶~을 차리다 förmlich sein; viele Umstände machen.
격심(激甚) ~하다 heftig 〔stark; streng〕 (sein).
격앙(激昂) ~하다 erregt 〔aufgeregt〕 werden; in Aufregung 〔Erregung〕 geraten*.
격언(格言) Sprichwort n. -(e)s, ¨er; Spruch m. -(e)s, ¨e.
격의(隔意) ~없는〔없이〕 offenherzig; freimütig.
격일(隔日) ¶~로 e-n Tag um den andern; jeden zweiten Tag; alle zwei Tage.
격자(格子) Gitter n. -s, -. ‖ ~창 Gitterfenster n. -s, -.
격전(激戰) die blutige Schlacht, -en; der heiße Wettkampf, -(e)s, ¨e. ‖ ~지 das Feld der heftigen Schlacht.
격정(激情) Leidenschaft f. -en.
격조(格調) 《문예》 Rhythmus m. -, ..men; 《사람의》 Persönlichkeit f. -en. ¶~ 높은 ehrlich; 《문체》 edel.
격주(隔週) ¶ ~로 vierzehntäglich; alle zwei Wochen.
격증(激增) die starke 〔bemerkenswerte; plötzliche〕 Zunahme, -n. ~하다 stark 〔plötzlich; schnell〕 zu|nehmen* 《an^3》 〔an|schwellen*〕.
격진(激震) das heftige Erdbeben, -s, -.
격차(格差·隔差) der Unterschied der Qualität.
격찬(激讚) ~하다 jn. (preisend) in den Himmel (er)heben*; mit Lobsprüchen überschütten^4.
격추(擊墜) ~하다 ab|schießen*^{4}; zum Absturz bringen*^{4}.
격침(擊沈) ~하다 versenken^4; (ein Schiff) in den Grund bohren.
격퇴(擊退) ~하다 zurück|schlagen*^{4}; zurück|drängen^4.
격투(格鬪) Ringen n. -s; Schlägerei 〔Rauferei〕 f. -en. ~하다 ringen* 《mit^3》; (^{4}sich) raufen 〔^{4}sich balgen〕 《mit^3》.
격파(擊破) ~하다 zerstören^4; zerschlagen*^{4}; demolieren^4.
격하(格下) Degradierung f. -en. ~하다 degradieren^4.
격하다(激—) ^{4}sich auf|regen 〔erhitzen〕 《über^4》.
격화(激化) ~하다 ^{4}sich verschärfen 〔verstärken〕.
겪다 《경험》 erfahren*^{4}; erleben^4; 《접대》 bewirten^4; bedienen^4.
견고(堅固) ~하다 fest 〔stark; haltbar〕 (sein).
견디다 ertragen*^{4}; erdulden^4; aus|halten^4*.
견문(見聞) Kenntnis f. -se; Erfahrung f. -en; Erlebnis n. -ses, -se. ¶~을 넓히다 Weltkenntnisse bereichern; Erfahrungen sammeln.
견물생심(見物生心) Sehen ist Wollen.
견방(絹紡) Seidenspinnerei f. -en.
견본(見本) Probe f. -n; Probestück m. -(e)s, -e; Muster n. -s, -; Exemplar n. -s, -e.
견사(絹絲) Seide f. -n; Seidenfaden m. -s, ¨.
견습(見習) 《사람》 Lehrling m. -s, -e; Lehrbursche m. -n, -n; 《여자》 Lehrmädchen n. -s, -. ☞수습.
견식(見識) Einsicht 〔Erfahrung〕 f. -en; Kenntnis f. -se.
견실(堅實) ~하다 fest 〔solid; sicher〕 (sein).
견원지간(犬猿之間) ¶~이다 wie Hund u. Katze leben.

견인(堅忍) ¶～ 불발의 standhaft; beharrlich; unbeugsam; unermüdlich; unentwegt.

견인차(牽引車) Schleppwagen *m.* -s, -.

견장(肩章) Schulterstück *n.* -(e)s, -e; Schulterklappe *f.* -n 《군인의》.

견적(見積) Schätzung *f.* -en; Anschlag *m.* -(e)s, ¨e. ‖～액 veranschlagte Kosten (*pl.*).

견제(牽制) Zurückhaltung 〔Ablenkung〕 *f.* -en. ～하다 zurück〔ein〕|halten*[4]; in Schranken halten*[4]; ab|lenken*[4].

견주다 vergleichen* 《*mit*[3]》; gegenüber|stellen[3].

견지(見地) Stand〔Gesichts〕punkt *m.* -(e)s, -e.

견지(堅持) ～하다 fest|halten* 《*an*[3]》; beharren 《*bei*[3]》.

견직물(絹織物) Seidenstoffe (*pl.*).

견진(堅振) Konfirmation *f.* -en. ‖～성사 das Sakrament der Konfirmation.

견책(譴責) Rüge *f.* -n; Tadel *m.* -s, -; Verweis *m.* -es, -e.

견학(見學) Besichtigung *f.* -en. ～하다 besichtigen[4]; 《가서》 besuchen[4].

견해(見解) Ansicht 〔Meinung〕 *f.* -en.

결 ① 《나무·피부 따위의》 Maser *f.* -n; Hautgewebe *n.* -s, -; Korn *n.* -(e)s, ¨er. ② 《사품》 bei der Gelegenheit.

결강(缺講) ～하다 《교수가》 keine Vorlesung haben; 《학생이》 ein Kolleg schwänzen.

결과(結果) Folge *f.* -n; Resultat *n.* -(e)s, -e; Erfolg *m.* -(e)s, -e; Wirkung *f.* -en. ¶그 ～ folglich; deshalb.

결국(結局) 〖副詞的〗 am Ende; endlich; schließlich. ¶～ 그렇게 되었다 Das ist das Ende vom Lied.

결근(缺勤) Abwesenheit *f.* -en. ～하다 abwesend sein 《*von*[3]》; fehlen 《*in*[3]》. ‖～계 Entschuldigungszettel *m.* -s, - / ～자 der Abwesende*, -n, -n.

결단(決斷) Entscheidung *f.* -en; Entschluß *m.* ..sses, ..schlüsse. ～하다 entscheiden*[(4)]. ¶ ～력이 있는 entschlossen / ～코 〖否定的〗 durchaus nicht; (ganz u.) gar nicht.

결단(結團) ～하다 e-e Mannschaft organisieren. ‖～식 die Gründungsfeier e-r Organisation.

결당(結黨) ～하다 e-e Partei gründen. ‖～식 Einweihung der neu gegründeten Partei.

결딴 ¶ ～나다 verderben*; scheitern / ～내다 verderben*[4]; zerstören[4]; zunichte machen[4].

결렬(決裂) (Ab)bruch *m.* -(e)s, ¨e. ¶～되다 abgebrochen werden; zum Bruch kommen* / ～시키다 ab|brechen*[4]; zum Bruch treiben*[4].

결례(缺禮) Unhöflichkeit〔Taktlosigkeit〕 *f.* -en.

결론(結論) Schluß *m.* ..lusses, ..lüsse; Folgerung *f.* -en. ¶～짓다 schließen*; folgern.

결리다 《아프다》 Schmerz 〔Stich〕 haben; 《지질림》 eingeschüchtert sein.

결막(結膜) Bindehaut *f.* ¨e. ‖～염 Bindehautentzündung *f.* -en.

결말(結末) Ende *n.* -s, -n; Schluß *m.* ..lusses, ..lüsse. ¶ ～나다 zu Ende kommen*; enden / ～짓다 zu Ende bringen*[4]; ab|tun*[4].

결박(結縛) Bindung 〔Fesselung〕 *f.* -en. ～하다, ～짓다 (zusammen|)binden*.

결백(潔白) Reinheit 〔Unschuld; Keuschheit〕 *f.* ～하다 rein 〔unschuldig; schuldlos; keusch〕 (sein).

결벽(潔癖) die krankhafte 〔übertriebene〕 Reinlichkeit. ～하다 krankhaft 〔übertrieben; äußerst〕 reinlich (sein).

결부(結付) ¶～시키다 verbinden*[4] 《*mit*[3]》; verknüpfen[4].

결빙(結氷) ～하다 gefrieren*; (ver)eisen; zu|frieren*. ‖～기 Gefrierzeit *f.* -en.

결사(決死) ～적 verzweifelt; tollkühn; verwegen. ‖～대 Sturm〔Stoß〕trupp *m.* -s, -s.

결사(結社) Gesellschaft *f.* -en; Verein *m.* -(e)s, -e. ¶ ～의 자유 Vereinsfreiheit *f.* -en. ‖ 비밀 ～ Geheimbund *m.* -(e)s, ¨e.

결삭다 *js.* Temperament weicher werden.

결산(決算) Rechnungsabschluß *m.* ..schlusses, ..schlüsse; Abrechnung *f.* -en. ～하다 die Rechnung ab|machen 〔ab|schließen*〕; ab|rechnen. ‖ ～기 Abrechnungszeit *f.* -en / ～보고 Rechnungsauszug *m.* -(e)s, ¨e; 《대차대조》 Bilanzbogen *m.* -s, - 〔¨〕.

결석(缺席) Abwesenheit *f.*; das Ausbleiben*, -s. ～하다 abwesend sein 《*von*[3]》; fehlen 《*in*[3]》; aus|bleiben* 《*von*[3]》. ‖～계 Entschuldigungszettel *m.* -s, - / ～자 der Abwesende*, -n, -n.

결석(結石) 〖醫〗 Stein *m.* -(e)s, -e. ‖～증 Steinkrankheit *f.* -en.

결선(決選) die letzte Wahl, -en. ‖～투표 die letzte 〔entscheidende〕 Abstimmung, -en.

결성(結成) Organisation *f.* -en. ～하다 organisieren[4]; bilden[4].

결속(結束) ① 《결합》 Vereinigung 〔Verbindung〕 *f.* -en. ～하다 [4]sich vereinigen. ② 《묶음》 Bündel *n.* -s, -. ～하다 in Bündel zusammen|binden*.

결손(缺損) Verlust *m.* -(e)s, -e.

결승(決勝) Entscheidung *f.* -en. ‖～전 Endspiel *n.* -(e)s, -e; Entscheidungsspiel *n.* / ～점 Ziel *n.* -(e)s, -e.

결실(結實) Befruchtung *f.* -en. ～하다 Frucht tragen*.

결심(決心) Entschluß *m.* ..schlusses, ..schlüsse; Entscheidung *f.* -en. ～하다 [4]sich entschließen* 《*zu*[3]》; den Entschluß fassen.

결심(結審) die letzte Instanz, -en.

결여(缺如) ～되다 *jm.* fehlen 《*an*[3]》; ermangeln[2].

결연(結緣) ～하다 e-e Beziehung an|knüpfen. ‖자매 ～ die Schließung der Schwesternschaft.

결연(決然) ～하다 entschlossen 〔entschieden; fest; resolut〕 (sein). ¶ ～히 auf entschlossene Weise.

결원(缺員) die freie 〔unbesetzte〕 Stelle, -n; Vakanz *f.* -en; der Fehlende*, -n, -n. ¶～이 생기다 frei 〔offen; vakant〕 werden.

결의(決意) ＝결심.

결의(決議) Beschluß *m.* ..sses, ..schlüsse. ～하다 beschließen*^{4}. ¶ ～안을 내다 die Resolution ein|bringen*.

결의(結義) ～하다 die Brüderschaft schwören*. ‖ ～형제 die geschworenen Brüder (*pl.*).

결재(決裁) Gutheißung 〔Genehmigung〕 *f.* -en. ～하다 gut|heißen*^{4}; genehmigen^4.

결전(決戰) Entscheidungskampf *m.* -(e)s, ⸚e; Entscheidungsschlacht *f.* -en.

결절(結節) 〖醫〗 Knoten *m.* -s, -; 〖植〗 Knolle *f.* -n.

결점(缺點) Fehler *m.* -s, -; Schwäche *f.* -n.

결정(決定) Entscheidung 〔Bestimmung〕 *f.* -en. ～하다 entscheiden*^{4}; bestimmen^4; fest|setzen^4. ¶ ～적인 bestimmt; endgültig; entscheidend. ‖ ～판 die endgültige Ausgabe, -n.

결정(結晶) Kristallisation *f.* -en; 《결정체》 Kristall *m.* -(e)s, -e. ～하다 (^{4}sich) kristallisieren.

결제(決濟) Abrechnung *f.* -en. ～하다 die Rechnung ab|schließen*.

결집(結集) Konzentration *f.* -en; Zusammenstellung *f.* -en. ～하다 konzentrieren^4; (^{4}sich) zusammen|stellen 〔-|-ziehen*〕$^{(4)}$.

결코…않다 nie(mals); nimmer; keineswegs; nicht im geringsten.

결탁(結託) ～하다 ^{4}sich mit *jm.* verschwören* 《*gegen*^{4}》.

결투(決鬪) Duell *n.* -s, -e; Zweikampf *m.* -(e)s, ⸚e. ～하다 ^{4}sich duellieren. ‖ ～장 die Herausforderung zum Duell.

결판(決判) ¶ ～ 나다 erledigt werden 〔sein〕 / ～나지 않다 e-e Schraube ohne ^{4}Ende sein / ～을 내다 erledigen^4; ab|schließen*^{4}.

결핍(缺乏) Mangel *m.* -s, ⸚; Bedürfnis *n.* ..nisses, ..nisse. ～하다 knapp werden; spärlich sein.

결함(缺陷) Fehler *m.* -s, -; Mangel *m.* -s, ⸚; 《신체의》 Gebrechen *n.* -s, -. ¶ ～ 있는 fehlerhaft; mangelhaft; gebrechlich / ～ 없는 einwandfrei; tadellos; fehlerlos.

결합(結合) Verbindung 〔Vereinigung〕 *f.* -en. ～하다 (^{4}sich) verbinden*$^{(4)}$ 〔(^{4}sich) vereinigen$^{(4)}$〕 《*mit*^{3}》.

결항(缺航) ～하다 die Fahrt 〔den Flugdienst〕 ein|stellen.

결핵(結核) Tuberkel *m.* -s, -; 《병》 Tuberkulose *f.* -n. ¶ ～을 앓고 있다 die Schwindsucht haben; an der Tuberkulose leiden*. ‖ ～균 Tuberkelbazillus *m.* -, ..zillen / ～ 환자 der Tuberkulöse*, -n, -n / 폐～ Lungentuberkulose.

결행(決行) ～하다 (standhaft) durch|führen^4; den Rubikon überschreiten*.

결혼(結婚) Heirat 〔Eheschließung〕 *f.* -en. ～하다 heiraten$^{(4)}$; ^{4}sich verheiraten 〔^{4}sich vermählen〕 《*mit*^{3}》. ¶ ～시키다 *jn.* verheiraten 《*an*^{4}; *mit*^{3}》 / ～한 verheiratet. ‖ ～ 생활 Ehe *f.* -n; Eheleben *n.* -s, - / ～ 선물 Hochzeitsgeschenk *n.* -(e)s, -e / ～식 Hochzeit *f.* -en.

겸(兼) und (gleichzeitig; außerdem noch); zu gleicher Zeit 《동시에》.

겸비(兼備) ～하다 verbinden*^{4} 〔vereinigen^4〕 《*mit*^{3}》; in ^{3}*et.* u. ^{3}*et.* gleich bewandert sein.

겸상(兼床) ～하다 zwei Personen an demselben Tisch essen*.

겸손(謙遜) Bescheidenheit 〔Demut〕 *f.* ～하다 bescheiden 〔demütig; sittsam〕 (sein).

겸연쩍다(慊然—) ^{4}sich unangenehm 〔beleidigt〕 fühlen.

겸용(兼用) ～하다 ^{4}*et.* sowohl als ^{4}*et.* wie auch als ^{4}*et.* gebrauchen.

겸직(兼職) Nebenamt *n.* -(e)s, ⸚er. ～하다 zwei Ämter bekleiden.

겸허(謙虛) ～하다 bescheiden 〔demütig〕 (sein).

겹겹이 vielfach; vielfältig.

겹사돈(一査頓) Doppelverwandtschaft *f.* -en.

겹치다 aufeinander|legen^4; auf|schichten^4. ¶ 불행이 ～ Unglück über Unglück haben 〖사람이 主語〗.

경(卿) Lord *m.* -s, -s; Herr *m.* -n, -en; Sir *m.* -s, -s.

경(經) Sutra *n.* -s, -s. ¶ 경을 읽다 Sutra vor|tragen*.

-경(頃) um (..herum); ungefähr; gegen^4. ¶ 세 시경 gegen drei (Uhr).

경감(輕減) Erleichterung 〔Milderung〕 *f.* -en; 《세금의》 Herabsetzung *f.* -en. ～하다 erleichtern^4; mildern^4; herab|setzen^4 《세금을》.

경감(警監) Polizeikommissar *m.* -s, -e.

경개(梗槪) Umriß 〔Abriß〕 *m.* ..risses, ..risse; Resümee *n.* -s, -s.

경건(敬虔) ～하다 andächtig 〔fromm〕 (sein).

경계(境界) Grenze *f.* -n. ‖ ～선 Grenzlinie *f.* -n.

경계(警戒) ① 《감시》 Bewachung *f.*; Wache *f.* -n. ～하다 bewachen^4; wachen 《*über*^{4}》. ② 《조심》 Vorsicht *f.*; Behutsamkeit *f.* ～하다 vorsichtig sein; ^{4}sich vor|sehen*. ③ 《경고》 Warnung 〔Erinnerung〕 *f.* -en. ～하다 *jn.* warnen 《*vor*^{3}》; *jn.* erinnern 《*an*^{4}》. ‖ ～ 경보 Vorwarnung *f.* -en; Voralarm *m.* -(e)s, -e.

경고(警告) Warnung 〔Mahnung〕 *f.* -en. ～하다 *jn.* warnen 《*von*^{3}》; *jn.* verwarnen.

경골(脛骨) Tibia *f.* ..bien; Schienbein *n.* -(e)s, -e.

경골(頸骨) Halswirbel (*pl.*).

경공업(輕工業) leichte Industrie, -n.

경과(經過) 《사건·상태의》 Verlauf *m.* -(e)s, ⸚e; 《기한의》 Ablauf *m.* -(e)s, ⸚e. ～하다 verlaufen*; vergehen*; ab|laufen* 《기한이》. ‖ ～ 보고 der Bericht über den Verlauf.

경관(警官) Polizist *m.* -en, -en; der Polizeibeamte*, -n, -n; Schutzmann *m.* -s, ⸚er 〔..leute〕.

경구피임약(經口避妊藥) das orale Verhütungsmittel, -s, -; Pille *f.* -n.

경금속(輕金屬) Leichtmetall *n.* -s, -e.

경기(景氣) Geschäftslage *f.* -n; Konjunktur *f.* -en; Lage *f.* -n. ¶ ～ 좋은 〔나쁜〕 lebhaft; gedeihlich 〔flau; ungünstig〕. ‖ ～ 회복 Geschäftserholung *f.* -en / 불～ Flaute *f.* -n.

경기(競技) Wettkampf *m.* -(e)s, ⸚e; Wettspiel *n.* -(e)s, -e; Sport *m.* -(e)s,

–e. ~하다 ein Wettspiel spielen; (wett|)spielen. ‖ ~자 Wettkämpfer [Wettspieler] *m.* –s, – / ~장 Stadion *n.* –s, ..dien; Sportplatz *m.* –es, ⁻e.

경기관총(輕機關銃) das leichte Maschinengewehr, –(e)s, –e.

경내(境內) Bezirk *m.* –(e)s, –e; Gebiet *n.* –(e)s, –e.

경단(瓊團) Kloß *m.* –es, ⁻e.

경대(鏡臺) Toilettentisch *m.* –es, –e.

경도(經度) ① =월경(月經). ② 〖地〗 (geographische) Länge.

경동맥(頸動脈) Hals·arterie[–schlagader] *f.* –n; Karotide *f.* –n.

경락(競落) 《bei Auktionen》 Zuschlag *m.* –(e)s, ⁻e. ~하다 zu|schlagen*[34]. ‖ ~인 der glückliche Bieter, –s, –.

경량(輕量) leichtes Gewicht, –(e)s. ‖ ~급 Leichtgewicht *n.* –(e)s.

경력(經歷) Lebenslauf *m.* –es, ⁻e; Lebens(lauf)bahn *f.* –en; persönliche Geschichte, –n.

경련(痙攣) Krampf *m.* –(e)s, ⁻e. ¶ ~을 일으키다 Krämpfe bekommen*; in [4]Krämpfe verfallen*.

경례(敬禮) 《인사》 Begrüßung *f.* –en; Gruß *m.* –es, ⁻e; 《절》 Verbeugung *f.* –en; 〖軍〗 Salut *m.* –(e)s, –e; Ehrenbezeigung *f.* –en. ~하다 (be)grüßen; [4]sich verbeugen; salutieren.

경로(敬老) Verehrung der Betagten (*pl.*). ‖ ~회 die Versammlung, die Alten zu verehren.

경로(經路) Weg *m.* –(e)s, –e; Verlauf *m.* –(e)s, ⁻e 《과정》.

경륜(經綸) Führung *f.* –en; (Staats)verwaltung *f.* –en; politisches Programm, –s, –e. ‖ ~지사 e–e Person mit großer Verwaltungsfähigkeit.

경리(經理) Rechnungsführung *f.* –en.

경마(競馬) Pferderennen *n.* –s, –. ‖ ~장 (Pferde)rennbahn *f.* –en; Rennplatz *m.* –es, ⁻e.

경매(競賣) Versteigerung [Auktion] *f.* –en. ~하다 versteigern[4]. ‖ ~가격 Auktionspreis *m.* –es, –e / ~ 공고 Auktionsanzeige *f.* –n / ~인 Versteigerer *m.* –s, –.

경멸(輕蔑) Verachtung *f.* –en. ~하다 verachten[4]; herab|sehen* 《*auf*[4]》. ¶ ~할 만한 verächtlich; verachtenswert.

경모(敬慕) ~하다 ehrfürchtig lieben[4]; verehren[4]; bewundern[4].

경모(輕侮) Verachtung *f.* –en; Geringschätzung *f.* –en. ~하다 verachten[4]; gering|achten[4] [–|schätzen[4]]; unterschätzen[4].

경묘(輕妙) Leichtigkeit *f.*; Klugheit *f.*; Gewandtheit *f.* ~하다 leicht [witzig; geistreich; klug] (sein).

경미(輕微) ~하다 leicht [unbedeutend] (sein).

경박(輕薄) ~하다 leicht·sinnig [–fertig; frivol] (sein).

경배(敬拜) ~하다 [4]sich vor *jm.* ergebenst verbeugen.

경범죄(輕犯罪) das leichte Verbrechen, –s, –.

경변증(硬變症) 〖醫〗 Zirrhose *f.* –n. ‖ 간~ Leberzirrhose *f.* –n.

경보(警報) Alarm *m.* –(e)s, –e; Lärm *m.* –(e)s; Warnung *f.* –en. ‖ 폭풍 ~ Sturmwarnung / 화재 ~ Feueralarm.

경부(京釜) ‖ ~ 고속도로 die Autobahn Seoul–Busan / ~선 die Eisenbahnlinie Seoul–Busan.

경비(經費) 《비용》 Kosten (*pl.*); 《지출》 Ausgabe *f.* –n. ¶ ~가 들다 kostspielig [teuer] sein.

경비(警備) Wache *f.* –n; Wacht *f.* –en. ~하다 bewachen[4]; beschützen[4]. ‖ ~선 Wachschiff *n.* –(e)s, –e / ~원 Wächter *m.* –s, –; 《총칭》 Wachmannschaft *f.*

경사(傾斜) Neigung *f.* –en; Hang[Abhang] *m.* –(e)s, ⁻e; Steigung *f.* –en; Gefälle *n.* –s, –. ~지다 [4]sich neigen; ab|hängen; (schräg) ab|gehen*.

경사(警査) Polizeisergeant [..sɛrʒənt] *m.* –en, –en.

경사(慶事) ein glückliches Ereignis, –ses, –se.

경산부(經產婦) e–e Frau, die geboren hat.

경상(輕傷) leichte Wunde, –n. ‖ ~자 der Leichtverwundete*, –n, –n.

경상(經常) ‖ ~비 ordentliche [laufende] Ausgaben (*pl.*) / ~ 수입 ordentliche [laufende] Einkommen (*pl.*) / ~ 예산 das laufende Budget, –s, –s.

경색(梗塞) Stopfung *f.* –en; Versteifung *f.* –en.

경서(經書) die Werke (*pl.*) der chinesischen Klassiker.

경선(經線) Längenkreis *m.* –es, –e; Meridian *m.* –s, –e.

경성(硬性) Härte *f.* ~의 hart. ‖ ~ 하감(下疳) 〖醫〗 der harte Schanker, –s, –.

경세(經世) Staatsverwaltung *f.* –en; Bewirtschaftung *f.* –en. ‖ ~지재(之才) 《사람》 Staatsmann *m.* –(e)s, ⁻er; 《재능》 Regierungskunst *f.* ⁻e.

경세(警世) e–e Warnung für die Welt.

경솔(輕率) Voreiligkeit [Eilfertigkeit; Unbesonnenheit] *f.*; Leichtsinn *m.* –(e)s. ~하다 voreilig [eilfertig; unbesonnen; leichtsinnig] (sein).

경수(硬水) das harte Wasser, –s, –s.

경수(輕水) weiches Wasser, –s, –.

경승지(景勝地) malerische [romantische] Landschaft [Gegend] –en; günstig gelegene Stelle, –n.

경시(輕視) Geringschätzung *f.* –en. ~하다 gering|schätzen[4]; vernachlässigen[4].

경신(更新) Erneu(e)rung [Renovation] *f.* –en. ~하다 erneuern[4]; renovieren[4].

경악(驚愕) das (Er)staunen*, –s; Schreck *m.* –(e)s, –e; Schock *m.* –s, –e. ~하다 erstaunen 《*über*[4]》; staunen [bestürzt sein] 《*über*[4]》.

경앙(景仰) ~하다 bewundern[4]; an|beten[4]; verehren[4].

경애(敬愛) ~하다 *jn.* ehren u. lieben; verehren[4]; bewundern[4].

경어(敬語) Höflichkeits·ausdruck *m.* –(e)s, ⁻e [–wort *n.* –es, ⁻er].

경연(競演) Wetteifer auf der Bühne 《*mit*[3]》. ~하다 auf der Bühne wetteifern 《*mit*[3]》.

경염(競艶) Schönheitswette *f.* –n. ‖ ~ 대회(大會) Schönheits·wettbewerb *m.* –(e)s, –e [–konkurrenz *f.* –en].

경영(經營) Betrieb *m.* -es, -e; Geschäftsführung〔Verwaltung〕*f.* -en. ～하다 betreiben*[4]; das Geschäft führen; verwalten[4]. ‖ ～자 Arbeitgeber *m.* -s, - / ～ 참가 Mitbestimmung *f.* -en 《근로자의》 / ～학 Betriebswissenschaft *f.* -en.

경영(競泳) das (Wett)schwimmen*, -s. ‖ ～ 대회 Schwimmenwettbewerb *m.* -(e)s, -e.

경외(敬畏) Ehrfurcht *f.*; Verehrung *f.* -en. ～하다 Ehrfurcht haben 《*vor*[3]》; verehren[4].

경우(境遇) Verhältnisse (*pl.*); Lage *f.* -n; Umstände (*pl.*); Fall *m.* -(e)s, ⸚e; Gelegenheit *f.* -en. ¶ ～에 따라서(는) unter Umständen.

경운기(耕耘機) Kultivator *m.* -s, -en; Grubber *m.* -s, -.

경원(敬遠) ～하다 *jm.* höflich aus|weichen*.

경위(涇渭) Gute u. Böse; Recht u. Unrecht. ¶ ～에 어긋난 짓 die unvernünftige Tat, -en; die unschickliche〔ungeeignete〕Handlung, -en / ～를 모르다 an Schicklichkeit fehlen.

경위(經緯) 《사정》 Sachlage *f.*; Einzelheiten (*pl.*); 《경위도》 Länge und Breite.

경위(警衛) 《경호》 Bewachung *f.* -en; Wache *f.* -n; 《계급》 Polizeileutnant *m.* -s, -e〔-s〕.

경유(經由) ～하다 vorüber|gehen*; vorbei|fahren*. ¶ …을 ～하여 via〔über〕….

경유(輕油) leichtes Öl, -s, -e; Gasolin *n.* -s; 《등유》 Brennöl *n.* -s.

경유(鯨油) (Walfisch)tran *m.* -(e)s, -e.

경음(鯨飮) ～하다 wie ein Bürstenbinder saufen*[4].

경음악(輕音樂) die leichte Musik.

경의(敬意) Verehrung〔Ehrerbietung〕*f.* -en. ¶ ～를 표하다 s-e Verehrung erweisen*.

경이(驚異) Wunder *n.* -s, -; das Erstaunen*, -s. ～적(인) wunderbar; erstaunlich.

경인(京仁) ‖ ～선 die Eisenbahnlinie Seoul-Incheon / ～ 지방 das Seoul-Incheon Gebiet, -es, -e.

경작(耕作) Acker〔Feld〕bau *m.* -(e)s; Anbau *m.* -(e)s, -e. ～하다 an|bauen[4]; ackern[4]; pflügen[4].

경장(更張) Neugestaltung *f.* -en. ‖ 갑오 ～ die Reformbewegung von *Gabo* (1894).

경장(輕裝) ～하다 leichte Kleidung tragen*.

경장(警長) Oberwachtmeister *m.* -s, -.

경쟁(競爭) Wettbewerb *m.* -(e)s, -e; Wetteifer *m.* -s; Konkurrenz *f.* -en. ～하다 [4]sich mit|bewerben; wetteifern〔konkurrieren〕《*mit*[3]》. ‖ ～심(心) der nacheifernde Kampfgeist, -es / ～자 Wett〔Mit〕bewerber *m.* -s, -; 《상대》 Konkurrent *m.* -en, -en; Rivale *m.* -n, -n.

경적(警笛) Signal〔Alarm〕pfeife *f.* -n; 《자동차의》 Hupe *f.* -n. ¶ ～을 울리다 hupen.

경전(經典) heilige Schrift, -en.

경정(警正) Polizeiinspektor *m.* -s, -en; Oberaufseher der Polizei.

경정(更訂) ～하다 revidieren[4]; um|arbeiten[4].

경제(經濟) Ökonomie *f.* -n; Wirtschaft *f.* -en. ～적인 wirtschaftlich; ökonomisch; sparsam. ‖ ～ 기획원(企劃院) Wirtschaftsplanungsamt *n.* -(e)s / ～ 봉쇄 wirtschaftliche Blockade, -n / ～ 부흥 Wirtschaftsaufbau *m.* -es / ～ 안정 wirtschaftliche Stabilisierung, -en / ～ 원론 die Prinzipien (*pl.*) der Wirtschaft / ～ 정책 Wirtschafts〔Finanz〕politik *f.* / ～학 Wirtschaftslehre〔Ökonomie〕*f.* -n / ～협정 Wirtschafts〔Handels〕abkommen *n.* -s, - / ～ 회의 Wirtschafts〔Handels〕konferenz *f.* -en / 계획〔자유〕～ Plan〔Frei〕wirtschaft *f.* / 국가〔국민〕～ Staats〔Volks〕wirtschaft.

경조(慶弔) Familienfest u. Trauerfall, des - u. -s; Glückwunsch u. Beileid, des - u. -(e)s.

경조(競漕) das Wettrudern*, -s; Bootwettfahrt *f.* -en; Regatta *f.* ..tten.

경종(警鐘) Sturm〔Alarm〕glocke *f.* -n. ¶ ～을 울리다 Sturmglocke läuten.

경주(傾注) Hingabe *f.*; Konzentration *f.* -en. ～하다 [4]sich ganz widmen[3]; [4]sich hin|geben*[3].

경주(競走) das Wettlaufen*, -s. ～하다 wett|laufen. ‖ ～자 Wettläufer *m.* -s, - / 백 미터 ～ das 100 m Laufen, -s.

경중(輕重) ¶ 일의 ～을 가리다 die Bedeutung e-r Sache erwägen*〔ab|schätzen〕.

경증(輕症) leichte〔ungefährliche〕Erkrankung, -en. ‖ ～ 환자 der leicht Erkrankte*〔Leichkranke*〕-n, -n.

경지(耕地) Acker *m.* -s, ⸚; Ackerland *n.* -(e)s. ‖ ～ 정리 Zusammenlegung *f.* -en.

경지(境地) 《상태》 (Zu)stand *m.* -(e)s, ⸚e; Lage *f.* -n. ¶ …의 ～에 도달하다 den Zustand von [3]*et.* erreichen.

경직(硬直) ～하다 erstarren; steif werden.

경질(更迭) Wechsel *m.* -s, -. ～하다 wechseln[4].

경질(硬質) ¶ ～의 hart; starr; zäh(e). ‖ ～ 유리 Hartglas *n.* -es, ⸚er / ～ 도기 das harte Steingut, -(e)s.

경찰(警察) Polizei *f.* -en. ¶ ～에 신고하다 [4]sich bei der Polizei (an|)melden[4] / ～의 수사를 받다 vor der Polizei gesucht werden. ‖ ～관 =경관 / ～ 기동대 Bereitschaftspolizei *f.* / ～서 Polizeiamt *n.* -(e)s, ⸚er; Polizeibehörde *f.* -n / ～서장 Polizeivorsteher *m.* -s, - / 사법 ～ Gerichtspolizei *f.*

경첩 Angel *f.* -n; Scharnier *n.* -s, -e.

경청(傾聽) ～하다 *jm.* zu|hören; an|hören. ¶ ～할 만하다 es läßt [4]sich hören.

경축(慶祝) Gratulation *f.* -en; Feier *f.* -en; Fest *n.* -es, -e. ～하다 feiern[4]; gratulieren 《*jm. zu*[3]》. ‖ ～식 Gedächtnisfeier *f.* -n / ～일 Nationalfeiertag *m.* -(e)s, -e; Festtag *m.*

경치(景致) Landschaft〔Aussicht〕*f.* -en. ¶ ～좋은 곳 Gegend mit Naturschönheiten.

경치다 《벌받다》 e-e Strafe erleiden*;

《혼나다》 schlechte Erfahrungen haben.

경칭(敬稱) höfliche Bezeichnung, -en; Ehrentitel *m.* -s, -.

경쾌(輕快) ~하다 leicht 〔behend(e); flink; wendig〕 (sein). ¶ ~한 동작 die leichte Bewegung, -en / ~한 복장(服裝) die leichte Kleidung, -en.

경탄(驚歎) Bewunderung *f.* -en; das Erstaunen*, -s. ~하다 bewundern[4]; erstaunen[4]. ¶ ~할 만한 wunderbar; erstaunlich; bewunderungswürdig.

경편(輕便) ~하다 bequem 〔handlich; einfach; leicht〕 (sein).

경품(景品) Zugabe 〔Prämie〕 *f.* -n. ‖ ~권 Gutschein *m.* -s, -e / ~부 대매출 Verkauf mit [3]Prämien.

경하(慶賀) ~하다 *jn.* beglückwünschen; *jm.* s-n Glückwunsch sagen.

경하다(輕—) 《무게가》 leicht (sein); 《사태가》 gering(fügig) 〔unbedeutend〕 (sein); 《언행이》 leichtsinnig 〔gedankenlos; rasch〕 (sein).

경합(競合) ~하다 [4]sich gegenseitig überbieten* 《경매에서》; e-n erbitterten 〔harten〕 Wettkampf aus|tragen* 《경기에서》.

경향(京鄕) Hauptstadt u. Provinz.

경향(傾向) Neigung 〔Tendenz〕 *f.* -en. ¶ …의 ~이 있다 die Neigung 〔Tendenz〕 haben 《*zu*[3]》; neigen 《*zu*[3]》; den Hang haben 《*zu*[3]》.

경험(經驗) Erfahrung *f.* -en; Erlebnis *n.* -ses, -se. ~하다 erfahren*[4]; erleben[4]. ¶ ~적(인) erfahrungsgemäß / ~을 쌓다 viele Erfahrungen machen 《*in*[3]》 / ~ 있는 erfahren; reif / ~을 얻다 [3]sich Erfahrungen erwerben* / ~이 없는 unerfahren; erfahrungslos. ‖ ~담 die Erzählung persönlicher Erlebnisse / ~론 Empirismus *m.* -.

경호(警護) ~하다 bewachen[4]; beschützen[4] 《*jn.* *vor*[3]》.

경화(硬化) das Verhärten*, -s; Verhärtung *f.* -en. ~하다 verhärten[4]; erhärten[4]; hart werden.

경화(硬貨) Metall〔Hart〕geld *n.* -(e)s, -er.

경황(景況) ¶ ~이 없다 k-e Gesinnung 〔Zeit〕 haben.

곁 Nähe *f.* -n; Nachbarschaft *f.* -en. ¶ 곁에 neben[34]; bei[3]; an[3].

곁눈질 Seitenblick *m.* -(e)s, -e; der schielende Blick. ~하다 e-n Seitenblick werfen* 《*auf*[4]》.

곁들이다 hinzu|setzen[34]; hinzu|fügen[34]; bei|fügen[34].

곁말 Wortspiel *n.* -(e)s, -e.

곁쇠 Nachschlüssel *m.* -s, -.

계(系) 《계통》 System *n.* -s, -e; 《파벌》 Partei 〔Fraktion〕 *f.* -en; Clique *f.* -n; 《혈통》 Clan *m.* -s, -e 〔-s〕. ¶ 독일계 미국인 Deutschamerikaner *m.* -s, -.

계(計) (totale) Summe, -n; Gesamtsumme *f.* -n.

계(契) ein Verein zur gegenseitigen finanziellen Hilfe.

-계(界) Welt *f.* -en; Kreis *m.* -es, -e. ¶ 문예계 die literarische Welt / 재계 die wirtschaftliche Welt.

계간(季刊) ~의 vierteljährlich. ‖ ~지 Vierteljahrsschrift *f.* -en.

계간(鷄姦) Sodomie *f.*; Päderastie *f.*

계고(戒告) (Ver)warnung *f.* -en. ~하다 *jn.* warnen 〔mahnen〕.

계곡(溪谷) das enge Tal, -(e)s, ¨er; Bergschlucht *f.* -en.

계관(桂冠) =월계관. ‖ ~ 시인 gekrönter Dichter, -s, -.

계교(計巧) das listige Mittel, -s, -.

계급(階級) Klasse *f.* -n; Rang 〔Stand〕 *m.* -(e)s, ¨e; (Dienst)grad *m.* -(e)s, -e; 《세습적》 Kaste *f.* -n. ‖ ~장 Rangabzeichen *n.* -s, -.

계기(計器) =계량기. ‖ ~ 비행 Blindflug *m.* -(e)s, ¨e.

계기(契機) Motiv *n.* -(e)s, -e; Anlaß *m.* ..sses, ..lässe. ¶ 이것을 ~로 aus diesem Anlaß.

계단(階段) Treppe *f.* -n; 《계단의 단》 Stufe *f.* -n.

계란(鷄卵) (Hühner)ei *n.* -(e)s, -er.

계략(計略) List *f.* -en; Kunstgriff *m.* -(e)s, -e. ¶ ~을 꾸미다 Ränke schmieden.

계량(計量) ~하다 messen*; 《무게를》 wägen*; wiegen*; 《수를》 rechnen; zählen. ‖ ~기 Messer *m.* -s, -; Meßwerkzeug *n.* -(e)s, -e.

계리사(計理士) =공인 회계사.

계명(誡命) Gebot *n.* -(e)s, -e. ‖ 십~ die Zehn Gebote; Dekalog *m.* -(e)s.

계모(繼母) Stiefmutter *f.* ¨.

계몽(啓蒙) Aufklärung *f.* -en. ~하다 auf|klären[4]; erleuchten[4]. ¶ ~적인 aufklärend. ‖ ~주의 Aufklärung *f.* -en.

계발(啓發) Entwicklung 〔Aufklärung〕 *f.* -en. ~하다 entwickeln[4]; auf|klären[4].

계보(系譜) Stammbaum *m.* -(e)s, ¨e; Ahnentafel *f.* -n; Genealogie *f.* -n.

계부(繼父) Stiefvater *m.* -s, ¨.

계사(鷄舍) Hühner·haus *n.* -(e)s, ¨er 〔-stall *m.* -(e)s, ¨e〕.

계산(計算) (Be)rechnung *f.* -en. ~하다 (be)rechnen[4]; zusammen|rechnen[4]; zählen[4]. ¶ ~을 잘못하다 ([4]sich) verrechnen; falsch (be)rechnen[4] / ~에 넣다 in Rechnung ziehen*[4]. ‖ ~기 Rechenmaschine *f.* -n / ~서 Rechnung *f.* -en / ~착오 Rechenfehler *m.* -s, - / ~자 Rechenschieber *m.* -s, - / 전자~기 elektronische Rechenmaschine.

계속(繼續) (Fort)dauer *f.*; Fortsetzung *f.* -en; Folge *f.* -n. ~하다 fort|setzen[4]; weiter|führen[4]; 《다시》 erneuern[4]. ¶ ~되다 (fort|)dauern; an|halten*; folgen[3] / ~적인 (fort)dauernd; anhaltend; beständig / ~하여 fort(während); hintereinander; weiter.

계수(季嫂) Schwägerin *f.* -nen.

계수(係數) 〖數〗 Koeffizient *m.* -en, -en.

계수(計數) das Rechnen*, -s. ‖ ~기(器) Rechenmaschine *f.* -n.

계수나무(桂樹—) Kassia *f.* ..ssien; Kassia〔Zimt〕baum *m.* -(e)s, ¨e.

계승(繼承) Nachfolge *f.* -n. ~하다 *jm.* nach|folgen[3]; [4]*et.* übernehmen*[4]. ‖ ~자 Nachfolger *m.* -s, -.

계시(計時) ~하다 Zeit messen*. ‖ ~원 Zeitnehmer *m.* -s, -.

계시(啓示) Offenbarung *f.* -en. ～하다 offenbaren. ‖ ～록 〖聖〗 die Offenbarung Johannis.

계약(契約) Kontrakt *m.* -(e)s, -e; Vertrag *m.* -(e)s, ⸚e. ～하다 Kontrakt (ab|)schließen*[4]; kontrahieren[4]. ‖ ～서 Vertragsurkunde *f.* -n; der schriftliche Vertrag / ～ 조건 Vertragsbedingung *f.* -en / 쌍무 ～ der gegenseitige Vertrag.

계엄령(戒嚴令) Belagerungsbefehl *m.* -(e)s, -e. ¶ ～을 선포〔해제〕하다 den Belagerungszustand verhängen 〔auf|heben*〕.

계열(系列) Reihe 〔Gruppe〕 *f.* -n. ¶ ～화하다 in den Betrieb ein|reihen.

계율(戒律) Gesetz *n.* -es, -e.

계쟁(係爭) Streit *m.* -(e)s, -e. ¶ ～중인 Streit-; strittig. ‖ ～점 der umstrittene 〔strittige〕 Punkt, -(e)s, -e.

계절(季節) Jahreszeit *f.* -en; Saison *f.* -s. ‖ ～풍 Monsun *m.* -s.

계정(計定) Konto *n.* -s, -s 〔..ten *od.* ..ti〕 《계좌》; Rechnung *f.* -en.

계좌(計座) Konto *n.* -s, -s 〔..ten *od.* ..ti〕. ¶ ～를 트다 Konto eröffnen 《*jm.*》.

계주(契主) das Haupt des gegenseitigen Kreditvereins.

계주(繼走) Staffel〔Stafetten〕lauf *m.* -(e)s, ⸚e.

계집 ① 《여자》 Femininum *n.* -s, ..na; Frau *f.* -en. ¶ ～에 미치다 in e-e Frau sterblich verliebt sein. ② 《아내》 Frau *f.* ③ 《정부》 Mätresse *f.* -n. ¶ ～을 얻다 ein Mädchen zu Frau nehmen*. ‖ ～애 Mädchen *n.* -s, - / ～질 Frauen〔Weiber〕jagd *f.*

계책(計策) Plan *m.* -(e)s, ⸚e; Intrige *f.* -n 《못된》. ¶ ～을 쓰다 Kunstgriffe an|wenden*.

계출(屆出) =신고.

계층(階層) Klasse *f.* -n; die soziale Schicht, -en.

계통(系統) System *n.* -s, -e; Linie *f.* -n; Stamm *m.* -(e)s, ⸚e; 《당파》 Partei *f.* -en. ～적인 systematisch. ¶ ～을 세우다 systematisieren[4].

계피(桂皮) Zimt *m.* -(e)s, -e; Zimtrinde *f.* -n.

계획(計劃) Plan 〔Entwurf〕 *m.* -(e)s, ⸚e; Absicht *f.* -en. ～하다 planen[4]; entwerfen*[4]; 《뜻하다》 vor|haben*[4]; beabsichtigen[4]. ¶ ～적인 《질서 있는》 planmäßig; 《고의의》 absichtlich; vorsätzlich. ¶ 5개년 ～ Fünfjahr-Plan *m.*

곗돈(契―) Kreditgeld *n.* -(e)s, -e; das Geld vom gegenseitigen Kreditverein.

고(故) verstorben; selig. ¶ 고N씨 der selige Herr N.

고가(高架) ～의 hochangelegt. ‖ ～교 Hochbrücke *f.* -n / ～ 도로 Hochstraße *f.* -n / ～ 철도 Hochbahn *f.* -en.

고가(高價) der hohe Preis, -es, -e. ～의 teuer; kostspielig.

고갈(枯渴) Versiegung *f.* ～하다, ～되다 《물이》 versiegen; 《돈·물건이》 erschöpft werden; aus|gehen*.

고개[1] 《산의》 (Berg)paß *m.* (..)passes, (..)pässe; Rücken *m.* -s, -.

고개[2] 《머리》 Kopf *m.* -(e)s, ⸚e. ¶ ～를 끄덕이다 (den Kopf) nicken; zu|nicken / ～를 숙이다 den Kopf hängen lassen* / ～ 돌리다 ([4]sich) um|sehen*.

고객(顧客) Kunde *m.* -n, -n; Kundschaft *f.* -en.

고갱이 《식물》 (Knochen)mark *n.* -(e)s; 《핵심》 Kern *m.* -(e)s, -e.

고견(高見) 《남의 의견》 Ihre werte Meinung, -en; 《뛰어난 의견》 e-e ausgezeichnete Ansicht, -en.

고결(高潔) ～하다 edel 〔hochherzig〕 (sein).

고고학(考古學) Archäologie *f.* ‖ ～자 Archäolog(e) *m.* ..gen, ..gen.

고공(高空) der hohe Himmel, -s, -. ‖ ～ 비행 Höhenflug *m.* -(e)s, ⸚e.

고과표(考課表) Leistungstabelle *f.* -n.

고관(高官) der hohe Beamte*, -n, -n; 《관직》 das hohe Amt, -es, ⸚er.

고교생(高校生) Oberschüler *m.* -s, -; Gymnasiast *m.* -en, -en.

고구마 Batate *f.* -n.

고국(故國) Vater〔Heimat〕land *n.* -(e)s, ⸚er.

고궁(古宮) der alte Palast, -es, ⸚e.

고귀(高貴) ～하다 edel 〔vornehm; erhaben〕 (sein).

고금(古今) die alte u. die neue Zeit, -en. ¶ ～을 통해서 zu allen Zeiten in der Geschichte.

고급(高級) ～의 höher; hochfein; 《일류》 erstklassig; 《호화》 prächtig. ‖ ～ 공무원 der höhere Beamte*, -n, -n.

고기 《짐승의》 Fleisch *n.* -es; 《물고기》 Fisch *m.* -es, -e. ¶ ～를 잡다 Fische fangen*.

고기압(高氣壓) 〖氣象〗 der atmosphärische Hochdruck, -(e)s. ‖ 대륙성 ～ Kontinentalhochdruck *m.* -(e)s.

고기잡이 Fischerei *f.*; Fischfang *m.* -(e)s; 《어부》 Fischer *m.* -s, -.

고깔 Mönchshaube *f.* -n.

고깝다 vorwurfsvoll〔gehässig; grollend〕 (sein).

고난(苦難) Not *f.* ⸚e; Elend *n.* -(e)s; Leiden *n.* -s, -. ¶ ～을 견디다 Leiden aus|stehen*.

고뇌(苦惱) Qual *f.* -en; Leiden *n.* -s, -. ¶ ～의 생활 das leidende Leben, -s, -.

고다 ein|kochen; sieden.

고단하다 müde〔matt; ermüdet〕 (sein).

고달프다 ermüdet 〔erschöpft〕 (sein).

고담(古談) die alte Geschichte, -n; Sage *f.* -n.

고답(高踏) ～적 transzendent.

고대(古代) Altertum *n.* -s; Antike *f.* ～의 altertümlich; antik. ¶ ～의 유물 Überreste des Altertums. ‖ ～사 Geschichte des Altertums.

고대(苦待) ～하다 ungeduldig 〔sehnsüchtig〕 erwarten[4] 〔ab|warten[4]〕.

고도(古都) die alte Stadt, ⸚e; die ehemalige Hauptstadt.

고도(孤島) die einsame Insel, -n. ¶ 절해의 ～ das einsame Eiland inmitten des Ozeans.

고도(高度) ① 《높이》 Höhe *f.* ② 《정도》 Hochgradigkeit *f.* ¶ ～의 문화 hochentwickelte Kultur, -en. ‖ ～계 Höhenmesser *m.* -s, -.

고독(孤獨) Einsamkeit *f.*; das Alleinsein*, -s. ~한 einsam; allein.

고동 ① 《장치》 Hahn *m.* -(e)s, ¨e〔-en〕. ¶ ~을 틀다〔잠그다〕 den Hahn auf|drehen 〔schließen*〕. ② 《기적》 Dampfpfeife *f.* -n. ¶ ~이 울다〔을 울리다〕 Dampfpfeife ertönen (lassen*).

고동(鼓動) Herzklopfen *n.* -s, -; Herzschlag *m.* -(e)s, ¨e. ~하다 das Herz schlägt 〔klopft〕.

고되다 stark〔feurig; schwer〕 (sein). ¶ 일이 ~ die Arbeit ist hart 〔schwer〕.

고둥 〖貝〗 Schneckenmuschel *f.* -n.

고드름 Eiszapfen 〔Eiszacken〕 *m.* -s, -.

고등(高等) ~의 hoch. ‖ ~교육 die höhere Bildung, -en / ~학교 die höhere Schule, -n.

고등어 Makrele *f.* -n.

고딕 ¶ ~의 gotisch. ‖ ~양식 die Gotik; der gotische (Bau)stil, -(e)s.

고락(苦樂) ¶ ~을 같이하다 Freud' u. Leid miteinander teilen.

고래 Walfisch 〔Wal〕 *m.* -(e)s, -e.

고래(古來) ¶ ~로 seit 〔aus〕 alten Zeiten.

고래고래 laut; schreiend. ¶ ~ 소리지르다 (laut) auf|schreien*.

고래등 ¶ ~ 같은 집 ein großes ziegelgedecktes Haus.

고려(考慮) Überlegung 〔Erwägung〕 *f.* -en. ~하다 überlegen^4; erwägen^4.

고려(顧慮) Rücksicht *f.* -en. ~하다 Rücksicht nehmen* 《*auf*^{4}》; berücksichtigen^4. ¶ …을 ~하여 mit Rücksicht 《*auf*^{4}》.

고령자(高齢者) 《노령자》ein (hoch)bejahrter Mensch, -en, -en.

고로(故—) deshalb; deswegen; folglich; infolgedessen. ☞그러므로.

고료(稿料) (Autor)honorar *n.* -s, -e.

고루 gleich; gleichmäßig.

고루(固陋) ~하다 verbohrt 〔beschränkt; borniert; stur〕 (sein).

고르다^1 ① 《선택》 (aus|)wählen^4; aus|lesen*. ② 《평평히》 ebnen^4; planieren^4. ¶ 지면을 ~ den Boden ebnen.

고르다^2 《균등하다》 eben 〔gleich〕 (sein). ¶ 몫이 고르지 못하다 Der Anteil ist nicht gleich.

고름 Eiter *m.* -s. ¶ ~을 짜내다 Eiter heraus|drücken.

고리 Ring *m.* -(e)s, -e; Reif *m.* -(e)s, -e; Öse *f.* -n.

고리(高利) Wucherzinsen (*pl.*). ‖ ~대금업 Wucher·geschäft *n.* 〔-handel *m.*〕 (~대금업자 Wucherer *m.* -s, -).

고리타분하다 ① 《냄새가》 faul-riechend 〔stinkend〕 (sein). ② 《성질·행동이》 engherzig 〔pedantisch〕 (sein).

고린내 der faule Geruch, -(e)s, ¨e. ¶ ~가 나다 stinkenden Geruch aus|strömen.

고릴라 Gorilla *m.* -s, -s.

고립(孤立) Isolierung *f.* -en; Alleinsein *n.* -s. ~하다 isoliert sein; allein stehen*; (^{4}sich) vereinsamen. ¶ ~시키다 isolieren*; ab|sondern^4. ‖ ~정책 Politik der Isolierung.

고마움 Gratulation 〔Dankbarkeit〕 *f.* -en.

고막(鼓膜) Trommelfell *m.* -(e)s, -e. ¶ ~이 터지다 das Trommelfell bricht / ~이 터질 정도로 trommelfellerschütternd.

고만고만하다 kein großer Unterschied sein 《*zwischen*^{3}》.

고맙다 dankenswert 〔dankbar; erkenntlich〕 (sein). ¶ 고맙네 danke (schön)!

고매(高邁) ~하다 edel 〔erhaben; hoch; vornehm〕 (sein). ¶ ~한 이상 das hohe Ideal, -s, -e.

고명 《양념》 die würzende Zutat, -en.

고명(高名) ~하다 berühmt (sein).

고명딸 einzige Tochter unter vielen Söhnen.

고모(姑母) die Schwester des Vaters.

고목(古木) ein alter Baum, -(e)s, ¨e.

고무 Gummi *n.*〔*m.*〕 -s, -s; 《지우개》 Radiergummi *m.* -s, -s. ‖ ~밴드 Gummiring *m.* -(e)s, -e; Gummiband *n.* -(e)s, ¨er.

고무(鼓舞) ~하다 ermuntern^4; auf|muntern^4. ¶ ~적인 aufmunternd; ermutigend.

고문(古文) die alte Schrift, -en. ‖ ~서 (alte) Urkunde, -n; die Bücher des klassischen Altertums 《책》.

고문(拷問) Folter 〔Marter〕 *f.* -n; Tortur *f.* -en. ~하다 foltern 《*jn.*》; martern 《*jn.*》; auf die Folter spannen 《*jn.*》.

고문(顧問) Ratgeber *m.* -s, -; Rat *m.* -(e)s, ¨e.

고물 《배의》 Heck *n.* -(e)s, -e; Spiegel *m.* -s, -.

고물(古物) Trödel *m.* -s; 《골동품》 Antiquität *f.* -en. ‖ ~상 Trödelhandel *m.* -s; Antiquariat *n.* -(e)s, -e; 《사람》 Trödler *m.* -s, -; Antiquar *m.* -s, -e.

고미다락 Dachkammer *f.* -en.

고민(苦悶) Qual *f.* -en; Pein *f.* ~하다 ^{4}sich quälen; ^{4}sich vor ^{3}Schmerzen kümmern.

고발(告發) Anklage *f.* -n. ~하다 an|klagen^4 《*wegen*^{2}》; Anklage erheben* 《*gegen*^{4}; *wegen*^{2}》.

고배(苦杯) ¶ ~를 마시다 e-n bitteren Becher leeren; 《지다》 e-e Niederlage erleiden*.

고백(告白) Bekenntnis 〔Geständnis〕 *n.* -ses, -se; Konfession *f.* -en. ~하다 gestehen*^{4}; bekennen*^{4}. ¶ 신앙 ~ Glaubensbekenntnis *n.*

고별(告別) Abschied *m.* -(e)s, -e. ‖ ~사 Abschiedsworte (*pl.*).

고병(古兵) der ausgediente Soldat, -en, -en; Veteran *m.* -en, -en.

고본(古本) ① 《옛책》 die alten 〔antiquarischen〕 Bücher (*pl.*). ② 《헌책》 das gebrauchte Buch, -(e)s, ¨er. ‖ ~상 Altbuchhändler *m.* -s, - 《사람》; Altbuchhandlung *f.* -en.

고부(姑婦) Schwiegermutter u. Schwiegertochter.

고분(古墳) Dolmen *m.* -s, -; das alte Grab, -(e)s, ¨er.

고분고분하다 gehorsam 〔anständig; folgsam〕 (sein).

고분자(高分子) ‖ ~화학 hochmolekulare Chemie / ~화합물 hochmolekulare Verbindung, -en.

고비 《절정》 Höhepunkt *m.* -(e)s, -; 《위기》 Krise *f.* -n. ¶ ~는 지났다 Die Krise ist schon vorbei.

고뿔 Erkältung *f.* -en; Schnupfen *m.* -es. ☞감기.

고삐 Zügel *m.* -s, -.

고사(古事) die alte Begebenheit, -en. ¶~를 인용하다 auf e-e geschichtliche Begebenheit Bezug nehmen*.

고사(考査) Prüfung *f.* -en; Examen *n.* -s, ..mina.

고사(告祀) Opfer für die Geister. ~지내다 den Geistern Opfer darbringen. ‖~떡 (den Geistern) als Opfer dargebrachte Reiskuchen (*pl.*).

고사리 (Adler)farn *m.* -(e)s, -e.

고사포(高射砲) Fliegerabwehrkanone *f.* -n; Flak *f.* -(s).

고사하고(姑捨—) weit entfernt (davon); abgesehen 《*von*³》. ¶이 문제는 ~ abgesehen von dieser Frage.

고산(高山) der hohe Berg, -(e)s, -e. ‖~병 Höhenkrankheit *f.* -en / ~식물 Alpenpflanze *f.* -n.

고상(高尙) ~하다 erhaben 〔edel; vornehm; adelig〕 (sein).

고색(古色) ¶ ~ 창연한 altertümlich; bejahrt.

고생(苦生) 《애씀》 Mühe *f.* -n; 《어려움》 Mühsal *n.* -(e)s, -e; Not *f.* ⸚e; 《수고》 Plackerei *f.* -en. ~하다 ³sich Mühe machen; ⁴sich quälen; leiden*; in Not sein. ¶ ~스러운 mühselig; beschwerlich; schwer; kümmerlich.

고서(古書) das alte Buch, -(e)s, ⸚er.

고성능(高性能) die hoch Leistung, -en. ‖~ 폭약 das hoch explosive Pulver, -s, -.

고성방가(高聲放歌) ~하다 mit lauter Stimme singen*.

고소(告訴) (An)klage *f.* -n. ~하다 an|klagen⁴ 《*wegen*²; *bei*³》; Anklage erheben* 《*gegen*⁴》. ‖~인 Kläger *m.* -s, - / ~장 Klageschrift *f.* -en.

고소하다 ① 《맛·냄새가》 duftend 〔duftig; wohlriechend〕 (sein). ② 《남의 일을》 ¶고소하게 생각하다 Schadenfreude empfinden* 《*über*⁴》.

고속(高速) die hohe Geschwindigkeit, -en. ‖~도강(度鋼) Schnellstahl *m.* -(e)s, ⸚e / ~ 도로 Autobahn *f.* -en; Autostraße *f.* -n / ~ 인쇄기 die schnellaufende Maschine, -n / ~ 촬영 Zeitlupe *f.* -n.

고수(固守) ~하다 standhaft〔hartnäckig〕 verteidigen⁴.

고수머리 Kraushaar *n.* -(e)s, -e; 《사람》 Kraus〔Locken〕kopf *m.* -(e)s, ⸚e.

고스란히 unverletzt; unberührt; ganz; alles; sämtlich.

고슬고슬 《밥이》 richtig gekocht. ~하다 ganz richtig gekocht sein.

고슴도치 Igel *m.* -s, -.

고승(高僧) der hervorragende Priester, -s, -.

고시(考試) Prüfung *f.* -en; Examen *n.* -s, ..mina. ¶ ~에 합격하다 die Prüfung bestehen*. ‖고등〔보통〕 ~ das Staatsexamen für die höheren 〔ordentlichen〕 Beamten (*pl.*) / 국가 ~ Staatsexamen.

고시(告示) Bekanntmachung 〔Ankündigung〕 *f.* -en; Anzeige *f.* -n. ~하다 bekannt|machen⁴; an|kündigen⁴; an|zeigen⁴; veröffentlichen⁴.

고식(姑息) ~적(인) behelfsmäßig; auf halbem Wege stehenbleibend.

고심(苦心) Bemühung 〔Anstrengung〕 *f.* -en. ~하다 ⁴sich bemühen; ⁴sich an|strengen.

고십 ☞가십.

고아(孤兒) Waise *f.* -n. ¶ ~가 되다 verwaisen. ‖~원 Waisen·haus *n.* -es, ⸚er 〔-anstalt *f.* -en〕.

고안(考案) Erfindung *f.* -en; Plan *m.* -(e)s, ⸚e. ~하다 erfinden*⁴; erdenken*⁴; planen⁴. ‖~자 Erfinder 〔Entwerfer〕 *m.* -s, -.

고압(高壓) 《기압》 Hochdruck *m.* -(e)s; 《전류》 Hochspannung *f.* -en. ‖~선(線) Starkstromleitung *f.* -en.

고액(高額) e-e große Summe. ‖~ 납세자 ein hoher Steuerzahler, -s, -.

고약(膏藥) Pflaster *n.* -s, -; Salbe *f.* -n; Balsam *m.* -s, -e.

고약하다 《생김새가》 häßlich〔unpassend〕 (sein); 《성질·마음》 schlecht 〔schmutzig〕 (sein).

고양이 Katze *f.* -n; Kater *m.* -s, -.

고어(古語) 《옛말》 das veraltete Wort, -(e)s, ⸚er.

고역(苦役) harte Arbeit, -en; Plackerei *f.* -en. ¶~을 치르다 mühsam arbeiten.

고요하다 still 〔ruhig〕 (sein).

고용(雇用) Beschäftigung 〔Anstellung〕 *f.* -en. ~하다 beschäftigen⁴. ‖~주 Arbeitgeber *m.* -s, -.

고용(雇傭) Engagement *n.* -s, -s. ¶ ~살이하다 bei *jm.* dienen; in Dienst stehen* 〔treten*〕. ‖~계약 Dienstvertrag *m.* -(e)s, ⸚e / ~인 der Angestellte*, -n, -n; Dienstnehmer *m.* -s, - / ~ 조건 Dienstbedingung *f.* -en.

고원(高原) Hochebene *f.* -n.

고유(固有) ~의 eigen(tümlich); eigentlich. ‖~ 명사 Eigenname *m.* -ns, -n.

고율(高率) der hohe (Prozent)satz, -es, ⸚e. ¶ ~의 이자 die hohen Zinsen.

고을 Land *n.* -(e)s, ⸚er; Provinz *f.* -en; Bezirk *m.* -(e)s, -e.

고음(高音) der hohe Ton, -(e)s, ⸚e. ‖~부 기호 Sopranschlüssel *m.* -s, -.

고의(故意) Absicht *f.* -en; Vorsatz *m.* -es, ⸚e. ¶ ~로〔의〕 absichtlich; vorsätzlich.

고이 ① 《곱게》 gut; schön; wohl. ② 《조심하여》 vorsichtig; vornehm; ruhig. ¶ ~ 다루다 vorsichtig behandeln. ③ 《편안히》 friedlich. ¶ ~ 잠드소서 Er ruhe in Frieden!

고인(故人) der Selige*〔Hingeschiedene*〕 -n, -n. ¶~이 되다 hin|scheiden*.

고자세(高姿勢) ¶ ~로 나오다 gebieterisch auf|treten*; sich anmaßend benehmen* 《*gegen*⁴》.

고자질(告者—) ~하다 petzen; an|geben*⁴; hinterbringen*³·⁴; zu|tragen*³.

고작 nur; höchstens; am Ende. ¶ ~ 어린애가 아닌가 Er ist doch nur ein Kind.

고장 Land *n.* -(e)s, ⸚er; Gegend *f.* -en. ¶그 ~ 사람 der Eingeborene*, -n,

-n / 대구는 사과의 (본)~이다 *Daegu* ist die Heimat des Apfels.

고장(故障) Schaden *m.* -s, ⸚; Beschädigung *f.* -en. ¶ ~나다 schadhaft [beschädigt] werden.

고저(高低) das Hoch u. Nieder. ¶ ~가 없는 eben; flach.

고적(古蹟) Altertümer (*pl.*); Ruine *f.*-n.

고적대(鼓笛隊) Trommel- u. Pfeifenkorps; Spielmannszug *m.* -(e)s, ⸚e.

고전(古典) Klassik *f.* ‖ ~주의 Klassik *f.*; Klassizismus *m.* -.

고전(苦戰) der bittere [harte] Kampf, -(e)s, ⸚e. ~하다 bitter kämpfen.

고정(固定) Fixierung *f.* -en. ~하다 befestigen*[4]; fixieren[4]; (자동) [4]sich fest|setzen[4]. ¶ ~된 fest; fix. ‖ ~급(給) Fixum *n.* -s, ..xa; das feste Gehalt, -(e)s, ⸚er / ~ 자본 das fixe Kapital, -s, -e.

고조(高潮) hohe Flut, -en; (정점) Höhepunkt *m.* -(e)s, -e; Gipfel *m.* -s, -; Klimax *f.* -e. ¶ 최~에 달하다 die Klimax erreichen.

고종사촌(姑從四寸) das Kind der Schwester des Vaters.

고주망태 Betrunkenheit *f.* -en. ¶ ~가 되다 bezecht [betrunken] sein.

고주파(高周波) 〖物〗 Hochfrequenz *f.* ‖ ~ 전류(電流) Hochfrequenzstrom *m.* -(e)s, ⸚e.

고증(考證) Kollation *f.* -en. ~하다 kollationieren[4]. ‖ 시대 ~ historische Erforschung, -en.

고지(告知) ~하다 bekannt|geben*[4]; an|kündigen[4]. ‖ ~서 Bekanntmachungsschreiben *n.* -s / 납세 ~서 Steuerzettel *m.* -s, -.

고지(高地) Höhe *f.* -n; Hochland *n.* -(e)s; Hügel *m.* -s, -.

고지식하다 einfach u. ehrlich; zu ehrlich. ¶ 고지식한 사람 e-e naive u. leichtgläubige Person, -en.

고질(痼疾) das chronische Leiden, -s, -; die langwierige Krankheit, -en.

고집(固執) Beharrlichkeit *f.* -en; Eigensinn *m.* -(e)s; Hartnäckigkeit *f.* -en. ~하다 bestehen* (*auf*[4]); beharren (*auf*[3]; *bei*[3]). ¶ ~이 센 eigensinnig; hartnäckig; halsstarrig; widerspenstig.

고착(固着) das Fest[An]kleben*, -s. ~하다 an|kleben (*an*[3]); an|haften (*an*[3]). ‖ ~ 관념 die fixe Idee, -n.

고찰(古刹) der alte Tempel, -s, -.

고찰(考察) Betrachtung *f.* -en. ~하다 betrachten*[4].

고참(古參) der Ältere*, -n, -n; Veteran *m.* -en, -en.

고철(古鐵) Alteisen *n.* -s, -; Schrott *m.* -(e)s, -e.

고체(固體) der feste Körper, -s, -. ‖ ~ 연료 der feste Brennstoff, -(e)s, -e.

고초(苦楚) Mühsal *f.* -e [*n.* -(e)s, -e]; Leiden *n.* -s, -. ¶ ~를 겪다 Schwierigkeiten erleiden*.

고추 Paprika *m.* -s, -s.

고충(苦衷) Besorgtheit *f.*; Verlegenheit *f.* ¶ 아무의 ~을 헤아리다 [4]Mitleiden mit *js.* heikler Lage haben.

고취(鼓吹) ~하다 ein|geben*[34]; ein|flößen[34].

고층(高層) (건물의) hohes Stockwerk, -(e)s, -e; (기류의) die hohe Schicht, -en. ‖ ~ 건물 Hochhaus *n.* -es, ⸚er / ~ 기류 der Luftstrom der hohen Schicht.

고치 Kokon *m.* -s, -s.

고치다 ① (수선) reparieren[4]; aus|bessern[4]. ¶ 길을 ~ e-e Straße aus|bessern. ② (치유) heilen[4]; kurieren[4]. ¶ 병을 ~ e-e Krankheit heilen. ③ (정정·개선) verbessern[4]; berichtigen[4]; korrigieren[4]. ¶ 문장을 ~ e-n Satz verbessern / 오식(誤植)을 ~ e-n Druckfehler korrigieren. ④ (변경) ändern[4]; verändern. ¶ 시간표를 ~ Lehrplan verändern. ⑤ (정돈) in Ordnung bringen*[4]; zurecht|machen[4]. ¶ 넥타이를 ~ die Krawatte zurecht|rücken. ⑥ (복구) wieder|her|stellen[4]; restaurieren[4]. ¶ 건물을 ~ ein Gebäude wieder|her|stellen.

고통(苦痛) Schmerz *m.* -es, -en; Qual *f.* -en; Pein *f.* ¶ ~스러운 schmerzlich; schmerzhaft; peinlich; qualvoll.

고평(高評) Ihre verehrte Meinung, -en.

고풍(古風) (옛식) die alte Manier, -en; (풍속) alte Sitte, -n; (고대풍) Altertümlichkeit *f.* -en.

고프다 hungrig (sein); Hunger haben. ¶ 배가 몹시 ~ Ich habe großen [sehr starken] Hunger.

고하(高下) ① (시세의) Schwankung *f.* -en; (품질의) Qualität *f.* -en; (신분의) Rang *m.* -(e)s, ⸚e. ¶ 신분의 ~를 불문하고 ohne Rücksicht auf den Rang.

고하다(告—) (말하다) *jm.* sagen[4]; (알리다) *jm.* berichten[4]; ¶ 진실을 ~ die Wahrheit sagen[3] / 작별을 ~ *jm.* Lebewohl sagen.

고학(苦學) ~하다 [3]sich s-e Studienkosten selbst verdienen; unter Schwierigkeiten studieren. ‖ ~생 Werkstudent *m.* -en, -en.

고함(高喊) Schrei *m.* -(e)s, -e; Geschrei *n.* -(e)s; Gebrüll *n.* -(e)s. ¶ ~치다 (auf|)schreien*; rufen*.

고해(告解) Beichte [Buße] *f.* -n. ‖ ~석 Beichtstuhl *m.* -(e)s, ⸚e / ~ 신부 Beichtvater *m.* -s, ⸚.

고행(苦行) Askese *f.* -n; asketische Übungen (*pl.*).

고향(故鄕) Heimat *f.* -en; Geburtsort *m.* -(e)s, -e (태어난 곳).

고혈압(高血壓) der hohe Blutdruck, -(e)s.

고희(古稀) das siebzigste Lebensjahr, -(e)s. ¶ ~를 넘다 über siebzig Jahre alt sein.

곡(曲) Melodie *f.* -n; Tonstück *n.* -(e)s, -e.

곡(哭) das Beklagen*, -s.

곡괭이 Spitz[Kreuz]hacke *f.* -n.

곡두 Trugbild *n.* -(e)s, -er.

곡마단(曲馬團) = 서커스.

곡물(穀物) Getreide *n.* -s, -; Korn *n.* -s, ⸚er. ‖ ~ 시장 Getreidemarkt *m.* -(e)s, ⸚e / ~ 창고 Getreidekammer *f.* -n.

곡사(曲射) Steilfeuer *n.* -s. ‖ ~포 Steil-

feuergeschütz *n.* -es, -e.
곡선(曲線) Kurve 〔Krummlinie〕 *f.* -n.
곡식(穀食) Getreide *n.* -s, -; Korn *n.* -s, ¨er.
곡예(曲藝) Kunststück *n.* -(e)s, ¨e; Akrobatik *f.* ‖ ~사 Akrobat *m.* -en, -en.
곡절(曲折) Wechselfälle (*pl.*); Grund *m.* -s, ¨e. ¶온갖 ~끝에 nach vielen Wendungen u. Windungen.
곡조(曲調) melodie *f.* -n.
곡창(穀倉) Getreidespeicher *m.* -s, -; 《지방》 Getreideland *n.* -(e)s, ¨er.
곡필(曲筆) die falsche Darstellung, -en.
곡해(曲解) Verdrehung 〔Entstellung〕 *f.* -en. ~하다 verdrehen⁴; entstellen⁴; mißdeuten⁴.
곤경(困境) Not *f.* ¨e; die schlimme 〔schwierige; mißliche〕 Lage 〔Klemme〕 -n; Verlegenheit *f.* -en. ¶~에 빠지다 in e-e schlimme Lage geraten*.
곤궁(困窮) Armut *f.*; Not *f.* ¨e; Bedürftigkeit *f.* ~하다 arm 〔bedürftig〕 (sein).
곤두박이로 kopfunter; kopfüber.
곤두서다 ⁴sich auf den Kopf stellen; kopf|stehen*; 《털이》 ⁴sich sträuben.
곤드레만드레 ¶~ 취하다 schwer besoffen〔betrunken〕 sein; im Sturm sein.
곤란(困難) Schwierigkeit 〔Beschwerlichkeit〕 *f.* -en; Not *f.* ¨e; Mühe *f.* -n; Leiden *n.* -s, -. ~하다 schwer 〔lästig; schwierig; mühsam〕 (sein).
곤봉(棍棒) Keule *f.* -n; Knüttel *m.* -s, -. ‖ ~ 체조 Keulenschwingen *n.* -s.
곤욕(困辱) bittere Beschimpfung 〔Beleidigung〕 -en. ¶~을 당하다 beleidigt werden.
곤충(昆蟲) Insekt *n.*-(e)s, -en; Kerbtier *n.* -(e)s, -e. ‖ ~ 채집 das Insekt·sammeln*, -s 〔-sammlung *f.* -en〕.
곧 《바로》 (so)gleich; sofort; im Augenblick; auf der Stelle; 《오래잖아》 bald; 《즉》 nämlich; das heißt.
곧다 《물건이》 gerade 〔direkt〕 (sein); 《마음이》 aufrichtig 〔ehrlich〕 (sein).
곧바로 direkt; geradeaus; geradeswegs. ¶ ~ 걷다 geradeaus gehen*.
곧이듣다 ⁴*et.* für wahr halten*; ⁴*et.* für baren Ernst nehmen*.
곧장 gerade; direkt; geradeaus; geradeswegs.
골¹ 《골수》 (Knochen)mark *n.* -(e)s; 《뇌수》 Gehirn *n.* -(e)s, -e.
골² 《모자·구두의》 Form *f.*-en; (Schuh-)leisten *m.* -s, -.
골³ 《경기의》 Ziel *n.* -(e)s, -e; 《축구의》 Tor *n.*-(e)s, -e. ‖골키퍼 Torwart *m.* -(e)s, -e.
골격(骨格) Körperbau *m.* -(e)s; Gerippe *n.* -s, -; Skelett *n.* -(e)se.
골나다 verstimmt 〔unmutig; ärgerlich〕 sein.
골동품(骨董品) Rarität 〔Kuriosität; Antiquität〕 *f.* -en. ‖ ~상 Raritätenhandel *m.* -s, -; 《사람》 Raritätenhändler *m.* -s, - / ~ 수집가 Raritätensammler *m.* -s, -.
골똘하다 ⁴sich (völlig) hin|geben*³; ganz vertieft sein (*in*⁴).
골라내다 aus|(er)wählen⁴; aus|erlesen*⁴.
골막(骨膜) Periost *n.* -s, -e; Knochenhaut *f.* ¨e. ‖ ~염 Periostitis *f.* ..tiden; Knochenhautentzündung *f.* -en.
골목 Gasse *f.* -n; (Neben)gäßchen *n.* -s, -.
골몰(汨沒) ~하다 ⁴sich widmen³ 〔vertiefen (*in*⁴)〕.
골반(骨盤) Becken *n.* -s, -.
골수(骨髓) (Knochen)mark *n.* -(e)s. ¶~에 사무치다 durch ⁴Mark u. ⁴Bein dringen*. ‖ ~염 Osteomyelitis *f.* ..ten.
골자(骨子) Hauptpunkt *m.* -(e)s, -e.
골절(骨折) Knochenbruch *m.* -(e)s, ¨e; Fraktur *f.* -en.
골짜기 Tal *n.* -s, ¨er; Schlucht *f.* -en.
골프 Golf(spiel) *n.*-(e)s, -e. ‖ ~장 Golfbahn *f.* -en; Golfplatz *m.* -es, ¨e.
곪다 eitern; eiterig werden.
곯다¹ 《배가》 Hunger haben.
곯다² 《상하다》 verderben*; 《언걸들다》 Schaden (er)leiden*.
곯아떨어지다 tief in Schlaf fallen*.
곰 Bär *m.* -en, -en. ‖ ~새끼 Bärenjunge *n.* -n, -n.
곰곰(이) nachdenklich; tiefsinnig. ¶~ 생각하다 ³sich genau überlegen⁴.
곰보 Pocken〔Blatter〕narbe *f.* -n.
곰살갑다 《너그럽다》 mild〔tolerant; großmütig〕(sein); 《다정하다》 gut 〔freundlich; nett〕 (sein).
곰팡이 Schimmel 〔Moder〕 *m.* -s. ¶~가 피다 schimmeln / ~가 핀 schimmelig; moderig.
곱다¹ 《추위로》 starr 〔steif; gefühllos〕 werden (vor ³Kälte). ¶추워서 손발이 ~ Die Glieder sind mir vor Kälte erstarrt.
곱다² 《모양이》 schön (sein); 《예쁜》 nett 〔hübsch〕(sein); 《우아한》 zierlich (sein).
곱사등 Buckel *m.*-s, -. ~의 buckelig. ‖~이 der Bucklige*, -n, -n.
곱셈 Multiplikation *f.*-en.
곱슬곱슬하게하다 kräuseln⁴.
곱자 Winkel·maß *n.* -es,-e 〔-eisen *n.* -s, -〕.
곱하다 multiplizieren⁴ (*mit*³).
곳 Stelle *f.* -n; Ort *m.* 〔*n.*〕 -(e)s, -e; Platz *m.* -es, ¨e; Gegend *f.* -en; Raum *m.* -(e)s, ¨e.
곳간(一間) Schuppen *m.* -s, -; Scheune *f.* -n; Speicher *m.* -s, -.
공 Ball *m.* -(e)s, ¨e; 《징》 Gong *m.* 〔*n.*〕 -s, -s. ¶공이 울리다 es gongt.
공(功) Verdienst *n.*-(e)s, -e. ¶공을 세우다 e-e verdienstvolle Handlung vollbringen*.
공간(空間) Raum *m.* -(e)s, ¨e. ~적 räumlich; Raum-. ‖~ 예술 Raumkunst *f.* ¨e.
공갈(恐喝) (Be)drohung 〔Androhung; Erpressung〕 *f.* -en. ~하다 (be)drohen⁴; an|drohen³⁴; erpressen³⁴.
공감(共感) Mitgefühl *n.* -(e)s, -e; das Mitempfinden*, -s; Sympathie *f.* -n. ~하다 sympathisieren (*mit*³); mit|fühlen.
공개(公開) ~하다 veröffentlichen⁴; vor die Öffentlichkeit bringen*⁴; ans Licht bringen*⁴; unter die Leute bringen*⁴. ¶~적인 öffentlich. ‖ ~장 der offene

Brief, -(e)s, -e / ~ 회의 die öffentliche Sitzung, -en.
공격(攻擊) Angriff *m.* -(e)s, -e; 《비난》 Vorwurf *m.* -s, ⸚e. ~하다 an|greifen*[4]; vor|werfen*[34]. ‖ ~자 Angreifer *m.* -s, - / 총~ allgemeiner Angriff.
공경(恭敬) Verehrung〔Ehrerbietung〕*f.* -en. ~하다 (ver)ehren[4]; an|beten[4]; hoch|achten[4].
공고(公告) die öffentliche Anzeige, -n. ~하다 (öffentlich) an|zeigen[4]; an|kündigen[4]. ‖ 경매 ~ Auktionsbekanntmachung *f.* -en.
공고(鞏固) ~하다 fest〔stark; hart; sicher〕(sein).
공공(公共) ~의 öffentlich; (all)gemein. ‖ ~ 단체 Gemeinwesen *n.* -s, - / ~ 사업 das öffentliche Unternehmen*, -s / ~ 시설 die öffentlich Anstalt〔Institution〕-en / ~심 Gemeingeist *m.* -es.
공공연(公公然) ~하다 öffentlich (sein). ¶ ~한 비밀 das öffentliche Geheimnis, -ses, -se.
공과(功過) Verdienste (*pl.*) u. Verschuldungen(*pl*).
공과대학(工科大學) die technische Hochschule, -n.
공관복음서(共觀福音書) Synopse *f.* -n.
공교롭게(工巧—) zufällig; unerwartet. ¶ 그는 ~도 그곳에 있었다 Er war zufällig da.
공구(工具) Werkzeug *n.* -(e)s, -e.
공군(空軍) Luftwaffe *f.* -n.
공권(公權) die bürgerlichen Ehrenrechte (*pl.*); (Staats)bürgerrecht *n.* -(e)s, -e. ¶ ~을 박탈하다 die bürgerlichen Freiheiten u. Vorrechte nehmen*[3].
공규(空閨) das Schlafzimmer e-r verlassenen Frau. ¶ ~를 지키다 das einsame Leben e-r verlassenen Frau führen.
공금(公金) die öffentlichen Gelder(*pl.*); 《국가의》 Staatsgelder (*pl.*). ‖ ~ 횡령 der Unterschleif〔die Unterschlagung〕der öffentlichen Gelder.
공급(供給) Angebot *n.* -s, -e; Versorgung〔Lieferung〕*f.* -en. ~하다 versorgen[4]; beschaffen[34]; liefern[4]. ‖ ~ 과잉 Überangebot *n.* -(e)s, -e / ~자 Versorger *m.* -s, -; Lieferant *m.* -en, -en.
공기(空氣) Luft *f.*; 《분위기》 Atmosphäre *f.* -n. ‖ ~ 압(력) Luftdruck *m.* -(e)s / ~ 전염 Luftinfektion *f.* -en / ~총 Luftgewehr *n.* -(e)s, -e.
공단(工團) =공업 단지.
공단(公團) öffentliche Korporation〔Körperschaft〕-en.
공대(恭待) ~하다 《대접》 *jn.* ehrfurchtsvoll behandeln; 《존대》 *jn.* höflich an|reden.
공동(共同) ~의 gemeinsam; gemeinschaftlich; 《공공》 öffentlich. ¶ ~으로 zusammen; gemeinsam. ‖ ~ 묘지 Friedhof *m.* -(e)s, ⸚e / ~ 변소 Bedürfnisanstalt *f.* -en / ~ 성명 ein gemeinsames Kommuniqué, -s, -s / ~ 전선 die gemeinschaftliche Front, -en (~ 전선을 펴다 e-e geschlossene Front bilden).
공들이다(功—) acht geben* 《*auf*[4]》; vorsichtig sein 《*in*[3]》; hart arbeiten 《*für*[4]》.
공랭식(空冷式) ~의 luftgekühlt.
공략(攻略) Eroberung〔Bemächtigung〕*f.* -en. ~하다 erobern[4]; [4]sich bemächtigen[2].
공로(功勞) Verdienst *n.* -(e)s, -e. ¶ ~가 많은 verdienstvoll / ~를 세우다 [3]sich Verdienste erwerben* 《*um*[4]》*.
공로(空路) Luft(verkehrs)linie *f.* -en. ¶ ~로 mit Flugzeug.
공룡(恐龍) Dinosaurier *m.* -s, -.
공리(功利) Nützlichkeit *f.* -en. ~적 utilitaristisch. ‖ ~주의 Nützlichkeitslehre *f.* -n; Utilitarismus *m.* -.
공리공론(空理空論) Doktrinarismus *m.* -.
공립(公立) ~의 öffentlich; Gemeinde-. ‖ ~ 학교 Gemeindeschule *f.* -n.
공매(公賣) die öffentliche Versteigerung, -en; 《강제적》 Zwangsversteigerung *f.* ~하다 öffentlich versteigern.
공명(功名) Verdienst *n.* -es, -e; Ruhm *m.* -(e)s. ‖ ~심 Ehrgeiz *m.* -es, -e; Ehrsucht *f.* ⸚e.
공명(共鳴) Resonanz *f.* -en; 《공감》 Mitgefühl *n.* -(e)s, -e. ~하다 nach|klingen*[3]; resonieren[3]; 《찬성》 bei|stimmen[3]. ‖ ~판 Resonanzboden *m.* -s, -.
공명정대(公明正大) ~하다 gerecht〔ehrlich〕(sein).
공모(共謀) Konspiration〔Verschwörung〕*f.* -en. ~하다 [4]sich verschwören 《mit *jm.* *zu*[3]》. ‖ ~자 der Mitverschworene*, -n, -n.
공모(公募) öffentlich Werbung, -en. ~하다 öffentlich an|werben*.
공무(公務) Amtstätigkeit *f.* -en; Amtsgeschäft *n.* -(e)s, -e. ‖ ~원 der Beamte*, -n, -n / ~ 집행 방해 die Störung der Amtsverrichtung / 국가〔지방〕~원 Staats〔Gemeinde〕beamte *m.*
공문서(公文書) das offizielle Dokument, -es, -e; die amtliche Urkunde, -n. ‖ ~ 위조 die Fälschung e-r amtlichen Urkunde.
공물(貢物) Tribut *m.* -(e)s, -e; Abgabe *f.* -n. ¶ ~을 바치다 e-n Tribut zahlen.
공미리〘魚〙Schnepfenaal *m.* -(e)s, -e.
공민(公民) (Staats)bürger *m.* -s, -. ‖ ~권 Bürgerrecht *n.* -(e)s, -e.
공박(攻駁) ~하다 widerlegen; vor|werfen*.
공방전(攻防戰) Angrifs- u. Verteidigungsschlacht.
공배수(公倍數) der gemeinsame Multiplikator, -s, -en. ‖ 최소 ~ kleinstes gemeinsames Vielfaches*.
공백(空白) ein leerer Raum, -es, ⸚e.
공범(共犯) Mitschuld *f.* ‖ ~자 der Mitschuldige*, -n, -n.
공법(公法) das öffentliche Recht, -(e)s, -e. ‖ 국제 ~ Völkerrecht *n.*
공병(工兵) Pionier *m.* -s, -e. ‖ ~대 Pioniertruppe *f.* -n.
공보(公報) der amtliche Bericht, -(e)s, -e. ‖ ~관 Amtanzeiger *m.* -s, -.
공복(空腹) Hunger *m.* -s.
공부(工夫) Studium *n.* -s, ..dien; 《학습》 das Lernen*, -s. ~하다 studieren[4]; lernen[4]; arbeiten. ‖ ~방 Studier〔Arbeits〕zimmer *n.* -s, - / ~ 벌레 Büffler〔Ochser〕*m.* -s, -.

공분(公憤) gerechter Zorn, -(e)s. ¶~을 느끼다 unwillig sein ((über⁴)).
공비(工費) ☞ 공사비.
공사(工事) Bau *m.* -es; Werk *n.* -(e)s, -e. ¶~ 중이다 im Bau sein. ‖~비 Baukosten(*pl.*) / 철도 ~ Eisenbahnbau.
공사(公私) öffentliche u. private Angelegenheit, -en. ¶~간에 ebenso in öffentlicher wie auch [in] privater Beziehung.
공사(公使) der Gesandte*, -n, -n. ‖~관 Gesandtschaft *f.* -en; ((건물)) Gesandtschaftsgebäude *n.* -s, -.
공산(公算) Wahrscheinlichkeit *f.* -en.
공산(共産) ‖~당 die kommunistische Partei, -en / ~주의 Kommunismus *m.* - (~주의자 Kommunist *m.* -en, -en) / ~화 Kommunisierung *f.*
공상(公傷) Dienstbeschädigung *f.* -en.
공상(空想) Phantasie *f.* -n; Einbildung *f.* -en. ~하다 ³sich ein|bilden; phantasieren; träumen. ¶~적인 phantastisch; träumerisch. ‖~가 Phantast *m.* -en, -en; Träumer *m.* -s, - / ~과학 소설 die utopische Wissenschaftsfiktion, -en; SF-Roman *m.* -s, -e.
공석(公席) Öffentlichkeit *f.*; die Gegenwart anderer ²Leute.
공석(空席) der freie [unbesetzte] Platz, -es, ⸚e.
공설(公設) ~의 öffentlich errichtet. ‖~시장 der öffentliche Markt, -(e)s, ⸚e.
공세(攻勢) Offensive *f.* -n; Angriff *m.* -(e)s, -e. ¶~를 취하다 die Offensive ergreifen*; an|greifen*⁴.
공소(公訴) die öffentliche Anklage, -n. ~하다 öffentlich an|klagen((*jn. wegen*²)); unter ⁴Anklage stellen ((*jn. wegen*²)).
공손(恭遜) ~하다 höflich [artig; ehrerbietig](sein).
공수(空輸) Lufttransport *m.* -(e)s, -e. ~하다 per Flugzeug transportieren*⁴; auf dem Luftweg schicken⁴ [senden*⁴]. ‖~ 부대 Luftlandetruppe *f.* -n.
공수병(恐水病) Wasserscheu *f.*; Hydrophobie *f.*; Tollwut *f.* ((광견병)).
공술인(供述人) Zeuge *m.* -n, -n.
공습(空襲) Luft[Flieger]angriff *m.* -(e)s, -e. ~하다 e-n Luftangriff aus|üben. ‖~경보 Flieger[Luftangriffs]alarm *m.* -s, -e.
공식(公式) Formel *f.* -n. ~의 öffentlich; offiziell; ((형식적인)) förmlich. ‖~ 발표 amtliche Bekanntmachung, -en.
공안(公安) öffentlicher Friede, -ns, -n; öffentliche Ruhe; Landfriede *m.* ¶~을 해치다 den öffentlichen Frieden stören.
공약(公約) die öffentliche Versprechung, -en. ~하다 öffentlich versprechen*⁴. ‖선거 ~ Wahlvorschlag *m.* -(e)s, ⸚e.
공약수(公約數) der gemeinschaftliche Teiler, -s. -. ‖최대 ~ der größte gemeinschaftliche Teiler [Divisor].
공언(公言) ~하다 offen bekennen*⁴.
공업(工業) Industrie *f.* -n; Gewerbe *n.* -s, -. ~의 industriell; gewerblich. ‖~ 단지(團地) Industriezentrum *n.* -s, ..tren / ~ 지대 Industriebezirk *m.* -es, -e / ~ 학교 Technikum *n.* -s, ..ka / ~화 Industrialisation [Industrialisierung] *f.* -en.
공역(共譯) die gemeinsame Übersetzung, -en. ~하다 gemeinsam [zusammen] übersetzen ((*von*³; *in*⁴)).
공연(公演) (öffentliche) Aufführung, -en. ~하다 auf|führen⁴.
공연(共演) das Mitspielen*, -s. ~하다 mit|spielen. ‖~자 Mitspieler *m.* -s, -.
공영(公營) öffentliche [staatliche] Leitung [Verwaltung] -en. ~의 öffentlich; staatlich; Gemeinde-.
공예(工藝) Kunstgewerbe *n.* -s, -; Technologie *f.* -n. ‖~품 kunstgewerbliche Arbeit, -en.
공용(公用) ¶~으로 amtlich; von Amts wegen; ex officio; zum öffentlichen Gebrauch.
공원(工員) (Fabrik)arbeiter *m.* -s, -.
공원(公園) Park *m.* -es, -s. ‖국립 ~ Nationalpark *m.*
공유(共有) Gemeinsamkeit [Gemeinschaft] *f.* -en; Mitbesitz *m.* -es, -e. ~하다 in Gemeinschaft haben; mit|besitzen*⁴. ¶~의 gemeinsam; gemeinschaftlich. ‖~ 재산 Gemeingut *n.* -(e)s, ⸚er.
공의(公醫) Amtsarzt *m.* -es, ⸚e.
공익(公益) Gemeinnutz *m.* -es. ‖~ 사업 das gemeinnützige Unternehmen, -s.
공인(公人) die öffentliche Person, -en; die öffentliche Persönlichkeit, -en.
공인(公認) die amtliche [offizielle] Genehmigung [Autorisation] -en. ~하다 (offiziell) genehmigen [autorisieren]. ‖~ 기록 der öffentlich anerkannte Rekord, -(e)s, -e / ~ 회계사 der vereidigte Bücherrevisor, -s, -en.
공임(工賃) (Arbeits)lohn *m.* -(e)s, ⸚e; Löhnung[Vergütung] *f.* -en; Tagelohn.
공자(孔子) Konfutse, -s; Konfuzius, -.
공작(工作) Bau *m.* -(e)s, -e[-ten]; Konstruktion *f.* -en; ((책동)) Manöver (*pl.*). ~하다 auf|bauen; ((책동)) manövrieren. ‖~ 기계 Werkzeugmaschine *f.* -n / 정치 ~ die politischen Manöver (*pl.*).
공작(孔雀) Pfau *m.* -(e)s, -en.
공작(公爵) Herzog *m.* -(e)s, ⸚e. ‖~부인 Herzogin *f.* -nen.
공장(工場) Fabrik *f.* -en. ‖~장 Fabrikdirektor *m.* -s, -en / ~ 지대 Fabrikzone *f.* -n.
공저(共著) Mitarbeit *f.* -en. ‖~자 Mitarbeiter *m.* -s, -.
공적(公的) ~인 öffentlich; offiziell; amtlich; allgemein.
공적(公敵) jedermanns [der öffentliche] Feind, -(e)s, -e.
공적(功績) Verdienst *n.* -es, -e; die hervorragende Leistung, -en. ¶~을 세우다 ³sich Verdienste erwerben* ((*um*⁴)); ⁴sich verdient machen ((*um*⁴)).
공전(公轉) 〖天〗 Umlauf *m.* -(e)s, ⸚e; Revolution *f.* -en. ~하다 um|laufen*.
공전(空前) ~의 unerhört; beispiellos. ¶~ 절후의 nie dagewesen; einzig dastehend.
공정(工程) Baufrist *f.* -en; der Fortschritt der Arbeit. ¶~의 80 퍼센트를

이룩했다 Die Arbeit ist zu etwa 80 Prozent fertig.
공정(公正) Gerechtigkeit 〔Billigkeit; Redlichkeit〕 *f.* ∼하다 gerecht 〔billig; unparteiisch〕 (sein). ¶∼한 처리 die gerechte Maßnahme, -n.
공정가격(公定價格) Taxe *f.* -n; Einheitswert *m.* -(e)s, -e.
공정대(空挺隊) Luftlandetruppe *f.* -n.
공제(共濟) die gegenseitige Unterstützung, -en. ‖∼ 조합 Wohlfahrts〔Unterstützungs〕verein *m.* -(e)s, -e; Hilfskasse *f.* -n.
공제(控除) Abzug *m.* -(e)s, ⸚e. ∼하다 ab|ziehen*⁴. ‖∼액 die abgezogene Summe, -n / 기초 ∼(액) Grundabzug.
공존(共存) das Zusammenbestehen*, -s; Koexistenz *f.* -en; das Mitvorhandensein*, -s. ∼하다 zusammen〔gleichzeitig〕 existieren; zu gleicher Zeit vorhanden sein; bestehen* 《*mit*³》.
공주(公主) Prinzessin *f.* -nen.
공중(公衆) Publikum *n.* -s; Öffentlichkeit *f.* ‖∼ 도덕 öffentliche Moral, -en / ∼ 전화 das öffentliche Telephon, -s, -e (∼전화 박스 Telephonzelle *f.* -n).
공중(空中) ¶∼에 in der Luft. ‖∼ 급유 das Lufttanken*, -s / ∼ 누각 Luftschloß *n.* ..losses, ..lösser / ∼전 Luftkrieg *m.* -(e)s, -e / ∼ 전기 방전 die Entladung der ²Luftelektrizität.
공증(公證) die notarielle Beglaubigung, -en. ∼하다 notariell 〔notarisch〕 beglaubigen⁴. ‖∼인 Notar *m.* -s, -e.
공직(公職) Amt *n.* -(e)s, ⸚er; der öffentliche Posten, -s, -; die öffentliche Dienststellung. ¶ ∼에 취임하다 ein Amt an|treten*; ein öffentlichen Posten neu bekleiden.
공진(共振) 〖物〗 Resonanz *f.* -en. ∼하다 mit|schwingen*; in Resonanz kommen*. ‖∼기 Resonator *m.* -s, -en.
공짜 ∼의 kostenfrei; unentgeltlich. ¶∼로 umsonst; frei.
공창(公娼) die öffentliche Prostituierte*, -n, -n.
공채(公債) die (öffentliche) Anleihe, -n. ‖∼ 증서 Anleiheschein *m.* -(e)s, -e.
공책(空冊) Heft *n.* -(e)s, -e.
공처가(恐妻家) Pantoffelheld *m.* -en, -en.
공천(公薦) Aufstellung *f.* -en. ∼하다 empfehlen*; vorschlagen*. ‖∼ 후보자 der offiziell aufgestellte Kandidat, -en, -en.
공청회(公聽會) die öffentliche Betragung, -en.
공치사(功致辭) ∼하다 ⁴sich zugute tun* 《*auf*⁴》.
공칭(公稱) ∼의 nominal. ‖∼ 자본 Nominalkapital *n.* -s, -e 〔-ien〕.
공탁(供託) Deposition〔Hinterlegung〕 *f.* -en. ∼하다 deponieren⁴; hinterlegen⁴. ‖∼금 Depositengeld *n.* -(e)s, -er.
공통(共通) ∼의 allgemein; gemeinsam. ‖∼성 Gemeinschaftlichkeit *f.* -en.
공판(公判) 《재판》 Gerichtssitzung *f.* -en. ¶∼에 부치다 gerichtlich verhandeln 《*über*⁴》. ‖∼정 Gerichtshof *m.* -(e)s, ⸚e.
공평(公平) Unparteilichkeit 〔Gerechtigkeit〕 *f.* ∼하다 unparteilich 〔unparteiisch; gerecht〕 (sein).
공포(公布) die öffentliche Bekanntmachung, -en; Proklamation *f.* -en. ∼하다 öffentlich bekannt|machen⁴; verkündigen⁴; erlassen*⁴.
공포(空砲) der blinde Schuß, ..usses, ..üsse. ¶∼를 쏘다 blind schießen*.
공포(恐怖) Furcht *f.*; Grauen *n.* -s; Schrecken *m.* -s, -. ‖∼증 Phobie *f.* -n; die krankhafte Furcht.
공표(公表) Veröffentlichung *f.* -en; die öffentliche Verkündigung, -en. ∼하다 veröffentlichen⁴; öffentlich bekannt|machen⁴.
공학(工學) Technik *f.* -en; Ingenieurkunst *f.* ⸚e. ‖∼박사 der Doktor der ²Ingenieurwissenschaft 《略: Dr. Ing.》.
공학(共學) Koedukation *f.* -en.
공항(空港) Flughafen *m.* -s, ⸚.
공해(公海) die offene See, -s, -n. ‖∼ 어업 die Fischerei auf offenem Meer.
공해(公害) Umwelt·schäden(*pl.*)〔-gefahren *f.*; -krise *f.*〕. ¶∼를 제거하다 Umweltschäden (*pl.*) beseitigen. ‖∼ 문제 das Problem der Umweltschäden / ∼ 방지법 Umweltschutzgesetz *n.* -es, -e.
공허(空虛) Leere *f.* ∼하다 leer (sein).
공헌(貢獻) Beitrag *m.* -(e)s, ⸚e; Beitragung *f.* -en. ∼하다 bei|tragen* 《*zu*³》; mit|wirken
공화(共和) ‖∼국 Republik *f.* -en; Freistaat *m.* -(e)s, -en / ∼당 die republikanische Partei, -en.
공황(恐慌) Panik *f.* -en; Krise *f.* -n.
공회당(公會堂) das öffentliche Versammlungshaus, -es, ⸚er.
공훈(功勳) Verdienst *n.* -es, -e.
공휴일(公休日) der (geregelte) Feiertag, -(e)s, -e.
곶(串) Kap *n.* -s, -s; Land·spitze〔-zunge〕 *f.* -n.
곶감 die getrocknete Persimone, -n.
과(科) 《학교의》 Fakultät *f.* -en; 《동·식물》 Familie *f.* -n.
과(課) 《학과》 Lektion *f.* -en; 《회사 등의》 Abteilung *f.* -en.
과감(果敢) ∼하다 (kurz) entschlossen 〔entschieden; resolut〕 (sein).
과거(過去) Vergangenheit *f.*; 〖文〗 Imperfekt(um) *n.* -(e)s, -e 〔-s, ..ta〕. ∼의 vergangen; ehemalig. ‖∼ 분사 das Mittelwort der Vergangenheit.
과격(過激) ∼하다 radikal 〔extrem〕 (sein). ‖∼ 분자 ein radikales Element, -(e)s, -e / ∼파 die Radikalisten (*pl*).
과녁 Ziel *n.* -(e)s, -e; (Schieß)scheibe *f.* -n. ¶∼을 맞히다 das Ziel treffen*.
과다(過多) Über·fluß *m.* ..flusses 〔-maß *n.* -es; -fülle *f.*〕. ∼하다 überflüssig 〔übermäßig〕 (sein). ‖생산 ∼ Überproduktion *f.* -en.
과당(果糖) Fruchtzucker *m.* -s.
과당경쟁(過當競爭) e-e übertriebene Konkurrenz, -en.
과대망상증(誇大妄想症) Größenwahn *m.* -(e)s; Megalomanie *f.*
과대평가(過大評價) Überschätzung *f.* -en. ∼하다 überschätzen.
과도(果刀) Obstmesser *n.* -s, -.

과도(過度) ~하다 übermäßig 〔übertrieben〕(sein.)
과도(過渡) ‖~기 Übergangsperiode *f.* -n / ~ 정부 Zwischenregierung *f.* -en.
과두정치(寡頭政治) Oligarchie *f.* -n. ~의 oligarchisch.
과로(過勞) Überarbeitung 〔Überanstrengung〕 *f.* -en. ~하다 zu viel arbeiten; [4]sich überarbeiten 〔überanstrengen〕.
과료(科料) Geldstrafe *f.* -n. ¶~에 처하다 zu e-r Geldstrafe verurteilen.
과립(顆粒) ~의 granulös; körnig.
과망간산칼륨(過—酸—) übermangansaures Kali, -s, -s.
과목(科目) Lehrfach *n.* -(e)s, ¨er. ‖필수〔선택〕 ~ das obligatorische 〔fakultative〕 Fach, -(e)s, ¨er.
과묵(寡默) ~하다 schweigsam 〔verschwiegen; mundfaul〕 (sein).
과민(過敏) ~하다 überempfindlich (sein). ‖~증 Erethismus *m.*
과반수(過半數) Mehrheit 〔Majorität〕 *f.* -en.
과부(寡婦) Witwe *f.* -n. ¶~가 되다 Witwe werden.
과부족(過不足) Übermaß u. Mangel. ¶~ 없는 weder zuviel noch zuwenig; eben 〔gerade〕 genügend.
과분(過分) ~하다 übermäßig 〔unverdient; unangemessen〕 (sein). ¶~한 영광 e-e unverdiente Ehre, -n.
과산화(過酸化) 〖化〗 Oxydierung *f.* -en. ‖~물 Super〔Per〕oxyd *n.* -(e)s, -e / ~ 수소 Wasserstoff·superoxyd〔-peroxyd〕.
과세(過歲) Neujahrsfeier *f.* -n. ~하다 das Neue Jahr feiern.
과세(課稅) Besteuerung *f.* -en. ~하다 besteuern[4]; Steuer auf|legen. ‖~율 Steuerfuß *m.* ..fusses, ..füsse.
과소(過少) ~하다 zu wenig (sein). ¶~ 평가하다 unterschätzen.
과수(果樹) Obstbaum *m.* -(e)s, ¨e. ‖~원 Obstgarten *m.* -s, ¨ / ~ 재배 Obstbau *m.* -s.
과시(誇示) ~하다 prangen 《*mit*[3]》.
과식(過食) ~하다 [3]sich den Magen überladen* 〔überfüllen〕; zu viel essen*[4]; überessen*[4].
과실(過失) Fehler *m.* -s, -; Versehen *n.* -s, -; 〖法〗 Fahrlässigkeit *f.* -en. ‖~ 치사 die fahrlässige Tötung, -en.
과언(過言) Übertreibung *f.* -en. ¶…라고 해도 ~이 아니다 man kann 〔darf〕 ruhig sagen, daß...; es geht nicht zu weit, wenn ich sage daß....
과업(課業) Auftrag *m.* -(e)s, ¨e; Aufgabe *f.* -n; Unterricht *m.* -(e)s, -e; Lektion *f.* -en.
과연(果然) wie erwartet; wirklich; in der Tat.
과열(過熱) Überhitzung *f.* -en. ~하다 überhitzen[4].
과외수업(課外授業) Extrastunde *f.* -n.
과오(過誤) Fehler *m.* -s, -; Versehen *n.* -s, -; Mißgriff *m.* -(e)s, -e. ¶~를 범하다 e-n Fehler begehen*.
과욕(過慾) Hab·sucht 〔-gier〕 *f.* ~하다 habsüchtig 〔(hab)gierig; geizig〕(sein).
과용(過用) ~하다 zuviel [4]Geld aus|geben* 〔gebrauchen〕; Geld zum Fenster hinaus|werfen*.
과음(過飮) ~하다 stark 〔übermäßig; zuviel〕 trinken*; 《俗》 zu tief ins Glas gucken 〔schauen〕.
과인산석회(過燐酸石灰) 〖化〗 Superphosphat *n.* -(e)s, -e; das überphosphorsaure Salz, -es.
과일 Frucht *f.* ¨e; 《총칭》 Obst *n.* -es; 《장과》 Beere *f.* -n; 《견과》 Nuß *f.* ..üsse. ‖~ 장사 Obstladen *m.* -s, ¨.
과잉(過剩) Überschuß *m.* ..schusses, ..schüsse. ~의 überschüssig. ‖생산 ~ Überproduktion *f.* -en / 인구 ~ Über(be)völkerung *f.* -en.
과자(菓子) Süßigkeiten(*pl.*); Konditorwaren(*pl.*); Kuchen *m.* -s, -. ‖~점 Konditorei *f.* -en.
과장(課長) Abteilungschef *m.* -s, -s.
과장(誇張) Übertreibung *f.* -en. ~하다 übertreiben*[4]. ¶~한 übertrieben.
과점(寡占) Marktbeherrschung *f.* -en.
과정(課程) Kursus *m.* -, -e; Lehr·gang 〔-plan〕 *m.* -(e)s, ¨e.
과정(過程) Prozeß *m.* ..zesses, ..zesse; Verlauf *m.* -s, ¨e. ‖생산 ~ Produktionsprozeß *m.*
과제(課題) (Übungs)aufgabe *f.*; 《제목》 Thema *n.* -s, ..men. ¶~를 주다 *jm.* e-e Aufgabe geben*.
과주(果酒) Obst〔Frucht〕wein *m.* -(e)s, -e; Most *m.* -s, -e 《남독에서》.
과중(過重) ~하다 zu schwer 〔überlastend; drückend〕 (sein).
과즙(果汁) Fruchtsaft *m.* -(e)s, ¨e.
과태금(過怠金) Strafgeld *n.* -(e)s, -er.
과하다(過—) zu weit gehen*; das Maß überschreiten*. ¶과하게 마시다 zu viel trinken*.
과하다(課—) auf|(er)legen; auf|geben*.
과학(科學) Wissenschaft *f.* ~적 wissenschaftlich. ‖~ 만능 die Allmacht der Wissenschaften / ~자 Wissenschaftler *m.* -s, - / 인문〔사회, 자연〕 ~ Kultur〔Sozial, Natur〕wissenschaft.
관(冠) Krone *f.* -n; 《꽃으로 엮은》 Kranz *m.* -es, ¨e.
관(棺) Sarg *m.* -(e)s, ¨e.
관(管) Rohr *n.* -(e)s, -e; Röhre *f.* -n.
관개(灌漑) Bewässerung *f.* -en. ~하다 bewässern[4]; berieseln[4]. ‖~지 Berieselungsfeld *n.* -(e)s, -er.
관객(觀客) Zuschauer *m.* -s, -; 《총칭》 Publikum *n.* -s.
관건(關鍵) 《핵심》 Kern *m.* -(e)s, -e; der wichtige Punkt, -(e)s, -e. ¶문제의 ~ der Kern der Frage.
관계(官界) Beamtenkreis *m.* -es, -e; Beamtenschaft *f.* -en.
관계(關係) Verhältnis *n.* -ses, -se; Beziehung *f.* -en; Zusammenhang *m.* -(e)s, ¨e; Verbindung *f.* -en; Teilnahme *f.*; 《이해》 Interesse *n.* -s, -n. ~하다 betreffen*[4]; an|gehen*[4]; [4]sich beziehen* 《*auf*[4]》; teil|nehmen*. ‖~ 대명사 Relativpronomen *n.* -s, - / ~자 Teilnehmer *m.* -s, -; Interessent *m.* -en, -en. 〔(*pl.*).
관공리(官公吏) öffentlichen Beamten
관공서(官公署) Regierungs- u. Gemeindebehörden (*pl.*); Amt *n.* -(e)s, ¨er.

관광(觀光) ‖ ~객 Tourist m. -en, -en; der Reisende*, -n, -n / ~ 버스 Tourenbus m -ses, -se / ~ 사업 Fremdenverkehr m. -(e)s / ~ 여행 Tour f. -en. / ~지 Sehenswürdigkeiten(pl.).

관구(管區) Bezirk m. -(e)s, -e.

관권(官權) die Autorität der Obrigkeit. ‖~ 남용 der Mißbrauch der Autorität der Obrigkeit.

관극(觀劇) Theaterbesuch m. -(e)s, -e.

관기숙정(官紀肅正) die Straffziehung der behördlichen Disziplin.

관념(觀念) Idee f. -n; Vorstellung f. -en; Sinn m. -(e)s, -e. ~적 ideell. ‖~론 Idealismus m. - / 시간 ~ Zeitbegriff m. -(e)s, -e.

관능(官能) Sinn m. -(e)s, -e. ~적 sinnlich.

관대(寬大) Großmut f.; Nachsicht f. -en; Milde f.; Toleranz f. -en. ~하다 großmütig 〔nachsichtig; mild(e); freigebig; tolerant〕 (sein).

관람(觀覽) Schau f. -en. ~하다 zu|schauen. ‖~료 Eintrittsgeld n. -(e)s, -er / ~석 Zuschauerplatz m. -es, ¨e; Zuschauerraum m. -(e)s, ¨e; Tribüne f. -n / ~자 Zuschauer m. -s, -.

관련(關聯) Beziehung f. -en; Zusammenhang m. -(e)s, ¨e. ¶~ 있는 zusammenhängend; begleitend.

관례(冠禮) ~하다 die Mündigkeit feiern; mündig werden.

관례(慣例) 《선례》 Beispiel n. -(e)s, -e. ☞ 관습.

관록(官祿) das Gehalt e-s Staatsbeamten. ¶~을 먹다 das Staatsgehalt erhalten*.

관록(貫祿) Ansehen n. -s. ¶~있는 würdevoll.

관료(官僚) Bürokrat m. -en, -en. ¶~적인 bürokratisch. ‖~ 정치 Bürokratie f. -n / ~주의 Bürokratismus m. -.

관류(貫流) ~하다 durchfließen*^{4}; durchströmen.

관리(官吏) der (Staats)beamte*, -n, -n; Beamtin f. -nen 《여자》.

관리(管理) Verwaltung〔Administration〕 f. -en; Kontrolle f. -n. ~하다 verwalten^4; administrieren^4. ‖국가 ~ die staatliche Kontrolle, -n / ~인 Verwalter〔Administrator〕 m. -s, -.

관망(觀望) ~하다 zu|sehen*^{4}; beobachten^4; acht|haben^4.

관명(官名) Amts·titel m. -s, -〔-bezeichnung f. -en〕. ‖~ 사칭 die falsche Annahme 〔Führung〕 e-s Amtstitels.

관모(冠毛) 〖動〗 Kamm〔Schopf〕m. -(e)s, ¨e; 〖植〗 Feder〔Samen〕krone f. -n; Pappus m. -, -.

관목(灌木) Strauch m. -(e)s, ¨e(r); Staude f. -n.

관문(關門) Gattertor n. -(e)s, -e; Barriere f. -n.

관민(官民) die Regierung u. das allgemeine Volk; die Behörden (pl.) u. die Staatsbürger (pl.). ¶~이 협력하여 unter der Zusammenwirkung der Regierung u. des allgemeinen Volkes.

관보(官報) Staatsanzeiger m. -s, -; Amts〔Regierungs〕blatt n. -(e)s, ¨er.

관비(官費) die Staatskosten(pl.); die Regierungskosten(pl.).

관사(官舍) Dienstwohnung f. -en.

관사(冠詞) 〖文〗 Artikel m. -s, -; Geschlechtswort n. -(e)s, ¨er. ‖정〔부정〕~ der bestimmte 〔unbestimmte〕 Artikel.

관상(觀相) Physiognomie f. -n. ‖~쟁이 Physiognom m. -en, -en.

관상(觀賞) Bewunderung f. -en《찬미》; Genuß m. ..sses, ..üsse; das liebvolle Zuschauen*, -s. ‖~ 식물 Zier〔Garten〕pflanze f. -n.

관상대(觀象臺) =기상대.

관선(官選) ‖~ 변호인 der vom Gericht bestimmte (Rechts)anwalt, -(e)s, ¨e.

관성(慣性) 〖理〗 Trägheit f. ¶ ~으로 durch ^{4}Trägheit.

관세(關稅) Zoll m. -(e)s, ¨e. ¶~가 붙는 zollpflichtig. ‖~율 Zolltarif m. -s, -e/~ 장벽 Zollhindernis n. -ses, -se / ~청 Zollbüro n. -s, -s / 보호 〔특혜〕 ~ Schutz〔Vorzugs〕zoll m.

관습(慣習) Gewohnheit f. -en; Brauch m. -(e)s, ¨e; Sitte f. -n. ~적 gewöhnlich. ‖~법 Gewohnheitsrecht n. -(e)s, -e.

관심(關心) Interesse n. -s, -n. ¶~을 가지다 ^{4}sich interessieren*; Interesse haben. ‖~사 e-e wichtige Angelegenheit, -en.

관악기(管樂器) Blasinstrument n. -(e)s, -e.

관여(關與) Teilnahme 〔Beteiligung〕 f. ~하다 teil|nehmen* 《an^3》; ^{4}sich beteiligen 《an^3; bei^3》.

관영(官營) ~의 Staats-; staatlich. ¶~으로 하다 verstaatlichen^4; in staatlichen Besitz bringen*^{4}.

관용(官用) Regierungsgeschäft n. -(e)s, -e.

관용(寬容) Nachsicht f. -en; Großmut f. Toleranz f. -en.

관용(慣用) gewöhnliche Gebrauch, -(e)s, ¨e; Gewohnheit f. -en. ~의 gebräuchlich; üblich; herkömmlich. ‖~어 geflügelten Worte (pl.); Phrase f. -n.

관인(官印) das amtliche Siegel, -s, -; Amtsstempel m. -s, -.

관자놀이(貫子—) Schläfe f. -n.

관장(管掌) Verwaltung 〔Führung; Leitung〕 f. -en. ~하다 verwalten^4; handhaben^4; leiten^4.

관장(灌腸) Klistier n. -s, -e; (Darm-)einlauf m. -(e)s, ¨e. ~하다 e-n Einlauf geben* 〔machen〕. ‖~기(器) Klistierspitze f. -n.

관저(官邸) Dienst〔Amts〕wohnung f. -en.

관전(觀戰) ~하다 bei Schlachten zu|schauen. ‖~기 die Beschreibung der Kampfbeobachtung.

관절(關節) Gelenk n. -(e)s, -e. ‖~염 Arthritis f. ..tiden; Gicht f. -en.

관점(觀點) Gesichts〔Stand〕punkt m. -(e)s, -e.

관제(官製) ~의 staatlich; Staats-. ¶~엽서 die offizielle Postkarte, -n.

관제(管制) Kontrolle f. -n. ‖~탑 Kontrollturm m. -(e)s, ¨e.

관조(觀照) Betrachtung f. -en; Nachdenken n. -s.

관중(觀衆) Zuschauer (pl.); Zuschauerschaft f.; Publikum n. -s.

관직(官職) Amt *n.* -(e)s, ⸚er.
관찰(觀察) Beobachtung [Betrachtung] *f.* -en. ∼하다 beobachten^4; betrachten^4. ¶자연을 ∼하다 die Natur beobachten. ‖∼력 Beobachtungsgabe *f.* -n / ∼자 Beobachter *m.* -s, -.
관철(貫徹) Durchführung [Durchsetzung] *f.* -en. ∼하다 durch|führen^4 [-|setzen^4]. ¶초지를 ∼하다 das einmal gesteckte Ziel erreichen.
관청(官廳) Amt *n.* -(e)s, ⸚er; Behörde *f.* -n. ‖중앙[지방]∼ Zentral[Lokal]-behörde *f.* / 감독[행정]∼ Aufsichts-[Verwaltungs]behörde *f.*
관측(觀測) Beobachtung [Observation] *f.* -en. ∼하다 beobachten^4; observieren^4. ‖∼ 기구(氣球) Beobachtungsballon *m.* -s / ∼소 Observatorium *n.* -s, ..rien; Warte *f.* -n.
관통(貫通) ∼하다 durch|bohren [-|dringen*]; 《총알이》 durch|schießen*. ‖∼상 Durchschußwunde *f.* -n.
관하다(關—) ¶…에 관하여[관해서; 관한 한] in Hinblick auf^4; in bezug auf^4 / 여기에 관하여 in dieser Beziehung / 나에 관한 한 Soweit [Sofern] es mich angeht [(an)betrifft], so....
관할(管轄) 《권한》 Zuständigkeit *f.* -en; 《구역》 Gebiet *n.* -(e)s, -e; Bezirk *m.* -(e)s, -e. ∼하다 verwalten^4; über ^{4}*et.* die Kontrolle haben. ¶∼권이 있는 zuständig. ‖∼ 관청 die zuständige Behörde, -n [Instanz, -en].
관행(慣行) ∼적 üblich; gebräuchlich.
관허(官許) die amtliche Genehmigung, -en. ∼의 staatlich erlaubt. ‖∼ 요금 staatlich erlaubte Gebühren (*pl.*).
관현악(管絃樂) Orchester *n.* -s, -.
관형사(冠形詞) Prä-Nomen *n.* -s, ..mina.
괄괄하다 《성미가》 temperament (sein); 《풀기가》 zu steif (sein).
괄시(恝視) ∼하다 vernachlässigen; gering schätzen.
괄호(括弧) Klammer *f.* -n. ¶∼로 묶다 in Klammern setzen^4.
-광(狂) 《일》 -manie *f.*; 《사람》 Fanatiker *m.* -s, -. ¶독서광 Büchersucht *f.* / 영화광 Kinoschwärmer *m.* -s, -.
광각(廣角) ‖∼ 렌즈 Weitwinkelobjektiv *n.* -s, -e.
광갱(鑛坑) Grube *f.* -n.
광견(狂犬) der tolle Hund, -(e)s, -e. ‖∼병 Toll[Hunds]wut *f.*
광경(光景) Anblick *m.* -(e)s, -e; Szene *f.* -n.
광고(廣告) Anzeige [Reklame] *f.* -n; Inserat *n.* -(e)s, -e; Annonce *f.* -n; Insertion *f.* -en. ∼하다 an|zeigen^4 《*in*^{3}》; e-e Reklame machen 《*für*^{4}; *von*^{3}》; inserieren^4. ‖∼란 Anzeigeteil *m.* -(e)s, -e / ∼비 Reklamekosten (*pl.*).
광공업(鑛工業) die Bergbau- u. Manufakturindustrie.
광구(鑛區) Bergbaugebiet *n.* -(e)s, -e; Grubenfeld *n.* -(e)s, -er.
광궤(廣軌) Normalspur *f.* -en; Vollspur 《표준의》. ‖∼ 철도 Normalspurbahn *f.* -en.
광년(光年) Lichtjahr *n.* -(e)s, -e.
광대(廣大) ∼하다 ausgedehnt [unermeßlich; weit] (sein).
광대뼈 Backenknochen *m.* -s, -.
광도(光度) Lichtstärke *f.* -en. ‖∼계 Lichtmesser *m.* [Photometer *n.* -s, -].
광란(狂亂) Wahnsinn *m.* -(e)s. ∼하다 wahnsinnig werden 《*vor*^{3}》; ganz wild sein.
광맥(鑛脈) Erzader *f.* -n.
광명(光明) Licht *n.* -(e)s, -(e)r; Glanz *m.* -es, -e; 《희망》 Hoffnung *f.* -en. ¶앞길은 ∼으로 차 있다 e-e glänzende Zukunft haben.
광목(廣木) der weiße Stoff aus Baum-volle.
광물(鑛物) Mineral *n.* -s, -e[-ien]. ‖∼ 표본 Mineraliensammlung *f.* -en.
광범(廣範) ∼하다 umfangreich [umfassend] (sein).
광복절(光復節) der Unabhängigkeitstag Koreas.
광부(鑛夫) Bergarbeiter *m.* -s, -; Bergmann *m.* -(e)s, ..leute; Kumpel *m.* -s, -.
광분(狂奔) ∼하다 ^{4}sich mit Eifer betätigen 《*an*^{3}; *bei*^{3}》.
광산(鑛山) Bergwerk *n.* -(e)s, -e; Mine *f.* -n. ‖∼ 노동자 Bergarbeiter *m.* -s, - / ∼업 Bergbau *m.* -(e)s.
광상곡(狂想曲) Kapriccio *n.* -s, -s.
광석(鑛石) Erz *n.* -(e)s, -e; Mineral *n.* -s, -e [-ien].
광선(光線) (Licht)strahl *m.* -(e)s, -en. ‖엑스 ∼ X-Strahlen(*pl.*) / 태양 ∼ Sonnenstrahl *m.*
광속도(光速度) Lichtgeschwindigkeit *f.*
광수(鑛水) Mineralwasser *n.* -s.
광신(狂信) Fanatismus *m.* -. ∼적 fanatisch. ‖∼자 Fanatiker *m.* -s, -.
광업(鑛業) Bergbau *m.* -(e)s. ‖∼권(權) Berg(bau)recht *n.* -(e)s, -e.
광역(廣域) ‖∼ 경제 Großraumwirtschaft *f.* / ∼ 수사 Großraumfahndung *f.* -en.
광열비(光熱費) Heizungskosten (*pl.*).
광원(光源) Lichtquelle *f.* -n.
광의(廣意) der weitere Sinn, -(e)s, -e.
광자(光子) 〖理〗 Photon *n.* -s, -en.
광장(廣場) der (freie) Platz, -es, ⸚e.
광적(狂的) ∼인 wahn[irr]sinnig; verrückt.
광전관(光電管) 〖理〗 Photozelle *f.* -n.
광전자(光電子) 〖理〗 Photoelektron *n.* -s, -en.
광주리 der runde Korb, -(e)s, ⸚e (aus Bambus)
광증(狂症) Irrsinn *m.* -(e)s; Geistesstörung *f.*
광채(光彩) (Licht)glanz *m.* -es, -e. ¶∼가 나는 glänzend; blendend.
광층(鑛層) Erzschicht *f.* -en.
광태(狂態) Schamlosigkeit *f.* -en. ¶∼를 부리다 ^{4}sich unmöglich benehmen*.
광택(光澤) Glanz *m.* -es, -e. ¶∼이 나는 glänzend; glatt.
광포(狂暴) ∼하다 wütend[rasend](sein).
광학(光學) Optik [Lichtlehre] *f.*
광활(廣闊) ∼하다 weit u. breit [weit ausgedehnt] (sein).
괘도(掛圖) Wandkarte *f.* -n 《지도》; Wandbild *n.* -(e)s, -er 《도표 따위》.
괘씸하다 ungebührlich [unhöflich; unverschämt](sein). ¶그것은 괘씸한 일이다 Das ist ja unerhört.
괘종(掛鐘) 《시계》 Wanduhr *f.*
괜찮다 《나쁘잖다》 nich (so) schlecht

〔leidlich〕 (sein); 《무방하다》 dürfen*; können*. ¶괜찮습니다 《무방》 Schon gut! / 괜찮으시다면 wenn Sie nichts dagegen haben.
괜히 unnötig; umsonst; grundlos; ohne Grund.
괭이 Hacke f. -n.
괴다[1] 《정체》 stocken; [4]sich stauen.
괴다[2] 《발효》 gären(*); [4]sich entwickeln.
괴다[3] 《받치다》 stützen; tragen*; 《쌓다》 auf|türmen〔-|stapeln〕.
괴로움 《고통》 Schmerz m. -es, -en; 《병고》 Leiden n. -s, -; 《근심》 Kummer m. -s; 《가책》 Marter f. -n. ¶양심의 ~ Gewissensbisse (pl.).
괴로워하다 《병으로》 leiden* (an[3]); 《고민하다》 [4]sich quälen; 《아파서》 Schmerz empfinden*.
괴롭다 ① 《고통스럽다》 schmerzhaft (sein). ② 《곤란》 schwer (sein); 《딱하다》 qualvoll (sein); 《곤궁》 dürftig (sein). ¶괴로운 입장 schwierige Lage, -n / 괴로운 나머지 von [3]Schmerz getrieben.
괴롭히다 quälen[4]; peinigen; 《학대하다》 mißhandeln[4]; 《슬프게 하다》 betrüben. ¶마음을 ~ [4]sich bekümmern.
괴뢰(傀儡) Puppe 〔Marionette〕 f. -n. ‖~ 정권 Puppenregierung f. -en.
괴멸(壞滅) Verwüstung 〔Zerstörung〕 f. -en. ~하다 zerstört werden. ¶~시키다 verheeren[4].
괴물(怪物) Ungeheuer n. -s, -; Scheusal n. -(e)s, -e; Sphinx f. -e.
괴변(怪變) ein seltsamer Zufall, -s, ¨e.
괴상(怪常) ~하다 seltsam 〔sonderbar; wunderlich〕 (sein).
괴수(怪獸) Ungeheuer n. -s, -; Scheusal n. -(e)s, -e; Fabeltier n. -(e)s, -e.
괴수(魁首) Radelführer 〔Anführer〕 m. -s, -; Boß m. ..sses, ..sse
괴이(怪異) ~하다 fremdartig 〔seltsam; ungewöhnlich; mysteriös〕 (sein).
괴질(怪疾) rätselhafte Krankheit, -en.
괴팍(乖愎) ~스럽다 verschroben (sein).
괴한(怪漢) verdächtige Mensch, -en, -en.
괴혈병(壞血病) Skorbut m. -s.
굉음(轟音) Krach m. -(e)s, -e; Brausen n. -s, -; Dröhnen n. -s, -. ¶~을 울리며 mit e-m lauten Krach; dröhnend; brausend.
굉장(宏壯) ~하다 großartig 〔herrlich〕 (sein). ¶~히 außer gewöhnlich / ~한 일 Riesenarbeit f. -en / ~한 차이 der gewaltige Unterschied, -(e)s, -e.
교가(校歌) Schullied n. -(e)s, -er.
교각(橋脚) Brückenjoch n. -(e)s, -e.
교감(校監) Hauptlehrer m. -s, -; Studiendirektor m. -s, -en 《고교의》; Konrektor m. -s, -en 《국교, 중학의》.
교감신경(交感神經) sympathischer Nerv, -s, -en; Sympathikus m. -.
교과서(教科書) Lehr〔Schul〕buch n. -(e)s, ¨er.
교관(教官) Lehrer m. -s, -; Schulmann m. -(e)s, ¨er. ‖군사 ~ der militärische Lehrer.
교교하다(皎皎—) hell〔licht〕 (sein). ¶교교한 달빛 der helle Mondschein, -(e)s.
교구(教具) Lehrmittel n. -s, -.
교구(教區) Kirch(en)〔Pfarr〕gemeinde f. -n. ‖~민 Pfarrkind n. -(e)s, -er.
교권(教權) 《교회의》 die kirchliche Gewalt, -en; 《교육상》 die erzieherische Autorität, -en.
교기(校旗) Schulflagge f. -n.
교내(校內) Schulgelände n. -s, -. ¶~에서 in der Schule.
교대(交代) Ablösung 〔Abwechs(e)lung〕 f. -en. ~하다 [4]sich ab|lösen《mit jm.》. ¶3부 ~로 일하다 in drei Schichten arbeiten. ‖~ 시간 Ablösungszeit f. -en / ~ 작업 (Arbeits)schicht.
교류(交流) 〖電〗 Wechselstrom m. -(e)s, ¨e; Austausch m. -es 《교환》. ‖~ 발전기 Wechselstrom·erzeuger m. -s, - 〔-generator m. -s -en; -dynamo f. -s〕.
교리(教理) Lehr〔Glaubens〕satz m. -es, ¨e; Dogma n. -s, ..men; Doktrin f. -en.
교단(教團) Orden m. -s, -; ein religiöser Verband, -(e)s, ¨e.
교단(教壇) Podium n. -s, ..dien; Katheder m. -s, -.
교도관(矯導官) Kerkermeister〔Gefangenaufseher〕 m. -s, -.
교도소(矯導所) Zuchthaus n. -es, ¨er; Gefängnis n. -ses, -se.
교두보(橋頭堡) Brückenkopf m. -(e)s, ¨e.
교란(攪亂) Beunruhigung f. -en; das Stören*, -s; Verwirrung f. -en. ~하다 beunruhigen[4]; in Unordnung bringen*[4]; stören[4].
교량(橋梁) Brücke f. -n.
교련(教鍊) Exerzierausbildung f. -en; Drill m. -(e)s. ~하다 exerzieren[4]; drillen[4].
교만(驕慢) Anmaßung f. -en; Hoch〔Über〕mut m. -(e)s. ~하다, ~스럽다 anmaßend 〔hoch〔über〕mütig〕 (sein).
교묘하다(巧妙—) geschickt 〔gewandt; schlau〕 (sein). ¶교묘히 일을 처리하다 [4]sich geschickt 〔gut〕 an|stellen.
교목(喬木) (hoher) Baum, -(e)s, ¨e.
교무(教務) 《학교》 Schulangelegenheit f. -en; 《교회》 die sektiererischen Angelegenheiten 《pl.》. ‖~과 die Abteilung für die Schulangelegenheiten.
교문(校門) das Tor der Schule. ¶~을 나서다 die Schule verlassen*; von der Schule ab|gehen*.
교미(交尾) ~하다 rammeln. ‖~기(期) Rammelzeit f.; Ranzzeit f.
교배(交配) Kreuzung f. -en; die kreuzende Befruchtung, -en.
교복(校服) Schuluniform f. -en.
교본(教本) (Klavier)übungsbuch n. -es, ¨er 《피아노의》.
교부(交付) Ablieferung 〔Einhändigung〕 f. -en; Ab〔Über〕gabe f. -n. ~하다 ab|liefern[4] 《an jn.》; ab|geben*[4]; übergeben*[34]; ein|händigen[4].
교분(交分) Freundschaft f. -en; Kameradschaftlichkeit f. ¶~이 소원해지다 [4]sich jm. entfremden.
교사(校舍) Schulgebäude n. -s, -.
교사(教師) Lehrer 〔Schulmeister〕 m. -s, -. ¶수학 ~ Lehrer der Mathematik.
교사(教唆) Anstiftung f. -en. ~하다 an|stiften[4]. ‖~자 Anstifter m. -s, -.

교살(絞殺) Erwürgung [Erdrosselung] *f.* -en. ~하다 erwürgen《*jn.*》; erdrosseln《*jn.*》.

교서(教書) Botschaft *f.* -en (des [2]Präsidenten).

교섭(交涉) Unter[Ver]handlung *f.* -en; 《관계》 Beziehung *f.* -en. ~하다 unterhandeln《mit *jm. über*[4]》; verhandeln《mit *jm. über*[4]》. ‖ ~ 단체 Verhandlungskörperschaft *f.* -en / ~ 위원 Verhandlungsausschuß *m.* ..schusses, ..schüsse.

교수(教授) Unterricht *m.* -(e)s, -e; 《사람》 Professor *m.* -s, -en. ~하다 Unterricht geben*[3] 《*in*[3]》; unterrichten 《*in*[3]》. ‖ ~법 Unterrichtsmethode *f.* -n / 개인 ~ Privatstunde *f.* -n.

교수형(絞首刑) Galgenstrafe *f.* -en.

교습소(教習所) Ausbildungsanstalt *f.* -en. ‖ 댄스 ~ Tanzschule *f.* -n.

교시(教示) Unterweisung *f.* -en. ~하다 unterweisen* 《*in*[3]》.

교신(交信) Korrespondenz *f.* -en. ~하다 in Funkverkehr stehen* 《*mit*[3]》.

교실(教室) Klassenzimmer *n.* -s, -; Schulstube *f.* -n; Hörsaal *m.* -(e)s, ..säle.

교안(教案) Lehrplan *m.* -(e)s, ⸚e. ¶ ~을 짜다 e-n Lehrplan entwerfen*.

교양(教養) Bildung [Kultur] *f.* -en. ¶ ~있는 gebildet; kultiviert / ~ 없는 ungebildet; unerzogen. ‖ ~ 학부 die Fakultät für allgemeinen Bildung.

교역(交易) Handel *m.* -s; Tauschhandel; Austausch *m.* -es 《교환》. ~하다 handeln 《*mit*[3]》; Handel treiben* 《*mit*[3]》; aus|tauschen.

교열(校閱) Durchsicht *f.*; Revision *f.* -en. ~하다 durch|sehen*[4]; revidieren[4].

교외(郊外) Vorstadt *f.* ⸚e; Vorort *m.* -(e)s, -e.

교우(交友) Freund *m.* -(e)s, -e; Genosse *m.* -n, -n; Kamerad *m.* -en, -en. ‖ ~ 관계 Freundschaft *f.* -en.

교우(校友) Schul·freund *m.* -(e)s, -e [-genosse *m.* -n, -n; -kamerad *m.* -en, -en]; Mitschüler *m.* -s, -; Kommilitone *m.* -n, -n 《대학 동창》.

교원(教員) (Schul)lehrer *m.* -s, -; Lehrerkollegium *n.* -s, ..gien 《전체》.

교육(教育) Erziehung [Bildung] *f.* -en. ~하다 erziehen*[4] 《*zu*[3]》; bilden 《*zu*[3]》; lehren. ¶ ~받은 erzogen; gebildet / ~적인 erzieherisch; pädagogisch; belehrend. ‖ ~계 die pädagogische Welt / ~ 기관 Erziehungsanstalt *f.* -en / ~ 위원회 Erziehungsausschuß *m.* ..schusses, ..schüsse / ~자 Erzieher [Lehrer] *m.* -s, - / ~학 Pädagogik *f.* / 의무 ~ Schulzwang *m.* -(e)s / 중[고]등 ~ mittlere [höhere] Bildung / 초등 ~ Elementarbildung *f.* / 학교[가정] ~ Schul[Haus]erziehung *f.*

교육부(教育部) Kultusministerium *n.* -s, ..rien. ‖ ~ 장관 Kultusminister *m.* -s, -.

교인(教人) der Gläubige*, -n, -n.

교자상(交子床) ein großer Eßtisch, -es, -e.

교장(校長) (Schul)direktor *m.* -s, -en.

교재(教材) Lehrstoff *m.* -(e)s, -e.

교전(交戰) 《전투》 Schlacht *f.* -en; Gefecht *n.* -(e)s, -e; 《전쟁》 Feindseligkeiten (*pl.*); Krieg *m.* -(e)s, -e. ‖ ~국 die kriegführenden Mächte (*pl.*) / ~ 상태 Kriegszustand *m.* -(e)s, ⸚e.

교점(交點) Schnitt[Kreuzungs]punkt *m.* -(e)s, -e.

교정(校正) Korrektur *f.* -en. ~하다 korrigieren[4]. ‖ ~쇄 Korrekturfahne *f.* -n; Abzugsbogen *m.* -s, ⸚.

교정(校訂) Revision *f.* -en. ~하다 revidieren[4].

교정(校庭) Schulhof *m.* -(e)s, ⸚e.

교정(矯正) Besserung *f.* -en. ~하다 bessern[4].

교제(交際) Umgang *m.* -(e)s, ⸚e; Verkehr *m.* -(e)s. ~하다 verkehren 《mit *jm.*》; um|gehen* 《mit *jm.*》. ‖ ~비 Gesellschaftskosten (*pl.*); 《직무상의》 Repräsentationsgelder (*pl.*).

교조주의(教條主義) Prinzipienreiterei *f.* -en.

교주(校主) Schulvorsteher *m.* -s, -.

교주(教主) der (Be)gründer e-r Sekte.

교직(教職) Lehramt *n.* -(e)s, ⸚er; Lehrberuf *m.* -(e)s, -e; 《종교의》 das geistliche Amt; der Religionausübende*, -n, -n. ‖ ~원 Lehrerschaft *f.* -en; Lehrkörper *m.* -s, -.

교차(交叉) ~하다 [4]sich (durch)kreuzen. ‖ ~로 Kreuzweg *m.* -(e)s, -e; Straßenkreuzung *f.* -en / ~점 Kreuzung *f.*; Kreuzpunkt *m.* -(e)s, -e.

교착(膠着) ~하다 zusammen|kleben [-|leimen]; mit [3]Leim befestigen. ¶ ~상태에 있다 in völliger Stockung sein; [4]sich im völligen Stillstand befinden*.

교체(交替) Ablösung [Abwechs(e)lung] *f.* -en; Schicht[Leute]wechsel *m.* -s, -. ~하다 [4]sich ab|lösen 《mit *jm.*》; ab|wechseln 《mit *jm.*》.

교칙(校則) Schul·vorschrift [-satzung] *f.* -en.

교태(嬌態) Koketterie *f.* -n; Gefallsucht *f.* ¶ ~를 짓다 kokettieren 《*mit*[3]》.

교통(交通) Verkehr *m.* -(e)s; Beförderung *f.* -en. ‖ ~ 규칙 Verkehrsvorschrift *f.* -en / ~ 기관 Verkehrsmittel *n.* -s, - / ~부 Verkehrsministerium *n.* -s, ..rien / ~비 Verkehrskosten (*pl.*) / ~ 사고 Verkehrsunfall *m.* -(e)s, ⸚e / ~ 순경 Verkehrsschutzmann *m.* -(e)s, ⸚er / ~ 신호 Verkehrssignal / ~ 위반 Verkehrsdelikt *n.* -(e)s, -e (~위반자 Verkehrssünder *m.* -s, -) / ~ 정리 Verkehrskontrolle *f.* -n (~ 정리하다 den Verkehr regeln) / ~ 정체 Verkehrs·stockung [-verstopfung] *f.* -en.

교파(教派) Sekte *f.* -n.

교편(教鞭) ¶ ~을 잡다 als Lehrer wirken; unterrichten.

교포(僑胞) Auslandskoreaner *m.* -s, -; die Koreaner im Ausland.

교풍(校風) die Tradition der Schule.

교향악(交響樂) Symphonie [Sinfonie] *f.* -n. ‖ ~단 Symphonie-Orchester *n.* -s, -.

교화(教化) Ausbildung *f.* -en. ~하다 aus|bilden.

교환(交換) (Aus)tausch *m.* -(e)s, -e; Wechsel *m.* -s, -; Umtausch. ~하다 aus|tauschen[4] 《*mit*[3]》; um|tauschen; vertauschen[4]; wechseln[4]. ‖ ~가치 Tauschwert *m.* -(e)s, -e / ~ 교수 Austauschprofessor *m.* -s, -en / ~대 Schalttafel *f.* -n / ~원 Telephonist *m.* -en, -en; Telephonfräulein *n.* -s, - 《여자》 / ~ 조건 Austauschbedinging *f.* -en.

교환(交歡) ein geselliges Beisammensein*, -s. ~하다 ^{4}sich miteinander gemütlich unterhalten*; e-n fröhlichen Abend verbringen* 《*mit*^{3}》.

교활(狡猾) ~하다 schlau 〔verschlagen〕 (sein). ¶ ~하게 굴다 verschlagen handeln.

교황(教皇) Papst *m.* -(e)s, ⸚e. ‖ ~청 Vatikan *m.* -(e)s.

교회(教會) Kirche *f.* -n. ¶ ~에 가다 in die 〔zur〕 Kirch gehen*.

교훈(教訓) Belehrung 〔Ermahnung〕 *f.* -en; Lehre *f.* -n. ~적 lehrreich; belehrend; didaktisch. ¶ ~으로 삼다 aus ^{3}*et.* e-e Lehre ziehen*.

구(九) neun. ¶ 제구 der〔die; das〕 neunte*.

구(句) 《성구》 Phrase *f.* -n; 《관용구》 Redensart *f.* -en; 《어구》 Ausdruck *m.* -(e)s, ⸚e; 《구절》 Stelle *f.* -n; 《문구》 Satz *m.* -es, ⸚e; 《시구》 Vers *m.* -es, -e.

구(球) Ball *m.* -(e)s, ⸚e; Kugel〔Sphäre〕 *f.* -n.

구(區) Stadtbezirk *m.* -(e)s, -e; Stadtviertel *n.* -s, -.

구가(謳歌) ~하다 verherrlichen^{4}; lob|preisen*^{4}. ¶ 인생을 ~하다 das Menschenleben verherrlichen.

구간(區間) Teilstreke *f.* -n.

구강(口腔) Mundhöhle *f.* -n. ‖ ~ 위생 Mundhöhlenhygiene *f.*

구개(口蓋) Gaumen *m.* -, -. ‖ ~음 Gaumen〔Palatal〕laut *m.* -(e)s, -e.

구걸(求乞) Bettelei *f.* -en. ~하다 betteln.

구경 das Zuschauen*, -s. ~하다 zu|schauen^{3}; besichtigen^{4}; 《가다》 besuchen^{4}. ‖ ~거리 Sehenswürdigkeiten (*pl.*) / ~꾼 Zuschauer 〔Besucher〕 *m.* -s, -.

구경(口徑) Kaliber *n.* -s, -.

구공탄(九孔炭) Kohlenbrikett *m.* -(e)s, -e 〔-s〕 (mit neun Löchern).

구관조(九官鳥) Dohle *f.* -n.

구교(舊教) ☞가톨릭교.

구구(九九) Einmaleins *n.* -, -. ‖ ~표(表) Multiplikationstafel *f.* -n.

구구(區區) ~하다 《변변찮은》 gering(fügig) 〔unbedeutend〕 (sein); 《각각 다른》 verschieden(artig) 〔uneinig〕 (sein).

구국(救國) 《나라를 구함》 Vaterlandsverteidigung *f.* -en.

구균(球菌) der kugelförmig Spaltpilz, -es, -e.

구근(球根) Knolle *f.* -n; Knollen *m.* -s, -.

구금(拘禁) Haft *f.*; Arrest *m.* -(e)s, -e; Einsperrung *f.* -en. ~하다 in Haft nehmen*^{4}; verhaften^{4}; fest|setzen^{4}.

구급(救急) die erste Hilfe, -n. ‖ ~차 Krankenauto *n.* -s, -s; Ambulanz *f.* -en.

구기(球技) Ballspiel *n.* -(e)s, -e.

구기다 faltig machen; in Falt legen; zerdrücken^{4}; zerknittern^{4}.

구김살 ¶ ~없이 웃는 얼굴 das unschuldig lächelnde Gesicht, -(e)s, -er.

구깃구깃하다 zerdrückt 〔zerknittert〕 (sein).

구내(構內) Einfried(ig)ung *f.* -en; Gehege *n.* -s, -; Grundstück *n.* -(e)s, -e. ‖ 학교 ~ Schulgelände *n.* -s, -.

구내염(口內炎) Mundhöhlenentzündung *f.* -en.

구단(球團) Baseballmannschaft *f.* -en.

구더기 Made *f.* -n; Wurm *m.* -(e)s, ⸚er. ¶ ~가 끓는 madig.

구덩이 Grube 〔Höhle〕 *f.* -n.

구도(求道) Wahrheitssuchen *n.* -s. ‖ ~자 der Seelenheilsuchende*, -n, -n.

구도(構圖) Komposition *f.* -en; Entwurf *m.* -(e)s, ⸚e. ¶ ~가 좋다 glücklich 〔gut〕 entworfen sein; von gut gelungener Komposition sein.

구도(舊都) e-e alte Stadt, ⸚e.

구독(購讀) ~하다 《예약하여》 abonnieren$^{(4)}$ 《*auf*^{4}》; subskribieren; 《신문 등을》 beziehen*^{4}; halten*. ¶ 잡지를 ~하다 e-e Zeitschrift halten*. ‖ ~료 Bezugs〔Abonnements〕preis *m.* -es, -e / ~자 Abonnent *m.* -en, -en; Leser *m.* -s, -.

구두 Schuh *m.* -(e)s, -e. ¶ ~를 맞추다 ein Paar Schuhe machen lassen* / ~를 신다〔벗다〕 die Schuhe an〔aus〕|ziehen*. ‖ ~끈 Schnürband *n.* -(e)s, ⸚er; 《가죽》 (Schuh)riemen *m.* -s, - / ~닦기 《사람》 Schuhputzer *m.* -s, -; 《일》 Schuhputzen *n.* -s / ~약 Schuhwichse *f.* -n; Schuhkrem *f.* -s; 《검은》 Schuhschwärze *f.* -n / ~창 Schuhsohle *f.* -n / 구둣방 Schuhladen *m.* -s, - / 구둣솔 Schuhbürste *f.* -n / 구둣주걱 Schuh·anzieher 〔-löffel〕 *m.* -s, -.

구두(口頭) ~의 mündlich; gesprochen. ‖ ~계약 der mündliche Verhandlung, -en / ~ 전갈 die mündliche Mitteilung.

구두법(句讀法) Interpunktion *f.* -en.

구두쇠 Geizhals *m.* -e, ⸚e; Filz *m.* -es, -e.

구두점(句讀點) Interpunktions〔Satz〕zeichen *n.* -s, -. ¶ ~을 찍다 interpunktieren.

구드러지다 durch Austrocknen fest werden.

구들장 e-e Steinplatte zum Auslegen des Zimmers über der (koreanischen) Fußbodenheizung.

구라파(歐羅巴) ☞ 유럽.

구렁 Grube 〔Höhle〕 *f.* -n.

구렁이 Riesenschlange *f.* -n.

구레나룻 Backenbart *m.* -(e)s, ⸚e.

구령(口令) Befehlswort *n.* -(e)s, -e; Befehl *m.* -(e)s, -e.

구류(拘留) Haft *f.* ~하다 in Haft halten*. ‖ ~ 기간 Haftdauer *f.*

구르다[1] 《데굴데굴》 rollen^{4}; ^{4}sich wälzen.

구르다[2] 《발을》 mit dem Fuß stampfen.

구름 Wolke *f.* -n. ¶ ~ 한 점 없는 wolken·frei 〔-los〕 / ~ 사이로 숨다 ^{4}sich hinter die 〔den〕 Wolken verbergen*. ‖ ~ 다리 Überführung *f.* -en.

구릉(丘陵) Hügel *m.* -s, -; (An)höhe *f.* -n.

구리 Kupfer *n.* -s, -.

구리다 ① 《냄새》 übelriechend 〔faul〕 (sein). ¶ 구린내 der schlechte Geruch, -(e)s, ⸚e / 구린내를 풍기다 e-n ekelhaft Geruch haben. ② 《의심쩍다》 verdächtig 〔zweifelhaft〕 (sein). ¶아무래도 녀석이 ~ Ich habe ihn in Verdacht.

구매(購買) Kauf 〔Einkauf; Ankauf〕 *m.* -(e)s, ¨e. ~하다 ein|kaufen^4. ‖ ~력 Kaufkraft *f.* / ~자 Käufer *m.* -s, - / ~ 조합 Konsumverein *m.* -s, -e.

구멍 ① 《뚫린곳》 Loch *n.* -(e)s, ¨er. ¶~을 뚫다 ein Loch behren 〔machen〕; aus|bohren^4. ② 《결손》 Lücke *f.* -n; Verlust *m.* -(e)s, -e. ¶~을 내다 veruntreuen^4; unterschlagen*^{4}.

구멍가게 Kramladen *m.*

구면(球面) Kugeloberfläche *f.* -n. ‖ ~ 삼각형 sphärisches Dreieck, -(e)s, -e.

구면(舊面) die alte Bekanntschaft, -en.

구명(究明) ~하다 erforschen^4; ergründen^4.

구명(救命) Lebensrettung *f.* -en. ‖ ~대 Rettungsgürtel *m.* -s, - / ~정(艇) Rettungsboot *n.* -(e)s, -e.

구무럭거리다 langsam bewegen; zögern.

구문(口文) Vermittlungs〔Makler〕gebühr *f.* -en; Provision *f.* -en. ¶~을 먹다 Vermittlungsgebühren (*pl.*) nehmen*.

구문(構文) Satzbau *m.* -(e)s; Wertfügung *f.* -en.

구미(口味) Appetit *m.* -s; Eßlust *f.* ¶~를 돋우다 Appetit an|regen; appetitlich aus|sehen*.

구미(歐美) ~의 europäisch-amerikanisch.

구박(驅迫) Mißhandlung *f.* -en. ~하다 mißhandeln^4; belästigen^4.

구법(舊法) ein altes Gesetz, -es, -e.

구변(口辯) Rede *f.* -n; Beredsamkeit *f.* ¶~이 좋다〔없다〕 e-e beredte 〔schwere〕 Zunge haben.

구별(區別) Unterscheidung *f.* -en; Unterschied *m.* -(e)s, -e. ~하다 unterscheiden*^{4}; klassifizieren^4.

구보(驅步) Lauf *m.* -(e)s, ¨e; 《말의》 Galopp *m.* -s, -e u. -s. ~하다 laufen*; galoppieren. ¶~로 laufend.

구부러지다 gekrümmt 〔krumm; gebogen〕 (sein).

구부리다 biegen*^{4}; krümmen^4; beugen^4. ¶몸을 ~ ^{4}sich krümmen.

구분(區分) Abteilung 〔Einteilung〕 *f.* -en. ~하다 ab|teilen^4; ab|sondern^4; klassifizieren^4.

구불구불하다 verkrümmt 〔gewunden〕 (sein). ¶구불구불한 길 verschlungener Weg, -(e)s, ¨e.

구비(具備) ~하다 versehen sein 《*mit*^{3}》; besitzen*^{4}; ein|richten^4.

구사(驅使) ~하다 ^{4}sich ^{2}*et.* bemeistern.

구사일생(九死一生) ~하다 mit knapper Not davon|kommen*.

구상(求償) Vergütungs〔Ersatz〕anspruch *m.* -(e)s, ¨e. ‖ ~권 Ersatzanspruchsrecht *n.* -es, -e.

구상(具象) ~적 konkret; anschaulich.

구상(球狀) ~의 kugelförmig; sphärisch.

구상(鉤狀) ~의 hakenförmig. ‖ ~골(骨) Hakenbein *n.* -es, -e.

구상(構想) Konzeption *f.* -en; Plan *m.* -(e)s, ¨e.

구색(具色) Zusammenstellung *f.* -en. ¶~을 갖추다 zusammen|stellen^4.

구석 Winkel *m.* -s, -; Ecke *f.* -n. ¶한쪽 ~에 in e-e Ecke.

구석기시대(舊石器時代) Paläolithikum *n.* -s.

구석지다 abgelegen 〔schwer〕 (sein).

구설(口舌) beschaftes Gerede, -s. ¶~을 듣다 verleumderischen Worten zum Opfer fallen*.

구성(構成) Zusammensetzung〔Konstruktion; 《구조》 Struktur〕 *f.* -en; Bau *m.* -(e)s. ~하다 zusammen|setzen^4; konstruieren^4; bilden^4. ‖ ~ 분자 Bestandteil *m.* -(e)s, -e.

구성지다 passend 〔elegant; geschickt〕 (sein).

구세군(救世軍) Heilsarmee *f.* -n.

구세대(舊世代) die alte Generation, -en.

구세주(救世主) Erlöser 〔Heiland〕 *m.* -s; Messias *m.* -.

구속(拘束) Beschränkung *f.* -en; 《속박》 Fesselung *f.* -en. ~하다 beschränken^4; fesseln. ‖ ~력 die bindende Kraft / ~ 영장 Haftbrief *m.* -(e)s, -e.

구수(口授) ~하다 die mündliche Unterweisung, -en.

구수하다 ① 《냄새》 angenehm (sein). ¶구수한 냄새 ein angenehmer Geruch. ② 《맛》 wohlschmeckend (sein). ③ 《이야기》 interessant (sein). ¶구수한 이야기 die interessante Geschichte.

구수회의(鳩首會議) ~하다 die Köpfe beratend zusammen|stecken.

구술(口述) mündliche Äußerung, -en. ~하다 mündlich äußern. ¶~의 mündlich. ‖ ~ 시험 die mündliche Prüfung, -en.

구슬 Perle *f.* -n; Juwel *n.* -s, -en; Edelstein *m.* -(e)s, -e; Kugel *f.* -n.

구슬땀 Schweißtropfen *m.* -s, -.

구슬리다 überreden; beschwatzen 《*jn.*》.

구슬프다 schwermütig 〔traurig; melancholisch〕 (sein). ¶구슬픈 노래 ein trauriges Lied, -(e)s, -e.

구습(舊習) der alte Brauch, -(e)s, ¨e.

구식(舊式) ~의 altmodisch; veraltet.

구실 ① 《역할》 Dienst *m.* -es, -e; Pflicht *f.* -en; Beruf *m.* -es, -e. ¶제 ~을 다하다 s-e Pflicht tun*. ② 《조세》 Steuer *f.* -n.

구실(口實) Vorwand *m.* -(e)s, ¨e; Vorgeben *n.* -s, -; Ausflucht *f.* ¨e. ¶…을 ~로 하여 unter dem Vorwand 《*von*^{3}》.

구심(求心) ~적 zentripetal. ‖ ~력 Zentripetalkraft *f.* ¨e.

구심(球審) 〖野〗 Ballschiedsrichter *m.* -s, -.

구십(九十) neunzig.

구악(舊惡) das frühere Vergehen*, -s. ¶~을 들춰내다 *js.* dunkle Vergangenheit, -en.

구애(求愛) das Hofmachen* 〔Liebeswerden*〕 -s. ~하다 *jm.* den Hof machen; um Liebe 〔um ein Mädchen〕 werben*.

구애(拘礙) ~하다 fest|halten* 《*an*^{3}》; ^{4}sich klammern 《*an*^{4}》; kleben 《*an*^{3}》. ¶작은 일에 ~하지 않고 frei; rücksichtslos; ohne ^{4}Rücksicht 《*auf*^{4}》.

구약성서(舊約聖書) das alte Testament, -es, -e.

구어(口語) Umgangssprache *f.* -n.

구역(區域) Bezirk *m.* 〔Gebiet *n.*〕 -(e)s,

-e; Zone *f.* -n; 《한계》 Grenze *f.* -n.
구역(嘔逆) Ekel *m.*-s. ¶~질 나는 ekelhaft; eklig.
구연산(枸櫞酸) 〖化〗 Zitronensäure *f.*
구원(救援) Hilfe *f.* -n; Rettung *f.* -en; 〖宗〗 Erlösung *f.* -en. ~하다 helfen* 《*jm.*》; retten⁴; erlösen⁴. ‖ ~군 Hilfstruppe *f.* -n / ~대 Hilfsexpedition *f.* -en.
구월(九月) September *m.* -(s), -.
구유 Krippe *f.* -n; Futtertrog *m.* -es, ¨e.
구이《고기·생선의》 das Braten*, -s. ‖ 생선(소금)~ (mit Salz) gerösteter Fisch -es, -e.
구인(求人) Stellenangebot *n.* -(e)s, -e. ‖~ 광고 öffentliche Stellenangebot.
구일(九日) 《초아흐레》 der 9. 〔Neunte〕; 《9일간》 neun Tage.
구입(購入) (Ein)kauf 〔Ankauf〕 *m.* -(e)s, ¨e. ~하다 (ein|)kaufen⁴; an|kaufen⁴; ein|handeln⁴. ‖ ~ 가격 Anschaffungspreis *m.* -es, -e.
구장(球場) Fußball〔Baseball〕stadion *n.* -s, ..dien.
구전(口錢) Provision *f.* -en; Prozente (*pl.*).
구전(口傳) ~하다 mündlich überliefern.
구절(句節) Paragraph *m.* -en, -en; Stelle 〔Strophe〕 *f.* -n.
구접스럽다 schäbig 〔gemein〕 (sein).
구정(舊正) das Neujahr nach dem Mondkalender.
구정(舊情) alte Freundschaft, -en. ¶~을 새롭게 하다 die alte Freundschaft vertiefen.
구정물 das schmutzige Wasser, -s.
구제(救濟) Hilfe *f.* -n; (Er)rettung 〔Erlösung〕 *f.* -en. ~하다 Hilfe leisten; (er)retten⁴; erlösen⁴. ‖~ 기금 Hilfsfonds [..fɔ̃:] *m.* - [..fɔ̃:(s)], - [..fɔ̃:s] / ~ 사업 Hilfswerk *n.* -(e)s, -e.
구제(舊制) das alte System, -s, -e. ‖~ 대학 e-e Universität nach dem alten System.
구제(驅除) Vertilgung *f.* -en. ~하다 vertilgen⁴. ¶기생충을 ~하다 Würmer ab|treiben*.
구조(救助) Hilfe *f.* -en; Rettung *f.* -en; 《선박의》 Bergung *f.* -en. ~하다 helfen* 《*jm.*》; retten⁴; bergen*⁴. ¶~를 청하다 um Hilfe rufen*. ‖ ~대 Rettungstruppe *f.* -n / ~ 작업 Rettungsarbeiten (*pl.*).
구조(構造) Bau *m.* -(e)s; Struktur *f.* -en; 《조직》 Organisation *f.* -en. ¶인체의 ~ menschliche Körperbau, -(e)s. ‖~ 언어학(學) die strukturelle Linguistik / ~주의 Strukturalismus *m.* -.
구주(歐洲) ☞ 유럽.
구주(舊株) Stammaktie *f.* -n.
구직(求職) Stellengesuch *n.* -(e)s, -e. ‖~자 Stellenbewerber *m.* -s, -.
구질구질하다 schmutzig 〔dreckig; liederlich〕 (sein).
구차(苟且) ~하다《가난》 sehr arm 〔finanziell schlecht; sehr knapp〕 (sein); 《군색》 niedrig 〔schändlich; unwürdig〕 (sein).
구청(區廳) (Stadt)bezirksamt *n.* -es, ¨er.
구체(具體) ~적 konkret; anschaulich. ¶~화하다 verkörpern⁴; veranschaulichen⁴.
구축(驅逐) Vertreibung 〔Austreibung〕 *f.* -en; das Fortjagen*, -s. ~하다 vertreiben*⁴; aus|treiben*⁴. ‖ ~함 (Torpedo)zerstörer *m.* -s, -.
구출(救出) (Er)rettung *f.* -en. ~하다 (er)retten⁴.
구충(驅蟲) Wurmkur *f.* -en. ‖ ~제 Wurmmittel *n.* -s, -.
구치(拘置) Haft *f.* ~하다 in ³Haft halten*⁴.
구타(毆打) Prügel (*pl.*). ~하다 prügeln⁴; schlagen* 《*jn.*》.
구태(舊態) der frühere 〔alte〕 Zustand, -(e)s, ¨e. ¶~ 의연하다 immer beim alten bleiben*.
구토(嘔吐) das Erbrechen*, -s. ~하다 ⁴sich erbrechen* 〔übergeben*〕 kotzen.
구하다(求—) suchen⁽⁴⁾ 《*nach*³》; forschen⁴; 《얻다》 bekommen*⁴.
구하다(救—) (er)retten⁴ 《구조》; helfen*³ 《조력》; befreien⁴; erlösen⁴.
구현(具現) Verkörperung *f.* -en; Inkarnation *f.* ~하다 verkörpern⁴; verwirklichen⁴ 《실현》.
구형(求刑) die Forderung e-r Strafe. ~하다 e-e Strafe fordern.
구호(口號) Wahlspruch *m.* -(e)s, ¨e; Motto *n.* -s, -s.
구호(救護) Rettung 〔Verpflegung; Unterstützung〕 *f.*-en. ~하다 retten⁴; verpflegen; unterstützen. ‖~ 작업 Hilfsaktion *f.* -en.
구혼(求婚) (Be)werbung *f.* -en. ~하다 ⁴sich um *jn.* (be)werben. ‖ ~자 Werber *m.* -s, -.
구황(救荒) die Hilfe aus der Hungernot. ~하다 Hungerleidenden (*pl.*) aus der Not helfen*.
구획(區劃) Abteilung 〔Abgrenzung〕 *f.* -en; Block *m.* -(e)s, ¨e. ~하다 ab|teilen⁴. ‖~ 정리 (planmäßige) Anordnung der Stadtteile 〔Blöcke〕.
구휼(救恤) Hilfe *f.* -n; Unterstützung *f.* -en. ~하다 Hilfe leisten³; unterstützen⁴.
국 Suppe 〔Fleischbrühe〕 *f.* -n. ‖국그릇 Suppenschüssel *f.* -n.
국(局) Abteilung *f.* -en; Büro *n.* -s, -s. ‖국장 Abteilungschef *m.* -s, -s; 《관청의》 Ministerialdirektor *m.* -s, -en; Bürovorsteher *m.* -s, -.
국가(國家) Staat *m.* -(e)s, -en; Reich *n.* -(e)s, -e; Nation *f.* -en; Land *n.* -(e)s, ¨er. ~의 staatlich; national. ‖~관(觀) Staatsgedanke *m.* -ns, -n / ~사회주의 Staatssozialismus *m.* - / ~시험 Staatsexamen *n.* -s, -.
국가(國歌) National〔Volks〕hymne *f.* -n.
국경(國境) Landesgrenze *f.* -n. ‖ ~도시 Grenzstadt *f.* / ~ 분쟁 Grenzstreitigkeit *f.* -en / ~선 Grenzlinie *f.* -n / ~수비대 Grenzwache *f.* -n 〔-wächter *m.* -s, -〕.
국경일(國慶日) Nationalfeiertag *m.* -(e)s, -e.
국고(國庫) Staatskasse *f.* -n; Staatsschatz *m.* -es, ¨e. ‖ ~ 보조(금) Staatszuschuß *m.* ..schusses, ..schüsse / ~ 수입 Staatseinkünfte (*pl.*).

국교(國交) diplomatischen Beziehungen (*pl.*). ‖ ~ 단절 der Abbruch der diplomatischen Beziehungen.

국교(國教) Staats·religion *f.* –en 〔–kirche *f.* –n〕. ‖ 영국 ~ die Englische Kirche.

국군(國軍) Wehrmacht *f.* ¨e; Staatswehr *f.* –en.

국기(國旗) Nationalflagge *f.* –n. ¶ ~를 게양하다 die Nationalflagge auf|ziehen*.

국기(國技) e–e für ein ⁴Land typische Sportart, –en.

국내(國內) ~의 inländisch. ‖ ~시장 Binnenmarkt *m.* –(e)s, ¨e.

국도(國道) Landstraße *f.* –n.

국력(國力) Kräfte (*pl.*) 〔die Macht〕 des Landes. ‖ ~ 신장 die Ausdehnung des nationalen Machtbereiches.

국론(國論) die öffentliche Meinung, –en; Volksstimme *f.* –n. ¶ ~을 통일하다 e–e einheitliche 〔einhellige〕 Volksmeinung her|stellen.

국리(國利) das Wohlergehen* des Landes. ¶ ~ 민복을 도모하다 ein Interesse an dem Wohlergehen des Landes u. der Volkswohlfahrt haben.

국립(國立) ~의 staatlich; Staats–. ‖ ~공원 Nationalpark *m.* –(e)s, –e.

국면(局面) Lage *f.* –n; Zustand *m.* –(e)s, ¨e.

국무(國務) Staatsgeschäft *n.* –(e)s, –e. ‖ ~ 장관 《미국의》 Staatssekretär *m.* –s / ~ 총리 der erste Minister, –s, –; Ministerpräsident 〔Premierminister〕 *m.* –en, –en / ~ 회의 Kabinettsitzung *f.* –en.

국민(國民) Nation *f.* –en; Volk *n.* –(e)s, ¨er. ~의 national; Volks–. ‖ ~성 Nationalität *f.* –en; Volkstum *n.* –s, ¨er; Nationalcharakter *m.* –s, –e / ~ 총생산 Bruttosozialprodukt *n.* –(e)s, –e / ~ 학교 Volks〔Elementar〕schule *f.* –n.

국밥 Reissuppe *f.* –n; der Reis in der Fleischsuppe.

국방(國防) Landesverteidigung *f.* –en. ‖ ~ 계획 Wehrplan *m.* –(e)s, ¨e / ~력 Wehrkraft *f.* ¨e / ~부 Verteidigungsministerium *n.* –s, ..rien / ~비 Landesverteidigungskosten (*pl.*) / ~ 정책 Wehrpolitik *f.* –en.

국번(局番) 《전화》 Amts〔Vor〕nummer *f.* –n; Vorwählnummer *f.* 《시외 전화》.

국보(國寶) nationale Schatz, –es, ¨e. ¶ ~로 지정하다 unter Heimatschutz stellen⁴.

국부(國父) der Vater des Lande 〔Staates〕; 《건국자》 der Gründer e–s Staates.

국부(國富) Reichtümer (*pl.*) des Landes; Nationalreichtum *m.* –s, ¨er.

국부마취(局部痲醉) Lokalanästhesie *f.*; die örtliche Betäubung, –en.

국비(國費) Staatsausgaben (*pl.*); Staatskosten (*pl.*). ¶ ~로 auf Staatskosten.

국빈(國賓) staatliche Gast, –(e)s, ¨e.

국사(國史) Nationalgeschichte *f.* –n; 《한국 역사》 koreanische Geschichte.

국사(國事) Staatsangelegenheit *f.* –en. ‖ ~범 Hoch〔Landes〕verrat *m.* –(e)s; Staatsverbrechen *n.* –s, –.

국산(國産) ~의 inländisch; einheimisch. ‖ ~품 inländische Ware, –n; Binnenprodukte (*pl.*).

국상(國喪) Hof〔Landes〕trauer *f.*

국새(國璽) das königliche 〔kaiserliche〕 Großsiegel, –s, –; Staatsinsignien (*pl.*).

국선변호인(國選辯護人) Pflichtverteidiger *m.* –s, –.

국세(國稅) Staatssteuer *f.* –n. ‖ ~청 (Haupt)steueramt 〔Finanzamt〕 *n.* –(e)s, ¨er.

국세조사(國勢調査) Volkszählung *f.* –en; Zensus *m.* –, –.

국수 Nudeln (*pl.*); Spaghetti (*pl.*).

국시(國是) Staatsmaxime *f.* –n.

국어(國語) Landes〔Mutter〕sprache *f.* –n.

국영(國營) Staatsbetrieb *m.* –(e)s, –e. ~의 Staats–; staatlich. ¶ ~화하다 verstaatlichen⁴. ‖ ~ 사업 Regierungsunternehmen *n.* –s, –; die staatliche Unternehmung, –en.

국왕(國王) König *m.* –s, –e; Monarch *m.* –en, –en; Landesherr *m.* –n, –en.

국외(局外) Außenseite *f.* –n. ‖ ~자 Außenseiter *m.* –s, –; der Dritte*, –n, –n.

국외(國外) ¶ ~에서 außerhalb des Landes; in der Fremde; im Ausland / ~로 추방하다 aus dem Vaterland verbannen⁴.

국위(國威) das nationale Prestige, –s; die nationale Geltung, –en. ¶ ~를 선양하다 das nationale Prestige geltend machen.

국유(國有) ~의 staatlich; Staats–. ¶ ~화하다 verstaatlichen. ‖ ~ 재산 Staatsgut *n.* –(e)s, ¨er / ~지 Domäne *f.* –n.

국익(國益) das Wohlergehen* des Landes.

국자 Schöpflöffel *m.* –s, –.

국장(國葬) Staatsbegräbnis *n.* –ses, –se.

국적(國籍) Nationalität 〔Staatsangehörigkeit〕 *f.* –en. ¶ ~을 상실하다 die Staatsangehörigkeit verlieren*.

국정(國定) ~의 staatlich. ‖ ~ 교과서 das vom Kultusministerium genehmigte Schulbuch, –(e)s, ¨er.

국정(國政) Staats·verwaltung *f.* –en 〔–angelegenheit *f.* –en〕. ‖ ~ 감사 parlamentarische Kontrolle der Regierung 〔Ministerien〕.

국제(國際) ~적 international. ‖ ~법(法) Völkerrecht *n.* –(e)s / ~ 분쟁 zwischenstaatlichen Streitigkeiten (*pl.*) / ~ 수지 die Balance der Ein– u. Ausfuhr / ~ 연합 Vereinte Nationen (*pl.*) 《略: VN; UN; UNO》 / ~ 정세 die internationale politische Lage, –n / ~ 평화 Völkerfrieden *m.* –s, –.

국채(國債) Staats·schuld *f.* –en; 〔–anleihe〕 *f.* –n; 《증권》 Staatspapier *n.* –s, –e.

국체(國體) Staats·form *f.* –en 〔–wesen *n.* –s, –; –ordnung *f.* –en〕.

국토(國土) Land *n.* –(e)s, ¨er; Territorium *n.* –s, ..rien.

국한(局限) ~하다 beschränken⁴ 《*auf*⁴》.

국호(國號) der Name e–s Landes.

국화(國花) Nationalblume *f.* –n.

국화(菊花) Chrysantheme *f.* –n.

국회(國會) Parlament *n.* -(e)s, -e; Landtag *m.* -(e)s, -e. ‖ ~ 의원 der Abgeordnete*, -n, -n; Parlamentarier *m.* -s, -.

군 extra; mehr als das Übliche; unnötig. ‖ 군걱정 unnötiger Kummer, -s; unnötige Sorge, -n / 군식구 Anhängsel *n.* -s, -; Schmarotzer *m.* -s, -.

군(郡) (Land)kreis *m.* -es, -e.

군(軍) Heer *n.* -(e)s, -e; Armee *f.* -n; Wehrmacht *f.* ¶ ~에 복무하다 im Heere dienen.

-군(君) Herr....

군가(軍歌) Soldatenlied [Kriegslied] *n.* -(e)s, -er.

군것질 Näscherei [Nascherei] *f.* ~하다 naschen; e-n Imbiß nehmen* 《간식》.

군기(軍紀) (Militär)zucht *f.*; (Mannes)-zucht *f.*

군기(軍旗) (Kriegs)fahne [Standarte; Kriegsflagge] *f.* -n; Banner *n.* -s, -.

군납(軍納) die Warenlieferung (u. Dientleistung für Militärangehörige; Marketenderei *f.*

군대(軍隊) Heer *n.* -(e)s, -e; Armee *f.* -n; Truppen (*pl.*). ‖ ~ 생활 Soldatenleben *n.* -s.

군더더기 der überflüssige Gegenstand, -(e)s, ¨e; Auswuchs *m.* -es, ¨e; unnötige Sache, -n.

군데군데 hie(r) u. da; hier u. dort. ¶ ~ 읽다 flüchtig [stellenweise] lesen*^{4}.

군도(群島) Inseln (*pl.*); Inselgruppe *f.* -n.

군림(君臨) ~하다 herrschen(*über*^{4}).

군모(軍帽) Militärmütze *f.* -n.

군목(軍牧) Militär[Feld]kaplan *m.* -(e)s, ¨e; Militärseelsorger *m.* -s, -; Feldprediger *m.* -s, -.

군밤 geröstete Kastanie, -n.

군번(軍番) Militärnummer *f.* -n; die Dienstnummer des Soldaten.

군법(軍法) Kriegs[Militär]gesetz *n.* -(e)s, -e. ‖ ~ 회의 Kriegs[Militär]gericht *n.* -(e)s, -e.

군복(軍服) Uniform [Soldatentracht] *f.* -en.

군불 das Heizfeuer für Bodenheizung im koreanischen Haus.

군비(軍備) (Kriegs)rüstung *f.* -en. ‖ ~ 축소 Abrüstung *f.* -en / ~ 확장 Aufrüstung *f.* -en.

군사(軍事) Militärangelegenheit *f.* -en. ¶ ~상의 militärisch; Militär-. ‖ ~ 분계선 die militärische Demarkationslinie, -n / ~비 Kriegskosten (*pl.*) / ~ 우편 Feldpost *f.* -en / ~ 정전 위원회 Waffenstillstandskomitee *n.* -s, -s.

군살 Auswuchs *m.* -es, ¨e; Beule *f.* -n.

군생(群生) ~하다 e-e ^{4}Schar bilden; in e-r ^{3}Gruppe wachsen*; 《짐승이》 in ^{3}Herden (zusammen|)leben; in ^{3}Scharen leben. ‖ ~ 식물 die gesellig wachsende Pflanze, -n.

군속(軍屬) der Zivilbeamte im Militärdienst.

군수(軍需) ‖ ~ 공장 Munitionsfabrik *f.* -en / ~품 Munition *f.* -en; Kriegsbedarf *m.* -(e)s.

군악대(軍樂隊) Militärkapelle *f.* -n.

군용(軍用) der militärische Gebrauch, -(e)s, ¨e [Zweck, -(e)s, -e]. ~의 zum militärischen Gebrauch [Zweck]; Militär-. ‖ ~기 Militär[Kriegs]flugzeug *n.* -(e)s, -e / ~ 열차 Truppenzug *m.* -(e)s, ¨e.

군의(軍醫) Militärarzt *m.* -es, ¨e.

군인(軍人) Soldat *m.* -en, -en. ‖ ~ 정신 Soldatengeist *m.* -es, -er.

군자(君子) tugendreiche Mensch, -en, -en; der Weise*, -n, -n.

군정(軍政) Militär·verwaltung [-regierung] *f.* -en.

군주(君主) Herr *m.* -n, -en; Herrscher *m.* -s, -; Monarch *m.* -en, -en. ‖ (입헌) ~국(國) (konstitutionelle) Monarchie, -n.

군중(群衆) Masse [Menge] *f.* -n; Gedränge[Gewimmel] *n.* -s. ‖ ~ 심리 Massenpsychologie *f.* -en.

군축회의(軍縮會議) Abrüstungskonferenz *f.* -en.

군침 ¶ ~을 삼키다 《比》 auf ^{4}*et.* [nach ^{3}*et.*] lüstern sein / ~이 나오다 (vermehrte) Speichel ab|sondern.

군함(軍艦) Kriegsschiff *n.* -(e)s, -e.

군항(軍港) Kriegshafen *m.* -s, ¨e.

굳건하다 (felsen)fest [standfest; eisern; unbeirrt; unentwegbar] (sein).

굳다^1 〖形容詞〗 hart [fest; solid; steif; starr] (sein). ¶ 굳은 의지 der feste Wille, -ns, -n.

굳다^2 〖動詞〗 hart werden; verhärten; fest werden.

굳세다 fest [standhaft; stark; hart] (sein).

굳어지다 hart [fest] werden; ^{4}sich verhärten; ^{4}sich fest|setzen.

굳히다 hart machen^4; (ver)härten^4; gefrieren [gerinnen] lassen*^{4}; festigen^4.

굴 〖貝〗 Auster *f.* -n. ‖ 굴양식 Austernzucht *f.* (굴 양식장 Austernpark *m.* -s, -s).

굴(窟) Höhle *f.* -n; Bau *m.* -s, -e; Tunnel *m.* -s, -.

굴다 ^{4}sich benehmen*; ^{4}sich betragen*; ^{4}sich auf|führen; verfahren*. ¶ 점잖게 ~ ^{4}sich höflich auf|führen / 약빠르게 ~ geschickt handeln.

굴다리(窟—) Viadukt *n.* -(e)s, -e; Überführung *f.* -en.

굴뚝 Schornstein *m.* -(e)s, -e. ‖ ~ 청소부 Schornsteinfeger *m.* -s, -.

굴뚝새 Zaunkönig *m.* -s, -e.

굴레 Fessel *f.* -n; Joch *n.* -s, -e.

굴리다 rollen^4; wälzen^4; um|stürzen^4; ins Rollen bringen*^{4}.

굴복(屈伏) Unterwerfung [Ergebung] *f.* -en. ~하다 ^{4}sich unterwerfen*; ^{4}sich *jm.* ergeben*.

굴욕(屈辱) Demütigung [Erniedrigung] *f.* -en; Schande *f.* -n; Schmach *f.* ~적 schmachvoll.

굴절(屈折) Brechung [Refraktion] *f.* -en. ~하다 ^{4}sich brechen*. ‖ ~각 Brechungs[Refraktions]winkel *m.* -s, - / ~ 렌즈 Brechungslinse *f.* -n.

굴젓 eingepökelte Austern (*pl.*).

굴지(屈指) ~의 hervorragend; leitend.

굵기 Dicke [Größe] *f.* -n; Umfang *m.* -(e)s, ¨e.

굵다 dick (sein); 《소리가》 tief (sein).

굶기다 verhungern lassen* 《*jn.*》. ¶ 굶겨 죽이다 vor ^{3}Hunger [Hungers] sterben lassen* 《*jn.*》.

굶다 hungern. ¶굶어 죽다 verhungern; ^{2}Hungers [vor ^{3}Hunger] sterben*.

굶주리다 Hunger leiden*[haben]; hungrig sein; 《갈망》 hungern 《*nach*^{3}》; schmachten 《*nach*^{3}》. ¶굶주린 hungrig.

굽 Huf *m.* -(e)s, -e.

굽다^1 《빵을》 backen$^{(*)4}$; 《음식·고기를》 braten*^{4}; rösten^4; 《숯·도기를》 brennen*^{4}.

굽다^2 gebogen [gekrümmt; krumm] (sein).

굽실거리다 dienern; kriechen*《vor *jm.*》; ^{4}sich schmeichlerisch ducken.

굽어보다 hinab[hinunter; nieder]|sehen* 《*auf*^{4}》.

굽이치다 《파도가》 wogen; 《강물이》 ^{4}sich winden* [schlängeln]. ¶굽이쳐 흐르는 강 ein gebogen[kurvenweise] verlaufender Fluß.

굽히다 biegen*^{4}, krümmen^4; beugen^4; ein|biegen*^{4}; 《뜻을》 ^{4}sich fügen^3.

굿 Exorzismus *m.* -, ..men; magisches [schamanistisches] Ritual zur Geisterbeschwörung. ‖ 굿거리 Schamanengesang u. -tanz, der beim magischen Ritual durchgeführt wird.

궁극(窮極) ~의 (aller)letzt; final.

궁금하다 besorgniserregend [beängstigend] (sein).

궁도(弓道) das Bogenschießen*, -s.

궁둥이 After *m.* -s, -; Gesäß *n.* -es, -e.

궁리(窮理) ~하다 überlegen^4; erwägen^4; grübeln.

궁상(窮狀) Not *f.* ¨e; Bedrängnis *f.* -se; Elend *n.* -(e)s. ¶~(을) 떨다 ^{4}sich wie ein armer Mann benehmen*.

궁전(宮殿) Palast *m.* -es, ¨e; Herrensitz *m.* -es, -e.

궁지(窮地) Notlage *f.* -n. ¶~에 빠지다 in (die) Notlage geraten*.

궁핍(窮乏) Not *f.* ¨e; Armut *f.*; Bedürftigkeit *f.*; Mangel *m.* -s, ¨. ~하다 mittellos [arm] (sein).

궁하다(窮—) in Not (sein); um ^{4}*et.* verlegen(sein).

궁합(宮合) eheliche Harmonie, -n; die vom Wahrsager ausgesagte Harmonie für ein Ehepaar.

궂다 ① 《언짢다》 mürrisch[böse](sein). ¶궂은 일 schlimme Sache, -n. ② 《날씨가》 schlecht [regnerisch] (sein). ¶궂은 비 lästiger Regen, -s, -.

권(卷) 《책의》 Band *m.* -(e)s, ¨e; Buch *n.* -(e)s, ¨er; Exemplar *n.* -s, -e; 《필름의》 Rolle *f.* -n.

-권(圈) Kreis *m.* -es, -e; Sphäre *f.* -n.

권고(勸告) Zurede *f.* -n; Rat *m.* -(e)s, ¨e. ~하다 zu|reden 《*jm.*》; an|empfehlen*^{34}; raten*《*jm.*》; 《…않도록》 ab|raten*^{34}. ‖ ~문 (Er)mahnungsschreiben *n.* -s, -.

권능(權能) Befugnis *f.* -se.

권력(權力) Macht *f.* ¨e; Gewalt *f.* -en. ¶~ 있는 mächtig; gewaltig; einflußreich. ‖ ~자 Machthaber *m.* -s, -.

권리(權利) Recht *n.* -(e)s, -e. ¶~가 있다 das Recht haben 《*zu*^{3}》. ‖ ~금 Prämie *f.* -n.

권모술수(權謀術數) List u. Ränke (*pl.*).

권선징악(勸善懲惡) die Förderung des Guten* u. die Bestrafung des Bösen*; Didaktik *f.*; Moralisierung *f.* -en.

권세(權勢) Macht *f.* ¨e. ¶~ 있는 gewaltig / ~를 부리다 s-e Macht gewaltsam aus|üben. ‖ ~가 der Gewaltige*, -n, -n.

권위(權威) Autorität *f.* -en. ¶~ 있는 maßgebend; autoritativ.

권유(勸誘) Veranlassung [Werbung; Überredung; Aufforderung] *f.* -en. ~하다 werben* 《*für*^{4}》; überreden [auf|fordern; ein|laden*] 《*jn. zu*^{3}》.

권익(權益) Rechte(*pl.*) u. Interessen(*pl.*); die erworbenen Rechte (*pl.*). ¶~을 옹호하다 Rechte u. Interessen verteidigen.

권총(拳銃) Pistole *f.* -n; Revolver *m.* -s, -. ‖ ~ 자살 der Selbstmord mit e-r Pistole.

권태(倦怠) Langweile *f.* -n. ¶~로운 langweilig; eintönig / ~를 느끼다 müde^2 werden; ermüden; ^{4}sich langweilen. ‖ ~기 die Zeit der Ermüdung.

권토중래(捲土重來) ~하다 neue Kräfte sammeln u. e-n neuen Anlauf machen; nicht (gleich) die Flinte ins Korn werfen*.

권투(拳鬪) das Boxen*, -s. ‖ ~ 선수 Boxer *m.* -s, -.

권하다(勸—) empfehlen*^{34}; zu|reden^3 《*zu*^{3}》; überreden 《*jn. zu*^{3}》; an|bieten*^{34}; 《강권》 zwingen 《*jn. zu*^{3}》. ¶술을 ~ (ein Glas) Wein an|bieten*.

권한(權限) Befugnis *f.* -se; Kompetenz *f.* -en. ¶~이 있는 befugt; kompetent 《*in*^{3}》.

궐기(蹶起) ~하다 ^{4}sich auf[empor]|raffen 《*zu*^{3}》. ‖ ~ 대회 Aufraffungsversammlung *f.* -en.

궐련 Zigarette *f.* -n.

궐석재판(闕席裁判) Kontumazialurteil *n.* -s, -e.

궤(櫃) Kasten *m.* -s, -; Kiste [Truhe] *f.* -n.

궤도(軌道) 〖天〗 Bahn *f.* -en; 〖鐵〗 Geleise *n.* -s, -. ‖ ~ 비행 Gleitflug *m.* -(e)s, ¨e.

궤멸(潰滅) Vernichtung [Verwüstung; Zerstörung] *f.* -en; Umsturz *m.* -es, ¨e. ~하다 zu ^{3}Staub zerfallen*; zerstört [verwüstet] werden. ¶~시키다 verheeren^4; völlig zerstören^4.

궤변(詭辯) Sophistik *f.*; Trugschluß *m.* ..schlusses, ..schlüsse; Spitzfindigkeit *f.* -en. ¶~을 농하다 vernünfteln; Trugschlüsse machen. ‖ ~가 Sophist *m.* -en, -en.

궤양(潰瘍) Geschwür *n.* -(e)s, -e. ‖ 십이지장~ Duodenalgeschwür / 위~ Magengeschwür.

궤적(軌跡) 〖數〗 der (geometrische) Ort, -(e)s, -e. ¶~을 구하다 e-n geometrischen Ort ermitteln[suchen].

궤짝(櫃—) Kasten *m.* -s, -; Kiste *f.* -n.

귀 Ohr *n.* -(e)s, -en. ¶귀먹은 schwerhörig / 귀를 기울이다 an|hören^4; zu|hören^4; horchen^3 / 귀가 밝다 ein feines [scharfes] Gehör haben.

귀가(歸家) Heimkehr *f.* ~하다 nach ^{3}Hause zurück|kehren [zurück|kommen*]; nach ^{3}Hause gehen*.

귀감(龜鑑) Vor[Muster; Spiegel]bild *n.*

-(e)s, -er; Exemplar *n.* -s, -e; Muster *n.* -s, -.

귀걸이 《방한용》 Ohrenschützer *m.* -s, -; 《장식》 Ohrgehänge *n.* -s, -; Ohrring *m.* -(e)s, -e.

귀결(歸結) Schluß *m.* ..lusses, ..lüsse; Folge *f.* -n. ¶ ~을 짓다 zum Abschluß bringen*^{4}. ⌈..leute.⌉

귀공자(貴公子) Edelmann *m.* -(e)s, ⌋

귀국(歸國) Heimkehr *f.* ~하다 heim|kehren; ins Vaterland zurück|kehren.

귀금속(貴金屬) edlen Metalle(*pl.*). ‖ ~상 Juwelier *m.* -s, -e 《상인》; Juweliergeschäft *n.* -(e)s, -e 《상점》.

귀납(歸納) Induktion *f.* -en. ~하다 induzieren^4. ¶ ~적인 induktiv. ‖ ~법 Induktion *f.* -en.

귀동냥 Hörensagenkenntnisse (*pl.*). ~하다 durch die Ohren lernen^4; nur vom Erzählen lernen^4.

귀두(龜頭) Eichel *f.* -n. ⌈-.⌉

귀뚜라미 Grille *f.* -n; Heimchen *n.* -s, ⌋

귀띔 Tip *m.* -s, -s; Andeutung *f.* -en. ~하다 *jm.* e-n Wink geben*.

귀로(歸路) Rück〔Heim〕weg *m.* -(e)s, -e. ¶ ~에 auf dem Heimweg.

귀리 〖植〗 Hafer *m.* -s.

귀머거리 der Taube*, -n, -n. ¶ ~가 되다 taub werden. ⌈*f.* -n.⌉

귀부인(貴婦人) Edelfrau *f.* -en; Dame⌋

귀빈(貴賓) Ehrengast *m.* -(e)s, ⸚e. ‖ ~석 Ehrenplatz *m.* -es, ⸚e.

귀성(歸省) ~하다 heim|fahren*; heim|kehren; in die Heimat zurück|kehren. ‖ ~객 heimkehrende Leute (*pl.*) / ~열차 der Extrazug für Heimkehrende.

귀소본능(歸巢本能) Heimkehrinstinkt *m.* -(e)s, -e; Heimatsinn *m.* -(e)s.

귀속(歸屬) Heimfall *m.* -s. ~하다 *jm.* heim|fallen*.

귀순(歸順) Unterwerfung *f.* -en. ~하다 ^{4}sich unterwerfen*^{3}. ‖ ~병(兵) der sichergebende Soldat, -en, -en.

귀신(鬼神) abgeschiedene Seele, -n; Geist *m.* -es, -er. ¶ ~ 같다 übernatürlich sein.

귀양 Verbannung 〔Ausweisung; Landesverweisung〕 *f.* -en. ¶ ~가다 verbannt 〔exiliert; deportiert〕 werden; ins Exil gehen*.

귀엣말하다 *jm.* ins Ohr sagen〔flüstern^4〕.

귀여워하다 lieben^4; lieb haben^4.

귀염 Liebe *f.* -n. ¶ ~받다 geliebt werden. ‖ ~성 Liebenswürdigkeit *f.* -en.

귀엽다 lieb(lich) 〔niedlich; hold; nett; hübsch; reizend; liebenswürdig; fein〕 (sein).

귀의(歸依) Bekehrung 〔Ergebenheit〕 *f.* -en. ~하다 ^{4}sich bekehren 《*zu*^{3}》; *jm.* ergeben sein.

귀이개 Ohrlöffel *m.* -s, -.

귀익다 den Ohren wohlbekannt 〔vertraut〕 (sein).

귀임(歸任) die Rückkehr zu s-m Posten. ~하다 auf s-n Posten zurück|kehren.

귀족(貴族) der Ad(e)lige*; -n, -n; 〖總稱〗 Adel *m.* -s. ~적 aristokratisch.

귀중(貴重) ~하다 teuer 〔kostbar; wertvoll〕 (sein). ‖ ~품 Kostbarkeiten (*pl.*); Wertsachen (*pl.*).

귀지 Ohrenschmalz *n.* -es, -e.

귀찮다 lästig 〔beschwerlich; belästigend; mühsam; aufdringlich〕 (sein). ¶ 귀찮게 굴다 *jm.* lästig werden 〔sein〕 *jm.* zur Last fallen* / 귀찮게 조르다 (fortwährend) quälen^4 《*um*^{4}》.

귀천(貴賤) hoch u. niedrig; vornehm u. gering. ¶ ~의 구별 없이 ohne Ansehen der Person; ohne ^{4}Rücksicht auf ^{4}Standesunterschied.

귀추(歸趨) Tendenz *f.* -en; Neigung *f.* -en; Schluß *m.* ..lusses, ..lüsse.

귀하(貴下) Herr *m.* -n, -en; Frau *f.*; Fräulein *n.* -s; 《당신》 Sie. ¶ N~ Herrn N. ⌈gewöhnlich〕 (sein).⌉

귀하다(貴—) edel 〔vornehm; selten; un-⌋

귀향(歸鄕) Heimkehr *f.* ~하다 heim|kehren; in die Heimat zurück|kehren.

귀화(歸化) Naturalisation〔Einbürgerung〕 *f.* -en. ~하다 ^{4}sich naturalisieren lassen*; ^{4}sich ein|bürgern lassen*. ‖ ~인 der Eingebürgerte*, -n, -n.

귀환(歸還) Rückkehr 〔Heimkehr〕 *f.* ~하다 zurück|kehren; heim|kehren. ‖ ~자 Heimkehrer *m.* -s, -.

귀휴(歸休) Urlaub *m.* -(e)s, -e; Beurlaubung *f.* -en. ~하다 auf ^{4}Urlaub gehen*; ^{4}Urlaub nehmen*. ‖ ~병 Urlauber *m.* -s, -; der Beurlaubte* -n, -n. ⌈des Ohrläppchens.⌉

귓밥 Ohrläppchen *n.* -s, -; die Dicke⌋

귓병(—病) Ohrenkrankheit *f.* -en.

규격(規格) Norm *f.* -en; Standard *m.* -s, -s. ‖ ~ 통일 Normung *f.* -en / ~품 die normierte Ware, -n.

규명(糾明) ~하다 genau untersuchen^4.

규모(規模) Maßstab *m.* -(e)s, ⸚e; 《범위》 Umfang *m.* -(e)s, ⸚e; 《구조》 Struktur *f.* -en. ¶ 대~로 in großem Maßstabe.

규범(規範) Norm *f.* -en. ‖ ~ 법칙 das normative Gesetz, -es, -e.

규수(閨秀) Jungfrau *f.* -en 《처녀》; die hervorragende 〔bedeutende〕 Frau, -en. ‖ ~ 작가 Schriftstellerin 〔Autorin〕 *f.* -nen.

규약(規約) Satzung *f.* -en; Statut *n.* -s, -e; das Abkommen*, -s.

규율(規律) Regel *f.* -n; Vorschrift 〔Zucht; Disziplin〕 *f.* -en.

규정(規定) Bestimmung *f.* -en; Artikel *m.* -s, -. ~하다 bestimmen^4; vor|schreiben*^{4}; verordnen^4. ‖ ~식 《병자의》 die (vorgeschriebene) Diät, -en / ~ 요금 der festgesetzte Preis, -es, -e.

규정(規程) Vorschrift〔(Ver)ordnung〕 *f.* -en. ‖ 복무 ~ Dienstordnung *f.* -en.

규제(規制) ~하다 regeln^4; regulieren^4; kontrollieren^4.

규칙(規則) Regel *f.* -n; (Ver)ordnung 〔Vorschrift; Bestimmung〕 *f.* -en. ~적 regelmäßig. ¶ ~을 지키다 e-e Regel 〔Vorschrift〕 befolgen / ~을 어기다 gegen die Vorschriften verstoßen* / ~을 개정하다 die Vorschriften ändern. ‖ ~ 동사 das regelmäßige Zeitwort, -(e)s, ⸚er / ~ 위반 Regelwidrigkeit *f.* -en.

규탄(糾彈) (öffentliche) Anklage, -n; Rüge *f.* -n; Verweis *m.* -es, -e. ～하다 an|klagen⁴; zur Verantwortung ziehen*⁴.
규폐증(硅肺症) 〔醫〕 Silikose *f.* -n.
규합(糾合) ～하다 zusammen|rotten⁴.
균(菌) Bazillus *m.* -, ..llen; Bakterie *f.* -n; Keim *m.* -(e)s, -e.
균등(均等) Gleichheit *f.* -en; Gleichberechtigung *f.*; Parität *f.* ¶～하게 하다 gleich|machen⁴; aus|gleichen*⁴; egalisieren⁴.
균사(菌絲) Hyphe *f.* -n.
균열(龜裂) Riß *m.* ..sses, ..sse; Spalte *f.* -n; Spalt *m.* -(e)s, -e. ¶～이 생기다 ⁴sich spalten; Risse bekommen*.
균일(均一) Einheit *f.* -en. ～하다 einheitlich〔gleichmäßig; einförmig〕(sein). ¶천 원 ～ jedes für 1000 *Won!*
균형(均衡) Gleichgewicht *n.* -(e)s; Symmetrie *f.* ..trien; Ebenmaß *n.* -es, -e. ¶～이 잡힌 symmetrisch; eben-〔gleich〕mäßig / ～을 잃다 Gleichgewicht verlieren*. ‖ ～ 예산 das wohl balancierte Budget, -s, -s.
귤(橘) Mandarine 〔Apfelsine〕 *f.* -n. ¶귤껍질을 벗기다 e-e Mandarine schälen. ‖귤밭 Mandarinenpflanzung *f.* -en.
그 der*; jener*; er*. ¶그의 sein / 그 여자 sie / 그 여자의 ihr.
그곳 jener Ort; der Ort da. ¶～에 da; dort.
그끄저께 vorvorgestern.
그네 Schaukel *f.* -n.
그늘 ① 《응달》 Schatten *m.* -s, -. ¶나무 ～에서 쉬다 im Schatten e-s Baumes ruhen. ② 《보호밑》 Schutz *m.* -es. ¶부모 ～에서 자라다 unter dem Schutz der Eltern auf|wachsen*.
그다지 so daß...; in dem Grade, daß...; nicht so. ¶그는 ～ 영리하지 않다 Er ist nicht sonderlich klug.
그대로 ① 《있는 그대로》 wie es ist 〔steht〕. ¶있는 ～ offen; freimütig. ② 《곧》 sogleich; sofort. ¶인사도 없이 ～가 버렸다 Er ging ohne Gruß fort.
그동안에 inzwischen; unterdessen.
그들 sie* (*pl.*). ¶～의 ihr.
그때 damals; in 〔zu〕 jener Zeit. ¶～까지 bis dahin / ～부터 von der Zeit an.
그라운드 Spielplatz *m.* -es, ⸚e.
그랑프리 Grand Prix [grãprí:] *m.* -, -.
그래도 dennoch; dessenungeachtet; (und) doch.
그래프 Diagramm *n.* -s, -e; die graphische Darstellung, -en.
그램 Gramm *n.* -s, -e. ¶3 ～ drei Gramm.
그러나 aber; allein; doch; jedoch; indessen; dennoch. ¶～ 그건 좋지 않다 Das ist aber nicht gut.
그러니까 also; folglich; demnach; sonach; somit; daher; darum; deshalb; deswegen. ¶～ 말하지 않았나 Habe ich es dir nicht gleich gesagt?
그러당기다 ein|ziehen*⁴; ein|holen⁴; heran|ziehen*⁴.
그러면 und; so; also; dann; in dem 〔solchem〕 Fall.
그러므로 also; folglich; darum; deshalb.
그러한 so(lch) ein*; ein solcher*.
그럭저럭 irgendwie; auf die e-e oder andere Weise. ¶～ 하는 동안에 inzwischen; indes(sen); inzwischen.
그런 ein solcher*; solch; so; der ²Art; derartig. ¶～ 사람 〔물건〕 ein solcher Mensch, -en, -en 〔ein solches Ding, -(e)s, -e〕.
그런즉 (und) dann; folglich; daraus folgt, daß...; deshalb; infolgedessen; deswegen.
그럴싸하다 wahrscheinlich 〔glaublich; annehmbar〕 (sein). ¶그럴싸한 핑계 die trügerische Ausrede, -n / 그럴싸하게 이야기하다 e-r ³Geschichte den Anschein der Wahrscheinlichkeit geben*.
그럼에도불구하고 trotzdem; gleichwohl; ungeachtet².
그렇게 so; auf solche Weise. ¶～ 곤란하시다면 wenn Sie so verlegen sind / ～ 될 줄은 몰랐다 Ich habe gar nicht daran gedacht, daß die Sache e-n solchen Ausgang nehmen könnte.
그렇다면 also; dann. ¶～ 처음부터 속이려고 했구나 Er hat uns also von Anfang an betrügen wollen.
그렇지만 (je)doch; aber; indessen; übrigens.
그렇지않으면 sonst; oder.
그루터기 Stumpf *m.* -(e)s, ⸚e; Stoppel *f.* -n.
그룹 Gruppe *f.* -n. ¶～을 만들다 ⁴sich gruppieren.
그르다 ① 《옳지 않다》 falsch 〔unrichtig〕 (sein). ¶네가 글렀다 Da hast du nicht Recht. ② 《나쁘다》 schlecht 〔schlimm〕 (sein). ¶날씨가 글렀다 Das Wetter ist schlecht. ③ 《가망 없다》 aussichts〔hoffnungs〕los (sein). ¶그 사람은 글렀다 Mit ihm kann man nicht rechnen.
그르치다 ⁴sich irren《*in*³》; ⁴sich täuschen《*in*³; *über*⁴》; fehlen⁽⁴⁾; verfehlen⁴; ⁴sich versehen*《*in*³》.
그릇 Gefäß *n.* -es, -e; Geschirr *n.* -(e)s, -e.
그리고 und; dann; nun; dazu auch noch 《또 게다가》.
그리고나서 (und) dann; darauf; seitdem; danach.
그리다¹ 《그립다》 ⁴sich sehnen《*nach*³》; Sehnsucht haben《*nach*³》. ¶애타게 ～ schmachten《*nach*³》.
그리다² 《그림을》 malen; ein Bild entwerfen*; ³sich ein|bilden⁴. ¶마음에 생생히 ～ ³sich ⁴*et.* deutlich vor|stellen.
그리스도 Christus; Christ. ‖～교 ☞ 기독교.
그리움 Sehnsucht *f.* ⸚e. ¶～에 못 이기다 vor ³Sehnsucht vergehen*; ⁴sich vor Sehnsucht verzehren.
그리워하다 ⁴sich sehnen《*nach*³》.
그릴 Grillroom *m.* -s, -s; Gaststätte *f.* -n.
그림 Bild *n.* -(e)s, -er; Gemälde *n.* -s, -; Zeichnung 〔Malerei〕 *f.* -en. ¶～같은 malerisch. ‖～물감 (Mal)farbe *f.* -n; 《유화의》 Ölfarbe / ～엽서 Ansichts(post)karte *f.* -n / ～책 Bilderbuch *n.* -(e)s, ⸚er.
그림자 Schatten *m.* -s, -; Schattenbild *n.* -(e)s, -er.
그립다 lieb 〔teuer; ersehnt〕 (sein). ¶그리운 듯이 sehn·süchtig 〔-suchtsvoll〕.
그만 ① 《정도》 bis hierher u. nicht mehr; soviel u. nicht mehr; Aufhören! 《명령형》. ¶～ 울어라 Weine nicht mehr! ② 《으뜸》 das Beste* (auf der Welt).

¶그 사람은 ~이야 An ihm ist nichts auszusetzen.

그만두다 ① 《중지》 auf|hören 《*mit*[3]》. ¶학교를 ~ die Schule verlassen*. ② 《폐지》 ab|schaffen. ¶형식적인 것을 ~ die Förmlichkeiten ab|schaffen. ③ 《술·습관》 auf|geben*[4]. ¶술을 ~ das Trinken auf|geben*.

그만하다 (정도) weder besser noch schlimmer werden; 《수량》 gleich (sein); in solchem Maße 〔Grade〕(sein). ¶날씨가 그만해졌다 Das Wetter ist jetzt beständig.

그물 Netz *n.* -es, -e. ‖ ~코 Masche *f.* -n.

그믐(날) der letzte Tag des Monats.

그밖에 sonst; außerdem; noch dazu; überdies; übrigens. ¶그 밖의 übrig; ander; sonstig.

그슬리다 sengen[4]; versengen[4]; rösten[4]; auf dem Rost braten*[4]; 《연기에》 (aus-) räuchern[4]; verräuchern[4].

그야말로 wirklich; in der Tat; tatsächlich; gewiß; zweifellos; sicher.

그을다 verbrannt 〔gebräunt〕 werden; ([4]sich) versengen; 《연기에》 rußig 〔verräuchert〕 werden. ¶햇볕에 ~ von der Sonne verbrannt werden / 그을리다 verbrennen; bräunen[4]; (ver)sengen; räuchern.

그을음 Ruß *m.* -es.

그이 jener*; er*; 《여자》 sie*.

그저 《줄곧》 noch immer; ununterbrochen; 《생각 없이》 unbesonnen; leichtsinnig; sichtslos; maßlos.

그저께 vorgestern; der vorgestrige Tag, -(e)s, -e.

그전(一前) früherieinst; ehemals; vormals. ¶~처럼 wie sonst 〔früher〕 / 나는 ~의 내가 아니다 Ich bin nicht mehr, was ich war.

그쯤 ① 《그 정도》 etwa; so ungefähr so(viel); jene 〔diese〕 Höhe. ② 《장소》 da 〔hier〕 herum; dort od. dort umher.

그치다 ① 〚自動詞〛 auf|hören; [4]sich beschränken 《*auf*[4]》. ¶그칠 새 없이 unaufhörlich; unablässig. ② 〚他動詞〛 auf|hören 《*mit*[3]》. ¶일을 ~ die Arbeit ein|stellen.

극(劇) Schauspiel *n.* -(e)s, -e; Drama *n.* -s, ..men.

극(極) Pol *m.* -s, -e; 《정점》 Höhepunkt *m.* -(e)s, -e; Gipfel *m.* -s, -.

극광(極光) Polarlicht *n.* -(e)s, -er; Aurora *f.* -s.

극구(極口) ¶~ 찬양하다 bis in den Himmel erheben*.

극기(克己) Selbst·beherrschung 〔-verleugnung; -überwindung〕 *f.* -en.

극단(極端) Extrem *n.* -s, -e. ~의 äußerst; höchst; extrem. ¶~으로 흐르다 in Extreme verfallen*. ‖ ~론 die extreme Anschauung.

극단(劇團) Schauspielertruppe *f.* -n.

극도(極度) Extrem *n.* -s, -e. ~의〔로〕 äußerst; höchst. ¶~로 긴장해 있다 äußerst 〔aufs äußerste〕 gespannt sein.

극동(極東) der Ferne Osten.

극락(極樂) Paradies *n.* -es, -e. ¶~ 왕생을 하다 in ein besseres Dasein abberufen werden.

극력(極力) aufs äußerste; mit aller Kraft; möglichst. ¶~ 부인하다 mit aller Gewalt leugnen[4].

극문학(劇文學) Bühnendichtung *f.* -en; die dramatische Dichtung, -en.

극복(克服) Überwindung *f.* -en. ~하다 überwinden*[4]; besiegen[4].

극본(劇本) Textbuch *n.* -(e)s, ⸚er; Libretto *n.* -s, -s; Operntext *m.* -es, -e 《가극의》.

극북(極北) der äußerste Norden, -s; Nordpol *m.* -s.

극비(極秘) ¶~로 하다 streng geheim|halten*[4].

극빈(極貧) die äußerste 〔bitterste; größte; höchste〕 Armut 〔Dürftigkeit〕.

극상(極上) das Beste*, -n, -n; das Erstklassige*, -n, -n. ~의 best; erstklassig. ‖ ~품 Primaqualität *f.* -en.

극성(極盛) ① 《세력이》 Blüte *f.* -n. ② 《성질이》 Heftigkeit *f.* -en. ~부리다 〔스럽다〕 heftig 〔ungestüm〕 sein. ¶~스러운 사람 der heftig Mensch, -en, -en.

극심(極甚) ~하다 extrem 〔außerordentlich; unmäßig〕(sein).

극약(劇藥) die gefährliche Arznei, -en.

극언(極言) die scharfe Kritik, -en. ~하다 so weit gehen*.

극영화(劇映畫) Spielfilm *m.* -(e)s, -e.

극우(極右) die extreme 〔äußerste〕 Rechte*, -n.

극작가(劇作家) Dramatiker *m.* -s, -.

극장(劇場) Theater *n.* -s, -; Schauspielhaus *n.* -es, ⸚er; 《영화관》 Kino *n.* -s, -s. ¶~에 가다 ins Theater 〔Kino〕 gehen*; Theater besuchen.

극적(劇的) dramatisch; theatralisch. ¶~인 장면 die dramatische Szene, -n.

극좌(極左) die extreme 〔äußerste〕 Linke, -n; Ultralinke *f.* -n. ‖ ~파 die linksradikale 〔äußerstlinke〕 Fraktion, -en.

극진(極盡) ~하다 herzlich〔innig〕 (sein).

극초단파(極超短波) Superultrakurzwelle *f.* -n; Mikrowellen (*pl.*).

극치(極致) Vollendung *f.* -en; Gipfel *m.* -s, -; Krone *f.* -n.

극피동물(棘皮動物) Echinoderme *m.* -n, -.

극한(極限) Grenze *f.* -n. ¶~에 달하다 bis zur äußersten Grenze gehen*. ‖ ~투쟁 der Kampf bis zum Ende.

극형(極刑) Todesstrafe *f.* -n. ¶~에 처하다 *jn.* an Leben strafen.

극화(劇化) Dramatisierung *f.* -en; die dramatische Bearbeitung *f.* -en. ~하다 dramatisieren[4]; bühnengerecht 〔dramatisch〕 bearbeiten[4].

극히(極一) sehr; höchst; äußerst; außerordentlich.

근간(近刊) das neuerschienene Buch, -(e)s, ⸚er; die baldige Herausgabe.

근거(根據) Grund *m.* -(e)s, ⸚e; Grundlage *f.* -n; 《논거》 Beweisgrundz; 《전거》 Autorität *f.* -en; Quelle *f.* -n. ¶~ 있는〔없는〕 wohlbegründet 〔unbegründet; grundlos〕. ‖ ~지 Stützpunkt *m.* -(e)s, -e; Basis *f.* ..sen.

근거리(近距離) die kurze Entfernung, -en 〔Distanz, -en; Strecke, -n〕. ‖ ~사격 das Schießen* auf kurze Entfernung.

근검(勤儉) die mit Fleiß verbundene

Wirtschaftlichkeit 〔Sparsamkeit〕. ‖ ~저축 das Sparen* durch Fleiß 〔Emsigkeit〕 u. Wirtschaftlichkeit.
근교(近郊) Vorstädte (*pl.*); nächste Umgebung e-r Stadt.
근근히(僅僅—) ärmlich; dürftig; kärglich; kümmerlich; spärlich; zur Not.
근년(近年) ¶ ~에 in den letzten Jahren; 《수년래》 seit einigen Jahren.
근대(近代) die moderne Zeit, -en; Neuzeit. ~의 neuzeitlich; modern. ‖ ~화 Modernisierung *f.* -en (~화하다 modernisieren[4]).
근동(近東) der Nahe Osten, -s; Nahost *m.* -(e)s.
근래(近來) ¶ ~에 neulich; kürzlich; in neuerer Zeit.
근로(勤勞) Arbeit *f.* -en. ‖ ~ 소득 Arbeitseinkommen *n.* -s, - (~ 소득세 Lohnsteuer *f.* -n).
근면(勤勉) Fleiß *m.* -es; Emsigkeit *f.* -en; Eifer *m.* -s. ~하다 fleißig 〔emsig; eifrig〕 (sein).
근무(勤務) Dienst *m.* -es, -e; Dienstleistung *f.* -en. ~하다 dienen; Dienst tun*〔leisten〕. ‖ ~ 시간 Dienststunden (*pl.*) / ~ 연한 Dienstalter *n.* -s, - / ~처 Dienst〔Arbeits; Geschäfts〕stelle *f.* -n.
근방(近方) Nähe *f.*; Umgegend *f.* -en.
근본(根本) Grund *m.* -(e)s, ⸚e; Fundament *n.* -(e)s, -e; 《근원》 Quelle *f.* -n; 《본질》 Wesen *n.* -s, -. ~적(으로) gründlich; ursprünglich; wesentlich; von Grund aus.
근사(近似) ~하다 annähernd (sein); 《좋은》 gut 〔schön; herrlich〕 (sein). ‖ ~치 Näherungswert *m.* -(e)s, -e.
근성(根性) Mumm in den Knochen; Gesinnung *f.* -en; Natur *f.* -en. ¶ ~이 나쁜 boshaft / 녀석은 ~이 있어 Er hat Mumm in den Knochen.
근세(近世) die neuere Zeit, -en; Neuzeit *f.*
근소(僅少) ~하다 wenig 〔gering(fügig); nicht viel; unbedeutend〕 (sein).
근속(勤續) Dienstdauer *f.*; der ununterbrochene 〔fortwährende〕 Dienst, -es, -e. ~하다 fortwährend dienen; ununterbrochen tätig sein.
근시(近視) Kurzsichtigkeit *f.* -en. ‖ ~안경 die Brille für [4]Kurzsichtige*〔Myopen〕.
근신(謹愼) ~하다 《신중》 vorsichtig sein; 《품행방정》 sittenstreng sein; 《삼감》 [4]sich mäßigen.
근심 Sorge *f.* -n; Besorgnis *f.* -se; Kummer *m.* -s; Angst *f.* ⸚e. ~하다 [4]sich sorgen 〔kümmern; ängstigen〕 (*um*[4]). ¶ ~ 없는 sorgenfrei; sorgenlos; kummerfrei.
근엄(謹嚴) ~하다 sittenstreng 〔ernst〕 (sein).
근원(根源) Quelle *f.* -n; Ursprung *m.* -(e)s, ⸚e.
근위(近衛) (Leib)garde *f.* -n. ‖ ~병 Gardist *m.* -en, -en.
근육(筋肉) Muskel *m.* -s, -n. ‖ ~ 운동 Muskel·bewegung *f.* -en 〔-spiel *n.* -(e)s, -e〕 / ~ 조직 Muskel·gewebe *n.* -s, - 〔-system *n.* -s, -e〕.
근인(近因) die unmittelbare 〔direkte; nahe〕 Ursache, -n.
근일(近日) ~중에 nächster Tage; in kurzem.
근일점(近日點) Perihelium *n.* -s, ..lien; Sonnennähe *f.*
근자(近者) ~에 heutzutage; gegenwärtig; neulich.
근저당(根抵當) Höchstbetragshypothek *f.* -en.
근절(根絶) Entwurzelung *f.* -en. ~하다 aus|rotten[4]〔-|tilgen[4]〕. ¶ ~할 수 있는 ausrottbar.
근접(近接) ~하다 nahe kommen*; [4]sich nähern. ‖ ~전 Nahkampf *m.* -(e)s, ⸚e.
근정(謹呈) das Überreichen*, -s; 〘名詞 뒤에서〙 überreicht 《*von*[3]》. ~하다 überreichen[34].
근질거리다 《몸이》 es juckt 《*jm. an*[3]》; ein krabbeliges Gefühl haben 《*an*[3]》; 《마음이》 ungeduldig sein; voll Ungeduld sein.
근착(近着) ¶ ~의 soeben angekommen.
근처(近處) ~의〔에〕 nahe; in der Nähe.
근치(根治) die gründliche Heilung, -en. ~하다 gründlich heilen[(4)].
근친(近親) Blutsverwandtschaft *f.* -en. ‖ ~ 결혼 Verwandtenehe *f.* -n / ~상간 Blutschande *f.*
근하신년(謹賀新年) (Ich wünsche Ihnen) ein glückliches Neujahr.
근황(近況) das gegenwärtige Befinden* 〔Ergehen*〕 -s.
글 ① 《학문》 Studium *n.* -s, ..dien. ¶ 글을 배우다 studieren; lernen. ② 《문장》 Satz *m.* -es, ⸚e. ¶ 글을 짓다 e-e Schrift ab|fassen.
글라디올러스 〘植〙 Gladiole *f.* -n.
글라스 Glas *n.* -es, ⸚er.
글래머 Glamour [glǽmər] *m.* -(s).
글루타민 〘化〙 Glutamin *n.* -(e)s, -e. ‖ ~산 Glutaminsäure *f.*
글리세린 Glyzerin *n.* -s; Ölsüß *n.* -es.
글말 die geschriebene Sprache, -n; Schreibsprache *f.*
글발 Notiz *f.* -en; Schriftzug *m.* -(e)s, ⸚e; Kohärenz *f.*
글썽글썽 mit tränenden Augen; mit Tränen in den Augen. ~하다 die Tränen treten *jm.* in die Augen; die Augen werden *jm.* naß.
글씨 Handschrift *f.* -en; 《글자》 Schrift *f.* -en; Buchstabe *m.* -n(s), -n.
글자 Schrift *f.* -en; Buchstabe *m.* -n(s), -n.
글짓기 die Verfassung e-r Schrift; Aufsatz *m.* -es, ⸚e.
글피 heute über drei Tage; überübermorgen.
긁다 ① 《손톱·연장으로》 kratzen[4]. ¶ 가려운데를 ~ [4]sich jucken. ② 《그러모으다》 rechen[4]. ¶ 긁어모으다 zusammen|kratzen[4]. ③ 《남의 마음을》 reizen[4]. ¶ 바가지를 긁는다 Eine Frau nörgelt an ihrem Mann herum. ④ 《남의 재물을》 aus|beuten[4].
금 Riß *m.* ..sses, ..sse; Ritz *m.* -es, -e. ¶ 금가다 Risse 〔e-n Sprung〕 bekommen* / 금간 rissig / 금을 내다 ritzen[4].
금(金) Gold *n.* -(e)s. ¶ 금(빛)의 golden / 18 금의 achtzehnkarätig.
금강석(金剛石) Diamant *m.* -en, -en.

금고(金庫) ① 《돈·서류를 넣는》 Geldschrank *m.* -(e)s, ⸚e. ¶ ～에 넣다 im Kassenschrank verwahren. ② 《국고 금의》 (Spar)kasse *f.* -n. ‖ ～털이 das Aufbrechen* e-s Geldschrank(e)s; 《사람》 Geldschrankknacker *m.* -s, - / 시(市)～ die städtische Kasse.

금고형(禁錮刑) Gefängnis *n.* -ses, -se; Gefängnisstrafe *f.* -n. ‖ 3년 ～에 처하다 zu drei Jahren Gefängnis verurteilen[4].

금관(金冠) 《왕관》 die goldene Krone, -n; 《이의》 Goldkrone *f.* -n.

금관악기(金管樂器) Blechblasinstrument *n.* -(e)s, -e; das Blasinstrument aus Messing.

금광(金鑛) 《금광석》 Golderz *n.* -es, -e; 《금광산》 Gold·grube 〔-mine〕 *f.* -n.

금괴(金塊) Gold·barren 〔-klumpen〕 *m.* -s, -.

금기(禁忌) Tabu *n.* -s, -s.

금년(今年) dieses Jahr, -(e)s. ¶ ～에 in diesem Jahr.

금니(金—) der goldübergezogene Zahn, -(e)s, ⸚e; Goldzahn; Goldkrone *f.* -n.

금단(禁斷) das strenge Verbot, -(e)s, -e; Rührnichtdran *n.* -s. ～하다 streng verbieten*[4] 《*jm.*》; untersagen[4].

금도금(金鍍金) Vergoldung *f.* -en; Goldüberzug *m.* -(e)s, ⸚e. ～하다 vergolden[4]; mit [3]Gold überziehen*[4] 〔plattieren[4]〕.

금딱지(金—) das goldene Gehäuse, -s, -. ‖ ～ 시계 die goldene Uhr, -en.

금력(金力) die Macht des Geldes; der allmächtige Mammon, -s. ‖ ～가(家) Plutokrat *m.* -en, -en.

금렵(禁獵) Jagdverbot *n.* -(e)s, -e. ～하다 die Jagd verbieten*. ‖ ～기(期) Schon(ungs)zeit 〔Hegezeit〕 *f.* -en.

금리(金利) Zins *m.* -es, -en; Zinsfuß *m.* -es, ⸚e.

금메달(金—) die goldene Medaille [..ljə] *f.* -n.

금명간(今明間) heute od. morgen.

금박(金箔) Goldblättchen *n.* -s, -; Blattgold *n.* -(e)s.

금발(金髮) Goldhaar *n.* -(e)s, -e. ～의 goldhaarig; blond.

금방(今方) eben jetzt; (so)eben; bald; sofort; (so)gleich.

금배(金杯) der goldene Becher, -s, - 〔Pokal, -s, -e〕.

금본위(金本位) ‖ ～제도 Goldwährung *f.* -en; Goldwährungssystem *n.* -s, -e.

금붕어 (金—) Goldfisch *m.* -(e)s, -e.

금붙이 (金—) die Goldwaren (*pl.*).

금빛(金—) Goldfarbe *f.* -n; die goldene Farbe, -n. ‖ ～ 바탕 Goldgrund *m.* -(e)s, ⸚e 《그림의》.

금석(今昔) die Gegenwart u. Vergangenheit. ¶ ～지감이 있다 [4]sich an die Vergangenheit erinnern.

금성(金星) Venus *f.*

금속(金屬) Metall *n.* -(e)s, -e. ¶ ～(제)의 metallen. ‖ ～ 공업 Metallindustrie *f.* -n.

금수(禁輸) Embargo *n.* -s, -s; Ausfuhr- 〔Export〕sperre *f.* -n. ～하다 die Ein- 〔Aus〕fuhr verbieten* 《*von*[3]》. ‖ ～품 Konter〔Kontra〕bande *f.* -n.

금수(禽獸) Getier *n.* -(e)s. ¶ ～만도 못한 인간 ein Mensch, schlimmer als ein Biest 〔Vieh〕.

금슬(琴瑟) die Harfen (*pl.*). ¶ ～이 좋다 《금실이》 in glücklichster Eintracht zusammen|leben.

금액(金額) (Geld)summe *f.* -n; Betrag *m.* -(e)s, ⸚e.

금어(禁漁) ‖ ～구 Schonbezirk *m.* -(e)s, -e / ～기 die Schonzeit für Fische.

금연(禁煙) 《게시》 Rauchen verboten! ～하다 [4]sich des Rauchens enthalten*.

금요일(金曜日) Freitag *m.* -(e)s, -e.

금욕(禁慾) Askese *f.* ‖ ～주의 Asketismus *m.* -.

금융(金融) Finanz *f.*; Geldwesen *n.* -s. ‖ ～계 Finanzwelt *f.* / ～ 공황 Geld- 〔Finanz〕krise *f.* -n / ～ 기관 Geldinstitut *n.* -(e)s, -e / ～ 시장 Geldmarkt *m.* -(e)s, ⸚e / ～ 자본 Finanzkapital *n.* -s, -e 〔-ien〕.

금의환향(錦衣還鄕) ～하다 mit Ehren gekrönt in die Heimat zurück|kehren*.

금일봉(金一封) ein (kleines) Geldgeschenk in e-m Umschlage.

금자탑(金字塔) Pyramide *f.* -n; 《업적》 die monumentale〔hervorragende〕 Leistung, -en.

금전(金錢) Geld *n.* -(e)s, -er. ～(상)의 geldlich; pekuniär. ¶ ～의 노예 Mammonsdiener *m.* -s, -. ‖ ～ 등록기 Registrierkasse *f.* -n / ～ 신탁 Geldvertrauen *n.* -s / ～ 채무 Geldschuld *f.* -en / ～ 출납부 Kassabuch *n.* -(e)s, ⸚er.

금주(今週) diese Woche. ¶ ～ 중에(도) (noch) im Laufe dieser Woche.

금주(禁酒) Abstinenz *f.* ～하다 [4]sich des Alkohols enthalten*. ‖ ～ 운동 Abstinenzbewegung *f.* -en.

금지(禁止) Verbot *n.* -(e)s, -e; Untersagung *f.* -en. ～하다 verbieten*[4] 《*jm.*》; untersagen[4]《*jm.*》. ‖ 출입～ Eintritt verboten!; Verbotener Eingang!

금치산(禁治産) 〖法〗 Entmündigung *f.* -en. ‖ ～ 선고 Interdiktion *f.* -en.

금품(金品) das Geld u. andere Artikel; das Geld u. andere Sachen.

금하다(禁—) ① 《금지》 verbieten* 《*jm.* [4]*et.*》. ¶ 도박을 ～ das Hasardspiel verbieten*. ② 《억제》 hemmen[4]. ③ 《욕망을 끊음·참음》 [4]sich enthalten*[(2)] 《*von*[3]》. ¶ 술을 ～ [4]sich des Alkohols enthalten* / 웃음을 금할 수 없다 Ich kann mich des Lachens nicht enthalten.

금혼식(金婚式) die goldene Hochzeit, -en.

금화(金貨) Goldmünze *f.* -n; Goldstück *n.* -(e)s, -e.

금후(今後) von nun 〔jetzt〕 an; später; künftig; in Zukunft. ～의 (zu)künftig; kommend.

급강하(急降下) Sturz *m.* -es, ⸚e; Sturzflug *m.* -(e)s, ⸚e. ‖ ～ 폭격기 Sturzkampfflugzeug *n.* -(e)s, -e.

급거(急遽) in aller 〔größter〕 Eile; mit möglichster Eile.

급격(急激) ～하다 plötzlich 〔rasch; radikal〕 (sein). ¶ 급격한 변화 der plötzliche Wechsel.

급경사(急傾斜) die steile Neigung, -en; Steilheit *f.*; Steile *f.* -n.

급급(汲汲) ～하다 streberhaft 〔streberisch〕 (sein). ¶명리에 ～ 하다 eifrig nach Ruhm u. Reichtum streben.

급기야(及其也) schließlich (doch); endlichdoch.

급료(給料) Gehalt *n.* -(e)s, ¨er; Lohn *m.* -(e)s, ¨e; Sold *m.* -(e)s, -e.

급류(急流) der reißende Strom, -(e)s, ¨e; Gießbach *m.* -(e)s, ¨e.

급박(急迫) ～하다 dringend 〔dringlich〕 (sein). ¶사태가 ～하다 Die Sache drängt.

급변(急變) die plötzliche Änderung, -en; die unerwartete Wendung, -en. ～하다 ^{4}sich plötzlich ändern; plötzlich um|schlagen*〔-|springen*〕.

급보(急報) die eilige Nachricht, -en; die dringende Mitteilung, -en.

급사(給仕) Diener *m.* -s, -; Bursche *m.* -n, -n; 《여자》 Mädchen *n.* -s, -; 《호텔의》 (Hotel)page *m.* -n, -n; 《식당의》 Kellner *m.* -s, -.

급상승(急上昇) 《비행기 따위의》 das Aufschießen*, -s.

급서(急逝) der plötzliche 〔unerwartete〕 Tod, -(e)s.

급선무(急先務) die dringendste Aufgabe, -n.

급성(急性) ～의 akut. ‖～ 폐렴 die akute Lungenentzündung, -en.

급소(急所) 《신체의》 der edle (Körper-)teil, -(e)s, -e; 《아픈 곳》 die empfindliche 〔wunde〕 Stelle, -n; 《요점》 Hauptpunkt *m.* -(e)s, -e; Wesentlichkeit *f.* -en. ¶～를 찌르다 *jn.* an s-r wunden Stelle treffen*.

급속(急速) ～하다 geschwind 〔rasch; schnell〕 (sein).

급속도(急速度) Geschwindigkeit *f.*; Schnelligkeit *f.* ¶～로 schnell; rasch; geschwind.

급송(急送) die schnelle Absendung, -en. ～하다 durch Eilboten schicken^{4}; mit Eilfracht senden$^{(*)4}$.

급수(級數) 〖數〗 Progression *f.* -en; Reihe *f.* -n. ‖기하〔산술〕 ～ die geometrische 〔arithmetische〕 Progression.

급수(給水) Wasser·versorgung 〔-speisung〕 *f.* -en. ～하다 mit Wasser versorgen^{4}〔speisen^{4}〕. ‖～관(管) Wasserrohr *n.* -(e)s, -e / ～차 Wasserwagen *m.* -s, -.

급습(急襲) Überfall *m.* -(e)s, ¨e; Überraschung *f.* -en. ～하다 überfallen*^{4}; überraschen^{4}.

급식(給食) Speisung 〔Beköstigung〕 *f.* -en. ～하다 speisen^{4}; beköstigen^{4}.

급양(給養) Verpflegung *f.* -en; Beköstigung *f.* -en; Speisung *f.* -en. ～하다 verpflegen^{4}; beköstigen^{4}.

급여(給與) 《급료》 Bezüge (*pl.*); Lohn *m.* -(e)s, ¨e. ～하다 versorgen^{4} 《*mit*^{3}》; beliefern^{4} 《*mit*^{3}》.

급우(級友) Mitschüler *m.* -s, -.

급유(給油) die Speisung mit Öl. ～하다 tanken$^{(4)}$; ^{4}*et.* mit Öl speisen.

급전(急轉) 《변화》 der plötzliche Wechsel, -s, -; 《전환》 die plötzliche Wendung, -en. ～하다 ^{4}sich plötzlich wenden$^{(*)}$.

급전(急錢) sofort benötigtes Geld für e-e dringende Sache.

급정거(急停車) plötzlicher Stillstand, -(e)s, ¨e. ～하다 plötzlich halten*.

급제(及第) ～하다 die Prüfung bestehen*; durch|kommen*.

급조(急造) schnelle Herstellung, -en. ～하다 in Eile bauen^{4}; im Tempo her|stellen^{4}.

급증(急增) die rasche Zunahme, -n; das rapide Wachstum, -(e)s. ～하다 ^{4}sich rasch vermehren; schnell zu|nehmen* 《*an*^{3}》.

급진적(急進的) ¶～인 radikal.

급커브(急—) die scharfe Kurve, -n. ¶～를 틀다 e-e scharfe Kurve fahren*.

급템포(急—) große 〔rasende〕 Geschwindigkeit, -en; schnelles Tempo, -s.

급파(急派) eilige Absendung, -en. ～하다 schleunigst ab|senden$^{(*)4}$; unverzüglich hin|schicken^{4}.

급하다(急—) ① 《일 따위》 eilig 〔dringend〕 (sein). ¶급한 용무로 in〔wegen〕 e-r dringenden Angelegenheit. ② 《성미》 ungeduldig 〔hastig〕 (sein). ¶급한 성미 Ungeduld *f.* ③ 《가파르다》 steil 〔reißend 《흐름이》〕 (sein). ¶ 급한 커브에서 in scharfer Kurve. ④ 《병 따위》 gefährlich 〔bedenklich〕(sein). ¶급한 병 e-e gefährliche Krankheit, -en.

급행(急行) 《열차》 Schnellzug *m.* -(e)s, ¨e; D-Zug *m.* ‖～권 Schnellzugsbillet *n.* -(e)s, -e / ～ 버스 Eilbus *m.* -ses, -se / 특별 ～ 열차 L-Zug *m.*

급환(急患) die plötzliche Erkrankung, -en.

급히(急—) unmittelbar; sogleich. ¶～ 보내다 *jn.* eiligst senden*.

긋다 《줄을》 ziehen*^{4}; 《장부에》 an|schreiben*^{4}; 《성냥을》 an|streichen*^{4}. ¶다시 ～ 《선을》aufs neue ziehen*^{4} / 긋고 마시다 auf Kredit trinken*$^{(4)}$ / 성냥을 ～ ein Streichholz an|streichen*.

긍정(肯定) Bejahung *f.* -en. ～하다 bejahen^{4}. ¶～적인 bejahend; positiv.

긍지(矜持) Stolz *m.* -es.

기(氣) ① 《기색》 Färbung *f.* ¶붉은 기가 도는 rötlich. ② 《기운》 Energie *f.*; Geist *m.* -es. ¶기가 나서 stolz. ③ 《온힘》 Leibeskraft *f.* ¨e. ¶ 기를 쓰다 ^{4}sich ins Zeug werfen*. ④ 《숨》 Atem *m.* -s. ¶기가 차서 gaffend. ⑤ 《의기》 Geist *m.* -es. ¶기가 죽은 kleinlaut. ⑥ 《낌새》 ein Anflug 《*von*^{3}》. ¶감기 기가 있다 ^{3}sich e-e leichte Erkältung holen.

기(期) 《시기》 Zeit *f.* -en. ¶제 8 기생 der achte Absolvent, -en, -en.

기(旗) Flagge *f.* -n; Fahne *f.* -n. ¶기를 올리다〔내리다〕 die Flagge auf|ziehen*〔ein|ziehen*〕.

기각(棄却) Abweisung *f.* -en; Verwerfung *f.* -en. ～하다 ab|weisen*^{4}; verwerfen*^{4}.

기간(基幹) Kern *m.* -(e)s, -e; Schlüssel *m.* -s, - 《*zu*^{3}》. ‖～ 산업 Hauptindustriezweig *m.* -(e)s, -e / ～ 요원 Kader-Mitglied *n.* -(e)s, -er.

기간(期間) Frist *f.* -en; Zeit *f.* -en. ‖유효 ～ Gültigkeitsdauer *f.*

기갈(飢渴) Hunger u. Durst, des - u.

-es. ¶~을 면하다 zum Leben zuwenig u. zum Sterben zuviel haben.

기갑부대(機甲部隊) Panzertruppe *f.* –n.

기강(紀綱) Disziplin *f.* –en; Zucht *f.* ⁼e; Ordnung *f.* –en.

기개(氣槪) Schneid *m.* –(e)s; der (kecke) Mut, –(e)s. ¶~ 있는 schneidig; mannhaft; 《俗》 forsch.

기결(旣決) ~의 entschieden; bestimmt; beschlossen. ‖ ~수(囚) Sträfling *m.* –s, –e; der Strafgefangene*, –n, –n.

기계(器械) Instrument 〔Gerät〕 *n.* –(e)s, –e; Apparat *m.* –(e)s, –e. ‖ ~ 체조 Geräteturnen *n.* –s.

기계(機械) Maschine *f.* –n; 《장치》 Maschinerie *f.* –n; Mechanismus *m.* –. ¶~적인 mechanisch; maschinell. ‖ ~공학 Ingenieurwesen *n.* –s; Maschinenbaukunst *f.* / ~ 장치 Maschinerie *f.* –n / ~화 Mechanisierung *f.* –en.

기고(寄稿) Beitrag *m.* –(e)s, ⁼e; Mitarbeit *f.* –en. ~하다 den Beitrag schreiben*(*für*[4]); mit|arbeiten 《*an*[3]》. ‖ ~가 Beiträger 〔Mitarbeiter〕 *m.* –s, –.

기골(氣骨) Charakter〔Mannes〕stärke *f.*; Bravheit *f.* ¶~이 있는 charakter〔mannes〕stark.

기공(起工) ~하다 mit dem Bau an|fangen*; ans Werk gehen*. ‖ ~식 Grundsteinlegung *f.* –en.

기관(汽罐) Dampf〔Lokomotiv〕kessel *m.* –s, –. ‖ ~실 Kesselraum *m.* –(e)s, ⁼e.

기관(器官) Organ *n.* –s, –e.

기관(機關) Maschine *f.* –n; Motor *m.* –s, –en; 《조직》 Organisation *f.* –en. ‖ ~사(士) Maschinist *m.* –en, –en; Lokomotivführer *m.* –s, – / ~장 Oberingenieur [..ʒeniø:r] *m.* –s, –e / ~지 Organ *n.* –s, –e / ~차 Lokomotive *f.* –n / ~총 Maschinengewehr *n.* –(e)s, –e / 교육 ~ Erziehungsanstalt *f.* –en / 언론 ~ das Sprachrohr der öffentlichen Meinung / 집행〔행정〕 ~ die vollziehende 〔verwaltende〕 Organisation, –en.

기관지(氣管支) die Luftröhrenäste (*pl.*); Bronchie *f.* –n. ¶~를 앓다 an Bronchitis leiden*. ‖ ~염 Bronchialentzündung *f.* –en.

기괴(奇怪) ~하다 befremdend〔befremdlich〕(sein).

기교(技巧) Kunst *f.* ⁼e; Kunstgriff *m.* –(e)s, –e; Technik *f.* –en.

기구(氣球) Ballon *m.* –s, –e. ‖ 계류 ~ Fesselballon *m.* / 관측~ Beobachtungsballon *m.*

기구(器具) Gerät *n.* –(e)s, –e; Werkzeug *n.* –(e)s, –e; Instrument *n.* –(e)s, –e. ‖ 의료 ~ das ärztliche Instrument / 전기~ das elektrische Werkzeug.

기구(機構) Organisation *f.* –en; 《기계의》 Maschinerie *f.* –n; Mechanismus *m.* –, ..men. ¶~를 개편〔개혁〕하다 die Organisation neu|gestalten; reorganisieren[4]. ‖ 경제 ~ Wirtschaftswesen *n.* –s, – / 국제 ~ die internationale Organisation / 정치~ die politische Organe (*pl.*) / 행정 ~ Verwaltungseinrichtung *f.* –en.

기구(崎嶇) ~하다 《험난함》 steil 〔jäh; schroff〕 (sein); 《팔자가》 unglücklich 〔elend〕 (sein). ¶기구한 운명 Unglück *n.* –(e)s, –e.

기권(棄權) 《투표의》 Stimmenthaltung *f.* –en; 《권리의》 Verzichtleistung *f.* –en. ~하다 [4]sich der Abstimmung enthalten*; auf sein Recht verzichten; 《경기 따위》 auf|geben*.

기근(飢饉) Hungersnot *f.* ⁼e; Mißernte *f.* –n.

기금(基金) Fonds [fɔ̃:] *m.* – [fɔ̃:(s)], – [fɔ̃:s]; Grundstock *m.* –s, –s. ¶~을 설립하다 e–n Fonds schaffen*. ‖ 국제 통화 ~ der Internationale Währungsfonds.

기기(器機) Maschinerie u. Werkzeug.

기꺼이 mit [3]Vergnügen; mit [3]Freuden; freudig; gern. ¶~ 승낙하다 bereitwillig ein|willigen 《*in*[4]》.

기껏해야 höchstens; im besten Falle; bestenfalls. ¶~ 5백 원일 게다 Es ist nicht mehr als fünf hundert *Won.*

기념(記念) Andenken *n.* –s; Gedächtnis *n.* –ses, –se; Erinnerung *f.* –en. ~하다 gedenken*[2]; ein Andenken bewahren 〔feiern〕. ¶…의 ~으로 zum Andenken 《*an*[4]》; zur Erinnerung 《*an*[4]》. ‖ ~ 논문집 Festschrift *f.* –en / ~비 Denkmal *n.* –(e)s, ⁼er 〔詩: –e〕 / ~식〔제〕 Gedächtnis〔Jahres〕feier *f.* –n; Jubiläum *n.* –s, ..läen / ~일 Gedächtnistag *m.* –(e)s, –e / ~품 Andenken *n.* –s, –; Erinnerungszeichen *n.* –s, –.

기능(技能) Geschicklichkeit *f.*; Fähigkeit *f.* –en; Talent *n.* –(e)s, –e. ¶~이 뛰어나다 sehr geschickt sein 《*in*[3]》. ‖ ~ 교육 die technische Erziehung, –en / ~직(職) der technische Beruf, –(e)s, –e.

기능(機能) Funktion *f.* –en. ~의 funktionell. ¶~을 발휘하다 funktionieren. ‖ ~ 장애 Funktionsstörung *f.* –en.

기다 kriechen*; auf allen vieren gehen*. ¶기어오르다 kriechen* 《*auf*[4]》 / 땅을 ~ auf der Erde kriechen*.

기다랗다 länglich 〔(lang) gestreckt〕 (sein). ¶기다란 장대 ein langer Stock, –(e)s, ⁼e.

기다리다 ① 《사람·때》 warten《*auf*[4]》; [4]*et.* ab|warten. ¶기회를 ~ auf e–e Gelegenheit warten 〔lauern〕 / 애타게 ~ ungeduldig warten〔brennen*〕《*auf*[4]》. ② 《기대》 erwarten[4]; ab|warten[4]. ¶이제나 저제나 하고 ~ voller Erwartung sein / 태연히 죽음을 ~ dem Tode mutig〔ohne Furcht〕 entgegen|sehen*.

기대(期待) Erwartung *f.* –en; Hoffnung *f.* –en; Aussicht *f.* –en. ~하다 erwarten[4]; hoffen[4]; zu|muten[4]. ¶~ 이상으로 über alles [4]Erwarten / ~에 부응하다 e–e Erwartung erfüllen.

기대다 ① 《몸을》 [4]sich lehnen 《*an*[4]; *gegen*[4]》. ¶벽에 ~ [4]sich an die Wand lehnen. ② 《의지》 [4]sich wenden*《*an*[4]》. ¶기댈 데가 없다 hilflos da|stehen* 〔sein〕.

기도(企圖) Absicht *f.* –en; Vorhaben *n.* –s; Versuch *m.* –(e)s, –e. ~하다 beabsichtigen[4]; vor|haben*[4]; versuchen[4].

기도(祈禱) Gebet *n.* -es, -e; 《식사 때의》 Tischgebet. ～하다 beten《zu[3]》; sein Gebet halten*. ‖ ～서 Gebetsbuch *n.* -(e)s, ⸚er / ～회 Betstunde *f.* -n.

기독교(基督敎) Christentum *n.* -(e)s. ¶ ～의 christlich. ‖ ～도(徒) Christ *m.* -en, -en.

기동(機動) Manöver *n.* -s, -. ‖ ～경찰 die besondere Polizei, -en / ～력 Manövrierfähigkeit *f.* -en / ～성(性) Beweglichkeit *f.*

기동차(汽動車) Triebwagen *m.* -s, -.

기둥 Pfeiler *m.* -s, -; Pfosten *m.* -s, -; Säule *f.* -n; 《가정·회사 등의》 Stütze *f.* -n. ¶ ～이 되다 als〔zur〕 Stütze dienen / ～을 세우다 e-n Pfeiler errichten / 나라의 ～ die Stütze e-s Landes.

기득권(旣得權) wohlerworbenes Recht, -es, -e.

기량(技倆) Fähigkeit 〔Geschicklichkeit〕 *f.* -en; Können *n.* -s. ¶ ～이 있는 fähig 《*für*[4]; *zu*[3]》; geschickt 《*in*[3]》.

기량(器量) (Natur)gabe 〔Anlage〕 *f.* -n; Begabung *f.* -en; Können *n.* -s; Talent *n.* -(e)s, -e. ¶ ～이 있는 begabt; fähig.

기러기 Wildgans *f.* ⸚e.

기력(氣力) Energie *f.* -n; Geisteskraft *f.* ⸚e; Tatkraft *f.* ¶ ～이 왕성한 energisch; tatkräftig.

기로(岐路) Scheide〔Ab〕weg *m.* -(e)s, -e; Kreuzweg. ¶ ～에 서 있다 am Scheideweg stehen*.

기록(記錄) 《문서》 Urkunde *f.* -n; Dokument *n.* -(e)s, -e; 《조서》 Protokoll *n.* -s, -e; 《경기의》 Rekord *m.* -(e)s, -e. ～하다 verzeichnen[4]; ein|tragen*[4]. ¶ ～을 깨뜨리다 den Rekord brechen* 〔schlagen*〕 / ～을 세우다 den Rekord auf|stellen. ‖ ～ 영화 Dokumentarfilm *m.* -(e)s, -e.

기뢰(機雷) (See)mine *f.* -n. ¶ ～를 부설하다 Minen legen 〔werfen*〕. ‖ ～밭 Minenfeld *n.* -(e)s, -er.

기루(妓樓) Bordell *n.* -s, -e.

기류(氣流) Luftstrom *m.* -(e)s, ⸚e; Luftströmung *f.* -en. ‖ 상승〔하강〕～ der aufsteigende〔absteigende〕 Luftstrom.

기류(寄留) Aufenthalt *m.* -(e)s, -e. ‖ ～신고 Wohnungsanmeldung *f.* -en / ～지 Aufenthaltsort *m.* -(e)s, -e.

기르다 ① 《양육》 auf|ziehen*[4]. ¶ 아이를 ～ ein Kind auf|ziehen*. ② 《동식물을》 züchten[4]. ¶ 개를 ～ e-n Hund halten*. ③ 《머리 등을》 wachsen* (lassen*). ¶ 콧수염을 ～ [3]sich e-n Schnurrbart wachsen lassen*[4]. ④ 《양성》 aus|bilden[4]. ¶ 힘을 ～ Kräfte sammeln. ⑤ 《버릇 등을》 fördern[4]. ¶ 나쁜 버릇을 ～ e-e schlechte Gewohnheit fördern.

기름 Öl 〔Fett〕 *n.* -(e)s, -e. ‖ 머릿～ Haaröl *n.*; Pomade *f.* -n.

기름지다 《음식이》 schwer 〔fettig〕 (sein); 《땅이》 fruchtbar〔ergiebig〕 (sein). ¶ 기름진 음식 die fette Küche, -n / 기름진 땅 die fruchtbare Erde, -n.

기름하다 schlank u. dünn〔schmächtig〕 (sein). ¶ 기름한 얼굴 das schmale Gesicht, -(e)s, -er.

기리다 loben 《*jn.*》; lob|preisen(*) 《*jn.*》. ¶ 기릴 만한 lobenswert.

기린(麒麟) Giraffe *f.* -n. ‖ ～아 Wunderkind *n.* -(e)s, -er.

기립(起立) das Aufstehen*, -s. ～하다 auf|stehen*. ‖ ～투표 die Abstimmung durch das Aufstehen vom Sitz.

기마(騎馬) ～의 beritten. ‖ ～대 die Truppe von Kavallerie / ～ 행렬 Kavalkade *f.* -n.

기막히다(氣—) 《숨막히다》 kurzatmig sein; ersticken; 《놀랍다》 baß erstaunen 《*über*[4]》; verblüfft sein. ¶ 기막힌 일 das Unerhörte*, -n.

기만(欺瞞) Täuschung *f.* -en; Betrug *m.* -(e)s, ⸚e. ～하다 täuschen[4]; betrügen*[4]. ‖ ～ 정책 die trügerische Politik, -en.

기말(期末) das Ende e-s Termins. ‖ ～시험 Semesterschlußexamen *n.* -s, -.

기명(記名) ～하다 unterschreiben*; unterzeichnen; signieren. ‖ ～ 투표 die namentliche Abstimmung, -en.

기묘(奇妙) ～하다 sonderbar 〔seltsam; merkwürdig〕 (sein).

기물(器物) Gefäß *n.* -es, -e 《용기》; Gerät *n.* -(e)s, -e 《기구》; Utensilien(*pl.*) 《집기》; Möbel *n.* -s, - 《가구》.

기미 Fleck *m.* -(e)s, -e; Sommersprosse *f.* -n; Leberfleck *m.* ¶ ～가 끼다 mit Sommersprossen bedeckt sein.

기민(機敏) Gescheitheit *f.*; Scharfsinn *m.* -(e)s. ～하다 flink 〔(auf)geweckt〕 (sein). ¶ ～한 사나이 der scharfsinnige Mensch, -en, -en.

기밀(氣密) ～하다 luftdicht (sein). ‖ ～복(服) ein luftdichter Anzug, -(e)s, ⸚e / ～실 ein luftdichter Raum, -(e)s, ⸚e.

기밀(機密) Geheimnis *n.* -ses, -se. ～의 geheim; heimlich. ‖ ～비 Geheimfonds [..fɔ̃:] *m.* - [..fɔ̃:(s)], - [..fɔ̃:s]; 《교제용》 Repräsentationsgelder (*pl.*).

기박(奇薄) ～하다 unglücklich〔unselig〕 (sein). ¶ 그녀는 한평생 팔자가 ～했다 Sie führte ein unglückliches Leben.

기반(基盤) Grundlage *f.* -n; Grund *m.* -(e)s, ⸚e; Fundament *n.* -(e)s, -e.

기반(羈絆) Bande (*pl.*); Fessel *f.* -n(보통 *pl.*). ¶ ～을 벗어나다 die Bande lösen.

기발(奇拔) ～하다 originell 〔ungewöhnlich〕 (sein). ¶ ～한 착상 die glänzende Idee, -n.

기백(氣魄) Geist *m.* -(e)s, -er; Geistigkeit *f.* ¶ 그는 ～ 있는 사나이다 Er ist ein starker 〔kühner〕 Geist.

기법(技法) Technik *f.* -en; Methode *f.* -n.

기별(寄別) Nachricht 〔Mitteilung〕 *f.* -en; Kunde *f.* -n. ～하다 benachrichtigen 《*jn. von*[3]》; *jm.* mit|teilen[4]; Kunde geben* 《*jm. von*[3]》.

기병(騎兵) Kavallerist *m.* -en, -en; Reiter *m.* -s, -; 《총칭》 Kavallerie *f.*

기보(旣報) die bekanntgegebene Nachricht, -en. ¶ ～한 바와 같이 wie (schon) gemeldet 《신문 따위에서》.

기보(棋譜) das Handbuch des *Go*-Spiels.

기복(起伏) das Auf u. Ab, des - u. -s. ¶ ～이 있는 uneben; gewellt.

기본(基本) Grund *m.* -(e)s, ⸚e; Grundlage *f.* -n; Fundament *n.* -(e)s, -e. ~적(인) grundlegend; fundamental. ‖ ~ 원리 Grundprinzip *n.* -s, -ien / ~적 권리 Grundrecht *n.* -(e)s, -e.

기부(寄附) Beitrag *m.* -(e)s, ⸚e; Beisteuer *f.* ~하다 bei|tragen*[4] [-|steuern[4]]. ‖ ~금 Beisteuer (~금 모집 die öffentliche Sammlung, -en) / ~자 der Beitragende*, -n, -n; Spender *m.* -s, -.

기분(氣分) Gefühl *n.* -(e)s, -e; Empfindung [Stimmung] *f.* -en; Laune *f.* -n. ¶ ~ 좋은 angenehm; behaglich / ~ 나쁜 unangenehm; widrig; unbequem / ~을 내다 die richtige Stimmung bringen*[4]; e-e Stimmung schaffen. ‖ ~ 전환 Zerstreuung [Erholung] *f.* -en.

기불(旣拂) ~의 voll (aus)bezahlt; abgezahlt.

기뻐하다 [4]sich freuen (*über*[4]); erfreut [froh] sein.

기쁘다 froh [fröhlich; freudig; erfreulich] (sein). ¶ 기쁜 얼굴 das vor Freude strahlende Gesicht, -(e)s, -er.

기쁨 Freude *f.* -n; Fröhlichkeit *f.* -en.

기사(技師) Ingenieur *m.* -s, -e; 《건축의》 Architekt *m.* -en, -en.

기사(記事) 《뉴스》 Nachricht [Neuigkeit] *f.* -en; 《논설》 Artikel *m.* -s, -; 《공시》 Notiz *f.* -en; 《통신》 Bericht *m.* -(e)s, -e. ‖ ~문(文) Kurzbericht *m.* -(e)s, -e / 신문 ~ Zeitungsbericht *m.*

기사(騎士) Ritter *m.* -s, -. ‖ ~도 Rittertum *n.* -s.

기산(起算) ~하다 von e-m gewissen Datum an|rechnen. ‖ ~일 der Tag, von dem an die Rechnung begonnen ist.

기상(奇想) die phantastische Idee, -n. ¶ 이것은 ~천외이다 Das ist e-e originelle Idee. ‖ ~곡 Kapriccio *n.* -s, -s.

기상(起床) ~하다 auf|stehen*. ‖ ~ 신호 Weckruf *m.* -(e)s, -e.

기상(氣象) Wetter *n.* -s, -. ‖ ~ 관측 Wetterbeobachtung *f.* -en / ~대 Wetterwarte *f.* -n / ~ 레이더 Wetterradar *n.* [*m.*] -s / ~ 위성 Wettersatellit *m.* -en, -en / ~ 통보 Wetterbericht *m.* -(e)s, -e.

기상(氣像) Charakter *m.* -s, -e; Geistesart *f.* -en. ¶ 불굴의 ~ unnachgiebige Natur.

기색(氣色) Anschein *m.* -(e)s, -e; Miene *f.* -n. ¶ 기뻐하는 ~ 없이 ohne ein Gefühl von Freude zu zeigen.

기생(寄生) ~하다 schmarotzen. ¶ ~의 parasitär; parasitenhaft. ‖ ~ 식물 Parasit *m.* -en, -en; Schmarotzerpflanze *f.* -n / ~충 Schmarotzer *m.* -s, -; Parasit *m.*

기선(汽船) Dampfschiff *n.* -(e)s, -e; Dampfer *m.* -s, -. ¶ ~으로 in [mit] e-m Dampfschiff [Dampfer].

기선(基線) 【測量】 Grundlinie *f.* -n.

기선(機先) ¶ ~을 제하다 *jm.* zuvor|kommen*; vor|greifen*.

기성(奇聲) die seltsame Stimme, -n. ¶ ~을 발하다 e-n unheimlichen Laut hervor|bringen*.

기성(旣成) ~의 bestehend; vollendet; 《옷 따위》 fertig. ‖ ~복 Konfektionskleid *n.* -(e)s, -er / ~ 정당 die bestehende (politische) Partei, -en / ~품 Fertigfabrikat *n.* -(e)s, -e.

기성회(期成會) der Bund zur Erreichung e-s bestimmten Zweck(e)s; 《학교의 기성회》 die Unterstützungsorganisation der Schule.

기세(氣勢) Mut *m.* -(e)s. ¶ ~를 올리다 den Mut zeigen / …의 ~를 꺾다 *jn.* entmutigen.

기소(起訴) (öffentliche) Anklage, -n. ~하다 an|klagen[4] (*wegen*[2]). ‖ ~장 Anklage·schrift *f.* -en [-akte *f.* -n].

기수(奇數) ungerade Zahl, -en.

기수(基數) Grundzahl *f.* -en.

기수(旗手) Fähnrich *m.* -(e)s, -e; Fahnenträger *m.* -s, -.

기수(機首) der [das] Vorderteil e-s Flugzeugs. ¶ ~를 동쪽으로 돌리다 den Kurs nach Osten nehmen*.

기수(騎手) Reiter *m.* -s, -.

기숙(寄宿) ~하다 in Pension [Kost] sein. ‖ ~사 Pension *f.* -en; Studentenheim *n.* -(e)s, -e / ~생 Pensionär *m.* -s, -e; Kostgänger *m.* -s, -.

기술(技術) Kunst *f.* ⸚e; Technik *f.* -en. ¶ ~상의 technisch. ‖ ~ 개발 technische Entwicklung / ~ 도입 die Einführung der Technik / ~자 Techniker *m.* -s, - / ~ 제휴 technische Kooperation, -en (~ 제휴로 im technischen Einverständnis (*mit*[3])) / ~ 혁신 technische Renovation, -en.

기술(記述) Beschreibung [Schilderung] *f.* -en. ~하다 beschreiben*[4]; schildern[4]; dar|stellen[4]. ¶ ~적 beschreibend; darstellend.

기슭 Fuß *m.* -es, ⸚e. ¶ 산~에(서) am Fuß des Berges.

기습(奇襲) Überfall *m.* -(e)s, ⸚e; Überrumpelung [-raschung] *f.* -en. ¶ ~을 시도하다 e-n Überfall versuchen.

기승(氣勝) ¶ ~부리다 wüten; wütend werden.

기식(寄食) ~하다 bei *jm.* schmarotzen; bei *jm.* umsonst wohnen.

기신호(旗信號) Flaggensignal *n.* -s, -e.

기실(其實) ~은 in Wahrheit [Wirklichkeit].

기쓰다(氣—) übereifrig sein. ¶ 기쓰고 일하다 mit all s-n Kräften arbeiten.

기아(棄兒) Findelkind *n.* -(e)s, -er; Findling *m.* -s, -e.

기아(飢餓) Hunger *m.* -s; Hungersnot *f.* ⸚e. ¶ ~ 선상을 헤매다 am Hungertuch nagen. ‖ ~ 임금 Hungerlohn *m.* -(e)s, ⸚e.

기악(器樂) Instrumentalmusik *f.*

기안(起案) Entwurf *m.* -(e)s, ⸚e; Konzept *n.* -(e)s, -e. ~하다 entwerfen*[4]; e-n Plan auf|stellen. ‖ ~자 Entwerfer *m.* -s, -.

기압(氣壓) Luftdruck *m.* -(e)s. ‖ ~계 Barometer *n.* -s, - / ~골 Tief *n.* -(e)s, -e / 고[저]~ Hoch[Tief]druck.

기어 Triebwerk *n.* -(e)s, -e; Zahnrad *n.* -(e)s, ⸚er(톱니바퀴). ¶ ~를 넣다 das [4]Triebwerk in [4]Gang setzen.

기어오르다 auf[zu]dringlich werden.

기어이(期於—) um jeden Preis; auf jeden Fall; durchaus.

기억(記憶) Gedächtnis *n.* –ses, –se; Erinnerung *f.* –en. ～하다 (외고 있다) im Gedächtnis behalten*; (상기) ^{4}sich erinnern$^{(2)}$ (*an*^{4}); (명심) beherzigen^4; (암기) auswendig lernen^4; 〔컴퓨터〕 (Daten; Information; Nachricht) speichern. ¶～할 만한 denk〔merk〕würdig. ‖～력 Gedächtniskraft *f.* ⸚e (～력이 좋다〔나쁘다〕 ein gutes 〔schlechtes〕 Gedächtnis haben) / ～ 장애 Gedächtnisstörung *f.* / ～ 장치 Speicherröhre *f.* –n.

기업(企業) Unternehmung *f.* –en; das Unternehmen*, –s. ¶～을 일으키다 ein Unternehmen gründen / ～화하다 auf Großerzeugung um|stellen^4. ‖～가 Unternehmer *m.* –s, – / ～ 연합 Unternehmerverband *m.* –(e)s, ⸚e / 대～ Großunternehmen *n.* –s, –.

기여(寄與) Beitrag *m.* –(e)s, ⸚e. ～하다 bei|tragen* (*zu*^{3}).

기연(奇緣) e–e seltsame Fügung des Schicksals.

기염(氣焰) die gehobene Stimmung, –en. ¶～을 토(吐)하다 (in) gehobener Stimmung sein.

기예(技藝) (Kunst)fertigkeit *f.* –en; Kunst *f.* ⸚e.

기온(氣溫) die (atmosphärische) Temperatur, –en. ¶～이 높다〔낮다〕 Die Temperatur ist hoch 〔niedrig〕. ‖평균 ～ die durchschnittliche Temperatur.

기와 Ziegel *m.* –s, –. ‖～ 공장 Ziegelei *f.* –en / ～ 지붕 Ziegeldach *n.* –(e)s, ⸚er.

기왕(旣往) das Vergangene*, –n. ¶～의 vergangen. ‖～증 Anamnese *f.* –n.

기요틴 Guillotine *f.* –n; Fallbeil *n.* –(e)s, –e.

기용(起用) Ernennung *f.* –en; Beruf *m.* –(e)s, –e. ～하다 erhöhen^4; ernennen^4 (*zu*^{3}); berufen*^{4} (*zu*^{3}).

기우(杞憂) die grundlose Angst, ⸚e; die unnötige Sorge, –n.

기우(祈雨) das Gebet um Regen. ～하다 um Regen beten. ‖～제 das Gebetfest um Regen.

기운 ① (체력) (Körper)kraft *f.* ⸚e; Stärke *f.* –n. ¶～을 내다 s–e Kraft an|strengen. ② (원기·생기) Lebenskraft; Energie *f.* –n. ¶～좋은 frisch/ ～을 되찾다 frischen Mut wieder|bekommen*. ③ (징후 따위) Anstrich *m.* –(e)s, –e. ¶감기 ～이 있다 leicht erkältet sein. ④ (천지만물의) Animo *n.* –s, –s.

기운(氣運) (경향·형편) Tendenz *f.* –en; Neigung *f.* –en.

기운(機運) (기회) Gelegenheit *f.* –en; (운수) Glück *n.* –(e)s.

기울 (밀 따위의) Kleie *f.* –n.

기울기 Neigung *f.* –en; Hang *m.* –(e)s, ⸚e.

기울다 ① (선·면) ^{4}sich neigen. ¶45 도로 ～ e–e Neigung von fünfundvierzig Grad haben. ② (형세) zur Neige gehen*. ¶가운이 ～ die Familie ist im Verfall begriffen. ③ (해·달) ^{4}sich neigen. ¶해가 서쪽으로 ～ die Sonne neigt sich nach Westen. ④ (경향) Neigung haben (*zu*^{3}). ¶나쁜 데로 ～ Neigung zum Bösen haben.

기울어지다 ① (형세·마음) Neigung haben (*zu*^{3}). ¶어떤 의견에 ～ ^{4}sich zu e–r Ansicht neigen. ② (선·면) ^{4}sich neigen. ¶한쪽으로 기울어져 있다 schief stehen*. ③ (해·달) sinken*; ^{4}sich neigen. ¶기울어지는 달 der herabsinkende Mond, –(e)s, –e.

기울이다 ① (병·잔) neigen^4. ¶술잔을 ～ Wein trinken*. ② (정신·주의) ^{4}sich befleißigen^2. ¶귀를 ～ *jm.* zu|hören.

기웃거리다 ^{4}sich den Hals aus|strecken (*nach*^{3}); neugierig blicken.

기웃하다 〖形容詞的〗 geneigt 〔schräg〕 (sein).

기원(技員) technischer Assistent, –en, –en.

기원(祈願) das Beten*, –s. ～하다 zu Gott beten (*um*^{4}).

기원(紀元) Ära *f.* ..ren. ‖～전 (서력) vor Christo (略 : v. Chr.); vor Christi Geburt (略 : v. Chr. G.) / ～ 후 (서력) nach Christo (略 : n. Chr.); nach Christi Geburt (略 : n. Chr. G.).

기원(起源) Ursprung *m.* –(e)s, ⸚e; Quelle *f.* –n; Anfang *m.* –(e)s, ⸚e; Entstehung *f.* –en.

기율(紀律) Zucht *f.*; Disziplin *f.* Regel *f.* –n.

기이(奇異) ～하다 wunderlich 〔befremdend; kurios〕 (sein).

기인(起因) Anlaß *m.* ..lasses, ..lässe; Veranlassung *f.* –en.

기인(基因) ～하다 beruhen (*auf*^{3}); her|kommen* (*von*^{3}); zurückzuführen sein (*auf*^{4}). ¶…에 ～하여 dank$^{3·2}$; infolge$^{(2)}$ (*von*^{3}).

기일(忌日) Todes(gedenk)tag *m.* –(e)s, –e.

기일(期日) Termin *m.* –s, –e; der bestimmte Tag, –(e)s, –e.

기입(記入) Einschreibung 〔Eintragung〕 *f.* –en. ～하다 ein|schreiben*^{4}; ein|tragen*^{4}.

기자(記者) Journalist *m.* –en, –en; Zeitungsschreiber 〔Berichterstatter〕 *m.* –s, –; (Zeitungs)reporter *m.* –s, –. ‖～단 Journalistenverband *m.* –(e)s, ⸚e / ～ 회견 Pressekonferenz *f.* –en.

기장 〖植〗 Hirse *f.* –n.

기장(記章) Medaille *f.* –n.

기장(記帳) ～하다 ein|tragen*^{4} (*in*$^{4·3}$; *auf*^{3}); buchen^4 (*in*^{3}; *auf*^{4}).

기장(機長) Flugkapitän *m.* –s, –e. ‖부～ Ko-Pilot *m.* –en, –en.

기재(奇才) das merkwürdige Talent, –(e)s, –e.

기재(記載) ～하다 ein|tragen*^{4}.

기재(器材) Gerät *n.* –es, –e; Geschirr *n.* –(e)s, –e.

기저(基底) Grundlage *f.* –n; Basis *f.* ..sen.

기저귀 Windel *f.* –n.

기적(汽笛) Dampfpfeife *f.* –n. ¶～을 울리다 die Dampfpfeife ertönen lassen*.

기적(奇蹟) Wunder *n.* –s, –; das Wunderbare*, –n. ¶～적으로 wie durch ein Wunder / ～을 행하다 Wunder tun*.

기전력(起電力) die elektromotorische Kraft, ⸚e.

기절(氣絶) Ohnmacht *f.* –en. ～하다 ohnmächtig werden; in Ohnmacht fallen*.

기점(起點) Ausgangspunkt *m.* -es, -e.

기점(基點) Haupt〔Angel〕punkt *m.* -es, -e. ‖ 방위(方位) ~ die Kardinalpunkte des Kompasses.

기정(旣定) ~의 schon bestimmt; festgesetzt. ‖ ~ 방침 der festgesetzte Plan, -(e)s, ⸗e.

기제(忌祭) Totengedächtnisfeier *f.* -n.

기조(基調) Grundton *m.* -(e)s, ⸗e; Grundlage *f.* -n. ‖ ~ 연설 die grundlegende Rede, -n.

기존(旣存) ~의 (schon) bestehend; eingerichtet. ‖ ~ 시설 die vorhandene Ausstattung, -en.

기종(氣腫) 〖醫〗 Emphysem *n.* -(e)s, -e. ‖ 폐~ Lungenemphysem *n.*

기준(基準) Norm *f.* -en; Maßstab *m.* -(e)s, ⸗e.

기중(忌中) ¶ ~이다 in Trauer sein.

기중기(起重機) Kran *m.* -(e)s, ⸗e; Auslegekran *m.*; Hebemaschine *f.* -n.

기증(寄贈) Schenkung *f.* -en; Beitrag *m.* -es, ⸗e. ~하다 *jm.* schenken[4]; spendieren[4]. ‖ ~본 die gestifteten Bücher (*pl.*) / ~자 Stifter *m.* -s, - / ~품 Geschenk *n.* -es, -e.

기지(基地) (Militär)stützpunkt *m.* -(e)s, -e. ‖ 작전~ Operationsbasis *f.* ..basen.

기지(旣知) ~의 bekannt; gegeben. ‖ ~수 die bekannte Größe, -n.

기지(機智) Witz *m.* -es, -e. ¶ ~가 풍부하다 witzig 〔schlagfertig〕 sein.

기지개켜다 [4]sich strecken.

기진맥진(氣盡脈盡) ~하다 [4]sich erschöpfen; todmüde werden.

기질(氣質) Gemütsart *f.* -en; Temperament *n.* -(e)s, -e; Charakteranlage *f.* -n. ¶ 강한 ~ starke Disposition, -en. ‖ 상인 ~ Kaufmannsgeist *m.* -(e)s.

기차(汽車) Zug *m.* -(e)s, ⸗e. ¶ ~로 auf 〔mit〕 der Eisenbahn/~ 시간에 대다〔를 놓치다〕 den Zug erreichen〔verpassen〕. ‖ ~ 여행 Eisenbahnfahrt *f.* -en / ~표 (Eisenbahn)fahrkarte *f.* -n.

기차다(氣—) sprachlos 〔verblüfft〕 (sein).

기채(起債) die Aufnahme e-r Anleihe; die Herausgabe von Hypothekenbriefen. ~하다 e-e Anleihe auf|nehmen*.

기척 Zeichen *n.* -s, -; An〔Hin〕deutung *f.* -en; Anschein *m.* -s, -e. ¶ 사람이 있는 ~이 없었다 Es war kein Zeichen menschlichen Lebens vorhanden.

기체(氣體) Gas *n.* -es, -e. ¶ ~의 gasig. ‖ ~ 역학 Aerodynamik *f.*

기체(機體) Rumpf *m.* -(e)s, ⸗e (e-s Flugzeugs).

기초(起草) Abfassung *f.* -en. ~하다 ab|fassen[4]. ‖ ~자 Abfasser *m.* -s, -.

기초(基礎) Grund *m.* -(e)s, ⸗e; Grundlage *f.* -n; Fundament *n.* -(e)s, -e; 《초보》 Anfangsgründe (*pl.*). ¶ ~적인 grundlegend; fundamental; elementar. ‖ ~ 공사 Grundlegung *f.* -en / ~ 공제 Grundabzug *m.* -(e)s, ⸗e / ~ 지식 die fundamentale Kenntnis, -se.

기총(機銃) Maschinengewehr *n.* -(e)s, -e. ¶ ~ 소사하다 mit Maschinengewehren beschießen*[4].

기치(旗幟) 《기》 Fahne *f.* -n; 《태도》 Haltung *f.* -en. ¶ ~를 선명히 하다 Farbe bekennen*.

기침 Husten *m.* -s. ~하다 husten; 《잔기침》 hüsteln. ‖ ~약 Hustenmittel *n.* -s, -.

기타(其他) das Übrige*, -n. ~의 ander; übrig. ¶ … ~ (등등) …und so weiter 《略: usw.》.

기타 G(u)itarre *f.* -n.

기탁(寄託) Deposition *f.* -en. ~하다 deponieren[4] 《*bei*[3]》. ¶ 귀중품을 ~하다 [4]Wertsachen (*pl.*) in Verwahrung geben*〔verwahren lassen*〕. ‖ ~금 Depositengelder (*pl.*) / ~자 Deponent *m.* -en, -en / ~ 증서 Depositenschein *m.* -es, -e.

기탄없이(忌憚—) offen(herzig). ¶ ~ 말하면 offen gesagt.

기통(汽筒) Zylinder *m.* -s, -. ¶ 4 ~ 엔진 4 zylindriger Motor, -s, -en.

기특(奇特) ~하다 bewundernswert 〔brav〕(sein). ¶ ~하게도 zu *js.* Bewunderung.

기틀 der entscheidende Punkt, -(e)s, -e.

기포(氣胞) (Luft)blase *f.* -n.

기폭제(起爆劑) Zündmaterial *n.* -(e)s, -ien.

기품(氣品) Vornehmheit *f.* -en. ¶ ~ 있는 vornehm; edel.

기풍(氣風) Blut *n.* -(e)s; Charakter *m.* -s, -e; Charaktereigenschaft *f.* -en.

기피(忌避) Ausweichung 〔Vermeidung〕 *f.* -en; 〖法〗 Ablehnung *f.* -en. ~하다 [4]sich drücken 《*von*[3]; *um*[4]》; vermeiden*[4]; ab|lehnen[4]. ‖ ~자 Drückeberger *m.* -s, -.

기필코(期必—) sicher; gewiß; selbstsicher.

기하다(忌—) verabscheuen[4]; hassen[4]; abgeneigt sein.

기하다(期—) ① ☞ 기대하다. ② 《정하다》 bestimmen[4]; fest|setzen[4]. ③ 《결의》 [4]sich entschließen* 《*zu*[3]》.

기하학(幾何學) Geometrie *f.*

기한(期限) Termin *m.* -s, -e; Frist *f.* -en. ¶ ~이 되다〔차다〕 die Frist läuft ab. ‖ 지불 ~ Zahlungstermin *m.*

기함(旗艦) Flaggschiff *n.* -(e)s, -e.

기합(氣合) 《소리》 Schrei *m.* -(e)s, -e. ¶ ~을 넣다 zu|schreien*[3]; *jm.* den Nacken steifen 《힘내도록》.

기항(寄港) ~하다 e-n Hafen an|laufen* 〔berühren〕. ‖ ~지 Anlaufhafen *m.* -s, ⸗.

기행문(紀行文) Reisebeschreibung *f.* -en.

기형(畸形) Mißbildung *f.* -en; Mißgestalt *f.* -en; Ungestalt *f.* ~의 mißgestaltet. ‖ ~아 Mißgeburt *f.* -en.

기호(記號) Zeichen *n.* -s, -; Symbol *n.* -s, -e. ¶ ~를 붙이다 bezeichnen[4] 《*mit*[3]》. ‖ 화학 ~ chemisches Zeichen.

기호(嗜好) Geschmack *m.* -(e)s, ⸗e; Neigung *f.* -en. ¶ ~에 맞다 ganz nach s-m Geschmack sein. ‖ ~품 die Genußmittel (*pl.*).

기혼(旣婚) ~의 verheiratet. ‖ ~자 der 〔die〕 Verheiratete*, -n, -n.

기화(奇貨) ¶ …을 ~로 [4]*et.* vorteilhaft benutzend.

기화(氣化) Verdampfung〔Vergasung〕*f.* ~하다 verdampfen; verdunsten. ‖ ~기(器) Vergaser *m.* -s, - / ~열 Verdampfungswärme *f.*

기회(機會) Gelegenheit *f.* -en; die Gunst des Augenblicks. ¶~를 주다 e-e Gelegenheit geben* (*jm. zu*[3]) / ~를 기다리다 e-e Gelegenheit ab|warten / ~를 포착하다〔놓치다〕 e-e Gelegenheit ergreifen* 〔verpassen〕. ‖~ 균등주의 der Grundsatz der Gleichberechtigung / ~주의 Opportunismus *m.* - (~주의자 Opportunist *m.* -en, -en).

기획(企劃) Entwurf 〔Plan〕 *m.* -(e)s, ⸗e. ~하다 entwerfen*[4]; planen[4]. ‖~ 관리실 Planung- u. Verwaltungsabteilung, -en.

기후(氣候) Klima *n.* -s, -s 〔-ta *od.* -te〕; Wetter *n.* -s, -. ¶~가 좋다〔나쁘다〕 Das Klima ist gut 〔schlecht〕. ‖~학 Klimatologie *f.*

긴급(緊急) ~하다 dringend 〔dringlich〕 (sein). ‖~ 대책 Notmaßnahme *f.* -n / ~ 동의 Dringlichkeitsantrag *m.* -(e)s, ⸗e / ~ 명령 Notverordnung *f.* -en / ~ 조치 dringliche Maßnahme, -n / ~ 회의 die dringliche Konferenz, -en.

긴밀(緊密) ~하다 genau 〔dicht〕 (sein); 《관계가》 eng 〔innig〕 (sein). ¶~한 연락을 취하다 enge Verbindung halten* (*mit*[3]).

긴박(緊迫) ~하다 dringend 〔akut; bedrohlich〕 (sein). ¶~한 정세 die Spannung der Lage.

긴요(緊要) ~하다 notwendig 〔unerläßlich〕 (sein). ¶~한 서류 die wichtigen Papiere (*pl.*).

긴장(緊張) Spannung 〔Gespanntheit〕 *f.* ~하다 (an)gespannt sein; [4]sich an|strengen. ¶~시키다 (an|)spannen[4]; an|strengen[4] / ~한 angestrengt; (an-)gespannt; straff.

긴축(緊縮) Einschränkung *f.* -en. ~하다 ein|schränken[4]. ‖~ 재정 Einschränkungsbudget *n.* -s, -s / ~ 정책 die Politik der Ausgabenschränkung.

긴하다(緊—) wichtig 〔dringend〕 (sein). ¶긴한 부탁 e-e dringende Bitte, -n.

긷다 schöpfen[4]; pumpen[(4)]. ¶갓 길어 온 frisch geschöpft.

길[1] ① 《도로》 Weg *m.* -(e)s, -e; Straße *f.* -n; Pfad *m.* -(e)s, -e. ¶길을 잃다 [4]sich verirren / 길을 트다 den Weg bahnen / 승진의 길을 열다 e-e Möglichkeit zum Aufstieg bestehen lassen*. ② 《방법》 Weg *m.*; Mittel *n.* -s, -. ¶살아갈 길 Einkommensquelle *f.* -n. ③ 《도중》 ¶가는 길에 auf dem Weg (*nach*[3]). ④ 《지켜야 할》 Weg *m.*; Pflicht *f.* -en. ¶참된 길을 찾다 nach der Wahrheit suchen.

길[2] ① 《윤기》 Glanz *m.* -es, -e. ¶책상이 길이 들었다 Der Schreibtisch ist poliert. ② 《순치》 Zähmung *f.* ¶길들인 곰 der gezähmte Bär, -en, -en.

길[3] 《깊이》 ¶두 길이나 되는 물 das Wasser von 2 *Gil* Tiefe.

길가 Weg〔Straßen〕rand *m.* -(e)s, ⸗er.

길거리 ☞거리.

길길이 《높이》 hoch; in der Höhe; 《성이 나서》 sehr; äußerst. ¶성이 나서 ~ 뛰다 im höchsten Grad ärgerlich sein.

길눈 《방향 감각》 Ortssinn *m.* -(e)s, -e. ¶~이 밝다〔어둡다〕 e-n guten〔schlechten〕 Orientierungssinn haben.

길다 lang (sein). ¶기다란 dünn u. lang; schlank; schmal / 길어지다 länger werden / 길게 하다 verlängern[4]; länger machen[4].

길들다 ① 《동물이》 zahm werden. ¶길든 고양이 die zahme Katze, -n. ② 《윤나다》 glänzend 〔schimmernd〕 sein. ¶길든 마루 der polierte Fußboden, -s, - 〔⸗〕. ③ 《익숙해지다》 geschickt 〔erfahren〕 sein.

길들이다 ① 《동물을》 (be)zähmen[4]; domestizieren[4]. ¶말을 ~ ein Pferd schulen. ② 《익숙해지게》 gewöhnen[4] (*an*[4]). ¶기후에 ~ akklimatisieren[4]. ③ 《윤나게》 putzen[4]; glänzend machen[4]. ¶가구를 ~ das Möbel polieren.

길목 《길모퉁이》 Straßenecke *f.* -n; 《요소》 die wichtige Stelle, -n.

길몽(吉夢) schöner Traum, -(e)s, ⸗e.

길손 der Reisende*, -n, -n.

길이 Länge *f.* -n.

길일(吉日) der glückliche Tag, -(e)s, -e.

길잡이 《새 분야의》 Führer *m.* -s, -; Leiter *m.* -s, -; 《길 안내자》 Wegweiser *m.* -s, -.

길조(吉兆) das glückliche Vorzeichen, -s, -.

길짐승 Vierfüßer *m.* -s, -.

길쭉길쭉 ¶~한 schmal u. lang.

길하다(吉—) glück·lich 〔-verheißend; -verkündend〕 (sein).

길흉(吉凶) Glück u. Unglück; Schicksal *n.* -(e)s, -e. ¶~을 점치다 wahrsagen 〔prophezeien〕 (*jm.*).

김[1] 《먹는》 ¶말린 김 der getrocknete Meerlattich, -(e)s, -e.

김[2] 《증기》 Dampf *m.* -(e)s, ⸗e; Dunst *m.* -es, ⸗e.

김매다 〖農〗 aus|jäten[4].

김빠지다 schal 〔abgestanden〕 sein. ¶김빠진 맥주 das abgestandene Bier, -s.

김장 mit Salz u. Gewürzen eingelegtes Gemüse für den Winter. ~하다 *Kimchi* ein|legen (als Wintervorrat).

김치 *Kimchi*; eingemachtes Gemüse, -s.

깁다 (zu|)nähen[4]; flicken[4]. ¶양말을 ~ Strümpfe aus|bessern.

깁스 Gips *m.* -es, -e. ¶~를 하다 e-n Gipsverband an|bringen*.

깃[1] 《옷의》 Kragen *m.* -s, -; Aufschlag *m.* -(e)s, ⸗e.

깃[2] 《털》 Feder *f.* -n; Gefieder *n.* -s, -.

깃대(旗—) Fahnenmast *m.* -(e)s, -e(n).

깃들이다 《새 따위가》 wohnen; nisten.

깃발(旗—) Banner *n.* -s, -; Bannerwimpel *m.* -s, -.

깊다 ① 《깊이가》 tief (sein). ¶깊은 상처 die tiefe Wunde, -n. ② 《比》 gründlich 〔tief〕 (sein). ¶깊은 인상 der tiefe Eindruck, -(e)s, ⸗e. ③ 《짙은》 dicht 〔dick〕 (sein). ¶깊은 숲 속에서 im tiefen Walde. ④ 《정분이》 innig〔intim〕 (sein). ¶깊은 사이다 ein (Liebes)verhältnis mit *jm.* haben 《남녀가》.

깊숙하다 tief 〔abgelegen〕 (sein). ¶깊숙한 골짜기 das tiefe Tal, -(e)s, ⸗er.

깊이 ① 〖名詞的〗 Tiefe *f.* -n. ¶~가 있는 tief(gründig). ② 〖副詞的〗 tief. ¶~ 잠들다 ganz fest 〔tief〕 schlafen*.

까끄라기 Bart *m.* -(e)s, ⸚e; Granne *f.* -n.

까놓다 ^{4}sich (offen) aus|sprechen*. ¶ 까놓고 말하면 offen gesagt.

까다 《껍질을》 (ab|)schälen^{4}; aus|hülsen^{4}; 《알을》 aus|brüten^{4}.

까다롭다 schwierig 〔kitzlig; wählerisch〕 (sein). ¶ 까다로운 문제 die heikle Angelegenheit, -en.

까닥거리다 《…이》 ^{4}sich immer wieder rühren.

까닭 ① 《이유·원인》 Grund *m.* -(e)s, ⸚e; das Warum*, -s. ¶ ～이 있어 aus e-m gewissen Grund. ② 《사정·곡절》 Umstände 〔Verhältnisse〕 (*pl.*).

까딱 ¶ ～없다 《사물이》 felsenfest sein; 《마음이》 unerschütterlich sein.

까마귀 Krähe *f.* -n; Rabe *m.* -n, -n. ¶ ～ 날자 배 떨어진다 Mitgefangen, mitgehangen.

까먹다 schälen^{4} u. essen*^{4}; 《잊다》 vergessen*^{4}; verlernen^{4}; aus dem Sinn kommen*.

까부르다 《곡식을》 schwingen*^{4}; scheiden*^{4}; worfeln^{4}.

까불리다 《탕진》 verschwenden^{4}; leichtsinnig aus|geben*^{4}.

까지 《때》 bis; bis zu^{3}; vor; bevor; 《장소》 bis^{3}; bis zu^{3}; nach^{3}; 《조차》 auch; sogar; selbst.

까지다 abgerieben〔abgescheuert; abgeschürft〕 werden. ¶ 무릎이 ～ ^{3}sich das Knie ab|schürfen.

까치 〖鳥〗 Elster *f.* -n.

까치발 Trägerarm *m.* -(e)s, -e《선반의》.

까칠하다 hager 〔mager; abgemagert; abgehärmt〕 (sein).

까투리 Fasan *m.* -(e)s, -e(n).

깍두기 marinierte Rettichwürfel (*pl.*).

깍쟁이 《인색한》 der filzige Kerl, -s, -e; Geizhals *m.* -es, ⸚e.

깍지 Schote 〔Hülse; Schale〕 *f.* -n. ¶ ～를 벗기다 enthülsen^{4}; schälen^{4}; entschoten^{4}.

깎다 ① 《수염·털》 rasieren^{4}. ¶ 머리를 ～ ^{3}sich die Haare schneiden lassen*. ② 《값을》 herab|setzen^{4}. ¶ 1 할 깎아 주다 ^{4}*et.* 10 % Rabatt geben*. ③ 《양털》 scheren*^{4}. ¶ 양털을 ～ Wolle scheren*. ④ 《체면》 Schande laden*《*auf*^{4}》. ¶ 학교 체면을 ～ der Schule zur Schande gereichen.

깎이다 《사역》 ^{4}*et.* beschneiden lassen*; 《피동》 beschnitten werden.

깐깐하다 《성질이》 fest 〔straff; pfiffig〕 (sein).

깐보다 《헤아리다》 den Verlauf beobachten.

깔개 Binsenmatte *f.* -n; Teppich *m.* -s, -e.

깔기다 urinieren; Wasser lassen*.

깔깔 ¶ ～ 웃다 kreischend lachen.

깔끔하다 elegant〔hübsch; fesch〕(sein).

깔다 ① 《펴다》 belegen^{4} 《*mit*^{3}》. ¶ 바닥에 매트를 ～ den Boden mit Matten belegen. ② 《포장》 pflastern^{4} 《*mit*^{3}》. ¶ 길에 자갈을 ～ e-n Weg beschottern. ③ 《돈·물건을》 aus|streuen^{4}.

깔때기 Trichter *m.* -s, -.

깔리다 《밑에》 belegt werden; 《돈·곡식이》 ausgestreut sein.

깔보다 gering|schätzen^{4}; verachten^{4}; *jn.* mit Geringschätzung behandeln.

깔쭉깔쭉하다 zackig〔(aus)gezackt〕(sein).

깜깜하다 finster 〔pechfinster; stockfinster〕 (sein).

깜박 ① 《눈을》 das Zwinkern*, -s. ～하다 winken. ② 《깨닫지 못하는 새》 zerstreut. ～하다 ^{4}sich vergessen*. ¶ ～ 잊다 *js.* Gedächtnis versagt für den Augenblick.

깜박거리다 《눈을》(mit den Augen) zwinkern; blinzeln; 《별이》 funkeln; 《등불이》 flackern.

깜부기 《이삭》 Brandkorn *n.* -s, ⸚er; 《숯》 Holzkohle-Zinder *m.* -s, -.

깜빡 《잠깐》 e-n Augenblick. ¶ ～ 잊다 *js.* Gedächtnis versagt für den Augenblick.

깜짝 ¶ ～ 놀라다 auf|fahren*; vor ^{3}Erstaunen den Atem an|halten*.

깜찍스럽다 recht erstaunlich 〔unkindlich〕 (sein).

깡그리 alles; von Anfang bis zu Ende; gänzlich; ganz; völlig; vollständig.

깡통 (leere) Büchse, -n; Konserve *f.* -n. ¶ ～ 맥주 Büchsenbier *n.* -(e)s, -e.

깡패 Baufbold *m.* -(e)s, -e; Rowdy *m.* -s, -s; Schurke *m.* -n, -n.

깨 《참깨》 Sesam *m.* -s, -s.

깨끔하다 anmutig 〔reinlich; ordentlich; niedlich〕 (sein).

깨끗이 ① 《깨끗하게》 rein(lich); fein. ～하다 reinigen^{4}. ¶ 방을 ～ 치우다 das Zimmer sauber auf|räumen. ② 《완전히》 einfach; kurz. ¶ ～ 거절하다 glatt ab|schlagen*^{4}.

깨끗하다 ① 《순결》 rein (sein); 《결백》 unschuldig (sein); 《고결》 edel (sein). ¶ 깨끗한 마음 das reine Herz, -ens, -en. ② 《정갈하다》 rein 〔sauber〕 (sein). ¶ 깨끗한 공기 die reine Luft, ⸚e. ③ 《미끈함》 schlank (sein); 《말쑥함》 sauber (sein). ¶ 방을 깨끗하게 치우다 das Zimmer in Ordnung bringen*. ④ 《몸이》 wohl (sein). ¶ 몸이 ～ ^{4}sich erleichtert fühlen.

깨나다 wieder lebendig werden; wieder auf|leben; wieder zu sich kommen* 《기절에서》; aus s-m Wahn erwachen 《미몽에서》.

깨다^{1} 《잠이》 auf|wachen; erwachen; 《취기가》 ^{4}sich ernüchtern.

깨다^{2} 《깨뜨림》 (zer)brechen*^{4}; zerschlagen*^{4}.

깨닫다 ① 《알다》 begreifen*^{4}; 《통찰》 klar|sehen*^{4}; 《낌새챔》 Wind bekommen* 《*von*^{3}》; 《알아차리다》 merken^{4}. ¶ 깨닫지 못하고 ohne bemerkt zu werden. ② 《미리》 ahnen^{4}. ¶ 닥쳐오는 위험을 ～ kommende Gefahr ahnen. ③ 《종교적으로》 zur Er|euchtung gelangen.

깨뜨리다 ☞ 깨다^{2}.

깨물다 ab|beißen*^{4}. ¶ 손톱을 ～ die Nagel 〔an den Nägeln〕 kauen / 혀를 ～ ^{3}sich die Zunge ab|beißen*.

깨소금 mit Salz gemischte Sesamsamen (*pl.*).

깨알 Sesamkorn *n.* -(e)s, ⸚er. ¶ ～ 같은 글씨 ein winzigklein geschriebener Buchstabe, -ns, -n.

깨우다 (er)wecken^{4}; auf|wecken^{4}; 《취기》 ernüchtern^{4}.

깨우치다 *jm.* die Augen öffnen; ernüchtern^{4}; auf|klären^{4}.

깨지다 ① 《단단한 것이》 (zer)brechen*. ¶깨지기 쉬운 zerbrechlich. ② 《계획·교섭》 mißlingen*. ¶깨진 사랑 verlorene Liebe.

깻묵 Ölkuchen *m.* –s, –.

깻잎 Sesamblatt *n.* –(e)s, ¨er.

꺼내다 ① 《속의 물건을》 heraus|bringen*[4] 〔–|tragen*[4]〕. ¶주머니에서 돈을 ～ Geld aus der Tasche nehmen*[4]. ② 《말·문제를》 vor|bringen*[4] 〔–|legen[4]〕. ¶회의에서 안건을 ～ e–e Sache in e–r Sitzung vor|tragen*.

꺼뜨리다 Feuer löschen〔ausgehen; verlöschen〕 lassen*.

꺼리다 [4]sich scheuen 〔fürchten〕 《*von*[3]》; vermeiden*[4].

꺼림칙하다 *jm.* am Herzen liegen*; besorgt sein 《*um*[4]; *wegen*[2]》; [4]sich beunruhigen 《*über*[4]; *wegen*[2]》; vermeiden*[4].

꺼벙하다 groß, aber schwach (sein).

꺼지다 ① 《불》 (er)löschen*. ¶불이 ～ das Feuer geht aus. ② 《소멸》 vergehen*. ¶자연히 ～ von selbst aus|sterben*. ③ 《움푹》 (ein|)sinken*. ¶배가 ～ hungrig werden. ④ 《사람》 verschwinden*. ¶꺼져 Verschwinde!

꺽꺽하다 hart 〔rauh; grob〕 (sein).

꺾꽂이 Ableger 〔Absenker〕 *m.* –s, –; Steckling 〔Setzling〕 *m.* –s, –e. ～하다 ab|legen[4]; ab|senken[4].

꺾다 ① 《부러뜨리다》 (ab|)brechen*[4]. ¶꽃을 ～ e–e Blume ab|brechen*. ② 《길을》 biegen*[4]. ¶커브를 ～ e–e Kurve nehmen*. ③ 《기를》 entmutigen[4]. ¶희망을 ～*js.* Hoffnung zunichte machen.

꺾쇠 (Eisen)klammer 〔Krampe〕 *f.* –n.

꺾어지다 brechen*; abgebrochen werden; [4]sich falten lassen* 《접힘》. ¶돛대가 ～ der Mast des Schiffes ist gebrochen.

껄껄 ¶～ 웃다 in ein schallendes Gelächter aus|brechen*.

껄끄럽다 uneben〔grob; prickend〕(sein).

껄렁하다 schlecht〔arm; wertlos〕(sein). ¶껄렁한 물건 wertloses Zeug, –(e)s.

껌 Kaugummi *m.* –s, –s.

껌껌하다 《암흑》 dunkel 〔finster〕 (sein); 《마음》 schwarz (sein).

껍질 Schale *f.* –n; 《나무껍질》 Rinde *f.* –n; Borke *f.* –n; 《깍지》 Hülse *f.* –n; 《빵의》 Kruste *f.* –n.

께죽거리다 《투덜대다》 murren; brummen; 《음식을》 die Speise appetitlos immer wieder kauen.

껴안다 《팔로》 umarmen[4]; an die Brust drücken[4].

껴입다 Kleider (*pl.*) übereinander tragen*.

꼬끼오 ¶～ 하고 닭이 운다 Die Hähne (*pl.*) rufen kikeriki.

꼬다 zwirnen[4]; (zusammen|)drehen[4]; 《몸을》 [4]sich winden*.

꼬드기다 verführen 《*jn. zu*[3]》; verleiten 《*jn. zu*[3]》; an|fachen[4].

꼬리 Schwanz *m.* –es, ¨e; 《긴 꼬리》 Schweif *m.* –(e)s, –e. ¶～치다 mit dem Schwanze wedeln; schwänzeln. 《개가》. ‖～표 Anhänger *m.* –s, –.

꼬마 die kleine Person; Zwerg *m.* –(e)s, –e; 《아이》 der Kleine*, –n, –n; 《소형》 Miniatur *f.* –en.

꼬바기 ununterbrochen. ¶밤을 ～새우다 kein Auge zu|tun*.

꼬박꼬박 《지체 없이》 unverzüglich. ¶～ 지불하다 pünktlich zahlen.

꼭 ① 《틀림없이》 bestimmt; gewiß. ¶꼭 오게 Du mußt unbedingt kommen. ② 《바싹》 stark; fest. ¶꼭 껴안다 ([4]sich) fest umarmen[(4)]. ③ 《똑》 gerade; eben. ¶꼭 4시에 punkt um 4 Uhr. ④ 《어울림》 fest; genau. ¶꼭 맞다 *jm.* gut stehen*.

꼭대기 Gipfel *m.* –s, –; Spitze〔Höhe〕 *f.* –n.

꼭두각시 Puppe〔Marionette〕 *f.* –n.

꼭두새벽 ¶～에 am frühen Morgen; in den frühen [3]Morgenstunden.

꼭두서니 〖植〗 Krapp *m.* –(e)s.

꼭뒤누르다 *jn.* in der Gewalt haben; *jn.* kontrollieren.

꼭뒤눌리다 völlig unter *js.* Kontrolle stehen*〔fassen〕.

꼭뒤잡이하다 *js.* Hinterkopf packen.

꼭뒤지르다 vereiteln[4]; durchkreuzen[4]; brechen*[4]; ein|schüchtern[4].

꼭뒤질리다 vorweggenommen werden; im voraus aufgekauft werden.

꼭지 ① 《식물의》 Kelch *m.* –(e)s, –e. ¶～가 떨어지다 die Frucht ist reif. ② 《그릇의》 Knauf 〔Knopf〕 *m.* –(e)s, ¨e. ③ 《수도의》 Hahn *m.* –(e)s, ¨e. ¶수도 ～를 잠그다 den Hahn zu|drehen.

꼲다 e–e Zensur 〔Note〕 geben* 《*jm.*》; zensieren[4].

꼴[1] 《생김새》 Erscheinung *f.* –en; Anblick *m.* –(e)s, –e; Aussehen *n.* –s; 《경멸적》 Gesicht *n.* –(e)s, –er; Anblick *m.* –(e)s, –e. ¶꼴이 아니다 k–e Farbe haben; häßlich 〔mißgestaltet〕 sein.

꼴[2] 《풀》 Futter *n.* –s, –; Furage *f.*; Heu *n.* –(e)s. ¶꼴을 베다 mähen[4].

꼴뚜기 Oktopode *m.* –n, –n 〔*f.* –n〕; Seepolyp *m.* –en, –en.

꼴리다 《성기가》 [4]sich auf|richten; gerade stehen*; steif werden; 《배알이》 ungehalten werden.

꼴불견(一不見) Schäbigkeit *f.*; Unscheinbarkeit *f.*; Ungeschicklichkeit *f.*

꼴사납다 häßlich 〔schlecht; unwürdig〕 (sein). ¶꼴사납게 굴다 [4]sich schlecht benehmen*.

꼴찌 der Letzte* 〔Unterste*〕 –n, –n.

꼼꼼하다 genau 〔sorgfältig; vorsichtig〕 (sein). ¶꼼꼼하게 mit Sorgfalt / 꼼꼼한 사람 der korrekte Mensch, –en, –en.

꼼짝 ¶～ 않고 regungslos; reglos.

꼼짝달싹 ¶～ 못 하다 eingeengt sein; [3]sich k–n Rat wissen*.

꼽다 an den Fingern ab〔her〕|zählen.

꼽추 Buckel *m.* –s, –; Auswuchs *m.* –es, ¨e; Höcker *m.* –s, –.

꼿꼿하다 《곧은》 gerade〔direkt; aufrecht〕 (sein); 《성실한》 redlich 〔rechtlich; ordentlich〕 (sein).

꽁무니 der Hintere*, –n, –n; Hinterteil *m.* –(e)s, –e. ¶～ 빼다 [4]sich zurück|ziehen*《*von*[3]》; [4]sich aus dem Staube machen.

꽁초 Stummel *m.* –s, –.

꽁치 〖魚〗 Makrelenhecht *m.* –(e)s, –e.

꽂다 stecken[4] 《*in*[4]》; ein|klemmen[4] 〔–legen[4]〕. ¶꽃을 꽃병에 ～ Blumen in e–e Vase stecken.

꽃 ① Blume 〔Blüte〕 *f.* –n. ¶꽃다운, 꽃

같은 blühend / 꽃다운 처녀들 ein Flor schöner [2]Mädchen / 꽃이 피다 (auf|-)blühen. ② 《정화》 Blüte *f.* ; Geist *m.* -(e)s. ¶ 인생의 꽃다운 시절 des Lebens Mai *m.* -s. ③ 《기타》 ¶ 이야기꽃을 피우다 lebhaft diskutieren. ‖ 꽃다발 Blumenstrauß *m.* -es, ¨e / 꽃밭 Blumenbeet *n.* -(e)s, -e / 꽃병 (Blumen-)vase *f.* -n / 꽃잎 Blumenblatt *n.* -(e)s, ¨er / 꽃집 Blumenladen *m.* -s, -.

꽃꽂이 das Blumenstecken*, -s; Blumenarrangement *n.* -s, -s. ～하다 Blumen (*pl.*) ordnen 〔stecken〕.

꽃답다 schön 〔hübsch; fein; reizend〕 (sein).

꽃창포 (一菖蒲) 〖植〗 Schwertlilie *f.* -n; Schwertel *m.* -s, -.

꽃철 Blumen〔Blüte〕zeit *f.* -en.

꽤 《제법》 ziemlich; bedeutend; beträchtlich. ¶ 꽤 먼〔멀리〕 ziemlich weit; 《비교적》 verhältnismäßig; ganz; recht. ¶ 꽤 좋다 verhältnismäßig gut sein.

꾀 (Kriegs)list *f.* -en; Plan *m.* -(e)s, ¨e. ¶ 꾀에 빠지다 ins Garn gehen* / 꾀가 있는 klug; listig. ‖ 꾀보 e-e findige 〔kluge〕 Person -en.

꾀까다롭다 heikel 〔verwickelt; schwierig〕 (sein).

꾀다[1] 《모여들다》 [4]sich drängen. ¶ 과자에 파리가 꾀어 있다 Auf dem Kuchen wimmelt es von Fliegen.

꾀다[2] 《속이다》 betrügen*[4]; 《유혹》 verlocken[4]. ¶ 여자를 ～ e-e Frau verführen.

꾀어내다 hinaus|locken[4] 《*aus*[3]》.

꾀잠 Scheinschlaf *m.* -(e)s; verstellter Schlaf.

꾀하다 planen*[4]; vor|haben*[4]; e-n Plan entwerfen*; 《뜻하다》 beabsichtigen[4]; streben 《*nach*[3]》; zielen 《*auf*[4]》.

꾐 (Ver)lockung 〔Versuchung〕 *f.* -en. ¶ 꾐에 빠지다 verlockt 〔verführt; verleitet〕 werden; angelockt werden.

꾸미다 ① 《완성》 fertig|bringen*[4]. ② 《치장》 schmücken[4]; 《장식하다》 aus|schmücken[4]; 《성장》 [4]sich auf|putzen. ¶ 방을 ～ ein Zimmer aus|schmücken / 젊게 ～ [4]sich jugendlich schminken. ③ 《태도를》 affektieren[4]. ¶ 태도를 ～ [4]sich zieren. ④ 《조작》 erfinden*. ¶ 음모를 ～ Ränke (*pl.*) schmieden. ⑤ 《조직》 machen[4]. ¶ 집을 ～ ([3]sich) ein Haus bauen. ⑥ 《작성》 an|fertigen[4]. ¶ 책을 ～ ein Buch machen.

꾸준하다 emsig 〔fleißig wie ein Bienchen〕 (sein). ¶ 꾸준히 공부하다 unterbrochen arbeiten.

꾸지람 das Schelten*, -s. ～하다 schelten*[4]; tadeln[4]. ¶ ～을 듣다 e-e Rüge bekommen*.

꾸짖다 schelten*[4] 《*auf*[4]》; schimpfen[(4)] 《*auf*[4]》. ¶ 몹시 ～ aus|schelten*[4].

꾹 geduldig. ¶ 꾹 참다 herunter 〔hinunter〕|schlucken[4].

꿀 Honig *m.* -s; 《꽃의》 Nektar *m.* -s.

꿀꺽꿀꺽 ¶ ～ 마시다 laut saufen*〔saugen*〕; in e-m Zug trinken*.

꿇어앉다 nieder|knie(e)n; [4]sich auf die Knie werfen* 《vor *jm.*》.

꿈 Traum *m.* -(e)s, ¨e; 《환상》 Vision *f.* -en; Phantasie *f.* -n. ¶ 꿈(과) 같은 traumartig; traumhaft; träumerisch / 꿈꾸다 den Traum haben; träumen 《*von*[3]》; [3]sich aus|malen[4] / 꿈자리가 좋다 〔나쁘다〕 gut 〔schlecht〕 geträumt haben.

꿈결 ¶ ～에 im Traumzustand / ～에 듣다 träumerisch zu|hören[3].

꿈꾸다 ① 《자면서》 träumen. ¶ 고향을 ～ von der Heimat träumen. ② 《은근히 바라다》 wünschen[4]; begehren[4]. ¶ 영달(榮達)을 ～ von e-r glänzenden Laufbahn träumen.

꿈땜하다 [4]sich damit trösten, daß ein böser Traum das Unglück schon angedeutet hat.

꿩 〖鳥〗 Fasan *m.* -(e)s, -en. ‖ 꿩사냥 Fasanenjagd *f.* -en.

꿰다 durchstechen*[4]; durchstoßen*[4]; 《실을》 ein|fädeln.

꿰뚫다 durchbohren[4]; hindurch|gehen*; durchdringen*[4] 《*durch*[4]》; durchstoßen*[4].

꿰매다 (zusammen|)nähen[4]; zu|nähen[4]; sticheln[4]; flicken[4].

끄나풀 《끈》 Schnur *f.* ¨e; Strick *m.* -(e)s, -e; 《앞잡이》 Werkzeug *n.* -(e)s, -e. ¶ 경찰의 ～ ein blindes Werkzeug in den Händen der Polizei.

끄느름하다 《날씨·불기운이》 düster 〔niederdrückend; schwül〕 (sein).

끄다 ① 《불·전등·가스를》 löschen[4]; aus|löschen[4]. ¶ 불을 ～ das Feuer ersticken. ② 《깨뜨리다》 zerbrechen*[4]. ¶ 얼음을～ das Eis in Stücke schlagen*. ③ 《빚을》 [4]*et.* in Raten bezahlen.

끄덕이다 (mit dem Kopfe) nicken; 《사람을 보고》 *jm.* zu|nicken.

끄르다 auf|lösen[4] 〔-|schnüren[4]; -|binden*[4].

끄물거리다 《날씨가》 das Wetter bleibt unbeständig.

끄집다 nehmen*[4]; fassen[4]; ergreifen*[4]; packen[4].

끄집어내다 heraus|nehmen*[4] 〔-|bringen*[4]; -|tragen*[4]〕.

끄집어당기다 zerren[4]; (heran|)ziehen*[4].

끄집어올리다 hinauf|ziehen*[4]; herauf|ziehen*[4]; bergen*[4].

끈 Schnur *f.* ¨e; Riemen *m.* -s, -; Strick *m.* -(e)s, -e. ¶ 끈을 풀다〔매다〕 e-e Schnur auf|lösen 〔fest|binden*〕.

끈기 (一氣) ① 《성질의》 Zähigkeit〔Beharrlichkeit〕 *f.* -en; Ausdauer *f.* ¶ ～있게 일하다 mit Ausdauer arbeiten. ② 《끈끈한 기》 Kleb(e)rigkeit 〔Zähflüssigkeit〕 *f.* -en. ¶ ～ 있는 쌀 der klebrige Reis, -es, -e.

끈끈하다 《차지다》 klebrig 〔zäh〕 (sein). ¶ 땀으로 ～ klebrig von Schweiß sein.

끈덕지다 beharrlich 〔zäh; hartnäckig〕 (sein). ¶ 끈덕진 사람 ein Mensch von großer Ausdauer.

끈적끈적하다 《물체가》 klebrig (sein); 《성격이》 zäh 〔zudringlich〕 (sein).

끈질기다 zäh 〔beharrlich; hartnäckig〕 (sein). ¶ 끈질긴 병 die langwierige Krankheit.

끊기다 ① 《줄이》 (zer)reißen*. ¶ 연줄이 끊겼다 Die Drachenschnur ist gerissen. ② 《관계가》 [4]sich trennen 《von *jm.*). ③ (목숨이) getötet werden. ④ (두절) unterbrochen werden.

끊다 ① (절단) (ab|)schneiden*[4] [(ab|-)trennen[4]] (*von*[3]). ¶천을 ~ das Tuch ab|schneiden*. ② (사다) kaufen. ¶차표를 ~ e-e Fahrkarte lösen. ③ (중단·차단) ab|schneiden*[4]; ab|sperren[4]. ¶연락을 ~ die Verbindung ab|brechen*. ④ (관계) ab|brechen*[4]; auf|kündigen. ¶교제를 ~ den Verkehr ab|brechen*. ⑤ (그만두다) auf|geben*[4]; verzichten (*auf*[4]). ¶담배를 ~ das Rauchen auf|geben*. ⑥ (목숨을) das Leben nehmen* (*jm.*).

끊어지다 ① (줄이) (zer)reißen*. ¶줄이 끊어졌다 Die Saite ist geplatzt. ② (관계가) [4]sich trennen (von *jm.*). ¶인연이 ~ das Band wird gelöst. ③ (중단·차단) unterbrochen werden. ¶전화가 ~ das Telephon ist abgestellt. ④ (공급이) alle werden. ¶기름이 ~ das Öl ist zu Ende. ⑤ (생명이) sterben*. ¶숨이 ~ aus|atmen; den letzten Atemzug aus|hauchen.

끊임없다 ununterbrochen [(fort)dauernd] (sein). ¶끊임없는 노력 unermüdliche Bemühungen (*pl.*).

끊임없이 ununterbrochen; ohne Pause. ¶~ 노력하다 [4]sich unermüdlich bemühen; stets streben.

끌 Meißel *m.* [Stemmeisen *n.*] -s, -.

끌고가다 (연행) *jn.* mit|nehmen*; ab|führen[4].

끌다 ① (질질) ziehen*[4]. ¶발을 끌며 걷다 [4]sich schleppen. ② (당기다) heran|ziehen*[4]. ¶손님을 ~ Gäste (*pl.*) an|locken. ③ (이목) an|ziehen*[4]. ¶인기를 ~ beliebt sein. ④ (미루다) an|dauern; (병 따위가) langsam verlaufen*. ¶오래 끄는 병 die langwierige Krankheit, -en. ⑤ (시설하다) an|legen[4]. ¶수도를 ~ mit Wasserleistung versehen*.

끌어내다 (her)aus|ziehen*[4]; (꾀어) heraus|locken[4] (*aus*[3]).

끌어내리다 herunter|ziehen*[4].

끌어당기다 (heran|)ziehen*[4].

끌어들이다 ein|ziehen*[4]; ein|führen[4]; (꾀어) *jn.* für sich gewinnen*; verlocken[4].

끌어안다 in die Arme schließen*[4]; an die Brust drücken[4]; umarmen[4].

끌어올리다 auf|ziehen*[4]; erhöhen[4].

끓다 ① (물이) kochen; sieden(*). ¶물이 ~ das Wasser kocht. ② (뜨거워지다) heiß werden. ¶방이 절절 ~ das Zimmer wird heiß. ③ (속이) kochen. ¶질투로 속이 ~ es kocht in mir vor Eifersucht. ④ (뱃속이) knurren. ¶배가 ~ mir knurrt der Magen. ⑤ (가래가) verschleimen. ¶가래가 ~ der Hals ist mir verschleimt.

끓이다 kochen(4); sieden(*)(4). ¶차[커피]를 ~ Tee [Kaffee] kochen / 물을 ~ Wasser heiß machen.

끔찍하다 schrecklich [fürchterlich; grausam] (sein). ¶끔찍한 광경 ein entsetzlicher Anblick.

끝 ① (첨단) Spitze *f.* -n. ¶혀끝 Zungenspitze. ② (맨나중) Ende *n.* -s, -n. ¶끝까지 bis Ende. ③ (행렬 등의) der letzte. ¶맨 끝에 서(있)다 der letzte sein. ④ (한도) Grenze *f.* -n. ¶끝이 없다 kein Ende haben (wollen*).

끝끝내 bis zu Ende; bis zum Schluß; (어디까지나) beharrlich. ¶~ 하지 않다 in aller Welt nicht tun*.

끝나다 zu Ende kommen*; schließen(*); aus [vorüber] sein; fertig sein (*mit*[3]); ab|laufen*.

끝내 ☞ 끝끝내.

끝내다 enden (*mit*[3]); schließen*; zu Ende bringen*; fertig|machen; vollenden.

끝마감 Schluß *m.* ..lusses, ..lüsse; Ende *n.* -s, -n. ~하다 schließen*; enden; fertig machen.

끝막다 schließen*[4]; mit [3]*et.* ein Ende machen; zum Abschluß bringen*[4]; e-n Absatz schließen*.

끝맺다 (be)enden[4]; beendigen[4]; zu Ende bringen*[4]; Schluß machen (*mit*[3]).

끝수 die gebrochene Zahl, -en; Bruch *m.* -(e)s, ¨e; Bruchzahl *f.* -en.

끝없다 unendlich [endlos; unaufhörlich] (sein).

끝장 Schluß *m.* ..lusses, ..lüsse; Ende *n.* -s, -n.

끝장내다 end(ig)en[4]; beend(ig)en[4]; zu Ende bringen*[4].

끝판 Ende *n.* -s, -n; Schluß *m.* ..lusses, ..lüsse; Beendigung *f.* -en.

끼니 Mahl *n.* -(e)s, -e; Mahlzeit *f.* -en; Lebensmittel *n.* -s, -. ¶~를 잇지 못하다 nichts zu essen haben.

끼리끼리 Gruppe für Gruppe; gruppenweise; jeder für sich.

끼다[1] ① (안개·연기) auf|steigen*. ¶구름이 ~ mit Wolken bedeckt werden. ② (때·먼지) [4]sich sammeln. ¶눈곱이 ~ mit Augenbutter verklebt sein.

끼다[2] ① (틈에) eingeklemmt werden. ¶손가락이 문틈에 끼었다 Ich habe mir den Finger in der Tür (ein)geklemmt. ② (옷·신이) knapp [schmal] sein. ¶꼭 ~ eng sein.

끼다[3] ① (삽입) stecken(*)4 (*in*[4]). ② (몸에) an|ziehen*[4]. ¶팔(장)을 ~ die Arme verschränken. ③ (채우다) ¶단추를 ~ (den Rock) zu|knöpfen. ④ (품속·팔에) umarmen. ¶책을 옆에 ~ ein Buch unter dem Arm tragen*. ⑤ (…을 따라) ¶…을 끼고 an[3]; entlang[4] /…을 끼고 있다 an[3]...entlang liegen*. ⑥ (배경) ¶…을 끼고 im Vertrauen (*auf*[4]).

끼얹다 [4]*et.* auf [4]*et.* gießen*; begießen*[4]; übergießen*[4]. ¶잔등에 물을 ~ den Rücken übergießen*.

끼우다 ein|setzen[4] (*in*[4]); stecken[4] (*an*[4]; *in*[4]); ein|fügen[4] (*in*[4]).

끼이다 eingeklemmt werden; geraten*; stecken(*); (한패에) [4]sich *zu*[3] gesellen.

끽소리 ¶~도 못하다 nicht mehr widersprechen können*; kleinlaut werden/ ~ 못하게 하다 *jn.* zum Schweigen bringen*; *jm.* e-n Schlag [eins] auf die Nase geben*.

끽연실(喫煙室) ☞ 흡연실.

낌새채다 wittern[4]; Wind von [3]*et.* bekommen*.

ㄴ

나 ich; ego. ¶ 나의 mein / 나(개인으)로서는 ich persönlich; ich für mein(en) Teil / 나도 모르게 unbewußt; triebhaft.

나가다 《외출》 (hin)aus|gehen*; fort|gehen*; 《출석》 anwesend 〔gegenwärtig; zugegen〕 sein 《*bei*^{3}》; bei|wohnen^{3}; mit|machen^{4}; erscheinen*; teil|nehmen* 《*an*^{3}》; 《근무》 ein Amt bekleiden〔inne|haben*〕; 《진출》 auf|treten*; erscheinen*; 《팔림》 ^{4}sich verkaufen; Absatz finden*; 《정신이》 ^{4}*et.* im Kopfe fehlen.

나귀 Esel *m.* -s, -.

나그네 der Reisende*, -n, -n; Wanderer *m.* -s, -.

나긋나긋하다 biegsam 〔schlank; gelenkig; geschmeidig; schmiegsam〕 (sein).

나날이 von Tag zu Tag; täglich mehr. ¶ 환자의 병세가 ~ 좋아진다 Dem Kranken geht es nun täglich besser.

나누다 teilen^{4}《*in*^{4}》; verteilen^{4}《*an*^{4}》; ein|teilen^{4}《*in*^{4}》; ab|teilen^{4}《*in*^{4}》; dividieren.

나눗셈 Division 〔Teilung〕 *f.* -en. ~하다 dividieren.

나다 ① 《출생》 geboren werden 〔sein〕; zur Welt kommen*; 《돋아남》 wachsen*; sprießen*. ② 《발생》 aus|brechen*; entstehen*. ¶ 고장이 ~ es geht nicht recht / 불이 ~ das Feuer brennt / 사건이 ~ es passiert ^{3}*et.* ③ 《소리가》 schallen*; tönen; 《냄새·맛·멋이》 nach ^{3}*et.* riechen* 〔schmecken〕. ④ 《병 따위가》 erkranken; e-e Krankheit bekommen*. ⑤ 《명성·소문이》 ins Gespräch kommen*; ruchbar werden. ¶ 소문이 ~ viel besprochen werden. ⑥ 《생산》 produziert 〔erzeugt〕 werden. ¶ 한국에 도자기가 난다 Porzellan ist in Korea produziert. ⑦ 《기타》 ¶ 성이〔분이, 화가〕 ~ über ^{4}*et.* ärgerlich〔hitzig; heftig〕 werden / 생각〔기억〕이 ~ an ^{4}*et.* denken / 아무의 눈밖에 ~ bei *jm.* in Ungnade fallen*.

나다니다 umher|schlendern. ¶ 나다니기 싫어하는 stubenhockerisch.

나돌다 《소문 따위가》 die Sage 〔das Gerücht〕 verbreitet sich.

나뒹굴다 ^{4}sich umher|wälzen; ^{4}sich auf u. ab 〔hin u. her; weit u. breit〕 rollen.

나들이 das Ausgehen*, -s; Besuch *m.* -(e)s, -e. ~하다 aus|gehen*; besuchen^{4}.

나라 《국가》 Land *n.* -(e)s, ⸚er; Reich *n.* -(e)s, -e; 《특수 세계》 Welt *f.* -en. ‖ 꿈~ Traumwelt.

나락(奈落) Hölle *f.*

나란히 reihenweise; nebeneinander.

나루 《나루터》 Fähre *f.* -n; Fährstelle *f.* -n. ☞ 나룻배.

나룻배 Fähre; *f.* -n; Fahrkahn *m.* -(e)s, ⸚e. ¶ ~로 건너다 in e-r Fähre über|setzen. ‖ ~ 사공 Fährmann *m.* -(e)s, ⸚er 〔..leute〕.

나르다 tragen*^{4}; schaffen^{4}; fahren*^{4}.

나른하다 matt 〔schlaff; müde〕 (sein).

나리 〖植〗 Lilie *f.* -en.

나머지 (Über)rest *m.* -(e)s, -e; Überschuß *m.* ..schusses, ..schüsse; Überbleibsel *m.* -s, -. ¶ ~의 übrig(bleibend); übriggeblieben; restlich; überschüssig / 기쁜 〔슬픈〕 ~ vor Freude 〔Kummer〕.

나무 ① 《수목》 Baum *m.* -(e)s, ⸚e. ② 《재목》 Holz *n.* -es, ⸚er. ¶ ~로 만든 hölzern. ③ 《땔나무》 Brennholz. ‖ ~그늘 der Schatten e-s Baumes / ~꾼 Holzfäller *m.* -s, - / ~못 Holzschraube *f.* -n / 나뭇결 Holzfaser *f.* -n.

나무라다 tadeln^{4}; verweisen*^{4}; e-e Rüge erteilen.

나방 〖蟲〗 Nachtfalter *m.* -s, -; Motte *f.* -n.

나변(那邊) wo. ¶ 그 이유가 ~에 있는가 Wo ist der Grund?

나병(癩病) Aussatz *m.* -es; Lepra *f.* ‖ ~원 Lepraheim *n.* -(e)s, -e / ~ 환자 der Aussätzige*, -n, -n.

나부끼다 wehen; flattern.

나부대다 plaudern; schnattern; plappern; ^{3}sich ^{4}*et.* an|maßen.

나부랭이 Schnipfel *m.* -s, -; Schnitzel *n.*〔*m.*〕 -s, -.

나비 Schmetterling *m.* -s, -e; Tagfalter *m.* -s, -. ‖ ~ 넥타이 ☞ 보타이.

나빠지다 schlechter〔schimmer〕 werden; ^{4}sich verschlechtern; ^{4}sich erschweren.

나쁘다 《좋지 않음》 schlecht 〔schlimm; übel〕 (sein); 《악의·불길》 böse 〔arg〕 (sein); 《해로움》 schädlich (sein); 《불길함》 unglücklich (sein); 《머리가》 schwach (sein). ¶ 몸에 나쁜 der Gesundheit schädlich / 나쁜 사람 der böse 〔üble〕 Mensch, -en, -en.

나사(螺絲) Schraube *f.* -n. ‖ ~ 돌리개 Schraubenzieher *m.* -s, - / 암〔수〕~ Schrauben·mutter〔-spindel〕 *f.* -n.

나서다 《나타나다》 erscheinen*; in Erscheinung treten*; ^{4}sich zeigen; 《진출》 vor|rücken; vor|schreiten*; vorwärts|kommen*; 《출마》 als Kandidat auf|treten*.

나선(螺旋) Schraube *f.* -n. ¶ ~ 모양의 schraubenförmig; spiralig. ‖ ~ 계단 Wendeltreppe *f.* -n.

나아가다 《전진》 vor|gehen*; vorwärts gehen*; 《진척》 fort|schreiten*. ¶ 한 걸음 앞으로 ~ e-n Schritt vorwärts tun*.

나아지다 besser werden; ^{4}sich verbessern; genesen*.

나약(懦弱) ~하다 mattherzig 〔mutlos; erschlafft; weichlich〕 (sein).

나열(羅列) ~하다 an|führen^{4} 〔auf|-〕; auf|zählen^{4}〔her|-〕; auf|stellen^{4}. ¶ 통계숫자를 ~하다 die statistische Ziffer rangieren.

나오다 《밖으로·결과가》 aus|kommen*; verlassen*; heraus|kommen*; 《발생》 hervor|kommen*; 《내밂》 hervor|treten*; 《출현·발행》 erscheinen*; 《참가》 auf|treten*; 《졸업하다》 verlassen*^{4}.

나왕(羅王) ‖ ~재 Lauanholz *n.* -es, ⸚er.

나이 Alter *n.* -s, -. ¶ ~를 먹다 älter werden; 《늙다》 alt werden.

나이스 ¶ ~다 schön!; fein!; wunderbar!

나이테 Jahrring *m.* -(e)s, -e.

나이팅게일 〖鳥〗 Nachtigall *f.* -en.

나이프 (Taschen)messer *n.* -s, -.

나일론 Nylon *n.* –s.

나자식물(裸子植物) die Nacktsamigen* (*pl.*); Gymnospermen (*pl.*).

나전(螺鈿) 《자개》 Perl·mutter *f.* [–mutt *n.* –(e)s].

나중에 später(hin); nachher; nachträglich.

나직이 《소리를》 leise; 《위치》 niedrig. ¶ ～ 말하다 leise sprechen*.

나직하다 ziemlich niedrig (sein); 《소리가》 leise (sein).

나체(裸體) Nacktheit *f.* –en; der nackte Körper, –s, –. ‖ ～주의 Nacktkultur *f.* –en / ～화(畫) Akt *m.* –(e)s, –e.

나침반(羅針盤) Kompaß *m.* ..passes, ..passe.

나타(懶惰) ＝나태(懶怠).

나타나다 《출현》 erscheinen*; ^{4}sich zeigen; auf|treten*; heraus|kommen*; 《시야에》 sichtbar werden.

나타내다 zeigen^4; entfalten^4; 《감춰진 것을》 enthüllen^4; entlarven^4.

나태(懶怠) ～하다 faul [träge; unfleißig] (sein).

나토 NATO [néitou] 《◀ North Atlantic Treaty Organization》.

나팔(喇叭) Trompete *f.* –n. ¶ ～을 불다 trompeten; die Trompete blasen*. ‖ ～관 〖解〗 Muttertrompete *f.* / ～꽃 Trichterwinde *f.* –n / ～수 Trompeter *m.* –s, –.

나포(拿捕) Aufbringung *f.* –en; Wegnahme *f.* –n; das Kapern*, –s. ～하다 kapern^4; auf|bringen*^{4}; weg|nehmen*^{4}.

낙(樂) Freude *f.* –n; Lust *f.* ¨e; Vergnügen *n.* –s, – 《오락》; Geschmack *m.* –(e)s, ¨e 《취미》. ¶ …을 낙으로 삼다 Freude finden* (*in*^{3}; … zu *tun*).

낙관(落款) das Unterzeichnen* u. Stempeln*; Unterschrift u. Stempel.

낙관(樂觀) ～하다 optimistisch sein; in rosigem Licht sehen*^{4}. ¶ ～적인 optimistisch; rosig. ‖ ～론 Optimismus *m.* –.

낙농(酪農) Molkerei *f.* –en. ‖ ～ 제품 Molkereiprodukt *n.* –(e)s, –e.

낙담(落膽) Entmutigung [Enttäuschung] *f.* –en; Verzagtheit *f.* ～하다 den Mut verlieren*; verzagen (*an*^{3}). ¶ ～시키다 entmutigen^4; enttäuschen^4.

낙도(落島) die ganz abgelegene [isolierte] Insel, –n.

낙마(落馬) ～하다 vom Pferd fallen* [stürzen].

낙반(落盤) (Zu)bruch *m.* –(e)s, ¨e; das Zubruchgehen*, –s. ～하다 zu Bruch gehen*; ein|stürzen.

낙서(落書) Gekritzel *n.* –s, –; Kritzelei *f.* –en. ～하다 hin|kritzeln^4. ¶ 벽에 ～하다 an die Wand kritzeln^4.

낙선(落選) 《선거의》 (Wahl)niederlage *f.* –n; 《출품의》 Ausmusterung *f.* –en. ～하다 e–e Wahlniederlage erleiden*; ausgemustert werden. ‖ ～자 der erfolglose Wahlwerber, –s, –.

낙성(落成) Vollendung *f.* –en. ‖ ～식 Einweihung *f.* –en.

낙숫물(落水—) Regentropfen *m.* –s, –; Traufe *f.* –n.

낙심(落心) Entmutigung [Enttäuschung; Verzweiflung] *f.* –en. ～하다 den Mut verlieren* [sinken lassen*]; verzagen (*an*^{3}). ¶ ～시키다 entmutigen; enttäuschen^4.

낙엽(落葉) Laubfall *m.* –(e)s, ¨e; 《그 잎》 das abgefallene Laub [Blatt]. ¶ ～이 지다 das Laub [die Blätter] ver|lieren*. ‖ ～송 〖植〗 Lärche *f.* –n / ～수 laubwerfenden Bäume (*pl.*).

낙오(落伍) ～하다 zurück|bleiben* (*in*^{3}); ab|fallen*; zurück|fallen*. ¶ 반도 뛰지 못하고 그는 ～했다 Schon auf halber Strecke fiel er ab. ‖ ～자 Nachzügler *m.* –s, –; 《인생의》 Versager *m.* –s, –.

낙원(樂園) Paradies *n.* –es, –; Elysium *n.* –s. ¶ 지상(地上)의 ～ das Paradies der Erde.

낙인(烙印) Brandmal *n.* –(e)s, –e [¨er]; Stigma *n.* –s, –ta [..men]. ¶ ～을 찍다 brandmarken^4; stigmatisieren^4.

낙제(落第) Durchfall *m.* –(e)s, ¨e. ～하다 durch|fallen* (*in*^{3}; *bei*^{3}); sitzen|bleiben*. ‖ ～생 der Sitzengebliebene*, –n, –n / ～점 ungenügende Zensur, –en.

낙지 〖動〗 Oktopode *m.* –n, –n; Tintenfisch *m.* –es, –e.

낙차(落差) Gefälle *n.* –s, –.

낙찰(落札) Zuschlag *m.* –(e)s, ¨e. ‖ ～가격 Meistgebot *n.* –(e)s, –e / ～자 《경매의》 der Meistbietende*, –n, –n; 《입찰의》 der Mindestbietende*, –n, –n.

낙천(樂天) ～적 optimistisch. ‖ ～가 Optimist *m.* –en, –en / ～주의 Optimismus *m.* –.

낙타(駱駝) Kamel *n.* –(e)s, –e.

낙태(落胎) Abort *m.* –s, –e. ～하다 abortieren^4; ab|treiben*^{4}. ‖ ～ 수술 die illegale Operation, –en.

낙하(落下) Fall *m.* –(e)s, ¨e. ～하다 fallen*. ‖ ～산 Fallschirm *m.* –(e)s, –e (～산 부대 Fallschirmtruppe *f.* –n).

낚다 《고기를》 angeln^4; fischen^4; 《꾀다》 verführen.

낚시 Angelhaken *m.* –(e)s, –. ‖ ～질 das Angeln*, –s; Angelfischerei *f.* –en (～질하다 angeln) / ～찌 Schwimmer *m.* –s, – / ～터 Angelplatz *m.* –es, ¨e / 낚싯대 Angelrute *f.* –n / 낚싯밥 Fischköder / 낚싯봉 Senker *m.* –s, – / 낚싯줄 Angelschnur *f.* ¨e.

난(欄) Kolumne [Spalte] *f.* –n. ‖ 난외 Rand *m.* –(e)s, ¨er (난외에 am Rande).

난간(欄干) Geländer *n.* –s, –; Handlauf *m.* –(e)s, ¨e.

난공불락(難攻不落) ～의 uneinnehmbar.

난공사(難工事) die schwierige Bauarbeit, –en.

난관(難關) Schwierigkeit *f.* –en. ¶ ～에 부닥치다 auf Schwierigkeiten stoßen* / ～을 돌파하다 Schwierigkeit(en) überwinden*.

난국(難局) e–e schwierige Situation, –en; e–e schwierige Lage, –n; Krise *f.* –n 《위기》. ¶ ～을 타개하다 die Lage [Situation] retten.

난기류(亂氣流) (Steig)bö [Aufwindbö] *f.* –en. ～의 bockig; böig.

난데없이 unerwartet; (ur)plötzlich.

난동(暖冬) der ungewöhnlich warme Winter, –s, –. ‖ 이상 ～ der abnormal warme Winter.

난로(煖爐) Ofen *m.* –s, ¨. ¶ ～를 때다

e-n Ofen heizen. ‖ 가스 ∼ Gasofen / 벽∼ Kamin *m.* -s, -e / 석유 ∼ Ölofen / 전기 ∼ der elektrische Ofen.

난류(暖流) die warme Meeresströmung, -en.

난립(亂立) ∼하다 ^{4}sich viele Kandidaten bewerben*.

난맥(亂脈) Unordnung *f.* -en.

난민(難民) Flüchtling *m.* -s, -e《피난민》; der Betroffene*, -n, -n《이재민》; der Heimatvertriebene*, -n, -n《실향민》. ‖ ∼ 구제 die Unterstützung für die Flüchtlinge / ∼ 수용소 Flüchtlingslager *n.* -s, -.

난반사(亂反射) 〖物〗 die unregelmäßige Reflexion, -en.

난방(暖房) Heizung *f.* -en. ‖ ∼ 장치〔시설〕 Heizanlage *f.* -n; Heizapparat *m.* -(e)s, -e / 중앙 ∼ Zentralheizung *f.*

난산(難産) ∼하다 e-e schwere Geburt haben.

난센스 Unsinn *m.* -(e)s; dummes Zeug, -(e)s, -e.

난소(卵巢) Eierstock *m.* -(e)s, ⸚e; Ovar *n.* -(e)s, -e; Ovarium *n.* -s, ..rien.

난수표(亂數表) Zufallszahlentabelle *f.* -n.

난숙(爛熟) ∼하다 überreif 〔ausgereift〕 (sein).

난시(亂視) Stabsichtigkeit *f.*; Astigmatismus *m.* -, ..men. ∼의 stabsichtig; astigmatisch.

난이(難易) schwer od. leicht.

난입(亂入) ∼하다 ^{4}sich (hin)ein|drängen《in^4》; (hin)ein|dringen*《in^4》; hinein|brechen*《in^4》.

난자(卵子) 〖生〗 Ei *n.* -s, -er.

난잡(亂雜) Durcheinander *n.* -s; Wirrwarr *m.* -s. ∼하다 wirr 〔unordentlich; ungeordnet; wüst durcheinander〖術語的으로만 쓰임〗〕(sein).

난쟁이 Zwerg *m.* -(e)s, -e; Pygmäe *m.* -n, -n.

난처(難處) ∼하다 《당황》 verlegen (sein) 《um^4》; in e-r schwierigen Lage sein; 《어려움》 Schwierigkeiten haben 《mit^3》.

난청(難聽) ∼의 schwerhörig; gehörleidend.

난초(蘭草) 〖植〗 Orchidee *f.* -n.

난치(難治) ∼의 unheilbar; schwer heilbar. ‖ ∼병 e-e schwere〔unheilbare〕 Krankheit, -en.

난투(亂鬪) Handgemenge *n.* -s, -. ¶ ∼를 벌이다 handgemein werden.

난파(難破) Schiffbruch *m.* -(e)s, ⸚e. ∼하다 scheitern; Schiffbruch erleiden*. ‖ ∼선(船) ein gestrandetes Schiff, -(e)s, -e.

난폭(亂暴) ∼하다 gewalttätig 〔grob〕 (sein). ¶ 난폭한 짓을 하다 Gewalt an|tun*^{3}; Unfug treiben*^{4}. ‖ ∼자 Grobian *m.* -(e)s, -e.

난필(亂筆) Kritzelei *f.* -en. ¶ ∼을 용서하시오 Hoffentlich können Sie m-e kritzlige〔schlechte〕 Schrift entziffern.

난하다(亂—) grell 〔prahlend; prangend, auffallend〕(sein).

난항(難航) e-e schwierige Fahrt, -en.

난해(難解) ∼하다 schwer verständlich 〔schwierig; schwer〕(sein).

낟알 Korn *n.* -(e)s, ⸚er.

날^1 《칼의》 Schneide〔Klinge〕 *f.* -n. ¶ 날을 세우다 schärfen^4.

날^2 《하루》 Tag *m.* -(e)s, -e. ¶ 날마다 von Tag zu Tag; täglich.

날- 《안 익힌》 roh; ungekocht; frisch. ¶ 날계란 ein rohes Ei, -(e)s, -er.

날개 Flügel *m.* -s, -; Fittich *m.* -(e)s, -e. ¶ ∼달린 geflügelt / ∼ 돋친 듯이 팔리다 wie warme Semmel ab|gehen*.

날다^1 fliegen*. ¶ 나는 새 Luftvogel *m.* -s, ⸚ / 훨훨 ∼ umher|flattern.

날다^2 《색이》 verblassen; ^{4}sich entfärben. ¶ 날지 않는 nicht verbleichend; (licht-)echt.

날뛰다 wüten; ^{4}sich wild 〔ungebärdig〕 benehmen*.

날렵하다 geistvoll 〔lebhaft〕 (sein).

날리다^1 ① 《날게 하다》 fliegen lassen*. ¶ 연을 ∼ e-n Drachen steigen lassen*. ② 《이름》 ^{4}sich berühmt machen. ¶ 이름을 ∼ ^{3}sich e-n Namen machen. ③ 《재산》 vergeuden. ¶ 재산을 ∼ *js.* Vermögen vergeuden. ④ 《일을》 flüchtig machen. ¶ 일을 ∼ unvorsichtig arbeiten.

날리다^2 《바람에》 flattern. ¶ 머리칼을 날리며 mit fliegend Haaren.

날림 unsolid gemacht. ‖ ∼ 공사 die unsolide Bauweise.

날바람잡다 ziellos 〔sinnlos〕 umher|gehen*〔wandern〕; ^{4}sich unsinnig〔unvernünftig〕 benehmen*.

날붙이 Messer〔Stahl〕waren(*pl.*).

날쌔다 flink 〔behend(e); fix〕 (sein). ¶ 날쌘 아가씨 ein flinkes Mädchen, -s, -.

날샐녘 Morgendämmerung *f.*

날씨 Wetter *n.* -s, -; Wetterlage *f.* -n. ¶ 화창한 ∼ das prachtvolle Wetter / 내일은 ∼가 어떨까 Was werden wir morgen für Wetter haben?

날씬하다 schlank 〔feinglied(e)rig〕 (sein). ¶ 날씬한 몸매 e-e schlanke Figur, -en.

날아가다 fort|fliegen*; weg|fliegen*.

날인(捺印) ∼하다 stempeln^4.

날조(捏造) Erfindung *f.* -en. ∼하다 aus|denken*^{4}. ‖ ∼ 기사 Erfindung.

날짜 Datum *n.* -s, ..ten. ¶ ∼ 없는 편지 der undatierte Brief, -(e)s, -e.

날치기 《행위》 das Wegpraktizieren*, -s; 《사람》 Langfinger *m.* -s, -. ∼하다 weg|praktizieren^4.

날카롭다 scharf 〔durdringend; brennend〕 (sein). ¶ 날카로운 비판 e-e scharfe Kritik, -en / 신경이 날카로워지다 nervös werden.

날품 Tagelöhnerei 〔Tagelöhnerarbeit〕 *f.* -en. ¶ ∼을 팔다 auf^4 Tagelohn arbeiten. ‖ ∼팔이 Tagelöhner *m.* -s, -.

낡다 alt 〔veraltet; altmodisch〕 (sein). ¶ 낡은 습관 die althergebrachte Sitte, -n.

남 《타인》 der Andere*, -n, -n; der Fremde*, -n, -n; Außensitzer *m.* -s, -. ¶ 남몰래 heimlich / 남의 일 같지 않다 tief mit|fühlen 《mit *jm.*》.

남(南) Süd *m.* -(e)s; Süden *m.* -s. ¶ 남쪽의 südlich. ‖ 남풍 Südwind *m.* -(e)s, -e.

남가일몽(南柯一夢) ein leerer Traum, -(e)s, ⸚e.

남경(男莖) Penis *m.* -se; Schwanz *m.* -es, ⸚e.

남국(南國) Südland *n.* -(e)s, ⸚er; ein Land im Süden.

남극(南極) Südpol *m.* -(e). ¶ ∼의 südpolar; antarktisch. ‖ ∼ 대륙 Südpolar-

ㄴ

kontinent *n.* -(e)s; Antarktika *f.* / ~ 탐험 Südpolarexpedition *f.* -en.

남근(男根) das männliche Glied, -(e)s, ⸗er; Penis *m.* -, -se. ‖ ~ 숭배 Phalluskult *m.* -(e)s, -e.

남기다 ① (뒤에) (übrig|)lassen*⁴; hinterlassen*⁴; (유언으로) vermachen*⁴; (예비로서) auf|heben*⁴ ¶ 지문〔재산〕을 ~ Fingerabdrücke〔ein Vermögen〕 hinterlassen*/ 일을 ~ die Arbeit unerledigt lassen*. ② (이익을) ein Geschäft machen (*mit*³). ¶ 10% 이익을 남기고 팔다 mit e-m Nutzen〔Gewinn〕 von 10% verkaufen⁴.

남김없이 alles; sämtlich; vollständig. ¶ 한 사람도 ~ samt u. sonders.

남녀(男女) Mann u. Weib; Männer u. Weiber (*pl.*); die (beiden) Geschlechter (*pl.*). ¶ ~를 불문하고 ohne Rücksicht auf das Geschlecht. ‖ ~ 공학 Koedukation *f.* / ~ 관계 die geschlechtlichen Beziehungen (*pl.*).

남다 ① (잔류) (heil|)bleiben*. ¶ 기억에 ~ im Gedächtnis bleiben*. ② (다과) zu viel 〔überflüssig〕 sein. ¶ 남아돌아가다 ⁴*et.* in Hülle u. Fülle haben. ③ (이익) Gewinn machen. ¶ 남는 장사 gewinnbringendes Unternehmen*, -s. ④ (나머지) übrig|bleiben*. ¶ 5에서 3을 빼면 2가 남는다 5 weniger 3 ist〔bleibt〕 2.

남다르다 außerordentlich 〔außergewöhnlich; ungemein〕 (sein).

남단(南端) das südliche Ende, -s.

남달리 ungewöhnlich; außer·ordentlich 〔-gewöhnlich〕. ¶ ~ 열심히 일하다 härter als die andern arbeiten.

남루(襤褸) (누더기) Lumpen *m.* -s, -e; (헌옷) Lumpehülle *f.* -n. ~하다 zerlumpt〔zerfetzt; abgerissen〕(sein).

남매(男妹) Bruder u. Schwester. ¶ 그들은 ~사이다 Sie sind Bruder u. Schwester.

남모르다 unbekannt 〔unbemerkt; ungesehent〕 (sein). ¶ 남모르는 걱정 innere Sorge, -n.

남몰래 heimlich; im geheimen; vertraulich. ¶ 그들은 ~ 만난다 Sie treffen sich heimlich.

남미(南美) Südamerika *n.* -s. ~의 südamerikanisch.

남발(濫發) die übermäßige Herausgabe, -n. ~하다 überemittieren; rücksichtslos aus|geben*

남방(南方) Süden *m.* -s. ~의 südlich. ‖ ~ 셔츠 Alohahemd *n.* -(e)s, -en.

남부끄럽다 schüchtern 〔scheu; verschämt〕(sein). ¶ 남부끄러운 짓 Schande 〔Unehre〕 *f.* -n.

남벌(濫伐) ~하다 rücksichtslos ab|holzen⁴; ab|forsten⁴.

남부럽다 *jn.* beneiden (*um*⁴); neidisch (sein)(*auf*⁴). ¶ 남부럽지 않게 살다 gut leben.

남부여대(男負女戴) ~하다 e-e Familie führt ein elendes Wanderleben.

남상(濫觴) Ursprung 〔Anfang〕 *m.* -(e)s, ⸗e; Quelle *f.* -n.

남색(男色) Knabenliebe 〔Päderastie; Sodomie〕 *f.*

남생이 〖動〗 Schildkröte *f.* -n.

남성(男性) das männliche 〔starke〕 Geschlecht, -(e)s; Männergeschlecht *n.* ‖ ~미 die männliche Schönheit, -en / ~ 호르몬 männliches Hormon, -(e)s, -e.

남성(男聲) Männerstimme *f.* -n. ‖ ~ 사중창 männliches Quartett, -(e)s, -e / ~ 합창 Männerchor *m.* -s, ⸗e.

남아돌다 übrig|bleiben*; im Überfluß da sein.

남양(南洋) Südsee *f.*

남용(濫用) Mißbrauch *m.* -(e)s, ⸗e; falsche Anwendung, -en. ~하다 mißbrauchen⁴; falsch an|wenden*. ‖ 직권 ~ Amtsmißbrauch *m.*

남위(南緯) die südliche Breite. ¶ ~ 38도 der achtunddreißigste Breitengrad.

남자(男子) Mann *m.* -(e)s, ⸗er; das männliche Geschlecht, -(e)s, -er ¶ ~다운 männlich; mannhaft / ~용(의) Herren-.

남작(男爵) Baron *m.* -s, -e; Freiherr *m.* -n, -en.

남중(南中) ~하다 〖天〗 den Meridian überqueren; es kulminiert.

남진(南進) ~하다 nach Süden〔südwärts〕 marschieren; e-n Marsch nach Süden an|treten*. ‖ ~ 정책 die Marschpolitik nach südwärts.

남쪽(南—) Süden *m.* -s; 〖形容詞的〗 Süd-. ¶ ~에 südlich; im Süden,

남창(男娼) der Prostituierte*, -n, -n.

남편(男便) (Ehe)mann *m.* -(e)s, ⸗er.

남하(南下) ~하다 nach Süden (hinunter|)gehen*〔-|fahren〕.

남향(南向) ‖ ~집 das Haus nach Süden / ~판 die Lage nach Süden.

남획(濫獲) rücksichtsloser Fang, -(e)s, ⸗e. ~하다 rücksichtlos fangen*⁴.

납 Blei *n.* -s. ¶ 납의 bleiern. ‖ 납유리 Bleiglas *n.* -es / 납중독 Bleivergiftung *f.* -en.

납득(納得) Einwilligung *f.* -en(동의); Einverständnis *n.* -ses, -se (양해). ~하다 ein|sehen*⁴; begreifen*⁴.

납땜 das Löten*, -s; Lötung *f.* -en. ~하다 an〔zu; auf〕|löten⁴.

납량(納凉) Erfrischung *f.* -en.

납부(納付) Lieferung *f.* -en; Zahlung *f.* -en (세금). ~하다 liefern⁴. ‖ 분할 ~ Ratenzahlung *f.*

납세(納稅) Steuerzahlung *f.* -en. ~하다 s-e Steuern zahlen(*für*⁴); versteuern⁴. ‖ ~ 의무 Steuerpflicht *f.* -en / ~자 Steuerzahler *m.* -s, -.

납입(納入) ~하다 liefern⁴; zahlen⁴. ‖ ~액 Einzahlungssumme *f.* -n / ~ 자본 das eingezahlte Kapital, -s, -e.

납작하다 flach 〔platt; nieder; dünn〕 (sein). ¶ 납작한 집 ein flaches Haus, -es, ⸗er.

납치(拉致) gewaltsame Abführung, -en; Entführung *f.* -en. ~하다 (gewaltsam) ab|führen⁴; weg|führen⁴.

납품(納品) Lieferung *f.* -en. ~하다 (aus|)liefern⁴. ‖ ~증(證) Lieferschein *m.* -(e)s, -e.

낫 Sichel *f.* -n; Sense *f.* -en. ¶ 낫으로 베다 sicheln⁴; sensen⁴.

낫다¹ (병이) (⁴sich) heilen; genesen*; kurieren⁴. ¶ 병이 나아가고 있다 auf dem

Weg der Genesung sein.

낫다² 《더 좋다》 besser sein; überlegen sein《*jm.*》; übertreffen*⁴. ¶ 수치를 당하느니 차라리 죽는 것이 ~ Besser stirbt man als in Schmach u. Schande zu sein.

낭군(郎君) (Ehe)mann *m.* -(e)s, ⸚er; 「Gatte *m.* -n, -n.」

낭독(朗讀) Vorlesung *f.* -en; Vortrag *m.* -(e)s, ⸚e; Deklamation *f.* -en. ~하다 vor|lesen*⁴; vor|tragen*⁴; deklamieren⁴; rezitieren⁴; laut lesen*⁴.

낭떠러지 Klippe *f.* -n; Abgrund *m.* -(e)s, ⸚e; Felsenabhang *m.* -(e)s, ⸚e; Felsenwand *f.* ⸚e. ¶ ~로 떨어지다 in den Abgrund stürzen.

낭랑(朗朗) ~하다 hell〔wohl〕klingend〔silberklar〕(sein). ¶ ~한 목소리로 mit hellklingender Stimme.

낭만(浪漫) Romantik *f.* ‖ ~주의 Romantik *f.* (~주의 문학 Romantische Literatur, -en).

낭보(朗報) die angenehme〔gute; schöne〕 Nachricht, -en.

낭비(浪費) Verschwendung〔Vergeudung〕*f.* -en. ~하다 verschwenden⁴; vergeuden⁴. ‖ ~벽(癖) Verschwendungssucht *f.* / 시간 ~ Zeitverlust *m.* -(e)s, -e.

낭설(浪說) Demagogie *f.* -n. ¶ ~을 퍼뜨리다 Klatsch herum|tragen* / ~을 믿다 ein Gerücht für wahr halten*.

낭송(朗誦) Rezitation〔Vorlesung〕*f.* -en; Vortrag *m.* -(e)s, ⸚e. ~하다 vor|tragen*⁴; vor|lesen*⁴; rezitieren⁴.

낭자(狼藉) Durcheinander *n.* -s. ~하다 in großer Verwirrung (sein). ¶ 유혈이 ~하다 voll Blut sein.

낭창낭창하다 biegsam〔geschmeidig; gelenkig; rank〕(sein).

낭패(狼狽) Fehlschlag *m.* -(e)s, ⸚e; Verderben *n.* -s. ¶ 이것 낭팬데 Das ist aber das Schlimmste.

낮 Tag *m.* -(e)s, -e. ¶ 낮에 am〔bei〕「Tage.」

낮다 《높이가》 niedrig〔tief〕(sein); 《목소리가》 leise (sein); 《값이》 billig (sein); 《지위 등이》 niedrig〔nieder〕(sein). ¶ 낮은 율(率) die niedrige Rate, -n/ 신분이 ~ von niedriger Herkunft sein.

낮잠 Mittag(s)schläfchen *n.* -s, -. ¶ ~자다 Mittag(s)schläfchen halten*.

낮차(—車) der Zug〔das Fahrzeug〕, der〔das〕 am Tage fährt.

낮추다 senken⁴; herunter|machen⁴; herab|lassen*⁴; 《소리를》 dämpfen⁴.

낮춤말 familiäre〔offene〕Redeweise, -n.

낯 《얼굴》 Gesicht *n.* -(e)s, -er; Fratze〔Fresse〕*f.* -n. ¶ 낯을 붉히다 erröten; rot werden / ~을 세우다 sein Ansehen retten〔wahren〕.

낯가리다 menschenscheu sein; schüchtern sein 《vor *jm.*》.

낯가죽 ¶ ~ 두꺼운 dickfellig; frech; 「unverschämt.」

낯간지럽다 verschämt〔beschämt; voller Scham〕(sein).

낯두껍다 frech〔unverschämt; scham-「los〕(sein).」

낯부끄럽다 verschämt〔beschämt〕(sein).

낯빛 Gesichtsfarbe *f.* -n.

낯설다 unbekannt〔fremd〕(sein). ¶ 낯선 사람 der Unbekannte*〔der Fremde*〕 -n, -n.

낯없다 beschämt (sein); ⁴sich schämen.

낯익다 bekannt (sein) 《mit *jm.*》. ¶ 낯익은 사람 der Bekannte*, -n, -n.

낱개 das einzelne Stück, -(e)s, -e. ¶ ~로 사다 einzeln kaufen.

낱낱이 eins nach dem andern; jedes einzeln; ausführlich. ¶ 물건을 ~ 세다 jede Ware einzeln auf|zählen.

낱말 =단어.

낱알 jedes Korn, -(e)s.

낳다 gebären*⁴; zeugen⁴; 《새끼를》 (Junge) werfen*⁴; 《알을》 (Eier) legen⁴; 《산출》 hervor|bringen*⁴. ¶ 아기를 ~ ein Kind gebären.

내¹ 《냄새》 Geruch *m.* -(e)s, ⸚e. ¶ 구린 내 schlechter Geruch.

내² 《개울》 Bach *m.* -(e)s, ⸚e.

내³ 《내가》 ich; 《나의》 mein. ¶ 내 책 mein Buch *n.* -(e)s, ⸚er.

내가다 heraus|bringen*⁴〔-|tragen*⁴〕.

내각(內閣) Ministerium *n.* -s, ..rien; Kabinett *n.* -(e)s, -e. ‖ ~ 개편 Kabinettsumbildung *f.* -en / 연립 ~ Koalitionskabinett *n.*

내객(來客) Besucher *m.* -s, -; Gast *m.* -es, ⸚e; 《일단의》 Gesellschaft *f.* -en.

내걸다 《간판 따위》 aus|hängen*⁴; 《기 따위》 hissen⁴; 《요구 따위》 auf|werfen*⁴. ¶ 기를 ~ die Fahne hinaus|hängen*.

내과(內科) die innere Medizin. ‖ ~ 의사 Internist *m.* -en, -en / ~ 질환 das innere Leiden, -s, -; die innere Krankheit, -en / ~ 치료 die innere Behandlung, -en.

내구(耐久) 《지속》 Ausdauer *f.*; das Aushalten*, -s. ‖ ~력〔성〕 Dauerhaftigkeit *f.* -en.

내국(內國) Inland *n.* -(e)s. ~의 inländisch. ‖ ~세 Inlandssteuer *f.*

내근(內勤) Innendienst *m.* -es, -e. ~하다 im Innendienst sein. ‖ ~사원 der Angestellte im Innendienst.

내기 Wette *f.* -n; Spiel *n.* -(e)s, -e. ~하다 aufs Spiel setzen⁴; wetten《*auf*⁴》. ¶ ~에서 이기다 e-e Wette gewinnen*.

내년(來年) das nächste〔kommende〕 Jahr, -(e)s, -e. ¶ ~ 삼월에 im nächsten März / ~의 오늘 heute übers Jahr.

내놓다 vor|setzen⁴; 《꺼내다》 heraus|nehmen*⁴; 《지출》 aus|geben*⁴. ¶ 책을 ~ ein Buch heraus|geben*.

내다 《꺼내다》 heraus|nehmen*⁴; 《산출》 erzeugen⁴; 《발휘》 ⁴sich auf|raffen《*zu*³》; 《발송》 senden⁽*⁾; 《제출》 vor|bringen*⁴; 《소리를》 hören lassen*; 《빛·열》 aus|senden⁽*⁾⁴. ¶ 편지를 ~ e-n Brief senden⁽*⁾ / 집세를 ~ die Miete bezahlen.

내다보다 ① 《바깥을》 hinaus|blicken〔-|schauen〕. ¶ 창밖을 ~ zum Fenster hinaus|schauen. ② 《앞일을》 voraus|sehen*⁴; e-e Aussicht haben.

내닫다 rasend laufen*〔rennen*〕.

내던지다 hinaus|werfen*⁴〔-|schleudern⁴; -|schmeißen*⁴〕; 《버리다》 auf|geben*⁴〔-|opfern⁴〕.

내도(來到) Ankunft *f.* ⸚e. ~하다 ein|-「treffen* 《*in*³》.」

내두르다 (hin u. her) schwingen*. ¶ 팔

을 ～ die Arme schwingen*.
내딛다 vor|treten*; auf|treten*.
내란(內亂) die inneren Unruhen (*pl.*); Aufruhr〔Bürgerkrieg〕 *m.* -(e)s, -e. ‖～죄 Hochverrat *m.* -(e)s, -e.
내려가다 《아래로》 (ab|)steigen*; herunter|kommen*; aus|steigen*; hinunter|gehen*; nieder|gehen*; 《물가·열이》 fallen*. ¶언덕을 ～ e-n Abhang hinunter|gehen* / 물가가 ～ die Preise (*pl.*) fallen*.
내려놓다 herunter|bringen*⁴; herunter|lassen*⁴; herunter|nehmen*⁴; herab|legen⁴; ab|laden*⁴; nieder|holen⁴; ab|setzen⁴; herab|setzen⁴. ¶짐을 ～ e-e Last ab|legen.
내려다보다 《위에서》 hinab|sehen*; 《얕보다》 *jn.* verachten.
내려뜨리다 fallen lassen*⁴.
내려서다 von ³*et.* herab|steigen*; (nach unten) hinunter|gehen*.
내려앉다 《자리를》 herunter|kommen*; 《무너져》 sinken*; ⁴sich senken; ein|fallen*; ein|stürzen.
내려오다 《위에서》 herab|kommen*; 《전해》 überliefert sein.
내려치다 《아래로》 von oben darauf klopfen〔schlagen*⁴〕.
내력(來歷) 《경력》 Lebenslauf *m.* -(e)s, ¨e; 《유래》 Herkunft *f.* ¨e. ¶～을 캐다 *js.* Laufbahn durchackern.
내륙(內陸) Inland *n.* -(e)s; Binnenland *n.* -(e)s, ¨er. ¶～의 inländisch; inner. ‖～교통 Binnenverkehr *m.* -(e)s, -e.
내리 《아래로》 nach unten; abwärts; hinab; herab; 《줄곧》 ununterbrochen; die ganze Zeit; fortwährend.
내리깎다 《값 따위를》 den Preis herab|drücken.
내리깔다 《눈을》 senken⁴; nieder|schlagen*⁴.
내리누르다 drücken⁴(*an*⁴; *gegen*⁴); nieder|halten*⁴; nieder|drücken⁴; unter|drücken⁴.
내리다 《높은데서》 nieder|lassen*⁴; herab|lassen*⁴; herunter|lassen*⁴; herunter|nehmen*⁴; 《차에서》 aus|steigen*; 《짐을》 ab|laden*⁴; 《값이》 fallen*; 《명령을》 ergehen lassen*⁴; erlassen*⁴; 《판결을》 fällen⁴. ¶비가 ～ es regnet / 비행기가 ～ das Flugzeug landet.
내리막 Abstieg *m.* -(e)s; Fall *m.* -s, ¨e.
내리받이 Abhang *m.* -(e)s, ¨e; 《쇠퇴》 das Sinken*, -s; Verfall *m.* -s.
내리불다 hernieder|blasen*. ¶찬 북풍이 산에서 내리분다 Der kalte Nordwind bläst von den Bergen herunter〔hernieder〕.
내리쬐다 stark scheinen*; brennen*.
내막(內幕) der wahre Sachverhalt, -(e)s, -e; Wahrheit *f.* -en.
내맡기다 e-n andern tun lassen*, wie er will.
내면(內面) Innenseite *f.* -n; das Innere*, -n. ¶～적으로 innen; im Innern.
내몰다 hinaus|werfen*⁴; vor die Tür setzen⁴.
내무부(內務部) Innenministerium *n.* -s, ..rien. ‖～ 장관 Innenminister *m.* -s, -.
내밀(內密) ～하다 heimlich 〔geheim〕 (sein). ¶～히 unter der Hand; unter vier Augen.
내밀다 vor|springen*; vor|stehen*; hervor|ragen; 《손을》 aus|strecken⁴. ¶손을 ～ die Hand aus|strecken.
내방(來訪) Besuch *m.* -(e)s, -e. ～하다 besuchen⁴. ¶～ 중이다 auf 〔zu〕 Besuch sein.
내뱉다 aus|speien*⁴; aus|werfen*⁴.
내버려두다 auf ³sich beruhen lassen*⁴.
내버리다 weg|werfen*⁴; verlassen*⁴; im Stich lassen*⁴; auf|geben*⁴.
내보내다 《나가게 하다》 gehen lassen*⁴; 《내좇다》 vertreiben*⁴. ¶아무를 집밖으로 ～ *jn.* aus dem Haus jagen.
내복(內服) 《속옷》 Unterkleid *n.* -(e)s, -er; 《약》 die innerliche Anwendung, -en. ‖～약 die innerlich anzuwendende Arznei, -en.
내부(內部) das Innere*, -n; der innere Teil, -(e)s, -e; Innenseite *f.* -n. ¶～에 innen; innerhalb / ～의 inner(lich); inwendig. ‖～ 사정 die innere Angelegenheit, -en.
내분(內紛) die inneren Verwicklungen (*pl.*).
내분비(內分泌) die innere Sekretion〔Absonderung〕 -en; Endokrin *n.* -s. ‖～선 die endokrine Drüse, -n.
내빈(來賓) Gast *m.* -es, ¨e; Ehrengast *m.* ‖～실 Empfangszimmer *n.* -s, -.
내빼다 ＝도망치다.
내뿜다 《액체를》 (hervor|)spritzen; 《불을》(aus|)sprühen; 《연기를》aus|stoßen*⁴. ¶증기를 ～ Dampf ab|lassen*.
내색(一色) der Ausdruck des Gefühles. ～하다 sein Gefühl verraten*. ¶～도 않다 ³sich nicht das geringste anmerken lassen*.
내선(內線) 《배선의》 Innenleitung *f.* -en; 《전화의》 Nebenanschluß *m.* ..lusses, ..lüsse; Hausanschluß 《구내, 부국내의》.
내성균(耐性菌) e-e resistente Bakterie, -n.
내세(來世) das zukünftige Leben, -s, -; Jenseits *n.* -.
내세우다 auf|stellen⁴; ernennen*⁴; bestehen*(*auf*⁴).
내쉬다 aus|hauchen⁴. ¶숨을 ～ hauchen.
내신(內申) ‖～서 《학교의》 Schulbericht *m.* -(e)s, -e.
내실(內室) das Zimmer der Hausherrin.
내심(內心) *js.* Inner(st)es*, ..(st)en. ¶～으로(는) im Inner(st)en; im Herzen.
내야(內野) 〖野〗 das innere Spielfeld, -(e)s, -er.
내연(內緣) ¶～의 처 die nicht gesetzlich eingetragene Frau, -en.
내연(內燃) die innere Verbrennung. ‖～ 기관 Verbrennungs(kraft)maschine *f.* -n.
내오다 heraus|bringen*⁴〔-|schaffen⁴〕.
내왕(來往) Verkehr *m.* -(e)s; das Kommen* u. Gehen*. ～하다 gehen* u. kommen*.
내외(內外) ① 《안팎》 das Innere* u. das Äußere*, des -n u. -n. ¶～의 innen u. außen. ② 《부부》 Mann u. Frau; Ehepaar *n.* -(e)s, -e.
내외하다(內外一) 《남녀간》 ⁴sich scheuen 《vor dem anderen Geschlecht》.
내용(內容) Inhalt 〔Gehalt〕 *m.* -(e)s, -e.

¶ ~이 빈약한 inhalt(s)〔gehalt〕leer. ‖ ~ 증명《우편》die Postsache mit amtlich bescheinigtem Inhalt.

내일(來日) 〖副詞〗 morgen. ¶ ~ 아침〔저녁〕에 morgen früh 〔abend〕.

내자(內資) Inlandkapital *n.* -s, -e 〔-ien〕. ‖ ~ 동원 die Mobilisierung des Inlandkapitals.

내장(內臟) die inneren Organe (*pl.*); die Eingeweide (*pl.*).

내장공사(內裝工事) Innendekoration *f.* -en.

내전(內戰) der Kampf untereinander Bruder〔Bürger〕krieg, -(e)s, -e.

내조(內助) die treue Beihilfe der (Ehe-)frau. ~하다 ihrem Mann helfen*.

내주(來週) die nächste Woche. ¶ ~에 nächste Woche.

내주다 aus|geben*^{34}; 《길·자리를》 *jm.* Platz an|bieten.

내지(乃至) von^{3} … bis^{4} 〔zu^{3}〕; zwischen^{3}; 《또는》 oder 《略: od.》; beziehungsweise 《略: bzw.》; alle …

내직(內職) Nebenarbeit *f.* -en. ¶ ~을 하다 ^{4}sich mit e-r Nebenarbeit 〔Zusatzarbeit〕 beschäftigen.

내쫓다 《추방》 hinaus|werfen*; verjagen^{4}; vertreiben*; 《해고》 ab|denken; fort|schicken^{4}.

내출혈(內出血) die innere Blutung, -en.

내키다 《마음이》 Interesse haben 《*an*^{3}; *für*^{4}》. ¶ 네 마음이 내키는 대로 ganz wie du Lust hast.

내통(內通) ~하다 《내응》 in geheimer Verbindung mit dem Feinde stehen*.

내포(內包) 〖論〗 Begriffsinhalt *m.* -(e)s, -e. ~하다 enthalten*^{4}. ¶ 무엇 속에 ~되어 있다 in ^{3}*et.* enthalten sein.

내핍(耐乏) Entbehrung *f.* -en. ~하다 entbehren^{4} müssen*. ‖ ~ 생활 ein entbehrungsreiches Leben.

내화(耐火) ~의 feuerfest. ‖ ~ 벽돌 der feuerfeste Ziegel, -s, -.

내후년(來後年) das übernächste Jahr, -(e)s.

냄비 Pfanne *f.* -n; Topf *m.* -(e)s; ¨e.

냄새 Geruch 〔Duft〕 *m.* -(e)s, ¨e. ~나다 riechen*《*nach*^{3}》. 《좋은》 duften; 《나쁜》 stinken*. ¶ ~ 맡다 riechen*^{4} 《*an*^{3}》; 《개가》 schnüffeln 《*nach*^{3}》.

냅다 《연기》 räucherig 〔qualmig〕 (sein).

냇가 (Fluß)ufer *n.* -s, -.

냉-(冷) kalt; eisgekühlt; Eis-. ¶ 냉맥주 eisgekühltes Bier, -(e)s, -e.

냉각(冷却) (Ab)kühlung *f.* -en. ~하다 (ab|)kühlen^{4}; aus|kühlen. ‖ ~ 기간 Abkühlungspause *f.* -n.

냉기(冷氣) Kälte *f.* ¶ ~를 느끼다 Es ist mir kalt.

냉난방장치(冷暖房裝置) Klimaanlage *f.* -n.

냉담(冷淡) Kälte 〔Kühle; Kaltherzigkeit〕 *f.*; 《무관심》 Gleichgültigkeit *f.* ~하다 kalt 〔kühl; gefühllos; unfreundlich; gleichgültig〕 (sein).

냉대(冷待) ~하다 schlecht 〔unwürdig〕 behandeln^{4}; *jm.* ungastlich 〔nicht gastfreundlich〕 sein.

냉동(冷凍) ~하다 (tief)kühlen^{4}; ab|kühlen^{4}; gefrieren^{4}. ¶ ~의 gefroren. ‖ ~ 건조 Gefriertrocknung *f.* -en / ~ 식품 Gefrierkonserve *f.* -n / ~실 Kühlraum *n.* -(e)s, ¨e / ~어 Gefrier〔Kühl〕fisch *m.* -es, -e / ~육 Gefrier〔Kühl〕fleisch *n.* -es.

냉랭하다(冷冷—) kühls 〔kalt; 《냉정》 kaltblütig〕 (sein).

냉면(冷麵) die kalt zubereitete Fadennudeln (*pl.*).

냉방(冷房) das kalte Zimmer *n.* -s, -. ‖ ~ 장치 Klimaanlage *f.* -n.

냉소(冷笑) das höhnische Lächeln*, -s; Hohn *m.* -(e)s. ~하다 höhnisch lächeln.

냉수(冷水) das kalte Wasser. ‖ ~ 마찰 die kalte Abreidung, -en (~ 마찰하다 ^{4}sich kalt abreiben*).

냉엄(冷嚴) ~하다 hart 〔streng; unerbittlich〕 (sein).

냉이 〖植〗 Hirtentäschelkraut *n.* -(e)s, ¨er.

냉장고(冷藏庫) Eis〔Kühl〕schrank *m.* -(e)s, ¨e.

냉전(冷戰) der kalte Krieg, -(e)s, -e.

냉정(冷情) ~하다 kalt(herzig) 〔kühl〕 (sein).

냉정(冷靜) ~하다 ruhig 〔gefaßt; gelassen; geistesgegenwärtig〕 (sein).

냉차(冷茶) eisgekühlter Tee, -s, -s.

냉철(冷徹) ~하다 besonnen 〔nüchtern〕 (sein).

냉큼 schnell; hurtig; rasch. ¶ 일을 ~ 끝내다 die Arbeit schnell ab|machen.

냉하다(冷—) kalt (sein).

냉해(冷害) Frostschaden *m.* -s, -. ¶ ~를 입다 Frostschaden (er)leiden* 〔haben〕.

냉혈(冷血) ‖ ~ 동물 Kaltblüter *m.* -s, - / ~한(漢) der kaltblütige〔herzlose〕 Mensch, -en, -en.

냉혹(冷酷) ~하다 gefühllos 〔herzlos; kaltherzig; grausam; unbarmherzig〕 (sein).

냠냠거리다 schmatzen.

너 du*; Sie*. ¶ 너의 dein*.

너구리 Dachs *m.* -es, -e.

너그럽다 mild 〔nachsichtig; großherzig〕 (sein). ¶ 너그러운 태도 die sanfte Haltung / 너그러이 용서하다 *jm.* großherzig vergeben*.

너덕너덕 in Fetzen; in Bruchstücken.

너덜너덜 zerknittert; zerknüllt; 《닳은》 schäbig. ¶ ~한 옷을 입고 in schäbiger ^{3}Kleidung.

너르다 weit 〔breit; groß〕 (sein). ¶ 너른 마당 ein großer Platz, -es, ¨e / 너른 집 ein geräumiges Haus, -es, ¨er.

너머 über$^{3\cdot4}$; jenseits^{2}; hinter$^{3\cdot4}$. ¶ 산 ~ 마을 das Dorf jenseits des Berges.

너무 zu; allzu; übermäßig. ¶ ~ 익은 überreif / ~ 먹다 ^{4}sich überessen*.

너비 Weite 〔Breite〕 *f.* -n. ¶ 넉자~ vier Fuß breit.

너울거리다 《물결》 wogen; wallen; 《나뭇잎 따위》 schwanken.

너울너울 wogend; schwingend.

너저분하다 unordentlich 〔liederlich〕 (sein). ¶ 너저분한 방 das unordentliche Zimmer, -s, -.

너절하다 《허름하다》 schäbig〔abgeschabt; liederlich〕(sein). ¶ 너절한 옷 schäbige Kleidung, -en.

너털웃음 lautes 〔homerisches〕 Gelächter, -s, -.

너희(들) ihr (alle); ihr Jungen.

ㄴ

넉넉하다 genügen³; genug sein 《*an*³; *von*³》; aus|reichen 《*für*⁴》. ¶ 넉넉히 ganz genügend; reichlich.

넉살좋다 schamlos〔unverschämt〕(sein).

넋 Seele *f.* –n; Geist *m.* –(e)s. ¶ 넋을 잃고 verträumt / 넋이 없다 geistlos sein.

넋두리 《주절거림》 Kauderwelsch *n.* –s. ∼하다 Kauderwelsch reden.

넌더리 Überdruß *m.* ..sses. ∼나다 überdrüssig werden.

넌센스 ☞난센스.

넌지시 anspielungsweise; heimlich. ¶ ∼ 말하다 heimlich sprechen*.

널 ① ☞널빤지. ② 《관곽》 Sarg *m.* –(e)s, ⸚e. ③ 《널뛰기의》 Wippe *f.* –n.

널다 《볕·바람에》 aus|breiten 《Getreide》; hinaus|hängen ⁴*et.*

널뛰다 auf e–m Springbrett schaukeln.

널리 breit; weit; allgemein. ¶ ∼ 공고하다 allgemein bekannt|machen⁴.

널빤지 Brett *n.* –(e)s, –er; Planke 〔Tafel〕 *f.* –n.

넓다 ① 《폭이》 breit. 〔weit; geräumig; groß〕 (sein). ② 《마음이》 großherzig 〔großmütig〕 (sein).

넓이 Weite 〔Größe; Breite〕 *f.* –n; 《면적》 Flächeninhalt *m.* –(e)s, –e; 《범위》 Umfang *m.* –(e)s, ⸚e.

넓이뛰기 Weitsprung *m.* –(e)s, ⸚e.

넓적다리 (Ober)schenkel *m.* –s, –.

넓히다 verbreiten⁴; vergrößern⁴; erweitern. ¶ 경험을 ∼ s–e Erfahrung erweitern / 집을 ∼ ein Haus vergrößern.

넘겨다보다 begehren⁴; neidisch an|sehen*⁴. ¶ 남의 재산을〔아내를〕 ∼ das Vermögen 〔die Frau〕 e–s anderen begehren.

넘겨주다 überliefern; übergeben*³⁴; ein|händigen³⁴.

넘겨짚다 vermuten⁴; erraten*⁴.

넘기다 《젖히다》 um|wenden⁴; um|schlagen*⁴; um|blättern; 《너머로》 hinüber|reichen³⁴ 《*über*⁴》; 《기한 따위를》 überschreiten*⁴; 《물려주다》 übergeben*³⁴; übertragen*³⁴; 《인도하다》 liefern⁴ 《*an*⁴》; 《고비를》 durch|machen⁴. ¶ 위기를 ∼ e–e Krise durch|machen.

넘다 ① 〘他動詞〙 überschreiten*⁴; hinüber|gehen*; 《통과》 durch|gehen*; 《담 따위를》 über|steigen*. ② 〘自動詞〙 《초과》 (hinaus|)gehen*; 《시간이》 vorüber 〔vorbei〕 sein. ☞넘치다.

넘버링 Numeriermaschine *f.* –n.

넘실거리다 wogen; wallen; ⁴sich wellenförmig bewegen; auf|wallen 《거칠게》.

넘어가다 ① 〘自動詞〙 《쓰러지다》 (hin|-)fallen*; 《망하다》 zu Fall kommen*; stürzen; 《때·시기가》 vorüber 〔vorbei〕 sein; verfallen*; 《해·달이》 unter|gehen⁴; 《남의 손으로》 in andere Hände fallen*; 《속다》 (her)ein|fallen*; 《젖혀짐》 um|schlagen*. ② 〘他動詞〙 《저쪽으로》 überschreiten*⁴; gehen* 《*über*⁴》.

넘어뜨리다 um|werfen*⁴; um|legen⁴; um|stoßen*⁴. ¶ 의자를 ∼ den Stuhl um|stoßen*.

넘어지다 (um|)fallen*; hin|fallen*.

넘치다 über|fließen*⁴; über|laufen*⁴; aus|treten*. ¶ 강물이 ∼ der Fluß tritt aus 〔über〕.

넙치〔魚〕 Flunder *f.* –n.

넝마 Lumpen *m.* –s, –. ‖ ∼장수 Lumpenhändler *m.* –s, – / ∼주이 Lumpensammler *m.* –s, –.

넣다 ① 《속에》 stecken⁴ 《*in*⁴》; hinein|tun*⁴; ein|nehmen*⁴. ¶ 돈을 주머니에 ∼ Geld in die Tasche stecken. ② 《획득》 in ⁴die Hand bekommen*. ③ 《포함》 ein|schließen*⁴. ¶ 이자를 넣어 7 만원 70000 *Won* einschlißlich der ²Zinsen. ④ 《입학·입회》 auf|nehmen; ein|liefern. ¶ 아이를 학교에 ∼ ein Kind in die Schule schicken.

네¹ 《너》 du*; 《너의》 dein*.

네² ① 《응답》 ja; jawohl; gewiß《확실히》; doch 〘否定文에 대한 肯定의 답〙; nein 〘否定文에 대한 否定의 답〙. ② 《출석 부를 때》 hier. ③ 《반문》 wie? ha!; mein Gott!; nun?; was?

네거리 (Straßen)kreuzung *f.* –en; (Straßen)ecke *f.* –en.

네까짓 deinesgleichen; (e–e Person) wie du. ¶ ∼놈 ein Geschöpf wie du.

네덜란드 Holland *n.* –s. ¶ ∼의 holländisch.

네모 Viereck *n.* –(e)s, –e. ¶ ∼난 viereckig.

네온사인 Neonlicht *n.* –(e)s, –er.

네커치프 Halstuch *n.* –(e)s, ⸚er.

네트 Netz *n.* –es, –e. ¶ ∼를 치다 Netz spannen.

넥타이 Schlips *m.* –es, –e; Krawatte 〔(Hals)binde; Schleife〕 *f.* –n. ¶ ∼를 매다 e–e Krawatte binden*. ‖ ∼핀 Krawattennadel *f.* –n.

넷 vier. ¶ ∼으로 자르다 vierteln⁴.

녀석 《蔑》 Kerl *m.* –s, –e; 《귀엽게》 ein lieber Kerl. ¶ 귀여운 ∼ ein hübscher Kerl.

년 《蔑》 Weib *n.* –(e)s, –er; 《귀엽게》 ein kleines Mädel, –s, –.

년(年) Jahr *n.* –(e)s, –e. ¶ 3년, 3 Jahre.

노(櫓) Ruder *n.* –s, –; Riemen. *m.* –s, –. ¶ 노를 젓다 rudern⁴.

노고(勞苦) Mühseligkeit *f.* –n; Abquälerei *f.* –en. ¶ ∼를 위로하다 *jn.* um die Mühseligkeit trösten / ∼를 아끼지 않다 k–e Mühseligkeit scheuen.

노골적(露骨的) ∼인 nackt; offen; rücksichtslos. ¶ ∼으로 말하다 ohne Rücksicht sagen; platt heraus|sagen / ∼ 묘사 drastische Schilderung, –en.

노기(怒氣) Ärger *m.* –s; Entrüstung *f.* –en; Zorn *m.* –(e)s. ¶ ∼를 띠고 im Zorn / ∼ 등등하다 wütend sein; rot vor Wut sein.

노끈 Band *n.* –(e)s, ⸚er; Schnur *f.* ⸚e. ¶ ∼을 꼬다 e–e Schnur fest|binden*.

노년(老年) (Greisen)alter *n.* –s, – / ∼에 이르러 im (hohen) Alter. ‖ ∼기 das hohe Alter.

노닐다 umher|schlendern.

노도(怒濤) Sturzwelle *f.* –n.

노동(勞動) Arbeit *f.* –en. ∼하다 arbeiten. ‖ ∼권(權) Arbeitsrecht *n.* –(e)s, –e. / ∼법 Arbeitsgesetz *n.* –(e)s, –e / ∼ 임금 Arbeitslohn *m.* –es, ⸚e / ∼자 Arbeiter *m.* –s, – (∼자 계급 Arbeiterklasse *f.* –n) / ∼ 쟁의 Arbeitsstreitigkeit *f.* –en / ∼ 조건 Arbeitsbedingung *f.* -en / ~ 조합 Gewerkschaft *f.* -en / 8시간 ~ Achtstundentag *m.* -(e)s, -e / 육체 〔정신〕 ~ die körperliche 〔geistige〕 Arbeit.

노랑 Gelb *n.* -(e)s. ¶ 엷은 ~ Hellgelb. ‖ ~ 저고리 e-e gelbe Jacke, -n.

노랑이 《노란 것》 das Gelbe*, -n; 《인색한 이》 Geizhals *m.* -es, ⁻̈e.

노랗다 ① 《색이》 ganz gelb 〔goldgelb〕 (sein). ② 《시들하다》 ¶ 싹수가 ~ es gibt k-e Aussichten.

노래 《가요》 Lied *n.* -(e)s, -er; Gesang *m.* -(e)s, ⁻̈e; Ballade *f.* -n. ~하다 singen*$^{(4)}$. ‖ ~ 자랑 Wettgesang *m.* -(e)s, ⁻̈e / 노랫소리 Gesangstimme *f.* -n.

노래기 〖動〗 Bandfüßer *m.* -s, -.

노래지다 gelblich werden.

노략질(擄掠—) das Erbeuten*, -s. ~하다 von *jm.* erbeuten^{4}.

노려보다 an|starren^{4}; scharf an|sehen^{4}. ¶ 서로 ~ einander an|starren.

노력(努力) Bestreben *n.* -s; Anstrengung *f.* -en. ~하다 ^{4}sich bestreben 〔an|strengen〕; ^{4}sich bemühen 《*um*^{4}》. ‖ ~가 der Fleißige*, -n, -n.

노련(老練) ~하다 alterfahren 〔gut geübt; erprobt; 《항해에》 befahren〕 (sein). ¶ ~한 솜씨 die meisterhafte Gewandheit.

노령(老齡) hohes Alter, -s, -.

노루 〖動〗 Reh *n.* -(e)s, -e.

노르스름하다 hellgelb 〔gelblich〕 (sein).

노르웨이 Norwegen *n.* -s. ¶ ~의 norwegisch. ‖ ~사람 Norweger *m.* -s, -.

노른자위 Dotter *m.*〔*n.*〕 -s, -; Eigelb *n.* -(e)s.

노름 (Hasard)spiel *n.* -(e)s, -e; Hasard *n.* -s. ~하다 (Hasard) spielen; um Geld spielen; hoch spielen. ‖ ~꾼 (Hasard-)spieler *m.* -s, - / ~판 Spiel·haus *n.* -es, ⁻̈er〔-hölle *f.* -n〕.

노릇 《일》 Arbeit *f.* -en; 《역할》 Rolle *f.* -n. ‖ 선생 ~ Lehrtätigkeit *f.*

노리다^{1} 《냄새가》 stinken*; übelriechend (sein); 《다랍다》 geizig (sein).

노리다^{2} 《재산 등을》 zielen 《*auf*^{4}; *nach*^{3}》; 《기회 등을》 lauern 《*auf*^{4}》. ¶ 기회를 ~ auf e-e Gelegenheit lauern / 아무의 목숨을 ~ *jm.* nach dem Leben trachten.

노망(老妄) ~하다 kindisch werden; altersblödsinnig werden.

노발대발(怒發大發) ~하다 vor Wut kochen.

노벨 ‖ ~상 Nobelpreis *m.* -es, -e (~상 수상자 Nobelpreisträger *m.* -s, -).

노병(老兵) der altgediente Soldat, -en, -en.

노부모(老父母) alte Eltern (*pl.*).

노사(勞使) Kapital u. Arbeit, des -s u. der -; Arbeitnehmer u. -geber. ‖ ~협조 die gute Zusammenarbeit von Kapital u. Arbeit.

노상(路上) ¶ ~에서 auf der Straße, -n. ‖ ~ 강도 Straßenräuber *m.* -s, -.

노새 〖動〗 Maultier *n.* -(e)s, -e.

노선(路線) Linie *f.* -n; Route *f.* -n. ‖ 버스 ~ Omnibuslinie / 외교 ~ die außenpolitische Linie 〔Ebene〕.

노소(老少) die Alten u. die jungen (*pl.*).

노쇠(老衰) Altersschwäche *f.* ~하다 altersschwach werden.

노심초사(勞心焦思) ~하다 s-n Geist an|strengen; unruhig〔beunruhigt〕sein.

노여움 Zorn *m.* -(e)s; Ärger *m.* -s. ¶ ~을 사다 *js.* Zorn zu|ziehen*.

노여워하다 zürnen; ^{4}sich ärgern 《über ^{4}*et.*》; ärgerlich sein 《auf *jn.*》.

노예(奴隷) 《신분》 Sklaverei *f.* -en; Sklave *m.* -n, -n; Sklavin *f.* -nen. ‖ ~근성 Sklaverei *f.* -en / ~ 해방 Sklavenbefreiung *f.* -en.

노인(老人) der Alte*, -n, -n; Greis *m.* -es, -e. ‖ ~병 Altersschwäche *f.*

노작(勞作) e-e mühsame Arbeit, -en; ein mühevolles Werk, -(e)s, -e,

노적가리(露積—) Getreide〔Korn〕schober *m.* -s, - (im Freien).

노점(露店) (Straßen)bude *f.* -n. ‖ ~가(街) Marktbuden (*pl.*) / ~ 상인 Budenverkäufer *m.* -s, -.

노처녀(老處女) die alte Jungfer, -n.

노천(露天) das Freie*, -n. ¶ ~에서 im Freien. ‖ ~ 극장 Freilichtbühne *f.* -n.

노총각(老總角) ein alter Junggeselle, -n, -n.

노출(露出) Entblößung *f.* -en; 〖寫〗 Belichtung *f.* -en; 〖坑〗 das Anstehen*, -s. ~하다 entblößen^{4}; belichten^{4}. ¶ ~된 bloß; belichtet. ‖ ~증 Exhibitionismus *m.* -.

노크 das Klopfen*, -s. ~하다 klopfen 《*an*^{4}; *auf*^{4}》.

노트^{1} 〖海〗 Knoten *m.* -s, -.

노트^{2} 《메모》 Notiz *f.* -en; 《필기장》 Schulheft *n.* -(e)s, -e. ~하다 ^{3}sich auf|schreiben*^{4}.

노파(老婆) die alte Frau, -en; die Alte*, -n, -n. ‖ ~심 die übermäßige Besorglichkeit.

노폐(老廢) Gebrechlichkeit *f.* ‖ ~물 verbrauchte Sache, -n.

노하다(怒—) zürnen 《*jm.*; auf *jn.*; mit *jm.*》; ^{4}sich ärgern《*über*^{4}》. ¶ 노해서 im Zorn.

노호(怒號) Gebrüll *n.* -(e)s. ~하다 wütend 〔rasend〕 schreien*; ein ^{4}Zorngeschrei erheben*.

노화현상(老化現象) Alters·erscheinung *f.* -en〔-anzeichen *n.* -s, -〕.

노환(老患) Altersschwäche *f.*

노획(鹵獲) Erbeutung *f.* -en. ~하다 erbeuten^{4}. ‖ ~물, ~품 Beute *f.* -n.

노후(老朽) ~하다 alt u. abgenutzt 〔alt u. verbraucht〕 (sein).

노후(老後) Lebens·abend *m.* -s, -e 〔-herbst *m.* -es, -e〕. ¶ ~에 대비하다 für das Alter sorgen.

녹(綠) 《금속의》 Rost *m.* -(e)s; 《푸른》 Patina *f.* ¶ 녹슨 rostig; patiniert / 녹슬다 verrosten; Rost an|setzen; patiniert werden.

녹내장(綠內障) der grüne Star, -(e)s, -e; Glaukom *n.* -s, -e.

녹다 ① 《액화》 ^{4}sich auf|lösen《*in*^{3} 액체 속에》; 《고체가 액체로》; schmelzen*; zergehen*. ¶ 눈이 ~ Der Schnee schmilzt. ② 《따뜻해지다》 warm werden. ¶ 몸이 ~ ^{4}sich wärmen.

녹다운 Knockdown *m.* -(s), -s,

녹말(綠末) Stärke *f.* -n; Amylon *n.* -s.

녹색(綠色) Grün *n.* -s. ~의 grün. ‖ ~신고 Umsatzsteuererklärung *f.* -en.

녹음(錄音) (Ton)aufnahme *f.* -n. ~하다 aufs Band sprechen*; 《레코드에》 auf

⁴Schallplatten auf|nehmen*; (테이프 리코더로) auf ⁴Band auf|nehmen*. ‖ ~기 (Ton)aufnahmegerät *n.* –(e)s, –e; Magnetophon *n.* –s, –e; Tonbandgerät *n.* –(e)s, –e / ~실 (Ton)aufnahmeraum *m.* –(e)s, ..e / 휴대용 ~기 ein tragbares [transportables] Tonbandapparat, –(e)s, –e.

녹이다 ① auf|lösen⁴ (*in*³ 액체에) schmelzen*⁴; (고체를 액체로) flüssig machen. ¶ 녹기 쉬운 leichtauflösbar / 녹지 않는 unauflösbar / 얼음을 ~ das Eis schmelzen* / 소금을 물에 ~ Salz in Wasser auf|lösen. ② (따뜻하게 하다) wärmen⁴; warm machen. ¶ 자리를 ~ sein Bett warm machen.

녹지(綠地) die grüne Fläche, –n. ‖ ~대 Grünstreifen *m.* –s, –.

녹초 ① (결딴남) Verbrauch *m.* –(e)s. ¶ ~가 되다 beschmutzt werden. ② (기진함) Überschöpfung *f.*

녹화(錄畫) (Fernseh)aufzeichnung *f.* –en. ~하다 (e–e Szene) aufs Video-Band auf|zeichnen.

논 Reisfeld *n.* –(e)s, –er. ¶ 논두렁 (Acker)rain *m.* –(e)s, –e.

논객(論客) Kritiker [Polemiker] *m.* –s, –.

논거(論據) Beweisgrund *m.* –(e)s, ..e.

논고(論告) Anklagerede *f.* –n. ~하다 e–e Anklagerede halten* ¶ 준엄한 ~ e–e vernichtende Anklagerede.

논급(論及) ~하다 zu sprechen kommen* (*auf*⁴).

논란(論難) die kritische Beurteilung, –en (e–r ²Sache; *über*⁴).

논리(論理) Logik *f.* ~적(인) logisch. ‖ ~학 Logik *f.*; Denklehre *f.* / ~학자 Logiker *m.* –s, –.

논문(論文) Abhandlung *f.* –en; Aufsatz *m.* –es, ..e; (논설) Artikel *m.* –s, –; (학술적) Dissertation *f.* –en. ‖ 학위 ~ Doktordissertation *f.*

논박(論駁) Angriff *m.* –(e)s, –e (auf [gegen] *jn.*). ~하다 an|greifen*⁴.

논밭 Feld *n.* –(e)s, –er.

논법(論法) Beweisführung [Schlußfolgerung] *f.* –en; Logik *f.* ‖ 삼단 ~ Syllogismus *m.* –, ..men.

논설(論說) Essay [ése:] *m.* –s, –; (사설) Leitartikel *m.* –s, –. ‖ ~ 위원 Leitartikelschreiber *m.* –s, –.

논의(論議) ~하다 diskutieren⁴; erörtern⁴.

논쟁(論爭) Disput *n.* –(e)s, –e; Disputation *f.* –en; Wortstreit *m.* –(e)s, –e. ~하다 disputieren (mit *jm.* *uber*⁴); gelehrt streiten*.

논적(論敵) (theoretische) Gegner, –s, –.

논점(論點) Streitpunkt *m.* –(e)s, –e; der streitige Punkt.

논제(論題) Gegenstand *m.* –(e)s, ..e; Thema *n.* –s, ...men.

논조(論調) Ton der Auseinandersetzung; (신문) Stimme *f.* –n.

논죄(論罪) ~하다 e–n Entscheid treffen*.

논평(論評) Besprechung *f.* –en; Rezension *f.* –en. ~하다 besprechen*⁴; rezensieren⁴.

논픽션 Nonfiction *n.* –; Sachbuch *n.* –(e)s, ..er.

논하다(論—) erörtern⁴; argumentieren; disputieren⁴ (*über*⁴). ¶ 어떤 문제를 ~ e–e Frage besprechen*.

놀 (하늘의) der rote Himmel, –s, –. ¶ 저녁놀 Abendrot *n.* –(e)s.

놀다 ① (유희·즐김) spielen (*mit*³); ⁴sich vergnügen (*an*³; *mit*³); (빈둥빈둥) müßig sein [gehen]; ¶ 놀기 좋아하는 vergnügungssüchtig. ② (방문·소풍) besuchen⁴; spazieren|gehen*. ¶ 한 번 놀러 오십시오 Machen Sie mir das Vergnügen, mich zu besuchen! ③ (유흥) ⁴sich belustigen. ¶ 놀기 좋아하는 사람 der Vegnügungssüchtige*, –n, –n. ④ (휴식) müßig(gängerisch) sein. ¶ 놀지 않고 ruhelos; rastlos. ⑤ (무직) arbeitslos sein. ⑥ (유휴) ¶ 노는 기계 die unbenutzte Maschine, –n.

놀라다 (⁴sich) wundern; (⁴sich) erstaunen; ⁴sich entsetzen. ¶ 깜짝 ~ erschrecken* (*über*⁴) / 자기 그림자에 ~ über s–n eigenen Schatten erstaunen.

놀라움 (의외) Überraschung *f.* –en; (경탄) Bewunderung *f.* –en; Wunder *n.* –s, –; (경악) Erstaunen *n.* –s; (무서움) Schrecken *m.* –s, –; (경이) Verwunderung *f.* –en.

놀랍다 staunenswert [wunderbar] (sein).

놀래다 erschrecken (*jn.*); entsetzen (*jn.*); überraschen (*jn.*).

놀리다 (놀게 하다) spielen; (쉬게 함) (aus|)ruhen; (조롱) necken⁴; (조종함) behandeln⁴; (움직임) bewegen⁴. ¶ 여자를 ~ mit e–r Frau schäkern / 팔을~ die Arme bewegen.

놀림 Neckerei *f.* –en. ‖ ~감, ~거리 Gegenstand der Neckerei.

놀아나다 aus|schweifen; leichtsinnig leben.

놀이 Spiel *n.* –(e)s, –e; Zeitvertrieb *m.* –(e)s, –e; Vergnügung *f.* –en. ‖ ~터 Spielplatz *m.* –es, ..e / 뱃~ das Bootfahren*, –s.

놈 Ding *n.* –(e)s, –e; Kerl *m.* –(e)s, –e; Bursche *m.* –n, –n; Patron *m.* –s, –e. ¶ 건방진 놈 ein unverschämter Kerl.

놈팡이 Genußmensch *m.* –en, –en.

놋쇠 Messing *n.* –s. ¶ ~의 messingen.

농(弄) (장난) Scherz *m.* –es, –e. ¶ 농으로 aus [im; zum] Scherz.

농가(農家) Bauernhaus *n.* –er, ..er; Bauernhof *m.* –(e)s, ..e.

농경(農耕) Bebauung *f.* –en. ‖ ~지 Bauerde *f.* –n.

농과(農科) die Fakultät für Ackerbaukunde. ‖ ~대학 die landwirtschaftliche Hochschule, –n.

농구(籠球) Basketball [Korbball] *m.* –(e)s; Korbballspiel *n.* –(e)s, –e.

농노(農奴) der Leibeigene*, –n, –n; (신분) Leibeigenschaft *f.* –en.

농담(弄談) Scherz *m.* –es, –e; Spaß *m.* –es, ..e. ~하다 Spaß machen; spaßen; scherzen. ¶ ~으로 zum Scherz / ~이 아니다 Damit läßt sich nicht spaßen.

농담(濃淡) hell u. dunkel. ¶ 그림의 ~ die Abschattierung e–s Gemäldes.

농도(濃度) Dichtigkeit *f.*

농락(籠絡) das Umgarnen*, –s. ~하다 umgarnen; berücken. ¶ ~당하다 ⁴sich um den Finger wickeln lassen*.

농민(農民) Bauer m. -n[-s], -n; Landmann m. -(e)s, ..leute. ‖ ~ 문학 Bauerndichtung f. -en / ~ 계급 Bauernstand m. -(e)s, ¨e.

농번기(農繁期) Säe- u. Erntezeit f. -en.

농부(農夫) Bauer m. -n [-s], -n; Landmann [Ackermann] m. -(e)s, ...leute.

농사(農事) Acker- u. Pflanzenbau m. -(e)s; Landwirtschaft f. ~짓다 [4]Ackerbau (be)treiben*. ‖ ~군 Bauernlümmel m. -s, - / ~일 Ackerwerk n. -(e)s, -e / ~ 시험장 die landwirtschaftliche Versuchsanstalt, -en.

농산물(農産物) Bodenerzeugnis n. -ses, -se; die Naturalien (pl.).

농성(籠城) das Eingeschlossensein* [Abgesperrtsein*] in e-r Burg; das Belagertsein*, -s. ~하다 Belagert sein.

농아(聾啞) Taubstummheit f. ‖ ~자 der Taubstumme*, -n, -n / ~ 학교 Taubstummenanstalt f. -en.

농악(農樂) Bauernmusik f.

농약(農藥) Insektenvertilgungsmittel n. -s, -.

농어촌(農漁村) Bauern- u. Fischerdorf n. -(e)s, ¨er.

농업(農業) Landwirtschaft f. -en; Ackerbau m. -(e)s; Agrikultur f. ¶ ~에 종사하다 Landwirtschaft betreiben*. ‖ ~국 Agrarstaat m. -(e)s, -en / ~ 정책 Agrarpolitik f. -en / ~학교 Ackerbauschule f. -n / ~ 협동 조합 die landwirtschaftliche Genossenschaft, -en.

농작물(農作物) Getreide n. -s, -; Feldfrucht f. ¨e; Bodenerzeugnis n. -ses, -se. ¶ ~의 피해 Feldschaden m. -s.

농장(農場) Meierei [Farm] f. -en.

농정(農政) Agrarpolitik f. -en.

농지(農地) Ackerland n. -(e)s; Ackerfeld n. -(e)s, -er. ‖ ~ 개혁 Agrarreform f. -en.

농촌(農村) Landgemeinde f. -n; Bauerndorf n. -(e)s, ¨er. ‖ ~ 문제 Agrarproblem n. -(e)s, -e.

농축(濃縮) Konzentration [Anreicherung] f. -en. ‖ ~ 우라늄 das konzentrierte Uran, -s.

농토(農土) Ackerland n. -(e)s. ‖ ~ 개량 die Verbesserung des Ackerlandes.

농학(農學) Landwirtschaftslehre f. -n.

농한기(農閑期) Zeit außer bäuerlichen Betrieben.

농후(濃厚) ~하다 dicht [dick; stark] (sein).

높낮이 (고저) das Hoch [Auf] u. Nieder; das Steigen* u. Fallen*; (소리의) (Ton)höhe f. -n.

높다 ① (높이·온도 등) hoch (sein). ¶ 높은 산 der hohe Berg, -(e)s, -e. ② (소리) laut (sein). ③ (지위 등) hoch [groß] (sein). ¶ 높으신 분 Honoratiore m. -n, -n (보통 pl.); Notabeln (pl.). ④ (물가) hoch [teuer] (sein).

높이 〖名詞的〗 Höhe f. -n; 〖副詞的〗 hoch; in die Höhe. ¶ ~가 10 미터이다 10m hoch sein / 손을 ~ 들다 die Hand hoch heben*.

높이다 erhöhen[4]; (er)heben*[4]. ¶ 담을 ~ die Mauer erhöhen / 품질을 ~ die Qualität verbessern.

높이뛰기 Hochsprung m. -(e)s, ¨e.

놓다 ① (물건을) setzen[4]; stellen[4]; legen[4]; lassen[4]. ¶ 제자리에 ~ an s-n Ort stellen. ② (마음을) beruhigend [sorgenlos] sein. ③ (불·총 따위를) an|stecken[4]; ab|schließen*[4]. ④ (주사 등을) injizieren[4].

놓아주다 los|lassen*[4]; los|machen[4].

놓이다 (물건이) liegen*; stehen*; (마음이) [4]sich beruhigen.

놓치다 verpassen[4]; verfehlen[4]. ¶ 기차를 ~ den Zug versäumen.

뇌(腦) Gehirn [Hirn] n. -(e)s, -e. ‖ 뇌빈혈 Hirnanämie f. -n / 뇌신경 Gehirnnerv m. -s, -en / 뇌일혈 Hirnblutung f. -en / 뇌종양 Gehirntumor m. -s, -en / 뇌진탕 Gehirnerschütterung f. -en.

뇌관(雷管) Zündhütchen n. -s, -.

뇌리(腦裡) Kopf m. -(e)s, ¨e; Hirn n. -(e)s, -e. ¶ ~에서 사라지지 않는다 nicht aus dem Sinn gehen*.

뇌막(腦膜) 〖醫〗 (Ge)hirnhaut f. ¨e. ‖ ~염 (Ge)hirnhautentzündung f. -en.

뇌물(賂物) (행위) Bestechung f. -en; (금품) Bestechungsgeschenk n. -(e)s, -e. ¶ ~을 쓰다 bestechen*[4].

뇌쇄(惱殺) ~하다 bezaubern[4]; berücken[4]; bestricken[4]; entzücken[4].

뇌수술(腦手術) Gehirnoperation f. -en.

뇌염(腦炎) 〖醫〗 Gehirnentzündung f. -en. ¶ ~에 걸리다 von e-r Gehirnentzündung befallen werden.

뇌우(雷雨) Gewitter n. -s, -; Gewitterregen m. -s, -.

뇌조(雷鳥) Schneehuhn n. -(e)s, ¨er.

뇌출혈(腦出血) Gehirnblutung f. -en.

뇌파(腦波) Aktionsströme des Gehirns.

뇌하수체(腦下垂體) Hypophyse f. -n; Hirnanhang m. -(e)s, ¨e.

누(累) Unannehmlichkeit f. -en; Komplikation f. -en. ¶ 남에게 누를 끼치다 e-n anderen in [4]Unannehmlichkeiten (hinein|)verwickeln.

누가복음(—福音) 〖聖〗 Evangelium Lucä.

누구 ① (의문) wer*; welcher*. ¶ 거기 ~야 Wer (ist) da? ② (누군가) jemand*. ¶ ~ 있느냐 Ist jemand da? ③ (누구나 [도·라도]) 〖肯定〗 jeder*; 〖否定〗 keiner*. ④ (누구나 다) alle*; jedermann*. ¶ ~든지 jeder (mann).

누그러뜨리다 weich machen[4].

누그러지다 mild werden; [4]sich beruhigen. ¶ 마음이 ~ mildherzig werden.

누나 die ältere Schwester.

누누이(屢屢—) ausführlich; ausholend. ¶ ~ 이야기하다 [4]sich eingehend aus|sprechen* (über[4]).

누더기 Lumpen [Fetzen] m. -s, -.

누드 Akt m. -(e)s, -e. ‖ ~모델 Aktmodell n. -s, -e.

누락(漏落) Auslassung f. -en. ~하다 aus|lassen*[4].

누란(累卵) ¶ ~의 위기에 처하다 [4]sich e-r drohenden [3]Gefahr ausgesetzt sehen*.

누렇다 völlig gelb (sein).

누룩 Hefe f. -n; Malz n. -es, (-e).

누르다 ① (내리 누름) drücken[4]; pressen[4]. ¶ 초인종을 ~ auf die Klingel drücken. ② 《억제》 beherrschen[4]; 《진압》 unterdrücken[4]; 《제압》 besiegen[4].

누리다[1] 《냄새가》 stinkend〔ranzig〕(sein). ¶ 누린내 Gestank *m.* -(e)s.

누리다[2] 《복을》 genießen*[4]. ¶ 행복을 ~ sein Glück genießen*.

누명(陋名) Schandfleck *m.* -(e)s, -e. ¶ ~을 쓰다 Schande auf [4]sich laden*.

누범(累犯) Rückfall *m.* -(e)s, ⸚e. ¶ ~ 가중의 원칙 das Prinzip der Straferschwerung im Rückfall.

누비 das Steppen*, -s. ‖ ~옷 wattiertes Kleid *n.* -(e)s, -e / ~이불 Steppdecke *f.* -n.

누비다 ① 《바느질》 steppen[4]; durchnähen[4]. ¶ 이불을 ~ die (Bett)decke steppen. ② 《사람 속을》 ¶ 군중 속을 누비며 걷다 [4]sich durch die Menge durch|winden*.

누설(漏泄) 《기밀의》 Enthüllung *f.* -en; Verrat *m.* -(e)s. ~하다 enthüllen[4]; verraten*[4].

누에 Seidenwurm *m.* -(e)s, ⸚er. ‖ ~고치 Kokon *m.* -s, -s / ~치기 Seiden(raupen)zucht *f.*

누이 Schwester *f.* -n. ‖ ~동생 e-e jüngere Schwester.

누적(累積) Anhäufung *f.* -en. ~하다 an|sammeln[4]; an|häufen[4].

누전(漏電) die Ableitung der Elektrizität. ~하다 Elektrizität entweicht.

누진(累進) die stufenweise erfolgende Beförderung, -en. ‖ ~과세 die progressive Besteuerung, -en.

누차(屢次) oftmals; häufig; viele Male.

누추하다(陋醜—) direckig 〔schmutzig〕 (sein).

눅눅하다 feucht 〔dunstig; naß〕 (sein).

눅다 《값이》 billig (sein); 《날씨가》 wärmer werden; 《반죽이》 weich; dünn (sein); 《축축함》 feucht (sein); 《성질이》 ruhig 〔mild〕 (sein).

눈[1] 《싹》 Keim *m.* -(e)s, -e; Knospe *f.* -n.

눈[2] 《일반적》 Auge *n.* -s, -n; 《시력》 Gesicht *n.* -(e)s; 《안식》 Kennerblick *m.* -(e)s, -e. ¶ 눈 먼 blind / 눈에 띄는 auffallend; auffällig / 눈에 띄다 auf|fallen* / 눈이 좋다〔나쁘다〕 gute 〔schlechte〕 Augen haben / 그에게 사람을 보는 눈이 있다 Er besitzt viel Mennschenkenntnis / 눈을 부릅뜨고 mit Kulleraugen / 날카로운 눈 kühne Augen (*pl.*) / 눈에 선하다 etwas steht *jm.* vor Augen / 눈으로 인사하다 mit e-m Nicken grüßen / 눈을 떼다 aus dem Auge lassen* / 눈을 내리 깔다 die Augen miderschlagen* / 눈 딱 감고 ohne Zögerung.

눈[3] 《내리는》 Schnee *m.* -s. ¶ 눈이 내리다 Es schneit. ‖ 눈보라 Schneegestöber *n.* -s / 눈사람 Schneemann *m.* -(e)s, ⸚er / 눈사태 Lawine *f.* -n; Schneerutsch *m.* -es, -e / 눈송이 Schneeflocke *f.* -n / 눈싸움 Schneeballschlacht *f.* -en.

눈가림 die scheinbare Gewissenhaftigkeit; Gleisnerei *f.* -en.

눈감다 die Augen schließen*; in [3]Frieden ruhen.

눈감아주다 durch die Finger sehen*[4] (*jm.*); ein Auge zu|drücken (bei [3]*et.*).

눈곱 Augenbutter *f.*

눈금 Skala *f.* ..len; Gradeinteilung *f.* -en.

눈길[1] 《시선》 Blick *m.* -(e)s, -e. ¶ ~을 모으다 Aufmerksamkeit erregen.

눈길[2] 《눈 덮인 길》 die schneebedeckte Straße, -n.

눈까풀 Augenlid *n.* -(e)s, -er.

눈꼴사납다 《모양이》 häßlich 〔verhaßt〕 (sein); 《아니꼽다》 *jm.* anstößig〔ärgerniserregend〕 vor|kommen*.

눈대중 Augenmaß *n.* -es; die ungefähre Schätzung, -en. ~하다 mit den Augen messen*[4]. ¶ ~으로 nach dem Augenmaß.

눈독 ¶ ~들이다 [4]es ab|sehen*〔an|legen〕 (*auf*[4]); sein Absehen haben 〔richten〕 (*auf*[4]).

눈동자(—瞳子) Pupille *f.* -n.

눈뜨다 《눈을》 die Augen öffnen; 《깨닫다》 auf|wachen; erwachen.

눈뜬장님 Analphabet *m.* -en, -en; der Ungebildete*, -n, -n.

눈멀다 blind werden; [4]sich erblinden. ¶ 돈에 눈이 멀다 aus [3]Geldsucht verblendet werden.

눈물 Träne *f.* -n. ¶ ~어린 tränig; tränenschwer / ~겨운 (zu Tränen) rührend; ergreifend / ~을 흘리다 tränen; Tränen vergießen / 기쁨의 ~ die Tränen der Freude / ~을 삼키다 die Tränen hinunterschlucken.

눈병(—病) Augenkrankheit *f.* -en. ¶ ~나다 an e-r Augenkrankheit leiden*.

눈부시다 ① 《빛이》 blendend〔grell〕(sein). ¶ 눈부시게 희다 blendend weiß sein. ② 《업적》 beträchtlich (sein). ¶ 눈부신 업적 e-e erstaunliche Leistung, -en.

눈빛 Augenausdruck *m.* -(e)s, ⸚e.

눈살찌푸리다 e-e finstere Miene machen; finster drein|schauen.

눈속이다 blenden; täuschen[4].

눈시울 ¶ ~이 뜨거워지다 *jm.* weinerlich zumute sein (*bei*[3]).

눈썰미 ¶ ~가 있다 viel Einsicht haben.

눈썹 (Augen)braue *f.* -n. ¶ 짙은 ~ die starken (Augen)brauen / ~을 그리다 (Augen)brauen nach|ziehen*.

눈알 Augapfel *m.* -s, ⸚. ¶ ~을 굴리다 die Augen verdrehen.

눈여겨보다 genau 〔aufmerksam〕 betrachten[4]. ¶ 눈여겨볼 만한 beachtenswert.

눈요기(—療飢) ~하다 s-e Augen weiden 〔ergötzen〕 (*an*[3]); Augentrost finden* (*in*[3]).

눈웃음치다 mit den Augen lächeln.

눈짓 Wink *m.* -(e)s, -e. ~하다 *jm.* mit den Augen winken.

눈초리 der äußere Augenwinkel, -s, -.

눈총 wilder Blick, -(e)s, -e; scharfe Augen (*pl.*); durchbohrender Blick.

눈치 《센스》 Takt *m.* -(e)s, -e; Takt〔Fein〕gefühl *n.* -(e)s, -e; Sinn *m.* -(e)s, -e. ¶ ~보다 versuchen *js.* Gedanken zu lesen / ~채다 (be)merken[4]; wahr|nehmen*[4].

눋다 an|brennen*; versengen. ¶ 눌은 밥 angebrannter Reis.

눌변(訥辯) ∼의 unberedt.
눕다 《동작》 ⁴sich hin|legen; 《상태》 liegen*. ¶몸져 ∼ wegen Krankheit im Bett liegen / 누워 떡 먹기다 kinderleicht sein.
눕히다 legen⁴; nieder|legen⁴.
뉘앙스 Nuance *f.* –n; Abschattierung *f.* –en.
뉘우치다 bereuen; bedauern. ¶죄를 ∼ s–e Sünden bereuen.
뉴스 die Neuigkeiten (*pl.*); Neues* *n.*; 《라디오의》 Nachricht *f.* –en. ‖ ∼ 방송 Nachrichtensendung *f.* –en / ∼ 영화 Wochenschau *f.* –en / ∼ 해설자 Nachrichtensprecher *m.* –s, – / 해외∼ die auswärtigen Neuigkeiten (*pl.*).
뉴페이스 ein neues Gesicht, –es, –er.
느긋하다 behäbig 〔anheimelnd〕 (sein). ¶느긋이 행동하다 ⁴sich ganz ungezwungen geben*.
느끼다 ① 《감각》 (be)fühlen⁴; empfinden*⁴. ¶고통을 ∼ Schmerz fühlen. ② 《감동》 gerührt 〔berührt〕 sein. ¶느낀 바가 있어서 der inneren Stimme gehorchend.
느끼하다 fett(ig)〔schmierig〕 (sein). ¶느끼한 국 fettige〔schmierige〕 Suppe, –n.
느낌 Gefühl *n.* –(e)s, –e; Empfindung *f.*; Sinn *m.* –(e)s, –e; 《기분》 Stimmung *f.* –en; 《인상》 Eindruck *m.* –(e)s, ¨e. ¶…한 ∼이 들다 es ist mir, als ob....
느닷없이 heftig; ungestüm; abrupt; unerwartet. ¶∼ 찾아온 손님 unerwarteter Gast, –(e)s, ¨e.
느릅나무 〖植〗 Ulme *f.* –n.
느리다 《동작》 langsam 〔stumpfsinnig; dämlich〕 (sein). ¶일이 ∼ langsam in der Arbeit sein / 그는 이해하는 것이 ∼ Er ist schwer von Begriff. / 말이 ∼ im Reden schwerfällig sein.
느릿느릿하다 langsam 〔säumig〕 (sein).
느슨하다 locker〔lose〕(sein). ¶느슨해지다 schlaff werden; erschlaffen; locker werden; ⁴sich lösen.
느지감치 ziemlich spät.
늑골(肋骨) Rippe *f.* –n.
늑대 Wolf *m.* –(e)s, ¨e.
늑막(肋膜) Brustfell *n.* –(e)s, –e; Pleura *f.* ‖ ∼염 Brustfellentzündung *f.* –en; Pleuritis *f.* ..tiden.
늑장부리다 verzögern; verschleppen.
는개 Niesel〔Staub〕regen *m.* –s, –.
늘 immer; jederzeit; stets. ¶그는 늘 집에 없다 Immer ist er unterwegs.
늘그막 (das hohe) Alter, –s, –; Greisenalter *n.* –s, –.
늘다 ① 《수·양》 wachsen*; zu|nehmen* (*an*³). ¶빚이 자꾸 ∼ immer tiefer in ⁴Schulden geraten*. ② 《솜씨 따위》 fortschreiten*.
늘름 schleunig; schnell; ohne weiteres. ¶∼ 먹어 치우다 ohne weiteres auf|essen*⁴.
늘리다 ① 《수·양》 erhöhen; multiplizieren. ¶기간을 ∼ die Frist verlängern. ② 《면적》 erweitern; vergrößern⁴. ¶옷을 ∼ ein Kleid verlängern.
늘비하다 geordnet 〔aufgestellt〕 (sein). ¶늘비하게 in ³Reihen.
늘씬하다 schlank 〔schmal〕 (sein). ¶늘씬한 몸매 zierlich Figur.
늘어나다 ⁴sich (aus|)strecken 〔aus|dehnen; vergrößern〕.
늘어놓다 《벌여놓다》 nebeneinander|stellen⁴; 《열거》 auf|zählen⁴; 《정렬》 auf|stellen⁴; 《말을》 sprechen; reden. ¶상품을 ∼ Waren aus|stellen.
늘어뜨리다 herab|hängen* lassen; hängen*; baumeln.
늘어서다 in e–r ³Reihe stehen*; nebeneinander stehen*.
늘어지다 ① 《처지다》 herab〔herunter〕|hängen. ¶늘어진 나뭇가지 der herab|hängende Ast, –es, ¨e. ② 《길어지다》 ⁴sich aus|dehnen. ¶늘어지게 기지개를 켜다 ⁴sich strecken. ③ 《지쳐서》 übermüdet 〔abgearbeitet〕 sein. ¶축 늘어진 entkräftet.
늙다 altern; alt werden. ¶늙은 탓으로 wegen hohen Alters / 나이보다 늙어 보이다 alt für sein Alter aus|sehen*.
늙은이 der 〔die〕 Alte*, –n, –n; Alter *n.* –s. ¶∼나 젊은이나 alt u. jung.
늠름하다(凜凜—) kräftig 〔stark; stämmig〕 (sein). ¶ 늠름한 남자 starker Mann, –(e)s, ¨er.
능(陵) das königliche Grab, –(e)s, ¨er; Mausoleum *n.* –s, ..leen.
능가(凌駕) ∼하다 übertreffen*⁴ (*in*³; *an*³); die Oberhand haben (*über*⁴). ¶젊은이를 ∼ die jungen Männer in den Schatten stellen.
능구렁이 《동물》 Schlange mit gelben Flecken; 《사람》 Schlau·berger *m.* –s, – 〔–kopf *m.* –(e)s, ¨e〕.
능글맞다 schlau 〔verschlagen〕 (sein).
능동(能動) 《자발적》 Freiwilligkeit *f.*; 《활동적》 Tätigkeit *f.* ¶∼적 aktiv; freiwillig. ‖ ∼태〖文〗 Aktiv *n.* –s, –e.
능란(能爛) ∼하다 geschickt 〔gewandt; erfahren〕(sein). ¶∼한 솜씨로 mit geschickten Händen.
능력(能力) Vermögen *n.* –s, –; Fähigkeit *f.* –en. ¶∼이 있는 fähig; tüchtig. ‖ ∼ 상실자 der unfähige Mensch, –en, –en / 생산 ∼ Fertigungskapazität *f.* –en / 지불 ∼ Zahlungsfähigkeit *f.* –en.
능률(能率) Leistungsfähigkeit *f.* –en. ∼적(인) wirksam; wirkend. ¶∼을 올리다 die Leistung steigern. ‖ ∼ 감퇴〔증대〕 Leistungs·rückgang *m.* –es, ¨e 〔–steigerung *f.*〕 / ∼급 Leistungs·lohn *m.* –es, ¨e 〔–zulage *f.* –n〕.
능변(能辯) Beredsamkeit *f.*; Beredtheit *f.* ∼의 beredsam; beredt; redegewandt.
능사(能事) 《일》 Geschäft 〔Werk〕 *n.* –(e)s, –e; Arbeit *f.* –en; 《목적》 Zweck *m.* –(e)s, –e; 《이상》 Ideal *n.* –s, –e.
능숙(能熟) ∼하다 geschickt 〔gewandt; wendig〕(sein). ¶∼해지다 wendig werden.
능욕(凌辱) Entehrung *f.* –en. ∼하다 entjungfern (*jn.*).
능청 (Arg)list *f.*; Tücke *f.* ∼부리다〔떨다〕 ⁴sich verstellen; heucheln⁽⁴⁾. ¶∼스러운 짓 das schlaue Verhalten*, –s.
능통(能通) ∼하다 gewandt 〔geschickt〕 (sein) (*in*³); vertraut (sein) (*mit*³).
능히(能—) leicht; ohne Schwierigkeit.
늦다 spät 〔verspätet〕 (sein). ¶밤늦게 까

지 bis spät (in die Nacht) / 늦게 (집에) 돌아오다 spät (nach Haus) kommen* / 약속 시간에 한 시간 ~ ^{4}sich um e-e Stunde für die Verabredung verspäten / 20분 ~ (um) 20 Minuten zurück|bleiben*.

늦더위 verspätete Hitze, -n.

늦되다 spät reifen. ¶ 늦된 아이 ein Kind, das Spätgeburt hat.

늦바람 ① 《바람》 die Brise am Abend. ② 《늦난봉》 die Liebe am Lebensabend.

늦어지다 ^{4}sich verspäten. ¶ 늦어도 spätestens.

늦잠 ¶ ~자다 (lange) in den Tag hinein schlafen*; (^{4}sich) verschlafen*. ‖ ~꾸러기 Langschläfer *m.* -s, -; Schlafmütze *f.* -n.

늦추다 ① 《느슨히》 (^{4}sich) lösen. ¶ 속도를 ~ die Geschwindigkeit (ver)mindern. ② 《시일》 auf|schieben*^{4}. ¶ 계획〔기한〕을 ~ ein Vorhaben 〔e-n Termin〕 verschieben*.

늦추위 Spät〔Nach〕kälte *f.*

늪 Sumpf *m.* -es, -e; Moor *n.* -(e)s, -; Morast *m.* -es, ¨e.

니그로 Neger *m.* -s, -《남자》; Negerin *f.* -nen《여자》.

니스 Firnis *n.* -ses, -se. ¶ ~칠하다 firnissen^4.

니켈 Nickel *n.* -s.

니코틴 Nikotin *n.* -s. ‖ ~ 중독 Nikotinvergiftung *f.* -en.

니크롬선(一線) Nickelchromdraht *m.* -(e)s, ¨e.

니힐 ‖ 니힐리스트 Nihilist *m.* -en, -en / 니힐리즘 Nihilismus *m.* -.

-님 《경칭》 Herr *m.* -n, -en; Frau *f.*; Fräulein *n.* -s, -《미혼 여자》. ¶ 당신의 아버님〔따님〕 Ihr Herr Vater〔Ihr Fräulein Tochter〕.

ㄷ

다가오다 nahe 〔näher〕 kommen*; ^{4}sich nähern; heran|nahen. ¶ 다가오는 kommend; nächst.

다각(多角) ~적 vielseitig. ‖ ~ 경영 vielseitiger Betrieb, -(e)s, -e / ~ 농업 vielseitige Landwirtschaft, -en / ~ 무역 multilateraler Handel, -s, - / ~ 외교 multilaterale Diplomatie, -n / ~형 Polygon *n.* -s, -e / ~화 Mannigfaltigkeit *f.*

다갈색(茶褐色) Kastanienbraun *n.* -s.

다감(多感) ~하다 empfindsam 〔rührselig; sentimental〕 (sein). ¶ ~한 젊은이 ein sentimentaler Jüngling.

다과 (多寡) mehr od. wenig; 《양》 Menge *f.* -n; Quantität *f.* -en; 《수》 Zahl *f.* -en; Anzahl; 《금액》 Betrag *m.* -(e)s, ¨e. ¶ 손해의 ~에 따라 dem Verlustbetrag entsprechend.

다과(茶菓) Tee und Kuchen; kleine Erfrischung, -en. ‖ ~회 Teegesellschaft *f.* -en.

다국적(多國籍) ~의 multinational. ‖ ~ 기업 ein multinationales Unternehmen, -s, -.

다급하다 dringend〔drohend; brennend〕 (sein). ¶ 시간이 ~ die Zeit drängt.

다난(多難) ~하다 voll von Schwierigkeiten sein. ¶ 다사 ~한 때의 in der Zeit Krisen.

다녀가다 bei *jm.* vorbei|kommen*〔vor|sprechen*〕 u. dann weiter|gehen*. ¶ 저녁에 한 번 다녀가게 Komm doch einmal abends bei uns vorbei!

다녀오다 bei *jm.* vor|sprechen* u. dann zurück|kommen*. ¶ 그 사람한테 곧 다녀와라 Besuche ihn bald!

다년(多年) ¶ ~간의 vieljährig; langjährig. ‖ ~생 식물 perennierende Pflanze, -n.

다뇨증(多尿症) 〖醫〗 Polyurie *f.* -n.

다니다 ① 《왕래》 hin u. her gehen*; 《개통》 für den Verkehr freigegeben werden. ¶ 자주 다니는 길 der vertraute Weg. ② 《들르다》 vorbei|kommen*. ③ 《통학·통근》 zur Schule gehen*; bei e-r Firma arbeiten. ¶ 대학에 ~ e-e Universität besuchen. ④ 《출입》 häufig ein- u. aus|gehen*. ¶ 술집에 자주 ~ haüfig ins Trinklokal gehen*. ⑤ 《취미 등》 ¶ 사냥 〔산책〕을 ~ jagen 〔spazieren〕 gehen*.

다다르다 an|kommen*; (er)reichen^4.

다닥다닥 《밀집》 dicht gedrängt; geschlossen.

다단식 로켓(多段式一) e-e mehrstufige Rakete, -n.

다대(多大) ~하다 groß 〔viel〕 (sein).

다독(多讀) das Viellesen*, -s. ~하다 viel lesen*. ‖ ~주의 das Prinzip des Viellesens.

다듬다 ① 《매만지다》 ^{4}sich schön machen. ¶ 글을 ~ den Stil feilen. ② 《푸성귀·나무·돌》 trimmen^4; ebenen^4. ¶ 잘 다듬지 않은 rauh behauen. ③ 《땅》 eb(e)nen^4. ¶ 롤러로 땅을 ~ den Boden mit der Rolle ebenen. ④ 《피륙》 (Wäsche)bügeln. ⑤ 《마무리》 ab|schließen*^{4}.

다듬이 Walk·hammer 〔-schlegel〕 *m.* -s, -. ¶ 다듬잇소리 das Geräusch des Walkhammers 〔Walkschlegels〕.

다락방(一房) Dachstube〔Bodenstube〕 *f.* -n.

다람쥐 Eichhörnchen *n.* -s, -; Eichkatze *f.* -n.

다랑어 Thunfisch *m.* -(e)s, -e.

다래끼 《바구니》 der Korb mit kleiner Öffnung; 《눈병》 Gerstenkorn *n.* -(e)s, ¨er.

다량(多量) e-e (große) Menge. ~의 e-e große Menge von^3 ...; viel.

다루다 《처리·취급·조종》 behandeln^4; ^{4}*et.* handeln; ^{4}sich beziehen*《auf ^{4}*et.*》. ¶ 공평하게 ~ unparteiisch behandeln^4 / 이 기계는 다루기 어렵다 Die Maschine ist schwer zu behandeln.

다르다 ① 《상위》 verschieden(artig) (sein)《*von*^{3}》. ¶ 그 때와는 시대가 ~ Die Sache verhält sich jetzt anders als damals. ② 《별개》 ander- 〔besonder〕(sein). ¶ 누군가 다른 사람 jemand anders. ③ 《불일치》 nicht überein|stimmen《*mit*^{3}》. ¶ 그것은 약속과 ~ Wir haben es anders vereinbart.

다름없다 gleich^3 〔ähnlich^3〕 (sein); 《동일한》 ebenso... wie... (sein).

다리^1 《하지》 Bein *n.* -(e)s, -e; Schenkel *m.* -s, -.

다리² 《교량》 Brücke f. -n. ¶ ~를 놓다 überbrücken; e-e Brücke bauen 〔schlagen*〕.
다리다 bügeln^4; plätten^4.
다리미 Bügeleisen n. -s, -; Plätte f. -n.
다만 bloß; nur; lediglich.
다망(多忙) ~하다 viel zu tun haben. ¶ ~한 생활을 하다 ein arbeitsreiches Leben führen.
다면체(多面體) Polyeder n. -s, -.
다모작(多毛作) die mehrmaligen Ernten (pl.) im Jahr.
다목적(多目的) zu vielen Zwecken. ‖ ~댐 Mehrzweckdamm m. -(e)s, ⸚e.
다물다 schweigen*; verstummen; den Mund halten*.
다민족국가(多民族國家) Nationalitätenstaat m. -(e)s, -en.
다발 Bündel n. -s, -; Garbe f. -n.
다방(茶房) Kaffee〔Tee〕haus n. -es, ⸚er; Café n. -s, -s. ‖ ~레지 Fräulein n. -s, -.
다방면(多方面) ~의 vielseitig; verschieden; mannigfach; vielfältig; vielerlei.
다변(多邊) ~적 vielseitig. ‖ ~외교 vielseitige Diplomatie, -n / ~형 Vieleck n. -(e)s, -e; Polygon n. -s, -e.
다변(多辯) Geschwätzigkeit f.; Schwatz〔Plauder〕haftigkeit f.
다복(多福) ~하다 glücklich 〔beglückt〕 (sein).
다산(多産) ~의 produktiv; fruchtbar.
다소(多少) ~의 etwas; ein wenig 〔bißchen〕; mehr weniger.
다소곳이 ruhig; still; gehorsam; zurückhaltend.
다수(多數) e-e große Anzahl 〔Mengen〕; Mehrzahl f.; Majorität f. -en. ~의 viel; zahlreich. ‖ ~결 Mehrheitsbeschluß, ..schlusses, ..schlüsse / ~당 Majoritätspartei f. -en.
다스 Dutzend n. -s, -e 《略: Dtzd.》.
다스리다 ① 《통치》 herrschen 《über^4》. ¶ 나라를 ~ ein Land 〔e-n Staat〕 regieren. ② 《보살핌》 verwalten^4. ¶ 가정을 ~ Hauswesen verwalten. ③ 《평정》 befrieden^4. ¶ 난을 ~ die Empörung zur Ruhe bringen^4. ④ 《죄》 bestrafen^4. ¶ 죄인을 ~ den Verbrecher bestrafen.
다습(多濕) ~하다 dumpfig 〔näßlich〕 (sein). ¶ ~한 기후 das feuchte Klima, -s, -s 〔-ta〕.
다시 wieder(um); nochmals; noch einmal; von neuem.
다시마 〔植〕 Riementang m. -(e)s, -e.
다신교(多神敎) Polytheismus m. -.
다액(多額) ~의 groß; eine große Summe 《von^3》.
다양(多樣) ~하다 verschieden(artig) 〔divers; mannigfach; mannigfaltig〕 (sein). ‖ ~성 Mannigfaltigkeit f. -en.
다염기산(多塩基酸) 〔化〕 die viel〔mehr〕basische Säure, -n.
다원론(多元論) Pluralismus m. -.
다음 ¶ ~의 nächst; folgend; kommend / ~으로 zweitens; dann; zunächst / ~번에 nächstens; ein andermal / ~다음의 zweitnächst.
다음가다 folgen$^{(3)}$ 《auf^4》; stehen* 《neben^3》. ¶ 부산은 서울 다음가는 대도시다 Nächst Seoul ist Busan die größte Stadt Koreas.

다이내믹하다 dynamisch (sein).
다이빙 Springen*, -s.
다이아몬드 Diamant m. -en, -en.
다이얼 《전화의》 Wähler〔Nummern〕scheibe f. -n; 《라디오의》 Skalenscheibe.
다이오드 〔電子〕 Diode f. -n.
다정(多情) ~하다 (menschen)freundlich 〔zärtlich〕 (sein). ¶ ~다감한 사람 der gefühlvolle Mensch, -en, -en.
다족류(多足類) 〔動〕 Tausendfüß(l)er m. -s, -.
다지다 ① 《단단히》 fest machen^4. ¶ 눈을 ~ Schnee fest|treten*. ② 《고기 따위》 zerhacken^4. ¶ 고기를 ~ Fleisch in kleine Stücke (zer)hacken.
다채롭다 (多彩—) bunt 〔farbenreich〕 (sein). ¶ 다채로운 경력 e-e schillernde 〔glänzende〕 Vergangenheit, -en / 다채로운 프로그램 das bunte Programm, -(e)s, -e.
다치다 ^{4}sich verwunden; ^{4}sich verletzen. ¶ 다리를 ~ ^{4}sich am Bein verletzen.
다큐멘터리 Dokumentarbericht m. -(e)s, -e. ‖ ~영화(映畫) Dokumentarfilm m. -(e)s, -e.
다투다 ① 《말다툼》 zanken 《mit jm. über^4 〔um〕^{4}》. ¶ 사소한 일로 ~ über Kleinigkeiten streiten*. ② 《논쟁》 erörtern. ¶ 다툴 여지가 없는 unbestritten. ③ 《겨루다》 ringen* 《mit jm. um ^{4}et.》. ¶ 아무와 선두를 ~ jm. den Rang streitig machen.
다하다¹ 《끝나다》 zu Ende kommen*; ab|laufen* 《기한이》; 《없어지다》 erschöpft werden; alle werden.
다하다² ① 《끝내다》 beenden^4; fertig werden 《mit^3》. ¶ 말을 ~ zu sagen auf|hören. ② 《전력》 durch|versuchen^4. ¶ 최선을 ~ sein Bestes tun*. ③ 《이행》 vollbringen*^{4}; vollenden*. ¶ 의무를 ~ s-e Pflicht tun*.
다항식(多項式) 〔數〕 vielgliedrige Größe, -n; Polynom n. -s, -e.
다행(多幸) ~하다 glücklich (sein). ¶ ~히도 zum Glück; glücklicherweise.
다혈질(多血質) das sanguinische Temperament. ~의 vollblütig; sanguinisch; blutreich.
다홍(—紅) Scharlach m. -s, -e. ‖ ~치마 der scharlachrote Rock, -(e)s, ⸚e.
닥나무 〔植〕 Papiermaulbeerbaum m. -(e)s, ⸚e.
닥치다 ^{4}sich nähern; widerfahren*. ¶ 눈앞에 닥친 위험 die dringende Gefahr vor Augen / 재난이 ~ von e-m Übel befallen werden / 시험이 이틀 뒤로 닥쳐왔다 Nur noch zwei Tage, und das Examen ist da!
닦다 ① 《윤내다》 polieren^4. ¶ 구두를 ~ Schuhe putzen. ② 《씻다》 wischen^4. ¶ 얼굴을 ~ ^{3}sich das Gesicht ab|trocken. ③ 《고르다》 ebenen^4. ¶ 터를 ~ den Boden ebenen. ④ 《기반을》 den Boden (vor|)bereiten 《für^4; auf^4; zu^3》.
단 《묶음》 Bündel 〔Büschel〕 n. -s, -.
단(段) 《인쇄물의》 (Druck)kolumne f. -n; 《등급》 Grad n. -(e)s, -e; Rang m. -(e)s, ⸚e.
단(壇) Plattform f. -en; Rednerbühne

ㄷ

《연단》〔Kanzel《설교단》〕*f.* -n; 《…계》 Welt *f.* -en.
단(但) aber, allein; (je)doch.
-단(團) Körperschaft *f.* -en; Korps *n.* -, -; Partie 〔Truppe〕 *f.* -n.
단가(單價) Einzelpreis *m.* -es, -e. ‖ 생산 ～ Produktionskosten《*pl.*》.
단견(短見) m-e Meinung, -en.
단결(團結) Vereinigung *f.* -en; Zusammenhalt *m.* -(e)s. ～하다 [4]sich vereinigen《*mit*[3]》; zusammen|halten*. ‖ ～권 Vereinsrecht *n.* -(e)s, -e / ～력 die vereinigten Kräfte《*pl.*》 / ～심 Korpsgeist *m.* -es.
ㄷ
단계(段階) Stufe *f.* -n 《등급》; Stufenfolge *f.* -n 《순서》.
단골손님 Kunde *m.* -n, -n; Stammgast *m.* -es, ⁼e; 《총칭》 Kundschaft *f.* -en.
단교(斷交) der Bruch der Freundschaft; der Abbruch der diplomatischen Beziehungen. ～하다 die Beziehungen zu e-m Land ab|brechen*.
단구(段丘) Terrasse〔Geländestufe〕*f.* -n.
단기(短期) kurze Frist, -en; kurzer Termin, -s, -e. ～의 kurz(fristig); 《어음이》 von kurzer Sicht. ‖ ～ 복무 kurzer Dienst, -(e)s, -e / ～ 어음 Wechsel von kurzer Sicht.
단념(斷念) ～하다 verzichten; auf|geben*[4]; entsagen[3].
단단하다 ① 《굳음》 hart 〔stark; massiv〕 (sein). ¶ 단단한 가구 das massive Möbel, -s, -. ② 《굳센》 fest 〔entschlossen; robust〕 (sein). ¶ 단단한 매듭 fester Knoten, -s, -.
단도(短刀) Dolch *m.* -(e)s, -e.
단도직입(單刀直入) ～적 gerade; unumwunden.
단독(單獨) Alleinigkeit *f.* -en. ¶ ～으로 allein; selbständig; ohne Hilfe. ‖ ～강화 Separatfriede *m.* -ns, -n / ～행위 〚法〛 einseitiges Rechtsgeschäft, -(e)s, -e.
단두대(斷頭臺) Schafott *n.* -(e)s, -e; Guillotine *f.* -n.
단락(段落) 《문장 따위의》 Absatz *m.* -es, ⁼e; Paragraph *m.* -en, -en; 《결말》 (Ab)schluß *m.* ..schlusses, ..schlüsse.
단란(團欒) ～하다 einträchtig 〔traulich〕 beisammen|sitzen*. ¶ ～한 일가 der glücklicher Familienkreis, -es, -s.
단련(鍛鍊) das Schmieden*, -s; Abhärtung *f.* -en; Übung *f.* -en. ～하다 schmieden[4]; stählen[4]. ¶ 심신의 ～ die Abhärtung von Geist / 역경 속에서 ～되다 durch Not gestählt werden.
단말마(斷末魔) Todesstunde *f.* -n. ¶ ～의 고통 Todeskampf *m.* -(e)s, ⁼e.
단면(斷面) (Durch)schnitt *m.* -(e)s, -e 《durch ein Gebäude》; Profil *n.* -s, -e.
단발머리(斷髮—) Pagenkopf *m.* -(e)s, ⁼e. ‖ ～소녀 ein Mädchen, das e-n Pagenkopf trägt.
단백질(蛋白質) Eiweiß *n.* -es. ‖ 동물〔식물〕성 ～ das animalische 〔vegetarische〕 Eiweiß.
단번(單番) ～에 in e-m Zuge; auf e-n Zug; ohne Unterbrechung.
단산(斷産) ～하다 k-e Kinder mehr haben können*.
단색(單色) einfache Farbe, -n. ‖ ～화 einfarbiges Gemälde, -s, -.
단서(但書) Bedingung *f.* -en; Vorbehalt *m.* -(e)s, -e; Anmerkung *f.* -en. ¶ ～가 붙은 bedingt.
단서(端緖) Anfang *m.* -(e)s, ⁼e; Beginn *m.* -(e)s; Schlüssel *m.* -s, -. ¶ ～를 잡다 den Schlüssel finden*《zu [3]*et.*》.
단세포(單細胞) 〚生〛 einfache Zelle, -n. ‖ ～ 동물 einzelliges Tier, -(e)s, -e.
단속(團束) 《억제》 Kontrolle *f.* -n; 《관리》 Verwaltung *f.* -en; 《감독》 Aufsicht *f.* -en; 《규율》 Disziplin *f.* -en. ～하다 kontrollieren[4]; beaufsichtigen[4].
단수(單數) Einzahl *f.*; Singular *m.* -s, -e.
단수(斷水) die Abschneidung der Wasserleitung. ～하다 die [4]Wasserleitung ab|schneiden*.
단순(單純) Einfachheit *f.* -en. ～하다 einfach 〔schlicht〕 (sein).
단숨에 in e-m (Atem)zug; mit e-m Schlag. ¶ ～ 마셔 버리다 auf e-n Zug 〔in e-m Zug; mit e-m Zug〕 aus|trinken*[4].
단식(單式) 〚數〛 der monomische Ausdruck, -(e)s, ⁼e; 《테니스·탁구의》 Einzelspiel *n.* -s.
단식(斷食) das Fasten*, -s. ～하다 fasten. ‖ ～ 요법 Hungerkur *f.* -en / ～ 투쟁 Hungerstreik *n.* -(e)s, -s.
단안(斷案) 《결론》 Schluß *m.* ..lusses, ..lüsse; Folgerung *f.* -en. ¶ ～을 내리다 beschließen*[4].
단어(單語) Wort *n.* -(e)s, ⁼er. ‖ ～집(集) Wortschatz *m.* -es, ⁼e; Vokabular *n.* -s, -e.
단언(斷言) Beteu(e)rung *f.* -en; Versicherung *f.* -en. ～하다 beteuern[4]; entschieden behaupten[4]. ¶ 내 ～하지만 ich behaupte steif u. fest, daß….
단연(斷然) ①《단호히》 entscheiden; rund(weg). ¶ ～ 거절하다 rund ab|schlagen*[4]. ② 《훨씬》 außerordentlich. ¶ 그의 독어는 ～ 뛰어나다 Sein Deutsch ist ohnegleichen.
단원(單元) 〚哲〛 Monade *f.* -n; Einheit *f.* -en 《학과의》. ‖ ～론 Monadenlehre *f.*
단위(單位) Einheit 〔Maßeinheit〕 *f.* -en.
단일(單一) Einfachheit *f.*; Einheit *f.* ～의 einfach. ‖ ～ 개념 Einzelbegriff *m.* -(e)s, -e.
단자(短資) das kurze 〔kurzfristige〕 Darlehen, -s, -. ‖ ～회사 Kurzkredit-Gesellschaft *f.* -en.
단작(單作) Monokultur *f.* -en.
단잠 der gesunde Schlaf, -(e)s. ¶ ～을 깨우다 aus dem tiefen Schlaf wecken 《*jn.*》.
단장(丹粧) ～하다 [4]sich an|ziehen* 〔geschmackvoll kleiden; schminken〕.
단장(團長) Leiter 〔Führer〕 *m.* -s, -.
단적(端的) ～인 klar; bestimmt. ¶ ～으로 말한다면 offen gesagt.
단절(斷絶) 《절멸》 das Auslöschen*, -s; 《중단》 Abbrechung *f.* -en. ‖ 국교 ～ der Abbruch diplomatischer Beziehung.

단점(短點) Schwäche *f.* –n; Mangel *m.* –s, ⸚; Nachteil *m.* –(e)s, –e.

단정(端正) ～하다 ordentlich 〔richtig; rechtschaffen〕 (sein). ¶옷차림이 ～치 못하다 sehr unanständig angezogen sein.

단정(斷定) Folgerung *f.* –en. ～하다 folgern⁴《*aus*³》.

단조(短調) 〖樂〗 Moll *n.* –, –. ¶D～로 in d-Moll.

단조롭다(單調—) monoton 〔eintönig; gleichförmig〕 (sein). ¶단조로운 생활을 하다 ein eintöniges Leben führen.

단지(團地) Siedlung *f.* –en; Siedlungsgelände *n.* –s, –. ‖공업 ～ Siedlungsindustrie *f.* –n.

단지(但只) nur, bloß.

단체(團體) Verein *m.* –(e)s, –e; Verband *m.* –(e)s, ⸚e; Organisation *f.* –en. ¶～를 조직〔해산〕하다 e–e Organisation bilden〔auf|lösen〕 / ～로 신청하다 ⁴sich gemeinschaftlich melden. ‖～경기 gemeinschaftliches Wettspiel, –(e)s, –e / ～교섭 Kollektivverhandlung *f.* –en(～교섭권 das Recht auf Kollektivverhandlungen) / ～생활 Gruppenleben *n.* –s / ～여행 Gesellschaftsreise *f.* –n / ～행동 gemeinschaftliches Handeln*, –s / ～협약 Kollektivvertrag *m.* –(e)s, ⸚e / 정치〔공공〕～die politische〔öffentliche〕 Körperschaft, –en.

단추 Knopf *m.* –(e)s, ⸚e. ¶～를 잠그다〔끄르다〕 zu〔auf〕|knöpfen.

단축(短縮) (Ver)kürzung *f.* –en. ～하다 (ver)kürzen⁴. ¶시간을 ～하다 die Zeit verkürzen. ‖조업 ～ die Verkürzung der Arbeitszeit.

단출하다 《식구가》 klein (sein); 《간편》 einfach 〔handlich; leicht〕 (sein).

단층(斷層) Verwerfung *f.* –en; Dislokation *f.* –en. ‖뢴트겐 ～ 사진 촬영(법) Schichtbildaufnahme *f.* –n.

단파(短波) Kurzwelle *f.* –n. ‖～ 수신기 Kurzwellenhörer *m.* –s, –.

단편(短篇) das kleine Stück, –(e)s, –e. ‖～ 소설 Novelle *f.* –n (～소설가 Novellist *m.* –en, –en).

단편(斷片) Bruchstück 〔Fragment〕 *n.* –(e)s, –e. ～적(인) fragmentarisch; bruchstückhaft.

단평(短評) kurze Kritik, –en. ‖시사 ～ die kurze Kritik über Tagesbegebenheiten.

단풍(丹楓) 《나무》 Ahorn, –(e)s, –e; 《잎》 die rote 〔gelbe〕 Färbung (des Herbstlaubes).

단항식(單項式) 〖數〗 Mo(no)nom *n.* –s, –e.

단행(斷行) ～하다 durch|führen⁴; wagen⁴.

단행본(單行本) einzeln herausgegebenes Buch, –(e)s, ⸚er.

단호(斷乎) ～하다 ausdrücklich 〔drastisch〕 (sein). ¶～한 조처를 취하다 durchgreifende Maßnahmen treffen* / ～히 거절하다 aufs entschiedenste ab|leugnen⁴.

단화(短靴) (Halb)schuh *m.* –(e)s, –e.

닫다 schließen*⁴; zu|machen⁴.

달 Mond *m.* –(e)s, –e; Luna *f.*; 《한 달》 Monat *m.* –(e)s, –e. ¶달마다 monatlich. ‖달나라 Mondwelt *f.* –en / 달로켓 Mondrakete *f.* –n. / 달밤 Mondnacht *f.* ⸚e / 달빛 Mondlicht *n.* –(e)s, –er/ 달착륙선 Mondfähre *f.* –n.

달갑다 befriedigend 〔wünschenswert〕 (sein). ¶달갑지 않은 손 der unwillkommene Gast, –(e)s, ⸚e.

달걀 Ei 〔Hühnerei〕 *n.* –(e)s, –er.

달관(達觀) ～하다 viel Einsicht haben; weitsichtig sein.

달구 Ramm·bär 〔-block〕 *m.*; Ramme *f.* –n.

달구지 Karren *m.* –s, –; Frachtwagen *m.* –s, –.

달다¹ ① 《맛》 (zucker)süß (sein). ¶단것을 좋아하다 Süßigkeiten lieben. ② 《입맛》 schmackhaft (sein). ¶음식을 달게 먹다 ⁴sich gut schmecken lassen*.

달다² ① 《걸다》 auf|hängen⁴; 《착용》 tragen*⁴; an|stecken⁴ 《배지 등을》. ¶간판을 ～ ein Schild an|bringen* / 훈장을 ～ ³sich e–n Orden an|heften⁴. ② 《붙임》 an|heften⁴. ¶단추를 ～ den Knopf an|nähen. ③ 《기입》 ein|tragen*⁴. ¶외상을 ～ ⁴*et.* an|schreiben lassen⁴.

달다³ 《무게》 wiegen*⁴. ¶무게를 저울에 ～ das Gewicht von *jm.* 〔³*et*〕 mit e–r Waage fest|stellen.

달다⁴ ① 《음식이》 ein|kochen. ② 《뜨거워짐》 heiß werden. ¶빨갛게 단 쇠 rotglühendes Eisen, –s, –. ③ 《얼굴이》 ¶부끄러워 얼굴이 ～ vor Scham erröten.

달라붙다 an|hängen*³; ⁴sich an|kleben 《*an*⁴》; ⁴sich fest|halten.

달라지다 《변하다》⁴sich verändern; wechseln; anders werden. ¶달라지지 않다 unverändert〔ungeändert〕 bleiben*.

달래다 ① 《무마》 beschwichtigen 《*jn.*》; beruhigen 《*jn.*》. ¶우는 애를 ～ ein schreiendes Kind in den Armen wiegen*. ② 《꾀다》 beschwatzen⁴ 〔überreden⁴〕 《*zu*³》. ¶달랬다 을렀다 하며 bald schmeichelnd, bald drohend.

달려들다 an|springen*⁴; springen* 《*gegen*⁴》. ¶개가 사람에게 달려든다 Der Hund stürzt sich auf e–e Person.

달력(—曆) Kalender *m.* –s, –; Almanach *m.* –s, –e.

달리 verschieden; vornehmlich; ungewöhnlich. ～하다 von ³*et.* verschieden sein. ¶그와는 ～ im Gegensatz zu ihm.

달리다¹ laufen*; rennen*; 《차·배가》 fahren*; segeln.

달리다² 《매달림》 hängen*; 《좌우됨》 ab|hängen* 《*von*³》.

달리아 〖植〗 Dahlie *f.* –n.

달무리 der Hof um den Mond.

달밤 Mondnacht *f.* ⸚e.

달변(達辯) Beredsamkeit *f.*; Zungenfertigkeit *f.* ～의 beredsam; beredt; zungenfertig.

달성(達成) Erreichung 〔Durchführung〕 *f.* –en. ～하다 erreichen⁴; durch|führen⁴. ¶목적을 ～하다 das Ziel erreichen.

달아나다 《도망》 (ent)fliehen*; davon|laufen*.

달아오르다 《쇠가》 heiß werden; glühen; 《얼굴이》 brennen*.

달인(達人) Meister *m.* –s, –; Adept *m.* –en, –en; Experte *m.* –n, –n; Virtuose *m.* –n, –n.

달콤하다 ① 《맛》 honigsüß 〔zuckerig〕 (sein). ¶ 인생의 달콤한 맛 das 〔die〕 Manna des Lebens. ② 《감미롭다》 süß 〔schmeichelnd〕 (sein). ¶ 달콤한 말로 꾀다 *jm.* um den Bart gehen*.

달팽이 〖動〗 Schnecke *f.* –n.

달포 ungefähr 〔etwa〕 ein Monat.

달필(達筆) die gute (geschickte) Handschrift, –en. ‖ ～가 Kalligraph *m.* –en, –en.

달하다(達—) 《도달》 erreichen⁴; 《수량·정도》 ⁴sich erstrecken; betragen*. ¶ 목표에 ～ das Ziel erreichen / 총액이 1,000 마르크에 ～ Die Summe erstreckt sich auf tausend Mark.

ㄷ

닭 Huhn *n.* –(e)s, ⸗er; 《수탉》 Hahn *m.* –(e)s, ⸗e; 《암탉》 Henne *f.* –n.

닮다 ähneln³; ähnlich sein.

닳다 ⁴sich ab|reiben*; abgenutzt sein. ¶ 닳아빠진 abgerieben; abgenutzt.

담 Einfriedigung *f.* –en. ¶ 담을 치다 ein|fried(ig)en⁴; ein|zäunen⁴.

담(膽) 《담낭》 Gallenblase *f.* –n; 《담력》 Mut *m.* –(e)s.

담갈색(淡褐色) Hellbraun *n.* –s.

담그다 ① 《물에》 (ein|)tauchen⁴. ¶ 더운 물에 발을 ～ Füße in heißes Wasser ein|tauchen. ② 《김치 따위를》 ein|legen⁴; 《젓을》 marinieren. ③ 《술을》 brauen⁴.

담다 ① 《그릇에》 füllen⁴; 《음식을》 (auf den Teller) tun*⁴; 《병에》 (auf Flasche) ziehen*⁴. ¶ 양동이에 물을 ～ Wasser in den Eimer gießen* / 음식을 접시에 ～ Speisen in den Teller tun*. ② 《입에》 gebrauchen⁴. ¶ 입에 담지 못할 욕 häßliche Worte.

담담하다(淡淡—) hell〔gleichgültig〕(sein). ¶ 담담한 태도를 취하다 e–e gleichgültige Haltung ein|nehmen*.

담당(擔當) Übernahme *f.* ～하다 übernehmen*⁴; auf ⁴sich nehmen*⁴. ¶ 나는 독일어를 ～하고 있다 Ich lehre Deutsch.

담대(膽大) ～하다 kühn 〔frech〕 (sein).

담력(膽力) Mut *m.* –(e)s; Herzhaftigkeit *f.* –en.

담론(談論) Besprechung *f.* –en; Diskussion *f.* –en. ～하다 besprechen*⁴; diskurrieren.

담박(淡泊) ～하다 einfach 〔freimütig; schlicht; leicht; offen(herzig)〕 (sein). ¶ 금전에 ～하다 gegen Geld gleichgültig sein.

담배 Tabak *m.* –(e)s, –e; 《궐련》 Zigarette *f.* –n; 《여송연》 Zigarre *f.* –n.

담보(擔保) Pfand *n.* –(e)s, ⸗er; Gewähr *f.* ¶ ～로 잡히다 verpfänden⁴. ‖ ～대부 gedecktes Darlehen *n.* –s, – / ～물 Sicherheit *f.* –en / ～제공 Gewährleistung *f.* –en / 이중 ～ doppeltes Pfand.

담비 〖動〗 Marder *m.* –s, –.

담석(膽石) Gallenstein *m.* –(e)s, –e. ‖ ～병 Gallensteinkrankheit *f.*

담소(談笑) Geplauder *n.* –s. ～하다 plaudern 《mit *jm.*》.

담수(淡水) Süßwasser *n.* –s, –. ‖ ～어 Süßwasserfisch *m.* –es, –e.

담요(毯—) Wolldecke *f.* –n.

담임(擔任) ～하다 übernehmen*⁴; beauftragt sein 《*mit*³》. ‖ ～선생 Klassenlehrer *m.* –s, –.

담쟁이 〖植〗 Efeu *m.* –s.

담즙(膽汁) Galle *f.* –n. ¶ ～질의 사람 Choleriker *m.* –s, –.

담판(談判) Unterhandlung 〔Verhandlung〕 *f.* –en. ～하다 unterhandeln 〔verhandeln〕 《mit *jm.* über⁴》.

담합(談合) Beratung *f.* –en. ～하다 (⁴sich) beraten* 〔beratschlagen〕 《mit *jm. über*⁴》.

담홍색(淡紅色) Hell〔Blaß〕rot *n.* –s.

담화(談話) Gespräch *n.* –(e)s, –e; Unterhaltung 〔Erklärung〕 *f.* –en. ～하다 sprechen* 〔reden〕 《*von*³; *über*⁴》; ⁴sich unterhalten*.

답답하다(沓沓—) ① 《가슴이》 beklommend 〔erstickend〕 (sein). ¶ 가슴이 ～ Brustschmerz haben. ② 《갑갑하다》 eng 〔beengt〕 (sein). ¶ 집이 좁아 ～ Ich fühle mich beengt, weil das Haus zu klein ist. ③ 《사람됨이》 steif 〔streng〕 (sein). ④ 《소식 없어》 niederschlagen 〔gedrückt〕 (sein).

답례(答禮) Gegengruß *m.* –es, ⸗e. ～하다 den Gruß erwidern; e–n Gegenbesuch machen 《*jm.*》《방문에 대하여》.

답변(答辯) Antwort *f.* –en; Beantwortung 〔Erwiderung〕 *f.* –en. ～하다 antworten 《*auf*⁴》; ⁴*et.* beantworten. ¶ ～에 궁하다 um e–e Antwort verlegen* sein.

답보(踏步) das Stampfen*, –s 《mit den Füßen》; 《정체》 Stillstand *m.* –(e)s; Flaue *f.*

답사(答辭) Dankadresse *f.* –n.

답사(踏査) Besichtigung *f.* –en. ～하다 besichtigen⁴. ‖ 현지 ～ das Vermessen des Landes.

답습(踏襲) ～하다 (nach|)folgen³; befolgen⁴.

답신(答申) Bericht *m.* –(e)s, –e. ～하다 berichten³⁴.

답안(答案) Antwort *f.* –en.

답장(答狀) Antwortkarte *f.* –n; Antwortbrief *m.* –(e)s, –e. ¶ ～을 쓰다 auf e–n Brief antworten.

답지(遝至) ～하다 zu|strömen. ¶ 사방에서 주문이 ～했다 Von allen Seiten strömten uns Aufträge zu.

답파(踏破) ～하다 durchwandern⁴; durchqueren⁴ 《횡단함》.

당(黨) Partei *f.* –en; Faktion *f.* –en. Clique *f.* –n 《파벌》; ‖ 당기관지 Parteiorgan *n.* –s, –e / 당대회 Parteitag *m.* –(e)s, –e.

당구(撞球) Billardspiel *n.* –(e)s, –e.

당국(當局) Autorität *f.* –en; die zuständige Behörde, –n. ‖ ～자 e–e Person bei der Behörde / 관계 ～ die zuständige Behörde / 정부 ～ Regierungsstelle *f.* –n.

당근 〖植〗 Karotte〔Mohrrübe〕 *f.* –n.

당기다¹ ① 《끌다》 (an ⁴sich) ziehen*⁴. ¶ 줄을 ～ die Schnur ziehen*. ② 《기일》 vor|verlegen⁴. ¶ 결혼 날짜를 사흘 ～ den Hochzeitstag um zwei Tage vor|verlegen.

당기다² 《입맛》 den Appetit an|regen. ¶입맛이 ~ e-n Appetit auf ⁴et. haben.
당나귀(唐―) Esel m. -s, -.
당년(當年) dieses Jahr, -(e)s; 《그 해》 jenes Jahr. ¶그는 ~ 25세입니다 Er ist fünfundzwanzig Jahre alt.
당뇨병(糖尿病) Zucker·krankheit〔-harnruhr〕 f. ‖ ~환자 der Zuckerkranke*, -n, -n; Diabetiker m. -s, -.
당당하다(堂堂―) ① 《형세가》 stattlich 〔imponierend〕 (sein). ¶당당한 풍채 das stattlich Aussehen*, -s / 보무가 ~ majestätisch marschieren. ② 《정정당당》 offen u. ehrlich 〔aufrichtig〕 (sein). ¶당당한 권리 anerkanntes Recht, -(e)s, -.
당대(當代) 《한평생》 Lebtag m. -(e)s, -e; 《시대》 Gegenwart f. 《현대》; die heutige Zeit.
당도(當到) ~하다 an|kommen* 〔ein|treffen*〕 《in³》; heran|kommen* 《an⁴》.
당돌(唐突) ~하다 《안차다》 kühn 〔mutig; keck〕 (sein); 《주제넘다》 unmanierlich 〔unhöflich; unerzogen〕 (sein).
당면(當面) ~하다 gegenüber|stehen*³. ¶~한 blicklich; dringend.
당번(當番) Dienst m. -(e)s, -e. ‖ 청소 ~ Reinigungsdienst m. -(e)s, -e.
당부(當付) ~하다 bitten*《jn. um⁴》; ⁴sich wenden* 《an jn. um⁴》.
당분(糖分) Zucker m. -s; Zuckergehalt m. -(e)s, -e 《함량》. ¶~을 함유하다 Zucker enthalten*. ‖ ~ 측정기 Zuckermesser m. -s.
당분간(當分間) vorläufig; einstweilen; vorderhand; bis auf weiteres.
당사자(當事者) der Beteiligte* 〔Betreffende*〕 -n, -n.
당선(當選) ~하다 gewählt werden 《zu³》; gewinnen*. ¶현상에 ~하다 den Preis gewinnen*. ‖ ~ 논문 Preisschrift f. -en / ~자 der gewählte Kandidat, -en, -en; 〔Gewinner〕 m. -s, -.
당수(黨首) Parteiführer m. -s, -.
당신(當身) Sie; du.
당연(當然) ~하다 (ge)recht 〔gehörig〕 (sein); 《자명》 selbstverständlich 〔natürlich〕 (sein). ¶~히 natürlich; selbstverständlich; notwendig / ~한 권리 das unbestreibare Recht, -(e)s, -e.
당원(黨員) Partei·mitglied n. -(e)s, -er 〔-genosse m. -n, -n〕.
당위(當爲) das Sollen*, -s.
당일(當日) der betreffenden 〔bestimmten〕 Tag.
당장(當場) 《즉시》 sofort; unverzüglich; ohne weiteres.
당쟁(黨爭) Parteikampf m. -(e)s, ¨e. ¶~을 일삼다 ⁴sich dem Parteikampf hin|geben*.
당좌(當座) ‖ ~계정 laufende Rechnung, -en / ~수표 Scheck m. -s, -s / ~ 예금 das laufende Bankkonto, -s, -ten.
당직(當直) Dienst m. -es, -e. ~하다 Dienst haben; im Dienst sein. ‖ ~ 사관 Offizier im Dienst.
당착(撞着) Widerspruch m. -(e)s, ¨e; Zusammenstoß m. -es, ¨e. ~하다 widersprechen*³.
당첨(當籤) Gewinn m. -(e)s, -e. ‖ ~자 Gewinner m. -s, -.
당파(黨派) Partei f. -en. ‖ ~심 Parteigeist m. -(e)s, ¨er.
당하다(當―) ① 《사리에》 vernünftig 〔verständig; rational〕 (sein). ② 《겪음·만남》 betroffen 〔befallen〕 werden 《von³》. ¶불행을 ~ ein Unglück haben. ③ 《감당·대항》 jm. gewachsen sein 《an³》. ¶…에게는 당할 수 없다 jm. nicht nachstehen 〔gleichkommen〕 können*. ④ 《속다》 betrogen werden.
당황(唐慌) ~하다 bestürzt werden; den Kopf 〔die Fassung〕 verlieren*.
닻 Anker m. -s, -. ‖ 닻줄 Ankertau n. -(e)s, -e.
닿다 《도착》 an|kommen* 《in³》; ein|treffen* 《in³》; 《접촉》 berühren⁴; an|rühren⁴. ¶손이 닿을 수 있는 곳에 wo man bei der Hand fassen kann.
대¹ =대나무.
대² 《줄기》 Stengel m. -s, -; 《막대》 Stab m. -(e)s, ¨e; 《붓·펜의》 Federhalter m. -s, -; 《담뱃대》 (Tabaks)pfeife f. -n; 《줏대》 Beharrlichkeit f. -n.
대(隊) Truppe f. -n; Abteilung f. -en; 《일행》 Gruppe f. -n.
대(臺) Gestell n. -(e)s, -e; Ständer m. -s, -; Untersatz m. -es, ¨e; Bank f. ¨e.
대가(大家) Autorität f. -en; Meister m. -s, -; 《음악의》 Virtuose m. -n, -n. ¶문장의 ~ der Meister des Stils / ~연하다 ³sich als Autorität auf|spielen.
대가(代價) Preis m. -es, -e; Kosten (pl.).
대각(對角) 〖數〗 Gegenwinkel m. -s, -. ‖ ~선 Diagonale f. -n.
대강(大綱) 〖副詞〗 in groben Umrissen; etwa; annähernd.
대개(大槪) 〖副詞〗 im allgemeinen; meistens; im großen und ganzen; in der Hauptsache. ¶~의 경우 in meisten Fällen.
대거하여(大擧―) haufen〔massen〕weise.
대검찰청(大檢察廳) Generalstaatsanwaltschaft f. -en.
대견하다 tauglich 〔befriedigend〕 (sein).
대결(對決) Gegenüberstellung 〔Konfrontation〕 f. -en. ~하다 ⁴sich gegenüber|stellen³.
대공(對空) ‖ ~ 감시초 Flugmeldeposten m. -s, - / ~ 화기 Flug〔Flieger〕abwehrgeschütz n. -es, -e.
대과(大過) ~없이 ohne große 〔grobe〕 Fehler.
대과거(大過去) 〖文〗 Plusquamperfekt n. -(e)s, -e.
대관절(大關節) denn; nun; wer〔was; wie; wo〕 in aller ³Welt.
대구(大口) 〖魚〗 Dorsch m. -es, -e; Kabeljau m. -s, -e 〔-s〕.
대구루루 ¶~ 구르다 ⁴sich überschlagen*; purzeln.
대국(大局) ~적 (all)umfassend; uneigennützig. ¶~적 견지에서 von hoher Warte (aus).
대국(大國) Großmacht f. ¨e; ein großes Land, -(e)s, ¨er.
대국(對局) 《바둑·장기 등의》 e-e Partie

Go 〔Schach〕. ～하다 e-e Partie Go 〔Schach〕 spieln 《mit *jm.*》.
대권(大權) die kaiserliche Macht. ¶ ～을 장악하다 die höchste Staatsgewalt besitzen*.
대궐(大闕) das kaiserliche Schloß, ..losses, ..lösser; der kaiserliche Palast, -es, ¨-e.
대규모(大規模) ～의 großartig. ¶ ～로 in großem Maß.
대금(代金) Kaufgeld *n.* -(e)s, -er; Preis *m.* -es, -e. ¶ ～ 상환으로 송부하다 unter ³Nachnahme 〔gegen ⁴Nachnahme〕 senden*⁴.
대기(大氣) Atmosphäre *f.* -n; Luft *f.* ¨-e. ‖ ～권 Atmosphäre (～권으로 돌입하다 in die Atmosphäre ein|treten*) / ～ 오염 Luft·verschmutzung 〔-verunreinigung〕 *f.* -en.
대기(待機) das Warten*, -s; das Lauern*, -s. ～하다 e-e Gelegenheit ab|warten; 《준비 완료》 ⁴sich bereit finden* 《*zu*³》. ¶ ～ 중이다 in Bereitschaft sein.
대기업(大企業) Großunternehmen *n.* -s, -.
대나무 Bambus *m.* -ses, -se.
대납(代納) ～하다 für *jn.* bezahlen⁴; in ³Naturalien (be)zahlen⁴.
대낮에 ¶ ～에 am hellen Tage.
대내(對內) 〖形容詞的〗 inländisch; inner. ¶ ～적으로 nach innen hin. ‖ ～ 정책 innere Politik, -en.
대뇌(大腦) Großhirn *n.* -(e)s, -e. ‖ ～ 피질 Großhirnrinde *f.* -n.
대다 ① 《접촉》 mit der Hand berühren⁴; betasten⁴. ¶ (전선에) 손 대지 마시오 Nicht (die elektrische Leitung) berühren! ② 《붙임》 (zusammen|)flicken; an|setzen 《*an*⁴》. ¶ 옷에 헝겊을 ～ ein Stück an ein Kleid setzen 〔flicken〕. ③ 《비교》 e-n Vergleich an|stellen 《*mit*³》. ¶ 길이를 대보다 die Länge vergleichen*. ④ 《도착》 rechtzeitig an|kommen*. ⑤ 《핑계》 machen⁴. ¶ …을 핑계～ ⁴*et.* zum Vorwand nehmen*. ⑥ 《전화연결》 verbinden*⁴ 《*mit*³》 ¶ 미안하지만 …에 대어주시오 Fräelein bitte, verbinden Sie mich mit...!
대다수(大多數) die große Mehrheit 〔Majorität〕 -en.
대단원(大團圓) Ausgang *m.* -(e)s, ¨-e; Ende *n.* -s, -n.
대단히 sehr; ungemein; bedeutend; äußerst.
대담(大膽) ～하다 kühn 〔verwegen; mutig; furchtlos〕 (sein). ¶ ～한 기획 ein kühnes Unternehmen / ～하게 말하다 frei heraus|sprechen*.
대담(對談) Gespräch *n.* -(e)s, -e; Aussprache *f.* -n.
대답(對答) Antwort 〔Beantwortung; Erwiderung〕 *f* -en. ～하다 (be)antworten⁴; Antwort geben*; bescheiden*.
대대(大隊) Bataillon *n.* -s, -e.
대대(代代) ¶ ～로 von ³Geschlecht zu ³Geschlecht; viele Menschenalter hindurch.
대대적(大大的) großartig; großzügig. ¶ ～으로 in großem Maßstab 〔Umfang〕.
대도시(大都市) Groß〔Welts〕stadt *f.* ¨-e.
대동맥(大動脈) Aorta *f.* ..ten; Hauptschlagader *f.* -n.
대동소이(大同小異) ～하다 in den Hauptpunkten 〔wesentlich〕 gleich (sein); praktisch 〔so ziemlich〕 dasselbe (sein).
대두(大豆) Sojabohne *f.* -n.
대들다 《반항하다》 *jm.* trotzen; ⁴sich erheben* 《*gegen*⁴》; 《싸움을 걸다》 *jn.* heraus|fordern.
대들보(大—) Hauptbalken *m.* -s, -.
대등(對等) Gleichberechtigung 〔Gleichheit〕 *f.* -en. ～하다 gleich 〔gleichberechtigt〕 (sein).
대뜸 plötzlich; unerwartet. ¶ ～ 승낙하다 *jm.* s-e Einwilligung gleich geben*.
대략(大略) ① der kurze Inhalt, -(e)s, -e. ¶ ～을 말하다 kurz zusammen|fassen⁴. ② 〖副詞的〗 im allgemeinen. ¶ 그것은 ～ 다음과 같다 Es kann folgenderweise zusammengefaßt werden.
대량(大量) 《수》 e-e große Anzahl, -en; 《양》 e-e große Menge, -n. ～의 massenhaft; viel. ‖ ～ 생산 Massen·fabrikation 〔-produktion〕 *f.* -en.
대령(大領) Oberst *m.* -en, -en 《육군의》; Kapitän zur See 《해군의》.
대로(大路) Haupt〔Land〕straße *f.* -n; Chaussee *f.* -n.
대륙(大陸) Festland *n.* -(e)s, ¨-er. ～적〔의〕 festländisch. ‖ ～간 유도탄 die interkontinentale ballistische Rakete, -n / ～붕 Schelf *m.* 〔*n.*〕 -s, -e / ～성 기후 kontinentalisches Klima, -s, -s / 아시아 ～ der Asiatische Kontinent.
대리(代理) Vertretung *f.* -en; 《사람》 Vertreter *m.* -s, -. ～하다 vertreten*⁴; repräsentieren⁴. ‖ ～인 Vertreter / ～점 Agentur *f.* -en.
대리석(大理石) Marmor *m.* -s, -e.
대립(對立) ～하다 gegenüber|stehen*³; im Gegensatz stehen*.
대마(大麻) 〖植〗 Hanf *m.* -(e)s.
대만원(大滿員) das volle Haus, -es; der große Andrang, -(e)s.
대망(大望) ein große Wunsch, -es, ¨-e; Ehrgeiz *m.* -es, -e. ¶ ～을 지니다 e-n großen Wunsch haben.
대망(待望) ～의 abwartend, langersehnt.
대매출(大賣出) Ausverkauf *m.* -(e)s, ¨-e.
대머리 Kahlkopf *m.* -(e)s, ¨-e.
대면(對面) Interview *n.* -(s), -s; Begegnung *f.* -en. ～하다 interviewen⁴; begegnen³.
대명사(代名詞) Pronomen *n.* -s, -; Fürwort *n.* -(e)s, ¨-er.
대목 《시기》 die wichtigste 〔wertvollste〕 Zeit; der Höhepunkt e-r Periode; 《부분》 Teil *m.* -(e)s, -e; Stelle *f.* -n. ¶ 설달 ～ gerade am Neujahrsabend / 난해한 ～ e-e schwierige Stelle.
대문(大門) Pforte *f.* -n; Tor *n.* -(e)s, -e.
대문자(大文字) der große Buchstabe, -ns, -n; Majuskel *f.* -n.
대물(對物) ‖ ～ 렌즈 〖理〗 Objektiv *n.* -(e)s, -e; Objektivglas *n.* -es, ¨-er / ～ 신용 Realkredit *m.* -(e)s, -e.
대물리다(代—) der ³Nachwelt überliefern.
대범하다(大泛—) groß·mütig 〔-zügig〕

(sein). ¶대범하게 굴다 großherzig handeln.

대법원(大法院) das Oberste Gericht; der Oberste Gerichtshof.

대변(大便) Kot *m.* -(e)s; Stuhlgang *m.* -(e)s. ¶~보다 ein großes 〔näturliches〕 Geschäft verrichten.

대변(代辯) Agentschaft 〔Agentur; Vertretung〕 *f.* -en. ~하다 vertreten*[4]; das Wort führen.

대본(臺本) das originäre Buch, -(e)s, ⸚er.

대봉치다(代捧—) aus|gleichen*[4]; durch|streichen*[4].

대부(貸付) Dar〔Ver〕leihung *f.* -en. ~하다 dar〔aus〕|leihen*[4]. ¶~계 der Darlehenkassenbeamte*, -n, -n /~금 das Geld zum Darlehen / 단기〔장기〕~ das kurzfristige 〔langfristige〕 Darlehen / 당좌 ~ das tägliche Geld / 신용 ~ das Darlehen auf Grund persönlicher Sicherheit.

대부분(大部分) Mehrheit *f.* -en; 〖副詞的〗 größtenteils; meistens.

대비(對比) Vergleich *m.* -(e)s, -e 《비교》; Gegensatz *m.* -es, ⸚e; Kontrast *m.* -(e)s, -e. ~하다 vergleichen*[4]; kontrastieren[4].

대비(對備) Vorbereitung 〔Vorkehrung〕 *f.* -en; Vorsorge *f.* ~하다 für[4] vor|sorgen; zu [3]Vorbereitungen 〔Vorsorge〕 machen 〔treffen*〕. ¶만일에 ~하다 gegen die Notfälle Vorsorge treffen*.

대사(大使) Botschafter *m.* -s, -. ¶독일 주재 한국 ~ der koreanische Botschafter in Bonn 〔der Bundesrepublik Deutschland〕. ‖~관 Botschaft *f.* -en (~원 das Personal e-r Botschaft).

대사(大赦) Amnestie *f.* -n; der allgemeine Straferlaß, ..lasses, ..lasse.

대사(臺詞) Rede *f.* -n; Worte (*pl.*).

대상(隊商) Karawane *f.* -n.

대상(對象) Gegenstand *m.* -(e)s, ⸚e.

대서(代書) ~하다 für *jn.* schreiben*[(4)]. ‖~인 Berufsschreiber *m.* -s, - / ~소 Schreiberbüro *n.* -s, -s.

대서양(大西洋) der Atlantische Ozean, -s; Atlantik *m.* -s.

대서특필(大書特筆) ~로 in großen Schlagzeilen. ¶이 사건은 신문에 ~로 실었다 Die Zeitungen brachten diese Geschichte in großen Schlagzeilen.

대선거구(大選擧區) der große Wahlkreis, -es, -e.

대설(大雪) der starke Schneefall, -(e)s, ⸚e.

대성(大成) ~하다 vollenden[4]; vollkommen machen; in großer Mann werden.

대성공(大成功) Bombenerfolg *m.* -(e)s, -e. ¶~을 거두다 e-n großen Erfolg haben.

대성당(大聖堂) Kathedrale *f.* -n.

대성황(大盛況) der große Zulauf, -(e)s. ¶~을 이루다 e-n großen Andrang von Gästen haben.

대세(大勢) die allgemeine Lage, -n 〔Tendenz, -en〕. ¶여론의 ~ der Strom der öffentlichen Meinung / ~에 따르다 mit dem Strom schwimmen*.

대소동(大騷動) ein großer Lärm, -(e)s 〔Tumult, -(e)s, -e〕; Heiden〔Höllen〕lärm *m.* -(e)s; Aufruhr *m.* -(e)s, -e; Spektakel *m.* -s, -.

대수(代數) 〖數〗 Algebra *f.*

대수롭지않다 unbedeutend 〔unwichtig; geringfügig〕 (sein). ¶대수롭지 않은 일 Kleinigkeit *f.* -en.

대승(大勝) ein überwältigender Sieg, -(e)s, -e. ~하다 e-n überwältigenden Sieg erringen*.

대승적(大乘的) ¶~인 unparteiisch; unbefangen / ~ 견지에서 von hoher Warte.

대신(大臣) (Staats)minister *m.* -s, -.

대신(代身) ① 《대리》 (Stell)vertretung *f.* -en; 《대리인》 (Stell)vertreter *m.* -s, -. ~하다 *jn.* vertreten*; an *js.* Stelle treten*. ¶~에 als Vertreter. ② 《대상(代償)》 Ersatz *m.* -es. ¶~으로 zum Ersatz 《*für*[4]》.

대안(代案) der andere Antrag, -(e)s, ⸚e. ¶~을 제의하다 e-n anderen Antrag stellen.

대양(大洋) Ozean *m.* -s, -e; (großes) Meer, -(e)s, -e.

대업(大業) Großtat *f.* -en; das große Werk, -(e)s, -e.

대여(貸與) Leihe *f.* -n; das (Aus)leihen*, -s.

대역(代役) Ersatz *m.* -es; (Stell)vertreter *m.* -s, -.

대오(隊伍) Reihen (*pl.*); Zug *m.* -(e)s, ⸚e.

대왕(大王) der große König, -(e)s, -e. ¶세종 ~ *Sejong* der Große*.

대외(對外) ~적 Außen-; auswärtig. ‖~ 관계 die auswärtigen Beziehungen (*pl.*) / ~ 무역 Außenhandel *m.* -s / ~ 정책 Außenpolitik *f.* -en.

대용(代用) ~하다 ersetzen*[4]. ‖~식 Ersatznahrung *f.*-en/~품 Ersatz *m.*-es.

대우(待遇) Behandlung *f.* -en; Empfang *m.* -(e)s, ⸚e; Bedienung *f.* -en; 《급료》 Belohnung *f.* -en. ‖~ 개선 Gehaltserhöhung *f.* -en / 차별 ~ Diskriminierung *f.* -en.

대원수(大元帥) Generalfeldmarschall der gesamten Armee u. Flotte.

대월(貸越) Überschreitung des Kredits; die ausstehende Zahlung, -en.

대위(大尉) 《육군·공군》 Hauptmann *m.* -(e)s, ..leute; 《해군》 Kapitänleutnant *m.* -s, -e.

대응(對應) ~하다 entsprechen*[3].

대의(大意) Hauptinhalt *m.* -(e)s, -e; Übersicht *f.* -en; 《요점》 Hauptpunkt *m.* -(e)s, -e; Hauptsache *f.* -n.

대의(代議) Repräsentation *f.* -en. ‖~원 der Beauftragte*, -n, -n; der Delegierte*, -n, -n / ~ 정치 die parlamentarische Regierungsform, -en.

대의명분(大義名分) Gerechtigkeit *f.* -en.

대인(對人) 〖形容詞的〗 persönlich. ‖~ 관계 die persönliche Beziehung, -en / ~ 담보 die persönliche Sicherheit, -en / ~ 신용 Personalkredit *m.* -(e)s, -e.

대자연(大自然) die Mutter Natur.

대작(大作) ein großes Werk, -(e)s, -e; 《걸작》 Meisterstück *n.* -(e)s, -e.

대작(對酌) ~하다 zusammen|trinken*.

대장 ‖~간 Schmiede *f.* -n / ~장이 (Grob)schmied *m.* -(e)s, -e.

대장(大將) ① 《육군·공군》 General *m.* –s, –e; 《해군》 Admiral *m.* –s, –e. ② 《두목》 Haupt *n.* –(e)s, ¨er; Häuptling *m.* –s, –e.
대장(大腸) Dickdarm *m.* –(e)s, ¨e. ‖ ~균 Kolibazillus *m.* –, ..llen.
대장(隊長) Führer *m.* –s, –; Kommandeur *m.* –s, –e.
대장(臺帳) Hauptbuch *n.* –(e)s, ¨er; Register *n.* –s, –. ‖ 토지 ~ Grundbuch 〔Flurbuch〕 *n.*
대장경(大藏經) 〔佛〕 die sämtlichen Sutren-Werke (*pl.*).
대장부(大丈夫) der große Mann, –(e)s, ¨er; Gigant *m.* –en, –en.
대저(大低) eigentlich; im Grunde (genommen).
대적(大敵) der große Feind, –(e)s, –e; der große Gegner, –s, –; der große Konkurrent, –en, –en.
대전(大戰) großer Krieg, –(e)s, –e. ¶ 제 1 차〔제 2 차〕 세계 ~ der Erste〔Zweite〕 Weltkrieg, –(e)s.
대전(帶電) 〔物〕 Elektrisierung *f.* –en.
대전(對戰) ~하다 kämpfen 《*mit*³》.
대전제(大前提) 〔論〕 Obersatz *m.* –es, ¨e; Prämisse *f.* –n; Vordersatz *m.*
대전차(對戰車) 〔形容詞的〕 Panzerabwehr–. ‖ ~포 Panzerabwehrkanone *f.* –n.
대접 Schüssel *f.* –n; Suppenschüssel *f.*
대접(待接) Aufnahme *f.* –n; Behandlung 〔Bedienung; Bewirtung〕 *f.* –en. ~하다 auf|nehmen*⁴; unterhalten*⁴; bewirten⁴; e-n Schmaus geben⁴.
대제(大帝) großer Kaiser, –s, –.
대제(大祭) ein großes Fest, –(e)s, –e.
대조(大潮) Spring〔Hoch〕flut *f.* –en.
대조(對照) Kontrast *m.* –es, –e; Gegensatz *m.* –es, ¨e; Vergleichung *f.* –en. ~하다 gegenüber|stellen³⁴; in ⁴Gegensatz stellen⁴ 《*zu*³》.
대종(大宗) Hauptstammfolge *f.* –n.
대좌(對坐) das Gegenübersitzen*, –s. ~하다 ⁴sich gegenüber|sitzen* 《*jm.*》.
대죄(大罪) 《법률상》 das schwere Verbrechen, –s, –; 《종교적》 Todsünde *f.* –n.
대죄하다(待罪—) e-n Strafbefehl ab|warten.
대주교(大主敎) 〔가톨릭〕 Erzbischof *m.* –s. ¶ 서울 ~ Erzbischof von Seoul.
대주다 versorgen⁴ 《*mit*³》; speisen⁴ 《*mit*³》. ¶ 돈을 ~ Geld geben*³ / 학비를 ~ *jn.* mit Studienkosten versorgen.
대중 ① 《겉어림》 ungefähre Schätzung 〔Berechnung〕 –en. ¶ ~잡다 e-e ungefähre Schätzung machen. ② 《표준》 Standard *m.* –s, –s. ¶ 무슨 말인지 ~을 못 잡겠다 Das geht über m-e Begriffe.
대중(大衆) Volk *n.* –(e)s; Masse *f.* –n; Publikum *n.* –s. ~적 volkstümlich; populär. ‖ ~ 문학 Volksdichtung *f.* –en / ~ 소설 Unterhaltungs〔Volks〕roman *m.* –s, –e / ~ 작가 Volksschriftsteller *m.* –s, –.
대중없다 ① 《종작없음》 inkonsequent 〔unregelmäßig〕 (sein). ¶ 대중없는 대답 inkonsequente Antwort, –en. ② 《표준 없음》 unsicher 〔nicht festgesetzt〕 (sein). ¶ 시작 시간이 ~ Es ist k-e festgesetzte Anfangszeit.
대증(對症) Allopathie *f.* ‖ ~ 요법 Allopathie; allopathische Heilmethode, –n.
대지(大地) Erde *f.* –n; Erdboden *m.* –s, ¨〔-〕. ¶ ~가 진동하다 die Erde schüttelt.
대지(大志) ein hohes Ziel, –(e)s, –e; Ehrgeiz *m.* –es.
대지(垈地) (Bau)grundstück *n.* –(e)s, –e; Baugrund *m.* –(e)s, ¨e.
대지(對地) ‖ 공~ 미사일 ein gesteuertes Luft–Boden Raketengeschloß, ..sses, ..sse.
대지(臺地) Hochebene *f.* –n; Plateau *n.* –s, –s.
대지(臺紙) Karton *m.* –s, –s. ¶ ~에 붙이다 auf ⁴Karton auf|ziehen*⁴.
대지르다 ☞ 대들다.
대지주(大地主) Großgrundbesitzer *m.* –s, –.
대지팡이 Bambusstock *m.* –(e)s, ¨e.
대진(對陣) ~하다 gegenüber|stehen*³.
대질(對質) ~하다 konfrontieren⁴; gegenüber|stellen⁴.
대짜(大—) ein großes Ding, –(e)s, –e. ‖ ~배기 etwas Großes* (~배기로 großartig; in großem Maßstab).
대쪽 ¶ 성미가 ~ 같은 사람 ein standhafter 〔ehrlicher; gerader〕 Mensch, –en, –en.
대차(貸借) Borgen u. Verborgen; Soll u. Haben. ‖ ~ 관계 das Verhältnis zwischen Soll u. Haben / ~ 대조표 Bilanz *f.* –en; Status *m.* –, –.
대책(對策) Gegenmaßregel *f.* –n; Gegenplan *m.* –(e)s, ¨e.
대처(帶妻) ‖ ~승 ein verheirateter Bonze, –n, –n.
대처(對處) ~하다 (Gegen)maßregeln nehmen*.
대첩(大捷) ein großer Sieg, –(e)s, –e.
대청(大廳) die große Diele, –n; Halle *f.* –n.
대청소(大淸掃) das Großreinemachen*, –s.
대체(代替) ~하다 an die Stelle setzen⁴; ein|setzen⁴ 《*für*⁴》.
대체(對替) Überweisung *f.* –en. ‖ ~ 계정 Kontoüberweisung *f.*
대체로(大體—) wesentlich; in der Hauptsache; im großen u. ganzen.
대추 〔植〕 Judendorn *m.* –s –e(n).
대출(貸出) das Verleihen* 〔Ausleihen*; Darlehen*〕 –s. ‖ ~ 초과 Kapitalüberziehung *f.* –en; Überziehungskredit *n.* –s, –s.
대충 《대략》 annähernd; etwa; grob.
대치(對峙) ~하다 gegenüber|stehen*³.
대칭(對稱) 〔數〕 Symmetrie *f.* –n. ¶ ~적인 symmetrisch.
대통(一桶) 《담뱃대의》 Pfeifenkopf *m.* –(e)s, ¨e.
대통령(大統領) Präsident *m.* –en, –en. ‖ ~ 관저 die Amtswohnung des Präsidenten / ~ 교서 die Proklamation e-s Präsidenten / ~ 선거 Präsidentenwahl *f.* –en.
대퇴(大腿) Oberschenkel *m.* –s, –. ‖ ~골 Schenkelbein *n.* –(e)s, –e.
대파(大破) ~하다 schwer beschädigt werden; zerstören⁴ 《격파》.
대판(大—) ¶ ~ 싸우다 heftig streiten*.

대패 Hobel *m.* –s, –. ‖ ～질 das Hobeln*, –s (～질하다 hobeln⁴).

대패(大敗) ～하다 e–e schwere Niederlage erleiden*.

대포 das Trinken* ohne Zuspeise; ⟪술⟫ Reisschnaps *m.* –es, ⸗e.

대포(大砲) Geschütz *n.* –es, –e; Kanone *f.* –n; ⟪야포⟫ Feldkanone *f.*

대표(代表) ～하다 vertreten**⁴; repräsentieren⁴. ¶ ～적인 repräsentativ; typisch; musterhaft / …을 ～하여 in Vertretung…; im Namen…. ‖ ～자 Vertreter *m.* –s, –; Repräsentant *m.* –en, –en.

대풍(大豊) die reiche 〔gute〕 Ernte –n; Rekordernte *f.*

대피(待避) ～하다 〖鐵〗 aus|weichen*; ⟪공습 따위를⟫ Schutz suchen ⟪*in*³; bei *jm.*⟫.

대필(代筆) die schriftliche Vertretung, –en. ～하다 an *js.* ³Stelle 〔für *jn.*〕 schreiben*⁴.

대하(大河) ein großer Strom, –(e)s, ⸗e. ‖ ～ 소설 ein umfangreicher Roman, –s, –e.

대하다(對—) gegenüber|stehen*³. ¶ …에 대하여 ⟪상대⟫ gegen⁴; für⁴; zu³; ⟪관하여⟫ von³; über⁴ / 무정하게 ～ hart 〔gefühllos〕 sein ⟪*gegen*⁴⟫.

대학(大學) ⟪종합⟫ Universität *f.* –en; ⟪단과⟫ Hochschule *f.* –n. ‖ ～생 Student *m.* –en, –en; Hochschüler *m.* –s, – / ～원 der Forschungskursus nach der Promotion / 예술 ～ Kunstakademie *f.* –en / 초급 ～ die untere Hochschule, –n.

대한(大寒) ⟪절후⟫ die kälteste Zeit, –en.

대한민국(大韓民國) die Republik Korea.

대합(大蛤) 〖貝〗 Venusmuschel *f.* –n.

대합실(待合室) Wartesaal *m.* –(e)s, ..säle; ⟪병원의⟫ Wartezimmer *n.* –s, –.

대항(對抗) ～하다 feindlich gegenüber|stehen*³; wiederstreiten*³.

대해(大海) großes 〔weites〕 Meer, –(e)s, –e; Ozean *m.* –s, –e.

대행(代行) Stellvertretung *f.* –en; Agentur *f.* –en. ～하다 als Stellvertreter fungieren ⟪*für*⁴⟫.

대형(大形·大型) das große Format, –(e)s, –e.

대형(隊形) 〖軍〗 Formation *f.* –en; Aufstellung *f.* –en.

대화(對話) Gespräch *n.* –(e)s, –e; Unterhaltung *f.* –en; Zwiegespräch *n.* –(e)s, –e; ⟪대화체⟫ Dialog *m.* –(e)s, –e.

대회(大會) Massenversammlung *f.* –en; ⟪경기⟫ Turnfest *n.* –(e)s, –e; ⟪총회⟫ Hauptversammlung *f.*; ⟪회의⟫ Konferenz *f.* –en.

댁(宅) ① ⟪집⟫ Haus *n.* –es, ⸗er. ¶ 댁은 어디십니까 We wohnen Sie? ② ⟪당신⟫ Sie. ¶ 댁의 존함은 어떻게 되십니까 Wie heißen Sie? ③ ⟪남의 부인⟫ Frau…. ¶ 남씨댁 Frau *Nam.*

댄서 Tänzer *m.* –s, –; Tänzerin *f.* –nen ⟪여⟫.

댄스 Tanz *m.* –es, ⸗e. ～하다 tanzen. ‖ ～ 파티 Ball *m.* –(e)s, ⸗e / ～홀 Tanzlokal *n.* –(e)s, –e.

댐 Damm *m.* –(e)s, ⸗e; Staudamm ⟪저수지의⟫; Talsperre *f.* –n ⟪발전소의⟫.

댓돌(臺—) Terrassestein *m.* –(e)s, –e.

댕그랑댕그랑 klinklang!; kling(e)ling!; bimbam!

더 (noch) mehr; weiter; (noch) länger; etwas mehr.

더구나 und zwar; außerdem; noch dazu; sogar.

더껑이 Abschaum *m.* –(e)s, ⸗e.

더께 der angesammelte Schmutz, –es.

더덕 〖植〗 Ginseng-artige Pflanze ⟪eßbar⟫.

더덕더덕 überall; über u. über; ⟪온통·다닥다닥⟫ dick; reichlich; übermäßig.

더듬다 ① ⟪손으로⟫ tasten ⟪*nach*³⟫; tappen ⟪*nach*³⟫; umher|tasten. ② ⟪말을⟫ stottern; stammeln. ③ ⟪근원·기억을⟫ folgen³; verfolgen⁴; nach|gehen*. ¶ 기억을 ～ das Gedächtnis zurück|verfolgen.

더디다 langsam 〔säumig; träge〕 (sein).

–더라도 gesetzt, daß…; zugegeben, daß…. ¶ 그것이 사실이라고 하더라도 angenommen 〔gesetzt; zugegeben〕, daß es wahr sei.

더러 ⟪이따금⟫ zuweilen; zeitweise; dann u. wann. ¶ 그에게서 ～ 소식이 있다 Ich höre von ihm dann u. wann.

더러움 Unreinheit *f.* –en; Schmutz *m.* –es; (Schand)fleck *m.*; Makel *m.* –s, –.

더러워지다 ⁴sich beschmutzen ⟪불결⟫; besudelt〔schmutzig〕 werden.

더럼타다 leicht schmutzig werden.

더럽다 ① ⟪불결⟫ schmutzig 〔unrein〕 (sein). ¶ 더러운 옷 beflecktes Kleid, –(e)s, –e. ② ⟪추잡⟫ unanständig 〔gemein〕 (sein). ¶ 더러운 이야기 unanständiges Gespräch, –es, –e.

더럽히다 ① ⟪때묻히다⟫ unrein machen⁴; beschmutzen⁴. ② ⟪명예를⟫ beflecken⁴; besudeln⁴. ③ ⟪순결을⟫ entehren⁴; ⟪강간하다⟫ ein Mädchen notzüchtigen. ④ ⟪신성을⟫ entheiligen⁴; entweihen⁴.

더미 Haufen *m.* –s, –; Menge *f.* –n; Masse *f.* –n. ¶ 쓰레기～ ein Haufen Abfälle (*pl.*).

더벅머리 ⟪머리⟫ das buschige Haar, –(e)s, –e; ⟪아이⟫ Junge *m.* –n, –n (mit altkoreanischem Bubikopf).

더부룩하다 ① ⟪풀 따위가⟫ dicht 〔üppig; geil wachsend〕 (sein). ② ⟪머리·수염 등이⟫ zottig 〔buschig; struppig〕 (sein).

더부살이 Schmarotzer *m.* –s, –.

더스트슈트 Müllschlucker *m.* –s, –.

더없이 am meisten; äußerst; außerordentlich. ¶ ～ 기뻐하다 ⁴sich äußerst erfreuen.

더욱 (noch) mehr; weiter. ¶ ～ 중요한 것은 was noch wichtiger ist.

더욱이 überdies; noch dazu; obendrein; außerdem; sogar.

더위 Hitze *f.*

더치다 ⟪병세가⟫ schlechter 〔schlimmer〕 werden.

더하기 Addition 〔Zusammenzählung〕 *f.* –en.

더하다¹ ① ⟪가산⟫ addieren⁴; hinzu|rechnen⁴; zusammen|zählen⁴. ② ⟪증가⟫ vermehren⁴; vergrößern⁴. ¶ 속력을 ～ beschleunigen⁴; akzelerieren⁴.

더하다² ⟪비교하여⟫ mehr 〔noch; besser〕 (sein). ¶ 크기가 ～ größer als … sein.

덕(德) Tugend *f.* -en. ¶ 덕 있는 tugendhaft (덕 있는 사람 der Mensch von Tugenden) / …의 덕이다 *jm.* ^{4}*et.* verdanken.

덕망(德望) moralischer Einfluß, ..flusses, ..flüsse. ¶ ~이 있다 in gutem Ruf stehen*. ‖ ~가 der Mensch von gutem Ruf.

덕성(德性) Sittlichkeit *f.*; Moralität *f.* ¶ ~을 함양하다 ^{4}sich in ^{3}Moral aus|bilden (üben).

덕스럽다(德—) tugendhaft (sittlich) (sein).

덕적덕적 mit ^{3}*et.* dicht bedeckt.

덕지덕지 allzu reichlich; im Überfluß; sattsam. ¶ 분을 ~ 바르다 Puder dick (stark) auf|tragen*.

덕택(德澤) Gnade *f.*; Gunst *f.*; Wohlwollen *n.* -s. ¶ … ~으로 dank^3… / …의 ~이다 *jm.* ^{4}*et.* verdanken^3.

덕행(德行) ein tugendhaftes Betragen (Verhalten) -s; Tugend *f.* -en.

던적스럽다 《추잡함》 unanständig (unzüchtig) (sein); 《비열》 niederträchtig (gemein) (sein).

던지다 werfen*^{4}; schleudern^4. ¶ 몸을 ~ ^{4}sich 《ins Meer》 werfen* (stürzen).

던지럽다 unanständig (unzüchtig; gemein) (sein).

덜 ¶ 덜 마른 halbgetrocknet / 덜 삶은 halbgekocht / 덜 익은 과일 die unreife Frucht, ⸚e.

덜다 (ver)mindern^4; verringern^4; reduzieren^4; 《고통 따위》 erleichtern^4; lindern^4; mildern^4.

덜덜 ¶ ~ 떨다 klappern; (heftig) zittern / 추워서 무릎이 ~ 떨린다 M-e Knie zittern vor Kälte.

덜되다 《사람이》 nicht gut sein; 《미완성》 unvollendet (sein); 《덜익다》 noch nicht reif sein.

덜렁거리다 《까불다》 ^{4}sich leichtfertig verhalten*.

덜렁쇠, 덜렁이 Spatzen(Wirr)kopf *m.* -(e)s, ⸚e.

덜미 Genick *n.* -(e)s, -e. ¶ ~를 잡다 beim Genick (er)greifen* 《*jn.*》.

덜커덕거리다 klappern; klirren; rasseln. ¶ 문을 ~ an der Tür rasseln.

덜컥 ¶ 가슴이 ~하다 e-n Schock erleiden* (bekommen*); e-n Nervenschock bekommen*.

덜퍽지다 reichlich (dick) (sein).

덜하다 ① 《전보다》 ab|nehmen*; ^{4}sich vermindern. ② 《감하다》 vermindern^4; verringern^4. ③ 《견주어서》 kleiner (weniger) (sein).

덤 Zusatz *m.* -es, ⸚e; Zugabe (Zulage) *f.* -n. ¶ 덤으로 주다 als Zugabe geben*^{4}.

덤덤하다 schweigsam (still) (sein). ¶ 덤덤히 앉아 있다 schweigend (still) sitzen*.

덤받이 Kind aus erster Ehe.

덤벙 mit e-m Plumps. ¶ ~ 물에 떨어지다 mit e-m Plumps ins Wasser fallen*.

덤벙거리다, 덤벙대다 ^{4}sich überstürzen; leichtfertig (ungebildet) handeln.

덤불 Gebüsch *n.* -es, -e; Dickicht *n.* -(e)s, -e; Busch *m.* -es, ⸚e.

덤비다 ① 《달려들다》 an|greifen*^{4}; überfallen*^{4}; an(zu)|springen*; ^{4}sich auf *jn.* stürzen. ② 《서둘다》 voreilig (zu hastig; unbesonnen) sein. ¶ 덤비지 말고 in (mit) kühler Ruhe.

덤터기 ¶ ~ 씌우다 *jm.* ^{4}*et.* zu|schieben*.

덤프카 Hinterkipper (Kippwagen) *m.* -s, -.

덤핑 Dumping *n.* -s, -s. ~하다 zu ^{3}Schleuderpreisen aus (ins) Ausland verkaufen^4.

덥다 heiß ((sehr) warm; schwul) (sein). ¶ 더운 물 warmes (heißes) Wasser, -s.

덥석 mit e-m Griff; plötzlich; auf einmal. ¶ ~ 잡다 mit e-m Griff erfassen^4.

덧나다^1 《병이》 schlechter (schlimmer) werden.

덧나다^2 ¶ 이가 ~ e-n Doppelzahn haben.

덧내다 《병을》 verschlimmern^4; schlimm zu bewirken veranlassen^4.

덧니 Seiten(Doppel)zahn *m.* -s, ⸚e.

덧대다 hinzu|fügen^4 (addieren^4) 《*zu*^{3}》.

덧들이다 ① 《감정을》 *jn.* auf|reizen; *jn.* zum Ärger provozieren. ② 《잠을》 *jn.* davon ab|halten*, wieder einzuschlafen.

덧문(—門) 《문》 Außentür *f.* -en; 《창》 Fensterladen *m.* -s, ⸚.

덧버선 Hüttenschuhe (*pl.*).

덧붙이다 ① 《더 붙이다》 an|heften^4《*an*^{4}》; befestigen^4 《*an*^{4}》. ② 《보태다》 addieren^4; hin|setzen^4.

덧셈 Addition *f.* -en. ~하다 addieren.

덧신 Überschuhe (Gummischuhe) (*pl.*).

덧양말(—洋襪) Übersocken (*pl.*).

덧없다 《속절없다》 flüchtig (vergänglich) (sein); 《공허》 eitel (leer) (sein). ¶ 덧없는 인생 das vergängliche Leben, -s / 덧없이 flüchtig; vergänglich; vorübergehend.

덩굴 Ranke *f.* -n. ‖ ~손 【植】 Ranke *f.* / 포도 ~ Weinranke *f.*

덩그렇다 ① 《헌거롭다》 hoch u. groß (stattlich) (sein). ② 《텅비다》 groß u. leer (sein).

덩달다 *jm.* blindlings folgen; nur so mit|machen^4.

덩실거리다 herum|hüpfen; fröhlich tanzen.

덩어리 Klumpen *m.* -s, -; Scholle *f.* -n; Masse *f.* -n; Kloß *m.* -(e)s, ⸚e. ~지다 Klumpen bilden; ^{4}sich an|häufen. ‖ 골칫~ Störenfried *m.* -(e)s, -e / 쇳~ Luppe *f.* -n.

덩지 Körper *m.* -s, -; Statur *f.* -en. ¶ ~가 큰 von großem Wuchs; von großer Gestalt.

덫 《창애》 Falle *f.* -n; 《올가미》 Schlinge *f.* -n. ¶ 덫에 걸리다 in die Falle gehen*; in die Schlinge fallen*.

덮개 ① 《침구》 Bettzeug *n.* -(e)s, -e; Überdecke *f.* -n. ② 《뚜껑》 Deckel *m.* -s, -; Haube *f.* -n.

덮다 ① 《씌우다》 bedecken^4; über|hängen*^{4} 《이상 *mit*^{3}》; (ver)hüllen^4 《*mit*^{3}; *in*^{4}》. ¶ 뚜껑을 ~ (be)decken^4; zu|decken^4. ② 《감추다》 verhüllen^4; verstecken^4. ¶ 진상을 덮어 두다 die Wahrheit verhüllen. ③ 《닫다》 schließen*^{4}; zu|machen^4. ¶ 책을 ~ das Buch zu|machen.

덮어놓고 draufgängerisch; verwegen; unbesonnen.

덮어두다 (nachsichtig) übersehen*⁴; ein Auge zu|drücken. ¶사실을 ~ e-e Tatsache verhehlen.

덮어씌우다 《가리다》 zu|decken⁴; über|-ziehen*⁴; 《남에게》 jn. beschuldigen; 《die Schuld》 auf jn. ab|wälzen.

덮이다 《가려지다》 mit ³et. bedeckt werden. ¶눈에 ~ mit Schnee bedeckt werden.

덮치다 ① 《겹쳐 누르다》 nieder|drücken⁴; unterdrücken⁴. ¶범행 현장을 ~ jn. auf frischer Tat ertappen. ② 《여러가지 일이》 verschiedene Ereignisse auf einmal passieren.

데 《곳》 Stelle f. -n; Ort m. -(e)s, -e 〔⸗er〕; 《경우》 Fall m. -(e)s, ⸗e; Verhältnisse (pl.).

데꺽 《손쉽게》 ohne Schwierigkeiten; mühelos; leicht.

데니르 《섬도의 단위》 Denier n. -(s), -.

데님 《면직물》 grober (Baumwoll)drillich, -(e)s, -e.

데다 ① 《불에》 ⁴sich verbrennen*; 《끓는 물에》 ⁴sich verbrühen. ② 《혼나다》 schlechte Erfahrungen machen.

데데하다 geringfügig 〔unbedeutend; wertlos〕 (sein). ¶데데한 소리를 하다 Unsinn 〔Quatsch〕 reden.

데드마스크 Totenmaske f. -en. ¶~를 뜨다 e-e Totenmaske von jm. machen.

데드볼 〔野〕 ein Ball außer Spiel.

데려가다 mit|nehmen*⁴; ab|führen⁴.

데려오다 mit|bringen*⁴; ab|holen⁴.

데리다 《거느리다》 mit|nehmen*⁴; mit|-bringen*⁴. ¶데리러 가다〔오다〕 jn. ab|-holen gehen* 〔kommen*〕 / 데리러 보내다 jn. holen 〔rufen*〕 lassen* / 저도 데리고 가 주십시오 Nehmen Sie mich auch mit!

데릴사위 der Eingeheiratete*, -n, -n.

데면데면하다 achtlos 〔gedankenlos〕 (sein).

데모 Demonstration f. -en; Kundgebung f. -en. ~하다 demonstrieren. ‖ ~대 Demonstrationsmasse f. -n / ~행진 Demonstrationszug m. -(e)s, ⸗e.

데밀다 hinein|stoßen*⁴ 〔-|schieben*⁴〕.

데뷔 Debüt n. -s, -s. ~하다 debütieren.

데삶다 leicht 〔halb〕 kochen⁴.

데생 〔美〕 Dessin n. -s, -s. ~하다 dessinieren.

데스크 ☞책상; 《신문사의》 Zeitungsredakteur m. -s, -e; der verantwortliche Redakteur, -s, -e.

데시- ‖ ~그램 Dezigramm n. -s, -e 《略: dg》 / ~리터 Deziliter m. 〔n.〕 -s, - 《略: dl》 / ~미터 Dezimeter m. 〔n.〕 -s, - 《略: dm》.

데억지다 《너무 크다》 zu groß sein; 《너무 많다》 zu viel sein.

데우다 (er)wärmen⁴; warm|machen⁴. ¶물을 ~ Wasser kochen.

데이지 〔植〕 Gänseblümchen n. -s, -.

데이터 《사실·자료》 Daten (pl.); Tatsachen (pl.); 《명세》 Einzelheiten (pl.). ‖ ~분석 Datenanalyse f. -n / ~정리 Datenbearbeitung f. -en.

데이트 《남녀의》 Stelldichein n. -s, -; Rendezvous n. -, -. ~하다 ⁴sich (mit jm.) verabreden.

데치다 《삶아 냄》 halb kochen⁴; leicht kochen⁴.

데카당 Dekadenz f.; 《사람》 der Dekadente*, -n, -n.

데퉁바리 ein plumper Tölpel, -s, -.

데퉁스럽다 plump 〔schwerfällig〕 (sein).

뎅겁하다 in Verwirrung geraten*; außer Fassung geraten*.

덴마크 Dänemark n. ‖ ~어 Dänisch n. -(e)s / ~인 Däne m. -n, -n; Dänin f. -nen 《여자》.

델리키트하다 《형상》 zart 〔zierlich〕 (sein); 《성격》 empfindsam 〔heikel〕 (sein).

델터 《삼각주》 Delta n. -s, -s 〔..ten〕.

도(度) Grad m. -(e)s, -e; Maß n. -es, -e. ¶10도의 각〔열, 안경〕 der Winkel 〔die Wärme, die Brille〕 von 10 Grad.

도(道) ① 《행정 구역》 Provinz f. -en. ¶도지사 Statthalter m. -s, -. ② 《도리》 Art f.; Verhaltensweise f. -n; 《종교상의》 Glaubenslehre f. -en. ③ 《기예》 Kultur f. -en. ¶서도 Schreibkunst f.

도 ① 《역시》 auch; ebenso; ebenfalls. ¶네게도 그런 일은 있을 수 있다 Auch dir kann es so gehen. ② 《…조차도》 sogar; selbst; schon; auch. ¶보기만 하여도 황홀해진다 Schon der bloße Anblick entzückt. ③ 《설혹 …라도》 obgleich; obschon; obwohl. ¶아무리 부자라도 wie reich er auch sein mag. ④ 《예측·방법·결과》 ¶늦어도 spätestens / 적어도 wenigstens. ⑤ 《…도 …도》 sowohl... als (auch); 〖否定的〗 weder... noch; nicht... noch.

도가니 Schmelztiegel m. -s, -.

도가머리 《새의》 (Vogel)schopf m. -(e)s, ⸗e.

도감(圖鑑) ein illustriertes Wörterbuch, -(e)s, ⸗er.

도강(渡江) Flußüberquerung f. -en.

도개교(跳開橋) Klappbrücke f. -n.

도거리 Gesamtmenge f. -n; Gesamtbetrag m. -(e)s, ⸗e. ¶~로 gesamt; im ganzen 〔großen〕.

도계(道界) Provinzgrenze f. -n.

도공(陶工) Töpfer m. -s, -; Keramiker m. -s, -.

도관(導管) ① 《식물의》 Gefäß n. -es, -e. ② 《수도 등의》 Röhre f. -n; Rohr n. -s, -e.

도괴(倒壞) ~하다 ein|stürzen; zusammen|stürzen.

도교(道敎) Taoismus m.

도구(道具) Werkzeug n. -(e)s, -e; Geschirr n. -(e)s, -e 《부엌의》; Möbel n. -s, -; Gerät n. -(e)s, -e. ¶~로 삼다 ⁴et. als Werkzeug benutzen.

도굴(盜掘) illegale 〔rechtswidrige〕 Ausgrabung, -en. ~하다 heimlich〔illegal〕 aus|graben*⁴.

도그머 Dogma n. -s, ..men.

도금(鍍金) Plattierung f. -en; 《금으로》 Vergoldung f. -en. ~하다 plattieren⁴; vergolden⁴; 《은으로》 versibern⁴. ‖ 전기 ~ Elektroplattierung f. -en.

도급(都給) Akkord m. -(e)s, -e; Verding m. -(e)s, -e; Verdingung f. -en. ‖ ~업자 Bauunternehmer m. -s, -.

도기(陶器) Porzellan *n.* –s, –e; Töpferware *f.* –n; Töpferarbeit *f.* –en.

도깨비 Gespenst *n.* –es, –er; Spuk *m.* –(e)s, –e.

도끼 Axt *f.* ⸚e; Beil *n.* –(e)s, –e.

도난(盜難) Diebstahl *m.* –(e)s, ⸚e. ¶～을 당하다 ^{3}sich ^{4}*et.* stehlen lassen*^{4}. ‖～사건 Diebstahlsaffäre *f.* –n / ～품 Dieb(e)sgut *n.* –(e)s, ⸚er.

도넛 〖料〗 Pfannkuchen *m.* –s, –.

도달(到達) ～하다 erreichen^{4}; gelangen^{4}; an|kommen* (*an*^{3}; *in*^{3}; *auf*^{3}).

도당(徒黨) Bande *f.* –n; Clique *f.* –n; Sippschaft *f.* –n.

도대체(都大體) denn; in aller ^{3}Welt; zum Teufel.

도덕(道德) Moral *f.* –en; Sittlichkeit *f.*; Moralität *f.* –en. ¶～적인 sittlich; moralisch. ‖～가 Moralist *m.* –en, –en; der tugendhafte Mensch, –en, –en / ～률 Moralgesetz *n.* –es, –e / 사회～ Sozialmoral *f.* –en.

도도하다 stolz 〔hochmütig; arrogant〕 (sein). ¶도도하게 굴다 ^{4}sich anmaßend benehmen*.

도도(滔滔) ¶～히 《강물이》 reißend; 《변설이》 fließend; beredsam / ～한 흐름 reißender Strom, –(e)s, ⸚e / ～한 열변 ein Schwall von Worten.

도독(渡獨) ～하다 nach Deutschland fahren*.

도둑 Dieb *m.* –(e)s, –e; Räuber *m.* –s, –; Einbrecher *m.* –s, –. ‖～질 Diebstahl *m.* –(e)s, ⸚e; Dieberei *f.* –en; das Mausen*, –s (～질하다 *jm.* ^{4}*et.* stehlen*^{4}; den Diebstahl verüben).

도드라지다 ① 〖形容詞的〗 erheblich 〔aufgeschwollen〕 (sein); 《현저한》 auffallend (sein). ¶도드라진 눈 das herausstehende Auge, –s, –n. ② 〖自動詞的〗 vor|stehen*; ^{4}sich erheben. ¶뾰루지가 ～ Die Beule schwillt an.

도떼기시장(一市場) der Markt unter freiem Himmel.

도라지 〖植〗 die chinesische Glockenblume, –n.

도락(道樂) Ausschweifung *f.* –en; Liebhaberei *f.* –en; Vergnügen *n.* –s, –. ¶～으로 zum Vergnügen. ‖식～ Feinschmeckerei *f.* –en.

도란거리다 miteinander murmeln 〔flüstern〕.

도랑 Graben *m.* –s, ⸚; Straßengraben; Rinne *f.* –n; 《하수구》 Gosse *f.* –n.

도랑치마 ein kurzer Rock, –(e)s, ⸚e.

도래(到來) das Eintreffen*, –s. ～하다 an|kommen* (*in*^{3}); ein|treffen* (*in*^{3}); ^{3}sich bieten* 《기회가》.

도래(渡來) Herüberkommen *n.* –s; 《사람의》 Besuch *m.* –(e)s, –e. ～하다 eingeführt werden; besuchen^{4} 《사람이》.

도래매듭 Doppelknoten *m.* –s, –.

도래송곳 ① e–e doppelschneidige Bohrwinde, –n. ② ＝나사 송곳.

도량(度量) Hochherzigkeit *f.* ¶～이 넓은 hochherzig; weitherzig / ～이 좁은 engherzig.

도량(跳梁) ～하다 (über)wuchern; Oberhand 〔Überhand〕 haben.

도량(道場) 〖佛〗 Buddhistenseminar *n.* –s, –e 〔..rien〕.

도량형(度量衡) (das) Maß und Gewicht. ‖～법 Eichordnung *f.* –en.

도려내다 heraus|schneiden*^{4} (*aus*^{3}); (mit dem Meißel) aus|höhlen^{4}.

도련님 der junge Herr, –n, –en.

도련치다(刀鍊—) den Papierrand ebenmäßig ab|schneiden*.

도로(徒勞) vergebliche Mühe, –n. ¶～에 그치다 vergeblich 〔umsonst〕 sein.

도로(道路) Weg *m.* –(e)s, –e; Straße *f.* –n; Gasse *f.* –n. ‖～계획 Straßenbauplan *m.* –(e)s, ⸚e.

도로 wieder; wiederum noch einmal; zurück. ¶오던 길을 ～ 가다 ^{4}sich um|kehren / 제자리에 ～ 갖다 두다 an die alte Stelle zurück|setzen^{4}.

도로아미타불(一阿彌陀佛) Zurückführung *f.* –en. ¶～이 되다 das Nachsehen haben; in den Mond gucken.

-도록 ① 《목적》 um...＋zu 부정법; damit... 〖後置文〗; ...so ...daß... 〖後置文〗. ¶시간에 늦지 않도록 um rechtzeitig da zu sein. ② 《…때까지》 bis^{4} 〖여러 前置詞를 併用하여〗. ¶이 세상 다하도록 bis ans Ende dieser Welt.

도롱뇽 der große Salamander, –s, –.

도롱이 Strohmantel *m.* –s, ⸚.

도료(塗料) Farbe *f.* –n; Anstrich *m.* –(e)s, –e.

도루(盜壘) ～하다 〖野〗 ein Mal stehlen*.

도륙(屠戮) Massaker *n.* –s, –; Blutbad *n.* –(e)s, ⸚er; das Schlachten*, –s. ～하다 massakrieren^{4}; nieder|metzeln^{4}.

도르다^{1} 《분배하다》 verteilen^{4} 〔aus|teilen^{4}〕 (*unter*^{3}; *an*^{4}); 《배달하다》 ab|liefern^{4}; aus|tragen*^{4}. ¶초대장을 ～ Einladungskarten aus|schicken.

도르다^{2} 《변통하다》 hin|kriegen^{4}; schaffen^{4}. ¶돈을 ～ das Geld schaffen.

도르래 Rolle 〔Scheibe; Spule〕 *f.* –n.

도리(道理) ① 《사리》 Vernunft 〔Gerechtigkeit〕 *f.* ¶～에 어긋난 vernunftwidrig. ② 《방도》 Art 〔Weise〕 *f.* –en. ¶딴 ～가 없다 Mir bleibt k–e andere Wahl. ③ 《의무》 Pflicht *f.* –en.

도리깨 (Dresch)flegel *m.* –s, –.

도리암직하다 hübsch 〔elegant〕 (sein); klein u. gut aus|sehen*.

도리어 《반대로》 im Gegenteil; im Gegensatz (*zu*^{3}); 《오히려》 vielmehr; eher; lieber.

도리질하다 das Kopfschütteln spielen.

도립(倒立) Kopfstand *m.* –(e)s; 《체조》 Handstand *m.* ～하다 auf dem Kopf stehen*.

도립(道立) ～의 Provinz–; Provinzial–.

도마 Hack〔Schneide〕brett *n.* –(e)s, ⸚er.

도마뱀 〖動〗 Eidechse *f.* –n.

도말(塗抹) ～하다 《발라 지우다》 aus|streichen*^{4}; aus|schmieren^{4}.

도망(逃亡) ～치다 (ent)fliehen*; davon|laufen*; (^{4}sich) flüchten; entschlüpfen; entweichen*. ‖～병 Deserteur *m.* –s, –e / ～자 Flüchtling *m.* –(e)s, –e.

도맡다 《혼자서》 ganz allein übernehmen*^{4}; exklusiv auf ^{4}sich nehmen*^{4}; 《도거리로·몰아서》 ausschließlich auf ^{4}sich nehmen*^{4}.

도매(都賣) Großhandel *m.* –s, ⸚; Engrosgeschäft *n.* –(e)s, –e. ¶～로 en gros; im großen. ‖～상 Grossist *m.*

-en, -en; Großkaufmann *m.* -(e)s, ..leute; Engros〔Groß〕händler *m.* -s, -.
도면(圖面) Zeichnung *f.* -en; Bauplan *m.* -(e)s, ⸚e; Karte *f.* -n. ‖ 건축 ～ Blaupause〔Blaukopie〕*f.* -n.
도모(圖謀) ～하다 planen⁴; beabsichtigen⁴; vor|haben*⁴.
도무지〘否定詞와 함께〙 ganz (und gar) (nicht); durchaus〔gar〕(nicht); nicht im geringsten. ¶ ～ 말이 안 된다 Davon kann gar keine Rede sein.
도미〘魚〙 Meerbrasse *f.* -n.
도미(渡美) ～하다 nach Amerika fahren*.
도민(道民) Provinzbewohner *m.* -s, -.
도박(賭博) (Hasard)spiel *n.* -(e)s, -e; Glücksspiel *n.*; Wette *f.* -n. ～하다 hasardieren; wetten. ‖ ～꾼 (Hasard-)spieler *m.* -s, - / ～장 Spielhaus *n.* -es, ⸚er.
도발하다(挑發—) an|reizen⁴; heraus|fordern⁴.
도배(塗褙) Tapezierung *f.* -en. ～하다 tapezieren⁴; mit Wandtapeten〔Wandpapieren〕bekleiden.
도벌(盜伐) Holzdiebstahl *m.* -(e)s, ⸚e; das geheime Holzabbauen, -s. ～하다 heimlich Bäume fällen.
도벽(盜癖) Stehlsucht〔Kleptomanie〕*f.*
도보(徒步) ¶ ～로 (가다) zu ³Fuß (gehen*). ‖ ～ 여행 Fußreise *f.* -n.
도불(渡佛) ～하다 nach Frankreich fahren*.
도붓장사(到付—) ＝행상(行商).
도사리다 《다리를》 die Beine kreuzen; 《마음을》 ⁴sich beruhigen.
도산(倒産) Bank(e)rott *m.* -es, -e. ～하다 Bank(e)rott werden〔machen〕.
도살(屠殺) 《가축의》 das Schlachten*, -s; Schlachtung *f.* -en; 《학살》 Metzelei *f.* -en. ‖ ～장 Schlachthof *m.* -(e)s, ⸚e.
도상(途上) ¶ ～에 unterwegs; auf dem Weg(e) / 귀국 ～에 있다 auf dem Wege nach der Heimat sein.
도색(桃色) Hellrot *n.* -(e)s. ‖ ～ 문학 die schlüpfrige Literatur, -en / ～ 사진 das unzüchtige Bild, -(e)s, -er.
도서(島嶼) Inseln (*pl.*).
도서(圖書) Bücher(*pl.*). ‖ ～관 Bibliothek *f.* -en (～관장 Bibliotheksdirektor *m.* -s, -en) / ～ 목록 Bücherverzeichnis *n.* -ses, -se / ～ 열람실 Lesesaal *m.* -(e)s, ..säle.
도서다 ① 《바람이》 wechseln; ⁴sich ändern. ② 《태아가》 ⁴sich zu regen beginnen*.
도선(渡船) ＝나룻배. ‖ ～장 Fähre *f.* -n. ☞ 나루.
도설(圖說) Illustration *f.* -en. ～하다 illustrieren⁴.
도섭스럽다 launenhaft〔unbeständig; grillenhaft〕(sein).
도수(度數) 《횟수》 Anzahl *f.*; Häufigkeit *f.*
도수(徒手) ¶ ～공권으로 mit leeren Händen (*pl.*). ‖ ～ 체조 Freiübung *f.* -en.
도스르다 ⁴sich zusammen|nehmen*; ⁴sich rüsten.
도시(都市) Stadt *f.* ⸚e. ‖ ～ 가스 Stadtgas *n.* -es, -e / ～ 계획 Städtebau *m.* -(e)s / ～ 국가 Stadtstaat *m.* -(e)s, -en / ～화 Verstädterung *f.* -en / 근대 ～ die moderne Stadt / 대～ Großstadt *f.* ⸚e (대～의 großstädtisch) / 대학 ～ Universitätsstadt.
도시(圖示) ～하다 vor|zeichnen³·⁴; anhand e-r ²Zeichnung zeigen³·⁴.
도시락 《밥》 Wegzehrung *f.* -en; Imbiß *m.* ..bisses, ..bisse; 《그릇》 Eßbehälter *m.* -s, -.
도식(徒食) ～하다 ein müßiges Leben führen.
도심(都心) Stadtkern *m.* -(e)s, -e. ‖ ～지대 der innere Stadtteil, -(e)s, -e; Stadtmitte *f.* -n.
도안(圖案) Muster *n.* -s, -; Dessin *n.* -s, -s.
도야(陶冶) Bildung *f.* -en. ～하다 bilden⁴. ¶ 인격을 ～하다 den Charakter〔den Geist〕bilden.
도약(跳躍) das Springen*, -s; Sprung *m.* -(e)s, ⸚e. ～하다 springen*; hüpfen. ‖ ～ 경기 das (Witt)springen*, -s.
도열(堵列) ～하다 Schlange stehen*.
도열병(稻熱病) Reispflanzenfieber *n.* -s, -; Reismeltau *m.* -s.
도영(渡英) ～하다 nach England fahren*.
도예(陶藝) Porzellan〔Töpfer〕kunst *f.* ⸚e. ‖ ～가 Töpferkünstler *m.* -s, -.
도와주다 ① 《조력》 *jm.* helfen*; *jm.* bei|stehen*. ② 《구제》 ¶ 가난한 사람들을 ～ den Armen* helfen; den Armen Hilfe leisten.
도외시(度外視) ～하다 nicht achten 《*auf*⁴》; außer acht lassen*⁴.
도요(새)〘鳥〙 Schnepfe *f.* -n.
도용(盜用) ～하다 heimlich〔unrechtmäßig〕ge|brauchen〔be|nutzen〕.
도움 (Bei)hilfe *f.* -n; Beistand *m.* -(e)s. ¶ ～이 되다 dienen 《*zu*³》; helfen*³; *jm.* Hilfe sein; 《기여》 beitragen* 《*zu*³》.
도읍(都邑) 《수도》 Hauptstadt *f.* ⸚e; 《소도시》 Kleinstadt. ～하다 residieren.
도의(道義) Sittlichkeit *f.* ～적 moralisch; ethisch; sittlich. ¶ ～적 책임 die sittliche Pflicht, -en.
도일(渡日) ～하다 nach Japan fahren*.
도입(導入) Einführung *f.* -en. ～하다 ein|führen⁴ 《*in*⁴》; ein|scheuern⁴ 《반입》.
‖ 외자 ～ Einführung (des) fremden Kapitals.
도자기(陶磁器) Keramik *f.* -en; die keramische Ware, -n.
도장(道場) Übungssaal *m.* -(e)s, ..säle.
도장(塗裝) ～하다 (an|)streichen*⁴ 《*mit*³》.
도장(圖章) Siegel *n.* -s, -; Petschaft *n.* -(e)s, -e; Stempel *m.* -s, -. ¶ ～을 찍다 siegeln⁴; stempeln⁴. ‖ 인감 ～ das eingetragene Siegel.
도저히(到底—) keineswegs; gar〔durchaus〕nicht; unbedingt; auf k-n Fall.
도적(盜賊) ＝도둑.
도전(挑戰) Herausforderung〔Aufforderung〕*f.* -en. ～하다 heraus|fordern.
‖ ～자 Herausforderer *m.* -s, -.
도전(盜電) ～하다 die Elektrizität schwarz〔ohne ⁴Erlaubnis〕benutzen.
도정(道程) 《거리》 Strecke *f.* -n; 《여로》 Weg *m.* -(e)s, -e; 《과정》 Prozeß *m.* ..zesses, ..zesse.
도제(徒弟) Lehrling *m.* -s, -e.
도주(逃走) ～하다 flüchten.
도중(途中) ¶ ～에 auf halbem Wege; halbwege(s) / 집으로 가는 ～에 auf dem

Wege nach Hause / 이야기 ~에 mitten im Gespräch.

도지다 (병이) ^{4}sich verschlimmern; e-e Wendung zum Schlechten nehmen*; e-n Rückfall bekommen*.

도지사(道知事) Gouverneur *m.* -s, -e [Statthalter *m.* -s, -] (der Provinz).

도착(到着) Ankunft *f.* ¨e; das Eintreffen*, -s. ~하다 an|kommen* [ein|treffen*] (*in*^{3}).
‖ ~ 시간 Ankunftszeit *f.* / ~역 Ankunftsstation *f.* -en.

도착(倒錯) 〖醫〗 Perversion *f.* -en; Perversität *f.* -en. ~하다 ^{4}*et.* umgekehrt hin|stellen. ‖ 성적 ~ (die geschlechtliche) Perversität [Perversion] -en.

도처에(到處—) hier und dort; überall.

도청(盜聽) 《전화의》 das Abhören*, -s; 《라디오의》 das Schwarzhören*, -s. ~하다 erlauschen^4 [ab|hören^4] (*jm.*); 《전화를》 ein Telephongespräch ab|hören.

도청(道廳) Regierungsgebäude der Provinz. ‖ ~ 소재지 Regierungssitz der Provinz.

도취(陶醉) Berauschung *f.* -en; 《황홀》 Entzückung *f.* -en. ~하다 ^{4}sich berauschen; entzückt sein (*vor*^{3}).

도치(倒置) ~하다 um|kehren^4; um|stellen^4.
‖ ~법 〖文〗 Inversion *f.* -en.

도킹 Kopp(e)lung [Kupp(e)lung] *f.* -en. ~하다 koppeln [kuppeln] miteinander.

도탄(塗炭) ¶ ~에 빠지다 in äußerste Not geraten*.

도태(淘汰) Zuchtwahl *f.*; Selektion *f.* -en; Auslese *f.* -n; 《인원 정리》 Abbau *m.* -(e)s.
‖ 자연[인위] ~ die natürliche [künstliche] Zuchtwahl, -en.

도토리 Eichel *f.* -n. ¶ 개밥에 ~ der Ausgestoßene* [Verbannte*] -n, -n.

도톨도톨하다 uneben [ungleich; rauh; holperig] (sein).

도통(都統) 《전혀》 ganz (u. gar); völlig; durchaus; gänzlich. ¶ ~ 종잡을 수가 없군 Ich habe k-e Ahnung.

도통(道通) ~하다 geistig erleuchtet sein.

도포(道袍) koreanischer Gesellschaftsanzug, -(e)s, ¨e.

도표(道標) Wegweiser *m.* -s, -.

도표(圖表) Diagramm *n.* -s, -e; e-e graphische Darstellung, -en.

도피(逃避) Flucht *f.* -en. ~하다 ^{4}sich flüchten*$^{(4)}$; s-e Zuflucht nehmen*.
‖ ~ 생활(을 하다) ein zurückgezogenes Leben (führen).

도하(渡河) Flußüberquerung *f.* -en. ~하다 e-n Fluß überqueren; über|setzen. ‖ ~ 작전 Flußüberquerungsoperation *f.* -en.

도한(盜汗) Nachtschweiß *m.* -es, -e.

도합(都合) Gesamtsumme *f.* -n; Gesamtbetrag *m.* -(e)s, ¨e.

도항(渡航) ~하다 auf Fahrt fahren*; segeln (*nach*^{3}).

도해(圖解) Illustration *f.* -en. ~하다 illustrieren^4; bebildern^4.

도형(圖形) Figur *f.* -en.

도화(圖畫) Zeichnung *f.* -en. ‖ ~지 Zeichenpapier *n.* -s, -e.

도화선(導火線) Zündschnur *f.* ¨e [-en]; 《동기》 Veranlassung *f.* -en.

도회(都會) Stadt *f.* ¨e. ¶ ~에서 자란 in der Stadt aufgewachsen. ‖ ~ 생활 Stadtleben *n.* -s, -.

독 Krug [Topf] *m.* -(e)s, ¨e. ¶ 독 안에 든 쥐다 schon so gut wie gefangen sein.

독(毒) Gift *n.* -(e)s, -e. ¶ 독있는 giftig.
‖ 독가스 Giftgas *n.* -es, -e.

독감(毒感) Grippe *f.* -n; Influenza *f.*

독거(獨居) ~하다 ein einsames Leben führen.

독경(讀經) 〖佛〗 die Psalmodie der Sutren.

독기(毒氣) die schädliche Luft, ¨e; der giftige Dampf, -(e)s, ¨e.

독나방(毒—) der giftige Falter, -s, -; Giftfalter *m.* -s, -.

독농가(篤農家) ein fleißiger [ertragfähiger] Bauer, -s [-n], -n.

독단(獨斷) Dogma *n.* -s, ..men; die willkürliche Entscheidung, -en. ~적 dogmatisch; willkürlich. ¶ ~으로 willkürlich; auf eigene Verantwortung.
‖ ~론 Dogmatismus *m.* -.

독두(禿頭) =대머리. ‖ ~병 Alopezie *f.*

독려(督勵) Aufmunterung *f.* -en; Ermutigung *f.* -en. ~하다 ermutigen; beleben; an|regen.

독력(獨力) ¶ ~으로 selbständig; unabhängig (*von*^{3}); für sich.

독립(獨立) Selbständigkeit *f.*; Unabhängigkeit *f.* -en; 《분리》 Absonderung *f.* -en. ~하다 unabhängig werden (*von*^{3}); auf eigenen Füßen stehen*. ¶ ~의 unabhängig; selbständig; abgesondert. ‖ ~국 unabhängiges Land, -(e)s, ¨er / ~ 채산제 System wirtschaftlicher ^{2}Unabhängigkeit jeder ^{2}Abteilung.

독무대(獨舞臺) Monopol *n.* -s, -e. ¶ 그의 ~이다 Er beherrscht ganz allein die Szene.; Es ist sein Monopol.

독물(毒物) giftiger Stoff, -(e)s, -e.

독문(獨文) 《독일문》 der deutsche Satz, -es, ¨e. ‖ ~과 die Abteilung für deutsche Literatur / ~법 deutsche Grammatik, -en / ~학 die deutsche Literatur, -en (~학회 die Gesellschaft für Germanistik).

독방(獨房) Einzelzimmer *n.* -s, -.

독배(毒杯) Giftbecher *m.* -s, -.

독백(獨白) Monolog *m.* -s, -e. ~하다 monologisieren.

독버섯(毒—) Giftpilz *m.* -es, -e.

독보(獨步) ~적 beispiellos; einmalig; einzig(artig).

독본(讀本) Lesebuch *n.* -(e)s, ¨er. ‖ 부~ Ergänzungslesebuch.

독부(毒婦) e-e böse Frau, -en; Hexe *f.* -n.

독사(毒死) ~하다 durch Gift sterben*.

독사(毒蛇) Giftschlange [Natter] *f.* -n.

독살(毒殺) Vergiftung *f.* -en. ~하다 vergiften (*jn.*).

독살림하다(獨—) s-n eigenen Haushalt führen.

독살부리다(毒殺—) s-e Bosheit (an *jm.*) aus|lassen*.

독살스럽다(毒殺—) giftig [boshaft; bösartig] (sein).

독생자(獨生者) Jesu Christus.
독서(讀書) das Lesen*, -s; Lektüre *f.* -n. ～하다 lesen*; ein Buch lesen*. ‖ ～가 ein eifriger Leser, -s, -.
독선(獨善) Selbstgefälligkeit *f.* ～적 selbstgefällig; dogmatisch.
독설(毒舌) e-e böse〔scharfe〕Zunge, -n. ¶그는 ～가다 Er ist e-e böse Zunge.
독성(毒性) Giftigkeit *f.* -en. ～의 giftig.
독소(毒素) Giftstoff *m.* -(e)s, -e; Toxin *n.* -s, -e.
독수공방(獨守空房) das einsame Leben e-r Frau während der Abwesenheit ihres Ehemanns.
독수리(禿—) Adler〔Geier〕*m.* -s, -.
독습(獨習) Selbstunterricht *m.* -(e)s, -e; Selbststudium *n.* -s, ..dien. ～하다 allein〔für ⁴sich〕lernen〔studieren〕.
독식(獨食) ～하다 monopolisieren.
독신(篤信) ～하다 frömmig〔andächtig〕sein. ‖ ～자 Gottesanbeter *m.* -s, -.
독신(獨身) ～의 ledig; unverheiratet; ehelos. ‖ ～자 der〔die〕Unverheiratete*, -n, -n; 《남》 Junggeselle *m.* -n, -n; 《여》 Jungfer *f.* -n.
독신(瀆神) Blasphemie *f.* -n; Gotteslästerung *f.* -en.
독실(篤實) ～하다 rechtschaffen〔redlich; aufrichtig; ernst)〕(sein).
독심술(讀心術) das Gedankenlesen*, -s.
독아(毒牙) Giftzahn *m.* -(e)s, ⸚e; Fang *m.* -(e)s, ⸚e; Hauer *m.* -s, -.
독액(毒液) flüssiges Gift, -(e)s, -e.
독약(毒藥) Gift *n.* -(e)s, -e. ¶～을 마시다 Gift nehmen*.
독어(獨語) Deutsch *n.*; deutsche Sprache, -n.
독일(獨逸) Deutschland *n.* -(s). ¶～(말)의 deutsch / ～제의 in Deutschland gefertigt〔gemacht〕. ‖ ～어(語) das Deutsch(e), -n; die deutsche Sprache, -n / ～ 연방 공화국 die Bundesrepublik Deutschland 《略: BRD》 / ～인 der Deutsche*, -n, -n / 동부 ～ Ost-Deutschland *n.* 《정치상의》.
독자(獨子) der einzige Sohn, -(e)s, ⸚e; das einzige Kind, -(e)s, ⸚er.
독자(獨自) ～적 《개인의》 individuell; persönlich; 《독특한》 seineigen; eigentümlich; ohnegleichen; 《유일한》 einzig; alleinig; 《자주적》 selbständig. ‖ ～성 Individualität *f.* -en; Eigenart *f.*
독자(讀者) Leser *m.* -s, -; 《예약한》 Subskribent *m.* -en, -en. ¶～의 소리 die Stimme aus dem Leserkreis. ‖ ～란 Lesersspalte *f.* -n / ～층 Leserklasse *f.* -n; Publikum *n.* -s.
독장수셈 erfolglose Mühe, -n.
독장치다(獨場—) e-e Alleinmann-Schau geben.
독재(獨裁) Diktatur *f.* -en. ¶～적인 diktatorisch. ‖ ～자 Diktator *m.* -s, -en / ～ 정치 Diktatur *f.*; diktatorische Regierung.
독전(督戰) ～하다 die Soldaten an|treiben*. ‖ ～대 Beobachtungsheer *n.* -(e)s, -e.
독점(獨占) Monopol *n.* -s, -e. ～하다 monopolisieren⁴; für ⁴sich allein haben. ‖ ～ 기업 Alleinbetrieb *m.* -(e)s, -e.
독종(毒種) 《사람》 ein boshafter〔bösartiger〕Mensch, -en, -en.
독주(毒酒) ① 《독한 술》 starker Wein, -(e)s, -e. ② 《독약을 탄》 der vergiftete Wein〔Likör〕.
독주(獨走) ～하다 den anderen e-n großen Vorsprung haben; 《낙승》 mit e-m großen Vorsprung gewinnen*〔siegen〕.
독주(獨奏) Solo *n.* -s, -s. ～하다 Solo spielen. ‖ ～자 Solist *m.* -en, -en / 피아노 ～ Klaviersolo.
독지(篤志) das Wohlwollen*, -s; Güte *f.* ‖ ～가 wohlwollender〔gütiger〕Mensch, -en, -en.
독직(瀆職) Korruption *f.* -en; (passive) Bestechung, -en. ‖ ～ 사건 Korruptionsaffäre *f.* -n.
독차지(獨—) ～하다 ⁴sich allein in Anspruch nehmen*; an ⁴sich reißen*〔ziehen*〕.
독창(獨唱) Solo *n.* -s, -s. ～하다 Solo singen*. ‖ ～회 Solovortrag *m.* -(e)s, ⸚e; Liederabend *m.* -(e)s, -e 《*von³*》.
독창(獨創) Originalität *f.* -en. ～적 original; originell; schöpferisch.
독채(獨—) das einsame〔alleinstehende〕Haus, -es, ⸚er.
독초(毒草) 《독풀》 Giftpflanze *f.* -n; Giftkraut *n.* -(e)s, ⸚er; 《담배》 starker〔schwerer〕Tabak, -(e)s, -e.
독촉(督促) Antrieb *m.* -(e)s, -e; Aufforderung *f.* -en. ～하다 auffordern 《*jn. zu³*》; mahnen 《*jn. um⁴*》.
독충(毒蟲) das giftige Insekt, -(e)s, -en; 《살무사》 Natter *f.* -n.
독침(毒針) Giftnadel *f.* -n.
독탕(獨湯) Einzelbad *n.* -(e)s, ⸚er. ～하다 Einzelbad nehmen*; ⁴sich allein baden.
독특(獨特) ～하다 eigen〔einzig; charakteristisch; eigentümlich〕(sein).
독파(讀破) ～하다 (ein Buch) fertig lesen; durch|lesen* 《*⁴et.*》.
독판(獨—) Alleinherrschaft *f.* -en. ～치다 allein maßgebend sein.
독하다(毒—) ① 《유독》 giftig〔schädlich; verderblich〕(sein). ② 《맛·성질이》 stark〔schwer; heftig〕(sein). ③ 《모짊·표독》 boshaft〔gehässig; böse〕(sein). ④ 《굳셈》 fest〔hart; standhaft〕(sein).
독학(篤學) Hingabe an das Studium.
독학(獨學) Selbststudium *n.* -s, ..dien; Selbstunterricht *m.* -(e)s, -e. ～하다 für ⁴sich lernen; ohne Lehrer studieren. ¶～의 autodidaktisch; selbsterzogen.
독한(獨韓) Deutschland u. Korea; 〖形容詞的〗 deutsch-koreanisch. ‖ ～ 사전 ein deutsch-koreanisches Wörterbuch, -(e)s, ⸚er.
독행(篤行) Wohltätigkeit *f.* -en.
독회(讀會) Lesung *f.* -en. ‖ 제1〔2〕～ die erste〔zweite〕Lesung, -en.
독후감(讀後感) Eindrücke nach der ³Lektüre, -n.
돈¹ Geld〔Bargeld〕*n.* -(e)s, -er; Kasse *f.* -n. ¶돈이 드는 kostspielig / 돈을 마련하다 ⁴sich Geld verschaffen / 많은 돈 die große Summe Geld / 돈을 벌다 Geld verdienen〔machen 《*mit³*》〕.

돈² (무게) *Don* (=3.7565 Gramm).

돈구멍 (돈의 출처) Geldquelle *f.* -n. ¶ ~을 뚫다 e-n Weg finden*, Geld zu machen.

돈궤(一櫃) Geldkassette〔Sparbüchse〕*f.* -n.

돈냥(一兩) etwas Geld. ¶~이나 있는 사람 der Wohlhabende*, -n, -n.

돈놀이 Geldverleihgeschäft *n.* -(e)s, -e; Geldwucher *m.* -s, -. ~하다 Geld verleihen*.

돈독(一毒) ¶~이 오르다 für Geld e-n kränklichen Geschmack bekommen*.

돈독(敦篤) ~하다 aufrichtig〔wahr; redlich〕(sein).

돈맛 ¶~을 알다 an Geld e-n Geschmack finden*.

돈벌이 Gelderwerb *m.* -(e)s, -e; Gelderdienst *m.* -es, -e. ~하다 ^{3}sich Geld erwerben*; Geld machen (*mit*^{3}).

돈벼락 ¶~ 맞다 plötzlich ein reicher Mann werden.

돈복(一福) (geldlicher) Glücksfall, -(e)s, ⸗e.

돈수(頓首) (편지에서의) Ihr sehr ergebener; Hochachtungsvoll.

돈아(豚兒) mein Sohn, -(e)s, ⸗e.

돈절(頓絕) ~하다 plötzlich auf|hören; auf einmal still|stehen*.

돈좌(頓挫) ~하다 stocken; ins Stocken geraten*.

돈주머니 Geldbeutel *m.* -s, -; Börse *f.* -en.

돈줄 Geldquelle *f.* -n; Geldunterstützer〔Geldgeber〕*m.* -s, -.

돈지갑(一紙匣) Geldtasche *f.* -n; Geldbeutel *n.* -s, -.

돈쭝 =돈².

돈치기 Münzwurf als e-e Art Spiel. ~하다 Münze werfen* (als e-e Art Spiel).

돈푼 etwas Geld. ¶~이나 있다고 으스댄다 Er ist sehr stolz auf das Wenige, was er hat.

돈환 Don Juan *m.* -s, -s; Frauen-〔Damen; Weiber〕held *m.* -en, -en.

돋구다 (e-n Grad〔Standard〕) höher machen; erhöhen. ¶식욕을 ~ Appetit an|regen.

돋다 ① (해 따위가) auf|gehen*; empor|steigen*. ② (싹이) keimen; (auf|-)sprossen. ③ (발진이) erscheinen*; ^{4}sich zeigen.

돋보기 lang〔fern〕sichtige Brille, -n.

돋보이다 besser aus|sehen*; ^{4}sich günstig ab|heben*.

돋우다 ① (심지를) nach oben wenden*. ② (높이다) höher machen; erhöhen. ③ (목청을) erheben*. ¶목청을 ~ s-e Stimme erheben*. ④ (기운 등을) an|regen (*jn.*); erregen. ⑤ (감정 따위를) (an|)schüren; hetzen; (불러 일으키다) erregen; an|regen. ¶부아를 ~ um den Verstand bringen* (*jn.*).

돋을새김 Relief *n.* -s, -s〔-e〕.

돋치다 (내밀다) (auf|)sprossen; heraus|kommen*. ¶날개 돋치듯 팔리다 flott〔gut〕ab|gehen*.

돌¹ ① (1주년) Jahrestag *m.* -(e)s, -e. ② (첫돌) der erste Geburtstag. ③ (사건 등의) ein geschlagener〔voller〕Tag; ein ganzes Jahr.

돌² Stein *m.* -(e)s, -e. ¶돌로 만든 steinern.

돌감 Wildpersimonen (*pl.*).

돌개바람 Wirbelwind *m.* -(e)s, -e.

돌격(突擊) (Sturm)angriff *m.* -(e)s, -e; Ansturm *m.* -(e)s, ⸗e. ~하다 stürmisch an|greifen; an|stürmen. ‖~대 Sturmtruppe *f.* -n.

돌계집 =석녀(石女).

돌고래 〔動〕 Delphin *m.* -s, -e; Meerschwein *n.* -(e)s, -e.

돌곪(기)다 (Geschwulst) innen schwellen$^{(*)}$.

돌기(突起) das Vorspringen*, -s; Vorsprung *m.* -(e)s, ⸗e; Erhöhung *f.* -en; 〔醫〕 Fortsatz *m.* -es, ⸗e.

돌기둥 die Säule aus Stein.

돌꼇잠 beunruhigter Schlaf, -(e)s, -e.

돌날 =돌¹②.

돌다 ① (회전) ^{4}sich drehen〔kreisen〕(*um*^{4}). ¶지구는 태양 주위를 돈다 Die Erde dreht sich um die Sonne. ② (순회) die Runde machen; (주유) herum|reisen. ¶세계를 ~ e-e Reise um die Welt machen. ③ (순환) um|laufen* (*um*^{4}); zirkulieren. ¶ 취기가 ~ ^{4}sich be|trinken*. ④ (우회) den Umweg machen. ¶급하면 돌아서 가라 Eile mit Weile! ⑤ (현기증나다) schwindelig sein. ¶눈이 ~ es schwindelt *jm.* ⑥ (소문이) um|laufen*; ^{4}sich verbreiten. ¶소문이 ~ es geht〔läuft〕das Gerücht, daß.... ⑦ (모퉁이를) ^{4}sich wenden*. ¶모퉁이를 ~ um die Ecke biegen*. ⑧ (정신이) (俗) verrückt werden; ^{4}sich umnachten. ¶돈 사람 der Verrückte*〔Wahnsinnige*〕-n, -n.

돌다리 die steinerne Brücke, -n; Steinbrücke *f.* -n.

돌담 Steinmauer *f.* -n; die steinerne Mauer, -n.

돌대가리 (우둔) Dummkopf *m.* -(e)s, ⸗e; Hohlkopf *m.* -(e)s, ⸗e; (완고) Dickkopf *m.* -(e)s, -e.

돌덩이 ein Stück Stein; ein Stein *m.*

돌도끼 Steinbeil *n.* -(e)s, -e.

돌돌 rollenförmig. ¶종이를 ~ 말다 Papier (zusammen|)rollen.

돌라대다 ① (변통) von *jm.* Aushilfe kommen* lassen*; leihen. ② (말을) ^{4}sich rechtfertigen〔entschuldigen〕.

돌라주다 aus|teilen; verteilen. ¶선물을 ~ Gabe verteilen.

돌려내다 ① (빼돌리다) verlocken; verleiten. ② (따돌리다) aus|lassen*; fort|lassen*; vertreiben*.

돌려놓다 die Richtung ändern. ¶책상을 ~ die Richtung des Tisches ändern.

돌려보내다 zurück|geben*〔-|senden$^{(*)4}$〕.

돌려보다 zusammen|kommen* u. abwechselnd lesen*〔sehen*〕.

돌려쓰다 verreihen*; leihen*.

돌려주다 wieder|geben*^{4}; zurück|geben*^{4}; (돈을) zurück|zahlen^4.

돌리다 ① (회전) drehen^4; (her)um|drehen^4. ¶시계 바늘을 ~ die Zeiger der Uhr drehen. ② (방향을) wenden$^{(*)}$; um|drehen. ¶얼굴을 ~ das Gesicht ab|wenden*. ③ (차례로) herum|geben*; herum|gehen* lassen*. ¶술잔을 ~ ein Weinglas herum|reichen. ④ (마음을) *js.* ^{3}Gedanken e-e andere Richtung geben*. ⑤ (전용함) ¶…은 뒤로 돌리고 ^{4}*et.* beiseite / 여비를 생활비로 ~

die Reisekosten auf Unterhaltskosten an|wenden*. ⑥ 《소생》 ¶ 숨을 ～ für kurze Zeit Atem schöpfen; e-e kleine Pause machen. ⑦ 《탓으로》 zu|schreiben* 〔bei|messen*; zu|eignen〕《*jm.* ^{4}*et.*》. ⑧ 《영광을》 die Ehre lassen* 〔bringen*〕《*jm.*》. ¶ 하느님께 영광을 ～ ^{3}Gott die Ehre lassen* 〔bringen*〕.

돌림병(一病) die epidemische Krankheit, -n; Seuche 〔Epidemie〕 *f.* -n.

돌멘 〖考古〗 Dolmen *m.* -s, -.

돌멩이 ein (Stück) Stein, -(e)s, -e. ‖ ～질 Steinwurf *m.* -(e)s, ⸚e.

돌무더기 Steinhaufen *m.* -s, -.

돌무덤 steinernes Grab, -(e)s, ⸚er.

돌발(突發) Ausbruch *m.* -(e)s, ⸚e. ～하다 aus|brechen*. ‖ ～ 사건 Zufall *m.* -(e)s, ⸚e.

돌변(突變) ～하다 plötzlich wechseln.

돌보다 sorgen 《*für*^{4}》 besorgen^{4}; betreuen^{4}; ^{4}sich für *jn.* bemühen; pflegen^{4}; helfen*^{4}. ¶ 돌보는 사람 Pfleger *m.* -s, -; der Besorgende*, -n, -n / 돌보지 않다 verlassen*; 《곤경에 빠진 것을》 im Stich lassen*.

돌부리 ¶ ～를 차면 발부리만 아프다 „Nicht wider den Stachel löcken!"

돌부처 das steinerne Buddhabild, -(e)s, -er.

돌산(一山) Felsenberg *m.* -(e)s, -e.

돌아가다 ① 《되돌아》 zurück|kehren 〔-|gehen*〕. ¶ 돌아가는 길에 auf dem Rückwege. ② 《떠나다》 weg〔fort〕|gehen*. ¶ 그만 돌아가겠소 Nun muß ich mich empfehlen. ③ 《우회》 e-n Umweg machen. ¶ 멀리 ～ e-n langen Umweg machen. ④ 《끝나다》 führen 《*zu*^{3}》. ¶ 실패로 ～ mit e-m Mißerfolg enden. ⑤ 《분배》 aus|reichen. ⑥ 《책임·욕이》 zugeschrieben werden 《*jm.*》. ⑦ 《죽다》 (ver)sterben*; hin|scheiden*. ¶ 돌아가신 아버지 mein Vater selig.

돌아눕다 auf die andere Seite legen.

돌아다니다 ① 《싸다니다》 herum〔umher〕|gehen*; 《분주히》 ^{4}sich tummeln; 《미친 듯이》 durchtoben 《^{4}*et.*》; 《할일없이》 herum〔umher〕|streifen. ¶ 시내를 ～ um die Stadt herum|gehen*. ② 《퍼지다》 ^{4}sich verbreiten; um|laufen*.

돌아보다 ^{4}sich um|drehen; ^{4}sich um|wenden$^{(*)}$ 《*nach*^{3}》; zurück|blicken 《*auf*^{4}》; ^{4}sich um|sehen* 《*nach*^{3}》; zurück|sehen*; zurück|denken* 《회상》.

돌아서다 ① 《뒤로 향해》 um|wenden$^{(*)}$. ¶ 적을 보고 ～ *jm.* den Rücken (zu|-)kehren. ② 《등지다》 e-n gegen e-n andern 〔^{4}*et.*〕 verstimmen.

돌아앉다 ^{4}sich rückwärts wenden$^{(*)}$ u. ^{4}sich setzen.

돌아오다 《귀환》 zurück|kommen*; zurück|kehren; heim|kehren.

돌연(突然) plötzlich, auf einmal; unerwartet. ～한 plötzlich; unvermutet.

돌이키다 ① 《고개를》 ^{4}sich um|drehen 〔-|wenden$^{(*)}$〕. ② 《신념을》 ^{4}sich anders besinnen*; 《재고하다》 von neuem erwägen*. ¶ 돌이켜 생각하니 bei reiflicher Überlegung. ③ 《원 상태로》 wieder|erhalten*. ¶ 과거는 돌이킬 수 없다 Gestern kommt nie wieder.

돌입하다(突入一) herein|brechen* 《*in*^{4}》; ein|stürmen 《*auf*^{4}; *in*^{4}》.

돌잔치 das Fest für den ersten Geburtstag e-s Säuglings.

돌쟁이 ein Jahr alter Säugling, -(e)s, -e.

돌절구 der steinerne Mörser, -s, -.

돌제(突堤) Wehrdamm *m.* -(e)s, ⸚e; Buhne *f.* -n. ☞ 방파제.

돌진(突進) Ansturm *m.* -(e)s, ⸚e. ～하다 an|stürmen《*gegen*^{4}; *auf*^{4}》; los|stürzen 《auf *jn.*》.

돌쩌귀 (Tür)angel *f.* -n.

돌출(突出) ～하다 vor|springen*. ‖ ～부 Vorsprung *m.* -(e)s, ⸚e.

돌파하다(突破一) 《뚫어 깨뜨림》 durchbrechen*^{4}; 《극복》 überwinden*^{4}; 《넘어섬》 überschreiten*^{4}.

돌팔이 ‖ ～ 의사 Quacksalber *m.* -s, -.

돌풍(突風) Stoßwind *m.* -(e)s, -e; 《해상의》 Bö *f.* -en.

돎 ☞ 돌^{1}③.

돕다 helfen* 《*jm.*》; Hilfe leisten 《*jm.*》; bei|stehen* 《*jm.*》; unterstützen^{4}.

돗자리 (Binsen)matte *f.* -n.

동(東) Ost *m.* -(e)s; Osten *m.* -(e)s. ¶ 동쪽으로 nach ^{3}Osten (zu).

동(洞) Block *m.* -(e)s, ⸚e; Straße *f.* -n.

동(胴) ① 《격검의》 Schutzpolster *n.* -s, -; Körperpanzer *m.* -s, -. ② 《몸의》 Rumpf *m.* -(e)s, ⸚e; Leib *m.* -(e)s, ⸚er.

동(銅) Kupfer *n.* -s, -.

동감(同感) Sympathie *f.* -n; Übereinstimmung *f.* -en. ～하다 sympathisieren 〔mit|fühlen; überein|stimmen〕 《*mit*^{3}》.

동갑(同甲) ～이다 in demselben 〔gleichem〕 Alter sein; gleich alt sein.

동강 Stück *n.* -(e)s, -e; Teil *m.* -s, -e. ¶ ～나다 in Stücke gehen* 〔fallen*〕.

동거(同居) ～하다 zusammen|leben 《*mit*^{3}; *bei*^{3}》; 《남의 집에》 *bei*^{3} wohnen. ‖ ～인 Hausgenosse *m.* -n, -n.

동격(同格) ～의 beigeordnet. ‖ ～ 명사 Apposition *f.* -en.

동결(凍結) das Gefrieren*, -s. ～하다 (ge)frieren*. ¶ ～시키다 erstarren machen / ～을 해제하다 e-n Scheck gültig machen. ‖ 자산 ～ das Einfrieren des Vermögenbetrags.

동경(東經) östlich Lange 《略: ö. L.》.

동경(憧憬) Sehnsucht *f.* ⸚e. ～하다 ^{4}sich sehnen 《*nach*^{3}》.

동계(冬季) Winter *m.* -s, -. ‖ ～올림픽 die Olympischen Winterspiele (*pl.*).

동계(同系) dieselbe Abstammung, -en. ‖ ～ 회사 angegliederten Gesellschaften (*pl.*).

동계(動悸) Herz·klopfen *n.* -s, - 〔-pochen *n.* -s, -; -schlag *m.* -(e)s, ⸚e〕. ～하다 heftig klopfen.

동고동락(同苦同樂) ～하다 in Glück u. Unglück zusammen|halten*.

동고비 〖鳥〗 Spechtmeise *f.* -n.

동공(瞳孔) 〖解〗 Pupille *f.* -n; Augenstern *m.* -(e)s, -e.

동공이곡(同工異曲) ¶ ～이다 das gleiche in anderer Aufmachung sein.

동광(銅鑛) 《광산》 Kupferbergwerk *n.* -(e)s, -e; 《광석》 Kupfererz *n.* -es, -e.
동구(東歐) Osteuropa *n.* -s.
동구(洞口) Dorfeingang *m.* -(e)s, ⸚e.
동국(同國) dasselbe〔das gleiche〕 Land, -(e)s, ⸚er.
동굴(洞窟) Höhle 〔Grotte〕 *f.* -n.
동궁(東宮) 《세자》 Kronprinz *m.* -en, -en; 《세자궁》 das Schloß des Kronprinzen.
동권(同權) Gleichberechtigkeit *f.* ‖ 남녀 ～ die Gleichberechtigung beider Geschlechter (*pl.*) 〔von Mann u. Frau〕.
동그라미 Kreis *m.* -es, -e; Zirkel *m.* -s, -.
동그라지다 ⁴sich über|schlagen*; ⁴sich um|kehren.
동그랗다 rund 〔kreisförmig〕 (sein). ¶ 동그란 눈 runde Augen (*pl.*).
동그스름하다 (etwa) rundlich (sein).
동글납작하다 rundlich u. flach (sein).
동글동글 《도는 모양》 rund herum; 《여러 모양이》 rundlich. ¶ ～한 조약돌 runder Kieselstein.
동급생(同級生) Klassengenosse *m.* -n, -n; Klassenkamerad *m.* -en, -en.
동기(同氣) Geschwister (*pl.*).
동기(同期) dieselbe〔die gleiche〕 Periode, -n. ‖ ～생 Klassenkamerad *m.* -en, -en.
동기(動機) Motiv *n.* -s, -e; Beweggrund *m.* -(e)s, ⸚e 《*zu*³; *für*⁴》. ¶ 행위의 ～ das Motiv e-r Tat.
동기(銅器) Kupfergerät *n.* -(e)s, -e.
동나다 knapp werden《*mit*³》; aus|gehen*; 《상품이》 ausverkauft sein.
동남(東南) Südosten *m.* -s; Südost *m.* -(e)s 《略: SO》. ‖ ～ 아시아 Südostasien / ～풍 südöstlicher Wind, -(e)s, -e.
동냥하다 betteln; ⁴sich auf Bettelei legen.
동네 Dorf *n.* -(e)s, ⸚er; Ortschaft *f.* -en. ‖ ～ 사람 Dorfbewohner *m.* -s, -.
동년(同年) 《같은 해》 dasselbe〔das gleiche〕 Jahre. ～의 gleichaltrig. ‖ ～배 Altersgenosse *m.* -n, -n.
동녘(東—) Osten *m.* -s; Ost *m.* -(e)s. ¶ ～이 밝아온다 Der Tag bricht an.
동단(東端) das östliche Ende, -s, -n.
동댕이치다 ① 《세게 내던지다》 weg|werfen*; verschleudern. ② 《그만두다》 im Stich lassen*; auf|geben*.
동닿다 ① 《조리가》 angemessen sein; mit ³*et.* überein|stimmen. ② 《이어지다》 nach|einander|folgen.
동등(同等) ～하다 gleich 〔gleichwertig〕 (sein).
동떨어지다 weit entfernt 〔weit weg〕 sein 《*von*³》. ¶ 동떨어진 소리 e-e unsinnige Rede.
동란(動亂) Aufruhr *m.* -(e)s, -e; Empörung *f.* -en. ¶ ～이 일어나다 in Aufruhr geraten*. ‖ 한국 ～ der Aufruhr in Korea.
동력(動力) Kraft *f.* ⸚e. ‖ ～계 Kraftmesser *m.* -s, - / ～선 Kraftleitung *f.* -en.
동료(同僚) Kollege *m.* -n, -n; Kamerad *m.* -en, -en; (Amts)genosse *m.* -n, -n.
동류(同類) ① 《같은 종류》 die gleiche Art, -en. ¶ …와 ～이다 der gleichen Klasse an|gehören 《*mit*³》. ② 《한패》 Komplice *m.* -n, -n. ‖ ～ 의식 〔心〕 Gattungsbewußtsein *n.* -s / ～항 〔數〕 das ähnliche Glied, -es, -er.
동리(洞里) Dorf *n.* -(e)s, ⸚er. ¶ 큰 ～ das große Dorf.
동마루(棟—) 〔建〕 Grat *m.* -(e)s, -e.
동막이(垌—) ～하다 ein|deichen; ein|dämmen.
동맥(動脈) Arterie *f.* -n; Schlagader *f.* -n. ‖ ～ 경화 Arterienverkalkung *f.* -en / 대～ Hauptschlagader *f.*
동맹(同盟) Bund *m.* -(e)s, ⸚e; Bündnis *n.* -ses, -se; Allianz *f.* -en; Union *f.* -en. ～하다 ⁴sich verbünden〔vereinigen〕; e-n Bund 〔ein Bündnis〕 schließen 《*mit*³》. ‖ ～국 die Verbündeten* 〔Alliierten*〕 (*pl.*) / ～ 파업 Streik *m.* -(e)s, -s; Ausstand *m.* -(e)s, ⸚e / ～휴학 Schülerstreik *m.*
동메달(銅—) kuferne Medaille, -n. ¶ ～ 보유자 der Inhaber der kupfernen Medaille.
동면(冬眠) Winterschlaf *m.* -(e)s. ～하다 den Winterschlaf halten*.
동명(同名) derselbe〔der gleiche〕 Name, -ns, -n. ‖ ～이인(異人) Namens·bruder *m.* -s, ⸚〔-schwester *f.* -n〕.
동명사(動名詞) 〔文〕 Gerundium *n.* -s. ..dien.
동무 Freund *m.* -(e)s, -e; Genosse *m.* -n, -n; Kamerad *m.* -en, -en. ¶ 말～ Gesprächspartner *m.* -s, -.
동문(同文) der gleichlautende Satz, -es, ⸚e. ¶ 이하 ～ und so weiter 《略: usw.》.
동문(同門) Mitstudent *m.* -en, -en 《대학의》; Mitschüler *m.* -s, -.
동문서답(東問西答) faselhafte Antwort, -en. ～하다 zu der Frage in k-r Beziehung stehen*.
동문수학(同門受學) ～하다 unter demselben Lehrer mit|studieren.
동물(動物) Tier *n.* -(e)s, -e. ‖ ～원 der zoologische Garten, -s, ⸚e; Zoo *m.* -(s), -s / ～학 Zoologie *f.* -n (～학자 Zoologe *m.* -n, -n) / 고등 〔하등〕 ～ höheren 〔niederen〕 Tiere (*pl.*).
동민(洞民) der Bewohner e-s Stadtteils; Gemeindebürger *m.* -s, -.
동박새 〔鳥〕 (der japanische) Brillenvogel, -s, ⸚.
동반(同伴) ～하다 begleiten 《*jn.*》; das Geleit geben* 《*jm.*》. ‖ ～자 Begleiter *m.* -s, -; Gefährte *m.* -n, -n.
동반구(東半球) die östliche Hemisphäre, -n.
동방(東方) Osten *m.* -s; 《방향》 die östliche Richtung, -en. ～의 östlich.
동방(東邦) Morgenland *n.* -es, ⸚er.
동방(洞房) ‖ ～ 화촉 Trauungsfeierlichkeit *f.* -en.
동배(同輩) Kamerad *m.* -en, -en; Schul〔Spiel〕kamerad *m.* -en, -en; Kollege *m.* -n, -n.
동백(冬柏) 〔植〕 Kamelie *f.* -n.
동병(同病) ¶ ～상련하다 Leidensgenossen haben Mitleid miteinander.

동병(動兵) ～하다 mobilisieren.
동복(冬服) Winter·anzug *m.* -(e)s, ⸚e 〔-kleidung *f.* -en〕. 「geborene Kinder.」
동복(同腹) ～의 von derselben Mutter
동봉(同封) ～하다 bei|legen[4]; bei|schließen*[4]. ¶ ～한 beiliegend.
동부 ① 〖植〗 =광저기. ② 《광저기의 씨》 reife Erbse, -n. ‖ ～ 고물 zermalmte Erbse.
동부(東部) der östliche Teil, -(e)s, -e; die östliche Gegend, -en. ‖ ～ 전선 Ostfront *f.* -en.
동부인(同夫人) der Ausgang mit s-r Frau. ～하다 mit s-r frau aus|gehen*.
동북(東北) Nordosten *m.* -s; Nordost *m.* -(e)s 《略: NO》.
동분모(同分母) gleiche Benennung, -en.
동분서주(東奔西走) ～하다 [4]sich eifrig beschäftigen; umher|laufen*.
동사(動詞) Verb *n.* -s, -en; Zeitwort *n.* -(e)s, ⸚er. ‖ ～ 변화 Konjugation *f.* -en.
동사(凍死) ～하다 erfrieren*. ‖ ～자 der Erfrorene*, -n, -n.
동사무소(洞事務所) Dorfamt *n.* -(e)s, ⸚er. 「-s, -.」
동산 Garten *m.* -s, ⸚; (Erd)hügel *m.*
동산(動產) beweglichen Güter (*pl.*).
동상(同上) desgleichen; wie oben.
동상(凍傷) Frostbeule *f.* -n; Frost *m.* -es, ⸚e.
동상(銅像) Bronzestatue *f.* -n.
동색(同色) ① 《빛깔》 dieselbe〔die gleiche〕 Farbe, -n. ② 《당파》 Parteimitglied *n.* -(e)s, -er.
동생(同生) (jüngerer) Bruder, -s, ⸚; 《여자》 (jüngere) Schwester, -n. ‖ 막내 ～ der jüngste Bruder, -n.
동서(同棲) ～하다 《남녀가》 unehelich zusammen|leben. ☞ 동거.
동서(同壻) 《처가쪽의》 der Schwestermann s-r Frau; 《시집의》 die Bruders-frau ihres Manns.
동서(東西) Ost(en) u. West(en); Orient u. Okzident. ‖ ～ 남북 die vier Himmelsgegenden (*pl.*).
동석(同席) das Beisammensitzen*, -s. ～하다 beisammen|sitzen*〔-|sein〕. ‖ ～자 die Anwesenden* (*pl.*).
동선(同船) dasselbe〔das gleiche〕 Schiff, -(e)s, -e; Mitfahrt *f.* -en. ～하다 mit 〔in〕 dem gleichen Schiff fahren*.
동선(銅線) Kupferdraht *m.* -(e)s, ⸚e.
동설(同說) dieselbe〔die gleiche〕 Theorie, -n 〔Meinung, -en〕.
동성(同性) 《성별의》 dasselbe Geschlecht, -(e)s; 《동질》 Gleichartigkeit *f.* ‖ ～애 Homosexualität *f.*
동성(同姓) derselbe 〔der gleiche〕 Familienname, -ns, -n. ‖ ～ 동본 derselbe 〔der gleiche〕 Familienname u. dieselbe 〔die gleiche〕 Herkunft, ⸚e.
동소(同所) derselbe 〔der gleiche〕 Ort 〔Platz〕, -es, -e.
동소체(同素體) 〖化〗 Allotropie *f.* -.
동수(同數) ～의 gleichzahlig; von derselben Zahl.
동숙(同宿) das Mitbewohnen*, -s. ～하다 in demselben 〔dem gleichen〕 Haus wohnen. ‖ ～인 Zimmernachbar *m.* -s, -n.
동승(同乘) Mit·fahrt *f.* -en 〔-flug *m.* -(e)s, ⸚e〕. ～하다 mit|fahren*〔-|fliegen*〕. ‖ ～자 Insasse *m.* -n, -n.
동시(同時) ¶ ～에 zugleich; gleichzeitig; in derselben Zeit. ‖ ～ 통역 Simultandolmetschen *n.* -s (～ 통역을 하다 simultan 〔gleichzeitig〕 dolmetschen).
동시(同視) ① =동일시. ② 《같은 대우》 ～하다 gleichartig behandeln; nicht unterscheiden*.
동시(童詩) Kinder·lied *n.* -(e)s, -er 〔-vers *m.* -es, -e〕.
동시대(同時代) dieselbe 〔die gleiche〕 Zeit 〔Generation〕, -en. ～의 zeitgenössisch. ‖ ～인 Zeitgenosse *m.* -n, -n. 「(*pl.*).」
동식물(動植物) Tiere (*pl.*) u. Pflanzen
동실(同室) dasselbe 〔das gleiche〕 Zimmer, -s, -; dieselbe 〔die gleiche〕 Stube 〔Kammer〕 -n.
동심(同心) dieselbe Ansicht, -en; Übereinstimmung *f.* -en. ‖ ～원(圓) 〖數〗 die konzentrische Kreise (*pl.*).
동심(童心) Unschuld *f.*
동아(東亞) Ostasien. ～의 ostasiatisch.
동아리 ① 《부분》 Teil *m.*〔*n.*〕 -(e)s, -e; Anteil *m.* -(e)s, -e. ② 《무리》 Gruppe *f.* -n.
동아줄 Strick *m.* 〔Seil *n.*〕 -(e)s, -e.
동안 Weile *f.* -n; Zeit *f.* -en; Zeitraum *m.* -(e)s, ⸚e; Zwischenzeit *f.* ¶ …하는 ～ während; solange.
동안(童顔) das knabenhafte Gesicht, -(e)s, -er. ～의 knabenhaft aussehend.
동액(同額) die gleiche (Geld)Summe, -n; der gleiche Betrag, -(e)s, ⸚e.
동양(東洋) Orient *m.* -(e)s, Morgenland *n.* -(e)s. ¶ ～의 orientalisch; morgenländisch. ‖ ～ 사람 Orientale *m.* -n, -n / ～ 사상 Orientalismus *m.* - / ～화(畫) orientalische Gemälde, -s, -.
동업(同業) das gleiche Geschäft, -(e)s, -e. ～하다 Geschäfte zusammen|machen 《*mit*[3]》. ‖ ～자 Berufsgenosse *m.* -n, -n. 「-en.」
동연배(同年輩) Altersgenossenschaft *f.*
동요(動搖) das Schwanken*, -s; Bewegung *f.* -en; das Beben*, -s; Unruhe *f.* -n. ～하다 schwanken; beben; 《마음이》 verwirrt sein; 《사회가》 in Gärung sein; 《배가》 schlingern; 《차가》 rütteln.
동요(童謠) Kinderlied *m.* -(e)s, -er; Kinderreim *m.* -(e)s, -e. ‖ ～ 작가 Kinderliederdichter *m.* -s, -.
동원(動員) Mobilisation *f.* ～하다 mobilisieren《[4]*et.*》. ‖ ～ 계획 Mobilmachungsplan *m.* -(e)s, ⸚e. 「-(e)s, -e.」
동월(同月) derselbe 〔der gleiche〕 Monat,
동위원소(同位元素) Isotop *n.* -s, -e.
동음(同音) Gleichlaut *m.* -(e)s, -e; 〖樂〗 Homophonie *f.* -n.
동의(同意) Zustimmung 〔Einwilligung〕 *f.* -en; Einverständnis *n.* -ses, -se; ～하다 zu|stimmen[3]; ein|willigen 《*in*[4]》; einverstanden sein 《*mit*[3]》. ‖ ～서 Gehemigungsschrift *f.* -en.

동의(動議) Antrag〔Vorschlag〕*m.* -(e)s, ⸚e《제의》. ～하다 e-n Antrag auf ⁴*et.* stellen〔vor|legen〕. ‖긴급 ～ Dringlichkeitsantrag *m.*
동이다 ①《끈으로》knüpfen⁴; binden*⁴; 《사슬로》an|ketten; an die Kette legen. ②《몸을》fesseln; binden*.
동인(同人) ①《동료》verwandte Seelen《*pl.*》; Kollege *m.* -n, -n. ②《회원》Mitglied *n.* -(e)s, -er.
동인(動因) Motiv *n.* -s, -e; (Beweg)grund *m.* -(e)s, ⸚e.
동인도(東印度) Ostindien. ‖～ 회사 die Ostindische Kompanie.
동일(同一)《꼭 같음》Identität〔Einförmigkeit〕*f.*;《평등》Gleichheit *f.* ～하다 identisch〔gleich〕(sein).
동일시(同一視) ～하다 identifizieren⁴《*mit*³》; gleich|setzen⁴《*mit*³》.
동자르다《관계를》trennen; sondern; s-e Beziehungen zu〔mit〕*jm.* ab|brechen*; 《토막냄》zerhauen*.
동작(動作)《태도》Handlung *f.* -en; das Benehmen*, -s;《움직임》Bewegung *f.* -en.
동장(洞長) Dorfrichter *m.* -s, -; Dorfschulze *m.* -n, -n.
동장군(冬將軍) harter Winter, -s, -.
동적(動的) dynamisch; kinetisch.
동전(銅錢) Groschen *m.* -s, -; Kupfermünze *f.* -n.
동절(冬節) Winterzeit *f.* -en.
동점(同點) der gleiche Punkt, -es, -e. ¶～이 되다 gleich|stehen*《*mit*³》.
동정(同情) Mitleid *n.* -(e)s; Mitgefühl *n.* -(e)s, -e. ～하다 mit *jm.* Mitleid haben; bedauern⁴; mit|fühlen⁴. ‖～심 Mitgefühl *n.* / ～ 파업 Sympathiestreik *m.* -(e)s, -e.
동정(童貞) Keuschheit *f.* ～의 keusch.
동정(動靜) der Stand der Dinge; Bewegungen (*pl.*). ¶정계의 ～ die politische Situation.
동조(同調) ～하다 ⁴sich richten《*nach*³》; e-e Linie bilden《*mit*³》. ‖～자 der Mitfühlende*, -n, -n.
동족(同族)《동포》Brüder (*pl.*);《종족》dieselbe* Rasse, -n;《혈족》Sippe *f.* -n. ‖～ 상쟁 Bruderzwist *m.* -(e)s, -e / ～애 Bruderlichkeit *f.*
동종(同種) dieselbe*〔die gleiche〕Art, -en. ‖～ 교배 Inzucht *f.*
동지(冬至) Wintersonnenwende *f.* -n. ‖동짓달 der 11. Mondmonat, -(e)s, -e.
동지(同志) (Gesinnungs)genosse *m.* -n, -n; Kamerad *m.* -en, -en.
동질(同質) ～의 homogen; gleichartig; übereinstimmend.
동쪽(東—) =동방(東方).
동창(同窓)《대학의》Mitstudent *m.* -en, -en;《대학 이하의》Mitschüler *m.* -s, -. ‖～회 der Verein alter Kommilitonen〔Mitstudenten〕《대학의》; der Verein alter Schulkameraden《대학 이하의》.
동체(胴體) (Flugzeugs)rumpf *m.* -(e)s, ⸚e. ‖～ 착륙 Bauchlandung *f.* -en.
동체(動體)〖物〗bewegender Körper, -s, -;《유동체》Flüssigkeit *f.* -en.
동치(同値)〖數〗Gleichwertigkeit *f.* -en.
동치다 zu|binden*; zusammen|binden*; verschnüren.
동치미 gehackter u. in Salzwasser eingepökelter Rettig, -(e)s, -e.
동침(同寢) ～하다 bei|wohnen《*jm.*》; bei|schlafen*.
동키호테 Don Quichotte [dõ kɪʃɔ́t].
동태(凍太) gefrorener Pollack〔Kalmück〕-en, -en.
동태(動態) (Bevölkerungs)bewegung *f.* -en. ‖인구 ～ Bevölkerungsbewegung.
동통(疼痛) Schmerz *m.* -es, -en.
동트다(東—) der Tag bricht an. ¶동트기 전에 vor dem Tagesanbruch.
동티나다 ein Unglück freiwillig ins Haus herbei|führen.
동파(同派)《유파》dieselbe〔die gleiche〕Schule, -n;《당파》dieselbe〔die gleiche〕Faktion, -en.
동판화(銅版畫) Kupferstich *m.* -es, -e.
동포(同胞) Brüder(*pl.*); Geschwister(*pl.*); Mitbürger *m.* -s, -. ‖～애 Brüderlichkeit *f.*
동풍(東風) Ostwind *m.* -(e)s, -e. ¶마이(馬耳) ～이다 Das heißt tauben Ohren predigen.
동하다(動—) ①《움직임》⁴sich bewegen〔regen〕. ②《흔들림》wanken. ¶동하지 않고 mit stoischer Ruhe. ③《마음·욕심이》⁴sich bewegen〔rühren〕. ¶구미가 ～ Appetit auf ⁴*et.*〔nach ³*et.*〕haben.
동학(同學) Mitschüler *m.* -s, -; Schulkamerad *m.* -en, -en.
동해(東海) Ostsee *f.* -n.
동해(凍害) Frostschaden *m.* -s, ⸚.
동행(同行) ～하다 begleiten⁴; mit|gehen*; zusammen|gehen*《*mit*³》. ‖～인 Reisegefährte *m.* -n, -n.
동향(東向) Ost·lage〔-seite〕*f.* -n.
동향(動向) Tendenz *f.* -en; Richtung *f.* -en. ¶사상계의 ～ allgemeine Tendenz der Gedankenwelt.
동향인(同鄕人) Landsmann *m.* -(e)s, ⸚er〔..leute〕; Landsmännin *f.* -nen.
동혈(洞穴) Höhle *f.* -n; Grube *f.* -n; Aushöhlung *f.* -en.
동형(同型) derselbe*〔der gleiche〕Typ, -s, -(e)n〔Typus, -, ..pen〕.
동호(同好) ‖～인 ein Freund vom gleichen Geschmack.
동화(同化) Assimilation〔Angleichung〕*f.* -en《*an*⁴》; Anabolismus *m.* -. ～하다 ⁴sich assimilieren³; ⁴sich an|gleichen³《*an*⁴》. ‖～ 작용 Assimilationsprozeß *m.* ..zesses, ..zesse.
동화(動畫) animierter Bildfilm, -(e)s, -e;《만화의》Karikaturfilm *m.*
동화(童話) (Kinder)märchen *n.* -s, -.
돛 Segel *n.* -s, -. ‖돛(단)배 =범선.
돛대 Mast *m.* -(e)s, -e〔-en〕.
돼지 Schwein *n.* -(e)s, -e;《수퇘지》Eber *m.* -s, -;《암퇘지》Sau *f.* ⸚e. ‖～ 고기 Schweinefleisch *n.* -es, -e / ～ 우리 Schweinestall *m.* -(e)s, ⸚e.
되 (Hohl)maß *n.* -es, -e.
되게 =몹시.
되넘기다 wieder|verkaufen⁴.
되놈《蔑》Chinamann *m.* -s, ⸚er.

되다[1] ① 《신분이》 [1]et. 〔zu [3]et.〕 werden. ¶부자가 ~ reich werden. ② 《시간·나이가》 werden; erreichen[4]. ¶성년이 ~ mündig werden. ③ 《변화》 werden 《zu[3]》; [4]sich verändern 《zu[3]》. ④ 《계절·때가》 kommen*; ein|setzen〔-|treten*〕. ⑤ 《지나다》 vergehen*; verlaufen*. ⑥ 《수가》 (zusammen|)zählen[4]; 《무게가》 wiegen*; 《용적·크기가》 messen*[4]; fassen; sein. ⑦ 《결과》 zu [3]et. werden; [4]sich erweisen*. ¶거짓말이 ~ [4]sich als falsch erweisen*. ⑧ 《성립·구성》 bestehen* 《aus[3]》; machen[4] 《aus[3]; von[3]》. ⑨ 《성취》 gemacht 〔fertig〕 sein. ¶책이 ~ ein Buch ist fertig. ⑩ 《생육·흥성》 wachsen*; tragen*[4]. ¶풍작이 ~ e-e gute Ernte halten*. ⑪ 《쓸모·적합》 zu 〔bei〕 [3]et. nützen 《jm.》. ⑫ 《없이 때움》 entbehren[4] können*. ⑬ 《…의 관계》 ¶그는 내 조카가 된다 Er ist mein Neffe.

되다[2] 《되질하다》 mit e-m bestimmten Maß messen*; messen*.

되다[3] 《질지 않다》 dick 〔unschmackhaft〕 (sein); 《밥 따위》 legiert (sein). ¶된 밥 hart gekochter Reis, –es, –e.

되도록 《될 수 있는 대로》 so ... wie möglich; möglichst.

되돌아오다, 되돌아가다 zurück|kommen* 〔-|gehen*; -|kehren〕; wieder|kommen* 〔-|kehren〕.

되밀다 zurück|stoßen*[4].

되바라지다 《편협》 engherzig (sein); 《깜찍함》 zu witzig (sein). ¶되바라진 frühreif u. vorlaut.

되새기다 《음식을》 nochmals kauen; 《소 따위가》 wieder|käuen; 《比》 nach|sinnen*; überlegen.

되씹다 《말을》 wiederholen; mehrfach wiederholen.

되어가다 ① 《일이》 werden; auf [4]et. gehen*; 《성취》 im Gang bleiben*. ② 《물건이》 mit [3]et. fertig sein.

되지못하다 《하찮다》 nicht tauglich; unschicklich (sein); 《건방지다》 unverschämt 〔ungeführlich〕 (sein). ¶되지 못한 녀석 Taugenichts m. –(es), –e.

되직하다 etwa kleisterig 〔grob; dick〕 (sein).

되질하다 nach [3]Maß messen*[4].

되짚어 ¶~ 가다 〔오다〕 sofort zurück|kehren / ~ 보내다 sofort zurück|schicken[4] 〔zurück|senden*〕.

되찾다 zurück|nehmen*[4]. ¶건강을 ~ s–e Gesundheit wieder|erlangen.

되튀다 (zurück|)prallen.

되풀이 Wiederholung f. –en. ~하다 wiederholen[4]; repetieren.

된서리 heftiger Frost, –es, ⸚e. ¶~맞다 strengen Frost erleiden*[4].

된장(—醬) Sojabohnenpastete f. –n.

될성부르다 ¶될성부른 나무는 떡잎부터 알아본다 《俗談》 Was ein Häkchen werden will, krümmt sich beizeiten.

될수있는대로 möglichst; so ... wie 〔als〕 möglich.

됨됨이 ① 《사람》 Persönlichkeit f. –en. ¶~가 훌륭하다 Er ist e–e Persönlichkeit. ② 《물건》 Form f. –en.

두각(頭角) ¶~을 나타내다 [4]sich aus|zeichnen(in[3]); [4]sich hervor|tun*.

두개골(頭蓋骨) Schädelknochen m. –s, –.

두견새(杜鵑—) Kuckuck m. –(e)s, –e.

두고두고 für immer; 《俗》 auf immer.

두근거리다 heftig klopfen; unregelmäßig schlagen*. ¶두근거리는 가슴 das klopfende Herz, –ens, –en.

두근두근 ticktack. ¶가슴이 ~하다 Das Herz pocht.

두꺼비 〖動〗 Kröte f. –n.

두껍다 dick 〔dicht; schwer(gebaut); umfangreich〕 (sein). ¶두껍게 dick; dicht / 두꺼운 책 ein dickes Buch, –(e)s, ⸚er.

두께 Dicke f. –n; Stärke f. –n. ¶~가 얼마냐 Wie dick ist es?

두뇌(頭腦) (Ge)hirn n. –(e)s, –e; Kopf m. –(e)s, ⸚e. ‖~노동 Kopfarbeit f. –en / ~ 유출 Geistesabfluß m. ..flusses, ..flüsse.

두다 ① 《놓다》 (nieder|)setzen; legen; stellen. ② 《방치》 lassen*. ¶문을 열어 ~ die Tür offen lassen*. ③ 《뒤에 남김》 zurück|setzen. ④ 《보존》 auf|bewahren. ⑤ 《배치함》 stationieren; 《사람을》 halten*; engagieren. ⑥ 《기구를》 an|stellen. ⑦ 《마음을》 hegen. ⑧ 《장기·바둑 따위》 spielen. ⑨ 《넣다》 mischen. ¶옷에 솜을 ~ ein Kleidungsstück wattieren.

두더지 〖動〗 Maulwurf m. –(e)s, ⸚e.

두둑하다 ① 《두껍다》 etwas dick (sein). ② 《풍부하다》 reichlich 〔genügend〕 (sein). ¶주머니가 e–e wohlgefüllte Börse haben.

두둔하다 《die Schwachen》 unterstützen; bei|stehen* 《jm.》.

두드러기 〖醫〗 Nesselausschlag m. –(e)s, ⸚e.

두드러지다 [4]sich ab|heben*; [4]sich aus|zeichnen 《두각을 나타냄》.

두드리다 ① 《치다》 schlagen*[4]; prügeln. ¶문을 ~ an die Tür klopfen. ② 《타자치다》 mit der Schreibmaschine schreiben*. ③ 《타진하다》 auf den Zahn fühlen 《jm.》. ④ 《공격하다》 an|greifen*[4].

두들기다 schlagen* 《jn.》; prügeln 《jn.》; klopfen; pochen. ¶두들겨 박다 ein|schlagen*[4]; beschlagen*[4].

두랄루민 〖化〗 Duralumin n. –s.

두렁 Feldweg m. –(e)s, –e; Rain m. –(e)s, –e.

두레박 Schöpfeimer m. –s, –.

두려움 《무서움》 Furcht f.; Angst f. ⸚e; Schrecken m. –s, –; 《외경》 Ehrfurcht f.; 《염려》 Befürchtung f. –en.

두려워하다 [4]sich fürchten 《vor[3]》; Furcht 〔Angst; Schrecken〕 haben 〔empfinden*; erschrecken*《vor[3]》〕.

두렵다 《무섭다》 [4]sich fürchten 《vor[3]》; 《염려》 besorgt sein 《um[4]》; 《외경》 Ehrfurcht haben 《vor[3]》. ¶…이 두려워 aus Furcht vor[3]....

두루 rundum(her); ringsum(her). ¶~ 살피다 herum|sehen* / 전국을 ~ 돌아다니다 durch das ganze Land reisen.

두루마리 Rolle f. –n.

두루뭉수리 ① 《사물》 Unordnung f. –en. ¶~를 만들어 놓다 [4]et. in [4]Unordnung bringen*. ② 《사람》 Taugenichts m. –(e)s, –e.

두루미 〖鳥〗 Kranich m. –(e)s, –e.

두르다 ① 《둘러가리다》 um [4]et. legen

〔stellen〕. ¶ 치마를 ∼ e-n (Frauen)rock tragen*. ② 《손아귀에》 führen 《*jn.*》; aus|üben. ③ 《변통》 ^{3}sich behelfen*. ¶ 돈을 ∼ Geld auf|bringen*.

두리번거리다 umher|blicken 《*nach*^{3}》. ¶ 눈을 ∼ die Augen rollen 《*vor*^{3}》.

두마음 Doppeltheit *f.*; Doppelzüngigkeit *f.* ¶ ∼을 품다 ein Doppelspiel 〔doppeltes Spiel〕 spielen.

두말 ¶ ∼ 말고 ehrlich; ehrenhaft; ohne Falsch.

두메 isoliertes Dorf auf dem Berge. ¶ ∼에 살다 im weit entferten Winkel wohnen.

두목(頭目) (An)führer *m.* -s, -; 《괴수》 Rädelsführer. ¶ 소매치기 ∼ Taschendiebführer *m.*

두문불출(杜門不出) ∼하다 ^{4}sich ein|schließen*.

두발(頭髮) (Kopf)haar *n.* -(e)s, -e.

두번(一番) zweimal; wieder. ¶ ∼째로 zum zweiten Mal.

두부(豆腐) Sojabohnenkäse *m.* -s, -.

두부(頭部) Kopf *m.* 〔Haupf *n.*〕 -(e)s, ⸚e.

두서(頭書) Überschrift *f.* -en.

두서(頭緖) ¶ ∼ 없는 unzusammenhängend; widerspruchsvoll.

두서너 eein paar; einige.

두절(杜絶) Sperrung 〔Stockung; Unterbrechung〕 *f.* -en. ¶ ∼되다 gesperrt 〔unterbrochen; blockiert〕 sein.

두주(頭註) 《본문 위의》 Randbemerkung *f.* -en; Randanmerkung *f.* -en.

두텁다 warm 〔herzlich; aufrichtig; innig〕(sein). ¶ 두터운 우정 e-e warme Freundschaft, -en.

두통(頭痛) Kopfschmerz *m.* -es, -en; Kopfweh *n.* -s. ‖ ∼거리 Beschwerlichkeiten (*pl.*).

두툼하다 etwas 〔ziemlich; recht〕 dick (sein). ¶ 두툼한 돈지갑 dickes Geldbeutel, -s, -.

두호(斗護) Begünstigung *f.* -en; Gönnerschaft *f.* -en. ∼하다 in Schutz nehmen*.

둑 Stauanlage *f.* -n; Damm *m.* -(e)s, ⸚e; Deich *m.* -(e)s, -e.

둔각(鈍角) 〖數〗 der stumpfe Winkel, -s, -. ‖ ∼ 삼각형 das stumpfwink(e)lige Dreieck, -(e)s, -e.

둔감(鈍感) ∼하다 unempfindlich〔gefühllos〕 (sein).

둔갑(遁甲) ∼하다 ^{4}sich verwandeln《*in*^{4}》.

둔기(鈍器) das stumpfe Werkzeug, -(e)s, -e.

둔덕 Hügel *m.* -s, -; hügelige Stelle. ¶ ∼(이) 지다 hügelig sein.

둔부(臀部) Hinterteil *m.*〔*n.*〕 -(e)s, -e.

둔세(遁世) ∼하다 ^{4}sich von der Welt ab|schließen* 〔zurück|ziehen*〕.

둔재(鈍才) dummer Witz, -e; Dummheit *f.* -en; Albernheit *f.* -en.

둔탁하다(鈍濁―) säumig 〔nachlässig; stumpf; dunkel〕(sein). ¶ 둔탁한 소리 der dumpfe Ton, -(e)s, ⸚e.

둔하다(鈍―) stumpf 〔schwerfällig; langsam; stumpfsinnig; dumm〕 (sein). ¶ 둔한 사람 Dummkopf *m.* -(e)s, ⸚e.

둘 zwei. ¶ 둘 다 beide / 둘씩 je zwie.

둘러대다 ^{4}sich (mit ^{3}Ausreden (*pl.*)) entschuldigen. ¶ 둘러대는 geschickt Ausflüchte machend.

둘러막다 ein|frieden^4 〔-|zäunen^4; -|fassen^4; -|schließen*^{4}〕.

둘러보다 umher|sehen*〔-|blicken〕; ^{4}sich um|sehen*〔-|schauen〕.

둘러싸다 umschließen*^{4}; umgeben*^{4}.

둘러앉다 ^{4}sich um ^{4}*et.* setzen; ^{4}sich im Kreis setzen.

둘러치다 um ^{4}*et.* stellen. ¶ 병풍을 벽에 ∼ e-e spanische Wand um die Wand herum|ziehen*.

둘레 Umkreis *m.* -es, -e; Umfang *m.* -(e)s, ⸚e; Umgebung *f.* -en; Peripherie *f.* -n. ¶ ∼에 rings(herum).

둘째 zweit*; Nummer zwei 《略: Nr. 2》. ¶ ∼로 zweitens; an ^{3}zweiter Stelle.

둘하다 ungeschickt 〔unbeholfen〕 (sein).

둥그렇다 (zirkel)rund (sein); 《구형》 kugelförmig (sein); 《원형》 kreisförmig (sein).

둥근톱 Kreissäge *f.* -n.

둥글게하다 rund machen; 《깎아서》 ab|runden.

둥글다 rund 〔kreisförmig; kugelförmig; rundlich〕 (sein). ¶ 둥근 얼굴 ein ovales Gesicht.

둥글둥글 ☞ 동글동글.

둥둥 《북소리》 bum, bum!; Gedröhne *n.* -s; Trommelwirbel *m.* -s, -.

둥실둥실 《뜨다》 leicht schwimmend; obenhin schwimmend. ¶ 풍선이 ∼ 뜨다 Der Luftballon schwebt leicht in der Luft.

둥우리 Korb *m.* -(e)s, ⸚e.

둥지 Nest *n.* -(e)s, -er. ¶ 새가 ∼를 틀다 (^{3}sich) ein Nest bauen; nisten; ^{4}sich ein|nisten.

뒈지다 《俗》 krepieren.

뒤 ① 《후면》 Hinterseite *f.* -n; Rückseite *f.* -n. ¶ 뒤의 hinter^3; 뒤에 hintenan. ② 《장래》 Zukunft *f.*; die Zeit zu kommen. ③ 《나중·다음》 später; nachher; nachdem. ¶ 뒤의 später; nachherig. ¶ 그 뒤로 danach. ④ 《후손》 Abkömmling *m.* -s, -e; 《계승》 Nachfolge *f.* -n. ¶ 뒤를 잇다 *jm.* (im Amt) nach|folgen. ⑤ 《돌봄》 was man braucht. ¶ 뒤를 대다 *jn.* versorgen. ⑥ 《대변》 Kot *m.* -(e)s. ¶ 뒤를 보다 zu Stuhl gehen*.

뒤꼭지치다 ☞ 뒤통수치다.

뒤꿈치 Ferse *f.* -n; Hacke *f.* -n. ¶ 구두 ∼ Schuhabsatz *m.* -es, ⸚e.

뒤끓다 ① 《비등》 kochen; sieden(*). ¶ 물이 ∼ Das Wasser kocht. ② 《북적임》 schwärmen. ¶ 도둑이 ∼ von Räubern überschwemmt sein. ③ 《소란》 auf|wallen. ¶ 뒤끓는 소란 Tumult *m.* -(e)s, -e.

뒤끝 《종말》 Ende *n.* -s, -n (e-r Affäre); Schluß *m.* ..lusses, ..lüsse; Erledigung *f.* -en; Ergebnis *n.* -ses, -se.

뒤넘기치다 hin|werfen*; nieder|werfen*; um|werfen*; 《뒤엎음》 um|kehren; um|werfen*.

뒤넘다 um|stürzen; um|fallen*; nieder|fallen.

뒤놀다 《흔들림》 rütteln; schüttern; 《까불림》 heftig rollen 〔schlingern〕; stampfen 《앞뒤로》.

뒤늦다 verfallen 〔überfällig〕 (sein). ¶ 뒤늦게 zu spät; verspätet.

뒤대다 《공급》 unterstützen 《*jn.* mit ^{3}*et.*》; verschaffen 《*jm.* ^{4}*et.*》.

뒤덮다 (be)decken^{4} 《*mit*^{3}》; auf|legen^{4} 《*auf*^{4}》; verdecken^{4}.

뒤덮이다 bedeckt werden 《*mit*^{3}》; ausgebreitet werden; abgedeckt sein.

뒤돌아보다 zurück|sehen* 〔-|blicken〕. ¶ 힐끗 ～ flüchtig über|blicken.

뒤따르다 verfolgen^{4}; (nach|)folgen 《*jm.*》.

뒤떨어지다 《지능·공부 따위》 nach|stehen* 《*jm.*》; zurück|stehen* 《*hinter*^{3}》; 《처짐》 zurück|bleiben* 《*hinter*^{3}》.

뒤뚱거리다 schwanken; wackeln; taumeln; torkeln.

뒤뜰 Hinter·hof *m.* -(e)s, ⸗e 〔-garten *m.* -s, ⸗〕.

뒤룩거리다 ① 《눈을》 glotzen. ¶ 눈을 ～ die Augen strahlen. ② 《몸을》 schwingen*. ¶ 몸을 ～ ^{4}sich schwingen*. ③ 《성이 나서》 auf|brausen.

뒤미처 bald darauf.

뒤바꾸다 verwechseln^{4} 〔vertauschen^{4}〕 《*mit*^{3}》. ¶ 순서를 ～ die Reihenfolge um|kehren.

뒤바뀌다 verkehrt sein; verwechselt werden. ¶ 순서가 ～ in Unordnung sein.

뒤밟다 nach|spüren^{3}; auf|spüren^{4}; verfolgen^{4}.

뒤버무리다 (ver)mischen^{4}; (ver)mengen^{4}; zusammen|mischen^{4}.

뒤범벅 Gemenge *n.* -s, -; Buntheit *f.* -en; Gemengsel *n.* -s, -. ¶ ～이 되다 wirr durcheinander liegen*.

뒤보다 《용변》 ein großes Geschäft 〔e-e Notdurft, sein Bedürfnis〕 verrichten.

뒤섞다 vermischen^{4} 《*mit*^{3}》. ¶ 뒤섞어서 (alles) zusammen.

뒤섞이다 ^{4}sich mischen 《*unter*^{4}; *in*^{4}》; ^{4}sich vermischen 〔zusammen|mischen; durchmischen〕 《*mit*^{3}》.

뒤숭숭하다 ① 《혼란》 geräuschvoll 〔lärmend〕 (sein). ¶ 뒤숭숭한 세상 die unruhige Welt, -en. ② 《마음이》 gestört 〔beunruhigt〕 (sein).

뒤엉키다 ^{4}sich verwickeln; ^{4}sich verfilzen. ¶ 뒤엉킨 사건 der verwickelte Fall, -(e)s, ⸗e.

뒤엎다 (um|)stürzen^{4}; um|werfen^{4}. ¶ 판결을 ～ ein Urteil um|stoßen*.

뒤잇다 folgen^{3} 《*auf*^{4}》. ¶ 뒤이어 auf ^{4}*et.* folgend; danach.

뒤적거리다 durch|suchen^{4}. ¶ 책을 ～ in e-m Buch blättern.

뒤죽박죽 ¶ ～으로 (bunt) durcheinander; (wie) Kraut u. Rüben / ～이 되다 in Unordnung 〔Verwirrung〕 geraten*; ^{4}sich verwirren.

뒤지다^{1} 《뒤떨어짐》 ^{4}hinter *jm.* zurück|bleiben* 〔-stehen*〕.

뒤지다^{2} 《찾다》 durch|suchen^{4}; durch|stöbern^{4} 《*nach*^{3}》; 《손으로》 umher|tasten.

뒤집다 ① 《뒤엎다》 um|werfen*^{4}. ② 《형세를》 um|stürzen; 《차례를》 um|kehren^{4}. ③ 《안을 밖으로》 um|wenden^{4}; 《배를》 um|kippen. ¶ 뒤집은, 뒤집어 verkehrt.

뒤집어쓰다 ① ^{4}sich bedecken 《*mit*^{3}》; überschüttet werden 《*mit*^{3}》; 《모자를》 auf|setzen^{4}. ¶ 먼지를 ～ ^{4}sich verstauben. ② 《죄 따위를》 auf ^{4}sich nehmen*. ¶ 뒤집어 씌우다 *jn.* ^{2}*et.* beschuldigen.

뒤집어엎다 (um|)stürzen^{4}; um|werfen*^{4}. ¶ 학설을 ～ e-e Theorie um|werfen*^{4}.

뒤집어지다 um|kippen; um|fallen^{4}; um|schlagen*; um|stürzen; ^{4}sich um|kehren.

뒤집히다 ① 《순서가》 umgekehrt werden. ② 《전복》 um|fallen*. ¶ 배가 ～ ein Boot kippt um. ③ 《소동》 gären*; in Gärung sein. ④ 《속이》 ^{4}sich krank fühlen. ¶ 눈이 ～ ^{4}sich vergessen*.

뒤쫓다 nach|laufen*^{3}; nach|folgen^{3}; 《추적》 (hartnäckig) verfolgen^{4}.

뒤처리(―處理) die Regelung e-r Angelegenheit. ～하다 wieder ordnen^{4}.

뒤축 Ferse *f.* -n; Hacke *f.* -n 《발·신발·양말의》.

뒤치다꺼리 ① 《돌봄》 Aushilfe 〔Pflege〕 *f.* -n. ～하다 aus|helfen*^{3}. ② = 뒤처리.

뒤통수 Hinterkopf *m.* -(e)s, ⸗e; Hinterhaupt *n.* -(e)s, ⸗er.

뒤통수치다 enttäuscht sein; niedergeschlagen 〔mutlos; traurig〕 werden; in Verzweiflung geraten*.

뒤틀다 ① 《비틀다》 verzerren^{4}; verdrehen^{4}; verrenken^{4}. ② 《방해》 durchkreuzen^{4}.

뒤틀리다 ① 《비틀어지다》 ^{4}sich verzerren; verdreht werden. ② 《일이》 ^{4}sich verdrehen; verdrießlich werden 《기분이》. ¶ 계획이 ～ ein Plan wird durchkreuzt.

뒤틀어지다 《물건이》 ^{4}sich verzerren; ^{4}sich verziehen*; 《일이》 fehl|schlagen*; mißlingen*.

뒤표지(―表紙) Hinterdeckel *m.* -s, -.

뒤흔들다 《사물을》 schütteln^{4}; rütteln^{4}; 《마음을》 rühren; ergreifen*.

뒷간(―間) Abort *m.* -(e)s, -e.

뒷거래(―去來) Hintertürgeschäft *n.* -(e)s, -e; Schwarzhandel *m.* -s, ⸗ 《암거래》.

뒷걸음치다 rückwärts schreiten*; 《무서워서》 zurück|weichen*^{3} 〔-|schrecken* 《*vor*^{3}》〕.

뒷골목 Nehen〔Seiten〕straße *f.* -n; Nebengasse *f.* -n; Elendsviertel *n.* -s, - 《빈민굴》.

뒷공론(―公論) ① 《잡담·소문》 Klatsch *m.* -es. ～하다 klatschen 《über *jn.*》. ② 《비평·험담》 Verleumdung *f.* -en. ～하다 verleumden 《*jn.*》. ③ 《일 뒤의》 leeres Geschwätz nach getaner Arbeit. ～하다 kurz wiederholen^{4}.

뒷구멍 Hinter·tür〔-pforte〕 *f.* -n. ¶ ～으로 입학하다 hinterherum in die Schule aufgenommen sein.

뒷길 Nebenstraße *f.* -n; 《장래》 s-e Zukunft, ⸗e.

뒷날 Zukunft *f.* ⸗e; die zukünftige Zeit, -en.

뒷다리 Hinterbein *n.* -(e)s, -e; das hintere Bein.

뒷덜미 ¶ ～를 잡다 beim 〔am〕 Nacken 〔Genick〕 packen 《*jn.*》.

뒷돈 《준비금》 Reservefonds *m.* -, -; Rücklage *f.* -n; 《밑천》 Geldmittel *n.* -s, -; Fonds *m.*; Kapital *n.* -s, - 〔-ien〕.

뒷동산 der Hügel auf der Rückseite e-s Hauses 〔e-s Dorfs〕.
뒷마당 Hinterhof *m.* -(e)s, ⸚e.
뒷마루 Hinterdiele *f.* -n.
뒷말 =뒷공론.
뒷맛 (Nach)geschmack *m.* -(e)s, ⸚e. ¶ ~이 좋다 〔나쁘다〕 e-n guten 〔schlechten〕 Geschmack haben.
뒷모습(—貌襲) =뒷모양.
뒷모양(—貌様) das Aussehen* von hinten. ¶ ~이 좋다〔나쁘다〕 von hinten gut 〔schlecht〕 aus|sehen*.
뒷문(—門) Hintertür *f.* -en.
뒷물 Sitzbad *n.* -(e)s, ⸚er. ~하다 ein Sitzbad nehmen*.
뒷바라지 Hilfeleistung von hinten. ~하다 *jn.* pflegen; *jm.* Hilfe leisten.
뒷바퀴 Hinterrad *n.* -(e)s, ⸚er.
뒷받침 Unterstützung *f.* -en; Helfer *m.* -s, -; Unterstützer *m.* -s, -.
뒷발 Hinterfuß *m.* -es, ⸚e.
뒷방(—房) Hinter·zimmer *n.* -s, - 〔-stube *f.* -n〕.
뒷보증(—保證) ~하다 auf der Rückseite überschreiben*⁴; vermerken⁴.
뒷소문(—所聞) Nachgerücht *n.* -(e)s, -e.
뒷수습(—收拾) Regelung 〔Erledigung〕 *f.* ¶ 싸움의 ~을 하다 e-n Streit bei|legen.
뒷이야기 e-e nachfolgende Geschichte in e-r geschlossenen Reihe von Erzählungen.
뒷일 ① 《나중일》 die Nachernte e-s Ereignisses. ¶ ~을 너에게 맡긴다 Ich hinterlasse den Rest an dich. ② 《장래》 Zukunft *f.* ⸚e; das Zukünftige*, -n.
뒷자리 Hintersitz *m.* -es, -e; der hintere Sitz.
뒷조사(—調査) eingehende〔ausführliche〕 Untersuchung, -en. ~하다 eingehend untersuchen⁴.
뒷짐 das Händefalten* auf dem Rücken. ¶ ~지다 die Hände auf dem Rücken verschränken.
뒹굴다 《누워서》 ⁴sich wälzen; 《펀들댐》 faulenzen.
듀엣 Duett *n.* -(e)s, -e; Duo *n.* -s, -s.
드나들다 ① 《출입》 herein|kommen* u. aus|gehen*. ¶ 드나드는 사람 ein fleißiger Besucher, -s, -. ② 《갈아듦》 häufig wechseln. ③ 《들쭉날쭉함》 zickzack(förmig) 〔krumm〕 sein.
드넓다 geräumig 〔groß; weit〕 (sein).
드높다 hoch 〔hoch gewachsen; lang〕 (sein). ¶ 하늘 드높이 hoch in die Luft.
드디어 endlich; schließlich; am Ende. ☞ 마침내.
드라마 Drama *n.* -s, ..men; Schauspiel *n.* -es, -e. ‖ 텔레비전 ~ Fernspiel.
드라이브 Spazierfahrt *f.* -en. ~하다 spazieren|fahren*. ‖ ~웨이 Fahrweg *m.* -(e)s, -e.
드라이아이스 Trockeneis *n.* -es.
드라이어 Trockner *m.* -s, -; Trockenapparat *m.* -(e)s, -e. ‖ 헤어~ Fö(h)n *m.* -(e)s, -e.
드라이클리닝 Trockenwäsche *f.* -n; chemische Reinigung, -en. ~하다 chemisch reinigen.
드러나다 ① 《감춘 것》 entdeckt 〔enthüllt〕 werden; an den Tag 〔ans Licht〕 kommen*. ② 《알려짐》 bekannt werden. ¶ 드러나게 hervorragend. ③ 《나타남》 sichtbar werden. ④ 《성질·표정이》 ⁴sich auf|decken.
드러내다 ① 《노출》 ³sich e-e Blöße geben*. ¶ 가슴을 드러내고 mit offener Brust. ② 《보임》 auf|zeigen⁴; ⁴sich zeigen. ③ 《성질을》 bezeigen⁴; zu erkennen geben*. ¶ 본성을 ~ s-n wahren Charakter enthüllen. ④ 《폭로》 auf|decken⁴; entlarven⁴. ¶ 비밀을 ~ ein Geheimnis verraten*.
드러눕다 liegen*; ⁴sich (hin|)legen. ¶ 잔디 위에 ~ ⁴sich in den Rasen strecken.
드러눕히다 legen⁴; nieder|legen⁴.
드러머 Trommler *m.* -s, -.
드럼 Trommel *f.* -n; 《통》 Kanister *m.* -s, -.
드렁드렁 laut schnarchend. ¶ 코를 ~ 골다 laut schnarchen.
드롭스 Drops *m.* -s, -s.
드르렁거리다 weiter schnarchen. ¶ 코를 드르렁거리며 자다 schnarchend tief schlagen*.
드르렁드르렁 ☞ 드렁드렁.
드르르 《미끄럽게》 ausrutschend; ausgleitend; 《떠는 모양》 zitternd; 《막힘 없이》 glatt.
드리다¹ 《주다》 geben*³⁴; an|bieten*³⁴; dar|bieten*³⁴; 《선물》 schenken³⁴.
드리다² 《방·마루를》 an|bringen*⁴; installieren⁴.
드리다³ 《곡식을》 worfeln⁴.
드리블 〖競〗 Vorsichhertreiben *n.* -s, -. ~하다 (den Ball) vor sich her treiben*; dribbeln.
드리우다 (herab|)hängen*⁴.
드릴 Schauer *m.* -s, -. ¶ ~에 넘치는 schauervoll.
드문드문 ①《시간적》 gelegentlich; zuweilen. ¶ ~ 찾아오다 gelegentlich kommen*. ② 《공간적》 hier u. da; dünn. ¶ ~ 있다 hier u. da zerstreut sein.
드물다 《흔치 않음》 selten 〔《俗》 rar; ungewöhnlich〕 (sein). ¶ 드물게 selten; ungewöhnlich.
드새다 übernachten 《in e-m Gasthaus》.
드잡이하다 handgemein werden 《mit *jm.*》; ins Handgemenge kommen* 〔geraten*〕 《mit *jm.*》.
득(得) 《이득》 Vorteil *m.* -(e)s, -e; Vorzug *m.* -(e)s, ⸚e. ¶ ~이 되다 zum Vorteil sein.
득남(得男) =생남.
득세(得勢) das Gewinn an Kraft. ~하다 Einfluß gewinnen*.
득시글득시글하다 schwärmen〔wimmeln〕 《*von*³》; gedrängt voll 〔übervoll 《*von*³》〕 (sein).
득실(得失) Vorteil u. Nachteil; Gewinn u. Verlust; 《이해 관계》 Interesse *n.* -s, -n.
득의양양(得意揚揚) ~하다 stolz 《*auf*⁴》 (sein); (⁴sich) groß|tun* 《*mit*³》.
득점(得點) Punkt *m.* -(e)s, -e; Point *m.* -s, -s. ‖ ~판 Anzeigetafel *f.* -n / 대량 ~ die größere Punktzahl, -en.
득책(得策) ¶ ~이다 rätlich 〔ratsam; klug〕 sein.

득표(得票) die bekommene Stimmen(an)-zahl, –en. ～하다 Stimmen (*pl.*) bekommen*. ‖ 법정 ～수 die gesetzliche Stimmenanzahl.

든거지난부자(一富者) e–e Person, die reich aussieht, aber in Wirklichkeit arm ist.

든든하다 ① 《굳세다》 stark 〔kräftig; robust〕(sein). ¶ 몸이 ～ stark sein. ② 《배가》 satt (sein). ¶ 든든히 먹다 voll essen*. ③ 《미덥다》 sicher 〔gesichert; sorglos〕(sein). ¶ 마음이 ～ [4]sich sicher fühlen.

듣다[1] ① 《소리를》 hören[4]; horchen[3]; zu|hören[3]; lauschen[3]; vernehmen*[4]; erfahren*[4]. ¶ 들리는 바에 의하면 wie ich höre. ② 《칭찬을》 gelobt 〔anerkannt〕 werden; Lob ernten; 《꾸지람을》 getadelt werden. ③ 《청·요구를》 gehorchen[3]; befolgen[4]; an|nehmen*[4]. ¶ 청을 들어 주다 *js.* Bitte erfüllen 〔gewähren〕. ④ 《약효가》 wirksam 〔kräftig; wirkungsvoll〕 sein; wirken; 《기계 등이》 gut arbeiten 〔gehen*〕. ¶ 이 약은 신통하게 잘 듣는다 Diese Medizin wirkt Wunder. / 브레이크가 안 듣는다 Die Bremse ist nicht in Ordnung.

듣다[2] 《물·눈물이》 tropfen; triefen*.

들 Feld *n.* –(e)s, –er; Flur *f.* –en; Ebene *f.* –n.

들것 (Kranken)trage *f.* –n; Tragbett *n.* –(e)s, –en.

들고뛰다 weg|laufen*; fliehen*.

들국화(一菊花) e–e wilde Chrysantheme, –n.

들길 Feldweg *m.* –(e)s, –e. ¶ ～에 핀 꽃 Blumen (*pl.*) am Feldweg.

들깨 〖植〗 grüne Perilla, ..len.

들끓다 schwärmen 〔wimmeln〕 《*von*[3]》; wimmelnd sein 《*von*[3]》. ¶ 사람이 들끓는 vielbesucht.

들놀이 Ausflug *m.* –(e)s, ¨e; Picknick *n.* –s, –s〔–e〕. ～하다 e–n Ausflug machen. ¶ ～가다 aus|fliegen*.

들다[1] ① 《입주·숙박》 [4]sich ansässig machen; ansässig werden. ② 《들어오다》 herein|kommen* 〔ein|gehen*〕 《*in*[4]》. ③ 《침입》 heimgesucht werden 《*von*[3]》. ④ 《상태》 ein|setzen. ⑤ 《물들다》 [4]sich färben. ¶ 물이 꺼멓게 ～ [4]sich schwarz färben. ⑥ 《가입》 ein|treten* 《*in*[4]》. ⑦ 《합격》 《e–e Schule》 beziehen*[4]. ⑧ 《수용·용량》 enthalten*[4]. ⑨ 《포함》 fassen[4]. ⑩ 《소요》 brauchen[4]; nötig haben[4]. ¶ 돈이 ～ Geld kosten. ⑪ 《마음에》 angenehm sein 《*jm.*》. ⑫ 《맛이》 ein|setzen〔–|treten*〕. ⑬ 《시중을》 tun*.

들다[2] 《날씨가》 [4]sich auf|klären; 《땀이》 nach|lassen*.

들다[3] 《날붙이》 (gut) schneiden; scharf sein.

들다[4] 《나이가》 alt werden; bei Jahren 〔sein.〕

들다[5] ① 《손에》 nehmen*[4]; halten*[4]; ergreifen*; (in der Hand) tragen*. ② 《올리다》 (er)heben*. ③ 《사실·실례를》 an|führen[4]; zitieren[4]. ¶ 예를 들면 zum Beispiel 《略: z.B.》. ④ 《먹다》 essen*[4]; (ein|)nehmen*[4].

들뜨다 《마음이》 unruhig werden〔sein〕; ausgelassen 〔lustig〕 sein; kreuzfidel 〔quietschvergnügt〕 sein.

들락날락하다 beständig ein– u. ausgehend 〔häufig besuchend〕 sein.

들러붙다 kleben; fest haften. ¶ 찰싹 ～ [4]sich an [3]*et.* klammern.

들르다 ein|kehren 《bei *jm.*; *in*[3]》; besuchen[4]; ein|treten*.

들리다 《소리가》 hören[4]; *jm.* zu Ohren kommen*; klingen*.

들먹거리다 ① 《사물이》 auf– u. ab|gehen*. ¶ 바위가 ～ ein Fels geht auf u. ab. ② 《몸·마음이》 auf– u. ab|gehen*. ¶ 어깨가 ～ s–e Schultern zucken. ③ 《사물을》 auf u. ab bewegen[4]. ¶ 바위를 ～ e–n Felsen schütteln. ④ 《몸·마음을》 zucken. ¶ 어깨를 ～ unstet s–e Schultern bewegen[(*)]. ⑤ 《남을 들추다》 erwähnen 《*jn.*》.

들보 〖建〗 (Quer)balken. *n.* –s, –,

들볶다 quälen[4]; plagen[4]. ¶ 들볶이다 gefoltert werden / 몹시 ～ auf die Folter spannen.

들부수다 zerbrechen*; zerreißen*; zerstören. ¶ 그릇을 ～ Teller zerbrechen*.

들새 Federwild *n.* –(e)s.

들소 ein wilder Ochse, –n, –n; Wildrind *n.* –(e)s, –er.

들쓰다 über den Kopf über|ziehen*[4] 〔(be)decken[4]〕.

들어가다 ① 《안으로》 gehen* 《*in*[4]》; hinein|gehen* 《*in*[4]》; (ein|)treten* 《*in*[4]》. ¶ 몰래 ～ [4]sich 《in ein Zimmer》 ein|schleichen*. ② 《속·사이로》 durch|gehen*; durch|dringen*; ein|dringen* 《*in*[4]; *bei*[3]》. ¶ 벽에 총알이 ～ e–e Kugel durchdringt e–e Wand. ③ 《가입》 ein|treten* 〔aufgenommen werden〕 《*in*[4]》; 《관여》 teil|nehmen* 〔–|haben〕 《*an*[3]》. ¶ 학교에 ～ in e–e Schule aufgenommen werden. ④ 《수용》 fassen[4]. ¶ 이 그릇에는 2리터가 들어간다 Das Gefäß faßt 2 Liter.

들어내다 ① 《내놓다》 heraus|bringen*[4]; in die Welt führen. ② 《쫓아내다》 hinaus|jagen; vertreiben*.

들어맞다 (ein|)treffen*; (ein|)passen; entsprechen*[3]; stimmen. ¶ 딱 ～ 《적중》 e–n Treffer ins Schwarze haben; den Nagel auf den Kopf treffen*.

들어먹다 auf|essen* 〔–|fressen*〕. ¶ 재산을 ～ Hab u. Gut verschwenden.

들어박히다 [4]sich verschließen*; [4]sich ein|sperren; [4]sich ein|schließen*.

들어붓다 《물을》 über〔ein〕|gießen*; 《술을》 trinken*; hinunter|stürzen.

들어서다 《안쪽으로》 treten* 《*in*[4]》; (her-)ein|treten* 《*in*[4]》; 《자리에》 folgen[(3)] 《*auf*[4]》; 《접어들다》 beginnen*; 《건물이》 entstehen*.

들어앉다 《안쪽으로》 hinein|gehen* u. [4]sich setzen; 《자리에》 e–e Stellung bekommen*; 《은퇴》 zurück|treten*.

들어오다 《안으로》 (herein|)kommen* 《*in*[4]》; 《끼다》 dazwischen|kommen*[4]; 《수입이》 haben.

들어올리다 (auf|)heben*[4]; erheben*[4].

들어주다 erfüllen[4]; erhören[4]; befriedigen[4].

들어차다 ^{4}sich füllen; voll werden. ¶꽉 ~ mit ^{3}*et.* ausgefüllt sein.

들여가다 《안으로》 ein|nehmen*; herein|bringen*; 《사다》 (ein|)kaufen; bekommen*.

들여놓다 《물건을》 hinein|bringen*^{4} 〔-|nehmen*^{4}〕; 《발을》 (hinein|)gehen* 《*in*^{4}》; 《상품을》 ein〔ab〕|kaufen^{34}.

들여다보다 (hinein|)gucken; lugen; 《자세히》 durch|sehen*; hinein|blicken.

들여다보이다 durchsichtig sein; durch|scheinen*. ¶속이 빤히 들여다 보이는 거짓말 e-e grobe Lüge, -n.

들여보내다 ein|lassen*^{4} 《*jn.*》; eintreten lassen*^{4}.

들여앉히다 《여자를》 e-e Frau haushalten lassen*.

들여오다 《안으로》 hinein|bringen*^{4} 《사들이다》 ein〔ab〕|kaufen^4.

들은풍월(—風月) die durch die anderen erworbene Idee, -n.

들이다 ① 《안으로》 ein|lassen*: eintreten lassen*. ② 《부릴 사람·양자를》 an|stellen. ¶가정부를 ~ e-e Köchin in Dienst nehmen*. ③ 《맛을》 an ^{3}*et.* Geschmack finden*. ¶영화에 맛을 ~ am Film Interesse haben. ④ 《물감을》 färben^4. ⑤ 《힘·시간·비용을》 an|〔ver〕|wenden$^{(*)}$ 《*auf*^{4}》. ¶큰돈을 들여서 mit großen Kosten (*pl.*). ⑥ 《땀을》 ^{4}sich den Schweiß (ab|)trocknen.

들이닥치다 bei *jm.* ein|treten*; 《사람이》 plötzlich Besuch bekommen*; 《위험이》 bevor|stehen*.

들이대다 ① 《대들다》 Widerstand leisten^3. ② 《흉기를》 *jm.* vor|halten*^{4}. ¶권총을 들이대고 mit vorgehaltener Pistole. ③ 《제시》 vor|legen. ¶증거를 ~ den Beweis an|treten*.

들이덤비다 auf *jn.* los|gehen*; plötzlich an|greifen*; heraus|fordern.

들이마시다 《기체를》 ein|atmen^4; ein|ziehen*^{4}; 《액체를》 ein|saugen*^{4}; ein|ziehen*^{4}; verschlingen*^{4}.

들이밀다 《안으로》 ein|stoßen*; ein|treiben*; schieben*.

들이받다 gegen *jn.* 〔^{4}*et.*〕 laufen* 〔fahren*〕; mit *jm.* 〔^{3}*et.*〕 zusammen|stoßen*; *jn.* stoßen*.

들이불다 《안으로》 herein|wehen; von draußen nach drinnen wehen.

들이붓다 《그릇에》 ein|gießen*; schütten.

들이빨다 saugen$^{(*)}$; an|saugen$^{(*)}$; ein|atmen*.

들이차다 《안으로》 mit dem Fuß hinein|stoßen*; heftig kicken.

들이치다^1 herein|regnen 《비가》; herein|schneien 〔-|dringen*〕 《눈이》.

들이치다^2 《습격》 *jn.* 〔^{4}*et.*〕 an|greifen*; *jn.* überfallen*.

들이켜다 aus|trinken*^{4}; ein Glas leeren 《auf e-n Zug》; hinunter|schlucken^4.

들일 Feldarbeit *f.* -en.

들입다 《몹시》 fleißig; unbarmherzig; unaufhörlich. ¶아무를 ~ 패다 *jn.* grün u. blau schlagen*.

들장미(—薔薇) die wilde Rose, -n.

들짐승 das wilde Tier, -(e)s, -e.

들쩍지근하다 etwas süßlich 〔nicht süß genug〕 (sein).

들쭉날쭉하다 uneben 〔ungleich; wechselnd〕 (sein).

들창(—窓) Kippfenster *n.* -s, -. ‖~코 Stülpnase *f.* -n.

들추다 《폭로》 entdecken; 《뒤지다》 nach ^{3}*et.* suchen.

들추어내다 《폭로》 bloß|stellen^4; 《찾아냄》 heraus|finden*^{4}.

들치기 《행위》 Ladendiebstahl *m.* -(e)s, ⸗e; 《사람》 Ladendieb *m.* -(e)s, -e.

들치다 heben*; aufheben*; ^{4}sich auf-recht|halten*.

들키다 ans Licht kommen*; entdeckt werden; ^{4}sich enthüllen.

들통(—桶) Eimer *m.* -s, -; Pütze *f.* -n.

들통나다 《발각》 auf|gedeckt werden.

들판 Feld *n.* -s, -er.

듬뿍 übervoll; reichlich. ¶돈을 ~ 가지고 있다 Geld wie Heu haben.

듬뿍듬뿍 viel; reichlich; voll.

듬성듬성 dünn; zerstreut; vereinzelt.

등 Rücken *m.* -s, -. ¶등을 맞대고 앉다 Rücken gegen Rücken sitzen*.

등(等) ① =등급. ¶1등상 erster Preis. ② 《따위》 und so weiter 《略: usw.》.

등(燈) Licht *n.* -(e)s, -er; Lampe *f.* -n.

등(籐) 〖植〗 (ein spanisches) Rohr, -(e)s, -e; Rotang *m.* -s, -e. ‖등의자 Rohrstuhl *m.* -(e)s, ⸗e.

등가(等價) Gleichwertigkeit *f.*

등거리(等距離) gleiche Entfernung, -en. ~의 gleich entfernt.

등걸 (Baum)stumpf 〔Stab〕 *m.* -(e)s, ⸗e.

등겨 Reisspreu *f.* -en.

등고선(等高線) Höhenlinie *f.* -n.

등골 《척수》 Rückenmark *n.* -(e)s. ¶~이 빠지게 일하다 sehr hart arbeiten.

등교(登校) ~하다 zur ^{3}Schule gehen*; in die Schule gehen*.

등귀(騰貴) (Preis)steigerung 〔Teuerung〕 *f.* -en. ~하다 steigen*.

등극(登極) ~하다 den Thron besteigen*.

등급(等級) Klasse 〔Stufe〕 *f.* -n; Grad *m.* -(e)s, -e; Rang *m.* -(e)s, ⸗e. ¶~을 매기다 klassifizieren^4; ab|stufen*.

등기(登記) 〖法〗 Registrierung 〔Eintragung〕 *f.* -en; 《우편》 Einschreibsendung *f.* -en; das Einschreiben*, -s. ~하다 registrieren^4; ein|tragen*^{4}. ¶~로 하다 einschreiben lassen*; 《국원이》 ein|schreiben*^{4}. ‖~부 Register *n.* -s, - / ~소 Eintragungsamt *n.* -(e)s, ⸗er / ~ 우편 Einschreib(e)brief *n.* -(e)s, -e.

등꽃(藤—) Glyzinenblüte *f.* -n.

등나무(藤—) Glyzinie 〔Wistarie〕 *f.* -n. ‖~덩굴 Glyzinienranke *f.* -n.

등단(登壇) ~하다 ans Rednerpult treten*; die Rednerbühne besteigen*.

등달다 ^{4}sich ärgen 〔quälen; erzürnen〕.

등대(燈臺) Leuchtturm *m.* -(e)s, ⸗e. ‖~지기 Leuchtturmwärter *m.* -s, -.

등덜미 Rücken 〔Nacken〕 *m.* -s; Genick *n.* -s, -e.

등등(等等) und so weiter 《略: usw.》; und so fort 《略: usf.》; und dergleichen 《略: u. dgl.》.

등등(騰騰) ~하다 triumphierend 〔in gehobner Stimmung〕 (sein). ¶기세 ~하다 in gehobene Stimmung kommen*.

등락(騰落) Steigen* u. Fallen*; Fluktuation *f.* -en. das Schwanken*, -s.

등록(登錄) Eintragung *f.* -en; Registrierung *f.* -en. ～하다 ein|tragen*[4]; registrieren[4]. ¶ ～필의 registriert. ‖ ～금 Studiengebühr *f.* -en / ～ 상표 registrierte Schutzmarke, -n / 주민 ～ die Eintragung des Einwohners.

등롱(燈籠) Laterne *f.* -n.

등반(登攀) das Bergsteigen*, -s. ～하다 steigen 《*auf*[4]》; besteigen*[4]. ‖ ～자(者) Bergsteiger *m.* -s, -.

등본(謄本) Abschrift *f.* -en; Kopie *f.* -n. ‖ 호적 ～ die Kopie aus dem Familienregister.

등분(等分) die Teilung in gleiche Teile. ～하다 in gleiche Teile teilen[4]. ¶ 2～ Halbierung *f.* -en / 3～하다 in drei gleiche Teile teilen[4].

등불(燈—) (Lampen)licht *n.* -(e)s, -er. ¶ ～을 켜다 Licht machen〔an|zünden〕.

등비(等比) ein gleiches Verhältnis, -ses, -se. ‖ ～ 급수 e-e geometrische Reihe, -n / ～ 수열 e-e geometrische Progression, -n.

등뼈 Rückgrat *n.* -(e)s, ⸚e; Wirbelsäule *f.* -n.

등사(謄寫) Kopierung *f.* -en. ～하다 kopieren[4]. ‖ ～ 원지 Matrize *f.* -n / ～판 Vervielfältigungsapparat *m.* -(e)s, -e.

등산(登山) das Bergsteigen*, -s; Berggehen*, -s. ～하다 e-n Berg besteigen*; auf e-n Berg steigen*. ‖ ～가 Bergsteiger *m.* -s, -; Alpinist *m.* -en, -en / ～화 Bergschuh *m.* -(e)s, -e.

등성이 Rücken *m.* -s, -; Bergrücken *m.* 《산의》.

등속(等速) gleichförmige〔gleichmäßige〕Geschwindigkeit, -en. ‖ ～ 운동 gleichmäßige Bewegung, -en.

등수(等數) ¶ ～를 매기다 in Rangklassen ab|stufen[4]; klassifizieren[4].

등식(等式) Gleichheit *f.* -en.

등신(等身) Lebensgröße *f.* -n. ‖ ～상 lebensgroße Bild, -(e)s, -er.

등신(等神) Klotz *m.* -es, ⸚e; Dummkopf *m.* -(e)s, ⸚e. ¶ 이 ～아 Du Idiot!

등심 《고기》 Filet *n.* -s, -s. ‖ ～구이 (Roast)braten *m.* -s, -.

등쌀 Verdruß *m.* -es, ⸚e; Qual *f.* -en; Belästigung *f.* -en. ¶ 모기 ～에 잠을 잘 수 없다 Mücken sind so belästigend, daß ich nicht schlafen kann.

등압선(等壓線) Isobare *f.* -n.

등에 〖蟲〗 Bremse(fliege) *f.* -n.

등온선(等溫線) Isotherme *f.* -n.

등용(登用) 《임용》 Ernennung *f.* -en; 《승진》 Beförderung *f.* -en. ～하다 *jn.* in ein Amt bestallen. ¶ 인재를 ～하다 fähige Leute (be)fördern.

등용문(登龍門) e-e Gelegenheit zum Erfolg.

등원(登院) ～하다 der Sitzung bei|wohnen; bei der Sitzung anwesen sein.

등위(等位) Rang *m.* -(e)s, ⸚e.

등유(燈油) Brennöl *n.* -(e)s, -e; Kerosin *m.* -s.

등의자(籐椅子) Korbsessel *m.* -s, -.

등잔(燈盞) das Ölkrügelchen als e-e Lampe.

등장(登場) Auftritt *m.* -(e)s, -e. ～하다 auf|treten*. ‖ ～ 인물 die Personen (*pl.*).

등재(登載) Aufzeichnung *f.* -en; Register *n.* -s. ～하다 auf|zeichnen; registrieren.

등정(登頂) ～하다 den Gipfel e-s Berges ersteigen*.

등정(登程) ～하다 e-e Reise an|treten; [4]sich auf die Reise machen.

등줄기 Rückgratknöchel *m.* -s, -.

등지느러미 Rückenflosse *f.* -n.

등지다 *jm.* den Rücken kehren.

등짐 ein Gepäck〔eine Last〕auf dem Rücken. ‖ ～ 장수 Hausierer *m.* -s, -.

등차(等差) 〖數〗 gleicher Unterschied, -(e)s, -e. ‖ ～ 급수〔수열〕arithmetische Reihe〔Progression〕-n,

등창(—瘡) 〖漢醫〗 die Eitergeschwulst auf den Rücken.

등청(登廳) ～하다 ins Amt〔Büro〕gehen*.

등치다 Geld erpressen 《*jm. von*[3]》; Geld erzwingen* 《*von*[3]》. ¶ 등쳐 먹고 살다 durch Erpressung leben.

등한(等閑) ～하다 nachlässig〔fahrlässig; unachtsam〕(sein).

등화(燈火) (Lampen)licht *n.* -(e)s, -er; Beleuchtung *f.* -en 《조명》. ‖ ～ 관제 Verdunkelung *f.*

디기탈리스 〖植〗 Fingerhut *m.* -(e)s, ⸚e; Digitalis *f.*

디디다 treten*; betreten*; stampfen.

디딤돌 Schrittstein *m.* -(e)s, -e.

디럭스 Luxusausstattung *f.* -en. ¶ ～한 luxuriös; Luxus- 《Wagen》. ‖ ～판 《책의》 Luxusausgabe *f.* -n / ～ 호텔 Luxushotel *n.* -s, -s.

디스카운트 Abzug *m.* -(e)s, ⸚e; Rabatt *m.* -(e)s, -e; Diskont *m.* -(e)s, -e. ～하다 diskontieren; ab|ziehen*.

디스크자키 Schallplattenspieler *m.* -s, -; Diskjockey *m.* -s, -s.

디스토마 Distomatose *f.* -n. ‖ 간～ Leberegel *m.* -s, -.

디아스타아제 〖化〗 Diastase *f.* -n.

디자이너 (Muster)zeichner *m.* -s, -.

디자인 Entwurf *m.* -(e)s, ⸚e; Zeichnung *f.* -en; Muster *n.* -s, -. ～하다 entwerfen*[4]; Muster zeichnen.

디저트 Nachtisch *m.* -es, -e; Dessert [dɛsɛ́:r] *n.* -s, -s.

디젤 ‖ ～ 기관 Dieselmotor *m.* -s, -en (～ 기관차 Diesellokomotive *f.* -n) / ～ 자동차 Dieselauto *n.* -s, -s.

디지털 ‖ ～계산기 Digital·rechner〔-computer〕*m.* -s, - / ～ 시계 Digitaluhr *f.* -en.

디프테리아 Diphtherie *f.*

디플레(이션) Deflation *f.* -en. ‖ ～ 정책 Deflationpolitik *f.* -en.

딜레마 Dilemma *n.* -s, -s; Klemme *f.* -n. ¶ ～에 빠지다 in ein Dilemma geraten*.

따갑다 ① ☞ 뜨겁다. ② 《쑤시다》 stechend〔plickelig〕(sein). ¶ 따가운 시선 stechender Blick, -es, -e.

따귀 Backe〔Wange〕*f.* -n. ¶ ～를 갈기다 *jm.* e-e Ohrfeige〔Backpfeife〕geben*; *jm.* e-e verpassen.

따끔따끔하다 《아프다》 es prickelt《*jm.*》; es sticht《*jn.*》.

따다 (꽃·과일을) (ab|)pflücken^{4}; ab|brechen*; (돈을) gewinnen*; (점수를) bekommen*.

따돌리다 *jn.* aus der Gesellschaft [Gemeinschaft] aus|stoßen*; *jn.* von der Gesellschaft verstoßen*.

따뜻하다 warm [mild; freundlich; herzlich] (sein). ¶ 따뜻한 우정 die innige Freundschaft, -en / 따뜻해지다 warm werden.

따라가다 folgen (*jm.*); begleiten (*jn.*); auf der Ferse folgen (*jm.*).

따라다니다 mit|gehen* (mit *jm.*); begleiten(*jn.*); nach|laufen*(*jm.*).

따라붙다 überholen; ein|holen; erreichen.

따라서 ① (…대로) nach^{3}; gemäß^{3}; entsprechend^{3}; in Gemäßheit. ¶ 규정에 ~ laut den Bestimmungen. ② (그러므로) also; daher; darum; demgemäß; demnach; folglich.

따라오다 ① (수행) mit|kommen*; folgen (*jm.*); begleiten (*jn.*). ② (추종) folgen (*jm.*); desgleichen tun.

따로 anders; besonders; sonst; extra.

따로따로 einzeln; getrennt; allein; individuell.

따르다^{1} (따라감·그대로함) folgen^{3}; (복종) gehorchen^{3}; (뜻에) willfahren(*jm. in*^{3}). ¶ 명령에 ~ dem Befehl folgen / 요구에 ~ die Forderung an|nehmen*.

따르다^{2} (액체를) gießen*^{4} (*in*^{4}; *auf*^{4}).

따리 =아첨.

따분하다 (지루함) langweilig [ermüdend; verdrießlich; entkräftend] (sein).

따스하다 warm [mild] (sein). ‖ 따스한 날씨 warmes Wetter, -s, -.

따오기 〖鳥〗 Ibis *m.* -ses, -se.

따옴표(—標) Anführungszeichen *n.* -s, -.

따위 und so weiter (略: usw.).

따지다 (시비를) unterscheiden*; heraus|stellen; gründlich untersuchen^{4}; (까닭을) zur Rede stellen (*jn.*); zur Antwort drängen (*jn.*).

딱따구리 〖鳥〗 Specht *m.* -(e)s, -e.

딱딱하다 hart [steif; streng] (sein); (형식적) steif [förmlich; zeremoniös; gezwungen] (sein).

딱새 〖鳥〗 Rotschwänzchen *n.* -s, -.

딱정벌레 〖蟲〗 Käfer *m.* -s, -.

딱지 (피부의) Schorf [Grind] *m.* -(e)s, -e; (종이의) Fleck *m.* -(e)s, -e; (등딱지) (Rücken)schild *n.* -(e)s, -er; (시계의) Uhrgehäuse *n.* -s, -. ¶ ~가 앉다 e-n Schorf *usw.* bilden.

딱지(—紙) (우표·증지 등) (Brief)marke *f.* -n; Etikett *n.* -(e)s, -e; (꼬리표) angehängter Zettel, -s, -; (놀이 딱지) die Spielkarte für das Schlagspiel der Kinder.

딱하다 (가엾다) armselig [elend; erbärmlich; mitleiderregend] (sein); (곤란하다) heikel [schwierig; schwer] (sein).

딴 (다른) ander; verschieden; Sonder-; belanglos. ¶ ~ 수작 belanglose Außerungen (*pl.*).

딴데 irgendein anderer Platz, -(e)s, ⸚e; irgendein anderer Ort, -(e)s, -e.

딴마음 ① (다른 생각) der andere Vorsitz, -(e)s, ⸚e; die andere Absicht, -en. ② (반심) Zweiheit [Falschheit; Doppelzügigkeit] *f.* -en.

딴은 wirklich; tatsächlich; in der Tat in Wirklichkeit. ¶ ~ 옳은 말이오 Das ist wirklich so. / ~ 그렇군 Ja, das hat auch s-n Grund.

딴전부리다 belanglose Äußerungen machen; wie Katze um den heißen Brei herum|gehen*; die Kernfrage überspringen*.

딸 Tochter *f.* ⸚.

딸가닥거리다 rattern; rasseln.

딸기 〖植〗 Erdbeere *f.* -n.

딸꾹질하다 schlucken; den Schlucken haben.

딸리다 ① (부속) gehören (*jm.*; *zu*^{3}); gehörig sein (*zu*^{3}); eingebaut sein(*in*^{4}). ¶ 가구 딸린 방 ein möbliertes Zimmer, -s, -. ② (소속) abhängig sein (*von*^{3}); angewiesen sein (*auf*^{4}).

땀^{1} Schweiß *m.* -es. ¶ 땀을 흘리다 schwitzen / 손에 땀을 쥐게 하다 die Erwartungen spannen.

땀^{2} (바느질의) Stich *m.* -(e)s, -e.

땀내다 Schwitzen machen; Schweiß erregen [treiben*].

땀띠 Schweißbläschen (*pl.*). ‖ ~약 Talkum *n.* -s.

땀받이 Schweißwickel *m.* -s, - [*f.* -n].

땀방울 Schweißtropfen *m.* -s, -.

땅 ① (대지) Erde *f.* -n; Erdboden *m.* -s, -; Grund *m.* -(e)s, ⸚e; Land *n.* -(e)s. ② (영토) Territorium *n.* -s, ..rien; Landesgebiet *n.* -(e)s, -e.

땅강아지 〖蟲〗 Maulwurfsgrille *f.* -n; Werre *f.* -n.

땅거미 (황혼) Abenddämmerung *f.* -en; Zwielicht *n.* -(e)s, -er. ¶ ~가 진다 Es dämmert.

땅꾼 (뱀잡는) Schlangenfänger *m.* -s, -.

땅바닥 Erdboden *m.* -s, ⸚; Erde *f.* -n.

땅벌 〖蟲〗 Wespe *f.* -n.

땅세(—貰) Ackerzins *m.* -(e)s, -en.

땅속 ¶ ~의 unterirdisch / ~에 unter der Erde / ~으로 in die Erde.

땅울림 das Dröhnen der Erde.

땅차(—車) Räumpflug *m.* -(e)s, ⸚e; Bulldozer *m.* -s, -.

땅콩 Erdnuß *f.* ..nüsse. ‖ ~ 장수 Erdnußverkäufer *m.* -s, -.

땋다 flechten*^{4}; drehen^{4}. ¶ 머리를 ~ die Haare frisieren (lassen*); die Haare (in Zöpfe) flechten (lassen*).

때^{1} (시간) Zeit [Stunde] *f.* -en; (경우) Fall *m.* -(e)s, ⸚e; (기회) Gelegenheit *f.* -en; (시대) die Zeiten (*pl.*); (끼니) Mahlzeit *f.* -en.

때^{2} (더러움) Schmutz *m.* -es; (얼룩) Fleck *m.* -(e)s, -e.

때까치 〖鳥〗 Würger [Neuntöter] *m.* -s, -.

때다 (불을) an|machen; brennen lassen* (Kohlen, Holz); heizen. ¶ 방에 불을 ~ ein Zimmer heizen.

때때로 von Zeit zu Zeit; ab u. zu; oft; zuweilen.

때려눕히다 nieder|schlagen*^{4}; zu Boden schlagen*^{4}; hin|strecken^{4}

때려잡다 (타살) erschlagen*^{4}; tot|schlagen*^{4}; (죽임) ermorden.

때로는 zuzeiten; bisweilen; dann und wann.

때리다 schlagen*^{4}; hauen*^{4}; prügeln^{4}.

때마침 gerade zur rechten Zeit; in dem

Augenblick; wo es darauf ankommt; rechtzeitig.
때문에 《원인·이유》 wegen²; halber²; vor³; 《이익》 für⁴; um² ...willen; 《목적》 zum Zweck von³; zu³; 《결과》 in Folge; infolge²; aus³. ¶그 ~ infolgedessen.
때묻다 schmutzig [besudelt] werden / 때묻은 schmutzig.
때아닌 unzeitgemäß; unzeitig; unerwartet; 《뜻밖의》 außerzeitlich. ¶~ 꽃이 피다 außer der Jahreszeit blühen.
때우다 《땜질》 flicken⁴; aus|bessern⁴; löten⁴; 《끼니를》 vorübergehend ersetzen⁴ 《durch⁴》.
땔감 Brennstoff *m.* –(e)s, –e.
땜납 Lot *n.* –(e)s, –e; Lötmittel *n.* –s, –; Lötzinn *n.* –(e)s.
땜장이 der (wandernde) Kesselflicker, –s, –; Klempner *m.* –s, –.
땜질 Kesselflickerei *f.* –en; Klempnerei; Lötung *f.* –en. ~하다 flicken⁴.
땡땡 《종·시계소리》 bimbam(bum); klingklang. ¶~ 치다 bimmeln.
땡잡다 e–n Erfolg erzielen; es treffen*; sein Glück machen.
떠가다 vom Wasser getragen werden; dahin|treiben*.
떠나다 《이탈·출발》 fort|gehen*《von³》; ab|gehen*; fort|kommen*; weg|gehen* 《von³》; 《남겨두고》 verlassen*⁴; 《헤어져》 ⁴sich scheiden*; ab|scheiden*; 《죽다》 hin|scheiden*; 《물러남》 ⁴sich zurück|ziehen*. ¶그 생각이 머리를 떠나지 않는다 Ich kann den Gedanken nie los werden.
떠내다 (aus|)schöpfen⁴; aus|schaufeln; 《잔디 등》 aus|stechen*. ¶물고기를 그물로 ~ Fische mit dem Netz fangen*.
떠내려가다 fort·getrieben [–geschwommen] werden. ¶하류로 ~ stromab fortgetrieben werden.
떠다니다 herum|fliegen*; schweben; flott sein.
떠다밀다 schubsen; drücken; schieben; 《전가》 *jm.* ⁴*et.* auf|zwingen*; *jm.* ⁴*et.* auf|drängen; *jn.* zu ³*et.* zwingen*.
떠돌다 umher|treiben*; vagabundieren; umher|wandern.
떠돌이 Vagabund *m.* –en, –en.
떠들다 《큰소리로》 Lärm machen; lärmen; 《소란피움》 tumultieren; Radau machen.
떠들썩하다 《소란》 lärmend [geräuschvoll; laut; tumultuarisch] (sein).
떠들어대다 viel Lärm machen 《um⁴; von³》.
떠름하다 《맛이》 herb [bitter] (sein); 《내키지 않음》 ⁴sich schauerlich fühlen; ängstlich (sein).
떠맡기다 《부과》 *jn.* belasten 《mit³》; *jm.* auf|bürden⁴; 《전가·양도》 *jm.* unterschieben⁴; *jm.* ab|treten*⁴.
떠맡다 auf ⁴sich nehmen*⁴; übernehmen*⁴; sorgen [bürgen] 《für⁴》. ¶사건을 ~ ⁴sich e–r ²Affäre an|nehmen*.
떠메다 auf den Schultern tragen*⁴; schultern⁴.
떠받다 《머리·뿔로》 mit dem Kopfe [mit den Hörnern] stoßen* 《nach³; auf⁴》.
떠받들다 《추대》 erheben*⁴; erhöhen⁴; 《공경》 ehren⁴; verehren⁴; achten⁴.
떠받치다 unter|stützen⁴.
떠보다 *jm.* den Puls fühlen; *jm.* auf den Zahn fühlen; bei *jm.* auf den Busch klopfen.
떠오르다 《물위에》 auf|tauchen; 《해·달이》 auf|gehen*; 《머리에》 ein|fallen*.
떡 Reiskuchen *m.* –s, –.
떡갈나무 Eiche *f.* –n; Eichenbaum *m.* –(e)s, ⸚e.
떡국 Reiskuchen–Suppe *f.* (bereitet mit Scheiben Reiskuchen, Rindfleisch, Ei *usw.*).
떡잎 Keim *m.* –(e)s, –e; Keimblatt *n.* –(e)s, ⸚er; Samenblatt *n.*
떨다¹ 《몸을》 (er)zittern; (er)schaudern; (er)beben.
떨다² 《붙은 것을》 herunter|schlagen*⁴; aus|klopfen⁴.
떨다³ 《아양을》 zeigen.
떨리다 《몸이》 beben; zittern 《vor³》; schau(d)ern 《vor³》; ⁴sich schüttern 《vor³》 《공포 등으로》; frösteln 《오한》; 《俗》 bibbern.
떨어내다 ab|schütteln⁴; ab|schlagen*⁴.
떨어뜨리다 fallen lassen*⁴; 《쏘아》 ab|schießen*⁴; 《값을》 herab|setzen⁴; 《품위·명예 등》 *jn.* erniedrigen [entehren].
떨어지다 ① 《낙하》 fallen*; 《추락》 (ab|-)stürzen; 《물방울이》 tropfen. ② 《해가》 unter|gehen*; sinken*. ③ 《온도·열이》 sinken*; fallen*; nach|lassen*. ¶열이 떨어진다 Das Fieber läßt nach [nimmt ab]. ④ 《값이》 sinken*; fallen*; niedriger werden. ¶물가가 ~ die Preise sinken* [fallen*]. ⑤ 《가치가》 im Wert sinken. ¶위신이 ~ an Ansehen verlieren. ⑥ 《낙제·낙선》 durch|fallen* 《in³》; sitzen|bleiben* 《낙제》; verlieren* 《경연에서》. ¶시험에 ~ im Examen durch|fallen*. ⑦ 《붙었던 것이》 ab|gehen*; los|gehen*; ab|springen* 《단추 등이》. ¶나뭇잎이 ~ die Blätter fallen ab. ⑧ 《해어짐》 abgetragen [abgenutzt] werden; fadenscheinig sein. ⑨ 《헤어짐》 ⁴sich (ab|)trennen; ⁴sich scheiden*. ¶그녀와는 떨어질 수가 없다 Ich kann mich unmöglich von ihr trennen. ⑩ 《열등》 nach|stehen*; 《쇠퇴》 zurück|bleiben 《hinter³》; herunter|kommen*. ¶앓아서 공부가 ~ durch die Krankheit mit seiner Anbeit zurück|bleiben*. ⑪ 《질이》 geringer [schlechter] sein 《als.》. ⑫ 《감퇴》 ab|nehmen*; schwinden*. ¶인기가 ~ an Popularität verlieren*. ⑬ 《병·습관이》 ⁴*et.* los|werden 〖사람이 主語〗 ¶감기가 떨어졌다 Ich bin den Schnupfen los.
떨이 Ramsch *m.* –es, –e. ¶~로 팔다 im Ramsch verkaufen.
떫다 herb (sein). ¶떫은 감 die herbe Kakipflaume, –n.
떳떳하다 ehrlich [(ge)recht; richtig; billig] (sein).
떼¹ 《무리》 Gruppe *f.* –n; Haufen *m.* –s, –; 《짐승의》 Herbe *f.* –n; 《새의》 Flug *m.* –(e)s, ⸚e; 《물고기의》 Schule *f.* –n; 《벌레의》 Schwarm *m.* –(e)s, ⸚e. ¶떼를 지어 in Gruppen [Haufen]; schwarmweise.
떼² 《억지》 unvernünftiges [unbilliges] Verlangen, –s. ¶떼를 쓰다 das Unmögliche verlangen; *jm.* mit Bitten stark

zu|setzen; mit Bitten in *jn.* dringen*.

떼다 《붙은 것을》 ab|nehmen*^{4}; weg|nehmen*^{4}; trennen^4; 《분리·단절》 scheiden*^{4}《*von*^{3}》; ab|sondern^4《*von*^{3}》; 《공제》 ab|ziehen*^{4}; 《봉한 것을》 entsiegln^4; 《수표·어음을》 aus|stellen^4; 《끝냄》 beenden^4; 《낙태》 ab|treiben*^{4}.

떼먹다 betrügen*《*jn.* um ^{4}*et.*》; prellen 《*jn.* um ^{4}*et.*》; nicht bezahlen^4.

떼새 〖鳥〗 Regenpfeifer *m.* –s, –.

떼쓰다 unverschämt viel verlangen; *jn.* tüchtig rupfen.

떼이다 veruntreut 〔unterschlagen〕 werden.

뗏목(—木) (Holz)floß *n.* 〔*m.*〕 –es, ¨e.

또 《또한》 und; auch; ferner; überdies; 《다시》 wieder; wiederum; noch einmal.

또는 oder; (entweder) ...oder; 《다른 말로》 mit anderen Worten.

또다시 wieder; noch einmal 《한번 더》; aufs neue 《새로》; zweimal 《두 번》.

또박또박 ① 《정확히》 reinlich; sauber; genau; exakt; sorgfältig. ② 《거르지 않고》 pünktlich; regelmäßig.

또한 auch; ebenfalls; gleichfalls.

똑같이 gleich; gleichmäßig; gleichförmig 《한결같이》; unparteiisch 《공평하게》; unterschiedslos 《차별없이》.

똑똑하다 ① 《영리》 klug 〔weise; vernünftig; geistreich; scharfsinnig; gescheit〕 (sein). ¶ 똑똑한 체하다 klügeln. ② 《분명》 klar 〔deutlich〕 (sein). ¶ 똑똑한 발음 deutliche Aussprache, –n.

똑똑히 《분명》 klar; deutlich; 《확실》 sicher; bestimmt; 《영리》 klug.

똑바로 gerade; aufrecht; direkt; stracks. ¶ ～ 가다 geradeaus gehen*.

똥 Kot *m.* –(e)s; Mist *m.* –es, –e.

똥개 Bastardhund *m.* –(e)s, –e.

똥구멍 Anus *m.* –, –; After *m.* –s, –; Arschloch *n.* –(e)s, ¨er. ¶ ～으로 호박씨 까다 ^{4}sich schlau benehmen*.

똥누다 ^{4}sich entleeren; Stuhlgang haben; 《俗》 ab|protzen〔kacken〕; 《兒》 Aa machen.

똥파리 Kotfliege *f.* –n.

뙤약볕 brennende 〔heiße〕 Sonne; hitziger Sonnenschein, –(e)s, –e.

뚜 《소리》 tut!; tutend; heulend.

뚜껑 Deckel *m.* –s, –; Klappe *f.* –n. ¶ ～을 덮다 zu|decken^4 / ～을 열다 auf|decken^4.

뚜렷하다 deutlich 〔klar; sicher〕 (sein); 《현저》 auffallend 〔merkwürdig〕 (sein).

뚜쟁이 Kuppler *m.* –s, –; Kupplerin *f.* –nen. ¶ ～ 노릇하다 kuppeln.

뚝심 körperliche Kraft zum Stützen.

뚫다 《구멍을》 bohren^4 《*in*^{4}; *druch*^{4}》; 《관통》 durchstechen*^{4}; durch|bohren^4; 《길을》 e-e Straß bauen; 《무릅씀》 sich^4 hinweg|kommen*; aus|weichen*^{3}《법망을》.

뚫어지게보다 an|starren^4; fixieren^4; an|sehen*^{4}; glotzen 《*auf*^{4}》.

뚫어지다 ein Loch bekommen*.

뚱딴지 《사람》 Stümper *m.* –s, –; 《애자》 Isolator *m.* –s, –en. ¶ ～ 같은 소리를 하다 nicht zur ^{3}Sache sprechen*.

뚱뚱보 der Dicke*, –n, –n; 《俗》 Fettwanst *m.* –es, ¨e.

뚱뚱하다 dick 〔(wohl)beleibt; feist; fett; fleischig; korpulent; massig; rund〕 (sein). ¶ 뚱뚱해지다 dick werden; Fett an|setzen.

뚱하다 ① 《과묵》 wortkarg〔verschlossen〕 (sein). ② 《심술나서》 ärgerlich (sein).

뛰놀다 herum|springen*; umher|hüpfen; ^{4}sich herum|tummeln.

뛰다^1 《달음질》 laufen*; rennen*; eilen; stürzen; galoppieren 《말이》; 《도약》 springen*; hüpfen.

뛰다^2 《가슴이》 schlagen*; pochen.

뛰어가다 rennen*; laufen*.

뛰어나가다 hinaus|laufen*. ¶ 문 밖으로 ～ zur Tür hinaus laufen*.

뛰어나다 ^{4}sich empor|ragen; hervor|ragen 《*über*^{4}》; ^{4}sich hervor|tun*; ^{4}sich aus|zeichnen 《*in*^{3}》.

뛰어내리다 hinab〔herab〕|springen*; hinunter 〔herunter〕|springen*; ab|springen* 《*von*^{3}》.

뛰어넘다 springen*《*über*^{4}》; überspringen*^{4}; hinüber|gelangen 《*über*^{4}》. ¶ 도랑을 ～ e-n Graben überspringen*.

뛰어다니다 umher〔herum〕|laufen*.

뛰어들다 hinein〔herein〕|springen*; hinein〔herein〕|stürzen; hinein〔herein〕|laufen* 《*in*^{4}》.

뛰어들어오다 herein|laufen*〔–|stürzen〕.

뛰어오다 gelaufen kommen*; zu|laufen* 《*auf*^{4}》; her|laufen*; zu|eilen 《*auf*^{4}》.

뛰어오르다 auf|springen*〔–|fahren*〕; in die Höhe springen; auf|schlagen*《앙등》.

뛰쳐나오다 hinaus〔heraus〕|fliegen*. ¶ 집을 ～ vom Hause weg|laufen*.

뜀틀 〖體〗 Sprungtisch *m.* –es, –e; Sprungkasten *m.* –s, – 〔¨〕.

뜨개것 Strickwaren (*pl.*); Wirwaren (*pl.*); Strickerei *f.* –en.

뜨개바늘 Stricknadel *f.* –n.

뜨개질 Strickarbeit 〔Häkelarbeit〕 *f.* –en. ～하다 stricken; häkeln.

뜨겁다 heiß 〔warm; hitzig〕 (sein). ¶ 뜨거운 사랑 heiße Liebe.

뜨내기 《사람》 Wanderer 〔Landstreicher〕 *m.* –s, –; 《俗》 Strolch *m.* –(e)s, –e; 《일》 Gelegenheitsarbeit *f.* –n. ‖ ～ 손님 der gelegentliche Besucher 〔Gast〕, –s, –.

뜨다^1 《느림》 langsam (sein); 《둔함》 dumm (sein).

뜨다^2 《물 등에》 schwimmen*; flott sein; schweben; 《해·달이》 auf|gehen*; 《관계가》 entfremdet sein; ^{4}sich ab|wenden* 《*von*^{3}》; 《사이가》 getrennt sein; in e-m Zeitabstand sein; sehr selten sein.

뜨다^3 《자리를》 verlassen*^{4}.

뜨다^4 öffnen 《Augen》; auf|wachen; erwachen; wach werden.

뜨다^5 《본을》 ^{4}Muster zusammen|stellen; kopieren^4; nach|ahmen^4.

뜬구름 schwebende Wolken (*pl.*). ¶ ～ 같은 인생 flüchtiges Leben, –s, –.

뜬소문(—所聞) das grundlose 〔falsche〕 Gerücht, –(e)s, –e.

뜯다 《뽑다》 heraus|reißen*^{4}; pflücken^4; rupfen^4; aus|raufen^4; 《분해》 zerlegen^4; auseinander|legen^4; 《돈을》 berauben 《*jn.* ^{2}*et.*》; 《연주》 an|streichen*.

뜯어먹다 《이로》 nagen$^{(4)}$ 《*an*^{3}》; benagen^4; 《붙어서》 von *js.* Einkommen leben.

뜰 Garten *m.* -s, ⸚; Hof *m.* -(e)s, ⸚e.
뜸 〖漢醫〗 Moxa *m.* -s, -; Moxakur *f.* -en. ¶뜸뜨다 Moxakur machen.
뜸들이다 ⦅음식을⦆ weich sieden〔kochen〕 lassen*; ⦅일을⦆ e-e Pause machen ⦅bei der Arbeit⦆.
뜸부기 〖鳥〗 (Wasser)ralle *f.* -n.
뜻¹ ⦅의미⦆ Bedeutung *f.* -en; Sinn *m.* -(e)s, -e. ～하다 bedeuten⁴. ¶넓은〔좁은〕 뜻으로 im weiteren〔engeren〕 Sinne.
뜻² ⦅의지⦆ Wille *m.* -ns, -n; ⦅의도⦆ Absicht *f.* -en; Vorsatz *m.* -es, ⸚e; ⦅결심⦆ Entschluß *m.* ..schlusses, ..schlüsse; ⦅야심⦆ Ehrsucht *f.* ⸚e; ⦅목적⦆ Zweck *m.*-(e)s, -e; ⦅소원⦆ Wunsch *m.* -es, ⸚e. ～하다 wollen*; beabsichtigen⁴; vor|haben⁴; zielen ⦅*auf*⁴⦆; ⦅결심⦆ ⁴sich entschließen*.
뜻밖의〔에〕 unerwartet; unvermutet; unvorhergesehen; überraschend; erstaunlich; plötzlich.
띄어쓰다 Platz lassend schreiben*; die Wörter trennen; spatiieren⁴.
띄엄띄엄 hie u. da ⦅여기저기⦆; verstreut; zerstreut⦅산재하여⦆; einzeln⦅따로따로⦆.
띄우다¹ ⦅물 위에⦆ schwimmen lassen*⁴; ⦅공중에⦆ steigen lassen*⁴; ⦅얼굴에⦆ aus|drücken⁴. ¶미소를 띄우고 lächelnd.
띄우다² ⦅사이를⦆ e-n Raum lassen* ⦅*zwischen*³⦆; Spatien setzen ⦅zwischen Wörtern⦆.
띠 Band *n.* -(e)s, ⸚er; Binde *f.* -n; Gürtel *m.* -s, -. ¶띠를 하다 (um|)gürten⁴ / 띠를 조르다 den Gürtel enger machen / 띠를 고르다 den Gürtel ab|nehmen*.
띠다 ⦅지니다⦆ tragen*⁴; ⦅띠를⦆ um|gürten⁴; ⦅용무를⦆ beauftragt sein; ⦅빛·기색을⦆ zeigen⁴; bieten*⁴; entfalten⁴. ¶붉은 빛을 ～ ins Rote fallen*.
띠톱 Bandsäge *f.* -n.
띵하다 ⦅두통⦆ tiefsitzende Kopfschmerzen haben; ⦅머리가 흐림⦆ stumpfsinnig (sein).

ㄹ

라드 ⦅기름⦆ (Schweine)schmalz *n.* -es.
라디에이터 Heizkörper *m.* -s, -; Kühler *m.* -s, - ⦅자동차의⦆.
라디오 Radio *n.* -s, -s; Rundfunk *m.* -(e)s; ⦅수신기⦆ (Rundfunk)empfänger *m.* -s, -. ¶～를 켜다 das Radio an|stellen〔ein|schalten〕 / ～를 끄다 das Radio ab|stellen〔aus|schalten〕. ‖～ 드라마 Hörspiel *n.* / ～ 방송 Rundfunksendung *f.* -en (～ 방송을 하다 rundfunken; in den Rundfunk sprechen*) / ～ 중계 Rundfunkübertragung *f.*-en / ～ 청취자 Rundfunkhörer *m.* -s, -.
라르고 〖樂〗 Largo *n.* -s, -s.
라면 chinesische Buchweizennudel, -n.
라벤더 〖植〗 Lavendel *m.* -s.
라벨 (Klebe)zettel *m.* -s, -; Etikett *n.* -(e)s, -e〔-s〕.
라스트 letzt. ‖～ 스퍼트 Endspurt *m.* -(e)s / ～신 die letzte Szene, -n.
라우드스피커 Lautsprecher *m.* -s, -.
라운지 Gesellschaftsraum *m.* -(e)s, ⸚e; (Hotel)diele *f.* -n.
라이노타이프 〖印〗 Zeilensetzmaschine *f.* -n; Linotype *f.* -s.
라이벌 Rivale *m.* -n, -n; Nebenbuhler *m.* -s, -; Widerpart *m.* -(e)s, -e. ‖～ 의식 der Geist der Rivalität.
라이선스 Lizenz *f.* -en.
라이터 (Taschen)feuerzeug *n.* -(e)s, -e. ‖～돌 Feuerstein *m.* -(e)s, -e.
라이트급(一級) 〖競〗 Leichtgewicht *n.* -es. ‖～ 선수 Leichtgewichtler *m.* -s, -.
라인업 Aufstellung der Mannschaft; Zusammensetzung *f.* -en.
라일락 〖植〗 (spanischer) Flieder, -s, -; Lilack *m.* -s, -s.
라켓 Schläger *m.* -s, -; Rakett *n.* -(e)s, -e.
라틴어(一語) die lateinische Sprache, -n; Latein *n.* -e; das Lateinische*, -n.
라틴아메리카 Lateinamerika *n.*
-란(欄) ⦅신문 따위의⦆ Spalte *f.* -n. ¶문예란 Feuilleton *n.* -s, -s.
란도셀 (Schul)ranzen *m.* -s, -; ⦅俗⦆ Affe *m.* -n, -n.
랑데부 Rendezvous *n.* -, -; Stelldichein *n.* -s, -.
래커 Lack *m.* -(e)s, -e. ¶～를 칠하다 lackieren.
램프 Lampe *f.* -n.
랩소디 Rhapsodie *f.* -n.
랩타임 Rundenzeit〔Durchgangszeit〕 *f.* -en.
랭귀지래버러토리 Sprachlabor *n.* -s, -s.
랭킹 Rang *m.* -(e)s, ⸚e.
러닝 das Rennen*〔Laufen*〕 -s. ‖～ 셔츠 Turnhemd *n.* -(e)s, -en.
러시아워 Hauptverkehrs〔Stoßverkehrs〕-zeit *f.* -en.
럭비 Rugby [rʌ́gbi] *n.* -s; Rugby-Fußball *m.* -(e)s, ⸚e.
런치 Mittagessen *n.* -s, -; Lunch [lan(t)ʃ] *m.* -(e)s, -e.
럼 Rum *m.* -s, -s〔-e〕.
레더 Leder *n.* -s, - ⦅다룬 가죽⦆; Kunstleder ⦅인조 피혁⦆.
레몬 Limone〔Zitrone〕 *f.* -n.
레벨 Niveau *n.* -s, -s; (die gleiche) Höhe, -n; Stufe *f.* -n.
레스비언 Lesbierin *f.* -nen; Tribade *f.* -n.
레스토랑 Restaurant [rɛstorɑ̃ː] *n.* -s, -s; Gaststätte *f.* -n.
레슨 Unterricht *m.* -(e)s, -e; Stunde *f.*-n. ¶～을 하다 *jm.* Stunden geben*.
레슬러 Ringer〔Ringkämpfer〕 *m.* -s, -.
레슬링 Ringkampf *m.* -(e)s, -e.
레이더 Radar *m.*〔*n.*〕 -s. ‖～ 장치 Radargerät *m.* -(e)s, -e.
레이스 ⦅장식⦆ Spitzen (*pl.*); ⦅경주⦆ Wettlauf *m.* -(e)s, ⸚e.
레이싱카 Rennwagen *m.* -s, -.
레이아웃 Layout [léːaut] *n.* -s, -s; Lageplan *m.* -(e)s, ⸚e; Entwurf *m.* -(e)s, ⸚e.
레이저 Laser [léːzər] *m.* -s, ⸚. ‖～ 광선 Laserstrahl *m.* -(e)s, -en.
레인코트 Regenmantel *m.* -s, ⸚; Regenrock *m.*-(e)s, ⸚e; ⦅얇은⦆ Regen〔Frosch〕-haut *f.* ⸚e.

레일 Schiene *f.* –n; Geleise *n.* –s, –. ¶ ～을 깔다 Schienen legen.
레저 Muße *f.*; freie Zeit, –en.
레지스탕스 Widerstand *m.* –(e)s, ⸚e; Resistenz *f.* –en.
레지스터 Register *n.* –s, –; Registrierkasse *f.* –n 《금전 등록기》.
레커차(—車) Abschleppwagen *m.* –s, –.
레코드 《기록》 Rekord *m.* –(e)s, –e; Höchstleistung *f.* –en; 《음반》 (Schall-)platte *f.* –n. ‖ ～ 음악 Schallplattemusik *f.* –en / ～ 콘서트 Grammophonkonzert *n.* –(e)s, –e.
레크리에이션 Erholung *f.* –en.
레테르 Zettel *m.* –s, –; Etikette *f.* –n. ¶ ～를 붙이다 etikettieren⁴; e–n Zettel auf|kleben 《*auf*⁴》.
레퍼토리 Repertoir [repɛrtoá:r] *n.* –s, –s; Spielplan *m.* –(e)s, ⸚e.
렌즈 Linse *f.* –n. ‖ 볼록〔오목〕 ～ Konvex〔Konkav〕linse *f.* –n.
렌트카 Miet·auto *n.* –s, –s 〔–wagen *m.* –s, –〕. ¶ ～를 세내다 ³sich ein Auto 〔e–n Wagen〕 mieten.
로드게임 Straßenspiel *n.* –s, –e.
로드쇼 die improvisierte Vorführung, –en.
로드안테나 Stabantenne *f.* –n.
로마자(—字) das römische Schriftzeichen, –s, –. ¶ ～화하다 romanisieren⁴.
로맨스 Liebesangelegenheit *f.* –en; Liebesgeschichte *f.* –n.
로맨틱 romantisch. ¶ ～한 분위기 die romantische Stimmung, –en.
로봇 Roboter *m.* –s, –.
로비 Foyer *n.* –s, –s; Vorhalle *f.* –n.
로스트 Braten *m.* –s, –. ‖ ～ 비프 (Roast)braten [(ró:st)..] *m.* –s, –.
로커 (verschließbarer) Schrank, –(e)s, ⸚e; Spind *n.*〔*m.*〕 –(e)s, –e. ‖ ～룸 Zimmer mit ³Spinden 〔³Schließfächern〕.
로컬 örtlich; lokal; Orts–; Lokal–. ‖ ～ 방송 Orts〔Lokal〕sendung *f.* –en.
로케(이션) 〖映〗 Außenaufnahme *f.* –n. ‖ ～ 장면 Außenaufnahmeszene *f.* –n.
로켓 Rakete *f.* –n. ‖ ～ 발사 기지 Raketenbasis *f.* ..sen / ～병기 Raketenwaffen (*pl.*) / ～ 비행기 Raketenflugzeug *n.* –(e)s, –e / ～ 추진 Raketenantrieb *m.* –(e)s, –e / ～탄(彈) Raketenbombe *f.* –n / ～포 Raketenkanone *f.* –n.
로크아웃 Lockout [lokáut] *n.*〔*f.*〕 –, –s; Aussperrung *f.* –en.
로터리클럽 Rotaryklub [ró:tari..] *m.* –s.
로프 Seil 〔Tau〕 *n.* –(e)s. ‖ ～웨이 (Draht-)seilbahn *f.* –en.
록 클라이밍 Felsklettern 〔Kraxeln〕 *n.* –s.
론치 Motorjacht *f.* –en; Barkasse. *f.* –n.
롤러 Walze 〔(Lauf)rolle〕 *f.* –n. ‖ ～스케이트 Roll(schlitt)schuh *m.* –(e)s, –e.
롤빵 Brötchen *n.* –s, –.
롱런 e–e lange Spieldauer 〔Laufzeit〕.
뢴트겐 ‖ ～ 사진 Röntgenbild *n.* –(e)s, –er / ～선 Röntgenstrahlen (*pl.*) / ～ 촬영 Röntgenaufnahme *f.* –n.
루비 Rubin *m.* –s, –e.
루주 Lippenstift *m.* –(e)s, –e. ¶ ～를 바르다 ⁴Rouge auf|legen.
룸펜 Lump *m.* –(e)s 〔–en〕, –(e)n. ‖ ～ 생활 Lumperei *f.* –en.
류머티즘 Rheumatismus *m.* –, ..men; Rheuma *n.* –s.
룩색 Rucksack *m.* –(e)s, ⸚e.
리그 Liga *f.* ..gen. ‖ ～전 Ligaspiel *n.* –(e)s, –e.
리더 《지도자》 Führer *m.* –s, –. ‖ ～십 Führerschaft *f.* –en.
리듬 Rhythmus *m.* –, ..men.
리바이벌 Aufschwung 〔Wiederbelebung; Neueinstudierung〕 *f.* –en; Wiederaufnahme *f.* –n.
리보핵산(—核酸) Ribonukleinsäure *f.* –n 《略: RNS》.
리본 Band *n.* –(e)s, ⸚er; Schleife *f.* –n.
리뷰 Revue *f.* –n.
리사이틀 Vortrag *m.* –(e)s, ⸚e.
리셉션 Empfang *m.* –(e)s, ⸚e. ¶ ～을 열다 *jm.* e–n Empfang bereiten.
리스트 《표》 Liste *f.* –n. ‖ 블랙 ～ die schwarze Liste.
리어엔진 Heckmotor *m.* –s, –en.
리터 Liter *n.* 〔*m.*〕 –s.
리턴매치 Rückspiel *n.* –(e)s, –e.
리포트 Bericht *m.* –(e)s, –e 《*über*⁴》; Referat *n.* –(e)s, –e.
리플렉스카메라 Spiegelreflexkamera *f.* –s.
리허설 Hauptprobe *f.* –n.
린치 das Lynchen*, –s. ¶ ～를 가하다 lynchen 《*jn.*》.
릴레이 Staffellauf *m.* –(e)s, ⸚e.
링거주사(—注射) die Injektion von Ringer-Lösung.
링커 〖蹴〗 Läufer *m.* –s, –.

ㅁ

마 〖植〗 Jam(s)wurzel *f.* –n.
마(魔) Teufel *m.* –s, –; das böse Geist, –es, –er; Satan *m.* –s, –e.
마가린 Margarine *f.*
마각(馬脚) ¶ ～을 드러내다 sein wahres Gesicht zeigen; den Pferdefuß zeigen.
마감 Schluß *m.* ..lusses, ..lüsse. ～하다 Schluß machen; schließen*⁴. ‖ ～ 기일 Schlußtag *m.* –(e)s, –e; Schlußtermin *m.* –s, –e / ～ 시간 Schlußzeit *f.* –en; 《기사의》 Drucktermin *m.* –s, –e.
마개 Pfropfen 〔Stöpsel〕 *m.* –s, –; 《통의》 Spund *m.* –(e)s, ⸚e; Zapfen *m.* –s, –; 《코르크》 Kork *m.* –s, –e. ¶ ～를 막다 (zu|)pfropfen⁴; (zu|)stöpseln⁴; spunden⁴; verstopfen⁴; korken⁴ / ～를 뽑다 auf|stöpseln⁴; auf|spunden⁴; entkorken⁴.
마구 《함부로》 leichtsinnig; blind; unbedacht; unbesonnen; unterschiedslos. ¶ ～ 먹다 gierig zu|langen.
마구(馬具) (Pferde)geschirr 〔Sattelzeug〕 *n.* –(e)s, –e.
마구간(馬廐間) (Pferde)stall *m.* –(e)s, ⸚e.
마권(馬券) Totalisatorkarte *f.* –n.
마귀(魔鬼) Teufel *m.* –s, –; Satan *m.* –s, –e; Dämon *m.* –s, –en.
마네킹 Mannequin *m.* –s, –s; Modepuppe *f.* –n.
마노(瑪瑙) 〖鑛〗 Achat *m.* –(e)s, –e.
마늘 〖植〗 Knoblauch *m.* –(e)s.
마님 Matrone *f.* –n; 《호칭》 gnädige Frau!
마다 je; pro; per; jeder*; 《…할 때마다》 sooft.

마담 《부인》 Madame *f.* –n; Frau *f.* –en; 《요정 등의》 Wirtin *f.* –nen.
마당 ① ☞ 뜰. ② 《경우》 Fall *m.* –(e)s, ⸚e.
마대(麻袋) Hanfsack *m.* –(e)s, ⸚e.
마도로스 Matrose *m.* –n, –n; Teerjacke *f.* –n; Seemann *m.* –(e)s, ..leute.
마돈나 Madonna *f.* 〖聖母의 뜻으로는 *pl.* 없음; 聖母像의 뜻으로는 ..nnen〗.
마디 《뼈의》 Gelenk *n.* –s, –e; 《식물의》 Knoten *m.* –s, –; 《나무 마디》 Ast *m.* –es, ⸚e; 《말 따위의》 Wort *n.* –(e)s, –e 〔⸚er〕; Paragraph *m.* –en, –en; 《노래의》 Lied *n.* –(e)s, –er; Weise *f.* –n.
마디다 haltbar 〔dauerhaft〕 (sein).
마땅하다 ① 《적합》 geziemend 〔passend; angemessen〕 (sein). ② 《당연》 natürlich 〔naturgemäß; richtig〕 (sein). ¶ 벌받아 ~ Strafe verdienen.
마라톤 Marathonlauf *m.* –(e)s, ⸚e.
마력(馬力) Pferdestärke *f.* –n 《略: PS》.
마련(磨鍊) ~하다 ein|richten[4]; bereiten[4] 《*für*[4]》; herbei|schaffen[4]; auf|bringen*[4]. ¶ 돈을 ~하다 Geld auf|bringen* 〔–|treiben*〕.
마로니에 〖植〗 die (gemeine) Roßkastanie, –n.
마루 Fußboden *m.* –s, – 〔⸚〕; 《툇마루》 Veranda *f.* ..den 〔–s〕.
마르다 ① 《물 따위》 trocken werden; trocknen; aus|trocknen; (ver)dorren. ¶ 마른 trocken; dürr; vertrocknet. ② 《야위다》 mager 〔hager; dürr〕 werden; ab|magern; [4]sich ab|zehren; vom Fleische kommen* 〔fallen*〕.
마르크 Mark *f.* –stücke.
마름모 Raute *f.* –n; Rhombus *m.* –, ..ben; Karo *n.* –s, –s. ~의 rauten- 〔karo〕förmig.
마리아 《성모》 die Heilige Jungfrau Maria.
마리화나 Marihuana *n.* –s. ¶ ~를 피우다 Marihuana rauchen.
마마(媽媽) 《천연두》 Pocken (*pl.*); Blattern(*pl.*). ‖ ~자국 Blatternarbe *f.* –n.
마멸(磨滅) Verwischung〔Abnutzung〕 *f.* –en. ~하다 verwischt 〔abgenutzt〕 werden.
마무르다 《끝손질》 die letzte Feile 〔Hand〕 legen 《*an*[4]》; 《마침》 fertig|bringen*[4]; fertig werden 〔sein〕 《*mit*[3]》; zu [3]Ende bringen*[4].
마무리 Fertigstellung 〔Vollendung〕 *f.* –en; letzte Feile, –n. ~하다 fertig|machen; vollenden[4]; die letzte Feile an|legen 《*an*[4]》.
마법(魔法) = 마술(魔術).
마부(馬夫) Kutscher *m.* –s, –; Fuhrmann *m.* –s, ⸚er; Stall〔Reit〕knecht *m.* –(e)s, –e.
마비(痲痺) Lähmung 〔Betäubung〕 *f.* –en; Anästhesis *f.* ¶ ~되다 lahmen; ein|schlafen; unempfindlich werden / ~시키다 lähmen[4]; betäuben[4].
마사지 Massage *f.* –n. ~하다 massieren[4]; streichen*[4].
마사회(馬事會) ‖ 한국 ~ die Koreanische Pferdesport-Vereinigung.
마소 Pferde u. Vieh.
마수(魔手) ¶ ~를 뻗치다 verführen 《*jn.*》 / ~에 걸리다 verführt werden.
마수걸이 der erste Verkauf, –(e)s, ⸚e; die erste (Aus)lieferung, –en; der (aller)erste Fall, –(e)s, ⸚e. ~하다 dem ersten Käufer e–s Tages verkaufen[4].
마술(馬術) Reitkunst *f.* ⸚e. ‖ ~ 경기 Reitturnier *n.* –s, –e.
마술(魔術) Gaukelei *f.* –en. ‖ ~사 Zauberer 〔Gaukler〕 *m.* –s, –.
마스크 (Gesichts)maske *f.* –n; 《방독의》 Respirator *m.* –s, –en. ¶ ~를 쓰다〔벗다〕 e–e Maske vor|stecken 〔ab|legen〕.
마시다 ① 《액체를》 trinken*[4]; nehmen*[4]; ein|nehmen*[4] 《약을》; genießen*[4]; verschlucken[4] 《삼키다》. ② 《기체를》 ein|atem; ein|ziehen*[4].
마약(痲藥) Rauschgift *n.* –s, –e; Narkotikum *n.* –s, ..ka. ‖ ~ 밀매 Rauschgiftvermittlung *f.* –en / ~ 상습자 der Rauschgiftsüchtige*, –n, –n / ~중독 Narkotismus *m.* –.
마왕(魔王) Erlkönig *m.* –(e)s, –e; 《악마》 Satan *m.* –s, –e.
마을 Dorf *n.* –(e)s, ⸚er; Ortschaft *f.* –en; Weiler *m.* –s, –. ‖ ~사람 Dorfbewohner 〔Dörfler〕 *m.* –s, – / 새~ 운동 Neudorf-Bewegung *f.*
마을가다 den Nachbar besuchen, um die Zeit zu vertreiben 《im Dorf》.
마음 ① 《심정》 Herz *n.* –ens, –en; Gemüt *n.* –(e)s, –er; 《정신》 Geist *m.* –(e)s, –er; 《감정》 Gefühl *n.* –(e)s, –e; 《영혼》 Seele, –n. ¶ ~의 벗 Herzensfreund *m.* –(e)s, –e / ~이 넓은〔좁은〕 weit〔eng〕herzig / ~ 든든한 ermutigend / ~을 다하여 herzlich; vom ganzen Herzen / ~에 그리다 [3]sich [4]*et.* vor|stellen / ~이 동하다 ergriffen 〔gerührt〕 werden / 아무의 ~을 끌다 *jn.* an|ziehen* 〔an|sprechen*〕 / ~을 가라앉히다 [4]sich fassen; [4]sich zusammen|nehmen*. ② 《인정》 Sympathei *f.* –n; Mitleid *n.* –(e)s. ¶ ~이 좋다 gut·mütig 〔–herzig〕 sein; ein gutes Herz haben. ③ 《의향》 Wille *m.* –ns, –n; Vorhaben *n.* –s, –; Gesinnung *f.* –en; Lust *f.* ⸚e. ¶ ~ 내키는대로 nach Herzenslust; soviel man mag / ~이 내키지 않다 k–e Lust zu [3]*et.* haben. ④ 《취미·기호》 Geschmack *m.* –(e)s, ⸚e; Neigung *f.* –en. ¶ ~에 들다 gefallen* 《*jm.*》; befriedigen 《*jn.*》 / ~에 들지 않다 *jm.* nicht gefallen*; gegen *js.* Geschmack sein.
마음가짐 《마음의 태도》 Gesinnung 〔Einstellung〕 *f.* –en; 《각오》 Bereit·schaft *f.* –en 〔–willigkeit *f.*〕
마음결 Gemütsart *f.* –en; Temperament *n.* –s, –e.
마음껏 《실컷》 nach *js.* Herzenslust. ¶ ~ 먹다 [4]sich satt essen*.
마음놓다 《안심》 [4]sich beruhigen; erleichtert sein; 《방심》 [4]sich entspannen; nach|lassen*.
마음대로 nach Belieben 〔Wunsch; Willkür; eigenem Gutdünken〕.
마음먹다 《의도》 beabsichtigen; im Sinne haben; 《결심》 [4]sich entschließen*.
마음보 Wille *m.* –s, –; Natur *f.* –en; Gemüt *n.* –(e)s, –er.

마음속 Herzensgrund *m.* –(e)s; Busen *m.* –s, –. ¶ ～ 깊이 tief im Herzen; innerlich.

마음씨 Gemütsart *f.* –en; Charakteranlage *f.* –n. ¶ ～를 바로 써라 Sei 〔Handle〕 ohne Falschheit !

마음졸이다 [4]sich beunruhigen; [4]sich ängstigen.

마음죄이다 ungeduldig werden; die Geduld verlieren*.

마이너스 Minus *n.* –, –.

마이동풍(馬耳東風) ～이다 in den Wind geschlagen werden.

마이신 〔藥〕 Streptomyzin *n.* –s.

마이카 Privat·wagen *m.* –s, –〔–auto *n.* –s, –s〕.

마이크 Mikrophon *n.* –s, –e.

마이크로– ‖ ～버스 Kleinbus *m.* –ses, –se / ～웨이브 Mikrowellen (*pl.*) / ～필름 Mikrofilm *m.* –(e)s, –e.

마일 《거리 단위》 Meile *f.* –n.

마작(麻雀), 마장 Ma(h)-Jongg *n.* –s. ～하다 Ma(h)-Jongg spielen.

마장스럽다 vom Pech verfolgt (sein).

마저 ① 《남음이 없이》 restlos; ganz u. gar. ¶ 이것까지 ～ 먹어라 Iß das auch auf! ② 《까지도》 sogar; selbst; noch. ¶ 아내～ 그것을 몰랐다 Sogar m–e Frau wußte es nicht.

마적(馬賊) berittener Bandit, –en, –en.

마전 das Bleichen*, –s. ～하다 bleichen.

마조(–調) 〔樂〕 ‖ 마단조 e-Moll 《기호: e》 / 마장조 E-Dur 《기호 : E》.

마주 ¶ ～ 놓다 gegenüber〔entgegen〕|-stellen[4] / ～보다 [4]sich 〔einander〕 an|-sehen* / ～서다 [3]*et.* gegenüber|stehen* 〔–|liegen*〕 / ～앉다 *jm.* gegenüber sitzen* / ～치다 《충돌》 zusammen|stoßen* 《*mit*[3]》; 《조우》 auf [4]*et.* stoßen*.

마중물 das Eingießen* von Wasser.

마중하다 entgegen|kommen*[4] 〔–|gehen*[4]〕; empfangen*[4].

마지막 Ende *n.* –s, –n; Schluß *m.* ..lusses, ..lüsse. ～의 endlich; schließlich; letzt. ¶ ～까지 bis zum Ende / ～ 한 사람까지 bis auf den letzten Mann / ～에 endlich; am Ende; zuletzt; schließlich; zum Schluß.

마지못해 aus Zwang; wider Willen.

마진 《이윤폭》 Gewinn〔Verdienst〕spanne *f.* –n; Marge *f.* –n; 《증거금》 (Bar-) einschußzahlung *f.*; Deckung *f.*

마차(馬車) Lastwagen *m.* –s, –; Kutsche 〔Droschke〕 *f.* –n.

마찬가지 ¶ ～다 gleich 〔ähnlich〕 sein; unverändert bleiben*〔sein〕 / ～로 ebenfalls; gleichfalls.

마찰(摩擦) (Ab)reibung 〔Friktion〕 *f.* –en. ～하다 (ab|)reiben*[4] 《*mit*[3]》. ‖ ～계수 Reibungskoeffizient *m.* –en, –en / ～력 Reibungskraft *f.* ⸚e / ～ 브레이크 Reibungsbremse *f.* –n / ～음 Reibelaut *m.* –es, –e / ～ 전기 Reibungselektrizität *f.* –en.

마천루(摩天樓) Himmelskratzer *m.* –s, –.

마추다 ☞ 맞추다 ⑤.

마취(痲醉) Betäubung *f.* –en; Narkose *f.* –n. ～하다 betäuben[4]; narkotisieren[4]. ‖ ～제 Betäubungsmittel *n.* –s, – / 전신〔국부〕 ～ die allgemeine 〔örtliche〕 Betäubung.

마치 《흡사》 gerade; gleichsam. ¶ ～ …처럼 als ob 〔wenn〕...; wie wenn...; gleich wie....

마치다 beend(ig)en[4]; enden 《*mit*[3]》; ab|schließen*[4].

마침 eben; gerade; zufällig. ¶ ～ 그때에 gerade da / ～ 가진 돈이 없다 Leider habe ich gerade bei mir kein Geld.

마침내 endlich; schließlich.

마카로니 Makkaroni (*pl.*).

마크 Marke *f.* –n; Zeichen *n.* –s, –.

마태복음(–福音) (das Evangelium nach) Matthäus.

마티네 Matinee *f.* –n.

마파람 Südwind *m.* –(e)s, –e. ¶ ～에 게눈 감추듯 (먹다) sehr hastig (alles auf|essen*).

마포(麻布) Hanfleinen *n.* –s, –.

마필(馬匹) Pferde (*pl.*).

마하 〔物〕 Mach *n.* –, –; Machzahl *f.* –en.

마호가니 Mahogani *n.* –s.

마흔 vierzig. ☞ 사십.

막 《방금》 eben; gerade; soeben. ¶ 지금 막 도착했다 Ich bin soeben angekommen.

막(幕) Vorhang 〔Aufzug〕 *m.* –(e)s, ⸚e; Akt *m.* –(e)s, –e. ¶ 제 1 막 der erste Akt.

막(膜) Membran(e) *f.* ..nen; Haut *f.* ..äute.

막간(幕間) Pause *f.* –n; Zwischenakt *m.* –(e)s, –e. ‖ ～극 Zwischenspiel *n.* –s, –e.

막걸리 der ungeläulerte Reiswein, –s.

막내 das jüngste〔kleinste〕 Kind, –(e)s, –er. ‖ ～둥이 Nesthäkchen *n.* –s, –.

막노동(–勞動) ＝막일.

막다 ① 《방어》 schützen[4] 《*vor*[3]; *gegen*[4]》; verteidigen[4] 《*gegen*[4]》; ab|wehren[4]. ¶ 적을 ～ den Feind ab|wehren / 바람을 ～ gegen den Wind schützen[4]. ② 《예방》 vor|beugen[3]. ¶ 감염을 ～ der [3]Infektion vor|beugen. ③ 《저지》 hindern[4]; hemmen[4]; auf|halten*[4]; 《차단》 (ab|-)sperren[4]. ¶ 길을 ～ *jn.* auf|halten*. ④ 《밀폐》 zu|machen[4]; (ver)schließen*[4]; 《채워》 (ver)stopfen[4]; zu|stopfen[4]. ¶ 병마개를 ～ die Flasche verschließen* / 쥐구멍을 ～ das Mauseloch zu|stopfen. ⑤ 《칸을》 durch e–e Wand ab|teilen[4].

막다른 ‖ ～ 골(목) Sackgasse *f.* –n / ～ 집 das Haus am Ende der Sackgasse.

막대(莫大) ～하다 ungeheuer 〔unermeßlich〕 (sein). ¶ ～한 손실 immenser Verlust, –(e)s, –e / ～한 금액 Riesensumme *f.* –n.

막대기 Stock 〔Stab〕 *m.* –(e)s, ⸚e; Stange *f.* –n.

막되다 ungezogen〔unartig〕(sein). ¶ 막된 놈 ein ungezogener Kerl, –s, –e.

막둥이 《막내》 der jüngste Sohn, –(e)s, ⸚e; 《심부름하는》 Page *m.* –n, –n.

막론(莫論) ¶ …을 ～하고 ohne [4]Rücksicht 《*auf*[4]》; rücksichtslos 《*gegen*[4]》.

막료(幕僚) 《총칭》 Stab *m.* –(e)s, ⸚e; 《개인》 Stabsoffizier *m.* –s, –e.

막막(寞寞) ～하다 《쓸쓸함》 einsam (sein); 《의지할 곳 없음》 verlassen 〔allein u. hilflos〕 (sein).

막막(漠漠) ～하다 endlos weit [grenzenlos] (sein). ¶ ～한 사막 die endlos weite Wüste, -n.

막말 derber [grober] Ausdruck, -(e)s, ¨e.

막무가내(莫無可奈) ¶ ～로 eigensinnig; hartnäckig.

막바지 Ausgang *m.* -(e)s, ¨e; Endphase *f.* -n.

막벌이 Tagelohn *m.* -s. ～하다 *im Tagelohn stehen**. ‖ ～꾼 Tag(e)löhner *m.* -s, -.

막사(幕舍) 〖軍〗 Baracke *f.* -n; Kaserne *f.* -n.

막살다 ein wildes Leben führen.

막상 schließlich; endlich; wirklich.

막상막하(莫上莫下) ¶ ～의 시소 게임 ein harter [heftiger] wechselvoller (Wett-)kampf, -es, ¨e.

막심(莫甚) ～하다 äußerst [bemerkenswert] (sein). ¶ 후회가 ～하다 Ich bereue es äußerst.

막역(莫逆) ～하다 vertraut sein miteinander ^{3}*et.* ¶ ～한 사이 ein vertrautes [enges] Verhältnis.

막연(漠然) ～하다 unbestimmt [undeutlich; unklar] (sein).

막일 die körperliche Arbeit, -en. ～하다 körperlich arbeiten. ‖ ～꾼 Gelegenheitsarbeiter *m.* -s, -.

막자 Stößel *m.* -s, -. ‖ ～ 사발 Mörser *m.* -s, -.

막장 〖坑〗 ① 《막다른 곳》 blinder Stollen (in e-m Bergwerk). ② 《작업》 Bergwerksarbeit *f.* -en.

막차(一車) der letzte Zug, -(e)s, ¨e [Bus, -ses, -se]; Lumpensammler *m.* -s, -.

막치 billiger Artikel; schlechte Ware.

막판 die letzte Runde; die finale Szene.

막후(幕後) hinter dem Vorhang; in dem Hintergrund. ‖ ～ 교섭 geheime Verhandlung, -n.

막히다 ① 《구멍 따위》 verstopft werden; geschlossen werden. ② 《길·말·생각이》 gesperrt werden; stocken. ③ 《칸이》 abgeteilt sein; durch die Wand getrennt sein.

만¹ ① 《단지》 allein; ausschließlich; nur. ¶ 밥만 먹다 Reis allein essen* / 그것만은 못하겠다 Ich will alles tun, aber nur das nicht. ② 《만큼》 etwa; so viel. ¶ 석 자만 주시오 Geben mir etwa 3 Fuß davon!

만² 《경과》 nach^3. ¶ 2년 만에 돌아오다 nach 2 Jahren heim|kehren.

만(滿) voll. ¶ 만 십년간 volle zehn Jahre lang / 만 열 살이다 volle zehn Jahre alt sein.

만(灣) Bucht [Bai] *f.* -en; Golf *m.* -(e)s, ¨e.

만(萬) zehntausend. ¶ 십만 hunderttausend / 백만 e-e Million / 천만 zehn Millionen.

만가(輓歌) Grablied *n.* -(e)s, -er; Totengesang *m.* -(e)s, ¨e.

만감(萬感) allerlei Gedanken (*pl.*). ¶ ～이 교차했다 Unzählige Gedanken lösen sich ab.

만강(滿腔) ～의 herzlich; innig.

만경(萬頃) ‖ ～ 창파 die unendliche Weite des Wassers.

만고(萬古) ¶ ～의 영웅 ein unsterblicher Held, -en, -en. ‖ ～ 불멸 unsterblich / ～ 불변 ewig; unwandelbar / ～ 절색 unvergleichliche Schönheit, -en.

만곡(彎曲) Biegung *f.* -en; Bogen *m.* -s, -[¨]. ～하다 ^{4}sich biegen*; ^{4}sich krümmen.

만국(萬國) alle Länder (*pl.*); 《세계》 Welt *f.* ‖ ～기 Flaggen (*pl.*) aller Länder.

만기(滿期) Ablauf *m.* -(e)s, ¨e; Verfall *m.* -(e)s; Fälligkeit *f.* -en. ¶ ～가 되다 ab|laufen*; verfallen*; fällig werden; 《근무가》 aus|dienen$^{(4)}$. ‖ ～일 Fälligkeitstag *m.* -(e)s, -e.

만끽(滿喫) ～하다 aus|kosten^4; durch|kosten^4; ^{4}sich gütlich tun* 《*an*^{3}》; völlig genießen*^{4}.

만나다 begegnen^3; treffen*^{4}; stoßen* 《*auf*^{4}》; sehen*^{4}.

만난(萬難) ¶ ～을 무릅쓰고 auf jede Gefahr (hin).

만날 immer; ständig; jederzeit.

만년(晩年) Lebensabend *m.* -s. ¶ ～에 spät im Leben.

만년(萬年) zehntausend Jahre (*pl.*). ‖ ～설 Firn *m.* -(e)s, -e / ～필 Füllfeder *f.* -n; Füller *m.* -s, -.

만능(萬能) ～의 allmächtig; allgewaltig. ¶ 그는 ～이다 Er ist in allen Sätteln gerecht.

만담(漫談) Scherzrede *f.* -n.

만대(萬代) alle Generationen; e-e Ewigkeit.

만돌린 Mandoline *f.* -n.

만들다 ① 《제조》 machen^4; her|stellen^4; produzieren^4; 《요리》 kochen^4; zu|bereiten^4. ② 《되게 하다》 zu ^{3}*et.* [*jm.*] machen^4; zwingen*^{4}. ¶ 아무를 도둑으로 ～ *jn.* zum Dieb machen. ③ 《작성》 an|fertigen^4; entwerfen*^{4}; bilden^4. ¶ 서류를 ～ ein Schriftstück an|fertigen. ④ 《건설》 bauen^4; errichten^4; an|legen^4. ¶ 공원을 ～ e-n Park an|legen. ⑤ 《창설》 auf|bauen^4; gründen^4. ¶ 회사를 ～ e-e Firma auf|bauen. ⑥ 《도야》 aus|bilden^4; erziehen*^{4}. ¶ 선량한 시민으로 ～ *jn.* zum guten Bürger erziehen*. ⑦ 《꾸밈》 erfinden*^{4}; erdichten^4. ¶ 만들어서 하는 말 reine Erfindungen (*pl.*).

만료(滿了) Ablauf *m.* -(e)s, ¨e; Exspiration *f.* -en. ～하다 ab|laufen*; exspirieren.

만류(挽留) Zurückhalten *n.* -s. ～하다 zurück|halten*; ab|halten*.

만리(萬里) ‖ ～ 장성 Chinesische Mauer.

만만찮다 stark [hart; fest] (sein). ¶ 만만찮은 적 [상대] ein starker [hartnäckiger] Feind [Gegner].

만만하다 《다루기가》 leicht [einfach] zu behandeln sein; 《대수롭지 않다》 unbedeutend [geringfügig] (sein).

만면(滿面) ¶ ～에 미소를 띄우고 über das ganze Gesicht lachend / 희색이 ～하다 vor Freude übers ganze Gesicht strahlen.

만무하다(萬無—) nicht sein können*. ¶ 그럴 리가 ～ Das kann nicht so sein.

만물(萬物) alle Dinge [Wesen] (*pl.*); Schöpfung *f.* ¶ ～의 영장 die Krone der Schöpfung. ‖ ～ 박사 jemand, der alles weiß.

만민(萬民) alle Menschen (*pl.*); ganze Nation. ‖ ～법 *jus gentium* 《라틴》.

만반(萬般) ¶ ～의 준비를 갖추다 alle Vorbereitungen treffen*.

만발(滿發) die volle Blüte, -n. ～하다 in voller Blüte stehen*; (ganz) aufgeblüht sein.

만방(萬邦) alle Nationen (*pl.*) der Welt.

만병(萬病) allerlei Krankheiten (*pl.*); alle Arten Krankheiten. ‖ ～ 통치약 Allheilmittel *n.* -s, -.

만보(漫步) Schlendergang *m.* -(e)s, ⸗e. ～하다 schlendern.

만복(萬福) großes Glück, -(e)s.

만부당(萬不當) ☞ 천만부당.

만분지일(萬分之一) einer von zehntausend; ein Zehntausendstel.

만사(萬事) alle Dinge (*pl.*); jede Sache, -n. ¶ ～가 뜻대로 안 된다 Alles geht mir schief. ‖ ～ 태평 (잘 됨) das allgemeine Wohlergehen*, -s; (걱정없음) Sorglosigkeit *f.* / ～ 형통 allgemeine Wohlfahrt (～ 형통하다 alles geht gut).

만삭(滿朔) die letzten Monate der Schwangerschaft. ～하다 die Zeit der Entbindung ist nahe.

만석꾼(萬石—) jemand [e-r], der 10000 Scheffel Getreide hat; Millionär *m.* -s, -e.

만성(晩成) ～의 spät reif. ‖ 대기～ Gut Ding will Weile haben.

만성(慢性) ～의 chronisch. ‖ ～ 인플레 chronische Inflation, -en / ～ 전염병 chronische Infektionskrankheit, -en.

만세(萬世) alle Generationen (*pl.*). ¶ ～ 불변의 ewig; unvergänglich.

만세(萬歲) Hochruf *m.* -(e)s, -e; Hurra *n.* -s, -s; (외침) hoch!; hurra!. ¶ ～를 부르다 hurra rufen* / A 군 ～! Herr A lebe hoch!

만수(滿水) ¶ ～가 되다 bis zum Rande mit Wasser füllen.

만수(萬壽) ein langes Leben. ‖ ～ 무강 ein gesundes u. langes Leben (～ 무강하다 lang leben).

만시지탄(晩時之歎) die verspätete Reue, -n.

만신(滿身) ¶ ～ 창이다 (온몸에) übers ganze Körper mit Wunden bedeckt sein.

만심(慢心) Hochmut *m.* -(e)s; (Eigen-)dünkel *m.* -s.

만약(萬若) ＝만일.

만연(蔓延) ～하다 um ^{4}sich greifen*; ^{4}sich verbreiten.

만연(漫然) ～하다 (목적 없이) ziellos [planlos; zwecklos] (sein).

만용(蠻勇) Tollkühnheit *f.* -en; blinder Mut, -(e)s. ¶ ～을 부리다 tollkühn sein.

만원(滿員) (정석의) Vollbesetzung *f.* -en; (정수 이상) Überfüllung *f.* -en. ¶ ～이다 voll besetzt [gedrängt voll] sein. ‖ ～ 버스 der überfüllte Autobus, -ses, -se.

만월(滿月) Vollmond *m.* -(e)s.

만유(萬有) (ganze) Natur [Schöpfung] -en; Universum *n.* -s. ‖ ～ 인력 allgemeine [universale] Gravitation.

만유(漫遊) Vergnügungsreise *f.* -n. ～하다 e-e Vergnügungsreise machen. ‖ ～객 der Vergnügungsreisende*, -n, -n; Tourist *m.* -en, -en.

만인(萬人) alle Menschen [Leute] (*pl.*).

만인(蠻人) Barbar *m.* -en, -en; der Wilde*, -n, -n.

만일(萬一) ① (만약) wenn; falls; im Falle, daß.... ¶ ～ 비가 온다면 wenn [falls] es regnet. ② (뜻밖의 일) Eventualität *f.* -en; Notfall *m.* -(e)s, ⸗e. ¶ ～의 경우에는 im Notfall.

만자(卍字) Swastika *f.* ..ken. ‖ ～창 das Fenster mit Swastikamuster.

만장(萬丈) ¶ ～의 기염을 토하다 das große Wort führen.

만장(輓章) Trauerlied *n.* -s, -er; Elegie *f.* -n (비가).

만장(滿場) das ganze Haus, -es; die ganze Halle. ¶ ～ 일치로 einstimmig; mit allgemeiner Zustimmung (～ 일치로 가결하다 einstimmig beschließen*^{4}).

만재(滿載) ～하다 voll geladen [beladen] sein (*mit*^{3}).

만적거리다 fingern; herum|spielen.

만전(萬全) ¶ ～을 기하다 alle mögliche Vorkehrungen treffen*.

만점(滿點) die beste Zensur, -en; (그만임) Vollkommenheit *f.* -en. ¶ 서비스 ～이다 Die Bedienung ist vollkommen.

만조(滿潮) Flut *f.* -en. ¶ ～가 되다 es flutet.

만족(滿足) Befriedigung *f.* -en; Zufriedenheit *f.*; Genügsamkeit *f.*; Satisfaktion *f.* -en. ～하다 zufrieden sein (*mit*^{3}); ^{4}sich genug|tun* (*in*^{3}); ^{4}sich begnügen (*mit*^{3}). ¶ ～시키다 befriedigen^{4}; zufrieden|stellen^{4}; genug|tun*^{4}.

만족(蠻族) das wilde Volk, -s, ⸗er.

만종(晩鐘) Abendglocke *f.* -n.

만좌(滿座) ¶ ～ 중에(서) vor allen Anwesenden.

만주(滿洲) Mandschurei *f.* ～의 mandschurisch. ‖ ～인(人) Mandschu *m.* -(s), -(s).

만지다 tasten^{4}; berühren^{4}; rühren^{4} (*an*^{4}); fingern^{4}; betasten^{4}; fühlen$^{(4)}$ (*auf*^{4}).

만지작거리다 fingern^{4}; betasten^{4}; spielen (*mit*^{3}).

만질만질하다 ^{4}sich weich an|fühlen.

만찬(晩餐) Abendmahlzeit *f.* -en; Abendessen *n.* -s. ‖ ～회 Dinner *n.* -s, -s.

만천하(滿天下) die ganze Welt, -en. ¶ ～에 알려져 있다 weltberühmt sein.

만초(蔓草) Kletterpflanze *f.* -n.

만취(滿醉·漫醉) ～하다 ^{4}sich sinnlos betrinken*.

만큼 ① (비교) so... wie.... ¶ 이것도 그것～ 좋다 Dies ist genau so gut wie das. ② (정도) soviel, um... zu.... ¶ 집을 지을 ～ 돈이 없다 Ich habe nicht genug Geld, um ein Haus bauen zu können. ③ (…이므로) da; weil; zumal. ¶ 막내딸인 ～ 그녀는 사랑을 많이 받았다 Sie werde sehr geliebt, da sie die jüngste war.

만판 völlig; lediglich; nur.

만평(漫評) Glosse *f.* -n; der kritische Streifzug, -(e)s, ⸗e.

만필(漫筆) Gedankensplitter (*pl.*); Allerlei *n.* -s, -s.

만하다 ① (족하다) genug sein, um ^{4}*et.* zu tun. ¶ 먹을 ～ genießbar sein. ② (가치가 있다) wert$^{2 \cdot 4}$ sein; verdienen.

¶그는 믿을 만한 사람이다 Er verdient unser Vertrauen.

만학(晩學) das Lernen* 〔das Studium〕 im späteren Alten. ∼하다 lernen$^{(4)}$ 〔studieren$^{(4)}$〕 im späteren Alter.

만행(蠻行) Barbarei 〔Brutalität; Grausamkeit〕 *f.* –en.

만혼(晩婚) e–e späte Heirat 〔Verheiratung〕 –en. ∼하다 spät heiraten$^{(4)}$.

만화(漫畫) Karikatur *f.* –en; Zerrbild *n.* –(e)s, –er; 《연속물의》 Karikaturenreihe *f.* –n. ‖ ∼가 Karikaturist *m.* –en, –en / ∼ 영화 Zeichentrickfilm *m.* –(e)s, –e / ∼ 잡지 Karikaturenzeitschrift *f.* –en.

만화경(萬華鏡) Kaleidoskop *n.* –s, –e.

만회(挽回) Wiederherstellung *f.* –en. ∼하다 wieder|her|stellen^{4}; wieder|erlangen^{4}; nach|holen^{4}.

많다 viel 〔zahlreich; manch; reich(lich); stark; groß; häufig〕 (sein).

맏 《첫째》 erstgeboren; erst. ¶맏으로 태어나다 als erster geboren sein.

맏물 《푸성귀 따위》 Erstling *m.* –s, –e; 《곡식·과일》 die erste Ernte, –n; die ersten Früchte des Jahres.

맏사위 der erste Schwiegersohn, –s, ¨e.

맏상제(—喪制) der älteste Sohn der Gestorbenen (*pl.*). –s, ¨e.

맏아들 der erstgeborene 〔älteste〕 Sohn,

맏이 das älteste Kind, –s, –er.

맏형(—兄) der älteste Bruder, –s.

말^{1} Sprache *f.* –n; Worte (*pl.*); Rede *f.* –n; 《낱말》 Wort *n.* –(e)s, –e; 《표현》 Ausdruck *m.* –(e)s, ¨e; (Rede)wendung *f.* –en; 《방언》 Mundart *f.* –en. ¶말 많은 wortreich; gesprächig; redselig / 말없는 《과묵》 schweigsam; wortkarg; mundfaul / 말을 걸다 an|reden^{4}; an|sprechen*^{4} / 말끝을 흐리다 ^{4}sich undeutlich aus|drücken / 말이 막히다 sprachlos sein / 말 잘하는〔못하는〕 사람 der gute〔schlechte〕 Redner, –s, –.

말^{2} 〔動〕 Pferd *n.* –(e)s, –e; Roß *n.* ..sses, ..sse; 《수말》 Hengst *m.* –(e)s, –e; 《암말》 Stute *f.* –n; 《망아지》 Fohlen 〔Füllen〕 *n.* –s, –.

말^{3} 《장기의》 (Schach)figur *f.* –en. ¶말을 쓰다 e–e Figur ziehen*.

말갈기 (Pferde)mähne *f.* –n.

말갛다 klar 〔rein; durchsichtig〕 (sein). ¶말간 국물 die klare Suppe, –n.

말고삐 Zügel *m.* –s; Zaum *m.* –(e)s, ¨e 《재갈》.

말공대(—恭待) Höflichkeitsausdruck *m.* –es, ¨e. ∼하다 mit *jm.* höflich reden.

말괄량이 (wilde) Hummel, –n; Backfisch *m.* –es, –e; Flapper *m.* –s, –.

말구유 (Pferde)krippe *f.* –n.

말구종(—驅從) Reit〔Pferde〕knecht *m.* –(e)s, –e.

말굳다 《어눌하다》 stotterig 〔stockend〕 (sein).

말굴레 Zaum *m.* –es, ¨e.

말굽 (Pferde)huf *m.* –(e)s, –e. ‖ ∼ 자석 Hufeisenmagnet *m.* –(e)s, –e.

말귀 《알아듣는 총명》 Hören *n.* –s; Hörvermögen *n.* –s, –. ¶∼가 밝다 ein scharfes 〔feines〕 Ohr haben / ∼ 어둡다 schwerhörig 〔unverständig〕 sein.

말기(末期) das letzte Stadium, –s, ..dien; Ende *n.* –s, –n. ¶고려 ∼에 gegen Ende der *Goryeo*-Dynastie.

말꼬투리 Sprach·fehler 〔–schnitzer〕 *m.* –s, –. ¶∼를 잡다 *jn.* bei e–m Sprachschnitzer ertappen.

말끄러미 ☞ 물끄러미.

말끔 sauber; reinlich; vollkommen. ¶빚을 ∼ 청산하다 ^{4}sich vollkommen schuldfrei machen.

말끔하다 rein〔klar; sauber〕 (sein). ¶말끔한 얼굴 ein klares Gesicht, –(e)s, –er / 방을 말끔히 치우다 das Zimmer auf|räumen 〔reinigen〕.

말끝 ¶∼을 흐리다 ^{4}sich zweideutig〔undeutlich〕 aus|drücken / ∼을 잡고 늘어지다 *jn.* bei e–m Sprachschnitzer ertappen.

말나다 ① 《말이 시작되다》 die Rede auf ^{4}*et.* 〔*jn.*〕 kommen* 〔fallen*〕. ② 《비밀이》 durch|sickern.

말내다 ① 《의견을》 das Gespräch auf ^{4}*et.* 〔*jn.*〕 bringen*. ② 《비밀을》 aus|plaudern; verraten*.

말년(末年) ① 《생애의》 die letzten Lebensjahre (*pl.*); der Abend des Lebens. ② ＝말기.

말눈치 der Sinn des Wortes; die Andeutung e–s Wortes.

말다^{1} 《둘둘》 rollen; herum|drehen; ein|wickeln.

말다^{2} 《국·물에》 in die Suppe hinein|tun*; ein|weichen.

말다^{3} 《중지》 auf|hören 《*mit*^{3}》; ein|stellen^{4}; beenden^{4}; auf|geben*^{4}.

말다^{4} 〔助動詞〕 ① 《금지》 nicht tun*^{4}; ab|lassen* 《*von*^{3}》. ¶가지 마라 Geh nicht! ② 《필경》 schließlich tun*^{4}. ¶그는 죽고 말았다 Schließlich ist er gestorben.

말다툼 Wort·streit *m.* –(e)s, –e 〔–wechsel *m.* –s, –〕; Zank *m.* –(e)s. ∼하다 (^{4}sich) zanken 〔streiten〕.

말단(末端) Ende *n.* –s, –n; Spitze *f.* –n. ‖ ∼ 기관 Unteramt *n.* –(e)s, ¨er.

말대꾸 Entgegnung *f.* –en. ∼하다 entgegnen^{3}.

말대답(—對答) die scharfe Entgegnung, –en; Widerspruch *m.* –(e)s, ¨e. ∼하다 *jm.* Widerrede leisten; wider|sprechen*.

말더듬다 stottern; stammeln.

말더듬이 Stotterer 〔Stammler〕 *m.* –s, –.

말동무 ＝말벗.

말똥거리다 in die Leere an|starren. ¶누운채 눈을 ∼ hellwach liegen*.

말똥말똥 mit unverwandten Augen《an|sehen*》.

말뚝 《나무》 Pfahl *m.* –s, ¨e; Pfosten *m.* –s, –; Pflock *m.* –(e)s, ¨e 《작은》.

말뜻 die Bedeutung des Wortes.

말라깽이 abgemagerte 〔magere〕 Person, –en; das wandelnde Skelett, –(e)s, –e.

말라리아 Malaria *f.* ‖ ∼ 환자 der Malariakranke*, –n, –n.

말라빠지다 mager werden; ab|magern.

말랑말랑하다 ganz weich 〔zart u. weich; saftig〕 (sein).

말레이시아 Malaysia *n.* –s. ∼의 malaysisch. ‖ ∼ 사람 Malaysier *m.* –s, –.

말려들다 《싸움 등에》 ^{4}sich verwickeln

〔hineingezogen werden; verwickelt werden〕 《in^4》.

말로(末路) das bittere 〔böse; üble〕 Ende, -s, -n; Katastrophe *f.* -n.

말리다¹ 《건조》 (aus|)trocknen^4; dörren^4.

말리다² 《만류》 *jn.* ab|halten* 〔zurück|halten*〕 《*von*^{3}》; ab|reden^4 《*jm.*》; ab|raten* 《*jm. von*^{3}》.

말리다³ 《둘둘》 ^{4}sich ringeln〔schlängeln〕.

말림갓 der Schützgebiet der Wälder.

말마디 ¶ ~나 할 줄 안다 Er hat gut reden.

말막음하다 über ^{4}*et.* zu sprechen verbieten*.

말머리 ¶ ~를 돌리다 von etwas anderem sprechen*.

말몰이꾼 Pferdeknecht *m.* -es, -e.

말문(一門) ¶ ~이 막히다 die Sprache verlieren*; nicht in Worte fassen können*.

말미 《휴가》 Urlaub *m.* -(e)s, -e. ¶ ~를 주다 Urlaub geben*.

말미(末尾) Ende *n.* -s; Schluß *m.* -es, ¨e.

말미암다 kommen* 〔stammen; verursacht werden〕《*von*^{3}》. ¶ 말미암아 infolge^2; wegen^2.

말미잘 〖動〗 Seeanemone *f.* -n.

말버릇 Sprechweise *f.* -n; Sprechart *f.*; Lieblingsphrase *f.* -n.

말벌 〖蟲〗 Wespe *f.* -n.

말벗 Gesellschafter *m.* -s, -; Gesellschafterin *f.* -nen.

말복(末伏) die dritte von den drei Perioden des heißen Sommermonates.

말사(末寺) Nebentempel *m.* -s, -.

말살(抹殺) ~하다 aus|radieren^4; aus|löschen^4; aus|streichen*^{4}.

말상(一相) 《얼굴》 Pferdegesicht *n.*-(e)s, -er.

말석(末席) ¶ ~을 더럽히다 gegenwärtig sein 《*bei*^{3}》; die Ehre haben, beiwohnen zu dürfen.

말세(末世) dieses verdorbene Zeitalter.

말소(抹消) das Auskratzen*〔-radieren*〕 -s. ~하다 aus|radien〔-|streichen*〕.

말소리 Stimme *f.* -n.

말솜씨 die Fähigkeit zu sprechen; Beredtheit *f.* -en. ¶ ~가 좋다 beredsam sein; redegewandt sein.

말수(一數) ¶ ~가 적다 einsilbig 〔mundfaul; schweigsam〕 sein.

말실수(一失手) Ausdrucksfehler *m.* -s, -; Fehlausdruck *m.* -(e)s, ¨e. ~하다 falsch aus|drücken^4.

말썽 ¶ ~을 부리다 stören; belästigen / ~을 일으키다 Unruhe stiften; e-n Aufruhr erregen. ‖ ~거리 die Ursache e-r Unruhe / ~꾸러기 〔꾼〕 Unruhestifter *m.* -s, -.

말쑥하다 schick 〔fein; niedlich〕 (sein).

말씀 Wort *n.* -(e)s, -e; Rede *f.* -n. ¶ 선생님의 ~ was der Herr Lehrer sagt.

말씨 Sprache *f.* -n; Ausdrucksart *f.* -en; Sprechweise *f.* -n; Redensart *f.* -en. ¶ 서울 ~ Seoul Dialekt / 점잖은 ~ vornehme Ausdrucksweise, -n.

말아니다 ① 《이치에 어긋남》 k-n Sinn haben; unvernünftig (sein). ② 《형편 없음》 in e-r sehr schlechter Lage sein. ¶ 형편이 ~ in e-m schlimmen Zustand sein.

말없이 《조용히》 ohne ^{4}*et.* zu sagen; 《말썽없이》 ohne Hindernis; 《선뜻》 ohne weiteres; sogleich; 《무단으로》 unangemeldet; ohne Erlaubnis.

말엽(末葉) das Ende von e-m Zeitalter. ¶ 18 세기 ~에 am Ende des 18. Jahrhundert.

말일(末日) der letzte Tag, -(e)s, -e.

말잠자리 〖蟲〗 e-e Art Libelle.

말재주 Sprechfähigkeit *f.* -en; das Talent zum Sprechen. ¶ ~가 있다 gut sprechen* / ~가 없다 der ungeschickte Sprecher sein.

말전주 das Zwisterregen durch das Geschwätz. ‖ ~꾼 Zwischenträger *m.* -s, -.

말조심(一操心) ~하다 beim Sprechen 〔Reden〕 vorsichtig sein.

말주변 Redegabe *f.* -n; Beredsamkeit *f.* ¶ ~이 좋다 redegewandt 〔beredsam〕 (sein).

말직(末職) das unterste Amt, -es, ¨er; die unbedeutende Stelle, -n.

말짱하다 tadellos 〔vollkommen; ganz〕 (sein). ¶ 말짱한 옷 der tadellose Anzug, -(e)s, ¨e.

말참견(一參見) Einmischung *f.* -en; das Dazwischentreten*, -s. ~하다 ^{4}sich in ein Gespräch ein|mischen.

말채찍 Pferdepeitsche *f.* -n.

말초(末梢) ~적 geringfügig; belanglos; kleinlich. ‖ ~신경 der peripherische Nerv, -s, -en.

말총 Pferdehaar *n.* -es, -e.

말치레 die schöne Rede; Wortgepränge *n.* -s.

말투 Ausdrucks〔Sprech〕weise *f.* -n; die Art zu sprechen 〔vorzutragen〕. ¶ ~가 거칠다 ^{4}sich rauh aus|drücken.

말판 《윷놀이의》 Spielbrett *n.* -s, -er.

말편자 Pferdehuf *m.* -es, -e.

말하다 sagen^4; sprechen* 《*von*^{3}; *über*^{4}》; äußern^4; aus|sprechen*^{4}; reden. ¶ 되는 대로 ~ ins Blaue hinein reden.

말하자면 《이를테면》 sozusagen; gewissermaßen.

맑다 ① 《사물·마음이》 klar 〔hell; rein; durchsichtig; sauber〕 (sein). ¶ 맑은 날씨 schönes 〔klares; heiteres〕 Wetter. ② 《청빈》 arm aber lauter (sein).

맑아지다 klar werden; ^{4}sich auf|klären.

맑은장국(一醬一) die helle Fleischsuppe, -n.

맘보 Mambo *m.* -s, -s. ‖ ~바지 enge Hosen(*pl.*).

맛 《음식의》 Geschmack *m.* -(e)s, ¨e(r); 《사물에서 느끼는》 Geschmack *m.*; Interesse *n.* -s, -n; 《경험》 Erfahrung *f.* -en. ¶ 맛이 변하다 an ^{3}Geschmack verlieren* / 여자 맛 der Geschmack an den Frauen.

맛깔스럽다 《맛이》 köstlich 〔appetitlich; einladend; schmackhaft〕 (sein); 《마음에》 befriedigend (sein).

맛나다 《맛있다》 wohlschmeckend 〔köstlich〕 (sein); 《맛이 들다》 schmackhaft werden.

맛난이 《조미료》 Würze *f.* -n; 《음식》 köstliche Speise, -n.

맛들다 köstlich 〔schmackhaft; lecker〕

werden. ¶ 술이 ～ Der Wein ist ausgereift
맛들이다 ① 《음식을》 zum Reifen bringen*; würzen. ② 《재미를》 kosten; genießen*. ¶ 돈에 ～ von Geld gefesselt werden.
맛보다 ① 《시식》 kosten^{4}; probieren^{4}; ab|schmecken^{4}. ② 《겪다》 erfahren*^{4}; kosten^{4}; kennen|lernen^{4}.
맛살 das Fleisch von e-r Muschel.
맛없다 unschmackhaft〔fad; schal〕(sein).
맛있다 lecker〔appetitlich; delikat〕(sein). ¶ 맛있는 음식 Leckerbissen *m.* -s, -; Leckerei *f.* -en.
맛적다 geschmacklos〔unschmackhaft; fade〕(sein).
맛좋다 wohlschmeckend〔köstlich; süß〕(sein).
망(網) ① 《그물》 Netz *n.* -es, -e. ¶ 망을 치다 das Netz aus|werfen*. ② 《조직》 Netz *n.* -es, -e; System *n.* -s, -e.
망각(忘却) Vergessenheit *f.*; Vernachlässigung *f.* ～하다 vergessen*^{4}; vernachlässigen*.
망간 〖化〗 Mangan *n.* -s 《기호: Mn》. ‖ ～광 Manganerz *n.* -es, -e.
망건(網巾) das Kopfband aus Pferdehaar.
망국(亡國) der nationale Ruin, -s; ein zugrund gegangenes〔untergegangenes〕Land 《망한 나라》. ～적 den Untergang des Staates herbeiführend.
망그러뜨리다 zerstören^{4}; kaputt machen^{4}.
망그러지다 entzwei|brechen*; zerbrochen〔zerstört〕werden.
망나니 ① 《처형리》 Henker *m.* -s, -. ② 《못된 놈》 Schurke *m.* -n, -n; Schuft *m.* -(e)s, -e.
망년회(忘年會) Silvesterfeier *f.* -n; Jahresschlußgelage *n.* -s, -.
망대(望臺) Turm *m.* -(e)s, ¨e.
망동(妄動) die leichtsinnige Tat, -en. ～하다 leichtsinnig handeln. ‖ 경거～ leichtsinnige Tat u. unvorsichtiges Benehmen.
망둥이 〖魚〗 Grundelfisch *m.* -s, -e.
망라(網羅) ～하다 zusammen|bringen*^{4}; umfassen^{4}.
망령(亡靈) die Seele e-s Verstorbenen*; Manen (*pl.*); Gespenst *n.* -es, -er.
망령(妄靈) Altersschwäche *f.* -n; Greisenhaftigkeit *f.* -en. ¶ ～들다 greisenhaft〔altersschwach〕werden.
망루(望樓) Wachtturm *m.* -(e)s, ¨e.
망막(網膜) Netzhaut *f.* ¨e.
망망(茫茫) ～하다 endlos weit〔(weit) ausgedehnt〕(sein).
망명(亡命) Emigration *f.* -en. ～하다 emigrieren; aus s-m Vaterland flüchten; im Auslande Zuflucht suchen〔finden〕. ‖ ～객 Flüchtling *m.* -s, -e; Emigrant *m.* -en, -en.
망발(妄發) die schändliche〔schmähliche; entehrende〕Rede, -en. ～하다 e-e schmählich Rede halten*.
망보다(望—) wachen; Wache halten*.
망부(亡父) mein seliger〔verstorbener〕Vater.
망부(亡夫) mein verstorbener〔seliger〕Mann, -(e)s.
망사(網紗) Gaze *f.* -n; Flor *m.* -s, -e; Schleier *m.* -s, -.
망상(妄想) Wahn *m.* -(e)s.
망상(網狀) ～의 netzartig. ‖ ～조직 das retikuläre Gewebe, -s, -.
망상스럽다 nichtig〔geringfügig; leichtfertig〕(sein).
망석중이 《꼭두각시》 Marionette〔Puppe〕*f.* -n; 《사람》 das Werkzeug des anderen Menschen.
망설이다 zögern〔zaudern〕(*mit*^{3}).
망신(亡身) Schande *f.* -n; Blamage *f.* -n; Schmach *f.* ～하다 das Gesicht verlieren*; ^{4}sich blamieren.
망실(亡失) Verlust *m.* -es, -e; Schaden *m.* -s, -. ～하다 e-n Verlust〔Schaden〕erleiden.
망아지 《수컷》 (Hengst)fohlen *n.* -s, -; 《암컷》 (Stut)fohlen; 《작은말》 Pony *n.* -s, -s.
망언(妄言) das eitle Geschwätz, -es, -e; Unsinn *m.* -(e)s. ～하다 lauter dummes Zeug schwatzen.
망연(茫然) ～하다 ① ＝아득하다. ② 《할 바를 모름》 ausdruckslos〔geistesabwesend〕(sein). ¶ ～ 자실하다 bestürzt〔verblüfft; verwirrt〕sein.
망운(亡運) Unglück *n.* -(e)s; Mißgeschick *n.* -s.
망울 ① 《덩어리》 Beule *f.* -n; Klumpen *m.* -s, -. ② 《꽃망울》 (Blüten)knospe *f.* -n.
망원경(望遠鏡) Teleskop *n.* -s, -e; Fernrohr *n.* -(e)s, -e.
망원렌즈(望遠—) Telephotolinse *f.* -n.
망원사진(望遠寫眞) Fernaufnahme〔Telephotographie〕*f.* -n. ‖ ～기 der Telephotographische Apparat *m.* -es, -e.
망월(望月) ＝보름달.
망인(亡人) der〔die〕Verstorbene*.
망일(望日) Vollmont-Tag *m.* -es, -e.
망자(亡者) der Tote*, -n, -n.
망종(亡終) Todesstunde *f.* -n.
망종(亡種) Nichtsnutz *m.* -es, -e; Taugenichts *m.* -(es), -e.
망주석(望柱石) ein Paar Schützgeiststeine.
망중한(忙中閑) Muße im Drang der Geschäfte.
망집(妄執) Wahn *m.* -(e)s; Täuschung *f.* -en; Fimmel *m.* -s, -.
망처(亡妻) die verstorbene Frau, -en.
망측(罔測) ～하다 sinnwidrig〔absurd; ungeordnet〕(sein).
망치 Hammer *m.* -s, ¨; Fäustel *n.* -s, -.
망치다 zunichte machen^{4}; verderben$^{(*)4}$; zugrunde richten^{4}; vernichten^{4}; ins Verderben stürzen.
망태(기)(網—) Netztasche *f.* -n.
망토 Mantel *m.* -s, ¨; Überrock *m.* -(e)s, ¨e.
망하다(亡—) zugrunde ge(h)en*; unter|gehen*; vergehen*; verderben*.
망혼(亡魂) die Seele des Verstorbenen.
맞갖잖다 unschmackhaft〔unerfreulich; unbequem〕(sein).
맞걸리다 ^{4}sich ineinander verschlingen*.
맞고소(—告訴) Wider〔Gegen〕klage *f.* -n. ～하다 widerklagen (*gegen*^{4}).
맞꼭지각(—角) 〖數〗 Scheitelwinkel *m.* -s, -.

맞다[1] ① 《적중함》 treffen*[(4)]; [4]sich bewahrheiten 《예상·예언이》. ② 《안틀림》 richtig 〔korrekt〕 (sein). ¶시계가 ~ die Uhr geht richtig. ③ 《일치》 überein|stimmen 《*mit*[3]》; entsprechen*[3]. ¶사실과 맞지 않다 nicht [3]der Tatsache entsprechen*. ④ 《가락이》 harmonieren; im Einklang sein 〔stehen*〕 《mit *jm.*》. ¶곡조가 ~ gut gestimmt sein. ⑤ 《몸에》 passen 《*auf*[4]; *in*[4]》; sitzen*. ¶옷이 ~ das Kleid paßt. ⑥ 《취향·사리 등에》 entsprechen*[3]; passen 《*auf*[4]; *für*[4]; *in*[4]; *zu*[3]》. ¶입에 ~ schmackhaft sein / 조건에 ~ die Bedingungen erfüllen. ⑦ 《수지 따위가》 rentabel sein. ¶수지(가) 맞는 일 rentables Geschäft, –(e)s, –e.

맞다[2] ① 《영접》 empfangen*[4]; begrüßen[4]. ② 《맞아들임》 auf|nehmen*[4]; ein|laden*[4]. ¶사위를 ~ e–n Schwiegersohn bekommen*. ③ 《노출됨·당하다》 ausgesetzt[3] sein; bekommen*[4]; erhalten[4]*. ¶비를〔눈을〕 ~ dem Regen〔dem Schnee〕 ausgesetzt sein / 도둑 ~ *jm.* geraubt〔gestohlen〕 werden. ④ 《매를》 geschlagen werden. ⑤ 《주사를》 injiziert werden. ⑥ 《점수를》 《Punkte; Note》 bekommen*.

맞닥뜨리다 gegenüber|stehen* 《*jm.*》; entgegen|treten*; stoßen* 《*auf*[4]》.

맞담배 ¶~질하다 vor *js.* Augen unhöflich rauchen.

맞당기다 von beiden Seiten ziehen*.

맞닿다 in Berührung kommen* 《*mit*[3]》; [4]sich 〔einander〕 berühren.

맞대다 gegenüber|stellen[4] 〔konfrontieren[4]〕 《*mit*[3]》; gegeneinander|stellen[4].

맞대매 Endspiel *m.* –s, –e. ~하다 zur Entscheidung bringen*.

맞대면(—對面) ~하다 [4]sich treffen*; e–e Zusammenkunft haben.

맞돈 Bargeld *n.* –(e)s, –er; Barzahlung *f.* –en.

맞들다 ① 《둘이》 miteinander zusammen|heben*. ② 《협력함》 mit|arbeiten 〔–|wirken〕 《*mit*[3]》.

맞뚫다 direkt durchbohren.

맞먹다 《힘이》 von gleicher Stärke sein; 《비등》 ebenbürtig 〔gleichwertig〕 sein.

맞물리다 [4]sich miteinander beißen*; ineinander|greifen* 《톱니바퀴가》; [4]sich verzahnen 《들고 난 부분이》.

맞바꾸다 tauschen[4] 《*gegen*[4]》; aus|tauschen[4] 《*gegen*[4]; *für*[4]》.

맞바람 Gegenwind *m.* –(e)s, –e. ¶~을 안고 항해하다 gegen den Wind segeln.

맞받다 ① 《정면으로》 direkt auf|fangen*. ② 《응수하다》 auf der Stelle antworten. ③ 《마주받다》 zusammen|krachen 〔–|prallen〕 《*an*[4]; *gegen*[4]》. ¶둘이 이마를 ~ die Köpfe gegeneinander stoßen*.

맞받이 der gegenüberliegende Platz, –es, ⸚e.

맞벌이하다 gemeinsam (Geld) verdienen; beide berufstätig sein.

맞보기 die klaren Gläser (*pl.*) 《mit den unreflektierenden Linsen》.

맞보다 [4]sich an|sehen*; Blicke wechseln 《mit *jm.*》.

맞부딪치다 zusammen|stoßen* 《*mit*[3]》.

맞붙다 《한데》 zusammen|kleben 〔–|halten*〕; aneinander haften; 《격투》 *jm.* 《im Wettkampf》 gegenüber|stehen*; [4]sich mit *jm.* messen*.

맞붙들다 [4]sich einander ergreifen*; 〖拳〗 Umklammerung *f.* –en.

맞붙이다 zusammen|kleben; an|heften; 《사람을》 *jn* mit *jm.* zusammen|bringen*.

맞상(—床) der für zwei Personen gedeckte Tisch, –s, –e. ~하다 zu zweit essen.

맞상대(—相對) das direkte Entgegentreten*, –s.

맞서다 ① 《마주 섬》 gegenüber|stehen*[3]. ② 《대결》 [4]sich entgegen|stellen[3] 〔–|setzen[3]〕; [4]sich widersetzen[3].

맞선 ¶~ 보다 [4]sich 〔einander〕 an|sehen*, mit der Absicht zu heiraten.

맞쇠 Hauptschlüssel *m.* –s, –.

맞수(—手) ausgezeichnetes Paar, –s, –e.

맞아들이다 herein|führen; im Empfang nehmen*.

맞아떨어지다 (überein)stimmen; bei der Rechnung richtig sein.

맞욕(—辱) ~하다 zurück|schimpfen.

맞은편(—便) gegenüberliegende 〔die andere〕 Seite, –n.

맞이 Empfang *m.* –(e)s, ⸚e; Aufnahme *f.* –n. ~하다 empfangen*[4]; begrüßen[4]; auf|nehmen*[4]. ¶달~ Vollmondfeier *f.* –n / 봄~ Frühlingsfeier.

맞잡다 ① 《마주잡다》 einander fassen[4] 〔ergreifen*[4]〕. ¶손을 맞잡고 울다 [4]sich gegenseitig bei der [3]Hand fassen und weinen. ② 《협력》 zusammen|arbeiten.

맞장구치다 *jm.* bei|stimmen 〔Recht geben*〕.

맞절 die gegenseitige Verbeugung 〔Begrüßung〕 –en. ~하다 miteinander begrüßen.

맞추다 ① 《조절·적응·적합》 ein|stellen[4] 《*auf*[4]》; richten[4] 《*nach*[3]》; ein|stimmen[4] 《*mit*[3]》; ([4]sich) an|passen[3]. ¶시계를 라디오 시보에 ~ die Uhr nach dem Zeitzeichen des Rundfunks richten / 비위를 ~ *jm.* schmeicheln. ② 《셈·수지 등을》 (richtig) stellen[4]; korrigieren[4]; berichtigen[4]. ¶계산을 ~ die Rechnung korrigieren. ③ 《합치다》 zusammen|setzen[4] 〔–|stellen[4]〕. ④ 《대조》 vergleichen*[4] 《*mit*[3]》. ¶답을 내것과 맞춰 보아라 Vergleiche deine Lösungen mit den meinen. ⑤ 《주문》 bestellen[4] (bei *jm*). ¶맞춤옷 Maßanzug *m.* –s, ⸚e.

맞춤법(—法) Orthographie *f.* –n. ‖~ 통일안 der Musterentwurf der Rechtschreibung.

맞흥정하다 zwischen Käufer u. Verkäufer unmittelbar handeln.

맞히다 ① 《명중》 treffen[(4)]. ② 《알아맞힘》 (er)raten*[4]. ¶답을 ~ die richtige Lösung finden*. ③ 《비·바람에》 aus|setzen[3·4]. ¶비〔눈〕 ~ dem Regen〔dem Schnee〕 aus|setzen[4].

맡기다 ① 《물건을》 an|vertrauen 《*jm.* [4]*et.*》; betrauen 《*jn.* *mit*[3]》; zum Verwahren geben* 《*jm.* [4]*et.*》. ② 《사람을》 an|vertrauen[4] 《*jm.*》; in *js.* Obhut geben*[4]. ③ 《위임》 betrauen 〔überlassen*;

übertragen*) (*jm.* ^{4}*et.*); beauftragen (*jn.* *mit*^{3}).

말다 ① (물건·책임을) übernehmen*^{4}; auf|bewahren^4; betreuen^4. ¶돈을 ~ ^{4}Geld in Verwahrung nehmen* / 책임을 ~ die Pflicht übernehmen*. ② (허가를) bekommen*^{4}; erhalten*^{4}. ¶운전면허를 ~ den Führerschein bekommen*〔erhalten*〕. ③ (냄새 따위를) riechen*^{4}; schnüffeln$^{(4)}$; schnobern$^{(4)}$. ④ (김새를) wittern^4; auf|spüren^4; merken^4. ¶돈있는 냄새 맡고 찾아왔다 Da er merkte, daß ich Geld habe, suchte er mich auf.

매^1 ① (채찍) Rute *f.* –n; Prügel *m.* –s, –. ¶매맞다 Prügel bekommen. ② (매질) Schlägerei〔Prügelei〕 *f.* –en.

매^2 (가는) Mühle *f.* –n; Mühlstein *m.* –(e)s, –e (맷돌).

매^3 〖鳥〗 Falke *m.* –n, –n.

매–(每) jeder*. ‖ 매달 jeden Monat.

매가(買價) Kaufpreis *m.* –es, –e.

매가(賣家) Haus zu verkaufen.

매가(賣價) (Verkaufs)preis *m.* –es, –e.

매각(賣却) Verkauf *m.* –(e)s, ⸗e; Veräußerung *f.* –en. ~하다 verkaufen (*jm.* ^{4}*et.*); veräußern^4. ‖ ~ 대금 der Erlös aus dem Verkauf / ~ 조건 Verkaufsbedingung *f.* –en.

매개보다 die Sachlage prüfen; die Umstände berücksichtigen.

매개(媒介) Vermitt(e)lung *f.* –en. ~하다 vermitteln^4; übertragen*^{4}. ‖ ~자〔물〕 Vermittler *m.* –s, – 〔Medium *n.* –s, ..dien〕.

매거(枚擧) ~하다 auf|zählen^4; einzeln erwähnen^4.

매고르다 alles völlig gleichmäßig〔regelmäßig〕 sein.

매관매직(賣官賣職) der Verkauf der Ämter (für Geld). ~하다 die Regierungsstelle verkaufen.

매국(賣國) Landesverrat *m.* –(e)s; Verrat am Volke. ~하다 sein Land verraten*; den Landesverrat üben〔begehen*〕.

매기(買氣) Kaufstimmung *f.*; Kauflust *f.*

매기다 (값을) an|setzen^4; veranschlagen^4; (등급을) ein|stufen^4; (숫자를) numerieren^4; (세금 등을) auf|erlegen.

매끄럽다 glatt 〔schlüpfrig〕 (sein).

매끈하다 glatt 〔eben; rein〕 (sein).

매나니 (빈손) die leere Hand. ~로 mit leeren Händen.

매너리즘 Manierismus *m.* –; Manier *f.* –en. ¶~에 빠지다 in e–e Manier geraten*.

매년(每年) jährlich; jedes Jahr; von Jahr zu Jahr. ~의 jährlich.

매니저 (흥행의) Impresario *m.* –s, –s.

매니큐어 Maniküre *f.* –n.

매다 ① (끈·매듭을) binden*^{4} (*an*^{4}); an〔fest〕|binden*^{4}(*an*^{3}). ② (달아맴) hängen^4; auf|hängen^4. ¶목을 ~ ^{4}sich auf|hängen〔erhängen〕. ③ (김을) jäten^4; entfernen^4. ④ (만들다) (ein|)binden*^{4}. ¶책을 ~ das Buch (ein|)binden*.

매달(每一) monatlich; jeden Monat.

매달다 auf|hängen^4; herab|hängen^4.

매달리다 ① (물건이) hängen*; herab〔herunter〕|hängen*. ② (붙들거나 일·지위 등에) ^{4}sich (fest|)klammern (*an*^{4}); ^{4}sich fest|halten* (*an*^{3}). ③ (열매가) hängen*; (herunter|)baumeln. ④ (간청) um Hilfe an|flehen (*jn.*); mit Bitten bestürmen (*jn.*).

매대기치다 beschmieren; besudeln.

매도(罵倒) Schimpf *m.* –(e)s, –e; Kränkung *f.* –en; Schmähung *f.* –en. ~하다 beschimpfen^4; schimpfen$^{(4)}$ (*auf*^{4}).

매도(賣渡) ~하다 verkaufen^4; veräußern^4.

매독(梅毒) Syphilis *f.* ‖ ~환자 Syphilitiker *m.* –s, –.

매듭 Knoten *m.* –s, –; Band *n.* –es, ⸗e.

매듭짓다 fertig machen^4; ein Ende machen〔setzen〕^{3}. ¶원만히 ~ zum guten Abschluß bringen*^{4}.

매력(魅力) Reiz *m.* –es, –e; Zauber *m.* –s, –; Anziehung *f.* –en. ¶~있는 reizend; bezaubernd; anziehend.

매립(埋立) das Zuschütten*, –s; Trockenlegung *f.* ~하다 (땅을) (ein Land) trocken|legen; (못 따위를) (e–n Teich) zu|schütten.

매만지다 pflegen^4; richten^4; in Ordnung bringen*^{4}.

매맞다 geschlagen〔gepeitscht〕werden.

매매(賣買) Handel *m.* –s. ~하다 handeln (*mit*^{3}); Handel treiben (*mit*^{3})*. ‖ ~계약 Kaufvertrag *m.* –(e)s, ⸗e / ~원장 Hauptbuch *n.* –(e)s, ⸗er.

매머드 Mammut *n.* –(e)s, –e 〔–s〕; (거대한) mammuthaft; Riesen–. ‖ ~기업 Riesenunternehmen *n.* –s, –.

매명(賣名) Selbstreklame *f.* –n; eigene Propaganda.

매몰(埋沒) ~하다 begraben*^{4}; vergraben*^{4}.

매몰스럽다 hartherzig 〔grausam; unbarmherzig; kaltblütig〕 (sein).

매몰차다 sehr unfreundlich〔kalt〕(sein).

매무시 (옷의) Kleidung *f.* –en.

매문(賣文) literarische Tagelöhnerei, –en.

매물(賣物) Verkaufsgegenstand *m.* –(e)s, ⸗e; Zu verkaufen! (광고).

매미 〖蟲〗 Zikade *f.* –n; Zirpe *f.* –n.

매번(每番) jedesmal; immer (wieder).

매복(埋伏) ~하다 im Hinterhalt liegen*.

매부(妹夫) Schwager *m.* –s, ⸗; Stiefbruder *m.* –s, ⸗.

매부리코 Hakennase *f.* –s.

매사(每事) jede Angelegenheit, –en; jede Sache, –n. ¶~에 in allem; jedesmal.

매사냥 Falken·beize *f.* –n 〔–jagd *f.* –en〕. ~하다 mit dem Falken jagen.

매상(買上) An〔Ein〕kauf *m.* –es, ⸗e; Be〔An〕schaffung *f.* –en.

매상(賣上) Erlös *m.* –es, –e; Ertrag *m.* –(e)s, ⸗e; Umsatz *m.* –es, ⸗e. ‖ ~고 Umsatz *m.* –es, ..sätze; Einnahme *f.* –n.

매석(賣惜) ~하다 mit dem Verkauf zurück|halten*.

매설(埋設) das unterirdische Legen*〔Installieren*〕. ~하다 unterirdisch legen^4.

매섭다 (눈초리가) grimmig 〔scharf; streng; schrecklich〕 (sein).

매수(枚數) Blätter〔Bogen〕zahl *f.* –en.

매수(買收) ~하다 ① (매입) auf|〔an|〕kaufen^4; (ein|)kaufen^4. ② (뇌물로) bestechen^4; (er)kaufen^4.

매수(買受) ～하다 *jm.* ab|kaufen[4]; von *jm.* übernehmen[4]. ‖ ～인 Käufer〔Abnehmer〕 *m.* -s, -.
매스게임 Massenspiel *n.* -(e)s, -e.
매스껍다 ☞ 메스껍다.
매스미디어 Massenmedium *n.* -s, ..dien (흔히 *pl.*).
매스커뮤니케이션 Massenmedien (*pl.*).
매시(每時) jede Stunde; pro Stunde.
매식(買食) 《행위》 der Kauf des Essens〔der Speise〕; 《음식》 das bezahlte Mahl, -(e)s, -e. ～하다 auswärts essen*〔speisen〕.
매실(梅實) Pflaume *f.* -n. ‖ ～주 Pflaumenschnaps *m.* -es, ..näpse.
매씨(妹氏) Ihr Fräulein Schwester.
매약(賣藥) Arzneiware *f.* -n; Droge *f.* -n; Drogenwaren (*pl.*). ‖ ～상인 Arzneihändler *m.* -s, - / ～점 Apotheke *f.* -n 《약국》.
매양(每—) immer; jederzeit.
매연(煤煙) Ruß *m.* -es; Rauch *m.* -(e)s; Abgas *n.* -(e)s, -e.
매우 sehr; viel; stark; höchst; äußerst; ungemein; außerordentlich.
매운탕(—湯) die Topfsuppe mit Paprika.
매월(每月) ＝매달.
매음(賣淫) Prostitution *f.* -en; Hurerei *f.* -en. ～하다 [4]sich prostituieren; huren; auf die Straße gehen*. ‖ ～굴(窟) Bordell *n.* -(e)s, -e / ～행위 Prostitution *f.*
매이다 ① 《끈으로》 gebunden〔verbunden; gefesselt〕 werden. ② 《일에》 an [4]*et.* gebunden〔gefesselt〕 sein.
매인(每人) jeder*; jede Person. ‖ ～당 für jede Person; pro [4]Kopf.
매인목숨 die Verhältnisse ohne Freiheit.
매일(每日) jeden Tag; (all)täglich; alltags; Tag für Tag.
매입(買入) (Ein)kauf *m.* -(e)s, ¨e; Beschaffung *f.* -en; Besorgung *f.* -en. ～하다 kaufen[4]; ein|kaufen[4]. ‖ ～가격, ～원가 Einkaufspreis *m.* -es, -e.
매장(埋葬) ① 《땅에》 Begräbnis *n.* -ses, -se; Bestattung〔Beerdigung〕 *f.* -en. ～하다 begraben*[4]; beerdigen[4]; bestatten[4]. ‖ ～지 Begräbnisplatz *m.* -es, ¨e. ② 《사회적으로》 Ächtung *f.* -en; Acht. ～하다 über *jn.* die Acht aus|sprechen*.
매장량(埋藏量) gewinnbarer Erzvorrat in der Erde.
매저키즘 Masochismus *m.* -.
매점(買占) Aufkauf *m.* -(e)s, ¨e. ～하다 auf|kaufen[4].
매점(賣店) (Verkaufs)stand *m.* -(e)s, ¨e; Kiosk *m.* -(e)s, -e.
매정하다 herz〔gefühl〕los (sein).
매제(妹弟) Schwager *m.* -s, ¨; der Ehegatte der jüngeren Schwester.
매조미쌀(—糙米—) Braß *m.* ..sses.
매주(每週) wöchentlich; jede Woche.
매주(買主) (An)käufer *m.* -s, -; 《증권시장의》 Haussier *m.* -s, -s.
매주(賣主) Verkäufer *m.* -s, -; 《증권시장의》 Bassier *m.* -s, -s.
매지구름 Regenwolke *f.* -n.
매진(賣盡) ～하다 ausverkauft sein; nicht mehr vorrätig sein.
매진(邁進) das eifrige Bemühen* nach vorwärts. ～하다 [4]sich mutig vor|drängen*; mutig vorwärts dringen*.
매질 das Schlagen*, -s. ～하다 schlagen*; prügeln; peitschen.
매질(媒質) 〖物〗 Medium *n.* -s, ..dien.
매체(媒體) 〖物〗 Medium *n.* -s, ..dien. ‖ 대중 ～ Massenmedium *n.* -s, ..dien.
매춘(賣春) ＝매음. ‖ ～부 die Prostituierte*, -n, -n; Dirne *f.* -n.
매출(賣出) Ausverkauf *m.* -(e)s, ¨e. ～하다 Waren verbilligt verkaufen. ‖ 추계〔춘계〕 대～ Sommerschluß〔Winterschluß〕verkauf *m.* -(e)s, ¨e.
매캐하다 ① 《연기로》 rauchig〔räucherig〕 (sein). ② 《곰팡이의》 schimmelig〔moderig〕 (sein).
매콤하다 ein bißchen scharf〔beißend; stark〕 (sein); etwas prickelig (sein).
매트 Matte *f.* -n.
매트리스 Matratze *f.* -n.
매판자본(買辦資本) das Kapital des chinesischen Maklers.
매표소(賣票所) Theaterkasse *f.* -n 《극장의》; Fahrkartenschalter *m.* -s, - 《승차권 따위의》.
매한가지 derselbe*; gleich; egal.
매호(每戶) jedes Haus; alle Häuser.
매호(每號) jede Nummer〔Auflage〕 -n.
매혹(魅惑) Bezauberung *f.* -en; Faszination *f.* -en; Zauber *m.* -s, -. ～하다 verführen; berücken; bestricken.
매화(梅花) Pflaumenbaum *m.* -(e)s, ¨e 《나무》; Pflaumenblüte *f.* -n《꽃》.
매회(每回) jedesmal; jeder Gang, -(e)s, ¨e.
맥(脈) 《맥박》 Pulsschlag *m.* -(e)s, ¨e; Puls *m.* -es, -e. ¶ 맥을 짚다 *jm.* den Plus fühlen / 맥이 뛰다 pulsieren; der Puls schlägt / 맥 못쓰게 하다 demütigen[4]; kleinlaut machen.
맥고모자(麥藁帽子) Strohhut *m.* -(e)s, ¨e.
맥동(脈動) das Pulsieren*, -s; die pulsierende Bewegung, -en.
맥락(脈絡) Zusammenhang *m.* -(e)s, ¨e; Verbindung *f.* -en.
맥박(脈搏) ＝맥(脈).
맥빠지다(脈—) ① 《피곤》 erschlaffen; [4]sich kraftlos〔schwach〕 fühlen; erschöpft sein. ② 《낙심》 enttäuscht〔niedergeschlagen〕 sein.
맥시류(脈翅類) 〖蟲〗 Netzflügler (*pl.*); Neuropteren *f.*
맥아(麥芽) Malz *n.* -es. ‖ ～당 Maltose *f.*
맥없이(脈—) ① 《기운없이》 kraftlos; niedergeschlagen; deprimiert; niedergedrückt; entmutigt; mutlos. ② 《공연히》 grundlos; ohne Grund〔Ursache〕; beim geringfügigsten Anlaß.
맥주(麥酒) Bier *n.* -(e)s, -e. ‖ ～홀 Bierhalle *f.* -n; Wirtshaus *n.* / 생～ Faßbier / 흑～ dunkles Bier.
맨끝 das allerletzte Ende, -s, -n. ¶ ～에〔으로〕 am allerletzten Ende; an der allerletzten [3]Stelle.
맨나중 das hinterste*; das letzte*.
맨드라미 〖植〗 Hahnenkamm *m.* -(e)s, ¨e.
맨먼저 vor allem; als erstes.
맨몸 ¶ ～의〔으로〕 nackt; bloß.
맨발 der bloße〔nackte〕 Fuß, -es, ¨e. ¶

～로 barfuß; in [mit] nackten Füßen.
맨션 die stattliche Wohnung, -en; Herrenhaus *n.* -es, ⸗er.
맨손 die bloße Hand, ⸗e. ¶ ～으로 mit bloßen Händen.
맨숭맨숭하다 《털 없음》 haarlos [bar; kahl] (sein); 《안 취함》 nicht betrunken [bezecht; bekneipt; berauscht] (sein).
맨위 das Obere*, -n; Oberseite [Oberfläche] *f.* -n; Gipfel *m.* -s, -.
맨주먹 nackte Faust, ⸗e; nackte [bloße; leere] Hand, ⸗e.
맨처음 Anfang *m.* -(e)s, ⸗e; Beginn *m.* -(e)s; Ursprung *m.* -(e)s, ⸗e. ¶ ～에 am Anfang; erst; erstens; zunächst.
맨홀 Mannloch *n.* -(e)s, ⸗er.
맵다 scharf [gepfeffert; prickelnd; stechend] (sein).
맵시 Schönheit *f.* -en; Stattlichkeit *f.*; Eleganz *f.*; Lieblichkeit *f.* ¶ ～있는 schick; fein; elegant; schön; modisch; wohlgestaltet.
맵싸하다 (prickelnd) scharf (sein); bitter [beißend; prickelig; stark] (sein).
맷돌 Handmühle [Steinmühle] *f.* -n.
맹격(猛擊) der heftige Angriff, -(e)s, -e; der heftige Überfall, -(e)s, ⸗e. ～하다 heftig an|greifen*.
맹견(猛犬) der bissige [wilde; grausame] Hund, -(e)s, -e.
맹금(猛禽) Raubvogel *m.* -s, ⸗.
맹도견(盲導犬) Blindenhund *m.* -(e)s, -e.
맹독(猛毒) das tötliche Gift, -(e)s, -e.
맹랑하다(孟浪一) ① 《믿을 수 없다》 unglaublich [untreu; unehrlich] (sein); 《터무니 없다》 absurd [unsinnig; verkehrt; schrecklich; töricht] (sein). ¶ 맹랑한 얘기 e-e unglaubliche Geschichte. ② 《가볍게 볼 수 없다》 stärker sein, als man gedacht hat. ¶ 맹랑한 아이 das kluge [schlaue] Kind.
맹렬하다(猛烈一) heftig [wütend; ungestüm] (sein).
맹목(盲目) ～적 blind. ¶ ～적으로 blindlings.
맹물 Süßwasser *n.* -s, -.
맹방(盟邦) der verbündete Staat, -(e)s, -en; Bundesgenosse *m.* -n, -n.
맹성(猛省) ¶ ～을 촉구하다 *jn.* erenstlich ermahnen 《*zu*³》; *jn.* aufs strengste mahnen 《*zu*³》.
맹세 Gelübde *n.* -s, -; Eid *m.* -(e)s, -e; Schwur *m.* -(e)s, ⸗e. ～하다 schwören*⁽⁴⁾; geloben³⁴.
맹수(猛獸) das wilde Tier, -(e)s, -e; Raubtier *n.* -(e)s, -e.
맹신(盲信) ～하다 blind vertrauen⁽³⁾ 《*auf*⁴》 [glauben⁴].
맹아(萌芽) Keim *m.* -(e)s, -e; Knospe *f.* -n; Sproß *m.* ..rosses, ..rosse; Keimung *f.* -en.
맹아학교(盲啞學校) Blinden- u. Taubstummenanstalt *f.* -en.
맹약(盟約) 《서약》 Eid *m.* -(e)s, -e; Gelöbnis *n.* ..nisses, ..nisse; 《동맹》 Bund *m.* -(e)s, ⸗e. ～하다 e-n Bund [ein Bündnis] schließen* 《*mit*³》.
맹위(猛威) Raserei *f.*; das Toben [Tosen]* -s; Wut *f.* ¶ ～를 떨치다 die Gewalt mißbrauchen; toben.
맹인(盲人) der Blinde*, -n, -n. ‖ ～교육 Blindenerziehung *f.* -en.
맹장(盲腸) Blinddarm *m.* -(e)s, ⸗e. ‖ ～염 Blinddarmentzündung *f.* -en; Appendizitis *f.* ..tiden.
맹장(猛將) der kühne [gewaltige] Held, -en, -en.
맹장지(盲障一) Schiebe [Tapeten] tür *f.* -en.
맹점(盲點) 〖解〗 Skotom *n.* -s, -e; 《比》 Lücke *f.* -n. ¶ 법의 ～ e-e Lücke im Gesetz.
맹종(盲從) der blinde Gehorsam, -(e)s. ～하다 blind(lings) gehorchen³.
맹추 Dummkopf *m.* -(e)s, ⸗e; Dummerjan *m.* -s, -e; Narr *m.* -en, -en.
맹타(猛打) ～하다 stark schlagen*⁴.
맹폭(猛爆) der heftige Bombenangriff, -(e)s, -e. ～하다 Bomben heftig ab|werfen*.
맹호(猛虎) der wilde Tiger, -s, -.
맹훈련(猛訓練) die harte Übung [Ausbildung] -en. ～하다 ⁴sich hart trainieren.
맹휴(盟休) Streik *m.* -(e)s, -e; Schülerstreik *m.* 《학교의》. ～하다 streiken; in den Streik treten*.
맺다 ① 《끈 따위를》 verknüpfen⁴; verbinden*⁴; verknoten⁴; verschlingen*⁴. ② 《체결》 (ab|)schließen* 《e-n Kontrakt》; ein|gehen* 《e-n Handel》. ③ 《종료》 (be)end(ig)en⁴; (be)schließen*⁴; zu ³Ende bringen*⁴. ④ 《연결》 verbinden*⁴ 《*mit*³》. ⑤ 《결실》 tragen* 《Früchte (*pl.*)》.
맺히다 ¶ 열매[봉오리]가 ～ Früchte [Knospen] an|setzen.
머금다 ¶ 물을 머금고 mit dem Mund voll Wasser / 미소를 머금고 lächelnd / 눈에 눈물을 ～ Tränen in den Augen haben.
머루 wilde Weintraube, -n.
머름 〖建〗 Wandgetäfel *n.* -s, -; Paneel *n.* -s, -e.
머리 ① 《두부》 Kopf *m.* -(e)s, ⸗e; Haupt *n.* -(e)s, ⸗er. ¶ ～를 숙이다 das Haupt nieder|schlagen*; den Kopf hängen lassen* / ～가 아프다 Kopfschmerzen haben. ② 《두발》 Haar *n.* -(e)s, -e. ¶ ～를 깎다 ³sich die Haare schneiden lassen*; ³sich den Kopf scheren lassen*. ③ 《기억력》 Gedächtnis *n.* -ses, -se; 《두뇌》 Verstand *m.* -(e)s. ¶ ～가 좋다[나쁘다] e-n guten [geringen] Verstand haben. ④ 《끝》 Oberteil *m.* -(e)s, -e; Spitze *f.* -n. ¶ 책상～ Tischkante *f.* -n. ⑤ 《첫머리》 Anfang *m.* -(e)s, ⸗e; Beginn *m.* -(e)s.
머리말 Vorwort *n.* -(e)s, -e; Vorrede *f.* -n; Einleitung *f.* -en.
머리카락 Haar *n.* -(e)s, -e. ¶ 앞～ Stirn [Vorder] locke *f.* -n; Stirnhaar *n.* -(e)s, -e.
머리털 das Haar auf dem Kopf.
머릿니 Kopflaus *f.* ⸗e; die Laus im Haar.
머무르다 bleiben* 《*in*³》; 《체류》 ⁴sich auf|halten* 《*in*³》; ein|kehren 《*in*³》; 《정지》 (an|)halten*; still halten*.
머무적거리다 zögern; zaudern; Bedenken tragen*; wanken; wackeln.

머슴 Landarbeiter *m.* –s, –; Knecht *m.* –(e)s, –e.

머위 〖植〗 Huflattich *m.*

머큐로크롬 Quecksilberchrom *n.* –s.

먹 Tusche *f.* –n; Tusch·stift 〔–stein〕 *m.* –(e)s, –e.

먹구름 dichte 〔schwarze〕 Wolken (*pl.*).

먹놓다 《금을 긋다》 e–n Grundriß auf|nehmen* 〔zeichnen〕.

먹다[1] ① 《음식을》 essen*[4]; speisen[4]; zu [3]sich nehmen*. ¶ 먹고 마시다 essen* u. trinken* / 먹어 치우다 auf|essen*[4]; aus|essen*[4]. ② 《나이를》 älter werden. ③ 《이문·구문 따위를》 erhalten*[4]; empfangen*[4]; kriegen*[4]; beschaffen[4]. ④ 《동물이》 fressen*[4].

먹다[2] 《귀가》 taub 〔schwerhörig〕 sein; taub werden.

먹빛 die Farbe der schwarzen Tinte.

먹성 Gefräßigkeit *f.*; Völlerei *f.*

먹음직스럽다 appetitlich 〔verlockend; köstlich〕 (sein).

먹이 Futter *n.* –s, –; Fraß *m.* –es, –e; Köder *m.* –s, –(미끼).

먹이다 ① 《음식을》 *jm.* [4]*et.* zu essen geben*; *jn.* speisen 《*mit*[3]》; *jn.* bewirten 《*mit*[3]》. ¶ 약을 ～ *jm.* e–e Arznei geben*〔verabreichen〕. ② 《부양·사육》 unterhalten*; ernähren; unterstützen; helfen*[3].

먹황새 〖鳥〗 der Storch mit schwarzem Kopf.

먼곳 Ferne 〔Weite〕 *f.* –n. ¶ ～으로부터 weither; aus weiter Ferne; von fern(e) / ～에 in der Ferne / ～으로 in die Ferne.

먼길 e–e lange Reise〔Wanderung〕; die weite Distanz.

먼동 Morgendämmerung *f.* –en. ¶ ～이 트다 Der Tag bricht an.

먼빛으로 aus der Ferne; weither; von ferne 〔weitem〕. ¶ ～ 보다 aus der Ferne blicken.

먼저 《미리》 früher; vorn; voraus; 《우선》 zuerst; als Erstes; anfangs; 《앞서》 vorwärts; geradeaus; voran.

먼지 Staub *m.* –(e)s, –e. ¶ ～투성이인 staubig; bestaubt / ～가 끼다 Staub sammelt sich an / ～를 일으키다 den Staub auf|wirbeln / ～를 털다 ab|stäuben[4]. ‖ ～떨이 Staubwedel 〔Abwischer〕 *m.* –s, –.

먼촌(—寸) e–e entfernte 〔weitläufige〕 Verwandtschaft, –en. ‖ ～ 일가 der entfernte 〔weitläufige〕 Verwandte*, –n, –n.

멀거니 zerstreut; in Gedanken verloren 〔vertieft〕; gedankenlos. ¶ ～ 앉아 있다 zerstreut sitzen*.

멀다 《거리가》 weit 〔fern; entfernt; abgelegen〕 (sein); 《관계가》 entfernt 〔kühl〕 (sein).

멀리 weit entfernt; weitab; in der Ferne; in die Ferne. ～하다 entfernen[4]; fern|halten*[4]; 《절제함》 [4]sich enthalten*[2] 《*von*[3]》. ¶ ～ 가다 weit gehen*; in die Weite ziehen*.

멀미 Nausea *f.*; Brechreiz *m.* –es, –e. ～하다〔나다〕 es ist *jm.* übel; Brechreiz haben.

멀어지다 [4]sich entfernen 《*von*[3]》.

멀찍이 ziemlich entfernt; weit weg; weit entfernt.

멈추다 auf|hören; unterbrechen*; inne|halten*; (an|)halten*.

멋 Zierlichkeit 〔Feinheit〕 *f.* –en; Eleganz *f.*; Geschmack *m.* –(e)s, ⸗e. ¶ 멋있는 schick; geschmackvoll; fein; elegant. ‖ 멋쟁이 Geck 〔Modenarr〕 *m.* –en, –en.

멋대로 nach Belieben; aus eigener Bequemlichkeit; nach eigenem Gutdünken.

멋들어지다 gut 〔schön; ausgezeichnet; vorzüglich; vortrefflich〕 (sein).

멋지다 großartig 〔herrlich; prächtig; fabelhaft; famos〕 (sein).

멋쩍다 ungeschickt 〔linkisch; unbeholfen; verlegen; mißlich; unbehaglich〕 (sein).

멍 Quetschung *f.* –en; Beule *f.* –n; blauer Fleck, –(e)s, –e. ¶ 눈에 멍이 들다 blaues Auge haben.

멍들다 ① 《피부에》 e–e Prellung bekommen*. ②《일이》 in e–e Schwierigkeiten verfallen*.

멍에 Joch *n.* –(e)s, –e.

멍청이 Dummkopf *m.* –(e)s, ⸗e; Tor 〔Narr〕 *m.* –en, –en; dummer Hans, –en, –en.

멍텅구리 Tor *m.* –en, –en; der Alberne*〔Blödsinnige*; Dumme*〕 –n, –n; Narr *m.* –en, –en.

멍하니 zerstreut; geistesabwesend; gedankenlos; verdutzt.

메 《방망이》 Schlegel *m.* –s, –; hölzerner Hammer, –s, –; Klöppel *m.* –s, –.

메가톤 Megatonne *f.* –n (略: Mt). ‖ ～급 폭탄 Megatonnenbombe *f.* –n.

메가헤르츠 Megahertz *n.* –, – (略: MHz).

메갈로폴리스 Megalopolis *f.* ..polen; Riesenstadt *f.* ⸗e.

메기 〖魚〗 Wels *m.* –es, –e.

메기다 ① 《소리를》 (ein Lied) an|stimmen; leiten. ② 《화살을》 auf|legen 《den Pfeil》.

메뉴 Speisekarte *f.* –n; Menü *n.* –s, –s.

메다[1] 《짐 따위를》 schultern[4]; nehmen* 〔tragen*〕 (auf die Schulter; auf den Rücken).

메다[2] 《구멍이》 zugestopft 〔verstopft〕 werden. ¶ 목이 ～ *jm.* im Halse 〔in der Kehle〕 stecken|bleiben*.

메달 Medaille 〔Denkmünze〕 *f.* –n.

메뚜기 Heuschrecke *f.* –n.

메리고라운드 Karussell *n.* –s, –e.

메리야스 Trikotage [..ʒə] *f.* –n; Strick-〔Wirk〕ware *f.* –n.

메마르다 steril 〔unfruchtbar; wüst; mager; trocken; dürr〕 (sein).

메모 Vermerk *m.* –(e)s, –e; Notizen (*pl.*). ～하다 [3]sich Notizen machen.

메밀 〖植〗 Buchweizen *m.* –s. ‖ ～국수 Buchweizennudel *f.* –n.

메부수수하다 bäurisch〔schlicht〕 (sein).

메숲지다 dicht 〔buschig〕 (sein).

메스 Skalpell *n.* –s, –e; ein chirurgisches Messer, –s, –.

메스껍다 [3·4]sich ekeln; Übelkeit empfinden*. ¶ 메스꺼운 ekelhaft.

메시지 Botschaft *f.* –en.

메아리 Echo *n.* -s, -s; Widerhall *m.* -s, -e.
메우다 《구멍 등을》 aus|füllen[4]; zu|füllen[4]; 《손실을》 ersetzen[4]; 《보충》 ergänzen[4].
메이데이 der Erste Mai, -(e)s, -e; Mai-(feier)tag *m.* -(e)s, -e.
메이커 Hersteller 〔Erzeuger〕 *m.* -s, -.
메이크업 Schminke *f.* ∼하다 schminken[4].
메조소프라노 Mezzosopran *m.* -s, -e.
메추라기 〖鳥〗 Wachtel *f.* -n.
메카니즘 Mechanismus *m.* -, ..men.
메탄 Methan *n.* -s. ‖ ∼가스 Sumpfgas *n.* -es, -e.
메트로놈 〖樂〗 Metronom *n.* -s, -e.
메틸 알코올 Methylalkohol *m.* -s.
멘셰비키 Menschewik *m.* -en, -en.
멘스 =월경(月經).
멘톨 〖化〗 Menthol *n.* -s.
멘히르 〖考古〗 Menhir *m.* -s, -e.
멜로드라마 Melodrama *n.* -s, ..men.
멜로디 Melodie *f.* -n.
멜빵 Trag〔Schulter〕riemen *m.* -s, -.
멤버 Mitglied *n.* -(e)s, -er.
멥쌀 Reis *m.* -es.
멧닭 〖鳥〗 ussurischer Schwarzhahn, -(e)s, ⁼e.
멧돼지 Wildschwein *n.* -(e)s, -e.
멧두릅 〖植〗 traubige Aralie, -n.
멧부리 Bergspitze *f.* -n.
며느리 Schwiegertochter *f.* ⁼. 〔*usw.*).
며느리발톱 Sporen (*pl.*) (e-s Haushahns
며루 〖蟲〗 die Larve der Erdschnake.
며칠 wie viele Tage?; einige Tage (*pl.*).
멱(冪) 〖數〗 Potenz *f.* -en.
멱살 Gurgel *f.* -n; Kehle *f.* -n; Hals *m.* -s, ⁼e. ¶ ∼을 잡다 bei der Brust packen 〔kriegen〕《*jn.*》.
면(面) ① 《얼굴》 Gesicht *n.* -(e)s, -er. ② 《검술의》 Fechtmaske *f.* -n. ③ 《표면》 Oberfläche *f.* -n. ④ 《측면》 Seite *f.* -n.
면경(面鏡) Handspiegel *m.* -s, -; ein kleiner Kosmetikspiegel.
면구스럽다(面灸—) Scham empfinden*.
면담(面談) Unterredung *f.* -en; Interview *n.* -s, -s. ∼하다 [4]sich mit *jm.* über [4]*et.* unterreden 〔persönlich besprechen*〕; interviewen.
면도(面刀) ∼하다 《자기가》 [4]sich rasieren; 《남을》 *jn.* rasieren; 《남의 손으로》 [4]sich rasieren lassen*; rasiert haben. ‖ 《안전》 ∼날 Rasierklinge *f.* -n / ∼칼 Rasiermesser *n.* -s, -.
면면히(綿綿—) ununterbrochen; fortdauernd; pausenlos.
면모(面貌) die Gesichtszüge(*pl.*); Miene *f.* -n. ¶ ∼를 일신하다 e-e vollkommene Umgestaltung erleben.
면목(面目) Ehre 〔Würde〕 *f.* -n; 《생김새》 das Aussehen*, -s. ¶ ∼을 일신하다 ein ganz neues Aussehen an|nehmen* / ∼을 세우다 den Schein retten / ∼을 잃다 s-e Ehre beflecken / ∼없다 [4]sich schämen.
면밀(綿密) ∼하다 genau 〔sorgfältig; pünktlich〕 (sein).
면박(面駁) ∼하다 *jm.* ins Gesicht schimpfen; *jm.* Schande ein|bringen*.
면사(綿絲) Baumwollgarn *n.* -(e)s, -e.
면사무소(面事務所) Gemeindeamt *n.* -(e)s, ⁼er; Gemeindehaus *n.* -es, ⁼er.
면사포(面紗布) Trauungs〔Gesichts〕-schleier *m.* -s, -.
면상(面相) Gesicht *n.* -(e)s, -er; Miene *f.* -n.
면세(免稅) Steuerfreiheit *f.* -en; 《관세의》 Zollfreiheit *f.* -en. ¶ ∼가 되다 steuerfrei 〔zollfrei〕 werden. ‖ ∼품(品) steuerfreier 〔zollfreier〕 Artikel, -s, -.
면소(免訴) Freisprechung *f.* -en; Freispruch *m.* -(e)s, ⁼e.
면식(面識) Bekanntschaft *f.* -en. ¶ ∼이 있다 *jn.* kennen*.
면양(緬羊) Schaf *n.* -(e)s, -e.
면역(免疫) Immunität *f.* -en. ¶ ∼성의 immun / ∼이 되다 immun werden 《*gegen*[4]》.
면적(面積) Flächeninhalt *m.* -(e)s, -e; Flächenraum *m.* -(e)s, ⁼e.
면전(面前) ¶ ∼에서 in [3]Gegenwart《*js.*》; vor den Augen《*js.*》; im Beisein《*js.*》.
면제(免除) Befreiung *f.* -en. ∼하다 *jn.* von [3]*et.* befreien 〔frei|lassen*〕.
면제품(綿製品) Baumwollwaren (*pl.*).
면죄(免罪) ∼하다 *jn.* begnadigen; *jm.* die Strafe erlassen*; 〖가톨릭〗 *jm.* Ablaß erteilen.
면지(面紙) 〖印〗 Vorsatz *m.* -es, ⁼e.
면직(免職) (Amts)enthebung 〔Entlassung〕 *f.* -en. ∼하다 *jn.* s-s Amtes entheben*; *jn.* aus s-m Amte entlassen*. ‖ 의원 ∼ Amtsenthebung auf s-e Bitte.
면직물(綿織物) Baumwollgewebe *n.* -s, -.
면책(免責) die Befreiung von der Verantwortung. ∼하다 *jn.* von der Verantwortung befreien. ‖ ∼ 조항 Immunitätsklausel *f.* -n / ∼ 특권 Immunität *f.* -en.
면포(綿布) Baumwollstoff *m.* -(e)s, -e.
면하다(免—) entgehen*[3]; entkommen*[3]; davon|kommen*; vermeiden*[4]; befreit werden 《*von*[3]》.
면하다(面—) gegenüber|stehen*[3]. ¶ 이 방은 뜰에 면해 있다 Das Zimmer geht auf den Garten.
면학(勉學) Studium *n.* -s, ..dien; das Lernen*, -s.
면허(免許) Erlaubnis *f.* -se; behördliche Genehmigung, -en. ∼하다 behördlich genehmigen[4]. ‖ ∼장 (amtliche) Erlaubnisschein *m.* -(e)s, -e (∼장을 받다 den Erlaubnisschein bekommen*).
면화(棉花) Rohbaumwolle *f.* -n. ‖ ∼ 재배자 Baumwollpflanzer *m.* -s, -.
면화약(綿火藥) Schießbaumwolle *f.* -n.
면회(面會) Besuch *m.* -(e)s, -e; Besprechung *f.* -en; Unterredung *f.* -en. ∼하다 besuchen; sprechen*; sehen*. ‖ ∼사절 Besuchsverbot *m.* -(e)s, -e / ∼ 시간 Sprechstunde *f.* -n / ∼일 Empfangstag *m.* -(e)s, -e.
멸균(滅菌) Pasteurisation〔Sterilisierung〕 *f.* ∼하다 pasteurisieren; sterilisieren.
멸망(滅亡) Verfall *m.* -(e)s; Untergang *m.* -(e)s, ⁼e. ∼하다 in Verfall geraten*; unter|gehen*; zugrunde|gehen*.
멸시(蔑視) Verachtung 〔Geringschätzung〕 *f.* -en. ∼하다 verachten[4]; gering|schätzen[4].

멸절(滅絕) Ausrottung *f.*; Zerstörung *f.*

멸족(滅族) die Ausrottung〔Vertilgung〕e-r Familie. ~하다 e-e Familie aus|rotten〔vernichten〕.

멸종(滅種) die Vertilgung〔Ausrottung〕des Stammes. ~하다 aus|sterben*; unter|gehen*.

멸치 〖魚〗 e-e Art von Sardelle. ‖ ~젓 die eingesalzene Sardellen (*pl.*).

멸하다(滅—) zerstören[4]; aus|rotten[4]; vernichten[4].

명(名) ¶ 모두 15명 insgesamt 15 Personen / 남자 3명, 여자 5명 3 Männer u. 5 Frauen.

명(命) 《목숨》 Leben *n.* -s, -; 《명령》 Befehl *m.* -(e)s, -e; Kommando *n.* -s, -s.

명(銘) Inschrift〔Grabschrift; Signatur〕*f.* -en. ‖ 좌우명 Motto *n.* -s, -s.

명검(名劍) Meisterschwert *n.* -(e)s, -er.

명견(名犬) feiner Hund, -(e)s, -e.

명곡(名曲) das berühmte Musikstück, -(e)s, -e; die klassische Musik. ‖ ~감상 der Genuß des berühmten Musikstücks.

명공(名工) Meister *m.* -s, -; Meisterhand *f.*

명관(名官) der gute〔bekannte〕Beamte*, -n, -n.

명구(名句) der schöne〔goldene; weise〕Spruch, -(e)s, ¨e.

명금(鳴禽) Singvogel *m.* -s, ¨; Sänger *m.* -s, -. ‖ ~류 Singvögel (*pl.*).

명기(名器) das kostbare Geschirr, -(e)s, -e; Kuriosität *f.* -en.

명기(明記) ~하다 ausdrücklich〔bestimmt; eindeutig; unzweideutig〕erwähnen[4]〔dar|legen[4]; an|geben*[4]; bezeichnen[4]〕.

명단(名單) Namensverzeichnis *n.* -ses, -se; Liste *f.* -n; Register *n.* -s, -.

명담(名談) die weisen Worte (*pl.*).

명답(名答) die richtige Antwort, -en.

명당(明堂) 《묏자리》 die günstige Stelle für das Grab.

명도(明渡) Auslieferung〔Überlieferung〕*f.*-en. ~하다 aus|liefern[4]; über|geben*[4].

명도(冥途) Totenreich *n.* -(e)s, -e; Hades *m.* -.

명동(鳴動) ~하다 dröhnen u. poltern. ¶ 태산 ~에 서일필 《俗談》 Viel Lärm um nichts.

명란(明卵) der Rogen des Pollacks. ‖ ~젓 eingesalzene Pollacksrogen (*pl.*).

명랑(明朗) ~하다 heiter〔munter; lustig; fröhlich〕(sein).

명령(命令) Befehl *m.* -(e)s, -e; Gebot *n.* -(e)s, -e; 《구두의》 Geheiß *n.* -es. ~하다 befehlen*[4]; gebieten*[4]; heißen*[4] 《*jn.*》. ‖ ~문 Imperativsatz *m.* -es, ¨e / ~법 Befehlsform *f.* -en; Imperativ *m.* -s, -e.

명료(明瞭) ~하다 klar〔deutlich〕(sein).

명리(名利) Ruhm u. Reichtum. ¶ ~에 급급해 있다 eifrig auf Ruhm u. Reichtum bedacht sein.

명마(名馬) das edle Roß, ..sses, ..sse.

명망(名望) Ansehen *n.* -s. ¶ ~있는 angesehen; ansehnlich.

명맥(命脈) Leben *n.* -s, -; Lebensfaden *m.* -s, ¨. ¶ ~을 유지하다 [3]sich das Leben fristen.

명멸(明滅) ~하다 flackern; flimmern.

명명(命名) (Be)nennung〔Namengebung〕*f.* -en. ~하다 (be)nennen; e-n Namen geben*; taufen. ‖ ~식 Taufe *f.* -n.

명명백백(明明白白) ~하다 sonnenklar〔klar wie der Tag〕(sein).

명모(明眸) die klaren Augen (*pl.*). ‖ ~호치 die schönen Augen u. Perlenzähne(*pl.*); 《미인》 Schönheit *f.* -en.

명목(名目) 《명칭》 Titel *m.* -s, -; Bezeichnung *f.* -en; 《구실》 Vorwand *m.* -(e)s, ¨e; Vorschützung *f.* -en. ¶ …의 ~으로 unter dem Vorwand, daß…. ‖ ~임금 Bruttoeinkommen *n.* -s, -.

명문(名文) der schöne Stil, -(e)s, -e; die schöne Stelle, -n. ‖ ~가 Stilist *m.* -en, -en.

명문(名門) die vornehme Familie, -n; die hohe Geburt, -en. ¶ ~ 출신이다 von hoher Geburt〔Herkunft〕sein.

명문(明文) die ausdrückliche Verordnung〔Festsetzung〕. ¶ ~화하다 im Gesetz ausdrücklich verordnen〔fest|setzen〕《법에》.

명물(名物) das berühmte Produkt, -(e)s, -e; Spezialität *f.* -en; 《명소》 Sehenswürdigkeit *f.* -en; 《사람》 die populäre Persönlichkeit, -en.

명민(明敏) ~하다 intelligent〔scharfsinnig〕(sein).

명반(明礬) Alaun *m.* -(e)s, -e.

명배우(名俳優) ein großer〔hervorragender〕Schauspieler, -s, -.

명백(明白) ~하다 klar〔deutlich; offenbar; einleuchtend; hell; unverkennbar; selbstverständlich〕(sein).

명복(冥福) die ewige Seligkeit, -en; das Glück im Tode.

명부(名簿) (Namen)liste *f.* -n; Namensverzeichnis *n.* -ses, -se.

명부(冥府) Unterwelt *f.* -en; Hades *m.* -.

명분(名分) Pflichtgebot *n.* -(e)s, -e; die moralische〔sittliche〕Bindung, -en.

명사(名士) e-e berühmte Person, -en; 《지방의》 Honoratiore *m.* -n, -n.

명사(名詞) Hauptwort *n.* -(e)s, ¨er; Substantiv *n.* -(e)s, -e; Nomen *n.* -s, ..mina.

명사(明紗) =명주실.

명산(名山) der bekannte Berg, -(e)s, -e. ‖ ~대천(大川) herrliche Gebirge u. Flüsse (*pl.*).

명산물(名産物) das berühmte Produkt, -(e)s, -e.

명상(瞑想) das Nachsinnen*, -s; Kontemplation〔Beschauung〕*f.* -en. ~하다 nach|sinnen*[3]; beschauen[4]. ¶ ~적 beschaulich; kontemplativ.

명석(明晳) ~하다 klar〔deutlich; verständlich〕(sein).

명성(名聲) Ruhm *m.* -(e)s; (ein guter) Ruf, -(e)s; Ansehen *n.* -s. ¶ ~있는 berühmt; 《세계적으로》 weltberühmt.

명성(明星) ① 《샛별》 Venus *f.* ② 《比》 Stern *m.* -(e)s, -e; Star *m.* -s, -s.

명세(明細) Einzelheit *f.* -en; Detail *n.* -s, -s. ‖ ~서 Spezifikation〔Einzelaufzählung〕*f.* -en.

명소(名所) ein berühmter Ort, -(e)s, -e; Sehenswürdigkeiten (*pl.*).

명수(名手) Meister〔Meisterspieler〕 *m.* -s, -; Virtuose *m.* -n, -n. ¶피아노의 ~ Klaviervirtuose.

명승(名僧) der berühmte Priester, -s, -.

명승지(名勝地) ein landschaftlich schöner Ort, -(e)s, -e.

명시(明示) die klare〔deutliche〕 Darstellung, -en; Veranschaulichung *f.* -en. ~하다 klar〔deutlich〕 dar|stellen^{4}.

명실(名實) Name u. Wesen; Ruf u. wirkliches Können. ¶~ 공히 sowohl was den Namen als auch was das Wesen betrifft; in Wort u. Tat.

명심(銘心) ~하다 beherzigen^{4}; ^{3}sich ^{4}*et.* tief (in die Seele) ein|prägen; gedenken*^{3}.

명안(名案) der gute Gedanke, -ns, -n.

명암(明暗) Licht u. Dunkel; Helldunkel *n.* -s; Schattierung *f.* -en.

명언(名言) die trefflichen Worte(*pl.*); die schlagende Bemerkung, -en.

명예(名譽) Ehre *f.* -n; Ruhm *m.* -(e)s. ¶~가 되다 *jm.* Ehre ein|bringen* / ~를 회복하다 s-e Ehre wieder|erlangen. ‖ ~심 Ehrliebe *f.*; Ehrsucht *f.* / ~직 Ehrenamt *n.* -(e)s, ¨er / ~ 훼손(毁損) Ehrverletzung *f.* -en; 《문서의》 Schmähschrift *f.* -en; 《구두의》 Verleumdung *f.* -en.

명왕성(冥王星) Pluto *m.* -.

명월(明月) der helle Mond, -(e)s, -e; 《만월》 Vollmond *m.* -(e)s, -e. ¶중추의 ~ Herbstvollmond *m.*

명유(名儒) bekannter Konfuzianist, -en, -en.

명의(名義) (*js.*) Name(n) *m.* ..mens, ..men. ¶~상의 nominell; nominal / …의 ~로 im Namen^{2}; namens^{2}. ‖ ~ 개서 die Umschreibung auf e-n anderen Namen.

명의(名醫) bekannter Arzt, -es, ¨e.

명인(名人) (Kunst)meister *m.* -s, -; Könner *m.* -s, -.

명일(名日) Festtag *m.* -(e)s, -e.

명일(明日) =내일.

명작(名作) das berühmte Werk, -(e)s, -e; Meisterwerk〔Meisterstück〕 *n.* -(e)s, -e.

명장(名匠) Meisterhand *f.*; Meister *m.* -s, -; geschickter Arbeiter, -s, -.

명장(名將) ein hervorragender Feldherr, -n, -en; ein berühmter General, -(e)s, ¨e 《유명한》.

명재상(名宰相) tüchtiger Kanzler, -s, -.

명저(名著) Meisterwerk *n.* -(e)s, -e.

명절(名節) Festtag *m.* -(e)s, -e; große Ferien (*pl.*).

명정(酩酊) (Be)trunkenheit〔Besoffenheit〕 *f.* -en.

명정(銘旌) die Fahne mit dem Namen des Verstorbenen.

명제(命題) Satz *m.* -es, ¨e.

명조(明朝) 《왕조》 die *Ming*-Dynastie, -n. ‖ ~체 〖印〗 *Ming*-artige Druckertype, -n.

명주(明紬) Seide *f.* -n.

명주(銘酒) der Reiswein von berühmter ^{3}Marke.

명줄 ein steifer Strick, der an dem Pflug gebraucht wird.

명중(命中) das Treffen*, -s. ~하다 treffen*^{4}. ‖ ~탄 Treffer *m.* -s, -.

명찰(名札) Namensplatte *f.* -n.

명찰(名刹) ein (alt)berühmter Tempel, -s, -.

명창(名唱) 《사람》 der bekannte〔ausgezeichnete〕 Sänger, -s, -.

명칭(名稱) Name *m.* -ns, -n; Benennung〔Bezeichnung〕 *f.* -en.

명콤비(名—) treffliches Paar, -(e)s, -e.

명쾌(明快) ~하다 klar〔klipp u. klar; einleuchtend; handgreiflich〕 (sein).

명태(明太) 〖魚〗 Alaskapollack *m.* -s, -e.

명패(名牌) Namensplatte *f.* -n.

명필(名筆) ① 《글씨》 die ausgezeichnete Handschrift, -en; Kalligraphie *f.* -n. ② 《사람》 Kalligraph *m.* -en, -en; der ausgezeichnete Schreiber, -s, -.

명하다(命—) 《명령》 befehlen*^{34}; e-n Befehl geben*; 《임명》 ernennen*^{4} 《*zu*^{3}》.

명함(名啣) Namenskarte〔Visitenkarte; Besuchskarte〕 *f.* -n. ‖ ~판 《사진의》 Visitkartenformat *n.* -(e)s, -e.

명현(名賢) der bekannte Weise*, -n, -n.

명화(名花) e-e berühmte Blume, -n; 《사람》 e-e schöne Buhlerin, -nen.

명화(名畫) 《그림》 das berühmte〔vorzügliche〕 Gemälde, -s, -; 《영화》 der ausgezeichnete Film, -s, -e.

명확(明確) ~하다 klar〔deutlich; bestimmt; ausdrücklich; offenbar; unverkennbar; einleuchtend〕 (sein); 《자명한》 selbstverständlich (sein).

몇몇 einige(s); etliche(s). ¶~ 사람 einige Personen (*pl.*).

모^{1} 《벼의》 das junge Reispflänzchen; 《묘목》 Sämling *m.* -s, -e; Samenpflanze *f.* -n.

모^{2} 《각》 Ecke *f.* -n; Winkel *m.* -s, -; 《유표함》 Eckigkeit *f.*; Steifheit *f.*

모(某) soundso; ein (gewisser). ¶모씨 Herr Soundso〔N. N.〕 / 5월 모일 der soundsovielte Mai / 모처에서 an e-m (gewissen) Ort.

모가비 Haupt *n.* -(e)s, ¨er.

모개 ¶~로 alles zusammen; in Bausch u. Bogen. ‖ ~ 흥정 Großhandel *m.* -s.

모계(母系) die mütterliche Linie, -n. ¶~의 in weiblicher Linie.

모계(謀計) Anschlag *m.* -(e)s, ¨e; Intrige *f.* -n.

모공(毛孔) Pore *f.* -n; kleine Öffnungen (*pl.*).

모교(母校) s-e alte Schule, -n; 《대학의》 s-e Alma mater, - -.

모국(母國) Vaterland *n.* -(e)s, ¨er. ‖ ~어 Muttersprache *f.* -n.

모권(母權) die mütterliche Autorität. ‖ ~사회 die mütterliche Gesellschaft, -en.

모근(毛根) Haarwurzel *f.* -n.

모금 Zug *m.* -(e)s, ¨e; Schluck *m.* -(e)s, ¨e. ¶물 한~ ein Schluck von Wasser.

모금(募金) Geldsammlung *f.* -en. ~하다 es wird gesammelt; Geld auf|treiben*〔auf|bringen*〕. ‖ ~함 Sammelbüchse *f.* -n.

모기 (Stech)mücke *f.* -n; Moskito *m.* -s, -s. ‖ ~장 Moskitonetz *n.* -es, -e.

모꼬지 Versammlung *f.* -en. ~하다 ^{4}sich versammeln.

모나다 ① 《물건이》 eckig〔kantig〕 sein. ② 《성질이》 eckig〔unfreundlich〕 sein.

모내기 das Reispflanzen*, -s. ～하다 Reis pflanzen.
모내다〖農〗Reis verpflanzen.
모녀(母女) Mutter u. Tochter.
모노마니아 Monomanie *f.* -n; fixe Idee, -n; Zwangsvorstellung *f.* -en.
모노섹스 Unisex *m.* -es.
모놀로그 Monolog *m.* -s, -e; Selbstgespräch *n.* -(e)s, -e.
모니터 Abhörer *m.* -s, -. 「*n.* -s.┐
모닥불 Freuden〔Reisig; Kartoffel〕feuer┘
모더니스트 Modernist *m.* -en, -en.
모더니즘 Modernismus *m.* -.
모데라토〖樂〗*moderato.*
모델 Modell *n.* -s, -e.
모독(冒瀆) ～하다 schänden^{4}; entehren^{4}; (신성을) entheiligen^{4}.
모두 alle*; (누구든지) jeder; jedermann; (통틀어) alles in allem; alles zusammengenommen; (함께) alle(s) zusammen; (ins)gesamt. ¶～ 알고 있다 Ich kenne alles〔all das〕. / ～ 말하게 해다오 Laß mich doch ausreden! / 이 이야기는 ～ 거짓말이다 Die Geschichte ist von A bis Z erfunden.
모두(冒頭) Anfang〔Eingang〕*m.* -(e)s, ⸚e. ‖ ～ 진술 Eingangsaussage *f.* -n.
모두거리 mit beiden Füßen gleichzeitig stolpern.
모든 all; ganz; gänzlich; restlos; völlig.
모들뜨기눈 Schielaugen (*pl.*); Einwärtsschielen *n.* -s.
모들뜨다 Schielaugen (*pl.*) haben.
모뜨다 nach|ahmen^{4}〔-|bilden^{4}〕.
모라토리엄 Moratorium *n.* -s, ..rien; Zahlungsaufschub *m.* -(e)s, ⸚e.
모락모락 dampfend. ¶음식에서 김이 ～ 올랐다 Das Essen wurde dampfend heiß serviert.
모란(牡丹) Päonie *f.* -n; Pfingstrose *f.*┐
모랄 Moral *f.* -en. └-n.┘
모래 Sand *m.* -(e)s, -e. ‖ ～땅 Sandboden *m.* -s, -〔⸚〕/ ～밭 Sandfeld *n.* -(e)s, -er / ～벌판 Sandebene *f.* -n / ～주머니 Sandsack *m.* -(e)s, ⸚e / ～찜 Sandbad *n.* -(e)s, ⸚er / ～톱 Sandstrand *m.* -(e)s, -e.
모래무지〖魚〗(Meer)gründel *f.* -n; Gründling *m.* -s, -e; Kaulkopf *m.* -(e)s, ⸚e.
모래집〖解〗Amnion *n.* -s. ‖ ～물 Amnionwasser *n.* -s; Fruchtwasser.
모략(謀略) List *f.* -en; Kniff *m.* -(e)s, -e; Intrige *f.* -n.
모레 übermorgen. ‖ ～ 아침〔저녁〕übermorgen früh〔abend〕.
모로 ① (비껴서) diagonal. ¶～ 자르다 diagonal schneiden*. ② (옆으로) quer; seitwärts. ¶～ 걷다 seitwärts gehen*.
모루 Amboß *m.* ..bosses, ..bosse. ‖ ～채 Hammer *m.* -s, ⸚.
모르다 ①(이해 못함) nicht wissen*〔kennen*^{4}; verstehen*^{4}〕. ② (인식 못함) nicht schätzen^{4}. ¶어른을 ～ ältere Leute nicht schätzen|lernen. ③ (무감각) unempfindlich sein (*für^{4}*). ¶추위를 ～ unempfindlich gegen Kälte sein. ④ (무경험) unerfahren sein. ¶여자를 ～ keine Erfahrung mit Mädchen haben. ⑤ (냉담) nichts zu tun haben (*mit^{3}*). ¶그런 건 난 모르겠다 Damit habe ich nichts zu tun.
모르모트 Murmeltier *n.* -(e)s, -e.
모르몬교(一教) Mormonentum *n.* -(e)s. ‖ ～도 Mormone *m.* -n, -n.
모르타르 Mörtel〔Kalkmörtel〕*m.* -s, -. ¶～로 칠하다 mörteln^{4}.
모르핀 Morphium *n.* -s. ‖ ～중독 Morphinismus *m.* - (～ 중독자 Morphinist *m.* -en, -en).
모름지기 auf jeden Fall; um jeden Preis.
모리배(謀利輩) Gewinnler〔Schieber〕*m.* -s, -. 「werden*^{4}.┐
모면(謀免) ～하다 entkommen*^{3}; los|-┘
모멸(侮蔑) Beleidigung〔Verachtung〕*f.* -en. ～하다 *jn.* beleidigen〔verachten; verschmähen〕. 「Soundso.┐
모모(某某) ＝아무아무. ‖ ～인 Herren┘
모반(母斑) (Mutter)mal *n.* -(e)s, -e〔⸚er〕.
모반(謀叛) Aufstand *m.* -(e)s, ⸚e; Empörung *f.* -en; (Hoch)verrat *m.* -(e)s; Verschwörung *f.* -en. ～하다 ^{4}sich empören〔auf|lehnen〕(*gegen^{4}*); verraten*^{4}; ^{4}sich verschwören (*gegen^{4}*).
모발(毛髮) Haar *n.* -(e)s, -e.
모방(模倣) Nachahmung〔Imitation〕*f.* -en. ～하다 nach|ahmen$^{3\cdot4}$; nach|machen$^{3\cdot4}$.
모범(模範) Muster *n.* -s, -; Vorbild *n.* -(e)s, -er; Beispiel *n.* -(e)s, -e. ～적 musterhaft; mustergültig; vorbildlich.
모병(募兵) (An)werbung〔Aushebung〕*f.* -en. ～하다 rekrutieren^{4}; (als Rekruten) an|werben^{4}. 「^{1}Seide (-n).┐
모본단(模本緞) e-e ^{1}Sorte chinesische┘
모사(模寫) ～하다 nach|zeichnen^{4}; kopieren^{4}; nach|bilden^{4}; ab|schreiben*^{4}.
모사(謀士) Pläneschmied *m.* -(e)s, -e; Projektmacher *m.* -s, -.
모사(謀事) ～하다 Pläne schmieden. ‖ ～꾼 Pläneschmied *m.* -(e)s, -e.
모살(謀殺) ～하다 (meuchlings) ermorden^{4}; morden^{4}.
모색(暮色) Abenddämmerung *f.* -en.
모색(摸索) ～하다 tappen (*nach^{3}*); umher|tasten (*nach^{3}*). 「Kante *f.* -n.┐
모서리 Ecke *f.* -n; Winkel *m.* -s, -;┘
모선(母船) Mutterschiff *n.* -(e)s, -e. ‖ 포경 ～ Walermutterschiff.
모성(母性) Mütterlichkeit *f.* -en. ‖ ～애 Mutterliebe *f.* -n.
모세관(毛細管) Haarröhrchen *n.* -s, -; Haar〔Kapillar〕gefäß *n.* -es, -e. ‖ ～현상 Kapillarität *f.* 「fäß *n.* -es, -e.┐
모세혈관(毛細血管) Haar〔Kapillar〕ge-┘
모션 Bewegung *f.* -en.
모손(耗損) das Abschaben*, -s.
모순(矛盾) Widerspruch *m.* -(e)s, ⸚e; Widersinn *m.* -(e)s, -e. ¶～되다 widersprechen*; in ^{3}Widerspruch sein〔stehen*〕/ ～투성이의 widerspruchs-┐
모숨 e-e Handvoll. └voll.┘
모스 ‖ ～ 부호 Morseabece *n.* -, - / ～ 코드 Morseschrift *f.* -en.
모슬린 Musselin *m.* -s, -e.
모습(貌襲) Gesichts〔Grund; Charakter〕zug *m.* -(e)s, ⸚e; Gesichtsbildung *f.* -en.

모시 (옷감) Ramiestoff *m.* -(e)s, -e.
모시다 begleiten^4; eskortieren^4; bedienen^4; (떠받들다) an|beten^4; verehren^4.
모시조개 Venusmuschel *f.* -n.
모시풀 〖植〗 Ramie *f.* -n; Chinagras *n.* -(e)s, ¨er.
모심다 Reis pflanzen.
모씨(某氏) Herr Soundso; Herr X.
모양(模樣) ① (생김새) Form 〔Gestalt; Figur〕 *f.* -en; Anschein *m.* -(e)s, -e; das Aussehen*, -s. ② (전망·징후) das Aussehen*, -s; Vorzeichen *n.* -s, -. ¶비가 올 ~이다 Es sieht nach Regen aus. ③ (방식) Weise *f.* -n; Art *f.* -en. ¶이 ~으로 derartig, daß....
모양새(模樣—) Gestalt 〔Erscheinung〕 *f.* -en.
모여들다 zusammen|kommen* (*mit*^{3}); ^{4}sich versammeln.
모옥(茅屋) Strohhütte *f.* -n.
모욕(侮辱) Beleidigung 〔Kränkung〕 *f.* -en. ~하다 beleidigen^4; kränken^4; schmähen^4. ‖법정 ~(죄) die Mißachtung des Gerichtes.
모우(暮雨) Regen beim Einbruch der Nacht.
모유(母乳) Muttermilch *f.*
모으다 ① (사람·사물을) sammeln^4; versammeln^4. ② (집중) konzentrieren^4 〔vereinigen^4〕(*auf*^{4}). ③ (끌다) an|ziehen*^{4}; auf ^{4}sich nehmen*^{4}. ¶시선을 ~ *js.* Blicke auf ^{4}sich ziehen*. ④ (축적) ein|treiben*^{4}; ein|ziehen*; auf|speichern^4; konsultieren^4.
모음(母音) Vokal *m.* -s, -e; Selbstlaut *m.* -(e)s, -e.
모음곡(—曲) 〖樂〗 Suite [svíːtə] *f.* -n; mehrsätziges Musikstück, -es, -e.
모의(模擬) ~의 nachgemacht; unecht. ‖~ 시험 Prüfung *f.* -en.
모의(謀議) (상담) Beratung *f.* -en; (음모) Intrige *f.* -n. ~하다 ^{4}sich beraten*; komplottieren^4.
모이 Futter *n.* -s, -. ¶~를 주다 füttern^4.
모이다 ^{4}sich (an)|sammeln 〔versammeln〕; eingesammelt werden; (집중) ^{4}sich konzentrieren.
모임 (집회) Versammlung *f.* -en; Zusammenkunft *f.* ¨e; (회의) Sitzung *f.* -en; (단체) Gesellschaft *f.* -en.
모자(母子) Mutter u. Sohn 〔Kind〕.
모자(帽子) Hut *m.* -(e)s, ¨e; Mütze *f.* -n.
모자라다 ① fehlen; mangeln; ab|gehen*; entbehren; gebrechen*; hapern. ② (우둔) dumm 〔schwachköpfig〕 sein.
모자이크 Mosaik *n.* -s, -e.
모쟁이 〖魚〗 Meeräsche *f.* -n.
모정(慕情) Sehnsucht *f.* ¨e; Liebe *f.* -n.
모조(模造) Imitation 〔Nachbildung〕 *f.* -en. ~하다 imitieren^4; nach|machen^4. ¶~의 imitiert; nachgemacht; (인공의) künstlich. ‖~ 가죽 Kunstleder *n.* -s, - / ~품 Imitation *f.* -en; das Nachgemachte*, -n.
모조리 sämtlich; allesamt; alles.
모종 〖農〗 Säm〔Keim〕ling *m.* -s, -e. ~하다 Sämlinge *usw.* pikieren.
모종(某種) e-e gewisse Art. ¶~의 ein gewisser 〔e-e gewisse; ein gewisses〕; etwas.
모주, 모주꾼, 모주망태 Bacchusbruder *m.* -s, ¨.
모주(母酒) =밑술.
모지다 ① (모나다) winklig〔spitz; eckig〕 (sein). ② (일·물건에) eckig 〔ungelenk〕 (sein).
모지라지다 ^{4}sich ab|nützen 〔ab|tragen*〕.
모직(毛織) ~의 wollen; Woll-. ‖~물 Wollenstoff *m.* -(e)s, -e; Woll(en)zeug *n.* -(e)s, -e.
모질다 ① (잔인) verrucht〔gottlos; grausam; hartherzig〕 (sein). ② (배겨냄) hartnäckig 〔hart〕 (sein). ③ (날씨가) rauh 〔heftig; streng〕 (sein).
모집(募集) (An)werbung *f.* -en; Stellenangebot *n.* -(e)s, -e; Subskription *f.* -en. ~하다 (an)|werben*^{4}; suchen^4. ‖~ 광고 e-e Anzeige für Subskription.
모집다 ① (허물 등을) auf ^{4}*et.* hin|weisen*. ② (집다) packen^4; fassen^4.
모처(某處) ein gewisser Ort, -(e)s.
모처럼 (벼른끝에) zum erstenmal nach langern Zögern; mit großer Mühe; absichtlich; besonders.
모체(母體) der ^{2}Mutter Körper *m.* -s, -; Mutterleib *m.* -(e)s, -er(모태).
모친(母親) Mutter *f.* ¨.
모탕 ① (나무 팰 때의) Klotz zum Holzhacken. ② (굄목) Block *m.* -(e)s, ¨e.
모태(母胎) Mutterleib *m.* -(e)s, -er; (자궁) Uterus *m.* -, ..ri.
모터 Motor *m.* -s, -en; Kraftmaschine *f.* -n. ‖~보트 Motorboot *n.* -(e)s, ..böte / ~ 사이클 Motorrad *n.* -(e)s, ¨er.
모터풀 Parkplatz *m.* -es, ¨e.
모텔 Motel *n.* -s, -s.
모토 Motto *n.* -s, -s.
모퉁이 Winkel *m.* -s, -; Ecke 〔Kante〕 *f.* -n. ¶~에 an der Ecke.
모티브 Motiv *n.* -s, -e.
모판(—板) 〖農〗 Reisbeet *n.* -(e)s, -e.
모포(毛布) Wolldecke *f.* -n.
모표(帽標) Kokarde *f.* -n; Abzeichen der Mütze.
모피(毛皮) Fell *n.* -s, -e; Pelz *m.* -es, -e.
모필(毛筆) Pinsel *m.* -s, -.
모함(母艦) Mutterschiff *n.* -(e)s, -e.
모함(謀陷) ~하다 *jm.* e-e Falle stellen^3.
모해(謀害) das Komplott, *jm.* zu schaden. ~하다 Komplott an|zetteln, *jm.* zu schaden.
모험(冒險) Abenteuer *n.* -s, -; Wagnis *n.* -ses, -se. ~하다 wagen^4; Gefahr laufen*. ¶~적(인) abenteuerlich. ‖~가 Abenteurer *m.* -s, - / ~담 die abenteuerliche Geschichte, -n.
모형(母型) 〖印〗 Hohlform *f.* -en.
모형(模型) Modell *n.* -s, -s; Muster *n.* -s, -; Schablone *f.* -n. ‖~ 비행기 Modellflugzeug *n.* -(e)s, -e.
모호하다(模糊—) unklar 〔dunkel; unsicher; unbestimmt; zweideutig〕 (sein).
목 Hals *m.* -es, ¨e; Nacken *m.* -s, -; Schlund *m.* -(e)s, ¨e; Rachen *m.* -s, -. ¶목이 마르다 Durst bekommen* 〔haben〕 / 목 매어 죽다 ^{4}sich erhängen 〔auf|hängen〕 / 목 자르다 enthaupten; (파면) ab|setzen; entlassen.
목가(牧歌) Pastorale *f.* -n; Bukolik *f.*; Idylle *f.* -n. ¶~적인 pastoral; bukolisch; idyllisch.
목각(木刻) Holzschnitzerei *f.* -en. ~하

다 in 〔aus〕 Holz schnitzen.
목간(沐間) 《목욕》 Bad *n.* -(e)s, ⸚er; 《목욕간》 Badezimmer *n.* -s, -.
목걸이 Halskette *f.* -n; Halsband *n.* -(e)s, ⸚er; Halsschmuck *m.* -(e)s, -e.
목격(目擊) ∼하다 mit s-n eigenen Augen sehen*[4]; Augenzeuge sein 《*von*[3]》; zu|schauen*. ‖ ∼자 (Augen)zeuge *m.* -n, -n.
목공(木工) Tischler *m.* -s, -; Zimmermann *m.* -(e)s, ⸚er.
목관악기(木管樂器) Holz(blas)instrument *n.* -(e)s, -e.
목구멍 Kehle *f.* -n; Gurgel *f.*; Hals *m.* ⌈-es, ⸚e.⌉
목금(木琴) 〖樂〗 Xylophon *n.* -s, -e.
목다리(木—) =목발.
목덜미 Nacken *m.* -s, -; Genick *n.* ⌊-(e)s, -e.⌋
목도(目睹) =목격.
목도리 Halstuch *n.* -(e)s, ⸚er.
목도리도요 〖鳥〗 Kampfhahn *m.* -(e)s, ⌊⸚e(-en).⌋
목돈 e-e runde Summe, -n.
목동(牧童) Hirtenjunge *m.* -n, -n; Hirt *m.* -en, -en.
목련(木蓮) 〖植〗 Magnolie *f.* -n; 《자목련》 purpure Magnolie; 《백목련》 weiße Magnolie.
목례(目禮) das Nicken*, -s; das Winken*, -s. ∼하다 nicken[3]; winken[3].
목로(木壚) ‖ ∼(술)집 Stehausschank *m.* -(e)s, ⸚e.
목록(目錄) Verzeichnis *n.* -ses, -se; Aufstellung *f.* -en; Liste *f.* -n.
목리(木理) 《나뭇결》 Maserung *f.* -en; 《나이테》 Jahresring *m.* -(e)s, -e.
목마(木馬) das hölzerne Pferd, -(e)s, -e; Schaukelpferd *n.* -(e)s, -e; (Sprung-) pferd 《체조용의》.
목마르다 durstig (sein); Durst haben; 《갈망》 [4]sich sehnen 《*nach*[3]》; verlangen 《*nach*[3]》.
목말 ¶ ∼을 타다 auf *js.* [3]Schultern(*pl.*) ⌈reiten*.⌉
목매다 《죽임》 erwürgen[4]; erdrosseln[4]; 《스스로》 [4]sich auf|hängen.
목메다 [4]sich verschlucken; (fast) ersticken. ¶ 목메어 울다 schluchzen; in Tränen fast ersticken.
목면(木綿) ① Baumwolle *f.* -n. ② =무⌈명.⌉
목발(木—) Krücke *f.* -n.
목사(牧師) der Geistliche*, -n, -n; Pfarrer *m.* -s, -; Pastor *m.* -s, -en.
목석(木石) ① 《나무와 돌》 Bäume u. Steine (*pl.*). ② 《무감정》 Unempfindlichkeit *f.* ¶ ∼ 같은 unempfindlich; gleichgültig.
목선(木船) Holzboot〔Holzschiff〕 *n.* -(e)s, ⌊-e.⌋
목성(木星) Jupiter *m.* -s.
목소리 Stimme *f.* -n; Laut *m.* -(e)s, -e; Ton *m.* -(e)s, ⸚e.
목수(木手) Zimmermann *m.* -(e)s, ⌈..leute.⌉
목숨 Leben *n.* -s, -. ¶ ∼을 걸고 auf Leben und Tod, mit Lebensgefahr / ∼을 바치다 sein Leben hin|geben* 《*für*[4]》.
목쉬다 heiser werden; [4]sich heiser sprechen*. ¶ 목쉰 소리 die heisere Stimme, -n.
목양말(木洋襪) Baumwoll(en)socke *f.* ⌈-n.⌉
목요일(木曜日) Donnerstag *m.* -(e)s, -e.
목욕(沐浴) Bad *n.* -(e)s, ⸚er. ∼하다 ([4]sich) baden; ein Bad nehmen*. ‖ ∼탕 Bade(haus) *n.* -es, ⸚er; Badeanstalt *f.* -en; 《욕실》 Badezimmer *n.* -s, - / ∼통 Badewanne *f.* -n.
목운동(—運動) Halsbewegung *f.* -en.
목자(牧者) 《양치기》 Hirt *m.* -en, -en.
목장(牧場) Weide 〔Wiese〕 *f.* -n.
목재(木材) Holz〔Bauholz, Nutzholz〕 *n.* -es, ⸚er. ‖ ∼상 Holzhandel *m.* -s, - 《장사》; Holzhändler *m.* -s, - 《장수》 / ∼소 Holzplatz *m.* -es, ⸚e.
목적(目的) Zweck *m.* -(e)s, -e; Ziel *n.* -(e)s, -e; Absicht *f.* -en; das Vorhaben*, -s. ‖ ∼격 〖文〗 Akkusativ *m.* -s, -e / ∼론 Teleologie *f.* -n / ∼어 Objekt *n.* -(e)s, -e / ∼지 Ziel 〔Reiseziel〕 *n.* -(e)s, -e.
목전(目前) ¶ ∼의 nahe bevorstehend; drohend / ∼에 vor 〔*js.*; den〕 Augen; vor der Nase; in *js.* Gegenwart.
목젖 Zäpfchen *n.* -s, -.
목제(木製) ¶ ∼의 hölzern; aus 〔von〕 Holz; Holz-.
목조(木造) ∼의 aus 〔von〕 Holz; hölzern. ‖ ∼ 가옥 das hölzerne Haus, -es, ⸚er.
목질(木質) die Qualität des Holzes.
목차(目次) Inhaltsverzeichnis *n.* -ses, -se; Inhalt *m.* -(e)s, -e.
목책(木柵) =울짱.
목청 Stimme *f.* -n. ¶ ∼이 좋다 e-e schöne Stimme haben.
목초(牧草) Weide *f.* -n; Grasfutter *n.* -es, ⸚er. ‖ ∼지 Wiese *f.* -n.
목축(牧畜) Viehzucht *f.* ‖ ∼업자 Viehzüchter *m.* -s, -.
목측(目測) Augenmaß *n.* -es, -e. ∼하다 mit den Augen messen*[4]. ¶ ∼으로는 nach dem Augenmaß.
목침(木枕) Holzstütze *f.* -n. ⌈-s.⌉
목탁(木鐸) der 〔das〕 holzerne Gang, -s,
목탄(木炭) Holzkohle *f.* -n. ‖ ∼화 Kohlezeichnung *f.* -en. ⌈-(e)s, -er.⌉
목판(木板) 《음식 나르는》 Holzbrett *n.*
목판(木版) Holzschneidekunst *f.* ⸚e; Holzschnitt *m.* -(e)s. ‖ ∼ 인쇄 Holzdruck *m.* -(e)s, -e / ∼화 Holzschnitt *m.* -(e)s, -e.
목표(目標) Ziel *n.* -(e)s, -e; Zweck *m.* -(e)s, -e. ¶ ∼삼다 zielen 《*auf*[4]》; bezwecken[4].
목하(目下) jetzt; derzeit; gegenwärtig.
목합(木盒) Holznapf *m.* -(e)s, ⸚e.
목화(木花) die rohe Baumwolle, -n.
몫 Anteil *m.* -(e)s, -e; Portion *f.* -en.
몫몫이 anteilig; anteilmäßig. ¶ ∼ 나누다 gleichmaßig verteilen[4].
몬순 Monsun *m.* -s, -e.
몰 Borte *f.* -n. ‖ 금몰 Goldborte *f.* -n.
몰강스럽다 grausam〔hart; brutal〕(sein).
몰골 das Verkrüppeln*, -s; Mißgestaltung *f.* -en. ¶ ∼ 사납다 häßlich 〔unförmig〕 sein.
몰다 《짐승을》 (an)|treiben*[4]; hetzen[4]; 《말을》 reiten*; 《차를》 fahren*[4]; lenken[4]; 《도둑 따위로》 beschuldigen[4].
몰두(沒頭) ∼하다 [4]sich vertiefen 〔versenken〕 《*in*[4]》; [4]sich [3]*et.* ergeben*.
몰라보다 nicht beachten[4] 〔erkennen〕.
몰락(沒落) Untergang *m.* -(e)s, ⸚e.

～하다 unter|gehen*; zugrunde|gehen*.
몰래 heimlich; unbemerkt.
몰려가다 in [3]Masse 〔in großer Menge〕 gehen* 〔kommen*〕.
몰려나다 vertrieben 〔verjagt; fortjagt〕 werden*; 《해고》 entlassen werden*.
몰려다니다 in Gruppen〔Haufen〕umher|laufen*.
몰려들다 [4]sich drängen; (um)schwärmen; wimmeln; [4]sich scharen 〔sammeln〕.
몰려오다 [4]sich vor|drängen; vor|dringen*.
몰리다 ① 《밀리다》 gestoßen 〔gedrängt; gerückt〕 werden. ② 《쫓기다》 gejagt 〔getrieben〕 werden. ③ 《궁해지다》 in Not sein. ¶돈에 ～ um Geld verlegen sein. ④ 《죄로》 getadelt 〔vorgeworfen〕 werden. ⑤ 《한곳에》 [4]sich sammeln.
몰리브덴 〖化〗 Molybdän *n.* -s 《기호: Mo》.
몰사(沒死) ～하다 völlig vernichtet werden; vollständig zerstört werden.
몰살(沒殺) Massenmord *m.* -(e)s, -e; Gemetzel *n.* -s, -; Blutbad *n.* -(e)s, ⸚er. ～하다 bis auf den letzten Mann hin|metzeln[4]; ohne [4]Ausnahme vernichten[4].
몰상식(沒常識) ～하다 unverständig〔dem gesunden Menschenverstand zuwider; unsinnig〕 (sein).
몰수(沒收) Beschlagnahme *f.* -n. ～하다 beschlagnahmen[4].
몰식자(沒食子) Gallapfel *m.* -s, ⸚.
몰씬하다 ☞ 물씬하다.
몰아(沒我) Selbstlosigkeit *f.* -en.
몰아 alles; alle; in allem; im ganzen.
몰아가다 ① 《몰고》 fort|jagen; an|treiben*. ② 《휩쓸어》 weg|nehmen*; weg|tragen*.
몰아내다 vertreiben*[4]; fort|jagen[4]; aus|treiben*[4]; verjagen[4].
몰아넣다 ① 《안으로》 hinein|treiben*[4]. ② 《궁지에》 in die Ecke treiben*[4]. ③ 《한데》 zusammen hinein|stecken[4].
몰아대다 *jn.* zum Schweigen bringen*.
몰아붙이다 《한쪽으로》 (alles) auf e-e Seite schieben*.
몰아세우다 schelten*; aus|schelten*; zur Rede stellen; tadeln.
몰아치다 ① 《한꺼번에》 auf einmal tun*; mit e-m Schlag machen. ② 《한군데로》 alles auf e-e Seite stellen.
몰이 Hetze *f.* -n.
몰이해(沒理解) Verständnislosigkeit *f.*; Mangel an Verständnis.
몰인정(沒人情) ～하다 unmenschlich 〔grausam; unfreundlich; gefühllos〕 (sein).
몰입(沒入) ～하다 [4]sich vertiefen 《*in*[4]》.
몰지각(沒知覺) ～하다 unverständig 〔unvernünftig〕 (sein).
몰취미(沒趣味) ～하다 geschmacklos 〔flach; geistesstumpf〕 (sein).
몸 《신체》 Körper *m.* -s, -; Leib *m.* -(e)s, -er; 《동체》 Rumpf *m.* -(e)s, ⸚e; 《체격》 Körperbau *m.* -(e)s; Körpergröße *f.* -n; 《체질》 Körperanlage *f.* -n; 《건강》 Gesundheit *f.* -en. ¶몸에 좋은 gesund(heitsförderlich) / 몸에 해로운 ungesund; gesundheitsschädlich / 몸이 편찮다 unwohl sein / 몸조심하다 [4]sich in acht nehmen*; [4]sich schonen.
몸가지다 《임신》 schwanger sein; 《월경》 das Monatliche* haben.
몸가짐 (Körper)haltung *f.* -en; Positur *f.* -en; Manieren (*pl.*).
몸값 Lösegeld *n.* -(e)s, -er.
몸나다 fett werden; zu Fleisch kommen*.
몸단장(—丹粧) Kleidung 〔Tracht〕 *f.* -en. ～하다 [4]sich schmücken; verzieren; Toilette machen.
몸뚱이 Körper *m.* -s, -; Körperbau *m.* -s.
몸보신(—補身) Gesundheitspflege *f.* -n. ～하다 [4]sich pflegen.
몸부림치다 《노력》 [4]sich ab|placken 〔ab|mühen〕; 《버둥거리다》 [4]sich (krümmen u.) winden*.
몸살 das Leiden* vor Überarbeit; die wegen Überanstrengung leidende Krankheit. ¶～나다 vor Überarbeit krank werden.
몸서리치다 zittern; (er)beben; schaudern.
몸소 selbst; selber; persönlich.
몸수색(—搜索) die körperliche Durchsuchung, -en. ～하다 durch|suchen.
몸엣것 ＝월경(月經).
몸져눕다 krank (im Bett) liegen*.
몸조리(—調理) Gesundheitspflege *f.* -n; Diät *f.* -en. ～하다 [4]sich schonen; [4]sich pflegen; diät leben.
몸조심(—操心) ～하다 [4]sich in [4]acht nehmen; s-e Kräfte sorgsam einteilen; auf s-e Gesundheit bedacht sein.
몸종 Stubenmädchen *n.* -s, -; Zimmerjungfer *f.* -n.
몸집 Satur *f.* -en; Wuchs *m.* -es, ⸚e.
몸짓하다 [4]Gebärde 〔Geste〕 machen; gestikulieren.
몸차림 Kleidung 〔Tracht〕 *f.* -en. ～하다 gekleidet sein; Kleider tragen*.
몸채 《집의》 Hauptgebäude *n.* -s, -.
몸치장(—治粧) das Schmücken*, -s. ～하다 Toilette machen; [4]sich verschönern; [4]sich Schmücken.
몸통 Körper *m.* -s, -; Statur *f.* -en; Körperbau *m.* -(e)s.
몸풀다 《해산》 gebären*; 《피로를》 ruhen; rasten.
몸피 Körper *m.* -s, -; Figur *f.* -en.
몹시 ① schrecklich furchtbar; abscheulich. ② 《심하게》 hart; stark; bitter.
몹쓸 ① 《도덕적으로》 unrecht; frevelhaft; lasterhaft. ② 《악의의》 boshaft; böswillig.
못[1] Nagel *m.* -s, ⸚. ¶못을 박다 e-n Nagel ein|schlagen* 《*in*[4]》 / 못을 빼다 e-n Nagel heraus|ziehen* 《*aus*[3]》.
못[2] 《살갗의》 Schwiele *f.* -n; Hornhaut *f.* ⸚e.
못[3] 《연못》 Teich *m.* -(e)s, -e; Bassin [basɛ̃:] *n.* -s, -s; Becken *n.* -s, -.
못나다 ① 《어리석다》 dumm 〔unfähig〕 (sein). ② 《생김새가》 häßlich〔unschön〕 (sein).
못난이 Dummkopf *m.* -s, ⸚e; Narr *m.* -en, -en.
못내 für immer; für alle Zeiten.
못되다 ① 《덜됨》 unfertig werden; nicht beendigt sein. ② 《미달》 weniger als 〔nicht wert[2]〕 sein. ③ 《꼴이》 unschön

〔häßlich〕 (sein). ④ 《악하다》 unrecht 〔schlecht〕(sein). ¶못된 녀석 Spitzbube *m.* –n, –n.

못듣다 überhören[4]; nicht vernehmen*[4].

못마땅하다 ungenügend 〔unbefriedigt; unzulänglich〕 (sein).

못박다 nageln; 《남의 가슴에》 quälen; foltern.

못보다 ① 《빠뜨리다》 übersehen*[4]; 《다 보지 못함》 unbesehen lassen*[4].

못본체하다 nicht sehen〔kennen〕 wollen* 《*jn.*》; ignorieren.

못뽑이 Nagelzange *f.* –n.

못생기다 ① 《얼굴이》 häßlich 〔unschön〕 (sein). ② 《어리석다》 dumm 〔unfähig〕 (sein).

못쓰다 ① 《행위·사람》 schlecht 〔nicht gut〕 (sein). ② 《용도》 nutzlos (sein); 《사물》 unnütz (sein).

못자리 Samenschule *f.* –n.

못지않다 nicht nach|stehen*[3]; gleich|kommen*[3].

못질하다 fest|nageln[4]; vernageln[4].

못하다[1] 《비하여》 schlechter aus|sehen*; nach|stehen*[3].

못하다[2] 《불능》 nicht können*; nicht wollen*; nicht tun*. ¶일을 하지 못한다 Er kann nicht arbeiten.

몽글다 bartlos 〔gleich groß〕 (sein).

몽니궂다 starrsinnig〔hartnäckig〕 (sein).

몽달귀(—鬼) der Geist vom Junggesellen.

몽당비 der verwischte Besen, –s, –; der Stumpf des Besens.

몽당이 ① 《모지랑이》 e–e verwischte Sache, –n. ② 《실뭉치》 Garnball *m.* –(e)s, ⸚e.

몽당치마 der kurze Rock, –(e)s, ⸚e.

몽둥이 Prügel *m.* –s, –; Konstablerstab. ‖ ～ 세례 Schlagen* mit dem Stock.

몽따다 [4]sich unwissend stellen; Unwissenheit heucheln.

몽땅 alles* u. jedes; alles* zusammen; sämtlich.

몽롱(朦朧) ～하다 dunkel 〔trüb; verschwommen; diesig〕 (sein).

몽매(蒙昧) ～하다 unwissend 〔unaufgeklärt; unerleuchtet〕 (sein).

몽매(夢寐) ¶～간에도 그녀의 모습을 잊지 못한다 Im Wachen u. Träumen kann ich ihre Gestalt nicht vergessen.

몽상(夢想) (Traum)gesicht *n.* –(e)s, –e; Einbildung 〔Träumerei〕 *f.* –en. ～하다 träumen 《*von*[3]》; Luftschlösser (*pl.*) bauen. ‖ ～가 Träumer *m.* –s, –.

몽설(夢泄) ☞ 몽정.

몽실몽실하다 drall 〔(wohl)beleibt; dick (u. fett)〕 (sein).

몽유병(夢遊病) 〖醫〗 Somnambulismus *m.* –; das Nachtwandeln*, –s. ‖ ～자 Somnambulist *m.* –en, –en; Nachtwandler *m.* –s, –.

몽정(夢精) Pollution *f.* –en; 《俗》 Abgänger *m.* –s, –.

몽짜스럽다, 몽짜치다 mehr geschickt sein als man denkt.

몽치 Keule *f.* –n.

몽타주 Montage *f.* –n. ‖ ～ 사진 Photomontage *f.* –n.

몽태치다 stehlen*; weg|nehmen*.

몽환(夢幻) Träumerei *f.* –en; Phantasie *f.* –n; Phantasma *n.* –s, ..men.

뫼 《무덤》 Grab *n.* –(e)s, ⸚er; Grab〔Begräbnis〕stätte *f.* –n; Freidhof *m.* –(e)s, ⸚e; 《산》 Berg *m.* –(e)s, –e.

뫼자리 Grabstätte *f.* –n.

묘(墓) ＝무덤.

묘계(妙計) der gute Plan, –(e), ⸚e.

묘기(妙技) die bewundernswerte 〔ausgezeichnete; außerordentliche〕 Geschicklichkeit. ¶～를 보이다 s–e Kunstfertigkeiten zeigen.

묘령(妙齡) das blühende Alter, –s; Jugendblüte *f.*

묘목(苗木) Setzling *m.* –s, –; das junge Bäumchen, –s, –.

묘미(妙味) (Lieb)reiz *m.* –es; Zauber *m.* –s; Schönheit *f.*; Charme *m.* –s.

묘법(妙法) 《묘한 방법》 e–e vortreffliche Weise 〔Methode〕 –n.

묘비(墓碑) Grab〔Leichen〕stein *m.* –(e)s, –e; Grabmal *m.* –(e)s, –e 〔⸚er〕.

묘사(描寫) Beschreibung 〔Darstellung; Schilderung〕 *f.* –en. ～하다 beschreiben*[4]; dar|stellen[4]; schildern[4].

묘상(苗床) ① 《모종판》 Beet *n.* –(e)s, –e; Baumschule *f.* –n. ② ＝못자리.

묘석(墓石) Grabstein *m.* –(e)s, –e.

묘안(妙案) Prachtidee *f.* –n.

묘안석(猫眼石) 〖鑛〗 Katzenauge *n.* –s, –n.

묘약(妙藥) Sonder〔Eigen〕mittel *n.* –s, –.

묘연하다(杳然—) 《기억·소식 등》 nicht klar (sein); nichts[4] verraten*.

묘지(墓地) Friedhof *m.* –(e)s, ⸚e; Grabstätte *f.* –n.

묘지(墓誌) Grabschrift *f.* –en. ‖ ～명 Inschrift auf Grabstein.

묘지기(墓—) Grabhüter 〔Küster〕 *m.* –s, –.

묘책(妙策) der vorzügliche Plan, –(e)s, ⸚e.

묘포(苗圃) Baum〔Pflanz〕schule *f.* –n; Baumgarten *m.* –s, ⸚.

묘하다(妙—) 《이상하다》 seltsam 〔absonderlich; kurios; sonderbar〕 (sein).

묘혈(墓穴) ¶스스로 ～을 파다 [3]sich selbst sein Grab graben*.

무 Rettich *m.* –(e)s, –e. ‖ ～김치 eingemachter Rettich / ～채 Schnitzel Rettich.

무(無) nichts; Nichts *n.* –.

무가치(無價値) ～하다 unwert[2] 〔wertlos〕 (sein).

무간섭(無干涉) ‖ ～주의 die Politik der Nichteinmischung.

무간하다(無間—) vertraut 〔innig; intim; zärtlich〕 (sein).

무감각(無感覺) Unempfindlichkeit 〔Empfindungslosigkeit〕 *f.* ～하다 unempfindlich 〔empfindungslos〕 (sein).

무개차(無蓋車) der offene Wagen, –s, – 《자동차》; der offene Güterwagen 《화차》.

무거리 Mehlrückstand im Sieb.

무겁다 ① 《무게가》 schwer(wiegend) (sein). ② 《언행이》 langsam 〔schwer〕 (sein). ③ 《마음이》 niedergeschlagen 〔bedrückt; deprimiert〕 (sein). ¶무거운 마음으로 schweren Herzens. ④ 《병이》 ernst(haft) 〔bedeutend〕 (sein). ⑤ 《중대함》 ernst 〔groß; schwer〕 (sein).

무게 Gewicht *n.* –(e)s, –e; Schwere. ¶～를 달다 wiegen*[4].

무경험(無經驗) Unerfahrenheit *f.* ¶～

의 unerfahren (*in*^{3}); erfahrungslos.

무계획(無計劃) ～하다 ohne ^{4}Plan 〔aus dem Stegreif; unvorbereitet〕 (sein).

무고(無故) ～하다 《건강》 wohlbehalten (sein); 《평온》 ruhig (sein); 《안전》 sicher (sein).

무고(無辜) ～하다 unschuldig 〔arglos; schuldlos〕 (sein).

무고(誣告) Verleumdung *f.* –en; die falsche Anschuldigung, –en. ‖ ～자 Verleumder *m.* –s, –.

무골충(無骨蟲) 《사람》 Schlappschwanz *m.* –es, ⸗e.

무골호인(無骨好人) der Gutmütige*〔Einfältige*〕 –n, –n.

무공(武功) die Militärische Heldentat, –en. ‖ ～ 훈장 der Orden für die militärische Heldentat.

무관(武官) Militär〔Marine〕offizier *m.* –s, –e. ‖ 대사관부 ～ Militär 〔Marine〕 attaché *m.* –s, –s.

무관계(無關係) k–e Beziehung; k–e Relation. ～하다 fremd 〔beziehunglos〕 (sein); in k–r Beziehung mit^{3} stehen*.

무관심(無關心) Gleichgültigkeit 〔Indifferenz〕 *f.* ～하다 gleichgültig 〔indifferent〕 (sein).

무구(無垢) ～하다 rein 〔keusch〕 (sein). ¶ ～한 처녀 die unbefleckte 〔keusche〕 Jungfrau, –en.

무궁무진(無窮無盡) Ewigkeit〔Unendlichkeit〕 *f.* ～하다 ewig 〔unendlich; endlos〕 (sein).

무궁화(無窮花) Eibischstrauch *m.* –(e)s, ⸗er.

무궤도전차(無軌道電車) O(berleitungs)-bus *m.* –ses, –se.

무균(無菌) 〖醫〗 Asepsis *f.* ¶ ～의 aseptisch; keimfrei.

무근(無根) ～하다 grundlos 〔unbegründet〕 (sein).

무급(無給) ～의 unbelohnt; unbesoldet. ¶ ～으로 일하다 ohne ^{4}Lohn arbeiten.

무기(武器) Waffe *f.* –n. ¶ ～를 휴대하다 Waffen führen^{4} 〔tragen*^{4}〕.

무기(無期) ～의 unbestimmt; 《종신》 lebenslänglich. ¶ ～ 연기하다 ^{4}*et.* auf e–n unbestimmten Termin verschieben*^{4}. ‖ ～ 징역 die lebenslängliche Zwangsarbeit, –n.

무기(無機) ～의 an〔un〕organisch. ‖ ～물 die anorganischen Stoffe (*pl.*) / ～ 화학 die anorganische Chemie.

무기력(無氣力) ～하다 kraft- u. saftlos 〔mutlos; kraftlos; ohnmächtig〕 (sein).

무기명(無記名) ～의 ununterzeichnet; 《채권의》 nicht registriert. ‖ ～ 투표 die geheime Abstimmung, –en.

무기한(無期限) ～의 frist〔termin〕los; unbestimmt.

무꾸리 schamanistische Riten. ～하다 schamanistische Riten durch|führen.

무난(無難) ～하다 《쉬운》 sicher (sein); 《무던한》 leidlich (sein). ¶ ～히 해치웠다 Er hat die Arbeit leidlich gut gemacht.

무남독녀(無男獨女) Tochter ohne Geschwister *n.* –s, –.

무너뜨리다 zerstören*^{4}; 《건물 따위를》 ab|brechen*^{4}; nieder|reißen*^{4}.

무너지다 zusammen|brechen*; ein|stürzen; zerfallen*; ein|fallen*.

무녀(巫女) ＝무당.

무녀리 Erstling *m.* –s, –e; der Erstgeborene*, –n, –n.

무능(無能) Unfähigkeit *f.* –en. ～하다 unfähig 〔untauglich〕 (sein).

무능력(無能力) Unzuständigkeit *f.* ‖ ～자 Tunichtgut *m.* – 〔–(e)s〕, –(e).

무늬 Muster *n.* –s, –.

무단(無斷) ¶ ～히 ohne ^{4}Entschuldigung. ‖ ～ 결근〔결석〕 das unentschuldigte Ausbleiben*, –s.

무단정치(武斷政治) Militärherrschaft *f.*

무담보(無擔保) ¶ ～의〔로〕 ungedeckt; ungesichert.

무당 Priesterin *f.* –nen; Schamane *m.* –n, –n.

무대(舞臺) Bühne *f.* –n; 《활동의》 Schauplatz *m.* –es, ⸗e; Feld *n.* –(e)s, –er. ‖ ～ 감독 Bühnenleiter *m.* –s, – / ～ 장치 Bühnendekoration *f.* –en / ～효과 Bühneneffekt *m.* –(e)s, –e.

무더기 Haufen *m.* –s, –; Menge *f.* –n.

무더위 Schwüle *f.*; Hitze *f.*

무던하다 gut 〔günstig; tadelfrei〕 (sein).

무덤 Grab *n.* –(e)s, ⸗er.

무덥다 schwül 〔feuchtwarm; drückend heiß〕 (sein).

무도(無道) ～하다 gottlos 〔grausam〕 (sein).

무도(舞蹈) Tanz *m.* –es, ⸗e. ‖ ～회 Ball *m.* –(e)s, ⸗e; Tanzgesellschaft *f.* –en.

무독(無毒) ～하다 unschädlich 〔harmlos〕 (sein).

무두질 Gerbung *f.* –en. ～하다 gerben.

무드 Stimmung *f.* –en; Atmosphäre *f.* –n. ‖ ～ 음악 Stimmungsmusik *f.*

무득점(無得點) ohne ^{4}Punkte (*pl.*).

무디다 ① 《날이》 stumpf 〔unscharf〕 (sein). ② 《신경이》 unempfindlich 〔dumpf; geistlos〕 (sein).

무뚝뚝하다 barsch 〔unliebenswürdig; ungesellig〕 (sein).

무람없다 unmanierlich 〔ungesittet; unhöflich〕 (sein).

무량(無量) ～하다 unermeßlich〔unendlich; unzählbar〕 (sein).

무럭무럭 《자람》 rasch; schnell; 《연기가》 dick; stark.

무려(無慮) ungefähr; etwa; fast; rund; gegen. ¶ ～ 3천 명 ungefähr drei tausend.

무력(武力) Waffengewalt *f.* –en; Schwert *n.* –(e)s, –er. ¶ ～에 호소하다 zu^{3} Waffengewalt an|wenden*.

무력(無力) ～하다 kraftlos 〔machtlos〕 (sein).

무렵 da; als; während; wenn; um; gegen. ¶ 저녁 ～에 gegen Abend.

무례(無禮) Unhöflichkeit *f.* –en; Unartigkeit *f.* –en. ～하다 unhöflich 〔unartig; roh〕 (sein).

무뢰한(無賴漢) Halunke *m.* –n, –n; Lump *m.* –en, –en.

무료(無料) ～의 (kosten)frei; unentgeltlich. ¶ ～로 umsonst; frei; ohne Entgelt.

무료(無聊) ¶ ～한 나날 langweilige Tage (*pl.*).

무루(無漏) erschöpfend; ausnahmslos.

무르다[1] 《물건이》 spröde 〔bröckelig〕 (sein); 《사람이》 mitfühlend (sein).

무르다[2] 《산 것을》 zurück|holen^{4}; 《장기·바둑에서》 zurück|nehmen*^{4}; 《삭치다》 aus|gleichen*^{4}.

무르익다 reifen; reif werden; überreif〔mürbe〕(sein).

무릅쓰다 Gefahr laufen*; trotzen[3]. ¶ 더위를 무릅쓰고 trotz der [3]Hitze.

무릇[1] 〖植〗 Scilla *f.* ..lien.

무릇[2] meistens; im allgemeinen. ¶～사람이란 die meisten Menschen.

무릎 Knie *n.* -s, -; Schoß *m.* -es, ⸚e. ¶～을 꿇다 nieder|knieen; [4]sich auf die Knie werfen.

무릎맞춤 =대질(對質).

무리 《떼》 Haufe(n) *m.* ..fens, ..fen; Gruppe *f.* -n; 《도당》 Pöbelhaufe.

무리(無理) ～하다 gezwungen〔zwingend; gewaltsam; unvernünftig; unrecht〕(sein). ¶～를 하다 《과로》 [4]sich überanstrengen; 《억지》 [4]sich zwingen 《*zu*[3]》.

무마(撫摩) Trost *m.* -es; Beruhigung〔Versöhnung〕*f.* -en. ～하다 trösten; beruhigen; versöhnen.

무면허(無免許) ～의 unbefugt. ‖～ 의사 Kurpfuscher *m.* -s, - / ～ 운전사 unkonzessionierter Autofahrer, -s, -.

무명 Baumwoll(en)stoff *m.* -(e)s, -e. ‖～실 Baumwoll(en)garn *n.* -(e)s, -e.

무명(無名) ～의 namenlos. ‖～씨 Anonymus *m.* -, ..mi / ～ 용사 der unbekannte Soldat, -en, -en.

무명지(無名指) Ringfinger *m.*

무모(無謀)～하다 unbesonnen〔tollkühn〕(sein).

무모증(無毛症) Atrichie *f.* -n.

무미건조(無味乾燥) ～하다 trocken〔nüchtern; prosaisch〕(sein).

무반동총(無反動銃) 〖軍〗 die rückstoßlose Flinte, -n.

무방비(無防備) ～의 wehr〔schutz〕los. ‖～ 도시 die offene Stadt, ⸚e.

무방하다(無妨—) nichts dagegen〔einzuwenden〕haben.

무배당(無配當) ohne Dividende.

무법(無法) ～하다 gesetzlos〔zügellos〕(sein). ‖～자 ein zügelloser Mensch, -en, -en.

무변(無邊) ① 《무한》 Unendlichkeit *f.* -en; Unbegrenztheit *f.* -en. ② 《무이자》 ohne Zinsen.

무변화(無變化) Unveränderlichkeit *f.* -en; 《단조》 Monotonie *f.* -n.

무보수(無報酬) ¶～로 unentgeltlich.

무분별(無分別) ～하다 unbesonnen〔gedankenlos〕(sein).

무비(無比) ～의 unvergleichlich; unübertrefflich; beispiellos.

무비판(無批判) ～적 unkritisch; unterschiedslos.

무사(武士) Krieger〔Ritter〕*m.* -s, -.

무사(無私) ～하다 selbst·los〔-verleugnend〕(sein); uneigennützig〔unparteiisch 《공평》〕(sein).

무사(無事) ～하다 wohlbehalten〔unverletzt; sicher; glücklich; ruhig; gesund〕(sein). ¶～ 분주하다 sehr beschäftig mit nichts sein.

무산(霧散) ～하다 in alle Winde zerstreut werden u. verschwinden*.

무산계급(無產階級) Proletariat *n.* -(e)s, -e.

무상(無上) ～의 (aller)höchst. ¶～의 영광 die allerhöchste Ehre, -n.

무상(無常) Vergänglichkeit *f.* ～하다 vergänglich〔flüchtig〕(sein).

무상(無償) ¶～으로 unentgeltlich; für nichts. ‖～ 대부 das unentgeltliche Leihen, -s / ～ 배급 die unentgeltliche Handlung, -en / ～ 원조 die einseitige Beihilfe, -n.

무색(一色) 〖形容詞的〗 farbig; bunt. ‖～옷 ein farbiges Kleid.

무색(無色) ① 《빛깔》 ～의 farblos. ② 《무안》 Schande *f.* -n. ¶～케하다 überstrahlen; aus|stechen*.

무생물(無生物) das leblose〔unorganische〕Wesen, -s, -.

무서리 der erste Reif.

무서움 Furcht *f.*; Grauen *n.* -s.

무서워하다 [4]sich fürchten 《*vor*[3]》; (Ehr-) furcht haben 《*vor*[3]》; [4]sich entsetzen 《*vor*[3]》.

무선(無線) die Drahtlosigkeit. ‖～ 공학 Funktechnik *f.* / ～ 전신 Funk *m.* -(e)s; Funkentelegraphie *f.* -n; die drahtlose Telegraphie, -n / ～ 전화 Funkentelephonie *f.*

무섭다 ① 《끔찍함·지독함》 fürchterlich〔entsetzlich; furchtbar〕(sein). ② 《두렵다》 [4]sich vor e-r Sache fürchten.

무성(茂盛) ～하다 üppig〔dicht〕(sein).

무성(無性) ～의 geschlechtslos. ‖～생식 geschlechtslose Fortpflanzung.

무성영화(無聲映畫) der stumme Film, -(e)s, -e.

무성의(無誠意) ～하다 uninteressiert〔kühl〕(sein).

무세(無稅) ～의 steuer〔abgaben〕frei; von Steuern unbelastet. ‖～품 die steuerfreie〔abgabenfreie〕Ware, -n.

무소 〖動〗 Nashorn *n.* -(e)s, ⸚er.

무소득(無所得) ¶～으로 ohne [4]Einkommen〔Einkünfte; Einnahmen; Bezüge〕(*pl.*).

무소속(無所屬) ～의 unabhängig; neutral; parteilos. ‖～ 국회 의원 der parteilose Abgeordnete*, -n, -n.

무소식(無消息) ¶영 ～이다 von [3]sich nichts hören lassen*.

무쇠 Gießeisen *n.* -s, -; Eisen *n.* -s, -.

무수알코올(無水—) absoluter Alkohol, -s, -e.

무수하다(無數—) zahl·los〔-reich〕(sein).

무순(無順) ¶～의 unordentlich; unregelmäßig.

무술(武術) die kriegerischen Künste (*pl.*).

무슨 was; was für ein. ¶～ 일 《의문》 was; 《어떤》 etwas / ～ 까닭에 warum; worum.

무승부(無勝負) das unentschiedene Spiel, -(e)s, -e. ¶～가 되다 unentschieden bleiben*.

무시(無視) ～하다 keine Notiz nehmen* 《*von*[3]》; nicht (be)achten[4]; übersehen*[4]; hinweg|sehen* 《*über*[4]》; 《깔봄》 verachten[4]; gering|schätzen[4]. ¶～하고 ohne Rücksicht 《*auf*[4]》.

무시로(無時—) zu jeder Zeit; wann auch immer; immer; stets.

무시무시하다 furchtbar〔schrecklich; grausig; schauderhaft〕(sein).

무시험으로(無試驗—) ohne [4]Prüfung.

무식(無識) ～하다 unwissend〔ungelehrt; ungebildet〕(sein).

무신경(無神經) Unempfindlichkeit *f.*; Empfindungslosigkeit *f.* ～하다 unempfindlich 〔empfindungslos〕 (sein).

무신론(無神論) Atheismus *m.* -. ‖ ～자 Atheist *m.* -en, -en.

무심(無心) ～하다 unachtsam 〔nachlässig〕 (sein). ¶ ～히〔코〕 aus Versehen; 《문득》 zufällig.

무아(無我) Selbstlosigkeit *f.*; Ekstase *f.* -n; Selbstvergessenheit *f.* ‖ ～경 Entzückung *f.* -en (～경에 빠지다 in ⁴Ekstase geraten*).

무악(舞樂) Tanz u. Musik.

무안(無顔) ～하다 ⁴sich schämen; rot werden. ¶ ～을 주다 *jn.* erröten machen.

무어 《무엇》 was; was für ein*; etwas; 《감탄·놀람》 was?!; ach?!

무어라 ¶ ～ 하든 vor allem; vor allen Dingen / ～ (말)할 수 없다 《단언 못 함》 wer weiß; nicht versichern können.

무언(無言) ～의 schweigend; stumm; sprachlos.
‖ ～극 Pantomime *f.* -n.

무엄(無嚴) ～하다 unhöflich 〔grob; unehrerbietig; frech〕 (sein).

무엇 was 《의문》; etwas; welch; alles 《만사》; nichts 《부정》. ¶ ～이나 alles; jedes / ～보다 vor allem; besonders.

무역(貿易) (Außen)handel *m.* -s. ～하다 Handel treiben*.
‖ ～풍 Passat(wind) *m.* -(e)s, -e / ～항 Handelshafen *m.* -s, ¨ / ～ 회사 Handelsfirma *f.* ..men / 자유〔보호〕 ～ Frei〔Schutz〕handel / 대미 ～ der Handel mit Amerika.

무연고(無緣故) ～의 ohne Relation. ‖ ～ 묘지 der Friedhof für Familienlose.

무연탄(無煙炭) Anthrazit *m.* -(e)s.

무예(武藝) die kriegerischen Künste (*pl.*); Waffentat *f.* -en.

무욕(無慾) ～하다 bedürfnislos 〔anspruchslos; genügsam; uneigennützig〕 (sein).

무용(武勇) Heldentat *f.* -en. ‖ ～담 die heroische Erzählung, -en.

무용(無用) ～의 nutzlos; unbrauchbar; entbehrlich; unnötig. ¶ ～지물 Tunichtgut *m.* -〔-(e)s〕, -(e).

무용(舞踊) Tanz *m.* -es, ¨e.
‖ ～가 《여자》 Tänzerin *f.* -nen; Ballerine *f.* -, -n; 《남자》 (Ballet)tänzer *m.* -s, -.

무운(武運) Kriegsglück *n.* -(e)s. ‖ ～장구 Mit Gott für König u. Vaterland.

무위(無爲) das Nichtstun*, -s. ¶ ～로 끝나다 ohne Wirkung bleiben*. ‖ ～도식 ein müßiges Leben (～ 도식하다 ein müßiges Leben führen).

무의무탁(無依無托) ～하다 einsam u. verlassen (sein).

무의미(無意味) ～하다 sinnlos 〔unsinnig; leer〕 (sein).

무의식(無意識) ～적 unbewußt; unwillkürlich; mechanisch. ¶ ～ 중에 unbewußt; unwillkürlich.

무의촌(無醫村) das arztlose Dorf, -(e)s, ¨er.

무이자(無利子) ～의 unverzinslich. ‖ ～ 공채 die unverzinsliche Anleihe, -n.

무익(無益) ～하다 unnütz 〔vergeblich〕 (sein). ¶ 백해 ～하다 mehr Schaden als Nutzen bringen*.

무인(拇印) Daumenabdruck *m.* -(e)s, ¨e.

무인(無人) ‖ ～ 비행기 das fernsteuerbare Flugzeug, -(e)s, -e / ～지경 die unbewohnte Gegend, -en (～지경을 가듯 mühelos).

무일푼(無一一) ¶ ～으로 ohne e-n Pfennig.

무임(無賃) ¶ ～으로 (fracht)frei; kostenfrei. ¶ ～(으로) 승차하다 《부정한》 schwarz|fahren*. ‖ ～ 승객 der blinde Passagier, -s, -e / ～ 승차권 Freipaß *m.* ..passes, ..pässe.

무임소(無任所) ‖ ～장관 der Minister ohne ⁴Portefeuille 〔Geschäftsbereich〕.

무자각(無自覺) der Mangel an Selbstbewußtsein 〔Selbstgefühl; Selbstvertrauen〕; Unverantwortlichkeit *f.*

무자격(無資格) ～의 unbefähigt.

무자본(無資本) ¶ ～으로 ohne Kapital / ～으로 시작하다 mit nichts an|fangen*.

무자비(無慈悲) ～하다 erbarmungslos 〔unbarmherzig〕 (sein). ¶ ～한 짓을 하다 etwas Herzloses tun*.

무자위 Wasserpumpe *f.* -n.

무작위추출(無作爲抽出) ～하다 Stichprobe nehmen*.

무작정(無酌定) ～하다 blind 〔planlos〕 (sein). ¶ ～하게 aufs Geratewohl.

무장(武將) Kriegsheld *m.* -en, -en; General *m.* -s, -e.

무장(武裝) Rüstung *f.* -en. ～하다 ⁴sich bewaffnen. ¶ ～시키다 (aus|)rüsten⁴ / ～한 bewaffnet; in Waffen / ～ 해제하다 entwaffnen⁴. ‖ 비～ 지대 die entmilitarisierte Zone, -n.

무재(無才) ～하다 ungebildet 〔ohne Fertigkeiten; im Naturzustand〕 (sein).

무저항(無抵抗) Widerstandslosigkeit *f.*
‖ ～주의 das Prinzip, k-n Widerstand zu leisten.

무적(無敵) ～의 unüberwindlich; unbesiegbar.

무전(無電) die drahtlose Telegraphie, -n; Funk *m.* -(e)s; Funkentelegraphie 〔Funkentelephonie〕 *f.* -n. ¶ ～을 치다 funken / ～으로〔의〕 drahtlos; funktelephonisch. ‖ ～ 연락 Funkverbindung *f.* -en / ～ 조정 Fernsteuerung *f.* -en.

무전(無錢) ¶ ～ 취식하다 ohne Geld in e-m Wirtshaus essen* u. trinken*.
‖ ～ 여행 die Reise mit leerer Tasche.

무절제(無節制) Unmäßigkeit 〔Maßlosigkeit〕 *f.* -en. ～하다 unmäßig 〔maßlos〕 (sein).

무절조(無節操) Unbeständigkeit *f.* ～하다 wankelmütig 〔flatterhaft; launisch; unbeständig〕 (sein).

무정(無情) ～하다 mitleid(s)los 〔gefühllos; herzlos; kaltherzig〕 (sein).

무정견(無定見) ～하다 gesinnungslos 〔opportun〕 (sein).

무정란(無精卵) unbefruchtetes Ei, -(e)s, -er; Windei *n.* -(e)s, -er.

무정부주의(無政府主義) Anarchismus *m.* -.

무정형(無定形) ～의 amorph; formlos.
‖ ～ 탄소 der amorphe Kohlenstoff.

무제한(無制限) ～의 unbeschränkt; unbedingt. ¶ ～으로 ohne ⁴Einschränkung.

무조건(無條件) ～의 unbedingt; bedingungslos. ‖～ 항복 bedingungslose Kapitulation, -en.

무좀 Fuß〔Haut〕pilz *m.* -es, -e.

무종교(無宗教) ～의 religionslos. ‖～자 der Religionslose*, -n, -n.

무죄(無罪) Unschuld〔Schuldlosigkeit〕*f.* ～의 unschuldig; schuldlos.

무주의(無主義) ～하다 k-e festen (sittlichen) Grundsätze (*pl.*) haben.

무중력(無重力) ～의 gewichtslos; schwerelos. ‖～ 상태 Schwere〔Gewichts〕losigkeit *f.*

무지(無知) Unwissenheit *f.* -en; Unverstand *m.* -(e)s, ⸚e; Ignoranz *f.* ～하다 unwissend 〔ungebildet; ungelehrt; unerzogen〕 (sein).

무지(無地) ～의 ungemustert. ¶～의 천 der ungemusterte Stoff, -(e)s, -e.

무지각(無知覺) ～하다 ohne Bewußtsein 〔Besinnung〕 (sein).

무지개 Regenbogen *m.* -s, ⸗.

무지근하다 unklar 〔schwer〕 (sein).

무지러지다 verschleißen*; ^{4}sich ab|nutzen.

무지렁이 Tor 〔Narr〕 *m.* -en, -en.

무지막지(無知莫知) ～하다 derb 〔rauh〕 (sein). ¶～한 사람 der ungeschliffene Mensch, -en, -en.

무직(無職) ～의 stellenlos; arbeitslos; beschäftigungslos.

무진장(無盡藏) ～하다 unerschöpflich 〔unbegrenzt〕 (sein).

무질서(無秩序) ～하다 ungeordnet 〔verwirrt〕 (sein).

무찌르다 schlachten^{4}; (nieder|)schlagen*^{4}; besiegen^{4}.

무차별적으로(無差別的—) ohne Unterschied; unterschiedslos.

무착륙(無着陸) ‖～ 비행 Ohnehalt-flug *m.* -(e)s, ⸚e; Nonstopflug *m.*

무참(無慘) ～하다 grausam 〔erbarmungslos〕 (sein).

무책(無策) die Planlosigkeit〔Kurzsichtigkeit; Mangelhaftigkeit〕 der Politik.

무책임(無責任) ～하다 unverantwortlich 〔pflichtvergessen〕 (sein).

무척 sehr; ganz; viel; stark; hart.

무척추동물(無脊椎動物) das wirbellose Tier, -(e)s, -e.

무취(無臭) Geruchlosigkeit *f.*

무취미(無趣味) ＝몰취미.

무치다 ein|machen; ein|salzen. ¶나물을 ～ Gemüse ein|salzen.

무턱대고 draufgängerisch; tollkühn; verwegen.

무테(無—) ～의 rahmenlos. ‖～ 안경 die Brille ohne Rahmen.

무통(無痛) ～의 schmerz·los〔-frei〕. ‖～ 분만 der Dämmerschlaf zur Durchführung e-r schmerzlosen Geburt.

무투표(無投票) ohne Stimme.

무표정(無表情) ～하다 ausdruckslos 〔leer〕 (sein).

무풍(無風) ～의 windstill. ‖～ 지대 die Gegend der Windstillen.

무학(無學) Unwissenheit *f.* ～하다 unwissend 〔unbelehrt〕 (sein).

무한(無限) ～하다 unendlich 〔grenzenlos; unermeßlich; unerschöpflich〕 (sein). ¶～대〔소〕의 unendlich groß 〔klein〕. ‖～ 궤도 Raupenkette *f.* -n (～궤도차 Raupenwagen *m.* -s, -).

무해(無害) ～의 unschädlich; harmlos.

무허가(無許可) ～의 ohne Erlaubnis. ‖～ 건축 Schwarzbau *m.* -(e)s, -ten / ～ 술집 Spelunke *f.* -n.

무혈(無血) ‖～ 혁명 die blutlose Revolution, -en.

무형(無形) ～의 gestalt〔form〕los. ‖～ 문화재 das geistige Kulturgut, -(e)s, ⸚er.

무화과(無花果) Feige *f.* -n.

무효(無效) Ungültigkeit 〔Unwirksamkeit〕 *f.* -en. ～의 ungültig; (null u.) nichtig; kraftlos; unwirksam; erfolglos. ¶～로 하다 null u. nichtig machen^{4}; ungültig machen^{4}; für ungültig erklären^{4} / ～가 되다 ungültig werden. ‖～ 선언 Kraftloserklärung *f.* -en / ～ 투표 die ungültige Stimme, -n.

무훈(武勳) Waffenruhm *m.* -(e)s; Kriegsehren (*pl.*).

무휴(無休) ～의 ohne ^{4}Feiertag 〔Ferien (*pl.*)〕. ‖연중 ～ (신문) das ganze Jahr hindurch täglich erscheinend; (업무) das ganze Jahr hindurch ohne Feiertag geöffnet.

무희(舞姬) Tänzerin *f.* -nen; das tanzende Mädchen, -s, -.

묵 Gelee *n.* -s, -s. ‖메밀묵 Buchweizengelee.

묵계(默契) die stille Übereinkunft, ⸚e. ～하다 e-e stille Übereinkunft treffen* (*mit*^{3}).

묵과(默過) ～하다 *jm.* verzeihen*^{4}; *jm.* nach|sehen*^{4}.

묵념(默念) Nachdenken *n.* -s, -; die fromme Betrachtung, -en. ☞묵도.

묵다 ① (낡다) altmodisch 〔veraltet; rückständig〕 sein. ¶묵은 빵 abgestandenes Brot / 케케 묵은 생각 ein ganz veralteter Gedanke, -ns, -n. ② (숙박) übernachten (*in*^{3}; bei *jm.*); bleiben* (*in*^{3}; bei *jm.*); (체재) ^{4}sich auf|halten* (*in*^{3}; *an*^{3}; bei *jm.*).

묵도(默禱) das stille Gebet, -(e)s, -e. ～하다 still beten.

묵독(默讀) ～하다 still 〔vor ^{4}sich hin〕 lesen*$^{(4)}$ (*in*^{3}).

묵례(默禮) leichte Verbeugung. ～하다 ^{4}sich leicht verbeugen; nicken^{3}.

묵묵(默默) ～하다 schweigend 〔still〕 (sein). ¶～히 말이 없다 ^{4}sich in Schweigen hüllen.

묵비권(默秘權) ¶～을 행사하다 das Recht zu verschweigen aus|üben.

묵사발(—沙鉢) ¶～을 만들다 (때려서) *jn.* halbtot prügeln 〔machen〕 / ～이 되다 (맞아) halbtot geprügelt werden.

묵살(默殺) ～하다 tot|schweigen*^{4}; k-e Notiz von ^{3}*et.* nehmen*.

묵상(默想) Einkehr *f.* -en. ～하다 ^{4}sich in Gedanken vertiefen〔verspinnen*〕.

묵수(墨守) das Beharren*, -s; das Festhalten*, -s. ～하다 beharren (*bei*^{3}); fest|halten* (*an*^{3}).

묵시(默示) Offenbarung *f.* -en.

묵시(默視) ～하다 mit|an|sehen*^{4}; übersehen*^{4}. ¶～할 수 없다 ^{4}*et.* nicht länger mitansehen können*.

묵은해 das letzte 〔vorige〕 Jahr, -(e)s, -e.

묵인(默認) ～하다 [4]et. stillschweigend durch|gehen lassen*.
묵정밭 das verwüstete Feld, -es, -er.
묵정이 alte Sache, -n.
묵종(默從) ～하다 [3]et.〔in [4]et.〕schweigend ergeben*; hin|nehmen*[4].
묵주(默珠) 〖가톨릭〗 Römisch-katholischer Rosenkranz, -es, ⸚e.
묵즙(墨汁) Tusche f. -n.
묵지(墨紙) Kohlepapier n. -s, -e.
묵직이 schwer; gewichtig.
묵직하다 schwer〔wichtig〕(sein); 《몸가짐이》 würdevoll (sein).
묵허(默許) die stillschweigende Einwilligung, -en 《zu[3]》. ～하다 stillschweigend dulden[4].
묵화(墨畫) Tuschmalerei f. -en.
묵흔(墨痕) Tuschenmakel m. -s, -.
묵히다 (unbenutzt) liegen lassen*[4]; brachliegen lassen*[4]. ¶밭을 ～ den Acker brachliegen lassen*.
묶다 ① 《동이다》 binden*[4]; fest|binden*[4]; zu|schnürren[4]; zusammen|binden*[4] 《다발로》. ¶짐을 ～ ein Bündel schnürren. ② 《몸을》 binden*[4]; fesseln[4]. ¶손발을 ～ jm. [4]Hände u. [4]Füße binden*〔fesseln〕.
묶음 Bündel n. -s, -; Bund n. -(e)s, -e. ¶～으로 만들다 in Bündel zusammen|binden*.
묶이다 ① 《물건이》 gebunden〔gefesselt〕werden. ② 《사람이》 (fest)gebunden〔gekettet〕werden.
문(文) ① 《문장》 Satz m. -es, ⸚e; Aufsatz m. ② 《문학》 Literatur f. -en; Dichtung f. -en. ③ 《무(武)에 대한》 Zivilangelegenheit f. -en. ④ 《신발의》 die Größe der (Gummi)schuhe (pl.).
문(門) Tür f. -en; Pforte f. -n; 《대문》 Tor n. -(e)s, -e; 《창문》 Fenster n. -s, -.
문간(門間) Tür f. -en; (Tür)eingang m. -(e)s, ⸚e. ‖～방 Vorzimmer n. -s, -.
문갑(文匣) Briefbehälter m. -s, -.
문고(文庫) Bibliothek〔Bücherei〕f. -en; 《책장》 Bücherschrank m. -(e)s, ⸚e; 《포켓판》 Taschenausgabe f. -n.
문고리(門—) der Eisenring der Tür.
문공부(文公部) das Ministerium für Kultur u. Information. ‖～장관 der Minister für Kultur u. Information.
문과(文科) die literarische Fakultät, -en; die geisteswissenschaftliche Abteilung der Oberschule.
문관(文官) der Zivilbeamte*, -n, -n.
문교부(文敎部) ☞ 교육부.
문구(文句) 《어구》 Worte (pl.); 《성구》 Phrase f. -n.
문구멍(門—) das Loch der Tür.
문기둥(門—) Torpfeiler m. -s, -.
문단(文壇) Schriftstellerkreise (pl.).
문단속(門團束) die Abschließung der Tür. ～하다 die Tür ab|schließen*.
문답(問答) Frage u. Antwort; 《대화》 Dialog m. -(e)s, -e. ～하다 ein Gespräch in Frage u. Antwort führen.
문도(門徒) Anhänger m. -s, -; der Gläubige*, -n, -n.
문돋이(紋—) Brokat m. -(e)s, -e.
문둥이 der Aussätzige*〔Leprakranke*〕-n, -n.
문득, 문뜩 zufällig(erweise); plötzlich. ¶～ 생각이 났다 es fiel mir (plötzlich) ein, daß....
문란(紊亂) Unordnung f. -en. ～하다 unordentlich〔zerrüttet〕(sein). ‖풍기 ～ der Verstoß gegen die öffentliche Moral.
문례(文例) Beispiel n. -(e)s, -e; Mustersatz m. -es, ⸚e.
문루(門樓) das Oberstockwerk e-s Burg- od. Schloßtors.
문리(文理) ‖～과 대학 philosophische u. naturwissenschaftliche Fakultät.
문맥(文脈) Kontext m. -es, -e. ¶～상 kontextmäßig.
문맹(文盲) Analphabet m. -en, -en 《사람》. ‖～ 퇴치 der Kampf gegen den Analphabetismus.
문면(文面) Inhalt m. -(e)s, -e 《e-s Briefes》; Wortlaut m. -(e)s, -e.
문명(文名) der dichterische〔schriftstellerische〕Ruhm, -(e)s.
문명(文明) Zivilisation f. -en. ‖～병 der Übelstand der Zivilisation / ～인〔국〕der zivilisierte Mensch, -en, -en〔Land, -es, ⸚er〕.
문묘(文廟) das Gedächtnishaus für Konfutze.
문무(文武) Zivil u. Militär. ¶～ 겸전하다 sowohl gelehrt als auch kriegerisch ertüchtigt sein. ‖～ 백관 Zivil- u. Militärbeamter*.
문문하다 ① 《무르다》 weich〔mürbe〕(sein). ② 《우습다·만만하다》 leicht〔nachgiebig; fügsam〕(sein).
문물(文物) Zivilisation〔Kultur〕f. -en. ¶서양의 ～ europäische Kultur.
문밖(門—) 《문의》 draußen; 《성문밖·교외》 vorstädtisch; in der Vorstadt.
문발(門—) Rouleau n. -s, -s; Vorhang m. -(e)s, ⸚e.
문방구(文房具) Schreibware f. -n. ‖～점 Schreibwarenladen m. -s, ⸚[-].
문뱃내나다 nach dem Alkohol riechen*.
문벌(門閥) 《가문》Geburt〔Abstammung〕f. -en; 《명문》 die vornehme Familie, -n. ‖～가 Patrizier m. -s, -.
문법(文法) Grammatik f. -en. ¶～상(上)의 grammatisch. ‖～학자 Grammatiker m. -s, -.
문병(問病) Krankenbesuch m. -(e)s, -e. ～하다 besuchen[4].
문빗장(門—) Riegel m. -s, -; Sicherheitsschloß n. ..losses, ..lösser.
문사(文士) Literat m. -es, -en. ‖삼류 ～ Federfuchser m. -s, -.
문살(門—) Tür〔Fenster〕rahmen m. -s, -.
문상(問喪) ～하다 s-n Beileid bezeigen〔aus|sprechen*〕《jm.》.
문서(文書) Urkunde〔Schrift〕f. -en; Dokument n. -(e)s, -e; Papiere (pl.). ‖～과 Archiv n. -s, -e / ～ 위조 Urkundenfälschung f. -en / 불온 ～ das falsche〔gefährliche〕Dokument / 외교 ～ die diplomatische Schreiben〔Dokumente〕(pl.).
문선(文選) Anthologie f. -n; 〖印〗 Let-

ternauslese *f.* -n. ～하다 Lettern aus|lesen*. ‖ ～공 Ausleser *m.* -s, -.

문설주(門―) der Seitenpfosten der Tür.

문소리(門―) der Lärm bei der Türöffnung.

문수(文數) die Größe der Schuhe.

문신(文臣) Hofleute (*pl.*); Zivilbeamte *m.* -n, -n.

문신(文身) Tätowierung *f.* -en. ～하다 *jn.* tätowieren; 《자신이》 [4]sich tätowieren.

문안(文案) Entwurf *m.* -(e)s, ¨e. ¶ ～을 만들다 entwerfen*[4].

문안(門―) ① (문의 안) ¶ ～에 innerhalb des Tores. ② 《성내》 innerhalb des Burg. ‖ ～ 사람 Städter *m.* -s, -.

문안(問安) Besuch *m.* -(e)s, -e; das Aufsuchen*, -s. ～하다 s-e Anteilnahme aus|drücken[3].

문약(文弱) Weichlichkeit *f.* -en. ～하다 weichlich 〔weibisch〕 (sein).

문어(文魚) 〖動〗 Achtfüßler *m.* -s, -.

문어(文語) Schriftsprache *f.* -n.

문얼굴(門―) 〖建〗 der Rahmen des Tors 〔der Tür〕.

문예(文藝) Literatur *f.* -en; Kunst u. Literatur. ☞문학. ‖ ～란 Feuilleton *n.* -s, -s; literarische Spalte, -n / ～ 부흥 Renaissance *f.* / ～ 평론 die Kritik über Kunst u. Literatur.

문외한(門外漢) der Außenstehende*, -n, -n.

문우(文友) literarischer Freund, -es, -e.

문운(文運) ① 《발전》 kulturelle Entwicklung, -en. ② 《운수》 die Schicksalsfügung des Dichters.

문의(問議) Nachfrage *f.* -n; Erkundigung *f.* -en. ～하다 (be)fragen; an-〔nach〕|fragen; [4]sich erkundigen. ‖ ～처 Information *f.*; Auskunft *f.*

문인(文人) Literat *m.* -en, -en; Schriftsteller 〔Dichter〕 *m.* -s, -.

문인(門人) Schüler 〔Jünger〕 *m.* -s, -.

문자(文字) Schriftzeichen *n.* -s, -; Buchstabe *m.* -ns, -n; Schrift *f.* -en. ¶ ～ 그대로 buchstäblich; wörtlich. ‖ ～판 Zifferblatt *n.* -(e)s, ¨er 《시계》 / 독일 ～ Fraktur *f.* -en / 라틴 ～ Antiqua *f.*

문장(文章) Satz *m.* -es, ¨e. ‖ ～론 〔구성법〕 Syntax *f.*

문장(紋章) Wappen *n.* -s, -. ‖ ～학 Wappenkunde *f.* -n.

문재(文才) dichterische 〔literarische〕 Begabung 〔Veranlagung; Fähigkeit〕 -en.

문전(文典) 《문법》 Grammatik *f.* -en; 《책》 Grammatikbuch *n.* -(e)s, ¨er.

문전(門前) vor dem 〔das〕 Tor. ¶ ～ 성시를 이루다 großen Zulauf von Menschen haben.

문제(問題) Frage *f.* -n; Problem *n.* -(e)s, -e; Aufgabe *f.* -n; Gegenstand *m.* -(e)s, ¨e; Angelegenheit *f.* -en; Sache *f.* -n; Problematik *f.* ¶ ～의 건(件) die vorliegende 〔betreffende〕 Sache; die in Frage stehende Angelegenheit. ‖ ～작 das allgemein diskutierte Werk / ～점 Streitpunkt *m.* -(e)s, -e.

문조(文鳥) 〖鳥〗 Reisvogel *m.* -s, ¨.

문죄(問罪) ～하다 an|klagen[4]; beschuldigen[4].

문중(門中) (Bluts)verwandtschaft *f.* -en.

문지기(門―) Pförtner *m.* -s, -; Portier *m.* -s, -s; Torwächter *m.* -s, -.

문지도리(門―) die Angel der Tür 〔des Tors〕.

문지르다 ab|kratzen[4]; aus|löschen[4]. ¶ 마루를 걸레로 ～ den Fußboden mit den Lappen ab|scheuern.

문지방(門地枋) 〖建〗 Schwelle *f.* -n. ¶ ～을 넘다 die Schwelle betreten*.

문진(文鎭) ＝서진(書鎭)

문집(文集) die Auswahl von Prosaschriften.

문짝(門―) Türflügel *m.* -s, -.

문채(文彩) 《무늬》 Muster *n.* -s, -; Zeichnung *f.* -en.

문책(問責) ～하다 e-e Rüge 《*für*[4]》 erteilen[3].

문체(文體) Stil *m.* -(e)s, -e.

문초(問招) ～하다 verhören[4]; untersuchen[4].

문치(文治) die Verwaltung durch Zivilbeamte u. Gelehrte.

문치적거리다 die Zeit vertrödeln; [4]sich zögernd benehmen*; unentschlossen handeln.

문턱(門―) Schwelle *f.* -n. ¶ ～이 닳도록 찾아 다니다 *jn.* mehrmalig besuchen.

문투(文套) literarischer Stil, -s, -e.

문틈(門―) die Ritze zwischen den geschlossenen Türen.

문패(門牌) Türschild *n.* -(e)s, -er. ¶ ～를 달다 ein Türschild auf|hängen*.

문필가(文筆家) Federheld *m.* -en, -en; Schriftsteller *m.* -s, -.

문하생(門下生) Schüler *m.* -s, -.

문학(文學) Literatur〔Dichtung〕 *f.* -en. ¶ ～(상)의 literarisch. ‖ ～사(史) Literaturgeschichte *f.* -n / ～상 Literaturpreis *m.* -es, -e / ～자(者) Literat *m.* -en, -en; Schriftsteller *m.* -s, - / 독～ die deutsche Literatur.

문헌(文獻) Literatur *f.* -en; Urkunde *f.* -n. ‖ ～학 Philologie *f.*

문호(文豪) ein großer Schriftsteller 〔Dichter〕 -s, -; Dichterfürst *m.* -en, -en.

문호(門戶) Tür *f.* -en. ‖ ～ 개방주의 die Politik der offenen Tür.

문화(文化) Kultur *f.* -en. ¶ ～의〔적인〕 kulturell; kultiviert. ‖ ～ 교류 Kulturaustausch *m.* -(e)s / ～ 생활 Kulturleben *n.* -s, - / ～ 시설 Kultureinrichtung *f.* -en / ～재 Kulturgut *n.* -(e)s, ¨er / ～인 Kulturmensch *m.* -en, -en.

묻다[1] ①《문의》 fragen[4]; e-e Frage stellen 〔richten〕; [4]sich erkundigen; befragen[4]. ② 《죄를》 beschuldigen[2] 《*jn.*》. ¶ 책임을 ～ *jn.* zur Rechenschaft ziehen* 《*wegen*[2]》.

묻다[2] 《매몰》 (be)graben*[4]; 《호(濠)를》 zu|füllen[4].

묻다[3] 《붙다》 haften 《*an*[3]》; 《더러워짐》 beschmiert werden 《*von*[3]; *mit*[3]》. ¶ 피가 묻어 있다 blutbefleckt sein.

묻히다[1] 《가루 따위를》 tauchen[4]; pudern[4]. ¶ 손에 물을 ～ die Hand ins Wasser (ein|)tauchen.

묻히다^{2} (매장) begraben werden. ¶눈에 ~ verschneit 〔eingeschneit〕 werden.

물^{1} Wasser n. -s, -. ¶물을 타다 (ver-)wässern / 물기가 있는 wässerig; wasserhaltig; saftig / 물에 담그다 (ein|-)wässern^{4} / 물을 끓이다 Wasser kochen / 물에 견디는 wasserdicht.

물^{2} (빛깔) die (aufgedruckte) Farbe, -n. ¶물들다 ^{4}sich färben / 물이 날다 verbleichen*; verblassen.

물가 Wasserrand m. -(e)s, ¨er; Ufer n. -s, -.

물가(物價) Preise (pl.); (개개의) (Waren-)preis m. -es, -e. ‖~ 대책 Preispolitik f. -en / ~ 변동 Preisschwankung f. / ~ 안정 Preisstabilisierung f. / ~ 지수 Preisindex m. -(es), -e / ~ 통제 Preiskontrolle f. -n / 주요 ~ Preis (pl.) der wichtigsten Güter.

물갈래 Flußarm m. -(e)s, -e.

물갈이 〖農〗 ~하다 für den Reisbau mit dem Wasser pflügen.

물갈퀴 (물고기의) Schwimmhaut f. ¨e.

물감 Farbstoff m. -(e)s, -e; Farbe f. -n.

물개 〖動〗 Seelöwe m. -n, -n.

물거리 Reisig n. -s.

물거품 Schaum m. -(e)s, ¨e; Blase f. -n. ¶~이 되다 zu Schaum werden.

물건(物件) Artikel m. -s, -; Sache 〔Ware〕 f. -n.

물걸레 naßer Scheuer〔Wisch〕lappen, -s, -.

물것 stechendes Insekt, -(e)s, -en.

물결 Welle f. -n; Woge f. -n (파도). ¶사람〔자동차〕의 ~ der Strom der Leute 〔Autos〕.

물결치다 wogen; wellen. ¶물결치는 대로 willenlos folgend.

물경(勿驚) überraschend; erstaunlich.

물고(物故) die Hinrichtung des bekannten Mannes. ¶~나다 tot sein; strerben*; leblos sein.

물고기 Fisch m. -es, -e.

물고늘어지다 ① (이빨로) die Zähne (pl.) fest|beißen* (in^{4}). ② (자리·약점 등을) (js. Schwäche 〔Fehler〕) an die große Glocke hängen*. ③ (比) wie Pech haften (an^{3}).

물고동 Hahn m. -(e)s, -en; Zapfen m. -s, -.

물곬 das Ableiten*, -s; Drän m. -s, -s.

물구나무서다 ^{4}sich auf den Kopf stellen.

물구덩이 stehendes Wasser, -s, -; Pfuhl m. -(e)s, -e.

물굽이 Biegung f. -en.

물권(物權) Realrecht n. -(e)s, -e. ‖~법 Sachenrecht n. -(e)s, -e.

물귀신 (바다의) Wasserdämon m. -s, -e; (물의 요정) Nix m. -es, -e.

물그릇 (Wasser)schale f. -n; (Wasser-)schüßel f. -n; (Wasser)napf m. -(e)s, ¨e.

물그림자 der Schatten auf dem Wasser.

물긋하다 ziemlich wässerig 〔zart; fein; schwach; dünn〕 (sein).

물기(一氣) Nässe f. ¶~ 있는 wässerig; wäßrig.

물기근(一飢饉) Wasser·not f. 〔-mangel m. -s〕.

물기둥 Wasserhose f. -n.

물기름 Haaröl n. -(e)s, -e; Haarwasser n. -s, -.

물길 Schiffahrtsweg m. -(e)s, -e.

물꼬 Einlaßschleuse f. -n.

물끄러미 starrend; stier. ¶~ 쳐다보다 vor ^{4}sich hin|starren.

물난리(一亂離) (홍수) (Wasser)flut f. -en; Überschwemmung f. -en; (갈수) Wassernot f. ¨e.

물너울 Wellengang m. -(e)s, ¨e; Anschwellung f.

물놀이 Plansch m. -es, -e. ~하다 planschen.

물다^{1} beißen*$^{(4)}$ (in^{4}); kauen$^{(4)}$ (an^{3}). ¶물고 있다 im Munde 〔Maule〕 halten*.

물다^{2} (돈을) zahlen^{4}; (보상) entschädigen (für^{4}).

물독 Wasserkrug m. -(e)s, ¨e.

물동계획(物動計劃) ein stofflicher Mobilizationsplan.

물동이 Wasserkrug m. -(e)s, ¨e.

물들다 (빛이) ^{4}sich färben; gefärbt werden; (감염) angesteckt werden.

물들이다 färben^{4}; e-e Farbe geben*^{3}. ¶옷을 ~ Kleider (pl.) färben.

물딱총(一銃) Spritze f. -n; Wasserpistole f. -n.

물때^{1} (조수 시간) die Gezeiten (pl.); (밀물) Flut f. -en.

물때^{2} Kesselstein m. -(e)s.

물떼새 〖鳥〗 Regenpfeifer m. -s, -.

물똥 =물찌똥. ‖~ 싸움 das Spritzen* 〔Plätschern*〕 -s.

물량(物量) e-e Menge von Materialien.

물러가다 ^{4}sich zurück|ziehen*; zurück|treten*; zurück|weichen*.

물러나다 ^{4}sich zurück|ziehen*; nieder|legen; zurück|treten*.

물러서다 ① (뒤로) zurück|treten* (퇴거); ^{4}sich zurück|ziehen*. ② (후퇴) zurück|ziehen*〔-|gehen*〕. ③ (은퇴·사직) ab|danken; ^{4}sich zurück|ziehen*.

물러앉다 ① (자리를) zurück|setzen. ② (관직 등을) zurück|ziehen* 〔-|treten*〕; verabschieden.

물러오다 denselben Weg zurück|gehen*.

물렁팥죽 ① (사람) Weichling m. -s, -. ② (물건) ein schwacher Stoff, -(e)s, -e.

물렁하다 ① mürbe 〔weich〕 (sein). ② (성질이) willfährig 〔nachgiebig〕 (sein).

물레 Spinnrad n. -(e)s, ¨er. ‖~방아 Wassermühle f. -n; Wasserrad n. -(e)s, ¨er / ~질 das Spinnen*, -s / 물렛가락 Spindel f. -n / 물렛줄 die Schnur des Spinnrads.

물려받다 erben; Geschenk bekommen*. ¶아무의 재산을 ~ js. Vermögen erben.

물려주다 über|geben*; über|liefern.

물론(勿論) natürlich; freilich; selbstverständlich; zweifellos. ¶…은 ~ von ^{3}et. ganz zu (ge)schweigen.

물리(物理) ① (자연의) die Natur der Dinge. ② (물리학) Physik f. ‖~ 요법 physikalische Therapie, -n / ~ 화학 physikalische Chemie.

물리다^{1} (싫증) ^{4}sich übersättigen (von^{3}).

물리다^{2} (치우다) weg|nehmen*; fort|nehmen*.

물리다^{3} (동물에) gebissen werden; (입에) in den Mund geben*$^{3\cdot4}$.

물리다^{4} (배상) ersetzen lassen*; aus|gleichen lassen*.

물리다[5] ① 《연기》 verschieben*; auf|schieben*; zurück|stellen. ¶휴가를 ～ den Urlaub verschieben. ② 《옮김》 (um die Achse) drehen; wenden*; richten 《auf[4]》.
물리치다 zurück|weisen*[4]; zurück|stoßen*[4]; ab|weisen*[4]; zurück|schlagen*[4].
물리학(物理學) Physik *f*.
물림 《연기》 Verschiebung *f*. –en; Aufschub *m*. –(e)s, ⸚e.
물림쇠 Krampe 〔Haspe〕 *f*. –n.
물마 ein Regenwasser auf der Erde.
물마루 Wellenkamm *m*. –(e)s, ⸚e.
물만두(—饅頭) die mit Wasser gekochte Maultasche.
물맛 der Geschmack des Wassers.
물망(物望) die Hoffnung der Leute. ¶ ～에 오르다 die Unterstützung der öffentlichen Meinung gewinnen*.
물망초(勿忘草) 〖植〗 Vergißmeinnicht *n*. –(e)s, –e.
물매[1] 《경사》 der Hang des Daches.
물매[2] 《배질》 der harte Schlag, –(e)s, ⸚e. ┌gen*.┐
물매질하다 peitschen; bitterlich schla-┘
물목 《물어귀》 der Abzweigungsort des Stromes.
물목(物目) der Katalog der Waren (*pl*.).
물문(—門) Schleuse *f*. –n; Schleusentor *n*. –(e)s, –e.
물물교환(物物交換) Warentausch *m*.–es, –e; Tauschhandel *m*. –s, –.
물미 Eisenkeil *m*. –(e)s, –e; eiserne Spitze, –n.
물밀다 《조수가》 fluten; strömen.
물바다 Überschwemmung *f*. –en.
물방아 ① 《방아》 Wassermühle *f*. –n. ② 《방아두레박》 der Wassereimer der Mühle. ┌chen *n*. –s, –.┐
물방울 Wassertropfen *m*. –s, –; Tröpf-┘
물뱀 〖動〗 Wasserschlange *f*. –n.
물벼락 ¶～ 맞다 mit Wasser plötzlich übergegossen werden.
물병(—瓶) Wasserflasche *f*. –n.
물보라 Wasserwolke *f*. –n; Sprühwasser *n*. –s; Gischt *m*. –(e)s, –e.
물부리 《담뱃대의》 Mundstück *n*. –(e)s, –e; 《궐련의》 Filter *m*. 〔*n*.〕 –s, –.
물빛 《물의 빛깔》 Wasserfarbe *f*. –n.
물빨래하다 waschen lassen*[4]; reinigen lassen*[4] 《드라이클리닝에 대해》.
물뿌리개 Gieß〔Spritz〕kanne *f*. –n.
물산(物產) Produkt *n*. –(e)s, –e; Erzeugnis *n*. –ses, –se. ☞ 산물.
물살 Fluß *m*. ..lusses, ..lüsse. ¶～이 세다 Der Fluß hat e–e starke Strömung.
물상(物象) 《현상》 materielles Phänomen, –s, –e; 《학과》 die Wissenschaft der unbelebten Natur.
물새 Wasservogel *m*. –s, ⸚.
물색(物色) ～하다 《찾다》 auf|suchen[(4)]; 《고르다》 aus|wählen[4].
물샐틈없다 《꼭 막힘》 zugepfropft (sein); 《완벽》 dicht 〔taktvoll〕 (sein).
물소 〖動〗 Büffel *m*. –s, –. ┌Flusses〕.┐
물소리 der Klang des Wassers 〔des┘
물속 im Wasser. ¶～으로 가라앉다 im Wasser sinken*. ┌⸚er.┐
물수건(—手巾) naßes Handtuch, –(e)s,┘
물수제비뜨다 Hüpfsteine werfen*.
물시계(—時計) Wasseruhr *f*. –en.
물심부름하다 *jm*. Trinkwasser 〔Waschwasser〕 servieren.
물심양면으로(物心兩面—) im physischen u. moralischen Sinne.
물싸움하다 um ein Wasserrecht streiten.
물써다 verebben; zurück|fluten.
물쓰듯하다 reichlich von [3]*et*. Gebrauch machen; [4]*et*. überreichlich in Gebrauch nehmen*.
물씬하다 ① 《부드러움》 sanft 〔weich〕 (sein). ② 《냄새가》 stark riechen*; e–n scharfen 〔stechenden; betäubenden〕 Geruch verbreiten.
물안경(—眼鏡) Wasserglas *n*. –es, ⸚er.
물약(—藥) die flüssige Arznei, –en; 《외용》 Arzneiwasser *n*. –s, –. ┌len.┐
물어넣다 zurück|erstatten; zurück|zah-┘
물어뜯다 ab|beißen*[4]; mit den Zähnen ab|reißen*[4].
물어보다 《묻다》 fragen 《*nach*[3]》; e–e Frage stellen; [4]sich erkundigen.
물어주다 《갚다》 zahlen; bezahlen; Geld geben*.
물역(物役) ‖～ 장사 der Händler, der die Baumaterialien verkäuft. ┌*pl*.).┐
물엿 die weiche Karamelle, –n (흔히┘
물오리 〖鳥〗 Wildente *f*. –n; die wilde Ente, –n.
물욕(物欲) die weltliche 〔irdische〕 Begierde, –n; Habgier *f*.
물위 ① 《물의 겉》 die Oberfläche des Wassers. ② 《상류》 Oberlauf *m*. –(e)s, ⸚e. ¶～로 stromaufwärts.
물음 Frage *f*. –n. ¶～에 답하다 auf e–e Frage antworten.
물의(物議) die öffentliche Kritik, –en. ¶ ～를 일으키다 allgemeine Kritik hervor|rufen*.
물자(物資) 《자원》 Hilfsquelle *f*. –n; 《원료》 Rohstoff *m*. –(e)s, –e; 《물품》 Ware *f*. –n; Artikel *m*. –s, –; Güter (*pl*.). ‖～ 부족 Warenknappheit *f*. –en.
물자동차(—自動車) 《살수차》 Sprengwagen *m*. –s, –; Wasserwagen *m*.
물장구 ¶～ 치다 mit den Füßen auf dem Wasser plätschern. ┌schen.┐
물장난 Plansch *m*. –es, –e. ～하다 plan-┘
물장사 《술집》 Gast·gewerbe *n*. –s, – 〔–wirtschaft *f*. –n〕.
물적(物的) physisch; material. ‖～ 자원 Rohstoff *m*. –(e)s, –e / ～ 증거 Materialbeweis *m*. –es, –e.
물정(物情) 《정세》 Sachlage *f*. –n; die Lage der Dinge; 《인심》 die öffentliche Stimmung, –en. ¶～에 어두운 weltfremd; unpraktisch.
물주(物主) 《자본주》 Finanzmann *m*. –(e)s, ⸚er; 《노름판의》 Bankhalter *m*. –s, –.
물주다 Wasser geben* 〔gießen*〕.
물주전자 Wasserkessel *m*. –s, –.
물줄기 die Richtung des Flusses; 《내뿜는》 Wasserhose *f*. –n.
물지게 das hölzerne Gerät zur Beförderung der Wassereimer.
물질(物質) Stoff *m*. –(e)s, –e; Materie *f*. –n. ¶～적인 materiell; physisch.

‖ ~계 Körperwelt *f.* -en / ~ 명사 Stoffname *m.* -ns, -n.

물집 Blase *f.* -n.

물찌똥 Durchfall *m.* -(e)s, ¨e; wässeriger Stuhlgang, -(e)s, ¨e. ¶ ~을 싸다 e-n wässerigen Stuhlgang haben.

물차(—車) Sprengwagen *m.* -s, -; Wasserwagen *m.*

물체(物體) Körper *m.* -s, -; Objekt *n.* -(e)s, -e.

물총새 〖鳥〗 Königsfischer *m.* -s, -; Eisvogel *m.* -s, ¨.

물치 〖魚〗 eine Art Makrele.

물컥 stinkend. ¶ 술냄새가 ~ 난다 Es stinkt nach Alkohol.

물컵 Trinkglas *n.* -es, ¨er.

물컹거리다 überreif u. mürbe sein.

물쿠다 schwül u. hitzig sein.

물크러지다 《너무 익어》 überreif u. breiartig werden; 《썩어》 verdorben u. mürbe werden.

물통(—桶) Wassereimer 〔Wasserbehälter〕 *m.* -s, -.

물퍼붓듯 strömend; gießend.

물표(物標) Zettel *m.* -s, -; Schein *m.* -(e)s, -e.

물품(物品) Ware *f.* -n; Artikel *m.* -s, -. ‖ ~세 Warensteuer *f.* -n.

물행주 (feuchtes) Abwaschtuch, -(e)s, ¨er.

물화(物貨) Ware *f.* -n; Gebrauchsgüter (*pl.*).

묽다 《농도》 schwach 〔dünn; wäßrig〕 (sein).

뭇 《여러》 viel; all; allerlei. ¶ 뭇 사람들 allerlei Leute.

뭇매 e-e Tracht Prügel *m.* -s, -. ¶ ~ 맞다 e-e derbe Tracht Prügel beziehen* 《von e-r Menge Menschen》.

뭇입 Kritiken (*pl.*) aller Leute.

뭉개다 ① 《으깨다》 zerquetschen[4]; zerdrücken[4]; zermalmen[4]. ② 《자리에서》 trödeln; die Zeit vertrödeln.

뭉게구름 Haufenwolke *f.* -n,

뭉게뭉게 《연기가》 qualmend; 《구름이》 auftürmend.

뭉구리 ① 《까까머리》 kurzgeschnitter Kopf, -(e)s, ¨e. ② 《중》 buddhistischer Mönch, -(e)s, -e.

뭉그러뜨리다 um|stoßen*[4]; zum Umfallen bringen*[4]; zerstören.

뭉근하다 gelind 〔schwach〕 (sein).

뭉떵뭉떵 in dicke Stücke.

뭉뚝하다 stumpf 〔gedrungen〕 (sein).

뭉뚱그리다 (flüchtig) bündeln[4].

뭉우리돌 Geröll *n.* -(e)s, -e; Geröllblock *m.* -(e)s, ¨e.

뭉치 《덩이》 Bündel *n.* -s, -; Bund *n.* -(e)s, -e.

뭉치다 gerinnen*; klumpig werden; 《단결》 [4]sich zusammen|schließen*; [4]sich vereinigen 《*mit*[3]》.

뭉클하다 《가슴이》 *jm.* zu Herzen gehen*; [3]sich [4]*et.* zu Herzen nehmen*.

뭉키다 erstarren; gerinnen*; hart werden.

뭉텅이 Klumpen *m.* -s, -; Bündel *n.* -s, -.

뭍 Land *n.* -(e)s.

-므로 ① 《그러므로》 also; daher; darum. ② 《왜냐하면》 da; denn; weil.

미(美) Schönheit *f.* -en; das Schöne*, -n; 《詩》 die Schöne*.

미가(米價) Reispreis *m.* -es, -e.

미각(味覺) Geschmack *m.* -(e)s.

미간(未刊) ~의 unveröffentlicht.

미간(眉間) = 양미간.

미감(美感) Schönheitsgefühl *n.* -(e)s, -e.

미개(未開) ~하다 ungesittet 〔barbarisch; unkultiviert〕 (sein). ‖ ~인 der 〔die〕 Wilde* -n, -n; Barbar *m.* -en, -en / ~지 das unkultivierte 〔unbebaute〕 Land, -(e)s, ¨er.

미개발(未開發) ~의 unkultiviert; unentwickelt. ‖ ~지 das unentwickelte Gebiet, -(e)s, -e.

미거(美擧) die lobenswerte Tat, -en.

미거하다(未擧—) dumm 〔stumpfsinnig〕 (sein).

미결(未決) ~의 unentschieden; schwebend. ‖ ~수 der Untersuchungsgefangene*, -n, -n.

미경험(未經驗) ~의 unerfahren; erfahrungslos. ‖ ~자 der Unerfahrene*, -n, -n.

미곡(米穀) Reis *m.* -es. ‖ ~상 Reishändler *m.* -s, - / ~ 시장 Reismarkt *m.* -(e)s, ¨e.

미관(美觀) der schöne Anblick, -(e)s, -e. ¶ ~을 해치다 das schöne Aussehen[2] verderben*.

미관(微官) der kleine Beamte*, -n, -n.

미광(微光) Glimmer *m.* -s, -; Glimmlicht *n.* -(e)s, -er.

미구(未久) ~에 bald; in 〔binnen〕 kurzem.

미국(美國) die Vereinigten Staaten (von Amerika). ¶ ~의 amerikanisch. ‖ ~사람 Amerikaner *m.* -s, - / ~어(語) amerikanisches Englisch.

미군(美軍) US 〔amerikanische〕 Armee, -n; 《병사》 amerikanischer Soldat, -en, -en. ¶ 주한 ~ US Streitkräfte in Korea.

미궁(迷宮) Labyrinth *n.* -(e)s, -e; Irrgarten *m.* -s, ¨. ¶ ~에 빠지다 in ein geheimnisvolles Dunkel gehüllt werden / ~에 빠진 labyrinthisch.

미귀환(未歸還) ~의 noch nicht zurückgekommen. ‖ ~자 diejenigen, die ausgeblieben sind.

미그 《제트기》 MIG Düsenjäger *m.* -s, -.

미급(未及) ~하다 unzulänglich 〔unzureichend〕 (sein).

미꾸라지 〖魚〗 Schmerle *f.* -n.

미끄러뜨리다 gleiten lassen*[4].

미끄러지다 (aus|)gleiten*; aus|rutschen; 《불합격》 durch|fallen*.

미끄럼틀 Rutschbahn *f.* -en.

미끄럽다 glitsch(e)rig 〔glatt〕 (sein).

미끈거리다 《반들반들함》 glatt 〔schlüpf(e)rig〕 sein; 《빙판·전기 등으로》 schlüpf(e)rig 〔ölig〕 sein.

미끈하다 《사람이》 elegant 〔schick; fesch〕 (sein); 《사물이》 glatt 〔geschmeidig〕 (sein).

미끼 Köder *m.* -s, -; Anbiß *m.* ..sses, ..sse; Lockspeise *f.* -n; Lockung *f.* -en.

미나리 〖植〗 Asiatische Petersilie, -n.

미남(美男) der schöne Mann, -(e)s, ¨er.

미납(未納) Rückständigkeit *f.* -en.

미네랄 Mineral *n.* -s, -e〔..ien〕.

미녀(美女) schönes Mädchen, -s, -.

미농지(美濃紙) eine Art von japanischem Reispapier.
미늘 《낚시의》 der Widerhaken des Angelhakens; 《갑옷의》 die Schuppen (*pl.*) des Panzers.
미니스커트 Minirock *m.* -(e)s, ⸗e. ¶ ~를 입고 있다 mini gehen*.
미닫이 Schiebetür *f.* -en.
미담(美談) schöne Anekdote, -n.
미덕(美德) die (schöne) Tugend, -en.
미덥다 zuverlässig 〔vertrauenswürdig〕 (sein); 《앞날이》 hoffnungsvoll (sein).
미동(微動) leichte Bewegung, -en.
미두(米豆) Spekulation in Reis.
미들급(一級) Mittelgewicht *n.* -(e)s, -e. ‖ ~ 선수 Mittelgewichtler *m.* -s, -.
미등(尾燈) Schlußlicht *n.* -(e)s, -er 《자동차의》.
미디(스커트) Midirock *m.* -(e)s, ⸗e.
미라 Mumie *f.* -n.
미란(糜爛) ‖ ~성 가스 Senfgas 〔Gelbkreuz〕 *n.* -es.
미래 〖農〗 Landwirtschaftgerät zum Einebnen des Feldes.
미래(未來) 《장래》 Zukunft *f.*; 〖文〗 Futur *n.* -s, -e. ¶ ~의 (zu)künftig; kommend. ‖ ~학 Futurologie *f.*
미량(微量) e-e geringe 〔minimale〕 Menge, -n. ¶ ~의 ein (ganz) klein wenig. ‖ ~ 천칭 Mikrowaage *f.* -n.
미려(美麗) ~하다 schön (sein).
미력(微力) die geringe 〔schwache〕 Kraft, ⸗e.
미련하다, 미련스럽다 unbeholfen 〔dumm〕 (sein).
미련(未練) das Bedauern* *n.* -s; 《애착》 Zuneigung *f.* -en. ¶ ~이 있다 nicht vergessen können*[4].
미로(迷路) Irrgang *m.* -(e)s, ⸗e. ¶ ~에 빠지다 [4]sich im Irrgang verlaufen*.
미루나무(美柳一) Pappel *f.* -n.
미루다 《연기함》 verschieben*[4]; auf|schieben*[4]; fristen[4]; 《남에게》 zu|schieben*[4]; 《추측》 (er)raten*[4].
미루적미루적 zögernd; verschiebend.
미륵(彌勒) 〖佛〗 *Maitreya m.* -s, -s 《범어》; 《돌부처》 Buddhastatue aus Stein.
미리 vorher; im 〔zum〕 voraus. ¶ ~ 통지하다 vorher bekannt|machen[3·4].
미립자(微粒子) 〖寫眞〗 Feinkorn *n.* -(e)s, ⸗er; Feinkörnigkeit *f.* 《미립자성》; Körperchen *n.* -s, -.
미만(未滿) unter[3]; geringer als.
미망(迷忘) Wahn *m.* -(e)s; Täuschung *f.* -en; Irrtum *m.* -(e)s, ⸗er.
미망인(未亡人) Witwe *f.* -n. ¶ ~이 되다 Witwe werden.
미명(未明一) ~에 vor [3]Tagesanbruch.
미명(美名) der gute Name(n), ..mens, ..men. ¶ 자선이라는 ~으로 im Namen 〔unter dem Vorwand〕 der Wohltätigkeit.
미모(美貌) schönes 〔hübsches〕 Gesicht, -(e)s, -er; feine Züge (*pl.*). ~의 schön. ¶ ~의 여인 schöne Frau, -en.
미목(眉目) Gesicht *n.* -(e)s, -er; Gesichtszüge (*pl.*); Antlitz *n.* -es, -e. ¶ ~이 수려한 젊은이 ein shöner 〔hübscher〕 Jüngling, -s, -e.
미몽(迷夢) der leere 〔schöne〕 Wahn, -(e)s; Einbildung *f.* -en; Illusion *f.* -en. ¶ ~에서 깨다 aus e-m Wahn gerissen werden.
미묘(微妙) ~하다 delikat 〔heikel; fein〕 (sein). ¶ ~한 문제 e-e delikate〔heikle〕 Angelegenheit, -en.
미문(美文) kunstvolle Prosa. ‖ ~체 eleganter Stil, -(e)s, -e.
미물(微物) Mikrobe *f.* -n.
미미(微微) ~하다 winzig 〔unbedeutend〕 (sein). ¶ ~한 일 die unbedeutende Arbeit, -en.
미복(微服) ¶ ~으로 verkleidet; unerkannt.
미봉(彌縫) das (Zusammen)flicken*, -s. ‖ ~책 Auskunftsmittel *n.* -s, -.
미분(微分) Differential *n.* -s, -e. ~하다 differenzieren[4]. ‖ ~ 방정식 Differentialgleichung *f.* -en / ~학 Differentialrechnung *f.*
미불(未拂) Rückstand *m.* -(e)s, ⸗e. ‖ ~액 die rückständige Summe, -n.
미비(未備) Mangel *m.* -s, ⸚. ~하다 mangelhaft (sein).
미쁘다 =미덥다.
미사(美辭) die schönen Worte (*pl.*). ‖ ~ 여구 Redeblume *f.* -n.
미사(彌撒) 〖가톨릭〗 Messe *f.* -n. ¶ ~를 올리다 e-e Messe lesen*.
미사일 Flugkörper *m.* -s, -; Rakete *f.* -n. ‖ ~ 기지 Raketen·basis *f.* ..basen 〔-stützpunkt *m.* -(e)s, -e〕 / ~ 발사대 Raketenabschußrampe *f.* -n / ~ 병기 Raketenwaffe *f.* -n / ~ 순양함 Raketenkreuzer.
미삼(尾蔘) kleine Wurzel des Ginsengs.
미상(未詳) Unbekanntheit *f.* ¶ 작자 ~ Verfasser unbekannt.
미상불(未嘗不) sicher; in der Tat; wahrlich; gewiß; bestimmt; unfehlbar; ohne Zweifel; zweifellos.
미색(美色) Charme *m.* -s; Reiz *m.* -es, -e; die weiblichen Reize (*pl.*).
미생물(微生物) Mikrobe *f.* -n; Mikrobion *n.* -s, ..bien. ‖ ~학 Mikrobiologie *f.*
미성(美聲) die schöne 〔süße〕 Stimme, -n.
미성년(未成年) ~의 minderjährig; unmündig. ‖ ~자 der Minderjährige*, -n, -n; der Jugendliche*, -n, -n.
미성숙(未成熟) Unreife *f.* ~하다 unreif (sein). ☞미숙.
미세스 Frau *f.* -en.
미세(微細) ~하다 《미소한》 winzig〔(haar-)klein〕 (sein); 《상세한》 ausführlich (sein).
미션스쿨 Missionsschule *f.* -n.
미소(美蘇) Amerika u. die Sowjet Union; 〖形容詞的〗 Sowjetisch-Amerikanisch; Russisch-Amerikanisch.
미소(微小) ~하다 winzig 〔klein; geringfügig〕 (sein).
미소(微笑) Lächeln *n.* -s. ~하다 lächeln.
미소년(美少年) der schöne Junge, -n, -n.
미송(美松) Douglasfichte [dʌ́gləs..] 〔Douglastanne〕 *f.* -n.
미수(未收) ~의 noch nicht (ein)gesammelt. ‖ ~금 ausstehende Forderungen 〔Gelder〕 (*pl.*).
미수(未遂) Versuch *m.* -(e)s, -e. ‖ 살인 ~ Mordversuch *m.* -(e)s, -e.

미숙(未熟) ～하다 《경험이》 unerfahren 〔ungeschickt〕 (sein). ‖～아 Frühgeburt *f*. -en; ein vorzeitig geborenes Kind, -(e)s, -er / ～자 Grünschnabel *m*. -s, ¨; der Unerfahrene*, -n, -n.
미숙련공(未熟練工) ungelernter 〔ungeschickter〕 Arbeiter 〔Handwerker〕 -s, -; Hilfsarbeiter *m*. -s, -.
미술(美術) Kunst *f*. ¨e; schöne Künste (*pl*.). ¶～적인 künstlerisch. ‖～가 Künstler *m*. -s, - / ～관 Galerie *f*. -n; Museum *n*. -s, ..seen / ～ 전람회 Kunstausstellung *f*. -en / ～품 Kunstwerk *n*. -(e)s, -e/ ～ 학교 Kunstschule 〔Kunstakademie〕 *f*. -n.
미숫가루 Puder des gerösten Fett〔Kleb〕reises.
미스 《처녀》 Fräulein *n*. -s, -. ‖～ 코리아 Miß Korea *n*. -s.
미스터 Herr *m*. -n, -en.
미스(테이크) Fehler *m*. -s, -; Mißgriff *m*. -(e)s, -e.
미스프린트 Druckfehler *m*. -s, -; Fehldruck *m*. -(e)s, -e.
미시적(微視的) mikroskopisch.
미식(美式) amerikanischer Stil, -(e)s, -e. ‖～ 축구 amerikanischer Fußball, -(e)s.
미식(美食) Leckerbissen *m*. -s, -. ‖～가 Feinschmecker *m*. -s, -.
미신(迷信) Aberglaube(n) *m*. ..bens, ..ben. ¶～적인 abergläubisch.
미심쩍다(未審—) zweifelhaft 〔verdächtig〕 (sein). ¶미심쩍은 얼굴로 mißtrauisch; mit fragenden Blicken.
미싱 Nähmaschine *f*. -n.
미아(迷兒) das verirrte Kind, -(e)s, -er.
미안(未安) ¶～합니다 Es tut mir leid./ ～해하다 (aufrichtig) bedauern.
미약(媚藥) Aphrodisiakum *n*. -s, ..ka.
미약(微弱) ～하다 schwach 〔leise〕 (sein).
미어(美語) Amerikanismus *m*. -, ..men; amerikanisches Englisch, -(s).
미어지다 zerreißen*.
미역 〔植〕 Seetang *m*. -(e)s, -e.
미역감다 (⁴sich) baden; schwimmen*.
미역국 Seetangssuppe *f*. ¶～먹다 《比》 durch|fallen* 《im Examen; bei der Prüfung》.
미연에(未然—) ehe 〔bevor〕 *et*. geschieht; im Keime. ¶～ 방지하다 im Keime ersticken⁴; vor|beugen³.
미열(微熱) das leichte Fieber, -s, -. ¶～이 있다〔나다〕 leichtes Fieber haben 〔bekommen*〕.
미온(微温) ¶～적인 《엄하지 않은》 mild; 《성의없는》 nachlässig.
미완성(未完成) ～의 unvollendet.
미용(美容) 《미용술》 Schönheitspflege *f*.; Kosmetik *f*. ‖～사 Friseuse *f*. -n / ～원 kosmetische Salon, -s, -s; Schönheitssalon *m*. / ～ 체조 Kallisthenie *f*.
미욱하다 dumm (sein).
미움 Haß *m*. Hasses; Gehässigkeit *f*. -en.
미워하다 hassen⁴; verabscheuen⁴. ¶미워할 verhaßt; abscheulich.
미음(米飮) dünner Reisschleim, -(e)s, -e. ¶～을 쑤다 dünnen Reisschleim kochen.
미익(尾翼) Höhenflosse *f*. -n 《비행기의》.
미인(美人) die Schöne*, -n, -n; Schönheit *f*. -en. ‖～ 선발 대회 Schönheitskonkurrenz *f*. -en.
미작(米作) Reisbau *m*. -(e)s 《재배》; Reisernte *f*. -n 《수확》.
미장원(美粧院) ☞미용.
미장이 Maurer *m*. -s, -.
미적(美的) ästhetisch. ¶～ 감각 der ästhetische Sinn, -(e)s, -e.
미적거리다 《미루적거림》 verschieben*⁴; auf|schieben*⁴.
미적분(微積分) 〔數〕 Infinitesimalrechnung *f*.
미적지근하다 lau 〔lauwarm〕 (sein).
미전(美展) Kunstausstellung *f*. -en.
미점(美點) Vorzug *m*. -(e)s, ¨e.
미정(未定) Unbestimmtheit *f*. ～의 unbestimmt; unentschieden.
미제(未濟) ～의 unbezahlt; rückständig; unvollendet 《미완》. ‖～ 사건 die unerledigte 〔ungeklärte〕 Sache, -n.
미제(美製) ～의 von amerikanischem Produkt; produziert in USA.
미주(美洲) amerikanischer Kontinent, -(e)s. ‖～ 기구 die Organisation der Amerikanischen Staaten.
미주신경(迷走神經) 〔醫〕 herumschweifender Nerv, -s, -en; Vagus *m*. -, ..gi.
미주알고주알 neugierig; wißbegierig.
미증유(未曾有) ～의 noch nicht dagewesen; unerhört; beispiellos.
미지(未知) ～의 unbekannt; fremd. ‖～수 e-e unbekannte Größe, -n.
미지근하다 lau 〔lauwarm〕 (sein). ¶미지근한 물 laues Wasser, -s.
미진(微震) leichtes Erdbeben, -s, -. ‖～계 Mikroseismometer *n*. -s, -.
미진(微塵) Stäubchen *n*. -s, -.
미진하다(未盡—) unerschöpft 〔unvollkommen〕 (sein).
미채(迷彩) Tarnung *f*.; Tarnanstrich *m*. -(e)s, -e.
미처 bis an⁴ 〔zu³; auf⁴〕; so weit als; weit genug.
미천하다(微賤—) niedrig 〔nieder; gering〕 (sein).
미추룸하다 gesund u. ansehnlich 〔frisch u. gesund〕 (sein).
미취학(未就學) ‖～ 아동 das Kind, das noch nicht die Volksschule besucht.
미치광이 ① 《광인》 der Irre* 〔der Wahnsinnige*; der Geistesgestörte*〕 -n, -n. ② 《열광자》 Fanatiker 〔Schwärmer〕 *m*. -s, -.
미치다¹ 《달함》 bis reichen 《*an*⁴》; kommen 《*zu*³》; erreichen⁴; 《퍼짐》 ⁴sich bis erstrecken 《*zu*³》.
미치다² 《정신이》 verrückt 〔wahnsinnig〕 werden. ¶미친 verrückt; toll; wahnsinnig / 미친 것 Wahnwitz *m*. -es, -e; Tollheit *f*. -en / 미친듯이 날뛰다 toben; rasen.
미칭(美稱) Ehren·name *m*. -ns, -n〔-titel *m*. -s, -〕.
미크롱 Mikron *n*. -s, -.
미태(媚態) das kokette Benehmen*, -s.
미터 Meter *n*. -s, -; 《계량기》 Zähler 〔Messer〕 *m*. -s, -.

미투리 Hanf(schnur)sandale *f.* –n.
미트〖野〗 Fanghandschuh *m.* –(e)s, –e.
미풍(美風) die guten Sitten (*pl.*). ‖～양속 gute Sitten u. Benehmen.
미풍(微風) Brise *f.* –n; Lüftchen *n.* –s, –.
미필(未畢) ¶～의 unfertig; unvollendet; ungedient 《병역》.
미학(美學) Ästhetik *f.* ～적 ästhetisch. ‖～자 Ästhetiker *m.* –s, –.
미해결(未解決) ～의 ungelöst; ungeklärt.
미행(尾行) ～하다 nach|schleichen*.
미행(美行) die gute 〔lobenswerte〕 Tat, –en; Wohltat *f.* –en.
미혹(迷惑) Verwirrung *f.* –en; 《미망》 Täuschung *f.* –en.
미혼(未婚) ～의 unverheiratet; ledig. ‖～자 der 〔die〕 Unverheiratete*, –n, –n; 《남》 Junggesell(e) *m.* ..len, ..len; 《여》 (alte) Jungfer, –n.
미화(美化) ～하다 schön|machen⁴; aus|-schmücken⁴; verschönern⁴.
미화(美貨) amerikanische Münze, –n; amerikanisches Geld, –(e)s, –er.
미확인(未確認) ～의 unbestätigt. ‖～비행 물체 ein noch unbestätigter Flugkörper, –s, – / ～정보 e–e noch unbestätigte Nachricht, –en.
미흡(未洽) ～하다 unvoll·kommen 〔–ständig〕 (sein).
미희(美姬) schönes Mädchen, –s, –.
믹서 Mixmaschine *f.* –n.
민가(民家) Privathaus *n.* –es, ⸚er.
민간(民間) ～의 privat; zivil. ¶～에서 unter den Leuten. ‖～방송 e–e private Rundfunksendung, –en / ～항공 ein zivile Luftverkehr, –(e)s.
민감(敏感) ～하다 empfindlich 〔reizbar〕 (sein).
민권(民權) Volksrechte (*pl.*). ¶～을 주장하다 Volksrechte geltend machen.
민낯 ungeschminktes Gesicht, –(e)s, –er.
민도(民度) das kulturelle Niveau des Volkes.
민둥민둥하다 kahl 〔baumlos〕 (sein).
민둥산(—山) der kahle 〔nackte; baumlose; unbewachsene〕 Berg, –(e)s, –e.
민들레〖植〗 Löwenzahn *m.* –(e)s, ⸚e.
민란(民亂) (Volks)auflauf *m.* –(e)s, ⸚e.
민망(憫惘) ～하다 erbärmlich 〔kläglich〕 (sein).
민며느리 ein Mädchen, das man in s–m Haus als zukünftige Schwiegertochter aufzieht.
민물 Süßwasser *n.* –s, –.
민박(民泊) Pension *f.* –en.
민방위(民防衛) Zivilwehr *f.* –en.
민법(民法) Zivilrecht *n.* –(e)s; Bürgerliches Recht, –(e)s.
민병(民兵) Miliz *f.* –en.
민복(民福) Wohlfahrt des Volkes.
민사(民事) Zivilsache *f.* –n. ‖～소송 Zivilprozeß *m.* ..sses, ..sse.
민생(民生) Volksleben *n.* –s, –. ‖～고(苦) die ökonomischen Schwierigkeiten des Volkslebens.
민선(民選) Volkswahl *f.* –en. ¶～의 durch das Volk gewählt.
민속(民俗) Volkssitte *f.* –n. ‖～무용 Volkstanz *m.* –(e)s, ⸚e / ～학 Volkskunde *f.* –n / ～학자 Folklorist *m.* –en, –en.
민속(敏速) ～하다 schnell 〔geschwind; flink〕 (sein).
민수기(民數記)〖聖〗 Numeri (Das 4. Buch Mose).
민심(民心) Volksgefühl *n.* –(e)s, –e; Volksgunst *f.* ¶～을 얻다〔잃다〕 die Volksgunst gewinnen* 〔verlieren*〕.
민영(民營) ein privates Unternehmen, –s, –. ～의 privat.
민예(民藝) Volkskunst *f.* ⸚e. ‖～품 (volkstümliche) Kunsthandwerksarbeit, –en.
민완(敏腕) ～하다 tüchtig 〔fähig〕 (sein).
민요(民謠) Volkslied *n.* –(e)s, –er.
민요(民擾) Volkserhebung *f.* –en; Volksaufruhr *m.* –(e)s, –e.
민원(民怨) Volksmißmut *m.* –(e)s; Volksklage *f.* –n.
민원(民願) ‖～상담소 Volks〔Bürger〕-beratungsdienstzentrum *n.* –s, ..tren.
민의(民意) Volkswille *m.* –ns, –n; die öffentliche Meinung, –en.
민의원(民議院) Abgeordneten〔Repräsentanten〕haus *n.* –es.
민정(民政) Zivilverwaltung *f.* –en. ¶～을 펴다 e–e Volksregierung auf|stellen.
민정(民情) die Lage des Volkes. ¶～을 살피다 allgemeine Verhältnisse des Volkes beobachten.
민족(民族) Volk *n.* –(e)s, ⸚er; Stamm *m.* –(e)s, ⸚e; Nation *f.* –en. ‖～성 Volkstum *n.* –(e)s / ～자결 die nationale Autonomie, –n / ～정신 Volksgeist *m.* –es, –er.
민주(民主) Demokratie *f.* –n. ～적 demokratisch. ‖～국가 ein demokratisches Land, –(e)s, ⸚er / ～주의 Demokratie / ～주의자 Demokrat *m.* –en, –en / ～화 Demokratisierung *f.* –en.
민중(民衆) Volk *n.* –(e)s; Masse *f.* –n; Leute (*pl.*); Volksmenge *f.* –n; Publikum *n.* –s. ‖～예술 Volkskunst *f.* ⸚e / ～운동 Volksbewegung *f.* –en.
민짜 gewöhnliche Sachen 〔Dinge〕; gewöhnlicher Artikel, –s, –.
민첩(敏捷) Behendigkeit *f.* ～하다 《동작이》 flink 〔prompt; schnell〕 (sein); 《성격이》 klug 〔gescheit〕 (sein).
민틋하다 glatt 〔sanft; fließend〕 (sein).
민폐(民弊) der volkschädigende Mißbrauch, –(e)s, ⸚e.
민하다 gedankenlos 〔dumm; töricht〕 (sein).
민화(民話) Volkskunde *f.* –n.
민활(敏活) ～하다 flink 〔regsam〕 (sein).
믿다 《신용》 glauben⁴; vertrauen; 《확신》 überzeugt sein 《*von*³》; 《신앙》 glauben 《*an*⁴》. ¶믿을 수 있는 zuverlässig; glaublich / 믿을 수 없는 unzuverlässig; unglaublich.
믿음 Glaube *m.* –ns, –n; Andacht *f.* –en. ¶～이 깊은 fromm; andächtig; religiös / ～이 없는 ungläubig; gottlos.
믿음성 ¶～없다 unzuverlässig 〔unbestimmt; ungewiß〕 sein.
믿음직하다 zuverlässig 〔vertrauenswert; glaubwürdig〕 (sein). ¶믿음직한 사람 der zuverlässige Mensch, –en, –en.
밀¹〖植〗 Weizen *m.* –s. ‖밀밭 Weizenfeld *n.* –(e)s, –er.

밀[2] (밀랍) Wachs *n.* -es, -e. ¶밀을 칠하다 mit [3]Wachs überziehen*[4]; wachsen[4].
밀가루 Weizenmehl *n.* -(e)s, -e.
밀감(蜜柑) 〖植〗 Mandarine *f.* -n.
밀개떡 Weizenkuchen *m.* -s, -.
밀계(密計) ein geheimer 〔heimlicher〕 Plan, -(e)s, ¨e.
밀고(密告) die heimliche 〔geheime〕 Anzeige, -n; Denunziation *f.* -en. ～하다 (heimlich) an|zeigen[4]; denunzieren[4]. ‖～자 Anzeiger *m.* -s, -.
밀국수 Nudel aus Weizenpulver.
밀기울 Kleie *f.* -n.
밀다 (떠밀다) schieben*[4]; drängen[4]; rücken[4]; stoßen*[4]; drücken[4]; (깎다) rasieren. ¶수레를 ～ e-n Karren schieben*.
밀담(密談) e-e geheime Besprechung, -en. ～하다 heimlich besprechen*[4].
밀대 ① (막대) Stoß〔Schub〕stange *f.* -n. ② (총의) Tragband *n.* -s, -e.
밀도(密度) Dichtigkeit *f.* -en; Dichte *f.* -n. ‖인구 ～ Bevölkerungsdichte.
밀도살(密屠殺) Schwarzschlachterei *f.* -n; die Schwarzschlachtung der Tiere.
밀떡 das Labungsmittel aus Weizenmehl mit Honig.
밀랍(蜜蠟) Bienenwachs *n.* -es.
밀려들다 [4]sich vor|drängen; vor|dringen*; [4]sich heran|drängen (이쪽으로).
밀렵(密獵) Wilddieberei *f.* -en. ‖～자 Wilddieb *m.* -(e)s, -e.
밀리다 (떠밀림) gestoßen werden; (일·지불이) im Rückstand sein (*mit*[3]).
밀림(密林) Urwald *m.* -(e)s, ¨er; Dickicht *n.* -(e)s, -e; Dschungel *f.* -n. ‖～ 지대 Dschungelgebiet *n.* -(e)s, -e.
밀매(密賣) ein illegaler Handel. -s, ¨; Schwarzhandel *m.* ～하다 heimlich verkaufen. ‖～자 Schwarzhändler *m.* -s, -.
밀매음(密賣淫) die ungesetzliche 〔die unöffentliche〕 Prostitution, -en. ～하다 [4]sich heimlich prostituieren.
밀모(密謀) Komplott *n.* -(e)s, -e; Verschwörung *f.* -en; Intrige *f.* -n. ～하다 komplottieren[4].
밀무역(密貿易) ＝밀수(密輸).
밀물 Flut *f.* -en.
밀보리 Weisen u. Gerste.
밀봉(密封) ～하다 fest 〔hermetisch〕 siegeln[4]; gut versiegeln[4]. ‖～ 교육 Geheimerziehung *f.* -en.
밀사(密使) Geheimbote *m.* -n, -n.
밀서(密書) Geheimschreiben *n.* -s, -.
밀생(密生) ～하다 dicht wachsen*; dicht stehen*.
밀선(密船) ＝밀항선(密航船).
밀수(密輸) Schmuggel *m.* -s, -; Schmuggelei *f.* -en. ～하다 schmuggeln[4]. ‖～선 Schmugglerschiff *n.* -(e)s, -e / ～업자 Schmuggler *m.* -s, - / ～품 Schmuggelware *f.* -n; Schleichgut *n.* -(e)s, ¨er.
밀실(密室) Geheimzimmer *n.* -s, - (비밀 방); ein verschlossenes Zimmer (닫혀진 방).
밀약(密約) das geheime Einvernehmen, -s. ¶～을 맺다 e-n geheimen Vertrag schließen*.
밀어(密語) Geflüster *n.* -s.
밀어(密漁) Raubfischerei *f.* -n. ～하다 Raubfischerei treiben*.
밀어넣다 hinein|stoßen*[4] 〔-|drängen[4]〕 (*in*[4]).
밀어닥치다 (파도가) rollen (*an*[4]; *gegen*[4]); (불청객이) [4]sich ungebeten drängen.
밀월(蜜月) Honigmond *m.* -(e)s; Flitterwochen (*pl.*). ‖～ 여행 Hochzeitsreise *f.* -n.
밀의(密議) e-e geheime Beratung, -en. ～하다 heimlich beraten[4].
밀입국(密入國) ～하다 [4]sich ein|schmuggeln (*in*[4]).
밀접(密接) ～하다 eng 〔nahe; innig〕 (sein). ¶～한 관계 e-e enge 〔nahe〕 Beziehung, -en.
밀정(密偵) Spion *m.* -s, -e; Spitzel *m.* -s, -.
밀조(密造) ～하다 heimlich her|stellen[4] 〔fabrizieren[4]〕.
밀주(密酒) der heimlich gebraute Reiswein, -s.
밀집(密集) Geschlossenheit *f.* ～하다 [4]sich dicht (zusammen|)scharen. ¶～된 dicht gedrängt.
밀짚 Stroh *n.* -s. ‖～ 모자 Strohhut *m.* -(e)s, ¨e.
밀착(密着) ～하다 fest|kleben 〔fest haften〕 (*an*[3]).
밀초 Wachskerze *f.* -n.
밀치다 stoßen*[4]; rücken[4]; schieben*[4]; drängen[4]. ¶팔꿈치로 ～ *jn.* mit dem Ellbogen weg|drängen.
밀치락달치락하다 [4]sich aneinander drängen.
밀칙(密勅) der geheime Befehl vom König.
밀크 Milch *f.*
밀탐(密探) ～하다 auskundschaften; erspähen.
밀통(密通) ～하다 in wilder Ehe leben (*mit*[3]).
밀폐(密閉) ～하다 fest verschließen*[4]; hermetisch 〔luftdicht〕 verschließen*[4].
밀항(密航) ～하다 heimlich über|fahren*; [4]sich heimlich ein|schiffen (*nach*[3]). ‖～선 Schmugglerschiff *n.* -(e)s, -e / ～자 ein blinder Passagier, -(e)s, -e.
밀행(密行) ～하다 heimlich gehen*.
밀화(密畵) das sorgfältig durchgearbeitete Bild, -(e)s, -er; Miniatur *f.* -en.
밀회(密會) geheime Zusammenkunft, ¨e. ‖～ 장소 der Ort für e-e heimliche Zusammenkunft.
밉광스럽다 verhaßt 〔gehässig〕 (sein).
밉다 verhaßt 〔abscheulich〕 (sein). ¶미운 사람 e-e abscheuliche Person, -en.
밉살스럽다 unsympathisch 〔ekelhaft; häßlich; garstig〕 (sein).
밉상(-相) das ekelhafte Aussehen; die widerliche Erscheinung, -en.
밋밋하다 (모양이) schlank (sein); (성질이) sanft (sein).
밍밍하다 wässerig (sein). ¶이 술은 ～ Dieser Reiswein enthält zu viel Wasser.
밍크코트 Nerzmantel *m.* -s.
및 und; sowie; sowohl ... als (auch).
밑 (하부) Unterteil *m.*〔*n.*〕 -(e)s, -e; (바닥) Boden *m.* -s, -; Grund *m.* -(e)s, ¨e; Tiefe *f.* -n. ¶밑에 unten; unter; unterhalb / 밑의 unter; nieder.
밑거름 e-e Art Düngsmittel von Säen.
밑구멍 ① (밑의 구멍) Loch im Boden.

② 《항문》 Aster *m.* -s; Astermündung *f.* -en. ③ 《음부》 Schamgegend *f.* -en; Fotze *f.* -n.
밑그림 Entwurf *m.* -(e)s, ⸚e; Skizze *f.* -n.
밑동 Unterteil *m.* -(e)s, -e. ¶나무 ～ der Fuß des Baumes.
밑면(一面) 〖數〗 Basis *f.* ..sen; Grundfläche *f.* -n.
밑바닥 Tiefe *f.* -n; Boden *m.* -s, ⸚. ¶～ 생활을 하다 ein Hundeleben führen.
밑바탕 die eigene Natur, -en.
밑받침 Unterlage *f.* -n; Stütze *f.* -n.
밑밥 《낚시의》 Köder *m.* -s; Lockspeise *f.* -n. ¶～을 치다 e-n Köder aus|legen 〔aus|werfen*〕.
밑변(一邊) 〖數〗 Grundlinie *f.* -n; Basis *f.* ..sen.
밑불 Anzündefeuer *n.* -s.
밑술 der Bodensatz beim Reiswein.
밑싣개 (Hänge)schaukelsitz *m.* -(e)s, -e.
밑씻개 Klosettpapier *n.* -s.
밑조사(一調査) Voruntersuchung 〔Vorarbeit〕 *f.* -en. ～하다 e-e Voruntersuchung an|stellen.
밑줄 Unterstreichung *f.* -en. ¶～을 치다 unterstreichen*[4].
밑지다 den kürzeren ziehen*. ¶밑지는 일 die schlechte Arbeit, -en.
밑질기다 Sitzfleisch haben. ¶밑질긴 사람 e-e Person wie Klette.
밑창 Boden *m.* -s, ⸚; Grund *m.* -(e)s, ⸚e.
밑천 ① 《자본》 Kapital *n.* -s, -e; Fonds *m.* -s, -s; Geldmittel (*pl.*). ② 《본전》 ¶말했다가 ～도 못 찾았다 Er hat mich zum Schweigen gebracht.
밑층(一層) Erdgeschoß *n.* ..sses, ..sse.
밑판(一板) hölzerne Grundplatte, -n.

ㅂ

바[1] Seil *n.* -(e)s, -e.
바[2] 〖樂〗 f. *n.* -, -. ‖바 단조 f-Moll *n.* - 《기호: f》 / 바 장조 F-Dur n. - 《기호: F》.
바[3] Bar *f.* -s. ‖바걸 Barmädchen *n.* -s, -.
바가지 Kürbis *m.* -ses, -se.
바가지쓰다 beschwindelt werden.
바가지씌우다 *jn.* an|schmieren[4]; *jm.* an|drehen[4].
바각거리다 krachen u. krachen; scharren u. kratzen.
바겐세일 Ausverkauf *m.* -(e)s, ⸚e. (zu besonders niedrigen Preisen (특별 봉사가격)).
바곳 《송곳》 Bohrer *m.* -s.
바구니 Korb *m.* -(e)s, ⸚e. ‖시장 ～ Einkaufstasche *f.* -n.
바구미 〖蟲〗 Kornwurm *m.* -(e)s, ⸚er.
바깥 Außenseite *f.* -n; Äußere *n.* 〖形容詞變化〗; das Freie*, -n. ¶～의 äußer / ～에서 draußen.
바께쓰 Eimer *m.* -s, -.
바꾸다 《변경》 (ver)ändern[4]; 《개선》 verbessern[4]; 《교환》 (um|)wechseln[4]; aus|tauschen[4]; 《갱신》 erneuern[4]. ¶위치를 ～ um|stellen[4] / 바꾸어 말하면 mit〔in〕 andern Worten; um es anders auszudrücken; das heißt 《略: d. h.》.
바뀌다 anders werden; [4]sich verändern. ¶모양이 ～ umgemodelt werden.
바나나 Banane *f.* -n.
바느질 Näherei *f.* -en. ～하다 nähen[4].
바늘 Nadel *f.* -n; 《시계의》 Zeiger *m.* -s, -. ¶～에 실을 꿰다 die Nadel ein|fädeln. ‖～겨레 Nadelkissen *n.* -s, - / ～귀 Nadelöhr *n.*
바다 Meer *n.* -(e)s, -e; See *f.* -n; 《대양》 Ozean *m.* -s, -e. ‖바닷가 (Meeres)strand *m.* -(e)s, -e; (Meeres)küste *f.* -n.
바다장어(一長魚) Meeraal *m.* -(e)s, -e.
바다표범 Seehund *m.* -(e)s, -e.
바닥 《평면》 Boden *m.* -s, ⸚; Grund *m.* -(e)s, ⸚e; 《구두의》 Sohle *f.* -n; 《깊은 곳》 die Tiefe, -n. ¶땅～에 auf dem Grund. ‖방～ der Boden des Zimmer.
바닥나다 Knapp werden; [4]sich erschöpfen; zu Ende gehen*.
바닷개 Seehund *m.* -(e)s, -e.
바닷말 〖植〗 Tang *m.* -(e)s, -e.
바대 《덧대는》 die Verstärkung der Innenseite der Jacke; Zwickel *m.* -s, -.
바둑 *Badug*〔*Go*〕-Spiel *n.* -(e)s, -e. ‖～돌 *Badug*-Stein *m.* -(e)s, -e.
바둑이 der gefleckte Hund, -(e)s, -e.
바드득바드득 wiederholt knirschend.
바득바득 ☞부득부득.
바디 Weber·kamm *m.* -(e)s, ⸚e 〔-blatt *n.* -(e)s, ⸚er〕.
바라다 《소원》 wünschen[4]; wollen*; verlangen[(4)] 《*nach*[3]》; 《기대·예기》 hoffen[4]; erwarten[4]; 《부탁》 bitten* 《*um*[4]》. ¶바라던 대로 되다 genau nach Wunsch gehen* 〔aus|fallen*〕.
바라문교(婆羅門敎) Brahma(n)ismus *m.* -s. ‖～도 Brahmane *m.* -n, -n.
바라밀다(波羅蜜多) 〖佛〗 der Eingang ins Nirwana.
바라보다 an|sehen*[4]; an|blicken[4]; an|schauen*; überblicken[4].
바라보이다 übersehen 〔überblickt〕 werden.
바라지 Sorge *f.* -n 《für *jn.*》; Kummer *f.* 《um *jn.*》; das Aufpassen*, -s 《auf *jn.*》.
바라지다 《몸이》 dick〔untersetzt〕 (sein); 《그릇이》 flach 〔seicht〕 (sein); 《언행이》 frühreif (sein).
바라크 Baracke *f.* -n; Bude *f.* -n; Hütte *f.* -n.
바락바락 verzweifelt; rasend. ¶～ 기를 쓰다 [4]*et.* verzweifelt versuchen.
바람[1] Wind *m.* -(e)s, -e; 《미풍》 Lüftchen *n.* -s, -; Brise *f.* -n 《바다의》; 《돌풍》 Windstoß *m.* -es, ⸚e; 《폭풍》 Sturmwind *m.*; 《공기》 Luft *f.* ⸚e. ¶～ 부는〔없는〕 windig〔windstill〕 / ～이 불다 der Wind weht; es windet.
바람[2] 《들뜬》 Liebelei *f.* -en; Seitensprung *m.* -(e)s, ⸚e. ¶～ 피우다 e-n Seitensprung machen; den Frauen nach|laufen*.
바람[3] ① 《기세》 (als) Folge 〔Wirkung; Folgerung〕 von [3]*et*; in der Folge von [3]*et.* ② 《차림》 ohne [4]*et.* anzuziehen. ¶셔츠 ～으로 im bloßen Hemden.
바람개비 Wetterfahne *f.* -n; Wetterhahn *m.* -(e)s, ⸚e.
바람결 《풍편》 das Hörensagen*, -s.
바람나가다 dumm〔langweilig; unfreulich〕werden.
바람나다 《들뜨다》 wankelmütig 〔flatterhaft〕 sein.
바람둥이 der launenhafte 〔wankelmüti-

ge] Mensch, -en, -en; 《남자》 Schürzenjäger *m.* -s, -; Don Juan[dɔn-xuán, ..jú:an] *m.* - -s, - -s; Frauenheld *m.* -en, -en; 《여자》 Kokette *f.* -n.

바람들다 ① 《무성귀가》 breiartig 〔weich〕 werden; klitschig 〔feucht〕 werden. ② 《바람나다》 liederlich 〔ausschweifend〕 werden.

바람맞다(속다) betrogen werden; 《중풍》 e-n Schlaganfall bekommen*.

바람맞히다 d(a)rauf|setzen[4].

바람받이 ¶~에 있는 dem Winde ausgesetzt; voll Windeswehen.

바람벽(一壁) Wand *f.* ⸚e.

바람직하다 wünschenswert; 〔erwünscht; ratsam〕 (sein).

바래다[1] 《색이》 bleichen; verbleichen; [4]sich verfärben.

바래다[2] 《배웅》 *jn.* bei der Abschied begleiten; *jm.* bei der Abreise das Geleit geben*; 《집으로》 *jn.* nach Haus bringen.*

바로 ① 《곧게·바르게》 richtig; korrekt; anständig. ¶~ 맞히다 das Richtige treffen*. ② 《정확히》 gerade; direkt; richtig; genau; pünktlich. ¶~ 뒤에 gerade〔direkt〕 hinter[34]. ③ 《즉각》 sofort; (so)gleich; unmittelbar; 《방금》 soeben; eben jetzt. ④ 《정직하게》 redlich; ehrlich. ⑤ 《구령》 Augen geradeaus!

바로미터 Barometer *n.* 〔*m.*〕 -s, -.

바로잡다 berichtigen[4]; korrigieren[4]; 《개정》 verbessern[4], reformieren. ¶마음을 ~ [4]sich verbessern.

바로크 Barock *n.* 〔*m.*〕 -s. ¶~의 barock. ‖~ 양식 Barockstil *m.* -(e)s.

바르다[1] 《옳음》 recht 〔wahrhaft(ig); richtig; korrekt〕 (sein); 《곧음》 gerade (sein); 《정직》 ehrlich〔redlich〕 (sein); 《정의》 gerecht (sein). ¶바른 말을 하다 die Wahrheit sagen.

바르다[2] 《칠하다》 (be)streichen*[4]; (be-)schmieren[4]; 《분을》 pudern; überziehen*[4].

바르르 ① 《끓는 소리》 aufwallend; brodelnd. ¶~ 끓다 brodeln; sieden. ② 《성냄》 äußerst wütend; in Wut. ¶그는 ~ 성을 냈다 Er kochte 〔schäumte〕 vor Wut. ③ 《떪》 zitternd; schaudernd.

바른길 ① 《곧은》 der gerade Weg, -(e)s, -e. ② 《옳은》 der richtige Weg. ¶~로 인도하다 *jn.* zum richtigen Weg führen.

바른말 《옳은 말》 das richtige 〔logische〕 Wort, -(e)s, -e; 《직언》 die direkte Mahnung, -en.

바리 ① 《그릇》 das Tischgeschirr aus Messing für Frauen. ② =바리때.

바리때 das hölzerne Tischgeschirr, das von buddhistischen Mönchen benutzt wird.

바리캉 Haarschneidemaschine *f.* -n.

바리케이드 Barrikade *f.* -n.

바리콘 〖電〗 Drehkondensator *m.* -s, -en.

바리톤 Bariton *m.* -s, -e.

바림 〖美〗 Abschattung 〔Abstufung; Schattierung〕 *f.* -en.

바벨 《역기의》 Scheibenhantel *f.* -n. ¶~을 들어올리다 e-e Scheibenhantel (hoch|)stemmen.

바보 《어리석은》 Dummkopf *m.* -(e)s, -e; 《상식없는》 Tor *m.* -en, -en; 《웃음거리》 Narr *m.* -en, -en; der Alberne*, -n, -n; 《호인》 Einfaltspinsel *m.* -s, -; 《백치》 Idiot *m.* -en, -en. ¶~ 같은 albern; töricht / ~ 같은 짓 Dummheit *f.* -en.

바비큐 Barbecue[bá:bikju:] *n.* -(s), -s.

바쁘다 ① 《분주하다》 〖形容詞〗 beschäftigt 〔geschäftig; rührig〕 (sein); 〖動詞〗 beschäftigt 〔gedrängt〕 sein 《*mit*[3]》; [4]sich beschäftigen 《*mit*[3]》. ¶일에 ~ mit e-r Arbeit beschäftigt sein. ② 《급하다》 dringend 〔sogleich〕 (sein); 〖動詞〗 Eile haben. ¶그 일은 바쁘지 않다 Es hat k-e Eile damit.

바삐 《쉴새없이》 geschäftig; rührig; 《급히》 eilig; schnell. ¶~ 지내다 ein geschäftiges Leben führen / ~ 떠나다 hinaus|eilen.

바삭거리다 knistern; rasseln; rauschen.

바삭바삭 ¶~ 소리나다 rascheln; rauschen.

바셀린 〖化〗 Vaselin *n.* -s; Vaseline *f.*

바순 《악기》 Basson *m.* -s, -s; Fagott *n.* -(e)s, -e. ‖~ 연주자 Fagottist *m.* -en, -en.

바스 〖樂〗 Baß *m.* Basses, Bässe. ‖~ 가수 Bassist *m.* -en, -en.

바스대다 [4]sich rastlos bewegen; unruhig 〔ruhelos〕 sein.

바스락거리다 rascheln; rauschen. ¶바스락거리는 소리 das Rascheln*, -s.

바스러뜨리다 zerbrechen*[4]; zerschmettern[4]; in Trümmer schlagen*[4].

바스러지다 《조각나다》 zerfallen*; auseinander|fallen*.

바스스 weich; sanft; mild.

바스켓 Korb *m.* -(e)s, ⸚e. ‖~볼 〖籠〗 Basketball *m.* -(e)s; Korbball.

바스트 ☞ 버스트.

바싹 《마른 모양》 dünn; mager; 《죄는 모양》 fest; 《바삭》 raschelnd. ¶~ 마른 trocken; (aus)gedörrt.

바야흐로 eben; gerade; 《거의》 beinahe; fast. ¶~ …하려하다 im Begriff sein; [4]*et.* zu tun.

-바에야 lieber; vielmehr; überhaupt. ¶이왕 돈을 벌 ~ wenn man überhaupt [4]Geld verdienen will.

-바와같이 wie; als; so... wie 〔als〕. ¶아시는 바와 같이 wie Sie wissen.

바위 Felsen *m.* -s, -; Gestein *n.* -(e)s, -e. ¶~가 많은 felsig; felsicht.

바이 überhaupt; durchaus. ~없다 durchaus nichts.

바이러스 Virus *n.* -, ..iren.

바이브레이터 Vibrator *m.* -s, -en.

바이블 Bibel *f.* -n. ¶~을 두고 맹세하다 bei der Bibel schwören*.

바이스 Schraubstock *m.* -(e)s, ⸚e; (Feil-)kloben *m.* -s, -.

바이어 Käufer *m.* -s, -.

바이올리니스트 Violinist *m.* -en, -en; Geigenspieler 〔Geiger〕 *m.* -s, -; 《여자》 Violinistin 〔Geigerin〕 *f.* -nen.

바이올린 Geige 〔Violine〕 *f.* -n. ‖~ 연주자(演奏者) Geiger *m.* -s, -; Violinist *m.* -en, -en.

바자 Basar〔Bazar〕 *m.* -s, -e. ¶~를 열

다 e-n Basar halten*〔eröffnen〕.

바자울 Bambusgehege.

바작바작 (소리) knist(e)rig; knisternd. ¶~ 소리내다 knistern.

바장이다 müßig hin u. her gehen*; ziellos umher|schlendern.

바주카포(—砲) Bazooka〔bazú:ka〕 *f.* -s; Panzerabwehrrakete *f.* -n.

바지 Hose *f.* -n; Beinkleid *n.* -(e)s, -er. ‖~ 주머니 Hosentasche *f.* -n.

바지락(조개) Muschelart *f.*

바지랑대 Wäschestütze *f.* -n.

바지지, 바지직 zischend. ~하다 zischen.

바짝 ① (마른 모양) ganz; völlig. ¶~ 마르다 völlig getrocknet sein. ② (죄는 모양) dicht; fest; stark; eng. ¶~ 다가붙어서 dicht nebeneinander (sitzend; stehend).

바치다^{1} (헌납) präsentieren^{34}; (헌정) widmen^{34}; weihen^{34}; (납부) (be)zahlen^{34}; (신전에) opfern^{34}. ¶몸과 마음을 ~ ^{4}sich *jm.* hin|geben*.

바치다^{2} (즐기다) ^{4}sich ^{3}*et.* ergeben; ^{3}*et.* ergeben sein. ¶색(色)을 ~ ^{4}sich geschlechtlichen Ausschweifungen hin|geben*.

바퀴^{1} (수레의) Rad *n.* -(e)s, ¨er; (빙돎) e-e Runde. ¶한 ~ 돌다 ^{4}sich einmal um|drehen; die Runde machen. ‖~ 자국 Wagenspur *f.* -en.

바퀴^{2} 〖蟲〗 (Küchen)schabe *f.* -n.

바탕 Grund *m.* -es, ¨e; Grundlage *f.* -n (기초); Grundwerk *n.* -es, -e (토대); Unterlage *f.* -n (화장 따위의).

바터 Tauschhandel *m.* -s, ¨. ‖~ 무역 Tauschhandel / ~제 das System des Tauschhandels.

바투 dicht; nah(e); gedrängt.

바특하다 eingekocht〔nicht saftig〕(sein).

박 〖植〗 Kürbis *m.* -ses, -se; Flaschenkürbis *m.* (호리병박).

박격포(迫擊砲) 〖軍〗 Minenwerfer〔Grabenmörser〕 *m.* -s, -.

박공(膊栱) 〖建〗 Giebel *m.* -s, -. ‖~지붕 Giebeldach *n.* -(e)s, ¨er.

박다 (못 따위를) ein|schlagen*^{4} (*in*^{4}); (삽입) ein|setzen^{4}; (hinein|)stecken^{4}; (바느질) nähen.

박달(나무) Birke *f.* -n.

박대(薄待) ~하다 schlecht〔unfreundlich〕 behandeln^{4}.

박덕(薄德) ~하다 wenig Tugend haben.

박두(迫頭) ~하다 nahe bevor|stehen*.

박람회(博覽會) Ausstellung *f.* -en.

박력(迫力) Spannung〔Lebhaftigkeit〕 *f.* -en. ¶~있는 imposant; wirkungsvoll.

박리다매(薄利多賣) großer Umsatz, kleiner Nutzen.

박멸(撲滅) ~하다 aus|rotten^{4}; vertilgen^{4}.

박명(薄命) das traurige Schicksal, -s, -e. ‖미인 ~ Schönheit u. Glück vertragen sich selten.

박물(博物) ‖~관(館) Museum *n.* -s, ..seen / ~학 Naturkunde *f.* -n (~학자 der Naturkundige*, -n, -n).

박박 (긁는 소리) heftig; stark; (찢는 소리) in Stücke; stückweise. ¶~ 긁다 heftig kratzen^{4}.

박복(薄福) ~하다 unglücklich〔unselig〕 (sein).

박봉(薄俸) das kleine Gehalt, -(e)s, ¨er.

박사(博士) Doktor *m.* -s, -en.

박살나다(撲殺—) zusammen|brechen*.

박새 〖鳥〗 Meise *f.* -n,

박색(薄色) abstoßende〔häßliche〕 Frau, -en.

박수 (남자 무당) (männlicher) Schamane, -n, -n; Geisterbeschwörer *m.* -s, -.

박수(拍手) das Händeklatschen*, -s. ~하다 in die Hände klatschen. ‖~갈채 das Beifallklatschen*, -s; Applaus *m.* -es (~ 갈채하다 Beifall klatschen).

박스 ① =상자. ② (좌석) Box *f.* -en.

박식하다(博識—) gelehrt〔belesen〕 (sein). ¶박식한 사람 der Kenntnisreiche*, -n, -n.

박애(博愛) Philanthropie〔Menschenliebe〕 *f.* ~의 philanthropisch; menschenfreundlich. ‖~주의 Philanthropismus *m.* -.

박약(薄弱) ~하다 schwach〔haltlos〕 (sein). ¶의지가 ~한 willensschwach. ‖정신 ~자 der Schwachsinnige*, -n, -n.

박음질 Steppstich *m.* -(e)s, -e.

박이다^{1} ① (속에) stecken$^{(*)}$; hineingestoßen sein; (마음에) im Gedächtnis bleiben. ② (죽치다) ^{4}sich ein|sperren〔ein|schließen〕 (*in*$^{3 \cdot 4}$).

박이다^{2} (인쇄) drucken lassen*; (사진) ^{4}sich fotographieren lassen*.

박자(拍子) Takt *m.* -(e)s, -e; Zeitmaß *n.* -es, -e; Tempo *n.* -s, -s u. ..pi; (율동) Rhythmus *m.* -, ..men. ¶~를 맞추다 den Takt halten*. ‖삼~ der Tripeltakt.

박장대소(拍掌大笑) ~하다 applaudieren.

박절기(拍節器) =메트로놈.

박절하다(迫切—) kaltherzig〔hartherzig; herzlos〕 (sein).

박정(薄情) ~하다 kalt〔empfindungslos〕 (sein).

박제(剝製) das (Tier)ausstopfen*, -s. ‖~표본 das ausgestopfte Exemplar, -s, -e.

박주(薄酒) mit Wasser verdünnter Likör, -s, -e; geschmackloser Schnaps, -es, ¨e.

박쥐 Fledermaus *f.* ¨e.

박진(迫眞) ~하다 realistisch (sein.)

박차(拍車) Sporn *m.* -(e)s. ¶~를 가하다 an|spornen^{4}.

박차다 weg|stoßen*.

박치기 ¶~를 먹이다 *jm.* e-n Kopfstoß verabreichen〔verpassen〕.

박탈(剝奪) ~하다 *jn.* berauben^{2}; entziehen*^{34}. ¶공민권을 ~하다 die Bürgerrechte ab|erkennen*.

박테리아 Bakterie *f.* -n.

박하(薄荷) 〖植〗 (Pfeffer)minze *f.* -n.

박하다(薄—) ① (인색한) geizig〔knickerig; filzig〕 (sein). ② (적다) wenig〔gering; knapp〕 (sein).

박학(博學) Gelehrsamkeit *f.* ~하다 gelehrt〔kenntnisreich〕 (sein).

박해(迫害) Verfolgung *f.* -en. ~하다 verfolgen^{4}; bedrücken^{4}; quälen. ‖~자(者) Verfolger *m.* -s, -.

박히다 stecken|bleiben*; (찍히다) aufgenommen; (뿌리가) ^{4}sich fest|setzen.

밖 ① (외측) Außenseite *f.* -n; (외면) das Äußere*, -n; (집밖) das Freie*, -n. ¶밖의 äußer; Außen-; außer dem

Hause befindlich / 밖에(서) außerhalb; draußen; im Freien. ② 《이외》 nur; bloß; allein. ¶그밖에 außerdem; daneben; darüber hinaus; überdies / 한 번밖에 nur einmal.

반(反) ① 〖論〗 Antithese *f.* -n. ② 〖接頭詞〗 anti-; Anti-. ‖ 반제국주의 Antiimperialismus *m.* -.

반(半) Hälfte *f.* -n; halb 〖形容詞的〗.

반(班) Gruppe *f.* -n; 《학급》 Klasse *f.* -n. ‖ 반장 Gruppenführer *m.* -s, -.

반(盤) (Schall)platte *f.* -n.

반가움 Freude *f.* -n; Beglückung 〔Befriedigung; Fröhlichkeit〕 *f.* -en.

반가워하다 《기뻐함》 froh 〔erfreut〕 sein 《*über*[4]》; [4]sich freuen 《*an*[3]; *über*[4]》; 《즐거워함》 [4]sich vergnügen 《*an*[3]; *mit*[3]》; [4]sich ergötzen 《*an*[3]》; [4]sich belustigen 《*an*[3]; *mit*[3]; *über*[4]》. ¶이 소식을 듣고 그는 무척 반가워했다 Diese Nachricht hat ihm e-e große Freude bereitet.

반가이 freudvoll; freudig; fröhlich. ¶~맞이하다 mit Freude empfangen*[4].

반감(反感) Abneigung 〔Feindschaft〕 *f.* -en; Widerwille *m.* -ns, -n; Antipathie *f.* -n; Haß *m.* ..sses. ¶~을 갖다 gegen[4] Abneigung hegen 〔fassen〕.

반감(半減) die Verminderung 〔Verringerung; Herabsetzung〕 auf die Hälfte. ~하다 um die Hälfte herab|setzen[4].

반갑다 froh 〔angenehm; gefällig; warmherzig; wonnig〕 (sein). ¶반가운 소식 e-e frohe Nachricht, -en.

반값(半—) der halbe Preis, -es, -e. ¶~에 zum halben Preis / ~으로 깎다 den Preis um 50 Prozent ermäßigen.

반거(들)충이(半—) der Halbgebildete* 〔Halbgelehrte*〕 -n, -n.

반격(反擊) Gegen·angriff *m.* -(e)s, -e 〔-offensive *f.* -n〕. ~하다 den Gegenangriff ergreifen*. ‖ ~ 작전 Gegenangriffsoperation *f.* -en.

반경(半徑) Halbmesser *m.* -s, -; Radius *m.* -, ..dien.

반공(反共) Antikommunismus *m.* -. ~의 antikommunistisch. ‖ ~ 교육 antikommunistische Erziehung, -en / ~정책 e-e antikommunistische Politik / ~주의자 Antikommunist *m.* -en, -en.

반공일(半空日) der halbe Feiertag, -(e)s, -e; 《토요일》 Sonnabend -(e)s, -e.

반과거(半過去) 〖文〗 Imperfekt *n.* -(e)s, -e; Imperfektum *n.* -s, ..ta.

반관반민(半官半民) halbstaatliche Verwaltung, -en. ~의 halbstaatlich. ‖ ~ 회사(會社) halbstaatliche Gesellschaft, -en.

반구(半球) Halbkugel 〔Hemisphäre〕 *f.* -n.

반군(叛軍) die rebellische Armee, -n; die aufrührerischen Truppen (*pl.*); Rebellentruppen (*pl.*).

반기(反旗) die Fahne der Rebellion. ¶~를 들다 [4]sich gegen *jn.* empören.

반기(半期) Halbjahr *n.* -(e)s, -e. ‖ 상〔하〕~ die erste 〔zweite〕 Hälfte des Geschäftsjahres〔des Rechnungsjahres〕.

반기(半旗) Flagge auf Halbmast. ¶~를 달다 die Flagge halbmast 〔auf Halbmast〕 hissen; halbmast flaggen.

반기다 froh sein; [4]sich freuen.

반나절 einige Zeit lang.

반나체(半裸體) ¶~의〔로〕 halb·nackt 〔-entblößt〕.

반납(返納) Zurückgabe 〔Rückgabe〕 *f.* -n. ~하다 zurück|geben*[4]; wieder|erstatten[4].

반년(半年) ein halbes Jahr, -(e)s, -e; Halbjahr *n.*

반단(半—) die Hälfte des Bundes; ein halbes Bündel, -s.

반닫이(半—) Kleidertruhe *f.* -n (mit Klappe an der Vorderseite).

반달(半—) 《달》 Mondsichel *f.* -n; 《반개월》 ein halber Monat, -es, -e.

반대(反對) 《역》 Gegenteil *n.* -(e)s, -e; das Umgekehrte*, -n; 《대조》 Gegensatz *m.* -es, ⸚e; 《이론》 Widerspruch 〔Einspruch〕 *m.* -(e)s, ⸚e. ~하다 widersprechen*[3]; gegen[4] Einspruch erheben. ¶~의 umgekehrt; entgegengesetzt; trotzig / …에 ~하여 gegen[4]; wider[4] / …와 ~로 im Gegensatz zu[3]. ‖ ~급부 Gegenleistung *f.* -en / ~당 Opposition *f.* -en / ~ 성명 Gegenerklärung *f.* -en / ~ 세력 Gegenmacht *f.* ⸚e / ~ 심문(審問) Kreuzverhör *n.* -s, -e / ~어 Antonym *n.* -s, -e / ~자 Gegner〔Widersacher〕 *m.* -s, -.

반도(半島) Halbinsel *f.* -n. ‖ 한(韓)~ Koreanische Halbinsel.

반도(叛徒) Aufrührer 〔Empörer〕 *m.* -s, -; Rebell *m.* -en, -en.

반도미(半搗米) der halbgereinigte Reis, -es.

반도체(半導體) 〖物〗 Halbleiter *m.* -s, -.

반동(反動) Reaktion 〔Rückwirkung〕 *f.* -en; 《총의》 Gegenstoß *m.* -es, ⸚e. ‖ ~주의자 Reaktionär *m.* -s, -e.

반두 Handnetz 〔Fangnetz〕 *n.* -es, -e.

반드럽다 glatt 〔poliert; geschmeidig; eben〕 (sein). ¶반드러운 마루 glatter Fußboden, -s, - / 반드럽게 하다 glatt machen[4]; glätten; schlüpf(e)rig machen[4].

반드르르 glatt; poliert; eben. ~하다 =반드럽다.

반드시 bestimmt; gewiß; sicher(lich)《틀림없이》; notwendigerweise 《필연적으로》; unvermeidlich 《불가피하게》; immer; stets 《언제나》; auf jeden Fall; auf alle Fälle 《여하튼》. ¶~ …은 아니다 nicht immer; nicht gerade; nicht alles 〔allein; jeder*; ganz〕.

반들거리다 ① 《윤나다》 glatt〔schlüpfrig〕 (sein). ¶반들거리는 마루 ein glatter Fußboden, -s, - 〔⸚〕. ② 《뺀들거리다》 [4]sich von e-r Arbeit drücken.

반듯이 aufrecht; aufgerichtet; nach eben gerichtet. ¶반듯이 서다 senkrecht stehen*.

반듯하다 gerade 〔eben; flach〕 (sein).

반등(反騰) überraschende Teuerung, -en. ~하다 überraschend 〔plötzlich〕 teurer werden.

반딧불 das Glänzen* 《-s》 e-s Leuchtkäfers; der Schimmer des Leuchtwurms.

반란(叛亂) Empörung *f.* -en; Aufruhr *m.* -(e)s, -e; Aufstand *m.* -(e)s, ⸚e; Rebellion *f.* -en. ¶~을 일으키다 [4]sich empören 〔erheben*〕《*gegen*[4]》; rebellieren / ~을 진압하다 e-n Aufstand nieder|schlagen*.

ㅂ

반려(伴侶) Gefährte [Genosse] *m.* -n, -n; 《여자》 Gefährtin *f.* -nen.
반려(返戾) Rück[Zürück]gabe *f.* -n; das Züruckgeben*, -s. ~하다 zurück-[wieder]|geben*[4].
반론(反論) Widerspruch *m.* -es, ⸚e. ~하다 widersprechen*[3].
반만(半萬) e-e halbe Myriade; fünftausend. ‖ ~년 fünftausend Jahre (*pl.*).
반말(半—) 《거친말》 unfreundliches Gespräche; rauhe Worte (*pl.*). ~하다 unfreundlich sprechen*; rauf [grob] sagen.
반면(反面) die andere Seite, -n. ¶ ~에 auf der ander(e)n Seite; andererseits.
반면(半面) das halbe Gesicht, -(e)s, -er; 《얼굴의》 Profil *n.* -s, -e.
반모음(半母音) Halbvokal *m.* -s, -e.
반목(反目) Fehde *f.* -n; Feindlichkeit [Feindschaft] *f.* -en. ~하다 [4]sich feindlich gegenüber|stehn*; mit *jm.* feindlich sein.
반문(反問) ~하다 e-e Gegenfrage stellen; rückfragen; ein Kreuzverhör an|stellen (*mit*[3]).
반문(斑紋) Fleck *m.* -(e)s, -e; Sprenkel *m.* -s, -.
반물 Schwarzblau [Dunkelblau] *n.* -s. ‖ ~치마 schwarzblauer [dunkelblauer] (Frauen)rock, -(e)s, ⸚e.
반물질(反物質) 〖物〗 Antimaterie *f.* -n.
반미(反美) ~의 anti-amerikanisch. ‖ ~사상 anti-amerikanischer Gedanke, -ns, -n.
반미치광이(半—) der Halbwahrsinnige*, -n, -n.
반바지(半—) Kniehose *f.* -n; die kurze Hose, -n.
반박(反駁) Widerlegung [Anfechtung] *f.* -en. ~하다 widerlegen[4]; an|fechten*[4]; bestreiten[4].
반반(半半) ¶ ~(으로) halb u. halb; zu gleichen Hälften / ~으로 나누다 halbieren[4]; mit *jm.* halbpart machen / ~으로 섞다 halb u. halb mischen[4].
반반하다 ① 《바닥이》 eben [geglättet; flach] (sein). ¶ 반반한 땅 ebenes Land, -(e)s. ② 《인물 등이》 glatt [elegant; hübsch] (sein). ¶ 반반한 처녀 hübsches Mädchen, -s, -.
반발(反撥) Abstoßung *f.* -en. ~하다 ab|stoßen*[4]; zurück|prallen[4]; zurück|-stoßen*[4].
반백(半白) ~의 grau; ergraut.
반벙어리 der halbstumme*, -n, -n; Stotterer *m.* -s, -.
반병신(半病身) ① 《반불구자》 der halbkranke Mensch, -en, -en. ② 《반편》 Schafskopf *m.* -(e)s, ⸚e.
반복(反復) Wiederholung *f.* -en. ~하다 wiederholen[4]; nochmals machen [sagen].
반복(反覆) 《언행의》 Unbeständigkeit *f.* -en; Wankelmut *m.* -(e)s; 《생각의》 das Wechseln* (*js.* meinung, Entscheidung, *u. s. w.*). ~하다 wechseln[4]; überleiten (auf [4]*et.*).
반분(半分) Hälfte *f.* -n; das Halbe*, -n. ~하다 halbieren[4]; in gleiche Teile teilen[4] 《등분하다》.
반비례(反比例) das umgekehrte Verhältnis, -ses, -se. ~하다 im umgekehrten Verhältnis stehen* (*zu*[3]).
반사(反射) Reflex *m.* -es, -e; 《빛의》 Zurückwerfung *f.* -en; Reflexion; Zurückstrahlung *f.* -en. ~하다 reflektieren[4]; zurück|strahlen[4]; zurück|werfen*[4]. ‖ ~경 Reflektor *m.* -s, -en / ~광 Reflex *m.* -es, -e / ~로 Reverberierofen *m.* -s, ⸚; Flammofen *m.* -s, ⸚ / ~ 망원경 Spiegelteleskop *n.* -s, -e / ~ 운동 Reflexbewegung *f.* -en / 조건 ~ bedingter Reflex.
반사회적(反社會的) gesellschaftsfeindlich; asozial; antisozial.
반삭(半朔) Halbmonat *m.* -(e)s, -e.
반상(班常) der Adelige* u. der Niedrige*.
반상(기)(飯床(器)) Tafelgeschirr [Tafelgerät] *n.* -(e)s, -e.
반색하다 die große Freude zeigen; [4]sich freuen (*über*[4]).
반생(半生) das halbe Leben, -s, -; die Hälfte des Lebens.
반석(盤石) Felsen *m.* -s, -; Felsenspitze *f.* -n. ¶ ~ 같은 unbeweglich wie ein Felsen.
반성(反省) Einkehr *f.*; Reflexion *f.* -en; das Nachdenken*, -s. ~하다 innere Einkehr halten*; nach|denken* [reflektieren] (*über*[4]). ¶ ~을 촉구하다 *jn.* bitten*, [4]*et.* ernstlich zu überlegen.
반세기(半世紀) die Hälfte des Jahrhunderts.
반소(反訴) Widerklage *f.* -n. ~하다 widerklagen (*gegen*[4]).
반소(反蘇) Antisowjet *m.* -s, -s.
반소매(半—) der kurze Ärmel, -s, -.
반소(半燒) ~하다 halb·verbrannt [-gebrannt] sein.
반송(返送) Rücksendung *f.* -en; Zurückschickung *f.* -en. ~하다 rücksenden(*)[4]; zurück|schicken[4].
반송장(半—) die halbtote Person; der nichtnutzige alte Mann [Frau]. ¶ 그는 ~이다 Er ist so gut wie tot.
반수(半數) die Hälfte (der Zahl). ‖ 과~ Mehrheit *f.* -en.
반숙(半熟) ~하다 weich kochen. ‖ ~달걀 das weichgekochte Ei, -(e)s, -er.
반시간(半時間) e-e halbe Stunde, -n. ¶ ~마다 alle halben Stunden; um halb jeder Stunde.
반신(半身) der halbe Körper, -s, -; die Hälfte des Körpers. ‖ ~ 불수 Hemiplegie *f.* -n / ~상(像) Büste *f.* -n.
반신(返信) Antwortschreiben *n.* -s, -. ‖ ~료 Rückporto *n.* -s, -s.
반신반의(半信半疑) ~하다 noch in [im] Zweifel sein (*über*[4]). ¶ ~의 zweifelhaft.
반심(叛心) 《배심》 die rebellische Gesinnung, -en.
반액(半額) der halbe Preis, -es, -e; die Hälfte der Summe. ¶ ~으로 zum halben Preise / ~으로 하다 den Preise um 50% herab|setzen.
반양자(反陽子) 〖原子物理〗 Antiproton *n.* -s, -en.
반어(反語) Ironie *f.* -n. ¶ ~적인 ironisch.
반역(叛逆) Verrat *m.* -(e)s; Auflehnung *f.* -en. ~하다 verraten[4]; [4]sich auf|-

lehnen〔empören〕《gegen⁴》; rebellieren 《gegen⁴》. ‖ ～자 Verräter 〔Aufrührer〕 *m.* -s, -.

반영(反英) Antienglisch *n.* -(s).

반영(反映) Widerschein *m.* -(e)s, -e. ～하다 widerscheinen*; wider|spiegeln⁴.

반영구적(半永久的) halbpermanent; halbständig. ¶ ～으로 fast auf ewig.

반올림(半—) Auf- od. Abrundung e-r Zehnerbruchstelle.

반원(半圓) Halbkreis *m.* -es, -e. ¶ ～을 그리다 e-n Halbkreis ziehen*.

반월(半月) Halbmond *m.* -(e)s, -e.

반유동체(半流動體) die zähe Flussigkeit, -en.

반유태(反猶太) ～의 antisemitisch. ‖ ～주의 Antisemitismus *m.* -.

반음(半音) Halbton *m.* -(e)s, ⸚e. ¶ ～의 chromatisch. ‖ ～계 die chromatische Tonleiter, -n / ～표 die halbe Note, -n.

반응(反應) Reaktion 〔Rückwirkung〕 *f.* -en; 《효과》 Wirkung *f.* -en. ～하다 reagieren⁴ 〔zurück|wirken〕 《auf⁴》. ‖ 화학 ～ die chemische Reaktion.

반의어(反義語) Antonym *n.* -s, -e.

반일(反日) ～의 antijapanisch. ‖ ～ 감정 das antijapanische Gefühl, -(e)s, -e.

반입(搬入) ～하다 ein|bringen*⁴ 〔-|tragen*⁴〕; hinein|schaffen 《in⁴》.

반입자(反粒子) Antipartikel *f.* -n.

반자 (Zimmer)decke *f.* -n.

반작용(反作用) Reaktion *f.* -en. ～하다 reagieren. ¶ ～을 일으키다 zurück|wirken 《auf⁴》.

반장(班長) 《학급》 Klassenleiter *m.* -s, -; 《동네》 Bezirksvorsteher *m.* -s, -.

반장화(半長靴) Halbstiefel *m.* -s, -.

반전(反戰) Antikrieg *m.* -(e)s, -e. ‖ ～론 Pazifismus *m.* - (～론자 Pazifist *m.* -en, -en) / ～ 운동 Antikriegsbewegung *f.* -en.

반전(反轉) ～하다 ⁴sich drehen; ⁴sich wenden⁽*⁾; ⁴sich umwenden⁽*⁾. ‖ ～현상 Umkehrung *f.* -en.

반절(半—) ～하다 ⁴sich vor *jm.* halb verbeugen.

반점(斑點) Fleck *m.* -(e)s, -e; Sprenkel *m.* -s, -. ¶ ～이 있는 fleckig; gefleckt.

반정부(反政府) ～의 regierungsfeindlich; dem Ministerium feindlich. ‖ ～ 신문 die regierungsfeindliche Zeitung, -en.

반제(返濟) Bezahlung 〔Zurückzahlung〕 *f.* -en. ～하다 bezahlen; zurück|zahlen; tilgen.

반제국주의(反帝國主義) Antiimperialismus *m.* -. ‖ ～ 운동 die antiimperialistische Bewegung.

반제품(半製品) Halb·fabrikat *n.* -(e)s, -e 〔-erzeugnis *n.* -ses, -se〕.

반주(伴奏) 《음악의》 (musikalische) Begleitung, -en. ～하다 begleiten⁴. ¶ …의 (피아노) ～로 unter *js.* Begleitung 〔Klavierbegleitung〕 / ～ 없이 ohne Begleitung; a cappella. ‖ ～자 Begleiter *m.* -s, -.

반주(飯酒) der Wein 〔das Trinken*〕 beim Essen.

반주권국(半主權國) der halbunabhängige Staat, -(e)s, -en.

반죽 Teig *m.* -(e)s, -e. ～하다 kneten⁴; mengen⁴.

반죽음(半—) äußerste Not, ⸚e ～하다 halbtot sein. ¶ ～을 시키다 halbtot machen⁴.

반증(反證) Gegenbeweis *m.* -es, -e; Widerlegung *f.* -en. ¶ ～을 세우다 e-n Gegenbeweis an|treten*.

반지(斑指) Ring 〔Fingerreif〕 *m.* -(e)s, -e. ¶ ～를 끼다 e-n Ring an|stecken.

반지랍다 glatt u. glanzend (sein).

반지름(半—) Radius *m.* -, ..dien; Halbmesser *m.* -s, -.

반지빠르다 ① 《교만》 snobistisch 〔hochnäßig; affecktiert〕 (sein). ② 《어중됨》 unzulänglich 〔ungenügend; mangelhaft〕 (sein).

반짇고리 Nähkorb *m.* -(e)s, -e.

반질거리다 schlüpfrig 〔glatt〕 sein; 《사람이》 schlau 〔raffiniert; gerissen〕 sein.

반질반질하다 schlüpfrig〔glatt; glitschig〕 (sein); 《사람이》 schlau (sein).

반짝거리다 glitzern; blenden; glänzen.

반짝이다 glitzern; glänzen. ¶ 별이 ～ die Stern funkeln.

반쪽(半—) das halbe Stück, -(e)s, -e.

반찬(飯饌) Zukost *f.*; Zuspeise 〔Beilage〕 *f.* -n. ‖ ～ 가게 Kolonialwarenhandlung *f.* -en.

반창고(絆瘡膏) 《고약》 (Heft)pflaster〔Klebepflaster〕 *n.* -s, -.

반추(反芻) das Wiederkäuen*, -s. ～하다 wieder|käuen⁴; nach|sinnen* 《über⁴》 《숙고》. ‖ ～ 동물 Wiederkäuer *m.* -s, -.

반출(搬出) das Herausbringen*, -s. ～하다 (her)aus|bringen*⁴; (hin)aus|tragen*⁴.

반칙(反則) Foul *n.* -s, -s; Regelwidrigkeit *f.* -en. ～하다 ein Foul 〔e-e Regelwidrigkeit〕 begehen*; regelwidrig spielen.

반타작(半打作) 〘農〙 ～하다 mit dem Landbesitzer gleicherweise 〔halb u. halb〕 teilen.

반토(礬土) 〘化〙 Ton〔Alaun〕erde *f.*

반투명(半透明) Halbdurchsichtigkeit *f.* ¶ ～의 halbdurchsichtig.

반편(이)(半偏—) Narr *m.* -en, -en; Dummkopf *m.* -(e)s, ⸚e.

반포(頒布) Aus〔Ver〕teilung *f.* -en; Bekanntmachung *f.* -en. ～하다 aus|teilen⁴; verteilen⁴.

반품(返品) die an den Produzenten zurückgesandte Ware, -n; die Remittenden 〔Krebse〕 (*pl.*) 《책, 잡지의》.

반하다 ⁴sich in *jn.* verlieben〔vergucken〕; für *jn.* 〔⁴*et.*〕 Faible haben. ¶ 홀딱 ～ ⁴sich in *jn.* vernarren.

반하다(反—) 《반대》 ⁴sich entgegen|setzen; entgegen|stehen*; 《거역함》 ⁴sich wiedersetzen³.

반할인(半割引) die Ermäßigung von 50 %; der halbe Preis, -es, -e. ～하다 die Hälfte des Preises ermäßigen.

반합(飯盒) Kochgeschirr *n.* -(e)s, -e.

반항(反抗) Widerstand *m.* -(e)s, ⸚e; Auflehnung 〔Opposition〕 *f.* -en. ～하다 Widerstand leisten; *jm.* Trotz bieten*.

반향(反響) Echo *n.* -s, -s; Widerhall *m.* -(e)s, -e. ～하다 wider|hallen 《von³》; echoen; beeinflussen⁴.

반혁명(反革命) Gegen〔Konter〕revolution

f. -en. ～적 anti〔gegen〕revolutionär.
반환(返還) Zurück〔Wieder; Rück〕gabe *f.* -n. ～하다 zurück〔wieder〕|geben*⁴ 《*jm.*》; zurück|senden⁴.
받내다 auf den Harn 〔den Stuhlgang〕 e-s Kranken auf|passen.
받다 ① 《얻다》 bekommen*⁴; erhalten*⁴; empfangen*⁴; in Empfang nehmen*. ¶주문을 ～ e-e Bestellung bekommen* / 존경을 ～ Actung genießen* / 뇌물을 ～ ⁴sich bestechen lassen*. ② 《입다》 bekommen*⁴; (er)leiden*⁴. ¶모욕을 ～ beleidig werden / 혐의를 ～ in ⁴Verdacht kommen*. ③ 《공 따위를》 auf|fangen*. ④ 《시험·검사 따위》 ⁴sich e-r Prüfung 〔e-m Examen〕 unterwerfen*. ⑤ 《우산 등을》 auf|spannen⁴. ⑥ 《뿔로》 mit den Hörnern stoßen*.
받들다 ① 《분부·명령 등을》 Folge leisten³; befolgen⁴; beobachten⁴. ¶왕명을 받들어 auf den königlichen Befehl. ② 《추대》 ¶총재로 ～ zum Präsidenten haben 《*jn.*》
받들어총(―銃) 《구령》 prasentiert das Gewehr!
받아들이다 empfangen*⁴; an|nehmen*⁴; 《승낙》 willfahren. ¶참말로 ～ für wahr halten*⁴ / 제안을 ～ e-n Vorschlag auf|nehmen*.
받아쓰기 Diktat *n.* -(e)s, -e.
받아쓰다 (nach|)schreiben*⁴; nach Diktat schreiben*⁴. ¶받아쓰게 하다 (nach Diktat) schreiben lassen*.
받을어음 〖商〗 ausstehende Wechselforderungen (*pl.*).
받치다 《괴다》 (unter|)stützen⁴; 《우산을》 halten*⁴.
받침 ① 《괴는》 Unterstützung *f.* -en; 《책받침》 Unterlage *f.* -n; 《접시의》 Untertasse *f.* -n. ② 《글자의》 der e-m Vokal angefügter finale Konsonant, -en, -en.
받히다 gestoßen 〔an|gestachelt〕 werden. ¶소에게 ～ vom Stier gestoßen werden.
발¹ ① 《일반적》 Fuß *m.* -es, ⸚e; 《동물의》 Pfote *f.* -n; 《새의》 Klaue *f.* -n; 《오징어의》 Fangarm *m.* -(e)s, -e. ¶발을 삐다 aus|gleiten* / 발(걸음)이 재다 schnellfüßig 〔flink〕 sein / 발이 아프다 Fußschmerzen haben. ② 《물건의》 Fuß *m.* -es, ⸚e; Bein *n.* -(e)s, -e. ‖ 발등 Fußrücken *m.* -s, - / 발바닥 Fußsohle *f.* -n.
발² 《치는》 Bambusvorhang *m.* -(e)s, ⸚e. ¶발을 치다 e-n Bambusvorhang herunter|lassen*.
발가락 Zeh *m.* -es, -(e)n; Zehe *f.* -n.
발가벗다 =벌거벗다.
발가숭이 =벌거숭이.
발각(發覺) Entdeckung 〔Enthüllung〕 *f.* -en. ～되다 entdeckt 〔enthüllt〕 werden 《*von*³》.
발간(發刊) ～하다 heraus|geben*⁴; veröffentlichen⁴; verlegen⁴.
발감개 Fußlappen *m.* -s, -; Gamasche *f.* -n.
발갛다 scharlachrot 〔hell rot〕 (sein). ¶빰이 ～ rote Wangen haben.
발개지다 rot werden; erröten. ¶수치로 ～ vor Scham erröten.
발걸음 Schritt *m.* -(e)s, -e; Gang *m.* -(e)s, ⸚e. ¶～을 돌리다 ⁴sich um|drehen; umwenden⁽*⁾.
발견(發見) Entdeckung *f.* -en; Fund *m.* -(e)s, -e; Enthüllung *f.* -en. ～하다 entdecken⁴; finden*⁴; ausfindig machen; 《숨긴 것을》 auf|decken⁴; 《우연히》 treffen* 《*auf*⁴》.
발광(發光) (Aus)strahlung *f.* -en. ～하다 (aus|)strahlen; Licht aus|strömen. ‖ ～ 도료 Leuchtfarbe *f.* -n / ～체 der strahlende Körper, -s, -.
발광(發狂) Wahnsinn *m.* -(e)s; Verrücktheit *f.* -en. ～하다 wahsinnig 〔verrückt; toll〕 werden.
발구르다 mit Füßen stampfen.
발군(拔群) Vortrefflichkeit *f.* ¶～의 hervorragend; ausgezeichnet / ～의 성적으로 mit vorzüglicher Leistung.
발굴(發掘) Ausgrabung *f.* -en. ～하다 aus|graben*⁴; 《무덤을》 öffnen⁴. ‖ ～물 Fund *m.* -(e)s, -e.
발굽 Huf *m.* -(e)s, -e. ¶말～ 소리 Hufschlag *m.* -(e)s, ⸚e 〔-tritt *m.* -(e)s, -e〕.
발권(發券) Notenausgabe *f.* -n. ‖ ～ 은행 Noten〔Emissions〕bank *f.* -en.
발그레하다 mit dem Rot gefähbt sein. ¶얼굴이 ～ *jm.* das Blut ins Gesicht schießen*; vor ³*et.* glühen.
발그림자 Fußspur *f.* -en; Schattenbild *n.* -(e)s, -e.
발그스름하다 rötlich 〔ein wenig rot〕 (sein).
발급(發給) ～하다 aus|geben*〔-|stellen〕. ¶여권을 ～하다 e-n Reisepaß aus|stellen.
발기(勃起) das Aufricht*, -s. ～하다 ⁴sich anf|richten. ‖ ～ 불능 Erektionsunfähigkeit *f.*
발기(發起) Anregung *f.* -en; Anstoß 〔Antrag〕 *m.* -(e)s, ⸚e; Initiative *f.* -n. ～하다 den ersten Anstoß geben* 《*zu*³》; die Initiative ergreifen*. ‖ ～인 Förderer 〔Veranstalter〕 *m.* -s, -; 《회사의》 Gründer *m.* -s, -.
발기다 öffnen; auf|reißen*; schälen; in Stücke reißen*.
발기발기 in Stücke; in Fetzen. ¶～ 찢다 in Stücke 〔Fetzen〕 reißen*.
발길 das Scharren* 〔Stampfen*〕 -s; 《걸음》 Schritt *m.* -(e)s, -e. ¶～이 빠른 schnell〔leicht〕füßig / ～을 재촉하다 e-e Schritte beschleunigen.
발깍 ① ☞ 발칵. ② 《뒤집히다》 alles auf dem Kopf stellen. ¶집안이 ～ 뒤집혔다 Das ganze Haus ist auf dem Kopf gestellt.
발꿈치 Ferse *f.* -n; 《양말의》 Hacke *f.* -n; 《신의》 Absatz *m.* -(e)s; ⸚e.
발끈거리다 leichte in Wut geraten*; prompt zum Gefühlsausbruch kommen*.
발끈하다 gereizt werden; Sauer reagieren.
발끝 Zehe 〔Zehenspitze〕 *f.* -n. ¶머리끝에서 ～까지 vom Wirbel bis zur Zehe.
발단(發端) Anfang *m.* -(e)s, ⸚e; Beginn *m.* -(e)s, -e; Entstehung *f.* -en. ¶사건의 ～ der Ursprung der Sache.
발달(發達) Entwick(e)lung *f.* -en (der Industrie); Fortschritt *m.* -(e)s, -e; Wachstum *n.* -(e)s (e-r Stadt). ～하

다 [4]sich entwickeln; den Kinderschuhen entwachsen*; wachsen*.

발돋움하다 [4]sich auf die Zehen stellen; [4]sich strecken.

발동(發動) 《기계의》 Bewegung *f.* -en; 《법·권력의》 Ausübung *f.* -en. ～하다 bewegen; aus|üben. ¶ 사법권을 ～하다 die Justitzgewalt aus|üben. ‖ ～기 Motor *m.* -s, -en.

발뒤꿈치 Ferse *f.* -n.

발등 Fußrücken *m.* -s, -; Rist *m.* -es, -e.

발라내다 fein schneiden*[4]; 《살 을》 in Flocken schneiden*[4].

발라맞추다 beschwatzen; bereden; beschwindeln[4].

발랄(潑剌) ～하다 lebhaft 〔rege; temperamentvoll〕 (sein).

발레 Ballett *n.* -(e)s, -e. ‖ ～단(團) Ballettkorps [..ko:r] *m.* - [..ko:rs], - [..ko:rs]

발레리나 Ballerina *f.* ..nen.

발령(發令) 《발포》 die Erlassung e-s offiziellen Befehls; 〖法〗 die öffentliche Ordnung, -en. ～하다 den offiziellen Befehlen erlassen*.

발로(發露) Ausdruck *m.* -(e)s, ¨e, Äußerung 〔Offenbarung〕 *f.* -en.

발론(發論) Vorschlag *m.* -(e)s, ¨e. ～하다 vor|schlagen*; beantragen 《[4]*et.*》. ‖ ～자 Antragsteller *m.* -s, -.

발리다 ① 《속의 것을》 öffnen; auf|machen; knacken. ② 《벌리다》 den Raum 〔die Lücke〕 breiter machen.

발맞다 Schritt 〔Tritt〕 halten*. ¶ 발이 맞지 않다 《보조가》 aus dem Schritt kommen*.

발맞추다 mit *jm.* Schritt halten*. ¶ 발맞추어 in gleichem Schritt u. Tritt.

발매 Holzschlag *m.* -(e)s, ¨e; Abforstung 〔Abholzung〕 *f.* -en. ～하다 fällen 《Bäume》; ab|holzen; ab|forsten; nieder|schlagen*.

발매(發賣) Verkauf *m.* -(e)s, ¨e; die Ausstellung zum Verkauf. ～하다 verkaufen[4], zum Verkauf stellen[4]; feil|bieten*[4]. ‖ ～금지 Verkaufsverbot *n.* -(e)s, -e / ～부수 Auflage(n)ziffer *f.* -n / ～처 Verkaufsstelle *f.* -n.

발명(發明) ① Erfindung 〔Findigkeit〕 *f.* -en. ～하다 erfinden*[4]; aus|denken*[4]; ersinnen*[4]. ② 《변명》 Verteidigung 〔Entschuldigung〕 *f.* -en. ～하다 [4]sich erklären 〔rechtfertigen〕. ‖ ～가 Erfinder *m.* -s, - / ～품 Erfindung *f.* -en.

발목 Fußknöchel *m.* -s, -. ¶ ～을 잡히다 《약점으로》 *jm.* e-e Handhabe geben* 〔bieten*〕.

발문(跋文) Epilog *m.* -s, -e; Nachschrift *f.* -en; Postskript *m.* -(e)s, -e.

발밑 der Platz〔der Raum〕 für den Fuß. ¶ ～에 zu 〔vor den〕 Füßen.

발바닥 Fußsohle *f.* -n.

발바리 Schoßhund *m.* -(e)s, -e.

발바심 das Dreschen mit den Füßen. ～하다 Getreide mit den Füßen dreschen.

발발(勃發) Ausbruch *m.* -(e)s, ¨e. ～하다 aus|brechen*.

발밭다 die Gelegenheit schnell aus|nutzen.

발버둥이치다 mit den Fußen scharren; mit dem Fuß stampfen. ¶ 분해서 ～ vor Ärger stampfen.

발병(—病) Fußkrankheit *f.* -en; Fußwunde *f.* -n. ¶ ～나다 fußkrank sein.

발병(發病) ～하다 kranken; krank werden.

발본(拔本) Ausrottung *f.* -en. ～하다 aus|rotten; entwurzeln. ‖ ～색원 die Ausrottung der Quelle des Bösen.

발부리 Zehe 〔Spitze; Zehenspitze〕 *f.* -n. ¶ 돌에 ～를 채다 über e-n Stein stolpern.

발분(發憤) ～하다 《분발》 [4]sich auf|raffen 〔-|schwingen*〕. ‖ ～망식(忘食) das Studieren* ohne Essen.

발붙이다 [4]sich fest|halten* 《*an*[3]》; [4]sich klammern 《*an*[4]》. ¶ 발붙일 데가 없다 hilflos da|stehen* 〔sein〕.

발뺌하다 [4]sich mit [3]Ausreden (*pl.*) entschuldigen; Ausflüchte (*pl.*) machen.

발사(發射) das Abfeuern*〔Abschießen*〕 -s. ～하다 (ab|)feuern[4]; (ab|)schießen*[4]; entladen*[4]. ‖ ～기지 Abschußbasis *f.* ..basen / ～대 Abshußrampe *f.* -n.

발산(發散) Ausdünstung *f.* -en 《기체》; Ausstrahlung *f.* -en 《빛, 열》. ～하다 aus|dünsten; 《빛이》 aus|strömen; aus|duften[4] 《향기가》. ¶ ～시키다 aus|senden*[4]; aus|strahlen[4].

발삼 Balsam *m.* -s, -e. ‖ ～재(材) Balsamholz *m.* -es, ¨er.

발상(發想) 〖樂〗 Expression *f.* -en; 《사상》 Konzeption *f.* -en.

발상지(發祥地) Wiege *f.* -n; Entstehungsort *m.* -(e)s, -e. ¶ 문명의 ～die Wiege der Zivilisation.

발생(發生) Entwicklung *f.* -en; Ausbruch *m.* -(e)s, ¨e 《질병 등》; Entstehung *f.* -en; das Vorkommen*, -s 《사건》. ～하다 [4]sich entwickeln; aus|brechen*; [4]sich erzeugen.

발성(發聲) Stimmbildung〔Phonation〕 *f.* -en. ～하다 e-n Laut hervor|bringen*; die Stimme erschallen lassen*. ‖ ～기 Stimmorgan *n.* -s, -e / ～법 Vokalisation *f.* -en / ～영화 Tonfilm *m.* -(e)s, -e.

발소리 Schritt *m.* -es, -e; Getrampel *n.* -s. ¶ ～를 죽이고 mit verstohlen Schritten / ～가 난다 Ich höre Schritte. / ～가 멀어지다 die Schritte werden schwächer.

발송(發送) Versendung *f.* -en; Versand *m.* -(e)s, -e. ～하다 versenden*[4]; ab|liefern[4]; (ab|)senden*[4]. ‖ ～인 Absender *m.* -s, - 《略 : Abs.》.

발신(發信) (Ab)sendung. ～하다 ab|senden[4]. ‖ ～인 (Ab)sender *m.* -s, - / ～지 Aufgabeort *m.* -(e)s, -e.

발싸개 Socke *f.* -n. ¶ 거지 ～ 같은 놈 schmutziger, dreckiger Kerl, -(e)s, -e.

발아(發芽) ～하다 keimen; sprossen; entsprießen*.

발악(發惡) ～하다 Schimpfworte (*pl.*) an|wenden*; schmähen.

발안(發案) das Initieren* e-r Idee; die initierte Idee, -n. ～하다 ein|führen*; entwerfen*. ‖ ～자 Antragsteller 〔Begründer〕 *m.* -s, -.

발암성(發癌性) ～의 krebserzeugend; karzinogen. ‖ ～ 물질 ein krebserzeugender〔karzinogener〕 Stoff, -(e)s, -e.

발언(發言) Äußerung f. -en; Vorschlag m. -(e)s, ¨e. ～하다 aus|sprechen*; äußern. ¶ ～을 취소하다 die Aussage wider|rufen. ‖ ～권 das Recht zu sprechen* / ～자 Sprecher m. -s, -.

발연(發煙) ‖ ～탄 Rauchgranate f. -n.

발열(發熱) Wärmeerzeugung f. -en; 《병으로》 Fieber n. -s, -. ～하다 heiß werden; Fieber bekommen*. ‖ ～량(量) Wärmeäquivalent n. -(e)s, -e.

발원(發源) ～하다 entspringen*; stammen 《aus^3》.

발원(發願) ～하다 das Gebet dar|bringen* 《der Gottheit》.

발육(發育) Wachstum n. -(e)s; Entwicklung 〔Ausbildung〕 f. -en. ～하다 wachsen*; ^{4}sich entwickeln. ‖ ～기 Entwicklungsperiode f. -n / ～ 부전 Unterentwicklung f.

발음(發音) Aussprache f. -n. ～하다 aus|sprechen*^{4}. ‖ ～ 기호 das phonetische Zeichen, -s, - / ～학 Phonetik f. -en.

발의(發議) Vorschlag m. -(e)s, ¨e; Initiative f. -n. ～하다 e-n Vorschlag machen. ¶ …의 ～로 auf js. Veranlassung. ‖ ～권 Vorschlagsrecht n. -(e)s, -e / ～자 Proponent m. -en, -en.

발인(發靷) der Aufbruch e-s Leichenzuges.

발자국 (Fuß)spur f. -en; Fuß·tapfe f. -n 〔-tapfen m. -s, -〕. ¶ ～을 남기다 e-e Fußspur legen 《auf^4》.

발자귀 Tierfußspur f. -en; Tierfußstafe f. -n.

발자취 Fußspur f. -en. ¶ ～를 더듬다 der ^{3}Fahrte 〔Spur〕 folgen.

발작(發作) Anfall m. -(e)s, ¨e; Anwand(e)lung f. -en; 《俗》 Krampf m. -(e)s, ¨e. ～하다 an|fallen*; an|wandeln. ¶ ～이 나다 den Anfall bekommen* / ～적으로 anfallsweise.

발장단(—長短) ～치다 mit den Füßen taktieren.

발전(發展) Entfaltung 〔Entwicklung, Ausdehnung〕 f. -en; das Sichentfalten*, -s; 《번영》 das Gedeihen*, -s; Wahlfahrt f. ～하다 ^{4}sich entfalten 〔entwickeln〕; ^{4}sich aus|dehnen; gedeihen*; auf|kommen*. ‖ ～도상국 Entwicklungsland n. -(e)s, ¨er.

발전(發電) Stromerzeugung f. -en. ～하다 Elektrizität erzeugen; elektrischen Strom erzeugen. ‖ ～기 Dynamo f. -s/ ～소 Kraftwerk n. -(e)s, -e.

발정(發情) Geschlechtstrieb m. -(e)s, -e. ～하다 brünstig werden. ‖ ～기 Pubertät f.; Pubertätszeit f. -en.

발족(發足) Anfang m. -(e)s, ¨e; Beginn m. -(e)s. ～하다 mit ^{3}et. beginnen*^{4}; starten; an|fangen*^{4}; eröffnen^4.

발주(發注) das Erteilen* e-s Auftrags. ～하다 e-n Auftrag erteilen.

발진(發疹) (Haut)ausschlag m. -(e)s, ¨e. ～하다 e-n Ausschlag bekommen*. ‖ ～ 티푸스 Flecktyphus m. -.

발진기(發振器) Oszillator m. -s, -en.

발차(發車) Abfahrt f. -en; Abgang m. -(e)s, ¨e. ～하다 ab|fahren*. ‖ ～ 시간 Abfahrtszeit f. -en / ～ 신호 Abfahrtssignal n. -s, -e.

발착(發着) Abfahrt u. Ankunft. ～하다 an|kommen* u. ab|fahren*. ‖ ～ 시간표 Fahr〔Stunden〕plan m. -(e)s, ¨e; Zeittabelle f. -n.

발췌(拔萃) Auszug m. -(e)s, ¨e; Auswahl f. -en. ～하다 aus|ziehen*^{4}; e-n Auszüge machen. ‖ ～곡(曲) Auslese f. -n; Auswahl f. -en.

발치 《방의》 die dunkle Seite des Zimmers; 《근처》 Nähe f. -n. ‖ 발칫잠 der Schlaf im Winkel des Zimmels.

발칙하다 《무례함》 grob 〔unverschämt〕 (sein); 《괘씸함》 unverzeihlich (sein). ¶ 발칙한 녀석 ein grober Kerl, -s, -.

발칵 plötzlich; auf einmal. ¶ ～ 성내다 in Zorn aus|brechen* 《gegen^4》; vor Wut kochen 〔beben〕.

발코니 Balkon m. -s, -e 〔-s [..kɔ̃:]〕.

발탁(拔擢) Auslese f. -n; Bevorzugung f. -en. ～하다 aus(er)lesen*《jn.》; auswählen 《jn.》. ‖ ～ 승진 die Beförderung außer der Reiche.

발톱 Zehennagel m. -s, ¨; 《새·짐승의》 Klaue 〔Klalle〕 f. -n.

발파(發破) ～하다 schießen*^{4}; sprengen^4. ‖ ～ 작업 Schießarbeit f. -en.

발판(—板) ① Fußbank f. ¨e; (Bau)gerüst n. -(e)s, -e. ② 《탈것의》 Fußtritt m. -(e)s, -e; Trittbrett n. -(e)s, -er. ③ 《지반》 Halteplatz m. -(e)s, ¨e; Stütze f. -n. ¶ ～을 얻다 festen Fuß fassen^4.

발포(發布) Erlaß m. ..lasses, ..lasse. ～하다 erlassen*^{4}.

발포(發砲) das Schießen*〔Feuern*〕, -s. ～하다 feuern; schießen*^{4} 《auf^4》; das Feuer eröffnen.

발표(發表) Veröffentlichung f. -en; (öffentliche) Bekanntmachung, -en. ～하다 veröffentlichen^4; an|künd(ig)en^4; bekannt|machen^4; 《의견을》 äußern^4.

발하다(發—) ① 《빛·열 따위를》 aus|strahlen^4〔-strömen^4〕. ② 《명령·법령 따위를》 ergehen lassen*^{4}; erlassen*^{4}. ¶ 명령을 ～ e-n Befehl erlassen*^{4}.

발한(發汗) ～하다 schwitzen. ‖ ～ 요법 Schwitzkur f. / ～제 Schweißmittel n. -s, -.

발행(發行) Herausgabe f. -n; Verlag m. -(e)s, -e; Publikation f. -en; 《지폐 등의》 Ausgabe f. -n; 《어음의》 Ausstellung f. -en. ～하다 heraus|geben*^{4}; verlegen^4; publizieren^4. ¶ ～이 정지되다 unterdrückt werden. ‖ ～ 가격 Emissionskurs m. -es, -e / ～ 부수 Aufgabe(höhe) f. -n / ～소 Verlagsbuchhandlung f. -en / ～인 Herausgeber m. -s, -; 《어음 등의》 Aussteller 〔Ausgeber〕 m. -s, -.

발현(發現) Offenbarung〔Enthüllung〕 f. -en. ～하다 ^{4}sich offenbaren.

발호하다(跋扈—) ^{4}sich anmaßend benehmen*; ausgelassen werden.

발화(發火) ① 《점화》 das Anzünden*, -s; Entzündung f. -en. ～하다 an|

zünden; entzünden. ② 《화재》 Feuersbrunst *f.* ⸗e; Schadenfeuer *n.* -s. ～하다 ⁴sich entzünden⁴; Feuer fangen*. ‖ ～장치 Zündvorrichtung *f.* -en / ～점 Entzündungspunkt *m.* -(e)s, -e / 자연 ～ Selbstentzündung *f.* -en.

발효(發效) das Inkrafttreten*, -s. ～하다 in ⁴Kraft treten*.

발효(醱酵) Gärung [Fermentation] *f.* -en. ～하다 gären⁽*⁾; auf|brausen; fermentieren. ¶ ～시키다 gären lassen*; säuern. ‖ ～균(菌) Gärungspilz *m.* -es, -e / ～법 Gärungsverfahren *n.* -s, - / ～소 Gärungsstoff *m.* -(e)s, -e.

발휘(發揮) Entfaltung *f.* -en; das Zeigen*, -s. ～하다 entfalten⁴; zeigen⁴; offenbaren⁴. ¶ 실력을 ～하다 s-e (wirkliche) Fähigkeit beweisen*.

발흥(勃興) Aufschwung *m.* -(e)s, ⸗e; Aufstieg *m.* -(e)s, -e. ～하다 e-n Aufstieg machen; e-n Aufschwung nehmen*.

밝다¹ ① 《빛이》 hell [klar; licht; strahlend] (sein). ¶ 밝은 곳에서 im [bei] Licht / 밝게 하다 hell machen; erhellen. ② 《눈·귀가》 scharf [fein; schnell] (sein). ¶ 눈이 [귀가] ～ scharfes Auge [Ohr] haben. ③ 《사정에》 eingeweiht sein (*in*⁴); ³*et.* beschlagen sein; ²*et.* kundig sein; gut kennen*⁴. ¶ 예술 방면에 ～ Er ist Kunstkenner. ④ 《성격·표정이》 klar [heiter; hell; schön] (sein). ¶ 기분이 ～ ⁴sich aufgeheitert fühlen. ⑤ 《정치가》 klar (sein). ¶ 밝은 사회 die klare Gesellschaft, -en.

밝다² 《날이》 an|brechen*; dämmern. ¶ 날이 밝기 전에 vor Tagesanbruch.

밝을녘 Dämmerstunde *f.* -n; Tagesanbruch *m.* -(e)s, ⸗e. ～에 am Tagesanbruch.

밝혀지다 ins klare kommen*; ⁴sich heraus|stellen; ⁴sich ergeben*.

밝히다¹ ① 《알림》 gestehen*⁴; äußern; bekannt machen⁴; erklären⁴; 《비밀을》 enthüllen. ¶ 이름을 ～ s-n Namen offenbaren / 계획을 ～ *jm.* s-n Plan mit|teilen / 사정을 ～ die reine Wahrheit enthüllen⁴. ② 《확인·구명》 ermitteln⁴; bestätigen; ergründen⁴. ¶ 신원을 ～ *js.* Identität beweisen*⁴. ③ 《환하게》 beleuchten⁴; erleuchten⁴; hell machen⁴. ¶ 방을 ～ das Zimmer beleuchten.

밝히다² 《밤을》 übernachten; die ganze ⁴Nacht auf|bleiben* [auf|sitzen*].

밟다 ① 《디디다》 treten*; auf|treten*; stampfen. ¶ 밟아 다지다 fest|treten*⁴ / 짓밟다 fest|stampten⁴ / 밟아 다진 길 Trampelweg *m.* -(e)s, -e. ② 《순서 등을》 aus|führen⁴. ¶ 수속을 ～ ein Verfahren ein|leiten / 과정을 ～ e-n Kursus besuchen.

밟히다 *jm.* auf den Fuß getreten werden; mit dem Fuß gestampelt werden.

밤¹ 《열매》 Edelkastanie *f.* -n.

밤² Nacht *f.* ⸗e; Abend *m.* -(e)s, -e. ¶ 밤의 nächtlich; abendlich / 밤마다 jede ⁴Nacht; allnächtlich / 어젯밤 letzte Nacht; gestern abend / 밤늦게 in später Nacht / 밤이 깊어가다 Die Nacht rückt vor / 밤을 새우다 die Nacht verbringen*; übernachten.

밤거리 die Straße bei Nacht; die Stadt in der Nacht. ¶ ～의 여인 Strichmädchen *n.* -s, -; Straßendirne *f.* -n.

밤길 das Wandern* bei Nacht. ¶ ～을 걷다 bei [in der] Nacht gehen*.

밤나무 Kastanienbaum *m.* -(e)s, ⸗e.

밤낚시 das Nachtangeln*, -s. ～하다 in der Nacht angeln gehen*.

밤낮 ⁴Tag u. ⁴Nacht; stets u. ständig.

밤늦다 spät in der ³Nacht [bei ³Nacht] (sein). ¶ 밤늦게까지 bis tief in die Nacht hinein.

밤도와 die ganze Nacht (hindurch); bis tief [spät] in die Nacht hinein. ¶ ～ 일하다 bis tief [spät] in die Nacht arbeiten.

밤마다 ⁴Nacht für ⁴Nacht; jede ⁴Nacht; allnächtlich.

밤바 Stoßstange *f.* -n 《완충 장치》; Autonummerschild *m.* -(e)s, -e 《번호판》.

밤바람 Nacht·wind *m.* -(e)s, -e [-luft *f.* ⸗e].

밤비 der Regen in der Nacht.

밤사이, 밤새 seit gestern[heute] Nacht. ¶ ～ 내린 비로 wegen des Regenfalls von gestern abend.

밤새껏, 밤새도록 die ganze ⁴Nacht (hindurch).

밤새(우)다 die ganze ⁴Nacht auf|bleiben* [-|sitzen*]. ¶ 밤새워 이야기하다 die Nacht verplaudern / 밤새워 일하다 die ganze Nacht arbeiten.

밤색(一色) Rotbraun *n.* -s; 〖形容詞的〗 rotbraun. ¶ ～이 돌다 rotbraun werden.

밤샘하다 die ganze Nacht durchwachen [auf|bleiben*]; übernachten; die Nacht verbringen*.

밤소경 Nachtblindheit *f.*

밤손님 《도둑》 Nacht·herumtreiber [-einbrecher] *m.* -s, -.

밤송이 Klette [Stachelhülle] *f.* -n.

밤안개 Nacht·nebel *m.* -s, - [-dunst *m.* -es, ⸗e].

밤알 e-e (einzelne) Kastanie, -n.

밤이슬 Nachttau [Abendtau] *m.* -(e)s. ¶ ～이 내리다 (Der) Abendtau fällt.

밤일 Nacht·arbeit *f.* -en [-dienst *m.* -es, -e]. ～하다 in der Nacht arbeiten.

밤잠 das Schlafen* in der Nacht; das Nachtschlafen*, -s.

밤재우다 die Nacht über bleiben* (bis zum Morgen); über Nacht bleiben*.

밤중(一中) die Mitte der Nacht. ¶ ～에 nachts; (spät) abends.

밤차(一車) Nachtzug *m.* -(e)s, ⸗e.

밤참 der Nachtimbiß, ..bisses, ..bisse. ¶ ～을 먹다 e-n Nachtimbiß ein|nehmen*.

밤톨 die (einzelne) Kastanie, -n. ¶ ～만하다 so groß wie e-e Kastanie sein.

밤하늘 Nachthimmel *m.* -s, -.

밥 ① 《쌀밥》 gekochter Reis, -es. ¶ 조 [콩]밥 der mit Kolbenbirsen[Bohnen] zusammengekochte Reis / 밥을 짓다 Reis kochen. ② 《식사의》 Mahlzeit *f.* -en; Essen *n.* -s, -. ¶ 밥 먹었느냐 Hast du schon gegessen? ③ 《생계》 *js.*

ㅂ

tägliches Brot, –(e)s. ¶ 밥도 먹을 수 없다 sein Brot nicht verdienen köhnnen*. ④ 《가축 먹이》 Beute *f.* –n; Futter *n.* –s; 《미끼》 Köder *m.* –s, –; 《희생물》 Opfer *n.* –s, –. ¶ 밥이 되다 zur Beute [zum Opfer; zum Raub] fallen*.

밥값 Verpflegungskosten (*pl.*). ¶ ~을 떼먹고 달아나다 fortgehen*, ohne die Zeche zu zahlen[4].

밥그릇 Reisschüssel *f.* –n.

밥맛 ① 《밥의 맛》 der Geschmack [das Aroma] des Reises. ② 《식욕》 der Appetit, –(e)s, –e.

밥벌레 Taugenichts *m.* –(e)s, –e; Drohne *f.* –n; Faulenzer *m.* –s, –.

밥보자(기)(–褓子(–)) der Überzug [die Decke] für den gekochten Reisbehälter.

밥상(–床) Eßtisch *m.* –es, –e; Tafel *f.* –n. ¶ ~을 차리다 den Tisch decken[4].

밥솥 Reistopf *m.* –(e)s, ⸚e; (Koch)kessel zum Kochen des Reises.

밥알 ein gekochtes Reiskorn –(e)s, ⸚er; ein Körnchen des gekochten Reises.

밥장사 Restaurantsgewerbe *n.* –s, –; Essenverkauf *m.* –(e)s, ⸚e. ~하다 ein Restaurant betreiben*; ein Speiselokal leiten.

밥장수 einer, der das Essen verkauft.

밥주걱 die Holzschaufel, den Reis zu servieren.

밥줄 Lebensmittel *n.* –s, –. ¶ ~이 끊어지다 arbeitslos werden.

밥집 Speisehaus [Gasthaus] *n.* –es, ⸚er.

밥짓다 den Reis [das Essen] kochen.

밥통(–桶) ① 《밥담는》 Reis·kübel[-zuber] *m.* –s, –. ② 《위》 Magen *m.* –s, –. ③ 《밥벌레》 Taugenichts *m.* –(e)s, –e; Faulenzer *m.* –s, –.

밥투정하다 über das Essen brummen.

밧줄 Seil [Tau] *n.* –(e)s, –e; Strick *m.* –(e)s, –e. ¶ 굵은 ~ Trosse *f.* –n.

방(房) Zimmer *n.* –s, –; Stube [Kammer] *f.* –n; Gemach *n.* –(e)s, ⸚er; (Wohn)raum *m.* –(e)s, ⸚e. ¶ 빈 방 das freie Zimmer / 방에 모시다 in ein Zimmer führen 《*jn.*》 / 방을 비우다 ein Zimmer frei machen.

방(放) Schuß *m.* ..sses, ..üsse. ¶ 한 방 놓다 e–n Schuß ab|feuern / 한 방 먹다 [먹이다] e–n Schuß bekommen* [versetzen].

방(榜) ① ☞ 방목(榜目). ② ☞ 방문(榜文).

방갈로 Bungalow [Bangalo] *m.* –s, –s.

방값(房–) (Zimmer)miete *f.* –n.

방계(傍系) ~의 von e–r Seitenlinie. ‖ ~회사 Tochtergesellschaft *f.* –en; die abhängige Gesellschaft, –en.

방고래(房–) der Feuerkanal des Heizgewölbes (zur Fußbodenheizung).

방공(防共) Antikomintern *f.*; Defensive gegen den Kommunisten [Kommunismus].

방공(防空) Luft·schutz *m.* –es[-abwehr *f.*]. ‖ ~ 연습 Luftschutzübung *f.* –en / ~호 Luftschutz·keller[-bunker] *m.* –s, –.

방과(放課) 《학과를 끝냄》 die Freilassung von der Schule. ¶ ~후 nach der Schule; nach den Schulstunden.

방관(傍觀) das Zu·sehen* [-schauen*] –s. ~하다 (untätig) zu|schauen[3]; zu|sehen*[3]; mit an|sehen*[4]. ¶ 수수 ~하다 mit den gekreuzten Armen zu|schauen. ‖ ~자 Zuschauer. *m.* –s, –.

방광(膀胱) Harnblase *f.* –n. ‖ ~염 Harnblasenentzündung *f.* –en.

방구들(房–) Feuerungskammer *f.* –n (im Fußboden).

방구석(房–) Zimmerecke *f.* –n.

방귀 (Bauch)wind [Darmwind] *m.* –(e)s, –e; 《俗》 Furz *m.* –es, ⸚e. ¶ ~(를) 뀌다 e–n (Wind) fahren lassen*; 《俗》 furzen.

방그레 ¶ ~ 웃다 gütig [herablassend] lächeln.

방글[방긋]거리다 nachsichtig lächeln; lautlos lachen.

방글방글 mild(e) [heiter] lächelnd.

방금(方今) eben erst [jetzt]; soeben; jetzt.

방긋방긋 lächelnd; strahlend; gut aufgelegt. ¶ ~ 웃다 lächeln; schmunzeln; strahlen 《*vor*[3]》.

방년(芳年) das blühende Alter, –s, –. ¶ 그 여자는 ~ 18세다 Sie steht im blühenden Alter von 18.

방놓다(房–) ein Zimmer hinzu|fügen [renovieren; erneuern].

방뇨(放尿) das Harnlassen*, –s; das Harnieren*, –s. ~하다 sein Wasser ab|schlagen*; harnen; pinkeln.

방대하다(厖大–) ungewöhnlich [ungeheuer] groß (sein); gigantisch [gewaltig; kolossal(isch)] (sein). ¶ 방대한 계획 das extensive Programm, –s, –e.

방도(方途) ① 《방법》 die Art u. Weise; Behandlungsweise [Methode] *f.* –n; Verfahren *n.* –s, –. ② 《수단》 Mittel *n.* –s, –; Weg *m.* –(e)s, –e; Mittel u. Weise. ¶ 달리 ~가 없다 kein Mittel mehr haben.

방독(防毒) Gasschutz *m.* –es. ‖ ~면 Gasmaske *f.* –n.

방둥이 Hinterteil *m.* [*n.*] –(e)s, –e; Hinterbacke *f.* –n.

방랑(放浪) Wanderung *f.* –en; das Landstreichen*, –s. ~하다 wanderen; durchstreifen[4]; umher|streifen; vagabundieren. ‖ ~객 Wanderer *m.* –s, –; Strolch *m.* –(e)s, –e; Vagabund *m.* –en, –en / ~벽 Wanderlust *f.* ⸚e / ~생활 Wanderleben *n.* –s, –; Vagabondage [..dáːʒə] *f.* –n.

방류(放流) ~하다 《물을》 wegfließen lassen*; ablaufen [auslaufen] lassen*; 《고기를》 (die Fische) in den Strom wegswimmen lassen*.

방만(放漫) ~하다 locker [lose; nachlässig; liederlich] (sein). ¶ ~한 정책 die unbesonnene Politik, –en.

방망이 das hölzerne Hämmerchen, –s, –.

방매(放賣) ~하다 zu Geld machen; für Geld her|geben*.

방면(方面) ① 《지방》 Richtung *f.* –en; Seite *f.* –n; Gegend *f.* –en. ¶ 각 ~ alle Richtungen / 부산 ~ Busan Gegend. ② 《분야》 Feld *n.* –(e)s, –er; Gebiet *n.* –(e)s, –e; Fach *n.* –(e)s, ⸗er; Winkel *m.* –s, –; Sphäre *f.* –n. ¶의학〔운동〕 ~에서는 in dem Feld der Medizin 〔des Sportes〕.

방면(放免) Freilassung 〔Befreiung; Entlassung〕 *f.* –en. ~하다 frei|lassen*⁴; befreien⁴. ‖ 무죄 ~ Freisprechung u. Entlassung / 훈계 ~ Entlassung nach Ermahnung.

방명록(芳名錄) Namenliste *f.* –n; Gästebuch *n.* –(e)s, ⸗er.

방목(放牧) das (Ab)weiden*, –s. ~하다 weiden⁴. ‖ ~권 (Vieh)trift *f.* –en / ~지 Weide *f.* –n.

방목(榜目) die Liste der in der Staatsprüfung erfolgreichen Kandidaten.

방문(房門) Tür *f.* –en.

방문(訪問) Besuch *m.* –(e)s, –e; Aufwartung *f.* –en 《의례적인》; Visite *f.* –n. ~하다 besuchen⁴; bei *jm.* e–n Besuch machen; auf|suchen⁴; vorbei|kommen*. ‖ ~객 Besucher *m.* –s, –; Besuch *m.* –(e)s, –e; Visite *f.* –n (~객이 있다 Besuch haben) / ~ 외교 Besuchsdiplomatie *f.* –n.

방문(榜文) Plakat *n.* –(e)s, –e; Anzeige *f.* –n. ¶~을 내붙이다 ein Plakat an|schlagen*.

방물 Galanteriewaren〔Modewaren〕 (*pl.*) der Frauen. ‖ ~ 장수 ein Hausierer mit Frauenmodewaren.

방바닥(房—) der Fußboden e–s Zimmer. ¶~이 차다 Der Fußboden ist kalt.

방방곡곡(坊坊曲曲) das ganze Land, –(e)s, ⸗er; alle Ecken u. Enden. ¶~에(서) überall; allerorts; in allen Ecken u. Enden.

방범(防犯) die Vorbeugung von Verbrechen. ‖ ~대원 Nachtwache *f.* –n / ~ 주간 die Woche der Vorbeugung von Verbrechen.

방법(方法) Methode *f.* –n; Art *f.* –en; Weise *f.* –n; Verfahren *n.* –e, – 《수법》; Weg *m.* –(e)s, –e; Mittel *n.* –s, – 《수단》. ¶여러가지 ~으로 auf mehr als e–e Weise / 일정한 ~으로(써) nach e–r bestimmten Methode.

방벽(防壁) Schutz·mauer *f.* –n 〔–wall *m.* –(e)s, ⸗e〕.

방부제(防腐劑) Erhaltungsmittel *n.* –s, –; das antiseptische Mittel; Aseptol *n.* –s. ¶~를 쓰다 antiseptisch behandeln⁴; 《시체에》 ein|balsamieren⁴; salben⁴.

방불하다(彷彿—) mit ³*et.* (große; viel) Ähnlichkeit haben. ¶방불케 하다 ein Bild geben* 《*von*³》.

방비(房—) Zimmerbesen *m.* –s, –.

방비(防備) Schutz *m.* –es; Verteidigung *f.* –en; 《무장》 Bewaffnung *f.* –en; 《방어 시설》 Befestigung *f.* –en. ~하다 verteidigen⁴; schützen⁴.

방사(房事) der geschlechtliche Verkehr, –(e)s; Beischlaf *m.* –(e)s. ~하다 Geschlechtsverkehr haben. ‖ ~ 과다 die geschlechtliche Ausschweifung, –en.

방사(放射) ① 《방출》 (Aus)strahlung *f.* –en; Ausströmung *f.* –en. ② 《발사》 Emission *f.* –en; Radiation *f.* –en. ~하다 aus|strahlen⁴; aus|senden⁽*⁾⁴. ¶~상의 radial / ~성의 radioaktiv. ‖ ~상 도로 Radialstraße *f.* –n / ~성 동위원소 das radioaktive Isotop, –s, –e / ~성 물질 der radioaktive Stoff, –(e)s, –e / ~성 오염(汚染) radioaktive Verseuchung 〔Kontamination〕 –en.

방사능(放射能) Radioaktivität *f.* ‖ ~ 낙진 der radioaktive Staub, –(e)s, –e / ~비 der radioaktive Regen, –s, – / ~ 원소 das radioaktive Element, –(e)s, –e / ~ 장애 〖醫〗 Radiokrankheit *f.* –en / ~ 화학 Radiochemie *f.* –n.

방사선(放射線) X-Strahlen (*pl.*); radiale Strahlen (*pl.*). ‖ ~병(病) radioaktive Krankheit, –en / ~ 요법 Strahlentherapie *f.* –n.

방석(方席) Sitzkissen *n.* –s, –. ¶~을 깔다 ⁴sich auf ein Kissen setzen.

방설(防雪) der Schutz gegen den Schnee; Schneeschutz *m.* –es. ‖ ~림(林) der gegen den Schneebruch geschützte Wald, –es, ⸗er.

방성대곡(放聲大哭) das (laute) Wehklagen*, –s. ~하다 bitterlich〔herzzerreißend〕 weinen; lamentieren.

방세(房貰) Zimmermiete *f.* –n. ¶~를 올리다 die Zimmermiete erhöhen.

방송(放送) Radio *n.*〔*m.*〕 –s, –s; Rundfunk *m.* –(e)s, –e; Funk *m.* –(e)s; Sendung *f.* –en. ~하다 durch Rundfunk übertragen*⁴; im Radio senden⁴; rundfunken. ‖ ~국(局) Sender *m.* –s, –; Rundfunkstation *f.* –en / ~극 Hörspiel *n.* –(e)s, –e / ~차 Übertragungswagen *m.* –s, – / ~ 프로 Radio-〔Fernseh〕programm *n.* –es, –e / 녹음 ~ Aufnahmesendung *f.* –en / 실황 ~ Hörbericht *m.* –(e)s, –e / 중계 ~ Übertragung *f.* –en.

방수(防水) 《스며드는 물의》 Wasserdichtheit *f.* –en; Regendichte *f.* –n. ~의 wasser·dicht〔–fest〕. ‖ ~대책 Wasserschutzmaßnahme *f.* –n / ~ 장치 Wasserschutzapparat *m.* –(e)s, –e / ~제 der wasserdicht Stoff, –(e)s, –e / ~포 Persenning *f.* –en; der wasserdichte Stoff, –(e)s, –e / ~화 Gummischuhe (*pl.*); Wasserstiefel (*pl.*).

방수(放水) Abfluß *m.* ..flusses, ..flüsse. ~하다 ab|ziehen*⁴; abfließen lassen*⁴. ‖ ~로 Abzugsgraben *m.* –s, ⸗.

방습(防濕) ~의 naßfest; feuchtdicht; gegen Feuchtigkeit geschützt.

방식(方式) Form *f.* –en; Formel *f.* –n; die Art u. Weise; Formular *n.* –s, –e. ¶~을 어기다 der ³Form zuwider|handeln / ~이 틀리다 falsch machen⁴.

방실거리다 lächeln. ¶방실거리며 freudestrahlend; lächelnd; freundlich.

방심(放心) ① 《얼빠짐》 Geistesabwesenheit *f.* ~하다 geistesabwesend 〔zerstreut〕 sein. ¶~케 하다 *js.* Gedanken zerstreuen. ② 《부주의》 das Unvorbereitetsein*, –s. ~하다 nicht auf|passen 《*auf*⁴》. ¶~은 금물이다 Sie müssen aufpassen. ③ 《안심》 Beruhigung *f.* ~하다 ⁴sich beruhigen《*über*⁴》.

방아 Mörser *m.* –s, –. ¶~를 찧다 ⁴*et.* in e–m Mörser zerstoßen*. ‖ 방앗간

Mühle *f.* -n / 방앗공이 Mörserkeule *f.* -n; Stößel *m.* -s, -.

방아쇠 《총의》 Drücker *m.* -s, -; Abzug *m.* -(e)s, ⸚e. ¶~를 당기다 den Hahn spannen.

방안(方案) Plan *m.* -(e)s, ⸚e; Schema *n.* -s, -s. ¶~을 세우다 Pläne schmieden; planen^{4}.

방안지(方眼紙) Millimeterpapier *n.* -s.

방약무인하다(傍若無人—) dreist 〔frech; unverschämt; schamlos〕 (sein); anmaßend 《불손》 (sein). ¶방약무인하게 굴다 ^{4}sich unverschämt benehmen*.

방어(防禦) Abwehr *f.*; Gegenwehr *f.* -en; Schutz *m.* -es; Verteidigung *f.* -en; Defensive *f.* -n. ~하다 (be)schützen^{4} 《*gegen*^{4}; *vor*^{3}》; verteidigen^{4} 《*gegen*^{4}》; ^{4}sich wehren 《*gegen*^{4}》. ‖~ 공사 Verteidigungswerke (*pl.*) / ~물(物) Schutzwehr *f.* -en; Schild *m.* -(e)s, -e / ~선 Schutz〔Verteidigungs〕linie *f.* -n / ~전(戰) Defensiv〔Verteidigungs〕krieg *m.* -(e)s, -e / ~ 진지 Defensivstellung *f.* -en.

방어(魴魚) 〖魚〗 Gelbschwanz *m.* -es, ⸚e.

방언(方言) Mundart *f.* -en; Dialekt *m.* -(e)s, -e. ‖~연구 Dialektologie *f.* -n / ~학〔학자〕 Mundartforschung *f.* -en 〔Mundartforscher *m.* -s, -〕.

방언(放言) Bombast *m.* -(e)s. ~하다 aus|schneiden*; bombastisch reden.

방역(防疫) Seuchenbekämpfung *f.* -en. ~하다 die 〔^{3}der〕 ansteckenden Krankheiten verhüten〔vorbeugen〕. ¶~ 조치를 강구하다 Vorbeugungsmaßregeln gegen ^{4}Seuchen treffen*. ‖~ 대책 die antiepidemische Maßregel, -n.

방열(放熱) Wärmeausstrahlung *f.* -en. ~하다 Wärme ab|strahlen. ‖~기 Wärmestrahler 〔Heizkörper〕 *m.* -s, -.

방영(放映) ~하다 im Fernsehen übertragen*^{4}.

방울 ① 《쇠방울》 Klingel *f.* -n; Glöckchen *n.* -s, -; Schelle *f.* -n. ¶~을 울리다 schellen; klingeln. ② 《액체의》 Tropfen *m.* -s, -; Tröpfchen *n.* -s, -. ¶한 ~씩 tropfenweise / ~이 떨어지다 tropfen; tröpfeln. ‖~ 소리 der Klang der Schelle.

방울뱀 〖動〗 Klapperschlange *f.* -n.

방울새 〖鳥〗 Grünfink *m.* -en, -en.

방위(方位) Himmels·gegend 〔-richtung〕 *f.* -en. ¶~를 정하다 ^{4}sich orientieren. ‖~각(角) Azimut *m.*〔*n.*〕 -(e)s, -e; Azimutalwinkel *m.* -s, - / ~ 기점 die Kardinalpunkte (*pl.*) des Kompasses / ~ 측정기 Azimutsucher *m.* -s, - / ~관 Skalabrett *n.* -(e)s, -er.

방위(防衛) Verteidigung *f.* -en; (Gegen-)wehr *f.* -en; Schutz *m.* -es; Defensive *f.* -n. ~하다 verteidigen^{4}; schützen^{4}; defendieren^{4}. ‖~군(軍) das defensive Korps, -, -; die defensive Truppe, -en / ~ 동맹 Verteidigungs〔Schutz; Defensiv〕bündnis *n.* -ses, -se / ~성금 Wehrbeitrag *f.* / ~ 소집 die defensive Mobilisierung / ~ 수단 Verteidigungsmittel *n.* -s, - / 정당 ~ Notwehr *f.* -en.

방음(防音) ~하다 Schall dämpfen. ¶~이 된 schalldicht. ‖~ 장치 Schalldämpfer *m.* - s, -.

방임(放任) ~하다 lassen*^{4}; ^{4}*et.* gehen lassen*; ^{4}*et.* geschehen lassen*; ^{4}*et.* bleiben lassen*; ^{4}*et.* gut sein lassen*; *jm.* freien Lauf lassen*. ‖~주의 Latitudinar(ian)ismus *m.* -.

방자(放恣) ~하다, ~스럽다 ausgelassen 〔ausschweifend; ungebunden〕 (sein). ¶~한 사람 der Eigensinnige*, -n, -n.

방재(防災) Unglücksverhütung *f.* -en. ‖~ 계획 die Vorsichtsmaßnahmen (*pl.*) gegen Unglücksfälle.

방적(紡績) das Spinnen*, -s; Spinnerei *f.* -en. ~하다 spinnen*^{4}. ‖~공(工) Spinner *m.* -s, -; 《여자》 Spinnerin *f.* -nen / ~ 공업 Spinnindustrie *f.* -n / ~ 공장 Spinnfabrik *f.* -en / ~ 기계 Spinnmaschine *f.* -n / ~ 회사 Textilgesellschaft *f.* -en.

방전(放電) 〖理〗 Entladung *f.* -en. ~하다 entladen*. ‖~관 Entladungsröhre *f.* -n / ~기(機) Funkenzieher *m.* -s, - / 공중 ~ die atmosphärische Entladung / 불꽃 ~ Funkenentladung *f.*

방점(傍點) Seitenpunkt *m.* -(e)s, -e.

방정 ¶~맞다 flüchtig 〔leichtfertig; frivol; unbeständig〕 sein / ~(을) 떨다 leichtfertig handeln. ‖~꾸러기 fahriger 〔flüchtiger〕 Mensch, -en, -en.

방정하다(方正—) rechtschaffen 〔aufrichtig〕 (sein). ¶품행이 방정한 사람 ein Mann von Sittenreinheit.

방정식(方程式) Gleichung *f.* -en. ¶~을 풀다 e-e Gleichung auf|lösen. ‖고차 ~ Gleichung hohen Grades / 1차 ~ Gleichung ersten Grades / 미분 ~ die Differentialgleichung.

방조(幇助) Begünstigung *f.* -en; Beistand *m.* -(e)s, ⸚e. ~하다 begünstigen^{4}; *jm.* Vorschub leisten. ‖~자 Helfershelfer *m.* -s, - / 자살 ~죄 die Anstiftung des Selbstmordes.

방조제(防潮堤) 《둑》 Hochwasserdeich *m.* -(e)s, -e.

방종(放縱) Zügellosigkeit〔Unmäßigkeit〕 *f.* -en. ~하다 zügellos 〔disziplinlos; maßlos〕 (sein).

방주(方舟) Arche *f.* -n. ¶노아의 ~ die Arche ^{2}Noah(s).

방주(旁註) Bemerkungen(*pl.*) am Rande; Randbemerkung *f.* -en.

방죽(防—) Deich *m.* -(e)s, -e; (Stau-)damm *m.* -(e)s, ⸚e; Wehr *n.* -(e)s, -e. ¶~을 쌓다 e-n Deich 〔Damm〕 bauen.

방증(傍證) Indizienbeweis *m.* -es, -e. ¶~을 수집하다 Indizien sammeln.

방지(防止) Verhinderung 〔Verhütung〕 *f.* -en. ~하다 ab|halten* 《*von*^{3}》; auf|halten*^{4}; hemmen^{4}; hindern^{4}.

방직(紡織) das Weben*, -s; Weberei *f.* -en. ‖~ 공장 Weberei /~업 Textilindustrie *f.* -n.

방진(防塵) ~의 staubdicht. ‖~ 안경 Schutzbrille *f.* -n / ~ 커버 Staubdecke *f.* -n.

방책(方策) Plan *m.* -(e)s, ⸚e; Maß·regel 〔-nahme〕 *f.* -n. ¶~을 강구하다 Maßnahmen ergreifen* / ～을 가르쳐 주다 *jm.* e-n Rat geben*.

방책(防柵) Staket *n.* -(e)s, -e; Stakete *f.* -n. ¶～을 두르다 palisadieren[4]; mit e-r Palisade umgeben*[4].

방첩(防諜) die Verhütung der Spionage; Antispionage *f.* -n. ‖～대 die Verhütung skorps gegen Spionage.

방청(傍聽) das Zuhören*, -s. ～하다 an|hören[4]. ¶～을 금지하다 die Öffentlichkeit aus|schließen*. ‖～객 Zuhörer *m.* -s, -; 《전체》 Zuhörerschaft *f.* -en / ～권 Eintrittskarte *f.* -n / ～석 Zuhörerplatz *m.* -(e)s, ¨e.

방추(紡錘) Spindel *f.* -n.

방추형(方錐形) Pyramide *f.* -n; Pyramidenform *f.* -en.

방축(放逐) ～하다 aus|stoßen*[4]; vertreiben*[4]; verstoßen*[4].

방출(放出) 《액체 등의》 Ausströmung *f.* -en; 《곡물·돈 등의》 Veräußerung *f.* -en; Freigabe *f.* -n. ～하다 aus|fließen*; aus|gießen*[4]; veräußern[4]. ‖～물자 die aus dem Überfluß abgegebene Waren (*pl.*).

방충제(防蟲劑) Mottenschutzmittel *m.* -s, -; 《분말》 Mottenpulver *n.* -s, -; 《동글동글한》 Mottenkugel *f.* -n.

방취(防臭) ～하다 schlechte Gerüche besteigen*. ‖～제(劑) Desodorans *n.* -s, ..ranzien; Räucherkerze *f.* -n.

방치(放置) ～하다 liegen lassen*[4]; außer [3]acht 〔aus der [3]Acht〕 lassen*[4].

방침(方針) 《일반적》 Richtung *f.* -en; Prinzip *n.* -s, -e; Politik *f.* -en; 《목적》 Absicht *f.* -en; Ziel *n.* -(e)s, -e; 《계획》 Plan *m.* -(e)s, ¨e. ¶～을 세우다 [3]*et.* e-e (bestimmte) Richtung geben*; e-n Plan entwerfen*; [3]sich ein Ziel setzen 〔stecken〕. ‖시정 ～ Regierungsmaxime *f.* -n; Verwaltungsprinzip *n.* / 사업 ～ Geschäftsplan *m.*

방탄(防彈) ¶～이 된 kugelfest; bombenfest 〔-sicher〕. ‖～내각 Schildkabinett *n.* -(e)s, -e / ～유리 das kugelfeste Glas, -es, ¨er / ～조끼 die kugelfeste Weste 〔Jacke〕 -n.

방탕(放蕩) Ausschweifung *f.* -en. ～하다 aus|schweifen; ein ausschweifendes Leben führen; der [3]Sinnlichkeit frönen. ‖～생활 ein liederliches Leben / ～자 Liederja(h)n *m.* -(e)s, -e; Lockerling *m.* -s, -e.

방파제(防波堤) Wellenbrecher *m.* -s, -. ¶～를 쌓다 e-n Hafendamm bauen.

방패(防牌) Schild *m.* -(e)s, -; Rundschild 《둥근》; (Hand)tartsche *f.* -n. ¶…을 ～로 삼다 [4]*et.* zum Vorwand nehmen*; [4]*et.* vor|schützen.

방편(方便) 《수단》 (Hilfs)mittel *n.* -s, -; (Not)behelf *m.* -(e)s, -e; 《벗어날》 Ausweg *m.* -(e)s, -e. ¶일시적 ～으로 als Notbehelf.

방풍(防風) ‖～림(林) Wald als Windschutz / ～유리 Windschutzscheibe *f.* -n.

방학(放學) Ferien (*pl.*). ～하다 die [4]Schule schließen*; Ferien machen. ¶～이 되다 die Ferien beginnen. ‖겨울〔여름〕 ～ Winter〔Sommer〕ferien (*pl.*).

방한(防寒) der Schutz gegen die Kälte. ‖～구 Schutzmittel *n.* -s, - / ～모 Pelzkappe *f.* -n / ～복 Winterkleid *n.* -(e)s, -e / ～화 Winterschuhe (*pl.*).

방한(訪韓) der Besuch nach Korea. ～하다 Korea besuchen. ¶～중인 während *js.* Aufenthalt(e)s in Korea. ‖～경제 사절단 die ökonomische Kommission zu Korea.

방해(妨害) Hindernis *n.* -ses, -se; Störung 〔(Ver)hinderung〕 *f.* -en. ～하다 stören[4]; (ver)hinderen[4]; hemmen[4]; unterbrechen[4]. ¶～가 되다 im Wege stehen* 〔sein〕. ‖～물 Hindernis *n.*; Last *f.* -en / ～방송 (Rundfunk)störung *f.* / ～자 Störer *m.* -s, - / 공무 집행 ～ die Störung e-s Beamten bei der Ausführung s-r öffentlichen Pflicht / 안면 ～ Ruhestörung *f.*

방해석(方解石) 〖鑛〗 Kalzit *m.* -(e)s, -e; Kalkspat *m.* -(e)s, -e 〔¨e〕.

방향(方向) Richtung *f.* -en; Himmelsrichtung *f.* -en. ¶～을 잃다 die Richtung verlieren* / ～을 정하다 [4]sich orientieren. ‖～감각 Richtungsgefühl *n.* -(e)s, -e / ～전환 Richtungsänderung *f.* -en / ～타 Seitenruder *n.* -s, - / ～탐지 Peilung *f.* -en (～탐지기 Peiler *m.* -s, -) / ～판 Laufschild *n.* -(e)s, -er 《전차 따위의》.

방향(芳香) Wohlgeruch 〔Duft〕 *m.* -(e)s, ¨e; Aroma *n.* -s, -s 〔..men〕 ‖～제 Aroma; Parfüm *n.* -s, -e.

방형(方形) Quadrat *m.* -(e)s, -e.

방호(防護) ～하다 (be)schützen[4]; beschirmen[4]; verteidigen[4] 《*gegen*[4]》.

방화(防火) Feuerschutz *m.* -es. ‖～벽 Brand〔Feuer〕mauer *f.* -n / ～시설 Feuerschutzvorrichtung *f.* -en / ～전(栓) Feuerhahn *m.* -(e)s, ¨e; Hydrant *m.* -en, -en.

방화(邦貨) die koreanische Währung, -en; das koreanische Geld, -(e)s, -er.

방화(放火) Brandstiftung *f.* -en. ～하다 [4]*et.* in Brand stecken 〔setzen〕; Feuer an|legen. ‖～범 Brandstifter *m.* -s, - / ～죄 Brandstiftung *f.*

방황(彷徨) ～하다 umher|schweifen; umher|streifen; wandern.

밭 Feld *n.* -(e)s, -er; Acker *m.* -s, ¨; Gemüsegarten *m.* -s, ¨. ¶밭을 갈다 ackern[4]; bebauen[4]; den Acker bestellen.

밭갈이 Bebauung 〔Bestellung〕 *f.* -en. ～하다 bebauen[4]; bestellen[4]; pflügen[(4)].

밭걷이 Ernte *f.* -n. ～하다 ernten[4].

밭고랑 Furche *f.* -n. ¶～을 짓다 (auf dem Feld) Furchen ziehen*.

밭곡식(一穀食) Ackergetreide *n.* -s; Ernte *f.* -n.

밭농사(一農事) (Trocken)ackerbau *m.* -s (im Gegensatz zur Naßfeldwirtschaft). ～하다 Ackerbau (be)treiben*; Feld beackern; Land bebauen.

밭다[1] 《체에》 (durch)seihen[4]; durchschlagen*[4]; filtern[4]; filtrieren[4].

밭다[2] ① 《촘촘함》 zu nahe 〔dicht〕 (sein; stehen*). ② 《인색》 geizig 〔knauserig; sparsam〕 (sein).

밭도랑 (Entwässerungs)graben *m.* -s, ⸗ (um e-n Acker). ¶～을 파다 e-n Graben aus|heben*.
밭두둑 (Feld)rain *m.* -(e)s, -e.
밭둑 Damm zum Abschluß e-s Ackers.
밭매기 Unkrautvertilgung *f.* -en. ～하다 Unkraut jäten.
밭머리 Angewende *n.* -s, -.
밭문서(一文書) die (Eigentums)urkunde des Ackers.
밭벼 Trockenreispflanze *f.* -n; Hochlandreis *n.* -es, -e.
밭보리 Gerste *f.*
밭은기침 trockener 〔verzehrender〕 Husten, -s.
밭이랑 (Acker)rain *m.* -(e)s, -e; Ackerfurche *f.* -n.
밭일 Ackerarbeit 〔Feldarbeit〕 *f.* -en. ～하다 auf dem Acker arbeiten.
밭장다리 die auswärtsgesetzten Füße (*pl.*).
배[1] 〖解〗 Bauch *m.* -(e)s, ⸗e; (Unter-) leib *m.* -(e)s, -e. ¶배가 아프다 Leibschmerzen haben / 배불리 먹었다 Ich habe genug. / 배가 고프다 hungrig sein; es hungert *jn.* / 배를 깔고 눕다 auf dem Bauch liegen*. ② 《마음》 ¶배가 아프다 blaß 〔gelb; grün〕 vor Neid werden. ③ 《태내》 ¶배가 부르다 《임신》 schwanger sein; gesegneten Leibes sein / 배가 다르다 von verschiedenen Müttern geboren sein.
배[2] 〖植〗 Birne *f.* -n. ‖배나무 Birnbaum *m.* -(e)s, ⸗e.
배[3] 《타는》 Schiff 〔Boot〕 *n.* -(e)s, -e; Kahn *m.* -(e)s, ⸗e. ‖뱃사공 Bootsführer *m.* -s, -; Bootsknecht *m.* -(e)s, -e; Schiffer *m.* -s, -.
배(倍) das Doppelte*; das Zwei·fache* 〔-fältige*〕; 〖副詞的〗 doppelt 〔noch einmal〕 soviel. ¶배의 doppelt / 남보다 몇 배 일하다 doppelt soviel wie andere 〔mit verdoppelten Anstrengungen〕 arbeiten.
배가(倍加) ～하다 verdoppeln[4]; vermehren[4]; vergrößern[4]; erhöhen[4].
배갈 starker chinesischer Schnaps, -es, ⸗e (aus e-r Hirseart).
배겨나다 stand|halten*; aus|halten*; ertragen*[4].
배격(排擊) ～하다 verwerfen*; aus|schließen*[4]; vertreiben*.
배경(背景) Hintergrund *m.* -(e)s, ⸗e; 《무대의》 Szenerie *f.* -n; Dekoration *f.* -en. ‖～ 음악 Hintergrundmusik *f.*
배고프다 hungrig (sien); Hunger haben; es hungert *jm.*
배곯다 Hunger leiden* 〔haben〕.
배관(配管) Rohrlegen *n.* -s; Rohr〔Röhren〕leitung *f.* -en; Rohr *n.* -(e)s, -e. ‖～ 공사 Rohrleitungsbau *n.* -s, -e.
배교(背教) Apostasie *f.* -n; Perversion *f.* -en. ‖～자 Apostat *m.* -en, -en.
배구(排球) 〖體〗 Volleyball [vɔ́libal] *m.* -(e)s; Volleyballspiel *n.* -(e)s.
배근(背筋) 〖解〗 Rückenmuskel *m.* -s, -n.
배금주의(拜金主義) Mammonismus *m.* -; Mammonsdienst *m.* -(e)s, -e. ‖～자 Mammonsdiener *m.* -s, -.
배급(配給) Austeilung 〔Verteilung; Rationisierung〕 *f.* -en. ～하다 aus|teilen; in Rationen zu|teilen. ‖～소 Verteilungsstation *f.* -en / ～쌀 in [3]Rationen verteilter Reis, -es / ～ 통장 Rationsbuch *m.* -(e)s, ⸗er / ～품 Verteilungswaren (*pl.*) / 식량 ～ Nahrungs〔Reis〕-ration *f.* -en.
배기(排氣) Auspuff *m.* -(e)s, ⸗e《가스 따위가 나옴》; Ventilation *f.* -en《가스 따위를 배제함》. ‖～관(管) Dampfablaßrohr *n.* -(e)s, -e / ～ 장치 Luftauspuffverrichtung *f.* -en.
배기다[1] 《마치다》 hart sein; drücken; quetschen.
배기다[2] 《견디다》 ertragen*; aus|stehen*; [4]sich enthalten*. ¶배길 수 없다 unerträglich sein.
배꼽 Nabel *m.* -s, -; Dolle *f.* -n.
배낭(背囊) Ranzen *m.* -s, -; Rucksack *m.* -(e)s, ⸗e; Tornister *m.* -s, -.
배내옷 Säuglingskleidung *f.* -en.
배냇니 Milchzahn *m.* -(e)s, ⸗e.
배냇머리 Woll〔Flaum〕haar *n.* -(e)s, -e.
배냇병신(一病身) der Idiot 〔Schwachsinnige*〕 von Geburt.
배뇨(排尿) das Urinieren*, -s; das Harnen*, -s. ～하다 urinieren; harnen; den Harn 〔Urin〕 lassen*.
배니싱크림 Tagescreme *f.*
배다[1] ① 《젖다》 durch|dringen*; 《잉크 따위가》 durch|schlagen*; 《땀이》 durch|-schwitzen. ② 《버릇되다》 gewöhnt 〔gewohnt; geübt〕 werden. ¶몸에 밴 일 die gewohnte Arbeit.
배다[2] 《아이를》 schwanger werden; empfangen*[4]; 《새끼를》 trächtig werden.
배다[3] ① 《조밀》 dicht 〔eng〕 (sein). ¶나무를 배게 심다 Bäume dicht pflanzen. ② 《속이 차다》 gefüllt 〔voll gedrängt; vollgepackt〕 (sein).
배다르다 halbbürtig (sein). ¶배다른 형제 Halb·geschwister (*pl.*) 〔-bruder *m.* -s, ⸗; -schwester *f.* -n〕.
배다리 《주교(舟橋)》 Schiffsbrücke *f.* -n; Pontonbrücke [pontɔ̃:..].
배달(配達) Lieferung *f.* -en; 《우편의》 Zustellung *f.* -en. ～하다 ab|liefern[4]; aus|tragen*[4]; aus|geben*[4]; zu|stellen[34]. ‖～료 Lieferungsgebühren (*pl.*) / ～원 Austräger *m.* -s, -; 《신문의》 Zeitungsjunge *m.* -n.
배달(倍達) (der älteste Name für) Korea. ‖～ 민족 das koreanische Volk, -(e)s.
배당(配當) Zuteilung *f.* -en; 《배당금》 Dividende *f.* -n. ～하다 zu|teilen[34]; verteilen[4] 《*an*[4]》; 《배당금을》 Dividende zahlen[3]. ‖～금 Dividende *f.* -n / ～률 der Satz der Dividende / ～ 이득 Einnahme von Dividende.
배두렁이 Bauchbinde *f.* -n.
배드민턴 Federball *m.* -(e)s, ⸗e; Federballspiel *n.* -(e)s, -e.
배때벗다 frech 〔unverschämt〕 werden.
배란(排卵) 〖生〗 Follikelsprung *m.* -s; Ovulation *f.* -en. ～하다 Ovulation haben.
배래 hohe See, -n. ¶～에 auf hoher See; auf offenem Meer.
배래(기) ① 《물고기의》 der Bauch des Fisches. ② 《소매의》 der Tuchstreifen entlang den Ärmelsaum.

배려(配慮) Sorge *f.* -n; 《동정》 Anteil *m.* -s, -e; 《노고》 Mühe *f.* -n. ～하다 besorgen^4; für *jn.* sorgen.

배례(拜禮) ～하다 an|beten^4; verehren^4.

배리(背理) Sinnwidrigkeit〔Verkehrtheit; Absurdität〕 *f.* -en.

배맞다 mit *jm.* im rechtswidrigen geschlechtlichen Verkehr stehen*.

배메기 〖農〗 die Halbierung des Pachtbesitzes. ～하다 den Pachtbesitz halbieren. ‖ ～ 농사 die Landwirtschaft auf e-m geteilten Pachtbesitz.

배면(背面) Rücken *m.* -s, -; Rückseite *f.* -n. ‖ ～ 공격 Rückangriff *m.* -(e)s, -e.

배명(拜命) ～하다 ① 《임명을》 ernannt werden 《von *jm.* *zu*^{3}》; e-e (amtliche) Ernennung empfangen*. ② 《명령을》 e-n Befehl erhalten*〔empfangen*〕.

배반(背反) Verrat *m.* -(e)s. ～하다 verraten*^{4}; ^{4}sich empören 《gegen *jn.*》. ‖ ～자 Verräter *m.* -s, -.

배반(胚盤) 〖動〗 Keimscheibe *f.* -n.

배변(排便) Stuhlgang *m.* -(e)s. ～하다 Stuhlgang haben; ein großes Geschäft verrichten.

배본(配本) Lieferung *f.* -en. ～하다 ein Buch liefern; die Bücher verteilen.

배부(配付) Verteilung〔Austeilung; Zuteilung〕 *f.* -en. ～하다 verteilen^4 《*an*^{4}》; aus|teilen^4 《*an*^{4}; *unter*^{4}》; zu|teilen^4 《*jm.*》.

배부르다 ① 《양이 차다》 satt〔voll〕 (sein). ☞ 배불리. ② 《넉넉하다》 viel〔reich; genug〕 (sein). ¶ 배부른 소리하다 mit großer Miene sagen.

배부른흥정 e-e hochmütige Haltung gegen *jn.* ～하다 gegen die Folge der Handlung gleichgültig bleiben*.

배분(配分) Verteilung *f.* -en; Zuteilung *f.* -en《할당》; Anteil *m.* -(e)s, -e. ～하다 verteilen^4; zu|teilen^4.

배불뚝이 Dickbauch *m.* -(e)s, ⸚e; Dickwanst *m.* -es, ⸚e.

배불리 voll; genug; reich. ¶ ～ 먹다 ^{3}sich den Bauch voll schlagen*; ^{3}sich satt〔voll〕 essen*.

배불리다 ^{3}sich den Magen füllen.

배사(背斜) 〖地〗 Antiklinale *f.* -n. ‖ ～축 die Achse der Antiklinale.

배상(拜上)《편지에서의》 „Hochachtungsvoll"; „voller Hochachtung".

배상(賠償) Entschädigung *f.* -en; Ersatz *m.* -es; 《패전국의》 Reparation *f.* -en. ～하다 entschädigen《*jn.* *für*^{4}》; Ersatz leisten 《*jm.* *für*^{4}》. ‖ ～금 Ersatzsumme *f.* -n / ～ 청구권 Entschädigungsanspruchsrecht *n.* -(e)s, -e / 손해 ～ Entschädigung *f.* -en.

배색(配色) die Zusammenstellung der Farben; Farbkombination *f.* -en. ～하다 die Farben zusammen|stellen; die Farben mischen.

배서(背書) 〖經〗 Giro [ʒiːro:] *n.* -s, -s; Indossament *n.* -(e)s, -e. ～하다 girieren^4; indossieren^4. ‖ ～인(人) Girant *m.* -en, -en.

배석(陪席) das Beisitzen*, -s. ～하다 als Richter bei|sitzen*. ‖ ～ 판사 beisitzender Richter, -s, -; Beisitzer *m.* -s, -; Assessor *m.* -s, -en.

배선(配船) die Verteilung der Schiffe auf verschiedene Linien.

배선(配線) die (elektrische Draht)leitung, -en. ‖ ～ 공사 das Drahtlegen*, -s.

배설(排泄) ～하다 aus|scheiden*^{4}; ab|sondern^4. ‖ ～물 Auswurf *m.* -(e)s, ⸚e; Exkrermente (*pl.*).

배속(配屬) Zuweisung *f.*; Anfügung *f.* ～하다 zu|weisen*^{34}. ‖ ～ 장교 der zu e-r Schule zugewiesene Offizier, -s, -.

배수(拜受) Empfang *m.* -(e)s, ⸚e. ～하다 empfangen*^{4}; erhalten*^{4}.

배수(配水) Wasserversorgung *f.* -en. ‖ ～관(管) Wasserleitungsröhre *f.* -n.

배수(倍數) ① 〖數〗 das Vielfache*, -n. ② 《갑절》 die doppelte Nummer, -n. ‖ 최소 공～ das kleinste gemeinsame Vielfache.

배수(排水) Abfluß〔Auslaß〕 *m.* ..flusses, ..flüsse; Wasserableitung *f.* -en. ‖ ～관 Abflußröhre *f.* -n; Entwässerungsröhre *f.* -n.

배수진(背水陣) ¶ ～을 치다 alle Brücken hinter ^{3}sich ab|brechen*.

배신(背信) Treubruch *m.* -(e)s, ⸚e; Verrat *m.* -(e)s. ～하다 die Treue brechen*. ‖ ～자 Treubrecher *m.* -s, - / ～ 행위 der Bruch der Treue.

배심(背心) aufrührerisches〔aufständisches〕 Herz, -ens, -en; rebellische Absicht, -en.

배심(陪審) Geschwor(e)nen〔Schwur〕gericht *n.* -(e)s, -e. ‖ ～원 der Geschwor(e)ne*, -n, -n / ～ 제도 Schwurgerichtswesen *n.* -s, -.

배아(胚芽) Keimknospe *f.* -n. ‖ ～미(米) der Reis mit Keimknospe.

배알 ① 《창자》 Eingeweide (*pl.*); Därme (*pl.*). ② 《부아》 Erbitterung *f.* -en; Ärger *m.* -s.

배알(拜謁) Audienz *f.* -en 《*bei*^{3}》. ～하다 in Audienz empfangen werden 《vom König》.

배앓이 Magenschmerzen *n.* -(e)s, -e; Kolik *f.* -en; Bauchgrimmen *n.* -s.

배액(倍額) doppelter Betrag, -(e)s, ⸚e〔Summe, -n〕; zweifache Gebühr (*pl.*).

배양(培養) Zucht〔Kultur〕 *f.* -en. ～하다 züchten^4; kultivieren^4. ‖ ～균 die gezüchtete Bakterie, -n.

배어나오다 aus^3 heraus〔durch〕|sickern; 《땀이》 aus|schwitzen; 《피가》 mit Blut durchtänkt sein.

배역(配役) Rollenverteilung *f.* -en. ¶ ～을 정하다 e-e Rolle verteilen.

배열(配列) Anordnung *f.* -en. ～하다 an|ordnen^4; ein|richten^4.

배엽(胚葉) 〖植〗 Keimhaut *f.* ⸚e.

배영(背泳) 〖體〗 Rückschwimmen *n.* -s.

배우(俳優) Schauspieler *m.* -s, -. ‖ 명 ～ der ausgezeichnete Schauspieler, -s, -; Löwe *m.* -n, -n / 영화 ～ Filmschauspieler.

배우다 lernen^4; studieren^4; ^{4}Unterricht nehmen*; gelehrt werden; ^{4}sich üben 《*in*^{3}》. ¶ 독일어를 ～ Deutsch lernen / 법률을 ～ Jura studieren.

배우자(配偶者) Lebensgefährte *m.* -n, -n; Lebensgefährtin *f.* -nen; Gatte *m.* -n, -n; Gattin *f.* -nen.
배움 das Lernen*, -s; Gelehrsamkeit *f.* ¶~의 길 der Weg zur Wissenschaft.
배움터 Lernplatz *m.* -es, -e[¨e]; Schule *f.* -n.
배웅 Abschiedsgeleit *n.* -(e)s, -e; das Nachsehen*, -n. ~하다 begleiten; nach|sehen*; abreisen sehen*.
배율(倍率) Vergrößerungskraft *f.* ¨e; Vergrößerung *f.* -en.
배은망덕(背恩忘德) Undank *m.* -(e)s; Undankbarkeit *f.*
배음(倍音) 〔樂〕 Oberton *m.* -(e)s, ¨e.
배일(排日) antijapanisch; japanfeindlich.
배임(背任) Treubruch *m.* -(e)s, ¨e; das Brechen* der Treue. ‖~죄 das Brechen* der Treue; Treubruch *m.* -(e)s, ¨e (~죄로 고발당하다 des Treubruches angeklagt werden).
배자(褙子) Weste *f.* -n.
배전(倍前) ~의 verdoppelt. ¶~의 애호를 바랍니다 Wir bitten Sie um Ihre beständige Begünstigung.
배전(配電) die Verteilung der Elektrizität. ‖~반(盤) Schalt·brett *n.* -(e)s, -er 〔-tafel *f.* -n〕.
배정(配定) Arrangement *n.* -s, -s; Zuteilung *f.* -en.
배제(排除) Ausschließung *f.* -en; Ausschluß *m.* ..schlusses, ..schlüsse. ~하다 aus|schließen*⁴; weg|schaffen⁴.
배종(胚種) 〔植〕 Keim *m.* -(e)s, -e; Keimling *m.* -s, -e.
배증(倍增) Doppelung 〔Verdoppelung〕 *f.* -en.
배지 Ab〔Kenn〕zeichen *n.* -s, -.
배지느러미 〔魚〕 Bauchflosse der Fische.
배질 ① 《노질》 das Rudern*, -s; Ruderfahrt *f.* -en. ~하다 rudern*; segeln*. ② 《조는 일》 das Nicken*, -s.
배짱 ① 《뱃심》 Mut *m.* -(e)s; Kühnheit *f.* ¶~이 좋다 Er kann Haltung bewahren. ② 《속마음》 das Innere*, -n; Absicht *f.* -en.
배차(配車) die Verteilung der Wagen. ~하다 Wagen verteilen.
배척(排斥) Verwerfung *f.* -en; 《제외》 Ausschließung *f.* -en; 《추방》 Verbannung *f.* -en. ~하다 verwerfen⁴; ab|weisen*⁴; aus|schließen*⁴; verbannen⁴. ‖~ 운동 Bewegung *f.* -en 《*gegen*⁴》.
배추 Kohl *m.* -(e)s, -e. ‖~벌레 e-e Kohlpflanzen zerfressende Raupe, -n; die grüne Raupe, -n.
배출(排出) Ausstoßung *f.* -en; Ablassung *f.* -en. ~하다 aus|stoßen*⁴; ab|lassen*⁴. ‖~구 Ausfluß *m.* ..flusses, ..flüsse.
배출(輩出) Hintereinandererscheinung *f.* -en. ~하다 hintereinander erscheinen*.
배치(背馳) Widerspruch *m.* -(e)s, ¨e; Gegensatz *m.* -es, ¨e.
배치(配置) (Auf)stellung 〔Einrichtung; Postierung〕 *f.* -en. ~하다 (auf|)stellen⁴; ein|richten⁴; postieren⁴; verteilen⁴; an|ordnen⁴.
배타(排他) Ausschließung *f.* -en. ~적(인) ausschließlich; exklusiv. ‖~주의 Exklusivität *f.* -en.
배탈 Magenschmerz *m.* -es, -en. ¶~이 나다 Magenschmerzen haben.
배터 Schläger *m.* -s, - 《야구의》.
배터리 〔電〕 Batterie *f.* -n.
배턴 Baton[batɔ̃:] *m.* -s, -s; Stab *m.* -(e)s, ¨e 《릴레이용의》; (Takt)stock *m.* -(e)s, ¨e 《지휘용의》.
배트 Schlagstock *m.* -(e)s, ¨e 《야구의》.
배편(一便) das geeignete Schiff, -(e)s, -e; das zur Abfahrt bereitliegende Schiff. ¶~이 나는대로 bei erster ³Fahrgelegenheit.
배포(配布) Verteilung 〔Austeilung〕 *f.* -en. ~하다 ⁴*et.* an *jn.* verteilen; aus|teilen.
배포(排布·排鋪) 《도량》 Großmut *f.*; Großherzigkeit *f.*
배필(配匹) Lebensgefährte *m.* -n, -n; Lebensgefährtin *f.* ..tinnen.
배합(配合) ~하다 verbinden*; zusammen|stellen⁴; zusammen|setzen⁴; harmonieren lassen*. ‖~ 비료 gemischtes Düngemittel, -s, -; Mischdünger *m.* -s, - / ~ 사료 Mischfutter *n.* -s, -.
배화교(拜火教) Feueranbetung *f.* -en.
배회(徘徊) ~하다 umher|gehen*.
배후(背後) Rücken *m.* -s, -; Hinterseite *f.* -n. ¶~에 hinten; im ³Rücken; 《…의 ~에》 hinter³.
백(百) hundert. ¶백배의 hundertfältig.
백계(百計) alle (Hilfs)mittel 〔Maßregel〕 (*pl.*).
백계(白系) ‖~ 러시아인 Weißrusse *m.* -n, -n.
백곡(百穀) alle Getreidearten (*pl.*).
백골(白骨) Gerippe *n.* -s, -; Skelett *n.* -(e)s, -e. ¶~난망이다 sehr dankbar sein.
백곰(白一) der weiße Bär, -en, -en; Eis〔Polar〕bär *m.* -en, -en.
백과사전(百科事典) Enzyklopädie *f.* -n; (Konversations)lexikon *n.* -s, ..ka 〔..ken.〕
백관(百官) alle Regierungsbeamten (*pl.*). ‖문무 ~ Zivil- und Militärbeamte (*pl.*).
백구(白鷗) 〔鳥〕 Möwe *f.* -n.
백그라운드 Hintergrund *m.* -(e)s, ¨e.
백금(白金) Platin *n.* -s.
백기(白旗) die weiße Fahne, -n; Parlamentärflagge *f.* -n.
백내장(白內障) der graue Star, -(e)s, -e; Katarakta *f.* ..ten.
백년(百年) hundert Jahre (*pl.*); 《세기》 Jahrhundert *n.* -(e)s, -e. ¶~ 해로하다 bis ins hohe Alter zusammen|leben. ‖~ 대계 der weitreichende Plan, -(e)s, ¨e; die Politik auf weite Sicht / ~제 hundertjährige Feier.
백대하(白帶下) Leukorrhöe *f.*
백동(白銅) ☞ 백통.
백랍(白蠟) das weiße Wachs, -es, -e.
백로(白鷺) 〔鳥〕 der weiße Reiher, -s, -; Siberreiher *m.* -s, -.
백마(白馬) Schimmel *m.* -s, -.
백만(百萬) Million *f.* -en. ‖~ 장자 Millionär *m.* -s, -e.
백모(伯母) Tante 〔Base〕 *f.* -n.
백묵(白墨) =분필(粉筆).
백문(百聞) ¶~이 불여 일견 Erfahrung ist die beste Schule.

백미(白米) der gereinigte Reis, -es.
백미(白眉) der Beste*, -n, -n 《von³; unter³》; Ausbund m. -(e)s, ⸗e.
백미러 Rückblickspiegel m. -s, -.
백반(白飯) der reine gekochte Reis (ohne Beimischung anderer Getreidearten).
백반(白礬) Alaun m. -(e)s, -e.
백발(白髮) das graue 〔weiße〕 Haar, -(e)s, -e. ¶ ~의 grauhaarig; weißhaarig / ~이 성성한 grau meliert.
백발백중(百發百中) nie das Ziel 〔die Scheibe〕 verfehlen; nie fehl|schießen*⁴.
백방(百方) ¶ ~으로 손을 쓰다 kein Mittel unversucht lassen*; alle Mittel ein|-setzen 〔auf|bieten*〕.
백배(百倍) ein Hundertmal n. -(e)s, -e. ~하다 verhundertfachen; vermehren hundertmal. ¶ ~의 hundertfach; hundertfältig.
백배(百拜) ~하다 hundertmal e-e Verbeugung vor jm. machen.
백병전(白兵戰) Nahkampf m. -(e)s, ⸗e; Handgemenge n. -s, -.
백부(伯父) Onkel m. -s, -; Oheim m. -(e)s, -e.
백분(百分) ¶ ~의 zentesimal; hundertteilig / ~의 일 das 〔ein〕 Hundertstel; Prozent n. -(e)s, -e. ‖ ~율 Prozentsatz n. -(e)s, ⸗e; Prozent n.
백사(白沙) weißer Sand, -(e)s, -e. ‖ ~장 Sand·ufer n. -s, -. 〔-küste〕 f. -n; Sand·ebene 〔-wüste〕 f. -n.
백살(百—) (ein)hundert Jahre alt.
백색(白色) Weiß n. -es; das Weiße*, -n. ‖ ~ 인종 weiße Rasse, -n 〔Leute〕 / ~ 테러 weißer Terror, -s.
백서(白書) Weißbuch n. -(e)s, ⸗er. ‖ 경제 ~ das wirtschaftliche Weißbuch.
백선(白癬) 〘醫〙 Grind m. -(e)s, -e.
백설(白雪) (weißer) Schnee, -s. ¶ ~ 같은 schneeweiß; weiß wie Schnee.
백설기(白—) der gedünstete Reiskuchen, -s, -.
백설탕(白雪糖) der weiße Zucker, -s, -.
백성(百姓) Nation f. -en; Volk n. -(e)s, ⸗er; Bürger m. -s, -. ~의 national; Volks-; bürgerlich. ¶ 만~ die Leute von allen Nationen.
백수(百獸) alle Tiere (pl.). ¶ ~의 왕 der König aller Tiere.
백수건달(白手乾達) Taugenichts m. -〔-es〕, -e; Faulpelz m. -es, -e; Wüstling m. -s, -e.
백숙(白熟) das im Wasser gekochte Fleisch 〔Fisch〕.
백신 Vakzin n. -s, -e. ‖ ~ 접종 Vakzination f. -en / 생~ Lebendvakzine f. -n.
백씨(伯氏) Ihr Herr Bruder, -es -n -s, -e -en ⸗; 《제삼자일 때》 sein* Bruder, -es -s, -e ⸗.
백악(白堊) Kreide f. -n. ¶ ~(질)의 kreidig. ‖ ~관(舘) das Weiße Haus.
백안시(白眼視) ~하다 unfreundlich an|-blicken⁴.
백야(白夜) Polarnacht f. ⸗e.
백약(百藥) alle Arzneien (pl.). ¶ ~지장(之長) die beste aller Arzneien; die Arzenei der Arzneien.
백양(白羊) weißes Schaf, -(e)s, -e.
백열(白熱) das Weißglühen*, -s; Weißglut f. ‖ ~ 가스등 das hitzige Gaslicht, -es, -e / ~ 전등 die hitzige elektrische Lampe, -n.
백옥(白玉) weißer Edelstein, -(e)s, -e.
백운(白雲) die weiße 〔helle〕 Wolke, -n; Lammerwolke f. -n.
백운모(白雲母) 〘鑛〙 Katzensilber n. -s.
백운석(白雲石) 〘鑛〙 Bitterkalk m. -(e)s, -e.
백의(白衣) das weiße Gewand, -(e)s, ⸗e(r). ‖ ~ 민족 das Volk, das weiße Kleider trägt; koreanische Leute.
백인(白人) der Weiße*, -n, -n.
백인(白刃) das blanke 〔bloße〕 Schwert, -(e)s, -er; die blanke Waffe, -n.
백일(白日) 《한낮》 der helle Tag, -(e)s, -e. ¶ ~하에 드러내다 ⁴et. an den Tag bringen* 〔legen; ziehen*〕; ⁴et. an das Sonnenlicht bringen*. ‖ ~몽 die (Tages)träumerei, -en; Tagtraum m. -(e)s, ⸗e.
백일(百日) (ein)hundert Tage. ‖ ~ 기도 das Gebet für ein Hundert Tage / ~해(咳) Keuchhusten m. -s; Pertusis f.
백일장(白日場) das Wettdichten*, -s.
백일홍(百日紅) 〘植〙 indischer Flieder, -s, -.
백작(伯爵) Graf m. -en, -en. ‖ ~ 부인 Gräfin f. -nen.
백장 Fleischer 〔Schlächter; Metzger〕 m. -s, -.
백전(百戰) ununterbrochener Kampf, -(e)s, ⸗e. ‖ ~ 노장 Veteran m. -en, -en.
백절불굴(百折不屈) ~의 unermüdlich; unverdrossen; unbezwinglich; unbezähmlich; unnachgiebig.
백점(百點) hundert Punkte; die beste Zensur, -en 《만점》.
백정(白丁) = 백장.
백조(白鳥) ① 《고니》 Schwan m. -(e)s, ⸗e. ② 《해오라기》 der weiße Reiher, -s, -.
백주(白晝) der hell(icht)e Tag, -(e)s, -e. ¶ ~에 am hellen 〔hellichten〕 Tag.
백중(伯仲) ~하다 jm. gleich|kommen*; es mit jm. auf|nehmen* 〔aufnehmen können*〕.
백지(白紙) 《흰종이》 das weiße Papier, -s; 《공백의》 das ungeschriebene 〔leere〕 Papier. ‖ ~ 위임장 Blankovollmacht f. -en; die ungeschränkte Vollmacht.
백지도(白地圖) Umrißkarte f. -n.
백척간두(百尺竿頭) der Rand e-s Abgrundes.
백출하다(百出—) in rascher 〔bunter〕 Folge erscheinen* 〔auf|treten*; vor|fallen*〕.
백치(白痴) 《병》 Idiotie f. -n; Blödsinn m. -(e)s; 《사람》 Idiot m. -en, -en.
백탄(白炭) die feine Holzkohle, -n.
백태(白苔) ① 《혀의》 der weiße Belag, -(e)s, ⸗e 《der Zunge》. ② 《눈의》 die krankhafte Bedeckung auf dem Augapfel.
백토(白土) Weißton 〔Weißlehm〕 m. -(e)s, -e.
백통(白—) Nickel m. -s. ‖ ~전 Nickel m. -s, -; Nickelmünze f. -n.
백팔십도(百八十度) ¶ ~ 전환하다 ⁴sich 100%ig 〔hundertprozentig〕 um|stellen 《auf⁴》.

백퍼센트(百—) hundert Prozent *n.*〔*m.*〕 –(e)s, –e. ¶效과 ～의 hundertprozentig wirksam.
백포도주(白葡萄酒) Weißwein *m.* –(e)s, –e.
백학(白鶴)〖鳥〗Kranich *m.* –(e)s, –e.
백합(白蛤)〖貝〗eßbare Muschel, –n.
백합(百合)〖植〗Lilie *f.* –n.
백해무익(百害無益) großer〔unersetzlicher〕Schaden ohne einzigen Vorteil.
백혈구(白血球) das weiße Blutkörperchen, –s, –; Leukozyten (*pl.*).
백혈병(白血病) Leukämie *f.* –n. ～의 leukämisch.
백형(伯兄) der älteste Bruder, –s, ⸚.
백화(百花) alle Sorten von Blumen.
백화점(百貨店) Waren〔Kauf〕haus *n.* –es, ⸚er.
밴대(보지) die Vulva ohne Schamhaar.
밴대질 der Geschlechtsverkehr zwischen Frauen.
밴드 ① (띠 등) (Schnür)band *n.* –(e)s, ⸚er; Schnur *f.* ⸚e; Gürtel *m.* –s, –. ② (악단) (Musik)kapelle *f.* –n. ‖브라스 ～ Trompeterkorps *n.* –, –.
밴조〖樂〗Banjo *n.* –s, –s.
밴텀급(—級) Bantamgewicht *n.* –(e)s.
밸런스 Gleichgewicht *n.* –(e)s; Balance *f.* –n; Saldo *m.* –s, –s〔..den, ..di〕.
밸브 Klappe *f.* –n; Ventil *n.* –s, –e.
뱀 Schlange *f.* –n. ¶뱀같은 schlangenartig; schlangenförmig.
뱀장어(—長魚)〖魚〗Aal *m.* –(e)s, –e.
뱁새〖鳥〗der koreanische Zaunkönig, –(e)s, –e.
뱃고동 Dampfpfeife *f.* –n.
뱃길 (항로) Fahrwasser *n.* –s; Kurs *m.* –es, –e; Seeweg *m.* –(e)s, –e.
뱃노래 Schifferlied *n.* –(e)s, –er.
뱃놀이 Boot〔Wasser〕fahrt *f.* –en.
뱃대끈 (마소의) Sattelgurt *m.* –(e)s, –e.
뱃머리 (Schiffs)schnabel *m.* –s, ⸚; Bug *m.* –(e)s, ⸚e.
뱃멀미 Seekrankheit *f.* ～하다 seekrank werden; nicht seefest sein.
뱃사공(—沙工) Bootsmann *m.* –(e)s, ..leute; Schiffer *m.* –s, –.
뱃사람 Schiffer〔Seefahrer〕*m.* –s, –; Seemann *m.* –(e)s, ⸚er〔..leute〕; Matrose *m.* –n, –n.
뱃삯 Fahrgeld *n.* –(e)s, –er; Fahrpreis *m.* –es, –e.
뱃소리 Seemanns〔Schiffer〕lied *n.* –s, –er.
뱃속 (배의 속) Magen *m.* –s, –; (속마음) Herz *n.* –ens, –en; das Innere*, –n; Absicht *f.* –en.
뱃심 Kühnheit *f.*; Beherztheit *f.* ¶～이 좋은 beherzt; unerschrocken; dreist; frech; keck.
뱃일 die Arbeit an Bord e–s Schiffes.
뱃전 die Seite e–s Schiffes.
뱃줄 (Schiffs)tau *n.* –(e)s, –e.
뱃짐 Fracht *f.* –en; Schiffsladung *f.* –en; Frachtgut *n.* –(e)s, ⸚er. ¶～을 부리다 die Fracht entladen*.
뱅뱅 rund〔im Kreise〕herum. ¶～ 돌다 ⁴sich (im Kreise) drehen / ～ 돌리다 herum|drehen.
뱅어(—魚) Weißfisch *m.* –(e)s, –e.
뱅충맞다 (똘똘하지 못함) plump〔ungeschickt〕(sein); (어리석음) dumm〔töricht; albern〕(sein).
뱅충이 ein plumper〔ungeschickter; dummer〕Mensch; ein närrischer Kerl.
뱉다 (입밖으로) aus|speien*⁴; (比) auf|geben*(die gestohlenen Dinge); preis|geben*⁴; aus|werfen*⁴. ¶가래를 ～ Schleim aus|husten.
뱐죽거리다 leichtsinnig handeln.
버겁다 zu groß, als daß man es behandeln könnte.
버그러뜨리다 spalten; zerbrechen*; zersprengen.
버그러지다 spalten; zerteilen; ⁴sich trennen; auf|teilen.
버금 der〔die; das〕zweite der Reihe; der〔die; das〕nächste. ¶～ 가다 stehen*(*neben*³); rangieren (*hinter*³); gleich|kommen*(*jm.*; ³*et.*).
버둥거리다 mit Händen u. Füßen zappeln; ⁴sich sträuben (*gegen*⁴) (저항); zappeln (동작); ⁴sich um|treiben*⁴.
버드나무〖植〗Weide *f.* –n.
버라이어티 Abwechs(e)lung *f.* –en (변화); Mannigfaltigkeit *f.* –en(다양성);〖劇〗Varieté [varieté:] *n.* –s, –s.
버럭 plötzlich. ¶～ 화내다 in ⁴Wut geraten*; vor ³Wut außer ⁴sich geraten*〔platzen〕.
버력 (천벌) Gotteszorn *m.* –(e)s; göttliche Vergeltung, –en. ¶～을 입다 vom Himmel bestraft werden.
버릇 ① Gewohnheit *f.* –en; Hang *m.* –(e)s, ⸚e; (경향) Neigung *f.* –en; (병적인) Sucht *f.* ⸚e; (악습) Laster *n.* –s, –; (특성) Eigenart *f.* –en. ¶～이 되다 *jm.* zur Gewohnheit werden. ② (예의) Höflichkeit *f.* –en; Etikette *f.* –n. ¶～이 없는 unartig; ungezogen; mißraten; schlechterzogen.
버리다 weg|werfen*⁴; (사람을) verlassen*⁴; im Stich lassen*⁴; (포기) auf|geben*; verzichten (*auf*⁴); entsagen³; (더럽히다) beschmutzen⁴. ¶쓰레기를 ～ Müll ab|laden* / 헌 신짝처럼 ～ zum alten Eisen werfen.
버무리다 vermischen; mischen.
버새〖動〗Maul·tier *n.* –(e)s, –e〔–esel *m.* –s, –〕.
버선 koreanische Socke, –n. ¶～을 신다〔벗다〕Socken an|ziehen*〔aus|ziehen*〕.
버섯〖植〗der eßbare Pilz, –es, –e (식용); Schwamm *m.* –(e)s, ⸚e; Giftpilz (유독).
버성기다 ① (틈이) locker〔lose; schlaff; lappig〕(sein). ¶사개가 버성기었다 Der Zapfen wurde locker. ② (사이가) entfremden; ⁴sich e–m entfremden.
버스 Auto(omni)bus *m.* –ses, –se.
버스트 Büste *f.* –n; (weiblicher) Busen *m.* –s, –.
버저 Summer *m.* –s, –.
버젓하다 ansehnlich〔erhaben; stattlich〕(sein).
버짐 Ringelflechte *f.* –n; Fungus *m.* –, –〔..gi〕.
버찌〖植〗Kirsche *f.* –n.
버캐 die kristallisierte Substanz, –en; Kristall *m.* –s, –e.
버클 Schnalle〔Spange〕*f.* –n; Koppelschloß *n.* ..losses, ..lösser.

버터 Butter *f.* ¶~빵 Butterbrot *n.*
버튼 Knopf *m.* -(e)s, ¨e. [-(e)s, -e.]
버티다 《참고 배기다》 aus|dauern; aus|harren; aus|halten*⁴; durch|halten*; stand|halten*; beharren; 《괴다》 stützen; e-n Halt geben*.
버팀목(—木) Stütze *f.* -n; Stützpfeiler *m.* -s, -; Strebe *f.* -n.
벅스킨 Wildleder *n.* -s, -; Buckskin *m.* -s, -s.
벅차다 《힘에 겹다》 *js.* Kräfte übersteigen* 〔überfordern〕; anstrengend (sein); 《넘칠 듯하다》 überwältigend 〔großartig〕 (sein); 《가슴이》 ergriffen (sein).
번(番) ① 《당직》 Dienst *m.* -es, -e. ② 《순번》 Reihe *f.* -n. ③ 《번호》 Nummer *f.* -n. ④ 《횟수》 Mal *n.* -(e)s, -e. ¶한〔두〕번 ein〔zwei〕mal.
번각(飜刻) Ab〔Nach〕druck *m.* -(e)s, -e. ~하다 ab|drucken⁴; nach|drucken⁴.
번갈아(番—) abwechselnd; wechselweise.
번개 Blitz *m.* -es, -e; Blitzstrahl *m.* -(e)s, -en. ¶~치다 Es blitzt / ~같이 wie der Blitz.
번거롭다 ① 《귀찮다》 lästig 〔ermüdend; quälend; verdrießlich〕 (sein). ② 《복잡하다》 kompliziert 〔verwickelt; schwierig〕 (sein).
번나다(番—) dienstfrei haben; abgelöst werden.
번뇌(煩惱) weltliche Sorgen (*pl.*); die sinnliche Begierde, -n; Sinngenuß *m.* ..nusses, ..nüsse.
번다(煩多) Lästigkeit〔Beschwerlichkeit〕 *f.* -en. ~하다, ~스럽다 lästig 〔beschwerlich; verdrießlich; leidig〕 (sein).
번데기 〖蟲〗 Puppe *f.* -n. ¶~가 되다 ⁴sich ein|puppen.
번드르르하다 flitterhaft 〔flitterig; prunkvoll〕 (sein).
번득이다 funkeln. ¶번득이는 눈 die unheimlich funkelnden Augen (*pl.*).
번들다(番—) im Dienst sein.
번롱(飜弄) ~하다 tändeln《*mit*³》; spielen 《*mit*³》; *jn.* an der Nase herum|führen; *jn.* zum Narren haben 《우롱하다》.
번망(煩忙) ~하다 geschäftig 〔sehr beschäftigt; mit Arbeit sehr belastet; stark in Anspruch genommen〕 (sein).
번문욕례(繁文縟禮) Bürokratismus *m.* -; Beamtenwirtschaft *f.*; Amtsschimmel *m.* -s.
번민(煩悶) Seelen·pein *f.* 〔-qual *f.* -en; -not *f.* ¨e〕; Beunruhigung *f.* -en. ~하다 ⁴sich beunruhigen《*über*⁴; *um*⁴; *wegen*²》; ⁴sich quälen 《*über*⁴; *wegen*²》; ⁴sich grämen 《*über*⁴》.
번번이(番番—) jedesmal; jederzeit; allzeit; immer.
번복(飜覆) (Ver)änderung *f.* -en; Wendung *f.* -en. ~하다 ändern; verändern; wenden*.
번분수(繁分數) 〖數〗 zusammengesetzter Bruch, -s, ¨e.
번서다(番—) Wache stehen*; Dienst haben.
번성(蕃盛) ~하다 gedeihen*; wuchern; üppig wachsen*.
번성(繁盛) das Gedeihen*〔Blühen*〕 -s; Aufschwung *m.* -(e)s, ¨e. ~하다 gedeihen*; blühen; florieren.
번쇄(煩瑣) ~하다 umständlich 〔lästig; peinlich genau〕 (sein).
번식(繁殖) Wachstum *n.* -s, -; Zuwachs *m.* -es, -; Fortpflanzung 〔Vermehrung〕 *f.* -en. ~하다 ⁴sich fort|pflanzen; ⁴sich vermehren; (an|)wachsen*; gedeihen*.
번안(飜案) Bearbeitung *f.* -en. ‖~ 소설 ein bearbeiteter Roman, -s, -e.
번역(飜譯) Übersetzung 〔Übertragung; Version〕 *f.* -en. ~하다 ⁴*et.* (aus dem Englischen ins Deutsche) übersetzen 《영어에서 독일어로》; ⁴*et.* 〔ins Koreanische〕 übertragen* 《우리말로》. ‖~자 Übersetzer *m.* -s, -.
번연히(幡然—) mit e-m Mal; plötzlich; jäh; wie vom Blitz getroffen.
번영(繁榮) das Gedeihen*, -s; Wohlstand *m.* -(e)s, ¨e. ~하다 gedeihen*; blühen.
번의(飜意) der Widerruf des Entschlusses; Meinungsänderung *f.* -en. ~하다 s-e Meinung ändern; s-n Entschluß wider|rufen*.
번잡(煩雜) Verwicklung 〔Kompliziertheit; Lästigkeit; Umständlichkeit〕 *f.* -en. ~하다 verwickelt 〔beschwerlich; kompliziert; lästig〕 (sein).
번죽거리다 ⁴sich frech benehmen*; belästigen; provozieren.
번지(番地) Haus〔Straßen〕nummer *f.* -n; Adresse *f.* -n 《주소》.
번지다 durch|schlagen*; aus|laufen*; ⁴sich verbreiten; um ⁴sich greifen*; 《확대》 ⁴sich vergrößern.
번지르르하다 spiegelblank 〔glänzend〕 (sein).
번쩍이다 blitzen; blinken; glänzen; funkeln; flimmern.
번차례(番次例) Reihenfolge *f.* -n. ¶~로 der Reihe nach; nach der Reihenfolge.
번창(繁昌) das Gedeihen* 〔Blühen*〕 -s. ~하다 gedeihen*; auf|kommen*; blühen; 《고객이 많음》 vielbesucht sein. ¶장사가 ~하다 das Geschäft blüht.
번철(燔鐵) Bratpfanne *f.* -n.
번트〖野球〗 leichter Schlag, -(e)s, ¨e 《ins Spielfeld》. ~하다 leicht schlagen*.
번하다 dämmerig 〔dämmerhaft〕 (sein). ¶번해지다 allmählich hell(er) werden.
번호(番號) Nummer *f.* -n; 《구령》 Abzählen! ¶~순으로 nach der Reihenfolge. ‖~표 Nummerkarte *f.* -n / 대표 ~ 《전화의》 Sammelnummer *f.* -n.
번화(繁華) Lebhaftigkeit *f.* -en. ~하다 lebhaft 〔belebt〕 (sein). ‖~가(街) Rummelplatz *m.* -es, ¨e; die belebte Straße, -n; (Haupt)geschäftsstraße *f.* -n.
번디디다 《발을》 s-e Füße fest auf den Boden setzen; 《금 밖으로》 Markierung übertreten*.
벋버듬하다 e-e Lücke zwischen zwei Enden haben.
벋버스름하다 ⁴sich miteinander nicht gut vertragen*.
벋정다리 steifes Bein, -(e)s, -e. ¶그는 ~로 걷는다 Er geht mit einem steifen Bein.
벌¹ Feld *n.* -(e)s, -er; Flur *f.* -en; Einöde *f.* -n 《황야》.

벌² 《짝》 Garnitur *f.* -en; Satz *m.* -es, ⸚e; Sortiment *n.* -(e)s, -e; Anzug *m.* -(e)s, ⸚e《의복의》; Paar *n.* -s, -e《한 벌》.
벌³ 〖蟲〗 Biene *f.* -n; Honigbiene 《꿀벌》; Wespe *f.* -n 《땅벌》; Hornisse *f.* -n 《말벌》.
벌(罰) Strafe *f.* -n; Bestrafung *f.* -en; 《징벌》 Züchtigung *f.* -en. ～하다 (be-)strafen 《*jn.*》; züchtigen. ¶벌받다 e-e Strafe erleiden*; 《천벌》 vom Himmel bestraft werden.
벌거벗기다 entkleiden 《*jn.*》.
벌거벗다 ⁴sich nackt aus|kleiden 〔aus|ziehen*〕.
벌거숭이 der nackte Körper, -s, -; die nackte Gestalt, -en; Nacktheit *f.* -en.
벌그데데하다 unsauber rot 〔schmutzig u. unangenehm rot〕 sein.
벌그무레하다 rötlich (sein).
벌금(罰金) Strafgeld *n.* -(e)s, -er; 《형》 Geldstrafe 〔Geldbuße〕 *f.* -n. ¶～을 과하다 mit e-r Geldstrafe belegen 《*jn*》.
벌꿀 Honig *m.* -s.
벌다 gewinnen*⁴; 《일해서》 verdienen⁴; Gewinn ziehen* 《*aus*³; *bei*³》.
뻘떡 《일어서는 모양》 plötzlich; auf einmal; schnell; mit eins.
벌떡거리다 ① 《물을》 saufen*⁴; hinunter|schlingen*⁴. ¶물을 벌떡거리며 마시다 Wasser hastig hinunter|schlingen. ② 《가슴 맥박이》 pochen; klopfen.
벌떡벌떡 ¶～ 마시다 《물을》 hinunter|schlucken⁴; in großen Schlucken trinken*⁴ / ～ 뛰다 《맥·심장이》 heftig pulsieren; schnell 〔stark〕 schlagen*.
벌렁 《자빠지는 모양》 rücklings; auf dem Rücken. ¶～ 자빠지다 rücklings 〔auf den Rücken〕 fallen*.
벌레 Insekt *n.* -(e)s, -en; Kerbtier *n.* -(e)s, -e; Wurm *m.* -(e)s, ⸚er; Raupe *f.* -n; Käfer *m.* -s, -; 《좀》 Motte *f.* -n; 《해충》 Ungeziefer *n.* -s, -; 《독충》 das giftige Insekt, -(e)s, -en.
벌리다¹ 《돈 등이》 gewonnen 〔verdient〕 werden. ¶그것은 돈이 많이 벌린다 Damit kannst du viel Geld verdienen.
벌리다² ① 《열다》 auf|tun*; öffnen. ② 《넓히다》 frei lassen*; weiter machen; verbreiten. ¶팔을 ～ s-e Arme aus|strecken.
벌린춤 ¶～이다 Wer A sagt, muß auch B sagen.
벌목(伐木) das Holzen*, -s; das Holzfällen*, -s. ～하다 Bäume fällen; holzen.
벌벌 zitternd; schaudernd; schauernd. ¶～ 떨다 Angst〔Furcht〕 haben《*vor*³》.
벌새 〖鳥〗 Fliegenvogel *m.* -s, ⸚.
벌써 schon; bereits. ¶～ 네시다 Es ist schon vier Uhr.
벌쐬다 von e-r Biene gestochen werden.
벌쓰다(罰—) bestraft werden.
벌어먹다 für den Lebensunterhalt arbeiten; ⁴sich mit Arbeit durchschlagen. ¶붓으로 ～ ⁴sich mit der Feder ernähren.
벌어지다 ① 《새가 뜸》 ⁴sich erweitern; größer werden. ② 《일이 터짐》 groß werden; ⁴sich aus|weiten; ⁴sich entwickeln. ¶일이 크게 ～ Die Angelegenheit wird ernst. ③ 《가로 퍼짐》 stämmig 〔kräftig〕 sein. ¶어깨가 딱 ～ breitschultrig sein.
벌이 Gewinn *m.* -(e)s, -e; Verdienst *m.* -es, -e; Vorteil 〔Erwerb〕 *m.* -(e)s, -e. ～하다 arbeiten⁴; s-n Unterhalt verdienen⁴; 《벌다》 gewinnen*⁴.
벌이다 ① 《베풀다》 (ab|)halten*; veranstalten; geben*. ② 《가게를 차리다》 öffnen; eröffnen; an|fangen*; errichten; gründen. ③ 《늘어놓다》 aus|stellen; zur Schau (aus|)stellen; aus|legen.
벌점(罰點) Strafzensur *f.* -en; schlechte Zensur. ¶～을 주다 *jm.* e-e schlechte Zensur geben*.
벌족(閥族) prominente Familie, -n; Clan *m.* -s, -s.
벌주(罰酒) alkoholischer Getränk zum Schlucken zur Strafe.
벌주다(罰—) (be)strafen; *jm.* e-e Strafe auferlegen; über *jn.* e-e Strafe verhängen.
벌집 Bienenstock *m.* -(e)s, ⸚e; Wabe *f.* -n; Wespennest *n.* -es, -e. ¶～을 건드리다 in ein Wespennest stechen* 〔greifen*〕.
벌채(伐採) Holzschlag *m.* -(e)s, ⸚e; Holzung *f.* -en. ～하다 fällen; schlagen*.
벌초(伐草) das Mähen* des Grases um den Grab. ～하다 Gras um den Grab mähen.
벌충 Ersatz *m.* -es; Entschädigung〔Entgeltung; Wiedergutmachung〕 *f.* -en; Ausgleich *m.* -(e)s, -e. ～하다 ersetzen⁴; Ersatz leisten 《*für*⁴》; *jm.* entschädigen⁴; *jm.* entgelten*⁴; aus|gleichen*⁴.
벌칙(罰則) Straf·bestimmung〔-ordnung〕 *f.* -en; Strafstatuten (*pl.*). ¶～에 따라 nach dem Strafgesetz.
벌컥 ☞발칵.
벌통(—桶) Bienenstock *m.* -(e)s, ⸚e.
벌판 Feld *n.* -(e)s, -er; Heide 〔Ebene; Wiese〕 *f.* -n.
범 Tiger *m.* -s, -; Tigerin *f.* -nen.
범-(汎) pan-〔Pan-〕; gesamt-〔Gesamt-〕.
-범(犯) ¶지능범 das intellektuelle Verbrechen*, -s; der intellektuelle Verbrecher, -s, - 《사람》.
범과(犯過) Fehler *m.* -s, -; Irrtum *m.* -s, ⸚er.
범국민(汎國民) gesamtnational. ‖～운동 gesamtnationale Kampagne 〔Bewegung〕 -en.
범나비 ＝호랑나비.
범람(氾濫) Überflutung 〔Überschwemmung〕 *f.* -en. ～하다 überfluten*; überfließen*; überschwemmen⁴; über|treten*; die Ufer übersteigen.
범례(凡例) Zeichenerklärung *f.* -en; das Verzeichnis der Zeichen und Abkürzungen.
범미(汎美) panamerikanisch; gesamtamerikanisch. ‖～주의 Panamerikanismus *m.* -, ..men.
범벅 《음식》 ein dicker; scharfer Brei mit e-m Gemisch von verschiedenen Getreiden; 《뒤죽박죽》 Mischmasch *m.* -es, -e; Durcheinander *n.* -s. ¶～이 되다 vermischt werden.
범법(犯法) 《행위》 das Verbrechen*, -s; Frevel *m.* -s, -. ～하다 das Gesetz

brechen*〔übertreten*〕. ‖ ～자 Verbrecher 〔Frevler〕 *m.* -s, -.
범부(凡夫) Alltagsmensch *m.* -en, -en; der Sterbliche*, -n, -n.
범사(凡事) 《모든 일》 alles u. jedes; 《평범한 일》 gewöhnliche Angelgenheit.
범상(凡常) ～하다 gewöhnlich 〔üblich; normal; mittelmäßig; durchschnittlich〕 (sein). ¶ ～치 않은 ungewöhnlich; außerordentlich.
범선(帆船) Segler *m.* -s, -; Segel·boot 〔-schiff〕 *n.* -(e)s, -e.
범속(凡俗) Alltäglichkeit *f.* -en; Trivalität *f.* -en. ～하다 gewöhnlich 〔laienhaft; philiströs〕 (sein).
범신론(汎神論) Pantheismus *m.* -. ～적 pantheistisch.
범심론(汎心論) Panpsychismus *m.* -.
범아귀 Raum zwischen dem Daumen u. dem Zeigefinger.
범아랍(汎—) panarabisch; gesamtarabisch. ‖ ～주의 Panarabismus *m.* -.
범어(梵語) Sanskrit *n.* -(e)s.
범연(泛然) ～하다 unaufmerksam 〔unvorsichtig; schlampig; indifferent〕 (sein).
범용(凡庸) Mittelmäßigkeit *f.* -en. ～하다 mittelmäßig 〔gewöhnlich; durchschnittlich〕 (sein).
범위(範圍) Bereich *m.* -(e)s, -e; Umfang *m.* -(e)s, ⸚e; Sphäre *f.* -n; Gebiet *n.* -(e)s, -e; Kreis *m.* -es, -e. ‖ 세력 ～ Einflußgebiet *n.* -(e)s, -e / 활동 ～ Wirkungskreis *m.*
범의(犯意) die böse Absicht, -en. ¶ ～없이 ohne böse Absicht.
범의귀 〖植〗 kriechender Steinbrech, -s, -e.
범인(凡人) Dutzendmensch *m.* -en, -en; Alltags〔Durchschnitts〕mensch; mittelmäßiger Kopf, -(e)s, ⸚e; Spießbürger *m.* -s, -.
범인(犯人) Verbrecher 〔Täter; Frevler; Missetäter〕 *m.* -s, -.
범자(梵字) Sanskritschrift *f.* -en.
범재(凡才) ein mittelmäßiger Kopf, -(e)s, ⸚e; ein Mann von mittelmäßigen Fähigkeiten.
범절(凡節) Etikette *f.* -n; Anstand *m.* -(e)s; gute Umgangsformen (*pl.*).
범종(梵鐘) Tempelglocke *f.* -n.
범죄(犯罪) Verbrechen *n.* -s, -; Frevel *m.* -s, -; Delikt *n.* -(e)s, -e. ¶ ～의 verbrecherisch; kriminal; kriminell 《범죄상의》. ‖ ～ 행위 Verbrechen / 소년 ～ das jugendliche Verbrechen.
범주(帆走) das Segeln*, -s. ～하다 segeln.
범주(範疇) Kategorie *f.* -n.
범칙(犯則) Gesetzesübertretung 〔Regelverletzung〕 *f.* -en; Fehler *m.* -s, -. ～하다 Gesetz überschreiten*; Regel verletzen; Fehler begehen*.
범태평양(汎太平洋) gesamtpazifisch. ‖ ～회의 gesamtpazifische Konferenz.
범포(帆布) Segelleinwand *f.* ⸚e; Segeltuch *n.* -(e)s, ⸚er.
범하다(犯—) begehen*[4]; verbrechen*; überschreiten*[4]; verletzen[4]; übertreten*; verstoßen* 《*gegen*[4]》; 《여자를》 notzüchtigen[4]; vergewaltigen[4]; schwächen[4].
범행(犯行) Verbrechen 〔Vergehen〕 *n.* -s, -; Vergehung *f.* -en.
법(法) 《법률》 Recht *n.* -(e)s, -e; Gesetz *n.* -es, -e; 〖文〗 Modus *m.* -, ..di; 《도리》 Vernunft *f.*; Grund *m.* -(e)s, ⸚e; 《방법》 Methode 〔Weise〕 *f.* -n; 〖數〗 Divisor *m.* -s, -en.
법과(法科) die juristische Fakultät, -en.
법관(法官) der Gerichtsbeamte*, -n, -n; Richter *m.* -s, -.
법규(法規) Rechtssatz *m.* -es; Gesetz *n.* -es, -e. ‖ 현행 ～ das bestehende Gesetz.
법당(法堂) die Halle mit Buddhastatue; Predigthalle *f.* -n.
법도(法度) Gesetze und Regelungen.
법랑(琺瑯) 《사기질》 Email [emá:j] *n.* -s, -s; Emaille [emá:jə] *f.* -n.
법령(法令) Gesetze und Verordnungen (*pl.*). ¶ ～의 정하는 바에 따라서 [3]der Bestimmung des Gesetzes gemäß.
법률(法律) Gesetz *n.* -es, -e; Recht *n.* -(e)s, -e. ¶ ～상 gesetzlich; rechtlich / ～을 지키다〔제정하다; 위반하다〕 das Gesetz beobachten〔geben; übertreten〕. ‖ ～가 der Rechtskundige*, -n, -n; Jurist *m.* -en, -en / ～ 사무소 Rechtsbüro *n.* -s, -s / ～책 juristische Buch, -(e)s, ⸚e.
법리(法理) Gesetz *n.* -es, -e; die gesetzliche Verfügung, -en. ‖ ～학 Rechts·wissenschaft 〔-philosophie〕 *f.*
법망(法網) der Arme des Gesetzes 〔der Justiz〕. ¶ ～에 걸리다 [4]sich ins Netz des Gesetzes verstricken.
법명(法名) 〖佛〗 der buddhistische Name, -ns, -n.
법무부(法務部) Justizministerium *n.* -s, ..rien. ‖ ～ 장관 Justizminister *m.* -s.
법문(法文) der Wortlaut des [2]Gesetzes; Gesetz *n.* -es, -e.
법문(法門) 〖佛〗 Buddhismus *m.* -; das Priestertum des Buddhismus.
법복(法服) 〖法〗 Amts·tracht〔-kleidung〕 *f.* -en.
법석떨다 viel Wesens〔Aufhebens〕 machen 《*von*[3]》.
법식(法式) 《법도와 양식》 Regeln u. Formen des Umgangs; Formalitäten (*pl.*); 《방식》 Schema *n.* -s, -s 〔..mata〕.
법안(法案) (Gesetz)antrag 〔Gesetzentwurf〕 *m.* -(e)s, ⸚e; Vorlage *f.* -n. ¶ ～을 제출하다 den Gesetzantrag vor|legen / ～을 통과시키다 das Gesetz durch|bringen*.
법어(法語) 〖佛〗 buddhistische Predigt, -en; buddhistische Literatur, -en.
법열(法悅) Seligkeit *f.* -en; Seelenheil *n.* -s; 〖佛〗 (die relisiöse) Ekstase, -n.
법요(法要) 〖佛〗 Totenfeier *f.* -n; der buddhistische Dienst, -(e)s, -e.
법원(法院) Gericht *n.* -(e)s, -e; Gerichtshof *m.* -(e)s, ⸚e. ‖ 고등 ～ das Höhere Gericht / 대～ das Oberste Gericht / 지방 ～ Landesgericht.
법의(法衣) Priester·rock *m.* -(e)s, ⸚e 〔-gewand, -(e)s, ⸚er〕.
법의학(法醫學) die gerichtliche Medizin, -en. ‖ ～자 Gerichtsarzt *m.* -es, ⸚e.
법인(法人) die juristische Person, -en; Körperschaft *f.* -en. ‖ 사단 ～ Korpo-

ration *f.* –en / 재단 ～ Stiftungsperson *f.* –en.

법적(法的) Rechts–; gesetzlich; gesetz〔recht〕mäßig. ‖～ 근거 Rechtsgrund *m.* –(e)s, ⸚e.

법전(法典) Gesetzbuch *n.* –(e)s, ⸚er; Kodex *m.* –(es), –e〔..dizes〕.

법정(法廷) Gerichtshof *m.* –(e)s, ⸚e; Gericht *n.* –(e)s, –e; Gerichtssaal *m.* –(e)s, ..säle. ¶～에 출두하다 [4]sich vor Gericht stellen. ‖～ 투쟁 Gerichtsstrategie *f.* –n.

법정(法定) ～의 gesetzlich; anerkannt; festgesetzt. ‖～ 노동 시간 Normalarbeitstag *m.* –(e)s, –e.

법제(法制) Gesetzgebung *f.* –en; Rechtsinstitut *n.* –(e)s, –e.

법조(法曹) der Justizbeamte*, –n, –n. ‖～계 die juristische Welt, –en.

법치국가(法治國家) Rechtsstaat *m.* –(e)s, –en.

법칙(法則) Gesetz *n.* –es, –e; Regel *f.* –n. ¶자연의 ～ Naturgesetz *n.*

법학(法學) Rechtswissenschaft *f.*; Jurisprudenz *f.* ‖～도 Jurist *m.* –en, –en / ～ 박사 Doktor der Rechte; Dr. jur / ～자 Jurist *m.*; der Rechtsgelehrte*, –n, –n.

법회(法會) 《설법의 모임》 buddhistische Vortragsversammlung; 《재 올리는 모임》 buddhistische Messe.

벗 Freund *m.* –(e)s, –e; 《동료》 Genosse *m.* –n, –n; Kamerad *m.* –en, –en.

벗겨지다 los|gehen*; ab|gehen*; [4]sich (ab|)schälen; beseitigt werden.

벗기다 ① 《겁질·가죽을》 ab|streifen[4]; ab|ziehen*[4]; ab|häuten[4]; (ab|)schälen[4]; ab|rinden*[4]. ② 《옷을》 *jn.* aus|ziehen*; *jn.* entkleiden; *jn.* s–s Kleides berauben; *jm.* ablegen helfen*.

벗나가다 [4]sich verirren; [4]sich verlaufen*; ab|schweifen 《*von*[3]》.

벗다 ab|legen[4]; aus|ziehen*[(4)]; 《모자를》 ab|nehmen*[4].¶옷을 ～[4]sich aus|kleiden; [4]sich aus|ziehen*[(4)].

벗어나다 ① 《헤어나다》 [3]*et.* entgehen*; [4]sich heraus|ziehen* 《*aus*[3]》; [4]sich befreien 《*von*[3]; *aus*[3]》; entkommen*[3]. ② 《어그러지다》 aus|gleiten*; entgleisen; widersprechen*[3]; verstoßen*《*gegen*[4]》.

벗어지다 [4]sich ab|schürfen[4]; [4]sich wund|reiben. ¶피부가 〔무릎이〕 ～ [3]sich die Haut 〔das Knie〕 ab|schürfen / 머리가 ～ kahl 〔köpfig〕 werden.

벗하다 《벗삼다》 intim werden; guter Freund von[3] werden.

벙벙하다 verblüfft 〔überwältigt; vor Überraschung sprachlos〕 (sein).

벙어리 der (Taub)stumme*, –n, –n《사람》; Stummheit *f.* ¶～의 (taub)stumm.

벚꽃 Kirschblüte *f.* –n.

벚나무 Kirschbaum *m.* –(e)s, ⸚e.

베 《삼베》 Hanftuch *n.* –(e)s, ⸚er; 《삼》 Hanfpflanze *f.* –n.

베개 (Kopf)kissen *n.* –s, –; Kopfhalter *m.* –s, –; (Kopf)polster *n.* –s, –; Pfühl *m.* 〔*n.*〕 –(e)s, –e.

베고니아 〖植〗 Begonie〔..nĭə〕 *f.* –n.

베끼다 ab|schreiben*[4]; kopieren[4].

베니어판(一板) Furnier *n.* –s, –e; Furnier〔Blatt〕holz *m.* –es, ⸚er.

베다[1] 《베개를》 s–n Kopf auf das Kopfkissen legen.

베다[2] schneiden*[4]; hauen*[4]; 《가위로》 scheren*[4]; (ab|)mähen*《풀을》; aus|putzen[4]; aus|schneiden*[4]; (ab)|stutzen[4]; fällen[4]; beschneiden*[4]《이상 나무를》.

베드 Bett *n.* –(e)s, –en. ‖더블 ～ Doppelbett.

베란다 Veranda *f.* ..den.

베레(모(帽)) Basken〔Teller〕mütze *f.* –n.

베스트 〖形容詞的〗 best; 〖名詞的〗 das Beste*, –n. ‖～멤버 die Auswahl der Besten / ～셀러 Bestseller *m.* –s, –s.

베실 Hanfgarn *n.* –(e)s, –e.

베(어)내다 ab|schneiden*[4] 〔–|hauen*[4]〕; kupieren[4]; beschneiden*[4].

베어링 Kugellager *n.* –s, –.

베(어)먹다 ab|schneiden*[4] u. essen*[4].

베옷 Hanfkleid *n.* –es, –er; das Bekleidungsstück aus Hanf.

베이다 geschnitten werden.

베이스 〖野〗 Mal *n.* –(e)s, –e 〔⸚er〕; 《노임 등의》 Basis *f.* ..sen; Grundlohn *m.* –(e)s, ⸚e; 〖樂〗 Baß *m.* ..asses; ..ässe.

베이컨 Speck *m.* –(e)s, –e.

베이킹파우더 Backpulver *n.* –s, –.

베일 Schleier *m.* –s, –.

베짱이 〖蟲〗 Grashüpfer *m.* –s, –; Heupferd *n.* –(e)s, –e.

베테랑 Veteran *m.* –en, –en; Virtuose *m.* –n, –n.

베틀 Webstuhl *m.* –(e)s, ⸚e.

베풀다 ① 《은혜를 입히다》 geben*[34]; (ver-)schenken[34]. ¶은혜를 ～ *jm.* e–e Gunst erweisen* 〔verschenken〕. ② 《차려 벌이다》 ab|halten*[4]; verhalten*[4]; geben*[4].

벤치 Bank *f.* ⸚e.

벨 Klingel *f.* –n; Türklingel 《문의》. ¶벨을 울리다 klingeln / 벨이 울린다 Es klingelt.

벨벳 Samt *m.* –(e)s, –e.

벨트 Gürtel *m.* –s, –; Treibriemen *m.* –s, – 《기계의》.

벼 Reis *m.* –es; Reispflanze *f.* –n. ¶벼를 베다 den Reis schneiden* 〔ernten〕.

벼농사(一農事) Reis·bau *m.* –(e)s〔–ernte *f.* –n〕. ～하다 Reis bauen.

벼락 ¶～치다 〔떨어지다〕 Blitz schlägt ein 《*in*[4]》.

벼락감투 aus politischen Erwägungen vergebenes Amt.

벼락공부(一工夫) Einpaukerei *f.* –en; Büffelei *f.* –en. ～하다 [4]sich ein|pauken (im letzten Augenblick).

벼락맞다 vom Blitz getroffen werden.

벼락부자(一富者) der Neureiche*, –n, –n; Emporkömmling *m.* –es, –e; Parvenü *m.* –s, –s 《멸시하여》.

벼락출세(一出世) das Emporkommen*, –s. ¶～한 사람 Emporkömmling *m.* –es, –e.

벼락치기 Blitzschlag *m.* –(e)s, ⸚e.

벼랑 Bergwand *f.* ⸚e; Abgrund *m.* –(e)s, ⸚e; Klippe *f.* –n.

벼루 Tuschreibestein *m.* –(e)s, –e.

벼룩 Floh *m.* –(e)s, ⸚e.

벼르다 [4]sich bereit machen 《*zu*[3]》; [4]sich vor|bereiten 《*auf*[4]; *zu*[3]》; erwarten[4]. ¶잔뜩 벼르고 wohl vorbereitet.

벼리다 tempern[4]; härten[4]. ¶칼을 ～ ein

Schwert härten〔an|lassen*[4]; tempern〕.

벼슬 Amt *n.* -(e)s, ¨er. ～하다 Regierungsamt bekleiden. ‖ ～길 Weg zum Staatsdienst.

벼이삭 Reisähre *f.* -n.

벼훑이 das Gerät zum Reisdreschen; Dreschmaschine *f.* -n.

벽(壁) Wand *f.* ¨e; 《담》 Mauer *f.* -n.

벽계(碧溪) blauer 〔klarer〕 Fluß, ..usses, ..üsse.

벽난로(壁煖爐) Kamin *m.* -s, -e.

벽돌(甓—) Ziegel *m.* -s, -; Back〔Mauer; Ziegel〕stein *m.* -(e)s, -e.

벽두(劈頭) Anfang *m.* -(e)s, ¨e; Beginn *m.* -(e)s, -e.

벽력(霹靂) der plötzliche Donnerschlag, -(e)s, ¨e; das plötzliche Gebrüll, -(e)s.

벽보(壁報) Wandzeitung *f.* -en.

벽시계(壁時計) Wanduhr *f.* -en.

벽신문(壁新聞) Wandzeitung *f.* -en.

벽안(碧眼) das blaue Auge, -s, -n. ¶～의 소년 der blauäugige Junge, -n, -n.

벽오동(碧梧桐) 〖植〗 e-e Art der Paulownia, ..nien.

벽옥(碧玉) Jaspis *m.* ..pisses, ..pisse.

벽자(僻字) selten gebrauchtes Schriftzeichen, -s, -.

벽장(壁欌) Wandschrank *m.* -(e)s, ¨e.

벽장코 Stumpfnase *f.* -n.

벽지(僻地) der abgelegene 〔entlegene〕 Ort, -(e)s, -e.

벽지(壁紙) Tapete *f.* -n; Wandpapier *n.* -s, -. ¶～를 바르다 mit Tapeten bekleiden; tapezieren[4].

벽지다(僻—) entlegen 〔abgelegen; einsam〕 (sein).

벽창호(碧昌—) der Engherzige*, -n, -n.

벽촌(僻村) das abgelegene 〔entlegene〕 Dorf, -(e)s, ¨er; das einsam gelegene Dorf.

벽토(壁土) (Wand)bewurf *m.* -(e)s, ¨e; Mörtel *m.* -s, -.

벽해(碧海) blaues Meer, -(e)s, -e.

벽화(壁畫) Wandgemälde *n.* -s, -.

변(便) Exkrement *n.* -(e)s, -e; Kot *m.* -(e)s.

변(邊) ① 《가·도형의》 Seite *f.* -n. ② 《변리》 Zins *m.* -es, -en 〔-e〕.

변(變) 《돌발사》 Vor〔Un〕fall *m.* -(e)s, ¨e; Affäre *f.* -n. ¶변을 당하다 *jm.* ist ein Unfall zugestoßen.

변경(邊境) Grenz·land *n.* -(e)s, ..länder 〔-gebiet *n.* -(e)s, -e〕.

변경(變更) Umänderung *f.* -en; 《개혁》 Reform *f.* -en; 《바꿈》 Wechsel *m.* -s, -; Modifikation *f.* -en.

변계(邊界) Grenzgebiet *n.* -(e)s, -e.

변고(變故) Unglück *n.* -s; Unfall *m.* -s, ¨e.

변광성(變光星) veränderlicher Stern.

변괴(變怪) Kalamität *f.* -en; Katastrophe *f.* -n.

변기(便器) Nacht·geschirr *n.* -(e)s, -e 〔-stuhl *m.* -(e)s, ¨e〕.

변놀이(邊—) das Geldleihen*, -s; Wucherei *f.* -en. ～하다 Geld leihen für Zinsen.

변덕(變德) Wankel·mut *m.* -(e)s 〔-mütigkeit *f.*〕; Laune〔Grille; Schrulle〕 *f.* -n. ～스럽다 grillenhaft 〔launenhaft; wankelmütig; unbeständig〕 (sein). ‖ ～꾸러기, ～쟁이 der Launenhafte*, -n, -n; der komische Kauz, -es, ¨e; Grillenfänger *m.* -s, -.

변동(變動) (Ver)änderung *f.* -en; Wechsel *m.* -s, -; 《시세의》 Schwankung *f.* -en. ～하다 [4]sich verändern; ([4]sich) wechseln; schwanken.

변두리(邊—) Vorstadt *f.* ¨e; Vorort *m.* -(e)s, -e; nächste Umgebung, -en.

변란(變亂) 《난동》 (soziale) Unruhe *f.* -n; Unordnung *f.* -en; 《반란》 Aufstand *m.* -es, ¨e; Rebellion *f.* -en; 《전쟁》 Krieg *m.* -(e)s, -e.

변론(辯論) Erörterung *f.* -en; Debatte *f.* -n; Diskussion *f.* -en; 《법정의》 Verhandlung *f.* -en. ～하다 diskutieren[4]; 《법정에서》 für *jn.* vor Gericht sprechen.

변리(邊利) Zins *m.* -es, -en 〔-e〕.

변말 das Rotwelsche*, -n.

변명(辯明) Rechtfertigung 〔Entschuldigung〕 *f.* -en; Apologie *f.* -n. ～하다 [4]sich rechtfertigen《vor *jm.* *wegen*[2]》; Rechenschaft ab|legen《*jm.* von [3]*et.*; über [4]*et.*》; [4]sich entschuldigen 《bei *jm.* *wegen*[2]》.

변명(變名) falscher Name, -ns, -n; Deckname *m.*

변모(變貌) Umgestaltung *f.* -en; Änderung des Aussehens. ～하다 umgestaltet werden.

변발(辮髮) Zopf *m.* -(e)s, ¨e. ～하다 das Haar zöpfen.

변방(邊方) ＝변경(邊境).

변변치않다 nichtanziehend 〔reizlos; raudig; nicht tauglich; unbedeutend〕 (sein).

변변하다 recht gut aussehen; gut 〔passabel; annehmbar〕 (sein).

변복(變服) Verkleidung 〔Vermummung〕 *f.* -en. ～하다 [4]sich verkleiden; [4]sich vermummen.

변비(便秘) (Stuhl)verstopfung *f.* -en; Hartleibigkeit *f.*

변사(辯士) Filmerklärer *m.* -s, - 《영화의》; Redner *m.* -s, -.

변사(變死) der unnatürliche 〔gewaltsame〕 Tod, -(e)s, -e. ～하다 unnatürlichen〔gewaltsamen〕 Todes sterben*.

변상(辨償) 《보상》 Entschädigung 〔Ersatzleistung〕 *f.* -en; Ersats *m.* -es; 《변제》 Bezahlung 〔Rückzahlung〕 *f.* -en. ～하다 entschädigen 《*jn.* für [4]*et.*; *jm.* [4]*et.*》; [4]Ersatz leisten 《für [4]*et.*》.

변색(變色) Verfärbung *f.* -en; Farbenwechsel *m.* -s, -. ～하다 [4]sich verfärben; die Farbe wechseln.

변설(辯舌) das Reden* 〔Sprechen*〕 -s; Redegabe *f.* -n; Beredsamkeit *f.*

변성(變性) Degeneration 〔Entartung〕 *f.* -en. ～하다 degenerieren[4]; entarten[4].

변성(變聲) Stimmbruch *m.* -s, ¨e. ～하다 s-e Stimme brechen*; [4]sich die Stimme wechseln.

변성명(變姓名) ～하다 s-n vollen Namen ändern; e-n anderen Namen an|nehmen*.

변성암(變成岩) metamorphes Gestein, -(e)s, -e.

변소(便所) Abort *m.* –(e)s, –e; Klosett *n.* –(e)s, –e; Toilette *f.* –n. ¶ ~에 가다 zu Stuhle gehen*; aus|treten*. ‖ 공중 ~ Bedürfnisanstalt *f.* –en.

변수(變數) 〔數〕 e–e variable Größe, –n; die Variable*, –n, –n.

변심(變心) Meinungsänderung *f.* –en; 《변절》 Abtrünnigkeit *f.* –en. ~하다 s–e Meinung ändern; abtrünnig[3] werden. ¶ ~하기 쉬운 launisch.

변압(變壓) 〔電〕 Transformation *f.* –en. ~하다 transformieren. ‖ ~기 Transformator *m.* –s, –en; Trafo *m.* –s, –s.

변이(變異) Variation *f.*; Abänderung *f.* ‖ 돌연 ~ plötzliche Abänderung; Mutation *f.* –en.

변장(變裝) Verkleidung *f.* –en. ~하다 [4]sich verkleiden. ¶ …으로 ~하고 als [1]*et.* verkleidet. ‖ ~술 die Kunst der Verkleidung.

변전(變轉) Wandel *m.* –s, –; Änderung *f.* –en. ~하다 wandeln.

변전소(變電所) Unterstation *f.* –en.

변절(變節) Treulosigkeit *f.*; die punische Treue; Abtrünnigkeit *f.* ~하다 untreu 〔abtrünnig〕 werden; verraten*[4]. ‖ ~자 der Treu·lose*〔–brüchige*〕 –n, –n.

변제(辨濟) Rück·zahlung 〔–vergütung〕 *f.* –en. ~하다 zurück|zahlen[4]; tilgen[4].

변조(變造) Entstellung *f.* –en; 《위조》 (Ver)fälschung *f.* –en. ~하다 entstellen[4]; (ver)fälschen[4].

변조(變調) 〔樂〕 Variation *f.* –en; 〔物〕 Modulation *f.* –en (der Stimme).

변종(變種) 〔動·植〕 Abart 〔Spielart〕 *f.* –en; 《사람》 Ungeheuer *n.* –s, –.

변주곡(變奏曲) 〔樂〕 Variation *f.* –en.

변죽(邊—) ¶ ~ 울리다 Anzüglichkeiten (*pl.*) machen 《*auf*[4]》; allegorisch sprechen《*von*[3]》; versteckt〔indirekt〕 rügen[4].

변증(辨證) Beweisführung *f.* –en. ~하다 Beweis führen. ‖ ~법 Dialektik *f.*

변질(變質) Entartung 〔Abartung〕 *f.* –en. ~하다 entarten; ab|arten.

변천(變遷) Wechsel *m.* –s, –; Wandel *m.* –s, –; Übergang *m.* –(e)s, ⸚e. ~하다 wechseln; über|gehen* 《*in*[4]》.

변칙(變則) ~적 unregelmäßig; abnorm; anomal.

변태(變態) ~적 abnorm.

변통(變通) ~하다 beschaffen[4]; bewerkstelligen[4]; 《가능하게 하다》 möglich machen[4]; 《조달》 besorgen[4]; auf|bringen*[4].

변하다(變—) [4]sich (ver)ändern; anders werden; [4]sich verwandeln 《*in*[4]》; ([4]sich) wechseln. ¶ 변하기 쉬운 veränderlich; unstet; wandelbar.

변함없다(變—) unverändert sein 〔bleiben*〕; beständig 〔unveränderlich; unwandelbar〕 sein.

변혁(變革) Umwälzung *f.* –en; Umbruch *m.* –s, ⸚e. ~하다 um|wälzen; reformieren; renovieren.

변형(變形) Umformung 〔Verwandlung〕 *f.* –en; Metamorphose *f.* –n. ~하다 [4]sich um|formen.

변호(辯護) Verteidigung *f.* –en. ~하다 《변호사가》 *jn.* vor Gericht verteidigen; 《옹호》 ein|treten*《*für*[4]》. ‖ ~사 Advokat *m.* –en, –en; (Rechts)anwalt *m.* –(e)s, –e / ~인 Verteidiger *m.* –s, –.

변화(變化) (Ver)änderung *f.* –en; 《교대》 Abwechs(e)lung *f.* –en; 《다양성》 Mannigfaltigkeit *f.* –en; 《어형의》 Flexion 〔Beugung〕 *f.* –en; 《특히 격의》 Deklination *f.* –en; 《특히 동사의》 Konjugation *f.* –en. ~하다 deklinieren; konjugieren. ☞ 변형, 변천.

변환(變換) Wechsel *m.* –s, –; Umkehrung *f.* –en; 〔數〕 Transformation *f.* –en. ~하다 wechseln; umkehren.

별 Stern *m.* –(e)s, –e; Gestirn *n.* –(e)s, –e. ¶ 별 모양의 sternartig; sternförmig.

별갑(鱉甲·鼈甲) Schild·krötenschale *f.* –n 〔–patt *n.* –(e)s〕.

별개(別個) ~의 ander; besonder; speziell; einzeln; verschieden.

별거(別居) Trennung *f.* –en; Trennung von Tisch u. Bett 《부부간의》. ~하다 getrennt leben 《von *jm.*》; [4]sich trennen 《von *jm.*》.

별고(別故) 《사고》 Zufall *m.* –(e)s, ⸚e; Unglück *n.* –(e)s, –e. ¶ ~ 없습니까 Wie geht es Ihnen?

별관(別館) Nebengebäude *n.* –s, –.

별궁(別宮) der Palast der Königin 〔der Kronprinzessin〕.

별꼴(別—) anrüchiges Ding; merkwürdiger Anblick. ¶ ~이다, ~ 다 보겠다 So etwas Merkwürdiges!

별나다(別—) seltsam 〔ungewöhnlich; außerordentlich〕 (sein).

별다르다(別—) von besorderer Art sein; ungewöhnlich (sein).

별당(別堂) ① 《딴 집》 Nebenbau *m.* –s, –ten. ② 《절의》 die Residenz des Abtes in e–m buddhistischen Tempel.

별도(別途) 《방면》 getrennter 〔anderer〕 Weg, –(e)s, –e; 《용도》 besondere Anwendung 〔Benutzung〕 –en.

별도리(別道理) andere Lösung, –en; besserer Weg, –(e)s, –e. ¶ ~ 없이 aus Mangel an Alternativen.

별동대(別動隊) fliegende Kolonne, –n; Streifkolonne *f.* –n.

별똥 Stern·schnuppe *f.* –n〔–schuß *m.* ..schusses, ..schüsse〕.

별로(別—) anders; besonders; außerdem; extra; sonst.

별말(別—) ¶ ~ 다 하는군 Es ist nicht der Rede wert.

별명(別名) Spitzname *m.* –ns, –n.

별문제(別問題) e–e andere Frage, –n; ein anderes Problem, –s, –e.

별미(別味) 《맛》 besonderer Geschmack, –(e)s, ⸚e; 《음식》 Delikatesse *f.* –n; Leckerbissen *m.* –s, –.

별별(別別) 〔形容詞的〕 vielfältig u. ungewöhnlich.

별빛 Sternlicht *n.* –(e)s; Sterne (*pl.*).

별사람(別—) Sonderling *m.* –s, –e; seltener Vogel, –s, ⸚. ¶ ~ 다 보겠네 So ein seltener Vogel!

별세(別世) das Ableben*, –s; Hinscheid *m.* –(e)s. ~하다 ab|leben; hin|scheiden*.

별세계(別世界) andere 〔verschiedene〕 Welt, –en.

별수(別數) ¶ ~ 없다 unverbesserlich 〔hoffnungslos〕(sein).

별식(別食) ein feines Gericht, -(e)s, -e; ungewöhnliche Speise, -n.

별실(別室) das getrennte Zimmer, -s, -; Separatzimmer *n.*

별안간(瞥眼間) augenblicklich; auf einmal; plötzlich; unerwartet; unversehens. ¶ ~ 따귀를 때리다 *jm.* plötzlich e-e Ohrfeige geben*.

별일(別一) ¶ ~ 없이 sicherlich; unversehrt; in sicherem Gewahrsam; außer Gefahr / ~ 없으면 Wenn Sie nicht besonders vorhaben.

별자리 〖天〗 Sternbild *n.* -(e)s, -er; Konstellation *f.* -en.

별장(別莊) Landhaus *n.* -es, ⸚er; Villa *f.* ..llen.

별지(別紙) 《따로 첨부한》 das Beigefügte*, -n; Anhang *m.* -(e)s, ⸚e.

별채(別一) Nebengebäude *n.* -s, -.

별책(別册) anderer [besonderer] Band, -(e)s, ⸚e.

별천지(別天地) =별세계(別世界).

별칭(別稱) ein anderer Name, -ns, -n; Spitzname *m.*

별표(一標) Sternzeichen *n.* -s, -.

별표(別表) e-e beiliegende Liste, -n.

볍씨 Reissamen *m.* -s, -; Reiskorn *n.* -(e)s, ⸚er.

볏 《새의》 Hahnenkamm *m.* -es, ⸚e; Kopfhaube *f.* -n.

볏단 Garbe *f.* -n.

볏짚 Reisstroh *n.* -(e)s, -e.

병(病) Krankheit *f.* -en. ¶병에 걸리다 krank werden; an ^{3}*et.* erkranken / 병으로 누워 있다 das Bett hüten.

병(甁) Flasche *f.* -n. ¶맥주 한 병 e-e Flasche Bier.

병가(病暇) Krankheitsurlaub *m.* -(e)s, -e; Krankenurlaub *m.*

병거(兵車) Streit[Kriegs]wagen *m.* -s, -.

병결(病缺) das Ausbleiben* wegen e-r Krankheit.

병고(病苦) Leiden *n.* -s, -; Beschwerde *f.* -n.

병과(兵戈) ① 《전쟁》 Krieg [Streit] *m.* -(e)s, -e. ② 《창》 Lanze *f.* -n; Speer *m.* -(e)s, -e.

병과(兵科) Waffen[Truppen]gattung *f.* -en; Dienstzweig *m.* -(e)s, -e.

병구(病軀) kränkliche Körperbeschaffenheit, -en. ¶ ~를 무릅쓰고 trotz der Krankheit.

병구완(病一) Krankenpflege *f.* -n. ~하다 für *js.* Wohl sorgen; für e-n Kranken sorgen.

병권(兵權) Kriegs[Wehr]macht *f.* ⸚e.

병균(病菌) Virus *n.* -, ..ren; Bakterie *f.* -n. ~의 bazillär.

병기(兵器) Waffe *f.* -n; Kriegsmaterial *n.* -s, ..lien; Rüstung *f.* -en.

병나다(病一) ①=병들다. ② 《고장나다》 nicht in Ordnung sein; nicht funktionieren.

병독(病毒) Virus *n.* -, ..ren; Bazillus *m.* -, ..zillen.

병동(病棟) Station *f.* -en; Krankenrevier *n.* -s, -e.

병들다(病一) krank werden; ^{4}sich krank stellen; an ^{3}*et.* erkranken.

병란(兵亂) Krieg *m.* -(e)s, -e; militärischer Konflikt, -(e)s, -e.

병력(兵力) Heeres[Kriegs; Streit]kraft *f.* ⸚e; Heeres[Kriegs]macht *f.* ⸚e.

병력(病歷) Krankheitsgeschichte *f.* -n.

병렬(並列) ~하다 nebeneinander|stellen^{4}; in e-r Linie [Reihe] auf|stellen^{4}.

병리학(病理學) Krankheits·lehre [-kunde] *f.* -n; Pathologie *f.*

병립(並立) ~하다 nebeneinander|bestehen*; Seite an Seite stehen*.

병마(兵馬) Soldaten u. Kriegspferde (*pl.*); Kriegs[Militär]macht *f.* ⸚e. ¶ ~의 대권을 잡다 die oberste Kriegs[Militär]macht ergreifen*.

병마(病魔) Krankheit *f.* -en. ¶ ~에 시달리다 mit e-r Krankheit zu kämpfen haben.

병마개(甁一) Flaschenverschluß *m.* ..lusses, ..lüsse. ¶ ~를 뽑다 e-e Flasche eröffnen [auf|machen].

병명(病名) Krankheitsname *m.* -ns, -n. ¶ ~ 미상의 병 die noch nicht festgestellte Krankheit, -en.

병몰(病歿) =병사(病死).

병무(兵務) militärische Affäre, -n. ‖ ~국 Wehrdienstkommando *n.* -s, -s / ~청 Wehrdienstbehörde *f.* -n / ~행정 Wehrdienstverwaltung *f.* -en.

병발(倂發) das Hinzutreten*, -s; der gleichzeitige Ausbruch, -(e)s, ⸚e. ~하다 hinzu|treten*《*zu*^{3}》; begleitet werden 《*von*^{3}》; gleichzeitig aus|brechen*.

병법(兵法) Kriegskunst *f.* ⸚e; Strategie *f.* -n. ‖ ~가 der Kriegskundige*, -n, -n; Stratege *m.* -n, -n.

병사(兵士) Soldat *m.* -en, -en; Krieger *m.* -s, -.

병사(兵舍) Kaserne [Baracke] *f.* -n; Kriegslager *n.* -s, -.

병사(兵事) Kriegs[Heer]wesen *n.* -s. ‖ ~계 der Geschäftsführer für militärische Angelegenheiten.

병사(病死) das Sterben* (an e-r Krankheit). ~하다 an e-r Krankheit sterben*; im Bett sterben*.

병상(病床) Kranken·bett *n.* -(e)s, -en [-lager *n.* -s, -]. ¶ ~을 지키다 an *js.* Bett sitzen*; pflegen^{4}; warten^{4}. ‖ ~ 일지 Krankenjournal *n.* -s, -e.

병상(病狀) der Zustand des Kranken; Krankheitsbild *n.* -(e)s, -er.

병색(病色) das kranke Gesicht, -(e)s, -e.

병서(兵書) das militärische Buch, -(e)s, ⸚er.

병석(病席) ¶ ~에 눕다 krank (danieder|)liegen*; das Bett hüten.

병선(兵船) Kriegsschiff *n.* -(e)s, -e.

병세(兵勢) Militärkraft *f.* ⸚e; Kriegs[Wehr]macht *f.* ⸚e.

병세(病勢) Krankheits·zustand [-verlauf] *m.* -(e)s. ¶ ~가 호전되다 e-e Krankheit bessert sich.

병소(病巢) Krankheitsherd *m.* -(e)s, -e.

병술(甁一) in Flaschen abgefüllter Alkohol, -s, -e.

병신(病身) ① 《불구》 Mißgestalt [Mißbildung] *f.* -en; 《사람》 Krüppel *m.* -s, -; Mißgeburt *f.* -en. ② 《병든 몸》 der Kranke*, -n, -n; der Kränkelnde*, -n, -n. ③ 《바보》 Dummkopf *m.* -(e)s, ⸚e; Narr *m.* -en, -en.

병실(病室) Kranken·raum *m.* –(e)s, ⸚e 〔–saal *m.* –(e)s, ..säle; –stube *f.* –n〕.
병아리 Kücken *n.* –s, –. ‖ ~ 감별사 Kückengucker *m.* –s, –.
병약(病弱) ~하다 kränklich 〔gebrechlich〕 (sein).
병어 〖魚〗 Plattfisch *m.* –(e)s, –e.
병역(兵役) Militärdienst *m.* –es, –e. ‖ ~ 면제 die Freiheit von (Militär-) dienst / ~ 의무 die Wehrpflicht 〔Militär(dienst)pflicht〕 –en.
병영(兵營) Kaserne *f.* –n.
병용(併用) ~하다 zugleich〔gleichzeitig; zusammen〕 gebrauchen⁴.
병원(兵員) Mannschaft 〔Truppenzahl *f.* –en.〕
병원(病院) Krankenhaus *n.* –es, ⸚er; Hospital *n.* –s, –e. ‖ 대학 부속 ~ Klinik *f.* –en / 정신 ~ Irrenhaus / 적십자 ~ das Hospital des Roten Kreuzes.
병인(病因) Krankheitsursache *f.* –n.
병자(病者) der Kranke*, –n, –n; Patient *m.* –en, –en.
병장(兵長) der Obergefreite*, –n, –n.
병적(兵籍) Stammrolle *f.* –n. ‖ ~부 Musterrolle *f.* –n.
병적(病的) ~인 krankhaft; abnorm. ¶ ~으로 좋아하다 krankhaft lieben⁴ 〔gern haben〕.
병졸(兵卒) Gemeine *m.* –n, –n; gemeiner Soldat, –en, –en.
병종(丙種) der dritte Grad bei der medizinischen Untersuchung für die Wehrdienstpflicht.
병중(病中) ¶ ~이다 krank sein〔liegen*〕.
병참(兵站) Etappe *f.* –n.
병충해(病蟲害) Schädlingsbefall *m.* –(e)s, ⸚e; Ungezieferschaden *m.* –s, ⸚.
병칭(並稱) ~하다 zusammen ein|stufen.
병탄(併呑) ~하다 ein|verleiben⁴; annektieren⁴; an ⁴sich nehmen*.
병폐(病弊) Übel 〔Laster〕 *n.* –s, –; Verderbtheit *f.* –en.
병풍(屛風) (Wind)schirm *m.* –(e)s, –e; Setzwand *f.* ⸚e.
병합(併合) Einverleibung *f.* –en; Annektierung 〔Annexion〕 *f.* –en. ~하다 ein|verleiben⁴; annektieren⁴; vereinigen. ‖ ~죄 das konkurrierende Verbrechen, –s, –.
병행(並行) ~하다 in der Parallele verlaufen*; Seite an Seite gehen*.
병화(兵火) Kriegs·flamme *f.* –n〔–brand *m.* –(e)s, ⸚e〕.
병환(病患) Krankheit〔Unpäßlichkeit〕 *f.* –en; das Unwohlsein*, –s.
별 Sonne *f.* –n; Sonnenlicht *n.* –(e)s, –er. ¶ ~을 쬐다 ⁴sich sonnen; im Sonnenschein liegen*.
보(保) 《보증》 Garantie *f.* –n; Sicherheit *f.*; 《보증인》 Bürge *m.* –n, –n; Garant *m.* –en, –en. ¶ 보서다 für *jn.* gewährleisten〔verbürgen〕.
보(步) 《걸음》 Schritt〔Tritt〕 *m.* –(e)s, –e.
보(洑) ① 《둑》 Fang〔Kasten〕damm *m.* –(e)s, ⸚e. ② =봇물.
보(褓) Einband *m.* –(e)s, ⸚e.
보감(寶鑑) 《모범》 Vorbild *n.* –(e)s, –er; Muster *n.* –s, –.
보강(補强) ~하다 (ver)stärken⁴.
보강(補講) das Nachholen* e–r Vorlesung. ~하다 e–e Vorlesung 〔die Stunde〕 nach|holen.
보건(保健) Gesundheitspflege *f.* ‖ ~ 사회부 Volkswohlfahrtsministerium *n.* –s, ..rien / ~소 Gesundheitsbehörde *f.* –n / ~ 체조 Gesundheitsgymnastik *f.* / 세계 ~ 기구 Weltgesundheitsorganisation *f.* 《略: WHO》.
보결(補缺) Ersatz *m.* –es; Ergänzung *f.* –en. ‖ ~생 모집 die nachträgliche Studentenwerbung, –en.
보고(報告) Bericht *m.* –(e)s, –e; Mitteilung *f.* –en. ~하다 berichten《*jm. von*³ 〔*über*⁴〕》; Bericht erstatten《*von*³; *über*⁴》. ‖ ~서 Bericht *m.*
보고(寶庫) Schatzkammer *f.* –n.
보관(保管) (Auf)bewahrung *f.* –en; 《저장》 Lagerung *f.* –en. ~하다 (auf|-) bewahren⁴. ‖ ~료 Lagergeld *n.* –(e)s, –er / ~증 Aufbewahrungsschein *m.* –(e)s, –e.
보국안민(輔國安民) Aufbau der Nation u. Wohlfahrt des Volkes.
보궐선거(補闕選擧) Ersatzwahl *f.* –en.
보균자(保菌者) Bazillenträger *m.* –s, –.
보글보글 ¶ ~ 끓다 wallen; brodeln.
보금자리 Nest *n.* –es, –er.
보급(普及) Ausbreitung *f.* –en. ~하다 다 aus|breiten⁴. ¶ ~되다 ⁴sich aus|breiten. ‖ ~판 Volksausgabe *f.* –n.
보급(補給) ~하다 speisen⁴ 《*mit*³》; versorgen⁴ 《*mit*³》. ‖ ~로 Nachschublinien (*pl.*) / 공중 ~ Lufttankverfahren *n.* –s, –; das Tanken im Flug 《급유》.
보기 Beispiel *n.* –(e)s, –e; 《본보기》 Vorbild *n.* –(e)s, –er; Exemplar *n.* –s, –e.
보기차(–車) der Blockwagen mit Drehgestell.
보깨다 Brennen* im Magen haben.
보내다 senden⁽*⁾⁴; schicken; übersenden⁽*⁾⁴; ab|schicken⁴; 《세월을》 verbringen*⁴; zu|bringen*⁴; 《전송》 begleiten⁴.
보너스 Bonus *m.* – 〔–ses〕, – 〔–se〕.
보늬 die bittere Haut, ⸚e (von Kastanien).
보닛 Bonnet *n.* –s, –s; Haube *f.* –n.
보다¹ sehen*⁴; schauen⁴; an|blicken⁴; betrachten⁴; beobachten⁴; 《시찰·구경》 besehen*⁴; besichtigen⁴; 《조사》 durchsehen*⁴; nach|sehen⁴; 《일을》 führen⁴; verwalten⁴.
보다² 《해보다》 mit ³*et.* e–n Versuch machen; aus|probieren; durch|probieren; 《맛보다》 probieren.
보다³ 《추측》 Es scheint, daß...; Ich vermute, daß.... ¶ 비가 올까 ~ Es scheint zu regnen.
보다⁴ 《비교》 als; denn. ¶ ~ 좋다 besser als... /~ 나쁘다 schlechter〔schlimmer〕 als....
보답(報答) Vergeltung *f.*; Belohnung *f.* –en. ~하다 vergelten⁴ 《*mit*³》; belohnen 《*jn. mit*³》.
보도(步道) Bürgersteig *m.* –(e)s, –e. ‖ 횡단 ~ Fußgängerübergang *m.* –(e)s, ⸚e.
보도(報道) Nachricht〔Benachrichtigung〕 *f.* –en. ~하다 benachrichtigen 《*jn.*

*über*⁴; *von*³); Bericht erstatten (*jm.* *über*⁴). ‖ ~ 관제 Nachrichtensperre / ~ 기관 Presse *f.* -n / ~망 Nachrichtennetz *n.* -es, -e / ~진 Nachrichtenwesen *n.* -s, -.

보도(輔導) Pflege *f.* -n; Führung 〔Leitung〕 *f.* -en. ~하다 pflegen(*)⁴; führen⁴; leiten⁴. ‖ 직업 ~ Berufsberatung *f.* -en. 「-(e)s, -er.」

보도(寶刀) Prunk〔Schatz〕schwert *n.*

보디빌(딩) Bodybuilding *n.* -(s). ~하다 Bodybuilding betreiben*.

보따리(袱一) Pack *m.* -(e)s, -e〔¨e〕; Packen *m.* -s, -. ¶ ~를 싸다 packen; e-n Pack machen.

보라매 junger, für die Falknerei abgerichteter Falke, -n, -n.

보람 (효과) Wirkung *f.* -en; Effekt *m.* -(e)s, -e; (가치) Wert *m.* -(e)s, -e; (이득) Nutzen *m.* -s, -. ¶ ~ 있는 lohnend; nützlich; gewinnbringend / ~ 없는 vergeblich; nutzlos.

보랏빛 ¶ ~의 violett.

보로통하다 ☞ 부루퉁하다.

보료 bunte, gepolsterte Matratze, -n.

보루(堡壘) Fort *n.* -s, -s; Schanze *f.* -n; Festung *f.* -en. ¶ ~를 쌓다 verschanzen⁴; umwallen⁴.

보류(保留) Vorbehalt *m.* -(e)s, -e. ~하다 reservieren⁴; vor|behalten*⁴.

보름 ① (동안) Halbmonat *m.* -(e)s, -e. ¶ ~ 마다 halbmonatlich. ② (보름날) am 15. des Monat(e)s. ¶ 정월 ~ am 15. Januar. ‖ ~달 Vollmond *m.* -(e)s, -e.

보리 Gerste *f.* ‖ ~차 Gerstentee *m.* -s.

보리수(菩提樹) Linde *f.* -n; Lindenbaum *m.* -(e)s, ¨e.

보링 Bohrung *f.* -en; das Bohren*, -s.

보모(保姆) Kinderfräulein *n.* -s, -; Kindergärtnerin *f.* -nen.

보무(步武) Marschschritt *m.* -(e)s, -e. ¶ ~도 당당히 in Reih u. Glied marschierend.

보무라지, 보물 Papierschnipsel *m.* 〔*n.*〕 -s, -; Fussel *f.* -n.

보물(寶物) Schatz *m.* -es, ¨e; Kostbarkeiten (*pl.*). ‖ ~찾기 Schatz·sucherei 〔-gräberei〕 *f.* -en.

보배 Schatz *m.* -es, ¨e; Juwel *n.* -s, -en 〔*m.* -s, -e〕.

보병(步兵) Infanterist *m.* -en, -en. ‖ ~장교 Infanterieoffizier *m.* -s, -e.

보복(報復) Vergeltung *f.* -en; Rache *f.* ~하다 vergelten* (*jm.* ⁴*et.*); ⁴sich rächen(*) (an *jm.* für ⁴*et.*). ‖ ~ 관세 Vergeltungszoll *m.* -(e)s, ¨e.

보부상(褓負商) Hausierer *m.* -s, -.

보살(菩薩) Bodhisattva *m.* -, -s; der buddhistische Heilige*, -n, -n.

보살피다 (감독) wachen (*auf*⁴); ⁴sich hüten (*von*³); ein wachsames Auge haben (*auf*⁴); (배려) sorgen (*für*⁴).

보상(補償) Entschädigung *f.* -en; (Schaden)ersatz *m.* -es. ~하다 ersetzen⁴; entschädigen (*jm.* ⁴*et.*; *jn.* *für*⁴). ‖ ~금 Entschädigung *f.* -en.

보색(補色) Komplementärfarben (*pl.*).

보서다(保一) für *jn.* gewährleisten; für *jn.* ⁴sich verbürgen.

보석(保釋) die Freilassung gegen Bürgschaft. ~하다 auf Bürgschaft frei|lassen*⁴. ‖ ~금 Kaution *f.* -en.

보석(寶石) Edelstein *m.* -(e)s, -e; (세공한) Juwel *n.* -s, -en; Kleinod *n.* -(e)s, -e. ‖ ~상 Juwelier *m.* -s, -e; Juwelierladen *m.* -s, ¨ / ~ 세공 Juwelierarbeit *f.* -en.

보선(保線) die Unterhaltung der Schienen. ‖ ~ 공사(工事) Streckenarbeit *f.* -en.

보세(保稅) die Warenniederlage unter Aufsicht der Zollbehörde. ‖ ~ 창고 Entrepot *n.* -(s), -s; Zollspeicher *m.* -s, - / ~ 화물(貨物) Packhofslager *n.* -s, -〔¨〕.

보송보송하다 (ein)getrocknet (sein).

보수(保守) ~적(인) konservativ. ‖ ~당 die konservative Partei, -en / ~주의 Konservat(iv)ismus *m.* -.

보수(補修) das Ausbessern*, -s; Reparatur *f.* -en. ~하다 aus|bessern⁴. ‖ ~ 공사 Ausbesserungs〔Reparatur〕arbeit *f.* -en.

보수(報酬) Belohnung *f.* -en; (노임) Lohn *m.* -(e)s, ¨e; (사례) Honorar *n.* -s, -e.

보스 Chef *m.* -s, -s; der „Alte*", -n, -n; Boß *m.* ..sses, ..sse.

보슬보슬 (눈·비 따위가) rieselnd; sanft; sacht. ¶ 비가 ~ 내린다 Es rieselt.

보슬비 der feine 〔leise〕 Regen, -s, -; Sprühregen *m.*

보습 (쟁기의) Pflugschar *f.* -en.

보시(布施) Almosen *n.* -s, -. ~하다 ein Almosen geben*³.

보시기 kleine Porzellanschale, -n.

보신(保身) Selbst·erhaltung 〔-verteidigung〕 *f.*; Notwehr *f.* ‖ ~술 Selbstverteidigungskunst *f.* ¨e.

보신(補身) ~하다 ⁴sich durch tonische Getränke stärken. ‖ ~탕 Hundfleischbrühe *f.* -n. 「Stolz berechtigend.

보아란듯이 prahlerisch; prunkhaft; zu

보아주다 schonen⁴; Milde walten lassen*; Nachsicht üben.

보안(保安) die Aufrechterhaltung der öffentlichen Sicherheit. ‖ ~ 경찰 Sicherheitspolizei *f.*

보약(補藥) Stärkungsmittel *n.* -s, -.

보양(保養) Gesundheitspflege *f.* -n; Kur *f.* -en. ~하다 ⁴sich pflegen; ⁴sich erfrischen (*an*³; *mit*³; *durch*⁴).

보양(補陽) die Stärkung der Manneskraft. ~하다 ⁴sich stärken.

보얗다 ① (빛깔이) milchweiß 〔perlenweiß; frostig〕 (sein). ② (연기·안개가) dünstig 〔neblig〕(sein). ③ (또렷이 안 뵈다) verschwommen 〔verwischt〕 (sein).

보어(補語) 〖文〗 Komplement *n.* -(e)s, -e. ‖ 주격〔목적격〕 ~ Subjekt〔Objekt〕-komplement.

보여주다 zeigen⁴; (an|)sehen lassen*⁴; zur Schau stellen⁴.

보온(保溫) das Warmhalten*, -s; Wärmeschutz *m.* -es. ~하다 ⁴sich warm|halten*. ‖ ~병 Thermoflasche *f.* -n.

보위(寶位) Thron *m.* -(e)s, -e. ¶ ~를 잇다 auf den Thron folgen.

보유(保有) das Behalten*, -s; Erhaltung *f.* -en; 《소유》 Besitz *m.* -es, -e. ～하다 behalten*⁴; besitzen*⁴; im Besitz haben⁴.

보육(保育) Pflege *f.* -n. ～하다 pflegen⁽*⁾⁴. ‖ ～원 Kinderheim *n.* -(e)s, -e.

보은(報恩) ～하다 *jm.* die Wohltaten vergelten*. ¶ ～을 위하여 aus ³Dankbarkeit.

보이다¹ 《눈에》 sehen*; in Sicht sein 〔kommen*〕; sichtbar sein〔werden〕; 《출현》 erscheinen*; ⁴sich zeigen; 《…같다》 scheinen*; aus|sehen*.

보이다² 《보여줌》 zeigen⁴; zur Schau stellen⁴; aus|stellen⁴. ¶ 좋은 본보기를 ～ ein gutes Beispiel geben* / 의사에게 ～ ärztlich behandeln lassen*.

보이스카우트 Pfadfinder *m.* -s, -; 《단원》 ein Pfadfinder *m.* ‖ ～ 대회 Pfadfindertagung *f.* -en.

보이콧 Boykott〔Verruf〕 *m.* -(e)s, -e. ～하다 boykottieren⁴; verrufen*⁴; verfemen⁴.

보이프렌드 der Liebste*, -n, -n; Freund *m.* -(e)s, -e.

보익(輔翼) Beistand *m.* -(e)s, ⸗e; Hilfe *f.* -n. ～하다 helfen*³; bei|stehen*³; Hilfe leisten.

보일러 Boiler〔(Dampf)kessel〕 *m.* -s, -.

보자기 Einschlagtuch *n.* -(e)s, ⸗er.

보잘것없다 kitschig 〔billig; nichtig〕 (sein).

보장(保障) Garantie *f.* -n; Gewähr *f.*; Gewährleistung *f.* -en. ～하다 gewähr|leisten 〔garantieren〕 《*für*⁴》.

보쟁이다 den Ehebruch begehen*; die Ehe brechen*.

보전(保全) Sicherstellung *f.* -en; Unversehrtheit *f.*; Konservierung *f.* -en. ～하다 in Sicherheit stellen⁴. ¶ 국토를 ～하다 die Integrität des Landes erhalten*⁴.

보전(補塡) ～하다 decken⁴; aus|gleichen*⁴.

보조(步調) Schritt *m.* -(e)s, -e. ¶ ～를 맞추다 Schritt halten*; 《比》 in Einverständnis handeln.

보조(補助) Unterstützung *f.* -en; Hilfe *f.* -n. ～하다 unterstützen⁴; *jm.* helfen* 〔bei|stehen*〕; *jm.* Hilfe 〔Beistand〕 leisten; subventionieren⁴. ‖ ～금 Unterstützung *f.* -en; Hilfsgeld *n.* -(e)s, -er / 국고 ～ Staatszuschuß *m.* ..schusses, ..schüsse.

보조개 Grübchen *n.* -s, -.

보족(補足) Ergänzung *f.* -en; Vervollständigung *f.* -en; Zusatz *m.* -(e)s, ⸗e. ～하다 ergänzen⁴; vervollständigen⁴. ‖ ～어 Objekt *n.* -(e)s, -e; Ergänzung *f.* -en.

보존(保存) Erhaltung *f.* -en. ☞ 보관. ～하다 erhalten*⁴.

보좌(補佐) ～하다 *jm.* helfen* 〔bei|stehen*; Beistand leisten〕. ‖ ～관 Berater *m.* -s, -.

보증(保證) Bürgschaft *f.* -en; Garantie *f.* -n; Sicherheitsleistung *f.* -en. ～하다 garantieren⁴; verbürgen³⁴; e-e Bürgschaft leisten. ‖ ～금(金) Bürgschaft *f.* / ～인 Bürge *m.* -n, -n; 《여자》 Bürgin *f.* -nen.

보지 Vulva *f.* ..ven.

보지(保持) ～하다 erhalten*⁴; aufrecht|erhalten*⁴; behaupten⁴.

보직(補職) Stelle *f.* -n; Amt *n.* -(e)s, ⸗er; Ernennung *f.* -en.

보채다 verdrießlich 〔mürrisch〕 sein; quengeln; mißmutig reden.

보청기(補聽器) Hörapparat *m.* -(e)s, -e; Hörinstrument *n.* -(e)s, -e.

보초(步哨) Posten *m.* -s, -. ¶ ～ 서다 Posten stehen*.

보충(補充) ～하다 ergänzen⁴; ersetzen⁴. ‖ ～병 Reservist *m.* -en, -en.

보크사이트 〖鑛〗 Bauxit *m.* -(e)s, -e.

보타이 Schleife *f.* -n.

보태다 ① 《보충》 ergänzen⁴; vervollständigen⁴; dienen 《*zu*³》. ¶ 수입에 ～ das Einkommen ergänzen 《*mit*³》. ② 《가산》 addieren⁴; zusammen|zählen⁴; hinzu|fügen⁴; hinzu|setzen⁴. ¶ 둘에 다섯을 ～ 2 u. 5 addieren.

보통(普通) ① 《보통의》 normal; gewöhnlich; üblich; alltäglich; 《일반적》 allgemein; 《평범한》 gemein. ② 〖副詞的〗 meistens; im allgemeinen; gewöhnlich. ‖ ～ 교육 die allgemeine Erziehung, -en.

보퉁이(褓—) Bündel *n.* -s, -; Pack *m.* 〔*n.*〕 -(e)s, ⸗e.

보트 Boot *n.* -(e)s, -e.

보편(普遍) ～적 allgemein. ‖ ～ 타당성 Allgemeingültigkeit *f.*

보표(譜表) 〖樂〗 Notenlinien(*pl.*); Notensystem *n.* -s, -e. ‖ ～ 기법 die Notation des Notensystems.

보푸라기, 보풀 Fussel *f.* -n.

보필(輔弼) ～하다 *jm.* bei|stehen*; *jm.* helfen*; *jn.* beraten* 《*über*⁴》.

보하다(補—) ernennen*⁴; bestellen⁴; an|stellen⁴; ein|setzen⁴.

보학(譜學) Genealogie *f.* -n; Familienforschung *f.* -en.

보합(保合) das Stabilsein*〔Standhalten*〕 -s. ～하다 in ruhiger 〔fester〕 Haltung sein; ⁴sich halten*.

보행(步行) Gang *m.* -(e)s, ⸗e; das Gehen*, -s. ‖ ～자 (Fuß)gänger *m.* -s, -.

보험(保險) Versicherung *f.* -en. ¶ ～에 들다 ⁴sich versichern. ‖ ～ 계약자 der Versicherte*, -n, -n / ～금 Versicherungssumme *f.* -n / ～료 Versicherungsprämie *f.* -n / ～물 Versicherungsgegenstand *m.* -(e)s, ⸗e / ～ 증서 Versicherungspolice *f.* -n / ～ 회사 Versicherungsgesellschaft *f.* -en / 피～자 der Versicherte*, -n, -n / 화재〔생명, 상해, 도난, 양로〕 ～ Feuer〔Lebens, Unfalls, Diebstahls, Alters〕-versicherung *f.*

보헤미안 Bohemien *m.* -s, -s.

보혈(寶血) 〖基〗 das unschätzbar wertvolle Blut (von Jesus).

보호(保護) Schutz *m.* -es; Pflege *f.* -n; 《후원》 Unterstützung *f.* -en; 《장려》 Förderung *f.* -en; 《보존》 Erhaltung *f.* -en. ～하다 schützen⁴; schirmen⁴; unterstützen⁴; fördern⁴; erhalten*⁴. ‖ ～ 관찰 〖法〗 Schutz *m.* -es; Bewährung *f.* -en / ～령 Schutzgebiet *n.*

-(e)s, -e / ~ 관세 Schutzzoll *m.* -(e)s, ⸚e / ~색 《동물의》 Schutz·farbe *f.* -n 〔-färbung *f.* -en〕 / ~자 Schützer *m.* -s, -; 《패트런》 Patron *m.* -(e)s, -e.
보화(寶貨) =보물(寶物).
복 〖魚〗 Igel〔Kugel〕fisch *m.* -(e)s, -e. ‖ 복국 Igelfischsuppe *f.* -n.
복(福) Glück *n.* -(e)s; Segen *m.* -s, -. ¶ 복된 glücklich; glückverheißend; 《축복받은》 gesegnet.
복간(復刊) Neuauflage *f.* -n; Wiederherausgabe *f.* -n.
복강(腹腔) Bauchhöhle *f.* -n. ‖ ~ 임신 Bauchhöhlenschwangerschaft *f.* -en.
복고(復古) Restauration *f.* -en; Wiederherstellung *f.* -en 《früherer ²Staatsformen》. ~하다 zum Alten zurück|kehren; restaurieren⁴.
복교(復校) die Rückkehr in die Schule. ~하다 zur Schule zurück|gehen*.
복구(復舊) Wiederherstellung *f.* -en; Restauration *f.* -en. ~하다 wieder|her|stellen⁴; restaurieren⁴.
복권(復權) Wiedereinsetzung *f.* -en 《in die früheren Rechte》. ¶ ~시키다 wieder|ein|setzen 《*jn.* in s-e Rechte》.
복권(福券) Lotterie *f.* -n; 《표》 Lotterielos *n.* -es, -e.
복귀(復歸) Umkehr *f.*; Rück·kehr 〔-kunft〕 *f.* ~하다 um|kehren; zurück|kehren 《*zu*³; *auf*⁴》.
복근(腹筋) 〖解〗 Bauchmuskel *f.* -n.
복날(伏—) die Bezeichnung für die 3 Hundstage.
복당(復黨) die Wiederaufnahme in die Partei.
복대기다 《떠들썩하다》 geräuschvoll〔lärmend〕 sein.
복더위(伏—) Hitzewelle *f.* -n.
복덕방(福德房) Grundstücksmakler〔Zwischenhändler; Hausmakler〕 *m.* -s, -.
복도(複道) Gang *m.* -(e)s, ⸚e; Korridor *m.* -s, -e; Diele *f.* -n; Flur *m.* -(e)s, -e; 《극장의》 Foyer *n.* -s, -s.
복리(福利) =복지(福祉).
복리(複利) Zinseszins *m.* -es, -en. ¶ ~로 계산하다 auf Zinseszinsen rechnen⁽⁴⁾.
복마(卜馬) Pack〔Saum〕pferd *n.* -(e)s, -e.
복마전(伏魔殿) der Aufenthalt der bösen Geister.
복막염(腹膜炎) Bauchfellentzündung *f.* -en.
복면(覆面) Schleier *m.* -s, -; Maske *f.* -n. ~하다 das Gesicht verschleiern; das Gesicht verhüllen.
복명(復命) Bericht *m.* -(e)s, -e. ~하다 amtlich berichten⁴ 《*über*⁴》; *jm.* ⁴*et.* berichten. ‖ ~서 der amtliche〔schriftliche〕 Bericht.
복모음(複母音) Diphthong *m.* -(e)s, -e.
복무(服務) Dienst *m.* -es, -e. ~하다 dienen. ‖ ~ 규정 Dienst·ordnung〔-vorschrift〕 *f.* -en.
복문(複文) der zusammengesetzte Satz, -es, ⸚e.
복받치다 hoch|kommen*; hervor|sprudeln 〔-|brechen*〕.
복병(伏兵) Hinterhalt *m.* -(e)s, -e; die Truppen (*pl.*) im Hinterhalt.
복본위제(複本位制) Doppelwährung *f.* -en; Bimetallismus *m.* -.
복부(腹部) Bauch *m.* -(e)s, ⸚e; Unterleib *m.* -(e)s, -er. ‖ ~ 절제 수술 Bauchschnitt *m.* -(e)s, -e.
복비례(複比例) die zusammengesetzte Proportion, -en.
복사(複寫) Kopie *f.* -n; Nachbildung *f.* -en. ~하다 kopieren⁴; nach|bilden⁴. ‖ ~기 《압착식》 Kopierpresse *f.* -n / 사진 ~ Photokopie *f.*
복사(輻射) 〖理〗 (Aus)strahlung〔Radiation〕 *f.* -en. ‖ ~열(熱) Strahlungswärme *f.*
복사뼈 (Fuß)knöchel *m.* -s, -.
복상(服喪) ~하다 Trauer tragen*.
복색(服色) Farbe e-r Uniform; 《의상》 Kleidung *f.* -en.
복서(卜筮) Weissagung 〔Wahrsagung〕 *f.* -en.
복서 Boxer *m.* -s, -.
복선(複線) 《기차의》 Doppelgleis *n.* -es, -e.
복성스럽다 glücklich aus|sehen*.
복소수(複素數) 〖數〗 komplexe Zahl, -en.
복속(服屬) ~하다 ⁴sich unterwerfen* 〔unterziehen*; ergeben*〕.
복수(復讐) Rache *f.*; Vergeltung *f.* -en. ~하다 rächen⁽*⁾ 《*jn.* *für*⁴ 〔*wegen*²〕 아무를 위하여》. ‖ ~심 Rachgier *f.*
복수(腹水) Bauchwasser *n.* -s, -. ¶ ~가 괴다 Bauchwasser sammelt sich (in der Bauchhöhle) an.
복수(複數) Plural *m.* -s, -e; Mehrzahl *f.* -en.
복술(卜術) Wahrsagekunst *f.* ⸚e; Wahrsagung *f.* -en.
복숭아 Pfirsich *m.* -es, -e.
복스 ☞ 박스.
복스럽다(福—) glückstrahlend〔glücklich aussehend; pausbackig〕 (sein).
복습(復習) Wiederholung *f.* -en. ~하다 wiederholen⁴.
복시(複視) 〖醫〗 das Doppeltsehen*, -s; Diplopie *f.*
복식(服飾) Fashion [fɛ́ʃən] *f.*; Mode *f.* -n. ‖ ~ 디자이너 Mode·zeichner 〔-schöpfer〕 *m.* -s, -.
복식(複式) ~의 doppelt; zusammengesetzt.
복식부기(複式簿記) die doppelte Buchführung, -en.
복식호흡(腹式呼吸) Bauchatmung *f.* -en.
복싱 das Boxen*, -s; Faustkampf *m.* -(e)s, ⸚e. ‖ ~ 글러브 Boxhandschuhe (*pl.*).
복안(腹案) Plan *m.* -(e)s, ⸚e; Absicht *f.* -en 《의도》; Entwurf *m.* -(e)s, ⸚e 《구상》; Vorhaben *n.* -s, - 《기획》.
복어(—魚) =복.
복역(服役) (Militär)dienst *m.* -es, -e《병역》; Zwangsarbeit *f.* -en 《징역》. ~하다 dienen 《als gemeiner Soldat 사병으로서》; s-e Strafe〔Zeit〕 ab|sitzen*《교도소에서》.
복용(服用) ~하다 (Arznei) (ein|)nehmen*⁴; gebrauchen⁴; verordnen⁴.
복원(復元) Wiederherstellung *f.* -en. ¶ ~시키다 wieder|her|stellen⁴. ‖ ~력 Stabilität *f.* 《선박 따위의》.
복위(復位) Wieder·einsetzung〔-herstellung〕 *f.* -en. ~하다 wieder ein|setzen⁴; rehabilitieren⁴.
복음(福音) Evangelium *n.* -s, ..lien. ¶ ~을 전하다 das Evangelium predi-

gen. ‖～ 교회 die evangelische Kirche, -n.

복자(覆字·伏字) Fliegenkopf *m.* -(e)s, ¨e. ¶～로 하다 blockieren[4]; durch andere [4]Zeichen ersetzen 《fehlende [4]Lettern》.

복잡(複雜) ～하다 kompliziert 〔verworren; verwickelt〕 (sein). ¶～한 사건 die verwickelte 〔komplizierte〕 Angelegenheit, -en / ～해지다 [4]sich verwickeln 〔komplizieren〕.

복장(服裝) Tracht 〔Kleidung〕 *f.* -en; Kostüm *n.* -s, -e.

복제(服制) 《복식》 Bekleidungsvorschrift *f.* -en.

복제(複製) Reproduktion *f.* -en; Wiedergabe *f.* -n (durch Druck). ～하다 nach|drucken[4]; reproduzieren[4].

복종(服從) Gehorsam *m.* -(e)s; Unterwerfung *f.* ～하다 gehorchen[3]; [4]sich unterwerfen*[3]. ¶～시키다 unterwerfen*[4].

복지(服地) (Kleider)stoff *m.* -(e)s, -e; Tuch *n.* -(e)s.

복지(福祉) Wohlfahrt *f.*; Wohl *n.* -(e)s. ¶국민의 ～를 증진하다 das Wohl des Volkes 〔die öffentliche Wohlfahrt〕 fördern. ‖～ 국가 Wohlfahrtsstaat *m.* -(e)s, -en / ～ 사업 Wohlfahrtspflege *f.* -n / ～ 시설 die Wohlfahrtseinrichtungen (*pl.*).

복직(復職) Wiederanstellung *f.* -en. ¶～시키다 wieder|an|stellen[4].

복통(腹痛) Bauchschmerzen (*pl.*); Leibweh *n.* -(e)s. ¶～이 난다 Ich habe Bauchweh 〔Leibschmerzen〕.

복판 《가운데》 mitten in; in der Mitte. ¶도시 ～ in der Mitte der Stadt.

복합(複合) Zusammensetzung *f.* -en. ‖～ 기업 Konglomerat *n.* -(e)s, -e / ～문(文) der zusammengesetzte Satz, -es, ¨e / ～ 비타민 zusammengesetzte Vitamine (*pl.*) / ～어 Kompositum *n.* -s, ..ta 〔..ten〕.

복화술(腹話術) Bauchredekunst *f.* ¶～을 하다 bauchreden.

볶다 rösten[4]; dörren[4].

볶아대다 drängen[4] 《*auf*[4]; *zu*[3]》. ¶빨리 하라고 ～ zur [3]Eile drängen[4].

볶아치다 zur Eile an|treiben* 《*jn.*》; k-e Ruhe geben* 《*jm.*》.

볶음밥 gebratener Reis, -es.

본(本) 《본보기》 Muster *n.* -s, -; Modell *n.* -s, -e; Vorlage *f.* -n; 《의복 따위의》 Schablone *f.* -n; Musterpapier *n.* -s, -e; Schnittmuster *n.*

본가(本家) ① =본집. ② =친정.

본거(本據) Hauptquartier *n.* -s, -e; (Operations)basis *f.* ..sen; Stützpunkt *m.* -(e)s, -e.

본건(本件) die betreffende Angelegenheit, -en; die (unentschiedene) Sache.

본격(本格) ～적 ordentlich.

본고장(本—) 《고향》 Wiege 〔Heimat〕 *f.* -en; 《본바닥》 Urquelle *f.* -n; 《그 고장의》 lokal; Orts-; Stadt-; Lokal-.

본과(本科) der reguläre Lehrgang, -(e)s, ¨e. ‖～생 der Student des regulären Lehrgangs.

본관(本貫) die Heimat des Verfahren.

본관(本館) Hauptgebäude *n.* -s, -.

본국(本局) Hauptbüro *n.* -s, -s; 《전화》 Zentrale *f.* -n.

본국(本國) Heimatland *n.* -(e)s, ¨er〔-e〕; Vater〔Mutter〕land *n.* ‖～ 정부 unsere Regierung, -en.

본궤도(本軌道) Haupt·gleise *n.* -s, - 〔-bahn *f.* -en〕. ¶～에 오르다 so recht im Zug sein; im besten Zug sein.

본남편(本男便) 《전남편》 früher Mann, -(e)s, ¨er; 《남편》 angetrauter Mann; rechtmäßiger Ehemann.

본능(本能) Instinkt *m.* -(e)s, -e; (Natur-)trieb *m.* -(e)s, -e. ～적 instinktiv; triebhaft.

본당(本堂) Haupttempel *m.* -s, -; die Haupthalle e-s Tempels.

본대(本隊) Hauptmacht *f.* ¨e; Haupttrupp *m.* -s, -s.

본댁(本宅) Wohnung *f.* -en; Wohnsitz *m.* -es, -e.

본데없다 bäu(e)risch 〔ungehobelt; ungezogen; wild〕 (sein).

본디 (本—) von Anfang an 《처음부터》; eigentlich; unsprünglich 《원래》.

본때 Warnung 〔Mahnung〕 *f.* -en; 《경고》 Ermahnung *f.* -en. ¶～를 보이다 ein Beispiel setzen; ein Exampel statuieren; *jn.* bestrafen.

본뜨다(本—) modellieren[4] 〔formen[4]; gestalten[4]; bilden[4]〕 《*nach*[3]》.

본뜻(本—) 《의도》 ursprüngliches Zeil, -(e)s, -e; Absicht *f.* -en; 《의미》 die eigentliche Bedeutung, -en (e-s Texts); der ursprüngliche Sinn, -(e)s, -e.

본래(本來) ¶～의 eigentlich; urtümlich; im Grund genommen.

본론(本論) Hauptsache *f.* -n. ¶～에 들어가다 in die Hauptsache kommen*.

본루(本壘) 〖野〗 Schlagmal *n.* -(e)s, -s. ‖～타 Vier-Mal-Lauf *m.* -(e)s, ¨e.

본류(本流) Hauptstrom *m.* -(e)s, ¨e.

본말(本末) das A u. O, des - u. -s; das Alpha u. Omega, des -s u. des -s.

본망(本望) der lang gehegte Wunsch, -es, ¨e.

본명(本名) *js.* wirklicher 〔richtiger; wahrer〕 Name.

본무대(本舞臺) Hauptbühne *f.* -n; 《세상·사회》 der öffentliche Platz, -es, ¨e.

본문(本文) Text *m.* -es, -e; Wortlaut *m.* -(e)s, -e; Inhalt *m.* -(e)s, -e.

본바닥(本—) Heimat *f.* -en; die beste Gegend, -en 《*für*[4]》.

본바탕(本—) Substanz *f.* -en; das Wesentliche*, -n, -n.

본받다(本—) *js.* [3]Beispiel folgen; [3]sich ein [4]Muster nehmen* 《*an*[3]》.

본보기(本—) Beispiel *n.* -(e)s, -e; Muster *n.* -s, -; Vorbild *n.* -(e)s, -er.

본봉(本俸) das feste Gehalt, -(e)s, ¨er.

본부(本部) Hauptquartier *n.* -s, -e; Zentrale *f.* -n.

본분(本分) Pflicht *f.* -en. ¶～을 다하다 s-e Pflicht tun*.

본사(本社) Hauptgeschäft *n.* -s, -e; Zentrale *f.* -n.

본산(本山) der Hauptsitz e-r Sekte; Kathedrale *f.* -n.

본색(本色) ¶～을 드러내다 die Wahrheit ein|gestehen*; Farbe bekennen.

본서(本書) dieses Buch, -(e)s, ¨er.

본서(本署) Hauptpolizeiwache *f.* -n;

Polizeipräsidium *n.* –s, ..dien; Hauptamt *n.* –(e)s, ⸚er.
본선(本船) Hauptschiff *n.* –(e)s, –e; Mutterschiff; dieses [unser] Schriff, –(e)s, –e《이 배》. ‖～ 인도 〖商〗 fob; frei an Bord; die freie Lieferung an Bord.
본선(本線) 〖鐵〗 Hauptlinie *f.* –n.
본성(本性) der wahre Charakter, –s, –e. ¶～을 드러내다 ⁴sich entlarven [entpuppen].
본실(本室) die rechtmäßige Ehefrau, –en; erste Frau.
본심(本心) Herz *n.* –ens; –en; die wahre Absicht, –en. ¶～은 im Herzen.
본안(本案) 《원안》 Originalentwurf *m.* –(e)s, ⸚e; Originalplan *m.* –(e)s, ⸚e; 《이 안》 dieser Plan [Entwurf].
본업(本業) Haupt·beruf *m.* –(e)s, –e [–beschaftigung *f.* –en]. ¶그의 ～은 의사다 Er ist (ein) Arzt s–m Beruf nach.
본연(本然) ＝본래.
본영(本營) Hauptquartier *n.* –s, –e; Hauptlager *n.* –s, –.
본위(本位) ¶자기 ～의 selbstsüchtig; egoistisch / 품질 ～의 Qualität zuerst. ‖～ 화폐 das gesetzliche Zahlungsmittel, –s, –.
본의(本意) der wahre [eigentliche] Wille, –ns, –n; der wirkliche Wunsch, –es, ⸚e. ¶～ 아니게 gegen *js.* ⁴Willen; wieder *js.* ⁴Willen.
본인(本人) der Betreffende*, –n, –n; die in Frage kommende [in Rede stehende] Person, –en. ¶～ 스스로 persönlich; in (eigener) Person; selbst.
본적(本籍) der registrierte Wohnort, –(e)s, –e.
본전(本錢) Kapital *n.* –s, –e [..ien]; Kapitalsumme *f.* –n. ¶밑져야 ～이다 Auch wenn es mir nicht klappt, ich verliere nichts dabei.
본점(本店) Hauptgeschäft *n.* –(e)s, –e; 《은행》 Hauptbank *f.* –en.
본제(本題) Sache *f.* –n; Haupt·frage *f.* –n [–problem *n.* –(e)s, –e; –punkt *m.* –(e)s, –e].
본줄기(本—) Hauptlinie *f.* –n.
본지(本旨) Hauptsache *f.* –n; das Wesentliche*, –n; Herzstück *n.* –(e)s, –e.
본지(本紙) diese [unsere] Zeitung.
본직(本職) (Haupt)beruf *m.* –(e)s, –e; 《전문》 Fachmann *m.* –(e)s, ..leute.
본질(本質) Wesen *n.* –s, –. ¶～적으로 wesentlich; im wesentlichen.
본집(本—) Wohnung *f.* –en; Wohnsitz *m.* –es, –e 《거처》; die eigentliche Wohnung; Hauptwohnung *f.* –en.
본처(本妻) die richtige [rechtmäßige] Frau, –en.
본체(本體) 〖哲〗 Hauptteil *m.* –(e)s, –e; Noumenon *n.* –s, ..mena; Wesen *n.* –s, –. ‖～론 Ontologie *f.* ..gien.
본초(本草) 〖漢醫〗 chinesisches Heilkraut, –(e)s, ⸚er; Heilkräuter (*pl.*).
본초자오선(本初子午線) der erste Meridian, –s, –e [Längenkreis, –es, –e].
본토(本土) Fest[Haupt]land *n.* –(e)s, ⸚er. ¶～산(産)의 eingeboren; einheimisch.
본회담(本會談) Hauptkonferenz *f.* –en.
본회의(本會議) Vollsitzung *f.* –en; Plenarsitzung *f.* –en.
볼 ① 《뺨》 Backe *f.* –n; Wange *f.* –n. ② 《버선의》 ¶버선에 ～을 대다[받다] Socken [Strümpfe] stopfen.
볼가심 etwas zu beißen; etwas Eßbares; Imbiß *m.* ..bisses, ..bisse. ～하다 e–n Imbiß ein|nehmen*.
볼거리 〖漢醫〗 Mumps *m.* –; Ziegenpeter *m.* –s, –.
볼기 Hinterbacke *f.* –n; Hinterteil *n.* –(e)s, –e. ¶～를 맞다 ein Paar auf den Hintern bekommen*.
볼꼴사납다 häßlich [schlecht; schändlich; unwürdig] (sein).
볼되다 《벅참》 schwierig (sein); e–e Belastung sein; 《억셈》 straff [gespannt; fest; stark] (sein).
볼록거리다 auf|schwellen* u. sinken*; heftig klopfen.
볼록렌즈 Konvexlinse *f.* –n.
볼링 Bowling [bó:liŋ] *n.* –s, –s; Kegelspiel *n.* –(e)s, –e. ～하다 Kegel schieben*; kegeln.
볼만하다 《보암직하다》 sehenswert [sehenswürdig] (sein). ¶서울은 볼 만한 도시다 Die Stadt Seoul ist sehenswert.
볼멘소리 ärgerliche Worte (*pl.*). ¶～로 in ärgerlichem Ton; mit ärgerlicher Stimme.
볼모 Geisel *m.* –s, – [*f.* –n]; Leibbürge *m.* –n, –n.
볼셰비즘 Bolschewismus *m.* –.
볼셰비키 Bolschewik *m.* –en, –en [..ki]; Bolschewist *m.* –en, –en.
볼썽사납다 unanständig [ungebührlich; unschön] (sein).
볼일 Geschäft *n.* –(e)s, –e; 《용건》 Angelegenheit *f.* –en; Sache *f.* –n; 《일》 Arbeit *f.* –en.
볼장다보다 nicht wieder gut machen können*.
볼트 Volt *n.* – [–(e)s], –; Voltspannung *f.* –en.
볼펜 Kugelschreiber *m.* –s, –.
볼품 Aussehen *n.* –s; Anschein *m.* –(e)s 《외관》; das Äußere*, –n. ¶～없다 geschmacklos sein; schlecht aus|sehen* 《모양 따위가》.
볼호령(—號令) ärgerliches Brüllen*, –s; Geheul *n.* –(e)s. ～하다 heulen; brüllen.
봄 Frühling *m.* –s, –e. ¶봄 같은 frühlinghaft.
봄갈이 Frühlingsbestellung *f.* –en. ～하다 im Frühjahr pflügen(4).
봄날 Frühlingstag *m.* –(e)s, –e; Frühlingswetter *n.* –s, –.
봄내 im Frühling; den (ganzen) Frühling hindurch.
봄눈 Frühlingsschnee *m.* –s.
봄바람 Frühlings·wind [–hauch] *m.* –(e)s, –e.
봄볕 Frühlingssonne *f.*; Frühlingssonnenschein *m.* –(e)s, –e.
봄보리 im Frühlinggesäte Gerste.
봄비 Frühingsregen *m.* –s; der Sprühregen im Frühling.
봄빛 Frühlingslandschaft *f.* –en.
봄새 Frühlingszeit *f.* –en; 〖副詞的〗 während der Frühlingszeit.

봄철 Frühling *m.* -s, -e; Frühjahr *n.* -(e)s, -e.

봄추위 die Kälte im Frühling.

봄타다 von Frühjahrsmüdigkeit befallen sein.

봅슬레이 Bobrennen *n.* -s, -; Bobsleigh *m.* -s, -s.

봇도랑, 봇돌(洑—) Bewässerungs〔Zuleitungs〕graben *m.* -s, ¨.

봇물(洑—) Stauwasser *n.* -s, -; das Wasser im Stausee.

봇짐(褓—) Bündel *n.* -s, -; Pack *m.* -(e)s, -e 〔¨e〕. ‖ ~ 장수 der Hausierer, der s-e Waren auf dem Rücken trägt.

봉 《메우는》 Lot 〔Lotblei〕 *n.* -(e)s, -e; Lötmettal *n.* -s, -e. ¶~(을) 박다 löten^4.

봉건(封建) ‖ ~시대 Feudalzeit *f.* -en / ~주의 Feudalismus *m.* -.

봉고도(棒高跳) Stabhochsprung *m.* -(e)s, ¨e.

봉급(俸給) Gehalt *n.* -(e)s, ¨er; Besoldung *f.* -en. ‖ ~ 생활자 Gehaltsempfänger *m.* -s, - / ~일 Gehaltstag *m.* -(e)s, -e.

봉기(蜂起) Empörung *f.* -en. ~하다 ^{4}sich empören 《*gegen*^{4}》.

봉납(奉納) Darbringung *f.* -en; Einweihung *f.* ~하다 dar|bringen*^{4}; (ein|-)weihen^4. ‖ ~금 Opfergeld *m.* -(e)s, -er / ~식 Weihe *f.* -n.

봉두난발(蓬頭亂髮) zott(l)iges Haar, -(e)s, -e; struppiges Haar.

봉랍(封蠟) Siegel·lack *m.* 〔*n.*〕 -(e)s, -e 〔-wachs *n.* -es, -e〕.

봉박다(封—) 《구멍에》 ein Loch stopfen 〔flicken〕.

봉방(蜂房) (Honig)wabe *f.* -n; Honigzelle *f.* -n.

봉변(逢變) 《변을》 Unglück *n.* -(e)s, -e; Unfall *m.* -(e)s, ¨e; 《욕을》 Beleidigung *f.* -en. ~하다 von e-m Unglück getroffen werden; Opfer e-s Unglück werden.

봉봉 Bonbon [bɔ̃bɔ̃:] *m.* 〔*n.*〕 -s, -s.

봉분(封墳) ~하다 ein Grab errichten.

봉사(奉仕) Dienst *m.* -es, -e. ~하다 dienen^3, auf|warten^3; bedienen^4.

봉서(封書) der (versiegelte) Brief, -(e)s, -e.

봉선화(鳳仙花) Balsamine *f.* -n.

봉쇄(封鎖) Blockade *f.* -n; Sperrung *f.* -en; Einschließung *f.* ~하다 blockieren^4; ein|schließen*^{4}; 《항만·수로 따위를》 sperren^4.

봉수(烽燧) Feuerzeichen *n.* -s, -.

봉양(奉養) die Unterstützung der Eltern. ~하다 s-e Eltern unterhalten*.

봉오리 Knospe *f.* -n.

봉우리 (Berg)gipfel *m.* -s, -; (höchste) Spitze, -n.

봉인(封印) Siegel *n.* -s, -; Petschaft *n.* -(e)s, -e. ~하다 siegeln^4, petschieren^4.

봉정(捧呈) Überreichung *f.* -en; die feierliche Überreichung. ~하다 überreichen^4.

봉제(縫製) das Nähen*, -s; Näherei *f.* -en; Näharbeit *f.* -en. ‖ ~공 Näherin *f.* -nen / ~품 Näharbeit *f.* -en.

봉지(封紙) ¶한 ~ e-e Dosis.

봉직(奉職) Dienst *m.* -es, -e. ~하다 ein Amt 〔e-n Dienst〕 an|treten*; in ein Amt ein|treten*.

봉착(逢着) ~하다 ^{3}*et.* begegnen; auf ^{4}*et.* stoßen*.

봉창 ¶~한 돈 die heimlichen Ersparnisse (*pl.*) 《e-r ^{2}Ehefrau》.

봉창(封窓) 《봉한 창》 versiegeltes Fenster, -s, -; 《뚫은 창》 kleines Fenster an der Wand.

봉토(封土) Lehen *n.* -s, -; Lehnsgut *n.* -(e)s, ¨er.

봉투(封套) (Brief)umschlag *m.* -(e)s, ¨e.

봉피(封皮) Umschlag *m.* -(e)s, ¨e.

봉하다(封—) verschließen*^{4}; versiegeln^4; unter ^{4}Siegel legen^4.

봉함엽서(封緘葉書) Briefkarte *f.* -n.

봉합(縫合) 〖醫〗 das Nähen*, -s; Naht *f.* ¨e. ~하다 durch e-e Naht verbinden*^{4}; vernähen. .

봉헌(奉獻) ~하다 widmen$^{3 \cdot 4}$; ehrfurchtsvoll dar|bieten*^{4} 〔dar|bringen*^{4}〕.

봉화(烽火) Wacht〔Lager〕feuer *n.* -s, -; Fanal *m.* 〔*n.*〕 -s, -e. ¶~를 올리다 ein Signalfeuer an|zünden.

봉황(鳳凰) der chinesische Wundervogel, -s, ¨; Phönix *m.* -(es), -e.

봐하니 dem Anschein 〔Aussehen〕 nach.

뵙다 sehen* 《*jn.*》; empfangen* 《*jn.*》; sprechen* 《*jn.*》; die Ehre 〔Freude〕 haben *jn.* zu sehen 〔sprechen〕. ¶언제쯤 찾아뵐까요 Wann soll ich zu Ihnen kommen ?

부(部) 《부·국·과 등의》 Abteilung 〔Sektion〕 *f.* -en; 《부분》 Teil *m.* -(e)s, -e; Fakultät *f.* -en 《대학의 학부》; 《인쇄물》 Exemplar *n.* -s, -e; Band *m.* -(e)s, ¨e.

부(富) Reichtum *m.* -(e)s, ¨er; Vermögen *n.* -s, -.

부-(副) Vize-; Unter-; Neben-. ¶~제 Untertitel *m.* -s, -e / ~독본 ergänzendes Lesebuch, -(e)s, ¨er.

부가(附加) ~하다 bei|fügen^4. ‖ ~ 가치 Mehrwert *m.* -(e)s, -e (~ 가치세(稅) Mehrwertssteuer *f.* -n) / ~세 Zuschlagssteuer *f.* -n.

부각(浮刻) Relief *n.* -s, -s 〔-e〕. ~하다 mit dem Hammer treiben*^{4}; prägen^4; bossieren^4. ¶~되다 scharf hervor|treten*.

부감도(俯瞰圖) Vogelperspektive *f.* -n; Vogelschau *f.* -en.

부강(富强) Reichtum u. Macht. ~하다 reich u. mächtig (sein).

부걱거리다 auf|wallen; Blasen auf|werfen*.

부결(否決) Ablehnung 〔Verwerfung〕 *f.* -en. ~하다 ab|lehnen^4, verwerfen*^{4}. ¶~되다 abgelehnt 〔negiert〕 werden.

부계(父系) die männliche Linie, -n; die väterliche Linie.

부고(訃告) schwarzumränderte Anzeige, -n; Traueranzeige *f.*

부과(賦課) Auf(er)legung *f.* -en; Erhebung *f.* -en. ~하다 auf|erlegen^4; erheben*^{4}. ‖ ~금 Abgaben (*pl.*)

부관(副官) Adjutant *m.* -en, -en.

부교(浮橋) Ponton〔Schiff〕brücke *f.* -n.

부국(富國) die Bereicherung e-s Landes. ¶~ 강병을 꾀하다 Maßregeln zur Bereicherung u. Verstärkung des Landes treffen*.

부군(夫君) Ehemann *m.* -(e)s, ¨er; Gemahl *m.* -(e)s, -e.

부권(夫權) Gattenrecht *n.* -(e)s, -e.
부권(父權) Vaterrecht *n.* -(e)s, -e; Patriarchat *n.* -(e)s, -e.
부귀(富貴) Reichtum u. hohe Stellung; Wohlhabenheit. *f.* ～하다 reich u. vornehm (sein). ¶～ 영화를 누리다 herrlich leben.
부근(附近) Nähe 〔Umgebung〕 *f.* ¶～에 in der Nähe[2] 〔Umgegend[2]〕.
부글거리다 《끓어서》 wallen; brodeln; 《거품이》 auf|sprudeln; schäumen.
부기 Tölpel *m.* -s, -; Narr *m.* -en, -en; Hanswurst *m.* -(e)s, ⸗e.
부기(附記) Nachwort *m.* -(e)s, -e 《발문》; Anhang *m.* -(e)s, ⸗e 《부록》. ～하다 an|hängen*[4]; nach|tragen*[4].
부기(浮氣) Wassersucht *f.* ⸗e; Beule *f.* -n; (An)schwellung *f.* -en. ¶～가 빠지다 e-e Wassersucht geht nieder.
부기(簿記) Buchhaltung *f.* -en. ‖ 단식〔복식〕 ～ die einfache 〔doppelte〕 Buchhaltung.
부꾸미 Reisgebäck *n.* -(e)s, -e.
부끄러워하다 [4]sich schämen; schüchtern sein. ¶남의 눈을 ～ [4]sich schämen, gesehen zu werden / 그는 자신의 태도를 부끄러워하고 있다 Er schämt sich s-s Betragens.
부끄럼 ① 《수치》 Scham *f.*; Schamgefühl *n.* -(e)s, -e; Schmach *f.* ¶～을 알다 Ehrgefühl haben; [4]sich schämen / ～을 모르다 alle Scham abgelegt haben; k-e Scham im Leibe haben. ② 《수줍음》 Scheu *f.*; Schüchternheit *f.* ¶～타다 scheu 〔schüchtern〕 sein.
부끄럽다 《양심에》 [4]sich schämen 《e-r [2]Sache》; [4]sich beschämend fühlen; 《스스러워함》 scheu 〔schüchtern〕 (sein).
부나비 〖蟲〗 Nachtfalter *m.* -s, -.
부낭(浮囊) ① 《수영의》 Schwimmring *m.* -(e)s, -e. ② =부레.
부녀(父女) Vater u. Tochter.
부녀자(婦女子) Weib *n.* -(e)s, -er; Frau *f.* -en.
부농(富農) ein reicher Landwirt, -(e)s, -e; Pächter *m.* -s, -.
부닐다 [4]sich liebenswürdig verhalten*; freundlich 〔gütig〕 handeln.
부닥치다 《만나다》 treffen*[4]; begegnen[3]; 《곤란 따위에》 auf Schwierigkeiten stoßen*.
부단(不斷) ～하다 ununterbrochen 〔beständig; dauernd〕 (sein). ¶～한 노력 der unaufhörliche Fleiß, -es.
부담(負擔) Last *f.* -en; Bürde *f.* -n; Druck *m.* -(e)s, ⸗e; Verpflichtung *f.* -en. ～하다 die Kosten tragen*. ¶～시키다 auf|bürden[34]; auf|(er)legen[34]; belasten[4] 《*mit*[3]》.
부당(不當) ～하다 ungerecht 〔unbillig〕 (sein); 《과분》 unverdient (sein).
부대(附帶) ¶～하는 nebensächlich; beiläufig. ‖ ～ 결의 Nebenbeschluß *m.* ..schlusses, ..schlüsse / ～ 조건 Nebenbedingung *f.* -en.
부대(負袋) Sack *m.* -(e)s, ⸗e. ¶쌀 한 ～ ein Sack Reis.
부대(部隊) Truppe *f.* -n; (Heeres)abteilung *f.* -en. ‖ ～장 Truppenführer *m.* -s, -.
부대(富大) ～하다 dick 〔fett; beleibt; feist〕 (sein).
부대끼다 gequält 〔belästigt; geplagt〕 werden.
부덕(不德) 《덕의 부족》 Unwürdigkeit *f.*; der Mangel an Tugend. ～하다 unwürdig[2] 〔unwert[2]; lasterhaft〕 (sein).
부덕(婦德) weibliche Tugend, -en.
부도(不渡) Nicht·honorierung〔-zahlung; -einlösung〕 *f.* -en. ¶～가 나다 nicht honoriert werden; protestiert werden. ‖ ～ 수표 der nicht honorierte Scheck, -s, -s.
부도(附圖) Abbildung *f.* -en; Illustration *f.* -en.
부도(婦道) die Würde der Frau; Frauentum *n.* -(e)s.
부도덕(不道德) Unsittlichkeit *f.* ～하다 unsittlich 〔unmoralisch〕 (sein).
부도체(不導體) Nichtleiter *m.* -s, -; Isolator *m.* -s, -en.
부동(不同) ～하다 ungleich 〔uneben; ungleichartig; verschieden〕 (sein). ¶표리가 ～한 unaufrichtig.
부동(不動) ～하다 unbeweglich 〔unerschütterlich〕 sein. ‖ ～ 자세 die stramme militärische Haltung, -en.
부동(浮動) ～하다 hin u. her schwanken 〔schwingen*; wackeln〕; fluktuieren. ‖ ～ 자금 Umlaufskapital *n.* -s, -e 〔-ien〕 / ～표 die unzuverlässige (Wahl-)stimme, -n.
부동(符同) ～하다 [4]sich verschwören*; [4]sich zu rechtswidrigem Handeln vereinigen.
부동산(不動產) Immobilien (*pl.*). ‖ ～업 Immobiliengeschäft *n.* -(e)s, ⸗e; 《토지 매매의》 (Grundstück)makler *m.* -s, -.
부동액(不凍液) Gefrierschutzmittel *n.* -s, -.
부동항(不凍港) der eisfreie Hafen, -s, ⸗.
부두(埠頭) Kai *m.* -s, -e.
부둑부둑하다 feucht-trocken 〔bügeltrocken〕 (sein).
부둥키다 *jn.* umarmen; *jn.* im Arm halten*; umfangen*; umfassen; umranken.
부드럽다 weich〔zart; mild; sanft〕(sein). ¶부드러운 음색 ein weicher 〔sanfter〕 Ton, -s, ⸗e / 부드러워지다 《기분이》 milder werden.
부득부득 hartnäckig; widerspenstig; eigensinnig; halsstarrig; beharrlich.
부득불(不得不) unvermeidlich; notwendigerweise; durchaus; unumgänglich. ¶～ …하다 nicht anders können* als.
부득이(不得已) unvermeidlich. ¶～한 사정으로 zwingender [2]Umstände halber.
부들 〖植〗 Teich〔Sumpf〕binse *f.* -n.
부들부들 zitternd; schauernd; bebend. ¶～ 떨다 zittern (u. beben); schau(d)ern; vibrieren; zucken.
부등깃 Flaumfedern 〔die weichen Federn〕 (*pl.*) e-s jungen Vogels.
부등식(不等式) 〖數〗 Ungleichung *f.* -en.
부디 《바라건대》 bitte sehr; 《꼭》 unter allen Umständen; um jeden Preis.
부딪뜨리다 stoßen*[4] 《*auf*[4]; *gegen*[4]》; mit [3]*et.* stoßen* 《*auf*[4]; *gegen*[4]》.
부딪치다 ([4]sich) stoßen*; zusammen|stoßen* 《*mit*[3]》.

부뚜막 Herd *m.* -(e)s, -e.
부라리다 (an|)starren; (an|)glotzen; große Augen machen.
부락(部落) Dörfchen *n.* -s, -; Weiler *m.* -s, -.
부란(孵卵) das (Aus)brüten*, -s; Inkubation *f.* -en. ∼하다 in der Brut sein; ausgebrütet werden. ‖ ∼기 Brutapparat *m.* -(e)s, -e.
부란(腐爛) Fäulnis 〔Verwesung〕 *f.*
부랑(浮浪) ∼하다 umher|streichen*. ‖ ∼아 die verlassenen Kinder (*pl.*) / ∼자 Landstreicher *m.* -s, -; Vagabund *m.* -en, -en.
부랴부랴 flugs; hurtig; in Eile; stehenden Fußes; ohne Verzug.
부러 absichtlich; mit Absicht; geflissentlich; vorsätzlich.
부러뜨리다 brechen*[4]; zerbrechen*[4].
부러워하다 beneiden[4] 《*um*[4]》; neidisch sein 《*auf*[4]》.
부러지다 (ab|)brechen*; abgebrochen werden.
부럽다 beneidenswert 〔neidisch〕 (sein); 〖動詞的〗 beneiden[4] 《*um*[4]》. ¶ 부러운 듯이 neidisch; neiderfüllt.
부레 《물고기의》 Schwimmblase *f.* -n.
부려먹다 überanstrengen[4]; *jn.* hetzen zu arbeiten; *jn.* zu fortwährender Arbeit an|halten*.
부력(浮力) Schwimmkraft *f.* ¨e; 《비행기의》 Auftrieb *m.* -(e)s, -e.
부력(富力) Reichtum *m.* -(e)s, ¨er; Vermögen *n.* -s, -.
부령(部令) Ministerial·erlaß *m.* ..lasses, ..lasse 〔-verordnung *f.* -en〕.
부록(附錄) Anhang *m.* -(e)s, ¨e.
부루말 ☞ 흰말.
부루퉁하다 《부어서》 aufgeblasen 〔angeschwollen〕 (sein); 《불만스러워》 mürrisch 〔verdrießlich; mißgestimmt; verstimmt〕 (sein).
부룩소 ein junger, kleiner Stier, -(e)s, -e.
부류(部類) Klasse *f.* -n; Art *f.* -en; Gruppe *f.* -n.
부르다[1] rufen*[4]; zu|rufen*[34]; 《일컫다》 (be-)nennen*[4]; heißen[4]; 《노래를》 singen*[4]. ¶ 의사〔택시〕를 ∼ e-n Arzt 〔ein Taxi〕 rufen* 〔holen〕.
부르다[2] 《배가》 satt 〔gesättigt〕 (sein); [4]sich an [3]*et.* satt 〔dick〕 gegessen haben; 《애를 배서》 schwanger (sein).
부르르 ☞ 바르르.
부르조아 Bourgeois *n.* -, -; Bürger *m.* -s, -. ‖ ∼ 계급 Bourgeoisie *f.* -n.
부르쥐다 zusammen|pressen.
부르짖다 schreien*; auf|schreien*; aus|rufen*; laut rufen*. ¶ 개혁을 ∼ laut nach e-r Reform rufen*.
부르짖음 Ruf 〔Ausruf〕 *m.* -(e)s, -e.
부르트다 in Blasen auf|brechen*.
부릅뜨다 starren; große Augen machen.
부리 Schnabel *m.* -s, ¨.
부리나케 eilig; flüchtig; übereilt.
부리다[1] 《일시키다》 beschäftigen[4]; an|stellen[4]; gebrauchen[4]; verwenden*[4].
부리다[2] 《짐을》 ab|laden*[4] 《vom Lastwagen 〔Zug〕》; aus|laden*[4] 《vom Schiff》.
부리부리하다 groß u. strahlend 〔leuchtend; hell〕 (sein).
부리잡히다 (der Furunkel) [4]sich zu|spitzen.
부마(駙馬) der Schwiegersohn des Königs.
부모(父母) Vater u. Mutter; 《양친》 Eltern (*pl.*).
부목(副木) 〖醫〗 Schiene *f.* -n.
부목사(副牧師) Unterpfarrer *m.* -s, -; der Hilfsgeistliche*, -n, -n.
부문(部門) Klasse *f.* -n; Gruppe *f.* -n; Sektion *f.* -en.
부박(浮薄) Flatterhaftigkeit *f.* -en. ∼하다 flatterhaft 〔leichtfertig; oberflächlich〕 (sein).
부반장(副班長) Vizepräsident *m.* -en, -en (der Klasse).
부보(訃報) Todesnachricht *f.* -en.
부복(俯伏) ∼하다 e-n Fußfall machen 〔tun*〕 《vor *jm.*》; [4]sich *jm.* zu Füßen werfen*.
부본(副本) Abschrift 〔Zweitausfertigung; Zweitschrift〕 *f.* -en.
부부(夫婦) (Ehe)paar *n.* -(e)s, -e; Mann u. Frau; Herr u. Frau; Gatten (*pl.*); Eheleute (*pl.*). ¶ ∼가 되다 Mann u. Frau werden. ‖ 맞벌이 ∼ das werktätige Ehepaar / 신혼 ∼ das jung verheiratete Paar.
부분(部分) Teil *m.* -(e)s, -e. ∼적 teilweise; 《국부적》 lokal.
부빙(浮氷) Treib〔Drift〕eis *n.* -es; das schwimmende Eis.
부사(副使) Stellvertreter *m.* -s, -; Bevollmächtigte *f.* 〔*m.*〕 -n, -n; Geschäftsträger *m.* -s, -.
부사(副詞) Adverb *n.* -s, ..bien; Umstandswort *n.* -(e)s, ¨er. ∼적 adverbial.
부산물(副産物) Nebenprodukt *n.* -(e)s, -e.
부산하다 beschäftigt 〔emsig; eifrig〕 (sein). ¶ 부산하게 굴다 viel Aufhebens machen.
부삽(一鍤) Feuer〔Kohlen〕schaufel *f.* -n.
부상(負傷) Verwundung *f.* -en. ∼하다 [4]sich verwunden. ¶ ∼시키다 verwunden[4]. ‖ ∼자 der Verwundete*, -n, -n.
부상(副賞) Extra〔Neben〕preis *m.* -es, -e.
부서(部署) Posten *m.* -s, -; Amt *n.* -(e)s, ¨er.
부서(副署) Gegen·unterschrift 〔-zeichnung〕 *f.* -en. ∼하다 gegen|zeichnen.
부서뜨리다 ☞ 부스러뜨리다.
부서지다 (zer)brechen*; in Stücke gehen*; zerschmettert werden; 《집 따위가》 ein|stürzen. ¶ 부서지기 쉬운 zerbrechlich; spröde.
부석부석하다 leicht angeschwollen (sein).
부선거(浮船渠) Schwimmdock *n.* -(e)s, -e 〔-s〕; U-Dock *n.* -(e)s, -e 〔-s〕.
부설(附說) Beiwerk *n.* -(e)s, -e; Anhängsel *n.* -s, -. ∼하다 Beiwerk an [4]*et.* ein|richten.
부설(敷設) das Legen*, -s; das Bauen*, -s. ∼하다 legen[4]; an|legen[4]; bauen[4]. ‖ 철도 ∼ Eisenbahnbau *m.* -(e)s, -ten.
부성애(父性愛) Vaterliebe *f.* -n.
부속(附屬) ∼하다 zu|gehören 《*zu*[3]》; an|hängen*[3]. ¶ ∼의 (zu)gehörig 《*zu*[3]》. ‖ ∼ 국민 학교 die zugehörige Volksschule, -n / ∼품 Zubehör *m.* 〔*n.*〕 -(e)s, -e.

부수(附隨) das Begleiten*, -s; das Beilegen*, -s. ～적 begleitend; hinzukommend.
부수(部數) die Zahl von Exemplaren.
부수다 (zer)brechen*^{4}; zerschlagen*^{4}; in Stücke schlagen*^{4}〔zerbrechen*^{4}〕.
부수상(副首相) Vizekanzler *m.* -s, -.
부수수하다 in Unordnung〔aufgelöst; unordentlich〕(sein). ¶부수수한 머리 unordentliches〔wirres〕Haar.
부수입(副收入) Nebeneinkünfte (*pl.*).
부스러기 Schnitzel *n.* -s, -; Abfälle (*pl.*); Fetzen *m.* -s, -; Lappen *m.* -s, -; Splitter *m.* -s, -.
부스러뜨리다 zerschmettern; zertrümmern; zerbrechen*. 「fallen*.」
부스러지다 ab|bröckeln; in Stücken ab|-
부스럭대다 rauh〔roh〕sein;《돌아다니다》heimlich umher|gehen*; ^{4}sich still u. leise umher|bewegen.
부스럼 Geschwulst *f.* ⸗e; (An)schwellung *f.* -en. ¶～이 나다 (an)schwellen*; ödematös werden.
부슬부슬 ☞보슬보슬.
부시 das Metalstück, das mit dem Feuerstein zum Feuerschlagen gebraucht wird. ¶～(를) 치다 Feuer schlagen*.
부시다[1] 《눈이》 blendend〔grell〕(sein). ¶햇빛에 눈이 ～ Die Sonne blendet mich.
부시다[2] 《씻다》 aus|waschen*; aus|spülen; mit Wasser rein|machen.
부식(扶植) Einpflanzung〔Ausdehnung; Erweiterung〕*f.* -en. ～하다 ein|pflanzen^{4}; aus|dehnen^{4}; ^{4}sich durch|setzen.
부식(腐蝕) Ätzung〔Beizung〕*f.* -en. ～하다 ätzen^{4}; beizen^{4}; zerfressen*^{4}. ‖～제(劑) Ätzmittel *n.* -s, -.
부식물(副食物) Zuspeise *f.* -n.
부신(副腎) Nebenniere *f.* -n. ‖～피질 Nebennierenrinde *f.* -n.
부실(不實) ～하다 《불성실》 unaufrichtig〔unredlich; unehrlich; untreu〕(sein); 《불충분》 ärmlich〔mangelnd; unzureichend〕(sein).
부심(副審) Beisitzer *m.* -s, -; Ko-referent *m.* -en, -en.
부심(腐心) das Bangen*, -s; Besorgnis *f.* -se; Beklemmerung *f.* -en. ～하다 ^{3}sich große Mühe geben*, um ^{4}*et.* zu ringen〔lösen〕.
부아 ①《허파》 Lunge *f.* -n. ②《분》 Ärger *m.* -s; Verdruß *m.* ..drusses, ..drusse; Zorn *m.* -(e)s. ¶～가 나다 ärgerlich〔verdrießlich; zornig〕werden 《*über*^{4}》.
부양(扶養) Unterhaltung〔Ernährung〕*f.* -en. ～하다 ernähren^{4}; unterhalten*^{4}. ‖～가족 die Familie zu unterhalten / ～의무 Unterhaltungspflicht *f.* -en.
부양(浮揚) 《작업》 das Flottmachen*, -s; Bergung *f.* -en. ～하다 《좌초한 배 등을》 flott machen^{4}; bergen*^{4}; heben*^{4}. ‖～력 Tragfähigkeit *f.*
부언(附言) die nachträgliche〔zusätzliche〕Bemerkung, -en. ～하다 hinzu|fügen^{4} 《zu ^{3}*et.*》.
부얼부얼하다 fett u. rundlich (sein); pausbäckig〔rundwangig〕(sein).

부업(副業) Neben·gewerbe *n.* -s, -〔-arbeit *f.* -en〕.
부엉이 Eule *f.* -n.
부엌 Küche *f.* -n. ‖～세간 Küchengeschirr *n.* -(e)s, -e.
부여(附與) ～하다 erteilen^{34}; bekleiden^{4} 《*mit*^{3}》; gewähren^{34}. 「gabe.」
부역(賦役) Zwangsarbeit u. erpreßte Ab-
부연(敷衍) Erweiterung *f.* -en. ～하다 erweitern^{4}; aus|dehnen^{4} 《*auf*^{4}》.
부영사(副領事) Vizekonsul *m.* -s, -n.
부예지다 meb(e)lig〔verschwommen〕werden. 「blume *f.* -n.」
부용(芙蓉) 《연꽃》 Lotos *m.* -, -; Lotos-
부원(部員) 《한 사람》 Mitglied *n.* -(e)s, -er; 《전체》 Mitgliederschaft *f.* -en; Stab *m.* -(e)s, ⸗e.
부유(浮遊) das Schwimmen*, -s; das Schweben*, -s; Schwebung *f.* ～하다 (obenauf) schwimmen*; schweben; treiben*. ‖～물 der schwimmende Gegenstand, -(e)s, ⸗e. 「(sein).」
부유(富裕) ～하다 reich〔wohlhabend〕
부유스름하다 ergraut〔unklar; verschwommen; neb(e)lig〕(sein).
부음(訃音) Todes·anzeige *f.* -n〔-nachricht *f.* -en〕.
부응하다(副應—) ^{3}*et.* entgegen|kommen*; ^{3}*et.* entgegen|treten*; entsprechen*.
부의(附議) ～하다 zur Sprache〔Besprechung〕bringen*^{4}; in der Sitzung〔Konferenz〕besprechen*^{4}〔behandeln^{4}; beraten*^{4}; debattieren*$^{(4)}$ 《*über*^{4}》〕. 「-n.」
부의(賻儀) Trauer〔Kondolenz〕gabe *f.*
부의장(副議長) Vizepräsident *m.* -en, -en; stellvertretender Vorsitzender, -s.
부익부빈익빈(富益富貧益貧) Die Reichen werden immer reicher u. die Armen werden immer ärmer.
부인(夫人) Frau *f.* -en; Gattin〔Gemahlin〕*f.* ..nen. ¶A씨 ～ Frau A / ～동반으로 mit der Frau.
부인(否認) (Ver)leugnung〔Verneinung〕*f.* -en. ～하다 (ver)leugnen^{4}; verneinen^{4}.
부인(婦人) Frau *f.* -en; Weib *n.* -(e)s, -er; Dame *f.* -n. 「begeben*.」
부임(赴任) ～하다 ^{4}sich nach s-m Posten
부자(父子) Vater u. Sohn, des - u. -(e)s.
부자(富者) der Reiche*, -n, -n; Millionär *m.* -s, -e 《백만장자》; Milliardär *m.* -s, -e 《천만장자》.
부자연(不自然) ～하다, ～스럽다 unnatürlich (sein); 《인위적》 künstlich (sein); 《짐짓 꾸민》 gesucht (sein); 《무리》 gezwungen (sein).
부자유(不自由) ～하다, ～스럽다 unfrei〔unbequem; krüppelhaft; kümmerlich〕(sein).
부작용(副作用) Nebenwirkung *f.* -en. ¶～없는 harmlos; unschädlich.
부작위(不作爲) 〖法〗 Unterlassung *f.* -en. ‖～범 Unterlassungsdelikt *n.* -(e)s, -e.
부잔교(浮棧橋) e-e schwimmende Landungsbrücke, -n.
부장(部長) Chef e-r Abteilung; Abteilungsleiter *m.* -s, -. ‖인사 ～ Chef e-r Personalabteilung.

부장품(副葬品) (e-e Ware, die in ein Grab gelegt ist) Grabbeigabe *f.* -n.

부재(不在) Abwesenheit *f.* -en. ¶ ~중이다 nicht zu Hause sein; abwesend sein. ‖ ~자 투표 die Wahl in Abwesenheit.

부적(符籍) Talisman *m.* -s, -e; Amulett *n.* -(e)s, -e; Schutzzauberzeichen *n.* -s, -.

부적격(不適格) ~하다 untauglich [ungeeignet; unfähig] (sein).

부적당(不適當) ~하다 unangemessen 《*zu*³》 [unpassend 《*zu*³; *für*⁴》; ungeeignet 《*zu*³; *für*⁴》; unziemlich³] (sein).

부적임(不適任) Unangemessenheit *f.*; Untauglichkeit *f.* ¶ ~이다 zu ³*et.* nicht taugen; nicht am richtigen Platz sein.

부적절(不適切) ~하다 ungeeignet [unpassend; ungehörig] (sein).

부전(附箋) (Anhangs)zettel *m.* -s, -; Etikett *n.* -(e)s, -e. ¶ ~을 붙이다 mit e-m Zettel versehen*⁴; bezetteln⁴; etikettieren⁴.

부전(不戰) ‖ ~승 der Sieg ohne Kampf/ ~ 조약(條約) Kriegsächtungspakt *m.* -(e)s, -e.

부전자전(父傳子傳) Überlieferung von Vater zu Sohn; Wie die Alten singen, so zwitschern auch die Jungen.

부절제(不節制) Unmäßigkeit [Maßlosigkeit] *f.* -en. ~하다 unmäßig [maßlos; ausschweifend] sein.

부젓가락 (Feuer)zange *f.* -n.

부정(不正) Unrecht *n.* -(e)s; Unbilligkeit *f.* -en; 《불공정》 Unbilde *f.* -n; 《부정직》 Unehrlichkeit *f.* -en; 《위법》 Gesetzwidrigkeit *f.* ~하다 unrecht [unbillig; unehrlich; gesetzwidrig; ungehörig] (sein). ‖ ~ 대출 ein illegales Darlehen, -s, -/ ~ 수단 die unerlaubten Mittel (*pl.*) / ~ 행위 die unehrliche [unredliche] Handlung, -en.

부정(不定) ~하다 unbestimmt [ungewiß; schwankend] (sein). ‖ ~ 관사 der unbestimmte Artikel, -s, - / ~법 Infinitiv *m.* -s, -e.

부정(不貞) Betrug *m.* -(e)s, ⸗e; Treubruch *m.* -(e)s; Untreu *f.* ~하다 treubrüchig [treulos; untreu; flatterhaft] (sein).

부정(不淨) Unsauberkeit *f.* -en 《불결》; Unreinheit *f.* -en 《더러움》; Unehrlichkeit *f.* -en 《마음의》. ~하다 unsauber [unehrlich; unrein(lich)] (sein).

부정(否定) Verneinung [Negation; Ableugnung] *f.* -en; Dementi *n.* -s, -s. ~하다 verneinen⁴; negieren⁴; ab|leugnen⁴; dementieren⁴. ¶ ~적(인) verneinend; negativ.

부정기(不定期) Unregelmäßigkeit *f.*; ein unregelmäßiger Termin, -s, -e.

부정당(不正當) Unrecht *n.* -(e)s; Ungerechtigkeit *f.* ~하다 falsch [unrichtig; unrecht; ungesetzlich] (sein).

부정직(不正直) ~하다 unehrlich [unredlich; unaufrichtig] (sein).

부정확(不正確) ~하다 unrichtig [ungenau; inkorrekt] (sein).

부제(副題) Neben [Zwischen] titel *m.* -s, -.

부조(父祖) Vater u. Großvater; Vorfahr *m.* -en, -en; Ahne *f.* -n.

부조(不調) Ungunst *f.* (z.B. Wetter *od.* Gesundheit); Unvorteilhaftigkeit *f.* ~하다 ungünstig [unvorteilhaft; widrig; in schlechter Vefassung] (sein).

부조(扶助) (Bei)hilfe *f.* -n《원조》; Unterhalt *m.* -(e)s 《부양》; Unterstützung *f.* -en《보조》. ~하다 bei|stehen*³; helfen*³; unterhalten*⁴; unterstützen⁴.

부조(浮彫) 【美】 Relief *n.* -s, -s[-e]; Reliefarbeit *f.* -en; Flachbildwerk *n.* -(e)s, -e. ~하다 in ein Relief meißeln; bossieren.

부조리(不條理) Unvernunft *f.*; Vernunftwidrigkeit *f.* ~하다 unvernünftig [vernunftwidrig] (sein).

부조화(不調和) Uneinigkeit *f.*; Disharmonie *f.* -n; Zwietracht *f.* ~하다 uneinig [disharmonisch; zwieträchtig] sein.

부족(不足) Mangel *m.* -s, ⸗; Unzulänglichkeit *f.* -en. ~하다 an ³*et.* knapp werden; unzulänglich (sein).

부족(部族) Stamm *m.* -(e)s, ⸗e; Völkerschaft *f.* -en.

부주의(不注意) Unaufmerksamkeit [Unachtsamkeit; Sorglosigkeit] *f.* -en. ~하다 unaufmerksam [unachtsam; fahrläßig] (sein).

부증(浮症) 【醫】 Tumor *m.* -s, -en; Geschwulst *f.* ⸗e.

부지(扶支) das Aushalten*, -s; das Ausstehen*, -s. ~하다 aus|halten*; aus|stehen*; ertragen*.

부지(敷地) Grundstück *n.* -(e)s, ⸗e; Platz *m.* -es, ⸗e 《*zu*³; *für*⁴》. ‖ 건축 ~ Bau·platz *m.* [-stelle *f.* -n].

부지깽이 Feuerhaken *m.* -s, -; Schüreisen *n.* -s, -[-stange *f.* -n].

부지런하다 fleißig [eifrig; arbeitsam] (sein).

부지불식간(不知不識間) ~에 unwissentlich; unbewußt; unwillkürlich.

부지사(副知事) Vizegouverneur [..gu:vɛr-n:ǿr] *m.* -s, -e.

부직(副職) zusätzliche Stellung, -en; zusätzliches Amt, -(e)s, ⸗er.

부진(不振) Flauheit *f.* -en; Depression *f.* -en; Stille *f.* -n. ~하다 flau [still; stilliegend; stockend] sein. ¶ 영업이 ~하다 Die Geschäfte gehen flau.

부진(不進) das Nichtfortschreiten*, -s. ~하다 kaum Fortschritt machen. ¶ 지지 ~하다 schlechten Fortschritt machen.

부질없다 vergeblich [nutzlos; zwecklos; nichtig] (sein).

부집게 Feuerzange [Kerzenschere; Lichtputzschere] *f.* -n.

부쩍 bedeutend; bemerklich; beträchtlich; plötzlich 《갑자기》.

부차적(副次的) sekundär; subordiniert. ¶ ~ 현상 sekundäre Erscheinung, -en; 《수반 현상》 Begleiterscheinung *f.* -en.

부착(附着) ~하다 an|haften³; adhärieren³; haften 《*an*³》; fest|sitzen* 《*in*³》; ⁴sich fest|halten* 《*an*³》.

부채 Fächer *m.* -s, -. ¶ ~질하다 (⁴sich) fächeln; 《比》 an|fachen.

부채(負債) Schuld *f.* -en. ¶ ~를 갚다 die Schuld bezahlen.

부처 Buddha *m.* -s, -s.
부처(夫妻) Ehepaar *n.* -(e)s, -e. ¶ A씨 ~ Herr und Frau A; Herr A und s-e Frau.
부척(副尺) Nonius *m.* -, ..nien 〔-se〕; Feinsteller *m.* -s, -.
부촌(富村) ein wohlhabendes 〔reiches〕 Dorf, -(e)s, ⸚er.
부총리(副總理) Vizekanzler *m.* -s, -.
부추 〖植〗 Lauch *m.* -(e)s, -e.
부추기다 auf|hetzen 〔-|reizen〕 《*zu*^{3}》.
부축하다 unter die Arme greifen*《*jm.*》; die Stange halten*《*jm.*》; auf die Beine helfen* 《*jm.*》.
부치다^1 《힘에》 über *js.* Kraft gehen*.
부치다^2 《보내다》 schicken^4《*jm.*》; senden$^{(*)4}$ 《*jm.*》.
부치다^3 《부채를》 (an|)fächeln^4.
부칙(附則) die zusätzliche 〔ergänzende〕 Regel, -n; Zusatzklausel *f.* -n.
부친(父親) eigener Vater, -s, ⸚.
부침(浮沈) Aufstieg u. Untergang; Ebbe u. Flut; Wechsel *m.* -s; Wandel *m.* -s.
부탁(付託) Bitte *f.* -n. ~하다 bitten* 《*jn.* um ^{4}*et.*》; flehen 《zu *jm. um*^{4}》 《탄원하다》; an|vertrauen 《*jm.* ^{4}*et.*》.
부탄 〖化〗 Butan *n.* -s, -e.
부터 ① 《시간》 von^3; ab^3; um^4; seit^3《이후》. ¶처음~ 끝까지 vom Anfang bis zum Ende. ② 《순서》 mit ^{3}*et.* 〔*jm.*〕 beginnend; zuerst. ¶너~ 하여라 Du machst zuerst. ③ 《기점》 von^3; aus^3; ab^3. ¶제 2 장~ 시작하다 mit dem zweiten Kapitel an|fangen*. ④ 《…에게서》 von^3; durch^4. ¶…으로~ 독립하다 ^{4}sich befreien von^3.... 「-en.
부통령(副統領) Vizepräsident *m.* -en,
부패(腐敗) Fäulnis *f.* ..nisse; Verwesung *f.* -en 《동물의》; Verderbnis *f.* ..nisse 〔*n.* ..nisses, ..nisse〕. ~하다 faulen; verwesen 《동물이》; verderben*. ¶~한 faul; verwest; verdorben / ~하기 쉬운 leicht verderblich.
부평초(浮萍草) 〖植〗 Wasserlinse *f.* -n.
부표(否票) e-e „Nein"-Abstimmung, -en.
부표(浮漂) das Schweben*, -s; das Schwimmen*, -s. ~하다 obenauf schwimmen*; flott sein. ‖ ~ 식물 Wasserlinse *f.* -n.
부표(浮標) 《표지》 Boje *f.* -n; 《낚시찌》 Kiel *m.* -(e)s, -e. ‖ ~등 Bojelicht *n.* -(e)s, -e / ~ 설치 Betonnung *f.* -en.
부풀다 (auf|)schwellen*; bauschen; auf|quellen*; 《빵이》 auf|gehen*.
부풀리다 auf|schwellen lassen*; 《과장》 übertreiben*.
부품(部品) Teil *m.* 〔*n.*〕 -(e)s, -e; Zubehör *n.* -s, -e; Stück *n.* -(e)s, -e.
부프다 《부피가》 groß 〔massig; voluminös〕 (sein); 《성질이》 ungeduldig 〔unduldsam; begierig〕 (sein).
부피 《용적》 Umfang *m.* -(e)s, ⸚e; Volumen *n.* -s, -; 《양》 Menge *f.* -n.
부하(負荷) 〖電〗 Ladung *f.* -en.
부하(部下) der Untergeordnete*, -n, -n; der Untergebene*, -n, -n; Anhänger *n.* -s, -.
부하다(富—) reich 〔wohlhabend〕 (sein).

부합(符合) ~하다 zusammen|treffen* 《*mit*^{3}》. 「자》.
부형(父兄) Beschützer *m.* -s, - 《보호
부호(符號) Zeichen *n.* -s, -; Marke *f.* -n. 「när *m.* -s, -e.
부호(富豪) der Reiche*, -n, -n; Millio-
부화(浮華) Schaustellung 〔Prahlerei〕 *f.* -en; Tand *m.* -(e)s; Geckenhaftigkeit *f.* -en.
부화(孵化) Ausbrütung *f.* -en; das Brüten*, -s. ~하다 aus|brüten^4; aus|hecken^4; ausgebrütet werden 《알이》. ‖ 인공 ~ die künstliche Ausbrütung.
부화뇌동(附和雷同) das blindliche Bekennen*, -s; Unbesonnenheit *f.* ~하다 ^{4}sich blind bekennen*《*zu*^{3}》; unbesonnen ins gleiche Horn blasen* 〔stoßen*; tuten〕; an e-r Leine ziehen*.
부활(復活) Auferstehung *f.* -en; Wiederaufstieg *m.* -(e)s. ~하다 auf|erstehen*. ¶~시키다 *jn.* ins Leben zurück|führen^4; wieder|beleben^4. ‖ ~절 Ostern (*pl.*).
부흥(復興) Wiederherstellung *f.* -en; 《재건》 Wiederaufbau *m.* -(e)s; Rekonstruktion *f.* -en.
북^1 《악기》 Trommel *f.* -n.
북^2 《흙》 Erde, die um e-e Pflanze herum aufgehäuft wird.
북^3 〖紡〗 Schütze *f.* -n.
북(北) Nord *m.* -es; Norden *m.* -s. ¶ 북의 nördlich / 북으로 nordwärts.
북경(北京) Peking [pé:kiŋ]. ‖ ~ 원인(猿人) Peking-Mensch *m.* -en, -en; Sinanthropus *m.* -. 「larlicht.
북광(北光) Nordlicht *n.* -(e)s, -er; Po-
북구(北歐) Nordeuropa *n.* -s; Nordland *n.* -(e)s, ⸚er. ‖ ~ 사람 Nordeuropäer *m.* -s, -/ ~ 신화 die Nordische Mythologie, -n.
북국(北國) Nordland *n.* -(e)s, ⸚er.
북극(北極) Nordpol *m.* -(e)s. ¶~의 arktisch. ‖ ~곰 Polar〔Eis〕bär *m.* -en, -en / ~광 Nordlicht *n.* -(e)s, -er / ~권 Nordpolkreis *m.* -es, -e / ~성 (Nord)polarstern *m.* -s, -e / ~ 탐험 Nordpolexpedition *f.* -en / ~해 Nordpolarmeer *n.* -(e)s, -e.
북녘(北—) Norden *m.* -s.
북대서양조약(北大西洋條約) Nordatlantikpakt *m.* -es.
북데기 Strohabfall *m.* -(e)s, ⸚e.
북돋우다 《원기를》 auf|muntern; beleben; ermutigen; erheitern; 《고무》 an|regen; erregen; reizen; an|spornen; an|treiben*. 「Großen Bären.
북두칠성(北斗七星) die sieben Sterne des
북미(北美) Nordamerika *n.* -s.
북반구(北半球) nördliche Hemisphäre, -n. 「-s.
북방(北方) Nord *m.* -(e)s; Norden *m.*
북부(北部) Norden *m.* -s; der nördliche Teil, -(e)s, -e.
북북 《찢거나 긁는 소리》 ritsch; ratsch! ¶~ 비벼대다 rubbeln; rübbeln; stark reiben*. 「NNO》.
북북동(北北東) Nordnordosten *m.* -s《略:
북북서(北北西) Nordnordwesten *m.* -s 《略 : NNW》.

북빙양(北氷洋) das Nördliche Eismeer, -(e)s.
북상(北上) ～하다 nach Norden gehen*.
북새놓다 drängen und hetzen.
북슬개 der zottige Hund, -(e)s, -e.
북슬북슬하다 zottig (sein). ¶북슬북슬한 개 der zottige Hund, -(e)s, -e.
북안(北岸) Nordküste *f.* -n; nördliche Küste.
북양(北洋) der nördliche Ozean, -s, -e; Nordmeer *n.* -(e)s. ‖～어업 Nordmeerfischerei *f.* -en.
북어(北魚) getrockneter Alaska-Seelachs, -(e)s, -e.
북위(北緯) die nördliche Breite, -n.
북적거리다 〖장소가 主語〗 wimmeln 《*von*^{3}》; gedrängt (voll) sein 《*von*^{3}》; 〖사람이 主語〗 ^{4}sich drängen.
북적북적 tumultuarisch; unruhig; aufrührisch.
북진(北進) nach Norden gehen* 〔marschieren〕.
북쪽(北—) Nord(en) *m.* -s; die nördliche Seite, -n.
북채 Trommel·schlegel *m.* -s, - 〔-stock *m.* -(e)s, ¨e〕.
북풍(北風) Nordwind *m.* -(e)s, -e.
북한(北韓) Nordkorea *n.* -s.
북해(北海) 《유럽 북쪽의》 Nordsee *f.*; 《북쪽 바다》 das nördliche Meer, -(e)s, -e.
북향(北向) Nordlage *f.* ～하다 auf (den) Norden gehen*; nach Norden liegen*.
북회귀선(北回歸線) der Wendekreis des Krebses.
분(分) 《시간·각도·경위도의》 Minute *f.* -n. ‖분침 Minutenzeiger *m.* -s, -.
분(忿) Zorn *m.* -(e)s; Ärger *m.* -s; Entrüstung *f.* -en. ¶분김에 in Wut; vor 〔aus〕 ^{3}Zorn / 분이 풀리다 besänftigt werden; ^{4}sich erweichen lassen*.
분(粉) Schminkweiß *n.* -es; Puder *m.* -s, -.
분가(分家) Zweigfamilie *f.* -n. ～하다 ^{4}sich e-n neuen Hausstand gründen.
분간(分揀) ～하다 unterscheiden*^{4}; 《인지》 erkennen*^{4}. ¶～할 수 없는 ununterscheidbar; unerkennbar.
분갑(粉匣) Puderdose *f.* -n.
분개(分介) ～하다 〖簿〗 in ein Journal ein|tragen*. ‖～장 Journal *n.* -s, -e.
분개(憤慨) Ärger *m.* -s; Entrüstung *f.* -en. ～하다 ergrimmen《*gegen*^{4}; *über*^{4}》; ^{4}sich ärgern 《*über*^{4}》.
분격(憤激) ＝분개.
분견(分遣) das Abkommandieren*, -s; Kommando *n.* -s, -s. ～하다 zu ^{3}*et.* ab|kommandieren^{4}. ‖～대 Kommando *n.*; Detachment *n.* -s, -s.
분결같다(粉—) 《die Haut》 glatt u. weiß (sein).
분계(分界) 《한계》 Abgrenzung *f.* -en; Grenzziehung *f.* -en; 《지계》 Grenze *f.* -n. ～하다 ab|grenzen; die Grenzen ziehen*. ‖～선 Grenz〔Trennungs; Scheide〕linie *f.* -n.
분골쇄신하다(粉骨碎身—) alle Kräfte an|spannen 〔an|strengen; auf|bieten*〕.
분공장(分工場) Zweig·fabrik *f.* -en 〔-werkstatt *f.* ¨en; -werkstätte *f.* -n〕.
분과(分科) Fach *n.* -(e)s, ¨er; Abteilung *f.* -en. ‖～ 위원회 Sonder〔Unter〕ausschuß *m.* ..schusses, ..schüsse.
분관(分館) Anbau *m.* -(e)s, -e; Nebengebäude *n.* -s, -.
분광(分光) Spektrum *n.* -s, ..tren〔..tra〕.
분교(分校) Zweig·schule *f.* -n 〔-anstalt *f.* -en〕.
분국(分局) Zweig·stelle *f.* -n 〔-amt *n.* -(e)s, ¨er〕.
분권(分權) Dezentralisation *f.* -en. ～하다 dezentralisieren^{4}; die Verwaltungsbehörden in verschiedene Orte legen. ‖지방 ～ Dezentralisation *f.*
분규(紛糾) Verwirrung 〔Verwick(e)lung〕 *f.* -en.
분극(分極) 〖理〗 Polarisation *f.* -en. ‖～작용 Polarisation *f.*; polarisierende Aktion, -en.
분기(分岐) ～하다 auseinander|gehen*; ^{4}sich gabeln〔(ver)zweigen〕. ‖～점 Gabelung *f.* -en; Wendepunkt *m.* -(e)s, -e.
분기(奮起) Aufrütt(e)lung *f.* -en; Ermannung *f.* ～하다 ^{4}sich auf|raffen 〔empor|raffen〕《*zu*^{3}》; ^{4}sich ermannen 《*zu*^{3}》. ¶～시키다 auf|rütteln^{4}.
분김(忿—) ¶～에 aus Ärger 〔Zorn〕.
분꽃(粉—) 〖植〗 falsche Jalape, -n.
분납(分納) ～하다 in Raten bezahlen.
분노(憤怒) Zorn *m.* -(e)s; Grimm *m.* -(e)s; 《격노》 Wut *f.*
분뇨(糞尿) Exkremente (*pl.*); Fäkalien (*pl.*); Kot *m.* -(e)s.
분단(分團) Orts〔Unter〕gruppe *f.* -n; Sektion *f.* -en.
분단(分斷) Aufteilung *f.* -en; Zergliederung *f.* -en. ～하다 teilen^{4} 《*in*^{4}》; zergliedern^{4}. ‖～국 das (politisch) geteilte Land, -(e)s, ¨er.
분담(分擔) ～하다 mit übernehmen*^{4}; ^{4}sich teilen 《*in*^{4}》.
분당(分黨) 《나눔》 die Spaltung e-r politischen Partei; 《당》 der Flügel e-r gespalten Partei. ～하다 e-e politische Partei spalten.
분대(分隊) Korporalschaft 〔Abteilung〕 *f.* -en; Gruppe *f.* -n. ‖～장 Korporal *m.* -s, -e.
분대질 《참견》 das Dazwischentreten*, -s; 《교란·방해》 Störung *f.* -en; 《소란》 Getue *n.* -s; 《귀찮음》 Belästigung *f.* -en. ～치다, ～하다 andere ärgern 〔stören; auf|regen〕.
분도기(分度器) Winkelmesser *m.* -s, -.
분동(分銅) (Gegen)gewicht *n.* -(e)s, -e.
분란(紛亂) Verwirrung *f.* -en; Zwist *m.* -es, -e.
분량(分量) Quantität *f.* -en; Menge *f.* -n; 《약의》 Dosis *f.* ..sen.
분력(分力) 〖物〗 Komponente *f.* -n.
분류(分流) Arm *m.* -(e)s, -e. ～하다 ^{4}sich aus|breiten.
분류(分溜) 〖化〗 das Fraktionieren*, -s. ～하다 fraktionieren.
분류(分類) Klassifikation *f.* -en; 《계통세움》 Systematisierung *f.* -en; 《상품의》 Sortierung *f.* -en. ～하다 klassifizieren^{4}; systematisieren^{4}; sortieren^{4}. ‖～학 Systematik *f.* -en.
분류(奔流) ein reißender Strom, -(e)s, ¨e. ～하다 stürzend 〔rasend〕 fließen*.
분리(分離) Trennung 〔Absonderung〕 *f.* -en. ～하다 trennen*^{4}《*von*^{3}》; scheiden*^{4}

《von[3]》; 〖自動詞的〗 [4]sich trennen 〔scheiden*〕 《von[3]》.

분립(分立) Separation f. –en; Selbständigkeit f. ～하다 [4]sich separieren; selbständig werden.

분만(分娩) Entbindung f. –en. ～하다 gebären*; von e–m Kind entbunden werden.

분만(忿懣) (In)grimm m. –(e)s; Groll m. –(e)s.

분말(粉末) Pulver n. –s, –; Staub m. –(e)s 《특히 광물의》; Mehl n. –(e)s, –e 《특히 곡식의》; Puder m. –s, – 《가루분 따위》.

분망(奔忙) ～하다 sehr beschäftigt (sein); wegen des Drucks der Geschäfte beschäftigt (sein).

분매(分賣) Einzel〔Klein〕verkauf m. –(e)s, ⸚e. ～하다 einzeln verkaufen[4]; teilweise liefern[4].

분명(分明) ～하다 klar 〔deutlich; kenntlich; handgreiflich; augenscheinlich〕 (sein).

분모(分母) Nenner m. –s, –.

분묘(墳墓) Grab n. –(e)s, ⸚er; Gruft f. ⸚e.

분무기(噴霧器) Zerstäuber m. –s, –.

분문(噴門) 〖生〗 Magenmund m. –(e)s, –e.

분바르다(粉—) Gesicht pudern.

분발(奮發) ～하다 [4]sich an|strengen; [4]sich bemühen.

분방하다(奔放—) 《멋대로임》 entfesselt 〔ungezwungen; unbehindert〕 (sein).

분배(分配) Verteilung f. –en; 《할당》 Zuteilung f. –en. ～하다 verteilen[4]; zu|teilen[34].

분별(分別) Verständnis n. –ses, –se; Einsicht f. –en; Vernunft f. ¶～ 있는 verständig; einsichtig; vernünftig.

분봉(分封) Belehnung f. –en; Lehnsbrief m. –(e)s, –e. ～하다 belehnen; e–e Person mit e–m Lehen belehnen.

분봉(分蜂) ～하다 schwärmen.

분부(吩咐) Befehl m. –s, –e; Anweisung f. –en. ～하다 an|leiten 《jn. zu[3]》; heißen*[4]; an|weisen* 《jn. zu[3]》.

분분하다(紛紛—) verworren 〔unordentlich; kunterbunt〕 (sein).

분비(分泌) Sekretion 〔Absonderung〕 f. –en. ～하다 ab|sondern[4]. ‖ ～물 Sekret n. –(e)s, –e.

분비나무 〖植〗 (Sachalin)tanne f. –n.

분사(分詞) Partizip n. –s, –ien. ‖ 현재〔과거〕～ Partizip Präsens 〔Perfekt〕.

분사(憤死) ～하다 [4]sich zu Tode ärgern 〔grämen; kränken〕.

분사(噴射) das Ausstoßen* 〔Ausströmen*; Herausschießen*〕 –s. ～하다 aus|stoßen*[4]; aus|strahlen[4]. ¶～ 추진식의 mit [3]Düsenantrieb 〔Strahlmotor〕. ‖ ～ 추진 기관 Strahlmotor m. –s, –en.

분산(分散) Zerstreuung f. –en; 《확산》 Verbreitung f. –en. ～하다 [4]sich zerstreuen; [4]sich verbreiten.

분상(粉狀) ～의 staubig; pulverig; pulverartig.

분석(分析) Analyse f. –n; Zerlegung f. –en. ～하다 analysieren[4]; zerlegen[4]. ‖ 정신 ～ Psychoanalyse f.

분설(分設) Errichtung e–r Zweigstelle; getrennte Anlage.

분성(分性) 〖物〗 Teilbarkeit f. –en.

분손(分損) 〖經〗 ein partieller Verlust, –es, –e; Teilschaden m. –s.

분쇄(粉碎) ～하다 zerbrechen*; zerschmettern[4]; 《적을》 schlagen*[4].

분수[1](分數) 《사려》 Um〔Rück〕sicht f.; Diskretion f.; 《분한》 js. soziale Stellung, –en; Stand 〔Rang〕 m. –(e)s, ⸚e.

분수[2](分數) 〖數〗 Bruch m. –(e)s, ⸚e. ‖ ～식 Bruchformel f. / 진〔가〕～ echter 〔unechter〕 Bruch.

분수(噴水) Springbrunnen m. –s, –; Fontäne f. –n.

분수령(分水嶺) Wasserscheide f. –n.

분승(分乘) ～하다 [4]sich auf mehrere Verkehrsmittel verteilen.

분식(粉食) die mehlhaltigen〔stärkehaltigen〕 Speisen (pl.); Mehlspeisen (pl.). ～하다 Mehl essen*.

분식(粉飾) ～하다 (aus|)schmücken[4]; bemänteln[4]; beschönigen[4]; übertünchen[4]; dekorieren[4].

분신(分身) 〖佛〗 e–e Verkörperung von Buddha; 《제 2 의 나》 Alter ego n. –s, –s; 《자식》 sein eigenes Kind, –(e)s, –er.

분신자살(焚身自殺) Selbstverbrennung f.

분실(分室) 《관청 따위의》 Zweigstelle f. –n; Zweig m. –(e)s, –e.

분실(紛失) Verlust m. –es, –e. ～하다 verlieren*[4].

분야(分野) Feld n. –(e)s, –er; Gebiet n. –(e)s, –e.

분양(分讓) ～하다 parzellieren[4] u. verkaufen[4].

분업(分業) Arbeitsteilung f. –en.

분연(憤然) ～히 aufgebracht; entrüstet; rasend; wütend.

분연(奮然) ～히 beherzt; entschlossen; mutig; standhaft; tapfer.

분열(分裂) Spaltung f. –en; 《사분 오열》 Zwiespalt m. –(e)s, –e. ～하다 [4]sich spalten[(*)].

분열식(分列式) Parade f. –n; Defilier〔Parade〕marsch m. –es, ⸚e. ¶～을 하다 defilieren; e–e Parade ab|nehmen* 《열병측에서》.

분외(分外) ～의 jenseits des Status; unverdient; ungebührlich.

분원(分院) Zweig·hospital n. –s, –e 〔⸚er〕 〔–anstalt f. –en〕.

분위기(雰圍氣) Atmosphäre f. –n. ¶긴장된 ～ e–e gespannte Atmosphäre.

분유(粉乳) Trockenmilch f.

분자(分子) 〖物〗 Molekül n. –s, –e; 〖數〗 Zähler m. –s, –; 《단체의》 Element n. –(e)s, –e. ‖ ～량 Molekulargewicht n. –(e)s, –e / 불평 ～ das unzufriedene Element.

분잡(紛雜) Gedränge n. –s; Andrang m. –(e)s, ⸚e; Gewimmel n. –s; Gewühl n. –s. ～하다 〖장소가 主語〗 wimmeln 《von[3]》; gedrängt voll sein 《von[3]》.

분장(分掌) ～하다 e–n Teil der Arbeit übernehmen*; [4]sich mit jm. in e–r Arbeit teilen.

분장(扮裝) das Schminken*, –s; 《가장》 Kostümierung 〔Verkleidung〕 f. –en. ～하다 [4]sich schminken 〔kostümieren〕; [4]sich als... verkleiden.

분재(分財) ～하다 ein Erbe gleichmäsig auf|teilen. ‖ ～깃 der Anteil der Erbschaften (pl.).

분재(盆栽) Topfblume *f.* -n 《꽃》; Topfpflanze *f.* -n 《나무》.
분쟁(紛爭) Zwist 〔Streit〕 *m.* -(e)s, -e.
분전(奮戰) ～하다 e-n heißen Kampf führen; mit dem Mut der Verzweiflung kämpfen.
분점(分店) Zweiggeschäft *n.* -(e)s, -e; Zweigstelle *f.* -n.
분주(奔走) ～하다 beschäftigt 〔gedrängt; rastlos〕 (sein).
분지(盆地) 〖地〗 Becken *n.* -s, -; Mulde *f.* -n.
분책(分册) Lieferung *f.* -en; Einzelausgabe *f.* -n. ¶～으로 lieferungsweise; im einzelnen.
분철법(分綴法) Silbentrennung *f.* -en.
분첩(粉貼) Puderquaste *f.* -n; Puderquast *m.* -(e)s, -e.
분초(分秒) ¶～를 다툴 때다 Wir haben k-e Zeit 〔k-n Augenblick〕 zu verlieren; Es ist höchste Zeit! 《때는 지금이다》.
분출(噴出) ～하다 (heraus|)spritzen; hervor|sprudeln; aus|werfen*[4] 《화산이》.
분침(分針) Minutenzeiger *m.* -s, -.
분탄(粉炭) Staubkohle *f.* -n; (Kohlen-)grus *m.* -s, -e; Holzkohlenpulver *n.* -s, -.
분탕질(焚蕩—) Verschwendung *f.* -en; Vergeudung *f.* -en. ～하다 verschwenden; vergeuden.
분통(憤痛) (Jäh)zorn *m.* -(e)s; der plötzliche Wutanfall, -(e)s, ⸚e. ¶～이 터지다 vor Zorn glühen; auf|brausen.
분투(奮鬪) ～하다 heftig kämpfen; 《분투 노력》 gewaltige [4]Anstrengungen machen.
분파(分派) Zweig *m.* -es, -e; Sekte *f.* -n.
분포(分布) Verbreitung *f.* -en. ～하다 [4]sich verbreiten; verbreitet sein.
분풀이(憤—) Vergeltung *f.* -en; Rache *f.* -n. ～하다 *jn.* rächen 《*für*[4]; *wegen*[2]》; [3]sich rächen 《an *jm. für*[4]》.
분필(粉筆) Kreide *f.* -n.
분하다(憤—) 《억울·원통》 geärgert 〔verdrießlich; verübelt; über [4]*et.* 〔auf *jn.*〕 ärgerlich〕 (sein); 《섭섭함》 bedauernd 〔bereuend〕 (sein). ¶거참 분하게 되었군요 Das ist (sehr) bedauerlich.
분한(分限) 《실용성》 Nützlichkeit *f.*; 《경제성》 der ökonomische Gebrauch, -(e)s, ⸚e.
분할(分割) (Zer)teilung *f.* -en. ～하다 teilen[4] 《*in*[4]》; ab|teilen[4]; zerteilen[4]. ‖ ～(지)불 Teil〔Raten〕zahlung *f.* -en.
분할(分轄) separate 〔getrennte〕 Verwaltung, -en. ～하다 separat 〔getrennt〕 verwalten.
분해(分解) Analyse *f.* -n; Zersetzung *f.* -en; 《기계의》 das Auseinandernehmen*, -s. ～하다 analysieren[4]; 〖化〗 zersetzen[4]; 《기계를》 auseinander|nehmen*[4]. ‖ ～작용 zersetzende Wirkung, -en / 전기 ～ Elektrolyse *f.* -n.
분향(焚香) Weihrauch *m.* -(e)s. ～하다 Weihrauch verbrennen*.
분홍색(粉紅色) ～의 blaßrot; rosa.
분화(分化) Differenzierung *f.* -en. ～하다 [4]sich differenzieren. ¶～된 differenziert.
분화구(噴火口) Krater *m.* -s, -; Feuerschlund *m.* -(e)s, ⸚e.
붇다 zu|nehmen*; [4]sich vermehren; an|wachsen*《강물이》; an|schwellen*.
불[1] ① Feuer *n.* -s, -; 《화염》 Flamme *f.* -n. ¶불이 붙다 Feuer fangen* / 불을 쬐다 [4]sich am Feuer (durch)wärmen / 불을 피우다 Feuer (an|)machen 〔zum Brennen bringen*〕 / 불을 끄다 das Feuer (aus|)löschen. ② 《등화》 Licht *n.* -(e)s, -er. ¶불을 켜다 das Licht an|zünden 〔machen〕 / 불을 끄다 das Licht (aus|)löschen. ③ 《화재》 Feuer *n.* -s, -; Brand *m.* -(e)s, ⸚e. ¶불이야 Feuer! / 불길이 오르다 in [4]Flammen auf|gehen*.
불[2] ① 《음낭》 Hodensack *m.* -(e)s, ⸚e. ② 《불알》 Hode *f.* -n.
불가(不可) ～하다 unbillig 〔unerlaubt; unrecht; nichtgenügend〕 (sein).
불가(佛家) ① 《신자·불문》 Buddhist *m.* -en, -en; buddhistische Familie, -n. ② 《절》 buddhistischer Tempel, -s, -.
불가결(不可缺) ～하다 unentbehrlich (sein).
불가능(不可能) ～하다 unmöglich (sein); 《실시 불능의》 unausführbar (sein); 《있을 수 없는》 unglaublich (sein).
불가래 e-e kleine hölzerne Feuerschaufel, -n.
불가분(不可分) ～의 unteilbar; untrennbar; unzertrennlich.
불가불(不可不) unvermeidlich; unumgänglich; gezwungenermaßen.
불가사리 〖動〗 Seestern *m.* -(e)s, -e.
불가사의(不可思議) ～하다 unbegreiflich 〔unergründlich; unverständlich; geheimnisvoll 《신비적》; übernatürlich 《초자연적》; wunderbar〕 (sein).
불가시(광)선(不可視(光)線) 〖物〗 ein unsichtbarer Strahl, -(e)s, -en.
불가역(不可逆) Nichtumkehrbarkeit *f.* ‖ ～성 Unabänderlichkeit *f.* / ～ 현상 unabänderliches 〔nicht umkehrbares〕 Phänomen, -s, -e.
불가침(不可侵) Unverletzlichkeit *f.*; Unangreifbarkeit *f.* ～의 unantastbar; unverletzlich; heilig; unangreifbar. ‖ ～조약 Nichtangriffspakt *m.* -(e)s, -e.
불가피(不可避) ～하다 unvermeidlich 〔notwendig〕 (sein). ¶～한 사정으로 in e-r unumgänglichen Angelegenheit.
불가항력(不可抗力) ～의 unvermeidlich.
불가해(不可解) ～하다 unbegreiflich; 〔unerklärlich; geheimnisvoll; rätselhaft; mysteriös〕 (sein).
불간섭(不干涉) Nichteinmischung *f.* -en. ‖ ～주의 Nichtinterventionsprinzip *n.* -s, -e 〔-ien〕.
불감증(不感症) Geschlechtskälte *f.*; Frigidität *f.*
불개미 〖蟲〗 rote Ameise, -n.
불개입(不介入) Nichteinmischung *f.* ～하다 [4]sich nicht ein|mischen; nicht dazwischen|treten*. ‖ ～ 정책 Nichteinmischungspolitik *f.* -en.
불거웃 Schamhaar *n.* -(e)s, -e. 「태」).
불거지다 hervor|springen* 〔-|stehen*《상태》).
불걱거리다 《씹다》 (mit vollem Mund) etwas Zähes kauen; 《빨래를》 die Wäsche scheuern u. scheuern.

불건전(不健全) ∼하다 ungesund〔schädlich; verdorben〕(sein).
불겅거리다 mit vollem Mund kauen; den Mund voll nehmen*.
불결(不潔) ∼하다 unrein(lich) 〔unsauber〕 (sein).
불경(不敬) Unehrerbietigkeit *f.* -en 《*gegen*^{4}》; (Gottes)lästerung *f.* -en. ∼하다, ∼스럽다 unehrerbietig 〔unhöflich; gotteslästerlich〕 (sein). ‖ ∼죄 Majestätsbeleidigung *f.* -en.
불경(佛經) Heilige Schriften (*pl.*) des Buddhismus; Sutra *n.* -s, ..tren.
불경기(不景氣) Flauheit *f.* -en; Depression *f.* -en. ∼의 flau; geschäftsstill.
불경제(不經濟) Unwirtschaftlichkeit *f.*; Verschwendung *f.* ∼하다 unökonomisch 〔verschwenderisch〕 (sein).
불고(不顧) ∼하다 vernachlässigen^{4}; nicht acht|geben* 《*auf*^{4}》. ¶체면 ∼하고 ohne Rücksicht auf Gesichtsverlust.
불고기 gebratenes Fleisch, -es; Braten *m.* -s, -; Rinderbraten *m.* 《쇠고기》.
불공정(不公正) Unbilligkeit *f.*; Unehrlichkeit *f.*; Ungerechtigkeit *f.* ∼하다 unfair 〔unbillig; ungerecht〕 (sein).
불공평(不公平) Ungerechtigkeit 〔Unbilligkeit; Parteilichkeit〕 *f.* ∼하다 ungerecht 〔unbillig; parteiisch〕 (sein).
불과(不過) nicht mehr als. ¶∼ 일 주일 전에 bloß 〔nur〕 vor e-r Woche.
불과(佛果) Nirwana *n.* -s.
불교(佛敎) Buddhismus *m.* -. ‖ ∼도(徒) Buddhist *m.* -en, -en.
불구(不具) ∼의 entstellt; fehl〔miß〕gebildet. ¶∼가 되다 verkrüppelt werden. ‖ ∼자 Krüppel *m.* -s, -; 《선천적》 Mißgeburt *f.* -en.
불구(不拘) ∼하고 trotz$^{2·3}$; ungeachtet^{2}; dessenungeachtet. ¶우천에도 ∼하고 trotz des Regenwetters.
불구대천(不俱戴天) ¶∼의 원수 der geschworene 〔unversöhnliche〕 Feind, -(e)s, -e; Todfeind *m.*
불구속(不拘束) ¶∼으로 ohne ^{4}Freiheitsbeschränkung.
불굴(不屈) ∼의 unbeugsam; unerschütterlich; 《지치지 않는》 unermüdlich.
불귀객(不歸客) ein verstorbener Mensch, -en, -en.
불규칙(不規則) ∼하다 unregelmäßig 〔regellos; unmethodisch〕 (sein). ¶∼한 생활을 하다 e-n unordentlichen Lebenswandel führen.
불균형(不均衡) der Mangel an Ebenmaß. ∼하다 nicht ebenmaßig (sein).
불그레하다 rötlich 〔rot gefärbt〕 (sein).
불급(不急) ∼하다 nicht dringend 〔eilig〕 (sein); es nicht eilig haben.
불기(一氣) Spuren (*pl.*) vom Feuer. ¶∼가 없다 kein Zeichen vom Feuer auf|weisen*.
불기둥 Feuersäule *f.* -n.
불기소(不起訴) die Einstellung des (gerichtlichen) Verfahrens. ¶∼로 하다 nicht an|klagen^{4}.
불기운 Feuerhitze *f.*; die Stärke des Feuers.
불길 Flamme *f.* -n. ¶∼이 일다 es flammt (auf).
불길(不吉) das böse 〔schlimme〕 Vorzeichen, -s, -〔Omen, -s, ..mina〕; Unglück *n.* -(e)s. ∼하다 unglücks·verheißend 〔-schwanger〕 〔unheildrohend; verhängnisvoll〕 (sein).
불까다 kastrieren^{4}. ¶불깐 말 Wallach *m.* -(e)s, -e.
불꽃 Funke(n) *m.* ..kens, ..ken.
불끈 plötzlich; heftig. ∼하다 auf|fahren*; in Wut geraten*. ¶주먹을 ∼ 쥐고 mit geballten Fäusten.
불나다 ein Feuer bricht aus.
불놓다 Feuer an|legen; in Brand stecken^{4}; an|zünden^{4}; in Brand setzen^{4}.
불능(不能) Unfähigkeit 〔Inkompetenz; Unmöglichkeit〕 *f.* -en.
불다[1] 《바람이》 blasen*$^{(4)}$; wehen$^{(4)}$.
불다[2] ① 《입으로》 (auf|)blasen*; pfeifen*. ¶나팔을 ∼ e-e Trompete blasen*. ② 《자백》 (ein|)gestehen*^{4}; die Katze aus dem Sack lassen*.
불단(佛壇) der buddhistische Hausalter, -s, ⸚e.
불당(佛堂) der buddhistische Tempel, -s, -.
불덩어리 Feuer〔Brand〕kugel *f.* -n.
불도(佛道) die Lehre von Buddha.
불도저 Raumpflug *m.* -(e)s, ⸚e; Bulldozer *m.* -s, -.
불독 Bulldogge *f.* -n.
불두덩 Schamgegend *f.* -en.
불등걸 glühendes Holzstück, -(e)s, -e; glühende Holzkohle, -n.
불때다 Feuer machen.
불똥 Funke *m.* -n(s), -n; Schnuppe *f.* -n 《타고 남은》.
불뚱이 《성질》 Reizbarkeit *f.*; Jähzorn *m.* -(e)s; 《사람》 jähzorniger Mensch, -en, -en.
불란서(佛蘭西) =프랑스.
불량(不良) ∼하다 schlecht 〔schlimm; böse 《사악한》〕 (sein); schädlich (sein) 《유해한》; fehlerhaft (sein) 《흠 있는》. ‖ ∼ 소녀 das schlechte Mädchen, -s, - / ∼ 소년 der ungeratene Bube, -n, -n; Straßenjunge *m.* -n, -n / ∼품 die schlechte Ware, -n.
불러내다 heraus|rufen*^{4} 〔-|locken^{4}〕 《꼬여냄》.
불러들이다 herein|rufen*^{4}; 〔-|locken^{4}〕 《꼬여들이다》.
불러오다 *jn.* zu ^{3}sich rufen*; *jn.* zu ^{3}sich kommen lassen*.
불로(不老) die ewige Jugend; das ewige Leben, -s 《영생》. ‖ ∼ 장생 ewige Jugend u. langes Leben.
불로소득(不勞所得) das arbeitslose Einkommen, -s, -; das Einkommen aus Kapitalvermögen.
불룩하다 zum Besten voll 〔weich u. voll; ausgebaucht〕 (sein).
불륜(不倫) Unmoral *f.*; Unsittlichkeit *f.* ∼의 unmoralisch; unsittlich. ¶∼의 사랑 die unerlaubte 〔verbotene〕 Liebe.
불리(不利) Nachteil *m.* -(e)s, -e; Schaden *m.* -s, ⸚. ∼하다 nachteilig 〔unvorteilhaft; ungünstig〕 (sein).
불리다[1] 《쇠를》 (Eisen) schmieden^{4}.
불리다[2] ① 《액체에》 ein|weichen^{4} 《*in*^{3}》; ein|wässern^{4}; durchtränken^{4} 《*mit*^{3}》. ② 《증가》 vermehren^{4}; vergrößern^{4}; verstärken^{4}.
불만(不滿) Unzufriedenheit *f.* -en; Mißvergnügen *n.* -s; Unmut *m.* -(e)s. ∼스럽다 unzufrieden 《*mit*^{3}》 〔mißver-

gnügt (*über*[4]); unbefriedigt (*von*[3])] (sein).

불매동맹(不買同盟) Boykott *m.* -(e)s, -e.

불면불휴(不眠不休) ohne Rast u. Ruh; Tag u. Nacht; rastlos; unaufhörlich.

불면증(不眠症) Schlaflosigkeit *f.* -en. ¶~에 걸리다 an der Schlaflosigkeit leiden*.

불멸(不滅) (불사) Unsterblichkeit *f.*; (불후) Unvergänglichkeit *f.*; (영속) Ewigkeit *f.* ~의 unsterblich; unvergänglich; ewig.

불명(不明) (불분명) Unklarheit *f.*; (사리에 어두움) Kurzsichtigkeit *f.* ~하다 unverständig [dumm; einsichtslos] (sein).

불명료(不明瞭) Unklarheit [Verschwommenheit] *f.*; Undeutlichkeit *f.* -en. ~하다 unklar [undeutlich; dunkel] (sein).

불명예(不名譽) Unehre [Schmach] *f.*; Schande *f.* -n. ¶~스러운 unehrenhaft; entehrend; schändlich; schmachvoll. ‖~제대 unehrenhafte Entlassung, -en.

불모(不毛) ~의 unfruchtbar; steril. ‖~지 Ödland *n.* -(e)s, ⸗er.

불목(不睦) Fehde *f.* -n; Streit *m.* -(e)s, -e; Zank *m.* -(e)s, ⸗e; Feindschaft *f.* -en (적대). ~하다 mit *jm.* in Feindschaft (sein); mit *jm.* in Fehde liegen*.

불무(不無) ~하다 es fehlt an [3]nichts; es mangelt *jm.* an [3]nichts.

불문(不問) ¶~에 부치다 übersehen*[4] (e-n Fehler); [4]Nachsicht haben [üben] (*mit*[3]).

불문(佛文) französischer Satz, -es, ⸗e. ‖~과 französische Abteilung, -en / ~학 französische Literatur.

불문(佛門) Buddhismus *m.* -. ¶~에 들다 buddhistischer Priester werden.

불문율(不文律) das ungeschriebene Gesetz, -es, -e; (관습법) Gewohnheitsrecht *n.* -(e)s, -e.

불미(不美) ~하다, ~스럽다 häßlich [garstig] (sein). ¶~스러운 소문 ein geschmackloses Gerücht, -(e)s, -e.

불민(不敏) ~하다 stumpfsinnig [dumm; untauglich; albern] (sein).

불바다 Flammenmeer *n.* -(e)s, -e.

불발탄(不發彈) Versager *m.* -s, -.

불법(不法) Ungesetzlichkeit [Ungerechtigkeit] *f.* -en. ¶~적으로 unrechtmäßig; gegen Recht u. Billigkeit. ‖~감금 die ungesetzliche Haft, -en / ~입국 illegaler Eintritt, -(e)s, -e / ~행위 die ungesetzliche Handlung, -en.

불법(佛法) 【佛】 Buddhismus *m.* -; (교법) die Lehre das Buddha.

불벼락 (번갯불) das Aufleuchten* des Blitzes; (比) e-e tyrannische Verordnung, -en.

불변(不變) Unveränderlichkeit [Unwandelbarkeit; Beständigkeit; Konstanz] *f.* ~의 unveränderlich; beständig; konstant. ‖~색 die feste Farbe, -n / ~수 Konstante *f.* -n.

불볕 brennende Sonnenhitze. ¶~나다 die Sonne wird immer brennender.

불복(不服) (항의) Ein·rede *f.* -n [-wand *m.* -(e)s, ⸗e]. ~하다 e-e Einrede vor|bringen* (*gegen*[4]).

불분명(不分明) ~하다 unklar [undeutlich; ungewiß] (sein).

불붙다 zu brennen an|fangen*.

불붙이다 an|zünden[4]; entzünden[4].

불빛 Feurlicht *n.* -(e)s, -er.

불사(佛寺) Buddhistentempel *m.* -s, -.

불사(佛事) das buddhistische Ritual, -s, -e.

불사르다 verbrennen*[4].

불사신(不死身) Unverwundbarkeit *f.*

불사조(不死鳥) Phönix *m.* -(e)s, -e.

불사하다(不辭—) nicht nach|lassen*[4]; [4]sicht nicht zurück|halten*; *jm.* nicht nach|geben*. ¶죽음도 ~ auf den Tod gefaßt sein.

불상(佛像) Buddhastatue *f.* -n.

불상사(不祥事) Unglück. *n.*-(e)s, -sfälle; Skandal *m.* -s, -e; schmachvolles Ereignis, -ses, -se.

불서(佛書) buddhistische Schriften(*pl.*).

불선명(不鮮明) Undeutlichkeit [Unklarheit; Unverständlichkeit; Verborgenheit] *f.* -en.

불성립(不成立) das Nichtzustandekommen*, -s; das Mißlingen*, -s (실패).

불성실(不誠實) Unaufrichtigkeit [Unwahrheit] *f.* -en. ~하다 untreu [unaufrichtig; unredlich; unwahr] (sein).

불세출(不世出) ~의 außergewöhnlich; ausgezeichnet; unvergleichlich. ¶~의 영웅 der Held ohnegleichen.

불소(弗素) 【化】 Fluor *n.* -s.

불소(不少) ~하다 nicht wenig [nicht belanglos] (sein).

불손(不遜) ~하다 hochmütig [anmaßend; arrogant; eingebildet; stolz] (sein).

불수(不隨) ¶~가 되다 lahm [paralysiert] werden. ‖반신~ Gliederlähmung *f.*; Gichtbrüchigkeit *f.* (중풍).

불수의근(不隨意筋) der unwillkürliche Muskel, -s, -n.

불순(不純) Unreinheit *f.* -en; Unechtheit *f.* (가짜); Unlauterkeit *f.* (마음이). ~하다 unrein [unecht; unlauter; falsch] (sein). ¶~한 동기로 mit e-m unehrlichen Motiv. ‖~물 die unreinen [fremden] Teile (*pl.*).

불순(不順) Unzeitigkeit *f.*; Unregelmäßigkeit *f.* (불규칙). ~하다 unzeitig [unzeitgemäß; unregelmäßig] (sein). ‖월경~ die unregelmäßige Menstruation [Monatsblutung] -en.

불시(不時) ~의 unzeitig; unvermutet; zufällig. ‖~착(륙) Notlandung *f.* -en.

불식(拂拭) ~하다 aus|wischen[4]; ab|schaffen*[4]; beseitigen[4].

불신(不信) Abtrünnigkeit [Falschheit; Treulosigkeit] *f.* -en; Untreu *f.* ~하다 mißtrauen[4]; argwöhnen[4]; zweifeln[4].

불신앙(不信仰) Unglaube *m.* -ns; Irreligiosität *f.*

불신임(不信任) das Mißtrauen*, -s; der Mangel an [3]Vertrauen [Zuversicht]. ~하다 mißtrauen[4]; zu *jm.* kein Vertrauen haben. ‖~안 Mißtrauensantrag *m.* -(e)s, ⸗e / ~투표(결의) Mißtrauensvotum *n.* -s, ..ten.

불실(不實) =불성실.
불심(不審) ‖ ~ 검문 Befragung *f.* –en (~ 검문을 받다 befragt werden).
불쌍하다 arm〔erbärmlich; armselig; bemitleidenswert; jammerlich; kläglich〕 (sein).
불쏘시개 Anbrennholz *n.* –es, ¨er.
불쑥 jäh(lings); auf einmal; grob.
불씨 etwas Glühendes* als Feuer zündendes Material; 《원인》 Ursache *f.* –n. ¶ 분쟁의 ~ Zankapfel *m.* –s, ¨.
불안(不安) Angst *f.* ¨e; Unruhe *f.* –n; Besorgnis *f.* ..nisse. ~하다 ängstlich 〔bang(e); unruhig; unsicher; besorgt〕 (sein).
불안정(不安定) das Schwanken*, –s; Mangel an Stabilität; Labilität *f.* ~하다 unbeständig 〔unsicher; schwankend〕 (sein); 〖物〗 labil (sein); 〖化〗 locker (sein).
불알 Hode *f.* –n.
불야성(不夜城) der nachtlose Betrieb, –(e)s, –e.
불어(佛語) das Französische*, –n.
불어나다 [4]sich vermehren. ¶ 자꾸 ~ nur weiter zu|nehmen*.
불어리 Ofenschirm *m.* –(e)s, –e.
불여귀(不如歸) 〖鳥〗 Kuckuck *m.* –(e)s, –e.
불연성(不燃性) Unverbrennbarkeit *f.* ‖ ~ 물질 das unverbrennbare Material, –s, ..lien.
불연속(不連續) Diskontinuität *f.*; Unstetigkeit *f.* ¶ ~의 diskontinuierlich; unstetig. ‖ ~선 Diskontinuitätslinie *f.* –n 《기상》.
불연이면(不然一) sonst; oder; ander(e)nfalls; wenn nicht.
불온(不穩) ~하다 unruhig (sein); 《협박적》 drohend (sein); 《과격한》 radikal (sein); 《온당치 않은》 ungebührlich (sein). ‖ ~ 문서 die aufrührerischen Dokumente (*pl.*) / ~ 분자 die gefährlichen Elemente (*pl.*).
불완전(不完全) Unvollkommenheit 〔Unvollständigkeit〕 *f.* –en. ~하다 unvollkommen〔unvollständig〕 (sein); 《결함있는》 mangelhaft (sein); 《미숙한》 unreif (sein).
불요불굴(不撓不屈) ~의 unbiegsam; unbeugsam; unerschütterlich.
불요불급(不要不急) ~하다 nicht dringend (sein).
불우(不遇) ~하다 vom Glück nicht begünstigt 〔namen〔ruhm〕los〕 (sein). ¶ ~한 시절 die vom Glück nicht bevorzugte Zeit; Unglückstage (*pl.*).
불운(不運) Unglück *n.* –(e)s, ..glücksfälle; Mißglück *n.* –(e)s; Pech *n.* –(e)s, –e. ~하다 unglücklich 〔unselig; unheilvoll〕 (sein).
불원간(不遠間) bald; binnen kurzem; in der nächsten Zeit.
불유쾌(不愉快) =불쾌.
불의(不意) ~의 unerwartet; ungeahnt. ¶ ~의 재난을 당하다 ein unvorhergesehenes Unglück erleiden*.
불의(不義) 《비리》 Unrecht *n.* –(e)s; Untreue *f.*; 《부도덕》 Unsittlichkeit *f.*; 《간통》 Ehebruch *m.* –(e)s.
불이익(不利益) Nachteil *m.* –(e)s, –e.
불이행(不履行) Nichterfüllung *f.* –en. ~하다 nicht erfüllen[4]. ‖ 계약 ~ die Nichterfüllung e–s Kontraktes.
불인가(不認可) Mißbilligung 〔Nichtanerkennung; Verwerfung〕 *f.* –en.
불일내(不日內) ~에 in wenigen〔einigen〕 Tagen; bald.
불일듯이 tätig; rührig; lebhaft; aktiv. ¶ 장사가 ~ 잘 되다 Das Geschäft blüht.
불일치(不一致) Zwietracht 〔Uneinigkeit; Mißhelligkeit〕 *f.* –en. ~하다 nicht überein|stimmen (*mit*[3]); in Widerspruch stehen* (*zu*[3]).
불임(不妊) ~의 unfruchtbar. ‖ ~증 Unfruchtbarkeit *f.*
불입(拂入) =납입(納入).
불잉걸 brennende Holzkohle, –n.
불자동차(一自動車) Feuerwehrwagen *m.* –s, –.
불잡다 《진화》 Feuer löschen; Feuer ein|dämmen; 《켜들다》 ein Licht in der Hand halten*.
불장난 das Spiel mit dem Feuer; 《무분별한 남녀 교제》 das Spiel mit der Liebe. ~하다 mit dem Feuer spielen; mit der Liebe spielen.
불전(佛殿) Heiligtum des Buddhismus.
불제(祓除) Geisterbeschwörung 〔Teufelsaustreibung〕 *f.* –en.
불제자(佛弟子) Buddhist *m.* –en, –en.
불조심(一操心) Sicherheitsvorkehrungen (*pl.*) gegen Feuer. ~하다 auf Brandgefahr achten.
불지르다 Feuer an|legen; an|zünden[4]; entzünden[4].
불지피다 (mit Holz) Feuer machen. ¶ 아궁이에 ~ im Kamin〔am Feuerplatz〕 Feuer machen.
불집 ¶ ~을 건드리다 etwas Gefährliches berühren; ins Wespennest stechen.
불집게 ☞부집게.
불쬐다 [4]sich am Feuer (er)wärmen; die Feuerwärme genießen*.
불찬성(不贊成) Mißbilligung *f.* –en.
불찰(不察) Nachlässigkeit 〔Unachtsamkeit; Sorglosigkeit〕 *f.* –en. ¶ 그것은 나의 ~이었다 Es war unaufmerksam von mir.
불찰(佛刹) Buddhistentempel *m.* –s, –.
불참(不參) das Ausbleiben*, –s; Abwesenheit *f.* ‖ ~자 der Abwesende*, –n, –n.
불철저(不徹底) ~하다 halb 〔lau; nicht gründlich; folgewidrig〕 (sein).
불철주야(不撤晝夜) (bei) Tag u. Nacht. ¶ ~ 일하다 (bei) Tag u. Nacht arbeiten.
불청객(不請客) ein ungebetener Gast, –es, ¨e.
불초(不肖) 《자칭》 m–e Wenigkeit.
불출(不出) 《못난이》 ein dummer Kerl, –(e)s, –e; ein nichtsnutziger Mensch, –en, –en.
불충(不忠) ~하다 treulos 〔untreu; abtrünnig〕 (sein).
불충분(不充分) Unzulänglichkeit *f.* 《부족》; Mangelhaftigkeit *f.* 《불완전》. ~하다 ungenügend 〔unzulänglich; mangelhaft〕 (sein). ¶ 증거 ~으로 aus Mangel an Beweisen.

불충실(不忠實) Falschheit *f.* –en; Treulosigkeit *f.* –en. ～하다 falsch〔treulos; untreu〕(sein).

불측하다(不測一) ① 《헤아릴 수 없다》 unvorhergesehen〔unerwartet〕(sein). ② 《음흉하다》 böse〔boshaft; arglistig〕(sein).

불치(不治) ～의 unheilbar; tödlich. ‖ ～병 die unheilbare Krankheit, –en.

불친절(不親切) Unfreundlichkeit *f.* –en. ～하다 unfreundlich〔ungütig; lieblos; unliebenswürdig〕(sein).

불침번(不寢番) Nachtwache *f.* –n; 《사람》 Nachtwächter *m.* –s, –. ¶ ～서다 die Nachtwache halten*.

불켜다 an|zünden[4]; Licht an|machen.

불쾌(不快) Widerwille *m.* –ns, –n; das Mißfallen*, –s; Unbehagen *n.* –s. ～하다 abscheulich〔mißfällig; unangenehm; unbehaglich〕(sein).

불타(佛陀) Buddha *m.* –s.

불타다 Feuer brennt; flammen; nieder|brennen*.

불탑(佛塔) Pagode *f.* –n.

불통(不通) 《교통·통신의》 Verkehrsunterbrechung *f.* –en; 《차단》 Verkehrssperre *f.* –n. ‖ 열차 ～ die Unterbrechung des Eisenbahnverkehrs.

불투명(不透明) Undurchsichtigkeit *f.* ～하다 undurchsichtig〔trübe〕(sein).

불티 Funke *m.* –n(s), –n. ¶ ～가 튀다 funken.

불패(不敗) Unüberwindlichkeit *f.* ¶ ～의 unüberwindlich.

불편(不便) Unbequemlichkeit〔Unannehmlichkeit; Ungelegenheit〕*f.* –en. ～하다 unbequem〔unhandlich; lästig; unpraktisch〕(sein).

불편부당(不偏不黨) Unparteilichkeit〔Parteilosigkeit; Unbefangenheit〕*f.*

불평(不平) Unzufriedenheit *f.*; Mißvergnügen *n.* –s, –; Beschwerde *f.* –n. ～하다 murren (*über*[4]; gegen *jn.*); [4]sich beklagen (*über*[4]). ‖ ～분자 die unzufriedenen Elemente (*pl.*).

불평등(不平等) Ungleichheit *f.* –en. ～하다 nicht gleichberechtigt〔gleichrangig〕(sein).

불포화(不飽和) Unsättigung *f.* ‖ ～화합물 ungesättigte Verbindung, –en.

불피우다 Feuer machen; an|zünden[4]; entzünden[4].

불필요(不必要) ～하다 unnötig〔überflüssig〕(sein).

불하(拂下) ～하다 (das Staatseigentum) verkaufen. ‖ ～품 das zum Verkauf stehende Staatseigentum, –s, ⸚er.

불학무식(不學無識) Ungelehrtheit〔Unwissenheit〕*f.*; Analphabetentum *n.* –s. ～하다 ungelehrt〔ungebildet; unwissend〕(sein).

불한당(不汗黨) 《강도》 Räuber *m.* –s, –; 《깡패》 Raufbold *m.* –(e)s, –e.

불합격(不合格) Untauglichkeit *f.*; 《낙제》 Durchfall *m.* –(e)s, ⸚e. ‖ ～자(者) der Durchgefallene*, –n, –n / ～품 Ausschußware *f.* –n.

불합리(不合理) Unvernünftigkeit〔Irrationalität; Widersinnigkeit〕*f.* ～하다 unvernünftig〔vernunftwidrig〕(sein); 《비논리적》 unlogisch〔unsinnig〕(sein).

불행(不幸) Unglück *n.* –(e)s; Übel *n.* –s, –; Unfall *m.* –(e)s, ⸚e; Mißgeschick *n.* –(e)s, –e; Elend *n.* –(e)s; 《상(喪)》 Trauer *f.* –n. ～하다 unglücklich〔elend; traurig〕(sein).

불허(不許) ～하다 nicht erlauben[34]. ‖ ～복제(複製) 《경고》 Abdruck verboten.

불현듯(이) plötzlich; auf einmal. ¶ ～그는 집 생각이 났다 Plötzlich überkam ihn das Heimweh.

불협화음(不協和音) Dissonanz *f.* –en; Mißklang *m.* –(e)s, ⸚e. ～의 unharmonisch; mißtönend.

불호령(一號令) ～하다 hochmütig brummen.

불혹(不惑) Alter frei von Zweifeln; Alter von vierzig.

불화(不和) Zwiespalt *m.* –(e)s, –e; Uneinigkeit *f.*; Feindschaft *f.* –en. ～하다 mit *jm.* auf schlechtem Fuß stehen*. ‖ 가정 ～ Familienkrach *m.* –(e)s, –e.

불화(弗化) ＝플루오르화(化).

불화(弗貨) ＝달러.

불화(佛畫) buddhistische Malerei, –en.

불확실(不確實) Unsicherheit〔Ungewißheit〕*f.* –en. ～하다 ungewiß〔unsicher; unzuverlässig; unbestimmt; schwankend; zweifelhaft〕(sein).

불확정(不確定) Unbestimmtheit〔Ungewißheit; Veränderlichkeit〕*f.*

불환지폐(不換紙幣) das inkonvertible Papiergeld, –(e)s, –er.

불황(不況) Flaue *f.*; Flaute *f.* –n. ¶ ～을 극복하다 schlechte Zeiten durch|machen.

불효(不孝) ～하다 gegen Eltern unkindlich〔pietätlos〕(sein). ‖ ～자 ein unkindlicher〔undankbarer〕Sohn, –(e)s, ⸚e.

불후(不朽) Unsterblichkeit〔Unvergänglichkeit; Ewigkeit〕*f.* ～의 unvergänglich; unsterblich; ewig. ¶ ～의 공적 die unvergänglichen Verdienste (*pl.*).

붉다 rot〔hochrot 《심홍》; scharlachrot 《진홍》〕(sein).

붉덩물 Schlammfluß *m.* ..flusses, ..flüsse.

붉어지다 [4]sich röten; rötlich werden; ins Rötliche stechen*. ¶ 얼굴이 ～ erröten (*vor*[3]); Die Rote steigt *jm.* in das Gesicht.

붉히다 ¶ 낯을 ～ erröten; rot werden.

붐 Boom [bu:m] *m.* –s, –s; Aufschwung *m.* –(e)s, ⸚e.

붐비다 gedrängt voll (sein); wimmeln (*von*[3]); überfüllt (sein) (*von*[3]).

붓 (Schreib)pinsel *m.* –s, –; Feder *f.* –n.

붓꽃 〖植〗 Iris *f.* –; Schwertlilie *f.* –n.

붓날다 [4]sich leichtsinnig benehmen*.

붓다[1] 《살이》 (an|)schwellen*; dick werden; 《성이 나서》 schmollen (mit *jm.*). ¶ 손가락이 ～ der Finger schwillt / 부은 얼굴로 mürrisch.

붓다[2] 《쏟다》 ein|gießen*[4] (*in*[4]); gießen*[4] (*in*[4]; *auf*[4]); 《따르다》 ein|schenken; 《치르다》 in Raten zahlen.

붓대 Pinselstiel *m.* –s, –e.

붓두껍 Pinseldeckel *m.* –s, –.

붕괴(崩壞) Zusammenbruch *m.* –(e)s, ⸚e; 《함몰》 Einsturz *m.* –es, ⸚e. ～하다

zerfallen*; ein|stürzen; zusammen|brechen*.

붕당(朋黨) Faktion *f.* -en; Partei *f.* -en.

붕대(繃帶) Binde *f.* -n; Verband *m.* -(e)s, ⸚e. ¶~를 감다 verbinden*[4]; e-n Verband an|legen / ~를 풀다 den Verband ab|nehmen*.

붕붕거리다 《날아서》 summen; 《경적이》 hupen.

붕사(硼砂) Borax *m.* -(es).

붕산(硼酸) 〖化〗 Borsäure *f.* ‖ ~ 연고 Borsalbe *f.* -n.

붕소(硼素) Bor *n.* -s 《기호 : B》.

붕어 〖魚〗 Karausche *f.* -n.

붕어(崩御) die Heimfahrt des Königs. ~하다 [4]sich zu s-n Vätern versammeln.

붕어마름 〖植〗 Wasser·hornhaut *f.* ⸚e 〔-zinken *m.* -s, -〕.

붕우(朋友) Freund *m.* -(e)s, -e; Gesellschafter *m.* -s, -.

붕장어(—長魚) 〖魚〗 Seeaal〔Meeraal〕 *m.* -(e)s, -e.

붕정(鵬程) langer Weg, -(e)s, -e; weite Entfernung, -en. ‖ ~ 만리 e-e lange Reise, -n.

붙다 《부착》 haften 《*an*[3]》; kleben 《*an*[3]》; [4]sich heften; 《발화》 Feuer fangen* 〖붙는 물건이 主語〗; an|brennen*; 《수행》 bei *jm.* bleiben*; mit *jm.* gehen*; 《증가》 zu|nehmen* 《*an*[3]》. ¶이자가 ~ Zinsen tragen*.

붙들다 ① 《꽉 잡다》 ergreifen*[4]; fassen[4]; fest|halten*[4]. ¶나를 꼭 붙들어라 Halte mich fest! ② 《만류》 zurück|halten*; bei|behalten*.

붙들리다 《잡히다》 festgenommen werden; 《만류》 zurückgehalten werden.

붙박아놓다 befestigen[4]; fest verschließen*[4]; fixieren[4]; fest|legen[4].

붙박이 fest angebrachter Zubehörteil, -(e)s, -e. ¶~로 eingebaut.

붙박이다 befestigt werden; verbunden bleiben*.

붙어다니다 *jm.* nach|laufen* 〔folgen〕; *jm.* hinterher laufen*; *jn.* verfolgen.

붙여지내다 auf *jn.* angewiesen sein; nicht selbständig sein.

붙이다 ① 《부착》 befestigen[4] 《*an*[3]》; an|setzen[4]; zusammen|fügen[4]; 《핀으로》 (an|)heften[4] 《*an*[4]》; 《기워서》 an|nähen[4]; 《아교로》 leimen[4]; 《풀로》 an|kleben[4] 《*an*[4]》; 《고약을》 auf|legen[4]; 《광고 따위를》 an|schlagen[4]. ② 《불을》 an|zünden[4]. ③ 《조건 따위를》 stellen[4]. ¶조건을 ~ [4]*et.* zur Bedingung machen〔stellen〕. ④ 《가입》 ¶붙여주지 않다 nicht hinein|lassen*[4]; aus|schließen*[4]. ⑤ 《의지하다》 ¶몸 붙일 곳이 없다 nirgends zu leben. ⑥ 《싸움·흥정 따위를》 ¶싸움을 ~ *jn.* zum Streiten reizen / 흥정을 ~ An- u. Verkauf vermitteln. ⑦ 《때리다》 hauen*[4]. ¶따귀를 올려 ~ *jm.* e-e Ohrfeige geben*. ⑧ 《교접》 ¶여자를 붙여 주다 ein Mädchen verkuppeln 《an *jn.*》.

붙임성(—性) Artigkeit *f.* -en; Leutseligkeit *f.* -en. ¶~ 있는 entgegenkommend; leutselig.

붙잡다 fangen*[4]; ergreifen*[4]; (er)fassen[4].

붙잡히다 gefangen(genommen) werden; [4]sich fangen*; *jm.* in die Hände fallen*.

붙장(—欌) Wandschrank *m.* -(e)s, ⸚e (in der Küche).

붙좇다 *jm.* folgen; [4]sich an *jn.* an|schließen*; *jm.* dienen.

브라스밴드 Blaskapelle *f.* -n.

브라운관(—管) braunsche Röhre, -n.

브래지어 Büstenhalter *m.* -s, -.

브랜디 Brandy [bréndi:] *m.* -s, -s.

브러시 Bürste *f.* -n.

브레이크[1] 《제동기》 Bremse *f.* -n; Radschuh *m.* -(e)s, -e.

브레이크[2] 〖拳〗 entzwei gehen lassen*; ins Freie gehen lassen*.

브로치 Brosche *f.* -n; Spange *f.* -n.

브로커 Makler *m.* -s, -.

브리지 《선교》 (Kommando)brücke *f.* -n; 《카드놀이》 Bridge [bridʒ] *n.* -.

브리핑 briefing; (Lage)besprechung *f.* -en.

블라우스 Bluse *f.* -n.

블라인드 Jalousie [ʒalu:zí:] *f.* -n.

블랙리스트 die schwarze Liste, -n.

블레이저코트 Blazer *m.* -s, -.

블록 Block *m.* -(e)s, ⸚e 《거리의 구획》; Klotz *m.* -es, ⸚e 《덩어리》. ‖ ~ 건축 Blockbauart *f.* -en.

블루머 Hosenrock *m.* -(e)s, ⸚e.

블루스 〖樂〗 Blues [blu:s] *m.* -, -.

블루진 Blue jeans [blú:dʒi:nz] (*pl.*); Jeans (*pl.*).

비[1] 《쓰는》 Besen *m.* -s, -; Kehrwisch *m.* -es, -e. ¶비로 쓸어 모으다 mit dem Besen zusammen|kehren[4]. ‖ 빗자루 Besenstiel *m.* -(e)s, -e.

비[2] 《강우》 Regen *m.* -s, -. ¶비가 온다 Es regnet. ‖ 큰〔보슬〕 비 der starke 〔feine〕 Regen.

비(比) Verhältnis *n.* -ses, -se; Proportion *f.* -en.

비(妃) 《왕의》 Gemahlin des Königs; Königin *f.* -nen; 《태자의》 Kronprinzessin *f.* -nen.

비(碑) 《기념비》 Denkmal *n.* -s, ⸚er; Monument *n.* -(e)s, -e; 《묘비》 Grabstein *m.* -(e)s, -e.

비가(悲歌) Elegie *f.* -n; Klagelied *n.* -(e)s, -er; Klage〔Trauer〕gedicht *n.* -(e)s, -e.

비각(碑閣) Inschriftenhalle *f.* -n.

비감(悲感) Trübsal *f.* -e 〔*n.* -(e)s, -e〕.

비강(鼻腔) 〖解〗 Nasenhöhle *f.* -n.

비겁(卑怯) ~하다 feig(e)〔weibisch; niederträchtig〕(sein). ‖ ~자 Feigling *m.* -s, -e; Memme *f.* -n.

비견(比肩) ~하다 [4]es auf|nehmen* 《mit *jm.*》; gewachsen sein[3]; auf gleicher Höhe stehen*; nicht hinter *jm.* sein 《*in*[3]》.

비결(秘訣) Geheimnis *n.* -ses, -se; Arkanum *n.* -s, ..na.

비경(秘境) unerforschte Gegend, -en.

비경제적(非經濟的) ~인 unwirtschaftlich; verschwenderisch; kostspielig.

비계[1] 《돼지의》 Fett *n.* -(e)s, -e.

비계[2] 〖建〗 Baugerüst *n.* -(e)s, -e.

비계(秘計) geheimer Plan, -es, ⸚e; geheime Machenschaften (*pl.*).

비고(備考) Anmerkung〔Bemerkung; Notiz〕 *f.* -en.

비곡(秘曲) esoterisches (Musik)stück, -(e)s, -e.

비곡(悲曲) traurige Melodie, –n; trauriges Lied, –es, –er.

비골(腓骨) 〚解〛 Wadenbein *n.* –(e)s, –e.

비골(鼻骨) 〚解〛 Nasenbein *n.* –(e)s, –e.

비공개(非公開) Nichtöffentlichkeit *f.* –en. ~의 nichtöffentlich; privat. ‖ ~회의 nichtöffentliche〔geschlossene〕 Sitzung, –en.

비공식(非公式) ~의 inoffiziell; nichtamtlich.

비과세(非課稅) ~의 steuerfrei. ‖ ~품 steuerfreie Waren (*pl.*).

비과학적(非科學的) ~인 unwissenschaftlich.

비관(悲觀) Pessimismus *m.* –; Schwarzseherei *f.* –en. ~하다 pessimistisch sein; ^{4}sich schwarz aus|machen^4; 《극도로》 verzweifeln 《*an*^{3}, *über*^{4}》; 《낙담》 ^{4}sich enttäuschen.

비교(比較) Vergleich *m.* –(e)s, –e; Vergleichung *f.* –en; 《문법에서》 Komparation *f.* –en; Steigerung *f.* –en. ~하다 vergleichen*^{4} 《*mit*^{3}》. ¶ ~적 verhältnismäßig. ‖ ~급 Komparativ *m.* –s, –e.

비구니(比丘尼) die buddhistische Priesterin, –nen.

비구름 Regenwolke *f.* –n.

비구승(比丘僧) der buddhistische Mönch, –(e)s, –e.

비국민(非國民) unpatriotischer Mensch, –en, –en.

비군사(非軍事) ~적 nichtmilitärisch. ‖ ~화 Entmilitarisierung *f.* –en.

비굴(卑屈) ~하다 sklavisch 〔kriecherisch〕 (sein).

비극(悲劇) Trauerspiel *n.* –(e)s, –e; Tragödie *f.* –n; 《참사》 Unfall *m.* –(e)s, ..fälle; traurige Angelegenheit, –en. ~적 tragisch. ‖ ~ 배우 Tragöde *m.* –n, –n.

비근(卑近) ~하다 naheliegend 〔gewöhnlich〕 (sein).

비근거리다 schwanken; wackeln.

비금속(非金屬) Nichtmetall *n.* –s, –e; Metalloid *n.* –(e)s, –e. ‖ ~ 원소 nichtmetallisches Element, –(e)s, –e.

비금속(卑金屬) unedles Metall, –s, –e.

비기다¹ 《무승부》 unentschieden 〔remis〕 bleiben*.

비기다² 《견주다》 vergleichen*^{4} 《*mit*^{3}》; in Gleichnissen 〔Allegorien〕 reden 〔sprechen*〕.

비김수, 빅수(一手) 《장기 따위의》 der Zug beim Schachspiel, der ein Unentschieden sichert.

비꼬다 Spitze aus|teilen; mit Spitzen handeln^4.

비끄러매다 binden*; verknüpfen; zusammen|fügen.

비끼다 《비스듬히 놓임》 biegen*; schräg liegen*; ^{4}sich neigen.

비난(非難) Tadel *m.* –s, –; Verweis *m.* –es, –e; Rüge *f.* –n; Vorwurf *m.* –(e)s, ⸚e. ~하다 tadeln〔rügen〕《*jn.* wegen ^{3}*et.*》; vor|werfen* 《*jm.* ^{4}*et.*》.

비너스 Venus *f.*

비녀 Schmuckhaarnadel *f.* –n.

비녀장 Verbindungsstange *f.* –n.

비논리적(非論理的) unlogisch; folgewidrig.

비뇨기(泌尿器) 〚解〛 Harnorgan *n.* –s, –e. ‖ ~과 die Abteilung für Urologie.

비누 Seife *f.* –n; 《세탁》 Waschseife; 《화장》 Toilettenseife. ¶ ~질하다 seifen; ein|seifen. ‖ 비눗갑 Seifenbehälter *m.* –s, – / 가루 ~ Seifenpulver *n.* –s, –.

비누화(一化) ~하다 〚化〛 verseifen.

비늘 Schuppe *f.* –n.

비능률(非能率) Uneffizienz *f.* –en. ~적 uneffizient.

비닐 Vinyl *n.* –s. ‖ ~ 수지 Vinylharz *n.* –es, –e / 염화 ~ Vinylchlorid *n.* –(e)s, –e.

비닐론 Vinylon.

비다 leer〔vakant; frei; unbesetzt; hohl; unausgefüllt〕 (sein).

비단(緋緞) Seide *f.* –n; Seidenstoff *m.* –(e)s, –e. ‖ ~옷 Seidenkleid *n.* –(e)s, –er / ~ 이불 Bettzeug aus Seide.

비단(非但) bloß; nur; lediglich. ¶ ~ 그뿐 아니라 nicht nur das.

비대(肥大) Beleibtheit *f.*; 〚醫〛 Hypertrophie *f.* –n. ~하다 beleibt 〔fleischig; dick; fett; feist; korpulent〕 (sein). ‖ 심장 ~ Herzhypertrophie *f.*

비도덕적(非道德的) unsittlich; unmoralisch.

비동맹(非同盟) Bündnislosigkeit *f.* ~의 bündnislos. ‖ ~ 회의 Konferenz der bündnisfreien Staaten.

비둘기 Taube *f.* –n. ‖ ~장 Taubenschlag *m.* –(e)s, ⸚e / ~파 die Tauben (*pl.*).

비듬 (Kopf)schuppe *f.* –n. ¶ ~ 투성이의 schorfig.

비등(比等) ~하다 gleich 〔ebenbürtig〕 (sein).

비등(沸騰) 〚理〛 das Sieden*, –s; das Aufbrausen*, –s; 《의론의》 Gärung *f.* –en. ~하다 sieden$^{(*)}$; in Gärung sein; ^{4}sich auf|regen. ‖ ~점 Siedepunkt *m.* –(e)s, –e.

비디오 Video–. ‖ ~ 리코더 Videorecorder [ví:deo-rɛkɔrdər] *m.* –s, – / ~ 테이프 Videoband *n.* –(e)s, ⸚er (~ 테이프로 녹화하다 auf Fernsehband auf|nehmen*^{4}).

비딱거리다 schwanken; wackeln.

비딱하다 schief〔schräg; geneigt〕 (sein).

비뚜로 krumm; verkehrt. ¶ 그림이 ~ 걸렸다 Das Bild hängt verkehrt.

비뚜름히 ein wenig krumm 〔schief; schräg〕.

비뚝거리다 ① 《흔들거림》 schwanken; wackeln. ② 《절다》 hinken. ¶ 비뚝거리며 걷는다 Er hinkt.

비뚤다 krumm 〔falsch; schief; schräg〕 (sein).

비뚤어지다 ^{4}sich krümmen; schräg liegen*; ^{4}sich neigen; 《마음씨가》 verschroben〔querköpfig; schlecht; bösartig〕 sein.

비래(飛來) ~하다 geflogen kommen*; mit dem Flugzeug kommen*.

비럭질 Bettelei *f.* –en. ~하다 betteln (gehen*).

비렁뱅이 Bettler *m.* –s, –.

비련(悲戀) unglückliche Liebe, –n.

비례(比例) Verhältnis *n.* –ses, –se; Proportion *f.* –en. ~하다 in Verhältnis stehen*《*zu*^{3}》; in ^{3}Proportion stehen*《*zu*^{3}》. ¶ ~하여 verhältnismäßig; im Verhältnis 《*zu*^{3}》. ‖ ~ 대표제 Proporzwahlsystem *n.* –s, –e.

비로소 erst; zum ersten Mal; nicht früher als.

비록 ¶ ~ …일지라도 obgleich; wenn auch.

비록(祕錄) Geheimdokument *n.* -(e)s, -e; das vertrauliche Schreiben, -s, -.

비롯하다 beginnen*; an|fangen*; entstehen*. ¶(…을) 비롯해서 mit ^{3}*et.* beginnend.

비료(肥料) Düngemittel *n.* -s, -; Dung *m.* -(e)s; Mischdünger *m.* -s, -. ¶~를 주다 düngen^{4}. ‖~공업 Düngerindustrie *f.* -n / 질소 ~ Stickstoffdünger *m.* -s, - / 화학 ~ das chemische Düngermittel.

비루《가축의 피부병》 Räude *f.* -n. ¶~먹은 räudig.

비루(鄙陋) ~하다 gemein 〔anstößig; niedrig〕 (sein).

비루스 Virus *n.* -, ..ren. ‖~병 Viruskrankheit *f.* -en.

비름〖植〗 Amarant *m.* -(e)s, -e.

비리(非理) Unvernünftigkeit *f.* -en.

비리다 nach Fisch riechen*; nach Fisch schmecken; 《피가》 blutig〔blutrünstig; grausam〕 (sein).

비만(肥滿) Beleibtheit *f.*; Dicke *f.*; Stärke *f.*; Feiste *f.* ~하다 beleibt 〔dick; fett〕 (sein).

비말(飛沫) Wasserstaub *m.* -(e)s; Spritzwasser *n.* -s, -.

비망록(備忘錄) Memorandum *n.* -s, ..den〔..da〕; Notizbuch *n.* -(e)s, ¨er.

비매품(非賣品) der unverkäufliche〔nicht feile〕 Gegenstand, -(e)s, ¨e.

비명(非命) ¶~에 죽다 durch Unfall sterben*.

비명(悲鳴) Schmerzensruf *m.* -(e)s, -e; Notschrei *m.* -(e)s. ¶~을 지르다 ein Geschrei aus|stoßen* 〔erheben*〕; schmerzlich schreien.

비명(碑銘) Grab(in)schrift *f.* -en.

비목(費目) Ausgabeposten *m.* -s, -.

비몽사몽(非夢似夢) Halbschlaf *m.* -(e)s, -; Traumzustand *m.* -(e)s, ¨e. ¶~간에 zwischen Halbschlaf und -traum.

비무장(非武裝) Entmilitarisierung〔Entwaffnung〕 *f.* -en. ‖~지대 entmilitarisierte Zone, -n.

비문(碑文) Grab·schrift *f.* -en〔-mal *n.* -(e)s, -e〕; Epitaph *n.* -s, -e.

비문명(非文明) ¶~의 unzivilisiert; unkultiviert.

비문화적 unzivilisiert; unkultiviert.

비밀(祕密) Geheimnis *n.* -ses, -se. ~의 geheim; heimlich; verborgen. ¶~을 지키다 ein Geheimnis bewahren. ‖~결사 Geheimbund *m.* -(e)s, ¨e / ~문서 Geheimdokument *n.* -(e)s, -s / ~회의 Geheimsitzung *f.* -en.

비바람 Sturmwind *m.* -(e)s, -e. ¶~치다 e-n Sturm entfesseln.

비바리, 비발 Fischer〔Taucher〕mädchen *n.* -s, -.

비방(祕方) 《방법》 Geheimmethode *f.* -n; 《처방》 Geheimmittel *n.* -s, -.

비방(誹謗) Verleumdung 〔Bemäkelung; Hechelei〕 *f.* -en. ~하다 verleumden^{4}; schmähen^{4}; bemäkeln^{4}; diffamieren^{4}; hecheln^{4}.

비번(非番) das Dienstfreisein*, -s. ¶~의 dienstfrei / ~이다 außerhalb des Dienstes sein; nicht im Dienste sein.

비범(非凡) ~하다 außerordentlich 〔ausgezeichnet; außergewöhnlich〕 (sein).

비법(祕法) Geheimrezept *n.* -(e)s, -e.

비보(祕寶) Schatz *m.* -es, ¨e.

비보(悲報) die traurige Nachricht, -en.

비복(婢僕) Dienerschaft *f.*

비분(悲憤) Ingrimm *m.* -(e)s; Ärger *m.* -s. ¶~ 강개하다 ^{4}sich über ^{4}*et.* entrüsten.

비비(狒狒)〖動〗 Pavian *m.* -s, -e.

비비꼬다 schlingen*; winden*.

비비다 《문지르다》 reiben*^{4}; wischen^{4}; 《버무리다》 mischen^{4}.

비비대기치다 ^{4}sich 〔aneinander〕 drängen; ^{4}sich zusammen|drängen; drängeln.

비비대다 wiederholt reiben*. ¶볼을 ~ sein Gesicht an *js.* Wange wiederholt drücken.

비비적거리다 reiben u. reiben*.

비비틀다 hart drehen.

비빈(妃嬪) Königin u. Nebenfrauen des Königs.

비빔국수 Nudeln mit gehacktem Fleisch.

비빔밥 mit gehacktem Fleisch, verschiedenen Gemüsen u. Gewürzen gemischter Reis.

비사(祕史) unbekannte Geschichte.

비사교적(非社交的) ungesellig.

비산(飛散) ~하다 zersplittern; ^{4}sich zerteilen.

비산(砒酸)〖化〗 Arseniksäure *f.* ‖~염 Arsenat *n.* -(e)s.

비상(非常) ~하다 ungemein 〔außergewöhnlich; äußerst; schrecklich〕 (sein). ‖~구(口) Notausgang *m.* -(e)s, ¨e / ~ 사태 Notstand *m.* -(e)s, ¨e / ~수단 Notmittel *n.* -s, -.

비상(飛翔) Flug *m.* -(e)s, ¨e. ~하다 fliegen*.

비상(砒霜) Arsenik *n.* -s.

비생산적(非生産的) unproduktiv.

비서(祕書) Sekretär *m.* -s, -e《남자》; Sekretärin *f.* -nen《여자》. ‖~실 Sekretariat *n.* -(e)s, -e.

비석(砒石)〖化〗 Arsenik *n.* -s. ‖~중독 Arsenikvergiftung *f.* -en.

비석(碑石) Grabstein *m.* -(e)s, -e.

비소(砒素)〖化〗 Arsen *n.* -s《기호 : As》.

비소수(非素數)〖數〗 komplexe Zahl.

비속(卑俗) ~하다 gemein〔niedrig; roh; unanständig; unzüchtig〕 (sein).

비수(匕首) Dolch *m.* -(e)s, -e; Dolchmesser *n.* -s, -.

비술(祕術) Geheimkunst *f.* ¨e.

비스듬하다 schräg 〔schief; geneigt〕 (sein).

비스코스〖化〗 Viskose *f.* -n.

비스킷 Biskuit *m.* 〔*n.*〕 -(e)s, -e 〔-s〕.

비슥거리다 trödeln.

비슬거리다 wanken; wackeln; taumeln.

비슷이[1] 《같게》 ähnlich; gleich. ¶~ 닮다 *jm.* ähnlich sein.

비슷이[2] 《비스듬히》 schräg; geneigt.

비슷하다 gleich〔ähnlich〕 (sein).

비신 Regenschuh *m.* -s, -e.

비신사적(非紳士的) nicht gentelmangleich.

비싸다 teuer 〔kostspielig〕 (sein).

비아냥거리다 spitzige Bemerkungen machen.

비애(悲哀) Betrübnis *f.* -se; Traurigkeit *f.*

비애국적(非愛國的) unpatriotisch.

비약(飛躍) Sprung 〔Satz; Aufschwung〕 *m.* -(e)s, ¨e. ~하다 (auf|)springen*; Satz machen. ¶~적인 발전을 하다 große Schritte machen.

비양(飛揚) ~하다 auf|fliegen*; auf|steigen*.

비어(卑語) Slang *m.* 〔*n.*〕 -s, -s; die niedere Umgangssprache, -n.
비어(蜚語) die falsche Meldung, -en; die lügenhafte Nachricht, -en; Fabelei *f.* -en. ‖ 유언 ～ Gerücht *n.* -(e)s, -e.
비어홀 Bier·halle *f.* -n〔-haus *n.* -es, ⸚er〕.
비역 Sodomie *f.* -n. ～하다 homosexuell verkehren.
비열(比熱) 〖理〗 spezifische Wärme.
비열(卑劣) ～하다 niederträchtig〔gemein; niedrig; unflätig; verächtlich〕 (sein).
비영리(非營利) ～적 nicht gewinnbringend. ‖ ～ 단체 die nicht gewinnsuchende Organisation.
비영비영하다 schwächlich 〔kränklich; hager〕 (sein).
비예술적(非藝術的) unkünstlerisch.
비오리 〖鳥〗 Wildente *f.* -n.
비옥(肥沃) Fruchtbarkeit *f.*; Ergiebigkeit *f.* ～하다 fruchtbar〔ergiebig; üppig〕 (sein). ¶ ～하게 하다 befruchten.
비옥(翡玉) Jade *m.* -.
비올라 Viola *f.* ..len; Bratsche *f.* -n.
비옷 Regen·mantel *m.* -s, ⸚〔-rock *m.* -(e)s, ⸚e〕; Regen〔Frosch〕haut *f.* ⸚e.
비용(費用) Kosten (*pl.*); Unkosten (*pl.*); Ausgabe *f.* -n.
비우다 aus|leeren⁴; entleeren⁴. ¶ 방〔집〕을 ～ ein Zimmer〔Haus〕 frei|machen; 《부재》 ein Zimmer〔Haus〕 verlassen*; 《명도》 räumen⁴ / 잔을 ～ s-n Becher leeren 〔aus|trinken*〕.
비우호적(非友好的) unfreundlich.
비운(悲運) Unglück *n.* -(e)s.
비웃 〖魚〗 Hering *m.* -s, -e.
비웃다 spotten⁽²⁾ 《*über*⁴》; (ver)höhnen⁴; verspotten⁴; 《놀리다》 foppen⁴; necken⁴; 《모욕하다》 beleidigen⁴; beschimpfen⁴.
비원(秘苑) Palast〔Hof〕garten *m.* -s, ⸚.
비원(悲願) der sehnlichste Wunsch, -es, ⸚e.
비위(脾胃) ① 〖解〗 Milz u. Magen. ② 《기분》 Laune *f.* -n; Stimmung *f.* -en. ¶ ～를 거스르다 *jm.* die Laune verderben*; *js.* Mißfallen erregen.
비위생적(非衛生的) ungesund; unhygienisch.
비유(比喩) Gleichnis *n.* -ses, -se; Parabel〔Allegorie; Metapher〕 *f.* -n. ～하다 allegorisieren⁴; in Gleichnissen 〔Bildern〕 sprechen*.
비율(比率) Verhältnis *n.* -ses, -se; Proportion *f.* -en; 《백분율》 Prozentsatz *m.* -es, ⸚e. ¶ 2 대 1의 ～ das Verhältnis von zwei zu eins.
비음(鼻音) Nasal *m.* -s, ⸢-e. ¶ ～화하다 nasalieren⁴.
비인간(非人間) Unmensch *m.* -en, -en; Teufel *m.* -s, -. ¶ 정말 ～적인 놈이군 Was für ein Unmensch!
비인도적(非人道的) unmenschlich.
비인칭(非人稱) ～의 unpersönlich.
비일비재하다(非一非再—) nicht einmalig 〔wiederholt; mehrmals〕 (sein).
비자(榧子) Torreyanuß *f.* ..nüsse.
비자 《여권의》 Visum *n.* -s, ..sa 〔..sen〕.
비장(秘藏) das sorgfältige Aufbewahren*, -s. ～하다 ⁴*et.* sorgfältig auf|bewahren.
비장(悲壯) ～하다 pathetisch 〔tragisch〕 (sein).
비장(脾臟) 〖解〗 Milz *f.* -en.
비재(非才) Fähigkeitsmangel *m.* -s, -. ¶ 비록 ～이지만 obwohl ich unbegabt bin.
비전(祕傳) Geheimnis *n.* -ses, -se.
비전 Voraussicht *f.* -en. ¶ ～이 있는 사람 aussichtsreicher Mensch, -en, -en.
비전략물자(非戰略物資) unstrategische Güter (*pl.*).
비전투원(非戰鬪員) Nicht·kombattant *m.* -en, -en〔-kämpfer *m.* -s, -〕.
비점(沸點) ☞비등점.
비정(非情) ～하다 gefühllos 〔geistlos; blasiert; gefühlskalt; unbeseelt〕 (sein).
비정(秕政) schlechte Verwaltung, -en.
비조(鼻祖) Gründer〔Begründer; Urheber〕 *n.* -s, -.
비좁다 eng〔beschränkt〕 (sein).
비종교적(非宗教的) unreligiös; religionslos.
비주룩하다 ein bißchen hervor|treten*.
비준(批准) Bestätigung〔Ratifikation〕 *f.* -en. ～하다 ratifizieren⁴; bestätigen⁴.
비중(比重) das spezifische Gewicht, -(e)s, -e. ‖ ～계 Senkwaage *f.* -n.
비지 der Rückstand der Bohnenquarkbereitung.
비지니스 Geschäft *n.* -(e)s, -e. ‖ ～맨 Geschäftsmann *m.* -(e)s, ⸚er 〔..leute〕.
비지땀 der saure Schweiß, -es, -e. ¶ ～을 흘리다 in starken Schweiß kommen*.
비질 das Fegen. ～하다 fegen.
비집다 《틈을》 ritzen⁴; ein|ritzen⁴; 《눈을》 ³sich die Augen reiben*.
비참(悲慘) Elend *n.* -(e)s; Not *f.* ⸚e; Misere *f.* -n. ～하다 jämmerlich 〔erbärmlich; miserabel; elend〕 (sein).
비창(悲愴) Traurigkeit *f.* -en; Trauer *f.* -n; Pathos *n.* -.
비창(鼻瘡) Nasenpolyp *m.* -en, -en.
비천(卑賤) ～하다 gemein 〔niedrig; unedel; pöbelhaft〕 (sein).
비철금속(非鐵金屬) Nichteisenmetall *n.* -s, -e.
비추다 《빛을》 beleuchten⁴; bescheinen*⁴; Licht werfen*; 《반사》 ab|spiegeln⁴; 《그림자를》 erscheinen*; 《빛에》 gegen das Licht halten*⁴; 《비교》 vergleichen*⁴ 《*mit*³》; 《암시》 auf ⁴*et.* an|spielen⁴.
비축(備蓄) Vorrat *m.* -(e)s, ⸚e. ～하다 für späteren Bedarf aufspeichern. ‖ ～미(米) Vorrat an Reis.
비취(翡翠) 〖鑛〗 Jade *m.* -. ‖ ～색 jadegrün.
비치(備置) Ausstattung 〔Einrichtung〕 *f.* -en. ～하다 ein|richten⁴; versehen* 《*mit*³》; aus|rüsten⁴.
비치다 《밝게》 scheinen*; 《통해 보임》 durchsichtig sein; 《그림자가》 ⁴sich wider|spiegeln; fallen* 《*auf*⁴》.
비치웨어 Strandkleidung *f.* -en.
비치파라솔 Garten〔Sonnen〕schirm *m.* -(e)s, -e.
비칭(卑稱) bescheidene Anredeform, -en.
비카타르(鼻—) 〖醫〗 Nasenkatarrh *m.* -s, -e; Schnupfen *m.* -s, -.
비커 〖化〗 Becherglas *n.* -es, ⸚er.
비컨 Feuerzeichen *n.* -s, -. ‖ 라디오 ～ Funkbake *f.* -n.
비켜나다 beiseite|treten*; beiseite|gehen*.
비키니 《수영복》 Bikini *m.* -s, -s.
비키다 beiseite|treten*; Platz machen;

《길을》 *jm.* aus dem Weg gehen*.

비타민 Vitamin *n.* -s, -e.

비탄(悲歎) Jammer *m.* -s; Gram *m.* -(e)s; Lamentation *f.* -en. ～하다 lamentieren. ¶～에 빠지다 ^{4}sich zu Tode grämen; tief betrübt sein.

비탈 Abhang *m.* -(e)s, ¨e; Steigung *f.* -en 《오르막》; Abstieg *m.* -(s), -e 《내리막》; Steile *f.* -n 《가파른》.

비통(悲痛) Schmerz *m.* -es, -en; Kummer *m.* -s. ～하다 kummervoll 〔traurig; schmerzlich〕 (sein).

비틀거리다 taumeln; wackeln; (sch)wanken.

비틀걸음 der schwankende Schritt, -es, -e.

비틀다 schrauben^{4}; (um|)drehen^{4}.

비틀비틀 (sch)wankend; wackelnd.

비파(枇杷) 〖植〗 Mispel *f.* -n.

비파(琵琶) *Bipa f.*; chinesische 〔koreanische〕 Laute, -n.

비판(批判) Kritik *f.* -en; die kritische Beurteilung, -en. ～하다 kritisieren^{4}; Bemerkungen machen. ‖～력 Urteilskraft *f.* ¨e.

비평(批評) Kritik 〔Rezension; Besprechung〕 *f.* -en. ～하다 kritisieren^{4}; besprechen^{4}. ‖～가 Kritiker *m.* -s, -; Rezensent *m.* -en, -en; Besprecher *m.* -s, -.

비품(備品) Ausrüstungsgegenstände (*pl.*).

비프스테이크 Beefsteak *n.* -s, -s; Rindsstück *n.* -(e)s, -e.

비하다(比—) vergleichen*^{4} 《*mit*^{3}》. ¶비할 수 없을 만큼 unvergleichlich; über allen Vergleich.

비학술적(非學術的) unwissenschaftlich.

비합리(非合理) 〖哲〗 Irrationalität *f.*

비합법적(非合法的) ungesetzmäßig; illegal.

비행(非行) Missetat *f.* -en.

비행(飛行) Flug *m.* -(e)s, -e; Luftfahrt 〔Aviation〕 *f.* -en. ～하다 fliegen*. ‖～기 Flugzeug *n.* -(e)s, -e / ～사 Flieger *m.* -s, - / ～선 Luftschiff *n.* -(e)s, -e / ～운 Kondensstreifen *m.* -s, - / ～장 Flugplatz *m.* -es, ¨e; Flughafen *m.* -s, - / ～ 접시 e-e fliegende Untertasse, -n (정체 불명의 ～ 접시 UFO 〔Ufo〕[ú:fo] *n.* -(s), -s).

비현실적(非現實的) irreal; unwirklich.

비호(庇護) Schutz *m.* -es 《보호》; Obhut *f.*; Patronat *n.* -(e)s, -e 《편듦》; Beschirmung 〔Beschützung〕 *f.* -en. ～하다 schützen^{4}; beschützen^{4}; schirmen^{4}; in Schutz nehmen*^{4}.

비호(飛虎) ein flinker Tiger, -s, -. ¶～ 같다 flink wie ein Tiger.

비화(飛火) ～하다 auf ^{4}*et.* über|springen*; auf ^{4}*et.* über|greifen*; 《사건이》 ^{4}sich erstrecken; ^{4}sich aus|dehnen; ^{4}sich aus|breiten.

비화(秘話) geheime Geschichte, -n; unbekannte Geschichte.

비화(悲話) e-e traurige Geschichte, -n.

비화수소(砒化水素) 〖化〗 Arsenwasserstoff *m.* -(e)s.

빅수(—手) =비김수.

빈객(賓客) (Ehren)gast *m.* -(e)s, ¨e; Besucher *m.* -s, -.

빈곤(貧困) Armut〔Bedürftigkeit〕 *f.*; Not *f.* ¨e. ～하다 arm 〔armselig; dürftig; bedürftig〕 (sein). ¶사상의 ～ Gedankenarmut *f.*

빈궁(貧窮) =빈곤.

빈궁(嬪宮) Kronprinzessin *f.* -nen.

빈농(貧農) der arme Bauer, -s 〔-n〕, -n; Häusler *m.* -s, -.

빈대 Wanze *f.* -n.

빈대떡 aus Bohnenmehl gemachter Pfannkuchen, -s.

빈도(頻度) Häufigkeit *f.* ‖～수 Hochfrequenz *f.*

빈둥거리다 faulenzen; müßig gehen*; bummeln; die Zeit vertrödeln.

빈둥빈둥 bummelig; müßig; faul; untätig.

빈말 das leere Geschwätz, -es, -e; das leere Wort, -(e)s, -e. ～하다 Kohl reden; Blech reden; Unsinn reden.

빈민(貧民) die Armen (*pl.*); arme Leute (*pl.*). ‖～ 구호법 Armengesetz *n.* -es, -e / ～굴 Armenviertel *n.* -s, -.

빈발(頻發) das häufige Vorkommen, -s; das häufige Ereignis, -ses, -se. ～하다 häufig vor|fallen*; ^{4}sich häufig ereigen.

빈방(—房) leeres Zimmer, -s, -; 《안 쓰는》 unbewohntes Zimmer.

빈번(頻繁) ～하다 häufig 〔mehrmalig; unaufhörlich〕 (sein). ¶～히 häufig; mehrmals.

빈부(貧富) Reichtum u. Armut; 《사람》 reich u. arm. ¶～의 차 der ^{3}Unterschied zwischen Reichen u. ^{3}Armen.

빈사(瀕死) ～의 sterbend; sterbenskrank. ¶～ 상태에 있다 am Rande des Grabes stehen*.

빈소(殯所) ein Zimmer, wo ein Leichnam bis zur Begräbnisfeier liegt.

빈속 leerer Magen, -s, -. ¶～에 술을 마시다 mit leerem Magen trinken*.

빈손 leere Hand, ¨e. ¶～으로 오다 mit leeren Händen kommen*.

빈약(貧弱) ～하다 arm〔armselig; knapp; mager〕 sein. ¶～한 지식 die mangelhafte Kenntnis, -se.

빈자(貧者) der Arme*, -n, -n.

빈자리 《공석》 ein leerer 〔unbesetzter〕 Platz, -(e)s, ¨e; 《결원》 e-e vakante Stelle; e-e unbesetzte Stelle.

빈정거리다 spitzige Bemerkung machen; Spitzen austeilen; bespötteln^{4}.

빈집 ein leeres Haus, -(e)s, ¨er; ein unbesetztes Haus.

빈차(—車) der leere 〔entladene〕 Wagen, -s, -.

빈천(貧賤) Armut u. Niedrigkeit. ～하다 arm u. niedrig (sein).

빈총(—銃) nicht geladenes Gewehr, -(e)s, -e. ¶～을 놓다 blinden Schuß ab|geben*.

빈축(嚬蹙) ¶～을 사다 *jn.* veranlassen*, Grimassen zu schneiden.

빈탕 《과실의》 die leere Schale, -n; die inhaltlose Hülse; 《복권 등의》 Niete *f.* -n; Fehllos *n.* -es, -e. ¶～을 뽑다 e-e Niete ziehen*.

빈털터리 Habenichts *m.* - 〔-es〕, -e; ein armer Teufel, -s, -; der Mittellos*, -n, -n. ¶～가 되다 äußerst arm werden; bettelarm werden.

빈틈 ① 《사이》 Lücke *f.* -n; Kluft *f.* ¨e; Spalt *m.* -(e)s, -e. ② 《불비》 das

Unvorbereitetsein*, –s. ¶～ 없는 사람 ein schlauer Mensch.
빈혈(貧血) Anämie *f.* –n; Blutarmut *f.* ¶～이 있다 an der Anämie leiden*.
빌다 ① 《구걸》 *jn.* um 4*et.* bitten*; bei *jm.* um 4*et.* an|halten*. ¶밥을 ～ um Brot betteln. ② 《기원》 beten; ein Gebet sagen; flehen; hoffen; wünschen. ③ 《용서를》 *jn.* um 4*et.* bitten*; *jn.* um 4*et.* an|flehen. ¶살려 달라고 ～ um das Leben bitten*.
빌딩 Hochhaus *n.* –es, ⸚er.
빌려주다 ＝빌리다.
빌로도 Sam(me)t *m.* –(e)s, –e.
빌리다 ① 《대여》 leihen*4; aus|leihen*4; verborgen4. ¶지혜를 ～ *jm.* e–n Rat geben*. ② 《임대》 vermieten4; verpachten4. ③ 《금품을》 von *jm.* 4*et.* borgen 〔leihen*; entleihen*〕. ④ 《도움을》 4sich von *jm.* helfen lassen*; 4sich *js.* Hilfe bedienen. ⑤ 《임차》 mieten4; (ver)pachten4; dingen4; charten4.
빌미 ein Fluch als Ursache e–s Unglücks. ¶～가 내린 verflucht.
빌붙다 4sich ein|schmeicheln 《bei *jm.*》; 4sich in *js.* Gunst ein|schmeicheln.
빌어먹다 betteln; betteln gehen*. ¶빌어먹을 zum Teufel! 〔Henker!〕 / 빌어먹고 살다 vom Betteln 〔von Bettelei〕 leben.
빗 Kamm *m.* –(e)s, ⸚e. ‖얼레빗 der weite Kamm.
빗각(—角) 〖數〗 schiefer Winkel, –s, –.
빗금 schräge Linie, –n.
빗기다 《머리를》 *jm.* das Haar kämmen.
빗나가다 verfehlen4; 《탄환·화살이》 fehl|gehen*; ab|irren; verpassen. ¶예상이 ～ in s–n Erwartungen getäuscht sein.
빗다 kämmen. ¶머리를 ～ 4sich kämmen; 3sich das Haar kämmen.
빗대다 auf *jn.* 〔4*et.*〕 an|spielen; e–n Wink geben*. ¶빗대지 말고 바로 대라 K–e Anspielung, aber rede nur die Wahrheit.
빗더서다 schief stehen*.
빗돌(碑—) Gedenkstein *m.* –(e)s, –e; 《묘비》 Grabstein *m.* –(e)s, –e.
빗디디다 aus|gleiten*; fehl|treten*.
빗맞다 《표적에》 von der Richtung ab|weichen*; fehl|gehen*; 《뜻한 일이》 fehl|schlagen*; miß|raten*.
빗먹다 《Säge》 krumm 〔falsch〕 gehen*.
빗면(—面) Abhang *m.* –(e)s, ⸚e; Böschung *f.* –en.
빗물 Regenwasser *n.* –s.
빗발 ¶～이 치기 시작하다 Es fängt an zu regnen.
빗발치듯 ¶～하는 탄알 ein Regen von Geschossen / 비난이 ～했다 Es regnete Vorwürfe.
빗방울 Regentropfen *m.* –s, –; Traufe *f.* –n. ‖～ 소리 das Platschen* des Regentropfens.
빗변(—邊) 〖數〗 Hypotenuse *f.* –n.
빗살 die Zähne (*pl.*) e–s Kamms.
빗소리 Geräusch des Regens; Regen *m.* –s.
빗솔 Kammbürste *f.* –n.
빗장 Riegel *m.* –s, –. ¶～을 지르다〔뽑다〕 zu〔auf〕|riegeln4.
빗줄기 Regenguß *m.* ..gusses, ..güsse. ¶～가 세다 Es regnet Bindfäden.
빗질하다 kämmen4; das Haar kämmen.
빗치개 die Nadel zum Scheitelziehen u. Reinigen von Kämmen.
빙 rundherum. ¶머리가 빙 돈다 Mir wirbelt der Kopf.
빙결(氷結) das Frieren*, –s; das Zufrieren*, –s. ～하다 frieren*; ein|frieren*.
빙고(氷庫) Eiskeller *m.* –s, –; Gefrierfach *n.* –(e)s, ⸚er.
빙고 Bingo *n.* –(s) 《e–e Art Lotto》.
빙과(氷菓) Eis *n.* –es; Eiscreme *f.* –s; Speiseeis *n.* –es; das Gefrorene*, –n.
빙그레 ¶～ 웃다 an|lächeln4; an|schmunzeln4.
빙그르르 ¶～돌다 4sich im Kreise sanft drehen; 4sich sanft herum|drehen.
빙글거리다 lächeln; schmunzeln.
빙글빙글 ① 《돎》 ¶～ 돌다 4sich im Kreise drehen 〔bewegen〕. ② 《웃음》 ¶～ 웃다 grinsen; schmunzeln.
빙낭(氷囊) Eisbeutel *m.* –s, –.
빙모(聘母) ＝장모(丈母).
빙벽(氷壁) die Fläche des Eisbergs.
빙부(聘父) ＝장인(丈人).
빙빙 rund im Kreise herum. ¶～ 돌다 4sich im Kreise drehen 〔bewegen〕 / ～ 돌리다 4*et.* herum|drehen.
빙산(氷山) Eisberg *n.* –(e)s, –e. ¶～의 일각 die Eisbergspitze *f.* –n; 《比》 nur ein kleiner Teil.
빙상(氷上) ¶～에서 auf dem Eis. ‖～경기 Eislauf *m.* –(e)s, ⸚e; Eissport *m.* –(e)s, –e.
빙설(氷雪) das Eis u. der Schnee.
빙수(氷水) Eiswasser *n.* –s.
빙어 〖魚〗 Stint *m.* –(e)s, –e.
빙원(氷原) 〖地〗 Eisfeld *n.* –(e)s, –er.
빙자(憑藉) 《핑계》 Vorwand *m.* –(e)s, ⸚e. ～하다 4*et.* zum Vorwand nehmen*. ¶병을 ～하여 unter dem Vorwand der Krankheit.
빙점(氷點) Gefrierpunkt *m.* –(e)s. ¶～ 이하 unter dem Gefrierpunkt. (sein).
빙충맞다 plump 〔dumm; unbeholfen〕 sein.
빙충이 dummer Kerl, –(e)s, –e; Dummkopf *m.* –(e)s, ⸚e; unbeholfener Mensch, –en, –en.
빙탄(氷炭) Eis u. Kohl; 《比》 Unvereinbarkeit *f.* –en. ¶～ 불상용이다 himmelweit verschieden sein; wie Hund u. Katze leben.
빙퉁그러지다 《하는 짓이》 4sich schlecht betragen*; 4sich unrecht benehmen*; 《성질이》 schlechte Ader haben; böse Natur haben.
빙판(氷板) vereiste Straße, –n.
빙하(氷河) Gletscher *m.* –s, –. ‖～ 시대 Eiszeit *f.*
빚 Schuld *f.* –en. ¶빚을 갚다 Schulden tilgen 〔bezahlen〕 / 빚이 있다 schuldig sein / 빚을 지다 in Schulden geraten* / 빚 독촉을 하다 *jn.* zur Zurückzahlung auf|forden.
빚거간(—居間) ～하다 für Geldverleih vermitteln.
빚꾸러기 jemand, der stark verschuldet ist.
빚내다 Schulden machen; Geld leihen* 〔borgen〕.

빚놀이 Geldgeschäft *n.* -(e)s, -e.
빚놓다 Geld aus|leihen*; Darlehen geben*.
빚다 ① 《술을》 brauen⁴. ② 《가루·반죽을》 kneten⁴; Mehl 〔Ton〕 kneten. ③ 《어떤 사태를》 verursachen*; stiften*. ¶물의를 ~ öffentliches Ärgernis erregen.
빚돈 Schuld *f.* -en; Anleihe *f.* -n.
빚물이하다 die Schuld e-s anderen für ihn bezahlen 〔ab|tragen*〕. 〔treiben*.〕
빚받이하다 Schulden 〔Ausstände〕 ein|-
빚쟁이 drängender Gläubiger, -s, -; Gläubiger *m.* -s, -; 《고리 대금업자》 Wucherer *m.* -s, -. 〔ben*.〕
빚주다 Geld aus|leihen*; Darlehen ge-
빛 ① 《광선》 Lichtstrahl *m.* -(e)s, -en; Licht *n.* -(e)s, -er; Strahl. ¶빛의 굴절 Strahlenbrechung *f.* / 빛의 속도 Lichtgeschwindigkeit *f.* / 빛을 발하다 aus|strahlen; aus|strömen. ② 《빛깔》 Farbe *f.* -n; Couleur *f.* -en; Teint *m.* -s, -s; Färbung. *f.* -en. ¶밝은 빛 die helle Farbe / 빛이 짙다 von dunkler Farbe sein. ③ 《안색》 Gesichtsfarbe *f.* -n; Teint *m.* -s, -s; Miene *f.* -n.
빛깔 Farbeton *m.* -(e)s, ⁼e; Farbe *f.* -n; Färbung *f.* -en.
빛나다 ① 《비치다》 scheinen*; glänzen; strahlen; leuchten; schimmern. ② 《영예롭다》 glorreich 〔ehrenvoll〕 (sein). ③ 《이채롭다》 ⁴sich aus|zeichnen; ⁴sich hervor|tun*.
빛내다 beleuchten⁴; glänzend machen⁴; polieren⁴; 《영광스럽게 하다》 verherrlichen⁴; glorifizieren⁴. ¶이름을 ~ ⁴sich berühmt machen.
빛살 Lichtstrahl *m.* -(e)s, -en.
빠개다 spalten⁽*⁾⁴; knacken⁴; 《일을》 vereiteln⁴; verderben*⁴.
빠개지다 spalten⁽*⁾; ⁴sich spalten⁽*⁾; knacken; 《일이》 scheitern; fehl|schlagen*. 〔wenig öffnen.〕
빠끔히 ¶문을 ~ 열다 die Tür ein klein
빠듯하다 ① 《꼭 낌》 knapp passen; knapp leben *usw.* ¶빠듯한 구두 die eng passenden Schuhe. ② 《겨우 미침》 ⁴*et.* mit knapper Not fertig|bringen* 〔erledigen〕. ¶빠듯한 이익 der kümmerliche Gewinn.
빠뜨리다 ① 《잃다》 fallen lassen*⁴; aus|lassen*⁴. ② 《누락》 aus|lassen*⁴; weg|lassen*⁴. ¶못보고 ~ über|sehen*⁴; verpassen⁴. ③ 《함정에》 verleiten⁴; verlocken⁴; verführen⁴.
빠르다 ① 《속도가》 schnell 〔geschwind; eilig; rasch〕 (sein). ¶일이 ~ e-e flinke Hand haben / 발이 ~ schnellfüßig sein / 눈치가 ~ scharfsichtig sein. ② 《시간이》 früh 〔vorzeitig〕 (sein); 《시기 상조》 verfrüht (sein).
빠지다 ① 《허방 등에》 fallen*; 《물에》 hinab|fallen*; stürzen. ¶물에 ~ ins Wasser fallen*. ② 《탐닉》 in *jn.* 〔⁴*et.*〕 vernarrt sein; ⁴sich ergeben*³; *jm.* 〔³*et.*〕 frönen. ¶악습에 ~ e-e schlechte Gewohnheit an|nehmen* / 주색(酒色)에 ~ dem Haus des Lasters frönen. ③ 《탈락됨》 aus|fallen*; aus|gehen*. ¶턱이 ~ ³sich den Unterkiefer aus|renken. ④ 《물·공기 등이》 ab|fließen*; abebben; sinken*; aus|laufen*. ⑤ 《살이》 ab|nehmen*; dünn werden; ab|magern. ⑥ 《빛깔·물감 등이》 ⁴sich entfärben; die Farbe verlieren*. ⑦ 《힘·김·냄새 등이》 entmutigt werden; den Mut verlieren*; abgestanden 〔schale; fade〕 werden; den Geruch 〔den Geschmack; den Duft〕 verlieren*. ¶김 빠진 맥주 das abgestandene Bier. ⑧ 《누락》 aus〔weg〕gelassen werden; weg|fallen*. ⑨ 《탈퇴》 aus|treten*; ⁴sich zurück|treten*; verlassen*⁴; 《피하다》 ⁴sich entziehen*; aus|weichen*. ¶위기에서 빠져나가다 der Gefahr entkommen*. ⑩ 《통과》 durch|gehen*; passieren*; durch|ziehen*. ⑪ 《속다》 in ⁴*et.* fallen* 〔geraten*〕. ¶함정에 ~ in die Falle gehen*. ⑫ 《뒤지다》 nach|stehen* 《*in* et.》. ¶아무에게도 빠지지 않는다 keinem nach|stehen*.
빠짐없이 ohne Ausnahme 〔Auslassung; Unterlassung〕; ausnahmslos. ¶~ 투표하다 ohne Ausnahme Stimme ab|geben*.
빡빡 《담배를》 ¶그는 담뱃대를 ~ 빨았다 Er sog stark an s-r Tabakspfeife.
빡빡하다 《꼭 낌》 fest 〔beengt; straff〕 (sein); 《편협》 engherzig (sein); 《음식이》 trocken u. hart (sein).
빤하다 《분명하다》 klar 〔einleuchtend; augenscheinlich〕 (sein). ¶빤한 거짓말 faustdicke 〔glatte〕 Lüge.
빤히 ① 《분명히》 klar; deutlich; unzweideutig; offensichtlich. ② 《보다》 starr; fest; beharrlich. ¶~ 쳐다보다 mit unverwandten Augen an|sehen*⁴.
빤짝거리다 funkeln; glänzen; glimmern.
빨간 《온통》 durch u. durch; unverschämt; schamlos. ¶~ 거짓말 schamlose Lüge, -n.
빨강 Rot *n.* -(e)s.
빨강이 《물건》 Rotes*; das rot Gefärbtes*; 《俗》 《공산주의자》 die Roten* (*pl.*); Kommunist *m.* -en, -en.
빨갛다 rot 〔feuerrot; puterrot〕 (sein).
빨개지다 ⁴sich rot färben; ⁴sich röten.
빨다¹ 《입으로》 saugen⁽*⁾⁽⁴⁾; ein|saugen⁽*⁾⁴; schlürfen⁴; lutschen⁴; nippen⁴.
빨다² 《세탁》 waschen*⁴; reinigen⁴; aus|waschen*⁴.
빨다³ 《뾰족함》 spitz 〔spitzig〕 (sein). ¶끝이 ~ spitz 〔zulaufend〕 sein.
빨대 Strohhalm *m.* -s, -e; Pipette *f.* -n; Saugheber *m.* -s, -.
빨래 Wäsche *f.* -n; Wascherei *f.* ~하다 waschen*⁴; Wäsche halten*. ‖ ~집게 Wäscheklammer *f.* -n / ~터 Waschraum *m.* -(e)s, ⁼e 〔-platz *m.* -es, ⁼e〕 / 빨랫감 Wäsche; Wäschestück n. -(e)s, -e.
빨랫줄 Wäscheleine *f.* -n.
빨리 《일찍》 früh; 《바로》 bald; gleich; sobald als; sofort; 《신속》 schnell; rasch; rapid(e); 《급히》 eilig; hastig. ¶~ 대답해라 Antworte schnell! / 너무 ~ 왔다 Wir sind zu früh angekommen.
빨리다 《흡수당함》 gesogen werden; 《착취당함》 ausgebeutet 〔erpreßt〕 werden; 《빨게 하다》 säugen⁴; saugen lassen*⁴.
빨병(一甁) 《수통》 Wasser〔Feld〕flasche

f. –n; 《젖먹이의》 Saugflasche *f.* –n.

빨아내다 aus|saugen*^{4}; auf|saugen*^{4}; 《고름 따위를》 ab|saugen*^{4}.

빨아들이다 《기체를》 ein|atmen^4; inhalieren^4; ein|hauchen^4; 《액체를》 ein|saugen*^{4}; auf|saugen*^{4}.

빨아먹다 ① lecken^4; naschen^4; lutschen^4. ② 《우려내다》 aus|beuteln^4; aus|pressen^4.

빨아올리다 auf|saugen*^{4}.

빨치산 Partisan *m.* –s 〔–en〕, –en; Guerilla *f.* –s 〔..llen〕.

빨판 〖動〗 Saugnapf *m.* –(e)s, ⸚e; Saugscheibe *f.* –n.

빳빳하다 ① steif 〔starr; straff〕 (sein). ¶ 죽어 ～ in der Totenstarre sein. ② 《比》 fest 〔standhaft; halsstarrig〕 (sein).

빵 Brot *n.* –(e)s, –e; Brötchen *n.* –s, –. ¶ 빵부스러기 Krumme *f.* –n / 빵을 굽다 Brot backen*.

빵간(—間) 《俗》 《감방》 Polizeihaftraum *m.* –(e)s, ⸚e; Kittchen *n.* –s, –.

빵꾸 Reifenpanne *f.* –n. ¶ 타이어가 ～ 나다 ein Loch in den Reifen bekommen*; der Autoreifen platzt.

빵집 Bäckerei *f.* –en.

빻다 zerreiben*^{4}; (zer)mahlen*^{4}; pulverisieren^4.

빼기 〖數〗 Subtraktion *f.* ～하다 ab|ziehen*^{4}; subtrahieren^4.

빼내다 ① 《박힌 것을》 heraus|ziehen*^{4}; aus|ziehen*^{4}; heraus|nehmen*^{4}. ¶ 이를 ～ e–n Zahn aus|ziehen*. ② 《고르다》 aus|wählen^4; erkiesen*^{4}; wählen^4. ③ 《훔치다》 *jm.* ^{4}*et.* weg|nehmen*〔entziehen*〕; stibitzen^4. ④ 《갇힌 몸을》 los|kaufen^4. ⑤ 《유인》 verlocken^4; an|locken^4.

빼놓다 《젖혀놓다》 aus|lassen*^{4}; weg|lassen*^{4}; fort|lassen*^{4}.

빼다 ① 《뽑다》 (her)aus|ziehen*^{4}; (her-)aus|nehmen*^{4}; entkorken^4. ¶ 칼을 ～ das Schwert ziehen*. ② 《물을》 entwässern^4; dränieren^4. ③ 《제거》 beseitigen^4; entfernen^4. ④ 《제외》 aus|schließen*; aus|nehmen*^{4}; eliminieren^4. ⑤ 《수를》 subtrahieren^4; ab|ziehen^4; reduzieren^4. ⑥ 《공제》 ab|ziehen^4; ab|rechnen^4. ⑦ 《회피》 aus|weichen*; ^{4}sich entziehen*. ⑧ 《차려입다》 ^{4}sich schick kleiden.

빼도박도못하다 in e–e verteufelte Lage geraten*; in die Klemme kommen*.

빼먹다 《빠뜨리다》 aus|lassen*^{4}; weg|lassen*^{4}; über|sehen*^{4}; 《훔치다》 weg|nehmen*^{4}; stehlen*^{4}; stibitzen^4; 《수업을》 schwänzen^4.

빼물다 die Lippen spitzen; schmollen. ¶ 입을 ～ maulen; e–e Grimasse schneiden*.

빼쏘다 ^{4}sich ähnlich wie ein Ei dem anderen sehen*.

빼앗기다 ① 《탈취》 beraubt 〔weggenommen〕 werden; 《약탈》 geplündert werden. ② 《정신을》 gefesselt 〔bezaubert〕 werden; 《매혹되다》 fasziniert werden.

빼앗다 ① 《탈취》 weg|nehmen*^{4}; berauben^4. ② 《약탈》 plündern^4; erbeuten^4; rauben^4; 《찬탈》 usurpieren^4; 《박탈》 ab|erkennen^4; entziehen*^{4}; 《유린》 unter die Füße treten*^{4}; entehren^4《정조를》. ③ 《정신을》 *jn.* besaubern 〔entzücken〕; 《매혹》 faszinieren^4.

빼어나다 hervor|ragen; ^{4}sich aus|zeichnen; *jn.* in 〔an〕 ^{3}*et.* über|treffen*; vortrefflich sein. ¶ 다른 사람보다 ～ vor allen andern hervor|ragen.

빽^1 ¶ 빽 소리지르다 schrill schreien*.

빽^2 《배경》 Patron *m.* –s, –e; Schutzherr *m.* –n, –en; 《후원자》 Unterstützer 〔Beförder〕 *m.* –s, –.

빽빽하다 ① 《촘촘하다》 dicht 〔gedrängt voll〕 (sein). ② 《소견이》 engherzig 〔unduldsam; intolerant〕 (sein). ¶ 그는 빽빽한 사람이다 Er ist engherzig.

뺄셈 〖數〗 Subtraktion *f.* –en. ～하다 subtrahieren^4.

뺑소니 das Davonlaufen*, –s; Fahrerflucht *f.* –n. ～치다 ^{4}sich davon|laufen*; ^{4}sich aus dem Staub machen. ‖ ～ 운전사〔차량〕 der flüchtige Fahrer 〔Wagen〕 –s, –.

뺨 Backe 〔Wange〕 *f.* –n. ¶ 뺨을 맞다 e–e Ohrfeige bekommen* / 뺨을 붉히다 feuerrot werden.

뺨치다 ① 《때리다》 *jm.* auf die Backen schlagen*; ohrfeigen^4. ② 《무색케하다》 übertreffen* 《*jn.* *in*^{3} 〔an^3〕》.

뻐근하다 《거북함》 matt〔erschöpft; ermüdet〕 (sein); 《벅참》 hart 〔mühsam〕 (sein). ¶ 어깨가 ～ in der Schulter steif sein.

뻐기다 hochmütig sein; ^{4}sich stolz erheben*; auf ^{4}*et.* stolz sein. ¶ 뻐기고 다니다 stolzieren; einherstolzieren.

뻐꾸기 〖鳥〗 Kuckuck *m.* –(e)s, –e. ¶ ～ 소리 Kuckucksruf *m.* –es, –e.

뻐끔하다 durchgelocht 〔tief aufgerissen〕 (sein).

뻐덕뻐덕하다 steif ausgetrocknet (sein).

뻐드렁니 vorstehende Zähne (*pl.*).

뻐치다 ☞ 뻗치다.

뻑뻑하다 ☞ 빡빡하다.

뻔뻔하다 unverschämt〔frech; schamlos〕 (sein). ¶ 뻔뻔한 놈 ein frecher Kerl.

뻔질나게 sehr häufig; öfter; frequent.

뻔하다^1 ☞ 빤하다.

뻔하다^2 《까딱하면 …》 nahe daran sein. ¶ 차에 치일 뻔했다 Beinahe wäre ich vom Auto überfahren*.

뻗다 《가지·덩굴 등이》 ^{4}sich strecken; in die Höhe 〔Breite〕 wachsen*; 《힘 따위가》 ^{4}sich aus|dehnen; 《팔다리를》 (aus|)strecken^4; 《죽다》 zusammen|brechen*.

뻗치다 ^{4}sich aus|dehnen; ^{4}sich erstrecken; ^{4}sich aus|weiten.

뻘떡뻘떡 ¶ ～ 들이켜다 e–n großen〔kräftigen〕 Schluck nehmen*.

뻣뻣하다 ☞ 빳빳하다.

뻥 ① 《거짓말》 ¶ 뻥을 까다 prahlen; windbeuteln; auf|schneiden*. ② 《소리》 knall!; paff. ¶ 뻥하고 mit e–m Knall. ③ 《구멍이》 ¶ 구멍이 뻥 뚫어지다 Ein Loch ist tief aufgerissen.

뻥뻥하다 in Verlegenheit sein; in Verwirrung sein; verlegen (sein).

뼨찌 Zange *f.* –n.

뼁끼 ＝페인트.

뼈 ① Knochen *m.* –s, –; 《짐승의》 Bein *n.* –(e)s, –e; 《유골》 Asche *f.* –n. ¶ 뼈가 부러지다 ^{3}sich die Knochen brechen* /

~를 바르다 aus|gräten[4]. ② 《저의》 Hintergedanke *m.* -ns, -n; der geheime Rückhaltsgedanke. ¶ 뼈 있는 말 die andeutungsreiche Rede, -n.

뼈다귀 ein Stück Knochen.

뼈대 《구조》 Bau *m.* -(e)s, -e; Struktur *f.* -en; 《건물의》 Gerippe *n.* -s, -; Fachwerk *n.* -(e)s, -e; 《체격》 Knochengerüst *n.* -(e)s, -e. ¶ ~가 굵은 kräftig 〔stark〕 gebaut.

뼈마디 Gelenk *n.* -(e)s, -e. ¶ ~가 아프다 Mir schmerzen die Gelenke.

뼈물다 ① =벼르다. ② 《성내다》 [4]sich häufig ärgern 《über [4]*et.*》.

뼈저리다 aus tiefster Seele fühlen; tief ins Herz gehen*. ¶ 뼈저린 schmerzlich; bitterernst; aus tiefstem Herzen.

뼈지다 ① 《속이》 hart gepackt sein, wie ein Knochen darin ist; solid (sein). ② 《말이》 scharf 〔spitz; kernig; prickelnd〕 (sein).

뼘 Spanne *f.* -n. ¶ 뼘으로 재니 3피트였다 Spannenweise war es 3 Fuße lang.

뼘들이로 nacheinander; fortlaufend.

뻣성내다 in Zorn aus|brechen*.

뽀뽀 Kuß *m.* ..usses, ..üsse.

뽐내다 auf [4]*et.* stolz sein; [3]sich viel ein|bilden; [3]sich [4]*et.* 〔auf [4]*et.* viel〕 ein|bilden; 《태도가》 hochmütig sein. ¶ 뽐내며 걷다 stolzieren; einher|stolzen.

뽑다 ① 《빼다》 heraus|ziehen*[4]; aus|ziehen*[4]; entkorken[4]. ② 《선발》 aus|wählen[4]; aus|lesen*[4]; aus|suchen. ¶ 반장으로 ~ *jn.* als Klassenführer wählen / 군인을 ~ rekrutieren[4]; aus|heben*[4].

뽑히다 ① 《빠지다》 aus|fallen*; aus|gehen[4]; weg|fallen*. ② 《선발》 gewählt 〔ausgewählt; aufgenommen〕 werden.

뽕나무 Maulbeerbaum *m.* -(e)s, ⸚e.

뽕빠지다 ① 《결딴나다》 in Konkurs gehen*; [4]Pleite machen. ② 《지치다》 erschöpft sein; ein zähes Leben haben; schlecht ergehen*.

뽕잎 Maulbeerblatt *n.* -(e)s, ⸚er. ¶ ~을 따다 Maulbeerblätter pflücken.

뾰로통하다 schmollen; die Lippen spitzen; mürrisch 〔verdrießlich〕 (sein).

뾰루지 Tumor *m.* -s, -en; Geschwur *n.* -(e)s, -e. ¶ 얼굴에 ~가 나다 am Gesicht ein Geschwur bekommen*.

뾰조록하다 spitz (sein).

뾰족구두 Schuhe (*pl.*) mit gespitzten Kappen.

뾰족탑(一塔) Kirchturm 〔Spitzturm〕 *m.* -(e)s, ⸚e.

뾰족하다 spitz 〔spitzig〕 (sein); spitz zu|laufen*. ¶ 뾰족한 손가락 der spitzige Finger, -s, -.

뿌리 ① 《식물의》 Wurzel *f.* -n. ¶ ~를 뽑다 mit der Wurzel aus|reißen*; entwurzeln[4]. ② 《比》 Grund *m.* -(e)s, ⸚e; Ursache *f.* -n. ¶ ~깊은 습관 eingefleischte Gewohnheit.

뿌리다 ① 《비가》 es sprüht. ¶ 비가 뿌린다 Es tröpfelt 〔drippelt〕. ② 《끼얹다》 (be)sprengen[4]; bespritzen[4]. ③ 《씨를》 säen[4]; aus|säen[4]. ④ 《낭비》 vergeuden[4]. ¶ 돈을 ~ Geld verschwenden.

뿌리치다 [4]sich los|machen 《von [3]*et.*》; [4]sich los|reißen* 《von [3]*et.*》; zurück|weisen*[4]. ¶ 손목을 ~ (*js.* versöhnende) Hand ab|weisen* 〔ab|lehnen〕.

뿌옇다 ☞보얗다.

뿐 nichts als; nur; bloß; allein. ¶ …할 뿐 아니라, …뿐더러 nicht nur 〔allein〕, ...sondern auch; sowohl ...wie 〔als〕 auch; außerdem / 그는 학자일 뿐더러 시인이기도 하다 Er ist sowohl ein Gelerter als auch ein Dichter.

뿔 Horn *n.* -(e)s, ⸚er; 《사슴의》 Geweih *n.* -(e)s, -e. ¶ ~로 받다 mit den Hörner stoßen*[4] / ~이 돋다 die Hörner wachsen*.

뿔뿔이 zerstreut; vereinzelt. ¶ ~ 흩어지다 [4]sich zerstreuen; in alle Winde zerstreut werden.

뿜다 aus|speien[4]; aus|werfen*[4]; aus|stoßen*[4]. ¶ 연기를 ~ Rauch aus|speien 〔aus|stoßen*〕.

삐걱거리다 knarren; 《구두 따위》 knirschen; 《문 따위》 kreischen; knitschen. ¶ 마루가 ~ der Fußboden knirscht.

삐다[1] 《손발을》 brechen*. ¶ 발을 ~ [3]sich den Fuß verstauchen / 팔을 ~ [3]sich den Arm brechen*.

삐다[2] 《괸 물이》 weg|fließen*; hin|fließen*; ab|fließen[4].

삐대다 *jm.* lästig sein; *jn.* dauernd belästigen.

삐라 (Reklame)flugblatt *n.* -(e)s, ⸚er. ¶ ~를 뿌리다 Flugblätter aus|streuen.

삐악 Piep *m.* -s, -e. ¶ ~ 울다 piepsen; piepen.

삐치다 《글자의 획을》 weg|streichen*; beiseite schieben*.

삥땅 (Gewinn)anteil *m.* -(e)s, -e; Schwindelprofit *m.* -(e)s, -e. ~하다 s-n Profit (vorweg|)ziehen* 《*aus*[3]》; s-n Anteil (in die Tasche) ein|stecken.

ㅅ

사[1] 《단춧구멍》 Knopflochstich *m.* -(e)s, -e. ☞사뜨다.

사[2] 〖樂〗 g *n.* -, -. ¶ 사장조 G-Dur *n.* / 사단조 g-Moll *n.*

사(四) vier. ¶ 제 4 viert / 사분의 1 ein Viertel.

사(私) Privatangelegenheit *f.* -en. ¶ 사가 없는 nichtpersönlich; unparteiisch.

사(邪) Übel 〔Böse; Unrecht〕 *n.* -s, -.

사(社) 《회사》 Handelsgesellschaft *f.* -en; Firma *f.* ..men.

사(紗) Seidengaze *f.* -n; Flor *m.* -s, -e.

사가(史家) Geschichtsforscher 〔Historiker〕 *m.* -s, -.

사각(四角) Viereck 〔Quadrat〕 *n.* -(e)s, -e; Geviert(e) *n.* -s, -e; 《사각형》 Quadrangel *n.* -s, -; Viereck *n.* ~의 viereckig; quadratisch.

사각(死角) 〖軍〗 ein toter Winkel, -s, -. ¶ ~에 들다 in den toten Winkel kommen*.

사각(射角) Schußwinkel *m.* -s, -.

사각거리다 knirschen; zerknirschen.

사감(私憾) Boschaftigkeit 〔Bosheit〕 *f.* -en; Groll *m.* -(e)s.

사감(舍監) Heimleiter *m.* -s, -; Heim-

mentor *m.* -s, -en; 《여자》 Heimleiterin *f.* -nen.
사개 Schwalbenschwanz *m.* -es, -e. ¶～를 물리다 e-n Schwalbenschwanz machen.
사건(事件) Ereignis *n.* -ses, -se; Vorfall *m.* -(e)s, ⸚e; Begebenheit *f.* -en; 《사소한》 Vorkommen *n.* -s, -; 《음모》 Komplott *n.* -(e)s, -e; 《일》 Affäre *f.* -n; 《분규》 Verwirrung *f.* -en; Zwist *m.* -es, -e; 《추문》 Skandal *m.* -s, -e.
사격(射擊) das Schießen*, -s; Schuß *m.* ..usses, ..üsse; Feuer *n.* -s, -. ～하다 schießen*[(4)]; feuern. ‖～술 Schützenkunst *f.* / ～연습 Schießübung *f.*
사견(私見) e-e persönliche Meinung, -en; Privatmeinung *f.* -en. ¶～으로는 nach m-r Meinung 〔Ansicht〕; m-s Erachtens.
사경(死境) äußerster Fall, -(e)s, ⸚e; tödliche Situation, -en. ¶～을 헤메다 auf der Todessituation liegen*.
사계(四季) (vier) Jahreszeiten (*pl.*).
사계(斯界) diese Fachwelt, -en; dies Spezialgebiet *n.* -(e)s, -e. ¶～의 권위자 e-e Autorität auf diesem Spezialgebiet.
사고(社告) Firmenbekanntmachung *f.* -en 《신문 등에 내는 것》; innerbetriebliche Bekanntmachung 《사내용》.
사고(事故) Zufall *m.* -(e)s, ⸚e; Unglück *n.* -(e)s, -e; Unfall *m.* -(e)s, ⸚e; 《고장》 Hindernis *n.* -ses, -se; Hemmung *f.* -en. ¶～를 일으키다 e-n Unfall 〔Zwischenfall〕 verursachen. ‖～현장 Unfallort *m.* -(e)s, -e.
사고(思考) Denken 〔Nachdenken〕 *n.* -s; Gedanke *m.* -ns, -n. ～하다 denken*; spekulieren; überlegen[4]. ‖～력 Denkvermögen *n.* -s, -.
사고무친(四顧無親) ～하다 verwaist u. freundlos sein; allein u. hilflos stehen*.
사공(沙工) Boots〔Kahn〕führer *m.* -s, -; 《나룻배의》 Fahrmann *m.* -s, ⸚er.
사과(沙果) Apfel *m.* -s, ⸚. ‖～나무 Apfelbaum *m.* -(e)s, ⸚e.
사과(謝過) Entschuldigung 〔Verzeihung〕 *f.* -en; Pardon *m.* -s. ～하다 [4]sich entschuldigen; *jn.* um Verzeihung bitten*. ¶～를 받다 *js.* Entschuldigung an|nehmen*.
사관(士官) 《육군》 Offizier *m.* -s, -e; 《해군》 Marineoffizier *m.*; 《공군》 Luftwaffeoffizier *m.* ‖～학교 Militärakademie 〔Kriegsschule〕 *f.* -n; Kadettenanstalt *f.* -en / ～후보생 Offiziersaspirant *m.* -en, -en.
사관(史觀) Geschichtsauffassung *f.* -en.
사교(司敎) Bischof *m.* -s, ⸚e.
사교(社交) der gesellschaftliche Verkehr, -s 〔Umgang, -es, ⸚e〕. ～적 gesellig; gesellschaftlich. ‖～계 Gesellschaftskreis *m.* (～계에 나서다 in die Gesellschaft gehen*) / ～성 Geselligkeit *f.*; Soziabilität *f.* / ～술 die gesellschaftliche Gewandtheit / ～춤 gesellschaftliche Tänze (*pl.*).
사교(邪教) Ketzerei *f.* -en; Häresie *f.* -n; Heidentum *n.* ‖～도 der Abtrünnige*, -n, -n; Apostat *m.* -en, -en.
사구(砂丘) 〖地〗 (Sand)düne *f.* -n; Sandhügel *m.* -s, -.
사군자(四君子) 〖美〗 vier aumutige Pflanzen (=Pflaume, Orchidee, Wucherblume u. Bambus).
사권(私權) 〖法〗 ein privates Recht, -(e)s, -e; Privatrecht *n.*
사귀다 kennenlernen[4]; bekannt werden. ¶친하게 ～ mit *jm.* befreundet sein / 사귀기 어렵다 schwer umzugehen sein (mit *jm.*).
사귐성(—性) Geselligkeit *f.* -en; Leutseligkeit *f.* -en. ¶～있는 gesellig; liebenswürdig.
사그라지다 hinunter|gehen*; herab|gehen*; nach|lassen*; sinken*. 〔..men.〕
사극(史劇) ein historisches Drama, -s,
사근사근하다 ① 《성질이》 entgegenkommend 〔sanftmutig; liebenswürdig; gefällig; lieblich; mild〕 (sein). ② 《입에》 erfrischend 〔erquickend〕 (sein).
사글세(—貰) Monatsmiete *f.* -n. ‖～방 Mietwohnung *f.* -en / ～집 ein gemietetes Haus, -es, ⸚er.
사금(砂金) Goldsand *m.* -(e)s, -e; Goldseife *f.* -n. ‖～채집 Goldwäsche *f.*; Goldwäscherei *f.*
사금융(私金融) private Anleihe, -n; privates Darlehen, -s, -.
사금파리 Porzellanscherbe *f.* -n.
사기(士氣) Moral *f.* -en; Kampfgeist *m.* -es, -er; Kampflust *f.* ⸚e. ¶～가 떨어지다 die Moral der Soldaten sinkt.
사기(史記) Historie 〔Geschichte〕 *f.* -n; Chronik *f.* -en.
사기(沙器) Porzellan *n.* -s, -e; Steingut *n.* -s, ⸚er; irdenes Geshirr, -s, -e.
사기(詐欺) Betrug *m.* -(e)s, ⸚e; Schwindel *m.* -s, -. ～하다 schwindeln; den Betrug begehen*; 《돈을》 *jn.* um Geld beschwindeln. ¶교묘한 ～ der schlaue Betrug. ‖～꾼 Betrüger 〔Schwindler; Hochstapler〕 *m.* -s, - / ～죄 〖法〗 das betrügerische Verbrechen, -s, - (～죄로 걸리다 wegen Betrugs angeklagt werden) / ～행위 Schwindelei *f.* -en.
사기업(私企業) Privatunternehmen *n.* -s, -.
사나이 ① 《남자》 Mann *m.* -(e)s, ⸚er; das männliche Geschlecht, -es, -er. ¶～다운 ein ganzer Mann. ② 《정부》 Nebenbuhler *m.* -s, -; Liebhaber *m.* -s, -.
사나토리움 Sanatorium *n.* -s, ..rien.
사날[1] drei od. vier Tage (*pl.*).
사날[2] ¶～좋게 그는 남의 돈을 쓴다 Nach s-r Laune gebraucht er hemmungslos die Sache des anderen.
사납다 wild 〔grob; roh; heftig; jähzornig; empörend〕 (sein); 《운수가》 unglücklich 〔elend〕 (sein). ¶사나운 짐승 das wilde Tier, -(e)s, -e / 인심이 ～ Die Bevölkerung ist von roher Gesinnung.
사낭(砂囊) Sandsack *m.* -(e)s, ⸚e; 《날짐승의》 Vogelmagen *m.* -s, -.
사내(社內) ¶～에서 in der [3]Firma 〔im [3]Betrieb〕. ‖～보(報) Betriebszeitung *f.* -en.
사내아이 Junge 〔Knabe〕 *m.* -n, -n.

사냥 Jagd *f.* -en; Jägerei 〔Birsch〕 *f.* -en. ～하다 jagen. ¶～가다 jagen〔auf die Jagd〕 gehen*. ‖～개 Jagdhund *m.* -(e)s, -e / ～꾼 Jäger *m.* -s, - / ～총 Jagdflinte *f.* -n / ～터 Jagdbezirk *m.* -(e)s, -e.

사념(邪念) die böse 〔boschafte; schlechte〕 Meinung, -en. ¶～을 버리다 [4]sich von bösen Gedanken befreien.

사농공상(士農工商) Gelehrten, Bauern, Handwerker u. Käufleute (*pl.*).

사다 ① 《구매》 kaufen[4]; erhandeln[4]; ein|kaufen[4]. ¶싸게〔비싸게〕 ～ billig〔teuer〕 kaufen[4] / 소매로 ～ im Detail kaufen[4] / 외상으로 ～ auf Kredit kaufen[4] / 월부로 ～ auf monatliche Abzahl. ② 《초래》 [3]sich [4]*et.* zu|ziehen*; [4]*et.* auf [4]sich laden*. ¶의심을 ～ den Verdacht auf [4]sich lenken.

사다리 =사닥다리. ‖～꼴〖數〗Trapezoid *n.* -(e)s, -e / 줄～ Strickleiter *f.* -n.

사닥다리 Leiter *f.* -n. ¶～를 올라가다 e-e Leiter hinauf|steigen.

사단(事端) die Ursache der Sachlage. ¶～을 일으키다 Umstände (*pl.*) machen.

사단(師團) 〖軍〗 Division *f.* -en. ‖～사령부 Divisionskommando *n.* -s, -s / ～장 Divisionskommandeur *m.* -s, -e.

사단법인(社團法人) 〖法〗 Korporation *f.* -en; die korporative juridische Person, -en.

사담(私談) Privatunterhaltung 〔Privatunterredung〕 *f.* -en. ～하다 [4]sich unter vier Augen unterreden; e-e Privatunterredung halten*.

사당(祠堂) Ahnentafelhof *m.* -(e)s, ⸗e; Ahnentempel *m.* -s, -; Schrein *m.* -(e)s, -e.

사대(事大) ‖～주의〔사상〕 Lakaientum *n.* -s; Achselträgerei *f.*

사대부(士大夫) intellektueller Beamte*, -n, -n 《in den alten Zeiten》.

사도(邪道) Irrweg *m.* -(e)s, -e; die böse Tat, -en. ¶～에 빠지다 ab|fallen*.

사도(使徒) Apostel *m.* -s, -. ‖～행전 Apostelgeschichte *f.* -n / 십이 ～ die zwölf Apostel (*pl.*).

사돈(査頓) der Verwandte* durch Heiraten; ein Glied der Familie von dem Schwager od. der Schwägerin. ¶～의 팔촌 weitläufiger Verwandter*.

사동(使童) Laufbursche *m.* -n, -n.

사동사(使動詞) 〖文〗 ein kausatives Verb, -(e)s, -en.

사두마차(四頭馬車) vierspännige Kutsche, -n.

사들이다 ein|kaufen[4]; an|schaffen*[4]; 《상점이》 auf|kaufen[4].

사디스트 Sadist *m.* -en, -en.

사디즘 Sadismus *m.* -.

사뜨다 (ein|)säumen[4]; mit e-m Hohlsaum nähen[4].

사라사 der gedruckte Kattun, -s, -e; Zitz *m.* -es, -e.

사라지다 verschwinden*; entschwinden*; abhanden kommen*; 《소멸》 aus|sterben*. ¶연기처럼 ～ [4]sich in nichts auf|lösen.

사람 ① Mensch *m.* -en, -en; Menschheit *f.* -en; 《개인》 Privatmann *m.* -(e)s, ⸗er; Privatperson *f.* -en. ¶～의 일생 das ganze Menschenleben / ～은 죽게 마련이다 Alle Menschen sind sterblich. ② 《세인》 man; die Leute; alle Welt. ¶～들 앞에서 울다 heulen vor den andern. ③ 《인재》 Person *f.* -en; Talent *n.* -(e)s; 《인물》 Charakter *m.* -s, -e; Natur *f.* -en. ¶그는 ～이 변했다 Er hat e-n neuen Menschen angezogen. / ～이 덜 되다 bei ihm ist es im Kopfe nicht ganz richtig. ④ 《성인》 der Erwachsene*, -n, -n.

사람구실하다 [4]sich menschenwürdig betragen*〔benehmen*〕.

사람답다 menschenwürdig 〔anständig; bescheiden〕 (sein).

사람멀미하다 [4]sich bei den Menschenmassen unwohl fühlen.

사랑 Liebe *f.* -n; Neigung *f.* -en. ～하다 lieben[4]; gern 〔lieb〕 haben[4]; *jm.* zugetan sein; Liebe zu *jm.* fühlen. ¶～하는 《…을》 lieb; 《…이》 geliebt / 부모의 ～ Elternliebe *f.* / ～을 고백하다 s-e Liebe gestehen* / ～을 잃다 *js.* Liebe verwirken / ～을 받아들이다 *js.* Liebe erwidern.

사랑(舍廊) Herrenflügel *m.* -s, -; Gastzimmer *n.* -s, -.

사랑니 Weisheitszahn *m.* -(e)s, ⸗e.

사래질 das Wannen* 〔Worfeln*〕 -s.

사랑스럽다 liebenswürdig 〔lieblich; reizend〕 (sein).

사레 ¶～ 들리다 [4]sich verschlückern; verschlucken.

사려(思慮) das Nachdenken*, -s; Besonnenheit *f.* ¶～ 깊은 vorsichtig; besonnen (～ 깊은 사람 der vernünftige Mann).

사력(死力) die verzweifelte Anstrengung, -en; alle Kräfte (*pl.*). ¶～을 다하다 alle Kräfte an|strengen 〔an|bieten*〕.

사련(邪戀) die verbotene Liebe, -n.

사령(司令) Kommando *n.* -s, -s. ‖～관 Kommandant *m.* -en, -en; Kommandeur *m.* -s, -e / ～부 Hauptquartier *n.* -s, -e / ～선 《우주선의》 Kommandoschiff *n.* -(e)s, -e.

사령(辭令) Ernennung *f.* -en; das amtliche Schreiben*, -s. ‖～장 Ernennungsbrief *m.* -es, -e.

사례(事例) Beispiel *n.* -(e)s, -e; 《선례》 Präzedenzfall *m.* -(e)s, ⸗e. ‖～연구 das Studium der Präzedenzfälle.

사례(謝禮) Dank *m.* -es; 《보수》 Belohnung 〔Vergeltung〕 *f.* -en. ¶수고에 대하여 ～하다 für die Bemühung *jn.* belohnen.

사로잠그다 halbwegs verschließen*[4]; nicht ganz verschloßen verlassen*[4].

사로잡다 《das [4]Tier》 lebendig fangen*; 《e-n Menschen》 gefangen|nehmen*; 《매혹》 fesseln[4]; ein|nehmen*[4].

사로잡히다 gefangengenommen werden; [4]sich gefangen geben*. ¶공포에 ～ von Schrecken ergriffen werden / 적군에 ～ von dem Feind gefangengenommen werden.

사론(史論) ein geschichtlicher Aufsatz, -es, ⸗e

사뢰다 *jn.* unterrichten (*über*[4]; *von*[3]); *jm.* kund|geben*.

사료(史料) Geschichtsmaterial *n.* -s, -ien. ‖ ~ 편찬 die Zusammentragung der geschichtlichen Materialien.

사료(飼料) Futter *n.* -s, -; Mundvorrat *m.* -(e)s, ¨e; Futtermittel *n.* -s, -. ‖ ~ 가게 Furagehandlung *f.* -en.

사륙배판(四六倍判) 〔印〕 Oktavband *m.* -(e)s, ¨e.

사륙판(四六判) 〔印〕 Duodezband *m.* -(e)s, ¨e.

사르다[1] (태워 없애다) ins Feuer werfen*[4]; in Flammen setzen[4]; (불붙이다) Feuer an|machen〔an|zünden〕.

사르다[2] (키질) worfeln; schwingen(*); wannen.

사르르 ☞스르르.

사리 (감은) e-e Rolle, -n (von Nudeln, Strohseil *usw.*).

사리(私利) der persönliche Vorteil, -(e)s, -e; das eigene Interesse, -s, -n. ¶ ~를 꾀하다 auf den eigenen Vorteil sehr bedacht sein.

사리(舍利) Knochen (*pl.*) des Buddhas. ‖ ~탑 der Turm in dem die Reliquien des Heiligen aufbewahrt werden / ~함 Reliquienkästchen *n.* -s, -.

사리(事理) Vernunft *f.*; (사실) Tatsache *f.* -n; (적부) Richtigkeit *f.* -en. ¶ ~에 닿다 mit der Vernunft überein|stimmen; vernunftgemäß sein / ~에 밝다 vernünftig sein.

사리다 (포개감다) auf|wickeln[4]; [4]sich zusammen|rollen; (몸을) [4]sich zusammen|ziehen*; zurück|schrecken.

사립(私立) Privat-. ‖ ~ 탐정 Privatdetektiv *m.* -s, -s / ~ 학교 Privatschule *f.* -n.

사립문(-門) Reisig 〔Bambuspforte〕 *f.* -n.

사마귀 (Mutter)mal *n.* -(e)s, -e; (무사마귀) Warze *f.* -n.

사막(砂漠) (Sand)wüste *f.* -n.

사망(死亡) Tod *m.* -(e)s; Todesfall *m.* -(e)s, ¨e. ~하다 sterben*; hin|scheiden*. ‖ ~ 신고 Todesanzeige *f.* / ~률 Sterblichkeitsziffer *f.* / ~자 der Verstorbene* 〔Tote*〕 -n, -n / ~ 통계 Sterblichkeitsstatistik *f.* -en.

사면(四面) alle Seiten〔Richtungen〕(*pl.*); vier Flächen(*pl.*). ¶ ~ 팔방에 auf allen Seiten. ‖ ~체 Tetraeder *n.* -s, -.

사면(赦免) 〔法〕 Begnadigung *f.* -en; Amnestie *f.* -n. ~하다 *jm.* e-e Strafe erlassen*; *jn.* begnadigen. ‖ ~장 Begnadigungsbrief *m.* -(e)s, -e / 일반~ die allgemeine Begnadigung.

사면(斜面) Abdachung *f.* -en; Abhang *m.* -(e)s, ¨e.

사면초가(四面楚歌) ¶ ~이다 völlig in der Klemme sein; von allen Seiten beschimpft werden.

사멸(死滅) das Aussterben*, -s; Tod *m.* -es; Vernichtung *f.* -en. ~하다 aus|sterben*; ab|sterben*.

사명(使命) Aufgabe *f.* -n; Mission *f.* -en; Beruf *m.* -es, -e. ¶ ~을 띠다 mit e-r Aufgabe beauftragt sein. ‖ ~감 Pflichtgefühl *n.* -(e)s, -e.

사모(思慕) ~하다 [4]sich nach [3]*et.* sehnen; [4]sich hingezogen fühlen.

사모(師母) ‖ ~님 gnädige Frau.

사무(事務) Geschäft 〔Amtsgeschäft〕 *n.* -es, -e. ¶ ~적인 geschäftmäßig. ‖ ~관 Verwaltungsbeamte *m.* -n, -n / ~국 Kanzlei *f.* -en / ~실 Büro *n.* -s, -s; Geschäftszimmer *n.* -s, - / ~원 der 〔die〕 Büroangestellte*, -n, -n; Geschäftspersonal *n.* -s, -e / ~ 총장 Generalsektretär *m.* -s, -e.

사무치다 das Herz durch|dringen*; nahe|gehen*. ¶ 골수에 ~ durch[4] Mark u. Bein dringen*.

사문(査問) Untersuchung 〔Prüfung〕 *f.* -en; Verhör *n.* -es, -e. ~하다 untersuchen[4]; prüfen[4]; verhören[4]. ‖ ~ 위원회 Untersuchungs·ausschuß *m.* ..sses, ..üsse 〔-kommission *f.* -en〕.

사문서(私文書) ein privates Dokument, -(e)s, -e. ‖ ~위조 die Fälschung e-s privaten Dokuments.

사문석(蛇紋石) 〔鑛〕 Serpentin *m.* -s, -e.

사물(死物) das leblose Wesen, -s, -. ‖ ~ 기생(寄生) Saprobie *f.* -n.

사물(私物) ein privates Eigentum, -(e)s, ¨er; die privaten Effekten (*pl.*).

사물(事物) Gegenstand *m.* -(e)s, ¨e; Ding *n.* -(e)s, -e.

사바(娑婆) *Sabha* (범어); die 〔diese〕 Welt, -en. ‖ ~ 세계 =사바.

사박거리다 sanft 〔weich; zart〕 knirschen.

사박스럽다 grob 〔unhöflich〕 (sein).

사반(四半) Viertel 〔Vierteil〕 *n.* -s, -. ‖ ~기 Vierteljahr *n.* -(e)s, -e / ~세기 Vierteljahrhundert *n.* -(e)s, -e.

사발(沙鉢) Schüssel *f.* -n; Napf *m.* -(e)s, ¨e. ¶ ~농사하다 betteln[4]; schnorren[(4)]. ‖ ~ 시계 e-e schüsselförmige Stutzuhr, -en.

사방(四方) alle Seiten (*pl.*). ¶ ~에 auf allen [3]Seiten; ringsherum / ~에서〔으로〕 von〔nach〕 allen [3]Seiten.

사방(砂防) Schutz gegen Sand; Errichtung der Sandbank; Erosionkontrolle *f.* -n. ‖ ~공사 Dammbau *m.* -(e)s, -e; Erosionkontrollwerk *n.* -(e)s, -e.

사방형(斜方形) 〔數〕 Rhombus *m.* -, ..ben; Raute *f.* -n.

사배(四倍) Vierfache (*pl.*). ~하다 vervierfachen[4].

사범(事犯) Verbrechen 〔Vergehen〕 *n.* -s, -. ‖ 선거~ Wahlvergehen *n.*

사범(師範) Vorbild *n.* -(e)s, -er; Meister *m.* -s, -. ‖ ~대학 pädagogische Hochschule, -n.

사법(司法) Rechtspflege *f.* -n; Justiz *f.* ‖ ~권 Justizgewalt *f.* -en / ~ 기관 Maschinerie der Justiz / ~ 당국 die Obrigkeit der Justiz / ~ 서사 Notar *m.* -s, -e / ~ 연수생 juristischer Kandidat, -en, -en / ~ 연수원 Institut für die juridische Schulung / ~ 제도 Justizwesen *n.* -s, - / ~ 행정 Justizverwaltung *f.* -en / 국제 ~ 재판소 internationaler Gerichtshof, -(e)s.

사법(私法) Privatrecht *n.* -(e)s, -e.

사변(四邊) ‖ ~형 Viereck *n.* -(e)s, -e.

사변(事變) (사고) Ereignis *n.* -ses, -se. Vorfall *m.* -(e)s, ¨e; (변란) Zwischenfall *m.* -(e)s, ¨e; (동란) Aufstand *m.*

-(e)s, ⸗e; 《급변》 Notstand *m.* -(e)s, ⸗e; Krise *f.* -n.
사변(思辨) 〖哲〗 Spekulation *f.* -en; 《분별》 Diskriminierung *f.* -en. ¶ ~적 spekulativ. ‖ ~철학 spekulative Philosophie, -n.
사변(斜邊) =빗변.
사별(死別) Trennung durch den Tod; schmerzlicher Verlust, -es, -e. ~하다 *jn.* durch den Tod verlieren*; *js.* beraubt werden.
사병(士兵) (einfacher) Soldat, -en, -en; 《총칭》 Mannschaft *f.* -en.
사보타주 Sabotage *f.* -n. ~하다 Sabotage betreiben*.
사복(私服) Zivilkleidung *f.* -en. ‖ ~경관〔형사〕 ein Polizist〔Kriminalpolizist〕 in ^{3}Zivil.
사복(私腹) ¶ ~을 채우다 ^{4}sich bereichern 《*an*^{3}》.
사본(寫本) Kopie *f.* -en; Abschrift〔Handschrift〕 *f.* -en.
사부(四部) vier Teile (*pl.*). ‖ ~작 Tetralogie *f.* -n / ~ 합주 Quartett *n.* -(e)s, -e / ~ 합창곡 ein vierstimmiger Chor, -(e)s, ⸗e.
사부(師父) Lehrer 〔Meister〕 *m.* -s, -.
사부랑거리다 ☞시부렁거리다.
사부랑하다 lose 〔locker; nicht straff befestigt〕 (sein).
사북 《부채의》 Fächerzapfen *m.* -s, -; 《比》 Kern〔Angel〕punkt *m.* -(e)s, -e.
사분(四分) ~하다 in vier Stücke teilen^{4}. ¶ ~의 일 ein Viertel *n.* -s, -e. ‖ ~음표 〖樂〗 Viertelnote *f.* -n / ~의(儀) Quadrant *m.* -en, -en.
사분거리다 mit leichtem Gang gehen*.
사분사분 mit leichtem Gang.
사분오열(四分五裂) ~하다 zerreißen*^{4}; auseinander|reißen*^{4}; zersplittern^{4}.
사비(私費) Privatgeld *n.* -(e)s, -er. ¶ ~로 auf eigene Kosten.
사뿐시뿐 ☞사분사분.
사사(師事) ~하다 bei *jm.* lernen^{4} 〔studieren$^{(4)}$〕; *js.* Schüler werden.
사사건건(事事件件) in allem; jedesmal; bei jeder Gelegenheit.
사사롭다(私私—) privat 〔persönlich; häuslich; geschlossen〕 (sein).
사사오입(四捨五入) ~하다 e-e Zehnerbruchstelle 〔Dezimalstelle〕 auf- od. ab|runden.
사산(死産) Totgeburt *f.* -en. ~하다 ein Kind tot gebären*.
사살(射殺) ~하다 erschießen*^{4}; tot|schießen*^{4}.
사삿일(私私—) Privatsache *f.* -n; Privatangelegenheit *f.* -en.
사삿집(私私—) Privathaus *n.* -es, ⸗er.
사상(史上) in der ^{3}Geschichte. ¶ ~ 유례 없는 beispiellos in der Geschichte.
사상(死傷) Verluste (*pl.*). ‖ ~자 《전쟁의》 die Gefallenen u. Verwundeten (*pl.*); 《재해의》 die Toten u. Verwundeten (*pl.*).
사상(事象) Phänomen *n.* -s, -e; Erscheinung *f.* -en; Aspekt *m.* -s, -e.
사상(思想) Gedanke *m.* -ns, -n; Idee *f.* -n. ¶ 건전한 ~ der gesunde Gedanke. ‖ ~가 Denker *m.* -s, - / ~범(죄) das politische Verbrechen, -s, -; 《사람》 die politische Verbrecher, -s, - / ~전 der Krieg der Ideologie / 자유 ~ die liberale Idee / 중심 ~ die zentrale Idee.
사상(絲狀) ¶ ~의 fadenartig; fadenförmig. ‖ ~균 Schimmelpilz *m.* -es, -e.
사상(寫象) Bild *n.* -es, -er; Vorstellung *f.* -en; Einbildung *f.* -en.
사색(四色) 〖史〗 Vier Fraktionen 〔Parteien〕 (*pl.*). ‖ ~ 당쟁 Streit der Vier Fraktionen.
사색(死色) ¶ ~이 된 얼굴 ein kränklichgelbliches Gesicht, -(e)s, -er.
사색(思索) Denken〔Nachdenken〕 *n.* -s; Spekulation *f.* -en. ~하다 nach|denken*; nach|sinnen*; grübeln. ¶ ~에 잠기다 ^{4}sich in s-e Gedanken vertiefen.
사생(死生) Leben u. Tod. ¶ ~ 결단하다 sein Leben aufs Spiel setzen.
사생(寫生) das Skizzieren*, -s; Zeichnung *f.* -en; Skizze *f.* -n. ~하다 (nach der ^{3}Natur) zeichnen^{4}; skizzieren^{4}. ‖ ~화 Skizze *f.* -n.
사생아(私生兒) Liebeskind *n.* -(e)s, -er; Bastard *m.* -(e)s, -e; das uneheliche 〔natürliche〕 Kind. ¶ ~로 태어나다 unehelich geboren werden.
사생활(私生活) Privatleben *n.* -s, -.
사서(四書) ‖ ~삼경(三經) Die Vier Große Bücher u. die Drei Klassiker.
사서(史書) Geschichtsbuch *n.* -(e)s, ⸗er; Geschichtswerk *n.* -(e)s, -e.
사서(司書) Bibliothekar *m.* -s, -e.
사서(辭書) =사전(辭典).
사서함(私書函) Postschließfach *n.* -(e)s, ⸗er.
사석(私席) unoffizielle 〔private〕 Gelegenheit, -en.
사선(死線) Todeslinie *f.* -n; Todesgefahr *f.* -en. ¶ ~을 넘어 über Todesgefahr hinweg.
사선(斜線) e-e schräge 〔schiefe〕 Linie, -n.
사설(私設) ~의 privat; Privat-. ‖ ~ 강습소 Privatunterrichtsstelle *f.* -n / ~ 도로 Privatweg *m.* -(e)s, -e / ~ 철도 Privateisenbahn *f.* -en / ~ 학원 Privatschule *f.* -n.
사설(邪說) Irrlehre *f.* -n; Ketzerglaube *m.* -ns, -n.
사설(社說) Leitartikel *m.* -s, -. ‖ ~난 Leitartikelkolumne *f.* -n.
사성(四聖) die vier Großen Weisen (= Konfuzius, Buddha, Jesus u. Sokrates).
사세(事勢) Lage *f.* -n; Situation *f.* -en; Umstände (*pl.*). ¶ ~ 부득이 unvermeidlich; aus Not; umständehalber.
사소(些少) ~하다 kleinlich 〔geringfügig; unbedeutend〕 (sein). ¶ ~한 것 Kleinigkeit *f.* -en; Lappalie *f.* -n.
사수(死守) ~하다 verzweifelt verteidigen^{4}.
사수(射手) Schütze *m.* -n, -n. ‖ 명~ Meisterschütze. *m.*
사숙하다(私淑—) (bewundernd) an|schauen 《zu *jm.*》; ehrfürchtig lieben 《vor *jm.*》.
사순절(四旬節) 〖宗〗 Fasten (*pl.*); Fastzeit *f.*
사슬 Kette 〔Fessel〕 *f.* -n. ¶ ~로 묶다 an|ketten^{4} / ~을 풀다 entketten; entfesseln. ‖ ~ 문고리 Kettenschloß *n.* ..schlosses, ..schlösser.
사슴 Hirsch *m.* -es, -e; 《수컷》 Hirschbock *m.* -(e)s, ⸗e; 《암컷》 Hirschkuh

f. ⸗e. ‖ ～뿔 Hirschhorn *n.* –(e)s, ⸗er.
사시(四時) vier Jahreszeiten (*pl.*).
사시(斜視) das Schielen*, –s; Strabismus *m.* –. ¶ ～의 schieläugig; schielend. ‖ ～안 Schielauge *n.* –s, –n (～안 수술 Schieloperation *f.* –en).
사시나무 〖植〗 Espe *f.* –n; Zitterpappel *f.* –n.
사시장춘(四時長春) ewig dauernder Frühling, –s, –e; 《잘 지냄》 bequemes Leben, –s, –.
사식(私食) privat bezahltes Essen, das e-m Gefangenen geliefert wird.
사식(寫植) ☞사진 식자.
사신(私信) Privatbrief *m.* –(e)s, –e.
사신(使臣) der (Ab)gesandte*, –n, –n; Bote *m.* –n, –n.
사실(史實) e-e geschichtliche 〔historische〕 Tatsache, –n.
사실(私室) Privatzimmer *n.* –s, –.
사실(事實) Tatsache *f.* –n; Wahrheit 〔Wirklichkeit〕 *f.* –en. ¶ ～상 in der Tat 〔Wirklichkeit〕 / ～ 무근의 grundlos; unbegründet / ～을 말하다 die Wahrheit sagen / ～에 상반되다 nicht den Tatsachen entsprechen*.
사실(寫實) ～적 realistisch. ‖ ～주의(主義) Realismus *m.* – (～주의자 Realist *m.* –en, –en).
사심(私心) Selbst〔Eigen; Ich〕sucht *f.* ¶ ～없는 selbstlos.
사십(四十) vierzig. ¶ 제 ～의 der 〔die; das〕 vierzigste* / ～대의 남자 ein Vierziger, –s, –.
사악(邪惡) Bosheit *f.* –en; Laster *n.* –s; Lasterhaftigkeit *f.* –en. ¶ ～한 사람 Bösewicht *m.* –(e)s, –e(r).
사안(私案) ein privater Vorschlag, –(e)s, ⸗e
사암(砂岩) Sandstein *m.* –(e)s, –e.
사약(賜藥) Verurteilung zum Tode durch Gift. ¶ ～을 내리다 *jm.* als Todesstrafe Gift geben*.
사양(斜陽) die sinkende 〔untergehende〕 Sonne, –en. ‖ ～산업 untergehende 〔absterbende〕 Industrie, –n / ～족 der Adel im Untergang 《귀족》.
사양(辭讓) Zurückhaltung *f.* –en; 《사절》 das Ablehnen* mit Dank. ～하다 zurückhaltend 〔beherrscht; bescheiden〕 (sein). ¶ ～말고 ohne Umstände; freimütig.
사어(死語) ＝폐어(廢語).
사업(事業) 《기업》 Unternehmen* *n.* –s, –; Unternehmung *f.* –en; Geschäft *n.* –(e)s, –e; 《일》 Arbeit 〔Tat〕 *f.* –en. ¶ 무모한 ～ ein wagehalsiges Unternehmen / ～에 투자하다 sein [4]Kapital in e-m Unternehmen investieren / ～을 시작하다 ein Geschäft eröffnen. ‖ ～가 Unternehmer *m.* –s, –; Geschäftsmann *m.* –(e)s, ⸗er / ～보고서 Geschäftsbericht *m.* –(e)s, –e / ～연도 Geschäftsjahr *n.* –(e)s, –e / ～자금 Betriebsmittel (*pl.*).
사역(使役) Beschäftigung *f.* –en. ～하다 *jn.* beschäftigen. ‖ ～동사 Kausativ *n.* –(e)s, –e; Kausativum *n.* –s, ..va.
사연(事緣) die originale Ursache, –n. ¶ ～이 있어서 aus e-m gewissen Grund.
사열(査閱) Heerschau 〔Truppenschau〕 *f.* –en; Parade *f.* –n. ～하다 Truppen mustern; Heerschau halten*. ‖ ～대 die Tribüne für die Parade / ～식 Paradezeremonie *f.* –n.
사염화(四塩化) 〖化〗 Tetrachlorid *n.* –(e)s. ‖ ～ 탄소 Tetrachlorkohlenstoff *m.* –(e)s.
사영(私營) ein privater Betrieb, –(e)s, –e. ‖ ～ 사업 ein privates Unternehmen, –s, –.
사영(射影) 〖數〗 Projektion *f.* –en. ‖ ～기하학 die projektive Geometrie.
사옥(社屋) Gebäude *n.* –s, – (e-r Firma).
사욕(私慾) Eigennutz *m.* –es; Eigensucht *f.* ⸗e. ¶ ～을 떠난 uneigennützig; selbstlos.
사욕(邪慾) die böse Begierde, –n; Fleischeslust *f.* ⸗e; Gelüst(e) *n.* ..t(e)s, ..te.
사용(私用) 《개인용》 Privatgebrauch *m.* –(e)s, ⸗e; 《사삿일》 Privat·angelegenheit *f.* –en〔-sache *f.* –n〕. ～하다 zum Privatgebrauch verwenden[(*)4]. ¶ ～으로 wegen (der) Privatangelegenheiten (*pl.*).
사용(使用) Gebrauch *m.* –(e)s, ⸗e; Verwendung〔Benutzung〕 *f.* –en. ～하다 gebrauchen[4]; verwenden[(*)4]; benutzen[4]. ‖ ～가치 Gebrauchswert *m.* –(e)s, –e / ～료 die Gebühren (*pl.*) / ～법 Gebrauchsanweisung *f.* –en.
사용(社用) Geschäftssache *f.* –n; Geschäft *n.* –(e)s, –e. ¶ ～으로 geschäftlich.
사우(社友) Kollege *m.* –n, –n; Firmenfreund *m.* –(e)s, –e.
사우나 Sauna *f.* –s. ¶ ～탕에 들다 in die Sauna gehen*.
사우디아라비아 Saudi-Arabien *n.* –s; Königreich S.-A. ‖ ～ 사람 Saudiaraber *m.* –s, –.
사우스포 《야구·권투의》 Linkshänder *m.* –s, –.
사운드트랙 《영화의》 Tonwiedergabegerät *n.* –s, –e; Bandspieler *m.* –s, –.
사원(寺院) der (buddhistische) Tempel, –s, –.
사원(私怨) (ein persönlicher) Groll, –(e)s; Ressentiment *n.* –s, –s.
사원(社員) der Angestellte*, –n, –n; Teilhaber *m.* –s, –. ‖ ～ 연금법 Angestelltenversicherungsgesetz *n.* –es 《略: AVG》 / 신입 ～ der Neuangestellte*, –n, –n.
사월(四月) April *m.* –(s), –e.
사위 Schwiegersohn *m.* –(e)s, ⸗e; Eidam *m.* –(e)s, –e.
사위다 zu Asche verbrennen*; ganz verbrennen*.
사위스럽다 abscheulich〔unheilvoll; ekelhaft〕 (sein).
사유(私有) Privatbesitz *m.* –es, –e. ¶ ～의 Privat–; privat. ‖ ～권 Privatbesitzrecht *n.* –(e)s, –e / ～ 재산 Privateigentum *n.* –(e)s, ⸗er / ～지 Privatgrundstück *n.* –(e)s, –e.
사유(事由) Grund *m.* –(e)s, ⸗e; Anlaß *m.* ..lasses, ..lässe; Ursache *f.* –n. ¶ 다음과 같은 ～에서 aus folgenden Gründen.
사유(思惟) Denken *n.* –s. ～하다 denken*; spekulieren.

사육(飼育) (Auf)zucht *f.* ～하다 (auf|-)züchten⁴; auf|ziehen*⁴; halten*⁴. ‖～인 Züchter *m.* -s, -.

사육제(謝肉祭) Karneval 〔Fasching〕 *m.* -s, -e.

사은회(謝恩會) Dankfestessen *n.* -s, -; Dankesparty *f.* -s 〔..ties〕.

사의(謝意) Dank *m.* -(e)s; Dankbarkeit *f.* ¶～를 표하다 Dank aus|sprechen* 《*für*⁴》.

사의(辭意) die Absicht, zurückzutreten; Rücktrittsabsicht *f.* -en. ¶～를 비추다 den Rücktritt an|deuten / ～를 표명하다 s-n Rücktritt erklären.

사이 ① 《공간》 (Zwischen)raum; 〔Abstand〕 *m.* -(e)s, ⸚e; 《거리》 Distanz *f.* -en; 《틈》 Lücke *f.* -n. ¶～의〔에〕 zwischen³ / 구름 ～로 durch die Lücken der Wolken / ～를 두다 Distanz 〔Abstand〕 halten* 《*von*³》. ② 《시간》 Zwischenzeit *f.* -en; Weile *f.*; Pause *f.* -n; Zwischenpause 《쉴 참》. ¶아무가 없는 ～에 in³ *js.* Abwesenheit / 밥먹는 ～에 während des Essens. ③ 《관계》 das persönliche Verhältnis, -ses, -se. ¶～가 나빠지다 mit *jm.* brechen*; zu *jm.* in feindliche Beziehung geraten* / ～가 좋다〔나쁘다〕 auf gutem 〔schlechtem〕 Fuße stehen.

사이다 Limonade *f.* -n; Sprudelwasser *n.* -s, -; Sodawasser *n.* -s, - 《소다수》.

사이드 Seite *f.* -n; Seiten-; Neben-. ‖～카 Motorrad *n.* -(e)s, ⸚er.

사이렌 Sirene *f.* -n. ¶～이 울리다 Die Sirenen heulen.

사이비(似而非) Pseudo-. ‖～ 학자 Pseudowissenschaftler *m.* -s, -.

사이사이 ① 《공간》 Zwischenraum *m.* -(e)s, ⸚e; zwischen³·⁴. ② 《시간》 Zwischenzeit *f.* -en.

사이즈 Größe *f.* -n; Nummer *f.* -n.

사이참(一站) (Erholungs)pause *f.* -n; Ruhepause; Zwischenpause.

사이클 (Wechselstrom)periode *f.* -n 《전기의》; Zyklus *m.* ..len 《주기》; Hertz *n.* -, - 《주파수》; 《자전거》 Fahrrad *n.* -(e)s, ⸚er.

사이클로트론 〖物〗 Zyklotron *n.* -s, -e.

사이클링 das Radfahren*, -s.

사이키델릭 ¶～한 psychedelisch.

사이펀 〖物〗 (Saug)heber *m.* -s, -; Siphon *m.* -s, -s.

사인(死因) Todesursache *f.* -n.

사인(私人) Privatperson *f.* -en. ¶～으로선 나는 그에 반대 않는다 Privat bin ich nicht dagegen.

사인(私印) Privatstempel *m.* -s, -. ‖～위조 die Fälschung e-s Privatstempels.

사인¹ 〖數〗 Sinus *m.* -, - 《기호: sin》.

사인² ① 《신호》 Signal *n.* -s, -e; Zeichen *n.* -s, -. ② 《서명》 Unterschrift *f.* -en; Autogramm *n.* -(e)s, -e. ～하다 unterschreiben*⁴; mit ³Unterschrift versehen*⁴.

사일로 〖農〗 Silo *m.* -s, -s.

사임(辭任) Abschied *m.* -(e)s, -e; Amtsabtretung *f.* -en; Rücktritt *m.* -(e)s, -e. ～하다 ab|danken; ab|treten*.

사자(死者) der Tote*〔Umgekommene*〕 -n, -n; der Verstorbene*, -n, -n 《고인》; der tödlich Verunglückte*, -n, -n 《사고 등으로 인한》.

사자(使者) Bote *m.* -n, -n; der Abgesandte*, -n, -n; Botengänger *m.* -s, -.

사자(獅子) Löwe *m.* -n, -n; Löwin *f.* -nen 《암컷》. ‖～코 Stumpfnase *f.* -n; Stupsnase / ～후(吼) Löwengebrüll *n.* -s, -.

사자(嗣子) Erbe *m.* -n, -n; Erbin *f.* -nen 《여자》.

사장(死藏) ～하다 unbenutzt auf|bewahren⁴; hamstern⁴.

사장(社長) Chef 〔ʃɛf〕 *m.* -s, -s; Firmenchef *m.* Direktor *m.* -s, -en.

사재(私財) Privatvermögen *n.* -s, -; Privateigentum *n.* -(e)s, ⸚er. ¶～를 털어 indem jemand ⁴*et.* aus s-r eigenen Tasche bezahlt.

사저(私邸) Privathaus *n.* -es, ⸚er; Privatresidenz *f.* -en.

사적(史蹟) der geschichtliche 〔historische〕 Ort, -(e)s, -e; Geschichtsdenkmal *n.* -s, -e〔⸚er〕.

사적(史籍) Geschichtswerk *n.* -(e)s, -e.

사적(私的) privat; persönlich. ‖～ 감정 persönliches Gefühl, -(e)s, -e.

사적(事績) Leistung *f.* -en; Tat *f.* -en; Verdienst *n.* -es, -e 《공적》.

사적(射的) das Scheibenschießen*, -s; Zielscheibe *f.* -n.

사전(私錢) Falschgeld *n.* -(e)s, -er.

사전(事前) ～에 im 〔zum〕 voraus; schon vorher. ¶～에 알리다 im〔zum〕 voraus benachrichtigen 《*jn.* *von*³》. ‖～ 공작 Vorbereitungshandlung *f.* -en/ ～선거 운동 Wahlkampf im voraus.

사전(辭典) Wörterbuch *n.* -(e)s, ⸚er; Lexikon *n.* -s, ..ka; Glossar *n.* -s, -e. ¶～을 찾다 ein Wörterbuch nach|schlagen*. ‖구어(口語)～ Wörterbuch der Umgangssprache.

사절(四折) ～의 zweimal gefalzt. ‖～판 Quart *n.* -(e)s, -e (～판의 책 Quartband *m.* -(e)s, ⸚e).

사절(使節) der (Ab)gesandte*, -n, -n; Sendbote *m.* -n, -n. ‖～단 Mission *f.* -en (외교 ～단 diplomatische Mission).

사절(謝絕) Ablehnung *f.* -en; Absage *f.* -n. ～하다 ab|lehnen⁴; ab|sagen⁴; ³sich verbitten*⁴.

사정(私情) ein persönliches Gefühl, -(e)s, -e.

사정(事情) ① 《형편·처지》 Umstand *m.* -(e)s, ⸚e; Bewandtnis *f.* -se; Lage *f.* -n; Verhältnisse (*pl.*); Sachlage *f.* -n. ¶～에 따라서는 unter Umständen / 부득이한 ～으로 durch unvermeidliche Umstände gezwungen; notgedrungen. ② 《배려·관대》 dringende Bitte, -n; inständige Ersuchung, -en. ～하다 flehen 《um Hilfe》; eindringlich um Verzeihung 〔Nachsicht〕 bitten*. ¶～ 없다 rücksichtslos 〔unbarmherzig; hart〕 sein. ‖경제 ～ die wirtschaftliche Lage.

사정(査定) (Ab)schätzung *f.* -en; Veranlagung *f.* -en 《세금 따위》; Festlegung *f.* -en 《금액의》. ～하다 (ab|-)schätzen⁴ 《*auf*⁴》; veranlagen⁴. ¶예산의 ～ die Revision des Budgets. ‖～액 die abgeschätzte Summe, -n.

사정(射程) Schußweite *f.* -n; Reich-〔Trag〕weite *f.* -n 《사정 거리》.

사정(射精) Samenerguß *m.* ..gusses, ..güsse; Ejakulation *f.* -en. ∼하다 Samen ergießen*; ejakulieren.
사정사정(事情事情) ¶∼하여 durch vieles Bitten.
사제(司祭) Priester *m.* -s, -; der Geistliche*, -n, -n 《성직자》.
사제(私製) ¶∼의 privat; Privat-. ‖∼엽서 Privat(post)karte *f.* -n.
사제(師弟) Lehrer u. Schüler, des - u. -s, - u. -; (der) Meister u. (s-e) Jünger (*pl.*). ¶∼ 관계를 맺다 in das Verhältnis von Lehrer u. Schüler treten*.
사조(思潮) Geistesströmung *f.* -en; geistige Bewegung, -en. ‖시대 ∼ Zeitströmung *f.* -en.
사족(四足) vier Füße (*pl.*). ¶∼의 vierfüßig / …라면 ∼을 못 쓰다 ¹*et.* geht über alles 《*jm.*》.
사족(蛇足) Überfluß *m.* ..flusses; Zuviel *n.* -s. ¶∼을 붙이다 ein Übriges tun*; zum Überfluß 〔obendrein〕 ⁴*et.* tun*.
사죄(死罪) das todeswürdige, schwere Verbrechen, -s, -; Kapitalverbrechen.
사죄(赦罪) ∼하다 *jm.* ⁴*et.* verzeihen; *jn.* begnadigen.
사죄(謝罪) Abbitte *f.* -n. ∼하다 ⁴sich entschuldigen; *jm.* Abbitte tun*〔leisten〕. ¶당신에게 충심으로 ∼합니다 Ich bitte Sie tausendmal um Verzeihung.
사주(四柱) ¶∼보다 sein Schicksal prophezeien lassen*. ‖∼쟁이 Wahrsager *m.* -s, - / ∼팔자 Schicksal *n.* -s, -e; Verhängnis *n.* -ses, -se; Los *n.* -es, -e.
사주(使嗾) Aufhetzung *f.* -en; das Aufhetzen*, -s. ∼하다 *jn.* zu ³*et.* an|stiften; *jn.* zu ³*et.* auf|reizen. ¶…의 ∼를 받아 durch *jn.* angestiftet. ‖∼자 Anstifter *m.* -s, -.
사주(沙洲) 〖地〗 Sandbank *f.* ¨e.
사중(四重) ∼의 vierfach. ‖∼주 Quartett *n.* -(e)s, -e / 현악 ∼주 Streichquartett.
사증(査證) Visum *n.* -s, ..sa; Sichtvermerk *m.* -(e)s, -e. ‖입국 ∼ Einreisevisum *n.* -s, ..sa / 출국 ∼ Ausreisevisum.
사지(四肢) die (vier) Glieder (*pl.*). ¶∼가 성한 병신 Faulenzer *m.* -s, -; Faulpelz *m.* -es, -e.
사지(死地) gefährlicher Ort, -(e)s, -e. ¶∼에 들어가다 ⁴sich in ⁴Todesgefahr begeben* / ∼를 벗어나다 dem Tode entgehen*.
사지 《직물》 Serge [sɛrʒ] *f.* -n.
사직(司直) Richter *m.* -s, - 《법관》; Gericht *n.* -(e)s, -e 《법원》. ‖∼ 당국 =사직(司直).
사직(社稷) 《신》 der Schutzgott des Staates; 《국가》 höchste Staatsgewalt; Landeshoheit *f.*
사직(辭職) Abschied〔Rücktritt〕 *m.* -(e)s, -e; Niederlegung *f.* -en. ∼하다 das Amt nieder|legen*; zurück|treten* 《*von*³》. ¶∼원을 내다 s-n Abschiedsgesuch ein|reichen / ∼을 권고하다 *jm.* raten*, zurückzutreten.
사진(沙塵) Staub *m.* -(e)s, -e; Staubfahne *f.* -n.
사진(寫眞) Photographie *f.* -n; Photo *n.* -s, -s; (Licht)bild *n.* -(e)s, -er. ¶∼을 찍다 photographieren⁴; auf|nehmen*⁴; 《사역》 ⁴sich photographieren lassen* / ∼을 현상하다 ein Bild entwickeln / ∼을 확대하다 ein Lichtbild vergrößen. ‖∼기 Kamera *f.* -s; Photo(graphen)apparat *m.* -(e)s, -e / ∼사 Photograph *m.* -en, -en / ∼ 식자 Foto〔Licht〕satz *m.* -es, ¨e / ∼ 판정 《경기의》 Entscheidung durch Zielfotografie.
사차(四次) ∼의 〖數〗 biquadratisch. ‖∼방정식 biquadratische Gleichung, -en / ∼원 die vierte Dimension; vier Dimensionen.
사찰(寺刹) =절¹.
사찰(査察) Inspektion *f.* -en; Aufsicht *f.* -en. ∼하다 die Aufsicht führen 《*über*⁴》; überwachen⁴. ‖∼관 Inspektor *m.* -s, -en.
사창(私娼) Dirne *f.* -n; Freudenmädchen *n.* -s, -. ‖∼가 das Stadtviertel mit schlechtem Ruf / ∼굴 Absteigequartier *n.* -(e)s, -e; Bordell *m.* -s, -e.
사채(私債) Privatschulden (*pl.*); Privatdarlehen *n.* -s, -. ‖∼ 동결 Privatdarlehenssperre *f.* -n.
사채(社債) (Gesellschaft)obligation *f.* -en; Gesellschaftsschuldschein *m.* -(e)s, -e.
사천왕(四天王) die vier Himmelskönige (*pl.*).
사철(四—) die vier Jahreszeiten (*pl.*); 〖副詞的〗 das ganze Jahr hindurch; immer.
사철나무 〖植〗 Pfaffenhütchen *n.* -s, -; Spindelbaum *m.* -(e)s, ¨e.
사체(死體) =시체.
사초(莎草) 《잔디》 Rasen *m.* -s, -. ∼하다 ein Grab mit Rasen belegen.
사촌(四寸) Cousin [kuzɛ̃:] *m.* -s, -s; Vetter *m.* -s, -n. ‖∼ 누이 Base 〔Cousine〕 *f.* -n.
사춘기(思春期) Pubertät *f.* -en; Geschlechtsreife *f.*
사출(射出) Herausschießung *f.* -en; das Ausgießen*, -s. ∼하다 ergießen*⁴ 《액체를》; heraus|schießen*⁴. ‖∼기 Katapult *m.* -(e)s, -e.
사춤 Riß *m.* ..sses, ..sse; Ritze *f.* -n.
사취(詐取) das Erschwindeln*, -s; Betrug *m.* -(e)s, ¨e. ∼하다 *jm.* ⁴*et.* ab|betrügen* 〔-|listen; -|schwindeln〕.
사치(奢侈) Luxus *m.* -; Prunk *m.* -(e)s; Verschwendung *f.* -en. ∼하다 luxuriös 〔prasserisch; schwelgerisch〕(sein). ¶∼스러운 luxuriös; verschwenderisch. ‖∼세 Luxussteuer *f.* -n / ∼품 Luxusartikel *m.* -s, -.
사칙(社則) Betriebvorschrift *f.* -en.
사친회(師親會) Eltern- u. Lehrervereinigung *f.* -en; die Elternvereinigung mit der Lehrerschaft.
사칭(詐稱) die falsche Angabe, -n《²*et.*》. ∼하다 ⁴sich aus|geben* 《*als*⁴; *für*⁴》; e-n falschen Namen an|geben*. ¶…로 ∼하여 unter dem Namen 《*von*³》.
사카린 Sacharin *n.* -s.
사커 Fußballspiel *n.* -(e)s, -e; Fußball *m.* -(e)s, ¨e.

사타구니 Leiste *f.* -n.

사탄 Satan *m.* -s, -e; Satanas *m.* -, -se.

사탕(砂糖) ① 《설탕》 Zucker *m.* -s, -. ② 《과자》 Zuckerwerk *n.* -(e)s; Süßigkeiten (*pl.*). ‖ ~무 Zuckerrübe *f.* -n / ~수수 Zuckerrohr *n.* -(e)s, ⸗e.

사탕발림(砂糖—) bloße 〔leere〕 Komplimente (*pl.*); Schmeichelei *f.* -en. ~하다 ⁴Süßholz raspeln; in schmeichlerischem Ton reden.

사태(沙汰) ① 《산 따위의》 Erdrutsch 〔Bergrutsch〕 *m.* -es, -e; Bergsturz *m.* -es, ⸗e. ② 《많음》 Unmenge *f.* -n 《양》; Unzahl *f.* -n. 《수》. ‖ 눈~ Lawine *f.* -n.

사태(事態) (Sach)lage *f.* -n; Sachverhalt *m.* -(e)s, -e; der Stand der Dinge; Situation *f.* -en. ¶ 심상찮은 ~ die kritische Lage / ~가 호전되었다 Die Lage hat sich gebessert.

사택(社宅) Dienstwohnung *f.* -en.

사토(沙土·砂土) Sandboden *m.* -s, -〔⸗〕.

사통(私通) das unerlaubte (Liebes)verhältnis, ..nisses, ..nisse. ~하다 ein unerlaubtes (Liebes)verhältnis haben 《mit *jm.*》.

사통오달(四通五達) gute Verkehrsverbindung, -en. ~의 nach allen Seiten hin gehend; von allen Seiten erreichbar.

사퇴(辭退) 《사직》 Abschied *m.* -(e)s, -e; Amtsabtretung *f.* -en; 《거절·사양》 die (freundliche) Absage, -n. ~하다 ab|treten*; ein Amt auf|geben*.

사투(死鬪) der Kampf auf ⁴Leben u. Tod; der verzweifelte Kampf, -(e)s, ⸗e. ~하다 um sein Leben kämpfen.

사투리 Dialekt *m.* -(e)s, -e; Mundart *f.* -en.

사특(邪慝) Lasterhaftigkeit 〔Verderbtheit; Bösartigkeit〕 *f.* -en. ~하다 lasterhaft 〔verderbt; bösartig; boshaft〕 (sein).

사파리 Safari [zafá:ri] *f.* -s; (Jagd)expedition *f.* -en. ‖ ~랠리 Safari-Rallye [..rali] *f.* -s.

사파이어 〖鑛〗 Saphir *m.* -s, -e.

사팔눈 Schiel〔Scheel〕auge *n.* -s, -n.

사팔뜨기 Schieler *m.* -s, -.

사포(砂布) =샌드페이퍼.

사표(師表) Vorbild *n.* -(e)s, -er; Muster *n.* -s, -.

사표(辭表) Rücktrittsgesuch *n.* -(e)s, -e; Entlassungsgesuch. ¶ ~를 내다 s-n Rücktritt 〔sein Rücktrittsgesuch〕 ein|reichen.

사프란 〖植〗 Safran *m.* -s, -e; Krokus *m.* -, -〔-se〕.

사필귀정(事必歸正) Lügen haben kurze Beine.

사하다(赦—) vergeben*³⁴; verzeihen*³⁴; erlassen*³⁴; begnadigen⁴.

사학(史學) Geschichtswissenschaft *f.*; Geschichte *f.*; Historie *f.* ‖ ~과 《대학의》 geschichtliches Seminar, -s, -e.

사학(私學) Privatschule *f.* -n; Privatuniversität *f.* -en 《대학》. ¶ ~의 명문 hoch anerkannte Privatuniversität.

사학(斯學) Studium *n.* -s; Forschung *f.* -en; Subjekt *n.* -(e)s. ¶ ~의 권위 Autorität auf dem Fachgebiet 〔auf dem Gebiet der Wissenschaft〕.

사항(事項) Gegenstand *m.* -(e)s, ⸗e; Artikel *m.* -s, -. ‖ 주요 ~ Haupt·sache *f.* -n 〔-punkt *m.* -(e)s, -e〕.

사해(四海) die ganze Welt. ¶ ~를 평정하다 die Welt erobern 《정복하다》.

사행(射倖) Spekulation *f.* -en; gewagtes Geschäft, -(e)s, -e. ~하다 spekulieren; ⁴sich auf Spekulationen ein|lassen*. ‖ ~심 Gewinnsucht durch Glücksspiel.

사행(蛇行) ~하다 ⁴sich schlängeln.

사향(麝香) Bisam *m.* -s, -e; Moschus *m.* -; Zibet *m.* -s. ‖ ~고양이 Bisamkatze *f.* -n / ~노루 Moschustier *n.* -(e)s, -e.

사혈(瀉血) Blutentziehung *f.* -en; Aderlaß *m.* ..lasses, ..lässe. ~하다 *jm.* Blut ab|zapfen 〔entziehen*〕; *jn.* zur Ader lassen*.

사형(死刑) Todesstrafe *f.* -n. ¶ ~에 처하다 《처형》 hin|richten⁴. ‖ ~선고 Todesurteil *n.* -(e)s, -e / ~수 der zum Tode Verurteilte*.

사형(私刑) Lynchjustiz [lýnç..] *f.*; das Lynchen*, -s. ~하다 lynchen⁴.

사화(士禍) ein Blutbad 〔ein Gemetzel〕 unter den Gelehrten.

사화(史話) Geschichtserzählung *f.* -en; historische Erzählung.

사화(私和) 《송사의》 ein (außergerichtlicher) Vergleich, -(e)s, -e; Privatschlichtung *f.* -en; 《화해》 Aussöhnung *f.*; Versöhnung *f.* ~하다 ⁴sich versöhnen 《*mit*³》; ⁴sich aus|söhnen 《*mit*³》.

사화산(死火山) ein erloschener Vulkan.

사환(使喚) Diener *m.* -s, -; (Lauf)bursche *m.* -n, -n; Bürodiener *m.* -s, -.

사활(死活) Leben u. Tod. ¶ ~에 관한 lebenswichtig.

사회(司會) Leitung *f.* -en; Vorsitz *m.* -es. ~하다 den Vorsitz führen; leiten⁴. ‖ ~자 Leiter *m.* -s, -; der Vorsitzende* -n, -n.

사회(社會) Gesellschaft 〔Welt; Öffentlichkeit〕 *f.* -en. ~적 sozial; gesellschaftlich. ‖ ~복귀 Resozialisierung 〔Rehabilitation〕 *f.* -en / ~사업 Wohlfahrtspflege *f.* -n / ~주의 Sozialismus *m.* - / ~학 Soziologie *f.*

사후(死後) ~의 nach *js.* Tod(e); postmortal; posthum.

사후(事後) ~의 nachträglich. ¶ ~에 *post factum* 《라틴어》. ‖ ~검열 Zensur *f.* -en / ~보고 Bericht *m.* -(e)s, -e / ~승낙 das nachträgliche Einverständnis, -ses, -se.

사흗날 der dritte (Tag). ¶ 5월 ~ der dritte Mai.

사흘 drei Tage 《사흘간》; der dritte (Tag) 《사흗날》.

삭(朔) 《합삭》 Konjunktion *f.* -en; 《개월》 Monat *m.* -(e)s, -e.

삭감(削減) Kürzung *f.* -en. ~하다 kürzen⁴; beschneiden*⁴; herab|setzen⁴.

삭과(蒴果) 〖植〗 Kapsel *f.* -n.

삭구(索具) Tau〔Takel〕werk *n.* -(e)s, -e; Takelage [..ʒə] *f.* -n.

삭다 《술이》 gären*; 《마음이》 ruhig werden; 《젓갈 따위가》 schon eßfertig sein.

삭도(索道) Seilbahn *f.* -en.

삭막(索莫) ～하다 《기억이》 ein schwaches Gedächtnis haben; 《쓸쓸함》 öde (sein).

삭망(朔望) 《초하루와 보름》 der erste u. fünfzehnte Tage des Mondmonates.

삭발(削髮) Haarschnitt *m.* -(e)s, -e. ～하다 [3]sich das Haar scheren 〔schneiden〕 lassen*.

삭월세(朔月貰) ☞ 사글세.

삭이다 《음식을》 verdauen[4]; 《분노를》 besänftigen[4]; beherrschen[4].

삭정이 dürrer Zweig e-s Baumes.

삭제(削除) Streichung *f.* -en. ～하다 streichen*[4]; aus〔weg〕|streichen*[4].

삭치다 《뭉개 없앰》 streichen*[4]; tilgen[4]; entwerten[4].

삭풍(朔風) der Winterwind vom Norden.

삭히다 《소화》 verdauen[4]; 《발효》 gären lassen*[4]; 《종기 따위를》 auf|lösen[4].

삯 《노임》 (Arbeits)lohn *m.* -(e)s, ⸚e; 《사용료》 Gebühr *f.* -en; 《운임》 Fahrgeld *n.* -(e)s, -er; Fuhrlohn *m.* -(e)s, ⸚e; Fuhrgeld〔Frachtgeld〕 *n.*

삯바느질 Näherei für den Lohn.

산(山) Berg *m.* -(e)s, -e; Gebirge *n.* -s, -; Hügel *m.* -s, -. ¶산기슭에 am Fuße des Berges.

산(酸) 〖化〗 Säure *f.* -n.

-산(産) Erzeugnis *n.* -ses, -se; Produktion *f.* -en. ¶독일산 제품 deutsches Erzeugnis.

산가지(算—) primitive Zählmethode mit dem Holzstück.

산간(山間) ～의 im Gebirge; in den Bergen. ‖～ 벽지 e-e abgelegene Gebirgsgegend / ～ 지방 ein bergiges Land, -(e)s, ⸚er.

산개(散開) 〖軍〗 das Ausschwärmen*, -s. ～하다 aus|schwärmen.

산계(山系) 〖地〗 Gebirgssystem *n.* -s, -e.

산고(產苦) Geburtswehen (*pl.*).

산골(山—) Bergland *n.* -(e)s, ⸚er; Gebirgsgegend *f.* -en.

산골짜기, 산골짝(山—) Gebirgstal *n.* -(e)s, ⸚er; Tal *n.*

산과(產科) 〖醫〗 Geburtshilfe *f.*; Obsterik *f.* ‖～병원 Entbindungsanstalt *f.* -en.

산광(散光) 〖物〗 Lichtzerstreuung *f.*; die Diffusion des Lichts; 《그 빛》 diffuses Licht, -(e)s, -er.

산금(產金) Goldgewinnung *f.* ‖～국 Goldland *n.* -(e)s, ⸚er / ～량 Goldgewinn *m.* -(e)s, -e.

산기(產氣) das Zeichen der Wehen.

산기(產期) (voraussichtlicher) Entbindungstermin, -s, -e.

산길(山—) Bergpfad *m.* -(e)s, -e; Waldweg *m.* -(e)s, -e.

산꼭대기(山—) Berg·spitze *f.* -n 〔-gipfel *m.* -s, -〕.

산나물(山—) eßbares Bergkraut, -(e)s, ⸚er.

산놓다(算—) mit Holzstücken 〔dem Rechenbrett; dem Abakus〕 zählen.

산더미(山—) Unmenge *f.* -n; großer Haufen, -s, -. ¶～ 같은 돈 ein großer Haufen 〔e-e große Menge〕 Geld.

산돼지(山—) Wildschwein *n.* -(e)s, -e.

산들거리다 《바람이》 kühl u. sanft blasen* 《der Wind》.

산들바람 der sanfte 〔leise〕 Wind, -(e)s, -e; Lüftchen *n.* -s, -; Brise *f.* -n.

산들산들 《blasen》 sanft; zart. ¶아침 바람이 ～ 분다 Die Morgenbrise bläst sanft u. frisch.

산등(성)(山—) ☞ 산등성이.

산등성이(山—) (Gebirgs)kamm *m.* -(e)s, ⸚e; Grat *m.* -(e)s, -e.

산뜻하다 《음식물 따위가》 erfrischend 〔erquickend〕 (sein); 《옷차림 따위가》 sauber 〔adrett; gepflegt〕 (sein); 《색 따위가》 licht 〔hell; glänzend〕 (sein); 《기분·인상 따위가》 frisch 〔lebendig; lebhaft; klar〕 (sein).

산란(產卵) das Eierlegen*, -s. ～하다 Eier legen; laichen.

산란(散亂) Zerstreuung *f.* -en; das Durcheinander*, -s. ～하다 [4]sich zerstreuen; durcheinander|gehen*.

산록(山麓) Bergfuß *m.* -es, ⸚e. ‖～ 지대 die Gegend am Fuß e-s Berges.

산림(山林) Wald *m.* -es, ⸚er; Forst *m.* -es, -e.

산마루(山—) Bergspitze *f.* -n; Bergrücken *m.* -s, -.

산만(散漫) Planlosigkeit *f.*; Ungenauigkeit *f.* ～하다 fahrig 〔flach; flüchtig; nachlässig〕 (sein).

산매(散賣) Kleinhandel *m.* -s; Einzelverkauf *m.* -(e)s, ⸚e. ～하다 einzeln 〔im kleinen; im Detail〕 verkaufen[4].

산맥(山脈) Gebirge *n.* -s, -; Berg〔Gebirgs〕kette *f.* -n.

산모(產母) Wöchnerin *f.* -nen.

산모롱이(山—) =산모퉁이.

산모퉁이(山—) Bergbiegung *f.* -en.

산목숨 Leben *n.* -s.

산문(產門) (Mutter)scheide *f.* -n.

산문(散文) Prosa *f.* ..sen.

산물(產物) Erzeugnis *n.* -ses, -se; Produkt *n.* -(e)s, -e; Frucht *f.* ⸚e.

산미(酸味) Säure *f.* -n. ¶～를 띠다 sauer schmecken.

산밑(山—) Bergfuß *m.* -es, ⸚e.

산발(散發) ～적 sporadisch; vereinzelt (vorkommend).

산벼락 ein furchtbares Erlebnis, -ses, -se. ¶～ 맞다 Schreckliches* erleben.

산병(散兵) das Ausschwärmen*, -s; Plänkler *m.* -s, -. ‖～호 Schützengraben *m.* -s, -.

산보(散步) =산책(散策).

산복(山腹) Bergabhang *m.* -(e)s, ⸚e.

산봉우리(山—) Berggipfel *m.* -s, -; Bergspitze *f.* -n.

산부인과(產婦人科) Frauenheilkunde *f.*; Gynäkologie *f.* ‖～ 의사 Gynäkolog(e) *m.* ..gen, ..gen; Frauenarzt *m.* -(e)s, ⸚e.

산불(山—) Waldbrand *m.* -(e)s, ⸚e.

산비둘기(山—) Wildtaube *f.* -n.

산비탈(山—) steiler Bergabhang, -(e)s, ⸚e.

산뽕나무(山—) wilder Maulbeerbaum, -(e)s, ⸚e.

산사나무(山査—) 〖植〗 Hage〔Weiß〕dorn *m.* -(e)s, -e.

산사람(山—) Bergsteiger *m.* -s, - 《등산가》; Berg〔Wald〕bewohner *m.* -s, - 《산골 사람》.

산사태(山沙汰) Bergsturz *m.* -es, ⁻e; Bergrutsch *m.* -es, -e.
산삭(產朔) Gebärmonat *m.* -(e)s, -e.
산산이(散散—) ¶~ 부수다 in ^{4}Stücke zerbrechen*; zerbröckeln^{4}.
산산조각(散散—) tausend Stücke (*pl.*).
산삼(山蔘) Wildginseng *m.* -s, -s.
산상(山上) (Berg)gipfel *m.* -s, -. ‖ ~수훈〔보훈, 설교〕〖聖〗 Bergpredigt *f.*
산새(山—) Waldvogel *m.* -s, ⁻.
산색(山色) Berglandschaft *f.* -en.
산성(山城) Bergfestung *f.* -en.
산성(酸性) Säure *f.* -n; Azidität *f.* ~의 sauer; säurehaltig. ‖ ~반응 Oxydation *f.* -en; Säurereaktion *f.*
산소(山所) 《묘》 Grab *n.* -(e)s, ⁻er.
산소(酸素) Sauerstoff *m.* -(e)s; Oxygen(ium) *n.* -s.
산소리 Prahlerei *f.* -en; prahlerische Rede, -n. ~하다 prahlen; an|geben*; ein großes Maul haben.
산속(山—) ¶~에서 tief 〔mitten〕 im Berg 〔Wald〕.
산송장 e-e lebende〔wandelnde〕 Leiche, -n.
산수(山水) Berge u. Flüsse (*pl.*); Landschaft *f.* -en. ‖ ~화 Landschaftsbild *n.* -(e)s, -en.
산수(算數) Arithmetik *f.*; Rechnung *f.* -en.
산수소(酸水素) 〖化〗 Hydrooxygen *n.* -s. ‖ ~ 용접 Hydrooxygen-Schweißarbeit *f.* -en / ~ 취관 Hydrooxygen-Gebläse *n.* -s, -.
산술(算術) Arithmetik 〔Zahlenlehre〕 *f.*; das Rechnen*, -s. ~의 arithmetisch.
산스크리트 Sanskrit *n.* -(e)s. ¶~어로 auf sanskritisch. ‖ ~ 학자 Sanskritist *m.* -en, -en.
산식(算式) 〖數〗 Formel *f.* -n.
산신(山神) Berggott *m.* -(e)s, ⁻er; Berggeist *m.* -es, -er. ‖ ~령 =산신 / ~제 Berggottesdienst *m.* -(e)s, -e; abergläubischer Dienst für den Berggeist.
산실(產室) Wochenstube *f.* -n; Entbindungszimmer *n.* -s, - 《분만실》.
산아(產兒) 《신생아》 ein neugeborenes Kind, -(e)s, -er; 《해산》 Neugeburt *f.* -en. ~하다 ein Kind zur Welt bringen*. ‖ ~ 제한 Geburtenbeschränkung *f.* -en (~제한을 하다 die Geburten be|schränken).
산악(山岳) Gebirge *n.* -s, -. ‖ ~전 Gebirgskrieg *m.* -(e)s, -e / ~ 지방 Gebirgsgegend *f.* -en.
산액(產額) Produktion *f.* -en; Produktionsmenge *f.* -n; Ertrag *m.* -(e)s, ⁻e 《수확고》; Förderung *f.* -en 《광물의》.
산야(山野) Berg u. Feld, des -(es) u. -(e)s, -e u. -er.
산약(散藥) Pulver *n.* -s, -; die Arznei in Pulverform, -en.
산양(山羊) ① =염소. ② 《영양》 Antilope *f.* -n.
산업(產業) Industrie *f.* -n. ~의 industriell. ‖ ~ 스파이 Industriespionage *f.* 《행위》; Industriespion *m.* -s, -e / ~ 혁명 die industrielle Revolution, -en.
산욕(產褥) Kind〔Wochen〕bett *n.* -(e)s, -en. ‖ ~열 Kindbett〔Wochenbett〕fieber *n.* -s, -.
산용(山容) die Ansicht e-s Berges.
산울림(山—) das Dröhnen des Berges; 《메아리》 Echo *n.* -s, -s.
산울타리 (lebendige) Hecke, -n.
산원(產院) Entbindungsanstalt *f.* -en; Frauenklinik *f.* -en 《산부인과》.
산월(產月) der Monat der Niederkunft. ¶~이 가깝다 der ^{3}Niederkunft entgegen|sehen*; dem Gebären nahe sein.
산유국(產油國) Erdölerzeugerland *n.* -(e)s, ⁻er; ein Land mit großen Erdölreserven.
산일하다(散佚—) 〖事物이 主語〗 verloren gehen*; zerstreut werden.
산입(算入) Einrechnung *f.* -en; Anrechnung *f.* ~하다 ein|rechnen^{4} 《*in*^{4}》; an|rechnen^{4} 《*auf*^{4}》.
산자수명(山紫水明) die malerische Landschaft, -en; Naturschönheit *f.* -en.
산장(山莊) Bergvilla *f.* ..villen.
산재(散在) ~하다 vereinzelt 〔zerstreut〕 liegen* 〔stehen*〕.
산재(散財) Verschwendung *f.* -en 《낭비》; Ausschweifung *f.* -en 《방탕》. ~하다 großzügig Geld aus|geben*; vergeuden^{4}.
산재보험(產災保險) Unfallversicherung für ^{4}Arbeitnehmer.
산적(山賊) Bandit *m.* -en, -en; Räuber *m.* -s, -.
산적(山積) ~하다 ^{4}sich an|häufen; ^{4}sich 〔(auf|)häufen.
산적(散炙) Spießbraten *m.* -s, -. ‖ ~ 꼬챙이 Spieß *m.* -es, -e.
산전(山田) das Feld in dem Bergen.
산전(產前) ¶~의〔에〕 vor der Niederkunft 〔der Geburt〕.
산전수전(山戰水戰) Feld- u. Seeschlacht *f.* -en; allerlei Erfahrungen (*pl.*). ¶~ 다 겪다 ^{4}Erfahrungen sammeln; viel Erfahrungen machen.
산정(山頂) Berg·gipfel *m.* -s, - 〔-höhe *f.* -n〕.
산정(算定) Berechnung *f.* -en; Veranschlagung *f.* -en. ~하다 berechnen^{4}; aus|rechnen^{4}; veranschlagen^{4} 《*auf*^{4}》〖弱變化〗. ‖ ~ 가격 der berechnete Preis, -es, -e.
산중(山中) ¶~의, ~에(서) im Gebirge; in den Bergen. ‖ 심심 ~ das innerste Gebirge, -s, -.
산증(疝症) 〖漢醫〗 Kolik *f.* -en; Lumbago *f.*; Lendenschmerz *m.* -es; Hexenschuß *m.* ..schusses, ..schüsse 《요통》.
산지(山地) 〖地〗 Gebirge *n.* -s, -; Gebirgsgegend *f.* -en.
산지(產地) Produktionsgebiet *n.* -(e)s, -e; 《동식물의》 Heimat *f.* -en.
산지기(山—) Forstwächter 〔Förster〕 *m.* -s, -.
산질(散秩) Unvollständigkeit *f.*; Unvollkommenheit *f.*
산채(山寨) Räuberhöhle *f.* -n.
산책(散策) Spaziergang *m.* -(e)s, ⁻e; Bummel *m.* -s, -. ~하다 spazieren|gehen*; e-n Spaziergang machen. ‖ ~길 Promenade *f.* -n; Spazierweg *m.* -(e)s, -e.
산천(山川) Gebirge u. Fluß. ‖ ~ 초목 Gebirge u. Fluß, Pflanzen (*pl.*) u. Bäume (*pl.*).
산촌(山村) Gebirgsdorf *n.* -(e)s, ⁻er.

ㅅ

산출(產出) ～하다 erzeugen^4; produzieren^4; hervor|bringen*^{4}; her|stellen^4. ‖ ～액 Produktion *f.* -en; Ertrag *m.* -(e)s, ¨e; Ausbeute *f.* -n.
산출(算出) ～하다 aus|rechnen^4.
산탄(散彈) Kartätsche *f.* -n 《대포의》; Schrot *m.*〔*n.*〕-(e)s, -e 《엽총의》.
산토끼(山—) ein (wilder) Hase, -n, -n. ‖ ～ 사냥 Hasenjagd *f.* -en.
산토닌 〖藥〗 Santonin *n.* -s.
산통(算筒) ein Kasten für die Wahrsagestäbchen aus Bambus.
산파(產婆) Hebamme *f.* -n; Geburtshelferin *f.* -nen.
산판(山坂) Waldschutzgebiet *n.* -(e)s, -e.
산패(酸敗) 〖化〗 Säuerung *f.* -en. ～하다 sauer werden; in Säure verwandeln. ‖ ～유 Sauermilch *f.*
산포(散布) Verbreitung *f.* -en; Zerstreuung *f.* -en; Dispersion *f.* -en. ～하다 (^{4}sich) zerstreuen$^{(4)}$; (^{4}sich) verbreiten$^{(4)}$.
산하(山河) Berge u. Flüsse.
산하(傘下) ¶ ～의 unter^3; unter der Schirmherrschaft〔dem Schutz〕von^3. ‖ ～기관 e-e 《*jm.*; ^{3}*et.*》 untergeordnete Organisation, -en.
산해진미(山海珍味) Delikatessen (*pl.*) aus den Bergen u. dem Meer.
산허리(山—) Bergabhang *m.* -(e)s, ¨e. ¶ ～에 있는 집 ein Haus am Abhang des Berges.
산호(珊瑚) Koralle *f.* -n. ‖ ～섬 Koralleninsel *f.* -n / ～초(礁) Korallen·bau *m.* -(e)s, -ten〔-bank *f.* ¨e; -riff *m.* -(e)s, -e〕.
산화(酸化) Oxydation *f.* -en. ～하다 oxydieren^4. ‖ ～물(物) Oxyd *n.* -(e)s, -e/ ～ 칼슘 Kalziumoxyd *n.* -s.
산회(散會) die Aufhebung〔Beendigung〕e-r Sitzung〔Versammlung〕. ～하다 e-e Versammlung〔Sitzung〕auf|heben*.
산후(產後) die Zeit nach der Entbindung〔Niederkunft〕. ¶ 산전 ～ vor u. nach der Entbindung.
산휴(產休) Schwangerschaftsurlaub *m.* -(e)s, -e.
살^1 《동물·과일의》 Fleisch *n.* -es. ¶ 살이 빠지다 mager werden; ab|nehmen*.
살^2 《창·양산 따위의》 Stab *m.* -(e)s, ¨e; 《빗의》 Zahn *m.* -s, ¨e; 《바퀴의》 Speiche *f.* -n.
살^3 《화살》 Pfeil *m.* -(e)s, -e.
살^4 《벌레의》 Stachel *m.* -s, -n.
살^5 《떡의》 Kuchen-Dekorationsmuster *n.* -s, -.
살^6 《나이》 Alter *n.* -s, -.
살가죽 Haut *f.* ¨e.
살갑다 《다정함》 freundlich〔warmherzig〕(sein); 《속이》 weitherzig〔offen〕(sein).
살강 Küchenschrank *m.* -(e)s, ¨e; Büfett *n.* -(e)s, -e; Anrichte *f.* -n 《조리대》.
살갗 Haut *f.* ¨e. ‖ ～색 Hautfarbe *f.* -n.
살거리 Fleischigkeit *f.* -en; Fettigkeit *f.* -en.
살결 der Bau der Haut; Haut *f.* ¨e; Hautfarbe *f.* -n. ¶ 고운 ～ die glatte Haut, ¨e.
살구 Aprikose *f.* -n.
살균(殺菌) Sterilisation *f.* -en. ～하다 sterilisieren^4; entkeimen^4. ‖ ～제 Sterilisationsmittel *n.* -s, -.
살그머니 heimlich; verstohlen.
살금살금 heimlich; verstohlen; verborgen; mit verstohlenen Schritten. ¶ ～ 걷다 auf leisen Sohlen gehen*.
살긋하다 geneigt〔schief; schräg〕(sein).
살기(殺氣) Blutdurst *m.* -(e)s; Mordlust *f.* ¶ ～ 등등한 blutgierig; drohend.
살길 Einkommensquelle *f.* -n; Lebensunterhalt *m.* -(e)s. ¶ ～을 찾다 selbst für s-n Lebensunterhalt sorgen.
살깃 die Fieder e-s Pfeils; Befiederung *f.* -en.
살내리다 ab|nehmen*; mager werden; sein Gewicht vermindern.
살다 ① 《생존》 leben; bestehen*. ② 《생활》 leben; das ^{4}Leben führen; *jm.* den Haushalt führen. ③ 《거주》 wohnen 《*in*^{3}》; bewohnen^4. ④ 《생동》 lebendig sein. ⑤ 《바둑 등에서》 frei sein.
살담배 der geschnittene Tabak, -(e)s, -e; Pfeifentabak *m.* -(e)s, -e.
살닿다 von dem Anlagenkapital e-n Verlust erleiden*.
살대 ① 《화살대》 Schaft *m.* -(e)s, ¨e. ② 〖建〗 Pfahl *m.* -(e)s, ¨e (als Stütze).
살뜰하다 《애정깊다》 liebevoll〔herzlich; zärtlich〕(sein); 《알뜰하다》 genügsam〔sparsam; mäßig〕(sein).
살랑거리다 ① 《바람이》 mild〔leise; sanft〕rauschen. ② 《걸음거리가》 graziös gehen*.
살랑살랑 sanft; leise.
살래살래 schüttelnd; wedelnd; hin u. her bewegend. ～하다 schütteln^4; wedeln 《*mit*^{3}》.
살려주다 retten^4; erretten^4; helfen*^{3}; *jm.* das Leben retten.
살롱 Solon *m.* -s, -s. ‖ ～ 음악 Solonmusik *f.*
살리다 neu beleben^4; ins Leben zurück|rufen*. ¶ 살려두다 leben〔am Leben〕lassen*.
살리실산(—酸) 〖化〗 Salizylsäure *f.*
살림 Haushalt *m.* -(e)s, -e; 《생계》 (Lebens)unterhalt *m.* -(e)s; Auskommen *n.* -s. ¶ ～ 잘하는 haushälterisch. ‖ ～꾼 Haushälterin *f.* -nen; 《알뜰한》 die gute Hausfrau, -en / ～ 도구 Hausgerät *n.* -(e)s, -e / ～방 Wohnung *f.* -en; Wohnungszimmer *n.* -s, - / ～집 Privathaus *n.* -es, ¨er; Wohnhaus.
살며시 ruhig; leise; verstohlen; leicht.
살몽혼(—曚昏) die lokale Anästhesierung, -en; die örtliche Betäubung, -en.
살무사 〖動〗 Natter *f.* -n; (Kreuz)otter *f.* -n; Viper *f.* -n.
살바르산 〖藥〗 Salvarsan *n.* -s.
살벌하다(殺伐—) grausam〔grausig; blutig〕(sein).
살별 〖天〗 Komet *m.* -en, -en.
살붙이 ① 《일가》 der〔die〕Verwandte*, -n, -n. ② 《고기》 Fleisch *n.* -es.
살빛 《살결·피부의》 Teint [tɛ̃ː] *m.* -s, -s; (Haut)farbe *f.* -n.
살사리 Schmeichler〔Schleicher〕*m.* -s, -.
살살 leise; sanft; leicht; verstohlen; heimlich; unsichtbar. ¶ ～ 걷다 leise〔auf leisen Sohlen〕gehen*.
살상(殺傷) das Töten* u. Verletzen*; Bluttat *f.* -en. ～하다 *jn.* (er)morden〔verwunden〕.

살생(殺生) das Töten*, -s; das Schlachten*, -s. ～하다 ein Tier 〔e-n Menschen〕 töten; *jm.* das Leben nehmen*.

살수(撒水) das Begießen*〔Besprengen*〕, -s. ～하다 (mit Wasser) begießen*^{4}〔besprengen^{4}〕; Wasser sprengen. ‖ ～차 Sprengwagen *m.* -s, -.

살신성인(殺身成仁) die Selbstaufopferung bis zum Tod (unter Einsatz des Lebens). ～하다 ^{4}sich bis zum Tod auf|opfern.

살아나다 ① 《소생》 wieder lebendig werden; wieder ins Leben zurück|kommen*. ② 《구명》 gerettet werden. ③ 《위기모면》 entkommen*^{3}.

살아생전(一生前) Lebenszeit *f.* -en.

살얼음 das dünne Eis, -es; die dünne Eisdecke〔Eisschicht〕.

살육(殺戮) Blutbad *n.* -(e)s, ¨er; Gemetzel *n.* -s, -; Metzelei *f.* -en. ～하다 nieder|metzeln^{4}; ermorden^{4}.

살의(殺意) der Vorsatz zum Mord; Mord·gier *f.*〔-lust *f.* ¨e; -anschlag *m.* -(e)s, ¨e〕.

살인(殺人) Mord *m.* -(e)s, -e; Totschlag *m.* -(e)s, ¨e. ‖ ～ 광선 Todesstrahlen (*pl.*) / ～범 Mörder〔Totschläger〕 *m.* -s, - / ～죄 Tötungsverbrechen *n.* -s, -.

살점 Fleisch·stück *n.* -(e)s, -e〔-schnittchen *n.* -s, -〕.

살조개 〖貝〗 Archelmuschel *f.* -n.

살짝(살짝) heimlich; im geheimen〔verborgenen〕.

살쩍 die losen〔wehenden; wirren〕 Haare (*pl.*); die Haare über dem Backenbart.

살찌다 dick 〔fett〕 werden. ¶ 살찐 dick; fleischig; fett; beleibt.

살찌우다 fett machen^{4}; 《가축을》 stopfen^{4}; mästen^{4}.

살촉(一鏃) Pfeilspitze *f.* -n.

살충제(殺蟲劑) Insektizid *n.* -(e)s, -e; 《가루》 Insektenpulver *n.* -s, -.

살코기 mageres Fleisch, -es 《고기》.

살팍지다 sehnig 〔nervig; stark; stark u. mager〕 (sein).

살판나다 reich werden; ein Vermögen erwerben*; Glück haben.

살펴보다 《외면을》 ^{4}sich um|sehen*; sehen* 《*in*^{4}》; hinein|sehen* 《*in*^{4}》.

살포(撒布) Ausspritzung *f.*; Bespritzung *f.*; Besprengung *f.*; Bestreuung *f.* ～하다 aus|spritzen^{4}; bespritzen^{4} 《*mit*^{3}》. ‖ ～약 Streupulver *n.* -s, -.

살풍경(殺風景) ～하다 öde 〔prosaisch; verödet〕 (sein).

살피다 aus|spähen^{4}; beobachten^{4}.

살해(殺害) Mord *m.* -(e)s, -e; Ermordung *f.* -en; Tötung *f.* -en. ～하다 ermorden^{4}; morden^{4}; töten^{4}.

삵괭이 〖動〗 Wildkatze *f.* -n.

삶 Leben *n.* -s; Dasein* *n.* -s; Existenz *f.* -en.

삶다 sieden*^{4}; kochen^{4}.

삼^{1} 〖植〗 Hanf *m.* -(e)s.

삼^{2} 《태아의》 das Amnion u. die Plazenta; Mutterleib *m.* -es, -er.

삼(蔘) ＝인삼(人蔘).

삼가 herzlich; Ihr ganz Ergebener; ergebenst. ¶ ～ 아뢰옵니다 Ich möchte ergebenst mitteilen, daß....

삼가다 ① 《조심》 vorsichtig sein 《*in*^{3}》. ② 《절제》 ^{4}sich enthalten*^{2}; zurück|halten*^{4}; (^{4}sich) mäßigen 《*in*^{3}》. ¶ 말을 ～ im Reden vorsichtig sein; vorsichtig sprechen*.

삼가르다 die Nabelschnur ab|schneiden*〔durch|schneiden*; ab|trennen〕.

삼각(三角) ‖ ～ 관계 das dreieckige Verhältnis, -ses, -se; 《연애의》 Liebesdreieck *n.* -(e)s, -e / ～법 Trigonometrie *f.* / ～자 Winkellineal *n.* -s, -e / ～주 Delta *n.* -s, -s / ～형 Dreieck *n.* -(e)s, -e.

삼각(三脚) Stativ *n.* -s, -e 《사진기의》; Drei·bein *n.* -(e)s, -e 〔-fuß *m.* -es, ¨e〕. ‖ ～가(架) Dreibein / 이인 ～ der Wettlauf auf drei Beinen.

삼거리(三一) e-e sich in drei Teile gabelnde Straße, -n; Weggabelung *f.* -en.

삼경(三更) Mitternacht *f.* ¨e; die tiefe Nacht, ¨e.

삼국(三國) die drei Staaten (*pl.*). ‖ ～ 동맹 Dreierallianz *f.* -en / 제～ der unbeteiligte Staat, -(e)s, -en.

삼군(三軍) 《전군》 das ganze Heer, -(e)s, -e; die mächtige Armee, -n.

삼권분립(三權分立) Gewaltenteilung *f.*

삼남(三南) die drei südlichen Provinzen (*pl.*); Süden *m.* -s.

삼년(三年) drei Jahre. ¶ ～생 der Schüler des dritten Jahrgangs 《국민학교·중학교》 / ～생의 〖植〗 dreijährig.

삼다 ① 《…을 …으로》 machen^{4} 《*jn.* zu ^{3}*et.*》. ② 《짚신을》 machen^{4}; her|stellen^{4}.

삼단 Hanfbündel *n.* -s, -. ¶ ～ 같은 머리 das lange u. reiche Haar, -(e)s, -e.

삼단논법(三段論法) Syllogismus *m.* -.

삼단도(三段跳) 〖競〗 Dreisprung *m.* -(e)s, ¨e.

삼대(三代) die drei Generationen (*pl.*).

삼동(三冬) ① 《석 달》 die drei Wintermonate (*pl.*). ② 《세 겨울》 drei Winter 〔drei Jahre〕 (*pl.*).

삼등(三等) 《차》 die dritte Klasse, -n; 《관람석 따위》 der dritte Rang, -(e)s, ¨e. ‖ ～차 Drittklaßwagen *m.* -s, - (～ 차표 die Fahrkarte dritter Klasse).

삼등분(三等分) Dreiteilung *f.* -en. ～하다 in drei gleiche Teile teilen^{4}.

삼라만상(森羅萬象) alle Wesen〔Dinge〕 (*pl.*); die ganze Natur.

삼루(三壘) 〖野〗 das dritte Laufmal, -(e)s, -e. ‖ ～타 3-Mal-Lauf *m.* -(e)s, ¨e.

삼류(三流) ～의 drittklassig; dritter ^{2}Klasse. ‖ ～ 극장 das Kino dritten Ranges.

삼륜차(三輪車) Dreirad *n.* -(e)s, ¨er; 《자동》 Dreiradkraftwagen *m.* -s, -.

삼림(森林) Wald *m.* -(e), ¨er; Forst *m.* -es, -e.

삼매(三昧) 〖佛〗 Versunkensein *n.* -s; Vertieftsein *n.* -s.

삼면(三面) ① 《세 방면》 dre Seiten (*pl.*). ② 《신문의》 die dritte Seite e-r Zeitung. ③ 〖數〗 drei Fläche.

삼모작(三毛作) 〖農〗 drei Ernten (*pl.*) in e-m Jahr.

삼민주의(三民主義) San Min Chu I 《중

국어》; die drei Prinzipien des Volkes 《von *Sun Jat-sen*, 1866-1925》.

삼박자(三拍子) 〖樂〗 drei·zeitiger〔-zähliger〕 Takt, -(e)s, -e; Dreitakt *m.* -(e)s, -e.

삼반규관(三半規管) 〖解〗 Bogengang *m.* 「-(e)s, ⸚e.」

삼발이(三—) Dreifuß *m.* -es, ⸚e.

삼배(三倍) das Verdreifachen*, -s; Verdreifachung *f.* -en. ∼하다 verdreifachen[4]; mit drei multiplizieren[4].

삼복(三伏) die Hundstage (*pl.*); die heißesten Tage (*pl.*) des Jahres. ‖ ∼더위 die Hitze des Hochsommers.

삼부(三部) drei Teile (*pl.*); drei Kopien (*pl.*); drei Abteilungen (*pl.*). ‖ ∼작 Trilogie *f.* -n.

삼분(三分) Dreiteilung *f.* -en; Trisektion *f.* -en. ∼하다 dreiteilen[4]; in drei Teile dividieren[4].

삼삼오오(三三五五) zu zweien u. zu dreien; gruppenweise; in Grüppchen; in kleinen Gruppen.

삼삼하다 ① 《기억이》 unvergeßlich lebhaft (sein). ② 《음식이》 mundgerecht 〔einfach u. schmackhaft〕(sein).

삼색(三色) drei Farben (*pl.*). ‖ ∼기 die dreifarbige Fahne, -n.

삼승(三乘) ① 〖數〗 die dritte Potenz; Kubus *m.* -, -〔..ben〕. ∼하다 kubieren; in die dritte Potenz erheben*[4]. ② 〖佛〗 die drei buddhistischen Lehren beim Geleiten der Herde zum Paradies. ‖ ∼근(根) Kubikwurzel *f.* -n.

삼시(三時) die drei Mahlzeiten (*pl.*) an e-m Tag.

삼십(三十) dreißig.

삼십육계(三十六計) ∼놓다 retirieren; [4]sich aus dem Staub machen; heimlich davon|gehen*.

삼엄하다(森嚴—) feierlich 〔erhaben; solenn〕 (sein).

삼용(蔘茸) der Ginseng u. das (Hirsch-)geweih. 「(*pl.*).」

삼원색(三原色) die drei Grund farben

삼월(三月) März *m.* -(es), -e.

삼위일체(三位一體) Dreieinigkeit〔Trinität〕 *f.*

삼인(三人) drei Personen (*pl.*). ‖ ∼조 Dreiergruppe *f.* -n; Trio *n.* -s, -s.

삼일운동(三一運動) die Unabhängigkeitsbewegung Koreas vom 1. März 1919.

삼자(三者) ①＝제삼자(第三者). ② 《삼인》 drei Personen 〔Leute (*pl.*); drei Menschen〕 (*pl.*).

삼중(三重) ¶ ∼의 drei·fach〔-fältig〕; dreimal(ig); dreifältig. ‖ ∼주(奏) Trio *n.* -s, -s / ∼창(唱) Terzett〔Dreispiel〕 *n.* -(e)s, -e.

삼진(三振) 〖野〗 Struckout *m.* -s.

삼차(三次) ① 《세 번째》 das dritte Mal, -(e)s. ② 〖數〗 die dritte Potenz; Kubus *m.* -, -. ‖ ∼ 방정식 die kubische Gleichung, -en / ∼원 세계 die dreidimensionale Welt; die Welt der Dreidimensionalität / 제 ∼원(元) die dritte Dimension〔drei Dimensionen〕.

삼차신경(三叉神經) Trigeminus *m.* -, ..ni. 「-e.」

삼창(三唱) der dreimalige Ruf, -(e)s,

삼척동자(三尺童子) ein kleines Kind, -(e)s, -er. 「-(e)s, -e.」

삼촌(三寸) Onkel *m.* -s, -; Oheim *m.*

삼총사(三銃士) Trio *n.* -s, -s; Triumvirat *n.* -(e)s, -e.

삼출(滲出) Exsudation *f.*; Ausschwitzung *f.* ∼하다 aus|schwitzen.

삼층(三層) der zweite Stock, -(e)s, ⸚e. ‖ ∼집 ein dreistöckiges Haus, -es, ⸚er. ★「…층집」이라고 할 때는 우리말처럼 zweistöckig, dreistöckig 따위로 씀.

삼치 〖魚〗 e-e Art Makrele.

삼칠일(三七日) der 21. Lebenstag des neugeborenen Kindes.

삼키다 (ver)schlucken[4]; verschlingen*[4]; herunter|schlucken[4].

삼태기 Trägerskorb *m.* -(e)s, ⸚e.

삼파전(三巴戰) Dreikampf *m.* -(e)s, ⸚e; Dreistädtekampf.

삼포(蔘圃) Ginsengfeld *n.* -es, -er; Ginsengacker *m.* -s, ⸚.

삽(鍤) Schaufel *f.* -n.

삽사리, 삽살개 Pudel *m.* -s, -.

삽시간(霎時間) Augenblick *m.* -(e)s, -e.

삽입(揷入) ∼하다 (hinein|)stecken[4]; ein|schieben*[4]; ein|fügen[4]. ‖ ∼구 Einschaltung *f.* -en.

삽화(揷話) Episode *f.* -n. 「-en.」

삽화(揷畫) Illustration 〔Abbildung〕 *f.*

삿갓 Binsenkorbhut *m.* -(e)s, ⸚e 《골풀로 된》; Bambushut *m.* -(e)s, ⸚e 《대나무로 된》.

삿대 ＝상앗대.

삿자리 Riedmatte *f.* -n.

상(上) 《상등》 der〔die; des〕 beste*〔erste*; feinste*; höchste*; vollkommenste*〕, -n, -n.

상(床) Eßtisch *m.* -es, -e; Tafel *f.* -n. ¶ 상을 차리다〔치우다〕 den Tisch decken〔ab|decken〕.

상(相) 〖天〗 Phase *f.* -n; Erscheinungsform *f.* -en; 《인상》 das Aussehen*, -s; Physiognomie *f.* -n〔..miːən〕.

상(商) ① 〖樂〗 die zweitniedrigste Note in der koreanischen pentatonischen Musik. ② 〖數〗 Quotient *m.* -en, -en; Teilzahl *f.* -en.

상(喪) Trauer *f.* -n; Trauerzeit *f.* -en.

상(像) Bild *n.* -(e)s, -er; Figur *f.* -en; Statue *f.* -n.

상(賞) Preis *m.* -es, -e; Belohnung *f.* -en. ¶ 상을 타다 e-n Preis gewinnen*.

상가(商家) Handelshaus *n.* -es, ⸚er; 《상점》 Geschäftshaus; Laden *m.* -s, -〔⸚〕.

상가(商街) Geschäftsviertel *n.* -s, -; Geschäftsstraße *f.* -n.

상가(喪家) Trauerhaus *n.* -es, ⸚er.

상각(償却) Amortisation 〔Schuldentilgung; Rückzahlung〕 *f.* -en. ∼하다 amortisieren[4]; tilgen[4]; zurück|zahlen[4].

상감(上監) König *m.* -(e)s, -e; S-e Majestät. 「ein|legen[4] 《*in*[4]》.」

상감(象嵌) Einlegung *f.* -en. ∼하다

상거(相距) Abstand *m.* -(e)s, ⸚e; Entferung *f.* -en.

상거래(商去來) Handel *m.* -e, ⸚; (Handels)geschäft *n.* -(e)s, -e.

상견(相見) Zusammenkunft *f.* ⸚e; Interview *n.* -s, -s. ∼하다 zusammen|kommen* 《*mit*[3]》; *jn.* interviewen.

상경(上京) die Reise nach Seoul. ～하다 nach der Hauptstadt 〔nach ³Seoul〕 gehen*〔fahren*; kommen*〕.
상고(上古) Altertum *n.* -(e)s, ⸚er; die (ur)alte Zeit, -en. ‖ ～사(史) die Geschichte des Altertums.
상고(上告) ① 《고함》 ～하다 *jm.* 〔e-m Höherstehenden〕 über ⁴*et.* berichten. ② 〚法〛 Revision 〔Appellation〕 *f.* -en. ～하다 Revision〔Appellation; Berufung〕 ein|legen. ‖ ～심(審) Revisions〔Appellations; Berufungs〕gericht *n.* -(e)s, -e; Revisionsinstanz *f.* -en.
상고하다(詳考—) vorsichtig überlegen.
상고대 Rauhreif *m.* -(e)s, -e.
상고머리 der kurze Haarschnitt, -es, -e.
상공(上空) Luftraum *m.* -(e)s, ⸚e 〔《*über*⁴》.〕
상공(商工) ‖ ～업 Handel u. Gewerbe 〔Industrie〕 / ～ 회의소 Industrie- u. Handelskammer *f.* -n.
상과(商科) Handelskursus *m.* -, ..kurse. ‖ ～ 대학 Handelshochschule *f.* -n.
상관(上官) der Vorgesetzte* 〔Obere*〕 -n, -n.
상관(相關) ① 《상호관계》 Wechselbeziehung *f.* -en; die gegenseitige Beziehung, -en; 《관심》 Interesse *n.* -s, -n. ② 《성교》 Geschlechtsverkehr *m.* -(e)s; Liebesverhältnis *n.* ..sses, ..sse; Liaison *f.* -s 《사통》. ～하다 den Beischlaf aus|üben 《*mit*³》. ‖ ～계수(係數) Korrelationskoeffizient *m.* -en, -en.
상궁(尙宮) Kammer·frau *f.* -en 〔-jungfer *f.* -n; -mädchen *n.* -s, -; -zofe *f.* -n〕.
상권(上卷) der erste Band, -(e)s, ⸚e; Band I.; das erste Buch, -(e)s, ⸚er.
상권(商權) 〚法〛 Handelsrecht *n.* -(e)s.
상궤(常軌) der normale Kurs, -es, -e.
상규(常規) Norm *f.* -en; das eigentlich Richtige*, -n.
상글거리다 mild〔vornehm; sanft; anständig; freundlich〕 lächeln; strahlen.
상금(賞金) Geldpreis *m.* -es, -e.
상금(尙今) 《아직껏》 (immer) noch; bis jetzt; bisher.
상급(上級) 《초급에 대해》 Oberstufe *f.* -n. ～의 ober; höher. ‖ ～생 der Schüler der oberen Klasse.
상긋거리다 lächeln; mild〔sanft; freundlich〕 lächeln.
상기(上氣) ～하다 erröten; e-n Blutandrang zum Kopf haben. 〔-en.〕
상기(上記) obige Erwähnung〔Nennung〕
상기(想起) ～하다 ⁴sich erinnern⁽²⁾ 《*an*⁴》; ⁴sich entsinnen*². 〔beschreiben*⁴.〕
상기(詳記) ～하다 genau〔ausführlich〕
상길(上—) die beste Qualität, -en; die beste Ware, -n.
상납(上納) 《세금의》 die Zahlung an die Obrigkeit; 《물품의》 die Lieferung an die Obrigkeit. ～하다 Steuer zahlen; liefern⁴. 〔leutselig〕 (sein).〕
상냥하다 sanft 〔zart; mild; freundlich;〕
상념(想念) Gedanke *m.* -ns, -n.
상놈(常—) 《본데없는》 der ungebildete 〔unhöfliche〕 Mensch, -en, -en; 《비천한》 der gemeine 〔vulgäre; niedrige〕 Bursche, -n, -n; 《천민》 Plebejer *m.* -s, -; 《속물》 Philister *m.* -s, -.
상단(上段) die obere (Sitz)reihe, -n; Hochsitz *m.* -es, -e; Oberteil *m.*〔*n.*〕 -(e)s, -e.
상담(相談) Berat(schlag)ung *f.* -en; Rat *m.* -(e)s, -schläge; Konferenz *f.* -en. ～하다 ⁴sich beraten*〔beratschlagen*; besprechen*〕《mit jm. *über*⁴》.
상담(商談) geschäftliches Gespräch, -(e)s, -e; Unterhandlung *f.* -en. ～하다 geschäftlich 〔in Geschäftssachen〕 verhandeln 《mit *jm.*》.
상당(相當) ～하다 ziemlich 〔beträchtlich; nicht wenig; schön; hübsch〕 (sein).
상대(相對) ～적 relativ. ‖ ～방 Gegner *m.* -s, - / ～성 원리〔이론〕 Relativitäts·prinzip *n.* -s 〔-theorie *f.* -n〕.
상도(常道) der gewöhnliche 〔normale〕 Weg, -(e)s, -e 〔Kurs, -es, -e〕; die normale (Handlungs)weise, -n.
상도(想到) ～하다 auf den Gedanken 〔die Idee〕 kommen*; Einfälle haben.
상도덕(商道德) Handelsmoral *f.* ‖ ～ 앙양 die Erhöhung der Handelsmoral.
상도의(商道義) ＝상도덕.
상되다(常—) vulgär 〔gemein; niedrig〕 (sein). ¶ 상된 사람 der gemeine Kerl, -s, -e.
상등(上等) Erstklassigkeit *f.*; Erstrangigkeit *f.* ‖ ～석(席) der Sitzplatz erster Klasse.
상등병(上等兵) der Hauptgefreite*, -n, -n; Korporal *m.* -s, -e.
상량(上樑) das Richten* e-s Gebäudes. ～하다 ein Gebäude richten; die Dachbalken e-s Gebäudes auf|setzen. ‖ ～식(式) Richtfest *n.* -es, -e; Richt〔Hebe〕schmaus *m.* -es, ⸚e.
상례(常例) das übliche Verfahren*, -s. ¶ ～에 따라 wie üblich.
상록수(常綠樹) der immergrüne Baum, -(e)s, ⸚e.
상론(詳論) Ausführung *f.* -en. ～하다 ausführlich erörtern⁴〔diskutieren⁴〕.
상류(上流) 《강의》 Oberlauf *m.* -(e)s, ⸚e; 《사회의》 die höheren Klassen (*pl.*). ¶ ～로 flußauf(wärts); stromauf.
상륙(上陸) ～하다 landen; an Land gehen*. ‖ ～ 금지 Landungsverbot *n.* -(e)s, -e / ～ 부대 Landungstruppe *f.* -n / ～용 주정 Landungs·boot 〔-fahrzeug〕 *n.* -(e)s, -e.
상말(常—) ① 《쌍말》 das vulgäre Wort, -es, -e; der gemeine Ausdruck, -(e)s, ⸚e. ② 《속담》 Sprichwort *n.* -es, -e.
상면(相面) 《만남》 Begegnung *f.* -en; das Zusammentreffen*, -s; das Bekanntmachen*, -s 《소개》. ～하다 ⁴sich treffen*; *jm.* begegnen.
상무(尙武) 《정신》 Soldatengeist *m.* -(e)s; der kriegerische 〔martialische〕 Geist.
상무(常務) 《사람》 der geschäftsführende Direktor, -s, -en.
상무(商務) Handelsangelegenheit *f.* -en; Handelsgeschäft *n.* -(e)s, -e 《상용》. ‖ ～관(官) Handelsattaché *m.* -s, -s.
상미(上米) der Reis erster Klasse.
상미(賞味) ～하다 (mit ³Entzücken〔Won-

ne]) genießen*[4] [kosten]; aus|kosten; bewundern[4] 《감탄하다》.

상민(常民) das niedrige Volk, -(e)s, ¨-er; die gemeinen Leute (*pl.*).

상박(上膊) Oberarm *m.* -(e)s, -e; Brachium *n.* -s, ..chia. ‖ ~골(骨) Oberarmknochen *m.* -s, -.

상반(相反) Wiederspruch *m.* -(e)s, ¨-e; Gegensatz *m.* -es, ¨-e. ~하다 widersprechen*[3].

상반기(上半期) das erste Halbjahr, -(e)s, -e.

상반신(上半身) Oberkörper *m.* -s, -. ¶ ~을 벗다 den Oberkörper frei machen.

상밥(床—) e-e Anzahl Essen; ein Satz Essen. ‖ ~집 Gaststätte *f.* -n.

상배(喪配) =상처(喪妻).

상배(賞杯) Pokal *m.* -s, -e.

상벌(賞罰) Belohnung u. Bestrafung.

상법(商法) 〖法〗 Handelsrecht *n.* -(e)s.

상병(上兵) ☞상등병(上等兵).

상보(床褓) Tischdecke *f.* -n.

상보(詳報) ein ausführlicher Bericht, -(e)s, -e; e-e genaue Nachricht, -en. ~하다 ausführlich berichten[4]; *jn.* über [4]*et.* ausführlich informieren.

상복(喪服) Trauer *f.* -n; Trauerkleidung *f.* -en.

상봉(相逢) Begegnung *f.* -en. ~하다 (einander) begegnen[3].

상부(上部) 《부분》 der [des] obere Teil, -(e)s, -e; das Obere*, -n; Oberteil *m.* [*n.*] -(e)s, -e; 《직위·관청》 übergeordnete Amtsstelle, -n. ‖ ~구조 Aufbau *m.* -s, -ten; Oberschicht *f.* -en.

상부상조(相扶相助) die gegenseitige Hilfe, -n.

상비(常備) das ständige Bereithalten*, -s; Vorbereitung *f.* -en. ~하다 [4]*et.* jederzeit bereit|halten*. ‖ ~군 das stehende [aktive; reguläre] Heer, -(e)s, -e / ~약 Hausapotheke *f.* -n.

상사(上士) Feldwebel *m.* -s, -.

상사(上司) der Vorgesetzte*, -n, -n; Chef [ʃɛf] *m.* -s, -s 《직속》; die höhere Behörde, -n 《상급 관청》.

상사(相似) Ähnlichkeit *f.* -en; Analogie *f.* -n; Gemeinsamkeit *f.* -en 《공통》; Analogon *n.* -s, ..ga 《유사체》. ~하다 ähnlich (sein) 《*jm.* [3]*et.*》. ‖ ~형 die ähnlichen Figuren (*pl.*).

상사(相思) die gegenseitige Liebe; e-e Liebe, die erwidert wird. ~하다 [4]sich [[4]einander] lieben. ‖ ~병(病) Liebeskummer *m.* -s; unglückliche Liebe.

상사(商社) Handels·firma *f.* ..men [-gesellschaft *f.* -en]; Firma *f.* ‖ 외국 ~ e-e ausländische Firma / 종합 ~ Generalhandelsfirma *f.*

상사(商事) Handels·angelegenheit [-sache] *f.* -en. ‖ ~회사 Handels·firma *f.* ..men [-gesellschaft *f.* -en].

상상(想像) Einbildung *f.* -en; Phantasie *f.* -n; 《가정》 Annahme *f.* -n; 《추측》 Vermutung [Mutmaßung] *f.* -en. ~하다 [3]sich denken[4] [ein|bilden; vor|stellen[4]]; vermuten[4]; mutmaßen. ‖ ~력 Einbildungskraft *f.* ¨-e.

상상봉(上上峰) (höchster) Gipfel, -s, -; Bergspitze *f.* -n.

상서(上書) ein Brief an e-e höher gestellte [ältere] [4]Person. ~하다 e-n Brief an e-e höher gestellte [ältere] [4]Person schreiben*.

상서(祥瑞) ein gutes Vorzeichen, -s, -; ein gutes Omen, -s, ..mina. ~롭다 glücklich (gewählt) [günstig] (sein).

상석(上席) 《상좌》 Vorrang *m.* -(e)s, ¨-e; 《주빈석》 Ehren[Vorzugs]platz *m.* -es, ¨-e; 《고위》 das höhere (Dienst)alter.

상석(床石) der Steinaltar vor e-m Grab für Speiseopfer im Rahmen des Totenkultes.

상선(商船) Handelsschiff *n.* -(e)s, -e.

상설(常設) Dauereinrichtung *f.* -en. ~하다 dauernd (für beständigen Gebrauch) begründen[4] [an|legen[4]; ein|richten[4]]. ‖ ~위원회 der ständige Ausschuß, ..schusses, ..schüsse.

상설(詳說) Ausführung *f.* -en; die weitläufige Erörterung, -en. ~하다 ausführlich [näher] dar|legen[4]; amplifizieren[4].

상세(詳細) ~하다 ausführlich [genau; umständlich; eingehend] (sein).

상소(上疏) die Denkschrift für den König. ~하다 dem König e-e Denkschrift überreichen.

상소(上訴) 〖法〗 Revision *f.* -en; Appellation *f.* -en. ~하다 Revision *usw.* ein|legen; ein höheres Gericht an|rufen*.

상속(相續) Erbschaft [Vererbung] *f.* -en. ~하다 erben[4] 《von *jm*》; die Erbschaft an|treten*; beerben[4]. ‖ ~자 Erbe *m.* -n, -n; Erbin *f.* -nen.

상쇄(相殺) ~하다 kompensieren[4]; durch Gegenrechnung aus|gleichen*.

상수(上手) 《사람》 der besser Geübte*, -n, -n; der Geschickte* -n, -n; 《솜씨》 Geschicklichkeit [Fertigkeit] *f.* -en.

상수(常數) ① 《운명》 der schicksalhafte Verlauf der Dinge. ② 〖數〗 Konstante *f.* -n; die unveränderliche Größe, -n.

상수도(上水道) Wasser·leitung [-versorgung] *f.* -en.

상수리 〖植〗 Eichel *f.* -n. ‖ ~나무 Eiche *f.* -n; e-e Art Eiche.

상순(上旬) der Anfang des Monats.

상술(上述) ~의 [한] obenerwähnt [besagt].

상술(商術) Geschäfts[Haudels]methode *f.* -n.

상술(詳述) Ausführung *f.* -en. ~하다 (näher) aus|führen[4].

상스럽다(常—) gemein [niedrig; pöbelhaft; roh] (sein).

상습범(常習犯) 《범행》 Gewohnheitsverbrechen *n.* -s, -; 《범인》 Gewohnheitsverbrecher *m.* -s, -.

상승(上昇) das Auf[Empor]steigen*, -s; Aufstieg *m.* -(e)s, -e 《비행기》. ~하다 auf|steigen*; in die Höhe gehen*. ‖ ~기류 der aufsteigende Luftstrom, -(e)s, ¨-e / ~세 《증권의》 Haussebewegung *f.* -en.

상승(相乘) Vervielfachung *f.* -en; Multiplikation *f.* -en. ~하다 multiplizieren; vervielfachen.

상승(常勝) ~의 ständig; siegreich.

상시(常時) ∼의 gewöhnlich; alltäglich; üblich.

상식(常食) Hauptnahrung *f.* -en; die gewöhnliche Kost. ∼하다 gewöhnlich essen*; ⁴sich von ³*et.* ernähren.

상식(常識) der gesunde Menschenverstand, -(e)s 〔Sinn, -(e)s, -e〕. ¶ ∼적인 verständig; praktisch.

상신(上申) ∼하다 ⁴sich schriftlich an e-e höhere Behörde wenden⁽*⁾.

상실(喪失) Verlust *m.* -es, -e; Einbuße *f.* -n; Verwirkung *f.* -en. ∼하다 verlieren*⁴; ein|büßen⁴.

상심(喪心) 《망연》 Ohnmacht *f.* -en; Besinnungslosigkeit *f.* -en; 《낙담》 Verzagtheit *f.* -en. ∼하다 ohnmächtig werden.

상심(傷心) Herzenskummer *m.* -s, -; Herzbrechen *m.* -s, -. ∼하다 ⁴sich kränken 《*über*⁴》.

상아(象牙) Elfenbein *n.* -(e)s, -e. ‖ ∼탑 Elfenbeinturm *m.* -(e)s, -e.

상악(上顎) Oberkiefer *m.* -s, -. ‖ ∼골 Oberkieferknochen *m.* -s, -.

상앗대 die Stange des Bootsmannes.

상어 〖魚〗 Hai(fisch) *m.* -(e)s, -e.

상업(商業) Handel *m.* -s, -; Handelsgewerbe *n.* -s, -. ∼의 Handels-; kaufmännisch. ‖ ∼방송 Werbesendung *f.* -en / ∼학교 Handelsschule *f.* -n.

상여(喪輿) (Toten)bahre *f.* -n.

상여금(賞與金) Bonus *m.* -(ses), -(se); Belohnung *f.* -en; Prämie *f.* -n.

상연(上演) Aufführung 〔Darstellung〕 *f.* -en. ∼하다 dar|stellen⁴; auf|führen⁴; zur Aufführung bringen*⁴.

상영(上映) Vorführung *f.* -en. ∼하다 vor|führen⁴; auf die Leinwand bringen*⁴.

상오(上午) ＝오전(午前).

상온(常溫) die normale Temperatur, -en.

상완(賞玩) ＝완상(玩賞).

상용(商用) Geschäftsangelegenheit *f.* -en.

상용(常用) ∼의 gewöhnlich; täglich; gebräuchlich.

상원(上院) Oberhaus *n.* -es; Senat *m.* -(e)s. ‖ ∼의원 das Mitglied des Oberhauses.

상위(上位) e-e höhere Stellung, -en; ein höherer Rang, -(e)s, ⸚e; Vorrang *m.*

상위(相違) Unterschied *m.* -(e)s, -e; Verschiedenheit *f.* -en. ∼하다 verschieden* sein 《*von*³》.

상응(相應) 《대응》 Übereinstimmung *f.* -en 《*mit*³; *zwischen*³》; 《적합》 Angemessenheit *f.* -en. ∼하다 überein|stimmen; passen³.

상의(上衣) Rock *m.* -(e)s, ⸚e; Jacke *f.* -n.

상의(上意) der Wille 〔der Wunsch〕 des Königs 〔Vorgesetzten*〕.

상의(相議) ∼하다 (⁴sich) beraten* 〔beratschlagen; verhandeln⁴〕 《mit *jm.* *über*⁴》; ⁴sich unterreden; zu ³Rate ziehen* 《*jn.*》.

상이군인(傷痍軍人) der Verwundete* 〔der Kriegsbeschädigte*〕 -n, -n.

상인(商人) Kaufmann〔Handelsmann〕 *m.* -(e)s, ⸚er; 《소매상》 Krämer *m.* -s, -.

상임(常任) ∼의 ständig.

상자(箱子) Kasten *m.* -s, -; 《종이의》 Schachtel *f.* -n; 《목제》 Kiste *f.* -n.

상잔(相殘) (gegeneinander) Kampf, -(e)s, ⸚e. ∼하다 gegeneinander kämpfen; ⁴sich (gegenseitig) bekämpfen. ‖ 동족∼ Bruderkrieg *m.* -(e)s, -e.

상장(上場) 〖證〗 ∼하다 in e-e Liste ein|tragen*. ‖ ∼주 die notierte Aktie, -n.

상장(喪章) Trauer·binde *f.* -n 〔-flor *m.* -s, -e〕.

상장(賞狀) Belobigungsschreiben *n.* -s, -; Ehrenurkunde *f.* -n.

상재(商才) ein kaufmännisches Talent, -(e)s, -e; Geschäftsfähigkeit *f.* -en.

상쟁(相爭) (gegeneinander) Kampf, -(e)s, ⸚e; Streit *m.* -(e)s, -e. ∼하다 einander bekämpfen.

상적(商敵) ein (geschäftlicher) Konkurrent, -en, -en; Mitbewerber *m.* -s, -.

상전(上典) (Dienst)herr *m.* -n, -en; Herr u. Meister.

상전(相傳) Vererbung *f.*; Überlieferung *f.* -en. ∼하다 vererben⁴; überliefern⁴.

상전(桑田) Maulbeerbaumhain *m.* -(e)s, -e. ‖ ∼벽해 grundlegende〔große〕 Veränderungen in der Natur.

상점(商店) Laden *m.* -s, ⸚; Geschäft *n.* -(e)s, -e.

상접(相接) Kontakt *m.* -(e), -e. ∼하다 mit *jm.* in Kontakt treten*.

상정(上程) ∼하다 auf die Tagesordnung setzen⁴; auf den Tisch des Parlaments bringen*⁴.

상정(常情) das (normale) menschliche Fühlen*, -s; menschliche Natur, -n.

상정(想定) Hypothese *f.* -n; Annahme *f.* -n. ∼하다 an|nehmen*; vermuten.

상제(上帝) ＝하느님.

상제(喪制) ① 《사람》 das um e-n verstorbenen (Gros)elternteil trauernde Kinde, -(e)s, -er. ② 《제도》 Trauerzeremonie *f.* -n.

상조(尙早) ∼의 noch zu früh; verfrüht.

상조(相助) die gegen〔wechsel〕seitige Hilfe, -n. ∼하다 ³sich gegenseitig helfen*.

상종(相從) Umgang *m.* -(e)s, ⸚e. ∼하다 um|gehen* 《*mit*³》.

상종가(上終價) ¶ ∼가 되다 hoch eröffnen 《주식》.

상좌(上座) Ehren·platz *m.* -(e)s, ⸚e 〔-seite *f.* -n〕.

상주(上奏) ∼하다 an den Thron Bericht erstatten 《*über*⁴》.

상주(常住) Wohnsitz 〔Aufenthalt〕 *m.* -(e)s, -e. ∼하다 wohnen 《*in*³》; e-n festen Wohnsitz haben 《*in*³》.

상주(喪主) der Hauptleidtragende*, -n, -n.

상주(詳註) die ausführliche 〔weitläufige〕 Anmerkung 〔Erläuterung〕 -en.

상중(喪中) ∼이다 in Trauer sein.

상중하(上中下) drei Qualitätsstufen; das erste, das zweite und das dritte.

상지상(上之上) das Beste vom Besten; Spitze *f.* -n.

상징(象徵) Symbol *n.* -(e)s, -e; Sinnbild *n.* -(e)s, -er. ∼하다 symbolisieren⁴; versinnbildlichen⁴. ¶ ∼적인 symbolisch; sinnbildlich.

상찬(賞讚) ＝칭찬.

상찰(詳察) (eingehende) Erwägung, -en; Überlegung *f.* -en. ～하다 genau 〔eingehend〕 erwägen*.

상책(上策) die guten Mittel u. Wege (*pl.*). ¶최～ der beste Plan / ～인 rätlich; vorteilbringend; klug; best.

상처(喪妻) der Tod der (Ehe)frau. ～하다 s-e Frau durch Tod verlieren*.

상처(傷處) Wunde *f.* -n.

상체(上體) Oberkörper *m.* -s, -.

상추 〖植〗 Lattich *m.* -s, -e.

상춘객(賞春客) der Spaziergänger 〔Ausflügler〕 im Frühling 〔Frühjahr〕.

상층(上層) 《지층 등》 die obere Schicht, -en; das obere Lager, -s, -; 《건물의》 das obere Stockwerk, -(e)s. ‖～계급 die obere Gesellschaftsschicht, -en.

상치(相値) Konflikt *m.* -(e)s, -e; Zusammenstoß *m.* -es, ⸚e. ～하다 《날짜 따위가》 auf demselben Tag (zusammen|-) fallen*; 《이해가》 gegen *js.* Interesse verstoßen*; *js.* Interesse zuwider|laufen*.

상쾌(爽快) ～하다 frisch 〔erquickend〕 (sein).

상탄(賞嘆) Bewunderung *f.* -en; das Staunen*, -s. ～하다 bewundern[4]; staunen (*über*[4]).

상태(狀態) (Zu)stand *m.* -(e)s, ⸚e; Lage *f.* -n; Verhältnisse (*pl.*).

상통(相通) gegenseitiges Verständnis, -ses, -se; Kommunikation *f.* -en. ～하다 [4]sich verständigen; miteinander in Verbindung stehen*.

상투 e-e Art der altkoreanischen Frisur.

상투(常套) Gemeinplatz *m.* -es, ⸚e; Stereotype *f.* -n; Abgedroschenheit *f.* -en. ‖～수단 die abgenutzten 〔verbrauchten〕 (Gegen)maßnahmen (*pl.*).

상팔자(上八字) das glückliche Schicksal, -s, -e 〔Leben, -s, -〕.

상패(賞牌) Medaille [medáljə] *f.* -n.

상편(上篇) der erste Band, -(e)s, ⸚e.

상표(商標) 〖商〗 Warenzeichen *n.* -s, -; Schutzmarke *f.* -n.

상품(上品) ① 《일등품》 die Ware von bester Qualität. ② 〖佛〗 das Land höchster Glückseligkeit.

상품(商品) Waren (*pl.*); Güter (*pl.*). ‖～권 Warenschein *m.* -(e)s, -e.

상품(賞品) Preis *m.* -es, -e.

상피(上皮) Oberhaut *f.* ⸚e; Epidermis *f.*

상피병(象皮病) 〖醫〗 Elefantiasis *f.* ..sien.

상하(上下) 〖副詞的〗 oben u. unten; 《신분》 hoch u. niedrig.

상하다(傷―) verwundet 〔verletzt〕 werden; 《썩다》 verderben*; faulen; 《마음이》 schmerzen. ¶상하게 하다 verletzen[4]; verwunden[4]; beschädigen[4]; 《썩게 하다》 verderben* (lassen*).

상학(商學) Handels·wissenschaft *f.* -en 〔-lehre *f.*〕.

상한(上限) Maximum *n.* -s, ..ma; Obergrenze *f.* -n.

상한(象限) 〖數〗 Quadrant *m.* -en, -en.

상항(商港) Handelshafen *m.* -s, ⸚.

상해(傷害) Verletzung *f.* -en; Beschädigung *f.* -en. ‖～치사 die Verletzung mit tödlichem Ausgang.

상해(詳解) e-e ausführliche Erklärung 〔Erläuterung〕 -en. ～하다 ausführich 〔genau〕 erklären[4] 〔erläutern[4]〕.

상해(霜害) Frostschaden *m.* -s, ⸚e.

상행(上行) (in) Richtung Seoul. ～하다 in Richtung Seoul fahren*.

상행위(商行爲) Handelsgeschäft *n.* -(e)s, -e.

상현(上弦) das erste Viertel, -s, -. ‖～달 der zunehmende Mond, -(e)s.

상형문자(象形文字) Bilderschrift *f.* -en; Hieroglyphe *f.* -n.

상호(相互) ～의 gegen〔wechsel〕seitig. ‖～관계 Wechselbeziehung *f.* -en / ～조약 der bilaterale Vertrag.

상호(商號) Firma *f.* ..men 《略: Fa.》; Geschäfts〔Handels〕name *m.* -ns, -n.

상혼(商魂) Geschäftssinn *m.* -(e)s.

상환(相換) (Um)tausch *m.* -es, -e ～하다 tauschen; um|tauschen 〔aus|-〕.

상환(償還) Rückzahlung *f.* -en; Tilgung *f.* -en. ～하다 zurück|zahlen[4]; tilgen[4]. ‖～금 Rückzahlung *f.*

상황(狀況) Lage *f.* -n; Situation *f.* -en; Zustand *m.* -(e)s, ⸚e.

상황(商況) Geschäftslage *f.* -n. ‖～부진 Geschäftsstille *f.* -n.

상회(上廻) ～하다 《금액이》 betragen* mehr als...; belaufen* auf mehr als...; 《일반적으로》 größer sein《*als*》; über [3]*et.* sein 〔gehen*〕.

상회(商會) Firma *f.* ..men; Kompanie *f.* -n 《略; Co.》.

샅 《사타구니》 die Innenseite der Oberschenkel.

샅바 〖씨름〗 das Lendentuch e-s Ringkämpfers.

샅샅이 in allen Ecken u. Enden; überall. ¶～뒤지다 durch|kämmen[4].

새[1] 〖鳥〗 Vogel *m.* -s, ⸚; Geflügel *n.* -s.

새[2] 《새로운》 neu; frisch; modern.

새가슴 Hühnerbrust *f.* ⸚e.

새겨듣다 genau zu|hören[3]; an|hören[4]; hören 《*auf*[4]》.

새골(鰓骨) Kiemenbogen *m.* -s, ⸚.

새근거리다 《숨을》 schwer atmen; keuchen; 《뼈마디가》 leichte (Gelenk-) schmerzen fühlen 〔spüren〕.

새근하다 ein leichtes Ziehen (in den Gelenken) fühlen 〔spüren〕.

새기다 ① 《나무에》 schnitzen[4]; 《돌에》 (aus|)hauen*[4] (*in*[4]); 《금속에》 stechen*[4]; gravieren[4]. ② 《마음에》 ein|prägen. ③ 《해석》 erklären[4]. ④ 《반추》 wieder|käuen[4].

새김 ① 《해석》 Interpretation *f.* -en; Deutung *f.* -en. ② 《조각》 das Eingraben*〔Eingravieren*;Meißeln*; (Ein-)schnitzen*〕 -s.

새김질 《반추》 das Wiederkäuen*, -s.

새까맣다 pech〔kohl; raben; tief〕schwarz (sein); völlig schwarz 〔sehr dunkel〕 (sein).

새끼[1] 《줄》 Seil *n.* -(e)s, -e.

새끼[2] 《동물의》 das Junge*, -n, -n; Brut *f.* -en; Wurf *m.* -(e)s, ⸚e. ¶～를 낳다 Junge werfen*.

새나다 aus|laufen*; durch|sickern.

새노랗다 stark 〔intensiv〕 gelb (sein).

새다 ① 《날이》 es tagt. ② 《기체·액체 등이》 (aus|)sickern; durch|sickern. ③ 《비밀이》 bekannt werden. ④ 《빛 따위가》 durchdringen*.

새달 der nächste Monat; der kommende Monat.

새댁(一宅) Braut *f.* ¨e; die junge Frau, –en.

새뜻하다 frisch und hell (sein).

새로 neu; aufs neue; von neuem. ¶～하다 ⁴*et.* aufs neue machen.

새롭다 neu 〔frisch〕 (sein); 《신식의》 neuartig (sein). ¶새롭게 하다 erneuern⁴; auf|frischen⁴.

새롱거리다 flirten《mit *jm.*》; scherzen; ⁴sich belustigen; tändeln; necken.

새마을운동(一運動) die Bewegung Neues Dorf.

새매 〖鳥〗 Sperber *m.* –s, –.

새물 ① 《과일의》 das erste Obst, das saisonbedingt auf den Markt kommt. ② 《옷의》 neues 〔frisch gewaschenes〕 Kleidungsstück, –es, ¨e〔Kleider (*pl.*)〕.

새벽 《아침》 Tagesanbruch *m.* –(e)s, ¨e; Morgendämmerung *f.* –en; Morgengrauen *n.* –s.

새봄 Anfang 〔Beginn〕 des Frühlings 〔Frühjahrs〕; erste Frühlingstage (*pl.*).

새빨갛다 hoch〔feuer〕rot (sein). ¶새빨간 거짓말 e–e grobe Lüge, –n.

새사람 ein neuer Mensch, –en, –en.

새살림 ¶～을 차리다 (³sich) e–n eigenen Herd gründen; e–n eigenen Haushalt führen.

새삼 〖植〗 Teufelszwirn *m.*; Bocksdorn *m.*

새삼스럽다 leichtsinnig 〔oberflächlich〕 (sein). ¶새삼스레 von neuem; plötzlich; wieder.

새색시 Braut *f.* ¨e; die junge Frau, –en.

새시 Fensterrahmen *m.* –s, –.

새싹 Schößling *m.* –s, –e; Sproß *m.* ..sses, ..sse; Knospe *f.* –n; Keim *m.* –(e)s, –e.

새알 Vogelei *n.* –(e)s, –er. ‖ ～심(心) Reismehlkloß *m.* –es, –e.

새암 ☞샘².

새앙 〖植〗 Ingwer *m.* –s. ‖ ～유 Ingweröl *n.* –(e)s, –e. / ～차(茶) Ingwertee *m.* –s, –s.

새앙쥐 ☞생쥐.

새옹지마(塞翁之馬) ¶인간만사 ～ „Wen das Glück erbebt, den stürzt es wieder."

새우 〖動〗 Garnele *f.* –n.

새우다 《밤을》 die ganz ⁴Nacht auf|sitzen* 〔auf|bleiben*〕.

새장(一欌) Käfig *m.* –s, –e; (Vogel-)bauer *n.* –s, –.

새전(賽錢) Opfergeld *n.* –(e)s, –er.

새조개 〖貝〗 Herzmuschel *f.* –n.

새집¹ 《신축한》 das neue Haus, –es, ¨er; die neue Wohnung, –en.

새집² 《새의》 Vogelhaus *n.* –es, ¨er.

새총(一銃) 《공기총》 Luftgewehr *n.* –(e)s, –e; 《고무총》 Schleuder *f.* –n.

새출발(一出發) ～하다 ein neues Leben an|fangen*; sein Leben ändern.

새치 ¶～가 생기다 verfrüht grau werden.

새치기 《차례 등의》 das (Vor)drängen*, –s. ～하다 ⁴sich vor|drängen; ⁴sich ein|drängen.

새치름하다 《냉랭함·시치미를 뗌》 ⁴sich gleichgültiges stellen 《*gegen*⁴》; 《여자가》 geziert tun*.

새털 Feder *f.* –n; 《솜털》 Daune *f.* –n; Flaumfeder *f.* –n. ‖ ～구름 Federwolke *f.* –n.

새파랗다 tiefblau (sein); 《안색이》 totenblaß 〔totenbleich〕 (sein).

새하얗다 ganz 〔unbefleckt; vollkommen〕 weiß (sein); schnee〔schloh〕weiß (sein).

새해 Neujahr *n.* –es, –e.

색(色) Farbe *f.* –n; Färbung *f.* –en. ¶색을 칠하다 malen⁴; an|streichen*.

색각(色覺) 〖心〗 der Farbensinn, das Unterscheidungsvermögen für Farben.

색골(色骨) der Liebestolle*, –n, –n 《남자》; Nyphomanin *f.* ..ninnen 《여자》.

색광(色狂) der Liebestolle*, –n, –n 《남자》; Nymphomanin *f.* ..ninnen 《여자》.

색다르다(色—) anders 〔eigenartig; auffallend〕 (sein).

색동(色—) bunte Streifen (*pl.*). ‖ ～옷 Kleid in den Regenbogenfarben (für Kinder).

색마(色魔) Schürzenjäger 〔Schwerenöter〕 *m.* –s, –.

색맹(色盲) Farbenblindheit *f.* –en.

색색 ¶～자다 ruhig 〔sanft; friedlich〕 schlafen*.

색소(色素) Farbstoff *m.* –(e)s, –e; Pigment *n.* –(e)s, –e.

색소폰 〖樂〗 Saxophon *n.* –s, –e.

색스혼 〖樂〗 Saxhorn *n.* –(e)s, ¨er.

색시 《처녀》 e–e unverheiratete Frau, –en; Mädchen *n.* –s, –; 《새색시》 Braut *f.* ¨e.

색실(色—) farbiger Faden *m.* –s, ¨.

색쓰다(色—) sexuell verkehren 《mit *jm.*》; Geschlechtsverkehr haben.

색안경(色眼鏡) die gefärbte Brille, –n.

색연필(色鉛筆) Farbenstift *m.* –(e)s, –e.

색욕(色慾) Fleischeslust *f.* ¨e; Sinnenlust *f.* ¨e.

색유리(色瑠璃) das bunte Gras, –(e)s, ¨er; Farbenglas *n.* –(e)s, ¨er.

색인(索引) (Inhalts)verzeichnis *n.* –ses, –se; Register *n.* –s, –; (Sach)index *m.* –(e)s, –e.

색정(色情) Geschlechtstrieb *m.* –(e)s, –e. ¶～적인 여자 die wohllüstige Frau, –en.

색조(色調) Farbe *f.* –n; Färbung *f.* –en; Farb(en)ton *m.* –(e)s, ¨e.

색종이(色—) Farbenpapier *n.* –s, –e.

색주가(色酒家) 《창녀》 Animiermädchen *n.* –s, –; 《술집》 Animierlokal *n.* –s, –e.

색채(色彩) Farbe *f.* –n; Färbung *f.* –en; Farbton *m.* –(e)s, ¨ 《색조》. ‖ ～감각 Farbensinn *m.* –(e)s, –e.

색출하다(索出—) auskundschaften; ausfindig machen; auf|spüren.

색칠(色漆) 《칠》 Firnis *m.* –ses, –se; Lackarbeit *f.* –en; 《칠함》 Anstrich *m.* –(e)s, –e. ～하다 lackieren; firnissen.

샌님 ① 《생원》 der vornehme Gelehrte*, –n, –n. ② 《얌전한》 Biedermann *m.* –es, ¨er.

샌드위치 belegte Weißbrotschnitte (*pl.*).

샌드페이퍼 Sand〔Schmisgel〕papier *n.* –(e)s, –e.

샌들 Sandale *f.* –n.

샐러드 Salat *m.* –(e)s, –e.

샐러리 Gehalt *n.* –(e)s, ¨er; Bezüge (*pl.*). ‖ ～맨 der Büroangestelle* 〔Besoldete*〕 –n, –n.

샘[1] Quelle *f.* -n; Brunnen *m.* -s, -.

샘[2] Eifersucht *f.*; Neid *m.* -(e)s. ~하다 eifersüchtig [neidisch] sein (*auf*^{4}).

샘물 Quellwasser *n.* -s, - [¨].

샘바르다 eifersüchtig (*auf*^{4}) [neidisch (*auf*^{4}); mißgünstig (*gegen*^{4}; *über*^{4})] (sein).

샘솟다 quellen* (*aus*^{3}); (hervor|)sprudeln [her|sprudeln] (*aus*^{3}); heraus|strömen (*aus*^{3}).

샘터 Quelle *f.* -n.

샘플 Muster (*n.* -s, -) (ohne ^{4}Wert); Warenprobe *f.* -n.

샛검불 Brennkraut *n.* -(e)s, ¨er.

샛길 der heimliche Durchgang, -(e)s, ¨e; Durchgangsgasse *f.* -n.

샛밥 ① (곁두리) die Zwischenmahlzeiten (*pl.*) der Arbeiter. ② (끼니 외의) Imbiß *m.* ..sses, ..sse.

샛별 Morgenstern *m.* -(e)s, -e; Venus *f.*; Luzifer *m.* -s.

샛서방(-書房) der den Ehemann betrügende Liebhaber, -s, -; „Freund" *m.* -(e)s, -e.

생-(生) ① (안 익은) grün; unreif; (조리하지 않은) roh; ungekocht; (가공하지 않은) unfertig; natürlich. ② (살아 있는) lebend; lebendig; gesund. ③ (무리·애매·공연한) unvernünftig; unlogisch.

생가(生家) Eltern[Geburts]haus *n.* -es, ¨er.

생가죽(生-) rohe Haut, ¨e (피부); ein rohes Fell, -(e)s, -e (모피).

생각 Gedanke *m.* -ns, -n; Denken *n.* -s; Meinung *f.* -en; Idee *f.* -n. ~하다 denken*$^{(4)}$ (*an*^{4}; *von*^{3}; *uber*^{4}); nach|denken$^{(3)}$ (*über*^{4}); meinen; glauben; (상상) ^{3}sich vor|stellen^4; ^{4}*et.* halten* (*für*^{4}) (간주). ¶ ~나다 ein|fallen* (*jm.*); ^{4}sich erinnern an ^{4}*et.* / ~되다 scheinen*; vor|kommen*; dünken / …할[에] ~이 있다 Lust haben* (*zu*^{3}).

생강(生薑) Ingwer *m.* -s, -.

생견(生絹) Rohseide *f.* -n.

생경(生硬) ~하다 steif [roh; unreif; ungewandt] (sein).

생계(生計) Lebensunterhalt *m.* -(e)s; das Auskommen*, -s. ¶ ~를 이어가다 ^{4}sich ernähren (*durch*^{4}); ^{4}sich s-n Lebensunterhalt verdienen (*als*; *durch*^{4}).

생고무(生-) Rohkautschuk *m.* -s, -e.

생과부(生寡婦) Strohwitwe *f.* -n; verlassene Frau, -en.

생과자(生菓子) e-e Kuchenart aus süßem Bohnenmus.

생굴(生-) rohe Auster, -n.

생글생글 *jn.* anlächelnd; *jn.* anstrahlend.

생기(生氣) ¶ ~있는 lebendig; lebhaft; munter / ~없는 leblos.

생기다 (발생) entstehen*; geschehen*; ^{4}sich ereignen; (기인) entspringen*^{3}; ^{4}sich ergeben*.

생김새 (Gesichts)züge (*pl.*); Gesichtsausdruck *m.* -(e)s, ¨e [-bildung *f.* -en].

생나무(生-) ein lebender Baum, -(e)s, ¨e (살아있는); grünes [noch nicht abgetrocknetes] Holz, -es, ¨er (아직 마르지 않은 재목이나 장작).

생년(生年) Geburtsjahr *n.* -(e)s, -e. ‖ ~ 월일 Geburtsdatum *n.* -s, ..ten.

생담배(生-) angezündete [brennende Zigarette] -n.

생도(生徒) =학생. ‖ 사관 ~ Kadett *m.* -en, -en; (해군의) Seekadett *m.*

생동(生動) Lebendigkeit *f.*; Lebhaftigkeit *f.*; Munterkeit *f.* ~하다 lebendig; lebhaft; munter.

생동생동하다 lebendig [animiert; belebt] (sein).

생득(生得) ~의 natürlich; angeboren; von Natur; von Geburt.

생떼(生-) Verstecktheit *f.*; Halsstarrigkeit *f.*; Eigensinn *m.* ¶ ~를 쓰다 mit Dreistigkeit durch|setzen.

생략(省略) Aus[Weg]lassung *f.* -en; (간략) Abkürzung *f.* -en. ~하다 aus[weg]|lassen*^{4}; ab|kürzen^4.

생력(화)(省力(化)) geringerer Arbeitsaufwand, -(e)s; das Sparen* der Kraft. ~하다 Arbeitsaufwand gering machen.

생령(生靈) Volk *n.* -(e)s, ¨er; die Leute (*pl.*).

생리(生理) ¶ ~적인 physiologisch. ‖ ~학 Physiologie *f.*

생매장(生埋葬) ~하다 lebend begraben* [mit ^{3}Erde verschütten] (*jn.*).

생맥주(生麥酒) Faßbier *n.* -(e)s, -e.

생면(生面) (첫대면) die erste Begegnung [Interview; Vorstellung]; (사람) der (völlige) Fremde*, -n, -n. ~하다 *jm.* zum ersten Mal begegnen. ‖ ~ 부지(不知) ein ganz Unbekannter.

생명(生命) Leben *n.* -s, -. ¶ ~을 걸고 bei s-m Leben. ‖ ~ 보험 Lebensversicherung *f.* -en / ~선 Lebenslinie *f.* -n / ~체 (Lebe)wesen *n.* -s, -.

생모(生母) die leibliche [echte] Mutter, ¨.

생모시(生-) ungebleichter Kambrik, -s.

생목(生木) ungebleichter Baumwollstoff, -(e)s, -e.

생목숨(生-) ① (살아 있는) Leben *n.* -s, -; Lebenskraft *f.* ¨e. ② (죄없는) fehlerloses [tadelloses] Leben, -s, -.

생무지(生-) Laie *m.* -n, -n; der Uneingeweihte*, -n, -n.

생물(生物) Lebewesen *n.* -s, -; Geschöpf *n.* -(e)s, -e; (총칭) Leben *n.* -s, -. ‖ ~학 Biologie *f.*

생방송(生放送) Original·sendung *f.* -en [-übertragung *f.* -en].

생벼락(生-) (꾸지람) unvernünftige Schelte, -n; (재앙) Unfall *m.* -(e)s, ¨e; Katastrophe *f.* -n.

생부(生父) der leibliche Vater, -s, ¨.

생불(生佛) der leibhaftige Buddha, -s.

생사(生死) Leben u. Tod. ¶ ~불명의 verschollen / ~를 같이하다 das Schicksal teilen (mit *jm.*).

생사(生絲) Rohseide *f.* -n.

생사람(生-) (죄없는) der Unschuldige*, -n, -n; der Schuldlose*, -n, -n; (관계없는) e-e Person ohne Verbindung. ¶ ~ 잡다 (모해) *jm.* e-e Falle stellen.

생산(生産) Produktion [Erzeugung] *f.* -en. ~하다 produzieren^4; erzeugen^4; her|stellen^4. ‖ ~ 가격 Produktionspreis *m.* -es, -e / ~ 과잉 Überproduktion *f.* -en / ~고 Ertrag *m.* -(e)s, -e; Ausbeute *f.* -n; Produktionsmenge *f.* -en / ~물 Produkt *n.* -(e)s, -; Erzeugnis *n.* -ses, -se / ~자 Produzent *m.* -en, -en; Erzeuger *m.* -s, -.

생살(生殺) Leben und Tod. ‖ ~ 여탈권 das Recht [die Gewalt; die Macht] über Leben und Tod.
생색(生色) der gefällige Eindruck; der gute Ruf. ¶ ~을 내다 für Kleinigkeiten e-n Dank erwarten.
생생하다(生生—) lebendig [animiert; lebensvoll; belebt; frisch] (sein).
생석회(生石灰) der gebrannte [ungelöschte] Kalk, -(e)s, -e.
생선(生鮮) Fisch *m.* -es, -e; ein roher [frischer] Fisch, -(e)s, -e; Frischfisch *m.* -(e)s, -e 《선어》.
생성(生成) ~하다 〖他動詞〗 erzeugen[4]; generieren[4]; 〖自動詞〗 geschöpft [geformt; gebildet] werden.
생소(生疎) 《낯설음》 Ungewohnheit *f.* -en; Erfahrungslosigkeit *f.* -en; 《서투름》 Mangel an Geschicklichkeit [Gewandtheit]; Ungewandtkeit *f.* -en. ~하다 wenig erfahren* (*in*[3]) [ungeschickt] (sein).
생소리(生—) unbegründete Nachricht, -en; unglaubliche Geschichte, -n. ~하다 Unsinniges sagen; verkehrt sagen.
생시(生時) 《살아있을 때》 Lebzeiten (*pl.*); 《현실》 Wirklichkeit *f.* -en.
생식(生食) Rohkost *f.* -. ~하다 roh essen*. ‖ ~가 Rohköstler *m.* -s, -.
생식(生殖) Zeugung *f.* -en; 《동식물의》 Fortpflanzung *f.* -en. ~하다 zeugen[4]. ‖ ~기 Zeugungsorgane (*pl.*).
생신(生辰) =생일(生日).
생안손 ☞생인손.
생애(生涯) Leben *n.* -s, -; Lebenszeit *f.* -en; Lebensbahn *f.* -en.
생약(生藥) Heilkraut *n.* -(e)s, ¨er; Arzneipflanze *f.* -n.
생억지(生—) Halsstarrigkeit *f.*; Eigen- [Starr]sinn *m.* -(e)s. ¶ ~를 쓰다 s-e Meinung [Ansicht] durch|setzen.
생업(生業) Beruf *m.* -(e)s, -e; Beschäftigung *f.* -en; Broterwerb *m.* -(e)s, -e. ‖ ~ 자금 Wiederaufbaufonds [..fɔ̃:], - [..fɔ̃:(s)], - [..fɔ̃:s].
생육(生肉) das frische [rohe] Fleisch, -es.
생육(生育) Erziehung *f.* -en; Wohlerzogenheit *f.* -en. ~하다 erziehen*[4]; züchten[4].
생으로(生—) 《날로》 roh; frisch; ungekocht; 《억지로》 zwangsmäßig; mit [3]Gewalt.
생이별(生離別) der lebenslängliche Abschied, -(e)s, -e. ~하다 auf lebenslang Abschied nehmen* 《von *jm.*》.
생인손 〖醫〗 Nagelgeschwür *n.* -(e)s, -e.
생일(生日) Geburtstag *m.* -(e)s, -e.
생장(生長) das Wachsen*, -s; Wuchs *m.* -(e)s, ¨e. ☞ 성장(成長).
생장작(生長斫) das nicht ausgetrocknete Brennholz, -es, ¨er.
생전(生前) Lebenszeit *f.* -en. ¶ ~에 bei [zu] Lebzeiten *js.*; sein [1]Lebenstag 〖보통 *pl.* 로 s-e Lebenstage〗.
생존(生存) Dasein *n.* -s; Existenz *f.* -en. ~하다 da|sein*; existieren; leben; 《살아 남다》 überleben[4]. ‖ ~ 경쟁 der Kampf ums Dasein / ~자 der Überlebende*, -n, -n.
생죽음(生—) gewaltsamer [unnatürlicher] Tod, -(e)s. ~하다 e-s gewaltsamen Todes sterben*.
생쥐 Maus *f.* ¨e.
생지옥(生地獄) die Hölle auf Erden.
생질(甥姪) der Sohn der Schwester.
생짜(生—) 《날 것임》 unreife Frucht, ¨e; Rohkost *f.*
생채(生彩) Pracht *f.* -en; Glanz *m.* -es, -e. ¶ ~없는 그림 lebloses [unbeseeltes] Bild, -(e)s, -er.
생채(生菜) rohes [ungekochtes] Gemüse, -s, -. ‖ 무 ~ Rettichsalat *m.* -(e)s, -e.
생채기 Schramme *f.* -n; Kratzwunde *f.* -n.
생철(—鐵) (Zink)blech *n.* -(e)s, -e. ‖ ~지붕 Blechdach *n.* -(e)s, ¨er.
생체(生體) der lebende Körper, -s. ‖ ~해부 Vivisektion *f.* -en.
생태(生態) Lebensumstänte (*pl.*); Ökologie *f.* -n. ‖ ~학 Ökologie.
생트집(生—) die falsche Beschuldigung; Spitzfindigkeit *f.* -en.
생판(生板) 《턱없이》 grundlos; unbegründet; unmotiviert; 《전연》 ganz; gänzlich; ganz u. gar.
생포(生捕) Gefangennahme *f.* -n. ~하다 gefangen|nehmen*[4]; 《동물을》 (lebendig) fangen*[4].
생필름(生—) Rohfilm *m.* -(e)s, -e.
생호령(生號令) ungerechte [unvernünftige] Schelte, -n. ~하다 ungerecht [unvernünftig] schelten*[4].
생화 Broterwerb *m.* -(e)s, -e; Beschäftigung *f.* -en.
생화(生花) frische Blume, -n.
생화학(生化學) Biochemie *f.* ~의 biochemisch.
생환(生還) ~하다 lebendig zurück|kehren. ‖ ~자 der lebendig Zurückkehrende*, -n, -n.
생활(生活) Leben *n.* -s, -. ~하다 leben; [4]sich (er)nähren. ‖ ~ 개선 Lebensreform *f.* -en / ~난 Lebensnot *f.* ¨e / ~ 방식 Lebensweise *f.* -n / ~비 Lebensunterhalt *m.* -(e)s, -e; Unterhaltskosten (*pl.*) / ~ 수준 Lebensstandard *m.* -(s), -s.
생후(生後) nach (der) Geburt. ¶ ~ 3개월의 아이 das dreimonatige Kind, -(e)s, -er.
샤워 Brause [Dusche] *f.* -n.
샴페인 Champagner *m.* -s, -; Schaumwein *m.* -(e)s, -e.
샴푸 Schampun *n.* -s, -s.
샹송 Chanson *n.* -s, -s.
서(西) West *m.* -(e)s; Westen *m.* -s. ¶ 서쪽의 westlich / 서쪽으로 nach Westen; westwärts.
서가(書架) Bücher·brett *n.* -(e)s, -er [-gestell *n.* -(e)s, -e; -regal *n.* -s, -e].
서가(書家) Schönschreiber *m.* -s, -; Kalligraph *m.* -en, -en.
서간(書簡) Brief *m.* -(e)s, -e; Schreiben *n.* -s, -; Epistel *f.* -n. ‖ ~문 Briefschreiben *n.* -s, -.
서거(逝去) Tod *m.* -(e)s; das Hinscheiden, -s. ~하다 sterben*; ver|scheiden*.

서경(西經) 〔地〕 die westliche Länge, -n.

서고(書庫) Bibliothek f. -en; Bücherraum m. -(e)s, ⸚e.

서곡(序曲) Vorspiel n. -(e)s, -e; Ouvertüre f. -n.

서광(曙光) Morgen·rot n. -(e)s 〔-röte f. -n〕; Dämmerlicht n. -(e)s.

서구(西歐) Westeuropa n. -s; 《서양》 der Westen, -s; Abendland n. -(e)s. ¶ ~화하다 europäisieren^4.

서글서글하다 freundlich 〔leutselig; gefällig; menschlich〕 (sein).

서글프다 schwermütig 〔melancholisch; betrübt; traurig〕 (sein).

서기(西紀) die christliche Zeitrechnung 〔Ära〕; Anno Domini 《略 : A. D.》. ¶ ~ 1982 년에 (im Jahre) 1982 n. Chr. / ~ 전 500 년에 (im Jahre) 500 v. Chr.

서기(書記) (Büro)schreiber m. -s, -; Sekretär m. -s, -e. ‖ ~장 Hauptsekretär m. -s, -e.

서기(瑞氣) das günstige Vorzeichen, -s; das gute Omen, ..mens, ..mina.

서까래 (Dach)sparren m. -s, -.

서남(西南) Südwest m. -(e)s; Südwesten m. -s. ¶ ~의〔에〕 südwestlich.

서낭 〔民〕 《서낭신》 Schutzgott m. -(e)s, ⸚er; 《나무》 der Baum, in dem der Schutzgott wohnt. ‖ ~단 der Alter für den Schutzgott / ~당 die Nische des Schutzgottes.

서너 ungefähr drei; drei od. vier; einig.

서너너덧 ungefähr drei od. vier; drei od. vier; einig.

서늘하다 《날씨가》 kühl 〔frisch; erfrischend〕 (sein); 《마음이》 große Angst haben; schaudern.

서다 《기립》 stehen*; auf|stehen*; ^{4}sich erheben*; 《정지》 (an|)halten*; ab|laufen* 《시계가》; 《설립》 errichtet 〔gegründet〕 werden; 《날이》 scharf werden; 《아이가》 schwanger werden; 《결심이》 ^{4}sich entschließen*.

서당(書堂) e-e private Schreibschule für ^{4}Kinder. ¶ ~개 3년에 풍월을 한다 《속담》 Wenn man in der richtigen Umgebung lebt, lernt man die Dinge ganz von selbst.

서도(書道) (Schön)schreibkunst f.; Kalligraphie f.

서두르다 ^{4}sich (be)eilen; hasten. ¶ 서둘러서 eilig; in ^{3}Eile.

서랍 Schublade f. -n; Schubfach n. -(e)s, ⸚er.

서러워하다 trauern 《über^4; um^4》; betrauern^4; ^{4}sich betrüben 《über^4》.

서력(西曆) =서기(西紀).

서로 (gegen)einander; gegenseitig. ¶ ~의 gegen〔wechsel〕seitig.

서론(序論·緖論) Einführung 〔Einleitung〕 f. -en

서류(書類) Schrift f. -en; Dokument n. -(e)s, -e; Papiere (pl.); Akten (pl.). ‖ ~철 Dokumenthalter 〔Aktenhalter〕 m. -s, -.

서른 dreißig. ‖ ~살 das dreißigste Jahr, -(e)s, -e.

서름서름하다 《사람들에게》 zurückhaltend 〔reserviert〕 (sein); 《태도가》 ungewohnt 〔unbekannt〕 (sein).

서리 Reif m. -(e)s, -e.

서리(署理) 《사람》 Stellvertreter m. -s, -. ~하다 jn. (e-e Stelle) ver|treten*. ‖ 의장 ~ stellvertretender Vorsitzender.

서리다 《김이》 dunsten; ^{4}sich verdichten.

서리맞다 durch Frost beschädigt 〔erfroren; Frostschaden erlitten〕 sein; 《比》 zu Schaden kommen*; Verluste erleiden*.

서막(序幕) Vorspiel n. -(e)s, -e; Prolog m. -(e)s, -e.

서머타임 Sommerzeit f. -en.

서머하다 ^{4}sich unruhig 〔unbehaglich; ungemütlich〕 fühlen.

서먹(서먹)하다 kühl 〔distanziert; frostig〕 (sein).

서면(書面) Brief m. -(e)s, -e; Schreiben n. -s, - 《문서》; Schrift f. -en.

서명(書名) der Titel e-s Buches; (Buch-)titel m. -s, -.

서명(署名) (Namens)unterschrift f. -en; Signatur f. -en. ~하다 unterschreiben*^{4}; unterzeichnen^4. ‖ ~자 Unterzeichner m. -s, -.

서모(庶母) die Konkubine s-s Vaters.

서무(庶務) allgemeine Angelegenheiten (pl.). ‖ ~과 die Abteilung für allgemeine Angelegenheiten.

서문(序文) Einleitung f. -en; Vorrede f. -n; Vorwort n. -(e)s, -e.

서민(庶民) Volk n. -(e)s ⸚er; Masse f. -n 《대중》. ~적 volkstümlich; populär.

서반구(西半球) die westliche Hemisphäre, -n; die westliche Halbkugel, -n.

서방(西方) ① 《서쪽》 Westen m. -s; West m. -(e)s. ② 《지방·나라》 der westliche Distrikt. ③ 〔佛〕 das westliche Paradies von Amitabha.

서방(書房) ① 《남편》 Mann m. -(e)s, ⸚er. ② 《호칭》 Herr m. -n, -en; Onkel m. -s, -. ‖ ~질 der Ehebruch der verheirateten Frau.

서법(書法) Schreibkunst f.; Kalligraphie f.

서부(西部) der westliche Teil, -(e)s, -e; Westen m. -s. ‖ ~극 Wildwestfilm m. -(e)s, -e.

서북(西北) Nord·west m. -(e)s 〔-westen m. -s〕. ~의 nordwestlich.

서브 〔테니스〕 Aufschlag m. -(e)s, ⸚e; Aufgabe f. -n. ~하다 servieren.

서브타이틀 =부제(副題).

서비스 《친절·봉사》 Bedienung f. -en; Kundendienst m. -es, -e; Zugabe f. -n; 〔테니스·탁구〕 Aufschlag m. -(e)s, ⸚e. ☞서브. ~하다 jm. e-e Gefälligkeit 〔e-n Dienst〕 erweisen*.

서사시(敍事詩) Epos n. -, ..pen; Epik f.

서산(西山) westliches Gebirge, -s, -.

서생(書生) ① 《유생》 ein junger Konfuzianer. ② 《남의 집의》 der abhängige Student; Dienststudent m. -en, -en.

서서히(徐徐―) allmählich; bedächtig 《신중하게》; geduldig 《서둘지 않고》; gemächlich; langsam; nach u. nach.

서설(序說) =서론(序論).

서성거리다 herum|lungern; umher|streichen*.

서수(序數) 〔數〕 Ordnungszahl f. -en.

서술(敍述) Beschreibung 〔Darstellung〕 f. -en. ~하다 beschreiben*^{4}; dar|stellen^4.

서스펜스 (Schluß)folgerung f. -en; (Schluß)folge f. -n.

서슬 《칼날》 Schärfe 〔Schneide〕 f. -n; 《기세》 Mut m. -(e)s; Tapferkeit f.

서슴다 zögern (*mit*³); schwanken; unschlüssig sein (*mit*³).

서슴없다 nicht zögernd 〔zaudernd; schwankend; wankelmütig〕 (sein).

서식(書式) Formular *n.* –s, –e; Form *f.* –en; Formel *f.* –n.

서식(棲息) ～하다 wohnen (*in*³); bewohnen⁴; existieren (*in*³); leben (*in*³). ‖ ～지 Fundort *m.* –(e)s, –e; Wohnort 〔–platz *m.* –es, ⸚e〕.

서신(書信) (편지) Brief *m.* –(e)s, –e; das Schreiben*, –s; (편지 왕래) Briefwechsel *m.* –s, –.

서악(序樂) ＝서곡(序曲).

서약(誓約) Eid *m.* –(e)s, –e; Schwur *m.* –(e)s, ⸚e. ～하다 schwören*; e–n Eid (auf die Bibel) schwören*. ‖ ～서 der schriftliche Eid.

서양(西洋) Abendland *n.* –(e)s; Okzident *m.* –(e)s; Westen *m.* –s; (유럽) Europa *n.* –s. ～의 abendländisch; europäisch; okzidental(isch). ‖ ～ 사람 Abendländer 〔Europäer〕 *m.* –s, –.

서언(序言·緖言) Vorwort *n.* –(e)s, –e; Vorrede *f.* –n; Einführung *f.* –en; Einleitung *f.* –en.

서열(序列) Reihenfolge *f.* –n.

서예(書藝) das Schreiben*, –s; Schreibübung *f.* –en. ‖ ～가 Kalligraph *m.* –en, –en. 「traurig〕 (sein).

서운하다 (사람이) betrübt 〔reuevoll;

서울 (한국의) Seoul 〔Söul〕 *n.* –s; (수도) Haupt〔Residenz〕stadt *f.* ⸚e.

서원(書院) (글방) Privathörsaal *m.* –(e)s, ⸚e; (제사하는 데) die Gedenkhalle für die großen Gelehrten u. die Lokalangelegenheit in der Vergangenheit.

서원(署員) (경찰) Polizist *m.* –en, –en; (세무·소방서) das Mitglied des Steueramts od. der Feuerwehrstation.

서인도(西印度) (제도) Westindien.

서임(敍任) Ernennung *f.* –en; Bestallung *f.* –en.

서자(庶子) das uneheliche Kind, –(e)s, –er. 「*n.* –s, –.

서장(書狀) Brief *m.* –(e)s, –e; Schreiben

서장(署長) Vorsteher *m.* –s, – (e–r Polizeibehörde, e–r Steuerbehörde *usw.*). ‖ 경찰 ～ Polizei·vorsteher *m.* –s, – 〔–inspektor *m.* –s, –en〕.

서재(書齋) (공부방) Studier〔Arbeits〕·zimmer *n.* –s, –; Bibliothek *f.* –en (도서실); (글방) Dorfschule *f.* –n.

서적(書籍) Buch *n.* –(e)s, ⸚er; (출판물) Verlagswerk *n.* –(e)s, –e. ‖ ～ 목록 Bücherverzeichnis *n.* –ses, –se / ～상 Buchhändler *m.* –s, –; (가게) Buchhandlung *f.* –en.

서점(書店) Buchhandlung *f.* –en; Buch〔Bücher〕laden *m.* –s, ⸚. 「–en.

서정(庶政) Bürger〔Volks〕verwaltung *f.*

서정시(敍情詩) Lyrik *f.*; das lyrische Gedicht, –(e)s, –e.

서지(書誌) Bibliographie *f.* –n. ‖ ～학 die Wissenschaft der Bibliographie.

서진(書鎭) (Brief)beschwerer *m.* –s, –.

서쪽(西—) Westen *m.* –s; West *m.* –(e)s.

서책(書冊) Buch *n.* –es, ⸚er; Publikation *f.* –en; (저서) Werk *n.*

서체(書體) (Hand)schrift *f.* –en; Schreibart *f.* –en 〔–weise *f.* –n〕; kalligraphischer Stil, –(e)s, –e.

서체(暑滯) die Verdauungsstörung in der Hitze.

서출(庶出) das uneheliche Kind, –(e)s, –er 〔e–s Adligen*〕. 「–.

서치라이트 (Such)scheinwerfer *m.* –s,

서캐 Nisse *f.* –n.

서커스 Zirkus *m.* –, –se. 「–.

서클 Kreis *m.* –es, –e; Zirkel *m.* –s,

서투르다 ungeschickt 〔plump; stümperhaft; linkisch; unbeholfen; unerfahren; pfuscherhaft〕 (sein).

서평(書評) Buch·besprechung 〔–rezension〕 *f.* –en.

서표(書標) Lese〔Blatt〕zeichen *n.* –s, –.

서풍(西風) Westwind *m.* –(e)s, –e.

서한(書翰) ＝서간.

서행(徐行) ～하다 langsam〔mit gedrosselter Geschwindigkeit; im Schneckentempo〕 gehen*〔fahren*〕.

서향(西向) Westen *m.* –s, –; Westseite *f.* –n; die westliche Seite.

서혜(鼠蹊) 〖解〗 Leiste *f.* –en. ‖ ～부(部) Leistengegend *f.* –en.

서화(書畫) Gemälde u. (Hand)schrift. ‖ ～상 Gemäldehändler *m.* –s, –.

서훈(敍勳) Ordensverleihung *f.* –en; Auszeichnung *f.* –en. ～하다 *jm.* e–n Orden verleihen*; dekorieren⁴.

석가(釋迦) Schakjamuni; Buddha.

석가산(石假山) e–e künstliche Erhebung, –en; ein künstlicher Hügel, –s, –.

석간(夕刊) Abendblatt *n.* –(e)s, –er.

석고(石膏) Gips *m.* –es, –e. ‖ ～상 Gipsbild *n.* –(e)s, –er; Gipsbüste *f.* –n (반신의).

석공(石工) Steinmetz *m.* –en, –en.

석관(石棺) Sarkophag *m.* –s, –e; Steinsarg *m.* –(e)s, ⸚e.

석굴(石窟) Höhle *f.* –n; Grotte *f.* –n.

석권(席卷) ～하다 ein Land〔ein Gebiet〕 nach dem andern (wie der Blitz) erobern.

석기(石器) Stein·werkzeug〔–gerät〕 *n.* –(e)s, –e. ‖ ～ 시대 Stein·zeit *f.* 〔–zeitalter *n.* –s, –〕.

석녀(石女) e–e unfruchtbare Frau, –en.

석다 (눈이) schmelzen⁽*⁾; auf|tauen; (술·식혜 따위가) mürbe werden; ⁴sich gären.

석등(石燈) die steinerne Laterne, –n.

석류(石榴) 〖植〗 Granat *m.* –(e)s, –e.

석류석(石榴石) 〖鑛〗 Granat *m.* –(e)s, –e.

석면(石綿) Asbest *m.* –es, –e; Amiant *m.* –s.

석명(釋明) Erklärung 〔Erläuterung (설명)〕 *f.* –en. ～하다 erklären³⁴.

석물(石物) die vor dem Grab stehenden Steinfiguren. 「*n.* –(e)s.

석박(錫箔) Stanniol *n.* –s, –e; Blattzinn

석방(釋放) Freilassung 〔Entlassung〕 *f.* –en. ～하다 frei|lassen*⁴; entlassen*⁴; auf freien Fuß setzen⁴.

석벽(石壁) (벽) Steinwall *m.* –(e)s, ⸚e.

석별(惜別) der schwere Abschied, –(e)s,

-e. ¶ ~의 정 der Schmerz der Trennung.
석부(石斧) Steinaxt *f.* ⸚e.
석불(石佛) steinernes Buddhabild, -(e)s, -er.
석비(石碑) Grab·stein *m.* 〔-mal〕 *n.* -(e)s, -e; Steindenkmal *n.* Monument *n.* -(e)s, -e.
석사(碩士) 《학위》 Magister *m.* -s, -. ‖ ~ 논문 Magisterarbeit *f.* -en / ~ 학위 Magisterwürde *f.* -n.
석상(石像) Steinbild *n.* -(e)s, -er; die steinerne Bildsäule, -n.
석상(席上) ¶ ~에서 in 〔auf; bei〕 der Sitzung 〔Versammlung; Zusammenkunft〕 / 공개 ~에서 öffentlich; im Öffentlichen.
석쇠 Bratrost *m.* -(e)s, -e.
석수(石手) Steinmetz *m.* -en, -en.
석순(石筍) 〖鑛〗 Stalagmit *m.* -(e)s, -e 〔-en, -en〕.
석양(夕陽) Abendsonne *f.* -n; untergehende Sonne. ¶ ~녘 beim Untergang der Sonne.
석연(釋然) ~하다 〖사람이 主語〗 ein|sehen*⁴; 〖사물이 主語〗 befriedigend (sein).
석영(石英) 〖鑛〗 Quarz *m.* -es, -e.
석유(石油) Petroleum *n.* -s; Erdöl 〔Steinöl〕 *n.* -(e)s; 《램프용》 Leuchtöl. ‖ ~ 공업 Petroleumindustrie *f.* -n / ~ 난로 Ölofen *m.* -s, ⸚ / ~ 화학 Petrolchemie *f.*
석인(石人) Steinbild *n.* -(e)s, -er 〔statue *f.* -n〕.
석장(錫杖) 〖佛〗 Preisterstab *m.* -(e)s, ⸚e.
석재(石材) Baustein *m.* -(e)s, -e; der Stein zum Bauen.
석전(石戰) Steinkampf *m.* -(e)s, ⸚e; das Gefacht mit Steinen.
석전제(釋奠祭) das konfuzianische Fest, das zweimal im Jahr gefeiert wird.
석조(石造) ¶ ~의 steine(r)n; Stein-. ‖ ~ 건축 Steinbau *m.* -(e)s, -ten.
석존(釋尊) 〖佛〗 Schakjamuni; Buddha.
석종유(石鍾乳) 〖鑛〗 Stalaktit *m.* -(e)s, -e.
석죽(石竹) 〖植〗 Nelke 〔Dianthee〕 *f.* -n.
석차(席次) 《좌석의 순서》 Sitzordnung *f.* -en; 《성적의 차례》 die Leistung in der Schule.
석축(石築) Steinmauer *f.* -n.
석탄(石炭) (Stein)kohle *f.* -n. ‖ ~ 가스 Kohlengas *n.* -es, -e / ~층 Kohlenflöz *n.* -es, -e 〔-lager *n.* -s, ⸚〕.
석탑(石塔) Pagode *f.* -n; Stupa *m.* -s, -s.
석판(石板) Schiefertafel *f.* -n.
석판(石版) 〖印〗 Lithographie *f.* -n. ‖ ~ 인쇄 Lithographie *f.*
석패(惜敗) ~하다 den beinahe gewonnenen Sieg entschlüpfen lassen*; am Rande des Sieges von der Siegesgöttin schmählich verlassen werden.
석필(石筆) Schieferstift *m.* -(e)s, -e; (Schiefer)griffel *m.* -s, -.
석학(碩學) der große Gelehrte*, -n, -n; Wissenschaftler *m.* -s, -.
석화(石火) 《불꽃》 Kieselfeuer *n.* -s, -; Funke *m.* -ns, -n. ¶ 전광 ~ 같이 blitzschnell im Nu wie Funke.
석회(石灰) Kalk *m.* -(e)s, -e. ‖ ~질 Kalzium *n.* -s.
섞갈리다 vermischt werden.
섞다 (ver)mischen⁴; (ver)mengen⁴.
섞바꾸다 ⁴sich mischen; verkennen*.
섞바뀌다 gemischt 〔verwechselt〕 werden.
섞이다 ⁴sich (ver)mischen 《*unter*⁴》; ⁴sich (ver)mengen 《*mit*³》.
선 Brautschau *f.* -en; die Suche nach e-r passenden Braut. ¶ 선보러 가다 auf die Brautschau gehen*.
선(先) ¶ 선으로 두다 den ersten Zug tun*.
선(善) das Gute*, -n; Gut *n.* -(e)s. ¶ 선과 악 Gut u. Böse.
선(腺) 〖解〗 Drüse *f.* -n. ‖ 내분비선 Lymphdrüse *f.* -n / 림프선 die lymphatische Drüse.
선(線) Linie *f.* -n. ¶ 선을 긋다 e-e Linie ziehen*.
선(禪) 〖佛〗 die sinnende Betrachtung, -en; die religiöse Meditation, -en.
선각(先覺) Voraussicht *f.* -. ‖ ~자 Pionier 〔Bahnbrecher〕 *m.* -s, -.
선객(先客) der vorher angekommene Gast, -es, ⸚e.
선객(船客) (Schiffs)passagier *m.* -s, -e; Fahrgast *m.* -(e)s, ⸚e. ‖ ~ 명부 Passagierliste *f.* -n.
선거(船渠) Dock *n.* -(e)s, -e〔-s〕.
선거(選擧) Wahl *f.* -en. ~하다 wählen 《*jn. zu*³》. ‖ ~구 Wahlbezirk *m.* -(e)s, -e / ~권 Wahl〔Stimm〕recht *n.* -(e)s, -e / ~법 Wahlgesetz *n.* -es, -e / ~ 연설 Wahlrede *f.* -n / ~ 운동 Wahlbewegung *f.* -en / 대~구 der große Wahlkreis, -es, -e.
선걸음 ¶ ~에 sogleich; auf der Stelle; stehenden Fußes.
선견지명(先見之明) ¶ ~이 있는 vorausehend weitsichtig / ~이 없는 kurzsichtig.
선결(先決) ~하다 vorher erledigen⁴. ‖ ~ 문제 Vorfrage *f.* -n.
선경(仙境) Feen〔Traum; Wonne; Zauber〕land *n.* -(e)s, ⸚er.
선고(先考) der verstorbene Vater, -s, ⸚.
선고(宣告) Rechtspruch *m.* -(e)s, ⸚e; Urteil *n.* -(e)s, -e. ~하다 das Urteil fällen 〔sprechen*〕 《*über*⁴》; 《유죄를》 verurteilen 《*jn. zu*³》; 《무죄를》 frei|sprechen⁴. ¶ 사형을 ~하다 zum Tode verurteilen.
선골(仙骨) 〖解〗 Kreuzbein *n.* -(e)s, -e.
선광(選鑛) die Trennung 〔Sortierung〕 des Erzes; das Anrichten*, -s. ~하다 das Erz trennen〔sortieren; konzentrieren〕.
선교(宣敎) Mission *f.* -en. ~하다 Mission treiben*. ‖ ~사 Missionar 〔Missionär〕 *m.* -s, -e.
선교(船橋) 《배다리》 Schiff(s)brücke *f.* -n; 《갑판의》 Kommandobrücke *f.*
선구(船具) Schiffs·zubehör *n.* 〔*m.*〕 -(e)s, -e〔-bedarf *m.* -(e)s; -bedürfnisse (*pl.*); -gerät *n.* -(e)s, -e〕.
선구자(先驅者) Vorläufer *m.* -s, -; Pionier *m.* -s, -e; Bahnbrecher *m.* -s, -.
선글라스 Sonnenbrille *f.* -n.
선금(先金) Voraus(be)zahlung *f.* -en.
선남선녀(善男善女) fromme Leute (*pl*).
선납(先納) ~하다 voraus|bezahlen.
선내(船內) der Innenraum des Schiffes; im Schiff.

선녀(仙女) Fee〔Nymphe〕*f.* -n.
선단(船團) Flotte *f.* -n.
선도(先渡) ～하다 im voraus geben*[34].
선도(先導) Führung *f.* -en. ～하다 führen[4]; leiten[4].
선도(善導) die anständige Führung, -en. ～하다 anständig führen.
선도(鮮度) Frische *f.*
선돌〖史〗Druidenstein *m.* -(e)s, -e.
선동(煽動) Aufhetzung〔Agitation〕*f.* -en; Anreiz *m.* -es, -e. ～하다 (auf|-)hetzen《*jn. zu*[3]》; auf|reizen《*jn. zu*[3]》; agitieren[(4)]. ‖～연설 Provokationsrede *f.* -n / ～자 Aufhetzer *m.* -s, -; Agitator *m.* -s, -en.
선두(先頭) Vorhut *f.* -en; Führung *f.* -en. ¶～에 서다 an der Spitze stehen*.
선두르다 säumen; rändeln; kräuseln.
선득하다《차가워서》kalt fühlen;《놀라서》[4]sich schaudern《*bei*[3]》.
선뜻 willig; leicht; ohne weiteres.
선량(善良) ～하다 gut〔rechtschaffen; tugendhaft〕(sein).
선량(選良) Parlamentarier *m.* -s, -; der Vertreter der Leute.
선령(船齡) das Alter des Schiffes.
선례(先例) Beispiel *n.* -(e)s, -e; Exempel *n.* -s, -. ¶～가 되다 ein Beispiel auf|stellen〔geben*〕.
선로(線路) Bahnlinie *f.* -n; Geleise. *n.* -s, -.
선린(善隣) die gute Nachbarschaft, -en.
선망(羨望) Neid *m.* -(e)s. ～하다 beneiden[4]《*jm; jn. um*[4]》.
선매(先買) Vorkauf *m.* -(e)s. ¨e. ～하다 vor|kaufen.
선머슴 der wilde Bursche, -n, -n; der abenteuerliche Junge.
선명(宣明) Proklamation〔Ankündigung〕*f.* -en. ～하다 proklamieren; ankündigen.
선명(鮮明) Klarheit〔Deutlichkeit〕*f.* ～하다 klar〔deutlich〕(sein).
선모(腺毛) Fühler *m.* -s, -; Fangarm *m.* -(e)s, -.
선무(宣撫) Besänftigung〔Versöhnung; Befriedigung〕*f.* -en.
선물(先物) ‖～거래 Termin·geschäft *n.* -(e)s, -e〔-handel *m.* -s, ¨〕.
선물(膳物) Geschenk *n.* -(e)s, -e; Gabe *f.* -n; Spender *f.* -n. ～하다 zum Geschenk machen; ein Geschenk machen〔geben*〕《*jm.*》. ‖새해 ～ Neujahrsgeschenk / 생일 ～ Geburtstagsgeschenk.
선미(船尾) Heck *n.* -(e)s, -e; Hinter-〔Achter〕schiff *n.* -(e)s, -e.
선민(選民) Ausgewählten (*pl.*).
선박(船舶) Schiff *n.* -(e)s, -e; Fahrzeug *m.* -(e)s, -e. ‖～업 Schiffbauindustrie *f.* -n / ～회사 Schiffahrtsgesellschaft *f.* -en.
선반 Wandbrett *n.* -(e)s, -er; Regal *n.* -(e)s, -e.
선반(旋盤) Dreh〔Drechsel〕bank *f.* ¨e. ¶～으로 깎다 drechseln. ‖～공 Dreher〔Drechsler〕*m.* -s, -.
선발(先發) ～하다 voraus|gehen*. ‖～대 Voraustruppen (*pl.*).
선발(選拔) Auswahl *f.* -en; Auslese *f.* -n. ～하다 aus|wählen[4], aus|lesen*[4]. ‖～시험 Auswahlprüfung *f.* -en.
선배(先輩) Vorgänger *m.* -s, -; Senior *m.* -s, -en; der Ältere*, -n.
선별(選別) Sortierung *f.* -en. ～하다 sortieren[4].
선보다 vorläufig treffen*.
선복(船腹)《적재량》(Gesamt)tonnage *f.* -n;《선박》Schiffsrauminhalt *m.* -(e)s, -e; Schiffs〔Tonnen〕gehalt *m.* -(e)s, -e.
선봉(先鋒) Vorhut *f.* -en; Avantgarde *f.* -n.
선부(先夫) der verstorbene Mann〔Ehemann〕, -(e)s, ¨er.
선불(先拂) Voraus(be)zahlung *f.* -en.
선비 Gelehrte *m.* -n, -n.
선비(先妣) die verstorbene Mutter, ¨.
선사(先史) Urgeschichte *f.* -n. ‖～시대 das vorgeschichtliche Zeitalter.
선사(善事)《선물》Geschenk *n.* -(e)s, -e. ～하다 *jm.* ein Geschenk geben*.
선사(禪師)〖佛〗Zen-Priester *m.* -s, -.
선산(先山) das Gebiet des Ahnenbegräbnisses; der Berg für das Ahnenbegräbnis.
선생(先生) ①《교사》Lehrer〔Meister〕*m.* -s, -. ②《…씨·신사》Herr *m.* -n, -en. ③《당신》Sie. ‖국민 학교 ～ Volksschullehrer / 독일어 ～ Deutschlehrer.
선서(宣誓) Eid *m.* -(e)s, -e; Schwur *m.* -(e)s, ¨e. ～하다 schwören*; den Eid〔Schwur〕ab|legen. ‖～식 die feierliche Eidesleistung, -en.
선선하다《날씨가》kühl〔frisch〕(sein);《사람이》aufrichtig〔offen〕(sein).
선선히 aufrichtig; offen; frei; bereitwillig; lebhaft; munter.
선소리 das törichte〔dumme〕Gespräch; Unsinn *m.* -(e)s, -e.
선손(先―) ①《먼저 착수함》die erste Unternehmung; [4]Initiative *f.* -n. ②《손찌검》der erste Schlag〔Stoß〕.
선수(先手) ① ＝선손. ②〖바둑〗die erste Bewegung; Eröffner *m.* -s, -.
선수(船首) Bug *m.* -(e)s, ¨e; Schiffsschnabel *m.* -s, ¨.
선수(選手) (Wett)kämpfer〔(Sport)meister〕*m.* -s, -; Champion *m.* -s, -s; Spieler *m.* -s, -. ‖～권 Meisterschaft *f.* -en / 축구 ～ Fußballspieler.
선술집 (Wein)kneipe *f.* -n.
선승(先勝) ～하다 das erste Spiel gewinnen*.
선실(船室) Kabine〔Kajüte〕*f.* -n;《특등의》Luxuskabine.
선심(善心)《착한 마음》Wohltat *f.* -en;《자비심》Freigebigkeit *f.* -en. ¶～을 쓰다 e-e Wohltat erweisen*[3].
선심(線審)〖競〗Linienrichter *m.* -s, -.
선악(善惡) Gut u. Böse; Recht u. Unrecht. ¶～을 분별하다 das Gute u. das Böse unterscheiden*. ‖～과(果)〖基〗die verbotene Frucht.
선약(仙藥) Allheilmittel〔Wunderheilmittel〕*n.* -s, -.
선약(先約) das vorhergehende Versprechen, -s. ¶～이 있다 (anderwärts) versagt sein.
선양(宣揚) Erhöhung〔Erhebung〕*f.* -en. ～하다 erhöhen[4]; erheben*[4].
선어(鮮魚) der frische Fisch, -(e)s, -e.

선언(宣言) Erklärung 〔Deklaration〕 *f.* -en. ～하다 erklären[4]. ‖ 독립 ～ Unabhängigkeitserklärung *f.*

선업(善業) 〖佛〗 die gute Tat; die wohltätige Arbeit.

선열(先烈) der verstorbene Patriot, -en, -en. ‖ 순국 ～ der zu Tode gemarterte Patriot.

선왕(先王) der selige Herr, -n, -en.

선외(選外) ¶～의 nicht mit e-m Preis gekrönt.

선용(善用) ～하다 e-n guten Gebrauch machen 《*von*[3]》.

선웃음 gezwungenes Lachen 〔Lächeln〕 -s. ¶～을 치다 gezwungen lachen 〔lächeln〕.

선원(船員) Seemann *m.* -(e)s, ..leute; Matrose *m.* -n, -n; Schiffsmannschaft *f.* -en. ¶～이 되다 zur See gehen*. ‖ ～ 생활 Seemannsleben *n.* -s, -.

선위(禪位) Abdankung *f.* -en. ～하다 ab|danken; das Amt nieder|legen.

선유(船遊) Bootfahrt 〔Ruderfahrt〕 *f.* -en.

선율(旋律) Melodie *f.* -n.

선의(船醫) Schiffsarzt *m.* -es. ¨e.

선의(善意) der gute Wille, -ns, -n; die gute Absicht, -en. ～의 wohlmeinend, wohlgesinnt. ¶～로 해석하다 gut auf|nehmen*[4].

선의권(先議權) 〖法〗 Prioritäts〔Vorzugs〕recht *n.* -(e)s, -e.

선이자(先利子) die Vorzahlung des Zinses.

선인(先人) Vorgänger *m.* -s, -. ¶～의 전철을 밟다 denselben Fehler wie der Vorgänger begehen*.

선인(仙人) das übermenschliche Wesen, -s, -.

선인(善人) der Gute*, -n, -n; ein guter Mensch, -en, -en.

선인장(仙人掌) Kaktus *m.* -, ..teen.

선임(先任) das höhere Dienstalter, -s, -. ¶～의 (dienst)älter. ‖ ～자 der Ältere*, -n, -n.

선임(船賃) =뱃삯.

선임(選任) Ernennung 〔Einsetzung; Berufung〕 *f.* -en. ～하다 ernennen* 《*jn. zu*[3]》; an|stellen 《*jn. zu*[3]》; berufen* 《*jn. in*[4] 〔*auf*[4]〕》; ein|setzen 《*jn. in*[4]》.

선입견(先入見), 선입관(先入觀) Voreingenommenheit *f.*; Vorurteil *n.* -(e)s, -e. ¶～을 품다 Vorurteil haben 《*gegen*[4]》; voreingenommen sein 《*von*[3]》 / ～을 버리다 ein Vorurteil ab|legen.

선자(選者) Aus·wähler〔-leser〕 *m.* -s, -.

선잠 Schlummer *m.* -s; Nickerchen *n.* -s, -; das Dösen*, -s. ¶～자다 schlummern; dösen; nicken.

선장(船長) (Schiffs)kapitän *m.* -s, -e; Schiffsführer *m.* -s, -.

선저(船底) Schiffsboden *m.* -s, ¨; Bilge *f.* -n.

선적(船積) Schiffsladung 〔Verschiffung〕 *f.* -en. ～하다 verschiffen. ‖ ～ 서류 die Verschiffungspapiere (*pl.*).

선적(船籍) Schiffsregister *n.* -s, -; Nationalität e-s Schiffes.

선전(宣傳) Propaganda *f.*; Werbung *f.* -en; (광고) Reklame *f.* -n. ～하다 Propaganda 〔Reklame〕 machen 《*für*[4]》; werben* 《*für*[4]》. ‖ ～부 Propagandaabteilung *f.* -en / ～비 Werbungs〔Propaganda〕kosten (*pl.*) / ～ 영화 Propaganda〔Reklame〕film *m.* -(e)s, -e.

선전(善戰) ～하다 gut 〔wacker; tüchtig; tapfer〕 kämpfen.

선전포고(宣戰布告) Kriegserklärung *f.* -en.

선정(善政) e-e gute Regierung.

선정(選定) Auswahl 〔Wahl〕 *f.* -en. ～하다 aus|wählen.

선정적(煽情的) sensationell; aufsehenerregend.

선제(先帝) der verstorbene Kaiser, -s, -; der ehemalige Kaiser.

선제공격(先制攻擊) der erste Angriff, um die [4]Oberhand zu gewinnen.

선조(先祖) Stammvater *m.* -s, ¨; Vorfahr *m.* -en, -en.

선종(禪宗) Zen-Sekte *f.* -n.

선주(船主) Schiffs·eigner 〔-eigentümer〕 *m.* -s, -.

선주민(先住民) Ureinwohner *m.* -s, -; Autochthone *m.* -n, -n 《토착인》.

선지 《짐승의》 das Blut vom geschlachteten Tier.

선지자(先知者) Prophet *m.* -en, -en; Seher *m.* -s, -.

선진국(先進國) das vorwärtsgeschrittene Land, -(e)s, ¨er.

선집(選集) ausgewählte Werke (*pl.*); gesammelte Werke (*pl.*).

선착(先着) ¶～순으로 nach der Reihenfolge der Ankunft.

선창(先唱) Tonangeben *n.* -s, -. ～하다 den Ton an|geben*. ‖ ～자 der Tonangebende*, -n, -n.

선창(船窓) Luke *f.* -n.

선창(船艙) Kai *m.* 〔*n.*〕 -s, -e〔-s〕; Uferstraße *f.* -n.

선처(善處) ～하다 e-e geeignete〔entsprechende; passende〕 Maßnahme ergreifen*.

선천적(先天的) (an)geboren; erblich; apriorisch.

선철(銑鐵) Roheisen *n.* -s, -.

선체(船體) Schiffsrumpf *m.* -(e)s, ¨e.

선출(選出) Wahl *f.* -en. ～하다 wählen; aus|wählen.

선취(先取) Voraus〔Vorweg〕nahme *f.* ～하다 voraus|nehmen*[4]. ‖ ～(득)점 Führungspunkt *m.* -(e)s, -e.

선친(先親) mein seliger Vater.

선태(蘚苔) 〖植〗 Moos *n.* -es, -e.

선택(選擇) (Aus)wahl *f.* -en. ～하다 (aus|)wählen. ¶～을 잘하다 e-e gute Wahl treffen. ‖ ～ 과목 das wahlfreie Fach / ～권 Wahlrecht *n.*

선편(船便) Fahrgelegenheit *f.* -en. ¶～으로 mit dem 〔per〕 Schiff 〔Dampf〕.

선포(宣布) Proklamation 〔Verkündung〕 *f.* -en. ～하다 proklamieren.

선표(船票) (Schiffs)fahrkarte *f.* -n.

선풍(旋風) Wirbelwind *m.* -(e)s, -e; Zyklon *m.* -s, -e. ¶～이 일어나다 der Wirbelwind wehen. ‖ 검거 ～ Massenverhaftung *f.* -en.

선풍기(扇風機) der (elektrische) Ventilator, -s, -en.

선하증권(船荷證券) Konnossement *n.* -(e)s, -e; (Schiffs)frachtbrief *m.* -(e)s, -e.

선하다 deutlich 〔klar; lebendig; lebhaft; greifbar〕 (sein).

선행(先行) ～하다 voran|gehen*; voran|fahren*.

선행(善行) die gute Tat, -en; Wohltat

f. -en. ~의 wohltätig. ‖ ~자 Wohltäter m. -s, -.

선험론(先驗論) Transzendentalismus m. -.

선혈(鮮血) das frische 〔fließende〕 Blut, -(e)s. ¶ ~이 낭자하다 blutüberströmt sein; von Blut triefen*.

선화(線畫) Strichzeichnung f. -en; Schraffe f. -n.

선화지(仙花紙) das gezähmte Papier, -s, -e.

선회(旋回) (Um)drehung 〔Rotation〕 f. -en. ~하다 [4]sich (um|)drehen; wirbeln; schwenken. ‖ ~ 비행 Kreisflug m. -(e)s, ⸚e.

선후(先後) vorn u. hinten; der Anfang u. das Ende.

선후책(善後策) Hilfsmaßnahme f. -n; Abhilfe f. -n; Gegenmaßnahme.

선달 Dezember m. -s, -. ‖ ~ 그믐 Silvester n. -s, -.

선불리 ungeschickt; unbeholfen.

설 Neujahr n. -(e)s, -e; Neujahrstag m. -(e)s, -e.

설(說) 《의견》 Meinung 〔Ansicht〕 f. -en; 《학설》 Theorie f. -n; 《풍설》 Gerücht n. -(e)s, -e.

설거지 Küchenarbeit f. -en. ~하다 ab|spülen.

설겅거리다 kräftig 〔heftig〕 kauen.

설경(雪景) Schneelandschaft f. -en.

설계(設計) Plan 〔Entwurf〕 m. -(e)s, ⸚e. ~하다 entwerfen*[4]; planen[4]. ‖ ~도 Plan; Blaupause f. -n / ~자 Plan〔Pläne〕macher m. -s, - / 생활 ~ Lebensplan.

설계(雪溪) Schnee·schlucht f. -en 〔-tal n. -(e)s, ⸚er〕

설골(舌骨) 〖解〗 Zungenbein n. -(e)s.

설교(說教) Predigt f. -en; 《훈계》 Moralpredigt. ~하다 predigen; e-e Predigt halten*. ‖ ~자 Prediger m. -s, -.

설날 Neujahrstag m. -(e)s, -e.

설다 kernig (gekocht) 〔halb gekocht〕 (sein).

설다루다 grob bearbeiten; ungeschickt behandeln.

설단(舌端) Zungenspitze f. -n.

설득(說得) Überredung 〔Überzeugung〕 f. -en. ~하다 jn. überzeugen 《von[3]》; jn. überreden 《zu[3]》. ‖ ~력 Überredungsgabe f. -n.

설듣다 flüchtig 〔ungenau〕 hören.

설렁탕(—湯) die Rindfleisch-Suppe mit Reis.

설렁하다 kühl 〔mäßig kalt; gefühlsarm〕 (sein).

설레다 ungeduldig 〔heftig; stürmisch〕 sein. ¶ 가슴이 ~ unruhig sein 《über[4]; um[4]》; e-e bange Ahnung haben.

설령(設令) obwohl; obgleich; wenn auch immer. ¶ ~ 그렇다 하더라도 selbst zugegeben, es sei so.

설립(設立) Stiftung 〔Errichtung; Gründung〕 f. -en. ~하다 stiften[4]; errichten[4]; gründen[4]. ‖ ~자 Stifter〔Gründer〕 m. -s, -.

설마 doch (nicht); wohl nicht; sicher nicht; auf k-n Fall; unmöglich können.

설맞다 ungenau getroffen werden.

설면하다 《소원함》 jm. [4]et. entfremden; 《정답지 않다》 kaltherzig (sein).

설명(說明) Erklärung 〔Erläuterung〕 f. -en. ~하다 erklären[34]; erläutern[34]. ‖ ~서 Erklärungsschrift f. -en.

설문(設問) Frage 〔Fragestellung〕 f. -en. ~하다 fragen.

설법(說法) Predigt f. -en; Erklärungsart f. -en. ~하다 predigen.

설복(說服) ~하다 jn. zu [3]et. überreden; jn. überzeugen 《von[3]》.

설분(雪憤) das Ausblasen* des Zorns.

설비(設備) Einrichtung f. -en; 《시설》 Anstalt f. -en; 《장비》 Ausrüstung 〔Ausstattung〕 f. -en. ~하다 ein|richten[4]; aus|statten[4] 《mit[3]》. ¶ 근대적인 ~ moderne Einrichtung.

설빔 die Kleidung für das Neujahr; die Tracht des Neujahrs.

설사(泄瀉) Durchfall m. -(e)s, ⸚e. ~하다 Durchfall haben; an [3]Durchfall leiden*. ‖ ~약 Stopfmittel n. -s, -.

설사(設使) =설령(設令).

설상(雪上) ‖ ~ 가상 Ein Unglück kommt selten allein / ~차(車) Kufengleiter 〔Schneewagen〕 m. -s, -.

설선(雪線) 〖地〗 Schnee·grenze 〔-linie〕 f. -n.

설설 ¶ ~ 기다 ängstlich kriehen*; [4]sich ducken.

설암(舌癌) 〖醫〗 Zungenkrebs m. -es, -e.

설왕설래(說往說來) Wortgefecht n. -(e)s, -e; der Streit mit Worten. ~하다 [4]et. hin u. her besprechen*.

설욕(雪辱) ~하다 s-e Ehre wieder retten; 《경기에서》 [4]sich revanchieren. ‖ ~전 Revanchespiel n. -(e)s, -e.

설움 Traurigkeit f. -en; Sorge f. -n; Kummer m. -s, -. ¶ 큰 ~ großer Kummer.

설원(雪原) Schneefeld n. -(e)s, -er.

설원(雪冤) die Befreiung von Kummer u. Sorgen. ~하다 jn. von [3]et. entlasten; [4]sich e-s Dinges entlasten.

설유(說諭) ~하다 ermahnen[4]; verweisen*[4]; zurecht|weisen*[4].

설음(舌音) 〖文〗 Zungenlaut n. -(e)s, -e.

설익다 halb·gekocht 〔-gar〕 sein; noch nicht gar sein.

설전(舌戰) Wort·streit m. -(e)s, -e 〔-wechsel m. -s, -〕. ~하다 mit jm. im Wortstreit liegen*.

설정(設定) Errichtung f. -en. ~하다 errichten[4]; fest|setzen[4].

설차림 die Vorbereitung für das Neujahrsfest.

설측음(舌側音) 〖言〗 Laterallaut m. -(e)s, -e.

설치(設置) Festsetzung 〔Gründung; Errichtung〕 f. -en. ~하다 fest|setzen; errichten; ein|richten; gründen.

설치다 [4]sich in e-r Tätigkeit unterbrechen*. ¶ 잠을 ~ unruhig schlafen*.

설치류(齧齒類) 〖動〗 Nagetiere (pl.).

설탕(雪糖) (Staub)zucker m. -s.

설태(舌苔) 〖醫〗 Zungenbelag m. -(e)s, ⸚e.

설파(說破) klare Aussage, -en; Überredung 〔Überzeugung〕 f. -en. ~하다 deutlich machen[4]; überreden[4].

설퍼제(—劑) Sulfonamid n. -(e)s, -e.

설피다 leicht gewebt 〔gazeähnlich; grob〕 (sein).

설하선(舌下腺) Unterzungendrüse f. -n.

설해(雪害) Schneeschaden m. -s, ⸚.

설형(楔形) ~의 keilförmig. ‖ ~ 문자 Keilschrift f. -en.

설화(舌禍) Zungenfehler *m.* -s, -.

설화(說話) Sage *f.* -n; Volksmärchen *n.* -s, -. ‖ ~ 문학 Sagendichtung *f.* -en.

섬 Insel *f.* -n. ‖ 섬나라 Inselland *n.* -(e)s, ⸚er; Inselstaat *m.* -(e)s, -en.

섬게 〖動〗 Seeigel *m.* -s, -.

섬광(閃光) Blitz *m.* -es, -e. ‖ ~ 신호 Blitzsignal *n.* -s, -e.

섬기다 *jm.* dienen; *jn.* bedienen. ¶ 부모를 ~ auf die Eltern achten.

섬돌 Steintreppe *f.* -n.

섬뜩하다 unheimlich 〔haarsträubend〕 (sein).

섬멸(殲滅) ~하다 aus|rotten⁴; vertilgen⁴; auf|reiben*⁴; vernichten⁴.

섬섬옥수(纖纖玉手) die zarte 〔feine〕 Hand.

섬세(纖細) ~하다 fein 〔zartfühlend; delikat; empfindsam; sensitiv〕 (sein). ¶ ~한 감정 feines Gefühl.

섬약(纖弱) ~하다 zart 〔schwach; delikat; zerbrechlich; schwächlich〕 (sein).

섬유(纖維) Faser 〔Fiber〕 *f.* -n. ‖ ~ 공업 Textilindustrie *f.* -n / ~ 제품 Textilware *f.* -n / ~질 Fasermaterial *n.* -s, ..ien / 합성 ~ Synthetischefaser.

섭금류(涉禽類) 〖鳥〗 Watvogel *m.* -s, ⸚.

섭렵(涉獵) Belesenheit *f.* -en. ~하다 viel lesen*.

섭리(攝理) Fügung *f.* -en; (göttliche) Vorsehung〕 *f.* -en.

섭새기다 bossieren⁴; bosselieren⁴.

섭생(攝生) Hygiene *f.*; Gesundheitspflege *f.* ~하다 s-e Gesundheit pflegen. ‖ ~법 Gesundheitsregel *f.*

섭섭하다 bedauerlich 〔bedauernswert; schade〕 (sein). ¶ 섭섭해 하다 bedauern.

섭씨(攝氏) Celsius *m.* -, - 《略 : C》. ¶ ~ 100 도 100 Grad Celsius.

섭외(涉外) Unterhandlung *f.* -en. ‖ ~ 사무 auswärtige Angelegenheiten (*pl.*).

섭정(攝政) Regentschaft *f.*; 《사람》 Regent *m.* -en, -en.

섭조개 〖貝〗 Miesmuschel *f.* -n.

섭취(攝取) ~하다 zu ³sich nehmen*⁴; ein|nehmen*⁴.

섭호선(攝護腺) 〖解〗 =전립선(前立腺).

성 Ärger *m.* -s; Zorn *m.* -(e)s. ¶ 성(이) 나다, 성(을) 내다 zürnen; zornig werden.

성(姓) Familienname 〔Zuname〕 *m.* -ns, -n.

성(性) 《본성》 Natur *f.* -en; 《암·수》 Geschlecht *n.* -(e)s, -er; Sexualität *f.*; 〖文〗 Genus *n.* -, ..nera. ¶ 성의 geschlechtlich; sexual; sexuell. ‖ 성교육 die sexuelle 〔geschlechtliche〕 Aufklärung, -en / 성도덕 die sexuelle Moral, -en / 성본능 Geschlechtsinstinkt *m.* -(e)s, -e / 성생활 Geschlechtsleben *n.* -s / 성전환 Sexualumwandlung *f.* -en.

성(城) Schloß *n.* ..losses, ..lösser; Burg *f.* -en.

성-(聖) Sankt 〔St.〕....

성가(聖歌) Kirchenlied *n.* -(e)s, -er; Hymne *f.* -en. ‖ ~대 Kirchenchor *m.* 〔*n.*〕 -(e)s, -e 〔⸚e〕.

성가(聲價) Ruf *m.* -(e)s, -e; Ruhm *m.* -(e)s.

성가시다 belästigend 〔beschwerlich; lästig〕 (sein).

성감(性感) Sexualgefühl *n.* -(e)s, -e. ‖ ~대(帶) erogene Zone, -n.

성격(性格) Charakter *m.* -s, -e; Wesen *n.* -s, -. ¶ ~상의 결점 Charakterfehler *m.* -s, -. ‖ ~ 묘사 Charakteristik *f.* -en / ~ 배우 Charakterspieler *m.* -s, -.

성결(性—) Charakter *m.* -s, -e; Sinnesart *f.* -en.

성경(聖經) =성서.

성공(成功) Erfolg *m.* -(e)s, -e; Glück *n.* -(e)s. ~하다 Erfolg haben 《*mit*³》; *jm.* gelingen* 〔事物이 主語〕; 《입신》 sein Glück machen. ‖ ~자 der erfolgsreicher Mann, -(e)s, ⸚er.

성공회(聖公會) Episkopalkirche *f.* -n.

성과(成果) Frucht *f.* ⸚e; Resultat *n.* -(e)s, -e; Ergebnis *n.* ..sses, ..sse; Leistung *f.* -en. ¶ ~가 있다 erfolgreich sein.

성곽(城郭) =성(城).

성교(性交) Geschlechtsakt *m.* -(e)s, -e; Koitus *m.* -, -. ‖ ~ 불능 Impotenz *f.* -en.

성구(成句) Redensart 〔Redewendung〕 *f.* -en.

성군(星群) 〖天〗 Sternhaufen *m.* -s, -.

성극(聖劇) das heilige Drama, -s, ..men; Oratorium *n.* -s, ..rien.

성금(誠金) Geldbeitrag *m.* -(e)s, ⸚e; Spende *f.* -n; Schenkung *f.* -en.

성급(性急) ~하다 hastig 〔ungeduldig; reizbar; hitzig; voreilig〕 (sein).

성기(性器) Geschlechtsorgan *n.* -s, -e.

성기다 dünn 〔spärlich; zerstreut〕 (sein).

성나다 ⁴sich auf|regen; erbittert 〔erregt〕 werden. ¶ 성난 ärgerlich; zornig; wutentbrannt.

성냥 Streichholz 〔Zündholz〕 *n.* -(e)s, ⸚er. ‖ ~갑 Streichholzschachtel *f.* -n / ~불 Streichholzfeuer *n.* -s, -.

성녀(聖女) 〖가톨릭〗 die Heilige*, -n, -n.

성년(成年) Mündigkeit *f.*; Voll〔Groß〕-jährigkeit〕 *f.* ¶ ~에 달하다 mündig 〔volljährlich〕 werden. ‖ ~식 Mündigkeitsfeier *f.* -n.

성능(性能) (Leistungs)fähigkeit *f.* -en. ¶ ~이 좋은 leistungsfähig. ‖ ~ 검사 Leistungsprüfung *f.* -en.

성단(星團) Sternhaufen *m.* -s, -.

성단(聖壇) Altar *m.* -(e)s, ⸚e.

성당(聖堂) (katholische) Kirche, -n; Gotteshaus *n.* -es, ⸚er.

성대 〖魚〗 Knurrhahn *m.* -(e)s, ⸚e.

성대(盛大) ~하다 großartig 〔stattlich; feierlich〕 (sein).

성대(聲帶) Stimmband *n.* -(e)s, ⸚er.

성도(成道) 〖佛〗 das Erreichen* des Buddhatums.

성도(聖徒) der Heilige*, -n, -n; Apostel *m.* -s, - 《사도》.

성도(聖都) die Heilige Stadt, ⸚; Jerusalem, -s.

성량(聲量) der Umfang der Stimme. ¶ ~이 풍부하다 eine umfangreiche Stimme haben.

성령(聖靈) der Heilige Geist, -(e)s, -er.

성례(成禮) Abschluß der Hochzeits·feier 〔-zeremonie〕. ~하다 Hochzeits·feier 〔-zeremonie〕 ab|schließen*.

성루(城壘) (Festungs)wall *m.* -(e)s, ⸚e.

성립(成立) Entstehung *f.* -en; das Zustandekommen*, -s. ~하다 entstehen*; zustande kommen*.

성마르다(性—) reizbar 〔ärgerlich; cholerisch; erregbar〕 (sein).

성망(聲望) Ansehen *n.* -s, -. ¶~이 있는 im Ruf stehen*.
성명(姓名) Name *m.* -ns, -n; Familienname u. Vorname; Vor- u. Zuname.
성명(聲明) Erklärung 〔Kundgebung; Proklamation〕 *f.* -en. ~하다 erklären[4]; kund|geben*[4]; proklamieren[4]. ‖ ~서 Manifest *n.* -es, -e / 공동 ~ die gemeinsame Erklärung, -en.
성모(聖母) die (heilige) Mutter Gottes; Gottesmutter *f.* ‖ ~ 마리아 die Heilige Jungfrau Maria / ~상 das Muttergottesbild.
성묘(省墓) ~하다 ein Grab besuchen.
성문(成文) das schriftliche Abfassen*, -s. ‖ ~법 das positive 〔geschriebene〕 Recht, -(e)s, -e.
성문(城門) Schloßtor *n.* -(e)s, -e; Burgtor *n.*
성문(聲紋) sonores Zeitfrequenzspektrogramm, -(e)s, -e.
성미(性味) Natur *f.* -en; Charakter *m.* -s, -e. ¶~가 급하다 jähzornig sein.
성벽(性癖) Hang *m.* -(e)s 《*zu*[3]》; Neigung *f.* -en 《*zu*[3]》. ¶타고난 ~ der angeborene Hang.
성벽(城壁) Burgmauer *f.* -n. ¶~을 쌓다 e-e Burg mit Mauern um|ziehen*[4].
성별(性別) Geschlechtsunterschied *m.* -(e)s, -e.
성병(性病) Geschlechtskrankheit *f.* -en. ‖ ~ 환자 der Venus〔Geschlechts〕-kranke*, -n, -n.
성부(聖父) 〖聖〗 Gott der Vater.
성분(成分) Bestandteil *m.* -(e)s, -e; Element *n.* -(e)s, -e.
성불(成佛) ~하다 [1]Buddha werden.
성사(成事) das Abschließen*, -s. ¶~시키다 ab|schließen*[4].
성산(成算) die Aussicht auf [4]Erfolg. ¶충분한 ~이 있다 e-e gute Aussicht auf Erfolg haben.
성상(星霜) die Jahre (*pl.*); Zeit *f.* -en.
성서(聖書) Bibel *f.* -n; die (Heilige) Schrift *f.* -en. ‖ 신약〔구약〕 ~ das Neue 〔Alte〕 Testament, -(e)s, -e.
성선설(性善說) 〖倫〗 die Ansicht, daß alle Menschen von Natur gut sind.
성성이(猩猩—) 〖動〗 Orang-Utan *m.* -s, -s.
성성하다(星星—) grau〔grauhaarig; graumeliert〕(sein). ¶백발이 성성한 mit bereiften Locken; mit graumelierten Schläfen.
성세(盛世) gute Tage (*pl.*); das goldene Zeitalter, -s, -.
성쇠(盛衰) Aufstieg u. Niedergang; die Wechselfälle (*pl.*).
성수(聖水) 〖가톨릭〗 Weihwasser *n.* -s, -.
성수기(盛需期) der Höhepunkt der Nachfrage.
성숙(成熟) Reife *f.* ~하다 reifen; heran|reifen 《*zu*[3]》. ¶~한 reif; ausgereift.
성스럽다(聖—) heilig 〔göttlich〕(sein).
성시(成市) ¶문전 ~를 이루다 viel Besucher haben.
성시(盛時) Blütezeit *f.* -en; goldene Zeiten (*pl.*); die beste Zeit 《*für*[4]》.
성신(聖神) der Heilige Geist, -es. ‖ ~강림 대축일 Pfingsten *n.* -s, - 〔*f.*〕.
성실(誠實) Aufrichtigkeit 〔Ehrlichkeit; Treue〕 *f.* ~하다 rechtschaffen 〔redlich; gewissenhaft; ehrlich; treu〕 (sein).
성심(誠心) Redlichkeit *f.* ¶~껏 redlich; aufrichtig.
성싶다 scheinen*; den Anschein haben. ¶비가 올 ~ Es scheint zu regnen.
성씨(姓氏) Ihr werter Familienname, -ns, -n; Zuname *m.*
성악(聲樂) Vokalmusik *f.*; Gesang *m.* -(e)s, ⸚e. ‖ ~가 Sänger *m.* -s, -; Sängerin *f.* -nen 《여자》.
성악설(性惡說) 〖倫〗 die moralische Ansicht, daß alle Menschen von Natur böse sind.
성안(成案) der feste Plan, -(e)s, ⸚e; das feste Programm, -(e)s, -e. ~하다 feste Pläne machen.
성애(性愛) geschlechtliche 〔sexuelle〕 Liebe *f.*
성야(星夜) Sternennacht *f.* ⸚e.
성어(成語) Redensart *f.* -en; die idiomatische Wendung, -en; Idiom *n.* -s, -e.
성에 Frost *m.* -(e)s, ⸚e.
성역(聖域) heiliger Bezirk, -(e)s, -e.
성연(盛宴) die prächtige Festlichkeit, -en 〔Feier, -n〕; die große Veranstaltung, -en.
성왕(聖王) der weise König, -(e)s, -e.
성욕(性慾) Geschlechtstrieb *m.* -(e)s, -e. ‖ 변태 ~ abnormale Sexualität, -en.
성우(聲優) Berufssprecher *m.* -s, -.
성운(星雲) 〖天〗 Nebelfleck *m.* -(e)s, -e; Nebel *m.* -s, -.
성운(盛運) Gedeihen *n.* -s; der gute Stand, -(e)s.
성원(成員) Mitglied *n.* -(e)s, -er. ¶~을 이루다 beschlußfähig sein.
성원(聲援) Ermutigung 〔Ermunterung; Anfeuerung〕 *f.* -en. ~하다 an|feuern[4]; an|treiben*[4] 《*zu*[3]》; unterstützen[4].
성유(聖油) 〖가톨릭〗 Chrisam 〔Chrisma〕 *n.* -s.
성은(聖恩) 《신의》 die göttliche Gnade, -n; 《왕의》 die kaiserliche Gnade.
성음(聲音) Ton *m.* -(e)s, ⸚e; Stimme *f.* -n.
성의(誠意) Aufrichtigkeit 〔Redlichkeit; Treue〕 *f.* ¶~ 있는 aufrichtig; redlich; treu.
성인(成人) der Erwachsene*, -n, -n. ‖ ~ 교육 Fortbildung *f.* -en.
성인(聖人) der Heilige*〔Weise*; Fromme*〕 -n, -n.
성자(聖者) der Heilige*, -n, -n.
성작(聖爵) 〖가톨릭〗 Abendmahlskelch *m.* -(e)s, -e.
성장(成長) Wachstum *n.* -(e)s; das Gedeihen*, -s. ~하다 (auf|)wachsen*; größer werden; heran|wachsen* 《*zu*[3]》. ‖ ~기 Wachstumsphase *f.* -n.
성장(盛裝) die beste〔prächtige; prunkhafte; prunkvolle〕 Kleidung; Prachtkleid *n.* -(e)s, -er. ~하다 die beste Kleidung an|haben*; s-n Staat an|haben* 〔an|ziehen*〕; das schönste Kleid an|legen.
성적(成績) 《학교의》 Zensur *f.* -en; 《업적》 Leistung *f.* -en; 《결과》 Ergebnis *n.* -ses, -se; Resultat *n.* -(e)s, -e.

¶～이 좋다〔나쁘다〕 e-e gute 〔schlechte〕 Zensur haben; e-e gute 〔schlechte〕 Leistungen auf|weisen; gutes 〔schlechtes〕 Resultat zeigen. ‖～표 Zensurliste *f*. -n.

성적(性的) geschlechtlich; sexual. ‖～매력 Sex-Appeal *m*. -s.

성전(聖典) die Heilige Schrift, -en; das heilige Buch, -(e)s, ⸚er.

성전(聖殿) Sanktuarium *n*. -s, ..rien.

성전(聖戰) der heilige Krieg, -(e)s, -e.

성정(性情) Sinnesart *f*.; Beschaffenheit 〔Natur〕 *f*. -en.

성조기(星條旗) Sternenbanner *n*. -s, -.

성좌(星座) =별자리.

성주(城主) Schloß〔Burg〕herr *m*. -n, -en.

성지(城址) =성터.

성지(聖地) der heilige Ort, -(e)s, -e. ‖～순례 Wallfahrt *f*. -en.

성직(聖職) der geistliche Stand, -(e)s; Geistlichkeit *f*. ‖～자 der Geistliche*, -n, -n.

성질(性質) 《천성》 Natur *f*. -en; 《본성》 Wesen *n*. -s, -; 《고유성》 Eigenschaft 〔Beschaffenheit〕 *f*. -en; 《성격》 Charakter *m*. -s, -e.

성찬(盛饌) die gute Bewirtung, -en.

성찬(聖餐) Sakrament *n*. -(e)s, -e. ‖～의 전례 〔가톨릭〕 Kommunion *f*. -en.

성찰(省察) Selbstbetrachtung *f*. -en. ～하다 ⁴sich innerlich prüfen.

성채(城砦) Festung 〔Bestigung〕 *f*. -en.

성체(聖體) 《왕의》 die Person 〔der Körper; das Wesen〕 des Königs; 〔가톨릭〕 der heilige Körper.

성총(聖寵) 《왕의》 die kaiserliche Gnade, -n; 〔가톨릭〕 Gottes Gnade.

성충(成蟲) Imago *f*. ..gines.

성취(成娶) ～하다 e-e Frau heiraten; ⁴sich verheiraten.

성취(成就) Vollziehung 〔Ausführung; Erlangung; Realisierung〕 *f*. -en. ～하다 vollbringen*⁴; vollziehen*⁴; aus|führen⁴; erlangen⁴; erfüllen⁴.

성층(成層) Schichtung *f*. -en. ‖～권 Stratosphäre *f*.

성큼 mit Riesenschritten; rasch; behende; flink; flott; schnellfüßig.

성탄(聖誕) die Geburt e-s Heiligen. ‖～절 〔基〕 Weihnachten *n*. -s.

성터(城―) Burg〔Schloß〕ruine *f*. -n; die zerfallene Burg, -en.

성토(聲討) ～하다 tadeln; kritisieren. ‖～대회 Protestversammlung *f*. -en.

성패(成敗) Erfolg u. Mißerfolg; Ergebnis *n*. -ses.

성품(性品) Natur *f*. -en; Naturanlage 〔Charakteranlage〕 *f*. -n.

성하(盛夏) Hochsommer *m*. -s, -.

성하다 ① 《온전하다》 unversehrt 〔gut〕 (sein). ② 《탈없다》 gesund (sein).

성하다(盛―) üppig 〔dicht〕 werden; 《사회·국가 따위가》 gedeihen*.

성함(姓銜) Ihr werter Name, -ns , -n.

성행(盛行) ～하다 im Schwung sein.

성행위(性行爲) Geschlechtsakt *m*. -(e)s, -e.

성향(性向) Gemütsart *f*. -en, ‖소비～ Verbrauchsanlage *f*. -n.

성현(聖賢) Weisen (*pl*.).

성혈(聖血) das heilige Blut Christi.

성형외과(成形外科) die plastische Chirurgie; Orthopädie *f*. -n.

성호르몬(性―) Sexualhormon *n*. -s, -e.

성혼(成婚) Verehelichung〔Verheiratung〕 *f*. -en.

성홍열(猩紅熱) 〔醫〕 Scharlachfieber *n*. -s; Scharlach *m*. -(e)s.

성화(成火) Reizung 〔Entzündung〕 *f*. -en; Ärger *m*. -s. ¶～가 나다 ⁴sich ärgern; aufgeregt sein.

성화(聖火) das heilige Feuer, -s, -; 《올림픽의》 das olympische Feuer.

성화(聖化) Heiligung *f*. -en; Weihe *f*. -n. ～하다 heiligen; weihen.

성화같다(星火―) drängend 〔dringend〕 (sein). ¶성화같이 재촉하다 drängend mahnen⁴ 《*um*⁴; *wegen*²》.

성황(盛況) das Gedeihen*, -s; Lebhaftigkeit *f*. -en; Schwung *m*. -(e)s, -e.

성히 unversehrt; unverletzt. ☞ 성하다.

섶 《옷의》 Zwickel *m*. -s, -; Lasche *f*. -n.

세(貰) Miete *f*. -n; Mietzins *m*. -es, -en 〔-e〕; 《집세》 Hausmiete.

세(稅) Steuer 〔Abgabe〕 *f*. -n.

세가(勢家) die einflußreiche Familie, -n.

세간 Hausgerät *n*. -(e)s, -e; Möbel *n*. -s, -. ¶～나다 ³sich e-n eigenen Herd 〔Haushalt〕 gründen.

세계(世界) Welt *f*.; Erde *f*. -n; Kosmos *m*. - 《우주》. ¶～적인 universal; international / ～적으로 유명한 weltberühmt. ‖～관 die Weltanschauung *f*. -en / ～기록 Weltrekord *m*. -(e)s, -e / ～대전 Weltkrieg *m*. -(e)s, -e / ～일주 여행 Weltreise *f*. -n / ～지도 Weltkarte *f*. -n.

세계(歲計) Jahresrechnung *f*. -en; Budget [bydʒé] *n*. -s, -s.

세공(細工) Arbeit *f*. -n; Werk *n*. -(e)s, -e; Handwerk.

세관(稅關) Zollamt *n*. -(e)s, ⸚er; Zoll *m*. -(e)s, ⸚e. ‖～검사 Zollkontrolle *f*. -n / ～원(員) der Zollbeamte*, -n, -n.

세균(細菌) Bazillus *m*. -, ..zillen; Bakterie *f*. -n; Keim *m*. -(e)s, -e. ‖～성 질환 Bakteriose *f*. -n / ～전 Bakterienkrig *m*. -(e)s, -e / ～학 Bakteriologie *f*.

세금(稅金) Steuer *f*. -n; Zoll *m*. -(e)s, ⸚e 《관세》.

세기(世紀) Jahrhundert *n*. -(e), -e. ‖～말 Jahrhundertende *n*. -s, -n / 20～ das 20. 〔zwanzigste〕 Jahrhundert.

세내다(貰―) mieten⁴; chartern⁴. ¶택시를 ～ Taxi mieten.

세놓다(貰―) verleihen*; (aus|)leihen*.

세뇌(洗腦) Gehirnwäsche *f*.

세다¹ 《머리털》 ergrauen; grau werden.

세다² 《계산》 zählen; rechnen.

세다³ stark 〔kräftig; kraftvoll; mächtig; gewaltig〕 (sein). ¶센 바람 der heftige Wind / 오늘은 물결이 ～ Heute gehen die Wellen hoch.

세단 《자동차》 Limousine *f*. -n.

세대(世代) Generation *f*. -en. ¶젊은～ die junge Generation.

세대(世帶) =가구(家口).

세도(勢道) Macht *f.* ⸗e; Gewalt *f.* –en. ‖ ~가 der Mann von Einfluß.

세레나데 Ständchen *n.* –s, –; Serenade *f.* –n.

세력(勢力) Einfluß *m.* ..sses, ..flüsse; Macht *f.* ⸗e; 《물리적》 Energie *f.* –n. ¶ ~ 있는 einflußreich; mächtig. ‖ ~가 der Mann von Einfluß; der Mächtige*, –n, –n / ~권(圈) Einflußsphäre *f.* –n; Machtbereich *m.* 〔*n.*〕 –(e)s, –e.

세련(洗鍊) ~되다 fein 〔verfeinert; delikat〕 (sein).

세례(洗禮) Taufe *f.* –n; Baptismus *m.* –. ¶ ~를 받다 die Taufe empfangen*. ‖ ~명 Taufname *m.* –ns, –n / 폭탄 ~ Bombenhagel *m.* –s.

세로(길이) Länge *f.* –n; 〖副詞〗 der Länge nach. ¶ ~가 3미터이다 drei Meter lang sein.

세론(世論) =여론(輿論).

세류(細流) Bächlein *n.* –s, –; Bach *m.* –(e)s, ⸗e.

세리(稅吏) der Steuerbeamte*, –n, –n.

세마치 Schmiedehammer *m.* –s, ⸗.

세마포(細麻布) das feine Leinen, –s, –.

세말(歲末) =세모(歲暮).

세면(洗面) ‖ ~기 Waschbecken *n.* –s, – / ~대 Waschtisch *m.* –es, –e.

세모 Dreieck *n.* –(e)s, –e. ‖ ~꼴 Dreieck / ~뿔 〖數〗 die dreieckige Pyramide, –n.

세모(歲暮) Jahresende *n.* –s, –n. ¶ ~에 am Jahresende.

세모래(細—) der feinkörnige Sand, –(e)s, –e.

세모시(細—) das feine Gewebe von Chinanesseln 〔Ramien〕 (*pl.*).

세목(細目) Einzelheit *f.* –en.

세목(稅目) Steuerposten *m.* –s, –.

세무사(稅務士) Steuerberater *m.* –s, –.

세무서(稅務署) Steueramt *n.* –(e)s, ⸗er.

세물(貰物) der Gegenstand zum Mieten. ‖ ~전 Verleih *m.* –(e)s, –e.

세미나 Seminar *n.* –s, –e〔..rien〕.

세미다큐멘터리 〖映〗 der halbdokumentarische Film, –(e)s, –e.

세미콜론 Strichpunkt *m.* –(e)s, –e; Semikolon *n.* –s, –s 〔..la〕.

세밀(細密) ~하다 genau 〔ausführlich; eingehend; detailliert; umständlich〕 (sein).

세밑(歲—) =세모(歲暮).

세발(洗髮) das Haarwaschen*, –s.

세방(貰房) ☞셋방.

세배(歲拜) Neujahrsbegrüßung *f.* –en. ‖ 세뱃돈 Neujahrsgeschenk *n.* –(e)s, –e.

세버들(細—) Trauer〔Hänge〕weide *f.* –n.

세번 dreimal. ¶ ~째 das dritte Mal, –(e)s.

세법(稅法) Steuergesetz *n.* –es, –e.

세부(細部) Detail *n.* –s, –s.

세부득이(勢不得已) ~하다 unvermeidlich (sein).

세분(細分) ~하다 unter|teilen[4]; klein|verteilen[4].

세비(歲費) jährliche Ausgaben (*pl.*); 《의원의》 Jahresdiäten (*pl.*).

세사(世事) die irdischen Dinge (*pl.*); Welt *f.* ¶ ~에 밝다 weltklug sein.

세상(世上) Welt *f.*; Publikum *n.* –s; Öffentlichkeit *f.* Leben *n.* –s; Leute (*pl.*). ¶ ~에 나오다 in die Welt kommen*.

세상(世相) =세태(世態).

세상사(世上事) weltlichen Angelegenheiten (*pl.*); Welt *f.* ¶ ~에 밝은 〔어두운〕 welterfahren 〔weltfremd〕.

세상없어도(世上—) unter allen Umständen; auf alle Fälle.

세세히(細細—) bis in die kleinsten Einzelheiten.

세속(世俗) die Welt; das irdische Leben, –s. ~적 weltlich; irdisch; profan.

세수(洗手) ~하다 [3]sich das Gesicht waschen*. ‖ 세숫대야 Wasch·becken *n.* –s, – 〔–schüssel *f.* –n〕.

세수(稅收) Steueraufkommen *n.* –s; Steuer〔Zoll〕einnahmen (*pl.*).

세습(世襲) Erbschaft *f.* –en; Erblichkeit *f.* ~적 erblich; Erb–.

세심(細心) ~하다 sorgfältig 〔sorgsam; genau〕 (sein).

세쌍둥이(—雙—) die Drillinge (*pl.*).

세안(洗眼) ~하다 die Augen spülen. ‖ ~약 Augenspülmittel *n.* –s, –.

세안(歲—) ~에 innerhalb dieses Jahres.

세액(稅額) Steuerbetrag *m.* –(e)s, ⸗e. ‖ ~을 정하다 besteuern[4]; zur Steuer ein|schätzen[4].

세우(細雨) feiner Regen, –s; Sprühregen *m.* –s.

세우다 ① 《서게 함》 auf|richten[4]; (auf|-)stellen[4]. ¶ 기둥을 ~ e-n Pfahl auf|richten. ② 《건립·설립》 errichten[4]; (er)bauen[4]; gründen[4]; stiften[4]; ¶ 학교를 ~ ein Schule stiften / 동상을 ~ e-e Statue errichten. ③ 《정지》 an|halten*[4]; zum Stillstand bringen*. ¶ 말을 ~ ein Pferd an|halten*. ④ 《계획을》 entwerfen*[4]. ¶ 목표를 ~ [3]sich ein Ziel (vor|-)stecken. ⑤ 《날을》 schärfen[4]; wetzen[4]. ¶ 칼날을 ~ ein Messer schärfen.

세원(稅源) Steuerquelle *f.* –n.

세월(歲月) 《시일》 Zeit *f.*; Jahre (*pl.*); 《시세·경기》 Geschäft *n.* –(e)s, –e; Zeiten (*pl.*); Lage *f.* –n.

세율(稅率) Steuersatz *m.* –(e)s, ⸗e; Zollsatz. ¶ ~을 정하다 den Tarif fest|setzen.

세인(世人) Publikum *n.* –s; Allgemeinheit *f.*

세일러복(—服) Matrosenanzug *m.* –(e)s, ⸗e.

세일즈맨 Verkäufer *m.* –s, –.

세입(稅入) Steueraufkommen *n.* –s.

세입(歲入) jährliche Einnahmen (*pl.*).

세자(世子) Kronprinz *m.* –en, –en. ‖ ~비(妃) Kronprinzessin *f.* –nen.

세자(細字) Kleinbuchstabe *m.* –n, –n; die kleine Type, –n 《활자의》.

세전(歲前) vor dem Neujahr.

세정(世情) die Verhältnisse 〔das Geschehen*; der Lauf〕 der Welt.

세정(稅政) Steuerpolitik *f.* –en; Steuerwesen *n.* –s, –.

세제(洗劑) Reinigungs〔Wasch〕mittel *n.* –s, –.

세제(稅制) Steuerwesen *n.* –s, –.

세제곱 〖數〗 die dritte Potenz, –en.

세존(世尊) 〖佛〗 Buddha *m.*

세주다(貰—) verleihen*; leihen*; vermieten.

세차(洗車) Wagen〔Auto〕wäsche *f.* ~하다 s-n Wagen 〔sein Auto〕 waschen*. ‖ ~장 Wagenwäscherei *f.* –en.

세차(歲差) 〖天〗 Präzission *f.* –en.

세차다 stark 〔kräftig〕 (sein). ¶ 세찬 비 der heftige Regen.

세찬(歲饌) ⟪음식⟫ die Speise für die Gäste zum neuen Jahr; ⟪선물⟫ Geschenke zum Jahresende.
세책(貰冊) das auszuleihende Buch, -(e)s, ¨er. ‖ ~집 Leihbibliothek [Leihbücherei] *f.* -en.
세척(洗滌) Spülung *f.* -en; Ausspritzen *n.* -s. ~하다 ⟪눈 따위를⟫ spülen⁴; aus|spritzen⁴. ¶위를 ~ den Magen aus|pumpen.
세초(歲初) Jahresanfang *m.* -(e)s, ¨e.
세출(歲出) Jahresausgaben (*pl.*); jährliche Ausgaben (*pl.*).
세칙(細則) nähere Bestimmungen (*pl.*). ‖ 시행 ~ Ausführungs·bestimmungen [-gesetze; -verordnungen] (*pl.*).
세칭(世稱) sogenannt; wie man zu sagen pflegt.
세탁(洗濯) das Waschen*, -s; Wäsche *f.* ~하다 waschen*⁴. ‖ ~ 비누 Waschseife *f.* -n / ~소 Wäscherei *f.* -en.
세태(世態) der soziale Zustand, -(e)s, ¨e; der Zustand der Welt.
세톱(細—) die klein gezahnte Säge, -n.
세트 ⟪한벌⟫ Satz *m.* -es, ¨e; ⟪라디오의⟫ Gerät *n.* -(e)s, -e. ‖ 가구 ~ e-e Garnitur Möbel.
세파(世波) das Auf u. Ab; die Wechselfälle (*pl.*) des Lebens.
세퍼리츠 ⟪여성복⟫ zweiteiliges Kleid, -(e)s, -er.
세평(世評) Leumund *m.* -(e)s; Ruf *m.* -(e)s, -e; die öffentliche Meinung, -en.
세포(細布) die feine Hanfleinwand.
세포(細胞) 〖生〗 Zelle *f.* -n. -n. ‖ ~막 Zellmembran *f.* -en / ~ 분열 Zellteilung *f.* -en / 조직 ~ Zellgewebe *n.* -s.
세피리(細—) 〖樂〗 e-e Art von schmaler Flöte.
섹션 Teil [Abschnitt] *m.* -(e)s, -e; Sektion *f.* -en.
섹스 Geschlecht *n.* -(e)s, -er. ‖ ~어필 Sex-Appeal *m.* -s; die erotische Anziehungskraft.
섹트 =분파(分派).
센말 〖言〗 Emphase *f.* -n; das nachdrückliche Wort, -(e)s, ¨er.
센머리 Graukopf [Weißkopf] *m.* -(e)s, ¨e; das weiße [graue] Haar, -(e)s, -e. ¶~가 나다 graue Haar bekommen*.
센세이션 Aufsehen *n.* -s; Sensation *f.* -en. ¶~을 일으키다 Aufsehen [Sensation] machen [erregen].
센스 Gefühl *n.* -(e)s, -e; Sinn *m.* -(e)s, -e; Verstand *m.* -(e)s.
센터 ⟪중심지⟫ Zentrum *n.* -s, ..tren; Mittelpunkt *m.* -(e)s, -e; 〖蹴〗 Mittelstürmer *m.* -s, - ⟪센터 포드⟫; Mittelläufer *m.* -s, - ⟪센터 하프⟫.
센티미터 Zentimeter *n.* [*m.*] -s, -.
센티멘털 sentimental; empfindsam.
센티멘털리즘 Sentimentalität *f.* -en.
셀로판 Zellophan *n.* -s. ‖ ~지 Zellophanpapier *n.* -s, -e.
셀룰로오스 〖化〗 Zellulose *f.*
셀룰로이드 〖化〗 Zelluloid *n.* -(e)s.
셀프서비스 Selbstbedienung *f.* -en.
셀프타이머 Selbstauslöser *m.* -s, -.
셈 ① ⟪계산⟫ Rechnung [Berechnung; Kalkulation] *f.* -en. ¶셈이 빠르다[느리다] schnell [langsam] rechnen. ② ⟪지급⟫ Bezahlung [Zahlung; Entrichtung] *f.* -en. ¶셈을 거절하다 die Zahlung verweigern. ③ ⟪분별⟫ Verstand *m.* -(e)s; Verständnis *n.* -ses, -se; Vernunft *f.* ¶셈이 없다 Er ist vernunftlos. ④ =속셈.
셈나다, 셈들다 in das Alter des Verstehenkönnens kommen*.
셈본 Arithmetik *f.*; Zahlenlehre *f.*
셈속 ⟪속뜻⟫ ¶그의 ~을 모르겠다 Ich weiß nicht, was er denkt.
셈판 Absicht [Einsicht] *f.* -en; Gedanke *m.* -ns, -n; Motiv *n.* -s, -e. ¶무슨 ~인지 모르겠다 Ich kann sein Motiv gar nicht verstehen.
셈평펴이다 wohlhabender werden; wohlhabend leben; in guten ³Verhältnissen leben. ¶셈평 펴일 날이 없다 es nicht weit bringen können*.
셈하다 ① ⟪계산⟫ rechnen⁽⁴⁾; zählen⁴. ② ⟪지급⟫ bezahlen⁴; entrichten⁴.
셋 drei.
셋돈(貰—) Mietzins *m.* -es, -en; Miete *f.* -n.
셋방(貰房) Mietzimmer *n.* -s, -. ¶~ 들다 ein Zimmer mieten / ~ 있음⟪광고⟫ Ein Zimmer zu vermieten!
셋집(貰—) Miethaus *n.* -es, ¨er; Mietwohnung *f.* -en.
셋째 der [die; das] dritte.
셔츠 Hemd *n.* -(e)s, -en. ‖ 와이~ Oberhemd.
셔터 Verschluß *m.* ..lusses, ..lüsse ⟪사진기의⟫; Rolladen *m.* -s, ¨ ⟪문의⟫.
셰이커 ⟪칵테일용의⟫ Mischbecher *m.* -s, -.
셰퍼드 Schäferhund *m.* -(e)s, -e.
소¹ Rind *n.* -(e)s, -er; ⟪황소⟫ Stier *m.* -(e)s, -e; Ochs *m.* -en, -en ⟪거세한⟫; ⟪암소⟫ Kuh *f.* ¨e; ⟪송아지⟫ Kalb *n.* -(e)s, ¨er.
소² ⟪떡의⟫ Füllung *f.* -en; Mus *n.* -es, -e. ¶소를 넣다 mit Bohnenmus füllen⁴ [stopfen⁴].
소(訴) Prozeß *m.* ..sses, ..sse; Rechtsstreit *m.* -(e)s, -e. ¶~를 제기하다 e-n Prozeß an|strengen ⟪*gegen*⁴⟫; e-n Prozeß führen ⟪*mit*³; *um*⁴⟫.
소가족(小家族) die kleine Familie, -n. ‖ ~ 제도 Kleinfamiliensystem *n.* -s, -e.
소각(燒却) Verbrennung [Einäscherung] *f.* -en. ~하다 verbrennen*⁴; ein|äschern⁴.
소갈머리 Mentalität [Gesinnung] *f.* -en. ¶~가 없다 dumm [töricht] sein.
소감(所感) Eindruck *m.* -(e)s, ¨e; Meinung *f.* -en.
소강(小康) (Ruhe)pause *f.* -n; das Nachlassen*, -s. ¶~ 상태이다 ein wenig besser werden.
소개(紹介) Vorstellung *f.* -en; ⟪추천⟫ Empfehlung *f.* -en. ~하다 vor|stellen³⁴; *jm. jn.* [⁴*et.*] empfehlen; ein|führen⁴ ⟪*bei*³⟫. ‖ ~장 Empfehlungsbrief *m.* -(e)s, -e.
소개(疏開) Aus[Um]siedlung *f.* -en; Evakuierung *f.* -en. ~하다 ⁴sich aus[um]|siedeln. ¶~시키다 aus[um]|siedeln⁴. ‖ ~지 Aussiedlungsort *m.* [*n.*] -(e)s, -e.
소거(消去) ~하다 aus|scheiden*⁴; 〖數〗

eliminieren[4]. ‖ ~법 Eliminationsverfahren *n.* -s.
소걸음 Schneckentempo *n.* -s, -s[..pi].
소견(所見) Beobachtung *f.* -en; 《의견》 Meinung 〔Ansicht〕 *f.* -en.
소경 der Blinde*, -n, -n.
소계(小計) Einzelsumme *f.* -n.
소곡(小曲) Liedchen *n.* -s, -; das kleine Lied, -(e)s, -er; Singsang *m.* -(e)s.
소곤거리다 flüstern[3·4]; leise sprechen*.
소곳하다 nieder|blicken; (die Augen) nieder|schlagen*; (den Kopf) hängen lassen*.
소관(所管) Zuständigkeit *f.* -en; Ressort *n.* -s, -s; Dienst *m.* -(e)s, -e. ‖ ~ 사항 Ressort *n.* -s, -s; Geschäftsbereich *m.* -(e)s, -e.
소구 《악기》 Handtrommel *f.* -n. ‖ ~잡이 Trommler *m.* -s, -; Handtrommelspieler〕 *m.* -s, -.
소국(小國) ein kleines Land, -(e)s, ⸚er; Kleinstaat *m.* -(e)s, -en.
소굴(巢窟) Höhle *f.* -n; Nest *n.* -es, -er; Schlupfwinkel *m.* -s, -; 《범죄 따위의》 Brutstätte *f.* -n.
소규모(小規模) der kleine Maßstab, -(e)s.
소극(消極) ~적 negativ; passiv; 《보수적》 konservativ.
소극장(小劇場) das kleine Theater, -s.
소금 Salz *n.* -es, -e. ¶ ~에 절이다 in(s) Salz legen[4]. ‖ ~기 Salzigkeit *f.* -en.
소금쟁이 〖蟲〗 Wasserläufer *m.* -s, -.
소급(遡及) ~하다 zurück|wirken《*auf*[4]》.
소꿉장난, 소꿉질 Haushaltspiel *n.* -(e)s, -e. ~하다 das Haushalten* spielen.
소나기 Schauer 〔Platzregen〕 *m.* -s, -. ‖ ~ 구름 Gewitterwokle *f.* -n.
소나무 Kiefer *f.* -n.
소나타 〖樂〗 Sonate *f.* -n.
소네트 Sonett *n.* -(e)s, -e.
소녀(少女) Mädchen 〔Mädel〕 *n.* -s, -. ‖ ~ 시절 Mädchenzeit *f.*
소년(少年) Knabe *m.* -n, -n; Junge *m.* -n, -n. ‖ ~단 Jugendbund *m.* -(e)s, ⸚e / ~ 범죄 das jugendliche Verbrechen, -s, - / ~원 Jugendgefängnis *n.* -ses, -se / 빈 ~ 합창단 Wiener Sängerknaben.
소농(小農) Kleinbauer *m.* -n 〔-s〕, -n.
소뇌(小腦) 〖解〗 Kleinhirn *n.* -(e)s, -e.
소다 Soda *f.* 〔*n.*〕 -s. ‖ ~수 Sodawasser *n.* -s.
소달구지 Ochsenkarren *m.* -s, -.
소담스럽다 saftig 〔wohl schmeckend〕 aus|sehen*; köstlich (sein).
소대(小隊) 〖軍〗 Zug *m.* -(e)s, ⸚e. ‖ ~장 Zugführer *m.* -s, -.
소댕 (e-e Art) dicker Kochtopfdeckel, -s, -.
소도구(小道具) 〖劇〗 =소품.
소도시(小都市) Kleinstadt *f.* ⸚e.
소독(消毒) Desinfektion〔Sterilisation〕*f.* -en. ~하다 desinfizieren[4]; sterilisieren[4]; keimfrei machen[4]. ‖ ~기 Sterilisierapparat *m.* -(e)s, -e / ~약 Desinfektionsmittel *n.* -s, - / ~저 das spaltbare Eßstäbchen, -s, - / 일광 ~ die Desinfektion durch Sonnenlicht.
소동(騷動) Lärm *m.* -(e)s; Tumult *m.* -(e)s, -e; 《폭동》 Aufruhr *m.* -(e)s, -e; Unruhen (*pl.*). ¶ ~을 일으키다 Aufruhr 〔Unruhen〕 erregen.
소두(小斗) halbes *Mal.*
소듐 〖化〗 Natrium *n.* -s 《기호: Na》.
소득(所得) Einkommen *n.* -s, -; Einkünfte (*pl.*). ¶ 세무서에 ~을 신고하다 der [3]Steuerbehörde sein Einkommen erklären. ‖ ~세 Einkommensteuer *f.* -n / 국민 ~ Volkseinkommen *n.* -s, - / 근로 ~ Arbeitseinkommen / 불로 ~ das mühelose Einkommen.
소등(消燈) das Auslöschen*, -s; das Ausmachen*, -s (des Lichtes). ~하다 Licht aus|löschen 〔aus|machen〕. ‖ ~나팔 Licht-aus-Signal *n.* -s, -e.
소라 〖貝〗 Kreiselschnecke *f.* -n.
소란(騷亂) Unruhe *f.* -n; Störung *f.* -en; Tumult *m.* -(e)s, -e; Aufruhr *m.* -(e)s, -e; Lärm *m.* -(e)s; Geschrei *n.* -(e)s. ~하다, ~스럽다 beunruhigend 〔lärmend; laut〕 (sein).
소량(少量) e-e kleine Menge, -n; ein kleines Quantum, -s, ..ten. ~의 ein bißchen; (ein) wenig.
소련(蘇聯) Sowjetunion *f.* 《略: SU》
소령(少領) Major *m.* -s, -e; 《해군》 Korvettenkapitän *m.* -s, -e.
소로(小路) Pfad 〔Steg; Steig〕 *m.* -(e)s, -e.
소론(所論) (eigene) Ansicht, -en; (persönliche) Meinung, -en.
소루(疎漏) ~하다 nachlässig 〔gedankenlos; unachtsam〕 (sein).
소름 Gänsehaut *f.* ⸚e. ¶ ~이 끼치다 e-e Gänsehaut kriegen.
소리 《목소리》 Stimme *f.* -n; Laut 〔Ruf; Schrei〕 *m.* -(e)s, -e; 《음향》 Ton 〔Schall〕 *m.* -(e)s, ⸚e; Klang *m.* -(e)s, ⸚e; Geräusch *n.* -es, -e 《소음》. ¶ 파도 ~ das Brausen der Wellen / 큰 ~를 내다 auf|schreien*; laut sprechen*.
소리개 ☞ 솔개.
소리치다 schreien*; laut rufen*; brüllen.
소망(所望) Wunsch *m.* -es, ⸚e; das Verlangen*, -s.
소매 Ärmel *m.* -s, -. ‖ 소맷부리 (Ärmel)aufschlag *m.* -(e)s, ⸚.
소매(小賣) Kleinverkauf *m.* -(e)s, ⸚e; Kleinhandel *m.* -s. ~하다 im kleinen 〔im Detail〕 verkaufen[4]; kramen. ‖ ~가격 Einzelpreis *m.* -es, -e / ~상 Kleingeschäft *n.* -(e)s, -e.
소매치기 《사람》 Taschendieb *m.* -(e)s, -e; 《행위》 Taschendiebstahl *m.* -(e)s, ⸚e. ~하다 *jm.* aus der [3]Tasche stehlen*[4]; stibitzen.
소맥(小麥) Weizen *m.* -s. ‖ ~분 Weizenmehl *n.* -(e)s, -e.
소면(素麵) die feinen Nudeln (*pl.*).
소멸(消滅) Erlöschung *f.* -en; 《소실》 das Verschwinden*, -s; 《사멸》 das Aussterben*, -s; Verfall *m.* -(e)s 《권리의》. ~하다 erlöschen*; (ver)schwinden*; aus|sterben*; verfallen*.
소멸(燒滅) die Zerstörung durch Feuer. ~하다 verbrennen*; ein|äschern.
소명(召命) königliche Vorlandung, -en; königliche Befehl, -(e)s, -e.
소모(消耗) 《체력의》 Abzehrung *f.* -en; 《기계 따위의》 Abnutzung *f.* -en; 《소

비) Verbrauch *m.* -(e)s. ～하다 ⁴sich ab|zehren⁴; ab|nutzen⁴; verbrauchen⁴. ‖ ～품 Verbrauchsartikel *m.* -s, -.
소목장이(小木—) Tischler *m.* -s, -.
소몰이 (일) das Viehtreiben*, -s; (사람) Viehtreiber *m.* -s, -.
소묘(素描) Zeichnung *f.* -en; Skizze *f.* -n; Dessin [dɛsɛ̃:] *n.* -s, -s.
소문(所聞) Gerücht *n.* -(e)s, -e (*über⁴*); Gerede *n.* -s, -; Klatsch *m.* -es, -e. ¶ ～난 vielbesprochen; berühmt; (악평) verrufen / ～을 퍼뜨리다 sprechen* (*von³*); reden (*von³*); schwatzen (*über⁴*).
소문만복래(笑門萬福來) Dem Vergnügten lacht das Glück.
소문자(小文字) der kleine Buchstabe, -n(s), -n; Minuskel *f.* -n.
소박(素朴) ～하다 schlicht [einfach; naiv] (sein).
소박(疎薄) die Mißhandlung e-r Frau. ～하다 (Ehefrau) mißhandeln; verlassen*; im Stich lassen*. ¶ ～맞다 von Ehemann mißhandelt werden. ‖ ～데기 mißhandelte [verlassene] Frau, -en.
소반(小盤) Eß[Speise]tisch *m.* -es, -e.
소방(消防) Feuerwehr *f.* -en. ‖ ～대 Feuerwehr / ～서 Feuerwehrstation *f.* -en / ～자동차 Kraftfahrspritze *f.* -n. / ～호스 Feuerschlauch *m.* -(e)s, ¨e.
소변(小便) Harn *m.* -(e)s; Urin *m.* -s, -e. ¶ ～을 보다 Wasser lassen* [ab|schlagen*]; harnen; (俗) pissen.
소복(素服) das weiß Gewand, -(e)s, ¨er. ¶ ～의 여인 e-e Dame in Weiß (gekleidet).
소비(消費) Verbrauch *m.* -(e)s; Konsum *m.* -(e)s, -e. ～하다 verbrauchen⁴; konsumieren⁴. ‖ ～자 Verbraucher *m.* -s, - / ～재 Verbrauchs[Konsum]güter (*pl.*) / ～조합 Konsumverein *m.* -s, -e.
소비에트 Sowjetrußland. ‖ ～연방 Sowjetunion *f.*; die Union der Sozialistischen Sowjetrepubliken (略: UdSSR).
소사(掃射) Bestreichung *f.* -en. ～하다 bestreichen*. ¶ 적에게 기관총 ～를 퍼붓다 den Feind mit Maschinengewehrgarben beschießen*.
소사(燒死) ～하다 zu Tode verbrennen*. ‖ ～자 der Verbrannte*, -n, -n.
소산(所產) Produkt *n.* -(e)s, -e; Erzeugnis *n.* -ses, -se (결과); Frucht *f.* ¨e (결실).
소산(消散) ～하다 ⁴sich in nichts auf|lösen; ⁴sich zerstreuen; verschwinden*.
소상(小祥) der erste Todestag, -(e)s, -e.
소상(塑像) die plastische Figur, -en; die tönerne Bildsäule, -n.
소상(昭詳) ～히 einzeln; detailliert [detaji:rt]; ausführlich; genau. ¶ ～히 말하다 ins einzelne gehen*.
소생(小生) ich; m-e Wenigkeit.
소생(所生) eigenes Kind, -(e)s, -er; Nachkomme *m.* -n, -n; Nachkommenschaft *f.* -en.
소생(蘇生) ～하다 wieder ins Leben zurück|kommen*; wieder zum Bewußtsein kommen*.
소석고(燒石膏) 〖化〗 gebrannter [dehydratisierter] Gips, -es, -e.
소석회(消石灰) 〖化〗 Kalziumhydroxyd *n.* -(e)s, -e.
소선거구(小選擧區) kleiner Wahlbezirk, -(e)s, -e.
소설(小說) (장편) Roman *m.* -s, -e; (단편) Novelle *f.* -n; (이야기) Erzählung *f.* -en; Geschichte *f.* -n. ‖ ～가 Romanschreiber *m.* -s, -; Novellist *m.* -en, -en; Erzähler *m.* -s, -.
소속(所屬) ～하다 gohören³. ¶ ～된 (zu-)gehörig; unterstellt; zugeteilt.
소송(訴訟) Prozeß *m.* ..sses, ..sse; Klage *f.* -n. ～하다 e-n Prozeß führen (gegen *jn.*); klagen (gegen *jn.*). ‖ ～대리인 der Prozeßvollmächtigte*, -n, -n / ～의뢰인 Klient *m.* -en, -en / 민사[형사] ～ Zivil[Kriminal] prozeß *m.*
소수(小數) 〖數〗 Dezimalbruch *m.* -(e)s, ¨e. ‖ ～점 Dezimalkomma *n.* -s, -s [-ta].
소수(少數) e-e kleine Anzahl; Minderzahl *f.*; Minorität *f.* -en. ‖ ～민족 Minderheit *f.*; Minorität *f.*
소수(素數) 〖數〗 Primzahl *f.* -en.
소스 Soße [Brühe; Tunke] *f.* -n.
소스라치다 überrascht [verblüfft] werden; ⁴sich erschrecken*; zusammen|fahren*.
소승불교(小乘佛敎) Hinajana-Buddhismus *m.* -.
소시민(小市民) Kleinbürger *m.* -s, -. ～적 kleinbürgerlich.
소시적(少時—) Kindheit *f.*; Kindesalter *n.* -s.
소시지 Wurst *f.* ¨e.
소식(消息) Nachricht *f.* -en; Kunde *f.* -n; Mitteilung *f.* -en. ¶ ～을 전하다 schreiben*; von ³sich hören lassen*. ‖ ～통 Kenner *m.* -s, -; der Eingeweihte*, -n, -n.
소식자(消息子) 〖醫〗 Bougie [buʒí:] *f.* -s; Sonde *f.* -n; Katheter *m.* -s, -.
소신(所信) *js.* Glaube *m.* -s, -n; *js.* Meinung *f.* -en.
소실(小室) Konkubine *f.* -n; Nebenfrau *f.* -en. ‖ ～자식 das Kind e-r Konkubine.
소실(燒失) das Abbrennen*, -s; das Niederbrennen*. ～하다 ab|brennen*; nieder|brennen*.
소심(小心) ～하다 kleinmütig [furchtsam; schüchtern; ängstlich; vorsichtig] (sein).
소아(小兒) Säugling *m.* -s, -e; Kleinkind *n.* -(e)s, -er. ‖ ～과(科) Kinderheilkunde *f.* (～과 의사 Kinderarzt *m.* -(e)s, ¨e) / ～마비 Kinderlähmung *f.* / ～병 Kinderkrankheit *f.* -en.
소아(小我) das kleine Ich, -(s), -(s).
소아시아(小—) Kleinasien *n.* -s.
소액(小額) e-e kleine Summe. ‖ ～화폐 Kleingeld *n.* -(e)s, -er.
소야곡(小夜曲) Serenade *f.* -n; Ständchen *n.* -s, -.
소양(素養) Kenntnis *f.* -se (흔히 *pl.*) (*in³*); Verständnis *n.* -ses (*für⁴*).
소연(小宴) das kleine Festessen, -s, -.
소연(騷然) ～하다 tobend [aufgeregt; aufrührerisch] (sein).
소염제(消炎劑) 〖藥〗 Antiphlogistikum *n.* -s, ..ka.
소외(疎外) ～하다 vernachlässigen⁴; links liegen lassen*⁴; entfremden⁴.

소요(所要) ¶～되는 notwendig; nötig; erforderlich. ‖～ 시간 die nötige〔erforderliche〕 Zeit.
소요(騷擾) Unruhe *f.* –n; Aufruhr *m.* –(e)s, –e; Aufstand *m.* –(e)s, ⸗e. ‖～죄 Aufruhrverbrechen *n.* –s, –.
소용(所用) ¶～없는 nutzlos; unnütz; vergeblich; unnötig; zwecklos / ～되다 nützen; nützlich sein.
소용돌이 Wirbel〔Strudel〕 *m.* –s, –; ⦅바다의⦆ Neer *f.* –en. ¶～치다 (⁴sich) wirbeln; strudeln. 「Kleinwelt *f.*」
소우주(小宇宙) Mikrokosmos *m.* –;
소원(所願) Wunsch *m.* –es, ⸗e. ～하다 wünschen⁴; *jn.* bitten*⦅*um*⁴⦆.
소원(疏遠) Entfremdung *f.* –en. ～하다 entfremdet〔fremd〕 (sein).
소원(訴願) Beschwerde *f.* –n; Anrufung *f.* –en. ～하다 Beschwerde führen⦅bei *jm.* *über*⁴⦆. ‖～ 절차 Beschwerdeverfahren *n.* –s, –.
소위(少尉) Leutnant *m.* –s, –e〔–s〕; ⦅해군⦆ Leutnant zur See. 「nehmen*, –s.」
소위(所爲) das Betragen*, –s; das Be-
소위(所謂) sogenannt; an〔vor〕geblich.
소위원회(小委員會) Unterausschuß *m.* ..schusses, ..schüsse.
소유(所有) Besitz *m.* –es, –e. ～하다 besitzen*⁴; inne|haben⁴. ‖～격〖文〗Genitiv *m.* –s, –e / ～권 Besitz〔Eigentums〕recht *n.* –(e)s, –e / ～물 Besitz; Eigentum *n.* –(e)s, ⸗er; Habe *f.* / ～자 Besitzer〔Eigentümer; Inhaber〕 *m.* –s, –.
소음(騷音) Geräusch *n.* –es, –e. ¶～을 내다 Geräusch machen. ‖～ 방지 der Schutz vor Geräusch.
소음기(消音器) ⦅자동차·총 등의⦆ Schalldämpfer *m.* –s, –.
소이(所以) ⦅까닭⦆ Grund *m.* –(e)s, ⸗e.
소이탄(燒夷彈) Brandbombe *f.* –n.
소인(小人) ⦅소인물⦆ e–e gemeine Person, –en; ⦅겸칭⦆ ich; m–e Wenigkeit.
소인(消印) Poststempel *m.* –s, –.
소인(素因) Faktor *m.* –s, –en; Grund *m.* –(e)s, ⸗e ⦅이유⦆.
소일(消日) das Zeitvertreiben*, –s. ～하다 Zeit verbringen*; ³sich die Zeit vertreiben*. ‖～거리 Zeitvertreib *m.* –s.
소임(所任) Amt *n.* –(e)s, ⸗er; Dienst *m.* –es, –e; Obliegenheit〔Pflicht〕 *f.* –en; Aufgabe *f.* –n. 「*n.* –s, –.」
소입자(素粒子)〖理〗Elementarteilchen
소작(小作) Pachtung *f.* –en. ～하다 pachten; in ³Pacht haben. ‖～료 Pachtgeld *n.* –(e)s, –er; Pachtrente *f.* –n / ～인 Pächter *m.* –s, –.
소장(小腸)〖解〗Dünndarm *m.* –(e)s, ⸗e.
소장(少壯) der Junge*, –n, –n; der Jugendliche*, –n, –n. ¶～ 기에의 jung u. frisch〔geistreich〕.
소장(少將) Generalmajor *m.* –s, –e; ⦅해군⦆ Konteradmiral *m.* –s, –e.
소장(所長) Direktor *m.* –s, –en; Vorsteher *m.* –s, –.
소장(所藏) Besitz *m.* –es, –e.
소장(消長) das Auf u. Ab; das Steigen* u. Fallen*; Ebbe u. Flut.
소장(訴狀) Klageschrift *f.* –en.
소재(素材) Stoff *m.* –(e)s, –e; Material *n.* –s, ..lien. 「〔*n.*〕–(e)s, –e.」
소재지(所在地) Sitz *m.* –es, –e; Ort *m.*
소전(小傳) die kurze Biographie, –n.
소전제(小前提)〖論〗Untersatz *m.* –es, ⸗e.
소절(小節)〖樂〗Takt *m.* –(e)s, –e.
소정(所定) ～의 bestimmt; vorschriftsmäßig.
소조(小潮) Nipp·flut *f.* –en〔–tide *f.* –n; –zeit *f.* –en〕. 「–(e)s, –e.」
소주(燒酒) der koreanische Branntwein,
소중(所重) ～하다 wichtig〔wertvoll; kostbar〕 (sein).
소지(所持) ～하다 besitzen*⁴. ‖～품 Besitztum *n.* –(e)s, ⸗er; Sachen (*pl.*).
소지(素地) Anlage *f.* –n; Neigung〔Disposition〕 *f.* –en.
소진(消盡) völliges Verschwinden*, –s. ～하다 völlig verschwinden*.
소진(燒盡) Einäscherung *f.* –en. ～하다 eingeäschert werden.
소질(素質) Anlage *f.* –n; Natur〔Begabung〕 *f.* –en; Talent *n.* –(e)s, –e. ¶～있는 begabt / …에 ～이 있다 e–e Anlage *zu*³ haben.
소집(召集) Zusammenberufung *f.* –en; ⦅의회의⦆ Einberufung *f.* –en; ⦅군대의⦆ Mobilmachung *f.* –en. ～하다 zusammen|(be)rufen*⁴; ein|berufen*⁴; ein|ziehen*⁴. ‖～ 영장 der geschriebene Stellungsbefehl, –(e)s, –e.
소쩍새〖鳥〗Kuckuck *m.* –(e)s, –e.
소찬(素饌) einfache Speise, –n; einfaches Gemüsegericht, –(e)s, –e.
소채(蔬菜) das (frische) Gemüse, –s, –. ‖～밭 Gemüsegarten *m.* –s, ⸗.
소책자(小冊子) Büchlein *n.* –s, –; Broschüre *f.* –n; Heft *n.* –(e)s, –e.
소철(蘇鐵)〖植〗Palmenfarne (*pl.*).
소청(所請) Bitte *f.* –n. ¶～이 있다 e–e Bitte an *jn.* haben.
소총(小銃) Gewehr *n.* –(e)s, –e; Büchse *f.* –n. ‖자동～ Maschinengewehr *n.*
소추(訴追)〖法〗Anklage *f.* –n. ～하다 an|klagen ⦅*jn.*⦆.
소출(所出) Einkommen *n.* –s, –; Ernte *f.* –n. 「–(e)s, –e.」
소치(所致) Folge *f.* –n; Resultat *n.*
소켓〖電〗⦅콘센트⦆ Steckdose *f.* –n; ⦅전구의⦆ Fassung *f.* –en; ⦅진공관의⦆ Sockel *m.* –s, –. 「⦅Welle⦆.」
소쿠라지다 auf|steigen* u. ab|fallen*
소쿠리 Korb *m.* –(e)s, ⸗e ⦅aus Bambus⦆.
소크백신〖醫〗die Serumimpfung nach Salk; Salkimpfung *f.*
소탈(疏脫) ～하다 freimütig〔aufrichtig; frank; natürlich; offen(herzig); ungekünstelt〕 (sein).
소탐대실(小貪大失) ～하다 beim Streben nach einem kleinen Gewinn einen großen Verlust erleiden*.
소탕(掃蕩) das Vernichten*, –s; das Säubern*, –s; das Vertilgen*, –s. ～하다 vernichten⁴; aus|merzen⁴; aus|rotten⁴. ‖～ 작전 Säuberungsoperation *f.* 「*m.* –(e)s, –e.」
소택(沼澤) Sumpf *m.* –(e)s, ⸗e; Morast
소통(疏通) Verständigung *f.* –en; Verständnis *n.* –ses, –se.

소파(搔爬) 〖醫〗 Kürettage *f.* –n; Auskratzung *f.* –en; 《낙태》 Abort *m.* –s, –e. ¶ ~ 수술하다 aus|kratzen⁴.
소파 《의자》 Sofa *n.* –s, –s.
소포(小包) Paket *n.* –(e)s, –e; Bündel *n.* 〔*m.*〕 –s, –. ‖ ~ 우편 Paketpost *f*; Postpaket (~우편으로 부치다 mit der Paketpost senden).
소품(小品) 〖劇〗 Requisiten (*pl.*).
소풍(逍風) Ausflug *m.* –(e)s, ⸗e; Landpartie *f.* –n. ¶ ~가다 e-n Ausflug machen.
소프라노 Sopran *m.* –s, –e; 《가수》 Sopransängerin *f.* –nen.
소프트드링크 ein alkoholfreies Getränk, –(e)s, –e; Softdrink *m.* –(s), –s.
소피(所避) das Urinieren*, –s; Wasserlassen *n.* –s. ¶ ~보다 urinieren; Wasser lassen*; zur Toilette gehen*.
소하다(素—) ⁴sich des Fleisches u. Fisches enthalten*; vegetarisch essen* 〔leben〕.
소하물(小荷物) Gepäck *n.* –(e)s, –e; Paket *n.* –(e)s, –e. ‖ ~ 취급소 Gepäckannahme *f.* –n.
소한(小寒) die dreiundzwanzigste der 24 Jahreszeiteneinteilungen(=ca. 6. Januar; „Kleine Kälte").
소해정(掃海艇) Minensucher *m.* –s, –.
소행(所行) Tat *f.* –en; das Tun*, –s; Handlung *f.* –en.
소행(素行) Führung *f.* –en; das Betragen*〔Benehmen*; Verhalten*〕 –s.
소형(小型) ~의 klein; von kleiner Form. ‖ ~ 자동차 Kleinauto *n.* –s, –s.
소홀(疎忽) ~하다 unvorsichtig〔voreilig; übereilt〕 (sein). ¶ ~히 nachlässig; unvorsichtig / ~히 하다 vernachlässigen⁴; versäumen⁴; gering|schätzen⁴.
소화(消火) das Feuerlöschen*, –s. ~하다 Feuer löschen. ‖ ~기 Feuerlöschgerät *n.* –(e)s, –e〔-apparat *m.* –(e)s, –e〕 / ~전 Feuerhahn *m.* –(e)s, ⸗e.
소화(消化) Verdauung *f.* –en. ~하다 verdauen⁴. ‖ ~기 Verdauungsorgan *n.* –s, –e / ~ 불량 Verdauungsbeschwerde 〔Verdauungsschwäche〕 *f.* –n / ~제 Verdauungsmittel *n.* –s, –.
소화(笑話) e-e humoristische〔witzige〕 Geschichte, –n; Witz *m.* –es, –e.
소환(召喚) (Vor)ladung 〔Vorforderung〕 *f.* –en. ~하다 (vor|)laden*⁴; vor|fordern⁴. ‖ ~장 das Vorladungsschreiben*, –s, –.
소환(召還) Ab〔Zurück〕berufung *f.* –en. ~하다 ab〔zurück〕|berufen*⁴.
속 das Innere*, –n; 《마음의》 Herzensgrund *m.* –(e)s; das Innerste*, –n; 《내용》 Inhalt 〔Gehalt〕 *m.* –(e)s, –e; 《소》 Füllsel *n.* –s, –.
속(屬) 〖動·植〗 Gattung *f.* –en.
속가(俗歌) volkstümliches Lied, –(e)s, –er; Volkslied; Schlager *m.* –s, –.
속간(續刊) das fortsetzende Herausgeben*, –s. ~하다 fortgesetzt〔weiter〕 heraus|geben*⁴.
속개(續開) Fortsetzung *f.* –en; Wiederaufnahme *f.*; Wiederbeginn *m.* –(e)s. ~하다 fort|setzen; wieder|beginnen*.
속겨 innere Spreu 《곡식의》.
속계(俗界) die irdische Welt; das irdische Leben, –s.
속고(續稿) fortzusetzendes 〔weiterzuführendes〕 Manuskript, –(e)s, –e. 〔*pl.*).〕
속곳 die lange Unterhose *f.* –n (흔히
속공(速攻) ~하다 rasch an|greifen*⁴.
속구(速球) 〖野〗 der schnelle Ball, –(e)s, ⸗e.
속국(屬國) ein abhängiger Staat, –(e)s, –en; Vasallenstaat *m.* –(e)s, –en.
속기(速記) Stenographie *f.* –n. ~하다 stenographieren⁴; stenographisch auf|nehmen*⁴. ‖ ~록 Stenogramm *n.* –s, –e / ~사 Stenograph *m.* –en, –en.
속껍데기, 속껍질 Haut *f.* ⸗e; innere Schicht der Haut〔des Fells; der Schale〕. 〔leiden*.〕
속끓이다 tief besorgt sein; tief seelisch
속내평 wahre Sachlage, –n; innerer Zustand, –(e)s, ⸗e; das Innere*, –n.
속념(俗念) weltliche〔irdische〕 Gedanken 〔(*pl.*).〕
속눈썹 (Augen)wimper *f.* –n.
속다 betrogen werden; hinein|fallen*; auf den Leim〔in die Falle; ins Garn〕 gehen*.
속단(速斷) der voreilige Schluß, ..lusses, ..lüsse; das leichtfertige Dafürhalten*, –s. ~하다 voreilig entscheiden*⁴.
속달다 ⁴sich nach ³*et.* verzehren; ungeduldig sein.
속달우편(速達郵便) Eil〔Schnell〕post *f.* –en; Eilbrief *m.* –(e)s, –e.
속담(俗談) Sprichwort *n.* –(e)s, ⸗er; (Sinn)spruch *m.* –(e)s, ⸗e.
속대 《채소의》 das Herz 〔innere Blätter (*pl.*)〕 (von Gemüsen).
속도(速度) Schnelligkeit 〔Geschwindigkeit〕 *f.* –en. ‖ ~계 Geschwindigkeitsmesser *m.* –s, – / ~ 제한 Geschwindigkeitsbegrenzung *f.* –en / ~ 조절기 Geschwindigkeitsregulator *m.* –s, ..toren.
속독(速讀) das Schnellesen*, –s. ~하다 schnell lesen*. 〔*m.* –es, –e.〕
속돌 〖鑛〗 Bimsstein *m.* –(e)s, –e; Bims
속되다(俗—) weltlich 〔gemein; niedrig; gewöhnlich〕 (sein).
속등(續騰) kontinuierliches Steigen*, –s. ~하다 ständig steigen*; fort|schreiten*.
속락(續落) kontinuierliches Fallen* 〔Sinken*〕 –s. ~하다 ständig fallen* 〔sinken*〕.
속력(速力) Geschwindigkeit 〔Schnelligkeit〕 *f.* –en. ¶ ~을 내다 die Geschwindigkeit erhöhen; schneller 〔geschwinder〕 werden.
속령(屬領) ein *jm.* zugehöriges Land, –(e)s, –e; Landbesitz *m.* –es, –e; Besitzung *f.* –en.
속론(俗論) konventionelle 〔übliche; verbreitete〕 Ansicht, –en; das Haften* am Hergebrachten.
속류(俗流) die Masse der Leute; Spießbürger *m.* –s, –.
속리(俗吏) der wichtigtuende (kleine) Beamte*, –n, –n.
속립결핵(粟粒結核) 〖醫〗 Miliartuberkulo-

se *f.*; besonders schwere Tuberkulose.
속마음 das innere Herz, -ens, -en; die innere Absicht, -en.
속말 vertrauliches Gespräch, -(e)s, -e; private Unterhaltung, -en.
속명(俗名) Laienname *m.* -ns, -n; ein weltlicher Name.
속명(屬名) 〖生〗 Gattungsname *m.* -ns, -n.
속물(俗物) Philister *m.* -s, -; Spießbürger *m.* -s, -.
속바지 e-e längere Unterhose, -n.
속박(束縛) Fesselung〔Bindung〕 *f.* -en; Be〔Ein〕schränkung *f.* -en. ～하다 fesseln[4]; (fest|)binden*[4]; ein|schränken[4]; beschränken[4].
속발(續發) das häufige Ereignis, -ses, -se; das häufige〔weitere〕 Geschehen*, -s. ～하다 [4]sich hintereinander ereignen.
속배포(一排布) das Vorhaben*, -s; Plan *m.* -(e)s, ⸚e; Absicht *f.* -en.
속병(一病) innere Krankheit, -en (besonders Magen u. Darm).
속보(速步) der eilige〔schnelle〕 Schritt, -(e)s, -e; Trab *m.* -(e)s 《말의》.
속보(速報) die eilige〔schnelle〕 Nachricht, -en. ‖ ～판 Nachrichtentafel *f.* -n.
속보(續報) e-e weitere Nachricht, -en; ein weiterer Bericht, -(e)s, -e.
속보이다 [4]sich verraten*; das Herz auf der Zunge tragen*.
속사(速射) das schnelle Abfeuern*, -s; das schnelle Abschießen*, -s. ～하다 schnell ab|feuern[4]; schnell ab|schießen*[4].
속삭이다 flüstern[34]; wispern[34]; lispeln[34]; tuscheln[4] 《*mit*[3]》《밀담을》.
속산(速算) das schnelle Rechnen*, -s.
속살 《옷속의》 normalerweise bekleidete Körperteile (*pl.*); Nacktheit *f.* -en.
속살찌다 《살찌다》 dick (sein); 《실속 있다》 reich an Substanz (sein).
속상하다(一傷一) gequält〔geplagt; betrübt; aufgereizt; böse; ärgerlich; gepeinigt〕 sein.
속새 〖植〗 Schachtelhalm *m.* -(e)s, -e; Katzenschwanz *m.* -es, ⸚e.
속설(俗說) Volksmeinung *f.* -en; e-e populäre Theorie, -n.
속성(俗姓) weltlicher Familienname, -ns, -n (e-s Mönchs).
속성(速成) die schnelle Beherrschung 〔Bemeisterung〕 -en.
속성(屬性) Attribut *n.* -(e)s, -e; Eigenschaft *f.* -en.
속세(俗世) die irdische Welt; das weltliche Leben, -s.
속셈 die geheime Absicht, -en; der innere Gedanke, -ns, -n; die private Meinung, -en.
속셔츠 Unterhemd *n.* -(e)s, -en.
속속(續續) einer* nach dem andern; hintereinander; nacheinander.
속속곳 Damenunterwäsche *f.* -n.
속속들이 bis zum Kern e-r Sache.
속손톱 das Möndchen des Fingernagels.
속수무책(束手無策) ¶～이다 ratlos sein; [3]sich k-n Rat wissen*.
속썩다 tief leiden*; niedergedrückt〔betrübt; niedergeschlagen〕 sein.
속아넘어가다 betrogen〔überredet; beredet〕 sein.
속악(俗樂) volkstümliche Musik, -en; Unterhaltungsmusik *f.*
속어(俗語) die gewöhnliche Sprache, -n; Slang *m.*〔*n.*〕 -s, -s; 《구어》 Umgangssprache *f.*
속어림 ungefähre Berechnung, -en; private Schätzung, -en.
속옷 Unterzeug *n.* -(e)s, -e; (Leib)wäsche *f.* -n; (Unter)hemd *n.* -(e)s, -en.
속음(俗音) volkstümliche (nicht korrekte) Aussprache e-s chinesischen Schriftzeichens.
속이다 betrügen*[4]; täuschen[4]; an〔irre〕|führen[4]; leimen[4]; ein X für ein U vor|machen[3]. ¶서로 ～einander betrügen*.
속인(俗人) Laie *m.* -n, -n.
속인주의(屬人主義) 〖法〗 Personalitätsprinzip *n.* -s.
속임수 Betrug *m.* -(e)s, ⸚e; Vorspiegelung *f.* -en; Schwindel *m.* -s, -; Gaunerei *f.* -en.
속잎 inneres Blatt, -(e)s, ⸚er; Innenblätter (*pl.*).
속자(俗字) vereinfachte 〔abgekürzte〕 Form 〔Schreibweise〕 e-s chinesischen Schriftzeichens.
속장 《책의》 Innenseiten (*pl.*) (e-r Zeitung).
속전(贖錢) Lösegeld *n.* -(e)s, -er.
속전속결(速戰速決) Blitzkriegoperation *f.* -en.
속절없이 hoffnungslos; unnütz; nichtig.
속죄(贖罪) Sühne〔Buße〕 *f.* -n. ～하다 büßen[4]; sühnen[4].
속주다 [4]sich *jm.* an|vertrauen; *jn.* ins Vertrauen ziehen*.
속지주의(屬地主義) Territorialitätsprinzip *n.* -s.
속진(俗塵) Welt *f.* -en; weltliche Dinge (*pl.*).
속창 Brand〔Einlege〕sohle *f.* -n 《구두의》.
속출(續出) ～하다 [4]sich hintereinander ereignen; wiederholt vor|kommen*.
속취(俗臭) Pöbelhaftigkeit *f.* -en; Weltlichkeit *f.* -en.
속취(俗趣) ordinärer Geschmack, -(e)s, ⸚e; Spießbürgertum *n.* -s.
속치마 (Frauen)unterrock *m.* -(e)s, ⸚e.
속칭(俗稱) allgemein gebräuchliche Bezeichnung, -en; wohlbekannter Name, -ns, -n.
속타다 gequält〔bedrängt; gemartert〕 sein; [4]sich tot|ärgern.
속탈(一頉) Magenverstimmung *f.* -en.
속태우다 [3]sich viel Sorgen machen; [4]sich beunruhigen. ¶쓸데없는 일에 ～ [3]sich wegen Kleinigkeiten viel Sorgen machen.
속티(俗一) gewöhnliche〔ordinäre〕 Erscheinung, -en.
속편(續編) Fortsetzung *f.* -en.
속필(速筆) das Schnellschreiben*, -s.
속하다(屬一) *jm.*〔zu *jm.*〕 gehören; zu *jm.* an|gehören.
속한(俗漢) gewöhnlicher〔diesseitsgerichteter〕 Mensch, -en, -en.
속행(續行) Fortsetzung〔Weiterführung〕 *f.* -en. ～하다 fort|setzen[4]; fort|führen[4]. ¶경기를 ～하다 das Spiel fort|setzen.

속히(速—) schnell; rasch; prompt; unverzüglich.

솎다 lichten[4]; dünner machen[4].

손[1] ① ((사지의)) Hand *f.* ¨e; ((팔)) Arm *m.* -(e)s, -e. ¶바른 손 rechte Hand / 손에 손을 잡고 Hand in Hand / 손으로 만든 mit der Hand gemacht / 손을 모으다 ((기도하려고)) die Hände (zum Gebet) falten. ② ((일손)) Hand; Hilfe *f.* -n. ¶손이 모자란다 Es fehlt uns an Händen. ③ ((소유)) Hand; Besitz *m.* -es, -e; Habe *f.* -n. ¶남의 손에 넘어가다 in andere Hände über|gehen*. ④ ((관계)) Verbindung *f.* -en. ¶손을 대다 den Anfang machen.

손[2] =손님.

손(損) Verlust *m.* -es, -e ((손실)); Abbruch *m.* -(e)s, ¨e; Einbuße *f.* -n; Nachteil *m.* -(e)s, -e ((불리)).

손가락 Finger *m.* -s, -; ((장갑의)) Fingerling *m.* -s, -e. ‖새끼 ~ der kleine Finger / 엄지 ~ Daumen *m.* -s, - / 집게〔가운데, 약〕 ~ Zeige〔Mittel, Ring〕-finger.

손가락질 das Zeigen* mit dem Finger. ¶~ 받다 [3]sich (etwas) Übles nachsagen 〔nachreden〕 lassen*.

손가방 Handkoffer *m.* -s, -; (Akten-)mappe 〔Reisetasche〕 *f.* -n.

손거스러미 Nied〔Neid〕nagel *m.* -s, ¨.

손거울 Handspiegel *m.* -s, -.

손거칠다 diebisch (sein); lange Finger haben.

손겪다 ((대접하다)) e-n Gast unterhalten*.

손곱다 ((Hand)) vor Kälte steif (sein).

손그릇 das Küchengeschirr für den täglichen Gebrauch.

손금 Handlinien (*pl.*). ‖~을 보다 Handlinien lesen*.

손금(損金) Geldverlust *m.* -(e)s, -e.

손길 ausgestreckte Hand, ¨e.

손꼽다 bedeutend 〔führend; ausgezeichnet; prominent〕 sein. ¶손꼽는 학자 der ausgezeichnete Gelehrte*, -n, -n.

손끝 Hand *f.* ¨e; die Finger(*pl.*). ¶~이 여물다 e-e geschickte Hand haben.

손녀(孫女) Enkelin *f.* -nen.

손놓다 die Hände (*pl.*) los|lassen*.

손님 Gast *m.* -(e)s, ¨e; ((방문객)) Besucher *m.* -s, -; Besuch *m.* -(e)s, -e; ((승객)) Fahrgast *m.* -(e)s, ¨e; ((고객)) Kunde *m.* -n, -n. ¶~을 맞다 die Gäste empfangen* / ~이 떨어지다 die Kundschaft verlieren*.

손대다 berühren[4]; (an|)rühren[4]; befühlen[4]; betasten[4]; ((착수)) an|fangen*[4].

손대중 das Messen* mit der Hand.

손도끼 Dachsbeil *n.* -(e)s, -e; Deichsel *m.* -s, -.

손도장(—圖章) Daumenabdruck *m.*-(e)s, ¨e.

손독(—毒) durch schmutzige Hände verursachte Ansteckung, -en. ¶~ 오르다 durch Handberührung angesteckt werden.

손들다 die Hand heben*; ((항복)) die Waffen strecken; die Segel streichen*; [4]sich ergeben*[3].

손등 Handrücken *m.* -s, -.

손때 Daumen(schmutz)fleck *m.* -(e)s, -e. ¶~ 묻은 mit Flecken von Fingern.

손떼다 ((끝내다)) fertig|machen[4]; ((관계 단절)) nicht mehr helfen*((*jm.*)); verzichten((*auf*[4])); auf|geben*[4]; die (helfende) Hand ab|ziehen*((von *jm.*)).

손료(損料) Miete *f.* -n; Pacht *f.* -en.

손맑다 ((생기는 것이 없다)) einkommensschwach 〔arm〕 (sein); k-e Nebeneinkünfte haben; ((다랍다)) karg 〔geizig; filzig〕 (sein).

손모(損耗) Abnutzung *f.* -en; Verlust *m.* -es, -e; Schaden *m.* -s, ¨.

손목 Handgelenk *n.* -(e)s, -e.

손목시계(—時計) Armbanduhr *f.* -en.

손바느질 Näherei *f.* -en; Handarbeit *f.*

손바닥 Handfläche *f.* -n.

손발 Hand u. Fuß; Glieder (*pl.*).

손버릇 diebische Gewohnheit, -en. ¶~이 나쁜 langfing(e)rig; diebisch; stehlsüchtig.

손보다 [4]sich um [4]*et.* kümmern; sorgen (, daß [1]*et.* geschieht); retuschieren[4].

손봐주다 *jm.* zur Hand gehen*; Handreichungen machen; Hilfe leisten.

손빌다 Hilfe bekommen*; bei *jm.* Hilfe suchen; *jn.* um Hilfe bitten*.

손뼉치다 in die Hände klatschen.

손상(損傷) Schaden *m.* -s, ¨. ¶~되다 beschädigt werden.

손색(遜色) ~없다 in nichts nach|stehen*; gewachsen sein.

손서투르다, 손서툴다 ungeübt 〔ungewandt; ungeschickt; pfuscherhaft; stümperhaft〕 (sein).

손속 das Glück des Spielers; die goldene (des König Midas) Berührung, -en.

손수 mit eigener [3]Hand; eigenhändig; persönlich.

손수건(—手巾) Taschen〔Hand〕tuch *n.* -(e)s, ¨er.

손수레 Hand·karren 〔-wagen〕 *m.* -s, -.

손쉽다 leicht 〔einfach〕 (sein).

손실(損失) Verlust *m.* -es, -e.

손심부름 Botengang *m.* -(e)s, ¨e; Hilfe *f.* -n. ~하다 e-n Botengang tun*.

손쓰다 ((대책을 세움)) vor|bereiten[4]; Vorsorge treffen*.

손아귀 der Raum zwischen dem Daumen u. den Fingern; Griff *m.* -(e)s, -e. ¶아무를 ~에 넣다 *jn.* in der Hand haben.

손아래 geringeres Alter 〔Dienstalter〕 -s.

손어림 Schätzung *f.* -en (mit der Hand). ~하다 mit der Hand schätzen[4].

손위 höheres Alter 〔Dienstalter〕 -s.

손익(損益) Gewinn u. Verlust; Vorteil u. Nachteil. ‖~ 계정 das Gewinn-u.-Verlust-Konto, -s, ..ten 〔..ti〕.

손익다 [4]sich an [4]*et.* gewöhnen; mit [3]*et.* vertraut werden.

손일 Hand·arbeit *f.* -en〔-werk *n.* -(e)s, -e〕.

손자(孫子) Enkel *m.* -s, -.

손잡기다 sehr beschäftigt sein; alle Hände voll zu tun haben.

손잡이 (Tür)klinke *f.* -n; (Tür)griff *m.* -(e)s, -e; ((기물의)) Henkel *m.* -s, -; ((서랍 따위의)) Knopf *m.* -(e)s, ¨e.

손재간(—才幹) Handfertigkeit *f.* -en; manuelle Fertigkeit, -en.

손질 Pflege *f.* -n; Besorgung 〔Betreu-

ung; Wartung] *f.* -en. ～하다 ⟪매만짐⟫ pflegen⁴; besorgen⁴; betreuen⁴; warten⁴; ⟪수리⟫ reparieren⁴; aus|bessern⁴.
손짓 Gebärde *f.* -n; Gebärdenspiel *n.* -(e)s, -e; Gestikulation *f.* -en. ～하다 gestikulieren; mit der Hand ein Zeichen geben*⟪신호로서⟫.
손찌검하다 prügeln⁴; schlagen*⁴.
손치다 ⟪여관에서⟫ Gäste gegen Entgelt auf|nehmen*.
손치르다 e-n Empfang geben*[veranstalten].
손크다 ⟪후하다⟫ großzügig [freigebig; schenkfreudig] (sein).
손톱 Fingernagel *m.* -s, ⸚. ‖ ～깎이 Nagelschere *f.* -n / ～ 자국 Nagelmal *n.* -(e)s, -e [⸚er].
손풍금(一風琴) Ziehharmonika *f.* ..ken [-s]; Akkordeon *n.* -s, -s.
손해(損害) Verlust *m.* -es; -e; Schaden *m.* -s, ⸚; Nachteil *m.* -(e)s, -e. ‖ ～배상 Schadenersatz *m.* -(e)s / ～ 배상 청구권 Schadenersatzanspruch *m.* -(e)s, ⸚e.
손회목 der schlankste Teil des Handgelenks.
솔 ⟪구두 등의⟫ Bürste *f.* -n. ¶솔질하다 (ab|)bürsten⁴.
솔개 〖鳥〗 Gabelweihe *f.* -n.
솔권(率眷) ～하다 s-e Familie geleiten; s-e Frau u. Kinder fort|führen[weg|führen].
솔기 Naht *f.* ⸚e.
솔깃하다 ⁴sich interessiert zeigen; ⁴sich ein bißchen näher heran|zücken.
솔다 ⟪자극함⟫ e-e prickelnde, gereizte Empfindung (auf der Haut *usw.*) haben; ⟪좁다⟫ schmal[eng; beschränkt](sein).
솔로 〖樂〗 Solo *n.* -s, -s.
솔방울 Kieferzapfen *m.* -s, -.
솔선(率先) ～하다 die Initiative ergreifen*; den ersten Schritt tun*.
솔솔 sanft; leicht. ¶바람이 ～ 불다 Es weht sanft.
솔잎 Kiefernadel *f.* -n.
솔직(率直) ～하다 offen(herzig) [freimütig](sein). ¶～히 geradeheraus.
솔질 das (Aus)bürsten*, -s. ～하다 (aus|)bürsten⁴.
솜 Baumwolle; ⟪두는 솜⟫ Watte *f.* -n. ¶～을 두다[넣다] wattieren⁴.
솜사탕(一砂糖) Zuckerwatte *f.*
솜씨 Kunst *f.* ⸚e; Geschicklichkeit *f.* -en; Tüchtigkeit *f.* ¶～있는 geschickt; gewandt; tüchtig / ～없는 ungeschickt; unbeholfen; plump.
솜옷 das wattierte Kleid, -(e)s, -er.
솜저고리 mit Watte gefütterte Jacke, -n.
솜털 Flaum *m.* -(e)s; Daune *f.* -n.
솜틀 Baumwollschläger *m.* -s, -; Watten-[Aufbereit]machine *f.* -n.
솜화약(一火藥) Schießbaumwolle *f.*
솟구다 auf|springen*.
솟다 empor|ragen; ⁴sich erheben*; ⟪분출⟫ quellen*[sprudeln]⟪*aus*³⟫. ¶샘물이 솟는다 Die Quelle fließt.
솟아나(오)다 quellen [(hervor)|sprudeln; spritzen]⟪*aus*³⟫.
솟을대문(一大門) Torhaus *n.* -es, ⸚er (e-s Koreanischen Adelssitzes, höher als die anschließenden Gebäudeteile).
송가(頌歌) Lobgesang *m.* -(e)s, ⸚e; Preislied *n.* -(e)s, -er; Hymne[Ode] *f.* -n.
송골매(松鶻一) sibirischer Wanderfalke[-n, -n].
송곳 (Hand)Bohrer *m.* -s, -.
송곳니 Eck[Augen]zahn *m.* -(e)s, ⸚e.
송구(送球) ⟪핸드볼⟫ Handball *m.* -(e)s, ⸚e. ～하다 den Handball spielen.
송구영신(送舊迎新) ～하다 über das alte Jahr reflektierend das Neujahr begrüßen⟪am Silvesterabend⟫.
송금(送金) ～하다 Geld (über)senden*.
송년(送年) Verabschiedung des alten Jahres.
송달(送達) Über·sendung *f.* -en [-bringung *f.* -en]. ～하다 übersenden*³⁴; überbringen*³⁴. ‖ ～부(簿) Liefer[Ablieferungs]buch *n.* -(e)s, ⸚er.
송덕(頌德) Lobpreisung *f.* -en. ～하다 *jn.* lob|preisen*; *jn.* lob|singen*.
송독(誦讀) Rezitation *f.* -en; das Hersagen* [Aufsagen*] aus dem Gedächtnis. ～하다 rezitieren⁴.
송두리째 mit Stumpf und Stiel; ganz und gar; vollständig; gänzlich.
송로(松露) 〖植〗 Trüffel *f.* -n; Trüffelpilz *m.* -es, -e.
송료(送料) Porto *n.* -s, -s [..ti]; Postgebühr *f.* -en; Fracht *f.* -en.
송림(松林) Kiefernwald *m.* -(e)s, ⸚er.
송별회(送別會) Abschiedsfeier *f.* -n.
송부(送付) ～하다 senden*⁴; schicken⁴.
송사(訟事) Prozeß *m.* ..zesses, ..zesse; Rechtsstreit *m.* -(e)s, -e.
송사(頌辭) Lobrede *f.* -n; Lobspruch *m.* -(e)s, ⸚e; Panegyrikus *m.* -, ..ken.
송사리 ① 〖魚〗 sehr kleiner Süßwasserfisch -es, -e. ② ⟪보잘 것 없는 사람⟫ kleine Leute (*pl.*).
송송 ⟪썰다⟫ ⟪⁴Gemüse, Fleisch⟫ in sehr kleine Stücke fein ⟪schneiden*⟫; ⟪구멍이⟫ voller ²Löcher (*pl.*).
송수(送水) Wasserlieferung [Wasserversorgung; Wasserleitung] *f.* -en. ～하다 Wasser liefern; mit Wasser versorgen⁴. ‖ ～관 Wasseleitungsrohr *n.* -(e)s, -e.
송수(送受) ‖ ～신기(信機) Sender und Empfänger (des Radios) / ～화기(話機) ⟪전화⟫ Apparat zum Senden und Empfangen mündlicher Nachrichten.
송신(送信) ～하다 übertragen*⁴; senden. ‖ ～기 Sender *m.* -s / ～소 Sendestelle *f.* -n.
송아지 Kalb *n.* -(e)s, ⸚er.
송알송알 ⟪땀이⟫ in ³Schweißperlen(*pl.*).
송어(松魚) 〖魚〗 (Lachs)forelle *f.* -n.
송영(送迎) Bewillkommnung u. Verabschiedung.
송영(誦詠) Rezitation. *f.* -en. ～하다 reziteren⁴.
송유관(送油管) Ölleitung *f.* -en.
송이 ⟪포도·밤 등⟫ Traube *f.* -n; ⟪눈·꽃의⟫ Büschel *m.*[*n.*] -s, -.
송이(松栮) Kieferpilz *m.* -es, -e.
송장 Leiche *f.* -n; Leichnam *m.* -(e)s, -e.
송장(送狀) Faktur(a) *f.* ..ren; Frachtbrief *m.* -(e)s, -e.
송전(送電) ～하다 die Elektrizität übertragen*. ‖ ～선(線) Elektrizitätsleitung *f.* -en.
송죽(松竹) Kiefer u. Bambus.
송진(松津) Kiefernharz *n.* -es, -e.
송청(送廳) ～하다 ⟪사람을⟫ *jn.* zur Aburteilung dem Gericht überweisen*; ⟪서

류를) ^{4}*et.* ins Prokuratorbüro schicken.

송축(頌祝) Segen *m.* -s. ～하다 den Segen über *jn.* [^{4}*et.*] sprechen*.

송충이(松蟲—) ^{4}Kiefer zerfressende Raupe, -n.

송치(送致) Absendung *f.* -en; Übersendung *f.* -en 《송부》. ～하다 (ab|-)senden$^{(*)4}$; (ab|)schicken^4.

송판(松板) Kiefernbrett *n.* -(e)s, -er.

송편(松—) auf Kiefernadeln gedämpfter Reiskuchen, -s, -.

송풍(送風) Ventilation *f.* -en. ～하다 lüften^4; ventilieren^4. ‖ ～기 Lüfter *m.* -s, -; Ventilator *m.* -s, -en.

송화(送話) die Übersendung e-s Telefongesprächs. ～하다 übersenden*^{4}. ‖ ～구(口) Sprechtrichter *m.* -s, - / ～기 Sender *m.* -s, - / ～ 장치 Sende(r)anlage *f.* -n.

송환(送還) ～하다 zurück|senden* 《*jn.*》; 《포로를》 repatriieren 《*jn.*》.

솥 (Koch)kessel *m.* -s, -.

솥뚜껑 Kesseldeckel *m.* -s, -.

솨 zischend.

솰솰 rauschend 《fließen*》; geschwind 《kämmen^4》.

쇄골(鎖骨) 〖解〗 Schlüsselbein *n.* -(e)s, -e.

쇄국(鎖國) die Abschließung des Landes gegen die Außenwelt. ‖ ～ 정책 Abschließungspolitik *f.* -en / ～주의 Isolationismus *m.* -.

쇄도(殺到) ～하다 an|drängen 《*gegen*^{4}》; ^{4}sich zu|drängen 《*an*^{4}; *um*^{4}》. ¶주문이 ～하다 mit Bestellungen überschüttet werden.

쇄빙(碎氷) das Eisbrechen*, -s. ‖～선 Eisbrecher *m.* -s, -.

쇄석(碎石) Schotter *m.* -s, -. ‖～ 포장도로 Makadam *m.* [*n.*] -s, -; Schotterstraße *f.* -n.

쇄신(刷新) Reform [Neugestaltung; Umbildung] *f.* -en. ～하다 reformieren^4; erneuern^4; neu|gestalten^4; um|bilden^4.

쇠 Eisen *n.* -s, -; 《금속》 Metall *n.* -s, -e. ～의 eisern.

쇠가죽 Rindsleder *n.* -s, -.

쇠고기 Rindfleisch *n.* -es.

쇠고랑 Hand·schelle [-fessel] *f.* -n.

쇠고리 Metall·öse *f.* -n [-ring *m.* -(e)s, -e]

쇠공이 der eiserne Stößel, -s, -.

쇠귀나물 〖植〗 Pfeilkraut *n.* -(e)s, ¨er.

쇠기름 Rindstalg *m.* -(e)s, -e.

쇠꼬리 《소의》 der Schwanz des Rindes.

쇠다 《야채가》 zäh werden; 《병 따위가》 chronisch werden 《Krankheit》; 《명절을》 《ein ^{4}Fest》 begehen*. ¶설을 ～ das Neujahr feiern.

쇠망(衰亡) das allmähliche Zusammenfallen*, -s; Niedergang *m.* -(e)s.

쇠망치 (Eisen)hammer *m.* -s, ¨.

쇠몽둥이 der eiserne Knebel, -s, -.

쇠미(衰微) Verfall *m.* -(e)s; Rückgang *m.* -(e)s, ¨e; das Verblühen*, -s. ～하다 verfallen*; verblühen;

쇠버짐 e-e Art Krätze [Skabies].

쇠붙이 Metall *n.* -s, -e; Metall [Eisen]-waren (*pl.*).

쇠비름 〖植〗 Portulak *m.* -s, -e [-s].

쇠뼈 Rinder[Ochsen]knochen *m.* -s, -.

쇠뿔 Ochsen[Rinds]horn *n.* -(e)s, ¨er.

쇠사슬 (Eisen)kette *f.* -n.

쇠스랑 Gabel *f.* -n; Rechen *m.* -s, -; Harke *f.* -n.

쇠약(衰弱) ～하다 schwach [entkräftet] (sein). ¶～해지다 ^{4}sich entkräften.

쇠운(衰運) Nieder[Rück]gang *m.* -(e)s, ¨e; Abstieg *m.* -(e)s, -e; Neige *f.* -n; Verfall *m.* -(e)s.

쇠잔(衰殘) Gebrechlichkeit *f.* -en. ～하다 alt u. gebrechlich [hinfällig; krank u. schwach](sein).

쇠줄 Eisendraht *m.* -(e)s, ¨e; Metall-schnur *f.* ¨e.

쇠진(衰盡) Erschöpfung *f.* -en. ～하다 erschöpft sein.

쇠코뚜레 der Nasenring für Rinder.

쇠톱 Metall[Eisen]säge *f.* -n.

쇠퇴(衰退) ～하다 zurück|gehen*; Rückschritte (*pl.*) machen.

쇠파리 〖蟲〗 Rinderbremse *f.* -n.

쇠푼 e-e kleine Summe Geld; ein wenig Geld.

쇠하다(衰—) in Verfall geraten*; hinfällig [schwach] werden.

쇳내 der metallische Beigeschmack, -(e)s, ¨e.

쇳소리 die schneidende [gellende; grelle] Stimme, -n.

쇳조각 Eisenstück *n.* -(e)s, -e.

쇳줄 〖鑛〗 Eisenader *f.* -n.

쇼 Schau *f.* -en; Show[ʃɔː] *f.* -s. ‖ 쇼걸 Tänzerin *f.* -nen / 쇼윈도 Schaufenster *n.* -s, -.

쇼크 《정신상의》 Schock *m.* -(e)s, -e; 《물리적인》 Stoß *m.* -es, ¨e. ‖ ～사(死) der Tod von e-m Schock.

쇼트 〖野〗 Shortstopp *m.* -s, -s; 〖映〗 Kurzfilm *m.* -s, -e.

쇼핑 Einkauf *m.* -(e)s, ¨e. ‖ ～백 Einkaufstasche *f.* -n / ～센터 Einkaufszentrum *n.* -s, ..tren.

숄 Schal *m.* -(e)s, -e; Umhängetuch *n.* -(e)s, ¨er.

수[1] 《수컷》 männlich

수[2] ① 《도리·방법》 Weg *m.* -(e)s, -e; Methode *f.* -n. ¶하는 수 없이 hilflos; ungern. ② 《경우》 ¶그럴 수 있나 Das ist ja aber unmöglich!

수(手) ① 《손》 Hand *f.* ¨e. ② 《바둑·장기의》 Zug *m.* -(e)s, ¨e; 《꾀》 Anschlag *m.* -s, ¨e. ③ 《계략》 Trick *m.* -s, -e.

수(數) 《운수》 Schicksal *n.* -s, -e; 《수효》 Zahl *f.* -en; Nummer *f.* -n.

수(壽) 《연령》 Alter *n.* -s, -; 《장수》 die Erreichung des hohen Alters; 《수명》 Lebenszeit *f.* -en.

수감(收監) Inhaftnahme *f.* -n; Verhaftung *f.* -en. ～하다 inhaftieren^4; verhaften^4.

수갑(手匣) Hand·fessel[-schelle] *n.* -n. ¶ ～을 채우다 Handfesseln an|legen^3.

수강(受講) ～하다 e-e Vorlesung belegen; Vorlesungen (*pl.*) hören. ‖ ～ 신청 das Belegen* der Volresungen.

수개(數個) ein paar (Stück). ¶～월간 ein paar Monate lang.

수갱(竪坑) Schacht *m.* -(e)s, ¨e.

수거(收去) das Herausschöpfen*, -s; das Räumen* der Klosettgruben《분뇨의》.

수건(手巾) Hawdtuch *m.* -(e)s, ¨er. ‖～걸이 Handtuchhalter *m.* -s, -.

수결(手決) (Hand)signatur *f.* -en; Unterschrift *f.* -en. ¶ ~을 두다 signieren.
수경(水耕) Hydroponik *f.*; Wasserkultur *f.* -en. ‖ ~법 Wasserkultur *f.*
수고 Mühe *f.* -n; Bemühung *f.* -en; Umstände (*pl.*). ~하다 große Mühe verwenden* 《*auf*⁴》; ³sich viel Mühe geben* 《*mit*³; *um*⁴》. ¶ ~를 끼치다 *jm.* ⁴Mühe verursachen / ~를 덜다 ³sich Mühe (er)sparen 〔machen〕.
수공(手工) Handarbeit *f.* -en. ‖ ~업 Hand·werk *n.* -(e)s, -e〔-arbeit *f.* -en〕.
수괴(首魁) Rädelsführer *m.* -s, -.
수교(手交) das Überreichen*, -s. ~하다 überreichen⁴; ein|händigen⁴; aus|händigen⁴.
수교(修交) die Freundschaft der Staaten; freundschaftliche Beziehungen (*pl.*). ~하다 e-n Freundschaftsbund ein|gehen*. ‖ ~ 훈장 der Verdienstorden für freundschaftliche Beziehungen.
수구(水球) Wasserballspiel *n.* -(e)s, -e.
수구(守舊) =보수(保守).
수국(水菊) 〖植〗 Hortensie *f.* -n.
수군(水軍) Marine *f*; Kriegsmarine *f.*
수군거리다 leise reden; miteinander flüstern.
수긋하다 den Kopf gebeugt halten*.
수그러지다 《머리가》 tief sinken*; 《바람 따위》 ab|nehmen*; ruhiger werden; 《더위·추위가》 nach|lassen*; 《병세가》 ab|nehmen*; nach|lassen*.
수그리다 ☞숙이다.
수금(收金) Einkassierung *f.* -en. ~하다 ein|ziehen*⁴; (ein|)kassieren⁴. ‖ ~원 Einsammler 〔Kassierer〕 *m.* -s, -.
수급(首級) abgeschlagener Kopf, -(e)s, ¨e.
수급(需給) Angebot u. Nachfrage. ‖ ~ 조절 die Anordnung zwischen Angebot u. Nachfrage.
수긍(首肯) das Begreifen*, -s. ~하다 zu|stimmen³; ein|willigen 《*in*⁴》; einverstanden sein 《*mit*³》.
수기(手記) Notiz 〔Aufzeichnung〕 *f.* -en. ¶ ~를 쓰다 notieren⁴.
수기(手旗) (Winker)flagge *f.* -n. ‖ ~ 신호 Winkerdienst *m.* -(e)s, -e.
수꽃 〖植〗 die männliche Blüte, -n.
수꿩 der(männliche)Fasan, -(e)s, -e(n).
수나사(―螺絲) (Schrauben)bolzen *m.* -s, -.
수난(受難) Leiden *n.* -s, -; 《그리스도의》 Passion *f.* ¶ ~을 겪다 leiden*. ‖ ~극 Passionsspiel *n.* -(e)s, -e.
수납(收納) das Emfangen* 〔Einkassieren*〕 -s. ~하다 ein|kassieren⁴; ein|ziehen*⁴; ein|treiben*⁴. ‖ ~계 Emfangskasse *f.* -n.
수납(受納) ~하다 an|nehmen*⁴; emp|fangen*⁴.
수냉식(水冷式) Wasserkühlung *f.* -en. ¶ ~의 wassergekühlt.
수녀(修女) Nonne *f.* -n; Klosterfrau *f.* -en. ‖ ~원 Nonnenkloster *n.* -s, ¨.
수년(數年) einige Jahre (*pl.*).
수뇌(首腦) 《장》 Leiter 〔Führer〕 *m.* -s, -; Haupt *n.* -(e)s, ¨er; Spitze *f.* -n. ‖ ~ 회담 Gipfelkonferenz *f.* -en.
수뇨관(輸尿管) 〖解〗 Harnleiter *m.* -s, -; Ureter m. -, -en.
수다스럽다 geschwätzig 〔plauderhaft〕 (sein). ¶ 수다떨다 schwatzen; plaudern. ‖ 수다쟁이 Schwätzer *m.* -s, -; Plaudertasche *f.* -n.
수단(手段) Weg *m.* -(e)s, -e; Mittel *n.* -s, -; 《방책》 Maßregel *f.* -n; 《꾀》 List *f.* -en; Kniff *m.* -(e)s, -e. ¶ 갖은 ~을 다하다 alle mögliche Mittel an|wenden*. ‖ 최후 ~ der allerletzte Ausweg, -(e)s, -e.
수달(水獺) 〖動〗 (Fisch)otter *m.* -s, -. ‖ ~피 der Pelz des Fischotters.
수당(手當) Gehalt *n.* -(e)s, ¨er; Besoldung *f.* -en; Zulage *f.* -n. ‖ 가족 ~ Familienzuschuß *m.* ..usses, ..üsse / 전시 ~ Kriegzuschuß *m.* / 특별 〔임시〕 ~ Sonder〔Gelegenheits〕zulage *f.*
수더분하다 anspruchslos 〔schlicht; einfach〕 (sein).
수도(水道) Wasserleitung *f.* -en. ¶ ~(꼭지)를 틀다〔잠그다〕 den Hahn auf|drehen 〔zu|drehen〕. ‖ ~ 공사 Wasserleitungsbau *m.* -(e)s, -e / ~관 Wasserleitungsröhre *n.* -(e)s, -e / ~ 요금 Wassergebühr *f.* -en.
수도(首都) Hauptstadt *f.* ¨e; Metropole *f.* -n. ‖ ~권 der Umkreis der Hauptstadt.
수도(修道) ~하다 streng enthaltsam leben, um Begierden abzutöten. ‖ ~ 생활 Klosterleben *n.* -s / ~원 Kloster *n.* -s, ¨.
수동(手動) Handantrieb *m.* -(e)s, -e. ¶ ~의 mit der Hand arbeitend. ‖ ~ 브레이크 Handbremse *f.* -n.
수동(受動) ~적 passiv; leidend. ‖ ~태 Passiv *n.* -s; Leideform *f.* -en.
수두(水痘) Varizelle *f.* -n; Wasserpocken (*pl.*).
수두룩하다 zahlreich 〔reichlich vorhanden〕 (sein). ¶ 아들딸이 ~ zahlreiche Kinder haben.
수득수득 ¶ ~ 마르다 sehr trocken werden 《Wurzel *usw.*》.
수들수들 =수득수득.
수땜(數―) ~하다 anstatt des kommenden, schweren Schicksalsschlags e-e leichtere Not vorher auf sich nehmen*.
수라(水剌) königliche Mahlzeit, -en.
수라장(修羅場) die Szene des Blutvergießens; Verwirrung *f.* -en; Chaos *n.* -. ¶ ~이 되다 die Kampfszene werden.
수락(受諾) Annahme *f.* -n. ~하다 an|nehmen*⁴; ein|willigen 《*in*⁴》.
수란관(輸卵管) 〖解〗 Eileiter *m.* -s, -; Muttertrompete *f.* -n.
수량(水量) Wassermenge *f.* -n. ‖ ~계 Pegel *m.* -s, -.
수량(數量) Quantität *f.* -en; Menge *f.* -n.
수렁 Sumpf *m.* -(e)s, ¨e; Morast *m.* -es, ¨e. ¶ ~에 빠지다 in den Sumpf geraten*; 《比》 in dem Sumpf 〔Morast〕 stecken|bleiben*; weder ein noch aus wissen*.
수레 Wagen 〔Karren〕 *m.* -s, -. ‖ ~바퀴 Rad *n.* -(e)s, ¨er.
수려(秀麗) ~하다 schön 〔hübsch; anmutig〕 (sein).
수력(水力) Wasserkraft *f.* ¨e. ‖ ~ 발전

소 Wasserkraft·werk *n.* -(e)s, -e 〔-anlage *f.* -n〕 / ~ 전기 Hydroelektrizität *f.* / ~학 Hydraulik *f.*

수련(修練) Praxis *f.* ..xen; Übung *f.* -en. ~하다 aus|üben^4; praktizieren. ‖ ~의(醫) der arztliche Praktikant, -en, -en.

수련(睡蓮) 〖植〗 Wasserlilie *f.* -n.

수렴(收斂) ① =추렴. ② 〖物·數〗 Konvergenz *f.* -en. ③ 〖醫〗 Zusammenziehung *f.* -en. ~하다 zusammen|ziehen*^{4}. ④ 《세금의》 Eintreibung *f.* -en. ~하다 ein|treiben*^{4}. ‖ ~ 렌즈 Sammellinse *f.* -n / ~제 Astringens *n.* -, ..gentien.

수렵(狩獵) Jagd *f.* -en. ‖ ~구 Jagdbezirk *m.* -(e)s, -e / ~ 금지기 Schonzeit *f.* -en / ~기 Jagdzeit *f.*

수령(守令) 〖古制〗 Landvogt *m.* -(e)s, ¨e; der Verwalter der Provinz.

수령(受領) Empfang *m.* -(e)s, ¨e. ~하다 empfangen*^{4}; an|nehmen*^{4}.

수령(首領) Haupt *m.* -(e)s, ¨er; Führer 〔Leiter〕 *m.* -s, -.

수로(水路) Wasserweg *m.* -(e)s, -e. ‖ ~ 안내인 Lotse *m.* -n, -n; Pilot *m.* -en, -en / ~학 Hydrographie *f.*

수록(收錄) ~하다 kompilieren^4; zusammen|stellen^4; sammeln^4.

수뢰(水雷) 《발사용》 Torpedo *m.* -s, -s; 《부설용》 (schwimmende) Mine, -n. ‖ ~정(艇) Torpedoboot *n.* -(e)s, -e.

수뢰(受賂) die passive Bestechung. ~하다 ^{4}sich bestechen lassen*.

수료(修了) das Durchmachen*, -s; Vollendung *f.* -en. ~하다 durch|machen^4; vollenden^4.

수류탄(手榴彈) Handgranate *f.* -n.

수륙양용(水陸兩用) ~의 amphibisch. ‖ ~ 전차 Schwimmkampfwagen *m.* -s, -.

수리 〖鳥〗 Adler *m.* -s, -.

수리(水利) Wassernutzung *f.* -en; 《관개》 Bewässerung *f.* -en. ‖ ~ 공사 Bewässerungsarbeit *f.* / ~ 조합 Wassernutzungsgenossenschaft *f.* -en.

수리(受理) Annahme *f.* -n. ~하다 an|nehmen*^{4}. ¶고소를 ~하다 die Klage akzeptieren.

수리(修理) Reparatur〔Ausbesserung〕 *f.* -en. ~하다 reparieren^4; aus|bessern^4. ‖ ~ 공장 Reparaturwerkstatt *f.*

수리(數理) mathematisches Prinzip, -s, -e. ‖ ~ 경제학 mathematische Ökonomie.

수리부엉이 〖鳥〗 Ohreule *f.* -n; Uhu *m.* -s, -s.

수립(樹立) ~하다 gründen^4; errichten^4. ¶계획을 ~하다 die Pläne schmieden.

수마(水魔) Flut *f.* -en; böser Flutgeist, -es, -er. ¶~에 휩쓸리다 vom Hochwasser mitgerissen werden.

수마(睡魔) Schläfrigkeit *f.*; Sandmann *m.* -(e)s 《동화의》. ¶~가 덮치다 von Schläfrigkeit überwältigt werden.

수만(數萬) Zehntausende (*pl.*). ¶~의 인파 Zehntausende von ^{3}Menschen.

수말 《말의》 Hengst *m.* -es, -e.

수매(收買) An〔Ein〕kauf *m.* -(e)s, ¨e. ~하다 ein|kaufen^4; (an|)kaufen^4. ‖ ~ 가격 Anschaffungspreis *m.* -es, -e.

수맥(水脈) Wasser·ader *f.* -n 〔-schicht *f.* -en〕.

수면(水面) Wasser·fläche *f.* -n 〔-spiegel *m.* -s, -〕. ¶~에 떠오르다 an der Oberfläche das Wassers auf|tauchen.

수면(睡眠) Schlaf *m.* -(e)s. ‖ ~ 부족 der ungenügende Schlaf / ~제 Schlafmittel 〔-pulver〕 *n.* -s, -.

수명(壽命) Lebensdauer *f*; 《생명》 Leben *n.* -s; 《사물의》 Dauer *f.* ¶~이 긴 langlebig; dauerhaft. ‖ 평균 ~ die Durchschnittsspanne des Menschenlebens.

수모(受侮) das Erniedrigtwerden*, -s; das Einstecken* e-r Demütigung. ~하다 erniedrigt werden; e-e Demütigung ein|stecken.

수목(樹木) Baum *m.* -(e)s, ¨e. ¶~이 울창한 waldig; bewaldet. ‖ ~학 Dendrologie *f.*

수문(水門) Schleuse *f.* -n.

수미(愁眉) ¶~를 펴다 (erleichtert) auf|atmen.

수밀도(水蜜桃) Pfirisch *m.* -(e)s, -e.

수박 Wassermelone *f.* -n. ¶~ 겉핥기 die seichte Kenntnis; Halb·wissen *n.* -s 〔-wisserei *f.* -en〕.

수반(首班) 《내각의》 Kabinetts〔Regierungs〕chef *m.* -s, -s.

수반(隨伴) ~하다 begleiten^4; folgen^3.

수배(手配) ~하다 《범인을》 Maßnahmen (*pl.*) zum Arrest des Verbrechers ergreifen* ‖ ~자 der strafrechtlich Verfolgte*, -n, -n.

수배(數倍) ~의 viel〔mehr〕fach.

수백(數百) viel Hunderte; Hunderte(*pl.*). ‖ ~명 Hunderte von Menschen.

수범(垂範) ~하다 ^{4}sich vorbildlich benehmen*; vorbildlich arbeiten.

수법(手法) Technik *f.* -en; Weise *f.* -n; Kniff *m.* -(e)s, -e.

수병(水兵) Matrose *m.* -n, -n; Blaujacke *f.* -n; Seesoldat *m.* -en, -en.

수복(收復) Wieder〔Zurück〕erlangung *f.* -en. ~하다 wieder〔zurück〕|erlangen^4. ‖ ~지구 das zurückerlangte Gebietes, -(e)s, -e.

수복강녕(壽福康寧) das Genießen* der Gesundheit noch im hohen Alter.

수부(水夫) Matrose *m.* -n, -n; Seemann *m*, -(e)s, ..leute.

수북이 in Hülle u. Fülle; in vollem Maße; überfüllt.

수북하다 in Fülle vorhanden sein; überfüllt (sein); mehr als genug sein.

수분(水分) Wassergehalt *m.* -(e)s; Saft *m.* -(e)s, ¨e; Feuchtigkeit *f.* ¶~이 많은 wasserhaltig; wässerig; feucht; saftig; voll Saft / ~이 없는 wässerfrei; wasserlos.

수분(受粉) 〖植〗 Bestäubung *f.* -en.

수비(守備) Besatzung *f.* -en. ~하다 garnisonieren^4. ‖ ~대 Garnison *f.* -en.

수사(修士) Mönch *m.* -(e)s, -e; Klosterbruder *m.* -s, ¨.

수사(搜査) ~하다 suchen^4; ^{4}*et.* durch|suchen; nach|forschen^3. ‖ ~망 Polizeinetz *n.* -es, -e / ~ 본부 Ermittlungszentrale *f.* -n. / 국립 과학 ~ 연구소 Nationalinstitut für wissenschaftliche Kriminaluntersuchungen.

수사(數詞) 〖文〗 Zahlwort *n.* -(e)s, ¨er;

Numerale *n.* -s, ..lien 〔..lia〕.
수사납다(數—) Unglück haben.
수사슴 Hirschbock *m.* -(e)s, ⁼e.
수사학(修辭學) Rhetorik 〔Redekunst〕 *f.*
수산(水産) ‖ ~대학 Fischereihochschule *f.* -n / ~물 die Wasser〔See〕produkte (*pl.*) / ~업 Fischerei *f.* -en / ~청 Fischereiamt *m.* -(e)s, ⁼er.
수산화(水酸化) 〖化〗 Hydrierung *f.* -en. ‖ ~물 Hydroxyd *n.* -(e)s, -e / ~ 바륨 Bariumhydroxyd *n.* / ~철 Eisenhydroxyd *n.*
수삼(水蔘) eben ausgegrabener, frischer, ungetrockneter Ginseng, -s, -.
수상(水上) Wasser-. ‖ ~ 경기 Wassersport *m.* -(e)s, -e / ~ 스키 Wasser·schi 〔-ski[-ʃi:]〕 *m.* -s, -er.
수상(手相) Handlinien (*pl.*). = 손금. ‖ ~술 Handlesekunst *f*; Chiorologie *f*.
수상(受像) ~하다 Bilder empfangen*. ‖ ~기 Empfänger *m.* -s, -; Fernsehapparat *n.* -(e)s, -e.
수상(受賞) ~하다 e-n Preis empfangen* 〔verliehen bekommen*〕. ‖ ~자 Preisempfänger 〔Preisträger〕 *m.* -s, -.
수상(首相) Premierminister *m.* -s, -; 《독일의》 Kanzler *m.* -s, -.
수상(殊常) ~하다 verdächtig〔zweifelhaft; fraglich〕(sein). ¶ ~한 놈 der verdächtige Kerl, -(e)s, -e.
수상(隨想) gelegentliche Gedanken(*pl.*). ‖ ~록 Essay *m.* -s, -s.
수색(搜索) Suche *f.* -n; Durchsuchung *f.* -en. ~하다 suchen⁴; durch|suchen⁴. ‖ ~대 Streife *f.* -n 《경찰의》; Aufklärungsabteilung *f.* -en 《군대의》; Rettungsmannschaft *f.* en 《조난자의》.
수석(首席) der obereste Platz, -es, ⁼e; 《사람》 der Oberste*, -n, -n. ‖ ~ 판사 der oberste Richter, -s, -.
수선(修繕) ~하다 reparieren⁴; aus|bessern⁴. ‖ ~비 Reparaturkosten (*pl.*).
수선떨다 mit übertriebenen Gesten reden; viel Aufhebens machen.
수선화(水仙花) Narzisse *f.* -n.
수성(水星) Merkur *m.* -s.
수성도료(水性塗料) die wasserlösliche Farbe, -n.
수세(守勢) Difensive *f.* -n. ¶ ~에 몰리다 in die Difensive geraten*.
수세미 Schrubber *n.* -s, -; Küchenbürste *f.* -n. ‖ ~외 Schwammkrübis *m.* -ses, -se.
수세식(水洗式) ‖ ~ 변소 Wasserklosett *n.* -s, -s.
수소 Bulle *m.* -n, -n; Stier *m.* -(e)s, -e; Ochse *m.* -n, -n.
수소(水素) Wasserstoff *m.* -(e)s; Hydrogen *n.* -s. ‖ ~ 폭탄 Wasserstoffbombe *f.* -n.
수소문(搜所聞) ~하다 nach|spüren³; nach|forschen³; suchend folgen³.
수속(手續) = 절차.
수송(輸送) Transport *m.* -(e)s, -e; Beförderung *f.* -en. ~하다 transportieren⁴; befördern⁴. ‖ ~기 Transporter *m.* -s, -; Transportflugzeug *n.* -(e)s, -e / 장거리 ~ Ferntransport *m.*
수수 〖植〗 Mohrenhirse *f.* -n; Kauliang *m.* -s, -. ‖ ~깡 Kauliangstange *f.* -n / ~쌀 Kauliangskorn *n.* -(e)s, ⁼er.
수수(授受) ~하다 (über)geben* u. (über-)nehmen* 《*jm.* ⁴*et.*》.
수수께끼 Rätsel *n.* -s, -; Chimära *f.* ¶ ~ 같은 rätselhaft.
수수꾸다 necken⁴; hänseln⁴; quälen⁴.
수수료(手數料) Gebühren (*pl.*); 《중개의》 Sensalie *f.* -n.
수수방관(袖手傍觀) ~하다 untätig zu|sehen*; mit verschränkten Armen zu|sehen*³
수수하다 《차림새 따위가》 bescheiden 〔schlicht; einfach〕(sein).
수술 〖植〗 Staubblatt *n.* -(e)s, ⁼er.
수술(手術) Operation *f.* -en. ~하다 operieren⁴; e-n operativen Eingriff vor|nehmen* 《*an*³》. ¶ ~을 받다 ⁴sich e-r ³Operation unterziehen*. ‖ ~대 Operationstisch *m.* -es, -e / ~실 Operationszimmer *n.* -s, -.
수습(收拾) ~하다 in ⁴Ordnung bringen*⁴.
수습(修習) ~하다 erlernen⁴; lernen⁴; ⁴sich aus|bilden 《*in*³》. ‖ ~ 기간 Lehrzeit 〔Probezeit〕 *f.* -en / ~ 기자 Lehrjournalist *m.* -en, -en.
수시(隨時) ~로 jederzeit; zu jeder 〔beliebiger〕 ³Zeit.
수식(修飾) ~하다 verschönern⁴; aus|schmücken⁴; 〖文〗 bestimmen⁴. ‖ ~어 Bestimmungswort *n.* -(e)s, ⁼er.
수신(水神) Wasser〔Fluß〕gott *m.* -(e)s, ⁼er.
수신(受信) Empfang *m.* -(e)s, ⁼e. ~하다 empfangen*⁴. ‖ ~기 Empfänger *m.* -s, -; Empfangsapparat *m.* -(e)s, -e.
수신(修身) ~하다 ⁴sich moralisch erziehen*. ‖ ~ 제가 erst moralische Selbsterziehung, dann Familienführung.
수심(水深) Wassertiefe *f.* -n. ‖ ~계 Tiefenmesser *m.* -s, -.
수심(愁心) Betrübnis *f.* -se; Kummer *m.* -s; Sorge 〔Unruhe〕 *f.* -n. ¶ ~에 잠기다 in Kummer versunken sein.
수심(獸心) das Tierische*, -n; tierischer Trieb, -(e)s, -e; Brutalität *f.* ‖ 인면 ~ ein Tier mit e-m menschlichen Gesicht.
수십(數十) Dutzende (*pl.*). ‖ ~년 Jahrzehnte (lang) / ~명(名) Dutzende von Menschen / ~번 dutzend(e)mal.
수압(水壓) Wasserdruck *m.* -(e)s. ‖ ~계 Wasserdruckmesser *m.* -s, - / ~ 시험 Wasserdruckprobe *f.* -n.
수액(樹液) (Baum)saft *m.* -(e)s, ⁼e; 《야자·고무나무 등의》 Milch *f.*
수양(收養) ~하다 ein Kind adoptieren 〔an|nehmen*〕. ‖ ~딸 Adoptiv〔Pflege〕-tochter *f.* ⁼ / ~아들 Adoptiv〔Pflege〕-sohn *m.* -(e)s, ⁼ / ~어머니 Adoptiv-〔Pflege〕mutter *f.* ⁼.
수양(修養) (Aus)bildung *f.* -en. ~하다 ⁴sich (aus|)bilden⁴. ¶ ~을 쌓다 ⁴sich beständig bemühen, sich zu bilden.
수양버들(垂楊—) Trauerweide *f.* -n.
수업(修業) Erlernung *f.* -en; Studium *n.* -s, ..dien. ~하다 (er)lernen⁴; studieren⁴; ⁴sich aus|bilden 《*in*³》.
수업(授業) Unterricht *m.* -(e)s, -e; Stunde *f.* -n. ~하다 unterrichten 《*jn.* *in*³》; Stunden geben* 《*jm.* *in*³》. ¶ ~을 받다 Unterricht〔Stunden〕 nehmen* 《bei

jm.). ‖ ～료 Schulgeld *n.* –(e)s, –er / ～ 시간 Unterrichts〔Schul〕stunde *f.*
수없는, 수없이(數—) zahllos; unzählig.
수여(授與) ～하다 verleihen*[34]; aus|teilen[4] 《*unter*[3·4]》; erteilen[34].
수역(水域) Wassergebiet *n.* –(e)s, –e. ‖ 전관 ～ Gewässer (*pl.*), für die ein Staat alleinige Kontrolle 〔Nutzung〕 beansprucht.
수연(壽宴) das Geburtstagsfest 〔Festmahl〕 für e–n Alten.
수열(數列) 〖數〗 Progression *f.* –en; Reihe *f.* –n. ‖ 등차 ～ arithmetische Reihe 〔Progression〕.
수염(鬚髯) Bart *m.* –(e)s, ⸚e; Backenbart *m.* 《구레나룻》. ¶ ～을 깎다 [4]sich rasieren 〔barbieren〕.
수영(水泳) das Schwimmen* 〔Baden*〕 –s. ～하다 schwimmen* ‖ ～ 경기 das Wettschwimmen*, –s; Schwimmsport *m.* –(e)s, – / ～복 Badeanzug *m.* –(e)s, ⸚e / ～ 선수 Wettschwimmer *m.* –s, – / ～장 Schwimmanstalt *f.* –en.
수예(手藝) Handarbeit *f.* –en. ‖ ～품 Handarbeiten (*pl.*).
수온(水温) Wassertemperatur *f.* –en.
수완(手腕) Talent *n.* –(e)s, –e; Fähigkeit *f.* –en; Tüchtigkeit *f.* ¶ ～ 있는 talentvoll; fähig; tüchtig. ‖ ～가 ein fähiger 〔tüchtiger〕 Mensch, –en, –en.
수요(需要) Bedarf *m.* –(e)s; Nachfrage *f.* –n. ¶ ～를 충족시키다 e–n Kaufwunsch befriedigen. ‖ ～공급 Angebot u. Nachfrage / ～ 과다 der übermäßige Bedarf.
수요일(水曜日) Mittwoch *m.* –(e)s, –e 「《略: Mi》.」
수욕(獸慾) die viehische Lust, ⸚e; der sinnliche Trieb, –(e)s, –e.
수용(收用) Enteignung 〔Expropriierung〕 *f.* –en; 〖法〗 Expropriation *f.* –en. ～하다 enteignen[4]; expropriieren[4]. ‖ 토지 ～법 Grundstücks–Enteignungsgesetz *n.* –es, –e.
수용(收容) ～하다 《손님을》 ein|quartieren[4]; 《환자를》 an|nehmen*[4]; 《학생을》 auf|nehmen*; 《포로 등을》 internieren; 《난민을》 beherbergen. ‖ ～ 능력 Kapazität *f.* –en; Aufnahmefähigkeit *f.* / ～소 Zufluchtsstätte *f.* –n.
수용(需用) Konsum *m.* –s, –e. ‖ ～자 Konsument *m.* –en, –en.
수용성(水溶性) ～의 wasserlöslich.
수용액(水溶液) die wässerige Lösung, –en.
수운(水運) Wasser·verkehr *m.* –(e)s 〔–transport *m.* –(e)s, –e〕.
수원(水源) Quelle *f.* –n. ‖ ～지 Wasserbehälter *m.* –s, –; Reservoir *n.* –s, –e.
수월하다 leicht〔einfach; mühelos〕(sein). ¶ 수월히 leicht; ohne Mühe.
수위(水位) Wasserhöhe *f.* –n; Wasserstand *m.* –(e)s. ‖ 위험 ～ die gefährliche Wasserhöhe.
수위(守衛) Wache *f.* –n; Wächter *m.* –s, –; Pförtner *m.* –s, –; Portier *m.* –s, –s. ‖ ～실 Pförtnerhäuschen *n.* –s, –.
수위(首位) der erste Platz 〔Sitz〕 –es, –e. ¶ ～를 차지하다 den ersten Platz ein|nehmen*.

수유기(授乳期) Säuge·zeit *f.* –en 〔–periode *f.* –n〕.
수육(獸肉) Tier〔Schlacht〕fleisch *n.* –es.
수은(水銀) Quecksilber *n.* –s. ‖ ～등 Quecksilberlampe *f.* –n / ～주 Quecksilbersäule *f.* –n / ～ 중독 Quecksilbervergiftung *f.* –en.
수음(手淫) Onanie *f.* –n; Masturbation *f.* –en. ～하다 onanieren; 《俗》 wichsen.
수의(壽衣) Totenhemd *n.* –(e)s, –en; Sterbekleid *n.* –(e)s, –er.
수의(隨意) ～의 frei(willig); willkürlich; eigenwillig. ¶ ～로 nach [3]Belieben; willkürlich. ‖ ～ 계약 Privat〔Vertrag〕-kontrakt *m.* –(e)s, –e.
수의(獸醫) Tier〔Vieh〕arzt *m.* –es, ⸚e. ‖ ～학 Veterinär·kunde *f.* –n 〔–wissenschaft *f.* –en〕.
수익(收益) Ertrag *m.* –(e)s, ⸚e; Gewinn *m.* –(e)s, –e. ¶ ～을 올리다 e–n Ertrag bringen*. ‖ ～금 Ertrag *m.*; Gewinn *m.* / 판매 ～ Gewinnspanne *f.* –n.
수인(囚人) Sträfling *m.* –s, –e. ‖ ～복 Sträflingsanzug *m.* –(e)s, ⸚e.
수일(數日) einige Tage (*pl.*).
수임(受任) die Annahme der Ernennung.
수입(收入) Einnahme *f.* –n; Einkommen *n.* –s, – 〔..künfte〕; Gewinn *m.* –(e)s, –e. ‖ ～ 인지 Stempelmarke *f.* –n / 잡～ Neben·einkünfte 〔–einnahmen〕 (*pl.*) / 총～ Gesamteinkommen.
수입(輸入) Einfuhr *f.* –en; Import *m.* –(e)s, –e. ～하다 ein|führen[4] 《*in*[4]; *von*[3]》; importieren[4] 《*in*[4]; *von*[3]》. ‖ ～ 금지 Einfuhrverbot *n.* –(e)s, –e / ～ 초과 der Überschuß der Einfuhr über die Ausfuhr / ～품 Einfuhrwaren (*pl.*); Einfuhrartikel (*pl.*).
수자(數字) ☞ 숫자.
수자원(水資源) Wasserquelle *f.* –n. ‖ ～개발 die Erforschung der Wasserquelle.
수작(酬酌) ¶ 헛된 ～을 부리다 den Narren spielen; falsch spielen.
수잠들다 ein Schläfchen halten*.
수장(水葬) die Bestattung auf hoher See. ～하다 auf hoher See bestatten 《*jn.*》.
수장(收藏) ～하다 auf|speichern; (an-)sammeln ; ein|lagern.
수재(水災) Wasser·schaden *m.* –s, ⸚ 〔–(s)not *f.* ⸚e〕. ‖ ～민 die von der Wassernot Betroffenen (*pl.*).
수재(秀才) der hervorragende Kopf, –(e)s, ⸚e; der begabte Schüler, –s, –. ‖ ～ 교육 Eliteausbildung *f.* –en.
수저 der Löffel u. die Eßstäbchen (*pl.*).
수전노(守錢奴) Geiz·hals *m.* –es, ⸚e 〔–hammel *m.* –s, –; –hund *m.* –(e)s, –e〕.
수전증(手顫症) die (Schüttel)lähmung der Hand.
수절(守節) ～하다 treu bleiben* 《ihrem Manne》.
수정(水晶) (Berg)kristall *m.* –s, –e. ‖ ～시계 Quarzuhr *f.* –en / ～체 《안구의》 Kristallinse *f.* –n.
수정(受精) ～하다 befruchtet werden; 〖動〗 geschwängert werden. ‖ 인공 ～ die künstliche Befruchtung.
수정(修正) (Ver)besserung〔Abänderung;

Berichtigung] *f.* -en; 《사진·그림의》 Retusche *f.* -n. ～하다 (ver)bessern[4]; modifizieren[4]. ab|ändern[4]; 《의안 등을》 amendieren[4]. ‖～안 Verbesserungsantrag *m.* -(e)s, ⸚e.

수정관(輸精管) Samenleiter *m.* -s, -.

수제(手製) ～의 mit der Hand gemacht. ‖～품 Handarbeit *f.* -en.

수제자(首弟子) der beste Schüler, -s, - 〔Lehrling, -s, -e〕.

수조(水槽) Wasserbehälter *m.* -s, -.

수족(手足) Hand u. Fuß; Hände u. Füße (*pl.*); Arm u. Bein; Arme u. Beine (*pl.*).

수족관(水族館) Aquarium *n.* -s, ..rien.

수준(水準) Niveau *n.* -s, -s. ¶높은 ～ ein hohes Niveau / 대중의 경제 ～을 높이다 das wirtschaftliche Niveau der Massen heben*. ‖생활 ～ Lebensstandard *m.* -(s), -s.

수줍다 schüchtern 〔scheu; verschämt〕 (sein).

수줍어하다 verschämt〔schüchtern〕 sein; [4]sich genieren.

수중(水中) ～의 unter (dem) Wasser; im Wasser. ‖～ 발레 Wasserballet *n.* -(e)s, -e / ～ 안경 Taucherbrille *f.* -n / ～ 청음기 Hydrophon *n.* -s, -e.

수중(手中) ¶～에 있다 《자기의》 in der Hand haben; in s-r Gewalt haben; in *js.* Hand liegen*.

수증기(水蒸氣) (Wasser)dampf *m.* -(e)s, ⸚e.

수지 《휴지》 Papier·abfälle 〔-abgänge〕 (*pl.*); Klosettpapier *n.* -s, -e.

수지(收支) Einnahme u. Ausgabe. ¶～가 맞다 [4]sich lohnen / ～를 맞추다 Ausgaben u. Einnahmen ins Gleichgewicht bringen*.

수지(樹脂) Harz *n.* -es, -e. ‖합성 ～ Kunstharz *n.*; Kunststoff *m.* -(e)s, -e.

수직(手織) ～의 handgewebt. ‖～물 Handwebware *f.* -n.

수직(垂直) ～의 senkrecht; vertikal. ‖～선(線) die Senkrechte*, -n, -n; die senkrechte Linie, -n.

수질(水質) Wasserqualität *f.* -en. ‖～검사 die Prüfung der Wasserqualität / ～ 오염 Wasserverschmutzung *f.* -en.

수집(蒐集) Sammlung 〔Kollektion〕 *f.* -en. ～하다 sammeln[4]. ‖～가 Sammler *m.* -s, -.

수차(收差)〖物〗Abweichung〔Aberration〕 *f.* -en. ‖구면(球面) ～ die sphärische Aberration.

수차(數次) einige 〔etliche〕 Male (*pl.*).

수채 Abfluß *m.* ..sses, ..flüsse; Drän *m.* -s, -s 〔-e〕. ‖～통 Dränrohr *n.* -(e)s, -e / 수챗구멍 Senkloch *n.* -(e)s, ⸚er.

수채화(水彩畫) Aquarell *n.* -s, -e; Wasserfarbenmalerei *f.* -en. ¶～를 그리다 aquallerieren.

수척(瘦瘠) ～하다 mager 〔abgemagert; dünn; hager〕(sein).

수천(數千) Tausende (*pl.*). ¶ ～명의 사람 Tausende von Menschen.

수첩(手帖) Notiz〔Taschen〕buch *n.* -(e)s, ⸚er. ¶～에 적다 [3]sich im Notizbuch 〔Merkbuch〕 notieren[4].

수초(水草) Wasserpflanze *f.* -n.

수축(收縮) Zusammenziehung *f.* -en. ～하다 [4]sich zusammen|ziehen*. ‖～성 Zusammenziehbarkeit *f.*

수축(修築) ～하다 um|bauen[4]; renovieren[4].

수출(輸出) Ausfuhr *f.* -en; Export *m.* -(e)s, -e. ～하다 aus|führen[4]; exportieren[4]. ‖～ 금지 Ausfuhrverbot *n.* -(e)s, -e / ～ 장려금 Exportprämie *f.* -n / ～ 초과 Exportüberschuß *m.* ..sses, ⸚sse / ～품 Ausfuhrwaren (*pl.*); Exportartikel.

수출입(輸出入) Aus- u. Einfuhr. ‖～은행 Export-Import Bank *f.* -en.

수취인(受取人) Empfänger *m.* -s, -.

수치(羞恥) Scham 〔Verschämtheit〕 *f.* ～스럽다 schändlich 〔schimpflich; entehrend〕(sein). ‖～심 Schamgefühl *n.* -(e)s, -e.

수치(數値) Zahlenwert *m.* -(e)s, -e. ¶～를 구하다 den Wert berechnen.

수치질(－痔疾) Hämorrhoidenblinde *f.*

수캉아지 der junge Hund, -es, -e.

수캐 Hund *m.* -es, -e.

수컷 Männchen *n.* -s, -.

수코양이, 수캥이 Kater *m.* -s, -.

수콤 der (männliche) Bär, -en, -en.

수퀑 ☞ 수꿩.

수키와 der konvexe Dachziegel, -s, -.

수탁(受託) ～하다 in [4]Verwahrung nehmen*[4]; betraut werden 《*mit*[3]》. ‖～물 Depositum *n.* -s, ..ten; Verwahrgut *n.* -(e)s, ⸚er.

수탈(收奪) ～하다 aus|nutzen[4]; aus|beuten[4].

수탉 Hahn *m.* -(e)s, ⸚e.

수태(受胎) Empfängnis *f.* -se. ～하다 empfangen*[4]; befruchtet werden.

수톨쩌귀 Scharnier *n.* -s, -e; Türangel *f.* -n〔*m.* -s, -〕.

수통(水筒) Feldflasche *f.* -n.

수퇘지 das (männliche) Schwein, -(e)s, -e.

수틀(繡—) Strickrahmen *m.* -s, -.

수판(數板) ＝주판(珠板).

수펄 Drohn *m.* -en, -en; Bienenmännchen *n.* -s, -.

수평(水平) ～의 waagerecht; horizontal. ‖～각 Horizontalwinkel *m.* -s, - / ～선 Horizontallinie *f.* -n; 《바다의》 Meereshorizont *m.* -es.

수평(아리) Kü(c)ken *n.* -s, -; Küchlein *n.* -s, -.

수포(水泡) Schaum *m.* -s, ⸚e. ¶～로 돌아가다 zu Schaum〔Wasser〕 werden.

수포진(水疱疹)〖醫〗Wasserbläschen *n.* -s, -.

수폭(水爆) Wasserstoffbombe〔H-Bombe〕 *f.* -n. ‖～ 실험 H-Bombenprobe *f.*

수표(水標) Boje *f.* -n; Seezeichen *n.* -s, -.

수표(手票) Scheck *m.* -s, -s. Bankanweisung *f.* -en. ¶～를 발행하다 e-n Scheck aus|stellen. ‖～ 거래 Scheckverkehr *m.* -(e)s / ～ 발행인 Scheckaussteller *m.* -s, - / ～장 Scheckbuch *n.* -(e)s, ⸚er / 횡선 ～ der gekreuzte Scheck.

수풀 Busch *m.* -es, ⸚e; Gebüsch *n.* -es, -e; Dickicht *n.* -(e)s, -e; 《정원의》 Boskett *n.* -(e)s, -e. ☞ 숲.

수프 Suppe *f.* -n.

수피(獸皮) (Tier)haut *f.* ¨e; Balg *m.* -(e)s, ¨e.

수필(隨筆) Essay *m.* -s, -s. ‖ ~가 Essayist *m.* -en, -en / ~ 문학 Miszellanliteratur *f.*

수하(手下) 《손아래》 der Jüngere*, -n, -n; 《부하》 Anhänger [Handlanger] *m.* -s, -.

수하(誰何) ~하다 „Werda“ rufen*; an|rufen*.

수하다(壽—) lange leben; es zu hohen Jahren bringen*.

수하물(手荷物) Gepäck *n.* -(e)s, -e. ‖ ~ 운반인 Gepäckträger *m.* -s, -.

수학(修學) ~하다 studieren; lernen. ‖ ~ 여행 Studienreise *f.* -en.

수학(數學) Mathematik *f.* ‖ ~ 문제 die mathematischen Fragen (*pl.*) / ~자 Mathematiker *m.* -s, - / 고등 ~ höhere Mathematik.

수해(水害) Wasserschaden *m.* -s, ¨; Überschwemmung *f.* -en. ¶ ~를 입다 Wasserschaden erleiden*. ‖ ~ 대책 die Maßnahmen gegen die Überschwemmung / ~ 지구 Überschwemmungsgebiet *n.* -(e)s, -e.

수행(修行) Ausbildung [Übung] *f.* -en. ~하다 ^{4}sich aus|bilden (lassen*) 《*in*^{3}》.

수행(遂行) ~하다 aus[durch]|führen^{4}.

수행(隨行) ~하다 folgen^{3}; begleiten^{4}. ‖ ~원 Gefolge *n.* -s, -.

수험(受驗) ‖ ~ 과목 Prüfungsfächer (*pl.*) / ~료 Examensgebühren (*pl.*) / ~ 번호 Sitznummer *f.* -n (des Examinanden) / ~생[자] Examinand *m.* -en, -en; Prüfling *m.* -s, -e / ~표 die Einlaßkarte für das Examen.

수혈(輸血) (Blut)transfusion *f.* -en. ~하다 Blut übertragen*^{3}; transfundieren^{4}.

수호(守護) ~하다 beschützen^{4}; in ^{4}Schutz nehmen*^{4}. ‖ ~신 Schutz·gott *m.* -(e)s, ¨er [-geist *m.* -(e)s, -er].

수호(修好) Freundschaft *f.* -en. ‖ ~ 조약 Freundschaftsvertrag *m.* -(e)s, ¨e.

수화(手話) Fingersprache *f.* ‖ ~법 Daktylologie *f.*; Chirologie *f.*

수화기(受話器) Hörer [Empfänger] *m.* -s, -.

수확(收穫) Ernte *f.* -n; Ertrag *m.* -(e)s, ¨e; Frucht *f.* ¨e. ~하다 ernten^{4}; die Ernte ein|bringen*.

수회(收賄) die passive Bestechung, -en. ~하다 ^{4}sich bestechen lassen*. ‖ ~자 der Bestochene*, -n, -n.

수효(數爻) Zahl *f.* -en; Summe *f.* -n. ¶ ~를 세다 zählen^{4} / ~를 늘리다[줄이다] die Zahl vergrößern [verkleinern].

수훈(垂訓) Belehrung *f.* -en; (göttliches) Gebot *n.* -(e)s, -e. ~하다 belehren. ‖ 산상 ~ Bergpredigt *f.* -en.

수훈(殊勳) der (ausgezeichnete) Verdienst. ¶ ~을 세우다 ^{3}sich hervorragende ^{4}Verdienste erwerben*.

숙고(熟考) ~하다 reiflich erwägen*^{4}; ^{3}sich überlegen.

숙군(肅軍) die Reinigung [Säuberung] in der Armee.

숙녀(淑女) Dame *f.* -n.

숙달(熟達) ~하다 e-e (große) Fertigkeit erlangen; ^{4}sich ^{2}*et.* bemeistern.

숙당(肅黨) die Reinigung [Säuberung] in der Partei.

숙덕거리다 mit *jm.* wispern [flüstern]; heimlich sprechen*.

숙덕숙덕 verstohlen; heimlich; unvermerkt.

숙독(熟讀) ~하다 sorgfältig durch|lesen*^{4}; eifrig lesen*^{4}.

숙련(熟練) Geschicklichkeit [Fertigkeit] *f.* -en. ¶ ~된 geschickt; fertig; geübt. ‖ ~공 Facharbeiter *m.* -s, -.

숙망(宿望) =숙원(宿願).

숙맥(菽麥) Dummkopf *m.* -(e)s, ¨e; törichter Mensch, -en, -en.

숙면(熟眠) der feste [gesunde] Schlaf, -(e)s.

숙명(宿命) Verhängnis *n.* -ses, -se; Schicksal *n.* -(e)s, -e. ~적 verhängnisvoll. ‖ ~론 Fatalismus *m.* -.

숙모(叔母) Tante [Muhme] *f.* -n.

숙박(宿泊) Unterkunft *f.* ¨e; Übernachtung [Einquartierung] *f.* -en. ‖ ~료 Unterkunftskosten (*pl.*) / ~부 Fremden[Gäste]buch *n.* -(e)s, ¨er.

숙부(叔父) Onkel *m.* -s, -; Oheim *m.* -(e)s, -e.

숙부드럽다 sanft [mild; zart] (sein).

숙사(宿舍) Quartier *n.* -s, -e; Unterkunft *f.* ¨e.

숙성(夙成) ~하다 früh·reif [-zeitig; -klug] (sein).

숙소(宿所) Quartier *n.* -s, -e; Logis *n.* -, -.

숙수(熟手) Koch *m.* -(e)s, ¨e; Köchin *f.* -nen 《여자》.

숙식(宿食) Kost (*pl.*) u. Logis (*pl.*).

숙어(熟語) Redensart *f.* -en; die geläufige Redewendung, -en.

숙어지다 herab|hängen* [-|sinken*].

숙연(宿緣) Karma(n) *n.* -s; Schicksal *n.* -(e)s, -e.

숙연(肅然) ~하다 feierlich [ernst; würdevoll] (sein). ¶ ~히 in feierlicher ^{3}Stille; ehrfurchtsvoll / ~해지다 von Ehrfurcht ergriffen werden.

숙영(宿營) ~하다 ^{4}sich ein|quartieren [ein|lagern] 《bei *jm.*》. ‖ ~지 Einquartierungsort *m.* -(e)s, -e [¨er].

숙원(宿願) der langgehegte Wunsch, -es, ¨e.

숙의(熟議) ~하다 reiflich [allseitig; genau] gemeinsam überlegen^{4}.

숙이다 nach vorne [untern] neigen^{4}. ¶ 머리를 ~ den Kopf hängen lassen*.

숙적(宿敵) der alte Feind, -(e)s, -e; Erbfeind *m.*

숙정(肅正) Regulierung [Anordnung] *f.* -en. ~하다 regulieren; reinigen.

숙제(宿題) Hausaufgabe *f.* -n; Pensum *n.* -s, ..sen [..sa]; 《현안》 die schwebende Frage, -n.

숙주(宿主) Wirt *m.* -(e)s, -e. ‖ 중간 ~ Zwischenwirt *m.*

숙지(熟知) ~하다 das gründliche Wissen haben 《*von*^{3}》; ^{4}sich aus|kennen* 《*in*^{3}》.

숙직(宿直) Nachtdienst *m.* -es, -e. ~하다 Nachtdienst haben*; Nachtwache halten*. ‖ ~실 Nachtdienstzimmer *n.* -s, - / ~원 Nachtwächter *m.* -s, -.

숙질(叔姪) der Onkel u. sein Neffe [s-e Nichte].

숙청(肅淸) Säuberung *f.* -en. ~하다 säubern^{4}.

숙체(宿滯) die dauernde Verdauungsstörung 〔Magenverstimmung〕 *f.* –en.
숙취(宿醉) Kater 〔Katzenjammer〕 *m.* –s.
숙친(熟親) ∼하다 innig 〔intim; vertraut〕 (sein).
숙폐(宿弊) das alte 〔eingewurzelte〕 Übel, –s, –.
숙환(宿患) die langwierige 〔chronische; schleichende〕 Krankheit.
순(旬) ⦅10 일⦆ zehn Tage (*pl.*); Dekade *f.* –n; ⦅10 년⦆ Jahrzehnt *n.* –(e)s, –e; Dekade *f.*
순(純) netto; rein, lauter; echt.
순(筍) Keim *m.* –(e)s, –e; Knospe *f.* –n. ¶순이 나다 keimen; knospen.
순간(旬刊) alle zehn Tage erscheinend.
순간(瞬間) Augenblick 〔Moment〕 *m.* –(e)s, –e. ¶∼적인 augenblicklich.
순검(巡檢) Inspektionstour *f.* –en. ∼하다 auf die Inspektionsreise gehen*.
순견(純絹) die reine 〔unvermischte〕 Seide, –n.
순결(純潔) Keuschheit 〔Unschuld; Reinheit〕 *f.* ∼하다 keusch 〔rein〕 (sein). ‖∼ 교육 die Ausbildung für die sexuale Moralität.
순경(巡警) Schutzmann *m.* –(e)s, ⸚er 〔..leute〕; Polizist *m.* –en, –en. ‖교통 ∼ Verkehrspolizist *m.*
순교(殉敎) Märtyrertum *n.* –(e)s. ‖∼자 Märtyrer *m.* –s, –.
순국(殉國) ∼하다 ⁴sich für das bedrängte Vaterland opfern. ‖∼ 선열 die patriotischen Märtyrer, –s, –.
순금(純金) Feingold *n.* –(e)s; das lautere Gold.
순대 Wurst *f.* ⸚e.
순도(純度) Reinheit *f.*
순두부(—豆腐) ungeronnener Bohnenstich, –(e)s.
순라(巡邏) das Patrouillieren*, –s; Patrouille *f.* –n.
순량(純良) ∼하다 rein 〔unvermischt; pur〕 (sein).
순량(純量) Netto–; Rein–; Eigen–.
순량(順良) ∼하다 gehorsam 〔folgsam; ordnungsliebend〕 (sein).
순례(巡禮) ∼하다 wallfahr(t)en; pilgern. ‖∼자 Wallfahrer 〔Pilger〕 *m.* –s, –.
순록(馴鹿) 〘動〙 Renntier *n.* –(e)s, –e.
순리(純利) Reingewinn *m.* –(e)s, –e; Nettogewinn *m.*
순리(順理) Vernünftigkeit *f.* –en.
순막(瞬膜) 〘生〙 Membrane *f.* –n.
순면(純綿) Reinbaumwolle *f.* –n.
순모(純毛) Reinwolle *f.* –n. ‖∼ 제품 Waren (*pl.*) aus Reinwolle.
순무 〘植〙 die (weiße) Rübe, –n.
순문학(純文學) die schöne Literatur.
순박(淳朴) ∼하다 einfach 〔schlicht; naiv; arglos; ländlich〕 (sein).
순백(純白) ∼의 schneeweiß; unbefleckt weiß.
순번(順番) Reihe *f.* –n. ¶∼대로 der ³Reihe nach.
순분(純分) Feingehalt *m.* –(e)s; Reinheit *f.* ⦅금은의⦆.
순사(殉死) ∼하다 e–n Opfertod sterben*.
순산(順産) ∼하다 glücklich entbunden werden ⦅*von*³⦆.
순색(純色) die reine 〔unvermischte〕 Farbe, –n.
순서(順序) Ordnung *f.* –en; (Reihen-) folge *f.* –n.
순소득(純所得) Nettoertrag *m.* –(e)s, ⸚e.
순수(純粹) ∼하다 rein 〔lauter; wahr; echt; pur〕 (sein).
순순(順順) ∼하다 gehorsam 〔folgsam; willig〕 (sein). ¶∼히 따르다 willig gehorchen³.
순시(巡視) ∼하다 besichtigen⁴; inspizieren⁴. ‖∼선 Patrouillenboot *n.* –(e)s, –e.
순시(瞬時) ＝순간.
순식간(瞬息間) ¶∼에 augenblicklich; im Augenblick; im Nu.
순양함(巡洋艦) Kreuzer *m.* –s, –.
순역(順逆) das Richtige* u. das Unrichtige*.
순연(順延) ∼하다 auf die nächste Gelegenheit verschieben*⁴.
순열(順列) 〘數〙 Permutation *f.* –en.
순위(順位) Rangordnung *f.* –en.
순은(純銀) echtes Silber, –s.
순음(脣音) 〘音〙 Lippenlaut *m.* –(e)s, –e.
순응(順應) Anpassung *f.* –en. ∼하다 ⁴sich an|passen 〔an|gleichen*; assimilieren〕 ⦅*an*⁴⦆.
순이익(純利益) ＝순익(純益).
순익(純益) Rein〔Netto〕gewinn *m.* –(e)s, –e; Rein〔Netto〕ertrag *m.* –(e)s, ⸚e.
순잎(筍—) die neu gesprossenen Blätter (*pl.*).
순장(殉葬) die Beerdigung der Frau u. der Diener mit s–m toten Herrn.
순전(純全) ∼하다 rein 〔lauter; bloß; gänzlich; vollkommen〕 (sein).
순절(殉節) ∼하다 ⁴sich beim Tod s–s Herrn opfern.
순정(純情) das reine Herz, –ens, –en. ¶∼어린 rein von Herzen. ‖∼ 소설 Liebesroman *m.*
순조(順調) ∼롭다 günstig 〔glatt; normal〕 (sein).
순종(順從) ∼하다 gehorchen³; folgen³.
순종(純種) Vollblut *n.* –(e)s. ∼의 voll〔echt〕blütig.
순지르다(筍—) die jungen Sprosse ab|schneiden*.
순직(純直) ∼하다 aufrecht 〔rechtschaffen; einfach; redlich〕 (sein).
순직(殉職) das Sterben* in Ausübung des Berufes. ∼하다 in den Sielen 〔im Dienste〕 sterben*.
순진(純眞) Naivität *f.* –en; Reinheit *f.* ∼하다 naiv 〔arglos; rein〕 (sein).
순차(順次) Reihe *f.* –n. ¶∼적으로 der ³Reihe nach.
순찰(巡察) Patrouille 〔Runde〕 *f.* –n. ∼하다 die Runde machen; patrouillieren.
순치다(筍—) die jungen Sprosse ab|schneiden*.
순탄(順坦) ∼하다 ungehindert 〔glatt〕 (sein).
순풍(順風) der günstige 〔glückliche〕 Wind, –(e)s, –e; Rückenwind. *m.*
순하다(順—) ⦅성질이⦆ sanft 〔zahm〕 (sein); ⦅맛이⦆ mild 〔leicht〕 (sein); ⦅일이⦆ günstig 〔glatt〕 (sein). ¶순한 담배 milde Zigarette.
순항(巡航) ∼하다 kreuzen. ‖∼ 속도 ökonomisch günstige Geschwindigkeit.
순혈(純血) das reine Blut, –(e)s. ∼의 rein von Blut.
순화(醇化) ∼하다 läutern⁴; veredeln⁴; verklären⁴.
순환(循環) Kreislauf 〔Umlauf〕 *m.* –(e)s; Rotation *f.* –en. ∼하다 um|laufen*; kreisen; rotieren. ‖∼ 계통 Blutkreis-

lauf〔Zirkulations〕system *n.* -s, -e /∼도로 Kreisstraße *f.* -n. / ∼선 《철도의》 Ringbahn *f.* -en.
순회(巡廻) Runde *f.* -n. ∼하다 die Runde 〔den Rundgang〕 machen.
숟가락 (Eß)löffel *m.* -s, -.
술[1] das geistige Getränk, -(e)s, -e; Wein *m.* -(e)s, -e 《포도주》. ‖술값 Trinkgeld *n.* -(e)s, -er / 술꾼 Trinker 〔Zecher; Säufer〕 *m.* -s, - / 술집 Schenke *f.* -n; Bar. *f.* -s.
술[2] 《장식용》 Quaste 〔Troddel〕 *f.* -n.
술기운 Alkoholeinfluß *m.* ..flusses, ..flüsse.
술김 ¶∼에 unter Alkoholeinfluß.
술도가(一都家) Brauerei *f.* -en 《양조장》; Weinladen *m.* -s, ⸗ 《판매소》.
술독 《항아리》 Weifaß *m.* ..sses, ..ässe; 《주정꾼》 Trinkenbold *m.* -(e)s, -e.
술래잡기 das Haschen* 〔Greifspielen*〕 -s. ∼하다 Fangen spielen; [4]sich haschen.
술렁거리다 [4]sich auflregen 《*über*[4]》.
술법(術法) Magie *f.* -n; Zauberei *f.* -en.
술병(一瓶) Weinflasche *f.* -n.
술상(一床) Trinktischchen *n.* -s, -. ¶∼을 차리다 das Trinktischchen bereiten.
술술 《부드럽게》 glatt; 《쉽게》 mit [3]Leichtigkeit; 《유창하게》 fließend. ¶문제를 ∼ 풀다 e-e schwierige Frage leicht lösen.
술안주(一按酒) Zuspeise *f.* -n; Weintrost *m.* -es.
술어(述語) 〖文〗 Prädikat *n.* -(e)s, -e. ‖∼동사 Prädikatsverbum *n.* -s, ..ba.
술어(術語) Fachausdruck *m.* -(e)s, ⸗e; Terminologie *f.* -n.
술자리 Trinkgesellschaft *f.* -en.
술잔(一盞) Becher *m.* -s, -; Trinkschälchen *n.* -s. ¶이별의 ∼ Abschiedstrunk *m.* -(e)s.
술장사 Alkoholiengeschäft *n.* -(e)s, -e.
술장수 Weinhändler *m.* -s, -.
술집 Schenke *f.* -n; Bar *f.* -s; Schankwirtschaft 〔Trinkstube〕 *f.* -n.
술책(術策) List *f.* -en; Tücke *f.* -n; Ränke (*pl.*).
술친구(一親舊) Zech·bruder *m.* -s, ⸗ 〔-kumpan *m.* -s, -e; -genosse *m.* -n, -n〕.
술타령(一打令) ∼하다 dauernd an das Saufen denken*.
술통(一桶) Faß *n.* ..asses, ..ässer; Bierfaß *n.* 《맥주의》.
술회(述懷) Herzensergießung 〔Expektoration〕 *f.* -en. ∼하다 sein Herz aus|schütten.
숨 Atem *m.* -s, -; Hauch *m.* -(e)s, -e. ¶∼ 쉬다 atmen.
숨결 das Atmen*, -s. ¶∼이 거칠다 heftig atmen.
숨기다 verstecken[4]; verbergen*[4]; verheimlichen (*jm.* [4]*et.*). ¶몸을 ∼ [4]sich verstecken.
숨김 ¶∼ 없는 unverhohlen; ausgeschlossen / ∼ 없이 말하다 offen u. frei heraus|sagen.
숨넘어가다 verscheiden*; den letzten Hauch von [3]sich geben*.
숨다 [4]sich verstecken; [4]sich verbergen* (*in*[3]); verschwinden*. ¶숨은 verborgen / 숨어서 heimlich; verstohlen.
숨막히다 ersticken; erstickt werden. ¶숨막힐 듯한 erstickend.
숨바꼭질 Versteckspiel *n.* -(e)s, -e. ∼하다 das Versteck spielen.
숨소리 Atemgeräusch *n.* -es, -e. ¶∼를 죽이다 den Atem an|halten*.
숨쉬다 atmen.
숨어들다 [4]sich heran|schleichen* 《*an*[4]》; heimlich 〔leise〕 einher|schleichen*.
숨지다 aus|atmen; verscheiden*.
숨차다 keuchen; schwer atmen.
숨통 Luftröhre *f.* -en; Trachee *f.* -n.
숫구멍 Fontanelle *f.* -n.
숫기(一氣) ∼없다 schüchtern 〔scheu〕 (sein).
숫돌 Wetzstein *m.* -(e)s, -e.
숫되다 frisch 〔naiv〕 (sein).
숫실(繡一) Stickgran *n.* -(e)s, -e.
숫자(數字) Ziffer *f.* -n; Zahlzeichen *n.* -s, -. ‖아라비아〔로마〕 ∼ die arabischen 〔römischen〕 Zahlen (*pl.*).
숫접다 unerfahren 〔unreif; unschuldig; keusch; rein〕 (sein).
숫제 《차라리》 vielmehr; lieber; eher.
숫지다 einfach 〔naiv; schlicht; einfältig; arglos〕 (sein).
숫처녀(一處女) Jungfrau *f.* -en; das keusche Mädchen, -s, -.
숫총각(一總角) unschuldiger Junggesell(e), -en, -en.
숫하다 unschuldig 〔harmlos; arglos; einfach; naiv〕 (sein).
숭고(崇高) ∼하다 erhaben 〔sublim; edel〕 (sein).
숭늉 das Trinkwasser, das im angebrannten Reistopf gekocht wird.
숭배(崇拜) Verehrung *f.* -en; Anbetung *f.*; Kultus *m.* -, ..te. ∼하다 verehren[4]; an|beten[4]; vergöttern[4]. ‖∼자 Verehrer 〔Anbeter〕 *m.* -s, -.
숭상(崇尙) ∼하다 *jn.* hochachten; *jn.* verehren.
숭어 〖魚〗 Meeräsche *f.* -n.
숯 Holzkohle *f.* -n.
숱 Menge *f.* -n; Dicke *f.* -n. ¶숱이 많은 머리 dichtes Haar, -(e)s, -e.
숱하다 reich 〔reichlich; viele; zahlreich〕 (sein).
숲 Wald *m.* -(e)s, ⸗er; Gehölz *n.* -es, -e; Forst *m.* -(e)s, -e.
쉬[1] 《파리 알》 Eier der Fliege.
쉬[2] 《조용히》 pst!; still!
쉬다[1] 《휴식》 ruhen; rasten; 《결석》 fehlen; abwesend sein; 《중지》 aus|setzen[4]; unterlassen*[4].
쉬다[2] 《목소리가》 heiser werden. ¶쉰 목소리 die heisere Stimme, -n; Heiserkeit *f.*
쉬다[3] 《음식이》 verderben*; sauer werden.
쉬다[4] 《숨을》 Atem holen 〔schöpfen〕.
쉬쉬하다 《숨기다》 geheim|halten*[4]; für [4]sich behalten*[4].
쉬파리 Schmeißfliege *f.* -n.
쉰 fünfzig; 《오십 세》 fünfzig Jahre alt.
쉼표(一標) 〖樂〗 Pause *f.* -n. ‖온〔2분, 4분〕 ∼ ein Takt Pause 〔Halbpause, Viertelpause〕.
쉽다 leicht 〔einfach; mühelos〕 (sein). ¶쉽게 leicht; ohne Mühe; mühelos.
쉽사리 ganz leicht; mühelos.
슈미즈 (Frauen)hemd *n.* -(e)s, -en.
슈트케이스 Handkoffer *m.* -s, -.
슛하다 《구기에서》 schießen.

스낵바 Lokal *n.* -(e)s, -e; Imbißstube *f.* -n.
스냅 《사진의》 Schnappschuß *m.* ..sses, ..üsse; Momentaufnahme *f.* -n.
스님 《사승(師僧)》 Lehrer e-s buddhistischen Priesters; 《중》 Priester *m.* -s, -; Hochwürden (*pl.*)《경칭》.
스라소니 〖動〗 Luchs *m.* -es, -e.
스르르 sanft; zart; mild.
스마트하다 schick 〔modisch; schmuck〕 (sein).
스매시하다 〖테니스〗 (den Ball) schmettern.
스며나오다 heraus〔durch〕|sickern《*aus*[4]》.
스며들다 ein|dringen* 〔-sickern〕 《*in*[4]》.
스멀거리다 jucken; kriechend fühlen.
스모그 Smog *m.* -(s), -s.
스무드하다 glatt 〔reibungslos〕 (sein).
스물 zwanzig; 《스무살》 das zwanzigste Lebensjahr, -(e)s, -e.
스스럼 ¶ ~없이 ohne Zurückhaltung.
스스럽다 kühl 〔distanziert〕 (sein).
스스로 in eigener Person; selbst; selber; 《자진하여》 freiwillig.
스승 Lehrer *m.* -s, - 《교사》; Meister *m.* -s, -.
스웨터 Pullover *m.* -s, -; Schlupfjacke *f.* -n.
스위치 (Um)schalter *m.* -s, -. ¶ ~를 넣다〔끄다〕 ein|schalten 〔aus|schalten〕.
스위트홈 glückliche Familie, -n.
스윙 〖樂〗 Swing *m.* -(s).
스치다 streifen[4]; bestreichen[4]; leicht berühren[4].
스카우트 das Spähen*, -s. ~하다 nach *jm.* spähen (, um ihn für [4]sich zu erwerben).
스카이 ‖ ~ 다이빙 Fallschirmspringen *n.* -s / ~랩 Raumlabor *n.* -s, -s / ~웨이 Bergautobahn *f.* -n.
스카프 Halstuch *n.* -(e)s, ¨er; Schal *m.* -s, -e 〔-s〕.
스캔들 Skandal *m.* -s, -e.
스커트 (Frauen)rock *m.* -(e)s, ¨e.
스컹크 〖動〗 Skunk *m.* -s, -.
스케이트 Eis〔Schlittschuh〕laufen *n.* -s; 《구두》 Schlittschuh *m.* -(e)s, -e. ¶ ~를 타다 Schlittschuh laufen*. ‖ ~장 Schlittschuhbahn *f.* -en.
스케일 Maßstab *m.* -(e)s, ¨e; 《인물의》 Format *n.* -(e)s, -e.
스케줄 Programm *n.* -s, -e; Plan *m.* -(e)s, ¨e.
스케치 Skizzierung *f.* -en; 《사생화》 Skizze *f.* -n. ~하다 skizzieren[4]; zeichnen[4].
스코어 Punkte (*pl.*). ‖ ~보드 Anschreibetafel *m.* -s, -.
스콜 Schauer *m.* -s, -; Platzregen *m.* -s, -.
스쿠터 Motorroller *m.* -s, -.
스크랩북 Einklebebuch *n.* -(e)s, ¨er.
스크린 (Film)leinwand *f.*
스키 Schi〔Ski〕lauf *m.* -(e)s, ¨e; 《기구》 Schi 〔Ski〕 *m.* -s, -er. ¶ ~를 타다 Schi laufen* 〔-fahren*〕.
스키어 Schiläufer *m.* -s, -.
스타 Star *m.* -s, -s; Stern *m.* -(e)s, -e.
스타일 Stil *m.* -(e)s, -e; Gestalt *f.* -en.
스타카토 〖樂〗 Stakkato *n.* -s, -s.
스타킹 Strumpf *m.* -(e)s, ¨e.
스타트 〖競〗 Start *m.* -(e)s, -e 〔-s〕. ~하다 starten. ‖ ~ 라인 Startlinie *f.* -n.
스태그플레이션 〖經〗 Stagflation *f.* -en.
스태미나 Kraft *f.* ¨e; Ausdauer *f.*
스탠드 《관람석》 (Zuschauer)tribüne *f.* -n; 《전등》 Steh〔Tisch〕lampe *f.* -n.
스탬프 Stempel *m.* -s, -. ¶ ~를 찍다 stempeln[4].
스테레오 ‖ ~ 레코드 Stereo-Platte *f.* -n / ~ 장치 Stereoanlage *f.* -n / ~ 타이프 Stereotypplatte *f.* -n 《판》; Stereotypdruck *m.* -(e)s, -e 《인쇄》.
스테인드글라스 buntes Glas, -es; Buntglas *n.*
스테인리스(스틸) der nichtrostende Stahl, -(e)s, -e 〔¨e〕.
스텝 Schritt *m.* -(e)s, -e 《댄스의》.
스토브 Ofen *m.* -s, ¨.
스톱 Halt!; Stopp! ‖ ~워치 Stoppuhr *f.* -en.
스튜디오 Studio *n.* -s, -s; 《방송실》 Senderaum *m.* -(e)s, ..räume.
스튜어디스 Stewardeß *f.* ..dessen.
스트레스 Streß *m.* ..sses, ..sse.
스트렙토마이신 〖藥〗 Streptomyzin 〔Streptomycin〕 *n.* -s.
스트립쇼 Strip-Tease-Schau *f.* -en; Enthüllung(schau) *f.* -en.
스티커 Aufkleber *m.* -s, -.
스팀 Dampf *m.* -(e)s, ¨e; 《난방》 Dampfheizung *f.*
스파게티 Spaghetti (*pl.*).
스파링 Sparring *n.* -s. ‖ ~ 파트너 Sparringpartner *m.* -s, -.
스파이 Spion *m.* -s, -e; Spitzel *m.* -s, -.
스파이크 《구두》 Dornschuh *m.* -(e)s, -e.
스파크 Funke *m.* -ns, -n. ~하다 Funken sprühen.
스패너 Schrauben〔Gabel〕schlüssel *m.* -s, -.
스펀지 Schwamm *m.* -(e)s, ¨e. ‖ ~ 고무 Schwammgummi *m.* -s, -s.
스페어 Ersatzteil *m.* -(e)s, -e. ‖ ~ 타이어 Reservereif *m.* -(e)s, -e.
스페인 Spanien. ‖ ~말 Spanisch *n.* -; das Spanische*, -n / ~ 사람 Spanier *m.* -s, -《남자》; Spanierin *f.* 〔-nen〕 《여자》.
스펙터클 Spektakel *n.* -s, -. ‖ ~ 영화 Ausstattungsfilm *m.* -(e)s, -e.
스펙트럼 Spektrum *n.* -s, ..tren. ‖ ~ 분석 Spektralanalyse *f.* -n.
스펠(링) das Buchstabieren*, -s.
스포이트 Füller *m.* -s, -; Spritze *f.* -n.
스포츠 Sport *m.* -(e)s, -e. ‖ ~맨 Sportsmann *m.* -(e)s, ¨er; Sportler *m.* -s, - / ~카 Sportwagen *m.* -s, -.
스폰서 Auftraggeber *m.* -s, - (für Werbesendung).
스폿 Fleck *m.* -(e)s, -e. ‖ ~ 뉴스 Nachrichten (*pl.*) in Schlagzeilen (*pl.*)/ 스포트 라이트 Scheinwerfer *m.* -s, -.
스푼 Löffel *m.* -s, -.
스프링 (Spring)feder *f.* -n. ‖ ~ 보드 Sprungbrett *n.* -(e)s, -er.
스프링코트 Übergangsmantel *m.* -s, ¨.
스피드 ☞ 속도. ‖ ~광 der Geschwindigkeitsfimmel, -s, - / ~ 시대 die Zeit der Geschwindigkeit.
스피츠 〖動〗 Spitz *m.* -(e)s, -e.
스피커 《확성기》 Lautsprecher *m.* -s, -.
스핑크스 《그리스 전설》 Sphinx *f.*; 《이집트의》 Sphinx *f.* -e.
슬개골(膝蓋骨) 〖解〗 Kniescheibe *f.* -n.

슬그머니 ☞ 살그머니.

슬금슬금 ☞ 살금살금. ¶~ 달아나다 unbemerkt davon|laufen*.

슬기 Weisheit *f.*; Verstand *m.* -(e)s. ~롭다 weise 〔klug; scharfsinnig〕 (sein).

슬다^1 (없어지다) verschwinden*; weg 〔fort〕 sein; (채소가) ein|gehen*; (풀기를 죽이다) erweichen^4 (gestärkte Wäsche).

슬다^2 ① (알을) Eier legen; laichen (물고기 등이). ② (녹이) verrosten; Rost an|setzen.

슬라브 Slawe *m.* -n, -n (남자); Slawin *f.* -nen (여자). ‖~ 민족 slawisches Volk, -(e)s, ¨er.

슬라이드 〖寫〗 Diapositiv *n.* -(e)s, -e.

슬랙스 Slacks (*pl.*).

슬랭 Slang *m.* 〔*n.*〕 -s, -s.

슬럼가(—街) Armenviertel *n.* -s, -.

슬럼프 Tiefstand *m.* -(e)s. ¶~에 빠지다 nicht in ^{3}Form sein.

슬레이트 (Dach)schiefer *m.* -s, -. ¶~로 이다 mit Schiefer decken.

슬로 langsam. ‖~모션픽처 〖映〗 Zeitlupenaufnahme *f.* -n.

슬로건 Schlagwort *n.* -(e)s, ¨er; Slogan *m.* -s, -s.

슬리퍼 Pantoffel *m.* -s, -n.

슬며시 verstohlen; auf Schleichwegen.

슬슬 allmählich; nach und nach; schrittweise.

슬쩍 ☞ 살짝(살짝).

슬퍼하다 betrauern^4 (*jn.*; ^{4}*et.*); ^{4}sich (be)kümmern 〔betrüben〕 (*über* ^{4}*et.*); (be)klagen (*jn.*; ^{4}*et.*); trauern (*über*^{4}; *um*^{4}).

슬프다 traurig 〔betrübt; kummervoll〕 (sein).

슬픔 Trauer *f.*; Traurigkeit *f.*; Betrübnis *f.* -se; Kummer *m.* -s.

슬하(膝下) der Schutz der Eltern. ¶부모의 ~를 떠나다 das Elternhaus verlassen*.

슴베 Angel *m.* -s, -; Griff〔Heft〕zapfen *m.* -s, -.

습격(襲擊) Angriff *m.* -(e)s, -e; Attacke *f.* -n; Überfall *m.* -(e)s, ¨e. ~하다 an|greifen*^{4}; überfallen*^{4}.

습관(習慣) Gewohnheit 〔Gewöhnung〕 *f.* -en; (Ge)brauch *m.* -(e)s, ¨e; Sitte *f.* -n. ~적 gewohnt; gewöhnlich. ¶~이 되다 zur Gewohnheit werden.

습기(濕氣) Feuchtigkeit 〔Nässe〕 *f.* ¶~있는 feucht; nässig; näßlich (축축한).

습도(濕度) Feuchtigkeit *f.* ‖~계(計) Hygrometer *n.* 〔*m.*〕 -s, -.

습득(拾得) ~하다 finden*^{4}; den Fund tun*. ‖~물 Fund *m.* -(e)s, -e / ~자 Finder *m.* -s, -.

습득(習得) ~하다 meistern^4; beherrschen^4.

습성(習性) Gewohnheit *f.* -en; die zweite Natur, -en.

습성(濕性) nass; feucht. ‖~ 늑막염 die nasse Rippenfellentzündung, -en.

습속(習俗) Brauch *m.* -(e)s, ¨e; Sitte *f.* -n.

습윤(濕潤) Feuchtigkeit *f.* ~하다 feucht (sein).

습자(習字) (Schön)schreib(e)kunst *f.*

습작(習作) Studie 〔Etüde〕 *f.* -n.

습작(襲爵) ~하다 die Adelswürde erben.

습전지(濕電池) galvanische Batterie, -n.

습지(濕地) Sumpf *m.* -(e)s, ¨e.

습진(濕疹) Ekzem *n.* -s, -e.

습하다(濕—) dumpfig 〔näßlich; feucht〕 (sein).

승(勝) Sieg *m.* -(e)s, -e. ¶ 3승하다 drei Spiele gewinnen*.

승강기(昇降機) Lift *m.* -(e)s, -e〔-s〕; Fahrstuhl *m.* -(e)s, ¨e.

승강이(昇降—) (티격태격) Wortwechsel *m.* -s, -. ~하다 e-n Wortwechsel haben.

승객(乘客) Passagier *m.* -s, -e; Fahrgast *m.* -es, ¨e.

승격(昇格) ~하다 (im Rang) erhöht werden.

승경(勝景) herrliche Sicht; schöne Landschaft, -en.

승계(承繼) Erbschaft *f.* -en; Übernahme *f.* -n. ~하다 *jn.* beerben; (auf den Thron) folgen.

승급(昇級) ~하다 befördert werden (*zu*^{3}); im Rang erhöht werden. ¶~시키다 befördern (*jn.*); im Rang erhöhen (*jn.*).

승급(昇給) Gehaltserhöhung *f.* -en. ~하다 im Gehalt erhöht 〔aufgebessert〕 werden.

승기(勝機) die Gelegenheit zum Sieg.

승낙(承諾) Be〔Ein〕willigung *f.* -en; Annahme *f.* -n. ~하다 bewilligen^4; an|nehmen*^{4}; ein|willigen (*in*^{4}).

승냥이 〖動〗 Schakal *m.* -s, -e.

승려(僧侶) buddhistischer Priester, -s, - 〔Mönch, -(e)s, -e〕.

승률(勝率) der Prozentsatz des Sieges (für gesamte Zahl der Wettspiele).

승리(勝利) Sieg 〔Triumph; Gewinn〕 *m.* -(e)s, -e. ~하다 den Sieg gewinnen*; siegen. ‖~자 Sieger 〔Gewinner〕 *m.* -s, -.

승마(乘馬) das Reiten*, -s; Ritt *m.* -(e)s, -e. ‖~복 Reitanzug *m.* -(e)s, ¨e.

승무(僧舞) der Tanz in buddhistischer Tracht.

승무원(乘務員) Besatzung *f.* -en (배·항공기의); Mannschaft *f.* -en.

승방(僧房) das Wohnzimmer e-s buddhistischen Tempels.

승복(承服) ~하다 (^{4}sich schuldig) bekennen*; ^{4}sich unterwerfen*^{3}.

승부(勝負) Sieg u. Niederlage. ¶~를 결하다 ^{4}*et.* aus|fechten* / ~를 다투다 wetteifern (*in*^{3}); e-n Kampf aus|kämpfen.

승산(勝算) gute Aussichten (*pl.*). ¶~이 있다〔없다〕 viel 〔wenig〕 Aussicht auf Erfolg haben.

승선(乘船) das Sicheinschiffen*, -s. ~하다 ^{4}sich ein|schiffen.

승소(勝訴) ~하다 e-n Prozeß gewinnen*.

승승장구(勝勝長驅) ~하다 dem fliehenden Feinde auf den Fersen folgen.

승용차(乘用車) Personenkraftwagen *m.* -s, - (略 : Pkw).

승인(承認) Anerkennung *f.* -en. ~하다 an|erkennen*^{4}. ☞ 승낙.

승자(勝者) Sieger *m.* -s, -.

승적(僧籍) Priesterschaft *f.*

승전(承前) Fortsetzung *f.* -en.

승전(勝戰) ~하다 siegen; e-n Kampf gewinnen*. ‖~고 Siegestrommel *f.* -n.

승직(僧職) Priesteramt *n.* -(e)s, ¨er.

승진(昇進) Rangerhöhung *f.* ~하다

erhöht [befördert] werden (zu³); auf|rücken (zu³). ‖ ~ 운동 die Bewegung wegen der Rangerhöhung.
승차(乘車) das Einsteigen*, -s. ~하다 ein|steigen* (in⁴); besteigen*⁴. ‖ ~구 Eingang m. -(e)s, ⸗e / ~권 Fahrkarte f. -n (무임 ~권 Freikarte).
승천(昇天) Himmelfahrt f. ~하다 zum Himmel fahren*. ‖ ~ 축일 Himmelfahrtstag m. -(e)s.
승패(勝敗) Sieg u. Niederlage. ¶ ~를 겨루다 um den Sieg kämpfen.
승하(昇遐) die Heimfahrt des Königs. ~하다 ⁴sich zu s-n Vätern versammeln.
승홍(昇汞) 〖化〗 Sublimat n. -(e)s, -e. ‖ ~수 Sublimatlösung f. -en.
승화(昇華) 〖化〗 Sublimation f. -en. ~하다 sublimieren⁴.
시(市) Stadt f. ⸗e. ‖ 서울시 die Stadt Seoul.
시(時) Zeit f. -en; Stunde f. -n; Uhr f. ¶ 오전 9시에 um 9 Uhr vormittags.
시(詩) Gedicht n. -(e)s, -e; (총칭) Poesie f. -n; (싯귀) Vers m. -es, -e. ¶ 시적인 dichterisch; poetisch / 시를 짓다 ein Gedicht dichten.
시가(市街) Straße f. -n. ‖ ~전 Straßenkampf m. -(e)s, ⸗e / ~ 행진 Straßenmarsch m. -es, ⸗e.
시가(市價) Marktpreis m. -es, -e.
시가(時價) der laufende Preis, -es, -e; Tagespreis.
시가(媤家) die Familie des Ehemanns.
시가(詩歌) Dichtwerk n. -(e)s, -e. ‖ ~선집 Anthologie f. -n.
시가 (여송연) Zigarre f. -n.
시각(時刻) Zeit f. -en; Stunde f. -n.
시각(視角) Gesichts[Seh]winkel m. -s, -.
시각(視覺) Gesichtssinn m. -(e)s; Gesicht n. -(e)s. ‖ ~ 교육 die visuelle Erziehung.
시간(時間) Zeit f. -en; Stunde f. -n. ¶ ~이 걸리다 viel Zeit kosten. ‖ ~ 낭비 Zeitverschwendung f. / ~ 엄수 Pünktlichkeit f. / ~표 (학교 따위의) Stundenplan m. -(e)s, ⸗e; (열차의) Fahrplan / 수업 ~ (Schul)stunde.
시경(詩經) Shiking n. -s; das Buch der Lieder.
시경찰국(市警察局) (서울의) Polizeipräsidium n. -s, ..dien. ‖ ~장 Polizeipräsident m. -en, -en.
시계(時計) Uhr f. -en; (회중) Taschenuhr; (팔목) Armbanduhr; (자명종) Wecker m. -s, -; Weckuhr; (괘종) Wanduhr; (탁상) Stutzuhr. ¶ ~를 맞추다 die ⁴Uhr stellen / ~가 빠르다[늦다] die Uhr geht vor [nach]. ‖ ~포 Uhrhandlung f. -en / 시곗줄 Uhrkette f. -n.
시계(視界) Gesichtskreis m. -es, -e; Gesichtsfeld n. -(e)s, -er.
시고모(媤姑母) Tante f. -n (des Ehemanns).
시골 Land n. -(e)s; Provinz f. -en. ~의 ländlich; provinziell. ‖ ~길 Landweg m. -(e)s, -e. / ~ 사람 Landmann m. -(e)s, ..leute.
시공(施工) ~하다 aus|führen⁴; bauen⁴.
시공품(試供品) Probe f. -n; Probestück n. -(e)s, -e.
시구(始球) ‖ ~식 die Eröffnungsfeierlichkeit des Ballspiels.
시구(詩句) Vers m. -es, -e; Strophe f. -n(절).
시국(時局) Zeitläuf(t)e (pl.); Zeitumstände (pl.).
시굴(試掘) ~하다 schürfen (nach³). ‖ ~권 Schürfrecht n. -(e)s, -e / ~자 Schürfer m. -s, -.
시궁창 Gosse [Senkgrube] f. -n.
시그널 Signal n. -s, -e. ‖ 교통 ~ Verkehrsampel f. -n.
시극(詩劇) poetisches Drama, -s, ..men.
시근거리다 (숨을) keuchen; schnauben; schnaufen.
시글시글 (무리가) schwarmweise; wimmelnd. ~하다 wimmeln (von³).
시금떨떨하다 sauer u. herb (sein).
시금석(試金石) Probier[Prüf]stein m. -(e)s, -e.
시금치 Spinat m. -(e)s, -e.
시급(時急) ~하다 dringlich [dringend] (sein).
시기(時期) Zeit f. -en; Periode f. -n; Jahreszeit. ¶ ~ 상조이다 die Zeit ist noch nicht da.
시기(時機) Gelegenheit f. -en. ¶ 적당한 ~에 bei günstiger Gelegenheit.
시기(猜忌) Neid m. -(e)s; Eifersucht f. ~하다 beneiden (jn. um⁴; wegen²); neidisch sein (auf jn. wegen²). ‖ ~심 Eifersucht f.
시꺼멓다 (색이) tiefschwarz (sein); (뱃속이) bösartig (sein).
시끄럽다 lärmend [geräuschvoll; tumultuarisch; umständlich] (sein); (여론이) viel besprochen (sein); (세상이) unruhig (sein).
시나리오 〖映〗 Drehbuch n. -(e)s, ⸗er. ‖ ~라이터 Drehbuchschreiber m. -s, -.
시나브로 ① (조금씩) unmerklich nach und nach. ② (사이사이에) mitten in andern Arbeiten.
시난고난하다 (Krankheit) allmählich schlimmer werden.
시내 Bach m. -(e)s, ⸗e. ‖ 시냇가 Bachrand m. -(e)s, ⸗er / 시냇물 das Wasser des Baches.
시내(市內) das Stadtinnere*, -n; (도심) Stadtmitte f.
시네라마 〖映〗 Cinerama n. -s.
시네마 〖映〗 Film m. -(e)s, -e. ‖ ~스코프 Cinemascope n. -.
시녀(侍女) Kammerfrau f. -en.
시누이(媤―) Schwägerin f. -nen.
시늉 Nachahmung [Mimik; Verstellung] f. -en. ~하다 ⁴sich stellen [gebärden]; heucheln⁴.
시다 (맛이) sauer [säuerlich; herb] (sein); (눈이) blendend [grell] (sein).
시단(詩壇) Dichterkreis m. -es, -e.
시달(示達) ~하다 an|weisen*.
시달리다 belästigt werden. ¶ 더위에 ~ unter der Hitze leiden*.
시대(時代) Zeit f. -en; Zeitalter n. -s, -; Epoche [Periode] f. -n. ¶ ~에 뒤지다 hinter der Zeit zurück|bleiben* / ~에 순응[역행]하다 mit dem [gegen den] Strom schwimmen*. ‖ ~ 사조 Zeitströmung f. -en / ~ 정신 Zeitgeist

m. -(e)s / ～ 착오 Anachronismus *m.* -, ..men / 봉건 ～ Feudalzeit *f.* -en.

시도(示度) 《기압의》 Stand *m.* -(e)s, ⸚e.

시도(試圖) Versuch *m.* -(e)s, -e. ～하다 versuchen⁴; probieren⁴.

시동(始動) ¶ ～을 걸다 《e-e Maschine od. e-n Motor》 in Gang bringen*〔setzen〕; an|lassen*.

시동생(媤同生) Schwager *m.* -s, ⸚.

시들다 (ver)welken; welk werden; verdorren; ab|sterben*. ¶ 시든 welk; verdorrt; dürr.

시들하다 《시시하다》 unbefriedigend 〔ungenügend; fade〕 (sein); 《불만족》 unzufrieden 《*mit*³》 (sein); unvergnügt 《*über*⁴》 (sein).

시디시다 sehr sauer (sein).

시래기 getrocknete Rettichblätter (*pl.*).

시량(柴糧) Heizmittel u. Nahrungsmittel.

시럽 Sirup *m.* -s, -e.

시렁 Wandregal *n.* -s, -e.

시력(視力) Gesicht *n.* -(e)s; Sehkraft *f.* ⸚e. ¶ ～이 약하다 schwache 〔blöde〕 Augen haben. ‖ ～ 검사 Seh·probe *f.* -n 〔-prüfung *f.* -en〕.

시련(試練) die harte Probe, -n; schwere Prüfung, -en. ¶ ～을 겪다 geprüft werden.

시론(詩論) Poetik *f.* -en; die Abhandlung 〔Kritik〕 über die Poesie.

시료(施療) kostenlose ärztliche Behandlung, -en. ～하다 unentgeltlich behandeln⁴.

시료(試料) 〔化〕 Probeerz *n.* -es, -e.

시루 Dampftopf *m.* -(e)s, ⸚e. ‖ ～떡 der gedünstete Reiskuchen, -s, -.

시류(時流) 《풍조》 der Strom der Zeit; 《유행》 Mode *f.* -n.

시르죽다 entmutigt 〔niedergeschlagen; verzagt〕 sein.

시름 Schwermut *f.*; Düsterheit *f.* -en. ～없이 geistesabwesend; versehentlich; zufällig. ¶ ～에 잠긴 nachdenklich.

시름시름 ¶ ～ 앓다 an e-r chronischen Krankheit leiden*.

시리다 ⁴sich frieren* 《*an*³》. ¶ 손이 ～ mich friert an den Händen.

시리즈 Serie *f.* -n; Folge *f.* -n.

시립(市立) ～의 städtisch; Stadt-. ‖ ～ 도서관 Stadtbibliothek *f.* -en.

시말서(始末書) Rechenschaftsbericht *m.* -(e)s, -e.

시멘트 Zement *m.* -(e)s, -e. ¶ ～를 바르다 zementieren⁴. ‖ ～ 공장 Zementfabrik *f.* -en.

시무룩하다 mürrisch 〔ungesprächig〕 (sein).

시문(詩文) Poesie u. Prosa.

시문(試問) Prüfung *f.* -en; Interview *n.* -s, -s. ～하다 prüfen⁴; aus|fragen 《*nach*³; *um*⁴》.

시민(市民) Bürger 〔Städter〕 *m.* -s, -; Bürgerschaft *f.* -en; Volk *n.* -(e)s, ⸚er. ¶ ～의 소리 Volksstimme *f.* -n. ‖ ～권 Bürgerrecht *n.* -(e)s, -e.

시발(始發) ‖ ～역 Abfahrtsbahnhof *m.* -(e)s, ⸚e.

시방서(示方書) genaues Verzeichnis, -ses, -se.

시범(示範) Vorbild *n.* -(e)s, -er (für die andern). ～하다 das Beispiel geben*; das Vorbild geben*. ‖ ～경기 Musterwettkampf *m.* -(e)s, ⸚e.

시베리아 Sibirien. ‖ ～ 철도 die Sibirische Eisenbahn.

시보(時報) Zeitansage *f.* -n 《라디오의》; Zeitungsnachricht *f.* -en.

시보(試補) Assessor *m.* -s, -en. ‖ 사법관 ～ Referendar *m.* -s, -e.

시복(諡福) Seligsprechung *f.* -en. ～하다 selig|sprechen* 《*jn.*》. ‖ ～식 Seligsprechung.

시부렁거리다 schwatzen; plappern.

시부모(媤父母) Schwiegereltern (*pl.*).

시비(市費) städtische Ausgaben (*pl.*).

시비(是非) ① Recht u. Unrecht. ¶ ～를 가리다 das Recht u. Unrecht klar|stellen. ② 《논쟁》 Disput *m.* -(e)s, -e; Wortwechsel *m.* -s, -. ～하다 e-n Wortwechsel haben 《mit *jm.* *über*⁴》; Krach haben 《mit *jm.* *über*⁴》.

시비(施肥) ～하다 düngen⁴.

시빌미니멈 das minimale Lebensniveau [..nivo:] des Bürgers.

시뻘겋다 hochrot (sein). ¶ 시뻘겋게 단 난로 der rotglühende Ofen, -s, ⸚.

시사(示唆) ～하다 an|deuten⁴; ein|geben* 《*jm.* ⁴*et.*》.

시사(時事) Zeitbegebenheit *f.* -en. ‖ ～ 문제 Zeitfrage *f.* -n.

시사(試射) ～하다 ein Gewehr probieren.

시사(試寫) 〔映〕 Vorschau *f.* ～하다 e-n Film vor geladenen Gästen vor|führen. ‖ ～회(會) die Probevorführung des Films.

시산(試算) Probe *f.* -n. ‖ ～표 Probebilanz *f.* -en.

시살(弑殺) ＝시해(弑害).

시삼촌(媤三寸) der Onkel des (Ehe-)mannes.

시상(施賞) ～하다 *jm.* e-n Preis zu|erkennen*. ‖ ～식 Preisverleihung *f.* -en.

시상(視床) 〔解〕 Sehhügel *m.* -s, -.

시상(詩想) die dichterische Idee, -n.

시새(우)다 sehr eifersüchtig sein 《*auf*⁴》.

시생대(始生代) 〔地〕 Archaikum *n.* -s.

시선(視線) Blick *m.* -(e)s, -e; Gesichtslinie *f.* -n. ¶ ～을 피하다 den Blick ab|wenden⁽*⁾.

시선(詩選) Anthologie 〔Blütenlese〕 *f.* -n.

시설(施設) Einrichtung 〔Institution〕 *f.* -en; Anstalt *f.* -en 《시설물》. ～하다 ein|richten⁴; an|legen⁴; installieren⁴. ‖ ～ 투자 die Kapitalanlage für Einrichtungen / 공공 ～ öffentliche Einrichtungen.

시성(詩聖) Dichterfürst *m.* -en, -en.

시성식(示性式) 〔化〕 rationelle Formel, -n.

시세(市稅) Stadtsteuer *f.* -n; 《지방의》 Bürger〔Gemeinde〕steuer *f.*

시세(時勢) ① 《시류》 Zeit *f.* -en; Zeitströmung *f.* -en; Zeitläufte (*pl.*). ② 《시가》 Marktpreis *m.* -es, -e; Preis 〔Kurs〕 *m.* -es, -e.

시소 Wippe *f.* -n. ‖ ～ 게임 das hin u. her schwebende Spiel, -(e)s, -e.

시속(時速) Stundengeschwindigkeit *f.* -en. ¶ ～ 100킬로미터 100 km in der Stunde.

시숙(媤叔) Schwager m. -s, ¨; der ältere 〔jüngere〕 Bruder des Ehegatten.

시스템 System n. -s, -e. ‖ ~ 공학 Systemforschung f. -en.

시승(試乘) ~하다 probefahren*.

시시각각(時時刻刻) ~으로 von Stunde zu Stunde; Stunde um Stunde; Minute auf Minute.

시시덕거리다 scherzen; spaßen; schäkern 《mit jm.》.

시시비비(是是非非) ¶~로 나가다 e-e unparteiische Haltung ein|nehmen*.

시시하다 unbedeutend 〔gering(fügig); wertlos; leer; kitschig; unsinnig〕 (sein). ¶시시한 것 wertloses Zeug, -(e)s, -e; Plunder m. -s, - / 시시한 사람 ein unbedeutender Mensch, -en, -en.

시식(試食) das Kosten*, -s; Probe f. -n. ~하다 kosten[4]; probieren[4].

시신(屍身) Leichnam m. -(e)s, -e; Leiche f. -n.

시신경(視神經) Sehnerv m. -es, -en.

시아버지(媤—) Schwiegervater m. -s, ¨.

시아주버니(媤—) =아주버니.

시안(試案) Entwurf m. -(e)s, ¨e.

시안 〖化〗 Zyan n. -s. ‖ ~화물 Zyanid n. -(e)s, -e.

시앗 Kebse f. -n. ¶~을 보다 sehen*, daß der eigene Mann e-e Nebenfrau nimmt.

시야(視野) Gesichtskreis m. -es, -e. ¶~에 들어오다 in [4]Sicht kommen* / ~를 가리다 k-n freien Blick haben / ~를 넓히다 s-n Gesichtskreis erweitern.

시약(施藥) ~하다 jm. unentgeltlich [4]Medizin geben*.

시약(試藥) 〖化〗 Reagens n. -, ..genzien.

시어(詩語) e-e poetische Ausdrucksweise, -n.

시어머니(媤—) Schwiegermutter f. ¨.

시업(始業) ~하다 an|fangen* zu arbeiten.

시역(弑逆) =시해(弑害).

시연(試演) Probe f. -n. ~하다 proben[4].

시영(市營) ~의 städtisch. ‖ ~ 버스 der städtische Bus, -ses, -se / ~ 주택 e-e städtische Wohnung, -en.

시오니즘 Zionismus m. -.

시외(市外) Vorort m. -(e)s, -e; Vorstadt f. ¨e. ¶~에 außerhalb der Stadt. ‖ ~ 전화 Ferngespräch n. -(e)s, -e (~ 전화국 Fernamt n. -(e)s, ¨er).

시용(試用) ~하다 probieren[4]; versuchen[4].

시우쇠 Roheisen n. -s, -.

시운(時運) der günstige Zeitpunkt, -es, -e; Glück n. -es.

시운전(試運轉) Probefahrt f. -en. ~하다 probefahren*.

시원스럽다 (성격이) offen 〔freimütig; heiter; schneidig〕 (sein).

시원시원하다 beredt 〔geläufig〕 (sein).

시원찮다 unbefriedigend 〔ungenügend; unklar〕 (sein).

시원하다 frisch 〔erquickt; erfrischend; labend; kühl〕 (sein).

시월(十月) Oktober m. -s, - 《略: Okt.》.

시위[1] (활의) Sehne f. -n. ¶~를 당기다 e-n Bogen spannen.

시위[2] (홍수) Flut f. -en. ~나다 überflutet sein.

시위(示威) Demonstration 〔Kundgebung〕 f. -en. ~하다 demonstrieren; e-e Kundgebung 《für[4]; gegen[4]》 machen. ‖ ~ 행진 Parade f.

시유(市有) ~의 städtisch; Stadt-. ‖ ~지(地) e-r Stadt gehörendes Grundstück, -(e)s, -e.

시음(試飮) ~하다 zur Probe trinken*[4]; kosten[4].

시읍면(市邑面) Gemeinde f. -n; Städte u. Dörfer.

시의(時宜) ¶~에 맞는 den Zeitumständen entsprechend.

시의원(市議員) Stadtrat m. -(e)s, ¨e; der Stadtverordnete*, -n, -n.

시의회(市議會) Stadt·rat m. -(e)s, ¨e 〔-verordnetenversammlung f. -en〕.

시인(是認) ~하다 billigen[4]; rechtfertigen[4]; gut|heißen*[4]; an|erkennen*[4] 《als[4]》.

시인(詩人) Dichter m. -s, -; Poet m. -en, -en.

시일(時日) Zeit f. -en; Tage (pl.); Datum n. -s, ..ten. ¶~을 정하다 e-n Termin aus|machen 〔fest|setzen〕 / ~을 지키다 〔연기하다〕 e-n Termin ein|halten* 〔verschieben*〕.

시작(始作) Anfang m. -(e)s, ¨e; Beginn m. -(e)s. ~하다 beginnen*[4]; an|fangen*[4]; vor|nehmen*[4]. ¶ ~되다 an|fangen*; beginnen*; ein|setzen; 《발원》 entspringen* 《in[3]》.

시작(詩作) das Versemachen*, -s. ~하다 Gedichte 〔Verse〕 (pl.) machen.

시작(試作) Probearbeit f. -en; Versuch m. -(e)s, -e. ~하다 probeweise her|stellen[4].

시장하다 Hunger haben 〔bekommen*〕; hungrig sein.

시장(市長) Bürgermeister m. -s, -.

시장(市場) Markt m. -(e)s, ¨e; Marktplatz m. -es, ¨e; Messe f. -n. ¶~에 내놓다 auf den Markt bringen*. ‖ ~ 가격 Marktpreis m. -es, -e / ~ 분석 Marktanalyse f. -n / ~ 조사 Marktforschung f. -en. / 금융 ~ Geltmarkt m. / 암(暗)~ Schwarzmarkt m. / 청과물 ~ Gemüsemarkt m.

시재(詩才) Dichtergabe f. -n.

시적(詩的) poetisch; dichterisch. ¶~ 표현 e-e poetische Ausdrucksweise.

시적거리다 etwas widerwillig 〔abgeneigt; ungern; gleichgültig〕 tun*.

시절(時節) 《계절》 Jahreszeit f. -en; Saison f. -s; 《시기》 Zeit f. -en; Gelegenheit f. -en. ¶학생 ~에 in m-r Schulzeit.

시접 (옷의) Einschlag m. -(e)s, ¨e; Saum m. -(e)s.

시정(市政) Stadtverwaltung f. -en.

시정(是正) Verbesserung f. -en. ~하다 verbessern[4]; berichtigen[4].

시정(施政) Regierung 〔Verwaltung〕 f. -en. ‖ ~ 방침 Verwaltungs·politik f. -en 〔-programm n. -(e)s, -e〕.

시정(詩情) (시취) e-e poetische Stimmung, -en.

시제(市制) die städtische Organisation, -en.

시제(時制) 〖文〗 Tempus n. -, ..pora.

시조(始祖) (Ur)vorfahr m. -en, -en; 《창시자》 Urheber 〔Begründer〕 m. -s, -; Bahnbrecher m. -s, -.

시조(時調) *Sijo* (= dreizeiliges koreanisches Kurzgedicht).
시종(始終) von Anfang bis Ende; beständig; stets; immer. ¶~ 일관하다 konsequent [folgerichtig] sein.
시종(侍從) Kammerherr *m.* -n, -en.
시주(施主) 〖佛〗 Wohltäter *m.* -s, -. ~하다 Geld bei|tragen*[spenden].
시중(市中) Stadt *f.* ¨e. ‖~ 금리 der Zinssatz des offenen Markts.
시중들다 bedienen⁴ 《식탁에서》; auf|warten³ 《*bei*³》; servieren⁴.
시집(媤—) das Haus des Ehemanns. ¶~가다 heiraten 《*jn.*》 / ~ 보내다 (e-e Tochter) verheiraten 《*an*⁴; *mit*³》. ‖~살이 das Eheleben im Elternhaus des (Ehe)mannes.
시집(詩集) Gedichtsammlung *f.* -en; Anthologie *f.* -n.
시차(時差) Zeitunterschied *m.* -(e)s, -e; 〖天〗 Zeitgleichung *f.* -en.
시차(視差) 〖天〗 Parallaxe *f.* -en.
시찰(視察) Besichtigung [Inspektion] *f.* -en. ~하다 besichtigen⁴; inspizieren⁴. ‖~ 여행 Besichtigungs[Inspektions]-reise *f.* -n.
시채(市債) Stadtanleihe *f.* -n.
시책(施策) Maßnahme *f.* -n. ¶~을 강구하다 Maßnahmen treffen*.
시청(市廳) Rat[Stadt]haus *n.* -es, ¨er; Stadtamt *n.* -(e)s, ¨er.
시청(視聽) das Sehen* u. Hören*, -s; Interesse *n.* -s, -n. ‖~각 교육 ein audiovisueller Unterricht, -(e)s, -e / ~료 Fernsehgebühren (*pl.*) / ~률 Zuschauerquote *f.* -n / ~자 Zuschauer *m.* -s, - (~자 여러분 Liebe Fernseher! 《TV에서》).
시청(試聽) Hörprobe *f.* -n. ‖~실 Hörstudio *n.* -s, -s.
시체(屍體) Leiche *f.* -n; Leichnam *m.* -(e)s, -e. ¶~로 발견되다 tot aufgefunden werden. ‖~ 안치소 Leichenhalle *f.* / ~ 해부 Leichenöffnung *f.* -en; Obduktion *f.*
시초(始初) Anfang *m.* -(e)s, ¨e; (An-)beginn *m.* -(e)s.
시추(試錐) Versuchs[Probe]bohrung *f.* -en; 《석유의》 Erdölbohrung *f.* -en. ~하다 Versuchsbohrungen machen. ‖~선[기지] Bohrinsel *f.* -n / ~탑 Bohrturm *m.* -(e)s, ¨e.
시치다 《옷을》 lose nähen⁴; heften⁴.
시치미떼다 e-e unschuldige Miene machen; ⁴sich verstellen; heucheln.
시침(時針) Stundenzeiger *m.* -s, -.
시커멓다 sehr schwarz [in Tiefschwarz] (sein); schlecht [böse] (sein).
시큰둥하다 naseweis [vorlaut; frech; dreist] (sein).
시키다 lassen*⁴; machen⁴; 《피어》 veranlassen⁴ 《*zu*³》; 《억지로》 zwingen*⁴ [nötigen⁴] 《*zu*³; *zu* tun⁴》; 《주문》 bestellen⁴. ¶걱정~ *jm.* Sorge machen / 시키는 대로 하다 auf *js.* ⁴Wink folgen³.
시트 《침대의》 Bettuch *n.* -(e)s, ¨er.
시판(市販) Verkauf *m.* -(e)s, ¨e. ~하다 auf den Markt bringen*⁴; verkaufen.
시퍼렇다 tiefblau (sein).

시편(詩篇) 〖聖〗 Psatler *m.* -s, -; Psalm(en)buch *n.* -(e)s, ¨er.
시평(時評) der Kommentar der Zeitfragen.
시하(侍下) 〖副詞的〗 bei beiden Großeltern. ‖~인 (an⁴) Hochwohlgeboren.
시학(詩學) Poetik *f.* -en.
시한(時限) Zeit *f.* -en; Frist *f.* -en. ‖~ 폭탄 Zeitbombe *f.* -n.
시할머니(媤—) die Großmutter des (Ehe)mannes.
시할아버지(媤—) der Großvater des (Ehe)mannes.
시합(試合) (Wett)kampf *m.* -(e)s, ¨e; Turnier *n.* -s, -e; Kampfspiel *n.* -(e)s, -e. ~하다 kämpfen 《*mit*³》; das Kampfspiel machen; spielen 《*gegen*⁴》.
시해(弑害) ~하다 töten⁴; (er)mörden⁴.
시행(施行) Ausführung [Ausübung] *f.* -en. ~하다 aus|führen⁴; aus|üben⁴; 《법률을》 in Kraft setzen⁴.
시행착오(試行錯誤) Versuch u. Irrtum; Trial-and-error [tráiəl ənd érə] *n.*
시험(試驗) Prüfung *f.* -en; Probe *f.* -n; 《고사》 Examen *n.* -s, -; 《실험》 Versuch *m.* -(e)s, -e; Experiment *n.* -(e)s, -e. ~하다 prüfen⁴; ⁴*et.* probieren; examinieren⁴; experimentieren 《*mit*³》; Versuch an|stellen 《*mit*³》. ¶무~으로 examensfrei / ~삼아 zum Versuch; zur Probe. ‖~관(管) Reagenz-[Probier]glas *n.* -es, ¨er / ~ 문제 Prüfungsaufgabe *f.* -n / ~ 발사 Probeschuß *m.* ..usses, ..üsse / ~장 Prüfungslokal *n.* -(e)s, -e / ~지 Reagenzpapier *n.* -s, -s / ~ 지옥 die Mühsale (*pl.*) der Eintrittsprüfung, -en / 중간 ~ Zwischenprüfung *f.*
시현(示顯·示現) ~하다 ⁴sich offenbaren.
시호(諡號) 《추증하는》 der post(h)ume Name(n), ..mens, ..men.
시황(市況) Marktlage *f.* -n.
시효(時効) Verjährung *f.* -en. ¶~에 걸리다 verjähren; verjährt werden. ‖~기간 Verjährungsfrist *f.* -en / ~ 정지 der Aufschub der Verjährung / 취득[소멸] ~ die erwerbende [erlöschende] Verjährung.
시흥(詩興) poetische Inspiration, -en.
식(式) 《의식》 Feier [Zeremonie] *f.* -n; 《형》 Form *f.* -en; Mode *f.* -n; 《양식》 Stil [Typ] *m.* -(e)s, -e; 《방식》 die Art u. Weise; 〖數〗 Formel *f.* -n. ¶식을 거행하다 e-e Feier begehen*.
식객(食客) Schmarotzer *m.* -s, -; Parasit *m.* -en, -en; 《俗》 Nassauer *m.* -s, -. ¶~ 노릇(을) 하다 schmarotzen 《bei *jm.*》.
식견(識見) 《지성》 Intellekt *m.* -(e)s, -e; Intelligenz *f.*
식곤증(食困症) Abspannung *f.* -en (nach dem Essen); Mattheit *f.*
식구(食口) Hausgenossen (*pl.*); Familie *f.* -n.
식권(食券) Lebensmittelkarte *f.* -n.
식기(食器) Tischgerät [Tafelgeschirr] *n.* -(e)s, -e. ‖~ 세척기 Geschirrspülmaschine *f.* -n.
식다 kühl [kalt] werden; ⁴sich ab|kühlen; erkalten; 《…열·흥미가》 abkühlen.
식단(食單) Menü *n.* -s, -s.
식당(食堂) Speise[Eß]zimmer *n.* -s, -;

Speisesaal *m.* -(e)s, ..säle; 《음식점》 Restaurant *n.* -s, -s; Speisehaus *n.* -es, ⸚er. ‖ ~차(車) Speisewagen *m.* -s, -.
식도(食道) Speiseröhre *f.* -n.
식도락(食道樂) Gastronomie *f.* ‖ ~가 Gastronom *m.* -en, -en.
식량(食糧) Proviant *m.* -(e)s, -e; Lebens〔Nahrungs〕mittel (*pl.*). ‖ ~ 배급 Lebensmittelrationierung *f.* -en.
식료품(食料品) Eßwaren (*pl.*); Lebensmittel (*pl.*). ‖ ~ 가게 Nahrungsmittelladen 〔Kolonialwarenladen〕 *m.* -s, ⸚.
식모(食母) (Küchen)magd *f.* ⸚e; Küchenmädchen *n.* -s, -.
식목(植木) Baumpflanzung *f.* -en. ~하다 e-n Baum pflanzen. ‖ ~일 Baumpflanzungstag *m.* -(e)s, -e.
식물(植物) Pflanze *f.* -n; Gewächs *n.* -es, -e; Vegetation *f.* -en. ¶~성의 vegetarisch. ‖ ~원(園) der botanische Garten, -s, ⸚ / ~ 인간 ein paralysierter Mensch, -en, -en / ~학 Botanik *f.* -en.
식민(植民) Kolonisation 〔Besied(e)lung; Pflanzung〕 *f.* -en. ~하다 kolonisieren[4]; besiedeln[4]. ‖ ~지 Kolonie *f.* -n; Siedlung *f.* -en.
식별(識別) ~하다 unterscheiden*[4] 《*von*[3]》; erkennen*[4] 《*an*[3]》.
식비(食費) Lebensmittel〔Nahrungs〕kosten (*pl.*).
식빵(食—) Brot *n.* -(e)s, -e.
식사(式辭) Festrede 〔Ansprache〕 *f.* -n.
식사(食事) Mahlzeit *f.* -en; das Essen, -s, -. ~하다 essen*; e-e Mahlzeit halten* 〔ein|nehmen*〕. ‖ ~ 시간 Essenszeit 〔Eßzeit〕 *f.* -en.
식상(食傷) ~하다 übersatt 〔übersättigt〕 sein 《*von*[3]》; überdrüssig[2] sein.
식생활(食生活) Eßgewohnheiten (*pl.*).
식성(食性) Neigungen u. Abneigungen (*pl.*) beim Essen; Geschmack *m.* -es, -e. ¶~에 맞다 s-m Geschmack 〔Gaumen〕 zu|sagen.
식수(食水) Trinkwasser *n.* -s; Kranenbergen *m.* -s 《수도의》.
식수(植樹) ~하다 e-n Baum pflanzen.
식순(式順) Ablauf *m.* -s (e-r Zeremonie); Ordnung *f.* -en.
식식거리다 röcheln; keuchen; schnauben; schnaufen.
식언(食言) ~하다 sein Wort brechen*.
식염(食塩) Kochsalz *n.* -es.
식욕(食慾) Appetit *m.* -(e)s, -e; Eßlust *f.* ¶~을 자아내다 Appetit an|regen.
식용(食用) ~의 eßbar. ‖ ~유 Speiseöl *n.* -(e)s, -e.
식육(食肉) das Fleish·essen 〔-fressen〕*, -s.
식은땀 Angstschweiß *m.* -es; kalter Schweiß, -es. ¶~을 흘리다 kalten Schweiß schwitzen; Angstschweiß schwitzen.
식음(食飮) Essen u. Trinken, des - u. -s. ¶~을 전폐하다 fasten; [4]sich aller Speisen enthalten*.
식이요법(食餌療法) Diätkur *f.* -en.
식인종(食人種) Kannibale *m.* -n, -s; Menschenfresser *m.* -s, -.
식자(植字) 〖印〗 das Setzen*, -s. ~하다 Lettern setzen. ‖ ~공 (Schrift)setzer *m.* -s, -.
식자(識者) die Gebildeten (*pl.*); die gebildete Oberschicht, -en; Kenner *m.* -s, -.
식장(式場) Festhalle *f.* -n; Festplatz *m.* -es, ⸚e 《야외》.
식전(式典) Gottesdienstordnung *f.* -en; Zeremonie *f.* -n.
식전(食前) ~에 vor dem Essen; vor Tisch.
식중독(食中毒) Speisevergiftung *f.* -en.
식체(食滯) Verdauungsstörung *f.* -en; Dyspepsie *f.* -n.
식초(食醋) Essig *m.* -s, -e.
식충(食蟲) ‖ ~류 〖動〗 Insektenfresser *m.* -s, -.
식칼(食—) Küchenmesser *n.* -s, -.
식탁(食卓) Tisch *m.* -es, -e; Tafel *f.* -n. ¶~에 앉다 [4]sich zu [3]Tisch setzen.
식품(食品) Lebens〔Nahrungs〕mittel *n.* -s, -. ‖ ~ 공업 Nahrungsindustrie *f.*
식후(食後) ~에 nach dem Essen; nach [3]Tisch.
식히다 (ab|)kühlen[4]; erkälten[4]. ¶식힌 (ab)gekühlt.
신 《구두》 Schuh *m.* -(e)s, -e; 《편상화》 Schnürschuh. ¶신을 신다〔벗다〕 die Schuhe an〔aus〕|ziehen*.
신(神) Gott *m.* -(e)s, ⸚er ★ 기독교의 신일 때는 관사 없음; Göttin *f.* -nen 《여신》; der Allmächtige*, -n 《전능한 신》; Schöpfer *m.* -s, - 《조물주》; Allah *m.* -s 《회교의》; Dämon *m.* 《귀신》; Geist *m.* 《신령》.
신 《장면》 Szene *f.* -n. ‖ 러브신 Liebesszene *f.*
신간(新刊) die neue Veröffentlichung, -en; 《책》 Neuerscheinungen (*pl.*).
신격화(神格化) Vergottung 〔Vergötterung〕 *f.* -en. ~하다 vergöttlichen; vergöttern; vergotten.
신경(神經) Nerv *m.* -s, -en. ‖ ~ 쇠약 Nervenschwäche〔Neurasthenie〕 *f.* -n / ~전 der Krieg des Nervs / ~질〔과민〕 Nervosität *f.* (~질적인 nervös; nervenschwach) / ~통 Nervenschmerz *m.* -es, -en / 말초 ~ periphere Nerven (*pl.*).
신경지(新境地) ¶~를 개척하다 ein Brachfeld (um|)pflügen 〔um|brechen*〕.
신경향(新傾向) die neue Tendenz 〔Neigung; Richtung〕 -en.
신고(申告) Anmeldung *f.* -en; Angabe *f.* -n. ~하다 an|melden[4]; an|geben*[4]. ‖ ~서 die schriftliche Angabe, -n; 《용지》 Anmeldeschein *m.* -(e)s, -e / ~자 Anmelder *m.* -s, -.
신고(辛苦) 《간난》 Mühsal *f.* -e; 《노고》 Mühe *f.* -n.
신곡(新曲) e-e neue Komposition, -n 《작곡》; ein neues Musikstück, -(e)s, -e 《악곡》.
신곡(新穀) die neue Reisernte.
신관(信管) Zünder *m.* -s, -. ‖ 시한 ~ Zeitzünder *m.* -s, -.
신관(新館) das neue Gebäude, -s, -; Neubau *m.* -s, -ten.
신교(信教) religiöser Glaube, -ns, -n. ¶~의 자유 Religionsfreiheit *f.*; religiöse Freiheit.
신교(新教) Protestantismus *m.* -. ‖ ~도 Protestant *m.* -en, -en.
신구(新舊) alt u. neu.
신국면(新局面) e-e neue Phase 〔Lage〕 *f.* -n.
신규(新規) ~의 neu(artig); frisch. ¶~로 aufs neue; von neuem.

신극(新劇) das moderne Theater, -s.
신기(神技) göttliches Können, -s, -; göttliches Spiel, -s, -e.
신기록(新記錄) ein neuer Rekord, -(e)s, -e; die neue Höchstleistung, -en.
신기료장수 Schuhflicker *m.* -s, -.
신기루(蜃氣樓) Luftspiegelung *f.* -en.
신기원(新紀元) (neue) Epoche, -n. ¶~을 이루다 Epoche machen.
신기하다(神奇—) geheimnisvoll 〔mysteriös; seltsam; sonderbar; wunderlich〕 (sein).
신기하다(新奇—) neu(artig)〔selten; ungewöhnlich〕(sein).
신나다 begeistert 〔erregt〕 werden; in Schwung kommen*; für ^{4}*et.* schwärmen.
신년(新年) Neujahr *n.* -(e)s, -e.
신념(信念) Glaube *m.* -ns; Überzeugung *f.* -en.
신다 an|ziehen*^{4}.
신당(新黨) e-e neue Partei, -en.
신대륙(新大陸) der Neue Kontinent, -s, -e; die Neue Welt, -en.
신도(信徒) =신자.
신동(神童) Wunderkind *n.* -(e)s, -er.
신뒤축 (Schuh)absatz *m.* -es, ⸚e.
신디케이트 〖經〗 Syndikat *n.* -(e)s, -e.
신랄하다(辛辣—) scharf 〔bitter; hart; beißend; herb; gesalzen〕 (sein).
신랑(新郎) Bräutigam *m.* -s, -e.
신령(神靈) 《신성한》 der Heilige Geist, -es, -er; Geister 〔Götter〕 (*pl.*).
신례(新例) das neue Beispiel, -(e)s, -e. ¶~를 만들다 ein neues Beispiel geben*.
신록(新綠) das frische Grün, -s.
신뢰(信賴) ~하다 die Zuversicht setzen 《*auf*^{4}》; zu|trauen 《*jm.*》; vertrauen 《*jm.*》; 《의지》 ^{4}sich verlassen* 《*auf*^{4}》.
신망(信望) Beliebtheit 〔Popularität〕 *f.* -en; Vertrauen *n.* -s. ¶~을 얻다 *js.* ^{4}Vertrauen gewinnen*.
신명(身命) ¶~을 바쳐 mit ^{3}Gefahr des Lebens / ~을 바치다 sein Leben ein|setzen.
신명(神明) 《신령》 Gottheit *f.*; Gott *m.* -es, ⸚er. ¶천지 ~에 맹세하다 bei Gott schwören*.
신명나다 in Begeisterung 〔Enthusiasmus; Schwärmerei〕 geraten* 《*wegen*^{2}》; entzückt sein 《*über*^{4}; *von*^{3}》; ^{4}sich ausgezeichnet amüsieren.
신묘하다(神妙—) mysteriös 〔geheimnisvoll; orakelhaft; okkult〕 (sein).
신문(訊問) Verhör *n.* -(e)s, -e; Vernehmung *f.* -en. ~하다 verhören 《*jn.*》.
신문(新聞) Zeitung *f.* -en; 《일간》 Tageblatt *n.* -(e)s, ⸚er; 《총칭》 Presse *f.* -n. ‖~ 광고 Zeitungsanzeige *f.* -n / ~ 기사 Zeitungsartikel *m.* -s, -; Zeitungsnotiz *f.* -n / ~ 기자 Journalist *m.* -en, -en; Zeitungsschreiber *m.* -s, -; (Zeitungs)reporter *m.* -s, - / ~ 배달원 Zeitungsträger *m.* -s, - / ~사 Zeitungsverlag *m.* -(e)s, -e / ~철 Zeitungshalter *m.* -s, -.
신물 ¶~이 나다 ^{4}sich angeekelt 〔abgestoßen; angewidert〕 fühlen; von ^{3}*et.* die Nase voll haben.
신바닥 Schuhsohle *f.* -en.
신바람 Aufregung *f.* -en.
신발 Fußbekleidung *f.* -en. ☞ 신. ‖~ 가게 Schuhge·schäft *n.* 〔-laden *m.*〕/ ~ 장수 Schuhwarenhändler *m.* -s, -.
신방(新房) Braut·gemach *n.* -(e)s 〔-kammer *f.*〕. ¶~에 들다 ^{4}sich ins Brautbett legen.
신법(新法) 〖法〗 die neue Verordnung, -en; das neue Gesetz, -es, -e.
신변(身邊) ¶~의 위험 *js.* persönliche Gefahr.
신병(身病) beeinträchtigte〔erschütterte〕 Gesundheit *f.*; Krankhaftigkeit *f.*
신병(新兵) Rekrut *m.* -en, -en; der Konskribierte*, -n, -n.
신봉(信奉) ~하다 ^{4}sich bekennen* 《*zu*^{3}》. ‖~자 Bekenner *m.* -s, -; Anhänger *m.* -s, -.
신부(神父) Priester *m.* -s, -; Vater *m.* -s, ⸚e; Pater *m.* -s, -〔..tres〕.
신부(新婦) Braut *f.* ⸚e; die junge Frau, -en.
신분(身分) Stand 〔Rang〕 *m.* -(e)s, ⸚e; die persönlichen Verhältnisse (*pl.*). ‖~ 증명서 Ausweiskarte *f.* -n.
신불(神佛) die Götter u. Buddhas.
신비(神秘) Mysterium *n.* -s, ..rien; Geheimnis *n.* -ses, -se. ~하다, ~롭다 mystisch 〔geheimnisvoll; mysteriös〕 (sein).
신빙(信憑) Zutrauen *n.* -s; Verlaß *m.* ..lasses. ~하다 ^{4}sich verlassen* 《*auf*^{4}》. ‖~성 Zuverlässigkeit 〔Zuversichtlichkeit〕 *f.*
신사(紳士) ein vornehmer Mann, -(e)s, ⸚er; Herr *m.* -n, -en; Gentleman *m.* -s, ..men; Ehrenmann. *m.* -(e)s, ⸚er. ¶~적인 anständig; vornehm; gebildet; ehrenhaft. ‖~복 (Herren)anzug *m.* -(e)s, ⸚e; Jacketanzug *m.*
신상(身上) 《몸》 eigener Körper, -s, -. ‖~ 문제 persönliche Angelegenheiten (*pl.*).
신상필벌(信賞必罰) ~하다 Gerechtigkeit walten lassen*; Gerechtigkeit als Losung führen.
신생(新生) das neue Leben, -s; die neue Geburt, -en. ‖~국(國) neu gegründete Staaten (*pl.*) / ~대(代) 〖地〗 Tertiärperiode *f.* / ~아(兒) neugeborenes Kind, -es, -er.
신생활(新生活) das neue Leben, -s.
신서(信書) Brief *m.* -(e)s, -e; Schreiben *n.* -s, -.
신석기(新石器) ‖~시대 Jungsteinzeit *f.*; Neolithikum *n.* -s.
신선(神仙) das göttliche Wesen, -s, -; Halbgott *m.* -es, ⸚er. ‖~경 Feen-〔Zauber〕land *n.* -(e)s, ⸚er.
신선(新鮮) ~하다 frisch 〔neu〕 (sein).
신설(新設) ~하다 neu errichten^4 〔gründen^4〕. ¶~의 neu errichtet〔gegründet〕.
신설(新說) die neue Theorie, -n; die neue Lehre, -n.
신성(神性) Gottheit *f.*; die göttliche Natur.
신성(神聖) ~하다 heilig 〔göttlich〕(sein).
신성(新星) 〖天〗 Nova *f.* -e; der neue Stern, -(e)s, -e.
신세 moralische Verschuldung 〔Verpflichtung〕 -en; Dankesschuld *f.* ¶~를

지다 Dank schuldig sein 《jm.》; zu Dank verpflichtet sein 《jm.》.
신세(身世) Geschick n. -(e)s, -e; Lebenslage f. -n. ¶딱한 ~ die mißliche Lage, -n / ~ 타령하다 s-e Lage beklagen.
신세계(新世界) die neue Welt, -en.
신세대(新世代) die neue Generation, -en.
신소리 Wortspiel n. -(e)s, -e; Kalauer m. -s, -. ¶~를 하다 mit Worten spielen; ein Wortspiel machen.
신속(迅速) ~하다 geschwind 〔schnell; rasch〕(sein).
신수(身手) Erscheinung f. -en; das Auftreten*, -s. ¶~가 훤하다 e-e gute Figur machen; stattlich auf|treten*.
신수(身數) Glück n. -(e)s; Los n. -es, -e. ¶~가 피다 Das Glück ist jm. günstig.
신승하다(辛勝—) mit (knapper) Mühe u. Not gewinnen*[4].
신시(新詩) ein modernes Gedicht, -(e)s, -e.
신시대(新時代) ein neues Zeitalter, -s, -; e-e neue Ära, ..ren.
신식(新式) ~의 neuen Stils; neuen [2]Systems; von neuem Typus; 《유행》 neumodisch; modern.
신심(信心) Glaube m. -ns, -n; Andacht f.; Frömmigkeit f.
신안(新案) e-e neue Idee, -n〔Erfindung, -en〕. ‖~ 특허 Patent n. -(e)s, -s.
신앙(信仰) Glaube m. -ns, -n. ¶~이 두터운 gläubig; fromm / ~이 없는 gottlos; ungläubig / ~의 자유 Glaubensfreiheit f. -en / ~이 흔들리다 in s-m Glauben schwankend werden.
신약(神藥) Wunder〔Allheil〕mittel n. -s, -; Panazee f. -n.
신약성서(新約聖書) das Neue Testament, -(e)s 《略 : N. T.》.
신어(新語) ein neues 〔neugeprägtes〕 Wort, -(e)s, ⸚er.
신역(新譯) die neue Übersetzung, -en.
신열(身熱) Körpertemperatur f. -en; Fieber n. -s, -.
신예(新銳) ~의 frisch u. neu.
신용(信用) Ver〔Zu〕trauen n. -s; 《거래상의》 Kredit m. -(e)s, -e. ~하다 vertrauen《jm.; auf jn.》; zu|trauen《jm.》; glauben. ¶~할 수 있는 zuverlässig; vertrauenswert. ‖~ 거래 Kredittransaktion f. (~ 거래를 하다 auf Kredit kaufen) / ~장 Kreditbrief m. -(e)s, -e.
신원(身元) Herkunft f. ⸚e; persönliche Verhältnisse (pl.). ¶~이 확실한 mit guten Referenzen / ~ 불명의 unidentifiziert / …의 ~을 보증하다 für jn. Bürgschaft leisten. ‖~ 보증인 Bürger m. -n, -n.
신원(伸寃) Wiedergutmachung f. -en. ~하다 Unrecht wieder|gut|machen; s-n Groll stillen.
신음(呻吟) ~하다 stöhnen; ächzen. ‖~ 소리 das Stöhnen*〔Ächzen*〕 -s.
신의(信義) Treue 〔Redlichkeit〕 f. ¶~ 있는 treu; redlich.
신인(神人) ① 《신과 사람》 Gott und Mensch. ② Gottmensch m. -en 《예수》; Halbgott m. -(e)s, ⸚er 《그리스 신화의 영웅》.
신인(新人) Nachwuchs m. -es; Neuling m. -s, -e 《초심자》. ‖~ 배우〔선수〕 Nachwuchsschauspieler 〔Nachwuchsspieler〕 m. -s, -.
신임(信任) Ver〔Zu〕trauen n. -s. ~하다 vertrauen[3]《auf [4]》; zu|trauen; Vertrauen schenken[3]. ¶~을 얻다 Vertrauen gewinnen*. ‖~장 Beglaubigungsschreiben n. -s, -.
신임(新任) ~의 neuernannt. ‖~자 der Neuernannte*, -n, -n.
신입(新入) ~의 neu(eingetreten). ‖~생 der neue Schüler, -s, -; Fuchs m. -es, ⸚e 《학생 용어》.
신자(信者) der Gläubige*, -n, -n; Anhänger m. -s, - 《신봉자》. ‖기독교 ~ Christ m. -en, -en.
신작(新作) ein neues Stück, -(e)s, -e. ¶~을 발표하다 ein neues Buch 〔Werk〕 veröffentlichen.
신작로(新作路) der neue Weg, -(e)s, -e; die breite〔große〕 Straße, -n.
신장(一欌) Schuhschrank m. -(e)s, ⸚e.
신장(身長) Körpergröße f.; Wuchs m. -es, ⸚e. ¶~이 5피트 6인치이다 fünf Fuß sechs Zoll groß sein.
신장(伸張) ~하다 aus|dehnen[4]; expandieren[4]; verlängern[4].
신장(新裝) Neu·ausrüstung 〔-ausstattung; -dekoration〕 f. -en. ~하다 neu aus|rüsten 〔aus|statten; dekorieren〕.
신장(腎臟) 〖解〗 Niere f. -n. ‖~ 결석 Nierensteine (pl.) / ~ 이식(移植) Nierentransplantation f. -en.
신저(新著) js. neues Buch, -(e)s, ⸚er; das neue Werk, -(e)s, -e.
신전(神殿) Tempel m. -s, -; Heiligtum n. -s, ⸚er; Gotteshaus n. -es, ⸚er.
신정(神政) Theokratie f. -n; Gottesherrschaft f. -en.
신정(新正) Neujahrstag m. -(e)s, -e; Neujahr n. -(e)s, -e.
신제(新制) ein neues System, -s, -e.
신제품(新製品) neues Produkt, -(e)s, -e.
신조(信條) Glaubensartikel m. -s, -; 《개인의》 Glaubensbekenntnis n. -ses, -se.
신조(新造) ~하다 neu bilden[4] 〔konstruieren[4]〕; ein neues Wort bilden. ¶~의 neugebaut; neu; neugebildet. ‖~어 das neugebildete 〔neue〕 Wort, -(e)s, -e 〔⸚er〕; Neuwort n.
신주(神主) Ahnen〔Toten〕tafel f. -n. ¶~를 모시다 Ahnentafel ein|schreinen.
신주(新株) neu herausgegebene Aktien (pl.). ¶~를 발행하다 neue Aktien heraus|geben*.
신중(愼重) ~하다 vorsichtig〔umsichtig; sorgfältig; diskret〕(sein).
신진(新進) ~의 angehend; emporkommend. ¶~ 기예의 jung u. energisch. ‖~ 작가 der angehende Schriftsteller, -s, -.
신진대사(新陳代謝) Stoffwechsel m. -s; Metabolismus m. -.
신찬(新撰) ~의 neu verfaßt〔zusammengestellt〕.
신천지(新天地) die neue Welt, -en.

신청(申請) Gesuch *n.* -(e)s, -e; Antrag *m.* -(e)s, ⸚e; Nennung [Bewerbung] *f.* -en; ((예약)) Abonnement *n.* -s, -s. ～하다 ⁴sich [⁴*et.*] an|melden; an|bieten*⁴; e-n Antrag stellen; ⁴sich melden((*bei*³)); ⁴sich bewerben*((*um*⁴)); ein Gesuch richten ((*an*⁴)). ‖ ～서 Gesuch *n.* -(e)s, -e; der schriftliche Antrag, -(e)s, ⸚e; Bittschreiben *n.* -s, -.

신체(身體) Körper *m.* -s, -; Leib *m.* -(e)s, -er. ‖ ～ 검사 die körperliche Untersuchung, -en.

신체제(新體制) ein neues System, -s, -e; e-e reformierte Struktur, -en.

신축(伸縮) Ausdehnung u. Zusammenziehung; Expansion u. Kontraktion. ‖ ～성 Elastizität *f.* -en.

신축(新築) ～하다 neu bauen⁴. ‖ ～ 건물 Neubau *m.* -s, -ten; das neugebaute Haus, -es, ⸚er [Gebäude, -s, -].

신춘(新春) ((새봄)) Frühlingsanfang *m.* -(e)s, ⸚e; ((새해)) Neujahr *n.* -(e)s, -e.

신출귀몰(神出鬼沒) ～하다 proteisch [täuschend] sein.

신출내기(新出—) Ankömmling [Neuling] *m.* -s, -e; Novize *m.* -n, -n [*f.* -n].

신탁(信託) 〖法〗 Treuhand *f.* ⸚; das (An)vertrauen*, -s. ～하다 an|vertrauen³; betrauen⁴((*mit*³)). ‖ ～ 계약 Vertrauensvertrag *m.* -(e)s, ⸚e / ～ 통치 Treuhänderschaft *f.* -en / 투자 ～ Investitionstreuhand *f.*

신탁(神託) Orakel *n.* -s, -.

신탄(薪炭) Holz u. Kohle; Brennstoff *m.* -(e)s, -e.

신통(神通) ～하다 wundervoll [geschickt; gewandt; tüchtig] (sein); ((제법)) flott [gescheit; wendig] (sein). ‖ ～력 Zauberkraft *f.* ⸚e.

신트림 sauerer Rülpser, -s, -; saures Aufstoßen*, -s.

신파(新派) die neue Schule, -n. ‖ ～극 das Schauspiel der neuen ²Schule.

신판(新版) die neue Auflage [Ausgabe] -n; Neudruck *m.* -(e)s, -e.

신품(新品) neue Sache [Ware] -n.

신하(臣下) Untertan *m.* -s, -en; Vasall *m.* -en, -en.

신학(神學) Theologie *f.* -en. ‖ ～ 박사 der Doktor der Theologie / ～자 Theologe *m.* -n, -n.

신학기(新學期) das neue Semester, -s, -.

신형(新型) ～의 von neuem Typus; neumodisch.

신호(信號) Signal *n.* -s, -e; Zeichen *n.* -s, -; ((경보)) Alarm *m.* -s, -e. ～하다 signalisieren; ein Signal geben*³. ‖ ～등 Signallampe *f.* -n / ～탄 Signalrakete *f.* -n / 위험 ～ Notsignal *n.*

신혼(新婚) ～의 neuvermählt. ‖ ～ 부부 ein neuvermähltes Ehepaar, -(e)s, -e / ～ 여행(가다) Hochzeitsreise (machen).

신화(神話) Mythe *f.* -n. ～적 mythisch.

신환(新患) der neue Patient, -en, -en.

신흥(新興) ～의 neu; emporkommend; aufgehend. ‖ ～ 도시 die neu aufsteigende Stadt, ⸚e / ～ 종교 e-e neuentstandene Religion, -en.

싣다 ① ((적재)) laden*⁴((*auf*⁴; *in*⁴; *mit*³)); beladen*⁴ ((*mit*³)); verladen*⁴ ((*mit*³)). ② ((기록·게재)) schreiben*⁴ ((*für*⁴; *in*³)); bringen*⁴ ((*in*⁴)); ein|rücken⁴ ((*in*⁴)).

실 Faden *m.* -s, ⸚; Zwirn *m.* -(e)s, -e; Garn *n.* -(e)s, -e.

실가(實價) der innere [wirkliche] Wert, -(e)s; Realwert *m.*; Selbstkosten (*pl.*).

실각(失脚) ～하다 stürzen; sein Amt [s-n Posten; s-e Stellung] verlieren*; zu Fall kommen*; aus|gleiten⁽*⁾.

실감(實感) der lebhafte Eindruck, -(e)s, ⸚e; Lebhaftigkeit *f.* ～하다 erleben; mit|fühlen⁽⁴⁾; nach|erleben.

실개천 Bächlein *n.* -s, -; Rinnsal *n.* -(e)s, -e.

실격(失格) Disqualifikation *f.* -en; Ausschluß *m.* ..sses, ..üsse. ～하다 ausgeschieden werden [sein]; ⁴sich disqualifizieren. ‖ ～자 der Disqualifizierte*, -n. -n.

실경(實景) Naturbild *n.* -(e)s, -er; Anblick *m.* -(e)s, -e.

실고추 der fadenartig geschnittene Paprika, -s, -s.

실과(實科) Praktikum *n.* -s, ..ka; Realien (*pl.*).

실권(失權) ～하다 der ²Macht verlustig gehen*; die Macht ein|büßen.

실권(實權) Macht *f.* ⸚e; Herrsch(er)gewalt *f.* ¶ ～을 잡다 die Macht ergreifen* [übernehmen*]; die Zügel in die Hand nehmen*.

실기(實技) praktische Begabung, -en. ‖ ～ 시험 die Prüfung der praktischen Begabung *f.* -en.

실기(實記) Geschichte *f.* -n; Chronik

실꾸리 der Ball aus ³Faden.

실내(室內) das Innere des Zimmers [Hauses]. ¶ ～에서 im Zimmer [Hause]. ‖ ～악 Kammermusik *f.* / ～ 안테나 Zimmerantenne *f.* -n / ～ 장식 Zimmer·ausstattung [-dekoration] *f.* -en / ～ 체육관 Turnhalle *f.* -n / ～풀 Schwimmhalle *f.* -n / ～화(靴) Hausschuhe (*pl.*).

실떡거리다 plaudern; schwatzen.

실력(實力) (wirkliche) Fähigkeit, -en; ((무력·폭력)) Macht *f.* ⸚e. ¶ ～ 있는 fähig; tüchtig; mächtig / ～에 호소하다 zur Gewalt greifen*. ‖ ～ 행사 die Benutzung der Gewalt.

실례(失禮) Unhöflichkeit [Grobheit] *f.* -en. ¶ ～되는 unhöflich; grob; unverschämt.

실례(實例) Beispiel *n.* -(e)s, -e; Exempel *n.* -s, -. ¶ ～를 들다 ein Beispiel an|führen.

실로(實—) wahrhaft; wirklich; in der Tat; wahrlich; sicher; sehr.

실로폰 〖樂〗 Xylophon *n.* -s, -e.

실록(實錄) die schriftliche Geschichtsquelle, -n; Urkunde *f.* -n.

실룩거리다 zucken ((*mit*³)); zwinkern ((*mit*³)); wiederholt blinzeln.

실리(實利) ((이)) der materielle Gewinn, -(e)s, -e; Nützlichkeit *f.* -en; Utilität *f.* ～적 gewinnbringend; nützlich; utilitaristisch. ‖ ～주의 Utilitarismus *m.* -.

실리콘 〖化〗 Silikone (*pl.*).

실린더 〖機〗 Zylinder *m.* -s, -.

실마리 (발단) Anfang *m.* -(e)s, ⸚e; Beginn *m.* -(e)s; (단서) Anhaltspunkt *m.* -(e)s, -e; Schlüssel *m.* -s, -.
실망(失望) Enttäuschung〔Ernüchterung〕 *f.* -en. ～하다 ⁴sich enttäuschen〔enttäuscht fühlen〕; enttäuscht sein. ¶～시키다 enttäuschen〔ernüchtern; desillusionieren〕(*jn.*).
실머슴(實—) ein tüchtiger Landarbeiter, -s, -.
실명(失名) ～하다 den Namen des Betreffenden nicht wissen*.
실명(失明) ～하다 das Gesicht verlieren*; blind werden.
실무(實務) das praktische Geschäft, -(e)s, -e. ～적 praktisch; geschäftsmäßig. ‖～가 der Geschäftserfahrene*, -en, -en; Praktiker *m.* -s, -.
실물(失物) Verlust *m.* -es, -e; (Sach-)schaden *m.* -s, ⸚. ～하다 e-e Sache verlieren*.
실물(實物) Sache *f.* -n; Ding *n.* -(e)s, -e〔-er〕; (사진의) Original *n.* -s, -e; (그림의) Natur *f.* -en.
실미적지근하다 lauwarm〔gleichgültig〕(sein).
실바람 Brise *f.* -n; Lüftchen *n.* -s, -.
실밥 (뜯은 보무라지) Garnabfälle (*pl.*); (솔기) Naht *f.* ⸚e.
실버들 Trauerweide *f.* -n.
실보무라지 Faden·stückchen *n.* -s, -〔-abfälle (*pl.*)〕.
실비(實費) die wirklichen Kosten (*pl.*); (원가) der (Selbst)kostenpreis *m.* -es, -e. ¶～로 제공하다 zum Kostenpreis an|bieten*⁴.
실사(實査) ～하다 an Ort u. Stelle untersuchen*; wirkliche Lage untersuchen.
실사(實寫) Aktualitätenfilm *m.* -(e)s, -e; Echtaufnahme *f.* -n.
실사회(實社會) ¶～로 나가다 in die Welt gehen* / ～에서 im Getriebe des Lebens.
실산(實算) 〔數〕 welsche Praktik, -en.
실상(實狀) der wirkliche Sachverhalt, -(e)s, -e; die wahre Sachlage, -n.
실상(實相) der wahre Sachverhalt, -(e)s, -e; die wirkliche Lage, -n. ¶사회의 ～ das echte Bild von Leben.
실색(失色) ～하다 bestürzt〔verblüfft; verdutzt; verwirrt〕 sein.
실생활(實生活) das wirkliche Leben, -s, -; Wirklichkeit *f.* -en.
실성(失性) ～하다 verrückt〔wahnsinnig〕 werden; den Kopf verlieren*.
실소(失笑) ～하다 ⁴sich nicht enthalten〔erwehren〕 können* zu lachen.
실속(實—) Kern〔Gehalt〕 *m.* -(e)s, -e; Substanz *f.* -en. ¶～있는 wesenhaft; inhalt〔gehalt〕reich.
실수(失手) Fehler *m.* -s, -; Fehl·schlag *m.* -(e)s, ⸚e〔-tritt *m.* -(e)s, -e; -griff *m.* -(e)s, -e〕; Mißerfolg *m.* -(e)s, -e. ～하다 verpfuschen⁴; scheitern; e-n Mißerfolg haben.
실수(實收) Nettoeinkommen *n.* -s; Nettoeinnahme *f.* -n; Nettoertrag *m.* -(e)s, ⸚e (수확고).
실수요(實需要) (실제 수요) der wirkliche Bedarf, -(e)s〔Konsum, -s; Verbrauch, -(e)s〕.
실습(實習) praktische Übung, -en; Praktikum *n.* -s, ..ka. ～하다 praktizieren⁴; praktisch aus|üben⁴. ‖～생 Praktikant *m.* -en, -en.
실시(實施) Ausführung *f.* -en. ～하다 aus|führen⁴; (법률 등을) geltend machen.
실신(失神) ～하다 in ⁴Ohnmacht fallen*; bewußtlos〔besinnungslos〕 werden.
실실 ¶～ 웃다 schmunzeln.
실안개 der dünne Nebel, -s, -.
실어증(失語症) Sprachverlust *m.* -es, -e; Aphasie *f.* -n.
실언(失言) Versprechen*, -s. ～하다 ⁴sich versprechen*〔verschnappen〕.
실업(失業) Arbeitslosigkeit *f.* ☞ 실직. ‖～ 문제 Arbeitslosenfrage *f.* -n / ～자 der Arbeitslose*〔der Erwerbslose*〕 -n, -n.
실업(實業) Gewerbe *n.* -s, -; Industrie *f.* -n. ～의 gewerblich. ‖～가 Geschäftsmann *m.* -(e)s, ..leute / ～ 학교 Berufsschule *f.* -n.
실없다 spielerisch〔spielerhaft; burlesk〕(sein). ¶실없이 unredlich; unsinnig; blödsinnig / 실없는 말 leeres Geschwätz, -es.
실연(失戀) die unglückliche〔enttäuschte; verschmähte〕 Liebe; das gebrochene Herz, -ens, -en. ～하다 unglücklich lieben; vom〔von der〕 Geliebten verlassen werden.
실연(實演) ～하다 (auf der Bühne) dar|stellen⁴〔spielen⁴〕; vor|führen⁴.
실외(室外) ～의 außen-; draußen. ¶～에(서) außerhalb des Zimmers; im Freien; unter freiem Himmel.
실용(實用) die praktische Anwendung, -en. ～적 praktisch; (유용한) nützlich. ‖～ 신안 Gebrauchsmuster *n.* -s, - / ～품 der praktische Artikel, -s, -.
실은(實—) wirklich; in Wahrheit; aufrichtig gesagt; in der Tat.
실의(失意) Niedergeschlagheit *f.*; Bedrücktheit *f.*; Depression *f.* -en.
실자(實子) *js.* leibliches〔eigenes〕 Kind, -(e)s, -er.
실재(實在) Existenz *f.* -en; Dasein *n.* -s; Realität〔Wirklichkeit〕 *f.* -en. ～하다 (wirklich) existieren; leben; vorhanden sein. ¶～의 real; wirklich; wesentlisch; seiend.
실적(實績) das wirkliche Ergebnis, -ses, -se. ¶～을 올리다 das gute Ergebnis bringen*; wirklichen Erfolg ergeben*.
실전(實戰) (실지 싸움) Gefecht *n.* -(e)s, -e; Schlacht *f.* -en. ¶～에 참가하다 am Krieg〔an der Schlacht〕 teil|nehmen*.
실점(失點) Verlierzeichen *n.* -s, -. ¶～이 많다 viele Niederlagen zu verzeichnen haben.
실정(失政) Miß·regierung〔-verwaltung〕 *f.* -en.
실정(實情) die wirkliche〔wahre〕 Sachlage, -n. ¶～을 밝히다 die reine Wahrheit enthüllen.
실제(實際) ～로 wahrlich; wirklich; in der Tat; tatsächlich; praktisch; (실은) im Grunde; in Wahrheit. ‖～ 문제 die praktische Frage, -n.

실족(失足) ～하다 stolpern〔straucheln〕《*über*[4]》; e-n Fehltritt tun*.

실존(實存) Existenz *f.* –en. ‖ ～주의 Existenzialismus *m.* –.

실종(失踪) ～하다 verschollen〔vermißt〕sein. ‖ ～자 der Verschollene*, –n, –n.

실증(實證) Nachweis〔Beweis〕*m.* –es, –e. ～하다 nach|weisen*[4]; beweisen[4]. ¶ ～적(으로) positiv. ‖ ～론〔주의〕Positivismus *m.* –.

실지(失地) ‖ ～ 회복 die Wiedergewinnung e-s verlorenen Gebiet(e)s.

실지(實地) Praxis *f.* ..xen; Wirklichkeit *f.* –en 《실제》. ¶ ～로〔의〕praktisch; zweckmäßig. ‖ ～ 경험 die praktische Erfahrung, –en / ～ 조사 aktuelle Untersuchung〔Erforschung〕–en.

실직(失職) ～하다 arbeitslos werden; die Stelle verlieren*. ☞ 실업. ‖ ～자 der Arbeitslose*〔Stellenlose*〕–n, –n.

실질(實質) ～적(으로) wesenhaft; substantiell. ‖ ～ 소득〔임금〕Nettoeinnahme *f.* –n.

실쭉거리다 [4]sich verdrießlich benehmen*; schmollen.

실쭉하다 《불만으로》 mißvergnügt sein 《*über*[4]》; unzufrieden sein 《*mit*[3]》.

실책(失策) Fehler *m.*〔Versehen *n.*〕–s, –.

실천(實踐) Praxis *f.* ..xen. ～하다 [4]*et.* in die Tat〔Praxis〕um|setzen; [3]*et.* gemäß leben. ¶ ～적인 praktisch.

실체(實體) Substanz *f.* –en; Wesen *n.* –s, –. ¶ ～적인 substantiell.

실추(失墜) ～하다 《명성 따위를》 verlieren*[4]; verlustig[2] gehen*; ein|büßen[4].

실측(實測) (Ver)messung〔Ausmessung〕*f.* –en. ～하다 (ver)messen*[4]; aus|messen*[4]. ‖ ～도 das Maß der Vermessung.

실컷 satt; (bis) zum Überdruß; nach Herzenslust. ¶ ～ 울다 [4]sich blind weinen; in Tränen schwimmen* / ～ 먹다 [4]sich voll〔satt〕essen*.

실크해트 Zylinder〔Seiden; Klapp〕hut *m.* –(e)s, ⸚e.

실탄(實彈) die scharfe Patrone, –n〔Munition, –en〕. ¶ ～을 쏘다 scharf schießen*[4]. ‖ ～ 사격 der scharfe Schuß, ..usses, ..üsse.

실태(失態) das grobe Versehen, –s, –; Mißgriff *m.* –(e)s, –e.

실태(實態) die wahre Sachlage. ‖ ～ 조사 die Erforschung des wirklichen Standes〔der wahren Sachlage〕.

실토(實吐) ～하다 ein|gestehen*[4]; bekennen*[4]; *jm.* [4]*et.* enthüllen; beichten[(4)].

실톱 Laubsäge *f.* –n.

실톳 《실뭉치》 Garnrolle *f.* –n; aufgespultes Garn, –s, –e.

실팍지다, 실팍하다 gesund〔kräftig; robust; stark; stabil〕(sein).

실패 Spule〔Haspel〕*f.* –n.

실패(失敗) Mißerfolg *m.* –(e)s, –e; Mißlingen *n.* –s; Fehlschlag *m.* –(e)s, ⸚e. ～하다 fehlen; k-n Erfolg haben; mißlingen*; fehl|schlagen*; 《시험에》 durch|fallen*. ‖ ～자 der Erfolglose*, –n, –n; Nichtkönner *m.* –s, –.

실하다(實―) ① 《건강》 gesund〔stark〕(sein). ② 《재산이》 reich〔solid〕(sein). ③ 《내용이》 gehalt·reich〔-voll〕(sein).

실학(實學) die praktische Wissenschaft, –en; Positivismus *m.* –. ‖ ～자(者) der Mann der Praxis / ～파 e-e positivistische Schule〔Gruppe〕.

실행(實行) Ausführung〔Erfüllung; Verwirklichung〕*f.* –en. ～하다 aus|führen[4]; erfüllen[4]; verwirklichen[4].

실험(實驗) Experiment *n.*〔Versuch *m.*〕–(e)s, –e. ～하다 experimentieren 《*mit*[3]》; Versuche an|stellen 《*mit*[3]; *über*[4]》. ‖ ～실 Laboratorium *m.* –s, ..rien.

실현(實現) Verwirklichung *f.* –en. ～하다 verwirklichen[4]. ¶ ～되다 [4]sich verwirklichen; in Erfüllung gehen*.

실형(實刑) Verhaftung〔Einkerkerung; Inhaftierung〕*f.* –en.

실화(失火) das durch Zufall entstandene Feuer; das Feuer aus Versehen.

실화(實話) die wahre Geschichte, –n.

실황(實況) die wirkliche Lage, –n. ‖ ～ 방송 Direktübertragung *f.* –en.

실효(失效) ～하다 ungültig werden; außer Kraft treten*.

실효(實效) Auswirkung *f.* –en; Effekt *m.* –(e)s, –e. ¶ ～ 있는 effektiv; effektvoll.

싫다 ① 《불쾌》 unangenehm〔fatal; ekelhaft; schlecht〕(sein). ¶ 싫은 냄새 der üble〔schlechte〕Geruch, –(e)s, ⸚e / 싫은 소리를 하다 etwas Unangenehmes sagen 《*jm.*》. ② 《염오》 müde〔anstößig; unwillig; widerlich〕(sein). ¶ 보기 싫은 녀석 der abscheuliche Kerl, –(e)s, –e / 싫든 좋든 gern od. ungern.

싫어하다 hassen*[4]; nicht leiden können*[4]; nicht gern haben; k-e Lust haben 《*zu*[3]》; nicht wollen*〔mögen*[4]〕.

싫증나다(―症―) überdrüssig[2]〔satt[2]〕werden; müde[2·4] sein.

심(心) ① 《나무의》 Mark *n.* –(e)s; 《연한》 Kern *m.* –(e)s, –e. ② 《줄기》 Faser〔Fiber〕*f.* –n. ③ 《연필의》 Mine *f.* –n. ④ 《심지》 Docht *m.* –(e)s, –e. ⑤ 《새알심》 Kloß *m.* –es, ⸚e. ⑥ 《옷 따위의》 Futter *n.* –s, –; Fütterung *f.* –en.

심각(深刻) ～하다 ernst〔scharf; tief〕(sein). ¶ ～한 얼굴을 하다 ein tiefernstes Gesicht machen.

심경(心境) Gemütszustand *m.* –(e)s, ⸚e; Gemütsstimmung *f.* –en. ¶ ～의 변화를 가져오다 den Gemütstand wechseln.

심계항진(心悸亢進)〘醫〙Tachykardie *f.*; Pulsbeschleunigung *f.*

심근(心筋) Herzmuskel *m.* –s, –n. ‖ ～경색〘醫〙Herzinfarkt *m.* –(e)s, –e.

심금(心琴) ¶ ～을 울리다 sein Herz rühren.

심기(心機) ¶ ～ 일전하다 s-e Gesinnung ändern; [4]sich völlig ändern.

심낭(心囊)〘解〙Herzbeutel *m.* –s, –.

심녹색(深綠色) Dunkelgrün *n.* –(e)s.

심다 ① (ein|)pflanzen[4]; 《파종》 säen[4]. ② 《마음에》 *jm.* ein|impfen[4]〔-|pflanzen[4]〕.

심대(甚大) ～하다 unermeßlich〔ungeheuer; sehr groß〕(sein).

심도(深度) Tiefe *f.* –n. ‖ ～계 Tiefenmesser *m.* –s, –.

심드렁하다 [4]sich langsam bewegen; zögern; schleifen*.

심란(心亂) ~하다 beunruhigend [unruhig] (sein).

심려(心慮) Angst *f.* ⸚e. ~하다 [3]sich zu Herzen nehmen*[4]. ¶ ~를 끼치다 Angst verursachen 《*jm.*》.

심령(心靈) Seele *f.* –n; Psyche *f.* –n. ‖ ~술 Spiritualismus *m.* –, ..men / ~학 Okkultismus *m.* –, ..men (~학자 Spiritist *m.* –en, –en).

심로(心勞) Sorge *f.* –n; Kummer *m.* –s; Angst *f.* ⸚e.

심리(心理) 《상태》 Seelenzustand *m.* –(e)s, ⸚e; Gemütsverfassung *f.* –en. ¶ ~적(인) psychologisch; seelisch. ‖ ~ 묘사 Seelenschilderung *f.* –en / ~ 소설 der psychologische Roman, –s, –e / ~ 작용 die seelische Wirkung, –en / ~전 der psychologische Krieg, –(e)s, –e / ~학 Psychologie *f.* (~학자 der Psychologe *m.* –n, –n).

심리(審理) Untersuchung *f.* –en; Verhandlung *f.* –en. ~하다 untersuchen[4]; verhandeln[4]. ¶ ~중에 있다 noch unentschieden sein.

심마니 Ginsengsammler *m.* –s, –.

심문(審問) (gerichtliche) Untersuchung, –en; Verhör *n.* –(e)s, –e. ~하다 untersuchen[4]; verhören[4].

심미(審美) ~적 ästhetisch. ‖ ~안 ästhetische Urteilskraft, ⸚e / ~주의 Ästhetizismus *m.* – / ~학(學) Ästhetik *f.*

심방(心房) 〖解〗 Herzvorhof *m.* –(e)s, ⸚e; Vorkammer *f.* –n.

심방(尋訪) ~하다 besuchen 《*jn.*》; e-n Besuch ab|statten [machen] 《*jm.*; bei *jm.*》.

심벌즈 〖樂〗 Becken *n.* –s, –; Zimbel *f.* –n.

심보(心—) Charakteranlage *f.* –n; Gemütsart *f.* –en.

심복(心服) ~하다 (herzlich) ergeben sein 《*jm.*》.

심복(心腹) *js.* rechte Hand.

심부름 Botschaft *f.* –en; (Boten)gang *m.* –(e)s, ⸚e. ~가다 auf Botschaft gehen*; Gänge machen. ‖ ~꾼 Bote *m.* –n, –n; Botin *f.* –nen 《여자》.

심사(心思) ¶ ~가 사납다[고약하다] arglistig [hämisch; tückisch] sein.

심사(審査) ~하다 prüfen[4]; untersuchen*. ‖ ~위원 Prüfer [(Preis)richter] *m.* –s, – (~ 위원회 Prüfungsausschuß *m.* ..schusses, ..schüsse).

심사숙고(深思熟考) ~하다 sinnend betrachten [beschauen]; grübeln 《*über*[4]》; nach|denken* 《*über*[4]》. ¶ ~ 끝에 nach reiflicher Erwägung.

심산(心算) Vorsatz *m.* –es, ⸚e; Absicht *f.* –en. ¶ …할 ~으로 mit der Absicht; in der Erwartung [Hoffnung], daß....

심산(深山) das weglose Gebirge, –s, –. ‖ ~유곡(幽谷) die tiefe Bergschluft, –en [⸚e].

심상(心像) geistiges Bild, –(e)s, –er; Vorstellung *f.* –en.

심상(尋常) ~하다 gewöhnlich [alltäglich] (sein). ¶ ~치 않다 ungewöhnlich [außerordentlich; unruhig] (sein).

심성(心性) moralische [sittliche] Natur.

심술(心術) Verschrobenheit *f.* ¶ ~궂다 querköpfig [widerhaarig; boshaft; hämisch] sein / ~을 부리다 [4]sich boshaft benehmen*. ‖ ~꾸러기, ~쟁이 Querkopf *m.* –(e)s, ⸚e; Nörgler *m.* –s, –.

심신(心身) Leib u. Seele; Körper u. Geist. ¶ ~을 단련하다 [4]sich ab|härten.

심실(心室) 〖解〗 Herzkammer *f.* –n.

심심풀이로 zum Zeitvertreib [Spaß; Vergnügen].

심심하다[1] 《일이 없어》 [4]sich langweilen; [4]sich überdrüssig [müde] fühlen.

심심하다[2] 《맛이》 schal [geschmacklos; fade] (sein).

심심(深甚) ~하다 tief [tiefempfunden] (sein). ¶ ~한 사의를 표하다 *jm.* herzlich danken 《*für*[4]》.

심악(甚惡) ~하다 grausam [entsetzlich; hart] (sein).

심안(心眼) das innere Auge, –s, –n.

심야(深夜) Mitternacht *f.* ⸚e; die tiefe [späte] Nacht, ⸚e. ‖ ~ 방송 Mitternachtssendung *f.* –en.

심약(心弱) ~하다 schwachsinnig [charakterschwach; schwachherzig] (sein).

심연(深淵) Abgrund *m.* –(e)s, ⸚e.

심오(深奧) ~하다 tiefsinnig [(abgrund-)tief; inhaltschwer] (sein).

심원(深遠) ~하다 tief [tiefgründig; tiefsinnig] (sein).

심의(審議) ~하다 beraten*[4]; erörtern[4]; besprechen*[4]; diskutieren[4]. ‖ ~회 Beratungsausschuß *m.* ..usses, ..üsse.

심장(心臟) Herz *n.* –ens, –en. ‖ ~ 마비 Herzlähmung *f.* –en / ~병 Herzkrankheit *f.* –en / ~ 이식 Herztransplantation *f.* –en.

심장(深長) ~하다 tief [tiefgründig] (sein). ¶ 의미(가) ~한 bedeutungsvoll; tiefsinnig; inhaltsreich.

심적(心的) psychisch; geistig; seelisch. ‖ ~ 현상(現象) das psychische Phänomen, –s, –e; die seelische Erscheinung, –en.

심전계(心電計) 〖醫〗 Elektrokardiograph *m.* –en, –en.

심전도(心電圖) Elektrokardiogramm *n.* –s, –s 《略 : EKG》.

심정(心情) Gefühle (*pl.*); Gemüt *n.* –(e)s, –er; Herz *n.* –ens, –en.

심줄 Sehne *f.* –n; Flechse *f.* –n.

심중(心中) Herz *n.* –ens, –en; *js.* Inneres*. ¶ ~에 in *js.* Herzen / ~을 토로하다 sein Herz aus|schütten[3]; sein Innerstes offenbaren.

심중(深重) ~하다 vorsichtig [umsichtig; besonnen] (sein).

심증(心證) (die innere) Überzeugung, –en; Eindruck *m.* –(e)s, ⸚e.

심지(心—) (Lampen)docht *m.* –(e)s, –e.

심지(心志) Gemüt *n.* –(e)s; Absicht *f.* –en; Vorhaben *n.* –s, –.

심지어(甚至於) (ja) sogar; obendrein; noch dazu.

심청(深靑) ~의 dunkelazurn; dunkelblau.

심취(心醉) ~하다 eingenommen werden 《*für*[4]》; schwärmen 《*für*[4]》. ‖ ~자(者) Schwärmer [Nacheiferer] *m.* –s, –.

심층(深層) ‖ ~ 구조 〖言〗 Tiefenstruktur *f.* –en / ~ 심리학 Tiefenpsychologie *f.*

심통(心統) ¶~ 사납다 schlecht 〔böse; verderbt〕 sein.

심판(審判) Beurteilung 〔Entscheidung〕 *f.* -en; 《신의》 Urteil *n.* -(e)s, -e. ~하다 beurteilen^4; (durch Schiedsspruch) entscheiden*^{4}. ¶최후의 ~ das Jüngste Gericht, -(e)s. ‖ ~관 Schiedsrichter *m.* -s, -; der Unparteiische*, -n, -n.

심포니 Symphonie 〔Sinfonie〕 *f.* -n. ‖ ~오케스트라 Symphonie〔Sinfonie〕orchester *n.* -s, -.

심포지엄 Symposium *n.* -s, ..sien.

심하다(甚—) übermäßig 〔außerordentlich; heftig; stark; gewaltig; streng(e); hart; schwer〕 (sein).

심해(深海) Tiefsee *f.* ‖ ~어 Tiefseefisch *m.* -es, -e / ~ 어업 Tiefseefischerei *f.* -en.

심해지다(甚—) stärker werden; 《나빠지다》 schlechter 〔schlimmer〕 werden.

심혈(心血) ¶~을 기울여(서) mit Leib 〔Herz〕 u. Seele.

심호흡(深呼吸) ~하다 tief atmen; Atemholen.

심혼(心魂) ¶~을 기울이다 mit ^{3}Leib u. Seele dabei sein; ^{4}sich widmen^3; s-e ganze Kraft 〔sein ganzes Können〕 ein|setzen.

심홍(深紅) ~의 dunkelrot; hochrot.

심회(心懷) das Denken*, -s; Gedanke *m.* -ns, -n; Meinung *f.* -en.

심히(甚—) streng; heftig; stark; genau.

십(十) zehn. ¶제 십 der 〔die; das〕 zehnte* / 십 배(倍)의 zehnfach / 십분의 일 ein Zehntel *n.* -s.

십계명(十誡命) die Zehn Gebote (*pl.*).

십구(十九) neunzehn. ‖ ~세기 das neunzehnte Jahrhundert, -s, -e.

십년(十年) zehn Jahre (*pl.*); Jahrzehnt *n.* -(e)s, -e. ¶~마다 alle zehn Jahre.

십대(十代) die Zehner (*pl.*). ‖ ~ 소년 Zehner *m.* -s, -.

십만(十萬) hunderttausend.

십분(十分) ① 《시간의》 zehn Minuten. ¶두 시 ~ zehn (Minuten) nach zwei. ② 《충분히》 zur Genüge; im Überfluß.

십사(十四) vierzehn.

십삼(十三) dreizehn.

십상 gerade 〔ganz; genau〕 recht; ganz richtig. ¶그 모자가 네게는 ~이다 Der Hut paßt 〔steht〕 dir gut.

십상팔구(十常八九) =십중팔구.

십시일반(十匙一飯) ^{4}sich vereinigt 〔gemeinsam〕 an|strengen, um *jm.* zu helfen.

십억(十億) tausend Millionen (*pl.*); Milliarde *f.* -n.

십오(十五) fünfzehn. ‖ ~야 Vollmondnacht *f.* ¨-e.

십육(十六) sechzehn. ‖ ~밀리(영화) ein 16 mm Film *m.* -(e)s, -e.

십이(十二) zwölf. ‖ ~ 사도 die Zwölf Apostel.

십이분(十二分) mehr als 〔denn〕 genug; nach ^{3}Herzenslust.

십이월(十二月) Dezember *m.* -s, -.

십이지장(十二指腸) Zwölffingerdarm *m.* -(e)s, ¨-e. ‖ ~충 Hakenwurm *m.* -(e)s, ¨-er.

십인십색(十人十色) (So) Viele Köpfe, (so)viele Sinne!

십일(十一) elf.

십일(十日) zehn Tage (*pl.*); der zehnte (Tag)《그 달의》.

십일월(十一月) November *m.* -s, -.

십자(十字) Kreuz *n.* -es, -e. ¶~를 긋다 ^{4}sich bekreuz(ig)en. ‖ ~가 Kreuz *n.* -es, -e (~가를 지다 *js.* Kreuz tragen) / ~군(軍) Kreuzzug *m.* -(e)s, ¨-e / ~로(路) Kreuzweg *m.* -(e)s, -e; Straßenkreuzung *f.* -en.

십자매(十姉妹) 〘鳥〙 Sperlingspapagei *m.* -en 〔-(e)s〕, -e(n).

십장(什長) Führer e-r Gruppe; Anführer *m.* -s, -; 《노동자의》 Vorarbeiter *m.* -s, -.

십종경기(十種競技) Zehnkampf *m.* -(e)s, ¨-e.

십중팔구(十中八九) zehn zu eins.

십진법(十進法) Dezimalsystem *n.* -(e)s.

십칠(十七) siebzehn.

십팔(十八) achtzehn.

싯가(時價·市價) =시가.

싱가포르 Singapur.

싱겁다 《맛이》 zu wenig gesalzen (sein); fade 〔schwach〕 (sein); 《언행이》 dumm 〔leer; unsinnig〕 (sein).

싱그레 ¶~ 웃다 anmutig lächeln.

싱글 《양복의》 ein einreihiger Rock, -s, ¨-e. ‖ ~ 베드 Einzelbett *n.* -(e)s, -en.

싱글거리다 in ^{4}sich hinein|lachen; grinsen.

싱글벙글하다 lächeln; vor Freude strahlen.

싱숭생숭하다 zerstreut 〔geistesabwesend; phantasieren〕 (sein).

싱싱하다 frisch 〔lebendig; lebhaft; lebensvoll〕 (sein).

싱크로트론 〘物〙 Synchrotron *n.* -s, -e.

싶다 ① 《욕구》 wollen; wünschen; mögen; möchten*. ¶집에 가고 ~ Ich möchte heimgehen. ② 《추측》 scheinen* ...zu; aus|sehen*. ¶올 성 싶지 않다 Er scheint nicht zu kommen.

싸고돌다 ① 《위요》 e-e kleine Clique bilden. ② 《비호함》 beschirmen; (be-)schützen.

싸구려 e-e billige Sache, -n; ein billiges Ding, -(e)s, -e; Schleuderware *f.* -n.

싸늘하다 《날씨》 kalt 〔kühl; frostig〕 (sein); 《태도가》 gleichgültig (sein).

싸다^1 《꾸리다》 ein|wickeln^4 〔ein|schlagen*^{4}〕 《*in*^{4}》; verpacken^4 《*in*^{4}》; (ein|-)packen^4 《*in*^{4}》; (ein|)hüllen^4 《*in*^{4}》.

싸다^2 《값이》 billig 〔preiswert; wohlfeil〕 (sein).

싸다니다 (umher|)streifen; (umher|-)ziehen*; (umher|)wandern.

싸라기 ① 《쌀의》 Bruchreis *m.* -es. ② =싸락눈.

싸락눈 Pulverschnee *m.* -s.

싸매다 (ein|)wickeln u. fest|machen.

싸우다 kämpfen 《*mit*^{3}》; Krieg führen 《*gegen*^{4}》; die Schlacht 〔das Gefecht〕 liefern; streiten* 〔wetteifern〕 《*mit*^{3}》; zanken 《*mit*^{3} *über*^{4}》; ^{4}sich schlagen*.

싸움 《투쟁》 Kampf *m.* -(e)s, ¨-e; 《전쟁》 Krieg *m.* -(e)s, -e; 《교전》 Schlacht *f.* -en; Gefecht *n.* -(e)s, -e; 《다툼》 Streit *m.* -(e)s, -e; Zank *m.* -(e)s, ¨-e; 《불화》 Zwietracht *f.*; 《격투》 Schlägerei *f.* -en; 《경쟁》 Wettbewerb *m.* -(e)s. ‖ ~꾼 Streit〔Rauf〕bold *m.* -(e)s, -e.

싸이다 《에워 싸이다》 umgeben 〔eingeschlossen; umgeschlossen〕 werden.

싸전(—廛) Reishandlung *f.* -en.

싸하다 würzig (scharf; pikant) (sein).

싹[1] 《새싹》 Keim *m.* -(e)s, -e; 《싹눈》 Knospe *f.* -n; Auge *n.* -s, -n; 《어린 싹》 Sproß *m.* ..sses, ..sse.

싹[2] ① 《완전히》 ganz; völlig; vollkommen. ¶싹 달라지다 [4]sich vollkommen (völlig) verändern. ② 《단번에》 plötzlich; auf einmal; mit eins.

싹둑 ¶~ 잘라내다 mit e-m Schlag ab|schneiden*[4].

싹수 ¶~가 노랗다 es nicht weit bringen*; nicht viel versprechen*.

싹싹하다 aufmerksam (dienstwillig; zuvorkommend) (sein).

싹트다 (auf|)keimen; (hervor|)sprossen; sprießen*; knospen.

싼값 billiger Preis, -es, -e.

쌀 Reis *m.* -es, -e. ¶쌀을 안치다 vor|bereiten, Reis zu kochen / 쌀값이 오르다(내리다) der Reispreis steigt (fällt).

쌀가게 Reisladen *m.* -s, ⸚.

쌀가루 Reismehl *n.* -(e)s.

쌀가마니 Reissack *m.* -(e)s, ⸚e.

쌀겨 (Reis)kleie *f.* -n; Kleienmehl *n.* -(e)s.

쌀궤(—櫃) Reislade *f.* -n.

쌀농사(—農事) 《재배》 die Kultivierung (der Anbau) des Reises; 《수확》 Reisernte *f.* -n.

쌀누룩 Reismalz *n.* -es.

쌀눈 Reiskeimling *m.* -s, -e.

쌀뜨물 Reiswasser *n.* -s.

쌀밥 gekochter Reis, -es.

쌀벌레 Reiswurm *m.* -(e)s, ⸚er.

쌀보리 Roggen *m.* -s, -.

쌀부대(—負袋) Reissack *m.* -(e)s, ⸚e.

쌀쌀하다 ① 《날씨가》 kühl (kalt) (sein). ¶쌀쌀한 날씨 kaltes Wetter, -s, -. ② 《태도가》 kalt (gefühllos; kühl) (sein).

쌀알 Reiskorn *n.* -(e)s, ⸚er.

쌀장사 Reishandel *m.* -s.

쌀장수 Reishändler *m.* -s, -.

쌈지 Tabaksbeutel *m.* -s, -.

쌈질 Gefecht *n.* -(e)s, -e; Kampf *m.* -(e)s, ⸚e; Streit *m.* -(e)s, -e. ~하다 kämpfen; fechten*; [4]sich streiten*.

쌍(雙) ein Paar *n.* -(e)s. ¶한 쌍씩 paarweise / 어울리는 한 쌍 ein schönes Paar, -(e)s.

쌍가마(雙—) der Doppelwirbel des Haares auf dem Scheitel.

쌍가마(雙駕馬) die von zwei Pferden getragene Sänfte, -n.

쌍갈랫길(雙—) Kreuzweg *m.* -(e)s, -e; Querstraße *f.* -n; Straßenkreuzung *f.* -en.

쌍고치(雙—) Doppelkokon[..kokɔ̃:] *m.* -s, -s.

쌍곡선(雙曲線) Hyperbel *f.* -n.

쌍구균(雙球菌) Diplokokkus *m.* -, ..kokken.

쌍꺼풀(雙—) das gerillte Augenlid, -(e)s, -er. ¶~지다 ein gerilltes Augenlid haben.

쌍날(雙—) Doppel·klinge (-schneide) *f.* -n.

쌍두(雙頭) ~의 doppelköpfig. ‖ ~ 마차 Zweigespann *n.* -(e)s, -e; Zweispänner *m.* -s, -.

쌍둥이(雙—) Zwillinge (*pl.*); 《한 아이》 Zwilling *m.* -s, -e.

쌍떡잎(雙—) 〖形容詞的〗 dikotyledonisch; zweikeimblättrig.

쌍무계약(雙務契約) der beider(gegen)-seitige Vertrag, -(e)s, ⸚e.

쌍무지개(雙—) Doppelregenbogen *m.* -s, - (⸚).

쌍발(雙發) 《엔진의》 zwei Motoren (*pl.*); 《총의》 Doppellauf *m.* -(e)s, ⸚e. ‖ ~기 Zweimotorenflugzeug *n.* -(e)s, -e.

쌍방(雙方) die beiden Seiten (Parteien) (*pl.*). ~의 beide; beiderseitig.

쌍벽(雙璧) die beiden Autoritäten (*pl.*); die zweiunvergleichlichen Sterne (*pl.*).

쌍봉낙타(雙峰駱駝) zweihöckeriges Kamel, -(e)s, -e.

쌍분(雙墳) Doppelgrab *n.* -(e)s, ⸚er.

쌍생아(雙生兒) =쌍둥이.

쌍수(雙手) die beiden Hände (*pl.*).

쌍시류(雙翅類) 〖蟲〗 die Dipteren (*pl.*); die Zweiflügler (*pl.*).

쌍심지(雙—) Doppeldocht *m.* -(e)s, -e. ¶눈에 ~를 켜다 mit funkelnden Augen starren.

쌍십절(雙十節) Doppelzehn-Fest *n.* -s.

쌍쌍이(雙雙—) zu (in) Paaren; paarweise.

쌍안경(雙眼鏡) Doppelfernrohr *n.* -(e)s, -e; Feldstecher *m.* -s, -.

쌍알(雙—) das Ei mit zwei Dottern.

쌍자엽(雙子葉) =쌍떡잎.

쌓다 ① 《포갬》 auf|häufen[4]; auf|schichten[4]; an|häufen[4]. ② 《구축》 bauen[4]; errichten[4]. ¶높이 ~ an(auf)|häufen[4]; auf|türmen[4]. ③ 《축적》 an|häufen; (an|)sammeln. ¶경험을 ~ Erfahrungen sammeln.

쌓이다 [4]sich (auf|)häufen (an|häufen); 《눈이》 an|fallen*; liegen*; 《모이다》 [4]sich sammeln.

쌕쌕이 Düsenflugzeug *n.* -(e)s, -e.

써넣다 schreiben*[4] (*in*[4]); auf|zeichnen[4] (-|schreiben*[4]).

써내다 schreiben* u. aus|geben*; vor|legen.

써레 Egge *f.* -n. ¶~질하다 eggen[4].

썩 ① 《즉시》 sofort; sogleich. ¶썩 물러나지 못해 Gleich weg mit dir! ② 《매우》 sehr; gar; bedeutend. ¶썩 좋은 기회 e-e sehr glückliche Gelegenheit, -en.

썩다 verderben*; verfaulen; verwesen; vermodern. ¶썩은 verdorben; faul; verwest; vermodert.

썩이다 ① 《부패》 verderben (faulen) lassen*; beizen[4]. ② 《안 쓰다》 nicht praktisch (nützlich) an|wenden*; staubig werden lassen*. ¶학식을 ~ sein Wissen nicht praktisch an|wenden*[4].

썰다 schneiden*[4]; hauen*[4]; hacken[4].

썰매 Schlitten *m.* -s, -. ¶~를 타다 Schlitten fahren*.

썰물 Ebbe *f.* -n.

쏘가리 〖魚〗 Mandarinfisch *m.* -es, -e.

쏘개질 Schwatz *m.* -es, -e. ~하다 schwatzen; plaudern; klatschen.

쏘다 schießen*[4]; ab|feuern (*auf*[4]); 《벌레가》 beißen*[4]; stechen*[4].

쏘다니다 [4]sich umher|treiben*; umher|streifen; herum|lungern; strolchen.

쏘아보다 an|starren[4]; hin|starren (*auf*[4]). ¶똑바로 ~ starr an|sehen*; fixieren[4].

쏘아올리다 auf|schießen*; hoch|schießen*; hinauf|schicken; schleudern.

쏘이다 gestochen werden. 「(sein).」
쏜살같다 pfeilgeschwind 〔pfeilschnell〕
쏟다 (ein|)gießen*^{4}; begießen*^{4} 《mit^{3}》; aus|gießen*; (ver)schütten^{4}; vergießen*; 《정신을》 ^{4}sich widmen^{3}.
쏟아지다 《피·물 따위가》 über|fließen*; herunter|fallen*; heraus|laufen*.
쏠다 nagen$^{(4)}$ 〔knabbern〕 《an^{3}》; benagen^{4}.
쏠리다 ^{4}sich lehnen 《an^{4}; gegen^{4}》; ^{4}sich stützen 〔richten〕 《auf^{4}》; ^{4}sich neigen.
쐐기 《박는》 Keil m. -(e)s, -e.
쐬다 aus|setzen^{34}; genießen*^{4}.
쑤다 kochen; kneten; mischen. ¶죽을 ～ (den) Haferschleim kochen.
쑤셔넣다 (hinein|)stopfen^{4} 《in^{4}》; voll|-stopfen^{4} 《mit^{3}》.
쑤시개 Picke 〔Hacke〕 f. -n.
쑤시다 stecken$^{(*)}$; stoßen*^{4}; 《아프다》 stechen*. ¶등이 쑤신다 Es sticht mich im Rücken.
쑥^{1} 〖植〗 Beifuß m. -es.
쑥^{2} 《못난이》 Narr m. -en, -en; Tor m. -en, -en.
쑥^{3} ① 《들어감·내밈》 ¶쑥 내밀다 vor|-stoßen* 〔-|schieben*〕. ② 《뽑는 모양》 (heraus|ziehen*) plötzlich; mit e-m Ruck. ③ 《불쑥》 plötzlich; unerwartet.
쑥갓 〖植〗 Gänseblümchen n. -s, -.
쑥대강이 aufgelöstes 〔zerzaustes; unordentliches; wirres〕 Haar, -(e)s, -e.
쑥덕공론(―公論) geheime Verhandlung 〔Beratung; Besprechung〕 -en. ～하다 e-e geheime Konferenz ab|halten*.
쑥새 〖鳥〗 Ammer f. -n.
쑥스럽다 unziemlich 〔unschicklich; unschön; ungeeignet; untauglich〕 (sein).
쓸쓸하다 handlich 〔handgerecht; angemessen; brauchbar〕 (sein). 「-es).」
쓰개 Kopf·bedeckung f. -en 〔-putz m.〕
쓰다^{1} schreiben*$^{(4)}$; 《기록》 auf|zeichnen^{4}; 《기술》 beschreiben*^{4}; schildern^{4}; 《적어 둠》 nieder|schreiben*$^{(4)}$; 《저술》 verfassen^{4}; 《시를》 dichten^{4}.
쓰다^{2} 《사용》 gebrauchen^{4}; benutzen^{4}; 《응용》 verwenden$^{(*)4}$; an|wenden^{4}; 《다루다》 handhaben^{4}; behandeln^{4}; 《소비》 verbrauchen^{4}; 《고용》 beschäftigen^{4}; an|-stellen^{4}. ¶다 ～ auf〔aus〕|brauchen^{4}.
쓰다^{3} 《머리에》 ^{4}sich bedecken 《mit^{3}》; 《모자·안경을》 auf|setzen^{4}; 《우산을》 auf|spannen^{4}; 《착용함》 tragen*^{4}; 《들쓰다》 überschüttet werden; 《누명을》 auf ^{4}sich nehmen*^{4}.
쓰다^{4} 《맛이》 (gallen)bitter (sein).
쓰다듬다 streichen*^{4}; streicheln^{4}; 《애무》 liebkosen^{4}.
쓰디쓰다 äußerst bitter 〔herb〕 (sein).
쓰라리다 bitter 〔hart; schmerzlich; peinlich〕 (sein).
쓰러뜨리다 《타도》 nieder|schlagen*^{4}, zu Boden schlagen*; um|werfen*^{4}; um|-stoßen*^{4}; fällen^{4}; 《지우다》 besiegen^{4}; 《망하게》 zugrunde richten^{4}; 《죽이다》 töten^{4}.
쓰러지다 (um|)fallen*; hin|fallen*, ein|-stürzen; 《죽다》 sterben*; fallen* 《전사》; 《망하다》 zugrunde gehen*.
쓰레기 Müll m. -(e)s; Kehricht m. -s; Abfall m. -s, ⸗e. ‖～소각 Müllverbrennung f. -en / ～차 Müllwagen m. -s, - /～ 처리 Müllabfuhr f. /～통 Müll〔Kehricht〕kasten m. -s, - 〔⸗〕.
쓰레받기 (Kehricht)schaufel f. -n; Kehrichtschippe f. -n.
쓰레질 Kehren n. -s; (Aus)fegen n. -s. ～하다 kehren.
쓰레하다 wanken; schwanken; wackeln.
쓰르라미 〖蟲〗 die in der Dämmerung zirpende Zikade.
쓰리다 prickeln; stechen*.
쓰이다^{1} 《글씨가》 schreiben*; geschrieben werden; 《쓰게 하다》 schreiben lassen*.
쓰이다^{2} 《사용》 gebraucht 〔verwandt〕 werden; 《소용》 verbraucht 〔ausgegeben〕 werden.
쓱싹하다 《해먹다》 ^{3}sich widerrechtlich an|eignen; unterschlagen*; 《셈을》 aus|-gleichen*; 《잘못을》 verdecken; verhüllen. 「Ungeschick.」
쓴맛단맛 Bitter u. Süße; Geschick u.
쓴웃음 das gezwungene Lachen*, -s. ¶～을 짓다 gezwungen lachen; verlegen lächeln.
쓸개 Gallenblase f. -n. ¶～ 빠진 marklos; mutlos; feige / ～ 빠진 놈 Memme f. -n; Feigling m. -s, -e.
쓸까스르다 Anzüglichkeiten (pl.) machen 《auf^{4}》; nahe|legen^{34}; versteckt rügen^{4}; sticheln 《auf jn.》.
쓸다^{1} 《비로》 kehren^{4}; fegen^{4}.
쓸다^{2} 《줄로》 (ab|)feilen^{4}.
쓸데없다 unnütz 〔vergeblich; nutzlos; unnötig〕 (sein). ¶쓸데없이 vergebens; umsonst. 「werden.」
쓸리다^{1} 《비 등에》 ausgefegt 〔gekehrt〕
쓸리다^{2} 《줄칼 등에》 abgeraspelt 〔gefeilt〕 werden; ^{4}sich ab|schaben.
쓸모있다 nützlich 〔brauchbar; tüchtig; fähig; tauglich〕 (sein). 「(sein).」
쓸쓸하다 einsam 〔öde; wüst; verlassen〕
쓸어버리다 weg|fegen; fort|raffen; weg|-reißen*; beseitigen; zerstören.
씁다 glätten; polieren; wichsen; putzen; ab|schleifen*.
씀바귀 〖植〗 Gänsedistel f. -n. 「f.」
씀씀이 Ausgabe f. -n; Verschwendung
씁쓸하다 jm. vielmehr bitter schmecken; unfroh (sein).
씌우다 《덮어》 (be)decken^{4}; über|ziehen*^{4}; auf|setzen^{4}; überschütten^{4}; 《죄를》 zu|-schieben*^{4}.
씨 《종자》 Samen m. -s, -; 《핵》 Kern m. -(e)s, -e; 《짐승의》 Rasse f. -n. ¶씨를 뿌리다 (Samen) säen.
씨(氏) 《경칭》 Herr m. -n, -en 《남자》; Fräulein n. -s, - 《미혼 여성》; Frau f. -en 《기혼 여성》.
씨근거리다 vor Wut 〔Zorn〕 schnauben*.
씨닭 Zuchthuhn n. -(e)s, ⸗er.
씨름 das Ringen*, -s; Ringkampf m. -(e)s, ⸗e. ～하다 ringen* 《mit jm.》. ‖～꾼 Ringer m. -s, -.
씨아 Baumwollgöpel m. -s, -; Egreniermaschine f. -n. ‖～질 Egrenierung f.
씨암탉 Bruthenne f. -n.
씨앗 Saat f. -en; Same m. -ns, -n.
씨족(氏族) Familie f. -n; Clan m. -s, -e. ‖～ 사회 Clangesellschaft f. -en.

씨종 Familiensklave *m.* –n, –n.
씩 ¶씩 웃다 grinsen; feixen.
씩둑거리다 plaudern; schwatzen.
씩씩거리다 schnauben*; schnaufen.
씩씩하다 mannhaft 〔tapfer; mutig〕 (sein).
씹 《보지》 Vulva *f.* ..ven; 《성교》 Paarung 〔Verbindung; Begattung〕 *f.* –en.
씹다 kauen$^{(4)}$ 《*an*^{3}》; zerbeißen*^{4}.
씹하다 ^{4}sich begatten 〔paaren〕.
씹히다 gekaut 〔gepriemt〕 werden.
씻가시다 waschen* u. aus|spülen.
씻다 waschen*^{4}; spülen^{4}; 《누명을》 ^{4}sich reinigen^{4} 《*von*^{3}》. ¶손을 ~ ^{3}sich die Hände waschen* / 누명을 ~ s–n schlechten Ruf verbessern.
씻부시다 waschen*; reinigen; säubern.
씻은듯이 reinlich; sauber; gänzlich; völlig.
씽 husch!; pfiff!

ㅇ

아 《놀람·의외·실망》 ach!; o! mein Gott!; 《감동》 ach!; ah; o!; aber.
아(亞) 《아시아》 Asien *n.* –s; Asiat *m.* –en, –en.
아(阿) Afrika *n.* –s; Afrikaner *m.* –s, –.
아–(亞) 《다음 가는》 zweit; sub–; nah–.
아가리 Schnabel *n,* –s, ⸚; Maul *n.* –(e)s, ⸚er; Schnauze *f.* –n.
아가미 Kieme *f.* –n.
아가씨 Mädchen *n.* –s, –; 《처녀》 Jungfrau *f.* –en; 《경칭》 Fräulein *n.* –s, –.
아가위 die Frucht des Hagedorns. ‖~나무 Hagedorn *m.* –(e)s, –e(n).
아교(阿膠) Leim *m.* –(e)s, –e. ¶~로 붙이다 leimen^{4}.
아구맞추다 die Zahl voll machen; ab|runden^{4}.
아구창(牙口瘡) Aphthen (*pl.*); Schwämmchen (*pl.*); Mundfäule *f.* –n.
아국(我國) unser 〔mein〕 Vaterland *n.* –es.
아군(我軍) unsere Armee 〔Truppe〕 –n.
아궁이 Herd *m.* –(e)s, –e.
아귀 《갈라진 곳》 Gabel *f.* –n; Gabelung *f.* –en; 《옷의》 Spalt *m.* –(e)s, –e; 《씨의》 Auge *n.* –s, –n.
아귀(餓鬼) 〖佛〗 der Hungerleider in der Unterwelt; 《사람》 der gefräßige Kerl, –(e)s, –e.
아귀다툼 Zank *m.* –(e)s, ⸚e; Streit *m.* –(e)s, –e.
아귀세다 《굳세다》 zäh 〔stark; fest〕 (sein); 《쥐는 힘이》 starken Griff haben.
아귀아귀 gierig; gefräßig; heißhungrig.
아그레망 Agrément *n.* –s, –s.
아그배 〖植〗 Holzapfel *m.* –s, ⸚.
아기 Kindlein *n.* –s, –; Säugling *m.* –s, –e.
아기서다 schwanger 〔in guter Hoffnung〕 sein.
아기자기하다 zart 〔zärtlich; liebevoll; zugetan〕 (sein).
아기집 〖解〗 (Gebär)mutter *f.* ⸚er.
아까 vorhin; vor kurzem.
아깝다 《애석》 bedauerlich 〔bedauernswert〕 (sein); 《귀중》 teuer (sein); 《너무 좋은》 zu gut (sein); 《과분한》 unverdient (sein). ¶아까운 듯이 karg; geizig; widerwillig; ungern / 아깝게도 leider.
아끼다 《주기를》 ungern geben*^{4}; 《절약》 sparen^{4}; 《인색》 geizen 《*mit*^{3}》; 《존중》 hoch|schätzen^{4}.
아낌없이 großmütig; freigebig; willig.
아나운서 Ansager 〔Sprecher〕 *m.* –s, –.
아낙 ① 《내간》 Damenzimmer *n.* –s, –. ② ☞ 아낙네. ‖~네 Dame *f.* –n; Frau *f.* –en.
아내 (Ehe)frau *f.* –en; Gattin *f.* –nen; Gemahlin *f.* –nen; Weib *n.* –(e)s, –er.
아네모네 〖植〗 Anemone *f.* –n.
아녀자(兒女子) Frauen u. Kinder (*pl.*).
아늑하다 behaglich 〔angenehm; bequem; gemütlich; traulich〕 (sein).
아는체하다 klug|reden; besser wissen wollen*; tun*, als ob man Bescheid wüßte; ^{4}sich wissend stellen.
아니 〖副詞的〗 nicht; 《대답》 nein; doch; 《놀람·의심》 ah!; oh!; ach!
아니꼽다 《사람·행위 따위》 abscheulich 〔ekelhaft; gemein〕 (sein).
아니나다를까 wie zu erwarten war; wie erwartet; der Erwartung entsprechend.
아니다 nicht (sein).
아니면 oder (aber).
아닌게아니라 in der Tat; wirklich; tatsächlich; gewiß. ¶~ 그렇다 Tatsächlich ist es.
아닌밤중 ¶~에 홍두깨 내밀 듯 ganz unerwartet.
아닐린 〖化〗 Anilin *n.* –s.
아다지오 〖樂〗 Adagio *n.* –s, –s; adagio 〖副詞〗.
아담(雅淡) ~하다 elegant 〔angenehm; nett〕 (sein).
아동(兒童) Kind *n.* –(e)s, –er; Jungen u. Mädel (*pl.*); Knaben u. Mädchen (*pl.*). ‖~극 das Drama für die Kinder /~ 문학 Jugendliteratur *f.* –en.
아둔하다 stupid 〔dumm; stumpfsinnig; geistlos〕 (sein).
아득하다 weit 〔weit entfernt; in der Ferne〕 (sein).
아들 Sohn *m.* –(e)s, ⸚e.
아따 jüh!; du m–e Güte!; du Kind.
아뜩(아뜩)하다 plötzlich schwindeln (*jm.*); (^{4}sich) wirbeln^{4}.
아라베스크 Arabeske *f.* –n. ‖~ 무늬 Arabeskenmuster *n.* –s, –.
아라비아 Arabien *n.* –s. ‖~ 숫자 die arabische Ziffer, –n.
아랍 Araber *m.* –s, –. ‖통일 ~ 공화국 die Vereinigte Arabische Republik.
아랑곳하다 an|gehen*^{4}; teil|nehmen* 《*an*^{3}》; ^{4}sich beteiligen 《*an*^{3}》. ¶내가 아랑곳할 바 아니다 Das betrifft mich nicht.
아래 《하부》 Unterteil *m.* 〔*n.*〕 –(e)s, –e; 《바닥》 Boden *m.* –s, ⸚; 《다리 부분》 Fuß *m.* –es, ⸚e. ~의 unter; 《하위의》 nieder. ¶~에 unter^{3}; unten / ~로 nach unten; abwärts.
아래위 der obere u. untere Teil, –(e)s, –e; auf u. ab; oben u. unten; 《신분》 hoch u. niedrig; Hohen* (*pl.*) u. Niedrigen* (*pl.*). ¶~로 auf u. ab 〔nieder〕; oben u. unten.
아래윗벌 Anzug *m.* –(e)s, ⸚e 《남자의》; Kostüm *n.* –(e)s, –e 《여자의》.
아래쪽 unten; unterhalb.
아래채 Neben〔Seiten〕gebäude *n.* –s, –.
아래층(–層) Erdgeschoß *n.* ..sses, ..sse; das untere Stockwerk, –(e)s, –e.

아래턱 Unterkiefer *m.* –s, –; Kinn *n.* –(e)s, –e.

아래통 der untere Körper, –s, –.

아랫니 die Zähne (*pl.*) im Untenkiefer; das untere Gebiß, ..bisses, ..bisse.

아랫도리 《하체》 der Unterteil des Körpers; 《옷》 Hose *f.* –n; Rock *m.* –(e)s, ⸗e.

아랫목 der dem Ofen [dem Küchenherd] naheliegende Fußboden.

아랫물 Unterlauf *m.* –(e)s, ⸗e. ¶윗물이 맑아야 ～이 맑다 《俗談》 „Wie der Herr, so der Knecht."

아랫방(一房) Nebenzimmer *n.* –s, –.

아랫배 Unterleib *m.* –(e)s, –er. ¶～가 아프다 Schmerzen im Unterleib haben.

아랫사람 《손아래》 der[die] Jüngere*, –n, –n; 《지위의》 der Untergeordnete*[Untergebene*; Niedrigstehende*] –n, –n.

아랫수염(一鬚髯) Kinn[Ziegen]bart *m.* –(e)s, ⸗e.

아랫입술 Unterlippe *f.* –n.

아량(雅量) Großmut *f.*; Edelmut *m.* –(e)s; Nachsicht *f.* ¶～(이) 있는 groß[edel]mütig; hoch[weit]herzig.

아련하다 verschwommen [nebelhaft] (sein).

아령(啞鈴) Hantel *m.* –s, –[*f.* –n].

아로새기다 ein|prägen 《*jm.* ⁴*et.*》.

아롱다롱하다 gesprenkelt [sprenklig; gemischt] (sein).

아뢰다 sagen⁴; mit|teilen⁴; erzählen⁴.

아류(亞流) 《주의·학설의》 Epigone *m.* –n, –n; 《유파의》 e–e Person zweiter Klasse [zweiten Ranges].

아르바이트 《내직》Neben·arbeit[–beschäftigung] *f.* –en; 《업적》 Arbeit *f.*

아름 《두께·양》 Armvoll *m.* –, –.

아름답다 《미려》 schön; hübsch (sein); 《마음이》 edelgesinnt (sein). ¶매우 아름다운 wunderschön / 아름다운 여자 die schöne [hübsche; reizende] Frau, –en.

아름드리 Armvoll *m.* –, –; 〖形容詞的〗 armvoll.

아리다 stechend [brennend; beißend] (sein).

아리땁다 lieblich [entzückend; bezaubernd] (sein).

아리아 〖樂〗 Arie *f.* –n.

아리안 《인종》 Arier *m.* –s, –.

아릿하다 scharf [beißend; ätzend] (sein).

아마(亞麻) 〖植〗 Flachs *m.* –es.

아마 vielleicht; möglicherweise; wahrscheinlich; etwa.

아마존 Amazonas *m.* –; Amazonen·fluß [–strom] *m.* –(e)s, ⸗e.

아마추어 Amateur *m.* –s, –e; Laie *m.* –n, –n; Dilettant *m.* –en, –en; Liebhaber *m.* –s, –e.

아말감 Amalgam *n.* –s, –e 《물금》; Quecksilberlegierung *f.* –n 《혼합물》.

아메리카 Amerika *n.* –s; die Vereinigten Staaten von Amerika 《略 : U. S. A.》. ‖～인디언 Indianer *m.* –s, –.

아메바 〖動〗 Amöbe *f.* –n.

아멘 〖基〗 Amen *n.* –s; Amen!

아명(兒名) Kindername *m.* –ns, –n; der Name, den man in der Kindheit trägt.

아무 《누구》 jeder*; ein jeder*; jedermann*; 《모두》 alle*; jedermann*.

아무개 《누가》 jemand; irgend jemand; 《어떤 사람》 e–e gewisse Person, –en; Soundso *m.* –s, –s.

아무데 《아무 곳》 irgendwo; überall; 《부정》 nirgends; nirgend(wo).

아무때 《어느 때》 um welche Zeit; 《항상》 immer; stets; 《…할 때는 언제나》 zu jeder [beliebigen] Zeit; 《부정》 nie; niemals.

아무래도 ① 《무관심》 gleich; einerlei; egal. ¶나는 ～ 좋다 Es ist mir gleich [egal]. ② 《도저히》 gar [durchaus] nicht; absolut; kaum. ¶그것은 ～ 불가능하다 Es ist absolut unmöglich.

아무러면 ① 《결코·설마》 nicht können*; unmöglich. ② 《아무런들》 das macht nichts ¶남들이 ～ 어때 Ich mache mir nichts daraus, was die Leute sagen.

아무런 《부정》 nicht; kein. ¶～ 생각 없이 unabsichtlich; unvorsätzlich.

아무렇게나 grob; roh; unhöflich 《거친》; sorglos; unsorgfältig 《부주의》; liederlich 《단정치 못함》. ¶～ 말하다 e–e freche Zunge haben.

아무렇게도 auf k–e Weise; 《무관심》 nichts; überhaupt nicht. ¶～ 생각 안 하다 *jm.* nichts aus|machen.

아무렇든지 irgendwie; jedenfalls; was auch immer. ¶～ 해 보는 것이 좋다 Jedenfalls ist es besser, daß du es versuchen sollst.

아무렴 natürlich; freilich; sicher.

아무리 wie ... auch; wenn auch ... noch so. ¶～ 부자라도 wie reich man auch sein mag / ～ 보아도 allem Anschein nach / ～ 보아도 비가 오겠다 Es hat ganz den Anschein, als ob es regnet.

아무말 kein Wort, –(e)s, ⸗er; (k)ein einziges Wort. ¶～도 없이 ohne ein Wort zu sagen.

아무아무 e–e gewisse Person, –en; Herr Soundso. ¶～가 그녀를 죽였다 Herr Soundso hat sie getötet.

아무일 was; etwas; alles 《매사》; 《부정》 nichts. ¶～ 없이 ohne Zwischenfall.

아무짝 《아무데》 zu nichts. ¶～에도 쓸모없다 (gar) nichts nützen.

아무쪼록 bitte 《부디》; in jeder Weise 《꼭》. ¶～ 저희를 도와 주시오 Bitte, helfen Sie uns!

아물거리다 《가물거리다》 flackern; flimmern; glitzern.

아물다 heilen.

아물리다 《아물게 하다》 heilen⁴; kurieren⁴; behandeln⁴; 《일을》 fertig werden《*mit*³》; beendigen⁴.

아미(蛾眉) die fein geschwungenen Augenbrauen (*pl.*); 《미녀》 die schöne Frau, –en.

아미노 〖化〗 Amino *n.* –s. ‖～산 Aminosäure *f.* –n.

아미타불(阿彌陀佛) Amita Buddha *m.* –s.

아버지 Vater *m.* –s, ⸗; 《兒》 Papa *m.* –s, –s; Väterchen *m.* –s, –.

아베크 Liebespaar *n.* –(e)s, –e 《애인 사이》; Ehepaar *n.* 《부부》. ～하다 mit avec [avék] gehen* 《*nach*³; *in*⁴; *auf*⁴》.

아부(阿附) Schmeichelei *f.* –en. ～하다 schmeicheln³.

아비 《비칭》 Vater *m.* –s, ⸗.

아비규환(阿鼻叫喚) Schmerzens·schrei

[-ruf] m. -(e)s, -e; das gellende Geschrei der Qual.
아비산(亞砒酸) Arseniksäure f. -n.
아빠 Papa m. -s, -s; Vati m. -s, -s.
아뿔싸 Donnerwetter!; mein Gott!
아사(餓死) Hungertod m. -(e)s, -e. ~하다 verhungern; [4]sich tot hungern.
아삭아삭 knuspernd.
아서라 o nein!; na!; hör auf!
아성(牙城) Bollwerk n. -(e)s, -e; Verteidigungswall m. -(e)s, ¨e; Festung f. -en; Bastion f. -en.
아성(亞聖) der dem Konfuzius am nächsten kommende Weise, -n, -n.
아성층권(亞成層圈) Substratosphäre f.
아세테이트 Acetat [Azetat] n. -s, -e; 《천》 Acetatseide f. -n.
아세틸렌 Azetylen n. -s. ‖ ~가스 Azetylengas n. -es, -e.
아속(雅俗) 《사람에 대한》 Vornehmen (pl.) u. Gemeinen (pl.); 《말에 대한》 die gehobene u. familiäre Sprache, -n.
아수라(阿修羅) Asura 《범어》.
아쉬워하다 vermissen[4].
아쉰대로 für jetzt; vorderhand; vorläufig.
아쉽다 vermissen*[4] [teuer] (sein); [4]et. wert halten*.
아스파라거스 〖植〗 Spargel m. -s, -.
아스팔트 Asphalt m. -(e)s, -e.
아슬아슬하다 gefährlich [kritisch; verwegen; heikel; krisenhaft] (sein). ¶아슬아슬한 순간에 im kritischen [letzen] Augenblick.
아시리아 〖史〗 Assyrien n. -s. ~의 assyrisch.
아시아 Asien. ~의 asiatisch.
아시아아프리카 Afro-Asien n. -s. ‖ ~회의 Bandungkonferenz f.; die afroasiatische Konferenz.
아씨 《경칭》 die junge Dame, -n; 《신부》 Braut f. ¨e; 《호칭》 Fräulein!
아아(阿亞) Afrika u. Asien. ‖ ~블록 der afro-asiatische Block, -(e)s.
아아 o!; oh!; ach!
아악(雅樂) Hofmusik f.; die alte koreanische Hofmusik.
아양 Koketterie f. -n. ¶~떨다 kokettieren (mit jm.).
아어(雅語) das poetische [künstlerische] Wort, -(e)s, ¨er [-e]; der gewählte Ausdruck, -s, ¨e.
아역(兒役) Kinderrolle f. -n; die jugendliche Rolle.
아연(亞鉛) Zink n. -(e)s.
아연(俄然) 〖副詞的〗 plötzlich; auf einmal; mit einem Mal.
아연(啞然) 〖副詞的〗 bestürzt; entsetzt; erschrocken. ¶~ 실색하다 bestürzt die [4]Farbe verlieren* / ~케 하다 jm. den Mund stopfen.
아열대(亞熱帶) Subtrope f. -n. ~의 subtropisch.
아예 im voraus; zum voraus; vorher; zuvor; jedenfalls; nie. ¶~ 그런 짓 마시오 Sie dürfen es nie (wieder) machen.
아우 《동생》 der jüngere Bruder, -s, ¨; 《나이 적은 이》 der Jüngere*, -n, -n.
아우성 Schrei m. -(e), -e; Geschrei n. -(e)s. ¶~치다 schreien*; brüllen; kreischen; lärmen.
아울러 zusammen; noch dazu; außerdem; überdies; zudem.
아웃 《구기에서》 aus; out[aut].
아이 Kind n. -(e)s, -er; 《유아》 Säugling m. -s, -e; 《사내》 Junge m. -n, -n; 《계집애》 Mädchen n. -s, -; 《아들》 Sohn m. -(e)s, ¨e; 《딸》 Tochter f. ¨.
아이고 mein Gott!; o Himmel!
아이누 Aino [Ainu] m. -s, -s. ‖ ~족 Aino-Volk n. -(e)s, ¨er.
아이디어 Einfall m. -(e)s, ¨e; Idee f. -n.
아이러니 Ironie f. -n.
아이섀도 Lidschatten m. -s, -.
아이소토프 〖化·物〗 Isotop n. -s, -e.
아이스 Eis n. -es. ‖ ~커피 der Kaffee mit Roheis / ~크림 das (Sahne)gefrorene*, -n; 《俗》 Eis n. -es.
아이슬란드 Island n.
아이오시 IOC [◀International Olympic Committee]; IOK [◀Internationales Olympisches Komitee].
아이젠 《등산용》 Steigeisen n. -s; Flügelnagel m. -s, ¨ 《개개의》.
아이쿠 《넘어질 때》 hoppla!
아이큐 I.Q. [◀Intelligenzquotient].
아일랜드 《영국 서부의 섬》 Irland n. ‖ ~공화국 die Republik Irland.
아장거리다 《어린이가》 trippelnd; mit kleinen Schritten.
아전인수(我田引水) ¶~격의 eigennützig; selbstsüchtig.
아주(亞洲) der asiatische Kontinent, -(e)s.
아주(阿洲) der afrikanische Kontinent, -(e)s, -e.
아주 《전연》 ganz; gänzlich; 《완전히》 völlig; vollkommen; 《실로》 wirklich; 《참으로》 wahrlich; 《꼭》 genau so; sehr; schrecklich. ¶~ 모르겠다 Das kann ich gar nicht verstehen / 그것은 ~ 맛이 좋다 Das schmeckt wunderbar.
아주까리 〖植〗 Rizinus m. -, -.
아주머니 Tante f. -n; Tantchen n. -s, -.
아주버니 der ältere Schwager, -s, ¨.
아지랑이 Dunst m. -es, ¨e; leichter Nebel, -s.
아지작거리다 knirschen[4]; zerkauen[4]; zermalmen[4].
아지트 《공산당의》 Agitationspunkt m. -(e), -e.
아직 ① 《여태》 noch; 《여전히》 immer noch; noch immer; 《현재》 bis jetzt; soweit; bisher. ¶~ 병환중입니까 Sind Sie noch unwohl? / ~ 비가 오고 있다 Es regnet immer noch. ② 《그밖에》 noch dazu; außerdem; ferner; überdies. ¶~ 너에게 할 말이 있다 Ich habe dir außerdem noch etwas zu sagen. ③ 《겨우》 nur; erst. ¶이 아이는 ~ 네 살이다 Das Kind ist erst vier Jahre alt.
아질산(亞窒酸) die salpet(e)rige Säure, -n.
아집(我執) Eigensinn m. -(e)s; Starrköpfigkeit f.
아찔하다 es schwindelt jm. ¶정신이 아찔해지다 ohnmächtig werden.
아차 Ach!; O, Gott!; Scheibe!; O, verflixt!. ¶~하는 순간에 im Nu.
아첨(阿諂) Schmeichelei f. -en. ~하다 schmeicheln (jm.).
아취(雅趣) feiner [eleganter; sublimer] Geschmack, -(e)s, ¨e.
아치 Bogen m. -s, ¨; Gewölbe n. -s, -. ¶~ 모양의 bogenförmig; gewölbt.
아침 Morgen m. -s, -. ¶~마다 des Morgens / ~부터 저녁까지 vom Mor-

gen bis zum Abend; 《종일토록》 den ganzen Tag / ~ 일찍 früh am Morgen.
아카데미 Akademie *f.* -n.
아카시아 Akazie *f.* -n.
아케이드 Arkade *f.* -n.
아코디언 Akkordeon *n.* -s, -s; Ziehharmonika *f.* ..ken〔-s〕.
아퀴 《끝매듭》 Erledigung *f.*; Entscheidung 〔Abmachung〕 *f.* -en.
아크등(一燈) Bogen·lampe *f.* -n〔-licht *n.* -(e)s, -e(r)〕.
아크로마이신 Achromycin 〔akro..〕 *n.* -s.
아크릴 ‖ ~산(酸) Akrylsäure *f.* / ~수지(樹脂) Akrylharze (*pl.*).
아킬레스 Achilles. ‖ ~건 Achilles·flechse 〔-sehne〕 *f.* -n.
아트지(一紙) Kunstdruckpapier *n.* -s, -e.
아틀리에 Atelier [..lié:] *n.* -s, -s.
아파트 《방》 Gemach *n.* -(e)s, ¨er; 《건물》 (Miet)wohnung *f.* -en.
아편(阿片) Opium *n.* -s.
아폴로 Apollo *m.* -s. ‖ ~ 계획 Apollo-Programm *n.* -s, -e.
아프다 schmerzhaft 〔weh; stechend〕 (sein). ¶아무 때문에 마음 아파하다 über *jn.* Schmerz empfinden*.
아프리카 Afrika *n.* -s. ‖ ~주 der afrikanische Kontinent, -(e)s.
아프트식(一式) ‖ ~ 철도 (Abt-system) Zahnradbahn *f.* -en.
아픔 Schmerz *m.* -es, -en; Pein *f.*; Weh *n.* -(e)s, -e; 《마음의》 Qual *f.* -en.
아하 aha!; hoho!; so!
아한대(亞寒帶) Subpolarzone *f.* -n.
아호(雅號) Künstlername *m.* -ns, -n Schriftstellername *m.* 《펜네임》.
아홉 neun.
아흐레 《아홉 날》 neun Tage (*pl.*); 《구일》 der neunte Tag, -(e)s, -e.
아흔 neunzig.
악[1] 《몹시 놀랄 때》 ach!; ach Gott!; weh mir!.
악[2] ¶악에 바쳐 rasend; aufgeregt; außer sich vor Wut; 《미친듯이》 wie toll / 악이 바치다 toll 〔aufgeregt〕 werden / 악쓰다 laut schreien*; kreischen.
악(惡) 《종교적》 Übel *n.* -s, -; 《도덕적》 das Böse*, -n.
악감(惡感) die ungünstige Meinung, -en; das unangenehme Gefühl, -(e)s, -e.
악곡(樂曲) Musikstück *n.* -(e)s, -e; Melodie *f.* -n.
악공(樂工) Hofmusikant *m.* -en, -en.
악귀(惡鬼) der böse Geist, -(e)s, -er.
악극(樂劇) Musikdrama *n.* -s, ..men; Oper *f.* -n; Singspiel *n.* -s, -e.
악기(樂器) (Musik)instrument *n.* -(e)s, -e.
악녀(惡女) die boshafte Frau; Mannweib *n.* -(e)s, -er.
악다구니하다 laut zanken; streiten*; keifen*.
악단(樂團) Kapelle; 《관현악단》 Orchester *n.* -s, -.
악단(樂壇) musikalische Welt, -en.
악담(惡談) Schmähung *f.* -en; Beschimpfung *f.* -en. ~하다 schmähen[4]; beschimpfen[4].
악당(惡黨) Schuft 〔Raufbold〕 *m.* -(e)s, -e; Halunke *m.* -n, -n; Bösewicht *m.* -(e)s, -e(r).
악대(樂隊) Kapelle *f.* -n; Musikkorps *n.* -, -.
악덕(惡德) Untugend *f.* -en; Laster *n.* -s, -; Fäulnis *f.*
악독(惡毒) ~하다 lasterhaft〔böse; giftig〕(sein).
악랄(惡辣) ~하다 boshaft 〔arglistig〕 (sein); 《음흉하다》 schlau 〔verschlagen〕 (sein).
악력(握力) Griff *m.* -(e)s, -e; die Kraft des Griffs. ‖ ~계 Handdynamometer *n.* -s, -.
악령(惡靈) der böse Geist, -(e)s, -er; Teufel *m.* -s, -. ¶~에 씌다 von dem bösen Geist verfolgt werden.
악마(惡魔) Teufel *m.* -s, -; der böse Geist, -(e)s, -er.
악머구리 Quaker *m.* -s, -. ¶~ 끓듯하다 ein großes Aufheben machen.
악명(惡名) der schlechte Ruf, -(e)s, -e; der schlechte Name, -ns, -n.
악몽(惡夢) der böse 〔schlechte〕 Traum, -(e)s, ¨e; der beängstigende 〔schwere〕 Traum.
악물다 《이를》 die Zähne fest aufeinander|beißen*.
악바리 e-e harsche zähe Person, -en.
악보(樂譜) (Musik)noten (*pl.*).
악사(樂士) Musiker *m.* -s, -; Musikant *m.* -en, -en.
악서(惡書) schädliches 〔nachteiliges〕 Buch, -(e)s, ¨er.
악성(惡性) ~의 boshaft; schädlich; bösartig; 《질병》 virulent; perniziös.
악성(樂聖) der angesehene 〔berühmte〕 Musiker, -s, -.
악센트 Akzent *m.* -(e)s, -e; 《강음》 (Haupt)ton *m.* -(e)s, ¨e; 《강조》 Betonung *f.* -en.
악수(握手) Händedruck *m.* -es. ~하다 *jm.* die Hand drücken 〔schütteln〕.
악순환(惡循環) Spirale *f.* -n.
악습(惡習) die schlechte Gewohnheit, -en; der schlechte (Ge)brauch, -(e)s, ¨e. ¶~에 젖다 e-e schlechte Gewohnheit an|nehmen*.
악식(惡食) 《나쁜 음식》 schlechte Speise, -n; grobe Nahrung, -en. ~하다 [3]sich kümmerlich nähren.
악어(鰐魚) Krokodil *n.* -s, -e; Alligator *m.* -s, -n.
악업(惡業) 〖佛〗 schlechte Taten in dem vergangenen Leben; Karma(n) *n.* -s; 《악행》 Vergehen *n.* -s, -; Missetat *f.* -en.
악역(惡役) Bösewichtsrolle *f.* -n.
악연(惡緣) verhängnisvolles 〔verfluchtes; verwünschtes〕 Band, -es, -e.
악영향(惡影響) böser Einfluß, ..flusses, ..flüsse; die schlechte Wirkung, -en.
악용(惡用) Mißbrauch *m.* -(e)s, ¨e; der falsche Gebrauch. ~하다 mißbrauchen[4]; von [3]*et.* falschen Gebrauch machen.
악우(惡友) der schlechte 〔falsche〕 Freund, -(e)s, -e.
악운(惡運) das widrige Geschick, -(e)s; das schwere Schicksal, -s, -e. ¶~이 다하다 Das Glück hat ihm den Rücken gekehrt.
악의(惡意) Bosheit *f.* -en; 《나쁜 의도》 die böse Absicht, -en; das Übelwollen*, -s; Arglist *f.* -en. ¶~ 없는 harmlos / ~로 해석하다 übel|nehmen*[4].
악의악식(惡衣惡食) schäbige Kleider (*pl.*). u. schlechte Speisen (*pl.*). ~하

다 ⁴sich schäbig bekleiden und von schlechter Nahrung leben.

악인(惡人) der üble Mensch, -en, -en; Bösewicht m. -(e)s, -e(r); Schurke m. -n, -n.

악장(樂章) Satz m. -es, ¨e; Tonsatz m. -es, ¨e.

악장치다 mit jm. laut zanken; keifen*.

악전고투(惡戰苦鬪) der verzweifelte[harte] Kampf, -(e)s, ¨e. ～하다 e-n verzweifelten [blutigen] Kampf kämpfen.

악정(惡政) Miß·verwaltung [-regierung; -wirtschaft] f. -en. ¶～에 시달리다 unter der Mißverwaltung leiden*.

악조건(惡條件) ungünstige [unwidrige; unvorteilhafte] Bedingung, -en.

악종(惡種) schlechte Saat, -en; schlechter Same, -ns, -n.

악질(惡質) 《품질》 die schlechte Qualität, -en; 《질병》 Bösartigkeit [Malignität] f.; 《천성》 der böse Charakter, -s, -. ‖～ 범죄 böses Verbrechen, -s / ～분자 schlechte [übel] Elemente (pl.).

악착스럽다 ☞억척스럽다.

악처(惡妻) Haus·drache m. -n, -n [-kreuz n. -es, -e]; die böse Sieben, -, -; Xanthippe f. -n.

악천후(惡天候) Unwetter n. -s; rauhe Witterung, -en.

악취(惡臭) der schlechte Geruch, -es; Gestank m. -(e)s. ¶～를 풍긴다 es stinkt 《nach³; wie¹》.

악취미(惡趣味) Geschmacklosigkeit f. -en.

악평(惡評) die ungünstige Kritik, -en. ～하다 schlecht machen⁴; kritisieren⁴; bekritteln⁴.

악폐(惡弊) Übel n. -s, -; die schlechte Gewohnheit, -en.

악필(惡筆) die schlechte Handschrift, -en; Kritzelei f. -en. ‖～가 Kritz(l)er m. -s, -,

악하다(惡―) schlecht [schlimm; böse; übel] (sein). ¶성질이 ～ boschaft [bösartig] sein.

악한(惡漢) Schuft m. -(e)s, -e; Schurke m. -n, -n; Schelm m. -(e)s, -e; Halunke m. -n, -n.

악화(惡化) Verschlechterung [Entartung; Entsittlichung] f. -en. ～하다 schlechter [schlimmer] werden; ⁴sich verschlechtern. ¶～시키다 schlechter machen⁴.

악화(惡貨) Schlechtes Geld, -(e)s; wertloser Umlauf, -(e)s, ¨e. ¶～는 양화를 구축한다 Schlechtes Geld treibt das gute hinaus.

안¹ ① 《내부》 das Innere* [Inwendige*] -n. ¶안에 darin; d(a)rinnen / 안에서부터 von innen heraus. ② 《미만》 in³; innerhalb²; während. ¶이삼일 안에 in einigen Tagen. ③ 《옷의》 Futter n. -s; Auskleidung f. -en. ¶～을 대다 futtern⁴ 《mit³》.

안² 《내실》 Boudoir n. -s, -s; Damenzimmer n. -s, -; 《여자》 Frauensleute (pl.); 《아내》 Frau f. -en. ¶안주인 Herrin f. -nen.

안(案) ① 《제안》 Vorschlag [Antrag] m. -(e)s, ¨e. ¶안을 내놓다 vor|schlagen⁴*. ② 《초안》 Entwurf m. -(e)s, ¨e; Kladde f. -n. ¶안을 세우다 entwerfen*⁴. ③ 《계획》 Plan m. -(e)s, ¨e; Vorsatz m. -es, ¨e. ¶안을 짜다 e-n Plan entwerfen*.

안간힘쓰다 alles [e-e ganze Kraft] ein|setzen 《für⁴》; alle (s-e) Kräfte auf|bieten*.

안감 《옷의》 Futterstoff m. -(e)s, -e; Futter n. -s, -.

안개 Nebel m. -s, -; Dunst m. -es, ¨e; Mist m. -es, -e. ¶ 짙은 ～ der dicke Nebel / ～낀 neblig / ～가 낀다 Es nebelt.

안건(案件) Sache f. -n; Angelegenheit f. -en.

안경(眼鏡) Brille f. -n; 《코안경》 Kneifer m. -s, -; 《보안용》 Schutzbrille. ¶～ 너머로 über den Brillenrand / ～을 벗다 [쓰다] e-e Brille ab|setzen [auf|setzen]. ‖～ 다리 Bügel m. -s, - / ～점 Optiker m. -s, - / ～테 Brillen(ein)·fassung f. -en.

안계(眼界) =시계(視界).

안고나다 auf ⁴sich nehmen*; ⁴sich für ⁴et. verantworten.

안고지다 ⁴sich in s-m eigenen Netz fangen*.

안공(眼孔) Augenhöhle f. -n.

안과(眼科) Ophthalmologie f.; Augenheilkunde f. ‖～ 의사(醫師) Augenarzt m. -es, ¨e; Ophthalmog(e) m. ..gen, ..gen.

안구(眼球) Augapfel m. -s, ¨. ‖～ 은행 Augenbank f. -en.

안기다¹ 《품속에 들다》 ⁴sich jm. in die Arme (pl.) werfen*; ⁴sich an jn. an|schmiegen.

안기다² 《안도록 하다》 in die Arme (pl.) nehmen* [schließen*] lassen*; 《빚·책임 따위를》 e-e Schuld [Verantwortung] auf jn. bringen*; jn. für ⁴et. verantwortlich machen. ¶빚을 ～ die Schuld auf andere ab|wälzen [bringen*].

안내(案內) (Ein)führung f.; Einleitung f. -en. ～하다 führen⁴; ein|leiten⁴ [-|laden*⁴]. ‖～소 Auskunftsbüro n. -s, -s / ～인 Führer m. -s.

안녕(安寧) ① 《평온 질서》 der (öffentliche) Friede, -ns; Ruhe f.; Ruhe u. Friede(n). ② 《건강》 ～하다 die Gesundheit erhalten*. ③ 《인사》 Auf Wiedersehen!; Ade!; 《멀리 가는 사람에게》 Leben Sie wohl! ¶～하십니까 Wie befinden Sie sich?; Wie geht es Ihnen?

안다 《팔에》 in die Arme nehmen*⁴ [schließen*⁴]; umarmen⁴; auf dem Arm tragen*⁴; 《남의 책임 따위를》 Aufgabe [Verantwortung] auf ⁴sich nehmen*; übernehmen*; ⁴et. schultern.

안달하다 nicht zur Ruhe kommen*; nicht still sitzen können*; 《애태우다》 vor ³Ungeduld brennen*; 《걱정하다》 ³sich viel Sorge machen 《über⁴; um⁴》.

안대(眼帶) Augenbinde f. -n. ¶～를 오른쪽 눈에 대다 e-e Augenbinde für das rechte Auge um|binden*.

안도(安堵) Erleichterung [Entlastung] f. -en; Trost m. -(e)s, -e. ¶～의 한숨을 쉬다 erleichtert auf|atmen; jm. ein Stein vom Herzen fallen*; ⁴sich befreit fühlen. ‖ ~감 das Gefühl der Befreiung.

안되다 ① (유감이 다) bedauernd 〔bedauerlich〕 (sein). ¶ 안 됐습니다 Es tut mir leid.; Das ist bedauerlich. ② (금지) nicht dürfen*; nicht sollen. ③ (필요) müssen*; sollen.

안뜰 Hof *m.* –(e)s, ⸚e.

안락(安樂) Bequemlichkeit 〔Behaglichkeit〕 *f.* ~하다 behaglich 〔bequem〕 (sein). ‖ ~사 Euthanasie *f.* / ~ 의자 Sessel *m.* –s, –; Lehnstuhl *m.* –(e)s, ⸚e.

안료(顔料) Schminke *f.* –n; Schönheitsmittel *n.* –s, –; (그림 물감) Farbe *f.* –n; Pigment *n.* –(e)s, –e.

안마(按摩) Massage[..ʒə] *f.* –n. ~하다 massieren[4]; kneten[4]. ‖ ~사 Masseur [..sø:r] *m.* –s, –e; Masseuse[..sø:zə] *f.* –n.

안마(鞍馬) (체조 용구) Pferd *n.* –(e)s, –e; (체조 종목) Pferdsport *m.* –(e)s.

안면(安眠) der gesunde 〔ruhige; gute〕 Schlaf, –(e)s. ‖ ~ 방해 die nächtliche Störung, –en.

안면(顔面) ① (얼굴) Gesicht *n.* –(e)s, –er. ② (친분) Bekanntschaft *f.* –en. ¶ ~이 있다 bekannt sein (mit *jm.*); *jn.* kennen* / ~(이) 있는 사람 der Bekannte*, –n, –n.

안목 innere Dimension; innerliches Maß (des Zimmers).

안목(眼目) Auge *n.* –s, –n; Einsicht *f.* –en; Scharfsinn *m.* –(e)s; Verständnis *n.* –ses, –se. ¶ …을 보는 ~이 있다 ein Auge für [4]*et.* haben.

안무(按舞) Tanzgliederung *f.* –en; Choreographie [ko..] *f.* –n. ~하다 die richtige Gestaltung geben*; e–n neuen Tanz erfinden*.

안방(—房) der innere Raum, –(e)s, ⸚e; die gute Hinterstube, –n. ‖ ~ 샌님 Stuben·hocker 〔-sitzer〕 *m.* –s, –.

안배(按排) Arrangement *n.* –s, –s; Anordnung *f.* –en. ~하다 an|ordnen[4]; in Ordnung bringen*[4]; auf|räumen[4].

안벽(岸壁) Kai *m.* –s, –e; (부두) Staden *m.* –s, –.

안보(安保) Sicherheit *f.* ☞ 안전보장. ¶ ~ 외교 die Diplomatie für nationale Sicherheit.

안부(安否) das Befinden*, –s; Gesundheit *f.* –en; (화복) das (Wohl)ergehen*, –s. ¶ ~를 묻다 nach *js.* Befinden fragen[(*)].

안사돈(—査頓) die Schwiegermutter der Tochter; die Mutter der Schwiegertochter.

안사람 (m–e) Frau, –en.

안색(顔色) (Gesichts)farbe *f.* –n; (혈색 · 피부색) Teint *m.* –s, –s. ¶ ~이 나쁘다 〔좋다〕 blaß 〔gut〕 aus|sehen*. ② (표정) Miene *f.* –n; Gesicht *n.* –(e)s, –er. ¶ ~이 변하다 die Gesichtsfarbe wechseln.

안성맞춤(安城—) Geeignetheit *f.* ~의 geeignet (*für*[4]; *zu*[3]); (gerade) angemessen[3]; (wie) geschaffen (*für*[4]; *zu*[3]).

안섶 innere Kragenseite der koreanischen Bluse.

안손님 Besucherin *f.* –nen.

안수(按手) das Besprechen*, –s; Beschwörung 〔Besprechung〕 *f.* –en; (성직 후보자에게) Priesterweihe *f.* –en. ‖ ~ 기도 Beschwörung u. Gebet.

안식(安息) Rast *f.* –en; Ruhe *f.* ‖ ~교 Adventisten vom siebenten Tag / ~일 Ruhetag 〔Sabbat〕 *m.* –(e)s, –e / ~처 Ruhestatt *f.*; Zufluchtsort *m.* –(e)s, –e.

안식(眼識) = 안목(眼目).

안식향(安息香) 〖植〗 Benzoebaum *m.* –(e)s, ⸚e.

안심(安心) Gemütsruhe *f.*; Beruhigung 〔Sicherheit〕 *f.* –en. ~하다 [4]sich beruhigen (*über*[4]); [4]sich erleichtert 〔sicher〕 fühlen. ¶ ~시키다 beruhigen[4].

안아일으키다 (*jn.* in die Arme nehmen* u.) auf|richten.

안약(眼藥) Augen·mittel *n.* –s, – 〔-wasser *n.* –s, –; -salbe *f.* –n (연고)〕.

안염(眼炎) 〖醫〗 Augenentzündung *f.* –en; Ophthalmie *f.* –n.

안온(安穩) Friede *m.* ..dens, ..den; Ruhe *f.*; Sicherheit *f.* –en. ~하다 friedlich 〔geruhsam〕 (sein).

안위(安危) Sicherheit *f.*; Schicksal *n.* –s, –e; Fatum *n.* –s, ..ta. ¶ …의 ~에 관한 lebenswichtig; verhängnisvoll.

안이(安易) ~하다 leicht 〔einfach〕(sein). ¶ ~한 생각 e–e bequeme Denkart.

안일(安逸) Gemächlichkeit *f.*; Behaglichkeit u. Lässigkeit *f.*; Müßiggang *m.* –(e)s. ~하다 müßig 〔behaglich; träg; gemächlich〕 (sein).

안장(安葬) ~하다 begraben*; beerdigen; bestatten.

안장(鞍裝) Sattel *m.* –s, ⸚. ¶ ~을 지우다 satteln[(4)]; (ein [4]Pferd) auf|satteln.

안저출혈(眼底出血) die Blutung des Augenhintergrundes.

안전(安全) Sicherheit *f.* –en. ~하다 sicher〔gefahrlos〕(sein). ‖ ~면도 Rasierapparat *m.* –(e)s, –e / ~ 벨트 Sicherheitsgurt *m.* –(e)s, –e / ~율 Sicherheitsgrad *m.* –(e)s, –e / ~ 제일 Sicherheit vor allem / ~ 지대 Schutzinsel *f.* –n / ~핀 Sicherheitsnadel *f.* –n.

안전보장(安全保障) Sicherheit *f.* –en. ‖ ~ 이사회 Sicherheitsrat *m.* –(e)s, ⸚e / ~ 조약 Sicherheitsvertrag *m.* –(e)s, ⸚e.

안절부절못하다 rastlos 〔hastig; gehetzt; gejagt; ruhelos; unruhig; aufgeregt〕 sein; in nervöser Aufregung sein.

안정(安定) Stabilität *f.*; Beständigkeit *f.*; (평형) Gleichgewicht *n.* –(e)s. ~되다 stabil werden; stabilisiert werden; fest bleiden*. ¶ ~된 stabil; beständig / ~을 유지하다〔잃다〕 das Gleichgewicht halten*〔verlieren*〕. ‖ ~감 das Gefühl der Stabilität / ~ 장치 Stabilisierungsvorrichtung *f.* –en.

안정(安靜) Ruhe *f.*; Stille *f.* ¶ ~을 유지하다 Ruhe halten*; [4]sich still verhalten*.

안정(眼睛) Augapfel *m.* –s, ⸚. ‖ ~ 피로 die Ermüdung der [2]Sehnerven (*pl.*).

안주(安住) ein geruhsames Leben, –s, –. ~하다 den Wohnsitz auf|schlagen*; [4]sich nieder|lassen*.

안주(按酒) Beilage *f.* –n《맥주 따위의》; Würze *f.* –n; Garnierung *f.* –en.
안주인(一主人) Hausherrin *f.* –nen; Hausfrau *f.* –en; Gastwirtin *f.* –nen《여관의》; Kneipwirtin《술집의》.
안중(眼中) ¶~에 없다 außerachtlassen*.
안질(眼疾) Ophtalmie *f.* –n.
안짱다리 die einwärtsgesetzten Füße (*pl.*). ~의 O–beinig; säbelbeinig.
안쪽 Innenseite *f.* –n; die innere Seite, –n. ~의 inner; Innen–.
안착(安着) gute〔glückliche〕Ankunft, ⸚e; ~하다 wohlbehalten〔glücklich〕an|kommen*《*an*³; *in*³》.
안창 Brandsohle *f.* –n; Einlegesohle *f.* –n.
안채 Hauptgebäude *n.* –s; Frauengemächer (*pl.*).
안출(案出) ~하다 erfinden*⁴; ersinnen*⁴; erdenken*⁴.
안치(安置) Aufstellung *f.*; Aufbahrung *f.* ~하다 auf|stellen; auf|bahren《유해를》.
안치다《솥에》《Reis》zum Kochen fertig machen.
안타(安打) sicherer Schlag, –(e)s, ⸚e. ¶~를 치다 sicher schlagen*.
안타까워하다 aufgeregt u. beunruhigt sein; besorgt sein《um *jn.*; *wegen*²》.
안타깝다 erbärmlich〔herzzerreißend, schmerzlich; ungeduldig〕(sein).
안테나 Antenne *f.* –n.
안티모니, 안티몬 Antimon *n.* –s. ‖안티몬산 Antimonsäure *f.*
안팎 ①《안과 밖》das Innere* u. das Äußere*. ¶~으로 innen u. außen. ②《표리》Vorder– u. Rückseite *f.* –n; zwei Seiten (*pl.*). ¶~이 있는 사람 Augendiener *m.* –s, –. ③《대략》etwa; ungefähr. ¶50원 ~ etwa 50 *Won.*
안표(眼標) das (An)zeichen*, –s, –; das Merkmal –(e)s, –e.
안피지(雁皮紙) Seidenpapier *n.* –s.
안하(眼下) ¶~무인이다 herrisch〔anmaßend; arrogant; hochmütig〕(sein).
앉다 ①《자리에》⁴sich setzen; ⁴sich hin|setzen; ⁴sich nieder|setzen. ¶앉아 있다 sitzen*《*auf*³》/ 타고 ~ ⁴sich rittlings setzen. ②《지위에》e–e Stelle〔Stellung〕an|treten*. ③《먼지 등이》⁴sich sammeln; ⁴sich an|sammeln.
앉은뱅이 der Lahme*, –n, –n.
앉은자리 Platz, auf den man sich gesetzt hat; *js.* Sitz *m.* –es, –e. ¶~에서 auf der stelle; sofort.
앉은키 Sitzhöhe *f.* –n.
앉히다 ①《앉게 하다》*jn.* setzen. ¶자리에 ~ *jm.* e–n Sitz an|weisen*; Raum bestuhlen; mit Sitzplätzen versehen*. ②《지위에》ernennen*⁴《*zu*³》; ein|setzen⁴. ③《배치》auf|stellen⁴; arrangieren⁴.
않다〖動詞·形容詞 아래서〗nicht sein; nicht haben;〖助動詞〗nicht. ¶덥도 춥도 ~ Es ist weder heiß noch kalt.
않을수없다 sollen*; müssen*;〖zu 否定句와 더불어〗nicht umhin können*; nicht anders können*《als...》. ¶웃지 ~ Da mußte ich lachen.
알 Ei *n.* –(e)s, –er; Laich *m.* –(e)s, –e; Rogen *m.* –s, –. ¶~을 낳다 Eier legen; laichen / ~을 까다 Eier (aus|)brüten.
알갱이《낟알》Kern *m.* –(e)s, –e; Korn *n.* –(e)s, ⸚er; Getreide *n.* –s, –.
알거지 der arme Teufel, –s, –; Bettler *m.* –s, –.
알겯다《암탉이》glucken《Henne》.
알곡(一穀) ①《알곡식》reines Getreide *n.* –s, –. ②《깍지 벗긴》enthülste Bohnen od. Erbsen (*pl.*).
알껍질 Eierschale *f.* –n.
알다 ①《一般的》wissen*⁴; (er)lernen⁴; fühlen; verstehen*⁴; heraus|bekommen*⁴;《사람을》kennen*⁴; bekannt werden《mit *jm.*》; *js.* Bekanntschaft machen; erfahren*《*von*³》. ¶내가 알기에는 soviel ich weiß; m–s Wissens / 알고 있는 bekannt; vertraut / 아는 사람을 만나다 e–m Bekannten begegnen. ②《이해·양해》verstehen*⁴; auf|fassen⁴; begreifen*⁴; ein|sehen*⁴; dahinter|kommen*《개념·내용 등을》. ¶알았나 Hast du es verstanden? / …의 비밀을 ~ hinter *js.* Geheimnis kommen* / …을 안다 Ich sehe ein〔verstehe〕, daß …. ③《미루어 알다》³sich vor|stellen⁴; ⁴sich ein|fühlen《*in*⁴》; nach|empfinden*⁴. ④《…임을 알다》finden*⁴; fest|stellen⁴; ⁴sich heraus|stellen*; ersehen*《*aus*³》. ¶내 잘못임을 알았다 Ich finde, daß ich unrecht habe. ⑤《인지·인식》erkennen*⁴; Kenntnis nehmen*《*von*³》; zur Kenntnis nehmen*⁴; erfahren*⁴. ¶목소리로 당신인 줄 알았다 Ich erkannte Sie an der Stimme. ⑥《평가할 줄 알다》ein Auge〔ein Ohr〕haben《*für*⁴》; Sinn haben《*für*⁴》. ¶음악을 ~ musikalisch sein. ⑦《옳고 그름을》verständig sein; verständnisvoll sein; vernünftig sein. ⑧《관계》an|gehen*⁴; ⁴sich kümmern《*um*⁴》. ¶알 바 아니다 nichts zu tun haben《*mit*³》.
알뜰하다 ①《규모가》sparsam〔genugsam; bescheiden〕(sein). ②《정성껏》eifrig〔treu; ernstlich〕(sein).
알라카르트 *à la carte*[a la kárt].
알랑거리다 *jm.* schmeicheln; *jm.* Honig um den Bart〔um den Mund〕schmieren. ¶권문에 ~ vor e–m Einflußreichen kriechen*.
알랑쇠 Schmeichler〔Speichellecker〕*m.* –s, –.
알량하다 nicht beachtenswert〔mittelmäßig; geringwertig〕(sein).
알레르기〖醫〗Allergie *f.* –n[..gí:ən]
알력(軋轢) Reibung *f.* –en; Hader *m.* –s; Zwietracht *f.*; Zwist *m.* –es, –e. ¶~을 일으키다 in Zwiespalt〔Streit〕geraten*《mit *jm.*》.
알로하셔츠 Aloha-Hemd *n.* –(e)s, –en.
알록달록 buntgefärbt; grell koloriert.
알루미늄 Aluminium *n.* –s. ‖~ 제품 Alumiuiumware *f.* –n.
알리다 bekannt|machen⁴; benachrichtigen《*jn. von*³》; mit|teilen⁴《*jm.*》; berichten⁴《*jm. über*⁴》. ¶널리 알려진 weitbekannt; weitberühmt.
알리바이 Alibi *n.* –s, –s. ¶~를 세우다 sein Alibi erbringen*〔beweisen*〕.
알리어지다 ①《알게 되다》bekannt〔entdeckt〕werden; identifiziert werden《신원이》. ¶그것이 알리어지면 wenn man

es erfährt. ② 《유명해지다》 wohl〔all; welt〕bekannt werden.
알맞다 ① 《부합》 passen 《zu³; für⁴》; passend (sein) 《zu³; für⁴》; ⁴sich eignen 《zu³; für⁴》. ② 《상응》 entsprechen*³; gleichwertig (sein) 《mit³》. ¶이 일은 당신에게 ～ Diese Arbeit kommt Ihnen zu. ③ 《적당》 gehörig〔geziemend; angemessen; geeignet〕(sein). ¶알맞게 먹다 mäßig essen*.
알맹이 ① 《핵심》 Kern m. -(e)s, -e; Hauptsache f. -n. ② 《내용》 Inhalt m. -(e)s, -e; Gehalt m. -(e)s, -e; Substanz f. -en. ¶～ 없는 inhaltslos; gehaltlos. ③ 《알갱이》 (Nuß)Kern; Samenkorn n. -(e)s, ⸗er.
알몸 《나체》 die völlige〔paradiesische〕Nacktheit〔Nudität〕; der völlig nackte Körper, -s, -. ¶～의 (ganz) ungekleidet; ganz nackt.
알배기 Rogener m. -s, -; Rogenfisch m. -es, -e.
알부랑자(―浮浪者) frecher Schurke, -n, -n.
알부민 〖化〗 Albumin n. -s, -e.
알선(斡旋) ～하다 ① 《주선·조력》 jm. befürworten; ⁴sich verwenden*《für⁴》. ② 《중개》 vermitteln 《zwischen³》; für|bitten 《bei jm. für⁴》. ¶직업을 ～하다 jm. Stellung verschaffen.
알슬다 laichen; Eier legen.
알싸하다 prickelnd (sein); 《톡쏘다》 e-n würzigen Geschmack haben.
알쏭달쏭하다 ① 《줄·무늬 등이》 buntscheckig〔mehrfarbig〕(sein). ② 《애매》 vage〔zweideutig; doppelsinnig; unbestimmt; unklar; undeutlich〕(sein). ¶알쏭달쏭한 말을 하다 dem Kern der Sache aus|weichen*.
알아내다 erfragen⁴; durch ⁴Fragen erfahren*; entlocken; heraus|bekommen*⁴.
알아듣다 auf|fassen⁴; begreifen*⁴; verstehen*⁴; ein|willigen 《in³》; zu|stimmen³; vernehmen*⁴. ¶잘 ～ rasch〔schnell〕auf|fassen⁴.
알아맞히다 (er)raten*⁴; treffen*; (ein Rätsel) lösen.
알아보다 ① ⁴sich erkundigen 《nach³》; ⁴sich um|hören 《nach³》; Umfrage halten*; nach|fragen 《nach³》; ⁴sich wenden* 《an jn.》. ② 《확인》 fest|stellen⁴; ermitteln⁴. ③ 《식별·판독》 lesen können*; lesbar sein.
알아주다 《이해》 verstehen*; 《인정》 (hoch|)schätzen. ¶그의 호의를 ～ s-e Güte würdigen.
알아채다 durch|schauen⁴; erraten*⁴ 《비밀 따위를》; jm. ins Herz sehen*; jm. ab|lesen*⁴; erkennen⁴ 《an³》. ¶아무의 본심을 ～ js. Motiv erkennen*.
알아하다 nach eigenem Ermessen handeln.
알알이 Korn für Korn; Eier für Eier.
알알하다 prickelnd〔scharf〕schmecken; brennen*.
알은체 ～하다 ① 《남의 일에》 s-e Anteilnahme aus|drücken; Interesse zeigen. ② 《사람을》 erkennen; merken.
알음 ① 《안면》 Bekanntschaft f. ¶우연한 ～ e-e zufällige Bekanntschaft. ② 《이해》 das Verstehen*, -s; das Wissen* -s.
알젓 eingelegter Rogen, -s, -.
알짜 Elite f. -n; Auswahl f. -en; das Beste*, -n.
알짱거리다 schmeichelnd um jn. herum|laufen*.
알칼리 〖化〗 Alkali n. -s, -en. ¶～성의 alkalisch.
알코올 Alkohol m. -s, -e. ‖～ 중독 Alkoholismus m. -; Trunksucht f.
알파 Alpha n. -(s), -s. ‖～선 Alphastrahlen (pl.).
알파벳 Alphabet m. -(e)s, -e. ¶～순으로 alphabetisch.
알현(謁見) Audienz f. -en. ～하다 e-e Audienz haben 《bei³》.
앎 Wissen n. -s; Kenntnis f. -se; Weisheit f.
앓는소리하다 stöhnen; ächzen; klagen 《über ⁴Schmerzen》.
앓다 (er)kranken; krank werden; 《比》 Sorge haben⁴ 《wegen²》. ¶골치를 ～ ³sich den Kopf zerbrechen*.
암 《자성(雌性)》 weiblich.
암(癌) Krebs m. -es, -e; Karzinom n. -s, -e; 《화근》 die Wurzel des Übels. ‖위(胃)〔자궁(子宮)〕～ Magen〔Gebärmutter〕krebs.
암 〖感嘆詞〗 sicher; gewiß; natürlich. ¶～ 그렇지 Ja, freilich!; Aber sicher!
암갈색(暗褐色) das Dunkelbraun*, -s. ¶～의 dunkelbraun.
암거(暗渠) Abzugskanal m. -s, ⸗e; Abflußrohr n. -(e)s, -e. ‖～ 배수 die Entwässerung durch den Abzugskanal.
암거래(暗去來) Schwarzhandel m. -s; Schiebergeschäft n. -(e)s, -e. ～하다 Schwarzhandel (be)treiben*.
암기(暗記) das Auswendiglernen*, -s. ～하다 auswendig lernen⁴. ¶덮어놓고 ～하다 pauken; ochsen; büffeln. ‖～력 Gedächtnis n. -ses, -se.
암꿩 《까투리》 weiblicher Fasan, -(e)s, -e(n).
암나사(―螺絲) (Schrauben)mutter f. ⸗.
암내 Brunst f. ⸗; Brunft f. ⸗e; Läufigkeit f. -en. ¶～내다 brünstig〔läufig〕werden.
암담(暗澹) ～하다 dunkel〔düster; finster; trostlos〕sein.
암만해도 《모든 점에서》 allem Anschein nach; 《결국》 schließlich; am Ende; nach alledem. ¶～ 안되겠다 Das ist sowieso nichts.
암매상(暗賣商) Schwarzhändler m. -s, -; Schmuggler m. -s, -.
암(매)장(暗(埋)葬) e-e heimliche Bestattung, -en. ～하다 heimlich bestatten〔beerdigen〕(jn.).
암모늄 〖化〗 Ammon(ium) m. -s.
암모니아 Ammoniak n. -s. ‖～수 Ammoniakwasser n. -s.
암묵(暗默) das Stillschweigen*, -s. ¶～리에 stillschweigend; nach stillschweigender Übereinkunft unerwähnt.
암반(岩盤) Felsengrund m. -es; ⸗e; Felsboden m. -s, ⸗.
암산(暗算) das Kopfrechnen*, -s. ～하다 im Kopf rechnen.
암살(暗殺) Meuchelmord m. -(e)s, -e. ～하다 an jn. den Meuchelmord bege-

hen*. ‖ ～자 Meuchelmörder *m.* –s, –.

암상부리다 eifersüchtig sein; neidisch 《auf *jn.* [[4]*et.*]》 sein.

암석(岩石) Fels *m.* –en, –en; Felsen *m.* –s, –; Gestein *n.* 〔Stein *m.*〕 –(e)s, –e.

암소 Kuh *f.* ⸗e.

암송(暗誦) ～하다 (auswendig) her|sagen[4]; rezitieren[4].

암수 Weibchen und Männschen.

암수(暗數) =속임수. ¶ ～를 쓰다 e–n Trick an|wenden*[4] / ～에 걸리다 auf e–n Trick herein|fallen*.

암술 〖植〗 Stempel *m.* –s, –; Pistill *n.* –s, –e.

암시(暗示) Eingebung 〔Andeutung; Suggestion〕 *f.* –en. ～하다 an|deuten[34]; ein|geben*[34]; ein|flüstern[34]. ¶ ～적인 andeutend; suggestiv. ‖ 자기 ～ Autosuggestion *f.* –en.

암시세(暗時勢) Schwarz(markt)preis *m.* –es, –e.

암시장(暗市場) Schwarzmarkt *m.* –(e)s, ⸗e.

암실(暗室) Dunkelkammer *f.* –n.

암암리(暗暗裡) ～에 stillschweigend; durch stillschweigende Folgerung.

암약(暗躍) Umtriebe (*pl.*); geheimes 〔heimliches〕 Manöver, –s, –. ～하다 Umtriebe machen; im geheimen〔heimlich〕 manövrieren.

암염(岩塩) Steinsalz *n.* –es, –e.

암영(暗影) Schatten *m.* –s, –; Düsterheit *f.*; Trübsinn *m.* –(e)s.

암운(暗雲) dunkle 〔finstre〕 Wolken (*pl.*). ¶ 정계에 ～이 감돈다 Dunkle Wolken stehen am politischen Himmel.

암자(庵子) Zelle *f.* –n; Klause *f.* –n; Eremitage [..ʒə] *f.* –n; der kleine buddhistische Tempel, –s, –.

암자색(暗紫色) dunkler Purpur, –s.

암장(岩漿) 〖地〗 Magma *n.* –s, ..men.

암죽(–粥) Reisbrei *m.* –(e)s, –e (als Babynahrung).

암중모색(暗中摸索) ～하다 im dunkeln tappen.

암초(暗礁) e–e blinde Klippe, –n; Riff *n.* –(e)s, –e.

암치질(–痔疾) innere Hämorrhoide, –n.

암캉아지 weibliches Hündchen, –s, –.

암캐 Hündin *f.* –nen.

암컷 Weibchen *n.* –s, –.

암코양이, 암괭이 (weibliche) Katze, –n.

암키와 Nonne *f.* –n.

암탉 Henne *f.* –n.

암톨쩌귀 Fischband *n.* –(e)s, ⸗er.

암퇘지 Sau *f.* ⸗e.

암투(暗鬪) geheime 〔heimliche; verborgene〕 Feindseligkeit 〔Streitigkeit〕 –en; der geheimliche Hader, –s.

암팡스럽다 aggressiv〔keck; mutig; unbefangen; energisch〕(sein).

암펄 Bienenkönigin *f.* –nen; Weisel *m.* –s, –.

암펌 Tigerin *f.* –nen.

암페어 〖電〗 Ampere *n.* –(s), –.

암평(아리) weibliches Küken, –s, –.

암표상(暗票商) der Schwarzhändler für Fahr–, Flug– u. Eintrittskarten.

암피둘기 Täubin *f.* –nen.

암행(暗行) ～하다 heimlich 〔verkleidet; maskiert〕 reisen. ‖ ～어사 geheimer Generalinspektor 〔Revisor〕 –s, –en; der Beauftragte* des Königs.

암호(暗號) Chiffre *f.* –n; Geheimschrift 〔Losung〕 *f.* –en.

암흑(暗黑) Finsternis *f.* –se; Dunkel *n.* –s; Nacht *f.* ⸗e. ‖ ～가 Verbrecherviertel *n.* –s, –. / ～시대 die finsteren Zeiten (*pl.*).

압권(壓卷) Meisterstück *n.* –(e)s, –e; das Beste*, –n.

압도(壓倒) ～하다 überwältigen[4]. ¶ ～적인 überwältigend.

압력(壓力) Druckkraft *f.* ⸗e; Druck *m.* –(e)s, ⸗e. ‖ ～계 Manometer *n.* 〔*m.*〕 –s, – / ～솥 Druckkessel *m.* –s, –; Autoklav *m.* –s, –en.

압록강(鴨綠江) Yalu 〔Jalu〕 *m.* –s.

압류(押留) Beschlagnahme *f.* –n; Konfiskation 〔Sequestration〕 *f.* –en. ～하다 beschlagnahmen[4]; konfiszieren[4]; sequestrieren[4]; pfänden[4]. ¶ 재산을 ～하다 *js.* Vermögen 〔Besitz; Eigentum〕 beschlagnahmen.

압박(壓迫) Druck *m.* –(e)s, ⸗e; Unterdrückung *f.* –en. ～하다 (be)drücken[4]; bedrängen[4]; unterdrücken[4].

압사(壓死) ～하다 zu [3]Tode gedrückt werden; erdrückt werden.

압살(壓殺) ～하다 zu [3]Tode drücken[4]; erdrücken[4]; tot|drücken[4].

압송(押送) ～하다 e–n Verbrecher in Haft nehmen* und (unter Bewachung) hin|begleiten 〔hin|bringen*〕.

압수(押收) Beschlag〔Weg〕nahme *f.* –n; Einziehung *f.* –en. ～하다 beschlagnahmen[4]; weg|nehmen*[4]; ein|ziehen*[4].

압승(壓勝) ～하다 e–n überwältigenden Sieg erringen* 《*über*[4]》.

압연(壓延) ～하다 walzen. ‖ ～강(鋼) Walzstahl *m.* –(e)s, ⸗e / ～관(管) gewalztes Rohr, –(e)s, –e.

압운(押韻) das Reimen*, –s; Reimerei *f.* –en.

압정(押釘) Reißnagel *m.* –s, ⸗; Reiß〔Heft〕zwecke *f.* –n.

압제(壓制) ～하다 unterdrücken[4]; tyrannisieren[4]; bedrücken[4]. ‖ ～자 Despot 〔Tyrann〕 *m.* –en, –en; Unterdrücker 〔Bedrücker〕 *m.* –s, –.

압지(壓紙) Lösch·papier *n.* –(e)s, –e 〔–blatt *n.* –(e)s, ⸗er〕.

압착(壓搾) ～하다 drücken[4]; komprimieren[4]; zusammen|pressen[4]. ‖ ～ 공기〔가스〕 Preß·luft *f.* 〔–gas *n.* –es, –e〕.

압축(壓縮) ～하다 zusammen|ziehen*[4]; konstringieren[4].

앗 ach!; oh!; du liebe Zeit!

앗기다 beraubt werden 《[2]*et.*》.

앗아가다 weg|raffen[4]; entreißen* 《*jm.* [4]*et.*》.

앙가발이 e–e Person mit kurzen, krummen Beinen.

앙가슴 mittlerer Brustteil, –(e)s, –e.

앙감질 das Hüpfen*, –s (auf e–m Bein). ～하다 (auf e–m Bein) hüpfen.

앙갚음 Rache *f.* –n; Revanche [rəvɑ́:ʃə] *f.* –n; Talion 〔Vergeltung〕 *f.* –en. ～하다 *jm.* vergelten*[4]; an *jm.* [4]Rache nehmen* 《*für*[4]》; [4]sich an *jm.* rächen 《*für*[4]》.

앙고라토끼 Angorakaninchen *n.* –s, –.

앙금 (Boden)satz *m.* –es, ¨e; Hefe *f.* –n.

앙금앙금 ¶ ~ 기다 träge kriechen*.

앙등(昂騰) das plötzliche Steigen*, –s; Hausse *f.* –n. ~하다 plötzlich steigen*; hoch|gehen*.

앙망(仰望) ~하다 mit Hoffnung hinauf|blicken 《*zu*^{3}》; erwarten^{4}.

앙모(仰慕) ~하다 mit Hochachtung hinauf|blicken《*zu*^{3}》; ^{4}sich sehnen 《*nach*^{3}》.

앙상블 Ensemble *n.* –s, –s

앙상하다 hager 〔mager; dünn〕 (sein).

앙숙(怏宿) ¶ ~이다 auf gespanntem Fuße stehen* 《*mit*^{3}》; 《특히 부부가》 wie Hund u. Katze leben.

앙심(怏心) Groll *m.* –(e)s 《원한》; Feindschaft *f.* –en 《적의》; Haß *m.* ..sses 《증오》.

앙양(昂揚) ~하다 erheben*^{4}; erhöhen^{4}; steigern^{4}; befördern^{4}; erbauen^{4}.

앙증하다, 앙증스럽다 unverhältnismäßig klein 〔winzig〕 (sein).

앙천대소(仰天大笑) ~하다 aus vollem Halse lachen; in ein lautes Gelächter aus|brechen*.

앙칼지다 stachelig 〔spitz; spitzig; scharf; bissig; giftig; stechend〕 (sein).

앙케트 Enquete 〔Rundfrage〕 *f.* –n.

앙코르 Dakapo *n.* –s, –s; Dakaporuf *m.* –(e)s, –e; Zugabe *f.* –n.

앙탈하다, 앙탈부리다 beabsichtigen, nicht zu gehorchen; versuchen, etwas Richtigem auszuweichen.

앙화(殃禍) Unglück (als die Vergeltung der begangenen Sünden); Unheil *n.* –(e)s; Elend *n.* –(e)s.

앞^{1} 《전면》 Vorderseite *f.* –n; 〖建〗 Front *f.* –en; 《미래》 Zukunft *f.* ¶ 앞에 vor; 《전방에》 vorn; 《선두에》 voran; 《먼저》 zuvor / 앞의 vorder; 《이전의》 vorig; ehemalig; früher; vorherig; 《선행의》 vorhergehend; 《미래의》 zukünftig / 앞을 향한 vorwärts gesichtet.

앞^{2} ① 《편지 등의》 an^{4}; für^{4}; adressiert. ¶ A씨 앞으로 보내는〔온〕 편지 ein Brief an ^{4}Herrn A. ② 《수표 등의》 auf^{4}; an^{4}. ¶ B씨 앞으로 환을 발행하다 e–n Wechsel auf ^{4}Herrn B aus|stellen 〔ziehen*〕.

앞가림 ~하다 mit wenig Ausbildung durch|kommen*.

앞가슴 Brust *f.* ¨e; 《몸·옷의》 Busen *m.* –s, –.

앞길 ① 《갈길》 der Weg, den man vor sich hat. ¶ ~을 가로막다 *jm.* den Weg verlegen 〔versperren〕. ② 《앞날》 Zukunft *f.* ¨e; Aussicht *f.* –en. ¶ ~이 창창한 hoffnungsvoll.

앞날 Zukunft *f.* ¨e; die kommende Zeit, –en. ☞ 장래. ¶ ~을 생각하다 an die Zukunft denken*.

앞니 Vorderzahn *m.* –(e)s, ¨e.

앞다리 Vorder·bein *n.* –(e)s, –e 〔–fuß *m.* –es, ¨e〕; Vorderpfote *f.* –n 《동물의》; Unterschenkel *m.* –s, –.

앞당기다 《기일 등을》 auf ein früheres Datum verlegen; (das Datum) früher legen; 《차례를》 vor|rücken 《*auf*^{4}》.

앞대문(—大門) Vorder〔Haupt〕tor *n.* –(e)s, –e.

앞두다 《e–e Periode; e–e Strecke》 vor ^{3}sich haben.

앞뒤 ① 《위치》 vorn u. hinten. ② 《순서》 die Reihenfolge, –n. ③ 《전후 관계》 Zusammenhang *m.* –(e)s, ¨e. ¶ ~가 맞지 않는 nicht folgerichtig; folgewidrig; inkonsequent.

앞뜰, 앞마당 Vorgarten *m.* –s, ¨; Vorhof *m.* –(e)s, ¨e.

앞머리 Stirn *f.* –en; Vorderhaupt *n.* –(e)s, ¨er; 《물건의》 Vorderende *n.* –s, –n; 《선두》 Vortrab *m.* –(e)s, –e.

앞못보다 blind sein.

앞문(—門) Vorder·tor *n.* –(e)s, –e 〔–tür *f.* –en〕.

앞바퀴 Vorderrad *n.* –(e)s, ¨er.

앞발 (Vorder)pfote *f.* –n; Vorderfuß *m.* –es, ¨e.

앞산(—山) der Berg vor e–m Haus.

앞서 《먼저》 im voraus; vorher; 《이전에》 früher; ehemals; vorhin; vor^{3}; bevor 〖從屬接續詞〗. ¶ ~ 말한 바와 같이 wie oben schon erwähnt.

앞서다 voran|gehen*; *jm.* in ^{3}*et.* voraus sein; *jn.* in ^{3}*et.* überbieten*. ¶ 앞서거니 뒤서거니 bald vorausgehend, bald hinterherkommend.

앞세우다 *jn.* vorbei|gehen lassen*; *jn.* voran|gehen lassen*.

앞앞이 vor jedem; für jeden; einzeln; respektive; getrennt.

앞으로 demnächst; kommend. ¶ ~ 10년간 (für) die nächsten 〔kommenden〕 zehn Jahre.

앞이마 Stirn *f.* –en; Vorderhaupt *n.* –(e)s, ¨er.

앞일 Zukunft *f.*; die zukünftige Sache, –n. ¶ ~을 생각하다 an die Zukunft denken* / ~을 경계하다 *jm* für die Zukunft warnen.

앞자락 der Vorderteil 〔das Ende〕 e–s Kleides.

앞잡이 《끄나풀》 Handlanger *m.* –s, –; Werkzeug *n.* –(e)s, –e. ¶ …의 ~가 되다 für *jn.* Handlangerdienst leisten 〔tun*〕.

앞장 ¶ ~서다 voran|gehen*^{3}; voran|schreiten* / ~ 세우다 vor|gehen lassen* 《*jn.*》; vor|stellen^{4}.

앞지르다 überholen^{4}; *jn* hinter ^{3}sich lassen*^{4}; überlaufen*^{4}; zuvor|kommen*^{3}; übertreffen*^{4}.

앞질리다 hinter *jm.* zurück|bleiben*; in ^{4}Nachteil kommen*.

앞집 das Haus im Vordergrund.

앞차(—車) Vorderwagen *m.* –s, –; der vorangehende Wagen.

앞채 ① 《집》 Vorderhaus *n.* –es, ¨er. ② 《가마의》 die Vorderstange der Sänfte.

앞치마 Schürze *f.* –n.

애^{1} ① 《창자》 Darm *m.* –(e)s, ¨e. ¶ 애간장을 녹이다 ^{4}sich sehr grämen. ② 《수고》 Anstregung 〔Bemühung〕 *f.* –en. ③ 《근심》 Sorge *f.* –n.

애^{2} ☞ 아이.

애가(哀歌) Elegie *f.* –n; Klagelied *n.* –(e)s, ¨er.

애걸(哀乞) das Flehen*, –s; Anflehung *f.* –en; das Bitten*, –s. ¶ ~ 복걸하다 an|flehen〔flehentlich bitten*〕《*jn.* *um*^{4}》; mit Bitten überhäufen 《*jn.*》.

애견(愛犬) Lieblingshund *m.* –(e)s, –e.

애곡(哀哭) das bittere Weinen*, –s; Wehklage *f.* –n. ～하다 bitter weinen (über ⁴*et*; um *jn.*); wehklagen(*über*⁴).
애교(愛嬌) Liebenswürdigkeit *f.* –en; Liebreiz *m.* –es. ¶～있는 liebenswürdig; liebreizend / ～를 떨다 mit jedem sehr liebenswürdig um|gehen*.
애교심(愛校心) die Liebe 〔Anhänglichkeit〕 für s–e Schule.
애국(愛國) Vaterlandsliebe *f.*; Patriotismus *m.* –. ‖ ～심 Vaterlandsliebe *f.* / ～자 Patriot *m.* –en, –en.
애기(愛機) sein eigenes Lieblingsflugzeug, –(e)s, –e.
애기잠 die erste Schlafperiode der Seidenraupe.
애꾸 (눈) das e–e Auge, –s, –n; (사람) die einäugig Person, –en.
애꿎은 unverdient mißhandelt; unschuldig; schuldlos.
애끓다 ängstlich 〔beängstigend; bange; nervös; ungeduldig〕 sein.
애니메이션영화(—映畫) Zeichentrickfilm *m.* –(e)s, –e.
애닯다 ängstlich 〔besorgt〕 sein; ³sich Sorgen machen (*um*⁴).
애달프다 herzzerbrechend 〔herzzerreißend; schmerzlich; qualvoll〕(sein).
애(당)초(—(當)初) ～에 anfänglich; in erster Linie; ursprünglich.
애도(哀悼) Beileid *n.* –(e); Mittrauer *f.* –n; Kondolenz *f.* –en. ～하다 trauern (um *js.* Tod); *jm.* kondolieren.
애독(愛讀) ～하다 gern lesen*⁴; regelmäßig halten*⁴. ‖ ～자 Leser *m.* –s, –.
애드벌룬 Reklameballon *m.* –s, –s; Werbeballon *m.*
애련(哀憐) Mitleid *n.* –(e)s; Erbarmen *n.* –s. ～하다 erbärmlich 〔mitliederregend; bejammernswert; jämmerlich〕 (sein).
애로(隘路) (좁은 길) Engpaß *m.* ..sses, ..pässe; (난관) Schwierigkeit *f.* –en; Hindernis *n.* –ses, –se.
애매(曖昧) ～하다 unklar 〔dunkel; zweideutig; unbestimmt; unsicher〕 (sein).
애매하다 ungerecht behandelt werden; unschuldig 〔schuldlos〕 (sein).
애먹다 k–n Rat wissen*; ratlos sein.
애먹이다 ⁴sich nicht mehr zu helfen wissen lassen*.
애먼 ① (엉뚱한) weit hergeholt; unwahrscheinlich. ② (죄없는) unschuldig; unverschuldet.
애모(愛慕) ～하다 lieben⁴; verehren; hangen* (*an*³); an|beten; ⁴sich sehnen.
애무(愛撫) ～하다 liebkosen⁴; streicheln⁴.
애물 (애태우는 것) Besorgnis *f.* –se; Kummer *m.* –s; der Anlaß zur Sorge.
애바르다 empfänglich sein (*für*⁴); ³sich e–s Interesses bewußt sein.
애벌 die grobe 〔probende; vorläufige〕 Arbeit, –en. ‖ ～갈이 das erste 〔grobe; vorläufige〕 Pflügen*, –s / ～ 빨래 Vorwäsche *f.*
애벌레 Larve *f.* –en; Raupe *f.* –n (특히 나비의); Würmchen *n.* –s, –.
애브노멀 abnormal; ungewöhnlich.
애사(哀史) e–e traurige Geschichte, –n.
애서다 schwanger sein; ein Kind erwarten.
애석(哀惜) ～하다 bedauerlich 〔beklagenswert; schmerzlich〕(sein). ¶～하게도 zu m–m Bedauern; leider.
애소(哀訴) ～하다 *jm.* s–e Not klagen; ⁴sich beschweren (bei *jm.* *über*⁴).
애송(愛誦) ～하다 (ein Gedicht) gern rezitieren.
애송아지 das jung Kalb, –(e)s, ¨er; Kälbchen *n.* –s, –.
애송이 der junge Bursche, –n, –n; (풋내기) Bürschchen *n.* –s, –.
애수(哀愁) Wehmut *f.*; Trauer *f.*; Betrübnis *f.* ..nisse; Trübsal *f.* –e 〔*n.* –(e)s; –e〕; Herzeleid *n.* –(e)s.
애순(—筍) der frische Sproß, ..rosses, ..rosse; die (junge) Knospe, –n.
애쓰다 ⁴sich an|strengen; ³sich Mühe geben* (*mit*³); ⁴sich bemühen (*um*⁴); sein Bestes* tun*. ¶애쓴 보람도 없이 trotz aller Anstrengungen.
애애하다(靄靄—) (화기가) harmonisch 〔in harmonischer Stimmung; einträchtig〕 (sein). ¶화기 ～ einander harmonisch zugetan sein.
애연가(愛煙家) Raucher *m.* –s, –; Tabakfreund *m.* –(e)s, –e.
애오라지 einigermaßen; ein wenig; etwas; ziemlich.
애완(愛玩) Liebe *f.*; Vorliebe *f.*; Huld *f.*; Geschmak *m.* –(e)s, ¨e(r). ‖ ～ 동물 Lieblingstier *n.* –(e)s, –e.
애욕(愛慾) Leidenschaft *f.* –en; Lüste (*pl.*); Sexualität *f.* –en.
애용(愛用) ～하다 mit Vorliebe gebrauchen⁴ 〔benutzen⁴〕.
애원(哀願) ～하다 an|flehen (um ⁴*et.*).
애인(愛人) der 〔die〕 Geliebte*, –n, –n.; der 〔die〕 Verehrte*, –n, –n; Schatz *m.* –es, ¨e; Liebchen *n.* –s, –.
애자(碍子) 〖電〗 Isolator *m.* –s, –en.
애잔하다 sehr schwach 〔gebrechlich; hinfällig〕 (sein).
애장(愛藏) ～하다 sorgfältig auf|bewahren⁴.
애절(哀切) ～하다 ＝애처롭다.
애정(愛情) Liebe *f.* –n; Zuneigung 〔Herzlichkeit〕 *f.* –en. ¶부부의 ～ Gattenliebe *f.* –n; die eheliche Liebe.
애제자(愛弟子) Lieblingsschüler *m.* –s, –.
애조(哀調) die traurige 〔trübsinnige〕 Melodie; herzzerreißende Töne (*pl.*).
애족(愛族) Liebe zum Volk. ‖ 애국 ～ Sorge für Land u. Volk.
애주가(愛酒家) der gewohnheitsmäßige 〔regelrechte〕 Alkoholtrinker, –s, –.
애증(愛憎) Lieb u. Haß; Neigung u. Abneigung.
애지중지(愛之重之) ～하다 aufs eifersüchtigste hegen⁴; wie sein Augapfel hüten⁴.
애착(愛着) Zuneigung 〔Anhänglichkeit〕 *f.* –en. ¶～을 느끼다 ⁴sich〔sein ⁴Herz〕 an *jn.* hängen; *jn.* ins Herz schließen*.
애창(愛唱) ～하다 gern singen*⁴. ‖ ～곡 Lieblingslied *n.* –(e)s, –er.
애처(愛妻) *js.* liebe 〔geliebte; treu(e)re〕 Frau; *js.* bessere 〔schönere〕 Hälfte. ‖ ～가 der zärtliche Gatte, –n, –n.
애처롭다 mitleiderregend 〔jämmerlich; rührend〕 (sein). ¶애처로운 광경 ein

jämmerlicher Anblick, –(e)s, –e.
애첩(愛妾) Konkubine *f.* –n; die Geliebte*, –n, –n.
애칭(愛稱) Kosename *m.* –ns, –n.
애타(愛他) ～적 altruistisch; uneigennützig. ‖ ～심 Nächstenliebe *f.* –n / ～주의 Altruismus *m.* –.
애타다 Sorgen haben; ⁴sich ab|quälen (*um*⁴). ¶ 애타는 ängstlich; schmachtend.
애태우다 beunruhigen⁴; plagen⁴. ¶ 부모를 ～ Etlern in Ungewißheit [Sorge] lassen*.
애통(哀痛) die tiefe Trauer; das große Bedauern, –s. ¶ ～한 일 e–e äußerst bedauernswürdige Sache, –n.
애틋하다 ① (애타다) ängstlich [bange; besorgt] (sein). ② (애석하다) bedauernd [widerwillig; bedauerlich] (sein).
애티 das Kindische*, –n; Kinderei *f.* –en. ¶ ～가 있다 kindisch sein.
애프터서비스 Kundendienst *m.* –(e)s, –e.
애플파이 Apfel·kuchen *m.* –s, – [-torte *f.* –n].
애햄 hem!; hm! ～하다 ⁴sich räuspern.
애향심(愛鄕心) Heimatliebe *f.* –n.
애호(愛好) ～하다 lieben⁴; gern haben;⁴ Geschmack finden⁴ (*an*³); Vorliebe haben (*für*⁴; *zu*³). ‖ ～가 Liebhaber *m.* –s, –.
애호(愛護) ～하다 hegen⁴; pflegen⁴; hüten⁴. ‖ 동물 ～ 협회 Tierschutzverein *m.* –(e)s, –e.
애호박 der junge [grüne] Kürbis, –ses, –se.
애화(哀話) die traurige [tragische] Geschichte, –n [Erzählung, –en].
애환(哀歡) Freud u. Leid (des Lebens).
액(厄) Unglück [Unheil] *n.* –s.
액(液) Flüssigkeit [Lösung (용액)] *f.* –en; Saft *m.* –(e)s ⸚e (즙).
액(額) Summe *f.* –n; Betrag *m.* –(e)s, ⸚e. ‖ 소비액 Verbrauchsvolumen *n.*
액달(厄—) Unglücksmonat *m.* –(e)s, –e; der kritische [bedenkliche] Monat.
액량(液量) Flüssigkeitsmenge *f.* –n.
액막이(厄—) die Verhütung des Unglücks. ～하다 die bösen ⁴Geister (*pl.*) [das ⁴Unheil] vertreiben*.
액면(額面) Nennwert *m.* –(e)s; Pari *n.* –s. ¶ ～ 그대로하다 auf Pari stehen.
액사(縊死) das Sich-Aufhängen* [Sich-Erhängen*] –s. ～하다 ⁴sich auf|hängen [erhängen].
액세서리 Schmuck *m.* –(e)s, –e; Accessoires [aksɛsoá:r] (*pl.*)
액셀러레이터 Gas·hebel *m.* –s, – [-pedal *n.* –s, –]. ¶ ～를 밟다 Gas geben*; das Pedal treten*.
액수(額數) (금액) Summe *f.* –n; Betrag *m.* –(e)s, ⸚e. ¶ 총～가 만 원이다 Die Summe beträgt 10000 *Won.*
액운(厄運) das böse [ungünstige] Schicksal, –(e)s, –e.
액자(額子) Rahmen *m.* –s, –.
액정(液晶) ein flüssiger Kristall, –(e)s, –e.
액체(液體) Flüssigkeit *f.* –en; Fluidum *n.* –s, ..da. ‖ ～ 공기 flüssige Luft / ～ 연료 flüssiger Brennstoff, –(e)s, –e.
액취(腋臭) Achsel·geruch *m.* –(e)s, ⸚e [-gestank *m.* –(e)s].
액화(液化) Vreflüssigung *f.* –en; Liquefaktion *f.* –en. ～하다 verflüssigen⁴; liqueszieren⁴. ‖ ～ 석유 가스 (엘피지) verflüssigtes Petroleumgas, –es, –e.
앤티미사일미사일 (미사일 요격용 미사일) Raketenabwehrrakete *f.* –n.
앨범 Album *n.* –s, ..ben [-s].
앰풀 Ampulle *f.* –n.
앳되다 kindlich [jung] aus|sehen*.
앵 (소리) summend; brummend; surrend; schwirend.
앵글로색슨 Angelsachsen (*pl.*). ～의 angelsächsisch.
앵돌아지다 schmollen; schlechte Laune haben.
앵두 〖植〗 e–e Art Kirsche; *Prunus tomentosa* (학명). ¶ ～같은 입술 die kirschrote Lippe, –n.
앵무새(鸚鵡—) Papagei *m.* –en, –en.
앵앵 summend; brummend. ～거리다 summen; brummen.
야 (놀람) ach; ah; o; (부름) hallo; heda.
야간(夜間) Nacht *f.* ⸚e. ¶ ～에 nachts; des Nachts / ～의 nächtlich. ‖ ～ 경기 das nächtliche Wettspiel, –(e)s, –e. / ～ 근무 Nachtdienst *m.* –(e)s, –e / ～부 Abendkursus *m.* –, ..kurse / ～ 열차 Nachtzug *m.* –(e)s, ⸚e / ～ 학교 Abendschule *f.* –n.
야경(夜景) die nächtliche Szene, –n. ¶ 서울 ～ die Nachtansicht von Seoul.
야경(夜警) Nachtwache *f.* –n. ‖ ～꾼 Nachtwächter *m.* –s, –.
야고보 〖聖〗 Jakob. ‖ ～서 Jakobus-Brief *m.* –(e)s.
야곡(夜曲) 〖樂〗 Nachtmusik *f.*; Serenade *f.*
야광(夜光) das Ausstrahlen von Licht bei Nacht. ‖ ～ 시계(時計) die Uhr mit Leuchtziffern.
야구(野球) Baseball *m.* –s. ‖ ～ 선수 Baseballspieler *m.* –s, – / ～장 Baseballfeld *n.* –(e)s, –er.
야근(夜勤) Nachtdienst *m.* –es, –e. ～하다 bei Nacht arbeiten. ‖ ～ 수당 die Zulage für den Nachtdienst.
야금(冶金) Metallurgie *f.*; Hüttenkunde *f.* ‖ ～술 Metallurgie *f.* –n.
야금야금 stückweise; nach und. nach. ¶ ～ 먹다 stückweise essen*.
야기(惹起) ～하다 verursacheu⁴; hervor|rufen*⁴; veranlassen⁴. ¶ 전쟁을 ～하다 e–n Krieg verursachen.
야뇨증(夜尿症) 〖醫〗 Bettnässen *n.* –s; Enuresis *f.*
야단(惹端) ① (소동) Lärm *m.* –(e)s. ～하다 Lärm machen (*um*⁴). ～스럽다 geräuschvoll [lärmend] (sein). ¶ ～이 나다 ein Tumult bricht aus. ② (꾸중) das Schelten* –s. ～하다 herunter|machen⁴. ③ (낭패) die schlimme Lage, –n. ¶ ～나다 in der verzwickten Lage sein.
야단법석(野壇法席) Spektakel *m.* [*n.*] –s, –; toller Lärm, –(e)s. ～하다 e–n tollen Lärm machen; auf den Bummel gehen*.
야담(野談) Geschichtenerzählung *f.* –en; der inoffizielle historische Bericht, –(e)s, –e.
야당(野黨) Opposition *f.* –en. ‖ ～ 당수

Oppositionsführer *m.* -s, -.

야드 Yard [ja:rd, ja:rt] *n.* -s, -s 《略 : Yd.》.

야들야들하다 weich u. zart (sein).

야료(惹鬧) Störung [Beunruhigung; Verwirrung] *f.* -en. ¶ ~를 부리다 ^{4}sich lärmend [tobend] verhalten*; viel Lärm machen.

야릇하다 fremdartig [seltsam] (sein). ¶ 야릇한 사람 ein seltsamer Mensch, -en, -en.

야마 【動】 Lama *n.* -s, -s.

야만(野蠻) ~의 roh; wild; barbarisch; 《미개의》 unkultiviert. ‖ ~인 der [die] Wilde*, -n, -n; Barbar *m.* -en, -en.

야망(野望) 《대망》 Ehrgeiz *m.* -es; Ehrsucht *f.* ¶ ~ 있는 ehrgeizig / ~을 품다 ehrgeizig sein.

야맹증(夜盲症) 【醫】 Nachtblindheit *f.*

야멸스럽다, 야멸치다 kaltblütig [kaltherzig; hartherzig] (sein).

야무지다 fest [straff; angespannt] (sein). ¶ 야무진 사람 tüchtiger Mensch.

야물다 《씨 따위가》 reif werden; heran|reifen; 《일 따위가》 tadellos (sein).

야바위 Gaunerei [Täuschung] *f.* -en; Betrug *m.* -(e)s, ¨e. ~치다 betrügen* 《*jn. um*^{4}》; e-n Streich spielen 《*jm.*》; beschwindeln 《*jn.*》.

야박(野薄) ~하다 gefühllos [herzlos] (sein).

야반(夜半) Mitternacht *f.* ¨e. ¶ ~에 nachts; (mitten) in der ^{3}Nacht. ‖ ~도주 die Flucht bei Mitternacht (~ 도주하다 bei Mitternacht fliehen*).

야밤중(夜—) = 한밤중.

야비(野卑) ~하다 gemein [niedrig] (sein). ¶ ~한 사람 der rohe [grobe] Mensch, -en, -en.

야사(野史) die inoffizielle Geschichte, -n; die nicht autorisierte Chronik, -en.

야산(野山) der kleine Hügel, -s, -; der Hügel auf e-m Flachland.

야살스럽다 mürrisch [widerspenstig; kratzbürstig] (sein). ¶ 야살부리다 ^{4}sich heuchlerisch [hinterlistig] verhalten*.

야상곡(夜想曲) 【樂】 Nokturne *f.* -n; Notturno *n.* -s, -s [..ni].

야생(野生) ~의 wild(wachsend). ‖ ~동물 das wilde Tier, -(e)s, -e / ~식물 die wilde Pflanze, -n.

야성(野性) ~의 wild; ungeschliffen. ‖ ~미(美) die wilde Schönheit, -en.

야속(野俗) ~하다 ungastfreundlich [unfreundlich] (sein).

야수(野獸) ein wildes Tier, -(e)s, -e; Bestie *f.* -n. ¶ ~ 같은 tierisch.

야습(夜襲) Nachtangriff *m.* -s, -e; der nächtliche Überfall, -s, ¨e. ~하다 nachts [in der Nacht] an|greifen*^{4}; den Nachtangriff unternehmen* 《*auf*^{4}》.

야시(夜市) der nächtliche Markt, -(e)s, ¨e.

야식(夜食) Imbiß *m.* ..sses, ..sse.

야심(夜深) ~하다 spät in der Nacht sein.

야심(野心) Ehrgeiz *m.* -es; Ehrbegierde *f.*; Ambition *f.* -en. ¶ ~이 있는 ehrgeizig; ehrbegierig; ambitiös. ‖ ~가 der Ehrgeizige*, -n, -n; der Wagemutige*, -n, -n.

야영(野營) Lager *n.* -s, -; das Kampieren*, -s; Biwak *n.* -s, -s. ‖ ~지 Lagerplatz *m.* -es, ¨e.

야옹 miau! ¶ ~하고 울다 miauen; miau machen.

야외(野外) das Freie*, -n. ‖ ~극장 Freilichtbühne *f.* -n.

야유(野遊) ‖ ~회 Picknick *n.* -s, -s [-e]; Landpartie *f.* -n.

야유(揶揄) Zwischenruf *m.* -(e)s, -e; Neckerei *f.* -en. ~하다 necken^4.

야음(夜陰) ¶ ~을 타고 unter dem Schutz der ^{2}Dunkelheit.

야인(野人) 《촌사람》 Landmann *m.* -(e)s, ..leute; 《벼슬 않는》 e-e Person ohne offizielle Stellung.

야자(椰子) 《열매》 Kokosnuß *f.* ..nüsse; 《나무》 Kokosbaum *m.* -(e)s, ¨e; Kokospalme *f.* -n. ‖ ~유 Kokosöl *n.* -(e)s, -e.

야전(夜戰) Nachtkampf *m.* -(e)s, ¨e; Nachtgefecht *n.* -(e)s, -e.

야전(野戰) ‖ ~군 Feldheer *n.* -(e)s, -e / ~병원 Feldlazarett *n.* -(e)s, -e.

야차(夜叉) *Yaksa* 《범어》; Dämon *m.* -s, -en.

야채(野菜) Gemüse *n.* -s, -. ‖ ~가게 Gemüsehandel *m.* -s, ¨ / ~요리 Gemüsegericht *n.* -(e)s, -e.

야초(野草) Wiesengras *n.* -es, ¨er; e-e wilde Pflanze, -n.

야크 【動】 Jak *m.* -s, -s.

야토(野兎) Hase *m.* -n, -n.

야트막하다, 야틈하다 seicht [flach] (sein).

야포(野砲) Feld·geschütz *n.* -es, -e [-kanone *f.* -n]. ‖ ~부대 Feldartillerie *f.* -n.

야하다(冶—) 《난하다》 grell [flitterhaft] (sein); 《속되다》 niedrig [vulgär] (sein). ¶ 야한 옷 die grelle Kleidung, -en.

야학(夜學) Abendschule *f.* -n. ¶ ~에 다니다 e-e Abendschule besuchen.

야합(野合) e-e wilde Ehe, -n. ~하다 unerlaubte enge Verbindung haben 《*mit*^{3}》; in wilder ^{3}Ehe leben.

야행(夜行) die nächtliche Reise, -n. ‖ ~열차 Nachtzug *m.* -(e)s, ¨e.

야화(夜話) Anekdote *f.* -n; Geschichtchen *n.* -s, -.

야화(野花) Feldblume *f.* -n.

야회(夜會) Abendgesellschaft *f.* -en. ‖ ~복 Abendkleid *n.* -(e)s, -er 《여자의》; Abendanzug *m.* -(e)s, ¨e 《남자의》.

약(約) ungefähr; etwa; gegen^4. ¶ 약 20명 um 20 Mann / 약 5마일 etwa fünf Meilen.

약(葯) 【植】 Anthere *f.* -n; Staubbeutel *m.* -s, -.

약(藥) 《의약》 Arznei *f.* -en; (Heil)mittel *n.* -s, -. ¶ 약을 조제하다 e-e Arznei zu|bereiten / 약에 쓰려 해도 없다 nicht ein Gramm [e-n Funken] von ^{3}*et.* haben / 약을 먹다 e-e Arznei (ein|)nehmen*.

약가심(藥—) ~하다 den Nachgeschmack entfernen.

약간(若干) etwas; ein bißchen [wenig]. ~의 einige; mehrere. ¶ ~의 돈 etwas Geld / ~의 손님 einige Gäste (*pl.*).

약값(藥—) Arzneipreis *m.* -es, -e; Arzneitaxe *f.* -n. ¶ ~을 치르다 die Arznei [Medizin] bezahlen.

약골(弱骨) Schwächling [Weichling] *m.* -s, -e.

약과(藥果) ① 《과줄》 Honigkuchen *m.*

-s, -. ② 《쉬움》 Kinderspiel n. -(e)s, -e. ¶그런 일은 ~다 Das ist ein Kinderspiel. ⌈-.

약관(約款) Klausel f. -n; Artikel m. -s,⌋

약관(弱冠) Jugend f.; Jugendalter n. -s. ¶~이지만 jung, wie er ist.

약국(藥局) Apotheke f. -n; Offizin f. -en. ⌈stellen^4.

약기(略記) ~하다 flüchtig 〔kurz〕 dar|-⌋

약다 klügelnd〔gerissen; naseweis〕 (sein). ¶약은 수작을 부린다 Er macht naseweise Bemerkungen.

약도(略圖) Abriß m. ..sses, ..sse; Skizze f. -n. ¶~를 그리다 den Abriß nehmen* (von^3); skizzieren^4.

약동(躍動) ~하다 hüpfen u. springen*. ¶생기가 ~하다 voll von Leben sein.

약력(略歷) der kurze Lebenslauf, -(e)s, ¨e. ⌈Pharmakologie f.

약리학(藥理學) Arzneimittellehre f.;⌋

약물(藥—) ① 《약수》 Mineralwasser n. -s, -. ② 《탕약 달인》 Dekokt n. -(e)s, -e; Abkochung f. -en.

약물(藥物) Arz(e)nei f. -en; Arzneimittel n. -s, -. ‖~ 중독 medizinische Vergiftung, -en.

약방(藥房) Arzneiladen m. -s, ¨; Apotheke 〔Drogerie〕 f. -n.

약방문(藥方文) Rezept n. -(e)s, -e; Verordnung f. -en. ¶사후 ~이 되다 zu spät kommen*.

약변화(弱變化) 〖文〗 die schwache Deklination, -en 《명사의》 〔Konjugation, -en 《동사의》〕. ⌈sche f. -n〕.

약병(藥甁) Arznei·glas n. -es, ¨er 〔-fla-⌋

약복(略服) 〖軍〗 Interimsrock m. -(e)s,⌉

약봉지(藥封紙) Arzneitüte f. -n. ⌊¨e.⌋

약분(約分) 〖數〗 das Kürzen*, -s. ~하다 (e-n Bruch) kürzen; reduzieren.

약빠르다 flink 〔klug; gescheit〕 (sein).

약빠리 ein flinker Bursche, -n, -n; ein gescheiter Kopf, -(e)s, ¨e.

약사(略史) die kurze Geschichte, -n.

약사(藥師) Drogist m. -en, -en; Apotheker m. -s, -.

약사발(藥沙鉢) Schierlingsbecher m. -s, -. ¶~을 받다 Schierlingsbecher empfangen*. ⌈-es, -e.

약사법(藥事法) Arz(e)neimittelgesetz n.⌋

약삭빠르다 =약빠르다. ⌈- 〔¨〕.

약상자(藥箱子) Arz(e)neikasten m. -s,⌋

약설(略說) ~하다 kurz zusammen|fassen; e-n Abriß geben* (von^3).

약세(弱勢) ~이다 zahlenmäßig schwächer sein (als).

약소(弱小) Kleinheit 〔Zartheit〕 f. -en. ~하다 schwach u. klein (sein). ‖~국 ein kleines, schwaches Land, -(e)s, ¨er. ⌈(sein).

약소(略少) ~하다 wenig 〔gering; klein〕⌋

약속(約束) Versprechen n. -s, -; Verabredung f. -en. ~하다 jm. versprechen*^{4}; ^{4}sich mit jm. verabreden. ¶~을 어기다 sein Wort brechen* / ~을 지키다 sein Versprechen 〔Wort〕 halten*. ‖~ 어음 ein eigener 〔trockner〕 Wechsel, -s, -.

약손(藥—) 《만지면 낫는》 die tröstliche Hand, ¨e.

약손가락(藥—) Ring〔Gold〕finger m. -s,⌉

약솜(藥—) Verbandswatte f. -n. ⌊-.⌋

약수(藥水) Heilquelle f. -n; Mineralwasser n. -s, -. ‖~터 Heilquelle f. -n; Badeort m. -(e)s, -e.

약수건(藥手巾) Seih(e)tuch zum Auspressen der Medizin.

약술(藥—) Heilkräuterwein m. -(e)s, -e.

약술(略述) ~하다 flüchtig 〔kurz〕 dar|stellen^4; flüchtig entwerfen*^{4}.

약시(弱視) Sehschwäche f. -n.

약시중(藥—) ~하다 jm. die Arznei ein|flößen.

약식(略式) ~으로〔의〕 nicht formell; unförmlich. ‖~ 복장 die einfache 〔nicht formelle〕 Kleidung / ~ 재판 das einfache Gericht, -(e)s, -e; Schnellverfahren n. -s, -.

약실(藥室) 《총의》 Patronenlager n. -s, -; Verbrennungsraum m. -(e)s, ¨e.

약쑥(藥—) Moxa m. -s, -; Brennkegel m. -s, -.

약아빠지다 schlau 〔füchsisch; gewitzigt〕 (sein).

약어(略語) Abkürzung f. -en; das abgekürzte Wort, -(e)s, ¨er. ‖~ 풀이 die Erläuterung zu den Abkürzungen.

약언(略言) ~하다 kurz zusammen|fassen^4. ¶~하면 in kurzen Worten.

약오르다 《고추·담배 따위가》 reifen; 《골남》 ^{4}sich ärgern; ärgerlich werden.

약올리다 auf|regen^4; (auf|)reizen^4.

약용(藥用) ~의 medizinisch. ‖~ 식물 Arzneipflanze f. -n.

약육강식(弱肉強食) der Schwächere fällt dem Stärkeren zum Opfer.

약음기(弱音器) Dämpfer m. -s, -; Sordine f. -n.

약자(弱者) der Schwache*, -n, -n. ¶~ 편을 들다 für den Schwachen ein|treten*.

약자(略字) das vereinfachte (chinesische) Schriftzeichen, -s, -; 《약어》 das abgekürzte Wort, -(e)s, ¨er; Abkürzung f. -en. ⌈-s, -.

약장(略章) 《훈장의》 Miniaturorden m.⌋

약장(藥欌) Arzneikasten m. -s, -.

약장수(藥—) Drogen〔Arznei〕händler m. -s, -.

약저울(藥—) Apothekerwaage f. -n.

약전(略傳) Kurzbiographie f. -n.

약점(弱點) wunder 〔schwacher〕 Punkt, -(e)s, -e; die schwache Seite, -n; Schwäche f. -n.

약정(約定) Versprechen* n. -s. ~하다 e-e Verabredung treffen*.

약조(約條) Absprache f. ~하다 ^{4}et. 〔^{4}sich mit jm.〕 verabreden. ‖~금(金) Aufgeld 〔Angeld〕 n. -(e)s, -er (~금을 주다 Handgeld geben).

약주(藥酒) 《청주》 Reiswein m. -(e)s, -e; 《약술》 Kräuterwein m.

약지(藥紙) Patronenpapier n. -s.

약진(弱震) das leichte Erdbeben, -s, -.

약진(躍進) Aufschwung m. -(e)s, ¨e. ~하다 e-n raschen Aufschwung nehmen*.

약질(弱質) der Schwache*, -n, -n.

약체(弱體) schwacher Körper, -s, -.

‖ ~ 내각 ein schwaches Kabinett, −(e)s, −e.

약초(藥草) Arzneikraut *n.* −(e)s, ¨−er; Arzneipflanze *f.* −n. ¶ ~를 캐다 Kräuter sammeln. ‖ ~상 Kräuterhändler *m.* −s, −. ⌈zung *f.* −en.⌉

약칭(略稱) Akronym *n.* −s, −e; Abkür-⌋

약탈(掠奪) Plünderung *f.* −en; Raub *m.* −(e)s; 《배의》 Kaperei *f.* −en ~하다 plündern[4]; rauben[4]; kapern[4].

약탕관(藥湯罐) der Kochtopf von Heilkräutern.

약포(藥包) Patronenpapier *n.* −s.

약포(藥圃) Heilkrautanbaufläche *f.* −n.

약품(藥品) Arznei *f.* −en; Arzneimittel *n.* −s, −; Medizin *f.* −en; 《화학 약품》 Chemikalien (*pl.*). ‖ 불량 ~ schädliche Medikamente (*pl.*).

약하다(略—) ab|kürzen[4]; verkürzen[4]; 《생략》 aus|lassen*[4]; weg|lassen*[4].

약하다(弱—) schwach 〔schwächlich; gebrechlich; kränklich〕 (sein); 《술 따위가》 leicht (sein); 《광선이》 matt (sein); 《겁약한》 schüchtern (sein). ¶ 의지가 ~ willensschwach sein / 몸이 ~ körperlich schwach sein.

약학(藥學) Pharmazie *f.* −n. ‖ ~ 대학 die Hochschule für Arzneikunde.

약해지다(弱—) schwach werden; [4]sich schwächen; nach|lassen*.

약협(藥莢) Patrone *f.* −n.

약혼(約婚) Verlobung *f.* −en; Heiratskontrakt *m.* −(e)s, −e. ~하다 [4]sich verloben 《mit *jm.*》. ‖ ~ 반지 Verlobungsring *m.* −(e)s, −e / ~자 der 〔die〕 Verlobte*, −n, −n.

약화(弱化) ~시키다 vermindern[4]; (ab|-) schwächen[4]; entkräften.

약효(藥效) Arzneiwirkung *f.* −en.

얄궂다 heikel〔sonderbar; seltsam〕(sein). ¶ 얄궂게 seltsamerweise.

얄밉다 《뻔뻔함》 unverschämt 〔frech; schnippisch〕 (sein); 《귀여움》 lieblich 〔liebreizend; hübsch〕 (sein). ⌈(sein).⌉

얄팍하다 dünn (sein); 《천박》 seicht⌋

얇다 ① 《두께》 dünn (sein). ¶ 얇은 종이 das dünne Papier. ② 《희박》 schwach 〔dünn; leicht〕 (sein).

얌전하다 《온순·온화》 mild 〔sanft〕(sein); 《선량》 gut (sein); 《예절바름》 artig 〔von guten Manieren; anständig〕 (sein); 《우아》 sittsam 〔anständig〕 (sein).

양(羊) Schaf *n.* −(e)s, −e; Lamm *n.* −(e)s, ¨−er 《새끼》. ‖ 양지기 Schäfer *m.* −s, −.

양(量) Menge *f.* −n; Quantität *f.* −en; 《용량》 Inhalt 〔Gehalt〕 *m.* −(e)s, −e; 《약의》 Dosis *f.* ..ses. ¶ 양이 많은 massig; übermäßig. ⌈lein *Kim.*⌉

양(孃) Fräulein *n.* −s, −. ¶ 김양 Fräu-⌋

양가(良家) die achtbare 〔gute〕 Familie,⌉

양가(兩家) beide Familien (*pl.*). ⌊−n.⌋

양각(陽刻) Relief *n.* −s, −s. ~하다 bossieren; bosselieren. ⌈−s, −.⌉

양갱(羊羹) kandierter Bohnenkuchen,⌋

양계(養鷄) Hühnerzucht *f.* ¨−e. ~하다 Hühner züchten. ‖ ~업 Hühnerzucht *f.*

양곡(糧穀) Getreide *n.* −s; Korn *n.* −(e)s, ¨−er. ‖ ~상 Getreidehandel *m.* −s.

양과자(洋菓子) westlicher Kuchen, −s, −. ⌈Stil.⌉

양관(洋館) ein Haus im europäischen⌋

양광(陽光) Sonnenschein *m.* −(e)s, −e; Sonnenlicht *n.* −(e)s, −er.

양국(兩國) beide Länder (*pl.*).

양귀비(楊貴妃) 〖植〗 Mohn *m.* −(e)s, −e.

양극(兩極) die beiden Pole (*pl.*).

양극(陽極) (elektro)positive Pol, −s, −e; Anode *f.* −n.

양금(洋琴) 〖樂〗 Leier *f.* −n.

양기(陽氣) ① 《만물 생성의》 Lebenskraft *f.* ¨−e; Vitalität *f.* −en; Lebensdauer *f.* −n. ② 《남자의》 Kraft *f.* ¨−e; Stärke 〔Energie〕 *f.* −n.

양끝(兩—) die beiden Enden (*pl.*).

양녀(洋女) die europäische Frau, −en.

양녀(養女) Adoptiv〔Pflege〕tochter *f.* ¨−.

양념 Würze *f.* −n; Gewürz *n.* −es, −e. ~하다 würzen[4]. ⌈Feuer haben.⌉

양다리(兩—) ¶ ~ 걸치다 zwei Eisen im⌋

양단(兩斷) ~하다 entzwei|schneiden*[4].

양단(洋緞) Seidengewebe *n.* −s, −; Seidensatin *m.* −s, −s.

양단간(兩端間) auf alle Fälle; jedenfalls; sowieso; irgendwie.

양달(陽—) sonnige Stelle, −n; sonniger Platz, −es, ¨−e.

양담배(洋—) der importierte 〔abendländische〕 Tabak, −(e)s, −e.

양도(讓渡) Übertragung 〔Abtretung〕 *f.* −en; 《어음의》 das Begeben*, −s. ~하다 übertragen*[34]; ab|treten*[34]; begeben*[34]. ‖ ~ 소득 Überlassungseinkommen *n.* −s, − / ~인 der Überlassende* 〔Abtretende*〕 −n, −n.

양도체(良導體) 〖物〗 der gute (Wärme-) leiter, −s, −.

양돈(養豚) Schweinezucht *f.* ~하다 Schweine züchten. ‖ ~장 Schweinefarm *f.* −en.

양동이(洋—) Eimer *m.* −s, −.

양동작전(陽動作戰) Ablenkungsmanöver⌉

양딸(養—) = 양녀. ⌊*n.* −s, −.⌋

양떼(羊—) Schafherde *f.* −n.

양력(揚力) 〖物〗 Auftrieb *m.* −(e)s, −e; Auftriebskraft *f.* ¨−e.

양력(陽曆) Sonnenkalender *m.* −s, −.

양로원(養老院) Altersheim *n.* −(e)s, −e.

양론(兩論) die beiden Seiten des Argumentes 〔Streitpunktes〕.

양륙(揚陸) Landung 〔Ausladung〕 *f.* −en. ~하다 ans Land bringen*; landen[4]. ‖ ~장 Landungs·platz *m.* −es, ¨−e 〔−ort *m.* −(e)s, −e〕.

양립(兩立) das Nebeneinanderbestehen*, −s. ~하다 nebeneinander bestehen*. ¶ ~하기 어렵다 schwerlich nebeneinander bestehen können*.

양막(羊膜) 〖解〗 Schafhaut *f.* ¨−e; Amnion *n.* −s.

양말(洋襪) 《짧은》 Socke *f.* −n; 《긴》 Strumpf *m.* −(e)s, ¨−e. ¶ ~ 한 켤레 ein Paar Socken 〔Strümpfe〕 (*pl.*). ‖ 나일론 ~ Nylonstrümpfe (*pl.*).

양면(兩面) die beiden Seiten (*pl.*); Doppelseite *f.* −n. ~의 beiderseitig.

양모(羊毛) (Schaf)wolle *f.* −n. ‖ ~ 제품 Wollware *f.* −n.

양모(養母) Pflegemutter *f.* ⸗.

양모제(養毛劑) Haarwuchsmittel *n.* -s, -.

양미간(兩眉間) Brauenschnittpunkt *m.* -(e)s. ¶~을 찌푸리다 die (Augen)brauen zusammen|ziehen*.

양민(良民) das ordnungsliebende Volk, -(e)s. ‖~ 학살 das Blutbad der unschuldigen Leute.

양반(兩班) ⟪사람⟫ Adel *m.* -s, -; Edelmann *m.* -(e)s, ⸗er; Aristokrat *m.* -en, -en. ¶~으로 태어나다 von Adel sein.

양배추(洋—) Kohl *m.* -s, -e.

양병(養兵) Aufstellung u. Unterhaltung e-r Armee.

양보(讓步) Einräumung *f.* -en. ~하다 nach|geben*⟪*jm. in*[3]⟫; ein|räumen[34].

양복(洋服) ein (europäischer) Anzug, -(e)s, ⸗e. ‖~걸이 (Kleider)bügel *m.* -s, - / ~점 Schneiderladen *m.* -s, -〔⸗〕/ ~지〔감〕Kleiderstoff *m.* -(e)s, -e.

양봉(養蜂) Bienenzucht *f.* ~하다 Bienen züchten.

양부(養父) Pflege〔Adoptiv〕vater *m.* -s, ⸗.

양부모(養父母) Pflege〔Adoptiv〕eltern (*pl.*).

양분(兩分) Zweiteilung *f.* -en. ~하다 in zwei Teile teilen[4].

양분(養分) Nahrung *f.* -en; Nahrungsstoff *m.* -(e)s, -e.

양산(陽傘) (Sonnen)schirm *m.* -(e)s, -e; Parasol *m.*〔*n.*〕 -s, -s. ¶~을 받다〔펴다〕e-n Sonnenschirm auf|spannen〔auf|machen〕.

양산(量産) Massen·fabrikation〔-produktion〕*f.* -en. ~하다 serienweise fertigen[4]〔her|stellen[4]〕.

양상(樣相) ⟪광경⟫ Anblick *m.* -(e)s, -e; ⟪국면⟫ Phase *f.* -n. ¶새 ~을 띠다 e-e neue Situation zur Erscheinung kommen*.

양생(養生) ~하다 s-e Gesundheit in acht nehmen*.

양서(良書) das gute Buch, -(e)s, ⸗er. ¶~를 고르다 ein gutes Buch wählen.

양서(洋書) ein ausländisches Buch, -(e)s, ⸗er.

양서동물(兩棲動物) das amphibische Tier, -(e)s, -e.

양성(良性) ~의 〖醫〗 gutartig.

양성(兩性) die beiden Geschlechter〔Genera〕(*pl.*). ~의 zweigeschlechtig.

양성(陽性) Positivität *f.* -en. ~의 positiv. ‖~ 반응 positive Reaktion, -en / ~화(化) Offenbarung *f.* -en.

양성(養成) Aus〔Heran〕bildung *f.* -en. ~하다 aus|bilden[4]; heran|bilden[4]; schulen[4]; erziehen*[4]. ‖~소 Ausbildungsschule *f.* -n.

양속(良俗) die gute Sitten (*pl.*). ¶미풍 ~에 어긋나다 gegen die gute Sitte verstoßen*.

양손(兩—) beide〔die beiden〕Hände (*pl.*).

양수(羊水) 〖醫〗 Amnion〔Frucht〕wasser *n.* -s.

양수(揚水) das Pumpen* des Wassers. ‖~기 Wasserpumpe *f.* -n.

양수(讓受) ~하다 übernehmen*[4] ⟪*von*[3]⟫; *jm.* ab|kaufen[4] ⟪매입⟫; erwerben*[4] ⟪*von*[3]⟫.

양순(良順) ~하다 gehorsam〔folgsam〕(sein).

양식(良識) die gesunde Vernunft. ¶~ 있는 사람 der〔die〕Verständige*, -n, -n.

양식(洋式) europäischer〔amerikanischer〕Stil, -(e)s, -e. ~의 europäisch.

양식(洋食) europäisches〔amerikanisches〕Essen, -s, -. ‖~집 europäisches〔amerikanisches〕Gasthaus, -es, ⸗er.

양식(樣式) Stil *m.* -(e)s, -e; Stil·art〔-form〕*f.* -en; Formular *n.* -s, -e ⟪서식⟫. ‖생활 ~ Lebensstil *m.*

양식(養殖) Zucht *f.* ~하다 züchten[4]. ‖~장 Zuchtfarm *f.* -en.

양식(糧食) Proviant *m.* -(e)s, -e; Lebensmittel *n.* -s, -; Nahrung *f.* -en.

양심(良心) Gewissen *n.* -s. ~적 gewissenhaft. ¶~의 가책 Gewissensangst *f.* / ~의 가책을 받다 ein böses Gewissen haben.

양아들(養—) =양자.

양아버지(養—) Pflege〔Adoptiv〕vater *m.* -s, ⸗.

양아치 Lumpensammler *m.* -s, -.

양악(洋樂) die europäische Musik.

양약(良藥) Wundermittel *n.* -s, -. ¶~은 입에 쓰다 Gute Medizin schmeckt bitter.

양양하다(洋洋—) unendlich weit (sein); ⟪앞길⟫ glänzend〔hoffnungsvoll〕(sein).

양양하다(揚揚—) frohlockend (sein). ¶의기 ~ stolz〔frohlockend〕sein.

양어(養魚) Fischzucht *f.* ~하다 Fisch züchten. ‖~장(場) Fischzuchtanstalt *f.* -n.

양어깨(兩—) ¶~에 걸려 있다 von *jm.* abhängig sein.

양어머니(養—) Pflege〔Adoptiv〕mutter *f.* ⸗.

양어버이(養—) Adoptiv〔Pflege〕eltern (*pl.*).

양여(讓與) ~하다 ab|treten[4] ⟪*an*[4]⟫; ab|geben*[34]; übergeben*[34].

양옥(洋屋) das im abendländischen Stil(e) gebaute Haus, -es, ⸗er.

양원(兩院) die beiden Häuser (*pl.*). ‖~제도 das System der beiden Häuser / 상하 ~ das Ober- u. Unterhaus.

양위(讓位) Thronentsagung〔Abdankung〕*f.* -en. ~하다 dem Thron(e)〔der Krone〕entsagen; ab|danken.

양육(養育) ~하다 auf|ziehen*[4]; groß|ziehen*[4]; erziehen*[4]; pflegen[(*)]. ‖~비 Aufziehensgeldausgabe *f.* -n.

양은(洋銀) Neusilber *n.* -s.

양의(洋醫) westlicher Arzt, -es, ⸗e.

양이(攘夷) Fremdenhaß *m.* ..sses; Ausländerhetze *f.* ‖~론자 Fremdenhasser *m.* -s, -.

양이온(陽—) 〖物〗 das positive Ion, -s, -en.

양일(兩日) zwei Tage (*pl.*).

양자(兩者) zwei Personen (*pl.*). ¶~ 모두 beide; alle beide. ‖~ 택일 das Entweder Oder.

양자(陽子) 〖物〗 Proton *n.* -s, -en.

양자(量子) 〖物〗 Quant *n.* -s, -en. ‖~론 Quantentheorie *f.* / ~ 역학 Quantenmechanik *f.*

양자(養子) Pflege〔Adoptiv〕kind *n.* -(e)s, -er; Adoptivsohn *m.* -(e)s, ⸗e. ¶~가다 bei *jm.* gepflegt〔adoptiert〕werden.

양잠(養蠶) Seidenbau *m.* -(e)s. ‖~업 Seidenzuchtindustrie *f.* -n.

양장(洋裝) die europäische 〔amerikanische〕 Tracht, –en. ～하다 [4]sich europäisch kleiden. ‖ ～점 Damenschneidershaus *n.* –es, ¨er.

양재(洋裁) (Damen)schneiderei *f.* –en. ‖ ～사 Schneider *m.* –s, – / ～ 학교 Schneiderschule *f.* –n.

양재기(洋—) Emailgeschirr *n.* –(e)s, –e.

양잿물(洋—) Lauge *f.* –n; Laugenwasser *n.* –s, ¨.

양적(量的) quantitativ.

양전기(陽電氣) 〖理〗 positive Elektrizität, –en.

양전자(陽電子) 〖理〗 Positron *n.* –s, –en.

양젖(洋—) Ziegenmilch *f.*

양조(釀造) ～하다 brauen[4]; 《증류》 destillieren[4]. ‖ ～장 Brauerei 〔Brennerei〕 *f.* –en / ～학 Zimologie *f.* –n.

양주(兩主) Ehepaar *n.* –(e)s, –e; Mann u. Frau.

양주(洋酒) ausländisches alkoholisches Getränk, –s, –e.

양지(洋紙) europäisches〔amerikanisches〕 Papier, –es, –e.

양지(陽地) die sonnige Stelle, –n. ～의 sonnig. ¶ ～쪽 die sonnige Seite, –n / ～ 바르다 sonnig sein.

양지(諒知) Anerkenntnis *n.* –ses, –se. ～하다 an|erkennen*[4] 〖非分離로도 씀〗.

양지머리 Brustück des Rindfleisches.

양진영(兩陣營) beide Lager 〔Parteien〕.

양질(良質) die gute Qualität. ～의 von guter Qualität.

양쪽(兩—) beide*; 《사물》 beides*. ¶ ～에 beiderhand / ～ 다 alle beide.

양차(兩次) zweimal; doppelt; zweifach; beide.

양찰(諒察) ～하다 berücksichtigen[4]; Bedacht 〔Rücksicht〕 nehmen* 《*auf*[4]》.

양책(良策) der gute 〔kluge〕 Plan, –(e)s, ¨e; die kluge Politik, –en.

양처(良妻) die gute (Haus)frau, –en. ‖ 현모 ～ die gute (Haus)frau u. weise Mutter.

양철(洋鐵) (Weiß)blech *n.* –(e)s, –e. ‖ ～공 Blechschmied *m.* –(e)s, –e / ～ 지붕 Blechdach *n.* –(e)s, ¨er / ～통 〔깡통〕 Blechbüchse *f.* –n.

양초(洋—) Kerze *f.* –n. ¶ ～에 불을 켜다 e–e Kerze an|zünden. ‖ ～ 심지 Kerzendocht *m.* –(e)s, –e.

양춘(陽春) 《봄》 Frühling *m.* –s, –e.

양측(兩側) die beiden Seiten (*pl.*). ¶ ～의 beiderseitig / ～에 beiderseits; auf beiden Seiten.

양치(養齒) das Gurgeln*, –s. ～하다 gurgeln. ‖ ～질 ☞양치 / 양칫물 Gurgel 〔Mund〕wasser *n.* –s, –.

양치기(羊—) ① 《일》 das Hüten* der Schafe. ② 《사람》 Schäfer *m.* –s, –; Schäferin *f.* –nen.

양치류(羊齒類) 〖植〗 Farnkraut *n.* –(e)s, ¨er; Farn *m.* –(e)s, –e.

양친(兩親) die Eltern (*pl.*). ～의 elterlich.

양탄자 (洋—) Teppich *m.* –(e)s, –e; 《복도에 깐》 Läufer *m.* –s, –.

양토(養兎) Kaninchenzucht *f.* ～하다 Kaninchen züchten.

양파(洋—) Zwiebel 〔Bolle〕 *f.* –n.

양팔(兩—) die beiden Armen (*pl.*).

양편(兩便) beide; beides; beide Seiten (*pl.*); 《두 파》 beide Parteien (*pl.*).

양푼 Becken *n.* –s, –; Wasserbecken *n.*

양품(洋品) die Galanteriewaren (*pl.*); die Kurzwaren (*pl.*); 《남자의》 Herrenartikel *m.* –s, –. ‖ ～점 Galanteriewarenladen *m.* –s, – 〔¨〕.

양풍(良風) die gute 〔lobenswerte〕 Sitte, –n. ‖ ～ 미속 die gute u. schöne Sitte.

양풍(洋風) der fremde 〔westliche; europäische; ameikanische〕 Stil, –(e)s, –e.

양피(羊皮) Schafhaut *f.* ¨e.

양학(洋學) die europäischen Wissenschaften (*pl.*).

양항(良港) der gute Hafen, –s, ¨.

양해(諒解) Verständnis *n.* –ses, –se; Einwilligung *f.* –en; 《상호의》 das (gegenseitige) Einverständnis. ～하다 ([4]sich) ein|verstehen* 〔–|willigen; –|vernehmen*〕.

양행(洋行) 《외국행》 Auslandsreise *f.* –n; 《상점》 Geschäftshaus nach europäischem Stil; Firma *f.* ..men. ～하다 《외국행》 ins Ausland gehen*.

양형(量刑) Strafausmessung *f.* –en; Strafzumessung *f.* –en.

양호(良好) ～하다 gut 〔befriedigend〕 (sein).

양호(養護) Pflege *f.* –n. ‖ ～ 교사 Pflegel·ehrer *m.* –s, –〔–ehrerin *f.* –nen〕.

양화(良貨) das gute Geld, –(e)s, –er.

양화(洋靴) 《구두》 Schuh *m.* –(e)s, –e. ‖ ～공 Schuster 〔Schuhmacher〕 *m.* –s, – / ～점 Schuhladen *m.* –s, ¨.

양화(洋畫) die europäische Malerei, –en.

양화(陽畫) 〖寫〗 Positiv *n.* –s, –e.

양회(洋灰) Zement *m.* –(e)s, –e.

얕다 seicht 〔oberflächlich〕 (sein); 《관계가》 nicht eng (sein). ¶ 얕은 강 der seichte 〔flache〕 Fluß, ..lusses, ..lüsse.

얕보다 *jn.* gering|schätzen; unterschätzen[4]; *jn.* verachten.

얕잡다 = 얕보다.

얘 《호칭》 hallo!; heda!; he!

어 o(h)!; mein Gott; 《의외》 ei!; ach!

–어(語) Wort *n.* –(e)s, –e〔¨er〕. ¶ 법률어 Gesetzterminologie *f.* –n.

어간(語幹) (Wort)stamm *m.* –(e)s, ¨e.

어감(語感) Sprachgefühl *n.* –(e)s, –e.

어개(魚介) Fische u. Schaltiere 〔Muscheln〕(*pl.*).

어거하다 ① 《소·말을》 lenken (Pferde).. ② 《제어》 kontrollieren; leiten; regulieren. ¶ 어거하기 쉽다 leicht zu handhaben sein.

어구(語句) Wort *n.* –(e)s, –e; 《관용 어구》 Phrase *f.* –n; Redensart *f.* –en.

어구(漁具) Fisch(er)gerät *n.* –(e)s, –e; Fischzeug *n.* –(e)s, –e.

어구(漁區) Fischplatz *m.* –es, ¨e.

어군(漁群) Fisch·schwarm 〔–zug〕 *m.* –(e)s, ¨e. ‖ ～ 탐지기 Fischausfinder *m.* –s, –.

어군(語群) Wortgruppe *f.* –n.

어귀 《입구》 Eingang *m.* –(e)s, ¨e; Mündung *f.* –en. ¶ 강～ Flußmündung *f.*

어그러지다 gegen [4]*et.* sein; [3]*et.* zuwider sein〔werden〕; 《사이가》 entfremden[3].

어근(語根) die Wurzel e–s Wortes; Wortstamm *m.* –(e)s, ¨e.

어근버근 《사개가》 nicht zusammenpassend; 《사람 사이가》 disharmonisch.
어금니 Mahl〔Backen〕zahn *m.* -(e)s, ¨-e.
어긋나다 widersprechen*³; entgegen|handeln³. ¶기대에 ~ *js.* Erwartungen nicht entsprechen*.
어긋매끼다 《beide Elemente, Farben *usw.*》 wechselweise setzen⁴ 〔kombinieren⁴〕.
어긋물리다 ⁴sich kreuzen; ineinander|greifen*.
어긋버긋하다 einander ungleich 〔gegeneinander unterschiedlich〕 (sein).
어기(漁期) Fischzeit *f.* -en.
어기다 verletzen⁴; übertreten*⁴; entgegen|handeln³; ⁴sich widersetzen³. ¶법을 ~ das Gesetz verletzen / 약속을 ~ sein Versprechen brechen*.
어기대다 *jm.* aufsässig sein; ⁴sich trotzig verhalten*.
어기적거리다 watschelnd gehen*; ⁴sich mit watschelndem Gange langsam bewegen.
어기중(於其中) ~하다 unvollständig (sein).
어기차다 halsstarrig 〔starrköpfig; eigenwillig; unbeugsam〕 (sein).
어김 ¶~없는 gewiß; pünktlich; regelmäßig / ~없이 gerade; schon.
어깨 ① Schulter 〔Achsel〕 *f.* -n. ¶~가 벌어진 breitschulterig. ② 《比》 ¶~를 겨루다 *jm.* gleich|kommen* / ~를 나란히 하고 Schulter an Schulter / ~가 가벼워짐을 느끼다 ⁴sich erleichtert fühlen. ③ 《불량배》 Raufbold *m.* -(e)s, -e; Schurke *m.* -n, -n. ‖~ 넓이 Schulterbreite *f.* -n.
어깨동무 《친구》 Jugendfreund *m.* -(e)s, -e. ~하다 ⁴sich gegenseitig freundlich um die Schultern fassen.
어깨뼈 Schulterblatt *n.* -(e)s, ¨-er.
어깨에총(―銃) 《구령》 das Gewehr über! ~하다 ein Gewehr schultern.
어깨춤 die Tanzbewegung mit den Schultern.
어깻바람 die gute Laune; die lustige 〔heitere; fröhliche〕 Stimmung.
어깻숨 das Atmen* mit den Schultern.
어깻죽지 Schultergelenk *n.* -(e)s, -e.
어눌하다(語訥―) stotternd 〔stammelnd〕 (sein).
어느 ① 《의문》 welch*; welch ein*. ¶~ 길로 갈까 Welchen Weg gehen wir? ② 《한》 ein*; 《어떤》 irgendein*; ein gewisser*. ¶~ 날 e-s Tages. ③ 《어느 것이나》 welcher*; 《어떻든》 irgendwie; jedenfalls. ¶~ 모로 보나 in jeder Hinsicht.
어느덧 unbemerkt; ohne es zu merken; unbewußt.
어느때 wann; um welche Zeit.
어느정도(―程度) einigermaßen; ziemlich. ¶~까지 bis zu e-m gewissen Grade.
어느쪽 《의문·무엇이든》 welcher*; 《선택》 entweder ...oder; weder ...noch 〖否定〗; 《양쪽다》 beides*.
어느름 ¶~에 unbemerkt; unbewußt.
어두컴컴하다 dämm(e)rig 〔düster; dunkel〕 (sein).
어둑어둑하다 dämm(e)rig 〔schattig; trübe; düster; halbdunkel〕 (sein).
어둠 Finsternis *f.* -se; das Dunkel*, -s; Dunkelheit *f.* ¶~ 속에서 im Dunkeln.
어둠침침하다 dunkel 〔finster; düster; trüb〕 (sein).
어둡다 ① 《밝지 않다》 dunkel 〔finster; düster〕 (sein); 《빛이》 matt 〔schwach〕 (sein). ② 《사물에》 unwissend (sein) (*in*³); e-s Dinges unkundig sein. ¶세상 일에 ~ wenig von der Welt wissen*. ③ 《귀가》 schwerhörig (sein); schlecht hören.
어디¹ 《의문》 wo. ¶~까지 《거리》 wie weit; 《정도》 wieweit; inwieweit / ~로 wohin / ~에서, ~로부터 woher; wovon / ~에서나 überall; 〖否定〗 nirgends / ~엔가 irgendwo.
어디² 〖感嘆詞〗 nun gut!; wohlan!; doch!; also.
어딘가, 어딘지 irgendwie.
어떤 was für ein*; welch*; 《한》 (irgend-) ein*; ein gewisser*. ¶~ 사람 was für ein Mann, -(e)s, ¨-er; einer; irgendeiner; jemand / ~것 was; (irgend) etwas.
어떻게 wie; auf welche Weise. ¶~되다 《변통되다》 aus|kommen* 《mit ³*et.*》; hinweg|kommen* 《*über*⁴》 / 걱정마라 ~ 될 거야 Sei ohne Sorge! Wir werden schon damit fertig. / ~ 해서든지 irgendwie; auf irgend e-e Art.
어떻든(지) auf alle Fälle; auf jeden Fall.
어뜨무러차 hopsa!; hopsasa!
어란(魚卵) Fischei *n.* -(e)s, -er.
어레미 das grobe Sieb, -(e)s, -e; Rätter *m.* -s, - 〔*f.* -n〕. ¶~질하다 sieben⁴; rättern⁴.
어려움 Schwierigkeit *f.* -en; Not *f.* ¨-e 《곤궁》. ¶~을 극복하다 Schwierigkeiten überwinden*.
어려워하다 ⁴sich befangen fühlen.
어련히 gewiß; sicher; zweifellos.
어렴풋이 unklar; nebelig; unbestimmt; verschwommen.
어렴풋하다 verschwommen 〔nebelig; undeutlich; leise; schwach; matt; dunkel〕 (sein).
어렵(漁獵) der Fischfang u. die Jagd; Fischerei *f.* -en 《어업》.
어렵다 ① 《힘들다·까다롭다》 schwer 〔unmöglich; beschwerlich; heikel〕 (sein). ¶어려운 문제 die schwierige 〔schwere〕 Frage, -n. ② 《미심적다》 fragwürdig 〔zweifelhaft〕 (sein). ¶믿기 어려운 unglaubhaft; unzuverlässig / 고치기 어려운 병 e-e ernste 〔schwer zu heilende〕 Krankheit, -en. ③ 《부족하다》 unter Mangel an ³*et.* leiden*. ¶그는 살림이 ~ Er ist sehr bedürftig.
어령칙하다 schwache Gedächtnisse haben.
어로(漁撈) Fischerei *f.* -en. ‖~ 금지 구역 Bezirk der verbotenen Fischerei / ~ 협정 Fischereivertrag *m.* -(e)s, ¨-e.
어로불변(魚魯不辨) gründliche Unwissenheit, -en.
어록(語錄) Analekten (*pl.*).
어뢰(魚雷) (Fisch)torpedo *m.* -s, -s. ¶~를 발사하다 (Fisch)torpedo (ab|-) schießen*. ‖~정 Torpedoboot *n.* -(e)s, -e.

어루더듬다 umher|tappen〔-|tasten〕; suchend tasten.
어루러기 《피부병》 Leukoderma *n.* -s; (Haut)fleck *m.* -(e)s, -e.
어루만지다 streichen*⁴; streicheln⁴; liebkosen⁴; mit der Hand hin|fahren* 《*über*⁴》. ¶아무의 등을 ～ *jn.*〔*jm.*〕über den Rücken streicheln.
어류(魚類) Fische (*pl.*)《총칭》. ‖～학(學) Fischkunde *f.*
어르다 liebkosen 《ein ⁴Kind》; 《안고서》 auf den Armen schaukeln.
어른 der Erwachsene*, -n, -n; Mann *m.* -(e)s, ⸗er; 《상관》 der Vorgesetzte*, -n, -n; 《연장자》 der Ältere*, -n, -n. ¶～이 되다 erwachsen*; zum Mann〔Weib〕heran|wachsen*; mündig werden.
어른거리다 schweben; flattern; flackern. ¶눈 앞에 ～ immer wieder vor *js.* ³Augen (*pl.*) schweben.
어른스럽다 ⁴sich wie ein Erwachsener gebärdend; artig (sein).
어름거리다 inkonsequent handeln; ⁴Vieles im unklarem lassen*.
어름어름 zweideutig; doppelsinnig; ungewiß; unklar.
어리 der Käfig für die Hühner.
어리광부리다 ⁴sich (zärtlich) schmiegen 《an *jn*》.
어리굴젓 eingesalzene Austern in scharfer Paprikasoße.
어리다¹ 《나이가》 klein〔jung〕(sein); 《유치하다》 kindisch (sein); 《어린이다운》 kindlich (sein). ¶어린 시절 Kindheit〔Kinderzeit〕*f.* -en / 어린 시절부터 von ³Kindheit an〔auf〕/ 생각이 ～ kindisch denken*.
어리다² 《눈물이》 tränig〔tränicht〕sein; tränen; 《엉기다》 gerinnen*. ¶눈물어린 눈 tränende Augen (*pl.*).
어리둥절하다 baff sein〔bestürzt werden〕《*über*⁴》; in Verlegenheit geraten*《*um*⁴》.
어리벙벙하다 bestürzt〔verblüfft〕(sein). ¶어리벙벙해서 verblüfft.
어리석다 dumm〔töricht; närrisch; albern; blöde〕(sein). ¶어리석은 일 dummes Zeug, -(e)s, -e.
어린이 Kind·chen〔-lein〕*n.* -s, -; 《젖먹이》 Säugling *m.* -s, -e. ‖～날 Kinder(feier)tag *m.* -(e)s, -e / ～ 시간 《방송의》 Kinderstunde *f.* -n / ～ 은행 Kinderbank *f.* -en / ～ 장난감 Kinderspielzeug *n.* -(e)s, -e / ～ 헌장 Freibrief der Jugend.
어림 Anschlag〔Überschlag〕*m.* -(e)s, ⸗e; Schätzung *f.* -en. ¶～잡다 überschlagen*⁴; (ab|)schätzen⁴. ‖～ 짐작 Vermutung *f.* -en.
어림없다 durchaus unmöglich sein.
어릿광대 Clown *m.* -s, -s; Hanswurst *m.* -(e)s, -e.
어마 《놀람》 ah!; oh!; mein Gott!
어마어마하다 ungeheuer〔unermeßlich; enorm; immens〕(sein). ¶어마어마한 양(量) e-e riesige〔gewaltige〕Menge.
어망(漁網) Fisch(er)netz *n.* -es, -e; (Fisch)garn *n.* -(e)s, -e.
어머나 ach!; ach Gott!; Wehe mir!
어머니 Mutter *f.* ⸗. ¶～다운 mutterhaft / ～의 사랑 Mutterliebe *f.* -n. ‖～날 Muttertag *m.* -(e)s, -e.
어멈 《하녀》 ältere Hausgehilfin *f.* -nen; 《어머니》 Mutter *f.* ⸗.
어명(御命) königlicher〔kaiserlicher〕Befehl, -(e)s, -e; königliche Herrschaft.
어물(魚物) der getrocknete Fisch, -es, -e. ‖～전 das Geschäft für getrocknete Fische.
어물거리다 langsam〔müßig〕sein. ¶어물거리지 않고 ohne Zögern.
어물쩍거리다 zweideutig reden. ¶대답을 ～ e-e unbestimmte Antwort geben*.
어미 《동물의》 Weibchen *n.* -s, -n; 《어머니》 Mutter *f.* ⸗.
어미(語尾) Endung *f.* -en; 《접미어》 Nachsilbe *f.* -n; Suffix *n.* -es, -e.
어민(漁民) Fischer (*pl.*). ‖～ 조합 Fischergilde *f.* -n.
어버이 die Eltern (*pl.*); Vater u. Mutter. ¶～를 잃다 die Eltern verlieren*.
어법(語法) die sprachliche Wendung, -en; Redewendung *f.*
어부(漁夫) Fischer *m.* -s, -. ¶～지리(之利)를 얻다 im Trüben fischen.
어분(魚粉) Fischmehl *n.* -(e)s.
어불성설(語不成說) Unsinin *m.* -(e)s. ¶～이다 unlogisch sein.
어비(魚肥) Fischdüngemittel *n.* -s, -.
어사(御史) 〖史〗 der königliche Emissär, -s, -e.
어사리하다(漁―) Fische mit dem Netz fangen*.
어살(魚―) Fleckwerk aus Bambus; Bambuskorb zum Fischfang.
어상반하다(於相半―) ähneln〔gleichen*〕《*in*³》; ähnlich³ (sein).
어색하다(語塞―) ① 《말막히다》 erstarrt〔dumm〕(sein). ② 《열적다》 ⁴sich beschämt〔verlegen〕fühlen. ¶그가 있으면 ～ Ich fühle verlegen〔beschämt〕in s-r Gegenwart. ③ 《부자연스럽다》 ungeschickt〔ungewandt〕(sein). ¶어색한 웃음 unnatürliches Lachen.
어서 《빨리》 schnell; geschwind; 《즉각》 sofort; 《부디》 bitte.
어선(漁船) Fischerboot *n.* -(e)s, -e.
어설프다 plump〔taktlos; unbeholfen; ungeschickt〕(sein).
어설피 《성기게》 schlecht; unbehilflich; 《탐탁찮게》 unzuverlässig.
어세(語勢) Sprechweise *f.* -n; Akzent *m.* -(e)s, -e.
어수룩하다 unschuldig〔unverdorben〕(sein). ¶어수룩한 남자 der einfältige Mann, -(e)s, ⸗er.
어수선하다 《혼란》 in Unordnung〔Verwirrung〕geraten*; 《산란함》 zerstreut〔wahnsinnig〕(sein). ¶어수선하게 unordentlich; durcheinander.
어순(語順) Wortfolge *f.* -n; Reihenfolge der Wörter (*pl.*).
어스 〖電〗 Erdschluß *m.* ..lusses, ..lüsse; Erdung *f.* -en.
어스레하다 dämmerig〔dunkel; düster〕(sein). ¶어스레한 빛 dämmeriges Licht.
어슬렁거리다 (gemütlich) spazieren|gehen*; bummeln.
어슬렁어슬렁 bummelnd; langsam.
어슴푸레하다 blaß〔bleich; fahl〕(sein).

어슷비슷하다 ähnlich[3] 〔gleich〕 (sein).

어슷하다 geneigt 〔schräg〕 (sein). ¶어슷하게 되다 [4]sich neigen.

어시장(魚市場) Fischmarkt *m.* -(e)s, ⸚e.

어안렌즈(魚眼—) Weitwinkelobjektiv *n.* -s, -e.

어안이벙벙하다 verdutzt 〔baff; konsterniert〕 werden.

어언간(於焉間) unbemerkt; ehe 〔bevor〕 man es bemerkt 〔merkt〕.

어업(漁業) Fischerei *f.* -en; Fischfang *m.* -(e)s, ⸚e. ‖ ~권 Fischfangsrecht *n.* -(e)s, -e / ~ 조약〔협정〕 Fischereivertrag *m.* -(e)s, ⸚e / 연안〔근해〕 ~ Küstenfischerei *f.* / 원양 ~ Hochseefischerei *f.*

어엿하다 ordentlich 〔stattlich; anständig〕 (sein). ¶어엿한 집안 die ehrbare Familie, -n.

어용(御用) 《공적인》 das offizielle 〔amtliche〕 Geschäft, -(e)s, -e. ‖ ~ 신문 die der [3]Regierung zur Verfügung stehende Zeitung, -en.

어우르다 《여럿이》 vereinigen; verbinden*; verknüpfen.

어울리다 ① 《한데 섞이다》 [4]sich verbinden* 《*mit*[3]》; [4]sich vereinigen 《mit *jm.*》; [4]sich mischen 〔mengen〕 《*unter*[4]》. ¶한데 ~ gemeinsam handeln / 외국인과 ~ [4]sich unter die Ausländer mischen. ② 《조화》 harmonieren 《*mit*[3]》; *jm.* an|stehen*; [4]sich ziemen 《*für*[4]》; 《적합》 [4]sich eignen 《*für*[4]》; passen 《*in*[4]》. ¶이 옷은 그녀에게 잘 어울린다 Das Kleid steht ihr gut.

어원(語源) die Herkunft des Wortes. ‖ ~학 Etymologie *f.* -n.

어유(魚油) Fisch·öl *n.* -(e)s 〔-tran *m.* -(e)s〕.

어육(魚肉) Fisch *m.* -es, -e.

어음 Wechsel *m.* -s, -. ¶~을 발행하다 e-n Wechsel aus|stellen 〔ziehen*〕 《auf *jn*》. ‖ ~ 거래 Wechselgeschäft *n.* -(e)s, -e / ~ 발행인 Wechselaussteller *m.* -s, - / ~ 할인 Wechseldiskont *m.* -(e)s, -e.

어의(語義) Wortsinn *m.* -(e)s, -e; die Bedeutung e-s Wortes.

어이구 o!; oh!; ach!

어이없다 《할말을 잃다》 sprachlos (sein); 《놀랍다》 ganz verblüfft 〔verdutzt〕 (sein). ¶정말 어이가 없구나 Ich bin ganz sprachlos.

어장(漁場) Fischfangstelle *f.* -n; Fischplatz *m.* -es, ⸚e.

어적어적 schmatzend.

어정거리다 herum|lungern; umher|streichen* 〔-|streifen〕. ¶공원을 ~ im Park umher|schweifen 〔-|lungern〕.

어정쩡하다 《불확실》 unbestimmt 〔ungewiß〕 (sein); 《애매함》 zweideutig (sein). ¶어정쩡하게 대답하다 unbestimmte Antwort geben*.

어제 gestern. ¶~ 아침〔저녁〕 gestern morgen 〔abend〕 / ~의 gestrig.

어조(語調) Ton *m.* -(e)s, ⸚e; Sprechweise *f.* -n.

어조사(語助辭) das Hilfswort der chinesischen Sprache.

어족(魚族) Fisch *m.* -es, -e.

어족(語族) Sprachfamilie *f.* -n; Sprachstamm *m.* -(e)s, ⸚e. ‖ 인도 유럽 ~ Indo-Europäische Sprachfamilie.

어줍다 《언어·동작이》 zweifelhaft 〔ungewiß〕 (sein); 《솜씨》 pfuscherhaft (sein).

어중간하다(於中間—) halb 〔unvollkommen〕 (sein). ¶어중간하게 auf halbem Wege; unterwegs.

어중이떠중이 der lärmende Pöbelhaufen, -s, -; Hinz u. Kunz.

어지간하다 ziemlich〔leidlich; erträglich; mittelmäßig; verhältnismäßig〕 (sein); 《수입·재산 등이》 schön 〔hübsch〕(sein). ¶오늘은 더위가 ~ Es ist heute ziemlich heiß.

어지럼 Schwindel *m.* -s, -.

어지럽다 schwind(e)lig 〔verwirrt; wirr〕 (sein). ¶머리가 ~ Mein Kopf 〔Mir〕 schwindelt.

어지르다 in [4]Unordnung 〔[4]Wirrwarr〕 bringen*[4]. ¶방을 ~ das Zimmer in Unordnung bringen*.

어지빠르다 ungeeignet 〔untauglich〕 (sein).

어지자지 Zwitter *m.* -s, -.

어질다 barmherzig 〔mitleidvoll; gütig; gnädig; wohlwollend〕 (sein). ¶어진 사람 ein guter Mensch, -en, -en.

어질어질하다 Schwindel bekommen*; schwind(e)lig (sein).

어째 《왜》 wie; warum; weshalb. ¶~서냐 하면 denn; weil.

어쨌든 irgendwie; jedenfalls; auf jeden [4]Fall; übrigens; im übrigen.

어쩌다 ① 《우연히》 zufällig; durch [4]Zufall; unbeabsichtigt; unerwartet. ¶~ 그렇게 되었다 Das kam so von ungefähr. ② 《이따금》 manchmal; gelegentlich; jeweils; dann u. wann. ¶~ 오는 손님 gelegentlicher Gast, -(e)s, ⸚e.

어쩌면 〔感嘆詞的〕 wie; welch (ein); 《아마》 möglicherweise; eventuell. ¶~ 이렇게 추울까 Wie kalt!

어쩐지 irgendwie; etwas; ein wenig; beweisbar. ¶~ 두렵다 Ich weiß nicht warum, aber ich fürchte mich.

어쩔수없다 unvermeidlich 〔unumgänglich〕 (sein). ¶어쩔 수 없이 notgedrungen; widerwillig.

어찌 ① 《왜》 warum; wie. ¶~ 그리 늦었느냐 Warum bist du denn so spät? ② 《어떻게》 wie. ¶~ 그 날을 잊으랴 Wie kann man den Tag vergessen?

어찔하다 schwind(e)lig 〔benommen; taumelnd〕 (sein).

어차피(於此彼) jedenfalls; auf jeden Fall; irgendwie; schon; 《결국》 endlich.

어처구니없다 baß erstaunen 《*über*[4]》; verblüfft 〔sprachlos〕 (sein).

어촌(漁村) Fischerdorf *n.* -(e)s, ⸚er.

어투(語套) *js.* Art zu sprechen; Sprechweise *f.* -n.

어퍼컷 Kinnhaken *m.* -s, - 《권투》.

어폐(語弊) ¶~있는 irreleitend.

어포(魚脯) das getrocknete u. gewürzte Fischstückchen 〔Fischfilet〕.

어학(語學) 《연구》 Sprachforschung *f.* -en; 《언어학》 Sprachwissenschaft *f.* -en. ¶~에 재능이 있다 sprachliche Begabung haben. ‖ ~교사 Sprachlehrer *m.* -s, - / ~ 교육 Spracherziehung *f.*

-en / ～자 Sprachforscher *m.* -s, -.
어항(魚缸) Goldfischbecken *n.* -s, -; Goldfischbehälter *m.* -s, -.
어항(漁港) Fischereihafen *m.* -s, -̈.
어허 《문득 깨달았을 때》 nun!; aha!; ah!; oh!; ho-ho!
어험 hm!; ehem!
어형(語形) Wortform *f.* -en. ‖ ～ 변화 《총칭》 Flexion *f.* -en.
어획(漁獲) Fischfang *m.* -(e)s, -̈e. ～하다 fischen^4. ‖ ～고 Zug *m.* -(e)s, -̈e / ～ 금지 Fischverbot *n.* -(e)s, -e.
어휘(語彙) Wortschatz *m.* -es; Vokabular *n.* -s, -e. ¶ 풍부한 ～ reicher Wortschatz.
억(億) hundert Millionen (*pl.*). ¶ 10 억 e-e Milliarde; tausend Millionen (*pl.*).
억누르다 《억압·진압》 unterdrücken^4; nieder|halten*^{4}; 《압도》 bedrängen^4; 《억제》 auf|halten*; 《자제》 ^{4}sich kontrollieren. ¶ 억누를 수 없는 unkontrollierbar / 감정을 ～ das Gefühl unterdrücken.
억눌리다 niedergedrückt 〔unterdrückt〕 werden.
억류(抑留) zwanghafte Zurückhaltung, -en. ～하다 zwangsweise zurück|halten*^{4}. ¶ ～되어 있다 in Gefangenschaft sein. ‖ ～자 der Gefangene* 〔Internierte*〕 -n, -n.
억만(億萬) hundert Millionen (*pl.*). ‖ ～년 zahllose Jahre / ～ 장자 Milliardär *m.* -s, -e; Milliardärin *f.* -nen 《여성》.
억병 e-e Unmenge Alkohol, die ein Trinker zu sich nimmt.
억보 der hartnäckige 〔halsstarrige〕 Mensch, -en, -en.
억설(臆說) Vermutung 〔Mutmaßung〕 *f.* -en.
억세다 ① 《세차다》 stark 〔fest; heftig〕 (sein); 《뜻이》 selbstsicher 〔unnachgiebig〕 (sein). ¶ 손아귀의 힘이 ～ kräftigen Griff haben. ② 《뻣뻣하다》 hart 〔steif〕 (sein). ¶ 억센 수염 steifer Bart, -(e)s, -̈e.
억수 der strömende Regen, -s, -. ¶ 비가 ～로 쏟아지다 in ^{3}Strömen regnen 〔gießen*〕.
억압(抑壓) Unterdrückung *f.* -en. ～하다 unterdrücken^4; zurück|halten*^{4}; 〖心〗 verdrängen^4. ¶ ～된 감정 unterdrücktes Gefühl, -(e)s, -e.
억양(抑揚) Intonation *f.* -en; Hebung u. Senkung; Akzent *m.* -(e)s, -e.
억울하다(抑鬱—) bedauerlich (sein); 《울화》 ärgerlich (sein); 《부당함》 ungerechtigt (sein); 《거짓》 falsch (sein); 《근거 없음》 grundlos (sein). ¶ 억울한 조치 ungerechtigte Behandlung.
억제(抑制) Zurückhaltung *f.* -en. ～하다 unterdrücken^4; zurück|halten*^{4}; beherrschen^4; zügeln^4. ¶ ～할 수 없는 unkontrollierbar; unüberwindlich / 물가의 앙등을 ～하다 die Preissteigerung auf|halten*. ‖ ～력 Zurückhaltungskraft *f.* -en.
억조(億兆) ① 《수》 hundert Millionen Billionen. ② 《무수》 zahllos; unzählig; zahlreich. ‖ ～ 창생 Volk *n.* -(e)s.
억지 Hartnäckigkeit *f.* ～부리다, ～쓰다 s-n Willen gewaltsam 〔mit Gewalt〕 durchsetzen wollen*; 《무리한 요구》 übermäßige Anford(e)rung stellen 《an *jn.*》. ‖ ～ 웃음 das erkünstelte Lächeln*, -s.
억지로 《무리하게》 mit (roher) Gewalt; gewaltsam; 《겨우》 mit ^{3}Mühe; mühsam. ¶ ～ 꾸며낸 gezwungen.
억척 Unbiegsam〔Zähig〕keit *f.*; Steifheit *f.* ～스럽다 hartnäckig 〔unbiegsam〕 (sein). ¶ ～ 같은 여자 e-e unbeugsame 〔zähe〕 Frau, -en.
억측(臆測) das Hin- u. Her-Raten*, -s. ～하다 hin u. her raten*.
언거번거하다 unnützes Gerede machen; überflüssiges Zeug reden.
언급(言及) Erwähnung *f.* -en. ～하다 berühren^4; erwähnen^4. ¶ …에 ～하여 Bezug nehmend 《*auf*^{4}》.
언니 der ältere Bruder, -s, -̈ 《남아》; die ältere Schwester, -n 《여아》.
언더라인 Unterstreichung *f.* -en. ¶ ～을 긋다 unterstreichen*^{4}.
언더셔츠 Unterhemd *n.* -(e)s, -en; Unterwäsche *f.* -n.
언덕 Hügel *m.* -s, -; (An)höhe *f.* -n. ¶ ～ 위에 auf der Anhöhe.
언동(言動) Reden u. Handlungen (*pl.*); Sprache u. Benehmen.
언뜻 flüchtig; im Vorübergehen; vorübergehend; oberflächlich.
언론(言論) Rede *f.* -n; Meinungsäußerung 〔Diskussion〕 *f.* -en. ¶ ～의 자유 Redefreiheit *f.* -en. ‖ ～계 Presse *f.*; Journalismus *m.* - / ～ 기관 Massenmedium *n.* -s, ..dien.
언명(言明) Erklärung *f.* -en; Aussage *f.* -n. ～하다 erklären^4 《*als; für*^{4}》; aus|sagen^4.
언문일치(言文一致) die (Ver)einigung der Schrift- u. Umgangssprache.
언밸런스 Ungleichgewicht *n.* -(e)s, -e.
언변(言辯) Beredtheit *f.* -en. ¶ ～이 좋다 e-e bewegliche ^{4}Zunge haben.
언사(言辭) Worte (*pl.*); Rede *f.* -n.
언성(言聲) Stimme *f.* -n. ¶ ～을 높이다〔낮추다〕 die Stimme erheben*〔senken〕 / ～을 높여 mit erhobener 〔lauter〕 ^{3}Stimme.
언약(言約) ein mündliches Versprechen*, -s. ～하다 (mündlich) versprechen*^{34}.
언어(言語) Sprache *f.* -n; Worte (*pl.*). ‖ ～ 교정 Sprach·berichtigung 〔-korrektur〕 *f.* -en / ～ 불통 Mitteilungsschwierigkeit *f.* -en / ～학 Linguistik *f.* / ～ 활동 Redefunktion *f.* -en.
언어도단(言語道斷) ～의 unaussprechlich; unverzeihlich; unsinnig.
언쟁(言爭) Wortwechsel *m.* -s, -. ～하다 (^{4}sich) streiten* 《mit *jm.* *über*^{4}》.
언제 wann; zu welcher Zeit. ¶ ～부터 von wann; wie lange / ～까지 bis wann; wie lange / ～까지나 für immer; ohne Ende.
언제나 immer; stets 〖부정: nie, niemals〗; 《보통》 gewöhnlich; sonst.
언제든지 《어느 때라도》 zu jeder ^{3}Zeit; jederzeit; jedesmal; 《항상》 immer; stets; alle ^{4}Zeit 〔allezeit〕; sooft.
언젠가 einmal; einst; 《장차》 zukünftig;

später; (근일중) dieser Tage; bald; (최근) neulich; vor kurzem.

언질(言質) Versprechen *n.* -s, -; Zusage *f.* -n; Zusicherung *f.* -en; (Ehren)wort *n.* -es. ¶~을 주다 [4]*et.* versprechen*; *jm.* [4]*et.* versichern; sein Wort geben* 〔verpfänden〕.

언짢다 schlecht 〔schlimm〕 (sein). ¶언짢은 소식 e-e schlechte Nachricht, -en / 속이 ~ sein Magen fühlt unbehaglich.

언청이 Hasen·scharte 〔-lippe〕 *f.* -n.

언필칭(言必稱) mit der routinierten Bemerkung; mit dem Lieblingsausdruck.

언행(言行) Worte u. Taten (*pl.*); das Reden* u. Handeln*. ¶~이 일치하는 사람 der Mann vom Wort.

얹다 auf e-n Oberteil setzen[4]; auf [4]*et.* stellen[4] 〔setzen[4]; legen[4]〕; auf|legen[4] 〔-|setzen[4]〕.

얹히다[1] (위에) auf e-n Oberteil gesetzt werden; (얹게 하다) auf e-n Oberteil setzen lassen* (*jn.*).

얹히다[2] ① (먹은 것이) schwer im Magen liegen*. ¶음식이 ~ die Speise liegt schwer im Magen. ② (붙어 삶) auf *js.* Kosten leben. ¶딸에게 얹혀 산다 Er lebt von s-r Tochter. ③ (좌초됨) auf|fahren*〔-laufen*〕; stranden.

얻다 (획득) gewinnen*[4]; bekommen*[4]; erhalten*[4]; erlangen[4]; verdienen[4]; [4]sich verschaffen; empfangen*[4]; kriegen[4]; (결혼) heiraten[4]. ¶일자리를 ~ e-e Stelle 〔Stellung〕 bekommen* / 아내를 ~ e-e [4]Frau heiraten.

얻어듣다 zu hören bekommen*. ¶얻어들은 풍월 seichte Kenntnisse (*pl.*).

얻어맞다 Schlag 〔Hiebe〕 bekommen* 〔kriegen〕. ¶머리를 ~ auf den Kopf geschlagen 〔gehauen〕 werden.

얻어먹다 (음식 등을) ([4]sich) betteln; (욕을) beschimpft werden. ¶밥을 ~ zum Essen bitten*.

얼[1] (흠) Riß *m.* ..sses, ..sse. ¶얼이 가다 e-n Riß haben 〔bekommen*〕.

얼[2] (정신) Geist *m.* -es, -er; Sinn *m.* -(e)s, -e. ☞얼빠지다. ¶한국의 얼 der koreanische Geist.

얼간이 Narr *m.* -en, -en; Tölpel *m.* -s, -; Simpel *m.* -s, -.

얼개 Struktur *f.* -en; Gefüge *n.* -s, -; Fachwerk *n.* -(e)s, -e.

얼거리 Umriß 〔Aufriß〕 *m.* ..sses, ..sse; Entwurf *m.* -(e)s, ¨e.

얼결 =얼떨결.

얼굴 Gesicht *n.* -(e)s, -er; Antlitz *n.* -es, -e; (생김새) Gesichtszüge (*pl.*); (표정) Miene *f.* -n; Aussehen *n.* -s; Gebärde *f.* -n; (면목) Würde 〔Ehre〕 *f.* -n. ¶~에 똥칠을 하다 *jm.* Schande machen / ~을 붉히다 erröten; [4]sich schämen.

얼굴빛 Gesichtsfarbe *f.* -n; Aussehen *n.* -s. ¶~이 나쁘다 blaß 〔bleich〕 aus|sehen*.

얼근하다 (맛이) pfefferig 〔lieber scharf〕 (sein); (술) leicht betrunken (sein). ¶얼근하게 취하다 leicht betrunken sein.

얼기설기 ¶~ 얽히다 (실 따위가) [4]sich verflechten* 〔verstricken〕; (문제가) [4]sich verwickeln 〔komplizieren〕.

얼다 es friert; gefrieren*; (손발이 굳다) (er)starren; starr werden. ¶얼어 죽다 erfrieren*.

얼떨결 ¶~에 bestürzt; verlegen / ~에 그렇게 말해 버렸다 In Verlegenheit sagte er so.

얼떨떨하다 verdutzt 〔verblüfft〕 (sein). ¶얼떨떨하여 verwirrt; in Verlegenheit.

얼뜨다 (어리석다) dumm (sein); (겁이 많다) scheu 〔memmenhaft〕 (sein). ¶얼뜬 사람 Memme *f.* -n.

얼렁뚱땅하다 (엉너리로) auf den Busch klopfen; foppen; (일을) e-e Sache ungenau erledigen.

얼레 Winde 〔Rolle; Spule〕 *f.* -n. ¶~에 감다 auf|spulen; auf|winden*.

얼레지 【植】 Hundszahn *m.* -es, ¨e.

얼룩 Fleck *m.* -(e)s, -e; Makel *m.* -s, -; (흙탕물 따위의) Spritzer *m.* -s, -. ¶~진 fleckig; gefleckt. ‖~ 고양이 die getigerte Katze, -n.

얼룩덜룩하다 fleckig 〔gefleckt; scheckig; bunt〕 (sein).

얼룩말 scheckiges Pferd, -(e)s, -e.

얼룩이 Fleck *m.* -(e)s, -e; Sprenkel *m.* -s, -.

얼룩지다 buntscheckig 〔gefleckt〕 werden.

얼른 schnell; prompt; rasch; eilig; flink. ¶~ 대답해라 Antworte schnell!

얼리다 (얼게 하다) frieren*[4]; gefrieren 〔gerinnen〕 lassen*.

얼마 ① (값) wieviel; was; wie teuer. ¶값은 ~냐 Was kostet es? ② (동안) wie lange; e-e [4]Weile 〔[4]Zeitlang〕. ¶~ 아니하여 nicht lange. ③ (수량·정도) wieviel; wie viele; einige*. ¶~ 안 되는 사람 nur einige 〔wenige〕 Leute. ④ (무게·높이·깊이) wie schwer 〔hoch; tief〕; wieviel. ¶체중이 ~나 되느냐 Wieviel wiegst du? ⑤ (거리) wie weit; etwas entfernt; nicht weit. ¶~ 안 가서 정거장이 있다 Von hier ist der Bahnhof nicht weit. ⑥ (일부) etwas; ein wenig 〔paar〕; einige*. ¶비용 중 ~를 부담하다 e-n Teil der Kosten tragen* 〔auf [4]sich nehmen*〕.

얼마간(一間) etwas; einiger〔gewisser〕maßen; (조금) ein wenig.

얼마나 (값·수·양) (etwa) wieviel; (동안) (etwa) wie lange; (거리) (etwa) wie weit.

얼마든지 (한없이) unbeschränkt; uneingeschränkt; (원하는 만큼) so viel wie möglich.

얼마큼 ① =얼마나. ② (어느 정도) gewissermaßen; etwas; ein wenig.

얼버무리다 (말을) zweideutig 〔doppelsinnig〕 sprechen*[4]〔reden[4]〕.

얼빠지다 den Verstand verlieren*; nicht bei 〔von〕 Sinnen sein; mit den Gedanken woanders sein; nicht ganz dabei sein. ¶얼빠진 얼굴 ein dummes Gesicht, -(e)s, ¨er.

얼빼다 *jn.* aus der Fassung bringen*.

얼싸안다 (zärtlich) umarmen; umfassen.

얼씨구 Herrlich!; Wunderbar!

얼씬거리다 [4]sich wiederholt zeigen.

얼어붙다 gefrieren*; frieren*; ein|frieren*.

얼얼하다 schmerzhaft 〔schmerzend; weh〕 (sein).

얼음 Eis *n.* -es. ¶~ 같은 eisig; eiskalt.

‖ ~ 가게 Eishändler *m.* -s, - / ~덩이 Eisblock *m.* -(e)s, ⸚e / ~물 Eiswasser *n.* -s / ~ 베개〔주머니〕Eisbeutel *m.* -s, -.
얼음판 Eisdecke *f.* -n; Eisfläche *f.* -n.
얼찐거리다 schmeicheln; schön|tun*.
얼추 nahezu; beinahe; fast.
얼추잡다 schätzen; ungefähr berechnen. ¶비용을 ~ die Kosten schätzen.
얼치기 Mittel〔Zwischen〕ding *n.* -(e)s, -e.
얼큰하다 《술이》 leicht betrunken (sein); 《맛이》 ein bißchen pikant sein.
얼토당토아니하다 unsinnig〔absurd; unpassend〕(sein).
얽다¹ 《얼굴이》 pocken〔blatter〕narbig sein. ¶얽은 자국 Pockennarbe *f.* -n.
얽다² 《묶다》 umschlingen*⁴; verflechten*⁴.
얽매다 binden*; fesseln.
얽매이다 gebunden〔gefesselt〕sein《*an*⁴》. ¶일에 ~ an s-e Arbeit gefesselt sein.
얽어매다 binden*; ein|wickeln.
얽히다 ⁴sich schlingen*《*um*⁴》; ⁴sich verwickeln〔verstricken〕《*in*⁴》.
엄격(嚴格) ~하다 streng(e)〔genau; hart; scharf〕(sein). ¶~한 규칙 e-e strenge〔genaue〕Regel, -n.
엄계(嚴戒) ~하다 scharfe〔strenge; gute〕Wache halten*.
엄금(嚴禁) ~하다 streng(e)〔strikt〕verbieten*⁴; strengstens untersagen⁴《*jm.*》. ‖소변 ~ 《게시》 Verunreinigung (dieses Ortes) verboten!
엄니 Fang *m.* -(e)s, ⸚e; Fang〔Eck; Hau〕zahn *m.* -(e)s, ⸚e.
엄달(嚴達) ~하다 ein|schärfen⁴《*jm.*》; strengstens befehlen*⁴《*jm.*》.
엄동(嚴冬) der grimmig kalte Winter, -s, -. ‖~ 설한 Mittwinterkälte *f.*
엄두 Kühnheit *f.* -en. ¶~를 못 내다 es kaum wagen.
엄마 Mama *f.* -s; Mamachen *n.* -s, -; Mutti *f.* -s.
엄명(嚴命) ~하다 e-n strengen Befehl geben*〔erteilen; erlassen*〕; strengstens befehlen*.
엄밀(嚴密) ~하다 genau〔streng; exakt〕(sein). ¶~히 말하면 genau〔streng〕genommen.
엄벌(嚴罰) die harte〔scharfe; strenge; strikte〕Strafe, -n. ~하다 scharf;〔hart; streng; strikt〕(be)strafen《*jn.* *wegen*²〔*für*⁴〕》.
엄벙덤벙 achtlos; sorglos; unbesonnen. ~하다 ⁴sich achtlos benehmen*; unbesonnen handeln.
엄비(嚴秘) das strenge〔strikte〕Geheimnis, -ses, -se.
엄살부리다 s-e Schmerzen übertreiben*; s-e Beschwerde auf|bauschen.
엄선(嚴選) die sorgfältige Auswahl, -en〔Auslese, -n〕. ~하다 sorgfältig aus|wählen⁴〔-|lesen*⁴〕.
엄수(嚴守) ~하다 genau befolgen⁴; beobachten⁴; (strikt) ein|halten*⁴. ¶시간을 ~하다 pünktlich sein; die Zeit ein|halten*.
엄숙(嚴肅) ~하다 ernst〔würdevoll; ernsthaft; feierlich〕(sein).
엄습(掩襲) Überfall *m.* -(e)s, ⸚e; Überrump(e)lung *f.* -en. ~하다 überfallen*; überraschen; überrumpeln.
엄연(儼然) ~하다 würdevoll〔imposant; feierlich; ernst〕(sein). ¶~한 사실 die nackte Tatsache, -n.
엄전하다 anständig〔rechtschaffen; sittsam〕(sein).
엄정(嚴正) Genauigkeit *f.* -en ~하다 genau〔exakt; streng〕(sein). ‖ ~ 중립 die strenge〔strikte〕Neutralität.
엄중(嚴重) ~하다 streng(e)〔hart; genau; scharf〕(sein). ¶~히 처벌하다 hart〔schwer〕(be)strafen《*jn.*》.
엄지손가락 Daumen *m.* -s, -.
엄처시하(嚴妻侍下) Pantoffelheld *m.* -en, -en; Pantoffelregiment *n.* -(e)s, -e; Weiber〔Frauen〕herrschaft *f.* -en.
엄청나다 außerordentlich〔übermäßig; übertrieben; ungeheuer; unsinnig〕(sein).
엄친(嚴親) ein strenger Vater.
엄폐(掩蔽) Verdeckung *f.* -en; Verhüllung *f.* -en. ~하다 verdecken; verhüllen. ‖~호(壕) der verdeckte Graben, -s, ⸚; Bunker *m.* -s, -.
엄포 (Be)drohung *f.* -en. ~놓다 drohen; bedrohen; an|drohen.
엄하다(嚴—) streng(e)〔hart; genau; rigoros; heftig〕(sein).
엄호(掩護) (Be)deckung *f.* -en. ~하다 schützen⁴; unterstützen⁴; (be)decken⁴. ‖~ 사격 Sperrfeuer *n.* -s, -.
업〖民俗〗der Glücksbringer e-r Familie.
업계(業界) Geschäfts·welt *f.* -en〔-kreise (*pl.*)〕; Handelswelt *f.*
업다 auf dem Rücken tragen*. ¶아이를 ~ ein Kindchen auf dem Rücken tragen*.
업무(業務) Geschäft *n.* -(e)s, -e; Sache *f.* -n; Dienst *m.* -(e)s, -e. ‖ ~ 관리 Geschäftsverwaltung *f.* -en / ~ 시간 Geschäfts·stunden (*pl.*)〔-zeit *f.* -en〕.
업보(業報)〖佛〗Karma-Wirkung *f.* -en.
업신여기다 verachten⁴; mißachten⁴; verschmähen⁴; gering|schätzen⁴; herab|sehen*⁴.
업자(業者) der betreffende Geschäftsmann〔Handelsmann〕-(e)s, ..leute.
업저지 Kindermädchen *n.* -s, -.
업적(業績) Leistung *f.* -en; Werk *n.* -(e)s, -e; Verdienst *n.* -(e)s, -e; Errungenschaft *f.* -en.
업종(業種) Betriebsart *f.* -en; Geschäfts〔Industrie〕zweig *m.* -(e)s, -e.
업태(業態) Betriebs〔Geschäfts〕verhältnisse (*pl.*).
업히다 auf dem Rücken getragen werden.
없다 ① 《없음》 nicht vorhanden sein; nicht bestehen*〔da|sein*; existieren〕. ② 《떨어짐》 knapp werden; aus|gehen*. ¶우물에 물이 ~ Dem Brunnen ist das Wasser ausgegangen. ③ 《의무가》 frei sein《*von*³》. ¶근무 없는 날 der (dienst-) freie Tag, -(e)s, -e.
없애다 ① 《제거》 beseitigen⁴; weg|räumen⁴; entfernen⁴; fort|schaffen⁴; 《생략》 aus〔weg; fort〕|lassen*⁴. ② 《폐지》 ab|schaffen⁴. ③ 《죽임》 töten⁴; um|bringen*⁴.
없어지다 ① 《잃다》 verloren|gehen*; abhanden kommen*. ② 《떨어지다》 knapp werden; zu Ende gehen*; aus|gehen*.

엇갈리다 [4]sich kreuzen; ineinander|greifen*; 《상치되다》 im Gegensatz stehen* 《*zu*[3]》; nicht überein|stimmen 《*mit*[3]》.

엇걸다 in e-e schräge Schlinge legen[4]; auf|stellen.

엇되다 arrogant 〔anmaßend; schnippisch〕 (sein).

엇비슷하다 beinah(e) gleich sein; e-e auffallende [4]Ähnlichkeit haben; ganz 〔sehr〕 ähnlich sein.

엉거주춤하다 《자세》 halb auf|stehen*; halb sitzen*; schweben; [4]sich bücken; 《망설임》 schwanken; zögern; zaudern.

엉겁결에 unerwartet; unvermutet.

엉겅퀴 〖植〗 Distel *f.* -n.

엉금엉금 kriechend. ¶~ 기어가다 auf allen Vieren kriechen*.

엉기다 ① 《응축》 gerinnen*; gefrieren*; zusammen|frieren*; [4]sich verdicken. ¶우유가 ~ Milch gerinnt. ② 《기어감》 kribbeln; kriechen*; schleichen*.

엉덩방아 ¶~ 찧다 auf den Hintern 〔auf das Gesäß; den Allerwertesten; den Hosenboden〕 fallen*.

엉덩이 Gesäß *n.* -es, -e; Steiß *m.* -es, -e; der Hinter(st)e*, -n.

엉뚱하다, 엉뚱스럽다 außergewöhnlich 〔ungewöhnlich; überspannt; wunderlich〕 (sein). ¶엉뚱한 짓을 하다 unbesonnen 〔rücksichtslos〕 handeln.

엉망 Unordnung *f.* -en; Durcheinander *n.* -s; Mischmasch *m.* -es, -e. ¶~이 되다 mißgestaltet 〔ungestaltet〕 werden.

엉성하다 《안 째임》 locker 〔lose; dünn; rauh〕 (sein); 《일 따위가》 nachlässig fahrlässig; schlecht (sein). ¶일 솜씨가 ~ ein schlechter Handwerker sein.

엉클어지다 [4]sich verwickeln〔verwirren; verstricken; verfilzen〕. ¶엉클어진 verwirrt; verwickelt; kompliziert; verfilzt.

엉큼하다, 엉큼스럽다 ehrsüchtig 〔unsinnig; phantastisch; überschwenglich〕 (sein).

엉키다 =엉클어지다.

엉터리 Schwindel *m.* -s; Schund *m.* -(e)s; Kitsch *m.* -es; Trödel *m.* -s. ¶~ 회사 Schwindel·gesellschaft *f.* -en 〔-firma *f.* ..men〕 / 그는 ~다 Er ist ein Stümper 〔Pfuscher〕.

엉터리없다 unsinnig 〔grundlos〕 (sein). ¶엉터리없는 수작 grundlose〔unbegründete〕 Bemerkungen (*pl.*).

엊그저께, 엊그제 vor zwei od. drei Tagen; vor ein paar Tagen.

엊저녁 gestern [4]abend; letzte [4]nacht; letzten abend.

엎다 auf den Kopf stellen[4]; um|kehren[4] 〔-|drehen[4]; -|wenden[(*)4]; -|werfen*[4]〕. ¶찻잔을 엎어 놓다 Teetassen auf den Kopf stellen.

엎드리다 auf dem Bauch liegen*; platt auf dem Boden liegen*. ¶엎드려서 bäuchlings; auf dem Bauch liegend.

엎어지다 auf die Füße fallen*; nieder|fallen*; auf die Knie sinken*. ¶엎어지면 코닿을 데서 in Hörweite 〔Rufweite〕.

엎지르다 verschütten; vergießen*. ¶엎지른 물 das vergossene Wasser, -s.

엎치락뒤치락 das beständige Auf u. Ab; Rauf u. Runter. ~하다 auf u. ab 〔rauf u. runter〕 bewegen.

에끼다 aus|gleichen*; glätten; einander an|gleichen*.

에나멜 Email *n.* -s, -s; Emaille *f.* -n; Schmelz *m.* -es, -e. ¶~을 바르다 emaillieren[4].

에너지 Energie *f.* -n. ∥~량 die Menge der Energie / ~ 절약 Energieeinsparung *f.*

에누리 ① 《값을 더 부름》 Über·forderung〔-teuerung〕 *f.* -en. ~하다 mehr fordern als der Preis; überfordern[4]; überteuern[4]. ② 《값을 깎음》 Rabatt *m.* -(e)s, -e; Preisnachlaß *m.* ..lasses, ..lasse 〔..lässe〕; Preisermäßigung *f.* -en. ~하다 Rabatt bitten*[4]; billig an|bieten*.

에다 《도려냄》 aus|höhlen[4] 〔-|kratzen[4]; -|graben*〕. ¶살을 에는 듯한 추위 beißende 〔bittere〕 Kälte.

에덴 〖聖〗 Eden *n.* -s. ∥~ 동산 (Garten) Eden.

에두르다 ① 《둘러막다》 umgeben*[4] 《*mit*[3]; *von*[3]》; umschließen*[4]; ein|schließen*[4] 《*von*[3]》. ② 《빗대다》 Umschweife (*pl.*) machen.

에로 Erotik *f.* ☞도색(桃色).

에메랄드 〖鑛〗 Smaragd *m.* -(e)s, -e.

에스컬레이터 Rolltreppe *f.* -n.

에스에프 SF; scientific fiction 《영어》. ∥~ 소설 SF Roman *m.* -s, -e.

에스테르 Ester *m.* -s.

에우다 《에워쌈》 umringen*; umgeben*; 《지움》 ab|streichen*; aus|tilgen.

에워싸다 umgeben*[4] 《*mit*[3]; *von*[3]》; umschließen*[4]; umringen[4] 《*mit*[3]; *von*[3]》.

에티켓 Etikette *f.* -n. ¶~를 지키다 Anstand wahren.

에프엠 FM; Frequenzmodulation *f.* ∥~ 방송 FM-Sendung *f.* -en.

엑스광선(一光線) X-Strahlen (*pl.*); Röntgenstrahlen (*pl.*).

엑스트라 《영화의》 Statist *m.* -en, -en; Neben〔Extra; Sonder〕schauspieler *m.* -s, -.

엔조이 Genuß *m.* ..sses, ..üsse. ~하다 genießen*.

엔진 Maschine *f.* -n; Motor *m.* -s, -en. ¶~을 걸다 e-e Maschine 〔e-n Motor〕 an|stellen.

엘리베이터 Fahrstuhl *m.* -(e)s, ⸚e; Lift *m.* -(e)s, -e〔-s〕. ∥~걸 Fahrstuhlführerin *f.* -nen.

엘리트 Elite *f.* -n. ∥~ 의식 Elitebewußtsein *n.* -s.

엘에스디 LSD; Lysergsäurediäthylamid *n.* -(e)s, -e.

엘피지 LPG; liquides Petroleumgas, -es, -e; das verflüssigte Erdgas.

엥겔계수(一係數) Engel-Koeffizient *m.* -en, -en.

여가(餘暇) freie Zeit, -en; Muße *f.* ¶~에 in freien [3]Stunden; in der [3]Freizeit. ∥~ 이용 Freizeitgestaltung *f.* -en.

여객(旅客) der Reisende*, -n, -n; Fahrgast *m.* -es, ⸚e; Passagier *m.* -s, -e. ∥~기(機) Passagierflugzeug *m.* -(e)s, -e / ~선 Passagierschiff *n.* -(e)s, -e.

여걸(女傑) Heldin *f.* -nen; Heldenweib *n.* -(e)s, -er.

여경(女警) Polizeibeamtin〔Polizistin〕 *f.* -nen.

여고(女高) Mädchenoberschule *f.* -n; das Gymnasium für Mädchen.
여공(女工) Fabrikmädchen *n.* -s, -; Fabrik〔Hand〕arbeiterin *f.* -nen; Arbeiterin *f.* -nen.
여과(濾過) 〖物〗 Filtration *f.* -en; Filtrierung *f.* ~하다 filtrieren[4]; filtern[4]; durchseihen[4]. ‖ ~기(器) Filter *m.* 〔n.〕 -s, -; Filtergerät *n.* -s, -e.
여관(旅館) Gasthof *m.* -(e)s, ⸚e; Gasthaus *n.* -es, ⸚er; Hotel *m.* -s, -s; Wirtshaus. ¶ ~에 숙박하다 in dem Gasthaus ein|kehren. ‖ ~비 Hotelkosten (*pl.*).
여교사(女教師) Lehrerin〔Erzieherin〕 *f.* -nen.
여군(女軍) Soldatin *f.* -nen.
여권(女權) Frauenrechte (*pl.*); die Rechte (*pl.*) der [2]Frauen (*pl.*). ‖ ~ 신장 die Erweiterung der [2]Frauenrechte.
여권(旅券) (Reise)paß *m.* ..passes, ..pässe. ¶ ~을 교부하다 den (Reise)paß aus|stellen 《*jm.*》.
여급(女給) Kellnerin *f.* -nen; Bar〔Animier〕mädchen *n.* -s, -.
여기 hier; dieser Ort, -(e)s, -e. ¶ ~서 hier; an diesem Ort; an dieser Stelle.
여기(餘技) Steckenpferd *m.* -(e)s, -e; Neben〔Lieblings〕beschäftigung *f.* -en.
여기다 denken*[4]; meinen[4]; glauben[4]; [4]*et.* für [4]*et.* halten*.
여기자(女記者) (Zeitungs)berichterstatterin 〔Zeitungsschreiberin〕 *f.* -nen.
여기저기 da u. dort; hier u. da; hier u. dort; hin u. her.
여남은 etwas über zehn; etwa ein Dutzend. ¶ ~ 사람 ein Dutzend Menschen.
여념(餘念) Zerstreutheit *f.* -en; andere Gedanken (*pl.*). ¶ ~이 없다 auf [4]*et.* versessen sein; [4]sich beschäftigen 《*mit*[3]》; [4]sich vertiefen 《*in*[4]》.
여단(旅團) Brigade *f.* -n. ‖ ~장 Brigadier 〔Brigadechef〕 *m.* -s, -s.
여담(餘談) ein anderes Gesprächsthema, -s, ..men; Abschweifung *f.* -en; Exkurs *m.* -es, -e. ¶ ~이지만 nebenbei bemerkt; übrigens.
여당(與黨) Regierungspartei *f.* -en.
여대(女大) Frauenuniversität *f.* -en. ‖ ~생 Studentin *f.* -nen.
여덕(餘德) der nachhaltige Einfluß 〔die Nachwirkung, -en〕 e-r großen Tugend.
여덟 acht. ¶ ~번(의) achtmal(ig).
여동생(女同生) die jüngere Schwester, -n.
여드레 《8 일간》 acht Tage; 《날짜》 der achte.
여드름 Pustel *f.* -n; Pickel *m.* -s, -; Akne *f.* -n.
여든 achtzig. ¶ ~째 der〔das; die〕 achtzigste.
여러 mehrere; viel; zahlreich. ¶ ~ 사람들 e-e große Anzahl 〔Menge〕 Menschen.
여러가지 allerlei; allerhand. ¶ ~의 verschieden(artig); allerlei; mannigfaltig / ~ 이유로 aus verschiedenen [3]Gründen.
여러모로 in mancher〔mancherlei〕 Weise.
여러분 hohe Herrschaften; Sie alle; m-e Damen u. Herren; jedermann.
여러해 viele Jahre.
여력(餘力) Überkraft *f.* ⸚e; 《돈의》 Geldvorrat *m.* -(e)s, ⸚e. ¶ ~이 충분히 있다 genug Kraft in [3]Reserve haben.
여로(旅路) Reise·weg *m.* -(e)s, -e〔-route *f.* -n〕; Reise *f.* -n.
여론(輿論) die öffentliche Meinung, -en; Volksmeinung *f.* -en. ¶ ~에 호소하다 [4]sich an die öffentliche Meinung wenden(*) / ~을 살피다 die öffentliche Meinung erforschen. ‖ ~ 조사 Meinungserforschung *f.* -en.
여류(女流) Frauen (*pl.*); das schöne Geschlecht, -(e)s, -er; Blaustrumpf *m.* -(e)s, ⸚e. ‖ ~ 비행사 Fliegerin〔Pilotin〕 *f.* -nen / ~ 시인 Dichterin *f.* -nen / ~ 작가 Schriftstellerin *f.* -nen / ~ 화가 Malerin *f.* -nen.
여름 Sommer *m.* -s, -; Sommerzeit *f.* -en. ¶ ~(용)의 Sommer-; sommerlich. ‖ ~ 방학 Sommerferien (*pl.*).
여름타다 empfindlich gegen die Sommerhitze sein.
여리다 sanft 〔weich; mild; lind〕 (sein). ¶ 여린 고기 zartes Fleisch, -es.
여망(輿望) Volksgunst *f.* -en; das Vertrauen*〔Zutrauen*; Ansehen*〕 -s. ¶ 국민의 ~을 지니다 das Vertrauen des ganzen Volkes genießen*.
여명(餘命) der Rest s-s Lebenszeit; übrige Tage s-s Lebens.
여명(黎明) Tagesanbruch *m.* -(e)s, ⸚e; Morgendämmerung *f.* -en. ‖ ~기 Anbruch 〔Anfang〕 *m.* -(e)s, ⸚e.
여무지다 《단단함》 hart 〔kräftig〕 (sein); 《영악하다》 klug 〔tüchtig; scharfsinnig〕 (sein).
여물 《마소의》 (Trocken)futter *n.* -s; Vieh〔Pferde; Ochsen〕futter *n.* -s. ‖ ~통 Futtertrog *m.* -(e)s, ⸚e.
여물다 reifen; reif sein; heran|wachsen*; mündig sein.
여미다 ordnen[4]; zurecht|machen. ¶ 옷깃을 ~ sein Kleid ordnen 〔zurecht|machen〕.
여반장(如反掌) ~이다 e-e leichte Aufgabe sein.
여배우(女俳優) Schauspielerin *f.* -nen.
여백(餘白) ein unausgefüllter Raum, -(e)s, ⸚e; Platz *m.* -es, ⸚e. ¶ ~을 남기다 e-n Platz lassen* / ~을 메우다 den leeren Raum aus|füllen.
여벌(餘—) Überrest *m.* -es, -e; Ersatz *m.* -es.
여보 ① hallo; hör' mal; heda; warte mal; sagen Sie mal; entschuldigen Sie. ② 《부부간에》 (mein) Liebling; (mein) Schatz.
여부(與否) Zu- u. Absage *f.* - u. -n; das Ja u. (das) Nein, des - u. (des) -. ¶ ~ 없다 Es kann nicht die Rede davon sein.
여북 in großem 〔hohem〕 Maße; beträchtlich. ¶ 그의 슬픔이 ~하겠나 Er mußsehr traurig sein.
여분(餘分) Überbleibsel *n.* -s, -; Rest *m.* -es, -e; Überschuß *m.* ..schusses, ..schüsse. ¶ ~의 Extra-; überschüssig; überzählig / ~이 없다 k-n Rest haben.
여비(旅費) Reisekosten (*pl.*); Reisegelder (*pl.*). ¶ ~는 자기 부담이다 Jeder muß s-e eigenen Reisekosten.

여사(如斯) =여차(如此).
여사무원(女事務員) die Büroangestellte*, -n, -n; Bürofräulein *n.* -s, -.
여상(女相) der Mann mit einem weibischen Gesicht.
여색(女色) 《미색》 weibliche Schönheit; Frauenreiz *m.* -es, -e; 《색욕》 Wollust *f.* ¨e. ¶~을 삼가다 ³Frauen fern|bleiben*.
여생(餘生) der Rest s-s Lebens.
여섯 sechs. ¶~째(의) der [das; die] Sechste*.
여성(女性) Weiblichkeit *f.*; 《여자》 Frau *f.* -en; 《문법에서》 Femininum *n.* -s, ..na; das weibliche Geschlecht. ~적 frauenhaft; weiblich; weibisch. ‖~관 Frauenanschauung *f.* -en / ~복 Damenkleid *n.* -(e)s, -er / ~ 잡지 Frauenzeitschrift / ~팀 Damenmannschaft *f.* -en / ~ 해방론 Feminismus *m.* -, ..men.
여성(女聲) Frauenstimme *f.* -n. ‖~ 합창 Frauenchor *m.* [*n*]. -s, -e [¨e].
여세(餘勢) überschüssige Energie, -n [Kraft, ¨e]; ein Überschuß an ³Kraft. ¶~를 몰아서 getragen von überschüssiger ³Kraft.
여송연(呂宋煙) Zigarre (von Luzon) *f.* -n.
여수(女囚) die Gefangene*, -n, -n; Zuchthauslerin *f.* -nen.
여수(旅愁) Eiensamkeit auf der Reise; die Melancholie e-s Reisenden*. ¶~를 느끼다 Melancholie auf der Reise fühlen.
여수기(濾水機) Wasser·filter [-seiher] *m.* -s, -.
여승(女僧) die buddhistische Nonne, -n.
여식(女息) Tochter *f.* ¨.
여신(女神) Göttin *f.* -nen. ¶자유의 ~ Freiheitsgöttin *f.*
여신(餘燼) Glimmer *m.* -s, -; der Glimmer des Schadenfeuers.
여실히(如實—) wirklichkeitstreu; wahrheitsgemäß; lebendig.
여심(女心) Frauen[Weiber]herz *n.* -ens, -en; Frauensinn *m.* -(e)s, -e.
여아(女兒) das kleine Mädchen, -s, -.
여염(閭閻) die bürgerliche Gesellschaft, -en; die angesehenen Leute. ‖~집 das bürgerliche Haus, -es, ¨er; Privathaus (~집 여자 Frauen und Töchter angesehener Leute).
여왕(女王) Königin *f.* -nen. ‖~벌 Bienenkönigin *f.*; Wiesel *m.* -s, -.
여우 ① Fuchs *m.* -es, ¨e; 《암컷》 Füchsin *f.* -nen. ② 《사람》 Schlau·kopf *m.* -(e)s, ¨e[-meier *m.* -s, -]. ¶~같이 얄밉다 verhaßt sein, wie ein schlauer Fuchs. ‖~굴 Fuchsbau *m.* -(e)s, -e/ ~비 ein unterbrochener Regen, -s.
여우(女優) =여배우.
여우별 kurz Sonnenschein an e-m wolkigen Tag(e).
여운(餘韻) 《운치》 Nachklang *m.* -(e)s, ¨e; Nachhall *m.* -(e)s, -e; 《함축》 Bedeutung *f.* -en; Wichtigkeit *f.* ¶~이 있는 nachklingend; 《암시적인》 andeutend; 《의미 심장한》 inhalt(s)reich.
여울 Stromschnelle *f.* -n; Untiefe *f.* -n; der reißende Strom, -(e)s, ¨e.
여위다 mager [dünn; schlank] werden; ab|magern; ab|nehmen*. ¶여윈 dünn; mager; abgemagert.
여윈잠 der schlechte Schlaf, -(e)s.
여유(餘裕) 《넉넉함》 Überfluß *m.* ..flusses, ..flüsse; 《여지》 (Spiel)raum *m.* -(e)s, ¨e; Zeit *f.* 《시간의》; Gemütsruhe *f.* 《마음의》 ¶~가 있다 Überfluß haben 《*an*³》; im Vorrat haben; Geldvorrat haben 《돈에》 / ~ 만만하게 in aller (Gemüts)ruhe.
여의다 ① 《사별》 verlieren*⁴. ¶아버지를 ~ s-n Vater verlieren*. ② 《출가》 fort [weg]|schicken⁴; fort|senden*⁴.
여의사(女醫師) Ärztin *f.* -nen; der weibliche Arzt, -es, ¨e.
여인(女人) die (verheiratete) Frau, -en; Weib *n.* -(e)s, -er. ‖~ 금제(禁制) 《게시》 Zutritt für Frauen verboten!
여인숙(旅人宿) Gasthof *m.* -(e)s, ¨e; Herberge *f.* -n. ¶싸구려 ~ ein billiger Gasthof.
여일(如一) ~하다 beständig [gleichmäßig; stetig] (sein).
여자(女子) Frau *f.* -en; Weib *n.* -(e)s, -er; 《계집아이》 Mädchen *n.* -s, -. ¶~의 weiblich / ~다운 frauenhaft. ‖~ 대학 Mädchenhochschule *f.* -n / ~ 고등학교 =여고(女高).
여장(女裝) die weibliche Tracht, -en; Damen[Frauen]kleid *n.* -(e)s, -er. ~하다 ein Damenkleid tragen*.
여장(旅裝) Reise·anzug *m.* -(e)s, ¨e 《의복》 [-ausrüstung *f.* -en 《장비》]. ¶~을 풀다 ³sich nach der Reise aus|ruhen.
여장부(女丈夫) =여걸(女傑).
여전(如前) ~하다 wie früher [wie sonst; immer] (sein); nach wie vor (sein); unverändert bleiben*. ¶~히 noch immer; wie gewöhnlich / ~히 게으르다 sofaul wie früher.
여점원(女店員) Verkäuferin *f.* -nen.
여정(旅情) das einsame [matte; müde] Herz e-s Reisenden*.
여정(旅程) Reiseroute *f.* -n; Reiseweg *m.* -(e)s, -e; Reise *f.* -n. ¶하루의 ~ e-e Tagereise, -n.
여존남비(女尊男卑) Weiberregiment *n.* -(e)s; die Vorherrschaft des schönen Geschlechts.
여죄(餘罪) andere Straftaten (*pl.*). ¶~를 추궁하다 noch andere Straftaten unter|suchen.
여주인공(女主人公) Heldin *f.* -nen.
여지(餘地) (Spiel)raum *m.* -(e)s, ¨e. ¶변명의 ~가 없다 Es ist gar keine Entschuldigung möglich.
여진(餘震) Nachbeben *n.* -s, -.
여쭈다 *jn.* fragen 《in erhabener Form》 ⁴sich erkundigen 《*nach*³》. ¶안부를 ~ ⁴sich nach *js.* ³Befinden erkundigen.
여차(如此) ~하다 so u. so sein. ¶~한 이유로 aus dem u. dem Grunde; unter den u. den Umständen.
여축(餘蓄) Ersparnis *f.* -se; erspartes Geld, -(e)s, -er; 《俗》 Spargroschen *m.* -s, -. ~하다 sparen⁴; zurück|behalten*⁴.

여치 〖蟲〗 eine Art Grille.
여타(餘他) das Andere* 〔Übrige*〕, -n; die Anderen (*pl.*). ¶ ～의 ander; übrig.
여탕(女湯) die Frauen-Abteilung e-s öffentlichen Bads.
여태(까지) bisher; bis dato〔heute; jetzt; zu diesem Augenblick〕. ¶ ～ 없던 일 noch nicht dagewesenes Ereignis, -se.
여파(餘波) 《파도》 Nachwirkung *f.* -en; 《영향》 Einfluß *m.* ..flusses, ..flüsse.
여편네 e-e verheiratete Frau; Weib *n.* -(e)s, -er; Ehefrau *f.* -en.
여하(如何) ¶ ～한 경우라도 auf jeden Fall / ～한 이유로 aus welchen Gründen; warum / …의 ～에 달려 있다 ab|hangen 《*von*[3]》; mitbestimmt werden 《*von*[3]》.
여하간(如何間) immerhin; auf jeden Fall; jedenfalls.
여하튼(如何—) =여하간.
여학교(女學校) Mädchenschule *f.* -n.
여학생(女學生) 《대학 이외의》 Schülerin *f.* -nen; 《대학의》 Studentin *f.* -nen.
여한(餘恨) unerfüllter 〔nicht mehr erfüllbarer〕 Wunsch, -es, ⸚e. ¶ ～이 없다 k-n Wunsch mehr haben, der nicht in Erfüllung gegangen ist.
여행(旅行) Reise *f.* -n; Tour *f.* -en; 《유람》 Rundreise; 《소여행》 Ausflug *m.* -(e)s, ⸚; 《도보의》 Wanderung *f.* -en. ～하다 reisen; den Ausflug machen; wandern. ‖ ～가 Tourist *m.* -en, -en; Reiser *m.* -s, - / ～기 Reisebeschreibung *f.* -en / ～ 안내(서) Reiseführer *m.* -s, -; Reise(hand)buch *n.* -(e)s, ⸚er / ～ 안내소 Reisebüro *n.* -s, -s; Touristbüro / ～용품 Reisebedarf *m.* -(e)s / 수학 ～ Exkursion *f.* -en.
여흥(餘興) Unterhaltung 〔Vergnügung〕 *f.* -en. ¶ ～으로 zur [3]Unterhaltung.
역(逆) das Umgekehrte*, -n; Verkehrtheit *f.* -en; Gegensatz *m.* -(e)s; ⸚e; 〖數〗 Umkehrung *f.* -en. ¶ 역의〔역으로〕 umgekehrt; verkehrt / 역으로 해석하다 falsch verstehen[4] 〔aus|legen[4]〕.
역(驛) Bahnhof *m.* -(e)s, ⸚e; Station *f.* -en. ‖ 역장 Bahnhofsvorsteher *m.* -s, - / 역 구내 식당 Bahnhofswirtschaft *f.* -en.
역(役) 《배역》 Rolle *f.* -n. ¶ …의 역을 하다〔맡다〕 e-e Rolle spielen 〔übernehmen〕.
역경(逆境) Widerwärtigkeit *f.* -en; Mißgeschick *n.* -(e)s, -e; Unglück *n.* -(e)s; Not *f.* ⸚e. ¶ ～에 빠지다 in Not geraten* / ～과 싸우다 gegen die Not an|kämpfen / ～에 처하다 in Not sein.
역광선(逆光線) Gegenlicht *n.* -(e)s, -e.
역군(役軍) 《삯꾼》 Arbeiter *m.* -s, -; 《공적인 일의 일꾼》 Pfeiler *m.* -s, -.
역대(歷代) Generationsfolge *f.*; Generation nach 〔auf〕 Generation.
역도(力道) Gewichtheben *n.* -s. ‖ ～ 선수 Gewichtheber *m.* -s, -.
역량(力量) Körperstärke *f.* -en; 《수완》 Fähigkeit *f.* -en; Talent *n.* -(e)s, -e; das Können*, -s. ¶ ～을 보이다 *js.* [4]Fähigkeit zeigen.
역력하다(歷歷—) anschaulich 〔greifbar; lebendig〕 (sein). ¶ 역력하게 klar; einfach; offen / 역력한 사실 e-e nackte Wahrheit.
역류(逆流) Gegenstrom *m.* -(e)s, ⸚e; 《조수의》 Rückfluß *m.* ..flusses, ..flüsse. ～하다 zurück|fleißen*.
역마차(驛馬車) Postkutsche *f.* -n; Wagen *m.* -s, -.
역모(逆謀) Verschwörung *f.* -en; Anschlag *m.* -(e)s, ⸚e. ～하다 e-e Verschwörung an|stiften.
역무(役務) ‖ ～ 배상 die Entschädigung durch e-e harte Arbeit.
역반응(逆反應) 〖化〗 die umkehrbare Reaktion, -en.
역방(歷訪) Rundfahrt *f.*-en; Rundreise *f.* -n. ～하다 e-n nach den anderen besuchen.
역법(曆法) die Lehre vom Kalender.
역병(疫病) Epidemie *f.* -n; Seuche *f.* -n; Plage *f.* -n. ¶ ～이 돌고 있다 E-e Seuche breitet sich aus.
역불급(力不及) ～하다 über *js.* Kräfte gehen*.
역비례(逆比例) das umgekehrte Verhältnis, -ses, -se. ～하다 im umgekehrten Verhältnis stehen* 《*zu*[3]》.
역사(歷史) Geschichte *f.* -n; Historie *f.* -n. ～적 geschichtlich; historisch. ¶ ～ 이전의 vorgeschichtlich / ～는 되풀이된다 Die Geschichte wiederholt sich. ‖ ～가 Geschichtsschreiber *m.* -s, - / ～ 소설 der historische Roman, -(e)s, -e / ～학 Geschichtwissenschaft *f.* -en.
역사(轢死) der Tod durch das Überfahren ～하다 tödlich überfahren werden 《*von*[3]》.
역산(逆算) ～하다 zurück|zählen[4].
역선전(逆宣傳) Gegenpropaganda *f.*; Demagogie *f.* -n. ～하다 für [4]*et.* Gegenpropaganda machen.
역설(力說) ～하다 nachdrücklich betonen[4]; hervor|heben*[4].
역설(逆說) Paradox *m.* -es, -e; Paradoxie *f.* -n. ～적(인) paradox; widersinnig.
역성들다 auf *js.* Seite stehen*; *js.* Partei ergreifen*; *jm.* bei|stehen*.
역수(逆數) 〖數〗 der reziproke Wert, -(e)s, -e; Kehrwert *m.*
역수입(逆輸入) Rückeinfuhr *f.* -en. ～하다 wieder|ein|führen[4].
역수출(逆輸出) Wiederausfuhr *f.* -en. ～하다 wieder|aus|führen[4].
역습(逆襲) Gegen·angriff *m.* -(e)s, -e 〔-stoß *m.* -es, ⸚e; -zug *m.* -(e)s, ⸚e〕. ～하다 e-n Gegenangriff machen.
역시(亦是) 《또한》 auch; ebenso; 《아직도》 immer noch; nach wie vor; 《그래도》 doch; trotzdem; 《예상대로》 wie erwartet〔vorgesehen〕.
역어(譯語) Übersetzung *f.* -en.
역연하다(歷然—) klar 〔deutlich; eindeutig; offenbar〕 (sein).
역용(逆用) der Gebrauch im gegenteiligen Sinne. ～하다 [4]*et.* im umgekehrten Sinne gebrauchen.
역임(歷任) dauernde Bekleidung verschiedener Ämter. ～하다 hintereinander mehrere Ämter bekleiden 〔inne|haben*〕.

역자(譯者) Übersetzer *m.* -s, -.
역작(力作) Glanz〔Kraft〕stück *n.* -(e)s, -e.
역적(逆賊) der Verschwörene*, -n, -n; Rebell *m.* -en, -en. ‖ ~질 Verschwörung *f.* -en; Rebellion *f.* -en.
역전(逆轉) Umdrehung 〔Umkehrung〕 *f.* -en. ~하다 um|drehen^{4}; um|kehren^{4}. ¶형세가 ~되었다 Der Wind hat sich gedreht.
역전(歷戰) ¶~의 용사 der erfahrene Veteran, -en, -en.
역전경주(驛傳競走) Stafettenlauf *m.* -(e)s, ¨e.
역점(力點) 《강조》 Kernpunkt *m.* -(e)s, -e; Pointe *f.* -n. ¶그는 이점에 ~을 두고 말한다 Er betonte diesem Punkt.
역정(逆情) Ärger *m.* -s; Verdruß *m.* ..sses. ¶~나다, ~내다 ^{4}sich ärgern.
역조(逆調) die verkehrte Tendenz, -en; der ungünstige Trend, -s, -s.
역주(力走) ~하다 aus Leibeskräften 〔mit allen Kräften〕 rennen*.
역진(逆進) Rückwärtsbewegung *f.* -en.
역참(驛站) 〖史〗 Postort *m.* -(e)s, -e 〔¨er〕.
역청(瀝青) 〖化〗 Bitumen *n.* -s, ..mina; Asphalt *m.* -(e)s, -e.
역투(力投) ~하다 mit aller Kraft werfen* 〔schleudern〕.
역풍(逆風) Gegenwind *m.* -(e)s, -e; der ungünstige Wind, -(e)s, -e.
역하다(逆—) abstoßend 〔ekelhaft; widerlich〕 (sein). ¶역한 냄새 der ekelerregende Geruch, -(e)s, ¨e.
역학(力學) Dynamik *f.*; Mechanik *f.* ~적 dynamisch. ‖ 동(動)~ Kinetik *f.*
역학(易學) Wahrsagekunst *f.*; Wahrsagelehre *f.* -n.
역할(役割) Rolle *f.* -n; Rollenverteilung *f.* -en. ¶중대한 ~을 하다 e-e wichtige Rolle spielen.
역행(力行) ~하다 angestrengt arbeiten; ^{4}sich unablässig bemühen.
역행(逆行) Rückgang *m.* -(e)s, ¨e; 《전류의》 Umkehrung *f.* -en. ~하다 rückwärtsgehen*; ^{4}sich um|kehren. ¶시대에 ~하다 gegen den Strom schwimmen*.
역효과(逆効果) Gegenwirkung *f.* -en. ¶~를 내다 ungünstig wirken 《*auf*^{4}》.
엮다 ① 《얽어》 flechten*; verflechten*. ¶뗏목을 ~ ein Floß bilden. ② 《편찬》 zusammen|tragen*^{4}; kompilieren^{4}.
연(年) Jahr *m.* -(e)s, -e. ☞년(年). ¶연수입 Jahreseinkommen *n.* -s, -.
연(鳶) (Papier)drachen *m.* -s, -. ¶연을 날리다 e-e Drachen steigen lassen*.
연(蓮) 〖植〗 Lotos *m.* -, -. ¶연꽃 Lotosblume *f.* -n.
연(連) ① 《종이 단위》 Ries *m.* -es, -e. ② 《계속》 ununterbrochen; fortlaufend. ¶연사흘 drei Tage hintereinander.
연(延) gesamt; total; Gesamt-. ¶연일수 〔연인원〕 die Gesamtzahl der Tage 〔Menschen〕.
연가(戀歌) Liebesgedicht *n.* -(e)s, -e; Liebeslied *n.* -(e)s, -er.
연간(年間) ‖ ~ 계획 Jahresplan *m.* -(e)s, ¨e / ~ 생산량 Jahresproduktion *f.* -en.
연감(年鑑) Jahrbuch *n.* -(e)s, ¨er; Almanach *m.* -s, -e.
연거푸 ununterbrochen; ohne ^{4}Unterbrechung. ¶~ 마시다 in e-m fort 〔weg〕 trinken*$^{(4)}$.
연건평(延建坪) Grundfläche e-s Hauses.
연결(連結) Verbindung 〔Verknüpfung; Kuppelung〕 *f.* -en. ~하다 verbinden*^{4}; verknüpfen^{4}; verkuppeln^{4}.
연고(軟膏) 〖醫〗 Salbe *f.* -n; Pasta 〔Paste〕 *f.* ..ten.
연고(緣故) 《사유》 Grund *n.* -(e)s, ¨e; 《관계》 Beziehung〔Verbindung〕 *f.* -en. ‖ ~권 Vorkaufsrecht *n.* -(e)s, -e / ~자 der Bekannte*, -n, -n.
연골(軟骨) 〖解〗 Knorpel *m.* -s. ‖ ~ 조직 das knorpelige Gewebe, -s, -.
연공(年功) der lange Dienst; 《경험》 die lange Erfahrung. ¶~을 쌓다 Erfahrungen sammeln. ‖ ~ 가봉 Dienstalterzulage *f.* -n.
연관(鉛管) Bleirohr *n.* -(e)s, ¨e.
연관(聯關) Zusammenhang *m.* -(e)s, ¨e.
연구(研究) Studium *n.* -s, ..dien; (Nach)-forschung *f.* -en. ~하다 studieren^{4}; (er)forschen^{4}. ‖ ~비 Forschungskosten (*pl.*) / ~소 Forschungsinstitut *n.* -(e)s, -e / ~심 Forschbegier *f.*; Forschergeist *m.* -(e)s.
연구개(軟口蓋) der weiche Gaumen, -s, -. ‖ ~음 Velar *m.* -s, -e.
연극(演劇) (Schau)spiel *n.* -(e)s, -e; Theater *n.* -s, -. ¶~을 하다 das Schauspiel auf|führen / ~을 부리다 Theater machen; ^{4}sich verstellen. ‖ ~계(界) Theaterwelt *f.*
연금(年金) Jahresrente *f.* -n; (jährliche) Pension[pãsĭó:n] *f.* -en. ¶~으로 생활하다 von s-r Pension leben. ‖ ~법 Pensiongesetz *n.* -es, -e.
연금(軟禁) Hausarrest *m.* -es, -e. ~하다 inhaftieren^{4}; internieren^{4}.
연금술(鍊金術) Alchimie 〔Alchemie; Alchymie〕 *f.*
연기(延期) Aufschub *m.* -(e)s, ¨e; 《기한의》 Verschiebung *f.* -en; 《유예》 Fristung *f.* -en. ~하다 auf|schieben*^{4} 《*auf*^{4}》; verschieben*^{4}; fristen. ‖ ~원 Fristgesuch *n.* -(e)s, -e.
연기(煙氣) Rauch *m.* -(e)s; Dunst *m.* -es, ¨e; Qualm *n.* -(e)s, -e. ¶~를 뿜다 qualmen^{4} / ~가 나다 Rauch geht 〔steigt 《오르다》〕 / ~처럼 사라지다 plötzlich verschwinden*.
연기(演技) Schauspielkunst *f.*; Darstellung. ~하다 auf|führen^{4}; vor|führen^{4}; spielen. ‖ ~자 Schauspieler *m.* -s, -.
연내(年內) ~에 innerhalb des Jahres.
연년(年年) ‖ 세세 ~ jahraus; jahrein.
연년(連年) aufeinanderfolgende Jahre (*pl.*). ‖ ~생(生) das Kind, das ein Jahr nach s-m Bruder 〔s-r Schwester〕 geboren ist.
연놈 《욕》 Mann und Weib.
연단(演壇) Rednerbühne. ¶~에 오르다 die Rednerbühne *usw.* besteigen*.
연달다(連—) fort|setzen; weiter|führen.
연대(年代) Zeit *f.* -en; 《시대》 Zeitalter *n.* -s, -; 《시기》 Epoche *f.* -n. ¶~순으로 chronologisch. ‖ ~기(記) Chronik *f.* -en.

연대(連帶) ¶∼의 gemeinsam; solidarisch. ‖ ∼보증인 Solidar〔Gesamt; Mit〕-bürge *m.* -n, -n / ∼ 책임 Gesamtverantwortung *f.* -en; die gemeinschaftliche 〔gesamtschuldnerische〕 Haftung, -en.

연대(聯隊) Regiment *n.* -(e)s, -er. ‖ ∼장 Regimentskommandeur [..dø:r] *m.* -s, -e.

연도(年度) Jahr *n.* -(e)s, -e. ¶∼말에 beim Wechsel 〔an Ende〕 des fiskalischen Jahres. ‖ 학∼ Schuljahr *n.* -(e)s, -e / 회계 ∼ Rechnungsjahr.

연도(沿道) die beiden Seiten (*pl.*) der Straße. ¶∼에 늘어선 집들 Häuser an der Straße entlang.

연독(鉛毒) Blei·vergiftung〔-krankheit〕 *f.* -en.

연동(聯動) ∼하다 synchronisiert〔gekuppelt〕 sein. ¶∼시키다 synchronisieren^{4}. ‖ ∼ 장치 Synchronisiereinrichtung *f.* -en.

연두(年頭) Jahres·anfang *m.* -s〔-beginn *m.* -s〕. ‖ ∼ 교서 die Botschaft des Präsidenten am Jahresanfang.

연두(軟豆) das frische Grün, -(e)s.

연락(連絡) 《일반적》 Verbindung *f.* -en; 《교통의》 Anschluß *m.* ..schlusses, ..schlüsse; 《서신으로》 Briefwechsel *m.* -s, -; 《접촉》 Kontakt *m.* -(e)s, -e; 《통고》 Mitteilung *f.* -en. ∼하다 *jn.* 〔^{4}*et.*〕 mit ^{3}*et.* in Verbindung bringen*; mit|teilen^{34}. ‖ ∼선(船) Fähre *f.* -n / ∼원 Verbindungsmann *m.* -(e)s, ⸚er 〔..leute〕.

연락(宴樂) Schmauserei 〔Lustbarkeit〕 *f.* -en. ¶∼을 일삼다 ^{4}sich Lustbarkeiten ergeben*.

연래(年來) 《오래된》 Jahre lang; seit ^{3}Jahren; 《…년 이래 처음》 zum ersten Mal seit ...Jahren. ¶20 년래의 풍작 die reichste Ernte seit zwanzig Jahren.

연령(年齡) Alter *n.* -s, -. ‖ ∼ 제한 Altersgrenze *f.* -n 《정년》 / 결혼 ∼ Heiratsalter *n.* -s, -.

연례(年例) ∼의 jährlich. ‖ ∼ 기념 행사 Jahres·feier *f.* -n〔-fest *n.* -(e)s, -e〕.

연로(年老) ∼하다 im hohen Alter (sein); alt (sein).

연료(燃料) Brennstoff *m.* -(e)s, -e; Brennmaterial *n.* -(e)s, ..lien.

연루(連累) Verwicklung 〔Vesrchuldung〕 *f.* -en. ‖ ∼자 Helfershelfer *m.* -s, -.

연륜(年輪) =나이테.

연리(年利) jährliche Zinsen (*pl.*).

연립(聯立) ‖ ∼ 내각 Koalitionskabinett *n.* -(e)s, -e / ∼ 주택 《셋집》 Mietskaserne *f.* -n.

연마(硏磨) das Wetzen* 〔Abziehen*; Schleifen*〕 -s. ∼하다 schleifen^{*4}; 《학문을》 eingehend studieren$^{(4)}$.

연막(煙幕) Nebelschleier *m.* -s; -; Rauchvorhang *m.* -(e)s, ⸚e. ‖ ∼탄 Nebel〔Rauch〕bombe *f.* -n.

연만(年滿) ∼하다 hochbejahrt 〔im hohen Alter〕 (sein).

연말(年末) Jahresende *n.* -s. ‖ ∼ 보너스 der Bonus am Jahresende.

연맥(燕麥) 〖植〗 귀리.

연맹(聯盟) Bund *m.* -(e)s, ⸚e; Verein *m.* -(e)s, -e.

연면(連綿) ∼하다 folgerichtig 〔kontinuierlich〕 (sein).

연명(延命) das Vegetieren*, -s. ∼하다 vegetieren.

연명(連名) das gemeinsame Unterschreiben*, -s. ∼하다 gemeinsam unterschreiben^{*4}.

연모 Werkzeuge u. Materialien; Ausrüstung *f.* -en.

연모(戀慕) Verliebtheit *f.* -en. ∼하다 verliebt sein 《*in*^{4}》.

연목구어(緣木求魚) das Suchen* nach dem Unmöglichen. ∼하다 Bratwürste aus dem Wasser angeln wollen.

연못(蓮—) Lotosteich *m.* -(e)s, -e.

연무(煙霧) Rauchnebel *m.* -s, -.

연무(鍊武) die militärische Übung, -en. ∼하다 e-e militärische Übung durch|führen.

연문(戀文) Liebesbrief *m.* -(e)s, -e.

연미복(燕尾服) Frack *m.* -(e)s, -s 〔⸚e〕.

연민(憐憫) Mitleid *n.* -(e)s; Erbarmen *n.* -s; Anteilnahme *f.* ¶∼의 정을 느끼다 Erbarmen fühlen 《*mit*^{3}》.

연발(連發) das Hintereinander-Schießen, -s; Dauerfeuer *n.* -s 《기관총 같은》. ∼하다 (schnell) hintereinander schießen^{4}〔feuern〕. ‖ ∼총 Mehrladegewehr *n.* -(e)s, -e.

연방(聯邦) Bundesstaat *m.* -(e)s, -e; Union *f.* -en; Föderation *f.* -en. ‖ ∼ 공화국 Bundesrepublik *f.* -en / ∼ 정부 Bundesregierung *f.* -en / ∼주의〔제도〕 Föderalismus *m.* -.

연변(沿邊) die Gegend am Fluß〔an der Eisenbahnlinie; an der Grenzlinie〕.

연병장(練兵場) Exerzierplatz *m.* -es, ⸚e.

연보(年報) Jahresbericht *m.* -(e)s, -e.

연보(年譜) Lebenslauf *m.* -(e)s, ⸚e 《이력》; Chronik *f.* -en 《연대기》.

연보(捐補) Kollekte *f.* -n. ∼하다 Geld für die Kollekte spenden. ‖ ∼돈 Geld für die Kollekte.

연봉(年俸) Jahresgehalt *n.* -(e)s, ⸚er.

연부(年賦) die jährliche Abzahlung, -en. ‖ ∼상환 die Rückzahlung in Jahresraten.

연분(緣分) prädestinierte Bindung, -en. ¶천생 ∼ die gute Partie, -n.

연분홍(軟粉紅) Blaßrot *n.* -(e)s.

연불(延拂) Abzahlung *f.* -en; Ratenzahlung *f.* -en.

연비(連比) 〖數〗 Kettenproportion *f.* -en.

연비례(連比例) 〖數〗 das kontinuierliche Verhältnis, -ses, -se.

연사(演士) Redner *m.* -s, -.

연산(年産) die jährliche Produktion, -en. ‖ ∼ 능력 die jährliche Kapazität der Produktion.

연산(演算) 〖數〗 Operation *f.* -en.

연상(年上) höheres Alter, -s, -. ¶나보다 7살 ∼이다 sieben Jahre älter als ich sein.

연상(聯想) ∼하다 erinnern^{4} 《*an*^{4}》; verbinden^{4} 《*mit*^{3}》.

연서(連署) Mitunterzeichnung *f.* -en. ∼하다 mit|unterzeichnen^{4}; gemeinsam unterzeichnen^{4}.

연석(宴席) Bankettsaal *m.* -(e)s, ..säle; Tisch〔Abend〕gesellschaft *f.* -en.

연석(連席) das Zusammensitzen*, -s; Teilnahme *f.* -n. ～하다 zusammen|sitzen*; ⁴sich zusammen|setzen. ‖ ～회의 die gemeinsame Sitzung, -en.
연선(沿線) die entlang der Eisenbahn liegende Gegend, -en.
연설(演說) Rede *f.* -n. ～하다 e-e Rede halten*. ‖ 시정 ～ e-e administrative Rede.
연성하감(軟性下疳) 〖醫〗 weicher Schanker, -s, -.
연세(年歲) =나이.
연소(年少) ～하다 jung (sein). ¶ ～하기 때문에 wegen ²Minderjährigkeit. ‖ ～자 Jugend *f.*; (미성년자) der Minderjährige* -n, -n.
연소(延燒) weitere Verbrennung 〔Entzündung〕 -en. ～하다 das Feuer 〔der Brand〕 greift um sich. ¶ ～를 면하다 von e-m Brand verschont bleiben*.
연소(燃燒) Verbrennung *f.* -en; Entzündung *f.* -en. ～하다 verbrennen*⁴; entzünden⁴. ‖ 불완전 ～ unvollkommene Verbrennung 〔Entzündung〕.
연속(連續) Fortsetzung *f.* -en; Aufeinanderfolge *f.* -n; (지속) Fortdauer *f.* ～하다 fort|laufen*; aufeinander folgen. ¶ ～적으로 (fort)laufend; fortdauernd. ‖ ～ 방송극 Serienfunkdrama *n.* -s, ..men.
연쇄(連鎖) Kette *f.* -n; Verkettung *f.* -en. ‖ ～ 반응 〖物〗 Kettenreaktion *f.* -en / ～점(店) Kettenladen *m.* -s, ¨.
연수(年收) Jahreseinkommen *n.* -s, -; jährliche Einnahmen (*pl.*).
연수(年數) =햇수.
연수(延髓) das verlängerte Rückenmark, -(e)s.
연수(硏修) Praktikum *n.* -s, ..ken〔..ka〕; Training *n.* -s, -s. ～하다 am Training teil|nehmen*. ‖ ～원 Trainingsanstalt. *f.* -en.
연수(軟水) weiches Wasser, -s
연습(練習) (Ein)übung *f.* -en 《*in*³》; Schulung *f.* -en; Probe *f.* -n. ～하다 (³sich) ein|üben⁴; ⁴sich ein|üben 《*in*⁴; *auf*⁴》; ⁴sich trainieren 《*auf*⁴; *für*⁴》. ‖ ～문제 Übung *f.* -en; Übungsaufgabe *f.* -n / ～장(帳) Übungsheft *n.* -(e)s, -e / 총～ Generalprobe *f.* -n.
연승(連勝) ～하다 immer siegreich sein 〔bleiben*〕. ¶ 3～하다 dreimal hintereinander gewinnen.
연시(年始) Jahresbeginn *m.* -(e)s, -e; Jahresanfang *m.* -(e)s, -e.
연식(軟式) weiche Sorte von Spielball; 〖競〗 Soft-. ‖ ～ 야구 Softball *m.* -(e)s.
연안(沿岸) Küste *f.* -n; Küstenstrich *m.* -(e)s, -e. ‖ ～ 어업 Küstenfischerei *f.* -en.
연애(戀愛) Liebe *f.* ～하다 lieben⁴. ‖ ～ 결혼 Liebesheirat *f.* -en(～ 결혼을 하다 aus Liebe heiraten⁴) / ～ 소설 Liebesroman *m.* -(e)s, -e.
연액(年額) Jahresbetrag *m.* -(e)s, ¨e.
연야(連夜) jede Nacht; alle Nächte. ¶ 연일 ～ alle Tage u. Nächte.
연약(軟弱) ～하다 schwach 〔schwächlich; weichlich〕 (sein).
연어(鰱魚) Lachs *m.* -es, -e.
연역(演繹) Deduktion *f.* -en. ～하다 folgern⁴ 《aus³》; deduzieren⁴.
연연(戀戀) Anhänglichkeit *f.* -en. ～하다 *jm.* in Liebe zugetan sein 《남녀간》; ⁴sich (an|)klammern 《*an*⁴ 지위 등에》.
연예(演藝) Unterhaltung *f.* -en; Aufführung *f.* -en. ‖ ～계 Bühnenwelt *f.* / ～란 Unterhaltungsteil *m.* -(e)s. -e / ～ 방송 (프로) Unterhaltungssendung *f.* -en.
연옥(煉獄) 〖가톨릭〗 Fegefeuer *n.* -s, -; Purgatorium *n.* -s, ..rien.
연와(煉瓦) Ziegel〔Back〕stein *m.* -(e)s, -e. ☞벽돌.
연원(淵源) (Ur)quelle *f.* -n; (詩) (Ur)quell *m.* -(e)s, -e.
연월일(年月日) Datum *n.* -s, ..ten.
연유(煉乳) Kondensmilch *f.*; die kondensierte Milch.
연유(緣由) (사유) Grund *m.* -(e)s, ¨e; (유래) Herkunft *f.* ¨e. ～하다 von ³*et.* her|kommen*; (aus) e-m Dinge entspringen*.
연인(戀人) (남자) der Geliebte*, -n, -n; Liebhaber *m.* -s, -; (여자) die Geliebte*; die Liebste*, -n, -n.
연인원(延人員) Gesamtzahl *f.* -en.
연일(連日) jeden Tag; Tag für Tag. ¶ 극장은 ～ 만원이다 Das Theater ist jeden Tag vollbesetzt.
연잇다(連—) an|knüpfen⁴; an|schließen*⁴; an|binden*⁴; ⁴sich an|schließen*.
연자매(硏子—) der Mühlstein, der von Pferd 〔Ochs〕 gedreht wird.
연장 (큰 기구) Gerät *n.* -(e)s, -; Werkzeug *n.* -(e)s, -e.
연장(年長) ～의 älter. ‖ ～자 der Ältere*, -n, -n.
연장(延長) Verlängerung 〔Ausdehnung〕 *f.* -en. ～하다 verlängern⁴; aus|dehnen⁴. ‖ ～전 die verlängerte Wettspielzeit, -en.
연재(連載) ～하다 in Fortsetzungen veröffentlichen⁴ 《*in*³》. ‖ ～ 소설 der Roman in Fortsetzungen.
연적(硯滴) das Wasserbehältnis für die Tuschtinte.
연적(戀敵) Rivale *m.* -n, -n; Nebenbuhler *m.* -s, -.
연전(年前) vor einigen〔ein paar〕 Jahren; damals; früher.
연전(連戰) ‖ ～ 연승 hintereinanderfolgende Siege (*pl.*).
연접(連接) Verbindung *f.* -en; Verknüpfung *f.* -en. ～하다 verbinden*; in Verbindung bringen*.
연정(戀情) Liebe *f.* -n; Zuneigung *f.* -en. ¶ ～을 느끼다 Anhänglichkeit empfinden* 《für *jn.*》.
연제(演題) Vortragstitel *m.* -s, -.
연좌(連坐) (연루됨) Verwick(e)lung *f.* -en; (앉음) das Zusammensitzen* in e-r Gruppe. ～하다 ⁴sich verwickeln. ‖ ～ 데모 Sitzdemonstration *f.* -en.
연주(演奏) die musikalische Darbietung, -en; das (musikalische) Spiel, -(e)s, -e. ～하다 vor|tragen*⁴; spielen 《*auf*³》. ‖ ～자 der Vortragende*, -n, -n / ～회 Konzert *n.* -(e)s, -e.
연주창(連珠瘡) 〖漢醫〗 Skrofel *f.* -n.

연줄(緣—) Beziehungen(*pl.*). ¶ ~이 닿다 in ^{3}Beziehung stehen* 《*mit*^{3}》.

연중(年中) das ganze ^{4}Jahr (hindurch); jahraus. ‖ ~ 무휴 ganzjährlich geöffnet / ~ 행사 Jahresfeiern (*pl.*).

연지(臙脂) die rote Schminke, –n; Rouge [rú:ʒə] *n.* –s, –s. ¶ ~ 찍다 ^{4}sich rot schminken.

연차(年次) das Ordnung nach dem Jahr. ‖ ~ 계획 ein Jahr-um-Jahr-Plan, *m.* –(e)s, ⁼e.

연착(延着) Verspätung *f.* –en. ~하다 e–e Verspätung haben; nicht fahrplanmäßig ein|treffen*.

연착륙(軟着陸) weiche Landung, –en. ~하다 weich landen 《*auf*^{3}》.

연찬(硏鑽) ~하다 forschen (nach ^{3}*et.*); untersuchen^{4}; ergründen^{4}.

연창(—窓) Rolladen *m.* –s, –; Jalousie *f.* –n.

연천(年淺) ~하다 kurz [nicht lange her; neulich] (sein).

연철(鍊鐵) Schmiede[Schweiß]eisen *n.* –s.

연체(延滯) Saumseligkeit *f.* –en; Aufschub *m.* –(e)s, ⁼e. ~하다 [되다] auf|schieben*^{4}; saumselig sein. ‖ ~금 Rückstand *m.* –(e), ⁼e; die rückständige Summe, –n / ~ 이자 Verzugszins *m.* –es, –en.

연체동물(軟體動物) Weichtier *m.* –(e)s, –e; Molluske *f.* –n.

연출(演出) Inszenierung *f.* –en. ~하다 inszenieren^{4}. ‖ ~가[자] Regisseur [reʒisø:r] *m.* –s, –e.

연탄(煉炭) Brikett *n.* –(e)s, –e [–s].

연통(煙筒) Schornstein *m.* –(e)s, –e; 《난로의》 Ofenrohr *n.* –(e)s, –e; 《기관차의》 Lokomotivschornstein *m.* –(e)s, –e.

연판(連判) die gemeinsame Stempelung, –en. ‖ ~장 die Urkunde mit Namenszügen der Beteiligten.

연판(鉛版) Stereotypplatte *f.* –n; Plattendruck *m.* –(e)s, –e.

연패(連敗) e–e Reihe von Niederlagen; Niederlage auf Niederlage. ~하다 hintereinander besiegt werden.

연평수(延坪數) Gesamtflächeninhalt *m.* –(e)s, –e.

연표(年表) e–e chronologische Tabelle, –n.

연풍(軟風) ein sanfter Wind, –(e)s, –e; e–e leichte Brise, –n.

연필(鉛筆) (Blei)stift *m.* –(e)s, –e. ‖ ~깎개 Bleistiftspitzer *m.* –s, – / ~심 Mine *f.* –n / 색~ Farb(en)stift.

연하(年賀) Neujahrs(glück)wunsch *m.* –es, ⁼e. ‖ ~장 Neujahrskarte *f.* –n.

연하다(連—) ^{4}sich an|schließen*; ^{4}sich aneinander reihen.

연하다(軟—) 《무르다》 zart[weich] (sein); 《빛이》 hell[blaß; matt] (sein).

연한(年限) Frist *f.* –en; Termin *m.* –s, –e. ‖ 복무 ~ die Dienstjahre (*pl.*) / 의무 ~ Pflichtzeit *f.* / 재직 ~ Dienst·zeit *f.* –en [–jahre (*pl.*)].

연합(聯合) Vereinigung *f.* –en; Zusammenschluß *m.* ..schlusses, ..schlüsse; Koalition *f.* –en. ‖ ~국 die verbündeten Mächten (*pl.*); der Alliierte*[Verbündete*] –n, –n / ~군 die Alliierten (*pl.*); die verbundenen Waffen (*pl.*).

연해(沿海) (See)küste *f.* –n; (Meeres)ufer *n.* –s, –. ‖ ~ 항로 Küstenschiffahrt *f.* –en.

연해(連—) ununterbrochen; anhaltend; fortlaufend. ¶ ~ 비가 온다 Es regnet anhaltend.

연행(連行) Abfuhr *f.* –en; das Wegführen*, –s, –. ~하다 ab|führen《*jn.*》.

연혁(沿革) Chronik *f.* –en; Entwicklungsgeschichte *f.* –n. ‖ ~지 Zeitbuch *n.* –(e)s, ⁼er.

연호(年號) der Name e–r ^{2}Ära.

연화(軟化) Erweichung *f.* –en; Milderung *f.* –en. ~하다 《연화됨》 weich werden; 《연화시킴》 mildern^{4}.

연화(軟貨) Papiergeld *n.* –(e)s, –er; weiches Geld, –(e)s, –er.

연회(宴會) Tischgesellschaft *f.* –en 《만(오)찬회》; Abendgesellschaft 《만찬회》; ‖ ~장 Bankettsaal *m.* –(e)s, ..säle.

연후(然後) danach; nachdem; nachher.

연휴(連休) die aufeinanderfolgenden Feiertage (*pl.*).

열 zehn.

열(列) Reihe *f.* –n; Queue [kø:] *f.* –s; Zug *m.* –(e)s, ⁼e; Glied *n.* –(e)s, –er.

열(熱) Hitze [Wärme] *f.* –n; 《체온·병열》 Temperatur *f.*; Fieber *n.* –s. ‖ 열처리 Wärme·bearbeitung[–behandlung] *f.* –en.

열강(列強) Großmächte (*pl.*).

열거(列擧) ~하다 einzeln auf|führen^{4}; auf|zählen^{4}; her|zählen^{4}.

열광(熱狂) Aufregung *f.* –en; Begeisterung *f.* –en; Enthusiasmus *m.* –. ~하다 schwärmen [^{4}sich begeistern] 《*für*^{4}》. ¶ ~적(인) aufgeregt; begeistert; schwärmerisch.

열국(列國) Mächte [Staaten; Länder] der Welt.

열기(列記) Her[Auf]zählung *f.* –en. ~하다 einzeln an|geben*[an|führen]; auf|zählen.

열기(熱氣) 《더운 공기》 heiße Luft; Hitze *f.* –n; 《신열》 Temperatur *f.*; Fieber *n.* –s.

열김(熱—) ① 《열중·흥분한 결》 Erregung *f.* –en; Aufregung *f.* –en. ② 《홧김》 Ärger *m.* –s; Zorn *m.* –(e)s; Wut *f.* ¶ ~에 im Ärger [Zorn].

열나다(熱—) 《흥분》 ^{4}sich erhitzen; hitzig werden; 《신열》 Fieber haben [bekommen*]; fiebern.

열녀(烈女) die heldenhafte [tapfere; mutige] Frau, –en.

열다^{1} 《닫힌 것을》 öffnen^{4}; auf|machen^{4}; 《시작·개최》 ab|halten*^{4}; geben*^{4}.

열다^{2} 《열매가》 fruchten; (Frucht) tragen*^{4}.

열다섯 fünfzehn. ¶ ~째 der [die; das] fünfzehnte*.

열대(熱帶) 《지방》 Tropenzone *f.*; Tropen(*pl.*). ‖ ~ 식물 e–e tropische Pflanze, –n.

열도(列島) Inselkette *f.* –n.

열독(閱讀) das Durchlesen*, –s; Durchlesung *f.* –en. ~하다 (sorgfältig) durch|lesen*^{4}[durchlesen*^{4}; durchsehen*^{4}].

열둘 zwölf. ¶ 열두째 der [die; das] zwölfte*.

열등(劣等) ~하다 minderwertig [gemein; schlecht; niedrig] (sein). ‖ ~감

Minderwertigkeitsgefühl n. -(e)s, -e / ∼생 der schlechte Schüler, -s, -.

열락(悅樂) das Ergötzen*[Entzücken*] -s; Lust f. ⸚e. ∼하다 ^{4}sich ergötzen; ^{4}sich erfreuen.

열람(閱覽) Durchsicht f. -en; das Lesen*, -s. ∼하다 durchsehen*^{4}; lesen*^{4}. ‖∼실 Lese·zimmer n. -s, -[-halle f. -n].

열량(熱量) Wärmemenge f. -n. ‖∼계 Wärmemesser m. -s, -; Kalorimeter n. -s, -.

열렬(熱烈) ∼하다 leidenschaftlich [feurig](sein).

열리다 ① 《닫힌 것이》 ^{4}sich öffnen; ^{4}sich auf|schließen*. ② 《모임이》 statt|finden*; abgehalten werden.

열망(熱望) der heiße [innige] Wunsch, -es, ⸚e. ∼하다 sehnlich [herzlich] wünschen^{4}; ^{4}sich heiß sehnen 《nach^{3}》.

열매 Frucht f. ⸚e; Nuß f. ..üsse; Beere f. -n. ¶∼를 맺다 Früchte tragen*.

열무 der junge Rettich, -(e)s, -e. ‖∼김치 der mit dem jungen Rettich eingesalzene Salat, -(e)s, -e.

열반(涅槃) 〖佛〗 Nirwana n. -s; die völlige Ruhe.

열변(熱辯) e-e feurige [hinreißende; geistreiche] Rede, -n. ¶∼을 토하다 e-e feurige Rede halten*.

열병(閱兵) Heer[Truppen]schau f. -en; Revue[rəvýː] f. -n. ∼하다 die Truppen besichtigen. ‖∼식 Parade f. -n.

열병(熱病) Fieber n. -s, -; Fieberkrankheit f. -en. ¶∼에 걸리다 vom Fieber befallen werden.

열분석(熱分析) Pyrolyse f. -n. ∼하다 durch Einwirkung höherer Temperatur zersetzen.

열사(烈士) Held m. -en, -en; Patriot m. -en, -en. ‖순국 ∼ Märtyrer m. -s, -.

열사병(熱射病) Hitzschlag m. -(e)s. ¶∼에 걸리다 e-n Hitzschlag bekommen*.

열상(裂傷) die klaffende Wunde, -n.

열석(列席) Anwesenheit f. -en; Beteiligung f. -en. ∼하다 anwesend sein 《bei^{3}》; dabei sein.

열선(熱線) 〖物〗 Wärmestrahl m. -(e)s, -en; 〖電〗 Hitzdraht m. -(e)s, ⸚e.

영성(劣性) 〖生〗 Mindervertigkeit f.

열성(列聖) Erbkönig m. -(e)s, -e.

열성(熱誠) Eifer m. -s; Ernst m. -(e)s. ¶∼ 있는 eifrig; enthusiastisch / ∼을 다한 환영 e-e herzliche Aufnahme, -n.

열세(劣勢) Unterlegenheit f. 《an^{3}》; Minderheit f. -en 《수의》.

열쇠 Schlüssel m. -s, -. ¶∼로 열다 mit dem Schlüssel öffnen^{4}. ‖∼구멍 Schlüsselloch n. -(e)s, ⸚er.

열심(熱心) Eifer m. -s. ∼히 eifrig; fleißig; mit Eifer[Fleiß]; emsig.

열십자(一十字) Kreuz n. -es, -e.

열씨(列氏) Reaumur m. -, -. ‖∼온도계 Reaumur-Thermometer[réːomyːr..] n. [m.] -s, -.

열악하다(劣惡―) schlecht[geringwertig] (sein).

열애(熱愛) heiße[feurige; glühende; innige] Liebe, -n. ∼하다 heiß [feurig· glühend] lieben^{4}.

열어젖뜨리다 heftig öffnen; auf|reißen*; offen lassen*.

열없다 ① =열적다. ② 《소심》 feig [kleinmütig](sein).

열역학(熱力學) 〖物〗 Thermodynamik f.

열연(熱演) ∼하다 mit ^{3}Eifer [leidenschaftlich] spielen^{4}.

열용량(熱容量) 〖物〗 die Kapazität der Hitze.

열원(熱源) Wärmequelle f. -n; Wärmereservoir n. -s, -s [-e].

열의(熱意) Eifer m. -s; Lust f.; Begeisterung f. ¶∼가 없다 k-e Lust haben.

열이온(熱―) 〖物〗 Thermion n. -s, -en.

열자기(熱磁氣) 〖物〗 Thermomagnetismus m. -, ..men.

열적다 ^{4}sich verlegen fühlen 《어색함》; ^{4}sich schämen 《창피함》.

열전(列傳) Biographien (pl.).

열전(熱戰) ① 《경기의》 ein heißer [heftiger] Kampf, -(e)s, ⸚e. ② 《냉전에 대한》 ein heißer Krieg, -(e)s, -e.

열전기(熱電氣) Thermoelektrizität f. -en.

열전도(熱傳導) 〖物〗 Wärme·leitung f. [-übertragung f.].

열정(熱情) Leidenschaft f. -en. ∼적 leidenschaftlich; feurig.

열중(熱中) ∼하다 ^{4}sich begeistern《für^{4}》; schwärmen《für^{4}》; ^{4}sich widmen^{3}; ^{4}sich vertiefen《in^{4}》. ¶그는 연구에 (전력을 다하여) ∼하고 있다 Er widmet sich der Forschung (mit Leib u. Seele).

열차(列車) Zug m. -(e)s, ⸚e. ‖급행[완행, 임시, 화물] ∼ Schnell[Bummel, Sonder, Güter]zug.

열처리(熱處理) Wärmebehandlung f. -en. ∼하다 wärme|behandeln^{4}.

열탕(熱湯) kochendes [siedendes] Wasser, -s.

열퉁적다 rauh [grob; roh; unzüchtig; unanständig] (sein).

열파(熱波) 〖物〗 Hitzewelle f. -n.

열풍(烈風) der heftige Wind, -(e)s, -e; Bö f. -en.

열풍(熱風) ein heißer Wind, -(e)s, -e; Sirokko m. -s, -s 《지중해의》; Samum m. -s, -s 《사막의》.

열하나 elf. ¶열한째 der[die; das] elfte*.

열하다(熱―) erhitzen; heiß machen.

열학(熱學) 〖物〗 Wärmelehre f.

열핵(熱核) ‖∼ 반응 thermonuklear Reaktion, -en.

열혈(熱血) Heißblütigkeit f.; der glühende Eifer, -s. ‖∼한(漢) ein heißblütiger Mann, -(e)s, ⸚er.

열호(劣弧) 〖數〗 kleinerer Bogen, -s, ⸚.

열화(烈火·熱火) das lodernde Feuer, -s, -. ¶∼같이 노하다 (^{4}sich) von Wut entflammen.

열화학(熱化學) Thermochemie f.

열흘 《열날》 zehn Tage (pl.); 《십일》 der zehnte (Tag).

엷다 ① 《두께가》 dünn [verdünnt; flach] (sein). ② 《빛·색이》 leicht [dünn; verdünnt; hellfarbig](sein).

염가(廉價) der billige [niedrige] Preis, -es, -e. ∼의 billig; wohlfeil. ‖∼판(版) Volksausgabe f. -n.

염광(塩鑛) Salz·bergwerk n. -(e)s, -e [-mine f. -n].

염교 〖植〗 Schalotte *f.* -n.

염기(厭忌) ～하다 verabscheuen^4; nicht lieben^4.

염기(塩基) 〖化〗 Base *f.* -n. ¶～성의 basisch. ‖～성 염 das basische Salz, -es, -e.

염두(念頭) ¶～에 두다 im Kopf behalten*^{4}; denken* (*an*^{4}) / ～에 두지 않다 nicht denken*(*an*^{4}); ^{4}sich nicht kümmern (*um*^{4}).

염라대왕(閻羅大王) der König der Unterwelt.

염려(念慮) Furcht *f.*; Angst *f.* ¨e; (걱정) Unruhe *f.* -n. ～하다 (^{4}sich) ängstigen$^{(4)}$; ^{4}sich fürchten (*vor*^{3}). ¶…을 ～하여 aus ^{3}Furcht (*vor*^{3}).

염료(染料) Farbe *f.* -n; Farbstoff *m.* -(e)s, -e. ☞물감.

염매(廉賣) Ramschverkauf *m.*; Ausverkauf *m.* -s, ¨e. ～하다 billig [zu Spottpreisen] verkaufen^4.

염모(染毛) Haarfärbung *f.* -en. ～하다 das Haar (schwarz) färben. ‖～제(劑) Haarfärbemittel *n.* -s, -.

염문(艶聞) Liebesaffäre *f.* -n; Skandal *m.* -s, -e. ¶～이 퍼지다 wegen s-r Liebesaffäre ins Gerede kommen*.

염밭(塩—) Salzfeld *n.* -(e)s, -er; Salzgarten *m.* -s, ¨.

염병(染病) (장티푸스) Unterleibstyphus *m.* -; Hospitalfieber *n.* -s, -; (전염병) Epidemie *f.* -n. ¶～에 걸리다 an Typhus leiden* / ～할 자식 Zum Teufel mit dir!

염복(艶福) Liebesglück *n.* -(e)s; erfolgreiche galante Abenteuer (*pl.*).

염분(塩分) Salzgehalt *m.* -(e)s, -e.

염불(念佛) Bittgebet zu Buddha. ～하다 zu ^{3}Buddha beten; Buddha an|rufen*.

염산(塩酸) Salz[Chlor]säure *f.*

염색(染色) Färbung *f.* -en. ～하다 färben^4. ‖～ 공장 Färberei *f.* -en / ～체 Chromosom *n.* -s, -en.

염세(厭世) Weltschmerz *m.* -es, -en; Lebensüberdruß *m.* ..drusses. ‖～가 Weltschmerzler *m.* -s, -; Pessimist *m.* -en, -en / ～주의 Pessimismus.

염소 Ziege *f.* -n; (수컷) Ziegenbock *m.* -(e)s, ¨e; (새끼) Zicklein *n.* -s, -.

염소(塩素) 〖化〗 Chlor *n.* -s (기호 : Cl).

염수(塩水) Salzwasser *n.* -s, -; Sole *f.* -n.

염습(殮襲) ～하다 die Leiche waschen u. bekleiden.

염열(炎熱) die brennende [drückende; glühende; höllische] Hitze.

염오(厭惡) Abscheu *m.* -(e)s. ～하다 verabscheuen^4.

염원(念願) Herzenswunsch *m.* -es, ¨e; ein großes Anliegen, -s, -. ～하다 (herzlich) wünschen^4.

염전(塩田) Salzgarten *m.* -s, ¨.

염주(念珠) Rosenkranz *m.* -es, ¨e; Gebetschnur *f.* ¨e. ‖～알 Rosenkranzperle *f.* -n.

염증(炎症) Entzündung *f.* -en. ¶～이 생기다 ^{4}sich entzünden.

염증(厭症) Widerwille *m.* -ns; Abscheu *m.* -(e)s; Übersättigung *f.* -en. ¶～이 나다 überdrüssig^2 [satt^2] werden.

염직(染織) Färben* u. Weben*. ～하다 färben^4 u. weben$^{(*)4}$. ‖～ 공장 Färber u. Weberei.

염천(炎天) die versengende [brennende] Sonne; die glühende Sonnenhitze.

염출(捻出) ～하다 ① (돈을) auf|bringen*^{4} [-|treiben*^{4}]. ② (생각을) aus|klügeln^4 [-|denken*^{4}].

염치(廉恥) ～없다 unverschämt [schamlos; frech] (sein).

염탐(廉探) ～하다 im geheimen forschen (*nach*^{3}); spionieren^4. ‖～꾼 Spion *m.* -s, -e.

염통 Herz *n.* -ens, -en.

염하다(殮—) =염습하다.

염화(塩化) 〖化〗 das Chlorieren*, -s; das in Chloride Verwandeln*, -s. ～하다 chlorieren^4; verchloren^4. ‖～은 Chlorsilber *n.* -s / ～ 칼슘 Chlorkalzium *n.* -s.

엽견(獵犬) Jagd[Hetz; Spür]hund *m.* -(e)s, -e.

엽관(獵官) Ämter[Stellen]jagd *f.* ¶～ 운동하다 auf Ämterjagd gehen*.

엽궐련(葉—) Zigarre *f.* -n.

엽기(獵奇) der Hang zur Groteske. ～적 grotesk; absonderlich. ‖～심 die verkehrte Neugier(de).

엽록소(葉綠素) Blattgrün *n.* -(e)s.

엽맥(葉脈) Blattader *f.* -n; Blattaderung *f.* -en; Blattrippe *f.* -n.

엽서(葉書) (Post)karte *f.* -n. ¶～를 내다 e-e (Post)karte schicken (*jm.*). ‖그림 ～ Ansichtskarte / 왕복 ～ Postkarte mit (Rück)antwort.

엽전(葉錢) Kupfermünze *f.* -n.

엽초(葉草) das getrocknete Tabakblatt, -(e)s, ¨er.

엽초(葉鞘) 〖植〗 Halmscheide *f.* -n; Vagina *f.* ..ginen.

엽총(獵銃) Jagdflinte *f.* -n.

엿 süßes Gluten, -s; Bonbon *m.* [*n.*] -s, -s. ‖～장수 Bonbon-Verkäufer *m.* -s, -.

엿기름 Malz *n.* -es (맥아).

엿듣다 lauschen^4 [ab|hörchen^4] (*jm.*).

엿보다 verstohlen an|blicken^4. ¶기회를 ～ auf e-e (passende) Gelegenheit lauern.

엿새 sechs Tage; (엿샛날) der sechste Tag des Monats.

영(令) (명령) Befehl *m.* -(e)s, -e; Anordnung *f.* -en; (법령) Verordnung *f.* -en; Vorschrift *f.* -en.

영(零) Null *f.* -en. ～의 null.

영(靈) Seele *f.* -n; Geist *m.* -(e)s, -er; (사자의) Lemure *m.* -n, -n (주로 *pl.*).

영감(令監) (남편) (Ehe)mann *m.* -(e)s, ¨er; (노인) der alte Mann, -(e)s, ¨er; (지체높은 사람) Herr *m.* -n, -en.

영감(靈感) Begeisterung [Inspiration; Eingebung] *f.* -en. ¶～을 받다 begeistert [inspiriert] werden.

영걸(英傑) (사람) Held [Gigant] *m.* -en, -en; Heroe *m.* -n, -n; (성질) heroische Qualität, -en.

영검 Wunderkraft *f.* ¨e; Gottes Gnade *f.* -n. ～하다 ^{4}sich als gnädig zeigen. ¶～ 있는 wundertätig; wundertuend.

영겁(永劫) =영원(永遠).

영결(永訣) der letzte Abschied, -(e)s, -e; das finale Lebewohl, -(e)s, -e. ～하다 von e-m Toten Abschied nehmen*. ‖～식 Begräbnisfeier *f.* -n.

영계(—鷄) Hähnchen *n.* -s, -. ‖～ 백숙 gekochtes Hähnchen mit Reis.

영계(靈界) die seelische Welt, –en; Geisterwelt *f*.
영고(성쇠)(榮枯(盛衰)) Wechselfälle (*pl*.); Aufstieg u. Verfall.
영공(領空) Territorialluft *f*. ‖ ～ 침범 der Einfall ins Territorialluftsgebiet e–s anderen Landes.
영관(領官) Stabsoffizier *m*. –s, –e.
영관(榮冠) Sieges〔Lorbeer〕kranz *m*. –es, ⸗e. ¶ 승리의 ～을 쓰다 sieggekrönt sein.
영광(榮光) Glorie *f*. –n; Ehre *f*. –n; Ruhm *m*. –(e)s. ～스럽다 ehrenvoll 〔ruhmreich; glorios〕(sein). ¶ ～으로 생각하다 für e–e Ehre halten*[4].
영구(永久) ＝영원(永遠). ‖ ～성 Dauerhaftigkeit *f*. –en; Konstanz *f*. / ～ 자석 Permanentmagnet *m*. –en, –en / ～치(齒) der feste Zahn, –(e)s, ⸗e.
영구차(靈柩車) Leichenwagen *m*. –s, –.
영국(英國) England *n*. –s. ‖ ～ 사람 Engländer *m*. –s, –.
영내(營內) Lager *n*. –s, –. ‖ ～ 생활 Kasernenleben *n*. –s.
영농(營農) e–e Betreibung der Landwirtschaft 〔des Ackerbaus〕. ～하다 Landwirtschaft 〔Ackerbau〕 treiben*. ‖ ～ 자금 Agrarkredit *m*. –(e)s, –e.
영단(英斷) der entscheidende〔ausschlaggebende〕 Schritt, –(e)s, –e; die drastische Maßnahme, –n. ¶ ～을 내리다 e–n entscheidenden Schritt tun*.
영단(營團) Korporation *f*. –en; Körperschaft *f*. –en.
영달(榮達) die glänzende Laufbahn, –en. ～하다 die Karriere machen.
영도(零度) Null *f*. –en; null Grad *m*.
영도(領導) Leitung *f*. –en. ～하다 leiten[4]. ¶ …의 ～하에 unter *js*. Leitung. ‖ ～자 Leiter *m*. –s, –.
영락(零落) Untergang *m*. –(e)s; das Herabsinken*, –s. ～하다 unter|gehen*.
영락없이(零落—) sicher; ganz bestimmt; ohne [4]Zweifel.
영령(英靈) die abgeschiedene Seele, –n; der Geist e–s Toten*〔von Toten*〕.
영롱(玲瓏) ～하다 klar 〔rein; klar u. hell〕 (sein).
영리(怜悧) ～하다 klug〔gescheit; scharf(–sinnig)〕(sein). ¶ ～한 체하지 마라 Weg mit d–r Klügelei!
영리(營利) (Geld)erwerb *m*. –(e)s, –e. ‖ ～ 사업 das gewinnbringende Unternehmen, –s, –.
영림(營林) Forst·wirtschaft *f*. –en. 〔–kultur *f*. –en; –wesen *n*. –s, –〕.
영마루(嶺—) der Höhepunkt des Bergpasses.
영매(令妹) Ihr Fräulein Schwester, –es –s –, –e – –n. –s, ..dien.
영매(靈媒) das spiritistische Medium, –s, ..dien.
영면(永眠) der ewige Schlaf, –(e)s. ～하다 zur (ewigen) Ruhe (ein|)gehen*.
영명(英明) ～하다 weise 〔scharfsinnig; hochbegabt〕(sein).
영묘(靈妙) ～하다 mysteriös 〔geheimnisvoll; orakelhaft; okkult〕(sein).
영문 《뜻》 Bedeutung *f*. –en; Anlaß *m*. ..lassses, ..lässe. ¶ 어찌된 ～이냐 Was soll denn das (eigentlich) heißen? / ～ 모르고 ohne allen Anlaß.
영문(英文) der englische (Auf)satz, –es, ⸗e; Englisch *n*. –(s). ¶ ～으로 번역하다 ins Englische übersetzen[4]. ‖ ～학과 die Abteilung der englischen Literatur.
영문(營門) Baracken〔Kasernen〕tor *n*. –(e)s, –e.
영물(靈物) das spirituelle Dasein, –s.
영미(英美) Angloamerika *n*. –s; England u. Amerika. ～의 angloamerikanisch.
영민(英敏) ～하다 scharfsinnig 〔klug; einsichtig〕(sein).
영봉(靈峰) der heilige 〔geheiligte〕 Berg, –(e)s, –e.
영부인(令夫人) Ihre Frau Gemahlin. ¶ 대통령 ～ Flau Präsident.
영빈관(迎賓館) Gästehaus *n*. –es, ⸗er.
영사(映寫) Vorführung *f*. –en. ‖ ～기 Vorführapparat *m*. –(e)s, –e / ～실 Vorführraum *m*. –(e)s, ⸗e.
영사(領事) Konsul *m*. –s, –n. ‖ ～관 Konsulat *n*. / 총～ Generalkonsul.
영상(映像) (Spiegel)bild *n*. –(e)s, –er; Silhouette *f*. –n.
영상(零上) über Null.
영상(領相) 〖史〗 Premier *m*. –s, –s; Premierminister *m*. –s, –.
영생(永生) das ewige Leben, –s; Immortalität *f*. ～하다 ewig leben.
영선(營繕) Bau u. Reparatur. ～하다 (auf|)bauen[4] u. reparieren[4].
영성(靈性) Geistigkeit *f*. –en; das Seelische*, –n.
영성체(領聖體) 〖가톨릭〗 heilige Kommunion, –en.
영세(永世) Ewigkeit *f*. –en. ‖ ～ 불망 die unendliche Erkenntlichkeit, –en / ～ 중립국 der auf ewig neutralisierte Staat, –(e)s, –en.
영세(零細) ～하다 gering 〔geringfügig; unbedeutend〕(sein). ‖ ～ 기업 Kleinbetrieb *m*. –(e)s, –e / ～민 Kleinbürger *m*. –s, –.
영속(永續) Dauerhaftigkeit *f*. das Fortbestehen*, –s. ～하다 lange (fort|)dauern; aus|halten*.
영솔(領率) ～하다 das Kommando führen; leiten[4].
영수(領收) Empfang *m*. –(e)s, ⸗e; Erhalt *m*. –(e)s. ～하다 empfangen*[4]. ‖ ～증 Empfangsschein *m*. –(e)s, –e.
영수(領袖) Führer *m*. –s, –; die führenden Männer (*pl*.).
영시(英詩) die englische Poesie 《총칭》.
영시(零時) 0 Uhr; 12 Uhr nachts; 24 Uhr.
영식(令息) *js*. Sohn *m*. –(e)s, ⸗e; Ihr Herr Sohn, –es –n –(e)s, –e –en ⸗e《당신의》.
영아(嬰兒) das neugeborene Kind, –(e)s, –er; Kleinstkind *n*.
영악(獰惡) ～하다 wild 〔grausam〕 (sein).
영악하다 klug 〔gescheit〕 (sein).
영애(令愛) 《당신의》 Ihr Fräulein Tochter, –es –s –.
영약(靈藥) Wundermittel *n*. –s, –; Elixier *n*. –s, –e.
영양(令孃) ＝영애(令愛).
영양(羚羊) 〖動〗 Antilope 〔Gemse〕 *f*. –n.
영양(榮養) Ernährung〔Nahrung〕 *f*. –en. ¶ ～ 있는 nahrhaft; nährend. ‖ ～가

Nährwert *m.* –(e)s, –e / ~ 불량〔실조〕 Unterernährung *f.* –en / ~사 der Praktiker der Diätetik / ~식 die nahrhafte Speise, –n.

영어(囹圄) Gefängnis *n.* –ses, –se. ¶~의 몸이 되다 ins Gefängnis kommen*.

영어(英語) Englisch *n.* –(s); das Englische*, –n; die englische Sprache. ¶~로 auf Englisch.

영업(營業) Gewerbe *n.* –s, –. ~하다 ein Geschäft betreiben*. ‖~세 Gewerbesteuer *f.* –n / ~소 Geschäftsstelle *f.* –n / ~ 시간 Geschäftsstunden(*pl.*).

영역(英譯) die englische Übersetzung, –en 〔Übertragung, –en; Wiedergabe, –n〕. ~하다 ins Englische übersetzen[4] 〔übertragen*[4]〕.

영역(領域) Bereich *m.* 〔*n.*〕 –(e)s, –e; Gebiet *n.* –(e)s, –e.

영역(靈域) der heilige Distrikt, –(e)s, –e.

영영(永永) ewig; immerwährend; (부정) durchaus nicht. ¶~ 조국을 떠나다 sein Vaterland auf ewig verlassen*.

영예(榮譽) Ehre *f.* –n; Beehrung *f.* –en. ~롭다 ruhmvoll 〔glorreich〕 (sein).

영욕(榮辱) Ehre u. Schande.

영웅(英雄) Held *m.* –en, –en. ~적(인) heldenhaft. ‖~숭배 Heldenverehrung *f.* –en.

영원(永遠) Ewigkeit *f.* –en. ~하다 ewig 〔bleibend〕 (sein). ¶~히 für immer; (auf) ewig.

영위(營爲) ~하다 verwalten[4]; tun*[4]; betreiben*[4]; führen[4].

영유(領有) Besitz *m.* –es; Besitznahme *f.* ~하다 besitzen*[4]; als Eigengut inne|haben*[4].

영육(靈肉) Leib und Seele; Körper und Geist. ‖~일치 die Einigkeit von Leib u. Seele.

영일(寧日) Ruhetag *m.* –(e)s, –e. ¶거의 ~이 없다 Ich habe kaum noch ruhige Tage.

영자(英字) die englischen〔europäischen〕 Buchstaben (*pl.*).

영자(英姿) e–e herrliche Figur, –en. ¶그의 ~가 나타난다 S–e heilige Gestalt zeigt sich.

영장(令狀) (der schriftliche) Befehl, –(e)s, –e; Haftbefehl *m.* ¶체포 ~을 발부하다 e–n Haftbefehl gegen *jn.* erlassen*. ‖구속 ~ der schriftliche Befehl zur Verhaftung.

영장(靈長) Krone *f.* –n. ¶인간은 만물의 ~이다 Der Mensch ist die Krone aller Schöpfungen. ‖~류 Primaten (*pl.*).

영재(英才) (재능) Geistesfunke(n) *m.* ..kens, ..ken; (사람) Genie *n.* –s, –s. ‖~반 Begabtenklasse *f.* –n.

영전(榮轉) die ehrenvolle Versetzung, –en (*in*[4]). ~하다 mit Ehren in e–e höhere Stellung befördert u. ersetzt werden.

영전(靈前) ein Altar für den Seligen*. ¶~에 바치다 für e–n Seligen* dar|bringen*[4] 〔opfern[4]〕.

영점(零點) (점수) Null *f.* –en; Nullpunkt *m.* –(e)s, –e.

영접(迎接) ~하다 *jm.* Ehre bezeigen; entgegen|jubeln[3]; *jn.* willkommen heißen*.

영정(影幀) der Rahmen des Porträts.

영제(令弟) Ihr Bruder *m.* –s, ¨; Ihr Herr jünger Bruder.

영조물(營造物) Bau *m.* –(e)s, –ten; Baulichkeit *f.* –en.

영존(永存) ~하다 lange (aus|)dauern bleiben*.

영주(永住) das ständige Wohnen*, –s; Ansässigkeit *f.* ~하다 ständig wohnen (*in*[3]). ‖~권 Recht der Bewohnerschaft.

영주(領主) Fürst *m.* –en, –en; Leh(e)nsherr *m.* –n, –en (봉건 영주).

영지(領地) (봉토) Leh(e)n *n.* –s, –.

영지(靈地) das Heilige Lnad, –(e)s, ¨er (팔레스티나); der heiliege 〔geheilgte; geweihte〕 Ort, –(e)s, –e.

영진(榮進) ~하다 befördert 〔im Rang erhöht〕 werden (*zu*[3]).

영창(詠唱) Arie *f.* –n; Beehrung *f.* –en.

영창(營倉) Arrest·gebäude *n.* –s, – 〔–haus *n.* –es, ¨er〕.

영철(英哲) ~하다 klug 〔weis; scharfsinnig〕(sein).

영치(領置) Einziehung *f.* –en; Beschlagnahme *f.* –n. ~하다 ein|ziehen*[4]; Beschlag legen (*auf*[4]). ‖~물 das beschlagene Gut, –(e)s, ¨er.

영탄(咏嘆) (읊조림) Rezitation *f.* –en. ~하다 rezitieren.

영토(領土) (Herrschafts)gebiet *n.* –(e)s, –e; Territorium *n.* –s, ..rien. ‖~권 Territorialrecht *n.* –(e)s, –e.

영특(英特) ~하다 hervorragend 〔ausgezeichnet; weis; klug〕(sein).

영패(零敗) Nullspiel *n.* –(e)s, –e; Nullpartie *f.* –n. ~하다 ohne Punktgewinn 〔punktlos〕 verlieren*[4].

영하(零下) unter Null.

영한(英韓) ~의 englisch-koreanisch. ‖~ 사전 das englisch-koreanische Wörterbuch, –(e)s, ¨er.

영합(迎合) Willfährigkeit *f.* –en. ~하다 entgegen|kommen*[3].

영해(領海) Territorialmeer *n.* –(e)s, –e.

영향(影響) Einfluß *m.* ..flusses, ..flüsse; (Nach)wirkung *f.* –en. ¶~을 미치다 Einfluß (aus|)üben (*auf*[4]); beeinflussen[4].

영혼(靈魂) ☞ 영. ‖~ 불멸 die Unsterblichkeit der Seele.

영화(映畫) Film *m.* –s, –e; Kino *n.* –s, –s. ¶~보러 가다 ins Kino gehen* / ~화하다 verfilmen[4]. ‖~ 감독 Filmregisseur *m.* –s, –e / ~관 Kino *n.* –s, –s / ~ 배우 Filmschauspieler *m.* –s, – / ~팬 Filmfreund *m.* –(e)s, –e; Kinonarr *m.* –en, –en / 뉴스 ~ (주간) Wochenschau *f.* –en / 문화〔기록〕 ~ Kultur〔Dokumentar〕film *m.*

영화(榮華) Herrlichkeit *f.* –en; Glanz *m.* –es. ~롭다 glanzvoll 〔herrlich〕 (sein). ¶~를 누리다 auf großem Fuße leben.

옆 Seite *f.* –n; (가까이) Nähe *f.*; Nachbarschaft *f.* –en. ¶~에 in der Nähe von; bei[3]; neben[34]; seitwärts[2].

옆구리 Seite *f.* –n.

옆길 Ab〔Neben; Seiten〕weg *m.* –(e)s, –e; Abschweifung *f.* –en.

옆바람 Seitenwind *m.* -(e)s, -e.
옆질 das Rollen* 〔Schlingern*〕, -s. ～하다 rollen; schlingern.
옆집 das nächste Haus, -es, ¨er. ‖ ～사람 Nachbar *m.* -n〔-s〕, -n; Nachbarin *f.* -nen 《여자》.
예¹ 《옛적》 ¶예로부터 seit alten〔undenklichen〕 Zeiten; seit 〔von〕 alters her.
예² 《대답》 Ja(wohl)!; 《출석했을 때》 Hier!
예(例) Beispiel *n.* -(e)s, -e; 《관례》 Gepflogenheit *f.* -en; 《선례》 Präzedenzfall *m.* -(e)s, ¨e. ¶예를 들면 zum Beispiel 《略 : z. B.》 / 예를 들다 ein Beispiel zu ³*et.* an|führen.
예(禮) ① 《인사》 Gruß *m.* -es, ¨e; Salut *m.* -(e)s, -e 《경례》. ② 《예의》 (die guten) Umgangsformen(*pl.*); Etikette *f.* -en. ¶예를 다하다 *jm.* e-e Höflichkeit erweisen*〔bezeigen〕.
예각(銳角) 〔數〕 der spitze Winkel, -s, -.
예감(豫感) (Vor)ahnung *f.* -en. ～하다 es ahnt 《*jm.*》; ahnen⁴. ¶그녀의 ～이 들어맞았다 Ihre Ahnung hat sich erfüllt.
예견(豫見) ～하다 voraus|sehen*⁴; erwarten⁴.
예고(豫告) vorherige Bekanntgabe, -n; Voranzeige *f.* -n; Vorankündigung *f.* -en. ～하다 im voraus bekannt|geben*⁴; an|kündigen⁴; an|sagen⁴. ‖ ～편 《영화의》 Voranzeige im Kinoprogramm / 신간 ～ Ankündigung der ²Neuerscheinungen.
예과(豫科) Vorbereitungskursus *m.* -, ..kurse 《예비 과정》; Vorbereitungsschule *f.* -n 《예비 학교》.
예광탄(曳光彈) 〔軍〕 Lichtspurgeschoß *n.* ..schosses, ..schosse.
예규(例規) die bestehende Regel, -n.
예금(預金) Depositum *n.* -s, ..ten; Geldeinlage *f.* -n. ～하다 Geld nieder|legen〔hinter|-; deponieren〕. ‖ ～통장 Bankbuch *n.* -(e)s, ¨er / 정기～ langfristige Geldeinlage.
예기(銳氣) der feurige Geist, -es; Feuer *n.* -s. ¶～를 꺾다 mutlos stimmen 《*jn.*》.
예기(豫期) Erwartung〔Hoffnung〕 *f.* -en. ～하다 erwarten⁴; rechnen 《*mit*³》; voraus|sehen*⁴. ¶～한 대로 wie erwartet.
예년(例年) ～의 jährlich; des gewöhnlichen Jahres. ¶～대로 wie jedes Jahr.
예능(藝能) die Kunstfertigkeiten (*pl.*); das künstlerische Talent, -(e)s, -e; das Künstlerische*, -s. ‖ ～교육 die künstlerische Erziehung, -en.
예도(藝道) Kunst *f.* ¨e; Kunstfertigkert *f.* -en.
예라 《그만 둬라·비켜라》 Höre auf!; Weg!; 《결심·체념》 gut; wohl; nun gut.
예리(銳利) ～하다 scharf 〔schneidend; einschneidend〕 (sein).
예매(豫賣) Vorverkauf *m.* -(e)s, ¨e. ～하다 im 〔zum〕 voraus verkaufen⁴. ‖ ～권 Vorverkaufskarte *f.* -n.
예명(藝名) Künstlername *m.* -ns, -n; Pseudonym *n.* -s, -e.
예모(禮貌) Höflichkeit *f.* -en; Etikette *f.* -n.
예물(禮物) Geschenk *n.* -(e)s, -e; Gabe *f.* -n.
예민(銳敏) ～하다 《재지》 scharf (sein); 《감각》 fein〔empfindlich〕(sein).
예바르다(禮—) höflich 〔anstandsvoll; artig; fein〕 (sein).
예방(豫防) Vorbeugung 〔Verhütung Prävention〕 *f.* -en; 《주의》 Vorsicht *f.* -en. ～하다 vor|beugen³; vor|bauen³. ‖ ～약 Vorbeugungsmittel *n.* -s, - / ～접종 e-e vorbeugende Impfung, -en / ～주사 Vorbeugungs〔Präventiv〕injektion *f.* -en.
예방(禮訪) ～하다 e-n Höflichkeitsbesuch machen 《*bei*³》.
예배(禮拜) Gottesdienst *m.* -es, -e; Kultus *m.* -e, ..te. ～하다 ehren; 《교회에서》 e-n Gottesdienst ab|halten*. ‖ ～당 Kapelle 〔Kultstätte〕 *f.* -n.
예법(禮法) Etikette *f.* -n; die Manieren (*pl.*).
예보(豫報) ～하다 vorher|sagen⁴; prognostizieren. ‖ 일기 ～ Wetterprognose 〔Wettervorhersage〕 *f.* -n; 《라디오의》 Wetteransage *f.* -n.
예복(禮服) Galakleid *n.* -(e)s, -er; Gesellschaftsanzug *m.* -(e)s, ¨e.
예봉(銳鋒) der heftige Anstoß, -(e)s, ¨e; der Brennpunkt des Angriffs. ¶적의 ～을 꺾다 den Angriff des Feindes ab|schwächen.
예비(豫備) Vorbereitung *f.* -en; Reserve *f.* -n. ¶…의 ～가 있다 ⁴*et.* vorrätig haben; ⁴*et.* in Reserve haben. ‖ ～군 Reservearmee *f.* -n / ～역 Reservedienst *m.* -es, -e / ～지식 Vorkenntnisse(*pl.*) / ～품 Reserveteil *m.* -(e)s, -e; 《저장품》 Vorrat *m.* -(e)s, ¨e / 향토 ～군 Lokal·reserve〔-armee〕 *f.*
예쁘다 schön〔hübsch; niedlich; lieblich; nett; reizend〕(sein).
예쁘장하다 lieblich 〔zierlich; niedlich; nett; gut aussehend〕(sein).
예사(例事) (Ge)brauch *m.* -(e)s, ¨e; Gewohnheit *f.* -en; Herkommen *n.* -s. ¶그것은 ～ 일이 아니다 Das ist nichts Gewöhnliches 〔Unbedeutendes〕.
예사롭다(例事—) täglich〔alltäglich; gewöhnlich〕(sein). ¶예사로운 일 das alltägliches Ereignis, -ses, -se.
예산(豫算) Budget *n.* -s, -s; (Staats)etat *m.* -s, -s; Voranschlag *m.* -(e)s, ¨e; Überschlag. ～하다 schätzen⁴; rechnen⁴. ‖ ～안 Budget / ～편성 Etataufstellung *f.* -en.
예상(豫想) Vermutung *f.* -en; Annahme *f.* -n; Voraussicht *f.* ～하다 erwarten⁴; vermuten⁴; an|nehmen*; voraus|sehen*⁴. ¶～대로 wie erwartet / ～외로 unerwartet / ～이상으로 über ⁴Erwarten.
예선(豫選) Vorwahl *f.* -en; 《경기의》 Vorkampf *m.* -(e)s, ¨e; Vorrunde *f.* -n. ¶～을 통과하다 ⁴sich als Sieger im Vorkampf heraus|stellen.
예속(隷屬) Unterordnung *f.*; Unterstellung *f.* -en. ～하다 ⁴sich *jm.* unter|ordnen〔unterwerfen*; unterstellen〕.
예수 Jesus Christus. ‖ ～교 Christentum *m.* -s, -.
예순 sechzig.
예술(藝術) Kunst *f.* ¨e. ～적 künstlerisch; ästhetisch. ‖ ～가 Künstler *m.*

-s, - / ~품 Kunstwerk *n.* -(e)s, -e; (공예품) Kunstware *f.* -n.

예스럽다 altmodisch〔veraltet; überholt; antiquarisch; obsolet〕(sein).

예습(豫習) Vorbereitung 〔Vorübung〕 *f.* -en. ~하다 [4]sich vor|bereiten 《*auf*[4]; *für*[4]》; vor|üben[4].

예시(例示) Erläuterung durch Beispiele. ~하다 beispielhaft veranschaulichen[4]; an e-m Beispiel erklären[4].

예시(豫示) Andeutung *f.* -en; Hinweis *m.* -es, -e. ~하다 an|deuten; hin|weisen 《auf [4]*et.*》.

예식(例式) Formular *n.* -s, -e.

예식(禮式) 《예법》 gesellschaftliche Umgangsformen (*pl.*); 《의식》 Zeremonie *f.* -n; Ritus *m.* -, ..ten 《종교의》. ‖ ~장 die Halle für die Hochzeitszeremonie.

예약(豫約) Vorbestellung 〔Reservierung〕 *f.* -en; Subskription *f.* -en 《서적의》; Abonnement *n.* -s, -s 《신문·잡지 따위의》. ~하다 subskribieren[4]; abonnieren[4]; vor|bestellen[4]; 《좌석을》 reservieren[4]. ‖ ~금 Subskriptionsgeld *n.* / ~자 Subskribent *m.* -en, -en.

예언(豫言) Prophezeiung *f.* -en; Voraussage *f.* -n; Weis〔Vorher〕sagung *f.* -en. ~하다 prophezeien[4]; weissagen[4]. ‖ ~자 Prophet *m.* -en, -en; Weissager *m.* -s, -.

예외(例外) Ausnahme *f.* -n. ¶ ~로서 ausnahmsweise; ausgenommen / ~ 없이 ausnahmslos / …은 ~로 하다 e-e Ausnahme machen 《*mit*[3]; *bei*[3]》; aus|nehmen*[4].

예우(禮遇) die respektvolle Behandlung; die höfliche Aufnahme. ~하다 respektvoll behandeln[4]; höflich empfangen*[4]. ¶ ~를 받다 höflich 〔herzlich〕 empfangen werden.

예의(銳意) 〖副詞的〗 eifrig; eifernd; emsig; allen [2]Ernstes. ¶ ~ 검토하다 in vollem Ernst untersuchen[4].

예의(禮儀) Anstand *m.* -(e)s, ⸚e; Höflichkeit *f.* -en; 《예법》 die guten Umgangsformen (*pl.*); Etikette *f.* -n. ¶ ~바른 höflich; artig; schicklich / ~상 aus Höflichkeit; anstandshalber / ~를 지키다 den Anstand 〔das Dekorum〕 wahren.

예인선(曳引船) Schlepper *m.* -s, -; Schleppboot *n.* -(e)s, -e.

예장(禮裝) ~하다 Zermonietracht an|ziehen*.

예전 frühere 〔alte〕 Zeit. ~의 früher; vorig. ¶ ~부터 von alters her.

예절(禮節) Sitte *f.* -n; Anstand *m.* -es, ⸚e; Manieren (*pl.*); Etikette *f.* -n. ¶ ~을 중시하다 großen Wert auf die guten Manieren legen.

예정(豫定) Vorbestimmung *f.* -en; 《계획》 Plan *m.* -(e)s, ⸚e; Programm *n.* -s, -e. ~하다 vorher|bestimmen[4]; planen[4]. ¶ ~대로 planmäßig; wie vorher bestimmt.

예제(例題) Beispiel *n.* -s, -e; Aufgabe *f.* -n.

예증(例證) die Erläuterung durch Beispiele; Exemplifikation *f.* -en.

예지(叡智) Weisheit *f.* -en; Lebenserfahrung *f.* -en; Intelligenz *f.* -en.

예진(豫診) 〖醫〗 e-e medizinische Voruntersuchung. ~하다 e-e medizinische Voruntersuchung durch|führen.

예찬(禮讚) Lob *n.* -(e)s; Lobpreisung *f.* -en. ~하다 loben[4]; lobpreisen(*)[4].

예측(豫測) das Voraussehen*, -s; Vermutung *f.* -en. ~하다 im voraus ahnen[(4)]; voraus|sehen*[4]; rechnen 《*mit*[3]》. ¶ ~을 불허하는 unberechenbar.

예탁(預託) ~하다 deponieren[4]; hinter|legen[4]. ‖ ~금 Depositgeld *n.* -(e)s, -er.

예편(豫編) ~하다 die Militär-Uniform ab|legen; Reservist werden.

예포(禮砲) Salve *f.* -n; Salut *m.* -(e)s, -e. ¶ ~를 쏘다 e-e Salve ab|feuern; Salut schießen*.

예행연습(豫行練習) Probe *f.* -n. ¶ ~을 하다 ein|üben[4]; e-e Generalprobe (ab|-) halten* 〔spielen〕 《연극의》.

예후(豫後) 《병후 경과》 Prognose *f.* -n; Rekonvaleszenz *f.* -en.

옛 alt; aus alter Zeit; 《고대의》 altertümlich.

옛날 《고대》 Altertum *n.* -(e)s; die alte Zeit; 《이전》 die früheren〔vergangenen〕 Jahren (*pl.*). ¶ ~에 in alten Zeiten; vor langer Zeit; 《이전》 früher; einmal.

옛이야기 die alte Geschichte, -n.

오가다 kommen* u. gehen*; hin u. her gehen*; auf u. ab wandern.

오각(五角) Fünfeck *n.* -(e)s, -e. ‖ ~형 Fünfeck *n.* -(e)s, -e; Pentagon *n.* -s, -e.

오갈들다 《두려워》 [4]sich ducken; kriechen*.

오감(五感) die fünf Sinne (*pl.*).

오감스럽다 leichtsinnig〔unbedacht; täppisch; launenhaft〕(sein).

오계(五戒) 〖佛〗 die fünf Gebote des Buddhismus.

오곡(五穀) die fünf Getreidearten (*pl.*); Getreide *n.* -s, -《총칭》.

오관(五官) die fünf Sinnesorgane (*pl.*).

오구(烏口) Reiß〔Zieh〕feder *f.* -n; Tintenzirkel *m.* -s, -.

오그라들다 [4]sich zusammen|ziehen*; zusammen|schrumpfen; [4]sich ducken.

오그라지다 ① 《오그라들다》 zusammen|schrumpfen. ② 《찌그러지다》 verbogen 〔gekrümmt〕 sein. ¶ 오그라진 냄비 ein verbogener Topf, -(e)s, ⸚e.

오그랑장사 schlechte Geschäfte (*pl.*).

오그리다 ① 《신체를》 hocken; [4]sich zusammen|kauern. ¶ 몸을 오그리고 자다 gekrümmt 〔gebückt〕 schlafen*. ② 《물건을》 drücken[4]; (zer)quetschen[4].

오글거리다 《벌레 등이》 wimmeln. ¶ 개미가 ~ Es wimmelt von Ameisen.

오금 die Innenkurve der Knie〔des Ellbogens〕. ¶ ~을 못 펴다 [4]sich nicht bewegen; 《比》 [4]sich einschüchtern lassen*.

오금뜨다 [4]sich immer bewegen (ohne Ruhe).

오금박다 *jn.* in die Sackgasse drängen.

오기(誤記) Schreibfehler *m.* -s, -. ~하다 [4]sich verschreiben*; falsch schreiben*[4].

오기(傲氣) 《지기 싫어하는》 Selbstbewußtsein *n.* -s; Herrschsucht *f.* ¶ ~가 나서 aus Trotz.

오나가나 immer; ununterbrochen; dauernd. ¶ 그는 ~ 말썽이다 Er bereitet uns immer Schwierigkeiten.

오뇌(懊惱) Qual *f.* -en; Herzeleid *n.* -(e)s. ～하다 Qualen empfinden*.

오누이 ＝남매(男妹).

오늘 heute; dieser Tag; heutiger Tag.

오늘날 Gegenwart *f.*; Jetztzeit *f.*; 〖副詞的〗 heutzutage; gegenwärtig.

오다 ① 《일반적으로》 kommen*. ② 《다가옴》 her|kommen*. ③ 《도착》 an|kommen*. ④ 《비가》 es regnet; 《눈이》 es schneit; 《우박이》 es hagelt.

오다가다 《어쩌다가》 ab u. zu; gelegentlich; bei Gelegenheit. ¶ ～ 만난 부부 das bei e-r Gelegenheit getroffene Paar.

오대양(五大洋) die Fünf Seen 〔Ozeane〕 (*pl.*).

오대주(五大洲) die Fünf Kontinenten 〔(Erdteile)(*pl.*).〕

오독(誤讀) Verlesung *f.* -en; falsche Interpretation, -en. ～하다 ^{4}sich verlesen*^{4}; falsch interpretieren^4 《오해》.

오동나무(梧桐―) 〖植〗 Paulownia *f.* ..nien; Kaiserbaum *m.* -(e)s, ⸚e.

오두막(―幕), 오두막집 Hütte *f.* -n.

오들오들 zitternd; bebend; erschrocken. ¶ 추워서〔무서워서〕 ～ 떨다 vor Kälte 〔vor Furcht〕 zittern.

오디 Maulbeere *f.* -n.

오디션 Hörprobe *f.* -n. ¶ TV의 ～을 받다 ^{4}sich e-r Hörprobe unterziehen*.

오뚝이 Stehaufmännchen *n.* -s, -.

오라 《포승》 Fesseln (*pl.*); Kette *f.* -n. ¶ ～로 묶다 fesseln(*jn.*); binden*(*jn.*).

오라버니 der ältere Bruder e-s Mädchens.

오라토리오 〖樂〗 Oratorium *n.* -s, ..rien.

오락(娛樂) Belustigung 〔Vergnügung; Unterhaltung; Erholung〕 *f.* -en. ‖ ～시설 Vergnügungseinrichtung *f.* -en.

오락가락하다 kommen* u. gehen*; ^{4}sich auf u. ab 〔hin u. her〕 bewegen. ¶ 구름이 ～ Wolken schweben am Himmel.

오랑캐꽃 Veilchen *n.* -s, -; Stiefmütterchen *n.* -s, -.

오래 《동안》 lange; lange Zeit^4. ¶ 오랜만에 nach langer Zeit / ～전에 vor langen Jahren / ～ 계속되다 lange dauern / ～ 걸리다 lange Zeit (er)fordern.

오래가다 dauern; (^{4}sich) halten*; aus|halten*.

오래다 lang 〔lange bestehend〕 (sein).

오렌지 Orange [orɑ́:ʒə] *f.* -n; Apfelsine *f.* -n. ¶ ～색의 orange; orangenfarbig. ‖ ～ 주스 Orangensaft *f.* -en.

오로라 Aurora *f.* -s.

오로지 ausschließlich; gänzlich; bloß; nur; 《전심》 mit ganzer Seele. ¶ ～ 공부에만 열중한다 Er widmet sich nur dem Studium.

오롯하다 vollkommen 〔vollständig; völlig; ganz; genug; reichlich〕 (sein).

오류(誤謬) Fehler *m.* -s, -; Irrtum *m.* -(e)s, ⸚er. ¶ ～를 범하다 den Fehler machen.

오륜(五倫) die fünf Sittenkodex des 〔Konfuzianismus.〕

오르간 Orgel *f.* -n 《파이프 오르간》; Harmonium *n.* -s, ..nien 《풍금》.

오르다 (auf|)steigen*; auf|gehen*; 《승진》 auf|steigen*; 《화제 따위에》 eingebracht werden; 《기재》 eingetragen werden; stehen; 《액수가》 betragen*^{4}; 《전염》 ^{4}sich an|stecken. ¶ 계단을 ～ die Treppe (hin)auf|steigen*.

오르막 steigender Abhang, -(e)s, ⸚e; Steilhang *m.* -(e)s, ⸚e 《가파른》.

오른 recht. ¶ ～손 die rechte Hand, ⸚e / ～팔 der rechte Arm, -(e)s, -e.

오른쪽 auf der rechten Seite; die rechte Seite; rechts.

오름세(―勢) die steigende Tendenz der Preise; Haussebewegung *f.* -en 《특히 증권의》.

오리 〖動〗 (Wild)ente *f.* -n; 《집오리》 Hausente. ‖ ～ 사냥 Entenfang *m.* -(e)s, ⸚e.

오리(汚吏) der bestechliche 〔käufliche〕 〔Beamte*, -n, -n.〕

오리나무 〖植〗 Erle 〔Else〕 *f.* -n.

오리다 heraus|schneiden*^{4}; in Streifen schneiden*^{4}. ¶ 가위로 종이를 ～ mit der Schere Papier in Streifen schneiden*.

오리목(―木) 〖建〗 (Dach)latte *f.* -n.

오리무중(五里霧中) im Finstern tappend (*nach*^{3}); ^{3}sich k-n Rat wissend; ^{3}sich nicht zu helfen wissend.

오리엔테이션 Orientierung *f.* -en.

오막살이 Grashütte *f.* -n.

오만(傲慢) Hoch〔Über〕mut *m.* -(e)s; Anmaßung *f.* -en. ～하다 übermütig 〔stolz; anmaßend; hochmütig〕 (sein).

오매불망(寤寐不忘) das Erinnern* im Erwachen od. im Schlaf. ～하다 ^{4}sich beständig an *jn.* erinnern.

오명(汚名) Schandfleck *m.* -(e)s, -e; Schande *f.* -n; Schimpf *m.* -(e)s, -e; Schmach *f.* ¶ ～을 씻다 s-e Ehre wieder|her|stellen; den Fleck auf s-m Ruf aus|wischen.

오목렌즈 Konkavlinse *f.* -n.

오목하다 konkav〔hohl; gehöhlt; vertieft〕 (sein).

오묘하다(奧妙―) tiefsinnig 〔bedeutsam; überirdisch; wundersam〕 (sein).

오물(汚物) Dreck *m.* -(e)s; Müll *m.* -(e)s; Kot *m.* -(e)s.

오므라들다 kleiner 〔enger; schmäler〕 werden.

오므리다 ein|ziehen*^{4}; zurück|ziehen*^{4}; 〔schließen*^{4}.〕

오믈렛 Omelette *f.* -n.

오밀조밀(奧密稠密) ～하다 ① 《의장(意匠)이》 übergenau 〔peinlich genau; penibel〕 (sein). ② 《솜씨가》 sorgfätig 〔kunstvoll〕 (sein).

오발(誤發) Schuß aus Versehen; Fehlschuß *m.* ..sses, ..schüsse. ～하다 aus Versehen schießen*$^{(4)}$; fehl|schießen*$^{(4)}$.

오밤중(―中) die tiefste Nacht; 〖副詞的〗 mitten in der ^{3}Nacht; mitternachts.

오버랩 《영화·TV》 Überblenden *n.* -s; Überschneidung *f.* -en. ～하다 überblenden^4 《…시키다》; ^{4}sich überschneiden* (*mit*^{3}).

오버코트 Mantel *m.* -s, ⸚; Überzieher 〔*m.* -s, -.〕

오버타임 Überarbeit *f.* -en; Überstunde *f.* -n 《초과 근무》.

오보(誤報) die falsche Nachricht, -en 〔Information, -en〕; der falsche Bericht, -(e)s, -e. ～하다 falsch berichten^4 〔informieren^4〕.

오보에 〖樂〗 Hoboe *f.* –n.
오붓하다 reich 〔gemütlich; solid〕 (sein). ¶오붓하게 살다 ungestört für sich leben; bequem leben 《넉넉하게》.
오븐 Backofen *m.* –s, ⸚.
오빠 der Bruder e–s Mädchens.
오산(誤算) Verrechnung 〔Verzählung〕 *f.* –en; die falsche Rechnung, –en. ～하다 [4]sich verrechnen; falsch rechnen[4].
오색딱따구리(五色―) 〖鳥〗 Buntspecht *m.* –(e)s, –e.
오색영롱(五色玲瓏) ～하다 bunt (sein). ¶～하게 빛나다 schillern (in allen Regenbogenfarben) 〔buntschillern〕 (sein).
오선지(五線紙) 〖樂〗 Notenpapier *n.* –(e)s, –e.
오성(悟性) Verstand *m.* –(e)s; Intelligenz. *f.*
오소리 〖動〗 Dachs *m.* –(e)s, –e.
오손(汚損) Schaden *m.* –s, ⸚; Beschädigung *f.* –en. ～하다 beschädigen[4]; Schaden an|richten; verderben*[4].
오솔길 der schmale Weg, –(e)s, –e; Steg *m.* –(e)s, –e.
오수(午睡) Mittag(s)schlaf *m.* –(e)s, –; Siesta *f.* ..sten.
오순도순 friedlich; freund(schaft)lich.
오식(誤植) 〖印〗 Druckfehler *m.* –s, –; Fehldruck *m.* –(e)s, –e. ～하다 e–n Druckfehler machen.
오심(誤審) 《재판의》 Fehl·urteil *n.* –(e)s, –e 〔-spruch *m.* –(e)s, ⸚e〕; 《경기의》 die falsche Entscheidung e–s Schiedsrichters.
오싹 schauderhaft; fröstelig; schauerlig; gruselig. ～하다 [4]sich kalt 〔kühl〕 fühlen; vor Kälte zittern.
오아시스 Oase *f.* –n.
오얏 ☞자두.
오역(誤譯) Übersetzungsfehler *m.* –s, –; Fehlübersetzung *f.* –en. ～하다 falsch übersetzen[4]; Übersetzungsfehler machen.
오열(五列) die Fünfte Kolonie, –n; Agent *m.* –en, –en.
오열(嗚咽) das Schluchzen*, –s; Klage *f.* –n; Jammer *m.* –s, –. ～하다 schluchzen; jammern; bitter weinen 〔klagen〕.
오염(汚染) Verschmutzung 〔Besudelung; Verseuchung〕 *f.* –en. ～하다 verschmutzen[4]. ‖ 대기 ～ Luftverschmutzung.
오욕(汚辱) Schande *f.* –n; Schmach *f.*; Demütigung *f.* –en. ¶～을 참다 Schande ertragen*.
오용(誤用) Mißbrauch *m.* –(e)s, ⸚e; der falsche Gebrauch, –(e)s, ⸚e. ～하다 mißbrauchen[4]; falsch gebrauchen[4].
오월(五月) Mai *m.* –(e)s, –e. ¶～의 여왕 Mai·königin *f.* –nen 〔-braut *f.* ⸚e〕.
오유(烏有) ¶～로 돌아가다 in Nichts zurück|kehren; in Flammen auf|gehen*.
오의(奧義) die letzten〔esoterischen〕 Geheimnisse (*pl.*); die geheimnisvollen Prinzipien (*pl.*).
오이 〖植〗 Gurke *f.* –n. ‖ ～지 gepickelte Gurken (*pl.*).
오인(誤認) das Mißkennen*, –s; die falsche Auffassung, –en. ～하다 verkennen*[4]; mißkennen*[4]; falsch auf|fassen*[4].
오일 Öl *n.* –(e)s, –e. ‖ ～스토브 Ölofen *m.* –s, ⸚.
오입(誤入) Ausschweifung 〔Schwelgerei; Liederlichkeit〕 *f.* –en. ‖ ～쟁이 Herzenbrecher 〔Frauenjäger〕 *m.* –s, –; Weiberheld *m.* –en, –en.
오자(誤字) das falsche Schriftzeichen, –s, –; Schreibfehler *m.* –s, –.
오장육부(五臟六腑) Eingeweide (*pl.*); Gedärm *n.* –(e)s, –e.
오전(午前) Vormittag *m.* –(e)s, –e. ¶～에 am Vormittag; des Vormittags 〔Morgens〕.
오점(汚點) Fleck *m.* –(e)s; –e; Makel *m.* –s, –. ¶～을 남기다 e–n (Schand)fleck hinterlassen*.
오존 Ozon *n.* –s. ‖ ～ 발생 장치 Ozonapparat *m.* –(e)s, –e.
오종종하다 《빽빽함》 dicht 〔kompakt〕 (sein); 《옹졸함》 klein 〔kleinig〕 (sein).
오죽 sehr; bestimmt; wirklich; wieviel. ¶～ 기뻐하랴 Wie sehr wird er sich freuen!
오죽잖다 bedeutungslos〔nicht besonders; unwichtig〕 (sein).
오줌 Urin *m.* –s, –e; Harn *m.* –(e)s. ¶～ 마렵다 ein Bedürfnis haben; ein menschliches Rühren fühlen / ～ 누다 harnen; Wasser lassen*〔machen; ab|schlagen*〕.
오지(奧地) das Innere* e–s Landes; Hinterland *n.* –(e)s.
오지그릇 der schwarzbraun farbige Topf, –(e)s, ⸚e.
오직 nur; bloß; ausschließlich; einzig; hauptsächlich.
오진(誤診) 〖醫〗 die falsche Diagnose, –n. 〔Diagnosis, ..nosen〕. ～하다 falsch diagnostizieren[4].
오징어 Tintenfisch *m.* –(e)s, –e. ¶마른 ～ der getrocknete Tintenfisch.
오차(誤差) 〖數〗 Fehler *m.* –s, –; Abweichung *f.* –en 《편차》.
오찬(午餐) Mittag(s)mahl *n.* –(e)s, –e 〔⸚er〕; Lunch *m.* –(es), –e(s). ¶～에 초대하다 zu Mittag ein|laden*.
오카리나 〖樂〗 Okarina *f.* –s.
오케스트라 Orchester *n.* –s, –.
오탁(汚濁) Schmutz 〔Dreck〕 *m.* –(e)s. ～하다 schmutzig 〔dreckig〕 (sein).
오토메이션 Automation *f.* –en. ¶～화하다 automatisieren[4].
오토바이 Motorrad *n.* –(e)s, ⸚er.
오트밀 Haferflocken (*pl.*); Haferflockenschleim〔-brei〕 *m.* –(e)s, –e.
오판(誤判) Fehlurteil *n.* –(e)s, –e; falsch 〔irrige〕 Urteil, –(e)s, –e. ～하다 falsch beurteilen.
오팔 〖鑛〗 Opal *m.* –s, –e.
오페라 Oper *f.* –n. ‖ ～ 가수 Opernsänger *m.* –s, –; Opernsängerin *f.* –nen 《여자》.
오프셋 〖印〗 Offsetdruck *m.* –(e)s, –e.
오한(惡寒) Schüttelfrost *m.* –es, ⸚e. ¶～이 나다 frösteln; Schüttelfrost haben.
오합지졸(烏合之卒) die undisziplinierten Truppen (*pl.*).
오해(誤解) Mißverständnis, *n.* –ses, –se; Mißverstand *m.* –(e)s; Mißdeutung *f.* –en. ～하다 mißverstehen*[4]; übel|nehmen[34]; [4]sich irren 《*in*[3]》.

오호(嗚呼) ach!; weh!; leider!
오후(午後) Nachmittag *m.* -(e)s, -e. ¶~에 am Nachmittag; des Nachmittags; nachmittags.
오히려 《차라리》 vielmehr; lieber; eher; 《도리어》 umgekehrt.
옥(玉) Edelstein *m.* -(e)s, -e ;Jade *m.*; 《보석》 Juwelier *m.* -s, -; Schmuck *m.* -(e)s, -e. ¶옥의 티 《比》 Schönheitsfehler *m.* -s, -.
옥(獄) Gefängnis *n.* -ses, -se; Kerker *m.* -s, -. ¶옥에 가두다 ein|kerkern 《*jn.*》; ins Gefängnis setzen 《*jn.*》.
옥고(玉稿) (Ihr; sein) hochgeschätztes Manuskript, -(e)s, -e.
옥내(屋內) das Innere des Hauses.
옥다 ein bißchen nach innen gebogen.
옥답(沃畓) fruchtbares Reisfeld, -(e)s, ¨er.　「-(e)s, ¨e.」
옥동자(玉童子) ein kostbarer Sohn,
옥란(玉蘭) 〖植〗 die weiße Magnolie.
옥사(獄死) Tod im Gefängnis. ~하다 in Gefangenschaft sterben*.
옥살이(獄―) das Sitzen* hinter den Gittern. ~하다 im Gefängnis sitzen*; hinter den Gittern sitzen*.
옥상(屋上) Dach *n.* -(e)s, ¨er. ¶~에서 auf dem Dach(e). ‖ ~ 정원 Dachgarten *m.* -s, ¨.
옥새(玉璽) Staatssiegel *n.* -s, -; das königliche Siegel.
옥쇄(玉碎) ~하다 e-n ehrenvollen Tod
옥수수 〖植〗 Mais *m.* -es.　「sterben*.」
옥시풀 〖藥〗 Wasserstoffsuperoxyd *n.* -(e)s.
옥신각신하다 scharmützeln; plänkeln; mit *jm.* in Zwist 〔Streit〕 geraten*; streiten.
옥외(屋外) das Freie*, -n.　「-e.」
옥잠화(玉簪花) 〖植〗 Wegerich *m.* -(e)s,
옥좌(玉座) =왕좌.
옥중(獄中) ‖ ~ 일기 ein Gefängnis-Tagebuch *n.* -(e)s, ¨er.
옥타브 〖樂〗 Oktave *f.* -n.
옥탄가(一價) Oktanzahl *f.* -en. ¶~가 높은 von hoher Oktanzahl.
옥토(沃土) fruchbare Erde, -n; fruchtbarer Boden, -s, - 〔¨〕.
옥호(屋號) Firmenname *m.* -ns, -n.
온 《모든》 ganz; voll; alles. ¶온 백성 die ganze Nation; alle Leute / 온 세상 die ganze Welt.
온갖 〖單數名詞와〗 jeder; 〖複數名詞와〗 aller; allerlei; alles; mögliche. ¶~ 수단 jedes Mittel; alle Mittel.
온건(穩健) ~하다 mäßig〔gemäßigt; maßvoll; ausgeglichen; gesund〕(sein). ‖ ~파 die gemäßigte Partei, -en.
온기(溫氣) Wärme *f.*; warme Luft.
온난(溫暖) ~하다 warm u. mild (sein). ¶~한 기후 ein mildes Klima, -s. ‖ ~ 전선 Warmfront *f.* -en.
온당(穩當) ~하다 billig 〔richtig; angemessen〕(sein). ¶~한 말 die geeigneten 〔richtigen〕 Worte (*pl.*).
온대(溫帶) die gemäßigte Zone, -n. ‖ ~ 식물 die Flora der gemäßigten Zone / ~ 지방 das Gebiet der gemäßigten Zone.
온데간데없다 plötzlich verschwinden*.
온도(溫度) Temperatur *f.* -en Wärmegrad *m.* -(e)s, -(e). ‖ ~계 Thermometer *n.* -s, -.
온돌(溫突) die koreanische Fußbodenheizungsanlage, -n.
온라인 ‖ ~시스템 On-line-System 〔ɔ́nlain..〕 *n.* -(e)s, -e (그 계좌는 ~시스템으로 되어 있다 Das Konto ist on-line).
온면(溫麵) heiße Glasnudelsuppe.
온몸 der ganze Körper, -s. ¶그는 ~에 화상을 입었다 Er hat sich den ganzen Körper verbrannt.
온밤 die ganze Nacht. ¶뜬눈으로 ~을 꼬박 새우다 die ganze Nacht kein Auge zu|tun*〔zu|machen〕.
온상(溫床) Treib〔Mist〕beet *n.* -(e)s, -e; Nährboden *m.* -s, -. ¶악의 ~ die Brutstätte des Lasters.
온수(溫水) warmes Wasser, -s, -.
온순(溫順) ~하다 sanftmütig 〔fügsam; gehorsam〕(sein).
온실(溫室) Gewächs〔Treib〕haus *n.* -es, ¨er. ¶~ 재배의 im Treibhaus gezüchtet. ‖ ~ 식물 Treibhauspflanze *f.* -n.
온아(溫雅) ~하다 anmutig〔sanftmütig; graziös〕(sein).　「nachsichtig〕(sein).」
온유(溫柔) ~하다 sanftmütig 〔milde;
온음(一音) 〖樂〗 Ganzton *m.* -(e)s. ‖ ~음계 Ganztonleiter *f.* -n / ~표 e-e ganze Note, -n.　「-(e)s, ¨e.」
온장고(溫藏庫) Thermosschrank *m.*
온전하다(穩全―) gesund〔heil; vollkommen; vollständig〕(sein).
온정(溫情) Warmherzigkeit *f.* -en; Wärme *f.*; Milde *f.* ¶~있는 warmherzig; warm; mild.
온존(溫存) ~하다 auf|bewahren[4]; reservieren[4]; sparen[4].
온종일(一終日) den ganzen Tag.
온채 das ganze Haus, -(e)s, ¨er. ¶~를 세내다 das ganze Haus mieten.
온천(溫泉) e-e heiße Quelle, -n; ein heißes Quellenbad, -(e)s, ¨er. ‖ ~장 (Quellen)badeort *m.* -(e)s, -e.
온탕(溫湯) das heiße Wasser, -s, -〔¨〕.
온통 gänzlich; insgesamt; vollständig; alles; überall. ¶~ 불바다가 되다 völlig in Flammen stehen*.　「-.」
온혈동물(溫血動物) Warmblüter *m.* -s,
온화(溫和) ~하다 mild 〔sanft; ruhig〕 (sein). ¶~한 성품 die ruhige Charakter, -s, -e.
온후(溫厚) ~하다 sanftmütig 〔freundlich〕 (sein). ¶~한 사람 ein sanfter Mensch, -en, -en.
올 Gewebe *n.* -s, -. ¶올이 성긴〔고운〕 직물 die locker 〔fein〕 gewebte Textil.
올가미 Schlinge *f.* -n.
올곧다 ① 《마음이》 aufrecht 〔aufrichtig; ehrlich〕(sein). ② 《줄이》 gerade 〔in gerader Linie〕(sein).
올드미스 e-e alte Jungfer, -n.
올라가다 ① 《높은 데로》 auf|gehen*; auf|steigen*; steigen* 《*auf*[4]》. ② 《지위·명성·봉급 따위가》 auf|streben; empork|kommen*; voran|kommen*;　「men*.」
올라오다 auf|kommen*; hinauf|kom-
올라타다 rittlings sitzen*《*auf*[3]》; auf|-

sitzen*; reiten*. ¶ 말에 ~ ein Pferd besteigen*; aufs Pferd steigen*.

올리다 ① 《위로》 (er)heben*[4]; auf|heben*[4]. ¶ 손을 ~ die Hand erheben*. ② 《지위·비율을》 befördern[4]; erhöhen[4]. ¶ 값을 ~ erhöhen[4]; steigern[4]. ③ 《바치다》 an|bieten*[4] 《jm.》; beschenken 《jn. mit[3]》. ¶ 기도를 ~ ein Gebet sprechen*. ④ 《기록》 [4]sich ein|tragen*. ⑤ 《병을》 ein|stecken[4]; infizieren[4]. ⑥ 《점수·성과·효과를》 ¶ 훌륭한 성과를 ~ gute Ergebnisse erzielen. ⑦ 《소리를》 schreien*; rufen*. ¶ 환성을 ~ vor Freude jauchzen. ⑧ 《식을》 feiern[4]; (e-e Zeremonie) ab|halten*.

올리브 〖植〗 Öl〔Oliven〕baum *m.* -(e)s, ⸚e; Olive *f.* -n 《열매》.

올림표(一標) 〖樂〗 Kreuz *n.* -es, -e 《기호: ♯》.

올림픽 ‖ ~ 경기〔대회〕 Olympische Spiele (*pl.*); Olympiade *f.* -n / ~ 선수촌 das Olympische Dorf, -(e)s.

올망졸망하다 [4]sich zusammen|scharen.

올무 《올가미》 Schleife〔Schlinge〕*f.* -n. ¶ ~로 새를 잡다 mit der Schleife den Vogel fangen*.

올바로 aufrichtig; gerade; 《정직하게》 ehrlich; 《정확히》 genau. ¶ ~ 살다 ein ehrliches Leben führen.

올바르다 aufrichtig 〔ehrlich; redlich〕 (sein).

올밤 Frühkastanie *f.* -n.

올벼 Frühreis *m.* -es.

올봄 der Frühling dieses Jahres.

올빼미 〖鳥〗 Eule *f.* -n. ¶ ~가 울다 E-e Eule heult.

올차다 energisch 〔vital; derb; rüstig〕 (sein).

올챙이 Kaulquappe *f.* -n.

올케 Schwägerin *f.* -nen.

올해 dieses Jahr. ¶ ~는 풍년이다 Dieses Jahr ist sehr fruchtbar.

옭다 ① 《잡아매다》 binden*[4]; befestigen[4]; um|schlingen*[4]. ② 《올가미로》 [4]sich in die Schlinge legen. ③ 《죄를 씌우다》 e-s Vergehens beschuldigen[4].

옭매듭 falscher Knoten, -s, -.

옭아매다 ① 《잡아매다》 zusammen|binden*[4]; ein|schnüren[4]. ¶ 개의 목을 새끼로 ~ den Hals des Hundes binden*. ② 《없는 죄를》 *jn.* e-s Vergehens beschuldigen.

옮기다 ① 《이전》 um|ziehen*; ziehen* 《*in*[4]; *nach*[3]》. ¶ 집을 시골로 ~ das Haus aufs Land um|ziehen*. ② 《이송》 aus|führen[4]; durch|führen[4]. ③ 《감염》 an|stecken. ¶ 감기를 내게 옮겼다 Er hat mich mit s-r Erkältung angesteckt. ④ 《말을》 sein Wort dem anderen weiter geben*. ⑤ 《번역》 übersetzen[4]; übertragen[4].

옮다 ([4]sich) an|stecken; [3]sich zu|ziehen*; angesteckt werden 《*von*[3]》. ¶ 옮기 쉬운 병 die ansteckende Krankheit.

옮아가다 ① 《이사·전근》 um|ziehen*. ② 《퍼지다》 [4]sich verbreiten.

옳다[1] 《일·행동이》 richtig 〔korreckt; recht; billig〕 (sein); 《건전》 gesund (sein). ¶ 옳지 않은 ungerecht; falsch; unehrlich / 옳은 일을 하다 das Richtige* tun* / 네 말이 ~ Du hast recht!

옳다[2] 〖感歎詞〗 OK!; Gut!; Richtig!. ¶ ~ 됐다 Schön, so ist es gut.

옳은길 der richtige Weg, -es, -e. ¶ ~을 가다 den Weg der Gerechtigkeit gehen*.

옳은말 richtiges Wort, -(e)s, ⸚er 〔-e〕; Wahrheit *f.* -en. ¶ ~을 하다 die Wahrheit sagen.

옳지 ＝옳다[2].

옴 〖醫〗 Krätze *f.* -n; Räude *f.* -n 《개·말 따위》. ¶ 옴이 오르다 von den Krätze infiziert werden.

옴 〖物〗 Ohm *n.* -s, -. ¶ 옴의 법칙 das Ohmsche Gesetz, -es, -e.

옴나위 ¶ ~ 없다 Es gibt k-n Spielraum 〔k-e Bewegungsfreiheit〕.

옴쭉달싹 ¶ ~ 않다 schön in die Tinte geraten* / ~ 못하다 weder vorwärts noch rückwarts können*.

옴츠리다 zusammen|ziehen*[4]; verengen[4]; ein|engen[4]. ¶ 목을 ~ den Hals ein|ziehen*.

옴큼 Handvoll *f.* -. ¶ 한 ~의 쌀 e-e Handvoll Reis.

옴폭 hohl; tiefliegend. ~하다 hohl 〔tief〕 (sein). ¶ 눈이 ~하다 die tiefliegenden Augen haben.

옵서버 Beobachter 〔Zuschauer〕 *m.* -s, -.

옷 Kleidung *f.* -en 《총칭》; Kleid *n.* -(e)s, -er; Kleidungsstück *n.* -(e)s, -e; Tracht *f.* -en; Gewand *n.* -(e)s, ⸚er; Kostum *n.* -s, -e; 《제복》 Uniform *f.* -en. ¶ ~을 입다〔벗다〕 das Kleid an|ziehen*〔aus|ziehen*〕.

옷감 Tuch *n.* -(e)s, ⸚er; (Kleidungs)stoff *m.* -(e)s, -e. ¶ ~을 마르다 Kleidstück schneiden*.

옷걸이 Bügel 〔Kleiderhaken〕 *m.* -s, -.

옷고름 Bindfaden *m.* -s, -. ¶ ~을 매다 den Bindfaden binden*.

옷깃 der Kragen des Überziehers. ¶ ~을 여미게 하다 *jn.* mit Ehrfurcht erfüllen.

옷단장(一丹粧) Kleidung *f.* -en; Putz *m.* -es; Dekoration *f.* -en. ~하다 [4]sich (gut) an|kleiden.

옷섶 Zwickel *m.* -s, -; Gehre *f.* -n.

옷자락 Schleppe *f.* -n. ¶ ~ 스치는 소리 das Rauschen von Kleidern.

옷장(一欌) Kommode *f.* -n; (Kleider-)schrank *m.* -(e)s, ⸚e.

옷차림 Kleidung 〔Tracth〕 *f.* -en; Putz *m.* -es.

옹고집(壅固執) Hartnäckigkeit〔Halsstarrigkeit〕 *f.* -en. ¶ ~ 부리다 eigensinnig sein; auf s-m Kopfe bestehen*. ‖ ~쟁이 der Hartnäckige*, -n, -n.

옹골지다 solid(e) 〔hart〕 (sein).

옹골차다 solid(e) 〔kompakt; massiv〕 (sein).

옹기(甕器) die unglasierte Tonware, -n. ‖ ~ 장수 Topfverkäufer *m.* -s, - / ~전 Topfladen *m.* -s, ⸚.

옹기종기 dicht; in Gruppen.

옹달샘 e-e kleine Quelle, -n.

옹립(擁立) ~하다 auf den Thron bringen*[4]; 《떠받듦》 unterstützen[4].

옹색(壅塞) ~하다 ① 《군색함》 arm〔armselig〕 (sein); in Not sein. ¶ ~한 생활을 하다 ein dürftiges [4]Leben führen. ② 《좁다》 eng 〔eingeschränkt〕 (sein). ¶ ~한 방 ein enges Zimmer.

옹생원(壅生員) ein engstirniger Mensch, -en, -en.

옹위(擁衛) ～하다 schützen^4; eskortieren^4.

옹이 Knorren〔Knoten〕 *m.* -s, –; Astloch *n.* -(e)s, ⸚er. ¶～있는 knorrig.

옹졸하다(壅拙—) pedantisch〔engstirnig; klein〕 (sein).

옹호(擁護) ～하다 schützen^4; in ^{4}Schutz nehmen*^{4}; verteidigen^4.

옻 Lack *m.* -(e)s, -e; Lackbaum *m.* -(e)s, ⸚e. ¶옻 오르다 ^{4}sich durch Lack vergiften. ‖옻나무 Lackbaum *m.*

옻칠(—漆) ～하다 lackieren^4.

와 《일제히》 mit e-m Geschrei. ¶와 웃다 in schallendes Gelächter aus|brechen* / 와 놀려대다 *jn.* unter Gejohle necken.

와글거리다 《혼잡》 ^{4}sich scharen〔drängen〕; 《떠들다》 lärmend 〔geräuschvoll〕 sein. ¶와글거리며 떠들어대다 ein starkes Geräusch machen.

와니스 ☞니스.

와닥닥 plötzlich; blitzschnell; auf einmal.

와당탕 geräuschvoll; tobend. ¶아이들이 마루 위를 ～ 뛰어 다닌다 Die Kinder toben auf dem Flur.

와들와들 wie Espenlaub zittern; bebbern; bibbern. ¶온몸이 ～ 떨리다 am ganzen Leibe zittern.

와락 ¶～ 줄을 잡아당기다 den Strick ruckartig ziehen*.

와르르 ① 《사람이》 zusammengedrängt; in Gruppen. ¶～ 밀려오다 an|stürmen. ② 《물건이》 ¶집이 ～ 무너지다 das Haus stürzt.

와병(臥病) ～하다 krank liegen*; auf dem Krankenbett liegen*.

와삭 ～하다, ～거리다 knistern; rascheln.

와신상담(臥薪嘗膽) ～하다 ^{4}sich zu e-m Ziel fest entschließen*.

와음(訛音) die entartete Phonetik 〔Laute〕.

와이드스크린 die breite Leinwand, ⸚e.

와이셔츠 Oberhemd *n.* -(e)s, -en. ¶～바람으로 nur im Oberhemd.

와이어 Draht *f.* -en.

와이퍼 《자동차 따위의》 Scheibenwischer *m.* -s, –.

와전(訛傳) ～하다 falsch mit|teilen^4; falsch überliefern^4.

와중(渦中) ¶사건의 ～에 휘말리다 in den Strudel der Geschehnisse hineingerissen werden.

와지끈 krach!; krachend. ～하다 krachen; zusammen|stoßen*.

와짝 ① 《힘껏》 energish; kräftig. ② 《갑자기》 plötzlich. ¶날이 ～ 추워지다 Es wird plötzlich kalt. ③ 《부쩍》 in großen Zahlen.

와해(瓦解) ～하다 desorganisiert werden; fallen*; zusammen|brechen*.

왁스 Wachs *n.* -es, -e.

왁자(지껄)하다 lärmend 〔geräuschvoll; ohrenbetäubend; schreiend〕 (sein).

완강(頑強) ～하다 fest 〔hartnäckig; eigensinnig〕 (sein).

완결(完結) ～하다 ^{4}sich ab|schließen*; abgeschlossen 〔beendigt; vollendet〕 werden.

완고하다(頑固—) hartnäckig 〔halsstarrig; starrsinnig〕 (sein).

완곡하다(婉曲—) mildernd 〔andeutend 《암시》; indirekt; euphemistisch〕 (sein). ¶～히 auf Umwegen; andeutungsweise.

완구(玩具) Spielzeug *n.* -(e)s, -e; Tand *m.* -(e)s. ‖～점(店) Spielzeugladen *m.* -s, ⸚.

완납(完納) ～하다 völlig (ab)bezahlen^4; vollständig ab|liefern^4.

완두(豌豆) Erbse *f.* -n.

완력(腕力) Stärke (der Arme); Körper〔Muskel〕kraft *f.* ⸚e; Gewalt *f.* -en 《폭력》. ¶～으로 mit Gewalt / ～을 쓰다 mit Brachialgewalt vor|gehen*.

완료(完了) Vollbringung〔Beendigung〕 *f.* -n. ～하다 vollbringen*^{4}, beendigen^4. ‖～시제 〖文〗 die perfektivischen Zeitformen (*pl.*) / ～형 Perfekt *n.* -(e)s, -e / 과거～ Plusquamperfekt *n.* -(e)s, -e / 현재～ Perfekt *n.*

완만(緩慢) ～하다 langsam〔träge〕(sein); 《경사가》 sanft 〔gelind(e)〕 (sein).

완미(頑迷) ～하다 hartnäckig 〔eigensinnig; halsstarrig〕 (sein).

완벽(完璧) Vollkommenheit *f.* -en; das Beste*, -n. ～하다 vollkommen 〔best; fehlerlos〕 (sein).

완비(完備) Vollständigkeit *f.* ～하다 vervollständigen^4; vervollkommen^4; komplett machen^4. ¶～된 vollständig; komplett.

완상(玩賞) ～하다 ^{4}sich gütlich tun* 《*an*^{3}》; ^{4}sich ergötzen 《*an*^{3}; *über*^{4}》.

완성(完成) Vollendung 〔Ausbildung〕 *f.* -en. ～하다 vollenden^4; vollbringen*^{4}. ‖～품 fertige Ware, -n.

완수(完遂) ～하다 vollenden^4; erfolgreich vollziehen*^{4}; fertig|bringen*^{4}.

완승(完勝) ～하다 e-n vollkommenen Sieg erzielen.

완악하다(頑惡—) schlecht 〔böse; boshaft〕 (sein). ¶완악한 사람 der böse 〔gottlose〕 Mensch, -en, -en.

완역(完譯) die vollständige Übersetzung, -en. ～하다 vollständig übersetzen.

완연하다(宛然—) deutlich〔klar; sichtbar〕 (sein). ¶이젠 봄이 ～ Der Frühling ist schon sichtbar 〔bemerkbar〕.

완자(卍字) ＝만자(卍字). ‖～창 das Fenster mit dem Hakenkreuz-Rahmen.

완장(腕章) Armbinde *f.* -n.

완전(完全) ～하다 vollkommen〔vollständig〕(sein); 《결점없다》 tadellos (sein). ¶～무결한 vollkommen; tadellos / ～하게 하다 vollenden^4; vervollständigen^4 / ～을 기하다 auf e-e Perfektion zielen. ‖～고용 Vollbeschäftigung *f.* / ～범죄 ein vollkommenes Verbrechen, -s, –.

완제(完濟) ～하다 Schulden tilgen 《빈 돈을》.

완주(完走) ～하다 die volle Strecke laufen*.

완초(莞草) ＝왕골.

완충(緩衝) ‖～국 Pufferstaat *m.* -(e)s, -en / ～기 Puffer *m.* -s, – / ～장치 Pufferapparat *m.* -(e)s, -e / ～지대 Pufferzone *f.* -n.

완치(完治) ～하다 vollständig 〔völlig〕 heilen.
완쾌(完快) ～하다 wieder gesund werden; völlig wiederhergestellt sein.
완패(完敗) ～하다 alle Spiele verlieren*; e-e totale Niederlage erleiden*.
완하제(緩下劑) Abführmittel〔Laxiermittel〕 *n.* -s, -.
완행열차(緩行列車) Personenzug *m.* -(e)s, ¨e; Bummelzug *m.*
완화(緩和) ～하다 erleichtern^{4}; mildern^{4}; mäßigen^{4}. ‖ ～책(策) Ausgleichungsversuch *m.* -(e)s, -e.
왈가닥 Weibsbild *n.*; Fratz *m.* -es, -e; Range *f.* -n.
왈가닥거리다 rasseln; klirren; klappern.
왈가왈부(曰可曰否) ～하다 erörtern hin u. her; diskutieren pro u. kontra.
왈츠 Walzer *m.* -s, -. ¶ ～를 추다 walzen; Walzer tanzen.
왈칵 ¶ ～ 성내다 in Zorn aus|brechen* / ～ 잡아당기다 mit e-m Ruck ziehen*^{4}.
왔다갔다하다 auf u. ab gehen*; hin u. her gehen*.
왕(王) König *m.* -(e)s, -e. ¶ 왕중 왕 der König der Könige. ‖ 석유 왕 Ölmagnat *m.* -en, -en.
왕가(王家) die königliche Familie, -n.
왕개미(王—) 〖蟲〗 e-e Art große Ameise.
왕거미(王—) 〖蟲〗 e-e Art große Spinne.
왕골 〖植〗 e-e Art Schilf(gras).
왕관(王冠) (Königs)krone *f.* -n. ¶ ～을 쓰다 ^{3}sich die Krone auf|setzen.
왕국(王國) Königreich *n.* -(e)s, -e; Königtum *n.* -(e)s, ¨er.
왕궁(王宮) Königsschloß *n.* ..schlosses, ..schlösse; Royalpalast *m.* -es, ¨e.
왕권(王權) die königliche (Ober)gewalt. ‖ ～신수설 die Providenz der königlichen Rechte 〔Gewalt〕.
왕녀(王女) Prinzessin *f.* -nen.
왕년(往年) vergangene Jahre (*pl.*); Vergangenheit *f.*
왕눈이(王—) ein Mensch mit großen Augen.
왕당(王黨) Königspartei *f.* -en; Royalisten (*pl.*).
왕대비(王大妃) Königinmutter *f.*; Königinwitwe *f.* -n.
왕도(王道) die gerechte Herrschaft. ¶ 학문에 ～ 없다 In den Wissenschaften gibt es k-n mühelosen Weg zum Erfolg.
왕래(往來) ① 《통행》 das Hin- u. Hergehen*; Verkehr *m.* -(e)s. ～하다 verkehren; gehen* u. kommen*. ② 《친교》 Freundschaft *f.*; Umgang *m.* -(e)s; Kontakt *m.* ¶ 그와는 ～가 없다 Ich habe k-n Kontakt mit ihm.
왕릉(王陵) das königliche Mausoleum, -s, -en; die königliche Grabstätte, -n.
왕림(枉臨) Besuch *m.* -(e)s, -e. ～하다 besuchen^{4}; *jn.* mit s-m Besuch beehren.
왕명(王命) der Befehl des Königs. ¶ ～으로 nach der königlichen Anordnung.
왕모래(王—) grober Sand, -(e)s, -e; Standstein *m.* -(e)s, -e.
왕밤(王—) große Kastanie, -n.
왕방울(王—) ¶ 눈이 ～ 같다 Glotzaugen (*pl.*) haben.
왕복(往復) Hin- u. Rückweg *m.* -(e)s, -e; Hin- u. Rückfahrt *f.* -en. ～하다 hin|- u. her|gehen*〔-|fahren*; -|fliegen*; -|reisen〕. ¶ ～의 hin und zurück. ‖ ～엽서 die Postkarte mit Rückantwort / ～운행 Pendelverkehr *m.* -(e)s / ～표 Rückfahrkarte *f.* -n.
왕비(王妃) Königin *f.* -nen.
왕생극락(往生極樂) 〖佛〗 Nirwana *n.* -s, -. ～하다 ins Nirwana eingehen; sterben*.
왕성(旺盛) ～하다 lebhaft 〔kräftig; lebendig; munter〕 (sein). ¶ 식욕이 ～하다 starken Appetit haben / 정력이 ～하다 energisch sein.
왕세자(王世子) Kronprinz *m.* -en, -en.
왕손(王孫) der Enkel des Königs; der königliche Nachkömmling, -s, -e.
왕수(王水) 〖化〗 Königswasser *n.* -s.
왕실(王室) die königliche Familie, -n.
왕왕(往往) manchmal; mitunter; ab u. zu; öfters; oft; häufig. ¶ 이런 일은 ～ 있다 Das kommt öfters vor.
왕위(王位) Thron *m.* -(e)s, -e; Krone *f.* -n. ¶ ～에 오르다 den Thron besteigen*. ‖ ～ 계승자 Thronerbe *m.*
왕자(王子) Prinz *m.* -en, -en.
왕자(王者) König *m.* -(e)s, -e; 《일인자》 Meister 〔Sieger〕 *m.* -s, -.
왕조(王朝) Dynastie *f.* -n.
왕족(王族) die Königliche Familie, -n.
왕좌(王座) Thron *m.* -(e)s, -e; Supremat *m.* -s, -. ¶ ～를 차지하다 den ersten Platz ein|nehmen*.
왕지네(王—) 〖動〗 ein großer Zehnfüßer.
왕진(往診) Kranken·besuch *m.* -(e)s, -e 〔-visite *f.* -n〕. ～하다 e-n Kranken besuchen. ‖ ～료 das Honorar für Krankenvisite.
왕후(王后) Königin *f.* -nen.
왕후(王侯) die Könige(*pl.*); Herzöge(*pl.*).
왜 《어째서》 warum; weswegen; weshalb. ¶ 왜냐 하면 weil; da; denn.
왜가리 〖鳥〗 Reiher *m.* -s, -.
왜곡(歪曲) ～하다 krümmen; verziehen*; verbiegen*. ¶ ～된 해석 die verdrehte Auffassung, -en.
왜구(倭寇) 〖史〗 die seeräuberischen japanischen Angreifer (*pl.*).
왜색(倭色) japanische Art u. Weise. ¶ ～을 일소하다 japanischen Stil aus der Welt schaffen*.
왜소하다(矮少—) kurz u. klein〔zwerghaft〕 (sein).
왜식(倭食) japanisches Essen. ‖ ～집 ein japanisches Restaurant, -s, -s.
왜인(矮人) Zwerg *m.* -(e)s, -e.
왜적(倭賊) die japanischen Angreifer 〔Piraten〕.
왱왱거리다 《바람이》 summen; klirren; 《벌레가》 summen; dröhnen; brummen.
외(外) ① 《이외》 außer^{3}; mit Ausnahme 《*von*^{3}》; von ^{3}*et.* abgesehen. ¶ 한씨 외에 5명 Herr *Han* u. fünf andere. ② 《바깥》 außerhalb^{2}; außer^{3}; draußen.
외(椳) 〖建〗 Latte *f.* -n.
외- einzig; allein; singular. ¶ 외아들 der einzige Sohn, -(e)s, ¨e.
외가(外家) das Elternhaus der Mutter.
외가닥 die einschichtige Litze.
외각(外角) 〖數〗 Außenwinkel *m.* -s, -.

외갈랫길 der (Scheid)weg mit der einzigen Abzweigung.
외겹 die einfache Schicht 〔Falte〕.
외계(外界) Außen〔Erscheinungs〕welt *f.*; die physische Welt 《정신계에 대한》.
외고집(一固執) Widerspenstigkeit *f.*; Halsstarrigkeit *f.* ¶~ 부리다 stur 〔störrisch〕 sein.
외곬 ¶~으로 나아가다 der Nase nach gehen*.
외과(外科) Chirurgie *f.* -n; 《병원의》 die chirurgische Klinik, -en. ‖ ~의(醫) Chirurg *m.* -en, -en / 정형 ~ Orthopädie *f.* -n.
외곽(外廓) Außenwand *f.* ⁼e; Einzäunung *f.* -en. ‖ ~ 단체 der angegliederte Verband, -(e)s, ⁼e.
외관(外觀) das Aussehen*, -s; das Äußere*, -n; Anschein *m.* -(e)s. ¶~상 äußerlich; scheinbar.
외교(外交) Diplomatie *f.* -n. ~적(인) diplomatisch. ‖ ~관〔가〕 Diplomat *m.* -en; -en / ~ 문서 das diplomatische Dokument, -(e)s, -e / ~ 사절단 die diplomatische Mission, -en / ~술 Diplomatie *f.*; 《처세술》 Weltklugheit *f.* / ~ 정책 Außenpolitik *f.* -en / 대미~ Außenpolitik gegen USA.
외국(外國) Ausland *n.* -(e)s; die Fremde*, ~의 ausländisch; fremd. ‖ ~인 Ausländer *m.* -s, -; der Fremde*, -n, -n / ~ 자본 das ausländische Kapital / ~환(換) Devise *f.* -n (~환 관리 Devisenbewirtschaftung *f.* -en).
외국어(外國語) Fremdsprache *f.* -n. ‖ ~ 대학 die Hochschule für Fremdsprachen / ~ 학교 die Schule für Fremdsprachen.
외근(外勤) Außendienst *m.* -(e)s, -e; 《외무》 Kundenwerbung *f.* -en. ‖ ~ 기자 Berichterstatter *m.* -s, - / ~ 순경 Außendienstpolizei *f.*
외기(外氣) die freie Luft. ‖ ~권 Luftraum *m.* -(e)s, ⁼e.
외길 der einzige Weg. ‖ ~목 der schmale Eingang zur Sackgasse.
외나무다리 (Lauf)steg *m.* -(e)s, -e.
외날 〘形容詞的〙 einklingig 《칼날의》.
외눈 〘形容詞的〙 einäugig. ☞ 애꾸.
외다 《암기》 auswendig lernen[4]; [3]sich merken[4]; ein|studieren[4]; 《주입》 ein|packen[4].
외대박이 《배》 das einmastige Schiff.
외도(外道) 《오입》 Ausschweifung〔Liederlichkeit〕 *f.* -en; 《길을 어김》 vom rechten Wege ab|kommen*. ~하다 e-n falschen Weg ein|schlagen*; ein liederliches Leben führen.
외돌토리 Alleingänger 〔Einzelgänger〕 *m.* -s, -; der Verlassene*, -n, -n. ¶~가 되다 allein stehend sein.
외동딸 die einzige Tochter.
외둥이 das einzige Kind, -(e)s.
외등(外燈) Torlampe *f.* -n.
외따로 isoliert; abgelegen; entlegen; verlassen.
외딴 isoliert; abgelegen; einsam. ‖ ~집 das einsam stehende Haus.
외람되다(猥濫—) impertinent 〔vermessen〕 (sein).
외래(外來) ~의 fremd; ausländisch; exotisch; importiert. ‖ ~어 Fremdwort *n.* -(e)s, ⁼er / ~품 Einfuhrartikel *m.* -s, - / ~ 환자 der ambulatorische Patient, -en, -en.
외로이 allein; einsam; verlassen. ¶~ 지내다 ein einsames Leben führen.
외롭다 einsam 〔allein; einzeln〕 (sein). ¶외로워하다 [4]sich einsam fühlen.
외륜산(外輪山) 〖地〗 der äußere Kraterrand -(e)s, ⁼er.
외마디소리 Notschrei *m.* -(e)s, -e; Geschrei *m.*
외면(外面) Außenseite *f.* -n; ☞ 외관.
외면하다(外面—) das Gesicht ab|wenden* 《*von*[3]》; e-n Seitenblick werfen*.
외모(外貌) das Aussehen*, -s; das Äußere*, -n; Anschein *m.* -(e)s, -e.
외무(外務) die auswärtigen Angelegenheiten(*pl.*). ‖ ~부 das Auswärtige Amt, -(e)s, ⁼er; Außenministerium *n.* -s, ..rien(~부 장관 Außenminister *m.* -s, -).
외미(外米) der fremde 〔importierte〕 Reis, -es, -e.
외박(外泊) das Ausbleiben*, -s. ~하다 aus|bleiben*.
외벌매듭 der einfache Knoten.
외벽(外壁) Außenwand *f.* ⁼e; Außenwall *m.* -s, ⁼e.
외부(外部) Außenseite *f.* -n; das Äußere*, -n; 《외계》 Außenwelt *f.* ¶~와의 교통이 두절되다 die Verkehr mit der Außenwelt unterbrochen sein. ‖ ~사람 der Außenstehende*, -n, -n.
외빈(外賓) Gast *m.* -(e)s, ⁼e; 《외국 손님》 der ausländische Besucher, -s, -.
외사촌(外四寸) der Cousin〔kuzɛ̃:〕 von mütterlicher Seite.
외삼촌(外三寸) der Onkel von mütterlicher Seite.
외상 Kredit *m.* -(e)s, -e. ¶~으로 auf Kredit / ~을 주다 auf Kredit〔Rechnung〕 geben*[4]. ‖ ~거래 das Geschäft auf Kredit / ~ 사절 《게시》 Auf Kredit kein Verkauf / ~질 Kauf auf Kredit.
외상(外相) Außenminister *m.* -s, -. ‖ ~ 회의 Außenministerkonferenz *f.* -en.
외상(外傷) die (äußere) Verletzung, -en. ‖ ~ 환자 Externist *m.* -en, -en.
외설(猥褻) Unanständigkeit *f.* -en; Anstößigkeit *f.* -en. ~하다 zotig 〔zotenhaft; anstößig〕 (sein). ‖ ~ 문학 Pornographie *f.* -en / ~서 ein unzüchtiges Buch, -(e)s, ⁼er.
외세(外勢) der fremde 〔ausländische〕 Einfluß. ¶~에 의존하다 auf die fremde Macht angewiesen sein.
외손(外孫) ein(e) Enkel(in) der Tochter.
외숙(外叔) der Onkel von mütterlicherseits. ‖ ~모 die Frau des Onkels von mütterlicherseits.
외식(外食) ~하다 außer (dem) Hause essen*.
외신(外信) Nachrichten (*pl.*) 〔Informationen (*pl.*)〕 aus dem Ausland; ausländische Nachrichten (*pl.*). ‖ ~부 《신문사의》 Abteilung 〔Büro〕 für ausländische Nachrichten.
외심(外心) 〖數〗 Außenzentrum *n.* ‖ ~각 der nicht zentrale Winkel.
외아들 der einzige Sohn, -(e)s, ⁼e.
외야(外野) 〖野〗 Außenfeld *n.* -(e)s, -er.

‖ ～석 unbedeckte Zuschauersitze / ～수 der Außenfeldspieler.
외양(外樣) das Aussehen*, -s; das Äußere*, -n. ¶ ～이 그럴듯하다 ein gutes Aussehen haben.
외양간(喂養間) Kuhstall m. -(e)s, ⸚e.
외연(外延) 〖論〗 Extension f. -en.
외에(外—) außer[3]; ausgenommen.
외용약(外用藥) das Arzneimittel zum äußerlichen Gebrauch.
외유(外遊) Auslandsreise f. -n. ～하다 ins Ausland gehen*〔reisen〕.
외이(外耳) Ohrmuschel f. -n. ‖ ～염 Außenohrenentzündung f. -en.
외인(外人) Ausländer m. -s, -; der〔die〕 Fremde*, -n, -n. ‖ ～부대 Fremdenlegion f. -en.
외자(外資) Fremdkapital n. -s, -e〔-ien〕. ‖ ～도입 Einführung des Fremdkapitals.
외적(外的) äußerlich; auswärtig; Außen-; extern.
외적(外敵) der ausländische Feind, -(e)s, -e.
외전(外電) Überseetelegramm n. -(e)s, -e; Kabel n. -s, -.
외접(外接) 〖數〗 Umschreibung〔Begrenzung〕 f. -en. ‖ ～원 Umkreis m. -es, -e.
외조모(外祖母) die Großmutter mütterlicherseits.
외조부(外祖父) der Großvater mütterlicherseits.
외종사촌(外從四寸) Vetter von mütterlicher Seite.
외줄 Einzellinie f.
외줄기 einzelner Stengel, -s, -〔Stamm, -(e)s, ⸚e〕.
외지(外地) Übersee f.; Ausland n. -(e)s. ‖ ～수당 die Zulage für den Auslandsdienst.
외지다 abgelegen〔entlegen〕 (sein). ¶ 외진 산길 der abgelegene Bergpfad.
외채(外債) die Anleihe vom Ausland; die Schulden (pl.) im Ausland.
외챗집 das alleinstehende Haus.
외척(外戚) der Verwandte mütterlicherseits.
외출(外出) das Ausgehen*, -s. ～하다 aus|gehen*. ¶ ～중이다 nicht zu Hause sein. ‖ ～금지 Ausgeheverbot n. -(e)s, -e / ～날 Ausgehetag m. -(e)s, -e; Urlaubstag / ～복 Ausgeheanzug m. -(e)s, ⸚e / ～시간 Ausgehezeit f.
외치다 rufen*; schreien*; lärmen; kreischen. ¶ 목청껏 ～ aus voller Kehle schreien*.
외탁하다(外—) e-e Person schlägt der mütterlichen Seite nach.
외톨 die einzahlig wachsende Kastanie.
외투(外套) Überzieher m. -s, -; Überrock m. -(e)s, ⸚e; Mantel m. -s, ⸚.
외팔 ein Arm m. -(e)s, -e. ～의 einarmig. ‖ ～이 e-e Person mit e-m Arm.
외풍(外風) Luftzug m. -(e)s, ⸚e. ¶ 이 방엔 ～이 있다 In diesem Zimmer zieht es.
외피(外皮) Außenhaut f. ⸚e.
외할머니(外—) ＝외조모(外祖母).
외할아버지(外—) ＝외조부(外祖父).
외항선(外港船) Übersee〔Ozean〕dampfer m. -s, -.
외향성(外向性) ～의 extravertiert. ¶ ～인 사람 der Extravertierte*, -n, -n.
외형(外形) die äußere Form, -en; Kontur f. -en 〖pl.은 윤곽〗; 《외양》 (An-)schein m. -(e)s, -e. ¶ ～(상)의 äußerlich; formal.
외화(外貨) das ausländische Geld, -(e)s, -er; die fremde Währung, -en. ‖ ～보유고 Devisenreserve f. -n / ～절약 Devisenersparnisse (pl.) / ～준비금 der Reservefonds der Devisen / ～획득 der Erwerb der Devisen.
외환(外患) die außenpolitische Spannung, -en.
외환(外換) Devisenwechsel m. -s, -. ‖ ～은행 Wechselgeschäftsbank f. -en.
왼 link.
왼발 der linke Fuß, -es, ⸚e.
왼손 die linke Hand, ⸚e. ‖ ～잡이 der Linkshändige*, -n, -n (～잡이 투수 der linkshändige Werfer, -s, -).
왼쪽 die linke Seite. ～의 link. ¶ ～으로 돌다 nach links biegen*.
왼팔 der linke Arm, -(e)s.
욋가지(椳—) 〖建〗 Latte f. -n.
요 ① 《얕잡아》 solche kleine Sache. ¶ ～놈 du Bursche!; du Schaf! ② 《시간·거리》 in der Nähe von hier; ganz nahe. ¶ ～즈음 neulich; jüngst.
요(要) ¶ 요는, 요컨대 kurz (gefaßt); mit e-m Wort / 요는 끈기에 달렸다 Wichtig ist, daß man nicht aufgibt.
요(褥) Matratze f. -n.
요가 Joga〔Yoga〕 m. -s. ¶ ～수련자 Jogi m. -s, -s.
요강(尿鋼) Nachttopf m. -(e)s, ⸚e; Urinflasche f. -n.
요강(要綱) die Prinzipien (pl.); Umriß m. ..risses, ..risse.
요건(要件) 《중요 용건》 e-e wichtige Angelegenheit, -en; 《필요 조건》 e-e notwendige Voraussetzung, -en; Vorbedingung f. -en. ¶ ～을 갖추다 die Vorbedingungen besitzen*.
요격(邀擊) ～하다 gegen den eindringenden Feind kämpfen. ‖ ～미사일 Abfangrakete f. -n; *antimissile missile* 《略: AMM》 / ～전투기 Abwehrjäger m. -s, -.
요괴(妖怪) Gespenst n. -es, -er; Kobold m. -(e)s, -e; 《괴물》 Ungeheuer n. -s, -.
요구(要求) 《욕구》 Bedürfnis -ses, -se; 《권리에 의한》 Anspruch m. -(e)s, ⸚e; 《직권에 의한》 (An)forderung f. -en; 《필요》 Erfordernis n. -ses, -se; 《청구》 Verlangen n. -s, -. ～하다 fordern[4]; in [4]Anspruch nehmen*[4]; erfordern[4]; verlangen[4]; 《청원》 erbitten*[4]. ¶ ～에 따라 nach der Forderung. ‖ ～불 Sichtwechsel m. -s, -.
요금(料金) die Gebühren (pl.); Preis m. -es, -e; 《승차 요금》 Fahrgeld n. -(e)s, -er; 《입장료》 Eintrittsgeld. ‖ ～표 Gebührentabelle f. -n.
요기(妖氣) gespenstische Atmosphäre. ¶ ～가 감돈다 Etwas (Seltsames) liegt in der [3]Luft.
요기(療飢) ～하다 den Hunger stillen.
요긴하다(要緊—) sehr wichtig 〔unentbehrlich; durchaus notwendig〕 (sein).

요담(要談) ～하다 ein wichtiges Gespräch führen; e-e wichtige Besprechung haben.

요도(尿道) Harnweg *m.* -(e)s, -e; Harnröhre *f.* -n. ‖ ～경(鏡) der Spiegel für die Harnweguntersuchung / ～염 Harnwegentzündung *f.* -en.

요동(搖動) ～하다 schüttern; erschüttern; schwanken; beben.

요란(擾亂) ～하다, ～스럽다 aufrührerisch〔verwirrt; lärmend〕(sein).

요람(要覽) Zusammenfassung *f.* -en; Abriß *m.* ..sses, ..sse.

요람(搖籃) Wiege *f.* -n. ‖ ～기 Anfangsstudium *n.*; Kindheit *f.* / ～지 Geburtsort *m.* -(e)s, -e.

요량(料量) ～하다 erraten[4]; vermuten[4]; planen[4]. ¶ 어머니를 뵈올 ～으로 mit der Absicht, die Mutter zu sehen.

요령(要領) ① 《요점》 Haupt〔Kern〕punkt *m.* -(e)s, -e. ¶ ～ 있는 말을 하다 zur Sache sprechen*〔reden〕. ② 《미립》 Kniff〔Kunstgriff〕*m.* -(e)s, -e. ¶ ～을 터득하다 den Rank finden*; Kniffe kennen*.

요령(搖鈴) Handglocke〔Schelle〕*f.* -n.

요로(要路) ① 《중요한 길》 Hauptstraße *f.* -n. ¶ 교통의 ～ Hauptverkehrs straße〔Verkehrsader〕*f.* -n. ② 《지위》 e-e wichtige Stellung, -en; 《관계 요로》 Behörde *f.* -n. ¶ ～에 있는 사람들 die Leute, die wichtige Stellungen innehaben.

요론(要論) e-e wichtige Diskussion; ein notwendiges Argument, -(e)s, -e.

요리(料理) das Kochen*, -s; Küche *f.*; Zubereitung *f.* -en; 《음식》 Speise *f.* -n; Gericht *n.* -(e)s, -e. ～하다 ① 《조리》 kochen[4]. ② 《처리》 verwalten[4]; behandeln[4]. ‖ ～인 Koch *m.* -(e)s, ⸚e; Köchin *f.* -nen / ～점 Restaurant *n.* -s, -s; Speisehaus *n.* -es, ⸚er.

요리조리 hier u. da; hierhin u. dorthin. ¶ 자동차를 ～ 피하여 가다 er schlängelt [4]sich durch die Autos hindurch.

요마(妖魔) Kobold *m.* -(e)s, -e; Dämon *m.* -s, -en; Spuk *m.* -(e)s, -e.

요만큼 dieses ein bißchen; kein bißchen; zum geringsten Grad.

요망(妖妄) ～스럽다, ～하다 wankelmütig〔leichtsinnig; unzuverlässig〕(sein). ¶ ～떨다, ～부리다 leichtsinnig tun*[4].

요망(要望) Verlangen *n.* -s, -. ～하다 verlangen[4]; fordern[4].

요면(凹面) die konkave Fläche; Aushöhlung *f.* -en.

요목(要目) Hauptpunkt *m.* -(e)s, -e.

요물(妖物) 《물건》 die unheimliche Sache, -n; 《사람》 e-e schlechte〔böswillige〕Person, -en.

요밀요밀하다 sehr klein〔peinlich genau; sorgfältig〕(sein).

요법(療法) Therapie〔Heilmethode〕*f.* -n. ‖ 전기 ～ Elektrotherapie *f.*

요부(妖婦) Vamp *m.* -s, -; e-e verführerische Frau, -en.

요부(腰部) Hüfte *f.* -n.

요분질 die Bewegung der Hüfte (beim Geschlechtsverkehr).

요사(夭死) der frühzeitige Tod, -(e)s. ～하다 jung sterben*.

요사(妖邪) ～하다, ～스럽다 launenhaft〔wankelmütig; leichtsinnig〕(sein). ¶ ～떨다, ～부리다 [4]sich schlau u. unheimlich benehmen.

요사이 vor einigen〔ein paar〕Tagen; vor einiger〔kurzer〕Zeit; jüngst. ¶ ～ 젊은이 die Jugend von heute.

요산(尿酸)〖化〗Harnsäure *f.* -n.

요새(要塞) Festung *f.* -en.

요석(尿石) Harnstein *m.* -(e)s, -e.

요소(尿素)〖化〗Harnstoff *m.* -(e)s, -e.

요소(要所) e-e wichtige Stelle, -n. ¶ ～에 an den wichtigen Stellen.

요소(要素) Element *n.* -(e)s, -e; 《요인》 Faktor *m.* -s, -en; 《구성의》 Bestandteil *n.* -(e)s, -e.

요술(妖術) Gaukelei *f.* -en; Zauberkunst *f.* ⸚e; Taschenspielerei *f.* -en. ‖ ～쟁이 Zauberkünstler〔Taschenspieler〕*m.* -s, -.

요시찰인(要視察人) der Mensch auf der schwarzen Liste. ‖ ～ 명부(名簿) die schwarze Liste, -n; Überwachungsliste *f.* -n.

요식(要式) Formalitäten (*pl.*); Förmlichkeit *f.* -en. ‖ ～ 계약 formaler Vertrag, -(e)s, ⸚e.

요약(要約) ～하다 kurz zusammen|fassen[4]. ¶ ～하면 um es kurz zusammenzufassen.

요양(療養) Kur *f.* -en. ～하다 [4]sich heilen〔kurieren〕lassen*; [4]sich e-r (Heil-) behandlung unterziehen*. ‖ ～소 Sanatorium *n.* -s, ..rien; Kuranstalt *f.* -en / 자택 ～ Hausbehandlung *f.* -en.

요업(窯業) Keramik *f.*

요연하다(瞭然—) klar〔deutlich; übersichtlich〕(sein). ¶ 일목 ～ Das ist mit e-m Blick zu erfassen.

요염(妖艶) e-e sinnliche〔verführerische; bezaubernde〕Schönheit; Koketterie *f.* -n. ～하다 bezaubernd schön (sein); kokett〔wollüstig〕(sein).

요원(要員) der nötige〔benötigte〕Arbeiter, -s, -; 《총칭》 Personal *n.* -s, -e. ‖ 지상 ～ Bodenpersonal *n.*

요원(遙遠) ～하다 weit entfernt〔sehr fern〕(sein). ¶ 앞길이 ～하다 e-n langen Weg vor [3]sich haben.

요원(燎原) ¶ ～의 불길처럼 wie ein Lauffeuer.

요인(要人) e-e führende〔wichtige〕Person〔Persönlichkeit〕-en. ‖ 정부 ～ die führenden Mitglieder (*pl.*) der Regierung.

요인(要因) Faktor *m.* -s, -en; Hauptursache *f.* -n.

요일(曜日) Wochentag *m.* -(e)s, -e.

요전(一前) ～에 vor einigen Tagen; vor kurzem; neulich; jüngstens; letztens.

요절(夭折) ＝요사(夭死).

요절나다 unbrauchbar〔beschädigt; kaputt〕werden; 《일이》 verderbt sein. ¶ 구두가 요절났다 M-e Schuhe sind kaputt.

요절내다 zerbrechen*[4]; entzwei〔kaputt〕|machen[4].

요점(要點) Hauptpunkt *m.* -(e)s, -e; Hauptsache *f.* -n; Kern *m.* -(e)s, -e.

¶～을 파악하다 die Hauptsache 〔den Hauptpunkt〕 erfassen.
요정(妖精) Elfe 〔Fee; Nixe〕 *f.* -n. ¶숲의 ～ Waldnymphe 〔Dryade〕 *f.* -n.
요정(料亭) Gastwirtschaft *f.* -en. ‖～정치 die politische Unterhandlung hinter den Kulissen.
요조(窈窕) ‖～ 숙녀 die anmutige 〔anständige〕 Frau, -en.
요즈음 neulich; in letzter Zeit; in dieser Zeit.
요지(要地) ein wichtiger Ort, -(e)s, -e. ¶전략상의 ～ ein strategisch wichtiger Punkt, -(e)s, -e.
요지(要旨) 《취지》 Inhalt *m.* -(e)s, -e; 《대요》 Resümee *n.* -s, -s. ☞ 요점. ¶～를 공표하다 den Hauptpunkt erklären.
요지경(瑤池鏡) Guckkasten *m.* -s, -(¨).
요지부동(搖之不動) Festigkeit *f.* -en; Standhaftigkeit *f.* -en. ～하다 fest 〔standhaft; unentwegt〕 sein.
요직(要職) ein wichtiges Amt, -(e)s, ¨er; ein verantwortlicher Posten, -s, -. ¶～의 안배 die Verteilung der wichtigen Posten 〔Stellungen〕.
요처(要處) strategisch wichtige Stelle, -n.
요철(凹凸) Hebung u. Senkung; Unebenheit 〔Ungleichmäßigkeit〕 *f.* -en.
요청(要請) Ersuchen *n.* -s, -; Gesuch *n.* -(e)s, -e; Bitte *f.* -n. ～하다 *jn.* ersuchen〔bitten*〕《*um*⁴》.
요충(要衝) 《군사상의》 ein strategisch wichtiger Punkt, -(e)s, -e; 《중요 지점》 Schlüsselpunkt *m.* -(e)s, -e.
요충(蟯蟲) Fadenwurm *m.* -(e)s, ¨er.
요컨대(要一) um es kurz zu sagen; kurz; mit e-m Worte; 《결국》 schließlich.
요통(腰痛) Lendenschmerz *m.* -es, -en; Lumbago *f.*
요트 《배》 Segelboot *n.* -(e)s, -e; Jacht *f.* -en; Jolle *f.* -n 《소형의》.
요판(凹版) ‖～ 인쇄 Tiefdruck *m.* -(e)s, -e.
요포대기(褥一) die Steppdecke für die Kinder.
요하다(要一) brauchen⁴; erfordern⁴; nötig haben⁴; bedürfen*². ¶시간을〔주의를〕～ die Zeit 〔die Aufmerksamkeit〕 in Anspruch nehmen*.
요항(要項) die wichtig(st)en Punkte (*pl.*); Prospekt *m.* -(e)s, -e.
요항(要港) ein strategisch wichtiger Hafen, -s, ¨.
요행(僥倖) der glückliche Zufall, -(e)s, ¨e; Glücksfall *m.* -(e)s, ¨e. ¶～으로 zum Glück; glücklicherweise. ‖～수 Glücksfall *m.*
욕(辱) 《욕설》 Schmähwort *n.* -(e)s, -e; Beschimpfung *f.* -en. ～하다 schmähen⁴ 《*auf*⁴; *über*⁴》; beschimpfen⁴.
욕(慾) ‖명예욕 Ehrgeiz *m.* -es / 재산욕 Geldgier *f.* / 지식욕 Wißbegierde *f.*
욕감태기(辱一) ein Mann, der von allen beschimpft wird.
욕객(浴客) Badegast *m.* -(e)s, ¨e; der Badende*, -n, -n.
욕구(欲求) Bedürfnis *n.* -ses, -se; Verlangen *n.* -s. ¶～를 충족하다 ein Bedürfnis befriedigen. ‖～불만 unbefriedigtes Bedürfnis.
욕기부리다(慾氣一) auf ⁴*et.* gierig sein; *jn.* um ⁴*et.* beneiden; nach ³*et.* trachten.
욕념(慾念) das Begehren*, -s; Begierde *f.* -n.
욕되다(辱一) *jm.* Schande machen〔bringen*〕; ⁴sich blamieren.
욕망(欲望) Lust *f.* ¨e; Begierde *f.* -n. ¶～을 억제하다 s-e Begierde beherrschen 〔überwinden*〕.
욕먹다(辱一) 《욕설을》 vorgeworfen werden; Vorwürfe (*pl.*) auf ⁴sich nehmen*; 《악평·비난을》 verleumdet 〔verschrien〕 werden; 《신문 따위를 통해》 scharf 〔ungünstig〕 kritisiert 〔rezensiert〕 werden.
욕보다(辱一) 《치욕》 e-n Schimpf erleiden*; 《고생》 ³sich Mühe geben*; 《겁간》 vergewaltigt werden.
욕보이다(辱一) 《치욕을》 beleidigen⁴; entehren⁴; 《여자를》 vergewaltigen⁴.
욕설(辱說) 《악담》 Fluch *m.* -(e)s, ¨e; 《모욕적인 말》 Schimpfwort *n.* -(e)s, ¨er. ¶～을 (막) 퍼붓다 auf *jn.* fluchen 〔schimpfen〕.
욕실(浴室) Badezimmer *n.* -s, -.
욕심(慾心) Geiz *m.* -es; Habgier *f.*; Habsucht *f.* ¶～ 부리다 geizig 〔habgierig; habsüchtig〕 sein.
욕쟁이(辱一) e-e Person, die schmutzige Reden führt.
욕정(慾情) (geschlechtliche) Begierde, -n; sexuelles Bedürfnis, -ses, -se. ¶～을 불러일으키다 *js.* Begierde erregen.
욕조(浴槽) Badewanne *f.* -n.
욕지거리(辱一) beißende 〔schneidende; scharfe〕 Zunge, -n; Geschimpfe *n.* -s. ～하다 beschimpfen⁴; Schimpfworte gebrauchen; *jn.* aus den Lumpen schütteln.
욕지기 Brechreiz *m.* -es; Übelkeit *f.* -en. ¶～가 나다 ⁴sich erbrechen wollen*; (e-n) Brechreiz empfinden*.
욕창(褥瘡) die wundgelegenen 〔aufgelegenen〕 Stellen (*pl.*). ¶～이 나다 ⁴sich auf|liegen*; ⁴sich durch|liegen*.
욕탕(浴湯) Badeanstalt *f.* -en; das öffentliche Bad, -(e)s, ¨er.
욕하다(辱一) beschimpfen⁴; vor|werfen*⁴.
욥 【聖】 Hiob. ‖욥기(記) Das Buch Hiob.
욧잇(褥一) Matratzendrell *m.* -(e)s, -e.
용(茸) Geweih *n.* -(e)s, -e; Geweihsprosse *f.* -n.
용(龍) Drache *m.* -n, -n.
용감(勇敢) ～하다 tapfer 〔mutig; herzhaft; beherzt; kühn 《대담》〕 (sein). ¶～히 싸우다 tapfer 〔ritterlich〕 kämpfen.
용건(用件) Angelegenheit *f.* -en; Geschäft *n.* -(e)s, -e. ¶빨리 ～을 말하시오 Kommen Sie schnell zur Sache!
용골(龍骨) 《배의》 Spant *n.* -(e)s, -en (보통 *pl.*); Schiffsrippe *f.* -n; Kiel *m.* -(e)s, -e.
용공(容共) ‖～ 정책 e-e prokommunistische Politik.
용광로(鎔鑛爐) Schmelzofen *m.* -s, ¨; Hochofen *m.* 《특히 제철용의》.
용구(用具) Gerät 〔Werkzeug〕 *n.* -(e)s, -e. ‖필기 ～ Schreibzeug *n.*
용궁(龍宮) Drachenpalast *m.* -es.
용기(用器) Instrument 〔Gerät〕 *n.* -(e)s, -e; Apparat *m.* -(e)s, -e.

용기(勇氣) Mut *m.* -(e)s; Tapferkeit *f.*; 《대담》 Kühnheit *f.* ¶～ 있는 mutig; tapfer; herzhaft; kühn.

용기(容器) Gefäß *n.* -es, -e; Behälter *m.* -s, -.

용꿈(龍一) schöner Traum, -(e)s, ⁼e; der Traum von Drachen. ¶～꾸다 e-n schönen Traum träumen.

용납(容納) ～하다 erlauben^{4} 〔gestatten^{4}〕 《*jm.*》; 《용서》 vergeben*^{4} 〔verzeihen*^{4}〕 《*jm.*》. ¶～할 수 없는 unverzeihlich.

용단(勇斷) ¶～을 내리다 e-e mutige Entscheidung treffen*.

용달(用達) (Ab)lieferung *f.* -en. ‖～차 Liefer(kraft)wagen *m.* -s, -.

용도(用途) Gebrauch *m.* -(e)s, ⁼e; Verwendung *f.* -en. ¶～가 넓다 vielseitig verwendbar sein.

용돈(用一) Taschengeld *n.* -(e)s, -er; 《아내의》 Nadelgeld. ¶～이 떨어졌다 Das Taschengeld ist mir ausgegangen.

용두사미(龍頭蛇尾) Antiklimax *f.* -e; der wilde Anfang mit zahmem Ende. ¶～로 끝나다 kräftig zu|packen^{4}, doch schlaff auf|geben*^{4}.

용두질 Onanie *f.*; Masturbation *f.* ～하다 onanieren; masturbieren.

용량(用量) 《약의》 Dosierung *f.*; Dosis 〔Dose〕 *f.* ..sen.

용량(容量) 〖化〗 Kapazität *f.* -en; Umfang *m.* -(e)s, ⁼e. ‖열〔전기〕～ die thermische 〔elektrische〕 Kapazität.

용렬하다(庸劣一) dumm 〔mittelmäßig; unklug〕(sein). ¶용렬한 짓을 하다 e-n groben Fehler machen; ^{4}sich dumm benehmen*.

용례(用例) Beispiel *n.* -(e)s, -e. ¶～를 들다 ein Beispiel geben*.

용마(龍馬) schnelles Pferd, -(e)s, -e.

용마루(龍一) (Dach)first *m.* -es, -e. ‖～기와 Firstziegel *m.* -s, -.

용매(溶媒) 〖化〗 Lösungsmittel *n.* -s, -.

용맹(勇猛) Unerschrockenheit *f.*; Tapferkeit *f.* ～하다 kühn〔unerschrocken; sehr tapfer; unverzagt〕(sein). ‖～심 der unerschrockene〔kühne〕Mut, -(e)s.

용명(勇名) ¶～을 날리다 ^{3}sich e-n Ruf erwerben* 《*wegen*^{2}》.

용모(容貌) Aussehen *n.* -s; Gesicht *n.* -(e)s, -er; Gesichtszüge (*pl.*). ¶～가 수려한 von schönem〔angenehmem〕 Aussehen.

용무(用務) 《볼일》 Angelegenheit 〔Arbeit〕 *f.* -en; Sache *f.* -n. ¶급한 ～로 wegen e-r dringenden Angelegenheit.

용변(用便) ¶～을 보다 sein Bedürfnis 〔s-e Notdurft〕 verrichten.

용병(用兵) Truppenverwendung *f.* -en. ‖～술 Taktik *f.* -en; 《전략》 Strategie *f.* -n.

용병(傭兵) Mietsoldat *m.* -en, -en; Söldner *m.* -s, -; Söldling *m.* -s, -e.

용사(勇士) der kühne Held, -en, -en; der tapfere Degen, -s, -.

용상(龍床) der Sessel des Königs; königlicher Stuhl, -(e)s, ⁼e.

용서(容恕) Verzeihung 〔Schonung〕 *f.* -en. ～하다 verzeihen*^{34}; vergeben*^{34}; durchgehen lassen*^{34}. ¶～없이 schonungslos; ohne ^{4}Schonung.

용선(傭船) das Chartern*, -s; 《세낸 배》 Charterschiff *n.* -(e)s, -e. ‖～계약 Chartervertrag *m.* -(e)s, ⁼e / ～료 Chartergebühr *f.* -en.

용설란(龍舌蘭) Agave *f.* -n.

용솟음치다 (hervor|)strömen; ^{4}sich ergießen*; (hervor|)sprudeln.

용수 Weinsieb *n.* -(e)s, -e. ¶～지르다 filtern; seihen.

용수(用水) Gebrauchswasser *n.* -s. ‖～(路)로 Bewässerungsgraben *m.* -s, ⁼.

용수철(龍鬚鐵) (Sprung)feder *f.* -n.

용신(容身) ¶～못하다 ^{4}sich kaum bewegen können*.

용쓰다 ^{4}sich ins Zeug werfen* 〔legen〕; alle ^{4}Kräfte an|strengen 〔auf|bieten*〕.

용안(龍顔) das Gesicht des Königs.

용암(溶暗) 〖映〗 das Ausblenden*, -s.

용암(熔岩) 〖地〗 Lava *f.* ..ven. ¶～이 분출한다 Der Lavastrom strömt. ‖～층 das Bett der Lava.

용액(溶液) Lösung *f.* -en.

용약(勇躍) gehobene Stimmung, -en; Stolz *m.* -es. ¶～진군하다 mutig marschieren.

용어(用語) Fachausdruck *m.* -(e)s, ⁼e; Terminologie *f.* -n. ‖전문 ～ Fachwort *n.* -(e)s, ⁼er; Terminologie *f.* -n / 학술 ～ wissenschaftlicher Ausdruck.

용언(冗言) unnötige Worte; Geschwätz *n.* -es, -e.

용왕(龍王) Drachenkönig *m.* -(e)s, -e.

용왕매진(勇往邁進) ～하다 ohne Zögern vorwärts|gehen*; vor|marschieren. ¶～의 기상 kühner Geist.

용원(冗員) das über·flüssige 〔-zählige〕 Personal, -s, -e. ¶～을 정리하다 das überflüssige Personal entlassen*.

용원(傭員) der Gelegenheitsbeschäftigte*, -n, -n; Extraarbeiter *m.* -s, -.

용융점(熔融點) 〖物〗 Schmelzpunkt *m.* -es, -e.

용의(用意) ¶～주도하다 vorsichtig 〔gut vorbereitet; sorgfältig; genau〕 sein.

용의자(容疑者) der Verdächtige*, -n, -n.

용이(容易) ～하다 leicht 〔bequem; einfach; mühelos〕(sein). ¶～하게 leicht, ohne Mühe.

용인(容認) ～하다 erlauben^{34}; billigen^{4}; dulden^{4}; entschuldigen^{4}.

용인(傭人) Diener 〔Arbeitsnehmer〕 *m.* -s, -.

용장(勇將) der tapfere 〔kühne〕 Feldherr, -n, -en. ¶～밑에 약졸 없다 Wie der Feldherr, so die Leute.

용재(庸才) unbedeutende Begabung, -en; leichtsinniger Mensch, -en, -en.

용적(容積) Volumen *n.* -s, -; Rauminhalt *m.* -(e)s, -e. ¶～이 큰 voluminös; umfangreich. ‖～량 das Maß〔Ausmaß〕 der Kapazität.

용전(勇戰) ～하다 tapfer 〔mutig〕 kämpfen.

용점(鎔點) Schmelzpunkt *m.* -(e)s, -e.

용접(鎔接) 《쇠의》 das Schweißen*, -s; Schweißung *f.* -en. ～하다 (zusammen|)schweißen^{4}. ‖～공 Schweißer *m.* -s, - / ～기 Schweißmaschine *f.* -n.

용졸하다(庸拙一) ungeschickt 〔schäbig; taktlos〕 (sein).

용지(用地) ‖ 건축 ～ Bau·platz *m.* -es, ⸚e 〔-stelle *f.* -n〕 / 주택～ Grundstück für Wohnungen.

용지(用紙) Formular *n.* -s, -e; Formblatt *n.* -(e)s, ⸚er. ¶ ～에 기입하다 ein Formular aus|füllen. ‖ 전보 ～ Telegrammformular *n.* -s, -e / 투표 ～ Stimmzettel *m.* -s, -.

용진하다(勇進一) mutig vorwärts|gehen* 〔vor|marschieren〕.

용총줄 Tau *n.* -(e)s, -e.

용출(湧出) Ausbruch *m.* -(e)s, ⸚e. ～하다 hervor|quellen* 〔-|sprudeln〕 《*aus*[3]》.

용춤추이다 *jn.* durch Schmeicheln zu [3]*et.* überreden.

용태(容態) Zustand *m.* -(e)s, ⸚e; Befinden *n.* -s. ¶ 환자의 ～는 악화〔호전〕되었다 Der Zustand des Kranken verschlechterte 〔besserte〕 sich.

용퇴(勇退) (freiwilliger) Rücktritt, -(e)s, -e. ～하다 von selbst zurück|treten*; [4]sich freiwillig zurück|ziehen*.

용트림 Rülps *m.* -es, -e. ～하다 absichtlich laut auf|stoßen* 〔rülpsen〕.

용품(用品) Artikel *m.* -s, - 《품목》; Gerät *n.* -(e)s, -e 《기구》. ‖ 사무〔가정〕 ～ Büroartikel 〔Haushaltsartikel〕 *m.* -s, - / 주방 ～ Küchengerät *n.*

용하다 ① 《재주가》 geschickt 〔gewandt; geübt〕(sein). ¶ 무엇에나 ～ Er hat sehr geschickte Hände. ② 《장하다》 wunderbar 〔großartig; herrlich〕(sein).

용해(溶解) (Auf)lösung *f.* -en. ～하다 [4]sich (auf)lösen 《*in*[3]》. ‖ ～력(力) Auflösungskraft *f.* ⸚e.

용해(鎔解) Schmelzung *f.* -en. ～하다 schmelzen*[4]. ‖ ～로(爐) Schmelzofen *m.* -s, ⸚ / ～점 Schmelzpunkt *m.* -(e)s, -e.

용호상박(龍虎相搏) der verzweifelte 〔erbitterte〕 Kampf zwischen zwei Gleichstarken.

용훼(容喙) ～하다 《참견함》 [4]sich ein|mischen 〔-|mengen〕 《*in*[4]》.

우 ¶ 우 몰려오다 [4]sich in dichten Massen heran|stürzen.

우(右) die Rechte*, -n, -n; rechte Seite, -n.

우(優) 《성적의》 Eins *f.* ¶ 우를 받다 e-e Eins bekommen*.

우거(寓居) die zeitweilige 〔vorläufige〕 Wohnung, -en. ～하다 vorläufig wohnen 《*in*[3]》; logieren 《*bei*[3]》.

우거지 ① 《푸성귀의》 äußerliche Blätter der Kohlpflanze. ② 《절인것 등의》 getrocknete gesalzte Gemüse.

우거지다 wild 〔geil; üppig〕 wachsen*; wuchern. ¶ 풀이 ～ mit [3]Gras dedeckt.

우거지상(一相) ¶ ～을 하다 das Gesicht verziehen*〔verzerren〕; Grimassen machen 〔schneiden*〕.

우격다짐 Anmaßung *f.* -en. ～하다 mit aller Gewalt betreiben*[4]; forcieren[4]. ¶ ～으로 gewalt·sam 〔-tätig〕; gebieterisch; zwingend / ～으로 아무를 누르다 *jn.* mit Gewalt ein|schüchtern.

우격으로 zwingend; gewaltsam.

우견(愚見) m-e (bescheidene) Meinung, -en 〔Ansicht, -en〕. ¶ ～으로는 m-r Meinung 〔Ansicht〕 nach; nach m-m Dafürhalten.

우경(右傾) ～하다 nach rechts tendieren; e-e Rechtstendenz haben.

우계(雨季) Regen·zeit *f.* -en〔-monat *m.* -(e)s, -e〕.

우구(憂懼) ～하다 [4]sich sorgen《um [4]*et.*》; [4]sich um [4]*et.* kümmern; um [4]*et.* besorgt sein.

우국(憂國) die vaterländische Gesinnung, -en; Patriotismus *m.* -. ‖ ～지사(之士) Patriot *m.* -en, -en / ～지심(之心) die patriotische Gesinnung / ～충정 der intensive 〔heftige〕 Patriotismus e-r Person.

우군(友軍) unsere 〔die verbündeten〕 Truppen (*pl.*).

우그러뜨리다 ein|beulen[4].

우그러지다 [3]sich e-e Beule fallen 〔schlagen*〕. ¶ 물통이 우그러졌다 Die Kanne war voller Beulen.

우글거리다 wimmeln; schwärmen. ¶ 길에 개미가 ～ Der Weg wimmelt von Ameisen.

우글우글 schwarmweise. ～하다 wimmeln 〔schwärmen〕 《*von*[3]》. ¶ 극장 앞에 사람이 ～ 뒤끓고 있다 Vor dem Theater wimmelte es von Kinobesuchern.

우글쭈글 faltig. ～하다 runzelig 〔zerknittert; faltig〕(sein). ¶ ～한 셔츠 zerknittertes Hemd, -(e)s, -e.

우기(雨期) Regenzeit *f.* -en; Regenperiode *f.* -n.

우기다 sophistisch dar|stellen[4]; eigens zurecht|machen[4]; bestehen* 《*auf*[3]》; beteuern[4].

우는소리 das Wimmern* 〔Jammern*〕 -s. ～하다 wimmern; winseln; jammern《*nach*[3]; *über*[4]; *um*[4]》; klagen《*über*[4]》.

우단(羽緞) Sam(me)t *m.* -(e)s, -e.

우당탕 dröhnend; bumsend; klappernd. ～하다 dröhnen; bumsen; dumpf auf|schlagen*.

우대(優待) ～하다 bevorzugen[4] 《*vor*[3]》; freundlich 〔höflich〕 behandeln[4] 〔auf|nehmen*〕. ‖ ～권 Freibillet *n.* -s, -s.

우두(牛痘) Kuhpocken (*pl.*); Vakzin *n.* -s, -e. ¶ ～가 잘 됐다 Die Impfung war positiv.

우두망찰하다 vor Erstaunen starr werden; ganz ratlos 〔hilflos〕 sein; [3]sich nicht mehr zu helfen wissen*.

우두머리 Chef *m.* -s, -s; (Ober)haupt *n.* -(e)s, ⸚er; Führer *m.* -s, -.

우두커니 müßig; untätig; geistesabwesend. ¶ ～ 서 있다 müßig da|stehen*.

우둔하다(愚鈍一) dumm 〔stumpfsinnig〕 (sein).

우듬지 (Baum)wipfel. *m.* -s, -; (Baum-)gipfel *m.* -s, -; (Baum)krone *f.* -n.

우등(優等) ～의 vorzüglich; hervorragend; ausgezeichnet. ‖ ～생 Primus *m.* -, ..mi〔..musse〕; der (Klassen)erste*, -n, -n.

우뚝 himmel〔turm〕hoch; hoch emporragend. ¶ 구름 위로 ～ 솟아 있다 himmelan über die Wolken empor|ragen.

우라늄 Uran *n.* -s 《기호: U, Ur》. ‖ ～광 Uranerz *n.* -es, -e / ～ 원자로 Uran·brenner *m.* -s, - 〔-pile 〔..pail〕 *m.* -s, -s〕; Reaktor *m.* -s, -en.

우락부락하다 derb〔brutal; grob; plump〕(sein). ¶우락부락한 행동 grobes Benehmen* 〔Verhalten*〕.

우람하다 impressiv 〔eindrucksvoll; imponierend; grandios〕(sein).

우량(雨量) Regenmenge *f.* -n. ‖ ~계 Regenmesser *m.* -s, -; Pluviometer *n.* -s, -.

우량(優良) ~하다 vorzüglich 〔vortrefflich; überlegen〕(sein). ‖ ~아 das ausgezeichnete Kind, -(e)s, -er / ~주(株) die (mündel)sicheren Papiere (*pl.*).

우러나다 durch|sickern; hinaus|fließen*.

우러나오다 von Herzen kommen*. ¶진심에서 우러나오는 감사의 말 von Herzen kommende Danksagung.

우러러보다 empor|blicken《*zu*³》; auf|sehen*《*zu*³》; (존경) verehren⁴.

우렁이 〖貝〗 Sumpfschnecke *f.* -n. ‖ 우렁잇속《比》Kompliziertheit 〔Unergründlichkeit〕*f.* -en (그는 우렁잇속 같다 Er ist ein komplizierter Mensch).

우렁차다 erschallend 〔ertönend; widerhallend; volltönend〕(sein). ¶우렁찬 목소리 volltönende 〔dröhnende〕 Stimme.

우레 Donner *m.* -s, -. ¶~와 같은 박수 ein donnernder〔stürmischer〕 Applaus, -es, -e / ~소리가 난다 Es donnert.

우려(憂慮) Sorge *f.* -n《*um*⁴》; Besorglichkeit *f.* -en; Angst *f.* ⸚e; Besorgnis *f.* -se. ~하다 ⁴sich sorgen《*um*⁴》; befürchten⁽⁴⁾; besorgt sein《*um*⁴; *über*⁴》.

우려내다 《금품》 ⁴*et.* erpressen; erzwingen*《*von*³》. ¶돈을 ~ dringend um ⁴Geld bitten*《*jn.*》.

우로(雨露) Regen u. Tau, des - u. -s. ¶~를 가리다 ⁴sich vor dem Regen schützen.

우롱(愚弄) (놀림) Spott 〔Hohn〕 *m.* -(e)s; Neckerei *f.* -en. ~하다 lächerlich machen⁴; spotten《*über*⁴》; verhöhnen⁴; necken⁴. ¶사람들에게 ~당하다 den Leuten zum Hohngelächter werden.

우르르 ① 《여럿이》 ¶~ 몰려 오다 ⁴sich in dichten Massen heran|stürzen. ② 《우레 따위가》 (dahin|)rollen; dröhnend tönen.

우리¹ wir*. ¶~ 집 mein 〔unser〕 Haus, -es, ⸚er / ~ 나라 unser Land, -(e)s, ⸚er / ~(의)말 unsere Sprache; Muttersprache *f.* -n.

우리² 《짐승의》 Stall *m.* -(e)s, ⸚e; Käfig *m.* -s, -e; Zwinger *m.* -s, -. ¶호랑이를 ~에 가두다 Den Tiger in e-n Käfig ein|sperren.

우리다 ① 《물에》 ein|weichen*. ② 《때리다》 schlagen*; klapsen; *jm.* e-e Ohrfeige geben*. ③ =우려내다.

우매(愚昧) Stumpf〔Blöd〕sinn *m.* -(e)s. ~하다 stumpf〔blöd〕sinnig 〔unaufgeklärt; unwissend〕(sein). ¶~한 백성 unaufgeklärtes 〔ungebildetes〕 Volk, -(e)s.

우멍거지 Phimose *f.* -n.

우모(羽毛) Feder *f.* -n; Flaum *m.* -(e)s 《솜털》.

우무 =한천.

우물 Brunnen *m.* -s, -. ¶~을 파다 e-n Brunnen graben* 〔(er)bohren〕.

우물(愚物) Dumm〔Schafs〕kopf *m.* -(e)s, ⸚e.

우물거리다《입에서》 muffeln; mummeln; murmeln.

우물쭈물하다 zu k-r Entscheidung kommen*; zögern《*mit*³; *über*⁴》; zaudern. ¶뭘 우물쭈물하고 있니 Was zögerst du so lange?

우뭇가사리 〖植〗 Agar-Agar *m.*〔*n.*〕-s.

우미하다(優美―) graziös 〔anmutig; reizend; elegant〕(sein).

우민(愚民) die ungebildete 〔dumme〕 Masse, -n; das gemeine Volk, -(e)s, ⸚er. ‖ ~정치 Pöbelherrschaft *f.* -en.

우박(雨雹) Hagel *m.* -s; Schloße *f.* -n. ¶~이 내린다 Es hagelt 〔schloßt〕.

우발(偶發) ~하다 zufällig geschehen. ¶~적인 zufällig; unerwartet. ‖ ~ 사건 Zufall *m.* -(e)s, ⸚e.

우방(友邦) das befreundete Land, -(e)s, ⸚er; Bundesgenosse *m.* -n, -n.

우비(雨備) Regenschirm u. Mantel, des -(s) u. -s. ¶~를 입다 e-n Regenmantel tragen*〔an|ziehen*〕.

우비다 (aus|)bohren⁴; (aus|)höhlen⁴; (후벼파다) aus|graben*⁴; unterhöhlen⁴. ¶코를 ~ in der Nase bohren.

우산(雨傘) Regenschirm *m.* -(e)s, -e. ¶접는 ~ Knirps *m.* -es, -e.

우상(偶像) Abgott *m.* -(e)s, ⸚er; Götzenbild *n.* -(e)s, -er. ¶~처럼 떠받들다 *jn.* abgöttisch verehren / ~화하다 *jn.* vergöttern. ‖ ~숭배 Abgötterei *f.* -en; Götzendienst *m.* -es, -e.

우생학(優生學) Eugenik *f.*; Eugenetik *f.*

우선(于先) (zu)erst; zunächst; zuvörderst; vor allem.

우선(優先) ~하다 bevorrechtet 〔bevorzugt〕 sein. ¶~적으로 bevorzugt. ‖ ~권 Vor(zugs)recht *n.* -(e)s, -e.

우성(優性) 〖生〗 Überlegenheit 〔Vorherrschaft〕 *f.* -en. ‖ ~ 유전 stärkere Vererbungskraft / ~ 형질 dominanter Charakter.

우세(優勢) ~하다 überlegen³《*an*³》〔übermächtig〕(sein); die Oberhand haben《*über*⁴》.

우세스럽다 schamhaftig 〔verschämt; demütig〕(sein).

우송(郵送) ~하다 mit der Post senden*⁴ 〔schicken⁴〕. ‖ ~료 Porto *n.* -s, -s; Postgebühr *f.* -en.

우수(右手) die rechte Hand.

우수(偶數) =짝수.

우수(憂愁) Betrübnis *f.* ¶~에 잠기다 tief betrübt sein.

우수(優秀) ~하다 vortrefflich 〔vorzüglich; ausgezeichnet; erstklassig〕(sein). ¶~한 성적 der große Erfolg, -(e)s, -e.

우수리 ① 《거스름돈》 Kleingeld *n.* -(e)s, -er; Wechselgeld *n.* ② 《끝수》 Rest *m.* -(e)s, -e; die gebrochene Zahl, -en.

우스개 Scherzhaftigkeit〔Heiterkeit; Lustigkeit〕*f.* -en. ‖ 우스갯 소리 Witz *m.* -es, -e; Humoreske *f.* -n.

우스꽝스럽다 drollig 〔lächerlich; spaßhaft〕(sein).

우습게보다 gering|schätzen⁴; verachten⁴. ¶그는 나를 우습게 보고 있다 Er schätzt mich gering.

우습다 lächerlich 〔komisch; drollig; spaßig; schnurrig〕(sein).

우승(優勝) Sieg *m.* -(e)s, -e. ～하다 siegen (*in*^{3}); die Meisterschaft erringen*. ‖ ～기 Siegesfahne *f.* -n / ～자 Sieger 〔Meister〕 *m.* -s, - / ～컵 Pokal *m.* -s, -e.

우시장(牛市場) Kuhmarkt *m.* -(e)s, ⸚e.

우아하다(優雅—) elegant 〔anmutig; zierlich; fein〕 (sein).

우애(友愛) 《친구간의》 Freundschaft *f.* -en; 《형제간의》 Brüderschaft *f.* ‖ ～결혼 Kameradschaftsehe *f.* -n.

우어 《마소에》 halt!; brr!

우엉 【植】 Klette *f.* -n.

우여곡절(紆餘曲折) Komplikation 〔Verwicklung〕 *f.* -en. ¶ ～끝에 nach vielem Wenn u. Aber; nach vielem Hin u. Her.

우연(偶然) Zufall *m.* -(e)s, ⸚e. ～한 zufällig. ¶ ～히 zufällig; von ungefähr / ～한 일치 die zufällige Übereinstimmung, -en.

우열(優劣) Überlegenheit u. Minderwertigkeit; Vor- u. Nachteile (*pl.*). ¶ ～을 다투다 ^{4}sich messen* (*mit*^{3}).

우왕좌왕(右往左往) ～하다 hin und her laufen*.

우울(憂鬱) Melancholie *f.* -n; Trübsinn *m.* -(e)s; Schwermut *f.* ～하다 in trüber ^{3}Stimmung sein. ¶ ～한 melancholisch; trübsinnig; schwermütig. ‖ ～증 Melancholie *f.*; Hypochondrie *f.*

우월(優越) Überlegenheit *f.*; Übergewicht *n.* -(e)s. ～하다 überragen 〔überlegen〕 (sein). ‖ ～감 Überlegenheitsgefühl *n.* -(e)s, -e.

우위(優位) Vorrang *m.* -(e)s; Vorherrschaft *f.*; Oberhand *f.* ¶ ～를 점하다 e-e Vorzugsstellung inne|haben (*in*^{3}).

우유(牛乳) (Kuh)milch *f.* ¶ ～로 기르다 mit Kuhmilch auf|ziehen*. ‖ ～배달원 Milchmann *m.* -(e)s, ⸚er / ～병(瓶) Milchflasche *f.* -n.

우유부단(優柔不斷) ～하다 unschlüssig 〔unentschlossen; schwankend; zögernd〕 (sein).

우의(友誼) Freundschaft *f.* -en; die freundschaftliche Beziehung, -en. ¶ ～를 저버리다 die Freundschaft brechen*.

우의(雨衣) Regen〔Wetter〕mantel *m.* -s, ⸚.

우의(寓意) die verborgene Bedeutung, -en; Allegorie *f.* -n. ‖ ～소설 Fabel *f.* -n.

우이독경(牛耳讀經) „tauben ^{3}Ohren predigen"; „in den Wind schlagen* 〔reden〕".

우익(右翼) der rechte Flügel, -s, -; 《우파》 die Rechte*, -n.

우적우적 《씹다》 mampfend; schmatzend. ¶ 오이 샐러드를 ～ 씹고 있다 Er kaut schmatzend Gurkensalat.

우정(友情) Freundschaft *f.* -en; Freundesliebe *f.* -n. ¶ ～을 맺다 Freundschaft schließen* (*mit*^{3}).

우주(宇宙) Universum 〔Weltall〕 *n.* -s; Kosmos *m.* -. ‖ ～로켓 Raumrakete *f.* -n / ～복(服) Raumanzug *m.* -(e)s, ⸚e / ～비행사 Raumpilot *m.* -en, -en / ～선(船) Raumschiff *n.* -(e)s, -e / ～선(線) kosmische Ultrastrahlung, -en; Höhenstrahlung *f.* / ～스테이션 Raumstation *f.* -en / ～여행 Raumfahrt *f.* -en / ～유영 Weltraumausflug *m.* -(e)s, ⸚e / ～진(塵) kosmischer Staub, -(e)s.

우중(雨中) ¶ ～에 외출하다 im Regen aus|gehen*.

우중충하다 dunkel 〔trübe; finster〕 (sein). ¶ 방이 몹시 ～ das Zimmer ist sehr finster.

우지(牛脂) Rinde·fett *n.* -(e)s, -e〔-talg *m.* -(e)s, -e〕.

우지끈 krachend; mit e-m Krach. ¶ ～소리 나다 krachen.

우지직 ① 《타는 소리》 knackend; raschelnd; knisternd. ¶ 나뭇가지가 ～ 불에 타다 Holzscheite knacken im Feuer. ② 《부러지는 소리》 brechend; knarrend; knirschend; quietschend.

우직(愚直) ～하다 schlicht u. ehrlich (sein); einfältig (sein).

우짖다 heulen; brüllen; sausen. ¶ 우짖는 바람 heulender Wind.

우쭐하다 ^{4}sich überheben*$^{(2)}$ (*wegen*^{2}); ^{4}sich arrogant benehmen*; eingebildet sein. ¶ 우쭐해서 dummstolz; hochmütig 〔-fahrend〕.

우차(牛車) Ochsenwagen *m.* -s, -.

우천(雨天) Regenwetter *n.* -s, -. ¶ ～일 경우엔 wenn es regnet. ‖ ～순연 Bei Regen bis zum nächsten shönen Tag verschoben.

우체(郵遞) ‖ ～국 Postamt *n.* -(e)s, ⸚er; Post(anstalt) *f.* -en; 《본국》 Postdirektion *f.* -en (～국장 Postmeister *m.* -s, -; 《본국의》 Postdirektor *m.* -s, -en) / ～부 Postträger 〔Briefträger〕 *m.* -s, - / ～통 Briefkasten 〔Postkasten〕 *m.* -s, - 〔⸚〕.

우측(右側) die rechte Seite. ‖ ～통행 Rechtsverkehr *m.* -(e)s; rechts gehen!

우툴두툴하다 holperig 〔knorrig; uneben; körnig〕 (sein). ¶ 우툴두툴한 길 holperiger Weg / 우툴두툴한 나무 knorriges Holz.

우파(右派) die Rechte*, -n, -n. ‖ 극～ die Ultrarechte.

우편(右便) rechte Seite 〔Richtung〕.

우편(郵便) Post *f.* -en. ‖ ～물 Postsache *f.* -n; die Briefe (*pl.*) / ～번호 Postleitzahl *f.* -en / ～엽서 Postkarte *f.* -n. / 등기 ～ Einschreibesendung *f.* -en; das Einschreiben*, -s.

우표(郵票) Post〔Brief〕marke *f.* -n. ‖ ～수집 Briefmarkensammlung *f.* -en / ～수집첩 Briefmarkenalbum *n.* -s, ..ben.

우향(右向) ¶ ～우 Rechtsum kehrt!

우현(右舷) 【海】 Steuerbord *n.* -(e)s, -e. ¶ ～으로 기울다 ^{4}sich nach Steuerbord neigen.

우호(友好) Freundschaft *f.* -en. ‖ ～관계 die freundschaftliche Beziehung, -en. / ～조약 Freundschaftsvertrag *m.* -(e)s, ⸚e.

우화(寓話) Fabel *f.* -n; Gleichnis *n.* -ses, -se; Parabel *f.* -n.

우환(憂患) Krankheit *f.* -en; Kummer *m.* -s. ¶ ～이 있다 Kummer haben.

우황(牛黃) (Ochsen)bezoar *m.* -(e)s, -e.

우회(迂回) Umgehung 〔Umleitung〕 *f.*

-en. ～하다 umgehen*⁴; e-n Umweg machen. ‖ ～로 Abstecher *m.* -s, -; Um〔Ab〕weg *m.* -(e)s, -e.

우회전(右廻轉) ～하다 nach rechts ab|biegen*. ‖ ～금지 Abbiegen nach rechts verboten.

우후(雨後) ¶ ～에 바로 gerade nach e-m Regenfall / ～ 죽순처럼 wie die Pilze nach dem Regen.

욱다 ① 《안으로》 nach innen gebeugt 〔gebogen〕. ② 《힘이》 arm an Kraft; geschwächt.

욱시글거리다 《한데 모여서》 schwärmen; ⁴sich im Schwarm bewegen. ¶ 벌들이 ～ die Bienen schwärmen.

욱신거리다 《쑤시다》 e-n bohrenden〔stechenden〕 Schmerz haben〔spüren〕. ¶ 등어리가 ～ Stechen im Rücken haben.

욱이다 nach innen beugen 〔biegen*〕.

욱죄이다 den Druck verstärken.

욱지르다 =윽박지르다.

욱질리다 eins aufs Dach bekommen*.

욱하다 plötzlich in Zorn geraten*.

운(運) ☞ 운명; 《행운》 Glück *n.* -(e)s; 《기회》 Gelegenheit *f.* -en. ¶ 운이 좋은〔나쁜〕 glücklich 〔unglücklich〕 / 운을 하늘에 맡기고 aufs Geratewohl; auf gut ⁴Glück / 운이 트이다 ⁴Glück haben.

운(韻) Reim *m.* -(e)s, -e. ¶ 운을 맞추다 (⁴sich) reimen.

운구(運柩) Beförderung 〔Transport〕 von Leichen im Sarg. ～하다 die Leiche (im Sarg) befördern. ¶ ～하는 사람 Leichenträger *m.* -s, -.

운김 ¶ ～에 bewirkt 《*durch*⁴》.

운동(運動) ① 《몸의》 Bewegung *f.* -en; 《체육의》 Leibesübung *f.* -en; 《경기의》 Sport *m.* -(e)s, -e. ～하다 ⁴sich bewegen; ³sich Bewegung machen. ¶ 가벼운 〔격심한〕 ～ leichte 〔übermäßige〕 Bewegung. ② 《물체 등의》 Bewegung *f.* -en; Gang *m.* -(e)s, ⸚e. ～하다 ⁴sich rühren; ⁴sich fort|bewegen. ③ 《정치상의》 Bewegung *f.* -en; 《선거의》 Werbung 〔Agitation〕 *f.* -en; 《취직의》 Bewerbung *f.* -en. ～하다 《정치상의》 e-e Bewegung machen; 《선거의》 werben* 《*um*⁴》; agitieren 《*für*⁴》; 《취직의》 ⁴sich bewerben* 《*um*⁴》. ¶ 선거 ～을 하다 um ⁴Stimmen werben* / 취직 ～을 하다 ⁴sich um e-e Stellung bewerben* (bei *jm.*). ‖ ～구점 Sport(artikel)geschäft *n.* -(e)s, -e / ～ 선수 Sportsmann *m.* -(e)s, ..leute / ～장(場) Sportplatz *m.* -es, ⸚e / 선거 ～ Wahlagitation *f.* -en / 실내 ～ Hallensport *m.* -(e)s, -e.

운두 Seitenhöhe e-s Schuhs. ¶ ～가 높은〔낮은〕 신 hoch〔niedrig〕geschnittene Schuhe (*pl.*).

운명(運命) Schicksal〔Geschick〕 *n.* -(e)s, -e; Los *n.* -es, -e; 《천명》 Schickung 〔Fügung〕 *f.* -en; 《비운》 Verhängnis *n.* -ses, -se. ¶ ～의 장난 die Tücke des Schicksals. ‖ ～론(論) Fatalismus. *m.* -.

운명(殞命) letzter Atemzug, -s; Tod *m.* -(e)s. ～하다 s-n letzten Atemzug tun; sterben*; um|kommen*.

운모(雲母) 〖鑛〗 Glimmer *m.* -s, -.

운무(雲霧) Wolken u. Nebel.

운문(雲紋) „Wolkenmusterung" *f.*

운문(韻文) Verse (*pl.*).

운반(運搬) Transport *m.* -(e)s, -e; Beförderung *f.* -en. ～하다 transportieren⁴; befördern⁴. ‖ ～비 Transport〔Beförderungs〕kosten (*pl.*).

운석(隕石) Meteorit *m.* -(e)s, -e.

운송(運送) Transport *m.* -(e)s, -e; Beförderung 〔Spedition〕 *f.* -en. ～하다 transportieren⁴; befördern⁴; spedieren⁴. ‖ ～비(費) Transport〔Speditions〕kosten (*pl.*) / ～선(船) Transportschiff *n.* -(e)s, -e.

운수(運數) Stern *m.* -(e)s, -e. ☞ 운. ¶ ～를 보다 *jm.* sein Schicksal voraus|verkünden. ‖ ～ 대통 die glückliche Wendung des Schicksals.

운수(運輸) Transport *m.* -(e)s, -e; Beförderung *f.* -en; 《교통》 Verkehr *m.* -(e)s. ‖ ～ 기관 Transport〔Verkehrs〕mittel *n.* -s, -.

운신(運身) ～하다 ⁴sich regen 〔rühren; bewegen〕. ¶ ～도 못하다 kein Glied regen 〔rühren〕 können*.

운영(運營) Leitung *f.* -en; Direktion *f.* -en. ～하다 leiten⁴; führen⁴; verwalten⁴. ‖ ～ 위원회 Betriebsausschuß *m.* ..schusses, ..schüsse / ～ 자금 Betriebskapital *n.* -s, -e 〔..lien〕.

운용(運用) ～하다 an|wenden(*)⁴; verwenden(*)⁴; gebrauchen⁴.

운운(云云) so und so; 《등등》 und so weiter 《略 : usw.》; und so fort 《略 : usf.》. ～하다 das und das 〔so und so〕 sagen; viel reden 《*über*⁴》; 《용훼(容喙)하다》 dazwischen|reden.

운율(韻律) Rhythmus *m.* -, ..men; Metrum *n.* -s, ..tren. ～의 rhythmisch; metrisch.

운임(運賃) Transportkosten(*pl.*); Frachtgeld 〔Fahrgeld〕 *n.* -(e)s; Fuhrlohn *m.* -(e)s; Fuhrgeld *n.* -(e)s. ‖ ～ 인상 die Erhöhung der Transportkosten / ～표 Tarif *n.* -s, -e / 여객 ～ Fahrgebühr *f.* -en.

운전(運轉) ～하다 lenken⁴; fahren*⁴; 《기계를》 in ⁴Gang bringen*⁴; in ⁴Betrieb setzen⁴. ‖ ～(기)사 Fahrer *m.* -s, - 《운전자》; Chauffeur *m.* -s, -e 《직업상의》; 《택시의》 Taxi·fahrer〔-chauffeur〕 / ～대 Führer·stand *m.* -(e)s, ⸚e〔-sitz *m.* -es, -e〕 / ～ 면허 시험 Fahrprüfung *f.* -en / ～ 면허증 Führerschein *m.* -(e)s, -e.

운지법(運指法) 〖樂〗 Fingersatz *m.* -es, ⸚e; Applikatur *f.* -en.

운집(雲集) ～하다 wimmeln; ⁴sich drängen; ⁴sich zusammen|ballen.

운치(韻致) etwas Gewinnendes*〔Ansprechendes*〕; Edelmut *m.* -(e)s. ¶ ～있는 geschmackvoll; elegant.

운필(運筆) Pinselführung *f.* -en; Pinselstrich *m.* -(e)s, -e.

운하(運河) Kanal *m.* -s, ⸚e. ‖ 갑문식 ～ Schleusenkanal *m.* -s, ⸚e / 수에즈〔파나마〕 ～ Suez〔Panama〕kanal.

운항(運航) Fahrt *f.* -en. ～하다 fahren*.

운행(運行) Bewegung *f.* -en; Umlauf *m.* -(e)s, ¨e. ～하다 ^{4}sich bewegen; um|laufen*.

운휴(運休) ¶～하고 있다 außer ^{3}Betrieb sein.

울 (울타리) Zaun *m.* -(e)s, ¨e; Einfriedigung *f.* -en.

울긋불긋 bunt; vielfarbig. ～하다 bunt (sein).

울남(一男) kleiner Schreier, -s, -; Heulpeter *m.* -s, -.

울녀(一女) kleine Schreierin, -nen; Heulsuse 〔-trine〕 *f.* -n.

울다^1 ① (사람이) weinen; wehklagen; jammern; wimmern; schluchzen; heulen; schreien*. ¶흐느껴 ～ schluchzen / 목놓아 ～ laut weinen. ② (고양이가) miauen; (소가) brüllen; muhen; (벌레·새가) zwitschern; zirpen; (까마귀가) krächzen; (개구리가) quaken; (닭이) krähen; (매미가) singen.

울다^2 (소리남) tönen; klingen*; (종이) läuten.

울대 (새의) Syrinx *f.*

울뚝하다 jähzornig 〔hitzig〕 (sein).

울렁거리다 ① (가슴설레다) das Herz klopft (*vor*^{3}); klopfen; pochen. ② (메스껍다) zum Erbrechen geneigt sein; ^{3}sich ekeln (*vor*^{3}).

울룩불룩하다 uneben 〔ungleich; rauh; holp(e)rig〕 (sein).

울리다^1 weinen machen (*jn.*); zu ^{3}Tränen rühren〔bewegen〕(*jn.*); in ^{4}Tränen auflösen lassen*(*jn.*).

울리다^2 ertönen 〔erklingen〕 lassen*^{4}; (종을) läuten; (소리남) klingen*; schallen; tönen; (반향) wider|hallen; (진동) beben.

울먹거리다 e-n weinerlichen Ton von ^{3}sich geben*; auf|schluchzen. ¶울먹거리며 mit weinerlicher Stimme.

울바자 Strohgeflecht für e-n Zaun.

울보 Schrei·balg *m.*〔*n.*〕〔-hals *m.*〕 -es, ¨e.

울부짖다 heulen; schreien*; lamentieren; jammern.

울분(鬱憤) Groll *m.* -(e)s; Erbitterung *f.* -en. ¶～을 토로하다 s-n Zorn an *jm.* aus|lassen* / ～을 풀다 s-m Groll ^{4}Luft machen.

울상(一相) ¶～을 짓다 ein weinerliches Gesicht machen; (俗) flennen.

울새 〔鳥〕 Rotkehlchen *n.* -s, -.

울안 eingezäunter 〔umfriedeter〕 Platz, -es, ¨e.

울음 das Weinen*, -s; das Klagen*, -s.

울적(鬱寂) ～하다 düster 〔trübsinnig; schwermütig; melancholisch〕 (sein). ¶～한 마음을 달래다 s-m Herzen 〔Schwermut; Zorn *usw.*〕 Luft machen.

울짱 Pfahlzaun *m.* -(e)s, ¨e; Pfahlwerk *n.* -(e)s, -e. ¶～을 치다 umzäunen^4.

울창(鬱蒼) ～하다 dicht 〔dichtbelaubt; üppig; wuchernd〕(sein). ¶～한 숲 der dichte Wald, -(e), ¨er.

울타리 Zaun *m.* -(e)s, ¨e; Einfriedigung *f.* -en; (산울타리) Hecke *f.* -n. ¶～를 두르다 ein|friedigen^4; ein|zäunen^4.

울퉁불퉁하다 uneben〔ungleich; holperig; höckerig; rauh〕(sein).

울혈(鬱血) 〔醫〕 Blutstauung *f.* -en.

울화(鬱火) aufgestauter 〔unterdrückter〕 Zorn, -(e)s, -e. ¶～가 치밀다 Aufwallung des Zornes fühlen.

움 Knospe *f.* -n; Auge *n.* -s, -n; Sproß *m.* ..rosses, ..rosse; Sprößling *m.* -s, -e. ¶움(이) 트다 knospen; auf|sprießen*.

움막(一幕) Höhlenwohnung *f.* -en. ‖～살이 das Leben in e-r Lehmhütte.

움직거리다 ^{4}sich rühren; ^{4}sich bewegen.

움직이다 ① ^{4}sich bewegen; ^{4}sich regen; (기계가) laufen; gehen*; (동요) schwanken; (감동) gerührt werden; (변동) (^{4}sich) ändern. ¶움직이기 시작하다 ^{4}sich in ^{4}Bewegung setzen. ② 〔他動詞〕 (움직이게 하다) bewegen^4; in Bewegung setzen^4; (운전) in ^{4}Betrieb 〔Gang〕 setzen^4; (감동) rühren^4. ¶마음을 ～ *jn.* bewegen〔rühren; ergreifen*〕.

움집 ☞ 움막.

움쭉달싹 ¶～ 못하고 wie in e-e Sackgasse geraten.

움찔 ¶～ 놀라다 e-n Schrecken bekommen*.

움츠러들다 zurück|schrecken*; ^{4}sich verkriechen* (*vor*^{3}, *gegen*^{4}); ^{4}sich zusammen|kauern 〔-|zucken (움찔하다)〕.

움츠리다 zurück|ziehen*^{4}; zusammen〔ein〕|schrumpfen; verkümmern. ¶어깨를 ～ die Schulter ein|ziehen*.

움켜잡다 fast packen^4.

움켜쥐다 fest (er)greifen*^{4}; fassen^4; packen^4; fest|halten^4.

움큼 Handvoll *f.* ¶쌀을 한～ 움키다 e-e Handvoll Reis nehmen.

움키다 mit der ^{3}Hand fassen^4〔greifen*^{4}〕; ergreifen*^{4}.

움트다 Knospen (*pl.*) treiben*; (auf)keimen; auf|schießen*; sprießen*.

움펑눈 hohle Augen (*pl.*); tiefliegende Augen (*pl.*). ‖～이 der Hohläugige*, -n, -n.

움푹하다 hohl 〔eingefallen; (aus)gehöhlt; vertieft; versunken〕(sein).

웃기다 zum Lachen bringen*^{4}; belustigen^4 (*mit*^{3}); fröhlich stimmen^4. ¶웃기는군 Es lächelt mich.

웃다 lachen; (미소) lächeln; (되게) ^{4}sich aus|lachen^4; (히죽이) grinsen; (빙긋) schmunzeln; (조소) hohn|lachen; (킥킥) kichern. ¶배꼽을 잡고 ～ ^{3}sich vor Lachen die Seiten halten*.

웃어른 Ältere* (*pl.*).

웃옷 (거죽 옷) Außengewand *n.* -(e)s, ¨er; Mantel *m.* -s, ¨.

웃을일 ¶～이 아니다 Es ist nichts zum Lachen.

웃음 das Lachen*, -s; Gelächter *n.* -s, -; das Lächeln*, -s. ¶～을 터뜨리다 in ein Gelächter aus|brechen* / ～을 참다 ^{3}sich das Lachen verbeißen*.

웃통 ¶～을 벗다 das Oberhemd ab|streifen*; ^{4}sich des Unterhemdes entledigen.

웅거(雄據) ～하다 eigenes Gebiet halten* u. schützen.

웅담(熊膽) 〔漢醫〕 Bärengalle *f.* -n.

웅대(雄大) ～하다 grandios 〔großartig〕 (sein). ¶～한 구상 ein großartiger Plan, -(e)s, ¨e.

웅덩이 (Wasser)pfütze 〔Wasserlache〕 *f.* -n.

웅도(雄圖) das kühne Vorhaben*〔Unternehmen*〕 -s; Ehrgeiz *m.* -es.

웅변(雄辯) Beredsamkeit〔Beredtheit〕 *f.*

¶～을 토하다 mit großer Beredsamkeit sprechen*. ‖～가 ein guter Redner, –s, – / ～ 대회 Redeversammlung *f.* –en / ～술 Redekunst *f.*
웅비(雄飛) ～하다 ^{4}sich auf|schwingen*.
웅성거리다 laut werden; ^{4}sich erregen 《청중 등이》. ¶회의장이 웅성거린다 Das Publikum erregt sich.
웅숭깊다 tief 〔unergründlich; subtil; großmütig〕(sein). ¶웅숭깊은 생각 tiefe 〔weitreichende〕 Gedanken (*pl.*).
웅얼거리다 murmeln; murren; grunzen.
웅자(雄姿) die stattliche 〔prächtige〕 Figur, –en; die pompöse 〔imposante〕 Erscheinung, –en. ¶～를 나타내다 e–e stattliche Erscheinung machen.
웅장(雄壯) ～하다 herrlich 〔prachtvoll; prächtig; großartig〕(sein). ¶～한 경치 herrliche Aussicht, –en.
웅크리다 hocken; ^{4}sich beugen; ^{4}sich bücken.
워낙 《본디부터》 von vornherein; von Anfang an; 《아주》 so; sehr. ¶그는 (사람이) ～ 정직해서 나쁜 짓은 못 한다 Er ist von Natur ehrlich, und kann nichts schlechtes tun.
워라말 ☞얼룩말.
원(圓) Kreis *m.* –es, –e; Zirkel *m.* –s, –. ¶원을 그리다 e–n Kreis beschreiben*. ‖원둘레 Peripherie *f.* –n.
원(願) Wunsch *m.* –es, ⸚e; Bitte *f.* –n; Verlangen *n.* –s, –; Gesuch *n.* –(e)s, –e; Anliegen *n.* –s, –. ¶원컨대 ich hoffe; bitte; hoffentlich.
원가(原價) 《매입의》 Einkaufspreis *m.* –es, –e; 《제조의》 die Selbstkosten(*pl.*). ¶～로 zum Einkaufs〔Kosten〕preis. ‖～ 계산(計算) Kosten(be)rechnung *f.* –en / 생산 ～ Gestehungspreis *m.* –es, –e.
원거리(遠距離) e–e große Entfernung, –en.
원격조종(遠隔操縱) Fernlenkung 〔Fernsteuerung〕 *f.* –en.
원경(遠景) Aussicht *f.* –en; Ausblick *m.* –(e)s, –e; Aus〔Fern〕schau *f.*
원고(原告) (An)kläger *m.* –s, –.
원고(原稿) Manuskript *n.* –(e)s, –e. ‖～용지 Konzept〔Entwurfs〕papier *n.* –s.
원군(援軍) Verstärkung *f.* –en; Zuzug *m.* –(e)s, ⸚e; Entsatz *m.* –(e)s; Nachschub *m.* –(e)s, ⸚e.
원근(遠近) Ferne u. Nähe; Entfernung *f.* –en. ‖～법 Perspektive *f.* –n.
원금(元金) Kapital *n.* –s, –e 〔..lien〕; Stamm〔Grund〕kapital. ¶～과 이자(利子) Kapital u. Zins(en).
원급(原級) 〖文〗 Grundstufe *f.* –n; Positiv *m.* –s, –e.
원기(元氣) Saft u. Kraft; Energie *f.* –n; Lebenskraft *f.* ⸚e; 《俗》 Mumm *m.* –s; Mut *m.* –(e)s; Vitalität *f.* ¶～를 회복하다 wieder zu Kräften kommen*.
원기둥(圓—) Säule 〔Walze〕 *f.* –n; 〖數〗 Zylinder *m.* –s, –.
원내총무(院內總務) Fraktionsleiter 〔Einpeitscher〕 *m.* –s, –.
원대(原隊) s–e eigene Truppe, –n. ¶～복귀(復歸)하다 zu s–r eigenen Truppe zurück|kommen*.
원대(遠大) ～하다 weitreichend 〔groß; grandios〕(sein). ¶～한 계획 der hochfliegende Plan, –(e)s, ⸚e.
원동기(原動機) Motor *m.* –s, –en.
원동력(原動力) Triebkraft *f.* ⸚e; die bewirkende Kraft, ⸚e. ¶활동의 ～ die Triebkraft des Handelns.
원래(元來) eigentlich; ursprünglich; an (und für) sich; von Haus aus; von vornherein; von Natur. ¶～부터 von Anfang an; eigentlich; von Natur aus / 그는 ～ 정직한 사람이다 Er ist ehrlich von Natur.
원로(元老) der Älteste* 〔Altgediente*〕 –n, –n; Altmeister *m.* –s, –; Veteran *m.* –en, –en. ‖～원 Senat *m.* –(e)s, –.
원로(遠路) der lange〔weite; ferne〕 Weg, –(e)s, –e. ¶～에 수고 많으셨습니다 Ich danke Ihnen bestens, daß Sie meinetwegen einen so weiten Weg gemacht haben.
원론(原論) Grundbegriffe 〔Prinzipien〕 (*pl.*). ‖경제학 ～ die Prinzipien der Ökonomie.
원료(原料) (Roh)material *n.* –s, ..lien; (Roh)stoff *m.* –(e)s, –e.
원리(元利) Kapital u. Zinsen. ¶～ 합계 5만원이 되다 Kapital u. Zinsen machen 50000 *Won* aus.
원리(原理) Prinzip *n.* –s, ..pien; Theorie 〔Lehre〕 *f.* –n. ¶～를 구명하다 ^{3}Prinzipien (*pl.*) nach|forschen.
원만(圓滿) ～하다 einträchtig 〔harmonisch; vollkommen; mild(e); friedlich〕 (sein). ¶～한 인격 die vollkommene Persönlichkeit.
원망(怨望) Klage 〔Beschwerde〕 *f.* –n; Groll 〔Gram〕 *m.* –(e)s. ～하다 (mit) *jm.* grollen; *jm.* ^{4}*et.* nach|tragen*.
원맨쇼 Einmannbetrieb *m.* –(e)s, –e.
원면(原綿) Rohbaumwolle *f.*
원명(原名) der eigentlich 〔richtige〕 Name, –ns, –n.
원모(原毛) Rohwolle *f.* –n.
원무(圓舞) Reigen *m.* –s, –; Reihen〔Rund〕tanz *m.* –es, ⸚e; Walzer *m.* –s, –. ‖～곡 Walzer.
원문(原文) Original *n.* –s, –e; Text *m.* –es, –e.
원반(圓盤) Scheibe *f.* –n; 《경기용》 Diskus *m.* –, ..ken. ‖～던지기 Diskuswurf *m.* –(e)s, ⸚e.
원본(原本) Urtext *m.* –es, –e; Original *n.* –s, –e.
원부(原簿) Hauptbuch *n.* –(e)s, ⸚er.
원뿔(圓—) Konus *m.* –, –se 〔..nen〕; Kegel *m.* –s, –. ¶～꼴의 konisch; kegelförmig.
원산지(原産地) Heimat *f.* –en. ‖～증명서 Bescheinigung des Ursprungslandes.
원상(原狀) der frühere 〔ursprüngliche〕 Zustand, –(e)s, ⸚e; die alte Ordnung, –en. ¶～으로 회복하다 den vorigen 〔früheren〕 Zustand wieder|herstellen.
원색(原色) Grundfarbe *f.* –n. ‖～사진 Heliochromie *f.* –n / ～판 Farbendruck *m.* –(e)s, –e.
원생동물(原生動物) Urtierchen *n.* –s, –; Protozoon *n.* –s, ..zoen.
원서(原書) Original *n.* –s, –e.
원서(願書) Gesuch *n.* –(e)s, –e; Bittschrift *f.* –en. ¶～를 제출하다 ein Ge-

such an|bringen*〔ein|reichen; stellen〕.
원성(怨聲) das Murren*, -s.
원소(元素) Element *n.* -(e)s, -e; Grundstoff *m.* -(e)s, -e. ‖ ~ 주기율 das periodische Gesetz der Elemente / 동위 ~ Isotop *n.* -s, -e.
원수(元首) 《나라의》 Staatsoberhaupt *n.* -(e)s, ⸚er; Herrscher *m.* -s, -.
원수(元帥) 《육군》 Marschall *m.* -s, ⸚e; 《해군》 Großadmiral *m.* -s, -e.
원수(怨讐) Feind *m.* -(e)s, -e; Gegner *m.* -s, -. ¶ ~를 갚다 [4]sich rächen 《an *jm.* für [4]*et.*》.
원수폭(原水爆) Atom- u. Wasserstoffbombe *f.* -n.
원숙(圓熟) ~하다 ausgereift 〔durchgebildet; vollendet〕(sein).
원숭이 Affe *m.* -n, -n. ¶ ~도 나무에서 떨어질 때가 있다 „Zuweilen schläft selbst (der heilige) Homer".
원시(原始) ~적 primitiv; ursprünglich; Ur-. ‖ ~ 시대 Urzeit *f.* -en / ~인(人) Urmensch *m.* -en, -en / ~ 종교 Ur〔Natur〕religion *f.* -en.
원시안(遠視眼) Weit〔Fern〕sichtigkeit *f.*
원심(原審) das erste 〔ursprüngliche〕 Urteil, -(e)s, -e. ¶ ~을 파기하다 das ursprüngliche Urteil auf|heben*.
원심력(遠心力) Fliehkraft *f.*
원심분리기(遠心分離器) Zentrifuge *f.* -n.
원아(園兒) das im Kindergarten betreute Kind, -(e)s, -er.
원안(原案) der ursprüngliche Entwurf, -(e)s, ⸚e; die erste Fassung, -en; Urentwurf *m.* -(e)s, ⸚e. ¶ ~을 수정하다 den ursprünglichen Entwurf ab|ändern.
원앙(鴛鴦) Braut〔Mandarinen〕ente *f.* -n. ¶ 한쌍의 ~ ein gutes 〔passendes〕 Paar, -(e)s, -e.
원액(原液) Stammlösung *f.* -en; unverdünnte Lösung, -en.
원양(遠洋) Ozean *m.* -s, -e. ‖ ~ 어업 Hochseefischerei *f.* -en / ~ 항해 Ozeanschiffahrt *f.* -en.
원어(原語) Ursprache *f.* -n.
원예(園藝) Gartenbau *m.* -(e)s; Gärtnerei *f.* -en. ‖ ~가〔사〕 Gartenbautechniker *m.* -s, -.
원외(院外) ~의 außerhalb des Parlaments.
원용(援用) ~하다 [4]sich berufen* 《*auf* [4]》.
원유(原油) Rohöl *n.* -(e)s, -e; das ungereinigte Erdöl.
원음(原音) 〚樂〛 Grundton *m.* -(e)s, ⸚e.
원인(原因) Ursache *f.* -n; 《기인》 Veranlassung *f.* -en; 《이유》 Grund *m.* -(e)s, ⸚e. ¶ ~ 불명의 unerklärbar.
원인(遠因) die entfernte Ursache, -n.
원일점(遠日點) Aphelium *n.* -s; Sonnenferne *f.* -n.
원자(原子) Atom *n.* -s, -e. ‖ ~가(價) Valenz 〔Wertigkeit〕 *f.* -en / ~력(力) Atomenergie *f.* -n (~력(力) 발전소 Atomkraftwerk *n.* -(e)s, -e / ~력 잠수함 Atom-Unterseeboot *n.* -(e)s, -e) / ~로(爐) Atombrenner *m.* -s, - / ~ 물리학 Atomphysik *f.* / ~ 번호 Atomnummer *f.* -n / ~열 Atomwärme *f.* -n / ~ 폭탄 Atombombe *f.* -n / ~핵 Atomkern *m.* -(e)s, -e (~핵 분열 Kernspaltung *f.* -en).
원작(原作) Original *n.* -(e)s, -e. ‖ ~자 Autor *m.* -s, -en; Urheber *m.* -s, -.
원장(元帳) Hauptbuch *n.* -(e)s, ⸚er. ¶ ~에 기입하다 in das Hauptbuch ein|tragen*[4].
원장(院長) Direktor *m.* -s, -en.
원장(園長) Prinzipal e-s Kindergartens 〔e-r Schule, e-s Zoo(s) *usw.*〕.
원저(原著) Originalwerk *n.* -(e)s, -e; Original *n.* -s, -e. ‖ ~자 (Original)verfasser *m.* -s, -.
원적(原籍) Heimats〔Stamm〕ort *m.* -(e)s, ⸚er.
원전(原典) Urtext *m.* -(e)s, -e.
원점(原點) Ausgangspunkt *m.* -(e)s, -e. ¶ ~으로 돌아가다 zum Ausgangspunkt zurück|kehren.
원정(遠征) Expedition *f.* -en; Feldzug *m.* -(e)s, ⸚e. ~하다 auf e-e Expedition gehen*. ‖ ~대 Expeditionstruppen (*pl.*).
원조(元祖) Gründer 〔Stifter〕 *m.* -s, -; Vater *m.* -s, ⸚.
원조(援助) Hilfe *f.* -n; Beistand *m.* -(e)s, ⸚e; Unterstützung *f.* -en. ~하다 Hilfe 〔Beistand〕 leisten 《*jm. bei*[3] 〔*in*[3]〕》; bei|helfen* 《*jm.*》; bei|stehen* 《*jm. bei*[3] 〔*in*[3]〕》 ‖ ~금 Unterstützungsfond *m.* -, -; Beistandgelder (*pl.*).
원죄(原罪) Erbsünde *f.*
원주(圓周) Peripherie *f.* -n; (Kreis)umfang *m.* -(e)s, ⸚e; Umkreis *m.* -es, -e. ‖ ~율 〚數〛 das Zahlenverhältnis des Kreisumfanges zum Durchmesser; Kreiszahl *f.* -en.
원주(圓柱) ＝원기둥.
원주민(原住民) der Eingeborene*, -n, -n; Urbewohner *m.* -s, -.
원지(原紙) Matrize *f.* -n; Patronenpapier *n.* -s 《등사지》; Papier zum Eierlegen der Seidenraupe 《잠란지》.
원지점(遠地點) Apogäum *n.* -s, ..äen.
원질(原質) Grundsubstanz *f.* -en.
원천(源泉) Quelle *f.* -n. ‖ ~ 과세 die von Einnahme unmittelbar abgezogenen Steuern (*pl.*).
원추리 〚植〛 Taglilie *f.* -n.
원추형(圓錐形) Kegel *m.* -s, -. ~의 kegelförmig.
원추화서(圓錐花序) 〚植〛 Rispe *f.* -n.
원칙(原則) Prinzip *n.* -s, -e 〔..pien〕; Grundsatz *m.* -es, ⸚e. ¶ ~적으로 in der Regel.
원컨대(願—) Ich hoffe; bitte; hoffentlich.
원탁회의(圓卓會議) Rundtafelkonferenz *f.* -en.
원통(寃痛) ~하다 bedauerlich 〔beklagenswert〕 (sein). ¶ ~한 일 etwas Bedauerliches.
원통(圓筒) Zylinder *m.* -s, -. ‖ ~ 보일러 der Zylindrischekessel, -s, -.
원판(原板) 〚寫〛 Platte *f.* -n; Negativ *n.* -s, -e; Negativbild *n.* -(e)s, -er.
원폭(原爆) Atombombe *f.* -n. ‖ ~ 실험 Atombombenversuch *m.* -(e)s, -e.
원피스 Kleid *n.* -(e)s, -er; ein Hauskleid für [4]Frauen.
원하다(願—) wünschen[4]; wollen*; *jn.*

bitten* 《um^{4}》; verlangen 《nach^{3} 갈망》; 《필요하다는 뜻에서》 bedürfen$^{4 \cdot 2}$; brauchen^{4}. ¶원한다면 wenn Sie wollen.
원한(怨恨) Gram m. -(e)s; Groll m. -(e)s. ¶~을 사다 ^{3}sich Haß zu|ziehen* / ~을 풀다 rächen 《jn.; ^{4}et.》; jm. heim|zahlen^{4} / ~을 품다 e-n Groll hegen 《gegen^{4}》. 「-e.」
원해어(遠海魚) Hochseefisch m. -(e)s,
원행(遠行) Distanzfahrt f. -en. ~하다 e-e Distanzfahrt machen.
원형(原形) Urform f. -en; die ursprüngliche Gestalt, -en. ¶~을 보존하다 die Urform bewahren 〔bei|behalten*〕. ‖~질 〖生〗 Protoplasma n. -s, ..men.
원형(原型) Modell n. -s, -e; Urbild n. -(e)s, -er.
원형(圓形) Kreis〔Zirkel〕form f. -en. ¶~의 (kreis)rund; kreisförmig / ~으로 im Kreis; kreisförmig. ‖~극장 Amphitheater n. -s, -.
원호(圓弧) 〖數〗 Kreisbogen m. -s, -〔¨〕.
원호(援護) (Bei)hilfe f. -n; Beistand m. -(e)s, ¨e; Rückendeckung 〔Unterstützung〕 f. -en. ‖~기금 Unterstützungsfonds m. -, -.
원혼(冤魂) der Geist e-s fälschlich zum Tode Verurteilten.
원화(一貨) Won m. -s, -s. ‖~시세 Won-(Wechsel)kurs m. -es, -e.
원화(原畫) Urbild n. -(e)s, ¨er.
원활(圓滑) Glattheit 〔Glätte〕 f. ¶~하게 ohne Anstoß 〔Stockung; Reibungen〕.
원흉(元兇) Rädelsführer m. -s, -.
월 《문장》 Satz m. -es, ¨e.
월(月) 《달》 Mond m. -(e)s, -e; 《한 달》 Monat m. -(e)s, -e.
월간(月刊) ~의 monatlich. ‖~잡지 Monatsschrift f. -en.
월경(月經) Menstruation f. -en; Monatsfluß m. ..flusses, ..flüsse. ‖~과다 die überfließende Menstration / ~대 Damenbinde f. -n / ~불순 Menstruationsfehler m. -s, - / ~폐쇄기 Menopause f. -n.
월경(越境) Grenzübertritt m. -(e)s, -e. ~하다 auf ein fremdes Gebiet über|treten*. 「nung, -en.」
월계(月計) die monatlische Abrech-
월계(月桂) 《월계수》 Lorbeer m. -(e)s, -en. ‖~관 Lorbeer m.; Lorbeerkranz m. -es, -e.
월광(月光) Mond·licht n. 〔-schein m.〕 -(e)s. ‖~곡 Mondscheinsonate f.
월권(越權) Anmaßung f.; Eigenmächtigkeit f. -en. ¶~행위를 하다 ^{3}sich an|maßen^{4}.
월급(月給) Monats·gehalt n. -(e)s, ¨er 〔-lohn m. -(e)s, ¨e〕. ¶~으로 살다 von den Gehalt leben. ‖~날 Gehaltstag m. -(e)s, -e / ~봉투 Gehaltstüte f. -n / ~쟁이 der monatlich besoldete Angestellte*, -n, -n.
월남(越南) ~하다 nach Süden kommen* (aus Nordkorea).
월동(越冬) Überwinterung f. -en. ~하다 überwintern.
월등(越等) ~하다 vortrefflich 〔vorzuglich〕 (sein). ¶그게 ~히 낫다 Das ist bei weitem besser.
월례(月例) ~의 monatlich; jeden Monat stattfindend. ‖~회 die monatliche Sitzung, -en.
월말(月末) Monatsende n. -s, -n; das Ende des Monat(e)s. ¶~에 ^{4}Ende des Monats. ‖~계정 die (Be)zahlung am Monatsende.
월면(月面) die Oberfläche des Mondes. ‖~도 Mondkarte f. -n / ~차 Mondauto n. -s, -s 〔-mobil n. -(e)s, -e〕.
월반(越班) ~하다 e-e Klasse überspringen*.
월변(月邊) monatliche Zinsen (pl.).
월보(月報) Monatsbericht m. -(e)s, -e.
월부(月賦) die monatliche Teil〔Raten〕-zahlung, -n. ¶~로 (monatlich) ratenweise / ~판매하다 auf monatliche Abzahlung verkaufen. ‖~구입 Raten〔Abzahlungs〕kauf m. -(e)s, ¨e.
월색(月色) Mond·licht n. -(e)s 〔-schein m. -(e)s〕.
월세(月貰) die monatliche Miete, -n. ¶이 집은 ~가 8만 원이다 die Miete dieses Hauses beträgt monatlich 80000 Won.
월수(月收) Monatseinkommen n. -s. ¶그의 ~는 30만 원이다 Sein Monatseinkommen beträgt 300000 Won.
월식(月蝕) Mondfinsternis f. -ses. ‖개기 ~ e-e totale Finsternis.
월액(月額) Monatsbetrag m. -(e)s, ¨e; die monatliche Summe, -n.
월야(月夜) die mondhelle Nacht, ¨e.
월여(月餘) ¶~간이나 〔~에 걸쳐〕 über e-n Monat. 「《略: Mo.》.」
월요일(月曜日) Montag m. -(e)s, -e
월일(月日) Tage (pl.) u. Monate (pl.); Datum n. -s, ..ten. ‖생년 ~ Geburtsdatum n.
월초(月初) der Anfang des Monats. ¶~에 am Anfang des Monats.
월평(月評) die montliche Kritik, -en.
월표(月表) Monatsverzeichnis n. -ses, -se.
월훈(月暈) der Hof um den Mond.
웨딩 Hochzeit f. -en. ‖~드레스 Hochzeitskleid n. -(e)s, -er / ~마치 Hochzeitsmarsch m. -es, ¨e.
웨이스트 Taille f. -n. ‖~라인 Gürtellinie f. -n.
웨이터 Kellner 〔Ober〕 m. -s, -.
웨이트리스 Kellnerin 〔Serviererin〕 f. -nen; Fraulein n. -s, - 《주로 호칭》.
웬 was für e-e Art* von...?; was für ein...? ¶~사람이냐 Wer ist dieser Mann?
웬걸 Ach du Schreck!; Mein Gott!; um Gottes willen!
웬만큼 《어느 정도》 einigermaßen; 《어지간히》 erträglich; zeimlich; 《알맞게》 recht; angemessen. ¶~마셔라 Trink nicht so viel! 「lich〕 (sein).」
웬만하다 ansehnlich 〔beträchtlich; leid-
웬일 ¶~이냐 Was ist los?
위 ① 《위쪽》 die obere Seite, -n; Oben n. -s; Oberteil m. -(e)s, -e; das Obere*, -n. ¶~의 ober; Ober- / 위에 oben; oberhalb^{2}; auf^{3}; über^{3} / 위로

auf⁴; über⁴. ② 《꼭대기》 Gipfel *m.* -s, -e. ¶ 맨 위의 oberst / 위에서 von oben. ③ 《표면》 Oberfläche *f.* -n; auf³. ¶ 책상 위의 책 das Buch auf dem Tisch. ④ 《비교》 ¶ 위의 höher 《높은》; älter 《연상》 / 제일 위의 아이 das älteste Kind, -(e)s, -er / 남의 위에 앉다 *jm.* vor|stehen*; über *jm.* stehen*. ⑤ 《더욱·게다가》 ¶ 그 위에 außerdem; dazu noch.

위(位) ① 《지위》 Stelle *f.* -n; Rang *m.* -(e)s, ¨e. ② 《왕위》 Thron *m.* -(e)s, -e. ¶ ~에 오르다 den Thron besteigen*.

위(胃) Magen *m.* -s, - 〔¨〕; Kropf *m.* -(e)s, ¨e. ¶ ~의 Magen-; Gastro-.

위경(胃鏡) 〖醫〗 Gastroskop *n.* -s, -e; Magenspiegel *m.* -s, -.

위경련(胃痙攣) 〖醫〗 Gastralgie *f.* -n; Magenkrampf *m.* -(e)s, ¨e. ¶ ~을 일으키다 ⁴Magenkrampf bekommen*.

위계(位階) Hofrang *m.* -(e)s, ¨e. ¶ ~가 높은 사람 der Mann von hohem Range.

위관(尉官) Subalternoffizier *m.* -s, -e.

위구(危懼) ~하다 befürchten⁴. ¶ ~심을 품다 Furcht hegen.

위궤양(胃潰瘍) Magengeschwür *n.* -(e)s, -e.

위급(危急) Not *f.* ¨e; Notlage *f.* -n; der ernste Augenblick, -(e)s, -e. ~하다 bedenklich 〔brenzlich; drohend〕 (sein). ¶ ~시에 im Notfalle; notfalls.

위기(危機) Krise *f.* -n; Krisis *f.* ..risen; der entscheidende Augenblick, -(e)s, -e. ¶ ~에 처해 있다 e-r ³kritischen Lage gegenüber gestellt sein / ~를 극복하다 e-e Krise überwinden*. ‖ ~일발 der kritische Augenblick.

위기(圍棊) =바둑.

위난(危難) Gefahr *f.* -en; Klippe *f.* -n. ¶ ~을 벗어나다 e-r Gefahr³ ent|gehen*.

위대(偉大) ~하다 groß〔großartig; stattlich〕(sein). ¶ ~한 업적 ein großes Verdienst, -(e)s, -e.

위덕(威德) Erhabenheit 〔Würde〕 *f.* -n.

위도(緯度) die (geographische) Breite, -n.

위독(危篤) der kritische Zustand der Krankheit. ~하다 ernstlich 〔bedenklich; schwer〕 krank sein. ¶ ~해지다 in e-n gefährlichen Zustand kommen*.

위력(威力) Macht 〔Stärke; Autorität〕 *f.*; Kraft *f.* ¨e. ¶ ~ 있는 mächtig; kräftig / ~을 떨치다 s-e Macht aus|üben.

위력(偉力) die große Macht 〔Stärke〕.

위령제(慰靈祭) Gedenk·gottesdienst *m.* -es, -e 〔-feier *f.* -n〕.

위령탑(慰靈塔) Ehrenmal *n.* -(e)s, -e 〔¨er〕; Gedenkstein *m.* -(e)s, -e.

위로(慰勞) Trost *m.* -es; Tröstung *f.* ~하다 trösten 《*jn. wegen*²》; beruhigen; besänftigen.

위막(胃膜) Magen(schleim)haut *f.* ¨e.

위모레스크 〖樂〗 Humoreske *f.* -n.

위무(慰撫) ~하다 befrieden 〔beruhigen; besänftigen〕 《*jn.*》.

위문(慰問) ~하다 trösten⁴; den Trost- 〔Beileids〕besuch machen. ‖ ~품 Liebesgabengeschenk *n.* -(e)s, -e.

위반(違反) Vergehen *n.* -s, -; Übertretung *f.* -en; Bruch *m.* -(e)s, -e; Verstoß *m.* -es, ¨e. ~하다 ⁴sich vergehen* 《*gegen*⁴; *wider*⁴》; übertreten*⁴. ‖ ~자 der Vergehende*, -n, -n / 교통 ~ der Verstoß gegen die Verkehrsregelung.

위법(違法) Gesetzwidrigkeit 〔Ungesetzlichkeit〕 *f.* ~의 gesetzwidrig; illegal; ungesetzlich; 《규칙 위반》 regelwidrig; falsch. ‖ ~ 행위 Gesetzübertretung *f.* -en; die rechtswidrige Handlung, -en.

위벽(胃壁) Magenwand *f.* ¨e.

위병(胃病) Magenkrankheit *f.* -en.

위병(衛兵) (Schild)wache *f.* -en. ¶ ~을 서다 Wache stehen*. ‖ ~ 근무 Wachtdienst *m.* -es, -e / ~소 Wachlokal *n.* -(e)s, -e; Schilderhaus *n.* -es, ¨er.

위산(胃酸) Magensäure *f.* -n. ‖ ~ 과다증 Hyperazidität *f.* -en.

위상(位相) 〖物〗 Phase *f.* -n. ‖ ~ 기하학 Topologie *f* / ~차(差) Phasendifferenz *f.* -en.

위생(衛生) Hygiene *f.* ~적 gesundheitlich; hygienisch; sanitär / ~에 나쁜 gesundheitsschädlich; unbekömmlich. ‖ ~병 Sanitätstruppe *f.* -n / ~ 시설 Sanitätseinrichtung *f.* -en / ~학 Hygiene *f.* / 정신 ~ geistige Hygiene.

위선(胃腺) 〖解〗 Magendrüse *f.* -n; Verdauungsweg *m.* -(e)s, -e.

위선(僞善) Scheinheiligkeit *f.*; Heuchelei *f.* -en. ~적 heuchlerisch. ‖ ~자 Heuchler *m.* -s, -; Hypokrit *m.* -en, -en.

위선(緯線) Breiten〔Parallel〕kreis *m.* -es, -e.

위성(衛星) Satellit 〔Trabant〕 *m.* -en, -en. ‖ ~ 국가 Satellitenstaat *f.* -(e)s, -en / ~ 도시 Satellitenstadt *f.* ¨e / ~ 중계 Satellitenübertragung *f.* -en / 인공 ~ der künstliche (Erd)satellit, -en.

위세(威勢) Macht *f.*; Kraft *f.* ¨; Einfluß *m.* ..usses, ..üsse. ¶ ~ 있게 munter; lebhaft / ~를 떨치다 s-e Macht aus|üben.

위수(衛戍) Garnison *f.* -en. ‖ ~령 Garnisonsdienst *m.* -(e)s, -e / ~ 사령관 Besatzungskommandeur *m.* -s, -e.

위시(爲始) ¶ …을 ~해서 ... und ...; sowohl ... als ...; nicht nur ... sondern ....

위신(威信) Würde *f.* -n; Ansehen *n.* -s; Autorität *f.*; Ehre *f.* -n. ¶ ~을 잃다 sein Ansehen verlieren* / ~을 지키다 s-e Würde behalten*.

위아래 oben u. unten. ¶ ~를 훑어보다 *jn.* von Kopf bis Fuß prüfen.

위아토니(胃—) 〖醫〗 Magenatonie *f.* -n.

위안(慰安) Trost *m.* -es; Unterhaltung *f.* -en; Zerstreuung 〔Erholung〕 *f.* ¶ ~을 주다 Trost ein|flößen 〔spenden; ein|sprechen*〕 《*jm.*》. ‖ ~회 die Veranstaltung zur Erholung.

위암(胃癌) Magen·karzinom *n.* -(e)s, -e 〔-krebs *m.*〕

위압(威壓) der Zwang 〔die Nötigung〕 durch ⁴Autorität. ~하다 durch ⁴Autorität zwingen* 《*jn.*》. ¶ ~적(인) zwingend; gebieterisch.

위액(胃液) Magen·entzündung *f.* -en 〔-drüse *f.* -n〕. ‖ ~선(腺) Verdauungsweg *m.* -(e)s, -e.

위약(胃弱) 〖醫〗 Magenschwäche 〔Dyspepsie〕 *f.* -n.

위약(違約) Vertrags〔Kontrakt〕bruch *m.* –(e)s, ¨e; Wortbruch 《약속의》. ～하다 e–n Vertrag 〔Kontrakt〕 brechen*; sein Wort brechen*. ‖～금 Abstand *m.* –(e)s, ¨e; Abstandsgeld *n.* –(e)s, –er.

위엄(威嚴) Würde 〔Majestät〕 *f.* ¶～을 지키다 s–e Würde bewahren / ～ 있는 würdevoll; majestätisch.

위업(偉業) Großtat *f.* –en; Werk *n.* –(e)s, –e; Leistung *f.* –en. ¶～을 이룩하다 erstaunliche Leistungen vollbringen*.

위염(胃炎) Magenentzündung *f.* –en.

위요(圍繞) ～하다 umgeben^{4}*; umringen^{4}; umfassen^{4}.

위용(威容) das würdevolle Aussehen, –s; die majestätische Haltung, –en. ¶～을 드러내다 großartige Haltung zeigen.

위원(委員) 《전체》 Komitee *n.* –s, –s; Kommission *f.* –en; 《개인》 Komiteemitglied *n.* –(e)s, –er. ‖～장 der Vorsitzende* e–s Komitees.

위원회(委員會) 《조직》 Komitee *n.* –s, –s; Kommission *f.* –en; 《집회》 Komiteesitzung *f.* –en. ¶～를 조직하다 das Komitee gründen. ‖군사 정전 ～ Waffenstillstandskomitee / 운영 ～ Lenkungsausschuß *m.* ..schusses, ..schüsse / 집행 ～ Vorstand *m.* –(e)s, ¨e.

위의(威儀) Würde *f.*; die wurdevolle Miene, –n. ¶～를 갖추어 mit entsprechender Würde.

위인(爲人) die Persönlichkeit e–s Menschen. ¶～이 온후하다 von gutmütiger Natur sein.

위인(偉人) der große Mann, –(e)s, ¨er; Held *m.* –en, –en.

위임(委任) Auftrag *m.* –(e)s, ¨e; das Anvertrauen*, –s; 《법률상의》 Mandat *n.* –(e)s, –e. ～하다 beauftragen^{4} 《mit ^{3}*et*》; an|vertrauen^{4} 《*jm.*》. ¶～ 받다 e–n Auftrag bekommen* 〔erhalten*〕. ‖～장 Vollmacht *f.* –en / ～ 통치 Mandat *n.*

위자료(慰藉料) Schmerzengeld *n.* –(e)s, –er. ¶～를 청구하다 das Schmerzengeld fordern.

위작(僞作) Fälschung *f.* –en; das ge〔ver〕fälschte Werk, –(e)s, –e.

위장(胃腸) Magen u. Darm; 《소화기》 Verdauungsorgan *n.* –s, –e; Eingeweide (*pl.*). ¶～이 튼튼하다 e–n guten Magen haben. ‖～병 Gastroenteropathie *f.* –n / ～약 Magenarznei *f.*

위장(僞裝) Tarnung *f.*; das Tarnen*, –s; Camouflage [kamuflá:ʒə] –n. ～하다 tarnen; verschleiern; camouflieren.

위점막(胃粘膜) Magenschleimhaut *f.* ¨e.

위정자(爲政者) Staatsmann *m.* –(e)s, ¨er; Administrator *m.* –s, –en.

위조(僞造) Verfälschung *f.* –en. ～하다 (ver)fälschen^{4}; nach|machen^{4}; unterschieben*^{4}; falsch|münzen 《화폐를》. ‖～ 지폐 das gefälschte Papiergeld, –(e)s, –er.

위주(爲主) ¶～로 하다 in erste Linie stellen^{4}; hauptsächlich darauf achten, daß... / (Haupt)gewicht legen auf^{4}....

위중(危重) ～하다 gefährlich 〔kritisch〕 (sein).

위증(僞證) Meineid *m.* –(e)s; der wissentliche Falscheid. ～하다 e–n Meineid leisten; falsch schwören*. ¶～죄 Meineid *m.*

위쪽 ¶～의 ober; höher; Ober–.

위촉(委囑) Auftrag *m.* –(e)s, ¨e; Übertragung *f.* –en; das Anvertrauen*, –s; Bitte *f.* –n 《의뢰》. ～하다 *jn.* bitten* 《^{4}*et.* zu *tun*》; *jm.* den Auftrag geben*; an|vertrauen 《*jm.* ^{4}*et.*》.

위축(萎縮) ～하다 (ver)schrumpfen. ¶～되다 《사람이》 eingeschüchtert werden.

위층(—層) das obere Stockwerk, –(e)s, –e. ¶～에(서) im oberen Stockwerk / ～으로 die Treppe hinauf; nach oben.

위치(位置) Lage 〔Stelle〕 *f.* –n; Ort *m.* –(e)s, –e; 《지위》 Stellung *f.* –en; 《입장》 Stand *m.* –(e)s, ¨e; 《직》 Posten *m.* –s, –. ～하다 gelegen sein; liegen*; stehen*. ¶～가 좋다 gutsituiert sein / ～를 정하다 die Lage bestimmen.

위카메라(胃—) Magenkamera *f.* –s.

위카타르(胃—) Magenkatarrh *m.* –s, –e.

위탁(委託) Auftrag *m.* –(e)s, ¨e; Kommission *f.* –en. ～하다 beauftragen 《*jn.* *mit*^{3}》; kommittieren 《*jn.* *zu*^{3}》. ‖～금 das Geld zur Verwahrung / ～ 판매 Konsignationshandel *m.* –s, ¨.

위태(危殆) ～롭다 gefährlich 〔gewagt; kritisch; riskant; unsicher〕 (sein).

위통(胃痛) Magenschmerzen (*pl.*); 〔醫〕 Gastralgie *f.* –n.

위트 Witz *m.* –es, –e. ¶～가 있는 witzig; geistreich.

위패(位牌) Totentafel *f.* –n.

위폐(僞幣) das falsche Geld, –(e)s, –er; die gefälschte Banknote, –n.

위풍(威風) Stattlichkeit 〔Erhabenheit; Majestät; Würde〕 *f.* ¶～ 당당한 stattlich; erhaben; imposant; Ehrfurcht gebietend.

위하수(胃下垂) Gastroptose *f.*; Magensenkung *f.* –en.

위하여(爲—) 《이익》 für^{4}; um^{2} ... willen; 《목적》 zum Zweck von^{3}; zu^{3}; für^{4}; zwecks^{2}; um ... zu.

위해(危害) Gefahr u. Schaden; Verletzung *f.* –en. ¶～를 가하다 Schaden zu|fügen^{3}; schädigen^{4}.

위헌(違憲) ～적 verfassungswidrig; nicht verfassungsgemäß. ¶그것은 ～이다 Das verstößt gegen die Verfassung.

위험(危險) Gefahr *f.* –en; Unsicherheit *f.* ～하다 gefährlich 〔unsicher〕 (sein). ‖～ 신호 Notsignal *n.* –s, –e / ～ 인물 der gefährliche Mensch, –en, –en.

위협(威脅) Bedrohung 〔Einschüchterung〕 *f.* –en. ～하다 bedrohen 《*jn.* *mit*^{3}》; ein|schüchtern. ¶～적인 bedrohlich; einschüchternd. ‖～ 사격 Einschüchterungsfeuer *n.* –s, – / ～ 수단 Einschüchterungs〔Zwangs〕mittel *n.* –s, –.

위화감(違和感) ein unangenehmes Gefühl, –(e)s, –e.

위확장(胃擴張) Magendilatation *f.* –en.

윈치 Winde *f.* –n; Aufzug *m.* –(e)s, ¨e.

윗도리 Rock *m.* –(e)s, ¨e 《남자의》; Sakko *m.*〔*n.*〕 -s, -s 《신사복의》; Jacke *f.* -n. ¶ ~를 입혀주다 *jm.* in die Jacke helfen*.

윗물 das Wasser im oberen Teil e-s Stromes.

윗배 Bauch *m.* -(e)s, ⸗e; Leib *m.* -(e)s, ⸗er. ¶ ~가 아프다 Leibschmerzen haben.

윗변(—邊) die Oberseite e-s Vielecks.

윗사람 der Obere* 〔Vorgesetzte*〕, -n, -n.

윗옷 《상의》 Rock *m.* -(e)s, ⸗e.

윗입술 Oberlippe *f.* -n.

윗자리 《상좌》 der beste Platz, -(e)s, ⸗e; 《지위》 höhere Stellung, -en. ¶ ~를 차지하다 die Vorrangstellung ein|nehmen*.

윙윙거리다 《바람·사이렌이》 heulen; 《바람·총알·기계가》 sausen; 《곤충·팽이가》 brummen.

윙크 Wink *m.* -(e)s, -e; das Blinzeln*, -s. ~하다 *jm.* (mit den [3]Augen) winken 〔blinzeln〕.

유(類) Art *f.* -en; Sorte *f.* -n; Gattung *f.* -en; Geschlecht *n.* -(e)s, -er.

유가(儒家) Konfuzianist *m.* -en, -en.

유가족(遺家族) Hinterbliebene* (*pl.*).

유가증권(有價證券) Wertpapier *n.* -s, -e.

유감(遺憾) ~스럽다 bedauerlich 〔bedauernswert; bedauernswürdig〕 (sein). ¶ ~스럽지만 Ich bedau(e)re, daß.... / ~없이 zufriedenstellend.

유개(有蓋) ~의 gedeckt. ‖ ~ 화차 ein gedeckter〔geschlossener〕 Güterwagen, -s, -.

유객(誘客) ¶ ~ 행위를 하다 die Kunden an|locken.

유격(遊擊) ‖ ~대 Guerillas (*pl.*) / ~술 Guerillataktik *f.* -en / ~전 Guerillakrieg *m.* -(e)s, -e; Partisanenkampf *m.* -(e)s, ⸗e.

유고(有故) ‖ ~ 결석 begründete Abwesenheit, -en / ~시 〘副詞的〙 bei unerwarteten Ereignissen.

유고(遺稿) das hinterlassene 〔nachgelassene〕 Manuskript, -(e)s, -e.

유곡(幽谷) das tiefe Tal, -(e)s, ⸗er. ‖ 심산 ~ hohe Berge u. tiefe Täler (*pl.*).

유골(遺骨) Asche *f.* -n; die sterblichen 〔irdischen〕 Überreste (*pl.*).

유공(有功) ~의 verdienstlich; verdienstvoll. ‖ ~자(者) ein verdienter Mann, -(e)s, ⸗er; ein Mann von großen Verdiensten.

유과(乳菓) Milchbonbon *m.*〔*n.*〕 -s, -s; Laktokuchen *m.* -s, -.

유곽(遊廓) Bordell *n.* -s, -e; Dirnen〔Freuden; Huren; Lust〕haus *n.* -es, ⸗er.

유괴(誘拐) Entführung *f.* -en; Raub *m.* -(e)s, -e. ~하다 entführen[4]; *jn.* rauben; kidnappen[4]. ‖ ~범 Entführer *m.* -s, -; Kidnapper *m.* -s, -.

유교(儒敎) konfuzianismus *m.* -. ‖ ~ 사상 die konfuzianische Philosophie.

유구무언(有口無言) ¶ ~이다 k-e Entschuldigung haben; k-e Worte finden*.

유구하다(悠久—) ewig 〔stets u. ständig〕 (sein).

유권자(有權者) der Berechtigte*, -n, -n 《일반적》; 《선거의》 der Wahl〔Stimm〕berechtigte*, -n, -n.

유권해석(有權解釋) die autoritative Interpretation, -en.

유급(有給) ~의 bezahlt; besoldet. ‖ ~ 휴가 der bezahlte Urlaub, -(e)s, -e.

유급(留級) ~하다 sitzen|bleiben*. ‖ ~자 der Sitzengebliebene*, -n, -n.

유기(有期) ~의 befristet; (zeitlich) begrenzt; Zeit-. ‖ ~ 공채 Tilgungsanleihe *f.* -n / ~형(刑) die befristete Zuchthausstrafe, -n.

유기(有機) ~의 organisch. ‖ ~물 die organische Substanz, -en; die organischen Stoffe (*pl.*) / ~ 화학 organische Chemie.

유기(遺棄) das Aufgeben*, -s; Aufgabe *f.*; das Verzichten*, -s; Verzichtleistung *f.* -en. ~하다 auf|geben*[4]; verzichten 〔Verzicht leisten〕 (*auf*[4]). ‖ 직무 ~ Pflichtvergessenheit *f.*

유난하다, 유난스럽다 ungewöhnlich 〔außerordentlich; ausnehmend; außergewöhnlich; seltsam〕 (sein).

유네스코 UNESCO *f.* (=Organisation der Vereinten Nationen für Erziehung, Wissenschaft u. Kultur).

유년(幼年) Kindheit *f.*; Kinderjahre (*pl.*). ¶ ~ 시절에 in der Kindheit.

유념(留念) ~하다 überlegen[4]; erwägen*[4]; beachten[4].

유능(有能) ~하다 tüchtig 〔fähig; tauglich〕(sein). ¶ ~한 사람 der fähige Kopf, -(e)s, ⸗e; der befähigte Mensch, -en, -en.

유니버시아드 Universiade *f.* -n.

유니크하다 einzig (in s-r Art) 〔ohnegleichen〕 (sein).

유니폼 die einheitliche Dienstkleidung; der einheitliche Sportanzug, -(e)s, ⸗e.

유다 〖聖〗 Juda; Judas (Ischariot) 《가룟 유다》.

유다르다(類—) außerordentlich 〔außergewöhnlich〕(sein). ¶ 유달리 außerordentlich; besonders; außergewöhnlich.

유단자(有段者) Titelinhaber *m.* -s, -.

유대류(有袋類) 〖動〗 Beuteltiere (*pl.*).

유덕(有德) ~하다 tugend·haft〔-reich〕 (sein).

유도(柔道) Judo *n.* -s.

유도(誘導) Führung 〔Leitung〕 *f.* -en; 〖電〗 Induktion *f.* -en. ~하다 führen[4]; leiten[4]; 〖電〗 induzieren[4]. ‖ ~ 신문 Suggestivfrage *f.* -n / ~탄 ein ferngelenkter Flugkörper, -s, -.

유독(有毒) ~하다 giftig 〔gifthaltig; toxisch; virulent〕(sein). ‖ ~ 가스 Giftgas *n.* -es, -e.

유독(唯獨) nur; bloß; lediglich.

유동(流動) ~하다 fließen*; in 〔im〕 Fluß sein. ‖ ~성(性) Flüssigkeit *f.*; Fluidität *f.*; Liquidität *f.* / ~ 자본 das flüssige Kapital, -s, -e; Umlaufskapital *n.* / ~체 Flüssigkeit *f.* -en.

유들유들하다 frech 〔unverschämt〕(sein). ¶ 자네 어지간히 유들유들하군 그래 Du bist ziemlich frech.

유라시아 Eurasien. ‖ ~ 대륙 der eurasische Kontinent, -(e)s.

유람(遊覽) Ausflug *m.* -(e)s, ⸗e; Vergnügungsreise *f.* -n; 《회유》 Rundfahrt *f.* -en. ‖ ~객 Ausflügler *m.* -s, -; der Vergnügungsreisende*, -n, -n / ~ 버

스 Rundfahrtbus *m.* –ses, –se / ～선 Vergnügungsboot *n.* –(e)s, –e / ～지 Vergnügungsort *m.* –(e)s, –e.

유랑(流浪) ～하다 herum|wandern; umher|wandern; ^{4}sich herum|treiben*; strolchen; vagabundieren. ‖ ～ 극단 Wandertruppe *f.* –n / ～민 Wandervolk *n.* –(e)s; Zigeuner *m.* –s, –.

유래(由來) ① 《근원·출처》 Ursprung *m.* –(e)s, ¨e; Herkunft *f.* ¨e; Quelle *f.* –n. ② 《내력》 Geschichte *f.* –n. ～하다 s–n Ursprung nehmen*〔haben〕《*in*^{3}》; her|kommen* 《*von*^{3}》; ^{3}*et.* entstammen; her|rühren 《*von*^{3}》.

유량(流量) Fluß *m.* ..lusses, ..lüsse; Strommenge *f.* –n. ‖ ～계 Strommesser *m.* –s, –.

유럽 Europa *n.* –s. ～의 europäisch. ‖ ～ 공동체 Europäische Gemeinschaft 《略 : EG》.

유려(流麗) ～하다 flott u. schön〔flink u. herrlich; glatt u. elegant〕(sein).

유력(有力) ～하다 mächtig〔einflußreich; führend〕(sein); 《증거 따위가》 rechtskräftig〔überzeugend〕(sein); 《중요》 erheblich〔(ge)wichtig〕(sein). ¶ ～한 용의자 der wahrscheinliche Täter, –s, –.

유령(幽靈) Gespenst *n.* –es, –er; Geist *m.* –es, –er. ‖ ～ 회사 Schwindelgesellschaft *f.* –en.

유례(類例) das ähnliche Beispiel, –(e)s, –e; der ähnliche Fall, –(e)s, ¨e. ¶ ～없는 beispiellos; unvergleichlich; einzig.

유료(有料) ～의 gebührenpflichtig; zollpflichtig. ‖ ～ 도로 Zollstraße *f.* –n / ～ 주차장 der gebührenpflichtige Parkplatz, –es, ¨e.

유류품(遺留品) die liegengelassenen〔zurückgelassenen〕Sachen (*pl.*).

유리(有利) ～하다 nützlich〔einträglich; vorteilhaft; günstig〕(sein).

유리(有理) ‖ ～수 die rationale Zahl, –en / ～식 der rationale Ausdruck, –(e)s, ¨e.

유리(流離) ～하다 wandern; umher|streifen*. ‖ ～ 걸식 das Umherstreifen* u. Betteln*, –s.

유리(琉璃) Glas *n.* –es, ¨er; 《창유리》 Glas〔Fenster〕scheibe *f.* –n.

유리(遊離) Abscheidung〔Absonderung〕*f.* –en. ～하다 ^{4}sich ab|scheiden* 《*von*^{3}》; ^{4}sich ab|sondern 《*von*^{3}》. ‖ ～ 상태 der freie Zustand, –(e)s, ¨e.

유린(蹂躪) ～하다 nieder|treten*^{4}; verwüsten^{4}; verheeren^{4}; verletzen^{4}. ¶ 인권을 ～하다 *js.* Menschenrechte verletzen.

유망(有望) ～하다 hoffnungsvoll〔vielver sprechend〕(sein). ¶ 전도 ～한 청년 der vielversprechende Jüngling, –s, –e.

유머 Humor *m.* –s, –e; Witz *m.* –es, –e; Scherz *m.* –es, –e. ¶ ～가 풍부한〔없는〕humorvoll〔humorlos〕.

유머리스트 Humorist *m.* –en, –en.

유명(有名) ～하다 berühmt 《*wegen*^{2}》〔(wohl)bekannt 《*für*^{4}》; namhaft 《저명》; weit verbreitet; weltberühmt 《세계적으로》〕(sein). ‖ ～세 Verpflichtung wegen der Popularität.

유명(幽明) Unterwelt u. Oberwelt; Diesseits u. Jenseits. ¶ ～을 달리하다 ins Jenseits abberufen werden; das Zeitliche segnen.

유명무실(有名無實) ～하다 nur dem Namen〔Titel〕nach existieren.

유모(乳母) Amme *f.* –n. ‖ ～차 Kinderwagen *m.* –s, –.

유목(遊牧) Nomadismus *m.* –; Nomadentum *n.* –s. ～하다 nomadisieren. ‖ ～민 Nomade *m.* –n, –n / ～ 생활 Nomadenleben *n.* –s.

유무(有無) Sein od. Nichtsein; vorhanden sein od. nicht vorhanden sein. ¶ ～ 상통(相通)하다 ^{4}sich gegenseitig ergänzen.

유문(幽門) 〔解〕 Pylorus *m.* –, ..ren; Magenpförtner *m.* –s, –.

유물(遺物) Überbleibsel *n.* –s, –.

유물론(唯物論) Materialismus *m.* –.

유민(流民) umherziehendes Volk, –(e)s; die Landstreicher (*pl.*).

유밀과(油密果) das Küchlein aus Öl u. Honig.

유발(乳鉢) Mörser *m.* –s, –. ¶ ～에 갈다 in e–m Mörser (zer)reiben*^{4}.

유발(誘發) ～하다 hervor|rufen*^{4}; verursachen^{4}.

유방(乳房) Busen *m.* –s, –; Brüste (*pl.*).

유배(流配) ～하다 verbannen^{4}. ‖ ～지 Verbannungsort *m.* –(e)s, –e.

유백색(乳白色) ～의 milchweiß.

유별(有別) ～나다 verschieden (sein).

유보(留保) Vorbehalt *m.* –(e)s, –e; Reservation *f.* –en. ～하다 vor|behalten*^{4} 《*jm.*》; reservieren^{4} 《*jm.*》.

유복(有福) ～하다 glücklich〔gesegnet〕(sein).

유복(裕福) ～하다 wohlhabend〔reich; begütert; bemittelt〕(sein).

유복자(遺腹子) der Nachgeborene*, –n, –n; 〔法〕 Post(h)umus *m.* –, ..mi.

유부(油腐) der gebackene Bohnenstich, –(e)s, –e.

유부녀(有夫女) 《남의 아내》 die Frau e–s ^{2}anderen; 《결혼한 여자》 die verheiratete Frau, –en.

유비무환(有備無患) „Vorsorge ist besser als Nachsorge"; „Vorsorge verhütet Nachsorge."

유사(有史) ¶ ～ 이래의 seit Menschengedenken; ohne ^{4}Vorgang in der Geschichte / ～ 이전의 vorgeschichtlich.

유사(類似) Ähnlichkeit〔Verwandtschaft〕*f.* –en; Gleichartigkeit *f.* ～하다 ähnlich〔analog(isch)^{3}〕(sein). ‖ ～품 die nachgeahmte Ware, –n.

유사시(有事時) ～에 im Notfall; im Fall der Not. ¶ ～에 대비하다 für den Notfall zurück|legen.

유산(有産) ‖ ～ 계급 die besitzende Klasse, –n; Bourgeoisie *f.* –n / ～자 der Besitzende*〔Wohlhabende*〕–n, –n; Bourgeois *m.* –, –.

유산(乳酸) Milchsäure *f.* ‖ ～균 Milchsäurebakterien (*pl.*).

유산(流産) Abort *m.* –(e)s, –e; Fehlgeburt *f.* –en; 《불성립》 das Mißlingen*, –s. ～하다 e–e Fehlgeburt haben; fehl|gebären*.

유산(遺産) 〔法〕 Erbe *n.* –s; Erbgut *n.*

-(e)s, ⸚er; Erbschaft *f.* -en. ‖ ~ 상속 Erbfolge *f.*

유상(有償) Entschädigung 〔Ersatzleistung; Vergütung〕 *f.* -en. ‖ ~ 몰수 die Beschlagnahme mit Vergütung 〔Entgelt〕 / ~ 원조 die Unterstützung mit Vergütung 〔auf Kredit〕.

유색(有色) ~의 farbig. ‖ ~ 인종 die farbige Rasse, -n.

유생(儒生) Konfuzianist *m.* -en, -en.

유생물(有生物) Lebewesen *n.* -s, -; Organismus *m.* -, ..men.

유서(由緖) ¶ ~ 깊은 in Geschichte 〔Sage〕 berühmt.

유서(遺書) Testament *n.* -(e)s, -e; das nachgelassene Schreiben*, -s. ¶ ~를 쓰다 sein Testament machen.

유선(有線) ~으로 mit 〔per〕 Draht. ‖ ~ 방송 Drahtfunk *m.* -(e)s.

유선(乳腺) Mamma *f.* -e; Brustdrüse *f.* -n. ‖ ~염 Brustdrüsenentzündung *f.*

유선형(流線型) Stromlinienform *f.* -en. ¶ ~의 stromlinienförmig.

유성(有性) ~의 geschlechtlich. ‖ ~ 생식 die geschlechtliche Fortpflanzung, -en.

유성(有聲) ~의 stimmhaft. ‖ ~음 der stimmhafte Laut, -(e)s, -e / ~ 자음 der stimmhafte Konsonant, -en, -en.

유성(流星) Sternschnuppe *f.* -n; Meteor *m.*〔*n.*〕 -s, -e.

유성(遊星) Planet *m.* -en, -en; Wandelstern *m.* -(e)s, -e.

유세(遊說) Wahlrede *f.* -n; 《선전》 Propaganda *f.* ~하다 Volks〔Wahl〕reden halten* (im Lande); als Volksredner 〔Wahlredner; Parteiwerber〕 durchziehen*[4]〔umher|ziehen*〕.

유소(幼少) Kindheit 〔Minderjährigkeit〕 *f.* ~하다 jung 〔kindlich〕 (sein).

유속(流速) Stromgeschwindigkeit *f.* -en. ‖ ~계 Strommesser *m.* -s, -.

유수(有數) ~하다 führend〔hervorragend; prominent; profiliert〕(sein).

유수(幽囚) Gefangenschaft *f.*; Einkerkerung *f.* ‖ 바빌론 ~ Babylonische Gefangenschaft.

유수(流水) Fließwasser *n.* -s, -; das fließende Wasser. ¶ 세월이 ~와 같다 Die Zeit fliegt wie ein Pfeil.

유숙(留宿) das Übernachten*, -s; Übernachtung *f.* -en. ~하다 《bei *jm.*》 bleiben*〔übernachten; ab|steigen*〕.

유순(柔順) ~하다 sanft(mütig) 〔mild(e)〕 (sein).

유스호스텔 Jugendherberge *f.* -n.

유습(遺習) überlieferter Brauch, -(e)s, ⸚e.

유시(幼時) Kindheit *f.*; Kindesalter *n.* -s; Kinderzeit *f.* -en.

유시(諭示) Ermahnung *f.* -en; Verweis *m.* -es, -e. ~하다 ermahnen[4]; *jm.* verweisen*[4].

유시류(有翅類) 〖蟲〗 Fluginsekten(*pl.*).

유식(有識) ~하다 gelehrt〔belesen; gebildet〕(sein). ¶ ~하게 말하다 elegant〔wie gebildet〕 sprechen*.

유신(維新) 《혁신》 Erneuerung *f.* -en.

유신론(有神論) Theismus *m.* -.

유실(流失) ~되다 vom Strom(e)〔von der Flut〕 weggespült werden.

유실물(遺失物) die liegengelassenen Sachen (*pl.*).

유심론(唯心論) Spiritualismus *m.* -. ‖ ~자 Spiritualist *m.* -en, -en.

유심(有心) ~히 aufmerksam; sorgfältig. ¶ ~히 듣다 aufmerksam hören; zu|hören[3].

유아(幼兒) Kleinkind *n.* -(e)s, -er. ‖ ~ 사망률 Kindersterblichkeit *f.*

유아(乳兒) Säugling *m.* -s, -e; Baby [bé:bi:] *n.* -s, -s.

유아독존(唯我獨尊) ① 〖佛〗 Ich, der einzige Heilige. ② 《도도함》 das Sichfernhalten*, -s; Selbstüberhebung *f.*

유아등(誘蛾燈) Lichtfalle 〔Köderlampe〕 *f.* -n.

유안(硫安) 〖化〗 Ammoniumsulfat *n.* -(e)s.

유암(乳癌) Brust〔Mamma〕krebs *m.* -es, -e.

유압(油壓) Öldruck *m.* -(e)s. ‖ ~ 브레이크 Öldruckbremse *f.* -n / ~ 펌프 Öldruckpumpe *f.* -n.

유액(乳液) Milchsaft *m.* -(e)s, ⸚e 《식물의》; Milch-Hautwasser *n.* -s, - 《화장용》.

유야무야(有耶無耶) ~하다 zweideutig 〔vernebelt〕(sein). ¶ ~가 되다 zunichte werden.

유약(柔弱) ~하다 weichlich〔schwächlich; verweichlicht; weibisch〕(sein). ‖ ~성 Schwäche *f.* -n.

유약(釉藥) Glasur *f.* -en; Schmelz *m.* -es, -e; Email *n.* -s, -s. ¶ ~을 바르다 glasieren[4]; mit Glasur überziehen*[4].

유어(類語) Synonym *n.* -s, -e. ‖ ~ 사전(辭典) das synonymische Wörterbuch, -(e)s, ⸚er.

유언(遺言) Testament *n.* -(e)s, -e; der letzte Wille, -ns, -n. ¶ ~을 남기다 *jm.* [4]*et.* testamentarisch vermachen. ‖ ~장 das (eigenhändige) Testament; Vermächtnis *n.* -ses, -se.

유언비어(流言蜚語) das falsche〔haltlose〕 Gerücht, -(e)s, -e; die falsche〔haltlose〕 Aussage, -n.

유업(乳業) Molkerei *f.* -en; Milchwirtschaft *f.* -en.

유업(遺業) die hiterlassene Arbeit, -en.

유엔 ☞ 국제 연합. ‖ ~ 경제 사회 이사회 der Wirtschafts- u. Sozialrat der VN 《略 : ECOSOC》 / ~ 교육 과학 문화 기구 ☞ 유네스코 / ~군 die Streitkräfte (*pl.*) der Vereinten Nationen / ~ 식량 농업 기구 die Ernährungs- u. Landwirtschaftsorganisation der VN 《略 : FAD》 / ~ 신탁 통치 이사회 der Treuhandschaftsrat der VN / ~ 안전 보장 이사회 der Weltsicherheitsrat der VN / ~ 총회 die Vollversammlung der VN / ~ 헌장 die Charta der Vereinten Nationen.

유여(有餘) mehr als; gut über[4]. ¶ 5 천 ~의 mehr als fünftausend.

유역(流域) Fluß〔Strom〕gebiet *n.* -(e)s, -e. ¶ 낙동강 ~ die vom *Nagdong* durchflossenen Gebiete (*pl.*).

유연(柔軟) ~하다 weich〔biegsam; dehnbar〕(sein). ‖ ~성(性) Weichheit *f.*; Geschmeidigkeit *f.*

유연(悠然) ~하다 gemessen〔gesetzt; gelassen; beherrscht〕(sein).

유연탄(有煙炭) Fettkohle *f.* -n.
유예(猶豫) Aufschub *m.* -(e)s, ⸚e; Frist *f.* -en 《연기》; Stundung *f.* -en 《지불의》; Verzögerung *f.* -en; Verzug *m.* -(e)s 《지체》. ‖ ~ 기간 Frist *f.* -en; Stundungsfrist 《지불의》; Gnadenfrist 《형의》 / 지급 ~ Stundung *f.* -en.
유용(有用) ~하다 nützlich 〔dienlich; tauglich; zweckmäßig〕 (sein).
유용(流用) die Verwendung zu e-m anderen Zweck; Andersverwendung *f.* ~하다 zu e-m anderen Zweck(e) 〔anders〕verwenden*.
유원지(遊園地) Spielplatz *m.* -es, ⸚e; Lustgarten *m.* -s, ⸚.
유월(六月) Juni *m.* -s, -s.
유위(有爲) ~하다 fähig 〔begabt; befähigt; brauchbar〕 (sein).
유유(悠悠) ~하다 ruhig 〔gelassen; geruhsam; gefaßt; faul; langsam; gemächlich〕 (sein). ¶ ~히 일을 시작하다 gemächlich an die Arbeit gehen*.
유유낙낙(唯唯諾諾) ~하다 bereitwillig 〔bejahend〕 sein.
유유상종(類類相從) ~하다 „Gleich u. gleich gesellt sich gern."
유유자적(悠悠自適) ~하다 ruhig 〔gelassen; gemächlich〕 sein.
유의(留意) ~하다 berücksichtigen⁴; Rücksicht 〔Bedacht〕 nehmen* 《*auf*⁴》; besorgt sein 《*um*⁴》; ³sich angelegen sein lassen*⁴.
유익(有益) 《유용함》 Nutzen *m.* -s, -; Nützlichkeit *f.*; 《이득있음》 Gewinn *m.* -(e)s, -e; Vorteil *m.* -(e)s, -e. ~하다 nützlich 〔gewinnbringend; profitabel; vorteilhaft〕 (sein).
유인(有人) ‖ ~ 위성 ein bemannter Satellit, -en, -en.
유인(誘引) Anlockung *f.* -en; das Herbeiführen*, -s. ~하다 an|locken⁴; herbei|führen⁴.
유인(誘因) Anlaß *m.* ..lasses, ..lässe; Veranlassung *f.* -en; Antrieb *m.* -(e)s, -e; Anstoß *m.* -es, ⸚e 《동인》.
유인물(油印物) Drucksache *f.* -n.
유인원(類人猿) 〖動〗 Anthropoid *m.* -en, -en; Menschenaffe *m.* -n, -n.
유일(唯一) ~하다 einzig 〔einzigartig; alleinig; ohnegleichen〕 (sein). ¶ 나의 ~한 소원 m-e einzige Hoffnung.
유임(留任) das Behalten* 〔das Nicht-Aufgeben*〕 s-s Amt(e)s 〔s-s Postens; s-r Stellung〕. ~하다 sein Amt 〔s-n Posten; s-e Stellung〕 behalten*.
유입(流入) das Ein〔Zu〕fließen*, -s. ~하다 ein〔zu〕|fließen*.
유자(柚子) 〖植〗 Bergamottzitrone *f.* -n.
유자격(有資格) ~의 qualifiziert; fähig; berechtigt. ‖ ~자 der Berechtigte* 〔Qualifizierte*〕 -n, -n.
유작(遺作) das nachgelassene 〔hinterlassene〕 Werk, -(e)s, -e.
유적(遺跡) Ruine *f.* -n; Trümmer (*pl.*); Überrest *m.* -(e)s, -e.
유전(油田) (Erd)ölfeld 〔Petroleumfeld〕 *n.* -(e)s, -er. ‖ ~ 개발 〔탐사〕 die Erschließung des Erdölfeldes.
유전(遺傳) Vererbung 〔Erblichkeit〕 *f.* -en. ~하다 vererben⁴; (⁴sich) vererben⁴. ¶ ~적인 (ver)erblich. ‖ ~병 Erbkrankheit *f.* -en / ~성 Heredität 〔Erblichkeit〕 *f.* / ~(인)자 Erbfaktor *m.* -s, -en.
유전스 Usance *f.* -n; Gepflogenheit *f.* -en (im Geschäftsverkehr); Handelsbrauch *m.* -(e)s, ⸚e.
유정(油井) Petroleumquelle *f.* -n.
유정(遺精) 〖醫〗 der unwillkürliche Samenabgang, -es, ⸚e.
유제류(有蹄類) 〖動〗 Huftiere (*pl.*).
유제품(乳製品) Milchprodukt *n.* -(e)s, -e.
유조(油槽) Ölbehälter *m.* -s, -. ‖ ~선 Tanker *m.* -s, -; Tankschiff *n.* -(e)s, -e / ~차 Tankwagen *m.* -s, -.
유족(遺族) der Hinterbliebene* 〔Hinterlassene*〕 -n, -n.
유족(裕足) ~하다 genug 〔ausreichend; befriedigend〕 (sein).
유종(有終) ¶ ~의 미를 거두다 von Erfolg krönen.
유죄(有罪) Schuld *f.* -en; Strafbarkeit *f.* ~의 schuldig; schuldhaft. ‖ ~ 판결 Schuldspruch *m.* -(e)s, ⸚e.
유증(遺贈) Vermächtnis *n.* -ses, -se; Legat *n.* -(e)s, -e. ~하다 vermachen⁴.
유지(有志) der Alte*, -n, -n; Anführer *m.* -s, -; Chef *m.* -s, -s. ‖ 지방 ~ der Landesheilige*, -n, -n.
유지(油脂) Öl u. Fett. ‖ ~ 공업 Öl- u. Fett-Industrie *f.* -n.
유지(油紙) Ölpapier *n.* -s, -e.
유지(維持) (Aufrecht)erhaltung 〔Unterhaltung〕 *f.* -en. ~하다 aufrecht|(er)-halten*⁴; bewahren⁴; erhalten*⁴; unterhalten*⁴. ‖ ~비(費) Erhaltungs〔Unterhaltungs〕kosten (*pl.*).
유지(遺志) der Wille e-s Toten*; *js.* letzter Wille. ¶ 고인의 ~를 따르다 dem Willen e-s Verstorbenen folgen.
유착(癒着) 〖醫〗 Verwachsung 〔Verklebung *f.* -en. ~하다 verwachsen* 《*mit*³》.
유창(流暢) ~하다 fließend〔geläufig; flüssig; gewandt; perfekt〕 (sein).
유채(油菜) 〖植〗 Raps *m.* -es, -e.
유체(流體) Flüssigkeit 〔Strömung〕 *f.* -en. ‖ ~ 역학 Hydromechanik *f.* -en.
유체스럽다 《오만스러움》 anmaßend 〔affektiert; eingebildet〕 (sein).
유추(類推) Analogie *f.* -n; Anlehnung *f.* -en. ~하다 analogisieren⁴; ⁴sich an|lehnen.
유출(流出) Ausfluß *m.* ..flusses, ..flüsse. ~하다 aus|fließen 〔-|strömen〕.
유충(幼蟲) Larve *f.* -n.
유층(油層) Ölschicht 〔Ölablagerung〕 *f.* -en.
유치(幼稚) ~하다 kindisch 〔infantil〕 (sein). ‖ ~원 Kindergarten *m.* -s, ⸚.
유치(留置) Gewahrsam *m.* -(e)s, -e; Detention *f.* -en; Gefangenhaltung *f.* -en 《구류》. ~하다 in ⁴Gewahrsam nehmen* 《*jn.*》; detenieren 《*jn.*》.
유치(誘致) (An)lockung *f.* -en. ~하다 (an|)locken⁴; werben⁴; an|ziehen*⁴ 《끌어들이다》. ¶ 외자를 ~하다 fremdes Kapital an|ziehen*.
유쾌(愉快) ~하다 vergnüglich 〔lustig; angenehm; fröhlich〕 (sein).

유탄(流彈) die verirrte Kugel, -n; der verlorene Schuß, ..usses, ..üsse. ¶ ~을 맞다 von e-r verirrten Kugel getroffen werden.
유태(猶太) Judäa, -s. ‖ ~교 Judentum *n.* -(e)s; die jüdische Religion / ~ 민족 Judenvolk *n.* -(e)s / ~인 Jude *m.* -n, -n; Jüdin *f.* -nen ⦅여자⦆.
유택(幽宅) Grab *n.* -es, ⁼er; Grabstätte *f.* -n.
유토피아 Utopia *n.* -s; Nirgendheim *n.* -(e)s.
유통(流通) Umlauf *m.* -(e)s, ⁼e; Zirkulation *f.* -en; ⦅공기의⦆ Ventilation 〔Lüftung〕 *f.* -en. ‖ ~ 기구 Güter-〔Waren〕verteilungsmaschinerie *f.* -n / ~ 화폐 das umlaufende Geld, -(e)s, -er.
유파(流派) Schule *f.* -n.
유폐(幽閉) Einsperrung 〔Einschließung〕 *f.* -en. ~하다 ein|sperren[4]; ein|schließen*[4].
유포(流布) Zirkulation *f.* -en; Kreislauf *m.* -(e)s, ⁼e. ~하다 (her)um|gehen* 〔-|laufen*〕; im Umlauf sein.
유품(遺品) Nachlaß *m.* ..sses, ..sse; Überrest *m.* -(e)s, -e.
유풍(遺風) alte Sitten u. Gebräuche(*pl.*); das ewig Gestrige* 〔Herkömmliche*〕 -n.
유피(鞣皮) Leder *n.* -s, -. ‖ ~법 Gerbung *f.* -en.
유하다(柔—) ⦅부드럽다⦆ zart 〔mild(e); gütig〕 (sein); ⦅걱정없다⦆ sorglos (sein).
유하다(留—) [4]sich auf|halten*; über|nachten.
유학(留學) das Studium im Ausland(e). ~하다 im Auslande studieren; [4]sich studienhalber im Auslande auf|halten. ‖ ~생 der im Auslande Studierende*, -n, -n.
유학(儒學) Konfuzianismus *m.* -; die Lehre 〔Philosophie〕 des Konfutse 〔Konfuzius〕.
유한(有限) ~하다 beschränkt 〔begrenzt; endlich〕 (sein). ‖ ~ 급수 die endlich Reihe, -n / ~ 책임 회사 Gesellschaft mit beschränkter Haftung⦅略: GmbH⦆.
유한(有閑) ‖ ~ 계급 die müßigen Reichen (*pl.*) / ~ 마담 Lebedame *f.* -n.
유한(遺恨) Groll *m.* -(e)s; Grimm *m.* -(e)s. ¶ ~을 품다 e-n Groll haben 〔fassen; hegen〕⦅auf *jn.*⦆.
유해(有害) Schädlichkeit *f.*; Nachteiligkeit *f.* ~하다 schädlich 〔abträglich〕 (sein). ‖ ~식품 die schädliche Lebensmittel (*pl.*).
유해(遺骸) Leiche *f.* -n; Leichnam *m.* -(e)s, -e; Gebeine (*pl.*).
유행(流行) Mode *f.* -n; Fashion; *f.*; ⦅병·악풍의⦆ das Herrschen*, -s; Überhandnahme *f.*; ⦅풍속의⦆ Verbreitung *f.* -en. ~하다 in (der) Mode sein; herrschen; überhandnehmen; weit verbreitet sein. ‖ ~가 Schlager *m.* -s, -; ⦅속된⦆ Gassenhauer *m.* -s, - / ~병 Epidemie *f.* -n; Modekrankheit *f.* -en / ~성 감기 Influenza *f.*; Grippe *f.* -n / ~ 작가 Modeschriftsteller *m.* -s, -; ⦅대중적⦆ Belletrist *m.* -en, -en.
유현(幽玄) ~하다 ⦅그윽함⦆ unergründlich tief 〔tiefgründig〕 (sein).
유현(儒賢) der konfuzianische Weise, -n, -n.
유혈(流血) das Blutvergießen*, -s. ¶ ~참사를 빚다 Blutvergießen verursachen.
유형(有形) Körperlichkeit *f.* ¶ ~ 무형으로 도와주다 *jm.* mit Rat u. Tat zur Seite stehen*. ‖ ~ 무역 Warenhandel *m.* -s, ⁼ / ~ 재산 der materielle Vermögenswert, -(e)s, -e.
유형(流刑) Verbannung *f.* -en; Ausweisung *f.* -en. ‖ ~수 der Verbannte* 〔Exilierte*〕 -n, -n / ~지 Strafkolonie *f.* -n.
유형(類型) Typ *m.* -s, -en.
유혹(誘惑) Verführung 〔Verlockung; Versuchung〕 *f.* -en. ~하다 verführen[4]; verleiten[4]; verlocken[4]. ¶ ~에 빠지다 in Versuchung fallen*.
유화(乳化) Emulsion *f.* -en. ~하다 emulgieren[4].
유화(油畫) Ölgemälde *n.* -s, -. ¶ ~를 그리다 mit Ölfarben malen[4].
유화(宥和) Befriedigung (durch Nachgeben); Aussöhnung 〔Versöhnung〕 *f.* -en. ‖ ~ 정책 Versöhnungspolitik *f.* -en.
유화(柔和) ~하다 mild 〔sanftmütig; lind〕 (sein).
유회(流會) ¶ ~가 되다 Die Versammlung findet nicht statt 〔kommt nicht zustande〕.
유효(有效) Gültigkeit *f.*; Wirksamkeit *f.* ~하다 gültig 〔wirksam; effektiv〕 (sein). ‖ ~ 기간 Gültigkeitsdauer *f.*
유훈(遺訓) die von e-m Verstorbenen hinterlassenen Instruktionen (*pl.*). ¶ ~을 받들다 den hinterlassenen Vorschriften folgen[3].
유휴자본(遊休資本) das tote 〔brachliegende〕 Kapital, -s, -e 〔..lien〕.
유흥(遊興) Vergnügen *n.* -s, -; Belustigung *f.* -en. ‖ ~세 Vergnügungssteuer *f.* -n / ~ 업소 Vergnügungsgewerbe *n.* -s, - / ~장, ~지 Vergnügungsstätte *f.* -n.
유희(遊戲) Spiel *n.* -(e)s, -e.
육(六) sechs; ein halbes Dutzend.
육(肉) Fleisch *n.* -es, -; Körper *n.* -s, -.
육각형(六角形) Hexagon *n.* -s, -e.
육감(六感) der sechste Sinn, -(e)s, -e; Spürsinn *m.* -(e)s, -e. ¶ ~으로 알았다 Ich habe es sofort geahnt.
육감(肉感) das sinnliche 〔fleischliche〕 Gefühl, -(e)s, -e. ¶ ~적 미인 e-e aufreizende Schönheit, -en.
육갑(六甲) Sechzigerzyklus *m.* -, ..klen.
육교(陸橋) Überführung *f.* -en; Viadukt *m.* -(e)s, -e.
육군(陸軍) Armee *f.* -n; (Land)heer *n.* -(e)s, -e. ~의 militärisch. ‖ ~ 사관 학교 Offizierschule *f.* -n / ~ 참모 총장 der Chef des Generalstabs (der Armee).
육대주(六大洲) die Sechs Kontinente (*pl.*).
육도(陸稻) Berg〔Hochland〕reis *m.* -es, -e. 〖*pl.*은 종류를 나타낼 때〗.
육로(陸路) Überland(s)·weg *m.* -(e)s, -e 〔-route *f.* -n〕. ¶ ~로 über [4]Land; zu Lande. ‖ ~ 수송 der Transport zu Lande.

육류(肉類) Fleischwaren (*pl.*).
육면체(六面體) 〖數〗 Hexaeder *n.* -s, -; Sechsflächner *m.* -s, -.
육모(六一) Hexagon *n.* -s, -e. ‖ ~ 방망이 ein sechseckiger Knüppel, -s, -.
육미(六味) sechs Geschmacksrichtungen (*pl.*).
육박(肉薄) Anrückung *f.* -en. ~하다 an|rücken 《*an*[4]》; angerückt kommen*. ‖ ~전 Handgemenge *n.* -s, -; der blutige Kampf, -(e)s, -̈e.
육법(六法) die sechs Grundgesetze(*pl.*). ‖ ~ 전서 die Sammlung der sechs Grundgesetze.
육보(肉補) ~하다 Fleischdiät halten; [4]sich mit Fleischnahrung kräftigen.
육봉(肉峰) Buckel 〔Höcker〕 *m.* -s, -.
육부(六腑) sechs Eigeweide (*pl.*).
육산(陸產) Ackerbauprodukte (*pl.*); Feldfrucht *f.* -̈e.
육상(陸上) ¶ ~에서 auf dem (festen) Lande 〔Boden〕. ‖ ~경기 Leichtathletik *f.* / ~운송 Landtransport *m.* -(e)s, -e.
육서(陸棲) ‖ ~ 동물 Landtiere (*pl.*).
육성(肉聲) s-e eigene Stimme, -n.
육성(育成) das Auf(er)〔Groß〕ziehen*, -s. ~하다 erziehen*[4]; auf|ziehen*[4].
육속(陸續) ¶ ~하여 ununterbrochen.
육손이(六一) die Person mit sechs Fingern an e-r Hand.
육송(陸送) Landtransport *m.* -(e)s, -e.
육수(肉水) Fleischaft *m.* -(e)s, -̈e; Bratensoße *f.* -n.
육시처참(戮屍處斬) postume Enthauptung, -en.
육식(肉食) Fleischkost *f.* ~하다 hauptsächlich von Fleisch leben.
육신(肉身) Fleisch *n.* -es; Körper *m.* -s, -.
육십(六十) sechzig.
육아(肉芽) 〖醫〗 Granulation *f.* -en; Granulationsgewebe *n.* -s, -. ‖ ~종(腫) Granulom *n.* -(e)s, -e.
육아(育兒) das Großziehen von Kindes; Kinderpflege *f.* -n. ~하다 (ein Kind) auf 〔groß〕|ziehen*[4]; erziehen*[4].
육안(肉眼) das bloße Auge, -s, -n. ¶ ~으로 보다 mit bloßem Augen sehen*[4].
육영(育英) Erziehung *f.* -en; Bildung *f.* -en. ~하다 erziehen*[4]; bilden[4]. ‖ ~ 사업 die Tätigkeit der Jugenderziehung.
육욕(肉慾) die fleischliche Begierde, -n 〔Lust, -̈e〕. ¶ ~을 억제하다 s-e Leidenschaft zurück|halten*[4] 〔zügeln[4]〕.
육우(肉牛) Rindvieh *n.* -(e)s.
육운(陸運) Landtransport *m.* -(e)s, -e. ‖ ~국 Landtransportamt *f.* -(e)s, -̈er.
육전(陸戰) Landkrieg *m.* -(e)s, -e. ~하다 auf dem Lande kämpfen.
육종(肉腫) 〖醫〗 Geschwulst *f.* -̈e.
육종(育種) Tierzucht *f.* -̈e.
육중(肉重) ~하다 《몸피가》 schwer 〔《몸집이》 schwergebaut; 《건물이》 massiv〕 (sein).
육즙(肉汁) Fleischsaft *m.* -(e)s, -̈e; Bratensoße *f.* -n.
육지(陸地) (feste) Land, -(e)s, -̈er.
육체(肉體) Leib *m.* -(e)s, -e; Körper *m.* -s, -. ~적 leiblich; körperlich; sinnlich; fleischlich. ‖ ~ 노동 die körperliche Arbeit, -en; Muskelarbeit *f.* -en / ~미 Körperschönheit *f.* -en.
육촌(六寸) 《재종》 der Vetter zweiten Grades.
육친(肉親) Blutsverwandtschaft *f.* -en; 《사람》 der Blutsverwandte*, -n, -n.
육탄(肉彈) Menschengeschoß *n.* ..schosses, ..schosse. ‖ ~전 Handgemenge *n.* -s, -; Sturm *m.* -(e)s, -̈e.
육태질(陸馱一) das Entladen von Schiffen; Abladung *f.* -en. ~하다 ab|laden*.
육포(肉脯) getrocknete Rindfleischscheibe.
육풍(陸風) der Wind, der vom Land zur See weht.
육필(肉筆) Handschrift *f.* -en; Autogramm *n.* -(e)s, -e.
육해공(陸海空) ~의 Land-, Luft- u. See-. ‖ ~군 Land-, Luft- u. Seetruppen 〔-einheiten〕(*pl.*).
육해군(陸海軍) Armee u. Marine; Heer u. Flotte.
육혈포(六穴砲) Pistole *f.* -n; Revolver mit sechs Schuß.
육회(肉膾) Gericht aus roh gehacktem Rindfleisch.
윤(潤) Glanz *m.* -es, -e; Glätte *f.* ¶ 윤이 나는 glanzvoll; glänzend.
윤간(輪姦) Gruppennotzucht *f.*; Gruppenvergewaltigung *f.* -en. ~하다 vergewaltigen (der Reihe nach).
윤곽(輪廓) Umriß *m.* ..risses, ..risse; Außenlinie *f.* -n. ¶ ~을 그리다 umreißen*[4]; in Umrissen dar|stellen; konturieren[4].
윤년(閏年) Schaltjahr *n.* -(e)s, -e.
윤달(閏一) Schaltmonat *m.* -(e)s, -e.
윤독(輪讀) das Lesen* in e-r bestimmten Reihenfolge. ~하다 in e-r Reihenfolge 〔der [3]Reihe nach〕 lesen*[4].
윤락(淪落) (Sitten)verderbnis *f.* -se; Sittenverfall *m.* -(e)s. ~하다 sittlich verderben 〔verfallen*〕. ‖ ~ 여성 der gefallene Engel, -s, -.
윤리(倫理) Moral *f.* -en; Sittlichkeit *f.* ~적 moralisch; sittlich; ethisch. ‖ ~학 Ethik *f.*; Sittenlehre *f.* (~학자 Ethiker *m.* -s, -).
윤무(輪舞) Reigen *m.* -s, -; Rundtanz *m.* -es, -̈e.
윤번(輪番) Reihenfolge *f.* -n; Reihe *f.* -n. ‖ ~제 Kreislaufsystem *n.* -s, -e.
윤색(潤色) Ausschmückung *f.* -en; Floskel *f.* -n. ~하다 aus|schmücken[4]; mit Floskeln 〔Schnörkeleien〕 versehen*[4].
윤생(輪生) 〖植〗 Quirlstellung *f.* -en. ‖ ~엽 Quirl〔Wirtel〕blätter (*pl.*).
윤일(閏日) Schalttag *m.* -(e)s, -e.
윤작(輪作) Frucht·folge *f.* -n 〔-wechsel *m.* -s, -〕. ~하다 Getreide wechselweise pflanzen.
윤전기(輪轉機) Rotationsmaschine *f.* -n.
윤창(輪唱) Rundgesang *m.* -(e)s, -̈e. ~하다 im Rundgesang singen*[4].
윤택(潤澤) ~하다 überflüssig 〔abundant; reichlich〕 (sein).
윤허(允許) königliche Erlaubnis, -se.
윤형(輪形) die kreisartige Form, -en; Ring *m.* -(e)s, -e.
윤화(輪禍) Verkehrsunfall *m.* -s, -̈e.

¶ ~를 입다 Verkehrsunfall haben.
윤활(潤滑) Schlüpfrigkeit *f.* ~하다 sanft 〔weich; mild; schlüpfrig〕 (sein). ‖ ~유 Schmieröl *n.* -(e)s, -e.
윤회(輪廻) 〖佛〗 Metempsychose *f.* -n; Seelenwanderung *f.* -en. ‖ ~설 die Lehre von der Seelenwanderung.
율(律) 《법》 Satzung *f.* -en; Statut *n.* -es, -en; 《계율》 Gebot *n.* -(e)s, -e.
율(率) Satz *m.* -es, ⸚e; Verhältnis *n.* -ses, -se; Rate *f.* -n. ‖ 백분~ Prozentsatz.
율동(律動) Rhythmus *m.* -, ..men. ~적 rhythmisch.
율령(律令) Gesetz *n.* -(e)s, -e; Satzung 〔Verordnung〕 *f.* -en.
율무 〖植〗 Perlgraupe *f.* -n.
융(絨) Flanell *m.* -s, -e.
융기(隆起) Erhöhung *f.* -en; der Auswuchs die Erhebung. ~하다 ^{4}sich erheben*; hervor|springen*.
융단(絨緞) Teppich *m.* -(e)s, -e; Läufer *m.* -s, -.
융모(絨毛) Wolle *f.* -n; 〖解〗 Darmzotte *f.* -n.
융비술(隆鼻術) Rhinoplastik *f.* -en; die rhinoplastische Operation, -en.
융성(隆盛) das Gedeihen*, -s; das Florieren* 〔Prosperieren*〕 -s. ~하다 gedeihend 〔gedeihlich〕 (sein).
융숭(隆崇) Gastfreundlichkeit *f.*; Freigebigkeit *f.* ~하다 gastfreundlich 〔herzlich; freigebig〕 sein. ¶ ~한 대접을 받다 freundlich aufgenommen werden.
융자(融資) ~하다 finanzieren^4; Kapital versehen*^{4}. ‖ ~금 Anleihe *f.* -n; Darlehen *n.* -s, - / 단기〔장기〕 ~ das kurzfristige 〔langfristige〕 Darlehen.
융점(融點) Schmelzpunkt *m.* -(e)s, -e.
융통(融通) 《금전》 Aushilfe *f.* -n (mit Geld). ~하다 《돈을》 Geld verleihen* 〔aus|leihen*; dar|leihen*〕.
융통성(融通性) Anpassungsfähigkeit *f.* -en. ¶ ~ 있는 anpassungsfähig; elastisch; geschmeidig / ~ 없는 beschränkt; stur; hartköpfig.
융합(融合) Verschmelzung *f.* -en; Fusion *f.* -en. ~하다 verschmelzen*. ‖ 핵~ Kern·verschmelzung 〔-fusion〕 *f.* -en.
융해(融解) (Ver)schmelzung *f.* -en; das Schmelzen*, -s. ‖ ~점 Schmelzpunkt *m.* -(e)s, -e.
융화(融化) das Zergehen*, -s. ~하다 zerfließen*.
융화(融和) Harmonie *f.* -n; Verträglichkeit *f.* ~하다 harmonieren 《*mit*^{3}; *miteinander*》. ‖ ~정책 Versöhnungspolitik *f.* -en.
융흥(隆興) das Gedeihen*, -s. ~하다 gedeihen*; blühen.
윷 《놀이》 das koreanische Würfelspiel mit vier Holzstäben; *Yuch*; 《끗수》 vier Punkte (*pl.*) auf dem *Yuch*-Spielbrett.
으깨다 zerdrücken^4; (zer)quetschen^4; zermalmen^4.
으드득 mit knirschendem Ton.
으드등거리다 knurren; bissig anfahren.
으뜸 ① 《첫째》 der 〔die; das〕 Erste 〔Beste〕 -n, -n. ② 《일류·최고》 der beste Rang, -(e)s, ⸚e; der höchste Grad, -(e)s, -(e). ¶ ~가는 erst; hauptsächlichst; best / ~가는 사람 der Erste*, -n, -n; 《전문 분야에서》 Autorität *f.* -en / 건강이 ~이다 Gesundheit zuerst. / 돈이 ~이다 Geld steht an erster Stelle.
으레 (ge)recht; natürlich; freilich; zweifellos; immer; gewöhnlich. ¶ 겨울이면 ~ 그는 독감에 걸린다 Gewöhnlich kriegt im Winter er die Grippe.
으로 ① 《액수·단위》 zu^3; um^4; für^4. ¶ 양 ~ 달아 팔다 nach dem Gewichte verkaufen^4. ② 《원인》 in^3; an^3; von^3; vor^3; halber. ¶ 질병~ krankheitshalber. ③ 《원료》 aus^3; mit^3; von^3. ¶ 금~ 만든 관 die Krone aus Geld. ④ 《수단》 vermittels^2; mittels^2; vermöge^2; durch^4. ¶ 펜~ 쓰다 mit der Feder schreiben*. ⑤ 《근거·기준》 in^3; an^3; nach^3; mit^3; auf^3. ¶ 일급~ 일하다 auf Tagelohn in Dienst treten* 〔arbeiten〕. ⑥ 《방향》 zu^3; nach^3; gegen^4; an^4; bis auf^4. ¶ 부산~ 가다 nach Busan fahren*.
으르다 drohen 《*jm.*》; ein|schüchtern 《*jn.*》. ¶ 죽인다고 ~ mit dem Tode bedrohen 《*jn.*》.
으르대다 ¶ 으르대는 소리로 일갈하다 mit Schreck einflößender Stimme an|brüllen 〔an|schnauzen; an|donnern〕.
으르렁거리다 《맹수가》 brüllen; brummen; heulen; 《사람이》 ^{4}sich an|knurren 〔zanken; beißen*〕.
으르르 frierend; zitternd. ~하다 frieren; schauern. ¶ 추워서 몸이 ~ 떨린다 Es friert mich vor Kälte.
으름 〖植〗 Waldrebe *f.* -n.
으름장 Einschüchterung *f.* -en; Bedrohung *f.* -en. ~놓다 bedrohen; Furcht ein|jagen; ein|schüchtern.
으리으리하다 stattlich 〔prächtig; feierlich; grandios; großartig〕 (sein). ¶ 으리으리한 저택 ein imposantes Haus.
으스름달 der durch Wolken 〔Nebel〕 hindurch schimmernde Mond, -(e)s. ‖ ~밤 die wolkige Mondnacht, ⸚e.
으스름하다 《Mondschein》 dunstig 〔dämmerig; verschwommen〕 (sein).
으스스하다 《추워서》 kalt 〔kühl〕 (sein). ¶ 으스스하게 춥다 kalt 〔kühl〕 sein; ^{4}sich kalt 〔kühl〕 fühlen.
으슥하다 zurückgezogen 〔abgelegen; dunkel; düster〕(sein). ¶ 으슥한 곳 die einsame Stelle; abgelegener Ort.
으슴푸레하다 dämmerig 〔trübe; düster〕 (sein). ¶ 달빛이 ~ Der Mond scheint trüb u. matt.
으쓱[1] 《추위·무서움으로》 schaudernd (wegen der Kälte oder der Angst).
으쓱[2] 《어깨를》 ~하다 die Achseln 〔die Schultern; mit den Achseln; mit den Schultern〕 zucken.
으악 《외마디 소리》 schrill (schreiend).
으크러뜨리다 zerquetschen; zerdrücken.
윽박지르다 *jn.* an|fauchen; *jm.* aufs Dach steigen; *jm.* eins darauf geben*.
은(銀) Silber *n.* -s, -. ¶ ~(빛)의 silbern.
은거(隱居) Rücktritt *m.* -(e)s, -e; Pensionierung *f.* -en 《정년등》. ~하다 pensionieren; in den Ruhestand treten*.

은고(恩顧) Gunst *f.*; Gönnerschaft *f.* ¶ ～를 입다 *js.* ⁴Gunst genießen*.
은공(恩功) Gunst *f.*; Dank *m.* –(e)s.
은광(銀鑛) 〖鑛〗 Silbermine *f.* –n; Silbergrube *f.* –n.
은괴(銀塊) Silberklumpen *n.* –s, –; Silberbarre *f.* –n.
은근(慇懃) ① 《정중》 Höflichkeit *f.* –en. ～하다 höflich〔artig; herzlich〕(sein). ② 《은밀》 Heimlichkeit *f.* –en. ¶ ～히 heimilch; in heimlicher Weise / ～히 곯리다 *jn.* insgeheim quälen. ③ 《정》 Aufmerksamkeit *f.* –en. ～하다 vertraut 〔aufmerksam; gefällig〕 (sein). ¶ ～한 사이다 mit *jm.* sehr vertraut sein.
은근짜 käufliches 〔öffentliches〕 Mädchen, –s, –.
은기(銀器) Silberwaren (*pl.*).
은니(銀泥) Silber·bronze 〔–|farbe〕 *f.* –n.
은닉(隱匿) Verheimlichung *f.* –en; das Verstecken*, –s. ～하다 verstecken⁴; verbergen*⁴. ‖ ～ 물자 verborgene Sachen (*pl.*).
은덕(恩德) Gunst *f.* –en; die gütige Beihilfe, –n.
은덕(隱德) die heimliche Tugend, –en.
은둔(隱遁) Zurückziehung *f.* –en. ～하다 ⁴sich von der Welt zurück|ziehen*; ⁴sich ab|scheiden* 《*von*³》. ¶ ～ 생활을 하다 ein zurückgezogenes 〔abgeschiedenes〕 Leben führen.
은막(銀幕) (Film)leinwand *f.*; Leinwandschirm *m.* –(e)s, –e. ¶ ～의 여왕 die Königin der Leinwand; Star *m.* –s, –s.
은메달(銀–) Silbermedaille *f.* –n; die silberne (Denk)schaumünze, –n.
은밀(隱密) ～하다 geheim 〔persönlich; heimlich〕(sein). ¶ ～히 말하다 *jm.* ⁴*et.* im Vertrauen sagen.
은박(銀箔) Blattsilber *n.* –s; das fein getriebene Silber. ‖ ～지 Silberpapier *n.* –s, –e.
은반(銀盤) die (künstliche) Eisbahn, –en.
은발(銀髮) das silberige Haar, –(e)s, –e; graues Haar.
은방(銀房) Juwelengeschäft *n.* –(e)s, –e.
은배(銀杯) Silberbecher *m.* –s, –; der silberne Pokal, –s, –e 《발이 긴》.
은백(銀白) silberweiß; silbergrau.
은분(銀粉) Silberpulver *n.* –s; das fein gemahlene Silber, –s.
은빛(銀–) Silberfarbe *f.* –n.
은사(恩師) der verehrte (ehemalige) Lehrer, –s, –.
은사(恩赦) Amnestie *f.* –n; Begnadigung *f.* –en.
은사(隱士) Einsiedler *m.* –s, –; der zurückgezogene Gelehrte*, –n, –n.
은상(恩賞) Belohung *f.* –en.
은세계(銀世界) Schneelandschaft *f.* –en; die verschneite Landschaft, –en.
은세공(銀細工) Silber·arbeit *f.* –en 〔–ware *f.* –n〕.
은수저(銀–) Silberbesteck *n.* –(e)s, –e (Löffel u. Stäbchen).
은신(隱身) das Verbergen*, –s. ～하다 ³sich verstecken. ‖ ～처 Versteck *n.* –(e)s, –e.
은실(銀–) Silberfaden *m.* –s, ⸗.
은어(銀魚) 〖魚〗 (e–e Art der) Forelle.
은어(隱語) Geheimsprache *f.* –n; Argot *n.* –s; Bettlersprache *f.* –n.
은연중(隱然中) insgeheim; im geleimen; hinter den Kulissen.
은옥색(銀玉色) Blaßgrün *n.* –s.
은유(隱喩) Metapher *f.* –n.
은은하다(隱隱–) 《아련함》 unklar 〔verschwommen〕(sein); 《소리가》 undeutlich 〔schwach〕(sein). ¶ 은은한 미소 das leise Lächeln*, –s.
은인(恩人) Gönner 〔Wohltäter〕 *m.* –s, –. ¶ 생명의 ～ Lebensretter *m.* –s, –.
은인(隱忍) Geduld *f.*; Ausdauer *f.* ～하다 Geduld haben 《*mit*³; *in*³》.
은자(隱者) Einsiedler *m.* –s, –; Eremit *m.* –en, –en; Klausner *m.* –s, –.
은잔(銀盞) Silberbecher *n.* –es, ⸗er.
은장도(銀粧刀) silberverziertes Schwert.
은전(恩典) Begünstigung *f.* –en. ¶ ～을 입다 begnadigt werden / ～을 베풀다 *jm.* Begünstigungen gewähren.
은전(銀錢) Silbermünze *f.* –n.
은정(恩情) die wohlwollende Zuneigung, –en.
은종이(銀–) Silberpapier *n.* –s, –e; Aluminium〔Zinn〕folie *f.* –n.
은총(恩寵) Gnade *f.* –n; Gunst *f.* ¶ ～을 빌다 um Gottesgnade bitten* / ～을 잃다 *js.* ⁴Gnade 〔Gunst〕 verlieren*.
은테안경(銀–眼鏡) die Brille mit der Silberfassung.
은퇴(隱退) Zurück·ziehung *f.* –en 〔–treten *n.* –s, –〕. ～하다 zurück|treten*; ⁴sich zurück|ziehen*. ¶ 정계에서 ～하다 ⁴sich von der politischen Welt zurück|ziehen*.
은파(銀波) Schaumwellen (*pl.*).
은폐(隱蔽) Verheimlichung *f.* –en; Verbergung *f.* –en. ～하다 verbergen*⁴ 《*vor*³》; verstecken⁴ 《*vor*³》. ¶ 죄상을 ～하다 *js.* Schuld verhüllen.
은하(銀河) Milchstraße *f.* ‖ ～계 Milchstraßensystem *n.* –s; Galaxis *f.* / ～수 Milchstraße *f.*
은행(銀行) Bank *f.* –en. ‖ ～가 Bankier *m.* –s, – / ～원 Bankbeamte *m.* –n, –n / ～장 Bankdirektor *m.* –s, –en / 시중 ～ Stadtbank *f.*
은행(銀杏) Ginkjo 〔Ginkgo〕 *m.* –s, –s. ‖ ～ 나무 Ginkjobaum *m.* –(e)s, ⸗e.
은혈못(隱穴–) der Klammer mit dem doppelten Punkt.
은혜(恩惠) Gnade *f.* –n; Gunst *f.* Wohltat *f.* –en. ¶ ～를 아는〔모르는〕 dankbar 〔undankbar〕/ ～를 입다 e–r Gnade 〔Gunst〕 teilhaftig werden.
은혼식(銀婚式) die silberne Hochzeit, –en.
은홍색(隱紅色) Blaßrot *m.* –(e)s.
은화(銀貨) Silber·münze *f.* –n 〔–geld *n.* –(e)s〕.
은화식물(隱花植物) Kryptogame *f.* –n; Sporenpflanze *f.* –en.
을(乙) ① 《십간의》 der Zweite der 10 Himmelsstämme. ② 《성적》 Zwei *f.* –en; „2".
을러메다 bedrohen; bange machen; bluffen.
을씨년스럽다 《보기에》 elend u. schäbig aus|sehen*; 《살림이》 arm (sein).

음종(乙種) die zweite Klasse, –n.
읊다 rezitieren⁴; vor|tragen*⁴. ¶ 시를 ~ ein Gedicht rezitieren.
읊조리다 summen; vor ⁴sich hin singen*; leise singen*.
음(音) Laut *m.* –(e)s, –e; Ton *m.* –(e)s, ⸗e; Klang *m.* –es, ⸗e; Schall *m.* –(e)s, ⸗e. ¶ 장〔단〕음 der lange 〔kurze〕 Ton.
음(陰) 〖數〗 ¶ 음의 negativ; minus; unter ³Null.
음각(陰刻) 〖美〗 Intaglio *n.* –s, ..glien; Einprägung *f.* –en. ~하다 gravieren; ein|prägen.
음감교육(音感敎育) Gehörbildung *f.* –en; Gehörschulung *f.* –en.
음경(陰莖) Penis *m.* –, –se; das männliche Glied, –(e)s, –er.
음계(音階) Tonleiter *f.* –n; (Ton)skala *f.* ..len.
음곡(音曲) Musik *f.* 《음악》; Musikstück *n.* –(e)s, –e 《악곡》.
음극(陰極) der negative Pol, –s, –e; Kathode *f.* –n.
음기(陰氣) Schauer *m.* –s; Kälte *f.*; Düsterheit *f.* –en.
음낭(陰囊) Hodensack *m.* –(e)s, ⸗e; Skrotum *n.* –s, ..rota.
음녀(淫女) die liederliche Frau, –en; das verdorbene Weibsbild, –(e)s, –er.
음담(淫談) Zote *f.* –n; der schlüpf(e)rige 〔zweideutige〕 Witz, –es, –e.
음덕(陰德) die geheime Tugend, –en.
음덕(蔭德) die Tugend der Vorfahren.
음독(飮毒) Vergiftung *f.* –en. ~하다 ⁴sich vergiften. ¶ ~ 자살하다 Selbstmord begehen durch Gift.
음란(淫亂) ~하다 zotig 〔schlüpfrig; wollüstig; obszön〕 (sein).
음랭(陰冷) ~하다 dunkel und kalt 〔düster; trüb〕 (sein).
음량(音量) Laut〔Klang〕stärke *f.* –n. ‖ ~ 조절 Lautstärkeregelung *f.* –en.
음력(陰曆) Mondkalender *m.* –s, –. ¶ ~으로 따지다 nach dem Mondkalender zählen.
음료(飮料) Trank *m.* –(e)s, ⸗e; Getränk *n.* –s, –e. ‖ ~수 Trinkwasser *n.* –s.
음률(音律) 〖樂〗 Stimmung *f.* –en.
음모(陰毛) die Schamhaare (*pl.*).
음모(陰謀) Intrige *f.* –n; Anschlag *m.* –(e)s, ⸗e. ¶ ~를 꾸미다 Ränke schmieden 〔spinnen*〕; komplottiern⁴.
음문(陰門) Schamspalte *f.* –n.
음미(吟味) Untersuchung *f.* –en; Prüfung *f.* –en; Erforschung *f.* –en. ~하다 prüfen⁴; untersuchen⁴.
음반(音盤) Schallplatte *f.* –n.
음부(音符) = 음표(音標).
음부(陰部) 〖解〗 Scham〔Geschlechts〕teile (*pl.*).
음사(陰事) 《비밀》 geheime Sache; 《잠자리》 sexueller Verkehr; Beischlaf *m.* ~하다 Geschlechtsverkehr haben.
음산(陰散) ~하다 düster u. kalt (sein). ¶ ~한 날씨 das düstere Wetter.
음색(音色) Klangfarbe *f.* –n; Timbre *m.*〔*n.*〕 –s, –s. ‖ ~ 조절 die Kontrolle der Klangfarbe.
음서(淫書) das obszöne Buch, –(e)s, ⸗er; Pornographie *f.* –n.
음성(音聲) Stimme *f.* –n; Laut *m.* –(e)s, –e. ‖ ~학 Phonetik 〔Lautlehre〕 *f.* –n.
음성(陰性) ~의 negativ; 《기질이》 düster. ‖ ~ 수입 《관리의》 Nebeneinkünfte (*pl.*); Akzidenzien (*pl.*).
음소(音素) Phonem *n.* –s, –e. ‖ ~ 기호 das phonemische Symbol, –s, –e.
음속(音速) Schallgeschwindigkeit *f.* –en.
음수(陰數) 〖數〗 die negative Zahl, –en; Minusquantität *f.* –en; Minus *n.* –, –.
음순(陰脣) Schamlippe *f.* –n. ‖ 대〔소〕~ die große 〔kleine〕 Schamlippe.
음습(陰濕) ~하다 dunkel 〔schattig〕 u. feucht (sein).
음식(飮食) Speise (und Trank); Essen *n.* –s, –; Kost *f.*; Nahrung *f.* –en; Essen u. Trinken. ¶ ~을 먹다 Speise zu sich nehmen*; essen*. ‖ ~점 Speisehaus *n.* –es, ⸗er; Restaurant *n.* –s, –s; Gasthof *m.* –(e)s, ⸗e.
음신(音信) 《소식》 Nachricht 〔Mitteilung〕 *f.* –en; 《통신》 Korrespondenz *f.* –en.
음심(淫心) der obszöner Gedanke, –ns, –n; die Neigung zur Obszönität.
음악(音樂) Musik *f.*; Tonkunst *f.* ~적 musikalisch; melodisch. ¶ ~을 연주하다 Musik spielen. ‖ ~가 Musiker 〔Tonkünstler〕 *m.* –s, – / ~ 애호가 Musikfreund *m.* –(e)s, –e / ~ 학교 Musikakademie *f.* –n; Konservatorium *n.* –s, ..rien / ~회 Konzert *n.* –(e)s, –e; 《독주회》 Solovortrag *m.* –(e)s, ⸗e.
음양(陰陽) das Positive* u. das Negative*.
음역(音域) (Ton)umfang *m.* –(e)s, ⸗e. ¶ 그는 ~이 넓다 S–e Stimme hat e–n großen Umfang.
음역(音譯) Transkription *f.* –en. ~하다 transkribieren⁴.
음영(吟咏) ~하다 (Gedichte) her|sagen⁴; rezitieren.
음영(陰影) Schatten *m.* –s, –; Schattierung *f.* –en.
음욕(淫慾) Sinnen〔Fleisch〕lust *f.*; Sinnlichkeit *f.* ¶ ~을 억제하다 s–e (sinnliche) Leidenschaften zügeln.
음용(飮用) ~하다 trinken*. ¶ ~의 zum Trinken; trinkbar.
음운(音韻) Laut *m.* –(e)s, –e. ‖ ~론 Lautlehre *f.* –n.
음울(陰鬱) ~하다 düster 〔dunkel; trüb(e); traurig〕 (sein).
음위(陰痿) 〖醫〗 Impotenz *f.* –en.
음으로(陰—) privat; indirekt; heimlich; implizit.
음전(音栓) 《오르간의》 Ventil *n.* –s, –e; Klappe *f.* –n.
음전기(陰電氣) 〖物〗 die negative Elektrizität.
음전자(陰電子) 〖物〗 Negatron *n.* –s, –en; negatives Elektron, –s, –en.
음절(音節) Silbe *f.* –n. ¶ 단〔2〕~의 einsilbig 〔zweisilbig〕.
음정(音程) 〖樂〗 Intervall *n.* –s, –e; Stufe *f.* –n.
음조(音調) Ton *m.* –(e)s, ⸗e; Melodie 〔Tonfarbe〕 *f.* –n. ¶ ~를 낮추다 her|abstimmen⁴.
음주(飮酒) das Trinken*, –s. ‖ ~가 Trinker *m.* –s, – / ~벽 Trunksucht *f.*
음지(陰地) der schattige 〔schattenreiche〕 Platz, –es, ⸗e; Schattenland *n.* –(e)s, ⸗er.

음질(音質) Tonqualität *f.* -en. ¶ ~이 좋다 e-n guten Ton 〔Klang〕 haben.
음차(音叉) 〖樂〗 Stimmgabel 〔Stimmgabeluhr〕 *f.* -n.
음충하다 heimtückisch〔hinterlistig; arglistig〕(sein).
음치(音痴) ~의 unmusikalisch.
음침하다(陰沈—) düster〔dunkel; finster〕(sein). ¶ 음침한 방 das dunkle Zimmer, -s, -.
음탕(淫蕩) ~하다 liederlich 〔unzüchtig; unanständig〕 (sein).
음파(音波) Schallwelle *f.* -n. ‖ ~ 탐지기 Sonar *n.* -(e)s, -e.
음표(音標) 〖樂〗 Tonschrift *f.* -en; Note *f.* -n.
음표문자(音標文字) 〖言〗 e-e phonetische Schrift, -en; Lautschrift *f.*
음핵(陰核) Kitzler *m.* -s, -; Klitoris *f.* ‖ ~두(頭) Kitzlereichel *f.* -n.
음향(音響) Klang 〔Schall〕 *m.* -(e)s, ¨e. ‖ ~학 Schallehre *f.* -n / ~ 효과(効果) (Raum)akustik *f.*
음험하다(陰險—) hinterlistig 〔hinterhältig; heimtückisch; arglistig〕 (sein).
음화(陰畫) Negativbild *n.* -(e)s, -er.
음훈(音訓) die Aussprache und Bedeutung e-s (chinesischen) Schriftzeichen.
음흉(陰凶) ~하다 heimtückisch 〔hinterhältig〕 (sein).
읍(邑) Städtchen *n.* -s, -; Gemeinde *f.* -n.
읍민(邑民) die Bewohner (*pl.*) e-r Stadt; Stadtbewohner (*pl.*).
읍소(泣訴) ~하다 kniefällig bitten*[4] (*um*[4]).
읍하다(揖—) vor *jm.* 〔mit gefalteten Händen (*pl.*)〕 e-e tiefe Verbeugung machen.
응 ① 《대답》 ja; hm; 《부정》 Nein!; Nee! ¶ 응하고 대답하다 ja sagen. ② 《대답을 구할 때》 Ja?; Nun?
응결(凝結) das Gefrieren* 〔Gerinnen*〕 -s. ~하다 dick 〔fest〕 werden; gerinnen*; [4]sich kondensieren.
응고(凝固) das Festwerden*, -s; Verdichtung *f.* -en. ~하다 fest werden; gefrieren*. ‖ ~점(點) Koagulation〔Gefrier〕punkt *m.* -(e)s, -e.
응급(應急) ~의 Not-; vorläufig. ‖ ~ 조처 Nothilfe *f.* -n / ~책 Notbehelf *m.* -(e)s, -e / ~ 치료 die behelfsmäßige Behandlung, -en.
응낙(應諾) Zustimmung 〔Einwilligung〕 *f.* -en. ~하다 ein|willigen (*in*[4]); [4]*et.* bewilligen; e-r [3]Sache zu|stimmen.
응달 Schatten *m.* -s, -; der schattige 〔schattenreiche〕 Platz, -es, ¨e. ¶ ~지다 e-n Schatten werfen* (*auf*[4]).
응답(應答) Antwort *f.* -en; Erwiderung *f.* -en. ~하다 antworten; erwidern. ‖ ~자 Respondent *m.* -en, -en / 질의 ~ Fragen u. Antworten (*pl.*).
응당(應當) sicher; selbstverständlich; gewiß; notwendigerweise.
응대(應對) 《대화》 Unterhaltung *f.* -en. ~하다 ein Gespräch führen; empfangen* 《영접》.
응등그러지다 verdreht werden; ([4]sich) verkrümmern.
응등그리다 《*js.* Körper》 zusammen|ziehen*; zusammen|schrecken*.
응모(應募) Zeichnung 〔Subskription〕 *f.* -en; 《신청》 Meldung *f.* -en; 《경기의》 Nennung *f.* -en; 《지원》 Bewerbung *f.* -en. ~하다 zeichnen; subskribieren (*auf*[4]); [4]sich melden (*um*[4]); nennen*; [4]sich bewerben* (*um*[4]). ‖ ~자 Zeichner 〔Bewerber〕 *m.* -s, -.
응보(應報) Vergeltung *f.* -en; 《천벌》 Nemesis *f.*; Schicksalsstrafe *f.* -n.
응분(應分) ~의 angemessen; geeignet; passend. ¶ ~의 보수 e-e würdige Belohnung, -en.
응사(應射) das Zurückschießen*, -s. ~하다 zurück|schießen*.
응석 ¶ ~ 부리다 [4]sich an *jn.* schmiegen. ‖ ~꾸러기 Schoßkind *n.* -(e)s, -er.
응소(應召) ~하다 dem Gestellungsbefehl [4]Folge leisten.
응수(應手) 《바둑 따위에서》 Gegenspiel *n.* -(e)s, -e. ~하다 *jm.* das Gegenspiel machen 〔halten*〕.
응수(應酬) ~하다 antworten (*auf*[4]); beantworten[4]; erwidern[4] (*auf*[4]).
응시(凝視) ~하다 an|starren[4]; starren (*auf*[4]).
응시(應試) die Bewerbung um e-e Prüfung. ~하다 [4]sich e-r Prüfung unterziehen*. ‖ ~자 Prüfling *m.* -s, -e; Examinand *m.* -en, -en.
응어리 《근육의》 Verhärtung *f.* -en; Knoten *m.* -s, -; 《마음의》 Steifheit *f.*; Hemmung *f.* -en.
응용(應用) (die praktische) Anwendung, -en. ~하다 (praktisch) an|wenden(*)[4] (*auf*[4]). ‖ ~ 문제 e-e angewandte Aufgabe, -n / ~ 미술 die angewandte Kunst, ¨e / ~ 화학 die angewandte Cheime, -en.
응원(應援) (Bei)hilfe *f.* -n; Beistand *m.* -(e)s, ¨e; das Einspringen*, -s; Unterstützung *f.* -en; 《성원》 Beifalls〔Ermutigungs〕zuruf *m.* -(e)s, -e. ~하다 bei|helfen* (*jm.*); bei|stehen* (*jm.*); Hilfe leisten (*jm.*); 《성원》 ermutigend zu|rufen* (*jm.*). ‖ ~가 Anfeuerungslied *n.* -(e)s, -er / ~기 Fanklubfahne *f.* -n / ~군 Verstärkungen (*pl.*) / ~단 die applaudierende Anhängergruppe, -n (~단장 Applausführer *m.* -s, -).
응전(應戰) ~하다 das Gefecht an|nehmen*; das Feuer erwidern.
응접(應接) Empfang *m.* -(e)s, ¨e. ~하다 emfangen*[4]; behandeln[4]. ‖ ~실 Empfangszimmer *n.* -s, -; Salon *m.* -s, -s; Gaststube *f.* -n.
응집(凝集) ~하다 kohärieren; agglutinieren. ‖ ~력 Kohärenz *f.*
응징(膺懲) Züchtigung *f.* -en; Bestrafung *f.* -en; Zurechtweisung *f.* -en. ~하다 züchtigen 〔bestrafen〕 (*jn.*).
응축(凝縮) Verdichtung 〔Kondensation〕 *f.* -en. ~하다 [4]sich verdichten. ‖ ~기(器) Kondensator *m.* -s, -en.
응하다(應—) ① 《응락·수락》 antworten (*auf*[4]); erwidern[4]; an|nehmen*[4]. ¶ 요구에 ~ e-e Forderung an|nehmen* / 초대에 ~ e-r Einladung folgen. ② 《모집에》 [4]*et.* zeichnen; [4]sich melden.
응혈(凝血) das geronnene Blut, -(e)s; Blutgerinnsel *n.* -s, -. ~하다 koagulieren; gerinnen*.

의(義) 《정의》 Gerechtigkeit *f.* 《인도》 Menschlichkeit *f.* 《충의》 Treue *f.* -n; 《도의》 Moralität *f.*; 《관계》 Band *n.* -(e)s, -e; Bündnis *n.* -ses, -se. ¶의를 위하여 싸우다 für gerechte Sache alles auf|bieten* / 형제의 의를 맺다 ^{4}sich brüderlich vereinigen.

의(誼) Verhältnis *n.* -ses, -se; Beziehung *f.* -en. ¶아무와 의가 좋다〔나쁘다〕 mit *jm.* gut 〔schlecht〕 aus|kommen* / 부부가 의좋게 산다 Das Ehepaar lebt in Eintracht.

의 ① 《소유·소속》 an^{3}; von^{3}; gehören^{3}; gehörig^{3}. ¶서울의 주민 Einwohner von Soeul / 그의 재산 das ihm gehörige Eigentum / 이것은 나의 집이다 Dieses Haus gehört mir. ② 《장소》 an^{3}; auf^{3}; in^{3}; zu^{3}. ¶시골의 삼촌 der Onkel auf dem Lande / 라인 강변의 도시 Städte am Rein. ③ 《에 관한》 für^{4}; in^{3}; von^{3}; über^{4}; zu^{3}. ¶정책의 해설 der Kommentar über die Regierungspolitik. ④ 《에 대한》 gegen^{4}; für^{4}; über^{4}; zu^{3}. ¶기침의 명약 ein gutes Mittel gegen Husten / 이 곡의 가사 der Text zu dieser Musik. ⑤《에 의한》 von^{3}; durch^{4}. ¶실러의 저작 Werke von Schiller. ⑥ 《관계》 von^{3}; mit^{3}; zwischen^{3}. ¶김군의 조카 Herrn *Kims* Neffe. ⑦ 《기타》 ¶언론 출판의 자유 Pressefreiheit *f.* -en.

의거(依據) ~하다 《기인하다》 kommen* 《*von*^{3}》; zurück|führen 《*auf*^{4}》; 《근거하다》 beruhen 《*auf*^{4}》; ^{4}sich gründen 《*auf*^{4}》.

의거(義擧) Heldentat *f.* -en; die würdige Unternehmung, -en.

의걸이(衣—) Kleider·bügel 〔-haken〕 *m.* 〔-s, -.〕

의견(意見) Meinung 〔Ansicht〕 *f.* -en. Idee *f.* -n. ¶~의 대립 Meinungsstreit *m.* -(e)s, -e / ~이 일치하다 einer Meinung sein / ~을 말하다 s-e Meinung äußern; ^{4}sich aus|sprechen* 《*über*^{4}》. ‖반대 ~ Einwendung *f.* -en / 소수 ~ die Meinung der Minorität.

의결(議決) Beschlußfassung *f.* -en; Abstimmung *f.* -en. ~하다 beschließen*^{4} e-n Beschluß fassen. ‖~권 Stimmrecht *n.* -(e)s, -e / ~ 기관 Beschlußorgan *n.* -(e)s, -e.

의고(擬古) ~적 klassizistisch; die Antike nachahmend. ‖~체 Klassizität *f.* -en.

의곡(歪曲) =왜곡.

의과(醫科) das medizinische Fach, -(e)s, ¨er; 《의학부》 die medizinische Fakultät, -en. ‖~ 대학 die medizinische Hochschule, -n 〔Fakultät, -en〕.

의관(衣冠) (Gala)kleidung u. Hut. ¶~을 갖추다 ^{4}sich in Gala werfen*; in Gala erscheinen*.

의구심(疑懼心) Befürchtung *f.* -en; Besorgnis *f.*; Furcht *f.* ¶~을 품다 befürchten^{4}.

의기(意氣) Mut *m.* -(e)s; Courage [kurá:ʒə] *f.* ¶~ 양양하게 mutig; frischen Mutes / ~ 소침하다 niedergeschlagen sein / ~ 상통하다 Sympathie empfinden* 《mit *jm.*》.

의논(議論) Besprechung *f.* -en; Rücksprache *f.* ~하다 ^{4}sich besprechen* 《*über*^{4}》; ^{4}sich aus|sprechen* 《mit *jm.*》; ^{4}zu ^{3}Rate ziehen* 《*jn.*》.

의도(意圖) Absicht *f.* -en; Vorsatz *m.* -es, ¨e; Vorhaben *n.* -s, -. ¶…할 ~로 in 〔mit〕 der Absicht zu....

의례(儀禮) Höflichkeit *f.*; Entgegenkommen *n.* -s; Zuvorkommheit *f.* ~적(인) zeremoniell; formal. ‖가정 ~ das Ritualgesetz in e-r Familie.

의론(議論) Rede u. Gegenrede; Auseinandersetzung *f.* -en; Debatte *f.* -n. ~하다 debattieren 《*über*^{4}》; diskutieren 《*über*^{4}》; 《토의》 erörtern 《^{4}*et.* mit *jm.*》.

의롭다(義—) rechtschaffen 〔gerecht〕 (sein).

의뢰(依賴) 《부탁》 Bitte *f.* -n; 《위임》 Auftrag *m.* -(e)s, ¨e; 《의지》 Abhängigkeit *f.* -en. ~하다 bitten*^{4} 《*um*^{4}》; beauftragen^{4} 《*mit*^{3}》; abhängig sein 《*von*^{3}》; ^{4}sich verlassen* 《*auf*^{4}》. ‖~심 Abhängigkeitsgefühl *n.* -(e)s, -e (~심이 강하다 Er rechnet zu viel auf andere.) / ~인 Auftraggeber *m.* -s, -; Klient *m.* -en, -en.

의료(醫療) die ärztliche Behandlung, -en. ‖~ 기관 die medizinische Institution, -en / ~ 기구 das ärztliche Instrument, -(e)s, -e / ~ 보험 Krankenversicherung *f.* / ~ 시설 die medizinische Einrichtung, -en.

의류(衣類) Kleider (*pl.*); Kleidung *f.*; 〔Tracht〕 *f.* -en; 《주로 남자의》 Anzug *m.* -(e)s, ¨e; 《주로 여자의》 Kleid *n.* -(e)s, -er.

의리(義理) Gerechtigkeit 〔Verpflichtung〕 *f.* -en; die gesellschaftliche Bindung, -en. ¶~ 있는 gewissenhaft / ~없는 인간 ein undankbarer Mensch, -en, -en.

의무(義務) Pflicht 〔Verpflichtung〕 *f.* -en; Schuldigkeit *f.*; 《책임》 Verantwortung *f.* ¶~가 있다 müssen*; verpflichtet sein 《*zu*^{3}》 / ~를 다하다 s-e Pflicht (u. Schuldigkeit) tun* / ~적으로 als 〔aus〕 Pflicht. ‖~감 Pflichtbewußtsein *n.* -s / ~ 교육 die allgemeine Schulpflicht, -en / ~ 연한 die obligatorische Amtszeit, -en.

의무(醫務) Medizinalwesen *n.* -s. ‖~실 Apotheke *f.* -n.

의문(疑問) Frage *f.* -n; Zweifel *m.* -s, -. ¶~을 품다 bezweifeln^{4}; e-n Zweifel hegen 《*über*^{4}》 / ~의 여지가 없다 k-m Zweifel unterliegen*. ‖~ 대명사 Interrogativpronomen *n.* -s, - / ~문 Fragesatz *m.* -es, ¨e / ~사 Fragewort *n.* -(e)s, ¨er.

의뭉스럽다 heimtückisch 〔hinterlistig; arglistig〕 (sein).

의미(意味) Bedeutung *f.* -en; Sinn *m.* -(e)s, -e; Tragweite *f.* ~하다 bedeuten^{4}; besagen^{4}. ¶~ 심장한 tiefbedeutend; vielsagend; bedeutungsvoll / ~ 없는 bedeutungs〔sinn〕los / 어떤 ~로는 in gewissem Sinne / 엄밀한〔넓은〕 ~로 in genau(er)em 〔weit(er)em〕 Sinne.

의병(義兵) der treue 〔patriotische〕 Soldat, -en, -en; der Freiwillige*, -n, -n. ¶~을 일으키다 e-e Armee für e-e gerechte Sache sammeln.

의복(衣服) die Kleider (*pl.*); Kleidung *f.* -en.

의부(義父) 《계부》 Steifvater *m.* -s, ⸚; 《양부》 Adoptivvater *m.*

의분(義憤) die Entrüstung aus Gerechtigkeit. ¶ ~을 느끼다 aus Gerechtigkeit Unwillen empfinden*.

의붓 Stief-. ‖ ~딸 Stieftochter *f.* ⸚ / ~아들 Stiefsohn *n.* -(e)s, ⸚e / ~아비 Stiefvater *m.* -s, ⸚ / ~어미 Stiefmutter *f.* ⸚ / ~자식 Stiefkind *m.* -(e)s, -er (~자식 취급하다 stiefmütterlich behandeln 《*jm.*》).

의사(義士) der gerechte 〔edelherzige; gemeinnützige〕 Mensch, -en, -en.

의사(意思) Wille *m.* -ns, -n; Absicht *f.* -en; Gedanke *m.* -ns, -n. ¶ ~가 통하다 verstanden werden 《*von jm.*》 / ~를 나타내다 s-n Willen äußern 《*jm.*》 / …할 ~가 없다 k-e Absicht 〔Lust〕 haben 《[4]*et.* zu *tun*》.

의사(擬似) After-; Quasi-; Schein-. ‖ ~콜레라 die Cholera indigena.

의사(醫師) Arzt *m.* -es, ⸚e; 《俗》 Doktor *m.* -s, -en; 《개업의》 der praktische Arzt; 《단골》 Hausarzt. ¶ ~의 진찰을 받다 e-n Arzt konsultieren / ~의 치료를 받고 있다 in ärztlicher Behandlung sein / ~를 부르다 e-n Arzt rufen*. ‖ ~면허 die medizinische Lizenz, -en/ 돌팔이 ~ Quacksalber *m.* -s, -.

의사(議事) Verhandlung 〔Besprechung〕 *f.* -en. ‖ ~당 Parlamentsgebäude *n.* -s, - / ~록 Sitzungsberichte (*pl.*) / ~ 일정 Tagesordnung *f.* -en; der Plan der Beratung.

의상(衣裳) Kleidung *f.* -en; Kleid *n.* -(e)s, -er; Gewand *n.* -(e)s, ⸚er. ‖ ~실 Garderobenzimmer *n.* -s, -.

의석(議席) Abgeordnetensitz *m.* -es, -e; Sitzungssaal *m.* -(e)s, ..säle 《총칭》.

의성어(擬聲語) Onomatopoetikon *n.* -s, ..ka; das schall〔klang〕nachahmende Wort, -(e)s, ⸚er.

의수(義手) die künstliche Hand, ⸚e; der künstliche Arm, -(e)s, -e.

의술(醫術) Heil·kunde 〔-kunst〕 *f.*; Medizin *f.* ¶ ~은 인술이다 Heilkunde ist Menschenliebe.

의식(衣食) Nahrung u. Kleidung; 《생계》 Lebensunterhalt *m.* -(e)s. ‖ ~주 die Nahrung, Kleidung u. Wohnung.

의식(意識) Bewußtsein *n.* -s; Besinnung *f.* -en. ~하다 bewußt[2] werden; wahr|-nehmen*[4]. ¶ ~적(으로) bewußt; 《고의적》 vorsätzlich; absichtlich / ~을 잃다 bewußtlos werden; das Bewußtsein verlieren* / ~을 회복하다 (wieder) zum Bewußtsein kommen*. ‖ 잠재 ~ Unterbewußtsein *n.* -s.

의식(儀式) Feierlichkeit *f.* -en; Zeremonie *f.* -n; 《종교적인》 Kultus *m.* -, ..te. ¶ ~을 거행하다 e-e Zeremonie ab|halten*.

의심(疑心) Zweifel *m.* -s, -; 《의혹》 das Bedenken*, -s; 《혐의》 Verdacht *m.* -(e)s; 《의문》 Frage *f.* -n. ~하다 bezweifeln[4]; zweifeln (*an*[3]); *jn.* verdächtigen[2]; Verdacht hegen; beargwöhnen[4]. ¶ ~스러운 zweifelhaft; bedenklich; verdächtig; problematisch; fraglich / ~할 여지없는 zweifellos; unbestreitbar / ~ 많은 zweifelsüchtig; mißtrauisch / ~을 받다〔사다〕 in Verdacht kommen*〔geraten*〕 / ~을 풀다 Zweifel 〔Bedenken〕 zerstreuen.

의안(義眼) das künstliche Auge, -s, -n; Glasauge *n.* -s, -n. ¶ ~을 끼고 있다 ein künstliches 〔falsches〕 Auge haben.

의안(議案) (Gesetzes)vorlage *f.* -n; (Gesetz)antrag *m.* -(e)s, ⸚e; Bill *f.* -s. ¶ ~을 상정하다 e-e (Gesetzes)vorlage ein|bringen* / ~을 수정하다 e-n Gesetzentwurf ab|ändern / ~을 통과시키다 die Vorlage auf|nehmen*.

의약(醫藥) Arznei *f.* -en; (Arznei)mittel *n.* -s, -; Medizin *f.* -en. ‖ ~품 Arznei *f.*; Arzneimittel *n.*

의역(意譯) die freie Übersetzung, -en. ~하다 frei übersetzen[4].

의연금(義捐金) Beisteuer 〔Beitragssumme〕 *f.* -n; Subskriptionsbetrag *m.* -(e)s, ⸚e. ¶ ~을 거두다 Almosen (*pl.*) (ein|)sammeln.

의연하다(依然—) wie früher 〔sonst〕 sein. ¶ 의연히 immer noch; noch immer. ¶ 구태 ~ Es bleibt beim Alten.

의연하다(毅然—) standhaft 〔fest; entschlossen〕 (sein). ¶ 의연한 태도 unerschrockene Haltung, -en.

의예과(醫豫科) der Vorbereitungskursus e-r medizinischen Hochschule.

의옥(疑獄) der komplizierte Kriminalprozeß, ..zesses, ..zesse; Skandal *m.* -s, -e. ¶ ~ 사건에 연루되다 in e-n Skandal verwickelt werden.

의외(意外) ¶ ~의 überraschend; unerwartet; unverhofft / ~로 unerwarteterweise; gegen Erwarten* / ~의 결과 die unerwartete Wirkung / ~로 어렵다 schwerer sein, als man erwartet hat.

의욕(意慾) das Wollen*, -s; die Äußerung des Willens. ¶ ~적 hochstrebend; nach oben strebend / ~이 대단하다 den starken Willen haben, [4]*et.* zu tun. ‖ 생활 ~ der Wille zum Leben.

의용군(義勇軍) die Freiwilligentruppen (*pl.*); Freiwilligenheer *n.* -(e)s, -e; Freikorps *n.* -, -.

의원(依願) ‖ ~ 면직 die Amtsentlassung auf eigenen Wunsch (~ 면직되다 auf eigenen Wunsch hin entlassen werden).

의원(醫員) Mediziner *m.* -s, -.

의원(醫院) Privatklinik *f.* -en; 《병원》 Hospital *n.* -s, -e.

의원(議院) Volksvertretung *f.* -en; (Abgeordneten)haus *n.* -es, ⸚er; Kammer *f.* -n; Parlament *n.* -(e)s, -e. ‖ ~ 내각제 die parlamentarische Regierung; Parlamentarismus *m.* -.

의원(議員) der Abgeordnete*, -n, -n; Mitglied *n.* -(e)s, -er; Parlamentarier *m.* -s, -. ¶ ~에 당선되다 zum Abgeordneten gewählt werden. ‖ ~ 총회 Plenarsitzung *f.* -en.

의의(意義) =의미. ¶ ~ 있는 bedeutungsvoll; bedeutsam.

의인(擬人) 〖修辭〗 Personifikation *f.* -en. ¶～화하다 personifizieren⁴; verkörpern⁴.

의자(椅子) Stuhl *m.* -(e)s, ¨e; 《소파》 Sofa *n.* -s, -s; 《벤치》 Bank *f.* ¨e; 《팔걸이 의자》 Sessel *m.* -s, -; Lehnstuhl *m.* ¶～에 앉다 ⁴sich auf e-n Stuhl setzen / ～를 권하다 e-n Stuhl an|bieten* 《*jm.*》. ‖회전 ～ Drehstuhl *m.*

의장(衣欌) Kleider〔Garderoben〕schrank *m.* -(e)s, ¨e.

의장(意匠) Muster *n.* -s, -; Dessin *n.* -s, -s; Zeichnung *f.* -en. ‖～등록 die Eintragung e-s Musters.

의장(艤裝) Ausrüstung〔Ausstattung〕*f.* -en. ～하다 ein Schiff aus|rüsten 〔betakeln〕.

의장(議長) Präsident *m.* -en, -en; der Vorsitzende*, -n, -n; Sprecher *m.* -s, - 《영·미 의회의》. ¶～이 되다 den Vorsitz haben 〔führen〕. ‖임시 ～ der stellvertretende Präsident.

의장(議場) Sitzungssaal *m.* -(e)s, ..säle.

의장병(儀仗兵) Ehrenwache *f.* -n.

의적(義賊) der edle Räuber, -s, -.

의전(儀典) ‖～관 Zeremoniemeister *m.* -s, - / ～실 Protokollbüro *n.* -s, -s.

의절(義絶) ～하다 verleugnen⁴; verstoßen*⁴ 《자녀와》; pflichtmäßig mit *jm.* brechen*.

의젓하다 ruhig u. majestätisch 〔achtungsgebietend; langsam u. gebieterisch〕 (sein). ¶의젓하게 걷다 langsam u. gebieterisch gehen*.

의정서(議定書) Protokoll *n.* -s, -e.

의제(擬制) Fiktion *f.* -en. ‖～자본 das fiktive Kapital, -s, -e.

의제(議題) der zu besprechende Gegenstand, -(e)s, ¨e; Gesprächsthema *n.* -s, ..men.

의족(義足) das künstliche Bein, -(e)s, -e; Stelz〔Holz〕bein; Prothese *f.* -n.

의존(依存) Abhängigkeit *f.* -en. ～하다 ab|hängen* 《*von*³》; abhängig sein 《*von*³》.

의중(意中) ¶～의 인물 der Mensche, den man im Sinne hat / ～을 떠보다 *jm.* auf den Zahn fühlen.

의지(依支) 《도움》 Unterstützung *f.* -en; Beistand *m.* -(e)s, ¨e; Hilfe *f.* -n; 《보호》 Schutz *m.* -es; Schild *m.* -(e)s, -e. ～하다 ⁴sich wenden⁽*⁾; ⁴sich stützen 《*auf*⁴》; ⁴sich verlassen* 《*auf*⁴》; vertrauen⁴; rechnen 《*auf*⁴》. ¶～가 되다 *js.* Unterstützung 〔Hilfe〕 werden / ～할 곳 없는 신세 *js.* hilflose Situation / 남에게 ～하지 마라 Vertraue sich selbst!

의지(意志) Wille *m.* -ns, -n. ¶～가 강한 willensstark / ～가 박약한 willensschwach.

의지(義肢) die künstlichen Glieder (*pl.*).

의지가지없다 ganz verlassen 〔auf sich allein angewiesen〕 (sein).

의처증(疑妻症) krankhafte Eifersucht des Mannes.

의치(義齒) 《한벌의》 das künstliche 〔falsche〕 Gebiß, ..sses, ..sse; 《개개의》 der künstliche 〔falsche〕 Zahn, -(e)s, ¨e.

의탁(依託) Abhängigkeit *f.*; das Anvertrauen*, -s. ～하다 von *jm.* 〔³*et.*〕 ab|hängen; ⁴sich auf *jn* 〔⁴*et.*〕 verlassen*. ¶～할 곳 없다 hilflos 〔ratlos〕 sein.

의태(擬態) 〖生〗 Mimikry *f.*; Anähnlichung *f.* -en.

의표(意表) ¶～를 찌르다 e-e Überraschung bereiten 《*jm.*》.

의하다(依—) ① 《의존》 ab|hängen 《*von*³》; abhängig sein; an|kommen* 《*auf*⁴》; rechnen 《auf *jn.*》. ② 《근거》 beruhen 《*auf*³》; ⁴sich stützen 《*auf*⁴》; ⁴sich gründen 《*auf*⁴》. ③ 《기인》 schuldig sein; e-e Folge 《*von*³》 sein. ¶…에 의하여 laut²; kraft²; vermöge²; 《수단》 mittels²; durch⁴ / 형법 제 80조에 의하여 laut Paragraph 80 des Strafgesetzbuches / 소문에 의하면 nach dem Gerücht.

의학(醫學) Medizin *f.* -en; Heilkunde *f.* -n. ‖～계 die medizinische Kreise, -n 〔Welt, -en〕 / ～도 Medizinstudent *m.* -en, -en / ～ 박사 die Doktor der Medizin 《略 : D.M.》 / ～부 die medizinische Fakultät, -en.

의향(意向) Absicht *f.* -en; Vorhaben *n.* -s, -; Vorsatz *m.* -es, ¨e. ¶～을 물어보다 *jn.* nach Absichten fragen.

의협심(義俠心) ritterliche Gesinnung, -en; Edelmut *m.* -(e)s; Ritterlichkeit *f.* ¶～이 있는 ritterlich; edelsinnig.

의형제(義兄弟) Schwager *m.* -s, ¨; die intime Freunde im brüderlichen Bunde 《맹우》. ¶～를 맺다 Brüderschaft schließen* 《mit *jm.*》.

의혹(疑惑) Zweifel *m.* -s, -; Verdacht *m.* -(e)s. ¶～을 풀다 *js.* Zweifel (*pl.*) beheben* / ～을 품다 Zweifel hegen 〔haben〕 《*über*⁴》 / ～을 사다 Argwohn erwecken.

의회(議會) Volksvertretung *f.* -en 《일반적》; Bundes〔Reichs〕tag *m.* -(e)s, -e 《독일》; Kongreß *m.* ..gresses, ..gresse 《미국》; Parlament *n.* -(e)s, -e 《한국 등》. ¶～를 소집하다 〔해산하다〕 den Bundestag zusammen|rufen* 〔auf|lösen〕. ‖～ 정치 Parlamentarismus *m.* -; das parlamentarische System, -s, -e.

이¹ Zahn *m.* -(e)s, ¨e. ¶이가 나다 Zähne bekommen* / 이가 아프다 Zahnschmerzen haben / 이를 갈다 mit den Zähnen knirschen / 이를 해 박다 e-n Zahn ein|setzen / 이가 빠지다 die Zähne gehen *jm.* aus.

이² 〖蝨〗 Laus *f.* ¨e. ¶이를 잡다 Läuse ab|suchen / 이가 끓다 voll von Läusen sein.

이³ ① 〖冠形詞〗 dieser; diese (*pl.*); laufend. ¶이 달 dieser Monat. ② 〖名詞〗 das; dies*; es. ¶이 후 danach; in Zukunft / 이는 곧 das heißt.

이(二) zwei. ¶제 ～ der zweite*.

이(利) ① 《이익》 Vorteil 〔Gewinn〕 *m.* -(e)s, -e; Vorzug *m.* -(e)s, ¨e; Nutzen *m.* -s, -; Profit *m.* -(e)s, -e. ¶이가 있는 gewinnbringend; einbringlich / 이를 보다 Gewinn ziehen* 《*an*³》; Gewinn 〔Vorteil〕 haben 《*von*³》 / 지형의 이를 얻다 durch die geographische Lage begünstigt sein / 이가 되다 *jm.*

nützlich sein. ② 《이자》 Zins *m.* –es, –en. ⌈²Dorfgemeinde).⌉
이(里) Einzeldorf *n.* –(e)s, ⸗er (e–r⌋
이가(二價) Zweiwertigkeit *f.* ¶ ~의 zweiwertig. ‖ ~ 원소 Dyade *f.* –n.
이간(離間) Entfremdung *f.* –en; Zwist *m.* –(e)s, –e. ~(질)하다 entfremden⁴ 《*jm.*》.
이것 dieser*; der*. ¶ ~으로 damit; hiermit / ~뿐 nicht mehr / ~은 싫다 Das mag ich nicht leiden / ~은 안 된다 Das darf man nicht.
이것저것 dieser* u. jener*; der* u. der*. ¶ ~ 해보다 dieses u. jenes versuchen / ~ 생각하다 an dieses u. jenes denken*.
이격(二格) der zweite Fall, –(e)s, ⸗e; Genitiv *m.* –(e)s, –e.
이골나다 geschickt 〔gewandt〕 werden; ⁴sich gewöhnen 《*an*⁴》; ³sich an|gewöhnen.
이곳 ¶ ~에(서) hier; an 〔auf〕 dieser Stelle / ~으로 hierher / ~까지 bis hierher / ~ 저곳에 hie(r) u. da; hier u. dort.
이공(理工) ‖ ~과 〔대학〕 naturwissenschaftliche u. technische Abteilung, –en 〔Hochschule, –n〕 / ~학부 naturwissenschaftliche u. technische Fakultät, –en.
이과(理科) Naturwissenschaft *f.* –en; 《학부》 die naturwissenschaftliche Abteilung, –en.
이관(移管) ~하다 die (Ober)aufsicht 〔Geschäftsführung〕 übergeben* 〔an|vertrauen〕《*jm.*》. ¶ 국고로 ~하다 der Staatskasse übertragen*.
이교(異敎) 《기독교 이외의》 Heidentum *n.* –s; Ketzerei *f.* –en; 《다른 종교》 die andere Religion, –en. ‖ ~도 Heide *m.* –n, –n; Ketzer *m.* –s, –; der Andersgläubige*, –n, –n.
이구동성(異口同聲) ~으로 einstimmig; mit einer Stimme; wie aus einem Munde.
이국(異國) das fremde Land, –(e)s, ⸗er; Ausland *n.* ‖ ~ 정서 das Exotische* 〔Ausländische*; Befremdende*〕 –n.
이권(利權) das Recht auf Vorteile; Rechte (u. Vorteile) (*pl.*); 《광산 등의》 Konzession *f.* –en; 《산업상의》 Gewerbeberechtigung *f.* –en. ¶ ~을 얻다 die Konzession erwerben* / ~ 다툼 die Streit um e–e Konzession. ‖ ~ 양도 die Übertragung der Vorrechte.
이글이글 brennend; glühend. ¶ ~ 타오르다 (empor|)lodern; auf|flammen.
이기(利己) Eigennutz *m.* –es; Selbstsucht *f.* ⸗e. ~적(인) eigennützig; selbstsüchtig; egoistisch. ‖ ~심 Selbstsucht *f.* ⸗e / ~주의 Egoismus *m.* – (~주의자 Egoist *m.* –en, –en).
이기(利器) 《편리한 것》 Bequemlichkeiten (*pl.*); die neuzeitliche, bequeme Einrichtung, –en. ¶ 문명의 ~ die neuzeitlichen Bequemlichkeiten.
이기다¹ 《승리》 siegen 《*über*⁴》; besiegen⁴; 《극복》 überwinden*⁴; 《능가》 übertreffen*⁴. ¶ 싸움〔소송〕에 ~ den Krieg 〔Prozeß〕 gewinnen / 경기에 ~ das Spiel gewinnen* / 겨우 ~ den Sieg mit knapper Not gewinnen* / 자신을 ~ ⁴sich überwinden*. ⌈rühren⁴.⌉
이기다² 《반죽》 kneten⁴; mengen⁴; an|-⌋
이기죽거리다 unsinniges Zeug schwatzen; *jm.* Gehässigkeiten (*pl.*) sagen.
이끌다 (an|)führen⁴; leiten⁴; 《지휘》 befehligen⁴; kommandieren⁴.
이끼 Moos *n.* –es, –e. ¶ ~ 낀 bemoost; mit Moos bedeckt; moosig.
이끼(나) Ach!; O!; Oh!; Ach Gott!; Mein Gott!.
이나 ① 《그러나》 aber; und doch; doch; jedoch; 《한편》 andererseits; obgleich. ¶ 분명 그는 학자~ 상식이 없다 Er ist sicher ein Gelehrter, hat aber keinen Menschenverstand. ② 《정도》 so viel 〔gut; weit〕 wie; nichts minder als.... ¶ 세 살~ 위다 um drei Jahre älter als .... ③ 《선택》 oder; entweder ... oder. ¶ 어느 것~ 상관 없다 Mir ist egal.
이남(以南) südlich von³.... ¶ 서울 ~ südlich von Seoul.
이내 《즉석에서》 auf der ³Stelle; 《곧》 sofort; (so)gleich; augenblicklich; plötzlich.
이내(以內) ¶ ~에 binnen³; innerhalb²·³; 《이하》 unter³ / 3일 ~ innerhalb drei⌉
이네(들) diese Leute (*pl.*). ⌊Tagen.⌋
이년 diese Hündin, –nen; dieses böse Weib, –(e)s, –er.
이념(理念) Idee *f.* –n. Ideologie *f.* –n. ‖ ~ 세계 Ideenwelt *f.*
이놈 dieser Kerl, –s, –e. ¶ ~아 Du Scheusal!; Zum Teufel!
이뇨제(利尿劑) Diuretikum *n.* –s, ..ka; harntreibendes Mittel, –s, –.
이다 《지붕을》 decken⁴; überdachen⁴.
이단(異端) Ketzerei *f.* –en. ~의 ketzerisch. ‖ ~자 Ketzer *m.* –s, –.
이대로 wie dies. ¶ ~ 가면 auf diese Weise; so; unter diesen Umständen; wie die Dinge liegen.
이데올로기 Ideologie *f.* –n. ¶ ~의 분열 ideologische Spaltung, –en.
이동(以東) östlich 《*von*³》. ¶ 서울 ~ östlich von Seoul.
이동(移動) (Fort)bewegung 〔Ortsveränderung〕 *f.* –en. ~하다 ⁴sich (fort|-) bewegen; den Ort verändern. ‖ ~ 기중기 Eisenbahnkran *m.* –(e)s, ⸗e / ~도서관 Wanderbibliothek *f.* –en / ~성 고기압 wandernde Antizyklone, –n / 인구 ~ Bevölkerungswechsel *m.* –s, –.
이동(異動) 《인사의》 Veränderung 〔Versetzung〕 *f.* –en. ‖ 내각 ~ Kabinettsumbildung *f.* –en / 인사 ~ Personenwechsel *m.* –s, –.
이득(利得) Gewinn *m.* –(e)s, –e; Profit *m.* –(e)s, –e. ‖ 부당 ~ Wuchergewinn *m.* –(e)s, –e; Schiebung *f.* –en.
이등(二等) die zweite Klasse, –n; der zweite Rang, –(e)s, ⸗e; 《경기 따위의》 der zweite Platz, –es, ⸗e. ‖ ~상 der zweite Preis, –es, –e / ~차 der Wagen zweiter Klasse.
이등변삼각형(二等邊三角形) das gleichschenklige Dreieck, –(e)s, –e.

이등분(二等分) ∼하다 halbieren⁴.

이따금 dann u. wann; von ³Zeit zu ³Zeit; gelegentlich.

이때 in diesem Augenblick; dabei. ¶∼까지 bis jetzt / 바로 ∼ gerade in diesem Moment [Augenblick].

이란성(二卵性) ‖ ∼ 쌍생아 zweieiige Zwillinge (*pl.*).

이랑 die Bodenerhöhung zwischen ³Ackerfurchen; Feldrain *m.* -(e)s, -e.

이래(以來) seit; seitdem. ¶세계 대전 ∼ seit dem Weltkrieg.

이래저래 mit diesem u. jenem. ¶∼ 바쁘기만하다 Wegen dieser u. jener Geschäfte bin ich beschäftigt.

이러쿵저러쿵 ¶∼ 말하다 meckern; 《이유를 대다》 räsonnieren; 《비평하다》 kritisieren; 《반대》 Einwände erheben* [vor|bringen*] / ∼ 말하지 마라 Halt's Maul!

이러하다 so [so ein*; solcher*; solch ein*; derartig; dergleichen] (sein). ¶이러한 사정으로 weil die Sache (nun einmal) so steht.

이럭저럭 irgendwie; auf irgend e-e Weise. ¶∼ 지내다 ⁴sich mühsam [kümmerlich] durch|schlagen*.

이런 〖感歎詞〗 ach je!; um Himmels willen. ¶∼, 문이 열려 있군 Guck mal! Die Tür ist auf!

이렇게 auf diese Weise; in dieser Weise; so; wie dies. ¶∼ 비가 오는데도 obwohl es so stark regnet / 나는 ∼ 생각한다 Ich denke wie folgt.

이렇다 ☞ 이러하다. ¶∼ 할 이유도 없이 ohne nennenswerten [besonderen] Grund / 나는 ∼ 할 특기도 없다 Ich habe kein besonderes Talent.

이렇듯 so; wie dies; auf diese Weise. ¶∼ 많은 so viel / ∼ 빌어도 trotz all m-r Bitten.

이레 《일곱날》 sieben Tage; 《초이레》 der siebente Tag, -(e)s, -e.

이력(履歷) Lebens·lauf *m.* -(e)s, ⸚e [-geschichte *f.* -n]; Vorleben *n.* -s. ¶∼이 나다 geschickt werden. ‖∼서 Lebenslauf *m.*

이례(異例) ∼적 beispiellos; unerhört; regelwidrig.

이로부터 von jetzt [nun] an [ab]; fernerhin; hernach. ¶∼ 조심해라 Sei von jetzt an vorsichtig!

이론(異論) 《이설》 die andere [entgegengesetzte] Meinung, -en; 《반대》 Einwendung *f.* -en; Einspruch *m.* -(e)s, ⸚e. ¶그에 대해 ∼이 없습니다 Ich habe nichts dagegen (einzuwenden).

이론(理論) Theorie *f.* -n. ¶∼을 세우다 e-e Theorie auf|stellen. ‖∼가 Theoretiker *m.* -s, - / ∼ 투쟁 der theoretische Streit, -(e)s, -s.

이롭다(利—) nützlich [vorteilhaft 《*für*⁴》; günstig; erbaulich] (sein). ¶소년들에게 이로운 책 das für Kinder nützliche Buch, -(e)s, ⸚er.

이루 ¶∼ 다 말할 수 없다 unbeschreiblich sein / ∼ 다 헤아릴 수 없다 unzählbar sein.

이루(二壘) 〖野〗 das zweite Laufmal, -(e)s, -e.

이루다¹ 《성취·달성》 erreichen⁴; vollbringen*⁴; durch|führen⁴; 《소원을》 gewähren⁴; erfüllen⁴. ¶뜻을 ∼ s-e Absicht [s-n Traum] verwirklichen.

이루다² 《모양을》 bilden⁴; formen⁴; gestalten⁴; machen⁴. ¶사회를 [마을을] ∼ e-e Gesellschaft [ein Dorf] bilden.

이루어지다 ① 《성취》 ⁴sich erfüllen; in Erfüllung gehen*. ② 《형성》 geformt [gebildet; gemacht] werden; aus ³*et.* bestehen*.

이룩하다 ① 《세우다》 auf|richten; auf|bauen; errichten; erbauen; auf|stellen. ② 《이루다》 vollbringen*; zustande bringen*; aus|führen; vollenden. ¶경제의 기적을 ∼ ein Wirtschaftswunder vollbringen*.

이류(二流) ∼의 zweitklassig; zweiter ²Klasse; zweiten ²Ranges.

이륙(離陸) Abflug *m.* -(e)s, ⸚e; Aufstieg *m.* -(e)s, -e. ∼하다 ab|fliegen*; auf|steigen*.

이르다¹ ① 《도달》 an|kommen*; (er-)reichen⁴; 《통하다》 führen⁴ 《*zu*³》. ¶목적지에 ∼ das Ziel erreichen / 행복에 이르는 길 der Weg zum Glück. ② 《결과》 zu ³*et.* kommen*; ⁴*et.* zur Folge haben. ¶믿기에 ∼ zum Glauben kommen*. ③ 《미치다》 ⁴sich aus|dehnen; kommen* 《*zu*³》. ¶오늘에 이르기까지 bis heute [jetzt].

이르다² 《때가》 früh(zeitig) [(vorzeitig); unverzüglich] (sein). ¶떠나기에는 아직 ∼ Es ist noch zu früh, umaufzubrechen.

이르다³ ① 《미리 알리다》 benachrichten⁴; berichten⁴; informieren⁴; erzählen⁴. ② 《고자질》 sprechen* [reden; erzählen] 《von *jm.*》. ¶아버지한테 이르겠다 Ich werde dem Vater erzählen.

이른바 sogenannt; angeblich. ¶이런 사람이 ∼ 신사다 So ein Mann ist ein sogenannter Gentleman [Herr].

이를테면 zum Beispiel 《略 : z. B.》.

이름 Name *m.* -ns, -n; Vorname *m.*; 《명성》 Ruhm *m.* -(e)s; 《명칭》 Titel *m.* -s. ¶∼을 부르다 *jn.* mit Namen rufen* / ∼을 묻다 *jn.* nach dem Namen fragen.

이리¹ 〖動〗 Wolf *m.* -(e)s, ⸚e; 《암컷》 Wölfin *f.* -nen.

이리² 《물고기의》 Rogen *m.* -s, -; Milch *f.*

이리³ ① 《이곳으로》 hierher; an diesen Ort. ¶∼ 오세요 Kommen Sie bitte hierher! ② 《이렇게》 auf diese Weise.

이리저리 hin u. her; hierher u. dorthin; auf u. ab. ¶∼ 돌아다니다 hin u. her gehen*; umher|schlendern.

이마 Stirn *f.* -en. ‖이맛살 die Runzel [Falte] auf der Stirn (이맛살을 찌푸리다 die Stirn runzeln).

이만 so viel. ¶오늘은 ∼ 하자 So viel für heute.

이만큼 soviel; soweit; so.

이면(裏面) Rück[Kehr]seite *f.* -n; 《내면》 die innere Seite; Innenseite *f.* ‖∼ 공작 das Manöver im Hintergrund / ∼사(史) die rückseitige Geschichte, -n.

이명(異名) Bei〔Neck〕name(n) *m.* ..mens, ..men; der andere 〔angenommene〕 Name.

이모(姨母) Tante *f.* -n; die Schwester der Mutter.

이모부(姨母夫) Onkel *m.* -s, -; der Mann der Schwester der Mutter.

이모작(二毛作) die zweimaligen Ernten (*pl.*) im Jahr.

이목(耳目) ¶~을 끌다 Aufmerksamkeit erregen; *js.* Aufmerksamkeit auf [4]sich ziehen*.

이무기 〖動〗 Riesenschlange *f.* -n; Python *m.* -s, -s 〔-en〕; Boa *f.* -s.

이문(利文) Verdienst〔Gewinn〕spanne *f.* -n; Gewinn *m.* -(e)s, -e. ¶~이 적다 von geringem Vorteil 〔Gewinn〕 sein.

이물 Bug *m.* -(e)s, ¨e; Schiffsschnabel *m.* -s, ¨. ¶~에서 고물까지 vom Bug bis zum Heck.

이물(異物) 〖醫〗 Fremdkörper *m.* -s, -.

이미 ① 《벌써》 schon; bereits. ¶그것은 ~ 끝났다 Das ist schon fertig. ② 《앞서》 vorher; früher; im voraus. ¶~ 말한 바와 같이 wie vorher gesagt.

이미지 Vorstellung *f.* -en; Gedankenbild *n.* -(e)s, -er.

이민(移民) Auswanderung 〔Emigration〕 *f.* -en. ~하다 《출국》 aus|wandern; emigrieren; 《입국》 ein|wandern; immigrieren.

이바지하다 《공헌》 dienen; mit|wirken; bei|tragen* 《*zu*[3]》; helfen*[3]. ¶평화에 ~ dem Frieden dienen.

이박자(二拍子) Zweivierteltakt *m.* -(e)s, -e.

이반(離反) Entfremdung〔Abtrünnigkeit〕 *f.* -en. ~하다 ([4]sich) *jm.* entfremden; *jm.* abtrünnig werden.

이발(理髮) ~하다 [3]sich die Haare 〔das Haar〕 schneiden lassen*; [4]sich frisieren lassen*. ‖ ~사 Friseur 〔Barbier〕 *m.* -s, -e; Haarschneider *m.* -s, - / ~소 Barbierladen *m.* -s, ¨ 〔-〕; Frisiersalon *m.* -s, -s / ~ 요금 Frisiergeld *n.* -es, -er.

이밥 der gekochte Reis, -es.

이방인(異邦人) der Fremde*, -n, -n; Ausländer *m.* -s, -; Ausländerin *f.* -nen 《여자》.

이번(一番) ① 《금번》 diesmal; dieses Mal; nun; nunmehr. ¶~에는 für diesmal. ② 《다음》 das nächste Mal; bald; das andere Mal. ¶~ 일요일에 am nächsten 〔kommenden〕 Sonntag.

이변(異變) das unerwartete Ereignis, -ses, -se; Unfall *m.* -(e)s, ¨e.

이별(離別) Abschied *m.* -(e)s, -e; Trennung 〔Scheidung〕 *f.* -en. ~하다 Abschied nehmen* 《*von*[3]》; [4]sich verabschieden 《*von*[3]》; [4]sich trennen 《*von*[3]》. ‖ ~가 Abschiedslied *n.* -(e)s, ¨er.

이복(異腹) ~의 halbbürtig. ‖ ~ 형제 Halb·bruder *m.* -s. ¨ 〔-schwester *f.* -n〕.

이봐 Hallo! Heda! He! ¶~ 잠깐 Warte nur!

이부(二部) 《두 부분》 zwei Teile (*pl.*); zwei Bände (*pl*). 《권》; zwei Examplare (*pl.*) 《책》; 《제 2 부》 der zweite Teil, -s, -e. ‖ ~ 합창 〔합주〕 Duett *n.* -(e)s, -e.

이부(異父) Stiefvater *m.* -s, ¨.

이부자리 Bettzeug *n.* -(e)s, -e; Decke *f.* -n 《이불》; Matratze *f.* -n 《요》. ¶~를 펴다 〔개다〕 das Bett machen 〔auf|räumen〕.

이북(以北) 《북쪽》 Norden *m.* -s; 《북한》 Nordkorea. ~의 nördlich 《*von*[3]》. ¶서울 ~ nördlich von Seoul / ~에서 온 사람 e-e Person aus Norkorea.

이분(二分) ~하다 in zwei 〔gleiche〕 Teile teilen[4]; halbieren[4]. ¶~의 일 ein halb-*; e-e Hälfte. ‖ ~ 음표 die halbe Note.

이분자(異分子) fremde 〔heterogene〕 Elemente (*pl.*); Außenseiter *m.* -s, -.

이불 Bett·zeug *n.* -(e)s, -e 〔-decke *f.* -n〕. ¶~을 덮고 자다 unter der Decke schlafen*.

이브 《아담의 아내》 Eva *f.*

이브닝드레스 Gesellschafts〔Abend〕kleid *n.* -(e)s, -er.

이비(耳鼻) ‖ ~ 인후과 das (Spezial)fach für Hals-Nasen-Ohren (~인후과 병원 die Klnik für Hals-Nasen-Ohren / ~인후과 의사 Hals-Nasen-Ohren-Arzt *m.* -(e)s, ¨e).

이사(理事) Vorstand *m.* -(e)s, ¨e; Direktor *m.* -s, -en; Direktion *f.* -en 《총칭》. ‖ ~장 Hauptdirektor / ~회 Direktorenversammlung *f.* -en.

이사(移徙) Umzug *m.* -(e)s, ¨e; Wohnungswechsel *m.* -s, -. ~하다 um|ziehen*; ziehen*; 《이사 가다》 aus|ziehen*; 《이사 오다》 ein|ziehen*.

이삭 Ähre *f.* -n.

이산(離散) ~하다 [4]sich zerstreuen; zerstreut werden; auseinander|gehen*. ‖ ~ 가족 die zerstreute Familie (~ 가족 찾기 운동 die Bewegung für die Familienzusammenführung).

이산화(二酸化) 〖化〗 Dioxyd *n.* -(e)s, -e. ‖ ~ 탄소 Kohldioxyd *n.*

이상(以上) 《…보다》 über; mehr als; 《…한 바에》 da. ¶~의 《상기의》 oben besagt 〔erwähnt〕 / 세 시간 ~ mehr als drei Stunden / ~ 할 말이 없다 Ich habe nichts, weiter zu sagen.

이상(異狀) ¶~이 있는 abnorm; krank(-haft); nicht in Ordnung / 정신에 ~이 있다 geistig gestört sein / 기계에 ~이 있다 Die Maschine ist nicht in Ordnung.

이상(異常) ~하다 ungewöhnlich 〔außerordentlich; unregelmäßig; abnorm; sonderbar; merkwürdig; auffallend〕(sein). ¶~하게 들리다 eigenartig 〔ungewöhnlich〕 klingen*. ‖ ~ 난동(暖冬) der ungewöhnlich warme Winter.

이상(理想) Ideal *n.* -s, -e. ~적 ideal. ‖ ~주의 Idealismus *m.* -.

이색(二色) zwei Farben (*pl.*). ~의 zweifarbig. ‖ ~ 인쇄 〔판〕 Zweifarbendruck *m.* -(e), -e.

이색적(異色的) ¶~이다 einzig(artig) 〔auffallend〕 sein.

이서(以西) ~에 westlich 《*von*[3]》; westwärts.

이설(異說) die andere〔entgegengesetzte〕 Meinung, -en.

이성(理性) Vernunft *f.* ~적 vernünftig; rational. ¶~을 잃다 die Vernunft 〔Fassung〕 verlieren*.

이성(異性) das andere Geschlecht, -(e)s; 《화학상의》 Isomerie *f.* -n. ‖ ~애 Geschlechtsliebe *f.* -n.
이세(二世) 《제 2 세》 der Zweite; 《2 대째》 die zweite Generation. ¶ 빌헬름 ~ Wilhelm der Zweite* / 한국계 미국인 ~ Koreanische-Amerikaner *m.* -s, -.
이송(移送) Fortschaffung *f.* -en; Beförderung *f.* -en; Transport *m.* -(e)s, -e. ~하다 fort|schaffen⁴; befördern⁴; transportieren⁴.
이수(里數) Meilen·länge *f.* -n〔-zahl *f.* -en〕; Entfernung *f.* -en 《거리》.
이수(履修) ~하다 lernen⁴; 《수료》 durch|machen*. ¶ 전과정을 ~하다 den ganzen Kursus durch|machen.
이스트 Hefe *f.* -n.
이슥하다 spät (sein). ¶ 밤이 이슥하도록 bis spät in die Nacht.
이슬 Tau *m.* -(e)s, -e; Tautropfen *m.* -s, -. ¶ ~이 내리다 es taut; Tau fällt.
이슬람 Islam *m.* -s. ¶ ~교의 islamitisch. ‖ ~교도 Mohammedaner *m.* -s, -.
이슬비 Sprühregen *m.* -s, -.
이승 〖佛〗 das irdische Leben, -s; Diesseits *n.* -. ¶ ~에서 auf der Welt; in dieser Welt.
이식(利殖) die Aufspeicherung von ³Zinsen; Gelderwerb *m.* -(e)s, -e.
이식(移植) Umpflanzung *f.* -en; 〖醫〗 Transplantation *f.* -en. ~하다 um|pflanzen⁴; transplantieren⁴. ‖ ~ 수술 Transplantation / 피부 ~ Hauttransplantation.
이신론(理神論) 〖哲〗 Deismus *m.* -.
이실직고(以實直告) ~하다 wahrheitsgemäß berichten 《*jm. über*⁴》.
이심(異心) Heuchelei *f.* -en; die verräterische Absicht, -en. ¶ ~을 품다 verräterisch gesinnt sein.
이심전심(以心傳心) Telepathie *f.* -n; das Fernfühlen*, -s. ¶ ~으로 telepathisch; in stillschweigendem Einverständnis.
이십(二十) zwanzig. ¶ 제 ~의 der 〔die; das〕 zwanzigste*. ‖ ~ 세기 das 20. Jahrhundert, -(e)s, -e.
이쑤시개 Zahnstocher *m.* -s, -.
이앙(移秧) =모내기.
이야기 Rede 〔Geschichte〕 *f.* -n; Erzählung *f.* -en; 《대화》 Gespräch *n.* -(e)s, -e; Unterhaltung *f.* -en; 《잡담》 Geplauder *n.* -s; 《강화》 Vortrag *m.* -(e)s, ⸚e; 《연설》 (An)rede *f.*; 《소문》 Gerücht *n.* -(e)s, -e; 《상담》 Besprechung 〔Beratung〕 *f.* -en. ~하다 sprechen* 《*von*³; ⁴*über*》; sagen⁽⁴⁾; reden 《*von*³; *über*⁴》; äußern⁴; erklären*; mit|teilen⁴; berichten⁴; erzählen; plaudern 《mit *jm.* *über*⁴》; ⁴sich unterhalten* 《mit *jm.*》. ‖ 이야깃거리 Gesprächsstoff *m.* -(e)s, -e.
이양(移讓) ~하다 übertragen*⁴ 《*auf*⁴》; überlassen*³⁴. ¶ 정권(政權)을 ~하다 die Macht ab|treten*.
이어링 Ohrring *m.* -(e)s, -e.
이어받다 erben⁴ 《상속》; übernehmen*⁴ 《인계》. ¶ 아버지의 사업을 이어받았다 Er ist s-m Vater im Geschäft gefolgt.
이어서 《다음에》 nächst; demnächst; zweitens; 《그 후에》 danach; dann; darauf.
이어지다 verbunden sein.
이어폰 Kopfhörer *m.* -s, -.
이언(俚諺) Sprichwort *n.* -(e)s, ⸚er; Spruch *m.* -(e)s, ⸚e.
이엉 Dachstroh *n.* -(e)s.
이여차 hau ruck!; ho ruck!
이역(二役) ¶ 1 인 ~을 하다 Doppolspiel treiben*.
이역(異域) 《외국》 das fremde Land, -(e)s, ⸚er; Ausland *n.*; 《타향》 die andere Gegend, -en.
이역시(一亦是) auch dies(es); ebenfalls; immer noch.
이열치열(以熱治熱) ~하다 den Teufel durch Beelzebub aus|treiben*.
이염(耳炎) 〖醫〗 Otitis *f.*; Ohrenentzündung *f.* -en. ‖ 중~ Mittelohrentzündung.
이온 Ion *n.* -s, -en. ¶ ~화하다 ionisieren⁴. ‖ ~층 Ionspähre *f.* -n / 양〔음〕 ~ das positive 〔negative〕 Ion.
이완(弛緩) Schlaffheit 〔Lockerheit; Abspannung 《마음의》〕 *f.* -en. ¶ 마음이 ~하다 ⁴sich ab|spannen.
이왕(已往) ① 〖名詞〗 Vergangenheit *f.* -en. ¶ ~지사는 묻지 말자 Laß die Vergangenheit ruhen. ② 〖副詞〗 bereits; schon; wenn schon; wenn es so ist, dann.... ¶ ~ 늦었으니 내일 해야겠다 Da ich mich verspätet habe, will ich's morgen tun.
이외(以外) ¶ ~에〔의〕 mit Ausname von ³*et.*; außer ³*et.*; abgesehen davon, daß .... ¶ 그 ~에 아무도 안 왔다 Außer ihm ließ sich niemand sehen.
이욕(利慾) Gewinn〔Hab〕sucht *f.*; Hab〔Geld〕gier *f.* ¶ ~에 눈이 멀다 ⁴sich von Gewinnsucht verblenden lassen*.
이용(利用) Benutzung〔Ausnutzung; Verwertung; Nutzbarmachung〕 *f.* -en. ~하다 benutzen⁴; aus|nutzen⁴; nutzbar machen⁴; verwerten⁴; Nutzen ziehen* 《*von*³》. ‖ ~ 가치 Nutzwert *m.* -(e)s, -e.
이울다 ① 《시들다》 verwelken; ab|welken; welk werden. ② 《달이》 ab|nehmen*. ③ 《쇠약》 schlaff 〔kraftlos〕 werden; erschlaffen.
이웃 Nachbarschaft *f.* -en; 《집》 Nachbarhaus *n.* -es, ⸚er; 《사람》 Nachbar *m.* -s, -n. ~의 benachbart. ¶ ~에 neben; nebenan. ‖ ~ 마을 Nachbardorf *n.* -(e)s, ⸚er.
이원(二元) Dualität *f.* -en. ¶ ~적〔론의〕 dualistisch.
이월(二月) Februar *m.* -(s), -e 《略 : Febr.》.
이월(移越) Übertrag *m.* -(e)s, ⸚e; Übertragung *f.* -en. ~하다 übertragen*⁴ 《*auf*⁴》. ¶ 차입금을 ~하다 die Schulden übertragen*.
이유(理由) Grund *m.* -(e)s, ⸚e; Ursache *f.* -n; Motiv *n.* -s, -e; Veranlassung *f.* -en; Vorwand *m.* -(e)s, ⸚e. ¶ …한 ~로 aus dem Grunde, daß...; unter dem Vorwand, daß... / ~없이 ohne Grund.
이유(離乳) Ablaktation *f.* -en. ~하다 e-n Säugling ab|laktieren 〔ab|säugen〕.
이윤(利潤) Gewinn 〔Profit〕 *m.* -(e)s,

-e. ¶ ~이 많은 gewinnreich; viel profitbringend.

이율(利率) Zinsfuß *m.* -es, ¨e. ¶ ~이 4 푼이 되다 ^{4}sich mit 4 % verzinsen.

이율배반(二律背反) Antinomie *f.* -n.

이윽고 bald (danach); nach kurzem; kurz danach; nach e-r kleinen Weile. ¶ ~ 그가 왔다 Es dauerte nicht lange, so 〔da〕 kam er.

이의(異議) Einwand *m.* -(e)s, ¨e; Einrede *f.* -n; Einspruch *m.* -(e)s, ¨e. ¶ ~를 제기하다 ein|wenden$^{(*)4}$ 《gegen *jn.*》; e-n Einwand erheben* 《bei *jm.* *gegen*^{4}》 / ~ 없이 einstimmig. ‖ ~ 신청 Rechtseinwand *m.*

이익(利益) Vorteil *m.* -(e)s, -e; Nutzen *m.* -s, -; Gewinn *m.* -(e)s, -e; Interesse *n.* -s, -n. ¶ ~ 있는 vorteilhaft; nützlich; gewinnbringend; profitabel / ~을 얻다 Nutzen ziehen* 《*aus*^{3}》; Vorteil ziehen*〔haben〕 《*aus*^{3}; *von*^{3}》.

이인(二人) zwei Personen 〔Menschen; Leute〕. ‖ ~ 삼각 Dreibeinlauf *m.* -(e)s, ¨e / ~칭 〖文〗 die zweite Person.

이인(異人) ① 《비범한》 Genius *m.* -, ..nien. ② 《다른》 der Fremde*, -n, -n. ‖ 동명 ~ Namensvetter *m.* -s, -n.

이임(離任) ~하다 vom Amte zurück|treten*; aus e-m Amte scheiden*; s-n Abschied nehmen*.

이입(移入) ~하다 ein|führen^4; importieren^4. ‖ 감정 ~ Einfühlung *f.* -en.

이자(利子) Zinsen (*pl.*). ¶ 5 푼 ~로 돈을 빌려 주다 Geld zu 5 % Zinsen geben*.

이자택일(二者擇一) ~하다 eins von zwei Dingen wählen.

이장(移葬) ~하다 exhumieren u. anderswo wieder begraben*.

이재(理財) ¶ ~에 밝다 geschickt mit Geld umzugehen wissen*〔verstehen*〕. ‖ ~국 Finanzabteilung *f.* -en.

이재민(罹災民) der Notleidende*, -n, -n; 《희생자》 Opfer *n.* -s, -. ¶ ~을 구호하다 den von der Naturkatastrophe Betroffenen unterstützen.

이적(異蹟) Wunder *n.* -s, -. ¶ ~을 행하다 Wunder tun*.

이적(移籍) ~하다 das Familienregister ändern.

이적행위(利敵行爲) Feindkollaboration *f.* -en.

이전(以前) ¶ ~에 früher; ehemals; sonst; einmal / … ~에 vor^3; bevor; ehe / ~의 früher; vergangen; ehemalig; letzt. ¶ 제 2 차 세계 대전 ~에 vor dem zweiten Weltkrieg / ~의 내가 아냐 Ich bin nicht mehr, was ich war.

이전(移轉) 《전거》 Umzug *m.* -(e)s, ¨e; Wohnungs·wechsel *m.* -s, - 〔-veränderung *f.* -en〕; 《권리 따위의》 Übertragung *f.* -en. ~하다 (um|)ziehen*. ‖ ~ 공고 die Mitteilung vom Umzug.

이점(利點) Vorteil *m.* -s, -e; Vorzug *m.* -(e)s, ¨e. ¶ ~을 갖고 있다 den Vorteil besitzen*.

이정표(里程標) Meilenzeiger *m.* -s, -; Meilenstein *m.* -(e)s, -e.

이제 jetzt; nicht mehr; niemehr. ¶ ~부터 von nun 〔jetzt〕 an 〔ab〕 / ~까지 bis jetzt; bisher / ~ 막 soeben / 때는 ~다 Jetzt gilt es. / ~ 마음이 놓인다 Ich habe k-e Angst mehr. / ~는 … 않다 nicht mehr 〔länger〕 / ~는 더 참을 수 없다 Ich kann es nicht länger ertragen.

이조(移調) 〖樂〗 Transposition *f.* ~하다 transponieren.

이종(異種) die verschiedene Art, -en. ‖ ~ 교배 Hybridisation *f.* -en.

이주(移住) ① 《이사》 Umzug *m.* -(e)s, ¨e; Wohnungswechselung *f.* -en. ~하다 um|ziehen*; s-e Wohnung wechseln. ② 《이동》 Wand(e)rung *f.* -en; 《외지로》 Auswanderung *f.* -en; 《외지에서》 Einwanderung *f.* -en. ~하다 aus|siedeln; ^{4}sich an|siedeln.

이중(二重) ~의 doppelt; zweifach. ‖ ~ 가격제 doppelte Preisstaffelung, -en / ~ 인격 Doppelpersönlichkeit *f.* / ~ 장부 die doppelte Buchführung, -en / ~주〔창〕 Duett *n.* -(e)s, -e.

이지(理智) ~적 verständig; vernünftig; intelligent.

이지러지다 ① 《달이》 ab|nehmen*. ¶ 달이 ~ Der Mond nimmt ab. ② 《귀퉁이가》 (^{4}sich) ab|bröckeln.

이직(離職) ~하다 den Beruf auf|geben*; zurück|treten* 《*von*^{3}》.

이질(姨姪) Kinder (*pl.*) der Schwestern der (Ehe)frau.

이질(異質) ¶ ~의〔적인〕 heterogen; andersgeartet; ungleichartig.

이질(痢疾) Dysenterie *f.* -n; (rote) Ruhr, -en.

이쪽 diese Seite, -n; diese Richtung, -en; hier. ¶ ~으로 오십시오 Bitte, kommen Sie hierher!

이차(二次) ~적 sekundär; untergeordnet; nebensächlich. ‖ ~ 방정식 die quadratische Gleichung, -en.

이착륙(離着陸) Abflug u. Landung.

이채(異彩) ~롭다 glänzend 〔bemerkenswert; hervorragend〕 (sein). ¶ ~를 띠다 ^{4}sich hervor|tun*.

이처럼 so; auf diese Weise. ¶ ~ 많이 so viel.

이첩(移牒) ~하다 (amtliche Schriften) übersenden*^{4}.

이초(離礁) ~하다 ^{4}sich von e-r Klippe frei machen.

이취(異臭) (Ge)stank *m.* -(e)s; der üble 〔schlechte〕 Geruch, -(e)s, ¨e. ¶ ~를 발하다 stinken*; schlecht riechen*.

이층(二層) der erste Stock, -(e)s, ¨e; das erste Stockwerk, -(e)s, -e. ¶ ~에(서) oben / ~으로 hinauf; nach oben. ‖ ~집 zweistöckiges Haus, -es, ¨er.

이치(理致) Vernunft *f.*; Recht *n.* -(e)s, -e; Grund *m.* -(e)s, ¨e; Logik *f.*; Prinzip *n.* -s, -ien. ¶ ~에 맞다 der Vernunft gemäß sein / 그것은 ~에 닿지 않는다 Das ist ein Denkfehler.

이칭(異稱) der andere Name, -ns, -n.

이타(利他) ~적 altruistisch. ‖ ~주의 Altruismus *m.* -.

이탈(離脫) ~하다 ^{4}sich los|lösen; aus|scheiden*; ab|fallen*. ‖ ~자 Ausreißer *m.* -s, -.

이탤릭 〖印〗 Krusiv〔Schräg〕schrift *f.* -en; Kursive *f.* -n. ¶ ~으로 하다 in ^{3}Kursivschrift drucken^4.

이토록 so; soviel. ¶ ~ 비가 와도 bei all dem Regen.

이튿날 《다음날》 der nächste 〔folgende〕 Tag, -(e)s, -e. ¶ ～에 am nächsten 〔folgenden〕 Tag; den Tag danach 〔darauf〕.

이틀 《2 일》 zwei Tage (*pl.*); 《초이틀》 der zweite des Monates.

이팔청춘(二八青春) die goldene siebzehn.

이편 ¶ ～으로 herüber; hierher(wärts).

이하(以下) ～(의) unter[3]; weniger als; 《하기의》 folgend. ¶ 평년작 ～다 Die Ernte ist unter dem Durchschnittsjahr. ‖ ～ 동문 und so weiter 《略 : usw.》.

이하선(耳下腺) Ohrspeicheldrüse *f.* -n; Parotis *f.* ..tiden. ‖ ～염 Ohrspeicheldrüsenentzündung *f.* -en; Parotitis *f.*

이학(理學) Naturwissenschaft *f.* -en; 《물리학》 Physik *f.* ‖ ～ 박사 der Doktor der Naturwissenschaften 《略 : Dr. phil. nat.》.

이항(移項) Umsetzung *f.* -en; 〖數〗 die Umstellung e-s Gliedes. ～하다 um|setzen[4]; ein Glied um|stellen.

이해(利害) Interesse *n.* -s, -n; Vor- u. Nachteile (*pl.*). ¶ ～에 관계되다 in *js.* Interesse stehen* 〔liegen*〕 / ～가 상반하다 das entgegengesetzte Interesse haben. ‖ ～관계 Interesse *n.*

이해(理解) Verständnis *n.* -ses, -se. ～하다 begreifen*[4]; verstehen*[4]; Sinn haben. ¶ ～시키다 verständlich machen[4]; verständigen[4] / ～할 수 있는 verständlich; begreiflich / ～성 있는 verständig; einsichtig. ‖ ～력 Begriffsvermögen *n.* -s, -; Fassungskraft *f.* -en.

이행(移行) ～하다 [4]sich hinüber|schieben*; [4]sich verlagern.

이행(履行) Aus〔Durch〕führung *f.* -en; Erfüllung *f.* -en. ～하다 aus〔durch〕|führen[4]; erfüllen[4]. ¶ 계약을 ～하다 e-n Vertrag erfüllen / 약속을 ～하다 sein Wort halten*.

이혼(離婚) (Ehe)scheidung *f.* -en. ～하다 die Ehe scheiden*; [4]sich scheiden lassen* 《*von*[3]》; die Ehe auf|lösen. ‖ ～소송 Scheidungsklage *f.* / 합의 ～ die Ehescheidung laut gegenseitiger Übereinkunft.

이화학(理化學) Physik u. Chemie; die physikalische Chemie.

이환(罹患) Erkrankung *f.* -en. ‖ ～율 der Prozentsatz der Krankheitsfälle / ～자 der Erkrankte*, -n, -n.

이회(二回) zweimal. ¶ ～째 das zweite Mal, -(e)s, -e.

이후(以後) hiernach; von jetzt an 〔ab〕; in [3]Zukunft; seither; 《…이후》 nach[3]; 《이래》 seit[3].

익다 ① 《과일이》 reifen; reif werden. ¶ 기회가 무르익었다 Die Gelegenheit ist reif. ② 《음식이》 kochen. ¶ 고기가 잘 익었다 Das Fleisch ist gar gekocht. ③ 《익숙》 gewohnt sein 《*an*[4]》; geschickt 〔erfahren〕 sein. ¶ 손에 익은 gewohnt; geschickt / 귀에 익은 목소리 wohlbekannte Stimme.

익명(匿名) Pseudonymität *f.* -en; Pseudonym *n.* -s, -e; Anonymität. ¶ ～의 pseudonym; anonym / ～으로 inkognito; unter dem angenommenen Namen.

익모초(益母草) 〖植〗 Herzgespann *n.* -(e)s, -e.

익사(溺死) Ertränkung *f.* -en. ～하다 ertrinken*; [4]sich ertränken. ‖ ～자 der〔die〕 Ertrunkene*, -n, -n.

익살 der faule 〔schlechte; verbrauchte〕 Witz, -es, -e; Witzelei *f.* -en; Scherz *m.* -es, -e; Wortspiel *n.* -(e)s, -e. ～맞다, ～스럽다 witzig 〔drollig; komisch; neckisch; humoristisch〕 (sein). ¶ ～부리다 scherzen; spaßen; Scherz 〔Witz〕 machen. ‖ ～꾼 Spaßmacher *m.* -s, -; Humorist *m.* -en, -en.

익숙하다 《능란》 geschickt 〔erfahren 《*in*[3]》; gewohnt 《*an*[4]》; bewandert 《*in*[3]》; erprobt〕 (sein). ¶ 익숙하지 않은 일 die ungewohnte Arbeit / 바다에 ～ [4]sich an die See gewöhnen.

익조(益鳥) der nützliche Vogel, -s, ¨.

익충(益蟲) das nützliche Insekt, -(e)s, -en.

익히다 ① 《익숙하게 함》 [4]sich gewöhnen 《*an*[4]》; [4]*et.* kennen|lernen; erlernen[4]. ¶ 일을 익히게 하다 *jn.* an die Arbeit gewöhnen. ② 《음식을》 kochen[4]; sieden[4]. ¶ 감자를 ～ Kartoffeln gar machen. ③ 《과실을》 reifen[4].

인(仁) ① Edelmut *m.* -(e)s; Humanität *f.* ② 〖生〗 Zellkern *m.* -(e)s, -e; Nukleus *m.* -, ..klei.

인(燐) Phosphor *m.* -s. ¶ 인의 phosphorisch. ‖ 인 중독 Phosphorvergiftung *f.* -en.

인가(人家) Wohnhaus *n.* -es, ¨er; Wohnung *f.* -en. ¶ ～가 드문 dünn bevölkert; zerstreut bewohnt.

인가(認可) Genehmigung *f.* -en; Erlaubnis *f.* -se. ～하다 genehmigen[34]; erlauben[34]. ¶ ～를 받다 genehmigt 〔bewilligt〕 werden. ‖ ～증 Erlaubnisschein *m.* -(e)s, -e.

인가(隣家) Nachbarhaus *n.* -es, ¨er.

인각(印刻) das Gravieren*, -s; Gravierung *f.* -en. ～하다 ein Siegel gravieren.

인간(人間) Mensch *m.* -en, -en; 《인류》 Menschheit *f.* ¶ ～다운 menschlich; menschenwürdig / ～다운 생활 das menschenwürdige Leben, -s, -. ‖ ～관계 die menschliche Beziehung / ～미 Menschlichkeit *f.* -en / ～ 사회 die menschliche Gesellschaft, -en / ～성 Menschennatur *f.* -en / ～ 폭탄 Menschenbombe *f.* -n.

인감(印鑑) der Abdruck des Petschafts. ‖ ～ 증명서 die Bescheinigung des Siegels.

인건비(人件費) Personalausgabe *f.* -n.

인걸(人傑) ein hervorragender Mensch, -en, -en; e-e ausgezeichnete Person, -en.

인격(人格) Charakter *m.* -s, -e; Persönlichkeit *f.* -en. ‖ ～자 der Mensch mit edlem Charakter / 이중 ～ Doppelpersönlichkeit *f.*

인견(人絹) Kunstseide *f.* -n; Rayon *m.* -s, -s. ‖ ～사 Rayongarn *n.* -(e)s, -e.

인계(引繼) 《인도》 Übergabe *f.* -n; 《인수》 Übernahme *f.* -n; 《계승》 Überlieferung *f.* -en. ~하다 übergeben* 〔überliefern〕 《*jm.* [4]*et.*》; übernehmen*[4]. ¶사무를 ~받다 ein Geschäft übernehmen*.

인공(人工) ~의 künstlich; unnatürlich. ‖~ 강우 der künstliche Regen, -s / ~ 부화 die künstliche Ausbrütung, -en / ~ 수정〔수태〕 die künstliche Befruchtung 〔Schwängerung〕 -en / ~위성 der künstliche Satellit, -en, -en / ~ 호흡 die künstliche Atmung, -en.

인과(因果) Ursache u. Wirkung. ‖~관계 Kausalität *f.* -en / ~율(律) Kausalgesetz *n.* -(e)s, -e.

인광(燐光) das phosphoreszierende Licht, -(e)s, -er; Phosphoreszenz *f.* -en. ¶~을 발하다 phosphoreszieren.

인광석(燐鑛石) Phosphatstein *m.* -(e)s, -e.

인구(人口) Bevölkerung *f.* -en; Einwohnerzahl *f.* ¶~가 조밀〔희박〕한 곳 die dicht 〔dünn〕 bevölkerte Gegend. ‖~ 과잉 Übervölkerung / ~밀도 Bevölkerungsdichte *f.* -n / ~ 폭발 Bevölkerungsexplosion *f.* -en.

인권(人權) Menschenrechte (*pl.*). ‖~유린 die Verletzung der Menschenrechte.

인근(隣近) Nachbarschaft *f.* ~의 nächst; erst best; in der Nähe.

인기(人氣) Beliebtheit 〔Popularität〕 *f.* ¶~가 있다 beliebt 〔populär〕 sein. ‖~배우 (gefeierter) Star, -s, -s / ~작가 der populäre〔beliebte〕 Schriftsteller, -s, - / ~투표 die Abstimmung über Popularität.

인기척(人―) das Zeichen e-s nahenden Menschen〔e-s Menschen in der Nähe〕. ¶~이 없다 Es gibt kein Zeichen e-s nahenden Menschen.

인내(忍耐) Geduld *f.*; Ausdauer *f.*; Beharrlichkeit *f.* 《불굴의》. ~하다 Geduld haben; aus|dauern; beharren 《*bei*[3]》. ¶이 일은 비상한 ~가 필요하다 Zu dieser Arbeit gehört große Geduld.

인대(靭帶) 〔解〕 Band *n.* -(e)s, ¨er; Sehne *f.* -n.

인덕(仁德) Tugend *f.* -en; Sittlichkeit *f.*

인도(人道) ① 《인륜》 Humanität *f.*; Menschlichkeit *f.*; Moral *f.* -en. ~적 menschenfreundlich; human. ② 《보도》 Bürgersteig 〔Gehweg〕 *m.* -(e)s, -e. ‖~교 Fußgänger〔Straßen〕überführung *f.* -en / ~주의 Humanismus *m.* - (~주의자 Humanist *m.* -en, -en).

인도(引渡) ~하다 übergeben*[34]; liefern[34]; aus|händigen[34]. ¶화물을 ~하다 Waren aus|liefern.

인도(引導) ~하다 leiten[4]; führen[4]; voran|gehen*[3]. ¶바른길로 ~하다 *jn.* auf den rechten Weg bringen*.

인두 Bügeleisen *n.* -s, -; Lötkolben *m.* -s, - 《납땜용》.

인두(咽頭) Schlund *m.* -(e)s, ¨e; Rachen *m.* -s, -. ‖~염 Rachenbräune *f.* -n.

인두겁(人―) Menschengestalt *f.* -en. ¶~을 쓴 악마 der Teufel in Menschengestalt.

인두세(人頭稅) Kopfsteuer *f.* -n.

인력(人力) Menschenkraft *f.* ¨e. ¶~으로 불가능하다 Das geht über Menschenkraft.

인력(引力) 〔物〕 Anziehungskraft *f.* ¨e; Schwerkraft *f.* ¨e; Gravitation *f.* ‖만유 ~ Universalgravitation *f.*

인류(人類) Menschheit *f.*; Menschengeschlecht *n.* -(e)s, -er. ‖~애 Menschenliebe *f.* -n / ~학 Anthropologie *f.* -n.

인륜(人倫) Menschlichkeit *f.*; Humanität *f.*; Sittlichkeit *f.* ¶~에 어긋나는 unsittlich; unmoralisch.

인망(人望) 《인기》 Beliebtheit *f.*; 《명망》 das Ansehen*, -s. ¶~을 얻다 beliebt werden 《*unter*[3]》.

인멸(湮滅) 《자연적》 das Erlöschen*, -s; 《고의적인》 Zerstörung *f.* -en; Vernichtung *f.* ~하다 zerstören[4]; vernichten[4]. ¶증거를 ~하다 e-n Beweis 〔Beleg〕 vernichten.

인명(人名) Personenname *m.* -ns, -n. ‖~부 Namen(s)verzeichnis *n.* -ses, -se; Adreßbuch *n.* -(e)s, ¨er.

인명(人命) Menschenleben *n.* -s, -; das (menschliche) Leben. ‖~ 피해 Lebensopfer *n.* -s, -.

인문과학(人文科學) Kulturwissenschaft *f.*

인물(人物) Person *f.* -en; Mensch *m.* -en, -en; 《인재》 Talent *n.* -(e)s, -e; 《인품》 Persönlichkeit *f.* -en; 《그림의》 Figur *f.* -en; 《문학상의》 Person. ☞용모. ¶위대한 ~ ein großer Mann, -(e)s, ¨er. ‖~ 묘사 Porträtmalerei *f.* -en / ~평 Charakteristik *f.* -en.

인민(人民) Volk *n.* -(e)s, ¨er; Publikum *n.* -s; 《공민》 Bürger *m.* -s, -. ‖~공사 《중공의》 Volkskommune *f.* / ~전선 Volksfront *f.* -en.

인박이다 an [4]*et.* gewöhnt sein; [4]sich an [4]*et.* gewöhnen.

인본(印本) ein gedrucktes Buch, -(e)s, ¨er.

인본주의(人本主義) Humanismus *m.* -.

인부(人夫) (Lohn)arbeiter *m.* -s, -; Tagelöhner *m.* -s, - 《날품팔이꾼》.

인분(人糞) Menschenkot *m.* -(e)s; Mist *m.* -es, -e.

인비(燐肥) Phosphatdünger *m.* -s, -; Superphosphat *n.* -(e)s.

인사(人士) e-e bedeutende Person, -en. ‖저명 ~ e-e berühmte Person.

인사(人事) 《예절의》 Gruß *m.* -es, ¨e; Begrüßung *f.* -en; 《절》 Verbeugung *f.* -en; 《사무》 Personalangelegenheiten (*pl.*). ~하다 (be)grüßen[4]; [4]sich verbeugen; salutieren. ‖~ 관리〔행정〕 Personalverwaltung *f.* -en.

인사불성(人事不省) ¶~이 되다 in Ohnmacht fallen*; ohnmächtig 〔bewußtlos〕 werden.

인산(燐酸) 〔化〕 Phosphorsäure *f.* -n. ‖~ 비료 Phosphatdünger *m.* -s, - / ~ 석회 der phosphorsaure Kalk, -(e)s, -e.

인산인해(人山人海) ¶~를 이루다 e-e große Menge Leute laufen zusammen.

인삼(人蔘) Ginseng *m.* -s, -s.

인상(人相) Miene 〔Physiognomie〕 *f.* -n; Gesichtsausdruck *m.* -(e)s, ¨e. ¶~이 고약한 mit dem bösen 〔häßlichen〕 Blick.

인상(引上) 《급료 따위의》 Erhöhung *f.*; 《끌어올림》 Heraufsetzung *f.* -en. ～하다 erhöhen[4]. ‖ 물가〔임금〕 ～ Preiserhöhung 〔Lohnerhöhung〕 *f.* -en.

인상(印象) Eindruck *m.* -(e)s, ⸚e; Impression *f.* -en. ～적 eindrucksvoll. ¶ 좋은 ～을 주다 e-e guten Eindruck machen 《auf *jn.*》.

인색(吝嗇) ～하다 geizig 〔knauserig; knickerig〕 (sein). ¶ ～한 사람 Geizhals *m.* -(e)s, ⸚e.

인생(人生) (Menschen)leben *n.* -s. ¶ ～의 맛 Lebensgewürz *n.* -es, -e / ～의 목적 Lebenszweck *m.* -(e)s, -e. ‖ ～관 Lebensanschauung *f.* -en / ～ 행로 Lebenslauf *m.* -(e)s, ⸚e.

인선(人選) die Auswahl e-r (geeigneten; passenden) Person. ～하다 e-e geeignete Person suchen 〔aus|wählen〕.

인성(人性) die menschliche Natur, -en; Menschentum *n.* -(e)s 《인간성》.

인세(印稅) Tantieme *f.* -n.

인솔(引率) ～하다 (an|)führen[4]; leiten[4]. ‖ ～자 Leiter 〔Führer〕 *m.* -s, -.

인쇄(印刷) Druck *m.* -(e)s. ～하다 drucken[4]. ¶ ～의 잘못 Druckfehler *m.* -s, -. ‖ ～공 Drucker *m.* -s, - / ～물 Drucksache *f.* -n / ～소 Druckerei *f.* -en.

인수(人數) ＝인원(人員).

인수(引受) ～하다 auf [4]sich nehmen*[4]; übernehmen*[4]; 《어음을》 akzeptieren[4].

인수(因數) 〔數〕 Faktor *m.* -s, -en. ‖ ～분해 die Auflösung in Faktoren.

인술(仁術) Wohltat *f.* -en; Menschenliebe *f.*

인슐린 〔藥〕 Insulin *n.* -s, -.

인스턴트 Instant-. ‖ ～ 식품 Instantlebensmittel (*pl.*) / ～ 커피 Instantkaffee *m.* -s.

인습(因襲) das Herkommen*, -s; Konvention *f.* -en. ¶ ～을 타파하다 mit dem alten Herkommen brechen*.

인시류(鱗翅類) 〔蟲〕 Schmetterlinge (*pl.*).

인식(認識) Erkenntnis *f.* -se. ～하다 erkennen*[4] 《*an*[3]》. ‖ ～론 Erkenntnistheorie *f.* -n / ～ 부족 der Mangel an Erkenntnis.

인신(人身) ‖ ～ 공격 die anzüglichen Bemerkungen (*pl.*) / ～ 매매 Menschenhandel *m.* -s; 《노예의》 Sklavenhandel.

인심(人心) das menschliche Herz, -ens, -en; Volksstimmung *f.* -en. ¶ ～이 좋다 großmütig 〔hochherzig〕 sein.

인애(仁愛) Milde 〔Menschlichkeit; Humanität〕 *f.*

인양(引揚) ～하다 《배를》 bergen*[4]; wieder flott machen[4]. ‖ ～ 작업 Bergungsarbeiten (*pl.*).

인어(人魚) Meerweib *n.* -(e)s, -er; Seejungfer *f.* -n.

인연(因緣) das Vorherbestimmtsein*, -s; (Schicksals)fügung *f.* -en. ¶ ～을 맺다 Beziehungen an|knüpfen 《*mit*[3]; *zu*[3]》.

인용(引用) ～하다 an|führen[4] 〔zitieren[4]〕 《*aus*[3]》. ‖ ～구〔문〕 Anführung *f.* -en; Zitat *n.* -(e)s, -e.

인용(認容) ～하다 zu|geben*[4]; ein|räumen[4].

인원(人員) 《사람수》 e-e Zahl der Personen; Kopfzahl *f.* -en. ¶ ～수를 세다 die Personen 〔die Köpfe〕 zählen. ‖ ～ 점호 Apell *m.* -s, -e; Namenaufruf *m.* -(e)s, -e.

인위(人爲) ～적 künstlich. ‖ ～적인 도태 die künstliche Zuchtwahl.

인의(仁義) Menschenliebe u. Gerechtigkeit.

인자(因子) Faktor *n.* -s, -en. ‖ 유전 ～ Erbfaktor *n.*; Gen *n.* -s, -e.

인자하다(仁慈―) mild(e) 〔sanftmütig; barmherzig〕 (sein).

인장(印章) Siegel *n.* -s, -. ‖ ～ 위조 Siegelfälschung *f.* -en.

인재(人材) Talent *n.* -(e)s, -e. ¶ ～를 등용하다 die Befähigten fördern.

인적(人的) ‖ ～ 자원 Menschenmaterial *n.* -(e)s, -ien; Arbeitskraft *f.* ⸚e.

인적(人跡) ¶ ～이 드문 verlassen; einsam; unbewohnt; öde.

인접(隣接) ～하다 benachbart 〔angrenzend; anliegend; anstoßend〕 (sein).

인정(人情) Menschlichkeit *f.* -en; Mitgefühl *n.* -(e)s, -e; Güte *f.* -n; Mitleid *n.* -(e)s. ¶ ～이 많다 gütig 〔gutmütig; freundlich〕 sein.

인정(仁政) die milde Regierung, -en. ¶ ～을 베풀다 mild regieren[4].

인정(認定) ～하다 bestätigen[4]; an|nehmen*[4]; genehmigen[4]; erlauben[3·4]; gewahren[34]; (an|)sehen*[4]. ¶ 크게 ～받다 in hohem Grade anerkannt werden. ‖ ～서 Bestätigung *f.* -en 《der Meisterschaft》.

인조(人造) Künstlichkeit *f.* ～의 künstlich; unecht 《모조》; synthetisch 《합성》. ‖ ～견 Kunstseide *f.* -n / ～ 고무 der synthetische Kautschuk, -s; der künstliche Gummi, -s, -s / ～ 인간 Maschinenmensch *m.* -en, -en; Roboter *m.* -s, - / ～ 피혁 Kunstleder *f.* -n.

인종(人種) die (menschliche) Rasse, -n. ‖ ～ 차별 Rassenunterscheidung *f.* -en / 백색〔황색, 흑색〕 ～ die weiße 〔gelbe, schwarze〕 Rasse.

인종(忍從) Ergebung 〔Demütigung; Unterwerfung〕 *f.* -en. ～하다 [4]sich unterwerfen*[3]; erleiden*[4].

인주(印朱) die rote Stempelfarbe, -n.

인증(引證) ～하다 belegen[4]; zitieren[4]; an|führen[4].

인증(認證) Beglaubigung *f.* -en. ～하다 beglaubigen[4]; vereidigen[4].

인지(人指) Zeigefinger *m.* -s, -.

인지(人智) Menschenverstand *m.* -(e)s; Intellekt *m.* -(e)s, -e.

인지(印紙) Stempelmarke *f.* -n. ‖ ～세 Stempelsteuer *f.* -n / 수입 ～ Steuermarke *f.*

인지(認知) Anerkennung *f.* -en. ～하다 an|erkennen*[4].

-인지어떤지 ob. ¶ 정말～ Ich weiß nicht, ob es wahr sein kann.

인질(人質) Geisel *m.* -s, -; Leibbürge *m.* -n, -n. ¶ ～로 삼다 als [4]Geisel nehmen* 《*jn.*》 / ～이 되다 als [1]Geisel genommen werden 《von *jm.*》.

인책사직(引責辭職) die Niederlegung durch die Verantwortung. ～하다 die Verantwortung für [4]*et.* auf [4]sich nehmen* u. sein Amt nieder|legen.

인척(姻戚) der Verwandte* durch ⁴Heirat; 《인척 관계》 die Verwandtschaft durch ⁴Heirat.

인체(人體) Menschenkörper *m.* –s, –. ‖ ～ 구조 die Konstruktion e–s Menschenkörpers.

인축(人畜) Menschen u. Tiere (*pl.*); Lebewesen *n.* –s, –. ¶ ～의 피해는 없었다 Menschen u. Tiere bleiben unversehrt.

인출(引出) 《예금의》 Abhebung *f.* –en. ～하다 ab|heben*⁴; zurück|ziehen*⁴.

인치 Zoll *m.* –(e)s, –. ¶ 2 ～의 zweizöllig.

인칭(人稱) 〖文〗 Person *f.* –en. ¶ 제 1〔2, 3〕～ die erste 〔zweite, dritte〕 Person. ‖ ～ 대명사 Personalpronomen *n.* –(e)s, – 〔..mina〕.

인터뷰 Interview *n.* –s, –s. ～하다 interviewen⁴.

인터체인지 Autobahn·einfahrt 〔–auffahrt; –ausfahrt; –zufahrt〕 *f.*

인터폰 Haussprechanlage *f.* –n.

인턴 《수련의》 Praktikant *m.* –en, –en; Assistenzarzt *m.* –(e)s, ⸚e.

인텔리 der Intellektuelle* 〔der Gebildete*〕 –n, –n; Intelligenzler *m.* –s, –.

인파(人波) (Menschen)gedränge *n.* –s; Menschen·menge *f.* –n 〔–gewühl *n.* –(e)s〕. ¶ ～를 헤치고 나아가다 ⁴sich durch die Menschenmenge drängen.

인편(人便) ¶ ～에 durch *jn.* / ～이 닿는 대로 보내다 *jm.* ⁴*et.* bei der ersten besten Gelegenheit senden⁽*⁾.

인품(人品) Persönlichkeit *f.* –en; Charakter *m.* –s, –e. ¶ ～이 좋다 ein angenehmes Wesen haben.

인플레(이션) Inflation *f.* –en. ‖ ～ 경기 Inflationskonjunktur *f.* –en / 악성 ～ die vitiöse Inflation.

인플루엔자 〖醫〗 Influenza *f.*; Grippe *f.* –n.

인피(靭皮) 〖植〗 Bast *m.* –es, –e.

인하(引下) ～하다 herab|setzen⁴. ¶ 가격을 ～하다 die Preise herab|setzen 〔senken〕. ‖ 임금 ～ e–e Senkung des Gehalts.

인하다(因—) kommen* 《*von*³》; stammen 《*von*³》; verursacht werden 《*von*³》. ¶ 병으로 인하여 결석하다 wegen Krankheit fehlen 〔abwesend sein〕.

인해전술(人海戰術) e–e Taktik der Wellenbewegung der Menschen; Infiltrationstaktik *f.* –en.

인허(認許) Genehmigung 〔Einwilligung〕 *f.* –en. ～하다 genehmigen³⁴; ein|willigen 《*in*⁴》.

인형(人形) Puppe *f.* –n. ‖ ～극 Puppentheater *n.* –s, –.

인화(人和) friedliches Zusammenleben* zwischen den Menschen; Harmonie *f.*

인화(引火) Entzündung *f.* ～하다 ⁴sich entzünden. ¶ ～성의 entzündbar; entzündlich. ‖ ～ 물질 entzündbarer Stoff, –(e)s, –e / ～점 Entzündungspunkt *m.* –(e)s, –e.

인화(印畫) Abzug *m.* –(e)s, ⸚e; das Kopieren*, –s. ‖ ～지 Kopierpapier *n.* –s, –e.

인환권(引換券) Austauschschein *m.* –(e)s, –e; die vorläufige Bescheinigung, –en.

인후(咽喉) Kehle *f.* –n. ‖ ～카타르 Kehlkopfkatarrh *m.* –s, –e.

일¹ 《노동》 Arbeit *f.* –en; Werk *n.* –(e)s, –e; 《용건·업무》 Geschäft *n.* –(e)s, –e; Beschäftigung *f.* –en; 《위임된》 Auftrag *m.* –(e)s, ⸚e; 《한 일》 Leistung *f.* –en; 《요건》 Angelegenheit *f.* –en. ～하다 arbeiten. ¶ 일에 착수하다 an die Arbeit gehen* / 일을 끝내다 die Arbeit beenden.

일² Ding *n.* –(e)s, –e; Sache *f.* –n; 《사실》 Tatsache; 《사정》 Sachlage *f.* –n; 《사건》 Vorfall *m.* –(e)s, ⸚e; 《사고》 Unfall; 《불운》 Unglück *n.* –(e)s. ¶ 좋은 일 e–e angenehme Sache / 중대한 일 e–e wichtige Angelegenheit, –en.

일가(一家) ① 《가족》 Familie *f.* –n; 《가구》 Hauswesen *n.* –s, –. ¶ ～를 이룩하다 e–n eigenen Herd gründen. ② = 친척.

일가견(一家見) *js.* eigene Meinung, –en.

일각(一角) e–e Ecke, –n.

일각(一刻) ein Moment; ein Augenblick. ¶ ～을 다투다 es ist k–e Zeit zu verlieren*.

일간(日刊) ¶ ～의 Tages–. ‖ ～ 신문〔지〕 Tageszeitung *f.* –en; Tagespresse *f.* –n 《총칭》.

일간(日間) bald; binnen kurzem; in den nächsten Tagen; über ein kleines. ¶ ～ 와 보게 Komm bald zu mir!

일갈(一喝) ～하다 an|donnern 《*jn.*》; mit schmetternder Stimme schimpfen 《*jn.*》.

일개(一介) ～의 einfach; schlicht; gewöhnlich. ¶ ～ 서생에 불과하다 Er ist nur 〔nichts als〕 ein armer Schüler.

일개(一個) eins; ein Stück *n.* –(e)s, –e. ¶ ～월 ein Monat. ‖ ～인 der Einzelne*, –n, –n; Individuum *n.* –s, –en.

일거(一擧) ¶ ～에 auf e–n Schlag 〔Hieb〕; mit e–m Schlage 〔Hiebe〕. ¶ ～에 적을 분쇄하다 e–n Feind mit e–m Schlag vernichten.

일거양득(一擧兩得) ¶ ～이다 zweierlei auf einmal erledigen; mit e–r Klappe zwei Fliegen schlagen* 〔töten〕.

일거일동(一擧一動) Tun* u. Lassen*; jede einzelne Handlung, –en. ¶ ～을 주시하다 scharf beobachten, wie ⁴sich e–r aufführt.

일건(一件) Angelegenheit *f.* –en; Affäre *f.* –n; Sache *f.* –n. ‖ ～ 서류 die Akten (*pl.*); die Papiere (*pl.*).

일격(一擊) ¶ ～에 mit e–m Schlag; auf e–n Schlag / ～을 가하다 e–n Schlag *usw.* versetzen 《*jm.*》.

일견(一見) ein Blick *m.* –(e)s, –e. ～하다 an|blicken⁴; e–n Blick werfen* 《*auf*⁴》. ¶ ～하여 auf den ersten Blick; beim ersten Anblick / 백문이 불여 ～ „Sehen ist Glauben."

일계(一計) Plan *m.* –(e)s, ⸚e. ¶ ～를 생각해 내다 e–n Plan entwerfen*.

일계(日計) tägliche Berechnung, –en; tägliche Abrechnung, –en. ‖ ～표 tägliche Bilanz, –en.

일고(一顧) ¶ ～의 가치도 없다 k–r ²(Be-)achtung 〔Berücksichtigung〕 würdig

〔wert〕 sein; nicht e-n Pfennig 〔k-n Pfifferling〕 wert sein.
일곱 sieben. ¶~째 der〔die; das〕 siebte.
일과(日課) Tagewerk *n.* -(e)s, -e; die tägliche Arbeit, -en. ‖ ~표 der tägliche Arbeitsplan, -(e)s, ⸚e.
일관(一貫) ~하다 konsequent 〔folgerichtig〕 sein. ¶~하여 vom Anfang bis zu Ende. ‖ ~ 작업 die ununterbrochene Arbeit, -en.
일괄(一括) ~하다 in ⁴Bündel packen⁴; zusammen|packen⁴. ¶~하여 im großen (u. ganzen); in ³Bausch u. ³Bogen; en bloc. ‖ ~ 계약 Kollektivvertrag *m.* -(e)s, ⸚e / ~ 사표 der gemeinsame Rücktritt, -(e)s, -e.
일광(日光) Sonnen·licht *n.* -(e)s, -er 〔-strahl *m.* -(e)s, -en; -schein *m.* -(e)s, -e〕. ‖ ~욕 Sonnenbad *n.* -(e)s, ⸚er (~욕하다 in der Sonne liegen*).
일구다 《개간》 kultivieren⁴; bebauen⁴; urbar machen⁴. ¶산을 ~ den Wald lichten.
일구이언(一口二言) Doppelzüngigkeit *f.* ~하다 sein Wort brechen*. ¶~의 doppelzüngig.
일그러지다 ⁴sich verschieben*; rutschen. ¶얼굴이 일그러져 있다 Das Gesicht ist verzerrt.
일급(日給) Tagelohn *m.* -(e)s, ⸚e. ¶~으로 일하다 im Tagelohn arbeiten. ‖ ~노동자 Tagelöhner *m.* -s, -.
일기(日記) Tagebuch *n.* -(e)s, ⸚er. ¶~를 쓰다 ein Tagebuch führen 〔halten*〕.
일기(日氣) Wetter *n.* -s. ‖ ~ 개황 die allgemeine Wetterlage, -n / ~ 예보 Wettervoraussage *f.* -n.
일기당천(一騎當千) ¶~의 용사 ein Kämpfe, der es mit tausend Gegnern aufnehmen kann.
일깨우다 ① 《자는 이를》 *jn.* (auf)wecken. ② 《가르쳐서》 *jn.* in ³*et.* unterrichten; *jm.* über ⁴*et.* erzählen.
일꾼 ① 《품팔이》 Arbeiter 〔Tagelöhner〕 *m.* -s, -; Bauer *m.* -s, -〔-n, -n〕《농가의》. ② 《역량있는 사람》 der fleißige Arbeiter, -s, -; Ernährer *m.* -s, - 《한 집안의》; die tüchtige Kraft, ⸚e 《회사·공장 따위에서》.
일년(一年) ein Jahr *n.* -(e)s. ¶~ 내내 das ganze Jahr hindurch. ‖ ~생 식물 die einjährige Pflanze, -n.
일념(一念) die ganze Seele; das innigste Begehren, -s; der heißeste Wunsch, -es.
일다¹ 《연기·바람이》 auf|gehen*; auf|steigen*; ⁴sich erheben*; 《불이》 entbrennen*. ¶먼지가 ~ Staub steigt auf / 물결이 ~ Die Wellen gehen auf 〔steigen auf〕.
일다² 《쌀 따위를》 waschen⁴; schrubben⁴; scheuern⁴. ¶쌀을 ~ Reis waschen*.
일단(一旦) einmal. ¶~ 유사시에는 im Notfall; notfalls; nötigenfalls / ~ 약속한 것은 지켜야한다 Du sollst es halten, was du einmal versprochen hast.
일단(一段) ① 《단계》 Etappe *f.* -n; Stadium *n.* -s, ..dien; Stufe *f.* -n. ¶제~ die erste Stufe 〔Etappe〕. ② 《문장의》 Abschnitt *m.* -(e)s, -e.
일단(一團) Gruppe *f.* -n; 《악당의》 Bande 〔Horde〕 *f.* -n. ¶~의 관광객 e-e Gruppe Touristen.
일단(一端) ein Ende *n.* -s; 《대강》 ein Umriß *m.* ..sses. ¶감상의 ~을 피력하다 e-n Teil des Eindrucks an|geben*.
일단락(一段落) ¶~ 짓다 ⁴*et.* zum Abschluß bringen*.
일당(一黨) e-e Partei, -en; 《무리》 Gesellschaft *f.* -en; Haufe(n) *m.* ..fens, ..fen; Schar *f.* -en; Trupp *m.* -s, -s 〔-e〕. ¶~은 체포되었다 Die e-e Bande wurde verhaftet. ‖ ~ 독재 Diktatur der einzigen Partei.
일당(日當) Tagegeld *n.* -(e)s, -er 《출장 여행 등의》; Tagelohn *m.* -(e)s, ⸚e 《노무자 등의》. ¶~으로 일하다 im Tagelohn arbeiten.
일대(一代) e-e Generation; 《일생》 *js.* Lebens·zeit 〔-dauer〕 *f.* ‖ ~기 Biographie *f.* -n; Lebens·beschreibung *f.* -en 〔-geschichte *f.* -n〕.
일대(一帶) ein Gebiet *n.* -(e)s, -e; e-e Zone; e-e Gegend. ¶호남 ~에 über ganz *Honam*.
일도(一度) ein Grad.
일도양단(一刀兩斷) ~하다 mit e-m Messerschlag in zwei Teile schneiden*; den gordischen Knoten durchhauen*.
일독(一讀) das einmalige Durchlesen*, -s. ~하다 einmal durch|lesen*⁴. ¶~할 가치가 있다 lesenswert sein.
일동(一同) alle zusammen. ¶가족 ~ die ganze Familie / 사원 ~ die ganze Gesellschaft.
일되다 frühzeitig reifen; frühreif werden. ¶올해는 벼가 일되었다 Dieses Jahr ist der Reis frühzeitig gereift.
일등(一等) die erste Klasse, -n; der erste Rang, -(e)s, ⸚e; der erste Grad, -(e)s 《한 등급》. ~의 erstklassig; prima. ‖ ~병 der Gemeine* erster Klasse / ~상 der erste Preis / ~성(星) 〖天〗 der Stern erster Größe / ~ 승객 der Fahrgast 〔Passagier〕 erster Klasse / ~품 die erstklassigen Waren (*pl.*).
일란성(一卵性) ‖ ~ 쌍생아 eineiiger Zwilling, -s, -e.
일람(一覽) ein (Über)blick *m.* -(e)s; Ansicht *f.* ~하다 durch|sehen*⁴; überblicken⁴; e-n Blick werfen* 《*auf* ⁴》. ‖ ~불 어음 Sichtwechsel *m.* -s / ~표 die übersichtliche Tabelle, -n; Liste *f.* -n; Schema *n.* -s, -s 〔..mata〕.
일러두기 Vorbemerkungen 〔Erläuterung〕 *f.* -en.
일러두다 *jn.* bitten⁴ 〔ersuchen〕 《um ⁴*et*》; berichten⁴; erzählen⁴.
일러바치다 informieren; ⁴sich von³ 〔über ⁴*et.*〕 unterrichten; 《학생이》 petzen.
일러주다 《알려줌》 benachrichten; aufklären; bekanntgeben*; 《가르침》 erzählen; raten*; lehren; ein|prägen; unterrichten.
일렉트론 〖物〗 Elektron *n.* -s, -en.
일력(日曆) Kalendertag *m.* -(e)s, -e.
일련(一連) ~의 e-e Reihe 〔e-e Serie〕 von³. ¶~의 사건 e-e Kette von Er-

eignissen. ‖～ 번호 aufeinanderfolgende Nummer.
일렬(一列) 《가로의》 eine Linie; 《세로의》 eine Reihe. ¶～로 서다 in einer Reihe 〔Linie〕 stehen*; hintereinanderstehen*.
일례(一例) ein Beispiel *n*. -(e)s, -e; ein Exempel 〔Muster〕 *n*. -s, -. ¶～를 들면 zum Beispiel 〔Exempel〕《略 : z.B.》.
일로(一路) 〖名詞的〗 der gerade Weg, -(e)s, -e; 〖副詞的〗 direkt; unmittelbar. ¶물가가 상승 ～에 있다 Die Preise steigen immer weiter.
일루(一縷) ¶～의 희망 e-e schwache Hoffnung; Hoffnungsschimmer *m*. -s, -.
일루(一壘) 〖野〗 das erste (Lauf)mal, -(e)s.
일류(一流) der erste Rang, -(e)s. ～의 erst·klassig 〔-rangig〕; ersten Ranges; best. ‖～ 극장 das Theater erster Klasse / ～ 호텔 das Hotel erster Klasse.
일류미네이션 Illumination *f*. -en; Festbeleuchtung *f*. -en.
일률(一律) ¶～적으로 《똑 같이》 gleich(mäßig); 《무차별》 ohne Unterschied; unterschiedslos.
일리(一理) ¶～ 있다 teilweise recht haben / 그의 말에도 ～ 있다 An dem, was er sagt, ist auch etwas Wahres.
일막(一幕) ein Akt *m*. -(e)s, -e; 《제 1막》 der erste Akt.
일말(一抹) ～의 ein bißchen; ein wenig. ¶～의 불안을 느끼다 [4]sich ein bißchen 〔ein bissel〕 unberuhigt fühlen.
일망타진(一網打盡) ～하다 mit e-m Wurf verhaften 《*jn*.》.
일맥상통(一脈相通) ～하다 etwas Gemeinsames haben 《*mit*[3]》.
일면(一面) ① 《한면》 e-e Seite, -n; die andere Seite, -n. ¶그에게는 이런 묘한 ～도 있다 Er hat auch solch e-e komische Seite. ② 《신문의》 die erste Seite (der Zeitung).
일면식(一面識) ¶～도 없는 사람 ein wildfremder 〔vollkommen unbekannter〕 Mensch, -en, -en.
일명(一名) ① 《한 사람》 e-e Person; jeder*. ② 《별명》 ein anderer Name(n), ..mens; alias; anders.
일모작(一毛作) die einmalige Ernte, -n.
일목요연(一目瞭然) ～하다 auf den ersten Blick klar sein; über jeden 〔allen〕 Zweifel erhaben sein.
일몰(日沒) Sonnenuntergang *m*. -(e)s, ⸚e. ¶～전〔경, 후〕 vor 〔gegen, nach〕 Sonnenuntergang.
일문(日文) Japanische Schrift, -en.
일문일답(一問一答) Frage u. Antwort; aufeinanderfolgende Fragen u. Antworten. ～하다 auf jede Frage antworten; ein Interview ab|halten*.
일미(一味) ausgezeichneter Geschmack, -(e)s, ⸚e 《Speise》.
일박(一泊) das Übernachten*, -s. ～하다 [4]sich über e-e Nacht auf|halten* 《bei *jm*.; in [3]*et*》.
일반(一般) ～의 allgemein; gewöhnlich. ¶～적으로 im allgemeinen; gewöhnlich; üblich; 《대체로》 in der [3]Regel; im Ganzen. ‖～ 대중 das gewöhnliche Volk, -(e)s / ～ 독자 Durchschnittsleser *m*. -s, -.
일발(一發) ein Schuß *m*. ..usses. ～로 mit e-m Schuß. ¶～의 총성이 들린다 Ein Schuß knallt.
일방(一方) ～적 einseitig. ¶～적인 승리 ein klarer Sieg, -(e)s, -e. ‖～ 통로 Einbahnstraße *f*. -e; Einbahnweg *m*. -(e)s, -e /～ 통행 Einbahnverkehr *f*.
일번(一番) der Erste; Nummer 1. ‖～ 타자 〖野〗 der erste Schläger, -s, -.
일벌 〖蟲〗 Arbeitsbiene *f*. -n.
일변(一邊) 《한쪽》 eine Seite; 《한편》 die eine 〔andere〕 Seite.
일변(一變) ～하다 [4]sich vollständig 〔plötzlich〕 verändern; ganz anders werden. ¶정세는 ～했다 Die Lage hat sich auf einmal verändert.
일변(日邊) die tägliche Rate, -n; der tägliche Zinsfuß, -es.
일변도(一邊倒) ～이다 Vorliebe haben 〔zeigen〕 《*für*[4]》. ¶대미 ～이다 Vorliebe für die Vereinigten Staaten zeigen.
일별(一瞥) ein (schneller) Blick, -(e)s, -e. ～하다 e-n flüchtigen Blick werfen 《*auf*[4]》.
일보(一步) ein Schritt *m*. -(e)s. ¶～ 앞으로 E-n Schritt vorwärts! / 그는 ～도 양보하지 않았다 Er wich nicht um ein Haar zurück.
일보(日報) ① 《신문》 Tagesblatt *n*. -(e)s, ⸚er; Tagespresse *f*. -n. ¶동아 ～ Die *Dong-A* Tageszeitung. ② 《보고》 Tagesbericht *m*. -(e)s, -e; Tagesmeldung *f*. -en.
일보다 besorgen; arbeiten.
일본(日本) Japan. ～의 japanisch. ‖～말 die japanische Sprache, -n; das Japanische*, -n / ～인 Japaner *m*. -s, -; Japanerin *f*. -nen 《여자》.
일봉(一封) ¶금～ e-e Geldhülle (그는 금～을 받았다 Er bekam ein gehülltes Geldgeschenk).
일부(一夫) ‖～ 다처 Polygamie *f*. (～다처주의자 Polygamist *m*. -en, -en) / ～ 일처 Monogamie *f*. (～ 일처주의자 Monogamist *m*.).
일부(一部) ein Teil *m*. -(e)s; 《책》 ein Exemplar *n*. -s. ～의 teilweise. ¶～ 사람들 einige Personen (*pl*.). ‖～ 수정 teilweise Änderung 〔Ergänzung; Verbesserung〕 -en.
일부(日付) =날짜. ‖～ 변경선 Datumsgrenze *f*. -n / ～인(印) Datums〔Tages〕stempel *m*. -s, -.
일부(日賦) die tägliche Teilzahlung, -en. ¶～로 갚다 durch tägliche Teilzahlungen bezahlen[4].
일부러 ① 《고의로》 absichtlich; vorsätzlich; mit Vorsatz. ¶～ 한 것은 아니다 Das war nicht m-e Absicht. ② 《특별히》 besonders; ausdrücklich; eigens. ¶그는 ～ 그걸 일러주러 왔다 Er kam eigens, um es mir zu sagen.
일분(一分) 《시간》 eine Minute.
일사(一事) ¶～ 부재리의 원칙 eine unwiderrufliche Sache.
일사병(日射病) Sonnenstich *m*. -(e)s, -e; Hitzschlag *m*. -(e)s, ⸚e.

일사분기(一四分期) das erste Viertel 《des Jahres》.

일사불란(一絲不亂) ~하다 in bester〔guter〕 Ordnung sein. ¶ ~하게 in bester 〔guter〕 Ordnung.

일사천리(一瀉千里) ~로 mit großer Schnelligkeit; blitzschnell. ¶ 의안이 ~로 통과되었다 Der Gesetzentwurf wurde blitzschnell angenommen.

일산(日産) ① 《생산고》 Tages·leistung 〔-förderung〕 *f.* -en《석탄 등》. ② 《일본산》 japanisches Produkt, -(e)s, -e.

일삼다 《일로 삼다》 ^{3}sich ^{4}*et.* angelegen sein; 《전념함》 ^{4}sich mit ^{3}*et.* beschäftigen; ^{4}sich ergeben*. ¶ 음주를 ~ dem Trinken ergeben sein.

일상(日常) ~의 (all)täglich; gewöhnlich. ‖ ~ 생활 Alltagsleben *n.* -s / ~ 업무 alltägliche Arbeit, -en.

일색(一色) ① 《한빛》 e-e Farbe. ② 《미인》 die Schöne*, -n; Schönheit *f.* -en. ③ 《比》 ¶ 서울은 민주당 ~이었다 Seoul ist mit der Demokratischen Partei überflutet.

일생(一生) das ganze Leben, -s; die Lebenszeit. ~의 lebenslänglich. ¶ ~ 동안 auf lebenslang / ~을 바치다 sein ganzes Leben widmen^{3}.

일석이조(一石二鳥) ☞ 일거양득.

일선(一線) die erste 〔vordere〕 Linie; Front *f.* -en. ‖ ~ 근무 Frontdienst *m.* -es, -e.

일설(一說) ¶ ~에 의하면 nach e-r ^{3}Ansicht 〔Meinung〕.

일세(一世) 《그 시대》 die Zeit; 《일대》 e-e Generation; 《일생》 e-e Lebenszeit; 《왕조의》 der Erste*, -n.

일소(一笑) ein Lachen* *n.* -s. ~하다 lachen. ¶ ~에 부치다 lachend über ^{4}*et.* hinweg|gehen*.

일소(一掃) ~하다 weg|fegen^{4}〔-|kehren^{4}; -|treiben*^{4}〕; reinigen^{4}; ab|fegen^{4}. ¶ 폐풍을 ~하다 das Übel beseitigen.

일손 《일》 Arbeit *f.* -en; 《솜씨》 Geschicklichkeit *f.* -en; 《사람》 Hände (*pl.*); Hilfe *f.* ¶ ~을 구하다 Arbeitskräfte 〔Hilfskräfte〕 suchen.

일수(日收) das tagweise Darleh(e)n, -s, -. ¶ ~로 돈을 꾸다 Geld tageweise von *jm.* borgen.

일수(日數) 《날수》 die (An)zahl der Tage; Tage (*pl.*); 《날의 운수》 der Glück des Tages. ¶ 오늘 ~가 좋았다 Er hat heute e-n guten Tag.

일순간(一瞬間) ein Augenblick *m.* -(e)s; ein Moment *m.* -(e)s.

일습(一襲) die ganze Ausstattung, -en; die vollständige Ausrüstung. ¶ 동복 ~ Winteranzug *m.* -es, ⸚e 《남자용》.

일승일패(一勝一敗) einmal gewonnen, einmal verloren.

일시(一時) ① 《한때》 einst. ② 《잠시》 e-e Weile. ~적 zeitweilig; einstweilig; augenblicklich. ¶ ~적인 현상 die augenblickliche Erscheinung, -en. ③ 《동시》 zugleich; auf einmal. ¶ 관중들이 ~에 일어났다 Das Publikum stand gleichzeitig auf.

일시(日時) Zeit *f.* -en; Datum *n.* -s, ..ten 《연월일》.

일식(日蝕) Sonnenfinsternis *f.* -se.

일신(一新) ~하다 reformieren^{4}; erneuern^{4}; verändern^{4}; innovieren^{4}. ¶ 면목을 ~하다 ein anderes Aussehen bekommen*.

일신교(一神教) Monotheismus *m.* -.

일신상(一身上) ~의 persönlich; privat.

일심(一心) 《한마음》 ein Herz *n.* -ens; e-e Seele; Solidarität *f.* ‖ ~ 동체 eins 〔identisch〕 sein 《*mit*^{3}》(부부는 ~ 동체다 Mann u. Frau sind eins.)

일심(一審) erste Instanz, -en. ¶ ~에서 무죄가 되었다 Er wurde in der ersten Instanz freigesprochen.

일쑤 ¶ …하기가 ~이다 an ^{4}*et* gewohnt sein; ^{3}*et* zu tun pflegen.

일약(一躍) mit e-m Satz(e) 〔Sprung〕; mit einemmal. ¶ ~ 유명해지다 (ur-)plötzlich berühmt werden; über ^{4}Nacht Berühmtheit erlangen.

일어(日語) das Japanische*, -n; die japanische Sprache, -n.

일어나다^{1} 《기상》 auf|stehen*; ^{4}sich erheben*; 《잠을 깸》 auf|wachen; 《몸을 일으킴》 ^{4}sich auf|richten. ¶ 일찍 ~ früh auf|stehen*.

일어나다^{2} 《발생함》 entstehen*; geschehen*; ^{4}sich ereignen; vor|kommen*; aus|brechen*. ¶ 경련이 ~ Krämpfe bekommen.

일어서다 auf|stehen*; ^{4}sich erheben*; 《분기》 ^{4}sich auf|raffen 《*zu*^{3}》. ¶ 벌떡 ~ plötzlich ^{4}sich auf|richten 〔erheben*〕.

일언이폐지(一言以蔽之) ~하다 mit e-m Wort ausdrücken; ^{4}*et.* kurz sagen.

일없다 unbrauchbar 〔unnötig; nutzlos〕 (sein).

일엽편주(一葉片舟) ein kleines Boot, -(e)s, -e; Kahn *m.* -(e)s, ⸚e.

일요(日曜) ‖ ~판 Sonntagsausgabe *f.* -n / ~ 화가 Sonntagsmaler *m.* -s, -.

일요일(日曜日) Sonntag *m.* -(e)s, -e. ¶ ~에 am Sonntag.

일용품(日用品) der tägliche Bedarf, -s 〔Bedarfsartikel, -s, -〕.

일원(一元) ~적 monistisch. ‖ ~론 Monismus *m.* - / ~화 Vereinheitlichung *f.* -en (~화하다 vereinheitlichen^{4}).

일원(一員) Mitglied *n.* -(e)s; der Mitbeteiligte*, -n, -n. ¶ 사회의 ~ ein Mitglied der Gesellschaft.

일원제(一院制) Einkammersystem *n.* -s, -e.

일월(一月) Januar *m.* -(s), -e 《略: Jan.》.

일월(日月) 《해와 달》 die Sonne u. der Mond; 《시간》 Zeit *f.* -en.

일위(一位) ① 《첫째》 die erste Stelle; Spitze *f.* -n. ② 〖數〗 Einer *m.* -s, -.

일으키다 《세움》 auf|richten^{4}; errichten^{4}; 《깨움》 (auf|)wecken《*jn.*》; 《야기함》 verursachen^{4}; 《창시》 an|fangen*^{4}; 《발병》 erkranken. ¶ 마찰을 ~ Reibung verursachen / 전기를 ~ ^{4}Elektrizität erzeugen / 전쟁을 ~ Krieg führen.

일인(一人) e-e Person; jeder*. ‖ ~당 por Kopf / ~ 독재 Einmann-Diktatur *f.* -en / ~ 이역 Doppelrolle *f.* -n; zwei Tätigkeiten (*pl.*).

일일(一日) ein (einziger) Tag, -(e)s.

일일이 《일마다》 alles; alle Sachen; jedes einzeln; im einzelnen. ¶ ~ 간섭하다

⁴sich in alle Angelegenheiten ein|mischen〔-|lassen*〕.
일일이(一一一) 《하나씩》 eins nach dem andern; eins ums andere; 《상세히》 ins einzelne gehend; im einzeln. ¶～ 조사하다 eins nach dem andern prüfen.
일임(一任) ～하다 an|vertrauen⁴ 《jm.》; betrauen 《jn. mit³》. ¶…에게 사업의 경영을 ～하다 jm. die Leitung des Unternehmens an|vertrauen.
일자(日字) =날짜.
일자리 Stellung f. -en; Stelle f. -n; Arbeit f. -en 《일》. ¶～를 찾다〔잃다〕 e-e Stellung suchen 〔verlieren*〕.
일자무식(一字無識) Analphabetentum n. -s, ⁼er. ‖ ～군 Analphabet m. -en, -en.
일잠 ¶～ 자다 früh zu Bette gehen*.
일장(一場) 《연극의》 Szene f. -n; 《한바탕》 Runde f. -n. ‖ ～ 춘몽 ein leerer Traum.
일장일단(一長一短) Vor- u. Nachteile; Licht- u. Schattenseite. ¶～이 있다 s-e Vor- u. Nachteile haben.
일전(一戰) e-e Schlacht; ein Kampf m. -(e)s. ¶～을 벌이다 e-e Schlacht liefern 〔schlagen*〕.
일전(一轉) ¶심기 ～하다 s-e Gesinnung plötzlich ändern.
일전(日前) vor einigen Tagen; neulich; vor kurzem; kürzlich. ¶～의 편지에 im letzten Brief.
일절(一切) ganz; durchaus; überhaupt; gar. ¶～ …하지 않는 gar 〔ganz u. gar〕 nicht; keineswegs.
일정(一定) ～하다 bestimmt 〔beständig; konstant〕 (sein). ¶～한 기간 die bestimmte Periode, -n / ～한 수입 das feste Ein kommen, -s, -.
일정(日程) Tagesprogramm n. -(e)s, -e; 《의사 진행의》 Tagesordnung f. -en. ‖ ～표 Notizkalender m. -s, -; 《여행의》 Reiseplan m. -(e)s, ⁼e.
일제(一齊) ～히 alle zusammen; 《동시에》 gleichzeitig; auf einmal; 《이구동성으로》 einstimmig. ‖ ～ 검거 Massenverhaftung f. -en / ～ 사격 Salve f. -n; Salvenfeuer n. -s, -.
일조(一朝) ～에 in e-m Tag. ¶～ 일석에 von heute auf morgen.
일조(日照) ‖ ～권 das (An)recht auf Sonnenschein / ～ 시간 die Zeit der Sonnenanstrahlung 〔Bestrahlung〕.
일족(一族) die ganze Familie u. Verwandte (pl.).
일종(一種) e-e Art 〔Sorte〕. ～의 e-e Art.... ¶～의 병(病) e-e Art Krankheit / 벼는 풀의 ～이다 Der Reis ist e-e Gattung der Gräser.
일주(一周) ～하다 e-e Runde machen 《um⁴》; herum|reisen 《um⁴》. ‖ 세계 ～ 여행 Weltreise f. -n.
일주(一週) e-e Woche. ‖ ～기(忌) die erste Wiederkehr js. Todestages / ～년 der erste Jahrestag, -(e)s.
일지(日誌) Tagebuch n. -(e)s, ⁼er.
일직(日直) Tag(es)dienst m. -es, -e. ～하다 Dienst haben; im Dienst sein. ‖ ～ 장교 Ordonanzoffizier m. -s, -; Offizier vom Dienst.
일직선(一直線) ¶～으로 in gerader ³Linie; gerade(aus).
일진(一陣) 《군사의》 Feldlager m. -s, -; Heerlager m. -s, -; 《선봉》 Vorhut f. -en; Spitze f. -n; 《바람》 Windstoß m. -es, ⁼e. ‖ ～ 광풍 Windstoß; Bö f. -en.
일진(日辰) 《운수》 Glückstag m. -(e)s, -e. ¶오늘은 ～이 나쁘다 Heute habe ich e-n Unglückstag.
일진일퇴(一進一退) ～하다 vorwärts|gehen* u. ⁴sich rück|ziehen*; ebben u. fluten; schwankend sein.
일찌감치 früher als gewöhnlich 〔sonst; üblich〕; vorzeitig; etwas 〔ein wenig〕 früher 〔eher〕. ¶～ 문을 닫다 früher als sonst Feierabend machen.
일찍 ☞일찍이.
일찍이 ① 《일찍》 früh(zeitig). ¶아침 ～ früh morgen; am frühen Morgen. ② 《전에》 einst; einmal; früher; je. ¶이런 맛있는 과자는 ～ 맛본 적이 없다 Dies ist der köstlichste Kuchen, den ich je genossen habe.
일차(一次) ① 《한번》 ～의 erst; primär. ② 〖數·物〗 einfach; Primär-. ‖ ～ 방정식 die einfache Gleichung, -en.
일착(一着) 《경주 등의》 der erste Platz, -es; der 〔die〕 Erste*, -n, -n 《사람》. ～하다 den ersten Platz gewinnen*.
일처다부(一妻多夫) Polyandrie f.; Vielmännerei f.
일천(日淺) ～하다 nicht lange her sein; Es ist noch nicht lange her, seit....
일체(一切) alles; ganz. ¶～의 비용 alle Kosten (pl.).
일체(一體) ein Körper m. -s; ein Fleisch n. -es. ¶～가 되어 in e-m Körper; als ein ¹Körper. ‖ ～화 Integration 〔Vereinheitlichung〕 f. -en.
일촉즉발(一觸卽發) die bedenkliche 〔gefährliche〕 Situation, -en 〔Sachlage〕.
일축(一蹴) ～하다 stoßen*⁴; 《거절하다》 ab|sagen⁴; ab|lehnen⁴; 《경기에서》 leicht besiegen 《jn.》.
일출(日出) Sonnenaufgang m. -(e)s, ⁼e.
일취월장(日就月將) der schnelle Fortschritt, -(e)s, -e; das beständige Vorwärtsgehen*, -s. ～하다 beständig vorwärts|gehen*.
일층(一層) ① 《건물의》 Erdgeschoß n. ..sses, ..sse. ② 《한결》 (noch) mehr.
일치(一致) Übereinstimmung 〔Einigung; Vereinbarung〕 f. -en; das Zusammentreffen*, -s. ～하다 überein|stimmen 《mit³》; entsprechen*³; einig sein 《mit³》. ¶만장 ～로 einstimmig. ‖ ～단결 Solidarität f.; Vereinigung f. -en.
일컫다 nennen*⁴⁴; heißen*⁴⁴.
일탈(逸脫) ～하다 ab|weichen* 《von³》; ab|gehen* 《von³》.
일터 Arbeitsplatz m. -es, ⁼e; Arbeitsstelle f. -n; Werkstatt f. ⁼en; 《공사장》 Bauplatz.
일파(一派) Schule f. -n; Sekte f. -n 《종파》; Konfession f. -en 《기독교의》.
일패도지(一敗塗地) ～하다 eine vollständige Niederlage erleiden*; vernichtet werden.
일편단심(一片丹心) ¶～으로 von ganzem

Herzen; mit Leib u. Seele.

일평생(一平生) das ganze Leben, -s; Lebtag *m.* -(e)s, -e. ¶~ 독신으로 지내다 fürs ganze Leben ledig bleiben*.

일품(逸品) der vortreffliche Artikel, -s, -; 《걸작》 Meisterwerk *n.* -(e)s, -e.

일품요리(一品料理) Gericht *n.* -(e)s, -e.

일하다 arbeiten 《*an*^{3}》; schaffen; 《근무》 angestellt sein 《*bei*^{3}》. ¶일하러 가다 an die Arbeit gehen* / 농장에서 ~ auf der Farm arbeiten.

일할(一割) 10 Prozent. ¶~ 할인하다 10 % Rabatt geben*.

일행(一行) Gesellschaft *f.* -en; 《수행자》 Gefolge *n.* -s, -; 《흥행단》 Truppe *f.* -n. ¶대사 ~ der Botschafter u. sein Gefolge / ~에 끼다 ^{4}sich an die Gesellschaft an|schließen*.

일혈(溢血) (Blut)erguß *m.* ..gusses, ..güsse; Austritt *m.* -(e)s, -e.

일화(逸話) Anekdote *f.* -n. ¶그에게는 많은 ~가 있다 Viele Anekdoten erzählen über ihn.

일확천금(一攫千金) ¶~을 꿈꾸다 Glückspilz werden wollen*; davon träumen, plötzlich ein Millionär zu werden.

일환(一環) ein (Ketten)glied. ¶…의 ~을 이루다 ein Glied in der Kette ab|geben*.

일회(一回) 《회수》 einmal; ein (einziges) Mal, -(e)s.

일희일비(一喜一悲) das gemischte Gefühl von Freud u. Leid.

읽다 lesen*$^{(4)}$ 《*in*^{3}》; 《낭독》 vor|lesen*^{4}. ¶읽을거리 Lesestoff *m.* -(e)s, -e; Lektüre *f.* -n / 읽기 쉬운 leicht zu lesen; 《이해하기 쉬운》 leicht lesbar.

읽히다 lesen lassen*; 《읽혀지다》 ^{3}sich auf vielen Gebieten Belesenheit erwerben*. ¶많이 읽히는 책 das viel gelesene Buch, -(e)s, ⸚er.

잃다 verlieren*^{4} 《*an*^{3}》; kommen* 《*um*^{4}》; 《권리 따위를》 ein|büßen$^{(4)}$. ¶이성을 ~ ^{4}sich wahnsinnig auf|legen / 열쇠를 ~ den Schlüssel verlieren*.

임 《남자》 der Liebe*, -n, -n; der Geliebte*, -n, -n; 《여자》 Schatz *m.* -es; die Geliebte*, -n, -n.

임검(臨檢) Durch·suchung 〔-schnüffelung; -stöberung〕 *f.* -en. ~하다 durchsuchen^4; durchschnüffeln^4.

임계(臨界) 〖機·理〗 ‖ ~각(角) Grenzwinkel *m.* -s, - / ~ 압력 der kritische Druck, -(e)s, ⸚e.

임관(任官) ~하다 ein Amt 〔e-e Stelle; e-n Dienst〕 an|treten*; ernannt werden 《*zu*^{3}》.

임균(淋菌) 〖醫〗 Gonokokkus *m.* -, ..kokken.

임금 König *m.* -(e)s, -e.

임금(賃金) (Arbeits)lohn *m.* -(e)s, ⸚e. ¶~을 삭감하다 den Lohn kürzen. ‖ ~ 인상 Lohnerhöhung *f.* -en / 기아 ~ Hungerlohn / 명목 ~ Naminallohn / 최저 ~ Mindestlohn.

임기(任期) Amtsdauer *f.* ¶~를 연장하다 die Amtsdauer 〔Dienstzeit〕 verlängern.

임기응변(臨機應變) ~의 aus dem Stegreif gemacht; aus dem Boden gestampft.

임대(賃貸) Vermietung *f.* -en; 《토지의》 Verpachtung *f.* -en. ~하다 vermieten^{34}; verpachten^{34}. ‖ ~ 가격 Miet〔Pacht〕preis *m.* -es, -e / ~(차) 계약 Miet〔Pacht〕vertrag *m.* -(e)s, ⸚e.

임면(任免) Ernennung u. Entlassung. ‖ ~권 Ernennungs- u. Kündigungsrecht *n.* -(e)s, -e.

임명(任命) ~하다 ernennen*^{4} 《*zu*^{3}》; ein|setzen 《*in*^{4}》. ¶교수로 ~되다 zum Professor ernannt werden. ‖ ~장 Ernennungs·brief *m.* -(e)s, -e 〔-urkunde *f.* -n〕.

임무(任務) 《직책》 (Amts)pflicht *f.* -en; Aufgabe *f.* -n; 《사명》 Auftrag *m.* -(e)s, ⸚e; 《근무》 Dienst *m.* 〔Geschäft *n.*〕 -(e)s, -e. ¶~를 다하다 e-e Aufgabe 〔e-e Pflicht〕 erfühlen.

임박(臨迫) ~하다 bevor|stehen*; drohen^3; heran|nahen. ¶시험이 ~했다 Es steht Examen bevor.

임부(妊婦) die schwangere Frau, -en; die Frau in gesegneten Umständen.

임산물(林産物) die Erzeugnisse aus dem Wald.

임상(臨床) Klinik *f.* -en. ‖ ~ 강의 Klinik; klinischer Unterricht, -(e)s, -e / ~ 병리학 die klinische Pathologie, -n / ~ 의학 die klinishe Medizin, -en.

임석(臨席) ~하다 anwesend 〔gegenwärtig〕 sein. ¶대통령 ~하에 in Anwesenheit 〔Gegenwart〕 des Präsidenten.

임시(臨時) ~의 außerordentlich; besonder; Sonder-; Extra-; zeitweilig; vorläufig; provisorisch. ‖ ~ 고용인 Gelegenheitsarbeiter *m.* -s, -; Aushilfe *f.* -n / ~ 국회 Extraparlamentsperiode *f.* -n; Extrasession *f.* -en / ~비(費) Extraausgabe *f.* / ~ 시험 Extraexamen *n.* -s, - 〔..mina〕 / ~ 열차 Extrazug *m.* -(e)s, ⸚e / ~ 정부 die provisorische Regierung, -en / ~ 총회 Extraplenarsitzung *f.* -en.

임시변통(臨時變通) Notbehelf *m.* -(e)s, -e; vorübergehende Lösung, -en. ~하다 ^{4}sich mit ^{3}*et.* behelfen*; als Notbehelf dienen. ¶~의 behelfsmäßig / ~으로 durch vorübergehende Lösung; notgedrungenerweise.

임신(妊娠) Schwangerschaft *f.* -en; Empfängnis *f.* -se. ~하다 empfangen*; schwanger werden. ¶~ 중에 während der Schwangerschaft / ~ 시키다 schwängern^4. ‖ ~ 중절 Schwangerschaftsunterbrechung *f.* -en.

임야(林野) Wald u. Feld; Waldung u. Gefilde.

임업(林業) Forstwirtschaft *f.* -en. ‖ ~ 시험장 die Versuchsanstalt 〔das Laboratorium〕 für Forstwesen.

임용(任用) Einsetzung *f.* -en; Anstellung *f.* -en. ~하다 ein|setzen^4 《*in*^{4}》; an|stellen^4 《*als*^{4}》.

임원(任員) Vorstands〔Komitee〕mitglied *n.* -(e)s, -er 《회사, 위원회의》; Funktionär *m.* -s, -. ‖ ~회 Vorstand *m.* -(e)s, ⸚e.

임의(任意) ~의 beliebig; 《멋대로》 willkürlich; 《자발적》 freiwillig. ¶~로 행

동하다 [4]sich freiwillig benehmen*.

임자 Besitzer 〔Eigentümer〕 *m.* -s, -. ¶～ 없는 herrenlos.

임전(臨戰) ～하다 an e-m Krieg 〔e-r Schlacht〕 teil|nehmen*; an der Front sein. ‖～ 무퇴 kein Zurückweichen vor dem Gegner / ～ 태세 die Vorbereitung zu e-r Operation.

임정(臨政) Interimsregierung *f.* -en; vorübergehende Regierung, -en. ‖～ 요인 die Minister der vorübergehenden Regierung 〔Interimsregierung〕.

임종(臨終) Todesstunde *f.* -n. ～하다 bei *js.* Tode anwesend 〔dabei〕 sein. ¶～에 in der Todesstunde; beim Tode.

임지(任地) Posten *m.* -s, -; Amt *n.* -(e)s, ⸗er. ¶～로 떠나다 zu s-m (neuen) Posten gehen*.

임질(淋疾) Gonorrhöe *f.* -n; Tripper *m.* -s, -. ¶～에 걸리다 an Genorrhöe leiden*.

임차(賃借) ～하다 mieten[4] 《bei *jm.*》; 《토지를》pachten[4]. ‖～권 Miet〔Pacht〕recht *n.* -(e)s, -e / ～료 Miete *f.* -n; Mietgeld *n.* - (e)s, -er〔-preis *m.* -(e)s, -e〕.

임치(任置) Depot *n.* -s, -s; Einlage *f.* -n. ～하다 ein|legen; ein|zahlen.

임파선(淋巴腺) Lymphdrüse *f.* -n. ¶～염 Lymphdrüsenentzündung *f.* -en.

임하다(臨—) 《면하다》 (mit der Front) stehen*〔liegen*〕《*nach*[3]》; 《직면》 stehen* 《*vor*[3]》; 《출석·도착》 kommen*《*zu*[3]》; 《태도》 begegnen 《*jm.*; *mit*[3]》. ¶별장은 바다에 임해 있다 Die Villa blickt aufs Meer. / 죽음에 임하여 beim Eintritt des Todes.

임학(林學) Frost·kunde 〔-wissenschaft〕 *f.*

임해(臨海) Seeküste 〔Meeresküste〕 *f.* -n. ‖～ 공업 지대 Küstenindustriegebiet *n.* -(e)s, -e.

입 Mund *m.* -(e)s, ⸗er; 《동물의》 Maul *n.* -(e)s, ⸗er. ¶입을 다물다 den Mund zu|machen 〔schließen*〕.

입가심하다 den Geschmack neutralisieren; ([3]sich) den Hals gurgeln.

입각(入閣) der Eintritt ins Kabinett. ～하다 ins Kabinett ein|treten*.

입각(立脚) ～하다 fußen 《*auf*[3]》; basieren 《*auf*[3]》; [4]sich gründen 《*auf*[4]》; folgen 《*aus*[3]》. ¶사실에 ～하다 auf Tatsachen beruhen.

입감(入監) Gefangensetzung *f.* -en; Einlieferung *f.* -en. ～하다 ins Gefängnis ein|liefern.

입거(入渠) ～하다 [4]sich (ein|)docken; ins Dock kommen* 〔gehen*〕. ¶～시키다 (ein Schiff) (ein|)docken.

입건(立件) ～하다 *jn.* zur Verantwortung 〔zur Rechenschaft〕 zichen*.

입경(入京) die Ankunft in der Hauptstadt. ～하다 in der Hauptstadt an|kommen*.

입고(入庫) 《상품의》 das Einspeichern* 〔(Ein)lagern*〕 (von Waren); 《차량의》 das Einfahren* (e-s Wagens) ins Depot. ～하다 Waren (*pl.*) ein|speichern 〔(ein|)lagern〕; ins Depot ein|fahren* 〔ab|stellen〕 《den Wagen》.

입관(入棺) das Einsargen*, -s; Einsargung *f.* -en. ～하다 *jn.* ein|sargen; in e-n Sarg legen. ‖～식 die Zermonie beim Einsargen.

입구(入口) Eingang *m.* -(e)s, ⸗e; Einfahrt *f.* -en. ¶～에서 am Eingang.

입국(入國) der Eintritt in ein Land; 《여행자의》 die Einreise in ein Land. ～하다 in ein Land ein|reisen 〔ein|wandern〕. ¶～을 금지하다 die Einreise verbieten* 《*jm.*》 / ～을 허가하다 die Einreise erlauben 〔genehmigen〕. ‖～사증 Einreisevisum 〔Einwanderungsvisum〕 *n.* -s, ..sa.

입궐(入闕) ～하다 an den Hof gehen*.

입금(入金) ～하다 (bar) bezahlen[4]; teilweise 〔auf [4]Abschlag〕 zahlen[4]. ‖～전표 der Zettel für eingezahlte Gelder.

입길 ¶남의 ～에 오르내리다 in der [2]Leute [4]Mund kommen*.

입김 Hauch *m.* -(e)s, -e.

입내 《구취》 Mundgeruch *m.* -(e)s. ¶～가 나다 aus dem Munde riechen*.

입내내다 die Stimme e-s andern* nach|ahmen.

입다 ① 《옷을》 an|ziehen*[4]; an|kleiden[4]; Kleider (*pl.*) an|legen. ¶갈아 ～ [4]sich um|kleiden / 옷을 입히다 (an|)kleiden 〔an|ziehen*〕 《*jn.*》. ② 《받다》 bekommen*[4]; empfangen*[4]; 《손해를》 (er-)leiden*[4]. ¶손해를 ～ Schaden bekommen* 〔erleiden*〕 / 은혜를 ～ [4]sich in *js.* [3]Gunst sonnen.

입담 Zungenfertigkeit *f.* -en; Redegewandtheit *f.* -en; Geläufigkeit *f.* ¶～이 좋다 zungenfertig 〔geläufig〕 sein.

입당(入黨) der Eintritt in e-e politische Partei. ～하다 in e-e politische Partei ein|treten*.

입대(入隊) ～하다 zum Militär ein|rücken. ‖～자 Rekrut *m.* -en, -en.

입덧나다 den Appetit 〔die Eßlust〕 verlieren*.

입동(立冬) Winteranfang *n.* -(e)s.

입뜨다 schweigsam 〔zurückhaltend; wortkarg; verschlossen〕(sein).

입맛 Appetit *m.* -s; Eßlust *f.* ¶～이 좋다〔나쁘다〕 e-n guten 〔schlechten〕 Appetit haben.

입맛다시다 ([3]sich) die Lippen (*pl.*) lecken; ([3]sich) mit der Zunge über die Lippen fahren*.

입맛쓰다 bitter schmecken; e-e bittere Pille schlucken; 《마음이 상하다》 [4]sich verletzt 〔beleidigt〕 fühlen.

입맞추다 küssen; *jm.* e-n Kuß geben*. ¶손에 ～ die Hand küssen.

입멸(入滅) 〖佛〗 das Eingehen* ins Nirwana. ～하다 sterben*; ins Nirwana ein|gehen*.

입목(立木) (stehender) Baum, -(e)s, ⸗e.

입문서(入門書) Einführung *f.* -en; Elementarbuch *n.* -(e)s, ⸗er.

입바르다 offen (geradeheraus) sagen. ¶입바른 소리를 하다 geradeheraus sagen; offen sagen.

입방(立方) 〖數〗 Kubikzahl *f.* -en. ‖～근 Kubikwurzel *f.* -n / ～미터 Kubikmeter *n.* -s, - / ～체 Würfel *m.* -s, -; Kubus *m.* -, - 〔..ben〕.

입방아찧다 nörgeln; mäkeln; quengeln über ^{4}et. meckern.

입버릇 Lieblings·wort n. -(e)s, ¨er 〔-ausdruck m. -(e)s, ¨; -formel f. -n〕; das stereotyp wiederkehrende Wort. ¶ ~처럼 말하다 immer dasselbe* sagen; dasselbe* stereotyp wiederholen.

입법(立法) Gesetzgebung f. -en. ‖ ~권 die gesetzgebende Gewalt, -en / ~기관 Gesetzgebungsorgan n. -s, -e / ~부 die gesetzgebende Körperschaft, -en.

입사(入社) ~하다 in e-e (Handele)firma ein|treten*. ‖ ~ 시험 die Aufnahmeprüfung (in die Firma).

입사(入射) 〖物〗 Einfall m. -s, ¨e. ‖ ~각 Einfallswinkel m. -s, -.

입산(入山) 〖佛〗 ~하다 in die Berge zurück|ziehen* 〔gehen*〕, um buddhistischer Mönch zu werden.

입상(入賞) ~하다 den Preis bekommen*. ‖ ~자 Preisträger m. -s, -.

입상(立像) Statue f. -n; Standbild n. -(e)s, -er.

입상(粒狀) ~의 kornförmig; körnig; in ^{3}Kornforn.

입선(入選) ~하다 gewählt 〔aufgenommen〕 werden. ‖ ~자 der Gewählte* 〔Aufgenommene*〕 -n, -n / ~작 ein in e-e Kunstausstellung aufgenommenes Gemälde, -s, -.

입성(入城) ~하다 e-n triumphierenden Einzug in e-e Festung halten*.

입소(入所) ~하다 in ein Institut 〔e-e Anstalt〕 ein|treten*.

입속말 Gemurmel n. -s; das Murmeln*, -s. ~하다 murmeln; murren 《über ^{4}et.; gegen jn.》.

입수(入手) ~하다 erlangen^4; ^{3}sich beschaffen^4; erhalten*^{4}.

입술 Lippe f. -n; 《윗 입술》 Oberlippe; 《아랫 입술》 Unterlippe. ¶ ~을 깨물다 ^{3}sich auf die Lippen beißen*. ‖ ~ 연지 Lippenstift m. -(e)s, -e.

입시(入試) Eintrittsexamen n. -s; Aufnahmeprüfung f. -en. ‖ ~ 지옥 Prüfungshölle f.

입신출세(立身出世) ~하다 empor|kommen*.

입심 die kühne Redeweise, -n; die freche Sprechweise. ¶ ~이 좋다 zungenfertig sein.

입씨름 Wortstreit m. -(e)s, -e; Wortgefecht n. -(e)s, -e. ~하다 e-n Wortwechsel 〔-streit〕 haben 《mit jm. über^4》.

입씻기다 js. Stillschweigen kaufen; Schweigegeld zahlen. ¶ 그에게 만 원을 주어 입씻겼다 Ich gab ihm 10 000 Won, um sein Mund zu schließen.

입씻이 《입막음 돈》 Schweigegeld n. -(e)s, -er.

입아귀 Mundwinkel m. -s, -.

입안(立案) 《안을 세움》 das Planen* 〔Entwerfen*〕 -s; das Pläne 〔Projekt〕 machen*, -s. ~하다 planen^4; entwerfen*^{4}. ‖ ~자 Planer 〔Projektmacher〕 m. -s, -.

입양(入養) Adoption f. -en. ~하다 adoptieren.

입영(入營) ~하다 ins Heer ein|treten*; (zur Fahne) einberufen werden.

입원(入院) ~하다 ins Krankenhaus 〔Hospital〕 aufgenommen werden. ‖ ~비 Krankenhauskosten (pl.).

입자(粒子) Partikel f. -n.

입장(入場) Ein〔Zu〕tritt m. -(e)s, -e. ~하다 ein|treten* 《in^3》. ‖ ~권 Eintrittskarte f. -n; 《역의》 Bahnsteigkarte / ~료 Eintrittsgeld n. -(e)s, -er / ~ 무료 Eintritt frei! / ~ 사절 Eintritt verboten!; Kein Eintritt! / ~식 Eröffnungsfeier f. -n / ~자 Besucher m. -s, -.

입장(立場) Standpunkt m. -(e)s, -e; Stellung f. -en; 《형편》 Lage f. -n; 《견해》 Haltung f. -en; Gesichtspunkt m. -(e)s, -e. ¶ 난처한 ~에 있다 in e-r mißlichen Lage sein / 정치가의 ~에서 vom Standpunkt e-s Politikers aus.

입장단(—長短) das Mitsummen* e-r Melodie. ¶ ~을 치다 mit|summen.

입적(入寂) Nirwana n. -(s).

입적(入籍) die Eintragung (des Namens) ins Familienregister. ~하다 js. Namen ins Familienregister ein|tragen* (lassen*).

입전(入電) das eingetroffene Telegramm, -s, -e; die angekommene Drahtnachricht, -en.

입정(入廷) das Eintreten in den Gerichtssaal. ~하다 in den Gerichtssaal eintreten*.

입정놀리다 ^{4}et. pausenlos in den Mund nehmen*; ^{4}et. laufend essen* 〔fressen*〕.

입정사납다 ein loses Maul haben; schmutzige Reden führen.

입주(入住) ~하다 ein|ziehen* 《in^4》; in e-e Wohnung ziehen*. ‖ ~자 (Haus-)bewohner m. -s, -; Einwohner.

입증(立證) Beweisführung f. -en; Darlegung f. -en. ~하다 beweisen*^{4}; dar|legen^4. ¶ 무죄를 ~하다 s-e Unschuld beweisen*.

입지전(立志傳) die Biographie e-s aus eigener Kraft Emporgekommenen.

입지조건(立地條件) Ortsbedingung f. -en. ¶ ~이 좋다 〔나쁘다〕 günstig 〔ungünstig〕 gelegen sein.

입질 《낚시질에서》 das (An)beißen*, -s 《beim Angeln》. ~하다 beißen*; an|beißen*.

입짧다 wählerisch (sein) 《beim Essen》; anspruchsvoll 《beim Essen》 (sein).

입찬말, 입찬소리 Prahlerlei 〔Aufschneiderei〕 f. -en.

입찰(入札) Submission f. -en; (Lieferungs)angebot n. -(e)s, -e; Verdingung f. -en. ~하다 submittieren. ¶ ~에 부치다 auf dem Submissionswege vergeben*. ‖ ~자 Submittent m. -en, -en.

입천장 〖解〗 Gaumen m. -s, -.

입체(立替) ~하다 aus|legen^4 《für jn.》; vor|schießen*^{4}. ‖ ~금 das vorgelegte Geld, -(e)s, -er.

입체(立體) Körper m. -s, -. ~적 körperlich; kubisch. ‖ ~ 기하(학) Stereometrie f. / ~ 영화 der dreidimensionale Film -(e)s, -e〔3 D-Film〕 / ~ 주차장 Autosilo m. -s, -s; Parkhochhaus n. -es, ¨er / ~파 Kubismus m. -.

입초(立哨) Wache *f.* –n; Posten *m.* –s, –. ¶～서다 ^{4}Wache 〔Posten〕 stehen*.

입추(立秋) Herbstanfang *m.* –(e)s.

입추(立錐) ¶～의 여지도 없다 gedrängt voll sein; vollgestopft sein.

입춘(立春) Frühlingsanfang *m.* –(e)s.

입하(入荷) ～하다 (an)kommen*; empfangen werden; ein|laufen*.

입하(立夏) Sommerbeginn *m.* –s.

입학(入學) ～하다 ein|treten*; aufgenommenwerden (in die schule). ‖～시험 Eintritts·prüfung *f.* –en 〔–exmen *n.* –s, ..mina〕 / ～원서 Eintrittsgesuch *n.* –(e)s, –e / ～지원자 Eintritts·aspirant *m.* –en, –en 〔–bewerber *m.* –s, –〕.

입항(入港) das Einlaufen* (in e–n Hafen); Einlauf *m.* –(e)s, ⁻̈e. ～하다 in e–n Hafen ein|laufen* 〔ein|fahren*〕.

입향순속(入鄕循俗) „Mit den Wölfen muß man heulen."

입헌(立憲) ～적 verfassungsmäßig; konstitutionell. ‖～정체 das konstitutionelle System, –s, –e / ～정치 die konstitutionelle Regierung *f.* –en.

입회(入會) ～하다 in e–n Verein ein|treten*; in ^{4}*et.* als Mitglied aufgenommen werden. ‖～금 Eintrittsgeld *n.* –(e)s, –er.

입회(立會) ～하다 bei|wohnen^{3}; anwesend sein (*bei*^{3}); (증인으로) Zeuge sein (*von*^{3}). ¶증인 ～하에 in Anwesenheit der Zeugen. ‖～인 Zeuge *m.* –n, –n.

입후보(立候補) Kandidatur *f.* –en. ～하다 als Kandidat auf|treten*; kandidieren. ‖～사퇴 Zurückziehung der Kandidatur / ～자 Kandidat *m.* –en, –en.

입히다 (옷을) an|ziehen*(*jn.*); an|kleiden(*jn.*); bekleiden(*jn.*); bedecken^{4}; (손해를) an|richten^{34}; zu|fügen. ¶큰 손해를 ～ großen Schaden an|richten.

잇다 ① (연결) (an)|binden (*an*^{4}); verbinden*^{4} 〔verknüpfen^{4}; zusammen|knüpfen^{4}〕(*mit*^{3}). ¶조각을 ～ die Stücke zusammen|fügen. ② (계승) *jm.* nach|folgen; über|nehmen*^{4}; erben^{4}; (계속) folgen^{3} (*auf*^{4}); kommen* (*nach*^{3}). ¶왕위를 ～ den Thron erben.

잇달다 (…이) folgen$^{(3)}$ (*auf*^{4}); fort|dauern; (…을) zusammen|fügen^{4}; zusammen|kleben. ¶잇달아 질문하다 *jm.* ^{4}Frage auf ^{4}Frage stellen.

잇닿다 in Berührung bleiben*; in Verbindung bleiben*.

잇대다 ① (연결) zusammen|fügen^{4}; zusammen|stellen^{4}. ¶두 책상을 ～ zwei Tische zusammen|stellen. ② (계속) ^{4}sich fort|setzen; weiter|gehen*.

잇따르다 folgen$^{(3)}$ (*auf*^{4}); fort|dauern; kommen eins nach dem andern.

잇몸 Zahnfleisch *n.* –es.

잇속 Zahnzustand *m.* –s, ⁻̈e.

잇속(利–) die Quelle des Ertrags 〔des Gewinns; des Profits〕. ¶～있다 vorteilhaft 〔einträglich; nützlich〕 sein.

잇자국 Bißspur *f.* –en; Bißabdruck *m.* –s, ⁻̈e. ¶～이 나다 Bißspur haben.

있다 (da) sein; ^{4}sich befinden*; es gibt; vorhanden sein; existieren; (소재) liegen*; stehen*; (소속) gehören; (소지) zuhanden sein; bei sich^{3} haben*; (발생) geschehen*; (…에 존재하다) bestehen (*in*^{3}). ¶그녀는 오늘 집에 ～ Sie ist heute zu Haus. / 잘못은 나에게 ～ Mich trifft die Schuld (*an*^{3}).

잉걸불 gut brennendes 〔loderndes〕 Holzkohlenfeuer, –s.

잉꼬 〖鳥〗 Sittich *m.* –(e)s, –e; Papagei *m.* –(e)s 〔–en〕, –en.

잉어 〖魚〗 Karpfen *m.* –s, –.

잉여(剩餘) (Über)rest *m.* –es, –e; Überschuß *m.* ..sses, ..schüsse. ‖～가치 Mehrwert *m.* –(e)s, –e / ～생산 Überproduktion *f.* –en.

잉카 Inka *m.* –s, –s. ‖～문명 die Inka-Zivilisation.

잉크 Tinte *f.* –n. ‖～스탠드 Tintenfaß *n.* ..fasses, ..ässer / 인쇄 ～ Druckfarbe *f.* –n

잉태(孕胎) ＝임신(妊娠).

잊다 ① (물건을) liegen lassen*^{4}; verlegen^{4}; verkramen^{4}. ¶잊으신 물건 없도록 Nichts liegen lassen! ② (망각) vergessen*^{4}; aus dem Gedächtnis verlieren*^{4}; (배운 것을) verlernen^{4}. ¶이름을 잊었다 Der Name ist mir entfallen.

잊히다 in Vergessenheit geraten*; aus dem Gedächtnis schwinden*; ^{4}sich vergessen*. ¶그런 일은 곧 잊힌다 Das vergißt sich schnell.

잎 Blatt *n.* –(e)s, ⁻̈er; Laub *n.* –(e)s (총칭); (침엽) Nadel *f.* –n. ¶잎이 나다 Blätter bekommen* / 잎이 떨어지다 ^{4}sich entblättern.

잎나무 Dickicht *n.* –(e)s –e; Gestrüpp *n.* –(e)s, –e.

잎담배 das getrocknete Tabakblatt, –(e)s, ⁻̈er.

잎사귀 Blatt *n.* –(e)s, ⁻̈er.

잎파랑이 〖植〗 Chlorophyll *n.* –s; Blattgrün *n.* –(e)s.

ㅈ

자¹ ① (계기) Maßstab *m.* –(e)s, ⁻̈e; Lineal *n.* –s, –e. ¶자로 재다 mit dem Lineal messen*^{4}. ‖곡선자 Kurvenlineal *n.* –s, –e / 삼각자 Winkellineal *n.* –s, –e / 줄자 Bandmaß *m.* –(e)s, ⁻̈e / T 자 Handreißschiene *f.* –n. ② (단위) Längenmaß *m.*

자² 〖感嘆詞〗 nun; da; wohlan; bitte. ¶자, 그것 봐라 Siehst du.; Sehen Sie / 자, 가자 Komm, gehen wir.

자(字) ① ＝글자. ¶영어는 한 자도 모른다 Er versteht kein einiges englisches Wort. ② (이름) ein Höflichkeitsname, –ns, –n.

자(者) Person *f.* –en; Gestalt *f.* –en; (경멸적) Kerl *m.* –(e)s, –e. ¶그 자 er*; der Kerl.

–자 (…하자 곧) sobald...; kaum, als.... ¶그가 타자 기차는 떠났다 Sobald er einstieg, fuhr der Zug ab.

자가(自家) ¶～용의 privat; Privat–. ‖～당착 Selbstwiderspruch *m.* –(e)s, ⁻̈e / ～발전소 das eigene Kraftwerk, –(e)s, –e / ～수분(受粉) Selbstbestäubung *f.* -en / ～ 수정(受精) Selbstbefruchtung *f.* -en / ～용차 Privatwagen *m.* -s, - / ～ 중독 Selbstvergiftung 〔Autoindoxikation〕 *f.* -en.

자각(自覺) das Selbstbewußtsein*, -s. ～하다 ³sich bewußt² sein. ¶자기 책임을 ～하다 ⁴sich s-r ²Verantwortung bewußt werden. ‖ ～ 증상 das subjektive Symptom, -s, -e; Beschwerde *f.* -n.

자간(子癎) 〔醫〕 Eklampsie *f.* -n.

자갈 Kiesel *m.* -s, -; Kieselstein *m.* -(e)s, -e; Kies *m.* -es, -e. ¶～을 깔다 kieseln⁴. ‖ ～길 der kieselige Weg, -(e)s, -e / ～ 채취장 Kieselgrube *f.* -n.

자개 Perl·mutter *f.* 〔-mutt *n.* -s〕. ‖ ～ 세공 Muschelarbeit *f.* -en.

자객(刺客) Meuchelmörder *m.* -s, -. ¶～의 손에 쓰러지다 gemeuchelt werden.

자격(資格) Eigenschaft *f.* -en; 《능력》 Befähigung 〔Eignung〕 *f.* -en; Befugnis *f.* -se; 《권리》 Berechtigung *f.* -en. ¶～이 있는 befähigt; berechtigt / ～이 없다 unberechtigt sein / ～을 주다 *jn.* berechtigen 《*zu*³》 / ～을 잃다 disqualifiziert sein 《*für*⁴》 / 개인 ～으로 in persönlicher Eigenschaft. ‖ ～ 시험 Befähigungsprüfung *f.* -en / ～ 심사위원회 Berechtigtenüberprüfungskommission *f.* -en / ～ 증명서 Befähigungs-〔Berechtigungs〕zeugnis *n.* -ses, -se / 유～자 der Berechtigte*, -n, -n.

차격지심(自激之心) 《자책심》 ein Gefühl der Selbstbeschuldigung.

자결(自決) ① 《해결》 Selbstbestimmung *f.* ～하다 selbst bestimmen. ② 《자살》 Selbstmord *m.* -(e)s, -e. ～하다 Selbstmord begehen*. ‖ 민족 ～권 Sebstbestimmungsrecht *n.* -(e)s, -e.

자고(鷓鴣) 〔鳥〕 Rebhuhn *n.* -(e)s, ¨er.

자고로(自古—) von alters her; von jeher.

자구(字句) Wortlaut *m.* -(e)s, -e; Formulierung *f.* -en. ¶～에 구애되다 Worte klauben; an Worten kleinlich deuteln / ～를 수정하다 den Wortlaut verbessern.

자국 Druck *m.* -(e)s, ¨e; Mal *n.* -(e)s, -e; Spur *f.* -en; Zeichen *n.* -s, -; 《오점》 Makel *m.* -s, -; (Schmutz)fleck *m.* -(e)s, -e; 《상처의》 Narbe *f.* -n. ¶긁힌 ～ Schramme *f.* -n; Kratzer *m.* -s, - / ～을 내다 Spur hinter|lassen*. ‖ 발～ Fußspur / 이빨 ～ Bißspur / 칼～ Narbe des schwerthiebes / 핏～ Blutfleck *m.* -(e)s, -e.

자국(自國) sein eigenes Land, -(e)s; *js.* Vaterland *n.* -(e)s, ¨er. ¶～의 einheimish. ‖ ～민 Landsmann *m.* -(e)s, ..leute.

자궁(子宮) 〔解〕 Gebärmutter *f.* ¨; Uterus *m.* -, ..ri. ‖ ～암 Gebärmutter 〔Uterus〕krebs *m.* -es, -e / ～외 임신 Extrautrinschwangerschaft *f.* -en.

자귀 《연장》 Axt *f.* ¨e; Beil *n.* -(e)s, -e; Krumaxt *f.* ¨e.

자귀짚다 Spur e-s Tieres folgen.

자그마치 ein wenig; etwas; nicht zu viel. ¶～ 술을 마셔라 Trink nicht zu viel.

자그마하다 klein 〔von geringer Größe〕 (sein). ¶키가 자그마한 사람 ein kleiner Mensch.

자극(刺戟) Reiz *m.* -es, -e; (An)reizung *f.* -en; 《흥분》 Auf〔Er〕regung *f.* -en; 《격려》 Anregung *f.* -en; Antrieb *m.* -(e)s, -e. ～하다 (an|)reizen⁴; auf|regen 〔erregen〕 《*jn.*》; an|regen⁴ 〔an|treiben*⁴〕 《*zu*³》. ¶～성의 pikant; stark gewürzt / 식욕을 ～하다 den Appetit an|regen. ‖ ～제 Reizmittel *n.* -s, -.

자극(磁極) 〔物〕 Magnetpol *m.* -(e)s, -e.

자금(資金) Kapital *n.* -s, -e; Fonds *m.* -, -. ¶～이 떨어지다 kein Kapital verfügen / ～을 조달하다 Geld verschaffen. ‖ ～난 Geldnot *f.* / 운전〔회전〕 ～ Geld zum Betreiben 〔Kreislauf〕.

자급자족(自給自足) Selbstversorgung *f.* -en. ～하다 ⁴sich selbst versorgen 《*mit*³》.

자긍(自矜) Stolz *m.* -es; Selbstachtung *f.*; 《자찬》 Selbstlob *n.* -es.

자기¹(自己) Ich *n.* -(s), -(s); Selbst *n.* -es. ～의 sein eigene; persönlich; privat. ¶～ 스스로 persönlich; in eigener Person; selber; aus eigenem Antrieb 〔eigener Initiative〕 / ～ 본위(本位)의 egoistisch. ‖ ～ 기만 Selbsttäuschung *f.* -en / ～ 도취 Narzißmus *m.* - / ～ 비판 Selbstkritik *f.* -en / ～ 암시 Autosuggestion *f.* -en / ～ 자본 Eigenkapital *n.* -s, -ien.

자기²(自記) ¶～의 selbstschreibend. ‖ ～ 온도계 Thermograph *m.* -en, -en.

자기³(瓷器) Porzellan *n.* -s, -e; Steingut *n.* -(e)s, -e; Keramik *f.* -en.

자기⁴(磁氣) Magnetismus *m.* -. ¶～의 magnetisch. ‖ ～ 감응 magnetische Induktion *f.* -en.

자꾸 《잇달아·늘》 ständig; unablässig; unaufhörlich; einer nach dem andern. ¶～ 권하다 *jn.* dringend 〔heftig〕 bitten* 《*um*⁴; ⁴*et.* zu tun》 / 비가 ～ 온다 Es regnet ununterbrochen.

자나깨나 im Schlaf u. wach; Tag u. Nacht; jederzeit. ¶～ 그 일만 생각한다 Tag u. Nacht denkt er daran.

자낭(子囊) 〔植〕 Samenkapsel *f.* -n.

자네 du; Sie.

자녀(子女) Kinder (*pl.*); Söhne u. Töchter (*pl.*).

자다 ① schlafen*; ein|schlafen*; ins Bett gehen*; 《취침》 zu Bett gehen*. ¶잘〔못〕 ～ gut 〔schlecht〕 schlafen* / 자는 척하다 ⁴sich schlafend stellen / 편히 ～ ruhig schlafen*. ② 《물결·바람이》 nach|lassen*; ⁴sich legen; schwächer werden.

자동(自動) ¶～식(의) automatisch; mechanisch. ‖ ～ 개폐기 Selbstschalter *m.* -s, - / ～문 e-e automatische Tür, -en / ～ 소총 Selbstladegewehr *n.* -(e)s, -e / ～ 제어 automatische Regelung, -en / ～ 판매기 Automat *m.* -en, -en; 《승차권의》 Fahrkartenautomat.

자동사(自動詞) 〔文〕 das intransitive Verb, -s, -en.

자동차(自動車) (Kraft)wagen *m.* -s, -; Automobil *n.* -(e)s, -e; Auto *n.* -s, -s. ¶～를 운전하다 Auto fahren* / ～를

타다 in den Wagen ein|steigen* / ~에서 내리다 aus dem Wagen aus|steigen*. ‖ ~ 공업 Autoindustrie f. -n; Automobilbau m. -(e)s, -ten / ~ 방향 지시기 Winker m. -s, - / ~ 사고 Autounfall m. -s, ¨e / ~ 서비스 공장 Kraftwagenwerkstatt f. ¨en / ~ 차고 Kraftwagenpark m. -(e)s, -e; Garage f. -n / ~ 학원 Fahrschule f. -n.

자두 〖植〗 Pflaume f. -n.

자득(自得) ‖ 자업 ~ das verdiente Los, -es, -e (자업 ~이다 Es geschieht ihm recht).

자디잘다 sehr klein〔winzig; fein〕(sein).

자라 〖動〗 Sumpf〔Alligator〕schildkröte f. -n; (Schnapp)schildkröte f. -n.

자라다^{1} ① 《성장하다》 (auf|)wachsen*; heran|wachsen*; groß werden. ¶ 한창 자라는 애 ein heranwachsendes Kind / 무럭무럭 ~ schnell (auf|)wachsen. ② 《진보·발전하다》 ^{4}sich entwickeln; ^{4}sich entfalten.

자라다^{2} ① 《미치다》 (mit der Hand) reichen; langen. ¶ 손이 자라는 곳에 in js. Reichweite. ② 《충분》 ausreichen; hinreichen.

자락 《옷의》 Zipfel (der Kleidung).

자랑 Stolz m. -es; 《명예》 Ruhm m. -(e)s. ~하다 stolz setzen 《auf^{4}》; ^{4}sich rühmen$^{(2)}$ 《mit^{3}》; prahlen 《mit^{3}》; stolz sein 《auf^{4}》. ¶ ~스러운 얼굴 die stolze Miene, -n / 전통을 ~하다 ^{4}sich der Tradition rühmen. ‖ 노래 ~ der Wettgesang für Dilettanten.

자력(自力) ¶ ~으로 auf eigene Faust; aus eigener Kraft〔Macht〕; aus eigenen Stücken.

자력(資力) die (Geld)mittel (pl.); Vermögen n. -s, -; Kapital n. -s, -e. ¶ ~ 있는 bemittelt; vermögend.

자력(磁力) die magnetische Kraft, ¨e. ‖ ~계 Magnetometer n.〔m.〕 -s, -.

자료(資料) Material n. -s, ..ien; Stoff m. -(e)s, -e. ‖ 연구 ~ Forschungsmaterial / 통계 ~ Statistik f. -en.

자루^{1} 《부대》 Sack m. -(e)s, ¨e. ¶ ~ 속에 넣다 in den Sack stecken^{4}; sacken^{4}. ‖ 쌀 ~ Reissack m.

자루^{2} 《손잡이》 Handhabe f. -n; Griff m. -(e)s, -e 《칼 따위》; Stiel m. -(e)s, -e 《빗자루 등의》; Kurbel f. -n 《굽은》. ‖ 칼~ Messergriff m.

자루^{3} 《단위》 Stück n. -(e)s; Paar n. -(e)s, -e. ¶ 가위 한 ~ ein Paar Scheren / 연필 두 ~ zwei Bleistifte.

자르다 schneiden*^{4}; hauen*^{4}; 《톱으로》 sägen^{4}; 《가위로》 scheren*. ¶ 잘라 내다 ab|schneiden*; verschneiden*; 《가지 따위를》 ab|hauen* / 목을 ~ kopfen^{4}; enthaupten^{4}.

자리 ① 《좌석》 Sitz m. -es, -e; Platz m. -es, ¨e; Stelle f. -n. ¶ ~에 앉다 Platz nehmen*; ^{4}sich setzen / ~에 앉히다 setzen 《jm. wohin》; jm. e-n Sitz an|weisen* / ~를 떠나다 den Platz verlassen* / ~를 예약하다 e-n Platz reservieren〔bestellen〕. ② 《공간·빈곳》 Raum m. -(e)s, ¨e; Platz. ¶ …을 둘 ~가 없다 k-n Raum haben 《für^{4}》. ③ 《현장》 Stelle f. -n; Ort m. -(e)s, -e. ¶ 그 ~에서 auf der Stelle. ④ 《위치》 Lage f. -n; Ort; Stelle. ¶ ~하다 liegen 《an^{3}》. ⑤ 《직무·지위》 Amt n. -(e)s, ¨er; Stelle; Posten m. -s, -. ¶ ~에서 물러나다 ein Amt nieder|legen. ⑥ 《잠자리》 Bett n. -(e)s, -e. ¶ ~에 들다 zu Bett gehen / ~에 눕다 《아파서》 zu Bett liegen. ⑦ 《숫자의》 Einheit f. -en; Stelle. ¶ 다섯 ~의 수 die fünfstellige Zahl, -en.

자리끼 das Trinkwasser für Schlafenszeit.

자립(自立) Unabhängigkeit f.; 《자활》 Selbstunterhalt m. -(e)s. ~하다 unabhängig sein; sich selbst unterhalten. ¶ ~하여 생활하다 ein unabhängiges Leben führen. ‖ ~ 경제 Autarkie f. -n; wirtschaftliche Unabhängigkeit.

자릿자릿하다 schauderregend〔schauerlich; spannend〕(sein).

자막(字幕) (Unter)titel m. -s, -.

자만(自慢) Prahlerei f. -en; Angabe f. -n; Aufschneiderei f. -en. ~하다 prahlen 《mit^{3}》; an|geben* 《mit^{3}》; ^{4}sich auf|blähen.

자매(姉妹) Schwestern (pl.). ‖ ~ 결연 die Schließung der Schwesternschaft / ~ 도시 Schwesterstadt f. ¨e / ~ 회사 Schwesterfirma f. ..men / ~편 Gegen〔Seiten〕stück n. -(e)s, -e.

자멸(自滅) Selbstvernichtung f. ~하다 ^{4}sich selbst zugrunde richten; e-n natürlichen Tod sterben*. ¶ ~을 초래하다 ^{4}sich selbst zugrunde richten.

자명(自明) ~하다 selbst·verständlich〔-redend〕(sein). ¶ ~한 이치 Selbstverständlichkeit f.; Binsenwahrheit f. -en.

자명종(自鳴鐘) Wecker m. -s, -.

자모(字母) Alphabet n. -(e)s, -e; Buchstabe m. -n(s), -n; 《활자》 Matrix f. ..trizes.

자모(慈母) die liebe, gute Mutter, ¨.

자못 sehr; ziemlich; beträchtlich. ¶ ~ 기뻐 보이다 recht froh aus|sehen*.

자문(自問) ¶ ~ 자답하다 mit ^{3}sich selbst reden; laut denken; monologisieren.

자문(諮問) ~하다 beraten*^{4}; ^{4}sich mit jm. beraten* 《wegen^{2}; über^{4}》. ‖ ~ 기관 das beratende Organ, -s, -e / ~ 위원회 Beratungsausschuß m. ..schusses, ..schüsse.

자물쇠 Schloß n. ..losses, ..lösser; Verschluß m. ..schlusses, ..schlüsse. ¶ ~를 잠그다 verschließen*^{4} / ~를 열다 auf|schließen*^{4}.

자반뒤집기 ¶ ~하다 ^{4}sich vor Schmerzen krümmen.

자발(自發) ~적 freiwillig. ¶ ~적으로 aus eigenem Antrieb / ~적으로 하다 spontan〔aus eigenem Antrieb〕tun*^{4}.

자방(子房) 〖植〗 Fruchtknoten m. -s, -.

자배기 Schüssel f. -n (aus Erde).

자백(自白) (Ein)geständnis〔Bekenntnis〕 n. -ses, -se; das Gestehen*, -s. ~하다 gestehen*^{4}; bekennen*^{4}. ¶ ~을 강요하다 jn. zum Geständnis zwingen*.

자벌레 〖蟲〗 Spannraupe f. -n; Spanner m. -s, -.

자본(資本) Kapital *n.* -(e)s, -ien; Fonds *m.* -, -. ¶ ~을 늘리다 Kapital erhöhen / ~을 투입하다 Kapital an|legen / ~을 회전시키다 Kapital in ⁴Umlauf bringen*. ‖ ~가 Kapitalist *m.* -en, -en / ~금 Stammkapital *n.* / ~ 시장 Kapitalmarkt *m.* -(e)s, ⸚e / ~주의 Kapitalismus *m.* - (~주의 경제 kapitalistische Wirtschaft, -en / ~주의 사회 kapitalistische Gesellschaft, -en / ~주의자 Kapitalist *m.*) / 고정 ~ stehendes Kapital / 유동 ~ bewegliches Kapital / 주식 ~ Aktienkapital *n.* / 자기 ~ Eigenkapital *n.* / 회전 ~ Betriebskapital *n.*

자봉틀(自縫—) =재봉틀.

자부(子婦) =며느리.

자부(慈父) der liebevolle Vater, -s, ⸚.

자부(自負) ~하다 ³sich etwas 〔viel〕 ein|bilden 《*auf*⁴》; eingebildet sein 《*auf*⁴》; ³⁻⁴sich wichtig dünken. ‖ ~심 (Eigen)dünkel *m.* -s; Einbildung *f.* -en (~심이 강(強)한 eingebildet; dünkelhaft; hochnäsig).

자비(自費) eigene Kosten (*pl.*). ¶ ~로 auf eigene Kosten; aus eigenem. ‖ ~출판 Selbstverlag *m.* -(e)s, -e.

자비(慈悲) Barmherzigkeit *f.*; das Erbarmen*, -s; Gnade *f.* -n. ¶ ~로운 barmherzig; erbarmend; gnädig / ~를 베풀다 Barmherzigkeit üben 《*an*³》. ‖ ~심 Barmherzigkeit *f.*; Anteilnahme *f.*

자빠지다 ① 《뒤로》 auf den Rücken fallen*; fallen*; nach hinten fallen*. ¶ 빙판 위에 ~ auf Eis fallen*. ② 《눕다》 liegen bleiben*.

자빡 ¶ ~대다 entschieden ab|lehnen / ~맞다 entschieden abgelehnt werden.

자산(資産) 《자력》 die Mittel (*pl.*); Vermögen *n.* -s, -; 《소유물》 Eigentum *n.* -(e)s, ⸚er; 《회사》 die Aktiva (*pl.*). ¶ ~가 der Mann von Vermögen; der Wohlhabende*, -n, -n / ~ 평가 Vermögensabschätzung *f.* -en / 고정〔유동〕 ~ stehendes 〔bewegendes〕 Vermögen.

자살(自殺) Selbstmord 〔Freitod〕 *m.* -(e)s, -e. ~하다 Selbstmord begehen*; Hand an ⁴sich legen; ³sich das Leben nehmen*. ¶ 목매달아(서) ~하다 ⁴sich selbst auf|hängen*. ‖ ~ 미수 Selbstmordversuch *m.* -(e)s, -e / ~ 행위 selbstmörderische Tat, -en.

자상하다, 자상스럽다(仔詳—) ausführlich 〔eingehend; sorgfältig; genau〕 (sein).

자새 《얼레》 Spule 〔Rolle〕 *f.* -n. ‖ ~질 das Spulen*.

자색(姿色) das Aussehen*, -s; Schönheit *f.*

자색(紫色) (Purpur)rot *n.* -(e)s.

자생(自生) Urzeugung *f.* -en; Autogenese *f.* -n. ~하다 wild wachsen*. ‖ ~ 식물 einheimische Pflanze, -n.

자서(自署) Unterschrift 〔Unterzeichnung〕 *f.* -en. ~하다 unterschreiben*⁴; unterzeichnen⁴.

자서전(自敍傳) Auto〔Selbst〕biographie *f.* -n. ¶ ~을 쓰다 Autobiographie schreiben*.

자석(磁石) Magnet *m.* -(e)s, -e.

자석영(紫石英) Amethyst *m.* -(e)s, -e.

자선(慈善) Wohl〔Mild〕tätigkeit *f.*; Helferssinn *m.* -(e)s; Liebeswerk *n.* -(e)s, -e. ‖ ~ 냄비 Wohltätigkeitstopf *m.* -(e)s, ⸚e / ~ 바자 Wohltätigkeitsbasar *m.* -s, -e / ~ 단체 Wohltätigkeitsverein *m.* -(e)s, -e / ~ 사업 Liebeswerk *n.* -(e)s, -e / ~ 음악회 Wohltätigkeitskonzert *n.* -(e)s, -e.

자설(自說) *js.* eigene Ansicht, -en; Behauptung *f.* -en. ¶ ~을 굽히다 s-e Meinung 〔Überzeugung〕 ändern.

자성(自省) =반성(反省).

자성(磁性) 〖物〗 Magnetismus *m.* -. ~의 magnetisch. ¶ ~화하다 magnetisieren⁴. ‖ ~체 magnetische Substanz, -en.

자세(仔細) ~한〔히〕 ausführlich; eingehend; genau; näher; umständlich. ¶ ~히 논하다 ⁴*et.* ausführlich 〔eingehend〕 erörtern.

자세(姿勢) Haltung 〔Stellung〕 *f.* -en; Pose *f.* -n. ¶ ~를 취하다 e-e Haltung 〔Stellung; Pose〕 an|nehmen* / ~를 바로하다 ⁴sich auf|richten. ‖ 고(高)~ hochmütiges Handeln, -s / 정신 ~ Geisteshaltung *f.*

자세(藉勢) ~하다 auf gute Beziehungen angewiesen sein.

자손(子孫) die Nachkommen (*pl.*); die Abkömmlinge (*pl.*). ¶ ~에게 전하다 der ³Nachwelt überliefern / …의 ~이다 von *jm.* ab|stammen.

자수성가(自手成家) ~하다 ohne Erbschaft zu Reichtum kommen*.

자수(自首) Selbstanklage *f.* ~하다 ⁴sich bei der ³Polizei melden 〔an|zeigen〕. ¶ 경찰에 ~하다 ⁴sich freiwillig der Polizei stellen.

자수(刺繡) 《수》 Stickerei *f.* -en. ~하다 sticken⁴. ‖ ~실 Stickgarn *n.* -(e)s, -e.

자수정(紫水晶) Amethyst *m.* -(e)s, -e.

자숙(自肅) Selbstbeherrschung *f.*; Zurückhaltung *f.* ~하다 zurück|halten*.

자습(自習) Selbstunterricht *m.* -(e)s. ~하다 für ⁴sich studieren⁴. ‖ 영문법 ~서(書) die englische Grammatik zum Selbstunterricht.

자승자박(自繩自縛) ⁴sich im eigenen Netz verstricken; ³sich die Rute selber flechten*.

자식(子息) ① Kinder (*pl.*); Söhne u. Töchter (*pl.*). ‖ ~복 Ehesegen *m.* ② 《욕》 Mann *m.* -(e)s, ⸚er; Kerl *m.* -(e)s, -e. ¶ 보기 싫은 ~ ein fieser Kerl.

자신(自身) sich; selbst. ¶ 자기 ~ sich 〔ich〕 selbst / ~의 eigen; persönlich / ~이 selbst; in eigener Person.

자신(自信) Selbstvertrauen *n.* -s; Selbstgefühl *n.* -(e)s; Selbstsicherheit *f.* ~하다 sicher⁽²⁾ sein 《*in*³》. ¶ ~ 있는 s-s Wertes sicher; selbstsicher / ~이 없는 scheu; ohne Selbstvertrauen / ~을 가지다 ⁴sich auf ⁴sich selbst verlassen können*.

자아(自我) das Ich, -(s), -(s). ‖ ~ 의식 Ichbewußtsein *n.* -s / ~ 실현 Selbstverwirklichung *f.* -en.

ㅈ

자아내다 《느낌을》 hervor|rufen*; wach|rufen*. ¶슬픔을 ～ Trauer erregen.

자아올리다 pumpen; mittels Pumpe herauf|bringen*. ¶펌프로 우물에서 물을 ～ Wasser vom Brunnen pumpen.

자애(自愛) Eigenliebe *f.*; Selbstbezogenheit *f.* ～하다 für ^{4}sich selbst sorgen; auf ^{4}sich selbst auf|passen.

자애(慈愛) Liebe *f.* -n; Mütterlichkeit *f.*; Zartgefühl *n.* -(e)s, -e. ¶～로운 liebevoll; liebreich; zärtlich.

자약하다(自若—) gelassen 〔gefaßt; gesetzt; ohne aus der Fassung zu kommen〕 (sein).

자양분(滋養分) Nahrungsmittel *n.* -s, -.

자연(自然) Natur *f.* -en. ～의 natürlich; 《야생의》 wild. ¶～스러운 natürlich; 《기교 없는》 ungekünstelt; 《꾸밈 없는》 unbefangen / ～히 natürlich; 《저절로》 von selbst; 《자발적》 ungezwungen / ～의 섭리에 따라 im näturlichen Verlauf der Dinge. ‖ ～계 Naturreich *n.* -(e)s, -e / ～ 과학 Naturwissenschaft *f.* -en / ～ 발생 Selbstentstehung *f.* -en / ～ 법칙 Naturgesetz *n.* -es, -e / ～ 보호 Naturschutz *m.* -es (～ 보호 지구 Naturschutzgebiet *n.* -(e)s, -e) / ～사 der natürliche Tod, -(e)s, -e / ～ 식품 Reformkost *f.* / ～주의 Naturalismus *m.* - / ～ 파괴 Umweltzerstörung *f.* -en.

자연(紫煙) Tabakrauch *m.* -(e)s.

자엽(子葉) =떡잎.

자영(自營) das selbständige Unternehmen*, -s, -. ～하다 ^{4}sich selbständig machen.

자오선(子午線) 〖天〗 Meridian *m.* -(e)s, -s; Mittagskreis *m.* -es, -e. ‖ ～ 통과 Durchgang *m.* -(e)s, ⸚e.

자외선(紫外線) ultraviolette Strahlen (*pl.*). ‖ ～ 요법 Ultraviolettbehandlung *f.* -en.

자우(慈雨) der erfrischende 〔belebende; willkommene〕 Regen, -s, -.

자욱하다 dick 〔dicht〕 (sein). ¶자욱한 안개 dichter Nebel.

자웅(雌雄) 《암수》 Männchen u. Weibchen; 《比》 《우열》 Sieg u. Niederlage; Vorherrschaft *f.* -en. ¶～을 결하다 bis zur Entscheidung kämpfen.

자원(自願) Freiwilligkeit *f.* -en. ～하다 freiwillig dienen; ^{4}sich freiwillig zu ^{3}*et.* melden.

자원(資源) Hilfsmittel *n.* -s, -; Hilfsquelle *f.* -n. ¶～이 풍부하다 reich an Hilfsmitteln sein. ‖ 인적 ～ Menschenmaterial *n.* -s / 지하(地下) ～ Bodenschätze (*pl.*).

자위 《달걀·눈의》 weißer oder gelber Teil im Ei; weißer oder farbiger Teil im Auge.

자위(自慰) Selbsttrost *m.* -(e)s, ⸚e. ～하다 ^{3}sich selbst Trost ein|flößen 〔gewähren; spenden〕; ^{4}sich trösten.

자위권(自衛權) das Recht der Notwehr.

자유(自由) Freiheit *f.* ¶～로 frei; zwanglos / 신앙의 ～ Glaubensfreiheit *f.* / 언론의 ～ Redefreiheit *f.* / 출판의 ～ Pressefreiheit *f.* / ～를 구속하다 *js.* Freiheit ein|schränken. ‖ ～ 무역 Freihandel *m.* -s / ～주의 Liberalismus *m.* -.

자유자재(自由自在) ～하다 frei 〔uneingeschränkt〕 (sein). ¶프랑스어를 ～로 구사하다 das Französische beherrschen.

자율(自律) Autonomie *f.* -n. ～적 autonom. ‖ ～ 신경계 das autonome Nervensystem, -s, -e.

자음(子音) Konsonant *m.* -en, -en.

자의(字義) e-e Bedeutung e-s Wortes; der Sinn e-s Charakters. ¶～를 밝히다 den Wortsinn fest|stellen.

자의(自意) frier Wille; Freiwilligkeit *f.* -en.

자의(恣意) Willkür *f.* ～적 willkürlich.

자의식(自意識) 〖心〗 Selbst·bewußtsein *n.* -s 〔-wertgefühl *n.* -(e)s〕.

자이로스코프 Gyroskop *n.* -s, -e.

자인(自認) ～하다 zu|gestehen* 《*jm.* ^{4}*et.*》. ¶잘못을 ～하다 s-e Schuld zu|geben*.

자일 《등산용》 Seil *n.* -(e)s, -e.

자임(自任) ～하다 ^{3}sich ein|bilden^4; ^{4}sich für ^{4}*et.* halten*; ^{4}sich berufen fühlen 《*zu*^{3}; zu 不定句》. ¶학자로 ～하다 ^{3}sich ein|bilden, ^{4}Gelehrter zu sein.

자자손손(子子孫孫) die Kinder u. Kindeskinder; die Nachkommen. ¶～에게 전하다 der Nachwelt überliefern^4.

자자하다(藉藉—) 《소문·평판》 lobgesungen 〔gerühmt; verherrlich〕 werden 《*als*》. ¶소문이 ～ Davon spricht jeder.

자작(子爵) Vicomte *m.* -(s), -s. ‖ ～부인 Vicomtesse *f.* -n.

자작(自作) *js.* eigenes Werk, -(e)s, -e; *js.* eigene Arbeit, -en. ‖ ～농 Freisaß *m.* ..sassen, ..sassen; Freisasse *m.* -n, -n / ～시 eigenes Gedicht, -(e)s, -e.

자작(自酌) ～하다 ^{3}sich selbst *Sul* ein|schenken 〔-|gießen*〕; ^{4}sich mit *Sul* bedienen.

자작나무 〖植〗 Birke *f.* -n.

자잘하다 winzig 〔fein; sehr klein〕 (sein).

자장(磁場) Magnetfeld *n.* -(e)s, -er.

자장가(一歌) Wiegenlied *n.* -(e)s, -er.

자장자장 eiapopeia.

자재(自在) Freiheit *f.* -en; Ungebundenheit *f.* -en; Unabhängigkeit *f.* -en. ‖ ～스패너 Universalschraubenschlüssel 〔Engländer〕 *m.* -s, -.

자재(資材) Material *n.* -s, -e. ‖ 건축 ～ Baumaterial *n.* -s, -ien.

자적(自適) Selbstzufriedenheit *f.* ～하다 mit ^{3}sich selbst zufrieden sein. ¶유유 ～한 생활을 하다 ein behagliches Leben führen.

자전(字典) Wörterbuch *n.* -(e)s, ⸚er; Lexikon *n.* -s, ..ka.

자전(自轉) Rotation *f.* -en. ～하다 ^{4}sich um s-e eigene Achse drehen.

자전거(自轉車) Fahrrad *n.* -(e)s, ⸚er; Damenrad *n.* 《여성용》. ¶～를 타다 rad|fahren*; radeln. ‖ ～ 경주 das Radrennen*, -s.

자정(子正) Mitternacht *f.*

자정향(紫丁香) 〖植〗 Flieder *m.* -s, -.

자제(子弟) die Kinder u. Brüder. ¶명문의 ～ Kinder aus edler Familie.

자제(自制) ～하다 ^{4}sich beherrschen; ^{4}sich überwinden*. ‖ ～력 Selbstbeherrschungskraft *f.* (～력을 잃다 die

Selbstbeherrschung verlieren*).
자제(自製) das Selbst-Machen*, -s. ‖ ∼품 selbstgemachte Sachen (*pl.*).
자조(自助) Selbsthilfe *f.* ‖ ∼ 정신(精神) Selbsthilfegeist *m.* -(e)s, -e.
자조(自嘲) Selbstverachtung *f.* -en.
자족(自足) 《자기 만족》 Selbstzufriedenheit *f.*; 《자급》 Selbstversorgung *f.* ∼하다 selbst zufrieden (sein).
자존심(自尊心) Selbst·gefühl *n.* -(e)s 〔-achtung *f.*; -bewußtsein *n.* -s〕. ¶∼이 강한 stolz; selbstbewußt / ∼을 상하게 하다 *js.* Stolz 〔Ehrgefühl〕 verletzen.
자주 häufig; sehr oft; öfters. ¶…일이 ∼ 일어나다 etwas kommt häufig vor.
자주(自主) ∼적 selbständig; unabhängig; freiwillig. ¶∼ 독립의 정신 der Geist der Unabhängigkeit. ‖ ∼권 Autonomie *f.* -n.
자주(紫朱) Purpur *m.* -s; Violett *n.* -s. ‖ 자주빛 Purpurfarbe *f.*
자중(自重) 《신중》 Vorsicht *f.*; Vorsichtigkeit *f.*; 《자존》 Selbstachtung *f.* ∼하다 vorsichtig 〔diskret; bedachtsam; behutsam〕 sein.
자지 Penis *m.* -, ..nisse 〔..nes〕; 《俗》 Schwanz *m.* -es, ⸚e.
자지러뜨리다 schrumpfen; mit Schrecken ohnmächtig machen[4].
자지러지다 [4]sich ducken 《aus [3]Angst》; [4]sich fürchten 《*vor*[3]》. ¶자지러지게 웃다 heftig lachen; Tränen lachen.
자진(自進) Freiwilligkeit *f.* -en; die freiwillige Meldung, -en. ¶∼하여 freiwillig; bereitwillig; von sich aus; aus eigenem Antrieb.
자질(資質) Natur *f.*; Veranlagung 〔Begabung〕 *f.* -en; Naturell *n.* -s, -e.
자질구레하다 gering 〔nichtig; unbedeutend; minimal; übertrieben〕 (sein). ¶자질구레한 일 Kleinkram *m.* -(e)s, ⸚e.
자찬(自讚) Eigenlob *n.* -(e)s, -e. ∼하다 sein eigenes Lob(lied) singen*.
자책(自責) Gewissensbiß *m.* ..bisses, ..bisse; Gewissensskrupel *m.* -s, -. ∼하다 [4]sich selbst an|klagen 〔tadeln〕.
자처(自處) ∼하다 《자결》 Selbstmord begehen*; 《체함》 [4]sich berufen fühlen 《*zu*[3]; zu 不定句》. ¶천재로 ∼하고 있다 Er bildet sich ein, ein Genie zu sein.
자천(自薦) ∼하다 um [4]*et.* [4]sich bewerben*; [4]sich an|bieten*; [4]sich selbst empfehlen*.
자철광(磁鐵鑛) 〖鑛〗 Magneteisenerz *n.* -es, -e.
자청(自請) ¶∼하여 aus eigenem Antrieb; aus freien Stücken; von sich aus.
자체(字體) die Form des Charakters; Schrift *f.* -en.
자체(自體) sich (selber); an u. für sich; 《제몸》 der eigene Körper, -s, -. ¶물건 ∼ das Ding an sich.
자초지종(自初至終) die ganze Geschichte; die näheren Einzelheiten 〔Umstände〕 《*über*[4]》. ¶∼을 다 듣다 die ganze Geschichte hören.
자축(自祝) die Feier von selbst. ∼하다 selbst feiern.
자취 Spur *f.* -en; Zeichen *n.* -s, -. ¶∼를 감추다 [4]sich verbergen* 〔verstecken*〕 / ∼를 남기다 e-e Spur zurück|lassen*.
자취(自炊) ∼하다 selbst kochen[4]; das Essen selbst zu|bereiten.
자치(自治) Selbstverwaltung *f.* ‖ ∼ 단체 die autonome Organisation, -en / ∼령 Dominion *n.* -s, -s 〔..nien〕 / ∼제 Autonomie *f.*
자치기 das Spiel vom Stab-Schlagen.
자친(慈親) liebe Mutter, ⸚; eigene Mutter.
자침(磁針) Magnetnadel *f.* -n.
자칫 《까딱하면》 leicht; oft; um ein Haar; beinahe. ¶그는 ∼ 속기를 잘한다 Er neigt, betrogen zu werden.
자칭(自稱) ∼하다 [4]sich nennen*[4]; [4]sich aus|geben* 《*als*[4]》. ¶그는 시인을 ∼한다 Er nennt sich Dichter.
자타(自他) ich 〔er *usw.*〕 selbst u. andere. ¶∼가 다 beide selbst u. andere.
자탄(自歎) die Klage über eigene Tat. ∼하다 über eigene Tat klagen.
자태(姿態) Gestalt *f.* -en; Erscheinung *f.* -en. ¶요염한 ∼ die bezaubernde Gestalt.
자택(自宅) *js.* Wohnung *f.* -en. ¶∼에서 zu Hause; bei sich; im Hause.
자퇴(自退) ∼하다 freiwillig aus e-r Gesellschaft aus|treten*.
자투리 Überbleibsel des Kleiderstoffes.
자파(自派) eigene Partei, -en.
자판(自判) ① 《판명》 das Sich-Klären*. ∼하다 [4]sich klären. ② 《상급 법원의》 das Umstoßen* e-s Urteils im höheren Gericht. ∼하다 ein Urteil im höheren Gericht um|stoßen*.
자폐증(自閉症) Autismus *m.* -.
자포자기(自暴自棄) Verzweiflung *f.* -en. ∼하다 in [4]Verzweiflung geraten*. ¶∼가 되어 verzweifelt.
자폭(自爆) ∼하다 [4]sich mit dem Flugzeug auf den Feind stürzen 〔schmettern〕 《비행기》; [4]sich selbst zerbomben.
자필(自筆) die eigene Handschrift, -en; die eigenhändige Schrift, -en. ‖ ∼ 이력서 der eigenhändig geschriebene Lebenslauf, -(e)s.
자학(自虐) Selbstqual *f.* -en. ∼하다 [4]sich selbst quälen.
자해(自害) Selbstverletzung *f.* -en. ∼하다 [4]sich selbst verletzen.
자행(恣行) ∼하다 willkürlich handeln.
자형(姉兄) Schwager *m.* -s, ⸚; der Ehemann der älteren Schwester.
자혜(慈惠) Nächstenliebe *f.* ‖ ∼ 병원 Armenhospital *n.* -s, -e 〔⸚er〕.
자화(磁化) Magnetisierung *f.* -en. ∼하다 magnetisieren[4]; magnetisch machen[4].
자화상(自畫像) Selbst·bildnis *n.* -ses, -se 〔-porträt *n.* -s, -s〕. ¶∼을 그리다 Selbstbildnis malen.
자화수분(自花受粉) 〖植〗 Selbstbestäubung *f.* -en.
자화자찬(自畫自讚) Eigen〔Selbst〕lob *n.* -es. ∼하다 sein eignes Lob singen*.
자활(自活) Selbständigkeit *f.*; Unterhalt *m.* -(e)s. ∼하다 selbständig 〔unabhän-

ㅈ

gig) sein; auf eigenen Füßen stehen*.

자회사(子會社) Tochter·gesellschaft *f.* –en 〔–firma *f.* ..men〕.

자획(字畫) Strich eines chinesischen Schriftzeichens.

작(勺) ein Hohl–, Flüssigkeitsmaß (= 1/10 *Hob*).

작(作) ① 《작품》 Werk *n.* –(e)s, –e. ¶이 광수 작의 소설 Die Novelle von *Yi Gwang-Su.* ② 《농작》 Ernte *f.* –n.

작가(作家) Schriftsteller 〔Dichter〕 *m.* –s, –. ‖ 대중 ~ Belletrist *m.* –en, –en / 여류 ~ Schriftstellerin *f.* –nen / 희곡 ~ Dramatiker *m.* –s, –.

작고(作故) ~하다 sterben*; den Tod finden*. ¶~한 verstorben.

작곡(作曲) Komposition 〔Vertonung〕 *f.* –en. ~하다 komponieren^4; vertonen^4; Musik schreiben 《*zu*^{3}》. ‖ ~가 Komponist *m.* –en, –en; Vertoner 〔Tonsetzer〕 *m.* –s, –.

작금(昨今) in letzter Zeit; dieser ^{2}Tage; heutzutage.

작년(昨年) das letzte 〔vorige〕 Jahr; das Vorjahr. ¶~에 vorigen 〔letzten〕 Jahres; im vorigen 〔letzten〕 Jahre / ~ 여름에 im letzten Sommer.

작다 《크기 등이》 klein 〔gering; wenig〕 (sein); 《미세》 fein 〔delikat; zart〕 (sein); 《하찮은》 geringfügig 〔kleinlich〕 (sein). ¶작은 일 Geringfügigkeit *f.* –en / 작은 목소리로 in flüsterndem Tone; mit leiser 〔schwacher〕 Stimme.

작다리 der Kleine*, –n, –n.

작달막하다 klein 〔gering〕 (sein).

작당(作黨) das Organisieren* e–r Bande. ~하다 e–e Bande organisieren*.

작대기 《버팀대》 Stab *m.* –(e)s, ¨e; Stock *m.* –(e)s, ¨e; 《작대기 표》 Fehlerzeichen *n.* –s, – (in der Prüfung).

작도(作圖) Zeichnung *f.* –en; 《기하의》 Konstruktion *f.*–en. ~하다 zeichnen^4; konstruieren^4.

작동(作動) ~하다 an|springen*; in Gang kommen*.

작두(斫—) Hackmesser *n.* –s, –.

작렬(炸裂) Explosion *f.* –en. ~하다 explodieren; zerplatzen.

작명(作名) das Taufen*; Namengebung *f.* –en. ~하다 taufen; einen Name geben*.

작문(作文) Aufsatz *m.* –(e)s, ¨e.

작물(作物) ☞농작물.

작법(作法) 《글 따위》 die Methode des Aufsatzes; 《법칙 제정》 Aufstellung einer Regel.

작벼리 sandiges u. kiesiges Ufer, –s, –.

작별(作別) Abschied *m.* –(e)s, –e; Trennung *f* –en. ~하다 Abschied nehmen*; ^{4}sich trennen 〔verabschieden〕 《*von*^{3}》. ‖ ~ 인사 Abschiedsgruß *m.* ..sses, ..sse; Abschiedsworte (*pl.*).

작보(昨報) der gestrige Bericht, –(e)s, –e.

작부(酌婦) Schenkmädchen *n.* –s, –.

작부면적(作付面積) Anbaufläche *f.* –n.

작사(作詞) ~하다 dichten^4.

작살 Harpune *f.* –n; Wurf〔Fisch〕speer *m.* –(e)s, –e.

작성(作成) ~하다 an|fertigen^4; ab|fassen^4. ‖ ~자 Abfasser *m.* –s, –.

작시(作詩) das Dichten*, –s; das Verse-Machen*, –s. ~하다 dichten^4; Verse 〔Gedichte〕 machen.

작심(作心) ~하다 ^{4}sich entschließen*; entscheiden*.

작약(芍藥) 〔植〕 Pfingstrose *f.* –n.

작약하다(雀躍—) Freudens〔Luft〕sprünge machen.

작업(作業) Arbeit *f.* –en; Werk *n.* –(e)s, –e. ~하다 arbeiten; operieren. ‖ ~복(服) Arbeitsanzug *m.* –(e)s, ¨e / ~시간 Arbeitsstunden (*pl.*) / ~실 Arbeitssaal *m.* –(e)s, ..säle.

작열(灼熱) Glut *f.* –en; Hitze *f.* –n. ~하다 glühen; erglühen; ^{4}sich erhitzen.

작용(作用) Wirkung 〔Tätigkeit; Funktion〕 *f.* –en; Prozeß *m.* ..zesses, ..zesse. ~하다 (ein|)wirken 《*auf*^{4}》; die Wirkung aus|üben 《*auf*^{4}》. ‖ 화학 ~ die chemische Wirkung.

작위(爵位) Adelstitel *m.* –s, –. ¶~를 수여하다 *jm.* den Adel verleihen*.

작은아버지 Onkel *m.* –s, –; jüngerer Bruder des Vaters.

작은어머니 Tante *f.* –n; Frau des jüngeren Bruders des Vaters.

작은집 ① 《아우·아들의》 Familie 〔Haus〕 des Sohnes od. des jüngeren Bruders. ② 《첩의 집》 das Haus der Buhlerin; 《첩》 Konkubine *f.* –n. ¶~을 두다 ^{3}sich e–e Konkubine halten*.

작자(作者) Autor *m.* –s, –en; Schreiber *m.* –s, –. ¶~ 미상의 Verfasser unbekannt.

작작 《적당하게》 angemessen; nicht zuviel. ¶술 좀 ~ 해라 Trink nicht zuviel.

작전(作戰) Operation 〔Taktik〕 *f.* –en. ‖~ 계획 Operationsplan *m.* –(e)s; ¨e / 공동 ~ die gemeinsame Operation, –en / 상륙 ~ Landungsoperation.

작정(作定) ~하다 entscheiden*$^{(4)}$, beschließen*^{4}; ^{4}sich entschließen; vor|haben*. ¶ (…할) ~이다 die Absicht haben, …; beabsichtigen^4.

작주(昨週) 〖副詞的〗 letzte Woche.

작폐(作弊) Miß〔Übel〕stand *m.* –(e)s, ¨e.

작품(作品) Werk *n.* –(e)s, –e; Produktion *f.* –en.

작풍(作風) Stil *m.* –(e)s, –e; die künstlerische Tendenz, –en 《예술적 경향》.

작황(作況) Ernte *f.* –n; Ertrag *m.* –(e)s, ¨e; Ernteaussichten (*pl.*) 《예상 작황》.

잔(盞) Becher *m.* –s, –; Pokal *m.* –s, –e; (Trink)glas *n.* –es, ¨er. ¶커피 두 잔 zwei Tassen Kaffee / 맥주 다섯 잔 마시다 fünf Glas Bier trinken*.

잔걸음 das mehrmalige Hin-und-hergehen* e–r kurzen Strecke. ~치다 mehrmals e–e kurze Strecke hin- u. her|gehen*.

잔고(殘高) Rest *m.*–es, –e(r); Saldo *m.* –s, ..den〔–s, ..di〕. ‖ ~ 이월 Saldoübertrag *m.* –(e)s, ..träge.

잔교(棧橋) 《부두의》 Landungsbrücke *f.* –n; Kai *m.* –s, –e〔–s〕; 《계곡 등의》 schmale Brücke über ein Tal 〔e–n Schlucht〕.

잔글씨 kleine Schrift, –en.

잔금 feine Linie 〔Falte〕 –n.

잔금(殘金) Restbetrag *m.* -(e)s, ⸗e; Restbestand *m.* -(e)s, ⸗e. ¶ ～을 치르다 den Rückstand zahlen.

잔기(殘期) Rest der Zeit.

잔기침 schwacher Husten, -s, -. ～하다 schwach husten.

잔당(殘黨) Flüchtling *m.* -s, -e.

잔대 〖植〗 Glockenblume *f.* -n.

잔돈 Klein〔Wechsel〕geld *n.* -(e)s, -er. ¶ ～이 없다 Ich habe kein Kleingeld (bei mir).

잔돈푼 《용돈》 Taschengeld *n.* -(e)s, -er; 《소액의 돈》 eine kleine Summe Geld.

잔돌 Kiesel *m.* -s, -.

잔디 Rasen *m.* -s, -. ‖ ～밭 Rasenplatz *m.* -es, ⸗e; Rasen *m.* -s, -. ¶ ～를 심다〔깍다〕 Rasen an|legen〔mähen〕.

잔뜩 ① 《많이》 sehr viel; tüchtig; reichlich; voll. ¶ ～ 먹다 ^{4}sich voll〔dick〕 essen*. ② 《몹시》 sehr; hart; fest. ¶ ～ 화가 나 있다 sehr erregt sein.

잔류(殘留) ～하다 bleiben*; zurück〔hängen〕|bleiben*.

잔말 Geschwätz *n.* -es, -e; Plapperei *f.* -en. ～하다 schwatzen; plappern; schnattern.

잔망(孱妄) ～스럽다, ～하다 kleinlich〔engherzig; asthenisch; schwach〕(sein).

잔무(殘務) die laufende Arbeit, -en; das laufende Geschäft. ‖ ～ 정리 Erledigung der laufenden Arbeit; das Aufarbeiten* des laufenden Geschäftes.

잔물결 (Wellen)gekräuse(l) *n.* -s; die kleinen Wellen (*pl.*).

잔병(一病) leichte, aber häufige Krankheit, -en. ‖ ～치레 das Leiden* der leichten häufigen Krankheiten.

잔상(殘像) Nachbild *n.* -(e)s, -er.

잔서(殘暑) Spätsommerhitze *f.*; die währende Hitze des Spätsommers.

잔설(殘雪) (der noch nicht geschmolzene) Schneerest *m.* -(e)s, -e(r); der alte Schnee, -s.

잔소리 Schelte *f.* -n; Nörgelei *f.* -en. ～하다 schelten*《*wegen*^{2}》; nörgeln. ¶ 그 부인은 ～가 많다 Die Frau ist stets nörgelig.

잔손 feine Handarbeit, -en. ‖ ～질 das feine Arbeiten* der Hand.

잔술(盞一) Wein im Glas; mit Glas verkaufter Wein. ‖ ～집 Kneipe, die Wein mit Glas verkauft.

잔심부름 kleiner Botengang, -(e)s, ⸗e; verschiedene Hilfen bei e-r Arbeit.

잔악(殘惡) ～하다 grausam〔brutal〕(sein).

잔액(殘額) Restbestand *m.* -(e)s, ⸗e. ¶ ～을 지급하다 Rückstände bezahlen.

잔약(孱弱) ～하다 asthenisch〔schwach〕(sein).

잔업(殘業) 《일》 Überstunden (*pl.*). ～하다 Überstunden machen. ‖ ～ 수당 Überstundenzuschlag *m.* -(e)s, ⸗e.

재여(殘餘) (Über)rest *m.* -es, -e; Überschuß *m.* ..schusses, ..schüsse.

잔월(殘月) der (bleiche) Mond in der Frühe.

잔인(殘忍) ～하다 brutal〔grausam; kaltblütig〕(sein). ¶ ～한 행위 Greuel *m.* -s, -.

잔잔하다 still〔sanft; ruhig; friedlich〕(sein).

잔재(殘滓) Schlacke *f.* -n; Rückstand *m.* -(e)s, ..stände. ¶ 봉건주의의 ～ restliche Spuren des Feudalsystems.

잔재미 Spaß *m.* -es; Vergnügen *n.* -s; Freude *f.*

잔적(殘敵) die Überreste der feindlichen Truppen; Nachzügler *m.* -s, -. ¶ ～을 소탕하다 ein Gebiet von Feinden säubern.

잔존(殘存) ～하다 fort|bestehen*; immer noch vorhanden sein; heil bleiben*.

잔주름 feine Falten(*pl.*); Fältchen *n.* -s, -; Rünzelchen *n.* -s, -.

잔챙이 die kleinste Sache, -n《물건》; der kleinste Mensch, -en, -en《사람》.

잔치 Feier *f.* -n; Fest *n.* -es, -e; Fest-〔Gast〕mahl *n.* -(e)s, -e〔⸗er〕. ¶ 생일 ～ Geburtstags·feier〔-fest〕/ 혼인 ～ Hochzeits·feier〔-fest〕/ ～를 벌이다 ein (Gast)mahl (ab)halten*.

잔칼질 das Hacken*; das Zerhacken*.

잔품(殘品) Ladenhüter *m.* -s, -; vorrätige Waren (*pl.*). ¶ ～ 정리를 하다 das Lager räumen.

잔학(殘虐) Grausamkeit *f.* -en; Brutalität *f.* -en. ～하다 grausam〔greulich; bestialisch; brutal〕(sein).

잔해(殘骸) 《생물의》 Überrest *m.* -es, -e; Überbleibsel *n.* -s, -; 《건물 따위의》 Ruine *f.* -n; Trümmer (*pl.*). ¶ 비행기의 ～ die Trümmer e-s Flugzeuges.

잔허리 Taille *f.* -n.

잔혹(殘酷) Grausamkeit *f.* -en; Brutalität *f.* -en. ～하다 grausam〔brutal; kaltblütig〕(sein).

잘 Marder *m.* -s, -; Marderfell *n.* -(e)s, -e.

잘 ① 《훌륭히》 gut; schön; wohl; vollkommen; genug 《충분히》. ¶ 잘 생기다 wohlgestalt sein / 아무에게 잘 하다 gegen *jn.* gut sein. ② 《상세히》 gut; genau; gründlich; richtig. ¶ 잘 모르겠다 Ich weiß es nicht genau. ③ 《능숙히》 gut; geschickt; gewandt. ¶ 피아노를 잘 치다 gut Klavier spielen. ④ 《주의하여》 gut; genau. ¶ 잘 생각해서 nach genauer Überlegung. ⑤ 《자주》 oft; oftmals; häufig; gern. ¶ 영화관에 잘 가다 oft ins Kino gehen*. ⑥ 《걸핏하면》 leicht; gern. ¶ 잘 웃다 gern lachen / 화를 잘 내다 leicht zornig werden. ⑦ 《알맞게》 gut; passend; angemessen. ¶ 옷이 잘 맞다 das Kleid steht *jm.* gut. ⑧ 《마침》 gut; rechtzeitig. ¶ 너 참 잘 왔다 Du bist rechtzeitig gekommen.

잘나다 ① 《잘 생기다》 hübsch〔schön; gut aussehend〕(sein). ¶ 그 사람 잘났군 Er ist ganz hübsch. ② 《출중함》 hervorragend〔vorzüglich〕(sein). ¶ 잘난 체하다 ^{4}sich breit〔dick; groß; wichtig〕machen.

잘다 ① 《크기가》 fein〔klein; winzig〕(sein). ¶ 고기를 잘게 썰다 Fleisch klein hacken. ② 《인품이》 klein〔geizig; engherzig; kleinlich〕(sein). ¶ 그는 사람이 ～ Er ist ein engherziger〔kleinlicher〕Mensch.

잘되다 ① 《일이》 gut gehen*; Glück haben; wohl gelingen*; 《장사·농사가》 florieren; blühen. ¶모든 일이 잘 되었다 Alles ist mir wohl gelungen. / 올해는 벼가 잘 된다 Reispflanzen wachsen dieses Jahr gut. ② 《완전》 vollständig 〔vollkommen; komplett〕 sein. ¶이 식당은 위생 시설이 잘 되어 있다 Das Restaurant hat komplette sanitäre Einrichtungen.

잘라먹다 《동강내어》 ab|schneiden* u. essen*; 《안 갚다》 (s-e Schulden) nicht bezahlen 〔vergessen*〕. ¶외상을 ～ Kredit nicht bezahlen.

잘록하다 eingeschnürt 〔verengert; schmal〕 (sein). ¶잘록한 허리 e-e schlanke Taille, -n.

잘리다 ① 《끊기다》 abgeschnitten werden; 《해고》 entlassen werden. ② 《떼어 먹히다》 um Geld betrügt werden. ¶저녀석에게 10,000원 잘렸다 Er betrügte mich um 10000 *Won*.

잘못 ① Fehler *m.* -(e)s, -; Irrtum *m.* -(e)s, ⸚er; das Versehen*, -s. ¶～을 저지르다 e-n Fehler〔Irrtum〕 begehen*; ^{4}sich versehen*; fehlen / ～을 깨닫다 ^{4}sich von e-m Irrtum frei machen. ② 〖副詞的〗 irrtümlich; versehentlich; unrichtig; falsch. ¶～ 생각하다 falsch beurteilen^{4}; ^{4}sich irren 《*in*^{3}》 / ～ 듣다 ^{4}sich verhören.

잘못하다 ① 《그릇되게》 ^{4}sich irren 〔versehen*〕; falsch machen^{4}. ¶계산을 ～ ^{4}sich in der Rechnung irren. ② 《과오를 범하다》 e-n Fehler machen 〔begehen*〕; im Irrtum sein; auf e-n Irrtum geraten*. ¶아무에게 ～ *jm.* ein Unrecht an|tum*〔zu|fügen〕 / 잘못했다고 사과하다 ^{4}sich bei *jm.* wegen des Versehens entschuldigen.

잘잘 ① 《끓음》 brodelnd; siedend. ¶물이 ～ 끓는다 Das kochende Wasser brodelt. ② 《끌림》 schleppend. ¶치맛자락을 ～ 끌다 Der Rock schleppt. ③ 《기름·윤기가》 glitzernd; glänzend; fettig.

잘잘못 Recht u. Unrecht. ¶～을 가리다 Recht von Unrecht unterscheiden*.

잘하다 gut〔geschickt; gewandt; tüchtig〕 (tun*^{4} *od.* sein). ¶계산을 ～ ein guter Rechner sein / 독일어(語)를 ～ gut Deutsch sprechen*.

잠 Schlaf *m.* -(e)s; Schlummer *m.* -s. ¶잠을 자다 schlafen*. ‖잠꾸러기 Langschläfer *m.* -s, -; Schlafmütze *f.* -n (잠꾸러기다 ungern auf|stehen*).

잠결 ¶～에 im Schlaf / ～에 듣다 im Schlaf hören.

잠그다¹ 《여닫는 것을》 zu|schließen*; verschließen*^{4}; schließen*^{4}; zu|machen^{4}; 《꼭지·고동을》 zu|drehen. ¶문〔서랍; 방〕을 ～ die Tür 〔die Schublade; das Zimmer〕 verschließen* / 가스 꼭지를 ～ den Gashahn zu|drehen.

잠그다² 《물에》 unter|tauchen^{4}; versenken^{4}; ein|weichen^{4}; dippen^{4}. ¶스펀지를 더운 물에 ～ ^{4}Schwamm mit warmem Wasser durchtränken.

잠기다¹ 《여닫는 것이》 ab〔zu〕geschlossen werden; ^{4}sich schließen*. ¶서랍이 잠겨 있다 Die Schublade ist zugeschlossen.

잠기다² ① 《물에》 ein|tauchen; (ver-) sinken*. ¶물에 ～ ins Wasser eintauchen. ② 《목이》 heiser〔rauh〕 sein. ¶잠긴 목소리로 mit heiserer Stimme. ③ 《생각·습관에》 ^{4}sich hin|geben*^{3}〔ergeben*^{3}〕; in ^{3}*et.* versunken sein. ¶비탄에 ～ ^{4}sich von s-m Kummer überwältigen lassen* / 생각에 ～ in ^{3}Gedanken versunken sein.

잠깐 e-n Augenblick 〔Moment〕. ¶～만 bitte!; hör' mal! / ～만 기다리시오 (warten Sie) e-n Augenblick!

잠꼬대 das Sprechen* im Schlaf; 《엉뚱한 말》 dummes Gespräch, -(e)s, -e; Unsinn *m.* -(e)s. ～하다 im Schlaf sprechen* 〔reden〕; Unsinn reden.

잠두(蠶豆) 〖植〗 Sau〔Pferde; Puff〕bohne *f.* -n.

잠들다 ein|schlafen*; in ^{4}Schlaf fallen* 〔sinken*〕. ¶영령이여, 고이 잠드소서 Ruhe s-r Asche!

잠망경(潛望鏡) Periskop *n.* -s, -e.

잠바 Über〔Wind〕jacke *f.* -n; Ärmelweste *f.* -n.

잠방이 Kniehose *f.* -n; kurze Hose. ¶～를 걸치다 e-e Kniehose tragen*.

잠복(潛伏) ～하다 ^{4}sich verbergen* 〔verstecken〕; latent 〔verborgen〕 sein. ‖～ 근무 Hinterhalt〔Lauer〕dienst *m.* -es, -e / ～기 Inkubations〔Latenz〕zeit *f.* -en / ～ 초소 das Schilderhaus zum Hinterhalt. 〔*n.* -(e)s, -e〕.

잠사(蠶絲) Seiden·faden *m.* -s, ⸚ 〔-garn〕

잠수(潛水) das Tauchen*, -s; das Untertauchen*, -s. ～하다 unter|tauchen; unter ^{4}Wasser gehen*; ins Wasser tauchen. ‖～복 Taucheranzug *m.* -(e)s, ⸚e / ～부 Taucher *m.* -s, - / ～함 Untersee〔Taucher〕boot *n.* -(e)s, -e 〔..öte〕 《略 : U-Boot》.

잠시(暫時) ein ^{4}Weilchen; auf einige Zeit; auf eine kurze Weile. ¶～후에 nach einiger Zeit; kurz nachher / ～ 머무르다 e-e Zeitlang bleiben*.

잠식(蠶食) ～하다 e-n Eingriff machen 《*in*^{4}》; ein|greifen* 《*in*^{4}》; um ^{4}sich greifen*; an|fressen*^{4}; ein|dringen* 《*in*^{4}》.

잠언(箴言) Maxime *f.* -n; Aphorismus *m.* -, ..men; Spruch *m.* -(e)s, ⸚e.

잠열(潛熱) 〖物〗 die latente 〔gebundene〕 Wärme.

잠입(潛入) Infiltration *f.* -en. ～하다 infiltrieren; ^{4}sich ein|schmuggeln.

잠자리¹ Bett *m.* -(e)s, -en. ¶～에 들다 schlafen gehen*; ^{4}sich schlafen legen; zu ^{3}Bett gehen*.

잠자리² 〖蟲〗 Libelle *f.* -n.

잠자코 schweigend; sprachlos; stumm; wortlos; ruhig; still. ¶물음에 ～ 있다 auf die Frage stumm bleiben*.

잠잠하다(潛潛―) schweigen*; ruhig 〔still〕 (sein). ¶잠잠해지다 ruhig 〔still〕 werden; zur Ruhe kommen*.

잠재(潛在) das Verborgensein*, -s; Latenz *f.* ～하다 verborgen 〔latent; versteckt〕 sein. ‖～ 구매력 potentielle Kaufkraft, ⸚e / ～ 능력 latente 〔verborgene〕 Fähigkeit, -en / ～력 die potentielle Energie, -n / ～ 의식 Unterbewußtsein *n.* -s.

잠적(潛跡) ～하다 k-e Spur hinterlassen*; ^{4}sich verstecken; ^{4}sich heimlich davon|machen.

잠정(暫定) ～적(인) vorläufig; provisorisch. ‖ ～ 조치 der vorläufige Schritt, -(e)s, -e.

잠투정하다 ^{4}sich vor dem Einschlafen grämlich benehmen*.

잠항(潛航) ～하다 unter ^{3}Wasser fahren*; unter|tauchen.

잠행(潛行) ～하다 inkognito reisen; unter fremdem Namen reisen; schleichen*; heimlich gehen*.

잡곡(雜穀) Getreide *n.* -s, -; Zerealie *f.* -n.

잡귀(雜鬼) kleiner Dämon, -s, -en; böser Geist, -es, -er.

잡기(雜技) verschiedene Spiele (*pl.*); Hasardspiel *n.* -(e)s, -e 《노름》.

잡념(雜念) die weltlichen 〔irdischen〕 Gedanken (*pl.*); Wahn *m.* -(e)s. ¶ ～을 버리다 ^{4}sich von den weltlichen Gedanken befreien.

잡다 ① 《손으로》 (er)greifen*^{4}; (er)fassen^4; nehmen*^{4}; fangen*^{4}. ¶ 멱살을 ～ *jn.* beim Kragen nehmen*. ② 《범인 등을》 fassen^4; gefangen〔fest〕|nehmen*^{4}; fangen*^{4}. ¶ 도둑을 ～ e-n Dieb ertappen 〔fangen*〕 / 고기를 ～ (mit Schleppnetz) Fische fangen*. ③ 《권리·기회 등을》 ergreifen*^{4}; fassen^4; beisammen haben. ¶ 기회를 ～ e-e Gelegenheit ergreifen*. ④ 《예약》 vorher|bestellen^4; belegen^4; reservieren^4; 《결정》 an|beraumen^4. ¶ 여관방을 ～ ein Zimmer in e-m Hotel reservieren. ⑤ 《약점을》 heraus|finden*^{4}; auf|decken^4. ¶ 약점을 ～ *jn.* bei s-r schwachen Seite fassen. ⑥ 《어림》 schätzen^4; berechnen^4. ¶ 비용을 50,000 원으로 ～ Kosten auf 50000 *Won* schätzen. ⑦ 《도살》 schlachten^4. ¶ 돼지를 ～ ein Schwein schlachten. ⑧ 《마음을》 in der Gewalt haben^4. ¶ (들뜬) 마음을 ～ s-n regellosen Gedanken Einhalt tun*. ⑨ 《담보로》 (als Pfand) nehmen*^{4}. ¶ 저당 잡고 auf Hypothek.

잡다(雜多) ～하다 verschiedenartig〔mannigfach; bunt; vermischt〕 (sein).

잡담(雜談) Plauderei *f.* -en; Geplauder *n.* -s. ～하다 plaudern 《*von*^{3}》; schwatzen 《*von*^{3}》; ^{4}sich unterhalten* 《*von*^{3}》.

잡답(雜沓) Gewimmel *n.* -s; Gedränge *n.* -s; Getümmel *n.* -s; Andrang *m.* -(e)s, ⸗e.

잡동사니 Plunder 〔Trödel〕 *m.* -s.

잡되다(雜—) liederlich 〔unzüchtig; unanständig〕 (sein).

잡목(雜木) Unterholz *n.* -es, ⸗er.

잡무(雜務) Kleinigkeiten (*pl.*); Nebensache *f.* -n. ¶ ～를 처리하다 alltägliche Arbeiten ab|fertigen.

잡부금(雜賦金) mehrfache zusätzliche Gebühr, -en.

잡비(雜費) Neben·kosten 〔-ausgaben〕 (*pl.*); (kleine) Unkosten (*pl.*).

잡상스럽다(雜常—) 《난잡》 unordentlich 〔verwirrt; liederlich〕 (sein); 《음탕》 wollüstig 〔ausschweifend〕 (sein).

잡수입(雜收入) die verschiedenen Einkünfte (*pl.*); 《부수입》 Nebeneinkünfte (*pl.*).

잡식(雜食) gemischtes Essen, -s, -. ～하다 alles fressen*; omnivor sein.

잡아내다 《밖으로》 *jn.* hinaus|werfen*. 《결점 등을》 《e-n Fehler》 entdecken. ¶ 흠을 ～ e-n Fehler heraus|finden*.

잡아당기다 ziehen*^{4}; spannen^4.

잡아들이다 fest|nehmen*^{4} u. bringen*^{4}; verhaften^4.

잡아떼다 ① 《분리》 los|reißen*^{4} 〔-|binden*^{4}; -|trennen^4〕. ② 《부인》 mit unschuldigem Gesicht verneinen^4; schamlos 〔unverschämt〕 verneinen^4.

잡아매다 zusammen|binden*^{4}; verschnüren^4; befestigen^4 〔fest|machen^4〕 《*an*^{3}》.

잡아먹다 schlachten^4 u. essen*^{4}; verschlingen*^{4}; verzehren^4; fressen*^{4}. ¶ 돼지를 ～ ein Schwein schlachten u. es essen*.

잡역(雜役) Putzfrauenarbeit *f.* -en. ‖ ～부(夫) Putzer *m.* -s, -; Scheuerbursche *m.* -n, -n.

잡음(雜音) (Neben)geräusch *n.* -es, -e. ¶ 라디오에 ～이 난다 Wir haben Störungen im Radioempfang.

잡종(雜種) Bastard 〔Mischling〕 *m.* -(e)s, -e. ‖ ～개 Bastardhund *m.* -(e)s, -e.

잡지(雜誌) Zeitschrift *f.* -en; Magazin *n.* -s, -e; 《월간》 Monatschrift *f.*

잡채(雜菜) ein gemischtes Gericht aus Gemüsen u. Fleisch mit Glasnudeln.

잡초(雜草) Unkraut *n.* -(e)s, ⸗er. ¶ ～를 뽑다 Unkraut aus|rotten.

잡치다 verderben*^{4}; verhunzen^4; verstümmeln^4; vereiteln^4; vernichten^4; verpatzen^4. ¶ 일을 ～ e-e Arbeit verpfuschen / 기분을 ～ verdrießlich sein.

잡칙(雜則) Nebenbestimmung *f.* -en.

잡탕(雜湯) 《음식》 Mischgericht *n.* -(e)s, -e; Eintopf *m.* -(e)s, ⸗e.

잡풀(雜—) ＝잡초.

잡화(雜貨) Kram〔Gemischt〕waren (*pl.*). ‖ ～점 Kramladen *m.* -s, ⸗.

잡히다^1 ① 《붙잡히다》 gefangenommen werden 《von *jm.*》; verhaftet werden 《von *jm.*》. ¶ 포로로 ～ kriegsgefangen werden. ② 《마음이》 ^{4}sich beruhigen; ruhig werden. ¶ 마음이 잡히지 않다 ^{4}sich unruhig 〔ängstlich〕 fühlen. ③ 《주름이》 Falten schlagen*; ^{4}sich kräuseln 〔falten〕. ¶ 이마에 주름이 ～ die Stirn in Falten ziehen* 〔legen〕.

잡히다^2 ① 《담보로》 ^{4}*et.* verpfänden; ^{4}*et.* als Pfand geben*. ¶ 외투를 5,000 원에 ～ e-n Mantel für 5 000 *Won* verpfänden. ② 《약점 등을》 《Schwäche》 gefunden 〔ausgenutzt〕 werden. ¶ 흠을 ～ von *jm.* kritisiert werden.

잣 Pinienkern *m.* -(e)s, -e. ‖ 잣나무 Pinienbaum *m.* -(e)s, ⸗e / 잣죽 Pinienkernbrei mit Reismehl.

잣다 《실을》 spinnen*^{4}; haspeln^4; auf|winden*^{4}.

잣새 〖鳥〗 Kreuzschnabel *m.* -s, ⸗.

장(長) ① 《우두머리》 Haupt *n.* -(e)s, ⸗er; Chef *m.* -s, -s. ② 《장점》 Vorzug *m.* -(e)s, ⸚e; Vorteil *m.* -(e)s, -e; Nutzen *m.* -s, -. ¶일장 일단이 있다 Jeder Vorteil hat s-n Nachteil.

장(張) 《종이 등의》 ein Stück *n.* -(e)s, -e; ein Blatt *n.* -(e)s, ⸚er. ¶종이 두 장 zwei Blatt Papier 〖Blatt는 數量의 單位로는 不變化〗.

장(章) 《책의》 Kapitel *n.* -s, -.

장(場) 《시장》 Markt *m.* -(e)s, ⸚e; 《극의 장면》 Szene *f.* -n; Auftritt *m.* -(e)s, -e. ¶장이 서다 ein Markt findet statt / 장보러 가다 e-n Markt besuchen.

장(腸) Darm *m.* -(e)s, ⸚e; Eingeweide *n.* -s, - (보통 *pl.*).

장(醬) Soja(bohnen)soße *f.* -n.

장(欌) Schrank *m.* -(e)s, ⸚e; Kommode *f.* -n.

장(臟) die fünf lebensnotwendigen inneren Organe des Menschenkörpers.

장가 Ehe *f.* -n; Eheschließung [Heirat; Hochzeit; Trauung] *f.* -en. ¶～ 가다 [들다] e-e Frau bekommen* [nehmen]*; heiraten^4; ^{4}sich verheiraten 《mit *jm.*》; zur Frau nehmen* 《*jn.*》.

장갑(掌匣) (ein paar) Handschuhe (*pl.*); Schlupfhandschuh *m.* -(e)s, -e 《벙어리장갑》; Boxhandschuhe (*pl.*) 《권투장갑》. ¶～을 끼다 [벗다] Handschuhe an|ziehen* [aus|ziehen*].

장갑차(裝甲車) Panzerwagen *m.* -s, -.

장거(壯擧) das großartige Unternehmen, -s, -. ¶남극 탐험의 ～ das großartige Unternehmen der Südpolexpedition.

장거리(長距離) weite [lange] Strecke, -n. ‖～ 경주 Langstreckenlauf *m.* -(e)s, ⸚e / ～ 비행 Fernflug *m.* -(e)s, ⸚e / ～ 통화 Ferngespräch *n.* -(e)s, -e.

장검(長劍) ein langes Schwert, -(e)s, -er.

장결석(腸結石) 〖醫〗 Darm[Kot]stein *m.* -(e)s, -e.

장결핵(腸結核) 〖醫〗 Darmtuberkulose *f.*

장과(漿果) 〖植〗 Breere *f.* -n; Beerenobst *n.* -(e)s, -e.

장관(壯觀) großartiger Anblick, -(e)s, -e; Herrlichkeit *f.* -en; Glanz *m.* -es, -e. ¶～을 이루다 e-n großartigen Anblick dar|bieten*.

장관(長官) Minister *m.* -s, -.

장광설(長廣舌) Beredsamkeit *f.*; lang(weilig)e Rede, -n. ¶～을 늘어놓다 ^{4}sich des breiteren aus|lassen* 《*über*^{4}》.

장교(將校) Offizier *m.* -s, -e.

장구 koreanische Trommel, -n.

장구(長久) ～하다 von ^{3}langer Dauer sein; ewig dauern. ¶～한 시일을 요하다 sehr lange Zeit in Anspruch nehmen*.

장구(裝具) Ausrüstungs [Ausstattungs]-gegenstände (*pl.*); Rüstung *f.* -en.

장구벌레 〖蟲〗 Moskitolarve *f.* -n.

장군(將軍) 〖軍〗 ① General *m.* -s, -e [⸚e]. ② 《장기의》 Schach *n.* -(e)s.

장궤양(腸潰瘍) 〖醫〗 Darmgeschwür *n.* -(e)s, -e.

장기(長技) *js.* starke Seite, -n; *js.* besondere Fähigkeit, -en. ¶…을 ～로 하다 stark (zu ^{3}Hause) sein 《*in*^{4}》; vertraut sein 《*mit*^{3}》.

장기(長期) ¶～의 lang; langfristig; 《지구적인》 dauernd / ～에 걸쳐서 auf die Dauer; auf lange.

장기(將棋) Schach *n.* -(e)s, -s; Schachspiel *n.* -(e)s, -e. ¶～를 두다 Schach spielen. ‖～판 Schachbrett *n.* -(e)s, -er.

장기(臟器) 〖解〗 Eingeweide (*pl.*); die inneren Organe (*pl.*).

장난 Scherz *m.* -es, -e; Spielerei [Unart] *f.* -en; Schabernack *m.* -(e)s, -e. ～하다 scherzen; spaßen; spielen.

장난감 Spiel·zeug *n.* -(e)s, ⸚e [-sachen (*pl.*)]. ‖～ 가게 Spielwaren·laden *m.* -s, ⸚ [-handlung *f.* -en] / ～ 기차 Spielzeugzug *m.* -(e)s, ⸚e.

장난꾼 Bengel *m.* -s, -; frecher kleiner Junge, -n, -n; Lausbub *m.* -en, -en.

장날(場—) Markttag *m.* -(e)s, -e.

장남(長男) der älteste Sohn, -(e)s, ⸚e.

장내(場內) das Innere* e-s Saales [e-r Halle].

장녀(長女) die älteste Tochter, ⸚.

장년(壯年) Mannesalter *n.* -s; die besten Jahre (*pl.*). ¶～에 이르다 das Mannesalter erreichen.

장뇌(樟腦) Kampfer *m.* -s.

장님 der Blinde*, -n, -n. ¶눈뜬 ～ 《문맹》 Analphabet *m.* -en, -en.

장단(長短) 《장점과 단점》 Stärke u. Schwäche; Vor- u. Nachteile (*pl.*); 《박자》 Rhythmus *m.* -, ..men; Takt *m.* -(e)s, -e. ¶～을 맞추다 Takt halten*.

장담(壯談) ～하다 *jm.* versichern^4 [beteuern^4]; die Gewähr leisten 《*für*^{4}》; garantieren^4; bürgen 《*für*^{4}》.

장대(壯大) ～하다 mächtig [stark; kraftvoll] (sein).

장대(長—) Bambusrohr *n.* -(e)s, -e; Stange *f.* -n; Stab *m.* -(e)s, ⸚e 《높이뛰기용의》.

장대(長大) ～하다 sehr groß [riesig; riesengroß] (sein).

장도(壯途) ¶～에 오르다 zur großen ^{3}Tat auf|brechen*.

장도리 Hammerklaue *f.* -n. ¶～로 못을 뽑다 e-n Nagel mit der Hammerklaue heraus|ziehen*.

장독(醬—) der Krug [Topf] für Sojasoße [Bohnenpaste].

장딴지 Wade *f.* -n.

장래(將來) Zukunft *f.*; die kommende Zeit; 《금후》 von nun an. ～의 kommend; (zu)künftig. ¶～가 유망한 청년 ein vielversprechender junger Mann, -(e)s, ⸚er. ‖～성 Zukunft; Möglichkeit *f.* -en (～성 있는 vielversprechend; hoffnungsvoll).

장려(壯麗) ～하다 herrlich [grandios; großartig; prächtig] (sein).

장려(奬勵) (Be)förderung *f.* -en; 《격려》 Ermunterung *f.* -en. ～하다 (be)fördern^4; ermuntern^4. ¶산업 [저축]을 ～하다 die Industrie [das Sparen*] fördern. ‖～금 Prämie *f.* -n.

장력(張力) 〖物〗 Spannung *f.* -en; Expansivkraft *f.* ⸚e; Tension *f.* -en. ‖표면 ～ Oberflächenspannung *f.*

장렬(壯烈) ～하다 heldenhaft [heroisch] (sein). ¶～한 죽음을 하다 e-s heldenhaften Todes sterben*.

ㅈ

장례식(葬禮式) Begräbnis〔Toten〕feier *f.* -n. ¶~을 거행하다 e-e Begräbnisfeier halten*.

장로(長老) der Älteste*, -n, -n; Senior *m.* -s, -en; 《교회의》 Presbyter *m.* -s, -; der Kirchenälteste*, -n, -n.

장롱(欌籠) Kommode *f.* -n; (Kleider-)schrank *m.* -(e)s, ⸚e.

장르 Genre *n.* -s, -s; Gattung *f.* -en. ¶소설의 ~ das Genre des Romans.

장마 der anhaltende 〔dauernde〕 Regen, -s, -. ¶~지다 Die Regenzeit setzt 〔tritt〕 ein. ‖~철 Regenzeit *f.* -en.

장막(帳幕) Zelt *n.* -(e)s, -e; Vorhang *m.* -(e)s, ⸚e. ¶철의 ~ der eiserne Vorhang.

장만하다 vor|bereiten[4]; bereit|stellen[4]; zu|bereiten[4]; besorgen[4]; verschaffen*[3·4]; beschaffen*[4]. ¶돈을 ~ Geld machen 〔verdienen〕 / 집을 ~ [3]sich ein Haus kaufen.

장면(場面) Szene *f.* -n. ¶~이 바뀌다 die Szene wechselt.

장모(丈母) Schwiegermutter *f.* ⸚.

장문(長文) lange Schrift, -en; langer Satz, -es, ⸚e; 《편지》 ein langer Brief, -(e)s, -e.

장문(掌紋) Handabdruck *m.* -(e)s, ⸚e.

장물(贓物) Diebesgut *n.* -(e)s, ⸚er. ‖~아비 Hehler *m.* -s, -.

장미(薔薇) Rose *f.* -n. ¶~색(色)의 rosa(farben); rosenfarbig. ‖들~ wilde Rose.

장발(長髮) langes Haar, -(e)s, -e. ~의 langhaarig. ‖~족 die Langhaarigen* (*pl.*).

장방형(長方形) Rechteck *n.* -(e)s, -e. ¶~의 rechteckig.

장벽(腸壁) Darmwand *f.* ⸚e.

장벽(障壁) Sperre *f.* -n; Scheidewand *f.* ⸚e; Hürde *f.* -n 《장애물》. ¶~을 쌓다 e-e Sperre errichten.

장병(將兵) Offiziere (*pl.*) u. Mannschaften (*pl.*); Soldaten (*pl.*).

장보다(場—) 《장에 가다》 zu Markte gehen*; ein|kaufen gehen*.

장본인(張本人) Rädelsführer 〔Anstifer; Urheber〕 *m.* -s, -.

장부(帳簿) (Konto)buch *n.* -(e)s, ⸚er. ¶~에 기입하다 in ein Buch ein|tragen*; (ver)buchen[4]. ‖~ 검사 Rechnungsprüfung *f.* -en.

장비(裝備) Aus·rüstung 〔-stattung〕 *f.* -en. ~하다 aus|rüsten[4]; aus|statten[4].

장사 Handel *m.* -s; Geschäft *n.* -(e)s, -e. ~하다 Handel treiben*; handeln; ein Geschäft (be)treiben*. ¶~를 잘하다 〔못하다〕 [4]sich gut 〔schlecht〕 aufs Geschäft verstehen*. ‖~꾼 Kaufmann *m.* -(e)s, ..leute; Krämer 〔Hausierer; Händler〕 *m.* -s, -.

장사(壯士) Kraftmensch *m.* -en, -en.

장사(葬事) Begräbnis 〔Leichenbegängnis〕 *n.* -ses, -se; Beerdigung *f.* -en. ¶~지내다 begraben*[4]; beerdigen[4].

장사진(長蛇陣) lange Menschenreihe, -n; Schlange *f.* -n. ¶~을 치다 Schlange stehen*.

장삼(長衫) 《중의》 die Robe buddhistischen Mönchs.

장색(匠色) Handwerker *m.* -s, -.

장생불사(長生不死) ~하다 e-e ewige Jugend genießen*.

장서(藏書) Bibliothek〔Büchersammlung〕 *f.* -en. ‖~ 목록 Bücherkatalog *m.* -s, -e.

장석(長石) (Feld)spat *m.* -(e)s, -e 〔⸚e〕.

장성(長成) ~하다 auf|wachsen*; reifen.

장소(場所) Platz *m.* -es, ⸚e; Stelle *f.* -n; Ort *m.* -es, -e; 《지점》 Punkt *m.* -(e)s, -e; 《소재지》 Sitz *m.* -es, -e; 《여지》 Raum *m.* -(e)s, ⸚e.

장손(長孫) der älteste Enkel vom ältesten Sohn.

장수 Hausierer 〔Krämer; Kleinhändler〕 *m.* -s, -. ‖생선 ~ Fischhändler *m.*

장수(長壽) Langlebigkeit *f.* -en. ~하다 ein langes Leben genießen*.

장승(長—) der Dorfschutzgott aus Holz; 《키다리》 e-e große Person, -en.

장시간(長時間) lange Zeit, -en. ¶~에 걸쳐 stundenlang.

장식(裝飾) Verzierung *f.* -en; Schmuck *m.* -(e)s, -e; Dekor *m.* -s, -s; Dekoration *f.* -en; Ornament *n.* -(e)s, -e. ~하다 (aus|)schmücken[4]; (ver)zieren[4]; dekorieren[4]. ‖~품 Zierat *m.* -(e)s, -e; Putzwaren (*pl.*) / 실내 ~ Innendekoration *f.*

장신(長身) die große〔hohe〕 Statur, -en. ¶~의 groß.

장신구(裝身具) Schmuck *m.* -(e)s, -e; Schmucksachen (*pl.*); Aufputz *m.* -es, -e; Putzwaren (*pl.*).

장악(掌握) ~하다 [4]sich bemächtigen[2]; Besitz ergreifen* (*von*[3]); in Besitz nehmen*[4]; ergreifen*[4]. ¶실권을 ~하다 reabe Macht ergreifen*.

장애(障礙) Hindernis *n.* -ses, -se; Störung *f.* -en; 《신체의》 Übel *n.* -s, -e. ¶~를 물리치다 ein Hindernis überwinden* 〔beseitigen*〕. ‖~물 경주 Hürden〔Hindernis〕lauf *m.* -(e)s, ⸚e / 언어 ~ Sprachfehler *m.* -s, -.

장액(腸液) Darmsaft *m.* -(e)s, ⸚e; Darmschleim *m.* -(e)s, -e.

장액(漿液) Serum *n.* -s, ..ren 〔..ra〕; Blutwasser *n.* -s.

장어(長魚) Aal *m.* -(e)s, -e. ‖~구이 ein gebratener Aal.

장엄(莊嚴) ~하다 feierlich 〔weihevoll〕 (sein); 《엄숙한》 ernst 〔erhaben〕 (sein).

장염(腸炎) 〖醫〗 Darmentzündung *f.* -en.

장원(壯元) 《과거의》 die Note für den Beamtenkandidaten, der das Staatsexamen als Bester bestanden hat; 《백일장의》 das Prädikat für das beste Werk e-s literarischen Wettstreites. ~하다 den ersten Preis in e-m literarischen Wettstreit bekommen*.

장원(莊園) 〖史〗 Rittergut *n.* -(e)s, ⸚er.

장유(長幼) die Jungen* u. die Alten* (*pl.*). ‖~ 유서 Altersfolge *f.* (~ 유서라 Die Ältern zuerst.; Die Altersfolge beachtet werden).

장음(長音) der lange Ton, -(e)s, ⸚e; der lange Vokal, -s, -e. ‖~계 〖樂〗 Dur-Tonleiter *f.* -n.

장의사(葬儀社) Begräbnis〔Leichen〕besorger *m.* -s, -.

장인(丈人) Schwiegervater *m.* -s, ⸚.

장인(匠人) Handwerker 〔Künstler〕 *m.* -s, -.
장자(長子) der älteste Sohn, -(e)s, ⸚e. ‖～ 상속권(相續權) Erstgeburtsrecht *n.* -(e)s, -e.
장자(長者) 《어른》 der Ältere*, -n, -n; Senior *m.* -s, -en; 《부자》 der Reiche*, -n, -n; ein vermögender 〔wohlhabender; begüterter〕 Mann, -(e)s, ⸚er. ‖백만 ～ Millionär *m.* -s, -e.
장작(長斫) (Brenn)holz *n.* -es, ⸚er. ¶～을 패다 Holz in Scheite hacken 〔spalten〕.
장전(裝塡) Ladung *f.* -en; das Laden*, -s. ～하다 ein Gewehr laden*. ¶실탄을 ～하다 scharf laden*⁴.
장점(長點) Vorzug *m.* -(e)s, ⸚e; Vorteil *m.* -(e)s, -e; Stärke *f.* -n; die starke Seite, -n.
장정(壯丁) ein starker junger Mann, -(e)s, ⸚er; kräftiger Junge, -n, -n.
장정(裝幀) Decke *f.* -n; Einband *m.* -(e)s, ⸚e; Ausstattung *f.* -en. ～하다 ein Buch ein|binden* 〔aus|statten〕.
장조(長調) Dur *n.* -, -.
장조림(醬—) 《반찬》 in Sojasoße gekochtes Fleisch, -es.
장조카(長—) der älteste Sohn des ältesten Bruders.
장족(長足) ¶～의 발전을 하다 große Fortschritte machen.
장죽(長竹) lange Tabakspfeife, -n.
장중(壯重) ～하다 feierlich 〔würdevoll; ernst; erhaben〕 (sein).
장중(掌中) ¶～에 in der Hand; in den Händen; in s-r Gewalt. ‖～ 보옥 Augapfel *m.* -s, ⸚.
장지(長指) Mittelfinger *m.* -s, -.
장지(障—) die verschiebbare Tapetentür, -en; die Schiebetür aus ³Papier. ‖～문 Papierschiebetür *f.* -en.
장지(葬地) Begräbnis·platz *m.* -es, ⸚e 〔-stätte *f.* -n〕.
장차(將次) in Zukunft; für die Zukunft; später; kommend.
장창(長槍) langer Speer, -(e)s, -e; langer Spieß, -es, -e; lange Lanze, -n.
장총(長銃) Gewehr mit langem Lauf.
장취(長醉) schwere Betrunkenheit; Besoffenheit *f.* ～하다 ⁴sich betrinken*; ⁴sich besaufen*.
장치(裝置) Apparat *m.* -(e)s, -e; Einrichtung 〔Ausrüstung; Vorrichtung; Ausstattung〕 *f.* -en. ～하다 ein〔vor〕|richten⁴; aus|rüsten 〔-|statten*〕 《*mit*³》.
장침(長針) 《시계의》 der große Zeiger, -s, -; Minutenzeiger *m.* -s, -e.
장카타르(腸—) 〖醫〗 Darmkatarrh *m.*
장쾌(壯快) ～하다 großartig 〔herrlich; vortrefflich〕 (sein). ¶～한 거사 großartiges Unternehmen*, -s, -.
장타(長打) 〖野〗 ein langer Schlag beim Schlagballspiel. ‖～자(者) Langer-Ball-Schläger *m.* -s, -.
장탄(裝彈) ～하다 ein Gewehr laden*.
장탄식(長歎息) tiefer Seufzer, -s, -. ～하다 e-n langen 〔schweren; tiefen〕 Seufzer aus|stoßen*.
장터(場—) Marktplatz *m.* -es, ⸚e.
장티푸스(腸—) 〖醫〗 Unterleibstyphus *m.* -.
장파(長波) Langwelle *f.* -n.
장판(壯版) mit Ölpapier beklebter Fußboden, -s, ⸚. ‖～지 Papier für Fußboden.
장편소설(長篇小說) Roman *m.* -s, -e.
장편소설(掌篇小說) Kurzgeschichte *f.* -n; Conte *f.* -s.
장하다(壯—) herrlich 〔bewundernswert; glänzend; prächtig〕 (sein).
장학(奬學) ‖～금 Stipendium *n.* -s, ..dien / ～생 Stipendiat *m.* -en, -en.
장형(長兄) der älteste Bruder, -s, ⸚.
장화(長靴) (Reit)stiefel *m.* -s, -.
장황(張皇) ～하다 ausführlich 〔umständlich; wortreich; weitschweifig; langweilig; langatmig〕 (sein). ¶～하게 늘어놓다 sich weitschweifig aus|lassen*.
잦다¹ 《줄어들다》 versiegen; versickern; ein|kochen 《국 따위가》.
잦다² 《빈번》 öfters 〔wiederholt; häufig〕 (sein). ¶잦은 걸음으로 mit Schritten im Marschtempo.
잦뜨리다 zurück|werfen*⁴.
잦아들다 ein|kochen; ein|sickern; versickern. ¶물이 끓어 ～ Das Wasser kocht langsam ein.
잦혀놓다 《뒤집어 놓다》 um|drehen⁴; wenden*⁴; 《열어 놓다》 《e-e Tür》 offen lassen*⁴.
잦혀지다 《뒤집히다》 um|kippen.
잦히다 ① 《뒤집다》 um|wenden*⁴; um|drehen⁴. ¶접시를 ～ e-n Teller um|wenden*. ② 《뒤로》 nach oben richten 〔biegen*〕. ¶몸을 ～ ⁴sich nach oben biegen*. ③ 《열다》 öffnen; breit öffnen. ¶문을 열어 ～ die Tür breit öffnen. ④ 《일 따위를》 beiseite setzen⁴.
재¹ Asche *f.* -n. ¶잿빛의 grau; aschfarben.
재² 《고개》 Paß *m.* Passes, Pässe; Hügel *m.* -s, -. ¶재를 넘다 über den Hügel gehen*.
재(齋) 〖佛〗 Totenmesse *f.* -n; Seelenamt *n.* -(e)s, ⸚er. ¶재를 올리다 e-e Seelenmesse lesen lassen* 《*für*⁴》.
재가(再嫁) ～하다 ⁴sich wieder|verheiraten; ⁴sich noch einmal verheiraten.
재가(裁可) Genehmigung 〔Bestätigung; Bewilligung; Sanktion〕 *f.* -en. ～하다 genehmigen⁴; bewilligen⁴; bestätigen⁴. ¶～를 얻다 Sanktion finden*.
재간(才幹) Fähigkeit *f.* -en; Talent *m.* -(e)s, -e. ¶～이 있다 begabt sein.
재간(再刊) Wiederveröffentlichung *f.* -en; Neuausgabe *f.* -n. ～하다 wieder veröffentlichen⁴; neu heraus|geben*⁴.
재갈 Gebiß *n.* ..bisses, ..bisse. ¶말에 ～을 물리다 ein Pferd zäumen.
재강 Bodensatz 〔Hefe〕 gegorenes Reisweins. ‖～죽 der mit Reisweinbodensatz u. klebrigem Reis gekochter Brei, -(e)s, -e.
재개(再開) ～하다 wieder eröffnen⁴ 〔beginnen*⁴〕. ¶교섭을 ～하다 Verhandlung wieder eröffnen.
재건(再建) Wiederaufbau *m.* -(e)s. ～하다 wieder|auf|bauen⁴. ¶도시를 ～하다 e-e Stadt von der Ruine wieder|auf|bauen.
재검사(再檢查) e-e nochmalige Untersu-

chung 〔Prüfung〕 -en. ～하다 nochmals 〔noch einmal〕 untersuchen⁴ 〔prüfen⁴〕. 「nachprüfen⁴.」
재검토(再檢討) ～하다 überprüfen⁴;
재결(裁決) Entscheidung *f.* -en; Urteil *n.* -(e)s, -e. ～하다 e-e Entscheidung treffen*《über⁴》; urteilen《über⁴》.
재결합(再結合) Wiedervereinigung *f.* -en. ～하다 ⁴sich wieder|vereinigen; ⁴sich mit ³*et.* wieder|verbinden*.
재경(在京) ‖ ～ 동창생 alte Herren 〔Kommilitonen〕 in Seoul.
재계(財界) Finanz·welt *f.* -en 〔-wesen *n.* -s, -〕; Finanzkreise (*pl.*).
재계(齋戒) ～하다 ⁴sich reinigen. ‖ 목욕 ～하고 기도 드리다 s-n Geist u. Körper reinigen u. beten.
재고(再考) e-e nochmalige Überlegung, -en. ～하다 nochmals 〔noch einmal〕 überlegen⁴.
재고(在庫) Vorrat *m.* -(e)s, ⸚e; Lager *n.* -s, -; Waren〔Lager〕bestand *m.* -(e)s, ⸚e. ‖ ～ 조사 Bestands〔Lager〕-aufnahme *f.* -n / ～품 Lagerbestand *m.*; Warenvorrat *m.*
재교부(再交付) Wiederverleihung *f.* -en. ～하다 wieder 〔neu〕 verleihen*⁴.
재교육(再教育) Umerziehung 〔Umschulung〕 *f.* -en. ～하다 um|erziehen*⁴; um|schulen⁴.
재구속(再拘束) ～하다 in die untersuchungshaft zurück|senden*⁴.
재군비(再軍備) Wiederaufrüstung *f.* -en.
재귀(再歸) ‖ ～ 대명사 Reflexivpronomen *n.* -s, ..mina / ～ 동사 ein reflexives Verb, -s, -en.
재기(才氣) Witz *m.* -es; Geist *m.* -(e)s; Talent *n.* -(e)s, -e. ¶ ～ 발랄한 voller Witz; geistreich.
재기(再起) ～하다 wieder auf|kommen* 〔auf|stehen*〕. ¶ 그는 ～ 불능이다 Er hat k-e Aussicht mehr auf Genesung.
재깍 ① 《소리》 knack(s)!; ticktack!; mit e-m Knack(s). ¶ ～ 부러지다 mit e-m Knacks brechen. ② 《일을》 ruck, zuck! ¶ 일을 ～ 해치우다 ⁴*et.* ruck zuck erledigen 〔machen〕. 「tickt.」
재깍거리다 ticken. ¶ 시계가 ～ die Uhr
재난(災難) Unglück *n.* -(e)s; Unfall 〔Unglücksfall〕 *m.* -(e)s, ⸚e. ¶ ～을 미연에 방지하다 e-m Unglück vor|beugen.
재능(才能) Talent *n.* -(e)s, -e; Fähigkeit 〔Begabung〕 *f.* -en. ☞재주. ¶ ～을 발휘하다 sein Talent zeigen.
재다¹ ① 《길이를》 (ab|)messen*⁴. ¶ 키를 ～ (Körper)größe messen*. ② 《헤아리다》 vermuten⁴; bedenken*⁴; mutmaßen⁴; gegeneinander ab|wägen⁴. ¶ 앞뒤를 ～ alles gegeneinander ab|wägen.
재다² ① 《탄약을》 laden*⁴; stopfen⁴. ¶ 실탄을 ～ die Flinte mit Kugeln laden*. ② 《겹으로》 auf|einander|legen⁴ 〔-|setzen⁴〕; auf|häufen⁴. ¶ 종이를 ～ Papier auf|einander|legen.
재다³ ① 《동작이》 flink 〔rasch; behend; geschickt; gewandt〕 (sein). ¶ 걸음이 ～ schnelle Schritte tun*. ② 《으스댐》 wichtig 〔vornehm〕 tun*; ⁴sich wichtig machen. ¶ 몹시 재고 다닌다 Er stolziert durch die ganze Gegend.
재단(裁斷) 《절단》 das Schneiden*, -s; Schnitt *m.* -(e)s, -e. ～하다 schneiden*⁴; schneidern《재봉》. ‖ ～사 Schneider *m.* -s, -.
재단법인(財團法人) Stiftung *f.* -en; eingetragener Verein 《略 : e. V.》.
재담(才談) Witz *m.* -es, -e. ～하다 Witze machen; e-n Witz erzählen.
재덕(才德) Begabung u. Tugend. ¶ ～을 겸비한 부인 e-e begabte u. tugendhafte Frau, -en.
재동(才童) begabter Junge, -n, -n; talentvolles Kind, -(e)s, -er. 「-e.」
재두루미 〖鳥〗 Grauer Kranich, -(e)s,
재떨이 Aschenbecher 〔Ascher〕 *m.* -s, -.
재래(在來) ～의 gebräuchlich; üblich; gewöhnlich; herkömmlich. ‖ ～식 herkömmlicher Typ, -(e)s, -e(n) / ～종 bodenständige Rasse, -n.
재략(才略) Einfallsreichtum *m.* -(e)s, ⸚er; Findigkeit *f.* ¶ ～이 풍부한 listenreich; erfinderisch.
재량(裁量) das Ermessen* 〔Belieben*〕 -s; Verfügung *f.* -en. ¶ …의 ～에 맡기다 nach *js.* Ermessen handeln lassen. ‖ ～권 Verfügungsrecht *n.* -(e)s, -e.
재력(財力) Finanzen (*pl.*); Vermögen *n.* -s, - 《자산》. ¶ ～이 있는 vermögend; bemittelt.
재론(再論) e-e neue Diskussion, -en. ～하다 wieder zur Sprache bringen*⁴; auf|rühren⁴; neu zum Bewußtsein bringen*⁴. ¶ 그것은 ～의 여지가 없다 Darüber läßt sich nicht mehr reden.
재롱 《아기의》 süßes 〔niedliches〕 Benehmen* von Kindern. ¶ 아기가 ～을 떤다 Das Baby ist süß.
재료(材料) Material *n.* -(e)s, ..lien; Stoff *m.* -(e)s, -e; 《원료》 Rohstoff *m.*
재류(在留) das Wohnen*, -s; Aufenthalt *m.* -(e)s, -e. ～하다 wohnen《in³》; wohnhaft 〔ansässig〕 sein 《in³》. ‖ ～교포, ～민 Überseekoreaner *m.* -s, -.
재림(再臨) Reinkarnation *f.* -en; Wiederverkörperung *f.* -en. ～하다 reinkarnieren; wieder|kommen. ¶ 예수의 ～ Reinkarnation Christi. 「holz *n.*」
재목(材木) (Bau)holz *n.* -es, ⸚er; Nutz-
재무(財務) Finanz 〔Finanzwirtschaft〕 *f.* -en. ‖ ～부 장관 Finanzminister *m.* -s, -.
재무장(再武裝) Wiederbewaffnung *f.* -en. ～하다 ⁴sich wiederbewaffnen; ⁴sich wiederaufrüsten.
재물(財物) Reichtum *m.* -(e)s, ⸚er; Besitztum *n.* -(e)s, ⸚er. ¶ ～을 모으다 Reichtümer sammeln 〔auf|häufen〕.
재미 Vergnügen *n.* -s, -; Unterhaltung 〔Belustigung〕 *f.* -en; Amüsement *n.* -s, -s. ¶ ～있다 interessant 〔amüsant; lustig; unterhaltend〕 sein / ～를 보다 ⁴sich vergnügen; zu Geld kommen*.
재미(在美) ¶ ～의 (wohnhaft) in Amerika. ‖ ～ 교포 Koreaner in Amerika.
재발(再發) ～하다 e-n Rückfall bekommen*; zurück|fallen*; wieder|aus|brechen. ¶ 병이 ～했다 Er hat e-n Rückfall erlitten.

ㅈ

재발행(再發行) Wiederausgabe *f.* -n.

재방송(再放送) Wiederholungssendung *f.* -en (im Hörfunk); 《녹음의 재생》 Sendung e-r Aufzeichnung. ～하다 nochmals senden[4].

재배(再拜) 《절》 zweimalige Verbeugung, -en; 《편지》 Hochachtungsvoll. ～하다 [4]sich zweimal verbeugen.

재배(栽培) Zucht *f.*; Pflanzung *f.* -en. ～하다 pflanzen[4]; züchten[4]. ‖ 과수 ～ Obst·zucht *f.* 〔-bau *m.* -(e)s〕.

재배치(再配置) Neuverteilung *f.* -en; Wiederaufstellung *f.* ～하다 neu auf|stellen[4]; um|platzieren[4].

재벌(財閥) Finanzaristokratie *f.* -n; Großkapital *n.* -s.

재범(再犯) Rückfall *m.* -(e)s, ⸚e. ‖ ～자 der Rückfällige*, -n, -n.

재변(災變) Naturkatastrophe *f.* -n; Unheil *n.* -(e)s.

재보(財寶) Schatz *m.* -es, ⸚e; Reichtum *m.* -(e)s, ⸚er.

재보험(再保險) Rückversicherung *f.* -en.

재복무(再服務) Wiederverpflichtung zum Militärdienstes nach der Entlassung. ～하다 [4]sich wieder zum Militärdienst verpflichten.

재봉(裁縫) Näherei *f.* -n; Schneiderarbeit *f.* ～하다 nähen; schneidern 《재단》. ‖ ～사 Näherin *f.* -nen 《여자》; Schneider *m.* -s, - / ～틀 Nähmaschine *f.* -n.

재분배(再分配) Neu〔Wieder〕verteilung *f.* -en. ¶ 부의 ～ Neuverteilung des Reichtums.

재빠르다 flink 〔hurtig; schnell; behend〕 (sein). ¶ 재빨리 하다 schnell er|ledigen 〔abmachen〕.

재사(才士) ein begabter 〔talentierter〕 Mensch, -en, -en.

재산(財産) Vermögen *n.* -s, -; Habe *f.* -n; Hab und Gut, des - u. -(e)s; Eigentum *n.* -(e)s, ⸚er; 《부동산》 Immobilien (*pl.*). ¶ ～을 모으다 ein Vermögen machen. ‖ ～ 목록 Inventar *n.* -(e)s, -e / ～세 Vermögenssteuer *f.* -n.

재삼재사(再三再四) wieder und wieder; wiederholt; immer wieder.

재상(宰相) Kanzler *m.* -s, -; Premierminister *m.* -s, -. ☞ 수상(首相).

재색(才色) das Talent u. die Schönheit. ¶ ～ 겸비한 여인 e-e Frau mit [3]Talent u. Schönheit.

재생(再生) ～하다 wiedergeboren werden*; 《폐품을》 regenerieren[4]; 《심리학에서》 reproduzieren[4]. ‖ ～ 고무 Regeneratgummi *m.* -s, -s.

재생산(再生產) Reproduktion *f.* -en. ～하다 wieder erzeugen[4].

재선(再選) Wiederwahl *f.* -en. ¶ ～되다 wiedergewählt werden 《*zu*[3]》.

재수(財數) Glück *n.* -(e)s; Los *n.* -es, -e. ¶ ～가 좋다 Das Glück beginnt mir zu lachen.

재수생(再修生) der Lernende*, der bei der Aufnahmeprüfung durchgefallen ist u. die Prüfungsvorbereitungen wiederholt.

재수입(再輸入) Wiedereinfuhr *f.* ～하다 wieder ein|führen[4].

재수출(再輸出) Wiederausfuhr *f.* ～하다 wieder aus|führen[4].

재시험(再試驗) e-e nochmalige Prüfung, -en.

재심(再審) 〖法〗 die Wiederaufnahme des Verfahrens. ～하다 ein Verfahren wieder auf|nehmen*; noch einmal prüfen[4].

재앙(災殃) Unheil *n.* -(e)s; Übel *n.* -s, -; Unglück *n.* -(e)s, -sfälle. ¶ ～을 면하다 e-m Unheil entkommen*.

재야(在野) ¶ ～의 außer Amt 〔Dienst〕; nicht beamtet; oppositionell. ‖ ～인사 die nicht beamtete berühmte Persönlichkeit, -en.

재연(再演) ～하다 wieder auf|führen[4]. ¶ 범행을 ～하다 die Straftat wiederholen.

재연(再燃) ～하다 wieder auf|flammen; [4]sich wieder|entzünden.

재예(才藝) Talent u. Technik. ¶ ～가 출중하다 Talent u. Technik sind ausgezeichnet.

재외(在外) ¶ ～의 im Ausland; außer Lande. ‖ ～ 공관 die Botschaften u. Gesandtschaften im Auslande.

재우다 《숙박》 beherbergen《*jn.*》; unterbringen* 《*jn.*》; logieren 《*jn.*》. ¶ 손님을 ～ e-n Gast unterbringen*.

재원(才媛) e-e talentvolle 〔intelligente; kluge〕 Frau, -en.

재원(財源) Geldmittel (*pl.*); Einnahms〔Geld〕quelle *f.* -n. ¶ ～이 풍부하다 〔결핍되다〕 reich 〔knapp〕 an Geldmitteln sein.

재위(在位) ～하다 auf dem Thron sitzen*; herrschen(*in*[3]; *über*[4]); regieren[4].

재음미(再吟味) e-e nochmalige Prüfung, -en. ～하다 nochmals prüfen[4].

재인(才人) 《광대》 Spaßmacher *m.* -s, -; Clown *m.* -s, -s; 《재사》 der talentvolle 〔begabte; kluge〕 Mensch, -en, -en.

재인식(再認識) ～하다 neu verstehen*[4]; von neuem ein|sehen*[4].

재일(在日) ¶ ～의 (wohnhaft) in Japan. ‖ ～ 교포 Koreaner in Japan.

재임(在任) ～하다 im Amt sein; ein Amt bekleiden. ¶ ～ 중에 während s-r Amtstätigkeit.

재임명(再任命) Wiederernennung *f.* -en. ～하다 *jn.* wieder ernennen* 《*zu*[3]》.

재입국(再入國) Wiedereinreise *f.* -n; das Wiederbetreten* e-s Landes. ～하다 wieder ein|reisen 《*in*[4]》. ‖ ～ 허가 Wiedereinreiseerlaubnis *f.* -se.

재입학(再入學) Wiederzulassung *f.* -en.

재자(才子) =재사(才士). ‖ ～ 가인 begabte Männer u. schöne Frauen.

재작년(再昨年) das vorletzte 〔vorvorige〕 Jahr, -(e)s. ¶ ～에 vorletztes [4]Jahr; im vorletzten [3]Jahr.

재잘거리다 schwatzen[(4)]; schnattern; plappern[(4)]; klatschen.

재적(在籍) ～하다 《호적》 im Personenstandsregister stehen*; 《학적》 im Schülerverzeichnis 〔Register〕 stehen*. ‖ ～자 《학생》 Schüler im Register.

재정(財政) Finanz 〔Finanzgebarung〕 *f.*

-en. ¶～상의 finanziell; wirtschaftlich. ‖～핍박 die finanzielle Belastung, -en/ ～학 Finanzwissenschaft *f.* / 국가 ～ Nationalfinanz *f.* / 적자 ～ die zerrütteten Finanzen (*pl.*).

재정(裁定) Schiedsspruch *m.* -(e)s, ⸚e. ～하다 entscheiden*⁴; makeln.

재제(再製) ～하다 reproduzieren⁴; regenerieren⁴. ‖～염 raffiniertes Salz, -es, -e.

재조사(再調査) e-e nochmalige Untersuchung 〔Prüfung〕 -en. ～하다 nochmals untersuchen⁴ 〔prüfen⁴〕.

재종(再從) der Vetter zweiten Grades.

재주(才—) Talent *n.* -(e)s, -e; Fähigkeit *f.* -en; 《천부의》 Begabung *f.* -en; Anlage *f.* -n. ¶～있는 talentvoll; fähig; begabt / ～ 피우다 《잔재주를》 kleinliche Kniffe (*pl.*) an|wenden*. ‖～꾼 der vielseitig begabte Mensch, -en, -en.

재주넘다(才—) e-n Purzelbaum machen 〔schießen*; schlagen*〕.

재즈 Jazz *m.* -. ‖～ 가수 Jazzsänger *m.* -s, - / ～ 밴드 Jazzkapelle *f.* -n.

재지(才智) Talent *n.* -(e)s, -e 《재능》; Intelligenz *f.* 《지력》. ¶～ 있는 talentiert; talentvoll.

재직(在職) ～하다 im Amt sein; ein Amt bekleiden; ⁴sich betätigen (*an*³; *bei*³). ¶～ 중에 während *js.* Amtszeit.

재질(才質) Begabung *f.* -en; Talent *n.* -(e)s, -e. ¶～을 살리다 von *js.* Begabung Gebrauch machen.

재질(材質) Materialqualität *f.* -en.

재차(再次) zum zweiten Mal; zweimal; wiederum; nochmals. ¶～ 시도하다 nochmals versuchen⁴.

재채기 das Niesen*, -s. ¶～가 나오다 niesen; das Niesen* bekommen*.

재천(在天) im Himmel sein. ¶인명은 ～이다 Das Menschenleben ist providentiell.

재청(再請) ① 《앙코르》 Zugabe *f.* -n. ～하다 *jn.* um e-e Zugabe bitten*. ② 《찬성》 Unterstützung e-s Antrags im Parlament. ～하다 e-n Antrag unterstützen.

재촉하다 mahnen (*an*⁴); auf|fordern; drängen(*auf*⁴). ¶지불을 ～ *jn.* auf ⁴Zahlung drängen.

재출발(再出發) ein neuer Anfang, -(e)s, ⸚e. ～하다 neu an|fangen*〔beginnen〕.

재취(再娶) 《재혼》 Wiederverheiratung Mannes nach dem Tod der ersten Frau; 《후처》 die zweite Ehefrau e-s Witwers. ～하다 ⁴sich wieder|verheiraten (nach dem Tod der ersten Frau).

재치(才致) ～있다 witzig 〔schlagfertig; gescheit; geistreich; taktvoll〕 sein.

재킷 Woll〔Schupf〕jacke *f.* -n; Pullover *m.* -s, -.

재탕(再湯) ～하다 《끓이다》 noch einmal kochen⁴; auf|kochen⁴; auf|wärmen⁴.

재투표(再投票) Wiederabstimmung *f.* -en; Neuwahl *f.* -en. ～하다 wieder ab|stimmen; neu wählen.

재판(再版) 《절판의》 Neudruck *m.* -(e)s, -e; 《제 2 판》 die zweite Auflage. ～하다 neu 〔wieder〕 auf|legen⁴.

재판(裁判) Gericht *n.* -(e)s, -e; 《심리》 Gerichtsverhandlung *f.* -en; 《공판》 die gerichtliche Untersuchung, -en; 《판결》 Urteil *n.* -(e)s, -e. ～하다 ⁴Gericht halten*; richten⁴. ‖～관 Richter *m.* -s, -; 《총칭》 Gericht / ～권 Gerichtsbarkeit *f.* -en / ～소 =법원.

재편성(再編成) Reorganisation *f.* -en; Umgruppierung *f.* -en. ～하다 reorganisieren⁴.

재평가(再評價) ～하다 neu bewerten⁴ 〔ein|schätzen⁴〕.

재학(在學) ～하다 in 〔auf〕 der Schule sein; auf der Universität sein. ‖～생 Schüler *m.* -s, - / ～ 증명서 Schüler-〔Studenten〕ausweis *m.* -es, -e.

재할인(再割引) 〖經〗 Rediskont *m.* -(e)s, -e. ～하다 rediskontieren⁴. ‖～율 Rediskontsatz *m.* -es, ⸚e.

재해(災害) Unglück *n.* -(e)s, (드물게) -e; Unfall *m.* -s, ⸚e. ‖～ 방지 Unfallverhütung *f.* -en 〔-schutz *m.* -es〕 / ～ 보험 Unfallversicherung *f.* -en.

재향군인(在鄕軍人) Reservist *m.* -en, -en. ‖～회 Reservistenbund *m.* -(e)s, ⸚e.

재현(再現) das Wiedererscheinen*, -s. ～하다 wieder erscheinen*.

재혼(再婚) die zweite Ehe; Wiederverheiratung *f.* -en. ～하다 ⁴sich wieder|verheiraten.

재화(災禍) 《불행》 Unglück *n.* -(e)s, (드물게) -e; 《재난》 Unfall *m.* -(e)s, ⸚e. ¶～를 당하다 e-n Unfall erleiden*.

재화(財貨) Güter (*pl.*); Reichtum *m.* -(e)s, ⸚er.

재확인(再確認) e-e erneute 〔nochmalige〕 Feststellung, -en. ～하다 wieder 〔erneut; nochmals〕 fest|stellen⁴.

재회(再會) das Wiedersehen*, -s. ～하다 *jn.* wieder|sehen*. ¶～를 기약하다 ein Wiedersehen verabreden.

재흥(再興) Wiederherstellung *f.* -en. ～하다 wieder her|stellen⁴.

잭나이프 das große Klappmesser, -s, -.

잼 Marmelade *f.* -n.

잽싸다 schnell 〔geschwind; rasch〕 (sein). ¶잽싸게 몸을 피하다 leichtfüßig aus|weichen*³.

잿더미 Aschenhaufen *m.* -s, -. ¶～로 화하다 ⁴sich in Asche verwandeln.

잿물 《세탁용》 die kaustische Soda; Lauge *f.* -n; 《유약》 Glasur *f.* -en. ¶～을 바르다 glasieren⁴.

잿밥(齋—) Opferreis, der Buddha dargebracht wird.

잿빛 Aschfarbe *f.*; Aschgrau *n.* -(e)s.

쟁강거리다 rasseln; klirren.

쟁기 Pflug *m.* -(e)s, ⸚e. ‖～질 das Pflügen*, -s (～질하다 pflügen⁴).

쟁론(爭論) Wortstreit *m.* -(e)s, -e; Auseinandersetzung *f.* -en. ～하다 e-n Wortwechsel haben (mit *jm.* *über*⁴).

쟁반(錚盤) (Tee)brett *n.* -(e)s, -er; Tablett *n.* -(e)s, -e.

쟁의(爭議) Streit 〔Konflikt〕 *m.* -(e)s, -e; Zwist *m.* -es, -e. ¶～를 일으키다 in Streit 〔Zwist〕 geraten* (mit *jm*). ‖노동～ Arbeitsstreitigkeit *f.* -en.

쟁이다 auf|häufen; an|häufen; häufen. ¶상품을 ～ Waren an|häufen.

ㅈ

쟁쟁하다(錚錚—) hervorragend 〔ausgezeichnet; vorzüglich〕 (sein). ¶ 쟁쟁한 인물 ein hervorragender Mann, -(e)s, ¨er.

쟁점(爭點) Streitpunkt *m.* -(e)s, -e; der strittige〔streitige; umstrittene〕 Punkt. ¶ 법률상의 ～ der strittige 〔streitige〕 Rechtspunkt.

쟁탈(爭奪) Streit *m.* -(e)s, -e; Kampf *m.* -(e)s, ¨e. ～하다 streiten*〔kämpfen〕 《*um*[4]》. ‖ ～전 Wettkampf *m.* 《*um*[4]》.

쟁패전(爭覇戰) der Kampf um den Vorrang 〔die Meisterschaft〕.

저[1] 《나》 ich; 《사적인》 privat; persönlich. ¶ 저의 mein.

저[2] 《저기의 사물·사람 등》 jener* 《jene*; jenes*》; der* 《die*; das*》. ¶ 저 집 das 〔jenes〕 Haus, -es, ¨er / 저 세상 jene Welt.

저(著) Werk *n.* -(e)s, -e; Arbeit *f.* -en. ¶ 이 광수 저(의 소설) e-e Novelle von *Yi Gwangsu.*

저(箸) ＝젓가락.

저간(這間) ¶ ～의 사정 Umstände in der Zwischenzeit.

저개발국(低開發國) Entwicklungsland *n.* -(e)s, ¨er.

저것 jenes 《jener; jene》; das dort. ¶ 이것 ～ dies(es) und jenes.

저격(狙擊) ～하다 schießen*《*auf*[4]》. ‖ ～자 der Schießende*, -n, -n.

저고리 Rock *m.* -(e)s, ¨e 《남자의》; Jacke *f.* -n. 《일반적으로》. ¶ ～를 입다 Jacke an|ziehen*〔tragen*〕

저공(低空) die geringe Höhe, -n. ‖ ～비행 Niederflug *m.* -(e)s, ¨e; der niedere Flug.

저금(貯金) Spargeld *n.* -(e)s, -er; das Sparen*, -s. ～하다 Geld sparen; 《예금》 Geld in [4]*et.* legen. ‖ ～통 Sparbüchse *f.* -en / ～ 통장 Spar(kassen)-buch *n.* -(e)s, ¨er.

저금리(低金利) der niedrige Zinsfuß, -es, ¨e 〔Zinssatz, -es, ¨e〕. ‖ ～ 정책 die Politik des niedrigen Zinsfußes.

저급(低級) niedere Klasse, -n; niederer Grad, -(e)s, -e. ～한 niedrig; gemein.

저기 dort; da; drüben. ¶ ～ 저이는 누구요 Wer ist der Mann da?

저기압(低氣壓) Tiefdruck *m.* -(e)s, ¨e. ¶ ～의 중심 das Zentrum des Tiefdruckgebiets. ‖ ～권(圈) Tiefdruckgebiet *n.* -(e)s, -e; Zyklone *f.* -n.

저냐 gebratenes Fleisch 〔Fisch〕.

저널리스트 Journalist *m.* -en, -en; Tagesschriftsteller *m.* -s, -.

저널리즘 Journalismus *m.* -; Zeitungswesen *n.* -s, -.

저녁 ① 《해질녘》 Abend *m.* -s, -e. ¶ ～에 am Abend; abends. ② 《식사》 Abend·brot *n.* -(e)s〔-essen *n.* -s, -〕. ¶ ～을 들다 zu Abend essen*. ‖ ～놀 Abend·rot *n.* -(e)s 〔-röte *f.*〕; Abendschein *m.* -(e)s.

저능(低能) Schwachsinn *m.* -(e)s. ～하다 schwach〔blöd〕sinnig (sein). ‖ ～아 das schwachsinnige 〔geistesschwache〕 Kind, -(e)s, -er.

저다지 so; bis zu jenem Grade; solchergestalt. ¶ ～ 서두를 게 뭐람 Warum so eilig?

저당(抵當) Pfand *n.* -(e)s, ¨er. ～하다 verpfänden[4]. ¶ ～잡다 in 〔zum〕 Pfand nehmen*[4] / ～잡히다 verpfänden[4] / ～으로 pfandweise. ‖ ～권 Hypothek *f.* -en (～권자 Hypothekengläubiger *m.* -s, -) / ～물 das verpfändete Gut, -(e)s, ¨er; Pfand.

저도모르게 unwillkürlich; unbewußt; unwissentlich.

저돌(猪突) ～적(인) tollkühn; verwegen; wagehalsig. ¶ ～적으로 나아가다 [4]sich blindlings stürzen 《*auf*[4]》.

저런[1] (ein) solcher*; solch* ein*; derartig*. ¶ ～ 식으로 auf diese Weise / ～ 책 ein solches Buch, -(e)s, ¨er.

저런[2] 〖感歎詞〗 sieh!; da!; nanu!; Donnerwetter! ¶ 어머나 ～ Nein, so was!

저렇다 solch; derartig; so (sein). ¶ 이렇다 ～ 말이 많다 über dieses u. jenes viel reden; kritisieren / 그는 언제나 ～ Es ist immer so mit ihm.

저력(底力) die innere Kraft, ¨e; Energie *f.* -n. ¶ ～ 있는 kraftvoll; energisch; gewaltig / ～을 과시하다 s-e innere Kraft zeigen.

저렴(低廉) Billigkeit *f.*; Mäßigkeit *f.* ～하다 billig 〔preiswert; wohlfeil〕 (sein).

저류(底流) Unterströmung *f.* -en; 《比》 die untere 〔verborgene〕 Strömung.

저리(低利) die niedrigen Zinsen (*pl.*); der niedrige Zins·fuß 〔-satz〕, -es, ¨e 《이율》. ¶ ～로 대부하다 Geld zu niedrigen 〔geringen〕 Zinsen leihen* 《*jm.*》. ‖ ～자금 der Fonds zu niedrigem Zinsfuß.

저리다 ein|schlafen* 《수족이》; gelähmt werden 《마비》; gefühllos werden 《무감각》.

저마다 alle einzeln; gegenseitig. ¶ ～ 방을 갖고 있다 Jeder von uns hat ein Zimmer für sich.

저만큼 so; solchermaßen. ¶ ～ 공부하는 사람도 드물다 Wenige Leute studieren so fleißig.

저만하다 solch; soviel (sein). ¶ 저만한 인물 solch eine Persönlichkeit.

저명(著名) ～하다 berühmt 〔gefeiert; wohlbekannt〕 (sein). ‖ ～ 인사 e-e profitierte Persönlichkeit, -en.

저물가(低物價) die niedrigen Preise (*pl.*). ‖ ～ 정책 die Politik der niedrigen Preise.

저물다 《날·해가》 dunkel werden; Abend werden; die Nacht bricht ein. ¶ 날이 저문 후에 nach dem Sonnenuntergang.

저미다 auf|schneiden*[4]; in Scheiben schneiden*[4]; ab|schneiden*[4].

저버리다 gegen 〔wider〕 [4]*et.* gehen* 〔sein〕; brechen*[4]; verletzen[4]. ¶ 은혜를 저버리고 gegen die Wohltat / 약속을 ～ sein Wort brechen*.

저벅거리다 mit e-m dumpfen Gang fort|gehen*; trampeln.

저변(底邊) ＝밑변.

저상(沮喪) Bedrücktheit *f.* ¶ 의기를 ～시키다 *jm.* den Mut benehmen* / 의기 ～한 bedrückt; deprimiert.

저서(著書) Buch *n.* -(e)s, ¨er; das geistige Produkt, -(e)s, -e; Schrift *f.* -en.

저속(低俗) ～하다 gemein nichtswürdig

(sein); niedrig (sein). ¶ ~한 취미 der niedere 〔niedrige〕 Geschmack, –(e)s, ⸚e.

저수(貯水) ‖ ~량 die aufgestaute Wassermenge, –n / ~지 Wasserbehälter *m.* –s, –; Stausee *m.* –s, –n.

저술(著述) =저작. ‖ ~업 Schriftstellerei *f.* –en.

저승 jene 〔künftige〕 Welt; die andere Welt; Jenseits *n.* –. ¶ ~길로 떠나다 ins Totenreich hinab|steigen*.

저압(低壓) Niederdruck *m.* –(e)s, ⸚e. ‖ ~ 전류 Niederdruckstrom *m.* –(e)s, ⸚e.

저어하다 ^{4}sich fürchten 《*vor*^{3}》; Angst haben 《*vor*^{3}》; Bedenken hegen 《*vor*^{3}》; besorgt sein.

저열(低劣) ~하다 gemein〔niederträchtig; frech〕 (sein).

저온(低溫) Tieftemperatur *f.* –en. ‖ ~ 살균 Pasteurisation *f.* –en(~ 살균하다 pasteurisieren^{4}).

저울 Waage *f.* –n. ¶ ~질하다 ab|wiegen^{*4}; 《비교하다》 vergleichen^{*4} 《*mit*^{3}》/ ~을 속이다 〔후하게 주다〕 zu knapp 〔gut〕 wiegen^{*4}. ‖ ~눈 Waageskala *f.* ..len〔-s〕 (~눈을 속이다 das Gewicht betrügen) / ~대 Waagebalken *m.* –s, – / ~추 Gewicht *n.* –(e)s, –e.

저육(豬肉) Schweinefleisch *n.* –es.

저율(低率) die niedrige Rate, –n; der niedrige Prozentsatz, –es, ⸚e.

저음(低音) 〖樂〗 der tiefe Ton, –(e)s, ⸚e; Baß *m.* ..sses, ..ässe 《저음부》. ‖ ~부 기호 Baßschlüssel *m.* –s, –.

저의(底意) Hintergedanke *m.* –ns, –n; 《진의》 die wahre Absicht, –en. ¶ 그 ~를 모르겠다 Ich weiß nicht, was er wirklich meint.

저인망(底引網) Schleppnetz *n.* –es, –e. ‖ ~ 어업 die Schleppnetzfischerei.

저임금(低賃金) niedriger Lohn, –(e)s.

저자 =장(場).

저자(著者) Verfasser *m.* –s, –; Autor *m.* –s, –en.

저자세(低姿勢) die demütige Haltung, –en. ¶ ~를 취하다 ^{4}sich demütigen 〔erniedrigen〕.

저작(著作) das Schreiben* 〔Schriftstellern*〕 –s; 《저작물》 Artikel *m.* –s, –; Schrift *f.* –en; Werk *n.* –(e)s, –e. ~하다 verfassen^{4}; ein Buch schreiben*. ‖ ~가 Schriftsteller 〔Verfasser〕 *m.* –s, –; Autor *m.* –s, –en / ~권 Urheberrecht *n.* –(e)s, –e; Copyright *n.* –s, –s (~권 침해 der gesetzlich unerlaubte Nachdruck, –(e)s, –e).

저장(貯藏) das Aufspeichern*, –s; Aufbewahrung *f.* –en. ~하다 auf|bewahren^{4} 〔-|speichern^{4}〕; lagern^{4}; ein|machen^{4}; konservieren^{4}. ‖ ~실 Vorratskammer *f.* –n / ~품 Lager *n.* –s, –.

저절로 von selbst; automatisch; 《자연히》 natürlich. ¶ 촛불이 ~ 꺼졌다 Das Kerzenlicht ist von selbst gelöscht.

저조(低調) 《가락이》 der tiefe Ton, –(e)s, ⸚e; 《활동이》 Flauheit 〔Flauigkeit〕 *f.* –en 《부진》. ~하다 tieftönig 〔flau; träge〕 (sein). ¶ 시황은 ~하다 Die Geschäfte gehen 〔sind〕 flau.

저주(咀呪) ~하다 verfluchen^{4}; fluchen^{3}; verwünschen; verdammen^{4}. ¶ ~받은 verflucht; verwünscht; verdammt.

저주파(低周波) Niederfrequenz *f.* –en. ‖ ~ 증폭기 Niederfrequnzverstärker *m.* –s, –.

저지(低地) Tief〔Unter〕land *n.* –(e)s, ⸚er; Niederung *f.* –en.

저지(沮止) (Ver)hinderung *f.* –en; Durchkreuzung *f.* –en 《방해》; Hemmung *f.* –en. ~하다 verhindern 《*jn.* *an*^{3}》; durchkreuzen^{4}. ¶ 적의 진격을 ~하다 den Vormarsch des Feindes stoppen.

저지르다 machen^{4}; begehen^{*4}; an|richten^{4}. ¶ 실수를 ~ e–n Fehler begehen*; ^{4}*et.* falsch machen.

저쪽 die andere 〔entgegengesetzte〕 Seite, –n 《건너편》; der andere*, –n, –n; Gegenspieler *m.* –s, – 《상대방》. ¶ ~에 (dort) drüben; jenseits^{2}.

저촉(抵觸) ~하다 widerstreiten^{*3}; in Widerspruch stehen* 《*mit*^{3}》; kollidieren 《*mit*^{3}》. ¶ 법에 ~되다 mit dem Gesetz im Widerspruch stehen*.

저축(貯蓄) das Sparen*, –s; 《저금》 Spargeld *n.* –(e)s, –er; Ersparnisse (*pl.*); Sparpfennig *m.* –(e)s, –e 《영세한》; 《저장》 (Auf)bewahrung *f.* –en. ~하다 (er)sparen^{4}; zurück|legen^{4}. ‖ ~심 Spar(samkeits)sinn *m.* –(e)s.

저탄장(貯炭場) Kohlenlager *n.* –(e)s, –.

저택(邸宅) Herrenhaus 〔Wohnhaus〕 *n.* –es, ⸚er.

저편 =저쪽.

저하(低下) ~하다 fallen*; sinken*; ^{4}sich senken; 《품질이》 ^{4}sich verschlechtern. ¶ ~시키다 senken^{4}; fallen machen^{4} / 사기가 ~되다 den Mut sinken lassen*.

저학년(低學年) die unteren Klassen 〔Jahrgänge〕 (*pl.*).

저항(抵抗) Widerstand *m.* –(e)s, ⸚e. ~하다 Widerstand leisten^{3}; widerstehen* 《*jm*; ^{3}*et*》. ¶ 완강히 ~하다 *jm.* hartnäckigen Widerstand leisten. ‖ ~력 Widerstandskraft *f.* ⸚e.

저해(沮害) Hindernis 〔Hemmnis〕 *n.* –ses, –se. ~하다 hindern^{4}; hemmen^{4}; stören^{4}; erschweren^{4}. ¶ 발전을 ~하다 die Entwicklung hemmen.

저혈압(低血壓) der niedrige Blutdruck, –(e)s.

저희 wir; uns.

적 《때》 wenn; als; 《경험》 vergangene Erfahrung. ¶ 옛 적에 einmal; früher / …한 적이 있다 einmal passiert sein.

적(敵) Feind *m.* –(e)s, –e; 《적대자》 Gegner *m.* –s, –; 《라이벌》 Nebenbuhler *m.* –s, –; Rivale *m.* –n, –n. ¶ 적이 되다 *js.* Feind werden / 인류의 적 der Feind der Menschheit / 적의 배후를 공격하다 dem Feinde in den Rücken fallen*.

적(積) 〖數〗 Produkt *n.* –(e)s, –e; 《면적》 Flächenraum *m.* –(e)s, ⸚e.

적(籍) Standes〔Familien〕register *n.* –s, –. ¶ 적을 올리다 ^{4}sich ins Standesregister eintragen lassen* / 적을 두다 (als Student) immatrikuliert werden 《대학에》.

적갈색(赤褐色) Rot〔Gelb〕braun *n.* –s.

적개심(敵愾心) Feindseligkeit *f.* –en; die feindliche Gesinnung 〔Stimmung〕 –en.

¶~을 품고 있다 feindlich gesinnt sein (*gegen*[4]).

적격(適格) die passende 〔geeignete〕 Rolle, -n. ¶그 역은 그에게 ~이다 Die Rolle ist ihm auf den Leib geschrieben. ‖~자 der Qualifizierte* 〔Überprüfte*〕 -n, -n.

적국(敵國) Feindesland *n.* -(e)s; Feindland *n.* -(e)s, ⸚er.

적군(赤軍) die Rote Armee, -n; die Rotarmisten (*pl.*).

적군(敵軍) die feindliche Truppe, -n; das feindliche Heer, -(e)s, -e.

적극(積極) ~적(인) positiv; aktiv. ‖~성 Positivität *f.*

적금(積金) das Geldersparnis mit Rateneinzahlung. ~하다 (monatlich) Geld ein|zahlen (in e-e Bank).

적기(赤旗) die rote Fahne, -n.

적기(適期) ~의 rechtzeitig; zeitgemäß; angebracht. ¶지금이 ~다 Es ist jetzt die günstige Zeit.

적기(敵機) der feindliche Flieger, -s, -; das feindliche Flugzeug, -(e)s, -e.

적나라(赤裸裸) ~하다 nackt 〔bar; bloß; entblößt; offen(herzig)〕 (sein). ¶~한 사실 die nackte Wahrheit, -en.

적다[1] (기재) auf|schreiben*[4]; notieren[4]. ¶장부〔일기〕를 ~ Buch 〔ein Tagebuch〕 führen.

적다[2] wenig 〔gering; knapp; (희귀) selten; (부족) dürftig〕 (sein). ¶적지 않은〔않게〕 nicht wenig / 그는 경험이 ~ Er hat nur wenige Erfahrungen.

적당(適當) ~하다 passend 〔geeignet; mäßig; entsprechend; angemessen〕 (sein). ¶~한 때에 zur rechten Zeit.

적대(敵對) ~하다 [4]sich widersetzen[(3)] (*jm.*); an|feinden[3]. ‖~행위 die feindliche Handlung, -en.

적대시(敵對視) ~하다 an|feinden[4]; feindselig gestimmt sein (gegen *jn.*).

적도(赤道) Äquator *m.* -s. ‖~의(儀) Äquatorial *n.* -(e)s, -e / ~제(祭) Äquatorialtaufe *f.* -n / ~해류 Äquatorialstrom *m.* -(e)s, ⸚e.

적도(賊徒) ① (반도) der Aufständische*, -n, -n; Rebell *m.* -en, -en. ② (도적) Räuber *m.* -s, -; Bandit *m.* -en, -en.

적동(赤銅) 〖鑛〗 Rotkupfer *n.* -s, -. ‖~광 Rotkupfererz *n.* -es, -e.

적란운(積亂雲) =소나기구름.

적량(適量) die richtige Dosis, ..sen 〔Menge, -n〕. ¶~을 초과하다 das rechte Maß überschreiten*.

적령(適齡) das dienst〔gestellungs〕pflichtige Alter, -s. ‖결혼 ~기 das heiratsfähige 〔-reife〕 Alter.

적리(赤痢) 〖醫〗 Dysenterie *f.* -n. ‖~균 Ruhrbazillus *m.* -, ..zillen.

적립(積立) ~하다 ersparen[4]; zurück|legen[4]. ‖~금 zurückgelegtes Geld, -(e)s, -er.

적막(寂寞) ~하다 einsam 〔lautlos u. still〕 (sein).

적바림 die kurze Zusammenfassung, -en. ~하다 kurz zusammen|fassen[4].

적반하장(賊反荷杖) Der Dieb spielt den Herrn mit dem Stock.

적발(摘發) Enthüllung *f.* -en. ~하다 enthüllen[4]; auf|decken[4]. ¶범죄를 ~하다 ein Verbrechen ans Licht bringen*.

적법(適法) ~의 rechtmäßig; gesetzmäßig. ‖~행위 die rechtmäßige Handlung, -en.

적병(敵兵) der feindliche Soldat, -en, -en.

적부(適否) Eignung *f.* ¶~를 판단하다 beurteilen, ob etwas geeignet ist od. nicht.

적분(積分) 〖數〗 Integral *n.* -s, -e. ~하다 integrieren[4].

적빈(赤貧) die äußerste 〔drückendste; bitterste〕 Armut. ~하다 blutarm〔arm wie e-e Kirchenmaus〕 (sein).

적색(赤色) Rot *n.* -s; die rote Farbe, -n. ‖~분자 die roten Elemente (*pl.*).

적선(積善) ~하다 Wohltaten erweisen.

적선지대(赤線地帶) Halbwelt *f.*; Hurenwinkel *m.* -s, -.

적설(積雪) der gefallene Schnee, -s. ¶~이 2미터에 달했다 Der Schnee lag 2 m hoch.

적성(適性) Eignung *f.* -en. ‖~검사 Eignungsprüfung *f.* -en.

적성(敵性) ~의 feindlich gesinnt. ‖~국가 der feindliche Staat, -(e)s, -en.

적소(適所) die richtige 〔geeignete〕 Stelle, -n. ‖적재 ~ der rechte Mann am rechten Orte.

적쇠(炙—) Bratrost *m.* -(e)s, -e; Balkenrost.

적수(敵手) (상대) Gegner *m.* -s, -; Gegenspieler *m.* -s, -. ¶그는 내 ~가 아니다 Er ist m-r nicht würdig. ‖호 ~ der gute Gegner, -s, -.

적수공권(赤手空拳) leer Hände u. Fäuste (*pl.*); Mittellosikeit *f.*

적시(適時) ~의 rechtzeitig; zeitgemäß. ‖~안타 〖野〗 die rechtzeitige Attacke, -n.

적시다 naß machen[4]; (be)nässen[4]; befeuchten[4]; an|feuchten[4]. ¶손을 적시지 않고 ohne s-e Hand zu nässen.

적신호(赤信號) das rote (Warnungs)signal, -s, -e; die rote Ampel, -n.

적십자(赤十字) (단체) Rotes Kreuz, -es. ‖~병원 das Hospital des Roten Kreuzes.

적어도 ① (최소한) wenigstens; mindestens; zumindest. ② (적게 평가해도) wenn (überhaupt). ¶~학자가 되려면 wenn du einmal (ein) Gelehrter sein willst.

적역(適役) die (für *jn.*) geeignete Rolle, -n. ¶그 일에는 그가 가장 ~이다 Er ist der Geeignetste für die Arbeit.

적역(適譯) die glückliche 〔passende〕 Übersetzung, -en.

적외선(赤外線) die ultraroten〔infraroten〕 Strahlen (*pl.*). ‖~사진 Ultrarotaufnahme *f.* -n / ~요법 Ultrarottherapie *f.* -n.

적요(摘要) Auszug *m.* -(e)s, ⸚e; die gedrängte Inhaltsangabe, -n. ‖~란 die Erläuterungen (*pl.*).

적용(適用) Anwendung *f.* -en. ~하다 an|wenden*[4] (*auf*[4]). ¶~할 수 있는〔없는〕 anwendbar 〔unanwendbar〕 (*auf*[4]).

적은집 ☞ 작은집②.

적응(適應) ~하다 [4]sich an|passen[3]; [4]sich

akkomodieren³. ¶～시키다 an|passen⁴; akkomodieren⁴. ‖～성 Anpassungsfähigkeit *f.*

적의(適宜) ～하다 angemessen 〔geeignet; passend〕 (sein).

적의(敵意) die feindliche Gesinnung, –en; Feindschaft *f.* –en. ¶～를 품다 feindliche Gesinnung hegen 《*gegen*⁴》.

적이 ziemlich; einigermaßen; etwas. ¶그 소식에 ～ 안심된다 Ich war ziemlich erleichtert mit den Nachrichten.

적임(適任) Eignung *f.* –en. ¶～이다. geeignet 〔brauchbar〕 《*zu*³; *für*⁴》; geschaffen 《*für*⁴》. ‖～자 die geeignete Person, –en 《*zu*³; *für*⁴》.

적자(赤字) Fehlbetrag *m.* –(e)s, ⸗e; Defizit *n.* –s, –e; Verlust *m.* –(e)s, –e. ¶～를 내다 Verluste erleiden* / ～를 메우다 ein Defizit decken. ‖～ 생활 das Leben mit Verlusten / ～ 요인 die Hauptursache des Defisits / ～ 운영 der Betrieb in roten Zahlen. 〔*m.* –s, –.〕

적자(嫡子) Erbe *m.* –n, –n; Stammhalter

적자생존(適者生存) das Überleben des Tauglichsten; die natürliche Zuchtwahl. ¶～의 법칙 das Gesetz des Überlebens der Tauglichsten.

적재(積載) ～하다 verladen*⁴; (auf|)laden*⁴. ‖～량 Tragfähigkeit *f.* –en / ～ 톤수 die Ladungsfähigkeit *usw.* in ³Tonnen; 《배의》 Tonnengehalt *m.* –(e)s, –e.

적재적소(適材適所) der rechte Mann an der rechten Stelle. ¶～에 배치하다 den rechten Mann an die rechte Stelle stellen.

적적하다(寂寂—) einsam 〔verlassen〕 (sein). ¶적적한 곳 e–e einsame Gegend, –en / 적적하게 살다 einsam leben.

적전(敵前) ～의 vor dem Feind(e); vor den Augen des Feindes. ‖～ 상륙 e–e Landung unter ³Feindeinsicht.

적절(適切) ～하다 passend 〔schicklich; angemessen; geeignet; treffend〕 (sein). ¶～한 말 die treffende Bemerkung, –en / ～히 처리하다 angemessen verfahren.

적정(適正) ～하다 recht 〔rechtig; angemessen〕 (sein). ‖～ 가격 der vernünftige Preis, –es, –e / ～ 통화량 die angemessene Währungskapazität.

적정(敵情) die feindliche Lage; Verhältnisse (*pl.*) beim Feind(e). ¶～을 살피다 die feindliche Lage erkunden.

적중(的中) ～하다 den rechten Fleck treffen*; genau treffen*⁴; 《상상 등이》 (er)raten*.

적지(敵地) Feindesland *n.* –(e)s. ¶～에 들어가다 in(s) Feindeland ein|fallen*.

적지않이 außergewöhnlich; nicht gering 〔wenig〕. ¶～ 놀랐다 Ich war nicht wenig überrascht.

적진(敵陣) 《진영》 das feindliche Lager, –s, –; 《진지》 die feindliche Stellung, –en. ¶～을 돌파하다 die feindliche Stellung durchbrechen.

적철광(赤鐵鑛) 〖鑛〗 Hämatit *m.* –s, –e.

적출(摘出) Exstirpation *f.* –en; die völlige Entfernung, –en. ～하다 exstirpieren⁴; völlig entfernen.

적탄(敵彈) die feindlichen Kugeln (*pl.*). ¶～에 쓰러지다 von feindlicher Krugel getroffen fallen*.

적폐(積弊) das tief eingewurzelte Übel, –s, –. ¶다년간의 ～를 일소하다 den Augiasstall aus|misten.

적하(積荷) das (Be)laden*, –s; Ladung *f.* –en. ‖～ 명세서 Frachtenliste *f.* –n / ～ 목록 Ladungsverzeichnis *n.* –ses, –se / ～ 보험 Frachtversicherung *f.* –en. 〔–(e)s, –e.〕

적함(敵艦) das feindliche Kriegschiff,

적합(適合) ～하다 entsprechend 〔passend; geeignet; treffend〕 (sein). ¶～시키다 an|passen³⁴ / 목적에 ～하다 den Zwecke entsprechen*.

적혈(赤血) ‖～구 Erythrozyte *f.* –n; das rote Blutkörperchen, –s, –.

적화(赤化) ～하다 kommunistisch werden. ‖～ 선전 die rote Propaganda / ～ 운동 die rote Bewegnung, –en.

적확(的確) ～하다 genau 〔bestimmt; exakt; präzis〕 (sein).

적히다 eingetragen 〔registiert; eingeschrieben〕 werden. ¶이름이 ～ s–n Namen eingetragen haben. 〔Kruges〕.

전 《가장자리》 der äußerste Rand 《e–s

전(前) ① 《시간적》 vor³; ehmals; früher; vorher. ¶전에 früher; ehemals; vorzeiten; einmal / 몇해 전에 vor einigen Jahren / 얼마 전에 neulich; vor kurzer Zeit. ② 《…하기 전》 bevor; ehe; vor³. ¶해지기 전에 vor Sonnenuntergang. ③ 《전직·이전》 früher; ehemalig. ¶전 장관 der ehemalige Minister, –s, –. ④ 《장소》 ¶역전에서 vor dem Bahnhof. ⑤ 《편지에서》 liebe(r); Herr. ¶어머님 전 상서 Liebe Mutter.

전(煎) gebratene Speise, –n. ¶전을 부치다 braten; schmoren.

전–(全) ganz; all; gesamt. ¶전독일인의 문제 die gesamtdeutsche Frage, –n. ‖전재산 das ganze 〔gesamte〕 Vermögen, –s, –.

전가(傳家) ～의 angestammt. ¶～의 보도를 뽑다 das letzte Mittel ergreifen*.

전가(轉嫁) 《책임의》 Anschuldigung *f.* –en; Beschuldigung *f.* –en. ～하다 an|schuldigen² 《*jn.*》; beschuld(ig)en² 《*jn.*》. ¶책임을 ～하다 die Verantwortung auf *jn.* schieben* 〔laden*〕.

전각(殿閣) Königspalast *m.* –es, ⸗e.

전간(癲癇) ＝간질(癎疾).

전갈(全蝎) 〖動〗 Skorpion *m.* –s, –e. ‖～자리 〖天〗 der Skorpion, –s.

전갈(傳蠍) Bestellung *f.* –en; (mündliche) Nachricht, –en. ～하다 e–e (mündliche) Bestellung machen lassen*; *jm.* Nachricht übermitteln. ¶～을 보내다 e–e Botschaft senden* 《*jm.*》.

전개(展開) Entwicklung 〔Entfaltung〕 *f.* –en. ～하다 ⁴sich entwickeln 〔entfalten〕; 《군대가》 in Linien auf|marschieren. ¶이론을 ～하다 die Theorie darlegen 〔entwickeln〕.

전거(典據) Autorität *f.* –en; Quelle *f.* –n; Grund *m.* –(e)s, ⸗e. ¶～가 확실

한 aus bester Quelle / ～가 없는 unglaubwürdig.
전거(轉居) Wohnungwechsel *m.* -s, -. ～하다 die Wohnung wechseln; um|ziehen*.
전건(電鍵) das elektrische Schloß, ..os- ⌈ses, ..össer.⌉
전격(電擊) 《충격》 der elektrische Schlag, -(e)s, ¨e; Blitz *m.* -es, -e. ‖ ～전 Blitzkrieg *m.* -(e)s, -e.
전경(全景) Rundblick *m.* -(e)s, -e; Panorama *n.* -s, ..men. ¶ 서울의 ～ die Aussicht von Seoul. ⌈-(e)s, ¨er 〔-e〕.⌉
전곡(田穀) Feldfrucht *f.* -en; Korn *n.*
전골(煎—) Rindfleischschmorpfanne *f.* -n; in der Pfanne geschmorenes Rindfleisch.
전공(專攻) Fach〔Spezial〕studium *n.* -s, ..dien. ～하다 speziell 〔fachmäßig〕 studieren[4], [4]sich spezialisieren 《*auf*》. ‖ ～ 과목 Spezialfach *n.* -(e)s, ¨er / ～ 분야 Spezialgebiet *n.* -(e)s, -e.
전공(電工) Elektriker *m.* -s, -; Elektrotechniker *m.* -s, -.
전공(戰功) Kriegsverdienst *n.* -es, -e; Verdienste um den Krieg. ¶ ～을 세우다 Kriegsverdienst leisten.
전과(全科) die ganzen Lehrfächer (*pl.*); der ganze Lehrgang, -(e)s, ¨e. ¶ ～를 수료하다 den ganzen Kursus voll|enden.
전과(前科) Vorstrafe *f.* -n; Vorstrafenregister *n.* -s, -. ¶ ～가 있다〔없다〕 vorbestraft sein 〔k-e Vorstraf haben〕 《*wegen*[2]》. ‖ ～자 der Vorbestrafte*, -n, -n.
전과(戰果) Kriegserfolg *m.* -(e)s, -e. ¶ ～를 올리다 e-n Kriegserfolg haben / ～가 혁혁하다 e-n großen Kriegserfolg machen.
전과(轉科) ～하다 un|satteln; wechseln.
전관(前官) das vorige Amt, -(e)s, ¨er. ¶ ～ 예우를 받다 die Bevorzugang des vorigen Amtes erteilt bekommen*.
전관(專管) ～하다 exklusive verwalten. ‖ ～ 수역(水域) ausschließliches Fisch〔Fang〕wasser, -s, -.
전광(電光) das elektrische Licht, -s; Blitz *m.* -es, -e; (Blitz)strahl *m.* -(e)s, -en. ¶ ～ 석화처럼 blitzschnell; wie der Blitz. ‖ ～ 뉴스 laufende Leuchtnachrichten (*pl.*); Lichtreklame *f.* -n 《광고》.
전교(全校) die ganze Schule, -n. ‖ ～생 alle Schüler der Schule.
전교(轉交) Nachsendung *f.* -en. ～하다 nach|senden*[4]; nach|schicken[4].
전구(前驅) ～하다 vor|reiten*. ‖ ～ 증상 〖醫〗 erste Anzeichen (*pl.*).
전구(電球) (die elektrische) Birne, -n; Glühbirne *f.* -n. ‖ 백열 ～ (weißglühende) Glühbirne.
전국(全—) unverdünnte Sauce 〔Suppe〕. ‖ ～술 unverdünnte Spirituosen.
전국(全國) das ganze Land, -(e)s, ¨er. ～적(인) das ganz Land umfassend; national. ‖ ～ 방송 Ringsendung für das ganze Land.
전국(戰局) Kriegs·phase *f.* -n 〔-aspekt *m.* -(e)s, -e〕. ¶ ～의 변화 der Wandel der Kriegsphasen *usw.*
전국시대(戰國時代) Kriegszeitalter *n.* -s, -; die stürmische Zeit, -en.
전군(全軍) das ganze Heer, -(e)s, -e; Gesamtstreitkräfte (*pl.*).
전권(全卷) der ganze Band, -(e)s, ¨e 《단권》; die gesamte Bände (*pl.*). ¶ ～을 통하여 von Anfang bis 〔zu〕 Ende.
전권(全權) Vollmacht *f.* -en. ¶ ～을 위임하다 *jm.* Vollmacht geben* 《*zu*[3]》. ‖ ～ 대사 der bevollmächtigte Botschafter, -s, - / ～ 위원〔사절〕 der Bevollmächtigte*, -n, -n.
전권(專權) Willkür *f.*; Eigenmächtigkeit *f.* ～하다 (die Regierung) eigenwillig führen.
전극(電極) 〖電〗 Elektrode *f.* -n.
전근(轉勤) Versetzung *f.* -en. ～되다 versetzt werden. ⌈dern.⌉
전근대(前近代) ～적 altmodisch; unmo-
전기(前記) ～의 obig; obenstehend; vorstehend; obenerwähnt. ¶ ～와 같이 wie obenerwähnt 〔obengennant〕.
전기(前期) der vorangehende Termin, -s, -e; 《전반기》 die erste Hälfte des Jahres. ‖ ～ 결산 die erste Halbjahresabrechnung, -en.
전기(傳記) Biographie *f.* -n; Lebensbeschreibung *f.* -en. ‖ ～ 작가 Biograph *m.* -en, -en.
전기(電氣) Elektrizität *f.* -en. ～의 elektrisch; Elektrizität-; Elektro-. ‖ ～ 공학 Elektrotechnik *f.* / ～ 기타 elektrische G(u)itarre (mit Verstärker) / ～ 면도기 elektrischer Rasierapparat *m.* -(e)s, -e / ～ 세탁기 (elektrische) Waschmashine, -n / ～ 요금 Elektrizitätsgebühren (*pl.*).
전기(轉機) Wendepunkt *m.* -(e)s, -e; Umschwung *m.* -s, ¨e; Wendung *f.* -en. ¶ 정국에 새 ～를 마련하다 der politischen Lage e-e neue Wendung geben*. ⌈-s, -e.⌉
전기소설(傳奇小說) Abenteuerroman *m.*
전나무 〖植〗 Tanne *f.* -n. ～의 Tannen-. ⌈〔Ehemann〕.⌉
전남편(前男便) der ehemalige Mann
전년(前年) voriges Jahr, -(e)s; letztes Jahr 《작년》.
전념(專念) ～하다 [4]sich ausschließlich beschäftigen 〔befassen〕 《*mit*[3]》. ¶ 직무에 ～하다 e-m Beruf ob|liegen*〔nach|gehen*〕.
전뇌(前腦) 〖解〗 Vorderhirn *n.* -(e)s, -e.
전능(全能) Allmacht *f.*; Omnipotenz *f.* ～하다 allmächtig (sein). ¶ 전지 ～한 allwissend u. allmächtig.
전단(全段) 《신문의》 die ganze Seite. ‖ ～ 표제 Schlagzeile *f.*
전단(專斷) die willkürliche 〔eigenmächtige〕 Entscheidung, -en. ～하다 [4]sich willkürlich entscheiden*
전단(傳單) Beklame(flug)zettel *m.* -s, -; Flugblat *n.* -(e)s, ¨er.
전단(戰端) der Anlaß des Krieges; Kriegseröffnung *f.* ¶ ～을 열다 e-n Krieg eröffnen; Krieg führen.
전달(前—) letzter 〔voriger〕 Monat.
전달(傳達) Uber·mittelung 〔-bringung;

-lieferung] *f.* -en. ～하다 übermitteln[4]; ein|händigen[4]; überbringen*[4].
전담(全擔) die völlige Verantwortlichkeit ～하다 völlig übernehmen*.
전답(田畓) Feld *n.* -(e)s, -er; Acker *m.* -s, ¨.
전당(典當) Pfand *n.* -(e)s, ¨er. ¶～잡다 zum Pfand nehmen*[4] / ～잡히다 verpfänden[4]; versetzen[4]. ‖～포(鋪) Pfand〔Leih〕haus *n.* -es, ¨er.
전당(殿堂) Palast *m.* -es, ¨e; Palais *n.* -, -. ¶학문의 ～ der Tempel der Wissenschaft.
전대(前代) Vorzeit *f.* -en; die vergangene Generation, -en. ¶～ 미문의 noch nie dagewesen; seit Menschengedanken nie vorgekommen.
전대(戰隊) (Armee)korps *n.* -, -; Truppenkörper *m.* -s, -; (Marine)schwadron *f.* -en.
전대(轉貸) Unter〔After; Weiter〕vermietung *f.* -en. ～하다 unter〔after; weiter〕|vermieten[4].
전대(纏帶) Tornister *m.* -s, -; Geldbeutel 〔-sack〕 *m.* -s, -.
전도(全道) die ganze Provinz, -en.
전도(全圖) die vollkommene Zeichnung 〔Skizze〕 -n. ¶서울 ～ der Stadtplan von Seoul.
전도(前途) Zukunft 〔Aussicht〕 *f.* ¶～ 유망한 vielversprechend; hoffnungsvoll.
전도(傳道) Ausbreitung des Glaubens; Propaganda *f.*; Mission *f.* -en. ～하다 missionieren; in Mission sein; das Evangelium verkünden. ‖～사 Missionar *m.* -s, -e.
전도(傳導) Leitung 〔Transmission〕 *f.* -en. ～하다 leiten[4]; transmittieren[4]. ¶열을 ～하다 Wärme leiten. ‖～도〔율〕 Leit(ungs)fähigkeit *f.* -en / ～체 Leiter *m.* -s, -.
전도(顚倒) Umkehrung 〔Umstellung〕 *f.* -en. ～하다 verkehrt machen[4]; um|kehren[4]. ¶본말을 ～하다 Anfang u. Ende verwechseln.
전도금(前渡金) Vorschuß *m.* ..schusses, ..schüsse.
전동(電動) der elektrische Antrieb, -(e)s, -e. ‖～기 (elektrischer) Motor, -s, -en / ～ 타이프라이터 e-e elektrische Schreibmachine, -n.
전두(前頭) 〖解〗 Vorderhaupt *n.* -(e)s, ¨er. ‖～골 Stirnbein *n.* -(e)s, -e.
전두리 Peripferie *f.* -n; Rand *m.* -(e)s, ¨er.
전등(前燈) Scheinwerfer *m.* -s, - 《헤드라이트》.
전등(電燈) das elektrische Licht, -(e)s, -er; die elektrische Lampe, -n. ¶～을 켜다〔끄다〕 das Licht an〔aus〕|knipsen.
전라(全裸) völlige Nacktheit. ～의 ganz nackt; völlig unbedeckt.
전락(轉落) Fall *m.* -(e)s, ¨e; Sturz *m.* -es, ¨e. ～하다 fallen*; stürzen; herunter|kommen*.
전란(戰亂) Kriegs·unruhen (*pl.*) 〔-trubel *m.* -s, -; -tumult *m.* -(e)s, -e〕. ¶～의 도가니로 화하다 zum Kriegsschauplatz 〔Schlachtfeld〕 werden.
전람(展覽) ～하다 aus|stellen[4]; zur[3] Schau stellen. ‖～회 Ausstellung 〔Schau〕 *f.* -en (～회를 열다 e-e Ausstellung veranstalten).
전래(傳來) ① 《이입》 Überlieferung 〔Einführung〕 *f.* -en. ～하다 her|kommen*; überliefert werden. ¶불교의 ～ die Einführung des Buddhismus (in Korea). ② 《세습》 Erbschaft 〔Überlieferung〕 *f.* -en. ～하다 von *jm.* auf *jn.* (als Erbteil) über|gehen*. ¶선조 ～의 ererbt; angestammt.
전략(前略) ～하다 Vorrede 〔Einleitung〕 weg|lassen*.
전략(戰略) Strategie *f.* -n; Kriegskunst *f.* ¨e. ¶～상 후퇴 der strategische Rückzug, -(e)s, ¨e. ‖～가 Stratege *m.* -n, -n / ～ 공군 die strategischen Luftstreitkräfte (*pl.*) / ～ 물자 strategische Waren(*pl.*) / ～ 폭격기 der strategische Bomber, -s, - / ～ 회의 die strategische Sitzung 〔Tagung〕 -en.
전량(全量) Gesamt·menge 〔-masse〕 *f.* -n.
전력(全力) die volle Kraft; sein Bestes. ¶～을 다하다 alle s-e Kräfte auf|bieten*; sein Bestes tun* / ～을 기울이다 s-e Kräfte sammeln.
전력(前歷) *js.* bisheriges Leben, -s; *js.* Vorleben *n.* -s. ¶～을 조사하다 *js.* Vorleben durchforschen.
전력(電力) die elektrische Kraft, ¨e. ‖～계 Wattmeter *n.* 〔*m.*〕 -s, - / ～선 Starkstromleitung *f.* -en.
전력(戰力) Kriegsstärke *f.* -n; Truppenstärke *f.* -n. ¶～의 증강 das Verbessern der Kriegsstärke.
전령(傳令) Ordonnanz *f.* -en; Bote *m.* -n, -n.
전령(電鈴) ＝벨.
전례(典禮) Ritus *m.* -, ..ten; Ritual *n.* -s, -e 〔-ien〕; Zeremonie *f.* -n.
전례(前例) ein früheres Beispiel, -(e)s, -e; Präzedens *n.* -, ..denzien. ¶～가 없는 beispiellos / ～에 의하여 nach dem früheren 〔bisherigen〕 Beispiel.
전류(電流) (elektrischer) Strom, -(e)s, ¨e; Kraftstrom *m.* -(e)s, ¨e. ¶～를 통하다 ein|schalten[4]; elektrisieren[4] / ～를 차단하다 aus|schalten[4]. ‖～계 Galvano〔Ampere〕meter *n.* -s, -.
전리(電離) 〖物〗 die elektrolytische Dissoziation, -en; Ionisation *f.* -en. ‖～층 Ionosphäre *f.*
전리품(戰利品) Trophäe *f.* -n; Siegeszeichen *n.* -s, -; 《약탈품》 Beute *f.* -n.
전립선(前立腺) 〖解〗 Vorsteherdrüse *f.* -n; Prostata *f.*
전말(顚末) Hergang 〔Verlauf〕 *m.* -(e)s; ¶사건의 ～을 이야기하다 den ganzen Hergang erzählen. ‖～서(書) (Rechenschafts)bericht *m.* -(e)s, -e.
전망(展望) Aussicht *f.* -en; Ausblick *m.* -(e)s, -e. ～하다 e-e Aussicht haben 〔bieten*〕 《*auf*[4] ;*über*[4]》; e-n Überblick haben 《*über*[4]》. ¶～이 밝다 Aussicht auf e-e gute Zukunft haben. ‖～대 Aussichtsturm *m.* -(e)s, ¨e.
전매(專賣) Monopol *n.* -s, -e; Alleinhandel *m.* -s. ～하다 monopolisieren[4]; Alleinhandel treiben* 《*mit*[3]》. ‖～청 Monopolamt *n.* -(e)s, ¨er / ～ 특허

Patent *n.* -(e)s, -e / ∼품 die monopolisierte Ware, -n.
전매(轉賣) Weiter〔Wieder〕verkauf *m.* -(e)s, ⸗e; das Begeben*, -s. ∼하다 weiter〔wieder〕|verkaufen⁴; begeben*⁴.
전면(全面) die ganze Fläche, -n. ¶∼적인〔적으로〕 alles umfassend; allseitig; universal. ‖∼ 전쟁 der totale Krieg, -(e)s, -e.
전면(前面) Vorder〔Stirn〕seite *f.* -n; Front *f.* -en. ‖∼ 공격 Frontangriff *m.* -(e)s, -e.
전멸(全滅) der vollständige Untergang, -(e)s, ⸗e. ∼하다 gänzlich 〔vollständig〕 unter|gehen* / ∼시키다 (gänzlich) vernichten⁴; vollständig zerstören⁴.
전모(全貌) Gesamtbild *n.* -(e)s, -er; die ganze Sachlage, -n. ¶∼를 밝히다 ein Gesamtbild geben*.
전몰(戰歿) ∼하다 auf dem Schlachtfelde fallen*. ‖∼용사 die gefallenen Helden (*pl.*).
전무(全無) das Nicht(vorhanden)sein*, -s; nichts. ¶응모자는 ∼했다 Nicht e-r 〔Keiner〕 hat ⁴sich dazu gemeldet.
전무(專務) 《이사》 der geschäftsführende Direktor, -s, -en.
전무후무(前無後無) ∼하다 beispillos 〔unerhört; noch nicht dagewesen〕 (sein).
전문(全文) der ganze Satz, -es, ⸗e; der vollständige Wortlaut, -(e)s, -e. ¶∼을 싣다 den Text wortgetreu wieder|geben*.
전문(前文) Einleitung *f.* -en 《계약 따위의》; Vorrede *f.* -n 《법률의》; Vorspruch *m.* -(e)s, ⸗e; Präambel *f.* -n 《헌법 따위의》.
전문(專門) (Spezial)fach *n.* -(e)s, ⸗er; Spezialität *f.* -en. ‖∼가 Fachmann *m.* -(e)s, ⸗er; Spezialist *m.* -en, -en; der Sachverständige*, -n, -n / ∼교육 Fachbildung *f.* -en / ∼의(醫) Fach〔Spezial〕arzt *m.* -es, ⸗e / ∼학교 Fachschule *f.* -n / ∼화 Spezialisierung *f.* -en (∼화하다 ⁴sich spezialisieren).
전문(電文) Wortlaut des Telegramms; Telegramm *n.* -s, -e.
전문(傳聞) ¶∼한 바에 의하면 nach dem Gerüchte; vom Hörensagen; gerüchtweise.
전박(前膊) Vorder〔Unter〕arm *m.* -(e)s, -e.
전반(全般) das Ganze*, -n. ∼적(인) allgemein; ganz.
전반(前半) die erste Hälfte, -n; 〖競〗 die erste Halbzeit, -en. ‖∼전 die erste Halbzeit des Spiels.
전반사(全反射) 〖物〗 Totalreflexion *f.* -en.
전방(前方) Front *f.* -en; Frontlinie *f.* -n 《일선》. ¶∼에 vorn(e) / ∼에서 von vorn(e). ‖∼ 지휘소 die Befehlsstelle in der Front.
전번(前番) ∼의 letzt; vorig; vorhergehend / ∼ 일요일에 letzten ⁴Sonntag.
전범(戰犯) Kriegsverbrechen *n.* -s, - 《범죄》; Kriegsverbrecher *m.* -s, - 《사람》. ‖∼ 용의자 der Verdächtiger des Kriegsverbrechens.
전법(戰法) Taktik *f.* -en; Strategie *f.*; Kriegskunst *f.* ⸗e.
전변(轉變) Wechsel *m.* -s, -; Verwandlung *f.* -en. ¶∼무상한 wechselvoll; veränderlich; unbeständig.
전별(餞別) Abschied *m.* -(e)s, -e. ‖∼선물 Abschiedsgeschenk *n.* -(e)s, -e.
전보(電報) Telegramm *n.* -s, -e; Depesche *f.* -n. ¶∼를 치다 telegraphieren 《*an*⁴》. ‖∼ 요금 Telegrammgebühren (*pl.*) / ∼ 용지 Telegrammformular *n.* -s, -e / 지급 ∼ das dringende Telegramm.
전보(塡補) ∼하다 decken⁴; aus|gleichen*⁴.
전보(轉補) Versetzung *f.* -en. ∼하다 *jn.* versetzen.
전복(全鰒) 〖貝〗 Seeohr *n.* -(e)s, -en.
전복(顚覆) Umsturz *m.* -es, ⸗e; das Umkippen*, -s 《차·배의》. ∼하다 um|stürzen; um|kippen. ¶보트가 ∼했다 Das Boot kippte um 〔kenterte〕.
전부(全部) das Ganze*, -n; alles. ¶이것이 ∼냐 Ist das alles? / ∼ 다해서 10권이다 Das ist vollständig in zehn Bänden.
전부(前夫) *js.* früherer 〔voriger〕 Mann, -(e)s, ⸗er.
전부(前部) Vorderteil *m.* 〔*n.*〕 -(e)s, -e; Vorderseite *f.* -n 《집 따위의》.
전분(澱粉) Stärke *f.* -n; Amylum *n.* -s. ¶∼질의 stärkeartig.
전비(前非) frühe Sünden (*pl.*); frühes Unrecht, -(e)s, -e. ¶∼를 뉘우치다 *js.* frühe Sünden bereuen.
전비(戰費) Kriegskosten (*pl.*).
전비(戰備) Kriegs·(aus)rüstung *f.* -en 〔-vorbereitung *f.* -en; -bereitschaft *f.*〕. ¶∼를 갖추다 ⁴sich zum Kriege rüsten.
전사(戰士) Kämpfer 〔Verfechter〕 *m.* -s, -. ‖무명 ∼ der unbekannte Soldat, -en, -en / 산업 ∼ Industriearbeiter *m.* -s, -.
전사(戰史) Kriegsgeschichte *f.* -n. ¶∼에 남다 in der Kriegsgeschichte aufgezeichnet 〔erwähnt〕 werden.
전사(戰死) Tod auf dem Schlachtfeld. ∼하다 (auf dem Schlachtfeld) fallen*. ‖∼자 der Gefallene*, -n, -n.
전사(轉寫) ∼하다 ab|schreiben*⁴; ab|ziehen*⁴; kopieren⁴. ‖∼기 Abziehpresse *f.* -n / ∼(용)지 Überdruckpapier *n.* -s, -e.
전상(戰傷) Kriegswunde *f.* -n. ‖∼병 der verwundete Soldat, -en, -en.
전생(前生) früheres Leben, -s; *js.* die Existenz vor dem jetzigen Leben.
전생애(全生涯) *js.* ganzes Leben, -s. ¶∼를 바치다 sein ganzes Leben widmen³.
전서(全書) Sammelwerk *n.* -(e)s, -e; Sammlung *f.* -en. ‖백과 ∼ Enzyklopädie *f.* -n.
전서(篆書) Siegelschrift *f.* -en.
전선(前線) 〖軍〗 Front *f.* -en; Frontlinie *f.* -n; 〖氣象〗 Wetterfront *f.* -en. ‖강우 ∼ Regenfront.
전선(電線) der (elektrische) Draht, -(e)s, ⸗e; 《케이블》 Kabel *n.* -s, -. ‖해저 ∼ das unterseeische Kabel.

전선(戰線) Schlacht〔Kampf〕linie *f.* -n; Front *f.* -en. ‖공동 ～ die vereinigte Front (공동 ～을 펴다 e-e Einheitsfront bilden 《*gegen*[4]》).
전설(傳說) (Volks)sage 〔Legende〕 *f.* -n; Überlieferung *f.* -en. ～적 sagenhaft; legenden·artig〔-haft〕.
전성(全盛) ‖～기, ～ 시대 das goldene Zeitalter, -s, -; Blütezeit *f.* -en (그때가 그의 ～기였다 Damals war s-e beste Zeit.).
전성(展性) Dehnbarkeit *f.* -en. ¶～이 있는 dehnbar; hämmerbar.
전성관(傳聲管) Sprachrohr *n.* -(e)s, -e.
전세(前世) das frühere Dasein, -s. ¶～의 인연 Karma(n) *n.* -s, -.
전세(專貰) das Reservieren*, -s. ‖～기(機) Charter·flugzeug *n.* -(e)s, -e 〔-maschine *f.* -n〕 / ～차 der reservierte Wagen, -s, -.
전세(戰勢) Kriegsglück *n.* -(e)s; Lage *f.* -n 《형세》. ¶～가 호전되다 〔불리해지다〕 Das Kriegsglück lächelt *jm.* 〔*jm.* nicht〕.; Die Lage wendet sich zum Guten 〔zum Bösen〕.
전세계(全世界) die ganze Welt. ¶～에 in Der ganzen [3]Welt; überall in der Welt.
전세기(前世紀) voriges Jahrhundert, -(e)s.
전소(全燒) ～하다 völlig 〔gänzlich〕 ab|brennen*. ‖～ 가옥 das abgebranntes Haus, -es, ¨er.
전속(專屬) ～하다 ausschließlich gehören. ¶～의 (an)gehörig; zugehörig. ‖～ 부관 Adjutant *m.* -en, -en.
전속력(全速力) die volle Geschwindigkeit. ¶～을 내다 Vollgas geben*; den Gashebel ganz nieder|treten*.
전손(全損) ein vollständiger Verlust, -es, -e; Reinverlust *m.* -es, -e. ‖～ 담보 Gewähr für den Totalverlust.
전송(電送) ～하다 elektrisch übermitteln. ‖～ 사진 Telephotographie *f.* -n.
전송(餞送) Abschiedsgeleit *n.* -s, -e; das Abschiednehmen*, -s. ～하다 *jm.* nach|sehen*; *jn.* abreisen sehen; *jn.* begleiten.
전송(轉送) ～하다 nach|schicken[34]; weiter schicken[34].
전송대(傳送帶) Fließband *n.* -(e)s, ¨er.
전수(全數) das Ganze*, -n; Gesamtzahl *f.* ‖～ 가결 einmütige Zustimmung.
전수(傳授) ～하다 *jn.* in [4]*et.* ein|weihen; über [4]*et.* belehren[4].
전술(前述) Vorerwähnung *f.* ～한 vorerwähnt; obenerwähnt; besagt. ¶～한 바와 같이 wie im Vorstehenden 〔Vorhergehenden〕 erwähnt.
전술(戰術) Taktik *f.* -en; Kriegskunst *f.* ‖～ 공군 taktische Luft·flotte 〔-waffe〕 -n.
전승(全勝) der vollständige Sieg, -(e)s, -e. ～하다 alle Spiele 〔Wettkämpfe〕 gewinnen*.
전승(傳承) Überlieferung *f.* -en; das Übergeben*, -s. ～하다 überliefern[4].
전시(展示) Ausstellung *f.* -en. ～하다 aus|stellen[4]; zur Schau stellen. ‖～회 (Schau)ausstellung / ～ 효과 Effekthascherei *f.* -en.
전시(戰時) Kriegszeit *f.* -en. ¶～에 in der Kriegszeit. ‖～ 경제 Kriegswirtschaft *f.* / ～ 내각 Kriegskabinett *n.* -s, -e / ～ 체제 Kriegsfuß *m.* -es / ～ 편제 Kriegsformation *f.* -en.
전신(全身) der ganze Körper, -s; der ganze Leib, -(e)s. ¶～에 화상을 입다 am ganzen Körper [4]Brandwunden bekommen*.
전신(前身) *js.* Vorleben *n.* -s; *js.* Vergangenheit *f.* ¶…의 ～을 조사하다 *js.* [3]Vergangenheit nach|gehen*.
전신(電信) Telegraph *m.* -en, -en; Funk *m.* -s 《무선》. ¶～으로 drahtlich; telegraphisch. ‖～주 Telegraphenstange *f.* -n / 무선〔해저〕 ～ der drahtlose 〔unterseeische〕 Telegraph.
전실(前室) die frühere Frau. ‖～ 자식 die Kinder der früheren 〔ersten〕 Frau.
전심(全心) ¶～ 전력으로 aus allen 〔vollen〕 [3]Kräften; aus Leibeskräften; mit aller [3]Kraft.
전심(專心) ～하다 [4]sich [3]*et.* widmen 〔hin|geben; ergeben〕; [4]sich konzentrieren 《*auf*[4]》. ¶그는 연구에 ～하고 있다 Er ergibt sich dem Studium.
전아(典雅) ～하다 fein 〔anmutig; anmutsvoll; elegant; graziös〕 (sein).
전암증상(前癌症狀) präkanzeröser Zustand, -(e)s, ¨e.
전압(電壓) (elektrische) Spannung, -en; Voltspannung *f.* ¶～을 높이다 〔낮추다〕 die Spannung erhöhen 〔senken〕. ‖～계 Voltmeter *n.* 〔*m.*〕 -s, -.
전액(全額) Gesamt〔Voll〕betrag *m.* -(e)s, ¨e; Totalsumme *f.* -n. ‖～ 지불 gesamte (Be)zahlung, -en.
전야(前夜) 《간밤》 vorige Nacht; 《축제·사건 따위의》 Vorabend *m.* -(e)s, -e. ¶크리스마스 ～ Weihnachtsabend *m.* ‖～제 Vorabendsfeier -n.
전언(前言) das Gesagte*, -n, -n; die vorige Bemerkung, -en. ¶～을 취소하다 s-e Worte zurück|nehmen*.
전언(傳言) Botschaft *f.* -en《*an*[4]》; Nachricht *f.* -en. ～하다 *jm.* [4]*et.* aus|richten 〔bestellen〕.
전업(專業) Spezialität 〔Spezialbeschäftigung〕 *f.* -en. ¶～으로 하다 [4]sich spezialisieren 《*auf*[4]》.
전업(轉業) Berufswechsel *m.* -s, -; Umsattelung *f.* -en. ～하다 den Beruf wechseln; e-n anderen Beruf wählen; um|satteln 《*auf*[4]》.
전역(全譯) ～하다 vollständig übersetzen[4].
전역(轉役) ～하다 aus dem Dienst aus|scheiden*; [4]sich in die Reserve versetzen lassen*.
전연(全然) ＝전혀.
전열(電熱) elektrische Wärme. ‖～기 der elektrische Strahlofen, -s, ¨《난방용》; der elektrische Kocher, -s, -《요리용》.
전열(戰列) Kampf〔Schlacht〕linie *f.* -n. ¶～을 이탈하다 fahnenflüchtig werden.
전염(傳染) Ansteckung 〔Infektion〕 *f.* -en. ～하다 ([4]sich) an|stecken. ¶～되다 infiziert werden / ～시키다 *jn.* mit e-r Krankheit an|stecken / ～성(性)의

ansteckend; infektiös. ‖ ~병 Seuche *f.* -n.

전와(轉訛) ~하다 ^{4}sich entstellen 〔ver-schieben*〕.

전용(專用) Privatgebrauch *m.* -(e)s; der ausschließliche Gebrauch. ¶ ~의 ausschließlich; ausschließend; 《개인의》 privat. ‖ ~차 Privatwagen *m.* -s, - / 자동차 ~ 도로 Autobahn *f.* -en / 한글 ~ der ausschließliche Gebrauch der Koreanischen Schrift.

전용(轉用) Abwendung 〔Übertragung; Ablenkung〕 *f.* -en. ~하다 zu anderem Zweck gebrauchen^4 〔verwenden$^{(*)4}$〕. ¶ 자금을 ~하다 das Kapital anderseitig verwenden$^{(*)}$.

전우(戰友) Kriegskamerad *m.* -en, -en.

전운(戰雲) Kriegswolken (*pl.*). ¶ ~이 감돌다 Kriegswolken schweben 《*über*^{4}》.

전원(田園) die ländliche Umgebung, -en; Gut *n.* -(e)s, ⸗er. ‖ ~ 도시 Gartenstadt *f.* ⸗e / ~ 생활 Landleben *n.* -s.

전원(全員) alle Beteiligten*〔Anwesenden*〕 (*pl.*); das ganze Personal, -s, -e. ¶ 학생 ~이 참가하였다 Die Schüler nahmen alle daran teil.

전원(電源) Stromquelle *f.* -n. ‖ ~ 개발 die Erschließung der Stromquellen.

전월(前月) der letzte 〔vergangene〕 Monat, -(e)s.

전위(前衛) 〖軍〗 Vorhut *f.* -en; 《예술》 Avantgarde *f.* -n; 〖體〗 Vorderspieler *m.* -s, -; Netzspieler *m.* 《배구》. ‖ ~ 예술 die avantgardistische Kunst, ⸗e / ~파 Avantgardist *m.* -en, -en.

전위(電位) 〖電〗 Potential *n.* -s, -e. ‖ ~차(差) Potential·differenz〔-spannung〕 *f.* -en.

전유(專有) Alleinbesitz *m.* -es. ~하다 allein besitzen*^{4}.

전율(戰慄) Schauder *m.* -s, -. ~하다 schaudern 《*vor*^{3}》; zittern 《*vor*^{3}》.

전의(戰意) Kampfeswille(n) *m.* ..willens, ..willen; Kampf·begierde *f.* -n 〔-lust *f.* ⸗e〕. ¶ ~를 상실하다 den Kampfeswillen verlieren*.

전의(轉義) die übertragene 〔bildliche; figürliche〕 Bedeutung, -en.

전이(轉移) 〖醫〗 Dislokation *f.* -en. ~하다 dislozieren^4.

전인(前人) Vorgänger *m.* -s, -. ¶ ~ 미답의 땅 das unerforschte Land, -(e)s, ⸗er.

전인교육(全人敎育) allumfassende Erziehung u. Bildung.

전일(前日) der vorhergehende Tag, -(e)s, -e. ¶ ~에 den Tag vorher; am vorhergehenden Tag.

전임(前任) ~의 früher; vormalig. ‖ ~자 *js.* Vorgänger *m.* -s, - / ~지(地) *js.* früherer Dienstort, -(e)s, -e.

전임(專任) der volle Dienst, -es, -e. ¶ ~의 planmäßig; angestellt. ‖ ~ 강사 Dozent *m.* -en, -en.

전임(轉任) Versetzung *f.* -en. ~하다 versetzt werden.

전입(轉入) Übertragung *f.* -en. ~하다 ^{4}sich an|melden 《*in*^{3}》; ein|ziehen* 《*in*^{4}》. ‖ ~생 der von anderer Schule eingezogene Schüler, -s, - / ~ 신고 Anmeldung *f.* -en.

전자(前者) jener* 〖dieser에 대하여〗; der erstere* 〖der letztere*에 대하여〗.

전자(電子) Elektron *n.* -s, -en. ‖ ~ 계산기 Elektronen(be)rechner *m.* -s, - / ~ 음악 elektronische Musik / ~ 카메라 e-e elektronische Kamera, -s.

전자석(電磁石) Elektromagnet *m.* -en, -en.

전자장(電磁場) das elektromagnetische Feld, -(e)s, -er.

전자파(電磁波) elektromagnetische Wellen (*pl.*).

전장(全長) Gesamtlänge *f.* -n; die gesamte Strecke, -n. ¶ ~ 2킬로미터의 터널 der Tunnel von zwei Kilometer Länge.

전장(前章) das vorige 〔vorangehende〕 Kapitel, -s, -.

전장(前場) 〖證〗 Morgenbörse *f.* -n.

전장(電場) 〖物〗 das elektrische Feld, -(e)s, -er.

전장(戰場) das Feld der Ehre. ¶ ~의 이슬로 사라지다 auf dem (Schlacht)felde 〔Platze〕 bleiben*.

전재(戰災) Kriegsschäden (*pl.*). ‖ ~ 고아 Kriegswaise *f.* -n 〔*m.* -n, -n〕 / ~민 Leute, die Kriegsschäden erlitten haben.

전재(轉載) ~하다 ab〔nach〕|drucken^4 《*aus*^{3}》.

전쟁(戰爭) Krieg *m.* -(e)s, -e《*gegen*^{4}》. ‖ ~ 고아 Kriegswaise *f.* -n 〔*m.* -n, -n〕 / ~ 미망인 Kriegswitwe *f.* -n.

전적(戰跡) das alte Schlachtfeld, -(e)s, -er; die Szene e-s früheren Kriegs.

전적(戰績) Rekord *m.* -(e)s, -e 《경기의》. ¶ 빛나는 ~ der glänzende Rekord.

전적(轉籍) ~하다 das Familienregister um|schreiben*; ^{4}sich in ein anderes Familienregister ein|schreiben*.

전전(戰前) Vorkriegszeit *f.* ¶ ~의 vor dem Kriege.

전전(轉轉) ~하다 von e-m Ort zum anderen wandern 《이곳 저곳》.

전전긍긍(戰戰兢兢) ~하다 verzagen; Blut schwitzen. ¶ ~하여 in tödlichen Ängsten.

전제(前提) Voraussetzung *f.* -en; Vordersatz *m.* -es, ⸗e. ¶ …을 ~로 하여 vorausgesetzt, daß.... ‖ ~ 조건 Vorbedingung *f.* -en / 대〔소〕~ Ober〔Unter〕satz *m.*

전제(專制) Despotie 〔Autokratie〕 *f.* -n. ~적(인) despotisch; autokratisch; tyrannisch. ‖ ~ 군주 Despot 〔Autokrat〕 *m.* -en, -en / ~ 정치 die absolutistische Herrschaft, -en; Autokratie *f.*

전조(前兆) Voranzeige *f.* -n; Vorzeichen *n.* -s, -; (An)zeichen *n.* -s, -. ¶ 좋은 ~ ein günstiges Vorzeichen 〔Omen -s, ..mina〕.

전조(前條) der vorhergehende Artikel, -s, -; die vorstehende Klausel, -n. ¶ ~에 언급했듯이 im vorhergehenden Artikel erwähnt.

전조(轉調) 〖樂〗 Übergang *m.* -(e)s, ⸗e; Modulation *f.* -en.

전조등(前照燈) Scheinwerfer *m.* -s, -.

전족(纏足) das Füßebinden*, -s. ~하다 Füße binden*.

전죄(前罪) e-e frühere Sünde, -n; ein früheres Verbrechen, -s, -.

전주(前奏) Einleitung *f.* -en; Vorspiel *n.* -(e)s, -e. ～하다 ein|leiten[4]; präludieren; als Einleitung dienen.

전주(前週) die vorige 〔letzte〕 Woche.

전주(電柱) Telegraphenstange *f.* -n; Leitungs〔Licht〕mast *m.* -(e)s, -e.

전주(錢主) Geldgeber *m.* -s, -; Unterstützer *m.* -s, -《mit Geld》; Kapitalist *m.* -en, -en 《자본주》.

전지(田地) ＝전답(田畓).

전지(全知) ～의 allwissend. ¶～ 전능한 allwissend u. allmächtig.

전지(全紙) 〖印〗 Bogen *m.* -s, ¨; 《모든 신문》 alle Zeitungen (*pl.*); 《전지면》 das ganze Papier, -s, -e.

전지(剪枝) ～하다 ([4]Bäume) beschneiden*; aus|hauen*; stutzen.

전지(電池) (elektrische) Batterie, -n; Element *n.* -(e)s, -e. ‖건～ Trockenelement *n.* -(e)s, -e.

전지(戰地) Kriegs·(schau)platz *m.* -es, ¨e〔-gebiet *n.* -(e)s, -e; -zone *f.* -n〕.

전지(轉地) ～하다 zwecks Heilung 〔Erholung〕 s-n Aufenthaltsort ändern. ‖～ 요법 die Kur durch Luftwechsel.

전직(前職) das frühere Amt, -(e)s, ¨er; die ehemalige Stelle, -n 〔Stellung, -en〕. ‖～ 장관 der ehemalige Minister, -s, -.

전진(前進) das Vorwärtskommen 〔Vorrücken*〕 -s. ～하다 vor|rücken; vor|gehen*; vor|dringen*. ‖～ 기지 vorgeschobener Posten, -s, -.

전진(戰陣) Schlachtordnung *f.* -en; 《전장》 Front *f.* -en; Schlachtfeld *n.* -(e)s, -er.

전질(全帙) e-e vollständige Sammlung von Büchern.

전집(全集) *js.* sämtliche Werke (*pl.*); *js.* gesammelte Werke (*pl.*). ‖～물 Bücherfolge *f.* -n.

전차(電車) Elektrische *f.* -n; Straßenbahn *f.* -en 《시내 전차》; Vorortbahn 《교외 전차》. ¶～를 타다 in die Straßenbahn (ein|)steigen*.

전차(戰車) 〖軍〗 Tank *m.* -(e)s, -s〔-e〕; Kampfwagen 〔Panzer(wagen)〕 *m.* -s, -. ‖～포 Tankgeschütz *n.* -es, -e.

전차(轉借) das Borgen*〔Entleihen*〕 aus zweiter Hand. ～하다 aus zweiter Hand borgen[4] 〔entleihen*[4]〕.

전채(前菜) 〖料〗 Vorspeise *f.* -n; Vorgericht *n.* -(e)s, -e.

전처(前妻) die ehemalige〔frühere〕 Frau, -en.

전천후(全天候) Allwetter-. ‖～ 비행 das Fliegen* bei jedem Wetter.

전철(前轍) die Spur e-s vorangehenden Wagens. ¶～을 밟다 denselben Fehler 〔dieselbe Dummheit〕 begehen* 〔machen〕 《*wie*》.

전철(電鐵) elektrische Eisenbahn, -en.

전체(全體) Gesamtheit *f.*; das Ganze*, -n; Totalität *f.* -en. ‖～주의 Totalitarismus *m.* -.

전초(前哨) 〖軍〗 Vorposten *m.* -s, -. ‖～전 Vorpostengefecht *n.* -(e)s, -e.

전축(電蓄) Plattenspieler *m.* -s, -; Grammophon *n.* -s, -e. ‖스테레오 ～ Stereoplattenspieler.

전출(轉出) Umzug *m.* -(e)s, ¨e; das Ausziehen*, -s. ～하다 aus|ziehen*; verziehen*; [4]sich ab|melden 《*in*[3]》. ‖～지 der Ort des Aus〔Um〕zug(e)s.

전취(戰取) ～하다 erkämpfen[4]; [3]sich [4]*et.* erkämpfen.

전치(全治) Ausheilung *f.* -en; die völlige Heilung, -en. ～하다 ([4]sich) aus|heilen; völlig heilen. ¶이 상처는 ～ 3 주를 요한다 Die Heilung der Verwundung nimmt drei Wochen in Anspruch.

전치사(前置詞) 〖文〗 Präposition *f.* -en; Verhältniswort *n.* -(e)s, ¨er.

전통(傳統) Tradition *f.* -en; Überlieferung *f.* -en. ¶오랜 ～을 보전하다 e-e alte Tradition pflegen. ‖～주의 Traditionalismus *m.* -.

전투(戰鬪) Kampf *m.* -(e)s, ¨e; Schlacht *f.* -en. ¶～를 개시하다〔중단하다〕 den Kampf beginnen* 〔ein|stellen〕. ‖～ 경찰 Kampfpolizei *f.* / ～기 Jagdflugzeug *n.* -(e)s, e-; Jäger *m.* -s, - / ～력 Kampffähigkeit *f.*

전파(電波) die elektrische Welle, -n. ¶～를 통하여 durch Rundfunk. ‖～ 방해 die Störung e-r Rundfunksendung / ～ 탐지기 Radar *m.* -s, -s / 방해 ～ Störwelle *f.*

전파(傳播) Ver〔Aus〕breitung *f.* ～하다 [4]sich verbreiten 〔aus|breiten〕. ¶음향의 ～ die Verbreitung des Tons.

전패(全敗) die vollständige Niederlage. ～하다 e-e vollständige Niederlage erleiden*.

전편(全篇) das ganze Stück〔Werk〕 -(e)s. ¶～을 통하여 durch das ganze Stück 〔Werk〕.

전편(前篇) der erste 〔vorige〕 Teil, -(e)s, -e.

전폐(全廢) die gänzliche 〔vollständige〕 Abschaffung, -en. ～하다 gänzlich 〔vollständig〕 ab|schaffen[4]. ¶사업을 ～하다 das Geschäft völlig auf|geben*.

전폭(全幅) die ganze Breite, -n; das ganze Stück, -(e)s, -e. ～적(인) ganz; voll; vollständig. ¶～적으로 지지하다 *jn.* voll unterstützen.

전폭기(戰爆機) Kampf·flieger *m.* -s, - 〔-flugzeug *n.* -(e)s, -e〕.

전표(傳票) Schein *m.* -(e)s, -e; Zettel *m.* -s, -.

전하(電荷) 〖電〗 die (elektrische) Ladung, -en.

전하(殿下) Hoheit 〔Durchlaucht〕 *f.* -en; (Eure) Kaiserliche Hoheit 《호칭》.

전하다(傳—) zu|führen; überbringen*; übergeben*; übersenden*. ¶후세에 ～ der [3]Nachwelt überliefern / 복음을 ～ das Evangelium verkünd(ig)en / 안부 전해 주시오 Grüßen Sie ihn von mir!

전학(轉學) ～하다 die Schule wechseln; e-e andere Schule besuchen.

전함(戰艦) Schlacht〔Linien〕schiff *n.* -(e)s, -e.

전항(前項) der vorhergehende 〔obenstehende; vorstehende〕 Paragraph, -en, -en.

전해(前—) das vergangene Jahr, -(e)s; letztes Jahr.

전해(電解) Elektrolyse *f.* -n. ～하다 elektrolysieren[4]; die Elektrolyse aus|führen.

전향(轉向) ～하다 ^{4}sich wenden$^{(*)}$; über|treten* (*zu*^{3}); ^{4}sich bekehren (*zu*^{3}). ‖ ～자 Proselyt *m.* –en, –en.

전혀(全一) ganz; gar; gänzlich; völlig; durchaus; 〖否定〗 durchaus 〔ganz u. gar〕 nicht; nicht das geringste; keineswegs. ¶ ～ 모른다 Ich weiß es gar nicht. / 그 일에 대해서는 ～ 알지 못했다 Ich hatte von der Sache k–e Ahnung.

전형(典型) Vor〔Ur〕bild *n.* –(e)s, –er; Ausbund *m.* –(e)s, ⁼e. ¶ 미의 ～ ein Ausbund von Schönheit.

전형(銓衡) (Aus)wahl *f.* –en. ～하다 (aus|)wählen^4; e–e (Aus)wahl treffen*. ‖ ～ 위원 Auswahlkomitee *n.* –s, –s (총칭).

전호(前號) die letzte 〔vorhergehende〕 Nummer, –n. ¶ ～에서 계속 „Fortsetzung"

전화(電化) Elektrifizierung 〔Elektrifikation〕 *f.* –en. ～하다 elektrifizieren^4; elektrisieren^4.

전화(電話) Telephon *n.* –s, –e; Fernsprecher *m.* –s, –; Telephongespräch *n.* –(e)s, –e (통화). ¶ ～를 걸다 mit *jm.* telephonieren; *jn.* an|rufen*〔–|klingeln〕 / ～를 받다 ans Telephon kommen* / ～ 왔어요 Ein Anruf für Sie ! ‖ ～ 가입자 Telephonteilnehmer *m.* –s, – / ～기 Telephon *n.* –s, –e / ～ 번호 Telephonnummer *f.* –n.

전화(戰火) Kriegsfeuer *n.* –s, –; Krieg *m.* –(e)s, –e.

전화(戰禍) Kriegs·unheil *n.* –(e)s 〔–schaden *m.* –s, ⁼; –übel *n.* –s, –〕. ¶ ～를 입다 Kriegsschäden (*pl.*) erleiden*.

전화위복(轉禍爲福) ～하다 aus der ^{3}Not e–e ^{4}Tugend machen.

전환(轉換) Umwand(e)lung *f.* –en; Verwandlung *f.* –en. ～하다 um|ändern; um|wandeln; verwandeln. ¶ 기분 ～으로 zur Abwechselung 〔Ablenkung〕. ‖ ～기(期) Wendepunkt *m.* –(e)s, –e.

전황(戰況) der Verlauf e–s Krieges 〔e–r Schlacht〕.

전회(前回) das vorige 〔letzte〕 Mal, –(e)s, –e. ～의 vorhergehend; vorangehend; letzt.

전회(轉回) (Um)drehung *f.* –en; Kreis〔Um〕lauf *m.* –(e)s, ⁼e; Rotation *f.* –en. ～하다 ^{4}sich (um|)drehen; ^{4}sich im Kreislauf bewegen.

전횡(專橫) Willkür *f.*; Eigenmächtigkeit *f.*; Despotismus *m.* –s (전제). ～하다 despotisch 〔herrisch; gebieterisch; unumschränkt〕 sein. ¶ ～을 자행하다 ^{4}sich willkürlich benehmen*.

전후(前後) ① (위치) vor u. hinter^{34}; vorn(e) u. hinten; (때) vor u. nach^3; vorher u. nachher; (운동) vor– u. rückwärts. ¶ ～ 10 년 간 zehn Jahre hindurch. ② (순서) Reihenfolge *f.* –n. ¶ ～가 바뀌다 außer Ordnung kommen*. ③ (약) so etwa; gegen^4; um^4. ¶ 그는 20 세 ～다 Er ist so etwa zwanzig Jahre alt.

전후(戰後) Nachkriegszeit *f.* –en. ‖ ～ 문제 Nachkriegsfrage *f.* –n.

절^1 (사찰) (ein buddhistischer) Tempel.

절^2 Verbeugung *f.* –en; Verneigung *f.* –en. ～하다 ^{4}sich (ver)beugen 〔(ver-) neigen〕 (vor *jm.*). ¶ 큰 절을 하다 e–e tiefe Verbeugung machen.

절(節) (시문) Paragraph *m.* –en, –en.

–절(節) (절기) Jahreszeit *f.* –en; (명절) Festtag *m.* –(e)s, –e; Fest *n.* –es, –e. ‖ 추수 감사절 Erntedankfest *n.* –(e)s, –e.

절감(切感) ～하다 aus tiefster Seele fühlen^4.

절감(節減) Einschränkung 〔Abkürzung; Verkürzung; Abschneidung〕 *f.* –en. ～하다 ein|schränken; ab|kürzen; verkürzen. ¶ 비용을 ～하다 die Kosten (*pl.*) beschneiden*.

절개(切開) (Auf)schnitt *m.* –(e)s, –e; das Aufschneiden*, –s. ～하다 auf|schneiden*^{4}; ein|schneiden*. ‖ ～ 수술 die chirurgische Operation, –en.

절개(節槪) (일반적) Treue *f.*; Redlichkeit *f.*; (여성의) Treue; (처녀성) Unschuld *f.*; Keuschheit *f.* ¶ ～를 지키다 *jm.* die Treue bewahren 〔halten*〕.

절경(絶景) die herrliche 〔bezaubernde〕 Landschaft, –en; der grandiose Anblick, –(e)s, –e.

절교(絶交) der Bruch der Freundschaft; der Abbruch der Beziehungen (zu *jm.*). ～하다 mit *jm.* brechen*. ‖ ～장 Scheidungsbrief *m.* –(e)s, –e.

절구 Mörser *m.* –s, –; Holzmörser *m.* (한국식의). ‖ 절굿공이 Mörserkeule *f.* –n; Stößel *m.* –s, –.

절규(絶叫) Geschrei *n.* –(e)s; Aufschrei *m.* –(e)s, –e. ～하다 ein Geschrei erheben*.

절그렁거리다 klirren; rasseln; rattern.

절기(節氣) die Unterteilungen der Jahreszeiten; die 24 Jahreszeitteilungen (in 24 Perioden zu je 15 Tagen).

절꺼덕 knack(s)!; knackend; klappernd. ～하다 knacken; klappern.

절다^1 (소금에) (gut) gesalzen sein; eingesalzen sein.

절다^2 (걸음을) hinken; lahmen; lahm gehen*. ¶ 왼발을 ～ auf dem linken Beine lahm sein.

절단(切斷) das Abschneiden*, –s; Abschneidung *f.* –en. ～하다 ab|schneiden*^{4}; amputieren^4 (수술). ‖ ～기 Schneidemaschine *f.* –n.

절대(絶對) das Absolute*, –n, –n. ¶ ～ 반대다 Ich bin absolut dagegen. ‖ ～ 다수 absolute Mehrheit, –en / ～량 absolute Quantität, –en / ～ 복종 absoluter Gehorsam, –(e)s / ～ 온도 absolute Temperatur, –en.

절도(節度) Maß *n.* –e, –e; Mäßigkeit *f.* ¶ ～를 지키다 Maß halten* 〔maß|halten*〕.

절도(竊盜) Diebstahl *m.* –(e)s, ⁼e. ‖ ～범 Diebstahl; Dieb *m.* –(e)s, –e.

절뚝거리다 ＝절다^2.

절뚝발이 das Hinken*, –s; Lähmung *f.* –en; der Hinkende* 〔Lahme*〕 –n, –n (사람).

절레절레 den Kopf 〔das Haupt〕 schütteln.

절륜(絶倫) ¶ ～의 außergewöhnlich; ungemein.

절름거리다 ＝절다^2.

절름발이 ＝절뚝발이.

절망(絶望) Verzweiflung *f.*; Hoffnungslosigkeit *f.* ～하다 verzweifeln《*an*^{3}》; in ^{4}Verzweiflung geraten*. ¶ ～적인 verzweifelt; hoffnungslos / 아무를 ～시키다 *jn.* zur Verzweiflung treiben*.

절명(絶命) Tod *m.* –(e)s, –e; Hinscheiden* *n.* –s; Ableben *n.* –s. ～하다 sterben*; hin|scheiden*.

절묘(絶妙) Vorzüglichkeit *f.* –en; Vortrefflichkeit *f.* –en. ～하다 vortrefflich 〔vorzüglich〕 (sein). ¶ ～한 필치 e–e äußerst feine Handschrift, –en.

절무(絶無) Nichts *n.* –; Null *f.* –en. ～하다 ganz ausgeschlossen 〔unmöglich〕 (sein).

절미(節米) sparsamer Reisverbrauch, –(e)s; die Sparsamkeit im Reisverbrauch. ～하다 Reis sparen. ‖ ～ 운동 Reissparsamkeit–Bewegung *f.* –en.

절박(切迫) ① 《급박》 Dringlichkeit *f.*; Not *f.* ¨e; das Bevorstehen*, –s. ～하다 nahe sein; bevor|stehen*; drohen; ^{4}sich nähern. ¶ 시간이 ～하다 Die Zeit rückt näher. ② 《긴장·심각》 Schärfe *f.*; Spannung *f.* ¶ 사태가 ～하다 Die Situation ist drohend.

절반(折半) Hälfte *f.* –n. ～하다 in gleiche Teile teilen^4 《등분》; halbieren^4 《이등분》; gleichmäßig verteilen^4. ¶ ～쯤 그에게 주었다 Ich gab ihm halb so viel.

절벅절벅 plansch! plansch! ¶ ～ 내를 건너다 plan(t)schend im 〔durch den〕 Strom waten.

절벽(絶壁) e–e steile Wand, ¨e; Steilwand *f.* ¨e 〔–hang *m.* –(e)s, ¨e〕. ¶ ～을 기어오르다 e–e Steilwand erklettern.

절색(絶色) unübertreff·bare 〔–liche〕 Schönheit, –en; unübertrefflich schöne Frau, –en.

절세(絶世) ① 《뛰어남》 Unvergleichlichkeit *f.*; Unübertrefflichkeit. ¶ ～의 미인이다 Sie ist e–e einmalige 〔vollendete〕 Schönheit. ② 《은둔》 das Sichzurückziehen*, –s 《von der Welt》. ～하다 ^{4}sich von der Welt zurück|ziehen.

절수(節水) sparsamer Wasserverbrauch, –(e)s. ～하다 Wasser sparen.

절승(絶勝) ＝절경.

절식(絶食) das Fasten*, –s. ～하다 fasten; ^{4}sich der ^{2}Speisen enthalten*. ‖ ～ 요법 Fastenkur *f.* –en.

절식(節食) die Mäßigkeit im Essen; die schmale 〔kärgliche; magere〕 Kost. ～하다 mäßig essen*; im Essen mäßig sein.

절실(切實) ～하다 dringend 〔heiß; heftig; wichtig〕 (sein). ¶ ～한 문제 ein lebenswichtiges Problem, –(e)s, –e.

절약(節約) das Sparen*, –s; Sparsamkeit *f.* ～하다 sparen$^{(4)}$ 《*mit*^{3}》; sparsam sein 《*mit*^{3}》. ¶ 비용을 ～하다 die Ausgaben ein|schränken.

절연(絶緣) Abbruch *m.* –(e)s, ¨e; Bruch 《*mit*^{3}》; 《전기》 Isolierung *f.* –en. ～하다 die Beziehungen mit *jm.* ab|brechen*; mit *jm.* brechen*; 《전기》 isolieren. ‖ ～기(체) Isolator *m.* –s, –en; Nichtleiter *m.* –s, –.

절의(節義) Redlichkeit *f.*; Ehrlichkeit *f.* ¶ ～를 지키다 an s–n Prinzipien fest|halten*.

절이다 ein|salzen*^{4}; ein|pöckeln. ¶ 소금에 절인 (ein)gesalzen.

절임 das Einsalzen*, –s.

절전(節電) das Einsparen von ^{3}Elektrizität. ～하다 Elektrizität ein|sparen.

절절이(節節―) Wort für Wort; jedes Wort; Phrase für Phrase.

절정(絶頂) 《정상》 Gipfel *m.* –s, –; 《정점》 Höhepunkt *m.* –(e)s, –e. ¶ ～에 이르다 den Gipfel 〔Höhepunkt〕 erreichen.

절제(切除) 〖醫〗 Resektion *f.* –en. ～하다 ab〔weg〕|schneiden*^{4}.

절제(節制) Kontrolle *f.* –n; Mäßigkeit *f.* ～하다 ^{4}sich ein|schränken; maß|halten*.

절조(節操) Integrität *f.*; Unerschütterlichkeit *f.* ¶ ～ 없는 사람 der Mann ohne feste Grundsätze 〔Prinzipien〕.

절족동물(節足動物) Gliederfüß(l)er *m.* –s, –.

절주(節酒) die Mäßigkeit im Trinken; Temperenz *f.* ～하다 mäßig trinken*; im Trinken maß|halten* 〔mäßig sein〕.

절차(節次) Verfahren *n.* –s, –; Prozedur *f.* –en; 《순서》 (An)ordnung *f.* –en; Programm *n.* –s, –e. ¶ 필요한 ～를 밟다 die nötigen Schritte unternehmen* 〔tun*〕.

절찬(絶讚) ein uneingeschränktes Lob, –(e)s, –e. ～하다 sehr 〔über alle Maßen^4〕 loben^4; mit ^{3}Lob 〔Beifall〕 überschütten^4. ¶ ～을 받다 großen Beifall finden*.

절창(絶唱) ein einmaliges 〔wunderschönes〕 Gedicht, –(e)s, –e.

절충(折衷) Kompromiß *m.* 〔*n.*〕 ..misses, ..misse; Vergleich *m.* –(e)s, –e. ～하다 e–n Kompromiß ein|gehen* 〔ab|schließen*〕. ‖ ～설 Eklektizismus *m.* – / ～안 Versöhnungsplan *m.* –(e)s, ¨e.

절충(折衝) 《담판》 das Verhandeln*, –s; das Unterhandeln*, –s. ～하다 über ^{4}*et.* unterhandeln; (^{4}sich) mit *jm.* über ^{4}*et.* beratschlagen. ¶ ～을 거듭한 끝에 nach wiederholten Unterhandlungen.

절취(窃取) kleiner Diebstahl, –(e)s, ¨e; Dieberei *f.* –en. ～하다 stehlen^4*; klauen; mausen.

절취선(截取線) die perforierte 〔durchlochte; durchlöcherte〕 Linie, –n.

절치부심(切齒腐心) ～하다 vor Wut u. Haß mit den Zähnen knirschen.

절친(切親) ～하다 vertraulich 〔vertraut; intim; freundlich〕 (sein). ¶ ～한 친구 der gute 〔intime Freund, –(e)s, –e.

절통(切痛) ～하다 sehr bedauerlich (sein).

절판(絶版) ～하다 die Veröffentlichung unterbrechen*. ¶ ～이 되다 vergriffen sein.

절품(絶品) ein einmaliges Werk, –(e)s, –e.

절필(絶筆) *js.* letztes Schriftstück, –(e)s, –e.

절하(切下) 〖經〗 Devalvation *f.* –en; Abwertung *f.* -en. ～하다 (Geld) entwerten^4; ab|werten^4.

절해(絕海) die fernste 〔weiteste; entfernteste〕 See. ¶～의 고도 e-e einsame Insel auf dem hohen Meer.

절호(絕好) das Einmalige* 〔Allerbeste*; Höchste*〕 -n. ¶～의 기회 die günstigste Gelegenheit ergreifen*.

절후(節候) die Unterabteilungen (*pl.*) der Jahreszeiten.

젊다 ① 《나이》 jung 〔jugendlich〕 (sein). ¶젊을 때에 in s-r Jugend / 젊은 혈기 der jugendliche Übermut, -(e)s. ② 《손아래》 jünger (sein). ¶그는 나보다 세 살 ～ Er ist drei Jahre jünger als ich.

젊은이 der junge Mensch, -en, -en; der junge Mann, -(e)s, ⸚er 〔die jungen Leute〕. ¶오늘의 ～ Jugend von heute.

점(占) Wahrsagerei *f.* -en; Wahrsagung *f.* -en; Weissagerei *f.* -en. ¶점을 치다 wahr〔weis〕|sagen.

점(點) Punkt *m.* -(e)s, -e; Tupfen *m.* -s, -; 《반점》 Fleck *m.* -(e)s, -e; 《평점》 Zensur *f.* -en; 《소숫점》 Komma *n.* -s, -s 〔-ta〕; 《견지》 Stand〔Gesichts〕punkt *m.* -(e)s, -e. ¶점찍다 e-n Punkt machen / 출발점 Ausgangspunkt *m.* / 이 점에서 in dieser Beziehung.

점가(漸加) ～하다 stufenweise 〔allmählich〕 an|wachsen*.

점거(占據) Besitz *m.* -es; Besitznahme *f.* ～하다 in Besitz nehmen*^{4}; Besitz ergreifen* 《*von*^{3}》. ‖불법 ～ die ungesetzliche Besitznahme.

점검(點檢) Besichtigung *f.* -en; Inspektion *f.* -en. ～하다 besichtigen^4; inspizieren^4. ¶인원을 ～하다 die Namen verlesen*.

점괘(占卦) Glückslos *n.* -es, -e. ¶～가 좋다〔나쁘다〕 Das ist ein gutes 〔böses〕 Omen.

점두(店頭) Laden *m.* -s, - 〔⸚〕; Ladentisch *m.* -es, -e. ¶상품을 ～에 진열하다 Waren aus|stellen.

점등(點燈) Anmachung des Lichts. ～하다 Licht an|machen 〔an|zünden; an|knipsen 《스위치로》〕.

점등(漸騰) ～하다 allmählich 〔langsam〕 steigen*.

점락(漸落) ～하다 allmählich fallen* 〔herunter|gehen*; sinken*〕.

점령(占領) Besetzung *f.* -en; Einnahme *f.* -n. ～하다 besetzen^4; ein|nehmen*^{4}. ‖～군 Besatzungs·armee *f.* -n 〔-truppen (*pl.*).〕 / ～지 das besetzte Gebiet, -(e)s, -e.

점막(粘膜) Schleimhaut *f.* ⸚e. ‖～염 Schleimhautentzündung *f.* -en.

점멸(點滅) flackerndes Licht, -(e)s, -er; Funken *m.* -s, -. ～하다 an- u. aus|machen^4; ein- u. aus|schalten^4. ‖～기 Schalter *m.* -s, -.

점묘(點描) 《창작의》 Skizze *f.* -n; Entwurf *m.* -(e)s, ⸚e; 《그림》 Pointillismus *m.* -. ～하다 punktierend malen^4. ‖～ 화법 Pointillismus.

점박이(點—) 《말》 Apfelschimmel *m.* -s, -; 《사람》 e-e Person mit vielen Muttermalen; 《손가락질 받는》 der Gegenstand des Gelächters.

점보 ‖～제트 Jumbo *m.* -s, -s; Jumbo-Jet *m.* -, -s.

점선(點線) e-e punktierte Linie, -n(…); e-e gestrichelte Linie(…). ¶～을 긋다 e-e punktierte Linie ziehen*.

점성(占星) Horoskop *n.* -s, -e; Sterndeuterei *f.* -en. ‖～가 Sterndeuter *m.* -s, - / ～술〔학〕 Astrologie *f.* -n.

점성(粘性) 〖物〗 Viskosität *f.*; Zähigkeit *f.* (von Flüssigkeiten).

점수(點數) Punktzahl *f.* -en; 《성적》 Zensur *f.* -en; Note *f.* -n. ¶～를 따다〔매기다〕 e-e Zensur 〔Note〕 bekommen*〔geben*〕.

점술(占術) Wahrsagerei *f.* -en; das Wahrsagen*, -s.

점신세(漸新世) 〖地〗 Oligozän *n.* -s.

점심(點心) Mittagessen *n.* -s, -; Luncheon *m.* -s, -s. ¶～을 먹다 zu ^{3}Mittag essen*. ‖～ 시간 Mittags·pause *f.* -n 〔-rast *f.* -en〕.

점안(點眼) Augenwischerei *f.* -en. ～하다 der Augen·tropfen an〔auf〕|legen. ‖～수(水) Augen·tropfen *m.* -s, - 〔-wasser *n.* -s, -〕.

점액(粘液) Schleim *m.* -(e)s, -e. ¶～질의 사람 Phlegmatiker *m.* -s, -.

점원(店員) Laden〔Handlungs〕gehilfe *m.* -n, -n; Handlungspersonal *n.* -s, -e 《총칭》.

점유(占有) Besitz *m.* -es, -e; Besitznahme *f.* -n. ～하다 besitzen*^{4}; im Besitz haben^4. ‖～권 Besitzrecht *n.* -(e)s, -e.

점입가경(漸入佳境) ～하다 ^{4}sich dem Höhepunkt nähern.

점자(點字) Blinden〔Braille〕schrift *f.* -en; 《점자법》 Braille-System *n.* -s, -e. ¶～를 읽다 Punktschriften lesen*. ‖～서 das Buch in Blindenschrift.

점잔빼다, 점잔부리다 spröde tun*; vornehm tun*; dick|tun*; ^{4}sich unschuldig tun*.

점잖다 ^{4}sich feierlich 〔förmlich; mit (aller) Würde〕 benehmen* 〔betragen*〕. ¶점잖게 앉아 있다 auf manierliche Weise da|sitzen*.

점재(點在) Streuung *f.* -en. ～하다 verstreut sein; zerstreut liegen*.

점쟁이(占—) Wahr〔Weis〕sager *m.* -s, -; Wahr〔Weis〕sagerin *f.* -nen 《여자》.

점점(漸漸) Schritt für Schritt; allmählich; nach u. nach; schrittweise. ¶～ 많아〔적어〕지다 immer mehr 〔weniger〕 werden.

점점이(點點—) hie u da; verstreut; zerstreut; überall hingestreut. ¶～ 산재하다 zerstreut liegen*; ringsum hingestreut liegen*.

점주(店主) Laden·inhaber 〔-besitzer〕 *m.* -s, -; Chef *m.* -s, -s.

점증(漸增) ～하다 allmählich 〔langsam〕 zu|nehmen*〔wachsen*〕.

점지하다 (Buddha, Gott) segnet *jn.* mit e-m Sohn.

점진(漸進) ～하다 langsam vorwärts|kommen* 〔voran|gehen*〕; stufenweise fort|schreiten*. ¶～적으로 langsam; allmählich.

점차(漸次) allmählich; nach u. nach;

langsam. ¶~ 나아지고 있다 Es geht ihm von Tag zu Tag besser.
점착(粘着) das Kleben*, -s; das Anhaften*, -s. ~하다 kleben; haften 《an³》. ‖~력 Adhäsionskraft *f.*
점철(點綴) ~하다 (…을) ein|streuen⁴; tüpfeln⁴; (…이) verstreut liegen*.
점치다(占—) wahr|sagen⁽⁴⁾; weissagen³⁴.
점토(粘土) Ton *m.* -(e)s, -e; Lehm *m.* -(e)s, -e. ¶~질의 tonig; lehmig.
점판암(粘板岩)〔鑛〕Tonschiefer *m.* -s, -.
점포(店鋪) Laden *m.* -s, -〔⃛〕; Geschäft *n.* -(e)s, -e. ¶~를 내다 e-n Laden eröffnen.
점프 Sprung *m.* -(e)s, ⃛e; das Springen*, -s. ~하다 springen*; e-n Satz machen.
점호(點呼) Namensaufruf *m.* -(e)s, -e; Appell *m.* -(e)s, -e. ~하다 *jn.* beim Namen auf|rufen*; e-n Appell ab|halten*. ‖ 일조〔일석〕~〔軍〕Morgen-〔Abend〕namenaufruf *m.* -(e)s, -e.
점화(點火) (An)zündung *f.* -en; Entzündung *f.* -en. ~하다 (an|)zünden⁴; entzünden⁴.
접 hundert Stück 《Äpfel; Knoblauch》. ¶사과 한 접 hundert (Stück) Äpfel.
접(椄) das Pfropfen*, -s; Pfropfung *f.* -en. ¶접붙이다 pfropfen⁴《auf⁴》.
접각(接角)〔數〕Nebenwinkel (*pl.*).
접객(接客) Empfang *m.* -(e)s, ⃛e; Aufnahme *f.* -n. ~하다 e-n Gast empfangen*. ‖~업 Hotel- u. Restaurationsbetrieb *m.* -(e)s, -e.
접견(接見) Aufnahme *f.* -n; Empfang *m.* -(e)s, ⃛e. ~하다 auf|nehmen*《*jn.*》; Audienz erteilen〔geben*〕《*jm.*》. ‖~실 Empfangszimmer *n.* -s, -.
접경(接境) Grenzlinie *f.* -n; Grenze *f.* -n; (접경지) Grenzort *m.* -(e)s, -e.
접골(接骨) Knocheneinrichtung *f.* -en. ~하다 Knochen ein|richten; ein|renken⁴. ‖~의(醫) Knocheneinrichter *m.* -s, -; Einrenker *m.* -s, -.
접근(接近) Annährung *f.* -en; das Nahe〔Heran〕kommen, -s; das Herannahen*, -s (행위). ~하다 ⁴sich nähern; heran|treten*. ‖~전〔體〕Nahkampf *m.* -(e)s, ⃛e.
접다 zusammen|falten⁴〔-|klappen⁴; -|legen⁴〕; um|schlagen*⁴. ¶우산을 ~ e-n Regenschirm zu|machen.
접대(接待) Aufnahme *f.* -n; Empfang *m.* -(e)s, ⃛e. ~하다 auf|nehmen*⁴; empfangen*⁴; bewirten⁴. ‖~부 Kellnerin *f.* -nen; Dienstmädchen *n.* -s, - / ~ 위원 Empfangsausschuß *m.* ..schusses, ..schüsse.
접두어(接頭語)〔文〕Präfix *n.* -es, -e; Vorsilbe *f.* -n.
접때 vor kurzem; ein paar Tage vorher; neulich. ¶~부터 seit kurzem.
접목(椄木) das Pfropfen*, -s; Pfropfung *f.* -en. ~하다 pfropfen⁴《auf⁴》.
접문(摺門) Falttür *f.* -en; e-e faltbare Tür. 〔Nachsilbe *f.* -n.〕
접미어(接尾語)〔文〕Suffix *n.* -es, -e;
접본(椄本) (바탕나무) ein gepfropfter Baum, -(e)s, ⃛e.
접붙이다(椄—) pfropfen⁴《auf⁴》.
접사(接寫)〔寫〕Nahaufnahme *f.* ‖~용 렌즈 das Objektiv für Nahaufnahme; Nahaufnahmeobjektiv *n.* -s, -e.
접선(接線) ①〔數〕Berührungslinie *f.* -n; Tangente *f.* -n. ② (접촉) ~하다 mit *jm.* Kontakt〔Fühlung〕haben.
접속(接續) Verbindung *f.* -en; Anschluß *m.* ..lusses; ..lüsse. ~하다 verbinden*⁴《mit³》; ⁴sich an|schließen*《an⁴》; (전화를) e-e Verbindung her|stellen. ‖~곡〔樂〕Potpourri〔..puri:〕*n.* -s, -s / ~사〔文〕Konjunktion *f.* -en; Bindewort *n.* -(e)s, ⃛er.
접수(接收) Beschlagnahme *f.* -n; Requisition *f.* -en. ~하다 beschlagnahmen⁴; requirieren⁴. ‖~ 가옥 das requirierte Haus, -es, ⃛er.
접수(接受) Empfang *m.* -(e)s, ⃛e; Annahme *f.* -n. ~하다 in Empfang nehmen*⁴; empfangen*⁴; an|nehmen*⁴. ‖~계(원) Pförtner *m.* -s, -; Empfangsdame *f.* -n (여자) / ~구 Schalter *m.* -s, - / ~ 번호 Empfangsnummer *f.* -n / ~처 Auskunftsbüro *n.* -s, -s; Annahmestelle *f.* -n.
접시 Teller *m.* -s, -; Schüssel〔Platte; Schale〕*f.* -n; (잔 받치는) Untertasse *f.* -n. ¶~에 담다 den Teller füllen 《mit³》 / ~를 씻다 den Teller spülen 〔waschen*〕.
접시꽃〔植〕Stock·malve〔-rose〕*f.* -n.
접안렌즈(接眼—) Okular *n.* -s, -e; Okularglas *n.* -es, ⃛er.
접어들다 (때) heran|rücken; ⁴sich nähern; (방향) e-n Weg ein|schlagen*. ¶가을로 ~ der Herbst tritt ein / 골목으로 ~ e-n Seitenweg ein|schlagen*.
접어주다 (봐주다) *jm.* e-e Vorgabe geben*. ¶다섯 점 ~ fünf Züge〔Steine〕Vorgabe geben* (바둑 등). 〔-(e)s, ⃛e.〕
접의자(摺椅子) Klapp〔Falt〕stuhl *m.*
접자(摺—) Zollstock *m.* -(e)s, ⃛e.
접전(接戰) Nahkampf *m.* -(e)s, ⃛e; (경기의) der heiße Wettkampf. ~하다 e-n Nahkampf aus|fechten*; (경기의) e-n heißen Wettkampf haben.
접점(接點)〔數〕Berührungspunkt *m.* -(e)s, -e.
접종(接種) Impfung *f.* -en. ~하다 *jm.* ein|impfen⁴. ‖비시지 ~ BCG-Impfung *f.* / 예방 ~ Schutzimpfung *f.*
접종(接踵) ~하다 *jm.* auf den Fersen sein; e-r nach dem anderen kommen*.
접지(椄枝)〔園〕Pfröpfling *m.* -s, -e; pfropfreis *n.* -es, -er.
접지선(接地線)〔電〕Erdleitung *f.* -en.
접질리다 aus|renken⁴; verrenken⁴.
접착제(接着劑) Klebemittel *n.* -s, -.
접촉(接觸) Berührung〔Verbindung; Fühlung〕*f.* -en. ~하다 berühren⁴; in ⁴Berührung kommen*《mit³》; (사람과) die Fühlung haben〔nehmen*〕《mit³》. ¶~이 끊기다 den Kontakt mit *jm.* verlieren*. ‖~ 감염 Kontagion *f.* -en / ~면 Berührungsfläche *f.* -n / ~ 반응 Katalyse *f.* -n. 〔-s, -〕
접칼(摺—) Klapp〔Taschen〕messer *n.*
접하다(接—) ① (접촉) berühren⁴; in ⁴Be-

rührung kommen* ⟪mit³⟫. ② ⟪인접⟫ grenzen ⟪an⁴⟫; an|stoßen*⟪an⁴⟫. ¶ 독일은 오스트리아와 접해 있다 Deutschland grenzt an Österreich. ③ ⟪받다⟫ bekommen*⁴; erhalten*⁴. ④ ⟪응접⟫ empfangen*⁴; behandeln⁴. ⑤ ⟪경험⟫erleben⁴.
접합(接合) ～하다 zusammen〔ein〕|fügen⁴ ⟪in⁴⟫; (miteinander) verbinden*⁴; ⟪아교로⟫ leimen⁴. ‖ ～자(子) 〖植〗 Zygospore *f.* -n / ～재(材) Binder *m.* -s, - / ～제(劑) Leim *m.* -(e)s, -e.
접히다 ① gefaltet werden; zusammengelegt werden. ② ⟪바둑 등에서⟫ e-n Vorgabe bekommen*.
젓 Marinade *f.* -n. ‖ 새우〔조개〕젓 marinierte Krabben 〔Muscheln〕 (*pl.*).
젓가락 Eßstäbchen (*pl.*).
젓갈 marinierte Gerichte (*pl.*).
젓다 ① ⟪섞다⟫ rühren; quirlen; um|rühren. ② ⟪배를⟫ rudern; ⟪손을⟫ bewegen; rühren. ¶ 손을 〔머리를〕 ～ die Hände 〔den Kopf〕 rühren.
정 ⟪연장⟫ Steinmeißel *m.* -s, -; ⟪조각용⟫ Bildhauermeißel *m.*
정(正) ① ⟪옳음⟫ Gerechtigkeit *f.* -en; Recht *n.* -(e)s; das Richtige*, -n. ② 〖數〗 plus; positiv. ② ⟪부(副)에 대한⟫ ordentlich; original.
정(疔) 〖醫〗 Karbunkel 〔Furunkel〕 *m.* -s, -.
정(情) Gemütsbewegung *f.* -en; Gefühl *n.* -(e)s, -e; Stimmung *f.* -en; Affekt *m.* -(e)s, -e. ¶ 정에 무르다 rührselig 〔empfindsam; sensibel〕 sein / 정을 통하다 ein Liebesverhältnis mit *jm.* verknüpfen.
정(町) ⟪거리⟫ Entfernungseinheit *f.* -en (=entspricht zirka 109 Meter); ⟪면적⟫ Flächeneinheit *f.* (=entspricht etwa 99 Ar).
정(整) ⟪금액⟫ Nettobetrag *m.* -s, ⸚e. ¶ 5 만 원 정 netto 50000 *Won.*
정(錠) ¶ 약 1 정 e-e Tablette Medizin.
정가(定價) der fest(gesetzt)e 〔bestimmte〕 Preis, -es, -e. ¶ ～대로 팔다 zu festen Preisen verkaufen. ‖ ～표 Preisliste *f.* -n 〔-verzeichnis *n.* -ses, -se〕.
정가극(正歌劇) die große Oper, -n.
정각(正刻) die genaue Zeit, -en. ¶ 3 시 ～에 (um) Punkt drei Uhr; genau 〔gerade〕 um 3 Uhr.
정각(定刻) ¶ ～에 ⟪시간엄수⟫ pünktlich; ⟪정시에⟫ zur festgesetzten 〔bestimmten〕 Zeit / ～에 오다 pünktlich kommen* / ～에 늦다 die festgesetzte Zeit verfehlen.
정각(頂角) Scheitelwinkel *m.* -s, -.
정간(停刊) Erscheinungsverbot *n.* -(e)s, -e ⟪신문⟫; Publikationsverbot *n.* ⟪잡지 등⟫. ～하다 das Erscheinen verbieten*.
정갈스럽다 nett u. sauber 〔ordentlich u. niedlich〕 (sein).
정강(政綱) das politische Programm, -(e)s, -e; Parteiprogramm *n.*
정강마루 〖解〗 Schienbeinkante *f.* -n; Schienbein *n.* -s, -e.
정객(政客) Politiker *m.* -s, -.
정강이 Unterschenkel *m.* -s, -.
정거(停車) das Anhalten*〔Haltmachen*〕 -s. ～하다 an|halten*; halt|machen; Aufenthalt haben. ¶ ～하지 않고 ohne ⁴Aufenthalt. ‖ ～장 Bahnhof *m.* -(e)s, ⸚e; ⟪작은⟫ Station *f.* -en / 급～ das plötzliche〔unerwartete〕 Anhalten*, -s.
정격(正格) angemessene Form, -en. Formalität *f.* -en. ～의 normal. ‖ ～활용 die regelmäßige Konjugation, -en.
정견(定見) die feste Überzeugung, -en; die unumstößliche Meinung, -en. ¶ 그는 ～이 없는 사람이다 Er ist unbeständig wie e-e Wetterfahne.
정견(政見) die politische Anschauung, -en; s-e politischen Leitsätze (*pl.*). ‖ ～발표회 die Kundgebung der politischen Leitsätze.
정결(貞潔) ～하다 keusch u. rein 〔treu u. rein〕 (sein).
정결(淨潔) ～하다 sauber 〔niedlich, unverdorben〕 (sein). ¶ ～한 마음 das reine 〔unschuldige〕 Herz, -ens, -en.
정경(政經) Volkswirtschaft *f.* -en; Nationalökonomie *f.* ‖ ～분리 die Trennung von Wirtschaft u. Politik.
정경(情景) (ergeifender) Anblick, -(e)s, -e; (ergreifende) Szene, -n.
정계(政界) die politische Welt, -en. ¶ ～의 움직임 die Tendenz der politischen Kreisen / ～에서 물러나다 ⁴sich vom politischen Leben zurück|ziehen*.
정곡(正鵠) der schwarze Punkt, -(e)s, -e; das Schwarze*, -n. ¶ ～을 찌르다 ins Schwarze treffen* / ～을 찌른 passend; angemessen; richtig.
정공법(正攻法) Front(al)angiff *m.* -(e)s, -e.
정관(定款) Satzung *f.* -en; Statut *n.* -(e)s, -en. ¶ ～을 정하다 e-e Satzung 〔(Vereins)statuten〕 fest|setzen.
정관(精管) Samenleiter *m.* -s, -. ‖ ～절제술 Vasektomie *f.* -n.
정관(靜觀) Beschaulichkeit *f.* ～하다 ruhig ab|warten⁴〔betrachten⁴〕; (³sich) beschauen⁴. ¶ 사태를 ～하다 ruhig die Lage betrachten.
정관사(定冠詞) 〖文〗 der bestimmte Artikel, -s, -.
정교(正教) Rechtgläubigkeit 〔Orthodoxie〕 *f.* ‖ ～회 die griechischorthodoxe Kirche, -n.
정교(政教) Staat u. Kirche. ‖ ～분리 Entstaatlichung *f.* -en / ～일치 die Einigkeit von Staat u. Kirche.
정교(情交) ① ⟪친교⟫ Vertrautheit *f.*; Innigkeit *f.* ② ⟪육체의⟫ (Liebes)verhältnis *n.* -ses, -se; Liaison *f.* -s. ～하다 mit *jm.* ein Verhältnis haben.
정교(精巧) ～하다 fein〔sorgfältig ausgearbeitet; empfindlich〕 (sein).
정교사(正教師) der reguläre Lehrer, -s, -; ⟪고교의⟫ Studienrat *m.* -(e)s, ⸚e.
정구(庭球) Tennis *n.* -; Tennisspiel *n.* -(e)s, -e. ¶ ～를 하다 Tennis spielen. ‖ ～장 Tennisplatz *m.* -es, ⸚e.
정국(政局) die politische Lage, -n. ¶ ～의 위기 die politische Krise, -n / ～을 수습하다 die politische Situation retten.
정권(政權) die politische Gewalt, -en; Regierungsgewalt *f.* ¶ ～을 잡다 zur Regierung gelangen / ～을 이양하다 die Zügel der Regierung übergeben*.

‖ ~욕 die Ehrsucht nach der Macht / ~ 인수 Machtübernahme *f.* -n.

정규(正規) ~의 regelrecht; ordentlich; normal. ‖ ~군 Armeekorps *n.* -, - / ~병 Berufssoldat *m.* -en, -en.

정근(精勤) Dienstbeflissenheit *f.*; Diensteifer *m.* -s. ~하다 dienstbeflissen [dienstfertig] sein. ‖ ~상 Dienstpreis *m.* -es, -e. [od. *f.* -n.]

정글 Dschungel [dʒúŋəl] m. [*n.*] -s, -

정기(定期) ~의 regelmäßig; periodisch. ‖ ~ 간행물 Zeitschrift *f.* -en / ~ (승차)권 Zeitkarte *f.* -n / ~선 der regelmäßig fahrende Dampfer, -s, - / ~ 예금 das feste Depositum, -s, ..ten / ~ 총회 die ordentliche Generalversammlung, -en / ~ 항로 die regelmäßige Linie, -n.

정기(精氣) Geist *m.* -(e)s, -er; Lebenskraft *f.* ¨e.

정나미(情—) ¶~ 떨어지다 Ekel empfinden*(gegen *jn.*); Widerwillen erregen (in *jm.*).

정남(正南) der gerade Süden, -s.

정낭(精囊) 〖解〗 Samenblase *f.* -n.

정년(丁年) Mündigkeit *f.* ¶~에 달하다 mündig [volljährig] werden. ‖ ~자 der Mündige*, -n, -n.

정년(停年) (Dienst)altersgrenze *f.* -n. ‖ ~퇴직 der Rücktritt ins Privatleben.

정녕(丁寧) gewiß; sicher(lich); wirklich; in der Tat; bestimmt. ¶~ 그러하냐 Bist du sicher?

정다각형(正多角形) das regelmäßige Vieleck, -(e)s, -e. [lyeder, -s, -.]

정다면체(正多面體) das regelmäßige Po-

정담(政談) die politische Unterhaltung, -en; Kannegießerei *f.* -en.

정담(情談) Liebes·geflüster [-geplauder] *n.* -s; Tête-à-tête *n.* -s, -s.

정담(鼎談) die Unterredung zu dritt. ¶ 3거두 ~ die Unterredung [das Gespräch] der Drei Großen.

정답(正答) Losüng *f.* -en. ‖ ~자 Löser *m.* -s, - (der ²Frage).

정답다(情—) zart[weich; schonend; zärtlich; freundlich] (sein). ¶ 정다운 친구 ein enger Freund, -(e)s, -e / 정답게 손님을 맞다 Gäste freundlich [herzlich] empfangen*.

정당(正當) ~하다 rechtmäßig [gesetzmäßig; recht; richtig; gerecht] (sein). ¶~한 이유 die gerechten [billigen] Gründe (*pl.*) / 아무를 ~하게 평가하다 *jm.* gerecht werden / ~화하다 rechtfertigen⁴. ‖ ~ 방위 gerechte Notwehr.

정당(政黨) die politische Partei, -en. ¶~에 가입하다 ⁴sich e-r politischen Partei an|schließen* / ~을 해체하다 e-e Partei auf|lösen. ‖ ~ 대회 Parteitag *m.* -(e)s, -e / ~ 정치 Parteiregierung *f.* -en / 보수 ~ konservative Partei.

정당(精糖) das Zuckersieden*, -s; der raffinierte Zucker, -s, -.

정도(程度) Grad *m.* -(e)s, -e; Ausmaß *n.* -es, -e 《규모》; Ausdehnung *f.* -en; Grenze *f.* -n 《범위》; Größe *f.* -n 《크기》; Stärke *f.* -n 《강도》; Stufe *f.* -n 《단계》. ¶~가 높은 [낮은] von hohem [niedrigem] Grad(e) / 이 ~로 해 두자 Laß es genug sein lassen*! ‖ 생활 ~ standard *m.* -(s), -s. [sen*⁴.]

정독(精讀) ~하다 sorgfältig durch|le-

정돈(停頓) Flaue *f.*; Stillstand *m.* -(e)s. ¶~ 상태에 빠지다 ins Stocken kommen*.

정돈(整頓) (An)ordnung *f.* -en; Arrangement *n.* -s, -s. ~하다 in Ordnung bringen*⁴; (ein|)richten⁴; regulieren⁴. ¶~된 (an)geordnet; arrangiert; eingerichtet / ~되지 않은 in ³Unordnung; Lebensaußer der Reienfolge. [-s.]

정동(正東) der direkte [gerade] Osten,

정들다(情—) *jm.* [an *jn.*] anhänglich sein; ⁴sich ³*et.* [*jm.*] zu|neigen; lieb|gewinnen* 《*jn.*》.

정떨어지다(情—) abgeneigt werden; Abneigung haben 《gegen *jn.*》; überdrussig² werden. ¶정떨어지는 이야기 e-e abscheuerregende Geschichte, -n.

정략(政略) Staats·klugheit[-kunst] *f.*; die berechnende Politik. ~적 politisch; schlau. ‖ ~ 결혼 Verstandes-[Konvenienz]heirat *f.* -en.

정량(定量) die bestimmte [feste] Quantität, -en [Menge, -n]; 《내복약의》 Dosis *f.* ..sen. ‖ ~ 분석 die quantitative Analyse, -n.

정력(精力) Energie *f.* -n; Tatkraft *f.* ¨e; Lebenskraft. ~적 energisch; tatkräftig. ¶~을 기울이다 mit Leib u. Seele sein 《*bei*³》. ‖ ~가 der energishe [tatkräftige] Mensch, -en, -en.

정련(精鍊) ~하다 raffinieren*⁴; läutern⁴; verhütten⁴. ‖ ~소 Raffinerie [Schmelzanlage] *f.* -n.

정렬(整列) ~하다 ⁴sich auf|stellen(*in*³); an|treten* 《*in*³》.

정령(政令) Regierungsverordnung *f.* -en; Kabinettsbefehl *m.* -(e)s, -e.

정령(精靈) (Welt)seele *f.* -n; Geist *m.* -(e)s, -er.

정례(定例) der feststehende Gebrauch [der feste Brauch] -(e)s, ¨e. ~의 regelmäßig; gebräuchlich. ‖ ~ 국무 회의[기자 회견] die regelmäßige Kabinettssitzung[Presskonferenz] -en.

정론(正論) die gerechte Behauptung, -en; die richtige Auffassung, -en.

정론(定論) 《세간의》 die feste Meinung, -en; 《학술상의》 die erhärtete [orthodoxe] Theorie, -n.

정류(停留) ~하다 halten*; an|halten*. ‖ ~장 Haltstelle *f.* -n.

정류(整流) 〖物〗 das Gleichrichten*, -s. ‖ ~기 Gleichrichter *m.* -s, -.

정률(定律) der natürliche Grundsatz, -es, ¨e; (Natur)gesetz *n.* -es, -e.

정률(定率) die feste Rate, -n. ‖ ~세 Proportionalbesteuerung *f.* -en.

정리(定理) 〖數〗 (Lehr)satz *m.* -es, ¨e; Theorem *n.* -s, -e.

정리(整理) Einrichtung [(An)ordnung] *f.* -en; 《삭감》 Abbau *m.* -(e)s, -e. ~하다 (an|)ordnen; in Ordnung bringen*⁴; 《조정》 regeln; regulieren; 《치우다》 auf|räumen. ¶ (은행이) 장부를

～하다 das Kassenbuch in Ordnung bringen* / 교통을 ～하다 den Verkehr regeln. ‖ 인원 ～ Personalabbau *m.* / 재정 ～ Finanzregulierung *f.* –en / 행정 ～ Verwaltungsreform *f.* –en.

정립(鼎立) ～하다 die Drei bilden e-e Gemeinschaft; ein Trio bilden. ¶ 삼국이 ～하다 drei Länder sind untereinander verfeindet.

정말(正―) ① 《참말》 Wahrheit〔Wirklichkeit〕*f.* –en; Tatsache *f.* –n. ¶ ～로 여기다 ⁴*et* für wahr halten* / ～입니다 Es ist wahr! ② 〘副詞的〙 wirklich; in der Tat; wahr(lich). ¶ ～ 감사합니다 Ich danke Ihnen sehr.

정맥(精麥) polierte〔gereinigte〕Gerste, –n; Gerstenreinigung *f.* –en.

정맥(靜脈) (Blut)ader *f.* –n; Vene *f.* –n. ‖ ～류(瘤) Venenknoten *m.* –s, –; Varize *f.* –n / ～ 주사 die intravenöse Injektion, –en.

정면(正面) Vorderseite *f.* –n; Front *f.* –en; 《집의》 Fassade *f.* –n. ～의 frontal. ¶ ～에 vorn; vor; in der Front. ‖ ～ 공격 Frontangriff *m.* –(e)s, –e / ～ 충돌 Frontalzusammenstoß *m.* –es, ⸚e.

정모(正帽) die vorschriftsmäßige Kopfbedeckung, –en.

정묘(精妙) ～하다 fein〔vorzüglich; vortrefflich; geschickt〕(sein).

정무(政務) Staatsdienst *m.* –(e)s, –e; Staatsangelegenheiten(*pl.*). ‖ ～차관 der parlamentarishe Vizeminister, –s, –.

정문(正門) Vordertor *n.* –(e)s, –e; Haupteingang *m.* –(e)s, ⸚e. ¶ ～으로 들어가다 durch den Haupteingang gehen*.

정문(頂門) ‖ ～ 일침 die scharfe Warnung, –en.

정물(靜物) die stillstehenden Dinge (*pl.*). ‖ ～화 (Bild von) Stilleben *n.* –s, –.

정미(正味) netto; rein. ¶ ～ 1 파운드 ein Pfund netto.

정미(精米) Reisreinigung *f.* –en; der gereinigte Reis, –es. ‖ ～소 Reisreinigungsanlage *f.* –n.

정밀(精密) Präzision〔Exaktheit〕*f.* –en; Akkuratesse *f.* –n. ～하다 präzis〔genau; exakt〕(sein). ‖ ～ 검사 die eingehende Prüfung, –en / ～ 공업 Präzisionsmechanik *f.* –en / ～ 과학 die exakte Wissenschaften (*pl.*) / ～ 기계 Präzisionsinstrument *n.* –(e)s, –e.

정박(碇泊) das (Ver)ankern*, –s; Verankerung *f.* –en. ～하다 ⁴sich vor ⁴Ankerlegen; ankern. ¶ ～ 중이다 vor ³Ankerliegen*. ‖ ～세 Ankerzoll *m.* –(e)s, ⸚e / ～지 Ankerplatz *m.* –es, ⸚e.

정박아(精薄兒) schwachsinniges〔geistesgestörtes〕Kind, –(e)s, –er.

정반대(正反對) der absolute Gegensatz, –es, ⸚e; gerade das Gegenteil. ¶ ～로〔의〕ganz im Gegenteil; im absoluten Gegensatz 《*zu*³》 / ～로 생각했다 Ich dachte ganz umgekehrt.

정반합(正反合) 〘哲〙 These-Antithese-Synthese *f.* –n.

정방형(正方形) Quadrat *n.* –(e)s, –e.

정백(精白) ‖ ～당(糖) der raffinierte Zucker, –s.

정벌(征伐) Eroberung *f.* –en; Feldzug *m.* –(e)s, ⸚e. ～하다 erobern⁴.

정범(正犯) 《사람》 Haupttäter *m.* –s, –; Täterschaft *f.* ‖ 공동 ～ Mittäterschaft *f.*

정변(政變) Regierungswechsel *m.* –s, –; die Neubesetzung der Regierung.

정병(精兵) Kern〔Elite〕truppen (*pl.*).

정보(情報) Nachricht *f.* –en; Auskunft *f.* ⸚e; Information *f.* –en. ¶ ～를 제공하다 die Nachrrichten geben*. ‖ ～망 Nachrichtennetz *n.* –es, –e / ～원(員) Nachrichtenüberbringer *m.* –s, – / ～처리 Informationsverarbeitung *f.* –en; Datenverarbeitung *f.* 《컴퓨터의》.

정복(正服) Festkleid *n.* –(e)s, –er; 《정장》 Galaanzug *m.* –(e)s, ⸚e. ‖ ～경찰관 der Polizist in voller Uniform.

정복(征服) Unterwerfung〔Eroberung; Überwindung〕*f.* –en. ～하다 unterwerfen*⁴; erobern⁴; überwinden*⁴; bezwingen*⁴. ¶ 알프스를 ～하다 die Alpen bezwingen*. ‖ ～자 Eroberer *m.* –s, –.

정본(正本) 《원본》 Original *n.* –s, –e; Urschrift *f.* –en.

정부(正負) 〘數〙 positiv u. negativ; plus u. minus.

정부(正副) Haupt– u. Vize–; 《서류의》 Haupt– u. Hilfs–. ‖ ～의장 der Vorsitzende* u. der Vizevorsitzende*, –en, –en / ～통령 der Präsident u. der Vizepräsident, –en, –en.

정부(政府) Regierung *f.* –en; Verwaltung *f.* –en; 《내각》 Kabinett *n.* –(e)s, –e. ¶ ～(측)의 Regierungs–; ministeriell. ‖ ～ 당국 Regierungsstelle *f.* –n; Behörde *f.* –n / ～ 보조금 Staatszuschuß *m.* ..schusses, ..schüsse / ～안 Reigerungsvorschlag *m.* –(e)s, ⸚e.

정부(情夫) Liebhaber *m.* –s, –; Buhle *m.* –n, –n; der Geliebte*, –n, –n.

정부(情婦) Mätresse〔Maitresse〕*f.* –n; Beischläferin *f.* –nen. ¶ ～를 두다 e-e Maitresse an|schaffen*.

정북(正北) genau nach ³Norden.

정분(情分) innige Freundschaft, –en; Intimität *f.* ¶ ～이 두텁다 auf gutem Fuß stehen*《mit *jm.*》.

정비(整備) die vollständige Einrichtung, –en; die richtige Ordnung, –en; Anordnung *f.* –en. ～하다 (wieder) in Ordnung bringen*; ordnen⁴; her|richten⁴. ‖ ～ 부족 schlechte Instandhaltung, –en / 차량 ～ die Instandhaltung des Wagens.

정비례(正比例) das gerade Verhältnis –ses, –se. ～하다 im geraden Verhältnis stehen* 《*zu*³》.

정사(正史) die authentische〔maßgebende〕Geschichtsdarstellung, –en.

정사(正邪) Recht u. Unrecht, des – u. –(e)s. ¶ ～를 구별하다 das Recht von Unrecht unterscheiden*.

정사(政事) Regierung〔Politik〕*f.* –en.

정사(情死) der aus ³Liebe begangene Doppelselbstmord, –(e)s, –e, ～하다 aus Liebe Doppelselbstmord begehen*.

정사(情事) Liebesabenteuer *n.* –s, –. ‖ 혼외 ～ der außereheliche Verkehr, –(e)s.

정사(精查) ～하다 genau untersuchen[4]; sorgfaltig prüfen[4].

정사각형(正四角形) Quadrat *n.* -(e)s, -e; das regelrechte Viereck, -(e)s, -e.

정사면체(正四面體) das reguläre Tetraeder, -s, -.

정사원(正社員) der Festangestellte*, -n, -n.

정산(精算) Abschlußrechnung *f.* -en; Rechnungs·ausgleich *m.* -(e)s, -e 〔-regelung *f.* -en〕. ～하다 e-e Abschlußrechnung machen. ‖～서 Abschlußbilanz *f.* -en.

정삼각형(正三角形) 〖數〗 das gleichseitige Dreieck, -(e)s, -e.

정상(正常) Normalität *f.* -en; Normalzustand *m.* -(e)s, ⸚e. ～의 normal. ¶～이 아닌 abnormal / ～화되다 in den Normalzustand zurück|kehren. ‖국교 ～화 die Normalisierung der diplomatischen Beziehungen 《*mit*[3]》.

정상(頂上) 《산의》 Gipfel *m.* -s, -; 《극점》 Zenit *m.* 〔*n.*〕 -(e)s. ‖～ 회담 Gipfelkonferenz *f.* -en.

정상(情狀) die mildernden Umstände (*pl.*). ¶～을 참작하다 die mildernden Umstände berücksichtigen.

정색(正色) ～하다 ein ernstes Gesicht machen. ¶～을 하고 mit ernster 〔feierlicher〕 Miene.

정색반응(呈色反應) 〖化〗 Farbenreaktion *f.* -en.

정서(淨書) das Reinschreiben*, -s. ～하다 ins Reine schreiben*[4].

정서(情緖) Gemüt *n.* -(e)s, -er; Stimmung 〔Emotion〕 *f.* -en. ¶～가 풍부하다 gemütvoll 〔gefühlvoll〕 sein. ‖～ 교육 die gefühlsmäßige Erziehung, -en.

정석(定石) die orthodoxe Strategie im Go-Spiel. ¶～대로 nach dem Buch od. nach der orthodexen Strategie.

정선(停船) das Anhalten*, -s《e-s Schiffes》. ～하다 das Schiff an|halten*. ¶～을 명하다 befehlen*, das Schiff anzuhalten 〔zum Halten zu bringen〕.

정선(精選) ～하다 mit äußerster Sorgfalt wählen[4]; aus|erlesen*[4].

정설(定說) 《학계의》 die feste Theorie, -n; 《개인의》 die bestimmte Meinung, -en. ¶～을 뒤집다 die feste Theorie um|stürzen.

정성(精誠) Redlichkeit 〔Ehrlichkeit; Aufmerksamkeit; Treue〕 *f.* ¶～껏 mit voller Herzlichkeit; freundlich / ～을 다하다 [4]sich mit voller Seele widmen[3].

정성분석(定性分析) 〖化〗 die qualitative Analyse, -n.

정세(情勢) (Sach)lage *f.* -n; der Stand der Dinge; Umstände (*pl.*). ¶～의 변화 der Wechsel der Situation / ～를 관망하다 die Entwicklung der Situation beobachten. ‖국제 ～ die internationale Situation, -en.

정소(精巢) 〖解〗 Samendrüse *f.* -n; Hode *m.* -n, -n.

정수(正數) 〖數〗 die positive Zahl, -en.

정수(定數) die fest(gesetzt)e Zahl, -en; Vollzähligkeit *f.*; 《운명》 Geschick *n.* -(e)s; Schicksal *n.* -es, -e; 〖數〗 Konstante *f.* -n. ‖～ 비례 〖物·化〗 das Verhältnis bestimmter Zahlen.

정수(精粹) Reinheit *f.*; Makellosigkeit *f.*; Unschuld *f.*

정수(精髓) 《뼈 속의》 (Knochen)mark *n.* -(e)s; 《사물의》 Quintessenz *f.* -en; Inbegriff *m.* -(e)s; Kern *m.* -(e)s, -e.

정수(靜水) das stille Wasser, -s. ‖～학 Hydrostatik *f.*

정수(整數) 〖數〗 die ganze Zahl, -en; das Ganze*, -n.

정수리(頂―) Scheitel 〔Schädel〕 *m.* -s, -.

정숙(貞淑) die weibliche Treue 〔Bescheidenheit, -en〕. ～하다 treu 〔sittsam; unbescholten〕 (sein).

정숙(靜肅) Ruhe 〔Stille〕 *f.*; Silentium *n.* -s, ..tien. ～하다 ruhig 〔still〕 (sein).

정시(正視) ～하다 genau 〔direkt; gerade〕 ins Gesicht sehen*《*jm.*》.

정시(定時) die festgesetzte 〔bestimmte; angegebene〕 Zeit, -en. ¶～에 발착하다 zur festgesetzten Zeit an|kommen* u. ab|fahren*.

정식(正式) Förmlichkeit *f.* -en; Formalität *f.* -en. ¶～으로 förmlich; formell; regel〔ordnungs〕mäßig.

정식(定式) ～의 regelrecht; ordnungs〔vorschrifts〕mäßig.

정식(定食) 《끼니》 drei Mahlzeiten am Tage; Diät *f.* -en 《규정식》; 《음식점의》 Gedeck *n.* -(e)s, -e; Menü 〔Menu〕 *n.* -s, -s.

정식(整式) 〖數〗 Integralausdruck *m.* -(e)s, ⸚e.

정신(挺身) 〖軍〗 das Melden* als Freiwilliger. ～하다 voraus|gehen*. ‖～대 Stoßtrupp *m.* -s, -s.

정신(精神) Geist *m.* -es; Seele *f.* -n; Psyche *f.* -n. ¶～을 차리다 wieder zur Vernunft kommen* / ～을 잃다 den Kopf verlieren*; in Ohnmacht fallen*. ‖～ 감정 der psychiatrische Test, -(e)s, -e 〔-s〕 / ～ 노동 Geistes〔Kopf〕arbeit *f.* -en / ～ 박약 Geistesschwäche *f.* -n / ～병 Geistes〔Gemüts; Seelen〕krankheit *f.* -en / ～ 분석 Psychoanalyse *f.* / ～ 연령 das geistige Alter, -s, - / ～ 이상 Geistesverwirrung *f.* -en / ～ 작용 Geistestätigkeit *f.* -en / ～ 통일 die geistige Konzentration, -en.

정실(正室) Ehefrau *f.* -en; die rechtmäßige Frau.

정실(情實) die persönlichen Beziehungen (*pl.*); Konnexionen (*pl.*). ¶～에 좌우되다 von persönlichen Rücksichten beeinflußt werden. ‖～ 인사 Günstlingswirtschaft *f.* -en.

정액(定額) der festgesetzte 〔feste〕 Betrag, -(e)s, ⸚e. ‖～ 소득 das festgesetzte Einkommen, -s, -.

정액(精液) 〖生〗 Same(n) *m.* ..mens, ..men; Sperma *n.* -s, ..men; 《순수 액체》 Extrakt *m.* 〔*n.*〕 -(e)s, -e.

정양(靜養) Ruhe *f.*; Ausspannung *f.* -en 《휴양》; Kur *f.* -en 《보양》. ～하다 ruhen; der [2]Ruhe pflegen[(*)]; [4]sich der [3]Ruhe hin|geben*.

정어리 〖魚〗 Sardine *f.* -n. ‖～ 통조림 Büchsensardine *f.*

정언적(定言的) kategorisch. ‖～ 명제 kategorischer Satz, -es, ⸚e.

정역학(靜力學) 〖物〗 Statik *f.*

정연(整然) Ordnung *f.* -en; Regelmäßigkeit *f.* -en. ～하다 ordentlich 〔proper; sorgfältig; adrett〕 (sein). ¶ 모든 것이 질서 ～하다 Alle sind in guter Ordnung,

정열(情熱) Leidenschaft *f.* -en; die leidenschaftliche Liebe, -n. ¶ ～적인 사랑 die leidenschaftliche Liebe.

정염(情炎) die Flamme der Leidenschaft. ¶ ～에 불타다 vor Leidenschaft brennen*.

정예(精鋭) der Beste*, -n, -n; Elite *f.* -n. ‖ ～부대 Eliten〔Kern〕truppe *f.* -n;

정오(正午) Mittag *m.* -(e)s, -e; Mittagszeit *f.* -en. ¶ ～에 um 〔gegen〕 Mittag / ～의 휴식 Mittagsruhe *f.*

정오(正誤) Berichtigung *f.* -en; Korrektur *f.* -en. ‖ ～표 Druckfehlerverzeichnis *n.* -ses, -se.

정온(定溫) die konstante Temperatur, -en; die feste Temepratur 《항온》.

정욕(情慾) die sinnliche 〔fleischliche〕 Begierde, -n. ¶ ～을 채우다 s-e Lust befriedigen / ～에 사로잡히다 von der Begierde beherrschaft werden.

정원(定員) die festgesezte Zahl an Personen; Vollzähligkeit *f.* ¶ 버스의 ～ die (verfügbare) Platzzahl in e-m Bus / ～에 달하다 vollzählig sein / ～ 미달하다 an der bestimmten Zahl fehlen. ‖ ～ 초과 Überfüllung *f.* -en.

정원(庭園) (Landschafts)garten *m.* -s, ⸚; Ziergarten *m.* ‖ ～사(師) Gärtner 〔Gartenkünstler〕 *m.* -s, - / ～수(樹) Gartenpflanze *f.* -n.

정월(正月) Januar *m.* -(s), -e 《略: Jan》. ¶ ～ 초하루 Neujahrstag *m.* -(e)s, -e.

정위치(定位置) reguläre Stelle, -n; richtiger Platz, -es, ⸚e.

정유(精油) das raffinierte Öl, -(e)s, -e. ‖ ～ 공장 Ölraffinerie *f.* -n.

정육(精肉) das frische 〔rohe〕 Fleisch, -es. ‖ ～상 Fleischer *m.* -s, -.

정육면체(正六面體) das reguläre Hexaeder, -s, -; Würfel *m.* -s, -.

정은(正銀) echtes 〔reines〕 Silber, -s.

정의(正義) Gerechtigkeit *f.*; Rechtschaffenheit *f.* ¶ ～의 싸움 der gerechte Krieg, -(e)s, -e / 힘은 ～이다 „Macht ist Recht." ‖ ～감 Gerechtigkeitssinn *m.* -(e)s, -e.

정의(定義) Definition *f.* -en; Begriffsbestimmung *f.* -en. ～하다 definieren[4]; e-n Begriff bestimmen 〔fest|legen〕. ¶ ～를 내리다 e-n Begriff bestimmen.

정의(情意) Gefühl *n.* -(e)s, -e; das Gemüt u. der Wille. ¶ ～ 상통하다 [4]sich gut miteinander verständigen.

정의(情誼) Freundschaft *f.* -en; Freundschaftsbande (*pl.*). ¶ ～가 두텁다 freundschaftlich 〔herzlich; kollegial〕 sein.

정의(精義) die genaue Bedeutung, -en; Kommentar *m.* -s, -e.

정자(正字) das korrekt geschriebene chinesische Schriftzeichen, -s, -. ‖ ～법 die korrekte Schreibweise, -n (e-s chinesischen Schriftzeichens).

정자(亭子) Laube *f.* -n; Garten·haus *n.* -es, ⸚er 〔-laube *f.*〕.

정자(精子) Spermatozoon *n.* -s, ..zoen; Samentierchen *n.* -s, -.

정자형(丁字形) die Gestalt 〔Form〕 e-s T.

정작 Wirklichkeit *f.* -en; Tatsächlichkeit *f.* -en; 〖副詞的〗 tatsächlich; wirklich; in der Tat. ¶ ～ 해 보면 어렵다 Wenn man das in Wirklichkeit tut, findet man das schwer.

정장(正裝) Gala *f.*; Fest〔Gala; Hof〕anzug *m.* -(e)s, -e (*od.* -gewand *n.* -(e)s, ⸚er; -kleidung *f.*). ～하다 in [3]Gala 〔Hoftracht; Paradeuniform〕 sein.

정장(艇長) Bootsführer *m.* -s, -; Kapitän *m.* -s, -e.

정장석(正長石) Orthoklas *m.* -es, -e; monokliner Feldspat, -(e)s, -e.

정쟁(政爭) der politische Streit, -(e)s, -e 〔Zwist, -es, -e〕. ¶ ～을 일삼다 [4]sich in politische Verwick(e)lungen (hinein|)stürzen.

정적(政敵) der politische Gegner, -s, - 〔Gegenspieler, -s, -; Rivale, -n, -n〕.

정적(靜的) passiv; statisch; stillstehend.

정적(靜寂) (die tiefe) Stille, -n; Ruhe *f.* ¶ ～을 깨뜨리다 die Stille brechen* 〔unterbrechen*〕.

정전(停電) das Versagen* der Elektrizität; Strom·ausfall *m.* -(e)s, ⸚e 〔-sperre *f.* -n〕. ～하다 den Strom ab|stellen 〔unterbrechen*〕. ¶ ～이 되다 die Elektrizität wird abgesperrt.

정전(停戰) die zeitweilige Einstellung der Feindseligkeiten. ～하다 die Feindseligkeiten zeitweilig ein|stellen. ‖ ～ 교섭〔명령, 회담〕 die Ver- od. Unterhandlung 〔der Befehl, -s, -e, die Konferenz, -en〕 zum Feuereinstellen / ～ 협정 die Vereinbarung des Waffenstillstandes 〔des Feuereinstellens〕.

정전기(靜電氣) 〖物〗 die statische Elektrizität, -en.

정절(貞節) 《절개》 die aufopfernde 〔hingebende〕 Treue; Hingebung *f.* -en; 《정조》 Keuschheit *f.*; Reinheit *f.* ¶ ～을 지키다 das reines Leben führen.

정점(頂點) Zenit *m.* 〔*n.*〕 -(e)s; Akme *f*; Gipfelpunkt *m.* -(e)s, -e.

정정(訂正) Verbesserung *f.* -en; Berichtigung *f.* -en. ～하다 verbessern[4]; berichtigen[4]. ‖ ～판 die verbesserte Ausgabe, -n.

정정(政情) die politische Lage, -n; die politischen Verhältnisse (*pl.*). ¶ ～의 안정 die Stabilität der politischen Lage.

정정당당(正正堂堂) ～하다 ehrlich 〔anständig; aufrichtig; fair; ohne [4]Falsch〕 (sein). ¶ ～히 싸우다 ehrlich kämpfen 〔spielen 《경기 등에서》〕.

정정하다(亭亭—) rüstig 〔gesund u. munter〕 (sein). ¶ 나이에 비해 ～ trotz dem Alter immer noch rüstig bleiben*.

정제(精製) Verfeinerung *f.* -en; das Raffinieren*, -s. ～하다 raffinieren[4]; verfeinern[4]; reinigen[4]. ‖ ～당 Raffinadezucker *m.* -s, - / ～법 Verfeinerungsverfahren *n.* -s, - / ～품 Feinarbeit *f.* -en.

정제(整除) 〖數〗 Teilbarkeit *f.* ‖ ~수 ohne Rest aufgehende Zahl, -en.
정제(錠劑) Tablette *f.* -n; Pastille *f.* -n; Plätzchen *n.* -s, -.
정조(貞操) Keuschheit *f.*; die weibliche Ehre; 《처녀성》 (Sitten)reinheit *f.*; Unbeflektheit *f.* 《때묻지 않음》; Unschuld *f.* 《순결》. ¶ ~를 바치다 ⁴sich *jm.* hin|geben* / ~를 지키다 keusch 〔sittlich; jungfräulich〕 bleiben*. ‖ ~대(帶) Keuschheitgürtel *m.* -s, -.
정조(情調) (Gemüts)stimmung *f.* -en; Atmosphäre *f.* -n. ‖ 이국 ~ das Exotische*, -n.
정족(鼎足) Beine e-s Dreifußes. ‖ ~지세(之勢) dreieckige Aufstellung, -en.
정족수(定足數) 〖法〗 die beschlußfähige Zahl.
정종(正宗) klarer Reiswein, -s, -e; Sake *m.* -(s).
정좌(正坐) das aufrechte 〔gerade〕 Sitzen*, -s. ~하다 ⁴sich aufrecht 〔gerade〕 setzen; aufrecht〔gerade〕 sitzen*.
정좌(靜坐) ~하다 still 〔unbeweglich〕 sitzen*.
정주(定住) die (ständige) Niederlassung, -en. ~하다 e-n ständigen 〔festen〕 Wohnsitz 〔Wohnort〕 haben.
정중(鄭重) Höflichkeit 〔Artigkeit〕 *f.* -en; Ehrerbietigkeit *f.* -en 《공경》. ~하다 höflich 〔artig; ehrerbietig; freundlich〕 (sein). ¶ ~한 말로 in höflichen Worten / ~히 다루다 höflich behandeln.
정지(停止) Einstellung *f.* -en; die zeitweilige Aufhebung, -en. ~하다 (an|-)halten*; still|stehen*. ‖ ~ 신호 Haltesignal *n.* -(e)s, -e / 발행 ~ die Einstellung der Herausgabe / 영업 ~ Geschäftsverbot *n.* -(e)s, -e / 지불 ~ Zahlungseinstellung *f.*
정지(靜止) Ruhe *f.*; Ruhelage *f.* -n. ~하다 ruhen; still|stehen*; (⁴sich) still|-halten*. ‖ ~ 위성 Synchronsatellit *m.* -en, -en.
정지(整地) das Planieren* 〔die Eb(e)nung〕 des Bodens. ~하다 den Boden ebnen 〔planieren〕.
정직(正直) Ehrlichkeit *f.*; Aufrichtigkeit *f.*; Redlichkeit *f.* ~하다 ehrlich 〔redlich; aufrichtig〕 (sein). ¶ ~하게 말해서〔말하면〕 offen gestanden.
정직(停職) Suspension *f.* -en; die zeitweilige Amts·entsetzung 〔-enthebung〕 -en. ¶ ~당하다 suspendiert werden.
정진(精進) 《전심》 Hingabe *f.*; Hingebung *f.* ~하다 ⁴sich hin|geben*³〔widmen³〕. ¶ 예술에 ~하다 ⁴sich der ³Kunst widmen.
정차(停車) Halt *m.* -(e)s, -e; das (An|-)halten*, -s; Aufenthalt *m.* -(e)s, -e. ~하다 (an|)halten*. ‖ ~ 금지 Halteverbot *n.* -(e)s, -e.
정착(定着) 〖寫〗 Fixierung *f.* -en; Fixation *f.* -en. ~하다 fixieren⁴; ⁴sich nieder|lassen*. ‖ ~금 Umsiedlungsfonds *m.* -, - / ~ 액 Fixierflüßigkeit *f.* -en.
정찬(正餐) formelles Dinner, -s, -s 〔Abendessen, -s, -〕.
정찰(正札) Preisauszeichnung *f.* -en. ‖ ~ 가격 der feste Preis, -es, -e.
정찰(偵察) 〖軍〗 Aufklärung *f.* -en; Auskundschaftung *f.* -en. ~하다 auf|klären⁴; aus|kundschaften⁴. ‖ ~기 Aufklärer *m.* -s, - / ~ 비행 Erkundungsflug *m.* -(e)s, ⸚e.
정채(精彩) Glanz *m.* -es, -e; Pracht *f.*; 《생기》 Lebhaftigkeit *f.*
정책(政策) Politik *f.* -en; Staatskunst *f.* ⸚e. ‖ ~ 노선 die politische Linie, -n / 경제 ~ Wirtschaftspolitik *f.*
정처(定處) ¶ ~ 없이 ziellos; zwecklos; blindlings.
정청(政廳) Behörde *f.* -n; Regierungsstelle *f.* -n 〔-gebäude *n.* -s, -〕.
정체(正體) 《실체》 die eigentliche Gestalt; das wahre Gesicht, -(e)s. ¶ ~ 모를 fremd; unbekannt; mysteriös / ~ 불명의 nicht identifiziert; unbekannt / ~를 드러내다 sein wahres Gesicht zeigen / ~를 폭로하다 *jm.* die Maske vom Gesicht reißen*.
정체(政體) Staats〔Regierungs〕form *f.* -en. ‖ 공화〔민주〕 ~ die republikanische〔demokratische〕 Staatsform.
정체(停滯) Stockung 〔Stauung〕 *f.* -en. ~하다 stocken; ins Stocken geraten* 〔kommen*〕. ¶ ~된 stockend; stillstehend.
정초(正初) Anfang (die ersten zehn Tage) Januar.
정초식(定礎式) Grundsteinlegung *f.* -en; feierliches Setzen des Grundsteins.
정충(精蟲) =정자(精子).
정취(情趣) Empfindung *f.* -en; Stimmung *f.* -en. ¶ ~가 넘치는 stimmungsvoll; eindrucksvoll; geschmackvoll. ‖ 이국 ~ die exotische 〔fremdländische〕 Stimmung, -en.
정치(政治) Politik *f.* -en; Staatskunst *f.* ⸚e; Regierung *f.* -en《통치》; Verwaltung *f.* -en 《행정》; die politische Angelegenheit, -en 《정무》. ¶ 밝은 ~ die offene Politik, -en / ~적 망명 das politische Asyl, -s, -e / ~ 문제로 번지다 ⁴sich zu e-m Politikum entwickeln. ‖ ~가 Staatsmann *m.* -(e)s, ⸚er / ~ 깡패 der politische Strolch, -(e)s, -e / ~범 der politische Verbrecher, -s, - / ~ 자금 der politische Fonds, -, - / ~ 테러 die politische Terrorisierung, -en / ~ 활동 die politische Tätigkeit, -en.
정치(精緻) ~하다 minuziös 〔präzis; sorgfältig; aufs Haar〕 (sein).
정칙(正則) das regelmäßige System, -(e)s, -e; Regelmäßigkeit *f.* -en.
정칙(定則) die fest(gesetzt)e Regel, -n.
정크 Dschunke 〔Dschonke〕 *f.* -n.
정탐(偵探) ~하다 erspähen⁴; aus|kundschaften⁴; (her)aus|spionieren⁴. ‖ ~꾼 Spion *m.* -s, -e.
정태(靜態) Statik *f.* ‖ ~ 통계 die statische Statistik, -en.
정토(淨土) 〖佛〗 das reine 〔selige〕 Land, -(e)s 《in der buddhistischen Lehre》.
정통(正統) 《바른 계통》 Orthodoxie *f.*; Legitimät *f.* -en. ‖ ~파 die orthodoxe Schule, -n,
정통(精通) ~하다 ⁴sich aus|kennen*

《in³.》; genau Bescheid wissen*《in³》. ¶그는 독문학에 ∼하다 In der deutschen Dichtung verfügt er über genaueste Kenntnisse.

정판(整版) 〖印〗 das Umsetzen*, -s. ∼하다 e-n Schriftsatz um|setzen.

정평(定評) die lobende 〔ständige〕 Anerkennung 〔Beurteilung; Wertung〕 -en. ¶∼ 있는 allgemein anerkannt; hochgeschätzt.

정표(情表) 《호의》 der gute Wille; Aufmerksamkeit f. -en 《선물》. ∼하다 ein Geschenk machen 〔geben*〕 《jm.》. ¶자그마한 ∼에 불과합니다만 Darf ich mir diese kleine Aufmerksamkeit erlauben ?

정풍운동(整風運動) Antikorruptionskampagne f. -n.

정하다(定—) 《결정》 bestimmen⁴; fest|setzen⁴; arrangieren⁴; 《결심》 ⁴sich entschließen* 《zu³》; 《시일·장소》 ab|machen⁴. ¶기한을 ∼ e-n Termin fest|setzen 〔an|beraumen〕 / 값을 ∼ den Preis bestimmen 〔fest|legen〕.

정하다(淨—) rein 〔sauber; lauter〕 (sein).

정학(停學) die vorübergehende Verweisung von der Schule. ¶∼을 맞다〔당하다〕 vom Schulbesuch ausgeschlossen werden. ‖무기 ∼ die Verweisung von der Schule auf e-e unbestimmte Zeit.

정해(正解) Lösung f. -en; die richtige Antwort, -en. ∼하다 richten⁴; lösen⁴; richtig antworten 《auf⁴》.

정해(精解) ausführliche 〔genaue〕 Erklärung, -en. ∼하다 ausführlich 〔genau〕 erklären.

정형(定形) die festgesetzte 〔regelmäßige〕 Form 〔Gestalt〕 -en.

정형(定型) Typ m. -s, -e(n); Typus m. -, ..pen. ‖∼시(詩) Reimgedicht n. -(e)s, -e.

정형(整形) 〖醫〗〖形容詞的〗 orthopädisch. ‖∼ 수술 die orthopädische Operation, -en.

정혼(定婚) ∼하다 ⁴sich verloben 《mit jm.》.

정화(正貨) Münze f. -n; Hartgeld n. -(e)s, -er. ‖∼ 준비 Goldbestand m. -(e)s, ¨e.

정화(淨化) ∼하다 reinigen⁴; (ab|)klären⁴. ¶∼ 운동 Reinigungsbewegung f. -en.

정화(情火) Liebesleidenschaft f. -en; das Feuer der Leidenschaft. ☞정염.

정화(精華) Blüte f. -n; Elite f. -n; Essenz f. -en. ¶기사도의 ∼ ein Ausbund von der Ritterlichkeit.

정화수(井華水) 〖民俗〗 das erste Brunnenwasser beim Tagesanbruch.

정확(正確) Genauigkeit f.; Punktlichkeit f. -en 《시간의》. ∼하다 《명백하다》 deutlich 〔klar〕 (sein); 《정직하다》 offen (sein); 《확실하다》 genau 〔sicher〕 (sein); 《명확하다》 bestimmt 〔scharf; entschieden〕 (sein). ¶∼한 시간 die richtige Zeit, -en / ∼한 답변 die bestimmte Antwort, -en.

정확(精確) Exaktheit f.; Richtigkeit f. ∼하다 genau 〔präzis; exakt〕 (sein). ¶∼한 숫자 die genaue Ziffer, -n.

정황(情況) Lage f. -n; Situation f. -en; Stand m. -(e)s. ¶지금 ∼으로는 unter der jetzigen Lage der Dinge.

정회(停會) Vertagung f. -en; Prolongation f. -en. ∼하다 vertagt〔prolongiert〕 werden.

정회원(正會員) das ordentliche Mitglied, -(e)s, -en.

정훈(政訓) Soldatenaufklärung u. -erziehung. ‖∼ 요원 der Aufklärungs·beamte*, -n, -n 〔-offizier, -s, -e〕.

정휴일(定休日) der regelmäßige Ruhetag, -(e)s, -e.

정히(正—) richtig; genau; gerade; pünktlich. ¶∼ 일금 5만 원정 sage u. schreibe 50000 Won.

젖 《유방》 Brust f. ¨e; Memme f. -n; Euter n. -s, - 《소·염소의》; Milch f. 《유즙》. ¶젖을 먹이다 ein Kind säugen 〔stillen〕 / 젖이 잘 〔안〕 나온다 Der Mutter Milch fließt gut 〔ist unzureichend〕. / 소젖을 짜다 《e-e Kuh》 melken*〔milchen〕.

젖가슴 Brust f. ¨e; Busen m. -s, -.

젖꼭지 (Brust)warze f. -n; 《고무 젖꼭지》 Lutscher m. -s, -; Lutschbeutel m. -s, -.

젖내나다 es riecht nach Milch; nach Milch riechend sein; 《유치함》 bartlos 〔unerfahren; unreif〕 sein.

젖다 ① 《물 따위에》 naß 〔feucht〕 werden. ¶비에 ∼ im Regen naß werden. ② 《귀에》 gewohnt sein ⁴et. zu hören; ⁴et. zu hören pflegen. ¶귀에 ∼ mit s-m Ohre vertraut sein. ③ 《빠지다》 ⁴sich ergeben*; verfallen*³. ¶술에 ∼ ⁴sich dem Trunk ergeben*.

젖먹이 Säugling m. -s, -e; Baby n. -s, -s.

젖빛 Milchfarbe f. -n. ‖∼ 유리 Milch-〔Matt〕glas n. -es, ¨er.

젖소 Milchkuh f. ¨e.

젖통이 Brust f. ¨e; Euter m. -s, - 《가축의》.

젖히다 《뒤로 몸을》 ⁴sich zurück|beugen; den Kopf in die Höhe richten. ¶머리를 뒤로 ∼ den Kopf zurück|werfen*.

제 《나·저》 Ich; 《나의·저의》 mein; 《자기의》 js. 〔sein; ihr〕; privat; persönlich. ¶제 생각으로는 m-r Meinung 〔Ansicht〕 nach / 제 생각만 하다 nur die eigenen Angelegenheiten im Kopfe haben.

제(弟) 《평교간의》 ich (persönlich); ich für mein Teil; mich.

제(帝) Kaiser m. -s, -.

제(祭) 《제사》 Ahnengedenkgottesdienst m. -es, -e; 《축제》 Fest n. -es, -e.

제(題) Titel m. -s, -; Überschrift f. -en; 《주제》 Thema n. -s, ..men 〔-ta〕; 《문제》 Aufgabe f; Frage f. -n.

제-(第) Nr.; Nummer f. -n; -te; -ste. ¶제일〔이, 삼…〕 der erste 〔zweite, dritte…〕*; Nr. 1〔2, 3…〕.

제-(諸) mehrere; mach; all; viel. ¶제비용 Gesamtkosten (pl.).

-제(制) System m. -s, -e; Institution f. -en; Statut n. -(e)s, -en. ¶주 5일제 Fünftagewoche f. -n.

-제(製) Arbeit f. -en; Fabrikat n. -(e)s, -e; 《제본》 Bindung f. -en. ¶목제의 hölzern; aus 〔von〕 Holz gemacht / 외국제 die fremden 〔ausländischen〕 Fabrikate (pl.).

-제(劑) Medizin *f.* -en; (Heil)mittel *n.* -s, -. ¶소화제 Verdauungsmittel *n.*

제각기(一各其) jeder*(für [4]sich); einzeln; getrennt. ¶~ 숙소로 돌아갔다 Sie kehrten jeder für sich in ihre Wohnungen zurück.

제강(製鋼) Stahl·bereitung *f.* -en [-herstellung *f.* -en]. ‖ ~업(業) Stahlindustrie *f.* -n.

제거(除去) Ausschluß *m.* ..schlusses, ..schlüsse; Beseitigung *f.* -en. ~하다 aus|schließen*[4]; beseitigen[4]; weg|schaffen[4] [fort|-].

제것 *js.* 《보기 : mein》 Eigentun *n.* -(e)s, ⸗er. ¶~으로 만들다 [3]sich an|eignen[4]; zu eigen machen[4].

제격(一格) das Passen* auf *js.* Status; das Eignen* für *js.* Status. ¶그라면 그 일에 ~이다 Diese Arbeit ist wie geschaffen für ihn.

제곱〖數〗 Quadrat *n.* -(e)s, -e; die zweite Potenz, -en. ~하다 e-e Zahl ins Quadrat [in die zweite Potenz] erheben*. ‖ ~근 Quadratwurzel *f.* -n.

제공(提供) Anerbieten *n.* -s; Angebot *n.* -(e)s, -e. ~하다 an|bieten*[4] 《*jm.*》; ein Anbieten machen 《*jm.*》. ‖ 담보 ~ Kautions·leistung [-stellung] *f.* -en.

제공권(制空權) 〖軍〗 Luftherrschaft *f.* -en. ¶~을 잡다[잃다] die Luftherrschaft gewinnen* [verlieren*].

제과(製菓) Konfekt *n.* -(e)s, -e. ‖ ~회사 Konfektfabrik *f.* -en.

제관(帝冠) Krone *f.* -n; Kaiserkrone *f.*

제관(製罐) 〖工〗 (보일러 제작) Kesselbau *m.* -s, -e. ‖ ~공장 Kesselbauanstalt *f.* -en.

제구(祭具) Geräte (*pl.*), die bei Opferungen od. religiösen Zeremonien gebraucht werden.

제구실 《해야 할 일》 s-e Funktion, -en; s-e Aufgabe, -n; 《아이가 치러야 할》 Kinderkrankheit *f.* -en 《홍역 따위》.

제국(帝國) (Kaiser)reich *n.* -(e)s, -e. ‖ ~주의 Inperialismus *m.* - / 대영 ~ das Britische Weltreich, -(e)s [Empire, -s].

제국(諸國) verschiedene Länder (*pl.*).

제군(諸君) m-e (Damen u.) Herren!; m-e Herrschaften!; m-e Freunde !

제금 〖樂〗 die kleine Zimbel, -n.

제금(提琴) 〖樂〗 Geige *f.* -n; Violine *f.* -n.

제기(祭器) =제구(祭具).

제기(提起) ~하다 ein|bringen*[4]; 《문제를》 vor|legen[4]; an|schneiden*[4]; stellen[4]; 《소송을》 ein|leiten.

제기다 《지르다》 mit dem Ellbogen stoßen*[4]; e-n Rippenstoß geben*[3].

제단(祭壇) Altar *m.* -s, ⸗e.

제당(製糖) Zuckersiederei *f.*; Zuckerherstellung [-gewinnung] *f.* ‖ ~공장 Zuckerfabrik *f.* -en.

제대(除隊) die Entlassung aus dem (Militär)dienst. ~하다 aus dem (Militär-) dienst entlassen werden. ‖ ~병 der entlassene [ausgediente] Soldat, -en, -en / 불명예 ~ die unehrenhafte Entlassung, -en.

제대로 ① 《있는 대로》 wie es ist; intakt. ¶~ 두다 es stehen* [liegen*] lassen, wie es ist. ② 《순조로이》 glatt; gut; ganz recht. ¶일이 ~ 되다 *Js.* Arbeit geht gut. ③ 《변변히》 richtig; völlig; gut. ¶~ 읽지도 않고 ohne (ein Buch[4]) richtig zu lesen*.

제도(制度) Einrichtung *f.* -en; Wesen *n.* -s, -; System *n.* -s, -e. ¶~를 고치다 das System erneuern. ‖ 교육 ~ Erziehungswesen *n.*

제도(製圖) Zeichnung *f.* -en. ~하다 zeichnen[(4)]. ‖ ~기 Zeicheninstrument *n.* -(e)s, -e.

제도(諸島) die Inseln (*pl.*).

제도(濟度) 〖佛〗 Erlösung *f.* -en. ~하다 *jn.* erlösen 《*aus*[3]; *von*[3]》.

제독(提督) Admiral *m.* -s, -e [⸗e].

제동(制動) das Bremsen*, -s; Dämpfung *f.* -en. ¶~을 걸다 bremsen; die Bremse betätigen. ‖ ~기 Bremse *f.* -n.

제등(提燈) Papierlaterne *f.* -n; Lampion *m.* [*n.*] -s, -s. ‖ ~ 행렬 Lampionfackelzug *m.* -(e)s, ⸗e.

제딴은 ¶~ 호의로 한 것이다 Er hat es gut gemeint.

제때 zum richtigen Zeitpunkt.

제라늄 〖植〗 Geranie *f.* -n; Geranium *n.* -s, ..nien.

제련(製鍊) ~하다 läutern[4]; schmelzen*[4]. ‖ ~소 Raffinerie [Schmelzhütte] *f.* -n.

제로 Null *f.* -en. ¶~로 하다 zunichte machen.

제막(除幕) ~하다 enthüllen[4]; entschleiern[4]. ‖ ~식 Enthüllungsfeier *f.* -n.

제멋대로 nach [3]Belieben; nach Willkür; nach Wunsch; eigen·sinnig [-willig]. ¶~ 굴다 s-n Willen erzwingen*.

제명(除名) Ausweisung [Ausstoßung] *f.* -en. ~하다 von der Namensliste (weg|)streichen* 《*jn.*》; aus|stoßen* [-|weisen*] 《*jn.*》. ¶~ 처분을 받다 mit Ausstoßung bestraft werden.

제모(制帽) Schulmütze *f.* -n 《학생모》; Dienstmütze 《직원의》.

제목(題目) Titel *m.* -s, -; Thema *n.* -s, ..men; Überschrift *f.* -en. ¶~을 붙이다 mit e-r Überschrift versehen*[4].

제문(祭文) Leichenpredigt *f.* -en; Trauerrede *f.* -n.

제물(祭物) Opfer *n.* -s, -. ¶~로 바치다 als Opfer dar|bringen*[4].

제물낚시 die künstliche (Angel)fliege, -n.

제물에 von selbst; aus freiem [eigenem] Antrieb; aus freien Stücken.

제반(諸般) ~의 verschieden; all. ¶~ 준비를 갖추다 Vorbereitungen treffen*.

제발 um Gottes willen!; um des Himmels willen!; bitte!; haben Sie die Güte .... ¶~ 용서해 주시오 Bitte, verzeihen Sie!

제방(堤防) Deich *m.* -(e)s, -e; Damm *m.* -(e)s, ⸗e. ‖ ~공사 Deich[Damm]-bau *m.* -(e)s, -e.

제법 ziemlich; verhältnismäßig; völlig; gut; nett. ¶독어를 ~ 잘한다 Deutsch sehr gut sprechen*.

제법(製法) Herstellungs·weise *f.* -n [-verfahren *n.* -s, -].

제복(制服) Uniform *f.* -en; Dienstanzug

m. -(e)s, ⸗e. ¶ ～을 입은 uniformiert; in Uniforom.
제복(祭服) Priesterrobe *f.* -n.
제본(製本) das Buchbinden*, -s. ～하다 ein Buch binden*; ein|binden*. ‖ ～소 Buchbinderei *f.* -en.
제분(製粉) das Mahlen*, -s. ‖ ～소 Mahlmühle *f.* -n / ～업 Müllerei *f.* -en (～업자 Müller *m.* -s, -).
제비[1] (추첨) Los *n.* -es, -e; 《복권》 Lotterielos *n.* -es, -e. ¶ ～를 뽑다 das Los ziehen*; losen.
제비[2] 〖鳥〗 Schwalbe *f.* -n. ‖ ～집 《식용을 포함하여》 Schwalbennest *n.* -es, -er.
제비꽃 〖植〗 Veilchen *n.* -s, -.
제비꿀 〖植〗 Sandelholz *n.* -(e)s, ⸗er.
제빙(製氷) Eisbereitung *f.* -en. ～하다 enteisen. ‖ ～ 공장 Eisfabrik *f.* -en / ～기 Eismaschine *f.* -n.
제사(第四) der vierte*.
제사(祭祀) die religiöse Feier, -n. ¶ ～를 지내다 *js.* Todestag feiern. ‖ 제삿날 Totengedenktag *m.* -(e)s, -e.
제사(製絲) Seidenmanufaktur *f.* -en; das Seidenabhaspeln*, -s. ‖ ～ 공장 Seidenfabrik *f.* -en.
제사날로 *js.* Wunsch gemäß; wie man wünscht; aus freien Stücken.
제산(除算) =나눗셈.
제살이 Selbsterhaltung *f.* -en. ～하다 [4]sich selbst erhalten*.
제삼(第三) der dritte*. ¶ ～자 die dritte Person, -en; der Unbeteiligte*, -n, -n; der Dritte*, -n, -n.
제상(祭床) das Decken* des Tisches für e-n Verstorbenen. ¶ ～을 차리다 den Tisch für e-n Verstorbenen* decken.
제설(除雪) ～하다 Schneewehen (*pl.*) beseitigen; Schnee räumen. ‖ ～기(機) Schneeschippe *f.* -n.
제설(諸說) verschiedene Meinungen 《의견》; verschiedene Theorien 《학설》.
제세(濟世) Erlösung 〔Errettung〕 *f.* -en. ～하다 erlösen; erretten 《die Welt》. ‖ ～ 안민(安民) die Erlösung u. die Wohlfahrt der Welt.
제소(提訴) ～하다 e-e Klage ein|reichen 《*gegen*[4]》; e-n Prozeß an|strengen 《*gegen*[4]》. ‖ ～자 Kläger *m.* -s, -.
제수(弟嫂) =계수(季嫂).
제수(除數) Divisor *m.* -s, -en; Teiler *m.* -s, -. ‖ 피～ Dividend *m.* -en, -en.
제스처 Geste 〔Gebärde〕 *f.* -n. ¶ 그것은 ～에 불과하다 Er tut nur so.
제시(提示) Vor·zeigung 〔-legung〕 *f.* -en; das Vorzeigen*, -s. ～하다 vor|zeigen[4] 〔-|legen[4]〕 《*jm.*》; präsentieren[4].
제씨(諸氏) Herren (*pl.*); Damen (*pl.*).
제안(提案) Vorschlag 〔Antrag〕 *m.* -(e)s, ⸗e. ～하다 vor|schlagen*[4] 《*jm.*》; [4]*et.* an|tragen*. ‖ ～ 설명 Aufstellung e-s Vorschlages / ～자 der Vorschlagende*, -n, -n.
제암성(制癌性) ～의 krebsverhindernd.
제압(制壓) ～하다 nieder|drücken[4]; unterjochen[4]; unterwerfen*[4].
제야(除夜) Silvesterabend *m.* -s, -e. ¶ ～의 종 die Mitternachtsglocken (*pl.*) zum Jahresende.
제약(制約) Bedingung〔Beschränkung〕 *f.* -en. ～하다 bedingen[4]; beschränken[4]. ¶ ～을 받다 bedingt 〔beschränkt〕 werden; maßgebend werden.
제약(製藥) Arznei(zu)bereitung *f.* -en. ～하다 Arzneien 〔Medikamente〕 her|-stellen. ‖ ～ 회사 die pharmazeutische Gesellschaft, -en.
제어(制御) Kontrolle *f.* -n; Bändigung *f.* -en. ～하다 kotrollieren[4]; *jm.* den Zaum an|legen; im Zaum halten*[4].
제염(製塩) das Salzsieden*, -s; Salzsiederei *f.* -en. ‖ ～소 Saline *f.* -n / ～업 Salzsiederei *f.*
제오(第五) der fünfte*. ‖ ～ 공화국 die fünfte Republik, -en.
제왕(帝王) Kaiser *m.* -s, -. ～의 kaiserlich. ‖ ～ 절개 수술 Kaiserschnitt *m.* -(e)s, -e.
제외(除外) ～하다 aus|schließen[4]*〔-|nehmen*[4]〕. ¶ …을 ～하고(는) mit Ausnahme von; ausgenommen[4].
제요(提要) Ab〔Auf; Grund; Um〕riß *m.* ..risses, ..risse.
제욕(制慾) Enthaltsamkeit〔Abstinenz〕*f.* ～하다 das Fleisch (er)töten; s-n Leib kasteien.
제웅 Stroh·puppe *f.* -n 〔-mann *m.* -(e)s, ⸗er〕.
제위(帝位) der (kaiserliche) Thron, -(e)s, -e; Kaiserthron *m.* -(e)s, -e. ¶ ～에 오르다 den (kaiserlichen) Thron 〔Kaiserthron〕 besteigen*.
제위(諸位) Sie* (*pl.*); jeder* von Ihnen.
제유(製油) Ölindustrie *f.* -n.
제육 Schweinefleisch *n.* -es.
제의(提議) Vorschlag 〔Antrag〕 *m.* -(e)s, ⸗e; Proposition *f.* -en. ～하다 [4]*et.* vos|schlagen*; [4]*et.* in Vorschlag bringen*. ¶ ～에 응하다〔를 거절하다〕 e-n Vorschlag an|nehmen* 〔ab|lehnen〕.
제이(第二) der zweite*. ¶ ～의 천성 die zweite Natur, -en. ‖ ～종 우편물 die zweitklassige Post, -en / ～차 세계 대전 der zweite Weltkrieg, -(e)s, -e.
제일(祭日) 제삿날.
제일(第一) der erste*. ¶ ～ 좋은 〔나쁜〕 best 〔schlimst〕 / ～ 먼저 zuerst; in erster Linie; erstens; anfangs. ‖ ～심 die erste Instanz, -en / ～ 야당 die größere Opposition, -en / ～차 세계 대전 der erste Weltkrieg, -(e)s, -e.
제자(弟子) Schüler 〔Anhänger〕 *m.* -s, -; Zögling *m.* -s, -e.
제자(題字) Motto *n.* -s, -s; Wahlspruch *m.* -(e)s, ⸗e.
제자리 der richtige Platz, -es, ⸗e; der originelle Platz. ‖ ～ 걸음 das Stampfen*, -s (～걸음하다 auf der Stelle treten*; 《회의 등이》 zum Stillstand kommen*).
제작(製作) Herstellung 〔Produktion; Fabrikation〕 *f.* -en. ～하다 her|stellen[4]; produzieren[4]; fabrizieren[4]. ‖ ～비 die Produktionskosten (*pl.*) / ～자 Hersteller 〔Macher〕 *m.* -s, -.
제재(制裁) Sühne〔Zwangs〕maßnahme *f.* -n; Sanktionen (*pl.*); Züchtigung *f.* -en. ¶ ～를 가하다 zu e-r Sühnemaß-

nahme greifen*.
제재(製材) das Sägen*, -s; Holzindustrie *f.* -n. ‖ ~소 Säge·mühle *f.* -n 〔-werk *n.* -(e)s, -e〕.
제적(除籍) die (Weg)streichung 〔Beseitigung〕 e-s Namens aus dem (Familien-) register. ~하다 *js.* Namen aus dem Register beseitigen; 《학적에서》 exmatrikulieren⁴.
제정(制定) ~하다 fest|setzen⁴; auf|stellen⁴; bestimmen⁴; errichten⁴; verordnen⁴. ¶ 법률을 ~하다 Gesetze erlassen* 〔geben*; machen〕.
제정(帝政) die kaiserliche Regierung, -en; Kaiserherrschaft *f.* -en. ‖ ~ 러시아 das Rußland unter den Zaren / ~ 시대 Kaiserzeit *f.* -en.
제정(祭政) Kirche u. Staat. ‖ ~ 일치 die Einheit der Kirche u. des Staats.
제정(提呈) Darreichung 〔Überreichung〕 *f.* -en. ~하다 dar|reichen⁴《*jm.*》; an|bieten*⁴ 《*jm.*》; überreichen⁴ 《*jm.*》.
제정신(一精神) ein klarer Verstand, -(e)s; Besinnung *f.* 《미친 정신에 대해》; Bewußtsein *n.* -s 《기절에 대해》. ¶ 그는 ~이 아니다 Er ist nicht ganz bei Verstand 〔bei Troste〕.
제조(製造) Herstellung 〔Anfertigung; Erzeugung; Produktion〕 *f.* -en. ~하다 her|stellen⁴; (an|)fertigen; erzeugen⁴; produzieren⁴. ‖ ~ 능력 Herstellungsfähigkeit *f.* -en / ~업 Herstellungsindustrie, -n / ~ 원가 Herstellungs(-un)kosten (*pl.*).
제주(祭酒) der heilige, den Göttern geweihte Wein, -(e)s, -e; Opferwein *m.* -(e)s, -e.
제지(制止) Einhalt *m.* -(e)s; Auf〔Zurück〕haltung *f.* -en. ~하다 zurück|halten*⁴; Einhalt tun*³; (ver)hindern 《*jn. an*³ (*bei*³; *in*³)》. ¶ ~할 수 없다 außer Kontrolle sein.
제지(製紙) Papier·herstellung 〔-fabrikation; -manufaktur〕 *f.* -en. ~하다 das Papier her|stellen. ‖ ~업 Papierindustrie *f.* -n / ~용 펄프 Papierbrei *m.* -(e)s, -e / ~ 회사 Papier(herstellungs-) gesellschaft *f.* -en.
제창(提唱) Befürwortung 〔Verfechtung〕 *f.* -en. ~하다 befürworten⁴; verfechten*⁴; vor|schlagen*⁴. ¶ 인류의 평등을 ~하다 die Geleichheit des Menschen verkündigen 〔verfechten*〕.
제창(齊唱) Chor *m.* -(e)s, ⸗e. ~하다 im Chor 〔einstimmig; zusammen〕 singen*.
제철 die angemessene 〔rechtzeitige〕 Jahreszeit, -en; Saison *f.* -s. ¶ ~이 지나다 die Saison vergeht.
제철(製鐵) Eisen·erzeugung 〔-gewinnung; -industrie〕 *f.* -n. ‖ ~소 Eisenhütte *f.* -n / ~업 Eisenindustrie *f.*
제청(提請) Vorschlag *m.* -(e)s, ⸗e. ~하다 *jn.* vor|schlagen* 《für ein Amt》.
제쳐놓다 (제외) ab|stoßen*⁴; aus|stoßen*⁴; ab|weisen*⁴; aus|schließen*⁴. ¶ …은 제쳐놓고 ⁴*et.* beiseite.
제초(除草) das Jäten*, -s; das Ausziehen* des Unkrauts. ~하다 jäten. ‖ ~기 Jätwerkzeug *n.* -(e)s, -e / ~제 das Jätmittel des Unkrauts.
제출(提出) ~하다 ein|reichen⁴; ein|bringen*⁴; vor|legen⁴; stellen⁴. ¶ 사표를 ~하다 s-e Entlassung ein|reichen.
제출물로 aus eigenem Antrieb; von ³sich aus.
제충(除蟲) ‖ ~국(菊) Pyrethrum *n.* -s, ..thra / ~제(劑) Insekten·vertilgungsmittel *n.* -s, - 〔pulver *n.* -s 《분말의》〕.
제취제(除臭劑) desodor(is)ierendes Mittel, -s, -.
제치다 beiseite|schieben*⁴, mit Ellbogen stoßen*⁴; ⁴sich drängen 《*durch*⁴》.
제칠(第七) der siebente*. ‖ ~ 함대 die Siebente Flotte, -n.
제키다 ab|schaben; ab|kratzen; ab|schürfen; ab|häuten; ab|schälen.
제트 Düse *f.* -n. ‖ ~기 Düsenflugzeug *n.* -(e)s, -e / ~ 엔진 Düsenmaschine *f.* -n.
제판(製版) Schriftguß *m.* ..gusses, ..güsse; 《사진의》 Klischeeherstellung *f.* -en; Chemigraphie *f.* ~하다 klischieren⁴; ein Klischee her|stellen.
제팔(第八) der achte*.
제패(制覇) Eroberung 〔Herrschaft〕 *f.* -en. ~하다 erobern⁴; besiegen⁴; bewältigen⁴. ‖ 세계 ~ Weltherrschaft.
제품(製品) Erzeugnis *n.* -ses, -se; Fabrikat 〔Produkt〕 *n.* -(e)s, -e. ‖ ~ 원가 Produktionskosten (*pl.*).
제하다(除一) 《나누다》 dividieren⁴; 《빼다》 aus|nehmen*⁴ 〔-|schließen*⁴〕. ¶ 비용을 제하고 ausschließlich der Kosten.
제한(制限) Be〔Ein〕schränkung *f.* -en; 《제약》 Bedingung *f.* -en; 《한계》 Grenze *f.* -n. ~하다 beschränken⁴; ein|schränken⁴; bedingen⁽*⁾⁴; Grenzen setzen³. ‖ ~ 속도 Geschwindigkeitsgrenze *f.* -n / ~ 시간 die beschränkte 〔begrenzte〕 Zeit, -en.
제해권(制海權) 〖軍〗 Seeherrschaft *f.* -en. ¶ ~을 장악하다 die Seeherrschaft an ⁴sich reißen* 〔haben〕.
제향(祭享) Opferritual *n.* -s, -e〔..lien〕; religiöse Liturgie, -n.
제헌절(制憲節) Verfassungstag *m.* -(e)s, -e.
제혁(製革) das Gerben*, -s. ‖ ~업 Gerberei *f.* -en / ~업자 Gerber *m.* -s, -.
제형(諸兄) (m-e) liebe Freunde.
제호(題號) Titel *m.* -s, -《e-s Buches》.
제화(製靴) Schuhmacherei *f.* -en. ‖ ~공 Schuhmacher *m.* -s, -.
제회(際會) ~하다 *jm.* begegnen; mit *jm.* zusammen|stoßen*.
제후(諸侯) die Fürsten (*pl.*). ‖ 봉건 ~ die Feudalfürsten (*pl.*).
제휴(提携) Zusammenarbeit *f.*; Mitwirkung 〔Kooperation〕 *f.* -en; Einvernehmen *n.* -s. ~하다 mit|wirken《*bei*³; *an*³》; kooperieren; Hand in Hand gehen* 《mit *jm.*》; im Einverständnis 《mit *jm.*》 handeln. ¶ …와 ~하여 im Einverständnis 《*mit*³》. ‖ 기술 ~ die technische Zusammenarbeit.
젠체하다 ⁴sich breit|machen 《*mit*³》; ³sich ein Air geben*.
젠틀맨 Gentleman *m.* -s, ..men; Ehrenmann *m.* -(e)s, ⸗er.

젤리 Gelee [ʒelé:] *n.* 〔*m.*〕 -s, -s. ‖ 로이얄 ~ Weiselfuttersaft *f.* ¨e; Gelée royale [ʒelé roajá:lə].
젯메(祭—) der Reis für Weihe.
젯밥(祭—) Weihreis *m.* -es, -e.
조 〖植〗 Kolbenhirse *f.*
조(兆) Billion *f.* -en.
조(朝) Dynastie *f.* -n. ¶고려조 die *Goryeo*-Dynastie.
조가(弔歌) Elegie *f.* -n; Klagelied *n.* -(e)s, -er.
조가비 (eßbare) Muschel, -n.
조각 Stück *n.* -(e)s, -e; Scheibe 〔Schnitte〕 *f.* -n; Brocken *m.* -s, -; Bruchstück; Fragment *n.* -(e)s, -e. ¶~나다 splittern; in Stücke zerbrechen*. ‖~달 Mondsichel *f.* -n / 나무 ~ Holzsplitter *m.* -s, - / 빵 ~ ein stück Brot.
조각(組閣) die Bildung e-s Kabinett(e)s; Kabinettsbildung *f.* -en. ~하다 ein Kabinett bilden 〔organisieren〕.
조각(彫刻) Bildhauerei *f.*; Schnitzerei *f.* -en. ~하다 schnitzen^4; aus|hauen*^{4} 《*in*^{4}》. ‖~가 Bildhauer *m.* -s, -.
조간(朝刊) Morgen·ausgabe *f.* -n 〔-zeitung *f.* -en〕.
조갈(燥渴) Durst *m.* -es; Verlangen *n.* -s, -. ¶~이 나다 mich durstet.
조감도(鳥瞰圖) (Vogel)perspektive *f.* -n.
조감독(助監督) stellvertretender Direktor, -s, -en; Regieassistent *m.* -en, -en.
조강지처(糟糠之妻) *js.* treue Frau, -en.
조개 Muschel *f.* -n. ‖~껍질 (Muschel-)schale *f.* -n / ~ 무지 Muschelhaufen *m.* -s, -.
조객(弔客) Beileidsbesucher *m.* -s, -.
조건(條件) Bedingung *f.* -en. ¶매매의 ~ Verkaufsbedingungen(*pl.*) / ~부의 bedingt; konditionell. ‖~ 반사 bedingter Reflex, -es, -e / 필수 ~ die unerläßliche Bedingung.
조계(租界) Konzession *f.* -en. ‖공동 ~ die internationale Konzession.
조곡(弔哭) Totenklage *f.*; laute Klage. ~하다 klagen; weh|klagen.
조곡(組曲) 〖樂〗 =모음곡.
조공(租貢) die Steuern (*pl.*); die Besteuerungen(*pl.*). ~하다 die Steuern zahlen.
조공(朝貢) Tribut *m.* -(e)s, -e; Zwangsabgabe *f.* -n. ~하다 *jm.* e-n Tribut zollen.
조관(條款) Klausel *f.* -n; Vertragsbestimmung *f.* -en.
조광(粗鑛) Erz *n.* -es, -e; das rohe Metall, -s, -e.
조교(吊橋) Hänge〔Seil; Kabel〕brücke *f.* -n.
조교(助敎) Hilfs〔Unter〕lehrer *m.* -s, -.
조교(調敎) ~하다 züchten^4; trainieren^4; dressieren^4.
조교수(助敎授) der außerordentliche Professor, -s, -en.
조국(祖國) *js.* Vaterland, -(e)s, ¨er. ¶~을 위하여 싸우다 für sein ^{4}Vaterland kämpfen.
조규(條規) Artikel *m.* -s, -; Klausel *f.* -n.
조그만 winzig; winzig klein.
조금 ein wenig; ein bißchen; etwas. ¶~도 …않다 kein; nicht im geringsten/ ~씩 nach u. nach.

조금(潮—) Nippflut *f.* -en; Flut, die nur nippt.
조급(早急) ~하다 dringlich 〔dringend; eilig〕 (sein).
조급(躁急) ~하다 ungeduldig 〔hastig; voreilig〕 (sein). ¶~히 굴다 ^{4}sich übereilen.
조기(弔旗) Trauer·fahne〔-flagge〕 *f.* -n. ¶~를 달다 e-e Trauerfahne hissen; (e-e Flagge) halbmast hissen.
조기(早起) das Frühaufstehen*, -s. ‖~체조 Morgengymnastik *f.*
조기(早期) die frühe Periode, -n; das frühe Stadium, -s ..dien. ‖~ 발견 die frühe Entdeckung, -en / ~ 치료 die frühe Behandlung, -en.
조끼[1] Weste *f.* -n; die ärmellose Unterjacke, -n.
조끼[2] 《맥주의》 (Henkel)krug *m.* -(e)s, ¨e. ¶ 맥주 한 ~ ein Krug 〔Seidel〕 Bier.
조난(遭難) Unfall *m.* -(e)s, ¨e; Unglück *n.* -(e)s, (드물게) -e; 《배의》 Schiffbruch *m.* -(e)s, ¨e. ‖~ 신호 Notsignal *n.* -s, -e / ~자 der Verunglückte*, -n, -n; 《배의》 der Schiffbrüchige*, -n, -n; 《희생자》 Opfer *n.* -s, -.
조달(調達) Anschaffung 〔Aufbringung; Auftreibung〕 *f.* -en. ~하다 an|schaffen^4; herbei|schaffen^4; liefern^4. ¶돈을 ~하다 Geld auf|treiben*. ‖~청 das Ministerialamt der Beschaffung.
조도(照度) 〖物〗 die Stärke der Beleuchtigung; Beleuchtigungsstärke *f.* -n.
조동사(助動詞) 〖文〗 Hilfszeitwort *n.* -(e)s, ¨er.
조락(凋落) Verfall *m.* -(e)s. ~하다 ab|blühen.
조력(助力) (Bei)hilfe *f.* -n; Beistand *m.* -(e)s. ~하다 helfen* 《*jm.*》; Hilfe 〔Beistand〕 leisten《*jm.*》; zu Hilfe kommen*.
조련(操鍊) 《훈련》 Training *n.* -s, -s; militärischer Drill, -(e)s, -e. ~하다 drillen^4; trainieren^4.
조령모개(朝令暮改) die schwankende Politik, -en.
조례(弔禮) Beileidsetikette *f.* -n.
조례(條例) Vorschrift *f.* -en; Bestimmung *f.* -en.
조례(朝禮) =조회(朝會).
조로(早老) vorzeitige Alterung. ‖~ 현상 das Symptom 〔Anzeichen〕 der vorzeitigen Alterung.
조롱(鳥籠) =새장.
조롱(嘲弄) Spott *m.* -(e)s; Neckerei 〔Verspottung〕 *f.* -en. ~하다 necken 《*jn.*》; hohn|lachen 《*über*^{4}》. ¶~당하다 verspottet 〔verlacht〕 werden.
조롱이 〖鳥〗 Sperber *m.* -s, -.
조루(早漏) die vorzeitige Ausspritzung, -en; der vorzeitige Samenerguß, ..gusses, ..güsse; Prospermie *f.* -n.
조류(鳥類) Vögel(*pl.*); Feder·vieh 〔-volk〕 *n.* -(e)s; Federn (*pl.*). ‖~학 Ornithologie *f.*
조류(潮流) 《조수》 (Gezeiten)strömung *f.* -en; Meeresstrom *m.* -(e)s, ¨e; 《추세》 (Geistes)strömung *f.* -en; der Geist der Zeiten. ¶시대의 ~를 따르다 der Strömung folgen.
조류(藻類) die Algen (*pl.*). ‖~학 Algenkunde *f.*
조르다 ① 《끈을》 zu|schnüren^4; enger binden*^{4}; fester binden*^{4}. ¶ 졸라매다 straff 〔fest〕 ziehen* / 띠를 ~ den Gür-

tel fester ziehen*. ② 《요구·재촉》 *jn.* dringend bitten*《*um*[4]》; *jn.* drängen 《*um*[4]》. ¶어머니에게 돈 달라고 ~ die Mutter um Geld dränge(l)n.

조리(笊籬) Bambussieb *n.* -(e)s, -e.

조리(條理) Vernunft *f.* ¶~있는 logisch; vernünftig / ~가 닿다 logisch sein.

조리(調理) ① 《조섭》 Gesundheitspflege *f.* -n. ~하다 auf die Gesundheit auf|passen. ② 《요리》 das Kochen*, -s; Kocherei *f.* -en. ~하다 kochen[4]; an|richten[4]; fertig|machen[4]. ‖ ~대 Küchentisch *m.* -es, -e / ~실 Küche *f.* -n.

조리개 〖寫〗 Irisblende *f.* -n; Blende. ¶~를 죄다 ab|blenden[4]; blenden[4].

조리다 aus|kochen[4] 《국물을 만들 때》; ein|kochen[4] 《잼 등을 만들 때》; durch|kochen[4].

조리차하다 ein|schränken[4]; knapp|halten*[4]; knauserig zu|teilen[34]; knausern.

조림 Gemüseplatte *f.* -n 《야채》; das gekochte Fleisch, -es 《고기》.

조림(造林) Aufforstung *f.* -en; Wiederaufforstung. ~하다 (wieder)auf|forsten. ‖ ~학 Forstwirtschaft *f.* -en.

조립(組立) 《구조》 Bau *m.* -es; 《구성》 Zusammen·setzung 〔-fügung〕 *f.* -en; 《설치》 Aufstellung *f.* -en; Montage *f.* -n. ~하다 bauen[4]; zusammen|setzen[4]〔-|fügen[4]〕; montieren[4]. ¶기계를 ~하다 e-e Maschine zusammen|setzen. ‖ ~ 공장 Montagewerk *n.* -(e)s, -e / ~(식) 주택 Fertighaus *n.* -es, ⸗er.

조마(調馬) das Trainieren der Pferde. ~하다 ein Pferd ein〔zu〕|reiten*. ‖ ~사 Trainer *m.* -s, -.

조마조마하다 in atemloser Erregung sein; Herzklopfen bekommen*. ¶조마조마한 마음으로 beklommenden Herzens.

조막손이 e-e Person mit verwelkter Hand.

조만간(早晩間) früher od. später; über kurz od. lang. ¶이런 일은 ~ 폭로된다 Solches Ding muß früher od. später heraus|kommen*.

조망(眺望) Aussicht *f.* -en. ~하다 e-e Aussicht 〔e-n (Aus)blick〕 haben 《*auf*[4]》. ¶~이 좋다 e-n schönen Ausblick haben.

조명(照明) Beleuchtung *f.* -en; Erleuchtung *f.* -en. ~하다 beleuchten[4]; erleuchten[4]. ‖ ~ 효과 Beleuchtungswirkungsgrad *m.* -(e)s, -e / 무대 ~ Bühnenbeleuchtung *f.* -en.

조모(祖母) Großmutter *f.* ⸗.

조목(條目) Artikel *m.* -s, -; Paragraph *m.* -en, -en. ¶~별로 쓰다 einzeln auf|führen[4].

조무래기 Knirps *m.* -es, -e; Fratz *m.* 〔-es, -en.〕

조문(弔文) Beileids〔Kondolenz〕schreiben *n.* -s, -. ¶~을 낭독하다 die Trauerrede verlesen*.

조문(弔問) Beileidsbesuch *m.* -(e)s, -e. ~하다 Beileidsbesuch machen.

조문(條文) 《본문》 Text *m.* -es, -e; Wortlaut *m.* -(e)s, -e; 《조항》 Paragraph *m.* -en, -en. ¶~에 명시되어 있다 im Text ausdrücklich erwähnt sein.

조물주(造物主) der allmächtige 〔ewige〕 Schöpfer, -s; der Schöpfer der Welt; Kreator *m.* -s.

조미(調味) ~하다 würzen[4]; schmackhaft machen[4]. ‖ ~료 Gewürz *n.* -es, -e.

조밀(稠密) ~하다 dicht 〔(zusammen)gedrängt〕 (sein). ¶~한 인구 die dichte Bevölkerung, -en.

조바심하다 ungeduldig 〔unruhig〕 sein. ¶일이 잘못 될까 ~ ungeduldig sein, ob die Sache schlecht geht.

조반(朝飯) Frühstück *n.* -(e)s, -e. ¶~을 들다 frühstücken; das Frühstück ein|nehmen*.

조발성(早發性) 〖醫〗 proleptisch. ‖ ~ 치매증(痴呆症) Dementia praecox *f.*

조밥 gekochte Hirse.

조변석개(朝變夕改) Unbeständigkeit *f.* -en. ~하다 [4]sich unbeständig (ver-)ändern.

조병창(造兵廠) Waffenfabrik *f.* -en.

조복(朝服) Hofanzug *m.* -(e)s, ⸗e; Hofkleid *n.* -(e)s, -er.

조부(祖父) Großvater *m.* -s, ⸗. ‖ ~모(母) Großeltern (*pl.*).

조분석(鳥糞石) Guano *m.* -s.

조사(弔詞) Beileids·worte (*pl.*) 〔-brief *m.* -(e)s, -e; -schreiben *n.* -s, -〕.

조사(祖師) der Gründer 〔Stifter〕 e-r Sekte.

조사(照射) 〖醫〗 Bestrahlung *f.* -en. ~하다 bestrahlen[4] 《*mit*[3]》. ‖ 뢴트겐 ~ Röntgenbestrahlung *f.* -en.

조사(調査) Untersuchung *f.* -en; Erforschung *f.* -en; Umfrage *f.* -n 《앙케트》. ~하다 untersuchen[4]; an|fragen 《*jn.* 〔bei *jm.*〕 *nach*[3] 〔*um*[4]〕》. ¶~를 진행하다 weiter untersuchen[4] / 철저히 ~하다 von Grund aus untersuchen[4]. ‖ ~ 대상 der Gegenstand der Untersuchung 〔Nachforschung〕 /~ 위원 Untersuchungskomitee *n.* -s, -s.

조산(早産) die vorzeitige 〔unzeitige〕 Geburt, -en. ~하다 vor〔un〕zeitig gebären*[4]《ein Kind》. ‖ ~아 das vorzeitig geborene Kind, -(e)s, -er.

조산(造山) Miniatur·berg *m.* -(e)s, -e 〔-hügel *m.* -s, -〕 《im Garten》; ein künstlicher Erdhügel.

조산원(助産員) Hebamme *f.* -n; die weise Frau, -en.

조상(弔喪) Beileid *n.* -(e)s. ~하다 *jm.* sein Beileid aus|sprechen*.

조상(祖上) die Vorfahren(*pl.*); die (Vor-)ahnen(*pl.*). ‖ ~ 숭배 Ahnenverehrung *f.* -en.

조상(彫像) Statue *f.* -n; Bildsäule *f.* 〔-n.〕

조색(調色) Färbung〔(Ab)tönung〕 *f.* -en. ‖ ~판 Palette *f.* -n.

조색기구(阻塞氣球) Sperrballon *m.* -s, 〔-e 〔-s〕.〕

조서(詔書) der kaiserliche 〔königliche; päpstliche〕 Erlaß, ..lasses, ..lasse.

조서(調書) Protokoll *n.* -s, -e; die (urschriftliche) Niederschrift, -en. ¶~를 작성하다 ein Protokoll auf|setzen.

조석(朝夕) Morgen u. Abend; Frühstück u. Abendmahl.

조선(造船) Schiff(s)bau *m.* -(e)s, -ten. ~하다 ein Schiff bauen. ‖ ~소 Shiffswerft *f.* –en / 대한 ∼ 공사 Koreanische Schiffs– u. Maschinenbau Korporation〔Aktiengesellschaft〕.

조성(助成) Förderung *f.* –en; Unterstützung *f.* –en. ∼하다 unterstützen《*jn. mit*[3]》; bei|stehen*《*jm.*》.

조성(造成) Bau *m.* –(e)s, –e〔–ten〕; Anfertigung *f.* –en. ∼하다 machen; verfertigen; her|stellen. ¶분위기를 ∼하다 e–e Atmosphäre schaffen*.

조성(組成) Zusammensetzung *f.* –en. ∼하다 zusammen|setzen[4]; formieren[4]. ‖∼물 das Zusammengesetzte*, –n; Gemisch *n.* –es, –e.

조세(租稅) Steuer *f.* –n; Abgabe *f.* –n. ¶∼를 징수하다 die Steuer ein|ziehen*. ‖∼법 Steuer·recht *n.* –(e)s, –e〔–gesetz *n.* –es, –e〕.

조소(彫塑)〖美術〗Plastik *f.* –en; Bildhauerei *f.*

조소(嘲笑) Hohn *m.* –(e)s; das Hohnlächeln*, –s. ∼하다 hohn|lachen[4]《*über*[4]》; hämisch〔höhnisch; sardonisch〕lachen《*über*[4]》. ¶세인의 ∼를 사다 den Leuten zum Hohngelächter werden.

조속(早速) ∼히 sofort; jetzt (gleich); im Augenblick; auf der Stelle.

조수(助手) Assistent *m.* –en, –en; Gehilfe *m.* –n, –n. ‖운전 ∼ Chauffeurgehilfe *m.*

조수(鳥獸) Haar– u. Federwild *n.* –(e)s.

조수(潮水) Elutwasser *n.* –s, ⸚; die Gezeiten(*pl.*); Ebbe u. Flut *f.* –n u. –en. ¶∼가 빠지다 Die Flut geht. / ∼가 들다 Die Flut steigt.

조숙(早熟) ∼하다 früh·reif〔–zeitig〕(sein). ‖∼아 das frühreife〔frühzeitig entwickelte〕Kind, –(e)s, ⸚er.

조식(粗食) die magere〔schmale〕Kost; das einfache〔schlechte〕Essen, –s. ∼하다 von e–r mageren Kost leben.

조신(操身) ∼하다 [4]sich tadellos benehmen*.

조실부모(早失父母) der frühzeitige Verlust der Eltern. ∼하다 früh s–e〔ihre〕Eltern verlieren*.

조심(操心) ∼하다 vorsichtig sein; [4]Vorsicht üben〔walten lassen*〕. ¶∼스럽게 vorsichtig; umsichtig; bedachtsam; aufmerksam.

조아리다 [4]sich nieder|werfen*《*vor*[3]》; 《절하다》[4]sich tief verbeugen《*vor*[3]》; 《무릎 꿇다》[4]sich auf die Knie werfen*《*vor*[3]》. ¶머리를 ∼ e–n Kotau machen《vor *jm.*》.

조아팔다 in kleiner Anzahl verkaufen; in kleiner Anzahl zerbrechen*, [4]*et.* zu verkaufen.

조악(粗惡) ∼하다 schlecht〔grob; derb〕(sein).

조암광물(造岩鑛物) das felsförmige Mineral, –s, –e〔–ien〕.

조야(粗野) ∼하다 grob〔bäu(e)risch; roh; ungehobelt; ungeschliffen〕(sein).

조야(朝野) die Regierung u. das Volk; die ganze Nation.

조약(條約) (Staats)vertrag *m.* –(e)s, ⸚e; Ab〔Überein〕kommen *n.* –s, –. ¶∼을 맺다 e–n Vertrag (ab|)schließen*《*mit*[3]》; ein Abkommen treffen*《*mit*[3]》. ‖∼비준 die Ratifikation e–s Vertrags / 평화 ∼ Friedensvertrag *m.*

조약돌 der kleine Stein, –(e)s, –e; Kiesel *m.* –s, –.

조어(造語)《말》Wortbildung *f.* –en.

조언(助言) Rat(schlag) *m.* –(e)s, ⸚e; Fingerzeig *m.* –(e)s, –e. ∼하다 raten[34]; e–n Rat(schlag) erteilen〔geben*〕《*jm.*》. ‖∼자 Ratgeber *m.* –s, –.

조업(操業) Arbeit *f.* –en; Operation *f.* –en. ∼하다 arbeiten; operieren[4]; betreiben*[4]. ‖∼단축 die Verkürzung der Arbeitszeit / ∼ 중지 Arbeitseinstellung *f.* –en.

조역(助役)《거드는 사람》Helfer *m.* –s, –; Gehilfe *m.* –n, –n; 《철도의》Stationsvizevorsteher *m.* –s, –.

조연(助演) Nebenrolle *f.* –n; die zweite Hauptrolle. ∼하다 mit|spielen[4]; e–e Nebenrolle spielen. ‖∼자 Mitspieler *m.* –s, –; Figurant *m.* –en, –en.

조예(造詣) Kenntnisse (*pl.*); Gelehrsamkeit *f.* ¶…에 ∼가 깊다 gute Kenntnisse haben〔besitzen*〕《*in*[3]》.

조용하다《잠잠함》ruhig〔still; 《온건함》friedlich; gelassen; 《점잖음》anmutig; 《한적》verlassen; einsam〕(sein). ¶조용한 곳 der stille Ort / 쥐죽은 듯이 ∼ mäuschenstill sein.

조용히 ruhig; still; sanft. ¶∼ 하다 [4]sich ruhig verhalten*; still〔ruhig〕sein / ∼ 해 Still! Ruhe! / ∼ 해 주시기 바랍니다 Ich bitte um Ruhe!

조우(遭遇) ∼하다 begegnen[3]; zusanmen|treffen*《*mit*[3]》. ‖∼전 Begegnungsgefecht *n.* –(e)s, –e.

조울병(躁鬱病) manisch–depressive Geisteskrankheit, –en. ‖∼ 환자 der〔die〕manisch–depressive Kranke*, –n, –n.

조위(弔慰) Bedauern *n.* –s. ∼하다 Beileid äußern u. Trost zu|sprechen*《*jm.*》. ‖∼금 Trostgeld für [4]Hinterlassene*.

조율(調律) ∼하다 [4]Saiten stimmen[4]; ab|stimmen. ‖∼사 (Instrumenten) Stimmer *m.* –s, –.

조의(弔意) Beileids·bezeigung〔–äußerung〕*f.* –en; Kondolenz *f.* –en. ¶∼를 표하다 (tiefe) Trauer bezeigen〔äußern〕《*jm. über*[4]》.

조인(調印) Unter·schreibung〔–zeichnung〕*f.* –en. ∼하다 unterschreiben*[4]; unterzeichnen[4]. ‖∼식 Unterschriftszeremonie〔–feier〕*f.* –n.

조작(造作)《제조》Herstellung〔Fertigung〕*f.* –en; 《날조》Erfindung *f.* –en. ∼하다 her|stellen; erfinden*. ¶∼된 기사 Fälschung *f.* –en.

조작(操作) Verfahren *n.* –s, –. ∼하다 behandeln[4]. ‖시장 ∼ Marktmanipulation *f.* –en.

조잡(粗雜) ∼하다 grob〔mangelhaft; nachlässig〕(sein). ¶∼한 제본 der lose〔unsorgfältige〕Einband, –(e)s, ⸚e.

조장(助長) ∼하다 fördern[4]; ermutigen[4]; die Stange halten*《*jm.*》. ¶그것은 그의 나쁜 짓만 ∼할 뿐이다 Das fördert nur s–e schlechten Taten.

조장(組長) Vormann *m.* –es, ⸚er; Vorarbeiter *m.* –s, –《노동자의》.

조전(弔電) Beileidstelegramm *n.* –s, –e; Kondolenztelegramm *n.* ¶~을 치다 ein Beileidstelegramm auf|geben*.

조절(調節) Kontrolle *f.* –n; Beaufsichtigung *f.* –en. ~하다 kontrollieren[4]; auf die Finger sehen*[3] 〔passen[3]〕. ¶방의 온도를 ~하다 die Zimmertemperatur regulieren. ‖~미(米) 《Freigabe》 der Reis, die Reispreissteigerung abzudämpfen.

조정(朝廷) Regierung *f.* –en; Ministerium *n.* –s, ..rien.

조정(漕艇) das Rudern*, –s; Ruder·fahrt *f.* –en 〔–strecke *f.* –n〕. ‖~ 경기 Wettrudern *n.*

조정(調停) Versöhnung 〔Ausgleichung; Aussöhnung〕 *f.* –en. ~하다 versöhnen[4]《*mit*[3]》; aus|gleichen*[4]. ‖~안 Versöhnungsplan *m.* –(e)s, ⸚e / ~자 Vermittler 〔Fürsprecher〕 *m.* –s, –.

조정(調整) Regelung 〔Anordnung〕 *f.* –en. ~하다 regeln[4]; an|ordnen[4]. ¶가격을 〔속도를〕 ~하다 den Preis 〔die Geschwindigkeit〕 kontrollieren 〔regulieren〕.

조제(粗製) die ungehobelte 〔ungeschliffene〕 Arbeitsweise, –n 〔Fabrikation, –en〕. ~하다 grob her|stellen; grobe Waren produzieren. ‖~품 die oberflächlich verfertigte Ware, –n.

조제(調製) Verfertigung 〔Anfertigung〕 *f.* –en. ~하다 verfertigen[4]; an|fertigen[4]. ‖~품 Präparat *n.* –(e)s, –e.

조제(調劑) Arz(e)neibereitung *f.* –en. ~하다 e–e Arznei bereiten 〔nach [3]Rezept verfertigen〕. ‖~실 Apotheke *f.* –n; Hausapotheke 《의원의 약국》.

조조(早朝) der frühe Morgen, –s, –.

조종(弔鐘) Trauergeläute *n.* –s. ¶~을 울리다 《比》 zu [3]Ende gehen* 〔kommen*〕.

조종(祖宗) Ahnen 〔Voreltern〕 (*pl.*).

조종(操縱) Führung 〔Lenkung; Steuerung〕 *f.* –en. ~하다 fühnen*[4]; lenken[4]; handhaben[4]. ¶남편을 ~하다 ihren Mann lenken. ‖~사 Führer *m.* –s, –; Pilot *m.* –en, –en 《비행기의》 / ~ 장치 Lenkung *f.*

조주(助奏) 〖樂〗 *ob(b)ligato* 《이탈리아어》.

조준(照準) Visierung *f.* –en; das Zielen*, –s. ~하다 visieren[(4)] 《*nach*[3]》; zielen 《*auf*[4]》. ‖~기(器) Visier *n.* –s, –e; Zielgerät *n.* –(e)s, –e.

조지다 《사개 따위》 dicht 〔eng〕 befestigen. ¶죔쇠를 ~ die Klemme fest an|binden*.

조직(組織) 《계통·제도》 System *n.* –s, –e; Gefüge *n.* –s, –; 《구성》 Konstruktion *f.* –en; 《사회 단체 등의 기구》 Organisation *f.* –en; 《생물의》 Gewebe *n.* –s, –. ~하다 systematisieren; in (ein) System bringen*[4]. ‖~ 위원회 Organisationskomitee *n.* –s, –s / ~체 Organismus *m.* –, ..men / ~화 Systematisierung *f.* –en.

조짐(兆朕) 《징조》 (An)zeichen *n.* –s, –; Symptom *n.* –s, –e; 《전조》 Vor〔An〕zeichen *n.* –s, –. ¶좋은 ~이다 ein gutes Vorzeichen sein.

조차 sogar; selbst; auch; nicht einmal 《조차 … 없다》. ¶쓰는 것~ 제대로 못한다 Nicht einmal richtig schreiben kann er.

조차(租借) Pachtung 〔Pacht〕 *f.* –en. ~하다 pachten[4]. ‖~권 Pachtrecht *n.* –(e)s, –e / ~지 Pachtgebiet *n.* –(e)s, –e.

조차(潮差) die Tragweite der Flut; Flutwelle *f.* –n.

조차(操車) Rangierung *f.* –en; das Rangieren*, –s. ~하다 e–n Zug rangieren 〔verschieben*〕. ‖~장 Rangierbahnhof *m.* –(e)s, ⸚e.

조찬(朝餐) Frühstück *n.* –(e)s, –e. ☞조반(朝飯).

조처(措處) Behandlung *f.* –en; Maßnahme *f.* –n. ~하다 behandeln[4]; führen[4]. ¶적절히 ~하다 die entsprechenden 〔geeigneten〕 Maßnahmen ergreifen* / 단호히 ~하다 den entscheidenden Schritt tun*.

조청(造淸) Getreidensirup *m.* –s.

조촐하다 fein 〔schick; raffiniert〕 (sein). ¶조촐하게 살림을 하다 sein anständiges Auskommen haben.

조총(弔銃) Trauersalve *f.* –n. ¶~을 쏘다 die Trauersalve ab|geben* 〔schießen*〕.

조치(措置) ＝조처(措處).

조카 Neffe *m.* –n, –n. ‖~딸 Nichte *f.* –n / ~뻘 die Verwandschaft des Neffen.

조타(操舵) ~하다 steuern. ‖~수 Steuermann *m.* –(e)s, ⸚er 〔..leute〕.

조탁(彫琢) ~하다 《보석 등의》 (in 〔aus〕 Holz) schnitzen; in Stein meißeln; 《문장 따위》 verfeinern.

조탄(粗炭) Rauhkohle *f.* –n.

조퇴(早退) ~하다 verfrüht 〔vor der Zeit〕 die Schule 〔den Unterricht; das Büro〕 verlassen*.

조판(組版) 〖印〗 Satz *m.* –es, ⸚e; das Setzen*, –s. ~하다 Typen setzen.

조팝나무 〖植〗 Spiräe *f.* –n.

조팝나물 〖植〗 Habichtskraut *n.* –(e)s, ⸚er.

조폐(造幣) Münzprägung *f.* –en. ‖한국 ~ 공사 die koreanische Münzstätte.

조포(弔砲) Trauer·salut *m.* –(e)s, –e 〔–schuß *m.* ..schusses, ..schüsse (흔히 *pl.*)〕.

조합(組合) ① 《단체》 Verein *m.* –(e)s, –e; Verband *m.* –(e)s, ⸚e; Verbindung 〔Genossenschaft〕 *f.* –en. ¶~에 가입하다 in e–e Genossenschaft ein|treten*. ② 〖數〗 Kombination *f.* –en. ‖~비 〔활동〕 Vereins·beitrag *m.* –es, ⸚e 〔–aktivität *f.* –en〕 / ~원 das Mitglied des Vereins / 노동 ~ (Arbeiter)gewerkschaft *f.* –en.

조항(條項) Artikel u. Klausel; Bestimmung *f.* –en.

조해(潮解) 〖化〗 Zerfließung *f.* –en. ~하다 zerfließen*.

조혈(造血) Blutbildung *f.* –en. ‖~제 das blutbildende Mittel, –s.

조형(造形) das Formen*, –s. ‖~ 미술 die bildende Kunst, ⸚e.

조혼(早婚) die frühzeitige Heirat, –en. ~하다 frühzeitig heiraten 《*jn.*》.

조화(造化) 《창조》 Schöpfung *f.* –en; 《신통함》 Wunder *n.* –s, –.

조화(造花) e–e künstliche Blume, –n.

조화(調和) Harmonie *f.* -n; Einklang *m.* -(e)s, ⸚e; 《균형》 Symmetrie *f.* -n. ~하다 harmonieren; überein|stimmen. ¶~시키다 [4]*et.* in Einklang [Harmonie; Übereinstimmung] bringen*.

조회(朝會) Morgenversammlung *f.* -en; e-e Morgenbegrüßung in der Schule.

조회(照會) Erkundigung *f.* -en; Anfrage *f.* -n. ~하다 [4]sich bei *jm.* erkundigen 《*über*[4]》. ¶그의 신원을 고향에 ~하였다 Wir haben uns in seiner Heimat nach ihm erkundigt. ‖~장 Erkundigungsschreiben *n.* -s, - [-brief *m.* -(e)s, -e].

족(足) 《소·돼지의》《Pferd; Rind》 Sprunggelenk *n.* -(e)s, -e; 《켤레》 Paar *n.* -(e)s, -e; Gespann *n.* -(e)s, -e.

-족(族) (Volks)stamm *m.* -(e)s, ⸚e; Sippe *f.* -n. ¶티베트족 Tibet-Volksstamm.

족대기다 *jm.* zu|setzen 《추궁》; *jn.* zur Rede stellen 《답변을 재촉하다》; mit *jm.* streng[scharf] ins Gericht gehen* 《비난 공격》. ¶기부금을 내라고 ~ *jn.* zum Beitrag drängen.

족두리 e-e bei der Hochzeit [dem Feier] von den Damen getragene schwarze Kopfbedeckung, -en.

족발(足—) (Schweine)eisbein *n.* -(e)s, -e.

족벌주의(族閥主義) Vetternwirtschaft *f.* -en; Nepotismus *m.* -.

족보(族譜) Ahnentafel *f.* -n; Familien(stamm)buch *n.* -(e)s, ⸚er. ¶~를 캐다 dem Familienstamm nach|forschen.

족생(簇生) Herdenleben *n.* -s; Geselligkeit *f.* ‖~ 식물 die gesellige Pflanze, -n.

족속(族屬) Sippschaft *f.* -en; Bande *f.* -n. ¶그 따위 ~ solche Leute (*pl.*); solches Gesindel, -s.

족쇄(足鎖) (Fuß)fesseln (*pl.*); Beinschellen (*pl.*). ¶~를 채우다 in [4](Fuß)fesseln legen[4].

족자(簇子) Hänge[Roll]bild *n.* -(e)s, -er.

족자리 der Henkel auf den beiden Seiten des Topfes [des Kruges].

족장(族長) das Oberhaupt e-s Stammes.

족적(足迹·足跡) Fußstapfen *m.* -s, -; Fußspur *f.* -en. ¶~을 남기다 Fußspur lassen*.

족제비 〖動〗 Wiesel *n.* -s, -.

족족 《마다》 aus jedem Anlaß von [3]*et.* ¶오는 ~ immer wenn man kommt.

족집게 《털뽑는》 Haarzange *f.* -n.

족척(族戚) (Bluts)verwandtschaft *f.* -en; die Verwandte (*pl.*).

족치다 ① 《결딴 냄》 zerstören; zerschlagen*. ② =족대기다.

족친(族親) der Verwandte*, -n, -n.

족하다(足—) ① 《충분》 genug [reichlich; gut; beträchtlich] (sein). ¶만 원이면 족할 것이다 Etwa 10,000 *Won* werden genügen. ② 《만족》 zufrieden (sein); [4]sich begnügen 《mit [3]*et.*》. ¶마음에 ~ mit [3]*et.* zufrieden sein.

족히(足—) reichlich; gut; hübsch. ¶아직도 ~ 2시간은 걸리다 noch hübsch zwei Stunden dauern.

존 Zone *f.* -n; Gebiet *n.* -(e)s, -e. ‖스트라이크 존 〖野〗 Streik·zone *f.* [-gebiet *n.*].

존경(尊敬) Achtung *f.*; Ehrerbietung *f.* -en. ~하다 achten 《*jn.*》; Achtung haben [hegen] 《vor *jm.*》. ¶일반의 ~을 받고 있다 [4]sich allgemeiner [2]Achtung erfreuen.

존귀(尊貴) (Hoch)adel *m.* -s; Vornehmheit *f.* -en.

존대(尊待) die Behandlung mit Achtung [Respekt]. ~하다 achten; respektieren; verehren. ¶~받다 hochgeschätzt [respektiert] werden. ‖~어 Höflichkeitswort *n.* -(e)s, ⸚er.

존립(存立) Bestehen *n.* -s; Existenz *f.* -en. ~하다 bestehen*; existieren.

존망(存亡) Sein od. Nichtsein; Leben u. Tod. ¶국가 ~지추에 in der Zeit der nationalen Krise.

존비귀천(尊卑貴賤) hoch u. niedrig; vornehm u. gering. ¶~할 것 없이 ohne Rücksicht auf Standesunterschied.

존속(存續) Fort·dauer *f.* [-bestand *m.* -(e)s; -bestehen *n.* -s]. ~하다 fort|dauern [-|bestehen*].

존속(尊屬) der Verwandte* in aufsteigender Linie. ‖~ 살해 Aszendentenmord *m.* -(e)s, -e.

존숭(尊崇) Verehrung *f.* -en; Hochachtung *f.* -en 《*für*[4]》.

존엄(尊嚴) Würde *f.*; Hoheit *f.* ~하다 würdevoll[erhaben; majestätisch] (sein). ¶인간의 ~ Menschenwürde *f.*

존장(尊長) Hochwürden (*pl.*); Ew. [Eure] Hochwürden.

존재(存在) (Da)sein *n.* -s; Existenz *f.* -en. ~하다 (da)sein*; existieren; es gibt[4]; zu finden sein. ‖~론 Ontologie *f.* -n.

존절하다 sparsam sein; sparen; gut wirtschaften. ¶돈을 존절히 쓰다 sparsam Geld aus|geben*.

존존하다 fein gewebt [dicht gewoben] (sein).

존중(尊重) Hoch[Wert]achtung *f.* -en; Respekt *m.* -(e)s. ~하다 hoch[wert]|achten[4]; hoch[wert]|schätzen[4]. ¶여론을 ~하다 auf die öffentliche Meinung Rücksicht nehmen*.

존칭(尊稱) Ehrenname *m.* -ns, -n. ~하다 *jn.* ehren; (hoch)achten; hochschätzen; verehren.

존폐(存廢) Fortdauer od. Abschaffung; Sein od. Nichtsein. ‖~ 문제 die Frage der Beibehaltung od. Abschaffung.

존함(尊銜) Ihr ehrwürdiger Name, -ns, -n; Ihr Ehrenname.

졸(卒) 《장기의》 Bauer *m.* -s [-n], -n; Läufer *m.* -s, -.

졸개(卒—) der Untergebene*, -n, -n.

졸경치(르)다(卒更—) bittere Erfahrung haben; große Mühe haben.

졸고(拙稿) mein unwürdiges [würdeloses] Manuskript, -(e)s, -e.

졸년(卒年) Todesjahr *n.* -(e)s, -e.

졸다[1] 《졸려서》 schlummern; duseln; ein|nicken. ¶깜박 ~ für kurze Zeit leicht ein|schlafen*; ein|nicken.

졸다[2] 《물 따위가》 siedend (aus)trocknen; 《줄다》 [4]sich vermindern; ab|nehmen*.

졸도(卒倒) Ohnmacht *f.* -en; Bewußtlosigkeit *f.* ~하다 in Ohnmacht fallen*.

졸때기 《일》 kleine [geringfügige] Sache,

-n; 《사람》 e-e unbedeutende Person, -en.
졸라대다 *jn.* bitten* 《*um*⁴》; *jn.* an|betteln 《*um*⁴》.
졸라매다 befestigen⁴; fest machen⁴; an|binden*; an|heften⁴. ¶허리띠를 ～ den Gürtel befestigen 〔an|schnallen〕.
졸렬(拙劣) ～하다 ungeschicklich 〔ungeschickt; schlecht; stümperhaft; plump〕 (sein). ¶～한 수단 ungeschickte 〔stümperhafte〕 Weise, -n.
졸리다¹ 《잠오다》 schläfrig 〔müde〕 werden. ¶졸린 눈을 비비다 s-e verschlafenen Augen reiben*.
졸리다² 《매어지다》 eingeschnürt 〔zugeschnürt; erwürgt〕 werden. ¶목이 ～ m-e Kehle wird zugeschnürt.
졸막졸막하다 verschiedenartig klein u. winzig in jeder Größe u. Menge sein.
졸망졸망 《옹기종기》 kleines Ding in e-r Gruppe; 《울퉁불퉁》 alles holp(e)rige 〔holp(e)richte〕.
졸문(拙文) ungeschicktes Schreiben*, -s; ungeschickter Aufsatz, -es, ⁼e.
졸병(卒兵) ein gemeiner 〔einfacher〕 Soldat, -en, -en. ☞ 병졸(兵卒).
졸부(猝富) der Neureiche*, -n, -n; Parvenü *m.* -s, -s. ¶～가 되다 ein Parvenü werden.
졸속(拙速) ～의 nicht gut, aber schnell fertig. ‖～주의 schnelle u. flüchtige Methode, -n.
졸아들다 schrumpfen; krumpfen; ab|nehmen*.
졸아붙다 《물기가》 siedend ausgetrocknet werden; ein|kochen; einkochend zu Nichts bringen*.
졸업(卒業) der Abgang von der Schule; Graduierung *f.* -en. ～하다 e-e Schule durch|machen 〔absolvieren〕; von der Schule ab|gehen*. ¶대학을 ～하다 das Studium ab|schließen* / 수석으로 ～하다 beim Schulabschluß die beste Note bekommen*. ‖～논문 Diplomarbeit *f.* -en / ～생 der Schulentlassene*, -n, -n / ～식 Abgangszeremonie *f.* -n / ～장 Abgangszeugnis *n.* -ses, -se.
졸음 Schläfrigkeit 〔Müdigkeit〕 *f.* -en. ¶～이 오다 schläfrig 〔müde〕 werden.
졸이다 《속을》 ⁴sich sorgen; ³sich Sorgen um ⁴*et.* machen; 《끓여서》 ein|kochen 〔-|dicken〕; verdicken; verdampfen.
졸작(拙作) 《졸렬한》 ein minderwertiges Werk, -s, -e; Kitsch *m.* -s. ¶이 시는 ～이다 Das ist Gereime.
졸장부(拙丈夫) der Engherzige*, -n, -n; der kleinlich gesonnene Mensch 〔Bursche; Junge; Kerl〕.
졸저(拙著) mein unwürdiges Schriftstück -(e)s, -e; m-e Pfuscherarbeit, -en.
졸졸 ¶～흐르다 rieseln; sacht(e) fließen*.
졸중(卒中) 〖漢醫〗 Apoplexie *f.* -n; Schlag·anfall *m.* -(e)s, ⁼e 〔-fluß *m.* ..flusses, ..flüsse〕.
졸지에(猝地—) plötzlich; auf einmal; unerwartet. ¶～사고를 당하다 in abrupt e-n Unfall erleiden*.
졸책(拙策) Pfuschplan *m.* -(e)s, ⁼e.
졸필(拙筆) 《악필》 die kritzelige Handschrift, -en; 《악필가》 der schlechte Schreiber, -s; 《자기 필적》 m-e schlechte Handschrift, -en.
졸하다(卒—) (ver)sterben*; verscheiden*.
좀¹ 〖蟲〗 Silberfischchen *n.* -s, -; Motte *f.* -n; 《比》 e-e Person, die allmählich ungemerkt e-e Gesellschaft zerstört. ¶좀 먹은 mottenzerfressen.
좀² ① 《얼마큼·어딘가》 etwas; ein wenig 〔bißchen〕. ¶좀 있다가 nach e-r ³Weile. ② 《제발》 bitte. ¶내 말 좀 들어보시오 Bitte, hören Sie mir mal zu! ③ 《말을 걸 때》 ¶좀 실례하겠습니다만… (Bitte) Verzeihung, ...; Entschuldigen Sie bitte, ...
좀³ 《그 얼마나》 wie; wie viel. ¶좀 신기합니까 Wie merkwürdig!
좀것 《사람》 pedantischer Mann, -(e)s, ⁼er; 《물건》 Kleinigkeit *f.* -en; Belanglosigkeit *f.* -en.
좀더 noch ein wenig; ein wenig mehr. ¶～ 마실 것을 주세요 Geben Sie mir noch ein wenig zu trinken.
좀도둑 Langfinger *m.* -s, -; Mauser *m.* -s, -; kleiner Dieb, -(e)s, -e.
좀생이 〖天〗 Pleiades; 《잔 물건》 kleinliches 〔winziges〕 Ding, -(e)s, -e.
좀스럽다 《마음이》 pedantisch 〔peinlich genau; haarspalterisch〕 (sein); 《사물이》 klein 〔gering; kleinlich〕 (sein). ¶아주 좀스러운 놈이다 Er ist ein pedantisch genauer, kleinlicher Kerl.
좀약(—藥) Naphtalin *n.* -s.
좀처럼 selten; (nur) mit Mühe; mit Anstrengung; kaum; angestrengt. ¶～ 잠을 잘 수 없다 fast nicht gut schlafen können*.
좀팽이 der Engherzige*, -n, -n; der pedantische Bursche, -n, -n.
좁다 ① 《폭이》 eng 〔schmal〕 (sein); 《공간·활동 범위가》 beengt 〔beschränkt〕 (sein); 《집 등》 eng 〔klein〕 (sein). ¶좁은 길 die enge Straße, -n / 교제 범위가 ～ nur mit wenigen Menschen verkehren. ② 《도량·소견이》 engherzig 〔kleinlich〕 (sein). ¶견해가 ～ kurzsichtig sein.
좁다랗다 eng u. schmal (sein). ¶좁다랗게 되다 eingeengt werden.
좁쌀 《조》 Hirse *f.* -n; Kolbenhirse *f.*; 《比》 das Kleine*, -n; Winzigkeit *f.* -en. ‖～영감 der nörgelnde Alte*, -n, -n.
좁쌀풀 〖植〗 Weiderich *m.* -(e)s, -e.
좁히다 《좁게 하다》 enger machen; ein|engen⁴; verengen⁴; 《제한하다》 beschränken⁴ 《*auf*⁴》; ein|schränken⁴. ¶소매를 ～ die Ärmel enger machen.
종¹ 《마늘 따위의》 Knoblauch·stengel *m.* -s, - 〔-halm *m.* -(e)s, -e〕.
종² 《노비》 Knecht *m.* -(e)s, -e; (Haus-) diener *m.* -s, -.
종(種) ① 〖動·植〗 Spezies *f.* -. ¶다윈의 「종의 기원」 „Entstehung der Arten" von Darwin. ② 《종류》 Art *f.* -en; Sorte *f.* -n; 《품종》 Brut *f.* -en; Rasse *f.* -n; 《종자》 Saat *f.* -en; Same *m.* -ns, -n.
종(鐘) Glocke *f.* -en; Schelle *f.* -n. ¶종을 치다 die Glocke an|schlagen*.

‖종소리 Geläut *n.* -(e)s / 종지기 Glöckner *m.* -s, -.
종가(宗家) Stamm〔Haupt〕familie *f.* -n.
종가래 kleine Schaufel, -n.
종가세(從價稅) Wertzoll *m.* -s, ⸗e.
종각(鐘閣) Glocken·turm *m.* -(e)s, ⸗e 〔-stuhl *m.* -s, ⸗e〕.
종개념(種概念)〘哲〙Artbegriff *m.* -(e)s, -e.
종견(種犬) Zuchthund *m.* -es, -e.
종결(終結) Schluß *m.* ..lusses, ..lüsse; Beend(ig)ung *f.* -en. ～하다 schließen*; enden. ¶～시키다 ⁴*et.* zu Ende bringen*.
종곡(終曲)〘樂〙Finale *n.* -s, -; Schlußstück *n.* -(e)s, -e.
종관(縱貫) ～하다 querdurch ziehen*〔fahren*〕. ‖～ 철도 die Eisenbahn, die ein Land quer längs durchfährt.
종교(宗敎) Religion *f.* -en; Glaube *m.* -ns, -n. ～적 religiös. ¶비～적 nicht religiös / ～를 믿다 e-n Glauben bekennen*. ‖～계 die religiöse Welt, -en / ～ 재판 Inquisition *f.* -en.
종국(終局) Ende *n.* -s, -n; Schluß *m.* ..lusses, ..lüsse. ¶인생 ～의 목적 das Endziel des Lebens / ～을 고하다 zu ³Ende kommen*.
종군(從軍) ～하다 an e-m Krieg(szug) teil|nehmen*; e-n Krieg 〔Feldzug〕 mit|machen. ‖～ 기자 Kriegsberichterstatter *m.* -s, - / ～ 기장 Kriegsdenk·münze 〔-medaille〕 *f.* -n.
종기(腫氣) Geschwulst *f.* ⸗e; (An)schwellung *f.* -en; Beule *f.* -n. ¶등에 ～가 나다 auf dem Rücken das Anschwellen haben. ‖악성 ～ das maliziöse Anschwellen*, -s.
종내(終乃) =마침내.
종다래끼 Hand〔Fisch〕korb *m.* -(e)s, ⸗e.
종다수(從多數) die Folge der (Stimmen-)mehrheit. ‖～결 Mehrheitsbeschluß *m.* ..schlusses, ..schlüsse.
종단(宗團) geistlicher Orden, -s, -.
종단(縱斷) ～하다 vertikal schneiden*⁴; (ein Land) längs schneidend bereisen. ‖～면 Aufriß *m.* ..risses, ..risse.
종달새 Lerche *f.* -n.
종답(宗畓) das Reisfeld, das e-r Sekte gehört.
종당(從當) schließlich; endlich; natürlich.
종대(縱隊) Kolonne *f.* -n; (Heer)säule *f.* -n. ¶4열 ～로 in vier Kolonnen.
종돈(種豚) Zuchtschwein *n.* -(e)s, -e.
종두(種痘) =우두(牛痘).
종래(從來) ～의 bisherig; (alt)hergebracht; herkommlich. ¶～와 같이 wie bisher; so wie es bis jetzt war.
종량세(從量稅) Gewichtszoll *m.* -(e)s, ⸗e.
종려(棕櫚) Palme *f.* -n. ‖～나무 Palmbaum *m.* -(e)s, ⸗e.
종렬(縱列) =종대(縱隊).
종료(終了) Abschluß *m.* ..schlusses, ..schlüsse; Schluß *m.*; Ende *n.* -s, -n. ～하다 zum Abschluß kommen*.
종루(鐘樓) Glockenturm *m.* -(e)s, ⸗e.
종류(種類) Art 〔Gattung〕 *f.* -en; Sorte *f.* -n; Qualität *f.* -en《성질》; Klasse *f.* -n《등급》. ¶～가 다른 von anderen Arten / ～별로 나누다 klassifizieren.
종마(種馬) Zuchtpferd *n.* -(e)s, -e.
종막(終幕) ① 《연극의》 Schlußakt *m.* -(e)s, -e; der letzte Akt, -es, -e. ② 《사건의》 Ende *n.* -s, -n. ¶～을 고하다 zu Ende kommen*.
종말(終末) Schluß *m.* ..lusses, ..lüsse; Abschluß *m.* ¶～을 고하다 zu Ende kommen* / ～이 다가오다 dem Ende entgegen|gehen*.
종목(種目) Artikel *m.* -s, -; Sorte *f.* -n.
종묘(宗廟) Ahnenmausoleum *n.* -s, ..leen.
종묘(種苗) Sämling *m.* -s, -e. ‖～장 Säebeet *n.* -(e)s, -e.
종반전(終盤戰) 《바둑 등의》 der letzte Teil des Kampfes; 《선거의》 der letzte Teil des Wahlkampfes.
종범(從犯) Teilnahme *f.* -n; 《사람》 Teilnehmer *m.* -s, -.
종별(種別) ～하다 klassifizieren⁴.
종사(從事) ～하다 ⁴sich beschäftigen 《*mit*³》; betreiben*⁴; ⁴sich widmen³. ¶문필에 ～하다 Schriftstellerei (be)treiben.
종산(宗山) der Berg, in dem der Friedhof der Sippe liegt.
종서(縱書) die senkrechte Schreibart, -en. ～하다 von oben nach unten schreiben*.
종선(縱線) Längslinie *f.* -n.
종속(從屬) Unterordnung〔Abhängigkeit〕 *f.* -en. ～하다 ⁴sich unterordnen³. ¶～적인 untergeordnet; abhängig / ～시키다 unter|ordnen⁴; unter|werfen*⁴.
종손(宗孫) der älteste Enkel der Hauptfamilie.
종손(從孫) Großneffe *m.* -n, -n.
종손녀(從孫女) Großnichte *f.* -n.
종시(終是) =끝끝내.
종시속(從時俗) ～하다 dem Zug der Zeit entsprechen.
종식(終熄) ～하다 auf|hören; zu ³Ende kommen*; erlöschen*. ¶～시키다 aus|rotten⁴; entwurzeln⁴; vertilgen⁴.
종신(終身) ① 《한평생》 das ganze Leben, -s; Lebenszeit *f.* -en. ～의 lebenslang. ② 《임종》 Todesstunde *f.* -n. ～하다 sein ⁴Leben aus|hauchen; sterben*. ‖～ 보험 die lebenslängliche Versicherung, -en / ～ 연금 Leibrente *f.* -n / ～ 징역 die lebenslänge (Gefängnis)strafe, -n / ～ 회원 das lebenslängliche Mitglied, -es, -er.
종실(宗室) der anständige Sippenangehörige.
종심(終審)〘法〙die letzte Instanz, -en.
종씨(宗氏) ein Sippenangehöriger aus demselben Familienzunamen.
종아리 Unterschenkel *m.* -s, -; Bein *n.* -(e)s, -e. ¶～를 맞다 auf das Bein geschlagen werden. ‖～뼈 Wadenbein *n.* -(e)s, -e / ～채 Rute *f.* -n; Stock *m.* -es, ⸗e (zum Prügeln).
종알거리다 (vor sich hin) murmeln; murren; brummeln.
종양(腫瘍)〘醫〙Tumor *m.* -s, -en; Geschwulst *f.* ⸗e. ‖악성 ～ der bösartige Tumor.
종언(終焉) Ende *n.* -s, -n; Schluß *m.* ..sses, ..lüsse; 《죽음》 letzter Augenblick, -es, -e; Tod *m.* -(e)s, -e.
종업(從業) ～하다 angestellt werden; arbeiten. ‖～ 시간 Arbeitszeit *f.* -en / ～원 der Angestellte*, -n, -n;

Arbeiterschaft *f.* –en; Arbeitnehmer *m.* –s, –.

종업(終業) der Schluß der ²Arbeit; Geschäftsschluß *m.* ..sses. ～하다 *js.* Arbeit beenden. ‖ ～ 시간 Schlußzeit *f.* / ～식 Schlußzeremonie *f.* –n.

종요롭다 wichtig 〔bedeutend; erheblich〕 (sein).

종용(慫慂) ～하다 *jm.* zu|reden; ein|reden 《auf *jn.*》. ¶그의 ～으로 auf sein ⁴Zureden (hin).

종우(種牛) Zuchtstier *m.* –(e)s, –e; Bulle *m.* –n, –n.

종유동(鍾乳洞) Tropfensteinhöhle *f.* –n.

종유석(鍾乳石) Tropfenstein *m.* –(e)s, –e.

종이 Papier *n.* –s, –e. ¶～ 한 장 ein Blatt Papier / ～로 싸다 in Papier wickeln⁴ 〔ein|hüllen⁴〕. ‖ ～ 조각 Zettel *m.* –s, – / ～ 호랑이 Papiertiger *m.* –s, –.

종일(終日) den ganzen Tag (hindurch); tagsüber. ¶어젠 ～ 비가 왔다 Gestern hat es den ganzen Tag geregnet.

종자(種子) Samen *m.* –s, –; Saat *f.* –en.

종자매(從姊妹) Kusine *f.* –n; Base *f.* –n.

종작없다 zusammenhang(s)los 〔unzusammenhängend; unsinnig〕 (sein). ¶종작 없는 이야기 dummes 〔leeres〕 Geschwätz, –es, –e.

종잡다 den Kern (e–s Dinges) treffen*; ⁴*et.* verstehen* 〔begreifen*〕. ¶그의 말은 종잡을 수 없다 S–e Worte sind unfaßbar.

종적(蹤跡) ¶～을 감추다 ⁴sich verduften; (spurlos) verschwinden*.

종전(從前) ～의 bisherig; ehemalig; einstig; früher. ¶～대로 wie bis jetzt.

종전(終戰) Kriegsende *n.* –s, –n. ¶～후〔전〕에 nach 〔vor〕 dem Kriegsende / ～이 되다 der Krieg kommt zu Ende.

종점(終點) Endpunkt *m.* –(e)s, –e; 《역》 Endstation *f.* –en; 《전차·버스의》 Endhaltestelle *f.* –n. ¶자 ～에 다 왔다 Jetzt sind wir an der Endhaltestelle. ‖ 버스 ～ (Bus)endhaltestelle.

종제(從弟) ein väterlich jüngerer Vetter. –s, –.

종조(宗祖) Stifter *m.* –s, –; Gründer *m.*

종조모(從祖母) Großtante *f.* –n.

종조부(從祖父) Großonkel *m.* –s, –.

종족(宗族) (Bluts)verwandtschaft *f.*

종족(種族) Rasse *f.* –n; Stamm *m.* –(e)s, ¨e; Geschlecht *n.* –(e)s, –er; 《특히 동·식물의》 Gattung *f.* –en. ‖ ～ 보존 Rassenbewahrung *f.* –en / ～ 본능 Rasseninstinkt *m.* –es, –e.

종종(種種) 《가끔》 oft; dann u. wann; öfter. ¶～ 놀러오시오 Kommen Sie oft bei mir vorbei!

종종걸음 die kleinen Schritte; die trappelnden Schritte. ¶～치다 trippeln; trappeln.

종주(宗主) Ober(lehns)herr *m.* –n, –en; Suzerän *m.* –s, –e. ‖ ～국(國) Suzerän *m.* / ～권 Oberherrschaft 〔Suzeränität〕 *f.* –en.

종지 Näpfchen *n.* –s, –; kleine Schüssel, –n.

종지(宗旨) Doktrin *f.*; Lehrmeinung *f.*; Prinzip *n.* –s.

종지부(終止符) ＝마침표. ¶～를 찍다 e–n Punkt machen; ein Ende machen.

종질(從姪) e–s Vetters Sohn. ‖ ～녀 e–s Vetters Tochter.

종착역(終着驛) Endstation *f.* –en. ¶인생의 ～ die Endstation des Lebens.

종창(腫脹) Geschwür *n.* –(e)s, –e; Eiterbeule *f.* –n.

종축(種畜) Zuchtvieh *n.* –(e)s.

종친(宗親) Blutsverwandtschaft mit dem König.

종탑(鐘塔) Glockenturm *m.* –es, ¨e.

종파(宗派) Sekte *f.* –n; 《지파에 대한》 Familienstamm *m.* –(e)s, ¨e. ‖ ～심 Sektiererei *f.* –en / ～주의 Partikularismus *m.* –.

종합(綜合) Synthese *f.* –n; Zusammenfassung *f.* –en. ～하다 zusammen|fassen⁴. ¶～적인 synthetisch; zusammenfassend; vielseitig. ‖ ～ 대학 Universität *f.* –en / ～ 병원 Krankenhaus *n.* –es, ¨er / ～ 소득세 die gesamte Einkommensteuer, –n.

종형(從兄) ältester Vetter, –s, –n.

종형제(從兄弟) Vetter *m.* –s, –n.

종횡(縱橫) ¶～으로 kreuz u. quer; der Länge u. Breite nach / ～무진으로 überall; allenthalben.

좇다 ① 《뒤를》 *jm.* folgen; *jm.* nachfolgen. ¶아무의 뒤를 ～ *js.* Spuren folgen. ② 《그대로 함》 ⁴sich fügen; *jm.* gehorchen; ⁴sich unterwerfen; ³*et.* entsprechend 〔nachgiebig〕 sein. ¶선례를 ～ e–m Präzedenzfall 〔e–r Rechtsprechung〕 folgen.

좋다¹ ① 《양호》 gut 〔schön; fein; nett〕 (sein). ¶좋은 집 ein schönes Haus, –es, ¨er/ 좋은 날씨 gutes 〔schönes〕 Wetter/ 마음씨가 ～ gutmütig sein. ② 《유익》 gut 〔günstig; zuträglich; dienlich〕 (sein). ¶몸〔위〕에 ～ für die Gesundheit 〔den Magen〕 gut sein. ③ 《적당》 recht 〔geeignet; entsprechend; passend; gut〕 (sein). ¶좋은 기회 e–e gute Gelegenheit / 좋은 대로 aus freier Wahl / 좋은 예 ein gutes Beispiel. ④ 《재능이》 fähig 〔geschickt; gut; begabt; talentvoll〕 (sein). ¶손재주가 ～ gewandt sein / 재간이 ～ begabt 〔talentvoll〕 sein. ⑤ 《좋아함》 mögen*; besser 〔an ³*et.* überlegen〕 (sein). ¶나는 이게 ～ Ich mag das. ⑥ 《소원》 wünschen; hoffen; verlangen. ¶차가 있으면 좋겠다 Hätte ich doch ein Auto! / 내가 새라면 좋겠다 Wäre ich doch ein Vogel. ⑦ 《…이 낫다》 besser 〔lieber〕 ⁴*et.* tun. ¶그 책을 읽는 게 ～ Besser ist es, daß du das Buch liest. ⑧ 《귀함》 kostbar 〔edel; wertvoll; schön〕 (sein). ¶좋은 자료 wertvolle Materialien. ⑨ 《괜찮다》 dürfen; können; mögen. ¶가도 ～ Du darfst 〔kannst〕 gehen. ⑩ 《무방》 nicht brauchen; nicht müssen. ¶좋으시다면 wenn es Ihnen gefällt / 어느 쪽이든 ～ Es ist mir ganz gleich. ⑪ 《길함》 gut 〔glücklich; günstig〕 (sein). ¶좋은 조짐 gutes Anzeichen, –s, –.

좋다² 《느낌》 Gut!; Abgemacht!; Alles in Ordnung!; Ganz richtig!; Gewiß!

좋아지내다 e-n intimen Kontakt haben 《mit *jm.*》; gut befreundet seit 《mit *jm.*》.

좋아지다 ① 《상태가》 ⁴sich (ver)bessern; besser werden; 《날씨가》 schöner werden; 《경기가》 e-e günstige Wendung bekommen*. ¶경기가 ~ Die Geschäfte gehen besser. ② 《좋아하게 되다》 Gefallen 〔Geschmack〕 finden* 《*an*³》; e-e Vorliebe fassen 《*für*⁴》. ¶이 집이 좋아졌다 Das Haus gefällt mir besser.

좋아하다 ① 《기호》 gern mögen*; 《사랑》 lieben; lieb|haben*; 《취향》 Neigung haben 《*zu*³》; 《선택》 vor|ziehen*. ¶장미보다 백합을 ~ den ³Rosen die Lilien vor|ziehen* / 음악을 ~ Musik gern mögen* 〔hören〕. ② 《기뻐하다》 ⁴sich freuen 《über ⁴*et.*》; froh sein; Freude empfinden*; vergnügt sein 《über ⁴*et.*》. ¶좋아서 뛰다 frohlocken; vor Freude hüpfen.

좋이 gut; reichlich; wohl. ¶~ 두 시간은 걸었다 Wir sind reichlich zwei Stunden gelaufen.

좋지않다 ① 《도덕상》 schlecht 〔böse〕 《마음이》; übel《버릇이》; unsittlich; unmoralisch〕 (sein). ¶좋지 않은 일 die schlechte Tat, -en; Missetat *f.* -en. ② 《악하다》 böse 〔bösartig; boshaft; lasterhaft〕 (sein). ③ 《해롭다》 schädlich 〔schlecht; schlimm〕 (sein); 《불리》 ungünstig (sein). ¶눈에 ~ die ⁴Augen verderben*. ④ 《품질이》 schlecht 〔minderwertig; grob〕 (sein); 《썩어》 verdorben 〔faul〕 (sein). ¶이 계란은 ~ Die Eier sind schlecht. ⑤ 《날씨》 schlecht 〔schwül; feucht〕 (sein). ⑥ 《불길》 schlimm 〔böse; unglücklich〕 (sein). ¶좋지 않은 소식 die unglückliche Nachricht, -en. ⑦ 《평판이》 schlecht 〔übel〕 (sein). ⑧ 《건강이》 schlecht 〔ungesund; unwohl〕 (sein). ¶안색이 ~ schlecht aus|sehen. ⑨ 《기분이》 ⁴sich unwohl fühlen; unpäßlich (sein); *jm.* schlecht 〔unwohl〕 (sein).

좌(左) link. ¶좌로 봐 Die Augen links!

좌경(左傾) die Tendenz nach links; Radikalisierung *f.* -en. ~하다 ⁴sich nach links neigen. ¶~적 linksgesinnt; rot. ‖~ 문학 die linksgesinnte Literatur / ~ 사상 die linken Gedanken (*pl.*).

좌고(坐高) Größe im Sitzen; Sitzhöhe *f.* -n.

좌고우면(左顧右眄) ~하다 schwanken zwischen den Möglichkeiten; unentschlossen sein.

좌골(坐骨) 〔解〕 Sitzbein *n.* -(e)s, -e. ‖~ 신경통 Ischias *f.*

좌담(座談) Unterhaltung *f.* -en; (Tisch-)gespräch *n.* -(e)s, -e. ‖~회 die Sammlung von Meinungsäußerungen; Symposium *n.* -s, ..sien.

좌르르 ¶물이 ~ 쏟아지다 Das Wasser rauscht herunter (aus dem Behälter).

좌불안석(坐不安席) ~하다 unfähig sein; ruhig zu bleiben; nervös sein; zappeln.

좌상(坐像) Sitzbild *n.* -(e)s, -er.

좌상(座上) 《연장》 der Älteste* unter den Anwesenden.

좌석(座席) (Sitz)platz *m.* -es, ⸚e; 《극장의》 Sitzreihe *f.* -n. ¶~에 앉다 Platz nehmen* / ~을 양보하다 e-n Platz an|bieten* / ~을 잡아두다 e-n Platz reservieren. ‖~권 Platzkarte *f.* -n / ~수 Sitzzahl *f.* -en / 지정 ~ ein reservierter Platz.

좌선(坐禪) die sinnende Betrachtung, -en; Joga-Meditation *f.* -en. ~하다 in religiöser Meditation sitzen*.

좌시(坐視) ~하다 ruhig (mit) an|sehen*⁴; mit verschränkten Armen zu|sehen*³; ⁴sich nicht anfechten lassen*⁴.

좌안(左岸) das linke Ufer, -s, -.

좌약(坐藥) 〔醫〕 Zäpfchen *n.* -s, -.

좌완투수(左腕投手) Linkshänder *m.* -s, -.

좌우(左右) die rechte u. linke Seite. ~하다 beeinflussen⁴; ein|wirken 《*auf*⁴》; 《세력을》 beherrschen⁴; in der Gewalt haben⁴. ¶~로 rechts u. links; zur Rechten u. Linken² / ~를 둘러보다 nach links u. recht sehen* / 시장을 ~하다 den Markt beherrschen / 운명을 ~하다 für sein Schicksal entscheidend sein (sollen) / 감정에 ~되다 ⁴sich nicht beherrschen können*.

좌우간(左右間) jedenfalls; übrigens; irgendwie. ¶~ 그렇게 해보겠다 Jedenfalls will ich so tun.

좌우명(座右銘) Lieblingslehrspruch *m.* -(e)s, ⸚e; Motto *n.* -s, -s.

좌익(左翼) 《급진 당파》 die Linken (*pl.*) 《사람들》. ‖~ 분자 die linksgesinnten Leute / ~ 사상 die linksradikalen Gedanken (*pl.*) / ~수 〔野〕 Linksfeldspieler *m.* -s, -.

좌절(挫折) ~하다 scheitern; Schiffbruch erleiden*. ¶~시키다 vereiteln⁴; durchkreuzen⁴ / 계획이 ~됐다 Ein Plan ist gescheitert. ‖~감 Vereitelung *f.* -en.

좌정(坐定) ~하다 sitzen (bleiben); Platz nehmen*.

좌중(座中) die ganze Gesellschaft; alle*, die beisammen sind. ¶~의 흥이 깨졌다 Allen Anwesenden war sehr ungemütlich zumute.

좌지우지하다(左之右之—) schalten u. walten 《*uber*⁴; *mit*³》.

좌천(左遷) Strafversetzung *f.* -en; Versetzung in e-n unwichtigen Posten. ~하다 straf|versetzen⁴ 《*in*⁴》 〘不定形과 *p. p.* strafversetzt 로만 사용〙; in e-n unwichtigen Posten versetzen⁴.

좌초(坐礁) Strandung *f.* -en. ~하다 stranden; auf Grund fahren*. ¶태풍으로 배가 ~했다 Das Schiff ist von Taifun gestrandet.

좌충우돌하다(左衝右突—) um ⁴sich schlagen* 〔hauen*〕; in die Kreuz u. Quer(e) schlagen* 〔hauen*〕 《종횡으로》.

좌측(左側) die linke Seite. ~의 von der linken Seite; von links. ‖~ 통행 Linksverkehr *m.* -(e)s, -e.

좌파(左派) die Linke*, -n, -n. ‖~ 정당 Linkspartei *f.* -en.

좌표(座標) 〔數〕 Koordinate *f.* -n. ‖~축 Koordinatenachse *f.* -n.

좌향(左向) ¶～ 좌 Linksum! / ～ 앞으로 가 Linksum, marsch!

좌현(左舷) 〖海〗 Backbord *n.* -(e)s, -e. ¶～에 an der Backbordseite.

좌회전(左回轉) Einbiegung nach links. ～하다 links ein|biegen*. ¶～ 금지 《게시》 Links Abbiegen verboten!.

좍 ¶소문이 좍 퍼졌다 Das Gerücht verbreitete sich blitzschnell.

좍좍 ¶비가 ～ 내린다 Der Regen rauscht herab. / 글을 ～ 읽다 ein Buch schnell lesen*.

좔좔 ¶물이 ～ 흐르다 Wasser strömt (aus der Leitung).

죄(罪) 《법률상의》 das Verbrechen*, -s, - 《범죄》; Vergehen *n.* -s, - 《위반》; 《종교상의》 Sünde *f.* -n; Schuld *f.* -en 《죄책》. ¶죄를 짓다 e-e [4]Sünde 〔ein Verbrechen〕 begehen* / 죄를 용서하다 *jm.* e-e Sünde vergeben* / 죄를 자백하다 s-e Schuld gestehen*〔ermäßigen〕.

죄과(罪科) das Vergehen*〔Verbrechen*〕 -s. ¶～를 묻다 ein Verbrechen untersuchen.

죄과(罪過) Verbrechen 〔Vergehen〕 *n.* -s, -; Sünde *f.* -n. ¶～를 저지르다 ein Verbrechen 〔e-n Fehler〕 begehen*.

죄다[1] 《모두》 alle; alles; alle(s)zusammen. ¶～ 자백하다 [4]alles gestehen*.

죄다[2] ① 《바싹》 fest|ziehen*; straff spannen 《현을》; um|binden*; an|schnallen 《벨트로》. ¶느슨한 줄을 ～ ein loses Seil fest|ziehen* / 나사를 ～ e-e Schraube an|ziehen*. ② 《조바심》 [3]sich Sorgen machen. ¶결과에 대해 마음을 ～ [4]sich um das Resultat sorgen.

죄목(罪目) (An)klagepunkt *m.* -(e)s, -e; Beschuldigung *f.* -en.

죄상(罪狀) Schuld *f.* -en; Rechtsbruch *m.* -(e)s, ⸗e. ¶～을 자백〔부인〕하다 s-e Schuld (ein|)gestehen* 〔leugnen〕.

죄송(罪悚) ～하다 es tut *jm.* leid; [4]sich entschuldigen. ～스럽다 *jm.* für etwas sehr verbunden sein 《신세져》. ¶늦어서 ～합니다 Entschuldigen Sie bitte die Verspätung.

죄수(罪囚) Sträfling *m.* -s, -e; der Gefangene*, -n, -n.

죄악(罪惡) Sünde *f.* -n; Laster *n.* -s, - 《종교상의》; das Verbrechen*, -s; Gesetzübertretung *f.* -en 《법률상의》. ¶～을 범하다 e-e Sünde 〔e-n Frevel〕 begehen*.

죄어들다 [4]sich zusammen|ziehen; (ein|-)schrumpfen. ¶수사망이 ～ Die Fahndungsnetz wird immer enger gezogen.

죄어치다 *jn.* drängen 《*auf*[4]》; pressen[4]. ¶지불하라고 ～ auf [4]Zahlung drängen.

죄이다 ① festgezogen werden. ¶새 신발에 발이 죄인다 Die neuen Schuhe drücken. ② 《초조함》 unruhig sein; [3]sich Sorgen machen. ¶마음이 ～ unruhig sein.

죄인(罪人) Verbrecher *m.* -s, -; Misse-〔Übel〕täter *m.* -s, -; Sünder *m.* -s, - 《특히 종교상의》.

죄증(罪證) Schuldbeweis *m.* -es, -e. ¶～을 인멸하다 jeden Schuldbeweis vernichten.

죄짓다(罪—) ein Verbrechen 〔e-e Missetat〕 begehen*; 《종교상》 e-e Sünde tun*; sündigen.

죄책(罪責) Schuld 〔Verantwortung〕 für ein Verbrechen. ¶～감을 느끼다 [4]sich schuldig fühlen.

죔쇠 Verschluß *m.* ..lusses, ..lüsse.

주(主) ① 《주요》 Hauptsache *f.* -n; Wesen *n.* -s, -. ¶주된 hauptsächlich; wesentlich / 주로 hauptsächlich; vornehmlich. ② 《주인》 Herr *m.* -n. -en; Meister *m.* -s, -. ¶우리 주 예수 (der) Herr Jesus.

주(州) 《행정 단위》 Provinz *f.* -en; Land *n.* -(e)s, ⸗er 《독일의》; Staat *m.* -(e)s, -en 《미국의》.

주(株) Aktie *f.* -n; Anteil *m.* -(e)s, -e. ¶주를 모집하다 Aktien an|bieten*/ 주를 사다 Aktien kaufen.

주(註) ☞주해(註解). ¶주를 달다 Anmerkungen machen 《zu e-m Buch》; kommentieren[4].

주(週) Woche *f.* -n. ¶금주 diese Woche / 내주 die nächste 〔kommende〕 Woche.

주-(駐) ¶주독〔주영〕 한국 대사 der koreanische Botschafter in [3]Bonn 〔London〕.

주가(株價) der Preis der Aktien.

주간(主幹) 《편집의》 Chefredakteur *m.* -s, -e.

주간(週刊) Wochen-. ‖～지 Wochenschrift *f.* -en 〔-blatt *n.* -(e)s, ⸗er〕.

주간(週間) Woche *f.* -n. ¶1 〔3〕 ～ e-e Woche 〔drei Wochen〕. ‖～ 논평 die wöchentliche Rundschau.

주간(晝間) Tageszeit *f.* -en; Tag *m.* -(e)s, -e. ‖～ 근무 Tagdienst *m.* -es, -e.

주객(主客) Wirt u. Gast; 《사물의》 Subjekt u. Objekt. ¶～을 전도하다 das Unterste zuoberst kehren.

주객(酒客) Trinker *m.* -s, -; Gewohnheitstrinker *m.*

주거(住居) Wohnung 〔Behausung〕 *f.* -en; Wohnsitz *m.* -es, -e. ¶～를 옮기다 e-n Wohnsitz 〔e-e Wohnung〕 wechseln.

주걱 Spatel *m.* -s, -; Reiskelle *f.* -n. ¶～ 모양의 spatel〔spachtel〕förmig. ‖～턱 das vorspringende Kinn, -(e)s, -e.

주검 Leiche *f.* -n; Leichnam *m.* -(e)s, -e.

주격(主格) 〖文〗 Nominativ *m.* -s, -e.

주견(主見) eigene Meinung, -en; selbständiges Denken*, -s. ¶～ 없다 k-e eigenen Ansichten haben.

주고도(走高跳) Hochsprung *m.* -(e)s, ⸗e.

주고받다 wechseln; aus|tauschen. ¶말을 〔편지를〕 ～ Worte 〔Briefe〕 wechseln 《mit *jm.*》.

주관(主管) ～하다 verwalten[4]; leiten[4]. ‖～ 사항 die Angelegenheiten (*pl.*) unter *js.* Oberaufsicht.

주관(主觀) Subjekt *n.* -(e)s, -e. ¶～으로 흐르다 zu subjektiv sein. ‖～성 Subjektivität *f.* -en / ～주의 Subjektivismus *m.* -.

주광색(晝光色) ～의 hell. ‖～ 전구 Tageslichtlampe *f.* -n.

주교(主教) Bischof *m.* -(e)s, ¨e; Episkopus *m.* ..pi.
주교(舟橋) Ponton〔Schiffs〕brücke *f.* -n.
주구(走狗) Werkzeug *n.* -(e)s, -e. ¶~가 되다 die Kastanien aus dem Feuer holen 《*jm.*; für *jn.*》.
주권(主權) Souveränität *f.* -en; Hoheitsrecht *n.* -(e)s, -e. ‖~ 국가 der souveräne Staat, -(e)s, -en / ~ 재민 die Souveränität liegt beim Volk.
주권(株券) Aktienbrief *m.* -(e)s, -e; Dividendenschein *m.* -(e)s, -e. ‖기명 ~ Namenaktie *f.* -n / 무기명 ~ Inhaberaktie *f.* -n.
주근깨 Sommersprosse *f.* -n. ¶~가 있다 Sommersprossen haben.
주금(株金) das in Gestalt e-r Aktie angelegte Geld, -(e)s, -er. ¶~을 납입하다 das angelegte Geld ein|zahlen.
주금(鑄金) das Gießen*, -s; Guß *m.* ..usses, ..üsse.
주금류(走禽類) Laufvögel (*pl.*).
주급(週給) Wochen·geld *n.* -(e)s, -er 〔-lohn *m.* -(e)s, ¨e〕.
주기(周忌) der Jahrestag von *js.* ^{3}Tod. ¶그의 1~ der erste Jahrestag von s-m Tod.
주기(週期) Periode *f.* -n; 〖天〗 Umlauf(s)zeit *f.* -en. ¶이 현상은 ~적이다 Das Phänomen erscheint periodisch. ‖~율 das periodische Gesetz, -es, -e. (~율표〖化〗 die periodische Tabelle, -n).
주기(酒氣) ¶~가 있다 berauscht 〔angeheitert〕 sein.
주기도문(主祈禱文) 〖基〗 Vaterunser *n.* -s, -. ¶~을 외다 das Vaterunser beten 〔sprechen*〕.
주년(周年) Jahrestag *m.* -(e)s, -e; 《만 1년》 das ganze 〔volle〕 Jahr, -(e)s, -e. ¶창업 85 ~ 기념호 die Jubiläumsausgabe 〔-schrift〕 zur 85 jährigen Gründungsfeier.
주눅 Angst *f.* ¨e; Scheu *f.* ¶~들다 ^{4}sich niedergeschlagen 〔mutlos〕 fühlen; kleinlaut werden 《vor *jm.*》.
주니어 der 〔die〕 Jüngere*, -n, -n; jüngerer Teilhaber, -s, -.
주다 ① 《일반적》 geben*; (an|)bieten*; schenken; ein Geschenk machen. ¶기회를 ~ *jm.* die Gelegenheit bieten / 꽃에 물을 ~ die Blumen begießen*. ② 《할당·부과》 zu|teilen; auf|geben*. ¶숙제를 ~ Hausaufgabe auf|geben*. ③ 《끼침·입힘》 verursachen; zu|fügen; *jm.* ^{4}*et.* bei|bringen*. ¶손해를 ~ *jm.* Schaden verursachen 〔bei|bringen*〕 / 타격을 ~ *jm.* e-n Schlag geben*. ④ 《힘을》 *js.* Kraft an|strengen 〔auf|bieten*〕. ¶힘주어 말하다 *js.* Worte betonen. ⑤ 〖助動詞〗 für *jn.* ^{4}*et.* tun*. ¶아이에게 책을 사~ dem Kind Bücher kaufen.
주당(酒黨) Alkoholiker *m.* -s, -; Bacchus〔Schluck〕bruder *m.* -s, ¨.
주도(主導) ~하다 führen; leiten; die Führung haben 〔übernehmen*〕. ‖~권 Führerschaft *f.*; Führung *f.* 《*über*^{4}》; Initiative *f.*
주도하다(周到—) gründlich 〔sorgfältig; umsichtig〕(sein). ¶~한 계획 ein wohl durchdachter Plan, -s, ¨e.
주독(酒毒) Alkoholvergiftung *f.* -en. ¶~이 오르다 durch Alkoholvergiftung auf dem Gesicht rote Punkte kriegen 〔bekommen*〕. ‖~코 die durch Alkohol vergiftete rote Nase, -n.
주동(主動) Leitung 〔Führung〕 *f.* -en; Führerschaft *f.* ¶~이 되다 Führer werden; die Führung haben. ‖~자 (An)führer 〔Leiter〕 *m.* -s, -.
주둔(駐屯) ~하다 als ^{1}Besatzung 〔in ^{3}Garnison〕 stehen*; garnisonieren. ‖~군 Besatzung 〔Garnison〕 *f.* -en; Besatzungstruppen (*pl.*) / ~지 Station *f.* -en; Standquartier *n.* -s, -e; Besatzungszone *f.* -n.
주둥아리, 주둥이 ① 《부리》 Schnabel *m.* -s, ¨ 《일반 새》; Schnauze *f.* -n 《육식조》. ② 《입》 Maul *n.* -s, ¨er; 《주전자 등의》 Ausguß *m.* ..gusses, ..güsse; Schnabel. ¶~가 싸다 zungenfertig 〔geschwätzig〕 sein / ~를 놀리다 ein Gerede auf|bringen*; schwätzen.
주량(酒量) Trinkfähigkeit *f.* -en. ¶~이 크다〔작다〕 viel 〔wenig〕 trinken.
주렁주렁 ¶~ 달리다 《과일이》 voller ^{2}Früchte hängen*.
주력(主力) Hauptmacht *f.* ¨e; Hauptkräfte (*pl.*). ¶~을 집중하다 alle Kräfte konzentrieren 《*auf*^{4}》. ‖~ 부대 Hauptarmee *f.* -n.
주력(注力) ~하다 ^{4}sich bemühen; ^{4}sich an|strengen; ^{4}sich konzentrieren
주례(主禮) 《사람》 Zeremonienmeister bei der Trauung. ¶~ 서다 den Traugottesdienst ab|halten*.
주로(主—) hauptsächlich; vornehmlich; meistens; zum größten Teil. ¶여름은 ~ 바닷가에서 지낸다 Ich verbringe die große Teile des Sommers am Meer.
주룩주룩 ¶비가 ~ 오다 Es regnet in ^{3}Strömen.
주류(主流) Hauptstrom *m.* -(e)s, ¨e. ‖~파 die leitende Faktion e-r Partei 《정당의》.
주류(酒類) Alkoholgetränk *n.* -(e)s, -e. ¶~ 판매 Alkoholgetränkeverkauf *m.* -(e)s, ¨e.
주륙(誅戮) ~하다 töten; hin|richten; schlachten.
주름 《금》 Falte *f.* -n; 《몸의》 Runzel *f.* -n; 《물건 등의》 Knitter 〔Krumpel〕 *m.* -s, -. ¶~이 잡히다 《얼굴에》 Runzeln (*pl.*) bekommen* / 바지에 ~을 잡다 e-e Hose zusammen|falten 〔-|legen〕. ‖~ 상자 Balgen *m.* -s 《카메라의》.
주름잡다 ① Falten kniffen. ☞ 주름. ② 《지배》 Macht haben 《über ^{4}*et.*》; ^{4}*et.* in der Gewalt haben; beherrschen. ¶시장을 ~ den Markt beherrschen.
주리다 Hunger leiden*〔haben〕; verhungern. ¶주린 hungrig; verhungert / 배를 ~ darben; Mangel leiden* / 애정에 ~ nach Liebe verlangen.
주리틀다 foltern.
주릿대 Foltergerät *n.* -(e)s, -e. ¶~ 안기다 *jn.* auf die Folter spannen.
주마(走馬) ‖~ 가편 dem galoppierenden Pferd die Peitsche geben* / ~ 간

산 ein flüchtiger Blick, -(e)s, -e / ~등 Drehlaterne *f.* -n; Kaleidoskop *n.* -s, -e (~등같이 kaleidoskopisch; unbeständig).

주막(酒幕) das Rasthaus am Wege.

주말(週末) Wochenende *n.* -s, -n. ¶ ~을 집에서 보내다 das Wochenende zu Hause verbringen*. ‖ ~여행 Wochenendausflug *m.* -(e)s, ¨e (~여행자 Wochenendler *m.* -s, -).

주머니 ① 《돈주머니》 (Geld)beutel *m.* -s, -; Portemonnaie *n.* -s, -s; Börse *f.* -n. ¶ ~가 두둑하다 sein Schäfchen im Trocknen haben; bei vollem Beutel sein. ② 《호주머니 등》 Tasche *f.* -n; Sack *m.* -(e)s, ¨e 《자루》. ¶ ~에 넣다 in die Tasche (ein|)stecken. ‖ ~돈 Taschengeld *n.* -es, -er / 저고리〔바지〕 ~ Jacken〔Hosen〕tasche.

주먹 Faust *f.* ¨e. ¶ ~을 쥐다 die Faust ballen / ~으로 한대 치다 Faustschläge (*pl.*) versetzen 《*jm.*》. ‖ ~밥 Reiskloß *m.* -(e)s, ¨e / ~코 Stumpfnase *f.* -n.

주먹구구(一九九) 《어림》 ungefähre Berechnung〔Zählung〕 -en. ¶ ~로 어림치다 ungefähr berechnen〔zählen〕 u. vermuten.

주먹다짐 《때림》 Faustschlägerei *f.* -en. ~하다 mit Faust schlagen*; Gewalt (ge)brauchen〔üben〕.

주먹질 Rauferei〔Boxerei; Schlägerei〕 *f.* -en. ~하다 raufen〔prügeln; schlagen*〕 《mit *jm.*》.

주모자(主謀者) Rädelsführer *m.* -s; Anstifter *m.* -s, -. ¶ 그가 ~임에 틀림없다 Er muß der Anstifter sein.

주모(酒母) 《작부》 Kneipewirtin *f.* -nen; Bardame *f.* -n.

주목(注目) Aufmerksamkeit〔Beachtung〕 *f.* -en. ~하다 s-e Aufmerksamkeit richten 《*auf*[4]》; acht|geben* 《*auf*[4]》; beachten. ¶ ~을 받다 *js.* Aufmerksamkeit erregen; beachtet werden.

주무(主務) ‖ ~관청 die zuständige Behörde, -n / ~장관 der zuständige Minister, -s.

주무르다 ① 《만짐》 betasten; befühlen. ¶ 젖가슴을 ~ *js.* Brust streicheln. ② 《안마》 massieren. ¶ 어깨를 ~ die Schulter massieren. ③ 《농락》 *jn.* in die Tasche stecken; *jn.* um den kleinen Finger wickeln.

주문(注文) ① Bestellung *f.* -en; Order *f.* -n; Auftrag *m.* -(e)s, ¨e. ~하다 bestellen (bei *jm.*); e-e Order geben. ② 《요구》 Verlangen *n.* -s, -; Forderung *f.* -en. ~하다 verlangen; fordern. ¶ 어려운 ~ ein kitzliches〔peinliches〕 Verlangen. ‖ ~자 Besteller *m.* -s, - / ~품 die Ware auf Bestellung.

주문(呪文) Bann〔Zauber〕formel *f.* -n 〔-spruch *m.* -(e)s, ¨e; -worte *n.* -(e)s, -e〕. ¶ ~을 외다 Zauberformeln sprechen*.

주물(鑄物) Guß *m.* ..usses, ..üsse. ‖ ~공장 Gußwerk *n.* -(e)s, -e.

주물럭거리다 betasten; befühlen; leicht berühren.

주미(駐美) ~의 in Amerika. ‖ ~한국대사 der koreanische Botschafter in Amerika.

주민(住民) Bewohner〔Einwohner〕 *m.* -s, -; 《전주민》 Bevölkerung *f.* ‖ ~등록 Einwohneranmeldung *f.* -en / ~세 Einwohnersteuer *f.* -n.

주밀(周密) ~하다 vollständig〔gründlich〕 (sein). ¶ ~한 설계 wohldurchter Plan, -(e)s, ¨e.

주방(廚房) Küche *f.* -n; 《배의》 Kombüse *f.* -n; 《항공기의》 Anrichte *f.* -n.

주번(週番) Wochendienst *m.* -es, -e. ‖ ~사관 der Offizier vom Dienst.

주범(主犯) Hauptverbrechen *n.* -s, - 《범죄》; Haupttäter *m.* -s, - 《범인》.

주벽(酒癖) Trinksucht *f.*; Angewohnheit zu trinken. ¶ ~이 있다 trunksüchtig sein.

주변 Taktgefühl *n.* -s, -e; Nachgiebigkeit *f.*; 《융통성》 Vielseitigkeit *f.* ¶ ~머리 없는 unfähig; untauglich / ~이 좋다 fähig〔tüchtig; tauglich〕 sein.

주변(周邊) Umfang *m.* -s, ¨e; Umkreis *m.* -es, -e; Peripherie *f.* -n. ¶ 서울 ~에 um [4]Seoul herum.

주보(週報) 《신문》 Wochenblatt *n.* -(e)s, ¨er; 《잡지》 Wochenschrift *f.* -en; 《보고》 Wochenbericht *m.* -(e)s, -e.

주부(主婦) (Haus)frau *f.* -en; Herrin 〔Wirtin〕 *f.* -en.

주부코 Säufernase *f.* -n.

주빈(主賓) Ehrengast *m.* -es, ¨e.

주사(走査) (TV) Abtastung *f.* -en. ~하다 ab|tasten[4].

주사(注射) Injektion〔Einspritzung〕 *f.* -en. ~하다 injizieren[4]; ein|spritzen[4]. ¶ 피하 ~를 놓다 unter die Haut ein|spritzen. ‖ ~기 (Injektions)spritze *f.* -n / ~침 Kanüle *f.* -n / 예방 ~ die vorbeugende Einspritzung, -en.

주사(酒邪) Säuferwahnsinn *m.* -(e)s.

주사위 Würfel *m.* -s, -. ¶ ~를 던지다 würfeln / ~는 던져졌다 Die Würfel sind gefallen.

주산(珠算) die Rechnung durch das Rechenbrett.

주산물(主産物) Hauptprodukt *n.* -(e)s, -e.

주산지(主産地) Hauptproduktionsort *m.* -(e)s, -e.

주색(酒色) Wein u. Weib; Schwelgerei *f.* -en 《일락》. ¶ ~에 빠지다 [4]sich dem sinnlichen Vergnügen ergeben*. ‖ ~잡기 Wein, Weib u. Wette.

주생활(住生活) das Wohnen*, -s.

주석(主席) 《사람》 der Vorgesetzte*, -n, -n; Vorsteher *m.* -s, -; 《중공의》 Präsident *m.* -en, -en.

주석(朱錫) 〖化〗 Zinn *n.* -(e)s (기호 : Sn).

주석(酒席) Trinkgelage *f.* -n; Bankett *n.* -es, -e. ¶ ~을 베풀다 *jm.* e-n Schmaus geben*.

주석(註釋) =주해(註解).

주선(周旋) 《알선》 Empfehlung *f.* -en 《추천》; Befürwortung *f.* -en 《중개》; Sorge *f.* -n 《배려》. ~하다 vermitteln[4]; empfehlen*[4]; befürworten[4]. ¶ 취직을 ~해 주다 *jm.* e-e Arbeit verschaffen.

주섬주섬 ¶ 옷을 ~ 입다 [4]sich eins nach dem andern kleiden.

주성분(主成分) Hauptbestandteil *m.* -(e)s, -e.

주세(酒稅) Alkohol〔Wein〕steuer *f.* –n.

주소(住所) Wohn·ort 〔-sitz〕 *m.* –es, –e; Adresse *f.* –n ¶～를 변경하다 die Adresse wechseln 〔ändern〕. ‖～록 Adreßbuch *n.* –(e)s, ⸚er; Wohnungsanzeiger *m.* –s, –.

주스 (Frucht)saft *m.* –(e)s, ⸚e. ‖오렌지 ～ Apfelsinensaft *m.* –(e)s, ⸚e.

주시(注視) ～하다 aufmerksam 〔starr〕 an|sehen*^{4}; an|starren^4.

주식(主食) Hauptnahrungsmittel *n.* –s, –. ¶쌀을 ～으로 하다 von Reis leben.

주식(株式) Aktie *f.* –n; Aktienbrief *m.* –(e)s, –e. ¶～을 모집하다 Aktien auf|legen. ‖～거래 Aktien·geschäft *n.* –es, –e 〔-handel *m.* –s, –〕 / ～배당 Dividende *f.* –n / ～회사 Aktiengesellschaft *f.* –en.

주식(晝食) =점심.

주심(主審) Hauptschiedsrichter *m.* –s, –.

주악(奏樂) Musikaufführung *f.* –en. ¶～을 울리다 musizieren; Musik machen.

주안점(主眼點) der eigentliche Kern, –(e)s, –e.

주야(晝夜) Tag u. Nacht. ¶～ 교대로 bei Tag u. Nacht abwechselnd. ‖～장천 pausenlos; ununterbrochen.

주어(主語) 〖文〗 Subjekt *n.* –(e)s, –e.

주역(主役) Hauptrolle *f.* –n. ¶～을 맡다 die Hauptrolle spielen.

주연(主演) Haupt〔Titel〕rolle *f.* –n. ～하다 die Haupt〔Titel〕rolle spielen. ‖～배우 Hauptdarsteller *m.* –s, – / ～여우(女優) Hauptdarstellerin *f.* –nen.

주연(酒宴) Trink·gelage *n.* –s, – 〔-gesellschaft *f.* –en〕; Sauferei *f.* –en. ¶～을 베풀다 ein Gelage halten*.

주옥(珠玉) Perle *f.* –n 《진주》; Edelstein *m.* –(e)s, –e 《보석》. ¶～ 같은 글 ein Werk wie Perlen.

주요(主要) ～하다 wichtig 〔bedeutend; schwerwiegend; hauptsächlich〕 (sein). ‖～도시 Hauptstadt *f.* ⸚e / ～산업 Schlüsselindustrie *f.* –n / ～인물 Hauptperson *f.* –en 《연극, 작품》; e-e führende Persönlichkeit, –en.

주워담다 auf|heben*^{4} u. ein|stecken^4.

주워대다 nennen*^{4}; auf|zählen^4. ¶거짓말을 ～ lügen*; verfälschen^4; heucheln.

주워먹다 auf|heben*^{4} u. essen*^{4}.

주위(周圍) 《둘레》 Umfang *m.* –(e)s, ⸚e; Kreislinie *f.* –n; 《환경》 Umgebung *f.* –en; 《부근》 Nähe *f.* –n; Umgegend *f.* –en. ～의 umgebend; herumstehend; benachbart. ¶～ 사람 die Menschen um *jn.*; die Leute, die *jn.* um|gehen* / ～에 울타리를 두르다 (ein Haus) mit e-m Zaun umfassen.

주유소(注油所) Tank〔Zapf〕stelle *f.* –n.

주유(周遊) ～하다 e-e Rundreise machen; umreisen^4.

주의(主義) Prinzip *n.* –s, –ien; Grundsatz *m.* –es, ⸚e; Doktrin *f.* –en. ¶～에 따라 행동(을)하다 nach ^{3}Prinzipien 〔Grundsätzen〕 handeln.

주의(注意) ① 《유의》 Aufmerksamkeit *f.*; Achtung *f.* –en; Interesse *n.* –s, –n 《관심》; Berücksichtigung *f.* –en 《배려》. ～하다 (auf|)merken 《*auf*^{4}》; achten 《*auf*^{4}》; ^{4}Interesse nehmen* 《*für*^{4}》. ¶～를 끌다 *js.* Aufmerksamkeit an|ziehen* 〔erregen〕 / ～를 게을리하다 außer acht lassen*^{4} / ～를 집중하다 *js.* Aufmerksamkeit konzentrieren 《*auf*^{4}》. ② 《조심》 Vorsicht *f.*; 《경계》 Wachsamkeit *f.*; 《예방》 Vorkehrung *f.* –en. ～하다 ^{4}sich in acht nehmen* 《*vor*^{3}》; ^{4}sich hüten 《*vor*^{3}》; vorsichtig sein 《*in*^{3}; *gegen*^{4}》. ¶건강에 ～하다 ^{4}sich um die Gesundheit kümmern / 맹견 ～ 《게시》 Vor dem Hund wird gewarnt! ③ 《충고》 Rat *m.* –es; Ratschlag *m.* –(e)s, ⸚e; 《경고》 (Er)mahnung *f.* –en. ～하다 raten; ermahnen. ¶～시키다 *jn.* mahnen 《*an*^{4}》 / ～를 주다 *jm.* e-n Rat geben*. ‖～사항 Andeutungen (*pl.*).

주인(主人) ① 《가장》 Herr *m.* –n, –en; Hausherr *m.* –n, –en 《한 집안의》; Dienstherr *m.* 《고용주》; Mann *m.* –es; ⸚er 《남편》. ¶～ 계십니까 Ist der Herr da? ② 《임자》 Eigentümer 〔Besitzer〕 *m.* –s, –. ¶～ 없는 개 ein herrenloser Hund / ～이 바뀌다 e-n neuen Besitzer haben. ‖가게 ～ Ladenbesitzer *m.* –s, – / 여관 ～ Wirt *m.* –es, –e.

주일(主日) Sonn〔Ruhe〕tag *m.* –(e)s, –e; der Tag des Herrn. ‖～ 학교 Sonntagsschule *f.* –n.

주일(週日) Wochentag *m.* –(e)s, –e.

주임(主任) der verantwortliche Leiter, –s. ‖～ 교수 des Leiter e-r Abteilung 〔e-s Seminars〕.

주입(注入) ～하다 ein|gießen*; ein|spritzen; ein|prägen 《*jm.* ^{4}*et.*》 《사상을》; ein|pauken 《*jm.* ^{4}*et.*》 《지식을》. ‖～식 einpaukende Methode (～식 교육 Einpaukerei *f.* –en).

주자(走者) Läufer *m.* –s, –.

주장(主張) 《의견·권리의》 Behauptung *f.* –en; 《권리의》 Anspruch *m.* –es, ⸚e; 《단언》 Versicherung *f.* –en; 《변호적》 Verfechtung *f.* –en; 《고집》 das Bestehen*, –s; 《지론》 Meinung *f.* –en. ～하다 behaupten^4; geltend machen^4; aus|sagen; Anspruch nehmen* 《*auf*^{4}》. ¶권리를 ～하다 sein Recht behaupten / 무죄를 ～하다 die Unschuld verteidigen.

주장(主將) 《팀의》 (An)führer *m.* –s, –; (Mannschafts)kapitän *m.* –s, –e.

주장(主掌) ～하다 übernehmen*^{4}; hand|haben^4; leiten^4.

주재(主宰) ～하다 verwalten^4; leiten^4; führen^4. ¶회의를 ～하다 in der Sitzung den Vorsitz führen.

주재(駐在) ～하다 residieren 《*in*^{3}》; ^{4}sich auf|halten*.

주저(躊躇) ～하다 zögern; zaudern; Bedenken tragen* 《*über*^{4}; *wegen*^{2}》; unentschlüssig sein 《결단을 못 내리고》. ¶～ 없이 ohne Zögern 〔Zaudern; Bedenken〕 / 그는 ～하고 있었다 Er war unentschlossen.

주저앉다 ① 《자리 따위에》 ^{4}sich schwerfällig setzen. ② 《가라앉다》 ^{4}sich senken; unter|gehen*; versinken*. ¶지붕이 ～ Ein Dach fällt zusammen. ③ 《그대로 머물다》 fest|sitzen*; sitzen bleiben*. ¶그는 사직하려다 그대로 주

저앉았다 Er wollte um Entlassung aus dem Amt bitten, aber er blieb bei s-r Stellung sitzen.

주전(主戰) die Befürwortung des Kriegs. ‖ ~론 die Befürwortung des Kriegs / ~ 투수 〖野〗 Hauptwerfer *m.* -s, -.

주전부리 Zwischenmahlzeit *f.* -en; Vesper *f.* -n. ~하다 verspern[4]; Zwischenmahlzeit halten*.

주전자(酒煎子) Kessel *m.* -s, -; Kaffee-〔Tee〕kanne *f.* -n.

주점(酒店) Lokal *n.* -(e)s, -e; Bierlokal; Schenkstube *f.* -n.

주접 Verkümmerung *f.* ¶ ~들다 verschmachten; verkümmern; ab|magern; ab|hagern.

주정(舟艇) Boot *n.* -(e)s, -e; Schiff *n.* -(e)s, -e. ‖ 상륙용 ~ Landungsboot.

주정(酒酊) Betrunkenheit 〔Besoffenheit〕 *f.*; Säuferwahnsinn *m.* ~하다 in Säuferwahnsinn verfallen*. ‖ ~꾼, ~뱅이 der Betrunkene*, -n, -n; der Besoffene*, -n, -n.

주정(酒精) Alkohol *m.* -s, -e; Weingeist *m.* -es. ‖ ~ 음료 alkoholische 〔geistige〕 Getränke (*pl.*).

주제(主題) Thema *n.* -s, ..men; Hauptsatz *m.* -es, ⸚e. ‖ ~가 Hauptschlager *m.* -s, -.

주제넘다 vorwitzig 〔zudringlich; naseweis; vorlaut〕 (sein). ¶ 주제넘은 놈 der Vorwitzige*, -n, -n; Naseweis *m.* -(e)s, -e.

주조(主調) 〖樂〗 Haupt〔Grund〕ton *m.* 「-(e)s, ⸚e.」

주조(酒造) das Brauen*, -s. ~하다 brauen. ‖ ~장 Brauerei *f.* -en.

주조(鑄造) Guß *m.* ..usses, ..üsse. ~하다 gießen*[4]; 《화폐를》 prägen[4]. ‖ ~ 공장 Gießerei *f.* -en.

주종(主從) Herr u. Diener; 《주체와 종속》 Prinzipal u. Subordination. ‖ ~관계 die Beziehung zwischen Herrn u. Diener.

주주(株主) Aktionär *m.* -s, -e; Aktieninhaber *m.* -s, -. ‖ ~ 명부 das Verzeichnis der Aktionäre / ~ 총회 die Generalversammlung der Aktieninhaber / 대~ Hauptaktionär.

주지(主旨) Hauptabsicht *f.* -en; Hauptinhalt *m.* -(e)s, -e.

주지(住持) Hauptpriester *m.* -s, -; der Obere*, -n, -n.

주지(周知) ¶ ~의 (allgemein) bekannt / ~의 사실 e-e wohlbekannte Tatsache.

주지육림(酒池肉林) das Galaessen*, -s; üppiges Festmahl, -(e)s, -e.

주차(駐車) das Parken*, -s. ~하다 parken[4]. ‖ ~ 금지 Parken verboten! / ~장 Parkplatz *m.* -es, ⸚e.

주창(主唱) ~하다 an|regen[4]; veranlassen*[4] (*zu*[3]); [3]Veranlassung geben* (*zu*[3]). ¶ 평화를 ~하다 Frieden verteidigen*.

주책(主着) ~없다 überzeugungslos 〔bewußtlos; rücksichtslos〕(sein). ‖ ~망나니, ~ 바가지 Dummkopf *m.* -(e)s, ⸚e; Idiot *m.* -en, -en.

주철(鑄鐵) Gußeisen *n.* -s.

주청(奏請) ~하다 e-e Bitte (an den König) richten.

주체(主體) Subjekt *n.* -(e)s, -e; Kern *m.* -(e)s, -e. ‖ ~성 Subjektivität *f.* -en.

주체(酒滯) 〖漢醫〗 die Verdauungsstörung 〔die Magenverstimmung〕 nach dem Alkoholtrunk.

주최(主催) Veranstaltung 〔Leitung〕 *f.* -en. ~하다 veranstalten; leiten. ¶ … ~로 unter der Leitung….

주추(柱—) 《주춧돌》 Grund〔Fundament〕-stein *m.* -(e)s, -e; Eckstein *m.* -(e)s, -e 《귓돌》. 「-(e)s, -e.」

주축(主軸) Mittelpunkt 〔Rückgrat〕 *m.*

주춤거리다 [4]sich scheuen (*vor*[3]); zurückschrecken(*) (*vor*[3]); zurückweichen*.

주춤주춤 zögernd; zaudernd; unentschlossen; zweifelnd.

주치의(主治醫) Hausarzt *m.* -(e)s, ⸚e.

주택(住宅) (Wohn)haus *n.* -es, ⸚er; Wohnung *f.* -en. ‖ ~난 Wohnungsnot *f.* ⸚e / ~ 문제 Wohnungsfrage *f.* -n / 문화 ~ moderne Wohnung / 호화 ~ Luxushaus *n.* -es, ⸚er.

주파(走破) ~하다 durch|rennen*[4].

주파수(周波數) Frequenz *f.* -en; Periode *f.* -n. ‖ 방송 ~ Rundfunkfrequenz.

주판(籌板·珠板) Rechenbrett *n.* -(e)s, -er. ¶ ~을 놓다 [4]sich des Rechenbrettes bedienen; 《득실을》 (be)rechnen; aus|rechnen; kalkulieren.

주포(主砲) Hauptgeschütz *n.* -es, -e.

주필(主筆) Chefredakteur *m.* -s, -e; Schriftleiter *m.* -s, -.

주해(註解) Anmerkung 〔Auslegung; Erklärung〕 *f.* -en; Kommentar *m.* -s, -e. ~하다 Anmerkungen machen 《zu e-m Buch》; mit [3]Anmerkungen versehen*[4]. ‖ ~서 Erläuterung *f.* -en.

주행거리(走行距離) Fahrstrecke *f.* -n.

주형(鑄型) Matrize *f.* -n; Gießform *f.* -en; Kokille *f.* -n. ¶ ~을 뜨다 formen; gießen*[4].

주호(酒豪) ein trinkfester Mann, -(e)s, ⸚er; ein großer Trinker, -s, -.

주홍빛(朱紅—) Zinnoberrot *n.* -(e)s. ~의 zinnoberrot; scharlachen.

주화(鑄貨) 《화폐 주조》 Münzprägung *f.* -en; das Münzen*, -s; 《화폐》 Münze *f.* -n. ~하다 Geld (aus|)münzen; Münzen 〔Geld〕 prägen 〔schlagen*〕.

주황(朱黃) Orange *n.* -s; Orangenfarbe *f.* -n.

주효(奏效) Wirkung *f.* -en; Erfolg *m.* -(e)s, -e; Effekt *m.* -es, -e. ~하다 e-e Wirkung hervorbringen*; Erfolg 〔Wirkung〕 haben.

주효(酒肴) Wein u. Speise

주흥(酒興) die Fröhlichkeit beim Trinken; das Beschwipsen*, -s.

죽[1] 《열 벌》 zehn; zehn Stück.

죽[2] ① 《늘어섬》 ¶ 죽 늘어서다 [4]sich in Reih u. Glied stellen. ② 《찢는 소리》 ¶ 봉투를 죽 찢다 einen Umschlag aufreißen*. ③ 《기운 등이》 ¶ 기운이 죽 빠졌다 Ich bin völlig erschöpft. ④ 《줄곧》 ¶ 아침부터 죽 den ganzen Morgen (hindurch). ⑤ 《대강》 ¶ 죽 훑어보다 flüchtig durch|sehen*.

죽(粥) Brei *m.* -(e)s, -e.

죽는소리 《엄살》 Klage *f.* -n; Jammer *m.*

-s; Beschwerde *f.* -n. ～하다 klagen; jammern; ^{4}sich entmutigen lassen*.

죽다 sterben*; hin|scheiden*; verscheiden*; versterben*; 《재난으로》 um|kommen*; verunglücken; ^{3}sich das Leben nehmen* 《자살》; fallen* 《전사》. ¶교통 사고로 ～ wegen Verkehrsunfalls um|kommen* / 죽도록 반하다 sterblich verliebt sein / 우스워 죽겠다 Ich kann mich des Lachens nicht enthalten.

죽데기 Schindel *f.* -n.

죽도화(一花) 〖植〗 gelbe Rose, -n; Oleander *m.* -s, -.

죽렴(竹簾) Bambusjalousie *f.* -n; Bambusvorhang *m.* -s, ⸚e.

죽림(竹林) Bambuswald *m.* -es, ⸚er; Bambushain *m.* -(e)s, -e.

죽마(竹馬) Stelze *f.* -n. ‖ ～고우 Jugendfreund *m.* -(e)s, -e.

죽순(竹筍) Bambussprößling *m.* -s, -e.

죽어지내다 unterdrückt leben. ¶그는 아내 앞에 죽어지낸다 S-e Frau hat die Hosen an.

죽을둥살둥 verzweifeld; ausweglos; außer $^{3\cdot4}$sich; auf Leben u. Tod. ¶～ 덤비다 außer ^{4}sich los|gehen*.

죽을병(一病) födliche Krankheit, -en. ¶～에 걸리다 an e-r tödlichen Krankheit leiden*.

죽을뻔살뻔 in Lebensgefahr; mit knapper Not; mit Hängen u. Würgen. ¶～ 38선을 넘었다 In Lebensgefahr habe ich den Breitenkreis 38 überschritten.

죽을힘 die letzte Kraft; der Mut der Verzweiflung. ¶～을 다해 싸우다 mit dem Mut der Verzweiflung.

죽음 Tod *m.* -(e)s, -e; das Ableben*, -s. ¶～에 임하여 im Sterben / ～을 무릅쓰고 auf Gefahr des Todes.

죽이다 ① töten; ermorden; um|bringen*; *jn.* ums Leben bringen^{4}; hinrichten 《처형》; schlachten 《도살》. ② 《억제》 ¶숨을 ～ den Atem anhalten*.

죽장(竹杖) Bambusstock *m.* -(e)s, ⸚e. ‖ ～망혜 Bambusstock u. Strohsandale.

죽창(竹槍) Bambuslanze *f.* -n.

죽총(竹叢) Bambusgebüsch *n.* -es, -e.

죽치다 ^{4}sich ein|schließen* (in ein Zimmer). ¶집안에 죽치고 있다 Er bleibt zu Haus hocken.

준걸(俊傑) der hervorragende Mensch, -en, -en.

준결승(準決勝) Vorschlußrunde *f.* -n.

준공(竣工) Vollendung *f.* -en. ～하다 vollendet 〔fertig〕 sein. ‖ ～식 Einweihungsfeier *f.* -n.

준교사(準教師) Assistentlehrer *m.* -s, -.

준동(蠢動) das Wimmeln*, -s; Windung *f.* -en. ～하다 wimmeln; ^{4}sich winden*; ^{4}sich krümmen.

준령(峻嶺) Hochgebirge *n.* -s, -.

준마(駿馬) das edle Roß, ..sses, ..sse.

준말 Abkürzung *f.* -en.

준법정신(遵法精神) die Gesinnung, die Gesetze zu befolgen; Gesetzestreue *f.*

준비(準備) Vorbereitung 〔Vorkehrung〕 *f.* -en; Vorrat *m.* -(e)s, ⸚e. ～하다 ^{4}sich vor|bereiten 《*auf*^{4}; *zu*^{3}》; Vorkehrungen treffen* 《*auf*^{4}; *zu*^{3}》. ¶～됐습니까 Sind sie bereit 〔fertig〕? ‖ ～위원회 Vorbereitungskomitee *n.* -s, -s / 여행 ～ Reisevorbereitung *f.* -en.

준사관(準士官) Oberfeldwebel *m.* -s, -.

준설(浚渫) Baggerung *f.* -en. ～하다 (aus|)baggern^{4}. ‖ ～선 Baggerschiff *n.* -es, -e.

준수(遵守) Befolgung 〔Beobachtung〕 *f.* -en. ～하다 befolgen^{4}; beobachten^{4}. ¶법〔규칙〕을 ～하다 das Gesetz 〔die Vorschrift〕 befolgen.

준엄(峻嚴) ～하다 streng 〔unerbittlich〕 (sein). ¶～한 얼굴을 하다 ein strenges Gesicht machen.

준열(峻烈) ～하다 streng 〔hart; scharf; schroff; nachsichtlos〕 (sein). ¶～한 논고 die scharfe Anklagerede, -n.

준용(準用) ～하다 nach den nötigen Abänderungen an|wenden$^{(*)4}$ 《*auf*^{4}》.

준우승(準優勝) der Sieg in der Vorschlußrunde. ‖ ～자 Vorschlußrundesieger *m.* -s, -.

준장(准將) der stellvertretende Generalmajor, -s, -e 《육군》; der stellvertretende Konteradmiral, -s, -e 《해군》.

준재(俊材) der hervorragende Geist, -es, -er 〔Kopf, -(e)s, ⸚e〕; 《사람》 der hochbegabte Mensch, -en, -en.

준족(駿足) 《말》 das schnelle Pferd, -(e)s, -e; Roß *m.* ..osses, ..osse; 《사람》 Schnelläufer *m.* -s, -; der Schnellfüßige*, -n, -n.

준준결승전(準準決勝戰) Vorvorschlußrunde *f.* -n.

준치 〖魚〗 Alse *f.* -n.

준칙(準則) geltende Regel, -n; 《기준》 Maßstab *m.* -(e)s, ⸚e; Standard *m.* -(s), -s.

준하다(準一) folgen^{3}; ^{4}sich an|nähern^{3}; ^{4}sich an|schließen* 《*an*^{4}》; entsprechen*^{3}; ^{4}sich gleich|stellen^{3}. ¶이하 이에 준함 Der Sachverhalt ist wie folgt.

준행(遵行) ～하다 e-e Regel beachten 〔befolgen〕.

준험(峻險) ～하다 steil 〔abschüssig; schräg〕 (sein).

준회원(準會員) das nahezu gleichberechtigte Mitglied, -(e)s, -er.

줄^{1} ① 《끈》 Seil *n.* -(e)s, -e; Strick *m.* -(e)s, -e. ¶줄을 매다〔풀다〕 ein Seil 〔e-e Schnur〕 binden 〔lösen〕. ② 《선》 Linie *f.* -n; Strich *m.* -es, -e. ¶밑줄을 치다 unterstreichen*. ③ 《행렬》 Linie 〔Reihe〕 *f.* -n. ¶한 줄로 서다 in e-r Reihe stehen*.

줄^{2} 《연장》 Feile 〔Raspel〕 *f.* -n. ¶줄로 쓸다 (an|)feilen^{4}.

줄거리 《대요》 Umriß *m.* ..sses, ..sse; 《소설·극의》 Handlung *f.* -en. ¶이야기의 ～를 말하다 den Inhalt kurz darstellen.

줄곧 ununterbrochen; unablässig; unaufhörlich; in einem Zug. ¶～ 비가 내린다 Es regnet den ganzen Tag ununterbrochen.

줄긋다 e-e Linie ziehen*; Striche (mit dem Lineal) ziehen*; unterstreichen*.

줄기 Stengel *m.* -s, -; Stiel *m.* -s, -e; Stamm *m.* -(e)s, ⸚e.

줄기차다 ununterbrochen 〔unaufhörlich; fortwährend; andauerend; fortlaufend; stark; kräftig〕 (sein). ¶줄기차게 향거

하다 andauernd Widerstand leisten.
줄넘기 Seilspringen *n.* -s. ~하다 ⁴Seil springen*; über das Seil springen* 〔hüpfen〕.
줄다 ⁴sich (ver)mindern; ab|nehmen* 《*an*³》; fallen*; geringer 〔kleiner〕 werden; herabgesetzt 〔reduziert; geschmälert〕 werden; zurück|gehen*. ¶ 체중이 줄었다 Ich habe an Gewicht verloren. / 강물이 줄었다 Der Fluß ist gesunken.
줄다리기 das Tauziehen, -s. ~하다 Tauziehen machen.
줄달다 auf e-e Sache e-e andere folgen; e-r hinter dem anderen kommen*. ¶ 손님이 줄달아 찾아온다 Die Besucher kommen e-r nach dem andern.
줄달음질 das Laufen*, -s; das Rennen*, -s. ~하다, ~치다 schnell laufen*〔rennen*〕.
줄대다 fort|setzen; fort|fahren*; weiter|verfolgen.
줄무늬 Streifen (*pl.*). ¶ ~가 있는 streifig; gestreift.
줄밑걷다 der Spur nach|gehen*; verforgen⁴; ausfindig machen⁴; nach|weisen*⁴.
줄사다리 Strick〔Hänge〕leiter *f.* -n.
줄어들다 ab|nehmen*; schrumpfen; ein|gehen*; ⁴sich zusammenziehen. ¶ 인구가 5만으로 줄어들었다 Die Bevölkerung ist auf 50000 gesunken.
줄이다 《감소》 (ver)mindern⁴; geringer machen⁴; reduzieren⁴; 《생략》 ab|kürzen⁴; 《요약》 kurz zusammen|fassen; verkürzen. ¶ 비용을 ~ die Kosten ein|schränken / 속력을 ~ die Geschwindigkeit vermindern.
줄자 Band〔Meter〕maß *n.* -es, -e; Meßband *n.* -(e)s, ⸚er.
줄잡다 ⁴*et.* annährend berechnen 〔schätzen〕; unterschätzen⁴. ¶ 줄잡아서 nach oberflächlicher Berechnung / 비용은 줄잡아도 만 원은 들겠다 Das kostet mindestens 10 tausend *Won.*
줄치다 linieren⁴; 《⁴Papier》 mit Linie versehen 《종이에》.
줄타기 Seiltanzen *n.* -s. ~하다 auf dem Seil laufen* 〔tanzen*〕.
줄타다 auf dem Seil tanzen.
줄행랑(一行廊) ~치다 ⁴sich aus dem Staube machen; 《俗》 das Weite suchen; Reißaus nehmen*.
줌 《움큼》 e-e Handvoll Griff. ¶ 한 줌의 쌀 e-e Handvoll Reis.
줌렌즈 Zoomobjektiv *n.* -s, -e; Gummilinse *f.* -n.
줍다 (auf|)lesen*; auf|nehmen*. ¶ 이삭을 ~ Ähren lesen* / 주운 물건 die gefundene Sache, -n.
줏대(主—) Charakterstärke 〔Festigkeit〕 *f.*; Willenskraft *f.* ⸚e. ¶ ~있는 solid; probehaltig.
중 Bonze *m.* -n, -n; buddhistischer Priester, -s, -.
중간(中間) Zwischenraum *m.* -(e)s, ⸚; Mitte *f.* -n; Mittel *n.* -s, -. ¶ ~에 in der Mitte; dazwischen / ~의 mittler. ‖ ~ 상인 Zwischenhändler *m.* -s, - / ~ 시험 Zwischenprüfung *f.* -en / ~ 착취 Zwischenausbeutung *f.* -en / ~층 Mittelklasse *f.* -n.
중간자(中間子) 〔物〕 Meson 〔Mesotron〕 *n.* -s, -en. ‖ 파이 ~ π-Meson *n.*
중간치(中間—) Mittelgröße 〔Mittelsorte; Mittelware〕 *f.* -n.
중개(仲介) Vermittlung *f.* -en. ~하다 vermitteln⁽⁴⁾. ‖ ~물 Medium *n.* -s, ..ien; Mittel *n.* -s, - / ~인 Vermittler *m.* -s, -.
중거리(中距離) Mittelstrecke *f.* -en. ‖ ~ 탄도탄 Mittelstreckenrakete *f.* -n.
중견(中堅) Hauptstütze *f.* -n. ¶ 회사의 ~ die führende Figur der Firma. ‖ ~ 작가 der führende Schriftsteller, -s, - 〔Autor, -s, -en〕.
중경상(重輕傷) schwere u. leichte Verletzung, -en. ‖ ~자 schwere u. leichte Verletzte* (*pl.*).
중계(中繼) ~하다 übertragen*⁴. ‖ ~ 방송 Übertragung 〔Zwischensendung〕 *f.* -en (오페라를 ~ 방송하다 e-e Oper (durch den Rundfunk) übertragen*).
중고(中古) ~의 aus zweiter Hand. ‖ ~차 Gebrauchtwagen *m.* -s, - / ~품 die Waren (*pl.*) aus zweiter Hand.
중공(中共) Rotchina *n.* -s; das Rote China. ‖ ~군 die chinesische kommunistische Armee, -n.
중공업(重工業) Schwerindustrie *f.* -n.
중과(衆寡) ¶ ~ 부적이다 Gegen e-e solche Übermacht kämpft man vergebens.
중국(中國) China *n.* ¶ ~(말)의 chinesisch. ‖ ~사람 Chinese *m.* -n, -n / ~어 Chinesisch *n.* -es.
중금속(重金屬) das schwere Metall, -s, -e.
중급(中級) Mittelstufe *f.* -n.
중기(中期) die Mitte der Zeit.
중기관총(重機關銃) das schwere Maschinengewehr, -(e)s, -e.
중길(中—) Mittelware 〔Mittelsorte〕 *f.* -n.
중년(中年) das mittlere 〔reife〕 Alter, -s; Mannesalter *n.* -s. ~의 in mittlerem Alter. ‖ ~ 신사 der ältere Herr.
중노동(重勞動) Schwerarbeit *f.* -en; Zwangsarbeit 《형벌》.
중농(中農) der Bauer von mittlerem Besitz; Mittelbauer *m.* -s, -n.
중농주의(重農主義) Physiokratismus *m.*
중뇌(中腦) Mittelhirn *n.* -(e)s, -e.
중늙은이(中—) Mensch in älterem Alter.
중단(中斷) Abbruch *m.* -(e)s, ⸚e; Unterbrechung *f.* -en. ~하다 ab|brechen*⁴; unterbrechen*⁴. ¶ 교섭을 ~하다 e-e Verhandlung ab|brechen*.
중대(中隊) Kompanie *f.* -n; 《포병》 Batterie *f.* -n; 《기병》 Schwadron *f.* -en. ‖ ~장 Kompanieführer *m.* -s, -.
중대(重大) ~하다 bedeutend 〔wichtig; ernst; groß; dringend〕 (sein). ¶ ~한 문제 die ungemein wichtige Frage. ‖ ~ 사건 die bedeutende Sache / ~ 성명 die ernsthaftige Erklärung.
중덜거리다 murren; brummen; klagen.
중도(中途) der halbe Weg, -es, -e. ¶ 일을 ~에서 그만두다 e-e Arbeit in der Mitte aufgeben*.
중도(中道) Mittelweg *m.* -(e)s, -e; die richtige 〔goldene〕 Mitte 《중용》. ¶ ~를 걷다 den Mittelweg ein|schlagen*.

중독(中毒) Vergiftung *f.* -en. ¶ ~이 되다 [4]sich vergiften 《*an*[3]; *durch*[4]》 / ~성의 giftig; toxisch; vergiftend. ‖ 알코올 ~ Trunksucht *f.* -en; Alkoholismus *m.* -, -.

중동(中東) der Mittlere Osten, -s. ‖ ~전쟁 der Krieg im Mittleren Osten.

중동무이(中―) Unfertigkeit *f.* -en. ~하다 e-e Arbeit unfertig liegen|lassen*; [4]*et* unfertig zurück|lassen*.

중략(中略) Ellipse *f.* -n; Auslassung 〔Weglassung〕 *f.* -en. ~하다 abkürzen; weglassen*.

중량(重量) Gewicht *n.* -es, -e; Schwere* *f.* ‖ ~급(級) Schwergewicht / ~초과 Übergewicht / ~톤 Nettotone *f.* -n.

중력(重力) Schwerkraft *f.*; Gravitation *f.* -en. ‖ 무~ 상태 schwerkraftloser Zustand, -(e)s, ¨e.

중령(中領) Oberstleutnant *m.* -s, -e 《육군》; Fregattenkapitän *m.* -s, -e 《해군》.

중론(衆論) allgemeine Beratung, -en.

중류(中流) 《강의 중간》 der Mittellauf des Flusses; die Mitte des Stroms; 《정도·계급》 die mittlere Klasse, -n; Mittelstand *m.* -(e)s. ‖ ~ 가정 die Familie mittlerer Klasse.

중립(中立) Neutralität 〔Parteilosigkeit〕 *f.* ~의 neutral; unparteiisch. ¶ ~을 지키다 neutral bleiben*. ‖ ~국 der neutrale Staat, -(e)s, -en / ~ 지대 die neutrale Zone, -n / ~화 Neutralisierung *f.* -en.

중망(衆望) allgemeines Vertrauen, -s; Popularität *f.* ¶ ~을 받다 allgemeines Vertrauen genießen*.

중매(仲買) das Makeln*, -s; Vermittlung *f.* -en. ~하다 makeln.

중매(仲媒) Ehestiftung 〔Heiratsvermittelung〕 *f.* -en. ~하다 die Heirat stiften 〔vermitteln〕. ‖ ~결혼 Heirat durch Ehestiftung / ~인 Ehestifter *m.* -s.

중반전(中盤戰) 《바둑 등의》 Mitte des Spiels; 《선거 등》 Mitte des Kampfes; Mittelphase des Kampfes. ¶ ~에 들어가다 《선거전 따위가》 der Kampf tritt in die Mittelphase.

중벌(重罰) schwere Strafe, -n.

중병(重病) die schwere 〔ernste; gefährliche〕 Krankheit, -en. ¶ ~을 앓다 in e-e schwere Krankheit fallen*; e-e schwere Krankheit bekommen*.

중복(中伏) der mittlere von den drei heißen Tagen im Sommer.

중복(重複) Verdoppelung 〔Duplizität; Wiederholung〕 *f.* -en. ~되다 [4]sich verdoppeln; [4]sich wiederholen; wieder|kehren. ¶ ~을 피하다 die Verdoppelung 〔Wiederholung〕 vermeiden*.

중부(中部) Mitte *f.* -n; der mittlere Teil, -(e)s, -e. ‖ ~ 지방 Mittelbezirk *m.* -(e)s, -e.

중사(中士) 〖軍〗 Sergeant *m.* -en, -en; Unteroffizier *m.* -s, -e; Unterfeldwebel *m.* -s, -.

중산계급(中產階級) die mittlere Klasse, -n; Mittelstand *m.* -(e)s.

중상(中傷) Verleumdung 〔Diffamierung〕 *f.* -en. ~하다 verleumden[4]; die Ehre ab|schneiden; lästern[(4)] 《auf 〔gegen; über〕 *jn.*》.

중상(重傷) die schwere 〔gefährliche〕 Wunde, -n. ¶ ~을 입다 schwer〔gefährlich〕 verwundet werden. ‖ ~자 der Schwerverwundete* *m.* -sn, -n.

중상주의(重商主義) Merkantilsystem *n.* -s; Merkantilismus *m.* -.

중생(衆生) alle Geschöpfe (*pl.*).

중생대(中生代) Mesozoikum *n.* -s. ~의 mesozoisch.

중석(重石) Tungstein *m.* -(e)s, -e.

중성(中性) 〖文〗 Neutrum *n.* -s, ..tren; das sächliche Geschlecht, -(e)s; 〖化〗 Neutralität *f.* ~의 neutral; sächlich. ‖ ~ 세제 neutrales 〔synthetisches〕 Waschmittel, -s, -; Neutralwaschmittel *n.* / ~자 Neutron *n.* -s, -en.

중세(中世) Mittelalter *n.* -s. ‖ ~기 Mittelalterzeit *f.* -en.

중세(重稅) die hohe 〔harte; unerträgliche〕 Steuer, -n. ¶ ~를 부과하다 e-e hohe Steuer auf|erlegen 《*jm.*》 〔bei|treiben* 《*jm.*》; ein|ziehen* 《von *jm.*》〕

중소(中小) ‖ ~ 기업 die kleineren Unternehmungen (*pl.*) / ~ 상공업자 die kleineren Handels- u. Gewerbsleute (*pl.*).

중소(中蘇) Sino-Sowiet.

중수(重水) 〖化〗 das schwere Wasser, -s.

중수(重修) Renovation 〔Renovierung〕 *f.* -en. ~하다 renovieren.

중수소(重水素) 〖化〗 schwerer Wasserstoff -(e)s; Deuterium *n.* -s.

중순(中旬) die Mitte des Monats. ¶ 5월 ~에 (in der) Mitte Mai.

중시(重視) ~하다 für wichtig halten*[4]; wichtig nehmen*[4]; hoch|schätzen[4]. ¶ 사건을 ~하다 Man hält die Sache für ernst.

중신(重臣) die führenden Staatsmänner (*pl.*); die Großen* (*pl.*). ‖ ~ 회의 die Konferenz der führenden Minister.

중심(中心) Mittelpunkt *m.* -(e)s, -e; Zentrum *n.* -s, ..tren; Mitte 〔Zentrale〕 *f.* -n; 《초점》 Brennpunkt; 《평형》 Gleichgewicht *n.* -(e)s, -e. ~의 zentral; mittelst. ¶ ~을 잡다 balancieren / ~을 잃다 die Balance verlieren*. ‖ ~지 Zentrum *n.*

중심(重心) Schwerpunkt *m.* -(e)s, -e.

중압(重壓) der schwere Druck, -(e)s, ¨e; Wucht *f.* -en; Zwang *m.* -(e)s. ‖ ~감 das Druckgefühl, -(e)s, -e.

중앙(中央) Mitte *f.* -n; Zentrum *n.* -s, ..tren 〔..tra〕. ~의 mittelst; zentral. ‖ ~ 난방 Zentralheizung *f.* -en / ~ 은행 Zentralbank *f.* -en / ~ 정부 Zentralregierung *f.* -en / ~ 집권 Zentralisierung *f.* -en.

중얼거리다 murmeln; 《투덜댐》 murren; brummen; 《속삭임》 flüstern; tuscheln. ¶ 혼자 ~ vor [4]sich hin murmeln.

중역(重役) Vorstand *m.* -(e)s; Direktion *f.* -en; Vorstandsmitglied *n.* -(e)s, -er 《개인》. ¶ ~이 되다 ein Vorstandsmitglied werden. ‖ ~ 회의 Vorstands·sitzung 〔-konferenz〕 *f.* -en.

중역(重譯) die nochmalige 〔abermalige〕

Übersetzung, -en. ～하다 aus e-r Übertragung abermals übersetzen.
중엽(中葉) Mitte e-s Zeitraums. ¶19 세기 ～ die Mitte des 19. Jahrhunderts.
중요(重要) ～하다 wichtig 〔bedeutend; maßgebend; wesentlich〕 (sein). ‖～서류 wichtige Dokumente 〔Papiere〕 (*pl.*) / ～성 (Ge)wichtigkeit *f.* -en / ～인물 Hauptpersönlichkeit *f.* -en.
중요시(重要視) ～하다 =중시(重視)하다.
중용(中庸) Mäßigkeit *f.*; Maß *n.* -es, -e. ¶～을 지키다 Maß halten*.
중용(重用) ～하다 e-e wichtige Stellung verleihen* (*jm.*); zu e-m wichtigen Posten erheben* (*jn.*).
중우(衆愚) Herdenvieh *n.* -(e)s; die Herdenmenschen (*pl.*). ‖～정치 Pöbelherrschaft *f.*
중위(中尉) Oberleutnant *m.* -s, -e 〔-s〕; Oberleutnant zur See (해군).
중위(中衛) (축구·하키의) Läufer *m.* -s, -; (배구의) Mittelspieler *m.* -s, -.
중유(重油) Schweröl *n.* -(e)s, -e.
중의(衆意) allgemeine 〔öffentliche〕 Meinung, -en. ¶～에 따라 결정하다 nach öffentlicher Meinung entscheiden*[4].
중이(中耳) Mittelohr *n.* -(e)s, -en. ‖～염 Mittelohrentzündung *f.* -en.
중인(衆人) ¶～ 환시리에 vor aller [3]Augen; vor den [3]Leuten.
중임(重任) ① (재임용) Wieder·ernennung 〔-anstellung〕 *f.* -en. ～하다 wiederernannt 〔-angestellt〕 werden. ② (중대임무) die schwere 〔große〕 Verantwortung, -en; die wichtige Botschaft, -en. ¶～을 맡다 e-e schwer verantwortliche Stellung inne|haben*.
중장(中將) Generalleutnant *m.* -s, -e 〔-s〕 (육군); Generaladmiral *m.* -s, -e (해군).
중장비(重裝備) schwere Ausrüstung, -en.
중재(仲裁) Vermitt(e)lung 〔Intervention; Schlichtung〕 *f.* -en. ～하다 vermitteln[(4)] (*zwischen*[3]); intervenieren (*in*[3]); [4]sich ins Mittel legen; schlichten[4]. ‖～인 Vermittler *m.* -s, -; Schiedsmann *m.* -(e)s, ⸗er.
중전(中殿) Königin *f.* -nen. ‖～ 마마 Ihre königliche Hoheit.
중전기(重電機) schwere elektrische Maschine, -n.
중전차(重戰車) Schwer·kampfwagen *m.* -s, -〔-tank *m.* -(e)s, -e〔-s〕〕.
중절(中絕) =중단. ‖임신 ～ Schwangerschaftunterbrechung *f.* -en.
중절모(中折帽) der weiche Hut, -(e)s, ⸗e.
중점(中點) Mittelpunkt *m.* -(e)s, -e.
중점(重點) Schwerpunkt *m.* -(e)s, -e; Wichtigkeit 〔Bedeutung〕 *f.* -en. ¶…에 ～을 두다 [4]*et.* nachdrücklich betonen[4]; Gewicht legen (*auf*[4]).
중죄(重罪) das schwere Verbrechen, -s, -; das schwere Delikt, -(e)s, -e. ¶～를 범하다 ein schweres Verbrechen begehen*.
중증(重症) die schwere Krankheit, -en; das schwere Verhältnis, -ses, -se. ‖～ 환자 der Schwerkranke*, -n, -n.
중지(中止) ～하다 auf|hören (mit [3]*et.*; [4]*et.* zu tun); auf|heben*[4]; ein|stellen[4]; unterbrechen*[4]. ¶일을 ～하다 auf|hören zu arbeiten.
중지(中指) Mittelfinger *m.* -s, -.
중지(衆智) Weisheit der Vielen. ¶～를 모으다 den Rat der [2]Menge ein|holen.
중직(重職) das hohe 〔verantwortungsvolle〕 Amt, -(e)s, ⸗er. ¶～에 앉다 e-e wichtige Stellung inne|haben.
중진(重鎭) Autorität 〔Berühmtheit〕 *f.* -en; Fachgröße *f.* -n.
중진국(中進國) ein entwicklungsfähiges 〔mittelentwickeltes〕 Land, -(e)s, ⸗er.
중책(重責) die schwere Verantwortung, -en. ¶～을 맡다 die schwere Verantwortung auf [4]sich (über)nehmen*.
중천(中天) die Mitte des Himmels; Zenit *m.* 〔*n.*〕 -(e)s. ¶달이 ～에 걸려 있다 Der Mond steht (hoch) am Himmel.
중추(中樞) Zentrum *n.* -s, ..tren〔..tra〕; Mittelpunkt *m.* -(e)s, -e. ‖～ 신경 die Zentralnerven (*pl.*).
중추(仲秋) die Mitte des Herbstes. ‖～명월 der Vollmond zu Herbstanfang.
중키(中—) Mittelgröße *f.* ¶～의 mittelgroß; von mittlerer Größe.
중탄산소다(重炭酸—) 〖化〗 das doppeltkohlensaure Natrium, -s.
중태(重態) die kritische Lage, -n; Krise 〔Krisis〕 *f.* ..sen. ～의 todkrank; bedenklich krank. ¶～에 빠지다 (환자가) in e-e kritische Lage geraten*.
중턱(中—) ungefähr 〔etwa〕 in der Mitte. ‖산 ～ (Berg)abhang *m.* -(e)s, ⸗e.
중퇴(中退) ～하다 das Studium unterbrechen; e-e Schule nicht zu Ende machen.
중파(中波) 〖電〗 Mittelwelle *f.* -n.
중평(衆評) öffentliche Meinung 〔Kritik〕 -en; die Meinung der Leute.
중포(重砲) das schwere Geschütz, -es, -e; die schwere Kanone, -n.
중폭격기(重爆擊機) der schwere Bomber, -s, -.
중풍(中風) Paralyse *f.* -n; Lähmung *f.* -en. ¶～의 paralytisch; gelähmt. ‖～환자 Paralytiker *m.* -s, -.
중하다(重—) (중대) wichtig 〔bedeutend; schwer〕 (sein); (귀중) wertvoll (sein). ¶중한 죄 e-e schwere Sünde, -n.
중학교(中學校) Mittelschule *f.* -n. ¶～에 다니다 die Mittelschule besuchen.
중학생(中學生) der Schüler 〔die Schülerin〕 der Mittelschule.
중합(重合) 〖化〗 Polymerisation *f.* -en. ～하다 polymerisieren[4].
중항(中項) 〖數〗 Innenglied *n.* -(e)s, -er.
중핵(中核) Kern *m.* -(e)s, -e.
중형(中型) die mittlere Größe, -n. ¶～의 mittelgroß.
중형(重刑) die schwere 〔schonungslose; harte〕 Strafe, -n. ¶～에 처하다 über *jn.* e-e schwere Strafe verhängen.
중혼(重婚) Bigamie 〔Doppelehe〕 *f.* -n. ～하다 e-e Bigamie begehen*.
중화(中和) Neutralisierung 〔Neutralisation〕 *f.* -en. ～하다 neutralisieren[4].
중화기(重火器) schwere Feuerwaffe, -n.
중환(重患) e-e schwere Krankheit, -en. ‖～자 der Schwerkranke*, -n, -n.

중후(重厚) ～하다 gelassen u. großmütig (sein).

중흥(中興) Wiederherstellung 〔Wiederbelebung〕 *f.* –en. ‖ ～지주(之主) Wiederhersteller *m.* –s, –.

쥐^{1} 〖動〗 Ratte *f.* –n; Maus *f.* ⸚e. ¶ 쥐색의 mausfarbig; mausgrau.

쥐^{2} 〖漢醫〗 Krampf *m.* –(e)s, ⸚e. ¶ 쥐가 나다 Krämpfe bekommen*; in ^{4}Krämpfe verfallen*.

쥐구멍 Ratten〔Mäuse〕loch *n.* –(e)s, ⸚er. ¶ ～이라도 찾고 싶다 Ich möchte mich in ein Mauseloch verkriechen.

쥐꼬리 Rattenschwanz *m.* –es, ⸚e. ¶ ～만한 월급 ein niedriges Gehalt.

쥐다 (er)greifen*^{4}; (er)fassen^{4}; packen^{4}. ¶ 주먹을 ～ die Faust ballen / 권력을 ～ die Macht ergreifen*.

쥐덫 Ratten〔Mäuse〕falle *f.* –n.

쥐며느리 〖蟲〗 (Küchen)schabe *f.* –n; Assel *f.* –n.

쥐약(—藥) Rattengift *n.* –(e)s, –e; Rattenpulver *n.*

쥐어뜯다 raufen^{4}. ¶ 머리를 ～ 《절망으로》 ^{3}sich die Haare raufen.

쥐어박다 schlagen*^{4}; e–n Streich versetzen^{3}; prügeln^{4}. ¶ 머리를 ～ *jn.* auf den Kopf schlagen*.

쥐어주다 aus|händigen^{4} 《*jm.*》; an die Hand geben* 《*jm.* ^{4}*et.*》. ¶ 돈을 ～ *jm.* Geld in die Hand drücken.

쥐여지내다 beherrscht sein; ^{4}sich *jm.* unterordnen. ¶ 아내한테 ～ unter dem Pantoffel stehen.

쥐죽은듯 still; ruhig; einsam; lautlos. ¶ 집안은 ～ 고요했다 In dem Hause herrschte e–e große Stille.

즈음 die Zeit, wo…. ¶ …에 ～하여 anläßlich^{2}; gelegentlich^{2}; bei^{3} / 그 ～에 damals; zu jener Zeit.

즉(卽) 《곧》 nämlich; das heißt 《略: d. h.》; 《바로》 gerade; eben. ¶ 그것이 즉 내가 바라는 바다 Das ist gerade, was ich wünsche.

즉각(卽刻) sofort; auf der ^{3}Stelle; augenblicklich; (so)gleich.

즉결(卽決) ～하다 ^{4}sich rasch entscheiden*; rasch beschließen*^{4}. ‖ ～ 재판 Schnellverfahren *n.* –s / ～ 처분 die summarische Schuldigerklärung, –en.

즉답(卽答) die sofortige 〔rasche〕 Antwort, –en. ～하다 auf der ^{3}Stelle 〔sofort; unverzüglich〕 antworten 《*auf*^{4}》.

즉매(卽賣) der Verkauf auf der ^{3}Stelle. ～하다 auf der Stelle verkaufen^{4}. ‖ ～장 Verkaufsstand *m.* –(e)s, ⸚e.

즉사(卽死) ～하다 sofort 〔auf der ^{3}Stelle〕 sterben*.

즉석(卽席) ～에서 auf der ^{3}Stelle; sofort; rasch; augenblicklich; unvorbereitet. ‖ ～ 연설 die improvisierte Rede, –n / ～ 요리 das improvisierte Gericht, –(e)s, –e.

즉시(卽時) sofort; (so)gleich; auf der ^{3}Stelle. ¶ ～ 의사를 부르다 e–n Arzt sofort rufen*.

즉위(卽位) Thronbesteigung 〔Krönung〕 *f.* –en. ～하다 den Thron besteigen*. ‖ ～식 Thronbesteigungsfeier *f.* –n.

즉일(卽日) derselbe Tag, –(e)s. ¶ ～로 an demselben Tag.

즉전(卽錢) e–e Bezahlung auf der Stelle.

즉전즉결(卽戰卽決) Blitzkriegoperation *f.* –en.

즉효(卽効) die sofortige 〔augenblickliche〕 Wirkung, –en. ¶ ～가 있다 sofortige Wirkung haben.

즉흥(卽興) das Improvisieren*, –s. ¶ ～적인 improvisiert. ‖ ～곡 Impromptu [ɛ̃prɔ̃tý:] *n.* –s, –s; Improvisation *f.* –en.

즐거움 Freude *f.* –n; Lust *f.* ⸚e; Glück *n.* –(e)s.

즐겁다 lustig〔fröhlich; glücklich〕(sein). ¶ 즐거운 추억 die schönen Erinnerungen (*pl.*).

즐기다 ^{4}sich ergötzen 〔unterhalten*〕 《*an*^{3}; *mit*^{3}》; Freude haben 《*an*^{3}》; genießen*^{4}; Vergnügen finden 《*an*^{3}; *mit*^{3}》. ¶ 독서를 ～ Vergnügen am Lesen finden*.

즐비하다(櫛比—) dicht beieinander stehen*. ¶ 길가에 상점이 ～ Die Laden stehen dicht beieinander an der Straße.

즙(汁) Saft *m.* –(e)s, ⸚e. ¶ 즙이 많은 saftig; saftreich.

즙내다(汁—) Saft auspressen; saften.

즙액(汁液) Saft *m.* –(e)s, ⸚e.

증가(增加) Zunahme *f.* –n; Vermehrung *f.* –en. ～하다 zu|nehmen*; ^{4}sich vermehren. ¶ ～ 일로에 있다 im Zunehmen 〔Wachsen〕 sein. ‖ ～율 die Rate der Erhöhung / 자연 ～ die natürliche Zunahme, –n.

증감(增減) die Zu– u. Abnahme; die Vermehrung u. 〔od.〕 Verminderung; Schwankung *f.* –en 《변동》.

증강(增強) ～하다 verstärken^{4}. ¶ 병력을 ～하다 die Truppenstärke erhöhen.

증거(證據) Beweis *m.* –es, –e; Zeugnis *n.* –ses, –se. ¶ ～를 제시하다 e–n Beweise bei|bringen* / ～ 불충분으로 wegen ^{2}Mangels an ^{3}Beweisen. ‖ ～물 Beweismaterial *n.* –s, ..ien / ～ 서류 Beweisdokument *n.* –(e)s, –e.

증권(證券) Wertpapier *n.* –(e)s, –e 《유가증권》; Effekten (*pl.*). ‖ ～ 거래소 Börse *f.* –n / ～ 시장 Effektenmarkt *m.* –(e)s, ⸚e / ～ 회사 Effektenfirma *f.* ..men / 선하(船荷) ～ Ladeschein *m.* –(e)s, –e.

증기(蒸氣) Dampf *m.* –(e)s, ⸚e; Dunst *m.* –es, ⸚e. ‖ ～기관차 Dampflokomotive *f.* –n / ～터빈 Dampfturbine *f.* –n.

증대(增大) ～하다 zu|nehmen*; an|wachsen*; ^{4}sich vermehren.

증류(蒸溜) ～하다 destillieren^{4}; ab|ziehen*^{4}. ‖ ～주 Destillierlikör *m.* –s, –e.

증명(證明) Beweis *m.* –es, –e 《논리학·수학·재판 등》; Bestätigung *f.* –en 《확인》. ～하다 beweisen*^{4}; bescheinigen^{4}. ‖ ～서 Bescheinigung *f.* –en; 《신분증》 Personalausweis *m.* –es, –e.

증모(增募) ～하다 extra werben*.

증발(蒸發) Verdampfung 〔Abdampfung〕 *f.* –en. ～하다 verdampfen 〔ab|dampfen〕; verdunsten.

증발(增發) 《열차의》 die Verwendung der Extrazüge; 《지폐의》 die Vermehrung der Notenausgabe. ¶ 열차를 ～하다 zusätzlich Züge ein|setzen.

증보(增補) ∼하다 ergänzen[4]; erweitern[4]. ‖∼판 die ergänzte 〔erweiterte; vermehrte〕 Auflage, -n.

증빙(證憑) Beweisbarkeit *f.* -en. ‖∼서류 Dokument *n.* -s, -e.

증산(增産) Produktionssteigerung 〔Erzeugungserhöhung〕 *f.* -en. ∼하다 die [4]Produktion 〔Erzeugung〕 erhöhen. ‖∼계획 das Programm für die Produktionssteigerung.

증서(證書) Schein *m.* -(e)s, -e; Urkunde *f.* -n. ¶∼를 써주다 e-n Schein unterschreiben*. ‖예금 ∼ Depositenschein *m.* / 졸업 ∼ Abgangszeugnis *n.* -ses, -se / 차용 ∼ Schuld·schein 〔-brief〕 *m.* -(e)s, -e.

증설(增設) Vermehrung 〔Vergrößerung〕 *f.* -en. ∼하다 vermehren[4]; vergrößern[4]; neu ein|richten[4].

증세(症勢) Krankheitszustand *m.* -(e)s, ⸚e 《병세》; Symptom *n.* -s, -e 《징후》. ¶감기 ∼를 보이다 Symptome von Influenza zeigen.

증세(增稅) Steuererhöhung *f.* -en. ∼하다 die Steuern erhöhen. ‖∼계획 der Plan der Steuererhöhung.

증손(曾孫) Urenkel *m.* -s, -. ‖∼녀 Urenkelin *f.* -nen.

증수(增水) ∼하다 zu|nehmen*; steigen*; an|schwellen*.

증수(增收) die Vermehrung des Einkommens 〔der Einnahmen〕. ∼하다 das Einkommen erhöhen《수입을》; den Ernteertrag vermehren 《수확을》.

증수회(贈收賄) die aktive u. passive Bestechung. ‖∼ 사건 Bestechungsaffäre *f.* -n.

증식(增殖) Vermehrung *f.* -en. ∼하다 [4]sich vermehren; zu|nehmen*.

증액(增額) Erhöhung *f.* -en. ∼하다 erhöhen[4]. ¶보조금을 ∼하다 den Zuschuß erhöhen.

증언(證言) Zeugnis *n.* -ses, -se; Zeugenaussage *f.* -n. ∼하다 zeugen; ein Zeugnis geben* 〔ab|legen〕 ‖∼거부 Zeugnisverweigerung *f.* -en.

증여(贈與) das Schenken* 〔Spenden*〕 -s. ∼하다 schenken[34]; spenden[34]. ‖∼세 Schenkungssteuer *f.* -n.

증오(憎惡) ∼하다 hassen[4]. ¶∼할 haßerregend; verhaßt / ∼를 사다 [3]sich *js.* Haß zu|ziehen*.

증원(增員) ∼하다 das Personal 〔die Belegschaft〕 vermehren.

증원(增援) Verstärkung *f.* -en. ∼하다 verstärken[4]. ‖∼부대 Hilfstruppe *f.* -n; Verstärkungen (*pl.*).

증인(證人) Zeuge *m.* -n, -n. ¶∼으로 서다 als [1]Zeuge auf|treten*. ‖∼석 Zeugenstand *m.* -(e)s, ⸚e / ∼ 심문 Zeugen·verhör *m.* -(e)s, -e 〔-vernehmung *f.* -en〕.

증자(增資) Kapitalerhöhung *f.* -en. ∼하다 das Grundkapital 〔Stammkapital〕 erhöhen. ‖∼주 neue Aktien (*pl.*).

증정(贈呈) Schenkung *f.* -en 《수교》; Überreichung *f.* -en. ∼하다 schenken[34]; überreichen[34]; übergeben*[34]. ‖∼본 Widmungsexemplar *n.* -s, -e / ∼품 Geschenk *n.* -(e)s, -e.

증조모(曾祖母) Urgroßmutter *f.* ⸚.

증조부(曾祖父) Urgroßvater *m.* -s, ⸚.

증진(增進) Förderung 〔Vergrößerung〕 *f.* -en. ∼하다 fördern[4]; vergrößern[4]; verstärken[4].

증축(增築) Anbau *m.* -(e)s; das An〔Hinzu〕bauen*, -s. ∼하다 an〔hinzu〕|bauen[4]. ‖∼공사 (Hoch)hausanbau *m.*

증파(增派) ∼하다 Verstärkungen hin|schicken.

증폭(增幅) 〖電〗 Verstärkung *f.* -en. ∼하다 verstärken[4]. ‖∼기 Verstärker *m.* -s, -.

증표(證票) Beleg *m.* -(e)s, -e.

증회(贈賄) (aktive) Bestechung, -en. ∼하다 *jn.* bestechen*; 《俗》 *jn.* schmieren. ‖∼사건 Bestechungsaffäre *f.* -n.

증후(症候) =증세(症勢).

지 《동안》 seit; seitdem; von da an. ¶그가 고향을 떠난 지 3주가 된다 Es ist drei Wochen her, daß er die Heimat verließ.

지-(至) 《까지》 bis; zu; bis zu.

-지 ① 《의문》 ob; ob ... oder. ¶울어야 할지 웃어야 할지 모르겠다 Ich weiß nicht, ob ich weinen soll od. lachen. ② 《말끝》 ¶오늘은 누가 나를 만나러 오겠지 Heute kommt jemand, um mich zu sprechen. ③ 《부정》 ¶신문에 나지 않을까 Ob die Sache nicht etwa in der Zeitung erscheinen wird?

지가(地價) Bodenpreis *m.* -es, -e. ‖∼등귀 die Steigerung des Bodenpreises.

지가(紙價) Preis des Papiers.

지각(地殼) Erd·kruste 〔-rinde〕 *f.* -n. ‖∼변동 die Veränderung der Erdkruste / ∼운동 Krustbewegung *f.* -en.

지각(知覺) ① 〖心〗 Wahrnehmung *f.* -en; das Wahrnehmen*, -s. ∼하다 wahr|nehmen*[4]; gewahr[2] werden. ② 《철》 Vernunft *f.*; Verstand *m.* -(e)s. ¶∼ 있는 vernünftig; verständig / ∼ 없는 unverständig; ungefügig. ‖∼신경 der sensorische Nerv, -s, -en.

지각(遲刻) das Zuspätkommen*, -s; Verspätung *f.* -en. ∼하다 [4]sich verspäten; zu spät kommen*.

지갑(紙匣) Geldbeutel *m.* -s, -; Portemonnaie *n.* -s, -s. ‖가죽 ∼ Lederbeutel *m.*

지게 《짐지는》 A-Rahmen zum Tragen. ‖∼꾼 ein Mann, der Sachen mit dem A-Rahmen trägt.

지게미 《술의》 Überrest nach dem Abziehen des Weins beim Brauen des Reisweins.

지겹다 gehässig 〔hassenswert; abscheulich; verhaßt〕 (sein). ¶생각만 해도 ∼ Der Gedanke allein ekelt mich.

지경(地境) 《경계》 Grenze *f.* -n; Demarkation *f.* -en; 《형편》 Zustand *m.*-(e)s, ⸚e; Lage *f.* -n. ¶파산할 ∼이다 dem Bank(e)rotte nahe sein.

지계(地階) 〖建〗 Keller *m.* -s, -; Kellergeschoß *n.* ..schosses, ..schosse.

지고(至高) ∼하다 hoch 〔am höchsten; erhaben〕 (sein).

지골(指骨·趾骨) Phalanx *f.* ..langen;

Fingerknochen *m.* -s, - 《손가락뼈》; Zehenknochen *m.* -s, - 《발가락뼈》.

지공무사(至公無私) ～하다 absolut gerecht (sein).

지관(地官) Geomant *m.* -en, -en; Wahrsager über Grundstück.

지구(地球) Erde *f.*; Erdkugel *f.* -n. ‖ ～본, ～의 Erdkugel *f.* -n; Globus *m.* -〔-ses〕, ..ben〔-se〕/ ～ 역학 Geodynamik *f.*

지구(地區) Geländeabschnitt *m.* -(e)s, -e; Distrikt *m.* -(e)s, -e.

지구(地溝)〖地〗Graben *m.* -s, ⸗; Grabenbruch *m.* -(e)s, ⸗e. ‖ ～대(帶) Muldental *n.* -(e)s, ⸗er.

지구(持久) ‖ ～력 Ausdauer *f.*; Beharrlichkeit *f.*; Dauerhaftigkeit *f.* / ～전 Stellungskrieg *m.* -(e)s, -e.

지국(支局) Zweig·stelle *f.* -en 〔-amt *n.* -(e)s, ⸗er; -anstalt *f.* -en〕.

지그시 (참는 모양) mit Toleranz; Zorn unterdrückend; 《누르거나 당기는 모양》 sanft; zart; ruhig. ¶눈을 ～ 감다 die Augen ruhig schließen*.

지그재그 Zickzack *m.* -(e)s, -e. ¶～로 가다 im Zickzack gehen*.

지극하다(至極―) außerordentlich 〔am äußersten; am höchsten〕 (sein).

지극히(至極―) sehr; äußerst; höchst. ¶나는 ～ 만족하고 있다 Ich bin sehr zufrieden.

지근거리다 《귀찮게 하다》 belästigen; 《조르다》 drängen; 《머리가》 Kopfschmerzen haben; 《씹다》 langsam u. ständig kauen.

지근덕거리다 sehr belästigen; drängen; Kopfschmerzen haben. ¶여자한테 ～ e-e Frau belästigen.

지글거리다 zischen.

지금(只今) ① 《방금》 (gerade 〔eben〕) jetzt; zur [3]Zeit; 《현재》 heute; heutzutage. ¶～ 당장 im Augenblick; in der Jetztzeit / ～부터 von nun 〔jetzt〕 an 〔ab〕. ② 《이내》 bald; im Nu; sogleich. ¶～이라도 jeden Augenblick 〔Moment〕/ ～ 곧 jetzt gleich; gleich jetzt.

지금(地金) ① (Gold)barren 〔Silberbarren 《은의》〕 *m.* -s, -; Knüppel *m.* -s, -. ② 《토대가 되는》 Rohmetall *n.* -s, -e; das metallische Vormaterial, -(e)s, -ien.

지급(支給) Belieferung *f.* -en; Versorgung *f.* -en. ～하다 beliefern[4] 〔versorgen[4]〕 《*mit*[3]》. ‖ ～액 Bezahlung *f.* -en; Zuschuß *m.* ..sses, ..schüsse.

지급(至急) Dringlichkeit *f.*; die große Eile; 《우편에서》 Expreß *m.* -, ..ssen. ¶일은 ～을 요한다 Die Sache ist dringend. ‖ ～ 전보 das dringende Telegramm, -(e)s, -e 《略: D》.

지긋지긋하다 《넌더리》 verdammt 〔verflucht; verteufelt〕 (sein); 《지겹다》 abscheulich 〔ekelhaft; widerlich〕 (sein). ¶지긋지긋하게 scheußlich; ärgerlich.

지긋하다 älter 〔im vorgerückten Alter〕 (sein). ¶나이가 지긋한 사람 ein älterer Mann.

지기(知己) Bekanntschaft *f.* -en 《상태》; der Bekannte*, -n, -n 《사람》. ‖ ～지우 der Vertraute*, -n, -n.

-지기[1] 《논밭의》 Flächeninhalt des Feldes u. Ackers. ¶두 섬지기 Flächeninhalt von Acker, der 2 „*Seom*" produziert.

-지기[2] 《지키는 사람》 Wächter *m.* -s, -; Wärter *m.* -s, -; 《문지기》 Türhüter *m.* -s, -. ¶건널목지기 Bahnwärter *m.*

지껄거리다, 지껄이다 schwatzen; plappern; plaudern. ¶쓸데없는 말을 ～ dummes Zeug schwatzen.

지끈지끈 ① 《소리》 wiederholt knackend. ② 《아픈》 ¶골치가 ～ 아프다 Ich habe e-n stechenden Schmerz im Kopf.

지나가다 《통과》 vorüber|gehen*; vorbei|gehen* 《걸어서》; vorbei|fahren* 《차를 타고》. ¶문 앞을 ～ an *js.* Tor vorbei|gehen*.

지나다 ① 《통과》 vorüber〔vorbei〕|gehen* 《*an*[3]》; dahin〔durch〕|gehen*. ② 《경과》 vergehen*; dahin (vorüber|)gehen*. ¶오랜 세월이 지났다 Lange Jahre sind vergangen 〔verflossen〕. ③ 《한도·정도·기한이》 ab|laufen*. ¶…에 지나지 않다 nicht mehr als ... sein / 기한이 ～ abgelaufen sein.

지나새나 Tag u. Nacht; zu jeder Zeit.

지나오다 ① 《통과해 오다》 vorbei|kommen*; vorbei|fahren*. ¶숲을 ～ am Wald vorbei|kommen*. ② 《겪다》 [4]*et.* hinter [3]sich haben; erfahren*[4]. ¶지나온 일을 생각하다 [4]sich an die Vergangenheit erinnern.

지나치다 ① 《과도》 zu weit gehen* 《*in*[3]》; zu weit treiben*[4]. ¶지나치게 먹다 zu viel essen*[4] / 하는 것이 지나치구나 Er treibt es gar zu arg 〔toll〕. ② 《통과》 hinaus|fahren* 《*über*[4]》; vorbei|fahren* 〔-|gehen*〕 《*an*[3]》. ¶부지중에 그 집을 ～ an dem Haus unversehens vorbeigehen*.

지난(至難) ～하다 sehr schwer 〔äußerst schwierig〕 (sein).

지난날 die vergangenen 〔entschwundenen〕 Tage (*pl.*). ¶～의 일들 das Vergangene*, -s.

지난달 der letzte 〔vorige; vergangene〕 Monat, -(e)s, -e.

지난밤 gestern abend 〔nacht〕.

지난번(―番) früher; letzt; bisherig. ¶～ 편지에〔로〕 in m-m letzten 〔früheren〕 Brief(e).

지날결 das Vorbeigehen* 〔Vorbeifahren*; Vorbeikommen*〕 -s. ¶～에 잠깐 들렀다 Im Vorbeigehen komme ich herein.

지남철(指南鐵) ① 《자석》 Magnet *m.* -(e)s, -e. ② =지남침.

지남침(指南針) ① 《자침》 Magnetnadel *f.* -n. ② 《나침의》 Kompaß *m.* ..sses, ..sse.

지내다 ① 《생계를 꾸리다》 [4]sich erhalten* 〔ernähren〕; s-n Lebensunterhalt verdienen. ¶불편없이 ～ ein angenehmes Leben führen. ② 《시간을 보냄》 zu|bringen*; hin|bringen*. ¶바쁘게 ～ ein beschäftigtes Leben führen. ③ 《겪다》 dienen; erfahren*[4]. ¶관리를 ～ als ein Beamter tätig sein. ④ 《치

르다) ab|halten*^{4}; feiern^{4}. ¶제사를 ～ e-e religiöse Feier begehen*.

지네 〖動〗 Tausendfuß *m.* -es, ⸚e.

지노(紙—) Papier(bind)faden *m.* -s, ⸚.

지느러미 Flosse *f.* -n; Floßfeder *f.* -n; Finne *f.* -n. ‖꼬리～ Schwanzflosse *f.* -n / 등～ Rückenflosse.

지능(知能) Geistes·kraft *f.* ⸚e〔-fähigkeit *f.* -en〕; die intellektuelle Fähigkeit, -en. ～적 intellektuell. ‖～검사 Intelligenz·prüfung *f.* -en 〔-test *m.* -(e)s, -s〕 / ～범 (범죄) das intellektuelle Verbrechen, -s, - / ～지수 Intelligenzquotient *m.* -en, -en (略: I.Q.).

지니다 haben^{4}; besitzen*^{4}; im Besitz sein (*von*^{3}). ¶무기를 ～ Waffen tragen*.

지다^{1} ① (짐을) tragen*^{4}. ② (빚을) Schulden machen; in ^{4}Schulden geraten*. ¶빚을 얼마나 졌느냐 Wieviel Schulden hast du? ③ (신세를) *jm.* ^{4}*et.* verdanken. ¶신세 많이 졌다 Ich bin ihm sehr verbunden. ④ (책무를) auf ^{4}sich nehmen*^{4}; übernehmen*^{4}. ¶내가 책임지마 Ich übernehme die Verantwortung.

지다^{2} ① (꽃·잎이) (ab|)fallen*; auf den Boden fallen*. ¶벚꽃이 다 졌다 Die Kirschblüten sind schon verblüht. ② (해·달이) (ein|)sinken*; unter|gehen*. ¶해가 서쪽으로 진다 Die Sonne geht im Westen unter. ③ (목숨이) den letzten Atemzug aus|hauchen. ④ (때 따위가) heraus|gehen*.

지다^{3} (패배) besiegt 〔bewältigt; überwältigt〕 werden; (못하다) nach|stehen* (*jm.*). ¶아무에게도 지지 않는다 Er ist unerreicht. / 소송에 ～ e-n Rechtsstreit verlieren*.

지다^{4} (그늘이) beschattet werden; (얼룩이) befleckt werden. ¶그늘진 길 ein schattiger Weg.

지다^{5} (장마가) an|dauern (regnerisches Wetter).

지다^{6} (되어가다) werden. ¶추위〔더위〕 ～ kalt 〔warm〕 werden.

지당하다(至當—) gerecht 〔ganz richtig〕 (sein); im Recht sein. ¶지당하신 말씀입니다 Da haben Sie ganz recht.

지대(支隊) Detachement *n.* -s, -s.

지대(地代) Grundstückspreis *m.* -es, -e; Pacht *f.* -en.

지대(地帶) Zone *f.* -n; Gebiet *n.* -(e)s, -e. ‖공장 ～ Fabrikgegend *f.* -en / 안전 ～ Sicherheitszone *f.* -n / 중립 ～ die neutrale Zone.

지대공(地對空) ‖～미사일 Boden-Luft-Rakete *f.* -n; Erdboden-zur-Luft-Missile *n.* -s, -s.

지대하다(至大—) enorm 〔ungeheuer〕 (sein). ¶지대한 관심사 e-e Sache von großem Interesse.

지도(地圖) (Land)karte *f.* -n; Atlas *m.* -〔..lasses〕, ..lasse〔..lanten〕. ¶～에서 찾아보다 e-n Ort auf der (Land)karte suchen. ‖괘(掛)～ Wandkarte.

지도(指導) Führung *f.* -en; Leitung *f.* -en. ～하다 führen^{4}; leiten^{4}; dirigieren^{4}. ‖～교사 der führende 〔leitende〕 Lehrer, -s, - / ～자 Führer 〔Leiter〕 *m.* -s, -.

지도리 Scharnier *n.* -s, -e; Türangel *f.* -n.

지독하다(至毒—) ① (독하다) boshaft 〔gehässig; unerbittlich〕 (sein). ¶지독한 모욕 der große Schimpf, -(e)s, -e. ② (모질다) hart 〔gewaltsam; heftig〕 (sein). ¶지독한 감기 e-e schlimme 〔starke〕 Erkältung / 지독한 추위 die strenge Kälte. ③ (완강하다) hartnäckig 〔eigensinnig〕 (sein). ¶그녀는 지독한 여자다 Sie ist ein großer Eigensinn.

지동(地動) (지진) Erdbeben *n.* -s, -; (자전·공전) die Bewegung der Erde (um die Sonne); (자전) Rotation *f.* -en; (공전) Revolution *f.* -en. ‖～설 das Kopernikanische 〔heliozentrische〕 Weltsystem, -s.

지둔하다(遲鈍—) schwerfällig 〔träg(e); phlegmatisch〕 (sein).

지등롱(紙燈籠) e-e Laterne aus Papier.

지라 〖解〗 Milz *f.* -en.

지랄 Fallsucht *f.* ⸚e; die fallende Sucht; (간질병) Epilepsie *f.* ..sien. ～하다 dumme 〔tolle; törichte〕 Streiche machen.

지랄병(—病) Epilepsie *f.* ..sien.

지략(智略) Klugheit *f.* -en; Strategie *f.* -n. ¶～이 풍부하다 findig sein.

지렁이 Regenwurm *m.* -(e)s, ⸚er.

지레^{1}, 지렛대 Hebel *m.* -s, -; Hebebalken *m.* -s, - 〔-baum *m.* -(e)s, ⸚e; -stange *f.* -n〕.

지레^{2} (미리) vorher; im voraus.

지레짐작(—斟酌) Mutmaßung *f.* -en. ～하다 mutmaßen; vermuten; ahnen.

지력(地力) die Fruchtbarkeit der Erde. ‖～체감 die Abnahme der Fruchtbarkeit der Erde.

지력(智力) Verstand *m.* -(e)s; Denkfähigkeit *f.* -en.

지력선(指力線) 〖物〗 Kraftlinien (*pl.*); Feldlinien (*pl.*).

지령(指令) Anweisung 〔Anordnung〕 *f.* -en; Direktive *f.* -n. ¶～을 내리다 Anweisungen erteilen. ‖비밀 ～ Geheimbefehl *m.* -(e)s, -e.

지령(紙齡) Zeitschriftennummer *f.* -n; Zeitungsnummer *f.* -n.

지론(持論) *js.* Prinzip *n.* -s, -e 〔..pien〕; *js.* (fester) Grundsatz, -es, ⸚e 〔(feste) Überzeugung, -en〕. ¶～을 고수하다 an s-m Grundsatz fest|halten*.

지뢰(地雷) Mine *f.* -n; Flatter〔Tret〕-mine *f.* -n. ¶～를 매설하다 Minen legen. ‖～밭〔지대〕 Minenfeld *n.* -(e)s, -er / ～탐지기 Minensucher *m.* -s, -.

지루하다 langweilig〔eintönig; uninteressant〕 (sein). ¶지루한 강연 ein langweiliger Vortrag.

지류(支流) Neben〔Zu〕fluß *m.* ..flusses, ..flüsse; Flußarm *m.* -(e)s, -e.

지르다 ① (소리를) (auf|)schreien*; rufen* (부르다); heulen. ¶고함을 ～ *jn.* an|schreien*. ② (꽂아 넣다) stecken. ¶머리에 비녀를 ～ in *js.* Haar Haarnadel stecken. ③ (불을) Brand 〔Feuer〕 (an|)legen 〔an|stiften〕. ¶집에 불을 ～ ein Haus an|stecken. ④ (자름) (ab|-)schneiden*^{4}. ¶나쁜 순을 ～ das Laster im Keim ersticken. ⑤ (질러 가다) den kürzesten Weg ein|schlagen*. ⑥ (걸

다) (Geld) auf ^{4}Spiel setzen; auf ^{4}*et.* wetten. ¶경마에 돈을 ~ auf ein Rennpferd wetten.

지르되다 langsam 〔nicht gut〕 wachsen*.

지르르 《윤기·기름기가》 fettig glänzend; fettig; 《저린 느낌》 dumpf schmerzhaft.

지르코늄 〖化〗 Zirkonium *n.* -s.

지르콘 〖鑛〗 Zirkon *m.* -s.

지르퉁하다 ein verdrießliches Gesicht machen.

지름 Durchmesser *m.* -s, -. ¶~이 3 인치다 3 Zoll im Durchmesser sein.

지름길 Richtweg *m.* -(e)s, -e; der kürzere 〔kürzeste〕 Weg, -(e)s, -e. ¶~로 가다 e-n Weg ab|kürzen.

지리(地理) Geländebeschaffenheit *f.* -en. ‖~학 Geographie 〔Erdkunde〕 *f.*

지리다 《냄새가》 stinkend 〔stinkig〕 (sein).

지리멸렬(支離滅裂) ~하다 unzusammenhängend 〔zusammenhang(s)los〕 sein.

지린내 Urin〔Harn〕geruch *m.* -(e)s. ¶~나다 pissig 〔nach Harn riechend〕 sein.

지망(志望) Wunsch *m.* -es, ⸚e; Bestrebung *f.* -en. ~하다 (^{3}sich) wünschen^4; bestreben^4. ‖~자 Bewerber *m.* -s, - 《응모자》 / ~ 학과 das Fach, das man zu studieren wünscht.

지맥(支脈) Ausläufer *m.* -s, - 《산, 광맥의》; Vorberge (*pl.*).

지맥(地脈) Gesteinsader *f.* -n.

지면(地面) 《지표》 Erd·oberfläche *f.* 〔-boden *m.* -s〕; Erde *f.* -n 《대지(大地)》; 《토지》 Grundstück *n.* -(e)s, -e.

지면(紙面) 《신문의》 Raum *m.* -(e)s, ⸚e; Seitenzahl *f.* -en. ¶~ 사정으로 infolge Raumknappheit 〔Raummangels〕/ ~을 차지하다 viel Raum ein|nehmen*.

지명(地名) Ortsname(n) *m.* ..mens, ..men; der geographische Eigenname(n). ‖~ 사전 das geographische Wörterbuch, -(e)s, ⸚er.

지명(知名) die breite Bekanntschaft, -en; Berühmtheit *f.* ‖~ 인사 die berühmte Persönlichkeit, -en.

지명(指名) Namhaftmachung *f.* -en; Ernennung *f.* -en 《임명》. ~하다 s-n Namen nennen*; *jn.* mit 〔beim〕 Namen nennen*; ernennen*. ‖~ 수배 die öffentliche Bekanntmachung der (polizeilich) gesuchten Verbrecher.

지모(智謀) Findigkeit *f.*; Kriegslist *f.* -en.

지목(地目) das klassifizierte Grundstück, -(e)s, -e. ‖~ 변경 die Umklassifizierung der Grundstücke.

지목(指目) das Erblicken*, -s; Betrachtung *f.* -en. ~하다 als 〔für〕 $^{(4)}$*et.* an|sehen*; für ^{4}*et.* halten*; in ^{3}*et.* erblicken^4. ¶그를 주모자로 ~하고 있다 Ich halte ihn für Anführer.

지문(指紋) Fingerabdruck *m.* -(e)s, ⸚e. ¶~을 남기다 s-e Fingerabdrücke zurück|lassen*.

지문학(地文學) Physiographie *f.*; physikalische Geographie.

지물(紙物) Papierwaren (*pl.*); Papier *n.* -s, -e. ‖~포 Papierhandlung *f.* -en.

지반(地盤) ① Untergrund *m.* -(e)s, ⸚e. ② 《공사 등의》 Fundament *n.* -(e)s, -e. ¶~을 굳히다 den Boden befestigen. ③ 《선거의》 Wahl·bezirk *m.* -(e)s, -e 〔-kreis *m.* -es, -e〕. ④ 《지위》 Position *f.* -en. ‖~ 침하(沈下) das Versinken* des Bodens.

지방(地方) 《지구》 Gegend *f.* -en; Bezirk *m.* -(e)s, -e; Distrikt *m.* -(e)s, -e; 《부근》 Umgebung 〔Umgegend〕 *f.* -en. ~의 ländlich; lokal; provinzial. ‖~ 경찰 Provinzial〔Orts〕polizei *f.* / ~ 분권 die Dezentralisation der Gewalt / ~ 사람 Land〔Provinz〕bewohner *m.* -s, - / ~색 Lokalfarbe *f.* -n / ~세 Gemeinde〔Provinzial〕abgabe *f.* -n / ~ 행정 〔자치〕 Gemeinde·verwaltung 〔-selbstregierung〕 *f.* -en.

지방(脂肪) Fett *n.* -(e)s, -e. ‖~ 과다 Fettsucht *f.* / ~ 조직 Fettgewebe *n.* -s, -.

지배(支配) Herrschaft *f.* -en. ~하다 herrschen (*über*^{4}). ¶~적 herrschend / 환경의 ~를 받다 den Umständen preisgegeben sein. ‖~ 계급 die herrschende Klasse, -n / ~자 Herrscher *m.* -s, -.

지배인(支配人) Direktor *m.* -s, -en; Leiter 〔Manager〕 *m.* -s, -. ¶호텔의 ~ der Leiter e-s Hotels. ‖총~ Generaldirektor.

지번(地番) Losnummer *f.* -n; die Nummer des Grundstücks.

지변(地變) ① Naturkatastrophe *f.* -n. ② 〖地〗 die Veränderung der Erdrinde.

지병(持病) das chronische Leiden, -s; die alte Beschwerde, -n. ¶~이 재발하다 von s-m chronischen Leiden wieder befallen werden.

지보(至寶) die höchste Kostbarkeit, -en; sehr kostbarer 〔wertvoller〕 Schatz, -es, ⸚e. ¶~적 존재 e-e prominenteste Persönlichkeit, -en.

지복(至福) unerhörtes 〔großes〕 Glück, -(e)s.

지부(支部) Zweig·abteilung *f.* -en 〔-stelle *f.* -n〕. ‖~장 der Verwalter der Zweigstelle.

지부럭거리다 belästigen.

지분(脂粉) Schminke *f.* -n.

지분거리다 belästigen.

지불(支拂) (Be)zahlung *f.* -en. ~하다 (be)zahlen. ‖~ 기일〔기한〕 Zahlungstermin *m.* -s, -e / ~ 능력 Zahlungsfähigkeit *f.* -en / ~ 보증 die Garantie durch e-e Bank / ~인 (Be)zahler *m.* -s, -; 《어음》 der Bezogene*, -n, -n (e-s Wechsels) / ~ 준비금(金) Reservefonds *m.* -, -.

지붕 Dach *n.* -(e)s, ⸚er. ¶기와로 ~을 이다 das Dach mit ^{3}Ziegeln decken. ‖기와〔초가〕 ~ Ziegel〔Stroh〕dach.

지사(支社) Filiale *f.* -n; Zweig·geschäft *n.* -(e)s, -e 〔-niederlassung *f.* -en; -stelle *f.* -n〕.

지사(志士) ‖우국 ~ Patriot *m.* -en, -en.

지사(知事) Gouverneur *m.* -s, -e; Statthalter *m.* -s, -.

지상(至上) ~의 höchst; oberst. ‖~ 명령 ein höchster 〔unbedingter〕 Befehl, -(e)s, -e.

지상(地上) ① =지면(地面). ② auf der Erde. ¶~에서 auf der Erde; auf dem

Boden. ‖ ~군 Landtruppe *f.* -n / ~ 근무 Landdienst *m.* -es, -e / ~ 낙원 das Paradies der Erde / ~ 포화(砲火) Artilleriefeuer *n.* -s, -.

지상(紙上) ¶ ~에 auf dem Papier; in der Zeitung / ~에 실리다 in der Zeitung stehen*. ‖ ~ 계획 ein „Papierplan".

지새우다 die Nacht auf|sitzen* 〔-|bleiben*〕. ¶ 눈물로 밤을 ~ die ganze Nacht verweinen 〔hindurch weinen〕.

지서(支署) Zweig·anstalt *f.* -en 〔-amt *n.* -(e)s, ¨er〕; 《경찰의》 Unteramtstelle 〔Polizeiwache〕 *f.* -n.

지선(支線) Neben〔Zweig〕linie *f.* -n; Neben〔Zweig〕bahn *f.* -en.

지성(至誠) die unerschütterliche Treue; das treueste Herz, -ens. ¶ ~이면 감천이라 Die unerschütterliche Treue rührt selbst die Götter.

지성(知性) Intellekt *m.* -(e)s; Verstand *m.* -(e)s. ‖ ~인 Intellektueller *m.* -s, -.

지세(地稅) Grundsteuer *f.*

지세(地貰) Pachtzins für Grundstück.

지세(地勢) die geographische Lage, -n.

지속(持續) das Fortbestehen*, -s; (Fort-) dauer *f.* ~하다 fort|bestehen*; (fort|-) dauern. ‖ ~성 Dauerhaftigkeit *f.* -en.

지수(指數) Index *m.* -es, -e 〔..dizes〕. ¶ 물가 ~ Preisindex *m.* / 불쾌 ~ Unbehagensindex *m.*

지스러기 Überbleibsel *n.* -s, -; Rest *m.* -es, -e; Abfall *m.* -s, ¨e.

지시(指示) Hinweis *m.* -es, -e; (An-) weisung *f.* -en; Befehl *m.* -(e)s, -e 《명령》; Verordnung *f.* -en 《의사의》. ~하다 hin|weisen* 《*auf*⁴.》; *jn.* an|weisen* 《*zu*³》. ¶ ~를 받다 die (An)weisung erhalten* 〔befolgen〕.

지식(知識) Kenntnis *f.* -se; Wissen *n.* -s. ¶ 산 ~ die praktischen Kenntnisse / ~은 힘이다 Wissen ist Macht. ‖ ~계급 die Gebildeten* (*pl*); die gebildete Klasse / ~인 der Intellektuelle*, -n, -n.

지실(知悉) ~하다 ⁴sich aus|kennen* 《*in*³》; in- u. auswendig kennen*⁴.

지싯거리다 *jm.* stark zu|setzen 《mit Bitten; mit der Bitte, ⁴*et.* zu *tun*》; *jn.* bedrängen 〖zu 不定句〗.

지아비 《남편》 (Ehe)mann *m.* -(e)s, ¨er.

지압요법(指壓療法) die Behandlung durch Auflegen der Hände.

지양(止揚) 〖哲〗 das Aufheben*, -s; Negierung *f.* ~하다 auf|heben*⁴ 《Begriff der Hegelschen Dialektik》.

지어내다 erfinden*⁴; erdichten⁴; ersinnen*⁴. ¶ 지어낸 말〔소리〕 das erfundene Wort, -(e)s, -e.

지어미 《아내》 (Ehe)frau *f.* -en.

지엄하다(至嚴—) äußerst 〔außergewöhnlich〕 streng (sein).

지에(밥) 《고두밥》 gedämpfter Reis für das Brauen von Reiswein.

지역(地域) (Land)strecke *f.* -n; (Land-) strich *m.* -(e)s, -e. ~적 gebietsmäßig; regional. ¶ ~별로 zonenmäßig. ‖ ~구 (선거) Lokal-Wählerschaft *f.* -en / ~ 사회 Gemeinschaft *f.* -en.

지역권(地役權) 〖法〗 Realservitut *f.* -en; Nutzungsrecht *n.* -(e)s, -e.

지연(遲延) Verspätung 〔Verzögerung〕 *f.* -en. ~하다, ~되다 ⁴sich verspäten 〔verzögern〕. ¶ 오래 ~된 lange verschoben 〔zurückgestellt〕. ‖ ~ 작전 Verzögerungstaktik *f.* -en.

지연단체(地緣團體) die regional organisierte Gesellschaft, -en.

지열(地熱) Erdwärme *f.*; die unterirdische Hitze 〔Temperatur〕.

지엽(枝葉) 《가지와 잎》 die Zweige u. Blätter (*pl.*); 《중요치 않음》 Neben·sache *f.* -n 〔-sächlichkeit *f.* -en〕. ¶ ~적인 nebensächlich; geringfügig.

지옥(地獄) Hölle *f.* -n; Unterwelt *f.* -en. ¶ ~으로 떨어지다 zur Hölle fahren*. ‖ 교통 ~ Verkehrschaos *n.* -; Verkehrsstockung *f.* -en.

지우(知友) der intime Freund, -(e)s, -e; Busenfreund *m.*

지우(知遇) die freundliche Anerkennung, -en. ¶ ~를 입다 *js.* freundliche Anerkennung genießen*.

지우개 Radiergummi *m.* -s, -s.

지우다¹ 《짐을》 *jn.* ⁴*et.* tragen lassen*; 《책임 등을》 auf|erlegen³⁴; auf|bürden³⁴. ¶ 책임을 ~ *jm.* e-e Verantwortung auf|bürden.

지우다² ① 《아이를》 e-e Fehlgeburt 〔e-n Abort(us)〕 herbei|führen 〔verursachen〕. ② 《없앰》 löschen⁴; 《칠판 등을》 ab|wischen⁴; aus|radieren⁴ 《지우개로》.

지우다³ 《이기다》 *jn.* besiegen 〔schlagen*〕. ¶ 그를 지우기는 쉬운 일이 아니다 Er ist nicht leicht zu schlagen.

지우산(紙雨傘) der (ölgeschmierte) Papierregenschirm, -(e)s, -e.

지원(支援) Unterstützung *f.* -en; Beistand *m.* -(e)s, ¨e. ~하다 *jn.* unterstützen; *jm.* bei|stehen* 〔helfen*〕. ‖ ~자 Beistand; Beisteher *m.* -s, -.

지원(志願) 《바람》 Wunsch *m.* -es, ¨e; 《신청》 Bewerbung *f.* -en; 《자원(自願)》 das freiwillige Übernehmen, -s, -. ~하다 ⁴sich bewerben* 《*um*⁴》; ⁴sich melden 《*zu*³; *um*⁴》. ‖ ~병 der Freiwillige*, -n, -n / ~서 e-e schriftliche Bewerbung / ~자 Bewerber *m.* -s, -.

지위(地位) 《신분》 Stellung *f.* -en; (Gesellschafts)klasse *f.* -n; 《직업》 Posten *m.* -s, -; 《계급》 Rang *m.* -(e)s, ¨e. ¶ ~가 오르다〔떨어지다〕 im Rang erhöht 〔herabgesetzt〕 werden.

지육(智育) die intellektuelle Erziehung; die verstandesmäßige Ausbildung.

지은이 Autor *m.* -s, -en; Schreiber *m.* -s, -.

지인(知人) der Bekannte*, -n, -n; Bekanntschaft *f.* -en 《총칭》.

지자(智者) der Weise* 〔Einsichtige*〕 -n, -n; der Mann von Weisheit 〔Einsicht〕.

지자기(地磁氣) Erdmagnetismus *m.* -.

지장(支障) 《장애》 Verhinderung *f.* -en; Behinderung *f.* -en; 《곤란》 Beschwerde *f.* -n; 《불편》 Unannehmlichkeit *f.* -n; 《해》 Übel *n.* -s, -. ¶ ~이 있다 Hindernis 〔Schwierigkeiten〕 haben.

지장(指章) Daumen·siegel *n.* -s, - 〔-abdruck *m.* -(e)s, ¨e〕. ¶ ~을 찍다 mit e-m Daumenabdruck siegeln[4] 〔stempeln[4]〕.

지저귀다 singen*; zwitschern 《종달새·제비·참새 따위》. ¶ 참새처럼 ~ schwatzen wie ein Sperling.

지저분하다 《어수선하다》 unordentlich (sein); 《더럽다》 schmutzig 〔dreckig; beschmutzt〕 (sein). ¶ 지저분한 길 die staubige 〔schmutzige〕 Straße, -n.

지적(地積) Flächen·inhalt *m.* -(e)s, -e 〔-raum *m.* -(e)s, ¨e〕; Areal *n.* -(e)s, -e. ‖ ~ 측량 Landmessung *f.* -en.

지적(地籍) Kataster *m.* -s, -; Grundbuch *n.* -(e)s, ¨er. ‖ ~도 Katasterkarte *f.* -n.

지적(知的) intellektuell; geistig. ¶ ~ 생활 das intellektuelle Leben, -s.

지적하다(指摘—) hin|weisen*《*auf*[4]》; an|geben*[4]. ¶ 잘못을 ~ *js.* Fehler hervor|heben*.

지전(紙錢) Papiergeld *n.* -es, -er; Geldschein *m.* -(e)s, -e.

지점(支店) Zweig·geschäft *n.* -(e)s, -e 〔-anstalt *f.* -en; -niederlassung *f.* -en〕. ¶ ~을 내다 ein Zweiggeschäft eröffnen. ‖ ~장 der Geschäftsführer e-s Zweiggeschäft(e)s.

지점(支點) 〖物〗 Stütz〔Dreh〕punkt *m.* -(e)s, -e.

지점(地點) Örtlichkeit *f.* -en; Ort *m.* -(e)s, -e. ¶ 유리한 ~ die vorteilhafte Stelle, -n.

지정(指定) Bestimmung 〔Designation〕 *f.* -en. ~하다 bestimmen[4]; an|ordnen[4]. ‖ ~석 der reservierte Platz, -es, ¨e / ~ 시간 die festgesetzte Zeit, -en / ~ 장소 die bezeichnete Stelle, -n.

지정학(地政學) Geopolitik *f.* ¶ ~상〔적〕 geopolitisch.

지조(地租) Grundsteuer *f.* -n; die Steuer auf [4]Grundbesitz.

지조(志操) Gesinnung *f.* -en; Grundsatz *m.* -es, ¨e 《주의》. ¶ ~가 굳은 사람 ein Mann mit Grundsätzen 〔Prinzipien〕.

지족(知足) ~하다 zufrieden sein 《*mit*[3]》.

지존(至尊) Hoheit *f.*; Erhabenheit *f.*; S-e Majestät.

지주(支柱) Stutz·pfeiler *m.* -s, - 〔-stange *f.* -n〕; Stutzsäule *f.* -n 《원주》.

지주(地主) Grund(stück)besitzer *m.* -s, -; Gutsbesitzer. ‖ ~ 계급 die grundbesitzende Klasse, -n / 부재 ~ der abwesende Grundbesitzer.

지주(持株) ‖ ~회사 Dachgesellschaft *f.* -en.

지중(地中) ¶ ~에 unter der Erde / ~의 unterirdisch. ‖ ~선(線) Untergrundkabel *n.* -s, - / ~ 온도 Bodentemperatur *f.* -en.

지중해(地中海) Mittelmeer *n.* -(e)s; das Mittelländische Meer, -(e)s.

지지(支持) Unterstützung *f.* -en; Beistand *m.* -(e)s, ¨e 《조력》. ~하다 unterstützen[4]; bei|stehen*[3]. ¶ 국민의 ~를 얻다 die Unterstützung des Volkes bekommen* 〔haben〕. ‖ ~자(者) Unterstützer *m.* -s, -; der Beistehende*, -n, -n.

지지학(地誌學) Topographie *f.* -n.

지지난달 der vorletzte 〔vorvorige〕 Monat, -(e)s.

지지난밤 der vorgestrige Abend, -s.

지지난번(—番) das vorletzte Mal, -(e)s.

지지난주(—週) die vorletzte 〔vorvorige〕 Woche.

지지난해 das vorletzte 〔vorvorige〕 Jahr, -(e)s.

지지다 ① 《끓이다》 schmoren[4]. ¶ 생선을 ~ den Fisch kochen. ② 《지짐질》 in der Pfanne braten*[4]. ③ 《인두 따위로》 aus|brennen*[4]; weg|ätzen[4]; 《머리 따위를》 kräuseln[4]; locken[4]. ¶ 머리를 ~ Haare kräuseln.

지지르다 ① 《내리누르다》 beschweren[4]; pressen[4]. ¶ 돌로 ~ mit e-m Stein beschweren. ② 《기운을》 nieder|ringen*[4]; ein|schüchtern[4].

지지리 schrecklich; fürchterlich. ¶ ~도 못나다 《얼굴이》 sehr häßlich sein; 《태도가》 wirklich dumm sein / ~ 고생하다 in großer Not leben 〔sein〕.

지지부진(遲遲不進) ~하다 nur lungsume Fortschritte (*pl.*) machen.

지지하다 《시시하다》 ärmlich 〔wertlos〕 (sein). ¶ 지지한 소리를 하다 dummes Zeug reden.

지진(地震) Erdbeben *n.* -s, -; Erdstoß *m.* -es, ¨e; 《미진》 das kleine 〔leichte〕 Erdbeben. ¶ ~이 일어나다 von e-m Erdbeben heimgesucht werden. ‖ ~계 Seismo·meter *n.*〔*m.*〕 -s, -〔-graph *m.* -en, -en〕 / ~대 Erdbebenzone *f.* -n.

지질(地質) Bodennatur *f.*; der Bau der Erde. ‖ ~학 Geologie *f.*; Erdkunde *f.*

지질(紙質) die Qualität des Papiers.

지질리다 《무게로》 zerquetscht werden; 《기가》 den Mut verlieren*. ¶ 공포에 ~ von Grauen ergriffen werden.

지질하다 《싫증나다》 langweilig 〔ermüdend〕 (sein); 《변변치 못하다》 wertlos 〔nichtsnutzig; miserabel〕 (sein). ¶ 지질한 녀석 Taugenichts *m.* -(es), -e.

지짐이 Schmorgericht *n.* -(e)s, -e. ¶ 고기 ~ das gedünstetes Fleisch, -es; Schmorfleisch *n.* -es.

지짐질하다 Pfannkuchen machen; [4]*et.* in der Pfanne backen* 〔braten*〕.

지참(持參) ~하다 mit|bringen*[4]; mit|führen[4]; mit|nehmen*[4]. ‖ ~금 Mitgift *f.* -en; Aussteuer *f.* -n / ~인 Überbringer *m.* -s, -; Inhaber *m.* -s, - 《어음 등의》.

지참(遲參) ~하다 mit Verspätung an|kommen*; [4]sich verspäten; unpünktlich sein. ‖ ~자 jemand, der sich verspätet hat.

지척(咫尺) Katzensprung *m.* -(e)s, ¨e. ¶ ~을 분간할 수 없이 어둡다 Es ist stockfinster.

지척거리다 《걸음을》 mühsam stapfen; [4]sich schleppen.

지청(支廳) Zweigamt *n.* -(e)s, ¨er; Zweig〔Neben〕stelle e-s Amtes.

지체 Abstammungsreihe *f.* ¶ ~가 높다 〔낮다〕 von edler 〔niedriger〕 Abstammung sein.

지체(肢體) die Glieder (*pl.*); die Gliedmaßen (*pl.*). ¶ ~가 부자유한 lahm; verkrüppelt; krüppelhaft.

지체(遲滯) Verzögerung *f.* -en. ~하다

zögern; ^{4}sich verzögern 〔verspäten〕. ¶~없이 ohne ^{4}Verzug; unverzuglich.

지축(地軸) Erdachse *f*. -n.

지출(支出) Aus·gabe 〔-lage〕 *f*. -n; die Kosten (*pl.*) 《비용》. ~하다 aus|geben*^{4} 〔-|legen^{4}〕; auf|wenden*^{4}; die Kosten bestreiten*. ‖예산외 ~ die im Budget unvorhergesehenen Ausgaben (*pl.*) / 특별 ~ die außerordentliche Ausgabe.

지층(地層) Erd〔Gesteins〕schicht *f*. -en; Lagerung *f*. -en.

지치 〖植〗 Steinsamen *m*. -s, -.

지치다^{1} 《피로하다》 müde 〔matt〕 werden; ermüden; ermatten. ¶나는 지칠 대로 지쳤다 Ich bin so müde.

지치다^{2} 《얼음을》 schlittern; gleiten*; 《문을》 《Tür》 nur zu|machen, ohne sie zu verriegeln. ¶얼음을 ~ eis|laufen*.

지침(指針) 《바늘》 Kompaßnadel *f*. -n; (An)zeiger *m*. -s, -; 《길잡이》 Führer *m*. -s, -; Anleitung 〔Anweisung〕 *f*. -en. ¶생애의 ~ Lebensprinzip *n*. -s, -ien. ‖수험 ~서 Handbuch für die Prüfung.

지칭(指稱) ~하다 meinen^{4} 《*mit*^{3}》; an|spielen 《*auf*^{4}》 《넌지시》.

지키다 ① 《살피다》 wachen 《*über*^{4}》; Wache halten* 《*über*^{4}》; 《호위》 beschützen^{4}; bewachen^{4}; 《보호》 (be)schirmen^{4}; 《방어》 ab|wehren^{4}. ¶양떼를 ~ Schafherde bewachen / 나라를 ~ das Land (gegen den Feind) verteidigen. ② 《준수하다》 gehorchen^{3}; folgen^{3}. ¶중립을 ~ neutral bleiben* / 약속을 ~ sein Versprechen halten*.

지탄(指彈) ~하다 schnippen; schnipsen; 《배척하다》 in ^{4}Verruf bringen*^{4} 〔erklären^{4}〕. ¶~을 받다 in ^{4}Verruf geraten* 〔kommen*〕.

지탱하다(支撐—) ^{4}sich halten*; aus|halten*^{4}; aus|dauern. ¶건강을 지탱해 나가다 die Gesundheit erhalten*.

지통(止痛) Schmerzlinderung *f*. ~하다 Schmerzen lindern. ‖~제 schmerzstillendes Mittel, -s, -.

지파(支派) Zweig e-r Familie; Sippschaft *f*. -en.

지팡이 Stock *m*. -(e)s, ¨e; Stecken *m*. -s, -. ¶~를 짚고 걷다 am Stock gehen*. ‖대나무〔등나무〕 ~ Bambus〔Rohr〕stock / 산책용 ~ Spazierstock.

지퍼 Reißverschluß *m*. ..schlusses, ..schlüsse.

지편(紙片) Zettel *m*. -s, -.

지평(地平) Horizont *m*. -(e)s, -e. ‖~면 Horizontalebene *f*. -n.

지평선(地平線) Horizont *m*. -(e)s, -e; Horizontallinie *f*. -n. ¶~상에 über 〔auf〕 der Horizontallinie.

지폐(紙幣) Geldschein *m*. -(e)s, -e; Papiergeld *n*. -(e)s; Banknote *f*. -n 《은행권》. ‖~ 발행 die Ausgabe von Papiergeld 〔Banknoten〕 / 백원 짜리 ~ Hundert-*Won*-Schein / 태환 ~ das konvertierbare Papiergeld.

지표(地表) Erdoberfläche *f*.

지표(指標) 《표지》 Kennzeichen *n*. -s, -; 〖數〗 Kennziffer *f*. -n.

지푸라기 ein Stückchen Strohhalm *m*. -(e)s, -e.

지프 《차》 Jeep *m*. -s, -s.

지피다^{1} 《불을》 verbrennen*^{4}; entbrennen* 〔erglühen〕 lassen*^{4}. ¶장작을 ~ mit Holz heizen 〔feuern〕.

지피다^{2} 《예감이 들다》 ¶마음에 지피는 데가 있다 e-e Ahnung haben 《*von*^{3}》; ^{4}*et*. zufällig wissen*.

지필묵(紙筆墨) Papier, Pinsel u. Tusche.

지하(地下) Untergrund *m*. -(e)s, ¨e. ~의 unterirdisch; unter der Erde. ¶~로 잠복하다 unter die Erde tauchen. ‖~도 der unterirdische Gang, -(e)s, ¨e / ~수 Grund〔Unter〕wasser *n*. -s / ~ 실험 《핵(核)무기의》 ein unterirdischer Versuch, -(e)s, -e / ~ 자원 die unterirdische Hilfsquelle, -n / ~ 조직 Untergrundorganisation *f*. -en / ~철 Untergrundbahn 〔U-bahn〕 *f*. -en.

지학(地學) die physikalische Geographie.

지함(紙函) Karton *m*. -s, -s.

지핵(地核) Erdkern *m*. -(e)s.

지향(志向) ~하다 zielen 《*auf*^{4}》; bezwecken^{4}; streben 《*nach*^{3}》.

지향(指向) ~하다 Richtung nehmen*; ^{4}sich wenden 《*an*^{4}》. ¶~없이 ziellos; blindlings. ‖~성 안테나 Peilrahmen *m*. -s, -; Peilantenne *f*. -n.

지혈(止血) ~하다 Blut stillen. ‖~대 Aderpresse *f*. -n.

지협(地峽) Landenge *f*. -n; Isthmus *m*. -, ..men.

지형(地形) Boden·gestalt 〔-gestaltung; -beschaffenheit〕 *f*. -en. ¶~의 기복 Bodenfalte *f*. -n.

지형(紙型) 〖印〗 Matrize 〔Mater〕 *f*. -n.

지혜(智慧) Weisheit 〔Einsicht; Gescheitheit〕 *f*. -en. ¶~ 있는 weis(e); einsichtig; gescheit.

지호(指呼) ¶~지간에 있다 in Rufweite 〔Hörweite〕 sein.

지휘(指揮) Führung *f*. -en; 《명령》 Befehl *m*. -(e)s, -e. ~하다 führen^{4}; befehligen^{4}; kommandieren^{4}; 〖樂〗 dirigieren^{4}. ‖~관(官) Befehlshaber *m*. -s, - / ~봉 Dirigent〔Takt〕stock *m*. -(e)s, ¨e / ~자 Führer *m*. -s, -; 〖樂〗 Dirigent *m*. -en, -en.

직(職) Amt *n*. -(e)s, ¨er 《관직·공직》; Posten *m*. -s, -; Beruf *m*. -(e)s, -e 《직업》. ‖자유직 der freie Beruf.

직각(直角) der rechte Winkel, -s, -. ‖~ 삼각형 das rechtwink(e)lige Dreieck, -(e)s, -e(n).

직각(直覺) Intuition *f*. -en. ~하다 intuitiv 〔unmittelbar〕 erfassen^{4}. ‖~력 die intuitive Kraft, ¨e.

직간(直諫) die unverblümte Vorhaltung, -en. ~하다 vor|halten*^{34}, indem man kein Blatt vor den Mund nimmt.

직감(直感) Intuition *f*. -en. ~하다 unmittelbar spüren^{4}. ¶~적으로 intuitiv / ~으로 알다 durch Intuition wissen*^{4}.

직거래(直去來) das unmittelbare Geschäft, -(e)s, -e.

직격(直擊) die direkte Beschießung, -en; die volle Bombadierung, -en. ‖~탄 der direkte Treffer, -s, -.

직결(直結) die unmittelbare Koppelung 〔Verbindung〕. ~하다 unmittelbar verbinden*⁴ 《*mit*³》. ¶ ~되다 unmittelbar verbunden werden.

직경(直徑) 〔數〕 Durchmesser *m.* -s, -; Diameter *m.* -s, -. ¶ ~ 5미터이다 fünf Meter im Durchmesser sein.

직계(直系) die direkte 〔gerade〕 Linie 〔Abkunft〕. ‖ ~ 존속〔비속〕 der Vorfahr 〔Nachkomme〕 in gerader Linie.

직계(職階) Rang·ordnung *f.* -en 〔-stufe *f.* -n〕; Dienstgrad *m.* -(e)s, -e.

직고(直告) ~하다 wahrheitsgemäß informieren⁴ 〔sagen⁴〕.

직공(職工) Arbeiter *m.* -s, -; Handwerker *m.* -s, -. ‖ 공장 ~ Fabrikarbeiter.

직관(直觀) Intuition *f.* -en. ~하다 intuitiv erkennen*⁴ 〔erfassen⁴〕. ¶ ~적인 〔적으로〕 intuitiv.

직구(直球) 〔野〕 der gerade-kommende Ball, -(e)s, ⁻e.

직권(職權) Amts·gewalt *f.* 〔-befugnis *f.* -se〕; Autorität *f.* -en. ¶ ~에 의해서 von ²Amts wegen / ~을 행사〔남용〕하다 sein Amt aus|üben 〔mißbrauchen〕. ‖ ~ 남용 Amtsmißbrauch *m.* -(e)s, ⁻e.

직녀(織女) Weberin *f.* -nen; 〔天〕 Wega *f.* 《별》.

직능(職能) Funktion *f.* -en. ‖ ~급 der Lohn nach der Funktion / ~ 대표 Berufsvertretung *f.* -en.

직답(直答) 《즉답(卽答)》 die unverzügliche Antwort, -en; 《직접 답변》 die persönliche Antwort. ~하다 die bereitwillige 〔sofortige〕 Antwort geben*.

직렬(直列) 〔物〕 Reihe 〔Serie〕 *f.* -n. ‖ ~접속 〔電〕 Reihenschaltung *f.* -en.

직류(直流) 〔電〕 Gleichstrom *m.* -(e)s, ⁻e.

직매(直賣) Direktverkauf *m.* -(e)s, ⁻e; der Verkauf ohne Zwischenhandel. ~하다 direkt an Verbraucher verkaufen⁴. ‖ ~점 Großhandlung *f.* -en.

직면(直面) ~하다 entgegen|sehen*〔-|treten*〕³. ¶ 죽음에 ~하다 dem Tode gegenüber|stehen*.

직명(職名) amtlicher Titel, -s, -.

직무(職務) Amt *n.* -(e)s, ⁻er; Dienst *m.* -es, -e. ¶ ~를 수행하다 sein Amt aus|üben / ~를 대행하다 (stellvertretend) amtieren 《für *jn.*》. ‖ ~ 규정 Amts〔Dienst〕vorschrift *f.* -en / ~태만 Pflichtversäumnis *f.* -se.

직물(織物) Gewebe *n.* -s, -; Webwaren (*pl.*). ‖ ~상 Tuch〔Zeug〕händler *m.* -s, -.

직분(職分) e-e (berufliche; amtliche) Pflicht, -en. ¶ 자기의 ~을 다하다 s-e Pflicht tun*.

직사(直射) 《광선의》 die unmittelbaren (Sonnen)strahlen (*pl.*); 《사격의》 Flachfeuer *n.* -s, -. ~하다 prallen 《*auf*⁴》; gerade ins Ziel schießen*. ‖ ~포(砲) Flachfeuergeschütz *n.* -es, -e.

직사각형(直四角形) Recht〔Langvier〕eck *n.* -(e)s, -e.

직선(直線) die gerade Linie, -n. ‖ ~거리 die gerade Entfernung, -en / ~코스 die gerade Laufbahn, -en.

직설법(直說法) 〔文〕 Indikativ *m.* -s, -e; Wirklichkeitsform *f.* -en.

직성풀리다(直星—) zufrieden sein; befriedigt sein. ¶ 직성이 풀리지 않다 unzufrieden sein.

직소(直訴) ~하다 e-e Petition direkt ein|reichen 《bei *jm.*》.

직속(直屬) ~하다 direkt unter *js.* Befehle stehen*. ‖ ~ 부하 ein Untergeordneter unter direkter Kontrolle.

직송(直送) die sofortige 〔direkte〕 Lieferung, -en.

직수굿하다 gelehrig 〔zurückhaltend; gehorsam〕 (sein).

직수입(直輸入) die unmittelbare Einfuhr, -en. ~하다 direkt ein|führen⁴ 〔importieren⁴〕. ‖ ~품 der direkt eingeführte Artikel, -s, -.

직수출(直輸出) die unmittelbare Ausfuhr, -en. ~하다 direkt aus|führen⁴ 〔exportieren⁴〕.

직시(直視) das direkte Sehen*, -s. ~하다 gerade ins Gesicht 〔Auge〕 sehen*⁴ 〔schauen³〕. ¶ 현실을 ~하다 der ³Wirklichkeit gerade ins Gesicht sehen*.

직언(直言) ~하다 ⁴sich (offen) aus|sprechen* 《mit *jm.* *über*⁴》; kein Blatt vor den Mund nehmen*.

직업(職業) Beruf *m.* -(e)s, -e; Gewerbe *n.* -s, -; 《영업》 Geschäft *n.* -(e)s, -e; 《일》 Beschäftigung *f.* -en; 《전문적》 Profession *f.* -en. ¶ ~을 구하다 (e-e) Arbeit suchen; ⁴sich um e-e Stellung bewerben* / ~을 바꾸다 e-n anderen Beruf ergreifen*. ‖ ~ 교육 Berufsausbildung *f.* -en / ~ 군인 Berufssoldat *m.* -en, -en / ~병 Berufskrankheit *f.* -en / ~ 선수 Berufssportler *m.* -s, -; Profi *m.* -s, -s / ~ 여성 e-e berufstätige Frau, -en / ~학교 Berufsschule *f.* -n.

직업적(職業的) beruflich. ¶ 반~ halbberuflich.

직역(直譯) die wörtliche 〔buchstäbliche; wortgenaue〕 Über·setzung 〔-tragung〕 -en. ~하다 wörtlich übersetzen.

직영(直營) ~하다 direkt verwalten 〔leiten; führen; betreiben〕. ¶ 정부의 ~ 사업 die Unternehmung unter direkter Regierungsverwaltung.

직원(職員) Personal *n.* -s, -e 《전체》; Beamte *m.* -n, -n 《관리》; Lehrer *m.* -s, - 《교원》. ‖ ~실 Lehrerzimmer *n.* -s, - / ~ 회의 Lehrersitzung *f.* -en.

직유(直喩) 〔修〕 Gleichnis *n.* -ses, -se; Vergleich *m.* -(e)s, -e.

직인(職印) Amtssiegel *n.* -s, -; 《정부의》 das Siegel der Regierung.

직임(職任) Berufspflicht.

직장(直腸) 〔解〕 Mastdarm *m.* -(e)s, ⁻e; Intestinum rectum.

직장(職場) Arbeits·platz *m.* -es, ⁻e 〔-stätte *f.* -n〕. ¶ ~을 얻다 〔그만두다〕 e-e Stellung finden* 〔auf|geben*〕.

직전(直前) ~에 kurz 〔eben; gerade〕 vor³; im letzten Augenblicke.

직접(直接) Unmittelbarkeit 〔Unvermitteltheit〕 *f.* -en. ~의 direkt; unmittelbar; unvermittelt. ¶ ~ 전달하다 direkt 〔persönlich〕 übermitteln⁴. ‖ ~선거 die direkte 〔unmittelbare〕 Wahl.

직제(職制) Büroorganisation *f.* ¶ ~를

개편하다 die Büro·organisation 〔-regelung〕 revidieren.
직조(織造) ～하다 weben(*)4; verweben*(4). ‖ ～기 Webstuhl *m.* -es, ⸚e.
직종(職種) Berufsart *f.* -en. ¶ ～ 별로 nach Berufsarten.
직진(直進) ～하다 geradeaus gehen* 〔marschieren; vor|dringen*〕.
직책(職責) Amts〔Dienst〕pflicht *f.* -en. ¶ ～을 완수하다 e-e Pflicht erfüllen. ‖ ～ 수당 Stellenzuschuß *m.* ..usses, ..üsse.
직통(直通) ～하다 e-e direkte Verbindung haben; durch|gehen* 〔-|laufen*〕. ‖ ～ 열차 F(ern)-D-Zug *m.* -(e)s, ⸚e / ～ 전화 direkte (Telephon)verbindung.
직할(直轄) direkte Kontrolle, -n. ～하다 direkt kontrollieren4; direkte Oberaufsicht führen (*über*4). ‖ ～시 die von der Regierung direkt kontrollierte Stadt, ⸚e / ～식민지 Kronkolonie *f.* -n.
직함(職銜) Amtsbezeichnung *f.* -en.
직항(直航) ～하다 direkt fahren* (*nach*3). ‖ ～로 die direkte Linie, -n (공로).
직행(直行) ～하다 durch|gehen* 〔-|fahren*〕. ‖ ～ 열차(列車) F(ern)-D-Zug *m.* -(e)s, ⸚e / ～ 버스 direkte (Bus) linie, -n.
직활강(直滑降) 〖스키〗 Schußfahrt *f.* -en. ～하다 schuß|fahren*.
직후(直後) ¶ ～의〔에〕 unmittelbar 〔sofort; gleich〕 nach3 / 전쟁 ～에 gleich nach dem Krieg.
진(津) (나무의) Harz *n.* -es, -e; Gummi *n.* -s, -s; (담배의) Nikotin *n.* -s; Teer *m.* -(e)s, -e. ¶ 송진 Kienharz *m.* / 진이 나다 Harz aus|schwitzen.
진(陣) (진형) Schlacht·ordnung *f.* -en 〔-linie *f.* -n〕; (진영) Feld〔Heer〕lager *n.* -s, -; (진지) Stellung *f.* -en. ¶ 진을 치다 (4sich) lagern; e-e Stellung beziehen*.
진 (술) Gin *m.* -s, -s; Wacholderbranntwein *m.* -(e)s, -e.
진가(眞假) Echtheit u. 〔od.〕 Falsch.
진가(眞價) der wahre Wert, -(e)s, -e; die wirkliche Bedeutung, -en. ¶ ～를 인정하다 *js.* wahre Wert an|erkennen.
진갑(進甲) der 61ste Geburtstag, -(e)s, -e. ‖ ～ 잔치 die große Feier am 61. Geburtstag.
진객(珍客) der seltene u. willkommene Gast, -es, ⸚e.
진걸레 der nasse Lappen, -s, -.
진격(進擊) (진군) das Vorrücken*, -s; An〔Vor〕marsch *m.* -es, ⸚e; (공격) Angriff *m.* -(e)s, -e; Attacke *f.* -n. ～하다 an〔vor〕|marschieren; vor|rücken. ‖ ～ 명령 Angriffsbefehl *m.* -s, -e.
진공(眞空) 〖物〗 ein luftleerer Raum, -(e)s, ⸚e; Vakuum *n.* -s, ..kua. ‖ ～관 Vakuumröhre *f.* -n / ～ 방전 Vakuumentladung *f.* -en / ～ 청소기 Vakuumreiniger *m.* -s, - / ～ 펌프 Vakuumpumpe *f.* -n.
진구렁 die schlammige Höhle, -n; das sumpfige Land, -(e)s; (곤경) Klemme *f.* -n. ¶ ～에 빠지다 in e-n Sumpf fallen*.
진국(眞―) (전국) unverdünnte Flüssigkeit, Sojasoße *usw.*; (사람) der ehrliche Mensch, -en, -en.
진군(進軍) das Vorrücken*, -s; An〔Vor〕marsch *m.* -es, ⸚e. ～하다 vor|rücken; an|marschieren.
진귀(珍貴) ～하다 kostbar 〔köstlich; selten vorhanden; edel〕 (sein).
진급(進級) Versetzung *f.* -en (학생의); Beförderung *f.* -en (공무원 등의). ～하다 versetzt 〔befördert〕 werden. ‖ ～ 시험 Versetzungsprüfung *f.* -en.
진기(珍奇) ～하다 seltsam 〔merkwürdig; sonderbar; rar〕 (sein). ¶ ～한 듯이 neugierig; mit Neugierde.
진날 Regentag *m.* -(e)s, -e; nasses Wetter, -s.
진노(震怒) ～하다 zornig 〔wütend〕 werden (*über*4).
진눈깨비 Schlack *m.* -(e)s; Schneeregen *m.* -s, -. ¶ ～가 온다 Es schlack(er)t.
진단(診斷) 〖醫〗 Diagnose *f.* -n. ～하다 e-e Diagnose stellen; diagnostizieren. ‖ ～서(書) das ärztliche Zeugnis, -ses, -se / 건강 ～ Gesundheitsuntersuchung *f.* -en / 조기 ～ die frühe Diagnose, -n.
진달래 〖植〗 Azalee *f.* -n; Azalie *f.* -n.
진담(眞談) ein ernstes Gespräch; e-e ernste Sache 〔Meinung〕. ¶ 농담이 ～ 된다 Aus Scherz wird Ernst.
진대붙이다 belästigen4; quälen4; an|betteln4.
진도(進度) Fortschritt *m.* -(e)s, -e. ‖ ～표 Lehrplan *m.* -(e)s, ⸚e.
진도(震度) die Stärke des Erdbebens; Erdbebenstärke *f.*
진동 Ärmelloch *n.* -(e)s, ⸚er; Armausschnitt *m.* -(e)s, -e.
진동(振動) 〖物〗 Schwingung *f.* -en; Oszillation *f.* -en. ～하다 schwingen*; oszillieren; vibrieren. ‖ ～계 Schwingungsmesser *m.* -s, -.
진동(震動) das Beben* 〔Zittern*〕 -s; Vibration *f.* -en. ～하다 (er)beben; (er-) zittern. ‖ ～파(波) die Welle des Erdbebens.
진두(陣頭) ¶ ～에 서다 an der Spitze des Heeres stehen* / ～ 지휘하다 das Steuer führen.
진드기 〖動〗 Zecke *f.* -n. ¶ ～ 같은 사람 Klette *f.* -n; der lästige Anhänger, -s, -.
진득거리다 dickflüssig 〔zäh; klebrig〕 sein; (검질기다) hartnäckig〔halsstarrig; widerspenstig〕 sein.
진득이 geduldig; nachsichtig; langmütig; gelassen.
진득하다 geduldig 〔gelassen; gesetzt〕 (sein).
진디 〖蟲〗 Blattlaus *f.* ⸚e. ‖ 진딧물 Nest der Blattläuse.
진땀(津―) Angstschweiß *m.* -es, -e. ¶ ～을 빼다 in Angstschweiß kommen* 〔geraten*〕.
진력(盡力) ～하다 4sich bemühen (*für*4; *mit*3; *um*4); 4sich an|strengen. ¶ 그의 ～으로 dank s-n Bemühungen.
진로(進路) Kurs *m.* -es, -e; Richtung *f.* -en. ¶ ～를 정하다 den Kurs 4an|geben* 〔setzen; stellen〕.
진료(診療) Behandlung *f.* -en. ～하다

ärztlich behandeln[4]. ¶ ~를 받다 behandelt werden. ‖ ~소 Klinik *f.* -en.

진리(眞理) Wahrheit *f.* -en. ¶ ~를 찾다 die Wahrheit suchen / 만고 불변의 ~ die ewige Wahrheit.

진맥(診脈) ~하다 den Puls fühlen.

진면목(眞面目) ¶ ~을 발휘하다 s-n wahren Charakter zeigen.

진멸(殄滅) ~하다 vernichten[4]; aus|tilgen[4]; aus|rotten[4].

진묘(珍妙) ~하다 seltsam 〔sonderbar; grotesk〕 (sein).

진무르다 [4]sich entzünden 《염증을 일으키다》; eitern 《곪다》.

진물 Wundsekret *n.* -(e)s, -e; aus der Wunde sickernde Flüssigkeit, -en.

진미(珍味) Leckerbissen *m.* -s, -; Delikatesse *f.* -n. ¶ 산해 ~를 먹다 e-e kostbare 〔luxuriöse〕 Mahlzeit halten*.

진미(眞味) 《참맛》 der wahre Geschmack, -s; 《진짜 좋음·즐거움》 Clou *m.* -s, -s; Ekstase *f.* -n. ¶ 낚시의 ~ der Clou 〔der wahre Genuß〕 des Angelns.

진배없다 ebenso wie; so gut wie. ¶ 죽은 거나 ~ so gut wie tot sein.

진버짐 〔漢醫〕 Ekzem *n.* -s, -e; nässende Flechte, -n.

진범(眞犯) der wirkliche Verbrecher 〔Täter〕, -s, -; der wahre Schuldige, -n, -n.

진보(進步) Fortschritt *m.* -(e)s, -e; 《발전》 Entwicklung *f.* -en. ~하다 Fortschritte machen 《*in*[3]》; fort|schreiten* 《*in*[3]》. ¶ ~적 fortschrittlich; progressiv.

진본(珍本) das seltene 〔rare〕 Buch, -(e)s, ..er; das wertvolle Buch.

진부(眞否) 《진위》 Wahrheit u. Falschheit; Wahrheit *f.* -en 《진상》. ¶ ~를 확인하다 die Wahrheit 〔Richtigkeit〕 e-r Sache nach|prüfen.

진부(陳腐) ~하다 abgestanden 〔abgeblaßt; abgedroschen; abgegriffen; banal〕 (sein).
¶ ~한 생각 e-e altmodische Idee, -n.

진사(陳謝) ~하다 [4]sich entschuldigen 《bei *jm. wegen*[2]》.

진상(眞相) Wahrheit *f.* -en; der wahre Sachverhalt, -(e)s. ¶ ~을 밝히다 *jm.* die Wahrheit enthüllen. ‖ ~ 조사단 Tatsachen-Untersuchungskomission *f.* -en.

진상(進上) dem König gereichte Schenkung, -en. ~하다 dem König [3]*et.* als Geschenk überreichen; 《뇌물을》 *jn.* bestechen*.

진선미(眞善美) das Wahre, das Gute u. 〔das Schöne.〕

진성(眞性) 《천성》 die geborene Natur; 〔醫〕 Echtheit *f.* -en. ‖ ~ 뇌염 die echte Gehirnentzündung, -en / ~ 콜레라 die echte Cholera.

진솔 die funkelnagelneue Kleidung.

진수(珍羞) Delikatesse *f.* -n. ‖ ~ 성찬 Leckerbissen *m.* -s, -.

진수(眞髓) das Wesentlich(st)e*, -n; der feinste Auszug, -(e)s, ..e. ¶ 기독교의 ~ der Geist des Christentums.

진수(進水) 〔海〕 Stapellauf *m.* -(e)s, ..e; Ablauf *m.* -(e)s, ..e. ¶ 배를 ~시키다 ein Schiff vom Stapel lassen*. ‖ ~식 Taufe *f.* -n.

진술(陳述) Darlegung *f.* -en; Angabe *f.* -n. ~하다 dar|legen[4]; an|geben*[4]; aus|sagen[4]; gestehen*[4]. ¶ 허위 ~을 하다 e-e falsche Äußerung tun*. ‖ ~서 das Darlegungsschreiben*, -s; die schriftliche Aussage, -n.

진실(眞實) Wahrheit *f.* -en; Wirklichkeit *f.* -en. ¶ ~로 wahrhaftig; wirklich; tatsächlich / ~을 말하다〔알다〕 die Wahrheit reden 〔erfahren*〕.

진실성(眞實性) Treue *f.*; Genauigkeit *f.*; Wahrheit *f.* -en.

진심(眞心) das wahre Herz, -ens, -en; Treue *f.*; Aufrichtigkeit *f.* ¶ ~으로 treuherzig; aus tiefstem 〔von ganzem〕 Herzen / ~을 토로하다 sein inneres Herz aus|schütten.

진압(鎭壓) Niederkämpfung *f.* -en; Bekämpfung *f.* -en. ~하다 nieder|kämpfen[4]; bekämpfen[4]. ¶ 폭동을 ~하다 e-n Aufruhr 〔Aufstand〕 unterdrücken.

진애(塵埃) Abfall *m.* -(e)s, ..e; Asche *f.* -n 《탄재》; Staub *m.* -(e)s, -e.

진액(津液) Harz *n.* -es, -e; Kolophonium *n.* -s.

진언(進言) Rat *m.* -(e)s, -schläge 《조언》; Vorschlag *m.* -(e)s, ..e 《제안》; Warnung *f.* -en 《충고》. ~하다 raten*[4]; Rat geben*[3]; vor|schlagen*[34].

진역(震域) Korea *n.* -s.

진열(陳列) Aus〔Auf; Schau〕stellung *f.* -en. ~하다 aus〔auf〕|stellen[4]; aus|legen[4]. ‖ ~관 Museum *n.* -s, ..seen; Galerie *f.* -n / ~품 das Ausgestellte*, -n.

진영(眞影) das wahre Bild, -(e)s, -er; das wahre Bildnis, -ses, -se.

진영(陣營) (Feld)lager 〔Heerlager〕 *n.* -s, -; Quartier *n.* -s, -e. ‖ 민주 ~ die demokratische Anhänger.

진용(陣容) ¶ ~을 정비하다 die Truppe in Schlachtordnung auf|stellen.

진원(震源) 《지진의》 Epizentrum *n.* -s, ..tren; Erdbebenherd. *m.* -(e)s, -e. ‖ ~지 Erdbebenzentrum *n.* -s, ..tren.

진위(眞僞) ¶ …의 ~를 밝히다 die Echtheit 〔Wahrheit〕 von [3]*et.* erprüfen.

진의(眞意) die wirkliche Absicht, -en 《의도》; der wahre 〔eigentliche〕 Beweggrund, -(e)s, ..e. ¶ 그렇게 말하는 ~는 무엇일까 Was meint er wohl damit?

진일 《부엌 일》 Küchenarbeit *f.* -en; 《빨래》 das Waschen*, -s.

진입(進入) 〔軍〕 Einmarsch *m.* -es, ..e; Einzug *m.* -(e)s, ..e. ~하다 ein|marschieren 〔-|ziehen*〕 《*in*[4]》.

진자(振子) 〔物〕 Pendel *m.* 〔*n.*〕 -s, -. ‖ ~ 시계 Pendeluhr *f.* -en.

진작 (schon) längst; schon; bereits; 《벌써》 schon lange; früher. ¶ ~ 갔어야 했었다 Du solltest schon früher gegangen sein.

진작(振作) Anregung *f.* -en; Belebung *f.* -en. ~하다, ~시키다 an|regen[4]; beleben[4]; ermuntern[4].

진재(震災) Erdbebenkatastrophe *f.* -n.

¶～를 당하다 〔겪다〕 e-e Erdbebenkatastrophe erleiden*.

진저리 《몸을 떠는》 Schauder *m.* -s, -. ～나다 nach dem Urinieren erschaudern. ～치다 zittern; erschrocken sein.

진저에일 《음료》 Ingwerbier *n.* -(e)s, -e.

진전(進展) (Weiter)entwicklung *f.* -en; Evolution *f.* -en. ～하다 ⁴sich (weiter|-)entwickeln.

진절머리 =진저리.

진정(眞正) ～하다 wahr 〔echt 《순수》; richtig 《올바름》; treu 《충실》〕(sein). ¶～한 사랑 die wahre Liebe.

진정(眞情) 《마음》 Ernst *m.* -(e)s; Ernsthaftigkeit *f.*; Nüchternheit *f.* ¶～이냐 Ist es Ihr Ernst?

진정(陳情) (Bitt)gesuch *n.* -(e)s, -e; Supplikation *f.* -en. ～하다 ein Gesuch ein|reichen 〔machen〕 《*bei*³ *wegen*²》; supplizieren 《*um*⁴》. ¶～을 받아들이다 ein Bittgesuch gewähren. ‖～서 Bittschrift *f.* -en; Eingabe *f.* -n; Supplik *f.* -en (～서를 제출하다 e-e Bittschrift ein|reichen 《*bei*³》).

진정(進呈) ～하다 geben*; 《선물로서》 schenken; 《봉정》 dar|bringen*⁴. ‖무료 ～ Kostenlos geliefert 〔gegeben〕!

진정하다(鎭定—) nieder|halten*⁴ 〔-|schlagen*⁴〕; hemmen⁴.

진정하다(鎭靜—) 《가라앉힘》 besänftigen⁴; zur Ruhe bringen*⁴; beruhigen*⁴; 《가라앉음》 ⁴sich besänftigen; ab|flauen; zur Ruhe kommen*. ¶마음을 ～ ⁴sich beruhigen 〔fassen〕. ‖～제 Sedativ *n.* -s, -e; Sedativum *n.* -s, ..va.

진주(眞珠) Perle *f.* -n. ¶～를 채취하다 Perlen fischen. ‖～ 목걸이 Perlen(hals)kette *f.* -n / 양식 ～ Zuchtperle *f.* -n.

진주(進駐) ～하다 ein|marschieren 《*in*⁴》; besetzen⁴ 《점령하다》. ‖～ 부대〔군〕 Besatzung *f.* -en; Besatzungs·truppe *f.* -n 〔-streitkräfte (*pl.*)〕.

진중(陣中) 〖副詞的〗 im Lager; im Feld 《전쟁터》. ‖～ 일기 Kriegstagebuch *n.* -(e)s, ⸚er.

진중하다(珍重—) 《보중함》 hoch|schätzen⁴; viel halten* 《*von*³》; 《귀중함》 wert 〔wertvoll; kostbar〕 (sein).

진중하다(鎭重—) vorsichtig 〔umsichtsvoll; bedächtig; sorgfältig〕 (sein). ¶진중한 태도를 취하다 ⁴sich vorsichtig benehmen*.

진지 Essen *n.* -s, -; Speise *f.* -n. ¶～ 드셨습니까 Haben Sie schon gegessen?

진지(陣地) 〖軍〗 Stellung 〔Position〕 *f.* -en. ‖방어 ～ Defensivstellung / 포병 ～ Artilleriestellung.

진지하다(眞摯—) *f.* ernst(haft) 〔ernstlich〕 (sein).

진진하다(津津) übersprudelnd 〔voll von³〕 (sein). ¶흥미 ～ Es ist ein unerschöpflicher Quell der Unterhaltung.

진짜 Echtheit *f.*; Unverfälschtheit *f.* ¶～ 진주 die natürliche 〔echte〕 Perle.

진찰(診察) Untersuchung *f.* -en; 《진단》 Diagnose *f.* -n. ～하다 untersuchen⁴; e-e Diagnose stellen. ¶～을 받다 ⁴sich untersuchen lassen* 《*von*³》. ‖～권 Konsultationskarte *f.*

진창 Schlamm *m.* -(e)s; Sumpf *m.* -(e)s, ⸚e. ‖～길 die matschige Straße, -n.

진척(進捗) Fort·schritt *m.* -(e)s, -e 〔-gang *m.* -(e)s〕; Lauf *m.* -(e)s. ～하다 Fortschritte machen; fort|schreiten*. ¶순조롭게 ～되다 glatt vonstatten gehen*.

진출(進出) das Vorrücken* 〔Vorschreiten*; Vorwärtskommen*〕 -s. ～하다 vor|rücken; vor|schreiten*; vorwärts|kommen*. ¶사회에 ～하다 in die (weite) Welt gehen* / 정계에 ～하다 in der politischen Welt auf|treten*.

진취(進取) ～적인 unternehmungslustig; unternehmend. ¶～의 기상 Unternehmungslust *f.* -es, -er.

진취성(進就性) Unternehmungsgeist *m.*

진치다(陣—) lagern; ein (Heer)lager auf|schlagen* 〔beziehen*〕; 《앉다》 ⁴sich lagern.

진탕(—宕) zur Genüge; nach Herzenslust. ¶～ 먹다 ⁴sich (mehr als) satt essen*; tüchtig essen*.

진탕(震盪) Erschütterung *f.* -en; Schock *m.* -s, -s〔-e〕. ‖뇌～ 〖醫〗 Gehirnerschütterung *f.* -en.

진통(陣痛) (Geburts)wehen (*pl.*); Geburtsschmerz *m.* -es, -en. ¶～이 시작되다 zu kreißen an|fangen*.

진통(鎭痛) das Stillen* des Schmerzes. ‖～제 Antalgika (*pl.*); Balsam *m.* -s, -e; Linderungsmittel.

진퇴(進退) 《운동》 des Vorwärts- und Rückwärtsgehen, -s; 《행동》 Verfahren *n.* -s, -; das Benehmen*, -s. ¶～를 결정하다 ⁴sich über sein Verhalten entscheiden* / ～ 유곡〔양난〕이다 in die Klemme geraten* 〔kommen*〕.

진폭(振幅) 〖物〗 Schwingungsweite *f.* -n; Amplitude 〔Amplitüde〕 *f.* -n. ‖～ 변조 〖電〗 Amplituderegler *m.* -s, -.

진품(珍品) Kuriosum *m.* -s, ..sa; Kuriosität *f.* -en.

진품(眞品) die echte 〔wahre〕 Sache, -n; Echtheit *f.* -en.

진필(眞筆) die eigene Handschrift, -en; Autogramm *n.* -s, -e.

진하다(津—) ① 《빛깔 따위가》 tief 〔dunkel; überladen; grell〕 (sein). ② 《액체의 농도가》 dick 〔dicht; stark〕 (sein). ¶진한 차 der starke Tee.

진하다(盡—) erschöpft werden 《고갈》; aufgebraucht 〔aufgezehrt; verbraucht〕 werden 《소진》. ¶기운이 ～ ⁴sich erschöpft 〔ermattet〕 fühlen.

진학(進學) Eintritt ins höhere Studium 〔in die Ausbildung〕. ～하다 ins höhere Studium ein|tretten*.

진행(進行) Fortschritt *m.* -(e)s, -e; Lauf 〔(Fort)gang〕 *m.* -(e)s, ⸚e; Bewegung *f.* -en. ～하다 fort|schreiten*; Fortschritte machen 《*in*³》; fort|gehen*; Fortgang haben 〔nehmen*〕. ¶～중이다 im Gang sein / ～이 빠르다〔늦다〕 schnelle 〔langsame〕 Fortschritte machen. ‖～형 〖文〗 Dauerform *f.* -en.

진혼곡(鎭魂曲) Requiem *n.* -s, -s.

진홍(眞紅) ～의 hochrot; dunkelrot.

진화(進化) Entwicklung 〔Evolution〕 *f.* –en. ～하다 ^{4}sich entwickeln. ‖ ～론 Entwicklungslehre *f.*; Evolutionstheorie; 《다윈의》 Darwinismus *m.* –.

진화(鎭火) ～하다 (aus|)löschen*^{4}; bezwingen*^{4}; dämpfen^4; hemmen^4.

진흙 《차진 흙》 Ton *m.* –(e)s, –e; Lehm *m.* –(e)s, –e; 《질척한 흙》 Schmutz *m.* –es; Dreck *m.* –(e)s; Kot *m.* –(e)s. ¶ ～투성이의 schmutzig; dreckig; kotig.

진흥(振興) Förderung 〔Belebung; Aufmunterung〕 *f.* –en. ¶산업 ～을 꾀하다 die Entwicklung der Industrie fördern. ‖ ～책 Beförderungsmaßregel *f.* –n.

질(質) Qualität *f.* –en 《품질》; Materie *f.* –n 《바탕》; Natur *f.* –en 《성질》. ¶ 질이 좋은〔나쁜〕 von guter 〔schlechter〕 Qualität.

질(膣) (Mutter)scheide *f.* –n; Vagina *f.* –e.

질겁하다 ^{4}sich entsetzen 《*vor*^{3}; *über*^{4}》; aus den Wolken fallen*.

질경이 〖植〗 Wegerich *m.* –(e)s, –e.

질곡(桎梏) Fessel *f.* –n; Band *n.* –(e)s, –e; Joch *n.* –(e)s, –e. ¶ ～에서 벗어나다 die Fesseln ab|werfen* 〔sprengen〕; die Bande lösen 〔sprengen; zerreißen*〕.

질권(質權) Pfandrecht *n.* –(e)s, –e; Hypothek *f.* –en. ‖ ～ 설정 Hypothekenbelastung *f.*

질그릇 das unglasierte Porzellan, –s, –e; Biskuit [..víːt] *n.* –(e)s, –e.

질기다 haltbar 〔zäh; hart〕 (sein). ¶이 옷감은 ～ Dieser Stoff trägt sich gut.

질끈 fest; nicht losgehend; stark; nicht lose; dauerhaft. ¶허리띠를 ～ 매다 den Gürtel fest machen 〔fester binden*〕.

질녀(姪女) Nichte *f.* –n.

질다 ① 《반죽·밥이》 weich 〔matschig; wässerig〕 (sein). ¶밥이 질게 되었다 Der Reis wurde zu matschig. ② 《땅이》 schlammig 〔unsauber; schmutzig〕 (sein).

질량(質量) Masse *f.* –n. ¶ ～ 불변의 법칙 das Gesetz von der Erhaltung der Masse.

질러가다 e–n kürzeren Weg wählen; e–n geraden Weg ein|schlagen*.

질료(質料) 〖哲〗 Substanz *f.* –en; Stoff *m.* –(e)s, –e; Material *n.* –s, –ien.

질리다 《진저리나다》 angeekelt 〔angewidert〕 《von ^{3}*et.*》 sein; überdrüssig^2 〔satt〕 sein. ¶이 일엔 이제 질렸다 Ich habe diese Arbeit satt. ② 《기가》 zurück|weichen* 《*vor*^{3}》; Scheu werden 《*vor*^{3}》. ¶새파랗게 ～ totenblaß werden; die Farbe verlieren.

질문(質問) Frage *f.* –n; Erkundigung *f.* –en 《문의》. ～하다 fragen^4 《*jn.*》; e–e Frage stellen 〔richten〕《*jm.*; an *jn.*》. ¶ ～에 답하다 auf e–e Frage antworten. ‖ ～자 Frager *m.* –s, –.

질박(質樸·質朴) ～하다 schlicht〔einfach; naturnah; primitiv; urtümlich〕 (sein).

질병(疾病) Krankheit *f.* –en; Leiden *n.* –s, –.

질산(窒酸) 〖化〗 Salpetersäure *f.* –n.

질색(窒塞) ～하다 erschrocken sein; ^{4}sich entsetzen; nicht leiden können*. ¶그런 일은 아주 ～이다 Das ist e–e harte Nuß für mich.

질서(秩序) Ordnung *f.* –en; die öffentliche Ordnung, –en. ¶ ～ 있는 ordnungsgemäß; systematisch / ～ 없는 ordnungslos / ～를 지키다 die Ordnung aufrecht|erhalten*.

질소(窒素) Stickstoff *m.* –(e)s; Nitrogen(ium) *n.* –s, –. ‖ ～ 비료 Stickstoffdünger *m.* –s.

질시(嫉視) Neid *n.* –(e)s; Scheelsucht *f.* ～하다 scheel 〔mit scheelen Augen〕 an|sehen*《*jn.*》; scheel sehen* 《zu *jm.*》 ¶ ～를 받다 mit scheelen Augen angesehen werden.

질식(窒息) Erstickung *f.* –en; das Ersticken*, –s. ～하다 ersticken; erstickt 〔erdrückt〕 werden. ¶ ～하여 죽다 zu Tode ersticken. ‖ ～사(死) Erstickungstod *m.* –(e)s, –e.

질염(膣炎) 〖醫〗 Scheidenentzündung *f.* –en.

질의(質疑) (An)frage 〔Erkundigung〕 *f.* –en. ～하다 fragen; e–e Frage stellen. ‖ ～ 응답 Frage u. Antwort.

질주(疾走) ～하다 rennen*; jagen; hetzen; rasen.

질질 ① 《끌리는 모양》 schleppend; schleifend. ¶ ～ 끌다 (nach)schleppen; (nach)schleifen. ② 《흘리는 모양》 tröpfelnd; sabbernd. ¶오줌을 ～ 싸다 Urine tröpfeln.

질책(叱責) das Schelten*, –s; Schelte *f.* –n; Rüge *f.* –n. ～하다 schelten*《*jn. wegen*^{2}》; rügen 《*jn.*》; tadeln《*jn.*》.

질척거리다 matschig 〔schlammig〕 sein.

질척질척 schlammig; schlüpfrig; kotig; schmutzig; naß. ¶길이 ～했다 die Straßen sind schlammig.

질타(叱咤) ～하다 an|schreien*^{4}; heftig 〔laut〕 schelten*^{4}. ¶삼군을 ～하다 e–e Armee kommandieren.

질투(嫉妬) Eifersucht *f.*; Neid *m.* –(e)s. ～하다 eifersüchtig 〔neidisch〕 sein 《*auf*^{4}》; mißgönnen 《*jm.*》.

질펀하다 《넓고 평평하다》 weit 〔ausgedehnt; weitläufig〕 (sein). ¶질펀한 들 weites 〔freies〕 Feld, –(e)s, –er.

질풍(疾風) Sturmwind *m.* –(e)s, –e; Windsturm *m.* –(e)s, –e. ¶ ～처럼 stürmisch; ungestüm wie ein Sturmwind.

질환(疾患) Krankheit *f.* –en; Leiden *n.* –s, –; Übel *n.* –s, –.

짊어지다 auf dem Rücken tragen*^{4}; auf ^{4}sich nehmen*^{4}. ¶무거운 짐을 ～ e–e Bürde auf dem Rücken tragen.

짐 Ladung 〔Last〕 *f.* –en; Güter (*pl.*); Gepäck *n.* –(e)s, –e; Fracht *f.* –en 《운송용》. ¶짐을 꾸리다 (ver)packen^4; ein|packen^4 / ～을 싣다 beladen*^{4}; verladen*^{4}; 《배에》 ein|schiffen.

짐꾼 Gepäckträger *m.* –s, –.

짐배 Frachtschiff *n.* –(e)s, –e; Leichter *m.* –s, – 《거룻배》.

짐수레 Karren *m.* –s, –; Lastwagen *m.* –s, –. ¶ ～를 끌다 den Karren ziehen*.

짐승 Tier *n.* –(e)s, –e; Bestie *f.* –n 《야수》; Vieh *n.* –(e)s, –er 《가축》. ¶ ～만도 못하다 Er ist schlimmer als e–e Bestie.

짐자동차(一自動車) Lastkraftwagen 〔Laster〕 *m.* -s, -.

짐작 Um〔Vor〕sicht *f.*; Urteil *n.* -(e)s, -e. ～하다 vermuten^4; mutmaßen^4; erraten*. ¶～이 가다 〔안가다〕 e-e 〔k-e〕 Ahnung haben 《*von*^{3}》.

짐짐하다 《꺼림하다》 *jm.* am Herzen liegen*; *jm.* nicht aus dem Sinne kommen*. ¶시험 결과가 ～ Mir bangt vor dem Ausgang des Examens.

짐짓 absichtlich; mit Absicht; geflissentlich; vorsätzlich. ¶～ 쌀쌀한 태도를 취하다 absichtlich e-e gleichgültige Pose an|nehmen*.

짐짝 Fracht *f.* -en; Gepäck *n.* -(e)s, -e; Ladung *f.* -en.

짐차(一車) =짐자동차.

집¹ ① 《사는》 Haus *n.* -es, ⸚er; Wohnung *f.* -en. ¶집을 비우다 ein Haus (aus|)räumen / 집을 짓다 ein Haus bauen. ② 《가정》 Familie *f.* -n; Heim *n.* -(e)s, -e; 《세대》 Hauswesen *n.* -s, -. ¶가난한 집에 태어나다 zur Armut geboren sein.

집² 《케이스》 Gehäuse *n.* -s, -; Hülle 〔Hülse〕 *f.* -n; Futteral *n.* -s, -e 《안경 따위의》; Scheide *f.* -n 《칼의》.

집게 Zange *f.* -n. ¶～로 집다 mit der Zange auf|nehmen*. ‖～손가락 Zeigefinger *m.* -s, -.

집결(集結) ～하다 《모으다》 zusammen|schließen*^{4}; 《모이다》 ^{4}sich zusammen|schließen*.

집계(集計) ～하다 summieren^4; zusammen|rechnen^4; zusammen|nehmen*^{4}.

집권(執權) ～하다 zur Regierung gelangen; an die Macht kommen*.

집기(什器) =집물(什物). ‖사무용 ～ Büro|materialien 〔-utensilien〕 (*pl.*).

집념(執念) ¶～이 강(強)한 rachgierig; rachsüchtig; rachedurstig.

집다 kneifen*^{4}; zwicken^4; 《젓가락으로》 fassen; halten*. ¶손으로 집어먹다 mit den Fingern an|fassen*^{4}.

집단(集團) Gruppe 〔Masse〕 *f.* -n. ‖～검진 Gruppen〔Massen〕untersuchung *f.* -en / ～ 농장 Kollektivwirtschaft *f.* -en; Kolchose [kɔlçó:zə] *f.* -n 《소련의》 / ～ 안전 보장 die kollektive Sicherheit / ～ 요법 Gruppentherapie *f.* / ～ 의식 Gruppenbewußtsein *n.* -s / ～ 자살 Massenselbstmord *m.* -(e)s, -e / ～ 중독 Massenvergiftung *f.* -en / ～ 폭행 Pöbelgewalt *f.* -en.

집달리(執達吏) Gerichtsvollzieher *m* -s, -.

집대성(集大成) ～하다 zu e-m großen Ganzen vervollständigen^4.

집도(執刀) die Ausführung e-r Operation. ～하다 e-e Operation aus|führen 《*an*^{3}》.

집무(執務) ～하다 sein Amt führen; s-n Dienst aus|üben 〔tun*〕; amtieren; amten; tätig sein 《*als*》. ‖～ 시간 die Amts〔Dienst〕stunden (*pl.*).

집물(什物) Utensilien 〔Werkzeuge〕 (*pl.*); Gerätschaften (*pl.*).

집배(集配) das Sammeln u. Zustellen. ‖우편 ～원 Postbote *m.* -n, -n.

집산(集散) das Sammeln u. Verteilen. ‖～지 Stapelort *m.* -(e)s, -e.

집세(一貰) (Haus)miete *f.* -n. ¶～를 올리다〔내리다〕 die Miete erhöhen 〔senken〕 / ～를 내다 die Miete bezahlen.

집시 Zigeuner *m.* -s, -.

집안 《가족》 Familienkreis *m.* -es; Familienstand *m.* -(e)s, ⸚e; Abstammung *f.* -en; Geschlecht *n.* -(e)s, -er 〔-e〕; Familie *f.* -n. ¶～이 좋다〔나쁘다〕 von guter 〔niedriger〕 Herkunft sein.

집약(集約) ～하다 intensiv sein; zusammen|schließen; integrieren. ¶～적인 intensiv. ‖～ 농업 die intensive Landwirtschaft, -en.

집어넣다 ① =넣다. ② 《투옥》 hinein|werfen*^{4}; hinein|schmeißen*^{4}. ¶도둑을 감옥에 ～ e-n Dieb ins Gefängnis schicken.

집어등(集魚燈) das Licht zum Ködern der Fische.

집어먹다 ① 《음식을》 mit den Fingern essen*. ② 《착복》 veruntreuen; 《俗》 (e-n) Schmu machen. ¶공금을 ～ öffentliche Gelder veruntreuen.

집어치우다 《중단함》 weg〔beiseite〕|legen^4; auf die Seite legen^4; auf|geben*^{4}. ¶장사를 ～ das Geschäft aufgeben.

집요(執拗) ～하다 beharrlich〔hartnäckig; zäh; anhaltend; zudringlich; langwierig〕 (sein). ¶～하게 조르다 hartnäckig bitten* 《*jn.* um ^{4}*et.*》; bestürmen 《*jn.* mit ^{3}*et.*》.

집적거리다 ① 《건드리다》 ärgern; quälen; bestürmen; belästigen 《*wegen*^{2}》. ¶개를 ～ dem Hund ärgern. ② 《참견함》 ^{4}sich ein|mischen 《*in*^{4}》; kiebitzen; ^{4}sich ein|lassen* 《*in*^{4}》. ¶남의 일에 ～ ^{4}sich in das Geschäft des anderen ein|mischen.

집적회로(集積回路) 〖物〗 Integrationsschaltung *f.* -en.

집전자(集電子) 〖電〗 Kollektor *m.* -s, -en.

집정(執政) Regierung 〔Verwaltung〕 *f.* -en; der Regierende*, -n, -n 《사람》. ～하다 die Macht des Staates besitzen*; regieren; verwalten.

집주인(一主人) 《가장》 Hausherr *m.* -n, -en; 《집 임자》 Hausbesitzer *m.* -s, -.

집중(集中) ～하다 (^{4}sich) zusammen|ziehen*; (^{4}sich) konzentrieren. ¶정신을 ～하다 s-e Aufmerksamkeit konzentrieren 《*auf*^{4}》. ‖～ 사격 das konzentrische Feuer, -s, - / ～력 Konzentrationsfähigkeit *f.* -en / ～ 호우 das (örtliche) Platzregen, -s, -.

집진기(集塵器) Staubsauger *m.* -s, -.

집착(執着) ～하다 hängen* 《*an*^{3}》; anhänglich^3 sein; fest|halten* 《*an*^{3}》; ^{4}sich klammern 《*an*^{4}》. ¶돈에 ～하다 am Geld hängen*.

집터 das Grundstück für den Bau e-s Hauses.

집필(執筆) ～하다 verfassen^4; ab|fassen^4; schreiben*^{4}. ‖～자 Schreiber *m.* -s, -.

집하(集荷) Waren·sammlung〔-anhäufung〕 *f.* -en. ‖～장 Sammelstelle *f.* -n.

집합(集合) ～하다 ^{4}sich (ver)sammeln; zusammen|kommen*; ^{4}sich treffen*. ‖～장소 Versammlungsort *m.* -(e)s, -e.

집행(執行) 《명령·지시의》 Ausführung

〔Ausübung〕 *f.* –en; 《형의》 Vollziehung 〔Vollstreckung〕 *f.* –en. ～하다 aus|führen⁴; vollziehen*⁴; vollstrecken⁴. ‖～ 명령 Vollstreckungsbefehl *m.* –(e)s, –e / ～부 Ausübungsabteilung *f.* –en / ～위원회 Vollzugsausschuß *m.* ..schusses, ..schüsse / ～ 유예 Vollstreckungsaufschub *m.* –(e)s, ⸚e.

집회(集會) Versammlung *f.* –en; Zusammenkunft *f.* ⸚e; 《회》 Gesellschaft *f.* –en. ～하다 ⁴sich versammeln; e–e Versammlung (ab|)halten*. ¶～의 자유 Versammlungsfreiheit *f.* ‖～소 Versammlungshaus *n.* –es, ⸚er; 《클럽》 Klubhaus.

짓 Handlung *f.* –en; das Handeln*, –s; Tat *f.* –en. ¶경솔한 짓을 하다 leichtsinnig handeln.

짓궂다 boshaft 〔bösartig; böswillig; gehässig〕 (sein).

짓누르다 nieder|halten*; nieder|drücken.

짓다 ① 《집을》 bauen⁴. ② 《책·글을》 schreiben*⁽⁴⁾; dichten⁴; verfassen⁴. ¶시를 ～ ein Gedicht machen. ③ 《옷 등》 machen⁴. ¶양복을 ～ ein Kleid machen lassen*. ④ 《밥을》 kochen⁴. ¶밥을 ～ Reis kochen. ⑤ 《죄를》 begehen*⁴. ¶죄를 ～ e–e Sünde begehen*. ⑥ 《형성》 bilden⁴. ¶열을 ～ Schlange stehen*. ⑦ 《꾸며 냄》 erdichten⁴. ¶지어낸 이야기 die erfundene Geschichte, –n.

짓밟다 nieder|treten*⁴; mit ³Füßen treten*⁴; zertreten*⁴. ¶인권을 ～ die Menschenrechte verletzen.

짓씹다 zerbeißen*⁴; zernagen⁴; zerknirschen⁴.

짓이기다 zerquetschen⁴; zerdrücken⁴; zermalmen⁴. ¶감자를 ～ Kartoffeln zerdrücken.

짓찧다 《빻다》 zerdrücken⁴; erdrücken⁴; 〔zerquetschen⁴.〕

징 Gong *m.* 〔*n.*〕 –s, –s; Tamtam *n.* –s, –s. ¶징을 치다〔울리다〕 e–n Gong schlagen*.

징검다리 Schrittstein *m.* –(e)s, –e.

징계(懲戒) Disziplinar〔Dienst; Ordnungs〕strafe *f.* –n. ～하다 disziplinieren⁴; maßregeln⁴. ‖～ 면직 die disziplinare Entlassung, –en / ～ 위원회 Disziplinarkomitee *n.* –s, –s / ～ 처분 Disziplinarmaßnahmen (*pl.*).

징발(徵發) Requisition *f.* –en. ～하다 requirieren⁴; bei|treiben*⁴; furagieren⁴.

징벌(懲罰) Bestrafung 〔Disziplin〕 *f.* –en; Zucht *f.* ～하다 (be)strafen⁴; disziplinieren⁴; in ⁴Zucht nehmen*⁴.

징병(徵兵) Militärdienst *m.* –es, –e; Aushebung〔Konskription〕 *f.* –en. ～하다 aus|heben*⁴; ein|ziehen*⁴; ein|berufen*⁴. ‖～ 검사 Musterung *f.* –en / ～기피 das Entkommen des Wehrdienstes / ～ 적령 Aushebungs〔Konskriptions〕alter *n.* –s, – / ～ 제도 Wehrsystem *n.* –s, –e; Wehrverfassung *f.* –en.

징세(徵稅) Steuer·einnahme *f.* –n 〔–erhebung *f.* –en〕. ～하다 Steuern erheben* 〔bei|treiben*; ein|ziehen*〕.

징수(徵收) Erhebung 〔Beitreibung〕 *f.* –en. ～하다 erheben*⁴; bei|treiben*⁴. ¶세금을 ～하다 Steuern ein|treiben* 〔erheben*〕.

징악(懲惡) die Bestrafung des Bösen. ～하다 das Böse bestrafen.

징역(懲役) Zuchthausstrafe *f.* –n. ¶～ 살다 s–e Strafe ab|sitzen*; im Zuchthaus (ab|)sitzen*. ‖무기〔종신〕 ～ die lebenslängliche Zuchthausstrafe, –n.

징용(徵用) der vaterländische Hilfsdienst, –es, –e. ～하다 aus|heben*⁴; requirieren⁴; bei|treiben*⁴.

징조(徵兆) Vorzeichen *n.* –s, –; Omen *n.* –s, ..mina; Anzeichen *n.* –s, –. ¶좋은〔나쁜〕 ～ ein gutes 〔schlechtes〕 Omen.

징집(徵集) (An)werbung 〔Aushebung〕 *f.* –en. ～하다 (an|)werben*⁴; aus|heben*⁴; ein|berufen*⁴. ‖～ 면제 Konskriptionsfreiheit *f.* –en / ～ 연기 die Zurückstellung der Rekrutierung / ～ 연도 Konskriptionsjahr *n.* –(e)s, –e.

징크스 Unglücks·rabe *m.* –n, –n 〔–prophetie *f.* –n〕; Pech *n.* –(e)s. ¶～를 깨다 das Unheil brechen*.

징후(徵候) Symptom *n.* –s, –e; Zeichen 〔Vorzeichen〕 *n.* –s, –. ¶～가 보이다 die Anzeichen (*pl.*) von ³*et.* zeigen.

짖다 bellen; kläffen; heulen 《이리 따위가》; brüllen 《포효》. ¶개가 짖어 댄다 Ein Hund bellt *jn.* an.

짙다 ① 《색이》 dunkel 〔tief〕 (sein). ¶색을 짙게 칠하다 Farbe dick darauf|tragen*. ② 《농후》 dicht 〔stark 《차 따위가》〕 (sein); 《액체가》 dick (sein); 《안개가》 dicht (sein). ¶안개가 짙어진다 Der Nebel verdichtet sich. / 혐의가 짙어진다 Die Verdachtsgründe verdichten sich.

짙푸르다 《빛깔이》 dunkelblau 〔dunkelgrün〕 (sein).

짚 Stroh *n.* –(e)s; 《깔짚》 Streu *f.* –en. ¶짚을 깔다 mit Stroh bedecken.

짚다 《지팡이 따위를》 tragen*; nehmen* 《e–n Stock》; 《짐작》 vermuten; ahnen; schätzen. ¶맥을 ～ den Puls fühlen/ 제대로 짚었다 Das war gut geraten.

짚뭇 Reisstrohbündel *n.* –s, –.

짚신(신발) e–e koreanische Sandale, –n; Strohsandale *f.* –n.

짜개다 spalten⁽*⁾⁴; zerspalten⁽*⁾⁴.

짜다¹ ① 《빨래를》 (aus|)wringen*⁴. ② 《기름·즙을》 aus|pressen⁴; 《포도를》 keltern⁴; 《우유를》 e–e Kuh melken*. ¶고름을 ～ Eiter heraus|drücken.

짜다² ① 《피륙을》 weben*⁴. ¶비단을 ～ Seidenstoff weben*. ② 《뜨갯것·편물을》 stricken. ¶털실로 양말을 ～ den Strumpf aus Wolle stricken.

짜다³ ① 《편성·조직》 zusammen|fügen⁴; organisieren⁴; konstruieren⁴; 《짝》 ⁴sich paaren. ¶편당을 ～ e–e Splitterpartei machen. ② 《조립》 zusammen|setzen⁴; zusammen|fügen⁴. ¶책상을 ～ e–n Tisch machen. ③ 《공모함》 ⁴sich verschwören 《mit *jm.* zu ³*et.*》. ¶미리 짜고 하다 ⁴*et* in Einverständnis mit *jm.* tun*.

짜다⁴ 《맛이》 salzig 〔salzhaltig〕 (sein). ¶짠 음식 das gesalzte Essen, –s, –.

짜디짜다 zu salzig (sein).

짜증 Gereiztheit 〔Verdrießlichkeit〕 *f.* -en. ¶~ 내다 brummen; muck(s)en; mürrisch sein; ⁴sich ärgern 《*über*⁴》.

짜하다 lärmend 〔ungestüm; geräuschvoll〕 (sein). ¶소문이 ~ Die Gerüchte sind tosend verbreitet.

짝 Paar *n.* -es, -e; 《쌍의 한쪽》 Gegenstück *n.* -(e)s, -e. ¶짝의 paar(ig); gepaart / 짝을 짓다 ein Paar bilden.

짝맞추다 ⁴*et.* paaren; ein Paar machen 《*aus*³》.

짝사랑 unerwiderte 〔einseitige〕 Liebe. ~하다 vergeblich lieben⁴.

짝수(一數) die gerade Zahl, -en.

짝없다 《비길 데 없다》 unvergleichlich 〔unvergleichbar; ohnegleichen; einzig〕 (sein). ¶행복하기 ~ so glücklich wie möglich sein.

짝짓다 paaren⁴; ⁴sich paaren.

짝짝 ① 《끈끈해서》 ¶젖은 셔츠가 몸에 ~ 달라붙는다 Das nasse Hemd klebt an m-m Körper. ② 《입맛을》 ¶입맛을 ~ 다시다 schmatzend genießen*. ③ 《신발을》 슬리퍼를 ~ 끌다 in Pantoffeln schlappen. ④ 《찢다》 옷을 ~ 찢다 das Kleid reißen*.

짝짝이 ein ungleiches Paar, -(e)s, -e; ein nicht zusammenpassendes Paar. ¶~ 양말을 신다 unpaarige Strümpfe an|ziehen*.

짝하다 mit *jm.* Partner werden; mit *jm.* Mitspieler werden.

짠물 Salzwasser *n.* -s, -.

짠하다 traurig 〔niedergeschlagen; niederdrückend〕 (sein).

짤막하다 kurz 〔knapp〕 (sein).

짧다 kurz 〔gedrängt; knapp〕 (sein). ¶짧아지다 kürzer werden / 짧게 하다 verkürzen⁴; kürzer machen⁴ / 해가 짧아졌다 Die Tage sind kürzer geworden.

짬짬이 ab u. zu; unterbrochen; dann u. wann.

짭짤하다 ① 《맛이》 salzig 〔zu salzig; gut geschmeckt〕 (sein). ② 《쏠쏠하다》 gut 〔günstig; angemessen; passend; mäßig〕 (sein). ¶일을 짭짤하게 해야 하오 Sie sollen die Arbeit angemessen durchführen.

째다¹ 《찢다》 (zer)spalten⁽*⁾⁴; in Stücke reißen*⁴; öffnen⁴; ein|schneiden*⁴. ¶종기를 ~ den Furunkel schneiden*.

째다² ① 《부족》 ungenügend 〔unzureichend; mangelhaft〕 sein. ¶돈이 ~ Das Geld reicht nicht aus. ② 《작다》 dicht 〔eng; knapp〕 sein. ¶셔츠가 짼다 Das Hemd ist für mich zu eng.

째(어)지다 (zer)reißen*; ⁴sich spalten⁽*⁾; entreißen*. ¶잘 째지지 않다 schwer zu zerreißen sein.

쨍쨍 ¶햇빛이 ~ 내리 쬐다 Die Sonne scheint heiß.

쩨쩨하다 《인색하다》 interessiert 〔knauserig; knickerig; kniepig; schmutzig; schäbig〕 (sein). ¶쩨쩨한 소리 좀 하지 말라 Sei nicht so spießerisch.

쪼개다 spalten⁴; zerspalten⁴; entzwei|machen⁴.

쪼개지다 abgeteilt werden 《*in*⁴》; eingeteilt werden 《*in*⁴》; gespalten werden.

쪼그랑할멈 e-e verhutzelte alte Frau, -en.

쪼다 picken⁽⁴⁾ 《*auf*⁴》; hacken⁽⁴⁾ 《*nach*³》; 《정 따위로》 meißeln. ¶새가 콩을 ~ Der Vogel pickt Bohnen.

쪼들리다 ¶돈에 ~ in großer Geldverlegenheit sein / 생활에 ~ ⁴sich spärlich durchs Leben bringen*; ein kümmerliches Dasein fristen.

쪽¹ 〖植〗 der gemeine Indigo, -s, -s; Indigopflanze *f.* -n.

쪽² 《방향》 Richtung *f.* -en; Seite *f.* -n. ¶외가쪽 아저씨 der Onkel von mütterlicher Seite / 종로 쪽으로 in der Richtung nach *Chongro*.

쪽문(一門) (Garten)pförtchen *n.* -s, -; Neben〔Seiten〕tür *f.* -en.

쪽박 kleine Schöpfkelle, -n.

쪽빛 Indigo *m.* -s, -s.

쪽지(一紙) Zettel *m.* -s, -. ¶~를 남기다 e-e Notiz hinterlassen*⁴.

쫓기다 vertrieben 〔weggetrieben; hinausgetrieben〕 werden; verjagt 〔fortgejagt; weggejagt〕 werden. ¶일에 ~ von der Arbeit gehetzt werden.

쫓다 《쫓아버리다》 vertreiben*⁴; fort|jagen⁴; 《추적》 verfolgen⁴; nach|folgen³; nach|laufen*³; 《추구》 (nach|)folgen³; nach|gehen*³. ¶유행을 ~ der Mode folgen³; die Mode mit|machen.

쫓아가다 nach|folgen 《*jm.*》; nach|eilen 《*jm.*》; nach|laufen* 《*jm.*》; 《추종》 dasselbe tun*; *js.* Beispiel folgen. ¶지도자를 ~ dem Führer folgen.

쫓아내다 aus|treiben*⁴; fort|jagen⁴; vertreiben*⁴; verjagen⁴; 《면직》 entlassen*⁴. ¶아내를 ~ s-e Frau verstoßen* / 그를 쫓아내라 Hinaus mit ihm!

쫓아다니다 *jm.* nach|laufen*; *jm.* hinterher laufen*.

쫓아오다 *jn.* verfolgen; *jm.* nach|laufen*.

쬐다¹ 《비치다》 scheinen*. ¶별이 ~ die Sonne scheint.

쬐다² ① 《불에》 ⁴sich wärmen 《*an*³》; am Feuer trocknen 《옷 등을》. ¶불을 ~ ⁴sich am Feuer wärmen. ② 《쐬다》 in der Sonne liegen*; ⁴sich sonnen. ¶이불을 햇볕에 ~ das Bettzeug in der Sonne aus|stellen.

쭈그러들다 ⁴sich zusammen|ziehen*; klein werden; ⁴sich ein|ziehen*.

쭈그러뜨리다 ein|drücken⁴; zerdrücken⁴.

쭈그리다 ⁴sich hocken; (⁴sich) nieder|hocken; biegen*; krümmen. ¶몸을 ~ ⁴sich beugen.

쭈글쭈글하다 verwelkt 〔welk; verhutzelt〕 (sein). ¶쭈글쭈글한 얼굴 die verwelkten Gesichtszüge (*pl.*).

쭉정이 ein taubes Korn, -(e)s, ⸚er.

-쯤 《약》 ungefähr; etwa 《거의》; fast; beinahe; so gut wie; 《수》 an⁴; 《때》 gegen⁴; 《해》 um⁴. ¶네 시간쯤 ungefähr vier Stunden / 한 달에 한 번쯤 etwa einmal monatlich / 나이 50쯤 되었다 Er ist ungefähr 50 Jahre alt. / 네 시 반쯤 여기 있게 Sei gegen 4 Uhr 30 hier.

찌개 dicke Soyabohnensuppe mit Gemüse u. Fleisch 〔Fisch〕.

찌꺼기 ① 《앙금》 Bodensatz *m.* –es, ⸚e; Hefe *f.* –n; Überrest *m.* –(e)s, –e. ¶ 음식 ～ Reste e–r Mahlzeit. ② 《불용물》 Abfall *m.* –(e)s, ⸚e; Müll *m.* –(e)s; Rückstand *m.* –(e)s, ⸚e.

찌다[1] 《살이》 fett 〔dick〕 werden; [4]sich mästen; Fleisch an|setzen.

찌다[2] 《김으로》 dämpfen[4]; dünsten[4]; mit 〔in〕 [3]Dampf kochen. ¶ 감자를 ～ Kartoffeln dämpfen.

찌들다 ① 《더러워지다》 schmutzig 〔verwüstet; dreckig; öde〕 werden. ② 《여위다》 gefühllos werden; [4]sich verhärten (durch die bitteren Erleben).

찌르다 ① stechen*[4]; stoßen*[4]; 《창으로》 spießen; 《단도로》 (er)dolchen. ¶ 바늘로 손가락을 ～ [4]sich in den Finger mit e–r Nadel stechen*. ② 《자극하다》 ¶ 약점을 ～ aus *js.* Stand Vorteil ziehen*.

찌르레기 〖鳥〗 Star *m.* –(e)s, –e.

찌르릉 ¶ ～ 울리다 klingeln; bimmeln.

찌무룩하다 düster 〔gedrückt; schwermütig; verdrießlich; lästig〕 (sein).

찌부러뜨리다 zerdrücken[4]; zerstoßen*; zerquetschen[4]; zermalmen. ¶ 모자를 ～ e–n Hut zerdrücken.

찌뿌드드하다 unpäßlich 〔nicht ganz gesund〕 (sein).

찌푸리다 verzerren; verziehen*; 《날씨가》 [4]sich bewölken. ¶ 눈살을 ～ die Brauen zusammen|ziehen* / 얼굴을 ～ Gesichter 〔Grimassen〕 schneiden.

찍다[1] 《쳐서 베다》 ab|hauen; hacken; schneiden*; hauen 《mit der Axt》.

찍다[2] ① 《인쇄》 drucken; ab|drucken; in Druck geben*; 《도장 등을》 stempeln. ② 《촬영》 photographieren[4]; auf|nehmen*[4]; e–e Aufnahme machen; knipsen; filmen[4] 《영화》. ¶ 사진을 ～ e–e Aufnahme machen; photographieren.

찍소리 ¶ ～(도) 못하다 nicht mehr widersprechen können*.

찐빵 Dampfbrot *n.* –es, –e.

찔끔하다 zusammen|zucken; zusammen|schrecken*. ¶ 아버지 물음에 찔끔했다 Bei der Frage des Vaters schrack ich zusammen.

찔리다 [4]sich verletzen 〔stoßen*〕 《*an*[3]》. ¶ 양심에 ～ ein böses Gewissen haben.

찜질 Kompresse *f.* –n. ¶ 온〔냉〕 ～하다 heiße 〔kalte〕 Umschläge machen 《*jm.*》.

찜통(—桶) Dampfkessel *m.* –s, –.

찡그리다 ¶ 얼굴을 ～ das Gesicht verziehen* / 눈살을 찡그리고 mit zusammengezogenen Augenbrauen.

찡긋찡긋 winkend; zuwinkend.

찡얼거리다 《보채다》 wimmern; winseln; greinen; quengeln.

찢다 (zer)reißen*[4]; auf|reißen*[4]; auseinander|reißen*[4]. ¶ 편지를 갈기갈기 ～ den Brief in Stücke reißen*.

찢어발기다 in Stücke 〔in Fetzen〕 reißen*; zerreißen*.

찢어지다 ab|reißen*; durch|reißen*; (zer)reißen*; 《닳아서》 [4]sich ab|nutzen. ¶ 가슴이 찢어지는 듯한 herzreißend; herzbrechend.

찧다 (zer)stampfen[4]; zerstoßen*[4]. ¶ 떡쌀을 ～ klebrigen Reis stampfen.

ㅊ

차(車) Wagen *m.* –s, –; Fuhrwerk *n.* –(e)s, –e. ¶ 차를 타다 ein|steigen*; in e–n Wagen steigen*.

차(茶) Tee *m.* –s, –s. ¶ 차 한 잔 e–e Tasse Tee / 차를 마시다 Tee 〔e–e Tasse Tee; ein Glas Tee〕 trinken*.

차(差) Unterschied *m.* –(e)s, –e; Differenz *f.* –en; 〖數〗 Rest *m.* –es, –e(r). ☞차이. ¶ 차가 있는 unterschieden; verschieden / 세대의 차 die Kluft zwischen den [3]Generationen / 견해의 차 der Unterschied der Meinungen.

차가다 mit Gewalt entreißen*[4]; weg|reißen*[4]; an [4]sich reißen*[4].

차간거리(車間距離) der Abstand der Wagen (voneinander).

차감(差減) Ausgleichung *f.* –en. ～하다 balancieren[4]; [4]sich aus|gleichen*. ‖ ～ 계정 Ausgleichung *f.* –en.

차갑다 kalt 〔kühl; eiskalt〕 (sein). ¶ 차가운 날씨 das kalte Wetter, –s, –.

차고(車庫) Wagen·schuppen *m.* –s, – 〔–haus *n.* –es, ⸚er〕; 《자동차의》 Garage *f.* –n. ¶ 차를 ～에 넣다 e–n Wagen ein|stellen.

차곡차곡 ¶ ～ 쌓이다 aufeinander 〔übereinander; in [3]Haufen〕 fallen*.

차관(次官) Vizeminister *m.* –s, –. ‖ ～보 der zweite Staatssekretär, –s, –e.

차관(借款) Anleihe *f.* –n. ¶ ～을 신청하다 um e–e Anleihe bitten*. ‖ 공공〔재정〕 ～ das öffentliche 〔finanzielle〕 Darlehen, –s, – / 상업 〔민간〕 ～ Geschäfts〔Privat〕darlehen *n.* / 연불 ～ Spätzahlungsdarlehen *n.* / 장기〔단기〕 das langfristige 〔kurzfristige〕 Darlehen / 현금 ～ das Darlehen in Bar.

차광(遮光) ～하다 ab|blenden; das Licht ab|decken. ‖ ～판(板) ein glänzender Schutzschild, –(e)s, –er 《auf dem Flugzeug》.

차근거리다 *jn.* durch anhaltendes Bitten belästigen; beharrlich [4]*et.* fordern.

차근차근 Schritt für 〔vor; um〕 Schritt; nach u. nach; ordentlich. ～하다 methodisch 〔langsam aber sicher; vorsichtig〕 (sein). ¶ 일을 ～ 처리하다 die Angelegenheit überlegt erledigen.

차근하다 voll Geistesgegenwart 〔gefaßt; ruhig; gelassen〕 (sein).

차기(次期) der nächste Termin, –s, –e. ¶ ～의 nächst. ‖ ～ 국회 das kommende Parlament, –(e)s, –e / ～ 대통령 der Präsident für die nächste Periode.

차남(次男) *js.* zweiter Sohn, –(e)s, ⸚e.

차녀(次女) die zweite Tochter, ⸚.

차다[1] ① 《충만》 voll sein 〔werden〕 《*von*[3]》; erfüllt sein 《*mit*[3]; *von*[3]》; angefüllt werden 《*mit*[3]》. ¶ 연기가 방에 가득 찼다 Das Zimmer ist mit Rauch erfüllt. ② 《한도에》 heran|reichen 《*an*[4]》; reichen 《*bis über*[3]》; alles sein. ¶ 돈이 액수에 못 찬다 Das Geld reicht nicht an die bestimmte Summe. ③ 《기한이》 fällig werden; verfallen*; zu Ende gehen*;

ab|laufen*. ¶임기가 찼다 S-e Amtszeit ist abgelaufen.

차다^{2} 《발로》 (mit dem Fuße) stoßen*; treten*. ¶공을 ~ e-n Ball mit dem Fuß treten* 〔stoßen*〕.

차다^{3} 《패용》 tragen*^{4}; mit ^{3}sich führen^{4}; auf|hängen; an|heften; an|binden*. ¶칼을 ~ ein Schwert tragen*.

차다^{4} 《온도》 kalt 〔eisig; eiskalt〕 (sein); 《냉담》 kaltblütig 〔kaltherzig〕 (sein). ¶찬 마음 das kalte Herz, -ens, -en.

차단(遮斷) ~하다 (ab|)sperren; versperren; ab|schneiden*. ¶교통을 ~하다 die Straße ab|sperren. ‖~기 《건널목의》 Schranke *f.* -n.

차도(差度) ¶차차 ~가 있다 nach u. nach wiederhergestellt werden.

차도(車道) Fahrbahn *f.* -en; Fahr·weg *m.* -(e)s, -e 〔-straße *f.* -n〕.

차돌 Quarz *m.* -es, -e.

차등(差等) Grad *m.* -(e)s, -e; Rang *m.* -(e)s, ⸚e. ¶~을 두다 graduieren.

차디차다 eistig 〔eiskalt〕 (sein).

차라리 eher; lieber; vielmehr. ¶~ …하는 편이 좋다 es wäre besser (^{4}*et.* zu *tun*).

차량(車輛) Wagen *m.* -s, -; Fahrzeug *n.* -(e)s, -e. ‖~ 검사 das Überprüfen* des Kraftwagens.

차례(次例) ① 《순번》 Ordnung *f.* -en; Reihe *f.* -n; 《순서》 Arrangement *n.* -s, -s. ¶~로 nach der Reihe(nfolge); 《차례차례》 nacheinander / ~를 기다리다 auf die Reihe warten / 내 ~가 되다 ich komme an die Reihe. ② 《횟수》 Mal *m.* -(e)s, -e; Runde *f.* -n. ¶여러 ~ mehrere Male (*pl.*). ③ 《책의》 Inhaltsverzeichnis *n.* -ses, -se; Index *n.* 〔..dizes〕 《색인》.

차례(茶禮) die Ahnengedenkfeier am ersten od. 15. jeden Monats u. an der Festtagen.

차륜(車輪) =차바퀴.

차리다 ① 《장만·채비》 ^{4}sich fertig 〔bereit〕 machen 《*für*^{4}》; ^{4}sich aus|rüsten 《*für*^{4}; *zu*^{3}》; zu|bereiten; vor|bereiten. ¶음식을 ~ das Essen zu〔vor〕|bereiten. ② 《체면·정신을》 (be)halten*; ^{4}sich fassen; ^{4}sich konzentrieren; 《예의를》 bewahren; erhalten*. ¶정신 차려 일하다 e-e Arbeit vorsichtig leisten / 체면 ~ den (äußern) Schein wahren.

차마 in jeder Hinsicht; ums (liebe) Leben. ¶~ 할 수 없다 nicht das Herz haben*, ^{4}*et.* zu tun / ~ 볼 수 없다 nicht mit ansehen können*.

차바퀴(車—) Rad *n.* -(e)s, ⸚er.

차버리다 mit dem Fuß(e) weg|stoßen*; 《거절》 ab|lehnen 〔-|schlagen*〕.

차변(借邊) 〖簿〗 Debetseite *f.* -n.

차별(差別) Unterschied *m.* -(e)s, -e; Unterscheidung 〔Diskrimination〕 *f.* -en. ~하다 unterscheiden* 《*von*^{3}》; e-n Unterschied machen 《*von*^{3}》. ¶~ 없이 unterschiedslos. ‖~ 대우 unterschiedliche Behandlung, -en / 인종 ~ Rassenunterscheidung *f.* -en.

차분하다 ruhig 〔still; sanft; kaltblütig; gelassen; kühl〕 (sein). ¶차분히 생각하다 ^{4}sich reiflich e-e Sache überlegen.

차비(車費) Fahrgeld *n.* -(e)s, -er; Fahrpreis *m.* -es, -e; Frachtgeld *n.* -(e)s, -er 《운반비》.

차선(次善) ¶~의 zweitbest; nächstbest. ‖~책 der zweitbeste Plan, -(e)s, ⸚e; die nächstbeste Politik, -en.

차선(車線) ¶ 4 ~의 고속 도로 die Autobahn mit vier ^{3}(Fahr)spuren; die Autostraße mit vier ^{3}Fahrbahnen.

차수(次數) 〖數〗 Gradzahl *f.* -en.

차액(差額) 〖商〗 Differenzbetrag *m.* -(e)s, ⸚e; Rest *m.* -(e)s, -e 《잔고》; 〖證〗 Gewinnsicherung *f.* -en.

차양(遮陽) Vordach *n.* -(e)s, ⸚er; 《모자의》 Mützenschirm *m.* -(e)s, -e; 《가게 앞의》 Markise *f.* -n.

차용(借用) das Borgen*, -s; Entlehnung *f.* -en. ~하다 ^{3}sich borgen^{4} 《von *jm.*》; ^{3}sich leihen*^{4} 《von *jm.*》. ‖~증 Schuldschein *m.* -(e)s, -e.

차원(次元) Dimension *f.* -en. ¶4 ~의 세계 die vierdimensionale Welt, -en; die Welt in vierter Dimension.

차월(借越) ~하다 das Konto überschreiten*.

차이(差異) Unterschied *m.* -(e)s, -e; Abstand *m.* -(e)s, ⸚e; Verschiedenheit *f.* -en. ¶빈부의 ~ die Kluft zwischen Armut u. Reichtum / 의견의 ~ Meinungsverschiedenheit *f.* ‖~점 Unterschied *m.*

차익(差益) Gewinnspanne *f.* -n.

차일(遮日) Sonnendach *n.* -(e)s, ⸚er. ¶~ 치다 ein Sonnen·dach 〔-schirm〕 auf|spannen.

차일피일(此日彼日) ~하다 von Tag zu Tag auf|schieben*; verschieben* 《*auf*^{4}》; in die Länge ziehen*.

차입(借入) das Borgen* 〔Leihen〕* -s. ~하다 borgen^{4} 《von *jm.*》; ^{3}sich entleihen*^{4} 《von *jm.*》. ‖일시 ~금 die schwebende Schuld, -en.

차입(差入) (Essen)lieferung für 〔an〕 Gefangene. ~하다 ein Geschenk an *jn.* ins Gefängnis schicken.

차자(次子) der zweite Sohn, -(e)s, ⸚e.

차장(次長) der stellvertretende Chef 〔[ʃɛf]〕 -s, -s; Vizechef; der zweite Direktor, -s, -en.

차장(車掌) Schaffner *m.* -s, -; 《여차장》 Schaffnerin *f.* -nen.

차점(次點) der nächste Punkt, -(e)s, -e. ¶~이 되다 als zweiter auf der Liste erfolgreichen Kandidaten stehen*. ‖~자 der Nächste*, -n, -n.

차주(車主) Wagenbesitzer *m.* -s, -; der Besitzer e-s Wagens.

차주(借主) Borger 〔Entleiher〕 *m.* -s, -; Mieter *m.* -s, - 《임차인》.

차지(借地) das gemietete 〔gepachtete〕 Grundstück, -(e)s, -e.

차지다 klebrig 〔zäh〕 (sein).

차지하다 ein|nehmen* 《자리를》; inne|haben* 《지위를》; 《점령》 besitzen*; herrschen 《*über*^{4}》; erreichen. ¶ 1 위를 ~ an erster Stelle stehen* / 의회의 과반수를 ~ e-e Mehrheit im Parlament haben.

차질(蹉跌) das Mißlingen* 〔Fehlschla-

gen*] -s. ¶~이 생기다 fehl|schlagen*; mißlingen*.
차질다 klebrig [zähflüssig; dickflüssig; zäh] (sein).
차차(次次) ①《점차》 allmählich; langsam; nach u. nach. ¶~ 추워지다 immer kälter werden. ②《조만간》 zur gegebenen Zeit; später; schließlich. ¶~ 알게 된다 Ich komme allmählich dahinter.
차창(車窓) Wagenfenster *n.* -s, -.
차체(車體) Karosserie *f.* -n; Wagenaufbau *m.* -(e)s, -ten.
차축(車軸) Achse *f.* -n.
차출(差出) ~하다 ⁴Personen (*pl.*) aus verschiedenen Stellen zum vorläufigen Dienst heraus|nehmen*.
차츰차츰 allmählich; langsam; nach u. nach; schleppend.
차치(且置) ~하다 beiseite|lassen*⁴ [-|setzen⁴]; ab|sehen* (*von*³). ¶…은 ~하고 abgesehen (*von*³); von ³*et.* abgesehen; um von ³*et.* abzusehen.
차폐(遮蔽) ~하다 decken; ab|schirmen; schützen. ‖~물 Deckungsmittel *n.* -s, -; Decke *f.* -n.
차표(車票) (Fahr)schein *m.* -(e)s, -e; (Fahr)karte *f.* -n. ¶~를 사다 e-e (Fahr)karte lösen [nehmen*]. ‖~ 판매원 der Fahrkartenschalterbeamte*, -n, -n / 왕복 ~ die Fahrkarte für die Hin- u. Rückfahrte.
차회(次回) ¶~의 nächst / ~에 nächstes Mal.
차후(次後) seitdem; seither; von... (ab).
착각(錯角) 〖數〗 =엇각.
착각(錯覺) (Sinnes)täuschung [Illusion] *f.* -en. ¶~을 일으키다 Gesichte haben; ⁴sich täuschen.
착공(着工) ~하다 ans Werk gehen*; an die Arbeit gehen*; den Bau an|fangen*.
착란(錯亂) Verwirrung [Verworrenheit] *f.* -en. ~하다 in ⁴Verwirrung geraten*. ¶정신이 ~하다 geistig gestört sein. ‖정신 ~ Geistesstörung *f.* -en.
착륙(着陸) Landung *f.* -en. ~하다 landen (*in*³). ‖불시 ~ Notlandung *f.* -en.
착발(着發) Ankunft u. Abfahrt. ‖~ 시간 die Zeit der Ankunft u. Abfahrt.
착복(着服) ~하다 veruntreuen⁴; unterschlagen*⁴. ¶거액의 공금을 ~하다 die große Summe öffentlicher Gelder veruntreuen. ‖공금 ~ die Veruntreuung öffentlicher Geld.
착상(着想) Einfall *m.* -(e)s, ⸚e; Idee *f.* -n; Konzeption *f.* -en. ¶기발한 ~ origineller Einfall.
착색(着色) Färbung *f.* -en; das Färben*, -s. ~하다 färben; Farben auf|tragen*; aus|malen.
착석(着席) ~하다 Platz nehmen*; ⁴sich setzen.
착수(着水) ~하다 wassern; auf dem Wasser landen.
착수(着手) ~하다 an|fangen*⁽⁴⁾ [beginnen*] (*mit*³); ⁴*et.* in Angriff nehmen*. ¶일을 ~하다 ⁴sich an die Arbeit machen; ans Werk gehen*.
착실(着實) ~하다 ehrlich [genau; gesund; getreu; solid] (sein). ¶~하게 살다 solid leben; sein ehrliches Auskommen haben.
착안(着眼) ~하다 sein Augenmerk auf ⁴*et.* richten; ⁴*et.* ins Auge fassen. ‖~점 Gesichtspunkt *m.* -(e)s, -e.
착암기(鑿岩機) Bohr·maschine *f.* -n [-hammer *m.* -s, ⸚].
착오(錯誤) Irrtum *m.* -(e)s, ⸚er; Täuschung *f.* -en 《착각》. ‖시대 ~ Anachronismus *m.* -, ..men / 시행 ~ die empirische Methode, -n.
착용(着用) ~하다 ⁴sich kleiden; ⁴*et.* an|ziehen*; ⁴*et.* an|kleiden. ¶예복을 ~하다 ⁴sich in Gala kleiden / 제복을 ~하다 uniformieren.
착유(搾油) Ölgewinnung *f.* -en. ~하다 das Öl pressen. ‖~기 Ölpresse *f.* -n.
착유(搾乳) das Melken*, -s. ~하다 melken⁽⁴⁾. ‖~기 Melk(er)maschine *f.* -n.
착임(着任) ~하다 ein Amt [e-e Stelle] an|treten*; in ein Amt ein|treten*.
착잡(錯雜) ~하다 verwickelt [verworren; kompliziert] (sein). ¶~한 표정 ein Ausdruck des komplizierten Gefühls.
착착(着着) gleichmäßig; stetig; sicher; Schritt für Schritt. ¶~ 진행하다 Schritt für Schritt vorwärts|gehen*; langsam aber sicher weiter|kommen*.
착취(搾取) Ausbeutung [Erpressung] *f.* -en. ~하다 aus|beuten⁴; erpressen⁴. ‖중간 ~ Zwischenausbeutung *f.*
착탄(着彈) ‖~ 거리 Schuß[Trag]weite *f.* -n (~ 거리 안[밖]에 있다 innerhalb [außerhalb] der Tragweite sein) / ~ 지점 Auftreffpunkt *m.* -(e)s, -e.
착하다 gut [gutmütig; gutherzig] (sein). ¶마음이 ~ gutherzig sein.
착함(着艦) ~하다 《항공 모함에》 auf e-m Flugzeugträger landen.
착항(着港) ~하다 im Hafen an|kommen*; in den Hafen ein|laufen*.
찬(饌) Nebengericht *n.* -(e)s, -e; Zukost *f.* -en.
찬가(讚歌) Lobgesang *m.* -(e)s, ⸚e; Hymne *f.* -n.
찬가게(饌—) Lebensmittelgeschäft *n.* -(e)s, -e.
찬기(—氣) ¶~가 돈다 Die Kalte zieht sich ein.
찬동(贊同) ~하다 zu|stimmen³; ein|willigen (*in*⁴); unterstützen⁴. ¶의견에 ~하다 *js.* Meinung zu|stimmen.
찬란(燦爛) ~하다 glänzend [strahlend; prächtig; prunkhaft; blendend] (sein). ¶찬란히 빛나다 hell glänzen.
찬립(簒立) ~하다 ³sich den Thron an|maßen; den Thron usurpieren.
찬물 das kalte Wasser, -s. ¶~을 끼얹다 das kalte Wasser auf|gießen*; 《比》 entmutigen.
찬미(讚美) Lob *n.* -(e)s, -; Lobpreisung [Verherrlichung] *f.* -en. ~하다 loben; preisen*; lob|preisen; bewundern; an|beten.
찬바람 der kalte Wind, -(e)s, -e.
찬반양론(贊反兩論) Für u. Wider; Ja od. Nein.
찬밥 kalt gewordener Reis, -es.
찬부(贊否) Für u. Wider; Ja u. Nein. ¶~를 묻다 abstimmen lassen* (*über*⁴); zur Abstimmung bringen*⁴.
찬사(讚辭) Lob *m.* -(e)s, -e; Lobrede *f.*

-n. ¶ ~를 드리다 *jm.* ein Lob erteilen^3.

찬성(贊成) Zustimmung 〔Billigung〕 *f.* -en; Beifall *m.* -(e)s. ~하다 *jm.* zu|stimmen 《*in*^{3}》; billigen; 《지지》 unterstützen. ¶ …의 의견에 ~하다 der Meinung *js.* zu〔bei〕|stimmen / ~이오 Bin dafür! ‖ ~자 《지지자》 Unterstützer *m.* -s, - / ~표 die Stimme für „ja".

찬송(讚頌) = 찬미(讚美).

찬송가(讚頌歌) Hymne *f.* -n; Kirchenlied *n.* -(e)s, -er.

찬수(纂修) Zusammen·stellung 〔-fassung〕 *f.* -en. ~하다 zusammen|stellen 〔-|tragen*〕.

찬술(撰述) ~하다 verfassen; zusammen|stellen.

찬스 Chance [ʃáːsə] *f.* -n; Gelegenheit 〔Möglichkeit〕 *f.* -en.

찬양(讚揚) ~하다 preisen*^{4}; verherrlichen^4.

찬연(燦然) ~하다 glänzend 〔strahlend; blendend; hell; schimmernd〕 (sein).

찬의(贊意) Einwilligung 〔Zustimmung〕 *f.* -en. ¶ ~를 표하다 s-e Einwilligung geben*; s-e Zustimmung zum Ausdruck bringen*.

찬장(饌欌) Küchenschrank *m.* -(e)s, ⸚e; Büfett *n.* -(e)s, -e.

찬조(贊助) ~하다 *jn.* unterstützen; *jm.* Hilfe leisten; *jm.* bei|stehen*. ¶ ~를 얻다 *js.* Gönnerschaft erwerben* / ~출연하다 er tritt als ein Gaststar ein. ‖ ~금 Beitrag *m.* -(e)s, ⸚e; Beihilfe *f.* -n.

찬찬하다 《꼼꼼하다》 umständlich 〔sorgfältig〕 (sein); 《침착하다》 ruhig 〔gefaßt〕 (sein). ¶ 찬찬히 genau; still.

찬탄(讚嘆) Bewunderung *f.* -en. ~하다 bewundern^4; begeistert an|erkennen^4.

찬탈(簒奪) ~하다 den Thron usurpieren; ^{3}sich den Thron an|maßen.

찰거머리 〖動〗 Blutegel *m.* -s, -; 《사람》 Blutsauger 〔Ausbeuter〕 *m.* -s, -.

찰과상(擦過傷) Streifwunde *f.* -n. ¶ ~을 입다 e-e Schramme bekommen*.

찰나(刹那) Moment 〔Augenblick〕 *m.* -(e)s, -e. ¶ 내가 얼굴을 든 ~에 gerade 〔in dem Moment〕 als ich aufblickte.

찰떡 der Reiskuchen aus leimigem Reis.

찰랑찰랑 ¶ 잔에 술을 ~ 붓다 ein Glas bis zum Rande füllen.

찰찰 ¶ ~ 넘게 bis den Rand voll.

찰흙 Lehm 〔Ton〕 *m.* -(e)s, -e.

참 ① 《진실》 Wahrheit 〔Wirklichkeit〕 *f.* -en; Tatsache *f.* -n. ② 《참으로》 wahr(haftig); wirklich; in der Tat 《사실상》. ¶ 참 좋다 wirklich gut sein. ③ 《감탄적》 oh!; ach!; schön. ¶ 참 별사람 다 보겠네 Ich habe solchen abscheulichen Menschen nie gesehen, aber wirklich!

참가(參加) Teilnahme *f.* -n; Beteiligung 〔Intervention〕 *f.* -en. ~하다 ^{4}sich beteiligen 《*an*^{3}》; teil|nehmen* 《*an*^{3}》. ‖ ~자 Teilnehmer *m.* -s, -; der Beteiligte*, -n, -n.

참견(參見) ~하다 ^{4}sich ein|mischen 〔ein|mengen〕; ^{4}sich ab|geben* 《*mit*^{3}》; ^{4}sich ein|lassen* 《*in*^{4}; *auf*^{4}》. ¶ 남의 일에 ~말라 Misch dich nicht in anderer Leute Sachen ein!

참경(慘景) der klägliche 〔jämmerliche; schreckliche〕 Anblick, -(e)s, -e.

참고(參考) ~하다 nach|schlagen* 《*in*^{3}》; durchsehen*; vergleichen* 《*mit*^{3}》. ‖ ~서 Nachschlagebuch *n.* -(e)s, ⸚er; Nachschlagewerk *n.* -(e)s, -e.

참관(參觀) Besuch *m.* -(e)s, -e; Besichtigung *f.* -en. ~하다 besuchen^4; besichtigen^4. ‖ ~인 Besucher *m.* -s, -.

참괴(慚愧) ~하다 ^{4}sich schämen 《e-r Sache *od.* *js.*》; ^{4}sich schämend sein; beschämt sein.

참극(慘劇) Tragödie *f.* -n; ein tragisches 〔grausames〕 Ereignis, -ses, -se.

참기름 Sesamöl *n.* -(e)s, -e.

참깨 Sesam *m.* -s, -s; Sesamkraut *n.* -(e)s, ⸚er.

참나무 Eiche *f.* -n; Eichbaum *m.* -(e)s, ⸚e.

참다 ertragen*^{4}; Geduld haben; erdulden^4; aus|halten*^{4}; verbeißen*. ¶ 참을 수 없는 분노 der unbändige Zorn, -(e)s / 고통을 ~ die Schmerzen aus|halten*.

참담(慘憺) ~하다 entsetzlich 〔fürchterlich; gräßlich; greulich〕 (sein). ¶ ~한 생활 das tragische 〔gräßliche〕 Leben.

참답다 wahr 〔wahrhaftig; wahrlich; wirklich; treu〕 (sein).

참대 der langgliedrige Bambus, -ses, -se.

참되다 treu 〔aufrichtig; ehrlich; redlich; wirklich〕 (sein). ¶ 참된 용기 der echte 〔wahre〕 Mut.

참뜻 die wahre Bedeutung, -en; die wahre 〔wirkliche〕 Absicht, -en.

참례(參禮) ~하다 an e-r Zeremonie 〔an e-m Fest〕 teil|nehmen*; gratulieren gehen*.

참말 die wahre Äußerung, -en; die wirkliche Tatsache, -n; die echte 〔zuverlässige〕 Geschichte, -n. ¶ 그게 ~인가 Ist das wahr?

참모(參謀) Stab *m.* -(e)s, ⸚e; Stabsoffizier *m.* -s, -e. ‖ ~ 총장 der Chef des Generalstabs / ~ 회의 Stabskonferenz *f.* -en / 합동 ~ 본부 Gesamthauptstab *m.* -(e)s, ⸚e.

참배(參拜) ~하다 besuchen; pilgern; wallen.

참빗 Staubkamm *m.* -(e)s, ⸚e.

참빗살나무 〖植〗 Pfaffen〔Spindel〕baum *m.* -(e)s, ⸚e.

참사(慘死) der tragische Tod, -(e)s, -e. ~하다 ums Leben kommen*; den Tod erleiden*; um|kommen*.

참사(慘事) ein furchtbares Ereignis, -ses, -se; ein schrecklicher Zwischenfall, -(e)s, ⸚e. ¶ ~를 일으키다 e-e Katastrophe verursachen.

참살(斬殺) ~하다 enthaupten; köpfen; über die Klinge springen lassen*. ¶ ~당하다 enthauptet werden.

참살(慘殺) ~하다 um|bringen*; erschlagen*; tot|schlagen*; ab|schlachten.

참상(慘狀) Schreckensbild *n.* -(e)s, -er; ein schrecklicher Anblick, -(e)s, -e. ¶ 차마 눈뜨고 볼 수 없는 ~이다 ein schreckliches Bild bieten*.

참새 〖鳥〗 Sperling *m.* -s, -e; Spatz *m.* -en, -en.

ㅊ

참석(參席) Anwesenheit *f.*; Beteiligung *f.* -en. ～하다 anwesend sein (*bei*^{3}); beteiligen (*an*^{3}); dabei|sein* (*bei*^{3}); teil|nehmen* (*an*^{3}). ¶회의에 ～하다 zu e-r Versammlung kommen*.

참섭(參涉) ～하다 ^{4}sich ein|mischen (*in*^{4}); dazwischen|kommen* (*jm.*); ein|greifen* (*in*^{4}); intervenieren (*in*^{4}).

참소(讒訴) ～하다 *jn.* fälschlicherweise an|schuldigen^{2}; *jn.* in falschen Verdacht bringen*.

참수(斬首) ～하다 enthaupten^{4}; köpfen^{4}; *jm.* den Kopf ab|schlagen*.

참신(斬新) ～하다 ganz neu [neu u. erfinderisch; originell; apart] (sein).

참언(讒言) Verleumdung *f.* -en; (die falsche) Bezichtigung, -en.

참여(參與) Teilnahme *f.* (*an*^{3}). ～하다 teil|nehmen* (*an*^{3}); ^{4}sich beteiligen (*an*^{3}). ¶국정에 ～하다 an der Verwaltung der Staatsangelegenheit teil|nehmen*.

참예(參預) ＝참여(參與).

참외 (e-e Art) Melone *f.* -n. ‖～밭 Melonefeld *n.* -(e)s, -er.

참으로 wirklich; wahrlich; tatsächlich. ¶～ 영리한 아이다 Er ist tatsächlich sehr klug.

참을성(一性) Geduld *f.*; Ausdauer *f.*; das Aushalten*, -s. ¶～ 있는 geduldig; duldsam.

참작(參酌) ～하다 erwägen*^{4}; berücksichtigen^{4}; (정상을) zugute|halten*. ¶정상을 ～하다 die Umstände in Rücksicht nehmen*.

참전(參戰) ～하다 e-n Krieg mit|führen [-|machen]; den Krieg erklären.

참정권(參政權) Wahlrecht *n.* -(e)s, -e; Stimmrecht. ‖여성 ～ Frauenstimmrecht.

참조(參照) ～하다 nach|schlagen*^{4}; ^{4}sich berufen*; vergleichen*^{4} (*mit*^{3}). ¶～하라 vergleiche! (略; vgl.); siehe! (略: s.).

참칭(僭稱) ～하다 ^{4}sich aus|geben* (*für*^{4}); ^{3}sich (e-n Titel) an|maßen.

참패(慘敗) ～하다 e-e schwere [vernichtende] Niederlage erleiden*.

참하다 hübsch [nett; niedlich] (sein). ¶참한 색시 das bescheidene Mädchen.

참하다(斬—) nieder|hauen* (*jn.*); erschlagen* (*jn.*); tot|schlagen* (*jn.*).

참형(斬刑) Enthauptung *f.* -en; die Hinrichtung durch Köpfen*. ¶～에 처하다 enthaupten^{4}; köpfen^{4}.

참호(塹壕) Schützen[Lauf]graben *m.* -s, ⸚. ¶～를 파다 e-n Graben aus|heben* [an|legen].

참혹(慘酷) ～하다 grausam [greulich; entmenscht; brutal; erbarmungslos; unbarmherzig] (sein). ¶～한 광경 die schreckliche Szene.

참화(慘禍) Übel *n.* -s, -e. ¶전쟁의 ～를 입다 die Greuel (*pl.*) e-s Krieges erleiden*.

참회(懺悔) Buße [Beichte] *f.* -n. ～하다 büßen^{4}; beichten$^{(4)}$; e-e Beichte ab|legen. ¶～의 눈물 die Bußtränen (*pl.*). ‖～록 Bekenntnis [Geständnis] *n.* -ses, -se.

찹쌀 der klebrige Reis (für Reiskuchen).

찻길(車—) Fahrweg *m.* -(e)s, -e; Fahrstraße *f.* -n.

찻삯(車—) Fahr·geld *n.* -(e)s, -er [-preis *m.* -es, -e]; (운반료) Fracht[Fuhr]geld *n.*

찻집(茶—) Tee·haus *n.* -es, ⸚er [-stube *f.* -n].

창 (구두의) Sohl(en)leder *n.* -s, -; Sohle *f.* -n. ¶창을 갈다 die Schuhsohle reparieren. ‖구두창 Schuhsohle *f.*

창(窓) Fenster *n.* -s, -. ¶창유리 Fensterscheibe *f.* -n / 창을 열다[닫다] das Fenster auf|machen [zu|machen].

창(槍) Spieß *m.* -es, -e; Speer *m.* -(e)s, -e; Lanze *f.* -n. ¶창으로 찌르다 *jn.* mit dem Speer [Spieß] durchbohren. ‖창던지기 Speerwerfen *n.* -s.

창가(唱歌) Gesang *m.* -(e)s, ⸚e; (노래함) das Singen*, -s.

창간(創刊) ～하다 e-e Zeitschrift gründen. ‖～호 die erste Nummer, -n.

창건(創建) ～하다 gründen^{4}; errichten^{4}; stiften^{4}.

창고(倉庫) Speicher *m.* -s, -; Lagerhaus *n.* -es, ⸚er; (군수품의) Magazin *n.* -s, -e. ¶～에 넣다 lagern^{4}; auf ^{4}Lager nehmen*^{4}. ‖～업 Lager(haus)geschäft *n.* -(e)s, -e / ～ 증권 Lagerschein *m.* -(e)s, -e.

창공(蒼空) der blaue Himmel, -s, -.

창구(窓口) Schalter *m.* -s, -. ‖～ 근무 [사무] Schalterdienst *m.* -es.

창궐(猖獗) ～하다 wüten; toben; um ^{4}sich greifen*.

창극(唱劇) Oper *f.* -n; e-e koreanische Oper.

창기(娼妓) ＝창녀(娼女).

창기병(槍騎兵) Lanzen[Speer]reiter *m.* -s, -.

창녀(娼女) die Prostituierte*, -n, -n; (俗) Hurenweib *n.* -(e)s, -er; Schnepfe *f.* -n.

창달(暢達) Geläufigkeit [Geschicklichkeit] *f.*

창당(創黨) ～하다 e-e (neue) Partei gründen. ‖～ 대회 die Einweihung (-sfeier) der neu gegründeten Partei.

창도(唱導) ～하다 befürworten^{4}; propagieren^{4}.

창독(瘡毒) 〔漢醫〕 die Infektion e-s Abszesses.

창립(創立) Gründung *f.* -en; Stiftung *f.* -en. ～하다 gründen^{4}; stiften^{4}; eröffnen^{4}; ein|richten^{4}. ‖～ 기념일 Stiftungstag *m.* -(e)s, -e / ～자 Gründer *m.* -s, - / ～ 총회 die erste Generalversammlung, -en.

창문(窓門) Fenster *n.* -s, -; (배의 둥근 창) Bullauge *n.* -s, -n.

창백(蒼白) ～하다 blaß [bleich] (sein). ¶～해지다 blaß werden; erbleichen*.

창부(娼婦) die feile Dirne, -n.

창살(窓—) Rahmenwerk *n.* -(e)s, -e; Gitter [Gatter] *n.* -s, -.

창상(創傷) Schnittwunde *f.* -n; Hieb *m.* -(e)s, -e.

창설(創設) ＝창립(創立).

창세(創世) 〔聖〕 die Erschaffung der Welt. ‖～기 Genesis *f.* (略: Gen.); das I. Buch Mosis.

창시(創始) Gründung *f.* -en. ～하다 neu schaffen*^{4}; ins Leben rufen*^{4}.

창안(創案) Originalität *f.* -en; Einfall *m.* -s, ⸚e. ‖～자 Urheber [Erfinder] *m.* -s, -.

창업(創業) 《나라의》 die Begründung e-r Nation; 《사업의》 die Begründung e-s Unternehmens. ～하다 ein Geschäft begründen; ein|richten. ‖ ～비 Kosten (*pl.*) für die Geschäftsbegründung / ～자 Gründer 〔Anfänger〕 *m.* -s, -.

창연(蒼鉛) 〖化〗 Bismutum *n.* -s.

창의(創意) Originalität *f.* -en; Schöpferkraft *f.* ⸗e 《독창력》. ～적(인) originell; schöpferisch. ¶ ～력이 풍부한 사람 ein Mann von schöpferischem Talent.

창자 Eingeweide (*pl.*); Gedärme *n.* -s, -. ¶ ～를 빼내다 aus|weiden[4]; auf|brechen*[4].

창작(創作) Schöpfung *f.* -en; (Neu-)schaffung *f.* -en; 《소설》 Novelle *f.* -n 《단편》; Roman *m.* -s, -e 《장편》. ～하다 schaffen*[4]; 《문학에서》 schreiben*[4]; dichten[4]. ‖ ～력 Schaffenskraft *f.* ⸗e / ～물(物) Schöpfung *f.* -en; Erschaffung *f.* -en.

창조(創造) Schöpfung *f.* -en; Erschaffung *f.* -en. ～하다 (er)schaffen*[4]. ¶ ～적 schöpferisch; (er)schaffend. ‖ ～력 Schöpferkraft *f.* ⸗e / ～물 Geschöpf *n.* -(e)s, -e / ～자(者) Schöpfer *m.* -s, -; der Schaffende*, -n, -n.

창졸간(倉卒間) ～의 plötzlich; momentan. ¶ ～에 plötzlich; im 〔in e-m〕 Augenblick 〔Moment〕.

창창(蒼蒼) ～하다 《푸르다》 himmelblau 〔azurn〕 (sein); 《앞길이》 (weit) entfernt 〔fern; entlegen; breit〕 (sein). ¶ 앞길이 ～하다 noch viel vor [3]sich haben / ～한 장래 die glänzende Zukunft.

창틀(窓一) Fensterrahmen *m.* -s, -.

창파(滄波) Woge 〔Welle〕 *f.* -n. ‖ 만경(萬頃) ～ e-e unendliche See, -n.

창포(菖蒲) 〖植〗 Kalmus *m.* -, ..musse.

창피(猖披) Schmach *f.*; Schande *f.* -n; Unehre *f.* ～하다 entehrend 〔unehrenhaft; schändlich; schimpflich〕 (sein). ¶ ～를 당하다 Schande auf [4]sich laden*; [4]sich lächerlich machen / ～주다 beschämen 《*jn.*》; lächerlich machen / ～를 모르다 k-e Scham kennen*.

창해(滄海) die blau Weite des Meeres. ‖ ～ 일속(一粟) das Tröpfchen in e-m Eimer.

창호(窓戶) Papierschiebe·fenster *n.* -s, - 〔-tür *f.* -en〕. ‖ ～지 das Papier zum Bekleben der Schiebetüren.

창황(蒼黃) ¶ ～히 bestürzt; übereilt; überstürzt.

찾다 ① 《사람·물건을》 suchen[4] 《*nach*[3]》; fahnden 《*nach*[3]》 《범인 등을》; forschen 《*nach*[3]》; auf|forschen; heraus|suchen 〔-|finden*〕; 《뒤지다》 kramen 《*nach*[3]》. ¶ 일자리를 ～ e-e Stellung suchen / 서랍 속을 ～ in e-r Schublade kramen / 구실을 ～ nach e-r Ausrede suchen. ② 《발견》 (auf|)finden*; ausfindig machen[4]; entdecken[4]; 《되찾다》 ein|lösen[(4)]. ¶ 은행에서 예금을 ～ Geld der Bank ab|heben*. ③ 《방문》 besuchen[4]; Besuch machen 《*jm.*》; zu *jm.* kommen* 〔gehen*〕. ¶ 친구를 ～ e-n Freund besuchen / 한번 찾아 가겠다 《인사차》 Ich werde m-e Aufwartung machen. ④ 《사전 등을》 nach|schlagen*; nach|sehen* 《*in*[3]》. ¶ 사전을 ～ ein Wörterbuch nach|schlagen*.

채[1] Deichsel *f.* -n; 《마차의》 Gabeldeichsel *f.*

채[2] 《북의》 Trommelstock *m.* -(e)s, ⸗e; 《현악기의》 Bogen *m.* -s, ⸗〔-〕.

채[3] 《아직》 noch nicht; bis jetzt; bisher. ¶ …이 채 못 되는 etwas weniger als / 사과가 채 익지 않았다 Der Apfel ist noch gereift.

채[4] 《썬 것》 Schnitzel *n.* -s, - 《Gemüse》; 《썰기》 das Schnitzeln*, -s.

채[5] 《그대로》 unberührt; wie es steht 〔ist〕. ¶ 신을 신은 채 ohne die Stiefel auszuziehen / 모자를 쓴 채 mit aufgesetztem Hut / 입은 채로 자다 angekleidet schlafen*.

채(菜) 《반찬의》 e-e Art gemischter Salat.

채결(採決) ～하다 ab|stimmen 《*über*[4]》; [4]*et.* zur Abstimmung bringen*.

채광(採光) Beleuchtung *f.* -en. ¶ ～이 좋은 방 das gut erleuchtete Zimmer. ‖ ～창 Dachfenster *n.* -s, -.

채광(採鑛) Abbau *m.* -(e)s; Bergarbeit *f.* -en. ～하다 ab|bauen[4]. ‖ ～권 Bergbauberechtigung *f.* -en.

채굴(採掘) ～하다 ab|bauen[4]; zu Tage fördern[4]. ‖ ～권(權) Abbaurecht *n.* -(e)s, -e.

채권(債券) Schuldschein *m.* -(e)s, -e; Obligation *f.* -en. ¶ ～을 발행하다 Schuldscheine 〔Obligationen〕 aus|geben*. ‖ 유통 ～ der börsenfähige Schuldschein / 저축 ～ Sparschuldschein *m.*

채권(債權) Schuldforderung *f.* -en. ‖ ～법 Obligationen〔Schuld〕recht *n.* -(e)s / ～ 양도 Forderungsabtretung *f.* -en / ～자 Gläubiger *m.* -s, -.

채널 Kanal *m.* -s, ⸗e. ¶ ～을 맞추다 e-n Kanal wählen / ～을 바꾸다 auf e-m anderen Kanal wählen.

채다[1] 《걷어챔·걸림》 getreten werden. ¶ 옆구리를 ～ e-n Tritt in die Seite bekommen*; 《뺏김》 bestohlen werden.

채다[2] ① 《빼앗다》 ab〔los〕|reißen* 《*jm.* [4]*et.*》; entreißen* 《*jm.* [4]*et.*》; *jm.* 〔*mit* Gewalt〕 weg|nehmen*. ¶ 아무의 손에서 ～ [4]*et.* *js.* Händen entreißen* / 남의 아내를 ～ die Frau des anderen stehlen*. ② 《당기다》 schnellen; rückweise u. plötzlich ziehen*; stoßen*. ¶ 낚싯대를 ～ die Angelrute schnellen.

채다[3] 《눈치를》 wittern[4]; auf|spüren[4]; den Wind von [3]*et.* bekommen*.

채독(菜毒) die Lebensmittelvergiftung von Gemüsegenuß. -(e)s, -e.

채료(彩料) Farbe *f.* -n; Farbstoff *m.*

채마(菜麻) (Garten)gemüse *n.* -s, -. ‖ ～밭 Gemüse〔Schreber〕garten *m.* -s, ⸗e.

채무(債務) Schuld(pflicht) *f.* -en; Obligation *f.* -en. ¶ ～가 있다 die Schulden haben / ～를 이행하다 e-e Schuld begleichen* 〔bezahlen〕 / ～를 인수하다 e-e fremde Schuld übernehmen*. ‖ ～ 불이행 das Versäumnis der Obligation / ～자 Schuldner *m.* -s, -.

ㅊ

채반(一盤) Weidenkorb *m.* -(e)s, ⸚e.
채비(一備) Bereitschaft *f.* -en; Vorbereitung *f.* -en; Arrangement *n.* -s, -s. ～하다 Vorbereitungen 〔Vorkehrungen〕 (*pl.*) treffen*; vor|bereiten^{4}.
채산(採算) ¶ ～이 맞다 einträglich 〔rentabel〕 sein; ^{4}sich bezahlt machen / ～이 맞지 않다 unerträglich 〔nicht gewinnbringend〕 sein.
채색(彩色) Farbengebung *f.* -en; Kolorit *n.* -(e)s, -e. ～하다 färben^{4}; kolorieren^{4}; malen^{4}.
채석(採石) das Stein·brechen* 〔-klopfen*〕 -s. ～하다 den Stein brechen*. ‖ ～장 Steinbruch *m.* -(e)s, ⸚e.
채소(菜蔬) Gemüse *n.* -s, -. ¶ ～를 가꾸다 Gemüse bauen. ‖ ～ 가게 Gemüsehandlung *f.* -en / ～밭 Gemüsegarten *m.* -s, ⸚ / ～ 장수 Gemüsehändler *m.* -s, -.
채송화(菜松花) 〖植〗 Portulakröschen *n.* -s, -.
채식(菜食) Gemüse〔Pflanzen〕kost *f.* ～하다 von pflanzenkost leben; vegetarisch leben. ‖ ～ 동물 das vegetarische Tier / ～주의 Vegetarismus *m.* (～주의자 Vegetarier *m.* -s, -).
채용(採用) Aufnahme *f.*; 《임용》 Anstellung *f.* -en. ～하다 auf|nehmen*^{4}; an|stellen^{4}. ‖ ～ 시험 Aufnahmeprüfung *f.* -en / ～ 조건 Aufnahmebedingungen (*pl.*) / 임시(臨時) ～ Probeanstellung *f.*
채우다^{1} 《잠그다》 verschließen*; ab|schließen*; 《옷 등을》 zu|hacken. ¶ 자물쇠를 ～ den Schloß verschließen* / 단추를 ～ zu|knöpfen / 수갑을 ～ *jm.* (Hand)fesseln an|legen.
채우다^{2} 《물에》 in kaltes Wasser legen^{4}; 《얼음에》 auf Eis legen^{4}.
채우다^{3} ① 《수를》 《Zahlen》 ergänzen; vervollständigen. ¶ 백을 ～ (es) zu 100 machen. ② 《그득하게》 füllen^{4} 《*mit*^{3}》; 《보충》 ergänzen; 《짐을》 packen^{4}《*in*^{4}》. ¶ 술잔을 ～ e-n Becher 〔ein Glas〕 mit Wein füllen. ③ 《만족》 befriedigen^{4}; decken^{4}; erfreuen^{4}; erfüllen^{4}. ¶ 욕망을 ～ *js.* Begierde erfüllen.
채유(採油) Ölbohrung *f.* -en. ～하다 nach Erdöl bohren. ‖ ～권(權) Ölbohrungsrecht *n.* -(e)s, -e.
채이다 《눈치를》 bemerkt 〔ausgemacht〕 werden.
채점(採點) das Zensieren*, -s. ～하다 zensieren^{4}; 《경기에서》 an|schreiben*. ‖ ～자 Zensurengeber *m.* -s, -; 《경기의》 Anschreiber *m.* -s, - / ～표 Zensurliste *f.* -n.
채집(採集) Sammlung *f.* -en. ～하다 sammeln^{4}; 《식물을》 botanisieren^{4}. ¶ 식물 ～을 하다 Pflanzen sammelen; botanisieren.
채찍 Peitsche 〔Geißel; Rute〕 *f.* -n. ¶ ～으로 때리다 peitschen^{4}; geißeln^{4}. ‖ ～질 das Peitschen*, -s.
채취(採取) das (sorgfältige) Aussuchen*, -s; das Sammeln*, -s. ～하다 《진주 등을》 fischen^{4}; 《광석을》 gewinnen*^{4}; 《목화 등을》 pflücken^{4}; sammeln; aus|suchen. ¶ 지문을 ～하다 *js.* Fingerabdruck nehmen* 〔gewinnen*〕.
채치다 ① 《빼앗다》 *jm.* ^{4}*et.* weg|raffen 〔-|reißen*; -|nehmen*〕; *jm.* ^{4}*et.* rauben; *jn.* ^{2}*et.* berauben. ② 《독촉》 *jn.* auf|fordern 《*zu*^{3}》; *jn.* mahnen 《*um*^{4}》.
채치다(菜一) 《채를》 zerschneiden*^{4}; schnitzeln^{4}.
채칼(菜一) das Messer zum Gemüseschnitzeln.
채탄(採炭) Kohlen·abbau *m.* -(e)s 〔förderung *f.* -en〕. ～하다 Kohlen ab|bauen. ‖ ～량 die Forderung 〔Ausbeute〕 von Steinkohlen / ～부 Kohlengrubenarbeiter *m.* -s, -.
채택(採擇) Annahme *f.* -n; Auswahl *f.* -en. ～하다 an|nehmen*^{4}.
채플 Kapelle *f.* -n.
채필(彩筆) Maler〔Anstreich〕pinsel *m.* -s, -.
채혈(採血) Blutentnahme *f.* -n. ～하다 *jm.* Blut entnehmen*.
책(冊) Buch *n.* -(e)s, ⸚er. ¶ 책으로 내다 in Buchform veröffentlichen / 책을 쓰다 ein Buch schreiben* / 책을 펴다 ein Buch auf|schlagen* / 책을 덮다 das Buch zu|machen. ‖ 책가위 Schutzumschlag *m.* -(e)s, ⸚e / 책 광고 Bücherankündigung *f.* -en / 책꽂이 Bücherbrett *n.* -(e)s, -er / 책 장수 Buchhändler *m.* -s, - / 책 표지 Einbanddecke *f.* -n; Schutzumschlag *m.* -(e)s, ⸚e.
책갑(冊匣) Büchse 〔Lade〕 *f.* -n.
책동(策動) Kunstgriff 〔Kniff〕 *m.* -(e)s, -e; Ränke (*pl.*). ～하다 Ränke schmieden; intrigieren; Umtriebe machen.
책략(策略) Ränke (*pl.*); Umtriebe (*pl.*); 《俗》 Dreherei *f.* -en. ¶ ～을 쓰다 Kniffe u. Pfiffe an|wenden* / ～에 빠지다 *jm.* in die Falle gehen*. ‖ ～가 Taktiker *m.* -s, -.
책력(冊曆) Almanach *m.* -s, -e.
책망(責望) Tadel *m.* -s, -; Vorwurf *m.* -(e)s, ⸚e; Verweis *m.* -es, -e. ～하다 *jn.* tadeln 《*wegen*^{2}》; *jm.* vor|werfen*^{4}; *jm.* verweisen*^{4}.
책무(責務) Pflicht *f.* -en; Pflicht u. Schuld; Schuldigkeit *f.* -en. ¶ ～를 다하다 s-e Pflicht erfüllen.
책받침(冊一) Schreibunterlage *f.* -n.
책보(冊褓) Einschlag(e)tuch *n.* -(e)s, ⸚er. ¶ ～에 싸다 in ein Tuch ein|wickeln^{4}.
책상(冊床) Tisch *m.* -es, -e; Schreibtisch *m.*
책상다리(冊床一) ～하다 e-n Schneidersitz machen 〔sitzen*〕; die Beine übereinanderschlagend sitzen*.
책상물림(冊床一) ein weltfremder Gelehrter*.
책임(責任) Verantwortung *f.* -en; Verantwortlichkeit *f.*; Verpflichtung *f.* -en; Haftpflicht *f.* -en; 《죄》 Schuld *f.* ¶ ～을 묻다 zur Rechenschaft ziehen* 《*jn.* wegen $^{2\cdot3}$*et.*》 / ～을 다하다 s-e Pflicht erfüllen / ～을 회피하다 s-e Pflicht versäumen / ～ 있는 verantwortlich, verbindlich; haftpflichtig; schuldig / …에 ～이 있다 verantwortlich sein 《*für*^{4}》; schuldig sein 《*an*^{3}》 / ～을 지다 die Verantwortung übernehmen*《*für*^{4}》; die Schuld auf ^{4}sich nehmen*. ‖ ～감 das Pflichtbewußtsein *n.* -s / ～자 die verantwortliche Person,

-en / 연대 ～ die gegenseitige Verantwortung / 형사 ～ die strafrechtliche Verantwortlichkeit.

책장(冊張) (Buch)seite *f.* -n; Blatt *n.* -(e)s, ⸚er. ¶～을 넘기다 die Seite(n) (e-s Buches) um|schlagen*; um|blättern.

책장(冊欌) Bücherschrank *m.* -(e)s, ⸚e.

챔피언 Kämpe *m.* -n, -n; Vorkämpfer 〔Streiter〕 *m.* -s, -.

챙 《모자의》 Mützenschirm *m.* -(e)s, -e.

챙기다 《짐을》 sammeln⁴; zusammen|packen⁴; 《정리》 in Ordnung bringen*⁴. ¶소지품을 ～ die Habseligkeiten sammeln.

처(妻) (Ehe)frau *f.* -en. ☞아내.

처가(妻家) das Elternhaus der Ehefrau. ¶～살이하다 in e-e Familie ein|heiraten.

처남(妻男) Schwager *m.* -s, ⸚.

처넣다 hinein|schlagen* 〔-|hämmern; -|werfen*〕 《*in*⁴》; 《사람을》 zusammen|pferchen. ¶교도소에 ～ ins Gefängnis ein|buchten.

처녀(處女) Jungfrau *f.* -en; 《소녀》 Mädchen 〔Fräulein〕 *n.* -s, -. ‖ ～성 Jungfräulichkeit *f.* (～성을 잃다 die Jungfernschaft verlieren*) / ～작 Erstlingswerk *n.* -(e)s, -e / ～지 Jungfernerde *f.* -n.

처단(處斷) Urteil *n.* -(e)s, -e; 《결정》 Entscheidung *f.* -en; 《처분》 Maßregel *f.* -n. ～하다 ein Urteil sprechen* 《*über*⁴》; entscheiden*⁴; Maßregeln nehmen*.

처덕거리다 ① 《빨래를》 durch|prügeln⁴; schlagen*⁴; klopfen⁴. ② 《바름》 an|kleben⁴; ein|kleben⁴; auf|kleben⁴. ¶《얼굴에》 분을 ～ ⁴sich stark pudern.

처뜨리다 herunter|hängen* 〔-|fallen*〕. ¶어깨를 ～ die Schulter senken.

처량(凄凉) ～하다 kläglich 〔traurig; trübe; jämmerlich〕 (sein).

처럼 wie; als. ¶여느 때～ wie sonst 〔gewöhnlich〕.

처리(處理) Erledigung *f.* -en; Verrichtung *f.* -en. ～하다 erledigen⁴; verrichten⁴; handhaben⁴; behandeln⁴. ¶적당히 ～하다 ⁴*et.* richtig 〔gut〕 besorgen.

처마 Vordach *n.* -(e)s, ⸚er. ¶～ 밑에 unter dem Vordach.

처먹다 essen*⁴; verzehren⁴; 《짐승이·짐승처럼》 fressen*⁴; verschlingen*⁴.

처방(處方) Rezept *n.* -(e)s, -e; Verordnung *f.* -en. ～하다 rezeptieren⁴; verschreiben*⁴. ¶～을 쓰다 ein Rezept schreiben*.

처벌(處罰) Bestrafung *f.* -en; der Vollzug der Strafe. ～하다 bestrafen《*jn.*》; 《징벌》 züchtigen 《*jn.*》. ¶～받다 bestraft werden.

처분(處分) die freie Verfügung 《*über*⁴》; Behandlung *f.* -en; Verfahren *n.* -s, -. ～하다 verfügen 《*über*⁴》; ⁴*et.* verwenden⁽*⁾; verfahren* 《*mit*³》. ¶그는 집을 ～했다 Er hat über sein Haus verfügt. ‖ 공매 ～ Zwangsversteigerung *f.* -en.

처사(處事) Handhabung 〔Behandlung; Verwaltung〕 *f.* -en. ¶부당한 ～ ungerechte Behandlung, -en.

처세(處世) Lebens·führung *f.* -en 〔-weise *f.* -n〕. ～하다 leben 《*von*³》; ⁴sich (auf|)führen. ¶～에 능하다 welt·klug 〔-erfahren〕 sein. ‖ ～술 Lebensweisheit 〔-klugheit; -kunst〕 *f.*

처소(處所) Platz *m.* -es, ⸚e; Stelle *f.* -n; 《거처》 Wohnung *f.* -en; Wohnort *m.* -(e)s, -e.

처시하(妻侍下) Pantoffelheld *m.* -en, -en.

처신(處身) Lebensart *f.*; Benehmen *n.* -s. ～하다 ⁴sich betragen* 〔benehmen*; verhalten*〕. ¶～이 나쁘다 e-n schlechten Lebenswandel führen.

처우(處遇) 《접대》 Behandlung *f.* -en; 《급료》 Belohnung *f.* -en. ¶～를 개선하다 e-e bessere Behandlung zukommen lassen*; 《급료의》 das Gehalt erhöhen.

처음 《시초》 Anfang *m.* -(e)s, ⸚e; Beginn *m.* -(e)s; 《기원》 Ursprung *m.* -(e)s, ⸚e; 《개시》 Eröffnung *f.* -en; 《첫번》 das erste Mal; früher. ¶～은 am 〔im; zu〕 Anfang; erst(ens) / ～으로 zum ersten Mal / ～부터 von ³Anfang an / ～부터 끝까지 von Anfang bis zu ³Ende; von A bis Z.

처자(妻子) Weib u. Kind; Familie *f.* -n. ¶～가 있다 Weib u. Kind haben.

처절(悽絕) ～하다 sehr traurig (sein); äußerst schauerlich 〔grausig〕 (sein).

처제(妻弟) Schwägerin *f.* -nen.

처조카(妻—) der Neffe der Ehefrau.

처지(處地) Lage *f.* -n; Umstände (*pl.*); (Lebens)verhältnisse (*pl.*); Zustand *m.* -(e)s, ⸚e. ¶～가 딱하다 in dürftigen Verhältnissen leben / …한 ～가 되다 in die Lage kommen*, ...

처지다 ① 《아래로》 herab〔herunter〕|hängen*. ¶귀가 처진 개 der Hund mit Hängeohren. ② 《뒤처지다》 zurück|bleiben* 〔-|fallen*〕. ¶반도 못 가서 ～ schon auf halber Strecke ab|fallen*.

처참(處斬) ～하다 *jn.* enthaupten 〔köpfen〕.

처참(悽慘) ～하다 grauenhaft 〔grausig; greulich; schauderhaft〕 (sein). ¶～한 광경 der grauen·hafte 〔-volle〕 Anblick, -(e)s, -e.

처첩(妻妾) Ehefrau u. Nebenfrau(en).

처치(處置) ～하다 ① verfügen 《*über*⁴》; regeln⁴; Maß·nahmen〔-regeln〕 treffen* 《*gegen*⁴》. ¶～ 곤란한 schwer zu behandeln 《다루기 힘든》. ② 《제거》 ⁴*et.* 〔*jn.*〕 beseitigen; ab|schaffen*.

처하다(處—) ① 《놓이다》 ⁴sich ³*et.* gegenüber|sehen*〔-|stehen*〕; 《대처하다》 ⁴sich benehmen*. ¶위기에 처하여 angesichts der ²Gefahr. ② 《처벌》 *jn.* verurteilen 《*zu*³》. ¶엄벌에 ～ *jm.* e-e Schwere Strafe auf|erlegen.

처형(妻兄) Schwägerin *f.* -nen; die ältere Schwester der Ehegattin.

처형(處刑) Hinrichtung *f.* -en; Bestrafung *f.* -en 《처벌》. ～하다 hin|richten⁴; bestrafen⁴. ¶～을 받다 bestraft werden. ‖ ～대 Schafott *n.* -(e)s, -e 《단두대》; Galgen *m.* -s, - 《교수대》.

ㅊ

척 ① (단단히) fest klebend 〔haftend〕. ¶손에 척 들러 붙다 an der Hand fest|kleben. ② (처짐) los(e); lose (hängend). ¶나뭇가지가 척 늘어지다 die Zweige des Baums hängen herunter. ③ (선뜻) nobel; (서슴지 않고) ohne weiteres; leicht; schnell. ¶척 대답하다 die Antwort schnell geben*. ④ (멋지게) geschickt; gescheit; elegant. ¶안경을 척 쓰다 die Brille imponierend tragen*.

척(尺) Fuß *m.* –es. ‖계산척 Rechenschieber *m.* –s, –.

척(隻) Schiff *n.* –(e)s, –e (Zählwort). ¶배 한 척 ein Schiff *n.*

척골(蹠骨) 〖解〗 Metatarsus *m.* –, ..sen.

척도(尺度) (Längen)maß *n.* –es, –e; Maßstab *m.* –(e)s, ⸚e. ¶문명의 ~ das Barometer der Zivilisation.

척살(刺殺) ~하다 tot|stechen* (*jn.*); erstechen* (*jn.*).

척수(脊髓) 〖解〗 Rückenmark *m.* –(e)s. ‖ ~ 마비 Rückenmarkslähmung *f.* –en / ~ 신경 Rückenmarksnerv *m.* –s, –en / ~ 카리에스 Rückenmarksschwindsucht 〔–darre〕 *f.* / 뇌 ~ Gehirnrückenmark *m.* –(e)s.

척식(拓殖) Kolonisation *f.* –en; Ausnutzung *f.* –en. ~하다 kolonisieren[4]; [4]sich nieder|lassen*. ‖ ~ 회사 Kolonisationsgesellschaft *f.* –en.

척주(脊柱) 〖解〗 Wirbelsäule *f.* –n; Rückgrat *n.* –(e)s, –e (척추). ‖ ~ 만곡 Wirbelsäulenkrümmung *f.* –en.

척척 ① (달라 붙음) festklebend; dicht. ¶~ 달라붙다 kleberig sein*; fest kleben. ② (선뜻) lebhaft; behende; ohne weiteres; sogleich; schnell. ¶묻는 말에 ~ 대답하다 auf e–e Frage schnell antworten. ③ (차곡차곡) zusammenfaltend. ¶옷을 ~ 개키다 *js.* Kleider zusammen|falten.

척척하다 feucht 〔feuchtkalt; klamm; naß〕 (sein). ¶척척한 옷 feuchte Kleider (*pl.*).

척추(脊椎) 〖解〗 Rückgrat *n.* –(e)s, –e; Rückgrats·wirbel *m.* –s, – 〔–gelenk *n.* –(e)s, –e〕. ‖무~ 동물 das wirbellose Tier, –(e)s, –e. 「(옛 날의).」

척탄(擲彈) ‖ ~병 Grenadier *m.* –s, –e

척토(瘠土) magerer Boden, –s.

척후(斥候) (정탐) das Patrouillieren*, –s; 〖軍〗 Patrouille *f.* –n. ~하다 patrouillieren; spähen. ‖ ~대 Spähtrupp *m.* –s, –s 〔–e〕.

천 (피륙) Tuch *n.* –(e)s, –e 〖*pl.*은 종류를 가리킴〗; Zeug *n.* –(e)s, –e. ¶좋은〔나쁜〕 천 der gute 〔schlechte〕 Stoff, –(e)s, –e.

천(千) Tausend *n.* –s, –e. ¶수천의 사람들 tausende Menschen.

천개(天蓋) (관의) Sargdeckel *m.* –,

천거(薦擧) Empfehlung *f.* –en; Vorschlag *m.* –(e)s, ⸚e. ~하다 (추천) empfehlen*[4]; vor|schlagen*[4].

천격(賤格) ~스럽다 niedrig 〔von niederem Rang; von niederer Geburt〕 (sein).

천견(淺見) Oberflächlichkeit 〔Außerlichkeit〕 *f.* –en. ‖ ~ 박식(薄識) wenige Erfahrung u. dürftiges Lernen*.

천고(千古) ① (먼 옛적) das graue Altertum, –(e)s. ② (영원) Ewigkeit *f.* ¶~ 불후의 ewig; unsterblich; unveränderlich.

천골(賤骨) (사람) der Mensch von niedriger Geburt; (용모) gemeines Aussehen*, –s.

천공(穿孔) ~하다 bohren[4]. ‖ ~기 Bohrer *m.* –s, –; Bohreisen *n.* –s, –.

천국(天國) Paradies *n.* –es, –e; Himmel *m.* –s, –; Himmel〔Gottes〕reich *n.* –(e)s; Elysium *n.* –s (극락).

천군만마(千軍萬馬) Tausende von Soldaten u. Pferden.

천금(千金) tausend Goldstücke (*pl.*). ¶일확 ~을 꿈꾸다 über Nacht ein Millionär werden wollen*.

천기(天機) das Geheimnis der Natur. ¶~를 누설하다 das Geheimnis verraten*. 「*m.*〕 –s, –.」

천녀(天女) Himmelsmädchen *n.* 〔Engel

천년(千年) tausend Jahre; Jahrtausend *n.* ¶~ 만년 auf 〔für〕 ewig; auf 〔für〕 immer; tausend u. abertausend Jahre lang.

천당(天堂) Himmel *m.* –s, –; (극락) Paradies *n.* –es, –e. ¶~ 가다 in den Himmel ein|gehen*.

천대(賤待) die schlechte 〔kalte; kühle〕 Behandlung, –en. ~하다 *jn.* schlecht 〔unwürdig〕 behandeln. ¶~(를) 받다 schlecht behandelt 〔kühl aufgenommen〕 werden.

천도(遷都) die Verlegung der Hauptstadt. ~하다 die Haupstadt verlegen.

천도교(天道敎) *Cheondo*-Religion *f.*; die Religion des Himmlischen Weges.

천동설(天動說) 〖天〗 das Ptolemäische Weltsystem, –s.

천둥 Donner *m.* –s, –. ¶~이 치다 es donnert; der Donner rollt 〔grollt〕. ‖ ~소리 Donner·schlag *m.* –(e)s, ⸚e 〔–gedröhn *n.* –s; –gebrüll *n.* –(e)s〕.

천둥벌거숭이 die unerfahrene Person, –en; Draufgänger *m.* –s, –.

천둥지기 ein Reisfeld, nur von Regenfall abhängig (ohne künstliche Bewässerungsmöglichkeit).

천랑성(天狼星) 〖天〗 Sirius *m.* –.

천려(淺慮) (무사려·경솔) Unbedachtsamkeit *f.* –en; (피상·천박) Oberflächlichkeit *f.* –en; (단견) Kurzsichtigkeit *f.* –en. ¶~한 (생각이 얕은) flachköpfig.

천렵(川獵) Flußfischerei *f.* –en. ~하다 im Fluß fischen.

천륜(天倫) natürliche Beziehungen (*pl.*) zwischen den Menschen (des Konfuzianismus).

천리(千里) tausend (chinesische) Meilen (*pl.*). ‖ ~마 schnelles Pferd, –(e)s, –e; edles 〔rassiges〕 Pferd.

천리(天理) Naturgesetz *n.* –es, –e. ¶~에 어긋나다 gegen das Naturgesetz verstoßen*.

천리안(千里眼) Hellseherei *f.*; das Hellsehen*, –s. ~의 hellsehend.

천마(天馬) Flügel·pferd *n.* –(e)s, –e 〔–roß *n.* ..sses, ..sse〕.

천막(天幕) Zelt *n.* –(e)s, –e; (Ausstel-

ㅊ

lungs; Parks)pavillion *n.* –s, –s. ¶～을 치다 〔걷다〕 ein Zelt auf|schlagen* 〔ab|brechen*〕. ‖ ～생활 Zeltleben *n.* –s.

천만(千萬) 《수》 zehn Millionen; 《무수》 Myriade *f.* ¶～에 《겸사》 k–e Ursache!; keineswegs; 《부당》 geweiß nicht; aber nein / ～의 말씀 unangebrachte Bemerkung, –en. ‖ ～년 e–e lange, lange Zeit / ～ 장자 Multimillionär *m.* –s, –e.

천만다행(千萬多幸) ein wahres 〔großes; überwältigendes〕 Glück, –(e)s. ～하다 sehr glücklich 〔segensreich〕 (sein).

천만뜻밖(千萬—) ～의 ganz unerwartet; ungeahnt; unvermutet. ¶～의 성과 der unerwartet günstige Erfolg, –(e)s, –e.

천만부당(千萬不當) ～하다 absolut 〔vollkommen〕 ungerecht 〔unfair〕 (sein); 《언어 도단》 unsinnig (sein); 《불합리한》 unvernünftig (sein). ¶～한 요구 e–e unsinnige 〔verkehrte〕 Forderung, –en.

천명(天命) die Fügung des Himmels; Vorsehung *f.* –en.

천명(闡明) das Klarlegen*, –s; das Klarmachen*, –s. ～하다 deutlich 〔klar〕 machen[4].

천문(天文) Himmelserscheinung *f.* –en. ‖ ～대 Sternwarte *f.* –n / ～ 학 Astronomie *f.* (～학적인 숫자 e–e astronomische Zahlen).

천민(賤民) (Lumpen)gesindel *n.* –s. ‖ ～ 생활 das niedrige 〔gemeine〕 Leben, –s, –.

천박(淺薄) Oberflächlichkeit *f.* –en; Äußerlichkeit *f.* –en. ～하다 oberflächlich 〔äußerlich; banal〕 (sein). ¶～한 사람 der seichte Kopf, –(e)s, ⸚e.

천방지축(天方地軸) 《덤벙댐》 Verwirrung *f.* –en; 《허둥지둥》 anscheinend in Hast.

천벌(天罰) Gottes〔Himmels〕strafe *f.* –n. ¶～ 받을 verdammt; verflucht; verwünscht.

천변(天變) ‖ ～지이(地異) Naturkatastrophe *f.* –n.

천복(天福) Segen *m.* –s, –; Segnung *f.* –en. ¶～을 받은 gesegnet; glückselig.

천부(天賦) Naturell *n.* –s, –e; Begabung *f.* –en. ¶～의 재능 ein natürliches Talent, –(e)s, –e.

천부당만부당(天不當萬不當) =천만부당.

천분(天分) die natürliche Begabung, –en; Eignung *f.* –en 《적성》; Natur *f.* –en 《소질》; Talent *n.* –(e)s, –e 《재능》. ¶～이 풍부한 hochbegabt; sehr befähigt; gut veranlagt (*zu*[3]).

천사(天使) Engel *m.* –s, –; Himmelsbote *m.* –n, –n. ¶～ 같은 engelhaft; 〖詩〗 englisch.

천산물(天産物) Naturprodukt *n.* –(e)s, –e.

천상(天上) Himmel *m.* –s, –; Paradies *n.* –es, –e. ¶～ 천하 유아 독존 Hochheilig bin ich allein im ganzen Weltall. ‖ ～계 die himmlische Welt.

천생(天生) 〖名詞的〗 was vom Himmel geschaffen ist; 〖副詞的〗 von Natur (aus). ¶그는 ～ 학자다 Von Natur aus ist er ein Wissenschaftler.

천성(天性) Natur *f.* –en; Persönlichkeit *f.* –en. ¶습관은 제 2 의 ～이다 Gewohnheit ist die zweite Natur.

천세(千歲) tausend Jahre (*pl.*); Jahrtausend *n.* –(e)s, –e. ‖ ～력 tausendjähriger 〔immerwährender〕 Kalender, –s, –.

천수(天壽) Lebenserwartung *f.* –en; die natürliche Lebensdauer. ¶～를 다하다 e–s natürlichen Todes sterben*.

천시(天時) 《기회》 die günstige 〔gute〕 Gelegenheit, –en; 《자연 현상》 Naturerscheinung *f.* –en.

천시(賤視) ～하다 gering|schätzen[4]; ignorieren[4]; [4]*et.* für niedrig halten*.

천식(喘息) 〖醫〗 Asthma *n.* –s. ‖ 기관지 ～ Bronchialasthma.

천신(天神) die Götter im Himmel.

천신만고(千辛萬苦) ～하다 [4]sich bis aufs Blut 〔zu Tode〕 quälen. ¶ ～하여 번 돈 das sauer verdiente Geld, –(e)s, –er.

천심(天心) 《하늘의 뜻》 der Wille des Himmels; die göttliche Vorsehung, –en; 《하늘 한 가운데》 das Zentrum des Himmels.

천애(天涯) 《하늘 끝》 Horizont *m.* –(e)s, –e; 《먼 곳》 das weit entlegene Land, –(e)s, ⸚er. ¶～의 고객(孤客) der (einsame) Wanderer in der Fremde.

천양지차(天壤之差) ein großer 〔himmelweiter〕 Unterschied, –(e)s, –e.

천언만어(千言萬語) endloses Argument, –(e)s, –e.

천업(賤業) die schändliche 〔entehrende; schmachvolle〕 Beschäftigung, –en.

천연(天然) Natur *f.* –en; 《자발성》 Spontaneität *f.* –en; Selbstentwicklung *f.* –en. ‖ ～가스 Natur〔Erd〕gas *n.* –es, –e / ～색 Naturfarbe *f.* –n / ～ 자원 e–e natürliche Hilfsquelle, –n.

천연(遷延) ～하다 verzögern[4]; auf|schieben*[4]; verschieben*[4]. ‖ ～책(策) Verzögerungspolitik *f.* –en.

천연두(天然痘) Pocke 〔Blatter〕 *f.* –n.

천연스럽다(天然—) 《태연한》 anteil〔gefühl〕los 〔gelassen; gleichgültig; ungerührt〕 (sein).

천왕성(天王星) 〖天〗 Uranus *m.* –.

천우신조(天佑神助) göttliche Vorsehung, –en. ～하다 der Himmel hilft *jm.* u. die Götter sind *jm.* behilflich. ¶～로 mit Gottes [3]Hilfe; durch die Gnade des Himmels.

천운(天運) Schicksal *n.* –(e)s, –e; Geschick *n.* –(e)s, –e. ¶～에 맡기다 [4]sich in sein Schicksal fügen 〔ergeben*〕.

천은(天恩) die Gnade Gottes 〔des Himmels〕.

천의(天意) der Wille des Himmels; die göttliche Vorsehung, –en. ¶～를 받들다 [4]sich dem Willen des Himmels fügen.

천인(賤人) ein Mensch von niedriger Geburt 〔Herkunft〕.

천자(天子) Himmelssohn *m.* –(e)s, ⸚e; Kaiser *m.* –s, –.

천자만홍(千紫萬紅) der Farbenreichtum der schönen Blumen; die vielerlei schönen Farben der Blumen.

천장(天障) Decke *f.* –n 《집의》; Zimmerdecke *f.* –n. (Zimmer)decke *f.* –n; der oberste Teil, –(e)s, –e 《e–s Gegen-

ㅊ

tandes》. ‖ ~화(畵) Deckengemälde *n.* -s, -. ¶둥근 ~ Kuppel *f.* -n; Dom *m.* -(e)s, -e.

천장(遷葬) ~하다 (e-n Leichnam) um|betten.

천재(千載) ¶~ 일우(一遇)의 sehr selten; so gut wie niemals / ~ 일우의 기회를 놓치다 e-e goldene Gelegenheit verpassen.

천재(天才) 《재주》 das angeborene Talent, -(e)s, -e; die natürliche Anlage, -en; Genie *n.* -s, -s. ‖ ~ 교육 Virtuosenerziehung *f.* -en; Begabtenförderung *f.* -en 《영재 교육》.

천재(天災) Natur·kalamität *f.* -en 〔-katastrophe *f.* -n〕. ¶~를 만나다 von e-r ³Naturkalamität heimgesucht werden. ‖ ~지변(地變) Naturkatastrophe *f.* -n.

천적(天敵) 〖生〗 ein natürlicher 〔der natürliche〕 Feind, -(e)s, -e.

천정(天井) ☞ 천장.

천조(天助) die Hilfe des Himmels.

천주(天主) Herrgott *m.* -(e)s; der Herr, -n. ‖ ~교 Katholizismus *m.* - / ~교회 die katholische Kirche, -n.

천지(天地) 《하늘과 땅》 Himmel u. Erde; Kosmos *m.* -; 《세상》 Welt *f.* -en; 《경지》 Wirkungskreis *m.* -es, -e. ‖ ~창조 Schöpfung *f.* -en.

천지개벽(天地開闢) Schöpfung *f.* -en. ~하다 Himmel u. Erde schöpfen.

천지신명(天地神明) Gott von Himmel u. Erde; Gottheit *f.* -en; Gott *m.* -es, ¨er. ¶~에 맹세하다 bei Gott schwören*.

천직(天職) *js.* angeborener Beruf, -(e)s, -e. ¶목사를 ~으로 알다 ⁴sich zum Priester 〔Pastor〕 berufen fühlen.

천진난만(天眞爛漫) Unschuldigkeit 〔Naivität〕 *f.* -en. ~하다 naiv 〔natürlich; unschuldig〕 (sein). ¶~한 사람 ein naiver 〔natürlicher〕 Mensch, -en, -en.

천차만별(千差萬別) Verschiedenartigkeit *f.* -en; Verschiedenheit *f.* -en. ¶~이다 vielfältig sein; verschiedenartig sein.

천창(天窓) Dachfenster *n.* -s, -; Oberlicht *n.* -(e)s, -er.

천천히 《점차로》 langsam; allmählich; nach u nach; 《굼뜨게》 schleppend; langwierig. ¶~ 걷다 langsam gehen*.

천체(天體) Himmelskörper *m.* -s, -; Gestirn *n.* -(e)s. ‖ ~ 관측 e-e astronomische Beobachtung, -en.

천추(千秋) 《천년》 tausend Jahre (*pl.*); 《영원》 Ewigkeit *f.* -en. ¶~의 한 unauslöschliche Reue, -n.

천치(天癡·天痴) Idiot *m.* -en, -en; Erznarr *m.* -en, -en 〔-dummkopf *m.* -(e)s, ¨e〕. ☞ 백치(白痴). ¶이런 ~ 같은 놈 so ein Idiot 〔Dummkopf〕!

천태만상(千態萬象) alle möglichen Formen (*pl.*); 《다종 다양》 Mannigfaltigkeit *f.*; Verschiedenheit *f.*

천편일률(千篇一律) Monotonie *f.* -n; Eintönigkeit 〔Gleichförmigkeit〕 *f.* -en. ~의 eintönig; monoton; einförmig.

천품(天禀) Naturell *n.* -s, -e; Naturgabe *f.* -n; Begabung *f.* -en.

천하(天下) 《세계》 Welt *f.*; Universum *n.* -s; 《세상》 Öffentlichkeit *f.*; 《온나라》 das ganze Land 〔Reich〕 -(e)s. ¶~태평이다 Die Welt ist in Ruhe u. Frieden. ‖ ~일색 e-e einmalige 〔vollendete〕 Schönheit, -en / ~일품 beste 〔ausgezeichnete〕 Qualität, -en.

천하다(賤—) ① 《상스런》 niedrig 〔gemein; pöbelhaft〕 (sein). ¶천한 말씨 der gemeine Ausdruck, -(e)s, ¨e. ② 《비열한》 verächtlich 〔nichtswürdig〕 (sein); 《야비한》 roh 〔grob; wild〕 (sein). ¶천한 근성 ein niedriger Charakter. ③ 《비천한》 dirnenhaft 〔gewöhnlich〕 (sein).

천학(淺學) ¶~ 비재(菲才)인 weder gelehrt noch begabt.

천행(天幸) Glück *n.* -(e)s; Glücksfall *m.* -(e)s, ¨e. ¶~으로 glücklicherweise; zum Glück.

천험(天險) Natur·festung *f.* -en 〔-bollwerk *n.* -(e)s, -e〕.

천형병(天刑病) Lepra *f.* ☞ 나병(癩病).

천혜(天惠) Gottes〔Himmels; Natur〕gabe *f.* -n; die Gnade des Himmels.

천후(天候) Wetter *n.* -s, -. ‖ 전(全)~ 전폭기 Allwetterjäger *m.* -s, -.

철[1] 《계절》 Jahreszeit *f.* -en; Saison *f.* -s; 《시기》 Zeit 〔Gelegenheit〕 *f.* -en. ¶꽃철 Blütezeit / 정어리는 지금이 제철이다 Sardinen sind jetzt in der Saison.

철[2] 《판단력》 Urteilsvermögen *n.* -s, -; 《분별》 Verstand *m.* -(e)s. ¶철이 들다 an|fangen*, zu unterscheiden; so weit kommen, s-e Sinne zu gebrauchen.

철(鐵) Eisen *n.* -s, -; 《강철》 Stahl *m.* -(e)s, -e 〔¨e〕. ¶철의 장막 der Eiserne Vorhang, -(e)s.

-철(綴) das Binden*, -s 《제본》; das Heften*, -s 《가제본》; das Nähen*, -s 《꿰매기》. ‖ 서류철 Dokumenthalter 〔Aktenhalter〕 *m.* -s, - / 신문철 Zeitungshalter *m.* -s, -.

철갑(鐵甲) 《장갑》 Panzer *m.* -s, -. ‖ ~상어 〖魚〗 Stör *m.* -(e)s, -e / ~선 Panzerschiff *n.* -(e)s, -e.

철강(鐵鋼) Eisen u. Stahl. ‖ ~업 Eisen- u. Stahlindustrie *f.* -n.

철거(撤去) Räumung *f.* -en; Abbruch *m.* -(e)s, ¨e 《가옥 등의》; Beseitigung *f.* -en 《제거》. ~하다 räumen⁴; ab|brechen*⁴; beseitigen⁴. ‖ ~민 evakuierter Bewohner, -s, -.

철골(鐵骨) Eisen·gerippe *n.* -s, - 〔-gerüst *n.* -(e)s, -e〕. ‖ ~ 건축 Stahlbau *m.* -(e)s, -ten.

철공(鐵工) Eisen·arbeit 〔-konstruktion〕 *f.* -en; 《사람》 Eisenarbeiter *m.* -s, -.

철관(鐵管) Eisenrohr *n.* -(e)s, -e. ¶~을 묻다 Rohre (ver)legen.

철광(鐵鑛) Eisen·bergwerk *n.* -(e)s, -e 〔-grube *f.* -n〕. ‖ ~석 Eisenerz *n.* -es, -e.

철교(鐵橋) Eisen〔Stahl〕brücke *f.* -n; die eiserne Brücke, -n.

철군(撤軍) Truppenrückzug *m.* -(e)s, ¨e. ~하다 die Truppen zurück|ziehen*.

철권(鐵拳) eiserne Faust, ¨e; die geballte Faust, ¨e. ¶~을 가하다 mit der Faust 〔mit Fäusten〕 schlagen*.

ㅊ

철근(鐵筋) Draht〔Eisen〕geflecht *n.* –(e)s, –e. ‖∼ 콘크리트 Eisenbeton *m.* –s, –s〔–e〕.

철기(鐵器) die Eisenwaren (*pl.*); die (Metall)kurzwaren (*pl.*) 《철물류》. ☞ 철물(鐵物). ‖∼ 시대 Eisenzeit *f.*; das eiserne Zeitalter, –s.

철꺽- ☞ 찰깍-.

철도(鐵道) Eisenbahn *f.* –en; Eisenbahnlinie *f.* –n. ‖∼망 Eisenbahnnetz *n.* –es, –e / ∼ 여행 Eisenbahn·reise *f.* –n 〔–fahrt *f.* –en〕/ 순환 ∼ Ringbahn *f.* –en.

철두철미(徹頭徹尾) Gründlichkeit *f.* –en; Genauigkeit *f.* –en.

철렁거리다 verschütten; über|fließen; über|schwappen.

철로(鐵路) =철도(鐵道).

철리(哲理) ein philosophisches Grundprinzip, –s, –e〔..pien〕. ¶∼를 구명하다 ⁴Philosophie eingehend studieren.

철망(鐵網) Draht·netz *n.* –es, –e〔–geflecht *n.* –(e)s, –e〕. ¶∼을 치다 ein Drahtnetz auf|stellen. ‖가시 ∼ Stacheldrahtverhau *m.* –(e)s, –e; Stacheldraht *m.* –(e)s, ⸚e.

철면(凸面) Konvexfläche *f.* –n; konvexe Oberfläche, –n.

철면피(鐵面皮) Unverschämtheit *f.* –en; Frechheit *f.* –en. ∼하다 unverschämt 〔frech; dreist〕 (sein).

철모(鐵帽) Stahlhelm *m.* –(e)s, –e. ¶∼를 쓴 behelmt.

철모르다 noch unreif〔noch unschuldig; unbesonnen; taktlos〕 (sein).

철문(鐵門) das eiserne Tor, –(e)s, –e; Eisentor *n.* –(e)s, –e.

철물(鐵物) Eisen〔Metall〕waren (*pl.*). ‖∼ 장수 Eisen〔Metall〕warenhändler *m.* –s, – / ∼점 Eisenwarenhandlung *f.* –en; Eisenladen *m.* –s, ⸚.

철바람 Monsun *m.* –s, –e; Zeitwind *m.* –(e)s, –e.

철벅거리다 (im Wasser) platschen〔plätschern〕.

철벽(鐵壁) eiserne Mauer, –n.

철병(撤兵) Zurückziehung der Truppen; Abzug *m.* –(e)s, ⸚e. ∼하다 Truppen zurück|ziehen*〔ab|ziehen*〕.

철봉(鐵棒) Eisen·stab *m.* –(e)s, ⸚e 〔–stange *f.* –n〕; 〖體〗 Reckstange *f.*

철부지(一不知) großes Kind, –(e)s, –er; grüner Junge, –n, –n. ¶그녀는 정말 ∼다 Sie ist so unschuldig wie ein Lämmchen.

철분(鐵分) Eisengehalt *m.* –(e)s, –e.

철사(鐵絲) Draht *m.* –(e)s, ⸚e. ‖∼그물 Drahtnetz *n.* –es, –e.

철삭(鐵索) Drahtseil *n.* –(e)s, –e; Kabel *n.* –s, –.

철새 Zugvogel *m.* –s, ⸚.

철석(鐵石) Eisen u. Stein; 《굳음》 Unerschütterlichkeit *f.* ¶∼같은 eisenfest; felsenfest; unerschütterlich.

철선(鐵線) Eisendraht *m.* –(e)s, ⸚e.

철수(撤收) Zurückziehung *f.* –en; Abzug *m.* –(e)s, ⸚e; Entleerung *f.* –en. ∼하다 zurück|ziehen*; ⁴sich entfernen 《*vor*³》; ab|brechen*.

철시(撤市) ∼하다 ein Geschäft auf|geben*; den Laden schließen*〔zu|machen〕.

철썩 《파도가》 mit plätscherndem Geräusch; 《치는 소리》 klaps!; schnapp! ∼하다 plätschern; platschen; klapsen; e–n klaps geben*.

철야(徹夜) ∼하다 die ganze Nacht (hindurch) auf|bleiben*〔nicht schlafen*〕.

철없다 kindlich〔unbedachtsam; knabenhaft; unbesonnen〕 (sein).

철옹성(鐵甕城) sehr feste Mauer, –n; Befestigung *f.* –en.

철인(哲人) Philosoph *m.* –en, –en; der Weise*, –n, –n 《현인》.

철자(綴字) das Buchstabieren*, –s; Buchstabierung *f.* ∼하다 buchstabieren⁴; richtig schreiben*⁴. ‖∼법 die richtige Schreibweise, –n.

철재(鐵材) Eisenrohmaterial *n.* –s, –ien.

철저(徹底) ∼하다 gründlich〔vollständig〕 (sein). ¶∼히 druch u. druch; gänzlich; perfekt; völlig / 이왕 하려면 ∼히 해라 Wennschon, dennschon!

철제(鐵製) ∼의 eisern; aus ³Eisen (gemacht). ‖∼품 die Eisenwaren (*pl.*).

철조망(鐵條網) Draht·verhau *m.* –(e)s, –e〔–hindernis *n.* –ses, –se〕. ¶∼을 치다 e–n Drahtverhau an|legen. ‖∼절단기 Drahtschneider *m.* –s, –e.

철쭉 〖植〗 Azalie *f.* –n.

철창(鐵窓) 《창의》 Gitterfenster *n.* –s, –; 《감옥의》 ein eisernes Gitter e–s Gefängnisses. ‖∼ 생활 das Leben im Gefängnis.

철책(鐵柵) Eisen·zaun *m.* –(e)s, ⸚e〔–gitter *n.* –s, –〕; Drahtzaun *m.* –(e)s, ⸚e. ¶∼을 두르다〔치다〕 mit e–m Eisenzaun umgeben*⁴.

철천지원(徹天之寃) =철천지한(徹天之恨).

철천지한(徹天之恨) ¶∼을 품다 Abscheu empfinden* 《*gegen*⁴》; aus *jm.* e–n Todfeind machen.

철철 《넘침》 bis an den Rand voll; bis zum Rande voll; zum Überfließen voll. ¶∼ 넘치게 따르다 ein Glas bis zum Rande füllen 《*mit*³》.

철추(鐵椎) =철퇴.

철칙(鐵則) e–e eiserne Regel, –n. ¶…을 ∼으로 삼다 ³sich ⁴*et.* als Grundsatz auf|stelllen.

철통(鐵桶) eisernes Faß, ..asses, ..ässer. ¶∼같다 stark〔kräftig; gesund〕 (sein); 《준비가》 vollständig fertig werden; 《방비가》 befestigen; 《경비가》 bewachen.

철퇴(鐵槌) Eisenhammer *m.* –s, –. ¶∼를 가하다 *jm.* e–n harten〔schweren〕 Schlag〔Hieb〕 versetzen.

철판(凸版) ‖∼ 인쇄 Relief〔Hoch〕druck *m.* –(e)s, –e.

철판(鐵板) Eisenplatte *f.* –n; e–e eiserne Platte. ‖∼ 사진 Ferrotypie *f.* –n.

철편(鐵片) ein Stück Eisen, –s, –.

철폐(撤廢) Abschaffung〔Aufhebung〕 *f.* –en. ∼하다 ab|schaffen⁴; auf|heben*⁴; beseitigen⁴.

철필(鐵筆) Eisenstift *m.* –(e)s, –e; Grabstichel *m.* –s, –; Feder *f.* –n.

철하다(綴一) ein|binden*⁴ 《*in*⁴》; ein|nähen (*in*^{4}) (꿰매다). ¶서류를 ~ Akten (*pl.*) heften.

철학(哲學) Philosophie *f.* -n. ¶~적 사유 philosophisches Denken. ‖~ 개론 Einleitung in die Philosophie / 스콜라 ~ scholastische Philosophie.

철혈(鐵血) ‖~ 재상 der Eiserne Kanzler, -s.

철회(撤回) Zurück·nahme *f.* [-ziehung *f.* -en]. ~하다 zurück|nehmen*^{4} [-|ziehen*^{4}]; dementieren^4; widerrufen*^{4}.

첨가(添加) Hinzu[Bei]fügung *f.* -en. ~하다 hinzu[bei; ein]|fügen^4; bei|legen^4. ‖~물(物) das Hinzu[Bei]gefügte*, -n.

첨단(尖端) Spitze *f.* -n. ¶시대의 ~을 걷다 die Zeit führen.

첨벙 platschend; platsch! ¶~대다 plätschern; plan(t)schen; platschen (물을).

첨병(尖兵) Spitze *f.* -n.

첨부(添附) Anfügung *f.* -en; Einschluß *m.* ..sses, ..schüsse. ~하다 bei|fügen^4; bei|legen^4. ‖~물[서류] Beilage [Anlage] *f.* -n.

첨삭(添削) ~하다 verbessern^4; korrigieren^4.

첨예(尖銳) Schärfe *f.*; Spitze *f.* ~하다 scharf [heftig; radikal] (sein).

첩(妾) Nebenfrau *f.* -en; Beischläferin *f.* -nen. ¶첩을 두다 es mit e-r Konkubine halten*.

첩(貼) Packung *f.* -en; Paket *n.* -(e)s, -e.

-첩(帖) Gedenk[Sammel]buch *n.* -(e)s, ⸚er; Album *n.* -s, -s. ¶사진첩 Photographenalbum *n.*

첩경(捷徑) der schnellste Weg, -(e)s, -e; das wirksamste Mittel, -s, -; Kurzweg *m.* ☞ 지름길.

첩보(捷報) Siegesnachricht *f.* -en.

첩보(諜報) die geheime Nachricht, -en [Auskunft, ⸚e; Kundschaft, -en]. ‖~기관 Geheimdienst *m.* -es, -e / ~망, ~ 조직 Spionagenetz *n.* -es, -e.

첩약(貼藥) der Arzneibeutal mit gemischten Heilkräuter (*pl.*).

첩자(諜者) Kundschafter *m.* -s, -; Spion *m.* -s, -e; (여자) Kundschafterin [Spionin] *f.* -nen.

첩첩산중(疊疊山中) im Berge u. Berge; tief in den Bergen; in e-m abgelegenen Gebirgsort.

첫 erst; neu. ¶첫째 das Erste*, -n / 첫 아이 erstgeborenes Kind, -es, -er.

첫걸음 (제일보) der erste Schritt, -s, -e; (시작) Anfang *m.* -s, ⸚e. ‖독일어 ~ ABC-Buch für Deutsch.

첫길 (초행길) der fremde Weg, -(e)s, -e.

첫날밤 die erste Nacht, ⸚e; Braut[Hochzeits]nacht *f.* ⸚e. ☞ 초야(初夜).

첫눈[1] (일견) erster [flüchtiger] (An-)blick, -es. ¶~에 반하다 ^{4}sich auf den ersten Blick verlieben (in *jn.*).

첫눈[2] (초설) der erste Schneefall, -(e)s, ⸚e [Schnee, -s].

첫돌 der erste Geburtstag, -(e)s.

첫마디 Einleitung [Einführung] *f.* -en.

첫머리 Anfang *m.* -(e)s, ⸚e; Beginn *m.* -(e)s.

첫무대(一舞臺) der erste Auftritt, -(e)s, -e; Debüt *m.* [*n.*] -s, -s.

첫물 Erstlinge (*pl.*); Frühobst *n.* -es, -e (*pl.*은 종류를 표시할 때).

첫배 die erste Brut, -en (Geflügel); der erste Wurf, -es, ⸚e (Tier).

첫사랑 die erste Liebe, -n.

첫새벽 Morgendämmerung *f.* -en; Morgengrauen *n.* -s.

첫선 Debüt *n.* -s, -s; das erste Auftreten, -s, -.

첫소리 Anlaut *m.* -(e)s, -e.

첫술 der erste Löffelvoll; der erste volle Löffell, -s, -.

첫인상(一印象) der erste Eindruck, -(e)s, ⸚e.

첫정(一情) die erste Liebe, -n. ¶나는 ~을 잊을 수 없다 Die erste Liebe ist mir unvergeßlich.

첫째 der [das; die] Erste*, -n; der [das; die] Beste*, -n. ¶~로 zuerst; am ersten; an erster Stelle.

첫추위 e-e erste Kälte, -n.

첫출발(一出發) der erste Schritt, -es, -e. ¶인생의 ~ der erste Schritt ins Leben.

첫판 Anfang *m.* -(e)s, ⸚e; Beginn *m.* -(e)s.

첫판(一版) 〖印〗 die erste Auflage, -n.

첫해 das erste Jahr, -(e)s, -e.

첫행보(一行步) (걸음) der erste Schritt, -(e)s; (장사) der erste Handel, -s, ⸚.

청 (얇은 막) Membran(e) *f.* ..nen; Häutchen *n.* -s, -. ¶귀청 Trommelfell *n.* -(e)s / 목청 Stimmband *n.* -(e)s, ⸚er.

청(請) Bitte *f.* -n; Ersuchen *n.* -s, -; Auftrag *m.* -(e)s, -e. ¶청을 거절하다 e-e Bitte ab|schlagen* / 청이 하나 있소 Ich habe e-e Bitte an Sie.

청가뢰(靑一) 〖蟲〗 Spanische Fliegen, -n.

청각(聽覺) Gehör *n.* -(e)s; Gehörempfindung *f.* -en; Gehörsinn *m.* -(e)s. ‖~ 신경 Gehörnerv *m.* -s [-en], -en.

청강(聽講) ~하다 e-e Vorlesung [e-n Vortrag] hören. ‖~료 Eintrittsgeld *n.* -(e)s, -er / ~ 생 Gasthörer *m.* -s, -; Hospitant *m.* -en, -en.

청개구리(靑一) Grün[Laub]frosch *m.* -es, ⸚e.

청결(淸潔) Sauberkeit *f.*; Reinheit *f.* ~하다 sauber [rein; reinlich] (sein).

청과(靑果) Gemüse u. Obst. ‖~ 시장 Gemüse- u. Obstmarkt *m.* -(e)s, ⸚e.

청교도(淸敎徒) Puritaner *m.* -s, -.

청구(請求) Bitte *f.* -n (*um*^{4}); Anspruch *m.* -(e)s, ⸚e (*auf*^{4}). ~하다 *jm.* e-e Bitte vor|bringen* (*um*^{4}); an|suchen (*bei*^{3} *jm.*; *um*^{4}). ¶~에 따라 auf *js.* Ansuchen [Ersuchen] hin. ‖~권 Anspruch *m.* -(e)s, ⸚e.

청구서(請求書) die schriftliche Aufforderung, -en. ‖지불 ~ die schriftliche Zahlungsforderung.

청기와(靑一) ein blauer Dachziegel, -s, -.

청널(廳一) Brett *n.* -(e)s, -er.

청년(靑年) Jüngling *m.* -s, -e; der junge Mann, -(e)s, ⸚er [..leute]; Jugend *f.* (총칭). ‖~ 시대 Jugend[Jünglings]zeit *f.* -en; Jugendalter *n.* -s, -.

청대 〖植〗 der blaue Bambus, -ses, -se.

청대콩(靑一) die blaue Bohne, -n.

청동(靑銅) Bronze *f.* ‖~기 시대 Bronzezeit *f.* -en.

청량(淸涼) Kühle *f.*; Frische *f.* (상쾌함). ~하다 kühl u. labend [erfrischend〕 (sein). ‖ ~ 음료 Labsal *n.* -(e)s, -e / ~제 Erfrischungsmittel *n.* -s, -.

청력(聽力) Gehör *n.* -(e)s; Gehörsinn *m.* -(e)s, -e. ‖ ~장애 Gehörstörung *f.*

청렴(淸廉) Lauterkeit *f.*; Redlichkeit *f.* -en. ~하다 redlich 〔aufrichtig; unbestechlich〕 (sein). ¶ ~ 결백한 사람 ein Mensch mit lauterem 〔edlem〕 Charakter.

청루(靑樓) Bordellviertel *n.* -s, -; die üble Gegend, -en.

청류(淸流) ein klarer Bach, -(e)s, ¨e; ein silberiger Wasserlauf, -(e)s, ¨e.

청맹과니(靑盲—) ⦅눈⦆ Amaurose *f.* -n; der schwarze Star, -(e)s, -e; ⦅사람⦆ die amaurosische Person; ⦅무지한 사람⦆ Analphabet *m.* -en, -en.

청명(淸明) ⦅날씨⦆ Helle *f.*; Helligkeit *f.* ~하다 kristallen 〔glashell; kristallklar〕 (sein).

청부(請負) Akkord *m.* -(e)s, -e; Verding *m.* -(e)s, -e. ¶ ~맡다 [3]*et.* in Akkord nehmen*; e-n Akkord 〔Vertrag; Kontrakt〕 machen 〔schließen*〕 ⦅mit *jm. wegen*[2]⦆. ‖ ~업자 der Akkordvertragschließende*, -n.

청빈(淸貧) die ehrliche Armut. ¶ ~을 자랑하다 auf ehrliche Armut stolz sein.

청사(靑史) ⦅역사⦆ Geschichte 〔Historie〕 *f.* -n; ⦅연대기⦆ die Annalen (*pl.*).

청사(廳舍) Amthaus *n.* -es; Regierungsgebäude *n.* -s, -.

청사진(靑寫眞) Lichtpause 〔Zyanotypie〕 *f.* -n; Lichtpausverfahren *n.* -s, -.

청산(靑山) der blaue 〔grüne〕 Berg, -(e)s, -e. ¶ 인생도처 유(有)~ Überall lacht dich der blaue Himmel an. ‖ ~유수 Beredsamkeit *f.* Redefluß *m.* ..flusses, ..flüsse (~ 유수같이 fließend; ohne zu stocken).

청산(靑酸) Blau〔Zyan〕säure *f.*; Zyanwasserstoffsäure *f.* ‖ ~가리 Zyan·kali 〔-kalium〕 *n.* -s.

청산(淸算) ⦅채무·채권의⦆ das Begleichen* 〔Ausgleichen*〕 der Rechnung; ⦅회사 뒷처리⦆ Liquidation *f.* -en. ~하다 die Rechnung begleichen* 〔aus|gleichen*〕; liquidieren[4]; ⦅죄·과거를⦆ [4]sich reinigen. ‖ ~절차 Liquidationsverfahren *n.* -s, - / ~인 Liquidator *m.* -s, -en.

청상과부(靑孀寡婦) e-e jung verwitwete Frau, -en.

청색(靑色) Blau *n.* -s; Azur *m.* -s; die blaue Farbe, -n.

청서(淸書) ~하다 rein schreiben*[4]; e-e Reinschrift machen.

청소(淸掃) Reinigung *f.* -en; Rein(e)machen *n.* -s. ~하다 reinigen[4]; fegen[4]; kehren[4]; auf|räumen[4]; ab|stäuben[4]; schrubben ⦅걸레질하다⦆. ‖ ~부 Reiniger *m.* -s, -; Kehrer *m.* -s, - / 진공 ~기 Staubsauger *m.* -s, -.

청소년(靑少年) Jugend *f.*; die Jugendlichen* (*pl.*). ‖ ~ 교육 Jugenderziehung *f.* / ~ 보도〔선도〕 Jugendpflege *f.*

청순(淸純) Reinheit 〔Echtheit〕 *f.* -en. ~하다 rein 〔unschuldig; keusch; sauber; schuldlos〕 (sein).

청승 der hilflose und traurige Gemütszustand, -(e)s, ¨e. ~맞다 traurig 〔erbärmlich; armselig; ärmlich; elend; schäbig〕 (sein).

청신(淸新) Frische *f.* ~하다 frisch 〔neu〕 (sein).

청신경(聽神經) Gehörnerv *m.* -s 〔-en〕, -en.

청신호(靑信號) Grünlicht *n.* -(e)s, -er. Grün *n.* -s, -(s); grüne Ampel, -n; freie Durchfahrt, -en.

청아(淸雅) die geschmackvolle Erscheinung, -en. ~하다 fein 〔elegant; zierlich; anmutig; niedlich〕 (sein).

청약(請約) Vertragsantrag *m.* -(e)s, ¨e; Bewerbung *f.* -en. ‖ ~서 Bittschrift *f.* -en / ~자 Bittsteller *m.* -s, -; Bewerber *m.* -s, -.

청어(靑魚) Hering *m.* -(e)s, -e. ‖ ~알 Heringsrogen *m.* -s, -.

청옥(靑玉) Saphir *m.* -e, -e; Saphirblau *n.* -s.

청와대(靑瓦臺) das blaue Haus, -es (die Residenz des Staatspresidenten Koreas).

청요리(淸料理) chinesische Speise, -n.

청우계(晴雨計) Barometer *n.*〔*m.*〕 -s, -; Luftdruckmesser *m.* -s, -.

청운(靑雲) ¶ ~의 뜻을 품다 hoch hinaus|wollen*; [3]sich ein hohes Ziel stecken 〔setzen〕.

청원(請援) ~하다 *jm.* um Hilfe bitten*; *jn.* um Hilfe an|flehen ⦅애원하다⦆.

청원(請願) Bitte *f.* -n; Petition *f.* -en; Rogation *f.* -en. ~하다 ein Gesuch richten ⦅*an*[4]⦆; ein Bittgesuch ein|reichen. ‖ ~서 Eingabe *f.* -n; Bittgesuch *m.* -(e)s, -e.

청음기(聽音機) Schallfänger *m.* -s, -; Audiophon *n.* -s, -e.

청일전쟁(淸日戰爭) der Chinesisch-Japanische Krieg, -(e)s, -e.

청자(靑瓷) das hellgrüne Porzellan, -s, -e.

청정(淸淨) ~하다 rein 〔sauber; pur〕 (sein). ‖ ~ 재배 parasitfreier Anbau, -(e)s, -e.

청주(淸酒) der edle 〔reine〕 Reiswein, -(e)s, -e.

청중(聽衆) (Zu)hörer *m.* -s, -; Auditorium *n.* -s, ..rien. ¶ ~을 열광시키다 das Publikum begeistern.

청지기(廳—) (Haus)hofmeister *m.* -s, -.

청진기(聽診器) Stethoskop *n.* -s, -e; Hörrohr *n.* -(e)s, -e.

청천(靑天) der blaue Himmel, -s, -. ¶ ~ 백일의 몸이 되다 für völlig unschuldig erklärt werden. ‖ ~ 벽력 der Blitz aus heiterem Himmel.

청첩(請牒) Einladung 〔Aufforderung〕 *f.* -en; Einladungsschreiben *n.* -s ⦅청첩장⦆. ¶ ~을 받다 e-e Einladung erhalten*. ‖ ~장 ☞청첩.

청초(淸楚) ~하다 hübsch 〔nett; sauber〕 (sein). ¶ ~한 차림이다 hübsch 〔nett; sauber〕 gekleidet sein.

청춘(靑春) (Lebens)frühling *m.* -s; Jugend·blüte 〔-frische〕 *f.* ¶ ~의 피를 끓게 하다 das Feuer der Jugend an|fachen. ‖ ~ 남녀 Jungen u. Mädchen / ~ 시대 Jugendzeit *f.*

청취(聽取) ~하다 hören[4]; ([3]sich) an|hören[4]; ⦅라디오 등을⦆ auf|nehmen*[4]; empfangen*[4]. ¶ 라디오 뉴스를 ~하다 im

Rundfunk die Nachrichten hören. ‖~자 (Rundfunk)hörer *m.* -s, -.

청탁(清濁) Reinheit u. Unreinheit; 《소리의》 stimmhaft u. stimmlos. ¶~을 안 가리다 Menschen aller Art gelten lassen*.

청탁(請託) das Ersuchen*, -s; Bitte *f.* -n; Gesuch *n.* -(e)s, -e 《청원》; Auftrag *m.* -(e)s, ⸚e 《의뢰》. ~하다 *jn.* um ^{4}*et* ersuchen; *jn.* um e-e Gunst bitten*.

청풍명월(清風明月) der frische Wind u. der helle Mond.

청하다(請—) ① 《원함》 bitten* 《*jn. um*^{4}》; e-e Bitte richten 《an *jn.*》 〔ein|legen 《bei *jm.*; für *jn.*》〕; ^{4}*et* wünschen. ② 《초대》 ein|laden*. ¶식사에 ~ *jn.* zum Essen ein|laden* 〔bitten*〕.

청혼(請婚) Heiratsantrag *m.* -(e)s, ⸚e. ~하다 *jm.* e-n Heiratsantrag machen. ¶~을 거절〔승낙〕하다 e-n Heiratsantrag ab|lehnen 〔an|nehmen*〕.

체[1] 《치는》 Sieb *n.* -(e)s, -e; Rätter *m.* -s, -〔*f.* -n〕《눈이 굵은》. ¶체로 치다 (aus|)sieben^{4}; durch|sieben^{4}.

체[2] 《못마땅할 때》 pah!; pfui; puh!

체감(遞減) die stufenweise〔allmähliche〕 Verminderung, -en 〔Abnahme, -n〕. ~하다 ^{4}sich stufenweise 〔allmählich〕 vermindern; stufenweise ab|nehmen*.

체격(體格) Körperbau *m.* -(e)s; Statur *f.* -en. ¶~이 좋은 wohlgebaut.

체결(締結) Abschluß *m.* ..sses, ..lüsse. ~하다 ab|schließen*^{4}. ¶조약을 ~하다 e-n Vertrag ab|schließen* 《mit *jm.*》.

체경(體鏡) Pfeiler〔Steh〕spiegel *m.* -s, -.

체계(體系) System *n.* -(e)s, -e. ~적 systematisch. ¶~를 세우다 in ein System bringen*^{4}; systematisieren^{4}.

체구(體軀) Körper *m.* -s, -; Körperbau *m.* -(e)s; Gestalt *f.* -en. ¶~가 건장하다 starkgliederig sein.

체납(滯納) Nichtzahlung *f.* -en; Rückstand *m.* -(e)s, ⸚e. ~하다 mit s-n Zahlungen in ^{4}Rückstand kommen*; nicht bezahlen 《Steuern》. ¶세금을 ~하다 mit der Zahlung der Steuern in Rückstand sein. ‖~ 처분(處分) Zwangs·beitreibung 〔-vollstreckung〕 *f.* -en.

체내(體內) das Innere* des Körpers. ~의〔에서〕 im Körper.

체념(諦念) Aufgebung 〔Entsagung〕 *f.* -en; Verzicht *m.* -(e)s, -e 《*auf*^{4}》. ~하다 auf|geben*^{4}; verzichten 《*auf*^{4}》; entsagen^{3}; ^{4}sich ^{3}*et.* unterwerfen*.

체능(體能) ‖~ 검사 der Test von Körperkraft.

체력(體力) Körper·kraft *f.* ⸚e 〔-stärke *f.* -n〕. ¶~을 기르다 s-n Körper ab|härten. ‖~장 Personalkarte für körperliche Leistung.

체류(滯留) Aufenthalt *m.* -(e)s, -e. ~하다 ^{4}sich auf|halten* 《bei *jm.*; *in*^{3}》; (^{4}sich) verweilen 《bei *jm.*; *in*^{3}》. ¶장기 ~하다 ^{4}sich lange auf|halten*.

체면(體面) Ehre *f.*; Würde *f.*; Ansehen *n.* -s; Gesicht *n.* -(e)s. ¶~을 유지하다 das Gesicht wahren 〔retten〕.

체모(體貌) =체면.

ㅊ

체불(滯拂) Rückstand *m.* -(e)s, ⸚e. ¶~이 있다 rückständig sein 《*mit*^{3}》. ‖노임 ~ der rückständige Lohn, -(e)s, ⸚e.

체스 Schach *n.* -(e)s. ¶~를 두다 Schach spielen.

체액(體液) 〖生〗 Körpersaft *m.* -(e)s, ⸚e.

체언(體言) 〖文〗 das unflektierbare Wort in der koreanischen Sprache.

체온(體温) Körper·temperatur〔-wärme〕 *f.* ¶~이 높다〔낮다〕 e-e hohe 〔niedrige〕 Körpertemperatur haben / ~을 재다 die Körpertemperatur messen*. ‖~계 (Fieber)thermometer *n.* -s, - / ~ 조절 Wärmeregulation *f.* -en.

체위(體位) 《건강 상태》 Gesundheitszustand *m.* -(e)s, ⸚e. ¶국민의 ~ 향상을 촉진하다 die Gesundheit der Nation fördern.

체육(體育) Leibes〔Körper〕erziehung *f.* -en. ‖~관 Turn〔Sport〕halle *f.* -n / ~대회 Turn〔Sport〕fest *n.* -(e)s, -e / ~시간 Turnstunde *f.* -n.

체재(滯在) =체류.

체재(體裁) Form 〔Gestalt〕 *f.* -en; Typus *m.* -, ..pen; Typ *m.* -s, -en; Format *n.* -(e)s, -e 《서적의》.

체적(體積) =부피.

체제(體制) Organisation 〔Ordnung〕 *f.* -en; System *n.* -s, -e. ‖경제 ~ Wirtschaftsstruktur *f.* / 전시 ~ Kriegszeit(s)ordnung *f.* / 정치 ~ ein politisches System.

체조(體操) das Turnen*, -s; Gymnastik *f.* ~하다 turnen; Gymnastik treiben*. ‖기계 ~ Geräteturnen *n.* -s / 라디오 ~ Funkgymnastik *f.* / 맨손 ~ Bodenturnen *n.* / 미용 ~ Schönheitsgymnastik *f.*

체중(體重) Körpergewicht *n.* -(e)s, -e. ¶~이 늘다〔줄다〕 an ^{3}Gewicht zu|nehmen* 〔verlieren*〕.

체증(滯症) Verdauungsstörung 〔Magenverstimmung〕 *f.* -en.

체질(體質) Körper·anlage *f.* -n 〔-beschaffenheit *f.* -en〕; Konstitution *f.* -en. ¶~이 강하다〔허약하다〕 von starker 〔schwacher〕 Konstitution sein. ‖~개선 die Verbesserung der (politischen) Verhaltensweise 〔Struktur〕.

체질하다 (ab|)sieben^{4}; sichten^{4}.

체취(體臭) Körpergeruch *m.* -(e)s, ⸚e.

체크무늬 Karo *n.* -s, -s; Würfelmuster *n.* -s, -. ~의 kariert; gewürfelt; gekästelt.

체통(體統) Würde *f.* -n; das Ansehen*, -s; Autorität *f.* -en. ¶~을 깎이다 sein Ansehen 〔das Gesicht〕 verlieren*.

체포(逮捕) Verhaftung *f.* -en; Fest〔Gefangen〕nahme *f.* -n. ~하다 verhaften^{4}; fest〔gefangen〕nehmen*^{4}. ‖~령 Verhaftungsbefehl *m.* -(e)s, -e.

체하다 《척하다》 ^{4}sich (an|)stellen 〔verstellen〕. ¶점잖은 ~ ^{4}sich vornehm stellen / 아는 ~ besser wissen wollen^{4}.

체하다(滯—) im Magen liegen*; schwer bekömmlich sein.

체한(滯韓) der Aufenthalt in Korea. ¶~중에 bei m-m Aufenthalt in Korea.

체험(體驗) Erlebnis *n.* -ses, -se; Erfahrung *f.* -en. ～하다 erfahren*^{4}; erleben^{4}. ¶～을 살리다 durch die Erfahrung lernen. ‖ ～담 Erlebnisbericht *m.* -(e)s, -e.

체형(體刑) Körper〔Leibes〕strafe *f.* -n; e-e körperliche Züchtigung, -en. ¶～을 과하다 körperlich bestrafen 〔züchtigen〕.

첼로 〖樂〗 (Violon)cello *n.* -s, -s. ‖ ～연주자 (Violon)cellist *m.* -en, -en.

쳇바퀴 Siebrahmen *m.* -s, -.

쳐다보다 auf|sehen* 〔-blicken; -schauen〕 《*zu*^{3}》; empor|sehen* 《*zu*^{3}》; in die Höhe sehen*.

쳐들다 ① 《들어올림》 (er)heben*^{4}; auf|heben*^{4}; hoch|ziehen*^{4}. ¶손을 번쩍 ～ die Hand hoch heben*. ② 《초들다》 hervor|heben*^{4}; hin|weisen*; betonen^{4}. ¶남의 흠을 ～ die Schwäche des andern hervor|heben*.

쳐들어가다 ein|fallen*〔-|dringen*〕《*in*^{4}》; ein|stürzen 《*in*^{4}; *auf*^{4}》; überfallen*^{4}.

쳐주다 ① 《평가》 (ab|)schätzen; taxieren; würdigen. ¶5 백 원 ～ ^{4}*et.* auf 500 *Won* schätzen. ② 《인정》 (an|)erkennen*; erlauben; ein|räumen. ¶예외로 ～ als Ausnahme an|sehen*.

쳐죽이다 tot|schlagen*; zu ^{3}Tode schlagen*.

초 Kerze *f.* -n; Wachs *n.* -es, -e. ¶초의 심지를 자르다 e-e Kerze putzen.

초(秒) Sekunde *f.* -n. ‖ 초침 Sekundenzeiger *m.* -s, -.

초(草) 《초안》 Entwurf *m.* -(e)s, ⸚e; Konzept *n.* -(e)s, -e. ¶논문의 초를 잡다 e-n Aufsatz entwerfen*.

초(醋) Essig *m.* -s, -e. ¶초를 치다 mit Essig an|tun*; Essig an ^{4}*et.* tun*.

초-(超) Ultra-; Supra-; über-. ¶초광속도 Überlichtgeschwindigkeit *f.*

초가(草家) das mit Stroh gedeckte Haus, -es, ⸚er.

초가을(初—) Frühherbst *m.* -es, -e; Herbstanfang *m.* -(e)s, ⸚e.

초감각적(超感覺的) übersinnlich.

초겨울(初—) Frühwinter *m.* -s, -; Winteranfang *m.* -(e)s, ⸚e.

초경(初經) Menstruationsaustritt *m.* -(e)s; Menophania *f.*

초계(哨戒) Wache *f.* -n; Bewachung *f.* -en. ～하다 Wache stehen* 〔haben〕. ‖ ～기 Patrouillenflugzeug 〔..truljən..〕 *n.* -(e)s, -e / ～정 Patrouillen〔Wach〕boot *n.* -(e)s, -e.

초고(草稿) Entwurf *m.* -(e)s, ⸚e; Konzept *n.* -(e)s, -e; die erste Fassung, -en. ¶～를 만들다 e-n Entwurf machen.

초고속도(超高速度) Super〔Maximal〕geschwindigkeit *f.* -en. ‖ ～ 촬영기 Supergeschwindigkeitskamera *f.* -s.

초과(超過) Über·schuß *m.* ..schusses, ..schüsse 〔-maß *n.* -es, -e; -rest *m.* -es, -e〕. ～하다 über|schießen*; mehr betragen* als...; überschreiten*^{4}. ¶정원을 ～하다 die bestimmte Zahl überschreiten*. ‖ ～ 근무 Überstunde *f.* -n / 인원 ～ Personalüberschuß *m.*

초교(初校) 〖印〗 die erste Korrektur, -en.

초급(初級) Anfangsklasse 〔Unterstufe〕 *f.* -n. ‖ ～반 Anfänger·kurs *m.* -es, -e 〔-klasse *f.* -en〕.

초급(初給) Anfangsgehalt *n.* -(e)s, -e.

초기(初期) ① 《시기》 die erste Zeit 〔Periode〕; Anfang *m.* -(e)s, ⸚e. ¶중세 ～ Frühmittelalter *n.* ② 《단계》 Anfangsstadium *n.* -s, ..dien; erste Stufe 〔Phase〕 -n. ¶병의 ～ Anfangsstadium der Krankheit.

초년(初年) das erste Jahr. ‖ ～병 Rekrut *m.* -en, -en / ～생 Neuling *m.* -(e)s. -e.

초단(初段) der erste 〔unterste〕 (Meister-)grad, -(e)s 《in Go-Spiel *usw.*》.

초단파(超短波) Ultrakurzwelle *f.* -n. 《略: UKW》. ‖ ～ 수신기 Ultrakurzwellenempfänger *m.* -s, -; UKW-Empfänger.

초닷새(初—) der fünfte Tag e-s Monats, -s, -e.

초당파(超黨派) ～의 überparteiisch.

초대(初代) die erste Generation; Gründer *m.* -s, -. ～의 der 〔die, das〕 erste.

초대(招待) Einladung *f.* -en. ～하다 ein|laden*^{4} 《*zu*^{3}》. ‖ ～권 Einladungskarte *f.* -n / ～장 Einladungsschreiben *n.* -s, -.

초대면(初對面) erste Begegnung, -en. ～하다 *jn.* zum erstenmal sehen* 〔treffen*〕.

초동(樵童) ein junger Holzfäller, -s, -.

초두(初頭) Anfang *m.* -(e)s, ⸚e; Beginn *m.* -(e)s. ¶～에 im 〔am〕 Anfang; erst; erstens.

초들다 an|führen; zitieren; auf|zählen; an|geben*.

초등(初等) ‖ ～ 교육 Elementarbildung *f.* -en / ～반 Elementar〔Grund〕klasse *f.* -n.

초라하다 armselig 〔ärmlich; elend; unansehnlich; unscheinbar〕 (sein). ¶옷차림이 ～ schäbig 〔armselig〕 gekleidet sein.

초래(招來) ～하다 herbei|führen^{4}; hervor|bringen*^{4}; verursachen^{4}. ¶불행을 ～하다 das Unglück herbei|führen.

초례(醮禮) Hochzeit 〔Eheschließung〕 *f.* -en; Trauungszeremonie *f.* -n. ¶～를 치르다 Hochzeit feiern.

초로(初老) ¶～의 von mittlerem Alter; ältlich.

초로(草露) ein Tau am Gras. ‖ ～ 인생 das vergängliche Menschenleben.

초록(抄錄) Auszug *m.* -(e)s, ⸚e; Extrakt *m.* -(e)s, -e. ～하다 (her)aus|ziehen*^{4}; extrahieren^{4}.

초록(빛)(草綠—) Grasfarbe *f.* -n. ¶～의 gras〔dunkel〕grün.

초롱(—籠) Hand·laterne *f.* -n 〔-leuchter *m.* -s〕.

초롱꽃(—籠—) 〖植〗 Glockenblume *f.* -n.

초막(草幕) Strohhütte *f.* -n.

초만원(超滿員) ～의 übervoll; bis zum Rande 〔Platzen〕 voll; voll bepackt.

초면(初面) die erste Begegnung, -en; das erste Interview, -s, -s.

초목(草木) Pflanze *f.* -n; Gewächs *n.* -es, -e; Vegetation *f.* -en.

초문(初聞) die erste Nachricht, -en. ¶금시 ～이다 Das ist mir neu 〔unbekannt; fremd〕.

초미(焦眉) ～의 dringend; drängend;

ㅊ

brennend; nahe bevorstehend.
초반(初盤) Anfang *m.* –(e)s, ⸚e; Beginn *m.* –(e)s. ¶~부터 von ³Anfang an.
초범(初犯) das erste Verbrechen, –s, –; das erste Vergehen, –s, –.
초벽(初壁) der erste (Wand)bewurf, ⸚e. ~하다 e–e Wand mit grobem Verputz bewerfen* 〔bedecken; bekleben〕.
초병(哨兵) 〖軍〗 Posten *m.* –s, –.
초보(初步) der erste Schritt, –(e)s; Anfangsgründe (*pl.*). ~의 Elementar–; Anfangs–. ‖~자 Anfänger *m.* –s, –.
초복(初伏) der erste Hundstag.
초본(抄本) Auszug *m.* –(e)s, ⸚e; Exzerpt *n.* –(e)s, –e. ‖호적 ~ der Auszug aus dem Personenstandsbuch.
초봄(初—) Vorfrühling *m.* –s, –e; Anfang des Frühlings.
초봉(初俸) Anfangsgehalt *n.* –(e)s, ⸚e; erste Belohnung, –en.
초부(樵夫) Holz·fäller 〔–hacker; –hauer〕 *m.* –s, –; Holzer *m.* –s, –.
초빙(招聘) Berufung *f.* –en; Ruf *m.* –(e)s, –e. ~하다 *jn.* berufen*. ¶강사를 ~하다 e–n Lektor berufen*
초산(初產) Erstgeburt *f.* –en. ‖~부 die Erstgeburt erfahrene Frau, –en.
초산(醋酸) 〖化〗 Essigsaüre *f.*
초상(初喪) Trauer 〔Trauerzeit〕 *f.* –n. ¶~나다 Trauer haben.
초상(肖像) Porträt *n.* –s, –e; Bildnis *n.* –ses, –se. ¶…의 ~을 그리다 *jn.* porträtieren; *js.* ⁴Porträt malen. ‖~ 화가 Porträtmaler *m.* –s, –.
초서(草書) die laufende Schrift, –en; Kurrentschrift *f.*
초석(草席) Strohmatte *f.* –n.
초석(硝石) 〖化〗 Salpeter *m.* –s.
초석(礎石) Grund〔Fundament〕stein *m.* –(e)s, –e. ¶나라의 ~ Stützstein des Staaten; Saüle des Staaten.
초소(哨所) Wachthaus *n.* –es, ⸚er.
초속(初速) die Anfangsgeschwindigkeit. *f.* –en.
초속(秒速) Sekundengeschwindigkeit *f.* –en. ¶~ 80미터로 mit e–r Geschwindigkeit von 80 Metern in der Sekunde.
초속(超俗) ~적 überirdisch; unweltlich; eremitenhaft; eremitisch.
초순(初旬) die ersten 10 Tage e–s Monats; Anfang des Monats. ¶5월 ~(에) Anfang Mai.
초승달(初—) Neumond *m.* –(e)s, –e; Mondsichel *f.* –n. ¶~ 모양의 sichelförmig.
초시류(鞘翅類) 〖蟲〗 Koleoptere *f.* –n.
초식(草食) ~의 pflanzenfressend. ‖~동물 Pflanzenfresser *m.* –s, –.
초심자(初心者) =초보자.
초아흐레(初—) der neute Tag e–s Monats.
초안(草案) Entwurf *m.* –(e)s, ⸚e; Konzept *n.* –(e)s, –e. ¶~을 작성하다 e–n Entwurf machen 《*zu*³; *von*³》; entwerfen*⁴.
초야(初夜) die erste Nacht, ⸚e; Braut〔Hochzeits〕nacht *f.* ⸚e.
초야(草野) das abgelegene Dorf, –(e)s, ⸚er. ¶~에 묻히다 zurückgezogen in e–m abgelegen ³Dorf leben.
초여드레(初—) der achte Tag des Monats.
초여름(初—) Früh〔Vor〕sommer *m.* –s, –; Anfang des Sommers.
초역(抄譯) ~하다 auszugsweise 〔teilweise〕 übersetzen⁴.
초연(初演) Ur〔Erst〕aufführung *f.* –en; Premiere *f.* –n. ~하다 zum ersten Mal auf|führen⁴.
초연(悄然) ¶~히 nieder·geschlagen〔–gedrückt〕; mut〔trost〕los.
초연(硝煙) Pulver·dampf *m.* –(e)s, ⸚e 〔–rauch *m.* –(e)s〕.
초연(超然) ~하다 erhaben 《über ⁴*et.*》 〔gleichgültig 《*gegen*⁴》; unbeteiligt 《*an*³》; neutral; unparteiisch〕 (sein). ¶명리에 ~하다 über Ruhm u. Reichtum erhaben sein.
초열흘(初—) der zehnte Tag e–s Monats.
초엽(初葉) die erste Zeit, –en; die erste Periode, –n. ¶19세기 ~에 am 〔im〕 Anfang des neunzehnten Jahrhunderts.
초엿새(初—) der sechste Tag des Monats.
초우라늄원소(超—元素) Transurane (*pl.*).
초원(草原) Wiese *f.* –n; Grasland *n.* –(e)s, ..länder; Grasebene *f.* –n.
초월(超越) ~하다 überlegen sein 《*jm. an*³》; über⁴ *jm.* stehen*; übersteigen*⁴.
초유(初有) die Erste*, –n. ¶역사상 ~의 대전 der größte Kampf in der Geschichte.
초음속(超音速) Ultraschallgeschwindigkeit *f.* –en; supersonische Geschwindigkeit, –en. ‖~기(機) Überschallflugzeug *n.* –(e)s, –e.
초인(超人) Ultramensch *m.* –en, –en. ~적 übermenschlich.
초인종(招人鐘) Klingel 〔Glocke; Schelle〕 *f.* –n. ¶~을 울리다 klingeln; schellen.
초읽기(秒—) das Sekundenzählen*, –s; Countdown 〔káuntdáun〕 *n.* –s.
초임급(初任給) Anfangsgehalt *n.* –(e)s, –e.
초자연(超自然) ~의 übernatürlich.
초잡다(草—) ⁴*et.* ins Unreine schreiben*; e–n Entwurf machen.
초장(初場) ¶~에 am Anfang; gleich zu Beginn / ~에 기를 꺾다 *jm.* gerade am Anfang den Mut benehmen*.
초저녁(初—) ¶~에 in den frühen ³Abendstuden.
초점(焦點) Brennpunkt *m.* –(e)s, –e; Fokus *m.* –, –. ¶~을 맞추다 ⁴*et.* in den Brennpunkt bringen*; 《어떤 물건에》 ⁴*et.* scharf ein|stellen 《*auf*⁴》. ‖~거리 Brennweite *f.* –n.
초조(初潮) 〖醫〗 Menarche *f.*; die erste Regel, –n.
초조(焦燥) ~하다 ungeduldig 〔unruhig; nervös〕 (sein). ¶~해지다 nervös 〔ungeduldig; reizbar〕 werden.
초지(初志) *js.* ursprüngliche 〔eigentliche〕 Absicht, –en. ¶~를 관철하다 s–e ursprüngliche Absicht durch|setzen; sein eigentliches Ziel erreichen.
초진(初診) die erste 〔ärztliche〕 Untersuchung, –en. ‖~ 환자 ein neur Patient, –en, –en.
초창기(草創期) Gründungszeit *f.* –en.
초청(招請) Einladung *f.* –en. ~하다 ein|laden*⁴. ‖~국(國) die einladende Macht, ⸚e / ~장 Einladungs·schrei-

ben n. -s, - 〔-brief m. -(e)s, -e〕.

초췌(憔悴) ～하다 abgemagert 〔abgezehrt; angegriffen; schwach; ausgemergelt〕 (sein).

초치(招致) ～하다 ein|laden* 《jn.》; auf|fordern 《jn.》 zu kommen; herbei|führen^4 〔-rufen*^{4}〕.

초침(秒針) Sekundenzeiger m. -s, -.

초콜릿 Schokolade f. -n.

초크 ① =분필. ② 《재단용》 Speckstein m. -(e)s, -e; Schneiderkreide f. -n.

초탈(超脫) ～하다 ^{4}sich von der irdischen Welt fern|halten*.

초토(焦土) ¶～화하다 in Schutt u. Asche legen^4. ‖～ 전술 die Schutt- u. -Asche-Taktik, -en; die Taktik der Verbrannten Erde.

초특급열차(超特急列車) Extraschnellzug m. -(e)s, ⸚e; Luxuszug 《1등차》.

초판(初版) die erste Auflage, -n. ‖～본 der erste Druck, -(e)s, -e; Urdruck m. -(e)s, -e.

초하다(草一) =초잡다.

초하루, 초하룻날(初一) der erste Tag 〔der Erste〕 des Monats; der erste Monatstag, -(e)s.

초학자(初學者) Anfänger 〔Erstkläßler〕 m. -s, -.

초행길(初行一) erste Reise, -n.

초현실주의(超現實主義) Sur〔Supra〕realismus m. -.

초혼(初婚) die erste Ehe.

초화(草花) die Blume des Grases; Blütenpflanze f. -n.

촉(燭) =촉광(燭光)

촉(鏃) dünner werdendes Ende, -s, -n; 《화살촉》 Pfeilspitze f. -n.

촉각(觸角) 〖動〗 Fühler m. -s, -; Fühlhorn n. -(e)s, ⸚er.

촉각(觸覺) 〖生〗 Tast〔Berührungs〕sinn m. -(e)s.

촉감(觸感) Tast·empfindung f. -en 〔-gefühl n. -(e)s, -e〕. ¶～이 부드럽다〔딱딱하다〕 ^{4}sich weich 〔hart〕 an|fühlen.

촉관(觸官) 〖生〗 Tastorgan n. -s, -e.

촉광(燭光) 〖物〗 Kerzensstärke 〔Kerze〕 f. -n. ¶100 ～의 전구 e-e elektrische Birne von 100 Kerzen.

촉구(促求) ～하다 jn. drängen 《zu^3》; drängen 〔dringen*〕 《auf^4》; jn. dringen*. ¶지불을 ～하다 auf ^{4}Zahlung drängen 〔dringen*〕.

촉망(囑望) ～하다 Hoffnungen setzen 《auf^4》; viel erwarten 《von^3》. ¶대단한 ～을 받고 있다 Man setzt große Hoffnungen auf ihn.

촉매(觸媒) 〖化〗 Katalysator m. -s, -en. ‖～ 반응 Katalyse f. -n / ～ 작용 die katalytischen Wirkungen (pl.).

촉박(促迫) ～하다 drängend 〔nah(e) bevorstehend〕 (sein). ¶시간이 ～하다 Die Zeit drängt.

촉성(促成) ～하다 ^{4}et. beschleunigen; treiben*^{4}. ‖～ 재배 Frühtreiberei f. -en (～ 재배 온실 Treibhaus n. -es, ⸚er).

촉수(觸鬚) Fühler 〔Taster〕 m. -s, -.

촉진(促進) ～하다 befördern^4; beschleunigen^4.

촉진(觸診) 〖醫〗 Betastung f. -en. ～하다 betasten^4; befühlen^4.

촉촉하다 feucht 〔naß; wässerig〕 (sein). ¶정원의 풀들이 밤이슬에 촉촉이 젖어 있다 Die Gräser im Garten sind triefend naß vom (Nacht)tau.

촉탁(囑託) Beauftragung f. -en; der Beauftragte*, -n, -n 《사람》.

촌(寸) ① =치^1. ② =촌수.

촌(村) Dorf n. -(e)s. ¶촌길 Dorfweg m. -(e)s, -e / 촌사람 Dorfbewohner m. -s, -; Landman m. -(e)s, ..leute.

촌각(寸刻) =촌음. ¶～을 다투어 so bald als möglich.

촌극(寸劇) ein (satirischer) Schwank, -(e)s, ⸚e.

촌놈(村一) (ein dummer) Bauer, -n 〔-s〕, -n; Flegel m. -s, -.

촌락(村落) Dorf n. -(e)s, ⸚er; Weiler m. -s, -.

촌수(寸數) Verwandtschaftsgrad m. -(e)s, -e.

촌스럽다(村一) unfein 〔unverfeinert; ungebildet; ländlich; bauernhaft〕 (sein).

촌음(寸陰) die kurze Zeit, -en. ¶～을 아끼다 k-n Augenblick unbenutzt lassen* 〔verschwenden〕.

촌지(寸志) ein kleines Geschenk, -(e)s, -e.

촌충(寸蟲) 〖動〗 Bandwurm m. -(e)s, ⸚er. ‖～ 구제약 das Medikament gegen Bandwurm.

촌탁(忖度) ～하다 vermuten^4; mutmaßen^4; an|nehmen*^{4}.

촌티(村一) Lädlichkeit f. -en. ¶～가 나다 bäu(e)risch 〔ländlich〕 sein.

촌평(寸評) e-e kurze Kritik, -en; ein kurzer Kommentar, -s, -e.

촐랑거리다 unbedacht handeln; ^{4}sich übereilen.

촐랑이 Spatzen〔Wirr〕kopf m. -(e)s, ⸚e.

촐싹거리다 ① 《경망스레》 ^{4}sich übereilen; zu rasch 〔eilfertig〕 handeln. ② 《충동질》 bewegen; schütteln; auf|rühren.

촐촐하다 hungrig (sein); Hunger haben.

촘촘하다 engmaschig 〔dicht; eng〕 (sein).

촛농(一膿) Kerzentropfen m. -s, -.

촛대(一臺) Kerzenhalter m. -s, -.

촛불 Kerzenlicht n. -(e)s, -er; Kerzenschein m. -(e)s, -e. ¶～을 붙이다 e-e Kerze an|zünden.

총(銃) (Feuer)gewehr n. -(e)s, -e; Flinte 〔Büchse〕 f. -n. ¶총을 겨누다 Gewehr richten 《auf^4》 / 총을 쏘다 das Gewehr ab|feuern.

총-(總) ganz; all; allgemein; gesamt.

총각(總角) Junggeselle m. -n, -n.

총검(銃劍) Bajonett n. -(e)s, -e; Seitengewehr n. -(e)s, -e. ¶～으로 찌르다 mit dem Bajonett durchstoßen*.

총격(銃擊) Gewehr〔Büchsen〕schuß m. ..sses, ..schüsse.

총계(總計) Gesamt〔Total〕summe f. -n; Gesamt〔Brutto〕betrag m. -(e)s, ⸚e.

총공격(總攻擊) der allgemeine Angriff, -(e)s, -e.

총괄(總括) Zusammen·fassung 〔-stellung〕 f. -en. ～하다 zusammen|fassen^4 〔-|stellen^4〕.

총구(銃口) die Mündung e-r Schußwaffe. ¶～를 들이대다 Gewehr richten 《auf^4》.

총기(銃器) die Feuerwaffen (pl.); Schußwaffe f. -n.

총기(聰氣) Klugheit f. -en; Scharfsinn m. -(e)s, -e. ¶～가 있다 klug 〔verständig; scharfsinnig〕 sein.

총동원(總動員) die allgemeine Mobilmachung, -en. ‖ ~령 der Befehl der allgemeinen Mobilmachung.

총람(總攬) ~하다 die Oberaufsicht führen 《über[4]》; beaufsichtigen[4].

총력(總力) sämtliche Kräfte (*pl.*); die gesamte Kraft, ¨e. ¶ ~을 다하다 die ganze Kraft auf|bieten*. ‖ ~전 der totale Krieg, -(e)s, -e.

총론(叢論) die Sammlung von Abhandlungen.

총리(總理) Premierminister *m.* -s, -; Ministerpräsident *m.* -en, -en. ‖ ~실 das Büro des Premierministers.

총망(悤忙) ~하다 bestürzt 〔eilig; flüchtig; rastlos; ruhelos; übereilt〕 (sein).

총명(聰明) ~하다 klug 〔gescheit; intelligent; scharfsinnig〕 (sein).

총무(總務) 《사람》 Generalsekretär *m.* -s, -e; Geschäftsführer *m.* -s, -. ‖ 원내 ~ Fraktionsleiter *m.* -s, -.

총보(總譜) 〖樂〗 Partitur *f.* -en.

총본산(總本山) Generalhaupttempel *m.* -s, -; 《比》 Hauptquartier *n.* -s, -e.

총부리(銃一) Mündung *f.* -en. ¶ ~를 대다 〔돌리다〕 die Mündung richten 《*auf*[4]》.

총사령관(總司令官) Oberbefehlshaber 〔Haupftführer〕 *m.* -s, -.

총사령부(總司令部) Generalhauptquartier *n.* -s; die Große Hauptquartier.

총사퇴(總辭退) die gemein(schaftlich)e Niederlegung, -en. ~하다 (die [4]Ämter) gemeinsam nieder|legen.

총살(銃殺) Erschießung 〔Füsilierung〕 *f.* -en. ~하다 füsilieren 〔tot|schießen*〕 《*jn.*》; (standrechtlich) erschießen* 《*jn.*》.

총상(銃傷) Schußwunde *f.* -n.

총생(叢生) ~하다 in Büscheln wachsen*; wuchern.

총서(叢書) 《같은 종류의》 Serie *f.* -n. ¶ ~로 출판되다 seienmäßig publiziert werden.

총선거(總選擧) die allgemeinen Wahlen (*pl.*).

총성(銃聲) =총소리.

총소리(銃一) Schuß *m.* ..usses, ..üsse; Knall *m.* -(e)s, -e. ¶ ~가 들린다 Ein Schuß fällt.

총수(總帥) Oberbefehlshaber *m.* -s, -.

총수(總數) Gesamtzahl *f.* -en.

총수입(總收入) Gesamteinnahme *f.* -n.

총신(銃身) =총열.

총신(寵臣) Lieblingsvasall *m.* -en, -en; Lieblingsleh(e)nsmann *m.* -(e)s, ¨er.

총아(寵兒) Liebling 〔Günstling〕 *m.* -s, -e; Schoßkind *n.* -(e)s, -er. ¶ 시대의 ~ der Löwe des Tages 〔der Zeit〕.

총알(銃一) Flintenkugel *f.* -n.

총애(寵愛) Gunst *f.*; Bevorzugung *f.* -en. ~하다 bevorzugen[4]; begünstigen[4]. ¶ ~를 받다 bei *jm.* in Gunst stehen*.

총액(總額) Gesamt·summe *f.* -n. 〔-betrag *m.* -(e)s, ¨e〕.

총연습(總演習) General〔Haupt〕probe *f.* -n. ~하다 Generalprobe halten*.

총열(銃一) (Gewehr)lauf *m.* -(e)s, ¨e.

총영사(總領事) Generalkonsul *m.* -s, -n. ‖ ~관 Generalkonsulat *n.* -(e)s, -e.

총원(總員) alle Mitglieder (*pl.*).

총의(總意) die allseitige Zustimmung, -en. ¶ 국민의 ~ Volkswille *m.* -ns, -n.

총자본금(總資本金) Gesamtkapital *n.* -s, -e 〔-ien〕.

총장(總長) Generaldirektor *m.* -s, -en; Rektor *m.* -s, -en 《대학의》.

총재(總裁) Präsident *m.* -en, -en; Generaldirektor *m.* -s, -en; Führer *m.* -s, - 《정당의》. ‖ 은행 ~ Bankdirektor.

총점(總點) Gesamtpunkt *m.* -(e)s, -e; Summe *f.* -n 《총계》.

총지출(總支出) die Gesamtausgaben (*pl.*).

총지휘(總指揮) Ober·befehl *m.* -(e)s, -e 〔-leitung *f.* -en〕.

총질(銃一) Feuergefecht *n.* -(e)s, -e. ~하다 aufeinander schießen*; Schüsse wechseln.

총채 Staubwedel *m.* -s, -. ¶ ~질하다 mit e-m Wedel ab|stauben[4].

총체(總體) ¶ ~적으로 im ganzen; im allgemeinen / ~적인 ganz; all.

총총(悤悤) ¶ ~히 eilig; in großer [3]Eile.

총총(葱葱) ~하다 dicht bewachsen (sein).

총칙(總則) die allgemeinen Bestimmungen (*pl.*).

총칭(總稱) die allgemeine Bezeichnung, -en. ~하다 mit e-r allgemeinen Bezeichnung versehen*[4].

총칼(銃一) 《총과 칼》 Gewehr u. Bajonett.

총탄(銃彈) (Gewehr)kugel *f.* -n.

총통(總統) Präsident *m.* -en, -en; Kanzler *m.* -s, -.

총파업(總罷業) Generalstreik *m.* -(e)s, -s.

총판(總販) Verkaufsagentur *f.* -en.

총평(總評) die allgemeine Kritik, -en.

총포(銃砲) Schuß〔Feuer〕waffe *f.* -n; Gewehr *n.* -(e)s, -e.

총할(總轄) ~하다 die Oberaufsicht haben 《über[4]》; verwalten[4].

총화(總和) nationale Eintracht 《국민총화》.

총회(總會) General〔Haupt〕versammlung *f.* -en. ‖ 유엔 ~ die Versammlung der Vereinten Nationen / 주주 ~ die Aktionäres Vollversammlung / 창립 ~ Gründungsversammlung.

촬영(撮影) (photographische) Aufnahme, -n; Filmaufnahme *f.* -n 《영화의》. ~하다 photographieren[4]; Aufnahme machen 《von[3]》; filmen[4]. ‖ ~기 Filmkamera *f.* -s / ~소 Film·atelier 〔-studio〕 *n.* -s, -s / 야외 ~ Außenaufnahme *f.* -n.

최강(最强) der 〔die; das〕 Stärkste*, -n, -n; der〔die; das〕 Mächtigste*, -n, -n.

최고(最高) ~의 höchst; oberst; best. ‖ ~ 득점 die höchste Punktzahl, -en / ~봉 der höchste Pik, -s, -e; 《比》 Gipfel *m.* -s, - / ~ 속도 Höchstgeschwindigkeit *f.* -en / ~ 학부 die höchste Lehranstalt, -en.

최고(催告) ~하다 *jn.* mahnen 《an[4]》; *jn.* auf|fordern 《zu[3]》.

최근(最近) ~의 letzt; jüngst; 《거리가》 nächst. ¶ ~에 kürzlich; unlängst; neulich; vor 〔binnen〕 kurzem / ~5년간에 in den letzten fünf Jahren.

최단(最短) ~의 kürzest. ‖ ~거리〔코스〕 die kürzeste Strecke, -n.

최대(最大) ~의 größt; höchst; maximal.

‖ ～공약수〖數〗 der größte gemeinsame Teiler, -s / ～ 압력 Maximaldruck m. -(e)s, ¨e / ～ 한도 Maximum n. -s, ..ma.

최량(最良) ～의 allerbest; von bester Qualität.

최루탄(催淚彈) Tränengasbombe f. -n.

최면(催眠) ～의 hypnotisch; schlafbefördernd. ‖ ～ 상태 Hypnosezustand m. -(e)s, ¨e / ～술 Hypnotismus 〔Mesmerismus〕 m. - (～술을 걸다 hypnotisieren) / ～제 Schlafmittel n. -s, -; Hypnotikum n. -s, ..ka / 자기 ～ Selbsthypnose f.

최상(最上) ～의 best; höchst; oberst. ‖ ～급 die oberste Klasse, -n; 〖文〗 Superlativ m. -s, -e.

최선(最善) das Beste*, -n. ～의 best. ¶ ～을 다하다 sein Bestes tun*.

최소(最小) ～의 kleinst; mindest; minimal. ‖ ～ 공배수 〖數〗 das kleinste gemeinsame Vielfache*, -n / ～ 한도 Minimum n. -s, ..ma.

최신(最新) ～의 (aller)neuest; jüngst; letzt. ‖ ～형 der neueste Typ, -s, -en; das neueste Modell, -s, -e / ～ 유행 die neueste Mode.

최악(最惡) ～의 schlimmst; schlechtest. ¶ ～의 경우에는 im schlimmsten Falle.

최우수상(最優秀賞) Grand Prix m. - -, - -; Großer Preis, -es, -e.

최음제(催淫劑) Aphrodisiakum n. -s, ..ka.

최장(最長) ～의 längst.

최저(最低) ～의 tiefst; unterst; niedrigst. ‖ ～ 가격 Minimalpreis m. -es, -e / ～ 생활(비) Existenzminimum n. -s, ..ma / ～ 임금 Minimallohn m. -es, ¨e.

최적(最適) ～의 am besten geeignet; sehr passend.

최전선(最前線) die vorderste Linie, -n.

최종(最終) ～의 letzt; final. ‖ ～ 결정 die endgültige Entscheidung, -en / ～심 die letzte Instanz / ～안 das endgültige Urteil, -(e)s, -e.

최초(最初) Anfang m. -(e)s, ¨e; Beginn m. -(e)s. ～의 (aller)erst; Anfangs-; ursprünglich; primär.

최하(最下) ～의 unterst; niedrigst; 《최악》 schlechtest. ‖ ～ 가격 der niedrigste Preis, -es, -e / ～층 《건물》 der unterste Stock, -(e)s, ¨e; 《사회의》 die niedrigste Schicht, -en.

최혜국(最惠國) das meistbegünstigte Land, -(e)s, ¨er. ‖ ～ 대우 Meistbegünstigung f. -en.

최후(最後) Ende n. -s, -n; Schluß m. ..lusses, ..lüsse. ～의 (aller)letzt; final; endlich. ¶ ～에 zuletzt; schließlich; endlich; am Ende / ～까지 bis zum Ende. ‖ ～ 수단 das letzte Mittel, -s, - / ～ 순간 der letzte Augenblick 〔Moment〕 -(e)s, -e / ～ 통첩 Ultimatum n. -s, ..ten 〔-s〕.

추(錘) Gewicht 〔Lot〕 n. -(e)s, -e.

추가(追加) Zusatz m. -es, ¨e; Nachtrag m. -(e)s, ¨e; Ergänzung f. -en. ～하다 zu|setzen^{4}; nach|tragen*^{4}; ergänzen^{4}. ‖ ～ 시험 Nachprüfung f. -en / ～ 신청 der zusätzliche Antrag, -(e)s, ¨e / ～ 예산 Nachtragsbudget n. -s, -s.

추격(追擊) Verfolgung f. -en. ～하다 verfolgen^{4}.

추계(秋季) Herbst m. -es, -e. ‖ ～ 운동회 Herbstsportfest n. -es, -e.

추계(推計) (Ab)schätzung f. -en. ～하다 (ab|)schätzen.

추곡(秋穀) Herbstkorn n. -(e)s, ¨er; Herbstgetreide n. -s, -.

추골(槌骨) 〖解〗 Hammer m. -s, ¨.

추구(追求) ～하다 nach|gehen*^{3} 〔-|jagen^{3}〕; jagen 《nach^{3}》; verfolgen^{4}; streben 《nach^{3}》. ¶ 이윤을 ～하다 nach dem Gewinn streben.

추구(追究) ～하다 nach|forschen^{3}; untersuchen^{4}; erforschen^{4}. ¶ 진리를 ～하다 die Wahrheit suchen; nach Wahrheit streben.

추궁(追窮) ～하다 jn. (be)drängen; in jn. dringen*. ¶ 책임을 ～하다 jn. zur Rechenschaft 〔Verantwortung〕 ziehen* 《wegen^{2}》.

추근추근하다 aufdringlich 〔lästig〕 (sein).

추기(追記) Nachschrift f. -en 《略: NS》. ～하다 nach|schreiben*^{4}.

추기경(樞機卿) Kardinal m. -s, ¨e.

추기다 《유혹》 jn. verführen 《zu^{3}》; jn. verleiten 《zu^{3}》; 《선동》 jn. auf|hetzen 〔-|reizen〕.

추남(醜男) ein häßlicher Mann, -(e)s, ¨er.

추녀〖建〗 (Dach)traufe f. -n.

추녀(醜女) die häßliche Frau, -en.

추념(追念) ～하다 ^{4}sich zurück|erinnern 《an^{4}》; zurück|denken 《an^{4}》; ^{3}sich ^{4}et. ins Gedächtnis zurück|rufen*.

추다^{1} 《칭찬》 mit Lob überschütten^{4}; heraus|streichen*; lobhudeln; mit jm. schön tun*.

추다^{2} 《춤을》 tanzen; e-n Tanz tanzen. ¶ 함께 추실까요 Darf ich Sie (um Tanz) bitten?

추단(推斷) ～하다 ^{4}et. folgern 《aus^{3}》; ^{4}et. schließen* 《aus^{3}》.

추대(推戴) ～하다 zum Präsidenten bestellen 《jn.》. ‖ ～식 Einsetzungsfeierlichkeit f. -en.

추도(追悼) Trauer f.; Gedenken n. -s. ～하다 trauern 《um^{4}》; betrauern^{4}. ‖ ～사 Trauerrede f. -n / ～식 Trauerfeier f.

추돌(追突) ～하다 von hinten zusammen|stoßen* 《mit^{3}》; von hinten an|stoßen* 《an^{4}》.

추락(墜落) (Ab)sturz m. -es, ¨e; Fall m. -(e)s, ¨e. ～하다 (ab|)stürzen; herunter|fallen*. ¶ 비행기가 물속으로 ～했다 Ein Flugzeug stürzte ins Wasser.

추량(推量) ＝추측.

추레하다 nachlässig 〔schlampig; schlunzig; derangiert〕 (sein).

추력(推力) Triebkraft f. ¨e; Antrieb m. -(e)s, -e.

추렴 das Zusammenschießen*, -s; Beitrag m. -(e)s, ¨e; Beisteuer f. -n. ～하다 zusammen|schießen*^{4}; auf|kommen* 《für^{4}》; bei|steuern^{4}.

추록(追錄) ～하다 hinzu|fügen 〔-|setzen〕; bei|fügen; ergänzen.

추론(推論) (Schluß)folgerung f. -en; (Schluß)folge f. -n. ～하다 schlußfolgern.

추리(推理) Folgerung *f.* –en; das Schließen*, –s. ～하다 (schluß)folgern; (vernünftig)schließen. ‖ ～ 소설 Kriminalroman *m.* –s, –e.

추리다 aus|wählen^4; aus ^{4}*et.* wählen^4. ¶가장 좋은 것을 ～ das Beste aus|wählen.

추맥(秋麥) Spät〔Herbst〕gerste *f.* –n.

추모(追慕) ～하다 ^{4}sich zurück|sehnen 《*nach*^{3}》; *js.* mit ^{3}Liebe gedenken*.

추문(醜聞) Skandal *m.* –(e)s, –e. ¶～을 퍼뜨리다 e–n Skandal verursachen.

추물(醜物) 《물건》 Schmutz *m.* –es; 《사람》 der gemeine Mensche, –en, –en; der 〔die〕 Häßliche*, –n, –n.

추방(追放) Verbannung *f.* –en; 《정치상의》 Säuberung *f.* –en. ～하다 verbannen^4; in das Exil schicken^4. ¶～당하다 hinausgeworfen werden. ‖ ～령 Verbannungsbefehl *m.* –(e)s, –e.

추분(秋分) Herbstnachtgleiche *f.* –n.

추비(追肥) das zusätzliche Düngemittel, –s, –.

추산(推算) Rechnen *n.* –s; Berechnung *f.* –en. ～하다 rechnen$^{(4)}$; berechnen^4; (ab)schätzen.

추상(抽象) Abstraktion *f.* –en. ～적 abstrakt; begrifflich. ‖ ～론 die abstrakte Diskussion, –en / ～ 명사 Abstraktum *n.* –s, ..ta.

추상(秋霜) 《가을 서리》 der Frost des Herbstes; 《엄격》 Strenge *f.* –n; Unerbittlichkeit *f.* ¶～같은 명령 der strenge Befehl, –(e)s, –e.

추상(追想) Erinnerung *f.* –en; Andenken *n.* –s, –. ～하다 gedenken*^{2}. ‖ ～록 Denkwürdigkeiten (*pl.*).

추색(秋色) Herbstlandschaft *f.* ¶～이 완연하다 Der Herbst ist jetzt in voller Schönheit.

추서(追敍) das posthume Rühmen*, –s. ～하다 *jm.* nach seinem Tode Ehrentitel verleichen*.

추서다 wieder gesund werden; ^{4}sich gut wieder|her|stellen.

추석(秋夕) der 15. August nach dem Mondkalender.

추세(趨勢) Tendenz *f.* –en; Neigung *f.* –en; Lauf *m.* –(e)s. ¶여론의 ～ die Richtung der öffentlichen Meinung / 일반적 ～ die allgemeine Tendenz.

추수(秋收) Ernte *f.* –n. ～하다 (ab|-)ernten^4; ein|ernten^4. ‖ ～ 감사절 (Ernte-)dankfest *n.* –es, –e.

추스르다 《배만짐》 in ^{4}Ordnung bringen*^{4}; 《수습》 ordnen^4; zurecht|machen.

추신(追伸) Postskript *n.* –(e)s, –e 《略: P.S.》; Nachschrift *f.* –en.

추심(推尋) ～하다 ein|kassieren; ein|sammeln. ‖ ～료 Inkassospesen (*pl.*) / ～ 어음 Inkassowechsel *m.* –s, –.

추썩거리다 die Achseln wiederholt zucken 《어깨를》.

추악(醜惡) ～하다 häßlich 〔garstig; mißgestaltet; niederträchtig; gemein; schändlich〕 (sein). ¶～한 놈 ein häßlicher Kerl.

추앙(推仰) Verehrung *f.* –en. ～하다 einen aus *jm.* machen; zu *jm.* in Verehrung auf|blicken.

추어(鰍魚) 〖魚〗 Schmerle *f.* –n; Bartgrundel *f.* –n. ‖ ～탕 = 추탕.

추어올리다 in den Himmel (er)heben*^{4}; viel Rühmens machen 《*von*^{3}》.

추억(追憶) Rückblick *m.* –(e)s, –e; (Zurück)erinnerung *f.* –en. ～하다 ^{4}sich zurück|erinnern 《an ^{4}*et.*》; zurück|blicken 《auf^4》.

추워하다 frieren*; frösteln; die Kälte sehr empfinden*.

추월(追越) Überholung *f.* –en. ～하다 überholen^4. ‖ ～ 금지 《게시》 Überholverbot! (～금지 구역 die Zone des Überholverbots).

추위 Kälte *f.*; Frost *m.* –(e)s. ¶심한 ～ bittere 〔starke〕Kälte / ～를 타다 empfindlich gegen Kälte sein.

추이(推移) Wandel *m.* –s, –; Wechsel *m.* –s; Änderung *f.* –en 《변화》; Entwickelung *f.* –en 《진전》. ¶시대의 ～ der Wandel der Zeiten.

추인(追認) ～하다 nachträglich genehmigen^4; ratifizieren^4.

추잉검 Kaugummi *m.* –s, –s.

추잡(醜雜) ～하다 unzüchtig 〔unanständig; unsittlich; zotig〕 (sein). ¶～한 짓 unsittliches 〔anstößiges〕 Betragen.

추장(酋長) Häuptling *m.* –s, –e.

추저분하다(醜—) unsauber 〔schmutzig; schmuddelig〕 (sein).

추적(追跡) Verfolgung 〔Jagd〕 *f.* –en. ～하다 *jm.* verfolgen; *jm.* nach|stellen; *jm.* nach|setzen. ‖ ～ 기지 《인공 위성의》 Weltraumschiffsverfolgungsstation *f.* –en/～자 Verfolger *m.* –s, –.

추접스럽다 unrein〔unreinlich; unsauber; schmutzig; abscheulich〕 (sein).

추정(推定) ～하다 vermuten^4; mut|maßen^4. ‖ ～ 가격 〔상속인〕 der vermutliche Preis, –es, –e 〔Erbe, –n, –n〕 / ～량 geschätzte Quantität.

추종(追從) ～하다 folgen^3; nach|folgen^3; gehorchen^3. ¶～을 불허하다 unerreicht bleiben*; nicht seinesgleichen haben 《*in*^{3}》.

추진(推進) ～하다 vorwärts|treiben*^{4}; 《일을》 befördern^4. ‖ ～기 Propeller *m.* –s, – / ～력 Treibkraft *f.* ⸚e/ ～용 연료 Kraft〔Trieb〕mittel *n.* –s, –.

추징(追徵) ～하다 *jn.* nachzahlen lassen*^{4}. ‖ ～금 Nachtrag *m.* –(e)s, ⸚e.

추천(推薦) Empfehlung 〔Aufstellung〕 *f.* –en. ～하다 empfehlen*^{34}; auf|stellen; vor|schlagen* 《*jn.* als》. ¶후보자를 ～하다 e–n Kandidaten auf|stellen. ‖ ～장 Empfehlungsbrief *m.* –(e)s, –e / ～후보 der empfohlene Kandidat, –en, –en.

추첨(抽籤) das Losen*, –s; Verlosung *f.* –en. ～하다 das Los ziehen* 《*um*^{4}》. ¶～으로 정하다 aus|losen^4; durchs Los entscheiden*. ‖ ～권(券) Lotterielos *n.* –es, –e.

추축(樞軸) Achse *f.* –n; Angelpunkt *m.* –(e)s, –e. ‖ ～국 die Achsenmächte (*pl.*).

추출(抽出) Abstraktion *f.* –en; 〖化〗 Extraktion *f.* –en. ～하다 aus|ziehen*^{4}; extrahieren^4. ‖ ～물 Auszug *m.* –(e)s, ⸚e; Extrakt *m.* –(e)s, –e.

추측(推測) Vermutung 〔Mutmaßung〕 *f.* -en; Annahme *f.* -n. ～하다 vermuten^4; mutmaßen^4; folgern; schließen. ¶～대로 wie vermutet (wurde)/ ～이 들어 맞다 *js.* Vermutung trifft ein / ～이 틀리다 falsch vermuten^4. ‖～기사 der mutmaßliche Artikel, -s, - / ～항법(航法) Fliegen nach Gutdünken.

추켜들다 erheben*; heben*; auf|heben*.

추켜잡다 in die Höhe halten*.

추키다 《옷자락을》 auf|stecken 〔-|nehmen*; -|schürzen〕.

추탕(鰍湯) Schmerlensuppe *f.* -n.

추태(醜態) das schändliche Benehmen*, -s. ¶～부리다 ^{4}sich lächerlich machen.

추파(秋波) ¶～를 던지다 liebäugeln 《mit *jm.*》; Augen machen.

추하다(醜—) ① 《못생김》 häßlich 〔schmutzig; mißgestaltet〕 (sein). ② 《더럽다》 schmutzig 〔unrein〕 (sein). ③ 《추잡함》 unanständig 〔obszön; zotig; gemein〕 (sein). ¶추한 이야기 das unanständige 〔gemeine〕 Gespräch, -(e)s, -e.

추해당(秋海棠) 〖植〗 Begonie *f.* -n.

추행(醜行) die schlechte Betragen, -s; die schändliche Haltung, -en; Skandal *m.* -s, -e.

추호도(秋毫—) kein bißchen; gar nicht; nicht im geringsten. ¶그런 일은 ～ 몰랐다 Das habe ich gar nicht gewußt.

추후(追後) ¶～에 später; nachher; zu e-m späteren Zeitpunkt.

축^1 《무리》 Gruppe *f.* -n; Horde 〔Reiche〕 *f.* -n. ¶축에 끼다 dem Range nach gehören 《zu^3》.

축^2 《처진 모양》 schlaff. ¶축 늘어지다 baumeln; heraus|hängen* 《혀가》.

축(祝) ＝축문(祝文).

축(軸) 《굴대》 Achse 〔Welle; Spindel〕 *f.* -n; 《지구의》 Erdachse 〔Achse〕 *f.* -n; 《기계의》 Schaft *m.* -(e)s, ⸚e.

축가(祝歌) der Gesang zur Verehrung beider Zeremonie.

축가다(縮—) ＝축나다.

축구(蹴球) Fußballspiel *n.* -(e)s, -e; Fußball *m.* -(e)s, ⸚e. ‖～ 경기 Fußballwettkampf *m.* -(e)s, ⸚e / ～장 Fußball(spiel)platz *m.* -(e)s, ⸚e.

축나다(縮—) ① 《물건이》 ^{4}sich vermindern; ^{4}sich verringern; ^{4}sich verkleinern; kleiner werden. ② 《몸이》 ab|magern; ab|zehren; mager werden. ¶몸이 ～ das Körpergewicht verlieren*.

축내다(縮—) vermindern^4; verkleinern^4; verringern^4.

축농증(蓄膿症) Naseneiterung *f.* -en.

축대(築臺) der hochgebaute Grund, -(e)s, ⸚e; Erderhöhung *f.* -en. ¶～를 쌓다 den Grund hoch heben*.

축도(祝禱) Segnung *f.* -en; Benediktion *f.* -en.

축도(縮圖) die verkleinerte Zeichnung, -en; Miniaturbild *n.* -(e)s, -er. ¶인생의 ～ das Leben im kleinen. ‖～기 Pantograph *m.* -en, -en.

축문(祝文) das (schriftliche) Gebet, -(e)s, -e.

축받이(軸—) 〖工〗 Lager *n.* -s, -.

축배(祝杯) Freudentrunk *m.* -(e)s, ⸚e. ¶～를 들다 e-n Toast aus|bringen* 《*auf*^{4}》; auf *js.* ^{4}Wohl trinken*.

축복(祝福) Segnung *f.* -en; Segen *m.* -s, -. ～하다 *jn.* segnen^4. ¶～ 받은 gesegnet.

축사(畜舍) Viehstall *m.* -(e)s, ⸚e; Stallung *f.* -en.

축사(祝辭) Glückwunsch *m.* -es, ⸚e; Gratulation *f.* -en. ～하다 s-n Glückwunsch ab|statten 《*jm.*》. ¶～를 낭독하다 e-e Glückwunschadresse verlesen*.

축사(縮寫) ～하다 e-e verkleinerte Kopie machen《von ^{3}*et.*》. ‖～도 ＝축도(縮圖).

축산(畜産) Viehzucht *f.* -en. ‖～업자 Viehzüchter *m.* -s, - / ～조합 Viehzüchtervereinigung *f.* -en / ～학(學) Zuchtlehre *f.* -n.

축소(縮小) ～하다 zusammen|ziehen*; verkürzen^4; verkleinern^4; vermindern^4. ‖ ～판 gekürzte Ausgabe, -n.

축쇄(縮刷) ～하다 e-e verkleinerte Ausgabe her|stellen. ‖～판 die verkleinerte Ausgabe, -n.

축수(祝壽) ～하다 *jm.* ein langes Leben wünschen.

축어(逐語) ¶～적으로 wörtlich; wortgetreu. ‖～역(譯) die wörtliche Übersetzung, -en.

축연(祝宴) Fest *n.* -es, -e; Schmaus *m.* -es, ⸚e. ¶～을 베풀다 ein Fest halten* 〔geben*〕.

축우(畜牛) Vieh 〔Rindvieh〕 *n.* -(e)s.

축원(祝願) Beten 〔Flehen〕 *n.* -s. ～하다 beten.

축음기(蓄音機) Grammophon *n.* -s, -e; Plattenspieler *m.* -s, -.

축의(祝意) Glückwunsch *m.* -es, ⸚e; Gratulation *f.* -en. ¶～를 표하다 s-n Glückwunsch ab|statten 《*jm.*》.

축이다 (be)feuchten^4; an|feuchten^4; nässen^4; feucht 〔naß〕 machen. ¶목을 ～ ^{3}sich die Kehle an|feuchten.

축일(祝日) Fest *n.* -es, -e; Festtag *m.* -(e)s, -e.

축재(蓄財) ～하다 Schätze über Schätze an|häufen; Reichtümer sammeln. ‖부정 ～ das illegalerweise verdiente Geld.

축적(蓄積) Ansammlung 〔Anhäufung〕 *f.* -en. ～하다 an|sammeln^4; (an|-)häufen^4.

축전(祝典) Fest *n.* -es, -e; Feier *f.* -n; 《기념의》 Gedächtnisfeier *f.* -n. ¶～을 올리다 ein Fest feiern 〔veranstalten〕.

축전(祝電) Glückwunschtelegramm *n.* -s, -e.

축전기(蓄電器) Kondensator *m.* -s, -en.

축전지(蓄電池) Akkumulator *m.* -s, -en.

축제(祝祭) Feier *f.* -n; (Tempel)fest *m.* -(e)s, -e. ‖～일 Fest〔Feier〕tag *m.* -(e)s, -e.

축조(逐條) ¶～ 심의하다 paragraphenweise durchsprechen*.

축조(築造) Bauen 〔Erbauen〕 *n.* -s. ～하다 bauen^4; erbauen^4; errichten^4.

축지다(縮—) ① 《사람 가치가》 im Wert fallen*. ② 《몸이》 ab|magern; ab|hagern; 《고생으로》 ^{4}sich ab|grämen. ③ 《양이》 ^{4}sich vermindern; ^{4}sich verringern.

축지법(縮地法) e-e magische Methode

der Raumkürzung; Siebenmeilenstiefel (*pl.*). ⌈-(e)s, ⸗e.⌉
축척(縮尺) der verkleinerte Maßstab,⌋
축첩(蓄妾) der 〔das〕 (offene) Konkubinat, -(e)s, -e.
축축하다 feucht 〔naß; näßlich; benetzt〕 (sein). ¶옷이 ~ Das Kleid ist naß.
축출(逐出) Austreibung 〔Vertreibung〕 *f.* -en. ~하다 vertreiben*; verjagen; 《해고》 *jn.* entlassen*.
축포(祝砲) Salut *m.* -(e)s, -e; Salutschuß *m.* ..schusses, ..schüsse. ¶~를 쏘다 Salut schießen*; salutieren[4].
축하(祝賀) Glückwunsch *m.* -es, ⸗e; Gratulation *f.* -en. ~하다 beglückwünschen 《*jn.*》; gratulieren 《*jm.*》; feiern[4]. ¶…을 ~하여 zur Feier[2] von [3]*et.* / ~ 인사를 하다 Glückwünsch aus|sprechen* 《*jm.*》 / 생일을 ~하다 *jm.* zum Geburtstag gratulieren. ‖ ~객 Beglückwünscher *m.* -s, -; Gratulant *m.* -en, -en.
축항(築港) Hafenbau *m.* -(e)s, -ten. ‖ ~ 공사 Hafenbauarbeit *f.* -en.
춘계(春季) Frühlingszeit *f.* -en. ‖ ~ 방학 Frühlingsferien (*pl.*).
춘곤(春困) Frühlingsmüdigkeit *f.* -en.
춘몽(春夢) Frühlingsnachttraum *m.* -(e)s, ⸗e. ¶일장(의) ~ e-e Szene im Frühlingsnachttraum.
춘부장(春府丈) Ihr geehrter Vater, -s.
춘분(春分) Frühlingsnachtgleiche *f.* -n.
춘삼월(春三月) der März nach dem Mondkalender. ⌈-(e)s, ⸗er.⌉
춘잠(春蠶) Frühlingsseidenwurm *m.*⌋
춘정(春情) Geschlechtstrieb *m.* -(e)s, -e. ¶~을 느끼다 die sinnliche Begierde haben.
춘추(春秋) Frühling u. Herbst; 《연령》 Alter *n.* -s, -; Jahre (*pl.*). ‖ ~복 Übergangskleid *n.* -(e)s, -er.
춘하추동(春夏秋冬) vier Jahreszeiten.
춘화도(春畫圖) das obszöne Bild, -(e)s, -er; Pornographie *f.* -n.
출가(出家) ~하다 [1]Mönch werden; in ein Kloster ein|treten*.
출가(出嫁) ~하다 heiraten 《*jn.*》; [4]sich verheiraten 《*mit*[3]》. ¶~시키다 *jm.* zur Frau geben*[4] 〔vermählen〕 / ~ 외인이다 Die verheiratete Tochter ist nichts anderes als e-e Unbekannte.
출간(出刊) =출판(出版).
출감(出監) ~하다 aus dem Gefängnis entlassen werden. ‖ ~자 der entlassene Sträfling, -s, -e.
출강(出講) ~하다 e-e Vorlesung halten*.
출격(出擊) Ausfall *m.* -(e)s, ⸗e. ~하다 aus|fallen*; e-n Ausfall machen.
출고(出庫) ~하다 (Waren) liefern. ‖ ~ 가격 Lieferungspreis *m.* -es, -e.
출구(出口) Ausgang *m.* -(e)s, ⸗e; Ausweg *m.* -(e)s, -e.
출국(出國) ~하다 die Heimat 〔das Heimatland〕 verlassen*.
출근(出勤) Anwesenheit *f.* -en. ~하다 zum Dienst gehen*. ‖ ~부 Anwesenheitsliste *f.* -n / ~시간 Amtsstunde *f.* -n / ~자 der 〔die〕 Anwesende*, -n, -n.
출납(出納) Kasse *f.* -n; Einnahmen (*pl.*) u. Ausgaben (*pl.*). ~하다 kassieren. ‖ ~계 Kasse (~ 계원 Kassierer *m.* -s, -e) / ~부 Kassa〔Konto〕buch *n.* -(e)s, ⸗er.
출동(出動) 《군대의》 Abmarsch *m.* -(e)s, ⸗e; Mobilisierung *f.* -en; 《함선의》 Abfahrt *f.* -en. ~하다 ab|marschieren; zu Feld ziehen*; 《함선이》 ab|fahren*; in See stechen*. ‖ ~ 명령 der Befehl zum Abmarsch 《육군의》; der Abfahrtsbefehl *m.* -(e)s, -e 《함선의》.
출두(出頭) ~하다 erscheinen*; [4]sich stellen 〔melden〕. ‖ ~ 명령 Erscheinungsbefehl *m.* -(e)s, -e / 자진 ~ freiwillige Erscheinung.
출렁거리다 wogen; große Wellen schlagen; [4]sich Wellenartig hin u. her bewegen.
출력(出力) 《전력》 Leistung *f.* -en; Leistungsabgabe *f.* -n. ¶~ 3만 킬로와트의 수력 발전소 Wasserkraftwerk mit Kapazität von 30 tausend Kilowatt.
출루(出壘) ~하다 〖野〗 zum ersten Base laufen*.
출마(出馬) ~하다 kandidieren*; als Kandidat auf|treten* 《*für*[4]》. ¶서울에서 ~하다 als Kandidat in Seoul auf|treten / 대통령 후보로 ~하다 als Kandidat für e-n Präsidenten auf|treten*.
출몰(出沒) ~하다 erscheinen* (u. verschwinden*); auf|treten*; [4]sich oft zeigen.
출발(出發) Abreise *f.* -n; Aufbruch *m.* -(e)s, ⸗e; Abfahrt *f.* -en. ~하다 auf|brechen*; ab|reisen; ab|fahren*. ‖ ~ 시간 Abfahrtszeit *f.* -en / ~점 Ausgangs〔Anfangs; Abfahrts〕punkt *m.* -(e)s, -e; Start *m.* -(e)s, -e 〔-s〕.
출범(出帆) die Abfahrt e-s Schiffes; das Absegeln*, -s. ~하다 ab|fahren*; ab|schiffen; ab|segeln.
출병(出兵) ~하다 [4]Truppen (*pl.*) ab|senden* 〔ab|kommandieren〕.
출사(出仕) ~하다 im Dienst sein.
출산(出產) Geburt 〔Entbindung〕 *f.* -en. ~하다 gebären*[4]; von e-m Kind entbunden werden. ‖ ~율 Geburtenziffer *f.* -n. ⌈zuges.⌉
출상(出喪) der Aufbruch e-s Leichen-⌋
출생(出生) Geburt *f.* -en. ~하다 geboren werden; zur Welt kommen*. ‖ ~률 Geburtenziffer *f.* -n / ~ 신고 Geburtsregister *n.* -s, - / ~지 Geburtsort *m.* -(e)s, -e.
출석(出席) Anwesenheit 〔Gegenwart〕 *f.*; Beiwohnung *f.* -en. ~하다 gegenwärtig 〔anwesend〕 sein 《*bei*[3]》; bei|wohnen[3]; besuchen[4]. ¶강의에 ~하다 die Vorlesung besuchen / ~을 부르다 die Namen verlesen*. ‖ ~률 der Prozentsatz von Anwesenheit / ~부 Präsenzliste *f.* -n.
출세(出世) ~하다 empor|kommen*; sein Glück machen. ¶~가 빠르다 schnell empor|kommen*. ‖ ~작 das erste Werk, durch das ein Schriftsteller berühmt wird.
출소(出所) 《출옥》 Entlassung *f.* -en.

~하다 entlassen werden. ‖ ~자 der entlassene Sträfling, -s, -e.

출신(出身) ~의 aus...(stammend); in... geboren. ‖ ~교 *Alma mater* 《라틴》 / ~지 Geburtsort *m.* -(e)s, -e.

출어(出漁) die Ausfahrt zum Fischen. ~하다 zum Fischfang aus|fahren*. ‖ ~기(期) Fischereisaison *f.* -s.

출연(出捐) ~하다 schenken; stiften; bei-tragen* 《zu ³*et.*》. ‖ ~금 Beisteuer *f.* -n.

출연(出演) das Auftreten* 〔Erscheinen*〕 -s. ~하다 auf der Bühne auf|treten*; über die Bühne gehen*. ‖ ~료 Honorar *n.* -s, -e / ~자 Darsteller *m.* -s, -.

출영(出迎) Willkommen *n.* -s, -; 《요인 등》 Empfang *m.* -(e)s, ¨e. ~하다 bewillkommnen; *jn.* empfangen*. ¶ ~을 받다 empfangen 〔begrüßt〕 werden 《von *jm.*》.

출옥(出獄) ~하다 aus dem Gefängnis entlassen werden; das Gefängnis verlassen*. ‖ 가~ die vorläufige Entlassung, -n.

출원(出願) Gesuch *n.* -(e)s, -e. ~하다 ⁴sich melden 《*um*⁴》; an|suchen 《*um*⁴》.

출입(出入) ~하다 ein- u. aus|treten*; ein- u. aus|gehen*; häufig besuchen⁴; verkehren. ¶ ~을 금하다 *jm.* verbieten*, ein- u. auszugehen* / 화류계에 ~하다 Bordelle häufig besuchen. ‖ ~구 《입구》 Eingang *m.* -(e)s, ¨e; 《출구》 Ausgang *m.* -(e)s, ¨e / ~국 관리국〔법〕 Ein- u. Ausreise·kontrollbüro *n.* -s, -s 〔-gesetz *n.* -es, -e〕.

출자(出資) ~하다 Geld 〔Kapital〕 an|legen 〔investieren〕; beitragen*⁴. ‖ ~금 Geldanlage *f.* -n/ ~액 die angelegte Summe, -n / ~자 Anleger *m.* -s, -.

출장(出張) Dienst〔Amts〕reise *f.* -n; 《상용의》 Geschäftsreise *f.* -n. ~가다 e-e Dienstreise machen《*nach*³》; in Amtsgeschäften reisen 《*nach*³》. ‖ ~비 Reisekosten (*pl.*) / ~소 Zweigbüro *n.* -s, -s; 《관청》 Zweigamt *n.* -(e)s, ¨er; 《회사》 Zweiganstalt *f.* -en.

출장(出場) ~하다 teil|nehmen* 《*an*³》; ⁴sich beteiligen 《*an*³》. ‖ ~선수 Spieler *m.* -s, - / ~ 정지 Spielsperre *f.* -n.

출전(出典) die (literarische) Quelle, -n. ¶ ~을 들다 die Quelle an|geben*.

출전(出戰) ~하다 ins Feld ziehen*; zu Feld ziehen*. ‖ ~ 선수 Teilnehmer 〔Wettläufer〕 *m.* -s, -.

출정(出廷) ~하다 ⁴sich vor ⁴Gericht stellen; vor ³Gericht erscheinen*.

출정(出征) ~하다 ins Feld ziehen*; zu ³Feld ziehen*.

출제(出題) ~하다 e-e Frage auf|geben* 《*jm.*》. ‖ ~자 Aufgeber *m.* -s, -.

출중(出衆) ~하다 vortrefflich 〔hervorragend〕 (sein); ⁴sich auf|zeichnen 《*unter*³; *vor*³》.

출찰(出札) Fahrkartenausgabe *f.* -n. ‖ ~구 (Fahrkarten)schalter *m.* -s, -.

출처(出處) Quelle *f.* -n; Ursprung *m.* -(e)s, ¨e; 《말 따위》 Autorität *f.* ¶ ~가 애매하다 unzuverlässig sein.

출출하다 ein bißchen hung(e)rig sein; ⁴sich ein bißchen hungrig fühlen.

출타(出他) ¶ ~ 중에 in 〔während〕 *js.* Abwesenheit / ~하고 없다 nicht zu Hause sein.

출토(出土) ~하다 durch Graben ans Licht gebracht werden; ausgegraben werden; 〖땅이 主語〗 liefern. ‖ ~품 Ausgrabungen (*pl.*).

출판(出版) Herausgabe *f.* -n; Veröffentlichung *f.* -en; Verlag *m.* -(e)s, -e. ~하다 heraus|geben*⁴; verlegen⁴; publizieren*⁴; veröffentlichen⁴. ‖ ~계 Verlagswelt *f.* -en / ~물 Verlagswerk *n.* -(e)s, -e / ~사〔업〕 Verlag *m.* -(e)s, -e / ~업자 Herausgeber 〔Verleger〕 *m.* -s, -/ ~ 협회 Verlagsverein *m.* -(e)s, -e / 자비 ~ die Publikation auf eigene Rechnung.

출품(出品) Ausstellung 〔Schaustellung〕 *f.* -en. ~하다 aus|stellen⁴; ⁴*et.* zur Schau stellen. ‖ ~자 Aussteller *m.* -s, -.

출하(出荷) Verschickung 〔Versendung〕 *f.* -en. ~하다 verschicken⁴; versenden*⁴; ab|senden*⁴. ¶ 화물을 ~하다 die Waren verladen*. ‖ ~선(先) Ziel *n.* -(e)s, -e.

출항(出港) Abfahrt *f.* -en; Auslauf *m.* -(e)s, ¨e. ~하다 ab|fahren*; aus|laufen*; (e-n Hafen) verlassen*. ‖ ~세 Klarierungsspesen (*pl.*) / ~ 정지 Embargo *n.* -s, -.

출현(出現) ~하다 erscheinen*; auf|treten*; zum Vorschein kommen*.

출혈(出血) Blutfluß *m.* ..flusses, ..flüsse; 《병적》 (Ver)blutung *f.* -en; 《희생》 Opfer *n.* -s; 《결손》 Fehlbetrag *m.* -(e)s, ¨e. ~하다 bluten; Blut fließen 《*aus*³》. ¶ ~이 심하다 Blut fließt stark aus. ‖ ~ 경쟁 Verschleuderung *f.* -en / ~ 수출 Ausfuhr mit Verlust.

출회(出廻) Warenverkehr *m.* -(e)s. ~하다 auf den Markt kommen*; erscheinen*. ‖ ~기 Verkaufssaison *f.* -s.

춤¹ Tanz *m.* -es, ¨e; das Tanzen*, -s. ¶ 춤을 추다 tanzen; e-n Tanz tanzen.

춤² 《운두·높이》 Höhe *f.* -n 《der Vase》.

춤³ 《분량》 e-e Handvoll. ¶ 모 한춤 e-e Handvoll Reiskeimlinge.

춥다 kalt 〔frostig〕 (sein). ¶ 추워하다 ⁴sich kalt fühlen/추워지다 kalt werden.

충(蟲) Insekt *n.* -(e)s, -en; Gewürm *n.* -(e)s, -e; Wanze *f.* -n; Motte *f.* -n. ¶ 기계충 Ringelwurm *m.* -es, ¨er / 충이 생기다 voll von Insekten sein.

충격(衝擊) (An)stoß *m.* -es, ¨e; An-〔Auf〕prall *m.* -(e)s, -e. ¶ ~을 받다 e-n Stoß erhalten* 〔erleiden*〕. ‖ ~요법 Schock·theraphie *f.* -n 〔-behandlung〕 *f.* -en.

충견(忠犬) der treue Hund, -es, -e.

충고(忠告) Rat *m.* -(e)s, ¨e 〔-schläge〕 《조언》; Ermahnung *f.* -en 《훈계》; Warnung *f.* -en 《경고》. ~하다 raten* 《*jm.* *zu*³》; ermahnen 《*jn.* *zu*³》. ¶ ~를 받아들이다 auf e-n Rat hören / ~를 무시하다 e-n Rat ignorieren. ‖ ~자 Ratgeber *m.* -s, -.

충당(充當) ～하다 verwenden[4(*)] (zu[3]; für[4]); an|wenden[(*)4] (bei[3]); benutzen[4] (zu[3]). ¶생활비에 ～할 돈 für Lebensunterhalt zurückgelegtes Geld.

충돌(衝突) (부딪침) Zusammenstoß *m.* –es, ⸚e; Kollison *f.* –en; Anstoß *m.* –es, ⸚e; (불화·불일치) Konflikt *m.* –es, –e. ～하다 zusammen|stoßen*; kollidieren; in Konflikt geraten* (mit *jm.*). ‖정면 ～ frontaler Zusammenstoß.

충동(衝動) (교사·선동) Anreizung *f.* –en; Aufhetzung *f.* –en; (의식) Antrieb *m.* –(e)s, –e. ～하다 an|reizen[4]; auf|-hetzen[4]; an|treiben*[4]. ¶～적인 impulsiv.

충만(充滿) ～하다 voll 〔überfüllt; angefüllt〕 (sein) (*von*[3]). ¶그는 정력이 ～해 있다 Er strotzt von Leben.

충매(蟲媒) ～의 entomophil. ‖～화 〖植〗 Insektenblüte *f.* –n.

충복(忠僕) der treue Diener, –s, –.

충분(充分) ～하다 genügend 〔genug; ausreichend; voll; überflüßig〕 (sein). ¶～한 보수 reichlicher Lohn / ～한 이유 der gute Grund.

충성(忠誠) Treue *f.*; Leh(e)ns〔Untertanen〕treue *f.* ～스럽다 treu〔aufrichtig; ergeben; loyal〕 (sein). ¶과잉 ～ die übertriebene Dienstfertigkeit / ～을 다하다 *jm.* treu sein; *jm.* treuen Dienst leisten.

충신(忠臣) der treue Untertan, –en〔–s〕, –en; der treue Diener, –s, –.

충실(充實) ～하다 voll 〔vollkommen; substantiell; gehaltreich〕 (sien). ¶내용의 ～ Gediegenheit 〔Wesenhaftigkeit〕 *f.*

충실(忠實) ～하다 treu 〔aufrichtig; ehrlich; redlich; zuverlässig〕 (sein). ¶ 직무를 ～히 이행하다 *js.* Pflicht treu erfüllen.

충심(衷心) das Innerste* des Herzens; die Tiefe des Herzens. ¶～으로 환영합니다 Seien Sie uns herzlich willkommen!

충양돌기(蟲樣突起) 〖解〗 Wurmfortsatz *m.* –es, ⸚e. ‖～염 Wurmfortsatzentzündung *f.* –en.

충언(忠言) ～하다 ermahnen[4]; warnen[4]; Rat geben* (*jm.*).

충원(充員) Ersatz *m.* –es, ⸚e; Nachschub *m.* –(e)s, ⸚e. ～하다 die Truppen 〔Personale〕 ergänzen. ‖～ 계획 Ergänzungsplan *m.* –(e)s, ⸚e.

충의(忠義) Loyalität 〔Leh(e)nstreue〕 *f.*

충이다 hin u. her rütteln (um Säcke mit Getreide auszufüllen). ¶쌀 자루를 ～ e–n Reissack rütteln.

충일(充溢) ～하다 überfüllt werden; voll werden.

충적(冲積) Alluvion *f.* –en. ‖～지 Alluvion *f.* / ～토 der alluviale Boden –s, ⸚ 〔–〕.

충전(充電) die elektrische Ladung, –en. ～하다 elektrisch laden*[4]. ‖～기 Batterielader *m.* –s, –.

충전(充塡) (Auf)füllung 〔Ausfüllung〕 *f.* –en; das Plombieren*, –s (치아의). ～하다 (auf|)füllen[4]; aus|füllen[4]. ‖～물 Packung *f.* –en; Plombe *f.*

충절(忠節) (Leh(e)ns)treue *f.*; Loyalität *f.* ¶～을 다하다 *jm.* die Treue bewahren 〔halten*〕.

충정(衷情) das Innerste* des Herzens. ¶～을 털어 놓다 *jm.* sein Innerstes offenbaren.

충족(充足) ～하다 angefüllt werden. ¶～시키다 befriedigen; zufrieden|stellen; Genüge tun*.

충직(忠直) ～하다 loyal〔treu; aufrichtig〕 (sein).

충천(衝天) ～하다 [4]sich in den Himmel erheben*; in die Luft steigen*. ¶불길이 ～한다 Die Flammen lodern zum Himmel.

충충하다 (어둡다) dunkel 〔dumpf (색깔이); trübe; düster; matt〕 (sein). ¶충충한 빛 mattes Licht, –(e)s, –er.

충치(蟲齒) der faule 〔hohle〕 Zahn, –(e)s, ⸚e. ¶～가 생기다 Zähne werden faul 〔hohl〕.

충해(蟲害) Insektenschaden *m.* –s, ⸚. ¶～를 입다 durch [4]Insekten beschädigt werden.

충혈(充血) 〖醫〗 Blut·andrang *m.* –(e)s 〔–stauung *f.*〕; Hyperämie *f.*; Kongestion *f.* –en. ～되다 kongestiv werden; mit Blut überfüllt werden.

충혼(忠魂) (죽은) der loyale Tod, –es, –e; (충성심) der loyale Geist, –es, –er. ‖～비 das Denkmal für die toten Getreuen.

충효(忠孝) Untertanentreue u. Kindesliebe; die Untertanen– u. Kindespflicht.

췌액(膵液) Bauchspeichel *m.* –s.

췌언(贅言) die überflüssigen Worte (*pl.*); Weitschweifigkeit *f.* –en.

췌장(膵臟) 〖解〗 Pankreas *n.* –; Bauchspeicheldrüse *f.* –n.

취객(醉客) der Betrunkene* 〔Besoffene*〕 –n, –n.

취관(吹管) Blasrohr *n.* –(e)s, –e.

취급(取扱) Behandlung *f.* –en (사람의); Handhabung *f.* –en (사물의); Führung *f.* –en (사무의); Verfahren *n.* –s, – (처리). ～하다 behandeln[4]; handhaben*[4]; führen[4]; verfahren*[4]. ¶～이 편리하게 um [4]*et.* bequem zu behandeln. ‖～소 Agentur *f.* –en.

취기(醉氣) Rausch *m.* –es; Betrunkenheit *f.* (명정). ¶～가 돌다 [4]sich betrinken* 〔berauschen〕.

취담(醉談) ein Gespräch im Rausch. ～하다 im Rausch schwatzen 〔reden〕.

취득(取得) ～하다 erwerben*[4]; erlangen[4]. ‖～물 Erwerbung *f.* –en / ～세 Erwerbsteuer *f.* –n.

취락(聚落) Kolonie *f.* –n; Ansiedlung *f.* –en (von Menschen); Kommune *f.* –n.

취로(就勞) ～하다 an die Arbeit gehen*; e–e Stellung finden*.

취미(趣味) Geschmack *m.* –(e)s, ⸚e; Sinn *m.* –(e)s, –e. ¶고상한 ～ ein vornehmer Geschmack. ‖악～ schlechter Geschmack.

취사(炊事) das Kochen*, –s; Kocherei 〔Köcherei〕 *f.* –en. ～하다 kochen[4]; Speisen (zu|)bereiten. ‖～ 도구 Kochgerät 〔–geschirr〕 *n.* –(e)s, –e/ ～장 (Feld)Küche *f.* –n.

취사(取捨) ‖～ 선택 (Aus)wahl *f.* -en (～ 선택하다 (aus|)wählen^4).

취생몽사(醉生夢死) ～하다 sein Leben lang faulenzen; das ganze Leben hindurch s-e Zeit vertrödeln.

취소(取消) 《신문 기사·주문》 Widerruf *m.* -(e)s, -e; 《신문 기사·명령·약속의》 Zurücknahme *f.* -n; 《계약·관결》 Annulierung *f.* -en. ～하다 widerrufen*^{4}; Widerruf leisten; dementieren^4. ¶계약을 ～하다 den Vertrag lösen 〔auf|heben*〕 / 발언을 ～하다 *js.* Bemerkung widerrufen*. ‖～ 불능 신용장 unwiderruflicher Kreditbrief, -(e)s, -e.

취소(臭素) 〖化〗 Brom *n.* -s 《기호: Br》.

취안(醉眼) verglaste Augen (*pl.*). ¶～이 몽롱하여 mit vom Wein trunkenen Augen.

취약(脆弱) ～하다 gebrechlich 〔hinfällig; spröde; morsch; bröckig〕 (sein). ‖～ 지구 die verwundbare Zone, -n.

취업(就業) 《일함》 Arbeitsbeginn *m.* -(e)s; Arbeit *f.* -en; 《취직》 Stellung *f.* -en; Stelle *f.* -n. ～하다 e-e Arbeit übernehmen*; zu arbeiten an|fangen*; e-e Stelle finden*. ‖～률 der Prozentsatz der Arbeitnehmer / 해외～ Überseebeschäftigung *f.*

취역(就役) ～하다 e-n Dienst an|treten*.

취음(取音) orthographisch falsche Schreibung, -en.

취임(就任) Amtsantritt *m.* -(e)s, -e; die Übernahme e-s Amts. ～하다 ein Amt an|treten* 〔übernehmen*〕. ¶～을 수락하다 ein Amt an|nehmen*. ‖～사(辭) Antrittsrede *f.* -n / ～식 Antrittsfeier *f* -n.

취입하다(吹入—) e-e Grammophonaufnahme machen; 《노래를》 hinein|singen*; 《말을》 hinein|sprechen*.

취재(取材) ～하다 Stoff suchen 〔sammeln〕; den Stoff wählen. ‖～ 기자 Reporter *m.* -s, - / ～ 활동 Beinarbeit *f.* -en (e-s Zeitungsmanns).

취조(取調) ＝문초(問招).

취주(吹奏) ～하다 blasen* 《*auf*^{3}》; spielen. ‖～악 Blasmusik *f.*

취중(醉中)〖副詞的〗 betrunken; berauscht von Alkohol; unter dem Einfluß von Alkohol. ¶～ 운전하다 unter dem Einfluß von ^{3}Alkohol fahren*^{4}.

취지(趣旨) 《의미·요지》 Sinn *m.* -(e)s, -e; Bedeutung *f.* -en; 《기도》 Absicht *f.* -en; 《목적》 Zweck *m.* -(e)s, -e; 《동기·내용》 Motiv *n.* -s, -e. ¶질문의 ～ der Sinn 〔die Pointe〕 e-r Frage. ‖～서 Prospekt *m.* -es, -e.

취직(就職) Amts〔Dienst〕antritt *m.* -(e)s, -e. ～하다 e-e Stelle erhalten* 〔bekommen*; kriegen〕. ¶～시키다 *jn.* anstellen lassen*. ‖～난 Arbeitsmangel *m.* -s, ⸗/ ～ 시험 die Prüfung für Anstellung / ～ 운동 Stellenjagd *f.*

취침(就寢) ～하다 schlafen gehen*; zu ^{3}Bett gehen*. ¶～ 전에 bevor man zu Bett geht. ‖～ 시간 Schlafenzeit *f.* -en.

취태(醉態) der Zustand der Betrunkenheit 〔Besoffenheit〕. ¶～를 부리다 ^{4}sich durch die Betrunkenheit nicht ordentlich verhalten*.

취하(取下) ～하다 zurück|ziehen*; widerrufen*. ¶소송을 ～하다 die Klage zurück|nehmen*.

취하다(取—) ① 《채용》 auf|nehmen*^{4}; an|nehmen*^{4}. ¶강경한 태도를 ～ e-e feste Haltung an|nehmen* 〔zeigen〕. ② 《택함》 erwählen^4; aus|wählen^4. ¶여럿 중에서 하나를 ～ eins aus mehreren erwählen. ③ 《섭취》 (zu ^{3}sich) nehmen*^{4}; ein|nehmen*^{4}. ¶자양물을 ～ Nahrung zu sich nehmen*. ④ 《꾸다》 ^{3}sich entleihen*^{4} 《von *jm.*》. ¶돈을 ～ Geld borgen.

취하다(醉—) ① ^{4}sich betrinken*; e-n Rausch holen; ^{4}sich an Alkohol berauschen. ¶거나하게 ～ angeheitert 〔beschwipst〕 sein. ② 《도취함》 ^{4}sich berauschen lassen* 《*von*^{3}》. ¶행복에 ～ vor Glück trunken sein.

취학(就學) ～하다 die Schule besuchen; zur Schule 〔in die Schule〕 gehen*. ¶～시키다 zur ^{3}Schule 〔in die Schule〕 schicken^4. ‖～ 아동 Schulkind *n.* -(e)s, -er / ～ 연령 (Volks)schulalter *n.* -s.

취한(取汗) ～하다 〖漢醫〗 e-e Erkältung 〔e-e Krankheit〕 aus|schwitzen.

취한(醉漢) Säufer *m.* -s; Trunkbold *m.* -es, -e.

취항(就航) ～하다 in ^{4}Dienst treten* 〔gestellt werden〕. ‖～선(船) Indienststellung e-s Schiffs.

취향(趣向) 《의향》 Absicht *f.* -en; 《구상》 Idee *f.* -n; 《계획》 Plan *m.* -(e)s, ⸗e; 《의장(意匠)》 Entwurf *m.* -(e)s, ⸗e.

취흥(醉興) der Gemütszustand des Angeheitertseins. ¶～이 도도하다 weinselig sein; angeheitert sein.

측거의(測距儀) Entfernungsmesser *m.* -s, -; Fernmesser *m.*

측근(側近) 《가까운 곁》 Nähe *f.* -n; Umkreis *m.* -es, -e. ‖～자 der *jm.* nahe Anhänger, -s, -.

측량(測量) 《일반적》 Messung *f.* -en; 《토지의》 Vermessung *f.* -en; 《수심의》 Sondierung *f.* -en. ～하다 messen*^{4}; vermessen*^{4}; auf|nehmen*^{4}; loten. ‖～ 기사 Feldmesser *m.* -s, -; Meßkünstler *m.* -s / 삼각 ～ Meßdreieck *n.* -(e)s, -e.

측면(側面) Seite *f.* -n; 〖軍〗 Flanke *f.* -n; 〖建·工〗 Profil *n.* -s, -e. ‖～ 공격 Flankenangriff *m.* -(e)s, -e / ～도 Seitenansicht *f.* -en.

측문(仄聞) ～하다 zufällig wissen*; ^{4}*et.* vom Sagenhören wissen*. ¶～한 바에 의하면 Ich habe zufällig gehört, daß...

측선(側線) 〖鐵〗 Verschiebe〔Rangier〕gleis *n.* -es, -e.

측심(測深) Lotung *f.* -en. ～하다 die Tiefe messen*; loten$^{(4)}$. ‖～의(儀) Tiefmesser *m.* -s, -.

측연(測鉛) Senkblei *n.* -(e)s, -e; Lot *n.* -(e)s, -e.

측우기(測雨器) Regenmesser *m.* -s, -; Niederschlagmesser *m.*

측은(惻隱) ～하다 klaglich 〔bemitleidenswert; mitleiderregend; rührend〕 (sein). ¶～히 여기다 Mitleid 《mit *jm.*》 haben;

mitleidig sein 《gegen *jn.*》.

측전기(測電器) Elektrometer *n.* -s.

측점(測點) Meßpunkt *m.* -(e)s, -e.

측정(測定) Messung *f.* -en; Lotung 《수심》. ～하다 messen*[4]; loten 《수심을》. ¶거리를 ～하다 die Entfernung ermitteln. ‖～ 기구 Meßinstrument *n.* -(e)s, -e.

측정기(測程器) 〔海〕 Log *n.* -s, -e.

측지(測地) das Feldmessen*, -e; Erdmessung *f.* -en. ～하다 das Land messen*.

측후소(測候所) Wetterwarte *f.* -n; die meteorologische Station, -en.

층(層) ① 《사회 계급》 Grad *m.* -(e)s, -e; Klasse *f.* -n. ¶사회의 중간층 die Mittelklasse der Gesellschaft; Mittelstand *m.* -(e)s, ⸚e. ② 〔地〕 Schicht *f.* -en; Lager *n.* -s, -. ¶석탄층 Kohlenlager *n.* -s, -. ③ 《계단·집의》 Treppe *f.* -n; Stock *m.* -(e)s, ⸚e; 《건물의》 Stockwerk *n.* -(e)s, -e. ¶3층 zweiter Stock / 3층집 dreistöckiges Haus.

층계(層階) Treppe *f.* -n; Treppenhaus *n.* -es, ⸚er.

층나다(層—) 《켜가》 in Schichten sein; geschichtet werden; 《차이》 uneben 〔ungleich〕 sein.

층대(層臺) Treppe *f.* -n; Terrasse *f.* -n.

층면(層面) 《쌓인 물건의》 Oberfläche *f.* -n (der aufgeschichteten Dinge); 〔地〕 Stratifikationsebene *f.* -n.

층상(層狀) ～의 geschichtet; schichtenförmig.

층암절벽(層岩絶壁) eine Reihe felsiger Klippe -n; Felsenklippe *f.*

층지다(層—) =층나다.

층층다리(層層—) Treppe *f.* -n; Stiege *f.* -n; Treppenstufe *f.* -n.

층층대(層層臺) =층대.

층하(層下) ～하다 *jn.* mit weniger Güte behandeln. ¶～를 두고 사람을 대하다 e-e Person von e-r andern unterscheiden.

치[1] 《길이의 단위》 koreanischer Zoll, -(e)s; ein Zehntel *Dja* 《=3. 03030cm》. ¶한 치 앞도 알 수 없는 세상이다 Auch die nächste Zukunft liegt im Dunkeln.

치[2] ① 《사람》 Kerl *m.* -(e)s, -e; Bursche *m.* -n, -n. ¶저 치가 그랬어 Der Kerl hat mir so erzählt. ② 《몫·분량》 Portion *f.* -en; Ration *f.* -en. ¶두 사람 치 zwei Portionen.

치(値) 〔數〕 Zahlenwert *m.* -(e)s, -e.

치가(治家) ～하다 s-e Familie in Ordnung halten*.

치가떨리다(齒—) 《분하여》 mit den Zähnen knirschen (vor Wut); äußerst wütend sein; 《지긋지긋해서》 *jm.* zum Ekel werden; höchst ärgerlich über [3]*et.* sein. ¶그 사람 생각만 해도 치가 떨린다 Ich empfinde Widerwillen, wenn ich an ihn denke.

치감(齒疳) 〔漢醫〕 Pyorrhöe *f.* -n; Eiterfluß *m.* -es, ⸚e.

치경(齒莖) Zahnbett *m.* -es, -en.

치고 für; in Anbetracht; in Rücksicht auf [4]*et.* ¶그것은 그렇다 ～ abgesehen von[3].

치골(恥骨) 〔解〕 Schambein *n.* -(e)s, -e.

치과(齒科) 〔醫〕 Zahnheilkunde 〔Odontologie〕 *f.* -n. ‖～ 의사 Zahnarzt *m.* -es, ⸚e / ～ 의원 Zahnklinik *f.* -en.

치국(治國) Regierung *f.* -en. ‖～평천하(의 책(策)) Staats·klugheit *f.* 〔-kunst *f.* ⸚e〕.

치근(齒根) Zahnwurzel *f.* -n.

치근거리다 den Hof 〔die Cour〕 machen 《e-r [3]Frau》; [4]sich bewerben* 《um e-e Frau》.

치기(稚氣) Kindlichkeit *f.*; Kindereien (*pl.*). ¶～어린 kindisch; naiv; einfältig.

치다[1] ① 《때리다》 schlagen*[4]; hauen*[4]; klopfen 《*an*[4]; *auf*[4]》. ¶뺨을 ～ *jm.* e-e Ohrfeige geben*. ② 《운동·장난》 schlagen*[4]; stoßen*[4]. ¶당구를 ～ die Kugle stoßen*. ③ 《손벽·북 따위를》 schlagen*[4]; klatschen[4]. ¶종을 ～ e-e Glocke an|schlagen*. ④ 《그물을》 werfen*[4]; aus|werfen*[4]. ⑤ 《떡을》 stampfen[4]. ¶떡을 ～ gekochten Klebreis stampfen. ⑥ 《전보를》 telegraphieren. ⑦ 《시계가》 schlagen*. ⑧ 《차에》 über|fahren*. ¶사람을 치고 뺑소니치다 e-e Person über|fahren* u. fliehen*.

치다[2] ① 《적을》 an|greifen*[4]; e-n Angriff machen. ¶불시에 적을 ～ den Feind plötzlich attackieren[4] 〔über|fallen*〕. ② 《비난》 an|greifen*. ¶신문으로 아무를 ～ durch die Zeitung kritisieren. ③ 《벼락》 ein|schlagen*. ¶나무에 벼락이 ～ der Blitz schlägt in e-n Baum ein. ④ 《가지·잎을》 ab〔weg〕|mähen[4]. ¶나뭇가지를 ～ e-n Ast beschneiden*. ⑤ 《채 따위를》 ¶채를 ～ Gemüse hobeln.

치다[3] 《제거》 säubern[4]; entfernen[4] 《*aus*[3]》. ¶오물을 ～ Schmutz 〔Kot〕 weg|fegen.

치다[4] 《체질하다》 sichten; sieben.

치다[5] ① 《얼마로 잡다》 den Preis bestimmen; schätzen; bewerten. ¶집값을 3천만원으로 ～ das Haus auf 30 Millionen *Won* schätzen. ② 《가정》 [4]*et.* als [4]*et.* an|sehen*. ¶아무도 그를 인격자로 치지 않는다 Niemand sieht ihn als e-n Menschen von Charakter an.

치다[6] ① 《소금 따위를》 hinein|tun*[4]; würzen[4]. ¶소스를 ～ Soße hinein|tun* / 음식에 양념을 ～ die Speise würzen. ② 《섞다·묻히다》 mischen[4]; decken[4]; streuen[4].

치다[7] ① 《대님·각반 따위를》 binden*[4]; befestigen[4]; zu|binden*[4]. ¶대님을 ～ Hosenband zu|binden*. ② 《천막 등을》 ¶천막을 ～ ein Zelt auf|schlagen* / 커튼을 ～ Gardine schließen* / 병풍을 ～ e-n Wandschirm auf|stellen.

치다[8] ① 《짜다》 weben*; flechten*; 《끈목을》 flechten*. ¶돗자리를 ～ e-e Matte flechten*. ② 《휘갑을》 säumen; umgeben*; ein|kreisen. ¶휘갑을 ～ e-n Saum an|bringen* 《*an*[4]》.

치다[9] ① 《꿀을》 (auf|)speichern. ② 《사육》 züchten; Hausvieh halten*. ¶돼지를 ～ Schweine züchten. ③ 《손님을》 *jn.* bewirten; *jn.* in Pension 〔Kost〕 nehmen*. ④ 《새끼를》 ¶개가 새끼를 친다 Ein Hund wirft Jungen.

치다[10] ① 《소리를》 schreien*. ② 《시험을》 e-e Prüfung ab|legen 〔machen〕. ¶변호사 시험을 치려고 하다 die Anwaltsprüfung ablegen wollen*. ③ 《놀다·걷다》 spielen; vor|führen. ¶ 아이들이 장난을 친다 Die Kinder spielen. / 화투를 ～ Karten spielen.

치다꺼리 《치러냄》 Besorgung *f.* -en; Sorge *f.* -n; 《바라지》 Hilfe *f.* -n; Unterstützung *f.* -en. ～하다 *jn.* besorgen; für *jn.* sorgen; helfen*; *jm.* zur Hand gehen*. ¶ 손님 ～ die Besorgung von Gästen.

치닫다 hinauf|gehen*; die Treppe hinauf|steigen*.

치대다 《위쪽으로 댐》 4*et.* an die Oberseite stecken; 4*et.* auf 4*et.* setzen. ¶ 판자를 ～ die Oberseite der Wände mit Brettern beschlagen*.

치둔(癡鈍) ～하다 dumm〔stumpfsinnig〕(sein).

치뜨다 den Blick in die Höhe richten; die Augen nach oben richten.

치뜨리다 in die Höhe werfen*; schleudern; auf|werfen*.

치렁치렁 《물이》 voll; erfüllt von3; überfließend; 《스치락말락》 auf dem Boden hinziehend. ¶ ～한 머리채 der lange Zopf, -(e)s, ⸗e.

치렁거리다 《드리운 것이》 schleppen; schleifen*. ¶ 버들가지가 치렁거린다 Die Trauerweide hängt herab.

치레 Verschönerung *f.* -en; Verzierung *f.* -en. ～하다 verschönern; verzieren. ¶ 겉～로만 nur für äußere Erscheinung.

치료(治療) die ärztliche〔medizinische〕Behandlung, -en; Heilbehandlung *f.* -en. ～하다 ärztlich〔medizinisch〕behandeln4; heilen4; kurieren4. ¶ ～받다 4sich ärztlich behandeln lassen*. ‖ ～법 Heilkunst *f.* ⸗e / ～비 Arztgebühr *f.* -en.

치루(痔瘻) 〖醫〗 Afterfistel *f.* -n.

치르다 ① 《돈을》 zahlen4; begleichen*4. ¶ 비용을 ～ Kosten bestreiten*〔tragen*〕. ② 《겪다》 durch|machen4; erleben4. ¶ 시험을 ～ die Prüfung durch|machen. ③ 《접대》 unterhalten*; gastlich bewirten4. ¶ 손님을 ～ Gäste unterhalten*. ④ 《큰일》 aus|führen4; 4*et.* zur Ausführung bringen*. ¶ 결혼식을 ～ die Hochzeit feiern.

치를떨다(齒—) 《격분》 mit den Zähnen knirschen; 《인색》 ab|knappen; knapp halten*. ¶ 분하여 ～ vor Wut mit den Zähnen knirschen.

치마 Rock *m.* -(e)s, ⸗e. ¶ ～를 입다〔두르다〕 e-n Rock an|ziehen*. ‖ ～폭 die Weite des Rocks / 치맛바람 die sich wichtig machende Frau / 치맛자락 der Saum des Rocks.

치매(癡呆) 〖醫〗 Dementia *f.*; Schwachsinn *m.* -(e)s.

치명(致命) ～적 tödlich; todbringend; lebensgefährlich ¶ ～적인 일격 Gnadenstoß *m.* -es, ⸗e. ‖ ～상 e-e tödliche Wunde.

치밀(緻密) ～하다 《미세》 fein〔subtil〕(sein); 《정밀》 haargenau〔exakt〕(sein); 《정교》 kunstvoll〔elaboriert〕(sein); 《주도》 peinlich〔sorgfältig〕(sein). ¶ ～한 계획 ein sorgfältiger Plan / ～하게 생각하다 gründlich nach|denken*.

치밀다 《복받치다》 unbändig werden; unwiderstehlich werden. ¶ 분노가 ～ *jm.* läuft die Galle über.

치받이 Steigung *f.* -en; Abhang *m.* -es, ⸗e; 〖建〗 der Lehm, mit dem die Decke beworfen wird. ～하다 die Decke mit Lehm überziehen*〔bewerfen*〕.

치받치다 ① 《버팀대로》 stützen; aufrechthalten*; 《밀어 올려》 in die Höhe treiben*. ② 《연기·불길이》 4sich erheben*; auf|steigen*. ¶ 불길이 ～ Flammen flackern〔lodern〕. ③ 《감정이》 wogen; auf|wallen. ¶ 분노가 ～ vor Wut schäumen. ④ 《먹은 것이》 ¶ 먹은 것이 치받친다 Das Gegessene kommt mir hoch.

치부(致富) ～하다 3sich den Reichtum erwerben*.

치부(恥部) Schamgegend *f.* -en.

치부(置簿) 《기입함》 ～하다 in das Hauptbuch ein|tragen*4. ‖ ～책 Hauptbuch *n.* -(e)s, ⸗er.

치사(致死) ～의 tödlich; todbringend. ‖ ～량 《약의》 e-e tödliche Dose〔Dosis〕..sen.

치사(恥事) ～하다, ～스럽다 schändlich〔ehrlos; gemein; hinterlistig〕(sein). ¶ ～스럽게 굴다 4sich schändlich〔niederträchtig; gemein〕benehmen*.

치사(致謝) Würdigung *f.* -en. ¶ 노고를 ～하다 *jm.* für *js.* 4Bemühungen danken; *jn.* für *js.* 4Bemühungen belohnen 《보수를 주고》.

치산(治山) 《산림의》 die Bewahrung〔Erhaltung〕des Waldes. ‖ ～ 치수 die Bewahrung des Forstes u. die Wasserregulierung.

치산(治產) 《가사의》 die Leitung〔Führung〕e-s Haushaltes; 《재산의》 die Verwaltung des Vermögens. ～하다 e-n Haushalt leiten〔führen〕.

치살리다 *jm.* 4*et.* zum Lobe sagen; loben; preisen*.

치석(齒石) Zahnstein *m.* -(e)s, -e.

치성(致誠) 《정성을 다함》 Widmung *f.* -en; Weihe *f.* -n; 《신령·부처에의》 Aufopferung *f.* -en. ¶ ～을 드리다 (den Göttern) Opfer dar|bieten*.

치세(治世) Regierung〔Herrschaft〕*f.* -en. ¶ 세종 대왕 ～하에 unter dem *Sejong*-Regime.

치수(—數) Maß *n.* -(e)s, -e; Größe *f.* -n. ¶ ～를 재다 Maß nehmen*《*zu*3.》; an|messen*4.

치수(治水) Fluß〔Strom〕regulierung *f.* -en. ～하다 den Fluß〔Strom〕regulieren; den Fluß〔Strom〕kontrollieren.

치수(齒髓) Zahnmark *n.* -(e)s; Pulpa *f.* ..pae. ‖ ～염 Pulpitis *f.* -en.

치신경(齒神經) Zahnnerv *m.* -s〔-en〕, -en.

치신사납다 schändlich〔schmählich; verrufen〕(sein). ¶ 치신사납게 굴다 4sich schändlich benehmen*.

치신없다 würdelos〔ohne Würde; unezogen; ungebildet〕(sein). ¶ 치신없는 짓 das Benehmen ohne Würde.

치안(治安) die öffentliche Ruhe u. Ordnung; Landfriede *m.* -n. ¶ ～을 유지하다 die öffentliche Ruhe u. Ordnung aufrecht|(er)halten*. ‖ ～감 der Chef der Oberstpolizeibehörde / ～경찰 ＝보안 경찰 / ～ 본부 die oberste Polizeibehörde e-s Staates / ～ 상태 die öffentliche Sicherheit / ～재판 Schnellverfahren *n.* -s / ～ 판사 Friedensrichter *m.* -s.

치약(齒藥) Zahnpulver *n.* -s 《가루》; Zahn·paste 〔-pasta〕 *f.* ..sten 《튜브에 든》.

치어(稚魚) Fischbrut *f.*

치열(齒列) Zahnreihe *f.* -n. ‖ ～교정 Zahnausrichtung *f.* -en.

치열(熾烈) ～하다 gewaltig 〔heftig; heiß; hart; scharf〕 (sein). ¶ ～한 경쟁 ein scharfer Wettkampf, -(e)s, ⸚e.

치외법권(治外法權) Exterritorialität *f.*

치욕(恥辱) Schande *f.* -n; Scham *f.* ¶ ～을 참다 Schande ertragen / ～으로 여기다 4*et.* für e-e Schande 〔Unehre〕 halten*.

치우다 ① 《제거》 beseitigen4; ab|räumen4; weg|räumen4. ¶ 장애물을 치워라 Beseitige die Hindernisse! ② 《정리·정돈》 in Ordnung bringen*4; ordnen4. ¶ 방을 ～ das Zimmer auf|räumen.

치우치다 《쏠리다》 4sich neigen; schief|stehen* 〔-|liegen*〕; 《편파·편벽됨》 4sich hin|neigen 《*zu*3》; e-e Vorliebe haben 《*für*4》. ¶ 학문에 ～ einseitig wissenschaftlich gerichtet sein.

치유(治癒) Heilung 〔Genesung; Gesundung〕 *f.* -en. ～하다 heilen; geheit werden; genesen* 《*von*3》. ‖ ～기 Rekonvaleszenz *f.*

치이다1 ① 《무거운 것에》 zerdrückt werden; 《틈에》 eingeklemmt 〔eingelegt〕 werden. ② 《차에》 angefahren 〔überfahren〕 werden. ¶ 자동차에 ～ von e-m Wagen angefahren. ③ 《덫에》 gefangen werden; in e-e Falle gehen*. ¶ 곰이 덫에 치었다 Ein Bär ist in e-e Falle gegangen.

치이다2 《값이》 kosten; betragen*. ¶ 비싸게〔싸게〕 ～ viel 〔nur wenig〕 4Geld kosten.

치자(治者) der Regierende*, -n, -n; Herrscher *m.* -s; Gebieter *m.* -s.

치자(梔子) die Frucht von Gardenie. ‖ ～나무 〖植〗 Gardenie *f.* -n.

치장(治粧) das Schminken*, -s; Dekoration *f.* -en. ～하다 4sich (aus|-) schmücken; 4sich fein machen. ¶ 말쑥하게 ～하고 나서다 4sich herausputzen u. aus|gehen*.

치적(治績) das Ergebnis der Verwaltung 〔Regierung〕. ¶ 그의 ～은 크게 빛났다 S-e Verwaltung war sehr glänzend.

치정(癡情) die törichte 〔blinde〕 Liebe. ¶ ～으로 말미암은 범죄 das Verbrechen aus törichter Liebe.

치조(齒槽) 〖解〗 Alveole *f.* -n; Zahnfach *n.* -(e)s, ⸚er.

치죄(治罪) Bestrafung *f.* -en; Erteilen e-r Strafe. ～하다 bestrafen; e-e Strafe erteilen.

치중(置重) Emphase *f.* -n; Nachdruck *m.* -es. ～하다 ein großes Gewicht legen 《*auf*4》. ¶ 교육에 ～하다 großen Wert auf Erziehung legen.

치즈 Käse *m.* -s, -. ¶ ～와 같은 käsig.

치질(痔疾) 〖醫〗 Hämorrhoiden (*pl.*). ‖ ～수술 die Operation von Hämorrhoiden.

치켜세우다 in den Himmel (er)heben*4; viel Rühmens machen 《*von*3》.

치크댄스 Wangen an Wangen-Tanz *m.* -es, ⸚e. ¶ ～를 하다 auf Tuchfühlung tanzen.

치키다 erheben*; auf|heben*; (in die Höhe) heben; empor|heben*. ¶ 눈썹을 ～ die Augenbrauen hoch|ziehen*.

치킨 Kücken *n.* -s; Hühnchen *n.* -s. ‖ ～ 라이스 Hühnchenreistopf *m.* -(e)s, ⸚e; Hühnchen u. Reis.

치통(齒痛) Zahnweh *n.* -(e)s, -e; Zahnschmerz *m.* -es, -en.

치하(治下) unter der Regierung 《von 3*et.*》; unter der Herrschaft 《von 3*et.*》. ¶ 독일 ～에 놓이다 unter deutsche Herrschaft kommen*.

치하(致賀) ～하다 *jn.* beglückwünschen; *jm.* gratulieren 《*zu*3》. ¶ 노고를 ～하다 *jm.* für *js.* 4Bemühungen danken.

치한(癡漢) Narr *m.* -en, -en; Gauch *m.* -(e)s, -e 〔⸚e〕; 《부도덕한》 der Nichtswürdige*, -n, -n.

치환(置換) Ersetzung *f.* -en; Substitution *f.* -en; 〖數·化〗 Permutation *f.* ～하다 ersetzen; substituieren.

칙령(勅令) das kaiserliche Edikt, -(e)s, -e; die kaiserliche Verordnung, -en.

칙사(勅使) der königliche Bote, -n, -n; der Überbringer kaiserlicher Worte.

칙서(勅書) ein königlicher Erlaß, ..sses, ..sse.

칙칙하다 matt 〔glanzlos; dunkel〕 (sein).

친가(親家) ＝친정(親庭).

친고(親告) e-e Klage, die man persönlich einreicht. ～하다 e-e Klage persönlich ein|reichen.

친교(親交) Freundschaft *f.* -en. ¶ ～가 있는 사람 ein intimer 〔enger; vertrauter; inniger〕 Freund / ～를 맺다 Freundschaft schließen* 《*mit*3》.

친구(親舊) Freund *m.* -(e)s, -e; 《동무》 Genosse *m.* -n, -n; Kamerad *m.* -en, -en. ¶ 옛 ～ ein alter Freund, -es, -e / 학교 ～ Schulfreund.

친권(親權) 〖法〗 Elternrecht *n.* -(e)s, -e; die elterliche Gewalt, -en.

친근(親近) ～하다 vertraut 〔wohlbekannt〕 (sein) 《mit *jm.*》; zugänglich (sein) 《*jm.*》. ‖ ～감 Sympathie *f.* -n; innere Verwandtschaft, -en.

친기(親忌) die Gedenkfeier für s-e Eltern.

친남매(親男妹) s-e leiblicher Bruder u. s-e leibliche Schwester.

친목(親睦) Freundschaft *f.*; kameradschaft *f.* ～하다 Freundschaft pflegen 〔heltan*〕. ¶ ～을 도모하다 Freundschaft u. gutes Einvernehmen fördern 《*zwischen*3》. ‖ ～회 die gesellige Zusammenkunft.

친미(親美) ～적 proamerikanisch. ‖ ～외교 die proamerikanische Politik, -en / ～파〔주의자〕 Proamerikaner *m.* -s, -.

친밀(親密) ～하다 vertraut 〔vertraulich; intim; innig〕 (sein). ¶ ～하게 되다

vertraut 〔intim〕 werden / ～한 사이다 vertraute Freunde sein.

친부모(親父母) s–e leiblichen 〔wirklichen〕 Eltern (*pl.*).

친분(親分) intime Freundschaft, –en; der vertraute Umgang, –es, ⸚e. ¶～이 두텁다 e–e enge Verbindung haben 《mit *jm.*》; eng befreundet sein 《mit *jm.*》.

친상(親喪) die Trauer um die leiblichen Eltern. ¶～을 당하다 die Trauer um die leiblichen Eltern haben.

친생자(親生子) sein leibliches Kind, –es, –er; sein eigenes Kind, –es, –er.

친서(親書) Handschreiben *n.* –s, –; der eigenhändige Brief, –(e)s, –e. ¶～를 휴대하다 den eigenhändigen Brief bei ^{3}sich tragen*.

친선(親善) Freundschaft *f.* –en; das gute Einvernehmen*, –s. ‖～ 경기 Freundschaftsspiel *n.* –(e)s, –e / ～ 사절 Freundschaftsbote *m.* –n, –n.

친손자(親孫子) sein leiblicher Enkel, –es.

친숙(親熟) ～하다 vertraut 〔intim; befreundet〕 (sein) 《*mit*^{3}》.

친아버지(親—) *js.* leiblicher 〔richtiger〕 Vater, –s, ⸚.

친애(親愛) Liebe *f.* –n; Intimität *f.* –en. ¶～하는 lieb; teuer.

친어머니(親—) *js.* leibliche 〔richtige; eigene〕 Mutter, ⸚.

친우(親友) =친구.

친일(親日) ～적 projapanisch. ‖～파 Projapaner *m.* –s, –.

친자식(親子息) s–e leiblichen Kinder (*pl.*).

친전(親展) 《편지의 겉봉에》 vertraulich!

친절(親切) Güte *f.*; Freundlichkeit *f.* –en; 《호의》 Gefälligkeit *f.* –en. ～하다 gütig 〔freundlich; gefällig; wohlwollend; nett〕 (sein). ¶～을 다하다 *jn.* freundlich behandeln.

친정(親庭) Elternhaus *n.* –es, ⸚er. ¶～에 가다 das Elternhaus 〔die Eltern〕 besuchen.

친족(親族) Verwandtschaft *f.* –en; Familie *f.* –n. ‖～ 관계 Blutsverwandtschaft *f.* –en / ～법 Familienrecht *n.* –(e)s, –e.

친지(親知) der 〔die〕 Vertraute*, –n, –n; Intimus *m.* –, ..mi. ¶～간(間) Bekanntschaft *f.* –en.

친척(親戚) (Bluts)verwandtschaft *f.* –en; 《그 한 사람》 der (Bluts)verwandte*, –n, –n. ¶…와 ～이다 mit *jm.* verwandt sein.

친탁하다(親—) s–m leiblichen Vater ähnlich sein.

친필(親筆) die eigene Handschrift, –en; Autograph *n.* –s, –e.

친하다(親—) innig 〔vertraut; intim〕 (sein). ¶친하게 사귀다 mit *jm.* vertrauten Umgang haben; mit *jm.* auf vertrautem Fuß stehen* / 친해지다 mit *jm.* vertraut werden.

친형제(親兄弟) der leibliche Bruder, –s, ⸚; Vollbruder *m.* –s, ⸚.

친히(親—) ① 《친하게》 innig; vertraut; intim; eng. ② 《몸소》 persönlich; in eigener Person; in Person. ¶～ 방문하다 *jn.* persönlich besuchen.

칠(七) sieben. ¶제 칠의 der 〔die; das〕 sieb(en)te*.

칠(漆) 《도료》 Lack *m.* –(e)s, –e 《옻》; Farbe *f.* –n 《페인트》; 《칠하기》 das Lackieren*, –s 《옻칠》; Anstrich *m.* –(e)s, –e 《페인트칠》; das Firnissen*, –s 《니스》; das Glasieren*, –s 《에나멜》. ¶칠조심 《게시》 Frisch angestrichen!

칠기(漆器) Lackware *f.* –n.

칠떡거리다 schleppen; schleifen; hin|ziehen*. ¶치마가 땅에 ～ *js.* Rock zieht auf dem Boden hin.

칠면조(七面鳥) Truthuhn *n.* –(e)s, ⸚er; Truthahn *m.* –(e)s, ⸚e 《수컷》; Truthenne *f.* –n 《암컷》.

칠붓(漆—) ein Pinsel zum Lackieren; Lackierpinsel *m.* –s, –.

칠색(七色) sieben Farben (*pl.*); Regenbogenfarben (*pl.*).

칠석(七夕) der siebte Abend des Juli(s) nach dem Mondkalender.

칠세공(漆細工) Lackarbeit *f.* –en.

칠소반(漆小盤) das lackierte Tablett, –(e)s, –e.

칠순(七旬) ① 《날》 siebzig Tage (*pl.*). ② 《나이》 siebzig Jahre (alt).

칠십(七十) siebzig. ¶～ 노인 ein alter Mann von siebzig Jahren.

칠월(七月) Juli *m.* –(s), –s. ‖～ 혁명 〖史〗 Julirevolution *f.*

칠장이(漆匠—) Lackierer 〔Maler〕 *m.* –s, –.

칠전팔기(七顚八起) sieben Male umfallen u. acht Male aufstehen.

칠칠하다 ① 《민첩하다》 manierlich 〔wohlerzogen; ordentlich〕 (sein). ¶칠칠치 못한 여자 Schlampe 〔Schlumpe〕 *f.* –n. ② 《길차다》 üppig 〔wuchernd; überreich〕 (sein).

칠판(漆板) Wandtafel *f.* –n. ‖～지우개 Wischer *m.* –s, –.

칠하다(漆—) ① an|streichen*^{4} 《그림 물감 등을》; an|malen^{4} 《색을》; tünchen^{4} 《초벌칠을》; lackieren^{4} 《락을》; firnissen^{4} 《니스를》. ② 《묻히다》 beschmieren^{4}; beflecken^{4}. ¶옷에 먹을 ～ das Kleid mit Tunche beflecken.

칠흑(漆黑) Stock〔Tief〕schwarz *n.* –es.

칡 〖植〗 Pfeilwurzel *f.* –n.

침 Speichel *m.* –s, –; 《俗》 Spucke *f.* –n. ¶침을 뱉다 speien; spucken.

침(針) 《가시》 Dorn *m.* –(e)s, ⸚e; 《바늘》 Nadel *f.* –n; 《시계의》 Zeiger *m.* –s, –.

침(鍼) 〖漢醫〗 Akupunkturnadel *f.* –n; Akupunktur *f.* –en 《치료》. ¶침을 놓다 akupunktieren^{4}; im Stichverfahren heilen^{4}.

침강(沈降) Niederschlag *m.* –(e)s, ⸚e. ～하다 nieder|schlagen*. ‖～ 속도 《혈액의》 Blutsenkungsgeschwindigkeit *f.* –en.

침공(侵攻) Angriff *m.* –(e)s, –e; Überfall *m.* –(e)s, ⸚e; Invasion *f.* –en. ～하다 an|greifen*; überfallen*^{4}; ein|fallen* (*in*^{4}).

침구(寢具) Schlaf〔Bett〕zeug *n.* –s. ¶～를 개다 Bettdecken zusammen|legen.

침구(鍼灸) Akupunktur u. Moxa 〔Brennkegel〕. ‖ ～술 die Kunst von Akupunktur u. Moxa.

침노하다(侵擄—) einfallen* 〔feindlich eindringen*〕 《in ein Land》; überfallen* 《ein Land》.

침대(寢臺) Bett *n.* –(e)s, –en. ‖ ～차 Schlafwagen *m.* –s, – / 간이 ～ Schlafbürde *f.* –n.

침략(侵略) Angriff *m.* –(e)s, –e; Eroberung *f.* –en. ☞ 침입. ～하다 an|greifen*; erobern⁴. ¶ ～적 angreifend; erobernd. ‖ ～자 Angreifer〔Eroberer〕 *m.* –s, – / ～ 전쟁 Eroberungskrieg *m.* –(e)s, –e / ～주의 Eroberungspolitik *f.* –en / 간접 ～ indirekte Invasion, –en / 무력 ～ die Invasion durch Wafften.

침례(浸禮) 〚宗〛 Immersionstaufe *f.* –n; Baptismus *m.* –. ‖ ～교도 Baptist *m.* –en, –en / ～교회 Baptistenkirche *f.* –n.

침로(針路) Schiffkurs *m.* –es, –e; Fahr〔*f.* –en.〕

침맞다(鍼—) mit Akupunktur behandelt werden.

침모(針母) Näherin *f.* –nen; Nähmädchen *n.* –s, –.

침목(枕木) (Eisenbahn)schwelle *f.* –n.

침몰(沈沒) ～하다 sinken*; unter|gehen*; tauchen; versinken*. ¶ ～시키다 sinken lassen*⁴; (ver)senken⁴.

침묵(沈默) (Still)schweigen *n.* –s; Stille *f.*; Schweigsamkeit *f.* ～하다 (still|-)schweigen*; 《갑자기》 verstummen; verschweigen*. ¶ ～을 깨뜨리다 das Schweigen brechen* / ～을 지키다 Stillschweigen bewahren.

침범(侵犯) ～하다 ein|dringen*; ein|brechen*; verletzen⁴. ¶ 영공을 ～하다 Territorialluft 〔des anderen Staates〕 verletzen.

침삼키다 Speichel (ver)schlucken; 《탐이 나서》 das Wasser läuft *jm.* im Munde zusammen.

침상(針狀) ～의 nadelförmig. ‖ ～엽(葉) Nadel *f.* –n.

침상(寢床) Couch *f.* –es; Bett *n.* –es, 〔–en.〕

침소봉대(針小棒大) ～하다 übertreben*⁴; aus e–r Mücke e–n Elefanten machen.

침수(浸水) ～하다 überschwemmt werden; unter Wasser stehen*; 《배가》 leck werden. ‖ ～ 가옥 überschwemmten Häuser (*pl.*) / ～ 지역 das unter Wasser gesetzte Gebiet, –(e)s, –e.

침술(鍼術) 〚漢醫〛 Akupunktur *f.*

침식(浸蝕) Erosion 〔Zerfressung; Auswaschung〕 *f.* –en. ～하다 zerfressen*⁴; weg|fressen*⁴; aus|waschen⁴. ‖ ～ 작용 die erosive Wirkung, –en.

침식(寢食) Schlafen u. Essen; Tisch u. Bett teilen 《mit *jm.*》. ¶ ～을 함께 하다 unter e–m Dach wohnen 《mit *jm.*》 / ～을 잊고 mit ganzer Seele; mit ganzem Herzen.

침실(寢室) Schlaf·zimmer *n.* –s, 〔–kammer *f.*〕.

침엽수(針葉樹) Nadel(holz)baum *m.* –(e)s, ⸚e; Nadelholz *n.* –es, ⸚er.

침울(沈鬱) ～하다 schwermütig 〔düster; gramversunken; melancholisch〕 (sein).

침윤(浸潤) das Eindringen*, –s; Infiltration *f.* –en. ‖ 폐～ Lungeninfiltration *f.* –en.

침의(鍼醫) der Arzt in Akupunktur.

침입(侵入) Eindringung *f.* –en; Einbruch *m.* –(e)s, ⸚e; Durchdringung *f.* –en. ～하다 ein|brechen*; ein|dringen*; durch|dringen* 《*in*⁴》. ‖ ～자 Einbrecher *m.* –s, – / 주거 ～죄 Hausfriedensbruch *m.* –(e)s, ⸚e.

침전(沈澱) Fällung 〔Ablagerung; Absetzung〕 *f.* –en. ～하다 ⁴sich (ab|-) setzen; nieder|schlagen*. ¶ ～시키다 ab|lagern⁴; ab|setzen⁴; nieder|schlagen*⁴. ‖ ～물 Niederschlag *m.* –(e)s, ⸚e; Bodensatz *m.* –(e)s, ⸚e.

침착(沈着) Ruhe 〔Geistesgegenwart; Gelassenheit〕 *f.* ～하다 ruhig 〔gesetzt; gelassen〕 (sein). ¶ ～하지 못한 unruhig; unstet; nervös; hastig.

침체(沈滯) ～하다 flau 〔still; lau; matt〕 sein.

침침하다(沈沈—) ① 《흐림》 dunkel; düster; trübe; matt〕 (sein). ¶ 침침한 빛 mattes Licht. ② 《눈이》 trübe 〔matt; schwach〕 (sein). ¶ 눈이 ～ *js.* Augen sind matt.

침탈(侵奪) ～하다 plündern; (be)rauben.

침통(沈痛) ～하다 schmerzlich 〔traurig; beklagenswert; betrübt〕 (sein). ¶ ～한 어조로 in ernst(haft)em Tone.

침투(浸透) ～하다 ein|dringen* 《*in*³》; infiltrieren; durch|dringen*. ‖ ～ 공작 Druchdringung *f.* –en / ～압 der osmotische Druck, –(e)s, ⸚e.

침팬지 〚動〛 Schimpanse *m.* –n, –n.

침하(沈下) Senkung *f.* –en; das (Ab-) sinken*, –s. ～하다 ⁴sich senken; (ab|-) sinken*; ⁴sich setzen; unter|sinken*; unter|tauchen.

침해(侵害) Eingriff *m.* –(e)s, –e; Verletzung *f.* –en. ～하다 ein|greifen* 《*in*⁴》; verletzen⁴. ¶ 저작권을 ～하다 das Urheberrecht verletzen. ‖ 권리 ～ die Verletzung des Rechtes.

침향(沈香) 〚植〛 Adlerholz 〔Aloeholz〕 *n.* –es, ⸚er.

침흘리다 geifern; sabbern.

칩거(蟄居) das Zuhausehocken*, –s; die Lebensweise e–s Stubenhockers. ～하다 zu Hause hocken; ⁴sich auf sein Haus zurück|ziehen*.

칩떠보다 den Blick in die Höhe richten; die Augen nach oben richten.

칫솔(齒—) Zahnbürste *f.* –n.

칭병(稱病) ～하다 e–e Krankheit vor|schützen.

칭송(稱頌) Preis *m.* –es, –e; Lob *n.* –(e)s; Lobrede *f.* –n. ～하다 preisen⁴; loben⁴; bewundern.

칭얼거리다 winseln; wimmern; jaulen; jammern schreien.

칭찬(稱讚) Preis *m.* –es, –e; Lob *n.* –(e)s, –e; Bewunderung *f.* –en. ～하다 preisen⁴; loben⁴; rühmen⁴. ¶ 극구 ～하다 *jn.* übermäßig loben.

칭하다(稱—) nennen*⁴; heißen*⁴; bezeichnen⁴ 《als ⁴*et.*》; genannt werden.

칭호(稱號) (Adels)titel *m.* –s, –.

ㅋ

카 《자동차》 Auto *n.* -s, -; (Kraft)wagen *m.* -s, -; 《자가용》 Privatwagen. ‖카 라디오 Autoradio *n.* -s, -s.
카나리아 〖鳥〗 Kanarienvogel *m.* -s, ⸗.
카네이션 〖植〗 Gartennelke *f.* -n.
카누 Kanu *n.* -s, -s.
카니발 Karneval 〔Fasching〕 *m.* -s, -e.
카드 Karte *f.* -n. ‖～ 놀이 Kartenspiel *n.* -(e)s, -e.
카디건 《스웨터》 Wolljacke *f.* -n.
카랑카랑하다 《Wetter, Stimme》 klar u. frisch (sein).
카레 Curry *m.* 〔*n.*〕 -s. ‖～라이스 Curryreis *m.* -es.
카르테 〖醫〗 Tabelle 〔Karte〕 *f.* -n.
카르텔 〖經〗 Kartell *n.* -(e)s, -e; Firmenzusammenschluß *m.* ..lusses, ..lüsse. ‖불황 ～ ein depressives Kartell.
카리에스 〖醫〗 Karies *f.* ‖척추 ～ Rückenmarkkaries.
카메라 Kamera *f.* -s; Photoapparat *m.* -(e)s, -e. ‖～맨 Kameramann *m.* -(e)s, ..leute / ～ 앵글 Kamerawinkel *m.* -s, -.
카멜레온 〖動〗 Chamäleon *n.* -s, -s.
카무플라주 Tarnung *f.* -en. ～하다 tarnen[4]; maskieren[4].
카바레 Kabarett *n.* -s, -e; Kleinkunstbühne *f.* -n.
카바이드 〖化〗 Karbid *n.* -(e)s, -e.
카본 〖化〗 Karbon *n.* -s. ‖～ 복사 Durchschlag *m.* -(e)s, ⸗e / ～지(紙) Kohlepapier *n.* -(e)s, -e.
카뷰레터 《기화기》 Vergaser *m.* -s, -.
카빈총(—銃) Karabiner *m.* -s, -.
카세인 〖化〗 Kasein *n.* -s.
카세트 Kassette *f.* -n. ‖～ 리코더 Kassetten(tonband)gerät *n.* -(e)s, -e / ～ 비데오 Kassettenfernsehen *n.* -s.
카스텔라 Schwammkuchen *m.* -s, -.
카운슬링 Berat(schlag)ung *f.* -en.
카운터 《은행·상점의》 Kasse *f.* -n; Buchhalterei *f.* -en; 《술집의》 Theke *f.* -n.
카운터블로 Konterschlag 〔Gegenschlag〕 *m.* -es, ⸗e.
카운트 das Zählen*, -s; Rechnung *f.* -en; Punkt *m.* -(e)s, -e.
카이저수염(—鬚髯) Knebelbart *m.* -(e)s, ⸗e 《끝이 빳빳한》; Schnurrbart.
카지노 (Spiel)kasino *n.* -s, -s.
카키색(—色) Khaki *n.* -s. ～의 khakifarben.
카타르 〖醫〗 Katarrh *m.* -s, -e.
카탈로그 Prospekt *m.* -(e)s, -e; Katalog *m.* -s, -e.
카테고리 〖哲〗 Kategorie *f.* -n.
카테터 Katheter *m.* -s, -. ¶～를 삽입하다 e-n Katheter ein|führen 《*in*[4]》.
카페 Café *n.* -s, -s; Teeraum *m.* -s, ⸗e.
카페인 Koffein〔Kaffein〕 *n.* -s. ‖～중독 Koffein·vergiftung 〔-sucht〕 *f.* -(e)s, -e.
카펫 ＝융단.
카피 《복사》 Kopie *f.* -n; Duplikat *n.*
칵칵거리다 [4]sich ununterbrochen räuspern 《um die Kehle zu reinigen》.
칵테일 Cocktail [kɔ́kte:l] *m.* -s, -s. ‖～ 파티 Cocktailparty [..pa:rti] *f.* -s 〔..ties〕.
칸델라 die (metall(e)ne) Handlampe, -n.
칸막이(間—) 《막음》 das Verschlagen*, -s; 《물건》 Wandschirm *m.* -(e)s, -e. ～하다 ab〔auf〕|teilen[4].
칸초네 〖樂〗 Kanzone *f.* -n.
칸타빌레 〖樂〗 Kantabile *n.* -s, -s.
칸타타 〖樂〗 Kantate *f.* -n.
칸트 Immanuel Kant. ‖～ 철학 die Kantische Philosophie; Kantianismus *m.* -.
칼[1] Messer *n.* -s, -; 《검》 Schwert *n.* -(e)s, -er; Degen *m.* -s, -; 《군도》 Säbel *m.* -s, -. ¶칼을 차다〔빼다〕 das Schwert tragen* 〔ziehen*〕. ‖면도칼 Rasiermesser *n.* / 부엌칼 Küchenmesser *n.* / 주머니칼 Taschenmesser *n.* / 칼깃 Flugfeder *f.* -n / 칼끝 Schwertspitze *f.* -n / 칼날 Klinge *f.* -n / 칼등 Schwertrücken *m.* -s, -.
칼[2] 《옛 형구》 der (schwere) Holzkragen, -s, -. ¶～을 씌우다 *jn.* ins Joch fesseln.
칼국수 die zu Hause mit der Hand hergestellte koreanische Nudel, -n.
칼라 《옷깃》 Kragen *m.* -s, -.
칼로리 Kalorie *f.* -n. ‖～가(價) Kalorienmenge *f.*
칼륨 〖化〗 Kalium *n.* -s 《기호 : K》.
칼리 〖化〗 Kali *n.* -s; Kalium *n.* -s.
칼모틴 〖化〗 Kaliumbromid *n.* -(e)s, -e.
칼부림하다 die Klingen kreuzen; [4]sich mit blanken Schwertern schlagen*. ¶칼부림으로 번지다 zum Blutvergießen kommen*.
칼새 〖鳥〗 Mauersegler *m.* -s, -.
칼슘 〖化〗 Kalzium *n.* -s 《기호 : Ca》.
칼싸움 das Kreuzen* der Klingen. ～하다 mit *jm.* die Klinge kreuzen.
칼자국 (Schwert)hieb *m.* -es, -e; Schnittwunde *f.* -n. ¶～이 나다 e-e Schnittwunde bekommen*.
칼춤 Schwert(er)tanz *m.* -es, ⸗e. ¶～을 추다 e-n Schwert(er)tanz vorführen.
칼침(—鍼) Dolchstich *m.* -es, -e. ¶～을 맞다 e-n Hieb 〔Stich〕 bekommen* / ～을 주다 *jm.* e-n Hieb versetzen.
칼코등이 Zwinge *f.* -n.
캄캄하다 《어둡다》 dunkel 〔(stock)finster; stockdunkel〕 (sein). ¶캄캄한 밤 e-e dunkle Nacht, ⸗e / 앞길이〔전도가〕 ～ e-r schwarzen Zukunft entgegensehen*.
캅셀 캡슐.
캉캉 《춤》 Cancan [kãkã:] *m.* -s, -s.
캐나다 Kanada *n.* -s. ～의 kanadisch.
캐내다 auf|spüren[4]; aus|forschen[4]. ¶비밀을 ～ ein Geheimnis heraus|bekommen* 《von *jm.*》.
캐다 ① 《땅에서》 graben*[4]; aus|graben*[4]; aus der Erde heraus|graben*[4]. ¶감자를 ～ Kartoffeln aus|graben*. ② 《규명》 auf den Grund gehen*; entdecken[4]; auf|decken[4]. ¶신원을 ～ nach *js.* Herkunft forschen / 캐고들기 좋아하는 forschbegierig; wißbegierig; neugierig.
캐디 《골프장의》 Caddie *m.* -s, -s; Golfjunge *m.* -n, -n.
캐러멜 Karamel *m.* -s.

캐럿 Karat *n.* -(e)s, -e. ¶18 ~의 금 das 18 karätige Gold, -(e)s.
캐묻다 *jn.* (be)fragen (*über*⁴; *wegen*²); ⁴sich bei *jm.* erkundigen (*über*⁴).
캐비닛 (Kleider)schrank *m.* -(e)s, ⸚e.
캐비지 (양배추) Kohl [Weißkohl] *m.* -(e)s, -e.
캐빈 Kabine [Kajüte] *f.* -n.
캐스터네츠 〔樂〕 Kastagnette *f.* -n.
캐스트 Rollen·verteilung [-besetzung] *f.* -en.
캐스팅보트 die entscheidende Stimme, -n.
캐시미어 Kaschmir *m.* -s, -e.
캐처 〔野〕 Fänger *m.* -s, -.
캐치 〔野〕 Fang *m.* -(e)s, ⸚e. ‖ ~볼 Fangball *m.* -(e)s, ⸚e.
캐치프레이즈 Werbeslogan *m.* -s, -s.
캐터펄트 〔軍〕 Katapult *n.* [*m.*] -(e)s, -e; Schleudermaschine *f.* -n.
캐터필러 Raupe [Raupenkette] *f.* -n.
캑캑 „*käk*, *käk*". ~거리다 ⁴sich wiederholt räuspern; wiederholt kurz husten.
캔디 Kandis *m.* -; Süßigkeiten (*pl.*).
캔버스 (Mal)leinwand *f.*; Kanevas *m.* -(ses), -(se). ‖ ~틀 Kanevasspanner *m.* -s, -.
캘리코 Kaliko *m.* -s, -s; Kattun *m.* -s, -e.
캘리퍼스 Taster [Zirkel] *m.* -s, -.
캠퍼 〔藥〕 Kampfer *m.* -s. ‖ ~ 주사 das Kampferspritzen*, -s.
캠퍼스 Universitäts[Schul]gelände *n.* -s, -; Campus *m.* -, -.
캠페인 Kampagne [kampánjə] *f.* -n.
캠프 (Zelt)lager *n.* -s, -; (캠프장) Zeltplatz *m.* -es, ⸚e. ‖ ~ 생활 Zeltleben *n.* -s; Camping *n.* -s, -s.
캠핑 Camping *n.* -s, -s. ¶~ 가다 Camping machen [gehen*]. ‖ ~용품 die Ausstattung für Camping.
캡션 (그림 설명문) Bildunterschrift *f.* -en; (자막) Titelzeile *f.* -n.
캡슐 Kapsel *f.* -n.
캡틴 Kapitän *m.* -s, -e; (경기 단체의) Mannschaftsführer *m.* -s, -.
캥거루 Känguruh *n.* -s, -s.
캥캥거리다 kläffen.
커녕 weit entfernt davon; nicht weniger als...; nicht nur...; unerwarteweis statt. ¶즐겁기는 ~ 불쾌하다 Es ist nichts weniger als angenehm / 떡~ 밥도 없더라 Kuchen? -Nein, wir haben nicht einmal Reis bekommen.
커닝 Abschreiberei *f.* -en; Mogelei *f.* -en. ~하다 ab|schreiben*³⁴; ab|gucken³⁴; mogeln. ‖ ~ 페이퍼 Eselsbrücke *f.* -n.
커다랗다 sehr groß [riesig; gewaltig; ungeheuer] (sein). ¶커다란 손실 ein riesengroßer Schaden, -s, ⸚ / 집을 커다랗게 짓다 ein großes Haus bauen.
커다래지다 größer werden; ⁴sich vermehren; ⁴sich vergrößern; wachsen*. ¶눈이 ~ staunen.
커리큘럼 Lehrplan *m.* -(e)s, ⸚e; Kursus *m.* -, -se.
커머셜 Reklame *f.* -n; Werbung *f.* -en. ‖ ~ 방송 Werbesendung *f.* -en.
커뮤니케이션 Kommunikation *f.* -en. ‖ 매스~ Massenkommunikation.
커미션 (수수료) Provision *f.* -en; (회뢰) Bestechung *f.* -en. ☞ 구전.
커버 Decke *f.* -n; Bedeckung *f.* -en; Überzug *m.* -(e)s, ⸚e (의자 등의); Gehäuse *n.* -s, -. ¶~를 씌우다 bedecken⁴ [decken⁴] (*mit*³).
커버하다 (경기에서) decken⁴; bewachen⁴; (벌충) e-n Schaden ersetzen (*für*⁴).
커브 Kurve *f.* -n; Biegung *f.* -en.
커스터드 (과자) Eierrahm *n.* -es, -e.
커지다 groß [größer] werden; ⁴sich vergrößern; (성장) heran|wachsen*; (확대) ⁴sich erweitern; (중대화) ernst werden.
커튼 Vorhang *m.* -(e)s, ⸚e. ¶~을 젖히다[닫다] den Vorhang zur Seite ziehen*[zu|ziehen*].
커틀릿 Kotelett *n.* -(e)s, -e. ‖ 포크 ~ Schweinskotelett.
커프스 Manschette *f.* -n. ‖ ~ 단추 Manschettenknopf *m.* -(e)s, ⸚e.
커피 Kaffee *m.* -s, -s. ¶~를 끓이다 Kaffee kochen. ‖ ~ 거르개 Kaffeefilter *m.* -s, - / ~ 세트[포트] Kaffee·service *n.* -, -s [-kanne *f.* -n] / 블랙 ~ schwarzer Kaffee.
컨덕터 Dirigent *m.* -en, -en; Kapellmeister *m.* -s, -.
컨디션 Form *f.* -en; Zustand *m.* -(e)s, ⸚e. ¶~이 좋다[나쁘다] in guter [außer] Form sein.
컨베이어 (Be)förderer *n.* -s, -. ‖ ~ 벨트 Fließband *n.* -(e)s, ⸚er / ~ 시스템 Fließarbeit *f.* -en; Fließbandsystem *n.* -s, -e.
컨테이너 Leichtmetallkiste *f.* (수송용); Container [Groß-Behälter] *m.* -s, -.
컨트롤 Kontrolle *f.* -n. ~하다 kontrollieren⁴; beherrschen⁴.
컬 Kraushaar *n.* -(e)s; Locke *f.* -n. ¶~이 풀린다 Die Locke wird aufgelöst.
컬러 Farbe *f.* -n. ‖ ~ 사진 Farbfoto *n.* -s, -s / ~ 영화 [필름] Farbfilm *m.* -(e)s, -e / ~ 텔레비전 Farbfernsehen *n.* -s; (수상기) Farbfernsehapparat *m.* -es, -e.
컬컬하다 durstig (sein); Durst haben. ¶목이 ~ Der Hals ist mir heiser [trocken; rauh].
컴백 Rückkehr *f.* -en; Comeback *n.* -s, -s. ~하다 zurück|kehren[-|kommen*].
컴컴하다 dunkel [schwarz; düster; matt] (sein); (마음이) hinterlistig [heimtückisch] (sein). ¶속이 컴컴한 사람 e-e hinterlistige Person, -en.
컴퍼스 Zirkel *m.* -s, -; (나침판) Kompaß *m.* ..passes, ..passe. ¶~로 재다 ab|zirkeln⁴.
컴퓨터 Computer [Komputer] *m.* -s, -; e-e elektronische Rechenanlage, -n; Datenverarbeitungsanlage *f.* -n. ¶~로 처리하다 e-n Computer bedienen.
컴프레서 Kompressor *m.* -s, -en.
컵 Glas *n.* -es, ⸚er; Trink[Wasser; Wein]glas; Pokal *m.* -s, -e; Becher *m.* -s.
컷글라스 das geschliffene Glas, -es, ⸚er.
컹컹 wau, wau! ¶개가 ~ 짓다 der Hund bellt „wau, wau".

ㅋ

케이블 Kabel *n.* -s, -. ‖ ~카 Drahtseilbahn *f.* -en / 공중 ~카 (Seil)schwebebahn *f.* / 해저 ~ Unterseekabel *n.* -s, -.

케이스[1] 《상자》 Etui [etví:] *n.* -s, -s; Futteral *n.* -s, -e; Schachtel *f.* -n.

케이스[2] 《경우》 Fall *m.* -(e)s, ¨e. ¶ ~바이~ von Fall zu Fall.

케이슨 Caisson *m.* -s, -s; Senkkasten *m.* -s, ¨(-). ‖ ~병 〖醫〗 Caissonkrankheit *f.* -en.

케이에스 KS-Norm *f.* -en 《Koreanische Industrienorm》. ‖ ~ 상품 die Ware, die der KS-Norm entspricht.

케이오 k.o.; K.O. [◀knock-out]. ¶ ~시키다 *jn.* nieder|schlagen*.

케이크 Kuchen *m.* -s, -; Cake [ke:k] *m.* -s, -s; Torte *f.* -n.

케첩 Ketchup [kétʃap] *n.* -s. ‖ 토마토 ~ Tomatenketchup.

케케묵다 alt 〔altmodisch; veraltet; abgedroschen〕 (sein). ¶ 케케묵은 생각 der veraltete Gedanke, -ns, -n / 케케묵은 이야기 die alte Geschichte, -n.

켄트지(一紙) Zeichenpapier *n.* -s.

켕기다 ① 《팽팽히》 (an)gespannt 〔zu eng; stramm〕 sein. ¶ 힘줄이 ~ [4]sich in der Sehne angespannt fühlen. ② 《마음이》 schuldbewußt sein; ein böses Gewissen haben; [4]sich über die Schuld beunruhigen. ③ 《맞당김》 miteinander (heran|)ziehen*.

켜 Schicht *f.* -en; Lage *f.* -n. ¶ ~를 이루다 in Haufen kommen*.

켜다 ① 《불을》 an|machen[4]; an|zünden[4]; 《전등을》 ein|schalten[4]. ¶ 불을 ~ das Licht ein|schalten / 라디오를 ~ Radio an|machen. ② 《물을》 (aus|)trinken[4]; saufen*. ¶ 물을 한 사발 들이~ e-n Becher Wasser aus|trinken*. ③ 《톱으로》 sägen[4]. ¶ 나무를 ~ Holz sägen. ④ 《악기를》 spielen 《ein Instrument》; 《바이올린을》 geigen. ¶ 바이올린을 ~ Violine 〔Geige〕 spielen. ⑤ 《누에고치를》 (ab|-)spinnen*. ⑥ 《기지개를》 [4]sich rekeln; die Gleider recken; gähnen.

켤레 Paar *n.* -(e)s, -e. ¶ ~로 팔다 paarweise verkaufen.

코[1] Nase *f.* -n; 《동물의》 Schnauze *f.* -n; 《코끼리의》 Rüssel *m.* -s, -; 《콧물》 Nasenschleim *m.* -(e)s; Rotz *m.* -es. ¶ ~를 골다 schnarchen / ~를 풀다 [3]sich die Nase schneuzen 〔putzen〕.

코[2] 《편물의》 Masche *f.* -n; Garnschlinge *f.* -n; Fadenschleife *f.* -n.

코감기(一感氣) Schnupfen *m.* -s, -. ¶ ~에 걸리다 [3]sich den Schnupfen holen.

코골다 schnarchen. ¶ 코고는 소리 Geschnarche *n.* -s, - / 드르렁드르렁 ~ laut schnarchen.

코끼리 Elefant *m.* -en, -en.

코냑 Kognak [kɔ́njak] *m.* -s, -e; Weinbrand *m.* -s.

코너 Ecke *f.* -n. ‖ ~킥 Eck·stoß *m.* -es, ¨e 〔-ball *m.* -(e)s, ¨e〕.

코담배 Schnupftabak *m.* -s. ¶ ~를 맡다 e-e Prise Tabak schnupfen; prisen.

코대답(一對答) ~하다 e-e barsche Antwort geben*; einsilbig 〔trocken〕 antworten.

코드 《줄》 Schnur *f.* -en; 《전깃줄》 der (elektrische) Draht, -(e)s, ¨e.

코딱지 Popel *m.* -s, -; Nasenschleim *m.* -(e)s, -e. ¶ ~를 후비다 popeln.

코떼다 kurz abgewiesen werden; derb zurückgewiesen werden.

코뚜레 Nasenring *m.* -(e)s, -e.

코란 Koran *m.* -s, -e.

코러스 〖樂〗 Chor [ko:r] *m.* -(e)s, ¨e.

코로나 〖天〗 Korona *f.* -nen.

코르덴 Kord *m.* -(e)s; Kordstoff *m.* -es, -e. ‖ ~ 바지 Kordhose *f.* -n.

코르셋 Korsett *n.* -(e)s, -e; (Schnür-)mieder *n.* -s, -.

코르크 Kork *m.* -(e)s, -e; Pfropfen *m.* -s, -. ¶ ~ 마개를 하다 (ver)korken[4].

코르티손 〖生化·藥〗 Kortison *n.* -s.

코머거리 e-e Person mit verstopfter Nase.

코뮈니케 Kommuniqué *n.* -s, -s; die amtliche Mitteilung, -en. ¶ ~를 발표하다 durch den amtlichen Anzeiger bekannt machen.

코미디 Komödie *f.* -n; Lustspiel *n.* -(e)s, -e.

코미디언 Komödiant *m.* -en, -en.

코믹 《희극적인》 komisch; lustig; 《만화》 Comic strips (*pl.*).

코민테른 Komintern *f.* [◀Kommunistische Internationale, -n].

코민포름 Kominform *n.* -s [◀Kommunistische Informationsbüro, -s, -s].

코바늘 Häkelnadel *f.* -n.

코발트 〖化〗 Kobalt *m.* -s 《기호 : Co》. ¶ ~색의 kobalten.

코방귀뀌다 über die Achsel an|sehen*; *jn.* wegwerfend 〔verächtlich〕 behandeln.

코방아찧다 auf die Nase fallen*.

코브라 〖動〗 Brillenschlange *f.* -n.

코사인 〖數〗 Kosinus *m.* -, - 〔-se〕 《기호 : cos》.

코세다 hartnäckig 〔halsstarrig; beharrlich〕 (sein).

코세크 〖數〗 Kosekans *m.* -, - 《기호 : cosec》.

코스 Kurs *m.* -es, -e; Laufbahn *f.* -en; 《경주의》 Rennbahn *f.* -en.

코스모스 〖植〗 Schmuckkörbchen *n.* -s, -.

코스모폴리탄 Kosmopolit *m.* -en, -en.

코안경(一眼鏡) Kneifer *m.* -s, -; Klemmer *m.* -s, -.

코앞 ¶ ~에 (*jm.* direkt) vor der Nase; in nächster Nähe / ~을 못 보다 übersehen* 〔versehen*〕, was direkt vor der Nase ist.

코웃음치다 hönisch 〔ironisch〕 lachen; spötteln 《*über*[4]》.

코일 〖電〗 Spule *f.* -n; Wick(e)lung 〔Windung〕 *f.* -en. ‖ 직렬〔병렬〕 ~ Serien〔Parallel〕wick(e)lung.

코즈메틱 Kosmetikum *n.* -s, ..ka.

코치 《훈련》 Schulung *f.* -en; Training *n.* -s, -s; 《사람》 Trainer *m.* -s, -. ~하다 an|leiten[4]; schulen[4]; trainieren[4].

코침주다 *js.* Nase kitzeln; *jm.* e-n Nasenstüber versetzen.

코카인 〖化〗 Kokain *n.* -s. ‖ ~ 중독 Kokainismus *m.* -.

코카타르 〖醫〗 Nasenkatarrh *m.* -s, -e.

코코아 Kakao *m.* -s.

코크스 Koks *m.* -es, -e.

ㅋ

코탄젠트 〖數〗 Kotangens *m.* -, - 《기호 : cot; cotg; ctg》.
코털 die Haare (*pl.*) in den Nasenlöchern. ¶ ~을 뽑다 *jn.* an der Nase herum|führen.
코트 Mantel *m.* -s, ⸚e; Überrock *m.* -(e)s, ⸚e; 《경기장》 Spielfeld *n.* -es, -er. 〔*n.* -(e)s, ⸚er.〕
코퓰러 〖文〗 Kopula *f.* -s〔-e〕; Satzband
코피 das Nasenbluten*, -s. ¶ ~가 나다 Die Nase blutet *jm.*
코허리 Nasenwurzel *f.* -n.
코헤르 Kocher *m.* -s, -. 〔-n, -n.〕
코흘리개 Rotznase *f.* -n; Rotzbube *m.*
콕[1] 《마개》 (Schließ)hahn *m.* -(e)s, -en.
콕[2] 《찌름》 stechend; scharf; prickelnd. ¶ 바늘로 ~ 찌르다 mit der Nadel stechen.
콘덴서 〖物〗 Kondensator *m.* -s, -en.
콘덴스트밀크 die kondensierte Milch *f.*
콘돔 Condom *m.* -s, -s.
콘드비프 Pökel〔Büchsen〕fleisch *n.* -es.
콘서트 Konzert *n.* -(e)s, -e. ‖ ~홀 Konzertsaal *m.* -(e)s, ..säle / 레코드 ~ Grammophonkonzert.
콘센트 〖電〗 Steckdose *f.* -n; (Steck-)kontakt *m.* -(e)s, -e; 《소켓》 Hülse *f.* 〔-n.〕
콘스타치 Stärkemehl *n.* -s, -e.
콘체르토 〖樂〗 Konzert *n.* -s, -e; 《악곡》 Konzertstück *n.* -(e)s, -e.
콘크리트 Beton *m.* -s, -s; Fluh *f.* ⸚e. ¶ ~를 하다 betonieren[4]. ‖ ~ 믹서 Betonmischmaschine *f.* -n / ~ 포장 Betonpflaster *n.* -s, -.
콘택트렌즈 Haftglas *n.* -es, ⸚er; Haftschale *f.* -n; Kontaktglas; Kontaktschale. ¶ ~를 끼고 있다 Haftgläser 〔Haftschalen〕 tragen*.
콘트라베이스 〖樂〗 Kontrabaß *m.* ..basses, ..bässe. 〔stich *m.* -(e)s, -e.〕
콘트라스트 Gegensatz *m.* -es, ⸚e; Ab-
콘트랄토 〖樂〗 Alt *m.* -(e)s.
콜걸 Call-Girl [kɔ́:lgœrl] *n.* -s, -s.
콜드크림 e-e Hautsalbe, -n; Cold Cream *f.* 〔*n.*〕 -s.
콜드게임 〖野〗 „called game" 《der Abbruch des Spiels beim Baseballspiel》.
콜레라 Cholera *f.*; Choleraepidemie *f.* -n. ‖ ~ 예방주사 Anticholera-Einspritzung *f.* -en / 진성 ~ die echte Cholera.
콜레스테롤 Cholesterol *n.* -s.
콜로타이프 Farbenlichtdruck *m.* -(e)s, -e. ‖ ~판 Farbplatte *f.* -n. 〔husten.〕
콜록거리다 e-n Hustenanfall haben;
콜록콜록 ¶ ~ 기침하다 dauernd husten.
콜론[1] Kolon *n.* -s, -s; Doppelpunkt *m.* -(e)s, -e. 〔Kündigung.〕
콜론[2] 〖經〗 das Darlehen auf tägliche
콜머니 〖經〗 tägliches Geld, -(e)s, -er; Tagesgeld.
콜사인 Rufzeichen *n.* -s, -.
콜타르 Steinkohlenteer *n.* -(e)s. ¶ ~를 바르다〔칠하다〕 mit Steinkohlenteer bestreichen*[4]. 〔-e.〕
콜호스 《집단 농장》 Kolchos *m.* 〔*n.*〕 -,
콤마 Komma *n.* -s, -s. ¶ ~로 끊다 ein Komma setzen.
콤비 Vereinigung *f.* -en; Bündnis *n.* -ses, -se; Kombination *f.* -en. ¶ …와 ~가 되다 mit *jm.* eine Partei bilden. ‖ 명~ ein gutes Paar.
콤비나트 Kombinat *n.* -(e)s, -e.
콤비네이션 Verbindung *f.* -en; 〖數〗 Kombination *f.* -en; 《바지》 Hemdhose *f.* -n.
콤팩트 Puderdose *f.* -n.
콤플렉스 Komplex *m.* -es, -e.
콧구멍 Nasenloch *n.* -(e)s, ⸚er; 《특히 말의》 Nüster *f.* -n. 〔-e.〕
콧김 Atem *m.* -s, -; Schnauf *m.* -s,
콧날 Nasenrücken *m.* -s, -. ¶ ~이 오뚝한 사람 e-e Person mit wohlgeformter Nase.
콧노래 das Summen*, -s. ¶ ~를 부르다 summen[4]; vor [4]sich hin summen.
콧대 ¶ ~가 세다 hartnäckig 〔eigensinnig〕 sein; die große Klappe haben / ~를 꺾다 *jn.* klein kriegen / ~가 높다 stolz 〔arrogant; übermütig〕 sein.
콧등 Nasenrücken *m.* -s, -.
콧마루 Nasenrücken *m.* -s, -.
콧물 der wäßrige Nasenschleim *m.* -(e)s, -e. ¶ ~이 흐르다 Die Nase läuft *jm.*
콧방울 Nasenflügel *m.* -s, -.
콧병(—病) ① 《코의 병》 Nasenkrankheit *f.* -en. ¶ ~을 앓다 an der Nasenkrankheit leiden*. ② 《병아리의》 ansteckende Hühnerkrankheit.
콧소리 Nasenstimme *f.* -n; die näselnde Aussprache, -n; 〖言〗 Nasallaut *m.* -(e)s, -e. ¶ ~로 말하다 näseln.
콧수염 Schnurrbart *m.* -(e)s, ⸚e. ¶ ~을 기르다 [3]sich den Schnurrbart wachsen lassen*. 〔Schnauf *m.* -(e)s, -e.〕
콧숨 Atem *m.* -s, - (durch die Nase);
콩 Bohne *f.* -n. ‖ 콩가루 das gedörrte Bohnenmehl, -s, -e / 콩강정 Süßigkeiten (*pl.*) aus gerösteten Bohnen u. Reisgluten / 콩고물 Bohnenmehl *n.* -(e)s, -e / 콩국 Bohnensuppe *f.* -n / 콩기름 Bohnenöl *n.* -s; Erdnußöl / 콩깍지 Bohnenkaff *n.* -(e)s, -e / 콩깻묵 die ausgepreßte Bohne, -n / 콩꼬투리 Bohnenschote *f.* -n / 콩죽 Bohnenbrei *m.* -(e)s, -e. 〔Leguminosen (*pl.*).〕
콩과(—科) 〖植〗 Hülsenfrüchter (*pl.*);
콩글로머릿 〖經〗 Konglomeration *f.* -en.
콩나물 die gekeimten Bohnen (*pl.*). ‖ ~ 교실 die übervolle Klasse / ~ 대가리 《음표》 Note *f.* -n; Noten〔Ton〕zeichen *n.* -s, - / ~ 시루 der Topf für die Keimung der Bohnensprossen.
콩밥 der mit Bohnen gemischte Reis, -es. ¶ ~ 먹다 《比》 s-e Strafe ab|sitzen*.
콩볶듯하다 kurze, helle, schnell aufeinanderfolgende knallende Geräusche von [4]sich geben*. ¶ 총소리가 ~ Schüsse knattern. 〔Bohnen (*pl.*).〕
콩자반(—佐飯) die in Sauce gekochten
콩쿠르 Wettbewerb *m.* -(e)s, -e; Konkurrenz *f.* -en.
콩튀듯(팥튀듯)하다 (vor Wut) aufspringen* 〔außer [3]sich sein〕.
콩트 Kurzgeschichte *f.* -n.
콩팥 〖解〗 Niere *f.* -n.
콰르텟 〖樂〗 Quartett *n.* -(e)s, -e.
콱 ① 《찌르다》 auf e-m Hieb; auf e-n Schlag 〔Ruck〕. ¶ 칼로 콱 찌르다 *jm.* mit e-m Dolch e-n Stoß geben*. ②

《말문 따위》 völlig; gänzlich. ¶가슴이 콱 막히다 plötzlich erstickend sein.

콸콸 ⁴sich ergießend; überfließend; hervorspritzend. ¶~ 흐르다 heftig aus|strömen 〔fließen*〕.

쾅 《터질 때》 das Dröhnen, -s; Knall *m.* -(e)s, -e; paff!; bumm!; bums!; peng! ~하다 dröhnen; schallen; brummen. ¶쾅 넘어지다 plump(s)end fallen*; bumsen / 문을 쾅 닫는다 Klatsch! schloß er die Tür zu. / 쾅 떨어지다 mit e-m Donnerknall fallen* / 쾅 부딪다 mit e-m Bums an|stoßen* / 대포를 쾅 쏘았다 Bumm! ging das Geschütz.

쾅쾅거리다 《터질 때》 dröhnen; donnern; durch Laut erzittern. ¶대포가 쾅쾅거린다 Kanonen dröhnen. / 마루가 쾅쾅거린다 Der Fußboden hallt wider.

쾌 ¶북어 두 쾌 zwei Schnuren getrocknete Pollacken.

쾌감(快感) angenehmes Gefühl, -s, -e; Lust *f.* ⸚e; Lustgefühl. ¶~을 느끼다 ⁴sich wohl fühlen; ein angenehmes Gefühl haben.

쾌거(快擧) ein imponierendes 〔gewaltiges; imposantes〕 Unternehmen*, -s; Heldentat *f.* -en.

쾌남아(快男兒) ein ganzer Bursche, -n, -n; ein famoser Kerl, -s, -e; Hauptkerl.

쾌도난마(快刀亂麻) ¶~의 솜씨를 보이다 den gordischen Knoten zerhauen*; ein kompliziertes Problem leicht lösen.

쾌락(快樂) Lust *f.* ⸚e; Genuß *m.* ..nusses, ..nüsse; 《만족》 Vergnügen *n.* -s, -. ¶~을 추구하다 dem Vergnügen nach|gehen* / 인생의 ~ Freude des Lebens / 육체적 ~ Fleischeslust *f.* ⸚e; Sinnlichkeit *f.* -en.

쾌락(快諾) ~하다 gern 〔auf der Stelle〕 ein|willigen 《in ⁴*et.*》; ein herzliches Jawort geben*³.

쾌보(快報) frohe 〔erfreuliche〕 Nachricht, -en; Freudenpost *f.* -en.

쾌사(快事) angenehme 〔erfreuliche〕 Sache, -n.

쾌속(快速) ~의 von hoher Geschwindigkeit; Expreß-. ¶~으로 mit größter Geschwindigkeit. ‖~선 Schnelldampfer *m.* -s, -.

쾌승(快勝) der glänzende Sieg, -(e)s, -e. ~하다 e-n glänzenden Sieg davon|tragen*.

쾌유(快癒) =쾌차(快差).

쾌재(快哉) ¶~를 부르다 e-n Freudenruf aus|stoßen*; Bravo rufen*.

쾌적(快適) ~하다 angenehm 〔erfeulich; behaglich〕 (sein). ¶소풍에 ~한 날씨 angenehmes Wetter für das Picknick.

쾌조(快調) ¶~이다 im guten 〔besten〕 Zustand sein / ~를 보이다 gut gehen*; glatt vonstatten gehen*.

쾌차(快差) ~하다 vom Krankenbett auf|stehen*; von e-r ³Krankheit genesen*.

쾌척(快擲) ~하다 *jn.* mit großer Beihilfe unterstützen.

쾌청(快晴) heiteres Wetter, -s, -. ~하다 schön 〔klar; wolkenlos〕 (sein). ¶~한 날씨다 schönes 〔klares〕 Wetter haben.

쾌활(快活) ~하다 heiter 〔munter; lustig; fröhlich〕 (sein). ¶~한 사람 der muntere 〔heitere〕 Mensch, -en, -en.

쾌히(快—) ① 《즐거이》 glücklich; angenehm; wohl; behaglich. ② 《기꺼이》 gern; entgegenkommend; mit Vergnügen; willig. ¶~ 승낙하다 bereitwillig zu|stimmen³; ein|willigen 《*in*⁴》.

쿠데타 Coup-d'etat *m.* -s, -s. ¶~를 일으키다 e-n Coup-d'etat 〔Staatsstreich, -es, -e〕 aus|führen. ‖군부〔무혈〕 ~ der militärische 〔blutlose〕 Coup-d'etat.

쿠렁쿠렁하다 nicht ganz voll sein.

쿠션 Kissen *n.* -s, -; Matratze *f.* -n.

쿠페 Coupé *n.* -s, -s 《자동차》; Abteil *n.* -s, -e 《기차의 객실》.

쿠폰 Coupon 〔Kupon〕 *m.* -s, -s. ¶~으로 사다 ⁴*et.* gegen den Gutschein kaufen.

쿡¹ =쿡².

쿡² 《요리사》 Koch *m.* -(e)s, ⸚e.

쿨쿨 ¶ ~ 자다 fest 〔unbeweglich〕 schlafen*.

쿵 ¶쿵하고 떨어지다 mit e-m Donnerknall fallen*; mit e-m Bums herunterfallen*; bumsen / 쿵하고 부딪치다 mit e-m Bums an|stoßen*.

퀀셋 〖建〗 (bogenförmige) Wellblechhütte, -n.

퀭하다 《눈이》 hohl (sein). ¶퀭한 눈 hohle Augen.

퀴닌 〖藥〗 Chinin *n.* -s.

퀴즈 Quiz *n.* -; Rätsel *n.* -s, -. ‖~프로 Rätselsendung *f.* -en.

퀴퀴하다 stinkend 〔stinkig; übelriechend〕 (sein).

퀸 Königin *f.* -nen.

큐 ① 《당구의》 Queue *n.* -s, -s. ② 《방송에서》 ¶큐를 주다 e-n Wink geben*³.

큐비즘 〖美〗 Kubismus *m.* -.

크기 Größe *f.* -n; Umfang *m.* -(e)s 《부피》; Ausdehnung *f.* -en 《넓이》. ¶~가 같다〔다르다〕 dieselbe〔verschiedene〕 Größe haben.

크나큰 beträchtlich groß; so groß wie möglich. ¶~ 건물 ein massives Gebäude.

크낙새 〖鳥〗 Specht *m.* -es, -e.

크다 《모양이》 groß 《größer, großt》 (sein); 《부피가》 massig 〔umfangreich〕 (sein); 《소리가》 laut (sein); 《키가》 groß 〔schlank〕 (sein); 《용적이》 voluminös (sein); 《거대함》 riesig 〔riesenartig; enorm〕 (sein); 《광대함》 unermeßlich 〔weit ausgedehnt〕 (sein). ¶큰 잘못 der grobe Fehler, -s, - / 큰 기대 die volle Erwartung, -en / 큰 재산 das große Vermögen, -s, - / 크게 하다 groß 〔größer〕 machen⁴ / 마음이 ~ großzügig 〔edel〕 sein.

크라운 Krone *f.* -n.

크라프트지(—紙) Pappe *f.* -n.

크랭크 Kurbel *f.* -n. ¶~인하다 〖映〗 e-n Film zu drehen an|fangen*. ‖~축 Kurbelwelle *f.* -n.

크레디트 Kredit *m.* -(e)s, -e.

크레용 Crayon 〔Krayon〕 *m.* -s, -s; Buntstift *m.* -(e)s, -e. ‖~화 Krayonzeichnung *f.* -en.

크레이터 Krater *m.* -s, - 《달의 분화구》.

크레인 Kran *m.* -s 〔-en〕, ⸚e 〔-en〕; Hebemaschine *f.* -n. ‖~차 Kranwagen

m. -s, -. ⌈seife f. -n.⌉
크레졸 Kresol n. -s. ‖ ~ 비누 Kresol-⌋
크레파스 Gletscherspalte f. -n.
크렘린 Kremlin; Kreml.
크로노- Chrono-. ‖ ~ 그래프 Chronograph m. -en, -en / ~ 미터 Chronometer n. -s, -.
크로스레이트 〖經〗 Wechselkurs 〔Devisenkurs〕 m. -(e)s, -e. ⌈kraulen.⌉
크롤 das Kraulen*, -s. ¶ ~로 헤엄치다⌋
크롬 〖化〗 Chrom n. -s 《기호 : Cr》. ‖ ~강(鋼) Chromstahl m. -(e)s, ⸚e 〔-e〕.
크리스마스 Weihnachten (pl.). ~의 weihnachtlich. ‖ ~ 선물 Weihnachtsgeschenk n. -(e)s, -e / ~이브 Weihnachtsabend m. -(e)s, -e / ~ 카드 Weihnachtskarte f. -n / ~ 캐럴 Weihnachtslied n. -(e)s, -er / ~ 케이크 Weihnachtskuchen m. -s, - / ~ 트리 Weihnachtsbaum m. -(e)s, ⸚e.
크리스천 Christ m. -en, -en.
크리스털 Kristall m. -s, -e.
크리켓 Kricketspiel n. -(e)s, -e; Kricket n. -s, -s. ⌈-s, ⸚e.⌉
크리크 Flüßchen n. -s, -; Kanal m.⌋
크림 Creme 〔Krem〕 f. -s; 《식용》 Sahne f. -n; Rahm m. -es. ¶ ~색의 creme (-farben) / ~을 넣다 sahnen.
큰곰자리 〖天〗 der Große Bär, -en; Ursa Major.
큰기침하다 [4]sich laut räuspern; laut „Ahe" sagen. ⌈-(e)s, -e.⌉
큰길 Hauptstraße f. -n; großer Weg,⌋
큰달 《긴 달》 der Monat mit 31 Tagen; 《만월》 Vollmond m. -(e)s.
큰댁(一宅) =큰집.
큰돈 viel Geld, -(e)s, -er. ¶ ~을 벌다 viel Geld verdienen / ~이 들다 viel Geld kosten / ~을 들여 만들다 mit großen Kosten her|stellen[4].
큰뜻 ① =대망(大望). ② 《목적》 hohes Ziel, -(e)s, -e. ¶ ~을 품다 [3]sich ein hohes Ziel setzen.
큰마음 ① 《대망》 der große Wunsch, -es, ⸚e; 《야심》 Ehrgeiz m. -es; 《아량》 Freigebigkeit f. -en. ¶ ~ 쓰다 großzügig handeln; freigebig sein 《jm. gegenüber[4]》.
큰물 Flut f. -en. ¶ ~나다 fluten; überschwemmt werden. ⌈-(e)s, ⸚e〕.⌉
큰불 Groß·feuer n. -s, - 〔-brand m.⌋
큰비 der sehr starke Regen, -s, -. ¶ ~가 오다 es regnet stark 〔heftig〕.
큰사람 ① 《키 큰》 ein großer Mann. ② 《위대한》 ein großer Mensch, -en, -en; e-e berühmte Person, -en. ⌈-.⌉
큰사위 der älteste Schwiegersohn, -s,⌋
큰살림 ein großer Haushalt, -es, -e. ~하다 e-n großen Haushalt führen.
큰상(一床) der feierlich gedeckte Tisch. ¶ ~을 받다 ein reichhaltiges Essen bekommen*.
큰소리 ① 《음성이》 die laute Stimme, -n. ② 《야단》 Schrei m. -(e)s, -e; Geschrei n. -(e)s. ¶ ~로 꾸짖다 mit lauter Stimme schelten*. ③ 《허풍》 die großen Worte (pl.); das Großtun*, -s; Prahlerei f. -en. ¶ ~ 치다 e-n großen Mund haben; prahlen.

큰손님 Ehrengast m. -(e)s, ⸚e.
큰아기 《맏딸》 die älteste Tochter, ⸚; die älteste Schwiegertochter.
큰아들 der älteste Sohn, -s, ⸚e.
큰아버지 der Onkel, der älter als sein Vater ist.
큰어머니 Tante 〔Muhme〕 f. -n (die Frau des alten Bruders des Vaters).
큰언니 die älteste Schwester.
큰오빠 der älteste Bruder eines Mädchens.
큰일 ① 《큰 사업》 das große Unternehmen, -s, -; das große Werk, -(e)s, -e. ¶ ~을 꾸미다 ein großes Unternehmen planen. ② 《큰 문제》 die ernste Angelegenheit, -en 〔Sache, -n〕; das schreckliche Ereignis, -ses, -se. ¶ ~(이) 나다 jm. [4]et. schreckliches zu|stoßen* / ~ 날 사람이다 Was für ein (schrecklicher) Mann! ③ 《대사》 die große Veranlassung, -en 〔Zeremonie, -n〕. ¶ ~을 치르다 ein Fest veranstalten 〔geben*〕.
큰절 《여자의》 e-e tiefe Verbeugung, -en. ~하다 e-e tiefe Verbeugung machen.
큰집 《종가》 das Haus des Stammhalters e-r Sippe; 《맏형의》 das Haus des ältesten Bruders; 《큰 건물》 ein großes Haus, -es, ⸚er.
큰코다치다 unerwartet bittere Erfahrungen machen.
큰형(一兄) der älteste Bruder, -s, ⸚. ‖ ~수 die älteste Schwägerin.
클라리넷 Klarinette f. -n. ‖ ~ 주자 Klarinet(t)ist m. -en, -en.
클라이맥스 Klimax f. -e. ¶ ~에 달하다 e-e Klimax erreichen.
클래스 Klasse f. -n. ‖ ~ 메이트 Klassenkamerad m. -en, -en.
클래식 Klassik f. ‖ ~ 음악 klassische Musik. ⌈hupen.⌉
클랙슨 (Auto)hupe f. -n. ¶ ~을 울리다⌋
클러치 〖機〗 Kuppelung f. -en.
클럽 ① Klub m. -s, -s; Verein m. -s, -e. ② 《골프채》 Golfschläger m. -s, -. ‖ ~ 회원 Klubmitglied n. -(e)s, -er.
클레임 〖經〗 Rückanspruch m. -(e)s, ⸚e; Schadenforderung f. -en. ¶ ~을 제기하다 Schadenforderung stellen.
클로로다인 〖藥〗 Chlorodyn n. -s, -.
클로로마이세틴 〖藥〗 Chloromycetin n.⌉
클로로포름 〖藥〗 Chloroform n. -s. ⌊-s.⌋
클로로필 =엽록소(葉綠素).
클로르칼크 〖化〗 Chlorkalk m. -(e)s, -e.
클로버 〖植〗 Klee m. -s, -arten. ¶ 네잎 ~ der vierblättrige Klee.
클로스 Leinwand f. ¶ ~ 장정의 in [3]Leinwand gebunden.
클로즈드숍 das Geschäft mit [3]Gewerkschaftszwang.
클로즈업 〖映〗 Groß〔Nah〕aufnahme f. -n. ¶ ~시키다 hervortreten lassen*[4].
클리닝 Reinigung f. -en. ‖ 드라이 ~ Reinigung auf trock(e)nem Wege.
클린치 〖拳〗 Umklammerung f. -en. ~하다 um|klammern[4].
클립 Papierklammer f. -n 《서류용》; Haarklammer 《머리의》.

큼직하다 《사물이》 recht groß (sein).

킁킁거리다 (mit der Nase) schnüffeln 〔schnuppern〕.

키¹ 《신장》 (Körper)größe *f.* –n; Wuchs *m.* –es, ⸚e. ¶키가 크다 groß sein; von hohem Wuchs sein / 키 순으로 nach der Größe.

키² 《배의》 Steuer(ruder) *n.* –s, –. ¶키를 잡다 steuern; das Steuer führen. ‖키잡이 Steuermann *m.* –(e)s, ..leute.

키³ 《까부는》 Schwinge *f.* –n. ¶키질하다 schwingen⁽*⁾⁴.

키⁴ Taste *f.* –n; Schlüssel *m.* –s, –. ‖키스테이션 Schlüsselsender *m.* –s, – / 키포인트 Kernpunkt *m.* –es, –e.

키네마 〖映〗 Kino *n.* –s, –s; Lichtspieltheater *n.* –s, –.

키니네, 키닌 ☞ 퀴닌.

키다리 die „lange Latte", –n; Hopfenstange *f.* –n.

키드 Chevreau *n.* 〔*m.*〕 –s, –s; Glacé *n.* –, –. ‖～ 장갑 Glacéhandschuh *m.* –s, –e.

키스 Kuß *m.* ..usses, ..üsse. ～하다 *jn.* küssen. ¶～를 보내다 *jm.* e–e Kußhand zu|werfen*.

키우다 größer machen; vergrößern; groß|ziehen*⁴; 《짐승을》 füttern⁴. ☞ 기르다.

키친 Küche *f.* –n.

키퍼 Wächter 〔Torhüter〕 *m.* –s, –. ‖골 ～ Torwächter *m.* –s, –; Torwart *m.* –(e)s, –e.

킥 〖蹴〗 Stoß *m.* –es, ⸚e. ～하다 e–n Ball stoßen*.

킥오프 〖蹴〗 Anstoß *m.* –es, –e.

킥킥거리다 kichern; verstohlen lachen.

킬로 Kilo–; 《중량》 Kilo *n.* –s, –. ‖～그램 Kilogramm *n.* –s, –e / ～미터 Kilometer *n.* –s, – / ～헤르츠 Kilohertz *n.* –, – 《略 : kHz》.

킬킬거리다 kichern; heimlich lachen.

킹사이즈 ～의 supergroß; übergroß.

킹킹거리다 winseln; wimmern; jaulen.

ㅌ

타개(打開) ～하다 ³sich hinweg|helfen* 《*über*⁴》; hinweg|kommen*. ¶그는 간신히 난국을 ～했다 Mit knapper Not schlug er sich durch.

타격(打擊) Schlag *m.* –(e)s, ⸚e; Streich *m.* –(e)s, –e; Stoß *m.* –es, ⸚e; Hieb *m.* –(e)s, –e; Schock *m.* –s, –e. ¶～을 주다 e–n Stoß geben* 〔versetzen〕 《*jm.*》 / ～을 받다 e–n Schlag erleiden*. ‖기동 ～대 große Sturmtruppe, –n.

타결(妥結) das Übereinkommen*, –s; Vereinbarung *f.* –en. ～하다 zu e–m Übereinkommen gelangen; ⁴sich vergleichen* 《mit *jm. über*⁴》. ¶교섭이 ～되었다 die Verhandlung ist abgemacht.

타계(他界) ～하다 sterben*; hin|scheiden*.

타고나다 (an)geboren sein; ausgestattet sein 《*mit*³》. ¶타고난 (an)geboren; natürlich.

타곳(他―) Fremdland *n.* –(e)s, ⸚er; Fremde *f.* –n. ¶～으로 이사가다 in die Fremde um|ziehen*.

타관(他官) ＝타향.

타구(唾具) Spucknapf *m.* –(e)s, ⸚e.

타국(他國) Ausland *n.* –(e)s, ⸚er; fremdes Land, –(e)s, ⸚er. ～의 fremd; fremdländisch; ausländisch. ‖～인(人) Ausländer *m.* –s, –; der Fremde*, –n, –n.

타기(唾棄) ～하다 Abscheu haben 《*vor*³》; ⁴sich ekeln 《*vor*³》. ¶～할 abscheulich; ekelhaft; verhaßt; verwerflich.

타내다 durch Bitten erreichen; zu erreichen versuchen; *jn.* erbitten*; erhalten*; bekommen*. ¶어머니에게서 용돈을 ～ *js.* Taschengeld von der Mutter bekommen*.

타다¹ ① 《연소》 brennen*; lodern; flammen; flackern; glühen; verbrennen*. ¶다 타 버리다 aus|brennen*; ab|brennen* 《촛불 등이》. ② 《볕에》 (von der Sonne) verbrannt werden. ¶얼굴이 까맣게 ～ *js.* Gesicht von der Sonne ganz verbrannt sein. ③ 《눋다》 an|brennen* 《음식》; versengen 《옷》; verbrennen*. ¶밥이 탔다 Der Reis ist angebrannt. ④ 《목이》 vor Durst verschmachten. ⑤ 《정열에》 brennen*; glühen; 《애탐》 ⁴sich quälen 〔martern〕; ängstlich sein. ¶타오르는 정열 die verzehrende Leidenschaft / 애가 ～ beängstigend 〔besorgt〕 sein.

타다² ① 《탈것에》 steigen* 《*auf*⁴; *in*⁴》; ein|steigen* 《*in*⁴》; besteigen*⁴. ¶차를 ～ in den Wagen ein|steigen* / 말을 ～ aufs Pferd steigen* / 자전거를 ～ ⁴sich auf das Rad setzen / 배를 ～ an Bord gehen*. ② 《산·나무·줄을》 ersteigen*; erklimmen; hinauf|klettern 《*auf*⁴》. ¶산을 ～ auf den Berg steigen*. ③ 《얼음을》 auf dem Eise laufen*. ④ 《기회를》 aus|nützen⁴; Vorteil 〔Nutzen〕 ziehen* 《*aus*³》; ³sich zunutze machen⁴. ¶틈을 ～ ³sich ein Weilchen freie Zeit zunutze machen / 기회를 ～ e–e Gelegenheit ergreifen*.

타다³ 《액체에 섞다》 (hin)ein|legen⁴; versetzen⁴; mischen; mengen⁴. ¶술에 물을 ～ Wein mit Wasser vermischen 〔mischen; versetzen〕.

타다⁴ 《받다》 erhalten*⁴; bekommen*⁴; empfangen*⁴. ¶회사에서 급료를 ～ von der Firma das Gehalt beziehen* / 상을 ～ e–n Preis gewinnen*.

타다⁵ 《걸핏하면》 geneigt sein 《*zu*³》; öfters vor|kommen*. ¶부끄럼 ～ ⁴sich leicht genieren 〔beschämt fühlen〕.

타다⁶ ① 《악기를》 spielen 《*auf*³》. ¶풍금을 ～ auf der Orgel spielen. ② 《솜을》 Watte auf|lockern.

타당(妥當) ～하다 angemessen 〔richtig; vernünftig〕 (sein); 《합법적인》 (rechts-)gültig (sein). ‖～성 Gültigkeit *f.*

타도(打倒) ～하다 nieder|schlagen*⁴; vernichten⁴. ¶공산주의를 ～하라 Nieder mit dem Kommunismus!

타동사(他動詞) 〖文〗 ein transitives Verb, –s, –en.

타락(墮落) Verderbtheit 〔Entartung〕 *f.* –en; Verfall *m.* –(e)s; 《소녀의》 Fall *m.* –(e)s, ⸚e. ～하다 verderben*; entarten; fallen*. ¶～한 verderbt; entartet; gefallen; abtrünnig.

타래 Strang *m.* -(e)s, ⸚e; Rolle *f.* -n. ¶실 한 ～ ein Strang Garn 〔Faden〕.

타래송곳 ① 《나사송곳》 Nagel〔Drill〕bohrer *m.* -s. ② 《병마개 빼는》 Korkzieher *m.* -s, -.

타력(惰力) Beharrungsvermögen *n.* -s; Triebkraft *f.* ⸚e.

타령(打令) e-e Art Melodie 〔Weise〕; Ballade 《민요》.

타르 Teer *m.* -(e)s, -e. ¶～를 칠하다 teeren^{4}; mit Teer bestreichen*^{4}.

타매(唾罵) ～하다 verleumden; beleidigen; kränken; nach|reden.

타박 Nörgelei *f.* -en; Schmälerung 〔Beeinträchtigung〕 *f.* -en. ～하다 ständig nörgeln; beeinträchtigen; schmälern.

타박(打撲) Schlag *m.* -(e)s, ⸚e; Hieb *m.* -(e)s, -e. ‖ ～상(傷) Schlagwunde 〔(Blut)beule〕 *f.* -n.

타분하다 verfault 〔schimmlig; altmodisch; moderig〕 (sein).

타산(打算) Berechnung *f.* -en; eigennützige Überlegung, -en. ～적 berechnend. ¶～이 맞다 ^{4}sich lohnen; genug ein|bringen*.

타살(他殺) Mord *m.* -(e)s, -e; Tötung *f.* -en. ¶～의 혐의가 있다 e-s Mordes verdächtig sein.

타살(打殺) Totschlag *m.* -es, ⸚e; das Totschlagen*, -s. ～하다 tot|schlagen*; e-n Totschlag verüben.

타선(唾腺) 〖解〗 Speicheldrüse *f.* -n.

타성(惰性) Trägheit *f.*; Beharrungsvermögen *n.* -s; 《습관》 Gewohnheit 〔Faulheit〕 *f.* -en.

타수(舵手) Steuermann *m.* -(e)s, ..leute; Lenker *m.* -s, - (e-s Schiffs).

타악기(打樂器) Schlaginstrument *n.* -(e)s, -e.

타액(唾液) Speichel *m.* -s, -. ‖ ～선 = 타선(唾腺).

타오르다 auf|flammen; auf|lodern; die Flamme loht 〔lodert〕.

타원(楕圓) 〖數〗 Ellipse *f.* -n. ‖ ～ 운동 die elliptische Bewegung, -en / ～형 Oval *n.* -s, -e.

타월 Handtuch *n.* -(e)s, ⸚er.

타율(他律) ～적 heteronom.

타의(他意) ¶～없는 arglos; ohne ^{4}Hintergedanken.

타이르다 *jm.* zu|reden; *jn.* überreden 《설득》; *jn.* belehren 《지도》; predigen^{4} 《설교》; erklären^{4} 《설명》; ermahnen^{4} 《*zu*^{3}》 《경고》. ¶그릇된 행동을 ～ *jn.* wegen schlechten Betragens schelten*.

타이밍 ¶～이 좋은 rechtzeitig; gut angebracht / ～이 나쁜 ungelegen; nicht rechtzeitig.

타이어 (Rad)reifen *m.* -s, -; Gummireifen; Pneu *m.* -s, -s. ¶～를 바꿔 끼우다 den Reifen wechseln.

타이츠 Strumpfhose *f.* -n.

타이트스커트 ein enger Rock, -(e)s, ⸚e.

타이틀 Titel *m.* -s, -. ‖ ～ 매치 Meisterschaftswett〔Titel〕kampf *m.* -(e)s, ⸚e / ～ 방어 Titelverteidigung *f.* -en / ～ 보유자 Titelträger *m.* -s, -.

타이프라이터 Schreibmaschine *f.* -n.

타이피스트 《여자》 Tippfräulein *n.* -s, -; Maschinenschreiberin *f.* -nen.

타인(他人) der Fremde*, -n, -n; die fremde Person, -en; Außenseiter *m.* -s, - 《국외자》.

타일 Fliese 〔Kachel〕 *f.* -n. ¶～을 붙인 mit ^{3}Fliesen belegt.

타임 Zeit *f.* -en. ¶～을 재다 die Zeit messen*. ‖ ～레코드 Zeitrekord *m.* -(e)s, -e / ～리코더 Zeitrechner *m.* -s, - / ～스위치 〖電〗 Zeitschalter *m.* -s, -.

타자(打者) Schläger *m.* -s, -. ‖ 강～ ein guter Schläger / 대(代)～ ein Ersatzschläger.

타자기(打字機) =타이프라이터.

타작(打作) 《마당질》 Dreschen *n.* -s, -; Drescharbeit *f.* -en. ～하다 dreschen*^{4}; Körner durch Schlagen lösen.

타전(打電) ～하다 drahten^{34}; telegraphieren^{4}; ein Telegramm auf|geben*.

타조(駝鳥) Strauß *m.* -es, -e.

타진(打診) ～하다 《병을》 perkuttieren^{4}; beklopfen^{4}; 《의향을》 erforschen^{4}; erkunden^{4}; sondieren^{4}.

타짜(꾼) der unehrliche Spieler, -s, -; Schwindler *m.* -s, -.

타처(他處) anderer Platz, -es, ⸚e; andere Provinz, -en.

타파(打破) Ausrottung〔Beseitigung; Besiegung〕 *f.* -en. ～하다 aus|rotten^{4}; beseitigen^{4}; besiegen^{4}; nieder|brechen*^{4}. ¶악습을 ～하다 Mißbräuche ab|schaffen 〔auf|heben*〕.

타합(打合) ～하다 ^{4}sich mit *jm.* verabreden; verabreden^{4}; besprechen*^{4}. ¶날짜를 ～하다 ein Datum verabreden.

타향(他鄕) fremdes Land, -(e)s, ⸚er. ¶～에서 살다 in der Fremde wohnen.

타협(妥協) Vergleich *m.* -(e)s, -e; Kompromiß *m.* ..misses, ..misse. ～하다 den Vergleich schließen*. ¶～의 여지가 없다 Es gibt k-n Raum für e-n Kompromiß. ‖ ～안 Versöhnungsantrag *m.* -(e)s, ⸚e.

탁견(卓見) vortreffliche Ansicht, -en; vernünftige Meinung, -en.

탁구(卓球) Tischtennis *n.* -; Pingpong *n.* -s, -s.

탁론(卓論) das hervorragende Argument, -es, -e.

탁류(濁流) der schlammige 〔trübe〕 Strom, -(e)s, ⸚e.

탁마(琢磨) ～하다 《옥석을》 (den Edelstein) polieren; 《학문을》 fleißig studieren$^{(4)}$ 〔arbeiten〕. ‖ 절차(切磋) ～ der unermüdliche Fleiß, -es.

탁발(托鉢) ～하다 milde Gaben erbitten*; terminieren. ‖ ～승 Bettelmönch *m.* -(e)s, -e; ein bettelnder Priester, -s, -.

탁본(拓本) =탑본(搨本).

탁상(卓上) ～의 auf dem Tisch; am 〔vom〕 grünen Tisch. ‖ ～ 계획 der undurchführbare Plan, -(e)s, ⸚e / ～ 공론 die bloße 〔reine〕 Theorie, -n / ～ 시계 Tischuhr 〔Stutzuhr〕 *f.* -en.

탁송(託送) ～하다 die Übersendung an|vertrauen 《*jm.*》; übersenden*^{4} 《*jm. durch*^{4}》.

탁아소(託兒所) (Klein)kinderbewahranstalt *f.* -en.

탁월(卓越) ~하다 vortrefflich 〔überlegen; ausgezeichnet; vorzüglich〕 (sein).

탁음(濁音) 〖文〗 der stimmhafte Laut, -(e)s, -e.

탁자(卓子) Tafel *f.* -n; Tisch *m.* -es, ⌈-e.⌉

탁주(濁酒) =막걸리.

탁하다(濁—) 《물 등이》 trübe 〔unrein〕 (sein); 《소리가》 rauh 〔heiser; dumpf〕 (sein). ¶탁한 공기 unreine 〔dicke〕 Luft, ⸚e.

탄갱(炭坑) 〖坑〗 (Stein)kohlenbergwerk *n.* -(e)s, -e; (Steinkohlen)grube *f.* -n.

탄광(炭鑛) Kohlenbergwerk *n.* -(e)s, -e; Kohlengrube *f.* -n. ‖ ~ 지대 Kohlengegend *f.* -en.

탄내 der brenzliche Geruch, -(e)s, ⸚e. ¶~나는 brenzlich.

탄내(炭—) Kohlendunst *m.* -(e)s, ⸚e.

탄도(彈道) Flug〔Geschoß〕bahn *f.* -en. ‖ ~ 곡선 die ballistische Kurve, -n / 대륙간 ~탄 die interkontinentale Rakete, -n.

탄두(彈頭) 〖軍〗 Gefechts〔Spreng〕kopf *m.* -(e)s, ⸚e. ‖ 핵~ Atomsprengkopf.

탄띠(彈—) Patronenband *n.* -(e)s, ⸚er.

탄력(彈力) Elastizität *f.* -en; Schnell〔Feder; Spann〕kraft *f.* ⸚e. ¶~있는 elastisch. ‖ ~성 Elastizität *f.* -en.

탄로(綻露) ~나다 entdeckt 〔enthüllt〕 werden.

탄막(彈幕) Sperre *f.* -n; Sperrfeuer *n.* -s, -. ¶~을 치다 Sperrfeuer ein|setzen.

탄산(炭酸) Kohlensäure *f.* ‖ ~ 가스 Kohlensäuregas *n.* -es / ~석회 der kohlensauere Kalk, -(e)s, -e / ~ 소다 kohlensaures Natron, -s; Natriumkarbonat *n.* -(e)s, -e / ~수 kohlensaures Wasser, -s / ~ 암모늄 Ammoniumkarbonat / ~염 Karbonat / ~천(泉) Sauerwasser *n.* -s, - / ~ 칼리 Kaliumkarbonat / ~ 칼슘 Kalziumkarbonat.

탄생(誕生) Geburt *f.* -en. ~하다 ins Leben treten*; geboren werden.

탄성(歎聲) Seufzer *m.* -s, -; Klageruf *m.* -(e)s, -e 《비탄의 소리》. ¶~을 발하다 e-n Seufzer〔Klageruf〕 aus|stoßen*.

탄성(彈性) 〖物〗 Elastizität *f.* ‖ ~ 고무 Gummielastikum *n.* -s; Kautschuk *m.* 〔*n.*〕 -s, -e / ~률 Elastizitätsmodul *m.* -s, -n / ~체 elastischer Körper, -s, - / ~파 elastische Welle, -n.

탄소(炭素) Kohlenstoff *m.* -(e)s, -; Karbon *n.* -s. ‖ ~봉 Kohlenstab *m.* -(e)s, ⸚e / ~지(紙) Kohle(n)papier *m.* -s, -e / 방사성 ~ Radiokohlenstoff *m.* -(e)s, -e / 일산화 ~ Kohlenmonoxyd *n.* -(e)s, -e.

탄수화물(炭水化物) 〖化〗 Kohlenhydrat ⌈*n.* -(e)s, -e.⌉

탄식(歎息) Seufzer *m.* -s, -. ~하다 seufzen; e-n Seufzer aus|stoßen*; klagen 《*über*⁴》.

탄신(誕辰) Geburtstag *m.* -(e)s, -e.

탄알(彈—) Flintenkugel *f.* -n; Geschoß *n.* ..sses, ..sse. ¶~을 빼다 entladen*.

탄압(彈壓) ~하다 unterdrücken⁴; bedrängen⁴; nieder|drücken⁴. ¶~적 hart; streng; grausam; tyrannisch; unterdrückend. ‖ 언론 ~ die Einschränkung der Redefreiheit.

탄약(彈藥) Munition *f.* -en. ‖ ~고 Munitionskammer *f.* -n / ~ 상자 Munitionskasten *m.* -s, - 〔⸚〕 / ~차 Munitionswagen *m.* -s, -.

탄우(彈雨) Kugelregen *m.* -s; der Hagel von ³Geschossen.

탄원(歎願) das Anflehen*, -s; Bitte *f.* -n. ~하다 an|flehen 《*jn. um*⁴》; bitten* 《*jn. um*⁴》. ‖ ~서 Bittschreiben ⌊*n.* -s, -.⌋

탄일(誕日) =탄신

탄저병(炭疽病) Milzbrand *m.* -(e)s, ⸚e 《동물의》; Anthraxnose *f.* -n 《식물의》.

탄전(炭田) Kohlenfeld *n.* -(e)s, -er.

탄젠트 〖數〗 Tangente *f.* -n.

탄주(彈奏) ~하다 spielen⁴; ⁴*et.* auf|führen 〔vor|stellen〕.

탄질(炭質) die Qualität der Kohle.

탄착점(彈着點) Schußziel *n.* -(e)s, -e; Einschlagspunkt *m.* -(e)s, -e.

탄창(彈倉) Magazin *n.* -s, -e; Munitionsdepot *n.* -s, -s.

탄층(炭層) 〖地〗 (Stein)kohlen·flöz *n.* -es, -e 〔-lager *n.* -s, -〕.

탄탄(坦坦) ~하다 eben 〔flach; glatt〕 (sein). ¶~한 길 ebener Weg, -(e)s, -e. ‖ ~대로 die breite u. flache Hauptstraße, -n.

탄피(彈皮) Patronenhülse *f.* -n.

탄하다 ⁴sich ein|mischen 《*in*⁴》; ein|greifen*《*in*⁴》; intervenieren 《*in*⁴》.

탄핵(彈劾) die (öffentliche) Anklage, -n. ~하다 an|klagen⁴ 《²*et.*》.

탄화(炭化) ~하다 verkohlen. ‖ ~물 Karbid *n.* -(e)s, -e / ~법 Karbonisation *f.* -en / ~ 수소 Kohlenwasserstoff *m.* -(e)s, - / ~ 칼슘 Kalziumkarbid.

탄환(彈丸) =탄알. ‖ ~ 열차 FD-Zug *m.* -(e)s, ⸚e; Fernschnellzug; Blitzzug.

탄흔(彈痕) Schußloch *n.* -es, ⸚er.

탈 Maske 〔Larve〕 *f.* -en; 《比》 Schein *m.* -(e)s, -e; Verstellung *f.* -en.

탈(頉) ① 《사고》 Un(glücks)fall *m.* -(e)s, ⸚e; Unglück *n.* -(e)s. ¶탈 없이 ohne ⁴Zwischenfälle 〔⁴Unfall〕. ② 《병》 Krankheit 〔Unpäßlichkeit〕 *f.* -en. ¶탈이 나다 krank werden.

탈것 Fahrzeug〔Fuhrwerk〕 *n.* -(e)s, -e.

탈고(脫稿) ~하다 ab|schließen* 〔beenden; vollenden〕 《e-e schriftliche ⁴Arbeit》.

탈곡(脫穀) ~하다 dreschen* 《⁴Korn; ⁴Weizen》. ‖ ~기 Dreschmaschine *f.* -n.

탈구(脫臼) Aus〔Ver〕renkung *f.* -en; Luxation *f.* -en. ~하다 ³sich aus|renken 《den ⁴Arm》.

탈당(脫黨) der Austritt aus e-r Partei. ~하다 aus e-r Partei aus|treten*. ‖ ~ 성명서 die schriftliche Austrittserklärung aus e-r Partei.

탈락(脫落) das Ausfallen*, -s; Auslassung *f.* ~하다 aus|fallen*; ab|fallen* 《낙오》. ‖ ~자 der Ausgeschlossene*, -n, -n.

탈모(脫毛) das Ausfallen* der Haare; Enthaarung *f.* ~하다 ab|haaren⁴; enthaaren. ‖ ~제 Enthaarungsmittel *n.*

ㅌ

-s, - / ~증 Haarausfall *m.* -(e)s, ¨e.
탈모(脫帽) ~하다 den Hut ab|nehmen*.
탈바꿈 Transformation *f.* -en; Metamorphose *f.* -n. ~하다 transformieren^4; ^{4}sich um|kleiden; ^{4}sich verkleiden.
탈법(脫法) ~하다 das Gesetz umgehen*. ‖ ~ 행위 Gesetzumgehung *f.* -en.
탈상(脫喪) die Beendigung der Trauerzeit. ~하다 die Trauerzeit beenden.
탈색(脫色) ~하다 bleichen*; entfärben^4. ‖ ~제 Bleichmittel *n.* -s, -.
탈선(脫線) ① (기차가) Entgleisung *f.* -en. ~하다 entgleisen (*aus*^{3}). ¶ 기차가 ~했다 Der Zug ist entgleist. ② (행동이) Verirrung (Abirrung) *f.* -en. ~하다 exzentrisch sein; ^{4}sich verirren; ab|irren.
탈세(脫稅) Steuerhinterziehung *f.* -en. ~하다 Steuern (Zölle) hinterziehen*.
탈속(脫俗) Überweltlichkeit *f.* ~하다 weltliche Gesinnung los|werden*^{24}.
탈수(脫水) Entwässerung *f.* -en. ~하다 entwässern^4; ^{3}*et.* das Wasser entziehen*. ‖ ~기(機) Trockenmaschine *f.* -n / ~제 Entwässerungsmittel *n.* -s, -.
탈쓰다 e-e Larve an|legen; ^{4}sich maskieren; (거짓 행동) heucheln^4; ^{4}sich verstellen.
탈영(脫營) ~하다 desertieren (aus *js.* Regimente); Reißaus nehmen*. ‖ ~병 Deserteur [..tø:r] *m.* -s, -e.
탈옥(脫獄) ~하다 aus dem Gefängnis aus|brechen*. ‖ ~수 Ausbrecher *m.* -s, -.
탈의장(脫衣場) Auskleidungsraum *m.* -(e)s, ¨e.
탈자(脫字) das Auslassen* e-s Wortes.
탈잡다(頉—) *jm.* e-n Dämpfer auf|setzen; bekritteln^4.
탈장(脫腸) Hernie *f.* -n; Eingeweidebruch *m.* -s, ¨e. ‖ ~대(帶) Bruchband *n.* -(e)s, ¨er.
탈주(脫走) Fahnenflucht *f.* -en. ~하다 aus|reißen*; desertieren. ‖ ~병 Ausreißer *m.* -s, -; Deserteur *m.* -s, -e.
탈지(脫脂) ‖ ~면(綿) Verbandwatte *f.* -n / ~유 Magermilch *f.*
탈진(脫盡) ~하다 aus|trocknen^4; vertrocknen^4; versiegen^4.
탈출(脫出) ~하다 entfliehen*^{3}; entgehen^3; entkommen*^{3}; fliehen*^{3} (*aus*^{3}; *von*^{3}). ¶ 구사 일생으로 ~하다 mit dem Leben davon|kommen*. ‖ ~구(口) Hintertür *f.* -en.
탈춤 Maskentanz *m.* -es, ¨e.
탈취(脫臭) Desodorierung (Geruchlosmachung) *f.* -en. ~하다 desodorieren^4. ‖ ~제 desodorierendes Mittel, -s, -; Desodorans *n.* -.
탈취(奪取) ~하다 ^{4}*et.* von *jm.* erbeuten; *jn.* ^{2}*et.* berauben.
탈퇴(脫退) ~하다 ab|fallen* (*von*^{3}); aus|treten* (*aus*^{3}); ^{4}sich trennen (*von*^{3}).
탈피(脫皮) ~하다 ^{4}sich häuten; ^{4}sich mausern; (구태를) entwachsen.
탈항(脫肛) 【醫】 Mastdarmvorfall *m.* -(e)s, ¨e; Prolaps *m.* -es, -e.
탈환(奪還) ~하다 wieder|gewinnen*^{4}; wieder|ein|nehmen*^{4}; zurück|erobern^4.
탈황(脫黃) Entschwefelung *f.* -en. ~하다 entschwefeln^4.
탐관오리(貪官汚吏) der korrupte Beamte*, -n, -n.
탐구(探究) Studium *n.* -s, ..dien; (Er)forschung (Untersuchung) *f.* -en. ~하다 forschen (*nach*^{3}); erforschen^4; untersuchen^4; studieren^4. ¶ 진리를 ~하다 nach ^{3}Wahrheit forschen.
탐나다(貪—) nach ^{3}*et.* gierig sein; *jn.* (hungert u.) dürstet (*nach*^{3}); ^{4}sich gelüsten lassen* (*nach*^{3}).
탐내다(貪—) wollen*; begehren (*nach*^{3}); ^{4}*et.* wünschen.
탐닉(耽溺) ~하다 schwärmen (*für*^{4}); schwelgen (*in*^{3}).
탐독(耽讀) ~하다 ^{4}sich im Lesen vertiefen (versenken) (*in*^{3}); eifrig lesen*^{4}.
탐문(探聞) ~하다 ^{4}*et.* vom Hörensagen wissen*. ¶ ~한 바에 의하면 wie ich höre.
탐미(耽美) ~적 ästhetisch. ‖ ~주의 Ästhetizismus *m.* -.
탐방(探訪) Nachforschung (Erkundigung) *f.* -en. ~하다 ^{4}sich erkundigen (*nach*^{3}); interviewen (*jn.*). ‖ ~기(記) der Report der Nachforschung / ~기자 Reporter *m.* -s, -.
탐사(探査) Nach(Unter)suchung *f.* -en. ~하다 nach|suchen^4; untersuchen^4.
탐색(探索) ~하다 nach|forschen^3; (unter)suchen^4. ¶ 범인을 ~하다 nach e-m Verbrecher forschen. ‖ ~전 Erkundungskrieg *m.* -(e)s, -e.
탐스럽다 gut (schön; ansprechend; angenehm; voll u. weich) (sein).
탐승(探勝) ~하다 landschaftliche Schönheiten an|sehen*. ‖ ~객 der Schaulustige*, -n, -n.
탐식(貪食) Gefräßigkeit (Völlerei) *f.* ~하다 stark essen*^{4}; schlemmen; ^{3}sich den Magen über|laden*.
탐욕(貪慾) Hab(Geld; Raub)gier *f.*; Habsucht *f.* ~스럽다 (hab)gierig (habsüchtig; geizig) (sein).
탐정(探偵) (사람) Detektiv (Spion) *m.* -s, -e. ‖ ~ 소설 Detektivroman *m.* -s, -e / 사설 ~ Privatdetektiv.
탐조등(探照燈) Scheinwerfer *m.* -s, -. ¶ ~을 비치다 e-n Scheinwerfer richten (*auf*^{4}).
탐지(探知) ~하다 heraus|finden*^{4}; ausfindig machen^4; Wind bekommen* (*von*^{3}). ¶ 비밀을 ~하다 ein Geheimnis heraus|bekommen* (von *jm.*). ‖ ~기 Aufdecker *m.* -s, -.
탐탁스럽다, 탐탁하다 wünschenswert (willkommen; angenehm; erwünscht) (sein). ¶ 탐탁치 않은 nicht wünschenswert; unwillkommen; unangenehm; unerwünscht.
탐하다(貪—) begehren (*nach*^{3}); begierig sein (*nach*^{3}); brennen* (*auf*^{4}); gieren (*nach*^{3}); ^{4}sich gelüsten lassen* (*nach*^{3}). ¶ 폭리를 ~ auf ungesetzlichen Gewinn aus sein.
탐험(探險) Expedition *f.* -en. ~하다 erforschen^4. ‖ ~가 der Forschungsreisende*, -n, -n / ~대(隊) Expedition *f.* -en.
탑(塔) Turm *m.* -(e)s, ¨e; Pagode *f.*

-n. ¶탑을 세우다 e-n Turm errichten 〔bauen〕. ‖기념탑 Denksäule *f.* -n.

탑본(搨本) die geriebene Kopie, -n.

탑승(搭乘) ～하다 ein|steigen* (*in*^{4}); an ^{4}Bord gehen*. ¶비행기에 ～하다 ins Flugzeug ein|steigen*. ‖～원 Besatzung *f.* (승무원) / ～객 Passagier [pasaʒi:r] *m.* -s, -e.

탑재(搭載) ～하다 ein|schiffen^{4}; verladen*^{4}. ‖～량 Tragfähigkeit *f.*; Tonnengehalt *m.* -(e)s, -e.

탓 Folge *f.* -n (결과); Ursache *f.* -n (원인); Grund *m.* -(e)s, ⸚e (이유); Schuld *f.* -en (책임). ¶…의 탓으로 wegen^{2}; infolge^{2} / 나이 탓으로 wegen des Alters.

탓하다 zu|schreiben*^{4}(*jm.*); zu|rechnen^{4} (*jm.*); bei|messen*^{4} (*jm.*). ¶남을 ～ *jm.* ^{4}*et.* als Fehler an|rechnen.

탕 (소리) knall!; bumm(s)!; peng! ¶문을 탕 닫다 die Tür zu|schlagen*.

탕감(蕩減) ～하다 ^{4}*et.* im Konto tilgen; e-e Rechnung aus|gleichen*. ¶빚을 ～해 주다 die Rechnung der Schuld aus|gleichen*.

탕반(湯飯) die Suppe mit Reis; Reissuppe *f.* -n.

탕아(蕩兒) Liederjahn *m.* -(e)s, -e; Lüstling *m.* -s, -e.

탕약(湯藥) Dekokt *n.* -s, -e; Absud *m.* -(e)s, -e.

탕자(蕩子) der verlorene Sohn, -(e)s, ⸚e.

탕진(蕩盡) ～하다 verschwenden^{4}; vergeuden^{4}. ¶재산을 ～하다 sein Vermögen verschwenden 〔vergeuden〕.

탕치(湯治) Badekur *f.* -en. ～하다 e-e Badekur machen.

태(胎) 〔解〕 Mutterkuchen *m.* -s, -. ¶태를 가르다 die Nabelschnur schneiden*.

태(態) (맵시) Form 〔Figur〕 *f.* -en; das Aussehen*, -s. ¶고운 태 Anstand *m.* -(e)s, ⸚e.

태고(太古) uralten Zeiten (*pl.*); Urzeit *f.* -en. ～의 alt; uralt. ¶～부터 von alters her.

태권도(跆拳道) koreanische Selbstverteidigungskunst, ⸚e (mit leeren Händen kämpfend).

태그매치 Ringkampf der zwei Mannschaften.

태극(太極) ‖～기 koreanische Nationalflagge, -n / ～선(扇) der Fächer mit dem *Taegeuk* Symbol.

태기(胎氣) das (Vor)zeichen der Schwangerschaft.

태깔(態一) ① (태와 빛깔) Form u. Farbe. ② (교만한) die trotzige Haltung, -en. ～스럽다 trotzig 〔anmaßend; hochmütig〕 (sein).

태내(胎內) das Innere* des Leibes. ¶～에서(의) in Mutterleib / ～의 아이 das Kind im Mutterleibe.

태도(態度) Haltung *f.* -en. ¶강경한 ～ die feste Haltung, -en / 오만한 ～ das stolze Betragen*, -s / 비판〔우호〕적인 ～를 취하다 ^{4}sich kritisch 〔freundlich〕 verhalten*. ‖생활 ～ Lebensweise *f.* -n.

태동(胎動) (태아의) Kindesbewegung *f.* -en; (일의) Regung 〔Andeutung〕 *f.* -en. ～하다 ^{4}sich bewegen 〔regen〕; an|deuten^{4}.

태두(泰斗) Autorität *f.* -en. ¶그는 생물학계의 ～이다 Er ist e-e Autorität auf dem Gebiete der Biologie.

태만(怠慢) ～하다 fahrlässig 〔nachlässig〕 (sein). ‖직무 ～ die Vernachlässigung der Pflicht.

태몽(胎夢) Schwangerschaftstraum *m.* -(e)s, ⸚e.

태무(殆無) ～하다 fast nicht 〔schwerlich; kaum〕 (sein).

태반(太半) die größere Hälfte, -n; der größere Teil, -(e)s, -e. ¶일의 ～은 끝났다 Wir haben den Hauptteil der Arbeit geleistet.

태반(胎盤) 〔解〕 Mutterkuchen *m.* -s, -.

태부족(太不足) der große Mangel, -s, ⸚; das große Fehlen*, -s. ～하다 ungenügend 〔unzulänglich〕 (sein).

태산(泰山) ein großer Berg, -(e)s, -e. ¶할 일이 ～같다 Ich habe e-n Haufen von Arbeit zu erledigen. / ～명동에 서일필 Viel Lärm um nichts.

태생(胎生) ① 〔生〕 Viviparie *f.* ～의 vivipar. ② (출생) Geburt *f.* -en; (신분) Abkunft 〔Herkunft〕 *f.* ⸚e. ¶그는 귀족 ～이다 Er ist von adliger Herkunft.

태선(笞癬) 〔醫〕 Knotenflechte *f.* -n.

태세(態勢) Stellung *f.* -en; Zustand *m.* -(e)s, ⸚e. ¶전투 ～를 취하다 die Truppen zur Schlacht auf|stellen.

태아(胎兒) Embryo *m.* -s, -s. ‖～ 교육 die geistige Vorsorge der schwangeren Frau für ihre Leibesfrucht.

태양(太陽) Sonne. *f.* -n. ～의 sonnen-. ¶～이 뜨다〔지다〕 Die Sonne geht auf 〔unter〕. ‖～계 Sonnensystem *n.* -s / ～ 광선 die Sonnenstrahlen (*pl.*) / ～년 Sonnenjahr *n.* -(e)s, -e / ～등 Höhensonne / ～력 Sonnenkalender *m.* -s / ～시(時) Sonnenzeit *f.* -en / ～신 Sonnengott *m.* -es, ⸚er / ～열 Sonnenwärme *f.* / ～일(日) Sonnentag *m.* -(e)s, -e / ～ 전지 Sonnenbatterie *f.* -n / ～ 중심설 heliozentrische Theorie, ..rien / ～ 흑점 Sonnenfleck *m.* -(e)s, -e.

태어나다 geboren werden; zur Welt kommen*. ¶그에게 아들이 태어났다 Es wurde ihm ein Sohn geboren. / 태어날 때부터 von ^{3}Geburt an.

태업(怠業) Sabotage *f.* -n ～하다 sabotieren. ☞ 사보타주.

태연자약(泰然自若) ～하다 gefaßt bleiben*; Fassung bewahren.

태연(泰然) ～하다 gelassen 〔gefaßt; ruhig〕 (sein). ～히 gleichgültig; unberührt; unbewegt; seelenruhig.

태열(胎熱) 〔醫〕 das geborene Fieber, -s, -.

태엽(胎葉) (Trieb)feder *f.* -n. ¶시계 ～을 감다 e-e Uhr auf|ziehen*. ‖～ 장치 Federwerk *n.* -(e)s, -e / 시계 ～ Uhrfeder *f.* -n.

태우다^{1} ① (연소) (ver)brennen*^{4}; an|brennen*^{4}. ¶태워 버리다 nieder|brennen*^{4}. ② (눌리다) brennen*^{4}; versengen^{4} (lassen*^{4}). ¶옷을 ～ das Kleid versengen / 밥을 ～ Reis verbrennen*. ③ (애타다) entbrennen*^{4}. ¶속을 ～ ^{3}sich ^{4}*et.* zu Herzen nehmen*.

태우다^2 ① 《탈것에》 einsteigen lassen^{*4} 《차·배 등에》; an Bord führen^4 《배에》; reiten lassen^{*4} 《말에》; mit|nehmen^{*4} 《태워가다》. ¶역까지 태워 주실 수 있을까요 Können Sie mich bis zum Bahnhof mitnehmen? ② 《내기에 돈을》 Geld ein|setzen《*auf*^{4}》; e-e Wette an|bieten* 《*auf*^{4}》.

태음력(太陰曆) Mondkalender *m.* -s, -.

태자(太子) Kronprinz *m.* -en, -en. ‖~궁 der Palast des Kronprinzen / ~비 die Frau des Kronprinzen.

태조(太祖) der Gründer e-r Dynastie.

태질 ① 《메어침》 das Umstoßen*, -s; Niederwerfung *f.* ② 《벼타작》 das Dreschen*, -s. ~하다 dreschen^4; flegeln^4; umstoßen^{*4}; zu Boden werfen^{*4}.

태초(太初) Uranfang *m.* -(e)s.

태클 〖球技〗 das Fassen*, -s. ~하다 fassen^4.

태평(太平) ~하다 bequem 〔gemächlich 《마음 편한》; sorgenfrei 《걱정없는》〕 (sein). ¶천하 ~으로 살다 in guten Verhältnissen leben. ‖~성대 die friedliche Regierungszeit, -en.

태평양(太平洋) Pazifischer Ozean; Pazifik *m.* -s. ~의 pazifisch. ‖~ 전쟁 der Pazifische Krieg, -(e)s / ~ 함대 die Pazifische Flotte, -n.

태풍(颱風) Taifun *n.* -s, -e. ¶~이 내습하다 von e-m Taifun heimgesucht werden. ‖~ 경보 Taifunwarnung *f.* (~ 경보를 발하다 Taifunwarnung geben*) / ~권 Taifunsphäre *f.* -n / ~ 주의보 Taifunalarm *m.* -(e)s, -e.

태형(笞刑) das Peitschen*, -s; Prügelstrafe *f.* -n; Peitschung *f.* -en.

태환(兌換) 〖經〗 Einlösung 〔Konvertierung〕 *f.* -en. ~하다 ein|lösen^4; konvertieren^4. ‖~권〔지폐〕 (Bank)note *f.* -n; das konvertierbare Geld, -(e)s, -er / ~ 은행 Noten〔Zettel〕bank *f.* -en / ~ 제도 Konvertiersystem *n.* -s, -.

태후(太后) Kaiserinwitwe *f.* -n. ☞황태후.

택시 Taxi *n.* -(s), -(s); Taxe 〔Droschke〕 *f.* -n. ¶~를 잡다 Taxi nehmen*. ‖~미터 Fahrpreisanzeiger *m.* -s, -; Taxameter *n.* 〔*m.*〕 -s, - / ~ 요금 die Taxigebühren (*pl.*) / ~ 운전사 Taxifahrer *m.* -s, - / ~ 주차장 Droschkenparkplatz *m.* -es, ¨e.

택일(擇日) ~하다 den Tag 〔das Datum〕 bestimmen 〔fest|setzen〕.

택지(宅地) (Bau)grundstück *n.* -(e)s, -e; Baugrund *m.* -(e)s, ¨e. ¶~를 조성하다 Baugrund formieren.

택하다(擇—) bestimmen; fest|setzen; wählen. ¶길일을 택하여 bei der glücklichen Gelegenheit.

탤런트 Talent *n.* -(e)s, -e; der Talentierte*, -n, -n.

탬버린 Tamburin *n.* -s, -e.

탭댄스 Steptanz *m.* -es. ¶~를 추다 Step tanzen.

탯줄(胎—) Nabelschnur *f.* ¨e.

탱고 〖樂〗 Tango *m.* -s, -s. ¶~를 추다 Tango tanzen.

탱알 〖植〗 Aster *f.* -n; Sternblume *f.* -n.

탱자 〖植〗 die bengalische Quitte, -n. ‖~나무 der bengalische Quittenbaum, -(e)s, ¨e.

탱커 Tanker *m.* -s, -; Tankschiff *n.* -(e)s, -e.

탱크 ① 《유조》 Tank *m.* -(e)s, -e; Behälter *m.* -s, -. ② 《전차》 Panzer *m.* -s, -; Panzerwagen *m.* -s, -. ‖~로리 Tankauto *n.* -s, -s.

터^1 《장소》 Stelle *f.* -n; Platz *m.* -es, ¨e; Baugrund *m.* -(e)s, ¨e.

터^2 《예정》 Plan *m.* -(e)s, ¨e; Absicht *f.* -en. ¶…할 터이다 die Absicht haben; wollen.

터널 Tunnel *m.* -s, -. ¶~을 뚫다 e-n Tunnel bohren 《*durch*^{4}》; untertunneln^4.

터놓다 öffenen^4; offenherzig 〔freimütig〕 sein. ¶터놓고 말하다 kein Blatt vor den Mund nehmen*.

터닦다 die Grundlage verstärken; e-n Boden ebnen.

터덜거리다 《걸음을》 ^{4}sich schleppen; 《질그릇 등이》 stumpf klingen*.

터덜터덜 ¶~ 걷다 ^{4}sich fort|schleppen.

터득하다(攄得—) 《깨달음》 begreifen^{*4}; verstehen^{*4}; erfassen^4; 《숙달》 ^{3}sich ^{4}*et.* bemeistern; meistern^4. ¶진리를 ~ zur Wahrheit gelangen* / 요령을 ~ Kunstgriffe kennen|lernen.

터뜨리다 《갈라지게 하다》 brechen^{*4}; (zer-)reißen^{*4}; 《폭발》 explodieren lassen*; verpuffen. ¶종기를 ~ *js.* Geschwür brechen* / 울분을 ~ s-n Zorn aus|lassen* 《*an*^{4}》.

터럭 =털.

터무니없다 unerhört 〔ungewöhnlich; unsinnig〕 (sein). ¶터무니없는 〔없이〕 äußerst; übermäßig; übertrieben; ungemein / 터무니없는 거짓말을 하다 das Blaue vom Himmel herunter lügen.

터미널 Endstation *f.* -en.

터부 Tabu *n.* -s, -s. ¶~시(視)하다 als Tabu an|sehen*.

터빈 Turbine *f.* -n.

터세다 die Lage ist ungünstig.

터수 《처지》 *js.* Zustand *m.* -(e)s, ¨e; Posten *m.* -s, -; 《관계》 Verhältnis *n.* -ses, -se; Beziehung *f.* -en.

터울 der Unterschied des Alters zwischen Geschwister. ¶~이 잦다 oft Kind bekommen* 〔haben〕.

터전 Baugrundstück *n.* -(e)s, -e; Lage *f.* -n.

터주(—主) 〖民俗〗 der Schutzgott e-s Platzes 〔Orts〕.

터지다 ① 《갈라짐》 bersten; (los)platzen; splittern; (zer)brechen*; zerreißen*. ¶입술이 ~ Die Lippen springen auf. / 둑이 터졌다 Der Deich ist gebrochen. ② 《폭발물·사건 등이》 explodieren; bersten; zerplatzen; aus|brechen*. ¶화산이 ~ Der Vulkan bricht aus. / 놀라운 사건이 터졌다 Es ist etwas Schreckliches passiert.

터치 Berührung *f.* -en; Anschlag *m.* -(e)s, ¨e 《피아노》; (Pinsel)strich *m.* -(e)s, -e 《그림》. ¶가벼운〔대담한〕 ~로 그린다 Er malt mit leichtem〔kühnem〕 Pinsel.

턱^1 〖解〗 Kinn *n.* -(e)s, -e; Kiefer *m.* -s, -. ¶턱을 쓰다듬다 ^{3}sich das Kinn streichen* / 손으로 턱을 받치다 das Kinn 〔die Wange〕 auf die Hand stützen.

턱² 《높은데》 Ausladung〔Hervorragung〕 *f.* -en; (Tür)schwelle *f.* -n 《문턱》.

턱³ 《음식 대접》 Bewirtung *f.* -en; Festessen *n.* -s. ¶한턱 내다 〔하다〕 bewirten⁴《*mit*³》; Essen spendieren《*jm.*》; frei|halten*《*jn.*》.

턱⁴ 《까닭》 Grund *m.* -(e)s, ⸚e; das Warum*, -s. ¶내가 알 턱이 없지 Das geht mich nichts an. ② 《정도》 Grad *m.* -(e)s, -e; Ausmaß *n.* -es, -e; Grenze *f.* -n. ¶아직 그 턱이오 Das ist noch so weit.

턱⁵ ① ☞ 탁. ② 《안심》 beruhigt; unbesorgt; ruhig. ¶그것을 보고 마음을 턱 놓았다 Bei diesem Anblick fühlte ich mich beruhigt 〔erleichtert〕.

턱걸이 《철봉의》 Hang *m.* -(e)s, ⸚e. ～하다 den Hang üben; in Hangstellung verharren.

턱끈 《모자의》 Kinnriemen *m.* -s, -.

턱밑 ① 《턱의 끝》 Kinnspitze *f.* -n. ② 《가까운 곳》 in nächster Nähe. ¶～에 두고 보지 못하다 ⁴*et.* nicht sehen*, was in nächster Nähe ist.

턱받이 (Sabber)lätzchen *n.* -s, -.

턱뼈 Kieferknochen *m.* -s, -.

턱수염(―鬚髯) Kinn〔Ziegen〕bart *m.* -(e)s, ⸚e.

턱시도 Smoking *m.* -s, -s.

턱없다 ① 《근거 없음》 grundlos 〔unvernünftig; sinnlos; unsinnig〕 (sein). ¶턱없는 거짓말 die starke Lüge, -n. ② 《지나침》 äußerst 〔höchst; schrecklich; übermäßig〕 (sein). ¶턱없이 비싸다 〔싸다〕 schrecklich 〔lächerlich〕 teuer 〔billig〕.

턱찌끼 (Über)rest *m.* -(e)s, -e; Rückstand *m.* -(e)s, ..stände.

털 ① 《사람의》 Haar *n.* -(e)s, -e. ¶털이 많은 haarig; (dicht)behaart / 털이 없는 haarlos; unbehaart. ② 《짐승의》 Feder *f.* -n 《깃털》; 《솜털》 Flaum *m.* -(e)s; Flaumfeder 〔Daune〕 *f.* -n; 《양모》 Wolle *f.* -n; 《모피》 Fell *n.* -(e)s, -e. ¶털 외투 Pelzmantel *m.* -s, ⸚.

털가죽 ＝모피(毛皮).

털갈이 Mauser *f.* 《새의》; das Haaren*, -s 《짐승의》. ～하다 《새가》 (⁴sich) mause(r)n; 《짐승이》 (⁴sich) haaren.

털구멍 Pore *f.* -n.

털끝 ① 《털의 끝》 das Ende des Haares; Haarspitze *f.* -n. ② 《조금》 ein wenig. ¶～만큼도 (nicht) im geringsten; nichts weniger als; nie u. nimmer / 양심이라고는 ～만큼도 없다 Er hat k-n Funken von Gewissen.

털내의(―內衣) Wollenunterwäsche *f.* -n.

털다 ① 《제거》 ab|stäuben⁴ 《먼지를》; aus|bürsten⁴ 《솔로》; aus|klopfen⁴ 《두들겨서》. ¶책상 먼지를 ～ den Tisch (mit e-m Staubwedel) ab|stäuben / 옷의 눈을 ～ den Schnee von ³sich ab|schütteln. ② 《전부 내놓다》 (aus|)leeren⁴; 《도둑이》 *jn.* aus|plündern 《강탈》; *jn.* berauben². ¶주머니를 털어서 bis auf den letzten Pfennig / 손을 ～ (ein Geschäft) auf|geben*.

털리다 ① 《떨어짐》 abgestaubt 〔ausgeklopft〕 werden. ¶옷의 먼지가 잘 털린다 Das Kleid läßt sich leicht abstauben. ② 《도둑에게》 gestohlen 〔geplündert〕 werden. ¶소매치기에 돈을 털렸다 Der Taschendieb hat mir Geld geplündert.

털모자(―帽子) Pelz·mütze *f.* -n 〔-hut *m.* -(e)s, ⸚e〕.

털목도리 das wollene Halstuch, -(e)s, ⸚er; der wollene Schal, -s, -e.

털보 der Mann mit e-m starken Bart.

털셔츠 Wollhemd *n.* -(e)s, -e.

털실 Wollgarn *n.* -(e)s, -e; Wolle *f.* -n. ¶～로 뜨개질하다 mit ³Wollgarn 〔in ³Wolle〕 stricken.

털썩 mit e-m Plumps; mit dumpfem Schlag. ¶～ 주저앉다 ⁴sich mit e-m Plumps hin|setzen; hin|plumpsen 《*auf*⁴》.

털어놓다 ① 《전부 내놓다》 enthüllen⁴; (aus|)leeren⁴. ¶호주머니를 ～ *js.* Tasche leeren. ② 《마음 속을》 *jm.* offenbaren⁴; *jm.* im Vertrauen sagen; *jm.* gestehen*⁴ 《자백》. ¶비밀을 ～ *jm.* ein Geheimnis an|vertrauen 〔offenbaren〕 / 털어놓고 말씀드리면 offen gestanden; im Vertrauen gesagt.

털옷 die wollene Kleidung, -en.

털장갑(―掌甲) die wollene Handschuhe (*pl.*).

털털 ① 《걸음》 schwankend; wankend; wackelnd. ② 《소리》 klatternd; klirrend. ¶～ 소리가 나다 klappern; klirren.

털털거리다 ¶자동차가 털털거린다 Der Wagen stößt (auf der schlechten Straße). / 털털거리는 자동차 der klappernde Wagen, -s, -.

털털하다 ① 《사람이》 freigebig 〔gefreudig; generös〕 (sein). ② 《맛이》 ¶시금～ bittersauer 〔säuerlich〕 sein.

텀벙 p(l)atsch. ¶물에 ～ 뛰어들다 ins ⁴Wasser platschen. 〔plätschern.〕

텀벙거리다 ¶물 속에서 ～ im Wasser

텁석 mit e-m Schnapp; gierig; gefräßig. ¶～ 움켜쥐다 fest (er)greifen*.

텁석부리 der Starkbärtige*, -n, -n; ein Mann mit ³Vollbart.

텁수룩하다 《머리 등이》 ungekämmt 〔struw(w)elig; struppig〕 (sein); 《수염 등이》 unrasiert 〔ungepflegt〕 (sein). ¶텁수룩한 수염 der wilde〔ungepflegte〕 Bart, -(e)s, ⸚e.

텁텁하다 ① 《맛이》 unappetitlich 〔verdrießlich〕 (sein). ¶입이 ～ in *js.* ³Mund verdrießlichen Geschmack haben. ② 《성미가》 nachlässig 〔unordentlich; freigebig〕 (sein). ③ 《눈이》 trüb 〔triefend〕 (sein). ¶눈이 ～ trübe Augen haben.

텃세(―貰) die Miete für die Lage.

텃세하다(―勢―) vor den Neukommenden großen Herrn spielen.

텅 ¶텅 빈 leer; verlassen; unbewohnt.

텅스텐 Wolfram *n.* -s.

텅텅 ¶～ 빈 ganz leer.

테 《메우는》 Faßband *n.* -(e)s, ⸚er; Felge *f.* -n 《바퀴의》; Reif *m.* -(e)s, -e.

E

¶테를 두르다 Reifen legen (*um*⁴). ② (안경·사진 등의) Rahmen *m.* -s, -; (안경의) (Brillen)gestell *n.* -(e)s, -e. ¶금테 안경 die goldene Brille, -n. ③ (모자 띠) Rand *m.* -(e)s, ⸚er. ¶테가 넓은 모자 der breitrandige Hut, -(e)s, ⸚e. ④ (테두리) Rand *m.* ¶검은 테 Schwarz[Trauer]rand.

테너 〖樂〗 Tenor *m.* -s, ⸚e. ‖ ~ 가수 Tenorsänger *m.* -s, -; Tenorist *m.* -en, -en; Tenor.

테니스 〖競〗 Tennis *n.* -; Tennisspiel *n.* -(e)s, -e. ‖ ~ 경기 Tennisturnier *n.* -s, -e / ~ 선수 Tennisspieler *m.* -s, - / ~ 코트 Tennisplatz *m.* -es, ⸚e.

테두리 ① (둘레) Rahmen *m.* -s, -; (Ein)fassung *f.* -en. ② (범위) Rahmen *m.*; Bereich *m.* -(e)s, -e. ¶…의 ~ 안에서 im Rahmen⁽²⁾ (*von*³).

테라스 Terrasse *f.* -n.

테러 Terror *m.* -s. ~하다 terrorisieren. ‖ ~단 Terrorbande *f.* -n / ~리스트 Terrorist *m.* -en, -en / 백색[적색] ~ weißer [roter] Terror.

테마 Thema *n.* -s, ..men. ‖ ~ 뮤직 Kennmelodie *f.* -n / ~송 Themalied *n.* -(e)s, -er.

테스트 Prüfung *f.* -en; Probe *f.* -n; Test *m.* -(e)s, -e [-s]. ~하다 prüfen⁴; proben⁴. ‖ ~ 케이스 Probe[Test]fall *m.* -(e)s, ⸚e.

테이블 (Eß)tisch *m.* -es, -e; Tafel *f.* -n. ¶~에 앉다 ⁴sich an den Tisch [zur Tafel] setzen. ‖ ~ 스피치 Tischrede *f.* -n.

테이프 Band *n.* -(e)s, ⸚er; Zielband (결승점의); Tonband (녹음테이프). ‖ ~ 녹음 Tonbandaufnahme *f.* -n / ~ 리코더 Magnetophon *n.* -(e)s, -e.

테일라이트 Schluß[Rück]licht *n.* -(e)s, -er.

테제 〖哲〗 These *f.* -n.

테크니컬러 Naturfarbe *f.* -n.

테크닉 Technik [Kunstfertigkeit] *f.* -en.

텍스트 Lehrbuch *n.* -(e)s, ⸚er. ‖ ~북 Textbuch *n.* -(e)s, ⸚er.

텐트 Zelt *n.* -(e)s, -e. ¶~를 치다 ein Zelt auf|schlagen* [errichten]. ‖ ~ 생활 das Lagern* [das Kampieren*] -s.

텔레그래프 Telegraph *m.* -en, -en.

텔레비전 Fernsehen *n.* -s; Television *f.* ‖ ~ 방송 Fernseh·sendung *f.* -en [-rundfunk *m.* -(e)s, -e] / ~ 수상기 Fernseh·gerät *n.* -(e)s, -e [-apparat *m.* -(e)s, -e].

텔레타이프 Fernschreiber *m.* -s, -.

텔레파시 Telepathie *f.* -n.

텔렉스 Telex *m* -; Fernschreiber *m.* -s, -.

템페라 (화법·채료) Tempera *f.* -s; (그림) Temperamalerei *f.* -en.

템포 Tempo *n.* -s, -s; Geschwindigkeit *f.* (속도). ¶~를 바꾸다 ein anderes Tempo an|nehmen*.

토 (토씨) Partikel *f.* -n.

토건(土建) Bauarbeit *f.* -en; Bau *m.* -(e)s. ‖ ~업자 Bauarbeiter *m.* -s, -.

토관(土管) Ton[Steingut]röhre *f.* -n.

토굴(土窟) Grube [Höhle; Grotte] *f.* -n.

토기(土器) Steingut *n.* -(e)s, -e; Terrakotta *f.* -s [..kotten]. ‖ ~점 Töpferwarengeschäft *n.* -(e)s, -e.

토끼 Kaninchen *n.* -s, -; (산토끼) Hase *m.* -n, -n; Häsin *f.* -nen (암컷). ‖ ~굴 Hasenlager *n.* -s, - / ~장 Kaninchenstall *n.* -(e)s, ⸚e.

토끼풀 〖植〗 Klee *m.* -s, -arten.

토너먼트 Turnier *n.* -s, -e; Wettkampf *m.* -(e)s, ⸚e.

토닥거리다 klappern. ¶토닥거리며 아기를 재우다 e-n Säugling durch Streicheln einschlafen lassen*.

토담(土—) die Lehmmauer mit ³Ziegeldach. ‖ ~집 die Hütte mit Lehmmauer.

토대(土臺) (토단) Terrasse *f.* -n; (건물의) Grund[Unter]bau *m.* -(e)s, -e; (기초) Fundament *n.* -s, -e. ¶~를 쌓다 den Grund legen / 경제 건설에는 단단한 ~가 필요하다 Die Wirtschaft muß auf e-r gesunden Grundlage aufgebaut werden.

토라지다 (뿌루퉁함) mürrisch werden; maulen; übler ²Laune sein.

토란(土卵) Zehrwurzel *f.* -n; Taro *m.* -s, -s. ‖ ~국 Tarosuppe *f.* -n.

토로(吐露) ~하다 ergießen*⁴; äußern⁴; ⁴sich aus|schütten. ¶심정을 ~하다 ⁴sich frei aus|sprechen*.

토론(討論) Debatte *f.* -n; Erörterung *f.* -en. ~하다 debattieren (*über*⁴); erörtern⁴; disputieren (*über*⁴). ¶~에 부치다 ⁴*et.* zur Debatte bringen*. ‖ ~회 Debatte; Forum *n.* -s, -s [..ra].

토륨 〖化〗 Thorium *n.* -s (기호 : Th).

토르소 〖彫〗 Torso *m.* -s, -s; Rumpf *m.* -(e)s, ⸚e.

토마토 Tomate *f.* -n. ‖ ~ 소스 Tomatensauce *f.* -n.

토막 Stück *n.* -(e)s, -e; Stückchen *n.* -s, -; Schnitte [Scheibe] *f.* -n. ~내다, ~치다 in ⁴Stücke hauen*⁴. ‖ ~나무 die Abfälle (*pl.*) des Holzes / ~ 살인 사건 Verstümmelungsmordfall *m.* -(e)s, ⸚e.

토멸(討滅) ~하다 erobern⁴; unterwerfen* [unterjochen⁴] (*jn.* e-m anderen).

토목(土木) Ingenieur[Bau]wesen *n.* -s, -. ‖ ~ 건축업 Hochbauindustrie *f.* -n / ~ 공사 Bau *m.* -(e)s, -ten; Bauarbeit *f.* -en [-werk *n.* -(e)s, -e].

토박이 der Ortsansässige*, -n, -n. ‖ 서울 ~ der echte Seouler, -s, -; die echte Seouler Pflanze, -n.

토박하다(土薄—) (땅이) unfruchtbar [unproduktiv] (sein).

토벌(討伐) ~하다 bekämpfen⁴; bezwingen*⁴; unterwerfen*⁴. ‖ ~군[대] Strafexpedition *f.* -en; Streitkräfte (*pl.*).

토벽(土壁) Erdwand *f.* ⸚e.

토사(土砂) (흙과 모래) Erde u. Sand.

토사(吐瀉) Erbrechen u. Durchfall [Abführen]; das Brechpurgieren*, -s. ~하다 ⁴sich erbrechen* u. ab|führen. ‖ ~ 곽란 Erbrechen u. Durchfall.

토산물(土產物) die Lokalproduktionen (*pl.*); die Erzeugnisse (*pl.*) des Landes.

토산불알 〖漢醫〗 der wegen Elephantiasis geschwollene Hoden, -s, -.

토색(討索) ~하다 erpressen⁴.

토성(土星) Saturn *m.* -〔무관사: -s〕.

토성(土城) Erdbefestigung *f.* -en; die Wand aus Erde.

토속(土俗) Orts·gebrauch *m.* -(e)s, ⸚e 〔-sitte *f.* -n〕. ‖ ∼학 Ethnologie *f.*

토스 〖鏡〗 das Werfen* -s; Wurf *m.* -(e)s, ⸚e. ∼하다 werfen*.

토스트 Toast *m.* -es, -e. ¶ ∼를 굽다 Brot rösten.

토시 Pulswärmer *m.*-s, -. ¶ ∼를 끼다 Pulswärmer an|ziehen*. 「⸚er.」

토신(土神) 〖民俗〗 Erdgott *m.* -(e)s,

토실토실 voll; üppig. ¶ ∼ 살이 찌다 rund u. voll sein; dick u. wohlgenährt sein.

토악질(吐—) ① ∼하다 =토하다. ② 《부정 소득의》 Vergütung 〔Entschädigung〕 *f.* -en. ∼하다 *jm.* ^{4}*et.* vergüten; zurück|zahlen. ¶ 먹었던 돈을 ∼하다 zurück|zahlen, was man persönlich gebraucht hat.

토양(土壤) Erde *f.* -n; Boden *m.* -s, -. ‖ ∼ 조사 Bodenanalyse *f.* -n.

토역(土役) Erdarbeit *f.* -en. ∼하다 Erdarbeit machen.

토요일(土曜日) Sonnabend 〔Samstag〕 *m.* -(e)s, -e. 「in Schlamm.」

토욕질(土浴—) 《닭의》 das Sichwälzen

토우(土雨) der staubige Regen, -s, -.

토우(土偶) Tonfigur *f.* -en; Terrakotta *f.* ..tten.

토의(討議) Beratung 〔Besprechung〕 *f.* -en. ∼하다 (^{4}sich) beraten* 〔^{4}sich besprechen*〕 《mit *jm.* *über*^{4}》. ‖ ∼안 Diskussionsgegenstand *m.* -(e)s, ⸚e.

토인(土人) der Eingeborene*, -n, -n; der Einheimische*, -n, -n.

토일렛 Toilettenraum *m.* -(e)s, ⸚e. ‖ ∼페이퍼 Toilettenpapier *n.* -(e)s, -e.

토장(土葬) Beerdigung *f.* -en; das Versenken* in die Erde. ∼하다 beerdigen^4; bestatten^4.

토장(土醬) Bohnenmus *n.* -es, -e.

토제(吐劑) 〖藥〗 Brechmittel *n.* -s, -.

토지(土地) 《지면·육지》 Boden *m.* -s, - 〔⸚〕; Flur *f.* -en 《농토》; Grundstück *m.* -(e)s, -e 《부동산》; 《흙·땅》 Erde *f.* -n; Land *n.* -(e)s, ⸚er; 《영토》 Territorium *n.* -s ..rien. ‖ ∼ 개혁 Bodenreform *f.* -en / ∼ 대장 Grundbuch *n.* -(e)s, ⸚er / ∼ 매매 Grundstückshandel *m.* -s, ⸚ / ∼ 소유권 Grundbesitzertum *n.* -(e)s / ∼ 수용 die Enteignung des Grundstücks. 「Krankheit, -en.」

토질(土疾) Endemie *f.* -n; die östliche

토질(土質) die Beschaffenheit der Erde.

토착(土着) das Einheimischsein*, -s. ‖ ∼민 Ureinwohner *m.* -s, -; der Einheimische*, -n, -n.

토치카 〖軍〗 Betonunterstand *m.* -(e)s, ⸚e; Bunker *m.* -s, -; Position, -en.

토키 〖映〗 Tonfilm *m.* -(e)s, -e. ‖ ∼ 만화 die lebendige Karikatur, -en.

토탄(土炭) Torf *m.* -s, -.

토탈 total; 《총계》 Gesamt〔Total〕summe *f.* -n.

토테미즘 Totemismus *m.*

토템 〖史〗 Totem *n.* -s, -e〔-s〕. ‖ ∼ 숭배 Totemismus *m.* / ∼폴 Totempol *m.* -s, -e.

토픽 Gesprächs·gegenstand *m.* -(e)s, ⸚e 〔-stoff *m.* -(e)s, -e〕.

토하다(吐—) 《구토》 ^{4}sich erbrechen*; vomieren; 《마음 속을》 (^{4}sich) äußern; (^{4}sich) aus|drücken. ¶ 토할 것 같다 ^{4}sich erbrechen wollen* / 본심을 ∼ aus tiefstem Herzen sprechen*.

토혈(吐血) das Blutbrechen*, -s; Hämatemesis *f.* ∼하다 Blut brechen*.

토호(土豪) die einflußreiche 〔vielvermögende〕 Familie e-r Gegend. ‖ ∼질 Tyrannei 〔Unterdrückung〕 *f.* -en.

톡 ☞톡.

톡탁 tapp tapp tapp. ¶ 문을 ∼ 두드리다 an die Tür klopfen.

톡탁거리다 ^{4}sich 〔mit Fäusten〕 leicht schlagen*; miteinander fechten*.

톡톡하다 《피륙이》 dick 〔dicht; dicht gewoben〕 (sein).

톡톡히 ① 《엄히》 streng; stark; scharf. ¶ ∼ 책망을 듣다 streng gescholten werden. ② 《많이》 viel; e-n Haufen. ¶ 돈을 ∼ 벌다 viel Geld verdienen. ③ 《치밀하게》 eng; dicht. ¶ 베를 ∼ 짜다 das Leinen dicht weben*.

톤[1] 《무게》 Tonne *f.* -n. ¶ 톤수 Tonnengehalt *m.* -(e)s; Tonnage *f.* -n.

톤[2] 《소리》 Ton *m.* -(e)s, ⸚e. ¶ 톤을 낮추다 herab|stimmen^4; die Stimme senken; 《比》 mäßigen^4; auf den rechten Grad herab|setzen^4.

톨 Korn *n.* -(e)s, ⸚er; Körnchen *n.* -s 《쌀 따위의》. ¶ 한 톨의 쌀 ein Reiskorn.

톱[1] 《연장》 Säge *f.* -n. ¶ 톱질하다 sägen^4; ab|sägen^4; durch|sägen^4.

톱[2] 《우두머리》 Spitze *f.* -n. ¶ 톱을 끊다 an der ^{3}Spitze stehen* 〔führen; voran|-gehen*〕.

톱날, 톱니 Sägezahn *m.* -(e)s, ⸚e. ¶ 톱날을 세우다 die Säge schärfen; Sägezähne (*pl.*) stellen. 「rad 《여러 단의》.」

톱니바퀴 Zahnrad *n.* -(e)s, ⸚er; Stufen-

톱밥 Sägemehl *n.* -(e)s, -e.

톱상어(—魚) 〖魚〗 Sägefisch *m.* -es, -e.

톱질 das Sägen*, -s. ∼하다 (ab|)sägen^4; durch|sägen^4.

톱톱하다 《국물이》 dick 〔dicht〕 (sein).

톳 《김의》 ein Bündel der eßbaren Algen (*pl.*).

통[1] ① 《부피·몸집》 Größe *f.*; Umfang *m.* -(e)s, ⸚e; 《세는 말》 Kopf *m.* -(e)s, ⸚e. ¶ 다리통이 굵다 Sie hat dicke Beine. / 배추 세 통 drei Köpfe von Weißkohl. ② 《피륙의》 e-e Rolle, -n.

통[2] ① 《바람》 Folge *f.* -n; Resultat *n.* -(e)s, -e. ¶ 전쟁통에 infolge des Kampfes. ② 《동아리》 ¶ 한 통이 되다 komplottieren 《mit *jm.*》. 「breit sein.」

통[3] 《넓이》 Breite *f.* -n. ¶ 통이 넓다

통[4] 《온통·전혀》 ganz; gänzlich; völlig; ganz u. gar; durchaus. ¶ 그는 그것을 통 믿지 않는다 Er will es durchaus nicht glauben.

통(桶) Wanne 〔Dose; Büchse〕 *f.* -n; Kübel 〔Eimer〕 *m.* -s, -. ¶ 빨래통 Waschwanne *f.* / 성냥통 Streichholzschachtel *f.* 「〔Pfeife〕 *f.* -n.」

통(筒) 《원통》 Rohr *n.* -(e)s, -e; Röhre

통(通) 《서류 등의》 Exemplar *n.* -(e)s,

–e. ¶ 사본 3통 drei Kopien 《*pl.*》.
–통(通) 《정통한 사람》 (Sach)kenner *m.* –s, –; der Sachkundige*〔Sachverständige*〕 –n, –n; Experte *m.* –n, –n.
통가리 《곡식 더미》 der Haufen des Getreides.
통각(痛覺) 〖醫〗 Schmerzgefühl *n.* –(e)s, –e.
통감(痛感) ～하다 tief 〔genau〕 empfinden*^{4}; klar erkennen*. ¶ 책임을 ～하고 있다 Ich bin mir m–r Verantwortung tief bewußt.
통겨주다 *jm.* ^{4}*et.* ins Ohr flüstern; ^{4}*et.* an|deuten; e–e Andeutung machen 《*auf*^{4}》.
통겨지다 ① 《밝혀지다》 ans Licht kommen*; an den Tag kommen*. ¶ 비밀이 ～ das Geheimnis ist enthüllt. ② 《비어져 나옴》 ^{4}sich los|lösen 《*von*^{3}》; aus den Fugen gehen*. ¶ 책상 다리가 ～ die Beine des Tisches gehen aus den Fugen. ③ 《기회가》 《e–e Gelegenheit》 verpassen.
통격(痛擊) ein heftiger〔harter; schmerzlicher〕 Schlag, –(e)s, ⸚e. ¶ ～을 가하다 *jm.* e–n harten Schlag versetzen.
통계(統計) Statistik *f.* –n. ¶ ～를 내다 e–e Statistik auf|stellen. ‖ ～표 e–e statistische Tabelle, –n / 인구 ～ Zensus *m.*; Volkszählung *f.*
통고(通告) Mitteilung〔Meldung; Benachrichtigung〕 *f.* –en. ～하다 *jm.* mit|teilen^{4}; *jm.* e–e Mitteilung machen.
통곡(慟哭) ～하다 wehklagen 《*über*^{4}; *p.p.* gewehklagt》; brüllen; heulen; plärren.
통과(通過) Durch·gang *m.* –(e)s, ⸚e 〔–reise *f.* –n; –fahrt *f.* –en〕. ～하다 durch|gehen* 〔durch|fahren*〕. ‖ ～ 무역 Transithandel *m.* –s, ⸚.
통관(通關) ～하다 den Zoll 〔die Zollkontrolle〕 passieren. ‖ ～세 Zoll *m.* –(e)s, ⸚e / ～ 절차 Zollabfertigung *f.* –en; Klarierung *f.* –en.
통괄(統括) ～하다 verallgemeinern^{4}; generalisieren^{4}.
통권(通卷) die fortlaufende Nummer der Bänder.
통근(通勤) der tägliche Gang, –(e)s, ⸚e 〔Besuch, –(e)s, –e〕. ～하다 zum täglichen Dienst gehen*〔fahren*〕. ‖ ～ 시간 die Zeit, ins Büro 〔Geschäft〕 zu gehen / ～ 열차 der Zug für die Pendelverkehr.
통금(通禁) =통행금지(通行禁止). ‖ ～ 사이렌 die Sirene des Beginns des Ausgehverbots / ～ 시간 die Zeit des Ausgehverbots 〔der Polizeistunde〕.
통김치 der eingesalzene u. mit Gewürz gestopfte Weißkohl, –(e)s, –e.
통나무 (Holz)klotz *m.* –es, ⸚e; der unbearbeitete Baumstamm, –(e)s, ⸚e. ‖ ～집 Blockhütte *f.*
통념(通念) e–e allgemein anerkannte 〔akzeptierte〕 Idee, –n.
통뇨(通尿) ～하다 harnen; Wasser lassen* 〔machen; ab|schlagen*〕; urinieren.
통달(通達) 《정통》 Kennerschaft *f.*; 《숙달》 Beherschung *f.* –en. ¶ …에 ～하다 ^{4}sich aus|kennen* 《*in*^{3}》; Bescheid wissen* 《*in*^{3}》.
통닭 der ganze Huhn, –(e)s, ⸚er; 《통닭구이》 Hühnerbraten *m.* –s, –; das gebratene Huhn, –(e)s, ⸚er.
통독(通讀) ～하다 durch|lesen*^{4}. ¶ 죽 ～하다 durch|blättern^{4}.
통돌다 《알려짐》 allgemein〔weit u. breit〕 bekannt werden; jedes Kind weiß es.
통람(通覽) ～하다 überblicken^{4}; übersehen*^{4}.
통렬(痛烈) ～하다 heftig 〔scharf; schneidig; schneidend〕(sein). ¶ ～히 공격〔비평〕하다 scharf 〔heftig〕 an|greifen*^{4} 〔kritisieren^{4}〕.
통례(通例) Regel *f.* –n; Gewohnheit *f.* –en 《관례》.
통로(通路) Weg *m.* –(e)s, –e; 《거리의》 Straße *f.* –n; 《가까운 길》 ein näherer Weg, –(e)s; 《지하도》 Unterführung *f.* –en. ‖ 비밀 ～ der geheime Durchgang, –(e)s, ⸚e; die geheime Unterführung, –en 《지하의》.
통론(通論) Umriß *m.* ..risses, ..risse 《개요》; Einführung *f.* –en 《입문》. ‖ 법학 ～ die Einführung in die Rechtswissenschaft.
통마늘 der ganze Knoblauch, –(e)s.
통매(痛罵) ～하다 *jn.* heftig beschimpfen; *jn.* derb 〔tüchtig〕 an|fahren*〔an|schnauzen〕; *jn.* grob tadeln.
통밀다 zusammen|fassen^{4}; ein|schließen*^{4}; in ein Bündel packen^{4}. ¶ 통밀어 durchschnittlich; mit eingeschlossen; mit Inbegriff 《*von*^{3}》.
통발 〖植〗 Wasserschlauch *m.* –(e)s, ⸚e.
통발(筒—) 《고기잡는》 Fischreuse *f.* –n.
통보(通報) Bericht *m.* –(e)s, –e; Benachrichtigung *f.* –en. ‖ ～인 Berichterstatter *m.* –s, – / 기상 ～ Wetterbericht *m.*
통분(通分) ～하다 Brüche (mit verschiedenem Nenner) gleichnamig machen.
통분(痛憤) heftiger Zorn, –(e)s; Entrüstung *f.* ～하다 entrüstet 〔empört; ungehalten〕 (sein).
통사정(通事情) 《사정함》 die Ausschüttung *js.* Herzens. ～하다 *jm.* sein Herz aus|schütten; *jm.* s–e Meinung sprechen*.
통산(通算) ～하다 zusammen|rechnen^{4} 〔–|zählen^{4}〕; summieren^{4}.
통상(通常) 〖副詞的〗 gewöhnlich; im allgemeinen; in der Regel. ‖ ～복 Alltagsanzug *m.* –(e)s, ⸚e 《남자의》; Alltagskleid *n.* –(e)s, –e 《여자의》.
통상(通商) Handel *m.* –s; Handelsverkehr *m.* –(e)s. ‖ ～ 사절단 die Mission für Handel / ～ 수교 조약 der Handels- u. Freundschaftsvertrag.
통설(通說) allgemeine 〔geltende〕 Ansicht, –en. ¶ ～에 어긋나다 den geltenden Ansichten widersprechen*.
통속 《단체》 Bande *f.* –n. ¶ 아무와 한 ～이다 mit *jm.* 〔miteinander〕 unter e–r ^{3}Decke stecken.
통속(通俗) ～적 populär; volkstümlich. ‖ ～ 문학 Trivialliteratur *f.* –en / ～ 소설 Unterhaltungsroman *m.* –s, –e.
통솔(統率) ～하다 führen^{4}; leiten^{4}. ‖ ～력 Führerschaft *f.*; Führungsqualitäten (*pl.*).

통송곳 e–e Art Bohrer (mit Klinge).

통수(統帥) Oberkommando *n.* –s, –s; Oberbefehl *m.* –(e)s, –e. ∼하다 kommandieren^4. ‖ ∼권 Kommandogewalt *f.* –en.

통신(通信) Korrespondenz *f.* –en 《신문 통신》; Berichterstattung *f.* –en 《보도》; Verbindung *f.* –en 《연락》; Nachricht *f.* –en 《뉴스》; Bericht *m.* –(e)s, –e 《보고》. ∼하다 *jm.* berichten^4 《*über*^{4}》; *jm.* Nachricht geben* 《*über*^{4}; *von*^{3}》. ‖ ∼ 교육 Fern·unterricht *m.* –(e)s, –e [–studium *n.* –s, ..dien] / ∼사(社) Nachrichten[Korrespondenz]büro *n.* –s, –s / ∼원 Korrespondent *m.* –en, –en / ∼ 위성 Fernmelde[Nachrichten]-satellit *m.* –en, –en.

통어(統御) ∼하다 herrschen 《*über*^{4}》; beherrschen^4.

통역(通譯) das Dolmetschen*, –s; Dolmetscher *m.* –s, –. ∼하다 dolmetschen; verdolmetschen^4. ‖ 동시 ∼ das gleichzeitige Dolmetschen*, –s.

통용(通用) Gültigkeit *f.* 《유효》; Umlauf *m.* –(e)s 《유통》; täglicher Gebrauch, –(e)s 《상용》. ∼하다 gelten*; gültig sein; um|laufen*; in ^{3}Umlauf sein. ‖ ∼어(語) die allgemein gebräuchliche Sprache, –n.

통운(通運) Güter[Fracht]beförderung *f.* –en; Spedition *f.* –en. ∼하다 befördern^4; transportieren^4. ‖ ∼ 회사 Speditions·firma *f.* ...men [–geschäft *n.* –(e)s, –e].

통으로 ganz; voll; vollständig; in e–m Mal. ¶ ∼ 삼키다 ganz schlucken.

통음(痛飮) ∼하다 stark[gehörig; ordentlich; tüchtig] trinken*^{4}; über den Durst trinken*^{4}.

통일(統一) Einheit [Einheitlichkeit; Vereinheitlichung] *f.* –en. ∼하다 《통합》 vereinheitlichen^4. ¶ 나라를 ∼하다 e–e Nation vereinigen / 가격을 ∼하다 die Preise normieren / 정신을 ∼하다 ^{4}sich geistig sammeln. ‖ ∼원 das Ministerium für die Wiedervereinigung Koreas / ∼ 천하 die Vereinigung der ganzen Welt / ∼체 die vereinigte Organisation / 남북 ∼ die Vereinigung von Nord– u. Südkorea / 승공 ∼ die Vereinigung durch den Sieg über Kommunismus / 정신 ∼ Geisteskonzentration / 평화 ∼ die friedliche Vereinigung.

통장(通帳) 《예금의》 Kontoauszug *m.* –(e)s, ⸚e; Sparbuch *n.* –(e)s, ⸚er.

통장작(一長斫) Klobenholz *n.* –es; Kloben *m.* –s.

통정(通情) 《간통》 Ehebruch *m.* –s, ⸚e.

통제(統制) Kontrolle *f.* –n; Regierung *f.* –en. ∼하다 kontrollieren^4; regulieren^4; an|ordnen^4. ‖ ∼ 경제 Planwirtschaft *f.* –en / ∼품 die kontrollierten Waren (*pl.*) / 물가 ∼ die Kontrolle der Preise (*pl.*).

통제부(統制府) 《해군의》 die Marinestation zur Verteidigung von Militärhafen *usw.*

통조림(桶一) (Büchsen)konserve *f.* –n; Konserveninhalt *m.* –(e)s, –e. ∼하다 konservieren^4; ein|machen^4[–|kochen^4]. ‖ ∼ 식품 Büchsenkonserve *f.* –n / 쇠고기 ∼ Konservenrindfleisch *n.* –es.

통증(痛症) Schmerzgefühl *n.* –s, –e; Schmerz *m.* –en, –en.

통지(通知) 《알림》 Mitteilung *f.* –en; Benachrichtigung *f.* –en; 《기별》 Nachricht *f.* –en; Kunde *f.* –n. ∼하다 *jm.* mit|teilen^4; *jn.* benachrichtigen 《*von*^{3}》. ‖ ∼서 Bericht *m.* –(e)s, –e / ∼표 Nachrichtenzettel *m.* –s, –; 《학교의》 Zeugnisheft *n.* –(e)s, –e.

통째(로) 《모조리》 alle; alles; alle(s) zusammen; insgesamt. ¶ ∼로 삼키다 verschlingen*^{4}; herunter|schlucken^4.

통찰(洞察) Einsicht *f.* –en; Einblick *m.* –(e)s, –e. ∼하다 ein|sehen*^{4}; durchschauen^4 durchsehen*^{4}. ‖ ∼력 Einsichtsvermögen *n.* –s.

통첩(通牒) e–e schriftliche Mitteilung, –en; 《외교상의》 Note *f.* –n. ∼하다 mit|teilen; *jn.* von ^{3}*et.* benachrichtigen; bekannt|geben*^{4}. ¶ ∼을 발하다 *jm.* schriftlich mit|teilen^4; *jm.* e–e Note senden$^{(*)}$. ‖ 최후 ∼ Ultimatum *n.* –s, ..ten [–s].

통촉(洞燭) (Er)kenntnis *f.* –se; Einsicht *f.* –en. ∼하다 erkennen*^{4}; erfassen^4; durch|schauen^4; begreifen*^{4}.

통치(通治) ∼하다 alle Krankheiten heilen. ‖ 만병 ∼ Allheimittel *n.* –s, –.

통치(統治) Herrschaft [Regierung] *f.* –en. ∼하다 herrschen 《*über*^{4}》; regieren^4. ‖ ∼권(權) Herrschaftsrecht *n.* –(e)s, –e / 위임 ∼ Mandatsverwaltung *f.* –en.

통치마 zusammengenähter Rock, –(e)s, ⸚e.

통칙(通則) allgemeine Regel, –n.

통칭(通稱) 《통용하는》 Rufname *m.* –ns, –n. ¶ ∼ …으로 알려진 A씨 Herr A besser bekannt als....

통쾌(痛快) ∼하다 sehr schön[angenehm; befriedigend; erfreulich](sein). ¶ 참으로 ∼하다 Ich fühle mich so wohl.

통탄(痛歎) ∼하다 ^{4}sich (zu ^{3}Tode) grämen 《*über*^{4}》; tief trauern 《*über*^{4}; *um*^{4}》.

통통하다 rund [voll; üppig](sein). ¶ 통통하게 살이 찌다 dick u. wohlgenährt sein.

통틀어 in Bausch u. Bogen; im ganzen. ¶ ∼ 얼마냐 Wieviel ist es alles in allem?

통팥 ungemahlene rote Bohnen (*pl.*).

통폐(通弊) allgemeines [gemeinsames] Übel, –s, –.

통풍(通風) Lüftung[Ventilation] *f.* –en. ∼하다 lüften^4; ventilieren^4. ¶ ∼이 잘 되다 [안 되다] gut [schlecht] belüftet sein. ‖ ∼관 Luftrohr *n.* –(e)s, –e / ∼기 Lüfter *m.* –s, – / ∼ 장치 Lüftungseinrichtung *f.* –en.

통하다(通一) ① 《교통기관이》 führen 《*zu*^{3}; *in*^{4}》; gehen* 《*bis zu*^{3}[*nach*^{3}]》; passieren; eröffnet werden. ¶ 정거장으로 통하는 길 ein Weg, der zum Bahnhof führt / 모든 길은 로마로 통한다 Alle Wege führen nach Rom. ② 《전류를》 übersenden*^{4}; elektrisieren. ¶ 전류를 ∼ den elektrischen Strom ein|schalten. ③

(전화가) Telefonanschluß bekommen* 〔haben〕. ④ (공기 따위를) durch|lassen*; vorübergehen lassen*. ¶광선을 통하게 하다 die Lichtstrahlen durch|lassen*. ⑤ (의사가) verstanden werden; [4]sich verständigen (*mit*[3]). ¶뜻을 ~ [4]sich verständlich machen. ⑥ (내통) heimlich in Verbindung treten*. ¶몰래 기맥을 ~ heimlich zusammen|halten* (*mit*[3]). ⑦ (간음) Ehebruch treiben*(mit *jm.*). ¶정을 ~ ein Verhältnis ein|gehen* (*mit*[3]). ⑧ (경유·경과) ¶…을 통하여 durch[4]; über[4]; via; (…을 중개로) durch Vermittlung(*von*[3]). ¶책방을 통해서 잡지를 구독하다 e-e Zeitschrift durch e-n Buchhändler beziehen*. ⑨ (널리 알려짐) ¶바보로 ~ als dumm gelten*.

통학(通學) ~하다 die Schule besuchen. ¶자택에서 ~하다 von *js.* Haus aus zur Schule gehen*. ‖ ~생 (기숙생에 대한) Externe *m.* 〔*f.*〕 -n, -n; Tagschüler *m.* -s, -.

통할(統轄) ~하다 die [4]Oberaufsicht haben (*über*[4]); leiten[4].

통합(統合) ~하다 vereinigen[4]; vereinheitlichen[4].

통항(通航) ~하다 (zu Schiff) fahren*; schiffen; segeln.

통행(通行) ~하다 durch|gehen*; durch|fahren*; verkehren. ¶~을 금하다 den Weg versperren / ~을 방해하다 den Verkehr stören / 제차(諸車) ~ 금지 K-e Durchfahrt! ‖ ~ 금지 Straßensperrung *f.* -en / ~료(料) Wegegeld *n.* -(e)s, -er; Brückengeld (다리의) / ~세 Verkehrssteuer *f.* -n / ~인 Passant *m.* -en, -en; Fußgänger *m.* -s, - / ~증 Paß *m.* ..sses, ..ässe.

통혼(通婚) ~하다 *jn.* heiraten; untereinander heiraten.

통화(通貨) 〖經〗 Kurant *n.* -(e)s, -e; Kurantgeld *n.* -(e)s, -er; (gangbare) Münze, -n. ‖ ~ 개혁 Währungsreform *f.* -en / ~량 der Gesamtbetrag des umlaufenden Geldes / ~ 수축 Deflation *f.* -en / ~ 위기 Währungskrise *f.* -n / ~ 정책 Finanzpolitik *f.* -en / ~ 팽창 Inflation *f.* -en.

통화(通話) Telephongespräch *n.* -(e)s, -e. ~하다 telephonisch sprechen*. ¶~중이다 (전화가) Die Leitung ist besetzt. ‖ ~료 Telephongebühren (*pl.*).

퇴각(退却) ~하다 [4]sich zurück|ziehen*; 〔-|gehen*; -|marschieren〕; räumen[4]. ‖총~ der volle Rückzug, -(e)s, ⸚e.

퇴거(退去) ~하다 aus|ziehen*; um|ziehen*; räumen[4]; verlassen*[4]. ‖ ~ 신고 Abmeldung *f.* -en.

퇴고(推敲) Glättung 〔Überarbeitung〕 *f.* ~하다 (Aufsatz *od.* Vers) glätten; (aus|)feilen; überarbeiten.

퇴근(退勤) ~하다 Feierabend machen 〔haben〕; aus dem Geschäft schließen*. ‖ ~ 시간 Schlußstunde *f.* -n.

퇴내다 [4]*et.* satt haben 〔bekommen*; sein〕; [4]*et.* genug haben; die Nase voll haben.

퇴락(頹落) ~하다 verfallen*; verkümmern; vergammeln.

퇴로(退路) Rück·weg *m.* -(e)s, -e 〔-zug *m.* -(e)s, ⸚e〕. ¶~를 차단하다 den Rückweg verlegen (*jm.*); den Rückzug ab|schneiden* (*jm.*).

퇴박맞다(退—) abgelehnt werden; abgewiesen 〔zurückgewiesen〕 werden.

퇴박하다(退—) ab|lehnen; ab|weisen*; zurück|weisen*.

퇴보(退步) ~하다 zurück|gehen*; Rückschritte machen; degenerieren; entarten.

퇴비(堆肥) Mist(Dung; Dünger)haufen *m.* -s, -.

퇴사(退社) ~하다 ① (퇴직) e-e Gesellschaft 〔Firma〕 verlassen*; aus e-r Gesellschaft 〔Firma〕 aus|treten*. ② (퇴근) von der [3]Gesellschaft nach [3]Hause gehen*.

퇴색(褪色) ~하다 [4]sich entfärben; verblassen. ¶~한 verwelkt; verblüht; verblaßt / ~하지 않은 farbecht; lichtecht.

퇴세(頹勢) Verfall *m.* -(e)s; Niedergang *m.* -(e)s, ⸚e. ¶~를 만회하다 den Verlust wieder|gut|machen.

퇴역(退役) Rücktritt vom Dienst. ~하다 vom Dienst zurück|treten*; den Dienst verlassen*. ‖ ~ 군인 Soldat außer Dienst; der pensionierte Soldat, -en, -en / ~ 연금 Pension *f.* -en.

퇴영(退嬰) ~적인 konservativ (보수적); passiv (소극적).

퇴원(退院) ~하다 das Krankenhaus verlassen*.

퇴위(退位) ~하다 ab|danken; dem Thron entsagen.

퇴임(退任) ~하다 s-n Dienst auf|geben* 〔verlassen*〕. ¶~시키다 den Abschied erteilen 〔geben*〕(*jm.*).

퇴장(退場) ~하다 weg|gehen*; ab|treten*; den Raum 〔das Zimmer〕 verlassen*.

퇴적(堆積) ~하다 [4]sich auf|häufen 〔an|häufen〕. ‖ ~물 etwas Aufgehäuftes* / ~암(岩) Sedimentgestein *n.* -(e)s, -e.

퇴정(退廷) ~하다 (법정에서) den Gerichtssaal verlassen*.

퇴조(退潮) Ebbe *f.* -n.

퇴주(退酒) geleerter Opferwein, -(e)s, -e.

퇴직(退職) Abschied 〔Austritt〕 *m.* -(e)s, -e; (연금을 타는) Pension *f.* -en. ~하다 den Abschied nehmen* (*von*[3]); aus|treten* (*aus*[3]). ‖ ~금 Abschiedszuschuß *m.* ..sses, ..schüsse; Rücktrittsvergütung *f.* -en / ~자 Ruheständler *m.* -s, -.

퇴진(退陣) ~하다 [4]sich zurück|ziehen*; zurück|treten*; das Lager ab|brechen*.

퇴짜(退—) die derbe 〔grobe〕 Abfertigung, -en. ¶~를 놓다 e-n (derben) Korb geben* 〔Körbe aus|teilen〕(*jm.*); die kalte Schulter zeigen (*jm.*).

퇴청(退廳) ~하다 vom Amte nach Hause gehen*; das Büro verlassen*.

퇴치(退治) ~하다 unterwerfen*[4]; überwältigen[4]; aus|rotten[4].

퇴폐(頹廢) ~하다 verfallen*; in [4]Verfall geraten*; nieder|gehen*; entarten. ¶~적 entartet; dekadent. ‖ ~ 풍조 Verfallserscheinung *f.*

퇴하다(退—) zurück|stoßen*[4](받지 않음); zurück|weisen*[34]; ab|lehnen[34].

퇴학(退學) ~하다 aus 〔von〕 der ³Schule ab|gehen*. ¶ ~시키다 aus der Schule entlassen*⁴ / ~ 당하다 von der Schule verweisen 〔entlassen〕 werden.

퇴화(退化) Entartung〔Degeneration〕 *f.* -en. ~하다 entarten; degenerieren; verkümmern 《기관(器官)이》. ‖ ~ 기관 ein rudimentäres Organ, -(e)s, -e.

툇마루(退—) Fußboden der Veranda.

투(套) ① 《꼴》 Art *f.* -en; Weise *f.* -n. ¶ 독특한 투로 auf e-e eigentümliche Weise. ② 《법식》 Stil *m.* -(e)s, -e; Form *f.* -en. ¶ 편지투 Brief·form *f.* 〔-stil *m.*〕.

투견(鬪犬) Hundekampf *m.* -(e)s, ⸚e; 《개》 Kampfhund *m.* -(e)s, -e.

투고(投稿) Beitrag *n.* -(e)s, ⸚e; Einsendung *f.* -en. ~하다 Beiträge liefern 《*für*⁴》. ‖ ~란 der „Briefkasten".

투구 Helm *m.* -(e)s, -e. ¶ ~를 벗다 den Helm ab|nehmen* 〔ab|legen〕.

투구(投球) ~하다 e-n Ball werfen*.

투구벌레 〖蟲〗 e-e Art Käfer.

투기(投機) Spekulation *f.* -en. ~하다 spekulieren. ~적인 spekulativ. ‖ ~꾼 Spekulant *m.* -en, -en / ~ 사업 Spekulationsgeschäft *n.* -(e)s, -e.

투기(妬忌) Eifersucht *f.*; Neid *m.* -(e)s. ~하다 eifersüchtig sein 《*auf*⁴》; mißgönnen⁴ 《*jm.*》.

투기(鬪技) Wattkampf *m.* -(e)s, ⸚e.

투깔스럽다 geschmacklos 〔roh; stillos; ungepflegt〕 (sein).

투덜거리다 ⁴sich beschweren 《*über*⁴ bei *jm.*》; klagen 《*über*⁴》; ⁴sich beklagen 《*über*⁴》.

투망(投網) Wurfnetz *n.* -es, -e.

투매(投賣) ~하다 verschleudern⁴; zum Schleuderverkauf bringen*⁴. ‖ ~ 가격 Schleuderpreis *m.* -es, -e.

투명(透明) ~하다 durchsichtig 〔transparent〕 (sein). ¶ 반(半) ~의 halb durchsichtig. ‖ ~체 durchsichtiger 〔transparenter〕 Körper, -s, -.

투묘(投錨) das Ankern*, -s. ~하다 Anker werfen*; ankern.

투미하다 schwerfällig 〔dumm; stumpfsinnig; ungeschliffen〕 (sein).

투박스럽다, 투박하다 derb 〔grob; hart; unfein; rauf〕 (sein).

투베르쿨린 Tuberkulin *n.* -s. ‖ ~ 반응 Tuberkulinreaktion *f.* -en.

투병(鬪病) Kampf gegen die Krankheit. ¶ ~ 생활을 하다 gegen s-e 〔die〕 Krankheit kämpfen.

투사(投射) Projektion *f.* -en; 〖物〗 Einfall *m.* -(e)s, ⸚e. ~하다 projizieren⁴; ein|fallen*. ‖ ~각(角) Einfallswinkel *m.* -s, - / ~ 광선 Einfallslicht *n.* -(e)s, -er / ~영(影) Projektion *f.* -en.

투사(透寫) Pause *f.* -n. ~하다 durch|pausen⁴ 〔-|zeichnen⁴〕.

투사(鬪士) (Vor)kämpfer 〔Verfechter〕 *m.* -s, -. ¶ 자유의 ~ Kampfer für die Freiheit. ‖ 독립 ~ Kämpfer für die Unabhängigkeit / 혁명 ~ Vorkämpfer der Revolution.

투서(投書) Eingesandt *n.* -s, -s; 《행위》 Einsendung *f.* -en; 《독자의》 Leserbrief *m.* -(e)s, -e. ~하다 ein|senden*⁴. ‖ ~함 Einsendekasten *m.* -s, - 〔⸚〕.

투석(投石) ~하다 e-n Stein werfen* 《*nach*³》.

-투성이 bedeckt 〔befleckt; besudelt〕 《*mit*³》; 《…로 가득》 voll; voller. ¶ 진흙 ~의 mit ³Schlamm beschmutzt / 먼지 ~의 voll Staub / 피~의 blutbesudelt.

투수(投手) (Ball)werfer *m.* -s, -.

투숙(投宿) Einkehr *f.* ~하다 ein|kehren 《bei *jm.*; *in*³》. ‖ ~객(客) Gast *m.* -(e)s, ⸚e; (Unter)mieter *m.* -s, -.

투시(透視) das Hellsehen*, -s. ~하다 hell|sehen*⁴; röntgen⁴ 《X선으로》. ‖ ~도(圖) die perspektivische Zeichnung, -en / ~ 화법 Perspektive *f.* -n.

투신(投身) ~하다 ① 《어떤 일에 관계함》 ⁴sich werfen* 《*auf*⁴》; ⁴sich widmen³. ¶ 정계에 ~하다 Politiker werden; e-e politische Laufbahn ergreifen*. ② 《몸을 던짐》 ⁴sich ins Wasser werfen* 〔stürzen〕; ⁴sich ertränken; Herabspringen begehen* 《높은 데서》.

투약(投藥) ~하다 *jm.* e-e Arznei 〔Medizin〕 verordnen〔verschreiben*〕.

투영(投影) 〖數〗 Projektion *f.* -en. ‖ ~도(圖) Projektionsbild *n.* -(e)s, -er / ~(도)법 Projektion *f.*

투옥(投獄) ~하다 ein|kerkern⁴; ins Gefängnis werfen*⁴; ein|sperren⁴.

투우(鬪牛) Stierkampf *m.* -(e)s, ⸚e 《경기》; Kampfstier *m.* -(e)s, -e 《소》. ‖ ~사 Stierkämpfer *m.* -s, -; Matador *m.* -s 〔-en〕, -e 〔-en〕.

투원반(投圓盤) 〖競〗 Diskuswerfen *n.* -s.

투입(投入) ~하다 hinein|werfen*; 《자본을》 Geld an|legen 〔investieren〕 《*in*⁴》; 《군대 등을》 ⁴ein|setzen⁴. ¶ 새 병력을 ~하다 e-e neue 〔frische〕 Truppe ein|setzen.

투자(投資) Kapitalanlage *f.* -n; Investition *f.* -en. ~하다 Kapital an|legen 《*in*⁴》; Geld investieren 《*in*⁴》. ‖ ~ 계획 Investitionsplanung *f.* -en / ~ 시장 Investionsmarkt *m.* -es, ⸚e / ~ 신탁 Investitionstreuhand *f.* / ~액 Investitionsmittel *n.* -s, - / ~자 Kapitalist *m.* -en, -en.

투쟁(鬪爭) Kampf 〔Streit〕 *m.* -(e)s, -e. ~하다 kämpfen; streiten*. ‖ 권력 ~ der Kampf um die Macht / 단식 ~ Hungerstreik *m.* -(e)s, -e 〔-s〕.

투정하다 nörgeln; kritteln; meckern. ‖ 밥 투정 Nörgelei um das Essen / 잠 투정 Nörgelei e-s widerwillig Geweckten.

투지(鬪志) Kampfgeist *m.* -es. ¶ ~만만한 kampflustig.

투창(投槍) 〖競〗 Speer·werfen *n.* -s 〔-wurf *m.* -(e)s〕. ‖ ~ 선수 Speerwerfer *m.* -s, -.

투척(投擲) ~하다 schleudern⁴; werfen*⁴.

투철(透徹) ~하다 eindringend 〔durchsichtig; durchdringend; verständlich; klar〕 (sein).

투포환(投砲丸) 〖競〗 Kugelstoßen *n.* -s.

투표(投票) (Wahl)abstimmung *f.* -en. ~하다 *jm.* s-e Stimme geben*; 《표결》 ab|stimmen 《*über*⁴》. ¶ ~하러 가다 zur Wahl gehen* / ~에 붙이다 ⁴*et.* zur

Abstimmung bringen*. ‖ ～소 Wahllokal *n.* –(e)s, –e / ～ 용지 Wahl〔Stimm〕zettel *m.* –s, – / ～일 Wahltag *m.* –(e)s, –e / ～자 Stimmgeber *m.* –s, – / ～ 참관인 Wahlzeuge *m.* –n, –n / ～함 Wahlurne *f.* –n / 국민 ～ Volksabstimmung / 기명 ～ die öffentliche Abstimmung / 무기명 ～ die geheime Abstimmung / 부재자 ～ Abstimmung des Abwesenden / 신임〔불신임〕 ～ Vertrauensvotum 〔Mißtrauensvotum〕 *n.* –s, ..ten 〔–ta〕.

투피스 Jackenkleid *n.* –(e)s, –er.

투하(投下) ～하다 (hin)ab〔hinunter〕|werfen*⁴. ¶ 폭탄을 ～하다 Bomben (hinab|)werfen* 《auf e–e Stadt》.

투함(投函) ～하다 in den (Brief)kasten stecken⁴; auf die Post geben*⁴.

투항(投降) Ergebung *f.* ～하다 ⁴sich ergeben*³; kapitulieren. ‖ ～자 der Sichergebende*, –n, –n.

투해머(投―) 〖競〗 das Hammerwerfen*, –s.

툭하면 beim geringsten Anlaß; leicht. ¶ ～ 감기에 걸리다 ⁴sich leicht erkälten.

툴툴거리다 murren 《über ⁴*et*; gegen *jn.*》; brummen; mucken.

퉁겨지다 ☞ 퉁겨지다.

퉁기다 ① 《버틴 것을》 lösen⁴; locker machen; ab|schlagen*⁴; ab|reißen*⁴. ② 《기회를》 verpassen*⁴; versäumen; vorbeigehen lassen*. ③ 《뼈를》 ³sich verstauchen⁴.

퉁명스럽다 unfreundlich〔barsch; unhöflich; brüsk; kühl〕(sein). ¶ 퉁명스레 말하다 derb 〔grob; barsch〕 sprechen*.

퉁바리맞다 derb abgeschlagen werden.

퉁방울 Messingglöckchen *n.* –s, –. ¶ 그의 눈이 ～ 같다 Er hat große, herausragende Augen. ‖ ～이 (사람) e–e Person mit Basedowaugen.

퉁소 Bambusflöte *f.* –n. ¶ ～를 불다 auf die Bambusflöte blasen*.

퉁탕거리다 ① 《구르는 소리》 anhaltend poltern. ② 《총소리》 anhaltend knallen. ¶ 총소리가 ～ e–e Knallerei ist zu hören.

튀기 Mischling *m.* –es, –e; Bastard *m.* –(e)s, –e; Mischrasse *f.* –n.

튀기다 ① 《탁 놓아》 (fort|)schnellen⁴; schnippen⁴. ② 《튀게 하다》 spritzen⁴; bespritzen⁴; besprengen⁴. ¶ 흙탕물을 ～ *jn.* mit schmutzigen Wasser bespritzen. ③ 《기름에》 braten*⁴; 《튀밥을》 puffen⁴. ¶ 쌀을 ～ Reis puffen / 닭을 기름에 ～ ein Huhn in Öl braten*.

튀김 das Gebackene*, –n; Pfannengericht *n.* –(e)s, –e.

튀다 ① springen*; hüpfen; zurück|prallen. ¶ 공이 ～ ein Ball schlägt auf. ② 《물 따위》 spritzen; platschen; (zurück|)springen*. ¶ 옷에 흙물이 ～ *js.* Kleider mit beschmutztem Wasser bespritzt werden. ③ 《달아나다》 fliehen*; weg|laufen*; ⁴sich davon|machen. ¶ 도둑이 튀었다 Der Dieb hat sich aus dem Staub gemacht.

튀밥 Puffreis *m.* –es.

튀어나오다 vor|stehen*; hervor|stehen*; vor|springen*.

튀하다 verbrühen (, um die Harre od. die Federn von Tieren auszurupfen). ¶ 닭을 뜨거운 물에 ～ ein Huhn mit kochendem Wasser verbrühen.

튜브 Tube *f.* –n; Schlauch *m.* –(e)s, ⸚e 《자전거 등의》.

튤립 〖植〗 Tulpe *f.* –n.

트다¹ ① 《싹이》 keimen; sprossen; hervor|sprießen*. ② 《갈라짐》 rissig werden. ③ 《동이》 dämmern. ¶ 동이 튼다 Es dämmert 〔tagt〕.

트다² ① 《통하게 함》 auf|machen⁴; auf|schlitzen⁴; öffnen⁴. ¶ 길을 ～ den Weg bahnen. ② 《거래 등을》 eröffnen⁴; ein|richten⁴. ¶ 거래를 ～ mit *jm.* ins Geschäft kommen*.

트더지다 reißen*; zerrissen werden. ¶ 옷이 ～ der Anzug reißt.

트랙 《경주로》 (Lauf)bahn *f.* –en. ‖ ～ 경기 Sportarten auf der Laufbahn.

트랙터 Zugmaschine *f.* –n; Trecker *m.* –s, –.

트랜스버 Funksprechgerät *n.* –(e)s, –e.

트랜지스터 Transistor *m.* –s, –en. ‖ ～ 라디오 Transistorradio *n.* –s, –.

트랩 《배의》 Fallreep *n.* –(e)s, –e; 《비행기의》 Trapp *m.* –(e)s, –e; Treppe *f.* –n. ¶ ～을 오르다〔내리다〕 die Treppe hinauf|gehen* 〔hinunter|gehen*〕.

트러블 Unannehmlichkeit *f.* –en; Mißhelligkeit *f.* –en.

트러스트 〖經〗 Trust *m.* –es, –e 〔–s〕. ¶ ～를 형성하다 e–n Ring bilden.

트럭 Lastkraftwagen *m.* –s, – 《略 : LKW》. ‖ ～ 운전사 Lastwagenfahrer *m.* –s, – / 군용 ～ der militärische Lastkraftwagen, –s, –.

트럼펫 〖樂〗 Trompete *f.* –n. ¶ ～을 불다 die Trompete blasen*.

트럼프 Spielkarte *f.* –n. ¶ ～ 놀이 Kartenspiel *n.* –(e)s, –e / ～를 하다 Karten spielen.

트렁크 (Hand)koffer *m.* –s, –; 《큰》 Truhe *f.* –n.

트레머리 Chignon *m.* –s, –s. ～하다 e–n Chignon tragen* 〔machen〕.

트레몰로 〖樂〗 Tremolo *n.* –s, –s 〔..li〕.

트레이닝 Training *n.* –s, –s. ¶ ～을 받고 있다 er wird trainiert. ‖ 하드 ～ hartes Training.

트레이드 ‖ ～ 마크 ＝상표(商標).

트레이싱페이퍼 Pauspapier *n.* –s, –e.

트레일러 Beiwagen 〔Anhänger〕 *m.* –s, –. ‖ ～ 버스 der Bus mit ³Beiwagen.

트로피 Trophäe *f.* –n; Pokal *m.* –s, –e. ¶ ～를 타다 e–e Trophäe gewinnen*.

트롤 ‖ ～망 (Grund)schleppnetz *n.* –es, –e / ～선(船) Schleppnetzfischerboot *n.* –(e)s, –e.

트리오 Trio *n.* –s, –s. ‖ 보컬 ～ Vokaltrio.

트릭 Trick *m.* –s, –e. ‖ ～ 촬영 Trickaufnahme *f.* –n.

트림 das Aufstoßen*, –s; das Rülpsen*, –s. ～하다 auf|stoßen*.

트릿하다 《거북하다》 schwer bekömmlich (sein); den Magen beschweren. ¶ 속이 ～ die Speise liegt mir schwer im Magen.

트위스트 Twist *m.* –(e)s, –e. ¶ ～를 추다 e–n Twist tanzen; twisten.

트이다 《막혔던 것이》 [4]sich aus|dehnen; 《전망이》 e–e weite Aussicht haben. ¶시야가 ~ sein Gesichtskreis erweitert sich. ② 《속이》 erfrischend wirken. ¶속이 트인 사람 ein verständiger [aufklärter] Mensch, –en, –en.

트집잡다 auf *js.* Mißreden sticheln; mäkeln[(4)] 《*an*[3]》. ‖ 트집쟁이 Nörgler *m.* –s.

특가(特價) Sonder[Spezial; Vorzugs]preis *m.* –es, –e. ‖ ~ 제공 Sonderangebot *n.* –(e)s, –e.

특공대(特攻隊) Himmelfahrtskommando *n.* –s, –s 《결사대》.

특과(特科) Sonderkursus *m.* –, ..kurse; Sonderkommando *n,* –s, –s.

특권(特權) Vorrecht *n.* –(e)s, –e; Privileg *n.* –(e)s, ..gien. ¶~을 부여하다 privilegieren[4]; bevorrechten[4]. ‖ ~ 계급 e–e bevorrechtete Klasse, –n.

특근(特勤) Sonderschicht *f.* –en; Überstunde *f.* –n. ~하다 Sonderschicht machen; Sonderschicht fahren*. ‖ ~ 수당 Überstundenzulage *f.* –n.

특급(特級) ~의 extrafein; superfein. ‖ ~품 die extrafeine Ware, –n.

특급열차(特急列車) Sonderschnellzug *m.* –(e)s, ¨e; Expreß *m.* –, ..ssen.

특기(特技) Hauptleistung [Spezialität] *f.* –en; Spezialfach *n.* –(e)s, ¨er.

특기(特記) ~하다 besonders erwähnen[4] [bemerken[4]]. ¶~할 만한 besonders erwähnt zu werden; bemerkenswert.

특대(特大) ~의 extragroß; überdurchschnittlich groß. ‖ ~호(의 잡지) e–e besonders angereicherte Ausgabe, –n.

특대(特待) ~하다 speziell behandeln[4]; aus|zeichnen[4]; bevorzugen[4]. ‖ ~생 bevorzugter Schüler, –s, –.

특등(特等) Sonderklasse *f.* –n. ~의 best; extra[super]fein; von spezieller Qualität. ‖ ~석 der beste Platz, –es, ¨e; 《극장의》 Loge *f.* –n.

특례(特例) besonderer Fall, –(e)s, ¨e; 《예외》 Ausnahme *f.* –en.

특매(特賣) Ausverkauf zu herabgesetzten Preisen. ~하다 zu [3]Sonderpreisen verkaufen[4]. ‖ ~ 기간 Ausverkaufstage (*pl.*) / ~품 Ausverkaufsware *f.* –n.

특명(特命) 《임명》 die besondere Ernennung, –en; 《명령》 der besondere Befehl, –(e)s, –e. ‖ ~ 전권 대사 der außerordentliche u. bevollmächtigte Botschafter, –s, –.

특무(特務) Sonderaufgabe *f.* –n; Sonderdienst *m.* –(e)s, –e. ‖ ~기관 militärische Geheimdienstorganisation, –en.

특배(特配) Sonder·ration [–lieferung] *f.* –en. ~하다 Sonderrationen verteilen.

특별(特別) ~하다 besonder [speziell; außergewöhnlich; außerordentlich] (sein). ¶~히 besonders; insbesondere; außergewöhnlich; 《예외적》 ausnahmsweise. ‖ ~ 수당 Sonderzulage *f.* –n / ~ 열차 Sonderzug *m.* –(e)s, ¨e / ~호 Sondernummer *f.* –n / ~ 회원 das außerordentliche Mitglied, –(e)s, –er / ~ 훈련 Sondertraining *n.* –s, –s.

특보(特報) Sonderbericht *m.* –(e)s, –e; Extrablatt *n.* –(e)s, ¨er.

특사(特使) der Spezialgesandte*, –n, –n. ¶~를 보내다 e–n Spezialgesandten schicken[senden*]. ‖ 대통령 ~ Sonder[Speziell]gesandte des Präsidenten.

특사(特赦) Amnestie *f.* –n; Begnadigung *f.* –en. ~하다 begnadigen[4]《*jn.*》. ‖ ~령 Gnadenakt *m.* –es.

특산물(特産物), 특산품(特産品) Hauptprodukt *n.* –(e)s, –e. ¶인삼은 개성의 ~이다 Ginseng ist ein Hauptprodukt von *Gaeseong*.

특상(特上) erstklassig; tipp-topp; eins A. ‖ ~품 Spitzenerzeugnis *n.* –ses, –se; Markenerzeugnis.

특상(特賞) Sonderpreis *m.* –es, –e.

특색(特色) Eigenart *f.* –en; Charakter *m.* –s, –e. ¶~있는 eigenartig; charakteristisch; eigentümlich.

특선(特選) besondere Auszeichnung, –en; Sonderauswahl *f.* –en. ~하다 (aus|)erwählen[4]; besonders aus|wählen[4]. ‖ ~품 ausgesuchte Ware, –n.

특설(特設) spezielle Einrichtung, –en; spezieller Einbau, –(e)s, –ten. ~하다 speziell [besonders] ein|richten[4]; speziell ein|bauen[4]; besonders installieren[4].

특성(特性) Beschaffenheit *f.* –en; der eigene Stil, –(e)s, –; der charakteristische Zug, –(e)s, ¨e. ¶~을 나타내다 e–e besondere Eigenschaft zeigen.

특수(特殊) ~하다 speziell[besonder; partikulär] (sein). ‖ ~ 교육 Sonderschulwesen *n.* –s, – / ~ 사정 spezielle Umstände (*pl.*) / ~성 Spezialität *f.* –en / ~ 학교 Sonderschule *f.* –n.

특약(特約) Spezialkontrakt *m.* –(e)s, –e. ~하다 e–n Spezialkontrakt (ab|-) schließen* 《*mit*[3]》. ‖ ~점 Spezialagent *m.* –en, –en.

특용(特用) besonderer Gebrauch, –s; besondere Verwendung. ~하다 besonders verwenden[(*)]; besondere Verwendung finden* 《*für*[4]》. ‖ ~ 작물 nichtgetreidliche Kulturpflanze, –n.

특유(特有) ~하다 eigentümlich [eigen; charakteristisch 《특징적》] (sein). ‖ ~성 Eigentümlichkeit *f.* –en; Merkmal *n.* –(e)s, –e.

특이(特異) ~하다 eigentümlich [sonderbar; seltsam] (sein). ‖ ~성 Eigentümlichkeit *f.* / ~ 체질 〖醫〗 Idiosynkrasie *f.* –n; 《比》 heftige Abneigung, –en.

특작(特作) Sonderproduktion *f.* –en. ‖ ~품 《영화의》 Feature *n.* –s, –s / 초~ Superproduktion.

특장(特長) Stärke *f.* –n 《장점》; die starke Seite, –n.

특전(特典) besondere Vergünstigung, –en; 《특권》 Vorrecht *n.* –(e)s, –e. ¶~을 얻다 besondere Vergünstigung erhalten* / ~을 베풀다 privilegieren[4]; begünstigen[4].

특전(特電) Sondertelegramm *n.* –s, –e.

특정(特定) Bestimmtheit *f.* –en; Spezifikum *n.* –s, ..ka. ~하다 spezialisieren[4]; gliedern[4]; bestimmen[4]. ‖ ~ 계약 spezifischer Vertrag, –(e)s, ¨e / ~ 요금 spezifische Gebühr, –en / ~인 bestimmte Person, –en.

특제(特製) ～의 besonders gemacht. ‖ ～품 Spezialfabrikat *n.* –(e)s, –e; Spezialerzeugnis *n.* –ses, –se.
특종(特種) 《종류》 Eigenart *f.* –en; 《기사》 Sonderbericht *m.* –(e)s, –e. ¶ ～을 잡다 die besondere Neuigkeit erjagen.
특지가(特志家) der Freigiebige*, –n, –n; Spender *m.* –s, –.
특진(特進) Sonderbeförderung *f.* –en. ¶ 2계급 ～ Sonderbeförderung um zwei Dienstgrade.
특질(特質) Charakteristikum *n.* –s, ..tika; besondere Eigenschaft, –en.
특집(特輯) Sonderausgabe *f.* –n. ¶ ～을 내다 Sonderausgabe edieren. ‖ ～호 Sondernummer *f.* –n.
특징(特徵) Merkmal *n.* –(e)s, –e; Eigentümlichkeit *f.* –en. ¶ ～있는 charakteristisch; eigentümlich.
특청(特請) Sonderwunsch *m.* –es, ¨e. ～하다 e–n Sonderwunsch äußern.
특출(特出) ～하다 überragen; ⁴sich sehen lassen können*; vortrefflich (sein).
특파(特派) ～하다 eigens senden* 《*jn. nach*³》. ‖ ～원 Sonderberichterstatter *m.* –s, –; Zeitungskorrespondent *m.* –en, –en.
특필(特筆) ～하다 nachdrücklich erwähnen⁴ 〔schreiben*〕. ¶ 대서 ～하다 ⁴*et.* besonders hervorheben* 〔betonen〕.
특허(特許) besondere Erlaubnis, –se; Patent *n.* –(e)s, –e. ～하다 e–e Lizenz 〔ein Patent〕 erteilen. ¶ ～를 얻다 ein Patent nehmen*; ³sich patentieren lassen* 《⁴*et.*》. ‖ ～권 Patentrecht *n.* –(e)s, –e (～권 보호 Patentschutz *m.* –(e)s) / ～권자 Patentinhaber *m.* –s, – / ～권 침해 Patentverletzung *f.* –en) / ～료 Patentgebühren (*pl.*) / ～청 Patentamt *n.* –(e)s, ¨er / ～ 출원 Patentanmeldung *f.* –en.
특혜(特惠) die besondere Vergünstigung, –en; Vorrecht *n.* –(e)s, –e. ¶ ～를 받다 vergünstigt werden. ‖ ～ 관세 Vorzugszoll *m.* –(e)s, ¨e.
특효약(特効藥) Spezialmittel *n.* –s, –.
특히(特—) besonders; insbesondere; vorzüglich; 《그중에서도》 vor allem; unter anderem.
튼실하다 kräftig 〔stark; rüstig; gesund〕 〔(sein).〕
튼튼하다 ① 《건강》 gesund (sein); 《강건》 rüstig 〔stark〕 (sein). ¶ 몸이 ～ bei guter Gesundheit sein. ② 《견고》 fest 〔solid(e); massiv〕(sein). ¶ 짐을 튼튼히 묶다 haltbar 〔fest〕 verpacken⁴.
틀 ① 《액자 등의》 Rahmen *m.* –s, –; Einfassung *f.* –en; 《수틀》 Tambur *m.* –s, –e. ¶ 틀에 끼우다 ein|rahmen⁴; in den Rahmen ein|fassen⁴. ② 《고정화》 ¶ 틀에 박힌 stereotyp(isch); banal; formell. ③ 《골·판》 Gußform *f.* –en; Modell *n.* –e. ④ ☞ 재봉틀.
틀니 Gebiß *n.* ..bisses, ..bisse; künstliches Gebiß.
틀다 ① 《돌리다》 drehen⁴; schrauben*⁴ 《나사로》; um|drehen⁴; 《비틀다》 kneifen⁴. ¶ 고동을 ～ e–e Hahn drehen / 라디오를 ～ (das Radio) an|stellen. ② 《머리를》 ³sich das Haar machen 〔ordnen〕. ③ 《솜을》 ergrenieren⁴; (Baumwollfasern) enthörnen.
틀리다 ① 《잘못됨》 fehlen; ⁴sich irren 《*in*³》; den Fehler machen 〔begehen〕; unrichtig 〔falsch〕 sein. ¶ 편지 주소가 틀렸다 Der Brief war falsch adressiert. ② 《다르다》 verschieden sein 《*von*³》; anders sein 《*wie*; *als*》. ¶ 약속이 틀린다 Wir haben es anders vereinbart.
틀림 ① 《잘못》 Irrtum *m.* –(e)s, ¨er; Fehler *m.* –s, –; Mißgriff *m.* –(e)s, –e. ¶ 계산은 ～이 없다 Die Rechnung ist richtig. ② 《다름》 Unterschied *n.* –(e)s, –e; Differenz 〔Verschiedenheit〕 *f.* –en.
틀림없이 sicher(lich); unfehlbar; ganz; gewiß; richtig. ¶ 5시에 ～ 오마 Um 5 Uhr komme ich unfehlbar.
틀어넣다 hinein|quetschen; hinein|pressen 〔–|drücken〕.
틀어막다 verstopfen⁴ 《*mit*³》; stopfen⁴; stopfend verschließen*⁴. ¶ 구멍을 ～ ein Loch stopfen 〔zu|machen〕.
틀어박히다 ⁴sich ein|schließen* 《*in*⁴》. ¶ 하루종일 방에 ～ den ganzen Tag das Zimmer hüten.
틀어지다 ① 《빗나감·꼬이다》 ⁴sich verbiegen* 〔krümmen〕; 《휘어지다》 ⁴sich auf|werfen* 〔verschieben* 《위치가》〕; 《순서가》 durcheinander|gehen*. ¶ 계획이 ～ Der Plan kommt aus der Ordnung. ② 《불화》 ⁴sich mit *jm.* überwerfen*〔veruneinigen〕. ¶ 부부 사이가 ～ Dieses Ehepaar steht sich kampfbereit gegenüber. ③ 《실패》 *jm.* fehl|schlagen*. ¶ 계약이 ～ Der Vertrag ist mißlungen.
틈 Lücke *f.* –n; Spalt *m.* –(e)s, –e; Riß *m.* ..sses, ..sse; 《여지》 (freier) Raum, –es, ¨e; 《기회》 (günstige) Gelegenheit, –en; 《방심》 unbewachter Augenblick; unbewachte Stelle, –n; 《겨를》 (freie) Zeit *f.* –en; 《약점》 Schwäche *f.* –n. ¶ 틈이 벌어지다 ⁴sich entfernen 《*von*³》 / 그들 우정에 틈이 생겼다 In ihre Freundschaft kam ein Riß. / 쉴 틈이 없다 k–e Zeit zum Ruhen haben.
틈입(闖入) ～하다 ein|dringen*; ⁴sich ein|drängen*; ein|brechen*. ‖ ～자 Eindringling *m.* –s, –e; Einbrecher *m.* –s, –.
틈타다 Gelegenheit finden*; die Gelegenheit nutzen. ¶ 혼란을 틈타 die Unordnung ausnutzend.
틈틈이 《깨진 틈마다》 in jeden Riß; 《여가마다》 in Mußestunden; dann u. wann. ¶ ～ 꽃을 가꾸다 gelegentlich Blumen ziehen*.
티¹ ① 《이질물》 Staub *m.* –(e)s; Stäubchen *n.* –s, –. ¶ 눈에 티가 들다 in dem Augen ein Stäubchen haben. ② 《흠》 die schadhafte 〔schlechte〕 Stelle, –n. ¶ 옥의 티 der Fleck in der Perle. ③ 《기색·색태》 Beigeschmack *m.* –(e)s; Nebengeschmack *m.* ¶ 시골 티가 나는 bäurisch; ländlich.
티² 《글자》 der Buchstabe „T"; 《차》 Tee *m.* –s, –s; 《골프의》 Golfziel *n.* –(e)s, –e. ‖ 티셔츠 T-hemd *n.* –es, –en / 티자 T-Lineal *n.* –s, –e.

E

티격태격하다 ⁴sich nicht einigen können*; ⁴sich auseinander|setzen 《mit³》.
티끌 ① 《먼지》 Staub *m.* –(e)s, –e 〔⸗e〕. ¶ ～ 모아 태산 „Viele Wenig gibt ein Viel." ② 《조금》 ¶ ～ 만큼도 nicht im geringsten〔leisesten〕; kein Stäubchen von³ / 양심이라곤 ～만큼도 없다 Kein Gewissen quält ihn.
티눈 (Horn)schwiele *f.* –n; Hühnerauge *n.* –s, –n. ¶ 발에 ～이 박이다 ein Hühnerauge am Fuß haben.
티엔티 TNT; Trinitrotoluol *n.* –s.
티오 《편성표》 T. O.; Planstelle *f.* –n.
티켓 Marke *f.* –n; 《입장권》 Eintrittskarte *f.* –n; 《승차권》 Fahrkarte *f.* –n; 《크레디트 카드》 Kreditkarte *f.* –n.
티크 Tiekbaum *m.* –(e)s, ⸗e 《나무》; Tiekholz *n.* –es, ⸗er 《목재》.
티티새 〔鳥〕 Wacholderdrossel *f.* –n.
티푸스 Typhus *m.* –. ‖ ～ 예방 주사 Typhusimpfung *f.* –en / 장〔발진〕 ～ Unterleibs〔Fleck〕typhus. ⌈*m.* –es, –e.
틴에이저 Teenager *m.* –s, –; Backfisch⌋
팀 (Spiel)mannschaft *f.* –en; Spielgruppe *f.* –n. ¶ 팀을 짜다 e–e (Spiel)mannschaft organisieren. ‖ 팀워크 Teamwork *n.* –s; Gemeinschafts〔Gruppen〕arbeit *f.* –en / 선발팀 Auswahlmannschaft *f.* / 한국 국가 대표팀 die koreanische Nationalmannschaft.
팁 Trinkgeld *n.* –(e)s, –er; Geldgeschenk *n.* –(e)s, –e. ¶ 팁을 주다 ein Geldgeschenk 〔Trinkgeld〕 geben. ⌈tinktur.
팅크 Tinktur *f.* –en. ‖ 요오드 ～ Jod-⌋

ㅍ

파 〔植〕 Porree *m.* –s, –s; Lauch *m.* –(e)s, –e; Zwiebel *f.* –n 《양파》.
파(派) 《당파》 Partei *f.* –en; 《학파》 Schule *f.* –n; 《종파》 Sekte *f.* –n. ‖ (비)주류파 (Nicht)hauptstromfaktion *f.* –en.
파격(破格) ～적 außergewöhnlich 《특별한》; abnorm 《변칙적》. ¶ ～적으로 싸다 Das ist lächerlich billig.
파견(派遣) Absendung *f.* –en. ～하다 ab|senden*⁴; (ab|)schicken⁴; detachieren⁴. ‖ ～대 Detachement *n.* –s, –s.
파경(破鏡) 《이혼》 Scheidung *f.* –en; Trennung 〔Eheauflösung〕 *f.* –en.
파계(破戒) ～하다 die buddhistischen Gebote brechen* 〔übertreten*〕. ‖ ～승 der sündhafte (buddhistische) Priester,⌉
파고(波高) Wellenhöhe *f.* ⌊–s, –.⌋
파고들다 ein|dringen* 《in⁴》; ergründen⁴. ¶ 범인의 행방을 ～ nach dem Aufenthalt e–s Verbrechers forschen.
파과기(破瓜期) Pubertätszeit *f.*
파괴(破壞) Zerstörung 〔Vernichtung〕 *f.* –en. ～하다 zerstören⁴; vernichten⁴; verwüsten⁴. ¶ ～적인 zerstörend; vernichtend. ‖ ～력 die zerstörende Kraft, ⸗e / ～자 Zerstörer *m.* –s, –.
파국(破局) Katastrophe *f.* –n; Zusammenbruch *m.* –(e)s, ⸗e. ¶ ～에 직면하다 der letzten ³Katastrophe gegenüber|stehen*.
파급(波及) ～하다 reichen 《bis⁴》; ein|wirken 《auf⁴》. ¶ 전국적으로 ～되다 ⁴sich auf das ganze Land erstrecken.
파기(破棄) ～하다 vernichten⁴; brechen*⁴; widerrufen*⁴. ¶ 조약의 ～ (Staats)vertragsbruch *m.*; Verhandlungsbruch *m.*
파김치 eingepökelter Porree, –s, –s. ¶ ～가 되다 totmüde werden.
파내다 aus|graben*⁴ 〔–|heben*⁴; –|stöbern⁴〕; aus|wühlen⁴; aus|schaufeln⁴ 《삽으로》. ¶ 보물을 ～ Schätze aus|graben*.
파노라마 Panorama *n.* –s, ..men. ¶ ～ 같은 panoramisch.
파다 ① 《땅·구멍을》 graben*⁴; wühlen⁴; bohren⁴. ② 《새기다》 (ein|)schnitzen⁴; schneiden*⁴ 《in⁴》; gravieren⁴. ¶ 도장을 ～ ein Siegel gravieren. ③ 《규명함》 (nach|)forschen³; untersuchen⁴. ④ 《열중》 ⁴sich ³*et.* widmen; eifrig 〔fleißig〕 studieren. ⌈(sein).⌉
파다하다(頗多—) zahlreich 〔häufig〕⌋
파다하다(播多—) weit verbreitet (sein); um|gehen*. ¶ …라는 소문이 ～하다 Es geht das Gerücht um, daß ....
파도(波濤) Welle 〔Woge〕 *f.* –n. ¶ ～치다 wogen; hoch gehen*; wallen. ‖ ～소리 das Brausen* des Meeres.
파동(波動) Wellenbewegung 〔Undulation〕 *f.* –en. ‖ ～설 Undulationstheorie *f.* / 정치〔경제〕 ～ politische 〔wirtschaftliche〕 Krise, –n / 증권 ～ die Krise der Fondsbörse.
파라다이스 Paradies *n.* –es, –e.
파라솔 Sonnenschirm *m.* –(e)s, –e.
파라핀 〔化〕 Paraffin *n.* –s, –e.
파란(波瀾) Wellen (*pl.*); 《분란》 Unruhe *f.*; 《변화》 Abwechselung *f.* –en. ¶ ～많은 wechselvoll.
파랑 Blau *n.* –s; Azur *m.* –s 《하늘색》. ‖ ～새 der blaue Vogel, –s, ⸗.
파랗다 blau 〔grün〕 (sein). ¶ 파랗게 되다 blau 〔grün〕 werden; blauen; grünen.
파래 〔植〕 die eßbare Grünalge, –n.
파렴치(破廉恥) ～하다 unverschämt 〔ehrlos〕 (sein). ‖ ～죄 das entehrende Verbrechen, –s, – / ～한(漢) der Schamlose*, –n, –n.
파릇파릇하다 punktiert grün 〔stellenweise grün; überall grün〕 (sein).
파리 ① Fliege *f.* –n. ② 《比》 ¶ ～ 날리다 schlecht besucht sein. ‖ ～채 Fliegen·klappe 〔–klatsche〕 *f.* –n.
파리하다 abgemagert 〔abgezehrt; hager; abgehärmt〕 (sein).
파먹다 ① 《벌레 따위가》 ⁴sich hinein|fressen* 〔–|bohren〕 《in⁴》. ② 《도식함》 ein müßiges〔untätiges〕 Leben führen.
파면(罷免) Entlassung *f.* –en. ～하다 entlassen*⁴; verabschieden⁴. ¶ ～당하다 entlassen werden 《von *jm.*》.
파멸(破滅) Untergang *m.* –(e)s, ⸗e; Verderben, *n.* –s. ～하다 zugrunde|gehen*; ins Verderben rennen; verfallen*. ¶ ～시키다 zugrunde richten.
파문(波紋) Wellenringe (*pl.*). ¶ ～을 던지다 in Bewegung setzen; (e–n) großen Einfluß aus|üben 《auf⁴》.
파문(破門) Bann *m.* –(e)s, –e; Exkommunikation *f.* –en. ～하다 *jn.* in den Bann tun*⁴; exkommunizieren⁴.

파묻다¹ begraben*⁴; beerdigen⁴; bestatten⁴; (ver)graben*⁴.
파묻다² 《물어 보다》 aus|pressen; aus|quetschen; aus|holen. ¶ 남의 계획을 ~ den Plan e-s anderen aus|horchen.
파묻히다 beerdigt 〔bedeckt; verdeckt〕 werden; stecken. ¶ 눈에 ~ unter dem Schnee stecken.
파발(擺撥) 〖史〗 Eilbote *m.* -n, -n; Kurier *m.* -s, -e.
파벌(派閥) Fraktion *f.* -en; Clique *f.* -n; Parteiung *f.* -en. ‖ ~ 싸움 Streitigkeiten unter den Fraktionen.
파병(派兵) ~하다 Truppen entsenden⁽*⁾.
파삭파삭하다 knusp(e)rig (sein).
파산(破産) Bank(e)rott *m.* -(e)s, -e; Konkurs *m.* -es, -e. ~하다 Bankrott 〔Konkurs〕 machen. ¶ ~한 bank(e)rott. ‖ ~ 관리인 Konkursverwalter *m.* -s, - / ~자 Bank(e)rotteur *m.* -s, - / ~ 절차 Konkursverfahren *n.* -s, -.
파상(波狀) ~적 wellenförmig; wellig. ‖ ~ 공격 der wellenförmige Angriff, -(e)s, -e.
파상풍(破傷風) Starrkrampf *m.* -(e)s, ⸚e; Tetanus *m.* -, -.
파생(派生) Ableitung *f.* -en. ~하다 ⁴sich ab|leiten 《*von*³》; ab|stammen. ‖ ~어 das abgeleitete Wort, -(e)s, ⸚er.
파선(破船) 《난파》 Schiffbruch *m.* -(e)s, ⸚e; 《배》 verunglücktes Schiff, -(e)s, -e. ~하다 e-n Schiffbruch erleiden*.
파손(破損) Beschädigung *f.* -en. ~되다 beschädigt 〔schadhaft〕 werden. ¶ ~시키다 beschädigen⁴.
파쇄(破碎) ~하다 (in Stücke) brechen*⁴; zerbrechen*⁴. ‖ ~기 Brecher *m.* -s, -.
파수(把守) Wache *f.* -n; Aufsicht *f.* -e; Beaufsichtigung *f.* -en. ¶ ~보다 wachen⁴; beaufsichtigen⁴; bewachen⁴. ‖ ~꾼 Aufseher *m.* -s, -.
파스텔 Pastell *m.* -(e)s, -e. ‖ ~ 그림 Pastell·gemälde *n.* -s, - 〔-bild *n.* -es, -er〕.
파시(波市) säsonbedingter Fischmarkt, -(e)s, -e.
파시즘 Faschismus 〔Fascismus〕 *m.* -.
파악(把握) ~하다 fassen⁴; (er)greifen*⁴; begreifen*⁴; verstehen*⁴.
파안대소하다(破顔大笑—) in heftiges Lachen aus|brechen*; über ganzes Gesicht lachen.
파약(破約) Bruch *m.* -(e)s, ⸚e. ~하다 e-n Vertrag 〔Kontrakt〕 brechen*.
파업(罷業) Streik *m.* -(e)s, -e 〔-s〕; Arbeitseinstellung *f.* -en. ~하다 streiken; die Arbeit ein|stellen; in den Streik treten*. ‖ ~ 기금 Streikkasse *f.* -n / 동정 ~ Sympathiestreik *m.* / 총~ Generalstreik *m.*
파열(破裂) das Platzen*, -s; Bruch *m.* -(e)s, ⸚e; 《폭발》 Explosion *f.* -en. ~하다 platzen; brechen*; explodieren. ‖ ~음 〖文〗 Verschlußlaut *m.* -es, -e.
파옥(破獄) der Ausbruch aus dem Gefängnis. ~하다 aus dem Gefängnis aus|brechen*.
파운드 Pfund *n.* -(e)s, -e 《중량·영국 화폐의 단위》. ¶ ~로 팔다 pfundweise verkaufen⁴.

파울 《반칙》 das falsche 〔regelwidrige〕 Spiel, -(e)s, -e. ~하다 falsch spielen 《mit *jm.*》.
파이 Pastete *f.* -n 《고기의》; Torte *f.* -n 《과일의》.
파이프 《담배의》 (Tabaks)pfeife *f.* -n; 《관》 Rohr *n.* -(e)s, -e. ‖ ~ 담배 Pfeifentabak *m.* -(e)s, -e / ~ 라인 《석유 등의》 Pipeline *f.* -s; Ölleitung *f.* -en / ~ 오르간 Orgel *f.* -n.
파인더 Sucher *m.* -s, - 《카메라의》; Suchglas *n.* -es, ⸚er 《망원경의》.
파인애플 Ananas *f.* - 〔..nasse〕.
파인플레이 das feine Spiel, -(e)s, -e.
파일럿 Pilot *m.* -en, -en; Flieger *m.* -s, -.
파자마 Schlafanzug *m.* -(e)s, ⸚e; Pyjama *m.* 〔*n.*〕 -s, -s.
파장(波長) Wellenlänge *f.* -n. ¶ ~을 (…국에) 맞추다 e-n Sender ein|stellen.
파장(罷場) ~하다 schließen*⁴; zu ³Ende bringen*⁴. ‖ ~ 시세 〖證〗 der Preis am Schluß der Börse.
파적(破寂) ~하다 die Zeit verbringen*; ³sich die Zeit vertreiben* 《*mit*³》.
파종(播種) das Säen*, -s; (Aus)saat *f.* -en. ~하다 säen⁽⁴⁾. ‖ ~기 Sä(e)zeit *f.* -en; Saatzeit *f.*
파죽지세(破竹之勢) die unwiderstehliche Gewalt. ¶ ~로 mit unwiderstehlicher Gewalt.
파지(破紙) defektives 〔zerfetztes〕 Papier, -s; Überbleibel des Papiers.
파직(罷職) Entlassung aus dem Dienst. ~하다 *jn.* (aus dem Dienst) entlassen*; *jn.* s-s Amtes entheben.
파초(芭蕉) 〖植〗 Bananenbaum *m.* -(e)s, ⸚e; Pisang *m.* -s, -e.
파출(派出) ~하다 schicken⁴; ab|fertigen⁴. ‖ ~부 Aushilfsfrau *f.* -en / ~소 《경찰의》 Polizeiwache *f.* -n; 《사무소 등의》 Zweigstelle *f.* -n.
파충류(爬蟲類) Kriechtier *n.* -(e)s, -e; Reptil *n.* -s, -e 〔..lien〕.
파치(破—) der beschädigte Artikel, -s, -.
파탄(破綻) 《결렬》 Bruch *m.* -(e)s, ⸚e; 《파산》 Bankrott *m.* -(e)s, -e. ☞ 파국. ~하다 brechen*; 《실패》 fehl|gehen*; 《파산》 bankrottieren.
파트너 Partner *m.* -s, -; Partnerin *f.* -nen 《여자》.
파트타임 die verkürzte Arbeitszeit, -en; Halbtagsarbeit *f.* -en.
파티 Party *f.* -s; Gesellschaft *f.* -en. ‖ 댄스 ~ Tanz-Party; Ball *m.* -(e)s, ⸚e.
파파이아 〖植〗 Papayabaum *m.* -(e)s, ⸚e.
파편(破片) Bruchstück *n.* -(e)s, -e; Fragment *n.* -(e)s, -e. ¶ 포탄의 ~ Geschoßsplitter *m.* -s, -.
파하다(罷—) schließen*⁴; zu Ende kommen*; zum Schluss kommen*. ¶ 학교는 3시에 파한다 Die Schule ist um 3 Uhr aus.
파행(爬行) ~하다 kriechen*; schleichen*. ‖ ~ 동물 Kriechtier *n.* -(e)s, -e; Reptil *n.* -s, -e 〔..ien〕.
파행(跛行) ~하다 hinken; humpeln.
파헤치다 ① 《발굴》 das Grab auf|brechen*; aus|graben*⁴ 《고분을》; exhu-

mieren^{4} 《시체를》. ② 《폭로》 enthüllen^{4}; entdecken^{4}; auf|decken^{4}. ¶비밀을 ～ ein Geheimnis enthüllen〔auf|decken〕.

파혼(破婚) ～하다 ein Verlöbnis lösen; e-e Verlobung auf|lösen 〔rückgängig machen〕; von Verlöbnis zurück|treten*.

팍삭 niedersinkend. ～하다 《주저 앉음》 lose herunter|fallen*; 《깨짐》 zerbrechen*.

판 ① 《승부의 횟수》 Mal *n.* -(e)s, -e; Partie *f.* -n. ¶세 판 승부 ein dreimaliger Wettkampf. ② 《때》 Zeit *f.*; Augenblick *m.* -(e)s. ¶ …하려는 판에 (gerade) als ...; wenn .... ③ 《자리》 Raum *m.* -(e)s, ⸚e; Platz *m.* -es, ⸚e.

판(板) Brett *n.* -(e)s, -er; Platte *f.* -n. ¶장기판 Schachbrett.

판(版) Auflage *f.* -n; 《판목》 (Druck-)form *f.* -en; Platte *f.* -n; 〖印〗 Druck *m.* -(e)s, -e. ¶제 2 ～ die zweite Auflage / 판을 거듭하다 (ein Buch) wieder auf|legen.

판가름 《형세의》 Entscheidung *f.* -en; Krise *f.* -n. ～하다 den Kampf entscheiden*. ⌈ter.

판검사(判檢事) Richter u. Staatsanwal-⌋

판결(判決) Urteil *n.* -(e)s, -e; Rechtsspruch *m.* -(e)s, ⸚e. ～하다 entscheiden*^{4}; das Urteil fällen* 《*über*^{4}》 〔aus|sprechen* 《über *jn.*》〕. ¶무죄 ～을 받다 für unschuldig erklärt werden; freigesprochen werden. ‖ ～례 Judikatur *f.* -en / ～문 der Tenor des Urteils / ～ 주문(主文) Urteilsformel *f.* -n.

판공비(辦公費) Zweckdienlichkeitsfonds *m.* -, -; 《접대비》 Empfangskosten (*pl.*); 《기밀비》 Geheimkosten (*pl.*).

판국(一局) Situation *f.* -en; Lage *f.* -n; Lage der Dinge. ¶험한 ～ gefährliche 〔bedenkliche; schwierige〕 Lage.

판권(版權) Urheber〔Verlags〕recht *n.* -(e)s, -e. ¶～을 얻다 ^{3}sich das Verlagsrecht sichern. ‖ ～ 소유자 Verlagsrechtsinhaber *m.* -s, - / ～ 침해 Verletzung des Urheberrechts.

판다 Bambusbär *m.* -en, -en; (großer) Panda *m.* -s, -.

판단(判斷) Urteil *n.* -(e)s, -e; Entscheidung *f.* -en 《단정》; Beurteilung *f.* -en 《의견》. ～하다 urteilen 《*über*^{4}》; entscheiden*^{4} 《*in*^{3}; *über*^{4}》. ‖ ～력 Urteisvermögen *n.* -s, -.

판도(版圖) Territorium *n.* -s, ..rien; Sphäre *f.* -n. ¶～를 넓히다 das Gebiet aus|dehnen.

판독(判讀) Entzifferung *f.* -en. ～하다 entziffern^{4}; heraus|bekommen*^{4}. ¶～하기 어려운 unentzifferbar; unleserlich.

판돈 Einsatz *m.* -(e)s. ⸚e (beim Spiel); Einlage *f.* -n.

판례(判例) Präzedens *n.* -, ..denzien; Präjudiz *n.* -es, -e. ‖ ～법 Judikaturrecht *n.* -(e)s, -e.

판로(販路) Markt *m.* -(e)s, ⸚e; Absatzgebiet *n.* -(e)s, -e. ¶새～를 개척하다 neue Absatzgebiete erschließen*.

판막(瓣膜) Klappe *f.* -en. ‖ ～증(症) Klappenerkrankung *f.* -en.

판매(販賣) Verkauf *m.* -(e)s, ⸚e; Vertrieb *m.* -(e)s, -e; Absatz *m.* -es, ⸚e. ～하다 verkaufen^{4}; vertreiben*^{4}; ab|setzen^{4}. ‖ ～ 가격 Verkaufspreis *m.* -es, -e / ～망 Absatzgebiet *n.* -(e)s, -e / ～술 Verkaufspolitik *f.* -en.

판명(判明) ～되다 klar werden; an den Tag 〔aus Licht〕 kommen*.

판무관(辦務官) Kommissionär *m.* -s, -e. ‖ 고등 ～ Statthalter *m.* -s, -.

판별(判別) Unterscheidung *f.* -en; Beurteilung *f.* -en. ～하다 unterscheiden*^{4} 《*von*^{3}》; urteilen 《*über*^{4}》.

판사(判事) Richter *m.* -s, -; Auditor *m.* -s, -en. ‖ ～석 Richterstuhl *m.* -s, ⸚e. / 부장 ～ der Vorsitzende*, -n, -n. ⌈-n.

판소리 e-e alte koreanische Operette,⌋

판연(判然) ～하다 klar 〔deutlich〕 (sein).

판유리(板琉璃) Spiegel〔Scheiben〕glas *n.* -es, ⸚er.

판이(判異) ～하다 ganz anders〔ganz verschieden; entgegengesetzt〕 (sein).

판자(板子) Brett *n.* -(e)s, ⸚er; Planke *f.* -n; Bohle *f.* -n. ‖ ～집 Bretterbude *f.* -n; Baude *f.* -n.

판재(板材) das Brett für den Sarg.

판정(判定) Entscheidung *f.* -en. ～하다 entscheiden*^{4}; richten^{4}. ‖ ～승 der Sieg nach Punkten. ⌈-e 〔-s〕.

판지(板紙) Pappe *f.* -n; Karton *m.* -s,⌋

판치다 einflußreich sein; e-e große Rolle spielen. ⌈anzug *m.* -(e)s, ⸚e.

판탈롱 Pantalons (*pl.*). ‖ ～ 슈트 Hosen-⌋

판화(版畫) 《목판》 Holzschnitt *m.* -(e)s, -e; 《동판》 Kupferstich *m.* -(e)s, -e; 《석판》 Steindruck *m.* -(e)s, -e.

팔 Arm *m.* -(e)s, -e. ¶팔에 끼다 unter dem Arme halten* / 팔을 펴다 die Arme aus|breiten / 아이를 팔에 안다 ein Kind auf dem Arm haben.

팔(八) acht. ¶제 8 der 〔die; das〕 achte*.

팔각(八角) ¶～형 Achteck *n.* -(e)s, -e; Oktogon *n.* -s, -e.

팔걸이 (Arm)lehne *f.* -n. ‖ ～ 의자 Arm〔Lehn〕stuhle *m.* -(e)s, ⸚e. ⌈*f.* -en.

팔괘(八卦) Weissagung 〔Vorhersagung〕⌋

팔꿈치 Ell(en)bogen *m.* -s, -. ¶～로 쿡 찌르다 《주의를 환기하며》 mit dem Ellbogen heimlich u. leise an|stoßen* 《*jn.*》. ⌈Wüstling, -s, -e.

팔난봉 Schwelger *m.* -s, -; großer⌋

팔다 verkaufen^{4}; feil|bieten*^{4}; veräußern^{4}; 《배반》 verraten*^{4}. ¶비싸게〔싸게〕 ～ teuer 〔billig〕 verkaufen / 이름을 ～ ^{3}sich e-n Namen machen / 나라를 ～ sein Vaterland verraten* / 돈에 몸을 ～ ^{4}sich (für Geld) verkaufen 〔hin|geben*〕.

팔다리 Beine u. Arme; Gliedmaßen (*pl.*).

팔도강산(八道江山) ganz Korea; die Landschaft der allen Teile Koreas.

팔등신(八等身) ¶～의 미인 schönes Mädchen von wohlgestalteter Figur.

팔딱거리다 《맥박이》 klofen; schlagen*; pochen; 《동물 따위가》 zappeln; hüpfen; springen*.

팔랑개비 kleines Windrad zum Spielen.

팔레트 Palette *f.* -n; Farbenbrett *n.*

ㅍ

–(e)s, –er. ‖ ～칼 Temperiermesser *n.* –s, –.

팔리다 ① (물건이) [4]sich verkaufen; Absatz finden*; verkauft werden. ¶잘〔날개돋치듯〕 ～ großen〔reißenden〕 Absatz finden*. ② (이름이) berühmt werden. ¶이들에게는 그의 얼굴이 잘 팔리고 있다 Er ist in diesen Kreisen sehr bekannt. ③ (마음이) entzückt〔bezaubert〕 werden. ¶…에 마음이 팔려서 abgelenkt (*von*[3]).

팔림새 Absatz *m.* –es, ⸚e; Verkauf *m.* –(e)s, –e. ¶～가 좋다〔시원찮다〕 [4]sich gut〔schlecht〕 verkaufen.

팔매 das Werfen*, –s. ‖ 돌～ das Steinwerfen*.

팔면체(八面體)〖數〗Oktaeder *n.* –s, –; Achtflächner *m.* –s, –. ‖ 정～ ein regelmäßiger Achtflächner.

팔목 Handgelenk *n.* –(e)s, –e. ‖ ～시계 =손목시계.

팔방(八方) alle Richtungen〔Seiten〕(*pl.*). ¶～으로 nach allen Richtungen; auf alle(n) Seiten. ‖ ～미인 (두루춘풍) Allerweltsfreund *m.* –(e)s, –e; jedermanns Freund; (다재 다능) ein vielseitiger Mensch, –en, –en.

팔베개 ¶～를 하고 s-n Arm als Kopfkissen benützend〔benutzend〕.

팔분음표(八分音標)〖樂〗Achtelnote *f.* –n.

팔불용(八不用), 팔불출(八不出) Taugenichts *m.* – 〔–es〕, –e; Nichtsnutz *m.* –(e)s, –e.

팔삭둥이(八朔—) (미숙아) im achten Monat der Schwangerschaft geborene Frühgeburt; (蔑) Narr *m.* –en, –en.

팔손이나무(八—)〖植〗(Hand)aralie *f.* –n.

팔십(八十) achtzig.

팔씨름 Armkraftprobe *f.* n. ¶～을 하다 mit den Armen ringen*.

팔아먹다 verkaufen[4]; los|schlagen*; an|bringen*[4]; vertreiben*[4].

팔월(八月) August *m.* –(e)s 〔–〕, –e.

팔자(八字) Schicksal *n.* –s, –e; Los *n.* –es. ¶～ 좋다〔사납다〕 glücklich〔unglücklich〕 sein / ～가 늘어지다 mit Glück u. Gnade gesegnet werden.

팔절판(八切版) Oktav *n.* –s, –e; Oktavformat *n.* –(e)s, –e.

팔죽지 Oberarm *m.* –(e)s, –e.

팔중주(八重奏)〖樂〗Oktett *n.* –(e)s, –e.

팔짱 ¶～을 끼다 die Arme verschränken〔kreuzen〕.

팔찌 Arm·band *n.* –(e)s, ⸚er〔–reif *m.* –(e)s, –e〕.

팔촌(八寸) (촌수) ① Vetter dritten Grades. ¶사돈의 ～ Vetter vierzigsten Grades. ② (여덟 치) 8 Zoll.

팔팔하다 frisch〔lebhaft; munter〕(sein).

팝콘 Puffmais *m.* –es.

팡파르 Fanfare *f.* –n. ¶～를 울리다 die Fanfare ertönen lassen*.

팥 die kleine rote Bohne, –n; Mungobohne *f.* –n. ¶콩을 팥이라 하다 aus weiß schwarz machen.

팥밥 mit Roten-Bohnen gekochter Reis, –es.

팥소 Rote-Bohnenmarmelade *f.* –n.

팥죽(—粥) mit gestampften, durchsiebten Roten-Bohnen gekochter Reisbrei.

패(牌) ① (패거리) Klüngel *m.* –s, –; Bande *f.* –n. ¶패를 짓다 [4]sich vereinigen (mit *jm.*). ② (놀음) (Spiel-)karte *f.* –n. ③ (표지) Anschlag(e)tafel *f.* –n. ¶명패 Namenzeichnung *f.* –en.

패가(敗家) ～하다 e-e Familie richtet zugrunde. ¶～ 망신하다 sein Vermögen vergeuden und sich selbst ruinieren.

패각(貝殼) Muschelschale *f.* –n.

패권(霸權) (Ober)herrschaft *f.* –en; Hegemonie *f.* –n. ¶～을 잡다 herrschen (*über*[4]); die Herrschaft führen〔haben〕(*über*[3]) / ～을 다투다 um den Vorzug streiten*.

패기(覇氣) Ehrgeiz *m.* –es; Ehrsucht *f.* ¶～있는 ehrgeizig; hochstrebend.

패다[1] (때리다) schlagen*[4]; hämmern[4]; schmieden[4].

패다[2] (쪼개다) (zer)spalten(*)[4]; zerreißen*[4]; platzen machen[4]. ¶장작을 ～ Brennholz zerhacken〔zerspalten(*)〕.

패다[3] (이삭이) schießen*. ¶이삭이 ～ in Ähren schießen.

패덕(悖德) Unsittlichkeit〔Sittenlosigkeit〕*f.* –en. ‖ ～한(漢) unsittliche Person, –en.

패도(霸道) das gewaltsame Herrschen*, –s; Militärregierung *f.* –en.

패랭이꽃 Nelke *f.* –n; Dianthee *f.* –n.

패러그래프 Paragraph *m.* –en, –en.

패러독스 Paradox *n.* –es, –e.

패류(貝類) Konchylien (*pl.*); Muscheln (*pl.*).

패륜(悖倫) Unsittlichkeit *f.* –en. ～의 unsittlich. ‖ ～아 unsittliche Person, –en.

패망(敗亡) Niederlage *f.* –n; Untergang *m.* –(e)s. ～하다 e-e Niederlage erleiden*; vernichtet werden.

패물(佩物) Personalgarnierung *f.* –en; Geschmeide *n.* –s, –.

패배(敗北) Niederlage *f.* –n; wilde Flucht, –en. ～하다 e-e Niederlage erleiden*; geschlagen werden. ‖ ～주의 Defätismus *m.* –.

패색(敗色) ¶～이 짙다 Zeichen der Niederlage nächt sich.

패션 Fashion *f.*; Mode *f.* –n; Schnitt *m.* –(e)s, –e. ‖ ～ 모델 Vorführdame *f.* –n / ～ 쇼 Mode(n)schau *f.* –en.

패소(敗訴) der Verlust e-s Prozesses. ～하다 e-n Prozeß verlieren*.

패스 (여권) Reisepaß *m.* ..passes, ..pässe; (통행증) Passierschein *m.* –(e)s, –e; (무임 승차권) Freifahrkarte *f.* –n; (무료 입장권) Freikarte; Freibillet *n.* –(e)s, –e; (정기권) Dauerkarte; (경기에서) das Zuspielen*, –s; (시험에서) das Durchkommen*, –s. ～하다 (공을) (den Ball) zu|spielen; (시험에) (e-e Prüfung) bestehen*.

패쌈(牌—) Bandeschlägerei *f.* –en. ～하다 e-e Bandeschlägerei an|fangen*.

패업(霸業) die Vollendung der Herrschaft.

패왕(霸王) der (oberste) Gebieter, –s, –; Oberlehnsherr *m.* –n, –en.

패용(佩用) ～하다 tragen*[4].

패운(敗運) verfallenes Geschick, –(e)s.

패인(敗因) die Ursache der Niederlage.
패자(敗者) der Besiegte*, -n, -n.
패자(霸者) Machthaber *m.* -s, -; 《경기에서》 Meister 〔Sieger〕 *m.* -s, -.
패잔병(敗殘兵) der Versprengte*, -n, -n.
패장(敗將) besiegter 〔eroberter〕 General, -s, ¨-e.
패전(敗戰) Niederlage *f.* -n. ‖ ~국 das besiegte Land, -(e)s, ¨-er.
패주(敗走) ~하다 (ent)fliehen*^{3}; entlaufen*^{3}; ^{4}sich in die Flucht geben*.
패총(貝塚) Muschelhaufen *m.* -s, -.
패퇴(敗退) ~하다 geschlagen werden 《von *jm.*》; ^{4}sich zurück|ziehen*; verlieren*^{4}.
패트런 Patron *m.* -s, -e; Gönner *m.* -s, -.
패트롤 Patrouille 〔Streife〕 *f.* -n. ‖ ~카 Streifenwagen *m.* -s, -.
패하다(敗—) verlieren*^{4}; geschlagen; e-e Niederlage erleiden*.
패혈증(敗血症) Sepsis *f.* ..sen. ~의 septisch.
팩시밀리 Faksimile *n.* -s, -s 〔..lia〕.
팬 Freund *m.* -(e)s, -e; Enthusiast *m.* -en, -en; Schwärmer *m.* -s, -. ¶야구팬 Baseballschwärmer *m.*
팬지〖植〗Stiefmütterchen *n.* -s, -.
팬츠 (Herren)unterhose *f.* -n. ‖ 수영 ~ Badehose / 운동 ~ e-e kurze Sporthose.
팬터마임 Pantomime *f.* -n.
팬티 (Damen)slip *m.* -s, -s. ‖ ~ 스타킹 Strumpfhose *f.* -n.
팸프 Kuppler 〔Zuhälter〕 *m.* -s, -.
팸플릿 Flugschrift *f.* -en; Pamphlet *n.* -(e)s, -e.
팽개치다 (weg|)werfen*; schleudern; fort|werfen*; 《일을》 vernachlässigen. ¶일을 팽개쳐 두다 s-e Arbeit vernachlässigen.
팽그르르 ¶~ 돌다 ^{4}sich drehen 〔kreiseln; wirbeln〕.
팽나무〖植〗der chinesische Nesselbaum, -(e)s, ¨-e.
팽대(膨大) Anschwellung 〔Expansion〕 *f.* -en. ~하다 (an|)schwellen*; ^{4}sich expandieren.
팽배(澎湃) ~하다 (Wellen) brüllen; auf|wühlen; auf|wallen; schäumen.
팽이 Kreisel *m.* -s, -. ¶~를 치다 e-n Kreisel treiben*〔schlagen*〕; kreiseln.
팽창(膨脹) Ausdehnung 〔Anschwellung〕 *f.* -en; 《확대》 Erweiterung *f.* -en; 《증가》 Zunahme *f.* -n. ~하다 ^{4}sich aus|dehnen; an|schwellen*; ^{4}sich erweitern; zu|nehmen* 《*an*^{3}》. ‖ ~ 계수 Ausdehnungskoeffizient *m.* -en, -en / ~력 Expansiv〔Expansions〕kraft *f.* ¨-e.
팽패롭다 exzentrisch 〔verschroben; verdreht; launisch〕(sein).
팽팽하다 《켕기다》 (aus)gespannt 〔aufgespannt; gestrafft〕 (sein); 《세력이》 gewachsen 〔ebenbürtig〕 (sein).
퍅하다(愎—) reizbar 〔jähzornig; hitzig〕 (sein).
퍼내다 aus|schöpfen^4; aus|schaufeln^4 《삽으로》; aus|löffeln^4 《스푼으로》; aus|pumpen 《펌프로》.
퍼덕거리다 ① 《날개를》 schlagen* 《*mit*^{3}》; flattern. ¶새가 ~ ein Vogel schlägt mit den Flügeln. ② 《물고기가》 zappeln. ¶고기가 ~ der Fisch zappelt.
퍼뜨리다 verbreiten^4; bekannt|machen^4 《고지》; an|zeigen^4 《광고》. ¶소문을 ~ ^{4}*et.* als Gerücht aus|sprengen.
퍼뜩 plötzlich; blitzartig. ¶~ 생각나다 plötzlich ein|fallen*.
퍼레이드 Parade *f.* -n.
퍼머넌트 Dauerwelle *f.* -n. ~하다 ^{3}sich Dauerwellen legen lassen*.
퍼먹다 《퍼서 먹다》 schöpfen u. essen*; 《마구 먹다》 schaufeln; begierig essen*.
퍼붓다 ① 《퍼서》 hinein〔herein〕|schöpfen^4; hinein〔herein〕|gießen*^{4}. ¶통에 술을 ~ Wein in ein Faß gießen*. ② 《욕 따위를》 über|schütten 《*mit*^{3}》. ¶욕설을 ~ *jn.* mit e-r Flut von Schimpfwörtern über|schütten. ③ 《쏟아지다》 ¶비가 억수같이 퍼붓는다 Es regnet in Güssen 〔Strömen〕 / 포화를 ~ schweres Geschütz auf|fahren*.
퍼센트 Prozent *n.* -(e)s, -e. 《略 : p. c.》. vom Hundert 《略 : v. H.》. ¶3~ drei vom Hundert / 5~의 fünfprozentig.
퍼센티지 Hundert〔Prozent〕satz *m.* -es, ¨-e.
퍼즐 Rätsel *n.* -s, -; Puzzle [pʌzl] *n.* -s, -s.
퍼지다 ① 《널리》 ^{4}sich aus|breiten; ^{4}sich verbreiten; bekannt werden 《알려짐》; in die Mode kommen* 《유행》. ¶소식은 순식간에 퍼졌다 Die Nachricht hat sich schnell verbreitet. ② 《병이》 toben; wüten. ③ 《밥 따위》 abgedampft sein. ④ 《자손이》 zu|nehmen*; ^{4}sich vermehren.
퍼프 Puderquaste *f.* -n.
퍽 《매우》 sehr; ganz; recht. ¶퍽 재미있다 recht interessant sein.
펀치 ① 《권투》 Faustschlag *m.* -(e)s, ¨-e. ② 《공구》 Knipszange *f.* -n. ③ 《음료》 Punch[pʌn(t)ʃ] *m.* -, -. ‖ ~ 카드 Lochkarte *f.* -n.
펀펀하다 flach 〔eben; platt; plan〕 (sein).
펄 e-e weite Ebene, -n.
펄럭거리다, 펄렁거리다 flattern; wehen; zittern. ¶깃발이 바람에 펄럭거린다 Die Fahne flattert im Winde.
펄썩 ① 《먼지 따위가》 leicht aufwirbelnd. ¶먼지가 ~ 난다 Der Staub wirbelt leicht auf. ② 《주저앉음》 zusammenfallend; niederfallend. ¶땅에 ~ 주저앉다 auf den Boden nieder|fallen*.
펄쩍뛰다 plötzlich springen*; auf|schrecken. ¶성나서 ~ in Zorn geraten*
펄펄 ¶~ 끓이다 aufkochen lassen*^{4}; sieden 〔wallen〕 lassen*^{4} / 눈이 ~ 내리다 Der Schnee fällt unaufhörlich.
펄프 Papier·brei 〔-stoff〕 *m.* -(e)s; Ganzzeug *n.* -(e)s.
펌프 Pumpe *f.* -n. ¶~로 퍼내다 aus|pumpen^4.
펑퍼짐하다 leicht geschweift (sein). ¶펑퍼짐한 엉덩이 flache, rundliche Hüfte, -n.
페넌트 Wimpel *m.* -s, -. ‖ ~ 레이스 Meisterschaftsspiel *n.* -(e)s, -e.
페널티킥〖蹴〗Strafstoß *m.* -es, ¨-e.
페니실린〖藥〗Penicillin 〔Penizillin〕 *n.* -s, -e.
페달 Pedal *n.* -s, -e. ¶~을 밟다 Pedal treten*.
페더급(—級) Federgewicht *n.* -(e)s, -e.

ㅍ

페리보트 Autofähre *f.* -n.
페서리 《피임구》 (Okklusiv)pessar *n.* -s, -e; Mutterring *m.* -(e)s, -e.
페스트 Pest 〔Pestilenz〕 *f.* -en. ‖ ~균 Pestbazillus *m.* -, ..zillen.
페어플레이 ehrliches Spiel, -(e)s, -e.
페이지 Seite *f.* -n 《略: S.》; Pagina 《略: p.》. ¶ 3 ~에 auf der Seite drei.
페인트^1 〖競〗 Scheinangriff *m.* -(e)s, -e; Finte *f.* -n. ~하다 e-e Finte machen; fintieren.
페인트^2 (Öl)farbe *f.* -n. ¶ ~칠하다 an|streichen*^{4}.
페티코트 Petticoat *m.* -s, -s; Halbunterrock *m.* -(e)s, ⸚e.
펜 Feder *f.* -n. ¶ 펜으로 쓰다 mit der Feder schreiben*^{4}. ‖ 펜네임 Schriftstellername *m.* -ns, -n / 펜대 Federhalter *m.* -s, - / 펜촉 Feder 〔Federspitze〕 *f.* -n.
펜싱 〖競〗 Fechten *n.* -s.
펜클럽 Pen-Club *m.* -s.
펜팔 Brieffreund *m.* -(e)s, -e.
펜화(一畫) Linienzeichnung *f.* -en; 《그림》 Federzeichnung *f.* -en.
펠리컨 〖鳥〗 Pelikan *m.* -s, -e.
펭귄 〖鳥〗 Pinguin *m.* -s, -e.
펴놓다 entfalten; auf|rollen; entrollen; ab|rollen; aus|breiten. ¶ 책을 ~ ein Buch öffnen.
펴다 《넓히다》 aus|breiten^4; entfalten^4; verbreiten^4; breiten^4; aus|strecken^4 《손발 따위를》; bespannen^4 《우산을》; auf|schlagen*^{4} 《책을》; glätten^4 《구겨진 것을》. ¶ 다리를 ~ die Beine aus|strecken / 주름을 ~ Falten glätten / 허리를 ~ den Rücken strecken.
펴지다 ^{4}sich entrollen; ^{4}sich ab|rollen; glatt werden 《구김살이》; gerade werden 《굽은 것이》.
편(便) ① 《한쪽》 Seite *f.* -n; Teil *m.* 〔*n.*〕 -(e)s, -e. ¶ 왼편에 links. ② 《편의》 ¶ 배편으로 mit dem Schiffe / 버스편이 있다 Man kann mit dem Bus fahren. ③ 《한패》 Freund *m.* -(e)s, -e; Anhänger *m.* -s, -; Partei *f.* -en; Gruppe *f.* -n. ¶ 그는 우리 편이다 Er ist auf unserer Seite / 그는 편을 짠다 Er bildet e-e Gruppe.
편가르다(便—) in ^{4}Gruppen (ein|)teilen^4.
편각(偏角) 〖地〗 Deklination *f.* -en; 〖數〗 Amplitude 〔Amplitüde〕 *f.* -n.
편강(片薑) der (mit Zucker) eingemachte Ingwer, -s.
편견(偏見) Vorurteil *n.* -(e)s, -e. ¶ ~이 많은 voreingenommen; befangen; vorurteilsvoll / ~을 갖다 ein Vorurteil haben 《*gegen*^{4}》 / ~이 없는 vorurteilsfrei; unbefangen.
편곡(編曲) 〖樂〗 Arrangement *n.* -s, -s; Bearbeitung *f.* -en. ~하다 arrangieren^4; bearbeiten^4; orchestrieren^4 《관현악으로》.
편광(偏光) (Licht)polarisation *f.*; das polarisierte Licht, -(e)s, -er.
편년(編年) ‖ ~사 Chronik *f.* -en; Analen(*pl.*) / ~체 chronikalische Form, -en; chronologische Anordnung, -en.
편달(鞭達) ~하다 auf|muntern^4; ermuntern^4; ermutigen^4; an|regen^4 《격려함》; an|spornen^4 《채찍질함》.
편대(編隊) Formation *f.* -en; Verband *m.* -(e)s, ⸚e. ‖ ~ 비행 Formationsfliegen *n.* -(e)s, ⸚e.
편도(片道) Hinweg *m.* -(e)s; Hinfahrt *f.* ‖ ~ 승차권 einfache Fahrkarte, -n.
편도(扁桃) 〖植〗 Mandel *f.* -n.
편도선(扁桃腺) 〖解〗 Tonsille *f.* -n; Mandel *f.* -n (보통 *pl.*). ¶ ~이 붓다 geschwollene Mandeln haben.
편두통(偏頭痛) 〖醫〗 Migräne *f.* -n; das einseitige Kopfweh, -(e)s, -e.
편들다(便—) *jn.* unterstützen; auf *js.* ^{3}Seite stehen*; *js.* ^{4}Partei ergreifen*.
편람(便覽) Handbuch *n.* -(e)s, ⸚er; Kompendium *n.* -s, ..dien.
편력(遍歷) Fußreise *f.* -n; (Fuß)wanderung *f.* -en. ~하다 (zu ^{3}Fuß) wandern; e-e Fußreise machen.
편리(便利) ~하다 bequem 〔geignet; passend; dienlich; günstig; handlich〕 (sein).
편린(片鱗) Teilchen 〔Stückchen〕 *n.* -s, -. ¶ …의 ~을 엿보다 e-n flüchtigen Einblick tun* 《*in*^{4}》.
편모(偏母) die verwitwete 〔einsame〕 Mutter. ¶ ~ 슬하에 있다 nur e-e zu pflegende Mutter haben.
편모(鞭毛) Geißel *f.* -n. ‖ ~충 Flagellat *m.* -en, -en.
편물(編物) das Stricken* 〔Häkeln*〕, -s. ¶ ~을 하다 stricken; häkeln. ‖ ~ 기계 Strickmaschine *f.* -n.
편법(便法) leichte 〔praktische〕 Methode, -n. ¶ ~을 강구하다 geeignete Maßregeln treffen* 〔ergreifen*; nehmen*〕.
편벽(偏僻) ~하다, ~되다 exzentrisch 〔überspannt; parteiisch; vorurteilsvoll; einseitig〕 (sein).
편성(編成) Aufstellung 〔Organisierung; Formation〕 *f.* -en. ~하다 organisieren^4; formieren^4; auf|stellen^4; zusammen|stellen^4. ‖ 예산 ~ die Aufstellung des Budgets.
편수(編修) Herausgabe *f.* -n; Zusammenstellung *f.* -en. ~하다 heraus|geben*^{4}; edieren^4; zusammen|tragen*^{4}. ‖ ~관 der Redaktionsangestellte*, -n, -n / ~국 Lehrbuchpublikationsamt *n.* -(e)s, ⸚er.
편술(編述) ~하다 heraus|geben*^{4}; edieren^4; zusammen|tragen*^{4}; kompilieren^4.
편승(便乘) ~하다 mit|fahren*; ^{4}sich ein|schiffen; aus|nutzen^4 〔-|nützen^4〕.
편식(偏食) die einseitige Diät, -en. ~하다 e-e abwechs(e)lungsarme Kost haben.
편안(便安) ~하다 friedlich 〔ruhig; unbewegt; behaglich; bequem; gemütlich; frei〕 (sein). ¶ 마음이 ~하다 ^{4}sich ruhig fühlen.
편애(偏愛) ~하다 parteiisch lieben^4; eingenommen sein 《*für*^{4}》.
편의(便宜) Schicklichkeit *f.* ¶ ~상 der ^{2}Bequemlichkeit halber 〔wegen〕 / ~를 도모하다 auf die Bequemlichkeit^2 ^{4}Rücksicht nehmen*.
편익(便益) Nutzen *m.* -s, -; Vorteil *m.* -(e)s, -e.
편입(編入) Aufnahme *f.* -n; Einver-

leibung *f.* -en 《합병》. ～하다 《학생을》 auf|nehmen*; ein|ordnen; inkorporieren^{4} 《합병》. ‖ ～생 der speziell aufgenommene Student, -en, -en / ～ 시험 das Examen für spezielle Aufnahme.

편자 Hufeisen *n.* -s, -.

편자(編者) Verfasser *m.* -s, -; Autor *m.* -s, -en.

편재(偏在) die schlechte Verteilung, -en. ～하다 schlecht verteilt sein.

편재(遍在) Allgegenwart *f.* ～하다 allgegenwärtig 〔ubiquitär〕 sein.

편중(偏重) Übergewicht *n.* -(e)s, -e; Schwergewicht. ～하다 《중히 여김》 Nachdruck legen 《*auf*^{4}》; hin|neigen 《*zu*^{3}》; großen Wert legen 《*auf*^{4}》.

편지(便紙) Brief *m.* -(e)s, -e; Schreiben *n.* -s, -; Epistel *f.* -n. ¶ ～를 쓰다 e-n Brief schreiben* 《*jm.*; an *jn.*》. ‖ ～지 Briefbogen *m.* -s, - 〔¨〕; Briefpapier *n.* -s, -e.

편집(編輯) Schriftleitung 〔Redaktion〕 *f.* -en. ～하다 heraus|geben*^{4}; redigieren^{4}; zusammen|tragen*^{4}; edieren^{4}. ‖ ～국 Schriftleitungs〔Redaktions〕büro *n.* -s, -s / ～원 Redaktion *f.* -en.

편집광(偏執狂) Monomanie *f.* -n.

편짜다(便—) e-e Mannschaft 〔Gruppe; Partei; Gesellschaft〕 bilden.

편차(偏差) Deklination *f.* -en; Ausschlag *m.* -(e)s, ¨e 《자침의》. ‖ 표준 ～ Standarddeviation *f.* -en.

편찬(編纂) Kompilation *f.* -en. ～하다 kompilieren^{4}; zusammen|tragen*^{4}. ‖ ～자 Kompilator *m.* -s, -en / 국사 ～위원회 Nationalgeschichte-Kompilationskomitee *n.* -s, -s.

편찮다(便—) ① 《불편하다》 unbequem 〔unbehaglich; ungemütlich; unangenehm〕 (sein). ② 《앓다》 unwohl 〔nicht wohl; übel; bekümmert〕 (sein).

편취(騙取) ～하다 auf betrügerische Weise bekommen*^{4}〔erhalten*^{4}〕; betrügen 《*jn.* *um*^{4}》.

편친(偏親) eins 〔einer〕 der Eltern.

편파(偏頗) ～적(인) parteiisch; befangen; einseitig. ¶ ～적으로 대하다 unterschiedlich 〔parteiisch〕 behandeln 《*jn.*》.

편평(扁平) ～하다 platt〔flach〕(sein). ‖ ～족(足) Plattfuß *m.* -es, ¨e.

편하다(便—) ① 《편안》 behaglich 〔bequem; gemütlich; gemächlich; mühelos〕 (sein). ¶ 편히 살다 im Wohlstand leben. ② 《편리》 handlich〔praktisch; bequem; günstig〕 (sein). ¶ 교통이 ～ Die Verkehrslinien sind sehr günstig. ③ 《쉬움》 leicht 〔einfach〕 (sein). ¶ 편한 일 leichte Arbeit, -en.

편향(偏向) Neigung *f.* -en 《*zu*^{3}》; Hang *m.* -(e)s 《*zu*^{3}》; 〔物〕 Ablenkung *f.* -en. ～하다 gerichtet sein 《*nach*^{3}》.

편협(偏狹) ～하다 engherzig 〔engstirnig; beschränkt; kleinlich〕 (sein). ¶ ～한 사람 der beschränkte Kopf, -(e)s, ¨e.

펼치다 aus|breiten^{4}; entfalten^{4}; öffnen^{4}; auf|rollen^{4}; auf|machen^{4}. ¶ 지도를 ～ e-e Landkarte aus|breiten.

폄하다(貶—) herab|setzen^{4}; in Verruf bringen*^{4}; schlecht reden 《*über*^{4}》.

평(評) 《소문》 Gerücht *n.* -(e)s, -e; 《평판》 Ruf *m.* -(e)s, -e. ¶ 평이 좋다〔나쁘다〕 e-e gute 〔schlechte〕 Aufnahme finden*.

평-(平) gewöhnlich; einfach. ¶ 평사원 ein einfacher Angestellte*, -n, -n.

평가(平價) 〔經〕 Pari *n.* -s; Nennwert *m.* -(e)s, -e. ‖ ～ 절상 Revalvation 〔Aufwertung〕 *f.* -en / ～ 절하 Devaluation 〔Abwertung〕 *f.* -en.

평가(評價) (Ab)schätzung〔Einschätzung〕 *f.* -en; 《존중》 Würdigung *f.* -en; 《세금의》 (Steuer)veranlagung *f.* -en. ～하다 (ab|)schätzen^{4}; ein|schätzen^{4}; würdigen^{4}; 《판정》 beurteilen^{4}. ¶ 높이〔낮게〕 ～하다 hoch 〔gering〕 schätzen^{4}. ‖ ～액 Abschätzung *f.* -en.

평각(平角) 〔數〕 gestreckter Winkel, -s, -.

평결(評決) Entscheidung *f.* -en; Urteilsspruch *m.* -(e)s, ¨e. ～하다 entscheiden*^{4}.

평고대(平高臺) 〔建〕 Querbalken der koreanischen Dachkonstruktion.

평균(平均) ① Durchschnitt *m.* -(e)s, -e; 《균형》 Gleichgewicht *n.* -(e)s, -e; 〔數〕 Mittel *n.* ～하다 den Durchschnitt nehmen* 《*von*^{3}》. ¶ ～하여 im Durchschnitt; durchschnittlich/ ～을 내다 den Durchschnitt berechnen. ② 《평형》 Gleichgewicht *n.* -(e)s, -e; Balance *f.* -n. ¶ ～을 유지하다 Balance halten*. ‖ ～대 〔體〕 Schwebebalken *m.* -s, - / ～ 수명 die durchschnittliche Lebensdauer / ～점 Durchschnittszensur *f.* -en / ～치 Mittelwert *m.* -(e)s, -e.

평년(平年) das gewöhnliche 〔normale〕 Jahr, -(e)s, -e; Durchschnittsjahr. ‖ ～작 Durchschnittsernte *f.* -n.

평등(平等) Gleichheit *f.*; Gleichberechtigung *f.*; Parität *f.* -en. ～하다 gleich 〔gleichberechtigt〕 (sein). ¶ ～하게 gleicher·maßen 〔-weise〕. ‖ 남녀 ～ die Gleichheit der beiden Geschlechter / 자유 ～ Freiheit u. Gleichheit.

평론(評論) Kritik *f.* -en; die kritische Besprechung, -en; Rezension 〔Besprechung〕 *f.* -en. ～하다 kritisieren^{4}; kommentieren; rezensieren^{4}; besprechen*^{4}. ‖ ～가 Rezensent *m.* -en, -en/ ～ 잡지 Revue *f.* -n / 문학 ～ die literalische Kritik.

평면(平面) Fläche 〔Ebene〕 *f.* -n. ‖ ～각 der flache Winkel, -s, - / ～ 기하 Planimetrie *f.* -n / ～도 Grundriß *m.* ..risses, ..risse.

평미레(平—) Abstreichholz *n.* -es, ¨er.

평민(平民) Bürger *m.* -s, -; Bürgerstand *m.* -(e)s, ¨e. ～적 bürgerlich; demokratisch.

평방(平方) Quadrat *n.* -(e)s, -e. ¶ 3 ～미터 drei Quadratmeter / 3 마일 ～ drei Meilen im Quadrat. ‖ ～근 Quadratwurzel *f.* -n.

평범(平凡) ～하다 alltäglich 〔gewöhnlich; mittelmäßig; eintönig〕 (sein). ¶ ～한 사람 Durchschnittsmensch *m.* -en, -en.

평복(平服) Zivilanzug *m.* -(e)s, ¨e; Alltagskleid *n.* -(e)s, -er. ¶ ～으로 in Zivil; im Alltagskleid.

평상(平常) ～의 gewöhnlich; üblich; normal. ‖ ～시〖副詞的〗 gewöhnlich; üblich (～시와 같이 wie gewöhnlich〔sonst〕).
평생(平生) das ganze Leben, –s; 〖副詞的〗 zeitlebens. ～의 lebenslänglich. ‖ ～ 소원 der lebenslängliche Wunsch, –(e)s, ⸗e.
평소(平素) 〖副詞的〗 gewöhnlich; sonst; in der Regel; regelmäßig. ¶ ～처럼 wie gewöhnlich 〔üblich; immer〕.
평수(坪數) Flächeninhalt *m.* –(e)s, –e; 《건평》 die Fläche e–s Gebäudes 〔Hauses〕.
평시(平時) Friedenszeit *f.* –en; die friedliche Zeit. ¶ ～에는 gewöhnlich. ‖ ～ 산업 die Industrie der Friedenszeit.
평안(平安) Frieden *m.* –s, –; Sicherheit *f.* –en. ～하다 in (Ruhe u.) Frieden sein; ruhig 〔friedlich〕 (sein). ¶ ～히 지내다 in Abrahams Schoß sitzen*.
평야(平野) Ebene *f.* –n; Flachfeld *n.* –(e)s, –er.
평온(平穩) ～하다 friedlich〔ruhig〕(sein). ¶ ～해지다 ruhig (u. friedlich) werden.
평원(平原) Ebene *f.* –n; 《미국의》 Prärie *f.* –n.
평의(評議) Besprechung *f.* –en; Aussprache *f.* –n. ～하다 besprechen*⁴; ⁴sich beraten*〔beratschlagen〕《mit *jm.* über⁴》. ‖ ～원 Rat *m.* –(e)s, ⸗e; Berater *m.* –s, – / ～회 Besprechung *f.*; Konferenz *f.*
평이(平易) ～하다 leicht 〔einfach; mühelos〕 (sein).
평일(平日) All〔Arbeits; Werk〕tag *m.* –(e)s, –e. ¶ ～처럼 wie an Wochentagen.
평작(平作) 〖農〗 normaler (Ernte)ertrag, –(e)s, ⸗e.
평점(評點) Zensur *f.* –en; (Prüfungs-)zeugnis *n.* –ses, –se.
평정(平定) ～하다 unterwerfen*⁴; nieder|werfen*⁴.
평정(平靜) (Gemüts)ruhe *f.*; Fassung *f.* ¶ 마음의 ～을 잃다 (Gemüts)ruhe verlieren* / ～을 되찾다 ⁴sich beruhigen 〔legen〕.
평준(平準) 《수준》 Niveau *n.* –s, –s; gleiche Stufe, –n; 《평균》 Gleichheit *f.* ‖ ～화 Gleichmachung *f.* (～화하다 gleich|machen⁴ 〔–|stellen⁴〕).
평지 〖植〗 Raps *m.* –es, –e; 《씨》 Rapssaat *f.* –en. ‖ ～ 기름 Rapsöl *n.* –(e)s, –e.
평지(平地) Ebene *f.* –n; Flachland *n.* –(e)s, ⸗er; Plan *m.* –(e)s, ⸗e. ¶ ～ 풍파를 일으키다 die öffentliche ⁴Ruhe stören.
평탄(平坦) ～하다 flach 〔platt〕 (sein).
평판(評判) 《명성》 Ruf *m.* –(e)s, –e; 《소문》 Gerücht *n.* –(e)s, –e; Ruhm *m.* –(e)s; 《인기》 Popularität *f.* ¶ ～ 있는 (all)bekannt; viel besprochen; berühmt; 《악명높은》 anrüchtig; verrufen / ～이 좋다〔나쁘다〕 e–n guten 〔schlechten〕 Ruf haben; in gutem 〔üblem〕 Ruf stehen* / ～이 자자하다 Alle Münder sind voll davon.
평판인쇄(平版印刷) Lithographie *f.* –n.
평평(平平) ～하다 eben 〔flach; glatt〕 (sein).
평하다(評—) kritisieren⁴; beurteilen⁴; besprechen*⁴; rezensieren⁴.
평행(平行) ～하다 parallel sein〔laufen*〕; gleich|laufen* 《*mit*³》. ¶ ～의 parallel; gleichlaufend. ‖ ～봉 Barren *m.* –s, – / ～사변형 Parallelogramm *n.* –s, –e / ～선 Parallele *f.* –n.
평형(平衡) Gleichgewicht *n.* –(e)s, –e. ¶ ～을 잡다 balancieren; ins Gleichgewicht bringen*. ‖ ～ 감각 Gleichgewichtsgefühl *n.* –(e)s, –e / ～ 장애 〖醫〗 Gleichgewichtsstörung *f.* –en.
평화(平和) Frieden *m.* –s, –. ¶ ～로운 friedlich; friedfertig; ruhig / ～적으로 im Frieden; auf Friedensfuß / ～를 회복〔유지〕하다 den Frieden wiederher|stellen〔aufrecht|erhalten*〕 / ～를 깨뜨리다 den Frieden brechen* 〔stören〕. ‖ ～공세 Entspannungsoffensive *f.* –n / ～ 산업 friedliche Industriezweig, –(e)s, –e / ～ 시대 Friedenszeit *f.* –en/ ～ 운동 Friedensbewegung *f.* –en / ～적 공존 die friedliche Koexistenz, –en / ～ 조약 Friedensvertrag *m.* –(e)s, ⸗e / ～주의자 Pazifist *m.* –en, –en / ～회의 Friedenskonferenz *f.* –en / 노벨 ～상 Friedensnobelpreis *m.* –es, –e / 세계 ～ Weltfriede.
평활(平滑) ～하다 eben 〔flach〕 (sein). ‖ ～근(筋) glatter Muskel, –s, –n.
폐(肺) Lunge *f.* –n.
폐(弊) Unannehmlichkeit 〔Lästigkeit; Beschwerung〕 *f.* –en. ¶ 폐가 되다 *jm.* zu beschwerlich fallen* / 폐를 끼치다 belästigen⁴; beschweren⁴; stören⁴; lästig fallen*³.
폐가(廢家) 《버린 집》 das zerfallene 〔verlassene〕 Haus, –es, ⸗er; 《손이 끊인》 e–e Familie, die ausgestorben ist.
폐간(廢刊) ～하다 eingehen lassen*⁴.
폐갱(廢坑) die abgebaute Grube, –n.
폐결핵(肺結核) Lungentuberkulose *f.* –n.
폐경기(閉經期) Wechseljahre (*pl.*); Klimakterium *m.* –s, ..rien.
폐관(閉館) ～하다 《ein Gebäude》 schließen*⁴; goschlossen sein.
폐광(廢鑛) das verlassene 《버린》 〔abgebaute 《바닥난》〕 Bergwerk, –(e)s, –e. ～하다 ein Bergwerk verlassen* 〔auf|geben*〕.
폐교(閉校) ～하다 e–e Schule schließen*.
폐기(廢棄) Abschaffung *f.* –en 《풍속·제도 등》; Aufhebung *f.* –en 《법률 등》. ～하다 ab|schaffen⁴; auf|geben*⁴; auf|heben*⁴; widerrufen*⁴. ‖ ～물 Abfall *m.* –(e)s, ⸗e; Reste (*pl.*).
폐기종(肺氣腫) 〖醫〗 Lungenemphysem *n.* –(e)s, –e.
폐농(廢農) ～하다 die Landwirtschaft ein|stellen 〔auf|geben*〕.
폐단(弊端) Übel *n.* –s, –; Übel〔Miß〕stand *m.* –(e)s, ⸗e; Nachteil *m.* –(e)s, –e. ¶ ～을 제거하다 das Laster beseitigen.
폐동맥(肺動脈) Lungen·arterie 〔–schlagader〕 *f.* –n.
폐디스토마(肺—) Lungendistoma *n.* –s, –ta.
폐렴(肺炎) Lungenentzündung *f.* –en;

Pneumonie *f.* –n. ‖ 급성 ～ die akute Lungenentzündung.
폐막(閉幕) ～하다 den Vorhang zu|ziehen*〔schließen*〕.
폐문(閉門) ～하다 die Tür schließen*. ‖ ～ 시간 Torschlußzeit *f.* –en.
폐물(廢物) Abfall *m.* –(e)s, ¨e; Reste (*pl.*); das unbrauchbare Zeug, –(e)s, –e. ‖ ～ 이용 die Verwertung der Abfälle.
폐백(幣帛) 《신부의》 Geschenke (*pl.*) der Braut an ihre Schwiegereltern.
폐병(肺病) Lungenkrankheit *f.* –en; 《폐결핵》 Lungentuberkulose *f.* –n.
폐부(肺腑) Lungen (*pl.*); 《마음속》 Herzensgrund *m* –(e)s, ¨e; das Innerste*, –n. ¶ ～를 찌르다 ins Herz stoßen*[4]; tief kränken[4]; nahe|gehen*[3].
폐사(弊社) unsere Gesellschaft 〔Firma〕.
폐색(閉塞) ～하다 blockieren[4]; (ein|)sperren[4]. ‖ ～ 구간 〖鐵〗 Blockstrecke *f.* –n / ～음 Verschlußlaut *m.* –(e)s, –e.
폐쇄(閉鎖) ～하다 (ver)schließen*[4]; zuschließen*[4]; (ver)sperren[4]. ‖ 공장 ～ Aussperrung *f.* –en.
폐수(廢水) Abwasser *n.* –s, ¨.
폐습(弊習) Unsitte *f.* –n; die üble Sitte; 《악습》 die üble (An)gewohnheit, –en.
폐암(肺癌) Lungenkrebs *m.* –es, –e.
폐어(肺魚) 〖魚〗 Lungenfisch *m.* –es, –e.
폐어(廢語) das veraltete Wort, –(e)s, ¨er.
폐업(廢業) Geschäftsaufgabe *f.* –n; Geschäftsschluß *m.* ..schlusses, ..schlüsse. ～하다 sein Geschäft auf|geben*; 《의사·변호사 등이》 s–e Praxis auf|geben*.
폐위(廢位) ～하다 entthronen[4].
폐인(廢人) Krüppel *m.* –s, –.
폐장(閉場) ～하다 schließen*[4]; zu|machen[4].
폐절제(肺切除) 〖醫〗 Pneumonektomie *f.* –n.
폐점(閉店) ～하다 den Laden schließen*. ‖ ～ 시간 Polizeistunde *f.* –n.
폐정(閉廷) ～하다 den Gerichtshof schließen*.
폐지(閉止) ～하다 [4]sich schließen*〔sperren〕.
폐지(廢止) Abschaffung 〔Aufhebung〕 *f.* –en. ～하다 ab|schaffen[4]; auf|heben*[4].
폐질(廢疾) Invalidität *f.* –en; Unfähigkeit *f.* –en. ‖ ～자 der Invalide*, –n, –n; der dienstunfähige Mensch, –en, –en.
폐차(廢車) der unbenutzte Wagen, –s, –.
폐출혈(肺出血) 〖醫〗 Lungenblutung *f.* –en.
폐충혈(肺充血) 〖醫〗 Lungenhyperämie *f.* –n.
폐침윤(肺浸潤) 〖醫〗 Lungeninfiltration *f.* –en.
폐품(廢品) ＝폐물(廢物).
폐풍(弊風) ＝폐습(弊習).
폐하(陛下) S–e 〔Ihre〕 Majestät; Ew. 〔Eure; Euer〕 Majestät 《2인칭》.
폐하다(廢—) 《법률 등을》 ab|schaffen[4]; auf|heben*[4]; 《습관·일 등을》 auf|geben*[4]. ¶ 왕을 ～ vom Throne stoßen* 《*jn.*》.
폐함(廢艦) das außer Dienst stehende Kriegsschiff, –(e)s, –e.
폐합(廢合) ～하다 [4]*et.* ab|schaffen u. amalgamieren. ‖ ～ 정리 Neugestaltung 〔Neuordnung〕 *f.* –en.
폐해(弊害) das Böse* 〔Üble*〕 –n; der schlimme Zustand, –(e)s, ¨e. ¶ ～를 막다 Schaden verhindern.
폐허(廢墟) Ruine *f.* –n; Trümmer (*pl.*). ¶ ～가 되다 verfallen*.
폐활량(肺活量) Lungenkapazität *f.* –en. ‖ ～계 Spirometer *n.* 〔*m.*〕 –s, –.
폐회(閉會) ～하다 schließen*[4]. ‖ ～사 Schluß·ansprache 〔–rede〕 *f.* –n / ～식 Schlußzeremonie *f.* –n.
폐회로(閉回路) 〖電〗 der geschlossene Kreislauf, –(e)s, ¨e.
포(脯) trockene Scheiben gewürzten Fleisches.
포가(砲架) 〖軍〗 Lafette *f.* –n.
포개다 aufeinander|legen[4]; häufen[4]; auf|schichten[4]; überhäufen[4]. ¶ 포개어 aufeinander; übereinander.
포격(砲擊) Bombardement *n.* –s, –s; Beschießung *f.* –en. ～하다 bombardieren[4]; beschießen*[4].
포경(包莖) 〖醫〗 Phimose *f.* –n. ‖ ～ 수술 Phimoseoperation *f.* –en.
포경(捕鯨) Wal(fisch)fang *m.* –(e)s, ¨e. ‖ ～선 Walfänger *m.* –s, –.
포고(布告) Verkündigung 〔Ankündigung〕 *f.* –en. ～하다 an|kündigen[34]; verkündigen[4]. ¶ 선전 ～를 하다 den Krieg erklären《*gegen*[4]》. ‖ ～령 Dekret *n.* –(e)s, –e 〔Erlaß *m.* ..sses, ..sse〕.
포괄(包括) ～하다 umfassen[4]; ein|beziehen*[4]《*mit*[3]》. ¶ ～적인 (viel)umfassend.
포교(布教) ～하다 Mission treiben*.
포구(砲口) Mündung *f.* –en; Kaliber *n.* –s, – 《구경》.
포구(浦口) kleine Bucht, –en; Hafen *m.* –s, ¨.
포근하다 ① 《폭신》 sanft 〔bequem; flaumig〕 (sein). ② 《날씨가》 angenehm 〔lind; mild; warm〕 (sein).
포기 Kopf *m.* –(e)s, ¨e; Haupt *n.* –es, ¨er. ¶ 풀 한 ～ e–e Pflanze / 배추 두 ～ zwei Kopf Kohl.
포기(抛棄) ～하다 auf|geben*[4]; verzichten 《*auf*[4]》; verlassen*[4]; preis|geben*[4].
포달 ¶ ～ 부리다 eigensinnig handeln; [4]sich schlecht betragen* / ～지다 boshaft 〔gehässig〕 (sein).
포대(包袋) Sack〔Schlauch〕 *m.* –(e)s, ¨e.
포대(砲臺) Batterie *f.* –n.
포대기 Stepp〔Bett〕decke für kleine Kinder.
포도(葡萄) 《열매》 Weinbeere *f.* –n; 《송이》 Weintraube *f.* –n. ‖ ～나무 Weinstock *m.* –(e)s, ¨e / ～당 Glukose *f.* / ～밭 Weinberg *m.* –(e)s, –e / ～상 구균 Traubenkokkus *m.* –, ..kokken / ～주 Wein *m.* –(e)s, –e.
포도(鋪道) Pflaster *n.* –s, –.
포동포동하다 beleibt 〔dicklich; drall; prall〕 (sein).
포로(捕虜) der (Kriegs)gefangene*, –n, –n. ¶ ～로 잡다 gefangen|nehmen*[4] / ～가 되다 in Gefangenschaft geraten*. ‖ ～ 교환 die Auswechselung der Gefangenen / ～ 수용소 Gefangenenlager *n.* –s, –.
포르노(그라피) Pornographie *f.* –n; Porno *m.* –s, –s. ‖ ～ 영화 Pornofilm *m.* –(e)s, –e.
포르투갈 Portugal *n.* –s. ‖ ～어 das Portugiesische*, –n; Portugiesisch *n.*

ㅍ

포마드 Pomade *f.* -n.
포만(飽滿) ～하다 übersatt sein «*von*[3]»; voll sein «*von*[3]; *mit*[3]».
포말(泡沫) Schaum *m.* -(e)s, ⸚e. ‖ ～ 회사 Schwindelfirma *f.* ..men.
포목(布木) Stoff *m.* -(e)s, -e; lange Waren(*pl.*); Kleiderstoff; Schnittwaren (*pl.*). ‖ ～점 Kleiderstoffhandlung *f.* -n; Tuchladen *m.* -s, ⸚.
포문(砲門) ¶ ～을 열다 zu feuern 〔schießen〕 beginnen*; 《比》 e-e Debatte eröffnen.
포물선(拋物線) 〖數〗 Parabel *f.* -n. ¶ ～을 그리다 e-e Parabel beschreiben*.
포박(捕縛) ～하다 ergreifen*; verhaften.
포병(砲兵) Artillerist *m.* -en, -en; 《병과》 Artillerie *f.* -n. ‖ ～대 Artillerie / ～ 진지 Artilleriestellung *f.* -en.
포복(匍匐) ～하다 kriechen*; auf allen vieren gehen*.
포복절도하다(抱腹絕倒—) (vor Lachen) den Bauch 〔die Seiten〕 halten*; [4]sich tot lachen.
포부(抱負) Vorhaben *n.* -s, -; 《대망》 Ehrgeiz *m.* -es, -e. ¶ ～를 품다 sein Streben auf [4]*et.* ein|stellen / ～를 말하다 s-n Plan erzählen.
포상(褒賞) ～하다 belohnen[4]; *jm.* e-e Belohnung geben*.
포석(布石) 《바둑의》 Schachzug *m.* -(e)s, ⸚e; 《比》 Vorbereitung. *f.* -en. ¶ 외교적 ～ diplomatischer Schachzug.
포석(鋪石) Pflasterstein *m.* -(e)s, -e.
포성(砲聲) Geschütz〔Kanonen〕donner *m.* -s, -. ¶ 멀리서 ～이 들렸다 Ein Geschützdonner rollte in der Ferne.
포수(砲手) Jäger *m.* -s, -.
포수(捕手) 〖野〗 Fänger *m.* -s, -.
포술(砲術) Artilleriewissenschaft *f.* -en; Geschützwesen *n.* -s.
포스터 Anschlagzettel *m.* -s, -; (Reklame)plakat *n.* -(e)s, -e. ¶ ～를 붙이다 Plakate auf [4]*et.* an|schlagen*.
포승(捕繩) die Stricke (*pl.*) zum Fesseln e-s Verbrechers. ¶ ～으로 묶다 fesseln «*jn.*».
포식(飽食) ～하다 [4]sich satt essen*; [4]sich voll fressen*.
포신(砲身) Geschützrohr *n.* -(e)s, -e.
포악(暴惡) ～하다 gräßlich 〔abscheulich; grausam〕 (sein).
포열(砲列) Batteriestellung *f.* -en.
포옹(抱擁) ～하다 umarmen[4]; an die Brust drücken[4].
포용(包容) 《관용》 Toleranz *f.* ～하다 tolerieren[4]. ‖ ～력 Großmut *f.* (～력 있는 umfassend; großmütig; tolerant).
포위(包圍) ～하다 umgeben*[4]; umfassen[4]; ein|schließen*[4]; belagern[4]. ¶ ～를 뚫다〔풀다〕 die Belagerung durch|brechen*〔auf|heben*〕. ‖ ～ 공격 Belagerung *f.* -en / ～군 Belagerer *m.* -s, -.
포유동물(哺乳動物) Säugetier *n.* -(e)s, -e.
포의(胞衣) 〖解〗 Mutterkuchen *m.* -s, -; Plazenta *f.* -s.
포인트 《소수점》 Komma *n.* -s, -s; 《전철기》 Weiche *f.* -n; 《활자》 Punkt *m.* -(e)s, -e; 《경기의》 (Spiel)stand *m.* -(e)s; Punkt. ¶ 9 ～ 활자, 9 Punkt; Borgis *f.*

포자(胞子) 〖生〗 Spore *f.* -n. ‖ ～낭 Sporenbehälter *m.* -s, -.
포장(布帳) Vordach *n.* -(e)s, ⸚er; Regendecke *f.* -n; Plane *f.* -n. ‖ ～ 마차 Planwagen *m.* -s, -.
포장(包裝) das Packen*, -s. ～하다 (ein|-) packen[4] «*in*[4]». ¶ ～을 풀다 aus|packen[4]. ‖ ～지 Packpapier *n.* -s, -e.
포장(鋪裝) Pflaster *n.* -s, -; Pflasterarbeit *f.* -en. ～하다 pflastern[4]; bepflastern[4]. ‖ ～ 도로 Pflasterweg *m.* -(e)s, -e / 도로 ～ 공사 Straßenpflasterung *f.* -en.
포주(抱主) Kuppler *m.* -s, -; Zuhälter *m.* -s, -.
포즈 Pose *f.* -n; Haltung *f.* -en. ¶ ～를 취하다 e-e Pose ein|nehmen*.
포진(布陣) ～하다 Truppen (*pl.*) in Schlachtordnung auf|stellen.
포집다 auf|häufen[4]; auf|schichten[4]; auf|stapeln[4].
포착(捕捉) ～하다 greifen*[4]; fangen*[4]; fassen[4]. ¶ ～하기 어려운 schwer zu fassen; 《요령부득의》 aalglatt; unfaßlich.
포충망(捕蟲網) Insektennetz *n.* -es, -e 《나비 잡는》.
포커 Poker *m.* -s. ‖ ～ 페이스 das eiserne Gesicht, -(e)s, -er.
포켓 Tasche *f.* -n. ‖ ～북 Taschenbuch *n.* -(e)s, ⸚er / ～판 Taschen〔Miniatur〕-ausgabe *f.* -n.
포크 《식사용》 Gabel *f.* -n; 《돼지고기》 Schweinefleisch *n.* -es, -e. ‖ ～촙〔커틀릿〕 Schweine·rippchen *n.* -s, - 〔-kotelett *n.* -(e)s, -e〕.
포크댄스 Volkstanz *m.* -es, ⸚e.
포크송 Folksong *m.* -s, -s.
포탄(砲彈) (Kanonen)kugel *f.* -n; Geschoß *n.* ..schosses, ..schosse.
포탈(逋脫) Steuerhinterziehung *f.* -en. ～하다 Steuern hinterziehen*. ‖ 세금 ～자 Steuerhinterzieher *m.* -s, -.
포탑(砲塔) Geschützbank *f.* ⸚e; Panzerturm *m.* -(e)s, ⸚e; 《회전식》 Drehturm.
포터 Gepäckträger *m.* -s, -; 《호텔의》 Hausdiener *m.* -s, -.
포터블 tragbar; Koffer-; Reise-. ‖ ～ 텔레비전 Kofferfernsehen *n.* -s, -.
포플러 〖植〗 Pappel *f.* -n.
포플린 Popeline *f.*; Popelin *m.* -s.
포피(包皮) 〖解〗 Vorhaut *f.* ⸚e.
포학(暴虐) ～하다 grausam〔tyrannisch〕 (sein).
포함(包含) ～하다 enthalten*[4]; umfassen[4]; ein|schließen*[4]. ¶ ～하여(서) einschließlich[2]; inklusiv[2]; mit[3]. ‖ ～량(量) Gehalt *m.* -(e)s, -e.
포함(砲艦) Kanonenboot *n.* -(e)s, -e.
포화(砲火) (Artillerie)feuer *n.* -s, -. ¶ ～를 퍼붓다 Feuer geben* «*auf*[4]» / ～의 세례를 받다 mitten im Feuer stehen*. ‖ 십자 ～ Kreuzfeuer *n.* -s, -.
포화(飽和) Sättigung *f.* -en. ～하다 [4]sich sättigen. ‖ ～ 상태 Sättigungszustand *m.* -(e)s, ⸚e.
포환(砲丸) ‖ ～ 던지기 das Kugelstoßen*, -s.
포획(捕獲) ～하다 fangen*[4]; erbeuten[4]; erhaschen[4]. ‖ ～물 Fang *m.* -(e)s, ⸚e; Beute 〔Prise〕 *f.* -n / ～선 Kaper *m.* -s, -.

포효(咆哮) ~하다 《맹수·대포》 brüllen; heulen.

폭(幅) Breite *f.* -n. ¶폭이 넓은 breit / 폭이 좁은 eng(e); schmal.

폭거(暴擧) Gewalttat *f.* -en; die gewalttätige Handlung, -en; 《폭동》 Aufstand *m.* -(e)s, ⸚e.

폭격(爆擊) Bombardement *n.* -s, -s. ~하다 bombardieren[4]. ‖ ~기 Bomber *m.* -s, - / 융단 ~ Teppichwurf *m.* -(e)s, ⸚e / 전투 ~기 Jagdbomber.

폭군(暴君) Tyrann *m.* -en, -en.

폭도(暴徒) Pöbel〔Mob〕 *m.* -s, -; 《반도(叛徒)》 Aufrührer *m.* -s, -; Rebell *m.* -en, -en; Aufständischen (*pl.*).

폭동(暴動) Aufruhr *m.* -(e)s, -e; Aufstand *m.* -(e)s, ⸚e. ¶~을 일으키다 [4]sich empören 〔erheben*〕《*gegen*[4]》 / ~을 진압하다 den Aufruhr 〔Aufstand〕 nieder|schlagen*.

폭등(暴騰) ~하다 schnell u. hoch Steigen*; energisch in die Höhe kommen*. ‖ 주가 ~ (plötzliche; starke) Hausse, -n.

폭락(暴落) ~하다 《die Preise》 stürzen; plötzlich fallen*.

폭력(暴力) (rohe) Gewalt, -en; Gewalttätigkeit *f.* -en; Zwang *m.* -(e)s. ¶~에 호소하다 rohe Gewalt an|wenden* / ~을 가하다 *jm.* Gewalt an|tun*. ‖ ~단 Gangster *m.* -s, - / ~배 Rowdy *m.* -s, -s; Strolch *m.* -(e)s, -e / ~행위 Gewalttat *f.* -en.

폭로(暴露) Enthüllung *f.* -en; Entlarvung *f.* -en. ~하다 enthüllen[4]; entlarven[4]; bloß|stellen[4] 〔-|legen[4]〕. ¶그의 비밀이 ~되었다 S-e Geheimnisse sind aufgedeckt. ‖ ~ 기사 Indiskretion *f.* -en / ~ 전술 das Durch-den-Dreck-Ziehen*, -s.

폭뢰(爆雷) Torpedo *m.* -s, -s.

폭리(暴利) ungebührlicher Gewinn, -(e)s, -e; Wuchergewinn. ¶~를 취하다 Wucher treiben*; wuchern (mit Waren).

폭발(爆發) Explosion *f.* -en; das Bersten*, -s. ~하다 explodieren; verpuffen; zerknallen; detonieren. ¶가스의 ~ die Explosion des Gases / ~시키다 sprengen[4]; explodieren lassen*. ‖ ~물 Explosivstoff *m.* -(e)s, -e.

폭사(爆死) Tod durch Bombenabwurf 〔Bombenattentat; Explosion〕. ~하다 durch Bombenabwurf getötet werden.

폭삭 《모두》 völlig; lediglich; ganz; vollständig. ¶건물이 ~ 내려앉았다 Der Bau ist völlig niedergesunken.

폭서(暴暑) glühende Hitze, -n.

폭설(暴雪) der starke Schneefall, -(e)s, ⸚e.

폭소(爆笑) schallendes 〔homerisches〕 Gelächter, -s, -. ~하다 in (ein lautes 〔schallendes〕) Gelächter aus|brechen*.

폭스트롯 《댄스》 Foxtrott *m.* -(e)s, -e 〔-s〕.

폭신하다 flaumig 〔flockig〕 (sein).

폭약(爆藥) Spreng·mittel *n.* -s, - 〔-pulver *n.* -s, -; -stoff *m.* -(e)s, -e〕. ‖ ~ 장전 Sprengladung *f.* -en.

폭양(曝陽) starke Sonnenhitze, -n; lodernde Sonnenstrahlen (*pl.*).

폭언(暴言) beleidigende 〔heftige〕 Worte (*pl.*). ~하다 heftig reden《gegen *jn.*》.

폭우(暴雨) der heftige 〔(nieder)strömende; starke〕 Regen, -s, -. ¶~가 쏟아진다 Es regnet in Güssen 〔Strömen〕.

폭위(暴威) Gewaltsamkeit *f.* -en; Gewalttätigkeit *f.* -en. ¶~를 떨치다 tyrannisieren; gewalttätig sein.

폭음(暴飮) das unmäßige 〔starke〕 Trinken*, -s. ~하다 unmäßig 〔stark〕 trinken*.

폭음(爆音) Knall *m.* -(e)s, -e 〔⸚e〕 《폭발할 때의》; das Schwirren*, -s 《항공기의》. ¶~을 내다 knallen; detonieren; schwirren.

폭주(暴走) 〖野〗 rücksichtsloses Laufen*, -s; Anlauf *m.* -(e)s, ⸚e; Stürzen *n.* -s, -. ~하다 stürzen; los|stürzen; stürmen.

폭주(輻輳) ~하다 [4]sich an|häufen; [4]sich an|sammeln; überfüllt sein《*mit*[3]; *von*[3]》. ¶교통의 ~ Verkehrsstauung *f.* -en.

폭탄(爆彈) Bombe *f.* -n; Fliegerbombe 《투하탄》; Sprenggeschoß *n.* ..schosses, ..schosse 《파열탄》. ¶ ~을 투하하다 Bomben (ab)werfen* 《*auf*[4]》. ‖ ~ 선언 sensationelle Erklärung, -en.

폭파(爆破) ~하다 (in die Luft) sprengen[4]; zersprengen[4]. ‖ ~ 작업 Sprengarbeit *f.* -en.

폭포(瀑布) Wasserfall *m.* -(e)s, ⸚e; Kaskade *f.* -n 《인공의》. ¶나이아가라 ~ der Niagara-Fall.

폭풍(暴風) Sturmwind *m.* -(e)s, -e; Gewitter *n.* -s, -. ‖ ~ 경보 Sturmwarnung *f.* -en / ~ 전야 die (Wind)stille vor e-m Sturm.

폭풍우(暴風雨) Sturm *m.* -(e)s, ⸚e.

폭행(暴行) Gewalt·tätigkeit *f.* -en 〔-tat *f.* -en; -samkeit *f.* -en〕. ~하다 *jm.* Gewalt an|wenden* 〔an|tun*〕; Unfug treiben*.

폴 〖레슬링〗 Fall auf den Rücken 《beim Ringen》. ~하다 e-n Niederwurf machen. ¶폴승하다 mit e-m Niederwurf gewinnen.

폴라로이드 ‖ ~카메라 Polaroid-Kamera *f.* -s 《상표 이름》.

폴란드 Polen *n.* -s. ‖ ~ 사람 Pole *m.* -n, -n; Polin *f.* -nen 《여자》.

폴로 Polo *n.* -s, -. ‖ ~ 셔츠 Polohemd *n.* -(e)s, -en.

폴리스티롤 Polystyrol *n.* -s, -e.

폴리에스테르 Polyester (*pl.*).

폴카 《춤》 Polka *f.* -s.

폼 《모양·형태》 Form *f.* -en; Gestalt *f.* -en. ¶폼이 좋다 e-e schöne Form haben.

표(票) 《증거·쪽지》 Zettel *m.* -s, -; Fahrkarte *f.* -n 《차표》; Eintrittskarte *f.* -n 《입장권》; 《투표의》 Stimme *f.* -n. ¶표를 모으다 die Stimmen sammeln.

표(表) Liste *f.* -n; Aufstellung *f.* -en; Tabelle *f.* -n. ‖ 시간표 Fahrplan *m.* -(e)s, ⸚e 《교통기관의》; Stundenplan 《학교의》.

표(標) 《부호》 (Kenn)zeichen *n.* -s, -; Merkmal *n.* -(e)s, -e; 《증거·표》 Beweis *m.* -es, -e; 《표적》 Zeichen *n.* -s, -. ¶표를 하다 (kenn)zeichnen[(4)].

표결(表決) Entscheidung *f.* -en; Abstimmung *f.* -en. ~하다 über [4]*et.* ab|stimmen [abstimmen lassen*].

표기법(表記法) Bezeichnung *f.* -en; Notation *f.* -en.

표독하다(慓毒—) wild [grimmig; roh] (sein).

표류(漂流) ~하다 treiben*; getrieben werden; [4]sich treiben lassen*. ‖ ~선 das treibende Wrack, -(e)s, -e [-s].

표리(表裏) ⦅물건의 양면⦆ die Vorder- u. Rückseite, -n; ⦅이심⦆ Doppelzüngigkeit *f.* -en. ‖ ~부동 Treulosigkeit *f.* -en.

표면(表面) Oberfläche *f.* -n; ⦅외견⦆ das Äußere*. -n. ¶ ~에 나타나다 an die Öffentlichkeit dringen*. ‖ ~장력 Oberflächenspannung *f.* -en.

표명(表明) ~하다 äußern[4]; dar|stellen[4]; [4]sich aus|drücken. ¶ 사의를 ~하다 s-e Dankbarkeit aus|drücken [aus|sagen].

표박(漂泊) ~하다 wandern; herum|streichen* [-|strolchen].

표방(標榜) ~하다 [4]sich bekennen* ⦅*zu*[3]⦆; öffentlich erklären[4]. ¶ 인도를 ~하다 für Humanität ein|treten*.

표백(漂白) ~하다 bleichen[(*)4]. ‖ ~제 Bleichmittel *n.* -s, -.

표범(豹—) 〖動〗 Leopard *m.* -en, -en; Panther *m.* -s, -.

표변하다(豹變—) [4]sich plötzlich bekehren ⦅*zu*[3]⦆; um|satteln.

표본(標本) Exemplar *n.* -s, -e; Probestück *n.* -(e)s, -e ⦅견본⦆. ‖ ~추출 Stichprobe *f.* -n.

표시(表示) Angabe *f.* -n; Anzeige *f.* -n. ~하다 an|geben*[4]; an|zeigen[4]; äußern[4]. ‖ 의사 ~ Willensäußerung *f.* -en.

표어(標語) Motto *n.* -s, -s; Losung *f.* -en. ¶ ~를 현상 모집하다 für das beste Motto [Schlagwort] e-e Belohnung aus|setzen.

표음(表音) ‖ ~문자 Lautzeichen *n.* -s, -.

표의(表意) ‖ ~문자 Begriffzeichen *n.* -s, -.

표적(標的) Ziel *n.* -(e)s, -e; Zielscheibe *f.* -n. ¶ ~을 맞히다 das Ziel treffen*.

표절하다(剽竊) ~하다 plagiieren; ein Plagiat begehen*; ab|schreiben*[34].

표정(表情) (Gesichts)ausdruck *m.* -(e)s, ⸗e; Miene *f.* -n. ¶ ~이 없는 ausdruckslos; verschlossen.

표제(標題) Titel *m.* -s, -; Rubrik *f.* -en. ‖ ~어 Stichwort *n.* -(e)s, ⸗er / ~음악 Programmusik *f.*

표주박(瓢—) kleines Kürbisgefäß, -es, -e; Kürbisschöpfkelle *f.* -n.

표준(標準) Norm *f.* -en; Standard *m.* -s, -s; Maßstab *m.* -(e)s, ⸗e. ~의 normal; maßgebend; musterhaft. ¶ ~화하다 normieren[4]. ‖ ~시 Einheitszeit *f.* -en / ~편차 Normalabweichung *f.* -en / ~시계 Normaluhr *f.* -en / ~어 Normalsprache *f.* -n; ⦅공통어⦆ Gemeinsprache *f.* -n.

표지(表紙) (Einband)decke *f.* -n; Einband *m.* -(e)s, ⸗e.

표지(標識) Markierung *f.* -en; Merkmal *n.* -(e)s, -e. ‖ 항로 ~ Bake *f.* -n; Seezeichen *n.* -s, -.

표착(漂着) ~하다 angetrieben kommen* ⦅ans Ufer; an die Küste⦆. ‖ ~물 über Bord geworfene Ladung.

표찰(標札) Anschlag[Warn]tafel *f.* -n; Warnschild *n.* -(e)s, -er.

표창(表彰) die (öffentliche) Auszeichnung, -en; Anerkennung *f.* -en. ~하다 (öffentlich) aus|zeichnen ⦅*jn.*⦆. ‖ ~식 Auszeichnungszeremonie *f.* -n / ~장 Auszeichnungsurkunde *f.* -en.

표토(表土) Oberteilerde *f.* -n.

표피(表皮) Oberhaut *f.* ⸗e; 〖醫〗 Epidermis *f.* ..men; Rinde *f.* -n ⦅나무 껍질⦆.

표하다(表—) ⦅나타냄⦆ aus|drücken[4]; aus|sprechen*[4]; bezeigen[4]; zum Ausdruck bringen*[4]. ¶ 사의(謝意)[조의]를 ~ s-e Dankbarkeit [sein Beileid] bezeigen.

표현(表現) Ausdruck *m.* -(e)s, ⸗e; Darstellung *f.* -en. ~하다 aus|drücken[4]; formulieren[4]. ‖ ~력 Ausdruckskraft *f.* ⸗e.

푯말(標—) Zeichenpfosten *m.* -s, -; Merkzeichenpfosten *m.* -s, -.

푸 ⦅내뿜는 소리⦆ huh! hu!; mit leichtem Pfeifen.

푸념 ⦅무당의⦆ das Rasen* des Schamanen; ⦅불평⦆ Klage *f.* -n; Beschwerde *f.* -n.

푸다 schöpfen[4]; ⦅퍼내다⦆ aus|schöpfen[4]; aus|kellen[4] ⦅국자로⦆. ¶ 우물물을 ~ Wasser aus e-m Brunnen schöpfen.

푸닥거리하다 e-e Beschwörungszeremonie ab|halten*.

푸대접(—待接) ~하다 *jn.* unfreundlich [kalt; kühl] behandeln.

푸르다 ⦅빛깔이⦆ blau [azurblau] (sein); ⦅초록의⦆ grün (sein); ⦅창백한⦆ blaß (sein); ⦅칼날·서슬이⦆ scharf (sein).

푸른곰팡이 Penicillium *n.* -s; Pinselschimmel *m.* -s.

푸석돌 〖鑛〗 mürber Stein, -(e)s, -e.

푸성귀 Grünkraut *n.* -(e)s, ⸗er.

푸시폰 ⦅단추 누르는 전화⦆ Tastentelefon *n.* -s, -e; Telefon mit Drucktasten.

푸주(—廚) Fleischer[Metzger]laden *m.* -s, -[⸗]. ‖ ~한 Fleischer [Metzger] *m.* -s, -.

푸짐하다 reichlich [verschwenderisch] (sein).

푹 ① ⦅깊이⦆ ¶ 푹 자다 fest [gut; tief; e-n festen Schlaf] schlafen*. ② ⦅삶다⦆ ¶ 고기를 푹 삶아요 Kochen Sie das Fleisch gut! ③ ⦅싸다⦆ verpacken; verdecken. ④ ⦅파다⦆ tief (aus|)graben*. ⑤ ⦅찌르다⦆ bums!; plump! ¶ 그녀의 가슴을 비수로 푹 찔렀다 Bums! stach er ihr den Dolch in die Brust.

푹신하다 sehr sanft [elastisch; spannkräftig] (sein).

푼돈 die einzelne Münze, -n ⦅낱돈⦆; Kleingeld *n.* -(e)s, -er ⦅잔돈⦆.

푼푼이 Pfennig für [vor] Pfennig. ¶ ~모은 돈 das Geld, welche man Pfennig für Pfennig gespart hat.

풀¹ ① Gras *n.* -es, ⸗er; Kraut *n.* -(e)s, ⸗er ⦅약초⦆; Unkraut *n.* -(e)s, ⸗er ⦅잡초⦆; Grünfutter *n.* -s, - ⦅목초⦆. ¶ 어린 풀 das junge [frische] Gras.

풀² ⦅붙이는⦆ Klebpaste *f.* -n; Kleister *m.* -s, -; Leim *m.* -(e)s, -e ⦅아교풀⦆;

ㅍ

② 《활기》 ¶풀이 죽다 ^{4}sich vor *jm.* klein 〔winzig〕 fühlen.

풀^3 《수영장》 Schwimmbecken *n.* –s, –; Schwimmanstalt *f.* –en 《시설》; 〖商〗 Pool *m.* –s, –s; Ring *m.* –(e)s, –e.

풀기(一氣) 《뻣뻣함》 Steifheit *f.*; 《사람의》 Ausdauer *f.*; Lebenskraft *f.* ⸚e.

풀다 ① 《매듭 등을》 auf|binden*; ab|-binden*; ab|nehmen*; auf|machen; öff-nen 《얽힌 것을》; los|wickeln 《잠긴 것을》; aus|packen 《짐을》. ¶포장을 ～ ein Paket auf|machen / 포위를 ～ die Belagerung auf|heben*. ② 《해답하다》 lösen; 《해제하다》 (auf|)lösen 〔auf|-heben*; wider|rufen*〕 《e–m Vertrag》; ③ 《기분을》 ^{4}sich 〔*jn.*〕 zerstreuen; ^{3}sich Luft machen. ④ 《노염 등을》 오해를 ～ ein Mißverständnis lösen. ⑤ 《코를》 ¶코를 ～ ^{3}sich die Nase putzen〔schneuzen〕.

풀리다 ① 《매듭이》 gelöst werden. ② 《문제·수수께끼가》 ¶수수께끼가 풀렸다 Das Rätsel ist gelöst. ③ 《의혹 등이》 ^{4}sich zerstreuen. ¶의혹이 풀렸다 Der Verdacht hat sich zerstreut. ④ 《따뜻해짐》 ^{4}sich erholen ⑤ 《기분이》 ^{4}sich (wieder) erheitert 〔erfrischend〕 fühlen.

풀무 Blasebalg *m.* –(e)s, ⸚e; Gebläse *n.* –s, –.

풀밭 Wiese 〔Matte〕 *f.* –n; Anger *m.* –s, –.

풀숲 Busch *m.* –es, ⸚e; Dickicht *n.* –(e)s, –e.

풀어놓다 ① 《끌려놓음》 befreien; in Freiheit setzen; los|binden*. ¶개를 ～ e–n Hund los|machen. ② 《죄수를》 entlassen*; frei|lassen*.

풀잎 die Blätter (*pl.*) des Grases.

풀죽다 《사람이》 den Kopf 〔die Flügel (*pl.*)〕 hängen lassen*; nieder·geschlagen〔–gedrückt〕 sein.

풀칠하다 ① 《풀을》 steifen; stärken. ② 《比》 입에 ～ ^{3}sich sein Salz 〔Brot〕 verdienen.

품^1 《노력·일》 Mühe *f.* –n; Zeit *f.* ‖ 품삯 Lohn *m.* –(e)s, ⸚e.

품^2 《옷 등의》 die Breite e–s Kleides; 《가슴》 Busen *m.* –s, –. ¶품에 지니다 im Busen tragen*^{4} / 어머니품에 안기어 am Busen der Mutter (getragen).

품값 Lohn *m.* –(e)s, ⸚e; Arbeitslohn *m.* (gewöhnlich für einzelne Arbeit).

품격(品格) Würde 〔Gunst〕 *f.* –en; Grazie *f.* –n.

품계(品階) Rang *m.* –(e)s, ⸚e; Würde *f.* –n.

품귀(品貴) Mangel *m.* –s; Knappheit *f.* ¶～ 상태다 knapp sein.

품다 ① 《마음에》 im Herzen tragen*^{4}; hegen^4; nähren^4. ¶원한을 ～ Groll haben 《*gegen*^{4}》. ② 《알을》 brüten; 《비수 따위를》 stecken^4 《*in*^{4}》; tragen*^{4}.

품명(品名) der Name der Ware; Artikelname *m.* –ns, –n

품목(品目) Artikel *m.* –s, –.

품사(品詞) 〖文〗 Wortart *f.* –en; Redeteil *m.* –(e)s, –e.

품성(品性) Charakter *m.* –s, –e. ¶～의 도야 Charakterbildung *f.* –en.

품성(稟性) Natur *f.* –en; e–e natürliche Anlage, –n.

품속 innerhalb des Busens. ¶어린애를 ～에 꼭 껴안다 das Kind an die Brust drücken.

품앗이 Wechselung der Arbeit füreinander.

품위(品位) 《품격》 Würde *f.* –n; Vornehmheit *f.*; 《계급》 Rang *m.* –(e)s, ⸚e; 《품질》 Qualität *f.* –en. ¶～를 높이다 adeln^4 / ～를 떨어뜨리다 s–r ^{3}Würde etwas vergeben*.

품의(稟議) Beratung 〔Besprechung〕 *f.* –en. ～하다 (^{4}sich) mit *jm.* beratschlagen*.

품절(品切) das Ausverkauftsein*, –s. ¶～되다 ausverkauft〔vergriffen; nicht mehr vorrätig〕 sein.

품종(品種) Art *f.* –en; Sorte *f.* –n; Gattung *f.* –en.

품질(品質) Qualität *f.* –en; Güte *f.* ¶～이 좋다〔나쁘다〕 von guter〔schlechter〕 ^{3}Qualität sein. ‖ ～ 관리 Qualitätskontrolle *f.* –n.

품팔다 für Tagelohn arbeiten.

품팔이 Tagelöhnerarbeiter *m.* –s, –; Lohnarbeiter *m.*

품평(品評) ～하다 kritisieren^4; beurteilen^4. ‖ ～회 Ausstellung *f.* –en.

품행(品行) das Benehmen* 〔Betragen*〕 –s; Lebenswandel *m.* –s. ¶～이 좋은 anständig; wohlerzogen / ～이 나쁜 unanständig; sittenlos.

풋– 《덜익음》 halbreif; unreif; 《새로 나옴》 neu; frisch.

풋고추 der unreife〔grüne〕 Pfeffer, –s, –.

풋과실(一果實) frische unreife Frucht.

풋나물 Grünes *n.*; das junge Grün, –s.

풋내 Grasduft *m.* –(e)s, ⸚e. ¶～나는 von ^{3}Grasduft geschwängert; 《미숙》 grün; unerfahren.

풋내기 Gelbschnabel *m.* –s, ⸚; Bürschchen *n.* –s, –. ～의 grün; unreif.

풋볼 Fußball *m.* –(e)s, ⸚e 《공》; Fußballspiel *n.* –(e)s, –e 《아식》; Rugbyfußball *m.* –(e)s, ⸚e 《럭비》.

풋사랑 die erste Liebe, –n.

풋워크 〖競〗 Fußwerk *n.* –(e)s, –e.

풋콩 unreife Bohne, –n.

풍(風) ☞허풍(虛風).

풍각쟁이(風角一) Straßenmusikant *m.* –en, –en; Gassensänger *m.* –s, –.

풍격(風格) Charakter *m.* –s, –e 《품격》; 《풍채》 das Aussehen*, –s.

풍경(風景) Landschaft *f.* –en; Aussicht *f.* –en 《전망》; Ausblick *m.* –(e)s, –e 《조망》. ‖ ～화 Landschafterei *f.* –en.

풍경(風磬) Windglöckchen *n.* –s, –.

풍금(風琴) Harmonium *n.* –s, ..nien 《소형》; Orgel *f.* –n 《대형》.

풍기(風紀) Zucht *f.* 《기율》; Sitte *f.* –n 《남녀간의 풍기는 흔히 *pl.*》. ¶～를 단속하다 eiserne Disziplin aufrecht|erhalten*. ‖ ～문란 Sitten·verderbnis *f.* –se 〔–verfall *m.* –(e)s〕.

풍기다 《냄새를》 riechen*; duften; aus|-atmen^4〔–|hauchen^4〕. ¶향기를 ～ Duft aus|senden*〔verbreiten〕.

풍년(豊年) das Jahr der reichen Ernte. ‖ ～제 Erntesegenfest *n.* –(e)s, –e.

풍덩 plumps!; plansch!; p(l)atsch! ¶늪에 ～ 빠지다 in den Teich plump(s)en.

풍뎅이 〖蟲〗 Maikäfer *m.* -s, -.
풍랑(風浪) Wind u. Wellen. ¶~이 심하다 Die Wellen gehen hoch.
풍로(風爐) Kocher *m.* -s, -; Kochplatte *f.* -n 《전기의》. ‖석유 ~ Petroleumkochofen *m.* -s, ⁼.
풍류(風流) Eleganz *f.*; Feinheit *f.* -en. ‖~인(人) der Mann von feinem Geschmack.
풍만하다(豊滿—) üppig 〔beleibt; drall〕 (sein). ¶풍만한 가슴 der volle Busen.
풍매(風媒) 〖植〗 Anemophilie *f.* -n. ‖~화 die anemophile Blume, -n.
풍모(風貌) das Aussehen*, -s; Art *f.* -en.
풍문(風聞) Gerücht *n.* -(e)s, -e 《*über*⁴》. ¶흉측한 ~ Skandal *m.* -s, -e / ~에 들어 알다 vom Hörensagen wissen*.
풍물(風物) Landschaftsbild *n.* -(e)s, -er; Szenerie *f.* -n.
풍미(風味) Geschmack *m.* -(e)s, ⁼e. ¶~가 좋은 schmackhaft; wohlschmeckend.
풍미하다(風靡—) das Zepter 〔Szepter〕 führen; Führung haben. ¶일세를 ~ die Herrschaft über den Zeitgeist aus|üben.
풍부(豊富) ~하다 reich 《*an*³》 〔reichlich; üppig〕(sein). ¶경험이 ~하다 Er hat große Erfahrungen.
풍상(風霜) Bedrängnis *f.* -se; Not *f.* ⁼e. ¶~을 겪다 unter Bedrängnissen leiden*.
풍선(風船) (Luft)ballon *m.* -s, -e. ¶~처럼 부풀다 wie Ballon auf|schwellen*.
풍설(風說) Gerücht *n.* -(e)s, -e; das falsche Gerücht. ¶~을 퍼뜨리다 ein Gerücht in Umlauf bringen*.
풍설(風雪) Schneesturm *m.* -(e)s, ⁼e; das dichte Schneegestöber, -s, -.
풍성하다(豊盛—) überflüßig 〔reichlich〕 (sein).
풍속(風俗) Sitte *f.* -n; (Ge)brauch *m.* -(e)s, ⁼e; Gewohnheit *f.* -en. ‖~사범(事犯) Sittlichkeitsdelikt *n.* -(e)s, -e/ ~화〔도〕 Sittengemälde *n.* -s, -.
풍속(風速) Windgeschwindigkeit *f.* -en. ‖~계 Anemometer *n.* 〔*m.*〕 -s, -.
풍수해(風水害) Wind- u. Wasserschaden.
풍습(風習) Sitte *f.* -n; Brauch *m.* -(e)s, ⁼e; Gebrauch *m.* -(e)s, ⁼e. ¶~을 따르다 die Sitten befolgen.
풍식(風蝕) Verwitterung *f.* -en. ¶~당한 verwittert.
풍압(風壓) 〖物〗 Luftdruck *m.* -(e)s, ⁼e.
풍어(豊漁) ein guter Fang, -(e)s, ⁼e.
풍요(豊饒) ~하다 reichlich 〔überflüßig〕 (sein).
풍운(風雲) Wind u. Wolken; 《형세》 Sachlage *f.* -n. ‖~아 Glücksritter *m.* -s, -.
풍자(諷刺) Anspielung *f.* -en 《비꼼》; der witzige Spott, -(e)s. ~하다 an|spielen 《*auf*⁴》; bespötteln⁴. ‖~시 Spottgedicht *n.* -(e)s, -e.
풍작(豊作) die gute 〔reiche〕 Ernte, -n; Rekordernte *f.* -n 《기록적인》.
풍전등화(風前燈火) ¶~이다 an e-m Haar hängen*. 〔(sein).〕
풍족(豊足) ~하다 überflüßig 〔reichlich〕

풍조(風潮) 《세태》 Zeitströmung *f.*; Geist der Zeiten. ¶세상의 ~를 따르다 mit dem Strom schwimmen*.
풍차(風車) Windmühle *f.* -n. ¶~있는 언덕 Mühlenberg *n.* -(e)s, -e.
풍채(風采) das Aussehen*, -s; das Äußere*, ..r(e)n. ¶~가 좋다 Er sieht elegant 〔schneidig〕 aus 《스마트하다》.
풍치(風致) 《우아》 Reiz *m.* -es, -e; Anmut *f.*; 《경치》 die landschaftliche Schönheit, -en. ‖~ 지구 die Zone mit schönen Aussichten.
풍토(風土) Klima *n.* -s, -s〔..mate〕; Geländebeschaffenheit *f.* -en. ‖~병 die endemische Krankheit, -en.
풍파(風波) Wind u. Wellen (*pl.*); 《불화》 Zwist *m.* -es, -e. ¶이 집엔 ~가 잘 날이 없다 In dieser Familie gibt es unaufhörliche Zwistigkeiten.
풍해(風害) Windschaden *m.* -s, ⁼; Windbruch *m.* -(e)s, ⁼e.
풍향(風向) Windrichtung *f.* -en. ¶~이 바뀌다 der Wind dreht ⁴sich. ‖~계 Wetterhahn *m.* -(e)s, ⁼e.
풍화(風化) Ausblühung *f.* -en; Verwitterung *f.* -en. ~하다 aus|blühen; verwittern. ‖~작용 Verwitterung *f.* -en.
퓨마 〖動〗 Puma *m.* -s, -s; Kuguar *m.* -s, -e.
퓨즈 〖物〗 Sicherung *f.* -en. ¶~가 끊어졌다 Die Sicherung ist durchgebrannt.
프라스코 ☞ 플라스크.
프라이 das Gebratene*, -n; Braten *m.* -s, -. ~하다 braten*⁴. ‖~팬 Bratpfanne *f.* -n/ 생선 ~ Bratfisch *m.* -es, -e.
프라이드 Stolz *m.* -es. ¶~가 높은 stolz 《*auf*⁴》; hochmütig.
프라이버시 Geheimhaltung *f.* -en; Heimlichkeit *f.* -en.
프락치 Fraktion *f.* -en; Bruchstück *n.* -(e)s, -e.
프랑스 Frankreich, -s. ‖~말 die französische Sprache, -n / ~ 사람 Franzose *m.* -n, -n; Französin *f.* -nen / ~요리 die französische Küche, -n.
프런트 《호텔의》 Empfang *m.* -(e)s, ⁼e. ‖~ 글라스 《자동차의》 Windschutzscheibe *f.* -n.
프로 ① 《직업적》 Profi *m.* -s, -s; Professional *m.* -s, -e. ② ☞프로그램. ‖~ 선수 Berufs·spieler 〔-sportler〕 *m.* -s, -.
프로그래머 《컴퓨터의》 Programmierer *m.* -s, -.
프로그래밍 Programmierung *f.* -en. ~하다 programmieren⁴.
프로그램 Programm *n.* -s, -e; Spielfolge *f.* -n; Spielplan *m.* -(e)s, ⁼e.
프로테스탄트 〖基〗 Protestantismus *m.* -; 《신자》 Protestant *m.* -en, -en.
프로판가스 Propan *n.* -s.
프로펠러 Propeller *m.* -s, -. ‖~ 비행기 Propellerflugzeug *n.* -(e)s, -e.
프로포즈하다 e-n (Heirats)antrag machen 《e-m Mädchen》.
프로필 Profil *n.* -s, -e; 《인물 단평》 die kurze Charakterskizze, -n.
프록코트 Gehrock *m.* -(e)s, ⁼e.
프롤레타리아 Proletariat *n.* -(e)s, -e 《계급》; Proletarier *m.* -s, -. ‖~ 독재 die Diktatur des Proletariats.

ㅍ

프리 frei. ‖ ~스로 Freiwurf *m.* -(e)s, -e / ~ 랜서 der freischaffende 〔unabhängige〕 Künstler, -s, - / ~패스 freier Zugang, -(e)s, ⸚e; Freikarte *f.* -n.
프리마돈나 《오페라의》 Primadonna *f.* ..donnen.
프리미엄 Prämie *f.* -n 《주식, 보험 등의》; Aufschlag *m.* -(e)s, ⸚e; Aufgeld *n.* -(e)s, ⸚er.
프리즘 〖物〗 Prisma *n.* -s, ..men.
프리패브 Präfabrikation *f.* -en; Fertigteile (*pl.*) für ein Haus *usw.* ‖ ~ 주택 Fertighaus *n.* -es, ⸚er.
프린트 《등사》 Abdruck *m.* -(e)s, -e; 《사진의》 Abzug *m.* -(e)s, ⸚e; 《영화의》 Kopie *f.* -n. ~하다 (ab)drucken lassen*[4]; vervielfältigen[4].
플라스마 Blutplasma *n.* -s, ..men.
플라스크 Flasche *f.* -n; (Glas)kolben *m.* -s, -.
플라스틱 Plastik *f.* -en; Kunststoff *m.* -(e)s, -e 《합성 수지》. ‖ ~ 제품 Plastik-Ware *f.* -n / ~ 폭탄 Plastikbombe *f.* -n.
플라타너스 〖植〗 Platane *f.* -n.
플란넬 Flanell *m.* -s, -e.
플랑크톤 〖生〗 Plankton *n.* -s.
플래카드 Plakat *n.* -(e)s, -e.
플랜 Plan 〔Entwurf〕 *m.* -(e)s, ⸚e.
플랜트 Betriebs〔Fabrik〕anlage *f.* -n. ‖ ~ 수출 die Ausfuhr der gesamten Fabrikanlagen; der Export von gesamten [3]Produktionen.
플랫폼 Bahnsteig *m.* -(e)s, -e.
플러그(전기 기구) Stecker *m.* -s, -.
플러스 Plus *n.* - 《기호》; plus. ~하다 addieren.
플레이 Spiel *n.* -(e)s, -e; (Theater)stück *n.* -(e)s, -e. ¶ 파인~ ein sauberes 〔feines〕 Spiel.
플레이어 《사람》 Spieler *m.* -s, -; 《전축의》 Plattenspieler *m.* ‖ 테니스 ~ der Tennisspieler.
플루오르화(一化) 〖化〗 Fluorverbindung *f.* -en.
피[1] ① 《혈액》 Blut *n.* -(e)s; Geblüt *n.* -(e)s 《총칭》. ¶ 피가 나다 bluten / 피투성이의 blutig; blutbefleckt. ② 《혈통》 ¶ 피를 나눈 blutsverwandt; *js.* eigenes Fleisch u. Blut. ③ 《比》 ¶ 피에 굶주린 blutdürstig / 피눈물을 흘리다 blutige Tränen weinen.
피[2] 〖植〗 Hirse *f.* -n.
피겨스케이팅 〖體〗 Eiskunstlauf *m.* -(e)s, ..läufe; Eistanz *m.* -es, ..tänze. ~하다 eiskunst|laufen*.
피격(被擊) das Angegriffenwerden*, -s.
피고(被告) der Angeklagte* 〔Beklagte*〕 -n, -n. ‖ ~석 Anklagebank *f.* ⸚e.
피곤(疲困) ~하다 müde 〔ermattet; erschöpft; ermüdet〕 (sein).
피골(皮骨) ¶ ~이 상접하다 an *jm.* ist nichts als Haut u. Knochen.
피난(避難) Zuflucht *f.* -en; Schutz *m.* -es. ~하다 s-e Zuflucht nehmen* 《*zu*[3]》. ‖ ~민 Flüchtlinge (*pl.*) / 긴급 ~ Notstand *m.* -(e)s, ⸚e.
피날레 Finale *n.* -s, -s; Schlußstück *n.* -(e)s, -e.
피다 ① 《반듯해짐》 gerade werden 《곧바로》; straff 〔glatt〕 werden 《주름 따위》. ② 《꽃이》 auf|platzen; blühen. ③ 《불이》 brennen*; [4]sich entzünden. ④ 《얼굴이》 besser aus|sehen*.
피대(皮帶) Förderband *n.* -es, ⸚e.
피동(被動) 《수세》 Defensiv *f.* -n; 《소극성》 Passivität *f.*; 〖文〗 Passiv *n.* -s, -e; Passivum *n.* -s, ..va 〔..ven〕.
피땀 „Blut u. Schweiß"; schmieriger 〔fettiger〕 Schweiß. ¶ ~을 흘려 번 돈 das im Schweiße seines Angesichts erworbene Geld.
피똥 der Kot mit Blut.
피라미 〖魚〗 Weißfisch *m.* -es, -e.
피라미드 Pyramide *f.* -n.
피력하다(披瀝—) [4]sich äußern 《*über*[4]》; enthüllen[4]. ¶ 생각을 ~ s-e Meinung aus|sprechen*.
피로(披露) ~하다 《널리 공포》 bekannt|machen[4]; an|kündigen[4]. ‖ 결혼~(연) Hochzeitsmahl *n.* -(e)s, ⸚er 〔-e〕.
피로(疲勞) ~하다 ermüdet 〔ermattet; abgespannt; erschöpft〕 (sein). ¶ ~한 탓으로 wegen 〔vor〕 Müdigkeit / ~를 느끼다 [4]sich müde fühlen.
피뢰침(避雷針) Blitzableiter *m.* -s, -.
피륙 (Kleider)stoff *m.* -(e)s, -e; Gewebe *n.* -s, -. ‖ ~점 Tuchgeschäft *n.* -(e)s, -e; Tuch handel *m.* -s, -.
피리 Querpfeife *f.* -n; Flöte *f.* -n. ¶ ~를 불다 flöten; (die) Flöte blasen*. ‖ ~ 소리 Flötenton *m.* -es, ⸚e.
피리어드 Punkt *m.* -(e)s, -e. ¶ ~를 찍다 e-n Punkt setzen; ein Ende machen 《끝냄》; punktieren.
피마자(蓖麻子) 〖植〗 Rizinus *m.* -, - 〔-se〕.
피맺히다 blaue Flecke (*pl.*) bekommen*.
피배서인(被背書人) Indossat *m.* -en, -en; Indossatar *m.* -s, -e.
피복(被服) (Be)kleidung *f.* -en; Kleider (*pl.*). ‖ ~비 Kleideraufwand *m.* -(e)s.
피복(被覆) Bedeckung *f.* -en; Überzug *m.* -(e)s, ⸚e. ‖ ~선 der übersponnene Draht, -(e)s, ⸚e.
피부(皮膚) Haut *f.* ⸚e; 《俗》 Fell *n.* -(e)s, -e. ¶ ~가 약하다 e-e zarte 〔weiche〕 Haut haben. ‖ ~병 Hautkrankheit *f.* -en.
피살(被殺) das (Er)mordetwerden*, -s. ¶ ~되다 (er)mordet 〔getötet〕 werden.
피상(皮相) ~적 oberflächlich; seicht.
피서(避暑) das Übersommern*, -s. ~하다 den Sommer zu|bringen*. ‖ ~지 Sommer·frische *f.* -n 〔-aufenthalt *m.* -(e)s, -e〕.
피선(被選) ¶ ~되다 gewählt werden.
피선거권(被選擧權) Wahlfähigkeit *f.*; Wählbarkeit *f.*
피스톤 Kolben *m.* -s, -; Piston *n.* -s, -s.
피스톨 Pistole *f.* -n; 《자동식》 Selbstladepistole *f.* -n; Revolver *m.* -s, -.
피습(被襲) ¶ ~당하다 angegriffen〔überfallen; gestürmt〕 werden.
피신(避身) ~하다 entschlüpfen[3]; entgehen[3]; entkommen*[3].
피아(彼我) er* und ich*; sie* und wir*; einander; die beiden Seiten. ~의 gegenseitig; beiderseitig.
피아노 Klavier *n.* -s, -e; Flügel *m.* -s, -. ¶ ~를 치다 Klavier spielen. ‖ ~ 조율사 Klavierstimmer *m.* -s, -.

피아니스트 Klavierspieler m. -s, -.
피앙세 der 〔die〕 Verlobte*, -n, -n.
피에로 〖劇〗 Pierrot m. -s, -s; Hanswurst m. -es, -e.
피우다 ① 《담배를》 (Tabak) rauchen; e-e Pfeife 〔aus e-r Pfeife〕 rauchen 《파이프》; e-e Zigarre 〔Zigarette〕 rauchen 《궐련》. ② 《연기·향 따위를》 qualmen 〔rauchen; schwelen〕 lassen*[4]. ③ 《불을》 entbrennen 〔erglühen〕 lassen*[4]. ¶난로에 불을 ~ im Ofen Feuer machen. ④ 《재주를》 künsteln 《꾀를》; witzeln 《익살을》.
피의자(被疑者) 〖法〗 der Beschuldigte*, -n, -n.
피임(被任) ¶~되다 ernannt werden.
피임(避妊) 〖醫〗 Empfängnisverhütung f.; Kontrazeption f. ~하다 die Schwangerschaft verhüten. ‖~수술 e-e Operation zum Zweck der Schwangerschaftsverhütung / ~약 Verhütungsmittel n. -s, -.
피장파장 ¶~이다 kaum die [4]Kosten decken 〔bestreiten*〕.
피차간(彼此間) zwischen Ihnen 〔dir〕 u. mir; zwischen uns beiden.
피차일반(彼此一般) ¶~이다 Es gibt keinen Unterschied zwischen beiden.
피처 〖野〗 Werfer m. -s, -. ‖~플레이트 Werferplatte f. -n.
피치 ① 《보트의》 (Ruder)schlag m. -(e)s, ⸚e. ¶~를 올리다 das Rudertempo erhöhen; 《일반적》 der Geschwindigkeit beschleunigen 〔verringern〕. ② 《역청》 Pech n. -(e)s, -e. ¶~를 바르다 verpichen; teeren.
피치카토 〖樂〗 Pizzikato n. -s, -s; pizzicato.
피켈 Picke f. -en; Hacke f. -en; Pickel m. -s, - 《등산용》.
피켓 Streikposten m. -s, -. ¶~을 치다 Streikposten stehen* 〔auf|stellen〕.
피크닉 Picknick n. -s, -e 〔-s〕; Landpartie f. -n. ~하다 picknicken; e-n Ausflug machen.
피트 Fuß m. -es, 〖길이의 단위로 pl.은 -〗. ¶3~5인치 drei Fuß fünf Zoll.
피하(皮下) ‖~주사 die subkutane Injektion, -en.
피하다(避一) 《도망침》 aus|weichen*[3]; entgehen*[3]; 《비키다》 (ver)meiden*; aus|weihen*[3]; umgehen*[4]. ¶자동차를 〔타격을〕 ~ e-m Auto 〔Hieb〕 aus|weichen*.
피해(被害) Schaden m. -s, ⸚; (Be)schädigung f. -en. ¶~를 입다 beschädigt 〔geschädigt; verletzt〕 werden.
피혁(皮革) Leder n. -s, -. ‖~상 Lederhändler m. -s, -.
픽션 Erdichtungen 〔Fiktion〕 f. -en.
픽업 Tonabnehmer m. -s, -; Tonarm m. -(e)s, -e. ~하다 auf|nehmen*[4]; auf|lesen*[4] 《줍다》.
핀 (Steck)nadel f. -n. ¶핀을 꽂다 [4]et. mit Nadeln 〔e-r Nadel〕 (an)stecken. ‖머리핀 Haarnadel f. -n.
핀셋 Pinzette f. -n; Federzange f. -n. ¶~으로 집다 mit e-r Pinzette fassen[4] 〔greifen*[4]; kneifen*[4]〕.
핀잔 Rüge f. -n. ¶~을 주다 e-e Rüge erteilen.
핀치 Klemme f. -n; Not f. ⸚e. ‖~히터 Notschläger m. -s, - 《야구의》.

핀트 Brennpunkt m. -(e)s, ⸚e; Fokus m. -, -. ¶(망원경, 사진 따위의) ~를 맞추다(ein Fernglas, e-n Photoapparat usw.) richtig ein|stellen 《auf[4]》.
필(疋) Stück n. -(e)s, -e. ¶필로 사다 im Stück kaufen.
필 《피임제》 (Antibaby)pille f. -n.
필경(畢竟) schließlich; am Ende; im Grunde.
필기(筆記) ~하다 auf〔nieder〕|schreiben*[4]; nach|schreiben*[4] 《구술한 것을》. ‖~시험 schriftliche Prüfung, -en.
필담(筆談) der schriftliche Austausch, -es. ~하다 [4]sich schriftlich verständigen 《mit jm.》.
필답(筆答) ‖~고사 das schriftliche Examen, -s, -.
필라멘트 Glühfaden m. -s, ⸚.
필름 Film m. -s, -e. ‖~라이브러리 Filmarchiv n. -s, -e; Kinemathek f. -en.
필명(筆名) Schriftstellername m. -ns, -n.
필봉(筆鋒) ¶~이 날카롭다 e-e beißende 〔scharfe〕 Feder haben.
필사(必死) ~적 verzweifelt; rasend; ungestüm, aus allen 〔vollen〕 Kräften. ¶~적으로 노력하다 verzweifelte Anstrengungen machen.
필생(畢生) ~의 lebens·lang〔-länglich〕. ¶~의 사업 Lebensaufgabe f. -n.
필설(筆舌) ¶~로 형언할 수 없다 jeder [2]Beschreibung spotten.
필수(必須) ~적 notwendig; unentbehrlich; unerläßlich. ‖~과목 Pflichtfach n. -(e)s, ⸚er.
필수품(必需品) Notwendigkeiten (pl.). ‖생활 ~ Lebensbedürfnisse (pl.).
필승(必勝) der sichere 〔bestimmte〕 Sieg, -(e)s, -e. ¶~을 기하다 siegesgewiß sein; fest auf den Sieg rechnen.
필시(必是) ja; wohl; bestimmt; gewiß. ¶~ 화내고 있을 것이다 Er ist doch wohl recht böse.
필연(必然) Notwendigkeit f. -en; Unumgänglichkeit f. -en. ~적 notwendig; unvermeidlich. ¶~적 결과 unvermeidliche Folgen (pl.).
필요(必要) Notwendigkeit f. -en; Unerläßlichkeit f. ~하다 notwendig 〔nötig〕 (sein). ¶~는 발명의 어머니 Not macht erfinderisch.
필자(筆者) =저자(著者).
필적(匹敵) ~하다 gewachsen〔ebenbürtig〕 sein 《jm.》. ¶~할 사람이 없다 s-n Mann nicht finden* 〔haben〕.
필적(筆跡) Handschrift f. -en. ‖~학 Graphologie f. -n.
필터 Filter m. 〔n.〕 -s, -; Mundstück n. -(e)s, -e. ‖~담배 Filterzigarette f. -n.
필통(筆筒) 《필갑》 Bleistiftsbehälter m. -s, -; 《붓통》 Pinselbehälter m. -s, -.
필하다(畢一) fertig werden; (be)endigen; beenden; vollenden.
필하모닉 〖樂〗 philharmonisch.
필화(筆禍) ¶~를 입다 wegen e-s Artikels angeklagt werden 《von jm》.
필히(必一) bestimmt; gewiß; sicher(lich).
핍박(逼迫) Knappheit f.; Mangel m. -s, ⸚; Not f. ⸚e. ~하다 in [4]Not ge-

raten*. ¶금융의 ∼ Geld·klemme *f.* 〔-mangel *m.* -s, ⸚〕.

핏기(—氣) ¶∼ 없는 (toten)bleich; leichenblaß.

핏대 ¶∼를 올리다 aufgebracht 〔wütend〕 sein.

핏덩어리, 핏덩이 (피의 덩어리) Blutklümpchen *n.* -s, -; (갓난아이) neugeborenes Kind, -(e)s, -er.

핏발 ¶∼이 서다 blutunterlaufen sein.

핏자국 Blutfleck *m.* -(e)s, -e.

핏줄 (혈관) Blutgefäß *n.* -es, -e; Ader *f.* -n; (혈족) Blut *n.* -(e)s; Geblüt *n.* -(e)s. ¶∼이 같은, ∼을 나눈 blutsverwandt.

핑 (돌다) (um)kreisend; um ^{4}*et.* herum; (어지러움) schwind(e)lig. ¶머리가 핑 돈다 Mir ist schwind(e)lig.

핑거볼 Fingerschale *f.* -n.

핑계 Vorwand *m.* -(e)s, ⸚e; Ausflucht *f.* ⸚e; Ausrede *f.* -n. ¶…를 ∼삼아 unter dem Vorwand.

핑그르르 sich glatt umdrehend. ¶공을 ∼ 돌리다 den Ball glatt um|drehen.

핑크 Rosa *n.* -s.

핑퐁 Tischtennis *n.* -. ¶∼을 치다 Tischtennis spielen.

ㅎ

하(下) 〖副詞的〗 unter$^{3\cdot4}$; mit^3; in^3. ¶양해하에 im Einverständnis (*mit*^{3}) / 경찰감시하에 unter Aufsicht der Polizei.

하감(下疳) 〖醫〗 Schanker *m.* -s, -.

하강(下降) ∼하다 herab|gehen* 〔-|kommen*; -|fahren*; -|fliegen*; -|gleiten〕.

하객(賀客) der Glückwünschende*, -n, -n; Gratulant *m.* -en, -en.

하계(夏季) =하기(夏期).

하고많다 reichlich 〔zahllos; im Überfluß besitzend; unzählig; zahlreich〕(sein).

하곡(夏穀) Sommergetreide *n.* -s. ‖∼ 수매가 der Einkaufspreis der Gerste.

하관(下棺) ∼하다 den Sarg ins Grab senken; beerdigen.

하구(河口) (Fluß)mündung *f.* -en.

하권(下卷) Schlußband *m.* -(e)s, ⸚e.

하극상(下剋上) die Überheblichkeit e-s Untergeordneten s-m Vorgesetzen gegenüber.

하급(下級) ∼의 unter(geordnet); niedrig. ‖∼ 관리 der Unterbeamte*, -n, -n / ∼생 der Schüler der unteren Klasse.

하기(下記) ∼의 folgend; nachstehend. ¶∼와 같이 wie folgt.

하기(夏期) Sommerzeit *f.* -en. ‖∼ 방학 Sommerferien (*pl.*).

하기식(下旗式) die Fahne streichende 〔niederholende〕 Zeremonie, -n; 〖軍〗 Zapfenstreich *m.* -(e)s, -e.

하나 eins. ∼의 ein; (유일) einzig. ¶∼씩 einzeln; (차례로) eins nach dem andern / ∼가 되어 in e-m Körper.

하녀(下女) Dienstmädchen *n.* -s, -.

하느님 Gott *m.* -(e)s, ⸚er; der Allmächtige*, -n, -n.

하늘 Himmel *m.* -s, -; Himmelsbogen *m.* -s, ⸚; Firmament *n.* -(e)s, -e. ∼의 himmlisch. ¶∼을 찌를 듯한 himmelhoch / 하늘은 스스로 돕는 자를 돕는다 Hilf dir selbst, so hilft dir Gott.

하늘소 〖蟲〗 Bockkäfer *m.* -s, -.

하늬(바람) Westwind *m.* -(e)s, -e.

하다 tun*^{4}; machen^4; verrichten^4; treiben*^{4}. ¶일을 ∼ e-e Arbeit tun*〔machen〕 / 장사를 ∼ ein Geschäft treiben* / 어떻게 할까 Was soll ich tun?

하다못하다 versagen; auf|hören; zu Ende gehen*; fehlen; nach|lassen*; unterlassen*. ¶일을 하다 못해 남기다 e-e Arbeit unfertig unterlassen*.

하단(下段) Unterspalte *f.* -n (글의); Unterstufe *f.* -n (계단의).

하달(下達) ∼하다 dem Untergeordneten mit|teilen; den Leuten über|mitteln.

하도 zu; allzu; zu sehr; allzusehr; allzuviel. ¶∼ 무거워서 나를 수가 없다 Es ist zu schwer zu tragen.

하등(下等) ∼의 niedrig; gemein; minderwertig; gering(er). ‖∼ 동물〔식물〕 das Tier 〔die Pflanze〕 niedriger Ordnung / ∼품 minderwertige Ware, -n.

하등(何等) 〖否定詞와 함께〗 gar nichts; überhaupt nicht; irgendwie. ¶∼의 이유 없이 ohne jeden Grund / ∼ 관계 없다 überhaupt k-e Beziehung haben.

하락(下落) ∼하다 (ab|)fallen*; ab|nehmen*; sinken*; baissieren. ¶물가의 ∼ das Fallen*〔Nachgeben*〕 der Preise.

하량(下諒) ∼하다 geruhen, ^{4}*et.* zur Kenntnis zu nehmen*; nach|denken* (*über*^{4}); (^{3}sich) überlegen.

하례(賀禮) Glückwunschzeremonie *f.* -n; Feier *f.* -n. ∼하다 e-e Glückwunschzeremonie ab|halten*; feiern.

하롱거리다 hastig 〔leichtsinnig〕 handeln; ^{4}sich unbesonnen benehmen*.

하루 ein Tag *m.* -(e)s. ¶∼ 하루 ^{4}Tag für^4 Tag; täglich; von ^{3}Tag zu ^{3}Tag / ∼에 pro ^{4}Tag / ∼ 걸러 alle zwei ^{4}Tage / ∼ 종일 den ganzen Tag (hindurch).

하루거리 〖醫〗 Tertianfieber *n.* -s, -; Malaria *f.* ¶∼에 걸리다 das Tertianfieber bekommen*; malariakrank sein.

하루바삐 sobald als od. wie möglich.

하루살이 〖蟲〗 Eintagsfliege *f.* -n.

하루아침 ¶∼에 e-s Morgens; plötzlich; unvermutet; e-s Morgens ganz plötzlich / ∼에 부자가 되다 auf|wachen, ^{4}sich plötzlich reich zu finden*.

하루치 der (An)teil e-s Tages.

하룻강아지 ¶∼ 범 무서운 줄 모른다 E-e ungebildete Person fürchtet sich nicht vor dem Großen.

하룻밤 e-e (einzige) Nacht; die ganze ^{4}Nacht (hindurch); die ganze ^{4}Nacht dauernd. ¶∼ 사이에 in e-r (einzigen) Nacht; über ^{4}Nacht.

하류(下流) Unterlauf *m.* -(e)s, ⸚e. ¶∼로 strom〔fluß〕abwärts; den Strom 〔Fluß〕 hinunter.

하륙(下陸) ∼하다 landen; aus|laden*; aus|schiffen.

하릅 Jährling *m.* -s, -e. ‖∼ 송아지 das einjährige Kalb, -(e)s, ⸚er.

하릴없다 unvermeidlich 〔unanfechtbar; unumgänglich; ratlos; hilflos〕 (sein). ¶하릴없이 복종하다 *jm.* gehorchen müssen*.

하마(河馬) 〖動〗 Fluß〔Nil〕pferd *n.* -(e)s, -e; Hippopotamus *m.* -, -.
하마터면 beinahe; fast; um ein Haar. ¶~ 죽을 뻔했다 Ich wäre beinahe umgekommen. / ~ 기차를 놓칠 뻔했다 Um ein Haar hätte er den Zug verpaßt.
하명(下命) ~하다 *jm.* e-n Befehl〔e-n Auftrag〕geben*〔erteilen〕.
하모니〖樂〗 Konsonanz *f.* -en; Einklang *m.* -(e)s, ⸚e; Harmonie *f.* -n.
하모니카 Mundharmonika *f.* -s〔..ken〕.
하문(下問) ~하다 geruhen, ⁴sich bei e-m Untergeordneten zu erkundigen.
하물며 um so mehr; 〖否定的〗 geschweige denn; um so weniger. ¶필수품도 못 사는데 ~ 사치품이랴 Wir können nicht die täglich notwendigen Dinge kaufen, um so weniger Luxuswaren.
하박(下膊) 〖解〗 Unterarm *m.* -s, -e. ‖ ~골 Unterarmknochen *m.* -s, -.
하반기(下半期) die zweite Hälfte des Rechnungsjahres; das zweite Halbjahr, -(e)s, -e.
하반신(下半身) Unterkörper *m.* -s, -.
하복(夏服) Sommerkleidung *f.* -en 《총칭》; Sommeranzug *m.* -(e)s, ⸚e 《남자의》; Sommerkleid *n.* -(e)s, -er 《여자 원피스》.
하부(下部) Unterteil *m.* -(e)s, -e; der untere Teil. ~의 unter. ‖ ~ 조직 e-e untergeordnete Organisation, -en.
하사(下士) 〖軍〗 Korporal *m.* -s, -e.
하사(下賜) ~하다 schenken⁴; verleihen*⁴.
하사관(下士官) Unteroffizier *m.* -s, -e.
하산(下山) ~하다 vom Berge hinunter|steigen*; ⁴*et.* vom Berge hinunter|bringen*.
하상(河床) Fluß〔Strom〕bett *n.* -es, -en.
하선(下船) ~하다 aus dem Schiffe aus|steigen*; aus|schiffen.
하소연 Beschwerde *f.* -n; Beanstandung *f.* -en. ~하다 ⁴sich beschweren〔beklagen〕《bei *jm.* *über*⁴》.
하수(下水) Ab〔Kloaken; Schmutz〕wasser *n.* -s, ⸚. ‖ ~구 Abzug *m.* -(e)s, ⸚e; 《하수도》 Abzugsgraben *m.* -s, -; Abwasserkanal *m.* -s, ⸚e.
하수인(下手人) (Übel)täter *m.* -s, -; Angreifer *m.* -s, -; Attentäter *m.*; Verbrecher *m.* -s, - 《범인》.
하숙(下宿) Pension *f.* -en; Logis〔..ʒíː〕 *n.* -, -. ~하다 ⁴sich in ⁴Pension〔Kost〕geben*. ¶~을 치다 in ⁴Pension nehmen* 《*jn.*》. ‖ ~비 Pensionpreis *m.* -es, -e / ~집 Pension.
하순(下旬) die letzten 10 Tage des Monats; das Ende des Monats. ¶9월 ~에 das Ende September.
하야(下野) ~하다 ⁴sich zur Ruhe setzen; von e-r öffentlichen Tätigkeit zurück|treten*.
하얗다 sehr〔ganz〕weiß (sein). ¶하얗게 칠한 weißgestrichen.
하얘지다 sehr weiß werden. ¶얼굴이 ~ *js.* Gesicht wird blaß.
하여금 lassend; zwingend. ¶그로 ~ 편지를 쓰게 하다 *jn.* e-n Brief schreiben machen.
하여튼(何如―) irgendwie; jedenfalls; sowieso; auf jeden Fall. ¶~ 나와 같이 가자 Jedenfalls gehen wir mit.
하역(荷役) ~하다 laden*⁴ u. löschen*⁴; verladen* u. aus|laden*⁴. ‖ ~부 Löscher〔Hafenarbeiter〕 *m.* -s, -.
하염없이 ununterbrochen; unaufhörlich; endlos. ¶~ 눈물을 흘렸다 Die Tränen wollten nicht zu fließen aufhöhren.
하염직하다 wert getan〔versucht〕zu werden. ¶하염직한 일이다 Es ist die Arbeit wert getan zu werden.
하오(下午) Nachmittag *m.* -(e)s, -e. ¶~ 3시에 um 3 Uhr nachmittags; um 3 p. m.
하옥(下獄) ~하다 in Haft halten*〔nehmen*; setzen〕; zur Haft bringen*.
하원(下院) Unter〔Abgeordneten〕haus *n.* -es; Parlament *n.* -s. ¶~을 통과하다 das Unterhaus passieren. ‖ ~ 의원 der Abgeordnetete*, -n, -n.
하위(下位) ~의 unter·geben〔-geordnet〕.
하의(下衣) 《ein Paar》 Hosen (*pl.*); Hose, *f.* -n.
하이라이트 die Glanzlichter (*pl.*); 《比》 die Glanzpunkte (*pl.*).
하이볼 der Whisky mit Soda.
하이웨이 Landstraße *f.* -n; Autobahn *f.* -en; Highway *m.* -s, -s.
하이잭 Luftpiraterie *f.* -n.
하이킹 Ausflug *m.* -(e)s, ⸚e; Fußwanderung *f.* -en.
하이틴 der höhere Teenager, -s, -.
하이파이 Hi-Fi *n.* -s.
하이픈 Bindestrich *m.* -(e)s, -e.
하이힐 Schuhe (*pl.*) mit hohen Absätzen.
하인(下人) Diener *m.* -s, -; der Bediente*, -n, -n; Dienstbote *m.* -n, -n.
하자(瑕疵) 〖法〗 Defekt *m.* -(e)s, -e; Fehler *m.* -s, -; Mangel *m.* -s, ⸚.
하잘것없다 bedeutungslos〔belanglos; unwichtig; nebensachlich; unbedeutend; unwesentlich〕(sein).
하절(夏節) Sommer *m.* -s, -; Sommerzeit *f.* -en.
하정(賀正) Neujahrsgruß *m.* -es, ⸚e.
하제(下劑) Abführ〔Purgier; Laxier〕mittel *n.* -s, -.
하중(荷重) Last *f.* -en; Belastung *f.*
하지(下肢) das untere Glied, -(e)s, -er; Bein *n.* -(e)s, -e.
하지(夏至) Sommersonnenwende *f.* -n.
하지만 obwohl; zwar..., aber...; doch.
하직(下直) ~하다 Abschied nehmen* 《von *jm.*》; Lebewohl〔Adieu〕sagen³.
하차(下車) ~하다 aus|steigen* 《*aus*³》; ab|steigen* 《*von*³》; aus dem Wagen steigen*. ‖ 도중 ~ die Unterbrechung der Fahrt; das Anhalten*, -s.
하찮다 geringfügig〔unbedeutend; unwichtig; nichtssagend; wertlos〕(sein). ¶하찮은 것 Tand *m.* -(e)s / 하찮은 일 Kleinigkeit *f.* -en.
하천(河川) Gewässer *n.* -s, -; Ströme u. Flüsse. ‖ ~ 부지(敷地) Flußbett *n.* -(e)s, -en.
하청(下請) Unter〔Neben〕vertrag *m.* -(e)s, ⸚e. ¶~을 주다 e-n Auftrag an e-n Unterlieferanten vergeben*. ‖ ~

인 Unterlieferant *m.* -en, -en.
하체(下體) der Unterteil des Körpers.
하층(下層) Unterschicht *f.* -en; die untere [niedere; tiefe] Schicht. ‖ ~ 계급 die niedere Klasse, -n / ~민 die Leute der niederen Klasse / ~ 사회 die untere Schicht.
하키 〖競〗 Hockey [hɔ́ki] *n.* -s, -.
하퇴(下腿) Wade *f.* -n; Unterschenkel *m.* -s, -. ‖ ~골 Unterschenkelknochen *m.* -s, -; Wadenbein *n.* -(e)s, -.
하트 Herz *m.* -ens, -en.
하편(下篇) =하권.
하품 das Gähnen*, -s. ~하다 gähnen. ¶ ~을 참다 mit Gähnen kämpfen.
하프 〖樂〗 Harfe *f.* -n. ¶ ~를 타다 Harfe spielen.
하프백 〖蹴〗 der (rechte; linke) Läufer, -s, -.
하프타임 〖蹴〗 Halbzeit *f.* -en.
하필(何必) warum unbedingt [gerade]? ¶ ~이면 gerade; ausgerechnet; von allen Plätzen [Gelegenheiten; Personen] / ~ 오늘 가야 맛이냐 Warum mußt du beschließen, ausgerechnet heute zu gehen?
하학(下學) das Ende [der Abschluß] der Schule. ‖ ~ 시간 die Entlassungszeit aus der Schule.
하항(河港) Flußhafen *m.* -s, ⸗.
하행(下行) das Abwarts[Hinab]gehen*, -s. ‖ ~ 열차 der von der Hauptstadt sich entfernende Zug, -(e)s, ⸗e.
하향(下向) ~의 nach unten gerichtet; vornübergeneigt.
하현(下弦) das letzte Viertel des Mondes. ‖ ~달 der abnehmende Mond, -(e)s, -e.
하혈(下血) Blutausfluß *m.* ..sses, ..üsse. ~하다 das Blut aus|fließen*; bluten; (Blut) stürzen.
하환어음(荷換―) ¶ ~을 발행하다 e-e Dokumententratte aus|stellen.
하회(下回) das nächste [andere] Mal, -(e)s, -e; Antwort *f.* -en 《auf e-n Brief》. ¶ ~를 기다리다 auf *js.* Antwort warten.
하회(下廻) ~하다 in (der) Leistung herunter|gehen* 《*unter*[4]》; weniger sein 《*als*》. ¶금년 수출액은 작년의 그것을 ~하고 있다 Die Exportsertrag ist weniger als im letzten Jahr.
학(鶴) 〖鳥〗 Kranich *m.* -(e)s, -e.
학계(學界) Gelehrten·welt *f.* -en [-kreis *m.* -es, -e; -stand *m.* -(e)s, ⸗e].
학과(學科) (Lehr)fach *n.* -es, ⸗er.
학과(學課) Lektion [Schularbeit] *f.* -en.
학교(學校) Schule *f.* -n. ¶ ~에 가다 in die [zur] Schule gehen*. ‖ 국민[중]~ Elementar[Mittel]schule / 고등 ~ höhere Schule / 예술 ~ Kunstschule.
학구(學究) Studium *n.* -s, ..dien. ¶ ~적인 akademisch.
학구(學區) Schul·gemeinde *f.* -n [-bezirk *m.* -s, -e].
학군제(學群制) das Distriktsystem der Schule.
학급(學級) (Schul)klasse *f.* -n.
학기(學期) Semester [Trimester] *n.* -s, -. ‖ ~말 시험 Semestralprüfung *f.* -en.
학년(學年) Schuljahr *n.* -(e)s, -e; 《대학의》 Studienjahr *n.* ‖ ~말 시험 Jahresprüfung *f.* -en.
학대(虐待) Mißhandlung *f.* -en; die schlechte [grausame] Behandlung, -en. ~하다 mißhandeln[4].
학덕(學德) Gelehrsamkeit u. Tugend. ¶ ~을 겸비하다 eminent [hervorragend; ausgezeichnet] in Gelehrsamkeit u. Tugend sein.
학도(學徒) Hochschüler *m.* -s, -; Student *m.* -en, -en.
학동(學童) Schüler *m.* -s, -; Schulkind *n.* -(e)s, -er.
학력(學力) Gelehrsamkeit *f.* -en; das Wissen*, -s; Fähigkeit *f.* -en. ¶ ~이 있다 [없다] gut [schlecht] beschlagen sein (in [3]*et.*; auf e-m Gebiet); mächtig[2] sein (e-r [2]Sprache). ‖ ~ 검사 Leistungs[Fähigkeits]test *m.* -(e)s, -e.
학력(學歷) Schulbildung *f.* -en; die akademische Bildung.
학령(學齡) das schulpflichtige Alter, -s; Schulalter *n.* ‖ ~ 아동 schulpflichtige Kinder (*pl.*).
학리(學理) Theorie *f.* -n; der wissenschaftliche Grundsatz, -(e)s, ⸗e. ¶ ~상의 wissenschaftlich; theoretisch.
학명(學名) der wissenschaftliche Name, -ns, -n; Fachname *m.* -ns, -n. ¶ ~을 붙이다 e-n wissenschaftlichen Namen bei|legen[3].
학문(學問) Wissenschaft *f.* -en; Belesenheit *f.*; Studium *n.* -s, ..dien; Gelehrsamkeit *f.* 《지식》.
학벌(學閥) die akademische Clique -n.
학병(學兵) Studentensoldat *m.* -en, -en.
학부(學府) Bildungs[Lehr]anstalt *f.* -en. ‖ 최고 ~ die höchste Lehranstalt; Universität *f.* -en.
학부(學部) Fakultät [Abteilung] *f.* -en 《대학의》. ‖ 문[의, 법, 경제, 공]~ die literarische [medizinische, juristische, wirtschaftliche, technische] Fakultät.
학부형(學父兄) die Eltern des Studenten [Schülers].
학비(學費) die Studienkosten(*pl.*); Schul[Lehr]geld *n.* -(e)s, -er. ¶ ~를 대주다 für *jn.* die Studienkosten bezahlen.
학사(學士) der Universitätsabsolvierte*, -n, -n; Doktor *m.* -s, -n. ‖ ~ 학위 Doktortitel *m.* -s, -.
학사(學事) Eiziehungsgelegenheiten (*pl.*).
학살(虐殺) das Schlachten*, -s; Gemetzel *n.* -s, -; Blutbad *n.* -(e)s, ⸗er. ~하다 schlachten[4]; nieder|metzeln[4]. ‖ 대량 ~ Massenmord *m.* -(e)s, -e.
학생(學生) Student *m.* -en, -en; Schüler *m.* -s, -. ‖ ~복 Uniform *f.* -en / ~ 시절 Schuljahre (*pl.*).
학설(學說) Theorie [Lehre] *f.* -n.
학수고대(鶴首苦待) ~하다 e-n langen Hals machen; mit Schmerzen warten 《*auf*[4]》.
학술(學術) Wissenschaft *f.* -en. ¶ ~상의[적으로] wissenschaftlich; experimentell; quellenmäßig ‖ ~ 강연 der wissenschaftliche Vortrag, -(e)s, ⸗e /

ㅎ

～ 논문 der wissenschaftliche Aufsatz, –es, ⸚e.

학습(學習) das Lernen*, –s; Übung *f.* –en. ～하다 lernen[4]; studieren[4].

학식(學識) Gelehrsamkeit [Belesenheit; Gelehrtheit] *f.* ¶～이 있는 gelehrt; belesen.

학업(學業) Schularbeit *f.* –en; Studium *m.* –s, ..dien. ¶～에 정진하다 fleißig studieren / ～을 마치다 s-e Studien absolvieren.

학예(學藝) Kunst u. Wissenschaft. ‖～회 Schulaufführung *f.* –en. ⌈(*pl.*).⌉

학용품(學用品) Schul·artikel [–sachen]⌋

학우(學友) Mitschüler *m.* –s, –; Schulfreund *m.* –(e)s, –e [–kamerad *m.* –en, –en].

학원(學院) (Erziehungs)institut *n.* –(e)s, –e; Unterrichtsanstalt *f.* –en.

학원(學園) Schule *f.* –n; Erziehungs-[Lehr]anstalt *f.* –en. ¶～의 자유 die akademische Freiheit, –en.

학위(學位) der akademische Grad, –(e)s, –e; Doktorwürde *f.* –n. ¶～를 따다 den Doktor machen. ‖～논문 Dissertation *f.* –en.

학자(學者) der Gelehrte*, –n; –n; Akademiker *m.* –s, –. ¶～적인 gelehrt; akademisch.

학자금(學資金) Schul[Studien]geld *n.* –(e)s, –er. ‖～융자 das Darlehen für Studium.

학장(學長) Dekan *m.* –s, –e.

학적(學籍) Schulregister *n.* –s, –. ‖～부 Schülerliste *f.* –n. ⌈–e.⌉

학점(學點) Anrechnungspunkt *m.* –(e)s,⌋

학정(虐政) Gewaltherrschaft [Tyrannei] *f.* –en; Despotie *f.* –n. ¶～에 시달리다 unter der Tyrannei leiden*.

학제(學制) Schulwesen *n.* –s; Erziehungs[Unterrichts]system *n.* –s, –e. ‖～개혁 Schulreform *f.* –en.

학질(瘧疾) Malaria *f.*; Sumpffieber *n.* –s, –. ¶～을 앓다 an der Malaria leiden*.

학창(學窓) ¶～을 떠나다 von der Schule ab|gehen*. ‖～생활 Schulleben *n.* –s, –.

학칙(學則) Schul·regel *f.* –n[–gesetz *n.* –es, –e]. ¶～을 어기다 die Schulregel übertreten*.

학파(學派) Schule *f.* –n.

학풍(學風) die Einstellung zur Wissenschaft; die wissenschaftliche Richtung, –en.

학회(學會) die wissenschaftliche Gesellschaft, –en; Gelehrtenverein *m.* –(e)s, –e.

한(恨) Groll *m.* –(e)s; Aufsässigkeit *f.*; Ressentiment [rəsãtimã:] *n.* –s, –s; Verbitterung *f.* ¶한을 품다 e-n Groll hegen 《*gegen*[4]》.

한가(閑暇) ～하다 frei [flau] (sein).

한가운데 Mitte *f.* –n; Herz *n.* –ens, –en. ～의 mittel; zentral. ¶～에서 mitten; in der Mitte / 길 ～에서 mitten auf dem Wege.

한가위 der 15te August des Mondkalenders; Erntemonddankfest *n.* –(e)s, –e.

한가지 《같음》 derselbe*; der nämliche*; gleich. ¶아무래도 매～다 Es ist mir ganz einerlei [egal; gleich].

한갓 nur; allein; bloß. ¶그것은 ～ 핑계에 불과하다 Das ist bloß e-e Entschuldigung u. nichts mehr.

한갓지다 gemütlich [gemächlich] u. ruhig [friedlich u. gemächlich; abgelegen; fern] (sein).

한걱정 e-e große Sorge, –n [Angst, ⸚e]; ein großes schwieriges Problem, –(e)s, –e. ¶～ 놓다 *jn.* von Sorgen befreien.

한걸음 ein Schritt *m.* –(e)s, –e; ein Gang *m.* –(e)s, ⸚e.

한걸음에 ununterbrochen; hintereinander (auf dem Wege); auf e-m Sitz. ¶～ 서울까지 가다 in e-m Sitz nach Seoul gehen*.

한겨울 die Mitte des Winters; Hochwinter *m.* –s, –.

한결 deutlich; sichtbar; auffallend; bemerkenswert; beachtlich; ungewöhnlich. ¶～ 두드러지다 in die Augen fallen* 《*unter*[3·4]; *zwischen*[3·4]》.

한결같다 gleichmäßig [einheitlich; uniformiert] (sein). ¶한결같은 사랑 der ewige Liebe / 한결같이 (be)ständig; unveränderlich; gleichbleibend.

한계(限界) Grenze [Schranke] *f.* –n; Limit *n.* –(e)s. ¶～를 정하다 Grenzen (*pl.*) setzen. ‖～생산비 die Grenze [das Limit] der Herstellungskosten / ～점 Grenzpunkt *m.* –es, –e / ～효용[經] Grenznutzen *m.* –s, –.

한고비 der kritische [gefährliche] Moment, –(e)s, –e; Höhepunkt *m.* –(e)s, –e. ¶～ 넘다 die Krise überwinden*; 《환자가》 aus der Lebensgefahr heraus|kommen*.

한구석 e-e Ecke, –n; (Schlupf)winkel *m.* –s, –; entlegene Stelle, –n. ¶～에 앉다 [4]sich in die Ecke setzen.

한국(韓國) Korea *n.* –s; 《대한민국》 (die) Republik Korea. ¶～(말)의 koreanisch. ‖～동란 Koreakrieg *m.* –(e)s / ～말 Koreanische *n.* / ～인 Koreaner *m.* –s, –e / ～요리 koreanische Küche, –n.

한군데 ① 《한 곳》 ein Ort *m.* –(e)s, –e; e-e Stelle, –n; ein Platz *m.* –es, ⸚e. ¶책을 ～에 쌓다 die Bücher in e-r Stelle an|häufen. ② 《같은 곳》 derselbe Ort; dieselbe Stelle. ⌈–.⌉

한글 koreanisches Schriftzeichen, –s,⌋

한기(寒氣) Frost *m.* –(e)s, ⸚e; Fieber-[Schüttel]frost *m.* 《오한》.

한길 《큰길》 Hauptstraße *f.* –n; Allee *f.* –n 《가로수가 있는》.

한꺼번에 auf einmal; zugleich; zusammen; auf e-n Sitz; in e-m Atemzug; in e-m Zug. ¶과자를 ～ 다 먹어 버리다 alle Kuchen in e-m Zug auf|essen*

한껏 bis zum Äußersten [Höchstens]; zu *js.* Zufriedenheit; nach Herzenslust. ¶～먹다 [4]sich satt essen*.

한끼 ein Mahl *n.* –s, –e; e-e Mahlzeit, –en. ¶～는 국수를 먹다 zu e-m Mahl Nudel essen*.

한나절 ein halber Tag. ～의 halbtägig.

한낮 ¶ ~에 (정오) in der Mittagszeit; am Mittag; mittags; Punkt mittags; (백주) am (hellen〔lichten〕) Tage.

한낱 nur; bloß; einzig; alleinig.

한눈[1] ein (schneller) Blick, -(e)s; ein (flüchtiger) (An)blick. ¶ ~에 auf den ersten Blick / ~에 알 수 있다 mühelos 〔mit e-m Blick〕 sehen*[4].

한눈[2] ¶ ~ 팔다 woanders hin|sehen*; nicht acht|geben* 〔auf|passen〕 (*auf*[4]).

한다고하는 hervorragend; ausgezeichnet; berühmt; eminent; bedeutend.

한달음에 gerade durch; ohne Pause für das Atmen*; ohne Atempause; im Dauerlauf.

한담(閑談) (das freundschaftliche) Gespräch, -(e)s, -e; Plauderei *f.* -en; (die gemütliche) Unterhaltung, -en. ~하다 plaudern; schwatzen; [4]sich gemütlich unterhalten*.

한대 (담배) eine Pfeife. ¶ 담배 ~ 피우다 eine Pfeife rauchen.

한대(寒帶) 〔地〕 die kalte Zone, -n. ‖ ~ 동물〔식물〕 die Tierwelt 〔Pflanzenwelt〕 der kalten Zone.

한더위 große Hitze; die heiße Jahreszeit, -en. ¶ ~가 물러가다 die heiße Jahreszeit ist vorüber.

한데 (노천) das Freie*, -n; die freie Luft. ¶ ~서 draußen; außer dem Hause; im Freien.

한도(限度) Grenze *f.* -n; Begrenzung *f.* -en; Schranke *f.* -n. ¶ ~를 넘다 die Grenzen über|schreiten*.

한독(韓獨) ~의 deutsch-koreanisch; koreanisch-deutsch.

한동안 ein Weilchen *m.* -s, -; e-e Weile, -n; einige Zeit. ¶ ~ 머물다 e-e Weile bleiben*.

한되다(恨—) bedauerlich 〔bedauernswert; schade〕 sein. ¶ 한되는 일은 하나도 없다 Ich habe nichts zu bereuen.

한두 ein paar; einige. ¶ ~ 번 ein- od. zweimal; einige Male / ~ 사람 ein paar 〔einige〕 Personen.

한들거리다 schwingen*; schaukeln; pendeln. ¶ 나뭇잎이 바람에 ~ die Blätter zittern im Winde.

한때 e-e [4]Zeitlang; einst; einmal; zu e-r Zeit. ¶ ~ 목숨이 위태로웠다 Einmal zweifelte man an s-m Leben.

한란계(寒暖計) Thermometer *n.* 〔*m.*〕 -s, -.

한랭(寒冷) Kälte *f.*; Frost *m.* -es, ⸚e. ~하다 kalt 〔frostig; eisig〕 (sein). ‖ ~ 전선 Kaltfront *f.* -en.

한량(限量) e-e beschränkte 〔bestimmte〕 Quantität. ¶ ~ 없다 unermeßlich 〔endlos; grenzenlos; übermäßig〕 sein / 욕심엔 ~이 없다 Die (Hab)gier weiß k-e Grenze.

한량(閑良) (난봉꾼) Lebemann *m.* -(e)s, ⸚er.

한류(寒流) die kalte Strömung, -en; der kalte (Meeres)strom, -(e)s, ⸚e.

한마디 ein (einziges) Wort, -(e)s. ¶ ~로 말하면 mit e-m Wort.

한마음 (die ganze Welt wie) ein Herz *n.* -ens, -en. ¶ ~으로 einstimmig; einmütig.

한모금 ein Schluck *m.* -(e)s. ¶ 물 ~ ein Schluck Trinkwasser.

한목 mit e-m Male; in [3]Bausch u. [3]Bogen. ¶ 물건을 ~에 보내다 alle Dinge zusammen schicken.

한몫 Anteil *m.* -(e)s, -e; Beteiligung *f.* -en; Teil *n.* -(e)s, -e. ¶ ~ 들다 teil|nehmen* 〔-|haben*〕 (*an*[3]); beteiligt sein; [4]sich beteiligen (*an*[3]; *bei*[3]).

한문(漢文) der chinesische Satz, -es, ⸚e; die chinesische Schrift, -en.

한물 e-e kurze Blütezeit. ¶ ~ 갔다 Die Hochsaison ging zu Ende.

한미(韓美) ~의 koreanisch-amerikanisch. ‖ ~ 협회 Koreanisch-Amerikanische Gesellschaft.

한밑천 Vermögen *n.* -s, -. ¶ ~ 장만하다 ein Vermögen erwerben*.

한바퀴 e-e (Um)drehung; e-e Runde. ¶ ~ 돌다 [4]sich einmal (um|)drehen.

한바탕 Szene 〔Runde〕 *f.* -n; Gang *m.* -(e)s, ⸚e. ¶ ~ 연설을 하다 e-e Rede halten*.

한발 ein Schritt *m.* -(e)s. ¶ ~ ~ Schritt für Schritt; (서서히) nach u. nach; allmählich / ~ 늦다 hinter *jm.* zurück|bleiben*.

한발(旱魃) Trockenheit 〔Dürre〕 *f.* ‖ ~ 대책 Maßnahme gegen Trockenheit / ~ 피해 der Schaden durch Dürre.

한밤중 ¶ ~에 um Mitternacht; in tiefster Nacht / ~까지 bis tief in die Nacht.

한방(一房) dasselbe 〔das gleiche〕 Zimmer, -s, -; dieselbe 〔die gleiche〕 Kammer 〔Stube〕 -n. ¶ ~을 쓰다 das Zimmer 〔die Kammer; die Stube〕 teilen (*mit*[3]).

한방(漢方) chinesische Medizin, -en; Heilkrautmedizin *f.* ‖ ~의(醫) ein Arzt der chinesischen Medizin.

한배 ein Wurf *m.* -(e)s. ¶ ~ 강아지 junge Hunde des gleichen Wurfes.

한번(一番) einmal; ein Mal. ¶ ~만 nur einmal; ein für allemal; für diesmal / ~에 (단번) auf einmal; mit e-m Male; (동시) gleichzeitig; zugleich.

한벌 ein Satz *m.* -es (도구 등의); e-e Garnitur (옷가지의); ein Anzug *m.* -(e)s (양복의). ¶ 여름 옷 ~ ein Sommeranzug *m.* -(e)s.

한복(韓服) die koreanische Kleidung, -en. ¶ ~을 입고 있다 Er kleidet sich koreanisch.

한복판 gerade 〔genau〕 die Mitte, -n. ¶ 과녁 ~을 맞히다 die Ziel〔Schieß〕scheibe richtig in die Mitte treffen*.

한사람 eine Person. ¶ ~도 빠짐없이 aller*; jeder*; bis auf den letzten (Mann).

한사리 Spring·flut *f.* 〔-hochwasser *n.* -s〕.

한사코(限死—) mit Lebensgefahr; mit allen Kräften; hartnäckig; eifrig. ¶ ~ 반대하다 hartnäckig bestehen* auf *js.* [3]Meinung.

한산(閑散) ~하다 müßig 〔ruhig; still〕 (sein); (경기가) flau(sein). ¶ ~한 시장 flauer Markt, -es, ⸚e.

한색(寒色) 〔美〕 die kalte Farbe, -n.

한서(寒暑) die Kälte u. die Hitze; Wetterwechsel *m.* -s.
한선(汗腺) 〖解〗 Schweißdrüse *f.* -n.
한세상(一世上) ① 《일평생》 Lebenszeit *f.*; *js.* ganzes Leben, -s, -. ② 《한창 때》 die beste Zeit in *js.* Leben.
한속 《한마음》 ein Herz *n.* -ens. ¶둘은 ~이다 Die beiden sind einstimmig; 《공모》 Sie stecken unter der Decke.
한숨 ① 《탄식》 Seufzer *m.* -s, -. ¶~을 쉬다 seufzen; den Seufzer aus|stoßen*. ② 《단숨·휴식》 ein Atem(zug) *m.* -(e)s; e-e Pause. ¶~ 쉬다 ^{4}sich ein bißchen erholen / ~ 돌리다 erleichtert auf|atmen.
한시(漢詩) das chinesische Gedicht, -(e)s, -e.
한시도(一時一) e-n Augenblick. ¶당신을 ~ 잊지 않고 있어요 Ihr Bild kommt mir nie aus dem Sinn.
한시름 e-e große Sorge, -n. ¶~ 놓다 erleichtert tief auf|atmen.
한식(韓式) ~의 koreanisch; im koreanischen Stil.
한심(寒心) ~하다 ① 《가련하다》 erbärmlich 〔armselig; jämmerlich〕 (sein). ¶~한 처지 erbärmliche Verhältnisse (*pl.*). ② 《부끄럽다》 beschämend〔schändlich〕 (sein). ¶~한 일 das Bedauerliche* 〔Jämmerliche*〕 -n.
한아름 ein Armvoll *m.* -, -.
한약(漢藥) (e-e) chinesische Medizin, -en; Heilskrautmittel *n.* -s, -. ‖~국〔방〕 die Apotheke der chinesischen Medizin.
한없다(恨一) befriedigt (sein); ^{4}sich freuen 《auf ^{4}*et.*》; nichts zu bedauern haben.
한없다(限一) grenzenlos〔unbegrenzt; endlos〕 (sein). ¶한없이 grenzenlos; endlos; ohne Ende〔Grenze〕 / 한없는 바다 die grenzenlose See, -n / 욕심은 ~ Der Geiz weiß kein Ende.
한여름 Hoch〔Mitt〕sommer *m.* -s, -.
한역(漢譯) die chinesische Übersetzung, -en. ~하다 ins Chinesische übersetzen*^{4}.
한역(韓譯) die Übersetzung ins Koreanische 《*aus*^{3}》. ~하다 ins Koreanische übersetzen^{4} 《*aus*^{3}》.
한영(韓英) ~의 koreanisch-englisch. ‖~ 사전 Koreanisch-Englisches Wörterbuch, -(e)s, ⁼er.
한옆 e-e Seite, -n. ¶~으로 비키다 zur Seite treten*.
한외(限外) ‖~ 발행 Überemission *f.* -en (von Wertpapieren).
한움큼 Handvoll *f.*; Griff *m.* -(e)s, -e. ¶~ 쥐다 e-n Griff tun*.
한의(漢醫) =한방의.
한이(韓伊) ~의 koreanisch-italienisch.
한인(閑人) e-e untätige, müßige Person, -en.
한인(韓人) Koreaner *m.* -s, - 《남자》; Koreanerin *f.* -nen 《여자》.
한일(韓日) ~의 koreanisch-japanisch. ‖~ 회담 Koreanisch-Japanische Konferenz, -en.
한입 ein Mundvoll *m.* -s; ein Bissen *m.* -s. ¶~ 가득 mit vollem Mund.
한자(漢字) die chinesische Schrift, -en. ‖상용 ~ die chinesischen Schriften für den Alltagsgebrauch.
한잔(一盞) ① 《분량》 ein Becher (voll) ...; ein Glas (voll) .... ~의 《맥주·물·포도주》 ein Glas (Bier, Wasser, Wein); 《커피·차》 e-e Tasse (Kaffee, Tee). ② 《술》 Trank *m.* -(e)s. ¶~ 하다 trinken*; eins trinken*.
한잠 ein Schläfchen *n.* -s. ¶~ 자다 ein Schläfchen machen 〔halten*〕.
한재(旱災) Dürre *f.* ¶~를 당하다 unter der Dürre leiden*.
한적하다(閑寂一) ruhig 〔still; friedlich〕 (sein).
한정(限定) Beschränkung 〔Begrenzung〕 *f.* -en; die genaue Bestimmung, -en. ~하다 ein|schränken^{4} 〔beschränken^{4} 《*auf*^{4}》; begrenzen^{4}; genau bestimmen^{4}. ‖~ 치산(治產) Quasientmündigung *f.* -en / ~판 die beschränkte Ausgabe, -n.
한제(寒劑) Kältemischung *f.* -en.
한조각 ein Stück *n.* -(e)s, -e; ein bißchen; ein wenig. ¶빵 ~ ein Stück Brot *n.* -(e)s, -e.
한족(漢族) die chinesische Rasse, -n.
한줄기 Streif *m.* -(e)s, -e; Strich *m.* -(e)s, -e. ¶~의 연기 ein Rauchwölkchen *n.* -s, - / ~의 희망 Hoffnungsschimmer *m.* -s, -.
한줌 e-e Handvoll. ¶모래 ~ e-e Handvoll Sand.
한중(寒中) ¶~에 in der kältesten Zeit des Jahres. ‖~ 훈련 die Training 〔Übung〕 in kalter Saison.
한중(韓中) ~의 koreanisch-chinesisch.
한증막(汗蒸幕) Schwitzkasten *m.* -s.
한증탕(汗蒸湯) Dampf〔Schwitz〕bad *n.* -(e)s, ⁼er.
한직(閑職) das (einträgliche) Ruhepöstchen, -s, -; das mühelose Amt, -(e)s, ⁼er. ¶~에 있는 사람 der* ein Ruhepöstchen innehat.
한집안 ① *js.* Familie *f.* -n 〔Leute (*pl.*)〕. ¶~ 식구 (die Leute in) *js.* Familie; *js.* Volk. ② 《친척》 *js.* der Angehörige* 〔der Verwandte*〕 -n, -n.
한쪽 《짝의 한 쪽》 der eine* e-s Paares. ¶~ 팔 der e-e Arm. ② 《둘 중의 하나》 der eine*; der andere*. ¶~ 발로 서다 auf e-m Bein stehen*. ③ 《한편》 die eine 〔andere〕 Seite. ¶~으로 치우친 einseitig.
한차례(一次例) eine Runde; einmal; 《잠시》 eine Zeitlang; einige Zeit. ¶소나기가 ~ 퍼부었다 Es gab Regenschauer eine Zeitlang.
한참 《얼마 동안》 e-e Zeitlang; einige Zeit; e-e Weile; ein Weilchen. ¶~만에 e-e gute 〔lange〕 Zeitlang.
한창(때) 《전성기》 Blütezeit *f.* -en; 《절정》 Höhe *f.* -n; Höhepunkt *m.* -(e)s, -e. ¶~이다 in voller Blüte stehen*; auf dem Höhepunkt stehen* / ~때가 지나다 den Höhepunkt überschreiten* / 그는 지금이 ~이다 Er ist jetzt in s-m besten Mannesalter.
한천(旱天) Dürre *f.*
한천(寒天) Agar-Agar *m.*〔*n.*〕 -s.

한촌(寒村) das gottverlassene Dorf, -(e)s, ⁼er.

한층(一層) ¶~ 더 (noch) mehr / ~ 더 노력하다 [4]sich noch mehr an|strengen.

한치 ein Zoll *m.* -(e)s. ¶~도 어긋남이 없다 haargenau sein; in [3]nichts verschieden sein《*von*[3]》.

한칼 ① ein Schlag mit dem Schwert. ¶~에 쓰러뜨리다 mit e-m (Schwert-)schlag nieder|hauen*[4]. ②《고기의》e-e Scheibe Fleisch.

한탄(恨歎) ~하다 (weh)klagen《*über*[4]》; bejammern[4]; beklagen[4]; betrauern[4]; [4]sich betrüben《*über*[4]》.

한턱 Bewirtung *f.*; reichliche Bewirtung; Gastmahl *n.* -(e)s, ⁼er〔-e〕. ¶~하다〔내다〕 frei|halten*《*jn.* mit [3]*et.*》.

한통속 Komplice *m.* -n, -n; Mittäter *m.* -s, -; der Mitschuldige*, -n, -n. ¶~이 되다 [4]sich verschwören*《mit *jm.*》/ ~이 되어 in Verschwörung《*mit*[3]》.

한파(寒波) Kältewelle *f.* -n.

한판《씨름》e-e Runde, -n;《장기·바둑》e-e Partie, -n.

한패(一牌)《일의》Mitarbeiter *m.* -s, -;《동료》Gefährte *m.* -n, -n; Kamerad *m.* -en, -en;《나쁜 일의》Helfershelfer *m.* -s, -.

한편(一便) ①《한쪽》e-e Seite. ¶~으로 비켜서다 auf die Seite gehen*〔treten*〕/ 그는 나와 ~이다 Ich habe ihn auf m-r Seite. ②《…한 외에》neben[3]; neben·bei[3]〔-her〕; während[2]. ¶~으로는 einerseits; auf der einen Seite;《반면》auf der andern Seite.

한평생(一平生) das ganze Leben, -s, -; Lebenszeit *f.* -en;〘副詞的〙fürs (ganze) Leben. ¶~ 독신으로 지내다 ledig fürs ganze Leben bleiben*.

한푼 ein Pfennig; ein Heller. ¶동전 ~도 없다 k-n Pfennig haben.

한풀꺾이다 [4]sich demütigen〔ducken〕; [4]sich verächtlich behandeln.

한풀다(恨一) den Willen durchsetzen; *jm.* e-n Wunsch erfüllen; das Ziel erreichen.

한풀이하다(恨一) s-n Wut, an *jm.*〔*jn.*〕aus|lassen*; der Gehässigkeit Luft machen.

한풍(寒風) der kalte〔frostige〕Wind, -(e)s, -e. ¶~이 휘몰아치는데 vom schneidend kalten Winde gejagt.

한하다(限一) begrenzen[4]; ab|grenzen[4]; beschränken[4]. ¶금일에 한함 Nur für heute.

한학(漢學) die chinesische Klassik〔Literatur, -en〕. ‖~자 der Forscher der chinesischen Klassik.

한해(旱害) der Schaden durch Trockenheit. ‖~ 지구 das unter Dürre erleidende Gebiet, -(e)s, -e.

한해(寒害) Frostschaden *m.* -s, ⁼.

한해살이〘植〙die einjährige Pflanze, -n.

한화(韓貨) das koreanische Geld, -(e)s, -er; die koreanische Währung, -en.

할(割) Prozentsatz *m.* -es, ⁼e. ¶연 1할의 이식 der Zinsenfuß von 10 Prozent jährlich.

할거(割據) ~하다 [4]sich fest|setzen; festen Fuß fassen. ‖군웅 ~ das feindliche Gegenüberstehen* gewaltiger Kriegshelden.

할당(割當) ~하다 verteilen[4]《*auf*[4]》; zu|weisen*[34]; zu|teilen[34]; zu|messen*[34]. ‖~금 Zuweisung *f.* -n / ~량 Quote *f.* -n; Anteil *m.* -(e)s, -e / ~액 Kontingent *n.* -(e)s, -e.

할똥말똥하다 zögern《[4]*et.* zu *tun*》; zaudern〔schwanken〕《[4]*et.* zu *tun*》.

할렐루야 helleluja!; Halleluja *n.* -(s), -(s).

할례(割禮)〘基〙Beschneidung *f.* -en. ¶~를 베풀다 *jn.* beschneiden*.

할말 ①《하고 싶은》was e-r zu sagen hat; *js.* Meinung. ②《해야 할》was e-r zu sagen hat. ¶내 ~은 다 했다 Ich habe m-e Meinung geäußert. ③《불평》Klage *f.* -n; Beschwerde *f.* -n. ¶뭐 ~이 있는가 Hast du etwas zu klagen?

할머니 Großmutter *f.* ⁼; Großmütterchen *n.* -s, -;《小児》Oma *f.* -s.

할멈 die alte Frau, -en; die Alte*, -n, -n;《유모》(Säug)amme *f.* -n.

할미꽃〘植〙Küchenschelle *f.* -n; Anemone *f.* -n.

할복(割腹) das Bauchaufschlitzen*, -s. ‖~ 자살 feierlicher Selbstmord durch Bauchaufschlitzen.

할부(割賦) Raten〔Teil〕zahlung *f.* -en. ¶~로 사다 auf Raten kaufen[4].

할선(割線)〘數〙Sekante *f.* -n.

할쑥하다 dünn u. blaß〔verzerrt; mager; abgemagert〕(sein).

할수있다 können*; vermögen*; fähig sein; imstande sein. ¶할 수 있는 한 möglichst; so...wie möglich / 할 수 있으면 wo möglich; möglichenfalls.

할아버지 Groß·vater *m.* -s, ⁼〔-papa *m.* -s, -s〕;《小児》Opa *m.* -s, -s.

할애하다(割愛一) verteilen[4]《*unter*[3]》; teilen[4]《mit *jm.*》.

할인(割引) (Preis)ermäßigung *f.* -en; Preisabzug *m.* -(e)s, ⁼e; Diskont *m.* -(e)s, -e. ~하다 (den Preis) ermäßigen; herab|setzen; (vom Preis) nach|lassen*;《어음을》diskontieren[4]. ¶5푼 ~으로 mit 5 % Rabatt. ‖~권 Rabattmarke *f.* -n / ~ 어음 Diskont(o)wechsel *m.* -s, - / 어음 ~ Wechseldiskontierung *f.* -en / 재~ Rediskont *m.*

할일 etwas zu tun. ¶~이 많다 viel zu tun haben / ~이 없다 nichts zu tun haben.

할증(割增) Zuschlag *m.* -(e)s, ⁼e; Aufgeld *n.* -(e)s, -er. ‖~금 Prämie *f.* -n; Aufgeld *n.*

할짝거리다 ab|lecken[4]; auf|lecken[4].

할퀴다 (zer)kratzen[4]; ritzen. ¶발톱으로 ~ mit den Krallen (zer)kratzen[4].

핥다 lecken[4]; auf|lecken[4]; ab|lecken[4].

핥아먹다 ab|lecken[4].

함(函) Kasten *m.* -s, ⁼; Büchse *f.* -n; Truhe *f.* -n.

함교(艦橋) (Kommando)brücke *f.* -n.

함구(緘口) ~하다 schweigen*; den [4]Mund〔das Maul〕halten*. ‖~령 der Befehl zum Stillschweigen (~령을 내

리다 e-n Befehl zur Geheimhaltung erteilen 《jm.》).
함께 zusammen; mit³; beide(s); sowohl ... als〔wie〕; 《동시에》 zugleich. ¶～하다 teilen⁴ 《mit³》; teil|nehmen* 《mit jm. an³》 / ～일하다 zusammen|arbeiten; mit|arbeiten / ～살다 zusammen|leben.
함대(艦隊) (Kriegs)flotte *f.* -n. ‖～기지 Flottenbase *f.* -n / ～사령관 Flottenchef *m.* -s, -s.
함락(陷落) ～하다 fallen*; kapitulieren; ⁴sich übergeben*.
함량(含量) Inhalt 〔Gehalt〕 *m.* -(e)s, -e. ‖알코올 ～ Alkoholgehalt *m.*
함몰(陷沒) (Bodenein)senkung *f.* -en; Einsturz *m.* -es, ⸗e. ～하다 sinken*; ⁴sich senken; ein|stürzen.
함박꽃 〖植〗 Pfingst·rose〔-blume〕 *f.* -n.
함박눈 große Flocke des Schnees.
함부로 《허가 없이》 ohne ⁴Erlaubnis; 《마구》 auf(s) Geratewohl; 《분별 없이》 gedankenlos; leichtsinnig; blindlings; rücksichtslos; 《무례히》 unhöflich.
함빡 ＝흠뻑.
함석 Zink *n.* -(e)s; Blech *n.* -(e)s, -e. ¶～으로 만든 blechern. ‖～지붕 Blech〔Zink〕dach *n.* -(e)s, ⸗er / ～판 Zinkblech; Zinkplatte *f.* -n / 골～ Wellblech *n.*
함선(艦船) die Schiffe (*pl.*) aller Arten.
함성(喊聲) Hurra〔Kriegs〕geschrei *n.* -(e)s. ¶～을 지르다 ein großes ⁴Geschrei erheben*.
함수(含水) 〖化〗 ～의 wässerig; wasserhaltig; hydratisiert. ‖～탄소 Kohlenhydrat *n.* -(e)s, -e.
함수(函數) 〖數〗 Funktion *f.* -en. ‖～론 Funktionentheorie *f.* / 삼각 ～ die trigonometrische Funktion.
함수(鹹水) Salzwasser *n.* -s. ‖～어(魚) Salzwasserfisch *m.* -es, -e / ～호 Salzsee *m.* -s, -n; Haff *n.* -(e)s, -e.
함수(艦首) Bug *m.* -(e)s, ⸗e. ‖～포 Buggeschütz *n.* -es, -e.
함수초(含羞草) 〖植〗 Mimose *f.* -n.
함씨(咸氏) ein geehrter Neffe, -n, -n.
함양(涵養) ～하다 pflegen⁴; fördern⁴; hegen⁴.
함유(含有) ～하다 enthalten*⁴; haben⁴. ‖～성분 Bestandteil *m.* -(e)s, -e / 알코올 ～량 Alkoholgehalt *m.* -(e)s.
함자(銜字) ein verehrter Name, -ns, -n; Ihr 〔dein; sein〕 Name.
함장(船長) Kapitän *m.* -s, -e; Kommandant *m.* -en, -en.
함재기(艦載機) Schiffsflugzeug *n.* -(e)s, -e.
함정(陷穽) (Fall)grube *f.* -n; Fall *f.* -n. ¶～에 빠지다 in e-e Fallgrube hinein|fallen*.
함정(艦艇) Marineschiff *n.* -(e)s, -e.
함지 die große, gegrabene Holzschüssel, -n.
함축성(含蓄性) Tiefsinn *m.* -(e)s; Gedankenfülle *f.* ¶～이 있는 bedeutsam; gedankenreich; sinnvoll; tief.
함포사격(艦砲射擊) die Beschießung durch ein Kriegsschiff.
함흥차사(咸興差使) der verlorene Bote, -n, -n. ¶한번 가더니 ～다 Er ist hingegangen u. nie zurückgekommen.
합(合) ① 《합계》 (Gesamt)summe *f.* -n. ¶합을 구하다 die Summe ermitteln. ② 《홉》 Maßeinheit *f.* -en.
합격(合格) ～하다 bestehen*⁴; durch|kommen*; 《채용됨》 aufgenommen werden. ¶～시키다 auf|nehmen*⁴ 《in⁴》; zu|lassen*⁴ 《zu³》. ‖～자 der glücklich Durchgekommene*, -n, -n.
합계(合計) Summe *f.* -n; Gesamtbetrag *m.* -(e)s, ⸗e. ～하다 zusammen|zählen; summieren. ¶～하여 zusammengenommen; insgesamt.
합금(合金) Legierung *f.* -en.
합당하다(合當—) richtig 〔schicklich; angebracht〕 (sein). ¶합당한 말 e-e gut angebrachte Bemerkung, -en.
합당(合黨) ～하다 die Parteien fusionieren.
합동(合同) Vereinigung 〔Verbindung; Fusion〕 *f.* -en. ～하다 ⁴sich vereinigen⁴ 〔verbinden*; verschmelzen*〕 《mit³》. ‖～결혼 Gruppenhochzeit *f.* -en / ～작전 die gemeinsame Operation, -en.
합력(合力) gemeinsame Bemühung, -en; Mitwirkung *f.* -en; 〖物〗 Resultante *f.* -n. ～하다 ⁴sich gemeinsam bemühen 《um ⁴et.》; mit|helfen*.
합류(合流) ～하다 zusammen|fließen*; ineinander fließen*. ‖～점 Konfluenz *f.* -en 《두 강의》.
합리(合理) ～적 vernunftgemäß; vernünftig; rational. ¶～화하다 rationalisieren⁴. ‖～주의 Rationalismus *m.* - (～주의자 Rationalist *m.* -en, -en).
합명회사(合名會社) die offene Handelsgesellschaft, -en.
합방(合邦) Annexion *f.* -en. ～하다 annektieren; ein|verleiben.
합법(合法) Gesetz〔Recht〕mäßigkeit *f.* -en; Legalität *f.* -en. ～적 gesetzlich; gesetzmäßig; rechtmäßig.
합병(合倂) Vereinigung 〔Amalgamierung〕 *f.* -en; 《회사의》 Verschmelzung *f.* -en. ～하다 vereinigen⁴; amalgamieren⁴; verschmelzen*⁴. ‖～증 〖醫〗 Komplikation *f.* -en.
합본(合本) das Einbinden*, -s; 《책》 Sammelband *m.* -(e)s, ⸗e. ～하다 Hefte ein|binden*.
합사(合絲) Zwirn *m.* -(e)s, -; das gezwirnte Garn, -(e)s, -e.
합산(合算) ＝합계(合計).
합석(合席) ～하다 zusammen|sitzen*; zusammen|treffen*.
합성(合成) Zusammensetzung *f.* -en; 《화학적》 Synthese *f.* -n. ～하다 zusammensetzen. ‖～고무 der synthetische Gummi, -s, -s / ～섬유 Kunstfaser *f.* -n / ～세제 synthetisches Waschmittel, -s, - / ～수지 Kunstharz *n.* -es, -e.
합세(合勢) ～하다 Kräfte (*pl.*) vereinigen; Allianz bilden.
합숙(合宿) ～하다 gemeinsam logieren. ‖～소 Mannschaftslogis *n.* -, - / ～훈련 Lagertraining *n.* -s, -s.
합승(合乘) ～하다 mit *jm.* zusammen|fahren*.

합심(合心) ∼하다 im Einklang stehen*; gleichgesinnt sein.
합의(合意) ∼하다 [4]et. mit *jm.* vereinbaren 〔verabreden〕. ‖ ∼ 문서 vereinbartes Dokument, -(e)s, -e / ∼ 이혼 e-e Scheidung im beiderseitigem Einverständnis.
합의(合議) ∼하다 beraten* 《mit *jm.* *über*[4]》; ([4]sich) beratschlagen 《mit *jm.* *über*[4]》. ‖ ∼ 재판 Kollegialgericht *n.* -(e)s, -e / ∼제 Kollegialsystem *n.* -(e)s, -e.
합일(合一) ∼하다 (ver)ein(ig)en[4] 《*mit*[3]》; einig machen[4].
합자(合資) ∼하다 in e-e Gesellschaft verschmelzen*. ‖ ∼ 회사 Kommanditgesellschaft *f.* -en 《略:KG》.
합작(合作) ∼하다 gemeinschaftlich aus|arbeiten*[4] 〔bauen*[4]; erzeugen[4]; produzieren[4]; verfassen*〕 〘합작 대상에 따라 動詞를 선택함〙.
합장(合掌) ∼하다 die Hände zum Gebet falten. ‖ ∼ 배례 die Verbeugung mit gefalteten Händen.
합장(合葬) ∼하다 in die Familiengruft begraben*[4] 〔beerdigen[4]〕. ‖ ∼묘 Familiengruft *f.* ⸚e.
합주(合奏) Konzert *n.* -(e)s, -e. ∼하다 zusammen|spielen[4]. ‖ ∼곡 ein (Musik-)stück zum Zusammenspielen / ∼단 Musikensemble *n.* -s, -s.
합죽이 der Zahnlose* mit zusammengezogenen Lippen.
합중국(合衆國) die Vereinigten Staaten (*pl.*). ‖ 아메리카 ∼ die Vereinigten Staaten von Amerika; die USA.
합창(合唱) Chor *m.* -s, ⸚e. ∼하다 im Chor singen*[4]; chor|singen*. ‖ ∼곡 Chor; Chorwerk *n.* -(e)s, -e / ∼ 단원 Chorsänger *m.* -s, -; Chorist *m.* -en, -en / ∼대 Chor; Sängerchor / 혼성 ∼ der gemischte Chor.
합치(合致) ∼하다 überein|stimmen; zusammen|treffen*.
합치다(合一) ① 《하나로》 vereinigen[4]; verbinden*[4]; verknüpfen. ¶힘을 합쳐서 mit vereinigten Kräften. ② 《섞다》 mischen[4]. ③ 《모으다》 zusammen|stellen[4]; 《더하다》 hinzu|fügen[4] 《*zu*[3]》; 《총괄하다》 zusammen|fassen[4]. ¶모두 합쳐 열 다섯이다 Alles zusammen fünfzehn.
합판(合板) Sperrholz *n.* -es, ⸚er; Verbundplatte *f.* -n.
합판화(合瓣花) 〘植〙 gefüllte Blume, -n.
합하다(合一) ① 《하나로》 verbinden*[4]; vereinigen[4]; [4]sich zusammen|schließen* 《*mit*[3]》. ② 《합쳐지다》 [4]sich vereinigen 〔verbinden*〕 《*mit*[3]》.
합헌(合憲) ∼적 verfassungsmäßig; konstitutionell.
합환주(合歡酒) der Wein, den das Hochzeitspaar als Ehegelübde aus e-m Becher trinkt.
핫도그 Hot dog *m.* - -s, - -s.
핫바지 《솜바지》 (ein Paar) wattierte Hose; 《촌뜨기》 Bauernlümmel 〔Tölpel〕 *m.* -s, -.
핫케이크 Eierkuchen *m.* -s, -.
항(項) Absatz *m.* -es, ⸚e; Paragraph *m.* -en, -en; 〘法〙 Artikel *m.* -s, -; 〘數〙 Glied *n.* -(e)s, -er.
항간(巷間) ∼의 volksmäßig; volksnah; gewöhnlich. ¶∼의 풍설 Stadtgespräch *n.* -(e)s, -e; Gerücht *n.* -es, -e.
항거(抗拒) ∼하다 Widerstand leisten 《[3]*et.*》; widerstehen* 《[3]*et.*》; nicht gehorchen 《*jm.*》.
항고(抗告) 〘法〙 Beschwerde *f.* -n; Einspruch *m.* -(e)s, ⸚e. ∼하다 [4]sich beschwerden 《*über*[4]》; e-e Beschwerde führen 《*über*[4]; *gegen*[4]》. ‖ ∼권 Einspruchsrecht *n.* -(e)s, -e / ∼ 기간 Einspruchsfrist *f.* -en; Beschwerdefrist / ∼인 Beschwerdeführer *m.* -s, -.
항공(航空) Luftfahrt *f.* -en; Flugwesen *n.* -s, -. ‖ ∼ 관제 Luftverkehrkontrolle *f.* -n (∼ 관제탑 (Lufthafen-)kontrollturm *m.* -(e)s, ⸚e) / ∼기 Flugzeug *n.* -(e)s, -e; Flugmaschine *f.* -n/∼로 Fluglinie *f.* -n; Luftstrecke *f.* -n / ∼ 모함 Flugzeugträger *m.* -s, - / ∼ 사진 Luftaufnahme *f.* -n; Luftbild *n.* -(e)s, -er / ∼ 우편 Luftpost *f.* -en / ∼ 지도 Flugstreckenkarte *f.* -n / ∼ 회사 Flug〔Luftfahrt〕gesellschaft *f.* -en.
항구(恒久) ∼적 beständig; dauernd; ewig; permanent. ¶∼적인 평화 der ewige Friede(n), ..dens, ..den.
항구(港口) Hafen *m.* -s, ⸚. ‖ ∼ 도시 Hafenstadt *f.* ⸚e.
항균성(抗菌性) Antibiose *f.* -n. ∼의 antibiotisch. ‖ ∼ 물질 Antibiotikum *n.* -s, ..ka.
항내(港內) Hafenanlage *f.* -n. ‖ ∼ 설비 Hafenanlagen (*pl.*).
항다반사(恒茶飯事) Alltäglichkeit *f.* -en. ¶그런 일은 ∼다 Das ist e-e ganz alltägliche Sache.
항도(港都) ☞항구 도시.
항독소(抗毒素) Antitoxin *n.* -s, -e; Gegengift *n.* -(e)s, -e.
항등식(恒等式) 〘數〙 identische Gleichung, -en; Identität *f.*
항라(亢羅) lauter Seidenstoff, -(e)s, -e.
항렬(行列) Verwandtschaftsgrad *m.* -(e)s, -e.
항로(航路) Schiffahrts·weg *m.* -(e)s, -e 〔-straße *f.* -n〕; Fahrwasser *n.* -s, -; Kurs *m.* -es, -e. ‖ ∼ 표지 Seezeichen *n.* -s, - / 정기 ∼ die regelmäßige (Schiffahrts)linie, -n.
항만(港灣) Häfen u. Buchten (*pl.*); Hafen *m.* -s, ⸚. ‖ ∼ 공사 Hafenbauarbeit *f.* -en / ∼ 시설 Hafeneinrichtung *f.* -en / ∼ 하역(荷役) die Auf- u. Abladung im Hafen.
항명(抗命) Ungehorsam *m.* -(e)s. ∼하다 die Vorschrift mißachten.
항목(項目) Gegenstand *m.* -(e)s, ⸚e; Artikel *m.* -s, -; Paragraph *m.* -en, -en; Klausel *f.* -n. ¶∼으로 나누다 in Paragraphen ein|teilen[4]. ‖ ∼별 표 Liste *f.* -n; tabellarische Übersicht, -en.
항문(肛門) 〘解〙 Anus *m.* -, - 《라틴》; After *m.* -s, -. ‖ ∼경(鏡) Afterspiegel *m.* -s, - / ∼선(腺) Afterdrüse *f.* -n.
항변(抗辯) ① 《반박》 Widerrede *f.* -n;

Widerlegung *f.* –en; Protest *m.* –(e)s, –e. ② 《피고의》 Einwendung *f.* –en. ～하다 *jm.* widersprechen*; gegen *jn.* [4*et.*] ein|wenden*4; Protest erheben* 《*gegen*4》.
항복(降伏) Ergebung *f.*; Übergabe *f.* –n; Unterwerfung *f.* –en. ～하다 4sich ergeben*; 4sich übergeben*; die Waffen strecken.
항산성균(抗酸性菌) e–e säurenfeste Bakterie, –n.
항상(恒常) immer; stets; jederzeit; gewöhnlich. ¶그는 ～ 나에게 친절했다 Er war immer freundlich zu mir.
항생물질(抗生物質) Antibiotikum *n.* –s, ..ka. ～의 antibiotisch.
항설(巷説) Stadtgespräch [Gerücht] *n.* –(e)s, –e; Hörensagen *n.* –s. ¶～에 의하면 … Das Gerücht läuft um, daß....
항성(恒星) 〖天〗 Fixstern *m.* –(e)s, –e.
항소(抗訴) Berufung [Appellation] *f.* –en. ～하다 Berufung ein|legen 《*gegen*4; *bei*3》; appellieren4 《*an*4》; Appellation ein|legen 《*gegen*4; *bei*3》. ¶～를 기각하다 die Berufung verwerfen*. ‖～권 Berufungsrecht *n.* –(e)s, –e / ～법원 Berufungsgericht *n.* –(e)s, –e / ～심 Berufungsinstanz *f.* –en / ～인 Appellant *m.* –en, –en / ～장 Berufungs[Appellations]schrift *f.* –en.
항속(航續) Fahrtdauer *f.* ‖～거리 Aktions[Fahrt]bereich *m.* [*n.*] –(e)s, –e; Flugreichweite *f.* –n / ～시간 Fahrt[Flug]dauer *f.*
항아리 Topf [Krug] *m.* –(e)s, ¨e. ¶물～ Wassertopf *m.*
항암(抗癌) ¶～(성)의 gegen 4Krebs.
항용(恒用) 《항상》 immer; stets; zu jeder Zeit; beständig; unaufhörlich.
항원(抗原) 〖醫〗 Antigen *n.* –s, –e.
항의(抗議) Einspruch [Einwand] *m.* –(e)s, ¨e; Einwendung *f.* –en; Protest *m.* –(e)s, –e. ～하다 Protest [Einspruch] erheben*《*gegen*4》; protestieren*《*gegen*4》.
항쟁(抗爭) (Wider)streit *m.* –(e)s, –e; Streiterei *f.* –en; Auseinandersetzung *f.* –en. ～하다 widerstreiten 《*jm.*》; streiten 《mit *jm.*》; 4sich auseinander|setzen 《mit *jm.*》.
항적(航跡) Kielwasser *n.* –s; Luftwirbel *m.* –s, –; Furche *f.* –n.
항전(抗戰) Widerstand *m.* –(e)s, ¨e; Resistance *f.* ～하다 widerstehen*3; Widerstand leisten3.
항정(航程) Fahr[Flug]strecke *f.* –n; die zurückzulegende Strecke.
항진(亢進) Steigerung [Beschleunigung; Erhöhung] *f.* –en. ～하다 4sich steigern; 4sich beschleunigen; 4sich erhöhen. ¶～시키다 steigern4; beschleunigen4; erhöhen4.
항체(抗體) 〖生〗 Antikörper *m.* –s, –.
항해(航海) Schiffahrt [Seefahrt; Navigation] *f.* –en. ～하다 schiffen; fahren*; segeln; e–e Schiffahrt machen. ‖～술 Navigation *f.*; Schiffahrtskunde *f.* –n / ～일지 Logbuch *n.* –(e)s, ¨er / 처녀～ Jungfernfahrt *f.* –en.
항행(航行) Schiffahrt [Navigation] *f.* –en. ～하다 mit dem Schiff fahren* [segeln]; kreuzen.
항히스타민제(抗一劑) die antihistaminische Arznei, –en.
해1 《년》 Jahr *n.* –(e)s, –e. ¶해마다 Jahr für Jahr; von Jahr zu Jahr; jedes Jahr; jährlich.
해2 《태양》 Sonne *f.* –n. ¶해가 뜨다 [지다] die Sonne geht auf [unter].
해(害) Schaden *m.* –s, ¨; Harm *m.* –(e)s; Leid *n.* –(e)s; Schädigung *f.* –en. ¶해를 입다 Schaden leiden*; zu Schaden kommen* / 해로운 schädlich3; abträglich3; nachteilig3 / 해가 없는 harmlos; unschädlich.
해갈(解渴) ～하다 ① 《갈증을》 s–n Durst stillen [löschen; befriedigen]. ② 《가뭄 등을》 aus der Wasserarmut befreit werden.
해결(解決) Lösung *f.* –en; Regelung *f.* –en 《정리, 조정》. ～하다 lösen4; aus|gleichen*4; 《곤란 따위를》 beseitigen4. ‖～책 Lösung *f.* –en.
해고(解雇) Entlassung *f.* –en; Abschied *m.* –(e)s, –e; Abbau *m.* –(e)s. ～하다 *jn.* aus dem Dienst entlassen*; *jn.* ab|danken; *jm.* den Abschied geben*. ‖～수당 Entlassungsentschädigung *f.* –en / 집단～ massenhafte Entlassung.
해골(骸骨) Skelett *n.* –(e)s, –e; Gerippe *n.* –s, –; Knochengerüst *n.* –(e)s, –e; Schädelknochen *m.* –s, – 《두개골》.
해괴(駭怪) ～하다 wunderlich [übermäßig; ungeheuer; anstößig; skandalös] (sein). ¶～망측하다 äußerst übermäßig [anstößig; skandlös; abscheulich; schändlich] sein.
해구(海狗) 〖動〗 Seebär *m.* –en, –en. ‖～신(腎) der Penis des Seebären.
해구(海溝) Tiefe *f.* –n; See *f.* –n; Meer *n.* –(e)s, –e.
해군(海軍) Marine *f.* –n; Seemacht *f.* ¨e. ～의 Marine–. ¶～에 복무하다 zur See dienen. ‖～력 Seemacht / ～사관 학교 Marineoffizierschule *f.* –n / ～참모 총장 der Chef der Marine.
해금(解禁) ～하다 das Verbot auf|heben*.
해낙낙하다 befriedigt [zufrieden; satt; erfreut] (sein).
해난(海難) See·not *f.* ¨e [–unfall *m.* –(e)s, ¨e]; Schiffbruch *m.* –(e)s, ¨e 《파선》. ¶～을 당하다 e–n Schiffbruch erleiden*. ‖～구조 Rettung [Bergung] der Schiffbrüchigen* (*pl.*) (～구조선 Rettungsboot *n.* –(e)s, –e) / ～신호 Seenotsignal *n.* –s, –e.
해내다 ① 《이겨 내다》 4*et.* überwinden* [besiegen]. ② 《치러 내다》 zu 3Ende bringen* [führen4]; durch|führen4; fertig|bringen*4.
해넘이 Sonnenuntergang *m.* –(e)s, ¨e.
해녀(海女) Taucherin *f.* –nen.
해님 die liebe Sonne.
해달(海獺) 〖動〗 Seeotter *f.*
해단(解團) Entlassung *f.* –en. ‖～식 Entlassungsfeier *f.* –n.
해답(解答) (Auf)lösung *f.* –en; Antwort *f.* –en; Ergebnis *n.* –ses, –se 《수학의》. ～하다 (auf|)lösen4; beantworten4.

해당(該當) ~하다 zu|treffen*; gehören (*unter*[4]); [4]sich an|wenden lassen*(적용); betreffen*[4] (관계). ‖ ~ 사항 das Betreffende*, -n / ~자 der Betreffende*, -n, -n.

해당화(海棠花) 〖植〗 die wilde Rose, -n.

해도(海圖) Seekarte *f.* -n. ‖ ~실(室) Navigationsraum *m.* -(e)s, ⸚e.

해독(害毒) Übel *n.* -s, -; Gift *n.* -(e)s, -e; Schaden *m.* -s, ⸚. ¶ ~을 끼치다 (e-e) giftigen Einfluß aus|üben (*auf*[4]).

해독(解毒) Entgiftung *f.*; Gegenwirkung *f.* -en. ~하다 entgiften[4]; Gegenmittel verabreichen (투약).

해독(解讀) Entzifferung 〔Auflösung〕 *f.* -en. ~하다 entziffern[4]* dechiffrieren[4] 〔deʃi..〕. ¶ 암호를 ~하다 e-e Chiffre auf|lösen.

해돋이 Sonnenaufgang *m.* -(e)s, ⸚e.

해동(解凍) das Tauen*, -s; Tauwetter *n.* -s, -. ~하다 es taut.

해로(海路) Seeweg *m.* -(e)s, -e. ¶ ~로 zu [3]See; per [3]Schiff.

해로(偕老) ~하다 zusammen alt werden; zusammen altern.

해롭다(害—) nachteilig (sein) (*jm*; für *jn.*); schädlich (sein) (*jm.*; für *jn.*). ¶ 그것은 건강에 ~ Das ist gesundheitsschädlich.

해류(海流) Meeres·strömung *f.* -en 〔-strom *m.* -(e)s, ⸚e〕. ‖ ~도(圖) Meeresströmungskarte *f.* -n.

해리(海里) Seemeile *f.* -n; Knoten *m.* -s, -.

해리(海狸) 〖動〗 Biber *m.* -s, -.

해리(解離) ~하다 〖化〗 dissozieren.

해마다 jedes Jahr; all Jahre. ¶ ~ 이맘때면 jedes Jahr um diese Zeit.

해맑다 weiß u. rein (sein).

해머 Hammer *m.* -s, ⸚. ‖ ~ 던지기 Hammerwerfen *n.* -s.

해먹 Hängematte *f.* -n.

해면(海面) Meeres·spiegel *m.* -s 〔-oberfläche *f.* -n〕.

해면(海綿) Schwamm *m.* -(e)s, ⸚e. ¶ ~질〔상〕의 schwamm(art)ig.

해명(解明) Rechtfertigung 〔Erklärung; Ehrenrettung; Entschuldigung〕 *f.* -en. ~하다 erklären[4]; erläutern[4]; auseinander|legen[4]; klar|machen[4].

해몽(解夢) ~하다 e-n Traum deuten.

해묵다 (물건이) ein Jahr alt werden; auf ein Jahr altern; (일이) auf ein Jahr[4] sich hin|schleppen; auf ein Jahr in die Länge gezogen werden.

해물(海物) Seeprodukt *n.* -es, -e. ‖ ~상 Seeprodukthändler *m.* -s, -.

해바라기 Sonnenblume *f.* -n.

해박(該博) ~하다 gelehrt 〔belesen (*in*[3]); bewandert (*in*[3]); kenntnisreich〕 (sein).

해발(海拔) über dem Meeresspiegel (略: ü. d. M.); Meereshöhe *f.* -n.

해방(解放) Befreiung 〔Emanzipation; Freilassung〕 *f.* -en. ~하다 von 〔aus〕 [3]*et.* befreien[4]; frei|lassen*[4]; in [4]Freiheit setzen[4]. ‖ 노예 ~ Sklavenemanzipation *f.* -en.

해변(海邊) Küste *f.* -n; Strand *m.* -(e)s, -e.

해병(海兵) Marinesoldat *m.* -en, -en. ‖ ~대 Marinekorps〔ko:r〕 *n.* -, -.

해보다 versuchen[4]; probieren; e-n Versuch machen (*mit*[3]); auf die Probe stellen; unternehmen*[4]. ¶ 역량을 시험 ~ *js.* Kapazität erproben.

해부(解剖) Zergliederung 〔Sektion〕 *f.* -en; 〖法醫學〗 Obduktion *f.* -en. ~하다 zergliedern[4]; sezieren[4]; öffnen[4]. ‖ ~도(刀) Seziermesser *n.* -s, - / ~학 Anatomie *f.* / 시체 ~ Leichenöffnung *f.* -en; Autopsie *f.* -n.

해빙(解氷) das (Auf)tauen*, -s; Schneematsch *m.* -es, -e 〔-schmelze *f.* -n〕. ~하다 es taut. ‖ ~기 die Zeit der Eisschmelze.

해사하다 rein u. sauber 〔niedlich〕 (sein).

해산(解産) ~하다 ein Kind gebären*; von e-m Kind entbunden werden. ¶ ~ 구완을 하다 e-e Frau entbinden*. ‖ ~ 미역 Seetang für die Wöchnerin.

해산(解散) Auflösung *f.* -e (국회, 집회, 회사, 군대 등의); Zenstreuung *f.* -en (군중의). ~하다 auf|brechen*; auseinander|gehen*; [4]sich zerstreuen(군중이). ¶ ~시키다 auf|lösen[4] (군대, 회사, 국회 등을). ‖ ~ 명령 Auflösungsdekret *n.* -(e)s, -e / 강제 ~ Zwangsauflösung *f.* -en.

해산물(海産物) Seeprodukte (*pl.*).

해삼(海蔘) See·gurke 〔-walze〕 *f.* -n.

해상(海上) See *f.* -n; Meer *n.* -(e)s, -e. ¶ ~에(서) auf (der) See; auf dem Meere / ~의 Marine-; See-.

해상(海床) 〖地〗 Meeres·boden *m.* -s, ⸚ 〔-〕 〔-grund *m.* -(e)s〕.

해서(楷書) Quadrat〔Regel〕schrift *f.* -en.

해석(解析) ~하다 analisieren[4]. ‖ ~ 기하학 analytische Geometrie.

해석(解釋) ~하다 auf|fassen[4]; deuten[4]; verstehen*[4] (*als*); aus|legen[4]; (설명) erläutern[4]; auseinander|setzen[4].

해설(解說) Erkläurung 〔Erläuterung; Interpretation〕 *f.* -en; Kommentar *m.* -s, -e. ~하다 erkläutern[4]; erläutern[4]; interpretieren[4]; aus|legen[4]. ‖ ~자 Kommentator *m.* -s, -en; Ausleger *m.* -s, -.

해소(解消) ~하다 (auf|)lösen[4]; wider|rufen*[4]; reklamieren[4].

해손(海損) Havarie *f.* -n; Schiffsschaden *m.* -s, ⸚. ‖ ~ 계약 Havarie·vertrag *m.* -(e)s, ⸚ 〔-abkommen *n.* -s, -〕.

해수(咳嗽) =기침.

해수(海水) See〔Meer〕wasser *n.* -s.

해수욕(海水浴) Seebad *n.* -(e)s, ⸚er. ~하다 in der See baden. ¶ ~하러가다 ins Seebad gehen*. ‖ ~장 Standbad *n.*; Badestrand *m.* -(e)s, -e.

해시계(—時計) Sonnenuhr *f.* -en.

해쓱하다 blaß 〔bleich; schwach〕 (sein). ¶ 해쓱해지다 blaß 〔weiß〕 werden.

해악(害惡) Übel *n.* -s, -n; das Böse*, -n; Schaden *m.* -s, ⸚. ¶ ~을 끼치다 Unheil bringen.

해안(海岸) Küste *f.* -n; See〔Meeres〕-küste; Strand *m.* -es, -e. ‖ ~선 Küsten·strich *m.* -s, -e 〔-bahn *f.* -en〕; Strandlinie *f.* -n.

해약(解約) Vertrags(auf)kündigung *f.* -en; Aufhebung e-s Vertrags. ~하다

ㅎ

e-n Kontrakt [Vertrag] kündigen [auf|heben*].
해양(海洋) Ozean *m.* -s, -e; See *f.*; Meer *n.* -(e)s, -e. ~의 ozeanisch. ‖ ~성 기후 ozeanisches Klima, -s, -s.
해어지다 [4]sich ab|tragen* [ab|nutzen]; abgenutzt werden; abgetragen werden 《입어서》.
해연(海淵) die niedrigste Tiefe des Ozeans.
해연(海燕) 〖鳥〗 Felsenschwalbe *f.* -n.
해열(解熱) Entfieberung *f.* -en; das Entfiebern*, -s. ¶ ~에 효험이 있다 gegen Fieber wirksam sein.
해오라기 〖鳥〗 der weiße (Fisch)reiher, -s, -.
해왕성(海王星) 〖天〗 Neptun *m.* -s.
해외(海外) Übersee *f.*; überseeische Länder (*pl.*); Ausland *n.* -(e)s 《외국》. ~의 überseeisch; ausländisch. ¶ ~로 나가다 ins Ausland gehen*. ‖ ~ 동포 Auslandskoreaner *m.* -s, - / ~ 무역 Überseehandel *m.* -s, ⸚ / ~ 여행 Auslandsreise *f.* -n / ~ 이민 Emigrant *m.* -en, -en.
해운(海運) Seetransport *m.* -(e)s, -e; Verschiffung *f.* -en. ‖ ~계(界) die Schiffskreise (*pl.*) / ~업자 Schiffsspediteur *m.* -s, -e [-agent *m.* -en; -en; -makler *m.* -s, -].
해이(解弛) Lockerheit *f.*; Entspannung *f.* -en 《긴장의》; Laxheit 《정신의》. ~하다 locker [schlaff; matt] sein. ¶ ~해지다 locker werden.
해일(海溢) Flut[Sturm]welle *f.* -n. ¶ ~에 휩쓸리다 von e-r Flutwelle heimgesucht werden.
해임(解任) ~하다 *jn.* aus s-m Amt entlassen*. ‖ ~장 Entlassungsbrief *m.* -(e)s, -e.
해자(垓字) Graben *m.* -, ⸚; Schloß [Burg]graben. ¶ ~를 두르다 mit dem Wassergraben umgeben*.
해장하다 eins gegen den Kater trinken*. ‖ 해장국 Suppe gegen den Kater / ~술 Alkohol nach e-r durchzechten Nacht.
해저(海底) Meeresgrund *m.* -(e)s, ⸚e [-boden *m.* -s, - [⸚]]. ‖ ~ 전선 unterseeisches Kabel, -s, -.
해적(海賊) Seeräuber *m.* -s, -; Pirat *m.* -en, -en. ‖ ~선 Seeräuber[Piraten]schiff *n.* -(e)s, -e / ~판(版) Raubausgabe *f.* -n.
해전(海戰) See·schlacht *f.* -en [-gefecht *n.* -(e)s, -e].
해제(解除) Aufhebung *f.* -en; (Auf)lösung *f.* -en; 《책임·명령·역할의》 Enthebung *f.* -en. ~하다 auf|heben*[4]; (auf|)lösen; 《책임·역할을》 von [3]*et.* entheben* [befreien; entbinden*] 《*jn.*》. ‖ 무장 ~ Entwaffnung *f.*
해조(害鳥) der schädliche Vogel, -s, ⸚.
해조(海鳥) Seevogel *m.* -s, ⸚. ‖ ~분(糞) Guano *m.* -s.
해조(海藻) 〖植〗 See·pflanze *f.* -n [-gras *n.* -es, ⸚er].
해조음(海潮音) das Brausen* des Meeres.
해지다 《저물다》 die Sonne geht unter.
해직(解職) ~하다 *jn.* aus s-m Amt entlassen*. ‖ ~ 수당 Entlassungsentschädigung *f.* -en.
해질녘, 해질무렵 Abenddämmerung *f.* -en; Eintritt der Dunkelheit.
해체(解體) 《분해》 Zerlegung *f.* -en; Auseinanderlegung *f.* -en; 《해산》 Auflösung *f.* -en. ~하다 《모임 등을》 auf|lösen[4]; 《기계 등을》 demontieren[4]; zerlegen[4] 《*in*[4]》.
해충(害蟲) das schädliche Insekt, -(e)s, -en. ‖ ~ 구제 Vertilgung der schädlichen Insekten.
해치다(害―) verwunden[4]; schaden[3]; beschädigen[4]. ¶ 미관을 ~ den schönen Anblick verderben*.
해치우다 《처리하다》 erledigen[4]; ab|tun*[4]; 《끝내다》 [3]*et.* ein Ende machen; ab|schließen*[4]; 《죽이다》 aus der Welt schaffen[4].
해탈(解脫) Erlösung *f.* -en; Seligmachung *f.* -en. ~하다 erlöst werden 《*von*[3]》; [4]sich befrein 《*von*[3]》.
해토(解土) ~하다 der Grund taut. ‖ ~머리 der Anfang [Beginn] des Tauens.
해파리 〖動〗 Qualle [Meduse] *f.* -n.
해판(解版) 〖印〗 das Ablegen* der Typen (*pl.*). ~하다 die Typen ab|legen.
해학(諧謔) Scherz *m.* -es, -e; Spaß *m.* -es, ⸚e. ~적 humoristisch; witzig. ‖ ~가 Spaßmacher *m.* -s, - / ~ 소설 e-e humoristische Erzählung.
해해거리다 im Scherz herzlich lachen; Possen reden.
해협(海峽) 〖地〗 Meerestraße *f.* -n; Meerenge *f.* ‖ 대한 ~ Koreastraße *f.*; die Meerenge von Korea.
해후(邂逅) zufälliges Zusammentreffen*, -s. ~하다 zufällig stoßen* 《auf *jn.*》.
핵(核) 《과실의》 Kern *m.* -(e)s, -e; Stein *m.* -(e)s, -e; Zellkern *m.* -(e)s, -e 《세포핵》; Atomkern *m.* -(e)s, -e 《원자핵》. ‖ 핵무기 Kernwaffe *f.* -n; Atomwaffe / 핵분열 Kernspaltung *f.* -en / 핵에너지 Kernenergie *f.* -n / 핵폭발 Kernexplosion *f.* -en.
핵과(核果) 〖植〗 Stein[Kern]obst *n.* -es.
핵산(核酸) Nukleinsäure *f.* -n. ‖ 리보 ~ Ribonukleinsäure 《略: RNA》.
핵실험(核實驗) Atom[Kern]versuch *m.* -(e)s, -e. ‖ ~ 금지 협정 das Abkommen über Atom[Kern]versuchsverbot.
핵심(核心) Kern *m.* -(e), -e. ¶ ~을 찌르다 den Kern e-r Sache berühren [treffen*] / 문제의 ~ der (innerste) Kern der Frage.
핵전쟁(核戰爭) Atom[Kern]krieg *m.* -(e)s, -e.
핵폭탄(核爆彈) Atom[Kern]bombe *f.* -n.
핸드백 Handtasche *f.* -n.
핸드볼 Handball *m.* -s.
핸들 Griff *m.* -(e)s, -e; Türklinke *f.* -n 《문의》; Lenkstange *f.* -n 《자전거의》.
핸디캡 Handikap *n.* -s, -s; Nachteil *m.* -(e)s, -e.
핸섬 hübsch; schön; edelmütig. ¶ ~한 남자 ein hübscher [schöner] Mann, -(e)s, ⸚er.
핼쑥하다 ein schlechtes Aussehen* [e-e schlechte Gesichtsfarbe] haben.
햄 Schinken *m.* -s, -. ‖ 햄샌드위치

ㅎ

Schinkenbrot *m.* -(e)s, -e.
햅쌀 neuer Reis, -es, -e.
햇것 der neue Ernteertrag, -(e)s, ⸗e.
햇곡식(―穀―) das neue Getreide des Jahres.
햇무리 Sonnenhof *m.* -(e)s, ⸗e; der Hof der Sonne.
햇볕 Sonnenstrahl *m.* -(e)s, -en. ¶~을 쬐다 der ³Sonne aus|setzen⁴ / ~에 말리다 an der Sonne trocknen (lassen*).
햇빛 Sonnenschein *m.* -(e)s; Sonnenlicht *n.* -(e)s.
햇살 Sonnen·licht *n.* -(e)s 〔-schein *m.* -(e)s〕. ¶보얀 ~ der schwache Sonnenstrahl, -(e)s, -e.
햇수(―數) die Zahl der Jahre. ¶이곳에 온 지 ~로 5년이 된다 Es ist 〔sind〕 etwa fünf Jahre (her), daß 〔seit〕 ich hier bin.
행(幸) Glück *n.* -(e)s; Glücksfall *m.* -(e)s, ⸗e. ¶행불행 Glück od. Unglück.
-행(行) nach³; nach... bestimmt. ¶서울행 급행 der D-Zug nach Seoul.
행간(行間) ¶~의 interlinear.
행군(行軍) Marsch *m.* -es, ⸗e. ~하다 marschieren. ‖강~ der gezwungene Marsch.
행동(行動) ① das Handeln*, -s; Handlung *f.* -en. ② 《활동》 Aktion *f.* -en; Tätigung *f.* -en. ~하다 handeln; tätig sein; wirken; arbeiten; 《태도를 취하다》 ⁴sich benehmen*; ⁴sich verhalten*. ‖~거지 das Benehmen* 〔Betragen*〕 -s / ~ 반경(半徑) Aktionsradius *m.* -s, ..dien / 군사 ~ die militärische Bewegung, -en.
행락(行樂) das Vergnügen im Freien; Ferienreise *f.* -n. ~하다 es ⁴sich gut gehen lassen*; ⁴sich gut amüsieren. ‖~객 der Ferienreisende*, -n, -n.
행려(行旅) ‖~ 병사자 der erkrankte Landstreicher, -s, -.
행렬(行列) 《행진》 Aufzug *m.* -(e)s, ⸗e; Parade *f.* -n. ¶~을 지어 가다 auf|ziehen*. ‖제등 ~ Lampionzug *m.* -(e)s, ⸗e.
행방(行方) Aufenthalt *m.* -(e)s, -e. ¶~을 감추다 spurlos verschwinden*. ‖~ 불명 Verschollenheit *f.*
행복(幸福) Glücklichkeit *f.*; Glückseligkeit *f.*; 《행운》 Glück *n.* -(e)s; 《지복(至福)》 Seligkeit *f.*; 《천복》 Segen *m.* -s. ~하다 glücklich 〔glückselig; beglückt; beseligt; selig〕 (sein). ‖~감 Euphorie *f.*
행사(行使) Ausübung *f.* -en; Gebrauch *m.* -(e)s, ⸗e. ~하다 aus|üben⁴; gebrauchen⁴; Gebrauch machen 《*von*³》. ¶투표권을 ~하다 s-e Stimme abgeben*.
행사(行事) Begebenheit *f.* -en; Ereignis *n.* -ses, -se. ‖연중 ~ Jahresfeier *f.* -n 〔-fest *m.* -(e)s, -e〕.
행상(行商) 《장사》 das Hausieren*, -s; Hausierhandel *m.* -s; 《행상인》 Hausierer *m.* -s, -. ~하다 hausieren 《*mit*³》.
행상(行賞) ~하다 e-n Preis verleihen* 《*jm.*》. ‖논공 ~ die Verteilung von Belohnungen je nach Verdiensten.
행색(行色) Anzug *m.* -(e)s, ⸗e; Kleidung *f.* -en. ¶~이 초라한 lumpig; in Lumpen gehüllt; schäbig angezogen.
행선지(行先地) Reiseziel *n.* -(e)s, -e 《여행의》; Bestimmungsort *m.* -(e)s, -e 《우편물의》; Bestimmungshafen *m.* -s, ⸗ 《선박의》.
행세(行世) ~하다 ⁴sich benehmen*; ⁴sich verhalten*; ⁴sich betragen*. ¶벙어리 ~를 하다 ⁴sich taub stellen.
행세(行勢) ~하다 Macht 〔Einfluß〕 aus|üben. ¶~하는 집안 e-e vornehme Familie *f.* -n.
행실(行實) 《행위》 Tat *f.* -en; das Tun*, -s; Akt *m.* -(e)s, -e; 《거동》 das Benehmen* 〔Auftreten*; Betragen*〕 -s. ¶~이 좋은 artig; höflich; manierlich.
행여(나)(幸―) zufällig; durch Zufall; von Ungefähr.
행운(幸運) Glück *n.* -(e)s, -e; Fortuna *f.*; die Gunst des Geschicks. ¶~의 여신 Glücksgöttin *f.* -nen.
행원(行員) der Bank·beamte* 〔-angestellte*〕 -n, -n.
행위(行爲) Tat *f.* -en; Handeln *n.* -s; 《행동 거지》 Betragen *n.* -s; Benehmen *n.* -s. ~하다 tun*; handeln. ‖법률 ~ (Rechts)geschäft *n.* -(e)s, -e / 상(商)~ Handelsgeschäft *n.* -(e)s, -e.
행인(行人) 《길가는 사람》 der Vorübergehende*, -n, -n; Passant *m.* -en, -en; 《나그네》 der Reisende*, -n, -n.
행장(行裝) (Reise)koffer *m.* -s, -; Reisekorb *m.* -(e)s, ⸗e; 《짐》 Gepäck *n.* -(e)s, -e; Bagage *f.* -n. ¶~을 챙기다 ⁴sich auf die Reise vorbereiten.
행적(行跡·行蹟) das Betragen*, -s; Aufführung *f.* -en.
행정(行政) Verwaltung *f.* -en; Administration *f.* -en. ¶~상의 administrativ; verwaltend. ‖~ 관청 Verwaltungsbehörde *f.* -n / ~부 die Exekutive / ~ 소송 Verwaltungsstreitverfahren *n.* -s, - / ~ 처분 Verwaltungsmaßregel 〔-maßnahme〕 *f.* -n.
행주 Abwaschtuch *n.* -(e)s, ⸗er. ‖~치마 Schürze *f.* -n.
행진(行進) Marsch *m.* -es, ⸗e; Zug *m.* -(e)s, ⸗e. ~하다 marschieren; in ³Schritt u. ³Tritt gehen*. ‖~곡 Marsch *m.* -es, ⸗e.
행차(行次) Besuch *m.* -(e)s, -e; Reise *f.* -n. ~하다 e-e Fahrt 〔Reise〕 machen; e-n Besuch machen.
행커치프 Taschentuch *n.* -(e)s, ⸗er.
행패(行悖) schlechtes Betragen*, -s, -; Ungezogenheit *f.* -en. ~하다 ⁴sich schleht benehmen*; Gewalt an|tun*³.
행포(行暴) Gewalt *f.* -en; Gewalttätigkeit *f.* -en. ~하다 Gewalt an|tun* 〔an|wenden*; brauchen〕.
행하(行下) =팁.
행하다(行―) 《행위》 tun*; handeln; betreiben*⁴ 《업무·재주 따위를》; erfüllen⁴ 《약속 따위를》; 《실행·행사》 aus〔durch〕|führen⁴.
행형(行刑) 〖法〗 Vollstreckung 〔Vollziehung; Ausführung〕 des Unteils. ~하다 vollstrecken; vollziehen*.

ㅎ

향(香) Räucherwerk *n.* –(e)s; Weihrauch *m.* –(e)s. ¶향을 피우다 Räucherwerk verbrennen* 〔riechen*〕.
향가(鄕歌) der heimische Gesang, –(e)s, ¨e; das heimische Lied, –(e)s, –er.
향교(鄕校) der konfuzianische Tempel u. die dazu gehörende alte Schule.
향군(鄕軍) 《재향 군인》 ausgedienter Soldat, –en, –en; Veteran *m.* –en, –en; 《부대》 kampferprobte Truppen (*pl.*).
향긋하다(香—) etwas wohlriechend 〔duftig; aromatisch〕 (sein); schwachen, süßen (Wohl)geruch 〔Duft〕 haben.
향기(香氣) Duft *m.* –(e)s, ¨e; Wohlgeruch *m.* –s, ¨e; Aroma *n.* –s, ..men 〔–ta〕. ¶∼를 풍기다 duften; wohl|riechen* 〔aus|senden*〕.
향나무(香—) ① duftige Bäume 〔Pflanzen〕 (*pl.*). ② chinesischer Wacholder, –s, –.
향년(享年) Alter *n.* –s, –. ¶∼ 71세 im Alter von 71 Jahren sterben*.
향도(嚮導) Führung *f.* –en; Führerschaft *f.* –en; Leitung *f.* –en. ∼하다 (an|)führen⁴; leiten⁴.
향락(享樂) Genuß *m.* ..nusses, ..nüsse; das Vergnügen*, –s. ∼하다 genießen*⁴; schwelgen 《*in*³》. ‖∼주의 Epikur(e)ismus *m.* –.
향로(香爐) (Weih)rauchfaß *n.* ..fasses, ..fässer; Räuchergefäß *n.* –es, –e.
향료(香料) ① Gewürz *n.* –es, –e; Würze *f.* –n. ② Parfüm *n.* –s, –e 〔–s〕.
향리(鄕里) Heimat *f.* –en; Geburts·ort *m.* –(e)s, –e 〔–land *n.* –(e)s, ¨er〕. ¶∼로 돌아가다 in s–e Heimat zurück|kehren; heim|kehren.
향방(向方) Richtung *f.* –en; Gang *m.* –(e)s, ¨e. ¶민심의 ∼에 주의하다 auf die Neigungen der Volksstimmung acht|geben*.
향배(向背) Für u. Wider *n.*; Stellungnahme *f.* –n.
향불(香—) Weihrauchfeuer *n.* –s, –.
향상(向上) Erhöhung *f.* –en; Erhebung *f.* –en; 《개선》 Besserung *f.* –en; 《진보》 Fortschritt *m.* –(e)s, –e. ∼하다 ⁴sich erheben*; auf|steigen*.
향수(香水) Parfüm *n.* –s, –s; Riech-〔Duft〕wasser *n.* –s, ¨; Riechstoff *m.* –(e)s, –e. ¶∼를 뿌리다 parfümieren⁴; durch|duften⁴.
향수(鄕愁) Heimweh *n.* –(e)s; Nostalgie *f.* ¶∼를 느끼다 Heimweh haben / ∼에 젖다 Heimweh bekommen*.
향연(饗宴) Festmahl *n.* –(e)s, ¨er; Schmaus *m.* –es, ¨e; Fest *n.* –(e)s, –e. ¶∼을 베풀다 e–n Schmaus geben*. ‖∼장 Festsaal *m.* –(e)s, ..säle.
향유(香油) das wohlriechende Öl, –(e)s, –e; Haaröl. ‖∼고래 Pottwal *m.* –(e)s, –e.
향응(饗應) Bewirtung *f.* –en; Einladung *f.* –en; Empfang *m.* –(e)s. ∼하다 (gastlich) bewirten⁴; ein Gastmahl geben*; e–n Empfang geben*. ¶∼을 받다 zum Essen 〔zum Festessen; zum Tee〕 eingeladen werden.
향촌(鄕村) Land 〔Landdorf〕 *n.* –(e)s, ¨er.
향토(鄕土) Heimat *f.* –en; Heimat-〔Geburts; Vater〕land *n.* –(e)s, ¨er. ‖∼ 문학 Volksliteratur *f.* –en / ∼ 예술 Heimatkunst *f.* –n / ∼ 음악 Volksmusik *f.* / ∼지(誌) Heimatkunde *f.*
향하다(向—) ① 《마주 대하다》 gegenüber|liegen*³ 〔–|stehen*³〕. ¶…을 향해서 gegenüber³. ② 《지향·동경》 richten 《*gegen*⁴》; tendieren; zielen 《*auf*⁴》. ③ 《가다》 ⁴sich richten 《*nach*³》. ¶그들은 목적지를 향해 갔다 Sie gingen ihrem Bestimmungsorte entgegen.
향학심(向學心) Lern·eifer *m.* –s, – 〔–begierde *f.* –n〕. ¶∼에 불타다 lerneifrig sein.
향후(向後) künfthin; in Zukunft; von jetzt 〔nun〕 an, von jetzt 〔nun〕 ab.
허 ach!; o!; oh!; leider!; o weh! ¶허, 실수했군 Du liebe Zeit! Ich habe e–n Fehler gemacht.
허가(許可) Erlaubnis *f.* ..nisse; 《승인》 Bewilligung *f.* –en; 《입장·입학》 Gewährung *f.* –en; 《면허》 Autorisierung *f.* –en; 《관청의》 Ermächtigung *f.* –en; 《특허》 Zugeständnis *n.* –ses, –se. ∼하다 erlauben³⁴; gestatten³⁴. ‖∼제 Genehmigungspflicht *f.* –en / ∼증 Erlaubnisschein *m.* –(e)s, –e / 입학 ∼ Zulassung zur Schule.
허공(虛空) Luft *f.* ¨e; Himmel *m.* –s; das Leere*, –n. ¶∼을 잡다 in die Luft 〔ins Leere〕 greifen*.
허구(虛構) Erfindung *f.* –en; Erdichtung *f.* –en. ∼하다 fabrizieren⁴; erfinden*⁴; fälschen⁴.
허구하다(許久—) ganz lange Zeit. ¶허구한 날을 보내고 nach langer Zeit.
허근(虛根) 〖數〗 die imaginäre Wurzel, –n.
허기(虛飢) leerer Magen, –s; Hunger *m.* –s. ¶∼진 hungrig. ‖∼증 Hungergefühl *n.* –(e)s, –e.
허깨비 (곡두) Halluzination *f.* –en; Sinnestäuschung *f.* –en; 《귀신·도깨비》 Gespenst *n.* –(e)s, –er; Spuk *m.* –(e)s, –e.
허니문 Flitterwochen (*pl.*).
허다하다(許多—) zahlreich 〔zahllos; häufig〕 (sein). ¶그런 일은 ∼ So etwas passiert 〔geschieht〕 sehr oft.
허덕이다 in großer Verlegenheit sein. ¶생활에 ∼ ⁴sich spärlich durchs Leben bringen*.
허두(虛頭) Eingangsrede *f.* –n; Eröffnungsrede *f.* –n.
허둥거리다 bestürzt 〔betroffen; verwirrt〕 werden.
허둥지둥 hastig; eilig; hurtig; überschnell. ∼하다 den Kopf verlieren*; außer ³Fassung geraten*. ¶∼ 달아나다 ⁴sich (auf u.) davon machen.
허드렛일 die untergeordnete Arbeit, –en.
허락(許諾) 《허가》 Erlaubnis *f.* –se; Bewilligung *f.* –en; 《승인》 Zustimmung *f.* –en. ∼하다 《허가》 erlauben³⁴; 《소원을》 bewilligen⁴; 《입학 따위를》 zu|lassen*⁴; 《인가》 die Lizenz erteilen 〔vergeben*〕 《*an*⁴》; 《승낙》 zu|stimmen³.
허랑방탕(虛浪放蕩) Liederlichkeit *f.* –en;

Ausschweifung *f.* –en. ～하다 liederlich 〔lose; frivol〕 (sein).

허례(虛禮) Frömlichkeit *f.* –en; Formalität *f.* –en. ¶～ 허식에 흐르다 an Förmlichkeiten 〔Äußerlichkeiten〕 hängen.

허름하다 《낡아서》 alt 〔schäbig; abgetragen〕 (sein); 《값이》 billig 〔preiswert; mäßig〕 (sein).

허리 《몸의》 Lende *f.* –n; 《옷 따위의》 Taille *f.* –n; Mieder *n.* –s, –. ‖～끈, ～띠 Lendengurt *m.* –(e)s, –e / ～통 der Umfang der Taille.

허망(虛妄) ～하다 falsch 〔grundlos; unwahr〕 (sein).

허무(虛無) das Nichts*, –; das Nichtssein*, –s. ～하다 leer 〔eitel; gehaltlos; inhaltslos〕 (sein). ‖～주의 Mihilismus *m.* –.

허물[1] 《살꺼풀·껍질》 die abgeworfene 〔abgelegte; von ³sich geworfene〕 Haut, ⸗e. ¶～을 벗다 ⁴sich häuten.

허물[2] Schuld *f.* –en; Sünde *f.* –n 《죄》; Fehler *m.* –s, – 《과실》. ¶～을 깨닫다 den Fehler ein|sehen*.

허물다 nieder|reißen*; nach|reißen*. ¶집을 ～ ein Haus ab|reißen*.

허물어지다 krümeln; zerbröckeln; zusammen|fallen*; ein|stürzen*. ¶집이 ～ das Haus stürzt ein.

허물없다 vertraulich 〔zutraulich; unbezwungen 《부담 없이》; frei 《자유로운》〕 (sein). ¶허물없이 대하다 vertraulich tun*.

허방 Höhlung *f.* –en; Vertiefung *f.* –en 《구렁》.

허벅다리 (Ober)schenkel *m.* –s, –. ¶～를 드러내다 die Oberschenkel bloß|legen.

허벅지 die innere Seite des Oberschenkels.

허보(虛報) die falsche Nachricht 〔Meldung; Mitteilung〕 –en.

허비(虛費) Verschwendung *f.*; Vergeudung *f.* ～하다 unnütz verbrauchen⁴; verprassen⁴; verschwenden⁴.

허사(虛事) Fehlschlag *m.* –(e)s, ⸗e; das Mißlingen*, –s; Mißerfolg *m.* –(e)s, –e. ¶～가 되다 verloren|gehen*; zunichte 〔zu Wasser; zu Essig; zu nichts〕 werden.

허세(虛勢) Bluff *m.* –s, –s; der blaue Dunst, –es, ⸗e. ¶～를 부리다 bluffen⁴; ⁴sich auf|plustern; mit dem Säbel rasseln.

허송(虛送) Zeitverschwendung *f.*; Zeitvergeudung *f.* ～하다 Zeit verschwenden 〔tot|schlagen*〕. ‖～ 세월＝허송.

허수(虛數) 〖數〗 imaginäre Zahl, –en.

허수아비 《새 쫓는》 Vogelscheuche *f.* –n; Strohmann *m.* –(e)s, ⸗er; 《사람》 Marionette *f.*; Drahtpuppe *f.* –n.

허술하다 《초라하다》 abgetragen 〔schäbig〕 (sein); 《허점이 있다》 nicht streng 〔nachsichtig; schlaff〕 (sein).

허식(虛飾) Gepränge *n.* –s. ～하다 ⁴sich übertrieben an|ziehen*. ¶～적인 prunkhaft; Staat machend / ～이 없는 natürlich; ungekünstelt.

허실(虛實) Sein u. Schein; Wahrheit u. Falschheit.

허심(虛心) ‖～ 탄회(坦懷) Offenheit *f.* –en.

허약(虛弱) Körperschwäche *f.*; Kränklichkeit *f.* –en. ～하다 schwächlich 〔kränklich〕(sein). ‖～아〔兒〕 ein schwaches Kind, –(e)s, –er.

허여멀겋다 nett u. schön 〔hübsch〕 (sein).

허여멀쑥하다 《얼굴이》 von 〔mit〕 weißem Teint [tɛ̃:] (sein).

허영(虛榮) Eitelkeit *f.* –en; Einbildung *f.* –en 《자만》. ¶～이 많은 eitel (wie ein Pfau); eingebildet. ‖～심 Eitelkeit *f.*

허열다 ☞하얗다.

허욕(虛慾) eit(e)le Ehrsucht; Ehrgeiz, –es, –e.

허용(許容) 《허가》 Erlaubnis *f.* ..nisse; Billigung *f.* –en. ～하다 erlauben³⁴; billigen⁴; gewähren³⁴. ¶사정이 ～하면 wenn die Umstände es erlauben.

허우대 (schöne) große Figur, –en. ¶～가 좋다 eine (schöne) große Figur haben.

허우적거리다 (mit Händen u. Füßen) zappeln; ⁴sich winden*.

허울 (ein gutes) Aussehen, –s. ¶～ 좋은 hübsch aussehend.

허위(虛僞) Lüge *f.* –n; Unwahrheit *f.* –en; Trug *m.* –(e)s. ‖～ 진술 falsche Aussage 〔Angabe〕 –n.

허장성세(虛張聲勢) Praherei *f.* –en. ～하다 prahlen; groß|tun*; ⁴sich rühmen.

허전하다 Leere fühlen; Lücke fühlen; missen; vermissen.

허점(虛點) 《불비》 das Unvorbereitetsein*, –s; 《소홀》 Unachtsamkeit *f.* –en; 《약점》 Schwäche *f.* –n. ¶적의 ～을 찌르다 den Feind an s-r schwachen Seite an|greifen*.

허즈번드 Ehemann *m.* –(e)s, ⸗er; Mann *m.* –(e)s, ⸗er; Gatte *m.* –n, –n.

허탈(虛脫) Kollaps *m.* –es, –e; Niedergeschlagenheit *f.* –en; Kräfteverfall *m.* –(e)s, ⸗e. ～하다 entkräftet 〔niedergeschmettert〕 (sein). ¶～감에 빠지다 kollabieren.

허탕 unnütze 〔vergebliche〕 Mühe, –n. ¶～치다 ³sich unnütze 〔vergebliche〕 Mühe geben*; ⁴sich umsonst an|strengen.

허투루 unbekümmert; unüberlegt; unachtsam; grob. ¶물건을 ～ 다루다 Dinge grob behandeln.

허튼계집 Trulle 〔Schlumpe; Dirne〕 *f.* –n; Range *f.*

허튼소리 das leere Geschwätz, –es. ～하다 Blödsinn 〔Unsinn〕 schwatzen; 《俗》 babbeln⁴.

허튼수작(–酬酌) leere Bemerkung, –en; leeres Geschwätz, –es, –e.

허파 Lungen (*pl.*). ¶～에 바람 들다 《比》 kichern; unbesonnen 〔leichtsinnig〕 sein.

허풍(虛風) Angabe *f.* –n; Aufschneiderei *f.* –en; Dicktuerei *f.* –en. ¶～떨다 an|geben*; auf|schneiden*. ‖～선이 Angeber *m.* –s, –.

허하다(虛–) ① 《속이 비다》 hohl 〔leer; ausgeleert; vakant; ohne〕 (sein). ② 《약하다》 schwach 〔zart; schwächlich;

kränklich; gebrechlich〕 (sein). ¶기가 ～ es mangelt 〔fehlt〕 an Lebenskraft 《*jm.*》; energielos sein.

허허벌판 die weite Ebene, –n; das offene Feld, –es, ⁼er.

허혼(許婚) ～하다 den Heiratsantrag entgegen|nehmen*; verloben 《*jn.* mit³ *jm.*》.

허황(虛荒) ～하다 falsch 〔unzuverlässig; unbegründet; absurd〕 (sein).

헌 alt; veraltet; verbraucht; abgetragen. ¶헌 옷 alte Kleider (*pl.*) / 헌 책 altes 〔antiquarisches〕 Buch, –es, ⁼er.

헌것 die alten Sachen 〔Kleider; Möbel〕 (*pl.*); die Ware aus zweiter Hand.

헌금(獻金) Beisteuer 〔Spende; Kollekte〕 *f.* –n; (Geld)beitrag *m.* –(e)s, ⁼e. ～하다 bei|steuern⁴ 《*zu*³》; bei|tragen*⁴ 《*zu*³》; spenden⁴ 《*für*⁴》.

헌납(獻納) Schenkung 〔Stiftung〕 *f.* –en; Gabe 〔Beisteuer〕 *f.* –n 《특히 금전을》. ～하다 *jm.* schenken⁴; *jm.* stiften⁴; bei|steuern⁴ 《*zu*³》.

헌데 Furunkel *m.* –s, –; Blutgeschwür *n.* –(e)s, –e; Geschwür. ¶～가 도지다 Ein Furunkel 〔Blutgeschwür〕 wird wieder schlimm 〔böse〕.

헌법(憲法) Verfassung *f.* –en; Grundgesetz *n.* –es, –e. ‖～ 개정 Verfassungsänderung *f.* –en / ～ 기관 Verfassungsinstitution *f.* –en / ～ 위반 Verfassungsbruch *m.* –(e)s, ⁼e.

헌병(憲兵) Gendarm〔ʒan..〕*m.* –en, –en; Gendarmerie *f.* –en 《총칭》.

헌상(獻上) ～하다 *jm.* ein Geschenk machen 《*mit*³》.

헌신(獻身) (Selbst)aufopferung *f.*; (selbstlose) Hingabe *f.* ～하다 ⁴sich auf|opfern 《*für*⁴》; *jm.* 〔³*et.*〕 ⁴sich hin|geben*; ⁴sich ganz zur Verfügung stellen 《*für*⁴》. ¶～적인 aufopfernd; hingebend.

헌작(獻酌) ～하다 e–n Trinkbecher dar|bringen* 〔spenden〕 《*jm.*》.

헌장(憲章) Charta〔kárta〕*f.* –s; Grundsatz *m.* –es, ⁼e. ‖국민 교육 ～ die Nationalcharta der Erziehung / 대서양 ～ Atlantik Charta *f.* / 어린이 ～ Grundsätze (*pl.*) der Kinderfürsorge.

헌정(憲政) die verfassungsmäßige Regierungsform, –en.

헌정(獻呈) Darbringung 〔Schenkung〕 *f.* –en. ～하다 dar|bringen* 《*jm.* ⁴*et.*》; schenken 《*jm.* ⁴*et.*》.

헌혈(獻血) das Blutspenden*, –s. ～하다 ⁴Blut spenden; ³sich ⁴Blut entnehmen lassen*.

헌화(獻花) ¶무덤에 ～하다 Blumen aufs Grab legen; *js.* Grab mit Blumen schmücken.

헐값(歇—) ¶～으로 spottbillig; zu e–m Spottgeld; fast geschenkt.

헐겁다 locker 〔lose〕 (sein).

헐다¹ (허물다) nieder|reißen*⁴; ab|brechen*⁴; ab|reißen*⁴. ¶집을 ～ ein Haus nieder|reißen*.

헐다² (피부가) ⁴sich entzünden.

헐떡거리다 keuchen; schnauben; nach ³Luft schnappen; außer ³Atem sein.

헐뜯다 verleumden 《*jn.*》; lästern 《*jn.*; von *jm.*》 *jn.* schlecht machen.

헐렁하다 sehr locker 〔lose〕 (sein). ¶옷이 ～ Das Kleid bauscht.

헐레벌떡 pustend u. keuchend; schnaufend. ～하다 keuchen; schnaufen. ¶～ 달려가다 pustend u. keuchend laufen.

헐리다 niedergerissen 〔eingerissen; zerstört〕 werden. ¶집이 ～ ein Haus wird niedergerissen.

헐벗다 schäbig angezogen (sein); armselig gekleidet (sein).

헐수할수없다 unmöglich sein; ⁴sich in e–r hoffnungslosen Lage befinden; aussichtslos sein.

헐하다(歇—) 《싸다》 billig 〔preiswert〕 (sein); 《쉽다》 leicht 〔einfach; nicht schwierig〕 (sein). ¶외기 ～ leicht zu merken sein.

험난(險難) ～하다 schwierig u. gefahrvoll (sein); gefährlich (sein). ¶앞길이 ～하다 Die Aussichten sind noch viel düster.

험담(險談) üble Nachrede, –n; das boshafte Geschwätz, –es, –; Verleumdung *f.* –en. ～하다 Böses nach|reden 《*jm.*》; Schlechtes sprechen* 《über *jn.*》.

험상(險狀) ～궂다, ～스럽다 finster 〔unheimlich; gefahrdrohend〕 (sein).

험악하다(險惡—) gefährlich 〔drohend; schlecht; stürmisch〕 (sein). ¶사태가 ～ Die Lage ist sehr ernst.

험준하다(險峻—) jäh 〔felsig; schroff〕 (sein).

험하다(險—) 《지세가》 steil 〔abschüssig; jäh; schroff〕 (sein). ¶험한 산길 der steile Bergweg, –(e)s, –e.

헙수룩하다 ① 《머리털이》 unordentlich 〔locker; aufgelöst; ungeputzt〕 (sein). ② 《옷차림이》 schäbig 〔fadenscheinig; katzenjämmerlich; elend〕 (sein).

헛간(—間) Rumpelkammer 〔Scheune〕 *f.* –n; Schuppen *m.* –s, –.

헛걸음하다 e–n nutzlosen Gang machen; erfolglos zurückkehren.

헛기침 der kurze, trockene Husten, –s, –. ～하다 kurz u. trocken husten; ⁴sich räuspern.

헛다리짚다 e–n Fehler machen 〔begehen*〕; e–e Dummheit machen; 《比》 falsch berechnen.

헛돌다 《기계 등이》 leer|laufen*; 《바퀴가》 aus|glitschen; aus|rutschen.

헛되다 ① 《보람없다》 umsonst 〔vergeblich; fruchtlos; flüchtig; erfolglos; unnütz〕 (sein). ¶헛된 세상 die sinnlose Welt sonst bemühen. ② 《허황되다》 imaginär 〔eingebildet; nicht vorhanden〕 (sein). ¶헛된 소문 das grundlose 〔unbegründete〕 Gerücht.

헛되이 mit leeren Händen; unverrichteterdinge; vergebens; vergeblich. ¶～ 기다리다 umsonst warten 《*auf*⁴》.

헛듣다 überhören; nicht richtig hören. ¶아무의 말을 ～ *js.* Bemerkung überhören; *jn.* mißverstehen.

헛디디다 fehl|treten*; daneben treten*.

헛물켜다 ⁴*et.* vergebens versuchen; ⁴sich vergeblich um ⁴*et.* bemühen.

헛배부르다 [4]sich voll 〔satt〕 fühlen.
헛보다 [4]*et.* falsch sehen*; [4]*et.* verzerrt sehen*; [4]*et.* falsch beurteilen.
헛보이다 falsch gesehen werden; falsch beurteilt werden.
헛소리 das Delirieren*, –s; 《허튼 소리》 Lüge *f.* –n; Falschheit *f.* –en. ～하다 delirieren; irre|reden in Delirium 〔in Fieberwahn〕.
헛소문(一所聞) ein Gerücht, das k-e Ursache hat; ein grundloses Gerücht; unverbürgte Nachricht, –en.
헛수고 Leerlauf *m.* –(e)s, ⸗e. ～하다 erfolglose 〔vergebliche〕 Bemühungen machen; [4]sich umsonst bemühen.
헛웃음 das affektierte 〔gezierte〕 Lachen, –s. ¶～ 짓다 affektiert 〔geziert; gezwungen〕 lachen 〔lächeln〕.
헛잠 Scheinschlaf *m.* –(e)s. ¶～자다 [4]sich stellen〔tun*〕, als ob man schlafe.
헝겊 ein kleines Stück Stoff; Lappen *m.* –s, –; Schnitzel *n.* –s, –.
헝클다 verwickeln; verwirren; verheddern; verhaspeln.
헝클어지다 zerzaust werden; wirr sein.
헤게모니 Vor〔Ober〕herrschaft *f.* –en; Hegemonie *f.* –n. ¶～를 잡다 das Zepter schwingen; die Zügel führen.
헤드라이트 Scheinwerfer *m.* –s, –. ¶～를 켜다 〔끄다〕 den Scheinwerfer an|machen 〔aus|machen〕.
헤딩 Kopfstoß *m.* –es, ⸗e. ～하다 köpfen.
헤뜨리다 zerstreuen[4]; umher|streuen[4]; in alle Winde zerstreuen[4].
헤로인 Heldin *f.* ..dinnen.
헤매다 (umher|)wandern; (umher|)irren; (umher|)schweifen. ¶거리를 ～ durch die Stadt schweifen; in der Stadt umher|streifen / 생사의 경지를 ～ zwischen [3]Leben u. Tod schweben.
헤무르다 schwach 〔schlaff; schlotterig; mutlos〕 (sein).
헤벌쭉 weit offen. ¶～ 웃다 mit offenem Munde lachen.
헤비급(一級) Schwergewicht *n.* –(e)s.
헤살 Hemmung 〔Hinderung; Verleumdung〕 *f.* –en. ¶～놓다, ～부리다 verleumden; verunglimpfen. ‖～꾼 Verleumder 〔Lästerer〕 *m.* –s, –.
헤아리다 berechnen[4]; mutmaßen[4]; vermuten[4]; ermessen*[4]; erwägen*[4]. ¶헤아릴 수 없다 unschätzbar sein.
헤어나다 hinweg|kommen* 《*über*[4]》; e-n Weg finden*; [4]sich durch|kämpfen. ¶헤어나지 못하다 es nicht weit bringen können*.
헤어지다 《이별》 [4]sich trennen 《*von*[3]》; scheiden* 《*von*[3]》; Abschied nehmen* 《*von*[3]》; 《흩어짐》 [4]sich zerstreuen; auseinander|gehen*. ¶울면서 ～ e-n tränenvollen 〔tränenreichen〕 Abschied nehmen* 《von *jm.*》.
헤어핀 Haarnadel *f.* –n.
헤엄 das Schwimmen*, –s. ¶～치다 schwimmen*.
헤적이다 durchsuchen; kramen 《nach [3]*et.*》; (herum)stöbern.
헤집다 auf|rühren; durchwühlen; umgraben*.
헤치다 ① 《파헤치다》 graben*[4]; um|graben*[4]. ② 《흩뜨리다》 zerstreuen[4]. ③ 《좌우로 물리치다》 auseinander|schieben*[4] 〔-|drängen[4]〕. ¶군중을 헤치고 나아가다 [4]sich durch e-e Menschenmenge durch|drängen.
헤프다 ① 《마디지 못하다》 nicht haltbar 〔dauerhaft; beständig〕 (sein). ② 《낭비하다》 verschwenderisch (sein). ¶돈을 헤프게 쓰는 사람 Verschwender *m.* –s, –.
헥타르 Hektar *n.*〔*m.*〕 –s, –e 《略: ha》.
헬리콥터 Hubschrauber 〔Helikopter〕 *m.* –s, –.
헬멧 (Tropen)helm 〔Soldatenhelm〕 *m.* –(e)s, –e.
헷갈리다 verwirrt sein; die Aufmerksamkeit 《von [4]*et.*》 ist abgelenkt; [4]sich nicht 《auf [4]*et.*》 konzentrieren.
헹가래치다 *jn.* tragen* u. in die Höhe schleudern.
헹구다 waschen*[4]; nach|spülen[4]. ¶빨래를 ～ die Wäsche spülen.
혀 Zunge *f.* –n. ¶혀를 깨물다 [3]sich auf 〔in〕 die Zunge beißen* / 혀를 차다 mit der Zunge schnalzen.
혁대(革帶) Leder·gürtel *m.* –s, – 〔-band *n.* –(e)s, ⸗er〕.
혁명(革命) Revolution *f.* –en; Revolute *f.* –n; Umsturz *m.* –es, ⸗e. ¶～을 일으키다 revolutionieren / ～적인 revolutionär. ‖～가 Revolutionär *m.* –s, –e / 반～ Gegenrevolution *f.* –en / 산업〔프랑스〕～ die industrielle〔Französische〕 Revolution.
혁신(革新) Reform〔Reformation; Erneuerung〕 *f.* –en. ～하다 er|neuern[4]; reformieren[4]. ¶～적인 reformatorisch. ‖～ 운동 Reformbewegung *f.* –en.
혁혁하다(赫赫一) (er)strahlend〔glänzend; glorreich; ruhmreich〕 (sein). ¶혁혁한 승리 der rühmliche Sieg, –(e)s, –e.
현(弦) (Bogen)sehne *f.* –n 《활의》; 〖數〗 Hypotenuse *f.* –n.
현(絃) 〖樂〗 Saite *f.* –n.
현격(懸隔) ～하다 verschieden 〔abweichend; ander; ungleich〕 (sein). ¶～한 차이 ein krasser Unterschied; ein himmelweiter Unterschied.
현관(玄關) (Haus)flur *m.* –(e)s, –e; Diele 〔Eingangshalle〕 *f.* –n.
현금(現今) Gegenwart *f.*; Jetztzeit *f.*; das Heute*, –; 〖副詞的〗 heute; heutigentags; heutzutage.
현금(現金) das bare Geld, –(e)s, –er; Bargeld *n.* –(e)s, –er; Kasse *f.* –n. ¶～으로 in bar / ～으로 지불하다 bar 〔in barem Geld〕bezahlen. ‖～ 거래 Bar〔Kassen〕geschäft *n.* –(e)s, –e.
현기(眩氣) Schwindel *m.* –s, –. ‖～증 Schwindelanfall *m.* –(e)s, ⸗e (～증이 나다 e-n Schwindelanfall bekommen.
현대(現代) Gegenwart〔Jetztzeit〕 *f.*; die gegenwärtige 〔heutige; jetzige〕 Zeit. ～의 gegenwärtig; jetzig; heutig; modern. ‖～극 das moderne Theater, –s, – / ～ 문학 die moderne Literatur *f.* –en / ～식 moderner Stil, –(e)s, –e / ～화 Modernisierung *f.* –en (～화하다 modernisieren[4]).
현란하다(絢爛一) prunkvoll 〔pompös;

prangend; prächtig; prachtvoll; blumenreich] (sein).

현명하다(賢明—) klug〔weise; vernünftig; gescheit; verständnisvoll〕 (sein).

현모양처(賢母良妻) e-e weise Mutter u. gute Frau.

현몽(現夢) ~하다 im Traum erscheinen*.

현묘하다(玄妙—) schwer verständlich (sein); abstrus 〔tiefgründig〕 (sein).

현무암(玄武岩) Basalt *m.* -(e)s, -e.

현물(現物) Prompt〔Effektiv; Loko〕ware *f.* -n. ¶~로 지급하다 in Naturalien zahlen[4].

현미(玄米) Vollkornreis *m.* -es, -e 〖*pl.* 은 種類를 나타냄〗.

현미경(顯微鏡) Mikroskop *n.* -s, -e. ‖~ 검사 mikroskopische Untersuchung, -en.

현상(現狀) die gegenwärtige 〔jetzige〕 Lage, -n 〔Situation, -en〕; der gegenwärtige 〔jetzige〕 Zustand, -(e)s, ⸚e; der Status quo. ¶~을 유지하다 den Status quo auf recht|erhalten.

현상(現象) Phänomen *n.* -s, -e; Phänomenon *n.* -s, ..na; (Natur)erscheinung, -en. ‖~계 Erscheinungswelt *f.* / 자연 ~ Naturerscheinung *f.* -en.

현상(現像) 〖寫〗 Entwicklung *f.* -en; das Entwickeln*, -s. ¶필름을 ~하다 e-n Filmstreifen entwickeln 〔sichtbar machen〕. ‖~액 Entwickler *m.* -s, -.

현상(懸賞) Preis·ausschreiben *n.* -s, - 〔-wettkampf *m.* -(e)s, ⸚e〕. ‖~금 Preis *m.* -es, -e / ~문제 Preisfrage *f.* -n.

현세(現世) diese Welt; die irdische Welt; das irdische Leben, -s. ~의 irdisch.

현손(玄孫) Ururenkel *m.* -s, -.

현수막(懸垂幕) aufgehängtes Spruchband, -(e)s, ⸚er.

현숙하다(賢淑—) weise u. tugendhaft (sein).

현실(現實) Wirklichkeit〔Aktualität; Realität〕 *f.* -en. ~의 wirklich; real / ~(주의)적인 realistisch. ‖~ 도피 Flucht vor der Realität; Eskapismus *m.* / ~화(化) Verwirklichung 〔Verkörperlichung〕 *f.* -en (~화하다 verwirklichen[4]; realisieren[4]).

현악(絃樂) Streichmusik *f.*; Saitenspiel *n.* -(e)s, -e. ‖~기 Saiten〔Streich〕-instrument *n.* -(e)s, -e / ~ 사중주 Streichquartett *n.* -(e)s, -e.

현안(懸案) ~의 schwebend; (noch) unentschieden; dahingestellt; offen; in der Schwebe.

현양하다(顯揚—) [3]sich Ruhm erwerben*; berühmt 〔bekannt〕 werden.

현역(現役) der aktive (Wehr)dienst, -es, -e. ¶~의 im Dienst bei der Fahne; im Heere dienend. ¶~에 복무 중이다 im aktiven (Wehr)dienst sein. ‖~군인〔병〕 der aktive Soldat, -en, -en.

현인(賢人) der Weise*, -n, -n.

현장(現場) derselb(ig)e Ort, -(e)s, ⸚er; gerade 〔eben〕 die Stelle, -n; Tatort *m.* -(e)s, -e 《범행의》. ¶~에서 an [3]Ort u. [3]Stelle. ‖~ 감독 der Aufseher 〔Inspektor〕 auf dem Arbeitsplatz 《사람》 / ~ 부재 증명 Alibi *n.* -s, -s; Alibibeweis *m.* -es, -e.

현재(現在) Gegenwart *f.*; 〖文〗 Präsens *n.* -, ..sentia. ~의 bestehend; seiend; vorhanden. ¶~로는 wirklich; in der Tat; augenblicklich.

현저하다(顯著—) bemerklich 〔bedeutend; beträchtlich; sichtlich; wichtig〕 (sein).

현존(現存) ~하다 [4]sich (be)finden*; bestehen*; es gibt[4]; vor|liegen*. ~의 bestehend; gegenwärtig; (da)seiend; existierend.

현주소(現住所) der jetzige〔gegenwärtige〕 Wohnort, -(e)s, -e; die jetzige Adresse, -n.

현지(現地) ¶~에서 an [3]Ort u. [3]Stelle; zur Stelle. ‖~ 로케이션 〖映〗 Außenaufnahmen (*pl.*) / ~ 보고 die an [3]Ort u. Stelle eingezogene Nachricht, -en.

현직(現職) die jetzt innehabende Stellung, -en. ~의 aktiv; im Dienste.

현찰(現札) Bargeld *n.* -(e)s, -er; Kasse 〔Kassa〕 *f.* ..ssen. ¶~로 내다 bar zahlen[4]; per Kassa bezahlen[4].

현처(賢妻) die weise Frau, -en.

현충일(顯忠日) Gedenktag *m.* -(e)s, -e; Heldengedenktag.

현충탑(顯忠塔) Denkmal *n.* -es, ⸚er; Gedenkstätte *f.* -n.

현판(懸板) Plakat *n.* -(e)s, -e; Rollbild *n.* -es, -er.

현품(現品) Lokowaren (*pl.*).

현하(現下) die jetzige Zeit; Gegenwart *f.*; Jetzt *n.* -. ¶~의 정세 der gegenwärtige Sachverhalt, -(e)s, -e.

현행(現行) ~의 (augenblicklich) bestehend; gang u. gäbe; gegenwärtig; laufend. ‖~범 das flagrante Delikt, -(e)s, -e / ~법 geltendes Recht, -(e)s, -e; die bestehenden Gesetze (*pl.*).

현혹(眩惑) ~하다 blenden[4]; bestürzt machen[4]; irre|machen[4].

현황(現況) die gegenwärtige (Sach)lage; der jetzige Stand der Dinge.

혈거(穴居) ‖~ 시대 Troglodytenzeit *f.* -en / ~인 Höhlen·bewohner *m.* -s, - 〔-mensch *m.* -en, -en〕.

혈관(血管) Blutgefäß *n.* -es, -e; Ader *f.* -n.

혈구(血球) Blutkörperchen *n.* -s, -. ‖백~ das weiße Blutkörperchen / 적~ das rote Blutkörperchen.

혈기(血氣) 《생명력》 Lebensfülle *f.*; Lebensgeister (*pl.*); 《의기》 Eifer *m.* -s. ¶젊은 ~에 vom Feuer der Jugend getrieben / ~ 왕성한 voll Leben.

혈뇨(血尿) Blutharn *m.* -(e)s; das Blutharnen*, -s.

혈담(血痰) der blutige Auswurf, -(e)s, ⸚e; das blutige Sputum, -s, ..ta.

혈로(血路) ¶~를 열다 [4]sich durch|schlagen* 《*durch*[4]》.

혈맥(血脈) 《혈관》 das Blutgefäß, -es, -e; 《정맥》 (Blut)ader *f.* -n; Vene *f.* -n; 《동맥》 Arterie *f.* -n; 《혈통》 Abstammung *f.* -en; Abkunft *f.* ⸚e. ‖~ 상통 Blutsverwandtschaft *f.* -en; Konsanguinität *f.* -en.

혈맹(血盟) Bluts·eid 〔-bund〕 *m.* -(e)s, -e; Blutsbrüderschaft *f.* -en.

혈색(血色) Gesichtsfarbe *f.* -n; Teint

m. –s, –s. ¶ ~이 좋다 gut 〔gesund; frisch; blühend〕 au|sehen*.

혈서(血書) die mit Blut geschriebene Eingabe, –n 〔Schrift, –en〕. ¶ ~를 쓰다 mit Blut schreiben*^{4}.

혈세(血稅) ¶ ~를 짜내다 harte Steuer bei|treiben*.

혈안(血眼) ¶ ~이 되어서 mit blutunterlaufenen Augen (*pl.*).

혈압(血壓) Blutdruck *m.* –(e)s. ¶ ~을 재다 *js.* Blutdruck messen* / ~이 높다 〔낮다〕 e–n hohen 〔niedrigen〕 Blutdruck haben. ‖ ~계 Blutdruckmesser *m.* –s, –.

혈액(血液) Blut *n.* –(e)s. ¶ A형의 ~ Blut von A Gruppe. ‖ ~ 검사 Blutuntersuchung *f.* –en / ~ 은행 Blutbank *f.* –en / ~형 Blutgruppe *f.* –en.

혈연(血緣) Blutsverwandtschaft *f.* –en; Konsanguinität *f.* –en 《혈연 관계》.

혈육(血肉) 《자녀》 s–e leibliche Kinder (*pl.*); 《혈족》 der Blutsverwandte*, –n, –n. ¶ ~의 정 die Liebe zu den Blutsverwandten.

혈장(血漿) Blutplasma *n.* –s, –s.

혈전(血栓) Thrombus *m.* –, –en; Blutpfropf *m.* –s, –e. ‖ ~증 Thrombose *f.* –n.

혈전(血戰) die blutige Schlacht, –en; Vernichtungsschlacht *f.* –en. ~하다 e–n blutigen Kampf kämpfen.

혈족(血族) der Blutsverwandte*, –n, –n; Sippe *f.* –n. ‖ ~ 관계 Blutsverwandschaft *f.* –en.

혈청(血淸) 〖醫〗 Serum *n.* –s, ..ren〔..ra〕; Blutwasser *n.* –s, –. ‖ ~ 요법 Serumtherapie *f.* –n / ~ 진단 Serumdiagnose *f.* –n.

혈침(血沈) 〖醫〗 Blutsenkung *f.* –en. ‖ ~ 검사 Blutsenkungsprobe *f.* –n.

혈통(血統) Abstammung *f.* –en; Abkunft *f.* ¨e. ¶ ~이 좋다 aus guter Familie sein. ‖ ~주의 《국적 취득의》 *jus sanguinis* 《라틴》.

혈투(血鬪) der blutige Kampf, –es, ¨e; der Kampf ums Leben 《목숨을 건》.

혈혈단신(孑孑單身) ¶ ~이다 ganz allein auf ^{4}sich angewiesen (gestellt) sein.

혈흔(血痕) Blutfleck *m.* –(e)s, –e; Blutspur *f.* –en.

혐오(嫌惡) Abneigung *f.* –en 《*vor*^{3}; *gegen*^{4}》; Abscheu *m.* –(e)s 《*vor*^{3}; *gegen*^{4}》. ~하다 Abneigung empfinden* 〔haben〕 《*vor*^{3}; *gegen*^{4}》. ¶ ~감을 일으키게 하다 es ekelt mir 〔mich〕 《*vor*^{3}》.

혐의(嫌疑) 《의심》 Verdacht *m.* –es; 〖法〗 Klage *f.* –n. ~스럽다, ~쩍다 verdächtig (sein); unter Verdacht stehen*. ¶ ~를 두다 Verdacht schöpfen 《gegen *jn.*》.

협객(俠客) der ritterlich gesinnte Plebejer, –s, –.

협곡(峽谷) (Tal)schlucht *f.* –en; Kluft *f.* ¨e.

협공(挾攻) Angriff auf beide Flanken. ~하다 auf beide Flanken an|greifen*^{4}. ‖ ~ 작전 Zangenoperation *f.* –en.

협궤(狹軌) 《궤도》 Schmalspur *f.* –en. ‖ ~ 철도 Schmalspurbahn *f.* –en.

협기(俠氣) Ritterlichkeit *f.*; die ritterliche Gesinnung, –er. ¶ ~를 부리다 ritterlich handeln.

협동(協同) Zusammenarbeit *f.* –en. ~하다 gemeinsam tun* 《*mit*^{3}》; mit|tun* 《*mit*^{3}》. ‖ ~ 정신 Gemeinsinn *m.* –(e)s.

협력(協力) Zusammenarbeit *f.* –en; Mitwirkung *f.* –en. ~하다 zusammenarbeiten 《*mit*^{3}》. ‖ ~자 Mitarbeiter *m.* –s, –; der Mitwirkende*, –n, –n / 경제 ~ die wirtschaftliche Zusammenarbeit, –en.

협박(脅迫) Drohung *f.* –en; Bedrohung *f.* –en. ~하다 drohen^{3} 《*mit*^{3}》; bedrohen^{4}. ‖ ~장 Drohbrief *m.* –(e)s, –e.

협상(協商) 《담판》 Verhandlung *f.* –en; 《협정》 Übereinkunft *f.* ¨e. ~하다 verhandeln 《*mit*^{3}》; unterhandeln 《*mit*^{3}; *über*^{4}》.

협소(狹小) ~하다 klein u. eng 〔beengt; beschränkt〕 (sein).

협심(協心) ~하다 mit|wirken; zusammen|arbeiten.

협심증(狹心症) Herzkrampf *m.* –(e)s, ¨e; Angina pectoris *f.*

협약(協約) Übereinkommen *n.* –s, –. Übereinkunft *f.* ¨e. ~하다 mit *jm.* e–n Vertrag schließen*. ¶ ~을 맺다 ein Abkommen treffen* 《mit *jm.*》. ‖ 단체 ~ Gruppenvertrag *m.* –s, ¨e.

협의(協議) Verhandlung *f.* –en; Berat(schlag)ung *f.* –en. ~하다 verhandeln 《*mit*^{3}; *über*^{4}》; ^{4}sich beraten* 《*uber*^{4}》. ‖ ~ 사항 der Gegenstand der Verhandlung 〔Beratung〕 / ~ 이혼 die Ehescheidung auf Billigkeitsansprüche.

협의(狹義) der engere 〔beschränkte〕 Sinn, –es, –e. ¶ ~로 해석하면 im engeren Sinn ausgelegt.

협잡(挾雜) Betrug *m.* –es; Schwindel *m.* –s, –. ~하다 beschwatzen^{4} 《감언이설로》; betrügen*^{4} 《*um*^{4}》. ‖ ~꾼, ~배 Betrüger *m.* –s, –; Schwindler *m.* –s, –.

협정(協定) Vereinbarung *f.* –en; Abkommen *n.* –s, –. ~하다 e–e Vereinbarung 〔ein Abkommen〕 treffen* 《mit *jm.* über ^{4}*et.*》. ‖ ~ 가격 der verabredete Preis, –es, –e.

협조(協調) 《협력》 Zusammen〔Mit〕wirkung *f.* –en; 《협동》 Eintracht *f.*; 《조정》 Versöhnung *f.* –en; 《타협》 Kompromiß *m.* 〔*n.*〕 ..misses, ..misse. ~하다 zusammen|wirken; mit|wirken. ‖ 노사 ~ Zusammenwirkung von ^{3}Kapital u. ^{3}Arbeit.

협주곡(協奏曲) 〖樂〗 Konzert *n.* –es, –e; Konzertstück *n.* –(e)s, –e.

협착(狹窄) Enge *f.*; Schmalheit *f.* –en. ~하다 eng 〔eingeengt; schmal〕 (sein). ‖ 골반 ~ Beckenverengung *f.* –en.

협찬(協贊) Unterstützung *f.* –en; Bewilligung *f.* –en 《시인》; Zustimmung *f.* –en 《동의》. ~하다 unterstützen; zu|stimmen. ¶ …의 ~을 얻어서 개최하다 mit Zustimmung von *jm.* veranstalten^{4}.

협화(協和) Harmonie *f.* –n; Friedlichkeit *f.* ~하다 (miteinander) gut harmonieren. ‖ ~음 Konsonanz *f.* –en.

협회(協會) Gesellschaft *f.* -en; Verein *m.* -(e)s, -e. ‖ 한독 ~ die Koreanisch-Deutsche Gesellschaft.

혓바늘 ¶~이 돋다 die Entzündung der Zunge bekommen*.

혓바닥 Zunge *f.* -n. ¶~으로 핥다 mit der Zunge lecken.

형(兄) der ältere Bruder, -s, ⸚; 《친구간》 Du!; Alter Junge!; Lieber! ¶김형 Herr *Kim*. ‖ 매형 Schwager *m.* -s, ⸚.

형(刑) Strafe *f.* -n. ¶형에 처하다[형을 가하다] *jn.* strafen; *jm.* e-e Strafe auf|erlegen.

형(形) Form *f.* -en; Gestalt *f.* -en 《모양》; Format *n.* -(e)s, -e 《형식》.

형(型) 《모형》 Modell *n.* -s, -e; Muster *n.* -s, -; 《주물》 Gußform *f.* -en; 《양식》 Stil *m.* -(e)s, -e; Typus *m.* -, ..pen; 《크기》 Größe *f.* -n.

형광(螢光) Fluoreszenz *f.* ¶~을 발하다 fluoreszieren. ‖ ~ 도료 Fluoreszenzfarbe *f.* -en / ~등 Fluoreszenzlampe *f.* -n.

형구(刑具) Folterwerkzeug *n.* -s, -e; Martergerät *n.* -(e)s, -e.

형극(荊棘) Dorn *m.* -(e)s, ⸚er; Stachel *m.* -s, -. ¶~의 길 Dornenweg *m.* -(e)s, -e; dorniger Weg.

형기(刑期) Straf·dauer *f.* [-zeit *f.* -en; -maß *n.* -es, -e]. ¶~를 마치다 s-e (Straf)zeit ab|sitzen*.

형벌(刑罰) Strafe *f.* -n.

형법(刑法) Straf[Kriminal]recht *n.* -(e)s, -e; Strafgesetz *n.* -es, -e. ¶~상의 strafrechtlich.

형부(兄夫) Schwager *m.* -s, ⸚.

형사(刑事) 《사건》 Kriminalsache *f.* -n; 《사람》 Geheimpolizist *m.* -en, -en; Detektiv *m.* -s, -e [-s]. ‖ ~ 소송 Straf[Kriminal]prozeß *m.* ..zesses, ..zesse / ~ 책임 die strafrechtliche Verantwortlichkeit.

형상(形狀) Gestalt *f.* -en; Form *f.* -en; Figur *f.* -en.

형석(螢石) 〖鑛〗 Flußspat *m.* -(e)s, -e [⸚e].

형설(螢雪) ¶~의 공을 쌓다 s-n ³Studien (*pl.*) jahrelang ob|liegen*.

형성(形成) Gestaltung *f.* -en; Formung *f.* -en. ~하다 gestalten⁴; formen⁴; bilden⁴. ¶~되다 geformt [gebildet; gestaltet] werden.

형세(形勢) (Sach)lage *f.* -n; Situation *f.* -en; 《전망》 Aussicht *f.* -en; 《살림 형편》 Lebensumstände (*pl.*). ¶~를 관망하다 die Lage beobachten.

형수(兄嫂) Schwägerin *f.* -nen; die Ehefrau des älteren Bruders.

형식(形式) Form *f.* -en; Formsache *f.* -n; Formalität *f.* -en. ~적 förmlich; formell. ¶~에 구애받다 an der Form hängen* [kleben]. ‖ ~ 논리 die formale Logik / ~주의, ~론 Formalismus *m.* -.

형안(炯眼) Scharfblick *m.* -(e)s, -e; Scharfsinn *m.* -(e)s, -e.

형언(形言) ~하다 beschreiben. ¶~할 수 없다 unbeschreiblich sein; nicht zu beschreiben sein.

형용(形容) 《생긴 모양》 Gestalt *f.* -en; Form *f.* -en; 《비유·수식》 Metapher *f.* -n; Darstellung *f.* -en. ~하다 《묘사》 schildern⁴; beschreiben*⁴. ‖ ~구 Attributivsatz *m.* -es, ⸚e / ~사 〖文〗 Adjektiv *m.* -s, -e.

형이상(形而上) ‖ ~학 Metaphysik *f.*

형이하(形而下) ‖ ~학 konkrete [positive] Wissenschaft, -en.

형장(刑場) Richt·platz *m.* -es, ⸚e [-stätte *f.* -n]. ¶~의 이슬로 사라지다 auf dem Richtplatz enden.

형적(形跡) Spur *f.* -en; (An)zeichen *n.* -s, -; Hinweis *m.* -es, -e. ¶~을 감추다 die Spuren (*pl.*) verwischen.

형제(兄弟) Bruder *m.* -s, ⸚. ‖ ~ 싸움 Bruderzwist *m.* -es, -e / ~ 자매 Geschwister (*pl.*).

형체(形體) Form *f.* -en; Gestalt *f.* -en; Körper *m.* -s. ¶~를 갖추다 Gestalt an|nehmen*.

형태(形態) Gestalt *f.* -en; Form *f.* -en; Figur *f.* -en. ¶~를 바꾸다 ⁴sich verwandeln; ⁴sich um|bilden. ‖ ~론 〖言〗 Morphologie *f.* -n.

형통(亨通) ~하다 gut gehen*; in Erfüllung gehen*; Erfolg versprechen.

형틀(刑—) der Stuhl, auf den ein Verbrecher beim Verhör gefesselt wurde.

형편(形便) ① 《상태》 Lage *f.* -n; Situation *f.* -en. ¶지금 ~으로는 unter jetzigen Umständen. ② 《살림 형세》 Lebensumstände (*pl.*); Lebensverhältnisse (*pl.*). ¶~이 말이 아니다 kümmerlich leben; ein elendes Leben führen. ③ 《사정·기회》 Umstand *m.* -(e)s, ⸚e; Zustand *m.* -(e)s, ⸚e. ¶~상 umständehalber.

형편없이(形便—) 《몹시》 schrecklich; äußerst; furchtbar; 《가차없이》 schonungslos; ohne Rücksicht.

형형색색(形形色色) alle Sorten; verschiedene Sorten. ¶~으로 auf verschiedene Weise; in verschiedenen Sorten.

혜서(惠書) Ihr (werter) Brief; Ihr (wertes) Schreiben.

혜성(彗星) Komet *m.* -en, -en. ¶~과 같이 나타나다 plötzlich, wie ein Komet, erscheinen*.

혜택(惠澤) Gunst *f.* -en; Güte *f.* -n; Wohltat *f.* -en; Beihilfe *f.* -n. ¶~을 입다 unterstützt werden.

호(弧) (Kreis)bogen *m.* -s, - [⸚]. ¶호를 그리다 e-n Bogen schlagen*.

호(湖) See *m.* -s, -n. ¶소양호 der *Soyang*-See; der See *Soyang*.

호(號) 《번호》 Nummer *f.* -n 《略: Nr.》; Heft *n.* -(e)s, -e 《잡지 따위의》; 《아호》 Schriftsteller[Deck]name(n) *m.* ..mens, ..men; 《칭호》 Titel *m.* -s, -.

호(壕) Bunker *m.* -s, -; Schützengraben *m.* -s, ⸚.

호가(呼價) ~하다 《살 사람이》 Angebot machen; 《팔 사람이》 Preis fordern 《von *jm.*》.

호각(互角) ¶~지세(之勢)로 ganz gleiche Kräfte aufbietend wie sein Gegner.

호각(號角) Pfeife *f.* -n; Signalpfeifchen *n.* -s, -. ¶~을 불다 in e-e Pfeife blasen*.

호감(好感) Wohlwollen *n.* -s; der gute 〔günstige〕 Eindruck, -(e)s, ⸗e. ¶ ~을 주다 auf *jn.* e-n angenehmen 〔guten〕 Eindruck machen / ~을 갖다 *jm.* wohl|wollen*.
호강 Belhaglichkeit *f.* -en; Gemütlichkeit *f.* ~하다 ein behagliches 〔geruhsames; gemütliches〕 Leben führen. ~스럽다 behaglich 〔gemütlich〕 (sein).
호걸(豪傑) der heldenhafte Mensch, -en, -en. ~스럽다 heldenhaft 〔tapfer; heroisch〕 (sein). ¶ ~풍의 von heldenhafter ³Natur.
호경기(好景氣) Hochkonjunktur *f.* -en; die gute Konjunktur.
호곡(號哭) die laute Wehklage, -n. ~하다 laut wehklagen; ⁴sich beklagen.
호구(戶口) Bewohnerschaft *f.* -en; Einwohnerschaft *f.* -en. ‖ ~ 조사 Volkszählung *f.* -en.
호구(糊口) ‖ ~지책 Lebensunterhalt *m.* -(e)s, -.
호국(護國) ¶ ~의 영령 der Schutzgeist 〔Genius, -, ..nien〕 des Staat(e)s.
호기(好機) ¶ ~를 놓치다 e-e gute Gelegenheit versäumen 〔verpassen; vorübergehen lassen*〕.
호기심(好奇心) Neugier(de) *f.* ¶ ~을 끌다 *js.* Neugier an|reizen.
호남자(好男子) ein schöner 〔hübscher〕 Mann, -(e)s, ⸗er; 《호한(好漢)》 ein famoser 〔netter〕 Kerl, -s, -e.
호농(豪農) Großbauer *m.* -n 〔-s〕, -n; der wohlhabende Landmann, -(e)s, ..leute.
호도(糊塗) ~하다 dumm 〔unmissend〕 (sein); e-n Anstrich geben*.
호되다 streng 〔heftig; hart; scharf〕 (sein). ¶ 호된 비평 die strenge Kritik, -en / 호되게 꾸짖다 streng schelten*⁴.
호두(胡—) Walnuß *f.* ..nüsse ‖ ~나무 Nußbaum *m.* -(e)s, ⸗e.
호들갑스럽다 unbekümmert 〔rücksichtslos〕 (sein).
호떡(胡—) chinesischer gefüllter Pfannkuchen, -s, -.
호락호락 《수월히》 leicht; ohne Schwierigkeit; 《성격이》 nachgiebig. ~하다 leicht 〔nachgiebig; willfährig〕 (sein).
호랑나비(虎狼—) ein großer gefleckter Schmetterling.
호랑이(虎狼—) 《범》 Tiger *m.* -s, -.
호령(號令) 《명령》 Befehlswort *n.* -(e)s, -e; Befehl *m.* -(e)s, -e; Kommando *n.* -s, -s; 《질책》 Verweis *m.* -es, -e; Rüge *f.* -n. ~하다 e-n Befehl 〔ein Kommando〕 zu|rufen* 《*jm.*》.
호롱 Sockel e-r Öllampe.
호루라기 Trillerpfeife *f.* -n.
호르몬 Hormon *n.* -s, -e. ‖ ~선(腺) Hormondrüse *f.* -n / 남성〔여성〕 ~ männliches 〔weibliches〕 Hormon.
호른 〔樂〕 Horn *n.* -(e)s, ⸗er.
호리 〔農〕 Pflug für e-n Ochsen.
호리다 《오도하다》 verführen 《*jn.*》; 《유혹하다》 versuchen 《*jn.*》; 《매혹하다》 bezaubern⁴; behexen⁴.
호리병(葫—甁) Kürbis *m.* -ses, -se; Kürbisflasche *f.* -n.
호리호리하다 groß u. schlank (sein).
호명(呼名) ~하다 *jn.* beim Namen auf|rufen*.
호미 Hacke *f.* -n; Haue *f.* -n.
호박 〔植〕 Kürbis *m.* -ses, -se.
호박(琥珀) 〔鑛〕 Bernstein *m.* -s, -e. ‖ ~산(酸) Bernsteinsäure *f.* -n / ~풍잠 Bernstein-Haarnadel *f.* -n.
호반(湖畔) See·ufer *n.* -s, - 〔-strand *m.* -(e)s〕. ¶ ~의 집 das Haus am See.
호방하다(豪放—) freimütig 〔großzügig; ungeniert〕 (sein).
호배추(胡—) 〔植〕 Chinakohl *m.* -(e)s, -e.
호버크라프트 Bodeneffekt-Fluggerät *n.* -(e)s, -e.
호별(戶別) Haus für Haus. ¶ ~ 방문하다 von Haus zu Haus besuchen. ‖ ~세 Haussteuer *f.* -n / ~ 조사 Untersuchung von Haus zu Haus.
호봉(號俸) Gehaltsstufe *f.* -n. ¶ 5~ die Gehaltsstufe der fünften Klasse.
호사(好事) Dilettantismus *m.* -; Liebhaberei *f.* -en. ‖ ~가(家) Dilettant *m.* -en, -en; Liebhaber *m.* -s, - / ~다마(多魔) Es ist nicht aller Tage Abend.
호사(豪奢) Prunk 〔Aufwand〕 *m.* -(e)s; Luxus *m.* -. ~하다 auf großem Fuß leben; im großen Stil leben. ~스럽다 prunkhaft 〔luxuriös; prächtig〕 (sein).
호상(豪商) Kauf〔Handels〕herr *m.* -n. -en; Großkaufmann *m.* -(e)s, ..leute.
호상(護喪) 《초상 일》 Leitung e-s (Leichen)begräbnisses.
호색(好色) Sinnlichkeit *f.*; Wollust *f.* ~의 sinnlich; wollüstig. ‖ ~가〔꾼〕 (Wol)lüstling *m.* -s, -e.
호생(互生) 〔植〕 Wechselstand *m.* -(e)s. ¶ ~하는 wechselständig. ‖ ~엽(葉) die wechselständigen Blätter (*pl.*).
호선(互先) 〔바둑〕 abwechselndes Setzen der Spielsteine 《beim Go-Spiel》.
호선(互選) ~하다 durch gemeinsame Abstimmung wählen.
호소(呼訴) ~하다 klagen³·⁴; ⁴sich beklagen〔beschweren〕 《*bei*³; *über*⁴》. ¶ 무력〔비상수단〕에 ~ zu den Waffen 〔zum Äußersten〕 greifen* / 여론에 ~하다 die Öffentlichkeit an|rufen*.
호소(湖沼) die Gewässer (*pl.*). ‖ ~ 생물학 Limnobiologie *f.*
호송(護送) ~하다 eskortieren⁴; geleiten⁴. ‖ ~선 das zur ³Bedeckung geleitende Schiff, -(e)s, -e / ~차 Gefangenen(transport)wagen *m.* -s, -.
호수(戶數) Häuserzahl *f.*
호수(湖水) Landsee 〔See〕 *m.* -s, -n. ‖ 호숫가 Seeufer *n.* -s, -.
호스 Schlauch *m.* -(e)s, ⸗e; 《소방용》 Feuerwehrschlauch.
호스텔 Herberge *f.* -n. ‖ 유스~ Jugendherberge.
호스티스 Gastgeberin *f.* -nen; Stewardeß [stjúːərdɛs] *f.* ..dessen.
호시탐탐(虎視眈眈) das Anstarren* 〔Anglotzen*〕 -s. ~하다 an|glotzen⁴; aufs Korn nehmen*⁴.
호신(護身) ¶ ~용의 zum Selbstschutz. ‖ ~술 Verteigungskunst *f.* ⸗e.
호안공사(護岸工事) Ufer·bau *m.* -(e)s, -ten 〔-befestigung *f.* -en〕.

호언(豪言) Prahlerei *f.* –en; Windbeutelei *f.* –en. ～하다 prahlen; windbeuteln; auf|schneiden*. ‖ ～ 장담 ＝호언.
호연(好演) geschickte Aufführung, –en. ～하다 gut auf|führen⁴.
호연지기(浩然之氣) ¶ ～를 기르다 ein (herz)erhebendes Gefühl pflegen.
호외(號外) Extra·ausgabe *f.* –n 〔-blatt *n.* –(e)s, ⸚er〕; Sonderblatt.
호우(豪雨) der starke Regen, –s, –; Regenstrom *m.* –(e)s, ⸚e. ‖ ～ 주의보 Regengußwarnung *f.* –en / 집중 ～ Dauerregenguß *m.* ..gusses, ..güsse.
호위(護衛) Schutz〔Leib〕wache *f.* –n; Bedeckung *f.* –en. ～하다 bewachen⁴; eskortieren⁴; *jm.* das Schutzgeleit geben*³. ‖ ～병 Schutzwache; Schutzgeleit *n.* –(e)s, –e / ～함 Geleitschiff *n.* –(e)s, –e; 《프리깃함》 Fregatte *f.* –n.
호응(呼應) ～하다 in Übereinstimmung 《*mit*³》 handeln. ¶ …와 ～하여 im Einverständnis 《*mit*³》.
호의(好意) Wohlwollen *n.* –s; Güte 〔Gunst; Freundlichkeit〕 *f.* ¶ ～있는 gütig; wohlwollend; günstig; freundlich / …에게 ～를 갖고 있다 ⁴es gut meinen 《mit *jm.*》.
호의호식(好衣好食) ～하다 schönes Kleid anziehen* u. Gutes essen*.
호인(好人) der Gutmütige*, –n, –n.
호적(戶籍) Personenstand *m.* –(e)s; 《호적부》 Familienregister *n.* –s, –. ¶ ～에 넣다 *js.* ⁴Namen in das Familienregister ein|tragen*. ‖ ～계(係) Standesbeamte *m.* –n, –n / ～ 등본〔초본〕 die Kopie 〔der Auszug〕 aus dem Familienregister.
호적(好適) ～하다 passend 〔adäquat; angebracht〕 (sein). ‖ ～지(地) der ideale Ort 《*für*⁴》.
호적(號笛) (Alarm)sirene 〔Hupe〕 *f.* –n.
호적수(好敵手) der ebenbürtige Gegner, –s, –.
호전(好戰) ～적 kriegerisch; kriegliebend. ¶ ～적인 국민 das kampfgierige Volk, –(e)s.
호전(好轉) ～하다 ⁴sich zum Besseren wenden⁽*⁾; (⁴sich) günstig wandeln.
호젓하다 einsam 〔verlassen〕 (sein).
호조(好調) ～의 gut; günstig. ¶ ～를 보이다 glatt ab|gehen*; gut 〔günstig〕 gehen*.
호주(戶主) Familienoberhaupt *n.* –(e)s, ⸚er. ‖ ～ 상속인 der gesetzliche Erbe, –n, –n; die gesetzliche Erbin, –nen.
호주(豪酒) das starke 〔übermässige〕 Trinken*, –s; Säuferei *f.* –en.
호주머니 Tasche *f.* –n. ¶ ～에 넣다 in die Tasche stecken⁴ / ～에서 꺼내다 aus der Tasche holen⁴ 〔nehmen*⁴〕. ‖ ～ 사정 die finanzielle Lage, –n.
호출(呼出) 《소환》 Aufforderung zum Erscheinen; 〖法〗 (Vor)ladung *f.* –en. ～하다 auf|fordern⁴; 《법정 등에》 vorladen*⁴. ‖ ～ 부호 Rufzeichen *n.* –s / ～장 schriftliche Aufforderung *f.* –n.
호치키스 Heftmaschine *f.* –n.
호칭(呼稱) Name *m.* –ns, –n; Titel *m.* –s.
호콩(胡—) ＝땅콩.
호탕(豪宕) ～하다 vital 〔tatkräftig; mutig〕 (sein).
호텔 Hotel *n.* –s, –s. ¶ ～에 묵다 in e–m Hotel ab|steigen*. ‖ ～ 보이 Hotelpage *m.* –n, –n.
호통치다 laut (an|)schreien* 〔an|fahren*〕.
호평(好評) die günstige Kritik, –en, 〔Aufnahme, –n〕. ¶ ～을 받다 günstig besprochen werden.
호프 Hoffnung *f.* –en; Erwartung *f.* –en.
호피(虎皮) Tigerhaut *f.* ⸚e. ‖ ～ 방석 das Kissen aus Tigerhaut.
호헌운동(護憲運動) die Bewegung zur Aufrechterhaltung der Staatsverfassung 〔der Konstitution〕.
호혈(虎穴) die Höhle des Tigers. ¶ ～에 들어가야 범을 잡는다 „Wer (nichts) wagt, gewinnt (nichts). “
호혜(互惠) Gegenseitigkeit 〔Wechselseitigkeit〕 *f.* ‖ ～ 조약 der reziproke Vertrag, –(e)s, ⸚e / ～ 통상 der auf dem Prinzip der Reziprozität beruhende Handel, –s, –.
호호백발(皓皓白髮) graues Haar, –es, –e.
호화(豪華) ～롭다 prächtig 〔herrlich; luxuriös; prunkhaft〕 (sein). ‖ ～판 Prachtausgabe *f.* –n; 《比》 der prachtvolle Anblick, –(e)s, –e (～판으로 지내다 ein luxuriöses Leben führen).
호화찬란(豪華燦爛) ～하다 prachtvoll 〔aufgeputzt; pomphaft〕 (sein).
호황(好況) der wirtschaftliche Aufschwung, –(e)s, ⸚e; die günstige Konjunktur, –en. ¶ ～을 보이다 e–e günstige Geschäftslage zeigen.
호흡(呼吸) Atem *m.* –s, –; Hauch *m.* –(e)s, –e; Atemzug *m.* –(e)s, ⸚e; Atmung *f.* –en. ～하다 atmen. ‖ ～ 곤란 Atembeschwerde *f.* –n / ～기 Atmungsorgane (*pl.*) / 심～ Atemgymnastik *f.* –en / 인공 ～ die künstliche Atmung.
혹 Geschwulst *f.* ⸚e; Beule *f.* –n; 《낙타 따위의》 Höcker 〔Buckel〕 *m.* –s, –; 《나무의》 Knorren *m.* –s, –.
혹(或) ＝간혹, 혹시.
혹간(或間) ＝간혹.
혹독(酷毒) ～하다 gefühllos 〔bestialisch; brutal〕 (sein). ¶ ～한 추위 die unausstehliche Kälte.
혹부리 e–e Person, die Balggeschwulst auf dem Gesicht hat.
혹사(酷使) ～하다 (ab|)hetzen 〔-plagen; -placken〕 《*jn.*》; mißbrauchen 《*jn.*》.
혹서(酷暑) Bärenhitze *f.*; die äußerste Hitze.
혹성(惑星) 〖天〗 Planet *m.* –en, –en. ‖ 대～ die größere Planet / 소～ Planetoid *m.* –en, –en.
혹세무민(惑世誣民) ～하다 die Welt verleiten und das Volk betrügen*.
혹시(或是) ① 《만일에》 wenn; falls; im Fall(e), daß.... ¶ ～비가 오면 wenn 〔falls〕 es regnet. ② 《혹야》 vielleicht; möglicherweise; vermutlich. ¶ ～ 김군을 아십니까 Kennen Sie zufällig Herrn *Kim*?

혹심(酷甚) ～하다 äußerst streng 〔höchst hart〕 (sein).

혹자(或者) 《어떤 사람》 jemand; irgend einer. ¶～는 그렇게 말한다 Irgend einer sagt so.

혹평(酷評) die scharfe Kritik, -en. ～하다 scharf 〔bitter〕 Kritik üben 《an[3]》; scharf kritisieren[4].

혹하다(惑—) ① 《아주 반함》 [4]sich in jn. 〔[4]et.〕 verlieben 〔vernarren〕. ¶여자에 ～ [4]sich heftig in e-e Dame verlieben. ② 《…에 빠지다》 [4]sich e-r Sache ergeben* 〔hin|geben*〕.

혹한(酷寒) Bärenkälte f. -n; die grimmige Kälte. ¶～에 견디다 die starke Kälte aus|halten*.

혼(魂) Seele f. -n; Geist m. -(e)s, -er. ¶혼이 나가다 dahin|scheiden*《죽다》; geistabwesend sein.

혼곤히(昏困—) bewußtlos. ¶～ 잠들다 wie ein Klotz schlafen*.

혼구(婚具) die Utensilien, die bei der Hochzeit benutzt werden.

혼기(婚期) das heiratsfähige Alter, -s. ¶～가 되다 im heiratsfähigen Alter sein / ～를 놓치다 die günstige Zeit zur Heirat verpassen.

혼나다(魂—) ① 《놀라다》 vor Schrecken außer [4]sich sein; [4]sich entsetzen 《vor[3]; über[4]》. ② 《경치다》 e-e schreckliche Erfahrung haben; [4]et. Schreckliches* erleben. ¶아버지에게 ～ von s-m Vater streng ausgescholten werden.

혼내다(魂—) ① 《놀래줌》 jn. entsetzen; erschrecken[4]. ② 《따끔한 맛》 jm. e-n harten Schlag versetzen; jm. eins verpassen.

혼담(婚談) Heiratsantrag m. -(e)s, ¨e; Werbung f. -en. ¶～이 있다 e-n Heiratsantrag erhalten*; umworben sein.

혼돈(混沌) Chaos n. -; Wirrwarr m. -s. ¶～의 시대 chaotische Zeiten (pl.).

혼동(混同) ～하다 vermengen[4] 《mit[3]》; verwechseln[4] 《mit[3]》. ¶공사(公私)를 ～하다 e-e öffentliche Sache mit e-r persönlichen vermengen.

혼란(混亂) Unordnung f. -en; Chaos n. -. ～하다 verwirrt 〔wirr; regellos; ungeordnet〕 (sein); 〖서술적〗 in Unordnung geraten*. ¶～시키다 in Unordnung 〔in Verwirrung〕 bringen*[4].

혼령(魂靈) ＝영혼.

혼례(婚禮) Hochzeit f. -en; Hochzeitfeierlichkeit f. -en.

혼미(混迷) ～하다 konfus 〔betäubt〕 (sein).

혼방사(混紡絲) Mischgarn n. -(e)s, -e.

혼백(魂魄) Seele f. -n; Geist m. -(e)s, -er.

혼비백산(魂飛魄散) ～하다 vor Schreck außer [3]sich sein; aus allen Himmeln fallen*.

혼사(婚事) Heirat 〔Eheschließung〕 f. -en.

혼선(混線) Überlagerung f. -en 《전화의》; Durcheinander n. -s, - 《혼란》. ～하다 ein Gespräch überlagert ein anderes.

혼성(混成) Mischung f. -en; Zusammensetzung f. -en. ～하다 mischen[4]. ‖～곡〖樂〗 Potpourri n. -s, -s / ～팀 Auswahlmannschaft f. -en.

혼성(混聲) Mehrstimmigkeit f. ‖～합창 der gemischte Chor, -s, ¨e.

혼수(昏睡) Koma n. -s; Dämmerzustand m. -(e)s, ¨e. ¶～상태에 빠지다 in e-n Dämmerzustand geraten*.

혼수(婚需) die für Hochzeit notwendigen Artikel u. Ausgaben.

혼식(混食) mit verschiedenen Getreiden zubereitete Speise. ～하다 e-e mit verschiedenen Getreiden zubereitete Speise essen*.

혼신(渾身) ¶～의 힘을 다하여 aus allen Kräften.

혼약(婚約) ＝약혼(約婚).

혼연(渾然) ¶～ 일체가 되다 ein in [3]sich vollendetes Ganzes bilden.

혼욕(混浴) das gemeinschaftliche Baden, -s.

혼용하다(混用—) kontaminieren[4].

혼인(婚姻) Heirat f. -en. ☞결혼. ‖～신고 Heiratsanmeldung f. -en.

혼자 e-e Person, -en; allein; für [4]sich. ¶～ 살다 allein leben; 《독신임》 unverheiratet 〔ledig〕 sein / ～ 일하다 allein arbeiten.

혼자말 Selbstgespräch n. -(e)s, -e; Monolog m. -s, -e. ～하다 mit [3]sich selbst sprechen*; vor [4]sich hin sprechen*.

혼작(混作) 〖農〗 Mischkultur f. ～하다 mehrere Kulturpflanzen an|bauen.

혼잡(混雜) Gedränge 〔Getümmel〕 n. -s; Tumult m. -(e)s, -e. ～하다 wimmeln 《von[3]》; gedrängt (voll) (sein). ¶거리는 사람으로 ～을 이루었다 Die Straßen wimmelten von Menschen.

혼전(婚前) ～의 vor der [3]Ehe. ‖～관계 die Liebe vor der Ehe.

혼전(混戰) Gemenge n. -s, -; Kampfgewühl n. -s, -e. ～하다 im Gewühl der Schlacht kämpfen.

혼절(昏絶) ～하다 in Ohnmacht fallen*.

혼쭐나다(魂—) e-n großen Schrecken bekommen*; betäubt werden.

혼천의(渾天儀) 〖天〗 Himmelskugel f. -n; Himmelsgewölbe n. -s, -.

혼탁(混濁) ～하다 trüb 〔kotig; schlammig〕 (sein). ¶～한 세상 die verdorbene Welt, -en.

혼합(混合) ～하다 mischen[4] 〔mengen[4]; vermischen[4]〕 《mit[3]》; mixen. ‖～물 Gemisch n. -es, -e; Mischung f. / ～비료 Kompost m. -(e)s, -e.

혼혈아(混血兒) Mischling m. -s, -e.

홀(笏) Szepter 〔Zepter〕 n. -s, -.

홀 Halle f. -n; Saal m. -(e)s, ..äle.

홀- einzig; einzeln; ledig.

홀가분하다 erleichtert 〔unbelastet; frei von Sorgen〕 (sein). ¶마음이 ～ unbelastet von Sorgen sein.

홀딱 《반함·속음》 völlig; wie verrückt; tief. ¶～ 반하다 wie verrückt in jn. verliebt sein / ～ 속아 넘어가다 ganz u. gar betrogen werden.

홀랑 völlig; ganz. ¶옷을 ～ 벗다 [4]sich völlig aus|ziehen* / ～ 털리다 all s-r Habe beraubt werden.

홀로 allein; für [4]sich; ledig. ¶～ 되다 ein Witwer 〔e-e Witwe〕 werden.

홀리다 ① 《귀신에게》 behext werden 〔sein〕. ② 《이성에게》 gefesselt werden; bezaubert werden. ③ 《현혹되다》 bestrickt 〔betört; berückt〕 werden.
홀몸 Junggeselle *m.* –n, –n 《남자》; die ledige Frau, –en 《여자》.
홀소리 〖言〗 Vokal *m.* –s, –e.
홀수(一數) ungerade Zahl, –en.
홀시(忽視) ∼하다 verachten; vernachlässigen; geringschätzen.
홀씨 〖植〗 Spore *f.* –n.
홀아비 Witwer *m.* –s, –. ‖ ∼ 살림 Junggesellenwirtschaft *f.* –en; ein frauenloser Haushalt, –(e)s, –e. ⌈–s.⌉
홀앗이살림 das alleinstehende Leben, ⌋
홀연히(忽然一) (ur)plötzlich; auf einmal; mit einemmal; jäh. ¶ ∼ 사라지다 auf einmal 〔mit einemmal〕 verschwinden*.
홀짝홀짝 ¶ ∼ 마시다 langsam nippen 《*an*³》.
홀쭉하다 schlank 〔dünn; mager; abgemagert〕 (sein).
홀치기 《염색》 Vielfarbigkeit *f.*; Tüpfel *m.* –s; 《천》 getüpfelter 〔gesprenkelter〕 Stoff, –es, –e.
홀태바지 die enge Hose, –n.
홀태질하다 dreschen*.
홀하다(忽一) unachtsam 〔unbedachtsam〕 (sein). ¶ 대접이 ∼ ungastfreundlich 〔unwirtlich〕 sein 《zu *jm.*》.
홈 Nute *f.* –n 《기둥 따위》; Riefe *f.* –n. ¶ 홈을 파다 nuten⁴; riefen⁴.
홈 Heim *n.* –(e)s, –e; 《역의》 Bahnsteig *m.* –(e)s, –e; 〖野〗 Schlagmal *n.* –(e)s,⌉
홈런 Vier-Mal-Lauf *m.* –(e)s, ⸚e. ⌊⸚e.⌋
홈스펀 Homespun *n.* –s, –s.
홈식 《회향병》 Heimweh *n.* –(e)s, –e.
홈통(一桶) ① 《물받이》 Rinne 〔Traufe〕 *f.* –n; Dachrinne *f.* 《지붕의》. ② 《창틀의》 die Rille auf dem Fensterbrett.
홉 〖植〗 Hopfen *m.* –s, –.
홋홋하다 k–n Anhänger haben; k–e Schuld haben; unbelastet (sein).
홍당무(紅唐一) Karotte *f.* –n; gelbe Rübe, –n.
홍두깨 die Holzrolle, auf die die Tücher eingewickelt u. sie zum Bügeln gestampft wird.
홍등가(紅燈街) das konzessionierte Viertel, –s, –; Halbwelt *f.* –en.
홍반(紅斑) 〖醫〗 Erythem *n.* –s, –e.
홍보(弘報) die öffentliche Auskunft, ⸚e; Imformation *f.* –en. ‖ ∼ 활동 die Beziehungen zur Öffentlichkeit.
홍보석(紅寶石) Rubin *m.* –s, –e.
홍삼(紅蔘) der rote Ginseng, –s, –s.
홍수(洪水) Überschwemmung *f.* –en; Hochwasser *n.* –s. ¶ 노아의 ∼ Sintflut *f.* / ∼가 나다 überschwemmen⁴; überfluten⁴. ‖ ∼ 예보 Hochwasservorhersage *f.* –n / ∼ 지역 Überschwemmungsgebiet *n.* –es, –e.
홍시(紅柿) die reife Persimone, –n.
홍안(紅顔) ∼의 rotwangig; blühend. ¶ ∼의 미소년 ein hübscher Junge, –n, –n. ⌈–n.⌉
홍어(洪魚) 〖魚〗 Stachelroche *m.* –ns, ⌋
홍역(紅疫) 〖醫〗 Masern (*pl.*). ¶ ∼을 앓다 ³sich Masern holen 〔zu|ziehen*〕.
홍엽(紅葉) das herbstlich rote Laub,⌉
홍예문(虹霓門) Bogentür *f.* –en. ⌊–(e)s.⌋
홍옥(紅玉) 《루비》 Rubin *m.* –s, –e; 《사과》 e–e Sorte des Apfels.
홍인종(紅人種) die rote Rasse, –n; Indianer *m.* –s, –.
홍일점(紅一點) die einzige Frau 〔Dame〕 unter den ³Anwesenden.
홍적세(洪積世) 〖地〗 die diluviale Periode; Diluvium *n.* –s.
홍조(紅潮) ① 《얼굴의》 Wärme *f.*; Erhitzung *f.* –en. ¶ ∼를 띠다 《얼굴에》 rot werden. ② =월경.
홍차(紅茶) Tee *m.* –s, –s; schwarzer Tee. ⌈..tiden.⌉
홍채(紅彩) 〖解〗 Iris *f.* ‖ ∼염 Iritis *f.*⌋
홍합(紅蛤) 〖貝〗 Seemuschel *f.* –n.
홍해(紅海) 〖地〗 Rotes Meer, –es.
홑 Einzigkeit *f.*; einfache Naht, ⸚e 〔Falte, –n〕.
홑겹 die Kleidung ohne Futter.
홑몸 《아이 없는》 die Frau, die nicht schwanger ist.
홑바지 das Untergewand der koreanischen Frauen.
홑옷 das ungefütterte Kleid, –(e)s, –er.
홑이불 Bettwäsche *f.* –n.
홑집 〖建〗 ein Haus ohne Flügel.
홑치마 《한겹의》 der Rock ohne Futter.
화(火) ① ☞화기(火氣). ② 《성남》 Ärger *m.* –s, –; Verdruß *m.* ..drusses, ..drusse; Zorn *m.* –(e)s. ¶ 홧김에 aus 〔im; vor〕 ³Zorn / 화나다, 화내다 ⁴sich ärgern 《*über*⁴》; es verdrießt *jn.*; ärgerlich werden 《*über*⁴》.
화(禍) 《재난》 Unheil *n.* –(e)s; Übel *n.* –s, –; 《불행》 Unglück *n.* –s; Mißgeschick *n.* –(e)s, –e. ¶ 화를 입다 in Unglück geraten* / 화를 자초하다 ein Übel auf sich laden*.
화가(畫家) (Kunst)maler *m.* –s, –; Graphiker *m.* –s, – 《판화가》.
화간(和姦) Hurerei *f.* –en; der freiwillige Geschlechtsverkehr. ∼하다 e–n freiwilligen Geschlechtsverkehr haben.
화강암(花崗岩) Granit *m.* –(e)s, –e.
화공(火攻) Feuerangriff *m.* –(e)s, –e. ∼하다 e–n Feuerangriff 〔auf den Feind〕 machen.
화관(花冠) ① 《여자의》 die Schmuckkrone für Frauen. ② 〖植〗 Blumenkrone *f.* –n.
화교(華僑) Auslandschinese *m.* –n, –n; die chinesischen Kaufleute in fremden Ländern.
화구(火口) ① 《아궁이》 Feuerungsloch *n.* –(e)s, ⸚er. ② 《화산의》 (Vulkan-) krater *m.* –s, –. ‖ ∼구(丘) Vulkankegel *m.* –s, –.
화근(禍根) die Wurzel des Übels; die Quelle des Übels. ¶ ∼이 되다 *jm.* zum Verderben gereichen.
화급(火急) ∼하다 dringend 〔dring(ent)lich; drängend〕 (sein). ¶ ∼한 경우에는 im Falle von großer Dringlichkeit.
화기(火氣) 《불기》 Feuer *n.* –s; Hitze *f.* ‖ ∼ 엄금(게시) K–e Feuer! / ∼ 책임자 Feuerwächter *m.* –s, –.
화기(火器) 〖軍〗 Schuß〔Feuer〕waffen

(*pl.*). ‖ 공용 ~ die Waffen für den Gemeingebrauch / 자동 ~ die automatischen Schußwaffen.

화기(和氣) ¶ ~ 애애하다 E-e friedliche Stimmung herrscht da.

화끈하다 erröten; [4]sich röten; erglüchen; auf|lodern. ¶ 내 얼굴이 화끈했다 Das Blut stieg mir in die Wangen 〔ins Gesicht〕.

화나다(火―) [4]sich ärgern; böse werden 《auf *jn.*》; zornig werden 《*über*[4]》. ¶ 화나게 하다 *jn.* ärgerlich machen; *jn.* ärgern; *jn.* erzürnen.

화내다(火―) ärgerlich 〔hitzig〕 werden 《*über*[4]》; böse werden 《auf *jn.*》.

화냥년 das liederliche Frauenzimmer, -s; die unordentliche Frau, -en.

화농(化膿) 〖醫〗 Eiterung *f.* -en; Puruleszenz *f.* -en. ~하다 Eiter bilden; eit(e)rig werden.

화단(花壇) (Blumen)beet *n.* -(e)s, -e; Blumenanlage *f.* -n.

화단(畫壇) 《미술계》 Malerkreis *m.* -es, -e; Künstlerschaft *f.* -en.

화대(花代) Trinkgeld *n.* -(e)s, -er; Bedienungsgeld. ¶ ~를 주다 ein Trinkgeld geben*[3]; ein Geldstück in die Hand drücken 《쥐어 주다》.

화덕(火―) 《화로》 Ofen *m.* -s, ⸚ 《für Holzkohlen》; 《솥을 거는》 (Heiz)herd *m.* -es, -e.

화드득 《소리》 tschingbum; bums; klapps. ~거리다 klappen; knacken; sausen.

화락(和樂) Harmonie *f.* -n; Einklang *m.* -es, ⸚e; Friede u. Einklang. ~하다 in Harmonie leben 《mit *jm.*》; im Einklang mit *jm.* stehen*.

화랑(畫廊) (Gemälde)galerie *f.* -n; Gemäldehalle *f.* -n.

화려(華麗) ~하다 prächtig 〔prunkhaft; prunkvoll; auffallend; auffällig〕 (sein). ¶ ~한 옷차림 die glänzende 〔prächtige〕 Kleidung.

화력(火力) Feuer〔Heiz〕kraft *f.* ⸚e; 〖軍〗 Feuerkraft *f.* ⸚e (von der Truppe). ‖ ~ 발전 die Erregung 〔Erzeugung〕 der Elektrizität durch Kohlenverbrennung / ~ 증강 〖軍〗 die Verstärkung der Feuerkräfte.

화로(火爐) Kohlen〔Feuer〕becken *n.* -s, -; Kohlenpfanne *f.* -n.

화류계(花柳界) Halbwelt *f.*; Demimonde *f.* ¶ ~ 여자 Mädchen der Halbwelt.

화면(畫面) 《그림·사진·영화 등의》 Bild *n.* -(e)s, -er; 《텔레비전의》 Schirmbild *n.* ‖ ~ 구성 die Komposition des Bildes.

화목(和睦) Friedlichkeit *f.* -en; Harmonie *f.* -en. ~하다 liebevoll 〔einträchtig; friedlich; vertraut〕 (sein). ¶ ~하게 지내다 in liebevoller Eintracht leben.

화물(貨物) Fracht *f.* -en; Fracht·gut *n.* -(e)s, ⸚er 〔-stück *n.* -(e)s, -e〕. ‖ ~선(船) Fracht·dampfer *m.* -s, - 〔-schiff *n.* -(e)s, -e〕 / ~ 자동차 Lastkraftwagen *m.* -s, -.

화백(畫伯) ein alter großer 〔berühmter〕 Künstler; ein berühmter Maler.

화병(花甁) Blumenvase *f.* -n.

화보(畫報) die Illustrierte*, -n, -n; die illustrierte Zeitung 〔Zeitschrift〕 -en.

화복(禍福) Glück u. Unglück; Wohl u. Weh; Auf u. Ab.

화분(花盆) Blumentopf *m.* -(e)s, ⸚e; Blumenkübel *m.* -s, - 《큰 목제의》.

화사(華奢) ~하다 prächtig 〔luxuriös; prunkhaft; verschwenderisch〕 (sein).

화산(火山) Vulkan *m.* -s, -e. ‖ ~국 Vulkanland *n.* -(e)s, ⸚er / 활 〔사, 휴〕 ~ der aktive 〔tote, ruhende〕 Vulkan.

화살 Pfeil *m.* -(e)s, -e. ¶ ~을 쏘다 den Pfeil(e) schießen* 〔ab|schnellen; los|drücken〕.

화상(火傷) Verbrennung *f.* -en; Brandwunde *f.* -n. ¶ ~을 입다 [4]sich verbrennen*; [4]sich verbrühen.

화생방전(化生放戰) 〖軍〗 chemischer, biologischer u. radioaktiver Krieg.

화석(化石) Versteinerung *f.* -en. ¶ ~화하다 versteinern.

화성(火星) Mars *m.* -. ‖ ~인 Marsbewohner *m.* -s, -.

화성(和聲) 〖樂〗 Harmonie *f.* -n; Akkord *m.* -(e)s, -e 《화음》. ‖ ~학 Harmonielehre *f.* -n.

화술(話術) Redekunst *f.* ⸚e; Rede-〔Sprech〕weise *f.* -n. ¶ ~에 능하다 redegewandt sein.

화승총(火繩銃) Luntenflinte *f.* -n.

화신(化身) Verkörperung *f.* -en; Ausbund *m.* -(e)s, ⸚e. ¶ 탐욕의 ~ die verkörperte Habsucht.

화실(畫室) Atelier *n.* -s, -s.

화씨(華氏) Fahrenheit *m.* -, -. ‖ ~ 온도계 das Thermometer nach Fahrenheit.

화약(火藥) Sprengstoff *m.* -(e)s, -e; (Schieß)pulver *n.* -s, -. ‖ ~고 Pulvermagazin *n.* -s, -e; Pulverkammer *f.* -n 《함선의》.

화염(火焰) Flamme *f.* -n. ¶ ~에 싸이다 in Flammen stehen*. ‖ ~ 방사기 〖軍〗 Flammenwerfer *m.* -s, -.

화요일(火曜日) Dienstag *m.* -(e)s, -e.

화원(花園) Blumen·garten *m.* -s, ⸚〔-anlage *f.* -n〕.

화음(和音) 〖樂〗 Zusammenklang *m.* -(e)s, ⸚e; Akkord *m.* -(e)s, -e.

화의(和議) Friedenskonferenz *f.* -en; Schlichtung *f.* -en. ¶ ~를 제의하다 e-n Friedensvorschlag machen.

화이트칼라 der Bürobeamte*, -n, -n.

화인(火因) die Ursache des Brandes.

화장(火葬) Leichenverbrennung *f.* -en; Einäscherung *f.* -en. ~하다 verbrennen*[4]; ein|äschern[4]. ‖ ~장〔터〕 Verbrennungs〔Einäscherungs〕halle *f.* -n.

화장(化粧) Toilette *f.* -n; das Schminken* 〔Putzen*〕 -s. ~하다 Toilette machen; [4]sich schmücken 〔schminken〕. ‖ ~ 도구 Toiletten·garnitur *f.* -en 〔-gerät *n.* -(e)s, -e〕.

화재(火災) (Schaden)feuer *n.* -s, -; Brand *m.* -(e)s, ⸚e. ¶ 누전으로 인한 ~ der durch den Kurzschluß verursachte Brand. ‖ ~ 경보기 Feuermelder *m.* -s, - / ~ 보험 Feuerversicherung *f.* -en.

화젓가락(火—) Feuerzange *f.* –n.
화제(話題) Gesprächs·gegenstand *m.* –(e)s, ⸚e 〔–stoff *m.* –(e)s, –e; –thema *n.* –s, ..men 〔–ta〕〕. ¶ 오늘의 ~ Zeitfrage *f.* –n; die aktuelle Frage, –n
화주(貨主) Frachter 〔Frächter〕 *m.* –s, –.
화차(貨車) Güter·wagen *m.* –s, –〔–waggon *m.* –s, –s〕. ‖ 유개〔무개〕 ~ der gedeckte 〔offene〕 Güterwagen.
화창(和暢) ~하다 freundlich〔heiter; hell; klar; sonnig〕 (sein). ¶ ~한 봄날씨 das freundliche Frühlingswetter, –s, –.
화초(花草) die Blume des Grases 《꽃》; Blütenpflanze *f.* –n 《풀》. ‖ ~ 재배 Blumenzucht *f.* –en.
화촉(華燭) 《혼인》 Hochzeit. *f.* –en. ¶ ~을 밝히다 Hochzeit feiern 〔halten*〕.
화친(和親) Freundschaft *f.* –en. ~하다 in die freundschaftlichen Beziehungen treten*. ‖ ~ 조약 Friedensvertrag *m.* –s, ⸚e.
화톳불 Wacht〔Lager〕feuer *n.* –s, –. ¶ ~을 놓다 ein Lagerfeuer machen 〔an|zünden〕.
화투(花鬪) koreanische Spielkarten (*pl.*); der koreanische Skat, –s. ~하다, ~ 치다 (koreanischen) Skat spielen.
화평(和平) Friede *m.* –ns, –n; Harmonie *f.* –n. ~하다 friedlich 〔harmonisch〕 (sein).
화폐(貨幣) Geld *n.* –(e)s, –er; Münze *f.* –n; Münzgeld *n.* –(e)s, –er 《집합적》. ‖ ~ 가치 Geldwert *m.* –(e)s, –e / ~ 개혁 Währungsreform *f.* –en / ~ 경제 Geldwirtschaft *f.* / ~ 단위 Währungseinheit *f.* –en / ~ 제도 Münzsystem *n.* –s, –e / 보조 ~ Scheidemünze *f.*
화포(火砲) Feuerwaffe *f.* –n.
화포(畫布) 〖美〗 (Maler)leinwand *f.* ⸚e; Kanevas *m.* – 〔–ses〕, – 〔–se〕.
화폭(畫幅) Gemälde *n.* –s, –; Zeichnung *f.* –en.
화풀이(火—) ~하다 *jn.* rächen 《*für*⁴; *wegen*²》.
화풍(畫風) der Stil der Malerei.
화하다(化—) ⁴sich verwandeln 《*in*⁴; *zu*³》; ⁴sich (ver)ändern 《*zu*³; *in*⁴》; 《감화》 beeinflussen⁴. ¶ 서구~ verwestlichen⁴; europäisieren⁴.
화학(化學) Chemie *f.* ‖ ~ 공업 chemische Industrie, –n / ~ 기호 chemisches Symbol, –s, –e 〔Zeichen, –s, –〕 / ~ 반응 die chemische Reaktion, –en / ~ 방정식 die chemische Gleichung, –en / ~ 변화 die chemische Veränderung, –en / ~ 병기 der chemische Kampfstoff, –(e)s, –e / ~ 분석 die chemische Analyse, –n / ~ 비료(肥料) chemischer 〔künstlicher〕 Dünger, –s, – / ~식 die chemische Formel, –n / ~ 약품 Chemikalien (*pl.*) / ~ 작용 die chemische Wirkung, –en / ~ 제품 die chemischen Produkte (*pl.*) / ~ 조미료 chemisches Gewürz, –es, –e.
화합(化合) chemische Verbindung, –en. ~하다 ⁴sich (chemisch) verbinden* 《*mit*³》. ‖ ~량 Verbindungsgewicht *n.* –(e)s, –e / ~력 chemische Verwandtschaft, –en / ~물 e–e chemische Verbindung, –en.
화합(和合) ~하다 harmonieren 《*mit*³》; ⁴sich vertragen* 《*mit*³》.
화해(和解) Versöhnung *f.* –en; Ausgleich *m.* –(e)s, –e. ~하다 ⁴sich versöhnen 《*mit*³》; zu e–m Ausgleich kommen*.
화형(火刑) Feuer〔Flammen〕tod *m.* –(e)s. ¶ ~에 처하다 zum Scheiterhaufen verurteilen 《*jn.*》.
화환(花環) Kranz *m.* –es, ⸚e; Gewinde *n.* –s, –; Girlande *f.* –n.
화훼(花卉) Blütenpflanze *f.* –n.
확고(確固) ~하다 standhaft 〔entschieden; entschlossen; (felsen)fest〕 (sein). ¶ ~한 증거 der schlagende Beweis, –es, –e.
확답(確答) ~하다 e–e 〔die〕 bestimmte Antwort geben*. ¶ 그는 ~을 요구한다 Er fordert e–e bestimmte Antwort.
확대(擴大) Vergrößerung 〔Ausdehnung; Ausweitung〕 *f.* –en. ~하다 vergrößern⁴; aus|dehnen⁴ 〔–|weiten⁴〕. ‖ ~경 Lupe *f.* –n.
확률(確率) Wahrscheinlichkeit 〔Probabilität〕 *f.* –en. ‖ ~론 Wahrscheinlichkeitslehre *f.* –n.
확립(確立) ~하다 gründen⁴; auf|stellen⁴. ¶ 평화의 ~ die Befestigung des Friedens.
확보(確保) ~하다 (³sich) sichern⁴; sicher|stellen³⁴. ¶ 좌석(座席)을 ~하다 ³sich e–n (Sitz)platz sichern.
확산(擴散) ~하다 diffundieren⁴; zerstreuen⁴. ‖ 핵(核)~ die Wucherung 〔Fortpflanzung〕 der Kernenergie.
확성기(擴聲器) Lautsprecher *m.* –s, –; Megaphon *n.* –s, –e.
확신(確信) (feste) Überzeugung, –en; Zuversicht *f.* ~하다 ⁴sich überzeugen 《*von*³》; vertrauen ⁽³⁾ 《*auf*⁴》. ¶ 승리를 ~하다 des Sieges sicher 〔gewiß〕 sein.
확실(確實) ~하다 gewiß〔sicher; authentisch; fest; solid; zuverlässig; glaubenswürdig〕 (sein). ¶ ~한 보도 die sichere Nachricht, –en. ‖ ~성 Gewißheit 〔Glaubenswürdigkeit〕 *f.* –en.
확약(確約) das feste Versprechen, –s, –. ~하다 fest versprechen*; *jm.* das feste Versprechen geben*, ⁴*et* zu tun.
확언(確言) ~하다 versichern⁴; beteuern⁴; bekräftigen⁴; zu|sichern⁴.
확인(確認) Bestätigung 〔Beglaubigung〕 *f.* –en. ~하다 bestätigen⁴; beglaubigen⁴; bekräftigen⁴. ‖ ~증 Bestätigungsurkunde *f.* –n.
확장(擴張) Erweiterung 〔Ausdehnung〕 *f.* –en. ~하다 erweitern⁴; aus|dehnen⁴; aus|weiten⁴. ‖ 군비 ~ die Verstärkung der Kriegsmacht / 영토 ~ Territorialausdehnung *f.*
확정(確定) ~하다 fest|setzen⁴ 〔–|legen⁴; –|stellen⁴〕. ¶ ~적, ~된 endgültig; bestimmt. ‖ ~ 판결 rechtskräftiges Urteil, –(e)s, –e.
확증(確證) der sichere 〔deutliche; schlagende; schlüssige〕 Beweis, –es, –e. ~하다 schlagkräftig beweisen*⁴. ¶ ~을 잡다 ⁴sich überzeugender Beweise versichern.

확충(擴充) Verstärkung 〔Vergrößerung〕 *f.* -en. ～하다 verstärken^{4}; erweitern^{4}; vergrößern^{4}; aus|dehnen^{4}.

환(換) 《수표》 Zahlungsanweisungspapier *n.* -(e)s, -e; 《환전》 Geldwechsel *m.* -s, -; 《우편환》 Postanweisung *f.* -en; 《은행의》 Bankanweisung *f.* -en; Rimesse *f.* -n 《송금환》. ‖ 환시세, 환율 Devisen〔Wechsel〕kurs *m.* -es, -e.

환각(幻覺) 〖心〗 Trugbild *n.* -(e)s, -er; Halluzination *f.* -en. ‖ ～제 Rauschgift *n.* -(e)s, -e.

환갑(還甲) *js.* sechzigster Geburtstag, -(e)s. ‖ ～ 잔치 die Feier *js.* sechzigsten Geburtstag(e)s.

환경(環境) Umwelt *f.* -en; Milieu *n.* -s, -s. ‖ ～ 보호 Umweltschutz *m.* -es / ～ 오염 Umweltverschmutzung *f.* -en.

환관(宦官) Eunuch *m.* -en, -en; Haremwächter *m.* -s, -.

환궁(還宮) ～하다 zum Palast zurück|kehren.

환금(換金) 〖經〗 Geldwechsel *m.* -s, -. ～하다 Geld wechseln; in ^{4}Geld um|setzen^{4}. ☞ 환전(換錢).

환급(還給) ～하다 zurück|zahlen^{4}; er|statten^{4}.

환기(喚起) ～하다 hervor|rufen*^{4}; aus|lösen^{4}; bewirken^{4}. ¶주의를 ～하다 die Aufmerksamkeit erregen.

환기(換氣) Lüftung 〔Ventilation〕 *f.* -en. ～하다 lüften; die Luft wechseln. ¶～가 잘 되는 〔안 되는〕 집 ein Haus mit guter 〔schlechter〕 Lüftung. ‖ ～ 장치 Lüftungsanlage *f.* -n.

환담(歡談) ～하다 in den Tag 〔ins Blaue〕 hinein schwatzen 〔plaudern〕.

환대(歡待) ～하다 Gastlichkeit 〔Gastfreundschaft〕 üben. ¶～받다 freundliche Aufnahme finden* 《bei *jm.*》.

환도(還都) ～하다 aus der Evakuation zurück|kehren.

환등기(幻燈機) Bildwerfer *m.* -s, -.

환락(歡樂) (Lebens)freude *f.* -n; Lust *f.* ⸗e. ‖ ～가 Vergnügungs·viertel *n.* -s, - 〔-ort *m.* -(e)s, -e; -zentrum *n.* -s, ..tren〕.

환멸(幻滅) Enttäuschung *f.* -en. ¶～을 느끼다 enttäuscht sein; ^{4}sich enttäuscht sehen* 〔finden*; fühlen〕.

환문(喚問) ～하다 (zur Untersuchung) vor|laden* 〔auf|fordern; vor|fordern; bestellen〕 《*jn.*》.

환부(患部) Herd *m.* -(e)s, -e; die entzündete Stelle, -n.

환산(換算) Umrechnung *f.* ～하다 ^{4}*et.* in ^{4}*et.* um|rechnen; um|wechseln^{4}. ‖ ～표 Devisenanzeigetafel *f.* -n.

환상(幻想) Illusion *f.* -en; (Traum)gesicht *n.* -(e)s, -e. ～적 traumhaft; phantastisch. ‖ ～곡 Phantasie *f.* -n.

환상(幻像) Phantom *n.* -s, -e; Illusion *f.* -en; Luft〔Traum; Trug; Wahn〕gebild(e) *n.* ..d(e)s, ..de. ¶～을 좇다 nach e-m Phantom jagen.

환상(環狀) ～의 kreis〔ring〕förmig. ‖ ～도로 die ringförmige Straße, -n / ～선 Ringbahn *f.* -en 《철도의》.

환생(還生) ～하다 wieder 〔neu〕 geboren werden.

환성(歡聲) Freuden〔Beifalls〕ruf *m.* -(e)s, -e. ¶～을 올리다 in ein Triumphgeschrei aus|brechen*; Hurra schreien*.

환속(還俗) ～하다 ^{4}sich entkutten lassen*; die Kutte ab|legen.

환송(歡送) ～하다 mit herzlichem Glückwunsch ab|schicken 《*jn.*》; gute Reise wünschen 《*jm.*》. ‖ ～회 Abschiedsfeier *f.* -n.

환시(環視) die allgemeine Beobachtung, -en. ¶중인 ～리에 vor ^{2}aller ^{3}Augen.

환심(歡心) Gunst *f.*; Gönnerschaft *f.* ¶～을 사다 ^{4}sich ein|schmeicheln 《bei *jm.*》; ^{4}sich in *js.* Gunst ein|schleichen*; schön|tun* 《*jn.*》.

환약(丸藥) Pille *f.* -n; Arzneikügelchen *n.* -s, -.

환어음(換—) Tratte *f.* -n; der gezogene Wechsel, -s, -.

환언(換言) ～하다 mit 〔in〕 anderen Worten sagen 〔aus|drücken〕. ¶～하면 mit anderen Worten; anders ausgedrückt; das heißt; oder.

환영(幻影) (Traum)gesicht *n.* -(e)s, -e; (Geister)erscheinung *f.* -en; Gespenst *n.* -es, -er.

환영(歡迎) Willkommen *n.*〔*m.*〕 -s, -; Begrüßung *f.* -en; die freundliche Aufnahme, -n. ～하다 bewillkommnen; freundlich auf|nehmen*^{4}. ‖ ～사 Begrüßungs〔Tisch〕rede *f.* -n / ～회 Empfang *m.* -(e)s, ⸗e.

환원(還元) Zurückführung *f.* -en; 〖化〗 Reduktion *f.* -en. ～하다 zurück|führen^{4} 〔-|bringen*; -|erstatten^{4}〕; reduzieren^{4}.

환율(換率) 〖經〗 Wechselkurs *m.* -es, -e. ¶1마르크 대 300원의 ～로 im Verhältnis von 300 *Won* zu e-r Mark. ‖ 고정 ～제 festes Wechselsystem, -s, -e / 변동 ～제 veränderliches Wechselsystem.

환자(患者) der Kranke*, -n, -n; Patient *m.* -en, -en. ‖ 외래 ～ Sprechstundenpatient / 입원 ～ Krankenhauspatient.

환전(換錢) (Geld)wechsel *m.* -s, -; Ein〔Um〕wechs(e)lung *f.* -en. ‖ ～상(商) (Geld)wechsler *m.* -s, - 《사람》; (Geld-)wechsel·stube *f.* -n 〔-geschäft *n.* -(e)s, -e〕 《가게》.

환절기(換節期) der Wechsel des Klimas.

환짓다(丸—) Pillen her|stellen.

환초(環礁) Atoll *n.* -s, -e; die ringförmige Koralleninsel, -n.

환하다 ① 《밝다》 hell 〔klar; licht〕 (sein). ② 《탁 트이다》 offen 〔frei; unbehindert〕 (sein). ¶길이 ～ Die Straße ist breit u. weit. ③ 《얼굴이》 strahlend〔heiter〕 (sein). ④ 《정통함》 wohl bekannt 〔vertraut〕 sein 《*mit*^{3}》.

환향(還鄕) ～하다 die alte Heimat wieder besuchen. ¶금의 ～하다 hochgeehrt zurück|kehren; ruhmbedeckt heim|kehren.

환호(歡呼) ～하다 jubeln; Freude bezeugern; jauchzen.

환희(歡喜) Freude *f.* -n; Freudentaumel *m.* -s; Entzücken *n.* -s; Frohlockung *f.* -en.

활 Bogen *m.* -s, - 〔⸗〕. ¶활을 쏘다 mit e-m Bogen 〔e-r Pfeile〕 schießen*.

활강(滑降) 〖스키〗 Abfahrt *f.* -en.
활개 ① 《사람의》 Arme u. Beine; Glied *n.* -(e)s, -er. ¶ ~치며 걷다 mit den beider Armen schlenkernd gehen*. ② 《새의》 die Flügel des Vogels.
활공(滑空) Gleitflug *m.* -(e)s, ¨e. ~하다 gleiten; segeln.
활극(活劇) e-e stürmische Szene, -n; ein heftiger Auftritt, -(e)s, -e. ¶ 한바탕 맹렬한 ~이 벌어졌다 Ein heftiger Auftritt fand statt.
활기(活氣) Leben *n.* -s; Lebenskraft *f.* ¨e; Lebendigkeit 〔Lebhaftigkeit〕 *f.* -en. ¶ ~ 있는 lebhaft; belebt; rege; munter / ~ 없는 leblos; unbelebt; ohne Lebensfrische; schlaff.
활달(豁達) ~하다 großmütig 〔großzügig; offenherzig〕 (sein).
활동(活動) Wirksamkeit 〔Tätigkeit〕 *f.* -en. ~하다 tätig sein; [4]sich betätigen. ¶ ~적 tätig; wirksam. ‖ ~력 Aktivität *f.* -en; Energie *f.* -n; Tatkraft *f.* ¨e (~력 있는 aktiv; energisch).
활력(活力) Lebens·kraft *f.* ¨e 〔-trieb *m.* -(e)s, -e 《생활력》〕. ‖ ~소 Vitamin *n.*; Tonikum *n.*
활로(活路) Ausweg *m.* -(e)s, -e. ¶ ~를 열다 [3]sich e-n Ausweg bahnen; [3]sich e-n Weg bahnen 《*durch*[4]》.
활발(活潑) ~하다 lebhaft 〔lebendig; lebensvoll; munter; aktiv〕 (sein). ¶ ~히 행동하다 energisch 〔aktiv〕 handeln.
활보(闊步) ~하다 feierlich schreiten*; einher|stolzieren 〔-|schreiten*; -|stelzen〕. ¶ 대로를 ~하다 in den breiten Straßen umher|stolzieren.
활석(滑石) Talk *m.* -(e)s; Talkum *n.* -s.
활성(活性) ~의 〖化〗 aktiv. ¶ ~화하다 aktivieren[4]. ‖ ~탄 Aktivkohle *f.* -n.
활수하다(滑手―) e-e milde 〔offene〕 Hand haben; die Spendierhosen an|haben.
활약(活躍) Tätigkeit 〔Wirksamkeit〕 *f.* -en; Aktivität *f.* ~하다 sehr tätig sein; e-e aktive 〔wichtige〕 Rolle spielen 《*in*[3]》.
활엽수(闊葉樹) breitblätt(e)riger Baum, -(e)s, ¨e.
활용(活用) (Nutz)anwendung *f.* -en; der praktische Gebrauch, -s, ¨e; 〖文〗 Flexion 〔Beugung〕 *f.* -en. ~하다 praktisch gebrauchen; 〖文〗 beugen[4]; flektieren[4]. ‖ ~어 flexivisches 〔flektierbares〕 Wort, -es, ¨er.
활자(活字) Type 〔Letter〕 *f.* -n; Druckbuchstabe *m.* -n, -n.
활주(滑走) das Gleiten*, -s. ~하다 gleiten*; im Gleitflug nieder|gehen*. ‖ ~로 Roll〔Gleit〕bahn *f.* -en.
활짝 völlig; absolut; durch u. durch; durchaus. ¶ ~ 개인 하늘 der heitere 〔klare; wolkenlose〕 Himmel, -s.
활차(滑車) ＝도르래.
활터 Bogenschieß·platz *m.* -es, ¨e 〔-stätte *f.* -n〕.
활판(活版) Typographie *f.* -n; Buchdruckerkunst *f.* ¨e. ‖ ~ 인쇄(술) Typographie *f.*; Druckerei *f.* -en.
활화산(活火山) der tätige Vulkan, -(e)s, -e.
활활 ① ¶ 불이 ~ 탄다 Das Feuer lodert (zum Himmel). ② ¶ ~ 부채질하다 [4]sich lebhaft fächeln. ☞ 훨훨.

활황(活況) Lebendigkeit *f.*; lebhafter Betrieb, -(e)s 《im Geschäft》.
홧김(火―) ¶ ~에 in heftigem Zorn; aus Ärger; wütend; vor 〔aus〕 [3]Zorn.
황(黃) Schwefel *m.* -s; Sulfur *n.* -s.
황갈색(黃褐色) Gelbbraun *n.* -s.
황공(惶恐) ~하다 ehrfurchterregend 〔ehrfurchtsvoll〕 (sein).
황금(黃金) Gold *n.* -(e)s; Geld *n.* -(e)s, -er 《금전》; Reichtum *m.* -s, ¨er 《재물》. ‖ ~ 만능주의 Mammonismus *m.* - / ~ 숭배 Mammonsdienst *m.* -es / ~ 시대 das goldene Zeitalter, -s, -.
황급(遑急) ~히 in großer Eile 〔Hast〕; hastig; gehetzt; gejagt.
황달(黃疸) Gelbsucht *f.*; Ikterus *m.* -.
황당무계(荒唐無稽) ~하다 albern 〔absurd; ersonnen; sinnlos; unsinnig; wesenlos〕 (sein). ¶ ~한 이야기 das blaue Märchen, -s, -.
황도(黃道) 〖天〗 Sonnenbahn 〔Ekliptik *f.*〕.
황량(荒涼) ~하다 öde 〔verödet; einsam; trostlos; verlassen〕 (sein).
황록색(黃綠色) Gelbgrün *n.* -s.
황린(黃燐) 〖化〗 gelber 〔weißer〕 Phosphor, -s.
황막(荒漠) ~하다 wild 〔unermeßlich; grenzenlos; unbeschränkt〕 (sein).
황망(遑忙) ~하다 sehr geschäftig 〔beschäftigt〕 (sein).
황망(慌忙) ~히 in Eile 〔Aufregung〕.
황무지(荒蕪地) Wüste 〔Heide; Einöde〕 *f.* -n; Ödland *n.* -(e)s, ..ländereien.
황산(黃酸) 〖化〗 Schwefel〔Vitriol〕säure *f.*; Vitriolöl *n.* -(e)s. ‖ ~동(銅) Kupfersulfat *n.* -es, -e / ~염(塩) Sulfat *n.* / 아(亞)~ die schweflige Säure.
황새 〖鳥〗 Storch *m.* -(e)s, ¨e.
황새치 〖魚〗 Schwertfisch *m.* -es, -e.
황색(黃色) Gelb *n.* -(e)s; die gelbe Farbe, -n; Gelbe *f.*
황소(黃―) Bulle *m.* -n, -n. ‖ ~ 걸음 der langsame Gang, -(e)s.
황송(惶悚) ＝황공(惶恐).
황실(皇室) Kaiserhaus *n.* -es; die kaiserliche Familie, -n.
황야(荒野) Wildnis *f.* -se; Heide 〔Wüste〕 *f.* -n.
황옥(黃玉) 〖鑛〗 Topas *m.* -es, -e.
황인종(黃人種) die gelbe Rasse, -n.
황제(皇帝) Kaiser *m.* -s, -. ~의 kaiserlich.
황족(皇族) die kaiserliche Familie, -n.
황진(黃塵) der Staub in der Luft.
황천(黃泉) Totenreich *n.* -(e)s; Jenseits *n.* -. ‖ ~객(客) der Tote*, -n, -n / ~길 e-e Reise ins Jenseits; der Weg zum Hades.
황체호르몬(黃體―) Gelbkörperhormon *n.* -s, -e; Progesteron *n.* -s.
황태자(皇太子) Kronprinz *m.* -en, -en. ‖ ~비(妃) Kronprinzessin *f.* -nen.
황태후(皇太后) Kaiserin·witwe *f.* -n 〔-mutter *f.* ¨〕.
황토(黃土) der (gelbe) Ocker, -s, -.
황폐(荒廢) ~하다 verwüstet 〔verheert〕 werden; öde 〔wüst〕 werden; verfallen*.
황해(黃海) Gelbes Meer, -es.
황혼(黃昏) (Abend)dämmerung *f.* -en; Zwielicht *n.* -(e)s. ¶ ~이 깃들다 Der Abend 〔Es〕 dämmert.

황홀(恍惚) Ekstase *f.* –n; Entzückung *f.* –en; Rausch *m.* –es, ¨e. ～하다 entzückt [berauscht; hingerissen] (sein) 《*von*^{3}》. ¶ ～하여 entzückt; hingerissen; berauscht / ～하게 하다 entzücken^{4}; hin|reißen*^{4}.

황화(黃化) 〖化〗 (Ein)schwef(e)lung *f.*; das (Ein)schwefeln*, –s; Vulkanisation *f.* –en. ～하다 ein|schwefeln^{4}; vulkanisieren^{4}. ‖ ～물 Sulfid *n.* –(e)s, –e / ～철 Eisensulfid *n.*

황후(皇后) Kaiserin *f.* –nen.

홰 《새·닭장의》 (Sitz)stange *f.* –n.

홰치다 flattern; mit den Flügeln schlagen.

홱 ① 《신속히》 schnell; rasch; prompt. ¶ 몸을 홱 비키다 durch e–e prompte Bewegung aus|weichen*. ② 《갑자기》 hurtig; flink; sausend. ¶ 자동차가 홱 지나가다 Das Auto saust vorüber. ③ 《던지다》 ¶ 책을 홱 던지다 das Buch flink hin|werfen*. ④ 《뿌리치다》 plötzlich; mit e–m Ruck [Stoß]. ¶ 홱 팔을 뿌리치다 ^{4}sich von *js.* Arm los|reißen.

횃불 Fackel *f.* –n; 《봉화》 Signalfeuer *n.* –s, –. ¶ ～을 올리다 ein Signalfeuer an|zünden.

횅댕그렁하다 hohl [leer; verlassen; öde; wüst] (sein).

회(回) Mal *n.* –(e)s, –e; 《경기의》 Runde *f.* –n; Gang *m.* –es, ¨e; Partie *f.* –n.

회(會) 《회합》 Versammlung [Sitzung] *f.* –en; 《단체》 Verein *m.* –(e)s, –e; Gesellschaft *f.* –en. ¶ ～를 열다 die Versammlung halten*.

회(膾) rohe Fische od. rohes Fleisch zum Essen. ‖ 생선회 aufgeschlitzte rohe Fische (*pl.*).

회갑(回甲) ＝환갑(還甲).

회개(悔改) Reue [Buße] *f.* ～하다 bereuen^{4}; büßen^{4}; Buße tun* 《*für*^{4}》.

회견(會見) Interview [..vjú:] *n.* –s, –s. ～하다 *jn.* interviewen; mit *jm.* ein Interview haben.

회계(會計) Rechnung *f.* –en; Konto *n.* –s, ..ten [–s u. ..ti]. ‖ ～ 감사 Rechnungsprüfung *f.* –en / ～ 연도 Finanzjahr *n.* –(e)s, –e / ～ 장부 Rechnungsbuch *n.* –(e)s, ¨er.

회고(回顧) Rückblick *m.* –(e)s, –e 《*auf*^{4}》; Reminiszenz *f.* 《*an*^{4}》. ～하다 e–n Rückblick werfen* 《*auf*^{4}》; zurück|blicken 《*auf*^{4}; *in*^{4}》; zurück|denken* 《*an*^{4}》. ‖ ～록 Reminiszenzen (*pl.*); Memoiren (*pl.*).

회고(懷古) ～하다 auf ^{4}Vergangenheit e–n Rückblick werfen*. ‖ ～담 Erinnerungen (*pl.*).

회관(會館) Klubhaus *n.* –es, ¨er; Gesellschaftshaus *n.* ‖ 청년 ～ Jugendvereinshaus.

회교(回敎) Mohammedanismus *m.* –; Islam *m.* –s. ‖ ～도 Mohammedaner *m.* –s, –; Islamit *m.* –en, –en.

회귀선(回歸線) Wendekreis *m.* –es, –e.

회기(會期) Session *f.* –en. ¶ ～ 중에 während der ^{2}Session.

회담(會談) Unterredung [Besprechung] *f.* –en. ☞ 회의(會議). ～하다 ^{4}sich unterreden [besprechen]; mit *jm.* über ^{4}*et.* sprechen*.

회답(回答) Antwort [Erwiderung] *f.* –en. ～하다 antworten 《*jm. auf*^{4}》; erwidern 《*jm. auf*^{4}》.

회동(會同) Versammlung [Gesellschaft] *f.* –en. ～하다 ^{4}sich versammeln; e–e Versammlung ab|halten*.

회람(回覽) Umlauf *m.* –(e)s, ¨e; Zirkular *n.* –s, –e. ～하다 ^{4}*et.* umlaufen lassen*^{4}; herumgehen lassen*^{4}.

회랑(回廊) Korridor *m.* –s, –e; Galerie *f.* –n.

회로(回路) 〖電〗 Stromkreis *m.* –es, –e; Leitung *f.* –en.

회뢰(賄賂) (aktive u. passive) Bestechung, –en.

회백색(灰白色) Hellgrau [Aschgrau] *n.* –s.

회벽(灰壁) die weiß(getüncht)e Wand, ¨e.

회보(會報) Vereinsbericht *m.* –(e)s, –e; Bulletin [byləté:] *n.* –s, –s.

회복(回復) Wiederherstellung *f.* –en; 《건강의》 Erholung [Genesung] *f.* –en; 《경기의》 Wiederbelebung *f.* –en; 《명예의》 Rehabilitation *f.* –en. ～하다 wieder|her|stellen; wieder|erlangen [–|-bekommen*]. ¶ ～되다 genesen*; ^{4}sich erholen 《von ^{3}*et.*》; ^{4}sich wieder|beleben.

회부(回附) ～하다 übergeben*^{34}; überweisen*^{34}. ¶ 재판에 ～하다 dem Gericht überweisen.

회비(會費) Beitrag *m.* –(e)s, ¨e. ¶ ～를 내다 den Beitrag zahlen [entrichten].

회사(會社) Gesellschaft *f.* –en; Kompanie *f.* –n; Firma *f.* ..men. ‖ ～원 der Angestellte*, –n, –n / 주식 ～ Aktiengesellschaft 《略: AG.》.

회상(回想) (Rück)erinnerung *f.* –en 《*an*^{4}》; Gedächtnis *n.* –ses, –se. ～하다 zurück|denken 《*an*^{4}》; ^{4}sich erinnern^{2} 《*an*^{4}》; ^{3}sich ins Gedächtnis zurück|rufen*. ‖ ～록 Memoiren (*pl.*).

회색(灰色) Aschfarbe *f.* –n; Grau *n.* –(e)s. ‖ ～ 분자 Opportunist *m.* –en, –en; Konjunkturritter *m.* –s, –.

회생(回生) ～하다 wieder lebendig werden; wieder auf|leben; auf|erstehen*.

회선(回線) 〖電〗 Stromkreis *m.* –es, –e; Leitung *f.* –en. ‖ 전화 ～ Telefonleitung.

회수(回收) ～하다 zurück|ziehen*^{4}; ein|ziehen*^{4} [–|kassieren^{4}].

회식(會食) ～하다 mit *jm.* essen*.

회신(灰燼) Asche *f.* –n.

회심(回心) ～하다 ^{4}sich bekehren; ^{4}sich bessern; in ^{4}sich gehen*; e–n neuen Lebenswandel beginnen*.

회오(悔悟) Reue *f.*; Reuegefühl *n.* –s, –e. ～하다 bereuen; Reue haben 《über ^{4}*et.*》. ¶ ～의 눈물을 흘리다 Tränen der Reue vergießen*.

회오리바람 Wirbelwind *m.* –(e)s, –e; Zyklon *m.* –s, –e.

회원(會員) Mitglied *n.* –(e)s, –er; Mitgliedschaft *f.* 《전체》. ‖ ～국 Mitgliedsstaat *m.* –(e)s, –en / ～증 Mitgliedsausweis *m.* –es, –e.

회유(懷柔) ～하다 zähmen^{4}; besänftigen^{4}; bestechen*^{4} 《매수》.

회음(會陰) 〔解〕 Perineum *n.* –s, ..neen; Damm *m.* –(e)s, ⸗e.
회의(會議) Konferenz 〔Sitzung〕 *f.* –en. ～하다 ⁴sich beraten* 《mit *jm.* über ⁴*et.*》; e–e Konferenz ab|halten* 《*über*⁴》. ‖ ～록 Sitzungsprotokoll *n.* –s, –e / ～실 Sitzungssaal *m.* –s, ..säle; Konferenzzimmer *n.* –s, –.
회의(懷疑) Zweifel *m.* –s, –; Skepsis *f.* ～하다 zweifeln; ⁴sich bedenken*. ‖ ～론자 Skeptiker *m.* –s, –.
회임(懷妊) Schwangerschaft *f.* 《상태》; Empfängnis *f.* ..nisse. ☞ 임신(妊娠).
회장(會長) der Vorsitzende*, –n, –n; Vorstand *m.* –(e)s, ⸗e 《회사의》.
회장(會場) Versammlungs·saal *m.* –s, ..säle 〔–halle *f.* –n; –raum *m.* –(e)s, ⸗e〕.
회전(回轉) Umdrehung 〔(Achsen)drehung; Rotation 《순환》〕 *f.* –en. ～하다 ⁴sich um|drehen 〔kreisen〕 《*um*⁴》. ¶그는 머리의 ～이 빠르다 Er ist sehr klug 〔witzig〕. ‖ ～목마 Karussell *n.* –s, –e 〔–s〕 / ～속도 Umdrehungen (*pl.*) pro Minute / ～의(儀) Gyroskop *n.* –s, –e / ～의자 Drehstuhl *m.* –s, ⸗e / ～축 Rotationsachse *f.* –n / ～편광 Zirkularpolarisation *f.* –en.
회전(會戰) Zusammenstoß *m.* –es, ⸗e. ～하다 zusammen|treffen* 〔–|stoßen*〕.
회중(會衆) Publikum *n.* –s; die Zuhörer (*pl.*). ¶많은 ～ ein großes Publikum.
회중(懷中) Busen *m.* –s, –; Tasche *f.* –n. ‖ ～시계 Taschenuhr *f.* –en / ～전등 Taschenlampe *f.* –n.
회진(回診) Krankenbesuch *m.* –(e)s, –e; Visite *f.* –n. ～하다 s–e Kranken* 〔s–e Patienten〕 besuchen.
회초리 Rute 〔Peitsche; Stange〕 *f.* –n.
회춘(回春) das Wiederaufleben*, –s 《건강의》; Verjüngung *f.* –en 《되젊어짐》. ～하다 ⁴sich verjüngen; ⁴sich neu beleben.
회충(蛔蟲) Askaris *f.* ..riden; Spulwurm *m.* –s, ⸗er. ‖ ～약 Wurmmittel *n.* –s, –; Wurmarznei *f.* –en.
회칙(會則) Statuten 〔Satzungen〕 e–s Vereins 〔e–r Gesellschaft〕. ¶～을 수정하다 die Satzungen verbessern.
회피(回避) ～하다 aus|weichen*³ 〔–|biegen*³〕; umgehen*⁴. ¶책임을 ～하다 ⁴sich s–n ³Verbindlichkeiten (*pl.*) entziehen*.
회한(悔恨) Reue *f.*; Reuegefühl *n.* –s, –e; Reumütigkeit *f.* ☞ 회오(悔悟).
회합(會合) Zusammenkunft *f.* ⸗e; das Zusammenkommen*, –s. ～하다 ⁴sich versammeln.
회화(會話) Gespräch *n.* –(e)s, –e; Konversation *f.* –en. ～하다 sprechen* 《*mit*³; *von*³; *über*⁴》. ‖ ～체 Umgangssprache *f.* –n.
회화(繪畫) Gemälde *n.* –s, –; Bild *n.* –(e)s, –er; Aquarell *n.* –s, –e 《수채화》.
획 rasch; geschwind; flink; 《갑자기》 plötzlich; auf einmal. ¶바람이 획 불다 der Wind braust 〔saust〕 / 머리를 획 돌리다 den Kopf schnell wenden⁽*⁾.
획(劃) 《문자의》 Strich *m.* –(e)s, –e. ¶획을 긋다 die Striche (*pl.*) ziehen*.
획기적(劃期的) epochemachend; bahnbrechend; epochal. ¶～인 발명 epochenmachende Erfindung, –en.
획득(獲得) ～하다 erwerben*⁴; erlangen⁴; erobern⁴; 《노력하여》 erkämpfen⁴.
획일(劃一) ～적 einheitlich; genormt; uniformiert. ¶～화하다 uniformieren⁴; normen⁴.
획책(劃策) ～하다 planen⁴; ins Auge fassen⁴; Pläne machen.
횟가루(灰—) Kalk·mehl *n.* –s 〔–puder *m.* –s〕.
횟수(回數) Häufigkeit *f.* –en. ¶～를 거듭하다 manches Mal wiederholen⁴; zu verschiedenen Malen wiederholen⁴. ‖ ～권 Fahrkartenheft *n.* –(e)s, –e.
횡격막(橫隔膜) 〔解〕 Zwerchfell *n.* –(e)s, –e; Diaphragma *n.* –s, ..men.
횡단(橫斷) ～하다 überqueren⁴; durchqueren⁴ 〔–fahren*⁴〕. ‖ ～보도 (Fußgänger)übergang *m.* –(e)s, ⸗e.
횡대(橫隊) Linie *f.* –n. ¶～를 짓다 die Linie formieren.
횡령(橫領) Unterschlagung *f.* –en. ～하다 unterschlagen*⁴; veruntreuen⁴. ‖ ～죄 Unterschlagung *f.* –en.
횡사(橫死) ein unnatürlicher 〔gewaltsamer〕 Tod, –(e)s. ～하다 e–s gewaltsamen Todes sterben*.
횡선(橫線) ‖ ～수표 〔經〕 ein gekreuzter Scheck, –(e)s, –e.
횡설수설(橫說竪說) die unzusammenhängende 〔zusammenhang(s)lose; abgerissene; unkonzentriete〕 Bemerkung, –en. ～하다 Kauderwelsch reden.
횡액(橫厄) Unfall *m.* –(e)s, ⸗e; unerwartetes Unglück, –(e)s. ¶～을 만나다 e–n Unfall haben.
횡재(橫財) ～하다 e–n guten Fund tun*; ⁴*et.* spottbillig kaufen.
횡포(橫暴) Eigenmächtigkeit *f.* –en; Faustrecht *n.* –(e)s. ～하다 eigenmächtig 〔selbstherrlich〕 (sein).
횡행(橫行) ～하다 《도둑 등이》 sein Unwesen treiben*; Verheerungen (*pl.*) an|richten.
효과(効果) Effekt *m.* –(e)s, –e; Wirkung *f.* –en. ～적(인) wirksam; effektvoll; erfolgreich. ¶～가 있다 bewirken⁴; beeinflussen⁴. ‖ 음향 ～ Akustik *f.* –en; Klangwirkung *f.* –en.
효녀(孝女) die Tochter, die Pietät gegen die Eltern übt.
효능(効能) Wirksamkeit 〔Wirkung〕 *f.* –en. ¶약의 ～ Wirkung des Medikaments 〔der Arznei〕.
효도(孝道) Anhänglichkeit an die Eltern. ～하다 den Eltern gehorsam sein.
효력(効力) Wirkung 〔Wirksamkeit〕 *f.* –en; Effekt *m.* –(e)s, –e. ¶～이 있는 wirkungs〔effekt〕voll; wirksam. ‖ ～발생 das In-Kraft-Treten*, –s.
효모(酵母) Gärungsstoff *m.* –(e)s, –e; Hefe *f.* –n.
효부(孝婦) die (den Schwiegereltern) gehorsame Schwiegertochter, ⸗.
효성(孝誠) Kindespflicht *f.* –en; kindliche Pietät gegen die Eltern. ～스럽다 den Eltern gehorsam 〔dienlich;

behilflich; anhänglich] (sein).

효소(酵素) 〖化〗 Enzym *n.* -s, -e; Ferment *n.* -(e)s, -e.

효수(梟首) ～하다 e-n abgeschlagenen Kopf an|prangern; den Kopf an den Pranger stellen.

효시(嚆矢) das erste Beispiel, -(e)s, -e; der erste Versuch, -(e)s, -e.

효심(孝心) die kindliche Liebe u. Verehrung; Pietät *f.*

효용(効用) ① =효능. ② 《용도》 Gebrauch *m.* -(e)s, ⸚e; Anwendung *f.* -en. ③ 〖經〗 Utilität *f.*; Nützlichkeit *f.* ‖ 한계 ～ Grenznutzen *m.* -s, -.

효율(効率) 〖物〗 Wirkungsgrad *m.* -(e)s, -e.

효자(孝子) das gehorsame Kind, -(e)s, -er; das pflichttreue Kind.

효행(孝行) Anhänglichkeit an die Eltern; Gehorsam gegen die Eltern. ☞ 효도.

효험(効驗) 《효과》 Wirkung *f.* -en; Erfolg *m.* -(e)s, -e. ¶ ～이 있다 wirken; wirksam [erfolgreich] sein.

후(後) ¶ 그 후에 danach; darauf; dann; in der Folge; 《이래》 seit; seitdem; nachdem / 이제부터 3개월 후에 heute in drei ^{3}Monaten (*pl.*).

후각(嗅覺) Geruchs·empfindung *f.* -en [-sinn *m.* -(e)s, -e]. ¶ ～이 예민하다 e-e feine Nase haben.

후견(後見) Vormundschaft [Bevormundung] *f.* -en. ～하다 bevormunden^4; *jm.* e-n Vormund geben*. ‖ ～인(人) Vormund *m.* -(e)s, ⸚er; Gönner *m.* -s, -.

후계(後繼) ‖ ～자 Nachfolger *m.* -s, -; Erbe *m.* -n, -n.

후고(後顧) ¶ ～의 염려를 없애다 ^{4}sich von der Sorge um Künftiges [die Zukunft] befreien.

후광(後光) 《일반적》 Heiligenschein *m.* -(e)s, -e; 《比》 Nimbus *m.* -, ..busse; Ruhmesglanz *m.* -es, -e. ¶ ～이 비치다 e-n Glorienschein um den Kopf haben.

후궁(後宮) Harem *m.* -s, -s.

후기(後記) Nach[Schluß]wort *n.* -(e)s, -e. ‖ 편집 ～ Schlußbemerkung der Redaktion.

후기(後期) die zweite Hälfte 《des Jahres 한 해의; des Zeitalters 한 시대의》; Spätzeit *f.* -en. ‖ ～ 낭만주의 Spätromantik *f.*

후끈하다 《무더운》 dumpf(ig) [schwül] (sein).

후닥닥 《갑자기》 mit e-m Sprung; in großen Sprüngen. ¶ ～ 달아나다 in großen Sprüngen davon|laufen*.

후대(厚待) freundliche [herzliche] Aufnahme, -n. ～하다 *jn.* freundlich auf|nehmen*.

후두(後頭) ‖ ～부 Hinter·kopf *m.* -(e)s, ⸚e [-haupt *n.* -(e)s, ⸚er].

후두(喉頭) 〖解〗 Kehlkopf *m.* -(e)s, ⸚e; Larynx *m.* -, ..ryngen. ‖ ～암 Kehlkopfkrebs *m.* -es, -e.

후두두 prasselnd. ¶ 빗방울이 ～ 떨어진다 Der Regen prasselt herunter.

후들거리다 zittern; beben; schwanken.

후딱 behend; schnell; hurtig; rasch; geschwind. ¶ 일을 ～ 해치웠다 Er machte schnell s-e Arbeit fertig.

후레아들 Flegel [Lümmel] *m.* -s, -.

후려치다 prügeln^4; peitschen^4; geißeln^4; schlagen*^{4}; durchhauen*^{4}.

후련하다 《뱃 속 등이》 kein Sodbrennen mehr haben; vom Sodbrennen geheilt [kuriert] sein; 《통쾌히 여기다》 s-m Herzen [Ärger; Zorn] Luft machen.

후리다 《깎다》 ab|rasieren^4 [-|hobeln^4]; 《호리다》 behexen^4; verführen^4; 《몰다》 zu e-r Herde zusammen|treiben*^{4}; 《채어가다》 schnell ergreifen*^{4}; erhaschen^4.

후림 Verführung [Überlistung] *f.* -en.

후리후리하다 schlank [dünn und geschmeidig] (sein).

후림불 Verwick(e)lung *f.* -en. ¶ ～에 걸려들다 verwickelt [verstrickt] werden (*in*^{4}).

후무리다 klauen^4; mausen^4.

후문(後門) Hintertor *n.* -(e)s, -e.

후문(後聞) Nachrede *f.* -n.

후물림(後一) 《의복》 der alte Anzug 《von m-m Vater 등으로 말함》; das alte Kostüm von m-r Schwester.

후미(後尾) der hintere Teil, -(e)s, -e; 《부대의》 Nachhut *f.* -en; 《배의》 Heck *n.* -(e)s, -e.

후미지다 abgelegen [entlegen] (sein). ¶ 후미진 곳 entlegene Gegend, -en.

후반(後半) die letzte Hälfte; die zweite Hälfte. ‖ ～전 die zweite Hälfte e-s Wettkampfes [Spiels].

후방(後方) Rücken *m.* -s, -; Hinterseite *f.* -n. ‖ ～ 기지 Hinterstützpunkt *m.* -(e)s, -e.

후배(後輩) der Jüngere*, -n, -n; jüngere Generation, -en; Nachwuchs *m.* -es, ⸚e.

후보(候補) 《입후보》 Kandidatur *f.*; Kandidatenschaft *f.*; 《운동 팀의》 Ersatz *m.* -(e)s, -e. ‖ ～자 Kandidat *m.* -en, -en / ～ 선수 Ersatzspieler *m.* -s, -.

후부(後部) der hintere Teil, -(e)s, -e; 《배의》 Heck *n.* -(e)s, -e.

후불(後拂) Nachzahlung *f.* -en.

후비다 bohren$^{(4)}$; höhlen^4; popeln 《코딱지를》; (aus|)stochern 《이를》. ¶ 귀이개로 귀를 ～ (das Ohr) mit dem Ohrlöffel reinigen.

후사(後事) die künftigen Angelegenheiten (*pl.*). ¶ ～를 부탁하다 *jn.* bitten*, während der Abwesenheit für s-e Sachen ^{4}Sorge zu tragen.

후사(後嗣) der rechtmäßige Erbe, -n, -n.

후사(厚謝) ～하다 ^{4}sich bei *jm.* für ^{4}*et.* herzlich bedanken. ¶ 아무의 친절에 ～하다 *jn.* für s-e Güte reichlich belohnen.

후생(後生) 〖佛〗 das künftiges Leben, -s; 《후진》 Jüngling *m.* -(e)s, -e.

후생(厚生) die Förderung der Volkswohlfahrt; die soziale Fürsorge. ‖ ～ 사업 Volkswohlfahrtsunternehmen *n.* -s, -.

후세(後世) Nach·welt *f.* [-komme *m.* -n, -n; -zeit *f.* -en]. ¶ ～에 전하다 ^{4}*et.* der ^{3}Nachwelt überliefern.

후속(後續) (Nach)folge *f.* -n. ～하다 folgen; nach|folgen. ‖ ～ 부대 die nachfolgende Truppe, -n.

후손(後孫) Ab[Nach]kömmling *m.* -s, -e; Nachkomme *m.* -n, -n. ¶ ～이 없다 k-e Nachkommenschaft haben.

후송(後送) Rück·beförderung *f.* –en; 〔–transport *m.* –(e)s, –e〕. ～하다 nach rückwärts 〔hinten〕 schicken⁴.
후수(後手) 《장기 등에서》 Nachzug *m.* –(e)s, ⸚e.
후신(後身) die zukünftige Existenz, –en; das zukünftige Sein, –s.
후안(厚顔) Frechheit 〔Unverschämtheit; Schamlosigkeit〕 *f.* ¶～무치하다 frech 〔unverschämt; schamlos; impertinent〕 (sein).
후열(後列) die hintere Reihe 〔Linie; Zeile〕 –n; das hintere Glied, –(e)s, –er.
후예(後裔) Abstammung *f.* –en; Ab-〔Her〕kunft *f.* ⸚e. ¶그는 명문의 ～이다 Er ist von gutem Herkunft.
후원(後援) Unterstützung *f.* –en; Beistand *m.* –(e)s, ⸚e; Hilfe *f.* –n. ～하다 unterstützen⁴; *jm.* helfen*〔bei|stehen*〕. ‖～자 Unterstützer 〔Gönner〕 *m.* –s, –; Patron *m.* –s, –e / ～회(會) Unterstützungsverein *m.* –s, –e.
후위(後衛) Nach·hut *f.* –en 〔–trab *m.* –s, –e〕; Arrieregarde *f.* –n; 〖蹴〗 Verteidiger *m.* –s, –; 〖軟式庭球〗 der Spieler an der ³Grundlinie; Rückschläger *m.* –s, –. ¶～가 되다 den Nachtrab bilden.
후유증(後遺症) 〖醫〗 Nachkrankheit *f.* –en; Krankheit als Folge e–r anderen Krankheit; 《比》 Nachwirkungen(*pl.*).
후의(厚意) das Wohlwollen*, –s; Anteilnahme *f.* ¶…의 ～를 거절하다 *js.* Wohlwollen nicht an|nehmen* 〔ab|lehnen〕.
후일(後日) später; dereinst; e–s Tages; ein andermal. ¶～에 in Zukunft; später. ‖～담 Erinnerung *f.* –en.
후임(자)(後任(者)) Nachfolger *m.* –s, –. ¶～을 선정하다 e–n Nachfolger wählen.
후자(後者) der letztere*, –n, –n; 《jener에 대하여》 dieser*. ¶～의 경우에 in letzten 〔diesem〕 Fall.
후작(侯爵) Fürst *m.* –en, –en; Marquis *m.* –, –. ‖～부인 Fürstin *f.* ..tinnen.
후장(後場) 〖證〗 Nachmittags(aktien)-börse *f.* –n; Nachmittagsbörsenstunden (*pl.*).
후조(候鳥) Zugvogel *m.* –s, ⸚.
후줄근하다 schlaff 〔schlump(e)rig; naß; schlott(e)rig; feucht〕 (sein).
후진(後陣) Nachhut *f.* –en.
후진(後進) 《후배》 das nachwachsende Geschlecht, –(e)s, –er; 《미발달》 Rückständigkeit *f.*; 《후퇴》 Rückzug *m.* –(e)s, ⸚e. ～하다 rückwärts gehen*. ‖～국 Entwicklungsland *n.* –(e)s, ⸚er.
후처(後妻) *js.* zweite Frau.
후천(後天) ～적 aposteriorisch; a posteriori; erlernt.
후추 der (schwarze; weiße) Pfeffer, –s, –. ¶음식에 ～를 치다 Pfeffer an e–e Speise tun*.
후취(後娶) *js.* zweite Frau.
후탈(後頉) 《병의》 später eintretende Komplikationen (*pl.*); 《산후의》 Komplikationen nach dem Wochenbett; 《뒤탈》 das künftige Unheil, –(e)s.
후텁지근하다 《사람 훈기로》 stickig 〔erstickend; dumpf〕 (sein); 《더위로》 klebrig 〔schwül; brütig〕 (sein).
후퇴(後退) Rückgang *m.* –(e)s, ..gänge. ～하다 zurück|gehen*; ⁴sich zurück|ziehen*; rückwärts gehen*. ‖경기 ～ Konjunkturrückgang *m.* –(e)s, ⸚e.
후편(後編) Folge *f.* –n; der nächste Band, –(e)s, ⸚e.
후하다(厚—) (herzens)warm 〔herzlich; (gast)freundlich〕 (sein). ¶후히 대접하다 größte Gastfreundlichkeit üben 《an *jm.*》.
후환(後患) die mögliche Schwierigkeit 〔Unannehmlichkeit〕 –en. ¶～이 두렵다 Ich befürchte, daß die Folgen nicht ausbleiben 〔daß das dicke Ende noch kommt〕.
후회(後悔) Reue *f.*; Buße *f.* –n; Bereuung *f.* –en. ～하다 bereuen⁴; Reue empfinden* 《*über*⁴》.
훈계(訓戒) ～하다 ermahnen 《*zu*³ …하도록》; warnen 《*vor*³ …하지 않도록》.
훈고학(訓詁學) Exegetik *f.*
훈공(勳功) Verdienst *n.* –es, –e. ¶～을 세우다 ³sich Verdienste erwerben*.
훈기(薰氣) warme Luft, ⸚e; Wärme *f.*
훈도(薰陶) Schulung 〔Erziehung〕 *f.* –en. ～하다 *jn.* aus|bilden 〔schulen〕; *jm.* Unterricht erteilen.
훈련(訓練) Schulung 〔Übung; Disziplin〕 *f.* –en; Drill *m.* –(e)s. ～하다 schulen⁴; züchten⁴; aus|bilden⁴; trainieren*⁴.
훈령(訓令) Anweisung 〔Instrucktion〕 *f.* –en. ～하다 an|weisen*³⁴; instruieren⁴. ¶～을 내리다 Instruktionen erteilen³ 〔geben*³〕.
훈수(訓手) Andeutung *f.* –en; lästige Vorschläge (*pl.*). ～하다 beim Schach e–r Partie durch Andeutung helfen*.
훈시(訓示) Anweisung 〔Verfügung〕 *f.* –en. ～하다 an|weisen*; instruieren⁴; verordnen⁴.
훈육(訓育) Schulung 〔Erziehung〕 *f.* –en. ～하다 schulen⁴; belehren⁴; an|leiten⁴; erziehen*⁴; aus|bilden⁴.
훈장(勳章) Orden *m.* –s, –; Dekoration *f.* –en. ¶～을 수여받다 e–n Orden erhalten* 〔bekommen*〕.
훈제(燻製) Räucherung *f.* –en; 《물품》 Räucherware *f.* –n.
훈풍(薰風) Sommerbrise *f.* –n; Zephir *m.* –s, –e.
훈화(訓話) Belehrung *f.* –en; belehrende Geschichte, –n.
훈훈하다(薰薰—) angenehm warm 〔schön warm; warm und gemütlich〕 (sein). ¶방이 ～ Das Zimmer ist schön warm.
훌닦다 zum Schweigen bringen*⁴; durch ⁴Reden schlagen* 《*jn.*》.
훌라댄스 Hula-Tanz *m.* –es, ⸚e.
훌륭하다 ① 《멋지다》 (wunder)schön 〔glänzend; prächtig〕 (sein). ¶훌륭한 번역 ausgezeichnete Übersetzung, –en. ② 《존경할 만함》 augesehen 〔ansehnlich〕 (sein); 《칭찬할 만함》 großartig 〔glänzend〕 (sein). ¶훌륭한 업적 großartige Leistung, –en. ③ 《고상함》 edel 〔nobel〕 (sein). ¶훌륭한 생각 nobele Gesinnung. ④ 《알맞음》 handlich 〔praktisch〕 (sein). ¶훌륭한 피신처 geeig-

netes Versteck, -s. ⑤《위대함》groß 〔tüchtig〕 (sein). ¶훌륭한 학자 hervorragender Wissenschaftler, -s, -. ⑥《공명 정대함》fair 〔ehrlich〕 (sein). ¶훌륭한 경기 faires Spiel, -(e)s, -e.

훌쩍 ①《날·뛰》flink; schnell; hurtig; gewandt. ¶말에서 ~ 뛰어 내리다 vom Pferd ab|springen*. ②《코를》schlürfend. ¶코를 ~거리다 die Nase hoch|ziehen*. ③《울다》schluchzend; jammernd. ¶~훌쩍 울다 leise vor [4]sich hin weinen. ④《돌연·갑자기》unangemeldet; unerwartet. ¶~ 집을 떠났다 Er hat das Haus ziellos verlassen.

훨훨《불타다》in Flammen; 《날다》ruhig; gelassen; 《뛰다》schnell; rasch; 《던지다》ruhig; frei; 《벗어부치다》schnell; rasch. ¶옷의 먼지를 ~ 털다 das Kleid vom Staube reinigen.

훑다 ①《벼·삼 등을》dreschen*[4]. ②《겉을》entfernen[4]. ③ =훑어보다.

훑어보다 durch|sehen*[4] 〔-|gehen*[4]〕. ¶잡지를 ~ e-e Illustrierte durch|blättern.

훔쳐내다《도둑질》stehlen*; entwenden*; nehmen*; 《닦아내다》ab|wischen.

훔쳐먹다 naschen; stehlen*; entwenden*.

훔쳐보다 verstohlen blicken 〔gucken; sehen*〕《nach[3]》.

훔치다 ① stehlen*[4]. ¶돈을 ~ Geld stehlen*. ②《닦다》ab|wischen[4]; weg|wischen[4]; putzen[4]. ¶마루를 ~ den Fußboden putzen 〔ab|wischen〕.

훗달(後—) der nächste 〔kommende〕 Monat, -s, -e.

훤소(喧騷) Lärm *m.* -(e)s; Geschrei *n.* -(e)s. ~하다 lärmend 〔geräuschvoll; ohrenbetäubend〕 (sein).

훤칠하다 schlank 〔dünn〕 (sein).

훤하다 ①《흐리게 밝다》dämmernd 〔dämmerig; zwielichtig〕 (sein). ¶날이 훤히 밝아온다 Es dämmert allmählich. ②《얼굴이》schön u. hübsch (sein). ③《정통하다》mit [3]*et.* Vertraut sein. ¶경기 규칙에 ~ Er ist mit den Spielregeln vertraut.

훨씬《비교》bei weitem; viel; weit(gehend); um vieles. ¶이 쪽이 ~ 좋다 Das ist bei weitem besser.

훨훨 (empor)flammend; rasch. ¶불이 ~ 탄다 Das Feuer lodert. / 옷을 ~ 벗다 das Kleid rasch aus|ziehen*.

훼방(毁謗) ~하다, ~놓다 verleumden; schmähen.

훼손(毁損) ①《명예 따위》Verletzung 〔Entwürdigung〕 *f.* -en. ~하다 verletzen[4]; besudeln[4]. ②《물품 따위》Beschädigung *f.* -en. ~하다 beschädigen[4]; schaden[3]. ‖명예 ~ Ehr(en)verletzung *f.*

휘감기다《휘말리다》[4]sich schlingen* 〔wickeln; winden*〕《*um*[4]》.

휘감다 (um|)schlingen*[4]; (um|)winden*[4].

휘날리다《바람에》flattern; wehen; spielen. ¶바람에 휘날리는 깃발 e-e flatternde Flagge. 「[4]sich biegen*.」

휘늘어지다 herab|hängen*; baumeln;

휘다 ①《휘어지다》[4]sich biegen*; [4]sich krümmen 〔winden*〕. ¶양철이 휘었다 Das Blech hat sich gewogen. ②《휘게 하다》biegen*[4]; beugen[4]; krümmen[4]. ¶철사를 ~ e-n Draht biegen*.

휘두르다 schwenken[4]; (herum|)schwingen*[4]. ¶칼을 ~ das Messer schwingen* / 권력을 ~ Macht über *jn.* aus|üben.

휘둥그래지다 große Augen machen; erschrecken*. ¶눈이 ~ mit den Augen blinzeln.

휘말다《휘감다》wickeln; winden*.

휘말리다 in [4]Mitleidenschaft gezogen werden.

휘몰다 ①《차·말을》schnell fahren*[4]; lenken. ¶말을 ~ e-m Pferde die Sporen geben*. ②《독려》*jn.* an|spornen; an|treiben*[4]; *jn.* drängen. 「-s, -e.」

휘발유(揮發油) Gasolin *n.* -s; Benzin *n.*

휘석(輝石)〖鑛〗Augit *m.* -(e)s, -e.

휘어들다 gezwungen 〔getrieben; genötigt〕 werden. 「den*〕.」

휘어지다 [4]sich biegen* 〔krümmen; win-

휘장(徽章) Ab〔Kenn〕zeichen *n.* -s, -; Emblem *n.* -s, -e.

휘적거리다 schwingen*. ¶팔을 휘적거리며 걷다 die Arme schwingend schreiten*; einher|schreiten*.

휘젓다 rühren《*mit*[3]》; um|rühren[4]; wühlen[(4)]. ¶그는 스푼으로 차를 휘젓고 있다 Er rührt mit dem Löffel im Tee.

휘정거리다 schmutzig machen; schmutzen; besudeln.

휘주근하다 weich 〔schlaff; haltlos〕 (sein).

휘청거리다 schwanken; erschüttert werden; schaukeln; schüttern. ¶바람에 ~ im Winde (hin u. her) schwanken / 휘청거리는 발걸음으로 mit schwankenden Schritten.

휘파람 Pfiff *m.* -(e)s, -e; das Pfeifen*, -s. ¶~ 불다 (mit dem Mund) pfeifen*.

휘파람새〖鳥〗Grasmücke *f.* -n.

휘하(麾下) Gefolgsmann *m.* -(e)s, ⸚er 〔..leute〕; der Untergebene*, -n, -n.

휘호(揮毫) das Schreiben* 〔Malen*〕 -s. ~하다 (mit Pinsel) schreiben*[4]; malen[4].

휘황찬란(輝煌燦爛) ~하다 brillant 〔blendend; hell glänzend〕 (sein).

휙 hurtig; rund herum《돌다》; heulend《불다》. ¶바람이 휙 분다 Der Wind heult.

휠체어 Rollstuhl *m.* -(e)s, ⸚e.

휩싸다 ein|wickeln[4] 〔-|hüllen[4]; -|rollen[4]〕. ¶아이를 이불로 ~ das Kind in e-e Decke ein|wickeln.

휩싸이다 eingewickelt 〔eingehüllt; eingerollt; hineinverwickelt《사건 따위에》〕 werden. ¶불길에 ~ in Flammen geraten*.

휩쓸다 fort|reißen*[4]; dahin|raffen[4]; mit|reißen*[4]. ¶바람이 들판을 휩쓸고 지나갔다 Der Wind strich übers Feld hinweg.

휩쓸리다 in e-e Angelegenheit hineingeraten 〔verwickelt; hineingezogen〕 werden. ¶파도에 ~ von den Wellen verschlungen werden.

휴가(休暇) Ferien (*pl.*); Feiertag 〔Urlaub〕 *m.* -(e)s, -e. ¶~를 얻다 Urlaub nehmen*. 「stellen.」

휴간(休刊) ~하다 die Herausgabe ein|-

휴강(休講) ~하다 die Vorlesung ausfallen lassen*.

휴게(休憩) Rast *f.* -en; Ruhe *f.*; Pause *f.* -n《막간의》. ‖ ~시간 Ruhezeit *f.* -en; Zwischenpause / ~실 Ruheraum *m.* -(e)s, -e; Foyer *n.* -s, -s《극장 등의》.
휴관(休館) ~하다 (das Theater) schließen*.
휴교(休校) der Ausfall der Schule. ~하다 aus|fallen*; die Schule schließen*.
휴대(携帶) ~하다 bei ^{3}sich tragen*^{4}; mit|nehmen*^{4}; mit|bringen*^{4}. ¶ ~용의 transportabel; tragbar; Hand-. ‖ ~품 Sachen (*pl.*); Handgepäck *n.* -(e)s, -e《수하물》.
휴식(休息) Ruhe *f.*; Rast *f.* -en; Schlaf *m.* -(e)s. ~하다 ^{4}sich aus|ruhen 〔aus|spannen〕; ruhen; e-e Pause machen. ‖ ~시간 Pause *f.* -n; Erholungsstunde *f.* -n.
휴양(休養) das Ausruhen*, -s; Erfrischung *f.* -en; Zerstreuung 〔Erholung〕 *f.* ~하다 ^{4}sich aus|ruhen; ^{4}sich erfrischen; ^{4}sich erholen《*von*^{3}》. ‖ ~지 Erholungsort *m.* -(e)s, ⸗er.
휴업(休業) ~하다 schließen*; feiern; ruhen; Feiertag machen. ¶ 금일 ~ Heute geschlossen.
휴일(休日) Ruhe〔Feier; Rast〕tag *m.* -(e)s, -e; der freie Tag. ‖ 법정 ~ gesetzlicher Feiertag / 임시 ~ Sonderfeiertag.
휴전(休戰) Waffenstillstand *m.* -(e)s; Waffenruhe *f.*《정전》. ~하다 e-n Waffenstillstand schließen*; e-e Waffenruhe vereinbaren. ‖ ~ 협정 Waffenstillstandsabkommen *n.* -s, - / ~ 회담 Waffenstillstandskonferenz *f.* -en.
휴정(休廷) ~하다 kein Gericht halten* 〔ab|halten*〕.
휴지(休止) Einstellung *f.* -en; Pause *f.* -n; Stillstand *m.* -(e)s. ‖ ~부【樂】 Pausezeichen *n.* -s, -.
휴지(休紙) Papierabfälle (*pl.*); Makulatur *f.* -en; 《화장지》 Toiletten〔Klosett〕papier *n.* -(e)s, -e. ‖ ~통 Papierkorb *m.* -(e)s, ⸗e.
휴직(休職) ~하다 ^{4}sich bei *jm.* beurlauben; ^{4}sich zur Disposition stellen; ^{4}sich auf Wartegeld setzen.
휴진(休診) ~하다 k-e Sprechstunde haben. ¶ (금일) ~ (Heute) k-e Sprechstunde.
휴학(休學) ~하다 zeitweilig von der Schule fern|bleiben*《*wegen*^{2}》. ‖ ~생 der Student, der zeitweilig von der Schule fernbleibt.
휴화산(休火山) der untätige Vulkan, -s, -e.
휴회(休會)《국회의》 Landtagsferien (*pl.*). ~하다 ^{4}sich vertagen; in die Ferien gehen*.
흉 Narbe *f.* -n; Wund(en)mal *n.* -s, -e; 《결점》 Mangel *m.* -s, ⸗; Fehler *m.* -s, -. ¶ 얼굴에 흉이 있다 auf dem Gesicht e-e Wunde haben.
흉가(凶家) das Haus, worin es spukt.
흉계(凶計) Kniff *m.* -(e)s, -e; teuflische List, -en; Intrige *f.* -n; Ränke (*pl.*); Anschlag *m.* -(e)s, ⸗e. ¶ ~를 꾸미다 zu e-r teuflischen List greifen*.
흉골(胸骨) Brustbein *n.* -(e)s, -.
흉곽(胸廓) Brustkorb *m.* -(e)s, ⸗e.
흉금(胸襟) ¶ ~을 터놓다 ^{4}sich 〔sein Herz〕 aus|schütten / ~을 터놓고 ohne Rückhalt; offenherzig.
흉기(凶器) Mordwaffe *f.* -n; Kampfmittel *n.* -s, -. ¶ ~를 휘두르다 e-e Mordwaffe schwingen*.
흉내 Nachahmung 〔Nachmachung; Mimik〕 *f.* -en. ¶ ~내다 nach|ahmen^{3}《*jn.*》; nach|machen^{3}; (nach|)äffen《*jn.*; *jm.*》; imitieren^{4}.
흉년(凶年) Miß〔Not〕jahr *n.* -(e)s, -e; das Jahr e-r Mißernte. ¶ ~이 들다 ein Mißjahr 〔der Ernte〕 sein.
흉몽(凶夢) der böse 〔schlechte〕 Traum, -(e)s, ⸗e; Nachtmahr *m.* -(e)s, -e. ¶ ~을 꾸다 vom Nachtmahr gequält werden.
흉물(凶物) ~스럽다 gemein 〔niedrig; gottlos; grausam; brutal〕 (sein).
흉벽(胸壁)【軍】 Brustwehr 〔Brüstung〕 *f.* -en;【醫】 Brust *f.* ⸗e.
흉변(凶變) Unglück *n.* -(e)s, -e; Unheil *n.* -(e)s; Katastrophe *f.* -n. ¶ ~을 당하다 *jm.* ein Unglücksfall begegnen.
흉보(凶報) Trauerbotschaft 〔Hiobsbotschaft〕 *f.* -en; die schlechte 〔schreckliche〕 Botschaft, -en. ¶ ~에 접하다 e-e Trauerbotschaft erhalten*.
흉보다 Böses nach|reden《*jm.*》; Schlechtes sprechen*《über *jn.*》; hinter *js.* ^{3}Rücken schlecht sprechen*.
흉사(凶事) Unglück *n.* -(e)s, -sfälle; Unfall *m.* -(e)s, ⸗e.
흉상(胸像)【美】 Büste *f.* -n.
흉악(凶惡) ~하다 ruchlos 〔gottlos; verrucht〕 (sein). ‖ ~범 Misse〔Übel〕täter *m.* -s, -.
흉어(凶漁) der schlechte Fang, -(e)s, ⸗e.
흉위(胸圍) Brustumfang *m.* -(e)s, ⸗e. ¶ ~를 재다 den Brustumfang messen*.
흉작(凶作) Mißernte *f.* -n; die schlechte Ernte.
흉잡다 mäkeln《*an*^{3}》; bekritteln; *js.* Fehler kritisieren.
흉잡히다 beschimpft 〔geschmäht; verleumdet〕 werden.
흉장(胸牆)《성의》 Brustwehr 〔Brüstung〕 *f.* -en.
흉조(凶兆) böses Omen, -s, ..mina; unglückliches 〔schlechtes〕 Vorzeichen, -s, -.
흉측(凶測) ~하다, ~스럽다 schrecklich schlecht 〔böse; übel〕 (sein).
흉탄(凶彈) Mordschuß *m.* ..schusses, ..schüsse; der Schuß des Übeltäters 〔des Attentäters〕. ¶ ~에 쓰러지다 dem Mordschuß zum Opfer fallen*.
흉터 Wunde *f.* -n; Hieb *m.* -(e)s, -e; Narbe *f.* -n.
흉포(凶暴) ~하다 brutal 〔grausam; blutdürstig; gewalttätig〕 (sein).
흉하다(凶—) ①《불길하다》 ominös 〔böse; ungünstig; übel; unglücklich〕 (sein). ¶ 흉한 꿈 der unglückliche Traum, -es, ⸗e. ②《보기 나쁘다》 häßlich 〔niedrig; schändlich; unanständig〕 (sein). ¶ 보기에 ~ unansehnlich aus|sehen*.
흉한(兇漢)《범인》 Misse〔Übel〕täter *m.* -s, -; 《살인범》 Mörder *m.* -s, -; Meuchelmörder *m.* -s, -《암살자》; 《악한》

Schuft *m.* -(e)s, -e. ¶ ~의 손에 쓰러지다 e-m Attentat zum Opfer fallen*.
흉허물없다 intim 〔glatt〕 (sein). ¶ 흉허물 없는 사이 intime Freunde (einander den Fehler anderer überzusehen).
흉헙다(凶—) häßlich 〔garstig; schmutzig; ungestalt〕 (sein). ¶ 보기 ~ häßlich aus|sehen*.
흉흉(洶洶) ~하다 ① 《인심이》 unruhig 〔regungsvoll; unfriedlich〕 (sein). ② 《물결이》 dröhnend 〔stürmisch; rasend; wütend; tobend〕 (sein).
흐느끼다 schluchzen; wimmern.
흐느적거리다 schweben; wimmeln.
흐려지다 ① 《하늘이》 ⁴sich bewölken; wolkig werden. ② 《눈이》 blödäugig 〔mattäugig〕 sein.
흐르다 ① 《액체》 fließen*; strömen; (heraus|)laufen*. ② 《세월 등이》 verfliegen*; verfließen*. ③ 《경향》 begehren 《*nach*³》. ¶ 사치에 ~ ⁴sich dem Luxus ergeben*.
흐름 Fluß *m.* ..usses, ..üsse; Strömung *f.* -en. ¶ ~을 따라 mit dem Strom(e).
흐리다¹ 《날씨가》 ⁴sich bewölken; ⁴sich umwölken; wolkig 〔bewölkt〕 werden. ¶ 흐린 날씨 das trübe 〔düstere〕 Wetter, -s, -.
흐리다² ① 《불분명하다》 unklar 〔matt; undeutlich; dumpf〕 (sein). ¶ 기억이 ~ unklare Erinnerung haben. ② 《탁하다》 unrein 〔trüb(e); schlammig〕 (sein). ¶ 우물이 흐려졌다 Der Brunnen ist trübe geworden.
흐리멍덩하다 《기억이》 unbestimmt 〔undeutlich; unsicher〕 (sein); 《일의 경과·결과가》 undeutlich 〔dunkel; unklar; zweideutig; unzuverlässig〕 (sein). ¶ 흐리멍덩한 대답을 하다 e-e zweideutige Antwort geben*.
흐리터분하다 unbestimmt 〔ungewiß; unsicher; zweifelhaft; zweideutig; doppelsinnig; vag〕 (sein); 《성미가》 nachlässig 〔fahrlässig; liederlich〕 (sein).
흐릿하다 dumpf 〔trüb; dunkel; düster; matt〕 (sein).
흐물흐물하다 schlaff 〔kraftlos; (windel-)weich; breiartig〕 (sein). ¶ 흐물흐물하게 삶다 weich kochen.
흐뭇하다 befriedigt 〔begnügt; beruhigt; gefällig; vergnügt〕 (sein). ¶ 흐뭇한 표정이다 e-n behaglichen Ausdruck haben.
흐지부지하다 vertuschen⁴; ⁴sich um ⁴*et.* herum|drücken; verdunkeln⁴. ¶ 계획이 흐지부지되고 말았다 Aus dem Plan ist nichts geworden.
흐트러지다 in ⁴Stücke gehen*〔springen*; (zer)fallen*〕; zerbrechen*; kaputt werden; ⁴sich zerstreuen 《분산》. ¶ 줄이 ~ die Reihen sind in Unordnung geraten.
흑내장(黑內障) 〖醫〗 der schwarze Star, -(e)s, -e; Amaurose *f.* -n.
흑단(黑檀) 〖植〗 Ebenholz *n.* -es.
흑막(黑幕) 《내막》 das Innere*, -n; die inneren Verhältnisse (*pl.*). ¶ ~을 캐다 nach den Geheimnissen anderer forschen.
흑발(黑髮) schwarzes Haar, -es, -e.
흑백(黑白) Schwarz u. Weiß; 《선악》 Gut u. Böse. ¶ ~을 가리다 das Gute vom Bösen unterscheiden*.
흑사병(黑死病) Pest *f.* -en.
흑색(黑色) Schwarz *n.* -(e)s. ~의 schwarz; schwärzlich.
흑설탕(黑雪糖) Rohzucker *m.* -s, -.
흑수병(黑穗病) schleimige Krankheit, -en.
흑심(黑心) ¶ ~을 품다 e-e geheime Absicht haben.
흑연(黑鉛) 〖鑛〗 Graphit *m.* -(e)s, -e; Reißblei *n.* -(e)s, -e.
흑인(黑人) Neger *m.* -s, -; der Farbige*, -n, -n; 《蔑》 Nigger *m.* -s, -.
흑자(黑字) 《이익》 Gewinn *m.* -s, -e. ¶ ~가 나다 in schwarzen Buchstaben geschrieben sein; Gewinn gebracht haben.
흑흑 《우는 소리》 wimmernd. ¶ ~ 느껴 울다 wimmern; schluchzen.
흔들거리다 taumeln; wanken; wackeln; 《생각이》 schwanken; zaudern.
흔들다 schwingen*⁴; schwenken⁴; rütteln⁴; schütteln⁴; schaukeln⁴. ¶ 꼬리를 ~ mit dem Schwanz wedeln.
흔들리다 schwanken; wackeln; wanken; 《진동》 zittern; beben; 《배가》 rollen 《좌우로》; stampfen 《앞뒤로》. ¶ 결심이 ~ ⁴sich nicht entschließen können*.
흔들의자(—椅子) Schaukelstuhl *m.* -(e)s, ..e.
흔들흔들하다 bammeln; schlenkern; baumeln; schaukeln; schlottern.
흔연(欣然) ~히 freudig; mit Freude; froh; willig; guten Mutes. ¶ ~히 승낙하다 mit Freude bewilligen; e-r ³Sache freudig zu|stimmen.
흔적(痕迹) Spur *f.* -en; Zeichen *n.* -s, -; Überrest *m.* -(e)s, -e. ¶ ~도 없이 spurlos.
흔쾌(欣快) ~하다 fröhlich 〔erfreulich; vergnüglich〕 (sein). ¶ …을 ~히 여기는 바이다 Es ist mir e-e große Freude, daß....
흔하다 gewöhnlich 〔üblich; häufig; zahlreich; viel〕 (sein). ¶ 흔해 빠진 이야기 e-e alte Geschichte, -n.
흔히 《대개》 meistens; größtenteils; meistenteils; zum größten Teil; 《일반적》 im allgemeinen; 《거의》 fast; beinahe; nahezu. ¶ 그런 건 ~ 있는 일이다 So etwas kommt leicht vor.
흘게늦다 lose 〔schlaff; locker; liederlich; nachlässig; schlumprig〕 (sein).
흘겨보다 e-e Seitenblick werfen* 《*auf*⁴》; schief an|sehen*⁴.
흘금거리다 (an|)starren; mustern; prüfend an〔herum〕|schauen.
흘기다 scharf an|sehen*; an|starren; zornig blicken.
흘끗 flüchtig; mit flüchtigem Blick 《*auf*⁴》. ¶ ~ 보다 e-n flüchtigen Blick werfen* 《*auf*⁴》.
흘레 Begattung 〔Paarung〕 *f.* -en. ~하다 ⁴sich paaren 〔begatten〕.
흘리다 ① 《떨구다》 vergießen* 《피, 눈물 등을》; fließen 〔strömen〕 lassen*⁴. ¶ 피를 〔눈물을〕 ~ Blut 〔Tränen〕 vergießen* / 땀을 ~ von Schweiß triefen.

② (잃다) fallen lassen*[4]; verlieren*[4]. ¶지갑을 ~ die Tasche verlieren*.

흘수(吃水) Tiefgang m. -(e)s, ¨e. ¶~가 깊은 배 das Schiff mit großem Tiefgang. ‖~선 Wasserlinie f. -n.

흙 Erde f. -n; Boden m. -s, -. ¶흙으로 만든 irden; tönern / 흙을 파다 den Boden um|graben* / 흙으로 돌아가다 wieder zu [3]Staub werden.

흙구덩이 die Vertiefung der Erde.

흙더미 Erdhaufen m. -s, -.

흙덩이 Erd·klumpen m. -s, - 〔-kloß m. -es, ¨e〕.

흙먼지 Staub·wolke 〔-fahne〕 f. -n.

흙무더기 Erdhaufen m. -s, -.

흙받기 (차바퀴의) Kotflügel m. -s, -; Raddeckel m. -s, -.

흙벽(—壁) die mit Erde beschmierte Wand, ¨e.

흙비 Staubwirbel m. -s, -; Staubwolke f. -n.

흙빛 Erdfarbe f. -n. ~의 erdfarben; (안색이 나쁜) blaß; bleich.

흙손 Maurer〔Fugen〕kelle f. -n.

흙일 Erdarbeit f. -en; Stuckarbeit. ~하다 Erdarbeit tun*.

흙장난하다 mit [3]Erde spielen.

흙칠하다 mit Erde beschmieren. ¶부모 얼굴에 ~ s-e Eltern in Schande bringen*.

흙탕물 Spritzer m. -s, -; Spritzfleck m. -s, -e. ¶~을 튀기다 an|spritzen[4]; besprenkeln[4] (mit Kot).

흙투성이 ¶~가 되다 mit Schlamm 〔Erde〕 besudelt werden.

흠(欠) ① =흉터. ② (물건의) Schaden m. -s, ¨; Bruch m. -(e)s, ¨e; Makel m. -s, -. ③ (결점) Fehler m. -s, -; Gebrechen n. -s, - (신체상의). ¶흠없는 사람은 없다 Niemand ist ohne Tadel.

흠내다(欠—) (물건에) beschädigen[4]; verderben*[4]; schlecht machen[4].

흠뜯다(欠—) kritisieren[4]; aus|setzen[4] (*an*[3]); nörgeln (*an*[3]).

흠모(欽慕) ~하다 verehren[4]; hoch|achten[4].

흠뻑 ganz; durch u. durch. ¶~ 젖은 durchnaß / ~ 마시다 tüchtig trinken*[4].

흠씬 genügend; voll; gut; reichlich; ganz. ¶~ 때리다 gehörig schlagen*.

흠잡다(欠—) mäkeln (*an*[3]); bemängeln[4]; kritteln (*über*[4]). ¶흠잡을 데 없는 glänzend; tadellos; vorzüglich; perfekt.

흠정(欽定) ~의 durch kaiserlichen Befehl eingeführt. ‖~역 (성서의) die autorisierte Bibelübersetzung, -en.

흠지다(欠—) (얼굴에) e-e Wunde bekommen*; verletzt werden; (물건) beschädigt 〔verdorben〕 werden.

흠집(欠—) Wunde f. -n; Hieb m. -(e)s, -e.

흠치르르하다 glänzend 〔glanzvoll; glatt〕 (sein). ¶~ 윤이 흐르다 weich u. glatt sein.

흠칫하다 zurück|schrecken* 〔-|schaudern〕 (*vor*[3]).

흡사(恰似) ~하다 zum Verwechseln ähnlich[3] sehen* 〔sein〕.

흡수(吸收) Absorption 〔Aufsaugung〕 f. -en. ~하다 ein|saugen[4]; absorbieren[4]; auf|saugen[4]. ‖~력 Absorptionskraft f. ¨e / ~ 작용 Absorption f. -en.

흡수관(吸水管) Saugheber m. -s, -.

흡습성(吸濕性) ~의 hygroskopisch.

흡연(吸煙) das Rauchen*, -s. ~하다 Tabak 〔e-e Zigarette〕 rauchen. ‖~실 Rauchzimmer n. -s, -.

흡음(吸音) 〖物〗 ¶~성의 schallabsorbierend.

흡인(吸引) ~하다 ab|saugen(*)[4]. ‖~력 Anziehungskraft f. ¨e.

흡입(吸入) ~하다 ein|atmen[4]; inhalieren[4]. ‖~기 Inhalationsgerät n. -(e)s, -e / ~판 Einatmungsklappe f. -n.

흡족(洽足) ~하다 genügend 〔genug; ausreichend; hinreichend〕 (sein). ¶~히 물을 주다 genug (Wasser) gießen*.

흡진기(吸塵器) Staub(ab)sauger m. -s, -.

흡혈(吸血) ‖~귀 Vampir m. -s, -e; Blutsauger m. -s, -.

흥 (의혹·승낙) hm!; hem!; (냉소) pah!; puh!; pfui!

흥(興) Interesse n. -s, -n; Lust f.; Freude f. -n; Vergnügen n. -s, -. ¶~을 돋우다 zur Unterhaltung bei|tragen* / ~을 깨다 *jm.* die Freude an [4]*et.* verleiden*.

흥건하다 bis zum Rand voll 〔übervoll; voll Wasser〕 (sein). ¶길에 물이 ~ In der Straße ist es voll Wasser.

흥겹다(興—) interessant 〔lustig; amüsant〕 (sein). ¶흥겨워하다 [4]sich amüsieren 〔belustigen; ergötzen〕 / 흥겹게 놀다 [4]sich reichlich amüsieren.

흥김(興—) ~에 im Übermaß der Fröhlichkeit.

흥망(興亡) Aufschwung u. Verfall, des -s u. -s; das Auf- u. Absteigen*, -s; (운명) Schicksal n. -s, -e. ¶민족의 ~ das Auf u. Ab der Völker.

흥미(興味) Interesse n. -s, -n. ¶~있는 interessant; anziehend / ~없는 interesselos / ~를 자아내다 *jn.* interessieren (*für*[4]) / ~를 잃다 Interesse (*für*[4]; *an*[3]) verlieren* / ~ 진진하다 höchst spannend sein.

흥분(興奮) Erregung 〔Aufregung〕 f. -en. ~하다 erregt 〔aufgeregt〕 werden; [4]sich erhitzen (*über*[4]). ¶~시키다 erregen[4]; auf|regen[4] / ~하기 쉬운 erregbar; reizbar. ‖~ 상태 erregter Zustand, -(e)s, ¨e / ~제 Reizmittel n. -s, -.

흥신소(興信所) Auskunftsbüro n. -s, -s.

흥얼거리다 summen; vor [4]sich hin singen*.

흥이야항이야하다 [4]sich ein|mischen; intervenieren.

흥정 das Handeln* 〔Feilschen*〕 -s. ~하다 handeln 〔feilschen〕 (*mit*[3]; *um*[4]). ¶~을 맺다 e-n Handel ab|schließen* / ~이 있다 in Geschäften stehen*. ‖~거리 Ware f. -n.

흥청거리다 schwelgen u. prassen; wie der liebe Gott in Frankreich leben.

흥청망청 ① (마음껏 즐김) nach Herzenslust; soviel man wünscht. ¶~ 인생을 즐기다 sein Leben nach Herzenslust genießen*. ② (흔전만전) verschwendend; vergeudend. ¶~ 돈을 쓰다 Geld verschwenden.

흥취(興趣) Interesse n. -s, -n; Lust f. ¨e. ☞ 흥미. ¶~ 있는 interessant.

흥하다(興―) 《번영·번창》 gedeihen*; auf|kommen*; blühen; gut gehen*. ¶흥하는 가정 die blühende Familie, –n.

흥행(興行) Aufführung〔Vorstellung; Vorführung〕 *f.* –en. ～하다 auf|führen^4; zur Aufführung bringen*^{4}. ‖ ～계 Unternehmerschaft im Vergnügungsgewerbe / ～권 Aufführungsrecht *n.* –(e)s, –e / ～물 (öffentliche) Aufführung, –en / ～사 Schausteller *m.* –s, – / ～장 Aufführungsplatz *m.* –es, ⸚e / ～주 Eigentümer *m.* –s, – / 야간 ～ Nachtaufführung *f.* –en.

흥흥거리다 summen; vor ^{4}sich hin singen*.

흩날리다 ^{4}sich in alle Winde zerstreuen; in die Luft fliegen* 〔gesprengt werden〕.

흩다 zerstreuen^4; umher|werfen*^{4}; aus|streuen^4; in ^{4}Unordnung bringen*^{4}. ¶휴지를 흩어버리다 das Klosettpapier umher|werfen*.

흩뜨리다 (auseinander|)sprengen^4; auseinander|streuen^4; zerstreuen^4; umher|streuen^4.

흩어지다 《뿔뿔이》 auseinander|gehen*; ^{4}sich zerstreuen; 《헤어짐》 ^{4}sich zerstreuen. ¶마음이 ～ die Besinnung verlieren*.

희가극(喜歌劇) die komische Oper, –n; Operette *f.* –n.

희곡(戲曲) Drama *n.* –s, ..men; Schauspiel *n.* –(e)s, –e. ‖ ～ 작가 Dramatiker *m.* –s, – / ～집 die dramatischen Werke (*pl.*).

희구(希求) ～하다 bitten* 《*jn.* *um*^{4}》; wünschen^4; ^{4}sich bewerben* 《bei *jm.* *um*^{4}》.

희귀(稀貴) ～하다 seltsam und teuer 〔kostbar; köstlich〕 (sein).

희극(喜劇) Komödie *f.* –n; Lustspiel *n.* –(e)s, –e. ～적 komisch; lustig; drollig. ‖ ～ 배우 Komödiant *m.* –en, –en / ～ 영화 ein komischer Film, –(e)s, –e / ～ 작가 Komödieschreiber *m.* –s, –.

희끄무레하다 weißlich 〔graulich; gräulich〕 (sein).

희끗희끗하다 grauköpfig 〔angegraut; ergraut〕 (sein). ¶머리가 ～ e–n Graukopf haben.

희다 weiß 〔hell; grau〕 (sein). ¶희게 하다 weißen^4; weiß machen^4; bleichen*^{4} 《탈색》 / 희어지다 ergrauen; grau werden 《머리가》 / 눈 같이 ～ schneeweiß sein.

희대(稀代) ～의 außer·gewöhnlich 〔–ordentlich〕; ausbündig. ¶그녀는 ～의 미인이다 Sie ist e–e Frau von ausnehmender Schönheit.

희디희다 sehr weiß 〔schneeweiß〕 (sein).

희떱다 ① 《허영》 eitel 〔selbstgefällig; eingebildet〕 (sein). ② 《씀씀이가》 freigebig 〔großmütig〕 (sein). ③ 《언행이》 mutig 〔herzhaft; beherzt〕 (sein).

희뜩거리다 sehr schwindelnd 〔schwankend; taumelnd〕 sein.

희뜩희뜩하다 ergraut 〔《머리털이》 grauhaarig; weißköpfig〕 (sein).

희랍(希臘) Griechenland *n.* –s. ～의 griechisch. ‖ ～ 사람 Grieche *m.* –n, –n / ～어 Griechisch *n.* –(s).

희로(喜怒) Freude u. Zorn, der – u. des –s; Gemütsbewegung *f.* –en. ¶～애락을 나타내다 s–e Gefühle verraten* 〔zeigen〕 / ～의 빛을 나타내지 않다 s–e Gefühle nicht zeigen.

희롱(戲弄) ～하다 scherzen; spaßen; s–n Scherz treiben* 《*mit*^{3}》; liebeln 《*mit*^{3}》. ¶～조로 aus 〔im; zum〕 Scherz.

희롱거리다 scherzen; spaßen; spielen 《mit ^{3}*et.*》.

희망(希望) Hoffnung *f.* –en; 《기대》 Erwartung *f.* –en; 《원》 Wunsch *m.* –es, ⸚e; 《요망》 Verlangen *n.* –s, –; 《열망》 das Begehren*, –s. ～하다 hoffen$^{(4)}$ 《*auf*^{4}》; wünschen^4; erwarten^4. ¶～에 찬 hoffnungsvoll; vielversprechend / ～을 품다 Hoffnung auf ^{4}*et.* haben / ～을 걸다 Hoffnung auf ^{4}*et.* 〔*jn.*〕 setzen / ～을 주다 *jm.* Hoffnung auf ^{4}*et.* machen / ～없는 hoffnungslos. ‖ ～음악회 Wunschkonzert *n.* –(e)s, –e / ～자 Bewerber *m.* –s, –; Kandidat *m.* –en, –en.

희망봉(喜望峰) 《아프리카의》 das Kap der Guten Hoffnung.

희멀겋다 durchsichtig u. klar (sein).

희멀쑥하다 klar u. rein (sein).

희미(稀微) ～하다 undeutlich 〔unklar; leise; schwach; dunkel; blaß; matt〕 (sein). ¶～한 (불)빛 das gedämpfte Licht, –(e)s, –er.

희박(稀薄) ～하다 dünn 〔schwach; verdünnt; spärlich〕 (sein). ¶～한 공기 die dünne Luft, ⸚e / 인구가 ～하다 dünn 〔spärlich〕 besiedelt sein.

희번덕거리다 funkeln; blinken; glänzen. ¶눈을 ～ die Augen verdrehen.

희번드르르하다 《얼굴이》 glänzend 〔poliert; schimmernd〕 (sein); 《말이》 plausibel 〔annehmbar〕 (sein).

희보(喜報) gute Nachricht, –en; Glücksbotschaft *f.* –en.

희붐하다 hellgelb 〔hell; weiß〕 (sein).

희비(喜悲) Freud u. Leid. ¶～ 쌍곡선을 이루다 bald freudig, bald traurig sein. ‖ ～극 Tragikkomödie *f.* –n.

희사(喜捨) Almosen *n.* –s, –; 《행위》 Almosengeben *n.* –s, –. ～하다 *jm.* Almosen geben*. ‖ ～금 Beitrag *m.* –(e)s, ⸚e; Beisteuer *f.*

희색(喜色) ¶～이 만면하다 vor ^{3}Freude strahlen; voll $^{2\cdot3}$Freude lächeln.

희생(犧牲) 《추상적》 Opfer *n.* –s, –; (Auf)opferung *f.* –en; 《구상적》 Opfertier *n.* –(e)s, –e. ～하다 opfern^4; auf|opfern^4; zum Opfer bringen*^{4}. ¶…의 ～이 되다 geopfert werden / 어떤 ～을 치르더라도 um jeden Preis. ‖ ～자 Opfer; Dulder *m.* –s, –.

희석(稀釋) 〖化〗 Auflösung durch ein Lösungsmittel.

희소(稀少) ～하다 selten 〔rar〕 (sein). ‖ ～ 가치 Seltenheitswert *m.* –(e)s, –e.

희소식(喜消息) die gute 〔frohe〕 Nachricht, –en; Glücksbotschaft *f.* –en. ¶무소식이 ～ K–e Nachricht ist gute Nachricht.

희열(喜悅) Freude *f.*; Ekstase *f.*; das Entzücken*, –s. ～하다 ^{4}sich freuen.

희유(稀有) ～하다 selten 〔ungewöhnlich; beispiellos〕 (sein).

희토류원소(稀土類元素) das Bestandteil seltener Erde.

희한(稀罕) ～하다 ungewöhnlich 〔außerordentlich〕 (sein). ¶～한 사람 e-e seltsame Person, -en.

희희낙락(喜喜樂樂) ～하다 höchst vergnügt 〔voller Freude〕 sein.

흰떡 Reiskuchen *m.* -s, -.

흰말 Schimmel *m.* -s, -; weißes Pferd, -(e)s, -e.

흰머리 ＝백발(白髮).

흰밥 der weiß gekochte Reis, -es.

흰소리 《희떠운 소리》 Prahlerei *f.* -en; Übertreibung *f.* -en. ¶～ 치다 prahlen; auf|schneiden*; groß sprechen*.

흰자(위) 《눈의》 das Weiße* im Auge; 《알의》 Eiweiß *n.* -es, -e.

흰죽(—粥) Reisbrei *m.* -(e)s, -e.

흰쥐 die weiße Ratte, -n; die albinotische Maus, ¨e.

휭하다 schwindeln; schwanken; wirbeln. ¶머리가 ～ Mir wirbelt der Kopf.

히말라야 ‖～ 산맥 Himalaja *m.* -(s); Himalajagebirge *n.* -s, -.

히브리 ¶～의 hebräisch. ‖～말 Hebräisch *n.* -(s); das Hebräische*, -n.

히스테리 Hysterie *f.* -n. ¶～를 일으키다 e-n hysterischen Anfall bekommen*[4].

히어로 Held *m.* -en, -en.

히죽거리다 grinsen; grienen; schmunzeln.

히죽이 grinsend. ¶～ 웃다 [3]sich ins Fäustchen lachen.

히터 Heizgerät *n.* -(e)s, -e; Heizkörper *m.* -s, -. ¶～를 켜다〔끄다〕 das Heizgerät ein|schalten 〔aus|schalten〕.

히트 《성공》 Treffer *m.* -s, -; der große Schlager, -s, - 《책·유행가 따위의》; 〖野〗 (sicherer) Schlag, -(e)s, ¨e. ～하다, ～치다 e-n Treffer erzielen.

히피 Hippie *m.* -s, -s; Gammler *m.* -s, -.

힌트 Wink *m.* -(e)s, -e; Andeutung *f.* -en. ¶～를 얻다 e-e Andeutung bekommen*.

힐난(詰難) Tadel *m.* -s, -. ～하다 tadeln[4]; Vorwürfe machen 《*jm.* wegen [2]*et.*》.

힐문(詰問) ～하다 *jn.* zur Rede stellen 〔setzen〕; *jn.* befragen 〔aus|fragen〕.

힐책(詰責) ～하다 vor|werfen* 《*jm.* [4]*et.*》; e-n Verweis geben*[3].

힘 Kraft *f.* ¨e; Stärke 〔Energie〕 *f.* -n; 《권위·위력》 Macht *f.* ¨e; Gewalt *f.* -en; Einfluß *m.* ..sses, ..flüsse. ¶힘드는 mühevoll; mühsam / 힘센 kräftig; stark; rüstig; gewaltig / 힘을 내다 Kräfte sammeln / 힘을 합하다 zusammen〔mit〕|wirken.

힘겹다 über s-e Kräfte gehen*; nicht [1]Herr[2] werden können*; [4]es nicht auf|nehmen können 《mit *jm.*》. ¶힘겨운 싸움 ein schwerer 〔nicht leichter〕 Kampf, -(e)s, ¨e.

힘껏 sehr eifrig 〔emsig〕; angespannt; angestrengt; unter Aufbietung aller Kräfte. ¶～ 싸우다 mit aller Macht 〔Kraft〕 kämpfen.

힘들다 《벅차다》 anstrengend 〔arbeitsam; lästig; schwer〕 sein; 《어렵다》 schwer 〔schwierig; schlecht〕 sein. ¶힘드는 mühevoll; mühsam / 힘드는 일 e-e mühsame 〔harte〕 Arbeit, -en / 나로서는 뭐라 말하기 힘든다 Ich kann da schlecht etwas sagen.

힘들이다 ① 《체력·노력》 s-e Kraft an|strengen. ¶힘들이지 않고 ohne [4]Schwierigkeit. ② 《애쓰다》 [4]sich bemühen 〔an|strengen; bestreben〕. ¶힘들인 보람이 있었다 M-e Anstrengung war von Erfolg belohnt.

힘쓰다 《애쓰다》 streben 《*nach*[3]》; 《노력》 [4]sich an|strengen; [4]sich eifrig bemühen; [3]sich große [4]Mühe geben*. ¶힘써 보겠습니다 Ich werde mich bemühen.

힘입다 *jm.* [4]*et.* verdanken; zu danken haben. ¶그에게 힘입은 바 크다 Ich habe ihm so viel zu verdanken.

힘있다 ① 《힘세다》 stark (sein); Kraft haben. ② 《문장·어조가》 kraftvoll 〔gewaltig; schwer〕 (sein). ¶힘 있는 어조 der schwere Akzent, -(e)s, -e.

힘자랑하다 [4]sich s-r Kraft rühmen; [4]sich mit s-r Kraft dick|tun*.

힘주다 betonen; Nachdruck legen 《*auf*[4]》. ¶힘주어 말하다 *js.* Worte betonen.

힘줄 《근육》 Sehne *f.* -n; Nerv *m.* -s, -en; 《혈관·혈맥》 Ader *f.* -n. ¶～이 당기다 Muskelkrämpfe haben.

힘차다 ① 《박력·정력이 넘침》 energisch 〔kräftig; mächtig〕 (sein). ¶힘차게 잡아 당기다 tüchtig 〔ruckweise〕 ziehen*[4]. ② 《벅참》 hart 〔schwer; schwierig〕 (sein). ¶힘찬 일 e-e harte Arbeit, -en.

편지·이력서 쓰는 법

I 편지 쓰는 법

1. 봉투의 서식

Abs. Bogdong Han Seoul, Jung-gu Jeongdong, 1-48	Brief- marke
	㉠
㉡	Herrn Dr. Erwin Schneider 43 Essen, Rauterstraße 20 Deutschland

[주] ① ㉠의 자리에는 Drucksache(인쇄물), Einschreiben(등기 우편), Durch Eilboten(속달), Eigenhändig(친전(親展)), Photo, nicht knicken (사진 동봉) 따위를 쓴다.
㉡의 자리에는 Luftpost(항공편), Per Schiff(선편) 따위를 쓴다.
② 발신인 주소는 우리 식으로 도시명, 구명, 동명, 번지의 순서로 쓴다.
③ 43이라는 번호는 Postleitzahl(우편 번호)이다.
④ 「…씨 방」은 상대방 이름 밑에 bei Herrn [Frau]...라고 쓰고, 「…내(內)」는 회사명 따위를 전치사 없이 쓴다.
⑤ 상대방 이름에다 Professor, Direktor 따위의 직함과 호칭을 반드시 쓴다.
⑥ 「귀중(貴中)」도 an 따위 전치사를 쓰지 않고, 관청명·연구소 이름 등을 그대로 쓰는 것이 새로운 방식이다. 단, 회사명일 때에는 Herrn에 해당되는 곳에 Firma라고 쓴다.

2. 편지의 형식

Düsseldorf, den 11. September 1982

Lieber Professor ...!

Ich habe die Absicht, im Oktober ds. Jrs. in Korea zu sein. Ich hoffe, am 3.10. in Seoul einzutreffen. Ich werde dort im Bando Hotel wohnen, und es wäre doch schön, wenn wir uns nach mehr als 12 Jahren, seitdem wir uns in Hamburg getrennt haben, wiedersehen könnten.

Gewissermaßen als Vorreiter sende ich Ihnen ein Bildchen von meiner Frau und von mir, welches Mitte dieses Jahres bei uns im Garten in ... aufgenommen worden ist. Ich hoffe, Sie empfangen beides—Zeilen und Bildchen—bei bestem Wohlbefinden. Bis auf baldiges Wiedersehen sendet Ihnen recht herzliche Grüße auch von meiner Frau

Ihr

(Unterschrift)

[주] ① 편지지 오른쪽 위편에 발신지와 날짜를 쓴다.
② 상대방을 부름에 있어서는 보통 Sehr geehrter Herr [geehrte Frau, geehrtes Fräulein] Müller!, 친근한 사이라면 Lieber Herr [Liebe Frau, Liebes Fräulein] Müller! 라고 쓴다. 이 경우 감탄 부호 대신에 콤마로도 좋다.
③ 상대방이 Doktor, Professor 등의 칭호를 갖고 있으면 Sehr geehrter Herr Doktor [Professor]!, 친근한 사이라면 Lieber Herr Doktor [Professor] Müller! 라고 한다.
④ 상대방을 부르고 나서는 곧 용건, 소식을 전하는데, 문장 속의 대명사 du [ihr]는 대문자로 쓰는 것이 관례이다.
⑤ 문장 끝에는 Hochachtungsvoll—Ergebenst—Mit vorzüglicher Hochachtung—Mit besten Grüßen 따위로 적당한 말을 쓰고, 남자이면 Ihr [Dein], 여자이면 Ihre [Deine] 다음에 사인을 한다.

3. 상업용 문체

Firma
....
....

Hamburg, den 1. Juni 1982

Betr.: Ihre Bestellung Nr. ......vom....

Wir bestätigen mit bestem Dank Ihre Bestellung vom......Wir werden die Waren wunschgemäß am......an Sie absenden. Wir hoffen auf guten Empfang und würden uns freuen, Sie auch weiterhin beliefern zu können.

Hochachtungsvoll

1 Anlage

(Unterschrift)

[주] ① 상업용 문체에는 정해진 서식이 있으므로 적당한 Briefsteller (서간문 양식책)을 참고하기 바란다.

② 관용구와 약자가 있으므로 주의할 것.

③ 상대방을 부름에 있어서는 개인이면 사교용 문체와 다름 없으나, 회사일 때에는 보통 Sehr geehrte Herren 이라고 쓴다.

Ⅱ 이력서 쓰는 법

LEBENSLAUF

Ich Gildong Hong, M. A., wurde am 16. August 1951 als ältester Sohn des Rechtsanwaltes Sunam Hong und seiner Ehefrau Sunja, geb. Kim, in Seoul geboren. Von April 1958 bis März 1964 besuchte ich die Elementarschule des Midong in Seoul, dann das Gymnasium derselben Anstalt. Seit April 1970 war ich an der Korea-Universität immatrikuliert, die ich mit einem B. A.-Examen verließ. Meine B. A.-Arbeit, die in deutscher Sprache verfaßt wurde, lautete: „Krankheit bei Thomas Mann“. Darauf besuchte ich zwei Jahre die Städtische Universität zu Seoul, deren M. A.-Kurs ich mit einer Arbeit und einem Examen abschloß. Meine M. A.-Arbeit war „Thomas Manns Wille zur Harmonie“. Meine Lehrer waren: In der Germanistik Herren Professoren N. N., N. N., N. N. und N. N.; in der Kunstgeschichte Herr Professor Dr. N. N. Seit 1976 unterrichte ich die deutsche Sprache am Midong-Gymnasium, und ab 1978 habe ich gleichzeitig die Dozentur an der philosophischen Fakultät der Korea-Universität.
Meine Forschungsergebnisse wurden öfters in wissenschaftlichen Zeitschriften veröffentlicht. Ich bin Mitglied der Gesellschaft von......

Seoul, den 24. Juli 1982

Gildong Hong
Dozent an der Korea-Univ.

[주] ① 전체를 한 장에 몽똥그린다.

② 처음엔 Ich 로 시작한다.

③ 같은 어투나 같은 낱말은 되도록 피한다.

④ 전문을 타이프로 치지만, 이탤릭 부분은 반드시 자필할 것.

強變化・不規則動詞表

【注】1. 複合動詞나 派生動詞로서 그 基根語가 이 表 안에 있는 것은 대체로 생략하였다. 따라서 이를테면 anfangen은 fangen에, erfinden은 finden에 대하여 보기 바란다.

2. 〔 〕안은 別形을, ( ) 안은 생략할 수 있음을 나타낸다.

3. 命令形은 第二人稱 單數꼴만을 보였고, 그것이 기재되어 있지 않은 것은 사용치 않음을 뜻한다.

4. 不定形에 있어서 *표를 한 것은 뜻・用法에 따라 弱變化도 된다.

不定形	直說法		接續法	過去分詞	命令法
	現在	過去	過去		
backen (빵을) 굽다	*du* bäckst *er* bäckt	**buk** 〔**backte**〕	büke 〔backte〕	**gebacken**	back(e)!
befehlen 명하다	*du* befiehlst *er* befiehlt	**befahl**	beföhle 〔befähle〕	**befohlen**	befiehl!
befleißen 힘쓰다(再)	*du* befleiß(es)t *er* befleißt	**befliß**	beflisse	**beflissen**	befleiß(e)!
beginnen 시작하다	*du* beginnst *er* beginnt	**begann**	begönne 〔begänne〕	**begonnen**	beginn(e)!
beißen 물다	*du* beiß(es)t *er* beißt	**biß**	bisse	**gebissen**	beiß(e)!
bergen 감추다	*du* birgst *er* birgt	**barg**	bärge 〔bürge〕	**geborgen**	birg!
bersten 파열하다	*du* birst 〔berstest〕 *er* birst	**barst** 〔**borst** od. **berstete**〕	bärste 〔börste〕	**geborsten**	birst!
bewegen* 권유하다	*du* bewegst *er* bewegt	**bewog**	bewöge	**bewogen**	beweg(e)!
biegen 굽히다	*du* biegst *er* biegt	**bog**	böge	**gebogen**	bieg(e)!
bieten 제공하다	*du* bietest *er* bietet	**bot**	böte	**geboten**	biet(e)!
binden 맺다	*du* bindest *er* bindet	**band**	bände	**gebunden**	bind(e)!
bitten 청하다	*du* bittest *er* bittet	**bat**	bäte	**gebeten**	bitt(e)!
blasen 불다	*du* bläs(es)t *er* bläst	**blies**	bliese	**geblasen**	blas(e)!
bleiben 머무르다	*du* bleibst *er* bleibt	**blieb**	bliebe	**geblieben**	bleib(e)!
bleichen* 색이 바래다	*du* bleichst *er* bleicht	**blich**	bliche	**geblichen**	bleich(e)!
braten (고기를)굽다	*du* brätst *er* brät	**briet**	briete	**gebraten**	brat(e)!
brechen 깨(어지)다	*du* brichst *er* bricht	**brach**	bräche	**gebrochen**	brich!
brennen 불붙다	*du* brennst *er* brennt	**brannte**	brennte	**gebrannt**	brenn(e)!
bringen 초래하다	*du* bringst *er* bringt	**brachte**	brächte	**gebracht**	bring(e)!
denken 생각하다	*du* denkst *er* denkt	**dachte**	dächte	**gedacht**	denk(e)!
dingen 고용하다	*du* dingst *er* dingt	**dang** 〔**dingte**〕	dingte 〔dünge *od.* dänge〕	**gedungen** (**gedingt**)	ding(e)!
dreschen 타작하다	*du* drisch(e)st *er* drischt	**drosch** 〔**drasch**〕	drösche 〔dräsche〕	**gedroschen**	drisch!
dringen 밀고 나가다	*du* dringst *er* dringt	**drang**	dränge	**gedrungen**	dring(e)!
dünken 생각되다	*ich* dünke mich *es* dünkt 〔deucht〕 mich	**dünkte** 〔**deuchte**〕	dünkte 〔deuchte〕	**gedünkt** 〔**gedeucht**〕	

不定形	直說法		接續法	過去分詞	命令法
	現在	過去	過去		
dürfen 허락되다	*ich* darf *du* darfst *er* darf	**durfte**	dürfte	**gedurft**	
empfangen 받다	*du* empfängst *er* empfängt	**empfing**	empfinge	**empfangen**	empfang-(e)!
empfehlen 추천하다	*du* empfiehlst *er* empfiehlt	**empfahl**	empföhle [empfähle]	**empfohlen**	empfiehl!
empfinden 느끼다	*du* empfind(e)st *er* empfindet	**empfand**	empfände	**empfunden**	empfind(e)!
erbleichen* 죽다	*du* erbleichst *er* erbleicht	**erblich**	erbliche	**erblichen**	erbleiche!
erkiesen 가려내다	*du* erkies(es)t *er* erkiest	**erkor** **[erkieste]**	erköre [erkieste]	**erkoren** **[erkiest]**	erkies(e)!
erlöschen 꺼지다	*du* erlisch(e)st *er* erlischt	**erlosch**	erlösche	**erloschen**	erlisch!
erschallen 울리다	*du* erschallst *er* erschallt	**erscholl** **[erschallte]**	erschölle **[erschallte]**	**erschollen**	erschall(e)!
erschrecken* 경악하다	*du* erschrickst *er* erschrickt	**erschrak**	erschräke	**erschro-cken**	erschrick!
erwägen 고려하다	*du* erwägst *er* erwägt	**erwog**	erwöge	**erwogen**	erwäg(e)!
essen 먹다	*du* ißt (issest) *er* ißt	**aß**	äße	**gegessen**	iß!
fahren 탈것으로 가다	*du* fährst *er* fährt	**fuhr**	führe	**gefahren**	fahr(e)!
fallen 떨어지다	*du* fällst *er* fällt	**fiel**	fiele	**gefallen**	fall(e)!
fangen 체포하다	*du* fängst *er* fängt	**fing**	finge	**gefangen**	fang(e)!
fechten 싸우다	*du* fichtst *er* ficht	**focht**	föchte	**gefochten**	ficht!
finden 발견하다	*du* find(e)st *er* findet	**fand**	fände	**gefunden**	find(e)!
flechten 짜다	*du* flichtst *er* flicht	**flocht**	flöchte	**geflochten**	flicht!
fliegen 날다	*du* fliegst *er* fliegt	**flog**	flöge	**geflogen**	flieg(e)!
fliehen 도망치다	*du* fliehst *er* flieht	**floh**	flöhe	**geflohen**	flieh(e)!
fließen 흐르다	*du* fließ(es)t *er* fließt	**floß**	flösse	**geflossen**	fließ(e)!
fragen 묻다	*du* fragst[frägst] *er* fragt[frägt]	**fragte** **[frug]**	fragte [früge]	**gefragt**	frag(e)!
fressen 탐식하다	*du* frißt[frissest] *er* frißt	**fraß**	fräße	**gefressen**	friß!
frieren 얼다	*du* frierst *er* friert	**fror**	fröre	**gefroren**	frier(e)!
gären 발효하다	*du* gärst *er* gärt	**gor** **[gärte]**	göre [gärte]	**gegoren** **[gegärt]**	gär(e)!
gebären 낳다	*du* gebierst *er* gebiert	**gebar**	gebäre	**geboren**	gebier!
geben 주다	*du* gibst *er* gibt	**gab**	gäbe	**gegeben**	gib!
gedeihen 번영하다	*du* gedeihst *er* gedeiht	**gedieh**	gediehe	**gediehen**	gedeih(e)!
geh(e)n 가다	*du* gehst *er* geht	**ging**	ginge	**gegangen**	geh(e)!
gelingen 성공하다	*es* gelingt mir	**gelang**	gelänge	**gelungen**	geling(e)!
gelten 가치있다	*du* giltst *er* gilt	**galt**	gälte [gölte]	**gegolten**	gilt!
genesen 낫다	*du* genes(es)t *er* genest	**genas**	genäse	**genesen**	genese!
genießen 향락하다	*du* genieß(es)t *er* genießt	**genoß**	genösse	**genossen**	genieß(e)!

不定形	直說法		接續法	過去分詞	命令法
	現在	過去	過去		
geschehen 일어나다	*es* geschieht	**geschah**	geschähe	**geschehen**	
gewinnen 얻다	*du* gewinnst *er* gewinnt	**gewann**	gewänne 〔gewönne〕	**gewonnen**	gewinn(e)!
gießen 붓다	*du* gieß(es)t *er* gießt	**goß**	gösse	**gegossen**	gieß(e)!
gleichen* 같다	*du* gleichst *er* gleicht	**glich**	gliche	**geglichen**	gleich(e)!
gleißen 빛나다	*du* gleiß(es)t *er* gleißt	**gleißte** **〔gliß〕**	gleißte 〔glisse〕	**gegleißt** **〔geglissen〕**	gleiß(e)!
gleiten 미끌어지다	*du* gleit(e)st *er* gleitet	**glitt** **〔gleitete〕**	glitte 〔gleitete〕	**geglitten** **〔gegleitet〕**	gleit(e)!
glimmen 희미하게 빛나다	*du* glimmst *er* glimmt	**glomm** **〔glimmte〕**	glömme 〔glimmte〕	**geglommen** **〔geglimmt〕**	glimm(e)!
graben 파다	*du* gräbst *er* gräbt	**grub**	grübe	**gegraben**	grab(e)!
greifen 잡다	*du* greifst *er* greift	**griff**	griffe	**gegriffen**	greif(e)!
haben 갖고있다	*du* hast *er* hat	**hatte**	hätte	**gehabt**	hab(e)!
halten 보존하다	*du* hältst *er* hält	**hielt**	hielte	**gehalten**	halt(e)!
hängen*, hangen 걸려 있다	*du* hängst *er* hängt	**hing**	hinge	**gehangen**	hang(e)!
hauen 자르다	*du* haust *er* haut	**hieb** **〔haute〕**	hiebe	**gehauen**	hau(e)!
heben 들어올리다	*du* hebst *er* hebt	**hob** **〔hub〕**	höbe 〔hübe〕	**gehoben**	heb(e)!
heißen* 불리다	*du* heiß(es)t *er* heißt	**hieß**	hieße	**geheißen**	heiß(e)!
helfen 돕다	*du* hilfst *er* hilft	**half**	hülfe	**geholfen**	hilf!
keifen 매도하다	*du* keifst *er* keift	**keifte** **〔kiff〕**	keifte 〔kiffe〕	**gekeift** **〔gekiffen〕**	keif(e)!
kennen 알다	*du* kennst *er* kennt	**kannte**	kennte	**gekannt**	kenn(e)!
kiesen* 고르다	*du* kies(es)t *er* kiest	**kor**	köre	**gekoren**	kies(e)!
klieben 쪼개다	*du* kliebst *er* kliebt	**klob** **〔kliebte〕**	klöbe 〔kliebte〕	**gekloben** **〔gekliebt〕**	klieb(e)!
klimmen 기어오르다	*du* klimmst *er* klimmt	**klomm** **〔klimmte〕**	klömme 〔klimmte〕	**geklommen** **〔geklimmt〕**	klimm(e)!
klingen 울리다	*du* klingst *er* klingt	**klang**	klänge	**geklungen**	kling(e)!
kneifen 꼬집다	*du* kneif(e)st *er* kneift	**kniff**	kniffe	**gekniffen**	kneif(e)!
kneipen* 꼬집다	*du* kneipst *er* kneipt	**kneipte** **〔knipp〕**	kneipte 〔knippe〕	**gekneipt** **〔geknippen〕**	kneip(e)!
kommen 오다	*du* kommst (kömmst) *er* kommt 〔kömmt〕	**kam**	käme	**gekommen**	komm(e)!
können 할 수 있다	*ich* kann *du* kannst *er* kann	**konnte**	könnte	**gekonnt**	
kreischen 외치다	*du* kreisch(e)st *er* kreischt	**kreischte** **〔krisch〕**	kreischte 〔krische〕	**gekreischt** **〔gekrischen〕**	kreisch(e)!
kriechen 기다	*du* kriechst *er* kriecht	**kroch**	kröche	**gekrochen**	kriech(e)!
küren 고르다	*du* kürst *er* kürt	**kor** **〔kürte〕**	köre 〔kürte〕	**gekoren**	kür(e)!
laden 쌓다	*du* lädst *er* lädt	**lud**	lüde	**geladen**	lad(e)!
laden 초대하다	*du* ladest〔lädst〕 *er* ladet〔lädt〕	**lud** **〔ladete〕**	lüde 〔ladete〕	**geladen**	lad(e)!

不定形	直說法		接續法	過去分詞	命令法
	現在	過去	過去		
lassen	*du* läßt〔lässest〕	**ließ**	ließe	**gelassen**	laß!
시키다	*er* läßt				
laufen	*du* läufst	**lief**	liefe	**gelaufen**	lauf(e)!
달리다	*er* läuft				
leiden	*du* leid(e)st	**litt**	litte	**gelitten**	leid(e)!
고민하다	*er* leidet				
leihen	*du* leihst	**lieh**	liehe	**geliehen**	leih(e)!
빌려주다	*er* leiht				
lesen	*du* lies(es)t	**las**	läse	**gelesen**	lies!
읽다	*er* liest				
liegen	*du* liegst	**lag**	läge	**gelegen**	lieg(e)!
가로눕다	*er* liegt				
löschen*	*du* lisch(e)st	**losch**	lösche	**geloschen**	lisch!
꺼지다	*er* lischt				
lügen	*du* lügst	**log**	löge	**gelogen**	lüg(e)!
거짓말하다	*er* lügt				
mahlen	*du* mahlst	**mahlte**	mahlte	**gemahlen**	mahl(e)!
빻다	*er* mahlt				
meiden	*du* meidest	**mied**	miede	**gemieden**	meid(e)!
피하다	*er* meidet				
melken	*du* milkst	**molk**	mölke	**gemolken**	melk(e)!
젖짜다	〔melkst〕	(**melkte**)	〔melkte〕	〔**gemelkt**〕	
	er milkt〔melkt〕				
messen	*du* mißt〔missest〕	**maß**	mäße	**gemessen**	miß!
측량하다	*er* mißt				
mißlingen	*es* mißlingt mir	**mißlang**	mißlänge	**mißlungen**	
실패하다					
mögen	*ich* mag	**mochte**	möchte	**gemocht**	
좋아하다	*du* magst				
	er mag				
müssen	*ich* muß	**mußte**	müßte	**gemußt**	
해야하다	*du* mußt				
	er muß				
nehmen	*du* nimmst	**nahm**	nähme	**genommen**	nimm!
취하다	*er* nimmt				
nennen	*du* nennst	**nannte**	nennte	**genannt**	nenn(e)!
이름짓다	*er* nennt				
pfeifen	*du* pfeifst	**pfiff**	pfiffe	**gepfiffen**	pfeif(e)!
피리불다	*er* pfeift				
pflegen*	*du* pflegst	**pflog**	pflöge	**gepflogen**	pfleg(e)!
관계하다	*er* pflegt				
preisen	*du* preis(es)t	**pries**	priese	**gepriesen**	preis(e)!
기리다	*er* preist				
quellen*	*du* quillst	**quoll**	quölle	**gequollen**	quill!
솟다	*er* quillt				
rächen	*du* rächst	**rächte**	rächte	**gerächt**	räch(e)!
보복하다	*er* rächt			〔**gerochen**〕	
raten	*du* rätst	**riet**	riete	**geraten**	rat(e)!
조언하다	*er* rät				
reiben	*du* reibst	**rieb**	riebe	**gerieben**	reib(e)!
마찰하다	*er* reibt				
reißen	*du* reiß(es)t	**riß**	risse	**gerissen**	reiß(e)!
찢다	*er* reißt				
reiten	*du* reit(e)st	**ritt**	ritte	**geritten**	reit(e)!
말타다	*er* reitet				
rennen	*du* rennst	**rannte**	rennte	**gerannt**	renn(e)!
달리다	*er* rennt				
riechen	*du* riechst	**roch**	röche	**gerochen**	riech(e)!
냄새피우다	*er* riecht				
ringen	*du* ringst	**rang**	ränge	**gerungen**	ring(e)!
격투하다	*er* ringt				
rinnen	*du* rinnst	**rann**	ränne	**geronnen**	rinn(e)!
흐르다	*er* rinnt				
rufen	*du* rufst	**rief**	riefe	**gerufen**	ruf(e)!
부르다	*er* ruft				

不定形	直說法 現在	直說法 過去	接續法 過去	過去分詞	命令法
salzen 소금에절이다	*du* salz(es)t *er* salzt	**salzte**	salzte	**gesalzen** **〔gesalzt〕**	salz(e)!
saufen 물 마시다	*du* säufst *er* säuft	**soff**	söffe	**gesoffen**	sauf(e)!
saugen 빨다	*du* saugst *er* saugt	**sog** **〔saugte〕**	söge 〔saugte〕	**gesogen** **〔gesaugt〕**	saug(e)!
schaffen* 창조하다	*du* schaffst *er* schafft	**schuf**	schüfe	**geschaffen**	schaff(e)!
schallen 울리다	*du* schallst *er* schallt	**schallte** **〔scholl〕**	schallte 〔schölle〕	**geschallt** **〔geschol-len〕**	schall(e)!
scheiden 나누다	*du* scheidest *er* scheidet	**schied**	schiede	**geschieden**	scheid(e)!
scheinen 빛나다	*du* scheinst *er* scheint	**schien**	schiene	**geschienen**	schein(e)!
scheißen 변보다	*du* scheiß(es)t *er* scheißt	**schiß**	schisse	**geschissen**	scheiß(e)!
schelten 꾸짖다	*du* schiltst *er* schilt	**schalt**	schölte 〔schälte〕	**gescholten**	schilt!
scheren 수염 깍다	*du* schierst 〔scherst〕 *er* schiert 〔schert〕	**schor** **〔scherte〕**	schöre 〔scherte〕	**geschoren** **〔geschert〕**	schier! 〔scher(e)!〕
schieben 밀다	*du* schiebst *er* schiebt	**schob**	schöbe	**geschoben**	schieb(e)!
schießen 쏘다	*du* schieß(es)t *er* schießt	**schoß**	schösse	**geschossen**	schieß(e)!
schinden 가죽 벗기다	*du* schindest *er* schindet	**schund** **〔schand〕**	schünde	**geschunden**	schind(e)!
schlafen 잠자다	*du* schläfst *er* schläft	**schlief**	schliefe	**geschlafen**	schlaf(e)!
schlagen 치다	*du* schlägst *er* schlägt	**schlug**	schlüge	**geschlagen**	schlag(e)!
schleichen 살금살금걷다	*du* scleichst *er* schleicht	**schlich**	schliche	**geschlichen**	schleich(e)!
schleifen* 닦다	*du* schleifst *er* schleift	**schliff**	schliffe	**geschliffen**	schleif(e)!
schleißen 찢다	*du* schleiß(es)t *er* schleißt	**schliß** **〔schleißte〕**	schlisse 〔schleißte〕	**geschlissen** **〔ge-schleißt〕**	schleiß(e)!
schliefen 미끄러져가다	*du* schliefst *er* schlieft	**schloff**	schlöffe	**geschloffen**	schlief(e)!
schließen 닫다	*du* schließ(es)t *er* schließt	**schloß**	schlösse	**geschlossen**	schließ(e)!
schlingen 삼키다, 짜다	*du* schlingst *er* schlingt	**schlang**	schlänge	**geschlun-gen**	schling(e)!
schmeißen 던지다	*du* schmeiß(es)t *er* schmeißt	**schmiß**	schmisse	**geschmis-sen**	schmeiß(e)!
schmelzen* 녹다	*du* schmilz(es)t *er* schmilzt	**schmolz**	schmölze	**geschmol-zen**	schmilz!
schnauben 콧숨쉬다	*du* schnaubst *er* schnaubt	**schnaubte** **〔schnob〕**	schnaubte 〔schnöbe〕	**geschnaubt** **〔geschno-ben〕**	schaub(e)!
schneiden 끊다	*du* schneidest *er* schneidet	**schnitt**	schnitte	**geschnit-ten**	schneid(e)!
schrauben 비틀다	*du* schraubst *er* schraubt	**schraubte** **〔schrob〕**	schraubte 〔schröbe〕	**geschraubt** **〔geschro-ben〕**	schraub(e)!
schrecken* 놀라다	*du* schrickst *er* schrickt	**schrak**	schräke	**ersch-rocken〔ge-schrocken〕**	schrick!
schreiben 쓰다	*du* schreibst *er* schreibt	**schrieb**	schriebe	**geschrie-ben**	schreib(e)!
schreien 외치다	*du* schreist *er* schreit	**schrie**	schriee	**ge-schrie(e)n**	schrei(e)!

不 定 形	直 說 法		接 續 法	過去分詞	命 令 法
	現 在	過 去	過 去		
schreiten 걷다	*du* schreitest *er* schreitet	**schritt**	schritte	**geschritten**	schreit(e)!
schrinden 쪼개지다	*du* schrindest *er* schrindet	**schrund**	schründe	**geschrun- den**	schrind(e)!
schroten* 토막치다	*du* schrot(e)st *er* schrotet	**schrotete**	schrotete	**geschroten**	schrot(e)!
schwären 곪다	*es* schwärt 〔schwiert〕	**schwor**	schwöre	**geschwo- ren**	schwier! 〔schwär(e)!〕
schweigen* 침묵하다	*du* schweigst *er* schweigt	**schwieg**	schwiege	**geschwie- gen**	schweig(e)!
schwellen* 부풀다	*du* schwillst *er* schwillt	**schwoll**	schwölle	**geschwol- len**	schwill!
schwimmen 헤엄치다	*du* schwimmst *er* schwimmt	**schwamm**	schwömme 〔schwämme〕	**geschwom- men**	schwim- m(e)!
schwinden 꺼지다	*du* schwindest *er* schwindet	**schwand**	schwände	**geschwun- den**	schwind(e)!
schwingen 흔들다	*du* schwingst *er* schwingt	**schwang**	schwänge	**geschwun- gen**	schwing(e)!
schwören 서약하다	*du* schwörst *er* schwört	**schwur** 〔**schwor**〕	schwüre	**geschwo- ren**	schwör(e)!
sehen 보다	*du* siehst *er* sieht	**sah**	sähe	**gesehen**	sieh(e)!
sein 이다, 있다	*ich* bin *du* bist *er* ist *wir* sind *ihr* seid *sie* sind	**war**	wäre	**gewesen**	sei!
senden 보내다	*du* sendest *er* sendet	**sandte** 〔**sendete**〕	sendete	**gesandt** 〔**gesendet**〕	send(e)!
sieden 끓(이)다	*du* siedest *er* siedet	**sott** 〔**siedete**〕	sötte 〔siedete〕	**gesotten**	sied(e)!
singen 노래하다	*du* singst *er* singt	**sang**	sänge	**gesungen**	sing(e)!
sinken 가라앉다	*du* sinkst *er* sinkt	**sank**	sänke	**gesunken**	sink(e)!
sinnen 생각하다	*du* sinnst *er* sinnt	**sann**	sänne 〔sönne〕	**gesonnen**	sinn(e)!
sitzen 앉아 있다	*du* sitz(es)t *er* sitzt	**saß**	säße	**gesessen**	sitz(e)!
sollen 해야 하다	*ich* soll *du* sollst *er* soll	**sollte**	sollte	**gesollt**	
spalten 쪼개다	*du* shalt(e)st *er* spaltet	**spaltete**	spaltete	**gespalten** 〔**gespaltet**〕	spalt(e)!
speien 토하다	*du* spei(e)st *er* speit	**spie**	spiee	**gespie(e)n**	spei(e)!
spinnen 잣다	*du* sninnst *er* spinnt	**spann**	spönne 〔spänne〕	**gesponnen**	spinn(e)!
spleißen 쪼다	*du* spleiß(es)t *er* spleißt	**spliß** 〔**spleißte**〕	splisse 〔spleißte〕	**gesplissen** 〔**gespleißt**〕	spleiß(e)!
sprechen 말하다	*du* sprichst *er* spricht	**sprach**	späche	**gesprochen**	sprich!
sprießen 싹을 내다	*du* sprieß(es)t *er* sprießt	**sproß**	sprösse	**gesprossen**	sprieß(e)!
springen 뛰다	*du* springst *er* springt	**sprang**	spränge	**gesprungen**	spring(e)!
stechen 찌르다	*du* stichst *er* sticht	**stach**	stäche	**gestochen**	stich!
stecken* 꽂혀 있다	*du* steckst 〔stickst〕 *er* steckt 〔stickt〕	**stak** 〔**steckte**〕	stäke 〔steckte〕	**gesteckt**	steck(e)! 〔stick!〕
steh(e)n 서 있다	*du* stehst *er* steht	**stand** 〔**stund**〕	stände 〔stünde〕	**gestanden**	steh(e)!

不定形	直說法		接續法	過去分詞	命令法
	現在	過去	過去		
stehlen 훔치다	*du* stiehlst *er* stiehlt	**stahl**	stöhle 〔stähle〕	**gestohlen**	stiehl!
steigen 오르다	*du* steigst *er* steigt	**stieg**	stiege	**gestiegen**	steig(e)!
sterben 죽다	*du* stirbst *er* stirbt	**starb**	stürbe	**gestorben**	stirb!
stieben 흩어지다	*du* stiebst *er* stiebt	**stob** 〔**stiebte**〕	stöbe 〔stiebte〕	**gestoben** 〔**gestiebt**〕	stieb(e)!
stinken 악취나다	*du* stinkst *er* stinkt	**stank**	stänke	**gestunken**	stink(e)!
stoßen 찌르다	*du* stöß(es)t *er* stößt	**stieß**	stieße	**gestoßen**	stoß(e)!
streichen 쓰다듬다	*du* streichst *er* streicht	**strich**	striche	**gestrichen**	streich(e)!
streiten 투쟁하다	*du* streitest *er* streitet	**stritt**	stritte	**gestritten**	streit(e)!
tragen 나르다	*du* trägst *er* trägt	**trug**	trüge	**getrangen**	trag(e)!
treffen 맞히다	*du* triffst er trifft	**traf**	träfe	**getroffen**	triff!
treiben 몰다	*du* treibst *er* treibt	**trieb**	triebe	**getrieben**	trieb(e)!
treten 밟다	*du* trittst *er* tritt	**trat**	träte	**getreten**	tritt!
triefen 듣다, 떨어지ㄴ다	*du* triefst *er* trieft	**troff** 〔**triefte**〕	tröffe 〔triefte〕	**getrieft** 〔**getroffen**〕	trief(e)!
trinken 마시다	*du* trinkst *er* trinkt	**trank**	tränke	**getrunken**	trink(e)!
trügen 속이다	*du* trügst *er* trügt	**trog**	tröge	**getrogen**	trüg(e)!
tun 하다	*ich* tue *du* tust *er* tut *wir* tun	**tat**	täte	**getan**	tu(e)!
verbleichen 빛이 바래다	*du* verbleichst *er* verbleicht	**verblich**	verbliche	**verblichen**	verblei- ch(e)!
verderben* 망하다	*du* verdirbst *er* verdirbt	**verdarb**	verdürbe	**verdorben**	verdirb!
verdrießen 화나게 하다	*du* verdrieß(es)t *er* verdrießt	**verdroß**	verdrösse	**verdrossen**	verdrieß(e)!
vergessen 잊다	*du* vergißt 〔vergissest〕 *er* vergißt	**vergaß**	vergäße	**vergessen**	vergiß!
verhehlen 숨기다	*du* verhehlst *er* verhehlt	**verhehlte**	verhehlte	**verhehlt** 〔**verhohlen**〕	verhehl(e)!
verlieren 잃다	*du* verlierst *er* verliert	**verlor**	verlöre	**verloren**	verlier(e)!
verwirren 혼란케 하다	*du* verwirrst *er* verwirrt	**verwirrte**	verwirrte	**verwirrt** 〔**verworren**〕	verwirr(e)!
wachsen 자라다	*du* wächs(es)t *er* wächst	**wuchs**	wüchse	**gewachsen**	wachs(e)!
wägen (무게를)달다	*du* wägst *er* wägt	**wog** 〔**wägte**〕	wöge 〔wägte〕	**gewogen** 〔**gewägt**〕	wäg(e)!
waschen 씻다	*du* wäsch(e)st *er* wäscht	**wusch**	wüsche	**gewaschen**	wasch(e)!
weben 짜다	*du* webst *er* webt	**webte** 〔**wob**〕	webte 〔wöbe〕	**gewebt** 〔**gewoben**〕	web(e)!
weichen* 대피하다	*du* weich(e)st *er* weicht	**wich**	wiche	**gewichen**	weich(e)!
weisen 가리키다	*du* weis(es)t *er* weist	**wies**	wiese	**gewiesen**	weis(e)!
wenden 돌리다	*du* wendest *er* wendet	**wandte** 〔**wendete**〕	wendete	**gewandt** 〔**gewendet**〕	wend(e)!
werben 구하다	*du* wirbst *er* wirbt	**warb**	würbe	**geworben**	wirb!

不 定 形	直 說 法		接 續 法	過去分詞	命 令 法
	現 在	過 去	過 去		
werden 되다	*du* wirst *er* wird	**wurde** 〔**ward**〕	würde	**geworden** 〔**worden**〕	werd(e)!
werfen 던지다	*du* wirfst *er* wirft	**warf**	würfe	**geworfen**	wirf!
wiegen* 무게를 달다	*du* wiegst *er* wiegt	**wog**	wöge	**gewogen**	wieg(e)!
winden 감다	*du* windest *er* windet	**wand**	wände	**gewunden**	wind(e)!
wissen 알다	*ich* weiß *du* weißt *er* weiß *ihr* wißt	**wußte**	wüßte	**gewußt**	wisse!
wollen 원하다	*ich* will *du* willst *er* will	**wollte**	wollte	**gewollt**	wolle!
wringen 짜다	*du* wringst *er* wringt	**wrang**	wränge	**gewrungen**	wring(e)!
zeihen 나무라다	*du* zeihst *er* zeiht	**zieh**	ziehe	**geziehen**	zeih(e)!
ziehen 당기다	*du* ziehst *er* zieht	**zog**	zöge	**gezogen**	zieh(e)!
zwingen 강제하다	*du* zwingst *er* zwingt	**zwang**	zwänge	**gezwungen**	zwing(e)!

❖민중서림의 사전❖

사전	판형	면수	사전	판형	면수
•국 어 대 사 전	4×6배판	4,784면	•핸 디 한 영 사 전	3×5판	928면
•엣센스 국어사전	4×6판	2,856면	•핸디영한·한영사전	3×5판	1,904면
•엣센스 영한사전	4×6판	2,936면	•신 일 한 소 사 전	3×5판	1,056면
•엣센스 한영사전	4×6판	2,704면	•신 한 일 소 사 전	3×5판	1,120면
•엣센스 영영한사전	4×6판	2,048면	•일 한 · 한 일 사 전	3×5판	2,176면
•엣센스 일한사전	4×6판	2,848면	•신 독 한 소 사 전	3×5판	720면
•엣센스 한일사전	4×6판	2,136면	•신 한 독 소 사 전	3×5판	544면
•엣센스 독한사전	4×6판	2,784면	•독 한 · 한 독 사 전	3×5판	1,264면
•엣센스 한독사전	4×6판	2,104면	•신 불 한 소 사 전	3×5판	832면
•엣센스 불한사전	4×6판	2,208면	•한 독 사 전	신국판	2,104면
•엣센스 中韓辭典	4×6판	3,344면	•漢 韓 大 字 典	국 판	2,528면
•엣센스 스페인어사전	4×6판	1,816면	•漢 韓 大 字 典	크라운판	2,528면
•엣센스 한서사전	4×6판	2,776면	•민 중 活 用 玉 篇	3×6판	832면
•엣센스 국어사전[가죽]	4×6판	2,856면	•最 新 弘 字 玉 篇	4×6판	960면
•엣센스 영한사전[가죽]	4×6판	2,936면	•단 위 어 사 전	신국판	872면
•엣센스 한영사전[가죽]	4×6판	2,704면	•엣센스 한자사전	4×6판	2,448면
•엣센스 국어사전[특장판]	국 판	3,080면	•엣센스 기초한자사전	4×6판	608면
•엣센스 영한사전[특장판]	국 판	3,272면	•엣센스 실용한자사전	3×6판	1,380면
•엣센스 한영사전[특장판]	국 판	3,032면	•민중실용국어사전	4×6판	1,832면
•엣센스 일한사전[특장판]	국 판	3,328면	•초등학교 으뜸국어사전	3×6판	1,072면
•엣센스 한일사전[특장판]	국 판	2,552면	•초등학교 민중새국어사전	3×6판	1,024면
•엣센스 中國語 辭典[특장판]	국 판	3,344면	•영어사용법사전	국 판	1,752면
•신 일 한 사 전[예 해]	4×6판	1,154면	•엣센스 칼리지영한사전	4×6판	2,072면
•신 한 일 사 전[예 해]	4×6판	1,168면	•엣센스 실용영한사전	4×6판	1,888면
•엣센스 실용일한사전	4×6판	1,864면	•엣센스 실용한영사전	4×6판	1,936면
•엣센스 日本語漢字읽기사전	4×6판	2,080면	•엣센스 영어숙어사전	국 판	1,440면
•일본外來語·カタカナ語사전	4×6판	1,536면	•엣센스 실용영어회화사전	국 판	1,400면
•포 켓 영 한 사 전	3×6판	976면	•엣센스 생활영어회화	국 판	720면
•포 켓 한 영 사 전	3×6판	928면	•엣센스 실용포르투갈어회화사전	4×6판	884면
•포켓영한·한영사전	3×6판	1,904면	•엣센스 여행7개국어회화	4×6판	576면
•포 켓 한 서 사 전	3×6판	1,096면	•엣센스 실용일본어회화사전	4×6판	1,240면
•포켓스페인어사전	3×6판	1,184면	•엣센스 현대중국어회화사전	국 판	1,270면
•엣센스 신일한소사전[포켓판]	3×6판	1,056면	•고교영어 단숙문 어어법 총정리	3×6판	1,176면
•엣센스 신한일소사전[포켓판]	3×6판	1,120면	•엣센스 수능영어사전	4×6판	960면
•엣센스 일한·한일사전[포켓판]	3×6판	2,176면	•엣센스 어린이영어사전	국 판	544면
•엣센스 新韓中소사전[포켓판]	3×6판	416면	•엣센스 초등영어사전	크라운판	488면
•엣센스 韓中활용사전	3×6판	1,184면	•엣센스 초등한자사전	크라운판	424면
•신 영 한 소 사 전	3×5판	976면	•엣센스 중학수학풀이사전	4×6배판	712면
•신 한 영 소 사 전	3×5판	928면	•엣센스 중학영한사전	4×6판	1,088면
•핸 디 영 한 사 전	3×5판	976면	•러한전문용어사전	4×6판	760면

MINJUNGS
DEUTSCH-KOREANISCHES KOREANISCH-DEUTSCHES WÖRTERBUCH

Beide Teile in einem Band

民衆
獨韓·韓獨辭典

民衆書林 編輯局 編

MINJUNGSEORIM

머 리 말

사전도 하나의 살아 있는 생명체로 생각할 수 있는 만큼, 그 역시 세월이 흘러 감에 따라 자연히 노화(老化)하게 됨을 면치 못한다고 하겠다. 더군다나 현대와 같이 빠른 속도로 유동(流動)하는 사회 정세 속에서는 거기에 연동(連動)하여 변화하는 언어(言語)의 형상을 지체없이 포착하여 정확하게 반영(反映)하는 것이 사전(辭典)의 바람직한 상(像)임을 감안할 때, 이제 늦게나마 "신독한 소사전(新獨韓小辭典)"의 개정판을 세상에 내놓게 되니 스스로 다행하게 여기지 않을 수 없다.

개정 신판을 엮음에 있어서, 우리는 구판(舊版)의 체재를 되도록 살리면서, 「최소 한도의 스페이스에 최대 한도의 내용」을 담는다는 소사전 시리즈의 모토를 충분히 살리기에 힘썼다. 구판의 오류(誤謬)를 바로잡고, 부족한 어휘를 늘리며, 소홀히 넘겼던 불통일(不統一)을 시정하는 과정을 거쳤음은 말할 나위도 없겠다.

단조롭고 번잡한 편집 업무를 마무리짓는 시점에서 새삼스럽게 이 사전의 편찬 목표를 간추려 보면 다음과 같이 되겠다.

1. 지면(紙面)이 허용하는 한 한도껏 판면(版面)을 키움으로써, 한 면이 포용(包容)하는 활자의 양을 최대로 증가시켰다.
2. 표제어(標題語)를 늘리는 데에는 새 시대를 반영하는 새말, 각 방면에 걸치는 현대 독일어를 중요시하였음은 물론, 구판에서 지면 제약으로 미처 수록하지 못했던 말들도 대담하게 다수 채록하였다.
3. 표제어의 배열에 있어서는 ABC 순에 지장이 없는 한 같은 어원(語源)에 속하는 단어들을 한데 묶어 중간 표제어(中間標題語)로 이어 짬으로써, 지면의 절약을 기하며 아울러 말의 구성(構成)과 계통을 한눈에 알아볼 수 있게 하였다.
4. 표제어마다 부호로써 악센트와 장음 표시를 하고, 단일어(單一語)에는 일일이 음표 문자(音標文字)로써 발음을 명기하여 독일어를 처음 배우는 이의 사용상의 편의를 도모하였다.
5. 어학 사전(語學辭典)으로 불가결한 어원(語源)을 명시함으로써 말의 기본적 이해를 돕게 하였으며, 동의어(同意語)

와 반의어(反意語)를 열기(列記)함으로써 쌍해 사전(雙解辭典)의 구실을 겸하게 하였다.

6. 독일어를 배우기 전에 이미 중학 과정에서 영어를 습득한 터일 것이므로, 대응하는 영어를 곁들여서 고급 사전으로서의 면모를 갖추었다.

7. 역어(譯語)는 평이한 현대어로써 시대 감각과 세련미를 아울러 지니도록 다듬었다.

8. 중요한 어의(語義)는 고딕체로 표시하여 시각적으로 한눈에 들어오게 하였다.

개정판을 꾸미면서, 구판에 부록(附錄)으로 실었었던 150면(面)의 「한독편(韓獨篇)」을 떼어 버리고, 따로 독립된 소사전으로서 「신한독 소사전」을 새로 내기로 하였다. 자매편인 이 두 소사전이 독일어의 습득과 실용에 좋은 반려(伴侶)가 되기를 간절히 기원한다.

우리는 새로운 면모를 갖추어 햇빛을 보게 된 이 개정 신판 소사전을 바탕으로 하여, 꾸준히 완벽한 사전으로 육성해 나가도록 다짐하는 바이다.

1982 년 1 월 일

민중 서림 편집국